RÖMPP
LEXIKON

Chemie

10., völlig überarbeitete Auflage

Herausgeber:
Jürgen Falbe
Manfred Regitz

Band 1	**A – Cl**	1996
Band 2	**Cm – G**	1997
Band 3	**H – L**	1997
Band 4	**M – Pk**	1998
Band 5	**Pl – S**	1998
Band 6	**T–Z**	1999

Biotechnologie
1992

Umwelt
1993

Lebensmittelchemie
1995

Naturstoffe
1997

Lacke und Druckfarben
1997

Xi 	Xn 	T 	T+ 		N 
Reizend	Gesundheits-schädlich	Giftig	Sehr Giftig	Radioaktiv	Umweltgefährlich

MAK	Maximale Arbeitsplatz-Konzentration
max.	maximal
Meth.	Methode
MHK	minimale Hemmkonzentration
MIK	Maximale Immissions-Konzentration
min	Minute
mind.	mindestens
Mio.	Million
Modif.	Modifikation
mol.	molekular
Mol.	Molekül
M_R	relative mol(ekul)are Masse (Molmasse)
Mrd.	Milliarde
Nachw.	Nachweis
n	Brechungsindex
neg.	negativ
od.	oder
Oxid.	Oxidation
p.o.	peroral, per os
pos.	positiv
ppb	parts per billion = 10^{-9}
ppm	parts per million = 10^{-6}
ppt	parts per trillion = 10^{-12}
Präp.	Präparat
prim	primär
qual.	qualitativ
quant.	quantitativ
®	Marke, Warenzeichen
Red.	Reduktion
Rp	verschreibungspflichtig
S	spanische Bezeichnung
S.	Seite
s	Sekunde
s. (S.)	siehe
s.c.	subcutan
Schmp.	Schmelzpunkt (Fusionspunkt)
Sdp.	Siedepunkt (Kochpunkt)
sek.	sekundär
Selbsteinst.	Klassifizierung in WGK gemäß Konzept zur Selbsteinstufung des VCI
sog.	sogenannt(e)
Subl.	Sublimation
subl.	sublimiert
Synth.	Synthese
Syst.	System
SZ	Säure-Zahl
Tab.	Tabelle
Tabl.	Tabletten
teilw.	teilweise
Temp.	Temperatur
tert.	tertiär
TH	Technische Hochschule
Tl.	Teil, Teile
TRgA	Technische Regeln für gefährliche Arbeitsstoffe
TRK	Technische Richtkonzentration
TU	Technische Universität
u.	und
Univ.	Universität
unlösl.	unlöslich
v.a.	vor allem
Vak.	Vakuum
Verb.	Verbindung
verd.	verdünnt
Verf.	Verfahren
Verl.	Verlag
Verw.	Verwendung
vgl. (Vgl.)	vergleiche, Vergleich(e)
VO	Verordnung
Vol.	Volumen
Vork.	Vorkommen
VZ	Verseifungszahl
wäss.	wäßrig
WGK	Wasser-Gefährdungs-Klasse
WHO	World Health Organization
Zers.	Zersetzung
*	als Stichwort in diesem Werk behandelt
°C	Grad Celsius

Chemie

10., völlig überarbeitete Auflage

Herausgeber

Prof. Dr. Jürgen Falbe
Prof. Dr. Manfred Regitz

Bearbeitet von

Dr. Eckard Amelingmeier
Dr. Michael Berger
Dr. Uwe Bergsträßer
Dr. Helmut Blome
Prof. Dr. Alfred Blume
Prof. Dr. Henning Bockhorn
Prof. Dr. Peter Botschwina
Dr. Jörg Falbe
Dr. Jürgen Fink
Dr. Hans-Jochen Foth
Dr. Burkhard Fugmann
Prof. Dr. Susanne Grabley
Dr. Ubbo Gramberg
Prof. Dr. Hermann G. Hauthal
PD Dr. Hans-Wolfgang Helb
Dr. Heinrich Heydt
Dr. Claudia Hinze
Dr. Kurt Hussong
Cornelia Imming
PD Dr. Peter Imming
Dr. Martin Jager
Dr. Margot Janzen
Prof. Dr. Claus Klingshirn
Dr. Herbert Lamp
Dr. Susanne Lang-Fugmann
Prof. Dr. Michael Lindemann
Dr. Gisela Lück
Dr. Thomas Neumann
Dr. Gustav Penzlin
Dr. Reinhard Philipp
Dr. Matthias Rehahn
Dr. Karsten Schepelmann
PD Dr. Eberhard Schweda
Prof. Dr. Helmut Sitzmann
PD Dr. Ralf Thiericke
Dr. Christa Wagner-Klemmer
Dr. Bernd Weber
Dr. Gotthelf Wolmershäuser

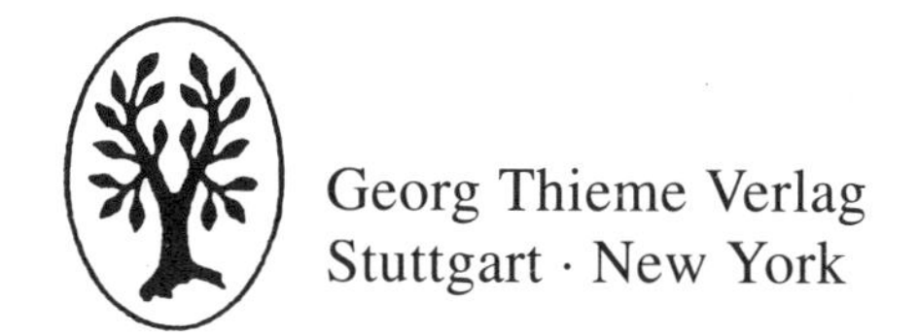
Georg Thieme Verlag
Stuttgart · New York

Redaktion:
Dr. Martina Bach
Ute Rohlf
Dr. Barbara Frunder
Dr. Susanne Dieterich
Georg Thieme Verlag
Rüdigerstraße 14
70469 Stuttgart

Übersetzungen:
Karina Gobbato
Jean-Louis Servant
Dr. Salvatore Venneri

Zolltarif-Codenummern:
Karl Kettnaker

Grafik:
Hanne Haeusler
Kornelia Wagenblast
Ruth Hammelehle

Einbandgestaltung: Dominique Loenicker

Die Deutsche Bibliothek – CIP-Einheitsaufnahme

Römpp-Lexikon Chemie / Hrsg.: Jürgen Falbe ;
Manfred Regitz. Bearb. von Eckard Amelingmeier ... –
Stuttgart ; New York : Thieme.
9. Aufl. u.d.T.: Römpp-Chemie-Lexikon
Bd. 5. Pl–S / [Red.: Martina Bach ... Übers.:
Karina Gobbato ...]. – 10., völlig überarb. Aufl. – 1999

1.–5. Auflage (1947–1962) Dr. H. Römpp
6. Auflage (1966) Dr. E. Ühlein
7. u. 8. Auflage (1972/1979) Dr. O.-A. Neumüller
9. Auflage (1992) Prof. Dr. J. Falbe u. Prof. Dr. M. Regitz

Gesamtherstellung:
Konrad Triltsch GmbH
Graphischer Betrieb, Würzburg

Gedruckt auf Permaplan, archivierfähiges Werkdruckpapier aus chlorfrei gebleichtem Zellstoff von Gebrüder Buhl Papierfabriken, Ettlingen.

ISBN 3-13-735010-7 (Band 5)
ISBN 3-13-107830-8 (Band 1–6)

1 2 3 4 5 6

Hinweise für die Benutzung

Alphabet

Im Römpp Chemie Lexikon folgt die Einordnung der Stichwörter dem ABC der DIN-Norm 5007: 1962-11, d.h. Umlaute werden wie ae, oe, ue behandelt. Griechische Buchstaben gehen den lateinischen, klein geschriebene den Großbuchstaben voraus (*Beisp.*: rh, rH, Rh, RH). Bei Eigennamen werden Adelsprädikate u. ähnliche Namensbestandteile im allgemeinen bei der Einordnung unberücksichtigt gelassen. Vorsilben wie primär-, cis-, endo- u. dgl. werden in der alphabetischen Einordnung der Stammverbindungen zunächst übergangen; sie werden ebenso wie α- (alpha), o- (ortho), N- (Stickstoff) u. dgl. als Sortiermerkmale erst innerhalb der Einzelwörter wirksam. Ziffern bleiben bei der Einreihung eines Stichworts zunächst ebenfalls unberücksichtigt.

Schreibweise

Als Schreibweise der Fachbegriffe wird jeweils die derzeit im wissenschaftlichen Schrifttum gebräuchlichste gewählt. Wird ein Wort mit k oder z nicht an der erwarteten Stelle gefunden, so sehe man unter c nach und umgekehrt, das gleiche gilt für Ä.- bzw. Ö- und E-Schreibweise.

Abkürzungen

Die in der aufgeführten Zusammenstellung nicht enthaltenen Abkürzungen sind im Buch an den betreffenden Stellen des Alphabets erläutert. Wird ein Stichwort im darauffolgenden Text wiederholt, so ist als Abkürzung vielfach nur der Anfangsbuchstabe (also etwa A., B. usw.) od. ein geläufiges Akronym (z.B. GDCh) eingesetzt. Die adjektivische Endung „isch" ist häufig abgekürzt und durch einen Punkt ersetzt worden.

Marken (Warenzeichen) und Bezugsquellen

Im Chemie Lexikon sind die eingetragenen Marken nach bestem Wissen mit dem nachgestellten Symbol ® gekennzeichnet. Fehlt dieser Hinweis, so kann daraus *nicht* geschlossen werden, daß die betreffende Bezeichnung im Sinne der Warenzeichen- und Markenschutz-Gesetzgebung als frei zu betrachten wäre und daher von jedermann benutzt werden dürfte. Umgekehrt können aus der irrtümlichen Kennzeichnung einer Benennung mit ® in diesem Werk keine Schutzrechte abgeleitet werden.

Die 10. Auflage des Chemie Lexikons nennt Bezugsquellen nur für eingetragene *Marken *(®). Lieferanten- und Herstellerverzeichnisse für andere Chemikalien befinden sich bei den Stichworten *Bezugsquellenverzeichnisse u. *Chemikalien.

Literaturzitate

Die im Stichworttext zu einem speziellen Aspekt der Abhandlung erwähnten Fremdzitate sind mit einem Index versehen und im zugehörigen Literaturteil (z.B. *Lit.*[1]) aufgeführt; anschließend folgen in alphabetischer Ordnung diejenigen Zitate, die sich mit dem besprochenen Begriff insgesamt beschäftigen (*allg.:*). Die Zitierweise erfolgt in Anlehnung an Chemical Abstracts Service. Herausgeberwerke sind unter dem Personennamen aufgenommen u. nicht unter dem Sachtitel, da dieser meist nicht so einprägsam ist (Landolt-Börnstein statt: Zahlenwerte und Funktionen...). Bei mehr als zwei Autoren ist zumeist nur der erste mit dem Zusatz „et al." aufgeführt.

Codenummern des Zolltarifs

Bei der Mehrzahl der chemischen Verbindungen bzw. Waren finden sich am Schluß des Literaturteils die *kursiv* gesetzte, in eckige Klammern eingeschlossene und mit *HS* gekennzeichnete Angabe des Codes der Nomenklatur des im Januar 1988 in Kraft getretenen Harmonisierten Systems zur internationalen Bezeichnung und Codierung von Waren. Die Angaben erfolgen nach bestem Wissen und Gewissen, aber ohne Gewähr.

Gefahrenklassen

Für den Transport *gefährlicher Güter auf der Straße, auf Schienen-, Wasser- u. Luftwegen existieren eine Reihe von Bestimmungen (s.a. das Stichwort *Transportbestimmungen). In der BRD sind die wichtigsten dieser Bestimmungen die GGVE (Gefahrgutverordnung Eisenbahn = Verordnung über die innerstaatliche und grenzüberschreitende Beförderung gefährlicher Güter mit Eisenbahnen) und die GGVS (Gefahrgutverordnung Straßen = Verordnung über die innerstaatliche und grenzüberschreitende Beförderung gefährlicher Güter auf Straßen). Allen gemeinsam ist die Einteilung der Güter in sog. Gefahrklassen. Die hier ebenfalls nach bestem Wissen u. Gewissen, aber ohne Gewähr gemachten Angaben der Gefahrenklassen finden sich am Ende des Literaturteils, ggf. hinter der CAS-Nr., in eckige Klammern eingeschlossen u. durch *G* gekennzeichnet.

MAK- und TRK-Werte

Die im Chemie Lexikon gemachten Angaben über die Einstufung giftiger Stoffe und Zubereitungen nach der *Gefahrstoffverordnung wie *MAK-, *BAT-, *TRK-Wert sowie LD_{50} (s. Letale Dosis), nach oraler Gabe, erfolgen nach bestem Wissen und Gewissen. Soweit zugänglich wurden auch wichtige Umweltparameter wie Wasser-Gefährdungs-Klasse (*WGK), Angaben zur *biologischen Abbaubarkeit und *Lipid-Löslichkeit aufgenommen.

Häufig zitierte Werke

ACHEMA-Jahrb. **1988**, 2172	Achema-Jahrbuch 88, Frankfurt: DECHEMA 1988 (hier Nr. 2172 des Teiles „Wer weiß über was Bescheid?"; analog **1991** für die Ausgabe 91 bzw. **1994** für die Ausgabe 1994; erscheint alle 3 Jahre)
Analyt.-Taschenb. **5**, 100	Analytiker-Taschenbuch, Berlin: Springer seit 1980 (hier Bd. 5, S. 100)
ApSimon **1**, 100	ApSimon (Hrsg.), The Total Synthesis of Natural Products, Bd. 1–9, New York: Wiley 1973–1992 (hier Bd. 1, S. 100)
Arzneimittelchemie II, 100	Schröder et al., Arzneimittelchemie (3 Bd.), Stuttgart: Thieme 1976 (hier Bd. II, S. 100)
ASP	Dinnendahl u. Fricke (Hrsg.), Arzneistoffprofile, Basisinformation über arzneiliche Wirkstoffe im Auftrag der Arbeitsgemeinschaft für Pharmazeutische Information (API), Loseblattsammlung, das Werk ist alphabetisch geordnet; Stammlieferung 1982 mit 1.–11. Ergänzungslieferung Januar 1996
Barton-Ollis **1**, 100	Barton u. Ollis, Comprehensive Organic Chemistry, Vol. 1–6, Oxford: Pergamon Press 1979 (hier Bd. 1, S. 100)
Batzer **3**, 100	Batzer, Polymere Werkstoffe, Bd. 1–3, Stuttgart: Thieme 1984/1985 (hier Bd. 3, S. 100)
Bauer et al. (2.), S. 100	Bauer, Garbe u. Surburg, Common Fragrance and Flavour Materials – Preparations, Properties and Uses, 2. Aufl., Weinheim: VCH Verlagsges. 1990 (hier S. 100)
Beilstein E IV **7**, 5000	Beilsteins Handbuch der Organischen Chemie, 4. Aufl., Berlin: Springer seit 1918 (hier 4. Ergänzungswerk, Bd. 7, 1969, S. 5000; analog E III/IV **17** für das 3./4. u. E V **17/11** für das 5. Ergänzungswerk)
Belitz-Grosch (4.), S. 100	Belitz u. Grosch, Lehrbuch der Lebensmittelchemie, 4. Aufl., Berlin: Springer 1992 (hier S. 100)
Blaue Liste, S. 100	Blaue Liste, Inhaltsstoffe kosmetischer Mittel (Hrsg.: Fiedler et al.), Aulendorf: Editio Cantor 1989 (hier S. 100)
Brauer **1**, 100	Brauer, Handbuch der Präparativen Anorganischen Chemie, Bd. 1–2, Stuttgart: Enke 1960, 1962 [hier Bd. 1, S. 100; analog (3.) für die 3. Aufl. 1975–1981; Nachfolgewerk ab 1996 s. Herrmann-Brauer]
Braun-Dönhardt, S. 100	Braun u. Dönhardt, Vergiftungsregister, Stuttgart: Thieme 1975 (hier S. 100)
Braun-Frohne (5.), S. 100	Braun (Hrsg.), Heilpflanzen-Lexikon für Ärzte und Apotheker, 4. Aufl., Stuttgart: Fischer 1981 [hier S. 100; analog Braun-Frohne (5.) für die 5. Aufl. 1987 bzw. Braun-Frohne (6.) für die 6. Aufl. 1994]
Büchner et al. (2.), S. 100	Büchner et al., Industrielle Anorganische Chemie, 2. Aufl., Weinheim: VCH Verlagsges. 1986 (hier S. 100).
Büchner et al., S. 100	Büchner et al., Industrial Inorganic Chemistry, Weinheim: VCH Verlagsges. 1988 (hier S. 100)
Carey-Sundberg, S. 100	Carey u. Sundberg, Organische Chemie, Weinheim: VCH Verlagsges. 1995 (hier S. 100)
Compr. Polym. Sci. **5**, 100	Allen u. Bevington, Comprehensive Polymer Science, Vol. 1–7, Oxford: Pergamon Press 1989 (hier Bd. 5, S. 100)
Cowie, S. 100	Cowie, Chemie u. Physik der synthetischen Polymeren, Braunschweig-Wiesbaden: F. Vieweg Verlagsges. 1997 (hier S. 100)
Crueger-Crueger (3.), S. 100	Crueger u. Crueger, Biotechnologie-Lehrbuch der angewandten Mikrobiologie, 3. Aufl., München: Oldenbourg 1989 (hier S. 100)
DAB **1997**	Deutsches Arzneibuch, 10. Ausgabe, mit Ergänzungen (Stand: 4. Ergänzung 05/1995), Frankfurt: Govi 1991 (analog DAB **10/1** für die 1. Ergänzung der 10. Ausgabe; analog Komm. **10** für den Kommentar zur 10. Ausgabe; alphabetisch); analog DAB 1997 für die 11. Aufl. (Loseblatt-

	sammlung), Stuttgart u. Eschborn: Deutscher Apotheker-Verl. und Govi-Verl. 1997
Deer et al. (2.), S. 100	Deer, Howie u. Zussmann, An Introduction to the Rock Forming Minerals, 2. Aufl., Harlow (England): Longman Scientific & Technical 1992 (hier S. 100)
Domininghaus (5.), S. 100	Domininghaus, Die Kunststoffe u. ihre Eigenschaften, 5. Aufl., Berlin: Springer 1988 (hier S. 100)
Ehrhart-Ruschig, S. 100	Ehrhart u. Ruschig, Arzneimittel, Weinheim: Verl. Chemie 1968 [hier S. 100; analog (2.) **1** für Bd. 1 der 2. Aufl., Bd. 1–5, 1972]
Elias, S. 100	Elias, Makromoleküle, 4. Aufl., Basel: Hüthig u. Wepf 1981 [hier S. 100; analog Elias (5.) **1**, 100 für Bd. 1 der 5. Aufl., 2 Bd., 1990/1992]
Elsevier **14**, 100	Elsevier's Encyclopaedia of Organic Chemistry, Series III: Carboisocyclic Condensed Compounds (Bd. 12, 13 u. 14 mit Teilbänden u. Supplementen), Amsterdam: Elsevier 1940–1954, Berlin: Springer 1954–1969 [hier Bd. 14 (1949) S. 100; analog 14 S, S. 5000 S für Supplement 14]
Encycl. Gaz, S. 100	Encyclopédie des gaz (L'Air Liquide, Hrsg.), Amsterdam: Elsevier 1976 (hier S. 100)
Encycl. Polym. Sci. Eng. **7**, 100	Mark et al., Encyclopedia of Polymer Science and Engineering, New York: Wiley-Interscience 1985–1990 (hier Bd. 7, 1987, S. 100)
Encycl. Polym. Sci. Technol. **12**, 230	Mark, Gaylord u. Bikales, Encyclopedia of Polymer Sciences and Technology (18 Bd.), New York: Wiley-Interscience 1964–1978 (hier Bd. 12, 1971, S. 230; analog **S 1**, 100 für Supplement 1, 1977, S. 100; analog **S 2**, 1978)
Farm	Farm Chemicals Handbook, 37841 Enclid Ave., Meister Publishing Co., Willoughby, Ohio 44094 (erscheint jährlich in aktualisierter Aufl.)
Florey **6**, 100	Florey u. Brittain (Hrsg.), Analytical Profiles of Drug Substances and Excipients (23 Bd.), New York: Academic Press 1972–1992 (hier Bd. 6, S. 100)
Forth et al. (6.), S. 100	Forth, Henschler u. Rummel (Hrsg.), Allgemeine und spezielle Pharmakologie u. Toxikologie, 6. Aufl., Mannheim: BI Wissenschaftsverl. 1992 [hier S. 100; analog (7.) für die 7. Aufl. 1996 Spektrum Verlag]
Fries-Getrost, S. 100	Fries u. Getrost, Organische Reagenzien für die Spurenanalyse, Darmstadt: Merck 1975 (hier S. 100)
Giftliste	Roth u. Daunderer, Giftliste (mit Ergänzungen), Landsberg: ecomed seit 1981
Gildemeister **3a**, 100	Gildemeister u. Hoffmann, Die ätherischen Öle, 4. Aufl. (7 Bd. u. Teilbände), Berlin: Akademie-Verl. 1956–1968 (hier Bd. 3a, 1960, S. 100)
Gmelin	Gmelins Handbuch der Anorganischen Chemie, 8. Aufl., Weinheim: Verl. Chemie seit 1922, Berlin: Springer seit 1974
Gräfe, S. 100	Gräfe, Biochemie der Antibiotika, Heidelberg: Spektrum Akadem. Verl. 1992 (hier S. 100)
Hager (4.) **7b**, 100	Hagers Handbuch der Pharmazeutischen Praxis (List u. Hörhammer, Hrsg.), 4. Aufl., 1967–1989; Bruchhausen et al., 5. Aufl., 9 Bd., Berlin: Springer 1993–1995 [hier Bd. 7b, S. 100; analog (5.), S. 100 für die 5. Aufl.]
Handbook **56**, F 50	Handbook of Chemistry and Physics, Boca Raton: CRC Press (hier 56. Aufl., 1975, Abschnitt F, S. 50; analog 66. Aufl., 1985)
Hassner-Stumer, S. 100	Hassner u. Stumer, Organic Syntheses Based on Name Reactions and Unnamed Reactions, Oxford: Pergamon Press 1994 (hier S. 100)
Helwig-Otto II/100	Arzneimittel. Ein Handbuch für Ärzte und Apotheker, 8. Aufl., 1995, Stuttgart: Wissenschaftliche Verlagsges. (hier Bd. II/100)
Herrmann-Brauer **1**, 100	Herrmann u. Brauer, Synthetic Methods of Organometallic and Inorganic Chemistry, Vol. 1–8, Stuttgart: Thieme 1996 (hier Band 1, S. 100)
Hollemann-Wiberg (101.), S. 100	Hollemann u. Wiberg, Lehrbuch der Anorganischen Chemie, 101. Aufl., Berlin: de Gruyter 1995 (hier S. 100)
Hommel, Nr. 100	Hommel, Handbuch der gefährlichen Güter, 12. Aufl., Berlin: Springer 1997 (Loseblattsammlung)
Houben-Weyl **5/1a**, 100	Houben u. Weyl, Methoden der organischen Chemie, 4. Aufl., Stuttgart: Thieme seit 1952 (hier Bd. 5, Teilband 1a, 1970, S. 100; analog **E2** für den Erweiterungsband 2, 1982)
Hutzinger **1A**, 100	Hutzinger (Hrsg.), The Handbook of Environmental Chemistry, Berlin: Springer seit 1980 (hier Bd. 1A, 1980, S. 100)

Janistyn (3.) **1**, 100	Janistyn, Handbuch der Kosmetika und Riechstoffe, 3. Aufl., 3 Bd., Heidelberg: Hüthig 1978 (hier Bd. 1, S. 100)
Karrer, Nr. 100	Karrer et al., Konstitution und Vorkommen der organischen Pflanzenstoffe (exklusive Alkaloide), Basel: Birkhäuser 1958 (Hauptwerk), 1977 (Ergänzungs-Bd. 1), 1981 (Ergänzungs-Bd. 2/1), 1985 (Ergänzungs-Bd. 2/2) (hier Nr. 100)
Katritzky et al. **4**, 100	Katritzky, Meth-Cohn u. Rees, Comprehensive Organic Group Transformation, Vol. 1–7, Oxford: Elsevier Science 1995 (hier Bd. 4, S. 100)
Katritzky-Rees (2.) **1**, 100	Katritzky u. Rees, Comprehensive Heterocyclic Chemistry, 2. Aufl., Vol. 1–9, Oxford: Pergamon Press 1996 (hier Bd. 1, S. 100)
Kirk-Othmer (2.) **17**, 100	Kirk-Othmer (Hrsg.), Encyclopedia of Chemical Technology, 24 Bd., 2. Aufl., New York: Interscience 1963–1972; 3. Aufl., 26 Bd., New York: Wiley 1978–1984; 4. Aufl. seit 1992 [hier Bd. 17, S. 100; analog **S** für das Supplement; analog (3.) **1** für Bd. 1 der 3. Aufl. bzw. (4.) **1** für Bd. 1 der 4. Aufl.]
Kleemann-Engel (2.), S. 100	Kleemann u. Engel, Pharmazeutische Wirkstoffe, 2. Aufl., Stuttgart: Thieme 1982 (hier S. 100)
Knippers (6.), S. 100	Knippers, Molekulare Genetik, 6. Aufl., Stuttgart: Thieme 1995 (hier S. 100)
Korte (3.), S. 100	Korte, Lehrbuch der Ökologischen Chemie, Grundlagen u. Konzepte für die ökologische Beurteilung von Chemikalien, 3. Aufl., Stuttgart: Thieme 1992 (hier S. 100)
Krafft, S. 100	Krafft, Große Naturwissenschaftler, Düsseldorf: VCI 1986 (hier S. 100)
Kürschner (15.), S. 100	Kürschners Deutscher Gelehrten-Kalender, Berlin: de Gruyter (hier 15. Aufl., 1986, S. 100; analog 12. Aufl. 1976; 14. Aufl. 1983; 16. Aufl. 1992; 17. Aufl. 1996)
Laue-Plagens, S. 100	Laue u. Plagens, Namen- u. Schlagwortreaktionen in der Organischen Synthese, Stuttgart: Teubner 1995 (hier S. 100)
Lechner et al., S. 100	Lechner, Gehrke u. Nordmeier, Makromolekulare Chemie, Basel: Birkhäuser 1993 (hier S. 100)
Lexikon der Naturwissenschaftler, S. 100	Lexikon der Naturwissenschaftler, Heidelberg: Spektrum Akad. Verlag 1996.
Luckner (3.), S. 100	Luckner, Secondary Metabolism in Microorganisms, Plants and Animals, 3. Aufl., Berlin: Springer 1990 (hier S. 100)
MAK-Werte-Liste 1996	Deutsche Forschungsgemeinschaft, Senatskommission zur Prüfung gesundheitsschädlicher Arbeitsstoffe (Hrsg.), MAK- u. BAT-Werte-Liste 1996, Weinheim: VCH Verlagsges. 1996
Manske **11**, 100	The Alkaloids, Chemistry and Pharmacology, 51 Bd. bis 1998, Hrsg.: Manske u. Holmes, Bd. 1–4; Manske, Bd. 5–16; Manske u. Rodrigo, Bd. 17; Rodrigo, Bd. 18–20; Brossi, Bd. 21–40; Brossi u. Cordell, Bd. 41; Cordell, Bd. 42–44; Cordell u. Brossi, Bd. 45, New York: Academic Press seit 1950 (hier Bd. 11, S. 100)
March (4.), S. 100	March, Advanced Organic Chemistry, 4. Aufl., New York: Wiley 1992 (hier S. 100)
Martindale (29.), S. 100	Martindale, The Extra Pharmacopoeia (Reynolds, Hrsg.), 29. Aufl., London: The Pharmaceutical Press 1989 [hier S. 100; analog (30.) für die 30. Aufl. von 1993; analog (31.) für die 31. Aufl. 1997]
McKetta **24**, 100	McKetta, Encyclopedia of Chemical Processing and Design, New York: Dekker seit 1976 (hier Bd. 24, 1986, S. 100)
Merck-Index (12.), Nr. 1328	The Merck Index, An Encyclopedia of Chemicals, Drugs, and Biologicals, 12. Aufl., Whitehouse Station, N.J.: Merck & Co., Inc. 1996 (hier Nr. 1328)
Methodicum Chimicum **1**, 100	Methodicum Chimicum (Korte, Hrsg.), Bd. 1, 4–8, Stuttgart: Thieme 1976 (hier Bd. 1, S. 100)
Mutschler (7.), S. 100	Arzneimittelwirkungen. Lehrbuch der Pharmakologie und Toxikologie, 7. Aufl., Stuttgart: Wissenschaftliche Verlagsges. 1996 (hier S. 100)
Nachmansohn, S. 100	Nachmansohn u. Schmid, Die große Ära der Wissenschaft in Deutschland 1900–1933. Stuttgart: Wissenschaftliche Verlagsges. 1988 (hier S. 100)
Negwer (6.), Nr. 100	Negwer, Organic-Chemical Drugs and their Synonyms, 6. Aufl., Berlin: Akademie-Verl. 1987; New York: VCH Publishers 1987 [hier Nr. 100; auch Angabe der Seitenzahl möglich; analog (7.) für die 7. Aufl. 1994]

Neufeldt, S. 100	Neufeldt, Chronologie der Chemie 1800–1980, Weinheim: Verl. Chemie 1987 (hier S. 100)
Nicolaou, S. 100	Nicolaou u. Sorensen, Classics in Total Synthesis, Weinheim: VCH Verlagsges. 1996 (hier S. 100)
Odian (3.), S. 100	Odian, Principles of Polymerization, 3. Aufl., New York: J. Wiley & Sons, Inc. 1991 (hier S. 100)
Ohloff, S. 100	Ohloff, Riechstoffe u. Geruchssinn, Berlin: Springer 1990 (hier S. 100)
Organikum, S. 100	Organikum, 19. Aufl., Leipzig: Barth Verlagsges. 1993 (hier S. 100)
Paquette **1**, 100	Paquette, Encyclopedia of Reagents for Organic Synthesis, Vol. 1–8, Chichester: Wiley 1995 (hier Bd. 1, S. 100)
Pelletier **1**, 100	Pelletier (Hrsg.), Alkaloids, Chemical and Biological Perspectives, New York: Wiley 1983, Oxford: Pergamon 1994 (hier Bd. 1, S. 100)
Perkow	Perkow, Wirksubstanzen der Pflanzenschutz- und Schädlingsbekämpfungsmittel, Berlin: Parey seit 1971 (Loseblattwerk)
Pesticide Manual	The Pesticide Manual, A World Compendium (Incorporating the Agrochemical Handbook) (Worthing u. Hance, Hrsg.), 10. Aufl., Farnham: The British Crop Protection Council 1994
Pharm. Biol. **2**, 100	Pharmazeutische Biologie (Bd. 2–4), Stuttgart: Fischer [hier Bd. 2, 1980, S. 100); analog (2.) **3** bzw. (3.) **2** für die 2. bzw. 3. Aufl. 1984, 1985]
Ph. Eur. **1997**	Deutsche Ausgabe des Europäischen Arzneibuch, 3. Ausgabe 1997, Stuttgart u. Eschborn: Deutscher Apotheker-Verl. u. Govi-Verl. 1997
Pötsch, S. 100	Pötsch, Lexikon bedeutender Chemiker, Leipzig: VEB Bibliograph. Institut 1988 (hier S. 100)
Poggendorff **7b/3**, 100	Poggendorff, Biographisch-literarisches Handwörterbuch der exakten Naturwissenschaften, Leipzig: Barth seit 1863, Berlin: Akademie-Verl. (hier Bd. 7b, Teil 3, 1988, S. 100)
Präve et al. (4.), S. 100	Präve et al., Handbuch der Biotechnologie, 4. Aufl., München: Oldenburg 1994 (hier S. 100)
Ramdohr-Strunz, S. 100	Ramdohr u. Strunz, Klockmann's Lehrbuch der Mineralogie, 16. Aufl., Stuttgart: Enke 1978 (hier S. 100)
R.D.K. (3.), S. 100	Roth, Daunderer u. Kormann (Hrsg.), Giftpflanzen, Pflanzengifte, 3. Aufl., Landsberg: ecomed 1988 [hier S. 100; analog (4.) für die 4. Aufl. von 1994]
Rehm-Reed (2.) **1**, 100	Rehm et al., Biotechnology: a Multi-Volume Comprehensive Treatise, 2. Aufl., 12. Bd., Weinheim: VCH Verlagsges. seit 1992 (hier Bd. 1, S. 100; analog Rehm et al., Biotechnologie, 1. Aufl., 10 Bd., Weinheim: VCH Verlagsges. 1981)
Rippen	Rippen, Handbuch Umweltchemikalien, Landsberg: ecomed seit 1984
Römpp Lexikon Biotechnologie, S. 100	Dellweg, Schmidt u. Trommer (Hrsg.), Römpp Lexikon Biotechnologie, Stuttgart: Thieme 1992 (hier S. 100)
Römpp Lexikon Lacke u. Druckfarben, S. 100	Zorll (Hrsg.), Römpp Lexikon Lacke u. Druckfarben, Stuttgart: Thieme 1998 (hier S. 100)
Römpp Lexikon Lebensmittelchemie, S. 100	Eisenbrandt u. Schreier (Hrsg.), Römpp Lexikon Lebensmittelchemie, Stuttgart: Thieme 1995 (hier S. 100)
Römpp Lexikon Naturstoffe, S. 100	Steglich, Fugmann u. Lang-Fugmann (Hrsg.), Römpp Lexikon Naturstoffe, Stuttgart: Thieme 1997 (hier S. 100)
Römpp Lexikon Umwelt, S. 100	Hulpke, Koch u. Wagner (Hrsg.), Römpp Lexikon Umwelt, Stuttgart: Thieme 1993 (hier S. 100)
Roth u. Kormann, S. 100	Roth u. Kormann, Duftpflanzen – Pflanzendüfte, Landsberg: ecomed 1997 (hier S. 100)
Sax (8.), Nr. 100	Lewis (Hrsg.), Sax's Dangerous Properties of Industrial Materials, 8. Aufl., 3 Bd., New York: Van Nostrand Reinhold 1992 (hier Nr. 100; auch Angabe der Seitenzahl möglich)
Scheuer I **1**, 100	Scheuer, Marine Natural Products – Chemical and Biological Perspectives, Bd. 1–5, New York: Academic Press 1978–1983 (hier Bd. 1, S. 100)
Scheuer II **1**, 100	Scheuer, Bioorganic Marine Chemistry, 6 Bd., Berlin: Springer 1987–1992 (hier Bd. 1, S. 100)
Schlee (2.), S. 100	Schlee, Ökologische Biochemie, 2. Aufl., Berlin: Springer 1992 (hier S. 100)
Schlegel (7.), S. 100	Schlegel, Allgemeine Mikrobiologie, 7. Aufl., Stuttgart: Thieme 1992 (hier S. 100)
Schormüller, S. 100	Schormüller, Lehrbuch der Lebensmittelchemie, Berlin: Springer 1974 (hier S. 100)

Schröcke-Weiner, S. 100	Schröcke u. Weiner, Mineralogie, Berlin: de Gruyter 1981 (hier S. 100)
Schweppe, S. 100	Schweppe, Handbuch der Naturfarbstoffe. Vorkommen, Verwendung, Nachweis, Landsberg: ecomed 1992 (hier S. 100)
Skeist, S. 100	Skeist, Handbook of Adhesive, 2. Aufl., New York: Van Nostrand Reinhold 1977 (hier S. 100)
Snell-Ettre **18**, 100	Snell u. Hilton (ab Band 8: Snell u. Ettre), Encyclopedia of Industrial Chemical Analysis (20 Bd.), New York: Interscience 1966–1975 (hier Bd. 18, 1973, S. 100)
Strube **2**, 100	Strube, Der historische Weg der Chemie, Leipzig: Grundstoffindustrie 1986 (hier Bd. 2, S. 100)
Strube et al., S. 100	Strube et al., Geschichte der Chemie, Berlin: Dtsch. Verl. der Wissenschaften 1986 (hier S. 100)
Stryer (5.), S. 100	Stryer, Biochemie, 5. Aufl., Heidelberg: Spektrum der Wissenschaft Verlagsges. 1990 (hier S. 100)
Stryer 1996, S. 100	Stryer, Biochemie, Übersetzung der 4. amerikan. Aufl. (1995), Heidelberg: Spektrum Akadem. Verl. 1996 (hier S. 100)
Synthetica **2**, 100	Jonas et al., Synthetica Merck, 2 Bd., Darmstadt: Merck 1969, 1974 (hier Bd. 2, 1974, S. 100)
Tieke (5.), S. 100	Tieke, Makromolekulare Chemie, Weinheim: Wiley-VCH 1997 (hier S. 100)
The International Who's Who, S. 100	The International Who's, Who, 16. Aufl., London: Europe Publications 1996 (hier S. 100)
Trost-Fleming **3**, 100	Comprehensive Organic Synthesis, Vol. 1–9, New York: Pergamon Press 1991 (hier Vol. 3, S. 100)
Turner **1**, 100	Turner bzw. Turner u. Aldrige, Fungal Metabolites, Bd. 1 u. 2, London: Academic Press 1971, 1983 (hier Bd. 1, S. 100)
Ullmann (3.) **7**, 100	Ullmanns Enzyklopädie der Technischen Chemie, 3. Aufl., München: Urban und Schwarzenberg 1951–1970; 4. Aufl., Weinheim: Verl. Chemie 1972–1984; 5. Aufl. in Englisch, 1985–1995 [hier Bd. 7 der 3. Aufl., S. 100; analog **E** für den Ergänzungs-Bd.; analog (4.) für die 4. Aufl. bzw. (5.) für die 5. (englische) Aufl., z.B. Ullmann (5.) **A12**, 100]
Voet-Voet (2.), S. 100	Voet u. Voet, Biochemie, Weinheim: VCH Verlagsges. 1992; 2. Aufl., Chichester: Wiley 1995 [hier S. 100; analog (2.) für die 2. Aufl.]
Weissberger **14/3**, 100	Weissberger (Hrsg.), The Chemistry of Heterocyclic Compounds, New York: Interscience seit 1950 (hier Bd. 14, Teil 3, 1962, S. 100)
Weissermel-Arpe (4.), S. 100	Weissermel u. Arpe, Industrielle organische Chemie, 4. Aufl., Weinheim: VCH Verlagsges. 1994 (hier S. 100)
Wer ist wer, S. 100	Wer ist wer? Das Deutsche Who's Who, 35. Ausgabe, Lübeck: Schmidt-Römhild 1996 (hier S. 100)
Who's Who in America, S. 100	Who's Who in America, 50. Ausgabe, New Providence (USA): Marquis Who's Who 1997 (hier S. 100).
Who's Who in the World, S. 100	Who's Who in the World, 58. Ausgabe, London: Europe Publications Limited 1995 (hier S. 100)
Wichtl (3.), S. 100	Wichtl, Teedrogen, 3. Aufl., Stuttgart: Wissenschaftliche Verlagsges. mbH 1997 (hier S. 100)
Wilkinson-Stone-Abel **1**, 100; II **1**, 100	Wilkinson, Stone u. Abel, Comprehensive Organometallic Chemistry, Vol. 1–9, Oxford: Pergamon Press 1981; II 1995 (hier Bd. 1, 1981, S. 100; analog II, Bd. 1, 1995, S. 100)
Winnacker-Küchler (3.) **6**, 100	Winnacker u. Küchler, Chemische Technologie, 3. Aufl., 7 Bd., München: Hanser 1970–1975 [hier Bd. 6, 1973, S. 100; analog (4.) für die 4. Aufl., 1981–1986]
Wirkstoffe iva (2.), S. 100	Industrieverband Agrar e.V. (Hrsg.), Wirkstoffe in Pflanzenschutz- u. Schädlingsbekämpfungsmitteln. Physikalisch-chemische u. toxikologische Daten, 2. Aufl., München: BLV Verlagsges. 1990 (hier S. 100)
Zechmeister **35**, 100	Zechmeister (Hrsg.), Fortschritte der Chemie organischer Naturstoffe, Berlin: Springer seit 1938 (hier Bd. 35, S. 100)
Zipfel, C 100	Zipfel, Lebensmittelrecht, Kommentar der gesamten Lebensmittel- u. weinrechtlichen Vorschriften sowie des Arzneimittelrechts, München: Becksche Verlagsbuchhandlung, Loseblattsammlung, Neuausgabe seit 1982 [hier Kommentar 100 zum Lebensmittelrecht; analog A (Text zum Lebensmittelrecht), D (Text u. Kommentar zum Arzneimittelgesetz)]

PL. Abk. für 1. *Placentalactogen, – 2. *Pyridoxal – u. 3. *permissible level.

Placebo (latein.: = ich werde gefallen). Bez. für wirkstofffreie Scheinmedikamente, die Gesunden od. Kranken als *Blind-* od. *Leerpräp.* in *Blindversuchen od. Doppelblindversuchen anstatt od. neben echten Arzneimitteln verabreicht werden, um die Wirkung der letzteren objektiv zu vergleichen. Da die Wirkung von Medikamenten in beträchtlichem Ausmaß auf Suggestion u. Erwartung beruht, zeigen P. in bis zu 30% der Fälle eine Wirkung u. auch Nebenwirkungen. In jüngster Zeit ist der P.-Effekt bezweifelt u. als Artefakt ungenauer Studienauswertungen angesehen worden[1]. – ***E*** = ***F*** = ***I*** = ***S*** placebo

Lit.: [1] Dtsch. Apoth. Ztg. **138**, 2821–2828 (1998).
allg.: Gauler u. Weihrauch, Placebo, München: Urban u. Schwarzenberg 1997 ▪ Kienle, Der sogenannte Placebo-Effekt, Stuttgart: Schattauer 1995.

Placenta (Mutterkuchen, latein.: placenta = Kuchen). Organ innerhalb der Gebärmutter von höheren Säugetieren, das während der Schwangerschaft aus mütterlichen u. fetalen Anteilen gebildet wird u. der Versorgung des Fetus dient. Nach der Geburt wird die P. ausgestoßen (Nachgeburt). Beim Menschen ist die P. am Ende der Schwangerschaft scheibenförmig mit einem Durchmesser von 15–20 cm u. etwa 500 g schwer. Der mütterliche Anteil besteht aus einer von der Gebärmutterwand gebildeten Gewebsplatte mit großen blutdurchströmten Räumen, die durch Trennwände in 15–20 Felder unterteilt ist. In das mütterliche Blut ragen die reichlich mit Blutgefäßen ausgestatteten u. stark verzweigten Fortsätze (*Zotten*) des fetalen Anteils hinein. Dabei entspricht jedem mütterlichen Feld ein fetales Zottenbündel (*Kotelydone*). Beide Teile zusammen stellen eine funktionelle Einheit dar, das *Placenton.* Diese Anordnung läßt einen Austausch von Stoffen u. Gasen zu, ohne daß ein direkter Kontakt zwischen mütterlichem u. kindlichem Blut besteht. Die trennende Schicht aus fetalem Gewebe stellt die sog. *P.-Schranke* dar. Sie bildet eine Barriere für große Mol. (Proteine, Nucleinsäuren u. Verb. mit einem M_R über 1000), Substanzen schlechter Fettlöslichkeit sowie für Stoffe, die durch das P.-Gewebe verändert od. gespalten werden. Austauschvorgänge erfolgen auf dem Weg der *Diffusion (Sauerstoff, Kohlensäure, Harnstoff u. körperfremde Substanzen), der erleichterten Diffusion mit Hilfe von Trägermol. od. des aktiven Transports (Aminosäuren, Eiweiß-gebundenes Calcium u. Eisen). Ein Teil der aktiv transportierten Stoffe wird dabei umgebaut (z. B. Vitamin B_2, Lipide u. Sexualhormone). Von der mütterlichen Seite aus wird die P. von spezialisierten Gefäßen (Spiralarterien) durchblutet. Kurz vor der Geburt beträgt die mütterliche Blutzufuhr 500–800 mL pro Minute. Auf der fetalen Seite geschieht die Durchblutung der P. über die Nabelgefäße. Auf diese Weise ist die Versorgung des Feten mit Sauerstoff, Nährstoffen, *Hormonen u. *Antikörpern sowie die Abgabe von Stoffwechselprodukten u. Kohlendioxid gewährleistet. Von der *endokrinen Funktion* der P. hängt die Entwicklung der Schwangerschaft wesentlich ab, so bildet sie ab der 8.–10. Schwangerschaftswoche das schwangerschaftserhaltende Steroidhormon *Progesteron. Zudem werden in der P. *Estrogene u. *Proteohormone [*Chorio(n)gonadotrop(h)in, Humanes *Placentalactogen, Choriothyrotropin, Choriocorticotropin] gebildet. Die Konz. von Choriogonadotropin (HCG) im mütterlichen Blut u. damit auch im Urin steigt kurz nach der Befruchtung steil an. Die HCG-Bestimmung findet daher prakt. Verw. bei Schwangerschaftstests u. bei der Überwachung der Schwangerschaft. – ***E*** = ***F*** = ***I*** = ***S*** placenta

Lit.: Martius et al., Lehrbuch der Gynäkologie u. Geburtshilfe (2.), Stuttgart: Thieme 1996 ▪ Sadler, Medizinische Embryologie, Stuttgart: Thieme 1998.

Placentalactogen (PL). Ein von der *Placenta während der Schwangerschaft in den mütterlichen Kreislauf – beim Menschen im letzten Schwangerschafts-Drittel in Mengen bis 1 g/d – sezerniertes Wachstums-Hormon. Das auch *Chorio(n)mammotropin* od. *Somatomammotropin* genannte, engl. auch als human placental lactogen (HPL), chorionic growth hormone prolactin (CGP), purified placental protein (PPP) u. human chorionic somatomammotropin (HCS) bezeichnete menschliche PL besitzt wie das eng verwandte *Somatotropin eine M_R von 22000 u. besteht wie dieses aus 191 Aminosäure-Resten, deren Sequenz in 159 Positionen bei den beiden Hormonen übereinstimmt. Etwas entfernter ist das menschliche PL dem *Prolactin verwandt. Dasselbe gilt für das PL der Primaten, während das der Nager u. Wiederkäuer dem Prolactin ähnlicher u. dem Somatotropin weniger ähnlich ist. PL ist ein Gegenspieler des *Insulins u. mobilisiert mütterliche Fett-Reserven; seine Aufgabe scheint zu sein, den mütterlichen Blutzucker-Spiegel nach den Bedürfnissen des Fötus zu regeln. – ***E*** placental lactogen – ***F*** lactogène placentaire – ***I*** lattogeno placentare – ***S*** lactógeno placentario

Lit.: Endocrine Rev. **17**, 385–410 (1996) ▪ Exp. Clin. Endocrinol. **102**, 244–251 (1994) ▪ Gene **211**, 11–18 (1998) ▪ J. Animal Sci. **73**, 1861–1871 (1995).

Plättchen-entstammender Endothelzellen-Wachstumsfaktor (PD-ECGF, Gliostatin). Protein (M_R ca. 45000) aus *Thrombocyten (Blutplättchen; daher

Name) u. *Placenta, das als *Wachstumsfaktor (Mitogen) für Endothelzellen (innerste Zellschicht der Blutgefäße) wirkt, im Reagenzglas deren *Chemotaxis auslöst u. in vivo die Neubildung von Blutgefäßen (Angiogenese) bewirkt. Der PD-ECGF besitzt die *Enzym-Aktivität einer *Thymidin-Phosphorylase* (EC 2.4.2.4), die die Reaktion katalysiert:

Thymidin + Phosphat → Thymin + 2-Desoxyribose-1-phosphat.

In Tumor-Gewebe wird bes. viel PD-ECGF produziert. Die Enzym-Aktivität scheint für die Angiogenese u. diese wiederum für Tumor-Wachstum u. Metastasierung wichtig zu sein. Das Enzym ist ein Angriffspunkt des Cytostatikums *Fluorouracil. Für die chemotakt. Aktivität ist die Anwesenheit von *Thymidin erforderlich, dessen Aufnahme in Endothelzellen durch PD-ECGF gefördert wird. Man vermutet heute, daß die biolog. Wirkungen des PD-ECGF nicht auf der Bindung des „Faktors" an einen Rezeptor beruhen, sondern durch die enzymat. Aktivität u. deren Produkte hervorgerufen werden (Regulation der Verfügbarkeit von Thymidin; Freisetzung von 2-Desoxyribose-1-phosphat, das zur chemotakt. aktiven u. angiogenen 2-Desoxyribose [1] abgebaut werden kann etc.). – ***E*** platelet-derived endothelial cell growth factor – ***F*** facteur de croissance des cellules endothéliales derivé des thrombocytes – ***I*** fattore di crescita delle cellule endoteliali derivato dalle piastrine – ***S*** factor de crecimiento de células endoteliales derivado de trombocitos

Lit.: [1] Nature (London) **368**, 198 (1994).
allg.: Brit. J. Cancer **76**, 689–693 (1997). – http://www.rndsystems.com/cyt_cat/pdecgf.html.

Plättchen-entstammender Wachstumsfaktor (PDGF). *Glykoprotein (M_R ca. 30000; 2 durch Disulfid-Brücken verbundene, in der Aminosäure-Sequenz einander ähnliche Polypeptid-Ketten A u. B), das von *Thrombocyten (Blutplättchen; daher Name) ins Serum abgegeben, aber auch von anderen Zellen synthetisiert wird. Strukturell gehört der PDGF zur Superfamilie der *Wachstumsfaktoren mit *Cystin-Knoten. Durch alternatives *Spleißen der für die PDGF-Synth. zuständigen Messenger-*Ribonucleinsäuren, durch unterschiedliche Kombination der Polypeptid-Ketten u. durch unterschiedliche Glykosylierung entsteht in verschiedenen Zelltypen ein ganzes Spektrum verwandter Mol., denen verschiedene biolog. Aufgaben zukommen. Der PDGF fungiert u. a. bei der Wundheilung als Wachstums- u. Chemotaxisfaktor; außerdem wird er mit Krebsentstehung in Verbindung gebracht (hohe Sequenz-Homologie zum viralen *sis*-*Onkogen-Produkt $p28^{sis}$) u. besitzt vasokonstriktor. (gefäßverengende) Wirkung. In Fibroblasten wird die Sekretion von *Collagenase angeregt. Zur Rolle bei Entzündungen s. *Lit.* [1], im Nervensyst. s. *Lit.* [2].
Der *PDGF-Rezeptor* Typ A bindet verschiedene Isoformen des PDGF, während der Typ B (M_R 180000) das Homodimer PDGF-BB bevorzugt. Er besitzt wie die verwandten *Rezeptoren des *epidermalen Wachstumsfaktors, des *Insulins u. des *Insulin-artigen Wachstumsfaktors I die Aktivität einer Protein-Tyrosin-Kinase (s. Protein-Kinasen). Nach der Bindung von PDGF an den Rezeptor kommt es zur Dimerisierung u. Selbst-Phosphorylierung des Letzteren, weiterhin werden Proteine mit SH2-Domänen (s. Src) gebunden, *Phospholipasen aktiviert, *Phosphoinositide u. *Arachidonsäure umgesetzt u. ein *GTPase-aktivierendes Protein angeschaltet. – ***E*** platelet-derived growth factor – ***F*** facteur de croissance derivé des thrombocytes – ***I*** fattore di crescita derivato dalle piastrine – ***S*** factor de crecimiento derivado de trombocitos

Lit.: [1] Inflamm. Res. **46**, 4–18 (1997). [2] Brain. Res. Rev. **24**, 77–89 (1997).
allg.: FEBS Lett. **410**, 17–21 (1997) ▪ Gen. Pharmacol. **27**, 1079–1089 (1996) ▪ Int. J. Biochem. Cell Biol. **28**, 373–385 (1996) ▪ Int. Rev. Cytol. Survey Cell Biol. **172**, 95–127 (1997). – http://www.rndsystems.com/cyt_cat/pdgf.html.

Plagioklase s. Feldspäte.

Plakoglobin (γ-Catenin). Einziges bekanntes Protein (M_R 85000), das sowohl in *Adhärenz-Verbindungen als auch in *Desmosomen vorkommt. In ersteren verbindet es klass. *Cadherine (z. B. E-, N- od. P-Cadherine) mit α-*Catenin, das wiederum an das *Actin des *Cytoskeletts bindet. In Desmosomen verbindet es wahrscheinlich zusammen mit Desmoplakin nichtklass. Cadherine (Desmoglein, Desmocollin) mit den *intermediären Filamenten des Cytoskeletts. Bestimmte lösl. Protein-Komplexe des P. wirken Signal-übertragend bei Tumor-Suppression u. Bestimmung des Zell-Schicksals. – ***E*** plakoglobin – ***F*** placoglobine – ***I*** = ***S*** placoglobina

Lit.: J. Biol. Chem. **271**, 10904–10909 (1996) ▪ J. Cell Biol. **136**, 919–934 (1997).

Plakorin.

$H_3C-(CH_2)_{15}$ … H (3*S*, 6*S*)
H_3CO O–O $COOCH_3$

$C_{24}H_{44}O_5$, M_R 412,61, $[\alpha]_D$ +30,5° ($CHCl_3$), Öl, cycl. Peroxid aus japan. Schwämmen der Gattung *Plakortis.* P. aktiviert die sarkoplasmat. Ca^{2+}-ATPase u. dient zur Untersuchung Calcium-abhängiger Erregungsvorgänge am Herzmuskel. Es hemmt *in vitro* das Wachstum verschiedener Krebs-Zellinien. – ***E*** plakorin – ***F*** plakorine – ***I*** placorina – ***S*** plakorina

Lit.: Experientia **45**, 898 f. (1989) ▪ J. Am. Chem. Soc. **119**, 3824 (1997) (Synth.) ▪ Nat. Prod. Rep. **9**, 289 (1992). – *[CAS 124264-01-3]*

Planar (flach). P. Geometrie haben Atomgruppen, Mol. u. a. Gebilde, die in einer Ebene (ungekrümmten Fläche) angeordnet sind; vgl. Aromatizität, cisoid, Konjugation. – ***E*** planar, plane, flat – ***F*** plan, plat – ***I*** planare, piano, piatto – ***S*** plano, llano

Planar-Chromatographie. Oberbegriff, der alle Spielarten der *Dünnschichtchromatographie u. *Papierchromatographie umfaßt. – ***E*** planar chromatography – ***F*** chromatographie planaire – ***I*** cromatografia planare – ***S*** cromatografía planar

Lit.: Townshend, Encyclopedia of Analytical Science, Bd. 9, S. 5174–5222, New York: Academic Press 1995.

Planare Chiralität s. Chiralität.

Planck, Max Karl Ernst Ludwig (1858–1947), Prof. für Physik in Kiel u. Berlin, Präsident der Kaiser-Wilhelm-Ges. 1930–1937; ab 1912 ständiger Sekretär der Preuß. Akademie der Wissenschaften. *Arbeitsgebiete:* 2. Hauptsatz, Strahlungsvorgänge, Temp.-Strahlung des schwarzen Körpers, Nernstsches Wärmetheorem,

Postulat der Energiequantelung u. damit Begründung der *Quantentheorie (1900), wofür er 1918 den Nobelpreis für Physik erhielt, s. a. nachfolgende Begriffe.
Lit.: Krafft, S. 272f. ▪ Lexikon der Naturwissenschaftler, S. 329 ▪ MPG Spiegel **1983**, Nr. 5, 33–42, Nachmansohn, S. 39f. ▪ Neufeldt, S. 106 ▪ Phys. Rev. Lett. **30**, 761 (1973) ▪ Schmutzer, 75 Jahre Plancksches Wirkungsquantum – 50 Jahre Quantenmechanik, Leipzig: Barth 1976.

Plancksche Konstante. Nach dem dtsch. Physiker M. *Planck benannte Konstante. Meist als Plancksches Wirkungsquantum bezeichnet, s. dort.

Planckscher Strahler. Auch als *schwarzer Körper bezeichneter Strahler, der der *Planckschen Strahlungsformel gehorcht. – ***E*** Planckian radiator – ***F*** radiateur de Planck – ***I*** radiatore di Planck – ***S*** radiador de Planck

Plancksche Strahlungsformel. Von M. *Planck hergeleitete Formel, mit der die elektromagnet. Energie E pro Vol.-Einheit im Frequenzbereich ν u. $\nu + d\nu$:

$$E(\nu) = \frac{8\pi\nu^3}{c^3} \frac{1}{e^{\frac{hc}{\lambda kT}} - 1}$$

bzw. im Wellenlängenbereich λ u. $\lambda + d\lambda$ beschrieben wird

$$E(\lambda) = \frac{8 \cdot h \cdot c}{\lambda^5} \frac{1}{e^{\frac{hc}{\lambda kT}} - 1}$$

mit c = Lichtgeschw., h = *Plancksches Wirkungsquantum, k = Boltzmann-Konstante (s. Boltzmann'sches Energieverteilungsgesetz) u. T = *absolute Temperatur des Strahlers. Die Abb. zeigt $E(\lambda)$ für verschiedene Temperaturen. Die Fläche unter einer Kurve $[= \int_0^\infty E(\lambda) d\lambda]$ ist die gesamte emittierte Strahlung u. wird durch das *Stefan-Boltzmann-Gesetz beschrieben. Die Maxima ($\triangleq dEd\lambda = 0$) der $E(\lambda)$-Kurven verschieben sich mit höherwerdenden Temp. zu kleineren Wellenlängen (s. Wien Gesetz). Die in der Abb. dargestellte Intensitätsverteilung entspricht der Strahldichte pro Wellenlängenbereich (Details s. Photometrie).

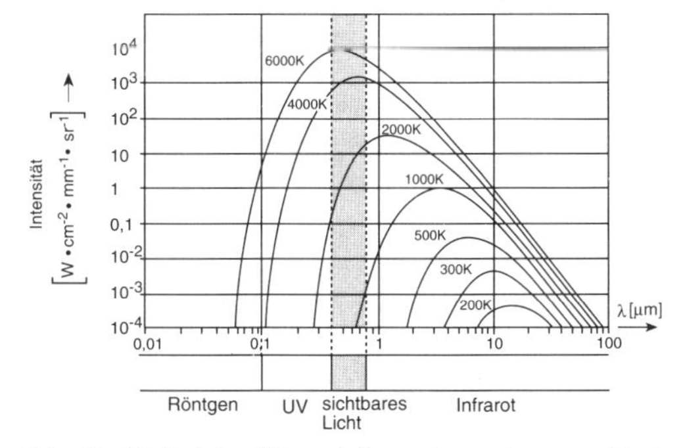

Abb.: Spektrale Intensitätsverteilung eines schwarzen Strahlers.

Geschichte: Ende des vorigen Jh. bestand in der physikal. Fachwelt folgender Widerspruch: Die Emissionsspektren von *schwarzen Körpern zeigten bei bestimmten Temp. eine Energiedichte-Verteilung, die nicht mit Berechnungen der klass. Physik übereinstimmte. Nach den Gleichungen

$$E_{kl}(\nu) = \frac{8\pi\nu^2}{c^3} \cdot kT \quad \text{bzw.} \quad E_{kl}(\lambda) = 8\pi \frac{c^3}{\lambda^4} \cdot kT$$

sollte die Energiedichte bei sehr kleinen Wellenlängen, z. B. im UV-Bereich, immer größer werden. Dieser Widerspruch, der als *Ultraviolett-Katastrophe* bezeichnet wurde, konnte von Planck gelöst werden, indem er die Energie der elektromagnet. Strahlung gemäß $E = h \cdot \nu$ als gequantelt angenommen u. das nach ihm benannte Strahlungsgesetz aufgestellt hat. – ***E*** Planck's radiation law – ***F*** loi de radiation de Planck – ***I*** equazione di radiazione di Planck – ***S*** ley de radiación de Planck
Lit.: Lerner u. Trigg (Hrsg.), Encyclopedia of Physics, Weinheim: VCH Verlagsges. 1991.

Plancksches Wirkungsquantum. Eine nach *Planck benannte Naturkonstante mit der Dimension einer Wirkung (Energie·Zeit). Die Energie E von Lichtquanten (*Photonen; s. a. Quantentheorie) ist bei den verschiedenen Arten von Strahlungen proportional der Frequenz ν der jeweiligen Strahlung, d. h. es gilt $E = h\nu$. Der Proportionalitätsfaktor h wird als das *P. W.* od. die *Planck-Konstante* bezeichnet u. zu den sog. Grundkonstanten gerechnet. Das P. W. hat den Wert $h = 6{,}6260755 \pm 0{,}0000040 \cdot 10^{-34}$ J·s. Häufig verwendet wird auch $h/2\pi = \hbar$ (gesprochen „ha quer") mit dem Wert $\hbar = 1{,}05457266 \pm 0{,}00000063 \cdot 10^{-34}$ J·s. – ***E*** Planck's constant – ***F*** quantum d'action de Planck – ***I*** costante di Planck – ***S*** cuanto (quantum) de acción de Planck
Lit.: s. Planck.

Planeten. Histor. als *Wandelsterne* bezeichnete Himmelskörper, die nicht von sich aus leuchten, sondern durch das Licht eines Zentralsternes, um den sie sich bewegen, beleuchtet werden. Bisher sind nur die P. der *Sonne nachgewiesen worden. Man geht aber davon aus, daß auch viele andere Sterne von P. umgeben sind; so soll mit Hilfe neuer Beobachtungsverf. untersucht werden, ob es sich bei den rätselhaften Begleitern von mehreren Sternen in unserer galakt. Nachbarschaft ebenfalls um P. handelt[1].
Die Bewegung der P. wird durch die *Keplerschen Gesetze* beschrieben. Sie besagen:
1) Die P. bewegen sich auf Ellipsen, in deren einem Brennpunkt die Sonne steht.
2) Die Verbindungslinie Sonne-Planet überstreicht in gleicher Zeit gleiche Flächen (≙ Drehimpulserhaltung).
3) Die Quadrate der Umlaufzeiten der P. verhalten sich wie die dritten Potenzen der großen Halbachsen der Bahnellipsen.
In der Tab. 1 (S. 3372) sind die wichtigsten Daten der bisher bekannten P. zusammengestellt; weitere Details s. *Lit.*[2,3].
Eine Reihe von P. wird ihrerseits wieder von Begleitern umkreist, wie z. B. die Erde vom *Mond. Jupiter ist von 16 u. Saturn von 17 Monden umgeben (detailierte Tab. s. *Lit.*[2]). Ferner hat man bei den P. Jupiter, Saturn, Uranus u. Neptun P.-Ringe entdeckt. In den letzten Jahren wurde, u. a. mit Hilfe von Satelliten, die Atmosphäre der P. untersucht. Eine Übersicht ist in Tab. 2 (S. 3372) gegeben.

Tab. 1: Daten der Planeten.

Planet	Masse [10^{24} kg]	Äquatorradius [10^3 km]	mittlere Dichte [10^3 kg m^{-3}]	mittlerer Sonnenabstand [10^6 km]	Umlaufzeit [a]	Rotationsperiode	
Merkur	0,3303	2,439	5,43	57,9	0,24085	176	d
Venus	4,870	6,051	5,25	108,2	0,61521	243,01	d
Erde	5,976	6,378	5,518	149,6	1,00004	23,9345	h
Mars	0,6421	3,393	3,95	227,9	1,88089	24,6299	h
Jupiter	1900	71,398	1,332	778,3	11,86223	9,841	h
Saturn	568,8	60,330	0,689	1427,0	29,45774	10,233	h
Uranus	86,87	26,200	1,18	2869,6	84,018	17,24	h
Neptun	102,0	25,225	(1,54)	4496,6	164,78	18,2±0,4	h
Pluto	(0,013)	1,145	1,84	5900,1	248,4	6,387	d

Tab. 2: Atmosphäre der Planeten.

Planet	Druck an der Oberfläche [10^5 Pa]	Mittlere Oberflächentemp. [K]	Hauptgase	Häufigkeit [Vol.-%]
Merkur	~10^{-14}	440	Na	0,97
			He	0,03
Venus	90	730	CO_2	0,96
			N_2	0,035
Erde	1	288	N_2	0,77
			O_2	0,21
			H_2O	0,01
Mars	0,007	218	CO_2	0,95
			N_2	0,027
			Ar	0,016
Jupiter	–	–	H_2	0,90
			He	0,10
Saturn	–	–	H_2	0,94
			He	0,06
Uranus	–	–	H_2	0,85
			He	0,15
Neptun	–	–	H_2	0,85?
			He	0,15?
Pluto	0,001	–	CH_4	–
			Ne?	–

P. versucht man auch zu entdecken, indem nach einer zeitlich modulierten *Doppler-Verschiebung im Licht des betreffenden Sternsyst. gesucht wird; über eine mögliche Entdeckung wird in *Lit.*[4] berichtet. Ein in der Antarktis gefundener *Meteorit vom Mars birgt merkwürdige Strukturen, die sich als fossile Überbleibsel winziger Lebensformen (ähnlich Bakterien) interpretieren lassen[5]. Dies wird für möglich gehalten, weil der Mars früher viel Wasser aufwies[6]. – ***E*** planets – ***F*** planètes – ***I*** pianeti – ***S*** planetas

Lit.: [1]Spektrum Wiss. **1991**, 114. [2]Dermott, Solar System, General, in Encyclopedia of Physical Science and Technology, Vol. 15, S. 389, New York: Academic Press 1992. [3]Unsöld u. Baschek, Der neue Kosmos, Berlin: Springer 1988. [4]Nature (London) **378**, 355 (1995); Phys. Unserer Zeit **27**, 37 (1996). [5]Spektrum Wiss. **1998**, Nr. 2, 70. [6]Carr, Water on Mars, Oxford: University Press 1996; Spektrum Wiss. **1997**, Nr. 1, 50. *allg.:* Davies et al., Atlas of Mercury, Washington D. C.: NASA Scientific and Technical Information Office 1988 ▪ Morrison, Eine Entdeckungsreise durch das Sonnensystem, Heidelberg: Spektrum 1995.

Planetoide (auch kleine *Planeten, d. h. *Asteroide*, genannt). Bez. für kleine Himmelskörper, die die *Sonne v. a. im Bereich zwischen der Mars- u. Jupiterbahn (s. Planeten) umrunden. Es sind heute mehr als tausend P. bekannt; ihre Gesamtzahl wird auf 10^4 bis 10^6 geschätzt. – ***E*** planetoids – ***F*** planétoïdes – ***I*** planetoidi – ***S*** planetoides

Lit.: s. Planeten.

Planimeter. Mechan. Geräte zur Ermittlung von Flächeninhalten. Bei der quant. Auswertung in der *Chromatographie wurden sie weitgehend von elektron. Integratoren verdrängt. – ***E*** planimeter – ***F*** planimètre – ***I*** planimetro – ***S*** planímetro

Plankton. Von griech.: planktos = umherirrend abgeleitete Sammelbez. für frei im Meer- od. Süßwasser schwebende, meist mikroskop. kleine pflanzliche (*Phytoplankton*) od. tier. (*Zooplankton*) Organismen, auch Bakterien (*Bakterioplankton*) – allg.: Plankter, Planktonten – ohne od. mit nur geringer Eigenbewegung. Das mixotrophe u. photosynthetisierende Phyto-P. – hauptsächlich einzellige *Algen u. Phyto-*Flagellaten – ist auf die Lichtzone der oberen Wasserschichten angewiesen. Es dient als Nahrung für das Zoo-P., das von kleinen Krebsen, Manteltieren, Rädertierchen u. a. Protozoen, aber auch Larven von Schnecken, Muscheln, Würmern etc. gebildet wird u. seinerseits Nahrungsquelle für *Fische, Bartenwale u. a. Wasserbewohner ist (z. B. *Krill). Die Dichte der P.-Organismen ist so, daß sie im Wasser langsam absinken. Um dabei nicht in ökolog. ungünstige Tiefen abzusinken, wird die Sinkgeschw. durch verschiedene Einrichtungen verringert: Abflachung od. Streckung, Borsten u. a. Schwebefortsätze, Einlagerung von Luft od. Gasen, Fetten od. Ölen, Schalenrückbildung od. Erhöhung des Wassergehalts. V. a. bei Zooplanktern treten cycl. Formveränderungen auf, wohl durch Licht, Turbulenzen od. Futter ausgelöst. Nicht ungewöhnlich sind Vertikalwanderungen (tageszeitlich od. bei der Individualentwicklung auch jahreszeitlich). Eine Reihe von P.-Organismen produziert hochgiftige Toxine [*Beisp.:* Aplysia- (*Aplysi..), Cigua-, *Saxitoxin], die über die Nahrungskette auch in Lebensmittel gelangen u. zu ggf. schweren Vergiftungen führen können. – ***E*** plankton – ***F*** = ***I*** = ***S*** plancton

Lit.: Kaestner, Lehrbuch der Speziellen Zoologie (5.), Stuttgart: Fischer 1993 ▪ Sommer, Planktologie, Berlin: Springer 1994 ▪ Sommer, Algen – Quallen – Wasserfloh – Die Welt des Planktons, Berlin: Springer 1996 ▪ Tomas, Identifying Marine Phytoplancton, San Diego: Academic Press 1997 ▪ Wehner u. Gehring, Zoologie (23.), Stuttgart: Thieme 1995.

Planktonblüte. Umgangssprachliche Bez. für eine *Massenentwicklung von *Plankton-Organismen, meist eine *Algenblüte. – ***E*** plankton bloom – ***F*** floraison de plancton – ***I*** fioritura del plancton – ***S*** floración de plancton

Lit.: Naturwissenschaften **83**, 293–301 (1996) ▪ Rheinheimer (Hrsg.), Meereskunde der Ostsee (2.), S. 136–160, Berlin: Springer 1996.

Planomycin s. Fervenulin.

Plansee. Kurzbez. für die 1921 gegr. österreich. Firma Plansee AG, A-6600 Reutte. *Produktion:* Halbzeug u. Fertigteile aus hochschmelzenden Metallen (Nb, Ta, Mo, W) u. deren Leg., Wolfram-Verbundwerkstoffe.

Plantacare®. *Alkylpolyglucoside, nichtion. Tenside auf der Basis nachwachsender Rohstoffe; Kombinations- u. Spezialtenside mit polyfunktionellen Eigenschaften; Waschrohstoffe zur Herst. von Shampoos, Dusch- u. Badepräp. mit hohen Leistungsanforderungen. ***B.:*** Henkel.

Plantaren®. Marke der Firma Henkel für *Alkylpolyglucoside (APG), die als Phosphat-freie Neutraltenside Waschmitteln u. Kosmetika zugesetzt werden (auf der Basis nachwachsender Rohstoffe). 1–7 Glucose-Einheiten sind glykosid. mit einem Fettalkohol (zumeist 12 C-Atome) verknüpft, Struktur:

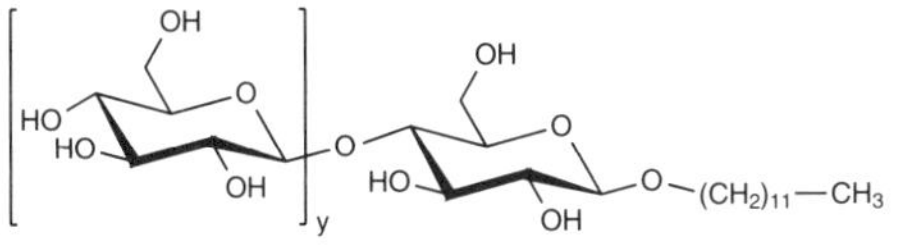

OH, HO, HO, O, OH, O, OH, HO, O, O–$(CH_2)_{11}$—CH_3, OH, y

y = 0-6 (vorzugsweise: y = 1)

– ***E*** = ***I*** plantarene – ***F*** plantarène – ***S*** plantareno

Plantocote® Vollständig ausgestattete NPK-Langzeitdünger (s. Düngemittel) mit B, Fe, Cu, Mn, Mo u. Zn für die Anw. im Gartenbau, Zierpflanzenbau, Baumschulen u. öffentlichem Grün. ***B.:*** Aglukon Spezialdünger GmbH.

Plantosan®. (20-10-15-6) NPK-Dünger (s. Düngemittel) mit Magnesium u. Spurenelementen (B, Fe, Co, Cu, Mn, Mo, Zn) für Zierpflanzenbau u. Baumschulen. ***B.:*** Aglukon Spezialdünger GmbH.

Planum® (Rp). Kapseln mit dem *Schlafmittel *Temazepam. ***B.:*** Pharmacia & Upjohn.

Plan-Wägeglas. Gerät zur Schnellbestimmung des Wassergehalts in viskosen od. pastösen Materialien, zur *Iod-Zahl-Schnellbestimmung in Fetten u. Ölen od. einer Kombination dieser Bestimmung in einer Einwaage. – ***E*** plane weighing bottle – ***F*** flacon plan à pesée – ***S*** pesafiltros plano

Plaque (französ.: Fleck, Platte). In der Medizin vielfach gebrauchte Bez. für abgegrenzte, oft plattenförmig konturierte Bezirke. Flach erhabene plattenartige Hautveränderungen werden z. B. als P. bezeichnet. In der Zahnmedizin ist mit P. der bakterielle Zahnbelag gemeint, der zur *Karies führen kann. Der Nachw. bakterieller P. ist mit Hilfe von Kautabl. mit *Erythrosin möglich. – ***E*** = ***F*** plaque – ***I*** placca – ***S*** placa

Lit.: J. Dent. Res. **69**, 1332–1336, 1337–1342 (1990).

Plaque-Test. 1. Bez. für ein in der Mikrobiologie u. Medizin gebräuchliches Verf. zum quant. Nachw. lyt. Agenzien (bes. *Viren u. *Phagen), die auf einem Bakterien- od. Zellrasen bei geeigneten Verdünnungen u. Kultivierungsbedingungen nach einiger Zeit durch Lyse der umgebenden Zellen die Bildung einzelner *Plaques bewirken, die – zumindest bei entsprechender Färbung – mit dem bloßen Auge sichtbar sind u. ausgezählt werden können.

2. Der von *Jerne (Nobelpreis für Medizin od. Physiologie 1984) entwickelte *hämolyt. P.-T.* dient zum Nachw. immunkompetenter Plasmazellen (vgl. Hämolyse) u. (*monoklonaler) *Antikörper. Diese werden zusammen mit Erythrocyten als Antigen u. Komplement in einer Agarschicht inkubiert. Durch die diffundierenden Antikörper zusammen mit den Komplementfaktoren kommt es durch Zerstörung der Erythrocyten zur Bildung eines Lysehofs. – ***E*** plaque test – ***F*** test de plaque – ***I*** saggio delle placche – ***S*** ensayo de placa

Lit. (zu 1.): Schlegel (7.), S. 156ff. – *(zu 2.):* s. Hämolyse u. Immunologie.

Plasdone® C u. K. *Polyvinylpyrrolidon, pharmazeut. Qualität; Tablettenbindemittel, Dispergiermittel u. Schutzkolloid für Injektions- u. Infusionslösungen. Geruch- u. geschmacklos; äußerst niedrige chron., orale Toxizität, da inert; verhält sich physiolog. wie Blutplasma. Retardierungsmittel (hygroskop.), lösl. in Wasser u. polaren organ. Lösemitteln. ***B.:*** ISP.

Plasma. Von griech.: plasma = Gebildetes, Geformtes abgeleitete Bez. unterschiedlicher Bedeutung.

1. Kurzbez. für das *Cytoplasma.

2. Kurzbez. für das *Blutplasma*, die von geformten Bestandteilen freie, flüssige u. gerinnbare Grundsubstanz des *Blutes, aus der man nach Abtrennen der gerinnbaren Bestandteile (s. Fibrin) das *Serum erhält.

3. Bez. für eine lauchgrüne Varietät von *Jaspis.

4. Im physikal. Sinne ist P. (von *Langmuir 1930 geprägter Ausdruck) eine Bez. für überhitzte Gase, deren Eigenschaften durch die Aufspaltung der Mol. in Ionen u. Elektronen bestimmt sind. Solche P. – man spricht hier auch vom „4. *Aggregatzustand" – liegen z. B. vor in der *Sonne u. a. heißen Sternen, kurzfristig in explodierenden *Kernwaffen od. bei thermonuklearen Reaktionen (s. Kernfusion). P. kann auch als Niedertemp.-P. in *Gasentladungen (s. a. Glimmentladung) vorliegen, in Nordlichtern, Flammengasen, *Lichtbogen etc. Rund 99% der Materie im Weltall liegt in Form eines P. vor. Die Abb. auf S. 3374 gibt einen Überblick über natürlich u. künstlich erzeugte P. in Abhängigkeit von der Elektronendichte N_e [N_e = Dichte aller Elektronen (gebundene u. freie); T_e (Elektronentemp.) in Kelvin u. Elektronenvolt].

Die Plasmen enthalten pos. u. neg. geladene Ionen, Elektronen, Radikale u. angeregte u. nichtangeregte Neutralteilchen nebeneinander. Im Extremfall sind bei einem P. die Atomkerne durch völlige Ionisation von ihren Elektronenhüllen getrennt; ein solches P. besteht nur noch aus pos. geladenen Ionen u. Elektronen u. ist nach außen elektr. neutral. In einem P. liegt die Zahl der Ladungsträger zwischen 10^9 u. $10^{15}/cm^3$, im Sterninnern auch wesentlich darüber ($10^{27}/cm^3$). P. können in dem heute techn. interessierenden Temp.-Bereich von bis zu ca. 50000 °C (vgl. Hochtemperatur-

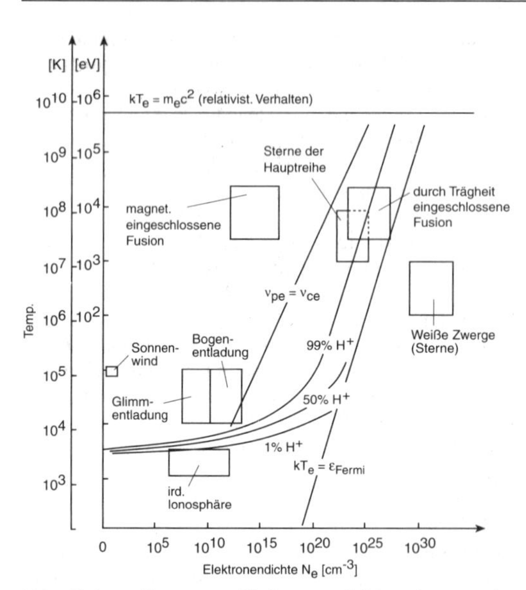

Abb.: Dichte u. Temp. verschiedener, natürlich vorkommender u. künstlich erzeugter Plasmen [1]. Die Gerade $\nu_{pe} = \nu_{ce}$ unterteilt den Bereich der stoßfreien Plasmen (oben links) von dem, der durch Stöße bestimmt wird. Die Gerade $kT_e = \varepsilon_{Fermi}$ unterteilt die Dichte-ionisierten Plasmen (unten rechts) von den Niederdruck-Plasmen. Oberhalb der Geraden $kT_e = m_e c^2$ muß die Elektronenbewegung relativist. beschrieben werden. An einigen Kurven ist der Prozentsatz der Ionisation eines entsprechenden Wasserstoff-Plasmas angegeben.

chemie) in guter Näherung z. B. durch Ohmsche Widerstandsheizung (sog. *therm. Plasma*), im Lichtbogen, durch *Photoionisation (speziell durch Hochleistung-*Laser) od. durch Umwandlung kinet. Energie in einer *Stoßwelle erzeugt werden. Die Messung solch hoher Temp. u. der anderen P.-Eigenschaften (Teilchendichte, Strömungsgeschw.) – man spricht hier von P.-Diagnostik – kann durch P.-Spektroskopie [2] u. Sonden [3] vorgenommen werden. Begrifflich unterscheidet man in der *Plasmachemie zwischen Gleichgew.- u. Nichtgleichgew.-P. (t- od. nt-P.). Die zum Ablauf von *Kernfusionen* benötigten Temp. erzeugt man bei Wasserstoff-Bomben durch eine Atombombenexplosion (s. Kernwaffen); bei der kontrollierten Kernfusion ist man dem Temp.-Ziel (ca. 10^8 K) mit *Lasern u. P.-Heizung (s. Lawson-Kriterium bei Kernfusion) sehr nahe gekommen. Bei neuen Experimenten mit ASDEX upgrade entdeckte man einen neuen P.-Zustand, der zu einer kontrollierten u. zerstörungsfreien Energieabfuhr bei der Kernfusion genutzt werden kann [4].

Obwohl ein P. makroskop. betrachtet elektr. neutral ist, liegt im mikroskop. Maßstab keine homogene Verteilung der pos. u. neg. Ladungsträger vor; es bilden sich stark fluktuierende Ladungsüberschüsse u. damit verbunden elektr. Felder. Diese elektr. Felder begrenzen die Störungen in der Ladungsverteilung. Aufgrund der Massenträgheit der beschleunigten Ladungsträger erfolgt der Ausgleich stets über den homogenen Zustand hinaus; es baut sich wieder ein elektr., diesmal entgegengesetztes Feld auf. Die Frequenz dieser Oszillation wird als *Plasmafrequenz* ν_p bezeichnet u. hängt von der Dichte der freien Ladungsträger ab. Für Elektronen gilt

$$\nu_{pc} = 2\pi \cdot \sqrt{\frac{e^2 n_e}{\varepsilon_0 m_e}},$$

für Ionen

$$\nu_{pi} = 2\pi \sqrt{\frac{c^2 n_i}{\varepsilon_0 m_i}}$$

mit n_e bzw. n_i = Dichte der freien Elektronen bzw. Ionen, m_e bzw. m_i = Masse der Elektronen bzw. Ionen, e = Elementarladung u. ε_0 = Dielektrizitätskonstante. Die Elektronenplasmafrequenz ν_{pe} entspricht der reziproken Einstellzeit für elektrostat. Abschirmung durch Elektronen, d. h. elektromagnet. Strahlung mit einer Frequenz ν_{pe} kann sich in dem entsprechenden P. nicht ausbreiten.

Anw. finden P. in *Plasmabrennern, zur Stromerzeugung, in der Plasmachemie, in der Plasma-*Emissionsspektroskopie mittels *ICP od. Mikrowellen-Induktion (MIP), in der Halbleiter-Technik zum Ätzen integrierter Schaltkreise, in Metallspritz-Verf., in der Magnetohydrodynamik, in P.-Triebwerken u. in der Kernfusion, s. a. Plasmabrenner, Plasmachemie u. Plasmazustand. – ***E*** = ***F*** = ***I*** = ***S*** plasma

Lit.: [1] Lerner u. Trigg (Hrsg.), Encyclopedia of Physics, Weinheim: VCH Verlagsges. 1991. [2] Kohlrausch, Praktische Physik 2, S. 290 ff., Stuttgart: Teubner 1996. [3] Kohlrausch, Praktische Physik 2, S. 769 ff., Stuttgart: Teubner 1996. [4] Phys. Bl. **51**, 189 (1995).

allg. *(zu 4.):* Boozer, Plasma Confinement, **S** 1, u. Mendel u. Schamiloglu, Plasma Diagnostics, Vol. 13, in Encyclopedia of Physical Science and Technology, New York: Academic Press 1992 ▪ Int. Lab. **14**, Nr. 8, 76–85 (1984) ▪ Kirk-Othmer (3.) **11**, 590–609; **S**, 51 ff., 599–625 ▪ Phys. Bl. **45**, 333 (1989); **46**, 383 (1990); **47**, 51 (1991) ▪ Top. Curr. Chem. **90**, 59–109 (1980). – *Referateorgan:* Science Research Abstracts Journal, Part A: Superconductivity, Magnetohydrodynamics and Plasmas; Theoretical Physics, Bethesda: Cambridge Scient. Abstracts (seit 1972) ▪ s. a. Plasmachemie, Gasentladung, ICP, Laser u. Kernfusion.

Plasmabrenner. Geräte zur Erzeugung extrem hoher Temperaturen. Ein Gas (Stickstoff, Wasserstoff, Helium, Argon od. ein Gemisch davon) wird durch einen Lichtbogen teilionisiert. Das dabei gebildete *Plasma (*Gasplasma*) weist bei Temp. bis ca. 20000 K Ionen, Elektronen u. Atome im Gleichgew. auf. Die bei der Rekombination der Ionen u. Elektronen freigesetzte therm. Energie wird in verschiedenen Bereichen der Technik genutzt, beispielsweise in der Fertigungstechnik [zum Schmelzen, Schweißen (*Plasmaschweißen*), Schneiden, Spritzen (*Plasmaspritzen*), Eindiffundieren] u. in der Verfahrenstechnik (zum Reagieren, Verdampfen). Man unterscheidet zwischen P. mit *nichtübertragenem* Lichtbogen (das Gerät besitzt sowohl eine Kathode als auch eine Anode) u. solchen mit *übertragenem* Lichtbogen (das Gerät enthält die Kathode, das Werkstück bildet die Anode). – ***E*** plasma torch – ***F*** chalumeau à plasma – ***I*** bruciatore a plasma – ***S*** soplete de plasma

Lit.: Ullmann (5.) **B 3**, 15-9/-10; **A 28**, 220 ▪ Winnacker-Küchler (4.) **4**, 133 f., 622 f., 628 f. ▪ s. a. Plasma.

Plasmachemie. Bez. für chem. Reaktionen, die in einem *Plasma ablaufen, wobei unter Plasma ein nach

außen elektr. neutrales Gas zu verstehen ist, in dem durch verschiedene Arten der Anregung unterschiedlich elektron. angeregte Neutralteilchen, Radikale, Ionen u. Elektronen, vorhanden sind. Wegen des hohen Energieinhalts eignen sich Plasmen zur Herst. von Verb., die bei gewöhnlichen Bedingungen thermodynam. nicht stabil sind, od. zur Beseitigung kinet. Hemmungen bei chem. Reaktionen.
Anw.-Felder sind:
1. Thermisches Plasma (Temp. von Ladungsträgern u. neutralen Mol. ist gleich; Erzeugung z. B. im Lichtbogen): Stickstoffoxid-Synth. aus Stickstoff u. Sauerstoff (*Birkeland-Byde-Verf.*, weitgehend abgelöst durch katalyt. Verbrennung von Ammoniak); Acetylen-Synth. aus Kohlenstoff u. Wasserstoff od. aus Kohlenwasserstoff (UTP-Verf., weitgehend abgelöst durch Flammenverf.); Cyanwasserstoff-Synth. aus Methan. u. Stickstoff (weitgehend abgelöst durch *Andrussow-Verfahren od. BMA-Verf.).
2. Nichttherm. Plasma (Temp. der Ladungsträger ist hoch verglichen mit der der neutralen Mol.; Erzeugung z. B. durch Glimmentladung od. Mikrowellenentladung): Verb. wie O_2F_2, O_4F_2, O_2F aus Sauerstoff u. Fluor; Br_2O_4 aus Sauerstoff u. Brom (Glimmentladung); SO, S_2O, S_2O_2 aus Schwefel u. Schwefeldioxid (Mikrowellenentladung); Feststoffpartikel mit wenigen nm Größe, sog. Nano-Partikel, aus Metall-organ. Precursor-Mol., z. B. TiN, Si_3N_4, TiC (Mikrowellenentladung).
Anw. der P. finden sich auch in der Metallurgie beim Aufschmelzen, Umschmelzen u. Reinigen von Metallen, bei der Red. von Erzen etc. u. bei der Rückgewinnung wertvoller Metalle aus dem Flugstaub von Stahlwerken. Wegen der hohen Konz. reaktiver Teilchen in Plasmen laufen chem. Reaktionen in Plasmen mit geringer Selektivität u. geringen Stromausbeuten ab, so daß die techn. Anw. der Plasmachemie zurückgegangen ist u. gegenwärtig nur bei der Herst. von sonst schwer zugänglichen Verb., bei bestimmten mikroanalyt. Meth. u. bei der Modifizierung von Feststoffoberflächen (Plasmaätzen, Plasmabeschichten, Plasmaspritzen) Bedeutung hat. Eine sehr spezielle Anw. der P. ist die sog. Plasma-Chromatographie. – ***E*** plasma chemistry – ***F*** plasmachimie – ***I*** chimica del plasma – ***S*** química del plasma

Lit.: Barnes, Plasma Spectrochemistry (2 Bd.), Oxford: Pergamon 1983, 1985 ▪ Boenig, Plasma Science and Technology, München: Hanser 1982 ▪ Carr, Plasma Chromatography, New York: Plenum 1984 ▪ Franz, Kalte Plasmen: Grundlagen, Erscheinungen, Anwendungen, Berlin: Springer 1990 ▪ Grill, Cold Plasmas in Materials Fabrication: From Fundamentals to Applications, Piscataway: IEEE Press 1994 ▪ Heimann, Plasma-spray Coating, Principles and Applications, Weinheim, VCH Verlagsges. 1996 ▪ Kirk-Othmer (3.) **S**, 599–625 ▪ Liebermann u. Lichtenberg, Principles of Plasma Discharges and Materials Processing, New York: Wiley 1994 ▪ Oskam, Plasma Processing of Materials, Park Ridge: Noyes 1984 ▪ Rossnagel, Handbook of Plasma Processing Technology: Fundamentals, Etching, Deposition, and Surface Interactions, Park Ridge: Noyes 1990 ▪ Szekely u. Apelian, Plasma Processing and Synthesis of Materials, Amsterdam: North-Holland 1984 ▪ Ullmann (5.) **A 20**, 427. – *Zeitschrift:* Plasma Chemistry and Plasma Processing, New York: Plenum (seit 1981).

Plasma-Desorption s. Massenspektrometrie.

Plasmaersatz, Plasmaexpander s. Blutersatzmittel.

Plasmakinine s. Kinine.

Plasmakristalle. Regelmäßige, kristallartige Zustände, in denen sich geladene Teilchen unter geeigneten Bedingungen in einer *Paul- od. *Penning-Falle anordnen. Entscheidend für die Bildung solcher, auch als *Ionenkrist.* bezeichneten Zustände ist die Absenkung der Temp. der Ionen z. B. durch Laser-Doppler-Kühlung, um eine starke Dominanz der Coulomb-Abstoßung über die therm. Bewegung (*Brownsche Molekularbewegung) zu erreichen. Die Bildung von P. wurde bereits 1938 von *Wigner vorhergesagt; deshalb werden sie auch als *Wigner-Krist.* bezeichnet. Seit kurzem können in Hochfrequenzentladungen mittels hochgeladener Partikel P. von Mikrometergröße erzeugt werden, in denen u. a. Phasenübergänge beobachtet wurden. – ***E*** plasma cristals – ***F*** cristaux plasmatiques – ***I*** cristalli di plasma – ***S*** cristales plasmáticos

Lit.: Phys. Bl. **52**, 1227 (1996) ▪ Phys. Rev. Lett. **68**, 2007 (1992).

Plasmalemma s. Membranen (biologische).

Plasmalogene s. Phospholipide.

Plasmamembran s. Cytoplasma u. Membranen (biologische).

Plasmanitrieren. Gelegentlich auch als *Plasmanitridieren* bezeichnetes *Fertigungsverfahren zur Oberflächenhärtung metall. Werkstoffe, bei dem Stickstoff aus einer Umgebung mit Gasplasma in die Oberfläche eines Werkstückes eindiffundiert; s. a. Glimmnitrieren u. Nitrieren. – ***E*** ionitriding, plasma-nitriding

Lit.: Ullmann (5.) **A 16**, 426 f.

Plasmansäuren s. Phospholipide.

Plasmapolymerisation. P. sind durch Gasplasmas ausgelöste u./od. sich darin fortpflanzende Umwandlungen niedermol. Verb. in hochmol. *Polymere. Man unterscheidet bei den P. zwischen der sog. **Plasma-induzierten Polymerisation* u. den eigentlichen *Polymerisationen im Plasma-Zustand*. Bei der Plasma-induzierten Polymerisation wird durch eine kurze Plasma-Zündung eine konventionelle, meist radikal. od. ion. Polymerisation ausgelöst, die dann unter nicht-Plasma-Bedingungen weiterläuft. Nach diesem Verf. können durch oberflächliche Plasma-Einwirkung flüssige od. krist. Monomere polymerisiert werden, wobei lineare Polymere mit hohen Molmassen erhalten werden. Das Verf. wird aber bisher meist nur im Labor-Maßstab angewandt. Im Gegensatz dazu haben Polymerisationen im Plasma-Zustand bereits techn. Bedeutung erlangen können. Hierbei findet eine Polymerisation von im Plasma-Zustand vorliegenden u. damit gasf. u. ionisierten Mol. u. Mol.-Fragmenten statt. Solche P. werden meist mit einem sog. „kalten Plasma" (od. Tieftemp.-Plasma) durchgeführt, d. h. bei Gastemp. zwischen 20 u. 80 °C. In diesem weisen zwar die enthaltenen Elektronen eine hohe kinet. Energie kT (T ca. 60000 K) auf, die Ionen u. Neutralteilchen sind aber energiearm (T ca. 300 K). Aufgrund der dennoch hohen im Plasma zur Verfügung stehenden Energie (10^7 – 10^{11} J/kg gegenüber $2{,}6 \times 10^6$ J/kg bei der radikal. Polymerisation von z. B. Styrol) erfolgt die Monomer-Verknüpfung unspezif.: Unabhängig von der

Monomerstruktur entstehen hochvernetzte Produkte wie z.B. das „Polytoluol" aus Toluol:

Abb.: Mögliche Struktur des durch Plasmabehandlung von Toluol erzeugten hochvernetzten Polymeren.

Für die P. geeignete Monomere benötigen somit keine speziellen funktionellen Gruppen, so daß sich prakt. alle niedermol. organ. Verb. für die P. eignen, z.B. Ethan, Tetrafluorethan od. Mischungen aus Kohlenmonoxid, Wasserstoff u. Stickstoff. Monomere mit olefin. Doppelbindungen, aromat. Gruppen, Amin- od. Nitril-Gruppen od. mit Silicium sind aber leichter polymerisierbar als solche mit Hydroxy-, Ether-, Carbonyl- od. Chlor-Gruppen od. Aliphaten u. Cycloaliphaten. Schließlich können aber auch konventionelle Monomere wie Ethylen, Propylen, Butadien, Styrol, Trioxan od. Hexamethylcyclotrisiloxan für die P. verwendet werden.

Die Bez. P. ist im strengen Sinne unzutreffend, da es sich nicht um eine definierte Polymerisation der eingesetzten Monomeren über z.B. ihre Doppelbindungen handelt, wie es z.B. bei der Polymerisation von Ethylen zu Polyethylen der Fall ist, sondern um eine Polymerisation primär gebildeter Monomerfragmente. So entstehen bei der P. von z.B. Ethan hochvernetzte, unlösl. Filme, die außer aliphat. Kettenstücken auch ungesätt. u. sogar aromat. Strukturen enthalten. Nur selten werden Öle aus hochverzweigten Oligomeren erhalten.

Technolog. interessant sind P., da sie lösemittelfrei im Vakuum (bei Drücken zwischen 0,01 u. 1 kPa) arbeiten, kontinuierlich durchführbar sind u. sich gut zum Beschichten von Oberflächen eignen. Ihre größte techn. Bedeutung hat die P. folglich als Verf. zum Beschichten fester Substrate erlangt, auf denen ein dichter Polymerfilm gebildet wird, der sich durch exzellente Haftfestigkeiten auszeichnet. Die Oberflächeneigenschaften von Substraten, z.B. von Folien, lassen sich bei der Wahl der Monomeren breit variieren u. z.B. hinsichtlich chem. Resistenz, Kratz- u. Abriebfestigkeit, antistat. Verhalten, Gaspermeabilität od. opt. Eindruck optimieren. Da die aufgebrachten Filme Schichtdicken von <1 µm haben, bleiben wichtige Werkstoffeigenschaften der beschichteten Produkte weitgehend unverändert. – ***E*** plasma polymerization – ***F*** polymérisation au plasma – ***I*** polimerizzazione in plasma – ***S*** polimerización en plasma

Lit.: Compr. Polym. Sci. **4**, 357–375 ▪ Yasuda, Plasma Polymerization, Orlando, Florida: Academic Press 1986.

Plasmaproteine. Sammelbez. für das Gemisch von über 100 *Proteinen, die normalerweise mit einem Anteil von insgesamt 7–8% im *Blut-Plasma vorkommen. Unter den P. des Menschen finden sich *Albumine (*Serumalbumin), *Transferrin, *Globuline (bes. *Immunglobuline), *Lipoproteine, *Enzyme (*Caeruloplasmin, *Esterasen), die an der *Blutgerinnung u. Fibrinolyse (vgl. Fibrin) beteiligten Proteine u. das *Komplement-Syst. mit seinen entsprechenden Enzymen sowie die mit diesen Syst. gekoppelten *Protease-Inhibitoren. Bis jetzt wurden über 100 P., überwiegend *Glykoproteine, isoliert, wobei sich die speziell entwickelten immunolog. Meth. (*Immunelektrophorese, *Isotachophorese u. dgl.) bes. bewährten. Über die physiolog. Funktionen (z.B. Pufferfunktion, osmot. Regulation, Nährstoff-Reserve, Transport, Blutgerinnung, Immunabwehr) der mit Ausnahme der Immunglobuline in der Leber gebildeten P. hinaus ist deren Zusammensetzung bzw. deren Konz.-Verschiebung oft klin.-diagnost. von Bedeutung, z.B. bei *Entzündungs-Vorgängen. P.-Präp. haben auch Eingang in die therapeut. Praxis gefunden. Die Entfernung des Fibrinogens u. Prothrombins aus den P. liefert die *Serumproteine. – ***E*** plasma proteins – ***F*** protéines plasmatiques – ***I*** plasmaproteine, proteine plasmatiche – ***S*** proteínas plasmáticas

Lit.: Bowman, Hepatic Plasma Proteins. Mechanisms of Function and Regulation, San Diego: Academic Press 1993 ▪ Karlson et al., Kurzes Lehrbuch der Biochemie, 14. Aufl., S. 503 ff., Stuttgart: Thieme 1994 ▪ Koolman u. Röhm, Taschenatlas der Biochemie, S. 262 f., Stuttgart: Thieme 1998 ▪ Rivat u. Sloltz, Biotechnology of Blood Proteins. Purification, Clinical and Biological Applications, Paris: INSERM 1993.

Plasmaschweißen. Fügeverf., bei dem als Wärmequelle ein im Lichtbogen erzeugtes Gas-*Plasma dient, s.a. Plasmabrenner u. Schweißverfahren.

Plasma-Spektroskopie s. ICP.

Plasmaspritzverfahren. Ein *Metallspritzverfahren, das zum Aufschmelzen des zu verspritzenden Werkstoffs als Wärmequelle ein Gas-*Plasma verwendet, s.a. Plasmabrenner. – ***E*** plasma spraying process – ***F*** procédé par projection au plasma – ***I*** procedimento di stampaggio ad iniezione plasmatica – ***S*** procedimiento por proyección de plasma

Lit.: Ullmann (5.) **A 16**, 431 f.; **A 6**, 72 f.; **B 1**, 8–60 ▪ Winnacker-Küchler (4.) **4**, 686.

Plasmazellen s. Lymphocyten u. Immunsystem.

Plasma-Zustand. Neben der festen, flüssigen u. gasf. Phase oft als vierter *Aggregatzustand eines Stoffes bezeichnet. Der P.-Z. ist in einigen Eigenschaften mit dem gasf. Zustand vergleichbar: Keine feste Form, geringe Verschiebungskräfte; aufgrund vorhandener freier Ladungsträger (Elektronen, Ionen) besitzt er im Gegensatz zum Gas eine hohe elektr. Leitfähigkeit. Dichte, Temp. u. Ionisierungsgrad sind in der Abb. beim Stichwort Plasma (4.) dargestellt. – ***E*** plasma state – ***F*** état du plasma – ***I*** stato del plasma – ***S*** estado de plasma

Lit.: s. Plasma.

Plasmensäuren s. Phospholipide.

Plasmid-DNA. Die meisten bakteriellen *Plasmide bestehen aus zirkulärer, kovalent geschlossener hochverdrillter (supercoil) *DNA. Die Abtrennung von der chromosomalen DNA erfolgt durch Ultrazentrifugation im Cäsiumchlorid (CsCl)-Dichtegradienten unter Zusatz von *Homidiumbromid. Da die Supercoil-Form weniger Homidiumbromid einschließt als lineare chromosomale Fragmente, hat sie eine höhere Schwebedichte in CsCl u. sammelt sich im Gradienten unterhalb der chromosomalen DNA-Bande. – ***E*** plasmid DNA – ***F*** ADN de plasmide – ***I*** DNA plasmide – ***S*** ADN de plásmido

Lit.: Gene Ther. **4**, 226, 323 (1997) ▪ Schlegel (7.), S. 508 ff.

Plasmide. Von *Lederberg 1952 geprägte Bez. für zirkuläre (sehr selten lineare), extrachromosomale, sich autonom replizierende Doppelstrang-DNA-Mol. mit M_R zwischen $1,5 \cdot 10^6$ bis $2 \cdot 10^8$ (2 bis 300 Kb; 1–3% des Gesamt-Genoms der Zelle), die vorwiegend bei Bakterien u. z. T. bei Eukaryonten (*Hefen u. einigen Pilzen wie *Podospora* od. *Neurospora*) nachgewiesen wurden. P. sind normalerweise nicht in den *Chromosomen lokalisiert, können jedoch vorübergehend in die Wirts-DNA integriert sein (*integrative P.*, früher als *Episomen bezeichnet). Die Replikation der P. wird unabhängig zu der des Chromosoms reguliert, wobei die Kopienzahl pro Zelle (1 bis ca. 100) vom jeweiligen P. gesteuert ist. *Konjugative P.* besitzen durch die Ggw. der tra-Gene die Fähigkeit, sich selbst u. a. P. durch Konjugation auf bisher P.-freie Zellen zu übertragen; normalerweise handelt es sich um große P. (M_R $>6,5 \cdot 10^7$), von denen nur 1–3 Kopien in der Zelle vorliegen. Den *nichtkonjugativen P.* (meist kleine P. mit hoher Kopienzahl pro Zelle) fehlt diese Eigenschaft. Dabei zeigen einige P. *Inkompatibilität*, d. h. zwei ähnliche P. lassen sich in einer Zelle nicht stabil etablieren.

Durch P. werden eine Reihe unterschiedlicher Zellfunktionen codiert: *Fertilität* (Fähigkeit mittels *F-Faktoren* genet. Material durch Konjugation zu übertragen); *Antibiotika-Resistenz* (Resistenz gegen ein od. mehrere Antibiotika. *R-Plasmide sind bei mehr als 50 Bakterien-Arten bekannt); *Resistenz gegen Schwermetalle* (Cd^{2+}, Hg^{2+}); *Resistenz gegen ultraviolettes Licht*; Produktion von **Bakteriocinen*; Produktion von *Antibiotika*; Metabolisierung *ungewöhnlicher Kohlenstoff-Quellen* (Abbau von Campher, Octan, Octanol u. a.); Bildung von *Toxinen* u. *Oberflächenantigenen* (Enterotoxine, Hämolysine u. a.); *Tumorinduktion* (bei Pflanzen Bildung von Tumoren durch das P. Ti aus *Agrobacterium*); Beteiligung an der **Sporulation* bei *Streptomyceten.

P., deren Bedeutung für den *Phänotyp der Wirtszelle bisher unbekannt ist, werden als *krypt. P.* bezeichnet. Da P. die Eigenschaft besitzen, dem genet. Material der Zelle fremde Gene beizufügen, für die kein homologer Bereich im Chromosom besteht, sind sie ideal einsetzbar als *Vektoren u. werden nach entsprechender Modif. intensiv in der *Gentechnologie genutzt (s. a. Cosmide). – ***E*** plasmids – ***F*** plasmides – ***I*** plasmidi – ***S*** plásmidos

Lit.: Esser et al., Plasmids of Eukaryotes. Fundamentals and Application, Berlin: Springer 1986 ▪ Grinsted u. Bennett, Plasmid Technology, London: Academic Press 1990 ▪ Schlegel (7.), S. 508 ff. ▪ Singer u. Berg, Gene u. Genome, S. 254 ff., Heidelberg: Spektrum Akadem. Verl. 1992.

Plasmin (Fibrinolysin, Fibrinase, EC 3.4.21.7). Das proteolyt. Enzym, eine *Serin-Protease, das aus *Fibrin bestehende Blutgerinnsel zu lösl. Produkten (Fibrinopeptiden) abbauen kann (*Fibrinolyse*), also als *Fibrinolytikum (Thrombolytikum) wirksam ist. Die Fibrinopeptide hemmen *Thrombin u. verhindern somit eine fortgesetzte *Blutgerinnung. Menschliches P. besteht aus 2 über eine *Disulfid-Brücke verbundenen Ketten vom M_R 65 000 (A-, H- od. schwere Kette) u. 27 700 (B-, L- od. leichte Kette mit dem aktiven Zentrum). Bei Bedarf entsteht P. am Ort des Gerinnsels aus der inaktiven Vorstufe *Plasminogen. P. wirkt auch auf *Blutgerinnungs-Faktoren u. auf das *Komplement-System. Außerdem spaltet P. *Laminin u. aktiviert *Matrix-Metall-Proteinasen, was im Nervensyst. möglicherweise zur Degeneration von Nervenzellen führt[1]. Körpereigene P.-Inhibitoren sind α_2-Antiplasmin, *α_2-Makroglobulin, *Aprotinin (letzteres allerdings nicht im Plasma vorkommend) u. a. Protease-Inhibitoren. – ***E*** plasmin – ***F*** plasmine – ***I*** = ***S*** plasmina

Lit.: [1] Curr. Biol. **8**, R274–R277 (1998).

allg.: Stryer 1996, S. 270 f. – *[HS 3507 90; CAS 9001-90-5]*

Plasminogen (Profibrinolysin). Das Zymogen des *Plasmins, das in zahlreichen Isoenzym-Formen vorkommt (200 mg/mL Blut-Plasma). Das Human-P. ist ein Glykoprotein (M_R ca. 90 000) mit geringem Kohlenhydrat-Anteil, dessen Polypeptid-Kette 22 *Disulfid-Brücken enthält.

Die Aktivierung zu Plasmin erfolgt durch verschiedene Plasma-Faktoren (intrins. Aktivierung) od. durch zu den *Serin-Proteasen gehörende spezielle *P.-Aktivatoren* (Abk.: PA; extrins. Aktivierung) wie *Urokinase[1] (in den Nieren gebildet; im Widerspruch zu ihrem Namen keine *Kinase; auch: Urokinase-ähnlicher PA, uPA, EC 3.4.21.73) od. den *Gewebs-PA*[2,3] [tPA, von *E*: *t*issue(-type) *p*lasminogen *a*ctivator, EC 3.4.21.68], der auch mit dem *Gefäßwand-PA* ident. ist. Dieser besitzt ein M_R von 72 000 u. setzt sich aus verschiedenen Strukturbausteinen (Domänen) zusammen, die durch Disulfid-Brücken stabilisiert werden u. auch in anderen Proteinen anzutreffen sind: eine Finger-, Wachstumsfaktor-, zwei Kringel- u. eine Serin-Protease-Domäne. Mit Hilfe der *Kringel-Domänen* (dreischleifige Disulfid-verbrückte Polypeptid-Bereiche) bindet der tPA an Fibrin-Gerinnsel u. wird dadurch aktiviert, das gleichfalls dort mit Hilfe von Kringel-Domänen gebundene P. zu spalten (lokale Aktivierung). Die körpereigenen PA gewinnen erst volle Aktivität, wenn sie an Fibrin gebunden sind – eine Maßnahme der Natur, um die proteolyt. Wirkung auf den notwendigen Ort zu beschränken. *Streptokinase, ein exogener Aktivator aus Streptokokken, besitzt selbst weder Kinase-typ. noch proteolyt. Aktivität, sondern wirkt erst nach Komplexbildung mit Plasmin enzymat. auf P. ein. Die PA werden durch verschiedene spezif. Inhibitoren[4] (P.-Aktivator-Inhibitoren, PAI) reguliert. PA u. ihre Mutanten sind als *Fibrinolytika (vgl. a. Thrombose) von Interesse. Der uPA soll auch an Tumor-Metastasierung[1] u. der tPA an der tox. Wirkung gewisser *Neurotransmitter auf Nervenzellen (*Exzitotoxizität*)[2] beteiligt sein. Zum Rezeptor des uPa (CD87) s. *Lit.*[5]. – ***E*** plasminogen – ***F*** plasminogène – ***I*** plasminogeno – ***S*** plasminógeno

Lit.: [1] Int. J. Cancer **72**, 1–22 (1997); Int. J. Oncol. **12**, 911–920 (1998). [2] J. Mol. Med. **75**, 341–347 (1997). [3] Biol. Chem. **379**, 95–103 (1998); J. Mol. Biol. **258**, 117–135

(1996). [4] Int. J. Oncol. **11**, 557–570 (1997). [5] Eur. J. Biochem. **252**, 185–193 (1998).
allg.: Fibrinolysis **10**, 75–85 (1996).

Plasminogen-Aktivatoren s. Plasminogen.

Plasmodesmen. Verb. des *Cytoplasmas zweier Pflanzenzellen, die für die interzelluläre Kommunikation bei Pflanzen wichtig sind. Da pflanzliche Zellen zusätzlich zur Plasmamembran von einer Zellwand umgeben sind, die von den P. durchdrungen werden muß, sind P. von länglicherer Form als die *gap junctions der tier. Zellen. Die Öffnungen der Zellwand sind ausgekleidet mit Plasmamembran u. durchzogen von *endoplasmatischem Retikulum (ER). Die Plasmamembran u. das ER sind am Ort der P. mit noch nicht näher charakterisierten Proteinen besetzt. Während man früher annahm, daß die P. als relativ stat. Strukturen nur kleinen Mol. in passiver Weise den Durchtritt gestatten, findet man in neuerer Zeit, daß sie ihren Durchmesser verändern können u. auch größere Mol. u. Komplexe passieren lassen, wie z. B. pflanzliche od. virale *Proteine, *Nucleinsäuren u. *Nucleoproteine. In dieser Hinsicht sind sie den Kernporen vergleichbar (vgl. Kernporen-Komplex). Die P. unterschiedlicher Zelltypen sind von verschiedener Erscheinung [1]. – ***E*** plasmodesmata – ***F*** plasmodèmes – ***I*** plasmodesmi – ***S*** plasmodesmas
Lit.: [1] Planta **203**, 75–84 (1997).
allg.: Annu. Rev. Plant Physiol. Plant Mol. Biol. **48**, 27–50 (1997) ▪ J. Biol. Chem. **271**, 10904–10909 (1996) ▪ J. Cell Sci. **110**, 2359–2371 (1997) ▪ Plant Cell **9**, 1043–1054 (1997) ▪ Plant Mol. Biol. **32**, 251–273 (1996).

Plasmodien s. Malaria u. Protozoen.

Plasmolyse s. Zellaufschluß.

Plasmon. Begriff aus der Festkörperphysik. P. sind Energiequanten der kollektiven Schwingung eines Elektronengases (Plasmaschwingung) gegen den pos. Ionenhintergrund in *Metallen, stark dotierten *Halbleitern u. in ion. Gasen (z. B. Ionosphäre). Die Quantenenergie ω_P der P. ist in einfachster Näherung gegeben durch

$$\omega_P = \left(\frac{ne^2}{m_e \varepsilon_b \varepsilon_o}\right)^{1/2}$$

Dabei sind n die Dichte der Elektronen, e ihre Ladung, m_e ihre Masse, ε_b der Wert der dielektr. Funktion $\varepsilon(\omega)$ für $\omega \gg \omega_{PL}$ u. ε_0 die abs. Dielektrizitätskonstante. Die Plasmaschwingung ist eine longitudinale Schwingung, die zugehörige transversale Eigenfrequenz ist Null, da Gase keine Schersteifigkeit besitzen. Damit erstreckt sich die Reststrahlbande hoher Reflexion von der Frequenz Null bis etwa ω_P.
In Metallen liegt ω_P oft im (nahen) UV-Spektralbereich u. erklärt damit das hohe Reflexionsvermögen der Metalle (Glanz) im sichtbaren Bereich. Für Halbleiter mit hoher *Dotierung, opt. Anregung od. Ladungsträgerinjektion kann ω_P entsprechend der Gleichung Werte im IR-Bereich annehmen. Das Reflexionsvermögen für Kurzwellen in der Ionosphäre läßt sich ebenfalls über P. erklären, s. a. elementare Anregung u. Quasiteilchen. – ***E*** = ***F*** = ***I*** plasmon – ***S*** plasmón
Lit.: von Baltz, in NATO ASI Series B 356, p. 303, New York: Plenum Press 1997 ▪ Ibach u. Lüth, Festkörperphysik, 4. Aufl., Berlin: Springer 1996 ▪ Kittel, Einführung in die Festkörperphysik, 11. Aufl., München: Oldenbourg 1995 ▪ Klingshirn, Semiconductor Optics, Berlin: Springer 1997.

Plast... Von griech.: plassein, plattein = formen, bilden. Verw. als Vor- od. Nachsilbe mit entsprechender Bedeutung, z. B. in plast., Duroplast, Thermoplast, Phenoplast etc.

Plaste (Singular: Plast). In der früheren DDR offiziell eingeführte Bez. für Kunststoffe.

Plasteïn-Reaktion. Die P.-R. stellt eine Möglichkeit dar, enzymkatalysiert aus Protein-Hydrolysaten unter Knüpfung von *Peptid-Bindungen *Polypeptide definierter Zusammensetzung herzustellen. Nach anderen Untersuchungen werden bei der Plasteïn-Bildung als Hauptreaktion Transpeptidierungen nachgewiesen, bei der die mittlere relative Molmasse nicht vergrößert wird [1]. Eine ausführliche Lit.-Zusammenstellung u. a. zu weiteren Thesen der Plasteïn-Bildung gibt *Lit.* [2].
Anw.: Die P.-R. ist lebensmitteltechnolog. von großem Interesse, da sich auf diesem Wege die biolog. Wertigkeit von *Proteinen verbessern läßt; unerwünschte *Aminosäuren durch erwünschte ersetzt werden können [1] (Entfernen von *Phenylalanin aus Diäten für *Phenylketonurie-Patienten) u. die Löslichkeit von Proteinen z. B. durch Erhöhung des Gehaltes an *Glutaminsäure verbessert wird. Die P.-R. kann auch die sensor. Eigenschaften von Proteinen durch Entfernen der Bitterpeptide Leu-Phe verbessern.
*Zein kann nach Partialhydrolyse u. anschließender P.-R. mit *Tryptophan, *Threonin u. *Lysin so angereichert werden, daß Proteine mit verbesserter biolog. Wertigkeit entstehen. Zum Verschnitt eignen sich auch Partialhydrolysate aus minderwertigeren Proteinen (Wollkeratin).
Durchführung: Nach *Dialyse des Proteins bis zu einer bestimmten Ausschlußgröße wird mittels *Protease (z. B. *Pepsin) hydrolysiert u. erneut dialysiert. Unter definierten Bedingungen wird dann z. B. mit α-*Chymotrypsin inkubiert u. die entstandenen Plasteïne durch *Ultrafiltration abgetrennt [3]. Parameter, wie Substratkonz., *pH-Wert u. Molmasse der eingesetzten *Peptide, haben einen entscheidenden Einfluß auf den Prozeßverlauf u. sind zur Optimierung der Ausbeute für jeden Einzelfall experimentell festzulegen [4]. – ***E*** plastein reaction – ***F*** réaction de la plastéine – ***I*** reazione della plasteina – ***S*** reacción de la plasteína
Lit.: [1] Acta Aliment. **18**, 325–330 (1989). [2] Ruttloff, Industrielle Enzyme, S. 823 f., Hamburg: Behr 1994. [3] J. Dairy Res. **55**, 547–550 (1988). [4] Nahrung **30**, 289–294 (1986).
allg.: Belitz-Grosch (4.), S. 79–83 ▪ J. Sci. Food Agric. **54**, 655–658 (1991) ▪ Nahrung **40**, 7–11 (1996) ▪ Schwenke u. Mothes, Food Proteins, S. 76–86, Weinheim: VCH Verlagsges. 1993.

Plaster of Paris. Bez. für gebrannten Gips, $CaSO_4 \cdot \frac{1}{2}H_2O$, s. Calciumsulfat.

Plastics. Engl. Bez. für *Kunststoffe.

Plastiden (Singular: die Plastide). Von *Plast... abgeleitete Sammelbez. für mikroskop. kleine, runde od. ovale Zellorganellen im Plasma grüner Pflanzen, die gewisse Parallelen zu *Mitochondrien aufweisen. So gelten sie nach der *Endosymbionten-Hypothese* wie jene als Evolutionsprodukte von dereinst in die Zelle

aufgenommenen Bakterien (Blaualgen) u. besitzen ebenfalls eine doppelte Membranhülle, ein eigenes genet. Syst. u. einen eigenen Proteinsynth.-Apparat.
Die P. sind entweder farblose *Leukoplasten* od. Farbstoffträger (*Chromatophoren), die als **Chloroplasten* grün, als **Chromoplasten* gelb od. orangerot, als *Phäoplasten* braun u. als *Rhodoplasten* violett gefärbt sind. Die Chloroplasten sind als *Chlorophyll-Träger von wesentlicher Bedeutung für die *Photosynthese; bei Lichtmangel können sich an ihrer Statt gewisse Hemmformen, die *Etioplasten* ausbilden. Die Leukoplasten dienen der Synth. u. Speicherung von Stärke (*Amyloplasten*), Eiweiß (*Proteinoplasten*, *Aleuroplasten*) od. Fetten (*Elaeoplasten*). Die pigmentlosen Vorstufen der Chloroplasten u. Leukoplasten werden *Proplastiden* genannt. – ***E*** plastids – ***F*** plastides – ***I*** plastidi – ***S*** plastidios

Lit.: Annu. Rev. Plant Physiol. Plant Mol. Biol. **49**, 453–480 (1998) ▪ J. Exp. Bot. **48**, 1995–2005 (1997) ▪ J. Plant Physiol. **152**, 248–264 (1998) ▪ Richter, Biochemie der Pflanzen, S. 290–315, Stuttgart: Thieme 1996 ▪ Spektrum Wiss. **1997**, Nr. 1, 20–23.

Plasti(fi)kationsmittel, Plasti(fi)katoren s. Weichmacher.

Plastifizieren (veraltet: Plastizieren). Nicht scharf definierte Bez. für Vorgänge des Weichmachens von Kunststoffen unter Anw. von Druck (*Kneten, *Extrudieren, *Mastikation), von Temp. u./od. von *Weichmachern [Plasti(fi)ziermittel, Plasti(fi)katoren]. – ***E*** plastifying – ***F*** plastification – ***I*** plastificare – ***S*** plastificación

Plasti(fi)ziermittel s. Weichmacher.

Plastigele s. Plastisole.

Plastik. 1. In der Umgangssprache häufig verwendete Bez. für *Kunststoffe. Im allgemeinsten Wortsinn beschreibt der Begriff P. ein Material, das bei genügend hoher Temp. unter dem Einfluß von Kräften durch plast. Fluß formgebend verarbeitbar ist. Im Kontext mit *Polymeren beschreibt er ein Material, das aus hochmol. *Makromolekülen besteht, die üblicherweise organ. Natur sind. P. grenzen sich von einem *Kautschuk durch die höhere Steifigkeit u. das Fehlen großer reversibler elast. Deformation ab, auch wenn keine scharfe Trennung möglich ist. Ähnlich vage ist die Abgrenzung von Fasern u. Beschichtungen, da diese eher auf der physikal. Gestalt der Produkte basiert. – 2. Bez. für Bildhauerkunst u. ihre Kunstwerke. – 3. Auf dem medizin. Sektor Bez. für operative Gestaltung (plast. Chirurgie) von beschädigten od. deformierten Körperteilen (z.B. Nasen-, Gesichts-, Brust-P.). – ***E*** plastic(s)

Plastikkleber. Gelegentlich verwendete Bez. für zum Verkleben von *Kunststoffen (s. Kunststoffkleben) gebrauchte *Klebstoffe.

Plastikmetalle. Umgangssprachliche Bez. für pasten- bis teigförmige Massen aus härtbaren Gießharzen, in die Metallpulver (meist Fe, Al, Cu-Leg. od. Pb mit Anteilen von <80 Vol.-%) eingemischt sind. Die P. werden auf verschiedene Weise eingeformt, härten aus (vgl. Härtung von Kunststoffen) u. können anschließend spangebend bearbeitet werden. P. werden als Reparatur- u. Dichtungsmittel verwendet. – ***E*** plastic metals – ***F*** métaux plastiques – ***I*** metalli plastici – ***S*** metales plásticos

Plastikol®. Sortiment von *Bautenschutzmitteln, z.B. Fliesenkleber, Fugenfüller, Bitumen-Beschichtungsmassen, Fugen-Dichtungsmassen, Abdichtbänder. ***B.:*** Deitermann.

Plastilin. *Knetmassen auf der Basis von Kaolin, Zinkoxid, Kreide, Pigmenten, Wachsen u. Ölen. – ***E*** = ***I*** = ***S*** plastilina – ***F*** plastiline

Lit.: s. Knetmassen. – *[HS 3407 00]*

Plastilit® 3060. Polypropylenglykolalkylphenylether, *Weichmacher für Polymer-Dispersionen in der Anstrichmittel-, Bauchemie-, Klebstoff- u. Dichtstoff-Industrie. ***B.:*** BASF.

Plastin s. Fimbrin.

Plastination s. Silicone.

Plastische Kristalle. Von Timmermans 1935 eingeführte Bez. für Krist. mit ausgeprägter *Plastizität. Manche krist. Stoffe gehen beim Erwärmen nicht unmittelbar in die Schmelze über, sondern weisen noch eine od. mehrere wachsweiche Modif. auf. Dieser endotherme Phasenübergang kann als Teil des Schmelzvorgangs betrachtet u. durch Differenzthermoanalyse detektiert werden. Dabei verlieren die Mol. ihre starre Fixierung u. können um ihre Schwerpunkte rotieren. Im Gegensatz zu dieser opt. isotropen „Rotatorphase" führen die Mol. in den opt. anisotropen *flüssigen Kristallen Translationsbewegungen durch. P. K. besitzen meist eine geringe Schmelzentropie u. einen hohen Dampfdruck. Sie werden v.a. von annähernd kugelförmigen Mol. od. Ionen wie z.B. Campher, CCl_4, P_4, SiH_4, WF_6, *tert*-Butylbromid, Cyclohexan, HBr, NO_3^- u. NH_4^+ gebildet. – ***E*** plastic crystals – ***F*** cristaux plastiques – ***I*** cristalli plastici – ***S*** cristales plásticos

Lit.: Adv. Solid-State Chem. **3**, 1–62 (1993) ▪ Gray u. Winsor, Liquid Crystals and Plastic Crystals (2 Bd.), Chichester: Horwood 1974 ▪ Sherwood, The Plastically Crystalline State, New York: Wiley 1979 ▪ Ullmann (5.) **A 20**, 602 f.

Plastische optische Fasern s. polymere Lichtwellenleiter.

Plastisches Holz. Flüssige bis pastenförmige, härtende Mischungen aus *Holzmehl u. Bindemitteln. – ***E*** plastic wood – ***F*** bois plastique – ***I*** legno plastico – ***S*** madera plástica

Plastische Sprengstoffe s. Sprengstoffe.

Plastische Stoffe. In der Rheologie Synonym für *Cassonsche Stoffe, s.a. Plastizität u. Nichtnewtonsche Flüssigkeiten.

Plastisole. Allg. Bez. für Dispersionen von *Kunststoffen, insbes. von durch *Emulsions- od. *Mikroemulsionspolymerisation dargestelltem *Polyvinylchlorid, in hochsiedenden organ. Lsm., die bei höherer Temp. als Weichmacher für das *Polymere fungieren. Beim Erwärmen der P. diffundieren die Lsm. in die dispergierten Kunststoff-Partikel, lagern sich dort zwischen den *Makromolekülen ein u. bewirken dadurch ein *Plastifizieren der Kunststoffe. Beim Abkühlen gelieren die so behandelten P. zu fle-

xiblen, formstabilen u. abriebfesten Syst., deren Eigenschaften durch zugesetzte Hilfsstoffe (Pigmente, Stabilisatoren etc.) beeinflußt werden können. P., denen zur Beeinflussung der Fließeigenschaften u. Verarbeitungsmöglichkeiten *Thixotropierhilfsmittel* zugesetzt wurden, nennt man *Plastigele.* Diese können kalt verarbeitet werden u. verlieren ihre Form auch beim Erwärmen nicht.
Verw.: Zur *Beschichtung im Heißtauch-Verf., vornehmlich zum Korrosionsschutz von Metallen, zur Leder- u. Textilausrüstung, zur Herst. von Kunstleder (z. B. aus PVC), für Schaumstoff-Beschichtungen, Klebstoffe etc. – ***E*** = ***F*** plastisols – ***I*** plastisol – ***S*** plastisoles
Lit.: Encycl. Polym. Sci. Eng. **17**, 363 ff.

Plastizieren s. Plastifizieren.

Plastizität (von *Plast...). Eigenschaft fester Stoffe, bei Einwirkung äußerer Kräfte bleibende Verformungen zu zeigen – Gegensatz: *Elastizität. Bei Metallen tritt z. B. beim Ziehen, Walzen, Pressen, Hämmern u. Schmieden plast. *Umformen ein, das ggf. mit dem Bruch enden kann (s.a. Duktilität). Ursache der P. bei Metallen sind Gitterfehler (s. Kristallbaufehler), die ein Verschieben von Gitterebenen gegeneinander *(Gleiten)* unter Einwirkung von Druck gestatten. Manche Leg. (z. B. Zn-Al-Leg. mit ca. 20% Al) weisen bei bestimmten erhöhten Temp. *Super-P.* auf, die sich z. B. dadurch zu erkennen gibt, daß Werkstoffe auf Zugbeanspruchung mit Längenänderungen von 1000% u. mehr ohne Einschnürung reagieren. Solche Materialien sind wie Thermoplaste blasformbar. Die P. von feuchten Tonen u. a. Baustoffen ist von der Korngrößenverteilung u. dem Wassergehalt abhängig. Manche organ. Stoffe zeigen im krist. Zustand eine bes. Form von P., s. plastische Kristalle. Bei Kunststoffen u. Elastomeren tritt plast. *Fließen oberhalb der sog. *Fließgrenze* ein; das Fließverhalten ist das von **Nicht-newtonschen Flüssigkeiten* (s. die Abb. dort), u. zwar das von *Binghamschen Medien u. *Cassonschen Stoffen od. „plast. Massen". Von der P. ist die *Pseudo-P.* (s. Strukturviskosität) zu unterscheiden. Pseudoplast. Stoffe weisen ebenso wie Newtonsche Stoffe od. dilatante Fluide keine Fließgrenze auf (vgl. Rheologie u. Viskosität).
Bei Rohpolymeren u. Elastomeren wird die P. mit einem *Plastometer* nach Mooney bestimmt *(Mooney-Viskosität).* Dabei mißt man das Drehmoment in Mooney (=8,46 g · m ± 0,02 g · m), das notwendig ist, um einen Rotor definierter Form u. Abmessung unter Standardbedingungen mit 2 Umdrehungen pro Minute in der Probe zu drehen; stark plast. sind Stoffe mit weniger als 50 Mooney. Bei Stoffen breiiger *Konsistenz benutzt man *Konsistometer* od. *Penetrometer* (s. Penetration). Das Grenzgebiet zwischen P. u. *Viskosität nennt man *Viskoplastizität.* – ***E*** plasticity – ***F*** plasticité – ***I*** plasticità – ***S*** plasticidad
Lit.: Burth u. Brocks, Plastizität: Grundlagen u. Anwendungen für Ingenieure, Braunschweig: Vieweg 1992 ▪ Haupt, Viskoelastizität u. Plastizität, Berlin: Springer 1976 ▪ Naturwissenschaften **72**, 633–639 (1985) ▪ Novikov u. Portnoj, Superplastizität von Legierungen, Leipzig: Grundstoffind. 1985 ▪ Padmanabhan u. Davies, Superplasticity, Berlin: Springer 1980 ▪ Sawczuk u. Bianchi, Plasticity Today: Modelling, Methods and Applications, Barking: Elsevier Appl. Sci. Publ. 1984 ▪ Ullmann (5.) **B 1**, 10-4 ▪ Winnacker-Küchler (3.) **2**, 324; **5**, 239.

Plastochinol s. Plastochinon.

Plastochinon (PQ; zur Nomenklatur s. *Lit.*[1]).

Sammelbez. für aus *Chloroplasten isolierte Chinone der obenstehenden allg. Struktur, die als Redoxsubstrate in der *Photosynthese beim cycl. u. nicht-cycl. Elektronentransport eine Rolle spielen, wobei sie reversibel in die entsprechenden Hydrochinone (*Plastochinol*) übergehen. Innerhalb der Chloroplasten kann PQ in Tröpfchen (*Plastoglobuli*) gespeichert werden. Die Multiprenyl-Seitenketten des PQ u. des nahe verwandten *Ubichinons (*Isoprenoid-Chinone) leiten sich biosynthet. von Farnesyldiphosphat (vgl. Farnesol) ab. Man kennt mehrere PQ, die sich in der Anzahl n der Isopren-Reste unterscheiden, z. B. PQ-9 (n = 9)[2], $C_{53}H_{80}O_2$, Schmp. 48–49 °C, od. solche mit unterschiedlichen Substituenten am Chinon-Ring. – ***E*** = ***F*** plastoquinone – ***I*** plastochinone – ***S*** plastoquinona
Lit.: [1] Eur. J. Biochem. **53**, 15–18 (1975). [2] Beilstein E III **7**, 4336.
allg.: Stryer 1996, S. 693 f. – *[CAS 4299-57-4]*

Plastocyanin. Im Innenraum der Thylakoiden der *Chloroplasten lokalisiertes u. am Elektronentransport von Cytochrom-b_6f-Komplex zum Photosyst. I der *Photosynthese sowie am cycl. Elektronentransport beteiligtes blaues *Kupfer-Protein, M_R 10400, dessen Kupfer-Ion von L-Cystein-, L-Methionin- u. zwei L-Histidin-Resten als Liganden umgeben ist u. zwischen den Oxid.-Stufen 1 u. 2 zu wechseln vermag. Die räumliche Struktur des P. enthält eine zylindr. Anordnung von β-Faltblatt-Strängen (β-Faß, vgl. Proteine). – ***E*** plastocyanin – ***F*** plastocyanine – ***I*** = ***S*** plastocianina
Lit.: Photosynth. Res. **37**, 103–116 (1993) ▪ Stryer 1996, S. 71, 696 ff. – *[CAS 9014-09-9]*

Plastodent®. Gußwachse für die Dentaltechnik. ***B.:*** Degussa.

Plastoglobuli s. Plastochinon.

Plastoid®. Acryl-Verb. als Monomere bzw. Monomer/Polymergemische zur Verw. als *Einbettungsmittel für Präp. der Licht- u. Elektronenmikroskopie u. anatom. Ausgußpräparate. ***B.:*** Röhm Pharma.

Plastoid® A. Weichmacher-haltiges Copolymerisat auf der Basis von *Methacrylsäure u. Methacrylsäuremethylestern. Als *Weichmacher sind *Polyethylenglykole (M_R 400–600) enthalten. Das Lsm. ist ein Gemisch aus Aceton-Ethanol-Isopropanol (60:30:10). ***Verw.:*** Als Verbandfestiger u. Filmbildner für äußerlich anzuwendende pharmazeut. Präparate. ***B.:*** Röhm Pharma.

Plastoid® B. Marke für ein Copolymerisat auf der Basis von Methacrylsäuremethylester u. Methacrylsäurebutylester als Filmbildner für äußerlich anzuwendende pharmazeut. Präp., vornehmlich zur Herst. flüssiger Wundverbände (Wundsprays). ***B.:*** Röhm Pharma.

Plastol®-Marken. *Weichmacher für Kunststoffe, üblicherweise für außerhalb des PVC-Segments liegende Anwendungen. ***B.:*** BASF.

Plastomere. In Analogie zu *Duromere u. *Elastomere vorgeschlagene, aber nicht allg. akzeptierte Bez. für *Thermoplaste. – ***E*** plastomers – ***F*** plastomères – ***I*** plastomeri – ***S*** plastómeros

Plastomoll®-Marken. Adipinsäureester; *Weichmacher für Kunststoffe – insbes. für PVC u. Vinylchlorid-Copolymerisate zur Verbesserung der Kältefestigkeit, zumeist in Kombination mit Phthalsäureester u. Weichmacher für Kautschuk sowie kältefeste u. lichtbeständige Lacke. ***B.:*** BASF.

Plastopal®-Marken. Harnstoff-Formaldehyd-Harze (s. Harnstoff-Harze) verethert. *A-Marken:* Alleinbindemittel für lichtbeständige Einbrennlacke, säurehärtbare Lacke für flexible Substrate. *BT-Marken:* Alleinbindemittel für säurehärtende Lacke für Parkett, für wasserverdünnbare Folienlacke. *CB-, EBS-, F-, H-Marken:* In Kombination mit z. B. Alkydharzen für Einbrennlacke, säurehärtbare Lacke u. Nitrolacke. ***B.:*** BASF.

Plastoponik (von plasto-, griech. ponein = arbeiten). In Analogie zu *Hydroponik* (s. Hydrokultur) geprägte Bez. für die Pflanzenan- u. -aufzucht mit hydrophilen, pflanzenphysiolog. einwandfreien, Nährsalze u. Spurenelemente enthaltenden od. aufnehmenden *Schaumkunststoffen, die in Flockenform od. als unterbrochene od. geschlossene Fläche auf od. in Böden angewandt werden. Wegen ihres hohen Wasserspeichervermögens u. der Möglichkeit, sie ggf. an Ort u. Stelle aus flüssigen Grundstoffen erzeugen zu können, werden die Schaumkunststoffe mit Vorteil eingesetzt zur Auflockerung u. Melioration von Böden (als *Bodenverbesserungsmittel), zur Gewinnung von Neuland, zur Rekultivierung ertragsarmer Böden u. zur Verbesserung gärtner. Erden. – ***E*** plastoponics – ***F*** plastoponique – ***I*** plastoponici – ***S*** plastopónica

Plastufer®. Kapseln mit Eisen(II)-sulfat gegen Eisen-Mangelzustände. ***B.:*** Wyeth.

Plastulen® N. Kapseln mit Eisen(II)-sulfat u. Folsäure gegen Eisen-Mangelanämien. ***B.:*** Wyeth.

Platelet Activating Factor (PAF). Engl. Bez. für Plättchenaktivierender Faktor, s. PAF u. Phospholipide.

Platelet-derived endothelial cell growth factor s. Plättchen-entstammender Endothelzellen-Wachstumsfaktor.

Platelet-derived growth factor s. Plättchen-entstammender Wachstumsfaktor.

Plate-out-Effekt. Ein ggf. bei der Herst. u. Verarbeitung von Kunststoffen auftretender, mit *Ausblühen, *Ausbluten, *Durchschlagen verwandter Vorgang, demzufolge im Kunststoff enthaltene Pigmente zusammen mit Weichmachern u. dgl. in die Oberfläche wandern u. anschließend die Verarbeitungsapparaturen verunreinigen. – ***E*** plate out effect – ***F*** effet plate out – ***I*** effetto plate out – ***S*** efecto plate out

Platex®. Gleitmittel zur Verhinderung von Faltenmarkierungen beim Färben von Textilien aus Polyester, Baumwolle u. ihren Mischungen. ***B.:*** BASF.

Platfining®. Von *UOP entwickeltes petrochem. Verf. zur Platin-katalysierten *Hydrierung von *Olefinen u. Entfernung von Stickstoff- u. Schwefel-Verunreinigungen aus Aromaten-reichen Kohlenwasserstoffen.

Platforming®. Von *E* platinum reforming abgeleitete Bez. (Platformieren, Platformen) für ein 1949 von *UOP eingeführtes petrochem. Verf. zur Erhöhung der *Octan-Zahl von Straight-run-Benzin; dieses wird bei 455–480 °C u. 35–55 bar Bruchteile von Minuten über einen Platin-Katalysator geleitet, wobei Dehydrierungen von Naphthenen, Cyclisation, Spaltung u. Isomerisation von Paraffinen, Entschwefelung u. Erhöhung der Octan-Zahl auf 85–95 eintreten. Der aus dem heute kontinuierlich betriebenen P.-Prozeß resultierende Treibstoff wird als *Platformat* bezeichnet.

Lit.: Winnacker-Küchler (3.) **3**, 234–237; (4.) **5**, 97–99 ▪ s. a. Erdöl.

Platin (chem. Symbol Pt). Metall. Element, Edelmetall, aus der 10. Gruppe des *Periodensystems. Ordnungszahl 78. Atomgew. 195,078. Natürliche Isotope (Häufigkeit in Klammern): 190 (0,01%), 192 (0,79%), 194 (32,9%), 195 (33,8%), 196 (25,3%), 198 (7,2%). ^{190}Pt u. ^{192}Pt sind radioaktiv, gelten jedoch als stabil, da ihre HWZ von $6 \cdot 10^{11}$ u. 10^{15} a größer sind als das Alter des Universums mit ~$2 \cdot 10^{10}$ a. Außerdem kennt man künstliche Isotope ^{169}Pt bis ^{201}Pt mit HWZ zwischen 3 ms u. 60 a. Reines Pt ist ein je nach Verteilungsgrad graues od. silberglänzendes, nicht sehr hartes, ziemlich zähes, in der Hitze schmied- u. schweißbares Metall, D. 21,45, Schmp. 1769 °C, Sdp. 3830 °C, H. 4,3; die Zugfestigkeit wird mit 137,3 N/mm^2, die Brinellhärte (HB) mit 50 angegeben. Der Längen-Wärmeausdehnungskoeff. von Pt mit $9 \cdot 10^{-6}$/K entspricht dem von chem. Geräteglas, in das es dicht eingeschmolzen werden kann. Auf Rotglut erhitztes Pt ist für Wasserstoff merklich durchlässig. Von fein verteiltem Pt chemisorbierter Wasserstoff u. Sauerstoff sind aktiviert, u. auch ungesätt. organ. Verb. werden leicht an der Oberfläche gebunden, worauf die hervorragenden Katalysator-Eigenschaften von Pt basieren; in manchen Fällen läßt sich mit Gold-Atomen eine Vervielfachung der Reaktionsgeschw. erreichen [1]. Massives Pt bildet beim starken Erhitzen an der Luft in geringem Umfang PtO_2, das sich verflüchtigt. P. widersteht H_2SO_4 bis 300 °C, HCl bis 100 °C, HNO_3 bis 100 °C, HF bis 100 °C, $HClO_4$ bis 100 °C, HI, I_2 u. den meisten organ. Säuren bei gewöhnlicher Temperatur. Dagegen wird es von Königswasser u. Br_2 (F_2, Cl_2) schon bei Zimmertemp., von HBr, HI, H_2O_2 (30%ig), HNO_3 (rauchend) oberhalb 100 °C, von H_3PO_4, $MgCl_2$, $Ba(NO_3)_2$, KOH/K_2S, Na_2O_2, NaOH, NaCN, KOH, KNO_3/NaOH, KCN bei Temp. ab etwa 400 °C angegriffen. Mit den „Katalysatorgiften" Phosphor, Bor, Arsen, Silicium, Kohlenstoff, Antimon, Bismut, Blei u. Zinn, aber auch mit anderen, insbes. Edelmetallen, bildet P. Legierungen. In seinen meist farbigen Verb. ist Pt 0- bis 4-, seltener auch 5- od. 6-wertig; am häufigsten sind Pt(II)- u. Pt(IV)-Verbindungen. Pt neigt in wäss. Lsg. zur Bildung von anion. Koordinationsverb.

(*Platinaten*); z. B. $[PtCl_4]^{2-}$ [Tetrachloroplatinat(II)], $[Pt(CN)_4]^{2-}$ [Tetracyanoplatinat(II)] od. $[PtF_6]^-$ [Hexafluoroplatinat(V)]. Das Pt^{2+}-Ion bevorzugt eine quadrat.-planare Koordinationsgeometrie, welche entsprechend der Symmetrie der Liganden-Umgebung etwas verzerrt sein kann. Ein für die Anti-Tumor-Therapie wichtiger Neutralkomplex des P. ist *cis*-Diammindichloroplatin(II), *cis*-$[PtCl_2(NH_3)_2]$ (*Cisplatin, s. a. Platin-Verbindungen). Kation. Pt-Komplexe sind z. B. das Tetracarbonylplatin(II)-Dikation, $[PtCO)_4]^{2+}$ (*Lit.*[2]) u. das Decamethylplatinocenium-Dikation, $[(\eta^5\text{-}C_5Me_5)_2Pt]^{2+}$ (*Lit.*[3]). P. ähnelt in vielen Eigenschaften dem *Palladium (senkrechter Nachbar im Periodensystem).

Physiologie: Metall. P. ist toxikolog. unbedenklich, doch können *Platin-Verbindungen bei exponierten Personen allerg. Reaktionen auslösen, weshalb Pt-Verb. ein MAK-Wert von 0,002 mg/m^3 zugeordnet wurde.

Die Verw. der P.-Metalle Pt, Rh u. Pd für Autoabgaskatalysatoren in der BRD seit 1984 hat zu einem sprunghaften Anstieg der Konz. dieser Metalle entlang von Autobahnen geführt (z. B. 72fache Pt-Konz. entlang der Autobahn Frankfurt – Mannheim 1994, verglichen mit dem unbelasteten Gelände). 90% der emittierten Pt-haltigen Partikel gelangen auf einen 4 m breiten Streifen neben der Autobahn. Während ersten Untersuchungen zufolge die emittierten P.-Metalle nur wenig bioverfügbar sind u. eine vermehrte Aufnahme in den menschlichen Körper aufgrund von hoher Verkehrsdichte bislang nicht nachgewiesen werden konnte (*Lit.*, Degussa), hat die Eliminierung von Stickoxiden, Kohlenmonoxid u. Kohlenwasserstoffen durch den Einsatz der Autoabgaskatalysatoren einen eindeutig pos. gesundheitlichen Effekt. Hexachloroplatinate gehören zu den stärksten bekannten synthet. Allergenen[4].

Nachw.: Pt kann mit $SnCl_2$ in salzsaurer Lsg. durch gelbe bis rote Färbung nachgewiesen werden. Als organ. Reagenzien bieten sich *Dithizon, *Dithiooxamid, 1,2-*Phenylendiamin u. *Thionalid an[5]. Als physikal. Analysenmeth. eignen sich UV-Emissionsspektroskopie u. Neutronenaktivierungsanalyse[6], bes. aber die Röntgenfluoreszenzanalyse u. Atomabsorptionsspektroskopie; über die Platin-NMR-Spektroskopie s. *Lit.*[7].

Vork.: Der Anteil von P. an der obersten 16 km dicken Erdkruste wird auf 10^{-8} geschätzt; Pt steht damit in der Häufigkeitsliste der Elemente an 76. Stelle in der Nähe von Palladium u. Gold. Man findet P. normalerweise zusammen mit anderen *Platin-Metallen entweder gediegen od. als Mineral; *Beisp.:* *Sperrylith ($PtAs_2$), Geversit ($PtSb_2$), Cooperit (PtS), Braggit [(Pt, Pd, Ni)S], Ferroplatin (Fe, Pt), Polyxen (Fe, Pt, Pt-Metalle) od. Iridiumplatin (Ir, Pt). Bei den Vork. der Platin-Metalle unterscheidet man prim. u. sek. Lagerstätten. Erstere (sog. *Berg-P.*) finden sich in der ehem. UdSSR (Ural, wo 1843 ein 12 kg schwerer P.-Brocken gefunden wurde), in Südafrika (Bushveld, mit 93% der gesicherten Weltreserven) sowie in Kanada (Sudbury) u. den USA (Stillwater, MT). Die durch Verwitterung entstandenen sek. *P.-Seifen* werden in Kolumbien u. in der ehem. UdSSR gefördert.

Herst.: Zur Herst. sowie zur Wiedergewinnung aus Abfällen u. Altmaterialien s. Platin-Metalle u. *Lit.*[8]. P.-Schichten lassen sich auf metall. u./od. keram. Unterlagen auf verschiedene Weise erzeugen (*Platinieren*): Galvanotechn. mit $K_2[Pt(NO_2)_4]$ od. $Na_2[Pt(OH)_6]$, Schmelzfluß-elektrolyt. aus Cyanid-Bädern[9], chem. durch therm. Zers. von Hexachloroplatin(IV)-säure od. Platin(II)-acetylacetonat od. physikal. durch Kathodenzerstäubung u. Ionenplattierung (s. Ionenimplantation) im Hochvakuum.

Im Jahre 1994 wurden weltweit ca. 113,8 t Pt produziert, davon 104,8 t in Südafrika, 4,5 t in Kanada u. 2,0 t in den USA. Zusätzlich wurden 22,5 t russ. Vorräte verkauft u. 16,5 t P. durch Recycling gewonnen.

Verw.: Für elektr. Kontakte, Heizleiter, Thermoelemente, Widerstandsthermometer, Spinndüsen für Glas- u. Viskosefasern, Füllfederhalterspitzen, Schmuckwaren, medizin. Geräte, Dentalwerkstoffe, zur Herst. von Schalen, Tiegeln, Drähten, Blechen, Elektroden u. a. Laborgeräten; zur Verw. von Pt, P.-Metallen u. -Leg. in der Glas-Ind. s. *Lit.*[10].

P. eignet sich auch zur Herst. von Tiegeln für die Fabrikation von opt. Spezialgläsern u. Einkristallen. Im allg. kommen statt Rein-P. *Platin-Legierungen zur Anw., z. B. in Permanentmagneten (als Pt-Co-Leg.) u. zur Herst. von Eichmaßen („Urmeter" u. „Urkilo" bestehen aus Leg. von 90% Pt u. 10% Iridium). Pt ist im feinverteilten Zustand ein ausgezeichneter Katalysator für Hydrierungen, Dehydrierungen u. Oxidationen. In Form von Netzen, als P.-Schwamm, als P.-Schwarz od. P.-Mohr (Pulver), als Suspension (P.-Sol) od. auf inerten Trägern (Al_2O_3, SiO_2, Aktivkohle, $BaSO_4$, $CaCO_3$, Zeolithe etc.) aufgezogen, finden Pt u. Pt-Leg. großtechn. Verw. bei der Oxid. von Ammoniak zu Salpetersäure, Hydrierung von Stickstoffoxid zu Hydroxylamin, Synth. von Cyanwasserstoff (*Blausäure) aus NH_3 (od. N_2) u. CH_4 sowie in petrochem. Verf. wie Hydrokracken, Isomerisieren, Aromatisieren, Hydrieren, Reformieren (*Platforming®) u. Dehydrieren; Katalysatoren aus Pt-Rh-Pd od. Pt-Pd auf $\gamma\text{-}Al_2O_3$ werden bei der Reinigung von *Kraftfahrzeugabgasen verwendet.

Im Laboratorium benutzt man auf Aktivkohle, $BaSO_4$, Al_2O_3 od. anderen Trägern aufgezogenes P. od. durch sog. Vorhydrieren aus PtO_2 selbst hergestelltes Pt zur Hydrierung von Doppelbindungen, von Nitro-Verb., Chinonen, Ketonen, Aromaten usw. od. für Dehydrierungen. 1994 betrug der P.-Verbrauch der westlichen Welt 153,6 t; davon gingen 38,6% in Kraftfahrzeug-Abgaskatalysatoren, 36,1% in Schmuck, 12,7% in die chem., Erdöl- u. Glas-Ind., 4,4% in die Elektro-Ind.; 8,1% dienten zur Vermögensanlage. Als neues Einsatzgebiet mit größerem P.-Bedarf zeichnet sich die mit platinierten Kohlenstoff-Trägerelektroden u. Phosphorsäure arbeitende Brennstoffzelle ab[11].

Geschichte: P. war den Mayas in Mittelamerika schon vor dem 15. Jh. bekannt u. wurde mit Gold zu Schmuck verarbeitet. Der Name P. leitet sich als Diminutiv von span.: plata = Silber ab. Die ersten Beschreibungen durch den italien. Gelehrten J. C. Scaliger (1484 – 1558) sprechen von platina del Pinto = Silberplättchen vom Fluß Pinto in Peru od. spielen auf die

Nutzlosigkeit des unschmelzbaren „Silberleins" an. In Europa wurde P. erstmals 1750 von Watson als neues Metall beschrieben; im gleichen Jahr begann der Abbau in russ. Lagerstätten. – ***E*** platinum – ***F*** platine – ***I*** = ***S*** platino

Lit.: [1] Phys. Rev. Lett. **45**, 1601 (1980). [2] Angew. Chem. **109**, 2506ff. (1997). [3] J. Organomet. Chem. **493**, 181ff. (1995). [4] Degussa AG, Edelmetall-Taschenbuch, S. 610f., Heidelberg: Hüthig 1995; Bradford, in Seiler u. Siegel (Hrsg.), Handbook on Toxicity of Inorganic Compounds, S. 533–539, New York: Dekker 1987. [5] Fries-Getrost, S. 289–292. [6] Townshend, Encyclopedia of Analytical Science, S. 4005–4011, London: Academic Press 1995. [7] Webb (Hrsg.), Annual Reports on NMR-Spectroscopy, Vol. 17, S. 285–349, London: Academic Press 1986. [8] Brauer (3.) **3**, 1704–1726. [9] Degussa AG, Edelmetall-Taschenbuch, S. 314ff., Heidelberg: Hüthig 1995; Oberfläche Surf. **31** (3.), 8–12 (1990). [10] Degussa AG, Edelmetall-Taschenbuch, S. 343–562, Heidelberg: Hüthig 1995. [11] Platinum Met. Rev. **34**, 26–35 (1990).

allg.: Degussa (Hrsg.), Edelmetall-Taschenbuch (2.), S. 609, Heidelberg: Hüthig 1995 ▪ Gmelin, Syst.-Nr. 68, Pt, 1938–1957, Supplement Vol. A 1 u. A 2, 1986, 1989 ▪ Houben-Weyl **13/9a**, 671–850 ▪ Kirk-Othmer (3.) **7**, 494ff.; **18**, 245–248, 254–259 ▪ Merian (Hrsg.), Metalle in der Umwelt, S. 322–333, Weinheim: Verl. Chemie 1984 ▪ Ramdohr-Strunz, S. 399f., 449, 459f. ▪ Struct. Bonding (Berlin) **62**, 87–153 (1985) ▪ Synthetica **1**, 401–410 ▪ Ullmann (5.) **A 21**, 75–131 ▪ Winnacker-Küchler (4.) **4**, 540–572 ▪ s. a. Platin-Metalle, Edelmetalle, Katalyse. – *[HS 7110 11; CAS 7440-06-4]*

Platinieren s. Platin.

Platinit®. Katalysatornetze aus Edelmetall od. -Legierungen. ***B.:*** Degussa.

Platin-Katalysatoren s. Platin u. Platin-Verbindungen.

Platin-Legierungen. Leg. des *Platins mit anderen *Edelmetallen. P.-L. bilden innerhalb der Gruppe der Edelmetall-Leg. eine techn. bedeutsame Werkstoffgruppe.

Verw.: Laborgeräte für extreme chem. u. therm. Beanspruchungen (Pt, PtIr, PtRh), verfahrenstechn. Komponenten in der Fluor-Chemie, Berstscheiben, Vorrichtungen zum Erschmelzen hochwertiger Gläser (PtRh), Düsen in der Glas- u. Kunststoffaser-Herst. (PtAu, PtIr), Katalysatoren in der chem. Verfahrenstechnik u. zur Kfz-Abgasbehandlung (PtRh, PtPd), Thermoelemente (Pt/PtRh), Dentaltechnik. – ***E*** platinum alloys – ***F*** alliage de platine – ***I*** leghe di platino – ***S*** aleación de platino

Lit.: Ullmann (5.) **A 21**, 113–120.

Platin-Metalle (Platin-Gruppen-Metalle, PGM). Sammelbez. für die zu den *Edelmetallen gerechneten u. in der Eisen-Gruppe stehenden 6 Elemente der 8.–10. Gruppe des *Periodensystems. Nach Ordnungszahlen u. D. werden die *leichten P.-M.* *Ruthenium, *Rhodium u. *Palladium (Ordnungszahlen 44–46, D. etwa 12) von den *schweren P.-M.* *Osmium, *Iridium u. *Platin (Ordnungszahlen 76–78, D. etwa 22) unterschieden; die untereinander stehenden Paare Ru/Os, Rh/Ir, Pd/Pt sind aufgrund der *Lanthanoiden-Kontraktion in den physikal. u. chem. Eigenschaften bes. ähnlich. Gemeinsam sind den P.-M. die für *Übergangsmetalle typ. Eigenschaften: Vielfalt der Oxid.-Stufen, Neigung zur Komplexbildung, Farbigkeit der Verb. u. katalyt. Aktivität, wobei durchaus die Unterschiede im chem. Verhalten der P.-M. zum differenzierten Einsatz sowohl zur heterogenen [1] als auch zur homogenen *Katalyse [2] genutzt werden. Aufgrund ihrer Eigenschaft, Wasserstoff zu lösen u. sich in feiner Verteilung selbst zu entzünden, u. wegen ihres starken Oxid.-Vermögens (bei den Sauerstoff-Verb.) ist der Umgang mit Pt-Metallen bzw. -Verb. nicht ungefährlich, u. es sind entsprechende Sicherheitsmaßnahmen zu beachten; Diammindinitroplatin(II) [$Pt(NH_3)_2(NO_2)_2$] u. a. Ammin-Nitro-Komplexe u. -Nitrate fallen unter das Sprengstoffgesetz (vgl. *Lit.* [3], s. a. Sprengstoffe).

Nachw.: Der Nachw. der P.-M. ist ziemlich aufwendig. Mit UV-Emissionsspektral- u. Röntgenfluoreszenzanalyse lassen sich noch etwa 10 ppm eines P.-M. in Ggw. weiterer P.-M. nachweisen. Einen ausführlichen Überblick über die in Abhängigkeit von der Konz. angewendeten Analysenmeth. gibt *Lit.* [4].

Vork.: P.-M. kommen nicht einzeln, sondern in Mischungen wechselnder Zusammensetzung vor. Da sich Pt mit Eisen gut legiert, nimmt man im Eisen-reichen Erdkern auch größere P.-M.-Mengen an. Die Erdkugel enthält wahrscheinlich je ca. 10 ppm Pt, Ru, Os u. Pd sowie je ca. 2 ppm Rh u. Ir; in der Erdkruste wird ein durchschnittlicher Gehalt von ca. 0,05 ppm für alle P.-M. zusammen angenommen (entspricht 50 mg/t). Bei der Magmaerstarrung konzentrierten sich die P.-M. im ultrabas. Gestein in sog. *Dunit*-Schloten od. -Pfeifen (s. Peridotite) im Ural u. in Südafrika u. im *Norit*-Gestein (s. Gabbros, Merensky-Reef im Bushveld, Südafrika). Bei Pt u. Pd spielten (gemeinsam mit Cu u. Ni) auch hydrothermale Reaktionen im Erdinneren unter Mitwirkung von Chloriden eine Rolle. In Kanada sind die P.-M. an Nickelerze gebunden, in der ehem. UdSSR auch an Chrom- u. Eisenerze. Bei der Verwitterung dieser prim. Vork. sind die P.-M. in Körnchenform in die Schutthalden u. Flußsande übergegangen, jedoch infolge ihres hohen spezif. Gew. nur selten ins Meer hinausgeschwemmt worden. Diese sek. Lagerstätten bezeichnet man als sog. *Seifen*; man findet sie bes. in der ehem. UdSSR, in Kolumbien, Äthiopien u. auf Borneo. Die P.-M. kommen gediegen vor, u. zwar als Pt, das 10–30 Gew.-% der anderen P. M. (*Platinbegleitmetalle*) u. Fe in wechselnden Mengenverhältnissen enthält (vgl. Platin-Legierungen). P.-M.-Verb. kommen z. B. als Sulfide u. Arsenide vor. P.-haltige Minerale sind $PtAs_2$ u. PtS, (Pt, Pd, Ni)S mit 58–60% Pt, 18–20% Pd u. 2–4% Ni, $PdBi_3$, Os/Ir od. Ir/Os mit 80% Os bzw. 77% Ir (Osmiridium bzw. Iridosmium); s. a. die Einzelmetalle.

Herst.: Die in den prim. od. sek. Lagerstätten vorhandenen P.-M. werden durch *Flotation konzentriert od. fallen schon als Konzentrat, z. B. als *Anodenschlamm* bei der *elektrolytischen Raffination von Kupfer u. a. Metallen an. Wichtige zusätzliche Quellen für P.-M. sind Scheidegut, *Gekrätz [5] u. verbrauchte Katalysatoren, die im Recycling aufgearbeitet werden. Der P.-M.-Trennungsgang richtet sich nach der Zusammensetzung des Konzentrats u. ist ein äußerst komplizierter Prozeß. Dabei erfolgt im wesentlichen zunächst der Aufschluß durch Lösen (z. B. in *Königswasser) od. durch Schmelzen (z. B. mit Natriumperoxid), anschließend erfolgt die Entfernung von Unedelmetallen (z. B. durch Kationenaustauscher) sowie von Silber u.

Gold (durch Fällung). Bei Anwesenheit von Ru u. Os können diese durch oxidierende Dest. als Tetroxide abgetrennt werden. Im *Fällungs-Trennungsgang* (Abb. 1) sind die P.-M. durch selektive Oxid. u. Fällung als Ammonium-hexachlorometallate(IV) erhältlich; zuletzt wird das dreiwertig bleibende Rh als Ammonium-hexachlororhodat(III) gefällt. Aus diesen Komplexen lassen sich die Metalle durch therm. Zers. (Δ in Abb. 1 u. 2) als grauer Metallschwamm od. durch chem. Red. (z. B. mittels *Hydrazin) als äußerst feine, bisweilen pyrophore Pulver („Mohr") gewinnen.

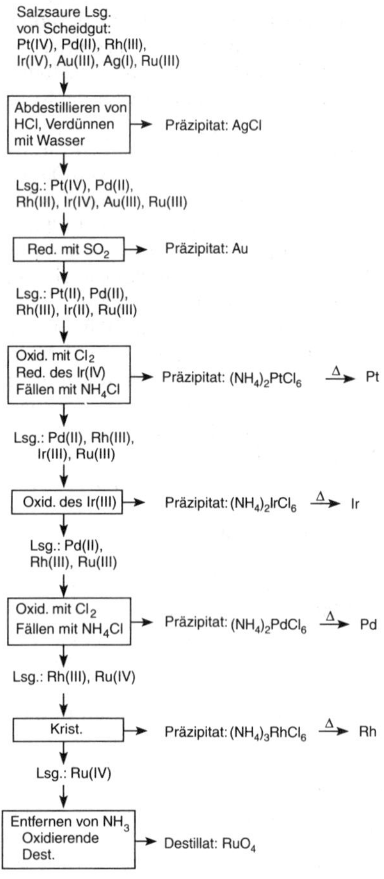

Abb. 1: Fällungstrennungsgang der Platin-Metalle.

Als weitere Trenn-Meth. hat seit den 70er Jahren die **Flüssig-Flüssig-Extraktion* in passend auf die jeweiligen P.-M.-Konz. abgestimmten Verf. Bedeutung erlangt (s. Abb. 2). Nach oxidativer Abtrennung von Ru u. Os werden Gold, Silber u. die übrigen P.-M. mit spezif. wirkenden organ. Lsm. aus wäss. Lsg. gewonnen; Näheres s. *Lit.*[6,7] u. zur Wiedergewinnung aus verbrauchten Abgaskatalysatoren s. *Lit.*[8], über die Elektroplattierung mit P.-M. zum Korrosionsschutz, für die Elektronik, für Schmuckwaren u. a. Anw. s. *Lit.*[9]. Im Jahre 1990 wurden insgesamt 238 t P.-M. (v. a. Pt, Pd u. Rh, die übrigen P.-M. sind mengenmäßig unbedeutend) gewonnen, davon 131,2 t in Südafrika, 84,1 t in der ehem. UdSSR, 17,8 t in Kanada u. den USA. Insgesamt wurden seit Beginn der Neuzeit etwa 5000 t P.-

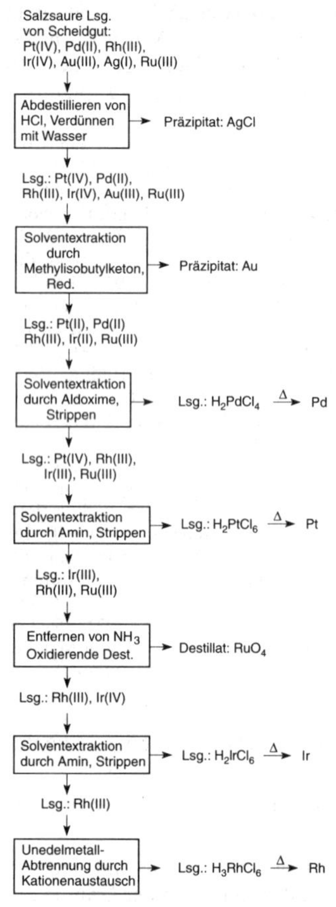

Abb. 2: Flüssig-Flüssig-Extraktion der Platin-Metalle.

M. produziert, davon ca. 65% Pt, ca. 30% Pd u. <5% andere.

Geschichte: Während Pt bereits im 16. Jh. untersucht worden war, wurden Pd u. Rh erst um 1803 (*Wollaston), Ir u. Os um 1804 (*Tennant) u. Ru noch später (um 1844, *Claus) entdeckt. – ***E*** platinum metals – ***F*** métaux de la famille du platine – ***I*** metalli del gruppo platino – ***S*** metales del grupo del platino

Lit.: [1] Degussa AG, Edelmetall-Taschenbuch, S. 357–389, Heidelberg: Hüthig 1995. [2] Degussa AG, Edelmetall-Taschenbuch, S. 389–401, Heidelberg: Hüthig 1995. [3] Chem. Ztg. **111**, 57–60 (1987). [4] Talanta **34**, 69–75, 677–698 (1987); Degussa AG, Edelmetall-Taschenbuch, S. 563 ff., Heidelberg: Hüthig 1995. [5] Degussa AG, Edelmetall-Taschenbuch, S. 24–35, Heidelberg: Hüthig 1995. [6] Chem. Labor Betr. **38**, 454 ff., 459 f. (1987). [7] Gmelin, Syst.-Nr. 68, Pt, Supplement Vol. A 1, Technology of Platinum Metals, 1986. [8] Torma u. Gundiler (Hrsg.), Precious and Rare Metal Technologies (Process Metallurgy 5), S. 343–393, Amsterdam: Elsevier 1989. [9] Jahrb. Oberflächentech. **43**, 94–134 (1987); **46**, 125–130, 133 ff. (1990).

allg.: Brauer (3.) **3**, 1704–1751 ▪ Kirk-Othmer (4.) **19**, 347–407 ▪ Livingstone, The Chemistry of Ruthenium, Rhodium, Palladium, Osmium, Iridium, and Platinum, Oxford: Pergamon 1974 ▪ Ramdohr-Strunz, S. 398 ff. ▪ Savitsky et al., Physical Metallurgy of Platinum Metals, Oxford: Pergamon 1979 ▪ Snell-Ettre **17**, 214–274 ▪ Ullmann (5.) **A 21**, 75–131 ▪ Wilkinson-Stone-Abel **6**; II **7**, 291–960 (Ru, Os); **8**, 115–302 (Rh), 303–417 (Ir), 418–520 (Rh-, Ir-Cluster); **9**, 193–390 (Pd), 391–588 (Pt) ▪ Winnacker-Küchler (4.) **4**, 540–572. – *Zeitschriften u. Serien:* Platinum Metals Review, London:

Johnson Matthey (seit 1957) ▪ Precious Metals: Proc. of the Int. Precious Metals Inst. Conference, Oxford: Pergamon (seit 1979).

Platinsalmiak s. Platin-Verbindungen.

Platin-Verbindungen. In seinen Verb. (MAK-Wert 0,002 mg/m^3, als Pt gerechnet) nimmt Pt vorwiegend die Oxid.-Stufen +2 u. +4, seltener alle anderen Oxid.-Stufen von 0 bis +6 an. Wichtige Verb. sind: a) *Platindioxid* [Platin(IV)-oxid], PtO_2, M$_R$ 227,08. Dunkelbraunes bis schwarzes Pulver, D. 10,2, Zers. ab 400 °C, unlösl. in Wasser, Säuren, Alkalien, findet Verw. als Katalysator für Hydrierungen (*Adams Katalysator*: $PtO_2 \cdot n\,H_2O$). b) *Platindichlorid* [Platin(II)-chlorid], $PtCl_2$, M$_R$ 265,98. Grünlichgraue bis bräunliche Krist., D. 6,05, Schmp. 581 °C (Zers.), in Wasser kaum lösl., besteht aus Pt_6Cl_{12}-Einheiten (β-$PtCl_2$), die Struktur der roten α-Modif. ist nicht bekannt. c) *Platintetrachlorid* [Platin(IV)-chlorid], $PtCl_4$, M$_R$ 336,89. Rotbraune Krist., D. 4,3, Schmp. 370 °C (Zers.), in Wasser gut löslich. d) *Hexachloroplatinsäure(IV)* (Platinchlorwasserstoffsäure), $H_2[PtCl_6] \cdot 6\,H_2O$, M$_R$ 517,90. Braunrote, hygroskop. Krist., D. 2,431, Schmp. 150 °C, leicht lösl. in Wasser (gelbe Lsg.), Alkohol u. Ether; aus der Lsg. fällt bei Zusatz von Ammonium-Salzen das schwerlösl. Ammonium-hexachloroplatinat(IV) {*Platinsalmiak*, $(NH_4)_2[PtCl_6]$} in Form von zitronengelben Oktaedern aus; diese Reaktion wird zur Pt-Bestimmung verwendet. Beim Glühen von Platinsalmiak hinterbleibt fein verteiltes Platin (*Platinschwamm*). Schwer lösl. sind auch Cäsium-, Rubidium- u. *Kaliumhexachloroplatinat(IV), die daher auch zum Nachw. dieser Alkali-Ionen geeignet sind. Hexachloroplatinsäure findet Verw. in der Mikroskopie, zum Tyramin-Nachw., zur galvan. Platinierung, zur Herst. anderer P.-V. u. von Platin-Katalysatoren.

Platin bildet leicht auch Koordinationsverb. mit NH_3, CN^- [z. B. *Bariumtetracyanoplatinat(II)], CO, OH^- etc. als Liganden, ferner mit Olefinen, Phosphanen etc. Die älteste bekannte Metall-organ. Verb. ist eine P.-V. (*Zeise-Salz). Pt-organ. Verb. mit Phosphan- u. a. Liganden eignen sich als Homogenkatalysatoren. Bereits seit der ersten Hälfte des 19. Jh. bekannt sind das *Magnus Salz {$[Pt(NH_3)_4][PtCl_4]$}, Reiset-Salz I {$[Pt(NH_3)_4]Cl_2$, farblos}, Reiset-Salz II {*trans*-$[Pt(NH_3)_2Cl_2]$, gelb} u. dessen stereoisomeres Peyrone-Salz {*cis*-$[Pt(NH_3)_2Cl_2]$, *cis*-Diammindichloroplatin(II), internat. Freiname: **Cisplatin*, M$_R$ 300,047, orangefarbene Krist., Schmp. 270 °C (Zers.), in Wasser schwerlöslich}. Letzteres wird als allerdings stark tox. *Cytostatikum gegen Hoden-, Eierstock- u. a. Tumore eingesetzt; zur Wirkungsweise u. über verwandte Pt-Komplexe in der Krebstherapie s. *Lit.*[1], über Organoplatin(IV)-Verb. s. *Lit.*[2]. – ***E*** platinum compounds – ***F*** composés du platine – ***I*** composti di platino – ***S*** compuestos del platino

Lit.: [1] Degussa AG, Edelmetall-Taschenbuch, S. 550 f., Heidelberg: Hüthig 1995; Ullmann (5.) **A 5**, 21 ff. [2] Adv. Organomet. Chem. **27**, 113–168 (1987).
allg.: s. Platin, Platin-Metalle. – *[CAS 1314-15-4 (a); 10025-65-7 (b); 13454-96-1 (c); 16941-12-1 (d)]*

Platon (427 v. Chr. bis 348/347 v. Chr. in Athen), griech. Philosoph, gilt mit Aristoteles als Begründer der abendländ. Philosophie. In seinem Dialog „Timaios", der zu den ersten Abhandlungen der Chemie gehört, übernahm er die 4 Elemente des Empedokles, nämlich Erde, Luft, Feuer u. Wasser u. ordnet diese Elemente geometr. Körpern zu. Trotz seiner im Unterschied zu Aristoteles ablehnenden Haltung gegenüber dem Experiment, der Beobachtung u. der Empirie im allg., kannte er sich in den damaligen Produktionsprozessen seiner Zeit aus u. beschrieb eine Vielzahl von Metallen u. Legierungen.

Lit.: Lexikon der Naturwissenschaftler, S. 330 ▪ Pötsch, S. 346.

Platonische Körper. Auch *Platosche Körper* genannte konvexe *reguläre Polyeder*, deren Begrenzungsflächen jeweils aus den gleichen regulären Vielecken bestehen. In jeder Ecke müssen gleich viele Vielecke zusammenstoßen. Es gibt genau 5 p. K., nämlich das **Tetraeder* (aus 4 gleichseitigen Dreiecken), das *Hexaeder* od. der Würfel (aus 6 Quadraten), das *Oktaeder* (aus 8 gleichseitigen Dreiecken), das (Pentagon-)*Dodekaeder* (aus 12 regulären Fünfecken) u. das *Ikosaeder* (aus 20 gleichseitigen Dreiecken). Die beiden letzteren Körper gehorchen nicht dem Symmetrie- u. *Rationalitätsgesetz u. können deswegen nicht Begrenzungsflächen von Krist. (s. Kristallmorphologie u. Quasikristalle) sein. Jeder p. K. besitzt eine Innenkugel, auf der die Mittelpunkte sämtlicher Flächen des Körpers liegen, sowie eine Außenkugel, auf der sich alle Ecken befinden. Plato(n) (427–347 v.Chr.) hat die später nach ihm benannten Körper in seine Philosophie eingebaut. Er soll postuliert haben, daß Materie aus sehr kleinen, regelmäßig geformten Teilchen bestehe. So ordnete er den im Altertum bekannten „Elementen" (vgl. chemische Elemente) die genannten regulären Polyeder zu: Feuer = Tetraeder, Erde = Würfel, Luft = Oktaeder u. Wasser = Ikosaeder. Die den Himmelsäther aufbauenden kleinsten Körper sollten (Pentagon-)Dodecaeder sein. Eine reizvolle Aufgabe für den Chemiker ist die Herst. *platonischer Moleküle. – ***E*** Patonic bodies – ***F*** corps platoniques – ***I*** corpi platonici – ***S*** cuerpos platónicos

Platonische Kohlenwasserstoffe. Bez. für Kohlenwasserstoffe mit Kohlenstoff-Gerüsten in der geometr. Form der fünf *platonischen Körper (s. a. platonische Moleküle). Synthet. wurden hiervon drei realisiert: Das *Tetrahedran* – allerdings nur in Form von Substitutionsprodukten wie Tetra-*tert*-butyltetrahedran (Endprodukt in Abb. 1) –, 1978 von G. Maier u. Mitarbeitern synthetisiert wurde (*Lit.*[1]), das von P. E. Eaton u. T. W. Cole 1964 (*Lit.*[2]) hergestellte *Cuban* (Abb. s. dort) u. das erstmals 1982 von L. A. Paquette u. Mitarbeitern (*Lit.*[3]) synthetisierte *Dodecahedran* (Abb. 2).

Der Synth.-Weg des Tetra-*tert*-butyltetrahedrans (nach IUPAC-Nomenklatur 1,2,3,4-Tetra-*tert*-butyltricyclo-[1.1.0.0^{2,4}]butan), welches als „Molekül des Jahres 1978" bezeichnet wurde (*Lit.*[4]), ist in Abb. 1 auf S. 3386 dargestellt. Es bildet farblose, an der Luft beständige Krist., die bei 135 °C schmelzen. Die tetraedr. Form des C_4-Grundgerüsts wurde durch Röntgen-*Kristallstrukturanalyse (*Lit.*[5]) bewiesen. Noch etwas stabiler ist dasjenige Tetrahedran, bei dem eine *tert*-Butyl-Gruppe durch eine Trimethylsilyl-Gruppe er-

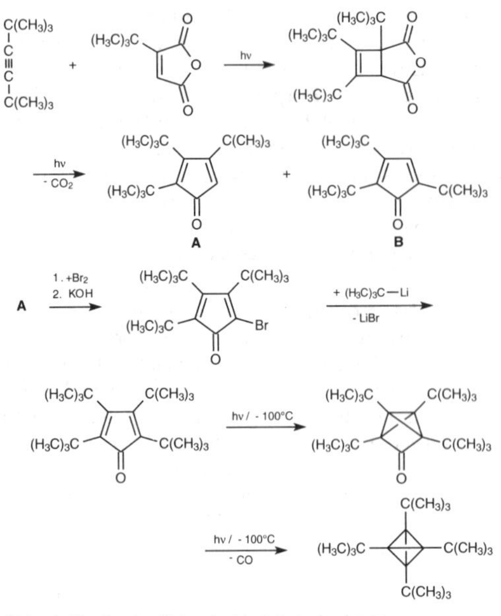

Abb. 1: Synth. des Tetra-*tert*-butyltetrahedrans.

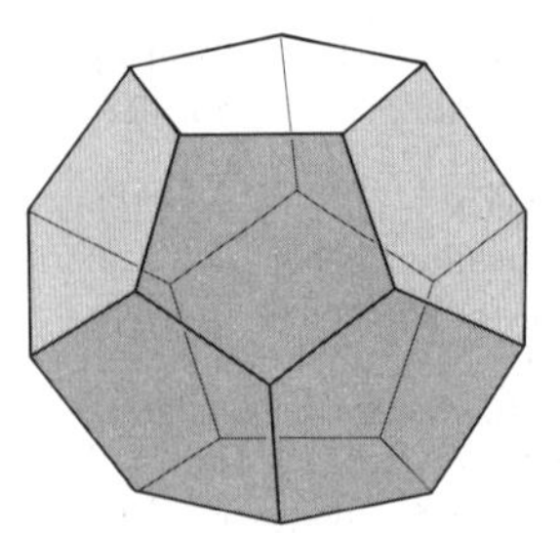

Abb. 2: Dodecahedran.

setzt ist (*Lit.*[6,7]). Zur Synth. von Cuban u. Dodecahedran s. *Lit.*[2,3,8]; letzteres wurde durch eine 23-stufige Synth. ausgehend von *Cyclopentadien hergestellt. – ***E*** platonic hydrocarbons – ***F*** hydrocarbures platoniques – ***I*** idrocarburi platonici – ***S*** hidrocarburos platónicos

Lit.: [1] Angew. Chem. **90**, 552 f. (1978). [2] J. Am. Chem. Soc. **86**, 3157 f. (1964). [3] J. Am. Chem. Soc. **104**, 4503 f. (1982). [4] Chem. Unserer Zeit **15**, 52–61 (1981). [5] Angew. Chem. **96**, 967 f. (1984). [6] Angew. Chem. **101**, 1085 ff. (1989). [7] Chem. Unserer Zeit **25**, 51–58 (1991). [8] Vögtle, Reizvolle Moleküle der organischen Chemie, Stuttgart: Teubner 1989.
allg.: Chem. Labor Betr. **35**, 178 ff. (1984) ▪ Chem. Unserer Zeit **16**, 13–22 (1982) ▪ Kontakte (Merck) **1982**, Nr. 2, 37 f.

Platonische Moleküle. In freier Nachempfindung von Platos Philosophie nennt man *Ringsysteme u. *Käfigverbindungen, die die ästhet. reizvollen Strukturen von *platonischen Körpern haben, „platon. Moleküle“.
In der anorgan. Chemie sind Beisp. für alle Typen von p. M. bekannt. Wegen der Vierbindigkeit des Kohlenstoff-Atoms lassen sich in der organ. Chemie nur drei der fünf Polyeder als Kohlenwasserstoffe (bzw. Substitutionsprodukte davon) realisieren; Näheres s. platonische Kohlenwasserstoffe. – ***E*** platonic molecules – ***F*** molécules platoniques – ***I*** molecole platoniche – ***S*** moléculas platónicas

Lit.: Chem. Unserer Zeit **15**, 52–61 (1981); **16**, 13–22 (1982) ▪ Kontakte (Merck) **1982**, Nr. 2, 37–48 ▪ Vögtle, Reizvolle Moleküle in der organischen Chemie, Stuttgart: Teubner 1989 ▪ s. a. Käfigverbindungen, polycyclische Verbindungen, Ringsysteme, Struktur.

Platosche Körper s. platonische Körper.

Platreating®-Verfahren. Ein petrochem. Verf. der *UOP zur Entfernung von Stickstoff- u. Schwefel-Verb. sowie zur Verringerung des Aromaten-Gehalts von Naphtha-Vorprodukten.

Plattenkalke. Bez. für feingeschichtete, in verschiedenen geolog. Syst. entstandene *Kalke, aus denen sich in günstigen Fällen mm- bis cm-dicke, völlig ebene Platten gewinnen lassen. Berühmt (v. a. wegen der in ihnen gefundenen *Fossilien, u. a. der Urvogel *Archaeopterix*) sind die cremefarbenen, sehr dichten, zu den mikrit. Kalken gehörenden, leicht spaltbaren *Solnhofener Platten* (nicht: Solnhofener Schiefer!) aus der Jurazeit aus Solnhofen u. der weiteren Umgebung von Eichstätt in Bayern, die die Lithographie (den Steindruck) ermöglichten; heute steht die Gewinnung von Wand- u. Bodenfliesen, Treppenstufen u. Fensterbänken im Vordergrund. Hell-oliv bis blaugrau gefärbte P. kommen aus Indien. – ***E*** platy limestones – ***F*** chaux de plaques – ***I*** piani calcarei – ***S*** cal de placas

Lit.: Dietrich u. Skinner, Die Gesteine u. ihre Mineralien, S. 246, Thun: Ott 1984 ▪ Müller, Gesteinskunde (3.), S. 135, Ulm: Ebner 1991 ▪ Rothe, Gesteine, S. 87, Darmstadt: Wissenschaftliche Buchges. 1994 ▪ s. a. Kalke.

Plattentektonik. Bez. für die in den 60er Jahren nach dem Muster der bereits 1912 von A. Wegener aufgestellten Kontinentalverschiebungs-Hypothese entstandene Theorie, nach der die Lithosphäre der *Erde aus 7 großen (pazif., nordamerikan., südamerikan., afrikan., euras., indo-austral. u. antarkt.) u. einer Anzahl kleinerer (z. B. Nazca-Platte westlich von Südamerika) Platten besteht, die wie Flöze auf der weniger starren, plast. verformbaren Asthenosphäre (Erde) treiben u. sich um 1–20 cm pro Jahr voneinander weg (*divergente* od. konstruktive *Plattengrenzen*, z. B. mittelozean. Rücken, Rotes Meer), aneinander entlang (*Transformgrenzen*, konservierende Plattengrenzen, z. B. San Andreas-Spalte bei San Francisco) od. aufeinander zu (*konvergente* od. destruktive *Plattengrenzen*) bewegen. An konvergenten Grenzen (vgl. Abb. 1 bei Erde, S. 1191) kann entweder eine ozean. mit einer kontinentalen Platte bzw. dem vorgelagerten *Inselbogen* (z. B. Sunda-Bogen, Kleine Antillen) zusammenstoßen od. es können 2 kontinentale Platten (z. B. euras. u. afrikan. Platte, mit Auffaltung der Alpen) kollidieren. In *Subduktionszonen* schiebt sich dabei eine Platte – im allg. die schwerere – unter die andere („Oberplatte“) u. taucht in die weniger viskose Asthenosphäre ab. Diese Zonen sind durch mehrere Merkmale gekennzeichnet: Sie bilden neben den ozean. Rücken die *Hauptvulkangebiete* der Erde, sind die *Erdbeben*-reichsten Gebiete der Erde u. werden im Bereich abtauchender ozean. Lithosphäre von *Tiefseerinnen* (nicht: Tiefseegräben; z. B. Tonga-Rinne, 10 882 m Wassertiefe) sowie allg. entweder von Faltengebirgen od. von Inselbögen (z. B. Japan) begleitet. Die mit den Subduktionszonen abtauchenden Zonen bzw. Flächen mit Erdbebenherden werden nach ihrem

Entdecker *Benioff-Zonen* genannt. Im Bereich von Subduktionszonen kommt es außerdem zur *Hochdruckmetamorphose, zur Bildung von *Ophiolithen u. zur Entstehung wichtiger *Lagerstätten (Sawkins, *Lit.*). Als Ursache für die Plattenbewegungen werden Konvektionsströme im Erdmantel (Erde) angenommen. Anlaß für die Entwicklung der Theorie der P. war die Entdeckung des als „Sea-floor-spreading" bezeichneten Auseinanderdriftens des Ozeanbodens in den 60er Jahren; Altersbestimmungen an Ozeanboden-Basalten u. an den magnet. Streifenmustern, die sich symmetr. beidseitig der ozean. Rücken als Zeugen früherer Umkehrungen des Erdmagnetfeldes finden, hatten ergeben, daß die Gesteine des Ozeanbodens um so älter werden, je weiter man sich von den Rücken entfernt; s. a. Erde. – ***E*** plate tectonics – ***F*** tectonique des plaques – ***I*** tettonica dei piani – ***S*** tectónica de placas

Lit.: Frisch u. Löschke, Plattentektonik (3.), Darmstadt: Wissenschaftliche Buchges. 1993 ▪ Giese (Hrsg.), Ozeane u. Kontinente (2.), Heidelberg: Spektrum der Wissenschaft Verlagsges. 1984 ▪ Giese (Hrsg.), Geodynamik u. Plattentektonik, Heidelberg: Spektrum Akadem. Verl. 1995 ▪ Miller, Plattentektonik, Stuttgart: Enke 1992 ▪ Sawkins, Metal Deposits in Relation to Plate Tectonics (2.), Berlin: Springer 1990. – *Multimedia:* Spektrum Videothek: Kontinentaldrift, VHS-Video ▪ Täubert, Folienmappe Plattentektonik, Gotha u. Stuttgart: Klett-Perthes 1995 ▪ s. a. Erde.

Platterbsen s. Erbsen u. Lathyrismus.

Plattieren. Nach DIN 50902: 1994-07 Bez. für das Herstellen einer – gegenüber dem Grundwerkstoff korrosionsbeständigeren – *dünnen Schicht z. B. durch *Walz-P.* (Kalt- u. Warm-P.), **Explosionsplattierung* od. *Auftragschweißen*. Weitere Verf. zur Vereinigung zweier od. mehrerer relativ dicker Metallschichten mittels erhöhter Temp. u./od. Druck sind Preß-P., Guß-P., Löt-P. u. Preßschweiß-P.; als spezielle *Schweißplattierverf.* nennt die Norm Gas-, Gas-Pulver-, Lichtbogenhand-, Metall-Schutzgas-, Unterpulver- u. Plasma-Schweißplattieren (s. a. Schweißverfahren). Die *Metallisierung (*Beschichtung) kann auch durch *Schmelztauchen* od. *Elektroplattierung* (s. Galvanotechnik) vorgenommen werden. P. wird bes. im chem. Apparatebau eingesetzt, weil die so hergestellten *Verbundwerkstoffe ausreichenden *Korrosionsschutz mit Festigkeit verbinden. Weitere *Verw.:* Herst. von *Bimetallen, zum *Vergolden, -kupfern, -nickeln usw. Nicht durch die Norm erfaßt ist die sog. *Ionenplattierung*, vgl. Ionenimplantation. – ***E*** lining, cladding, platting – ***F*** enlamage – ***I*** placcatura – ***S*** chapeado, plaqueado

Lit.: Kauschner, Oberflächenveredeln u. Plattieren von Metallen, Leipzig: Dtsch. Verl. für Grundstoffind. 1983 ▪ Kirk-Othmer **13**, 273–284; (3.) **15**, 241–296 ▪ Narayanan, Plated Structures, Barking: Appl. Sci. Publ. 1983 ▪ Ullmann (5.) **A 9**, 169, 271 ▪ Winnacker-Küchler (3.) **6**, 629–644; (4.) **1**, 484–488; **4**, 670, 693 ff.

Plattierung. Meth. zur Bildung von Einspor- od. Einzellkulturen. Eine Zell- od. Sporensuspension wird mit steriler *Nährlösung od. *Ringer-Lösung verdünnt. Mit Hilfe einer *Zählkammer wird der Zelltiter bestimmt, dann wird eine definierte Menge auf eine Petrischale mit Nähragar pipettiert u. durch Hin- u. Herneigen od. Ausstreichen gleichmäßig darauf verteilt. Bei ausreichender Verd. gehen die gebildeten Kolonien jeweils aus einer Einzelzelle od. -spore hervor (Klone). Wenn man dagegen die Zellen sehr dicht plattiert, wachsen die Kolonien zusammen u. es entsteht ein Bakterienrasen. – ***E*** plating – ***F*** mise en lame, enlamage – ***I*** piastratura – ***S*** plaqueado, chapeado

Lit.: Anal. Biochem. **243**, 181 (1996) ▪ Präve (4.), S. 45 f. ▪ Schlegel (7.), S. 203 ff.

Plattnerit s. Blei(IV)-oxide bei Bleioxide.

Platzwechselreaktionen s. Austauschreaktionen u. Diffusion.

Plaunotol (CS-684, Kelnac).

$C_{20}H_{34}O_2$, M_R 306,49, blaßgelbes, bitteres Öl, lösl. in Aceton, Ethanol, Diethylether, unlösl. in Wasser. P. ist ein acycl. Diterpen-Alkohol aus *Croton sublyratus* (Plau-noi), Euphorbiaceae, einer Pflanze, die in der thailänd. Volksmedizin Verw. findet. P. besitzt anti-ulcerative Wirkung; LD_{50} (Maus, Ratte p. o.) >8 g/kg. – ***E*** = ***F*** = ***S*** plaunotol – ***I*** plaunotolo

Lit.: Merck-Index (12.), Nr. 7692 ▪ Tetrahedron Lett. **35**, 1581 (1994). – *[HS 2905 39; CAS 64218-02-6]*

p56^{lck} (Lck). Protein-Tyrosin-Kinase (PTK, s. Protein-Kinasen; M_R 56 000), die in T-*Lymphocyten – als akzessor. Mol. des *Interleukin-2- u. des Antigen-Rezeptors – bei deren Reifung im Thymus u. bei Antigen-Erkennung Signale weiterleitet, die zur *Mitose führen. Als Mitglied der *Src-Familie* der PTK besitzt p56^{lck} am Amino-Ende eine individuelle Domäne, gefolgt von den für die *Signaltransduktion wichtigen *Src-Homologie-Domänen* 2 u. 3 (SH2 u. SH3, s. Src), u. am Carboxy-Ende die katalyt. Kinase-Domäne. Über die SH2- u. SH3-Domänen soll Phosphatidylinosit-3-Kinase, die die Synth. von als Signalmol. wirkenden *Phosphoinositiden katalysiert, an Lck binden u. reguliert werden. Zur Raumstruktur der SH3-Domäne von p56^{lck} in Lsg. s. *Lit.*[1].

Lit.: [1] J. Biomol. NMR **8**, 105–122 (1996)
allg.: Nature (London) **362**, 87–91 (1993) ▪ Science **260**, 358–361 (1993).

Pleckstrin-Homologie-Domäne s. PH-Domäne.

Plectin (HD1). Protein (M_R ca. 500 000), das in den verschiedensten Zell-Typen vorkommt u. an *intermediäre Filamente (IF) bindet. Mit Hilfe der *Immunfluoreszenz zeigt sich die innerzelluläre Anordnung des P. in einem Netzwerk (daher Name von griech.: plektos = geflochten). Elektronenmikroskop. Studien zeigen, daß P. IF mit *Mikrotubuli u. a. Komponenten des *Cytoskeletts u. mit Membranen verbindet[1]. Als Verbindungsprotein des Cytoskeletts hat P. eine wichtige Aufgabe bei der Erhaltung der Struktur verschiedener Zellen u. Gewebe. Insbes. scheint es die IF am *Integrin $\alpha_6\beta_4$, das in Hemidesmosomen (s. Desmosomen) konzentriert ist, u. somit an der *extrazellulären Matrix zu verankern[2]. Ein genet. Defekt im P.-Gen resultiert in Muskeldystrophie mit Epidermolysis bullosa (Stoßblasensucht)[3]. Dabei ist in Keratinocyten (Hornhautzellen) die Wechselwirkung der *Keratinhaltigen IF mit den Hemidesmosomen gestört. In den

Muskelzellen der betroffenen Patienten findet man eine veränderte Anordnung des IF-Proteins *Desmin[4]. P. wird von der *Protein-Kinase $p34^{cdc2}$ phosphoryliert[5]. – ***E*** plectin – ***F*** plectine – ***I*** = ***S*** plectina

Lit.: [1] J. Cell Biol. **135**, 991–1007 (1996). [2] J. Cell Sci. **110**, 1307–1316, 1705–1716 (1997). [3] Hum. Mol. Genet. **5**, 1539–1546 (1996); Nat. Genet. **13**, 450–457 (1996). [4] J. Clin. Invest. **97**, 2289–2298 (1996). [5] J. Biol. Chem. **271**, 8203–8208 (1996); Mol. Biol. Cell **7**, 273–288 (1996). *allg.:* Genes Develop. **11**, 3143–3156 (1997) ▪ Proc. Natl. Acad. Sci. USA **93**, 4278-4283 (1996).

Pleiadien (Cyclohepta[*de*]naphthalin).

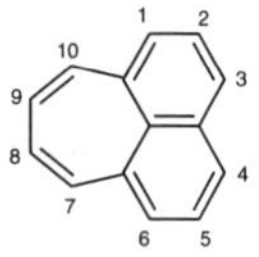

Pleiadien 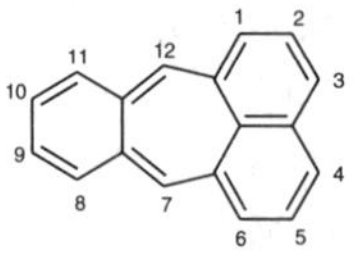 Pleiaden

$C_{14}H_{10}$, M_R 178,22, Schmp. 88,5–90 °C. Trivialname für einen aromat. tricycl. Kohlenwasserstoff aus *Naphthalin mit einem *peri*-anellierten 7-Ring; Name vom Sternbild der Plejaden, dem sog. Siebengestirn, 1933 von *Fieser eingeführt. Das Ringsyst. mit einem weiteren in 8/9-Stellung anellierten Benzol-Ring heißt Pleiaden, $C_{18}H_{12}$ (IUPAC-Regeln A-21.1, R-9.1.20). Beide Verb. sind wegen ihrer mannigfaltigen therm.-photochem. Reaktionen von wissenschaftlichem Interesse. – ***E*** = ***I*** pleiadiene – ***F*** pleiadiène – ***S*** pleiadieno

Lit.: Angew. Chem. **97**, 1044 f. (1985) ▪ Beilstein E IV **5**, 2307 ▪ Helv. Chim. Acta **64**, 2830–2840 (1981). – *[CAS 208-20-8 (P.); 206-92-8 (Pleiaden)]*

Pleionomere s. Oligomere.

Pleiotrop s. Interleukine.

Pleiotrope Gene. Gene, die die Ausbildung von zwei od. mehr phänotyp. Merkmalen (s. Phänotyp) steuern od. beeinflussen, die in keinem offensichtlichen Zusammenhang zueinander stehen. – ***E*** pleiotropic genes – ***F*** gènes pléiotropiques – ***I*** geni pleiotropici – ***S*** genes pleiotrópicos

Lit.: Zool. Sci. **12**, 675 (1995).

Pleiotrope Resistenz s. P-Glykoprotein.

Pleiotrophin (PTN). *Neurotropher Faktor, der wie das verwandte *Midkin zur Familie der *Neurokine gehört, durch Retinsäure (*Tretinoin) induzierbar ist u. hauptsächlich während der Embryonalentwicklung, aber auch in Tumor-Gewebe auftritt. Das Protein aus 136 Aminosäure-Resten bindet *Heparin u. das *Proteoglykan Syndecan. PTN fördert u. a. die Ausbildung von Neuriten bei *Neuronen u. die Neubildung von Blutgefäßen (Angiogenese); durch letztere Aktivität ist es für das Tumor-Wachstum von Bedeutung. – ***E*** pleiotrophin – ***F*** pléiotrophine – ***I*** = ***S*** pleiotrofina

Lit.: s. Midkin.

Pleistozän s. Erdzeitalter.

p-Leiter. Ein *Halbleiter, bei dem der elektr. Stromtransport überwiegend durch pos. geladene Löcher, d. h. unbesetzte Zustände im Valenzband getragen wird; s. a. Löcherleitung u. Defektelektron. – ***E*** p-conductor – ***F*** conducteur p – ***I*** conduttore del tipo p (positivo) – ***S*** conductor p

Pleochroismus. Von griech.: pleon = mehr u. chroia = Farbigkeit abgeleitete Bez. für die Eigenschaft von anisotropen, durchsichtigen Krist., die einzelnen Lichtwellenlängen in verschiedenen Richtungen unterschiedlich zu absorbieren, wodurch verschiedene Farben auftreten, je nachdem, von welcher Seite man den Krist. betrachtet od. wie die Polarisationsrichtung von linear polarisiertem Licht relativ zu den kristallograph. Achsen orientiert ist. P. ist direkt wahrnehmbar bei manchen Turmalinen, Beryllen u. Cordieriten, bei Pennin u. Magnesiumplatin(II)-cyanid. Ist der P. auf zwei Richtungen beschränkt, so spricht man von *Dichroismus*, bei drei Richtungen von *Trichroismus*. Unter dem Polarisationsmikroskop ermöglicht der P. z. B. die Unterscheidung von Hornblende u. Augit, von einzelnen Kaolin-Mineralien, wenn sie mit Anilin-Farben angefärbt wurden, u. den Nachweis von Turmalin, Biotit, Epidot, Glimmer usw. Kub. Krist. u. amorphe Mineralien können nicht pleochroit. sein. In der Edelsteinkunde spielt der P. eine wichtige Rolle. Das Auftreten von P. ist darin zu sehen, daß die opt. Auswahlregeln in Krist. niedriger Symmetrie manche Übergänge u. damit Absorption von Licht nur für bestimmte Polarisationsrichtungen erlauben. Dichroismus, der sich über einen großen Spektralbereich erstreckt, z. B. über den gesamten sichtbaren, läßt sich prakt. zur Herst. von Polarisatoren, z. B. von Polarisationsfolien (*Polaroid®), nutzen. – ***E*** pleochroism – ***F*** pléochroisme – ***I*** pleocroismo – ***S*** pleocroísmo

Lit.: Hecht, Optics, 2. Aufl., Massachusetts: Addison-Wesley Publ. Comp. Reading 1987.

Pleonast. Undurchsichtiger schwarzer *Spinell mit einem hohen Gehalt an zwei- u. dreiwertigem Eisen, Formel $(Mg,Fe)(Al,Fe)_2O_4$ bzw. $(Mg,Fe)O \cdot (Al,Fe)_2O_3$. H. 8, D. 3,8.

Vork.: Z. B. Schwarzwald, Odenwald, Monzoni-Gebirge u. Vesuv/Italien, Sri Lanka (Ceylon), Thailand, Jakutien/Sibirien. – ***E*** pleonaste – ***F*** pléonaste – ***I*** = ***S*** pleonasto

Lit.: Eppler, Praktische Gemmologie (5.), S. 141, Stuttgart: Rühle-Diebener 1994 ▪ Ramdohr-Strunz, S. 502 ▪ s. a. Spinelle. – *[HS 7103 10; CAS 12197-55-6]*

Plessit s. Meteoriten.

Plessys Grün s. Chrom(III)-phosphat.

Pleuromutilin (Drosophilin B).

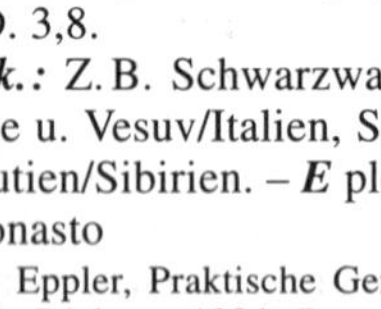

R = CO—CH_2OH : Pleuromutilin
R = H : Mutilin

$C_{22}H_{34}O_5$, M_R 378,50, Krist., Schmp. 170–171 °C, $[\alpha]_D^{25}$ +35° ($CHCl_3$), lösl. in Ethanol, Chloroform, unlösl. in Wasser. Diterpen-Antibiotikum aus Kulturen des Basidiomyceten *Pleurotus mutilus* u. verwandten Arten. P. war Gegenstand intensiver synthet. Bearbeitung. Einige Derivate besitzen breite antibakterielle Wirksamkeit im Gram-pos. u. Gram-neg. Bereich, u. a. auch gegen Chlamydien u. Mycoplasmen. Das verwandte *Mutilin*[1], $C_{20}H_{32}O_3$, M_R 320,47, Schmp. 192 °C ist antibiot. inaktiv. – ***E*** pleuromutilin – ***F*** pleuromutiline – ***I*** = ***S*** pleuromutilina

Lit.: [1] Tetrahedron **36**, 1807 (1980); Acta Crystallogr. Sect. C **51**, 2676 (1995) (Kristallstruktur).
allg.: Antibiotics (Wiley **5**, 344–360 (1979) ▪ Beilstein E IV **8**, 1920 ▪ J. Am. Chem. Soc. **104**, 1767 (1982); **111**, 8284 ff. (1989) ▪ J. Org. Chem. **45**, 1540 (1980); **53**, 1441–1466 (1988) ▪ Tetrahedron **39**, 1317–21 (1983); **40**, 905 (1984) ▪ Tetrahedron Lett. **26**, 1603–1614 (1985). – *[HS 2941 90; CAS 125-65-5 (P.); 6040-37-5 (Mutilin)]*

Pleurotellol.

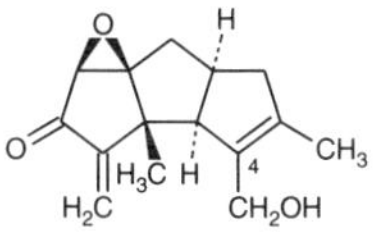

$C_{15}H_{18}O_3$, M_R 246,31, Öl, $[\alpha]_D$ −86,5° ($CHCl_3$); Sesquiterpen-Antibiotikum aus Kulturen des Basidiomyceten *Pleurotellus hypnophilus*. P. besitzt *Triquinan-Struktur u. wirkt mikrobizid. – ***E = F*** pleurotellol – ***I*** pleurotellolo – ***S*** pleurotelol

Lit.: Tetrahedron **42**, 3587 (1986). – *[HS 2941 90; CAS 80677-95-8]*

Pleurotin (Geogenin).

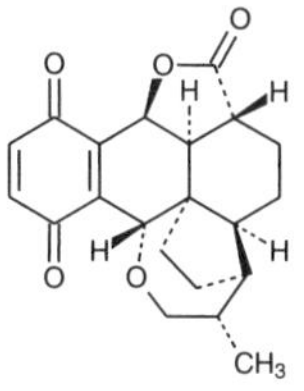

$C_{21}H_{22}O_5$, M_R 354,40, bernsteinfarbene Krist., Schmp. 200–215 °C, $[\alpha]_D^{23}$ −20° ($CHCl_3$); Benzochinon-Antibiotikum hexacycl. Struktur mit mikrobizider Wirkung aus Kulturen des Basidiomyceten *Pleurotus griseus* u. verwandter Arten. – ***E*** pleurotin – ***F*** pleurotine – ***I = S*** pleurotina

Lit.: Arzneim. Forsch. **31**, 293 (1981) ▪ Beilstein E V **19/5**, 385 ▪ J. Am. Chem. Soc. **110**, 1634 (1988); **111**, 7507–7519 (1989) ▪ Nat. Prod. Lett. **4**, 209 (1994). – *[HS 2941 90; CAS 1404-23-5]*

Pleustal. Lebensbereich des oberflächennahen Wassers, vom *Pleuston bewohnt. An der Grenzfläche von Luft zu Wasser akkumulieren *Tenside, zu denen im *Ökosystem insbes. *Proteine, *Aminosäuren, *Lipide u. a. Naturstoffe gehören (s. DOC) [1,2]. Sie sind die Nahrungsgrundlage von Bakterien u. a. Mikroorganismen, die ihrerseits als *Produzenten die Basis (untere troph. Ebene) von *Detritus-*Nahrungsketten bilden. Die Grenzflächen-aktiven Substanzen des P. führen bei geeigneten hydrolog. Bedingungen (u. a. Wellenschlag) zur Bildung von *Schaum. Auch das regenbogenfarbige Schillern, wie man es in stehenden u. nährstoffreichen Gewässern häufig antrifft, geht in der Regel auf diese Naturstoffe zurück. In *anthropogen verschmutzten Gewässern spielen auch Mineralöle od. a. hydrophobe Kontaminanten eine Rolle [3].
Gelbe Schichten bzw. Ränder an Oberflächen von Pfützen u. a. Gewässern werden meist durch eingewehte *Pollen verursacht. – ***E = F = I = S*** pleustal

Lit.: [1] Goldberg (Hrsg.), The Sea, Bd. 5, S. 245–299, New York: Wiley 1974. [2] Riley u. Skirrow (Hrsg.), Chemical Oceanography, Bd. 2, New York: Academic Press 1975. [3] J. Great Lakes Res. **8**, 265–270 (1982); Environ. Sci. Technol. **31**, 2777–2781 (1997).

Pleuston. Bez. für die an der Wasseroberfläche u. in den oberen Millimetern der Wassersäule (*Pleustal) lebenden Organismen. Als P. im engeren Sinne werden die an der Wasseroberfläche treibenden Organismen verstanden [1] u. vom *Neuston*, den sich aktiv bewegenden Organismen unterschieden. Alternativ bezeichnet man als P. große, als Neuston mikroskop. kleine Organismen dieses Lebensraumes [2]. Zum P. gehören im Meer verschiedene Quallenarten u. Schnecken, im Süßwasser in Mitteleuropa viele *Hydrophyten wie Wasserlinsen, Laichkräuter u. Froschbiß. Das Neuston wird z. B. von den auf der Wasseroberfläche laufenden Wanzen u. Spinnen sowie den unten angehefteten bzw. kriechenden Tieren wie Mückenlarven u. Schnecken gebildet. Die auf der Wasseroberfläche lebende Wanze *Velia currens* u. Käfer der Gattung *Stenus* nutzen selbsterzeugte *Tenside zur Fortbewegung. An das Leben an der Grenzfläche Luft/Wasser sind die Taumelkäfer durch geteilte Augen angepaßt (s. Adaptation), mit denen sie gleichzeitig Luft- u. Wasserphase überblicken können. – ***E = F = I = S*** pleuston

Lit.: [1] Tardent, Meeresbiologie, 2. Aufl., S. 42 f., Stuttgart: Thieme 1993. [2] Schwoerbel, Einführung in die Limnologie (7.), Stuttgart: Fischer 1993.

Plex®. Marke für Acrylmonomer u. -polymer. Versuchsprodukte u. Wortbestandteil in Handelsnamen von Verkaufserzeugnissen der Firma Röhm, s. a. folgende Stichwörter.

Plexalkyd®. Mit Lein-, Soja- od. Ricinenöl modifizierte acrylierte *Alkydharze als schnelltrocknende Bindemittel in Lacken u. Anstrichen. ***B.:*** Röhm.

Plexazym®. An *Polymethacrylat (PMMA)-Träger gebundene Enzyme für die Lebensmittel-Industrie. ***B.:*** Röhm.

Plexidon®. Acrylpolymere in Perlform zur Herst. von Dentalprodukten nach dem Pulver-Flüssigkeitsverfahren. ***B.:*** Röhm.

Plexiglas®. Harte, biegsame, thermoplast., glasartig durchsichtige, farblose od. eingefärbte Kunststoffe aus *Polymethacrylaten (PMMA), D. 1,18, H. 2–3. P. ist das bekannteste *Acrylglas mit einer Lichtdurchlässigkeit bis zu 93%, durchlässig für Ultraviolett- u. Röntgenstrahlen. P. ist verformbar (auf 140 °C bis 160 °C erwärmen), polierbar, schneidbar, schleifbar, schweißbar u. kann gedreht, gesägt, gestanzt, gefeilt u. gebohrt sowie mit Polyacrylat- u. -methacrylat-Klebstoffen geklebt werden. Es ist beständig gegen Wasser, Laugen, verd. Säuren, Benzin, Mineralöl, Terpentinöl, dagegen wird es durch Alkohol, Ester, Ketone, Benzol, Chlorkohlenwasserstoffe zur Quellung bzw. Lsg. gebracht. Zur Reinigung von P. verwendet man Wasser u. Spülmittel, einen weichen Viskoseschwamm u. ein Polier- u. Trockentuch, keine Mineralpulver (Verkratzungsgefahr), keine Fleckenwässer u. dgl. (Auflösungsgefahr). Zu Herst., Eigenschaften u. Verw. s. Acrylglas u. Polymethylmethacrylat. ***B.:*** Röhm.

Lit.: s. Acrylglas u. Polymethylmethacrylat.

Plexigum®. In organ. Lsm. lösl. Acrylpolymere für Lacke, Druckfarben, waschfeste Appreturen, zur Schlußlackierung von PVC-Kunstleder u. zur Herst. von PAMA-Plastisolen. ***B.:*** Röhm.

Plexiklar®. *Antistatikum u. Reinigungsmittel für *Acrylglas. ***B.:*** Röhm.

Plexileim®. Lsg. von Acrylpolymeren in Wasser zur Verw. als Schlicht-, Binde-, Appretur- u. Verdickungsmittel. ***B.:*** Röhm.

Plexilith®. *Acrylharz-Bindemittel für den Bausektor auf Basis monomerer u. polymerer *Acrylate u. Methacrylate (Kunstharzbeton, Beschichtungen, Imprägnierungen, Versiegelungen, Straßenmarkierungskaltplastik, Injektionsmittel). ***B.:*** Röhm.

Pleximon®. Gruppe polyfunktioneller Monomerer (Methacrylate) zur Vernetzung von Kunststoffen u. Kautschuk. Verwendet werden: Allylmethacrylat, Triethylenglykoldimethacrylat, Ethylenglykoldimethacrylat, Tetraethylenglykoldimethacrylat, Trimethylolpropantrimethacrylat u. andere. ***B.:*** Röhm.

Plexisol®. Acrylpolymere in organ. Lsm. als Lackrohstoff u. Beschichtungs- u. Appreturmittel von Textilien. ***B.:*** Röhm.

Plexit®. Gießharze auf Basis monomerer *Acrylate u. Methacrylate (s. Methacrylsäureester) zur Verw. als Einbettungsmassen u. zur Herst. dünnwandiger Formkörper. ***B.:*** Röhm.

Plextol®. Wäss. Dispersionen thermoplast. u. selbstvernetzender Acrylpolymerer als Bindemittel in der Textil-, Vliesstoff-, Papier-Ind. u. zur Herst. von Lacken, Farben u. Klebstoffen. ***B.:*** Röhm.

Plicamycin (Aureolsäure, Mithramycin).

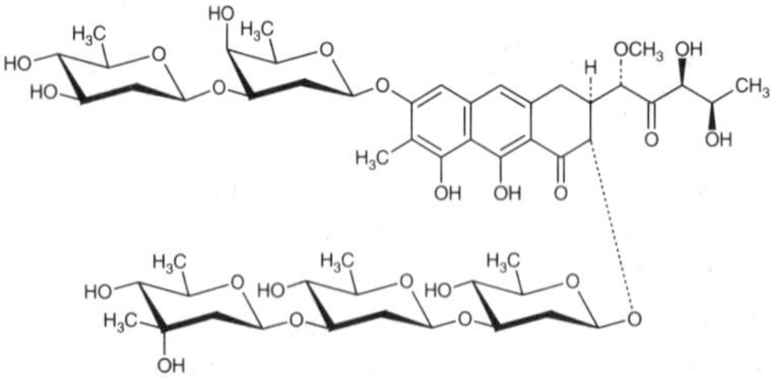

$C_{52}H_{76}O_{24}$, M_R 1085,16, gelbe Krist., Schmp. 180–183 °C, $[\alpha]_D^{20}$ –56,5° (CH_3OH). *Anthracyclin-Antibiotikum aus *Streptomyces*-Arten mit Antitumor-Eigenschaften. – ***E*** plicamycin – ***F*** plicamycine – ***S*** plicamicina

Lit.: Antibiotics **3**, 197 (1975) ▪ Hager (5.) **9**, 271 ▪ Martindale (30.), S. 497. – *[HS 2941 90; CAS 18378-89-7]*

Plinius, Gajus P. Secundus (der Ältere, 23–79 n. Chr.). Röm. Schriftsteller, Verfasser der Naturalis Historia, eines bis ins 18. Jh. maßgebenden Hdb. der allg. Naturkunde (37 Bd.), in dem das gesamte naturwissenschaftliche Wissen seiner Zeit gesammelt ist.

Lit.: Krafft, S. 275 f. ▪ Lexikon der Naturwissenschaftler, S. 330 ▪ Pötsch, S. 347 ▪ Strube et al., S. 20.

Pliolite®. Acrylat-Copolymere für Außenbeschichtungen auf mineral. u. metall. Untergründen. P. Ultra für aromatenfreie Außenbeschichtungen. Rheolog. Bindemittel zur Verdickung. ***B.:*** Krahn.

Pliotec®. Tensid-freie, carboxylierte Styrolacrylat-Dispersionen für Metall u. a. Untergründe. ***B.:*** Krahn.

Plioway®. Acrylat-Copolymere für geruchsarme, aromatenfreie Beschichtungen. P. Ultra für Anstriche auf der Basis von Isoparaffin-Lösemitteln. Rheolog. Bindemittel zur Verdickung. ***B.:*** Krahn.

Pliozän s. Erdzeitalter.

Plissee (von französ.: plisser = falten, fälteln). Gewebe mit regelmäßigen, kleinen Falten, die heute im allg. durch P.-Ausrüstung erzeugt werden. Dabei wird das Gewebe auf Plissiermaschinen zwischen Papierbahnen durch Messersyst. in Falten gelegt u. gepreßt (180 °C). Waschbeständigkeit wird durch Appretur mit *N*-Hydroxymethyl-Verb. (für Cellulose-Fasern) bzw. mit Thioglykolsäure (für Wolle) erzielt. – ***E*** pleat – ***F*** plissée – ***I*** plissé, plissettato – ***S*** plisado

Plissieren. Vorgang der Herst. von *Plissee-Geweben.

PLMF. Abk. für Periodic *Leaf Movement Factors, s. a. Nastien u. Turgorine.

P-loop (P-Schleife). Engl. Bez. für ein Strukturmotiv in manchen *Adenosin-5′-triphosphat- u. Guanosin-5′-triphosphat-bindenden Proteinen wie Kinasen, ATP-Synthasen, Elongationsfaktoren, Myosin, Ras-Proteine. Es handelt sich beim P-l. um eine kurze Peptid-Schleife, in der eine Glycin-reiche Sequenz von L-Lysin- u. L-Serin- od. L-Threonin-Resten gefolgt wird u. die für die Bindung der Phosphat-Einheiten der genannten Nucleotide verantwortlich ist (daher Name). – ***E*** P loop – ***F*** boucle P – ***I*** ansa P – ***S*** bucle P

PLP. Abk. für **P*yridoxa*l*-5′-*p*hosphat.

Plücker-Röhre s. Neonröhren.

Plüsch s. Flor u. vgl. Samt.

Plug Flow-Reaktor. Bez. für einen *Reaktor, der im Idealfall aus einer Röhre (Rohr-Reaktor) besteht, durch die die umzusetzende Lsg. ohne Rückvermischung fließt. Bei einem Plug Flow-*Bioreaktor muß die Biomasse dem Syst. kontinuierlich zugegeben werden od. sie besteht aus einer immobilisierten Phase (Zellen od. Enzyme), an der das Substrat vorbeiströmt. Die Substrat- u. Produkt-Konz. ändern sich an jedem Punkt des P. F.-Reaktors. Da es während der Umsetzung keine Rückvermischung gibt, haben P. F.-R. gegenüber gerührten Bioreaktoren Vorteile: Hohe Produktivität u. optimale Umsetzungsraten, Substrat- od. Temp.-Gradienten lassen sich realisieren. Beisp. für P. F.-R. sind Oxid.-Gräben in der *Abwasserbehandlung, aber auch kontinuierliche Sterilisationsapparate. Das *scale up von Verf. im P. F.-R. ist wesentlich vereinfacht. – ***E*** plug flow reactor – ***F*** réacteur plug-flow – ***I*** reattore plug flow – ***S*** reactor plug-flow

Lit.: Crueger-Crueger (3.), S. 63 f. ▪ s. a. Abwasserbehandlung.

Plumbagin s. Hydroxy-1,4-naphthochinone.

Plumbago. Alchimist. Bez. für *Bleiglanz u. a. Bleierze u. für *Graphit, der bis 1740 als Bleiglanz-Modif. galt. – ***E*** = ***F*** = ***I*** = ***S*** plumbago

Plumban (Bleiwasserstoff). PbH_4, M_R 211,23. T+ Unbeständiger Grundkörper der *Blei-organischen Verbindungen, Sdp. –13 °C, entsteht in geringen Mengen bei der Einwirkung von atomarem Wasserstoff auf zerstäubtes Blei ($Pb + 4H \rightarrow PbH_4$) od. oberhalb –50 °C durch Dismutation von Dimethylplumban [$2(H_3C)_2PbH_2 \rightarrow$

$(H_3C)_4Pb + PbH_4$]. – ***E*** = ***F*** plumbane – ***I*** piombano, idropiombo – ***S*** plumbano – *[CAS 15875-18-0; G 6.1]*

Plumbate. 1. Plumbate(IV): Bez. für Salze mit dem Anion $[Pb(OH)_6]^{2-}$ [Hexahydroxoplumbat(IV)]; im Falle des Anions $PbO_3^{2\ominus}$ liegen *Meta-P.*, im Falle des Anions $PbO_4^{4\ominus}$ *Ortho-P.* vor [Tri- bzw. Tetraoxoplumbat(IV)]. – 2. Plumbate(II): Bez. für Salze mit dem Anion $PbO_2^{2\ominus}$; [Dioxoplumbat(II)]; diese Salze wurden früher *Plumbite* genannt. – ***E*** plumbates – ***F*** plombates – ***I*** plumbati – ***S*** plumbatos *[G 6.1]*

Plumbat-Reaktion. Wolle u. a. tier. Haare schwärzen sich aufgrund ihres Schwefel-Gehaltes in einer 80–90 °C warmen wäss. alkohol. Lsg. von Bleiacetat. – ***E*** plumbate test – ***F*** test du plumbate – ***I*** reazione del piombato – ***S*** prueba del plumbato

Plumbite s. Plumbate.

Plumbitesmo®. Testpapier zum Schnellnachw. von Blei in metall. u. gelöster Form sowie als Blei-Salz auf Oberflächen (kriminalist. Geschoßspurensicherung); auch zum Nachw. von Blei an Auspuffrohren von Autos, um festzustellen, ob Blei-haltiger Kraftstoff gefahren wurde. ***B.:*** Macherey-Nagel.

Plumbum. Latein. Bez. für *Blei.

Plumbyl... (Plumbanyl...). Bez. der Atomgruppierung $-PbH_3$ in organ. Verb. (IUPAC-Regeln D-3.43, I-7.2.3, R-2.5) u. des freien Radikals PbH_3 (Regeln I-8.4.2.3, R-5.8.1.1, RC-81.1.1). – ***E*** = ***F*** plumbyl... – ***I*** plumbil..., piombil... – ***S*** plumbil...

Pluming. Unerwünschter Effekt bei der Herst. von Pulver-Waschmitteln, hervorgerufen durch geringe Mengen niedermol., flüchtiger Bestandteile in techn. Gemischen von *Fettalkoholpolyglykolethern, die im Verlauf der *Sprühtrocknung in Form feiner Aerosole freigesetzt werden u. zu einer Belastung der Abluft des Sprühturms mit organ. Fracht führen. – ***E*** = ***F*** = ***I*** = ***S*** pluming

Plurafac® LF-Marken. Fettalkoholalkoxylate; nichtion., schaumarme u. schaumdämpfende *Tenside für die Wasch- u. Reinigungsmittel-Industrie. Zur Herst. schaumarmer Haushaltsreinigungsmittel, Reinigungsmittel für Gewerbe u. Ind., für die chem. u. chem.-techn. Industrie. ***B.:*** BASF.

Pluriol®-Marken. *Polyalkylenglykole u. -ether, Lösevermittler, Imprägniermittel, Dispergiermittel, Schaumdämpfer, Gleitmittel, Trennmittel, Bindemittel, Hilfsmittel für verschiedene Industriezweige, z. B. Wasch- u. Reinigungsmittel-Ind., Bürobedarfsartikel-Ind., Kautschuk-Ind., glavanotechn. Fach-Ind., chem. u. chem.-techn. Industrie. Pluriol E Marken: Polyethylenglykole; Pluriol P Marken: Polypropylenglykole; Pluriol A Marken: Polyalkylenglykolalkylether. Lsm. für Tensid-Kombinationen in der Wasch- u. Reinigungsmittel-Industrie. ***B.:*** BASF.

Pluripotente Stammzellen s. Immunsystem.

Plurocol. Handelsname für telechele *Polyether-Polyole mit Hydroxy-Endgruppen, die auch unter dem Namen Carbowax, Jeffox, Polyglycol, Polymeg, Terathane od. Vibrathane vertrieben werden. Sie sind durch ringöffnende Polymerisation od. Copolymerisation cycl. Ether wie *Ethylenoxid, *Propylenoxid od. *Tetrahydrofuran zugänglich. Kommerzielle Produkte weisen typischerweise M_R von 500–6000 g/mol auf u. werden zur Produktion von *Polyurethan- u. *Polyester-Elastomeren eingesetzt. – ***E*** = ***F*** = ***I*** = ***S*** plurocol

Lit.: Odian (3.), S. 557.

Pluronic®-Marken. Blockpolymere aus *Ethylenoxid u. *Propylenoxid. Schaumarme u. schaumdämpfende nichtion. *Tenside, die als Hilfsmittel mit imprägnierender, weichmachender, schmierender, dispergierender Wirkung für die chem. u. chem.-techn. Ind. verwendet werden. P. PE-Marken: PO-EO Blockpolymerisate, P. RPE-Marken: EO-PO Blockpolymerisate. ***B.:*** BASF.

Pluto s. Planeten.

Pluto. Kurzbez. für die Chem. Betriebe Pluto GmbH, 44649 Herne, eine 100%ige Tochterges. der VEBA Oel AG. *Produktion* (Marken beginnen meist mit Pluto...): Additive für Kraftstoffe u. Heizöle, Metall-organ. Spezialchemikalien, Ferrocen, Schmiermittel, Funktionsflüssigkeiten.

Plutonite s. magmatische Gesteine.

Plutonium (chem. Symbol Pu). Radioaktives chem. Element (*Transuran) aus der Gruppe der *Actinoide. Mit seiner Ordnungszahl 94 ist Pu das schwerste natürlich vorkommende Element. Von Pu kennt man das Isotop ^{230}Pu u. weitere Isotope von ^{232}Pu–^{246}Pu mit HWZ zwischen 20,9 min u. 8,26 · 10^7 a, die alle radioaktiv sind. Die leichteren Isotope gehen hauptsächlich unter Elektroneneinfang u. β^+-Zerfall in Neptunium-Isotope, die meisten mittleren – z. B. das techn. wichtige ^{239}Pu mit der HWZ 24110 a – unter α-Zerfall in Uran-Isotope u. die schwersten bevorzugt unter β^--Zerfall in Americium über. Plutonium-Isotope mit ungerader Massenzahl, bes. ^{239}Pu, unterliegen bei der Bestrahlung mit langsamen Neutronen einer Ketten-Spaltreaktion unter Freisetzung von Energie (s. Kernreaktionen). Ungesteuert ist diese Kettenreaktion Grundlage der Atombombe (s. Kernwaffen).

Reines Pu-Metall ist silberweiß, D. 19,814 (α-Modif. bei 20 °C), Schmp. 640 °C, Sdp. 3232 °C; P. ist paramagnet., ein mittelmäßiger Wärme- u. Elektrizitätsleiter u. bildet 7 allotrope Modifikationen. Pu wird von konz. Schwefelsäure, Salpetersäure u. Eisessig nicht angegriffen (Bildung passivierender Oxidschichten, die auch an feuchter Luft entstehen), dagegen löst es sich in wäss. HCl, HI u. $HClO_4$ leicht. Die Ausdehnungskoeff. der verschiedenen Phasen von Pu sind sehr unterschiedlich. Die δ-Phase zeigt einen – noch nie zuvor bei einem reinen Metall beobachteten – neg., die α-Phase einen für Metalle ungewöhnlich großen pos. Wert; die gesamte therm. Ausdehnung von Raumtemp. bis dicht unterhalb des Schmp. beträgt für einen polykrist. Pu-Stab 5,5%. Wegen dieser Eigenschaft, dem niedrigen Schmp. u. seiner Neigung, unter Leg.-Bildung Umhüllungsmaterialien anzugreifen, ist metall. Pu als Kernbrennstoff ungeeignet. Außerdem heizen sich alle Pu-Isotope selbst auf, ^{238}Pu bis zur Weißglut. In seinen Verb. nimmt Pu die Oxid.-Stufen +3 bis +7 an; Pu bildet mit allen üblichen Anionen z. T. intensiv farbige Salze u. neigt zur Bildung von Komplexen, insbes. in den Oxid.-Stufen +4 u. +6. Auf dieser Eigenschaft beruhen die Meth. der Wiederaufarbeitung von Kernbrennstoffen durch Extraktions-Verf., z. B. beim **Purex-Verfahren*. Als einziges unter allen Elementen bildet Pu thermodynam. stabile wäss. Lsg., die Pu in den vier Oxid.-Stufen Pu(III) bis Pu(VI) in vergleichbaren Konz. nebeneinander enthalten [1].

Physiologie: Bedingt durch seine α-Strahlung ist Pu, ebenso wie seine Verb., außerordentlich giftig. Nach Einatmen von Stäuben findet man unlösl. Pu v. a. in der Lunge, in der es Krebs hervorrufen kann. Lösl. Pu lagert sich vornehmlich im Knochenmark u. in der Leber ab. In die Blutbahn gelangtes Pu bildet mit Transferrin einen Komplex [2], mit dessen Hilfe es in die Zelle eindringen kann u. in den *Lysosomen abgelagert wird. Zur *Dekorporierung werden Chelatbildner, insbes. Diethylentriaminpentaessigsäure (DTPA), verwendet. Nach der Strahlenschutz-VO vom 30. 6. 1989, zuletzt geändert am 18. 8. 1997, sind in der BRD die zulässigen Jahresgrenzwerte für Inhalation bzw. Ingestion von Radioaktivität aus ^{239}Pu bei beruflich exponierten Personen auf 400 Bq (PuO_2), 100 Bq (andere Pu-Verb.) bzw. $2 \cdot 10^5$ Bq (P.-Nitrate), $2 \cdot 10^6$ Bq (P.-Oxide) u. $2 \cdot 10^4$ Bq (andere Pu-Verb.) festgelegt. Für Personen, die nicht beruflich exponiert sind, gilt jeweils $^1/_{10}$ der genannten Werte als oberer Grenzwert. 1 m^3 Luft darf höchstens ein PuO_2-Teilchen von 1 µm Durchmesser enthalten. Die Internat. Strahlenschutzkommission sieht in einem Beschluß von 1991 eine aufgenommene Menge von 130 ng Pu pro Jahr als max. tolerierbaren Grenzwert an. Bei der Handhabung größerer Mengen Pu, z. B. im techn. Maßstab, muß dem *Kritikalitätsrisiko* Rechnung getragen werden: So darf in einem Handschuhkasten nur weniger als die Hälfte der krit. Masse von z. B. 5,4 kg α-^{239}Pu vorhanden sein, oberhalb der die Kettenreaktion beginnt. Über Erfahrungen beim Umgang mit Pu u. über biolog. Grundlagen u. organisator.-techn. Maßnahmen zur Abschätzung u. Kontrolle des Pu-Risikos s. *Lit.*[3]. Da Pu-Verb. unter natürlichen Bedingungen stets in das unlösl. 4-wertige Oxid übergehen, das im Boden komplex fixiert wird, ist die Gefahr eines Transportes in die Nahrungskette od. in das Trinkwasser sehr gering. Über die Biodistribution u. Toxizität von Pu (sowie Americium u. Neptunium) s. *Lit.*[4]. Muscheln reichern Pu in ihren Schalen in hohem Maße an u. können daher als Bioindikator für sehr geringe Pu-Mengen in Fließwasser verwendet werden; andere Bioindikatoren sind Flechten u. Moose.

Nachw.: Durch Ionenaustausch-Chromatographie, Flüssig-Flüssig-Verteilung, Photometrie, Röntgenfluoreszenzanalyse, Redoxtitrationen, radiometr. u. massenspektroskop. Verfahren [5]; zur Bestimmung von Pu-Isotopen in Umweltproben, nämlich ^{238}Pu, ^{239}Pu u. ^{240}Pu über die α-Strahlung [6] sowie ^{241}Pu über dessen β-Strahlung s. *Lit.*[7]. Kleinste Pu-Mengen bis herab zu 10^7 Atomen lassen sich durch Laser-Resonanz-Photoionisation mit anschließender Flugzeit-Massenspektroskopie nachweisen [8].

Vork.: P. wird heute zu den natürlich vorkommenden Elementen gerechnet. ^{239}Pu hat man in ppt- bis ppq-Mengen in allen Uranerzen gefunden, in denen es aus ^{238}U durch Einfang von Neutronen ständig gebildet wird. Die Menge des ursprünglich im natürlichen „Kernreaktor" von Oklo (s. Oklo-Phänomen) vorhandenen ^{239}Pu läßt sich anhand seiner Zerfallsprodukte annähernd berechnen. ^{244}Pu, dessen Existenz zunächst nur aufgrund von *Kernspaltspuren in Meteoriten postuliert worden war, konnte 1971 im Mineral Bastnäsit nachgewiesen werden (10^{-14} g in 90 kg). Die ^{244}Pu-Spaltspuren können zur *Altersbestimmung dieser Meteoriten herangezogen werden [9]. Der Pu-Anteil an der 16 km dicken obersten Erdkruste wird mit $2 \cdot 10^{-21}$ angegeben; damit steht Pu in der Häufigkeitsliste der Elemente an 91. Stelle zwischen Np u. Pm.

Über 99,9% der heute in der Umwelt zu findenden Pu-Mengen stammen aus Atombomben-Explosionen u. *Kernwaffen-Tests. In der japan. Stadt Nagasaki, über deren Hafen 1945 die erste Pu-Bombe abgeworfen wurde, weist der Boden heute noch einen stark überhöhten Gehalt an ^{239}Pu auf. Bis zur Einstellung der oberird. Atomwaffenversuche (1962) wurden insgesamt ca. 3 t ^{239}Pu freigesetzt. Hinzu kommen einige kg durch Unfälle mit Kernwaffen u. in Reaktoren (Thule, Palomares, Sellafield, Tschernobyl) u. radioaktiver Fallout; die *Kontamination der Erde mit 1 kg ^{238}Pu wird auf das Verglühen des Satelliten SNAP-9A, der zur Energieversorgung eine ^{238}Pu-Atombatterie an Bord hatte, zurückgeführt. Um mehrere Größenordnungen geringer ist die Verunreinigung mit Pu infolge techn.-wissenschaftlicher Untersuchungen u. Anw. der Kerntechnik [10].

Herst.: Als wichtigstes Pu-Isotop wird ^{239}Pu in Leichtwasserkernreaktoren aus dem U-Isotop ^{238}U durch gesteuerten Neutroneneinfang u. radioaktiven Zerfall gebildet:

$$^{238}_{92}U(n,\gamma)\,^{239}_{92}U \xrightarrow{\beta^-} {}^{239}_{93}Np \xrightarrow{\beta^-} {}^{239}_{94}Pu.$$

Bei weiterem Neutroneneinfang entstehen aus ^{239}Pu, das einen bes. großen *Wirkungsquerschnitt hat, die Isotope ^{240}Pu u. ^{241}Pu. In der Abb. sind die Aufbaureaktionen der Pu-Radionuklide im Kernreaktor schemat. dargestellt.

Abgebrannte Leichtwasserreaktor-Brennelemente aus UO_2 (anfänglich 3,4 Gew.-% ^{235}U) enthalten nach 3 a Lagerzeit pro t Schwermetall-Gehalt 152 g ^{234}U, 8,176 kg ^{235}U, 4,408 kg ^{236}U, 939,4 kg ^{238}U, 168,8 g ^{238}Pu, 5,632 kg ^{239}Pu, 2,401 kg ^{240}Pu, 1,113 kg ^{241}Pu, 543 g ^{242}Pu, 493 g ^{237}Np, 210 g ^{241}Am, 100 g ^{243}Am, 27,9 g ^{244}Cm, je 1,1 g ^{245}Cm u. ^{246}Cm. In einem 1000 MW-Reaktor entstehen jährlich 215 kg Pu u. 15 kg Transplutonium-Elemente. Das Isotopengemisch ist für die Kernwaffen-Produktion untauglich. Um für diesen Zweck isotopenreines ^{239}Pu zu erhalten, muß ^{238}U kurzzeitig (wenige Wochen) in speziellen Schwerwasserreaktoren mit Neutronen bestrahlt werden. Aus abgebrannten *Brennelementen von Leichtwasserreaktoren wird Pu zusammen mit Uran durch Wiederaufarbeitung zurückgewonnen. Nach dem Purex-Verf. werden U u. Pu aus salpetersaurer Lsg. mit Hilfe von Tributylphosphat (TBP) extrahiert, voneinander getrennt u. von anderen Spaltprodukten gereinigt [10]. Bes. Probleme bereitet die Entsorgung von *Reaktoren u. die *Endlagerung *radioaktiver Abfälle.

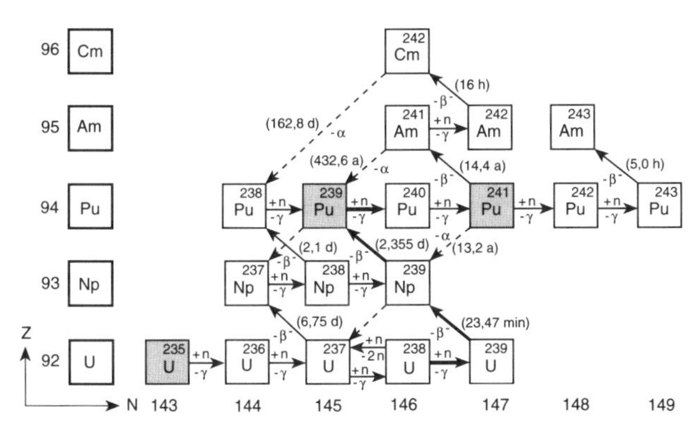

Abb.: Aufbau von Plutonium u. anderen Transurannukliden im Kernreaktor.

Metall. Pu wird fast ausschließlich durch Red. von PuF_4 mit Ca hergestellt; hierzu u. zur präp. Herst. anderer Pu-Verb. s. *Lit.*[11].

Verw.: Die Bedeutung von Pu-239 liegt in seiner Spaltbarkeit u. somit in seiner Einsatzmöglichkeit in Kernwaffen u. als Energiequelle in Reaktoren. Im natürlichen Uranerz sind nur ca. 0,7% des spaltbaren U-235-Isotops enthalten. Das im Uranerz hauptsächlich enthaltene ^{238}U läßt sich in ^{239}Pu überführen; eine vollständige Ausnutzung der Uran-Vork. erscheint daher möglich, z. B. in *Brutreaktoren (sog. *Schnellen Brütern*, s. Kernreaktoren, S. 2131 f.); Wirtschaftlichkeit u. Umweltverträglichkeit sind jedoch nur sehr schwer vereinbar. Gegenüber den z. Z. als Kernbrennstoffe benutzten Oxiden (PuO_2 bzw. PuO_2/UO_2) weisen die Monocarbide, -nitride u. -carbonitride speziell in Schnellen Brütern erhebliche Vorteile auf, z. B. eine höhere Wärmeleitfähigkeit u. höhere Spaltstoff-Dichte. Bisher gibt es jedoch noch keine wirtschaftlichen Herst.-Verfahren. ^{238}Pu ist als Energiequelle von Satelliten, Raumstationen u. lunaren Meßsonden nutzbar. Von der Verw. von Pu-Isotopen als Energiequelle in Herzschrittmachern ist man vorläufig wieder abgekommen, da eine völlige Abschirmung der Strahlung nicht erreichbar ist.

Geschichte: Als erstes Pu-Isotop wurde ^{238}Pu 1940 von *Seaborg durch Deuteronen-Beschuß von ^{238}U erhalten. Es war nach *Neptunium das zweite Transuran, das künstlich hergestellt u. 1942 von Cunningham in wägbaren Mengen isoliert wurde. Die Elementbez. Plutonium (zur Ableitung s. Neptunium) wurde von Seaborg u. Wahl 1942, nach anderen Angaben erst 1948, eingeführt. Der Name Plutonium war früher (1816) von Clarke für das Element Barium vorgeschlagen worden. – ***E = F*** plutonium – ***I = S*** plutonio

Lit.: [1] Inorg. Chim. Acta **154**, 123–127 (1988). [2] Marquardt u. Schäfer, Lehrbuch der Toxikologie (4.), S. 540, Mannheim: BI Wissenschaftlicher Verlag 1994. [3] KfK-Bericht 4516 u. 4592, Karlsruhe: Kernforschungszentrum 1989. [4] Sci. Total Environ. **83**, 217–225 (1989). [5] Analyt.-Taschenb. **1**, 403–426. [6] Townshend, Encyclopedia of Analytical Science, S. 5 ff., London: Academic Press 1995. [7] Winkler et al., Schnellmethoden zur Analyse von Plutonium u. anderen Aktiniden in Umweltproben, Köln: Verlag TÜV Rheinland 1991. [8] Chem. Ztg. **113**, 199 (1989). [9] Proc. R. Soc. (London) Ser. A **374**, 253–270 (1981). [10] Büchner et al., S. 584–596; Winnacker-Küchler (4.) **3**, 501–510. [11] Brauer (3.) **2**, 1282–1322.

allg.: Atomwirtsch. Atomtech. **34**, 170–177 (1989) ▪ Dtsch. Ärztebl. **83**, 2013–2023 (1986) ▪ GIT Fachz. Lab. **29**, 704–711 (1985) ▪ Gmelin, Syst.-Nr. 71, Np, Pu, Transurane, Erg.-Werk Bd. 4, 7 a/b, 8, 20, 21, 31, 38, 39, Index 1972–1979 ▪ Inorg. Chim. Acta **154**, 123–127 (1988) ▪ J. Chem. Soc. Faraday Trans. 2 **83**, 1065–1072 (1987) ▪ Katz et al., The Chemistry of the Actinide Elements (2.) (2 Bd.), New York: Chapman and Hall 1986 ▪ Kirk-Othmer (4.) **17**, 409 ff.; **19**, 407 ff. ▪ Kölzer u. Dilger, Plutonium, KfK-Bericht 4516, Karlsruhe: Kernforschungszentrum 1989 ▪ Ullmann (5.) **A 17**, 744 ff.; **A 21**, 133 ff. ▪ zahlreiche Publikationen über Plutonium werden von der IAEA (Wien) herausgegeben. – *[HS 2844 20; CAS 7440-07-5; G 7]*

PLZT. Abk. für engl.: *p*olycrystalline *l*ead *z*irconium *t*itanium oxide = polykrist. Blei-Zirkon-Titan-Oxid (*Perowskit-Struktur) mit Lanthan-Zusatz, das als keram., durchscheinendes Material mit ausgezeichneten piezoelektr., ferroelektr. u. opt. Eigenschaften als Ultraschall- u. Schallschwinger für Lautsprecher, als mechanoelektr. Wandler für Tonabnehmer u. in der *Optoelektronik als opt. Datenspeicher geeignet ist. Die PLZT-Keramiken werden aus krist. Pulver bei einem Druck zwischen 100 u. 500 bar u. Temp. bis zu 1300 °C gepreßt.

Lit.: Encycl. Polym. Sci. Eng. **1**, 152 f. ▪ Kirk-Othmer (3.) **10**, 12–30 ▪ s. a. Optoelektronik u. Perowskite. – *[CAS 12676-60-7]*

pm. Kurzz. für Pikometer (10^{-12} m), s. Piko…

Pm. Chem. Symbol für *Promethium.

PM. Abk. für *Pyridoxamin.

PM3. Semiempir. Verf. der *Quantenchemie, das von Stewart (*Lit.*) eingeführt wurde u. einer Neuparametrisierung des *MNDO-Verfahrens entspricht. PM3 ist in dem Programmpaket *MOPAC enthalten.

Lit.: J. Comp. Chem. **11**, 543 (1990).

PMD s. Dünnschichtchromatographie.

P-Mega-Tablinen® (Rp). Filmtabl. mit dem *Antibiotikum *Phenoxymethylpenicillin-Kalium gegen Infektionen des HNO-Bereichs. ***B.:*** Lichtenstein.

PMF, PMK s. protonenmotorische Kraft.

PMI. Kurzz. (nach DIN 7728-1: 1988-01) für Polymethacrylimid, s. Polyacrylimide.

PMIA. Kurzz. für Poly(*m*-phenylenisophthalamid), s. Polyaramide.

PMMA. Abk. für *Polymethylmethacrylat.

PMMI. Abk. für *Polymethacrylmethylimide.

PMN. Abk. für *poly*m*orphkernige *N*eutrophile (= neutrophile Granulocyten), s. a. Leukocyten.

PMO (*P*erturbational *M*olecular *O*rbital)-Theorie. *Semiempirisches Verfahren der *Quantenchemie, das heute nur noch wenig Verw. findet.
Lit.: Dewar u. Dougherty, The PMO Theory of Organic Chemistry, New York: Plenum 1975.

PMP. Kurzz. für *Poly(4-methyl-1-penten).

PMQ. Kurzz. (nach ASTM) für Siliconkautschuke mit Methyl- u. Phenyl-Substituenten.

PMR. Abk. für *P*roton *M*agnetic *R*esonance, s. NMR-Spektroskopie.

PMS. Kurzz. (nach DIN 7728-1: 1988-01) für Poly(α-methylstyrol).

PMSG s. Serumgonadotropin.

pn. Abk. für 1,2-*Propandiamin (Propylendiamin) als *Ligand in Koordinationsverbindungen (IUPAC-Regel I-10.4.5.7).

PN. 1. Abk. für *Pyridoxin. – 2. Kurzz. für *Polynorbornen.

PNA. Abk. für *Peptid-Nucleinsäure.

PNC-Prozeß (von *p*hotochem. *N*itrosierung von *C*yclohexan). Von Toray großtechn. angewandtes Herst.-Verf. für *Cyclohexanonoxim; letzteres wird durch *Beckmann-Umlagerung in *Caprolactam übergeführt. Als Lichtquellen dienen Quecksilber-Dampflampen. – ***E*** PNC process – ***F*** procédé PNC – ***I*** processo PNC – ***S*** procedimiento PNC
Lit.: Ullmann (5.) **A 5**, 39 ▪ s. a. Caprolactam u. Nitrosierung.

PNEC. Abk. für *E* *P*redicted *N*o *E*ffect *C*oncentration, vorausgesagte (max.) Konz. (in der Umwelt) ohne Wirkung. Die PNEC ist ein ökotoxikolog. *Schwellenwert u. entspricht dem NOAEL (no observed adverse effect level) bei Toxizitätsprüfungen. Sie wird bei der Risikobeurteilung (s. a. Risikoanalyse) zur Chemikalienbewertung aus akuten u. chron. Toxizitäten der empfindlichsten Organismen sowie aus Ökotoxikologie-Daten ermittelt. Damit ein Stoff als nicht umweltgefährdend gilt, muß der Quotient *PEC (*E* predicted environmental concentration)/PNEC < 1 sein. – ***E*** predicted no effect concentration
Lit.: ECETOC Technical Report 51, Environmental Hazard Assessment of Substances, Brüssel: ECETOC 1993 ▪ Ullmann (5.) **B 7**, 104–109 ▪ Umwelt (UBA) **1996**, 442–445 ▪ Umweltwiss. Schadstoff-Forsch. **7**, 114 (1995).

Pneumatolytisches Stadium s. Lagerstätten.

Pneumokoniosen (griech.: pneumon = Lunge, konis = Staub). Staublungenerkrankungen, die durch die Speicherung von anorgan. Stäuben im Lungengewebe entstehen. Eingeatmete *Staub-Partikel werden von Zellen der körpereigenen Abwehr (Makrophagen, s. a. Leukocyten) aufgenommen. Bestimmte Stäube wie *Quarz od. *Silicate schädigen dabei die Makrophagen, so daß eine Entzündungsreaktion mit gesteigerter Bindegewebsneubildung induziert wird. Das im Laufe der Zeit vermehrte Bindegewebe in der Lunge (Lungenfibrose) führt zur Abnahme ihrer Elastizität u. damit zu Lungenfunktionsstörungen. Je nach Zusammensetzung der eingeatmeten Stäube nehmen die verschiedenen P. unterschiedliche Verläufe. Kohlenstaub (Anthrakose) z. B. hat keine Lungenschädigung zur Folge, während die *Silicose zu Lungenfunktionsstörungen, die *Asbestose zudem zu einem erhöhten Krebsrisiko führt. Die P. treten häufig durch berufsbedingte Staubinhalation auf u. sind zumeist als Berufskrankheiten anerkannt. – ***E*** = ***F*** pneumoconioses – ***I*** pneumoconiosi – ***S*** pneumoconiosas

PNF. 1. Kurzz. für fluorierte *Polyphosphazen-Kautschuke, die *konstitutionelle Repetiereinheiten wie z. B.

in ihrer *Polymer-Hauptkette enthalten u. mit z. B. *Peroxiden od. Schwefel vulkanisiert werden können. – 2. Abk. für Phosphonitrid(perfluoralkoxid)-Elastomere, s. Phosphornitridchloride.

Pnicogene (Pentele). In IUPAC-Regel I-3.8.2 mißbilligte Bez. für die Elemente N, P, As, Sb u. Bi (Stickstoff- od. 15. Gruppe im *Periodensystem); vgl. Pnictide. – ***E*** pnicogens – ***F*** pnicogènes – ***I*** pnicogeni – ***S*** [p]nicógenos

Pnicogenide s. Pnictide.

Pnictide (Pnicogenide, Pentelide). Bez. für die neg. Ionen der *Pnicogene u. ihre Verb. (von griech.: pniktós = erstickt). – ***E*** = ***F*** pnictides – ***I*** pnictidi – ***S*** [p]níctidos

pNO_3. Analog zum *pH(-Wert) definierte Größe: $pNO_3 = -\lg a_{NO_3^-}$; hierbei ist $a_{NO_3^-}$ die Nitrat-Ionen-*Aktivität.

PNOC. Abk. für *E* *P*articulates *N*ot *O*therwise *C*lassified, Bez. für inerten, belästigenden *Staub.

PNR. Kurzz. für *Polynorbornen.

pn-Übergang. Übergang zwischen einem p-Leiter u. einem n-Leiter (*Halbleiter). Der pn-Ü. zeigt eine stark unsymmetr. Strom-Spannungs-Kennlinie (s. Abb.), die zur Gleichrichtung von elektr. Wechselspannungen u. -strömen verwendet wird. Bei hinreichend hohen Sperrspannungen tritt durch Tunneleffekt od. Stoßionisation (Lawinendurchbruch) eine steile Zunahme des Stromes auf; Näheres s. Halbleiter.

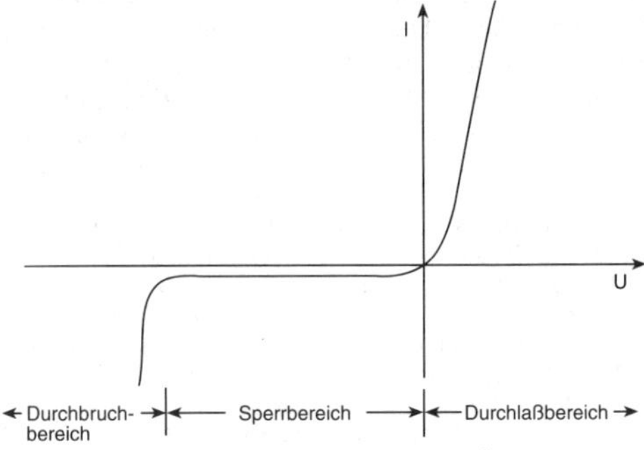

Abb.: Strom-Spannungs-Kennlinie eines pn-Übergangs.

– *E* pn junction – *F* jonction p-n (PN) – *I* transizione del tipo pn – *S* junción p-n

Po. Symbol für das Element *Polonium.

PO. 1. Kurzz. (nach ASTM) für elastomeres Polypropylenoxid (*Polypropylenoxid-Kautschuk). – 2. Selten verwendetes Kurzz. für *Polyolefine.

Poast®. *Herbizid auf Basis *Sethoxydim für die Nachauflaufbekämpfung von Gräsern selektiv in breitblättrigen Kulturen. ***B.:*** BASF.

POC. Abk. für *E* *p*articulate *o*rganic *c*arbon, der in Partikeln verteilte organ. gebundene Kohlenstoff in der ungelösten Substanz im Wasser, s. absetzbare Stoffe u. Schwebstoffe. Meist wird der Anteil des gesamten organ. Kohlenstoffs (*TOC) als POC bezeichnet, der nicht als gelöster organ. gebundener Kohlenstoff (*DOC) erfaßt wird (s. POM). In europ. Gewässern finden sich typischerweise folgende POC-Werte: Eutrophe Seen ca. 1 mg/L, Flüsse 2–6 mg/L (1–30 mg/L 99%-Perzentil weltweit), Sümpfe im Mittel 30 mg/L. – *E* particulate organic carbon – *F* COP – *I* carbonio organico particellare – *S* carbón orgánico particular

Lit.: ECETOC (Hrsg.), Technical Report 61, Environmental Exposure Assessment, S. 14, Brüssel: ECETOC 1994 ▪ Thurman, Organic Geochemistry of Natural Waters, S. 497, Dordrecht: Martinus Nijhoff/Dr. W. Junk Publ. 1985.

Pocan®. Thermoplast. Polyester auf Basis *PBTP, auch glasfaserverstärkt u. in flammgeschützter Version, zur Verw. als Konstruktionswerkstoff in der Elektro- u. Elektronik-Ind. u. im Maschinenbau sowie bes. auch im Automobilbau. ***B.:*** Bayer.

Pockels-Effekt s. elektrooptische Effekte.

Pocken (Variola, Blattern). Von *Viren (Orthopoxviren) hervorgerufene sehr ansteckende Infektionskrankheit. Die Krankheitserscheinungen sind hohes Fieber u. rote Flecken der Haut, die sich zu Knötchen u. dann zu eitrigen Bläschen (Pusteln) entwickeln. Die Pusteln verschorfen u. lassen Narben zurück. Die P. können sehr unterschiedlich schwer verlaufen, 20–30% der Erkrankten sterben. Die ursprünglich weltweit verbreitete Erkrankung konnte durch die P.-Impfkampagne der WHO eingedämmt werden, so daß 1980 die weltweite Ausrottung der P. proklamiert wurde. – *E* smallpox – *F* variole – *I* vaiolo – *S* viruela

Lit.: Brandis et al., Lehrbuch der Medizinischen Mikrobiologie, S. 793–796, Stuttgart: Fischer 1994.

POD. 1. Kurzz. für *Polyoxadiazole. – 2. s. Peroxidasen.

Podanden (aus griech.: pod... = Fuß..., Bein..., ...füßer u. latein.: lig*and*us = der Festzubindende zusammengezogene Bez.). Von Vögtle geprägte Bez. für nichtcycl. *Kronenether- u. *Kryptand-Analoga, d. h. *Polyether mit beliebigen Heteroatomen. P. wirken als *Ionophore, die bevorzugt Alkali- u. Erdalkalimetalle zu *Podaten binden; die Heteroatome in den als *Liganden wirkenden Seitenketten zwingen dem P. oft eine *Helix-Struktur um das Zentralatom auf. Von *Krakenmol.* spricht man bei vielbeinigen P. (*Poly-P.*). Anorgan. P. beschreibt *Lit.*[1]. – *E* = *F* podands – *I* podandi – *S* podandos

Lit.: [1] Chem. Ztg. **106**, 343 ff. (1982).

allg.: Top. Curr. Chem. **101**, 1–82, bes. 60 ff. (1982) ▪ s. a. Kronen-Verbindungen.

Podate. Gruppenbez. für *Chelate aus *Podanden u. Metall-Ionen. – *E* = *F* podates – *I* podati – *S* podatos

Lit.: s. Podanden.

Podocarpinsäure (Podocarpsäure, 12-Hydroxypodocarpa-8,11,13-trien-16-säure).

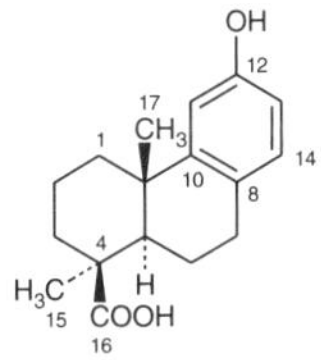

(+)-Form

$C_{17}H_{22}O_3$, M_R 274,35, Schmp. 193–194 °C, $[\alpha]_D$ +144° (C_2H_5OH). Als Hauptbestandteil des Podocarpusharzes, einem *natürlichen Harz aus dem Holz der Harzeibe (*Podocarpus dacrydioides*, *P. cupressina*, Familie der Stieleibengewächse, Podocarpaceae), vorkommende *Harzsäure. Mit P. verwandte Verb. werden im Kahikatea- u. Rimu-Harz sowie in dem den Hindus heiligen ind. *Neem*-Baum (*Nimbaum; *Azadirachta indica*; s. a. Neemöl) gefunden. Zur Verw. s. Harzsäuren. – *E* podocarpic acid – *F* acide podocarpique – *I* acido podocarpico – *S* ácido podocárpico

Lit.: Aust. J. Chem. **46**, 1447–1471 (1993) ▪ Beilstein E IV **10**, 1140 ▪ J. Chem. Soc., Perkin Trans. 1 **1992**, 1505 ▪ J. Org. Chem. **55**, 3952 ff. (1990). – *[HS 2918 29; CAS 5947-49-9 (+); 35949-23-6 (–)]*

Podocarpusharz s. Podocarpinsäure.

Podomexef® (Rp). Filmtabl. u. Saft mit dem Antibiotikum *Cefpodoxim-proxetil gegen Infektionen der Atem- u. Harnwege. ***B.:*** Luitpold.

Podophyllin s. Podophyllotoxin.

Podophyllotoxin (Podophyllinsäurelacton).

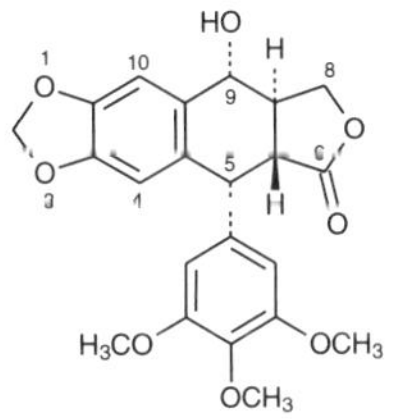

$C_{22}H_{22}O_8$, M_R 414,41, Krist., Schmp. 183–184 °C, 114–118 °C (Monohydrat), $[\alpha]_D^{20}$ –132,7° ($CHCl_3$). *Lignan vom Aryltetralin-Typ aus den Rhizomen von *Podophyllum hexandrum* (synonym *P. emodi*) u. a. *Podophyllum*-Wurzeln (zu 0,2–4% des Trockengew. u. a. im Sadebaumöl enthalten). In den Pflanzen liegt P. glykosid. gebunden vor, z. B. als 9-*O*-*β*-D-Glucosid, $C_{28}H_{32}O_{13}$, M_R 576,55, amorpher Feststoff, Schmp. 149–152 °C, $[\alpha]_D^{20}$ –65° (H_2O). P. ist Hauptbestandteil (bis zu 20%) des *Podophyllins*, das aus dem ethanol. Extrakt der Wurzeln von *Podophyllum peltatum*, einer beliebten Zierpflanze (Wilde Limone, Maiapfel, eine *Berberis*-Verwandte aus Nordamerika) durch Wasserzusatz abgeschieden wird u. in Form gelber, harziger, bitter schmeckender Stücke od. als Pulver erhältlich ist. Podophyllin enthält neben P. weitere Lignane, u. a.

α- u. β-Peltatin, *9-Desoxypodophyllotoxin* {Anthricin, $C_{22}H_{22}O_7$, M_R 398,41, Krist., Schmp. 170–171 °C, $[\alpha]_D^{19}$ −119° ($CHCl_3$)} u. *Dehydropodophyllotoxin* (5,5a,8a,9-Tetradehydropodophyllotoxin, $C_{22}H_{18}O_8$, M_R 410,38, Nadeln, Schmp. 272–278 °C).

Wirkung: P. wirkt stark haut- u. schleimhautreizend, abführend u. ist ein Mitosegift, da es die Topoisomerase II hemmt. Es ist ebenso wie 9-Desoxypodophyllotoxin cytotox., möglicherweise cancerogen.

Toxikologie: LD_{50} (Ratte i.v.) 8,7 mg/kg, (Ratte i.p.) 15 mg/kg. Auch bei oraler Aufnahme ist P. ein starkes Toxin: LD_{50} (Ratte p.o.) 100 mg/kg. Beim Menschen rufen P.-Vergiftungen (Aufnahme von ca. 2 g) heftige Gastroenteritis, Schwindel- u. Schockzustände hervor.

Verw.: P. wird als experimenteller Antitumorwirkstoff benutzt. Es eignet sich, wie auch Podophyllin, zur topikalen Behandlung von Genitalwarzen [1]. Die halbsynth. P.-glykoside Etoposid u. Teniposid werden klin. als Cytostatika eingesetzt [2]. – ***E*** podophyllotoxin – ***F*** podophyllotoxine – ***I*** podofillotossina – ***S*** podofilotoxina

Lit.: [1] Pat. Anm. EP 351974 (Schering, 24. 01. 1990); Lancet **1987**, 513; **1989**, 831. [2] Drug Discovery Today **1**, 343–351 (1996).

allg.: Adv. Enzyme Regul. **27**, 223–256 (1987) ▪ Hager (5.) **3**, 938 ff.; **9**, 277 ff. ▪ J. Chem. Soc., Chem. Commun. **1993**, 1200 ▪ J. Chem. Soc., Perkin Trans. 1 **1996**, 151–155 ▪ Luckner (3.), S. 396, 478 ▪ Merck-Index (12.), Nr. 7704–7707 ▪ Nat. Prod. Rep. **12**, 101–133, 183–205 (1995) ▪ Phytochemistry **25**, 2093–2102 (1986) (Biosynth.) ▪ Prog. Drug Res. **33**, 169–266 (1989) (Rev.) ▪ PTA heute **5**, 534 (1991) ▪ Synthesis **1992**, 719–730 (Synth.) ▪ Tetrahedron **47**, 4675–4682 (1991); **50**, 10 829 (1994) ▪ Tetrahedron Lett. **37**, 4791 (1996) (Synth.). – *Toxikologie:* Sax (8.), PJJ225. – *Pharmakologie:* Cancer Res. **4**, 626–629 (1984) ▪ J. Med. Chem. **32**, 604–608 (1989) ▪ J. Nat. Prod. **52**, 606–613 (1989); **58**, 870 (1995) ▪ Pharmacol. Ther. **59**, 163 (1993). – *[CAS 518-28-5 (P.); 16481-54-2 (9-O-β-D-Glucosid); 19186-35-7 (9-Desoxy-P.); 110087-42-8 (Dehydro-P.)]*

Podsol, Podzol (russ. = „Asche-Boden"). Bez. für einen in kühlen, feuchten Klimaten (z. B. Skandinavien) verbreiteten *Boden-Typ mit Bleicherde-Charakteristik, der v. a. über Calcium- u. Magnesium-armen Gesteinen gebildet wird, die entweder wie *Sande leicht durchlässig sind od. nach physikal. *Verwitterung ein grobkörniges Substrat liefern (z. B. *Sandstein, *Granit). In weiten Gebieten Nordwestdeutschlands wurde die *Podsolierung*, das ist die abwärts gerichtete Umlagerung gelöster organ. Stoffe, oft zusammen mit Eisen u. Aluminium, dadurch gefördert, daß der ursprüngliche Eichen-Birken-Wald gerodet u. durch Nadelholz od. Heidevegetation ersetzt wurde. – ***E*** podzol – ***F*** podophyllotoxine – ***I*** podofillotossina – ***S*** podofilotoxina

Lit.: Scheffer u. Schachtschabel, Lehrbuch der Bodenkunde (14.), S. 430 f., Stuttgart: Enke 1998 ▪ s. a. Boden.

Pökellake s. Lake.

Pökeln. Unter P. versteht man ein häufig in der Fleischtechnologie angewendetes Verf., dessen Ziel die *Konservierung durch Einsalzen u. Farbstabilisierung durch Umrötung von *Fleisch u. Fleischerzeugnissen ist. Zur Pökelung dürfen neben *Nitritpökelsalz Red.-Mittel wie *Ascorbinsäure u. Thiole verwendet werden.

Die konservierende Wirkung des P. richtet sich v. a. gegen *Clostridium botulinum* (s. Botulismus) [1]. Die farbstabilisierende Wirkung ist auf die Komplex-Bildung von Stickstoffmonoxid mit *Myoglobin zurückzuführen. Stickstoffmonoxid entsteht bei der Reaktion von *Nitrit mit Myoglobin. Die Farbe von gepökeltem Fleisch ist hitzestabil. Einen Überblick über die äußerst komplexen Reaktionen während des P. gibt *Lit.* [2–4].

Technologie: 1. *Naßpökelung:* Einlegen des Pökelgutes in einer 15–20% wäss. Lsg. von Nitritpökelsalz. – 2. *Trockenpökelung:* Schichtweises Bestreuen des Pökelgutes (v. a. Fisch) mit Nitritpökelsalz. – 3. *Schnellpökelung* (Spritzpökelung): Injektion der Pökellake durch Hohlnadeln ins Pökelgut (häufig bei Kochschinken). Einen Überblick zur Technologie gibt *Lit.* [5].

Zur rechtlichen Beurteilung s. Nitritpökelsalz.

Toxikologie: Durch das Vorhandensein von *Nitrit in saurem Medium besteht während des P. (exogen) u. nach Aufnahme gepökelter Fleischwaren (endogen) die Gefahr der Bildung carcinogener *Nitrosamine. *N*-Nitrosopyrrolidin [6] u. 3-Nitrosothiazolidinmethanol [7] konnten neben *NDMA [8] nachgewiesen werden. Über die Bildung von *N*-Nitrosodibutylamin in gepökelten u. von Gumminetzen umhüllten Fleischerzeugnissen (Rollbraten) berichtet *Lit.* [9]. Die nitrosierbaren Amine stammen in diesen Fällen aus den Gumminetzen. Aus diesen Gründen existieren Bestrebungen, Nitrit-reduzierte bzw. Nitrit-freie Pökelsyst. zu etablieren [10].

Analytik: Zum Nachw. von Nitrit in Fleisch u. Fleischerzeugnissen s. Methoden nach § 35 LMBG 06.00-12; s. a. Konservierung, Natriumnitrit, Nitritpökelsalz u. Nitrosamine. – ***E*** salting – ***F*** salaison – ***I*** salmistrare, mettere in salamoia – ***S*** salazón

Lit.: [1] Lett. Appl. Microbiol. **24**, 95–100 (1997). [2] J. Agric. Food Chem. **36**, 909–914 (1988). [3] Z. Lebensm. Unters. Forsch. **191**, 293–298 (1990). [4] Meat Mater. Sci. **26**, 141–153 (1989). [5] Prändl et al., Fleisch, S. 568–594, Stuttgart: Ulmer 1988. [6] J. Assoc. Off. Anal. Chem. **72**, 19–22 (1989). [7] J. Agric. Food Chem. **37**, 717–721 (1989). [8] J. Agric. Food Chem. **35**, 346–350 (1987). [9] J. Food Sci. **53**, 731–734 (1988). [10] J. Food Prot. **49**, 691–695 (1986).

allg.: AID-Verbraucherdienst **35**, Nr. 7, 135–142 (1990) ▪ Belitz-Grosch (4.), S. 519, 538 ▪ Fleischwirtschaft **69**, 1425–1428 (1989); **70**, 18–30 (1990); **71**, 61–65 (1991) ▪ Fülgraff, Lebensmitteltoxikologie, S. 80–82, Stuttgart: Ulmer 1989 ▪ Großklaus, Rückstände in von Tieren stammenden Lebensmitteln, S. 140–142, Berlin: Parey 1989 ▪ Lindner, Toxikologie der Nahrungsmittel, S. 178–184, Stuttgart: Thieme 1990 ▪ Mitt. Geb. Lebensmittelunters. Hyg. **82**, 24–35 (1991) ▪ Prändl et al., Fleisch, S. 332–357, 568–594, Stuttgart: Ulmer 1988 ▪ Ullmann (4.) **16**, 84; (5.) **A 11**, 573 ▪ Vollmer et al., Lebensmittelführer (2.), Bd. 2, S. 4, 9, Stuttgart: Thieme 1995 ▪ Zipfel, C 234, 235.

POF s. polymere Lichtwellenleiter.

Poggendorff, Johann Christian (1796–1877), Prof. für Physik, Berlin. *Arbeitsgebiete:* Elektromagnetismus, Entwicklung eines Spiegelgalvanometers, EMK-Bestimmung, Geschichte der Physik; Hrsg. von (Poggendorffs) Annalen der Physik u. Chemie (1824–1877) u. des nach ihm benannten „Biograph.-literar. Handwörterbuch zur Geschichte der Naturwissenschaften".

Lit.: Krafft, S. 276 f. ▪ Lexikon der Naturwissenschaftler, S. 330 ▪ Strube et al., S. 106.

pOH s. pH.

Pohouro s. Koto.

Poikilotherm. Bez. für ein „wechselwarmes" Lebewesen, das seine Körpertemp. nicht konstant halten kann. Beziehen p. Organismen ihre Körperwärme von außen, werden sie auch als *ektotherm bezeichnet. Im Gegensatz zu den p. Organismen regulieren *homoiotherme* Organismen ihre Körpertemp. weitgehend unabhängig von der Umgebungstemp. u. halten die Körpertemp. meist durch den Stoffwechsel aufrecht. Diese Organismen werden entsprechend als endotherm bezeichnet. Zwischen den beiden Gruppen stehen die *heterothermen* Organismen, die den Sollwert ihrer Körpertemp. den Lebensumständen teilweise anpassen, z. B. für den Winterschlaf absenken. Biochem. Anpassungsmechanismen u. Begriffsdiskussion s. *Lit.*[1]; zum Wärmehaushalt s. *Lit.*[2]. – ***E*** poikilothermal – ***F*** poïkilotherme – ***I*** poichilotermo – ***S*** poiquilotermo

Lit.: [1]Hochachka u. Somero, Strategien biochemischer Anpassung, S. 196–293, Stuttgart: Thieme 1980. [2]Monteith, Grundzüge der Umweltphysik, Darmstadt: Steinkopff 1978. *allg.:* Precht et al. (Hrsg.), Temperature and Life, S. 1–502, Berlin: Springer 1973.

Poise (Symbol: P). Einheit der dynam. *Viskosität, benannt nach Jean Louis Marie Poiseuille (französ. Arzt, 1799–1869), seit 1. 1. 1978 durch Pascalsekunde (Pa s) ersetzt: 1 P = 1 g/(cm s) = 0,1 *Pa s; 1 cP (*Centipoise*) = 1 mPa s. – ***E*** = ***F*** = ***I*** = ***S*** poise

Poiseuillesches Gesetz s. Viskosimetrie u. Hagen Poiseuillesches Gesetz.

Poissonsche Gleichung(en). 1. In der *Elastizitätstheorie* (s. Elastizität): Betrachtet man die Verformung eines Körpers mit Hilfe des verallgemeinerten *Hookeschen Gesetzes, so sind in den resultierenden 6 Gleichungen 36 unabhängige Konstanten c_{ik} (Elastizitätsmodule) enthalten. Je nach Symmetrie des Körpers reduziert sich die Zahl der unabhängigen Konstanten, zum einen aus allg. Symmetriegründe, zum anderen aufgrund der sog. *Cauchy-Relationen.* Im isotropen Fall gibt es nur noch eine Cauchy-Relation: $c_{11}=3c_{12}$. Diese wird P. G. genannt. Die Poisson-Zahl (Querkontraktion) μ ist dann gleich 0,25. Durch Messung der Querkontraktion kann überprüft werden, ob die getroffene Annahme (Zentralkräfte) zutrifft: Für heteropolare Salze ist sie erfüllt, bei Metallen nicht (s. *Lit.*[1] bei Elastizität).
2. In der *Potentialtheorie*: Die P. G. verknüpft das Potential φ mit der das Potential verursachenden Ladungsverteilung ρ: $\Delta\varphi(\mathbf{r}) = -\rho(\mathbf{r})$, wobei Δ der *Laplace-Operator ist. Ursprünglich wurde diese Gleichung von Poisson 1811 für das Gravitationspotential aufgestellt. In der *Elektrochemie spielt sie in der *Debye-Hückel-Onsager-Theorie eine wichtige Rolle.
3. Von Poisson 1822 aufgestellte Gleichung, auch Poissonsches Gesetz genannt, die die Adiabate eines idealen Gases beschreibt; Näheres s. bei Adiabate. – ***E*** Poisson's equations – ***F*** équations de Poisson – ***I*** equazione di Poisson – ***S*** ecuaciones de Poisson

Poisson-Zahl. Ideal elast. Körper verformen sich unter der Einwirkung einer äußeren Kraft um einen bestimmten Betrag, der von der Dauer der Einwirkung unabhängig ist. So gilt beispielsweise nach dem *Hookeschen Gesetz, daß die Zugspannung $\sigma = f/A_0$ (f = Kraft, A_0 = ursprüngliche Fläche) der Dehnung $\varepsilon = (l - l_0)/l_0 = \Delta l/l_0$ (l_0, l = Länge des Prüfkörpers vor u. nach Anlegen der Kraft) direkt proportional ist: $\sigma = E \cdot \varepsilon$.
E wird als Elastizitätsmodul, E-Modul od. Young-Modul bezeichnet. Bei anderen einwirkenden Kräften treten andere Verformungen auf, für die wieder andere Module gelten. So beschreibt z. B. das Schermodul G eine verdrillende Kraft (Scherspannung) od. das Kompressionsmodul K eine stauchende Kraft (Druckspannung). Die drei Module E, G u. K sind bei geometr. einfachen Körpern über die sog. P.-Z. μ miteinander verknüpft, die das Verhältnis von relativer Querkontraktion $\Delta d/d$ (d = Durchmesser des Prüfkörpers) zur axialen Dehnung $\Delta l/l_0$ angibt: $\mu = (\Delta d \cdot l_0)/(d\,\Delta l)$. Für die Beziehung zwischen μ u. den verschiedenen Module gilt $E = 2G(1+\mu) = 3K(1-2\mu)$. Die Werte von μ liegen zwischen 0 (für ideal energieelast. Festkörper) u. 0,5 (für Flüssigkeiten). Für Polymere werden in der Regel μ-Werte gefunden, die denen von Flüssigkeiten nahe sind (z. B. $\mu = 0{,}38$ für Polystyrol, $\mu = 0{,}50$ für Naturkautschuk. – ***E*** Poisson ratio, lateral contraction ratio – ***I*** numero di Poisson – ***S*** numéro de Poisson

Lit.: Elias (5.) **1**, 919; **2**, 418 ▪ Tieke, S. 274.

Pokeweed antiviral proteins s. *Phytolacca*-Antivirus-Proteine.

Pokeweed mitogen s. *Phytolacca*-Mitogen.

Polacrilin. Internat. Freiname für einen durch Polymerisation von *Methacrylsäure u. *Divinylbenzol erhältlichen synthet. *Ionenaustauscher, der v. a. als *Tablettensprengmittel Verw. findet. – ***E*** polacrilin – ***F*** polacriline – ***I*** = ***S*** polacrilina

Lit.: Martindale (31.), S. 1743. – *[HS 3914 00; CAS 50602-21-6]*

L-Polamidon® Hoechst (Rp, Btm). Ampullen u. Tropfen mit dem starken *Analgetikum *Levomethadonhydrochlorid. ***B.:*** HMR.

Polanyi, John Charles (geb. 1929), Prof. für Physikal. Chemie, Univ. Toronto (Kanada). *Arbeitsgebiete:* Elementarreaktionen, Gasphasen-Reaktionskinetik, Untersuchungen mit gekreuzten Molekularstrahlen, IR-Chemilumineszenz, Spektroskopie von Übergangszuständen in chem. Reaktionen, Photochemie von Mol. adsorbiert an Krist. im Hochvak.; Nobelpreis für Chemie 1986 zusammen mit D. R. Herschbach u. Y. T. Lee.

Lit.: Lexikon der Naturwissenschaftler, S. 332 ▪ Neufeldt, S. 176 ▪ Pötsch, S. 347 ▪ Strube et al., S. 193 ▪ The International Who's Who (17.), S. 1203.

Polar. Vom griech.: polos = Drehpunkt, Achse, abgeleitetes Adjektiv mit der Bedeutung: an den Polen befindlich, entgegengesetzt wirkend. Beispielsweise bezeichnet man in der Chemie als *polare Gruppen* solche funktionellen Gruppen, deren charakterist. Elektronenverteilungen dem Mol. ein beträchtliches elektr. Dipolmoment erteilen. Solche Gruppen bedingen die Affinität zu anderen polaren *chemischen Verbindungen (s. a. zwischenmolekulare Kräfte) od. (z. B. bei Tensiden) zu polaren Grenzflächen (bes. zu Wasser); sie sind daher auch für den *hydrophilen Charakter einer Substanz verantwortlich. *Polare Verb.* sind zum einen solche mit einer Ionenbindung (*polare* od. *heteropolare Bindung*, s. chemische Bindung), zum anderen solche mit einem elektr. *Dipolmoment u. *polarisierter* kovalenter *Bindung* (s. chemische Bindung). Beispielsweise spricht man bei Cyclohexanol von einem polaren Lsm. im Gegensatz zu Cyclohexan, einem **apolaren* od. *unpolaren*; die *Polarität* in diesem Sinne [1] ist ein Auswahlkriterium bei der Suche nach *Lösemitteln für chem. Reaktionen od. für die Chromatographie. Substituenten bewirken im allg. eine *Polarisation der Mol. (*Induktiver Effekt); wenn die Reaktivität einer Verb. auf die *Elektronegativität des Substituenten zurückgeführt werden kann, nennt man dies auch einen *polaren Effekt* [2]. Wenn ein Mol. zwei Gruppen entgegengesetzter Polarität trägt, spricht man von *dipolaren* Verb.; *Beisp.:* *Betaine, *Ylide, *Zwitterionen, vgl. a. 1,3-dipolare Cycloaddition. – ***E=S*** polar – ***F*** polaire – ***I*** polare

Lit.: [1] Angew. Chem. **94**, 739–749 (1982); Chem. Labor Betr. **35**, 536–543 (1984). [2] Angew. Chem. **88**, 389–401, 621–627 (1976); Adv. Free. Radical Chem. **6**, 65–154 (1980); Prog. Phys. Org. Chem. **14**, 165–204 (1983).
allg.: Acc. Chem. Res. **12**, 36ff. (1979) ▪ Annu. Rev. Phys. Chem. **30**, 471–502 (1979); **32**, 311–330 (1981) ▪ Chem. Ztg. **108**, 381–389 (1984).

Polarimeter. Gerät zur Messung der Richtung u. der Größe des Drehwinkels eines polarisierten Lichtstrahls (s. Polarisation) bei seiner Transmission durch ein Medium mit *optischer Aktivität. Bei der Drehung eines *Polarisators (*Glan-Thompson-*, *Nicol-Prisma*, *Polarisationsfilter*) dreht sich die Schwingungsebene des polarisierten Lichts mit. Trifft der polarisierte Lichtstrahl auf einen zweiten Polarisator, so tritt er ungeschwächt durch diesen hindurch, wenn seine Schwingungsebene parallel od. um 180° gedreht zu dem zweiten Polarisator ist; bei Drehungen um 90° bzw. 270° tritt kein Licht durch. P. bestehen aus zwei Polarisatoren (den zweiten nennt man im allg. *Analysator*), zwischen die eine Küvette mit der Untersuchungs-Lsg. gebracht wird. Zu Beginn der Messung werden Polarisator u. Analysator gekreuzt eingestellt, so daß Licht durch den Analysator tritt. Nach Einbringen einer Küvette mit opt. aktiver Flüssigkeit dreht sich die Ebene des durch den Polarisator polarisierten Lichts um einen bestimmten Betrag, wobei der Analysator wieder lichtdurchlässig wird. Durch Drehen des Analysators, bis wieder kein Licht durchtritt, wird die opt. Drehung der Substanz bestimmt. Da das menschliche Auge jedoch schlecht abs. Dunkelheit feststellen kann, arbeiten visuelle P. nach der *Halbschattenmethode*. Derartige P. besitzen zusätzlich einen Hilfspolarisator (*Jellet-Cornu-*, *Lippich-Prisma*).

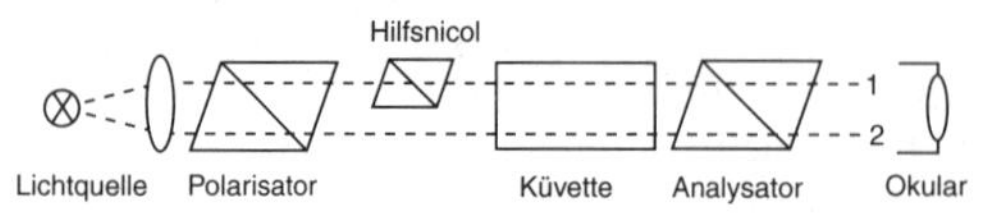

Abb. 1: Apparativer Aufbau eines Halbschattenpolarimeters.

In Abb. 1 tritt die Hälfte des polarisierten Lichts mit der Schwingungsebene P_p durch einen Hilfspolarisator mit der Schwingungsebene P_h (Strahlengang 1). Der Analysator hat die Schwingungsebene P_a. Ist $P_p = P_h = P_a$, so dringen Strahl 1 u. 2 ungeschwächt durch die drei Systeme. Dreht man den Hilfspolarisator um den kleinen Winkel φ (s. Abb. 2a), so verdunkelt sich die dem Strahlengang 1 entsprechende Hälfte im Okular.

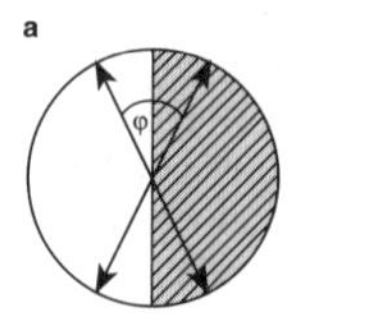

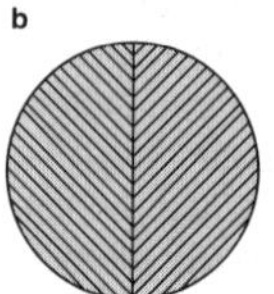

Abb. 2: a) Okular des Halbschattenpolarimeters; – b) Nullpunkt- u. Meßeinstellung.

Bei einer Vollumdrehung des Analysators gibt es je 2 Stellen, an denen beide Felder gleich hell u. gleich dunkel erscheinen. Letztere Halbschatteneinstellung ist die empfindlichere u. wird zur Nullpunkteinstellung u. zur Messung benutzt. Größere Genauigkeit erreicht man mit aufwendigeren Apparaturen u. elektron. Messung.

Anw.: Lange Zeit war die *Polarimetrie* die einzige instrumentelle Meth. zur Erlangung von Strukturinformationen. In Verbindung mit Brechungsindex u. Schmp. wurde sie zur Charakterisierung der Reinheit von Substanzen benutzt. Sie war u. ist in einem gewissen Ausmaß die Meth. der Wahl zur Zuckerbestimmung (Saccharimetrie). Der Mangel an Empfindlichkeit konventioneller Geräte u. der geringe lineare Bereich der Korrelation zwischen Drehwinkel u. Konz. sowie der Meßfehler infolge geringer Drehwinkel bei niedrigen Konz. waren hinderlich für den analyt. Einsatz der Polarimetrie. Neben der Saccharimetrie werden P. routinemäßig nur als Detektoren in der Flüssig-Chromatographie eingesetzt. – ***E*** polarimeter

Lit.: Döring, Polarimetrie u. Kinetik im Schülerversuch, Berlin: Pädagogisches Zentrum, Referat II D, 1990 ▪ Townshend, Encyclopedia of Analytical Science, Bd. 2, S. 667–672, San Diego: Academic Press 1995.

Polaris®. Im Reisanbau eingesetzter *Pflanzenwuchsstoff auf Basis *N*-(Phosphonomethyl)glycin (Common name: *Glyphosat). ***B.:*** Monsanto.

Polarisation. Allg. Bez. für das Vorhandensein od. die Erzeugung *polarer, d. h. einander entgegengesetzter Eigenschaften in Materie, Elementarteilchen u. Wellen.

1. *Elektrochem. P.* (galvan. P., elektrolyt. P.): Diese wird seitens der IEC definiert als „Erscheinung, die verursacht, daß das Potential einer *Elektrode od. eines *galvanischen Elements bei Stromfluß einen anderen Wert hat als die *elektromotorische Kraft". Als *Anoden-P.* bezeichnet man die P. einer Anode, als *Kathoden-P.* die einer Kathode. Diese Form der P. wird entweder durch die chem. Veränderungen an den Elektroden während des Stromflusses u. die dadurch bedingten *Überspannungen (*Abscheidungs-P.*) od. durch die bei der Elektrolyse erzwungenen Konz.-Änderungen im Elektrolyten (*Konz.-P.*) verursacht, vgl. auch Dead-Stop-Titration u. Passivität. Die elektrochem. P. ist von der Stromdichte u. der Temp. abhän-

gig. Sie kann durch Verw. von *Depolarisatoren verringert werden. Bei der Reizleitung in Nervenzellen bezeichnet man den Abbau des Membranpotentials als *De-P.* u. eine Erhöhung des Aktionspotentials (zur Hemmung des Informationsflusses) als *Hyper-P.;* Näheres s. Neurochemie.
2. *Elektr. P.* (Symbol P): Als solche bezeichnet man die Erscheinungen, die durch die Wechselwirkung eines äußeren elektr. Feldes mit den Mol. od. Ionen einer Substanz hervorgerufen werden. Die P. setzt sich aus zwei Anteilen zusammen. Bei nicht-leitenden Substanzen (*Dielektrika) entspricht die sog. *dielektr. P.* dem Diamagnetismus (s. Magnetochemie) bei Einwirkung eines Magnetfeldes: Ein elektr. Feld erzeugt in Mol. od. Atomen *Dipole infolge Temp.-unabhängiger, gegenseitiger Verschiebung der Elektronenhüllen u. Atomkerne, so daß die Schwerpunkte der neg. u. pos. Ladung in den vorher unpolarisierten (d.h. *dielektr.*) Mol. nicht mehr zusammenfallen. Bewirkt das Feld eine Abstandsvergrößerung der Ladungsschwerpunkte, so spricht man auch von *Atompolarisation.* Diese sog. *induzierte, Verschiebungs-* od. *Elektronen-P.* ist proportional der Feldstärke; der Proportionalitätsfaktor heißt *Polarisierbarkeit (Symbol α). Enthält das Dielektrikum Mol. mit permanentem *Dipolmoment, so überlagert sich der (Temp.-unabhängigen) Verschiebungs-P. die Temp.-abhängige *Orientierungs-P.*, die man sich als ein vom angelegten Feld erzwungenes Ausrichten der elektr. Dipole mit Einschränkung der *Brownschen Molekularbewegung vorstellen kann. Wegen der Analogie zum Paramagnetismus (s. Magnetochemie) heißt diese P. auch *parelektr. Polarisation.* In manchen Festkörpern, den *Elektreten, bleibt die Orientierungs-P. auch nach dem Abschalten des Feldes bestehen. Auf die elektr. P. von Krist. gehen auch die Phänomene der *Piezoelektrizität zurück. Die sog. *Mol.-P.* verknüpft die elektr. P. mit der *Dielektrizitätskonstante über die *Debye-Clausius-Mosotti-Gleichung, in der das Glied $\mu^2/3$ kT den Anteil der Orientierungs-P. an der Gesamt-P. vertritt. Der Brechungsindex von chem. Verb. kann sich unter dem Einfluß der elektr. P. charakterist. ändern (*Kerr-Effekt)
3. *Magnet. P.* (Symbol J): Bez. für eine Größe, die über die magnet. Feldstärke H, die magnet. Induktion B, die magnet. Feldkonstante μ_0 u. die Magnetisierung M definiert ist: $J = B - \mu_0 H = \mu_0 M$; vgl. a. magnetische Werkstoffe.
4. *Elementarteilchen-P.:* Einwirkung von polarisiertem Licht, von Spin-Bahn-Kopplungen od. von Magnetfeldern auf die Spins von *Elementarteilchen od. Atomkernen, woraufhin diese Vorzugsrichtungen einnehmen[1]; zur Ausnutzung der Effekte bei der Strukturaufklärung s. CIDEP u. CIDNP.
5. *Opt. P.:* Ausrichtung der Schwingungsebene des *Lichts, bzw. die Ausrichtung des *Spins der *Photonen. Ist der Spin gegen die Ausbreitungsrichtung des Photons gerichtet, so spricht man von rechts-zirkular polarisiertem Licht (σ^+-Licht; der elektr. Feldvektor dreht sich im Uhrzeigersinn, wenn man auf die Strahlungsquelle schaut). Ist der Photonenspin in Ausbreitungsrichtung, so spricht man von links-zirkular polarisiertem Licht (σ^--Licht; Drehung gegen den Uhrzeigersinn). Bei linear polarisiertem Licht (π-Licht) schwingt der elektr. Feldvektor in einer Ebene; man kann es als Überlagerung von gleich intensiver σ^+- u. σ^--Strahlung ansehen. Haben die σ^+ und σ^--Komponenten unterschiedliche Intensität, entsteht ellipt. polarisiertes Licht. Techn. wird polarisiertes Licht durch *Polarisatoren erzeugt. Bei Reflexion u. Lichtstreuung (s. dortige Abb.) findet P. statt. Bzgl. zirkular polarisierter Röntgenstrahlung s. *Lit.*[2]. Bei Tieren kann die opt. P. einen Einfluß auf den *Sehprozeß u. die Navigation haben.
6. Zur P. der chemischen Bindung s. dort u. bei polar.
– ***E*** polarization – ***F*** polarisation – ***I*** polarizzazione – ***S*** polarización

Lit.: [1] Phys. Bl. **42**, 400 (1986). [2] Phys. Bl. **46**, 475 (1990).
allg.: Chem. Unserer Zeit **14**, 158–167 (1980) ▪ Hecht, Optik, New York: McGraw-Hill 1987 ▪ J. Phys. Chem. Ref. Data **11**, 119–133 (1982) ▪ Kessler, Polarized Electrons, Berlin: Springer 1985 ▪ Kohlrausch, Praktische Physik 2, S. 330ff., Stuttgart: Teubner 1996 ▪ Molin, Spin Polarization and Magnetic Effects in Radical Reactions, Amsterdam: Elsevier 1984 ▪ Warren, Application of Polarization Measurements in the Control of Metal Deposition, Amsterdam: Elsevier 1984 ▪ s. a. Dielektrika, Dipolmoment.

Polarisationsmikroskopie. Mikroskop. Untersuchung botan., medizin., kristallograph., mineralog. u.a. Objekte mit Hilfe linear polarisierten Lichts, s. Mikroskopie. – ***E*** polarization microscopy – ***F*** microscopie à polarisation – ***I*** microscopia di polarizzazione – ***S*** microscopía de polarización

Lit.: s. Mikroskopie u. optische Aktivität.

Polarisationsspannungstitration s. Voltametrie.

Polarisationsspektroskopie. Meth. der hochauflösenden *Laser-Spektroskopie mit sub-Doppler-Auflösung ähnlich der *Sättigungsspektroskopie. Während bei letzterer die Abhängigkeit des *Absorptionskoeffizienten von der Intensität des eingestrahlten Lichts ausgenutzt wird, basiert die P. auf der Änderung des Brechungsindexes (s. Refraktion) u. ist deshalb um rund zwei Größenordnungen empfindlicher.

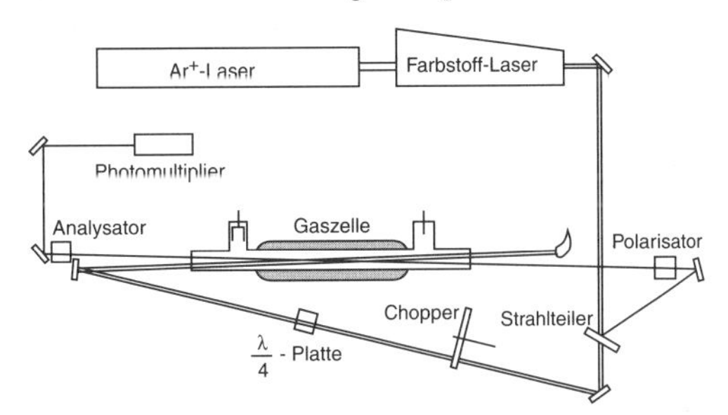

Abb.: Schemat. Aufbau zur Polarisationsspektroskopie von angeregten Atomen u. Mol., die in einer Gasentladung erzeugt werden[1].

Die Abb. zeigt schemat. den experimentellen Aufbau. Der Strahl eines schmalbauchigen Lasers wird in einen intensiven Pump- u. einen schwächeren Probenstrahl aufgeteilt, die beide in entgegengesetzter Richtung die Probe (Atome od. Mol. in einer Gaszelle) durchlaufen. In vielen Fällen wird der Pumpstrahl zirkular polarisiert u. bewirkt dadurch eine Ausrichtung der Drehimpulse der Atome (bzw. Mol.). Da der Laser viel schmaler als die *Doppler-Breite des Übergangs

ist, wird diese Ausrichtung nur bei Atomen (Mol.) einer bestimmten Geschw. realisiert (ähnlich wie bei *spektralem Lochbrennen). Der Probenstrahl durchläuft vor der Probe einen *Polarisator sowie einen Analysator hinter der Probe. Beide sind so zueinander gedreht, daß der Strahl normalerweise abgeblockt wird. Trifft der Probenstrahl auf die gleichen Atome (Mol.), die vom Pumpstrahl ausgerichtet wurden, so wird seine Polarisationsebene beim Durchgang durch die Gaszelle gedreht; ein Teil des Probenstrahls kann daher den zweiten Polarisator (Analysator) passieren. Die Polarisationsdrehung basiert darauf, daß linear polarisiertes Licht als Überlagerung einer rechts- u. einer links-zirkular polarisierten Lichtwelle gleicher Intensität angesehen werden kann. Durch die Ausrichtung der Drehimpulse in der Probe, ist die Ausbreitungsgeschw. (Brechungsindex n) der unterschiedlich zirkular polarisierten Lichtwellen verschieden; es kommt also zu einer Phasenverschiebung zwischen rechts- u. linkszirkular polarisierter Lichtwelle.
Verglichen mit der Sättigungsspektroskopie liefert die wesentlich empfindlichere P. vereinfachte Spektren, indem, abhängig von der Polarisation des Lichtes, verschiedene Übergangsarten registriert werden können: Eine zirkular polarisierte Pumpwelle registriert Übergänge, bei der sich der Gesamtdrehimpuls J ändert ($\Delta J = \pm 1$; P- bzw. R-Übergänge bei Mol.); eine linear polarisierte Pumpwelle zeichnet prim. Übergänge mit $\Delta J = 0$ auf.
Pump- u. Probenstrahl können auch von unterschiedlichen Lasern stammen; d. h. mit dem Pumpstrahl wird ein bekannter Übergang induziert, u. mit dem unabhängigen Probenstrahl werden Doppelresonanz-Übergänge ausgemessen (*E* polarization labeling), s. a. Mehrphotonen-Spektroskopie. – ***E*** polarization spectroscopy – ***F*** spectroscopie de polarisation – ***I*** spettroscopia di polarizzazione – ***S*** espectroscopia de polarización

Lit.: [1] Chem. Phys. Lett. **166**, 551 (1990).
allg.: Demtröder, Laserspektroskopie, Berlin: Springer 1996 ▪ Svanberg, Atomic and Molecular Spectroscopy (2.), Berlin: Springer 1992.

Polarisatoren. 1. Bez. für Substanzen, die, einem Elektrolyt zugesetzt, die elektrochem. *Polarisation erhöhen (polarisierende Substanzen; Gegensatz: *Depolarisatoren).

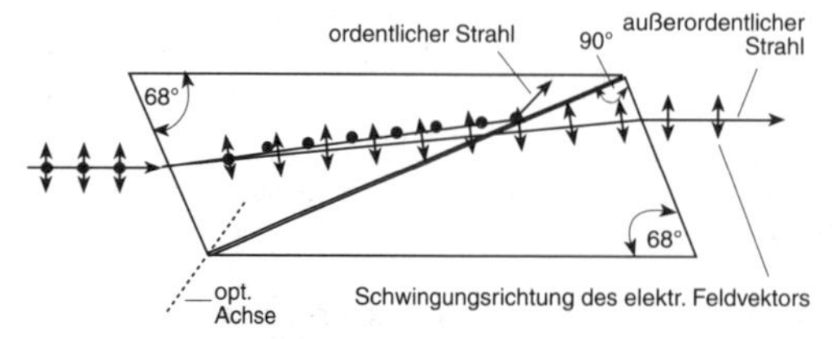

Abb.: Aufbau eines Nicolschen Prismas: Zwei Prismen eines doppelbrechenden Krist. sind mit einem transparenten Klebstoff (Kanada-Balsam) zusammengeklebt, der einen niedrigeren Brechungsindex als der des ordentlichen Strahles im Krist. besitzt. Somit wird dieser Strahl an der Klebefläche total reflektiert (s. Refraktion) u. dann auf der geschwärzten Längsseite des Prismas absorbiert. Der außerordentliche Strahl tritt durch das Prisma hindurch; er ist parallel zur Zeichenebene linear polarisiert.

2. Bez. für Vorrichtungen zur Erzeugung von polarisiertem Licht, z. B. Nicolsche Prismen (Aufbau s. Abb.), Glan-Thompson-Prismen od. Polarisationswürfel, wie sie für sichtbare Strahlung u. im Nahen UV- u. IR-Spektralbereich verwendet werden. Im Fernen UV- u. Vak.-UV-Bereich kommen Platten-P. bzw. Reflexions-P. zum Einsatz.– ***E*** polarizers – ***F*** polariseurs – ***I*** polarizzatori – ***S*** polarizadores

Lit.: Hecht, Optik, New York: McGraw-Hill 1987 ▪ Kohlrausch, Praktische Physik 2, Stuttgart: Teubner 1996.

Polarisierbarkeit (Symbol α). Bez. für ein Maß der Deformierbarkeit der Elektronenhülle von Mol. u. Atomen unter Einwirkung eines elektr. Feldes. Für die durch das elektr. Feld hervorgerufene Energieverschiebung ΔW gilt $\Delta W = \frac{1}{2} \alpha \cdot E^2$, wobei E die elektr. Feldstärke ist. Das elektr. Feld induziert zudem ein *Dipolmoment $\mu_{ind} = \alpha \cdot E$. Im allg. ist die P. ein Tensor (s. Polarisierbarkeitstensor) mit verschieden großen Komponenten. Ein Drittel der Summe der Diagonalelemente dieses Tensors wird als *isotrope P.* (Symbol $\bar{\alpha}$) bezeichnet. Die P. wird auch heute noch selten in SI-Einheiten angegeben (diese wären $C \cdot m^2/V$). Statt dessen gibt man meistens die P.-Vol. an. Handliche Einheiten hierfür sind $Å^3$ ($\equiv 10^{-30}$ m^3). Einige Beisp. findet man in der Tabelle.

Tab.: Isotrope Polarisierbarkeits-Vol. einiger kleiner Moleküle.

	$\bar{\alpha}$ [10^{-30} m^3]
H_2	0,80
H_2O	1,45
O_2	1,58
N_2	1,74
HF	2,46
HCl	2,77
HBr	3,61
CO_2	2,91
O_3	3,21
CF_4	3,84
$CHCl_3$	9,5
C_6H_6 (Benzol)	10,3

Die P. steht in enger Beziehung zur *Dielektrizitätskonstanten (s. Debye-Clausius-Mosotti-Gleichung), zum Brechungsindex (s. Refraktion), zur diamagnet. Suszeptibilität, zu Beweglichkeiten von Ionen in Gasen, zur Reaktionsgeschwindigkeitskonstanten von *Ionen-Molekül-Reaktionen, zur Acidität bzw. Basizität (insbes. im HSAB-Konzept, s. HSAB-Prinzip), zur *Elektronegativität etc. u. allg. zu den *zwischenmolekularen Kräften. – ***E*** polarizability – ***F*** polarisabilité – ***I*** polarizzabilità – ***S*** polarizabilidad

Lit.: Adv. At. Mol. Phys. **13**, 1 – 55 (1977) ▪ Buckingham, Physical Chemistry, Series 2, Bd. 2, Molecular Structure and Properties, S. 149 – 194, London: Butterworths 1975 ▪ Handbook **73, 10** 194 – 210 (1992) ▪ Hirschfelder et al., Molecular Theory of Gases and Liquids, New York: Wiley 1964 ▪ Israelachvili, Intermolcular and Surface Forces, 2. Aufl., London: Academic Press 1992.

Polarisierbarkeitstensor. Symmetr. 3×3-Matrix (s. Matrizen) der Komponenten der *Polarisierbarkeit:

$$\alpha = \begin{pmatrix} \alpha_{xx} & \alpha_{xy} & \alpha_{xz} \\ \alpha_{xy} & \alpha_{yy} & \alpha_{yz} \\ \alpha_{xz} & \alpha_{yz} & \alpha_{zz} \end{pmatrix}$$

Die Komponenten beziehen sich hier auf ein kartes. Koordinatensyst. (x,y,z). – ***E*** polarizability tensor – ***F*** tenseur de la polarisibilité – ***I*** tensore della polarizzabilità – ***S*** tensor de la polarizabilidad

Polarisiertes Licht s. Polarisation (5.).

Polarität. Begriff zur Charakterisierung des polaren Charakters einer Bindung od. eines·Lsm.; Näheres s. bei polar u. Lösemittel. – ***E*** polarity – ***F*** polarité – ***I*** polarità – ***S*** polaridad

Polaritonen s. elementare Anregung.

Polarlicht. Leuchterscheinungen, die bes. in den Polargebieten (nördliches P.: Nordlicht, *Aurora borealis*; südliches P.: Südlicht, *Aurora australis*) nachts sichtbar sind. Aufgrund des Erdmagnetfeldes ist P. nur an den magnet. Polen möglich. Sie entstehen, indem elektr. geladene Teilchen der *kosmischen Strahlung, v. a. des Sonnenwindes, in die Erdatmosphäre eindringen. In Höhen zwischen 70 u. 1000 km werden durch Stöße Atome u. Mol. ionisiert, die dann fluoreszieren. Spektral setzt sich das P. bes. aus Linien des atomaren Sauerstoffs (grün u. rot) u. des mol. Stickstoffs (blauviolett) zusammen. Bei starken Störungen des Erdmagnetfeldes können P. bis in den Mittelmeerraum beobachtet werden. Die Wanderung der magnet. Pole der Erde werden aufgrund alter Aufzeichnungen, in denen beschrieben ist, wann u. in welcher Gegend P. beobachtet wurden, rekonstruiert. – ***E*** aurora – ***F*** aurore [polaire] – ***I*** aurora boreale – ***S*** aurora [polar]

Lit.: Akasofu, Aurora, in Encyclopedia of Physical Science and Technology, Vol. 2, S. 403–416, New York: Academic Press 1992 ▪ Sci. Am. **260**, 54 (1989).

Polarographie. Bez. für ein Analysenverf. der *Voltammetrie, bei dem eine Quecksilber-Tropfelektrode als Indikator- od. polarisierbare Elektrode („Tropfkathode", s. Abb. 1) dient. Das für qual. u. quant. analyt. Bestimmungen geeignete Verf. beruht auf der elektrolyt. Abscheidung (im allg. durch Red., seltener durch Oxid.) von Stoffen aus der zu untersuchenden Lsg., wobei die Strom-Spannungs-Kurve aufgenommen wird. Soll beispielsweise die Konz. an Cu^{2+}-Ionen in einer wäss. Kupfer(II)-chlorid-Lsg. bestimmt werden, so bringt man in ein Kölbchen (s. Abb. 1) etwas Quecksilber als prakt. unpolarisierbare Bezugselektrode (Bodenanode, „See"), gießt die Kupferchlorid-Lsg. darüber u. läßt in diese eine mit einem Quecksilber-Reservoir verbundene Glaskapillare von 0,05–0,1 mm lichter Weite eintauchen, aus deren Öffnung alle 3–6 s (bei der sog. *Rapid-P.* alle 0,2–0,25 s) ein Hg-Tropfen von ca. 0,5 mm Durchmesser austritt u. abfällt, so daß immer eine neue Mikroelektrode mit frischer Oberfläche gebildet wird. Um Störungen durch O_2 auszuschließen, leitet man Inertgas (wie N_2, Ar) durch die zu untersuchende Lösung. Zwischen Bodenanode u. Tropfkathode legt man eine Gleichspannung von z. B. 0,5 V an. Der Spannungsabfall im Elektrolyten wird durch Zusatz eines sog. *Leitsalzes* od. *Grundelektrolyten* (z. B. eines indifferenten, d. h. schwer zu reduzierenden u. in großem Überschuß vorhandenen Elektrolyten wie Kaliumchlorid) vernachlässigbar klein gemacht; das Leitsalz bewirkt den Stromfluß u. die Cu^{2+}-Ionen gelangen dann allein durch Diffusion u. nicht infolge von elektrolyt. Überführung an die abfallenden, neg. geladenen Quecksilber-Tröpfchen. Diese reduzieren die Cu^{2+}-Ionen in ihrer nächsten Umgebung (im vorliegenden Beisp. in einer Zone von einigen hundertstel Millimeter um die Tropfenoberfläche herum) zu Kupfer-Atomen, die sich im Quecksilber-Tropfen unter Bildung von Kupferamalgam auflösen. An der Bodenanode wird im Gegenzug das Quecksilber-Metall zu Quecksilber-Ionen oxidiert; es entsteht hier unter Beteiligung der Chlorid-Ionen unlösl. Quecksilberchlorid, das auf dem Boden-Quecksilber liegen bleibt. Die Zahl der Kupfer-Ionen, die an den Quecksilber-Tröpfchen entladen werden, ist proportional der Konz. der Cu^{2+}-Ionen in der Lösung. Bezeichnet man die aus jedem Tropfen aufgenommene Elektrizitätsmenge mit Q u. die Lebensdauer eines Tropfens mit t, so ist die mittlere Stromstärke Q/t. Diese Stromstärke ist um so größer, je höher die Konz. der Kupfersalz-Lsg. im Kölbchen gewählt wird. Im Gegensatz zu den gewöhnlichen elektroanalyt. Verf. reduziert man also hier nicht das ganze Kupfersalz, sondern an jedem Quecksilber-Tröpfchen nur einen kleinen Bruchteil davon. Lsg. von bekannter $CuCl_2$-Konz. dienen zum Eichen.

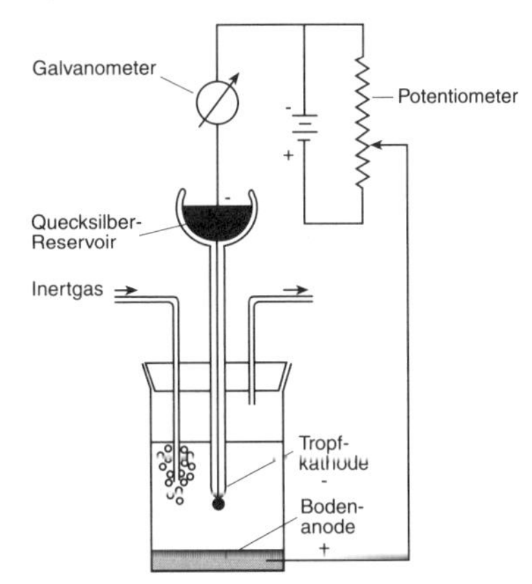

Abb. 1: Schemat. Darst. eines Polarographen.

Die Abb. 1 zeigt einen einfachen Polarographen in schemat. Darstellung. Die Stromstärke (ungefähr 10^{-6} A) sinkt beim Abfallen eines Tropfen fast auf null u. wächst bei jedem neuen Tropfen wieder an. Da man die mittleren Werte der Stromstärke registrieren möchte, wählt man ein „träges" Galvanometer. Die zwischen den Elektroden angelegte Spannung läßt man über ein Potentiometer langsam ansteigen. Der gemessene Strom wird bei modernen Geräten als Strom-Spannungs-Kurve mit einem X,Y-Schreiber registriert (*Polarogramm*). Dieses stellt sich als Folge scharfer Maxima- u. Minima-Ausschläge (Oszillationen) dar, deren Mittelwerte graph. od. rechner. abgeleitet werden. Falls die Lsg. mehrere reduzierbare Metall-Ionen mit unterschiedlichen *Normalpotentialen enthält, bekommt man eine stufenförmige Kurve (*Polarogramm*,

s. Abb. 2). Bei kleinen Spannungen fließt nur der niedrige *Grundstrom*. Wird durch Erhöhung der Spannung das *Abscheidungspotential* (E, ältere Bez.: *Zersetzungsspannung) einer leicht reduzierbaren Ionenart erreicht (in Abb. 2 bei E_I), so nimmt die Stromstärke bei anwachsendem (neg.) Potential stark zu, weil die Red. dieser Ionen einsetzt. Beim Erreichen eines bestimmten Grenzwertes der Stromstärke (Diffusions- od. Grenzstrom) tritt ein Richtungswechsel ein, denn die aus dem Innern der Lsg. durch Diffusion an die Elektrode gelangenden Ionen werden an dieser sofort reduziert. Da die Diffusionsgeschw. bei konstanter Temp. allein von der Differenz zwischen der Konz. im Innern der Lsg. u. an der Elektrodenoberfläche (dort ist sie null!) bestimmt wird, ist also dieser Grenzstrom direkt proportional der Konz. des reduzierbaren Stoffes (vom sog. „Reststrom" sei hier abgesehen). Die Tatsache, daß der Grenzstrom durch eine Diffusionserscheinung u. nicht durch elektrostat. Anziehung bedingt ist, ergibt sich u. a. auch daraus, daß auch neg. Ionen an der neg. Elektrode abgeschieden werden können, wie z. B. BrO_3^-, IO_3^-, ZnO_2^{2-}, CrO_4^{2-}; hier lautet die Elektrodenreaktion:

$$CrO_4^{2-} + 3\,e^- + 5\,H^+ \rightarrow Cr(OH)_3 + H_2O.$$

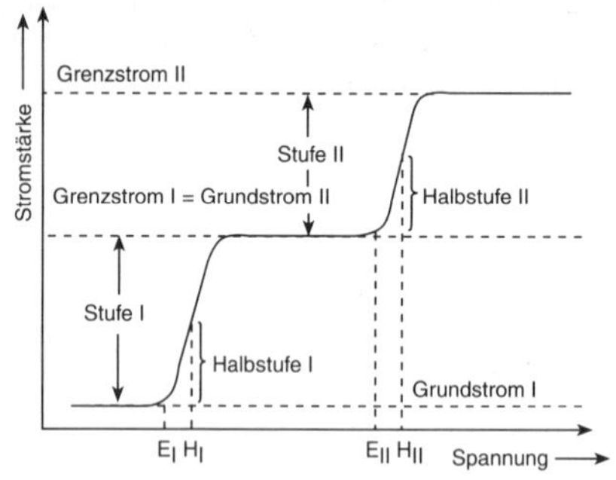

Abb. 2: Idealisiertes Polarogramm einer zwei reduzierbare Komponenten (I u. II) enthaltenden Lösung. E_I u. E_{II} bedeuten die Abscheidungspotentiale der beiden verschiedenen Ionen, H_I u. H_{II} ihre Halbstufenpotentiale.

Wenn das Elektrodenpotential den Wert des Abscheidungspotentials der nächsten Ionenart erreicht (in Abb. 2 bei E_{II}), wiederholt sich der Vorgang. Enthält eine Lsg. 3 verschiedene Ionen, so wird bei kleinen Spannungen nur die erste, bei mittleren Spannungen werden die erste u. zweite Ionensorte u. bei großen Spannungen dagegen alle 3 Ionensorten reduziert. Das Abscheidungspotential, bei dem eine *Stufe* od. *Welle* einsetzt, ist abhängig von Art u. Menge der übrigen in der Lsg. befindlichen Ionen (Grundelektrolyt, pH-Wert) u. von der Konz. des an der Kathode reduzierten Stoffes, der auch als **Depolarisator* bezeichnet wird. Es ist deshalb nur wenig zur qual. Identifizierung der reduzierten Substanz geeignet. Statt dessen verwendet man hierfür das sog. *Halbstufen-* od. *Halbwellenpotential*, das dem Wendepunkt der Stromspannungskurve entspricht; dieses ist bei konstanten Bedingungen weitgehend unabhängig von der Konz. u. für den reduzierten Stoff charakterist. (in Abb. 2 durch H_I u. H_{II} gekennzeichnet). Das Halbstufenpotential ist bei reversiblen Elektrodenreaktionen annähernd ident. mit dem *Redoxpotential, während es bei irreversiblen kathod. Reaktionen wesentlich neg. (bei anod. Reaktionen pos.) als das Redoxpotential ist. Die in der Lit. angegebenen Halbstufenpotentiale beziehen sich meist auf das Potential der 1-n Kalomel-Elektrode bzw. der gesätt. *Kalomel-Elektrode, die bei 25 °C ein Potential von +280 bzw. +241 mV besitzen u. heute meist anstelle des Boden-Quecksilbers als Bezugselektroden verwendet werden. Die Quecksilber-Tropfelektrode ist im Bereich von +0,4 bis –2,8 V (gegenüber der gesätt. Kalomel-Elektrode) anwendbar; zu Halbstufenpotentialen von Kationen in nichtwäss. Lsm. s. *Lit.*[1].

Verw.: Als schnelles elektroanalyt. Verf. in Metallurgie, Halbleitertechnik, Toxikologie, Pharmakologie, Biologie, Katalyse usw. Polarograph. gut bestimmbar sind viele Metalle, Halogenide, O_2, NO, SO_2 u. organ. Verb. mit reaktiven Gruppen wie Aldehyde, Ketone, Nitro-, Schwefel-, Halogen-Verb. u. Heterocyclen. Schlecht od. nicht bestimmbar sind Be, Mg, Al, As(V), Se, Sc, Seltenerdmetalle, Nb, Ta, Ti, Th, Zr. Die Empfindlichkeit der polarograph. Analyse ist außerordentlich groß, u. es lassen sich noch sehr kleine Ionenkonz. (je nach Meth. bis herab zu 10^{-9} Mol/L, bei der *inversen P.* bis 10^{-12} Mol/L) bestimmen. Ein wesentlicher Vorteil der Meth. ist, daß sich bei hinreichend großen Unterschieden der Abscheidungspotentiale mehrere Ionenarten nebeneinander bestimmen lassen. Die P. gehört längst zu den analyt. Standardmeth. des chem. Laboratoriums. Parallel zu ihrer zunehmenden Verbreitung verlief die apparative u. method. Entwicklung bes. Ausführungsformen, auf die hier nicht eingegangen werden kann – allein die von der IUPAC zusammengestellte Liste der wichtigsten Verf. der *Elektroanalyse[2] nennt 25 definierte P.-Methoden. Hier seien stellvertretend einige dieser Verf. erwähnt: Oszillo-P. (ein Spezialfall der *Chronopotentiometrie), Derivativ-P., Differential- od. Komparative P., Tast-P., Puls-P., Square-wave-P., Single-sweep-P. (früher: Kathodenstrahl-P.), Kalousek-P., Treppenstufen-P., Wechselstrom-P. u. Inverse P.-Methoden.

Geschichte: Die Anw. von Quecksilber-Kapillaren u. -Tropfen als Meßelektroden geht auf G. Lippmann (1873) u. B. Kucera (1903) zurück, doch entwickelte erst *Heyrovský um 1921 die P. als Meth. (hierfür Chemie-Nobelpreis 1959). Verbesserungen führten W. Kemula u. von Stackelberg ein. – ***E*** polarography – ***F*** polarographie – ***I*** polarografia – ***S*** polarografía

Lit.: [1] Pure Appl. Chem. **62**, 1839 (1990). [2] Pure Appl. Chem. **45**, 84–97 (1976).
allg.: Analyt.-Taschenb. **1**, 103–147; **2**, 211–230 ▪ Eisenhardt, Polarography and Voltammetry, Weinheim: VCH Verlagsges. 1991 ▪ Townshend, Encyclopedia of Analytical Science, Bd. 7, S. 4011–4035, New York: Academic Press 1995 ▪ Ullmann (5.) **B 5**, 705–741.

Polaroid. Kurzbez. für die 1932 gegr. Polaroid Corporation, Cambridge, MA 02139, USA. *Daten* (1997): 10011 Beschäftigte, ca. 1,1 Mrd. $ Umsatz. *Produktion:* Sofortbild-Kameras u. -Filme, Digitalkameras, Polarisationsfilter u. -linsen, LCD-Displays, Abbildungssyst. für medizin. Diagnostik, u. a. *Vertretung* in der BRD: Polaroid GmbH, 10405 Berlin.

Polaroid®. Marke für Produkte der *Polaroid Corp., z. B. für in Brillen od. Polarisationsfiltern verwendete,

Licht linear polarisierende Kunststoff-Folien, die früher in Cellulosenitrat eingebettete Krist. von Herapathit enthielten (4 Chinin · $3\,H_2SO_4 \cdot 2\,HI \cdot I_4$). Heute versteht man umgangssprachlich unter P. ein von *Land erfundenes Verf. der Sofortbild-, Schwarzweiß- u. *Farbphotographie (Polacolor®) für Amateur- u. wissenschaftliche Zwecke mit eigens entwickelten P.-Kameras u. P.-Aufnahmematerial. Letzteres enthält Negativmaterial, Silberkeim-haltiges Übertragungspapier u. flüssigen Fixierentwickler; das Verf. arbeitet nach dem *Silbersalz-Diffusionsprozeß* (vgl. Photographie, S. 3310). Ein später entwickeltes Sofortbild-Farbschmalfilm-Syst. ist das *Polavision*-System.

Polaron. Quasiteilchen, das nur in Festkörpern, bevorzugt in *Halbleitern od. *Isolatoren, existiert. In einem wenigstens teilw. ion. gebundenen Festkörper ruft ein Ladungsträger (neg. geladenes Elektron od. pos. geladenes Loch, s. Löcherleitung u. Defektelektron) in seiner Umgebung eine Gitterverzerrung hervor. Die Gesamtheit aus Ladungsträger u. Gitterverzerrung wird P. genannt. Im Vgl. zu einem Ladungsträger ohne Gitterverzerrung führt der P.-Effekt zu einer Zunahme der effektiven Masse (P.-Masse) u. zu einer Abnahme der Bandlücke (*Halbleiter). Die in Halbleitern u. Isolatoren bestimmten Materialparameter geben im allg. die P.-Werte an. In stark ion. gebundenen Isolatoren kann die Energieabsenkung durch die Gitterverzerrung so groß sein, daß die Ladungsträger räumlich lokalisiert werden (sog. kleines P.). – ***E*** = ***F*** polaron – ***I*** polarone – ***S*** polarón

Lit.: Kittel, Einführung in die Festkörperphysik, 11. Aufl., München: Oldenbourg 1995.

Polarotropie s. ...tropismus.

Poldreck s. Zinn (Herst.).

Poleiöle (Poleyöle, Pennyroyalöle). Ether. Öle aus dem mit der *Pfefferminze verwandten Flohkraut (Poleiminze, *Mentha pulegium*, Lamiaceae), D. 0,928–0,940. P. mit minzigaromat. Geruch enthalten *Pulegon u. *Menthon u. werden in Brasilien, den Mittelmeerländern u. den USA gewonnen.

Verw.: Zur Gewinnung von Pulegon u. zur Parfümierung von Seifen u. Mundpflegemitteln. Als P. bezeichnet man auch ein ether. Öl ähnlicher Zusammensetzung aus der in Nordamerika heim. *Hedeoma pulegioides* (Lamiaceae). – ***E*** pennyroyal oil – ***F*** essence de menthe pouliot – ***I*** essenza di menta puleggio – ***S*** esencia de poleo

Lit.: Ullmann (5.) **A 11**, 234. – *[HS 3301 25]*

Polen s. Kupfer (Herst.) u. Zinn (Herst.).

Poleyöle s. Poleiöle.

Polianit s. Pyrolusit.

Polidocanol. Internat. Freiname für *Polyethylenglykol-monododecylether, $n\text{-}H_{25}C_{12}\text{–}(O\text{–}CH_2\text{–}CH_2)_n\text{–}OH$, M_R ca. 600 (enthält durchschnittlich 9 Ethylenoxid-Einheiten), Schmp. 33,3–33,6 °C, n_D^{35} 1,4539, LD_{50} (Maus oral) 1170, (Maus i.v.) 125 mg/kg.

Verw.: Als Fett- u. Wasser-lösl. Lsm., als *Lokalanästhetikum, als Sklerotisierungsmittel zur Verödung von Krampfadern u. *Hämorrhoiden sowie als Emulgator in Salben. – ***E*** = ***F*** = ***S*** polidocanol – ***I*** polidocanolo

Lit.: ASP ▪ Hager (5.) **9**, 279 f. ▪ Martindale (31.), S. 1342. – *[CAS 9002-92-0]*

Polieren. Bez. für oft dem *Schleifen* u./od. *Läppen* nachgeschaltete Bearbeitungsverf., bei denen auf mechan., chem. od. elektr. Wege ebene Oberflächen (Rauhtiefe unter 10 µm) erzeugt werden. Das *mechan. P.* erfolgt meist durch leichtes Andrücken des betreffenden Werkstücks (z. B. aus Metall, Glas, Holz, Kunststoff, Leder) auf waagerechte, von einem Motor angetriebene u. mit einem Wolltuch (z. B. für harte Metalle u. Leg. wie Stahl) od. Samt (z. B. für weichere Metalle u. Leg.) bespannte Scheiben, die mit einem feinstgekörnten *Poliermittel* [z. B. Aluminium-, Magnesium-, Chrom-, Zinn(IV)-, Eisenoxid, Siliciumcarbid, Kieselgur, Diamantenstaub, für Glas bes. Cer- u./od. Zirconiumoxide] geschlämmt sind; es kommen auch *Poliersteine* (s. Abziehsteine) zur Anwendung. Beim selten angewendeten *chem. P.* werden rauhe Metalloberflächen in ein chem. Poliermittel (meist ein Gemisch aus verschiedenen Säuren), evtl. bei höherer Temp. eingetaucht, s. a. Ätzen. Beim *elektrolyt. P. (Elektro-P.)*, einem Verf. der *elektrochemischen Metallbearbeitung, wird das zu polierende Metall als Anode in einen Stromkreis geschaltet, wobei der Elektrolyt aus einer Säure od. einem Säure-Gemisch besteht. Bei dieser Anordnung werden herausragende Unebenheiten (Spitzen, Grate) des zu polierenden Metalls oberflächlich aufgelöst. Dadurch wird das vorher matte Metall geglättet u. glänzend. Als Elektrolyten verwendet man z. B. bei rostfreien Stählen, Kohlenstoff-Stählen, Nickel, Gold, Aluminium eine Phosphorsäure-Schwefelsäure-Mischung mit Zusätzen von Katalysatoren, Inhibitoren usw., Phosphorsäure-Chromsäure-Bäder od. Perchlorsäure-Essigsäure-Bäder. Zum P. von Gegenständen des täglichen Bedarfs s. Polituren, u. zum P. von Reis s. dort. – ***E*** polishing – ***F*** polissage – ***I*** politura – ***S*** pulido

Lit.: DECHEMA Monogr. **93**, 131–149 (1983) ▪ Fynn u. Powell, Cutting and Polishing of Electro-optic Materials, Bristol: Hilger 1979 ▪ Jahrbuch Schleifen, Honen, Läppen u. Polieren, Essen: Vulkan-Verl. (seit 1977) ▪ Kirk-Othmer **1**, 39 f.; (3.) **1**, 49 ▪ Milazzo, Elektrochemie II, S. 76–81, Basel: Birkhäuser 1983 ▪ Samuels, Metallographic Polishing by Mechanical Methods, Metals Park: Am. Soc. Metals 1982 ▪ Ullmann (5.) **A 9**, 232, **A 12**, 424; **A 16**, 645 ▪ Winnacker-Küchler (3.) **6**, 617; (4.) **3**, 432 f.; **4**, 663.

Poliergrün. Fein pulverisiertes Chrom(III)-oxid (s. Chromoxide), das z. B. zum Polieren verchromter Gegenstände verwendet wird.

Poliermittel s. Polieren.

Polierrot. 1. Rotes Eisen(III)-oxid-Pigment (Bayferrox® III) als Poliermittel für Glasoberflächen. – 2. S. Hämatit.

Poliersäure. Hoch konz. Flußsäure zum Blankätzen noch matter, feingeschliffener Gläser. – *[G 8]*

Poliersand. Sand mit Korngrößen bis zu 0,6 mm zum Polieren von Marmor, Granit, Syenit, Betonwaren usw.

Polierschiefer s. Kieselgesteine.

Poliersteine s. Abziehsteine.

Poligen®-Marken. Wäss. Copolymer-Dispersionen auf Basis Acrylat, Methacrylat u. Styrol für Bodenpflegemittel. ***B.:*** Interpolymer.

Polilyte®. Elektrolyt auf Polymerbasis für elektrochem. Referenzelektroden; wird in Verbindung mit pH-Glaselektrode als pH-Einstabmeßkette insbes. bei Laboranw. eingesetzt. ***B.:*** Hamilton.

Poliment s. Rötel.

Polimentvergoldung s. Vergolden.

Polimeri. Kurzbez. für die Polimeri Europa S.r.l., 20124 Milano, Italien, gegr. als europ. Joint Venture (50–50) der EniChem. u. der Union Carbide für die Entwicklung, Herst. u. den Verkauf von Polyethylen (Riblene® LDPE, Eraclene® HDPE, Flexirene® LLDPE, Clearflex® LLDPE-VLLDPE, Greenflex® EVA.).

Polio. Kurzbez. für *Poliomyelitis.

Poliomyelitis (griech.: polios = grau, myelos = Mark, ...itis = Entzündung, Kurzform für Poliomyelitis epidemica anterior acuta, Heine-Medin-Krankheit, epidem. spinale Kinderlähmung). Infektionserkrankung, die durch die zu den Picornaviren (s.a. Viren) zählenden P.-Viren hervorgerufen wird. Man unterscheidet drei serolog. unterschiedliche Virustypen. Die Übertragung erfolgt fäkal-oral u. wird durch die lange Ausscheidung von Viren mit dem Stuhl durch Erkrankte sowie durch die Stabilität der Viren gegenüber Umweltbedingungen begünstigt. Die Infektionen sind hierzulande im Sommer u. Herbst am häufigsten. 1–2% der Infektionen führen zum Krankheitsbild, die restlichen verlaufen ohne Symptome, können aber das Virus unerkannt weiterverbreiten. Nach der Besiedlung des Verdauungstrakts vermehrt sich das Virus in den Lymphknoten u. wird vom Blutstrom in das Zentralnervensyst. u.a. Organe (z.B. das Herz) getragen. Die Krankheitserscheinungen sind zum einen eine Entzündung der Gehirnhäute, zum anderen entzündungsbedingte Schäden in der grauen Substanz (s.a. Hirnsubstanz) des Rückenmarks (Name!). Es treten asymmetr. schlaffe Lähmungen, evtl. auch Störungen der Atmung u. der Kreislauffunktionen auf. Je nach Verlauf kann die Erkrankung auch zum Tode führen (ca. 5–10% der Fälle). Nach Überstehen der Krankheit kommt es infolge der Lähmungen zu Deformierungen von Extremitäten u. Wirbelsäule. Eine Behandlung der akuten Infektionskrankheit gibt es nicht, allerdings ist eine wirksame Schutzimpfung mit infektiösen nichtvirulenten Viren (Schluckimpfung mit Sabin-Vakzine) od. mit Formaldehyd-behandelten Viren (Spritzimpfung mit Salk-Vakzine) möglich. – ***E*** polio, poliomyelitis – ***F*** poliomyélite – ***I*** poliomielite – ***S*** poliomielitis

Lit.: Brandis et al., Lehrbuch der Medizinischen Mikrobiologie, S. 811–817, Stuttgart: Fischer 1994 ▪ Mumenthaler u. Mattle, Neurologie, Stuttgart: Thieme 1996.

Polituren. Bez. für solche *Haushaltschemikalien, die den Oberflächen von Möbeln, Böden, Schuhen, Autos etc. Schutz u. Glanz verleihen sollen. Die P. erfüllen oft auch Pflege- u. *Putzmittel-Funktion. *Beisp.:* *Auto-, *Schuh- u. *Fußbodenpflegemittel; bes. letztere enthalten oft insektizide u. desinfizierende Zusätze. Für *Möbel-P.* benutzt man verd. Lsg. od. Emulsionen von *Hartwachsen u. Natur- u./od. Kunstharzen (früher bes. *Schellack), die nach Verdunstung des Lsm. einen glänzenden, durchscheinenden, dünnen Überzug hinterlassen, der die Maserung des Holzes erkennen läßt. Eine Silicon-Möbel-P. kann z.B. aus 2–4% Methylsiliconöl, 2–4% *Carnaubawachs, Paraffinwachs od. *Ceresin u. 92–96% Testbenzin, *Decalin od. *Terpentin bzw. Gemischen davon erhalten werden. Lack-P. u. -Reiniger sind flüssig od. pastös u. enthalten Schleifmittel, Wachse u. ggf. hydrophobierende Bestandteile. – ***E*** polishes – ***F*** polis, vernis – ***I*** lucidi – ***S*** barnices, agentes de pulido

Lit.: Kirk-Othmer (4.) **19**, 444–453. – *[HS 3405 20, 3405 30, 3405 90]*

Pollacks Zement. Gemisch aus gleichen Tl. Mennige u. Blei(II)-oxid, mit Gelatine-Lsg. zu steifer Paste angerührt, verbindet Metall mit Metall od. Metall mit Glas, nur noch von histor. Interesse.

Pollen. Von latein. pollen = Staub, feines Mehl abgeleitete Bez. für die Masse des von höheren Pflanzen gebildeten Blütenstaubs. Bei windblütigen Pflanzen ist der P. mehlig, bei insektenblütigen durch *P.-Kitt* klebrig. Die der Befruchtung dienenden männlichen Geschlechtszellen (Gametophyten) entstehen aus den einzelnen, oft gelblich-orange, auch grünlich-bläulich gefärbten, rundlichen od. länglich-ovalen *P.-Körnern* von durchschnittlich ca. 50 μm Durchmesser. Deren äußere Wand *(Exine)* zeigt vielfach artspezif. Oberflächenstrukturen aus Wülsten, Zäpfchen, Stacheln etc. Nach Anzahl (*N*umerus), Lage (*P*ositio) u. Art (*C*harakter) läßt sich die Vielzahl der verschiedenen P.-Korntypen in das künstliche NPC-Syst. einordnen. Aus der inneren Wand (*Intine*), die im wesentlichen aus Pektinen u. Cellulose besteht, bildet sich bei der Bestäubung ein P.-Schlauch aus, der unter Entwicklung lyt. Enzyme wie Cutinase, *Kallase u.a. durch den Griffel der Blüte bis zur Samenanlage herabwächst, in der die Verschmelzung zwischen dem männlichen Kern des P. u. dem weiblichen der Eizelle erfolgt u. später die Samen- bzw. Fruchtbildung einsetzt. Die Exine ist reich an – auch in *Sporen vorkommenden – *Sporopollenin*en. Diese betrachtet man heute als *Polyterpene*, die möglicherweise durch oxidative Polymerisierung aus *Carotinoiden u. deren Estern entstehen. Sie sind gegen chem. Einflüsse äußerst widerstandsfähig (auch gegen starke Säuren) u. nur durch Oxid. abzubauen; sie bedingen die hohe Verwitterungsfestigkeit der P. – auch sehr trockene P. zeigen noch metabol. Aktivität – u. deren Haltbarkeit in fossilen Sedimenten. Mit Hilfe einer *P.-Analyse* (u. Sporenanalyse) fossilen Materials kann deshalb ggf. auf die Vegetationsverhältnisse früherer Erdepochen geschlossen werden, was das Arbeitsgebiet der *Palynologie* (P.- u. Sporenkunde, von griech.: palynein = Mehl streuen) ist.

Die P.-Inhaltsstoffe sind von Art zu Art stark wechselnd; allg. findet man 16–30% Eiweißstoffe, Desoxyribonucleinsäure, 1–7% Stärke, 0–15% Zucker (meist Glucose u. Fructose), 3–10% Fette, Carotinoide, Auxine, Folsäure, Ascorbinsäure; dazu in einzelnen Arten noch Spezialstoffe wie z.B. in Dattel-P. Rutin u. Alkaloidglucoside, in anderen P. Pilz- u. Bakterienhemmstoffe. Der Aschengehalt beträgt 3–9% des Trockengew. (Hauptbestandteile P, K, Mg). Der P. bildet ein wichtiges Futter für die bestäubenden Insekten. Ein *Bienen-Volk sammelt am Tag ca. 20–40 g P. (s. a. Honig). Gelegentlich wird über gesundheitsförderliche u. pos. kosmet. Eigenschaften von P. auch für den Menschen berichtet, doch stehen auf der anderen Seite des Interesses die Menschen – man schätzt den Anteil an der Bevölkerung der BRD auf über 5%, mit stark ansteigender Tendenz –, die unter durch P. ausgelösten *Allergien, insbes. *Heufieber* od. *Heuschnupfen* od. gar *Asthma leiden. In Mitteleuropa sind es bes. die P. einiger *Gräser, Bäume u. Wildkräuter, die als Auslöser (s. Sensibilisation) in Frage kommen. In der BRD existiert heute ein Pollenflug-Informationsdienst, der über die Medien aktuelle Vorhersagen über Art u. Stärke des zu erwartenden P.-Flugs angibt, um betroffenen Personen die Möglichkeit zur Prophylaxe durch Karenz od. zur medikamentösen Therapie zu geben (*Beisp.:* *Cromoglicinsäure). – ***E*** = ***F*** pollen – ***I*** pollini – ***S*** polen

Lit.: Mohapatra u. Knox, Pollen Biotechnology. Gene Expression and Allergen Characterization, New York: Chapman & Hall 1996 ▪ Strasburger, Lehrbuch der Botanik (34.), Stuttgart: Fischer 1998 ▪ s. a. Allergie, Pflanzenphysiologie u. Sporen.

Pollucit s. Cäsium (Vork.).

Polonium (chem. Symbol Po). Radioaktives, metall. Element, Ordnungszahl 84. Unter den bekannten Po-Isotopen finden sich alle Massenzahlen von 193 bis 218, die Isotope der Massenzahlen 193, 195, 197, 199, 201, 203, 207, 211 u. 212 bilden je zwei Isomere. ^{212}Po besitzt mit 0,3 µs die kürzeste, ^{209}Po mit 102 a die längste HWZ. Eine Reihe von Po-Isotopen sind Glieder natürlicher Zerfallsreihen (s. Radioaktivität); z. B. geht ^{210}Po, das wichtigste natürlich vorkommende Isotop mit längerer HWZ (138,4 d), unter Alpha-Zerfall (Ausstrahlung von Helium-Kernen, Reichweite in Luft 3,85 cm) in Blei ($^{206}_{82}Pb$) über. Po ist chem. dem Bismut ähnlich u. metall. leitend; es läßt sich auf elektrochem. Wege leicht rein herstellen. Po ist ein silberweißes, glänzendes Metall, das in zwei allotropen Modif. auftritt; α Po ist kub., D. 9,196, stabil bis 100 °C, β-Po ist rhomboedr., D. 9,398, Schmp. 254 °C, Sdp. 962 °C. Po gibt Wärmestrahlung ab u. leuchtet infolge seiner starken Radioaktivität im Dunkeln durch Anregung der umgebenden Luft mit hellblauem Licht. Ähnlich wie das in der 6. Hauptgruppe des *Periodensystems über Po stehende Tellur bildet Po –2-, +2-, +4- u. +6-wertige Verb., von denen die des +4-wertigen Po die stabilsten sind. An der Luft u. in O_2 wird Po zu PoO_2 oxidiert; in 2n HCl löst Po sich zu $PoCl_2$ (rosafarben), das durch weitere Oxid. leicht in gelbes $PoCl_4$ übergeht u. mit H_2S schwarzes, schwerlösl. PoS ergibt (Löslichkeitsprodukt ca. $5 \cdot 10^{-29}$ mol^2/L^2). Po(II)-Verb. werden im allg. infolge der Eigenstrahlung in wäss. Lsg. durch die Radiolyseprodukte des Wassers leicht zu Po(IV)-Verbindungen oxidiert.

Nachw.: Die Bestimmung von Po kann durch Messung der α-Aktivität od. spektrometr. erfolgen.

Vork.: Als Zerfallsprodukt von Uran u. Thorium kommt Po in verschiedenen Uranerzen vor, doch gehört es zu den seltensten Elementen; sein Anteil an der obersten, 16 km dicken Erdkruste wird auf $2 \cdot 10^{-16}$ geschätzt. ^{210}Po wurde auch als natürlicher Bestandteil in Tabak gefunden, wobei der Gehalt je nach Standort allerdings sehr unterschiedlich ist. Aufgrund seiner experimentell nachgewiesenen Cancerogenität kann Po eine Ursache für die Bildung von Lungenkrebs sein [1]. Bei der Handhabung von ^{210}Po in Mengen, die den µg-Bereich überschreiten, müssen wegen der starken α-Strahlung Glove Boxes benutzt werden.

Herst.: Der Bedarf an ^{210}Po läßt sich durch die Kernreaktion

$$^{209}_{83}Bi \xrightarrow[-\gamma]{+n} {}^{210}_{83}Bi \xrightarrow[-\beta]{} {}^{210}_{84}Po$$

decken. Durch einjährige Bestrahlung von 1 kg Bi mit 10^{14} Neutronen · cm^{-2} · s^{-1} erhält man 25 mg Po, welches aus der Bi-Schmelze abdestilliert, gelöst, auf Cu- od. Ag-Pulver abgeschieden u. anschließend absublimiert wird.

Verw.: In der Strahlenchemie u. Radiobiologie als α-Strahlenpräp., in der Aktivierungsanalyse, in elektrostat. Hochspannungsgeräten, als Sonde bei der Messung von Grenzflächenpotentialen, in Satelliten als Wärmequelle, v. a. aber zusammen mit Beryllium-Targets als Neutronenquelle. In Neutronenquellen u. in Radionuklid-Batterien werden im allg. die therm. recht stabilen *Polonide* der Seltenerdelemente verwendet; solche Thermobatterien wurden z. B. in den sowjet. Mondsonden Lunochod I u. II eingesetzt.

Geschichte: P. wurde 1898 von M. *Curie in Uran-Pechblende entdeckt u. nach ihrer poln. Heimat benannt. 1902 fand Marckwald bei der Analyse einer großen Probe Pechblende in der Bismut-Fraktion ein stark radioaktives Element, das er Radiotellur nannte, da es in seinen Eigenschaften dem von Mendelejew vorhergesagten *Eka-Tellur* entsprach. Sir E. *Rutherford identifizierte ein Radiotellur als Zerfallsprodukt von Uran u. nannte es Radium F (Ra F). Später stellte sich heraus, daß es sich bei Radiotellur u. Radium F um Po gehandelt hatte, das M. Curie u. *Debierne 1910 erneut isolierten. Aus 2 t Pechblende wurden 2 mg einer Substanz, die zu ca. 5% aus ^{210}Po bestand, erhalten. – ***E*** = ***F*** polonium – ***I*** = ***S*** polonio

Lit.: [1] Banbury Rep. **23**, 197–213 (1986); Radiat. Prot. Dosim. **24**, 207–210 (1988).

allg.: Gmelin, Syst.-Nr. 12, Po, 1941, Erg.-Bd. 1986, Suppl. Vol. 1, 1990 ▪ Kirk-Othmer (3.) **19**, 651 f. ▪ Radiochim. Acta **32**, 153–161 (1983) ▪ Ullmann (5.) **A 22**, 523 f. – *[HS 2844 40; CAS 7440-08-6; G 7]*

Polonovski-Reaktion (Portier-Polonovski-Umlagerung). Bez. für eine 1927 entdeckte Reaktion, bei der aromat. *tert*-Aminoxide mit mind. einer Methyl-Gruppe unter Einwirkung von Acetylchlorid od. Acetanhydrid in Acetamide übergehen.

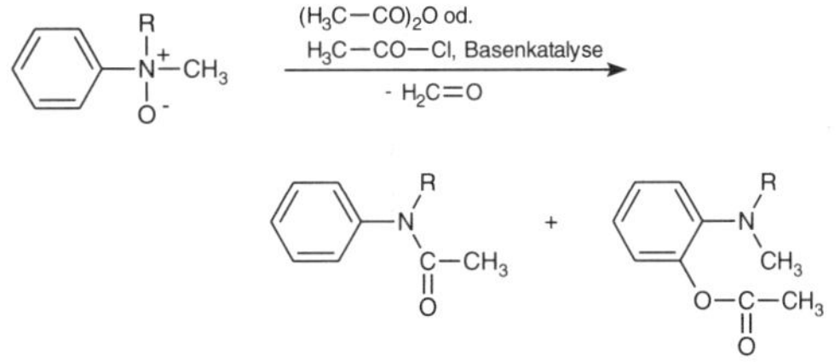

$(H_3C-CO)_2O$ od. $H_3C-CO-Cl$, Basenkatalyse; $- H_2C{=}O$

Als Nebenprodukte entstehen, bes. im neutralen Medium, 2-Acetoxy-*N*,*N*-dialkylaniline, während ein Basenzusatz die Amid-Bildung begünstigt. – *E* Polonovski reaction – *F* réaction de Polonovski – *I* reazione di Polonovski – *S* reacción de Polonovski

Lit.: Hassner-Stumer, S. 302 ▪ Houben-Weyl **E 16d**, 875 ▪ Krauch u. Kunz, Reaktionen der organischen Chemie, 6. Aufl., S. 308, Heidelberg: Hüthig 1997 ▪ Org. Reactions **39**, 85 (1990) ▪ Synthesis **1993**, 263 ▪ Trost-Fleming **6**, 909 ff.

POLORIS®. Fettcreme u. Lotion mit Steinkohlenteer-Lsg. u. *Allantoin; *P. HC* (Rp) Lotion u. Creme, zusätzlich mit *Hydrocortison, gegen Psoriasis. ***B.:*** Block Drug Company.

Poloxamer. Internat. Freiname für *Blockcopolymere aus *Ethylenoxid u. *Propylenoxid; allg. Formel:

$$HO{-}\left[(CH_2)_2{-}O\right]_a{-}\left[\overset{H,\,CH_3}{\overbrace{CH{-}CH}}{-}O\right]_b{-}\left[(CH_2)_2{-}O\right]_a{-}H$$

Jedes P. ist mit einer Nummer versehen (z. B. P. 188). Die ersten beiden Ziffern geben multipliziert mit 100 das durchschnittliche M_R des *Polypropylenglykol-Anteils u. die letzte Ziffer multipliziert mit 10 den Gew.-Prozentgehalt des *Polyethylenglykol-Anteils an.

Verw.: Als nichtion. *Tensid u. *Laxans; s. a. Pluronic®-Marken. – *E* poloxamer – *F* poloxamère – *I* polossamero – *S* poloxámero

Lit.: Dtsch. Apoth. Ztg. **129**, 2183–2187 (1989) ▪ Hager (5.) **9**, 282 ff. ▪ Martindale (31.), S. 1344. – *[HS 3907 20; CAS 106392-12-5]*

POL-Pulver. In der Sprengstofftechnik Abk. von „Pulver ohne Lsm." (*E* powder without solvent). Die Gelatinierung u. Homogenisierung erfolgt durch Walzen-, Strangpreß- od. Schneckenpreß-Prozesse, wobei Glycerintrinitrat als „Lsg.- u. Quellmittel" für Cellulosenitrat fungiert. Die POL-P. werden als zwei- od. dreibasige *Treibladungspulver* für Artillerie-Geschosse (z. B. *Nipolit) od. auch als *Raketentreibstoffe verwendet. – *E* PWS powder – *F* poudre sans solvant – *I* polvere senza solvente – *S* pólvora sin disolvente

Lit.: Köhler u. Meyer, Explosivstoffe, 8. Aufl., Weinheim: VCH Verlagsges. 1995 ▪ Ullmann (4.) **21**, 688 ▪ Winnacker-Küchler (4.) **7**, 399.

Polreagenzpapier s. Phenolphthalein.

Poly... Von griech.: polý... = viel... abgeleitetes Präfix in Fachwörtern, das „mehrfach" od., als Steigerung von *Oligo..., „(sehr) viel" bedeutet; *Beisp.:* folgende Stichwörter. Namen für *Polymere bildet man aus Poly... u. den Bez. der *Monomeren od. der *konstitutionellen Repetiereinheit[1]; *Beisp.:* Polystyrol, Poly(ethylenterephthalat), Poly(oxymethylen). Für Poly... steht oft P am Anfang genormter Abk. für Polymere, vgl. Kunststoffe, Tab. S. 2303. – *E* = *F* poly... – *I* = *S* poli...

Lit.: [1] IUPAC, Compendium of Macromolecular Nomenclature, Oxford: Blackwell 1991.

Poly®. Dachmarke für Haarkosmetik, bestehend aus Tönungs-, Styling-, Pflege- u. Dauerwellprodukten. ***B.:*** Schwarzkopf & Henkel Cosmetics.

Polyacene. Bez. für *Polymere der idealisierten Struktur

P. können z. B. durch *Diels-Alder-Polymerisation unter Verw. von Diacetylen-Monomeren erhalten werden. Allerdings ist der Nachw. einer fehlerfreien Struktur der Produkte durch die völlige Unlöslichkeit u. Unschmelzbarkeit dieser *Leiterpolymeren bislang nicht möglich. – *E* polyacenes – *F* polyacènes – *I* poliaceni – *S* poliacenos

Polyacetaldehyde. Bez. für *Polymere der Struktur **2**, die aufgrund ihrer niedrigen *Ceiling-Temperatur von ca. –60 °C nur bei sehr tiefen Temp. durch Polymerisation von Acetaldehyd **1** erhalten werden können:

$$n\ \underset{\mathbf{1}}{H(CH_3)C{=}O} \longrightarrow \underset{\mathbf{2}}{\left[{-}CH(CH_3){-}O{-}\right]_n}$$

Anion. Polymerisationen führen zu hochgradig syndiotakt., krist. P. **2**, kation. dagegen zu atakt. (s. Taktizität), die amorph u. kautschukartig sind. P. werden wegen ihres tert. Wasserstoff-Atoms leicht oxidiert u. haben daher keine techn. Bedeutung erlangt. – *E* polyacetaldehyde – *F* polyacétaldéhyde – *I* poliacetaldeidi – *S* poliacetaldehído

Lit.: s. Polyacetale. – *[HS 2912 50; CAS 9002-91-9]*

Polyacetale. Ursprünglich Bez. für *Polymere mit Gruppierungen des Typs

$$—R^1—O—\underset{R^2}{CH}—O—$$

als charakterist. Grundeinheiten. Diese u. a. aus Diolen u. Aldehyden zugänglichen Produkte haben keine techn. Bedeutung erlangt.

Heute werden als P. vorwiegend Polymere der allg. Struktur **3** bezeichnet. Diese sind entweder durch *Polymerisation von Aldehyden **1** über deren Carbonyl-Doppelbindung od. durch ringöffnende Polymerisation cycl. *Acetale wie z. B. des 1,3,5-Trioxans **2** zugänglich:

$$n\ \underset{\mathbf{1}}{H(R)C{=}O} \longrightarrow \underset{\mathbf{3}}{\left[{-}CH(R){-}O{-}\right]_n} \xleftarrow{\text{für R = H}} \tfrac{n}{3}\ \underset{\mathbf{2}}{\text{(1,3,5-Trioxan)}}$$

Aufgrund ihres tert. Wasserstoff-Atoms sind alle P. mit R≠H stark Oxid.-empfindlich u. haben daher keine techn. Bedeutung erlangt.

Techn. Bedeutung haben somit einzig die *Polyoxymethylene* (R = H; Kurzz. POM) erreicht, die aus Formaldehyd (**1**, R = H) bzw. Trioxan **2** produziert werden u. gelegentlich auch *Polyformaldehyde* genannt werden. Die kation. (I) bzw. anion. (II) initiierte Polymerisation des Formaldehyds verläuft nach folgenden Mechanismen:

$$\text{(I)}\quad I^+ + n\,H_2C{=}O \longrightarrow I{-}O{-}\left[CH_2{-}O\right]_{n-1}{-}\overset{+}{C}H_2$$

$$\text{(II)}\quad I^- + n\,H_2C{=}O \longrightarrow I{-}\left[CH_2{-}O\right]_{n-1}{-}CH_2{-}O^-$$

Geeignete Initiatoren für die Polymerisation von **1** sind u. a. Amine, Phosphine, Onium-Salze, Mineral- u. Lewis-Säuren. Auch ein Strahlen-initiierter Polymerisationsprozeß ist möglich, wird techn. aber nicht durchgeführt.

Trioxan **2** wird ausschließlich kation. polymerisiert, wobei sich der Startschritt wie folgt formulieren läßt:

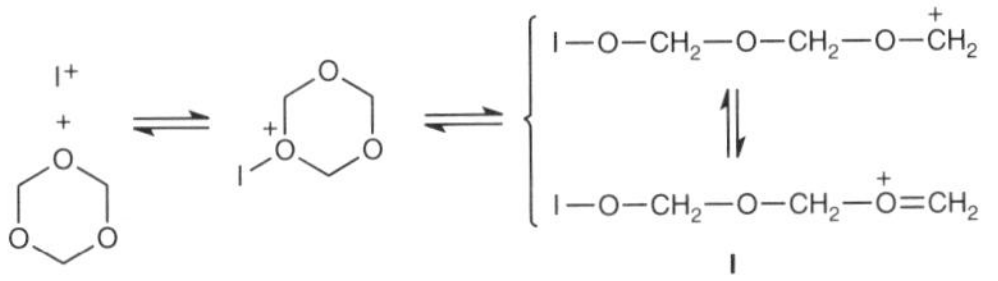

$$I^+ + \text{Trioxan} \rightleftharpoons \text{I–Trioxan}^+ \rightleftharpoons \left\{ \begin{array}{c} I{-}O{-}CH_2{-}O{-}CH_2{-}O{-}\overset{+}{C}H_2 \\ \updownarrow \\ I{-}O{-}CH_2{-}O{-}CH_2{-}\overset{+}{O}{=}CH_2 \end{array} \right.$$

I

An das Intermediat I erfolgt die Anlagerung weiterer Trioxan-Moleküle. Die aus Formaldehyd bzw. Trioxan hergestellten Polymer-Mol. enthalten nach Beendigung der Polymeristion instabile Halbacetal-Endgruppen ($-O-CH_2-O-CH_2-OH$), die bei therm. Belastung Formaldehyd abspalten u. zu einer vom Kettenende her verlaufenden Depolymerisation zurück zum Formaldehyd führen. Die Polymer-Mol. müssen daher durch Verkappung der Endgruppen, z. B. durch Veresterung, Veretherung od. durch Umsetzung mit Monoisocyanaten, stabilisiert werden. Gegen Depolymerisation stabilisiertes POM wird weiterhin erhalten durch *Copolymerisation von Trioxan **2** mit z. B. 0,1 – 15 mol-% cycl. Ethern wie *Ethylenoxid (Oxiran) od. 1,3-Dioxalan:

Bei Verw. von Ethylenoxid als Comonomer enthalten die resultierenden *Copolymere in ihren Ketten auch $-CH_2-O-CH_2-CH_2-O$-Einheiten. Werden diese Polymere nach ihrer Synth. einer gezielten Depolymerisation unterworfen, so schreitet der Kettenabbau nur solange fort, bis an allen Kettenenden die stabilen, nichtacetal. $-CH_2-O-CH_2-CH_2-OH$-Einheiten des Comonomers vorliegen. Die P. sind von da an gegenüber einem weiteren therm. Abbau relativ stabil. Da die *Ceiling-Temperatur des P. aber bei nur ca. 127 °C liegt, ist dennoch damit zu rechnen, daß z. B. bei einer Verarbeitung bei erhöhten Temp. die Depolymerisation – ausgelöst durch z. B. einen durch mechan. Beanspruchung bewirkten Kettenbruch – erneut einsetzt.

POM aus Formaldehyd sind nach Verf. der *Gasphasen-, *Lösungs-, *Fällungs- od. *Massepolymerisation herstellbar. Die Fällungspolymerisation wird bevorzugt durchgeführt, indem gasf. Formaldehyd in ein organ. Lsm., z. B. Cyclohexan, das den Initiator enthält, bei 40 °C eingeleitet wird. Das ausfallende Polymerisat wird abfiltriert u. durch z. B. Veresterung der Endgruppen mit Acetanhydrid stabilisiert. Die (Co)polymerisation des Trioxans erfolgt bevorzugt in der Schmelze mit beispielsweise Bortrifluorid/Dibutylether als Katalysator. Durch simultane Polymerisation u. Krist. von Trioxan können schließlich auch POM-Einkrist. erhalten werden, in denen die Ketten der *Makromoleküle über große Distanzen gestreckt vorliegen.

Eigenschaften: POM sind thermoplast. Polymere mit hohem (ca. 60 – 77%) Krist.-Grad, Molmassen im Bereich von ca. 20000 – 90000 g/mol u. Schmp. im Bereich von ca. 165 – 175 °C. Sie sind un- bzw. schwerlösl. in den meisten organ. Lsm. (Ausnahme: Phenole). Das gilt auch für handelsübliche Copolymere mit nur geringem Comonomeren-Gehalt. Von wäss. stark sauren Medien werden POM angegriffen, sind aber (mit Ausnahme von über Ester-Endgruppen stabilisierten Produkten) gegen alkal. Medien beständig. POM zeichnen sich u. a. aus durch hohe Festig-, Steifig-, Zähigkeit (auch bei tiefen Temp.) u. Formbeständigkeit, gute Wärmestandfestigkeit, geringes Wasseraufnahmevermögen, gute elektr. Eigenschaften, günstiges Gleit- u. Verschleißverhalten u. gute Verarbeitbarkeit. Ihre Witterungsbeständigkeit ist begrenzt durch Empfindlichkeit gegen UV-Strahlung, die Versprödung u. Glanzverlust bewirken kann, wenn keine UV-Stabilisatoren zugesetzt werden. Copolymere besitzen gegenüber *Homopolymeren höhere Chemikalien- u. Thermostabilität. POM werden als physiolog. unbedenklich eingestuft. Sie lassen sich u. a. durch Spritzgießen u. Extrudieren verarbeiten.

Durch „Blenden" (s. Polymerblends) mit anderen Polymeren, insbes. mit thermoplast. Polyurethan-Elastomeren, lassen sich schlagzähe Produkte herstellen.

Verw.: U. a. zur Herst. von Zahn- u. Laufrädern, Federn, Lagern, Rollen, Gehäusen, Pumpenteilen, Ventilen, Schrauben, Kupplungsteilen, Präzisionsteilen mit engen Toleranzen, Beschlägen, Scharnieren, Tür- u. Fenstergriffen, Feuerzeugtanks, Ski-Bindungselementen u. Reißverschlüssen. Die größten Einsatzgebiete sind (in Klammern Verbrauch in 1000 t u. prozentualer POM-Verbrauch 1994 in Westeuropa)[1]: Fahrzeugbau (48; 37), Elektrotechnik/Elektronik (33; 25), Industriesektor (22; 17) u. Verbraucherprodukte (27; 21).

Markt-Vol.: Die Welt-POM-Kapazitäten betrugen 1994 nach Regionen (in Klammern Kapazität in 1000 t/a u. Anteil in %): Westeuropa (147; 29), USA (137; 27), Japan (140; 27), Südostasien (75; 15), restliche Welt (10; 2). Der Verbrauch teilt sich nach Regionen auf (in Klammern Verbrauch in 1000 t u. Anteil in %): Europa, Naher Osten, Afrika (130; 31), Amerika (101; 24), Asien (190; 45)[1]. Prognosen für zukünftige Verbrauchsanstiege von ca. 3%/a stützen sich auf noch nicht ausgeschöpfte Optimierungsmöglichkeiten für POM-Werkstoffe, von denen insbes. schlagzähe Typen (Blends) u. elektr. leitende Modifizierungen mit Rußen od. C-Fasern sowie antistat. ausgerüstete Typen interessant sind[1]. – ***E*** polyacetals, acetal resins, aldehyde polymers – ***F*** polyacétals – ***I*** poliacetali – ***S*** poliacetales

Lit.: [1] Kunststoffe **85**, 1572 (1995)
allg.: Domininghaus (5.), S. 487 – 524 ▪ Elias (5.) **2**, 179 – 182 ▪ Odian (3.), S. 431 – 437. – *[HS 3907 10]*

Polyaceton. Bez. für durch *Homopolymerisation von Aceton herstellbare *Polymere der Struktur:

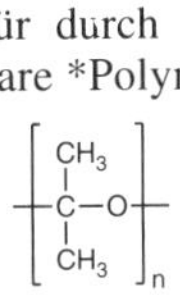

$$\left[-\overset{CH_3}{\underset{CH_3}{\overset{|}{\underset{|}{C}}}}-O- \right]_n$$

Die Aceton-*Polymerisation wird bei niedrigen Temp. mit z. B. *Ziegler-Natta-Katalysatoren durchgeführt. P. sind instabile Produkte ohne techn. Bedeutung. – ***E*** polyacetones – ***F*** polyacétones – ***I*** poliacetone – ***S*** poliacetonas

Lit.: Encycl. Polym. Sci. Technol. **8**, 58 ff.

Polyacetylene. Bez. für zu den *Polyenen gehörende *Polymere der allg. Formel

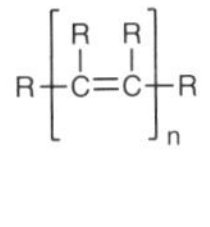

$$R\left[-\overset{R}{\overset{|}{C}}=\overset{R}{\overset{|}{C}}- \right]_n R$$

in der die Reste R Wasserstoff u./od. aliphat. od. aromat. Gruppen sein können, die ggf. noch substituiert sind. Am besten untersucht sind die P. mit R=H, die durch *Polymerisation von Acetylen **1** nach folgender Gleichung gewonnen werden:

Die Polymerisation bei Temp. <20 °C führt zunächst zum *cis*-P. **2**, das bei Temp. >20 °C irreversibel in das thermodynam. stabilere *trans*-P. **3** isomerisiert.
Bevorzugte Meth. zur Herst. von P. ist die *Shirakawa-Technik*, bei der Acetylen auf die ruhende Oberfläche einer hochkonz. Lsg. eines Ziegler-Katalysators wie z. B. $Ti(O{-}C_4H_9)_4/Al(C_2H_5)_3$ (s. Ziegler-Natta-Katalysatoren) in einem inerten Lsm., z. B. Heptan, geleitet wird, auf der es spontan zu einem dünnen Film polymerisiert.
Andere Verf. zur Polymerisation von Acetylen benutzen *Luttinger*-Katalysatoren u. z. B. Ethanol, Acetonitril od. Wasser als Lösemittel. Sie ermöglichen die Herst. von P. in dünnen u. dicken Schichten od. in Suspension.
P. entstehen auch über Eliminierungsreaktionen, z. B. durch *Metathesepolymerisation von 7,8-Bis(trifluormethyl)tricyclo[4.2.2.$0^{2,5}$]deca-3,7,9-trien (I) zum Polymeren II, das beim Tempern in einer Retro-Diels-Alder-Reaktion 1,2-Bis(trifluormethyl)benzol abspaltet u. über das *cis*- in *trans*-P. übergeht:

Zwei weitere Metathesepolymerisationen bieten alternative Zugänge zu Polyacetylenen. Die eine besteht in der Polymerisation von 1,3,5,7-Cyclooctatetraen

die andere in der von Benzvalen, der eine Isomerisierung des zunächst gebildeten Polymers **I** in der P. folgt:

Die Polymerisation von mono- bzw. disubstituiertem Acetylen (R–C≡CH bzw. R–C≡C–R) liefert die entsprechend modifizierten Polyacetylene. Als *Polymerisationsgrade für P. werden Werte von ≥100 angegeben.

Ein charakterist. Strukturmerkmal der P. ist ihre abwechselnd aus Doppel- u. Einfachbindungen aufgebaute Hauptkette. Aufgrund der Tatsache, daß im neutralen P. keine Konjugation der π-Elektronen entlang den Polymerketten vorliegt, ist dieses Material mit einer elektr. Leitfähigkeit von ca. 10^{-8} S/cm allenfalls als schlechter Halbleiter einzustufen. Erst durch partielle Red. od. Oxid. (*Dotierung) kann P. in ein *elektrisch leitfähiges Polymeres überführt werden. Hierfür bes. geeignete Dotierungsmittel sind z. B. Arsenpentafluorid, Iod, Lithium od. Silberperchlorat. Es bilden sich bei der Dotierung vermehrt sog. pos. bzw. neg. Solitonen auf den Ketten, die durch Konjugation mit den benachbarten Doppelbindungen stabilisiert sind u. ohne große Aktivierungsenergie die Ketten entlangwandern können.

pos. Soliton :

neg. Soliton :

Die so entstandenen P. können Leitfähigkeiten von bis zu 10^5 S/cm aufweisen.
Verw.: Wegen der guten elektr. Leitfähigkeit im dotierten Zustand sind P. von bes. Interesse für den Einsatz in Solarzellen u. elektr. Batterien. Infolge der bei ihrer Verarbeitung auftretenden großen Probleme haben P. aber noch keine techn. Bedeutung erlangt. – ***E*** polyacetylenes – ***F*** polyacétylènes – ***I*** poliacetileni – ***S*** poliacetilenos
Lit.: Cowie, S. 456 ▪ Encycl. Polym. Sci. Eng. **1**, 87–130 ▪ Houben-Weyl **E 20/2**, 1312–1347 ▪ Naarman, in Mair u. Roth (Hrsg.), Elektrisch leitfähige Kunststoffe, 2. Aufl., S. 298–308, München: Hanser 1989 ▪ s. a. elektrische leitfähige Polymere. – *[CAS 25067-58-7]*

Polyacroleine. Bez. für bei der *Polymerisation von *Acrolein anfallende *Polymere, die in Abhängigkeit vom Mechanismus der Polymerisation unterschiedliche Strukturen, hauptsächlich solche des Typs I–III, haben können.

P. vorwiegend des Typs I werden bei *radikalischen Polymerisationen, solche des Typs II u. III bei *anionischen Polymerisationen erhalten, die über die Carbonyl-Doppelbindung des ungesätt. Aldehydes verlaufen. Verbreitetstes Verf. der P.-Herst. ist die radikal. Polymerisation des Acroleins in Substanz od. in Lösung, wobei neben der Strukur I auch Bausteine II entstehen. Weiterhin entstehen Verzweigungen IV u. sogar aus zwei Einheiten IV bestehende Ringe V:

Bei der Verw. von Wasser als Lsm. für das *Monomer fällt das Polymere als Hydrat der idealisierten Struktur (VI) aus:

Die resultierenden P., die Molmassen bis über 300 000 g/mol haben können, sind nicht schmelzbar u. in üblichen Lsm. unlösl.; sie haben Erweichungspunkte im Bereich von ca. 90–150 °C. P. der Struktur I zählen zu den *reaktiven Polymeren. Ihre Aldehyd-Gruppen reagieren quant. z. B. mit Hydroxylaminen od. Phenylhydrazinen u. addieren Bisulfite unter Bildung wasserlösl. Produkte. Bei Einwirkung von Alkali unterliegen sie der *Cannizzaro-Reaktion unter Disproportionierung der Aldehyd- in Hydroxy- u. Carboxy-Gruppen, d. h. unter Bildung von Polymeren der idealisierten Struktur VII:

$$\left[-CH_2-CH(CH_2-OH)-CH_2-CH(COOH)-\right]_n$$

VII

Die *Homopolymere des Acroleins haben bisher keine techn. Bedeutung erlangt. P. lassen sich aber durch *Copolymerisation von Acrolein mit unterschiedlichen Comonomeren (s. Monomere) in ihren Eigenschaften breit modifizieren. Bes. industrielles Interesse haben die bei der *oxidativen Polymerisation von Acrolein u. Acrylsäure anfallenden *Copolymere der Struktur VIII als starke polymere Komplexbildner u. Sequestriermittel für die Wasserbehandlung gefunden:

$$\left[\left(-CH_2-CH(CHO)-\right)_x\left(-CH_2-CH(COOH)-\right)_y\right]_n$$

VIII

– *E* polyacroleins – *F* polyacroléines – *I* poliacroleine – *S* poliacroleínas

Lit.: Encycl. Polym. Sci. Eng. **1**, 160–169 ▪ Houben-Weyl **E 20/2**, 1127–1136 ▪ Odian (3.), S. 437.

Polyacrylamide. Bez. für *Polymere der Struktur **2**, die überwiegend durch radikal. initiierte *Polymerisation von Acrylamid **1**, z. B. durch *Lösungspolymerisation in Wasser, hergestellt werden. Die dabei anfallenden Produkte mit z. T. sehr hohen Molmassen (bis zu mehreren Millionen g/mol) haben hohe Lösungs-Viskositäten, die erhebliche Probleme bei der Durchführung des Polymerisationsprozesses aufwerfen. Diese werden vermieden, wenn die Herst. durch *inverse Emulsionspolymerisation erfolgt. Dabei entstehen Emulsionen vom W/O-Typ, in denen Tröpfchen von hochkonz. wäss. P.-Lsg. in einer mit Wasser nicht mischbaren, hydrophoben Flüssigkeit vorliegen. Acrylamid kann auch strahlungsinitiiert als Reinsubstanz im Festkörper polymerisiert werden. Die *anionische Polymerisation von Acrylamid **1** führt dagegen in einer sog. *Exotenpolymerisation unter Protonen-Verschiebung zum *Poly(β-alanin) **3** (Nylon 3), einem *Polyamid:

$$\left[-CH_2-CH(CONH_2)-\right]_n \xleftarrow{\text{radikal. Polymerisation}} H_2C{=}CH-CONH_2 \xrightarrow{+B^-} B-CH_2-CH^{-}-CO-NH_2$$

2 ← 1

$$B-CH_2-CH^{-}-CO-NH_2 \rightarrow B-CH_2-CH_2-CO-NH^- \xrightarrow{+1} B-CH_2-CH_2-CO-NH-CH_2-CH^{-}-CONH_2 \rightarrow \left[-CH_2-CH_2-C(=O)-NH-\right]_n$$

3

P. **2** sind in Wasser unbegrenzt, in Dimethylformamid u. Glykolen beschränkt u. in den meisten organ. Lsm. (Kohlenwasserstoffe, Ether, Ester u. einwertige Alkohole) nicht löslich. Ihre Amid-Gruppen sind Hydrolyse-empfindlich; durch alkal. Verseifung der Amid-Gruppen von **2** werden unter Ammoniak-Abspaltung Carboxy-Gruppen enthaltende Polymere **4** gebildet:

$$\left[-CH_2-CH(CONH_2)-\right]_n \xrightarrow[-NH_3]{+OH^-} \left[\left(-CH_2-CH(COO^-)-\right)_x\left(-CH_2-CH(CONH_2)-\right)_y\right]_z$$

2 → 4

Da sich dieser Prozeß nur sehr schwer unterbinden läßt, enthalten auch die techn. sog. nichtionogenen P. in der Regel 2–6 mol-% Carboxy-Gruppen. Beim Erhitzen von P. fallen unlösl., über Imid-Gruppen vernetzte Produkte an. Diese Vernetzung tritt in saurem Milieu schon in Wasser bei Temp. >50 °C auf.

Unlösl. P. werden gezielt auch durch *Copolymerisation von Acrylamid mit mehrfunktionellen Monomeren, z. B. Methylenbisacrylamid [Bis(acryloylamino)methan] hergestellt. In Abhängigkeit vom Vernetzungsgrad resultieren dabei Produkte mit sehr hohem Wasser-Absorptionsvermögen.

Das Auflösen von festen, hochmol. P. in Wasser ist schwierig, da sich nur langsam lösl. Gel-Partikel bilden u. die hohe, zu Depolymerisation führende Scherempfindlichkeit der *Makromoleküle beachtet werden muß. Vorteile bringen in dieser Hinsicht P.-Emulsionen vom W/O-Typ, die beim Eintragen in Wasser invertieren, wodurch die P. schnell als Lsg. verfügbar werden. In wäss. Lsg. unterliegen die P. irreversiblen Alterungsprozessen, die zu einer Erniedrigung der Lsg.-Viskositäten führen, wenn keine stabilisierenden Maßnahmen erfolgen. P. werden vielfach als anion. od. kation. modifizierte Produkte eingesetzt. Anion. Modifizierung wird erreicht u. a. durch partielle Hydrolyse der Amid-Gruppen bzw. durch *Copolymerisation von Acrylamid mit anion. Monomeren (z. B. Acryl-, Methacrylsäure, Ethensulfonsäure, 2-Acrylamido-2-methylpropan-1-sulfonsäure). Kation. Modifizierung ist möglich durch Verw. von Salzen od. Quaternierungsprodukten von Dialkylamino(meth)acrylaten, z. B. von *N*-Dimethylaminopropylmethacrylat, als Comonomere bzw. durch Aminomethylierung der Amid-Gruppen.

Verw.: Als *Flockungsmittel (insbes. ion. P. mit hoher Molmasse), in der Papier-Ind. als Retentionsmittel u. zur Erhöhung der Reißfestigkeit von Papier, als Schlichtemittel in der Textil-Ind., als Verdickungsmittel für Flutwässer bei der tert. Erdölförderung, als Dispergiermittel in Bohrflüssigkeiten, als Fließwiderstandsverminderer für wäss. Flüssigkeiten u. a. Unlösl. P. werden als *Hydrogele u. *Super slurper eingesetzt. – ***E*** = ***F*** polyacrylamides – ***I*** poliacrilammidi – ***S*** poliacrilamidas

Lit.: Bekturov u. Bakanova, Synthetic Water-Soluble Polymers in Solution, Basel: Hüthig u. Wepf 1986 ▪ Encycl. Polym. Sci. Eng. **1**, 169–211 ▪ Houben-Weyl **E 20/2**, 1176–1192.

Polyacrylate. Übergreifende Bez. für *Polymere auf Basis von Estern der Acrylsäure *(Polyacrylsäureester)* der allg. Strukturformel

$$\left[-CH_2-\underset{COOR}{\underset{|}{CH}}-\right]_n$$

worin R für lineare, verzweigte od. cycl., ggf. funktionelle Substituenten (z. B. Hydroxy-, Amin- od. Epoxid-Gruppen) enthaltende Alkyl-Reste steht, z. B. für Methyl-, Ethyl-, Isopropyl-, *tert*-Butyl-, Cyclohexyl-, 2-Ethylhexyl-, Dodecyl-, 2-Hydroxyethyl- u. 2-Dimethylaminoethyl.
P. sind durch *radikalische Polymerisation zugänglich. Ihre Einsatzmöglichkeiten werden durch ihre sehr niedrigen *Glasübergangstemperaturen limitiert, die im allg. deutlich unter 0 °C liegen u. nur in Ausnahmefällen höher sind (*Polyisobornylacrylat*: Tg = 94 °C). Acrylsäureester werden daher vornehmlich zur Herst. von *Copolymeren eingesetzt. Oft verwendete Comonomere (s. Monomere) sind u. a. Acryl- u. Methacrylsäure u. deren Amide, Acrylnitril, Vinylchlorid, Vinylidenchlorid, Vinylacetat, Butadien od. Styrol. Über die Wahl von Art u. Menge des Comonomeren sind die Eigenschaften der Produkte breit variierbar. Diese finden Verw. u. a. als elast. Harze (*Acrylharze), *Kautschuke (*Acrylat-Kautschuk), als wäss. Dispersionen für *Klebstoffe (*Acrylat-Klebstoffe), Anstriche (*Acrylharz-Lacke), Textil- u. Flockungshilfsmittel, Imprägniermittel u. Appreturen. – ***E*** = ***F*** polyacrylates – ***I*** poliacrilati – ***S*** poliacrilatos

Lit.: Domininghaus (5.), S. 451 ff. ▪ Encycl. Polym. Sci. Eng. **1**, 234–305. – *[HS 3906 10, 3906 90]*

Polyacrylat-Kautschuk s. Acrylat-Kautschuk.

Polyacrylfasern s. Polyacrylnitrile.

Polyacrylimide. Bez. für *Polymere der idealisierten allg. Struktur II, die durch intramol. Cyclisierung aus Polymeren wie z. B. I gebildet werden. Von diesen haben insbes. Derivate der *Polymethacrylsäure ($R = CH_3$) Bedeutung erlangt, die aus Methacrylsäure-Methacrylnitril-Copolymeren gebildet werden.

$$\left[-\underset{R}{\overset{COOH}{C}}-CH_2-\underset{R}{\overset{CN}{C}}-CH_2-\right]_n \xrightarrow{\Delta} \text{II}$$

I II

Diese *Polymethacrylimide* (Kurzz. PMI) besitzen hohe Festigkeit, Steifheit, Härte, Wärmeform- (>300 °C) u. Strahlenbeständigkeit sowie Flammwidrigkeit bei günstigem Wärmeausdehnungskoeffizient u. Verschleißverhalten. PMI zeichnen sich durch hohe Beständigkeit gegenüber Lsm. u. Chemikalien aus (außer konz. Säuren u. Laugen) u. können in der Imid-Vorstufe durch Spritzpressen od. -gießen bzw. Preßsintern od. -formen zu Formteilen verarbeitet werden, die anschließend durch Tempern nachgehärtet werden müssen.
Sie werden eingesetzt zur Herst. von u. a. Form- u. Pumpenteilen, Flanschen, Trägerplatten für integrierte Schaltungen, Steckerleisten u. Raketenteilen für unterschiedliche Anw.-Gebiete. – ***E*** = ***F*** polyacrylimides – ***I*** poliacrilimmidi – ***S*** poliacrilimidas

Polyacrylnitrile (Polyacrylonitrile). Bez. (Kurzz. PAN) für *Polymere der Struktur

$$\left[-CH_2-\underset{C\equiv N}{\underset{|}{CH}}-\right]_n$$

P. werden durch radikal. Polymerisation von *Acrylnitril (zur Toxizität des Monomeren s. dort) nach unterschiedlichen Polymerisationsverf. (*Substanz-, *Lösungs-, *Emulsions-, *Suspensionspolymerisation) hergestellt. Typ. Initiatoren für die Acrylnitril-Polymerisation sind Azo-Verb. (Azoisobutyronitril), Peroxide in Kombination mit Metallsalzen, *Redox-initiatoren od. metallorgan. Komplexverbindungen. Da P. einen Schmelzbereich oberhalb ihrer Zersetzungstemp. besitzen, können sie nicht aus der Schmelze verarbeitet werden. Sie werden daher direkt aus ihren Reaktions-Lsg. heraus zu Fasern, ihrem wichtigsten Einsatzgebiet, versponnen. Aufgrund der Schwerlöslichkeit der P. ist die Zahl der hierzu geeigneten Lsm. allerdings beschränkt (z. B. Zinkchlorid/Wasser, Natriumrhodamid/Wasser, Dimethylacetamid, Dimethylsulfoxid u. ä.).
P. sind teilkrist. Polymere mit einer *Glasübergangstemperatur von ca. 100 °C u. einem Schmp. von 317 °C. Starke intermol. Wechselwirkungen der polaren Nitril-Gruppen bedingen die charakterist. Eigenschaften der P.: Härte u. Steifheit, Beständigkeit gegenüber den meisten Chemikalien u. Lsm., ferner gegen Einwirkung von (Sonnen-)Licht, Hitze u. Mikroorganismen, nur langsames Brennen u. Verkohlen u. niedrige Permeabilität für Gase (z. B. Sauerstoff, Kohlendioxid, nicht aber Wasserdampf). *Polymer-analoge Reaktionen sind an P. über die Nitril-Gruppen möglich, z. B. Hydrierung zu Polyaminen **2** od. Verseifung zu Polycarbonsäuren **3**:

$$\left[-CH_2-\underset{C\equiv N}{\overset{H}{C}}-\right]_n \quad \mathbf{1}$$

Hydrierung → **2**; Verseifung → **3**

$$\mathbf{2}: \left[-CH_2-\underset{H_2C-NH_2}{\overset{H}{C}}-\right]_n \qquad \mathbf{3}: \left[-CH_2-\underset{COOH}{\overset{H}{C}}-\right]_n$$

Schließlich können P.-Fasern durch therm. Behandlung in Kohlefasern umgewandelt werden. Zur Herst. hochwertiger Kohlefasern wird P. zunächst einer 5–10stündigen Dehydrierung bei 250–300 °C unterzogen, während der eine Polymer-analoge intramol. Cyclisierung zu **4** erfolgt. Dieser schließt sich eine unter Stickstoff durchgeführte Verkohlung (1–3 h bei 1500 °C) u. eventuell (für Hochmodul-Fasern) eine nur wenige Minuten dauernde Graphitierung bei Temp.

von bis zu 2500 °C an. Schon bei der Verkohlung erfolgt die völlige Eliminierung des Stickstoffs, die mit einem Übergang in eine Graphit-ähnliche Struktur **5** verbunden ist:

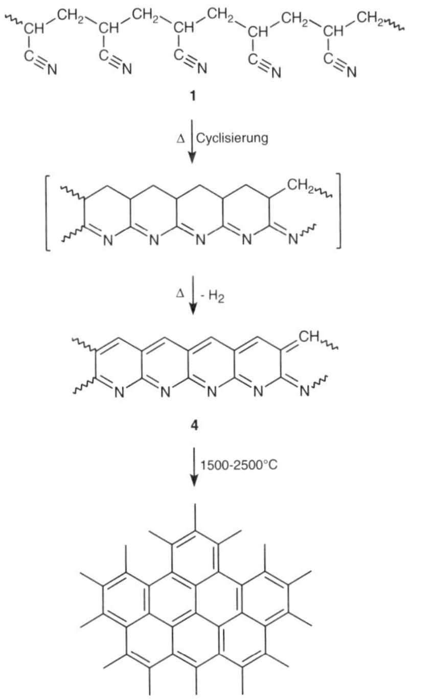

1

Δ Cyclisierung

Δ $-H_2$

4

1500-2500°C

5

Durch Strecken der erst partiell dehydrierten, atakt. P.-Ketten während der ersten Phase dieser Umwandlung kann eine weitgehende *cis*-Anordnung der Nitril-Gruppen erreicht werden. Diese begünstigt einen hohen Umsatz bei der weiteren Cyclisierung u. führt damit zu Kohlefasern besonders hoher mechan. Festigkeit.
Haupteinsatzgebiet für P. ist die Herst. von Polyacrylnitril-Fasern (Kurzz. PAC, nach DIN 60001-4: 1990-05: PAN), den sog. Polyacrylfasern od. Acrylfasern. Diese sind aus mindestens 85% Acrylnitril aufgebaut u. meistens Terpolymere aus Acrylnitril (89–95%), einem nichtion. (4–10%, z. B. Vinylchlorid, Methylmethacrylat) u. einem ion. Comonomeren [s. Monomere (0,5–1%, z. B. Vinylsulfonsäure, Styrolsulfonsäure, Vinylpyridin)]. Durch Einbau der Comonomeren in die P.-Mol. werden die Faser-Eigenschaften verbessert, z. B. die Entflammbarkeit erschwert (Vinylchlorid, Vinylidenchlorid), die Thermoplastizität erhöht (Vinylacetat, Acrylsäureester, Methylmethacrylat) u. die Anfärbbarkeit mit anion. (Vinylpyridin) od. kation. Farbstoffen verbessert (Styrolsulfonsäure, Vinylsulfonsäure). Fasern aus reinem P. werden nur für techn. Anw. hergestellt.
Fasern mit einem Acrylnitril-Gehalt von unter 85% werden als *Modacrylfasern* (Kurzz. MAC, nach DIN 60001-4: 1990-05) bezeichnet. Von diesen sind v. a. solche mit einem Comonomeren-Gehalt von 40–60% Vinylchlorid bzw. 30–45% Vinylidenchlorid wegen ihrer Schwerentflammbarkeit bedeutend.
Bekannt sind auch *Bikomponentenfasern auf der Basis von Polyacrylnitrilen.
Polyacrylfasern (D.: 1,16–1,18, Zugfestigkeit: 2–4 cN/dtex, entsprechend 26–34 kp/mm²) sind knitterfrei, leicht waschbar, schnell trocknend sowie Säure-, Hitze-, Lsm- u. Alterungs-beständig. Aus ihnen hergestellte Textilien haben einen Seide-artigen Griff.
Verw.: Als Filamentgarne für techn. Zwecke wie Filter, Filze u. Siebe; als Spinnfasern in der Bekleidungs-Ind. für Strickwaren u. für Heimtextilien wie Vorhang- u. Polyester-Stoffe, Velour, Plüsch etc. u. Teppiche; zur pyrolyt. Herst. von *Kohlenstoff-Fasern u. Stickstoff-haltigen *Leiterpolymeren (Formel s. Black Orlon) aus P.-Fasern.
Zu anderen Polymeren auf Acrylnitril-Basis s. Acrylnitril-Butadien-Styrol-Copolymere (ABS), Nitrilkautschuk (Acrylnitril-Butadien-Copolymere, *NBR) u. Styrol-Acrylnitril-Copolymere (*SAN). – ***E*** = ***F*** polyacrylonitriles – ***I*** poliacrilonitrili – ***S*** poliacrilonitrilo
Lit.: Domininghaus (5.), S. 451 ■ Encycl. Polym. Sci. Eng. **1**, 434–440 ■ Houben-Weyl E **20/2**, 1192–1233. – *[HS 3906 90; CAS 25014-41-9]*

Polyacrylonitrile s. Polyacrylnitrile.

Polyacrylsäureester s. Polyacrylate.

Polyacrylsäuren (Kurzz. PAA). Bez. für z. B. bei der *radikalischen Polymerisation von Acrylsäure anfallende *Polymere der Formel

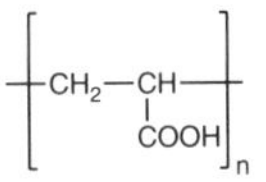

$$\left[-CH_2-\underset{COOH}{\underset{|}{CH}}- \right]_n$$

Die stark exotherm verlaufenden *Polymerisation des *Monomeren wird bevorzugt als *Lösungspolymerisation in Wasser bei Acrylsäure-Konz. von max. ca. 30%, insbes. unter Einsatz von *Redoxinitiatoren, durchgeführt. Sie kann aber auch als *Fällungspolymerisation, z. B. in Benzol, od. als *Emulsionspolymerisation erfolgen. P. sind auch durch Hydrolyse von polymeren Acrylsäure-Derivaten (Estern, Amiden, Nitrilen) zugänglich. Ihre Eigenschaften sind durch *Copolymerisation von Acrylsäure mit sehr unterschiedlichen Comonomeren (s. Monomere) breit variierbar.
P. sind wasserlösl., insbes. in Form ihrer Salze. Sie werden in der Säure- od. Salz-Form (Natrium-, Ammonium-Salze) angeboten. Techn. Produkte haben Molmassen im Bereich von ca. 2000–300 000 g/mol.
In Wasser unlösl., aber stark quellende P. können durch vernetzende Copolymerisation von Acrylsäuren mit bi- u. polyfunktionellen Monomeren, z. B. mit *Polyallylglucosen*, bzw. durch partielle Vernetzung mit mehrwertigen Ionen, z. B. Aluminium-Ionen, synthetisiert werden. Die vernetzten P. besitzen starke Verdickungswirkung u. hohe Wasser-Absorptionskapazität; sie werden u. a. als *Super slurper eingesetzt. Salze der P. dienen wegen der hohen Viskosität ihrer wäss. Lsg. als Schlichten od. Verdicker für Latices u. Kosmetika, als Bohrspül-Hilfsmittel bei der Erdölgewinnung sowie als Flockungsmittel. Für die beiden letztgenannten Anw. eignen sich insbes. Copolymere der Acrylsäure mit Acrylamid (s. Polyacrylamid).

P. gehören als Polysäuren (s. Polyelektrolyte) zu den *Polycarbonsäuren. Sie sind hygroskop. feste Produkte mit *Glasübergangstemperaturen von ca. 105–130 °C u. zersetzen sich oberhalb 200–250 °C unter Wasserabspaltung u. Zersetzung. P. werden als Festkörper, wäss. Lsg. od. Emulsionen angeboten. *Verw.:* U. a. als Verdickungs-, Flockungs-, Dispergierhilfs- u. Bindemittel sowie als Klebstoff-Zusatz. – ***E*** polyacrylic acids – ***F*** acides polyacryliques – ***I*** acidi poliacrilici – ***S*** ácidos poliacrílicos

Lit.: Elias (5.) **2**, 168 ▪ Encycl. Polym. Sci. Eng. **1**, 211–234 ▪ Houben-Weyl **E 20/2**, 1141–1176. – *[HS 3906 90; CAS 9003-01-4]*

Polyadditionen. Bez. für *Polyreaktionen, bei denen durch sich vielfach wiederholende u. voneinander unabhängige Verknüpfungsreaktionen von bis- od. polyfunktionellen Edukten (*Monomeren) über reaktive *Oligomere (*Stufenreaktionen, vgl. Polykondensation) schließlich *Polymere entstehen. Die Additionsreaktionen verlaufen dabei definitionsgemäß (u. damit im Gegensatz zu Polykondensationen) ohne Abspaltung von niedermol. Verb., häufig aber unter Verschiebung von Wasserstoff-Atomen. Die wichtigsten Beisp. für P. sind die Bildung von *Polyurethanen (z. B. I), von *Polyharnstoffen (z. B. II)

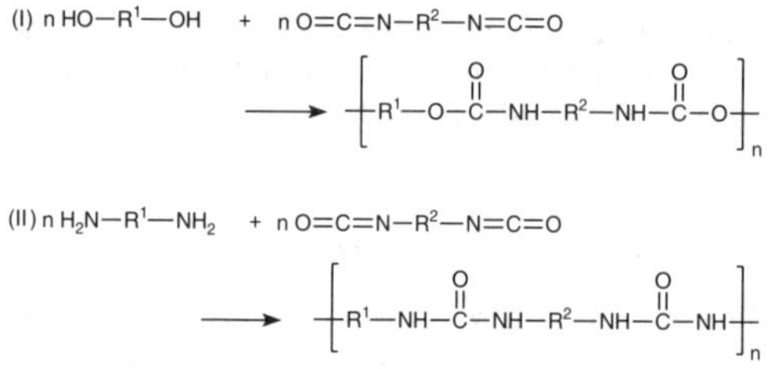

$$\text{(I)}\quad n\,HO-R^1-OH \;+\; n\,O{=}C{=}N-R^2-N{=}C{=}O \longrightarrow \left[-R^1-O-\overset{O}{\overset{\|}{C}}-NH-R^2-NH-\overset{O}{\overset{\|}{C}}-O-\right]_n$$

$$\text{(II)}\quad n\,H_2N-R^1-NH_2 \;+\; n\,O{=}C{=}N-R^2-N{=}C{=}O \longrightarrow \left[-R^1-NH-\overset{O}{\overset{\|}{C}}-NH-R^2-NH-\overset{O}{\overset{\|}{C}}-NH-\right]_n$$

u. die Umsetzung von mehrfunktionellen Epoxiden mit z. B. mehrfunktionellen Phenolen(III) od. Aminen(IV)

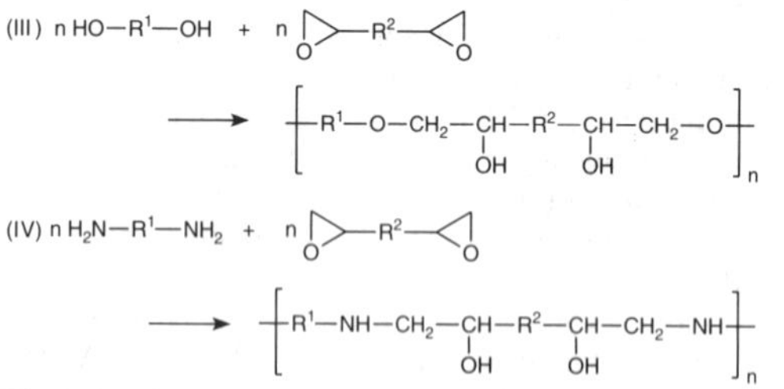

$$\text{(III)}\quad n\,HO-R^1-OH \;+\; n\,\underset{O}{\triangleright}-R^2-\underset{O}{\triangleleft} \longrightarrow \left[-R^1-O-CH_2-\underset{OH}{\underset{|}{CH}}-R^2-\underset{OH}{\underset{|}{CH}}-CH_2-O-\right]_n$$

$$\text{(IV)}\quad n\,H_2N-R^1-NH_2 \;+\; n\,\underset{O}{\triangleright}-R^2-\underset{O}{\triangleleft} \longrightarrow \left[-R^1-NH-CH_2-\underset{OH}{\underset{|}{CH}}-R^2-\underset{OH}{\underset{|}{CH}}-CH_2-NH-\right]_n$$

Die bei der P. resultierenden Produkte werden *Polyaddukte* od. *Polyadditionsprodukte* genannt. Je nach Anzahl der bei der P. beteiligten unterschiedlichen Monomeren unterscheidet man zwischen Unipolyaddition [ausgehend von 2 Monomertypen, z. B. einem Diol u. einem Diisocyanat, vgl. (I)] od. *Copolyadditionen, gelegentlich auch *Multipolyadditionen* genannt, bei denen mehr als zwei unterschiedliche Monomere eingesetzt werden. Zu unterschiedlichen Bedeutungen der Begriffe P. u. engl. polyaddition s. Polyreaktionen. – ***E*** = ***F*** polyaddition – ***I*** poliaddizione – ***S*** poliadición

Lit.: Elias (5.) **1**, 220 ff. ▪ Tieke, S. 19 ff.

Polyaddukte. Bez. für durch *Polyaddition hergestellte *Polymere.

Polyadenylat-Schwanz s. Poly(A)-Schwanz.

Polyadenylierung s. Ribonucleinsäuren.

Poly(α-alanin)e. Bez. für *Polymere der Struktur

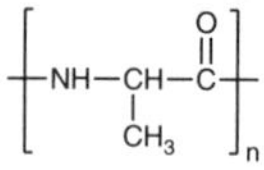

$$\left[-NH-\underset{CH_3}{\underset{|}{CH}}-\overset{O}{\overset{\|}{C}}-\right]_n$$

die als L-, D- u. DL-Formen durch *Ringöffnungspolymerisation der entsprechenden *N*-Carboxyanhydride des Alanins zugänglich sind. Das DL-Polymer kann sowohl in einer α-Helix als auch in einer β-Konformation vorliegen, wobei erstere wasserlösl. ist. L-P. kann ebenfalls in α- od. β-Form vorliegen, die jedoch beide recht unlösl. sind. Durch Strecken der α-Form des DL- od. L-P. geht dieses in die β-Form über. – ***E*** = ***F*** poly(α-alanines) – ***I*** poly(α-alanine) – ***S*** poli(α-alaninas)

Poly(β-alanin)e. Bez. für bei der *anionischen Polymerisation von Acrylamid bzw. der *Ringöffnungspolymerisation von β-Propiolactam anfallende *Polyamide der Struktur:

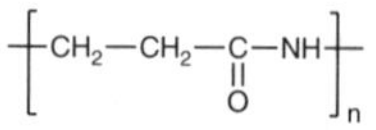

$$\left[-CH_2-CH_2-\underset{O}{\underset{\|}{C}}-NH-\right]_n$$

Kurzbez. für P. sind *PA 3* od. *Nylon 3*. Zum Mechanismus des Kettenwachstums s. Polyacrylamid. – ***E*** poly(β-alanine)s – ***F*** polyalanines – ***I*** polialanine – ***S*** polialaninas

Lit.: Compr. Polym. Sci. **3**, 451 f; ▪ Houben-Weyl **E 20/2**, 1172.

Polyalkenamere (Polyalkenylene). Sammelbez. für *Polymere, die bei der durch Übergangsmetalle

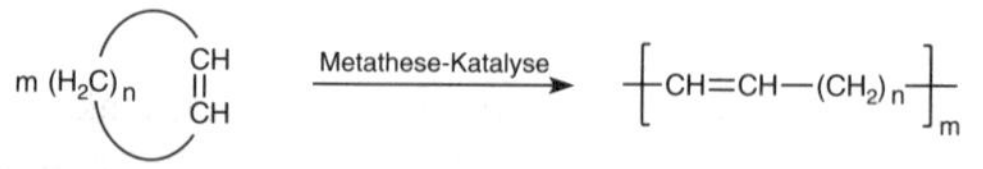

$$m\,(H_2C)_n\left(\begin{matrix}CH\\\|\\CH\end{matrix}\right) \xrightarrow{\text{Metathese-Katalyse}} \left[-CH{=}CH-(CH_2)_n-\right]_m$$

katalysierten *Ringöffnungspolymerisation (*Metathesepolymerisation) von Cycloolefinen unter Erhalt der Doppelbindung anfallen. Wichtigste *Monomere für die Synth. von P. sind Dicyclopentadien, Cyclopenten, Cycloocten u. Norbornen, aus denen die techn. bedeutenden *Polycyclopentadiene, *Polypentenamere, *Polyoctenamere u. *Polynorbornene hergestellt werden.

P. sind vulkanisierbare ungesätt. *Elastomere mit Kautschuk-Charakter. Zu Eigenschaft u. Verw. s. die einzelnen P.-Typen. – ***E*** polyalkenamers, polyalkenylenes – ***F*** polyalcenamères – ***I*** polialchenameri – ***S*** polialquenámeros

Lit.: Elias (5.) **2**, 145 ▪ Encycl. Polym. Sci. Eng. **11**, 287–314 ▪ Houben-Weyl **E 20/2**, 918–927.

Polyalkencarbonate. Bez. für *Polymere der allg. Struktur $-[-O-R-O-CO-]_n-$, die durch Copolymerisation von Kohlendioxid mit Oxiranen wie Ethylenoxid ($R = -CH_2-CH_2-$) od. Propylenoxid [$R = -CH_2-CH(CH_3)-$] unter Druck u. der Katalyse von z. B. Diethylzink entstehen. Sie sind biolog. abbaubare, klare Elastomere. – ***E*** = ***F*** polyalkenecarbonates – ***I*** polialchencarbonati – ***S*** polialquencarbonatos

Lit.: Elias (5.) **2**, 192.

Polyalkene. 1. Neben *Polyolefine Bez. für durch *Polymerisation von *Alkenen zugängliche *Polymere der allg. Struktur

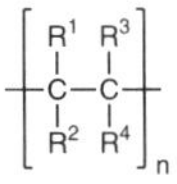

$$\left[-\overset{R^1}{\underset{R^2}{C}}-\overset{R^3}{\underset{R^4}{C}}- \right]_n$$

mit meist $R^1-R^3=H$ u. R^4=Alkyl. – 2. Bez. für diejenigen Verb., die mindestens zwei C,C-Doppelbindungen im Mol. enthalten; s. a. Polyene. – ***E*** polyalkenes – ***F*** polyalcènes – ***I*** polialcheni – ***S*** polialquenos

Polyalkenylene s. Polyalkenamere.

Polyalkine. 1. Bez. für *Polymere der allg. Struktur

$$\left[-\underset{R}{C}=\underset{R}{C}- \right]_n$$

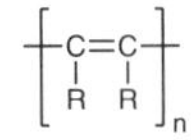

die z. B. durch *Polymerisation von *Acetylen (R=H) od. Acetylen-Derivaten (R z. B. Alkyl) zugänglich sind (s. Polyacetylene). – 2. Bez. für diejenigen Verb., die mindestens zwei C,C-Dreifachbindungen im Mol. enthalten; s. a. Polyine. – ***E*** polyalkynes – ***F*** polyalcynes – ***I*** polialchini – ***S*** polialquinos

Polyalkohole s. Polyole.

Polyalkylencarbonate. Bez. für *Polymere der (allg.) Struktur **I**

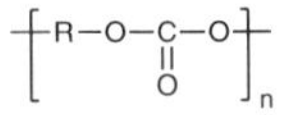

$$\left[-R-O-\underset{\underset{O}{\|}}{C}-O- \right]_n \quad \mathbf{I}$$

die z. B. über die Reaktion von Kohlendioxid mit Epoxiden in Ggw. von Zink-Alkoxiden hergestellt werden. Dabei entstehen aus Kohlendioxid u. dem Alkoxid zunächst Zink-Alkylcarbonate **II**. Diese lagern anschließend ein Epoxid **III** unter Bildung eines Zink-Alkoxid-Kettenendes an, das seinerseits wieder mit Kohlendioxid reagieren kann. Vielfache Wiederholung dieser Sequenz führt schließlich zu einem P. wie z. B. **IV**:

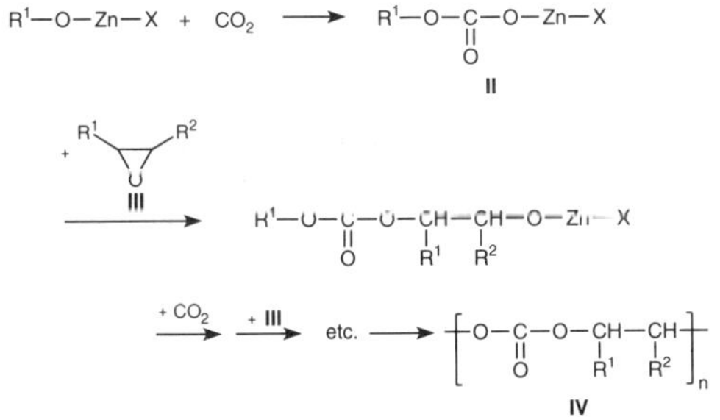

$$R^1-O-Zn-X + CO_2 \longrightarrow R^1-O-\underset{\underset{O}{\|}}{C}-O-Zn-X \quad \mathbf{II}$$

$$+ \text{ Epoxid (}R^1, R^2\text{) } \mathbf{III} \longrightarrow R^1-O-\underset{\underset{O}{\|}}{C}-O-\underset{R^1}{CH}-\underset{R^2}{CH}-O-Zn-X$$

$$\xrightarrow{+CO_2} \xrightarrow{+\mathbf{III}} \text{etc.} \longrightarrow \left[-O-\underset{\underset{O}{\|}}{C}-O-\underset{R^1}{CH}-\underset{R^2}{CH}- \right]_n \quad \mathbf{IV}$$

P. sind potentiell von Interesse als bioabbaubare Verpackungsmaterialien u. Klebstoffe. Größere Bedeutung konnten sie bislang jedoch noch nicht erlangen. – ***E*** polyalkylene carbonates – ***F*** polylalkylène carbonates – ***I*** carbonati polialcilenichi – ***S*** carbonatos de polialquilenos

Polyalkylenglykole (Polyglykole, Polyglykolether). Sammelbez. für überwiegend lineare, z. T. aber auch verzweigte *Polyether der allg. Formel

$$HO\left[R^1-O-R^2-O \right]_n H$$

d. h. für *Polymere mit endständigen Hydroxy-Gruppen. Die techn. wichtigen Vertreter dieser Polyether-*Polyole sind die *Polyethylenglykole [*Polyethylenoxide*, $R^1=R^2=(CH_2)_2$], *Polypropylenglykole [*Polypropylenoxide*, $R^1=R^2=CH_2-CH(CH_3)$] bzw. Polytetramethylenglykole [*Polytetrahydrofurane, $R^1=R^2=(CH_2)_4$], die durch ringöffnende Polymerisation von Ethylenoxid, Propylenoxid bzw. Tetrahydrofuran hergestellt werden. Da der Aufbau der P. auch als lebende Polymerisation geführt werden kann (s. lebende Polymere), können P. auch als *Blockcopolymere des Typs

$$HO\left[R^1-O \right]_x\left[R^2-O \right]_y H$$

erhalten werden [z. B. mit $R^1=(CH_2)_2$ u. $R^2=CH_2-CH(CH_3)$ bzw. $(CH_2)_4$]. Insbes. Blockcopolymere aus Ethylen- u. Propylenoxid [$R^1=(CH_2)_2$, $R^2=CH_2-CH(CH_3)$] haben als nichtion. Tenside größere techn. Bedeutung erlangt. P. werden Molmassen-abhängig als flüssige od. feste (wachsartige) Produkte angeboten. Zu Eigenschaft, Verw. u. Lit. s. die einzelnen P.-Typen. – ***E*** polyalkylene glycols – ***F*** polyalkylèneglycols – ***I*** polialchilenglicoli – ***S*** polialquilenglicoles

Polyalkylenphenylene. Sammelbez. für *Polymere der allg. Struktur

$$\left[-C_6H_4-(CR_2)_x- \right]_n$$

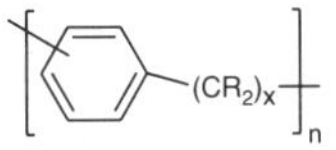

in denen R für ein H-Atom od. eine Alkyl-Gruppe steht. Die größte Bedeutung haben die *para*-verknüpften P. u. hier wiederum die Poly(*p*-xylylen)e (s. Parylene) mit R = H u. x = 2. – ***E*** polyalkylenephenylenes – ***F*** polyalkylènephénylènes – ***I*** polialchilenfenileli – ***S*** polialquilenfenilenos

Polyalkylenpolyamine s. Polyethylenimine.

Polyalkylenterephthalate. Übergreifende Bez. für *Polyester aus Terephthalsäure u. aliphat. Diolen der allg. Struktur

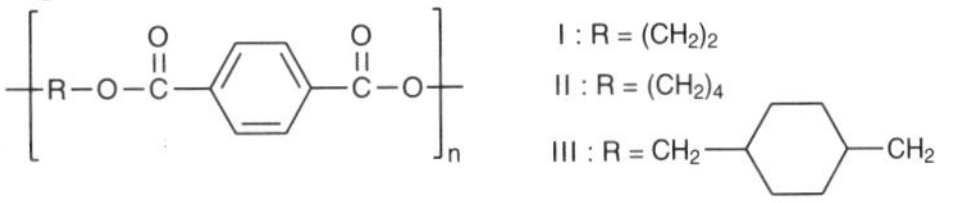

$$\left[-R-O-\underset{\overset{\|}{O}}{C}-C_6H_4-\underset{\overset{\|}{O}}{C}-O- \right]_n$$

I : R = $(CH_2)_2$
II : R = $(CH_2)_4$
III : R = $CH_2-C_6H_{10}-CH_2$

Techn. wichtigste Vertreter dieser thermoplast. *Polymere sind *Polyethylenterephthalate (I) u. *Polybutylenterephthalate (II) sowie *Poly(1,4-cyclohexandimethylenterephthalat)e (III); zu Eigenschaften, Verw. u. Lit. der P. s. die einzelnen P.-Typen. – ***E*** poly(alkylene terephthalates) – ***F*** téréphtalates de polyalkylène – ***I*** polialchilentereftalati – ***S*** tereftalatos de polialquileno

Lit.: Domininghaus (5.), S. 753 ff.

Polyallomere. 1. Veraltete Bez. für Propylen/Ethylen-*Blockcopolymere mit einem Ethylen-Gehalt von bis zu ca. 15%. – 2. Bez. für einen Spezialfall von *Polymer-Blends. Diese bestehen aus einer Mischung von zwei kristallisierbaren aber unverträglichen Polymeren, die durch sukzessive *Polymerisation der beiden zugrundeliegenden *Monomeren hergestellt werden. Sie weisen im Gegensatz zu echten Polymer-Gemischen von der Polymerisation her Teile an *Block- u./od. *Pfropfcopolymeren auf. Diese sammeln sich an den Phasengrenzen zwischen den beiden unverträglichen u. daher entmischten Polymeren an u. wirken dort als Verträglichkeits-Vermittler. – ***E*** polyallomers – ***I*** poliallomeri – ***S*** poliallómeros

Polyallyl-Verbindungen. Sammelbez. für *Polymere, die durch *radikalische Polymerisation von Allyl-Verb. $H_2C{=}CH{-}CH_2{-}Y$ entstehen (mit Y z. B. OH, Cl od. $OCOCH_3$). Da derartige Allyl-*Monomere aufgrund der stark dominierenden Kettenübertragung („Autoinhibierung", s. Polymerisation) radikal. nur Produkte niedriger Polymerisationsgrade ergeben, haben lediglich die zu *Duroplasten führenden Polymerisationen von Di- u. Triallyl-Monomeren techn. Bedeutung erlangt. Ein wichtiges Beisp. für solche Diallyl-Monomere ist das *Di*allyl*di*glycol*c*arbonat (DADC), welches man durch Reaktion von Diethylenglykolbis(chloroformat) $[O(CH_2{-}CH_2{-}O{-}CO{-}Cl)_2]$ mit Allylalkohol in Ggw. von NaOH erhält. Weiterhin hat das *Di*allyl*p*hthalat (DAP) Bedeutung erlangt, das durch Veresterung von Phthalsäureanhydrid mit Allylalkohol hergestellt wird. Eine wichtige Triallyl-Verb. ist das *Tri*allyl*c*yanurat [2,4,6-Tris(allyloxy)-s-triazin, TAC], das man durch Umsetzen von Trichlor-s-triazin mit Allylalkohol gewinnt.
Alle diese Monomere werden radikal. zunächst nur bis zu Umsätzen von unter 25% „polymerisiert". Die so erhaltenen, stark verzweigten, aber noch nicht vernetzten Vorpolymerisate werden dann – meist in ihrer Mischung mit neuen Monomeren – unter Formgebung ausgehärtet. Ein Vorteil dieses Vorgehens ist, daß die Schrumpfung des Vorpolymerisates mit nur ca. 1% deutlich geringer ist als die des Monomeren selbst (ca. 12%). Auf diesem Wege erhält man aus DADC opt. klare Teile mit etwa der gleichen Lichtdurchlässigkeit wie *Polymethylmethacrylat, die sich jedoch durch eine 30–40mal höhere Kratzfestigkeit auszeichnen u. für Sonnenbrillen verwendet werden. Daneben dient dieses Polymere auch zum Nachw. von z. B. α-Teilchen u. schnellen Neutronen, deren Spur durch Entwicklung mit Alkalien sichtbar gemacht wird. Die ausgehärteten Harze von DAP u. dem isomeren Diallylisophthalat zeichnen sich durch eine elektr. Leitfähigkeit aus, die zwischen der von Porzellan u. *Polytetrafluorethylen liegt. Sie werden daher in Isolatoren eingesetzt. Das TAC wie auch das isomere Triallylisocyanurat dienen als Vernetzer bei der Polymerisation anderer Monomerer. – ***E*** polyallyl compounds – ***I*** composti poliallilici – ***S*** compuestos polialílicos
Lit.: Elias (5.) **2**, 174 ▪ Schildknecht, Allyl Compounds and Their Polymers, New York: Wiley-Interscience 1973.

Polyamidaminocarbonsäuren s. Polyimidazopyrrolone.

Polyamidcarbonsäuren (Polyamidsäuren). Die Synth. der meisten *Polyimide erfolgt durch Cyclo-*Polykondensation von Tetracarbonsäuredianhydriden u. Diaminen. Eine Synth. hochmol. Polyimide in einem Einschritt-Prozeß ist hierbei jedoch v. a. bei aromat. Syst. nicht sinnvoll, da die resultierenden Polymere unlösl. u. unschmelzbar sind. Sie fallen daher bereits als Oligomere aus dem Reaktionsgemisch aus, werden so dem weiteren Wachstum entzogen u. können auch anschließend nicht mehr formgebend verarbeitet werden. Aus diesem Grunde werden viele Polyimid-Synth. als Zweistufen-Prozesse durchgeführt. Der erste Schritt besteht in der Amidierungs-Reaktion, einer *Polyaddition, die in hochpolaren Lsm. durchgeführt wird u. zu noch lösl., hochmol. P. führt. Das Schema zeigt dies anhand der Umsetzung von Pyromellithsäuredianhydrid mit 4,4′-Diaminodiphenylether:

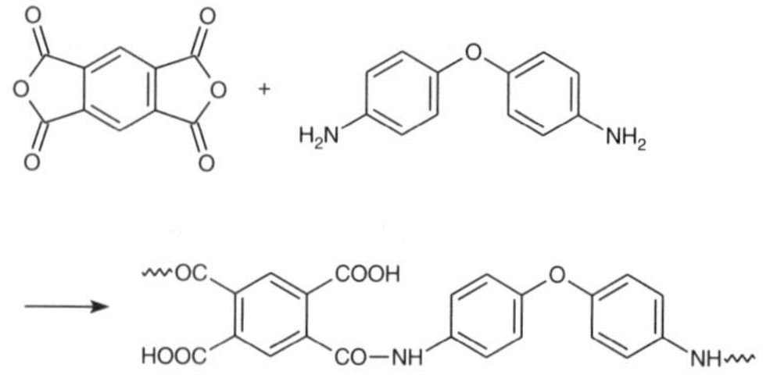

Die Verknüpfung erfolgt dabei hauptsächlich in *para-*, nur wenig dagegen in *meta*-Stellung. Während dieser ersten Stufe wird v. a. durch niedrige Temp. (<70 °C) erreicht, daß die P. nicht zum Polyimid cyclisieren u. somit nach Abschluß der Reaktion in die gewünschte Form (Filme, Fasern, Laminate, Beschichtungen) gebracht werden können. Erst nach dieser Formgebung erfolgt die unter Wasserabspaltung verlaufende Cyclisierung zum fertigen Polyimid, die man durch Erhitzen der P. auf ca. 300 °C einleitet.

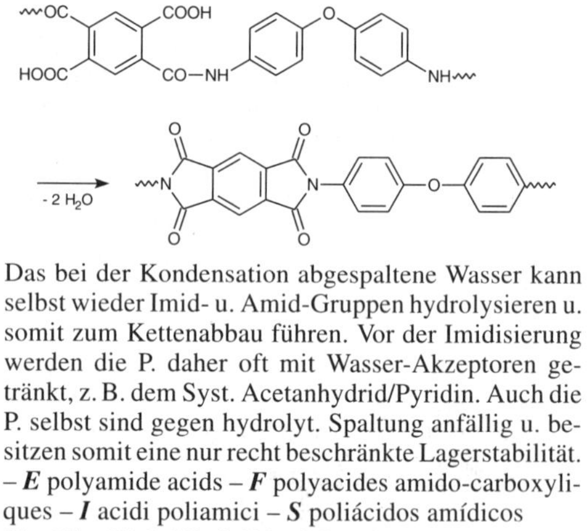

Das bei der Kondensation abgespaltene Wasser kann selbst wieder Imid- u. Amid-Gruppen hydrolysieren u. somit zum Kettenabbau führen. Vor der Imidisierung werden die P. daher oft mit Wasser-Akzeptoren getränkt, z. B. dem Syst. Acetanhydrid/Pyridin. Auch die P. selbst sind gegen hydrolyt. Spaltung anfällig u. besitzen somit eine nur recht beschränkte Lagerstabilität. – ***E*** polyamide acids – ***F*** polyacides amido-carboxyliques – ***I*** acidi poliamici – ***S*** poliácidos amídicos
Lit.: Elias (5.) **1**, 262; **2**, 233 ▪ Odian (3.), S. 158.

Polyamide. Sammelbez. für *Polymere, deren Grundbausteine durch Amid-Bindungen (–NH–CO–) zusammengehalten werden (s. Amide). *Natürlich vorkommende P.* sind *Peptide, Polypeptide u. *Proteine (*Beisp.:* Eiweiß, Wolle, Seide). Die *synthet. P.* (Kurzz. PA) sind bis auf wenige Ausnahmen thermoplast., kettenförmige Polymere, von denen einige große techn. Bedeutung als Synthesefasern u. Werkstoffe erlangt haben. Nach dem chem. Aufbau lassen sich die sog. *Homo-P.* in zwei Gruppen einteilen, die Aminocarbonsäure-Typen (AS) u. die Diamin-Dicarbonsäure-Typen (AA-SS; dabei bezeichnen A Amino-Gruppen u. S Carboxy-Gruppen). Erstere werden aus nur einem einzigen *Monomeren durch z. B. *Polykondensation einer ω-Aminocarbonsäure **1** (*Polyaminosäuren) od. durch ringöffnende Polymerisation cycl. Amide (Lactame) **2** hergestellt, z. B.:

$$n\ H_2N{-}(CH_2)_x{-}COOH\ (\mathbf{1}) \xrightarrow{-n\,H_2O} \left[{-}(CH_2)_x{-}NH{-}\overset{\displaystyle O}{\overset{\|}{C}}{-}\right]_n \xleftarrow{} n\ \overbrace{(CH_2)_x \ldots N(H){-}C(=O)}^{\text{Lactam}}\ (\mathbf{2})$$

Der Aufbau letzterer erfolgt dagegen durch Polykondensation zweier komplementärer Monomerer, z. B. einem Diamin **3** u. einer Dicarbonsäure **4**:

$$H_2N{-}(CH_2)_x{-}NH_2\ (\mathbf{3}) + n\,HOOC{-}(CH_2)_y{-}COOH\ (\mathbf{4}) \xrightarrow{-2n\,H_2O} \left[{-}(CH_2)_x{-}NH{-}\underset{\displaystyle O}{\underset{\|}{C}}{-}(CH_2)_y{-}\underset{\displaystyle O}{\underset{\|}{C}}{-}NH{-}\right]_n$$

Codiert werden die P. aus unverzweigten aliphat. Bausteinen nach der Anzahl der C-Atome. Bei den AS-Typen genügt hierzu *eine* Zahl; *Beisp.:* PA 6 ist das aus ε-Aminocapronsäure (6-Aminohexansäure) od. ε-Caprolactam aufgebaute P. [Poly(ε-caprolactam), s. Perlon®] u. PA 12 ist ein Poly(ε-laurinlactam) aus ε-*Laurinlactam. Bei den AA-SS-Typen wird dagegen zuerst die Kohlenstoff-Anzahl des Diamins u. dann die der Dicarbonsäure genannt: PA 66 (Polyhexamethylenadipinamid) entsteht aus 1,6-Hexandiamin (Hexamethylendiamin) u. Adipinsäure bzw. aus dem sog. *AH-Salz, PA 610 (Polyhexamethylensebacinamid) aus 1,6-Hexandiamin u. Sebacinsäure, PA 612 (Polyhexamethylendodecanamid) aus 1,6-Hexandiamin u. Dodecandisäure. Synonym mit P. wird auch *Nylon als Gattungsbez. verwendet (ursprünglich Marke von DuPont für PA 66). V. a. im engl.-sprachigen Raum ist auch die Struktur-bezogene IUPAC-Nomenklatur gebräuchlich, z. B. Poly[imino-(1-oxohexamethylen)] für PA 6 u. Poly[imino(1,6-dioxohexamethylen)-iminohexamethylen] für PA 66. Auf die Herst. dieser Polymeren wird unter den Stichwörtern *Nylon bzw. *Perlon näher eingegangen.

Neben den Homopolyamiden haben auch einige *Co-P.* Bedeutung erlangt. Üblich ist bei diesen eine qual. u. quant. Angabe der Zusammensetzung z. B. PA 66/6 (80:20) für aus 1,6-Hexandiamine, Adipinsäure u. ε-Caprolactam im Molverhältnis 80:80:20 hergestellte Polyamide.

Wegen ihrer bes. Eigenschaften werden P., die ausschließlich aromat. Reste enthalten (z. B. solche aus *p*-Phenylendiamin u. Terephthalsäure), unter der Gattungsbez. *Aramide od. *Polyaramide zusammengefaßt (*Beisp.:* *Nomex®). Neuere Entwicklungen sind Blockcopolymere aus P. u. Polyethern, die sowohl Thermoplast- als auch Elastomer-Eigenschaften besitzen.

Die am häufigsten verwendeten P.-Typen (v. a. PA 6 u. PA 66) bestehen aus unverzweigten Ketten mit mittleren Molmassen von 15 000 bis 50 000 g/mol. Sie sind im festen Zustand teilkrist. (s. Polymerkristalle) u. haben Kristallisationsgrade von 30–60%. Eine Ausnahme bilden P. aus Bausteinen mit Seitenketten od. Co-P. aus stark unterschiedlichen Komponenten, die weitgehend amorph sind. Im Gegensatz zu den im allg. milchig-opaken, teilkrist. P. sind diese fast glasklar. Die Erweichungstemp. der gebräuchlichsten Homo-P. liegen zwischen 200 u. 260 °C (PA 6: 215–220 °C, PA 66: 255–260 °C). Charakterist. ist der enge Schmelz- u. Erstarrungsbereich. Durch hohe Schmp. bzw. Thermostabilität zeichnen sich bes. die Aramide aus (*m*-Phenylendiamin/Isophthalsäure-P.: 440 °C). Ursächlich für die ausgeprägte Tendenz der P. zur Faserbildung sind die starken intermol. Wasserstoff-Brückenbindungen, die sich zwischen den sich vorzugsweise parallel zueinander anordnenden P.-Makromol. ausbilden. Die anschließende Verstreckung der gesponnenen Fäden auf ein Mehrfaches der ursprünglichen Länge bewirkt darüber hinaus eine weitgehende Parallelorientierung aller Kettenmol. in Faserrichtung u. damit eine weitere starke Zunahme der Festigkeit (bis auf 9 cN/dtex). Wichtig für die Anw. auf dem Faser- u. Werkstoffsektor sind ferner die hohe Zähigkeit, die Scheuer- u. Abriebfestigkeit, Steifigkeit u. Kriechstromfestigkeit. Die Gebrauchstemp. der aliphat. u. aliphat./aromat. P. liegen zwischen –40 u. 120 °C, kurzzeitig sind 140–210 °C möglich; sie sind daher sterilisierbar. Beständig sind die P. gegen Alkalien u. viele organ. Lsm. sowie Kraftstoffe u. Öle, unbeständig insbes. gegen konz. Säuren. In der Hitze sind P. Oxid.-empfindlich, sie schmelzen u. tropfen in der Flamme, brennen leuchtend u. riechen nach verbranntem Horn (Wolle, Casein, Seide sind natürliche P.). Das Wasseraufnahmevermögen u. die Maßhaltigkeit der P. nimmt mit abnehmendem Anteil an polaren Säureamid-Gruppen im Mol. ab; im Normklima (20 °C, 65% relative Luftfeuchtigkeit) beträgt die Wasseraufnahme 3–4% für PA 6 u. 66, dagegen nur 1,2% für PA 11. Im Textilsektor ist die Wasseraufnahme erwünscht. Das durch Polymerisation von Pyrrolidon hergestellte P. (PA 4) zeichnet sich durch bes. hohe Wasseraufnahme aus. In physiolog. Hinsicht sind die P. unbedenklich u. ohne Farbstoffzusätze als Folien auch für die Lebensmittelverpackung zugelassen.

Verw.: 1935 stellte *Carothers bei DuPont fest, daß sich die Schmelze von PA 66 zu verstreckbaren Fäden von hoher Festigkeit verspinnen läßt. Nylon war damals die erste *vollsynthet. Faser* auf dem Markt. 1938 erhielt *Schlack bei IG Farben aus PA 6 ganz ähnliche Produkte. Bis heute sind PA 6 u. 66 die wichtigsten P.-Faserrohstoffe geblieben. Die Hauptanw.-Gebiete liegen auf dem Bekleidungssektor (u. a. Damenstrümpfe, Sport- u. Freizeitbekleidung), bei Teppichen u. Bodenbelägen sowie bei techn. Fäden u. Fasern (Reifencord, Taue, Borsten, Monofile für viele Anw.-Gebiete). Neben PA 6 u. 66 haben auf dem Fasersektor folgende P. prakt. Bedeutung erlangt: Qiana (PACM 12 aus 4,4′-Methylendicyclohexylamin/Dodecandisäure), Nomex (*m*-Phenylendiamin/Isophthalsäure) u. Kevlar (*p*-Phenylendiamin/Terephthalsäure) als hochtemp.-beständige u. hochfeste Fasern. Das zweite große techn. Anw.-Gebiet der *Homo-P.* als techn. Thermoplaste ist die Herst. von *Werkstoffen* u. *Folien*, insbes. durch Spritzguß-Verf. u. Extrudieren z. B. für den Maschinenbau (Zahnräder, Lager), für Haushaltsgeräte-Gehäuse, die Bau- u. Möbel-Ind. (u. a. Dübel), elektrotechn. Artikel, Heizöltanks u. Halbzeug. Durch Zusätze lassen sich die Eigenschaften variieren; durch bes. hohe Festigkeit u. Härte zeichnen sich die *glasfaserverstärkten Kunststoffe auf P.-Basis aus. Auf dem Foliensektor wird PA oft im Verbund mit *Polyethylen angewandt. Dominierend bei PA-Werkstoffen u. -Folien sind ebenfalls PA 6 u. 66; daneben werden PA 610, PA 612, PA 11 u. PA 12 verwendet. Die *Co-P.* finden u. a. Verw. zur Herst. von Lacken, Klebstoffen (z. B. für die Textilverklebung), Kunstleder, von Druckplatten u. von Beschichtungen. *P.-Harze* sind thermoplast. od. reaktive, durch Polykondensation von oligomeren Fettsäuren mit Di- od. Polyaminen hergestellte Kunstharze. Thermoplast. PA-Harze stellen Basisprodukte für Schmelzkleber, Bindemittel für Tief- u. Flexodruckfarben bzw. Überdrucklacke u. Thixotropierungsmittel (s. Thixotropie) für *Alkydharze dar; reaktive PA-Harze (*Polyaminoamide u. Polyaminoimidazoline) werden als Härter für Epoxidharze u. für PVC-Plastisole verwendet. Zum Kleben von P.-Werkstoffen eignen sich Lsg. von 5% PA-Harz in 85%igem Ethanol od. Lsg. von 5–10% P. in 85%iger Ameisensäure od. Schmelzen von Phenol-, Resorcin- od. Furan-Harzen.

Marktdaten: Die Hauptmenge der weltweiten P.-Produktion (1994: schätzungsweise 3,8 Mio. t) wird zu Fasern verarbeitet. Rund 1,1 Mio. t (Westeuropa, 1994: 540 000 t, s. *Lit.*[1]) entfallen auf Formmassen für Spritzgießen u. Extrusion. Der überwiegende Anteil des P.-Verbrauchs in Westeuropa entfällt auf PA 6 (50%) u. PA 66 (42%). Auf PA 11/12 entfallen 6%, alle übrigen PA-Typen machen 2% aus[1]. Die prozentualen Anteile der Anw.-Gebiete für techn. Thermoplaste aus P. werden in der Tab. wiedergegeben (*Lit.*[1]). –

Tab.: Verbrauch von Polyamiden als techn. Thermoplaste nach Verarbeitung u. Anw.-Gebieten in Prozent; Westeuropa 1994 (*Lit.*[1]).

Verarbeitung/Anw.		Verbrauchsanteil [%]
Spritzgießen		73
davon	Elektro-Ind.	29
	Fahrzeugbau	37
	Maschinenbau/Feinwerktechnik	10
	Bauwesen	10
	Sonstiges	14
Extrudieren		23
davon	Folien	58
	Halbzeug	19
	Monofile	17
	Sonstiges	6
Sonstige Verarbeitung	(Guß-PA, Wirbelsintern, Hohlkörperblasen)	4

E=F polyamides – ***I*** poliammidi – ***S*** poliamidas

Lit.: [1] Kunststoffe **85**, 1556 (1995).
allg.: Domininghaus (5.), S. 603 ff. ▪ Elias (5.) **2**, S. 209 ff. – *[HS 3908 10, 3908 90]*

Polyamidfasern. Bez. für Synthesefasern auf Basis von aliphat. *Polyamiden. – ***E*** polyamide fibres – ***F*** fibres de polyamide – ***I*** fibre di poliammide – ***S*** fibras de poliamida – *[HS 5503 10, 5506 10]*

Polyamidhydrazide (Kurzz. PAHB). Bez. für *Polyaramide, die in ihren Hauptketten auch Strukturen der allg. Formel –R–CO–NH–NH–CO– enthalten. Die P. bilden vielfach lyotrope Phasen aus u. lassen sich daher gut zu Fasern verarbeiten. Techn. Bedeutung hat z. B. das aromat. P. **1** erlangt, das unter dem Handelsnamen X-500™ auf dem Markt ist.

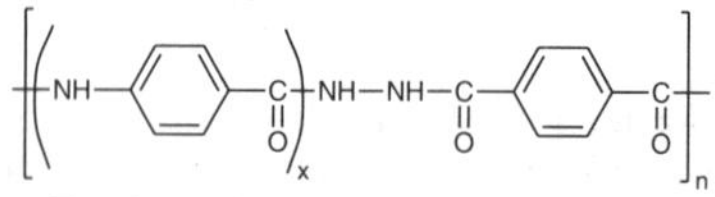

1

–***E=F*** poly(amide-hydrazides) – ***I*** poliammididrazidi – ***S*** poliamidhidracidas

Lit.: Elias (5.) **1**, 778; **2**, 541.

Polyamidimide (Kurzz. PAI, Handelsname Torlon). Bez. für *Polymere der allg. Struktur:

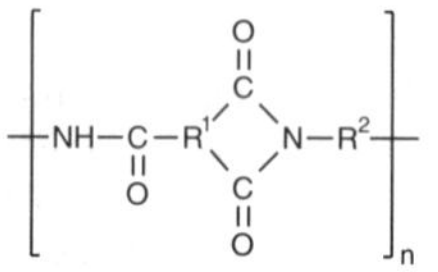

die in ihren Hauptketten sowohl Amid- als auch Imid-Funktionalitäten tragen. Sie werden hergestellt durch *Polykondensation von aromat. Tricarbonsäureanhydriden, z. B. Trimellithsäureanhydrid ($R^1=C_6H_3$), bzw. den Chloriden dieser Carbonsäuren mit Diisocyanaten bzw. Diaminen. Die Polykondensationen erfolgen in Lsg. (Lsm. z. B. 1-Methyl-2-pyrrolidinon), aus der die P. direkt zu Folien, Fasern od. Einbrennlacken verarbeitet werden. P. besitzen hohe Temp.- u. Lsm.-Beständigkeit. – ***E=F*** polyamideimides – ***I*** poliammidimmidi – ***S*** poliamidaimidas

Lit.: Houben-Weyl **E 20/2**, 2185 f. ▪ Odian (3.), S. 160.

Polyamidsäuren s. Polyamidcarbonsäuren.

Polyamine. P. sind eine Klasse von bas. Verb., die aus einer gesätt. Kohlenwasserstoff-Kette mit endständigen Amin-Funktionen, unterbrochen von einer wechselnden Anzahl sek. Amino-Gruppen, aufgebaut sind. Die systemat. Benennung wird nach IUPAC-Regel C-814.6 mit **Aza...* vorgenommen. Beisp. für P. sind *Ethylendiamin, *Propandiamine, *1,4-Butandiamin sowie deren Kondensationsprodukte *Diethylen- u. *Dipropylentriamin u. *Triethylentetramin. Polymere P. sind u. a. die *Polyethylenimine u. *Vinylamin-Polymere, hierzu werden auch kation. polymere *Flockungsmittel gerechnet, die quartäre Ammonium-Gruppen (*Polyammonium*-Verb.) enthalten.
Makrocycl., den *Kronenethern ähnliche P. (vgl. die Abb. bei Krone mit NH anstelle von O, als [18]aneN_6 zu bezeichnen) können nicht nur Kationen u. Protonen, sondern auch Anionen komplex binden u. z. B. die ATP-Hydrolyse katalysieren od. Harnsteine auflösen. Derartige Makrocyclen lassen sich mit Hilfe der sog. *Zip-Reaktion* aufbauen, während zur Synth. von makrobicycl. P. (vgl. die Abb. der verwandten Katapinate u. Kryptanden) andere Wege beschritten werden müssen.
Verw.: Hauptsächlich als Härtungsmittel für Epoxidharze zur Herst. additiv härtender Zweikomponentenlacke (Reaktionslacke), weiterhin als Tenside, Katalysatoren, Komplexbildner u. Vorstufen von Polyelektrolyten.

Biolog. Bedeutung: P. kommen in allen Organismen vor, auch in *N*-alkylierter u. *N*-acylierter Form. P. sind oft mit Zuckern, Steroiden, Phospholipiden, Aminosäuren od. Peptiden verknüpft. Als Einzelstichwörter sind z. B. *Spermidin, *Spermin, *1,4-Butandiamin, 1,3-Diaminopropan (s. Propandiamine) u. *1,5-Pentandiamin behandelt, vgl. biogene Amine. Als P.-Alkaloide bezeichnet man Alkaloide, die als Bausteine P. enthalten [1]. Es handelt sich z. B. um bakterielle Siderophore, um *Lunaria-*, *Cannabis-* u. *Equisetum*-Alkaloide u. um Inhaltsstoffe aus Meeresschwämmen, die als Bauelement Spermin enthalten. Zur biolog. Funktion der P. ist noch wenig bekannt. Sie sind vermutlich an zahlreichen zellbiolog. Prozessen beteiligt (Zellproliferation, DNA-Verpackung, Stabilisierung von Membranen). Bei Bakterien sind die bekannten P. häufig durch ungewöhnliche P.-Derivate ersetzt. P. spielen wahrscheinlich bei der Vermehrung, der Wurzelbildung u. dem Alterungsprozeß von Pflanzen eine Rolle. Mit den P.-Alkaloiden strukturverwandt sind die in Spinnen-, Skorpion- u. Wespengiften vorkommenden P.-Toxine [2].
Das Abwehrsekret der Puppen des Käfers *Epilachna Gorealis* (amerikan. Marienkäferart) besteht aus einem Gemisch makrocycl. Polyamine, die das Insekt offenbar nach dem Zufallsprinzip aus den Grundbausteinen (I)

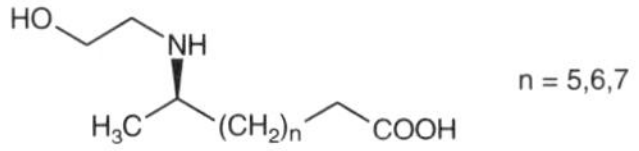

HO–CH₂CH₂–NH–CH(CH₃)–$(CH_2)_n$–CH₂–COOH   n = 5,6,7

aufbaut [3]. Die Strukturvielfalt der „Käfer-Bibliothek", die Ringe aus bis zu 98 Atomen enthält, wird durch spontane, intramol. *O-N*-Acyl-Umlagerungen noch vergrößert (biogene Variante der *Kombinatorischen Synthese!). Bei Krankheiten wie Krebs, Psoriasis u. Sichelzellenanämie ist die P.-Konz. im Gewebe u. den Körperflüssigkeiten sehr hoch. Die Hemmung der P.-Biosynth. ist von einem Wachstumsstop der Krebszellen begleitet u. ein Ziel in der Krebstherapie. P. verstärken die Wirkung des Neurotransmitters (meist Glutamat) am NMDA-Rezeptor, einem Subtyp der wichtigen *Glutamat-Rezeptoren. Deshalb ist ein therapeut. Einsatz von P. bei Krankheiten, bei denen Glutamat eine wichtige Rolle spielt, ein Ziel der Forschung. Einen Überblick über Vork. in verschiedenen Organismen, Biosynth., Funktionen von P. u. therapeut. Anwendungsmöglichkeiten gibt *Lit.* [4]. – ***E* = *F*** polyamines – ***I*** poliammine – ***S*** poliaminas

Lit.: [1] Manske **22**, 85–188. [2] Manske **45**, 1–125. [3] Science **281**, 428 (1998). [4] Chem. Unserer Zeit **32** 206–218 (1998).
allg.: Adv. Polym. Sci. **58**, 55–92 (1984) ▪ Encycl. Polym. Sci. Technol. **10**, 616–622 ▪ Encycl. Polym. Sci. Eng. **11**, 489–507 ▪ Manske **50**, 219–257 ▪ Römpp Lexikon Naturstoffe, S. 505 ▪ Ullmann (5.) **A 2**, 23–31. – *[HS 2921 21, 2921 22, 2921 29, 2921 30, 2921 51, 2921 59]*

Polyaminoamide. Sammelbez. für *Polymere der allg. Struktur

$$\left[-NH-R^1-NH-R^2-NH-\underset{\underset{O}{\|}}{C}-R^3-\underset{\underset{O}{\|}}{C}-\right]_n$$

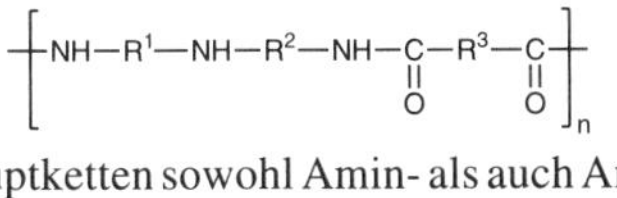

deren Hauptketten sowohl Amin- als auch Amid-Funktionalitäten enthalten. P. werden hergestellt durch *Polykondensation von niedermol. *Polyaminen u. Dicarbonsäuren, z. B. von Diethylentriamin u. Adipinsäure [$R_1 = R_2 = (CH_2)_2$; $R_3 = (CH_2)_4$], od. durch Michael-Addition von Acrylsäureestern an Diamine u. anschließende Polykondensation der resultierenden Aminosäureester.
Verw.: U. a. zur Härtung von Epoxiden, zur Erhöhung des Schrumpfwiderstands von Wolle bzw. mit Epichlorhydrin modifiziert zur Naßfestausrüstung von Papier. – ***E* = *F*** polyaminoamides – ***I*** poliamminoammidi – ***S*** poliaminoamidas

Lit.: Encycl. Polym. Sci. Eng. **1**, 718.

Polyaminobismaleinimide (Polymaleinimide, Kurzz. PABM). Bez. für *Polymere der allg. Struktur **I**, die z. B. durch die Reaktion von Bismaleinimiden mit Diaminen zugänglich sind:

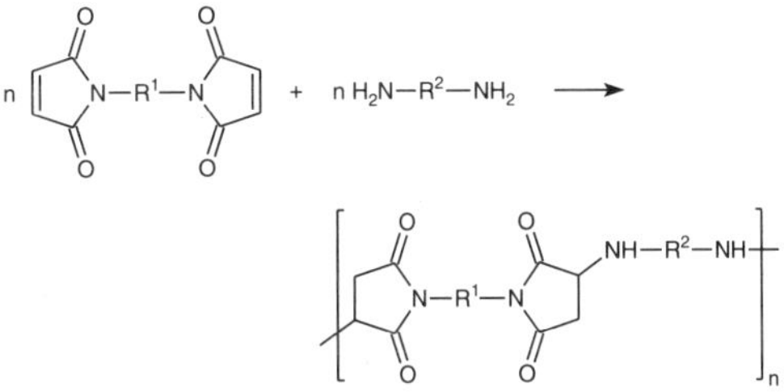

n (Maleinimid)N–R¹–N(Maleinimid) + n $H_2N-R^2-NH_2$ ⟶ $[$–(Succinimid)N–R¹–N(Succinimid)–NH–R²–NH–$]_n$

I

In kommerziellen Produkten wird überwiegend das 4,4′-Diaminodiphenylmethan als Diamin-Komponente mit seinem eigenen Bismaleinimid umgesetzt, d. h.

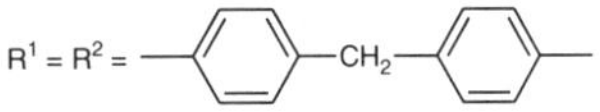

$R^1 = R^2 = -C_6H_4-CH_2-C_6H_4-$

Diese P. ähneln den aromat. *Polyimiden, sind jedoch therm. u. oxidativ nicht so beständig wie diese. Allerdings entstehen beim Aufbau der P. im Gegensatz zu dem der Polyimide keine flüchtigen Verb. (Wasser), was für spezielle Anw. von Vorteil ist. – ***E*** polyaminobismaleimides – ***F*** polyaminobismaléinimides – ***I*** poliamminobismaleinimmidi – ***S*** poliaminobismaleimidas

Polyaminopolycarbonsäuren (Polyaminocarbonsäuren). Bez. für *Polymere, die sowohl Amino- als auch Carboxy-Gruppen enthalten, also als *Polyampholyte zur Gruppe der *Polyelektrolyte gehören. Beisp. für P. sind Poly(α-aminoacrylsäure) (I) od. Poly(vinylamino-co-acrylsäure) (II):

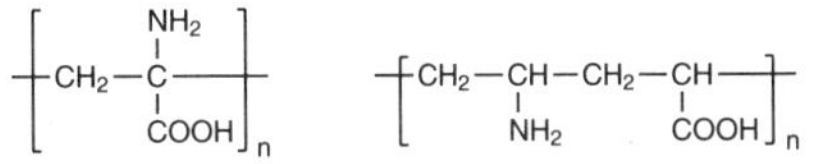

$$\left[-CH_2-C(NH_2)(COOH)-\right]_n \quad \textbf{I} \qquad \left[-CH_2-CH(NH_2)-CH_2-CH(COOH)-\right]_n \quad \textbf{II}$$

I ist durch Hydrolyse von Poly(α-acetamidoacrylsäure), II durch *Hofmannschen Abbau von *Polyacrylnitril herstellbar. – ***E*** polyamino-polycarboxylic acids – ***F*** acides polyaminopolycarboxyliques – ***I*** acidi poliaminopolicarbossilici – ***S*** ácidos poliaminopolicarboxílicos

Lit.: Encycl. Polym. Sci. Eng. **11**, 522 ff. ▪ s. a. Polyelektrolyte – *[CAS 69577-67-9 (I)]*

Polyaminosäuren. Als P. werden im allg. nicht die natürlichen Vertreter dieser Polymerklasse, die *Polypeptide u. *Proteine, sondern die synthet. *Polykondensations-Produkte von überwiegend α-Aminosäuren bezeichnet. Ihre Herst. erfolgt allg. durch *Polymerisation von *N*-Carboxy-Anhydriden [*Leuchs-Anhydriden*; vgl. Peptid-Synthese (1.)]:

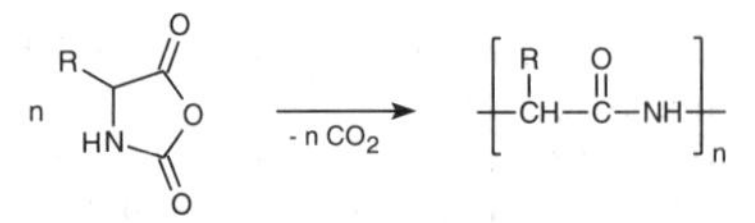

$$\xrightarrow[-\,n\,CO_2]{} \left[-CH(R)-C(=O)-NH- \right]_n$$

*Homopolymere mit hohen Molmassen sind von fast allen Standard-α-Aminosäuren hergestellt worden. Durch *Copolymerisation unterschiedlicher Aminosäuren sind auch statist. od. blockartig aufgebaute P. zugänglich. Eine auch natürlich vorkommende P. ist die *Polyglutaminsäure. – ***E*** polyamino acids – ***F*** polyaminoacides – ***I*** poliamminoacidi – ***S*** poliaminoácidos

Lit.: Elias (5.) **2**, 215 ff.

Poly(aminothionylphosphazen)e s. Poly(thionylphosphazen)e.

Polyaminotriazole (Kurzz. PAT). Bez. für *Polymere der allg. Struktur

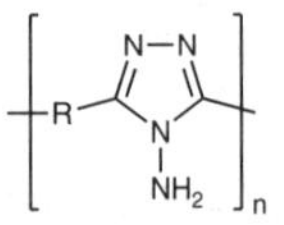

Aus dieser Verb.-Klasse haben bisher nur die Poly(4-amino-4*H*-1,2,4-triazol)e (R = Alkyl od. Aryl) eine gewisse Bedeutung erlangt. Sie werden hergestellt durch *Polykondensation von Dicarbonsäurebishydraziden **1**

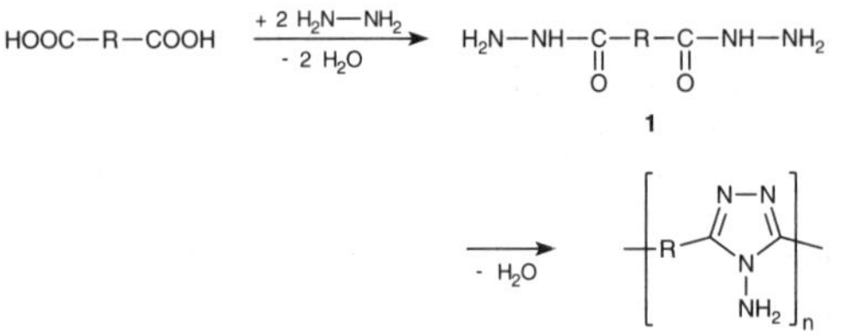

$$HOOC-R-COOH \xrightarrow[-\,2\,H_2O]{+\,2\,H_2N-NH_2} H_2N-NH-C(=O)-R-C(=O)-NH-NH_2 \quad \mathbf{1}$$

$$\xrightarrow[-\,H_2O]{}$$

od. durch Umsetzung von Dinitrilen mit Hydrazin bei höherer Temperatur. Potentielle Einsatzgebiete für P. sind u. a.: Flockungsmittel bzw. Blendkomponenten für *Polyester od. *Polyamide zur Erhöhung der Farbstoffaffinität u. Verbesserung der Anfärbbarkeit. – ***E*** = ***F*** polyaminotriazoles – ***I*** poliamminotriazoli – ***S*** poliaminotriazoles

Lit.: Elias (5.) **2**, 242 ▪ Houben-Weyl **14/2**, 173; **E 20/2**, 1550.

Polyammonium-Verbindungen s. Polyamine.

Polyampholyte. Bez. für zur Gruppe der *Polyelektrolyte gehörende *Polymere mit sowohl anion. als auch kation. Gruppen in einem *Makromolekül. – ***E*** = ***F*** polyampholytes – ***I*** poliamfoliti – ***S*** polianfolitos

Lit.: s. Polyelektrolyte.

Polyanhydride. Bez. für *Polymere mit Gruppierungen des Typs

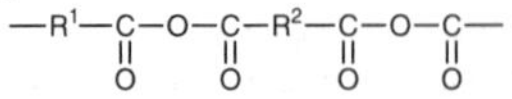

$$-R^1-C(=O)-O-C(=O)-R^2-C(=O)-O-C(=O)-$$

als charakterist. Grundeinheiten der Hauptkette. R^1 u. R^2 können gleiche od. verschiedene aliphat. od. aromat. Reste sein, die u. a. auch Sulfid-, Sulfon- od. Amid-Gruppen enthalten od. auch Heterocyclen sein können. P. sind herstellbar u. a. durch Umsetzung von Dicarbonsäuren mit Acetanhydrid zu einem Essigsäure/Dicarbonsäureanhydrid, das als *Prepolymer therm. unter Acetanhydrid-Abspaltung polykondensiert wird. Andere Synth. gehen von Dicarbonsäuren u. Dicarbonsäuredichloriden aus, deren Polykondensation unter HCl-Abspaltung verläuft. P. sind bei hohem Gehalt an aromat. Resten teilkrist. *Thermoplaste mit hoher Thermostabilität. P. sind nicht hydrolysestabil. Auf dieser Eigenschaft basiert das bes. Interesse an diesen Produkten als biolog. abbaubare Polymere, die als Träger für Depot-Arzneimittel, chirurg. Nahtmaterial, bioabsorbierbare Prothesenmaterialien od. verrottbare Verpackungsstoffe eingesetzt werden können. – ***E*** = ***F*** polyanhydrides – ***I*** polianidridi – ***S*** polianhídridos

Lit.: Encycl. Polym. Sci. Eng. **5**, 648–665 ▪ Houben-Weyl **E 20/2**, 1400–1404.

Polyanhydrid-Harz. Bez. für ein alternierendes *Copolymer der Struktur

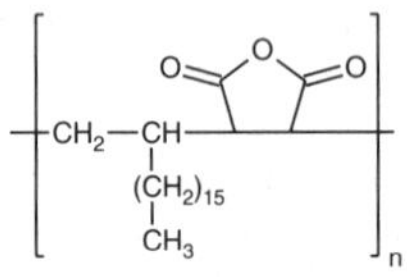

das aus 1-Octadecen u. Maleinsäureanhydrid durch *radikalische Polymerisation hergestellt wird. P.-H. wurde für Anw. als Trennmittel, Verdicker, Klebstoff od. Härter vorgeschlagen. – ***E*** polyanhydride resin – ***I*** resina polianidridica – ***S*** resina polianhídrica

Polyaniline. Anilin läßt sich durch *elektrochemische Polymerisation od. durch *oxidative Polymerisation leicht in P. **1** überführen. Die resultierenden *Polymere haben, abhängig davon, ob sie in oxidierter, protonierter od. nichtprotonierter Form vorliegen, unterschiedliche Strukturen, die in ihrer idealisierten Form durch **2** bzw. **3** wiedergegeben sind:

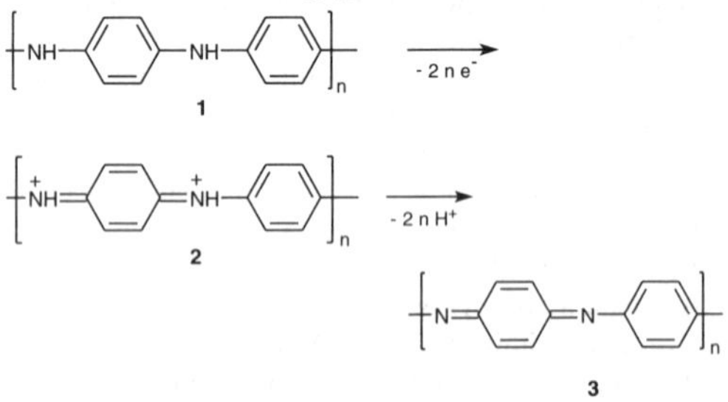

$$\mathbf{1} \xrightarrow[-\,2\,n\,e^-]{} \mathbf{2} \xrightarrow[-\,2\,n\,H^+]{} \mathbf{3}$$

Die Eigenschaften der P. sind stark abhängig von den Polymerisationsbedingungen. Eine bes. Eigenschaft von P. ist, daß sie durch *Dotierung leicht in *elektrisch leitfähige Polymere umgewandelt werden können, was häufig bereits bei der Synth. erfolgt. So führt z. B. die Umsetzung von Anilin mit Ammoniumpersulfat in wäss. HCl zu einem dunkelbraunen, pulverigen P., das eine Leitfähigkeit von bis zu 5 S/cm zeigt. Diese leitfähige Form des P. hat wahrscheinlich die Struktur eines Diimin-Salzes:

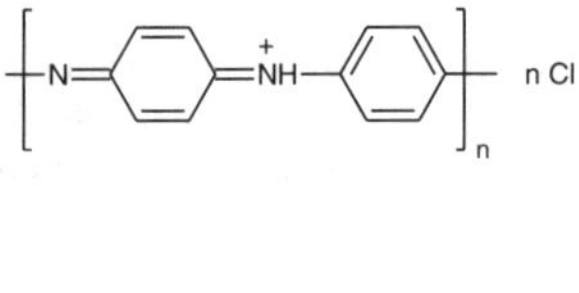

$$\left[-N=C_6H_4=\overset{+}{N}H-C_6H_4- \right]_n \; n\,Cl^-$$

Durch Red. mit z.B. methanol. Alkali-Lsg. wird das neutrale P. erhalten, das mit einer Leitfähigkeit von ca. 10^{-11} S/cm ein Isolator ist. – ***E*** = ***F*** polyanilines – ***I*** polianiline – ***S*** polianilinas

Lit.: Cowie, S. 456 ff. ▪ Mai u. Roth, Elektrisch leitende Kunststoffe, 2. Aufl., S. 317–320, 377 ff., München-Wien: Hanser 1989.

Polyanionen s. Polyelektrolyte.

Polyaramide. Sammelbez. für faserbildende aromat. *Polyamide, in deren *Makromolekülen nach Definition der amerikan. *Federal Trade Commission* mind. 85% der Amid-Gruppen direkt an aromat. Ringe gebunden sind. Nach ISO können in P. dagegen bis zu 50% der Amid-Gruppen durch Imid-Reste ersetzt sein. Die Synth. der P. gelingt aufgrund der geringen Reaktivität aromat. Amine nicht wie bei den aliphat. Aminen unter Verw. der freien Carbonsäuren als Comonomer. P. werden daher meist durch Umsetzung der Diamindihydrochloride mit Dicarbonsäuredichloriden in *Schotten-Baumann-Reaktionen erhalten. Dabei sind hochpolare Lsm., gegebenenfalls unter Zusatz von Lithium- od. Calciumchlorid, zu verwenden, um das vorzeitige Ausfallen noch wachsender Polymerketten zu verhindern. Durch diese Reaktionsführung ist die P.-Synth. sehr teuer. Zahlreiche Untersuchungen befassen sich daher mit dem Ziel, P. auch unter Einsatz der freien Dicarbonsäuren herzustellen. Erste Erfolge konnten hier mit Hilfe von Phosphor-Verb. erzielt werden, deren Wirkmechanismus jedoch noch unklar ist. Die aus den Synth. erhaltenen P.-Lsg. werden meist direkt in den Spinnprozeß eingesetzt. In den Lsg. bildet z.B. das Poly(*p*-phenylenterephthalamid) (PPTA) **1** aufgrund seiner Stäbchengestalt lyotrop-flüssigkrist. Phasen (s. flüssige Kristalle). Diese Vororientierung der Makromol. bereits in Lsg. erlaubt es auch, Fasern mit sehr hohen Elastizitätsmoduln u. großen longitudinalen Zugfestigkeiten zu erspinnen. Dagegen bildet das Poly(*m*-phenylenisophthalamid) (PMIA) **2** mit seiner geknäulten Kettenstruktur keine flüssigkrist. Mesophasen aus u. ergibt somit auch keine so hochzugfesten Fasern. Es läßt sich aber zu Temp.-beständigen Filmen u. Fasern verarbeiten. Sehr transparente Polymere erhält man weiterhin, wenn in den P. ein Teil der aromat. Amine durch cycloaliphat. ersetzt ist, z.B. durch den 3,3′-Dimethyl-4,4′-diaminodicyclohexylether **3**.

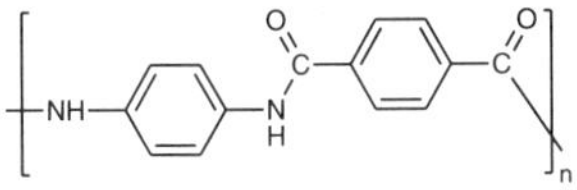

1

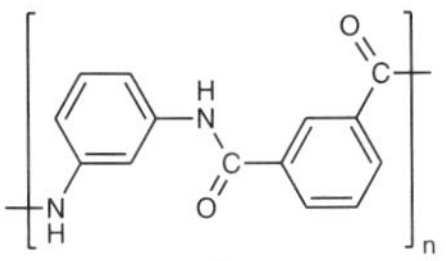

2 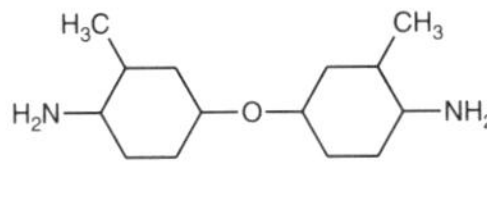 3

Eine völlig aromat. Struktur der P. gewährleistet hingegen sehr hohe Schmelztemp. (>500 °C) u. außergewöhnliche Temp., Flamm- u. Wärmeformbeständigkeiten. Solche P. sind weiterhin Lsm.-, Chemikalien- u. Oxid.-stabil. Aufgrund der aufwendigen Synth. u. Verarbeitung sind Produkte aus P. jedoch teuer. Ihr Einsatz ist daher auf solche Anw. beschränkt, die die hohen Kosten rechtfertigen, so z.B. für Schutzanzüge, Isolatoren, Transformatoren u. in der Luft- u. Raumfahrt. – ***E*** polyaramides, aramides – ***I*** poliaramidi – ***S*** poliaramidas

Lit.: Elias (5.) **2**, 210, 213 ▪ Odian (3.), S. 104 ▪ s. a. Aramide.

Polyarmethylene. Bez. für *Polymere, die durch *Polykondensation von Aralkylethern od. Aralkylhalogeniden mit Phenolen od. anderen aromat., heterocycl. bzw. Metall-organ. Verb. in Ggw. von Friedel-Crafts-Katalysatoren (s. Friedel-Crafts-Reaktion) entstehen.

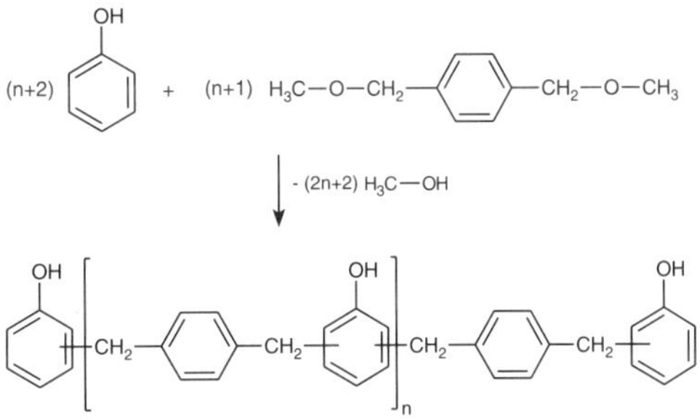

(n+2) OH + (n+1) $H_3C-O-CH_2-C_6H_4-CH_2-O-CH_3$ — $-(2n+2)\ H_3C-OH$ →

Sie weisen eine den *Phenol-Harzen ähnliche Struktur auf u. können als *Prepolymere mit z.B. *Polyepoxiden vernetzt werden. – ***E*** polyarmethylenes – ***F*** polyarméthylènes – ***I*** poliarmetileni – ***S*** poliarmetilenos

Polyarthritis s. Rheumatoide Arthritis.

Polyarylamide. Bez. für *Polyamide, die zwar aromat. Bausteine in ihrer Hauptkette enthalten, deren Amid-Stickstoff-Atome jedoch als ($-CO-NH-CH_2-$)-Gruppen an *aliphat.* Kohlenstoff-Atomen gebunden sind. Aufgrund der höheren Reaktivität der hier zur Polymer-Synth. einzusetzenden aliphat. Diamine $H_2N-CH_2-R-CH_2-NH_2$ können die P. im Gegensatz zu den *Polyaramiden direkt durch *Polykondensation von Diaminen u. freien Dicarbonsäuren erzeugt werden. Zu den wichtigsten P. zählt das als „Polyarylamid PA MXD6" bezeichnete Poly(*m*-xylylenadipamid) **1**, das aus *m*-Xylylendiamin u. Adipinsäure hergestellt wird, weiterhin das statist. *Copolymere **2** aus glei

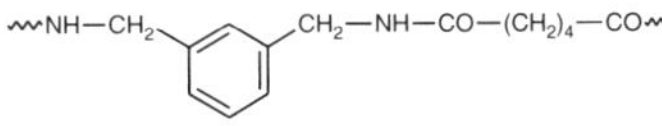

1

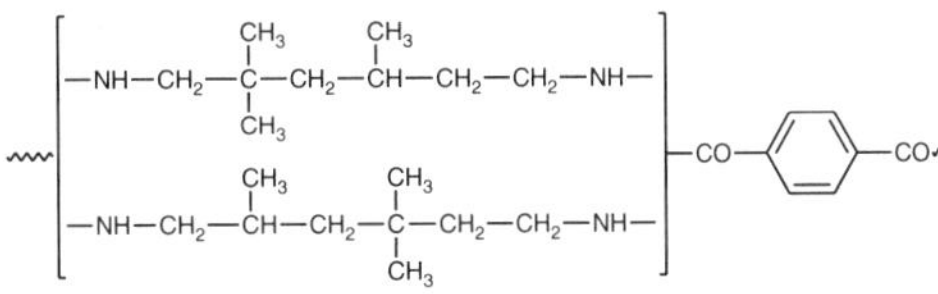

2

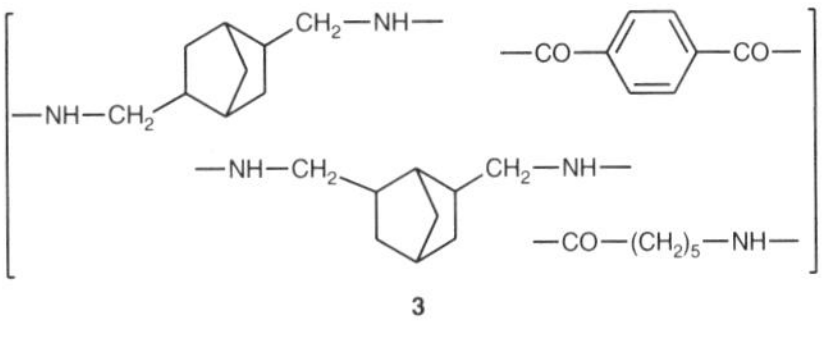

3

chen Anteilen 2,2,4- u. 2,4,4-Trimethyl-1,6-hexamethylendiamin u. Terephthalsäure sowie das Terpolymere **3** (s. S. 3419) aus Bis(aminomethyl)norbornan, Terephthalsäure u. ε-Caprolactam. – ***E*** = ***F*** polyarylamides – ***I*** poliarilammidi – ***S*** poliarilamidas

Lit.: Elias (5.) **2**, 212.

Polyarylate. Bez. für *Polyester auf der Basis von Diphenolen (z. B. Bisphenol A) u. aromat. Dicarbonsäuren (z. B. Tere-, Isophthalsäure). Ihre techn. Synth. erfolgt meist durch *Grenzflächenpolykondensation der entsprechenden Säuredichloride mit den Natriumphenolaten, z. B.:

$$n\,Cl{-}CO{-}C_6H_4{-}CO{-}Cl + n\,HO{-}C_6H_4{-}C(CH_3)_2{-}C_6H_4{-}OH \xrightarrow[-\,2n\,NaCl,\ -\,2n\,H_2O]{+\,2n\,NaOH} \left[{-}CO{-}C_6H_4{-}CO{-}O{-}C_6H_4{-}C(CH_3)_2{-}C_6H_4{-}O{-}\right]_n$$

P. sind darüber hinaus auch durch Polykondensation von 4-Hydroxybenzoesäure(-Derivaten) zugänglich, z. B.:

$$n\,HO{-}C_6H_4{-}COOR \xrightarrow[-\,n\,ROH]{\Delta} \left[{-}C_6H_4{-}CO{-}O{-}\right]_n$$

P. sind thermoplast. *Polymere mit hoher Festigkeit, Steifheit u. Härte, besitzen gute Wärmeformbeständigkeit (bis 175 °C), gute (di)elektr. Eigenschaften, hohe Witterungs- u. UV-Beständigkeit u. hohe Flammwidrigkeit.

Verw.-Möglichkeiten: Anstelle von *Polycarbonaten in Einsatzgebieten, für die deren Wärmeformbeständigkeit nicht ausreicht u. bei denen der höhere Preis der P. toleriert wird. – ***E*** = ***F*** polyarylates – ***I*** poliarilati – ***S*** poliarilatos

Lit.: Compr. Polym. Sci. **5**, 317–327 ▪ Domininghaus (5.), S. 798 ff. ▪ Encycl. Polym. Sci. Eng. **1**, 262–279.

Polyarylene. Übergreifende Bez. für *Polymere, deren Hauptketten ausschließlich aus direkt miteinander verknüpften aromat. Ringen aufgebaut sind. Typ. Beisp. sind das Poly(*p*-phenylen) (I), das Poly(*m*-phenylen) (II) u. das Poly(1,4-naphthylen) (III):

$$\left[{-}C_6H_4{-}\right]_n \qquad \left[{-}C_6H_4{-}\right]_n \qquad \left[{-}C_{10}H_6{-}\right]_n$$

I II III

– ***E*** polyarylenes – ***F*** polyarylènes – ***I*** poliarileni – ***S*** poliarilenos

Lit.: s. einzelne Polyarylene.

Polyarylensulfide s. Polyphenylensulfide.

Poly(arylen-vinylen)e s. Polyxylylidene.

Polyarylester. Bez. für *Polyester, die Aryl-Gruppen als charakterist. Bestandteile ihrer Polymerhauptketten enthalten. Zu den P. gehören z. B. die Produkte auf Basis von Terephthalsäure u. aliphat. (s. Polyalkylenterephthalate) od. aromat. (s. Polyarylate) Dihydroxy-Verbindungen. – ***E*** polyarylesters – ***F*** esters polyaryliques – ***I*** esteri poliarilici – ***S*** ésteres poliarílicos

Lit.: s. Polyester.

Polyarylether [Polyphenylenether (Kurzz. PPE), Polyoxyphenylene (Kurzz. PAE)]. Bez. für hochtemp.-beständige *Polyether der allg. Struktur I

$$\left[{-}C_6H_2R_2{-}O{-}\right]_n$$

I

in der R = H, Alkyl od. Aryl sein kann. Der für diese Verb.-Klasse häufig gebrauchte Name *Polyphenylenoxide* (Kurzz. PPO) ist irreführend.

Techn. hergestellt werden (a) *Polyxylenol* II (I: R = CH_3) – systemat. Name: *Poly(oxy-2,6-dimethyl-p-phenylen)* – durch *oxidative Polymerisation von 2,6-Dimethylphenol in Ggw. von Kupfer/Amin-Komplexen (zum Mechanismus s. oxidative Polymerisation)

$$n\,HO{-}C_6H_3(CH_3)_2 \xrightarrow[-\,n\,H_2O]{+\,n/2\,O_2} \left[{-}O{-}C_6H_2(CH_3)_2{-}\right]_n$$

II

u. (b) *Poly(oxy-2,6-diphenyl-p-phenylen)* (I: R = C_6H_5) durch oxidative Kupplung von *m*-Terphenyl-2′-ol. Techn. P. haben Molmassen im Bereich von 25 000 – 30 000 g/mol.

Eigenschaften: P. zeichnen sich durch niedrige D., hohe Härte, Wärmeform-, Hydrolyse- u. Chemikalien-Beständigkeit sowie flammwidriges Verhalten aus. Bei Temp. >100 °C werden sie an der Luft relativ leicht abgebaut. Diese Oxid.-Empfindlichkeit ist bes. stark ausgeprägt bei *Poly(oxy-p-phenylen)* (I: R = H), das als erstes P. vermarktet wurde, heute aber nur noch geringe Bedeutung hat. Verbesserte Oxid.-Stabilität besitzen modifizierte P., z. B. P./Polystyrol-Blends od. Poly(oxy-*p*-phenylen)/Polystyrol-Pfropfcopolymere.

Verw.: U. a. zur Herst. von Zubehörteilen für Rundfunk- u. Fernsehgeräte, Schaltergehäusen, Formteilen für Wasch- u. Geschirrspülmaschinen, Bauteilen für Büromaschinen, Kameras u. Projektoren, sowie metallisierten Formteilen für den Kraftfahrzeug-Sektor. Poly(oxy-2,6-diphenyl-*p*-phenylen) (*Glasübergangstemperatur 235 °C, Schmelztemp. 480 °C) kann aus Lsg. zu Fäden versponnen werden, die nach Verstrecken bei hoher Temp. hohe Kristallinitätsgrade haben u. zu Papieren für die Kabelisolation bei sehr hohen Spannungen verarbeitet werden können. Poly(oxy-2,6-dibrom-*p*-phenylen) (I : R = Br) wird als Flammschutzmittel für andere Kunststoffe eingesetzt. – ***E*** poly(phenylene ether)s – ***F*** éthers polyaryliques – ***I*** eteri poliarilici – ***S*** ésteres poliarílicos

Lit.: Domininghaus (5.), S. 831 ff. ▪ Encycl. Polym. Sci. Eng. **11**, 1–30 ▪ Houben-Weyl **E 20/2**, 1380–1388. – *[CAS 24938-67-8 (a); 25667-40-7 (b)]*

Polyaryletherketone s. Polyetherketone.

Polyarylethersulfone, Polyarylsulfone s. Polysulfone.

Poly(A)-Schwanz (Polyadenylat-Schwanz). Die meisten eukaryont. *mRNA-Spezies enthalten einen P.-S. an ihrem 3′-Ende. Dieser P.-S. wird nicht von der DNA codiert, sondern bei der *Transkription durch die

Poly(A)-Polymerase an das Primärtranskript angefügt (s. Ribonucleinsäuren). Daß die meisten eukaryont. mRNA-Spezies einen P.-S. tragen, wird ausgenutzt, um sie durch Affinitätsreinigung mit Poly(T)- od. Poly(U)-beladenen Trägersubstanzen von anderer, hauptsächlich *rRNA, abzutrennen. – ***E*** poly(A) tail – ***F*** queue de poly(A) – ***I*** coda poli A – ***S*** cola de poli(A)

Lit.: J. Cell Sci. Suppl. **19**, 13–19 (1995) ▪ Stryer 1996, S. 885, 897 f.

Polyasparaginsäuren.

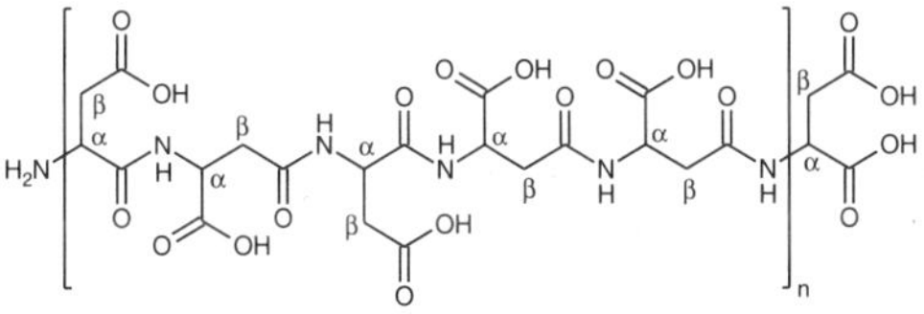

*Polypeptid aus *Asparaginsäure. P.-Sequenzen finden sich natürlicherweise in Muschel- od. Schneckenschalen, wo sie das Schalenwachstum regulieren. Das techn. Produkt wird aus *Maleinsäureanhydrid durch Ammonolyse u. Polymerisation mit nachfolgender bas. Hydrolyse hergestellt (*Bayer) u. enthält sowohl α- als auch β-Bindungen (Beisp. s. Formel). Techn. hergestellte 40%ige P.-Natriumsalz-Lsg. mit einer mittleren M_R von 1500–3000 ist orange bis dunkelbraun, nahezu geruchlos, D. 1,2, pH ca. 10, Viskosität 30–60 mPa · s bei 20 °C. P. sind hervorragende Dispergiermittel für Feststoffe u. bes. wirksame Stabilisatoren für Härtebildner im Wasser (s. Härte des Wassers). Als exzellentes Sequestriermittel (s. Maskierung) eignen sie sich zur Entfernung u. Verhinderung von Verkrustungen. Sie werden bereits in ökolog. hochwertigen *Waschmitteln (z. B. als sog. Co-*Builder in Kombination mit *Zeolithen), in der chem. Ind., bei der Leder-, Papier-, Textil- u. Metallverarbeitung eingesetzt. In vielen Anw. können die ökolog. hochwertigen P. *Polycarboxylate wie *Polyacrylate u. ähnliche komplexbildende *Polymere ersetzen.

Ökotoxikologie: P. sind biolog. gut abbaubar (SCAS-Test u. OECD-Screening Test), haben eine sehr geringe Toxizität [LD_{50} (Ratte oral) >2000 mg/kg], sind weitgehend unschädlich für Wasserorganismen [G_D (Daphnientoxizität) >100 mg/L] u. müssen nicht nach *Gefahrstoffverordnung eingestuft werden. – ***E*** polyaspartic acids – ***F*** polyacides asparagiques – ***I*** acidi poliaspartici – ***S*** ácidos poliaspárticos

Lit.: Europäisches Patent EP-B-0256366, Bayer AG ▪ Nachr. Chem. Tech. Lab. **44**, 1167–1170 (1996). – INTERNET: http://www.bayer.com

Polyazadioxide. Bez. für *Polymere, die Azadioxid-Strukturen als Bestandteil ihrer Hauptketten aufweisen. Sie entstehen z. B. durch oxidative *Polymerisation von Dihydroxylaminen in Ggw. von Brom.

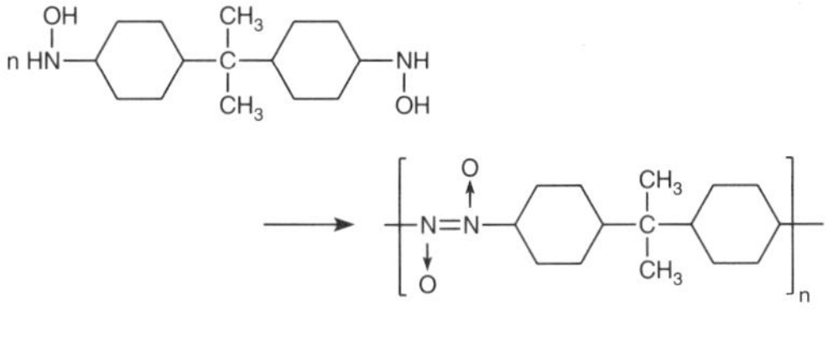

– ***E*** = ***F*** polyazadioxides – ***I*** poli(azadiossidi) – ***S*** poliazadioxidos

Polyazaethenylene. Durch Erhitzen von Polyisocyaniden **2**, die durch Polymerisation von Isocyaniden **1** unter der Katalyse von Nickel(II)-Verb., H_2SO_4/O_2 od. BF_3 zugänglich sind, erhält man in Ggw. von Protonen die P. **3**. Alternativ sind P. auch direkt durch kation. Polymerisation von Nitrilen **4** wie z. B. Benzonitril ($R=C_6H_5$) od. Acetonitril ($R=CH_3$) zugänglich.

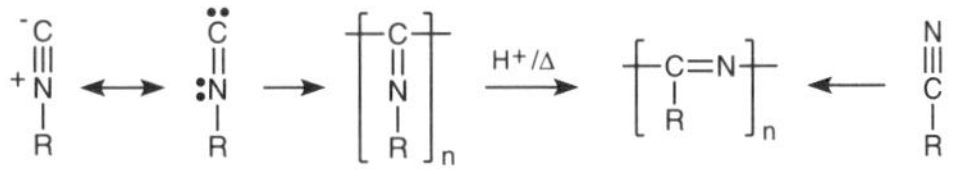

1 2 3 4

Dinitrile wie das Fumardinitril od. das Maleindinitril sind über die Nitril-Gruppen leicht anion. polymerisierbar. Vermutlich aufgrund der mit steigendem Polymerisationsgrad zunehmenden Resonanzstabilisierung der wachstumsfähigen Kettenenden werden hier jedoch nur oligomere Produkte mit Molmassen von unter 1000 g/mol erhalten. Die anion. Polymerisation von Cyanwasserstoff führt schließlich nicht zu linearen Polymeren $-[CH=N]_n-$, sondern zur Azulminsäure. Das lineare Polymere ist daher nur durch ringöffnende Polymerisation von *s*-Triazin zugänglich. Die Hydrierung der P. ergibt Polyimine der allg. Struktur $-[-NH-CHR-]_n-$. – ***E*** = ***F*** polyazaethylenes – ***I*** poliazaetenileni – ***S*** poliazaetenilenos

Lit.: Elias (5.) **2**, 207.

Polyazine. 1. Bez. für *Polymere der allg. Struktur:

$$-[CH=N-N=CH-R]_n-$$

Diese P. sind zugänglich durch Umsetzung von (aromat.) Dialdehyden od. Diketonen mit Hydrazin. P. mit $R = C_6H_4$ können therm. unter N_2-Abspaltung in *Polystilbene* umgewandelt werden.

2. Bez. für Polymere mit sechsgliedrigen heteroaromat. Ringen in der Hauptkette, wobei diese Ringe mind. ein tert. gebundenes Stickstoff-Atom enthalten müssen. Von der großen Zahl möglicher Verb. haben in der Technik nur P. mit Chinoxalin- (I), Chinazolindion- (II), Triazin- (III), Melamin- (IV) u. Isocyanurat-Gruppierungen (V) Eingang gefunden.

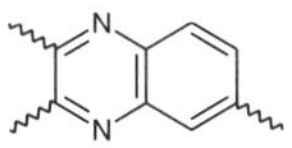

I 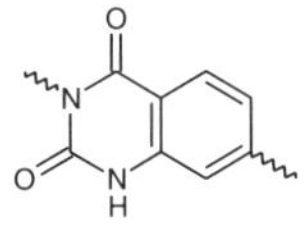 II 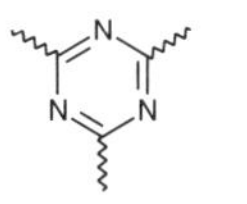 III 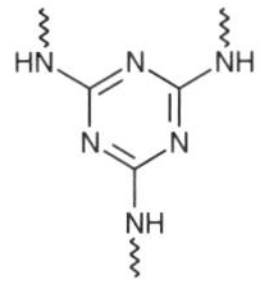 IV 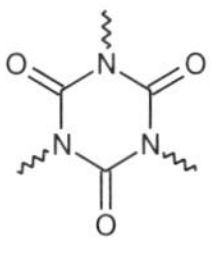 V

– ***E*** = ***F*** polyazines – ***I*** poliazine – ***S*** poliazinas

Polyaziridine. Bez. für durch *Polymerisation von *Aziridinen zugängliche *Polymere der allg. Struktur:

$$-[CH_2-CH_2-N(R)]_n-$$

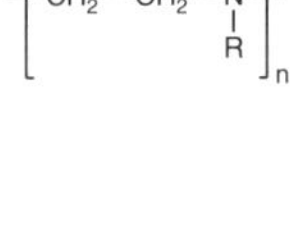

Von den P. haben nur die *Polyethylenimine (R=H) techn. Bedeutung erlangt; zu Eigenschaften, Verw. u. Lit. der P. s. Polyethylenimine. – ***E***=***F*** polyaziridines – ***I*** poliaziridine – ***S*** poliaziridinas

Polyazobenzole (Polyazophenylene). Bez. für *Polymere mit der Gruppierung II als charakterist. Strukturelement der Hauptkette. Sie können z. B. durch oxidative Kupplung von aromat. Diaminen wie *p*-Phenylendiamin (I) hergestellt werden:

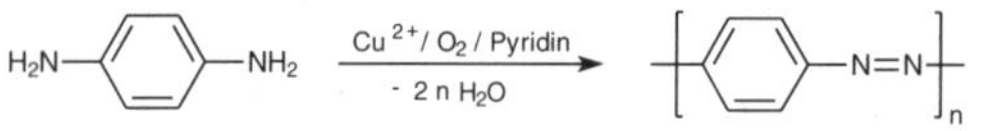

P. sind therm. relativ beständig (Zers. bei Temp. >350 °C) u. besitzen z. T. flüssigkrist. Eigenschaften. Sie können zu Fasern verarbeitet werden. P. mit hochkonjugierten Doppelbindungen haben Leiter- od. Halbleiter-Eigenschaften. – ***E*** polyazobenzenes – ***F*** polyazobenzènes – ***I*** poliazobenzeni – ***S*** poliazobencenos

Lit.: Encycl. Polym. Sci. Eng. **2**, 166–170.

Polyazole. Sammelbez. für *Polymere mit fünfgliedrigen heterocycl. Ringen in der Hauptkette, die mind. ein tert. Stickstoff-Atom aufweisen. Industriell hergestellte P. enthalten vorwiegend Benzimidazol- (1), Benzoxazol- (2), Benzthiazol- (3), Hydantoin- (4), Parabansäure- (5), Oxadiazol- (6), Triazol- (7) u. Urazol-Reste (8).

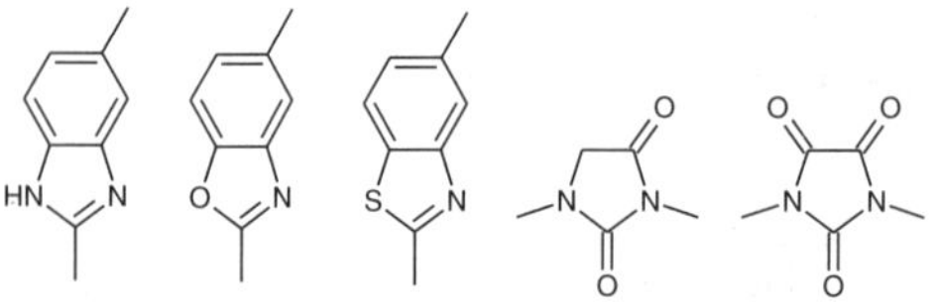

– ***E*** polyazols – ***F*** polyazoles – ***I*** poliazoli – ***S*** poliazoles

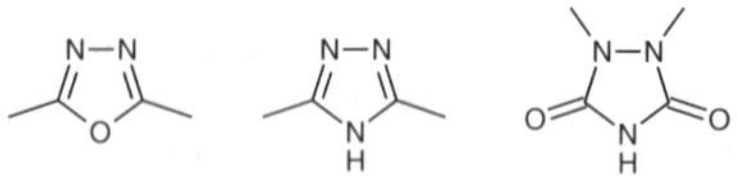

Lit.: Elias (5.) **2**, 236.

Polyazomethine (Schiffsche-Base-Polymere). Sammelbez. für *Polymere mit Azomethin-Einheiten (–CR=N–) als Bestandteil der Polymer-Hauptkette, z. B.:

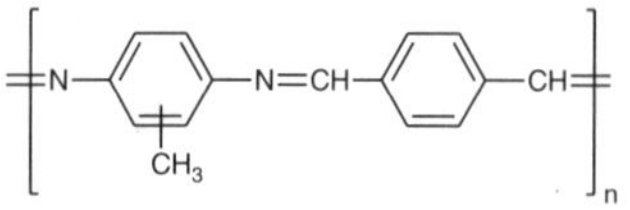

P. sind zugänglich durch *Polykondensation von aromat. Diaminen mit Dialdehyden, das P. I z. B. von Methyl-*p*-phenylendiamin u. Terephthaldialdehyd. P. bilden mit konz. Säuren (Schwefelsäure, Methansulfonsäure) lyotrope Lsg., aus denen sie zu hochfesten, allerdings Hydrolyse-anfälligen Fasern versponnen werden können. P. gehören zur Klasse der *flüssigkristallinen Polymere. – ***E*** polyazomethines – ***F*** polyazométhines – ***I*** poliazometine – ***S*** poliazometinos

Lit.: Compr. Polym. Sci. **2**, 493 ▪ Encycl. Polym. Sci. Eng. **9**, 19 ▪ s. a. flüssigkristalline Polymere.

Polyazophenylene s. Polyazobenzole.

Polybasen s. Polyelektrolyte.

Polybasit. $(Ag,Cu)_{16}Sb_2S_{11}$; eisenschwarzes, oft mit *Bleiglanz verwachsenes monoklin-pseudohexagonales (Kristallklasse 2/m-C_{2h}) Erzmineral; bildet *Mischkristalle mit *Pearceit* $(Ag,Cu)_{16}As_2S_{11}$ (*Lit.*[1]). Sechsseitige tafelige Krist. mit charakterist. Dreiecks-Streifung u. große derbe Massen; H. 1,5–2, D. 6,1–6,3, Strich schwarz bis tiefrot.

Vork.: Auf Silbererz-Gängen, z. B. Freiberg/Sachsen, Přibram/Böhmen, Colorado u. Nevada/USA u. Mexiko. P. besitzt wirtschaftliche Bedeutung als ein Silber-Träger in Bleiglanz. – ***E***=***F*** polybasite – ***I*** polibasite – ***S*** polibasita

Lit.: [1] Geochim. Cosmochim. Acta **58**, 4363–4375 (1994).
allg.: Am. Mineral. **52**, 1311–1321 (1967) ▪ Anthony et al., Handbook of Mineralogy, Vol. I, S. 417, Tucson (Arizona): Mineral Data Publishing 1990 ▪ Ramdohr, Die Erzmineralien u. ihre Verwachsungen, S. 783–786, Berlin: Akademie Verl. 1975 ▪ Schröcke-Weiner, S. 293. – *[HS 2616 10; CAS 1302-13-2]*

Polybenzamide [Poly(*p*-benzamid)e, Kurzz. PPA]. Bez. für *Polyamide der Struktur:

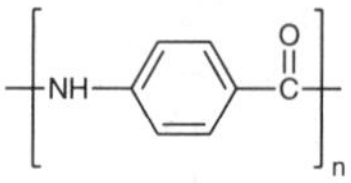

P. werden hergestellt durch *Polykondensation von 4-Aminobenzoesäure bzw. des entsprechenden Säurechlorides. P. sind hochfeste u. hochtemperaturbeständige *Polymere mit Bedeutung als Ausgangsprodukt für die Herst. von Aramid-Fasern. – ***E*** poly(*p*-benzamide)s – ***F*** polybenzamides – ***I*** polibenzammidi – ***S*** polibenzamidas

Lit.: Encycl. Polym. Sci. Eng. **2**, 707 ▪ Houben-Weyl **E 20/2**, 1533.

Polybenzimid (Kurzz. PBI). Bez. für ein aromat. *Polyimid der Struktur **4**, das durch *Polykondensation von Pyromellithsäuredianhydrid **1** u. 4,4′-Diaminodi-

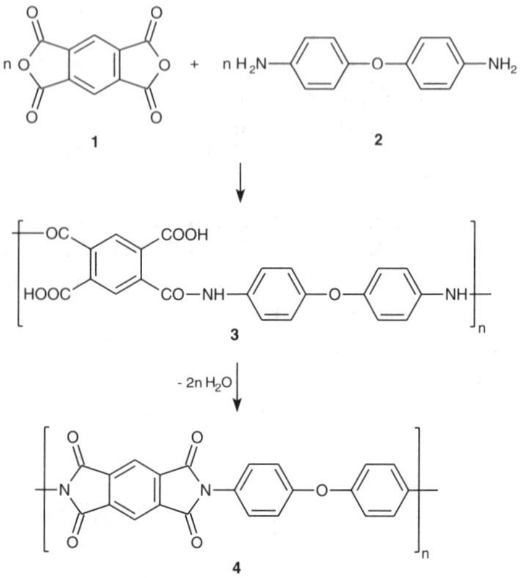

phenylether **2** hergestellt wird. Die erste Stufe der P.-Synth. wird bei tiefen Temp. ausgeführt, wobei sich durch *Polyaddition die *Polyamidcarbonsäure **3** bildet. Diese ist im Gegensatz zum P. **4** noch lösl. u. kann daher formgebend verarbeitet werden. Anschließend wird **3** bei 300 °C unter Wasser-Abspaltung zum P. **4** cyclisiert.
P. ist bis ca. 350 °C stabil u. zeigt gute mechan. Eigenschaften. Da P. aber schwierig herzustellen u. zu verarbeiten ist, hat es einen hohen Preis u. konnte bisher nur für spezielle Anw. Bedeutung erlangen (s. Polyimide). – ***E*** = ***F*** polybenzimides – ***I*** polibenzimmidi – ***S*** polibenzimidas
Lit.: s. Polyimide.

Polybenzimidazole (Kurzz. PBI). Bez. für *Polymere mit Benzimidazol-Einheiten

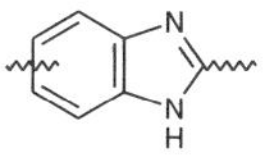

als charakterist. Grundeinheit der Hauptkette. P. werden durch *Polykondensation von Dicarbonsäuren od. ihren Derivaten mit aromat. Tetraminen hergestellt, techn. bevorzugt durch Umsetzung von 3,3′,4,4′-Tetraaminobiphenyl (I) mit Diphenylisophthalat (II) zum Poly[2,2′-(*m*-phenylen)-5,5′-bibenzimidazol] (III):

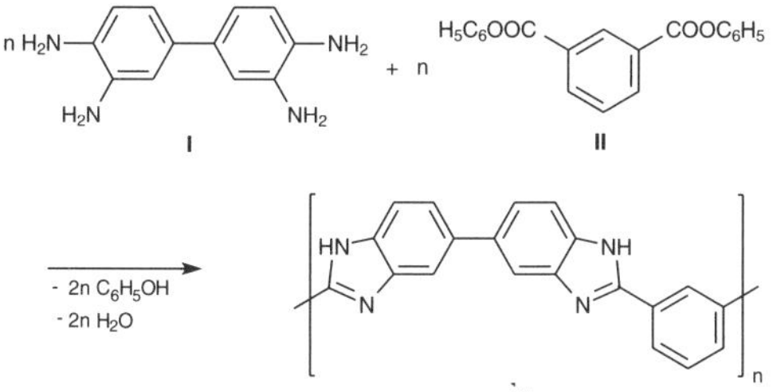

Die Polykondensation wird in Lsg. od. in der Schmelze durchgeführt. P. sind in stark polaren organ. Lsm. (Dimethylformamid, Dimethylacetamid, Dimethylsulfoxid) u. in starken Säuren (Schwefel-, Ameisensäure) löslich. Die gelb bis braun gefärbten P. besitzen bei Sauerstoff-Ausschluß eine sehr hohe Thermostabilität (bis ca. 650 °C) u. sind bis zu einer Temp. von ca. –190 °C noch elast. u. sehr widerstandsfähig gegen aggressive Medien.
Verw.: Hauptsächlich als Fasern für Schutzkleidungen u. Brandschutztextilien (im Gemisch mit anderen Hochleistungsfasern). Potentielle Einsatzgebiete – limitierend ist der hohe Preis – sind u. a. Asbest-Ersatz, Herst. von dünnen Hitzeschutzschilden, hochtemperaturbeständige Metallklebstoffe sowie Hohlfäden u. Membranen für die Aufbereitung von See- u. Brackwasser. – ***E*** = ***F*** polybenzimidazoles – ***I*** polibenzimidazoli – ***S*** polibencimidazoles
Lit.: Domininghaus, S. 960 ▪ Elias (5.) **1**, 261; **2**, 236, 541 ▪ Encycl. Polym. Sci. Eng. **11**, 572–601.

Polybenzimidazolone. Bez. für *Polymere mit Benzimidazolon-Einheiten

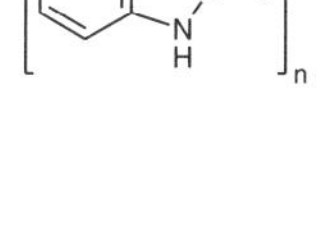

als charakterist. Grundeinheit der Hauptkette. P. dienen z. B. als Membran-Komponenten bei der *umgekehrten Osmose. – ***E*** = ***F*** polybenzimidazolones – ***I*** polibenzimidazoloni – ***S*** polibenzimidazolonas

Polybenzole s. Polyphenylene.

Poly(1,3,5-benzoltriamin)e. Bez. für vernetzte *Polymere der allg. Struktur:

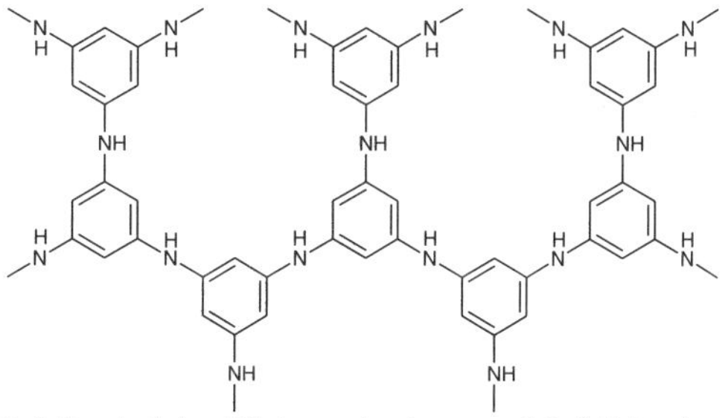

P. fallen bei der *Polymerisation von 1,3,5-Triaminobenzol (*s*-Triaminobenzol) in Ggw. von Iod an. Sie besitzen ferromagnet. Eigenschaften u. werden zu den *magnetischen Polymeren gerechnet. – ***E*** poly(*s*-triaminobenzenes) – ***F*** poly(s-triaminobenzènes) – ***I*** poli(s-triaminobenzeni) – ***S*** poli(s-triaminobencenos)
Lit.: Encycl. Polym. Sci. Eng., Suppl.-Vol., 446–455 ▪ Synth. Metals **20**, 709 ff. (1987).

Polybenzopyrazine s. Poly(chinoxalin)e.

Polybenz(o)thiazole (Kurzz. PBT). Bez. für *Polymere mit Benz(o)thiazol-Einheiten

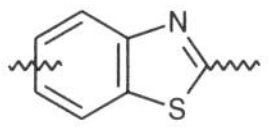

als charakterist. Kettenbausteinen. Poly(1,3-benzothiazol)e (III) sind zugänglich durch Umsetzung von 4,4′-Diaminobiphenyl-3,3′-dithiol (I) mit aromat. Dicarbonsäure(-Derivate)n (II, X z. B. COOH, COOR):

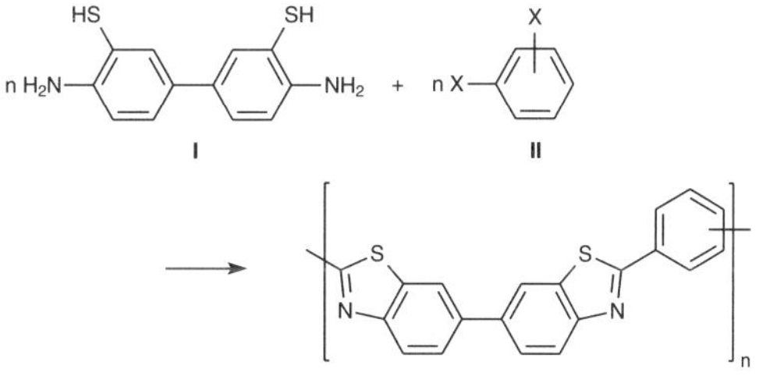

Einige vollaromat. P. wie z. B. das Polyphenylenbenzthiazol (IV):

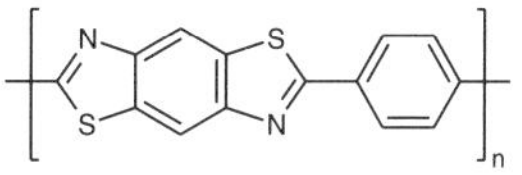

sind kettensteife, *flüssigkristalline Polymere mit außergewöhnlich hoher therm. u. thermo-oxidativer Beständigkeit, für die Anw.-Möglichkeiten auf sehr anspruchsvollen Spezialgebieten (u. a. Raumfahrtsektor, kugelsichere Kleidung) diskutiert werden. – ***E*** = ***F*** polybenzothiazoles – ***I*** polibenzotiazoli – ***S*** polibenzotiazoles

Lit.: Elias (5.) **2**, 238 ▪ Encycl. Polym. Sci. Eng. **11**, 601–635 ▪ Houben-Weyl **E 20/2**, 2186. – *[CAS 31346-56-2]*

Polybenzoxazole [Poly(1,3-benzoxazol)e, Kurzz. PBO]. Bez. für *Polymere mit Benzoxazol-Einheiten

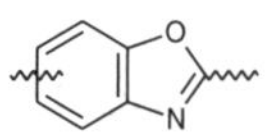

als charakterist. Kettensegmenten. P. sind zugänglich durch *Polykondensation von z. B. 4,4′-Diamino-biphenyl-3,3′-diol (3,3′-Dihydroxybenzidin, I) mit Terephthalsäuredichlorid (II), die zunächst zum Polyhydroxyamid (III) als Zwischenstufe verläuft, das zum entsprechenden P. (IV) dehydratisiert wird:

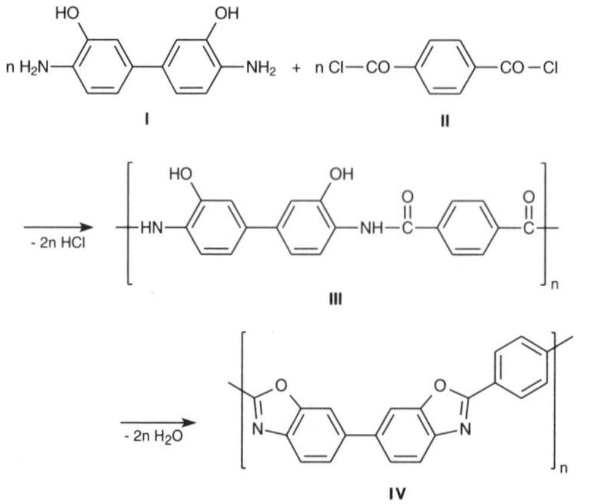

Neben dem P. IV ist das Polyphenylenbenzoxazol V ein weiteres wichtiges P.-Derivat:

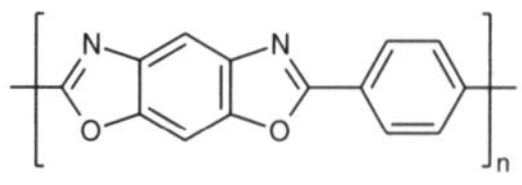

Die in Schwefelsäure lösl. Polyhydroxyamid-Zwischenstufen können zu Fasern versponnen u. als solche in die selbst in organ. Lsm. unlösl. P. überführt werden. – ***E*** = ***F*** polybenzoxazoles – ***I*** polibenzossazoli – ***S*** polibenzoxazoles

Lit.: Elias (5.) **2**, 238 ▪ Houben-Weyl **E 20/3**, 2186. – *[CAS 29791-96-6]*

Polybenzylglutamate [Poly(γ-benzyl-α-L-glutamat)e]. Bez. für ein *Polymer der Struktur

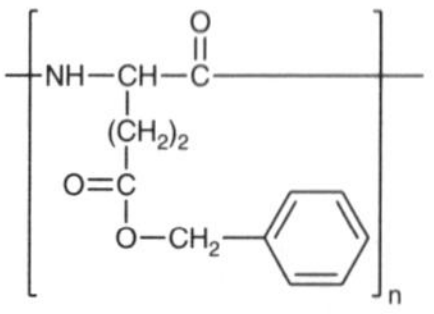

das durch anion. initiierte *Ringöffnungspolymerisation des *N*-Carboxyanhydrides der γ-Benzyl-α-L-glutaminsäure in inerten Lsm. wie Dioxan erhalten wird. Das große Interesse an diesem Polymer gilt v. a. dem Studium seiner Konformation im Festkörper u. in der Lösung. In beiden Fällen kann es sowohl als α-Helix als auch in einer β-Konformation vorliegen. Auch der in Lsg. in Abhängigkeit von pH-Wert, Lsm. od. Temp. mögliche *Helix-Knäuel-Übergang wurde intensiv studiert. Das P. stellt in seiner α-helicalen Form ein klass. Beisp. für ein lyotropes Polymer dar. In geeigneten Lsm. zeigt es ausgeprägt flüssigkrist. Verhalten (s. flüssige Kristalle). – ***E*** = ***F*** poly(γ-benzyl-α-L-glutamates) – ***I*** poli(γ-benzil-α-L-glutamati) – ***S*** poli(γ-bencil-α-L-glutamatos)

Lit.: Elias (5.) **1**, 174, 637.

Polybicyclobutane. Bez. für *Polymere der allg. Struktur **II**

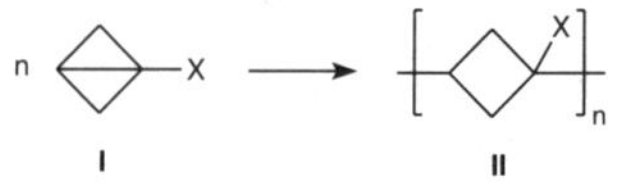

die – unter Bruch der zentralen C,C-Bindung – durch anion. od. radikal. *Polymerisation hochgespannter Bicyclobutane **I** zugänglich sind. Während das unsubstituierte [1.1.0]Bicyclobutan (I: X = H) u. Donor-substituierte **I**-Derivate für eine Isolierung zu unbeständig sind, stabilisieren Akzeptor-Substituenten wie z. B. X = CN od. $COOCH_3$ die zentrale 1,3-Bindung von **I**, so daß diese als Monomere isolierbar u. gezielt polymerisierbar sind. Das Cyano-substituierte P. (X = CN) weist hohe Glasübergangstemp. (ca. 220–250 °C) u. hohe Schmelztemp. (ca. 370 °C) auf u. zersetzt sich während des Schmelzens. Aus Lsg. können Filme gegossen u. Fasern ersponnen werden, die in ihren therm. Eigenschaften denen aus *PAN überlegen sind. Auch die piezoelektr. Eigenschaften dieser P. sind denen von PAN überlegen. Hingegen zeigen P. mit Ester-Substituenten (X = COOR) in Abhängigkeit vom Rest R Glasübergangstemp. von unter 100 °C. Sie sind opt. klar u. weisen hohe Brechnungsindices auf. Limitierend hinsichtlich techn. Anw. sind jedoch die bislang zu hohen Kosten der Monomer-Synthese. – ***E*** = ***F*** polybicyclobutanes – ***I*** polibiciclobutani – ***S*** polibiciclobutanos

Lit.: Hall u. Snow, in Ivin u. Saegusa (Hrsg.), Ring-Opening-Polymerization, S. 83 f., London: Elsevier 1984 ▪ Salamone, Polymeric Materials Encyclopedia, S. 531 f., Boca Raton: CRC-Press 1996.

Polybion® N. Dragées, Ampullen, Tropfen mit dem Vitamin B-Komplex ohne B_{12}, auch als P. forte *mit* Vitamin B_{12}, gegen Erschöpfungszustände, Entwicklungsstörungen. ***B.:*** Merck.

Poly[3,3-bis(chlormethyl)oxacyclobutan]e. Bez. für *Polymere der Struktur

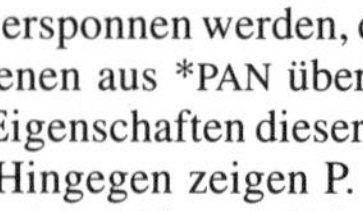

die durch kation. initiierte *Ringöffnungspolymerisation von 3,3-Bis(chlormethyl)oxacyclobutan zugänglich sind. Diese kann entweder unter Verw. von Friedel-Crafts-Katalysatoren wie BF_3 od. $AlCl_3$ bei tiefen Temp. erfolgen od. bei höheren Temp. unter Verw. von z. B. Aluminium-Alkoxiden od. -Hydriden. Die P. weisen nur mäßige mechan. Eigenschaften auf, zeichnen sich jedoch durch sehr gute chem. u. Lsm.-Beständigkeit aus. Sie werden daher als Schutzbeschichtung von Rohren u. Pumpen eingesetzt. – ***E*** poly[3,3-bis(chloromethyl)oxacyclobutanes] – ***F*** poly[3,3-bis(chlorométhyle)oxacyclobutane] – ***I*** poli[3,3-bis(clorometil)ossaciclobutani] – *S* poli[3,3-bis(clorometil)oxaciclobutanos)

Polyblends s. Polymer-Blends.

Poly Blond®. Colorations-Serie bestehend aus: Aufhell-Shampoo, zwei Intensiv-Aufhellern (medium u. ultra), zwei Strähnchen-Aufhellern (Aufheller u. Super-Aufheller), Reflex-Lights. ***B.:*** Schwarzkopf & Henkel Cosmetics.

Polybornitride. *Anorganische Polymere mit der Summenformel $(BN)_n$. P. sind Schichtenpolymere folgender Struktur:

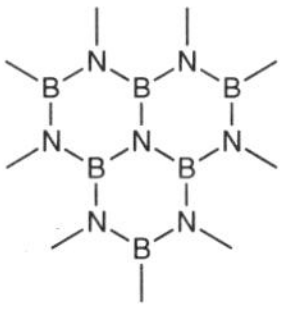

Sie werden hergestellt durch Behandlung von (faserförmigem) Bortrioxid mit Ammoniak bei hohen Temp.

$$n\,B_2O_3 \xrightarrow{NH_3,\ 200°C} (B_2O_3)_n \cdot NH_3 \xrightarrow[-\ H_2O]{>350°C}$$

$$(BN)_x(B_2O_3)_y(NH_3)_2 \xrightarrow[-\ H_2O]{>1800°C} (BN)_n$$

od. durch therm. Dehydrierung von polymeren Aminoboranen:

$$(H_2BNH_2)_n \xrightarrow[-\ H_2]{135\text{-}200°C} (BN)_n$$

P. sind Hydrolyse- u. Oxid.-unempfindlich u. äußerst thermostabil (bis 2000 °C). – *E* boron nitride polymers – *F* polymères de nitrure de bore – *I* poliboronitruri – *S* polímeros de nitruro de boro

Lit.: Encycl. Polym. Sci. Eng. **13**, 337 f.

Polybromierte Biphenyle s. PBB.

Polybromierte Biphenyloxide s. PBDE.

Polybromierte Diphenylether s. PBDE.

Polybromierte Naphthaline s. PBN (2.).

Polybromierte Terphenyle (Kurzz. PBT). Übliche Bez. für Bromterphenyle, vgl. PCT (3.).

Polybutadiene (Kurzz. PB od. PBD). Sammelbez. für *Polymere des *1,3-Butadiens. Die Polymerisation des *Monomeren kann unter 1,4- od. 1,2-Verknüpfung erfolgen u. somit zu Produkten mit den Strukturen I od. II als charakterist. Grundeinheiten der Hauptkette führen:

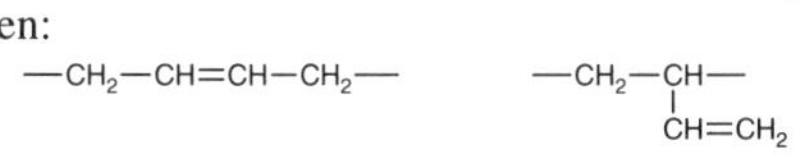

$$-CH_2-CH=CH-CH_2- \qquad -CH_2-CH(CH=CH_2)-$$

I II

Die Grundeinheiten I können weiterhin in *cis*- (III) od. in *trans*-Konfiguration (IV) in der Polymerkette vorliegen:

III IV

Die Grundeinheiten II können iso-, syndio- od. atakt. miteinander verknüpft sein (s. Taktizität).

P. können aus 1,3-Butadien durch radikal., anion., Koordinations- od. mittels Alfin-Initiatoren ausgelöste *Polymerisationen (*Alfin-Polymerisation) hergestellt werden. Während die meisten dieser Polymerisationen wenig spezif. hinsichtlich der entstehenden Kettenstrukturen (s. I–IV) verlaufen, liefert die *Koordinationspolymerisation je nach eingesetztem Katalysator P. mit hoher Stereospezifität, z. B. *Stereokautschuke*, die bis zu 95% 1,4-*cis*-Anteile haben können. Auch Stereokautschuke mit bis zu 99% 1,4-*trans*-Anteilen sind herstellbar.

Produziert werden die P. (Stereokautschuke) durch *Lösungspolymerisation in wasserfreien organ. Lsm. od. durch *Emulsionspolymerisation in Wasser. Sie werden mit Schwefel vulkanisiert. P.-Kautschuk kann mit relativ großen Mengen Öl verschnitten werden.

Techn. Bedeutung hat v. a. das Poly(1,4-butadien), der sog. *Polybutadien-Kautschuk* (Kurzz. BR) als mengenmäßig nach dem *Styrol-Butadien-Kautschuk wichtigster *Synthesekautschuk.

Verw.: Die seit 1910 bekannten P. werden seit ca. 1930 produziert. Die Welt-Produktionskapazitäten für P. stiegen zwischen 1989 u. 1996 von ca. 1,9 Mio. t auf über 2,3 Mio. t [1]. Über 70% des P. werden in der westlichen Welt zur Herst. von Reifen u. Reifenprodukten verwendet. Weitere Einsatzgebiete für P. sind die Herst. von Förderbändern u. Schuhsohlen bzw. die von hochschlagfestem *Polystyrol. – *E* polybutadienes – *F* polybutadiènes – *I* polibutadieni – *S* polibutadienos

Lit.: [1] Gummi Asbest+Kunstst. **50**, 22 (1997).

allg.: Elias (5.) **2**, 139, 481 ff. ■ s. a. Kautschuke u. Synthesekautschuke. – *[HS 4002 1, 4002 20; CAS 9003-17-2]*

Polybutadien-Kautschuk s. Polybutadiene.

Polybutadien-Öle. Die durch *Ziegler-Natta-Katalysatoren ausgelöste *Polymerisation von Butadien führt je nach verwendetem Katalysatorsyst. zu *Polybutadienen sehr unterschiedlicher Struktur. Niedermol., wenig verzweigte *Polymere mit hohen 1,4-*cis*-Gehalten werden z. B. durch Kombinationen von Cobalt-Verb. u. Alkylaluminiumchloriden od. von Nickel-Verb., Trialkylaluminium u. BF_3-Etherat erhalten. Diese werden als P.-Ö. bezeichnet. Sie trocknen schneller als z. B. Leinöl u. können durch Reaktion mit ca. 20% Maleinsäureanhydrid in lufttrocknende *Alkydharze überführt werden. Mit Emulsionen modifizierter P.-Ö. können erosionsgefährdete Böden verfestigt werden. Wegen ihrer niedrigen Viskosität dringen diese Emulsionen in die obere Bodenschicht ein u. verkleben dort die Erdkrumen. Da sie jedoch keine Haut bilden, bleiben Wasserdurchlässigkeit u. Saugfähigkeit des Bodens gewährleistet. – *E* = *F* polybutadiene oils – *I* oli di polibutadiene – *S* aceites de polibutadienos

Lit.: Elias (5.) **2**, 141.

Poly(1-buten-alt-schwefeldioxid). Bei der Herst. elektron. Leiterplatten finden *Polymere wie das P. **3** als sehr empfindliche pos. *Resists Verwendung. Ihre Herst. erfolgt durch alternierende *Copolymerisation von Schwefeldioxid **2** u. 1-Buten **1**.

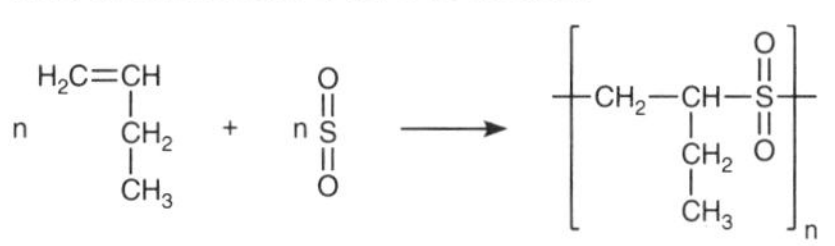

$$n\ H_2C=CH-CH_2-CH_3 + n\ SO_2 \longrightarrow \left[-CH_2-CH(CH_2CH_3)-SO_2-\right]_n$$

1 2 3

Die so erhaltenen P. werden bei der Leiterplatten-Produktion auf die mit einer Siliciumdioxid-Schicht versehenen Silicium-Wafer aufgebracht. Anschließend werden die Platten durch eine Schablone mit dem Abbild des gewünschten Leiterbahnen-Musters mit z.B. Röntgen- od. Elektronenstrahlen belichtet. Dabei depolymerisiert das P. an den bestrahlten Stellen völlig zu **1** u. **2**, während es an den abgedunkelten Stellen unverändert erhalten bleibt. An den belichteten Stellen kann nun die dort freiliegende SiO_2-Schicht weggeätzt u. damit die Silicium-Schicht einer Weiterbehandlung zugänglich gemacht werden. An den unbelichteten Stellen hingegen muß das dort verbliebene P. als Schutzpolymer für die darunterliegende SiO_2-Schicht dem Ätzprozeß widerstehen, was zu seiner Bez. „Resist" führte. – ***E*** = ***F*** poly(1-butene-alt-sulfur)dioxide – ***I*** copolimeri alternati dell' anidride solforosa e del 1-butene – ***S*** poli (1-buten-alt-dióxido de azufre)

Lit.: Cowie, S. 453 ▪ Elias (5.) **1**, 583.

Polybutene [Poly(1-buten)e, Kurzz. PB]. Bez. für *Polyolefine der Struktur

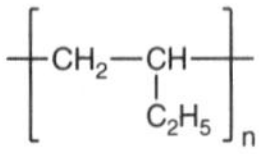

$$\left[CH_2-\underset{\displaystyle C_2H_5}{\underset{|}{CH}} \right]_n$$

die v.a. durch *Polymerisation von 1-Buten in Ggw. von *Ziegler-Natta-Katalysatoren hergestellt werden, in techn. Prozessen nach Verf. der *Lösungspolymerisation od. der *Suspensionspolymerisation. P. können polymorph in 4 krist. Varianten (hexagonal mit u. ohne Zwillingsbildung, tetragonal u. orthorhomb.) anfallen. Nur die zwillingshexagonale Form (Schmp. 125–130 °C; D. 0,91–0,92 g/cm^3) ist stabil; die anderen sind metastabil. Techn. Verw. finden weitgehend isotakt. teilkrist. P. mit hohen Molmassen (700000–3000000 g/mol).

Eigenschaften: P. sind beständig gegen Chemikalien [z.B. nicht-oxidierende Säuren, Laugen, Öle, Fette, organ. Lsm. (ausgenommen aromat. u. chlorierte Kohlenwasserstoffe)], Spannungsrißbildung u. bei Stabilisierung auch gegen Bewitterung. P. sind physiolog. unbedenklich u. brennbar; sie können durch Extrudieren, Spritzgießen, Warm- u. Preßformen verarbeitet werden.

Verw.: Isotakt. P. wird v.a. zur Herst. von Rohren, z.B. für Warmwasserleitungen u. Fußbodenheizungen, Hohlkörpern, Behälterauskleidungen, Verpackungsfolien u.a. verwendet, atakt. P. (Kurzz. APB) v.a. als Schmelzkleber. Syndiotakt. P., das durch Hydrierung von Poly(1,2-butadien) zugänglich ist, wird techn. nicht verwendet. – ***E*** polybutenes – ***F*** polybutènes – ***I*** polibuteni – ***S*** polibutenos

Lit.: Domininghaus (5.), S. 226ff. ▪ Elias (5.) **2**, 136, 444 ▪ Encycl. Polym. Sci. Eng. **2**, 590–605 ▪ Houben-Weyl **E 20/2**, 761–766. – *[HS 3902 90; CAS 9003-28-5]*

Poly(2-butenylen)e s. Polycyclobutene.

Polybutylenterephthalate (Polytetramethylenterephthalate, Kurzz. PBT od. PBTP). Bez. für thermoplast. *Polyester aus der Gruppe der *Polyalkylenterephthalate mit der Gruppierung

$$\left[\overset{O}{\overset{\|}{C}}-C_6H_4-\overset{O}{\overset{\|}{C}}-O-(CH_2)_4-O \right]_n$$

als charakterist. Grundeinheit der Hauptkette.

P. werden techn. hergestellt durch Umesterung von *Dimethylterephthalat mit 1,4-Butandiol u. anschließende *Polykondensation des dabei resultierenden Bis(4-hydroxybutyl)terephthalsäureesters in Ggw. von Umesterungs-Katalysatoren wie z.B. Titansäureestern (*Tetraisopropyltitanat*) unter Abspaltung von 1,4-Butandiol.

Eigenschaften: Kennzeichnend für P. sind hohe Festigkeit, Steifheit, Härte, Zähigkeit bei tiefen Temp. u. Formbeständigkeit in der Wärme, gutes Gleit- u. Verschleißverhalten, niedrige Wasseraufnahme, hohe Maßbeständigkeit u. Stabilität gegenüber organ. Lsm., Kraftstoffen, Ölen u. Fetten. P. haben eine Dichte von ca. 1,3–1,5 g/cm^3, eine *Glasübergangstemperatur von ca. 25 °C u. einen Erweichungspunkt von ca. 230 °C. P. sind spannungsrißbeständig u. durch Spritzgießen, Extrudieren u. Warmumformen verarbeitbar. P. werden als physiolog. unbedenklich eingestuft.

Verw.: Hauptsächlich als Formmassen für den Einsatz in der Elektro- u. Elektronik-Ind., im Fahrzeugbau, zur Herst. von Haushaltsgeräten u. Büromaschinen, im Maschinenbau u. in der Feinwerktechnik, wo die einfachere u. wirtschaftlichere Verarbeitbarkeit der P. Vorteile gegenüber dem Einsatz von PET bietet.
1994 wurden in Westeuropa ca. 84000 t PBT verbraucht [1]. Es wird hauptsächlich in der Elektrotechnik u. Elektronik (45%), dem Fahrzeugbau (35%), der Maschinentechnik (5%), im Haushaltsbereich (4%) u. für extrudierte Erzeugnisse (8%) eingesetzt. Zunehmend wird P. auch zur Herst. von Fasern verwendet. Dabei sind gutes Rückstellvermögen, ausgezeichnete Anfärbbarkeit (Teppichgarn) u. hervorragende Stretcheigenschaften. der P.-Fasern bestimmend. – ***E*** poly(butylene terephthalates), poly(tetramethylene terephthalates) – ***F*** téréphthalates de polybutylène – ***I*** polibutilentereftalati – ***S*** tereftalatos de polibutileno

Lit.: [1] Kunststoffe **85**, 1588 (1995).
allg.: Domininghaus (5.), S. 772ff. ▪ Elias (5.) **2**, 197 ▪ Encycl. Polym. Sci. Eng. **12**, 217–256 ▪ s.a. Polyester. – *[HS 3907 91]*

Poly(ε-caprolactam)e (Kurzz. PA 6). Bez. für durch *Ringöffnungspolymerisation von *ε-Caprolactam zugängliche *Polyamide der Struktur:

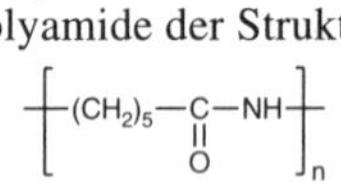

$$\left[(CH_2)_5-\underset{\displaystyle O}{\underset{\|}{C}}-NH \right]_n$$

P. gehören neben PA 66 zu den wichtigsten Polyamiden; zu Eigenschaften u. Verw. sowie Lit. s. dort. – ***E*** = ***F*** poly(ε-caprolactame)s – ***I*** poli(ε-caprolattami) – ***S*** poli(-caprolactama)s

Poly(ε-caprolacton)e. Bez. für *Polyester der Struktur:

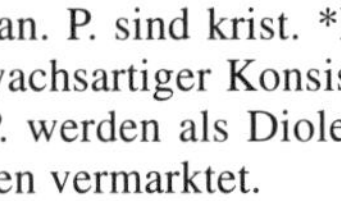

$$\left[(CH_2)_5-\underset{\displaystyle O}{\underset{\|}{C}}-O \right]_n$$

Diese fallen bei der *Ringöffnungspolymerisation von *ε-Caprolacton an. P. sind krist. *Polymere (Schmp. ca. 60 °C) von wachsartiger Konsistenz; sie sind biolog. abbaubar. P. werden als Diole mit endständigen Hydroxy-Gruppen vermarktet.

Verw.: Zur Herst. von *Polyesterpolyurethanen, als absorbierbares chirurg. Nahtmaterial, als Träger für Polymer-gebundene Depot-Arzneimittel, als polymere Weichmacher u. als Zusätze zur Verbesserung der

Färbbarkeit u. Schlagfestigkeit von *Polyolefinen. – *E* poly(ε-caprolactone)s – *F* poly(ε-caprolactones) – *I* poli(ε-caprolattoni) – *S* poli(-caprolactonas)

Lit.: Elias (5.) **2**, 191 ▪ Encycl. Polym. Sci. Eng. **5**, 164 ff. – *[HS 3907 99]*

Polycarbamate. Wenig gebräuchliche, alternative Bez. für *Polyurethan.

Polycarbazane. Übergreifende Bez. für *Polymere der Struktur:

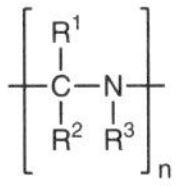

$$\left[-\underset{R^2}{\overset{R^1}{\underset{|}{\overset{|}{C}}}}-\underset{R^3}{\underset{|}{N}}- \right]_n$$

deren Hauptketten aus C- u. N-Atomen in alternierender Anordnung aufgebaut sind. Zur Klasse der P. zählen u. a. die Polycarbodiimide u. Polyisocyanate; zu Eigenschaften, Verw. u. Lit. der P. s. dort. – *E = F* polycarbazanes – *I* policarbazani – *S* policarbazanos

Polycarbazene. Bez. für *Polymere der allg. Struktur

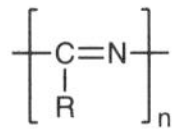

$$\left[-\underset{R}{\underset{|}{C}}=N- \right]_n$$

deren Hauptketten wechselweise aus C- u. N-Atomen aufgebaut sind, die durch alternierende Doppel- u. Einfachbindungen verknüpft sind. Zu den P. zählen u. a. die Poly-*Nitrile. – *E* polycarbazenes – *F* polycarbazènes – *I* policarbazeni – *S* policarbazenos

Polycarbazole. Sammelbez. für *Polymere, die in ihren Hauptketten od. als seitenständige Substituenten Carbazol-Gruppen

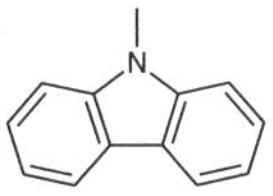

[Strukturformel: Carbazol-Gruppe]

tragen. *Hauptketten*-P. werden u. a. hergestellt aus *N*-Dihalogenalkylcarbazolen in geschmolzenem Iodid als Lösemittel. Nach *Dotierung *elektrisch leitfähige Polymere sind P. der Struktur

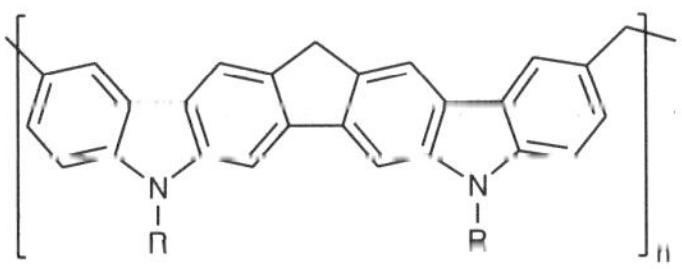

[Strukturformel: Polymer mit N-R-Carbazol-Einheiten]

die durch Umsetzung von Carbazol mit Chlormethylmethylether in Ggw. von Friedel-Crafts-Katalysatoren (s. Friedel-Crafts-Reaktion) erhältlich sind.

Zu den P. mit *seitenständigen* Carbazol-Gruppen, die eine ausgeprägte Photoleitfähigkeit zeigen, s. Polyvinylcarbazole. – *E* polycarbazoles – *F* polycarbazol[e]s – *I* policarbazoli – *S* policarbazoles

Lit.: Encycl. Polym. Sci. Eng. **5**, 488. – *[CAS 51555-21-6]*

Polycarbene. Bez. für organ. Verb., die mehrere *Carben-Zentren enthalten. P. sind von theoret. Interesse – so besitzt bereits eine Verb. mit *zwei* Carben-Kohlenstoff-Atomen 36 verschiedene, nach dem Pauli-Prinzip erlaubte elektron. Zustände. P. können z. B. durch Tieftemp.-Photolyse hergestellt werden.

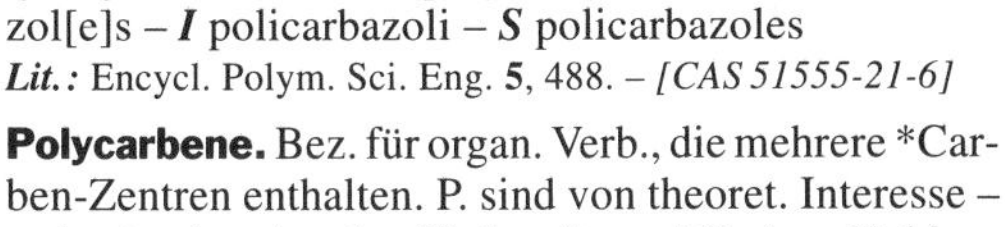

[Reaktionsschema: Diazo-Verbindung $\xrightarrow[-(n+1)\,N_2]{h\nu}$ Polycarben]

Abb.: Erzeugung von Polycarbenen durch Tieftemp.-Photolyse von *Diazo-Verbindungen.

Die in der Regel hochreaktiven P. werden durch ESR-Spektroskopie charakterisiert. Viele P. zählen zu den organ. *Ferromagnetika u. stellen im Hinblick auf die Entwicklung organ., magnet. Materie wichtige Modell-Verb. dar. – *E* polycarbenes – *F* polycarbènes – *I* policarbeni – *S* policarbenos

Lit.: Acc. Chem. Res. **26**, 346 (1993) ▪ Encycl. Polym. Sci. Eng. **S**, 446–455 ▪ J. Am. Chem. Soc. **108**, 368–371 (1986) ▪ Tetrahedron **51**, 11 337 (1995).

Polycarbodiimide (Kurzz. PCD). Bez. für *Polymere, die die Carbodiimid-Gruppierung I als charakterist. Grundeinheit der Hauptketten enthalten:

$$-R-N=C=N-R- \quad \text{I}$$

Sie entstehen durch die unter Kohlendioxid-Abspaltung verlaufende *Polykondensation von mehrfunktionellen Isocyanaten (z. B. Diisocyanaten):

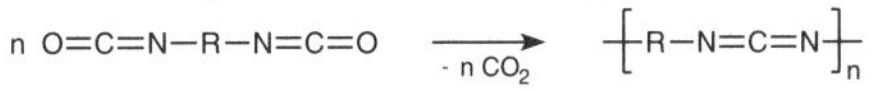

$$n\ O=C=N-R-N=C=O \xrightarrow[-\,n\,CO_2]{} \left[R-N=C=N \right]_n$$

Bei der Polykondensation entstehen, bedingt durch das freigesetzte CO_2, leichte, offenzellige *Hartschaumstoffe, die durch Formpressen zu Formkörpern verarbeitet werden können. – *E = F* polycarbodiimides – *I* policarbodiimmidi – *S* policarbodiimidas

Lit.: Encycl. Polym. Sci. Eng. **8**, 457 f. ▪ Houben-Weyl **E 20/2**, 1752–1757.

Polycarbonate (Kurzz. PC). P. sind meist thermoplast. *Polymere mit der allg. Strukturformel

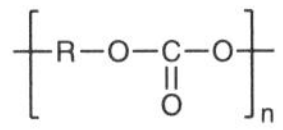

$$\left[R-O-\underset{O}{\underset{||}{C}}-O \right]_n$$

die formal als *Polyester aus Kohlensäure u. aliphat. od. aromat. Dihydroxy-Verb. betrachtet werden können. Sie sind leicht zugänglich durch Umsetzung aliphat. Diole od. Bisphenole mit *Phosgen bzw. Kohlensäurediestern in Polykondensations- bzw. Umesterungsreaktionen. Für die Synth. der auf *Bisphenol A (I) basierenden techn. wichtigsten PC (II) ergibt sich folgende Reaktionsgleichung:

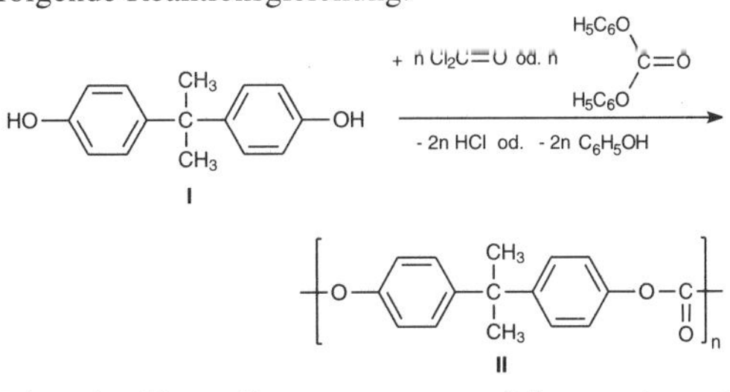

[Reaktionsschema: HO–C₆H₄–C(CH₃)₂–C₆H₄–OH (I) + n Cl₂C=O od. n (H₅C₆O)₂C=O, – 2n HCl od. – 2n C₆H₅OH → [–O–C₆H₄–C(CH₃)₂–C₆H₄–O–C(=O)–]ₙ (II)]

Die techn. Herst. dieser aromat. PC erfolgt vorwiegend durch *Grenzflächenpolykondensation od. Umesterung.

Über die Wahl der Bisphenole können die Eigenschaften der P. breit variiert werden. Bei gleichzeitigem Einsatz unterschiedlicher Bisphenole lassen sich in Mehrstufen-Polykondensationen auch *Block-Polymere aufbauen. *Polyesterpolycarbonate* sind u. a. durch Umsetzung von Bisphenolen mit Phosgen u. aromat. Dicarbonsäuredichloriden zugänglich.

Eigenschaften: Aromat. P. haben Molmassen im Bereich von ca. 10000–200000 g/mol, die über den Einsatz von Reglern (s. Reglersubstanzen) während des Polykondensations-Prozesses eingestellt werden können. Sie besitzen eine niedrige Dichte (ca. 1,2 g/cm^3), relativ hohe *Glasübergangstemperaturen (~150 °C) u. Schmp. (150–300 °C) u. sind in einem weiten Temp.-Bereich (–150 °C bis 150 °C) einsetzbar. Sie sind beständig gegen Wasser, Neutralsalz-Lsg., Mineralsäuren (auch gegen Fluorwasserstoff), wäss. Lsg. von Oxid.-Mitteln, Kohlenwasserstoffe, Öle u. Fette, werden jedoch von bestimmten Chlorkohlenwasserstoffen, insbes. Methylenchlorid, gelöst. Gegenüber wäss. Alkalien, Aminen u. Ammoniak sind sie unbeständig. P. sind amorphe, durch Nachbehandlung aber z. T. kristallisierbare, transparente u. farblose Produkte, die in sämtlichen Farbtönen eingefärbt werden können. Sie besitzen hohe Festigkeit, Steifheit u. Härte, gute elektr. Isoliereigenschaft, hohe Beständigkeit gegenüber Witterungs- u. Strahlungseinflüssen u. brennen nach Entfernen einer Zündquelle nicht weiter. Nachteilig sind ihre begrenzte Chemikalienbeständigkeit u. Kerbempfindlichkeit. P. können durch Spritzgießen, Extrudieren od. Warmumformen verarbeitet u. durch Bedrucken od. Metallisieren oberflächenveredelt werden.

Verw.: Aliphat. P. mit Hydroxy-Endgruppen werden hauptsächlich als Polydiole für hydrolysebeständige Polyesterpolyurethane eingesetzt. Allg. finden P. in breitem Umfang Anw. in den Sektoren Elektrotechnik u. Elektronik (Herst. von Steckern, Steckverb., Schaltern, Bauteilgehäusen, Leiterplatten, Verteilerkästen u. a.), Datenverarbeitung (opt. Datenspeicher-Platten), Lichttechnik (Leuchtenabdeckungen, Lampengehäuse, beleuchtete Schilder, lichtleitende Syst.), Optik (opt. Linsen, die durch Beschichtungen kratzfest ausgerüstet werden können), Haushaltstechnik (Gehäuse für Küchengeräte, Ventilatoren, Staubsauger; Mikrowellen-festes Geschirr u. a.), Freizeit-Ind. (Schutz-, Sturzhelme, bruchsichere Schutzbrillen), Bauwesen (lichtdurchlässige Überdachungen, Schallschutzwände) u. Fahrzeugbau [Innenverkleidung von Bussen, Eisenbahnwaggons u. Flugzeugen, Armaturentafeln, Leuchtenabdeckungen, Stoßdämpfer (aus P.-Blends, z. B. mit *ABS) u. Karosserieteile]. Eine Übersicht über die Aufgliederung des P.-Verbrauchs nach Anw.-Gebieten für 1995 gibt die Tab. 1.

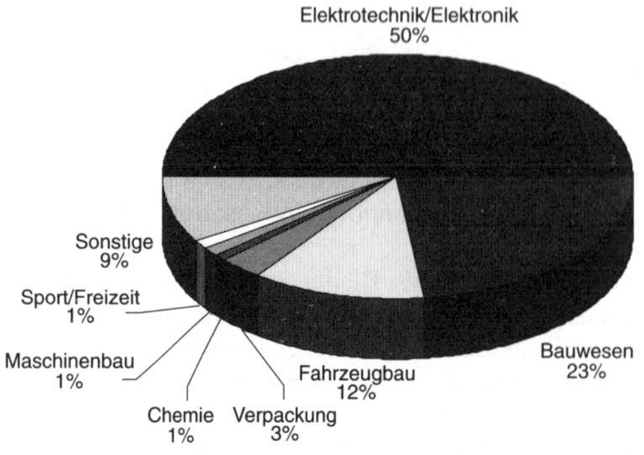

Tab. 1: Polycarbonat-Verbrauch nach Anw.-Gebieten im Jahr 1995 (nach *Lit.*[1]).

Im Jahr 1994 betrug der Welt-PC-Verbrauch einschließlich PC für Blends 845000 t. Dieser schlüsselt sich nach Regionen auf wie Tab. 2 zeigt.

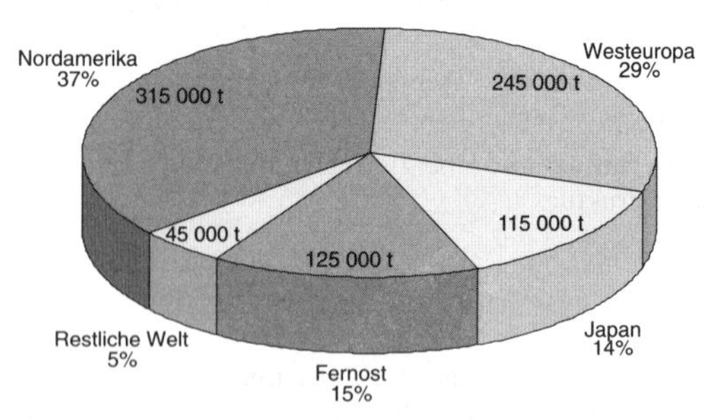

Tab. 2: Polycarbonat-Verbrauch nach Regionen im Jahr 1994.

Die Produktionskapazitäten für PC verteilen sich auf die Regionen der Welt, wie Tab. 3 zeigt.

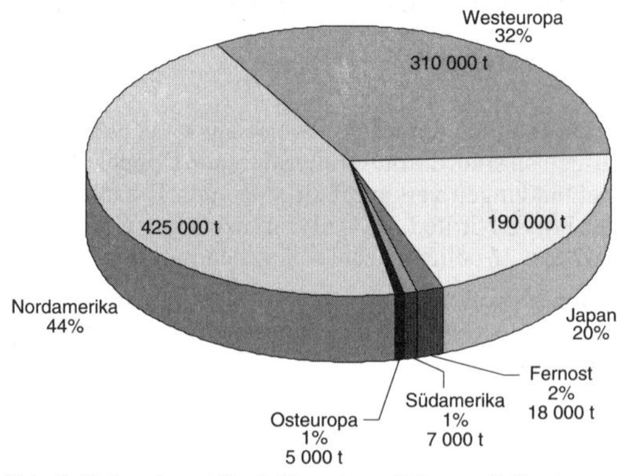

Tab. 3: Polycarbonat-Produktionskapazitäten nach Regionen.

Die Bedarfsprognose geht mittelfristig von einer jährlichen Steigerung von 8% in Westeuropa, 7% in den USA, 12% in Japan u. über 20% in den übrigen Ländern des Fernen Ostens aus. – ***E*** = ***F*** polycarbonates – ***I*** policarbonati – ***S*** policarbonatos

Lit.: [1] Kunststoffe **85**, 1566 (1995).
allg.: Compr. Polym. Sci. **5**, 345–355 ▪ Domininghaus (5.), S. 717 ▪ Elias (5.) **2**, 194. – *[HS 390740]*

Polycarbonfluorid. Die Fluorierung von *Graphit im Fließbett-Plasma-Verf. bei 627 °C führt zum sog. P. der Summenformel $(CF_x)_n$ mit $x < 1{,}2$. Bei dieser Behandlung des Graphits werden die Ecken u. Kanten der Graphit-Schichten mit „superstöchiometr." CF_2-Gruppen besetzt. Das resultierende weiße P. ist in Luft bis ca. 600 °C beständig u. somit das stabilste bekannte Fluor-Kohlenstoff-Polymer. Es besitzt sehr gute Schmierwirkung u. kann als Kathodenmaterial für Batterien dienen. – ***E*** polycarbonfluoride – ***F*** policarbonfluoruro – ***S*** policarbónfluoruro

Polycarbonsäuren. 1. Im allg. Sinne Sammelbez. für niedrigmol. aliphat. u. aromat. *Carbonsäuren mit in der Regel mehr als 2 Carboxy-Gruppen im Mol., z. B. *Citronensäure, *Agaricinsäure u. *1,2,3-Propantricarbonsäure *(Tricarballylsäure)*, *Trimellithsäure, *Trimesinsäure, *Pyromellit(h)säure u. *Mellithsäure.

2. Bez. für organ. *Polymere mit einer Vielzahl von Carboxy-Gruppen in den einzelnen *Makromolekülen, die durch *Homopolymerisation od. *Copolymerisation ungesätt. ein- u. mehrbasiger Carbonsäuren hergestellt werden. Wichtige Vertreter dieser auch als *Polyelektrolyte* od. *Polysäuren* bezeichneten P. sind u. a. *Polyacrylsäuren, *Polymethacrylsäuren, *Polymaleinsäure-Derivate als synthet., *Carboxymethylcellulose als halbsynthet. u. *Alginsäure od. *Pektinsäuren als natürliche Polymere. – ***E*** polycarboxylic acids – ***F*** acides polycarboxyliques – ***I*** acidi policarbossilici – ***S*** ácidos policarboxílicos

Lit.: s. Carbonsäuren. – *[HS 2917..]*

Polycarboransiloxane. Bez. für hochtemperaturbeständige *Polymere, die in ihren Ketten *m*-Carboran- u. Siloxan-Gruppen enthalten. Bei der Synth. von P. wird zunächst Acetylen (C_2H_2) unter Wasserstoff-Abspaltung an Decaboran ($B_{10}H_{14}$) od. Pentaboran (B_5H_9) addiert. Das entstehende *o*-Carboran [*o*-$B_{10}C_2H_{12}$, 1,2-Dicarba-*closo*-dodecaboran (12)] lagert sich bei 475 °C in *m*-Carboran (*m*-$B_{10}C_2H_{12}$) um. Bei der anschließenden Anlagerung von Butyllithium zum Dilithium-*m*-Carboran ($Li_2B_{10}C_2H_{10}$, **1**) wird Butan freigesetzt:

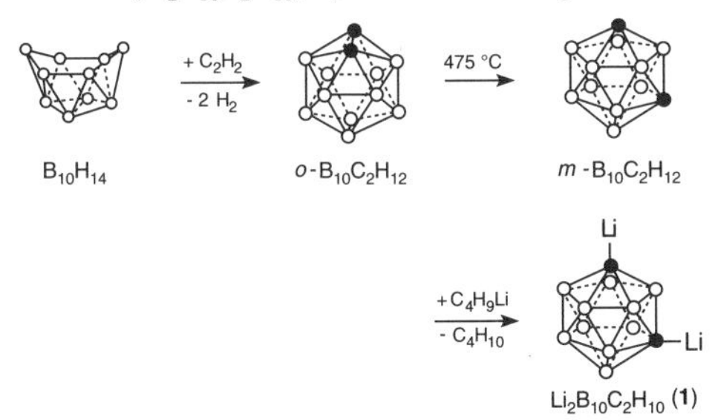

Die Dilithium-Verb. **1** wird säurekatalysiert mit Dichlordisiloxan **2** umgesetzt. Die entstehende Dichlor-Verb. **3** wird dann mit Wasser zu Polymeren **4** mit M_R von ca. 15000 – 30000 g/mol polykondensiert.

$LiCB_{10}H_{10}CLi$ (**1**) + 2 Cl–Si$(CH_3)_2$–O–Si$(CH_3)_2$–Cl (**2**) $\xrightarrow{-2LiCl}$ Cl–Si$(CH_3)_2$–O–Si$(CH_3)_2$–$CB_{10}H_{10}C$–Si$(CH_3)_2$–O–Si$(CH_3)_2$–Cl (**3**) $\xrightarrow[-2\,HCl]{+H_2O}$ ~Si$(CH_3)_2$–O–Si$(CH_3)_2$–$CB_{10}H_{10}C$–Si$(CH_3)_2$–O–Si$(CH_3)_2$–O~ (**4**)

Der *Thermoplast **4** besitzt eine Schmelztemp. von 464 °C u. eine *Glasübergangstemperatur von 77 °C. Andere P. können jedoch auch typ. *Elastomer-Eigenschaften zeigen. – ***E = F*** polycarboran siloxanes – ***I*** policarboran silossani – ***S*** policarboran siloxanos

Lit.: Elias (5.) **2**, 310.

Polycarbosilane. Sammelbez. für *Polymere der allg. Strukturformel **I**, deren Polymer-Rückgrat ausschließlich aus Kohlenstoff- u. Silicium-Atomen aufgebaut ist. Zur Absättigung der Restvalenzen kann eine Vielzahl organ. od. Metall-organ. Substituenten R dienen.

$$\left[\left(Si R^1 R^2 \right)_x \left(C R^3 R^4 \right)_y \right]_n$$

I

Die meisten heute bekannten P. weisen in ihren Hauptketten Silicium- u. Kohlenstoff-Atome in strenger Alternanz auf [sog. *Poly(silylen-methylen)e*]. Ihre intensive Erforschung begann in den 80er Jahren. Ein Meilenstein war die Entwicklung der Synth. von Poly(silylen-methylen) (Polysilaethylen) **3** durch Pt-katalysierte ringöffnende Polymerisation von **1**. Dabei entsteht zunächst Polydichlorsilaethylen **2**, das mit $LiAlH_4$ zu **3** reduziert werden kann:

n/2 1,1,3,3-Tetrachlor-1,3-disilacyclobutan (**1**) $\xrightarrow{H_2PtCl_6}$ $[SiCl_2–CH_2]_n$ (**2**) $\xrightarrow{LiAlH_4}$ $[SiH_2–CH_2]_n$ (**3**)

Über die gleiche Syntheseroute wurden anschließend viele weitere Poly(silylen-methylen)-Derivate synthetisiert, so z. B. die Polymere **5** – **11**. Studien an den so erhaltenen P. zeigen, daß **3** (Schmp. $T_m \approx 25$ °C, *Glasübergangstemperatur $T_G \approx -140$ °C) an der Luft stabil ist u. sich gut in organ. Lsm. löst, die hydrolyt. Stabilität u. die Glasübergangstemp. von Polymeren wie z. B. **6** aber stark von den Gruppen R abhängt.

n/2 1,3-Dichlor-1,3-dimethyl-1,3-disilacyclobutan (**4**) $\xrightarrow{[Pt]}$ $[Si(CH_3)Cl–CH_2]_n$ (**5**) $\xrightarrow{ROH / (H_5C_2)_3N \text{ od. } NaOR}$ $[Si(CH_3)(OR)–CH_2]_n$ (**6**)

R = C_2H_5, O–CH_2–CF_3, CO–CH_3, C_6H_5

$[Si(CH_3)H–CH_2]_n$ (**8**) $\xleftarrow{LiAlH_4 / THF}$ $[Si(CH_3)(OC_2H_5)–CH_2]_n$ (**7**) $\xrightarrow{BF_3 \cdot (H_5C_2)_2O / Ether}$ $[Si(CH_3)F–CH_2]_n$ (**9**)

$[Si(CH_3)Cl–CH_2]_n$ (**5**)

+ $H_2C{=}CH–CH_2–MgCl$ / THF → $[Si(CH_3)(CH_2–CH{=}CH_2)–CH_2]_n$ (**10**)

+ $H_3C–(CH_2)_3–MgCl$ / THF → $[(Si(CH_3)((CH_2)_3–CH_3)–CH_2)_{0,7} / (Si(CH_3)Cl–CH_2)_{0,3}]_n$ (**11**)

Auch eröffnet die Umsetzung von P. wie **8** mit verschiedensten Olefinen über Hydrosilylierungs-Reaktionen einen wieder neuen Zugang zu weiteren P., z. B. solchen der Struktur $[Si(CH_3)(C_3H_6R)CH_2]_n$ mit R = C_3H_7, $N(C_3H_7)_2$, Carbazol od. O–$(CH_2)_2$–O–(CH_2)–OCH_3. Poly(silylen-methylen)e mit kurzen wie auch mit langen Alkyl-Seitenketten sind weiterhin durch kation. Polymerisation von Tetraalkyl-substituierten 1,3-Disilacyclobutanen zugänglich.

Neben den Poly(silylen-methylen)-Derivaten sind P. mit längeren Methylen-Sequenzen zwischen den Silicium-Atomen bekannt. Solche mit zwei Methylen-Gruppen werden vorzugsweise durch Hydrosilylierungs-Polymerisationen, solche mit drei Methylen-Gruppen durch ringöffnende Polymerisationen dargestellt. In diesem Zusammenhang ist die photoaktivierte, Pt-katalysierte Hydrosilylierung von Vinyldimethylsilan **12** ein interessantes Beispiel. Einmal photoaktiviert, bleibt der Katalysator über nahezu unbeschränkte Zeit aktiv u. führt zu *Polydimethylvinylsilanen* **13** mit Molmassen von ca. 15 000 g/mol.

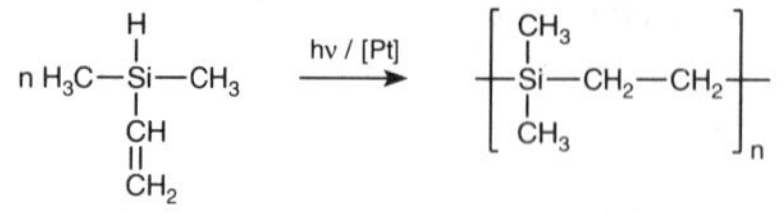

Auch die anion. Polymerisation von 3-Methylensilacyclobutan **14** liefert hochmol. P. **15**. Diese lassen sich z. B. durch Hydroborierung u. oxidative Aufarbeitung zu Hydroxy-funktionalisierten Polymeren **17** umsetzen od. unter Cyclopropanierung zu Polymeren **18** mit anhaftenden Cyclopropan-Ringen:

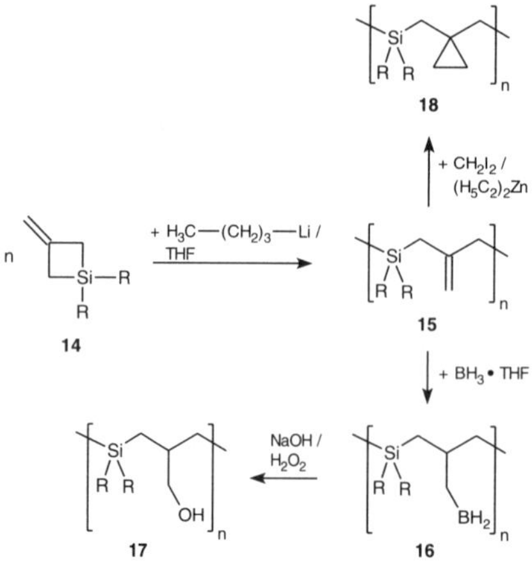

R = H, $(CH_2)_2—CH_3$, C_6H_5

Aufgrund der erwarteten elektron. Eigenschaften sind weiterhin P. von Interesse, deren Hauptketten ungesätt. Kohlenwasserstoff-Einheiten enthalten u. somit ein polykonjugiertes Rückgrat aufweisen sollten. So wurden z. B. Poly(silylen-ethinylen-*alt*-phenylen-ethinylen)e durch verschiedene *Polykondensations-Reaktionen dargestellt, Silicium-analoge *Poly(*p*-phenylen-vinylen)e dagegen durch Wittig-Reaktionen. Diese P. lumineszieren im Blauen, was sie für Anw. in Licht-emittierenden Dioden interessant macht. Auch P., in denen die Silicium-Atome über Aromaten verbrückt sind, wurden dargestellt. Beispielsweise ist *Poly(ethoxysilylenphenylen)* **20** durch Behandlung von **19** mit Magnesium zugänglich. Die OC_2H_5-Gruppen der so erhaltenen, lösl. P. **20** können gegen viele andere Substituenten wie z. B. Wasserstoff, Fluor, Chlor od. auch weitere organ. Substituenten R ersetzt werden:

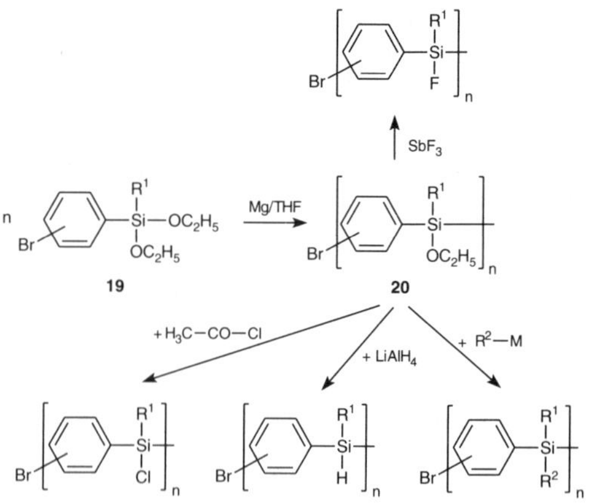

Auf der anderen Seite sind zahlreiche P. bekannt, in denen nicht die Kohlenstoff-, sondern die Silicium-Atome längere Blöcke bilden. So sind z. B. die Polymere **21** u. **22** beschrieben, in denen eine ausgeprägte σ-π-Konjugation entlang der Polymerkette vorzuliegen scheint.

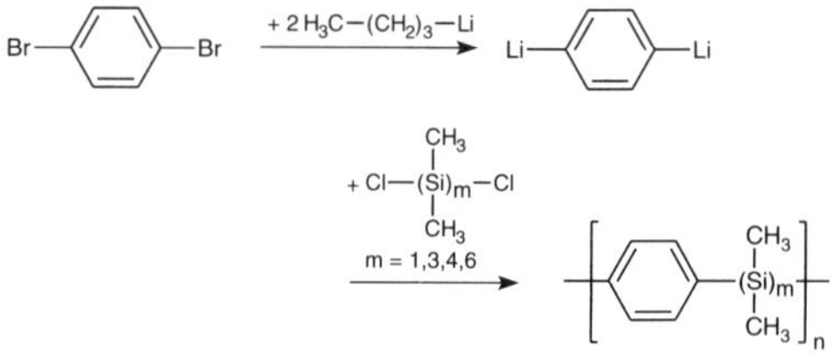

1997 wurde auch das aus Si_4C-Grundbausteinen aufgebaute P. **24** beschrieben, das durch *Wurtz-Synthese aus **23** zugänglich ist (s. S. 3431 oben). Neben diesen vorwiegend linearen P. sind auch einige Carbosilan-Dendrimere (*dendritische Polymere) beschrieben, z. B. das Mesogen-funktionalisierte G1-Dendrimer **25** (s. S. 3431), das 12 Cholesteryl-Gruppen trägt, aber auch die entsprechenden G2- u. G3-Syst. mit 38 bzw. 108 Mesogen-Gruppen.
Schließlich stellen P. eine zentrale Zwischenstufe bei der Umwandlung von *Polysilanen in Siliciumcarbid-Fasern dar. So lagert sich z. B. das unlösl. Polydimethylsilan **26** beim Erhitzen auf 450 °C teilw. zum Heptan-lösl. *Polysilapropylen* **27** (s. S. 3431) um. Dieses wird aus der Schmelze zu Fäden versponnen, die oberflächlich oxidiert werden, um sie dimensionsstabil zu machen. Weiteres Erhitzen unter Argon auf ca. 1300 °C ergibt dann Fasern, die hauptsächlich aus β-Siliciumcarbid bestehen, aber auch amorphes Siliciumcarbid u.

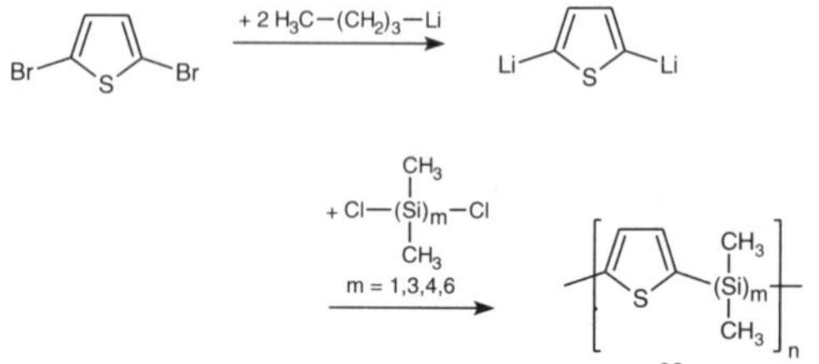

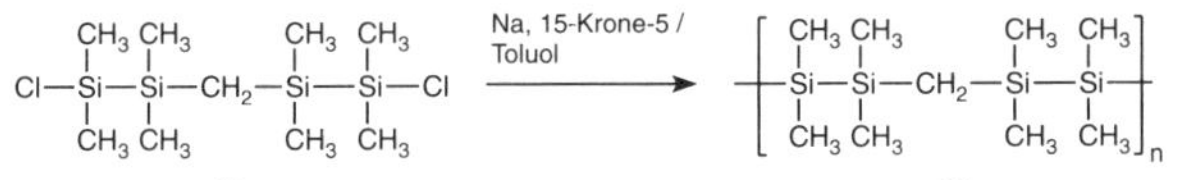

23 → 24 (Na, 15-Krone-5 / Toluol)

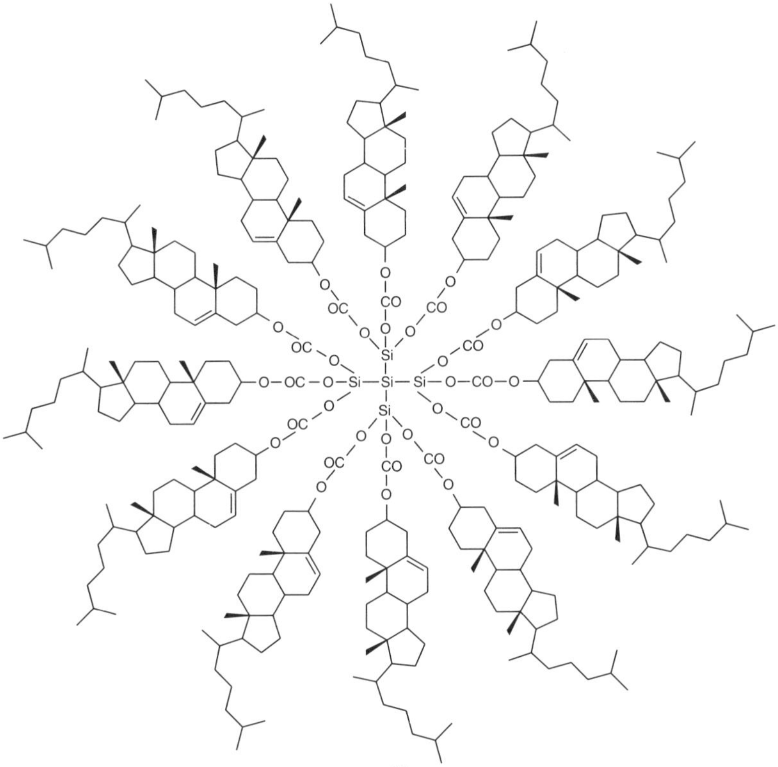

25

Siliciumdioxid enthalten:

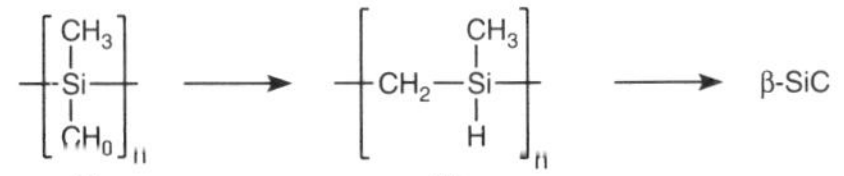

26 → 27 → β-SiC

In jüngster Zeit wurden auch bereits erste Germanium- u. Zinn-Analoga der P. erhalten. Zu deren Herst. finden meist die gleichen Reaktionen Verw. wie für die Polycarbosilane. Zusätzlich wurde die durch Mo- od. W-Komplexe katalysierte ADMET-Synth. (*A*cycl. *D*ien-*Met*athese) wohldefinierter *Polycarbostannane* **29** aus dem Monomeren **28** beschrieben. Die Molmassen von **29** werden mit ca. 20000 g/mol angegeben.

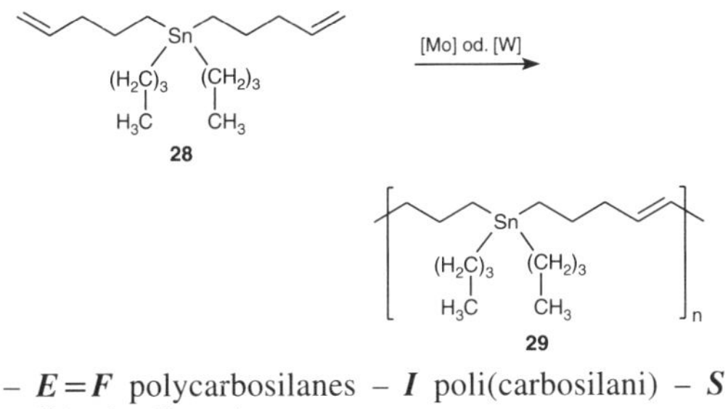

28 → 29 ([Mo] od. [W])

– ***E*** = ***F*** polycarbosilanes – ***I*** poli(carbosilani) – ***S*** poli(carbosilanos)

Lit.: s. Polysilane.

Polycarboxylate. Bez., die sich im Zusammenhang mit *Buildern für wasserlösl., lineare Polymere mit zahlreichen Carboxy-Gruppen eingebürgert hat. In *Waschmitteln werden als sog. Cobuilder heute üblicherweise Homopolymerisate der Acrylsäure sowie Copolymerisate der Acryl- u. Maleinsäure eingesetzt. Kombinationen aus *Zeolithen, P. u. Soda zeigen in Phosphat-freien Waschmitteln ein gutes Primärwaschvermögen u. vermindern infolge ihrer dispergierenden Eigenschaften gleichzeitig Ablagerungen (Inkrustierungen) u. die damit verbundene Vergrauung der Gewebe. P. werden in Kläranlagen an *Belebtschlamm adsorbiert bzw. teilw. biolog. abgebaut u. vollständig aus dem Abwasser eliminiert. Als Alternative zu den Homo- u. Copolymeren der Acrylsäure werden synthet. Polymere mit sog. Sollbruchstellen entwickelt, die dem biolog. Abbau leichter zugänglich sind. Favorisiert werden neuerdings die Salze von *Polyasparaginsäuren (Polyaspartate) deren Polyamidbindungen solche Sollbruchstellen sind. Anstelle von P. hat auch *Citronensäure in Builderkombinationen mit Zeolithen u./od. *Schichtsilicaten an Bedeutung gewonnen. – ***E*** = ***F*** polycarboxylates – ***I*** policarbossilati – ***S*** policarboxilatos

Lit.: Cahn (Hrsg.), Proc. 3rd World Conf. on Det.: Global Pesp., S. 168–173, Champaign, IL/USA: AOCS Press 1994 ▪ Nachr. Chem. Tech. Lab. **44**, 1167–1170 (1996) ▪ Showell (Hrsg.),

Powdered Detergents, S. 109–135, New York: Dekker 1998 ▪ SÖFW J. **123**, 236–244 (1997) ▪ Tenside Surf. Det. **31**, 12–17 (1994).

Polycatenane s. topologische Polymere.

Polychelate s. komplexbildende Polymere.

Polychinazolindione. *Polymere, die Chinazolindion-Gruppierungen in ihren Ketten enthalten, sind über verschiedene Verf. zugänglich. Techn. werden sie über den im Schema gezeigten Prozeß hergestellt:

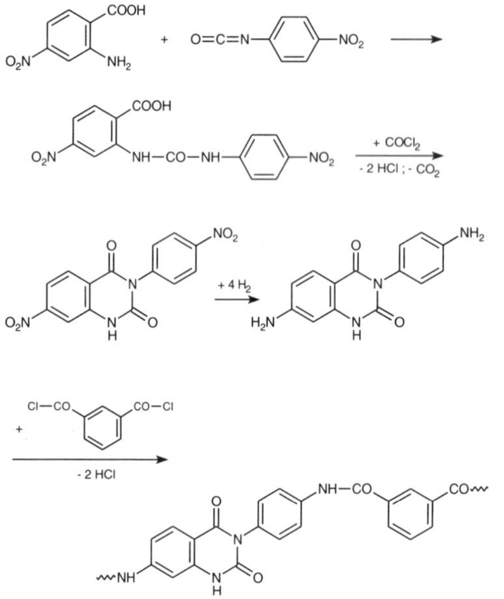

COOH, O_2N, NH_2 + O=C=N–⟨⟩–NO_2 ⟶

COOH, O_2N, NH–CO–NH–⟨⟩–NO_2 $\xrightarrow[-2\,HCl;\,-CO_2]{+\,COCl_2}$

$\xrightarrow{+4\,H_2}$

+ Cl–CO–⟨⟩–CO–Cl $\xrightarrow{-2\,HCl}$

Die erhaltenen hochviskosen Lsg. der P. in *N*-Methylpyrrolidon od. *N,N*-Dimethylacetamid werden direkt trocken od. naß versponnen. Die hygroskop., temperaturbeständige u. schwer entflammbare P.-Faser eignet sich für die Herst. von Geweben für Schutzanzüge u. von Filterfilzen zur Heißgasfiltration. – ***E*** = ***F*** polyquinazolindiones – ***I*** polichinazolindioni – ***S*** poliquinazolindionas

Polychinoline. Bez. für *Polymere, die *Chinolin-Ringe als charakterist. Grundeinheiten ihrer Hauptketten aufweisen. P. entstehen z. B. durch Friedlander-Reaktion eines aromat. Bis(*o*-amino)aldehyds od. -ketons mit einem aromat. Diketon, z. B.:

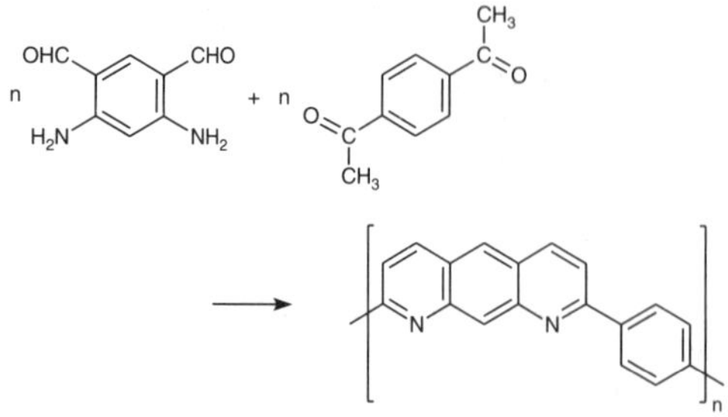

Die *Polymerisation wird mittels Katalyse von Polyphosphorsäure durchgeführt, kann aber auch unter bas. Bedingungen erfolgen. Neben der Friedlander-Reaktion sind einige weitere Reaktionen bekannt, die zu Polymeren mit Chinolin-Ringen in den Wiederholungseinheiten führen. – ***E*** = ***F*** polyquinolines – ***I*** polychinoline – ***S*** poliquinolinas

Lit.: Odian (3.), S. 170 ff.

Polychinone. Bez. für *Leiterpolymere der idealisierten allg. Struktur in der X für O, S od. NH stehen kann. Die verschiedenen P. sind zugänglich durch Reaktion von Chloranil mit Tetrahydroxybenzochinon, Natriumsulfid od. Ammoniak. Sie zeichnen sich durch eine gute therm. Beständigkeit aus, haben jedoch keinerlei techn. Bedeutung. – ***E*** polyquinones – ***F*** polyquinone – ***I*** polichinoni – ***S*** poliquinonas

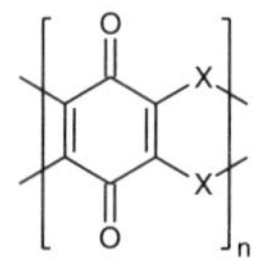

Polychinoxaline (Polybenzopyrazine, Polypyrazine, Kurzz. PQ). Bez. für *Polymere, die *Chinoxalin-Einheiten als Bestandteil ihrer Hauptketten enthalten. Ihre Synth. erfolgt durch *Polykondensation aromat. Bis(*o*-diamin)e mit Bis(*α*-ketoaldehyd)en, z. B.:

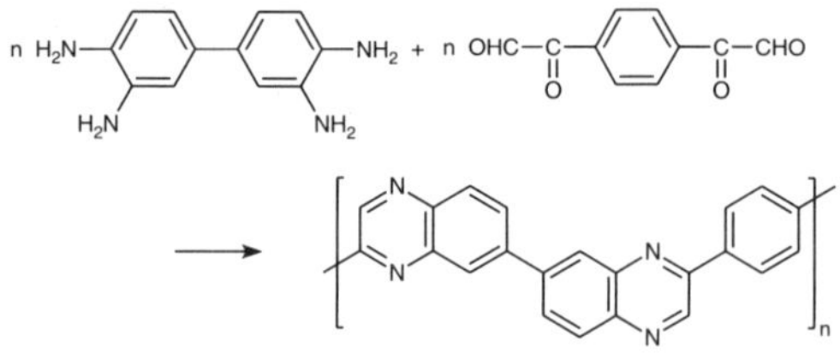

Die Polymere sind luftstabil, werden allerdings oberhalb von ca. 350 °C schnell oxidiert u. sind weder lösl. noch schmelzbar. Besser lösl., thermoplast. verarbeitbare u. Oxid.-beständigere P. werden bei Einbau flexibler Ether-Strukturen in die Polymerketten u. seitlich angehefteter Phenyl-Substituenten [sog. *Polyphenylchinoxaline* (Kurzz. PPQ)] erhalten. Beides wird erreicht unter Verw. z. B. von Bis(phenyl-*α*-diketon)

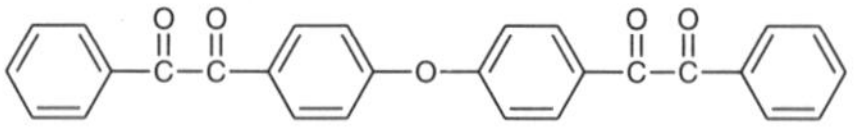

anstelle des im obigen Schema gezeigten Bis(*α*-ketoaldehyd)s. Die Mehrzahl der P. ist amorph u. zeichnet sich durch hohe *Glasübergangstemperaturen, hohe Festigkeiten u. hohe Elastizitätsmoduln aus. Ihr techn. Einsatz ist jedoch aufgrund des hohen Preises limitiert. Von Interesse sind die P. weiterhin aufgrund ihrer elektr. Leitfähigkeit nach *Dotierung. – ***E*** polyquinoxalines, polybenzopyrazines – ***F*** poliquinoxalines – ***I*** polichinossaline, polibenzopirazine – ***S*** poliquinoxalines, polibenzopirazines

Lit.: Cowie, S. 395 ▪ Odian (3.), S. 172 ff.

Polychloral. Bez. für *Polymere **2**, die durch kation. od. anion. *Polymerisation von Chloral **1** erhalten werden. Zur Synth. von P. werden zum monomeren Chloral bei Temp. oberhalb seiner *Ceiling-Temperatur von 58 °C z. B. Phosphine od. Lithium-*tert*-butoxid als Initiatoren zugegeben. Die Polymerisation startet allerdings erst, wenn der Ansatz auf Temp. weit unter dieser Ceiling-Temp. abgekühlt wird. Nach Beendigung der Umsetzung werden die noch aktiven Kettenenden durch Zugabe von Abbrechern verschlossen, um die Depolymerisation beim Aufwärmen des Ansatzes auf Raumtemp. zu verhindern.

$$n\ Cl_3C{-}CH{=}O \longrightarrow [{-}O{-}CH(CCl_3){-}]_n$$

1 → 2

Das so erhaltene P. ist hochgradig isotakt. aufgebaut (s. Taktizität) u. in allen Lsm. unlöslich. Weil eine Formgebung daher schwierig u. das Polymere darüber hinaus oberhalb von ca. 200 °C therm. unter Freisetzung seines brennbaren Monomers depolymerisiert, hat P. bislang keine bedeutende techn. Anw. gefunden. – ***E*** = ***F*** polychloral – ***I*** policloralio – ***S*** policloral

Poly(2-chlor-1,3-butadien)e s. Polychloroprene.

Polychlor(ierte)... (mehrfach chlorierte...). Sammelbez. für synthet. organ. Verb., in denen mehrere, die meisten od. alle H-Atome (vgl. Perchlor...) des Stammkohlenwasserstoffs durch Chlor ersetzt sind; *Beisp.:* p. Biphenyle (*PCB), p. Naphthaline (PCN), p. Terphenyle (PCT), p. Dibenzo[1,4]dioxine (*PCDD, „*Dioxine"), p. Dibenzofurane (PCDF, vgl. PCB). – ***E*** polychloro..., polychlorinated ... – ***F*** ... polychlorés – ***I*** policloro..., ...policlorurato – ***S*** ... policlorados

Polychlorierte Biphenyle. Übliche Bez. für mono-, oligo- u. polychlorierte *Biphenyle, s. PCB.

Polychlorierte Biphenyloxide s. PCDE.

Polychlorierte Dibenzofurane s. Dioxine.

Polychlorierte Diphenylene s. PCBP.

Polychlorierte Diphenylether s. PCDE.

Polychlorierte Diphenylsulfide s. PCDPS.

Polychlorierte Pyrene s. PCPY.

Polychlorierte Terphenyle s. PCT.

Polychlorierte Thianthrene s. PCTA.

Polychlormethylstyrole (Polyvinylbenzylchloride). Bez. für *Polymere mit der Gruppierung

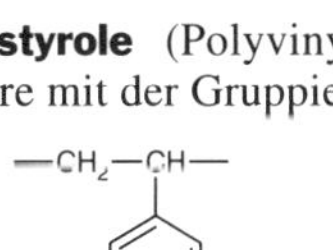

$$-CH_2-CH(C_6H_4-CH_2-Cl)-$$

als charakterist. Grundeinheit der Hauptkette. P. werden hergestellt durch *Chlormethylierung von *Polystyrol bzw. durch *Polymerisation von Vinylbenzylchlorid, das als techn. Produkt in Form von Isomeren-Gemischen vorliegt.

P. haben Bedeutung als *reaktive Polymere, da die hohe Reaktivität des benzyl. gebundenen Halogens nucleophile *polymeranaloge Reaktionen begünstigt. Halogen-Austausch ist möglich unter Ausbildung von u.a. C,N-, C,O-, C,S- od. C,P-Bindungen bei Umsetzung der P. mit z.B. Aminen, Hydrazinen, Alkoholen, Thioharnstoff, Dialkylsulfiden sowie Di- u. Triphosphinen. Vernetzte P. haben weiterhin Bedeutung als Zwischenstufen bei der Herst. von *Ionenaustauscherharzen u. bei der Festphasensynth. von Peptiden (*Merrifield-Technik). – ***E*** polychloromethylstyrenes – ***F*** polychlorométhylstyrènes – ***I*** policlorometilsistreni – ***S*** policlorometilestirenos

Lit.: Encycl. Polym. Sci. Eng. **16**, 19 ▪ J. Macromol. Sci. Rev. Macromol. Chem. Phys. **22(3)**, 343–407 (1982–83); **27**, 505 ff. (1987).

Polychloroprene [Poly(2-chlor-1,3-butadien)e, Kurzz. PC]. Bez. für *Polymere des *Chloroprens (2-Chlor-1,3-butadien), die techn. durch *Emulsionspolymerisation hergestellt werden. Dabei kann das *Monomere auf verschiedene Arten in die P.-Makromol. eingebaut werden, die durch die Formeln I–IV wiedergegeben sind:

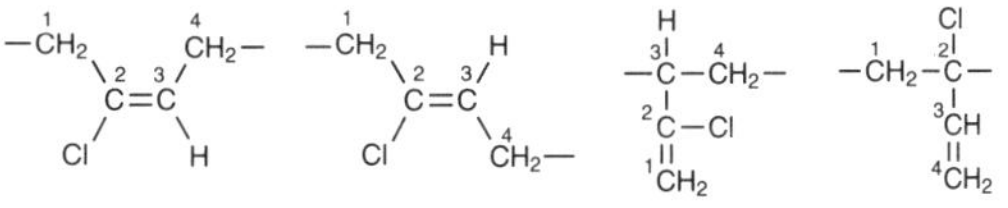

$$-CH_2-C(Cl){=}CH-CH_2- \quad -CH_2-C(Cl){=}CH-CH_2- \quad -CH(C(Cl){=}CH_2)-CH_2- \quad -CH_2-C(Cl)(CH{=}CH_2)-$$

I: *cis*-1,4 II: *trans*-1,4 III: 3,4 IV: 1,2

Das Verhältnis der isomeren Einheiten kann in gewissen Grenzen über die Polymerisationstemp. beeinflußt werden. Durch gezielte Synth. sind P. herstellbar, die sowohl einen hohen Anteil an *trans*-1,4- als auch an *cis*-1,4-Isomeren enthalten können. Diese Produkte unterscheiden sich deutlich in ihren *Glasübergangstemperaturen bzw. Schmp., die für *trans*-P. bei –45 °C bzw. 105 °C, für *cis*-haltige P. (>95%) bei –20 °C bzw. 70 °C liegen. Bei der Synth. der P. durch Emulsionspolymerisation ist weiterhin zu berücksichtigen, daß die Reaktion unter sonst gleichen Bedingungen ca. 700mal schneller verläuft als die von z.B. Isopren. Die Reaktionswärme muß daher rasch durch effektive Kühlung od. durch Arbeiten im Strömungsrohr abgeführt werden.

P. sind aufgrund ihrer Doppelbindungen gut vulkanisierbare *Synthesekautschuke (*Chloropren-Kautschuke*, Kurzz. CR; s.a. Neoprene®). Die Vulkanisate besitzen wegen der hohen Kristallisationsneigung hohe Reißfestigkeit u. guten Abriebwiderstand. Sie können daher in vielen Fällen mit billigen inaktiven Füllstoffen (Kreide, Kaolin, Talkum, nicht verstärkende Ruße) abgemischt werden. Eigenschaftsmodifizierungen der P. sind durch *Copolymerisation des Chloroprens mit anderen Monomeren u. auch durch Verschneiden mit Polymeren (z.B. Naturkautschuk) möglich.

Eigenschaften: P.-Vulkanisate zeichnen sich durch gute Alterungs-, Ozon- u. Witterungsbeständigkeit aus, besitzen gute Chemikalien- u. relativ gute Ölresistenz u. sind nicht brennbar. Weitere Vorteile der P. sind die Tieftemp.-Flexibilität u. gute Adhäsion an unterschiedlichen Substraten.

Verw.: P. werden als Festprodukte u. als Dispersionen (Latices) eingesetzt, u.a. zur Herst. von Schläuchen, Kabelummantelungen, Keilriemen, Fördergurten, Kontaktklebstoffen, Profilen für den Automobil-, Hoch- u. Tiefbau, Dichtungen, Manschetten, Faltenbälgen, Walzen, Behälterauskleidungen u. Folien (für Dachabdeckungen). P.-Latices werden als Klebstoffe für unterschiedliche Anw., zur Imprägnierung von Geweben, zur Herst. von Dichtungsmassen, Tauchartikeln, Gummifäden u.a. eingesetzt. Der Verbrauch u. die Produktionskapazität für P. verringern sich in den letzten Jahren kontinuierlich. So sanken die Produktionskapazitäten zwischen 1990 u. 1996 von ca. 590 000 t auf ca. 444 000 t weltweit[1]. – *E* polychloroprenes – *F* polychlorprènes – *I* policloropreni – *S* policloroprenos

Lit.: [1] Gummi Asbest Kunstst. **50**, 22 (1997).
allg.: Encycl. Polym. Sci. Eng. **3**, 441–462 ▪ Franta, Elastomers and Rubber Compounding Materials, Amsterdam-New York: Elsevier 1989 ▪ Houben-Weyl **E 20/2**, 842–859 ▪ s.a. Chloropren, Kautschuke u. Synthesekautschuke. – *[HS 4002 41, 4002 49; CAS 9010-98-4]*

Polychlortrifluorethylene (Polytrifluorchlorethylene, Kurzz. PCTFE). Bez. für *Fluorpolymere der Formel

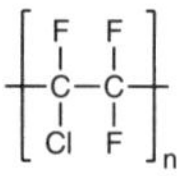

$$\left[-\overset{F}{\underset{Cl}{C}}-\overset{F}{\underset{F}{C}}- \right]_n$$

die aus Chlortrifluorethylen durch *Suspensionspolymerisation od. *Emulsionspolymerisation in Wasser unter Einsatz von *Redoxinitiatoren od. Peroxiden als Starter hergestellt werden.

P. sind teilkrist. *Thermoplaste (Schmp. 211–216 °C; D. ca. 2,1–2,2), die durch Extrusion od. Spritzgießen bei Temp. von 280–350 °C (bei ~280 °C setzt allerdings schon Zers. ein) verarbeitet werden können, z. B. zu Rohren, Profilen, Folien u. Fasern (*Fluorofasern, Kurzz. PCF). P. können auch als wäss. Dispersionen verwendet werden, z. B. für Beschichtungen.

Eigenschaften: P. wurde ursprünglich als leichter verarbeitbares Konkurrenz-Produkt zum *Polytetrafluorethylen entwickelt, dem es in seinen Eigenschaften sehr ähnelt. P. ist allerdings etwas härter u. weniger beständig. Handelsübliche Produkte haben Molmassen von ca. 10 000–50 000 g/mol.

Verw.: Zur Herst. von Dicht- u. Gleitelementen im chem. Apparatebau, für Laborgeräte, Armaturen, Rohre, Schaugläser u. Auskleidungen von Behältern; zur Herst. von Platten, Folien, Steckern, Draht- u. Kabelummantelungen in der Elektro-Ind., als Folien für wasserdichte Verpackungen von hochwertigen Gütern. – *E* polychlorotrifluoroethylenes – *F* polychlorotrifluoroéthylènes – *I* policlorotrifluoroetileni – *S* policlorotrifluoroetilenos

Lit.: Domininghaus (5.), S. 565 ff. ▪ Encycl. Polym. Sci. Eng. **3**, 463–480 ▪ Ullmann (5.) **A 11**, 411 f. ▪ s. a. Fluorpolymere. – *[HS 3904 69]*

Polycistronische mRNA. Im Gegensatz zu eukaryont. *mRNA kann eine prokaryont. mRNA mehrere *Proteine codieren. Die p. mRNA wird von einer Gruppe von *Genen eines *Operons transkribiert. Sie besitzt intercistron. Regionen zwischen den verschiedenen codierenden Bereichen, die in ihrer Größe 3 bis 100 *Nucleotide umfassen können u. Ribosomen-Bindungsstellen u. die *Shine-Dalgarno-Sequenz enthalten. Bei der *Translation binden sich die *Ribosomen wahrscheinlich unabhängig voneinander an den Anfang jedes Cistrons (s. genetischer Code). Dabei kann eine *Nonsense-Mutation* (s. Punktmutation) in einem Gen die Expression eines anderen Gens, das sich weiter entfernt auf der p. mRNA befindet, behindern. Dieser Vorgang wird als Polarität bezeichnet. Die Translationsfähigkeit kann aber auch durch die Sekundärstruktur der p. mRNA kontrolliert sein, so daß die Translation eines Cistrons erst erfolgen kann, nachdem durch die Translation des vorhergehenden die Sekundärstruktur lokal zerstört worden ist. – *E* polycistronic mRNA – *F* ARNm polycistronique – *I* mRNA policistronico – *S* ARNm policistrónico

Lit.: Mol. Biol. **4**, 1233–1240 (1990) ▪ Römpp Lexikon Biotechnologie, S. 613.

Poly Color®. Dachmarke für Haarfärbe- u. Haartönungsmittel zur temporären u. permanenten Veränderung der Haarfarbe. *P. C.-Nature Color* ist eine Pflanzentönung mit natürlichen Ingredienzien. ***B.:*** Schwarzkopf & Henkel Cosmetics.

Polycresulen.

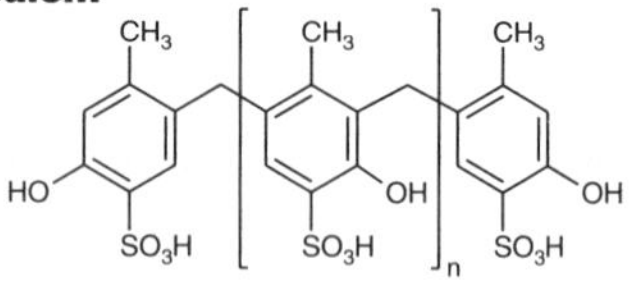

Internat. Freiname für ein als *Antiseptikum verwendetes Polymer aus 2-Hydroxy-4-methylbenzolsulfonsäure u. Formaldehyd. P. ist als lokales Hämostyptikum von Byk Gulden (Albothyl®) im Handel. – *E* polycresolsulfonate – *F* polycrésulène – *I* policresulene – *S* policresuleno

Lit.: Martindale (31.), S. 768. – *[CAS 101418-00-2]*

Poly(2-cyanoacrylsäureester) (Polycyanoacrylate). Bez. für *Polymere der 2-Cyanoacrylsäureester (allg. Formel s. dort), die hauptsächlich bei der Verw. der *Monomeren als *Klebstoffe (s. Cyanacrylat-Klebstoffe) auf den zu verklebenden Substraten gebildet werden. P. depolymerisieren beim Erwärmen auf ihre *Ceiling-Temperatur zu den Basis-Monomeren. – *E* poly(2-cyanoacrylic ester)s – *F* polyesters 2-cyanoacryliques – *I* esteri poli-2-cianoacrilici – *S* poliésteres 2-cianoacrílicos

Lit.: s. 2-Cyanoacrylsäureester u. Cyanacrylat-Klebstoffe.

Polycyclische aromatische Kohlenwasserstoffe. Sammelbez. für aromat. Verb. mit kondensierten *Ringsystemen, s. PAH.

Polycyclische Pigmente. Unter p. P. versteht man keine einheitliche Pigmentklasse, sondern die Zusammenfassung aller Nicht-Azopigmente. Es sind Pigmente mit kondensierten (anellierten), aromat. od. heterocycl. Ringsyst., wie z. B. *Phthalocyanin-Pigmente, *Chinacridon-Pigmente, *Perylen-Pigmente, *Thioindigo-Pigmente, *Anthrachinon-Pigmente, Pyranthron-Pigmente, Dioxazin-Pigmente u. auch Triarylcarbonium-Pigmente; vgl. a. Pigmente. P. P. besitzen meist gute Licht- u. Wetterechtheiten, sowie vorteilhafte Lösemittel- u. Migrationseigenschaften. – *E* polycyclic pigments – *I* pigmenti policiclici – *S* pigmentos policíclicos

Lit.: Herbst u. Hunger, Industrielle Organische Pigmente (2.), S. 8, 431–566, Weinheim: VCH Verlagsges. 1995.

Polycyclische Verbindungen. Im weitesten Sinne Bez. für *cyclische Verbindungen, deren Mol. mind. 2 Ringe (z. B. Benzol-Ringe) enthalten, unabhängig davon, wie diese verknüpft sind, also auch für *Phane u. *Catenane. Im allg. wird diese Bez. jedoch für solche Verb. verwendet, in denen **kondensierte Ringsysteme* vorliegen, zu denen auch die *PAH gehören, od. für *überbrückte *Ringsysteme*, d. h. für *Bi-, *Tri-, *Tetracyclo[...]-Verb. u.ä. *Käfigverbindungen (exot. *platonische Moleküle), für die häufig phänomenolog. beschreibende Namen, z. B. Fenestrane [1], gewählt werden. – ***E*** polycyclic compounds – ***F*** composés polycycliques – ***I*** composti policiclici – ***S*** compuestos policíclicos

Lit.: [1] Synlett **1997**, 231.

Polycycloalkene. Sammelbez. für *Polymere, die durch *Ringöffnungspolymerisation (*Metathesepolymerisation) aus Cycloalkenen erhalten werden. Das bekannteste Beisp. hierfür ist die *Polymerisation von Cyclopenten zum sog. *Polypentenamer [IUPAC: Poly(1-pentenylen)]. Neben Cyclopenten u. Cyclohexen – letzteres ergibt nur sehr niedermol. Oligomere – kann eine große Zahl weiterer Cycloalkene u. Bicycloalkene zu meist sehr hochmol. Produkten umgesetzt werden, die z. T. auch kommerziell von Interesse sind. So wird z. B. Poly(1-octenylen) (Handelsname *Vestenamer*) als Minderkomponente (10–30%) in Elastomer-Blends eingesetzt u. Polynorbornen (Handelsname *Norsorex*) als Spezialkautschuk, der das vielfache seines eigenen Gew. an Weichmachern aufnehmen kann. – ***E*** polycycloolefins – ***F*** polycycloalkènes – ***I*** policicloalcheni – ***S*** policlidoalquenos

Lit.: Odian (3.), S. 577 f.

Polycycloalkine. Sammelbez. für *Polymere, die durch *Ringöffnungspolymerisation (*Metathesepolymerisation) aus Cycloalkinen erhalten werden. Analog zur Synth. von *Polycycloalkenen kann z. B.

n (Cyclooctin) ⟶ $\left[C{\equiv}C-(CH_2)_6 \right]_n$

Cyclooctin zum sog. *Polyoctinamer* [od. Poly(1-octinylen] umgesetzt werden. – ***E*** polycycloalkynes – ***F*** polycycloalkines – ***I*** policicloalchini – ***S*** policicloalquinos

Lit.: Odian (3.), S. 577 f.

Polycyclobutene. Sammelbez. für *Polymere des Cyclobutens, dessen *Polymerisation zum einen über die Doppelbindung u. damit unter Erhalt des Ringsyst. erfolgen kann, zum anderen aber auch unter Ringöffnung u. Erhalt der Doppelbindung:

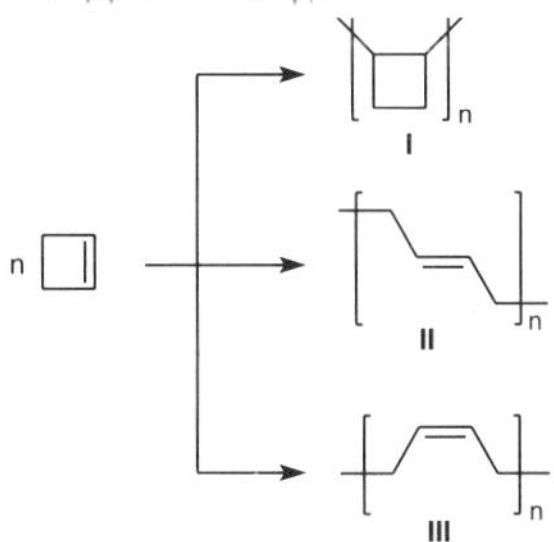

Die Bildung dieser unterschiedlichen Polymeren ist Katalysator-abhängig: Polymere der Struktur I werden als *Polycyclobutenamere* (a); die der Struktur II u. III als *Poly(2-butenylen)e* (b) bezeichnet. Die P. II bzw. III entsprechen in ihrem Aufbau dem Poly(*trans*-1,4-butadien) bzw. dem Poly(*cis*-1,4-butadien), s. Poly(butadien)e. – ***E*** cyclobutene polymers – ***F*** polycyclobutènes – ***I*** policiclobuteni – ***S*** policiclobutenos

Lit.: Encycl. Polym. Sci. Eng. **15**, 662 ff. – *[CAS 25038-44-2 (a); 25038-44-2 (b)]*

Polycycloene. Übergreifende Bez. für hochungesätt. *Leiterpolymere wie z. B. solche der idealisierten Strukturen I bzw. II:

I II

Diese P. werden hergestellt durch Dehydrierung von *Polybutadien (I, *Polycyclobutadien*) bzw. *Polyacrylnitril (II, *Polycycloacrylnitril*). Sie können durch Graphitierung in Kohlefasern umgewandelt werden, die als Fasern od. Gewebe eingesetzt werden. Weitere P. wurden in jüngerer Vergangenheit z. B. durch *Diels-Alder-Polymerisationen erhalten. Alle P. – mit Ausnahme derer, die seitlich anhaftende, flexible Seitenketten tragen – sind unlösl. u. unschmelzbar. – ***E*** polycycloenes – ***F*** polycycloènes – ***I*** policicloeni – ***S*** policicloenos

Lit.: Domininghaus (5.), S. 965 f.

Poly(1,4-cyclohexandimethylenterephthalat)e (Kurzz. PCT). Bez. für zur Gruppe der *Polyalkylenterephthalate zählende thermoplast. *Polyester auf Basis von Terephthalsäure u. 1,4-Bis(hydroxymethyl)cyclohexan als Diol-Komponente (Struktur s. Formel III bei Polyalkylenterephthalate). P. werden anstelle von Polyethylenterephthalaten eingesetzt, wenn ihr um ca. 20 °C höhere Schmp. vorteilhaft ist, z. B. für den Bereich erhitzbarer Verpackungsmaterialien. – ***E*** poly(1,4-cyclohexylenemethylene-terephthalate)s – ***F*** poly(1,4-cyclohexylèneméthylène-téréphthalates) – ***I*** poli(1,4-cicloesandimetilentereftalati) – ***S*** poly(1,4-ciclohexilenmetilen-tereftalatos)

Lit.: Domininghaus (5.), S. 797 ▪ s. a. Polyester. – *[CAS 25037-99-4]*

Polycyclopentadiene [Poly(1,3-cyclopentadien)e]. 1,3-Cyclopentadien polymerisiert kation. initiiert zu *Polymeren der allg. Struktur I od. II:

I II

Hydrierte P. dieser Art werden als Harze in Klebstoffen (*Haftklebstoffe, *Schmelzklebstoffe) eingesetzt. Vielfach wird Cyclopentadien auch in seiner dimeren Form III (*endo*-Dicyclopentadien, s. S. 3436 oben links) zur Polymerisation eingesetzt. Dabei reagiert in Ggw. von *Metathese-Katalysatoren (z. B. Wolfram-Verb.) zunächst nur eine der beiden Doppelbindungen des Monomers, wodurch intermediär noch unvernetzte u. daher lösl. Polydicyclopentadiene entstehen. Noch während der Umsetzung erfolgt dann allerdings bald auch die ringöffnende Reaktion der zweiten Doppelbindung u. damit Verzweigung u. Vernetzung zu den *Polydicyclopentadienen* der Struktur IV (s. S. 3436 oben links).

Es resultiert ein *Kunststoff mit dem Handelsnamen *Metton*. Techn. werden Polymerisation u. Vernetzung in einem Produktionsschritt nach dem Reaction-Injection-Moulding-(RIM)Verf. (s. Polyurethane) durchgeführt. Typ. Produkte sind Satelliten-Antennen, Körper

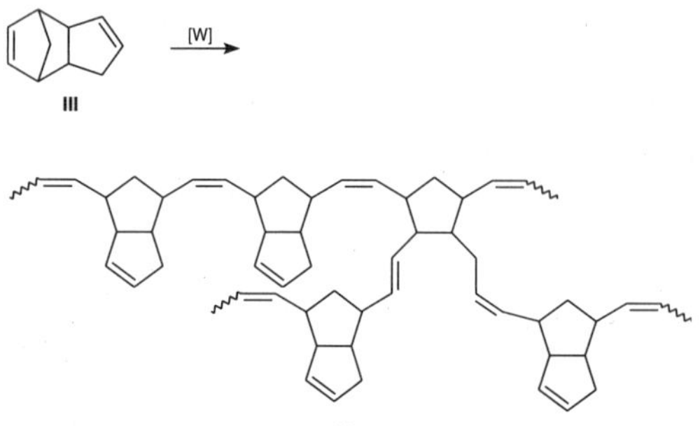

III →[W]

IV

von Snowmobilen u. Autoteile. Schließlich wird auch das Cyclopentadienyl-Natrium V zum Aufbau von P. genutzt. Dazu wird V zunächst mit organ. Dihalogen-Verb. VI zu sog. Bisdienen VII umgesetzt. Diese reagieren bei 20–140 °C in einer *Diels-Alder-Reaktion zu zunächst *Oligomeren VIII,

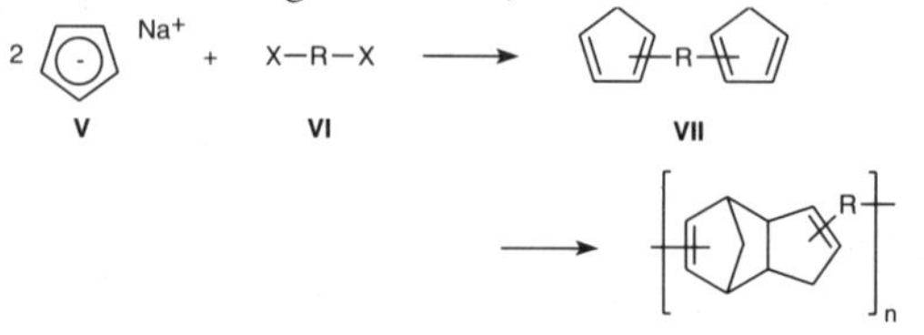

2 V (Na^+) + X–R–X (VI) ⟶ VII ⟶ VIII

die oberhalb von 150 °C in Ggw. ungesätt. *Polyester ausgehärtet werden können.

1,3-Cyclopentadien u. sein Dimer, das Dicyclopentadien, sind mit anderen Monomeren copolymerisierbar. *Terpolymere des Dicyclopentadiens mit Ethylen u. Propylen werden als vulkanisierbare Ethylen/Propylen-Elastomere (Kurzz. EPDM) techn. genutzt. – ***E*** poly(1,3-cyclopentadiene)s, cyclopentadiene polymers – ***F*** poly(1,3-cyclopentadiènes) – ***I*** poli1,3-ciclopentadieni – ***S*** poli(1,3-ciclopentadienos)

Lit.: Elias (5.) **2**, 145, 146 ▪ Encycl. Polym. Sci. Eng. **4**, 537–542 ▪ Odian (3.), S. 578.

Polycyclotrimerisation s. Trimerisation.

Polydextrose®. P. ist ein in der BRD allg. zugelassener Lebensmittel-*Zusatzstoff, der zur Herst. kalorienreduzierter Lebensmittel geeignet ist. P. schmeckt nicht süß, sondern verbessert die Textur u. den Geschmackseindruck von Lebensmitteln (bulking agent). Schmp. 130 °C, M_R 100–20000, Hauptfraktion (80%): M_R 1000–5000.

Physiologie: P. wird nur teilw. metabolisiert. Die Verstoffwechselung durch Darmbakterien liefert *Kohlendioxid u. kurzkettige *Fettsäuren. Der *physiologische Brennwert von P. wurde mit 4 kJ/g (*Zucker 16,4 kJ/g) angegeben. Nach neueren Untersuchungen ist aber ein höherer Wert von 8 kJ/g wahrscheinlich [1]. Die Verträglichkeit ist im allg. gut. P. wirkt schwächer kariogen als *Saccharose u. ist für Diabetiker geeignet. Ab 90 g/d wirkt P. laxierend.

Herst.: P. wird durch *Polykondensation von *Glucose mit *Sorbit u. *Citronensäure hergestellt, so daß ein *Polymer mit hauptsächlich 1–6 glucosid. Bindungen entsteht. Verfahrensoptimierungen führten in den letzten Jahren zu einem reinweißen, nahezu geschmacksneutralen Produkt (Handelsnamen z. B. Litess III, Sta-Lite).

Verw.: P. wird in Kombination mit *Süßstoffen (z. B. *Acesulfam-K) [2] als Ersatz für *Saccharose zu *Speiseeis, *Backwaren, Desserts u. Süßspeisen zugesetzt. Darüber hinaus kann durch P. ein Teil des Fettes ersetzt werden, z. B. in Nuß-Nougat-Cremes (hierfür liegen Ausnahmegenehmigungen vor).

Analytik: P. kann nach enzymat. Abbau u. *Ultrafiltration gaschromatograph. bestimmt werden [3]. Weniger zeitaufwendig ist eine *HPLC-Meth. mit refraktometr. [4], amperometr. [5] od. UV-Detektion [6]; s. a. Zuckeraustauschstoffe. ***B.:*** Cultor; A. E. Staley. – ***E*** = ***F*** polydextrose – ***I*** polidestrosio – ***S*** polidextrosa

Lit.: [1] Akt. Ernähr-Med. **15**, 82–84 (1990). [2] J. Food Sci. **54**, 625 (1989). [3] Mitt. Geb. Lebensmittelunters. Hyg. **81**, 51–67 (1990). [4] J. Assoc. Off. Anal. Chem. **73**, 51 ff. (1990). [5] Lebensmittelchem. **45**, 35 (1991); Z. Lebensm. Unters. Forsch. **195**, 246–249 (1992). [6] J. Assoc. Off. Anal. Chem. **74**, 571 ff. (1991).

allg.: Belitz-Grosch (4.), S. 791 ▪ Food Technol. **44**, 137 (1990) ▪ Nutr. Rev. **47**, 124 ff. (1989) ▪ Starch/Stärke **46** (1), 27–32 (1994) ▪ Ullmann (4.) **24**, 761; (5.) **A 11**, 565.

Polydiacetylene. Bez. für durch *Polymerisation von Diacetylenen zugängliche *Polymere, die in den isomeren Formen I u. II vorliegen können, von denen I die stabilere ist:

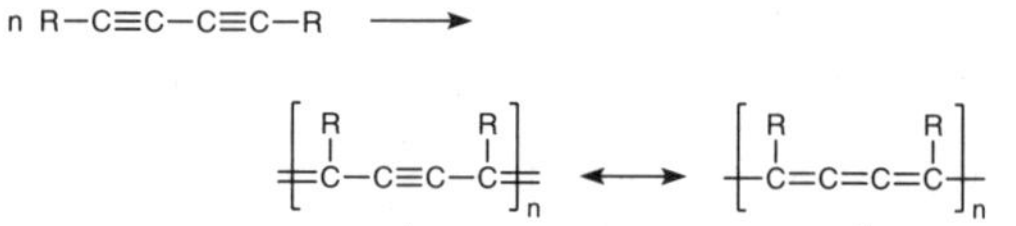

n R–C≡C–C≡C–R ⟶

I ⟷ II

P. werden meist durch *Substanzpolymerisation der *Monomeren, z. B. von Diacetylen-Einkrist., in sog. *topochemischen (gitterkontrollierten) Reaktionen hergestellt. Die Polymerisierbarkeit der Diacetylene ist stark vom Substituenten R abhängig. Entscheidend ist dabei, daß die Diacetylen-Gruppen im Monomer-Krist. zueinander eine geeignete räumliche Anordnung einnehmen, so daß die Polymerkette im Krist. wachsen kann, wie es in Abb. 1 schemat. gezeigt ist.

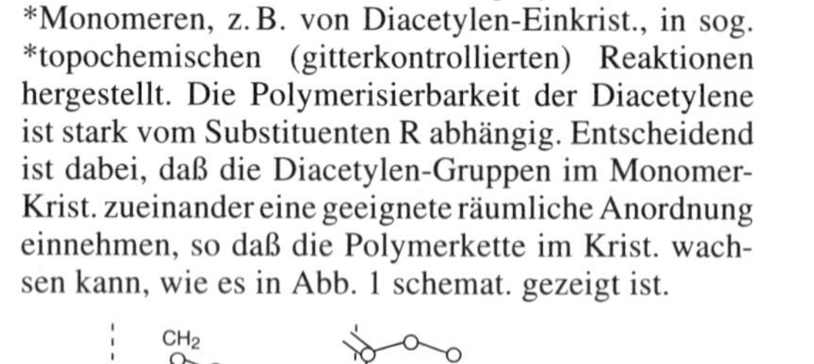

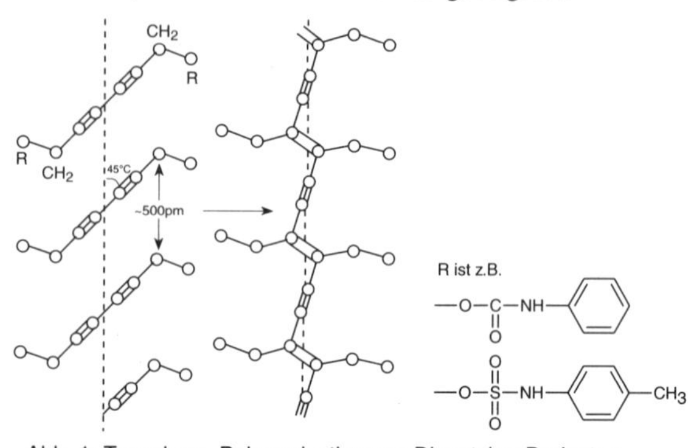

Abb. 1: Topochem. Polymerisation von Diacetylen-Derivaten.

Aufgrund geeigneter Vororientierung polymerisieren damit Monomere mit z. B. R = $-CH_2-O-SO_2-C_6H_4-CH_3$ od. $-(CH_2)_n-O-CO-NH-CH_2-CO-O-C_4H_9$ (n = 2, 3) gut, solche mit R = $-C(CH_3)_3$, $-C_6H_5$ od. $-CO-C_6H_5$ nicht. In gleicher Weise wie im Krist. lassen sich die Diacetylene auch in monomol. Schichten (Langmuir-Blodgett-Schichten) für die Polymerisation geeignet vororientieren.

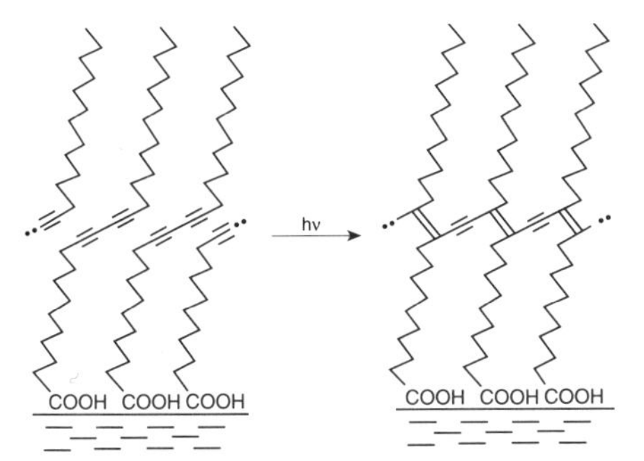

Abb. 2: Polymerisation einer langkettigen Diacetylenfettsäure.

In Lsg. polymerisieren Diacetylene dagegen unkontrolliert unter Vernetzung od. aber überhaupt nicht.
P. mit z. B. Urethan-Gruppenhaltigen Substituenten sind in organ. Lsm., z. B. Chloroform, löslich. Sie sind elektr. Isolatoren, werden aber nach *Dotierung elektr. leitfähig. Als Einkrist. sind P. photoleitfähig.
Anw.-Möglichkeiten für P. werden für die nicht-lineare Optik, die Holographie, Elektronik (isolierende Beschichtungen) u. für Zeit- u. Temp.-Anzeigen gesehen. – ***E*** polydiacetylenes – ***F*** polydiacétylènes – ***I*** polidiacetileni – ***S*** polidiacetilenos
Lit.: Compr. Polym. Sci. **7**, 191 ff. ▪ Encycl. Polym. Sci. Eng. **4**, 767–779 ▪ Tieke, S. 172.

Polydiallyldiglykolcarbonate. Bez. für *Polymere, die aus Diallyl-Verb. der allg. Formel:

$$\left[H_2C{=}CH{-}CH_2{-}O{-}\overset{O}{\overset{\|}{C}}{-}\left(O{-}CH_2{-}CH_2\right)_n \right]_2 O \qquad n = 1\text{-}4$$

zugänglich sind. Die *Polymerisation dieser *Monomeren bzw. von aus diesen hergestellten *Prepolymeren wird als radikal. initiierte *Substanzpolymerisation durchgeführt. Die resultierenden P. zeichnen sich durch hohe Transparenz, Farblosigkeit, guten Abriebwiderstand u. ausgezeichnete opt. Eigenschaften aus u. können für viele opt. Anw., z. B. für die Herst. von opt. Linsen, eingesetzt werden. – ***E*** diallyl diglycol carbonate polymers – ***F*** polymères de carbonate de diallyl-diglycol – ***I*** carbonati di poliallildiglicole – ***S*** polímeros de carbonato de dialil-diglicol
Lit.: Encycl. Polym. Sci. Eng. **4**, 781–790.

Polydiallylphthalate (Kurzz. PDAP). Bez. für *Duroplaste aus *Harzen auf Basis von Diallylphthalaten (s. Phthalsäureester). Die Harze finden Verw. als *Gießharze bzw. Einbettungsmassen. Sie gehören zur Gruppe der Allylharze; zu Verw. u. Lit. s. dort. – ***E*** = ***F*** polydiallylphthalates – ***I*** polidiallilftalati – ***S*** polidialilftalatos – *[CAS 25820-61-5]*

Poly(1,1-dichlorethylen) s. Polyvinylidenchlorid.

Polydicyclopentadiene s. Polycyclopentadiene.

Polydiene. Übergreifende Bez. für ungesätt. *Polymere, die bei der *Homopolymerisation od. *Copolymerisation von Dienen anfallen. Zu den P. gehören die techn. wichtigen *Polybutadiene, *Polychloroprene, *Polyisoprene u. *Poly(2,3-dimethylbutadien)e. – ***E*** polydienes – ***F*** polydiènes – ***I*** polidieni – ***S*** polidienos
Lit.: Elias (5.) **2**, 138 ff.

Poly(2,3-dimethylbutadien). Bez. für ein *Polymer der Struktur

$$\left[CH_2{-}\underset{H_3C}{\underset{|}{C}}{=}\underset{CH_3}{\underset{|}{C}}{-}CH_2 \right]_n$$

P. wurde 1912 entdeckt u. wurde unter dem Namen Methylkautschuk der erste *Synthesekautschuk. P. ist zugänglich aus 2,3-Dimethylbutadien nach unterschiedlichen Verf. mittels radikal., ion. od. durch *Ziegler-Natta-Katalysatoren initierte *Polymerisationen. Die resultierenden P. sind aus *trans*-1,4-, *cis*-1,4- u. *cis*-1,2-Einheiten in unterschiedlichen, von den Polymerisationsbedingungen abhängigen Verhältnissen aufgebaut (s. Polybutadiene). In seinen Eigenschaften ist dieser Synthesekautschuk dem *Naturkautschuk deutlich unterlegen (s. Methylkautschuk). – ***E*** poly(2,3-dimethylbutadiene), methyl rubber – ***F*** poly(2,3-diméthylbutadiène) – ***I*** poli-2,3-dimetilbutadiene – ***S*** poli(2,3-dimetilbutadieno)
Lit.: Encycl. Polym. Sci. Eng. **2**, 518–522 ▪ Franta, Elastomers and Rubber Compounding Materials, S. 65 f., Amsterdam-New York: Elsevier 1989. – *[HS 4002 99; CAS 25034-65-5]*

Polydimethylsiloxan s. Dimeticon u. Silicone.

Polydioxanone. Bez. für biolog. abbaubare *Polyester der Struktur II, die durch *Ringöffnungspolymerisation von 1,4-Dioxanon (I) zugänglich sind:

$$n \; \text{(1,4-Dioxan-2-on)}\;(\mathrm{I}) \longrightarrow \left[CH_2{-}CH_2{-}O{-}CH_2{-}\underset{O}{\underset{\|}{C}}{-}O \right]_n \;(\mathrm{II})$$

P. werden als resorbierbare Polymere in der Medizin, z. B. als chirurg. Nahtmaterial, eingesetzt. – ***E*** = ***F*** polydioxanones – ***I*** polidiossanoni – ***S*** polidioxanonas
Lit.: Encycl. Polym. Sci. Eng. **12**, 41 ▪ Gummi, Asbest + Kunstst. **43**, 478 ff. (1990). – *[CAS 31852-84-3]*

Polydisperse Polymere. 1. Bez. für *Polymere, deren *Makromoleküle sich hinsichtlich ihres *Polymerisationsgrades u. damit auch hinsichtlich Kettenlänge u. Molmasse unterscheiden, die also eine *Molmassen-Verteilung aufweisen (s. Polydispersität).
2. Nach IUPAC-Nomenklaturregeln sind p. P. Polymere, deren Makromol. sich hinsichtlich ihrer relativen Molmasse u. ihrer Konstitution unterscheiden. IUPAC schlägt für derartige Polymere die Bez. *uneinheitliche Polymere* vor. – ***E*** polydisperse polymers, non-uniform polymers – ***F*** polymères polydispersés – ***I*** polimeri polidispersi – ***S*** polímeros polidispersos
Lit.: Metanomski, Compendium of Macromolecular Nomenclature, S. 53, Oxford: Blackwell Sci. Publ. 1991.

Polydispersität (Dispersität, Polydispersitätsindex). Die meisten *Polymere bestehen aus vielen einzelnen *Makromolekülen, deren Polymerisationsgrade bzw. *Molmassen über einen mehr od. weniger breiten Bereich verteilt sind, d. h. sie sind *polydispers.* Zur vollständigen Beschreibung eines solchen Polymers gehört daher die Angabe seiner *Molmassenverteilungs-Kurve (s. z. B. Abb. S. 3438).
Für viele Zwecke ist aber die Kenntnis der gesamten Verteilungskurve nicht erforderlich. Vielmehr genügen einfachere Informationen zur Breite der Molmas-

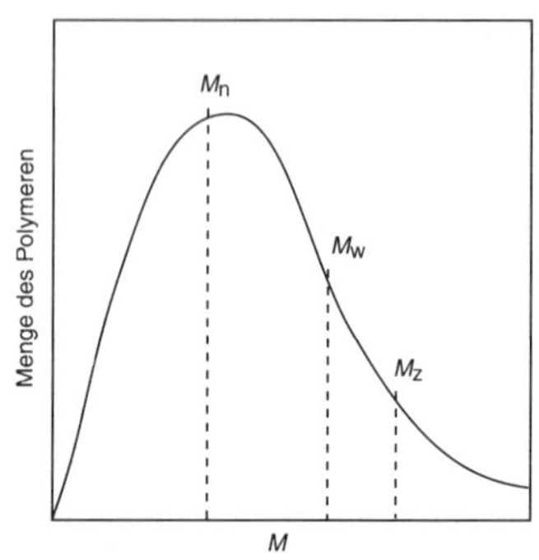

Abb.: Typ. Molmassenverteilungs-Kurve eines synthet. Polymers u. die Lage der zahlenmittleren (M_n), der gewichtsmittleren (M_w) u. des Zentrifugenmittels (M_z) der Molmasse (nach Tieke, *Lit.*).

senverteilung, wie sie durch Angabe verschiedener Molmassen-Mittelwerte u. ihrer Verhältnisse zueinander gegeben werden können. Solche Daten sind über die verschiedenen Bestimmungsmeth. für Molmassen zugänglich. So erhält man aus Messungen der *kolligativen Eigenschaften einer Polymer-Lsg. (z.B. des osmot. Druckes) die sog. „zahlenmittlere Molmasse" M_n.
Aus z.B. Lichtstreu-Untersuchungen erhält man andererseits eine sog. „gewichtsmittlere Molmasse" M_w. Weiterhin kann ein „Zentrifugenmittel" der Molmasse M_z durch Messungen von Sedimentationsgleichgew. in der Ultrazentrifuge bestimmt werden. Darüber hinaus kennt man Mittelwerte wie das „(z + 1)-Mittel" M_{z+1}, das bei der Beschreibung mechan. Eigenschaften von Polymeren wichtig ist, od. das „Viskositätsmittel" M_η, das aus Viskositätsmessungen erhalten wird. Für die Größe der einzelnen Mittelwerte gilt allg. $M_n \leq M_\eta \leq M_w \leq M_z$. Diese Werte weichen in der gegebenen Reihenfolge um so stärker voneinander ab, je breiter die Molmassenverteilung ist. Daher liefern bereits die Verhältnisse einzelner Mittelwerte zueinander wertvolle Information über die Breite einer Verteilungskurve. Üblicherweise gibt man entweder das Verhältnis von gewichts- u. zahlenmittlerer Molmasse an, das als P. *D* bezeichnet wird:

$$D = M_w / M_n,$$

od. die hieraus abgeleitete Uneinheitlichkeit *U*, für die gilt

$$U = D - 1 = (M_w / M_n) - 1.$$

Für viele *Polymerisate u. *Polykondensate gilt $D \approx 2$. Sehr eng verteilte Polymere ($D \approx 1$) können durch lebende (z.B. anion.) Polymerisationen erhalten werden. Für streng monodisperse Polymere (z.B. einige Biopolymere) gilt exakt $D = 1$ bzw. $U = D-1 = 0$. – ***E*** polydispersity index – ***F*** polydiversité – ***I*** polidiversità – ***S*** indice de polidispersividad
Lit.: Cowie, S. 7 ▪ Elias (5.) **1**, 56 ▪ Tieke, S. 9.

Polydispersitätsindex s. Polydispersität.

Polydiversität. Begriff zur Beschreibung von *Polysacchariden, deren einzelne *Makromoleküle deutlich verschieden aufgebaute Zucker-Bausteine bzw. Repetiereinheiten enthalten. Demgegenüber werden Polysaccharide, die aus Mischungen konstitutiv ähnlicher Einzelmol. bestehen, sich also nur in z.B. Zahl od. Länge der Seitenketten od. dem Ausmaß einer Acetylierung unterscheiden, in der Polysaccharid-Chemie als *polydispers* bezeichnet (s. dagegen Polydispersität). Möchte man hingegen auf die unterschiedliche Länge der einzelnen Ketten in einer Polysaccharid-Probe hinweisen, d.h. auf die breite *Molmassenverteilung, so spricht man hier von **Polymolekularität*. – ***E*** polydiversity – ***F*** polydiversité – ***I*** polidversità – ***S*** polidiversidad
Lit.: Elias (5.) **1**, 330.

Poly(divinylether-co-maleinsäureanhydrid) (Kurzz. DIVEMA). Bei der radikal. *Copolymerisation von Divinylether u. Maleinsäureanhydrid wechseln inter- u. intramol. Reaktionsschritte auf eine Weise ab, daß die Divinylether-Reste im Produkt in Form sechs-, z.T. auch fünfgliedriger Ringe vorliegen:

$(H_2C{=}CH)_2O \xrightarrow{+R^\bullet} R{-}CH_2{-}\dot{C}(H){-}O{-}CH{=}CH_2 \; \xrightarrow{+\text{Maleinsäureanhydrid}} \; \dots \; \xrightarrow{(H_2C{=}CH)_2O}$ etc.

Das hydrolysierte u. neutralisierte DIVEMA ist biolog. wirksam. Es wirkt z.B. gegen Tumore, induziert die *Interferon-Bildung u. besitzt antibakterielle, fungizide u. antiarthrit. Eigenschaften. – ***E*** poly(divinyl ether-co-maleic anhydride) – ***F*** poly(divinyléther-co-anhydride maléique) – ***I*** poli(diviniletere-co-anidride maleica) – ***S*** poli(diviniléter-co-anhídrido maleico)

Polydymit s. Kobaltnickelkiese.

Polyelektrolyte. Bez. für *Polymere mit einer großen Zahl ion. dissoziierbarer Gruppen, die wie in z.B. den *Ionenen **1** integraler Bestandteil der Polymer-Hauptkette sein können od. aber an diese seitlich angehängt sind, wie z.B. im Falle des quaternisierten Poly(4-vinylpyridin)s **2**:

1 $[-R^1-N^+(R^2)_2-R^3-N^+(R^2)_2-]_n \; X^- \; X^-$

2 $[-CH_2-CH(C_5H_4N^+R)-]_n \; X^-$

Typ. P. tragen damit Elektrolyt-Funktionalitäten an jeder Wiederholungseinheit ihrer *Makromoleküle. Sind die ion. Gruppen in den Polymerketten dagegen seltener, so daß z.B. nicht jede Wiederholungseinheit

eine ion. Ladung trägt, so spricht man von *Ionomeren*. Polymere mit nur einer od. wenigen ion. Gruppen, bevorzugt an den Kettenenden, sind *Makroionen* (Makroanionen, Makrokationen).
Je nach Art der dissoziierbaren Gruppen unterteilt man die P. grob in *Polysäuren* u. *Polybasen*. Aus Polysäuren entstehen bei der Dissoziation unter Abspaltung von Protonen *Polyanionen*, die sowohl anorgan. als auch organ. Polymere sein können. Beisp. für Polysäuren, deren Salze als *Polysalze* bezeichnet werden, mit den Gruppierungen I–V als charakterist. Grundeinheiten sind: Polyphosphorsäure (I), Polyvinylschwefelsäure (II), Polyvinylsulfonsäure (III), Polyvinylphosphonsäure (IV) u. Polyacrylsäure (V):

I: —O—P(=O)(OH)—   II: —CH₂—CH(O—SO₃H)—   III: —CH₂—CH(SO₃H)—

IV: —CH₂—CH(PO(OH)₂)—   V: —CH₂—CH(COOH)—

Polybasen enthalten als pro-ion. Gruppen solche, die u. a. in der Lage sind, Protonen, z. B. durch Reaktion mit Säuren unter Salz-Bildung, aufzunehmen. Typ. Polybasen mit ketten- bzw. seitenständigen pro-ion. Gruppen sind *Polyethylenimin (VI), Polyvinylamin (s. Vinylamin-Polymere) (VII) u. Polyvinylpyridin (s. Vinylpyridin-Polymere) (VIII):

VI: —CH₂—CH₂—NH—   VII: —CH₂—CH(NH₂)—   VIII: —CH₂—CH(4-Pyridyl)—

Schließlich zählen auch Polymere, die geladene Metall-Komplexe als seitenständige Substituenten (s. Komplexpolymere, komplexbildende Polymere) od. als Bestandteil ihrer Hauptketten enthalten (s. Koordinationspolymere, Metall-organische Polymere), zu den Polyelektrolyten.
P., die sowohl anion. als auch kation. Gruppen in einem *Makromolekül enthalten, sind *Polyampholyte*. In hinreichend polaren Lsm. (z. B. Wasser) dissoziieren P. zu *Polyionen* u. den entsprechenden Gegenionen. Ihre Makromol. liegen in Lsg. infolge der intramol. elektrostat. Abstoßung der ion. Gruppen meist als um ein Vielfaches stärker aufgeweitete Knäuelmol. vor als man es von ungeladenen Polymer-Mol. her kennt. Die frühere Annahme, daß sie im Grenzfall sehr niedriger Ionenstärke sogar Stäbchengestalt annehmen, hat sich jedoch als falsch erwiesen. Durch Zugabe von niedermol. Salzen (z. B. NaCl) zur Lsg. der P.-Mol. wird die Ionenstärke erhöht u. die Reichweite der intramol. elektrostat. Abstoßung verringert. Die P.-Knäuel ziehen sich als Folge davon zunehmend zusammen, bis sie bei hinreichend großer Ionenstärke ausfallen („Aussalzen“). Ein umfassendes, auch quant. Verständnis aller dieser Prozesse konnte allerdings bis heute noch nicht erreicht werden u. ist Gegenstand intensiver aktueller Forschung.
Mehr- u. polyvalente Gegenionen bewirken eine Vernetzung der P., die bis zu deren Unlöslichkeit führen kann. *Carboxymethylcellulose z. B. wird aus den wäss. Lsg. ihrer Natrium-Salze durch Zusatz von Cu^{2+}-, Fe^{3+}- od. Al^{3+}-Ionen ausgefällt. Bei Einhaltung streng definierter Bedingungen erfolgt die Ausfällung quantitativ. Die z. B. mit Kupfer(II)-sulfat ausgefällte Kupfer-Carboxymethylcellulose enthält Kupfer-Ionen u. Carboxy-Gruppen in einem streng stöchiometr. Verhältnis, das es ermöglicht, bei unbekannten Carboxymethylcellulosen den Substitutionsgrad aus dem Kupfer-Gehalt zu ermitteln.
Auch bei der Reaktion von Polybasen mit Polysäuren wird die Stöchiometrie streng gewahrt. Auf diesem Phänomen basiert das Prinzip der sog. **Polyelektrolyt-Titration*. Polybasen u. Polysäuren reagieren miteinander zu unlösl. P.-Komplexen (*Symplexe*; s. Polyelektrolyt-Titration).
P. können sowohl *Biopolymere (*Alginsäure, *Gummi arabicum, *Nucleinsäuren, *Pektine, *Proteine u. a.) als auch chem. modifizierte Biopolymere (*Carboxymethylcellulose, Ligninsulfonate) u. synth. Polymere [z. B. *Poly(meth)acrylsäure, *Polyvinylsulfonsäure, Polyvinylphosphonsäure (s. Vinylphosphonsäure-Polymere), *Polyethylenimin] sein.
Zu Eigenschaften u. Anw. s. die einzelnen P. u. P.-Komplexe. – ***E*** polyelectrolytes – ***F*** polyéléctrolytes – ***I*** polielettroliti – ***S*** polielectrolitos

Lit.: Compr. Polym. Sci. **1**, 215–228 ▪ Elias (5.) **1**, 30, 715 ff.; **2**, 725 ▪ Encycl. Polym. Sci. Eng. **11**, 739–829 ▪ Gray, Polymer Electrolytes, RSC Materials Monographs, Cambridge, The Royal Society of Chemistry 1997.

Polyelektrolyt-Komplexe s. Polyelektrolyt-Titration.

Polyelektrolyt-Titration. Gegensätzlich geladene *ionische Polymere (*Polyelektrolyte) reagieren miteinander zu *Polyelektrolyt-Komplexen* (sog. *Symplexen*) mit definierter stöchiometr. Zusammensetzung, d. h. das Äquivalentverhältnis von anion. u. kation. Gruppen in diesen Komplexen liegt bei od. in der Nähe von 1. Dieses Phänomen ermöglicht es, die unbekannte Ladungsdichte (Gehalt an ion. Gruppen) eines Polymeren durch Titration mit einem gegensätzlich geladenen Polyelektrolyten bekannter Zusammensetzung zu bestimmen. Dabei wird eine Lsg. des zu analysierenden Polymeren mit der Lsg. eines bekannten Polyelektrolyten versetzt. Endpunktbestimmung bei der P. sind auf unterschiedlichen Wegen möglich, im einfachsten Falle über den Einsatz von Indikatoren.
Das zu untersuchende Polymere kann auch unlösl. sein, z. B. als Suspension vorliegen; die P. erlaubt es u. a., die Oberflächenladungen von Faserstoffen zu bestimmen (*Zeta-Potential-Messungen). – ***E*** polyelectrolyte titrations – ***F*** titrations avec polyélectrolytes – ***I*** titolazione polielettrolitica – ***S*** valoración con polielectrolitos

Lit.: Z. Chem. **22**, 1 ff. (1982) ▪ Das Papier **36**, V 41–V 46 (1982).

Polyelimination (Polyeliminierung). Bei der P. handelt es sich um einen speziellen Typ einer *Polymer-Aufbaureaktion. Hier wachsen die *Makromoleküle entsprechend dem Schema

$$R\text{–}(M)_n\text{–}M^* + M\text{–}L \rightarrow R\text{–}(M)_n\text{–}M\text{–}M^* + L$$

durch wiederholte Anlagerung von *Monomeren M–L an aktive Kettenenden –M*. Im Gegensatz zu konven-

tionellen *Polymerisationen wird hier aber bei jedem Anlagerungsschritt eines weiteren Monomers ein meist niedermol. Mol.-Fragment L abgespalten. Diese nach einem Kettenwachstumsmechanismus verlaufende P. ist jedoch nicht zu verwechseln mit den als Stufenwachstumsreaktionen verlaufenden *Polykondensationen, bei denen keine für das Wachstum bes. ausgezeichneten Kettenenden vorliegen.
Während P. in Labor u. Technik vergleichsweise selten anzutreffen sind, sind prakt. alle biolog. *Polyreaktionen Polyeliminationen. Ein Beisp. ist die Biosynth. von *Cellulose aus Guanosindiphosphat-D-glucose. Als Beisp. einer synthet. P. sei die ringöffnende Polymerisation von Leuchs-Anhydriden der α-Aminosäuren zu Poly(α-aminosäure)n genannt, die unter Abspaltung von Kohlendioxid verläuft:

$$R^1{-}COOH + n\ \text{(Leuchs-Anhydrid, } R^2\text{)} \xrightarrow{-\,n\,CO_2} R^1{-}\overset{O}{\overset{\|}{C}}{-}\left[NH{-}\underset{R^2}{CH}{-}\overset{O}{\overset{\|}{C}}\right]_{n-1}{-}NH{-}\underset{R^2}{CH}{-}COOH$$

Ein anderes Beisp. ist die unter Stickstoff-Abspaltung erfolgende Bildung von nahezu unverzweigtem *Polymethylen aus Diazomethan (CH_2N_2), für die man bei Initiation durch Bortrifluorid/Wasser einen kation. Kettenwachstumsmechanismus annimmt:

$$H^+ + CH_2N_2 \longrightarrow CH_3N_2^+ \xrightarrow[-\,n\,N_2]{+\,n\,CH_2N_2} H_3C{-}\left[CH_2\right]_{n-1}{-}CH_2{-}N_2^+$$

– ***E*** polyelimination, condensative chain polymerization – ***F*** polyélimination – ***I*** polieliminazione – ***S*** polieliminación, polimerización de cadema condensativa
Lit.: Elias (5.) **1**, 181; **2**, 68, 125.

Polyen-Antibiotika s. Polyene.

Polyene. Aus *Poly... u. *...en zusammengesetzte Gattungsbez. für organ. Verb. mit mind. zwei (*Diene), meist konjugierten (*Konjuene*) C,C-Doppelbindungen in der Kette od. im Ring. *Polyolefine sind demgegenüber (trotz des als Synonym erscheinenden Gattungsnamens) *gesätt.* Kettenmoleküle. Der einfachste Vertreter der P. ist das 1,3-Butadien, als ggf. hochmol. P. gilt *Polyacetylen (C_nH_n). Die P. sind zu *cis-trans-*Isomerien u. zu Rotationen um die Einfachbindungen befähigt (s. cisoid). In der Natur sind P. weit verbreitet. Sie geben sich häufig durch Farbigkeit zu erkennen; mittels *UV-Spektroskopie läßt sich oftmals die Anzahl der Doppelbindungen im Mol. abschätzen. Beisp. für P. sind die *Carotinoide, *Annulene, *Cyclooctatetraen, *Cyanin- u. a. *Polymethin-Farbstoffe, *Fecapentaene, *Gamone, *Leukotriene, die *P.-Fettsäuren* wie *Linolsäure u. *Arachidonsäure od. die sog. ω-3-Polyenfettsäuren aus Fischen, *P.-Antibiotika* wie *Nystatin, *Natamycin, *Amphotericin B, *Candicidin u. *Candidin, die man weithin zu den Makrolid-Antibiotika zählt. In Analogie zu P. u. *Polyinen nennt man Verb. mit mehreren Dreifach- u. Doppelbindungen im Mol. *Polyenine*, die z. B. in der Mariendistel vorkommen. *Nicht* zu den P. rechnet man die *aromatischen Verbindungen, wohl aber die *Kumulene. – ***E*** polyenes – ***F*** polyènes – ***I*** polieni – ***S*** polienos
Lit.: s. Alkene u. Olefine.

Polyenine s. Polyene u. Polyine.

Polyepichlorhydrine (Epichlorhydrin-Kautschuke). Bez. für zur Gruppe der *Polyether-Kautschuke gehörende *Polymere der Struktur **2**. Sie können z.B. durch Polymerisation von Epichlorhydrin **1** mit $(H_5C_2)_3Al/H_2O$/Acetylaceton als Katalysator erhalten werden:

$$\underset{\mathbf{1}}{\text{Epichlorhydrin } (\text{Oxiran}{-}CH_2{-}Cl)} \longrightarrow \underset{\mathbf{2}}{\left[CH_2{-}\underset{CH_2-Cl}{CH}{-}O\right]_n}$$

Dieses durch *Homopolymerisation von Epichlorhydrin erhältliche P. ist – ebenso wie verschiedene durch *Copolymerisation von **1** insbes. mit Ethylenoxid u./od. Allylglycidylether erhältliche *Copolymere, die zusätzlich Grundeinheiten des Typs I u./od. II enthalten,

$$\underset{\mathbf{I}}{\left[CH_2{-}CH_2{-}O\right]} \qquad \underset{\mathbf{II}}{\left[CH_2{-}\underset{CH_2-O-CH_2-CH=CH_2}{CH}{-}O\right]}$$

– ein typ. *Elastomer. Diese P. sind prinzipiell über die Chlormethyl- u./od. die Allylether-Gruppen leicht vernetzbar (vulkanisierbar) (*Polyepichlorhydrin-Kautschuke*). Sie lassen sich auch durch *polymeranaloge Reaktionen, z.B. durch Umsetzung mit Aminen, in wasserlösl. Derivate überführen, die u.a. als Flockungsmittel geeignet sind. Kurzz. für die Homopolymere des Epichlorhydrins bzw. für seine *Copolymere mit Ethylenoxid bzw. seine *Terpolymere mit Ethylenoxid u. ungesätt. Monomeren sind CO bzw. ECO bzw. ETER. P.-Vulkanisate sind Elastomere mit auch bei tiefen Temp. hoher Flexibilität sowie außergewöhnlicher Beständigkeit gegenüber Ozon, Hitze, (Schmier-)Ölen u. Kraftstoffen.
Verw.: In der Automobil-Ind. zur Herst. von Schläuchen; zur Herst. u.a. von Beschichtungen, Diaphragmen, Treibriemen, Förderbändern, von Folien für Dachabdeckungen, Schutzkleidungen. – ***E*** epichlorohydrin rubbers (polymers, elastomers) – ***F*** polyépichlorhydrines – ***I*** poliepicloroidrine – ***S*** poliepiclorhidrinas
Lit.: Elias (5.) **2**, 183 ▪ Encycl. Polym. Sci. Eng. **6**, 308–315 ▪ Franta, Elastomers and Rubber Compounding Materials, S. 274ff., Amsterdam-New York: Elsevier 1989. – *[HS 4002 99; CAS 24969-06-0]*

Polyepichlorhydrin-Kautschuke s. Polyepichlorhydrine.

Polyepoxide. Bez. für niedermol. od. oligomere Verb., die über mind. zwei Epoxid-Gruppen (bzw. deren Vorstufen) verfügen. Solche P. werden mit Bisphenolen, Novolaken od. Aminen zu *Prepolymeren kondensiert, die z.T. ebenfalls wieder als P. bezeichnet werden. Letztere werden dann in einem abschließenden Prozeßschritt in unvernetzte od. vernetzte *Polymere überführt. Das gebräuchlichste P. der ersten Gruppe ist das Epichlorhydrin (**1**), dessen zweite Epoxid-Funk-

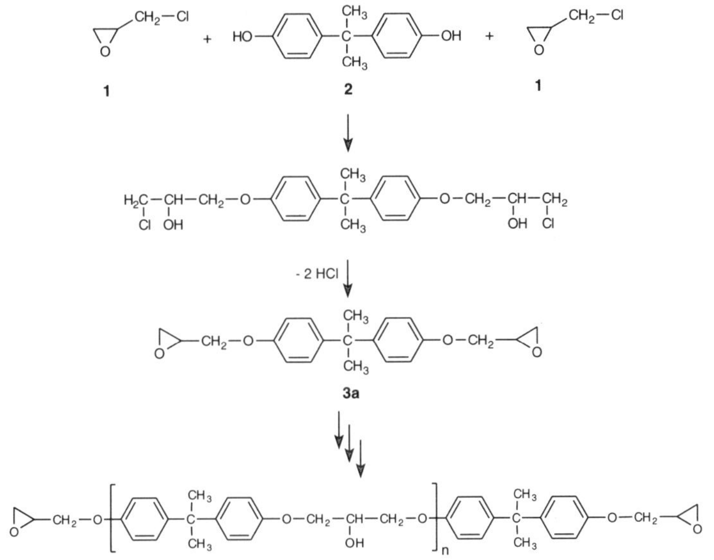

tionalität nach Reaktion der ersten durch Chlorwasserstoff-Abspaltung entsteht. Das gebräuchlichste Bisphenol ist das Bisphenol A (**2**). Bei Überschuß von Epichlorhydrin u. in Ggw. von Natronlauge entsteht aus diesen beiden Edukten das Präpolymer **3**, ein typ. Beisp. für P. der zweiten Gruppe.
Je nach dem Molverhältnis der Edukte erhält man P.-Präpolymere unterschiedlicher Molmassen. Verb. mit $0{,}1<n<0{,}6$ sind flüssig, solche mit $2<n<25$ fest. Zur abschließenden Vernetzung („Härtung") werden die P.-Präpolymere dann v. a. mit trifunktionellen Aminen umgesetzt, z. B.:

Symbol für P. **3a** od. **3b** :

Vernetzung mit *Polyaminen, z. B.
$H_2N-CH_2-CH_2-NH-CH_2-CH_2-NH-CH_2-CH_2-NH_2$:

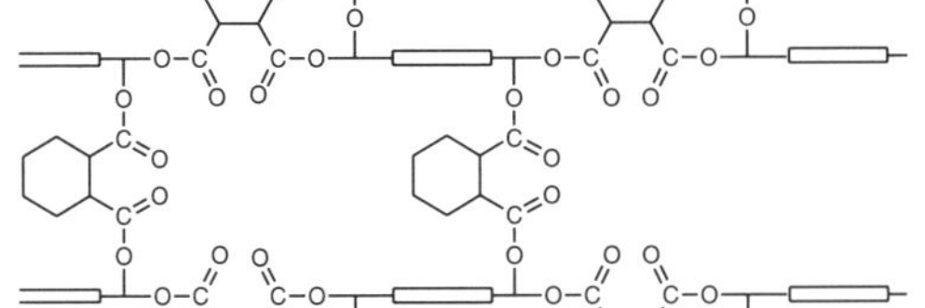

Vernetzung mit Hexahydrophthalsäureanhydrid:

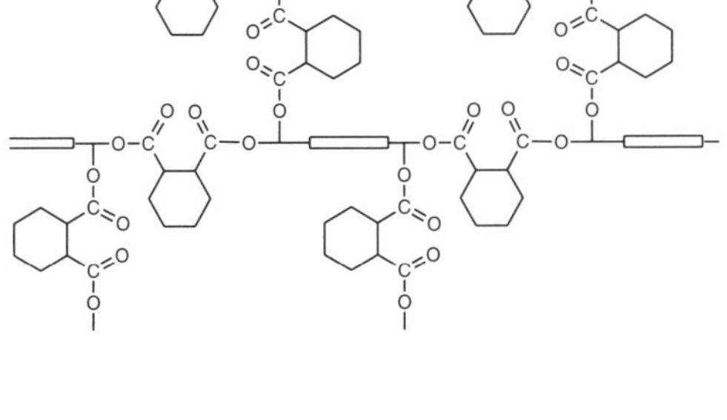

Da die Geschw. dieser Reaktion bereits bei 20 °C hoch ist, bezeichnet man dieses Verf. als *Kalthärtung*. Andererseits können auch Dicarbonsäureanhydride wie Phthalsäureanhydrid als Vernetzer dienen. In diesem Fall reagieren die Carbonsäureanhydrid-Funktionen zunächst mit den Hydroxy-Gruppen des P.-Präpolymers unter Bildung von Carboxy-Gruppen. Diese setzen sich dann ihrerseits mit den vorhandenen Epoxid-Gruppen weiter um.
Da die Reaktionen in diesem zweiten Fall erst bei ca. 80–100 °C einsetzen, wird dieser Prozeß als *Warmhärtung* bezeichnet. Zur Verw. der P. s. Epoxidharze. – ***E*** polyepoxides – ***F*** polyépoxides – ***I*** poliepossidi – ***S*** poliepóxidos

Lit.: Elias (5.) **2**, 184 ▪ Lechner et al., S. 118.

Polyester. Sammelbez. für *Polymere, deren Grundbausteine durch *Ester-Bindungen (–CO–O–) zusammengehalten werden. Nach ihrem chem. Aufbau lassen sich die sog. *Homopolyester* in zwei Gruppen einteilen, die Hydroxycarbonsäure-Typen (AB-Polyester) u. die Dihydroxy-Dicarbonsäure-Typen (AA-BB-Polyester). Erstere werden aus nur einem einzigen *Monomer durch z. B. *Polykondensation einer ω-Hydroxycarbonsäure **1** od. durch *Ringöffnungspolymerisation cycl. Ester (Lactone) **2** hergestellt, z. B.

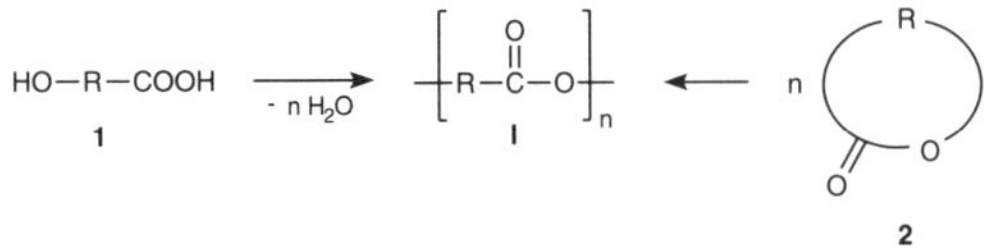

$$\underset{\mathbf{1}}{HO-R-COOH} \xrightarrow[-\,n\,H_2O]{} \underset{\mathbf{I}}{\left[R-\overset{O}{\overset{\|}{C}}-O\right]_n} \longleftarrow n\ \underset{\mathbf{2}}{\text{(Lacton)}}$$

Der Aufbau letzterer erfolgt dagegen durch Polykondensation zweier komplementärer Monomerer, z. B. einem Diol **3** u. einer Dicarbonsäure **4**:

$$\underset{\mathbf{3}}{n\ HO-R^1-OH} + \underset{\mathbf{4}}{HOOC-R^2-COOH} \xrightarrow[-\,2n\,H_2O]{} \underset{\mathbf{II}}{\left[R^1-O-\overset{O}{\overset{\|}{C}}-R^2-\overset{O}{\overset{\|}{C}}-O\right]_n}$$

Verzweigte u. vernetzte P. werden bei der Polykondensation von drei- od. mehrwertigen Alkoholen mit polyfunktionellen Carbonsäuren erhalten. Zu den P. werden allg. auch die *Polycarbonate (Polyester der Kohlensäure) gerechnet.
AB-Typ-P. (I) sind u.a. *Polyglykolsäuren (*Polyglykolide*, R = CH_2), *Polymilchsäuren (*Polylactide*, R = CH–CH_3), *Polyhydroxybuttersäure [Poly(3-hydroxybuttersäure), R = $CH(CH_3)$–CH_2], *Poly(ε-caprolacton)e [R = $(CH_2)_5$] u. *Polyhydroxybenzoesäuren* (R = C_6H_4).
Rein aliphat. AA-BB-Typ-P. (II) sind Polykondensate aus aliphat. Diolen u. Dicarbonsäuren, die u.a. als Produkte mit endständigen Hydroxy-Gruppen (als Polydiole) für die Herst. von *Polyesterpolyurethanen eingesetzt werden [z.B. Polytetramethylenadipat; $R^1 = R^2 = (CH_2)_4$]. Mengenmäßig größte techn. Bedeutung haben AA-BB-Typ-P. aus aliphat. Diolen u. aromat. Dicarbonsäuren, insbes. die *Polyalkylenterephthalate [$R^2 = C_6H_4$, mit *Polyethylenterephthalat (*PET) $R^1 = (CH_2)_2$, *Polybutylenterephthalat (PBT) $R^1 = (CH_2)_4$ u. *Poly(1,4-cyclohexandimethylenterephthalat)e (PCDT) $R^1 = CH_2$–C_6H_{10}–CH_2] als wichtigste Vertreter. Diese Typen von P. können durch Mitverwenden anderer aromat. Dicarbonsäuren (z.B. Isophthalsäure) bzw. durch Einsatz von Diol-Gemischen bei der Polykondensation in ihren Eigenschaften breit variiert u. unterschiedlichen Anw.-Gebieten angepaßt werden.
Rein aromat. P. sind die *Polyarylate, zu denen u.a. die Poly(4-hydroxybenzoesäure) (Formel I, R = C_6H_4), Polykondensate aus Bisphenol A u. Phthalsäuren (Formel II, $R^1 = C_6H_4$–$C(CH_3)_2$–C_6H_4, $R^2 = C_6H_4$) od. auch solche aus Bisphenolen u. Phosgen gehören.
Zusätzlich zu den bisher genannten gesätt. P. lassen sich auch *ungesättigte Polyester aus ungesätt. Dicarbonsäuren herstellen, die als *Polyesterharze, insbes. als *ungesättigte Polyesterharze (*UP-Harze*), techn. Bedeutung erlangt haben. Zur Synth. der P., die nach sehr differierenden Verf. verläuft, s. die einzelnen P.-Typen.
P. findet man auch in der Natur, wo sie aus Hydroxycarbonsäuren gebildet werden (*Beisp.:* *Depside u. Depsipeptide). Auch *Cutin u. *Suberin* (s. Kork) können als P. bezeichnet werden. (Die Bez. *Estolide* od. *Polyestolide* – abgeleitet von Esto- u. -*...olid – für derartige Produkte hat sich nicht eingebürgert.) Vielen Bakterien dient *Polyhydroxybuttersäure als Speicherstoff. Erdbienen produzieren P. aus 18-Hydroxyoctadecan- u. 20-Hydroxyeicosansäure zur Auskleidung ihrer Nester.
P. sind in der Regel *Thermoplaste. Produkte auf der Basis von aromat. Dicarbonsäuren besitzen ausgesprochenen Werkstoffcharakter. Die rein aromat. *Polyarylate zeichnen sich durch hohe Thermostabilität aus. Poly(4-hydroxybenzoesäure) ist ein hochkrist. P., das bei ca. 440 °C nach pulvermetall. Meth. verarbeitet werden kann, z.B. zu „Legierungen" mit Metallen (Kupfer, Aluminium, Magnesium). Zu weiteren Eigenschaften der P. s. die einzelnen Produkte u. Produktklassen.
Verw.: Rein aliphat. P. mit niedrigen Molmassen, z.B. solche auf Basis von Citronensäure u. Glycerin, wurden erstmals 1856 hergestellt. Sie sind techn. allenfalls als *Weichharze u. *Polymerweichmacher interessant. Polyesterglykole aus aliphat. Komponenten werden verbreitet zur Herst. von *Polyurethanen eingesetzt. Wichtigste Anw.-Gebiete der gesätt. linearen aliphat./aromat. P. sind Chemiefasern (Polyesterfasern, Kurzz. PES, nach DIN 6001-4: 1990-05) in der Bekleidungs-Ind. (hauptsächlich PET) u. *Formmassen für die Herst. von techn. Kunststoff-Artikeln. Ungesätt. Polyester (Kurzz. UP) sind Basis-Rohstoffe für *Polyesterharze (UP-Harze). Medizin. Anw. finden P.-Schaumstoffe u.a. in der Wundbehandlung. Hydrophile P., z.B. auf Basis von *Polyethylenglykolen od. Trimellithsäureanhydrid bzw. Sulfoisophthalsäure, können wasserlösl. od. wasserdispergierbar eingestellt werden u. werden im Lack- u. Beschichtungssektor eingesetzt.
Zu detaillierten Angaben zu Verw.-Möglichkeiten u. Markt-Vol. s. die einzelnen P.-Klassen u. -Typen. – ***E*** = ***F*** polyesters – ***I*** poliesteri – ***S*** poliésteres

Lit.: Domininghaus (5.), S. 716ff. ▪ Elias (5.) **2**, 189ff., 448 ▪ Encycl. Polym. Sci. Eng. **12**, 1–313 ▪ Houben-Weyl **E 20/2**, 1405–1429 ▪ s. a. einzelne P.-Klassen u. -Typen. – *[HS 3907..]*

Poly(ester-co-carbonat)e. Bez. für *Copolymere, die bei Einleitung von Phosgen in eine Lsg. von Diphenolen u. Dicarbonsäuren entstehen. Durch geeignete Wahl der Reaktionsführung können statist. od. Block-Copolymere aufgebaut werden. Im Falle der Verw. von Terephthalsäure werden die resultierenden P. als Polyphthalatcarbonate bezeichnet. – ***E*** polyester-co-carbonates – ***F*** poliester-co-carbonate – ***I*** poliestere-co-carbonati – ***S*** poliester-co-carbonatos

Polyesterharze. Sammelbez. für Polykondensationsprodukte aus zwei- u. mehrwertigen Carbonsäuren (Phthalsäuren, Adipinsäure, Trimellit(h)säureanhydrid) u. Alkoholen (Glycerin, Trimethylolpropan, Neopentylglykol, Butandiole u.a.). P. unterscheiden sich von *Alkydharzen insbes. dadurch, daß bei ihrer Herst. keine längerkettigen Fettsäuren verwendet werden. Im Engl. werden unter P. auch lineare *Polyester, vornehmlich auf Terephthalsäure-Basis verstanden, die als techn. *Kunststoffe (*E* engineering plastics) eingesetzt werden.
Verw.: Als Bindemittel in Lacken u. Anstrichstoffen. Zu Harzen aus ungesättigten Polyestern (*UP-Harze*) s. dort. – ***E*** polyester resins – ***F*** résines polyester – ***I*** resine di poliestere – ***S*** resinas poliéster

Lit.: Encycl. Polym. Sci. Eng. **6**, 111–117 ▪ Ullmann (4.) **15**, 625–629; **19**, 75ff.

Polyesterimide. Bez. für *Polymere, die in ihren Hauptketten sowohl *Ester- als auch *Imid-Gruppen enthalten. Die heute techn. interessanten P. basieren überwiegend auf Trimellithsäureanhydrid. Dieses wird zunächst mit z.B. Diacetoxybenzol zu einem Bisanhydrid **1** verestert:

2 HOOC–[Trimellithsäureanhydrid] + H_3C–CO–O–C_6H_4–O–CO–CH_3 → (– 2 H_3C–COOH) → **1**

Dieses wird mit Diaminen, z.B. *4,4'-Diaminodiphenylmethan, zum P. **2** polykondensiert:

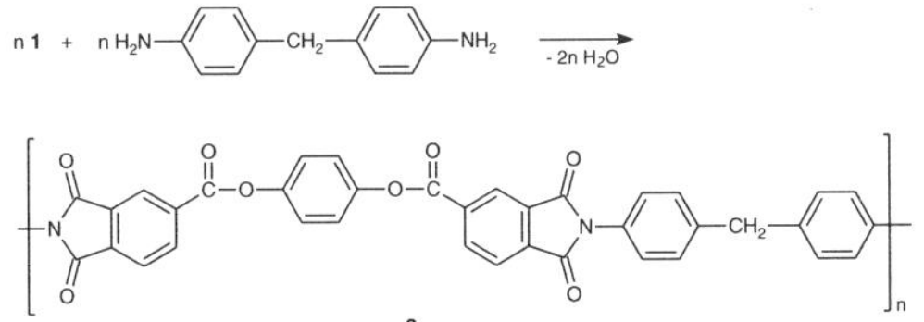

P. besitzen relativ hohe Dauergebrauchstemp. (ca. 175 °C). Sie werden vorwiegend als wärmebeständige Drahtlacke verwendet. – ***E*** = ***F*** polyesterimides – ***I*** poliesterimmidi – ***S*** poliesterimidas

Lit.: Domininghaus (5.), S. 987 ▪ Elias (5.) **2**, 233 ▪ Houben-Weyl **E 20/2**, 2185.

Polyester-Kautschuke. Bez. für thermoplast. *Synthesekautschuke auf der Basis von *Polyestern, die aus Hart- (*Polyalkylenterephthalat-Blöcke, I) u. Weich-Segmenten (Blöcke von Polyestern aus Terephthalsäure u. Polyalkylenglykolen, II) aufgebaut sind:

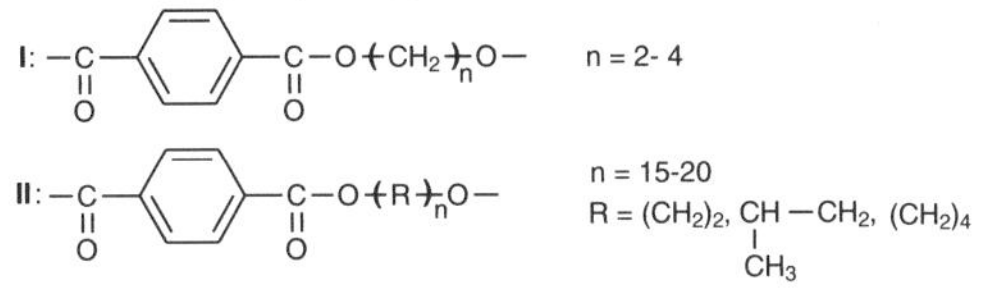

n = 2- 4

n = 15-20
R = $(CH_2)_2$, $CH(CH_3)-CH_2$, $(CH_2)_4$

Die P.-K. sind mit Peroxiden vulkanisierbar. Die resultierenden *Elastomere können in einem weiten Temp.-Bereich eingesetzt werden, besitzen hohen Abriebwiderstand, gute Elastizität u. hohe Beständigkeit gegenüber Chemikalien, Lsm. u. Ölen. – ***E*** polyester rubbers – ***F*** caoutchouc polyester – ***I*** caucciù di poliestere – ***S*** caucho poliéster

Lit.: Blackley, Synthetic Rubbers: Their Chemistry and Technology, London-New York: Appl. Sci. Publ. 1987.

Polyesterpolyurethane. Sammelbez. für *Polyurethane auf der Basis von *Polyestern als Diol-Komponente.

Polyestolide s. Polyester.

Polyestradiolphosphat (Rp).

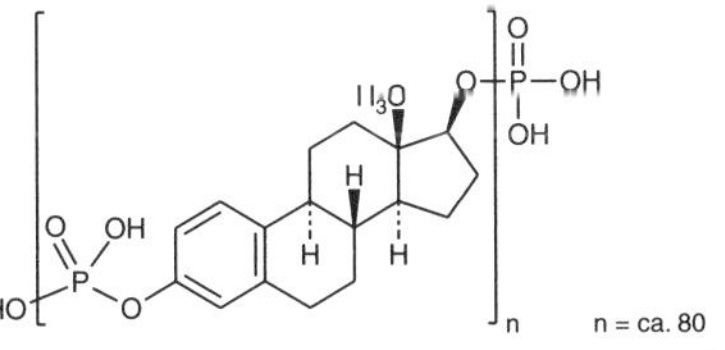

n = ca. 80

Internat. Freiname für einen Wasser-lösl. polymeren Phosphorsäureester des *Estradiols, M_R ca. 26000, Schmp. 195–202 °C. P. wurde 1960 von AB Leo patentiert u. ist von Pharmacia & Upjohn (Estradurin®) als *Estrogen gegen Prostatacarcinom im Handel. – ***E*** polyestradiol phosphate – ***F*** phosphate de polyestradiol – ***I*** poliestradiolo fosfato – ***S*** fosfato de poliestradiol

Lit.: ASP ▪ Hager (5.) **9**, 285 f. ▪ Martindale (31.), S. 1504. – *[HS 2937 92; CAS 28014-46-2]*

Polyether. 1. Auf dem Gebiet der *Makromolekularen Chemie übergreifende Bez. für *Polymere, deren organ. Wiederholungseinheiten durch Ether-Funktionalitäten (C–O–C) zusammengehalten werden. Nicht zu den P. werden damit Polymere mit seitenständigen Ether-Gruppen gerechnet, wie u.a. die *Celluloseether, *Stärkeether u. *Vinylether-Polymere. Auch die *Polyacetale wie das POM werden im allg. nicht zu den P. gezählt.

Nach dieser Definition gehört eine Vielzahl strukturell sehr unterschiedlicher Polymerer zu den P., z.B. die *Polyalkylenglykole (*Polyethylenglykole, *Polypropylenglykole u. *Polyepichlorhydrine) als Polymere von 1,2-Epoxiden, *Epoxidharze, *Polytetrahydrofurane (Polytetramethylenglykole), Polyoxetane, Polyphenylenether (s. Polyarylether) od. Polyetheretherketone (s. Polyetherketone).

Spezielle Verw. finden chlorierte P., P.-Sulfone (s. Polysulfone) u. P.-Polyimide sowie funktionalisierte P., d.h. Verb. mit einem P.-Gerüst, die an ihren Hauptketten seitlich angeheftet noch andere funktionelle Gruppen tragen wie z.B. Carboxy-, Epoxy-, Allyl- od. Amino-Gruppen usw. Vielseitig verwendbar sind Block-Copolymere von P. u. Polyamiden (sog. *Polyetheramide* od. *P*oly*e*ther-*B*lock*a*mide, Abk. PEBA). Herst., Eigenschaften u. Verw.-Möglichkeiten der polymeren P. sind sehr unterschiedlich; s. dazu die *Lit.* der einzelnen P.-Klassen u. -Typen.

2. Bez. für niedermol. Verb. mit mehr als 2 Ether-Gruppen im Molekül. Niedermol., als *Glykolether auffaßbare, vorwiegend cycl. P., deren Benennung nach IUPAC-Regeln C-212.4 u. C-212.5 mit *Oxa... erfolgen kann, haben als sog. *Kronenether, *Kryptanden u. *Podanden wegen ihrer Komplexierungs-Eigenschaften großes Interesse gefunden; hierbei sind als P. auch solche Verb. zu verstehen, die noch andere Heteroatome (N, S etc.) im Ring enthalten. Eine Gruppe natürlich vorkommender P. sind die Polyether-Antibiotika wie *Salinomycin, *Lasalocid, *Monensin u. *Nigericin, die als *Ionophore wirken u. veterinärmed. Verw. als *Kokzidiostatika finden. – ***E*** polyethers – ***F*** polyéthers – ***I*** polieteri – ***S*** poliéteres

Lit. *(zu 1.):* Elias (5.) **2**, 182 ff. – *[HS 3907 10, 3907 20]*

Polyetheramine. Bez. für *Polyether, die an ihren Kettenenden Amin-Gruppen tragen. Sie finden z.B. als Additive bei der Herst. von *Polyurethan-Hartschäumen Verw., die unmodifiziert vielfach spröde sind u./od. eine nur geringe Schlagzähigkeit aufweisen. Beide Eigenschaften lassen sich durch den Einbau von P. wesentlich verbessern. Diese bringen in das Polyurethan sowohl „weiche" Polyether-Segmente ein als auch – über die Reaktion ihrer Amin-Funktionen mit den Isocyanat-Gruppen – „harte" Harnstoff-Gruppierungen. – ***E*** polyetheramines – ***F*** polyéthéramines – ***I*** polieterammini – ***S*** poliéteraminas

Polyether-Antibiotika s. Polyether.

Polyetheretherketone s. Polyetherketone.

Polyetherglykole s. Polyether-Polyole.

Polyetherimide (Kurzz. PEI). Bez. für *Polymere, deren Hauptketten aus über Ether- u. Imid-Gruppen verknüpften aromat. Ringen aufgebaut sind, z.B. solche folgender Struktur:

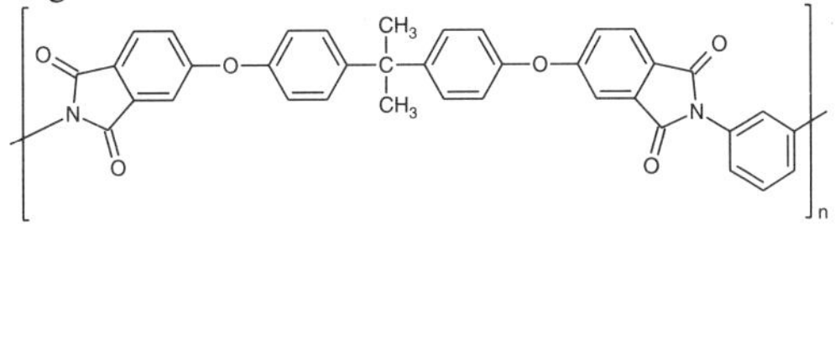

P. werden hergestellt durch *Polykondensation von aromat. Diaminen mit aromat. Tetracarbonsäure(dianhydride)n unter Wasserabspaltung od. von aromat. Dinitrobisimiden, z. B. 1,3-Bis-(4-nitrophthalimido)-benzol, unter Eliminierung von Nitro-Gruppen.
Eigenschaften: P. sind *Hochleistungskunststoffe mit hoher Festigkeit, Wärmeformbeständigkeit (*Glasübergangstemperatur: ca. 215 °C) u. Gebrauchstemp. (170 °C). Sie zeichnen sich durch gute Hydrolyse-, Chemikalien- u. Witterungsbeständigkeit aus u. verfügen über günstige elektr. Eigenschaften. Die transparenten P. sind leicht, z. B. durch Spritzgießen od. Extrudieren, verarbeitbar.
Verw.: U. a. zur Herst. von Bauteilen für Haushaltsgeräte (Mikrowellenöfen), im Fahrzeugbau für Wärmeaustauscherteile, Teile im Kraftstoffsyst., im Getriebe u. in der Lenkung; für Kabelisolierungen, gedruckte Leiterplatten, Beleuchtungseinrichungen, zur Herst. von Steckern für elektron. Syst.; zur Herst. von Lampenreflektoren. – ***E*** polyetherimides – ***F*** polyétherimides – ***I*** polieterimmidi – ***S*** polieterimidas
Lit.: Domininghaus (5.), S. 987 ff. ▪ Elias (5.) **2**, 234 ▪ Encycl. Polym. Sci. Eng. **12**, 368 f. ▪ Houben-Weyl **E 20/3**, 2184.

Polyetherin A s. Nigericin.

Polyether-Kautschuke. Bez. für vernetzbare (vulkanisierbare) *Polymere mit *Polyether-Hauptketten, die durch *Polymerisation von 1,2-Epoxiden hergestellt werden. Wichtigste Vertreter der P.-K. sind die *Polyepichlorhydrine u. *Propylenoxid-Kautschuke. Zu Herst., Eigenschaften, Verw. u. Lit. der P.-K. s. dort. – ***E*** polyether rubbers – ***F*** caoutchoucs polyéther – ***I*** caucciù polieterei – ***S*** cauchos poliéter

Polyetherketone. Als P. werden *Polymere der allg. Struktur

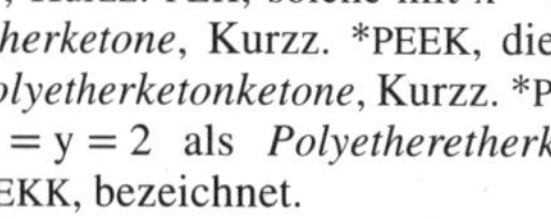

$$\left[\left(-C_6H_4-O- \right)_x \left(-C_6H_4-CO- \right)_y \right]_n$$

bezeichnet. Da es sich bei ihnen ausschließlich um über Ether- u. Keto-Gruppen verknüpfte Phenylen-Reste handelt, werden sie auch *Polyaryletherketone*, Kurzz. PAEK, genannt. Produkte mit x = y = 1 werden als eigentliche P., Kurzz. PEK, solche mit x = 2, y = 1 als *Polyetheretherketone*, Kurzz. *PEEK, die mit x = 1, y = 2 als *Polyetherketonketone*, Kurzz. *PEKK, u. solche mit x = y = 2 als *Polyetheretherketonketone*, Kurzz. *PEEKK, bezeichnet.
Die Herst. der techn. bedeutendsten P., der PEK bzw. PEEK, erfolgt durch *Polykondensation von 4-Phenoxybenzoylchlorid (bzw. von Terephthalsäuredichlorid) u. Diphenylether in Ggw. von Friedel-Crafts-Katalysatoren (z. B. $AlCl_3$, s. Friedel-Crafts-Reaktion).
P. sind teilkrist. hochschmelzende *Thermoplaste (PEEK: Schmp. 330 °C) mit hoher Zug- u. Biegefestigkeit, Schlagzähigkeit, sehr guter Wärmeformbeständigkeit, hoher Hydrolyse- u. Chemikalienbeständigkeit u. guten elektr. Eigenschaften. Sie sind schwer entflammbar u. leicht zu verarbeiten, z. B. durch Spritzgießen.
Verw.: Die zu den *Hochleistungskunststoffen zählenden P. werden u. a. in der Automobil-, Luftfahrt- u. Elektro-Ind. in Form von Spritzgußteilen, Monofilmen u. Folien eingesetzt sowie für Draht- u. Kabelummantelungen verwendet. Verw. finden auch mit Kohlenstoff-Fasern verstärkte P.-Produkte. – ***E*** poly(ether ketone)s – ***F*** polyéthercétones – ***I*** polieterchetoni – ***S*** polietercetonas
Lit.: Compr. Polym. Sci. **5**, 483–497 ▪ Domininghaus (5.), S. 930 ff. ▪ Elias (5.) **2**, 188 ▪ Encycl. Polym. Sci. Eng. **12**, 313–320.

Polyether-Makrodiole s. Polyether-Polyole.

Polyether-Polyole (Polyetherglykole, Polyether-Makrodiole). Bez. für telechele *Polyether mit meist zwei, in einigen Fällen aber mit bis zu acht Hydroxy-Endgruppen. Die P.-P. werden v. a. aus Ethylenoxid, Propylenoxid od. Tetrahydrofuran durch ringöffnende *Polymerisation bzw. *Copolymerisation hergestellt. P.-P. mit nur zwei Hydroxy-Endgruppen erhält man z. B. bei Verw. von *Initiatoren wie Wasser, Ethylenglykol od. Propylenglykol. P.-P. höherer Funktionalitäten erhält man dagegen, wenn als Initiatoren

Glycerin od. Trimethylolpropan	(3 Funktionalitäten),
Pentaerythrit, Ethylendiamin od. Phenol-Harze	(4 Funktionalitäten),
Diethylentriamin	(5 Funktionalitäten),
Sorbit	(6 Funktionalitäten) u.
Saccharose	(8 Funktionalitäten)

eingesetzt werden. Multifunktionell sind weiterhin auch die sog. „modifizierten P.-P.“, bei denen die Hydroxygruppen-haltigen Verb. auf Polymerteilchen aufgepfropft sind. Bei diesen unterscheidet man drei Haupttypen: 1) Polymer-Polyole auf z. B. Acrylnitril/Styrol-Copolymeren, – 2) PHD-Polyole auf Polyharnstoff-Dispersionen, (*P*oly*h*arnstoff-*D*ispersionen) u. – 3) PIPA-Polyole auf Polyurethan-Dispersionen (*P*oly*i*socyanat-*P*oly*a*ddition).
P.-P. mit Funktionalitäten von drei bis acht u. M_R von 400–1200 werden für harte Schaumstoffe, Werkstoffe u. Überzüge verwendet. P.-P. mit Funktionalitäten von zwei bis drei u. M_R von 1000–6500 werden hingegen bei der Produktion flexibler Polyurethan- u. Polyester-Schaumstoffe u. von Elastomeren eingesetzt. Sie sind unter Namen wie Carbowax, Jeffox, Plurocol, Polyglycol, Polymeg, Terathane od. Vibrathane im Handel. – ***E*** polyether polyols, polyether glycols, polyether macrodiols – ***F*** polyéther-polyoles – ***I*** polieter-polioli – ***S*** poliéter-pololioles
Lit.: Elias (5.) **2**, 228 ▪ Odian (3.), S. 557.

Polyether-Polyurethan-Kautschuke (Kurzz. EU). Bez. für kautschukartige *Polyurethane auf Basis von Polyetherglykolen (*Polyethylenglykole, *Polypropylenglykole, *Polytetrahydrofurane) als Diol-Komponenten. – ***E*** polyether polyurethan rubbers – ***F*** caoutchouc polyuréthan polyéther – ***I*** caucciù polietereo e poliuretanico – ***S*** caucho poliuretán-poliéter

Polyethersulfide (Polysulfidether). Bez. für meist gemischt aromat./aliphat. *Polymere, die in ihrer Hauptkette Ether- u. Thioether-Gruppierungen enthalten. Ein zur Herst. von P. geeignetes *Monomer **1** kann z. B. aus Tetrahydrothiophen u. Phenol erhalten werden:

Tetrahydrothiophen + Phenol (OH) $\xrightarrow[-HCl,\ -Cl^-]{+Cl_2}$ S⁺-(4-Hydroxyphenyl)tetrahydrothiophenium (OH)

1

Dieses wird mit Natriummethylat od. Anionenaustauschern in das Zwitterion **2** überführt, das dann in einer *Death Charge-Polymerisation unter Ringöffnung u. Verlust seines ion. Charakters zum P. **3** polymerisiert:

$$n\ \text{(C}_4\text{H}_8\text{)S}^+\text{–C}_6\text{H}_4\text{–O}^- \longrightarrow \left[\text{–(CH}_2\text{)}_4\text{–S–C}_6\text{H}_4\text{–O–}\right]_n$$

2 **3**

Das bes. Interesse an dieser u. verwandten Reaktionen besteht darin, daß hier aus wäss. Lsg. zwitterion. Monomerer wasserbeständige Überzüge erhalten werden können. Problemat. ist allerdings die Toxizität der Monomeren. – ***E*** polyethersulfides – ***I*** polietersolfuri – ***S*** poliétersulfuros

Lit.: Elias (5.) **2**, 202.

Polyethersulfone. Sammelbez. für *Polymere, deren *Makromoleküle sowohl durch Ether- (C–O–C) als auch durch Sulfon-Funktionalitäten ($–SO_2–$) zusammengehalten werden. P. gehören zu der Gruppe der *Polysulfone; zu Herst., Eigenschaften u. Verw. s. dort. – ***E*** polyethersulfones – ***F*** polyéthersulfones – ***I*** polietersolfoni – ***S*** polietersulfonas

Lit.: s. Polysulfone.

Polyethylacrylate (Kurzz. PEA). Zu den *Polyacrylaten (Formel s. dort; $R = C_2H_5$) gehörende *Polymere des Acrylsäureethylesters. P. haben eine *Glasübergangstemperatur von –24 °C, eine Dichte von 1,12 g/cm^3 u. werden mit Molmassen im Bereich von 50 000–100 000 g/mol vermarktet. Sie sind lösl. in Aromaten, Alkoholen, Estern u. Ketonen, unlösl. in aliphat. Kohlenwasserstoffen. Ihre Einsatzmöglichkeiten sind aufgrund der niedrigen Glasübergangstemp. stark eingeschränkt; diese kann aber durch *Copolymerisation des Ethylacrylats mit unterschiedlichen Comonomeren (s. Monomere) angehoben werden. – ***E*** polyethyl acrylates – ***F*** acrylates de polyéthyle – ***I*** acrilati di polietile – ***S*** acrilatos de polietilo

Lit.: s. Polyacrylate. – *[HS 3906 90; CAS 9003-32-1]*

Poly(ethylen-alt-chlortrifluorethylen) (Kurzz. E-CTFE). Bez. für alternierende *Copolymere aus Chlortrifluorethylen u. Ethylen. Das P. ähnelt in seinen mechan. Eigenschaften dem *Polyvinylidenfluorid u. alternierenden Copolymeren aus Tetrafluorethylen u. Ethylen. Durch den Einbau der Ethylen-Gruppe weist das P. weiterhin gegenüber dem Polychlortrifluorethylen-Homopolymer eine etwas erhöhte Schmelztemp. von 240 °C auf. Es kann aus der Schmelze zu z. B. Fasern versponnen werden. Aufgrund seiner hervorragenden chem. u. therm. Beständigkeit sowie guten mechan. Eigenschaften wird es für medizin. Verpackungen, Kabelummantelungen u. chem. Laborgeräte verwendet. – ***E*** poly(chlorotrifluoroethylene-alt-ethylene) – ***F*** poly(éthylène-alt-chlortrifluoroethylène – ***I*** poli(clorotrifluoretilene-alt-etilene) – ***S*** poli(etileno-alt-chlorotrifluoretileno)

Polyethylenamine s. Polyethylenimine.

Poly(ethylen-co-acrylsäuremethylester) s. Poly(ethylen-co-acrylsäuren).

Poly(ethylen-co-acrylsäure)n. Bez. für die Produkte radikal. *Copolymerisationen von *Ethylen mit *Acrylsäure, die unter hohem Druck erfolgen. Es entstehen stark verzweigte Copolymere (sog. EAA-Copolymere), die in Handelsprodukten 3,5–20% Acrylsäure-Reste enthalten. Die in den P. vorliegenden Carboxy-Gruppen bewirken eine ausgezeichnete Haftung (*Adhäsion) auf Glas, Metallen u. a. polaren Trägermaterialien, während die Ethylen-Sequenzen eine gute Haftung auf z. B. Polyethylen sicherstellen. Schließlich bewirken die zwischen den Carboxy-Gruppen entstehenden, intermol. Wasserstoffbrücken eine physikal. Vernetzung des Materials u. damit seinen guten inneren Zusammenhalt. Aufgrund dieser Eigenschaften werden aus den P. beispielsweise zähe Verpackungsfolien od. Laminate mit Aluminium-Folien gefertigt. Ähnlich zähe Filme bilden auch die bei der radikal. Copolymerisation von Ethylen u. bis zu 15% Methacrylsäure entstehenden *Poly(ethylen-co-methacrylsäure)n*. Schließlich rechnet man zu den P. auch Copolymere aus Ethylen, Acrylsäuremethylester u. einem kleinen Anteil von Acrylsäure [*Poly(ethylen-co-acrylsäuremethylester)*]. Auch sie zählen zu den Elastomeren u. können mit z. B. Diaminen chem. vernetzt werden. Alle P. sind wegen ihrer gesätt. Kohlenstoff-Ketten hervorragend witterungsbeständig u. werden daher v. a. im Automobilsektor für Schläuche, Dichtungen u. Dämpfungsmaterialien verwendet.

Durch partielle Neutralisierung der Carboxy-Gruppen obiger Copolymerer mit Metallkationen wie z. B. Na^+, K^+ od. Mg^{2+} werden sog. *Ionomere erhalten. In diesen Materialien ist jede Carboxylat-Gruppe von mehreren Metall-Kationen umgeben u. *vice versa*. Da diese ion. Nebenvalenz-Vernetzung jedoch statist. erfolgt, bilden sich hierbei lediglich Ionencluster, nicht jedoch größere kristalline Bereiche aus. Aus diesem Grunde sind die meisten Ionomere transparent. Bereits diese kleinen Ionencluster wirken aber bei hinreichend niedrigen Temp. als Vernetzungsstellen u. geben den Materialien das typ. Verhalten eines Elastomers. Bei erhöhten Temp. dissoziieren die Ionencluster u. die Polymere können thermoplast. verarbeitet werden (s. thermoplastische Elastomere). Da diese Ionomere porenfreie Überzüge bilden, eignen sie sich auch gut für Extrusionsbeschichtungen. – ***E*** poly(ethylen-co-acrylic acids) – ***I*** copolimeri di etilene ed acido acrilico – ***S*** poli(etileno-co-acido acrilico)

Lit.: Elias (5.) **2**, 135.

Poly(ethylen-co-methacrylsäure)n s. Poly(ethylen-co-acrylsäuren).

Poly(ethylen-co-vinylacetat) s. Ethylen-Vinylacetat-Copolymere.

Poly(ethylen-co-vinylalkohol) s. Ethylen-Vinylalkohol-Copolymere.

Poly(ethylen-co-vinylcarbazol). In Ggw. modifizierter Ziegler-Katalysatoren (*Ziegler-Natta-Katalysatoren) entstehen diese *Copolymere beim Einleiten von Ethylen in Lsg. von *N*-Vinylcarbazol bei Temp. von unter 70 °C. Sie eignen sich wegen ihrer hohen *Glasübergangstemperaturen (ca. 140 °C) bes. für elektr. Isolationen. – ***E*** poly(ethylene-co-vinylcarbazole) – ***F*** poly(éthylène-co-vinylcarbazole) – ***I*** poli(etilen-co-vinilcarbazoli) – ***S*** poli(etileno-co-vinilcarbazol)

Polyethylene (Kurzz. PE). Sammelbez. für zu den *Polyolefinen gehörende *Polymere mit Gruppierungen des Typs

$$+CH_2-CH_2+$$

als charakterist. Grundeinheit der Polymerkette. P. werden i.d.R. durch *Polymerisation von Ethylen nach zwei grundsätzlich unterschiedlichen Meth., dem Hochdruck- u. dem Niederdruck-Verf. hergestellt. Die resultierenden Produkte werden entsprechend häufig als Hochdruck-P. bzw. Niederdruck-P. bezeichnet; sie unterscheiden sich hauptsächlich hinsichtlich ihres Verzweigungsgrades u. damit verbunden in ihrem Kristallinitätsgrad u. ihrer Dichte. Beide Verf. können als *Lösungspolymerisation, *Emulsionspolymerisation od. *Gasphasenpolymerisation durchgeführt werden. Beim Hochdruck-Verf. fallen verzweigte P. mit niedriger Dichte (ca. 0,915–0,935 g/cm^3) u. Kristallinitätsgraden von ca. 40–50% an, die man als LDPE-Typen (von *E low density polyethylene*) bezeichnet. Produkte mit höherer Molmasse u. dadurch bedingter verbesserter Festigkeit u. Streckbarkeit tragen die Kurzbez. HMW-LDPE (HMW = *high molecular weight*). Durch *Copolymerisation des Ethylens mit längerkettigen *Olefinen, insbes. mit Buten u. Octen, kann der ausgeprägte Verzweigungsgrad der im Hochdruck-Verf. hergestellten P. reduziert werden; die Copolymere haben das Kurzz. LLD-PE (*linear low density polyethylene*).

Die *Makromoleküle der P. aus Niederdruck-Verf. sind weitgehend linear u. unverzweigt. Diese P., Kurzz. *HDPE (von *E high density polyethylene*) haben Kristallinitätsgrade von 60–80% u. eine Dichte von ca. 0,94–0,965 g/cm^3. Sie werden als Produkte mit hoher bzw. ultrahoher Molmasse (ca. 200000–5000000 g/mol bzw. 3000000–6000000 g/mol) unter der Kurzbez. HD-HMW-PE bzw. UHMW-HD-PE angeboten. Auch Produkte mit mittlerer Dichte (MDPE) aus Mischungen von P. niedriger u. hoher Dichte sind kommerziell erhältlich. Lineare P. mit Dichten <0,918 g/cm^3 (VLD-PE, von *E very low density polyethylene*) gewinnen nur langsam Marktbedeutung.

Zu den genannten Kurzz. ist anzumerken, daß in der neueren Lit. verstärkt eine andere Schreibweise für sie verwendet wird, die die Buchstaben PE voranstellt (PE-LD, PE-LLD, PE-HD, PE-HD-MHW, PE-HD-UHMW, PE-MD, PE-VLD).

Herst.: Die *Hochdruckpolymerisation* des Ethylens zu LDPE wird bei Drücken von 1400–3500 bar u. Temp. von 150–350 °C durchgeführt, wobei die als Radikalketten-Polymerisation ablaufende Reaktion durch Sauerstoff od. Peroxide gestartet wird. Das Ethylen befindet sich unter den Reaktionsbedingungen im überkrit. Zustand (s. kritische Größen), in dem es mit dem entstehenden P. eine homogene Phase bildet. Die Polymerisation wird kontinuierlich im Rohrreaktor od. im Rührautoklav durchgeführt. Charakterist. für diesen radikal. Prozeß ist die Entstehung sog. Kurzkettenverzweigungen. Sie haben ihre Ursache in intramol. Kettenübertragungs-Reaktionen, die nach folgendem Mechanismus zu den typ. Ethyl- u. Butyl-Seitengruppen des LDPE führen:

(Entstehung einer einzelnen Butyl-Seitenkette)

(Entstehung zweier benachbarter Ethyl-Seitenketten)

Die *Niederdruckpolymerisation* zum HDPE erfolgt bei Drücken <60 bar mit heterogenen Übergangsmetall-Katalysatoren initiiert entweder in Lsg., in Suspension od. in der Gasphase; die Temp. liegen je nach Meth. zwischen 60 u. 250 °C. Neuere Entwicklungen machen die Verw. lösl. Katalysatoren möglich, z.B. auf der Basis von Zirconium-organ. Verb. Für die HDPE-Herst. werden entweder Ti- u. Mg-haltige *Ziegler-Natta-Katalysatoren od. Cr(II)-haltige, auf Kieselsäure-Trägern fixierte Katalysatoren (sog. *Phillips-Katalysatoren) eingesetzt; ähnliche Katalysator-Syst. werden auch für die Herst. von LLDPE verwendet. Zum Mechanismus der Polymerisation s. Koordinationspolymerisation. Ein von Standard Oil entwickeltes Polymerisationsverf. für HDPE bediente sich als Katalysatoren der Molybdänoxide auf Al_2O_3 zusammen mit reduzierenden Metallverb. der Gruppen 1 B u. 2 B des Periodensystems.

Im Gegensatz zu dem radikal. Prozeß zum LDPE spielen Kettenübertragungsreaktionen beim Niederdruck-Verf. im allg. eine nur sehr untergeordnete Rolle, wodurch viel schwächer verzweigte P.-Ketten entstehen. Völlig lineares, unverzweigtes P. kann aber nur durch z.B. Zers. von Diazomethan erhalten werden (s. Polymethylene).

Eigenschaften: Die chem.-physikal. Eigenschaften der P. werden durch ihren Charakter als partiell krist. („teilkristalline“, vgl. Polymerkristalle) Kohlenwasserstoffe bestimmt. P. sind bis zu 60 °C in allen üblichen Lsm. prakt. unlöslich. Aliphat. u. aromat. Kohlenwasserstoffe u. deren Halogen-Derivate bewirken erhebliche Quellung, polare Flüssigkeiten wie Alkohole, Ester u. Ketone bei 20 °C dagegen kaum Quellung. Gegen Wasser, Laugen u. Salz-Lsg. sowie anorgan. Säuren, mit Ausnahme der stark oxidierenden, verhalten sich P. völlig indifferent.

P. haben eine sehr geringe Wasserdampfdurchlässigkeit, die Diffusion von Gasen sowie von Aromastoffen u. ether. Substanzen durch P. ist relativ hoch. Die mechan. Eigenschaften sind stark abhängig von Molekülgröße u. -struktur der Polyethylene. Generell steigen Kristallinitätsgrad u. Dichte von P. mit abnehmendem Verzweigungsgrad u. mit Verkürzung der Seitenketten an, vgl. LDPE u. HDPE. Mit der Dichte steigen Schubmodul, Härte, Streckgrenze u. Schmelzbereich; es nehmen ab Schockfestigkeit, Transparenz, Quellbarkeit u. Löslichkeit. Bei gleicher Dichte nehmen mit steigender Molmasse der P. Reißfestigkeit, Dehnung, Schockfestigkeit, Schlagzähigkeit u. Dauerstandfestigkeit zu. Je nach Arbeitsweise bei der Polymerisation kann man Produkte mit Paraffinwachs-ähnlichen Eigenschaften (M_R um 2000) u. Produkte mit höchster Zähigkeit (M_R über 1 Mio.) erhalten.
Die Verarbeitung der P.-Typen kann nach allen für *Thermoplaste üblichen Meth. erfolgen. Die P. lassen sich leicht spannend formen u. gut schweißen; Festverklebungen sind allerdings ohne Vorbehandlung nicht möglich. PE-Abfälle lassen sich ohne Umweltbelastung verbrennen. P. gilt als gesundheitlich unbedenklich. Eine Oberflächenvernetzung von P., wie sie z. B. durch das *CASING-Verfahren od. durch Bestrahlung erreicht wird, macht die Oberfläche haftfähig für Druckfarben od. Klebstoffe. Andererseits führt längere Bestrahlung, insbes. bei erhöhten Temp., zum Abbau von Polyethylenen. *Marktdaten*: Die Welt-Kapazität für LDPE (Tab. 1), LLDPE (Tab. 2) u. HDPE (Tab. 3) für 1994 zeigen die folgenden Tab. (*Lit.*[1]). Zur Aufschlüsselung des P.-Verbrauchs nach Verarbeitungskriterien, Anw.-Gebieten s. *Lit.*[1]
Geschichte: Die *Hochdruckpolymerisation* des Ethylens wurde 1933 bei ICI in England entdeckt; die großtechn. Produktion der P. begann im Jahre 1939. Das Verf. lieferte teilkrist. P. niederer Dichte (LDPE). Später gelang es Fischer im Werk Ludwigshafen der I. G. Farben, Ethylen in Anwesenheit von Aluminium-Pulver u. Titantetrachlorid bei niedrigen Drücken zu polymerisieren. Diese Entdeckung wurde nicht zu einem großtechn. Verf. entwickelt. 1953 reichten unabhängig voneinander die Phillips Petroleum Co., die Standard Oil of Indiana u. K. *Ziegler Patentanmeldungen der nach ihnen benannten techn. verschiedenen Verf. der *Niederdruckpolymerisation* ein, die lineare, hochkrist. P. höherer Dichte (HDPE) liefert. K. Ziegler u. Natta erhielten für ihre P.-Forschungen 1963 den Chemie-Nobelpreis. 1968 brachte Phillips lineare, krist. P. niederer Dichte (LLDPE) auf den Markt, die durch *Niederdruckcopolymerisation* von Ethylen u. einem α-Olefin mit Träger-fixierten Chrom-Katalysatoren hergestellt wurden. Ein natürlich vorkommendes hochverzweigtes P. ist das bituminöse *Elaterit. – ***E*** polyethylenes – ***F*** polyéthylènes – ***I*** polietileni – ***S*** polietilenos

Tab. 1: Welt-Kapazität für LDPE.

Region	Kapazität (in Mio. t/a)	Anteil (in %)
Westeuropa	5,7	33
Nordamerika/Mexiko	4,4	26
Japan	1,3	8
Südostasien	2,1	12
Restliche Welt	3,5	21
Insgesamt	17,0	100

Tab. 2: Welt-Kapazität für LLDPE.

Region	Kapazität (in Mio. t/a)	Anteil (in %)
Westeuropa	1,5	16
Nordamerika/Mexiko	3,8	41
Japan	0,7	8
Südostasien	1,7	19
Restliche Welt	1,5	16
Insgesamt	9,2	100

Tab. 3: Welt-Kapazität für HDPE.

Region	Kapazität (in 1000 t)	Anteil (in %)
Westeuropa	4295	22,3
Nordamerika	6415	33,4
Japan	1345	7,0
Fernost (einschl. China)	3955	20,5
Osteuropa	1025	5,3
Restliche Welt	2175	11,5
Insgesamt	19210	100

Lit.: [1] Kunststoffe **85**, 1521 ff. (1995).
allg.: Domininghaus (5.), S. 98 ff. ▪ Elias (5.) **1**, 410 ff.; **2**, 126 ff. ▪ Encycl. Polym. Sci. Eng. **6**, 383–522 ▪ Houben-Weyl **3**, 25–45. – *[HS 3901 10, 3901 20, 3901 30; CAS 9002-88-4]*

Polyethylenglykole (Polyethylenoxide). Bez. für zur Klasse der *Polyether gehörende *Polyalkylenglykole der allg. Formel:

$$H\left[O-CH_2-CH_2\right]_n OH$$

P. werden techn. hergestellt durch anion. *Ringöffnungspolymerisation von Ethylenoxid (Oxiran) meist in Ggw. geringer Mengen Wasser. Sie haben je nach Reaktionsführung Molmassen im Bereich von ca. 200–5 000 000 g/mol, entsprechend *Polymerisationsgraden P_n von ca. 5 bis >100 000. Im weiteren Sinne werden auch Produkte mit einem $P_n = 2-4$ (Di-, Tri- u. Tetraethylenglykol) zu den P. gerechnet; sie sind mol.-einheitlich herstellbar, während die P. mit höheren Molmassen polydispers sind (s. Polydispersität u. Molmassenverteilung).
Flüssige Produkte mit Molmassen <ca. 25 000 g/mol werden als eigentliche *P.*, Kurzz. PEG, die höhermol. festen (Schmp. ca. 65 °C) als *Polyethylenoxide*, Kurzz. PEOX, bezeichnet. Hochmol. *Polyethylenoxide* besitzen eine äußerst niedrige Konz. an reaktiven Hydroxy-Endgruppen u. zeigen daher nur noch schwache Glykol-Eigenschaften. Als P. werden auch verzweigte *Polyaddukte von Ethylenglykol an mehrwertige Alkohole bezeichnet.
Eigenschaften: P. sind flüssige bzw. wachsartige bis feste Produkte, die sich in Wasser bis ca. 100 °C u. in vielen organ. Lsm. gut lösen. Wäss. Lsg. haben auffallende rheolog. Eigenschaften: verschiedene Lsg. zeigen z. T. starke *Viskoelastizität. In fließendem

Wasser bewirken schon minimale P.-Mengen den sog. Toms-Effekt (Herabsetzung des Reibungswiderstands; s. Tribologie). P. sind sehr hydrolysestabile, bei höheren Temp. aber Oxid.-empfindliche Produkte. Ihre chem. Reaktivität wird durch die terminalen Hydroxy-Gruppen bestimmt, die leicht verestert (zu *Polyethylenglykolestern*) od. verethert (zu *Polyethylenglykolethern*) od. mit Isocyanaten zu Urethanen umgesetzt werden können.
P. werden als toxikolog. unbedenklich eingestuft. Ihre biolog. Abbaubarkeit ist stark Molmassen-abhängig; Produkte mit niedrigen Molmassen, z. B. 4000 g/mol, werden bis zu 80% abgebaut.
Verw.: U. a. als Lösungsvermittler, Bindemittel, Konsistenzgeber, Emulgatoren, Dispergatoren, Schutzkolloide, Weichmacher od. Trennmittel für sehr unterschiedliche Einsatzgebiete; als Bindemittel für keram. Massen, Schlichtemittel, Flockungsmittel, Klebstoff-Komponenten, zur Verminderung des Fließwiderstands wäss. Flüssigkeiten (drag-reduction), als Zwischenprodukte für Polymer-Synth., z. B. im großen Umfang für die Herst. von *Polyurethanen; hochmol. P. dienen als Stärkeersatz sowie zur Herst. von Filmen u. Folien. – ***E*** poly(ethylene glycol)s, poly(ethylene oxide)s – ***F*** polyéthylène-glycols – ***I*** polietilenglicoli – ***S*** polietilenglicoles
Lit.: Elias (5.) **2**, 182 ▪ Encycl. Polym. Sci. Eng. **6**, 225–254 ▪ Ullmann (4.) **19**, 31–38. – *[HS 3907 20; CAS 25322-68-3]*

Polyethylenglykolester(ether) s. Polyethylenglykole.

Polyethylenimine (Polyiminoethylene, Kurzz. PEI). Bez. für *Polymere, in deren Hauptketten NH-Gruppen vorliegen, die voneinander jeweils durch zwei Methylen-Gruppen getrennt sind:

$$\left[\!-(CH_2)_x-NH-\!\right]_n \qquad x = 2$$

Unverzweigtes Polyethylenimin **3** ist z. B. durch die von $C_2H_5[BF_3OC_2H_5]$ ausgelöste isomerisierende Polymerisation von unsubstituiertem 2-Oxazolin **1** u. anschließende Verseifung der erhaltenen Polymeren **2** zugänglich:

$$n\ \text{2-Oxazolin}\ (\mathbf{1}) \longrightarrow \left[-CH_2-CH_2-N(CHO)-\right]_n\ (\mathbf{2}) \xrightarrow[-\,n\,HCOONa]{+\,n\,NaOH} \left[-CH_2-CH_2-NH-\right]_n\ (\mathbf{3})$$

Unverzweigte P. sind kristallin (Schmp. 58 °C) u. nur in heißem Wasser löslich. Sie werden im Gegensatz zu den verzweigten P. nicht großtechn. hergestellt. Verzweigte P. entstehen z. B. bei der kation. Polymerisation von *Ethylenimin **4** (Aziridin) mit Protonensäuren od. alkylierenden Reagenzien als Initiatoren, z. B.:

$$H^+ + \text{Aziridin}\ (\mathbf{4}) \longrightarrow \text{Aziridinium} \xrightarrow{+\,n\,\mathbf{4}} H\left[-NH-CH_2-CH_2-\right]_n-\overset{+}{N}H\text{(Aziridinium)}$$

Die schließlich erhaltenen P. haben die allg. Formel:

$$\left[-(CH_2)_2-NH-\right]_x\left[-(CH_2)_2-N-\right]_y \quad \text{mit N-Seitenkette}\ \left[(CH_2)_2-NH-\right]_z(CH_2)_2-NH_2$$

Die verzweigten P. weisen prim., sek. u. tert. Amino-Gruppen in Anteilen von ca. 30% :40% :30% auf. Die aus Ethylenimin hergestellten P. haben Molmassen von 450–100 000 g/mol, sind viskose Flüssigkeiten (Molmassen <1000 g/mol) od. feste Produkte, die mit stark alkal. Reaktion in Wasser lösl. sind.
Verw.: U. a. als Flockungsmittel, als Retentionsmittel zur Verbesserung der Naßfestigkeit von Papier u. zur Fixierung von Pigmenten. Quaternierte P. dienen als Flockungsmittel in der Wasseraufbereitung.
Kurzkettige, lineare P. mit entsprechend hohem Anteil an prim. Amino-Gruppen, also Produkte der allg. Formel $H_2N\left[CH_2-CH_2-NH\right]_nH$ (n = 2: *Diethylentriamin; n = 3: *Triethylentetramin; n = 4: *Tetraethylenpentamin) werden manchmal *Polyethylenamine* od. *Polyalkylenpolyamine* genannt. – ***E*** polyethylenimines – ***F*** polyéthylène-imines – ***I*** polietilenimmine – ***S*** polietileniminas
Lit.: Elias (5.) **2**, 208 ▪ Encycl. Polym. Sci. Eng. **1**, 680–739 ▪ Houben-Weyl **E 20/2**, 1483 ff. ▪ Ullmann (5.) **A 3**, 240 ff. – *[HS 3911 90; CAS 26913-06-4]*

Polyethylenoxide s. Polyethylenglykole.

Polyethylenoxybenzoat. Die Umsetzung von 4-Hydroxybenzoesäuremethylester **1** mit Ethylenoxid **2** liefert 4-(2-Hydroxyethoxy)benzoesäuremethylester **3**, dessen Erhitzen auf ca. 250 °C im Vakuum zum P. **4** führt.

$$n\ HO-C_6H_4-COOCH_3\ (\mathbf{1}) + n\ \text{Ethylenoxid}\ (\mathbf{2}) \longrightarrow n\ HO-CH_2-CH_2-O-C_6H_4-COOCH_3\ (\mathbf{3})$$

$$\xrightarrow{-\,n\,CH_3OH} \left[-O-CH_2-CH_2-O-C_6H_4-\overset{O}{\overset{\|}{C}}-\right]_n\ (\mathbf{4})$$

Fasern aus **4** fühlen sich seidenähnlich an u. haben eine hervorragende Knitterfestigkeit. – ***E*** polyethylene oxybenzoate – ***F*** polyéthylèneoxybenzoate – ***I*** polietilenossibenzoato – ***S*** polioxibenzoato de etileno

Polyethylensulfid (Polythioethylen, Polythiiran). Bez. von *Polymeren der Strukturformel **2**, die aus Ethylensulfid (Thiiran) **1** durch kation. od. anion. *Polymerisation erhalten werden:

$$\text{Thiiran}\ (\mathbf{1}) \longrightarrow \left[-CH_2-CH_2-S-\right]_n\ (\mathbf{2})$$

$$\sim\!S-CH_2-CH_2-\overset{+}{S}\text{(Thiiranium)}\ (\mathbf{3}) \qquad \sim\!S-CH_2-CH_2-S^-\ (\mathbf{4})$$

Die Polymerisationen verlaufen aufgrund der leicht polarisierbaren C,S-Bindung schneller als die des entsprechenden cycl. Ethers Ethylenoxid. Das reaktive Ende der wachsenden Ketten bildet im Falle der kation. Polymerisation ein cycl. Sulfonium-Ion **3**, im Falle der anion. Polymerisation das Sulfid-Anion **4**. – ***E*** polyethylene sulfide – ***F*** polysulfure d'éthylène – ***I*** polietilensolfuro – ***S*** polisulfuro de etileno
Lit.: Odian (3.), S. 575.

Polyethylensulfonsäuren s. Polyvinylsulfonsäuren.

Polyethylenterephthalate (Kurzz. PET, PETE). P. sind *Polyester aus der Gruppe der *Polyalkylenterephthalate u. weisen die Struktur **1** auf. Ihre techn. Herst. erfolgt – 1. durch Umesterung von Dimethylterephthalat mit Ethylenglykol unter Methanol-Abspaltung zum Bis(2-hydroxyethyl)terephthalat u. dessen *Polykondensation unter Freisetzen von Ethylenglykol od. – 2. durch direkte Polykondensation von Ethylenglykol u. Terephthalsäure:

Methode 1:

$$n\ H_3C-O-CO-C_6H_4-CO-O-CH_3$$

$$\downarrow\ -2n\ CH_3OH \mid +2n\ HO-CH_2-CH_2-OH$$

$$n\ HO-CH_2-CH_2-O-CO-C_6H_4-CO-O-CH_2-CH_2-OH$$

$$\downarrow\ -n\ HO-CH_2-CH_2-OH$$

$$\left[-CO-C_6H_4-CO-O-CH_2-CH_2-O-\right]_n \quad \mathbf{1}$$

$$\uparrow\ -n\ H_2O$$

Methode 2:

$$n\ HO-CO-C_6H_4-CO-OH \ + \ n\ HO-CH_2-CH_2-OH$$

Nachdem heute Terephthalsäure in hochreiner Form zugänglich ist, gewinnt die 2. Meth. zunehmend an Bedeutung (Vorteile: geringerer Materialverbrauch, höhere Reaktionsgeschw., Methanol-Aufbereitung u. Umesterungskatalysatoren nicht erforderlich). Die P.-Herst. erfolgt techn. in kontinuierlichen u. diskontinuierlichen Prozessen.

Eigenschaften: P. (D. ca. 1,38 g/cm^3, Schmp. ca. 260 °C) sind teilkrist. Produkte mit hoher Festigkeit, Steifheit u. Maßbeständigkeit, guten Gleit- u. Verschleiß-Eigenschaften sowie hoher Chemikalien-Beständigkeit. Durch Einbau fremder Bausteine (Isophthalsäure u./od. *1,4-Cyclohexandimethanol) wird der Kristallinitätsgrad (30–40%) erniedrigt. Die resultierenden Copolyester besitzen hohe Transparenz, Zähigkeit, Maßbeständigkeit sowie günstige Zeitstand-, Gleit-, Verschleiß- u. Spannungsriß-Eigenschaften.

Verw.: Haupteinsatzgebiete für P. sind die Herst. von Formmassen, Hohlkörpern (Flaschen), Folien u. Fasern auf sehr unterschiedlichen Anw.-Feldern (z. B. Teile für den Gerätebau, die Feinwerktechnik u. Haushaltsgeräte, Folien für Tonträger u. photo- bzw. reprograf. Schichten, Schreibbänder, Wursthüllen u. Lebensmittelverpackungen). Zur Anpassung an die für die einzelnen Anw.-Gebiete gestellten Anforderungen werden die P. auch in modifizierter Form, z. B. als Blends mit *Polycarbonaten od. *Polybutylenterephthalaten eingesetzt.

Marktdaten: Der Weltverbrauch an PET-Formmassen (ohne Fasern) lag 1994 bei ca. 3,5 Mio. t (*Lit.*[1]). Wichtigstes Anwendungsgebiet ist der Verpackungssektor (Flaschen, Tiefziehfolien) mit rund 2,5 Mio. t; Folienanwendungen (biaxial gereckte Folien) machen rund 1 Mio. t aus. Der Verbrauch für letztere schlüsselt sich wie in Tab. 1 gezeigt auf.

Tab. 1. Weltmarkt für biaxial gereckte PET-Folie (Stand 1993).

Anwendungsgebiet	Verbrauch (in 1000 t)
Fotofilm	230
Magnetband	200
Verpackung	140
Reprographie	80
Prägefolien/Metallisierung	45
Elektrofolien	35
Sonstige	210
Insgesamt	940

Quelle: Hoechst

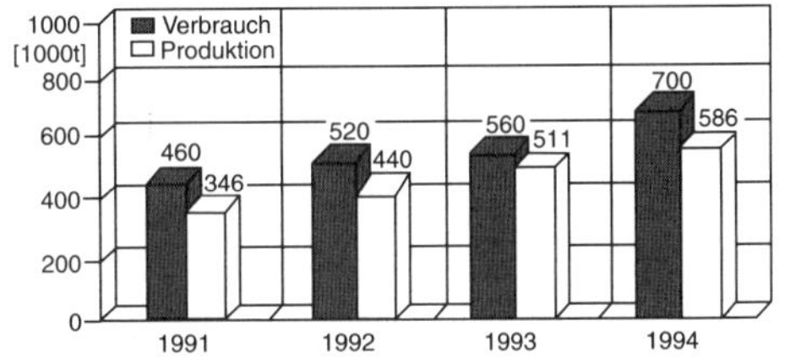

Abb. 1: Produktions- u. Verbrauchsentwicklung von PET in Westeuropa (1991 bis 1994); Quelle APME.

Abb. 1 zeigt weiterhin, wie sich in Westeuropa Produktion u. Verbrauch von PET seit 1991 entwickelt haben. – ***E*** polyethylene terephthalates – ***F*** polytéréphtalate d'éthylènes – ***I*** polietilentereftalati – ***S*** politereftalato de etilenos

Lit.: [1] Kunststoffe **85**, 1586 (1995).
allg.: Domininghaus (5.), S. 753 ff. ▪ Elias (5.) **2**, 196 ▪ Encycl. Polym. Sci. Eng. **12**, 1–256 ▪ Houben-Weyl **E 20/2**, 1405–1418 ▪ s. a. Polyester. – *[HS 3907 60; CAS 25038-59-9]*

Polyethylen-Wachse s. Polyolefin-Wachse.

Polyethylidene. Bez. für durch *Polymerisation von Diazoethan erhältliche Polymere der allg. Formel:

$$n\ H_3C-CH=N_2 \xrightarrow[-n\ N_2]{} \left[-\underset{CH_3}{CH}-\right]_n$$

– ***E*** polyethylidenes – ***F*** polyéthylidènes – ***I*** polietilideni – ***S*** polietilidenos

Lit.: Compr. Polym. Sci. **1**, 20.

Polyethylvinylether s. Polyvinylether.

Poly(1,1'-ferrocen-alkylen)e [Poly(1,1'-ferrocenylen-alkylen)e]. Bez. für *Polymere der allg. Strukturformel **Ia**, deren *Makromoleküle alternierend aus Ferrocen- u. meist unsubstituierten (R = H), z. T. aber auch aus substituierten (R z. B. Alkyl) (Oligo-)Methylen-Einheiten aufgebaut sind:

Strukturformeln **Ia**, **Ib**, **Ic**: Ferrocen-Einheiten (Fe) mit $\left(-CR^1R^2-\right)_x$-Ketten.

Die eine der beiden klass. Synth. von Poly(1,1′-ferrocen-methylen) **2** – dem P.-Derivat mit nur einer unsubstituierten Methylen-Gruppe zwischen zwei Ferrocen-Einheiten u. damit Stammverb. der P. – geht von Hydroxymethyl-substituiertem Ferrocen **1** aus. Dieses wird unter sauren Bedingungen in einer der Aufbaureaktionen der Novolake (s. Phenol-Harze) ähnlichen Umsetzung zur Reaktion gebracht:

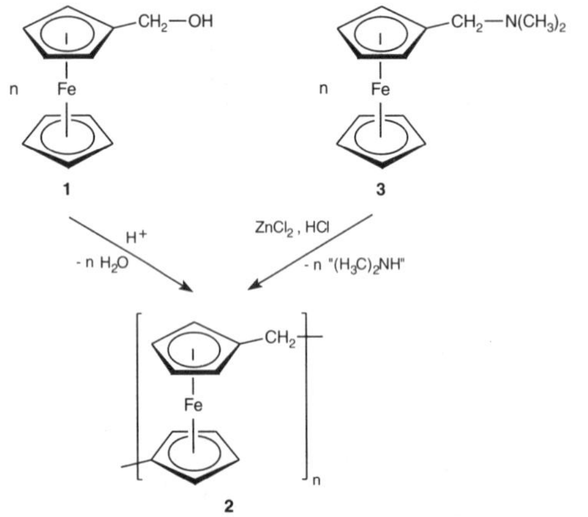

Sehr ähnliche P. **2** werden weiterhin durch die Reaktion von *N,N*-Dimethylaminomethylferrocen **3** in Ggw. von Zinkchlorid u. HCl sowie durch die Reaktion von Ferrocen u. Formaldehyd bzw. Dimethoxymethan in Ggw. von Zinkchlorid erhalten.

Alle so erhaltenen P. weisen jedoch nur geringe Molmassen (<10000 g/mol) u. vielfach Defekte in ihrer chem. Struktur auf. So erfolgt die Verbrückung der Ferrocen-Ringe nicht ausschließlich 1,1′-heteroannular (**Ia**), sondern auch 1,2- u. 1,3-homoannular (**Ib** bzw. **Ic**). Darüber hinaus werden einige Verbrückungen zwischen Ferrocen-Einheiten von Ether-Gruppen übernommen.

Auch die zweite klass. Synth. von P. liefert vorwiegend *Oligomere: Hierbei werden α,ω-Bis(2,4-cyclopentadienyl)alkane **4** zunächst mit metall. Natrium od. $Na[N(Si(CH_3)_3)_2]_n$ in Bis-Natriumsalze überführt. Diese werden dann mit z.B. $FeCl_2$ zu **5** polykondensiert:

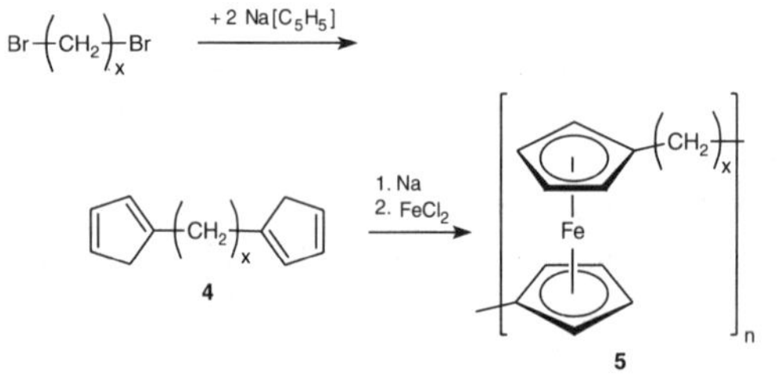

Nachdem damit bis vor wenigen Jahren noch kein einziges hochmol. P. verfügbar war, gelang kürzlich zumindest für P. mit Bis(methylen)-Brücken zwischen den Ferrocen-Einheiten die Entwicklung einer leistungsfähigen Synthese. Diese beruht auf der ringöffnenden Polymerisation von C_2H_4-überbrückten [2]Ferrocenophanen **6** zu Poly(1,1′-ferrocen-ethylen)en **7**:

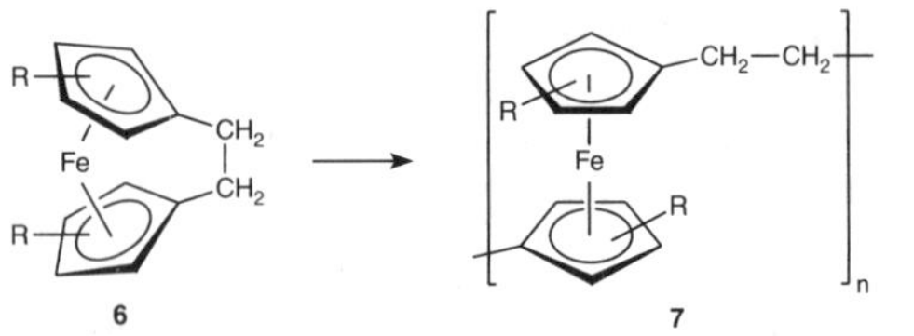

Treibende Kraft dieser Polymerisation ist die Ringspannung von **6**, die aus dem Kippwinkel der beiden Cyclopentadienyl-Reste gegeneinander resultiert. Diese Ringspannung wird weiter gesteigert, wenn anstelle des [2]Ferrocenophans ein [2]Ruthenocenophan mit dem größeren Ruthenium(II) als Übergangsmetall verwendet wird. Hier beträgt der Kippwinkel der Cyclopentadienyle sogar ca. 30°. Dies führt dazu, daß die ringöffnende Polymerisation schon unter mildesten Bedingungen sehr hochmol. *Poly(1,1′-ruthenocen-ethylen)e* ergibt. Die meisten der heute verfügbaren P. weisen hohe Schmp., eine ausgezeichnete Thermostabilität u. spezielle elektron., opt. u. magnet. Eigenschaften auf. Deren wirkliches Potential auch für Anw.-relevante Fragestellungen zu erklären, wird Aufgabe der kommenden Jahre sein. – ***E*** poly(1,1′-ferrocene alkenes), poly(1,1′-ferrocenylene alkylidenes) – ***F*** poly(1,1-ferrocènes-alkylènes) – ***I*** poli(1,1′-ferrocen-alcheni), poli(1,1′-ferrocenilen-alchilideni) – ***S*** poli(1,1′-ferroceno alquenos), poli(1,1′-ferrocenileno alquenos)

Lit.: s. Poly(1,1′-ferrocen)e.

Poly(1,1′-ferrocen-arylen)e [Poly(1,1′-ferrocenylen-arylen)e]. Bez. von *Polymeren der allg. Struktur **I**, deren Hauptketten alternierend aus Metall-freien Aromaten (Aryl) u. 1,1′-heteroannular [s. Poly(1,1′-ferrocen)e] in das Polymer-Rückgrat eingebundenen Ferrocen-Einheiten aufgebaut sind:

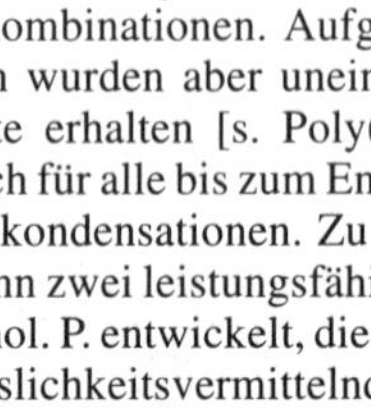

Die ersten Synth. derartiger *Makromoleküle verliefen als *Polyrekombinationen. Aufgrund zahlreicher Nebenreaktionen wurden aber uneinheitliche u. niedermol. Produkte erhalten [s. Poly(1,1′-ferrocen)e]. Gleiches galt auch für alle bis zum Ende der 80er Jahre getesteten *Polykondensationen. Zu Beginn der 90er Jahre wurden dann zwei leistungsfähige Synth. für definierte u. hochmol. P. entwickelt, die maßgeblich vom Konzept der löslichkeitsvermittelnden Seitenketten profitierten: Danach wirken flexible Substituenten R wie ein am Polymer chem. angebundenes Lsm. u. verleihen auch sonst unlösl. Polymeren eine gute Löslichkeit in organ. Lösemitteln. Außerdem senken sie die Schmelztemp. der Polymeren so deutlich ab, daß diese vielfach thermoplast. verarbeitbar werden. Mit Hilfe dieser Maßnahme konnten zum einen lösl., polymere Sandwich-Komplexe wie **3** u. **5** aufgebaut werden. In diesen sind die Metallocen-Einheiten über Naphthalin-Einheiten verbrückt u. daher über längere

Kettenabschnitte gestapelt angeordnet. Nachdem die anfangs verwendete Pd-katalysierte Polykondensation von Bis(chlorzink)ferrocen **2** mit 1,8-Diiodnaphthalin **1** nur zu P. **3** mit Molmassen von unter 4000 g/mol geführt hatte, ergibt die später entwickelte Überführung von **4** zunächst in das monomere Dianion u. die sich daran anschließende Reaktion des Dianions mit $FeCl_2$ purpurrote Polymere **5** mit Molmassen von bis zu 18 000 g/mol:

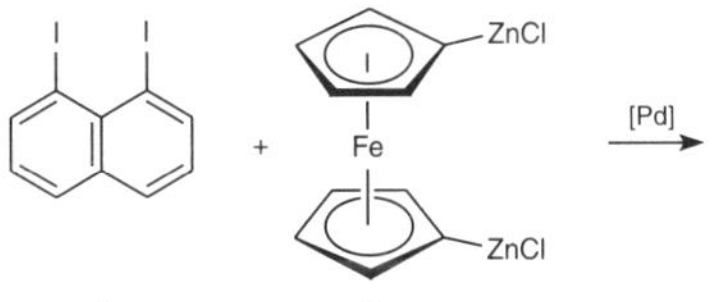

1 **2**

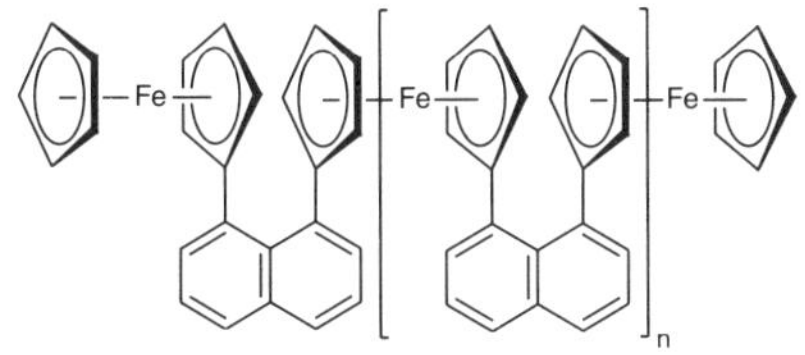

3

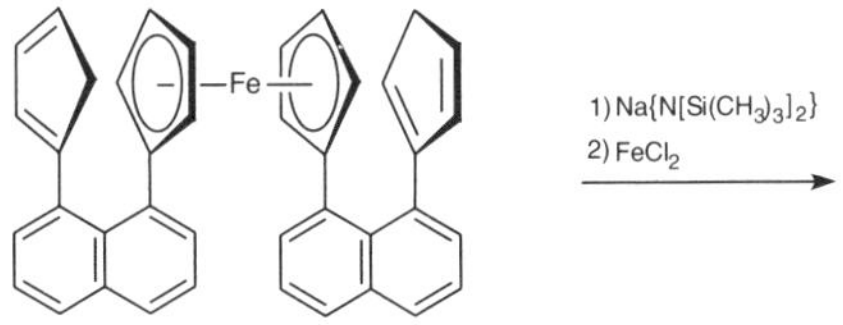

4

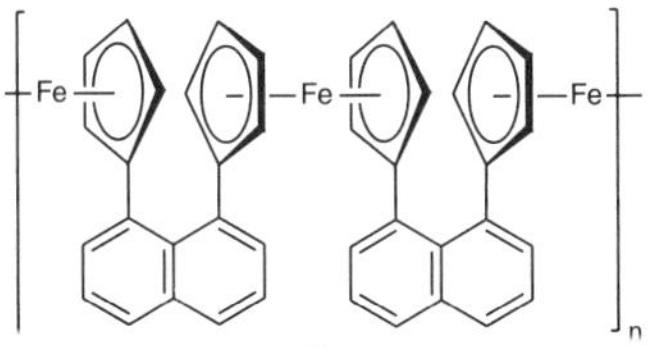

5

Die gezeigte Route erlaubt weiterhin, unter Verw. von $[Ni(acac)_2]$ (acac = Acetylacetonato) anstelle von $FeCl_2$ alternierende *Copolymere zu erhalten, in deren Makromol. sich Eisen- u. Nickel-Zentren abwechseln. Derartige Polymere sind v. a. aufgrund ihrer elektron., opt. u. magnet. Eigenschaften von großem Interesse. So zeigen sie nach partieller Oxid. („Dotierung") mit Iod elektr. Leitfähigkeiten von bis zu $6{,}7 \cdot 10^{-3}$ S/cm. Auf einer unter der Katalyse von Pd-Komplexen verlaufenden Polykondensation von Halogenaromaten u. Arylboronsäure-Derivaten basiert die zweite heute verfügbare Synth.-Meth. für einheitliche, hochmol. P. (s. Formel oben rechts).

Poly(1,1′-ferrocenylen-4,4″-*p*-oligophenylen)e **8–10** mit Molmassen von bis zu 70 000 g/mol werden erhalten, wenn 1,1′-Bis(4-bromphenyl)ferrocen **6** mit Aryldiboronsäure-Derivaten **7** zur Reaktion gebracht wird. Weniger hochmol. P. erhält man andererseits, wenn unter sonst gleichen Bedingungen z. B. die Monomeren **11** u. **12** zu Poly(1,1′-ferrocen-phenylen)en wie **13** umgesetzt werden.

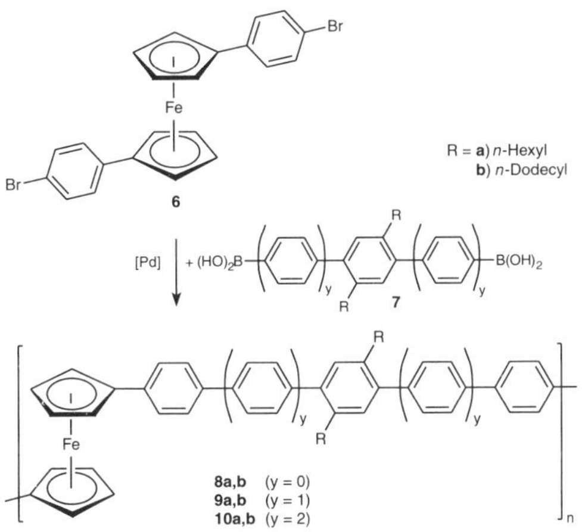

6 **7**

8a,b (y = 0)
9a,b (y = 1)
10a,b (y = 2)

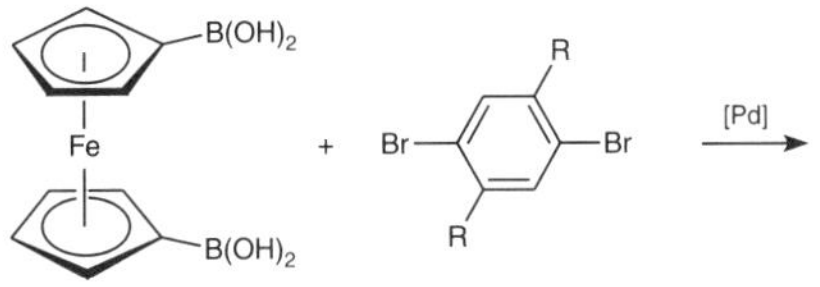

11 **12a,b**

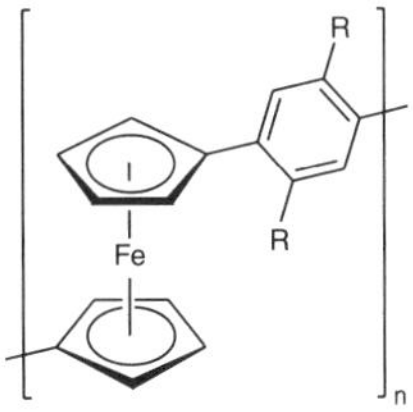

13a,b

In diesem Fall, in dem beim Kettenwachstum C,C-Bindungen unter direkter Beteiligung eines elektronenreichen Aromaten entstehen, verhindern Nebenreaktionen die Bildung langer Polymerketten.

Alle gezeigten P. zeichnen sich durch therm. Beständigkeit bis ca. 400 °C aus. Die bei 20 °C glasartig erstarrten P. **8** zeigen *Glasübergangstemperaturen zwischen 30 u. 90 °C u. sind aufgrund ihrer Seitenketten in organ. Lsm. ausgezeichnet löslich. Die teilkrist. P. **9** u. **10** schmelzen dagegen erst oberhalb von ca. 160 °C u. sind deutlich schlechter löslich. – ***E*** poly(1,1′-ferrocene arylenes), poly(1,1′-ferrocenylene arylenes) – ***F*** poly(1,1-ferrocènes-arylènes) – ***I*** poli(1,1′-ferrocen-arileni), poli(1,1′-ferrocenilen-arileni) – ***S*** poli-(1,1′-ferroceno arilenos), poli(1,1′-ferrocenileno arilenos)

Lit.: s. Poly(1,1′-ferrocen)e.

Poly(1,1′-ferrocen)e [Poly(1,1′-ferrocenylen)e]. Bez. für zu den *Polymetallocenen zählende *Polymere, deren *Makromoleküle aus 1,1′-heteroannular miteinander verknüpften Ferrocen-Einheiten **I** bestehen. Die Spezifizierung *1,1′-heteroannular* bedeutet dabei, daß die von jeder Ferrocen-Grundeinheit weiterführenden beiden Polymerketten-Reste je an einem der beiden Cyclopentadienyl-Ringe fixiert sind. Im Gegensatz dazu sind diese Kettenreste im Falle einer 1,2- (**II**) od. 1,3-homoannularen (**III**) Verknüpfung beide an demselben Cyclopentadienyl-Ring des betrachteten Ferrocen-Bausteins angeknüpft:

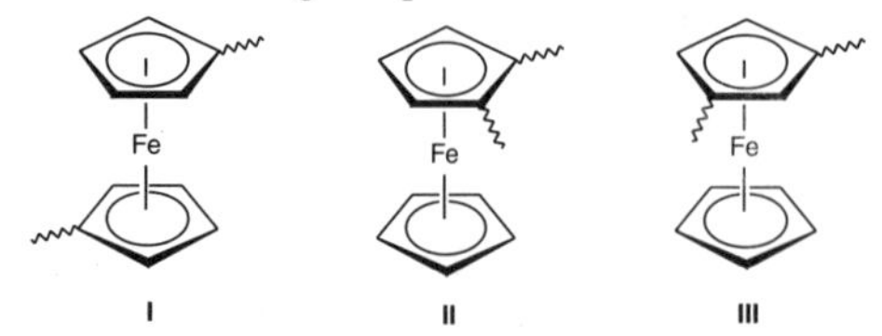

Schon bald nach der Entdeckung des *Ferrocens begann man mit ersten Versuchen, diesen Übergangsmetall-Komplex auch zum Aufbau von Makromolekülen zu nutzen. Die Synth. polymerer Metallocene, die Ferrocen-Einheiten als Seitengruppen eines ansonsten konventionell aufgebauten Polymer-Rückgrates trugen (wie z. B. im *Polyvinylferrocen) od. die Ferrocen-Einheiten in größerem Abstand voneinander als Bestandteile z. B. einer Polyester-, Polyamid- od. Polyurethan-Hauptkette enthielten, erwies sich als einfach. Dagegen zeigte sich die Synth. von P. – einem Polymer, in dem die Ferrocen-Einheiten direkt miteinander verknüpft sind – als außerordentlich schwierig. Eine der ersten P.-Synth. beruht auf einem Wachstumsprozeß, der über radikal. Zwischenstufen verläuft: Bei der Thermolyse von Peroxiden in Ggw. von Ferrocen **1** entstehen Ferrocen-Radikale. Zwei solcher Radikale rekombinieren miteinander unter Bildung einer Ferrocen-Ferrocen-Bindung. Diese Dimeren können durch Reaktion mit neuen Initiator-Fragmenten wieder Radikal-Charakter annehmen u. dann erneut unter weiterem Kettenwachstum miteinander rekombinieren. Auf diese Weise schreitet das Kettenwachstum nach einem *Polyrekombinations-Mechanismus weiter fort. Allerdings bleiben die Molmassen dieser P. **2** mit unter 7000 g/mol niedrig. Es entstehen darüber hinaus nicht nur 1,1′-heteroannular verknüpfte Bausteine **I**, sondern auch homoannulare Verbrückungen **II** u. **III**. Schließlich sind die Produkte teilw. vernetzt:

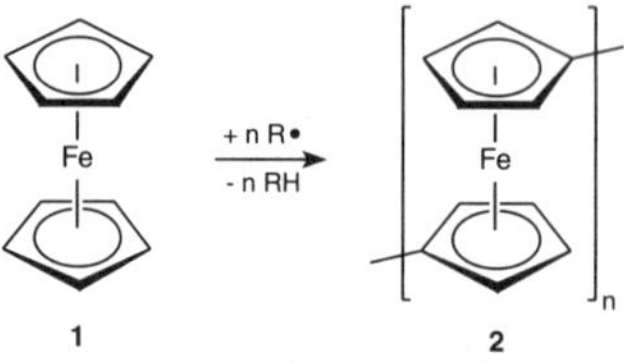

Um konstitutionell definiertere Produkte zu erhalten, wurden in der Folgezeit viele *Polykondensationen auf ihre Eignung zur Synth. von P. hin getestet. Beisp. sind die Ullmann-Kupplung von 1,1′-Dihalogenferrocenen mit Kupfer, die Selbstkondensation von Chlorquecksilber-ferrocen, die Umsetzung von 1,1′-Dilithiumferrocen **3** mit 1,1′-Diiodferrocen **4** u. die Übergangsmetall-katalysierte Kupplung von 1,1′-Dihalogenferrocenen wie **4** in Ggw. stöchiometr. Mengen an Magnesium (s. Formel oben rechts).
Allerdings wiesen die hier erhaltenen P. **2** Molmassen von nur bis zu ca. 5000 g/mol auf. Sogar die bei der Synth. vieler anderer Polyaromaten sehr leistungsfähige Pd-katalysierte Polykondensation von Halogenaromaten u. Arylboronsäure-Derivaten ergibt bei Einsatz von **4** u. **5** lediglich P. **2** mit Molmassen von unter 10000 g/mol. Damit sind P. heute zwar mit befriedigender struktureller Einheitlichkeit, noch nicht aber mit hohen Molmassen verfügbar. Das gleiche gilt auch für die verwandten Poly(1,1′-ruthenocen)e, die heute erst mit Molmassen von ca. 2000 verfügbar sind. Die vielversprechenden Materialeigenschaften der P. werden aber bewirken, daß auch künftig an verbesserten Syntheseverf. für hochmol. P. gearbeitet wird: Nachdem anfangs Materialeigenschaften der P. wie ihre hohe therm. u. photochem. Stabilität faszinierten, rücken heute zunehmend deren elektrochem., elektron., opt. u. magnet. Eigenschaften in den Vordergrund [s. a. die verschiedenen Poly(1,1′-ferrocen)-Derivate]. – ***E*** poly(1,1′-ferrocene)s, poly(1,1′-ferrocenylenes) – ***F*** poly(1,1-ferrocènes) – ***I*** poli(1,1′-ferroceni), poli(1,1′-ferrocenileni) – ***S*** poli(1,1′-ferrocenos), poli(1,1′-ferrocenilenos)

Lit.: Acta Polymerica **49**, 201 (1998) ▪ Angew. Chem. **108**, 1712 (1996) ▪ Ciardelli, Tsuchida u. Wöhrle, Macromolecule-Metal Complexes, Berlin: Springer 1996.

Poly(1,1′-ferrocen-ethylen)e s. Poly(1,1′-ferrocen-alkylen)e.

Poly(1,1′-ferrocen-phosphan)e. Bez. für *Polymere der allg. Strukturformel **I**, die aus Ferrocen-Einheiten aufgebaut sind, die 1,1′-heteroannular [s. Poly(1,1′-ferrocen)e] über Phosphan-Gruppen miteinander verknüpft sind:

R = Alkyl, Aryl

Bis vor kurzem waren P. ausschließlich durch *Polykondensationen verfügbar. Von diesen hatte sich die Reaktion von 1,1′-Dilithiumferrocen **1** mit Phenyldichlorphosphan als eine der leistungsfähigsten erwiesen. Sie ergibt P. **2** mit Molmassen von bis zu 160000 g/mol u. einer therm. Stabilität bis ca. 350 °C:

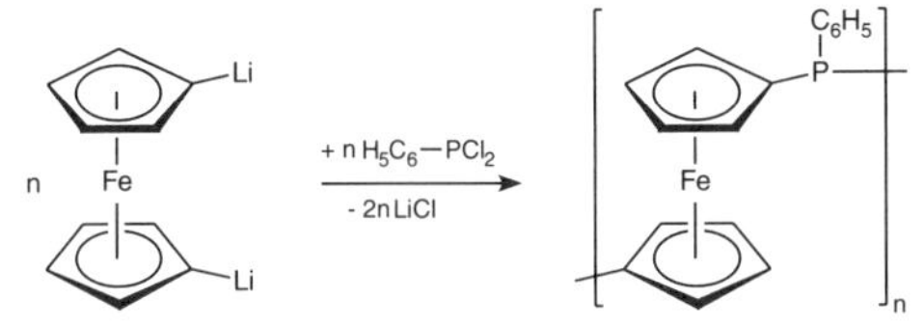

Kürzlich wurde gezeigt, daß auch die ringöffnende Polymerisation von Phosphor-überbrückten [1]Ferrocenophanen **3** eine sehr effiziente Synth.-Meth. für P. **4** ist.

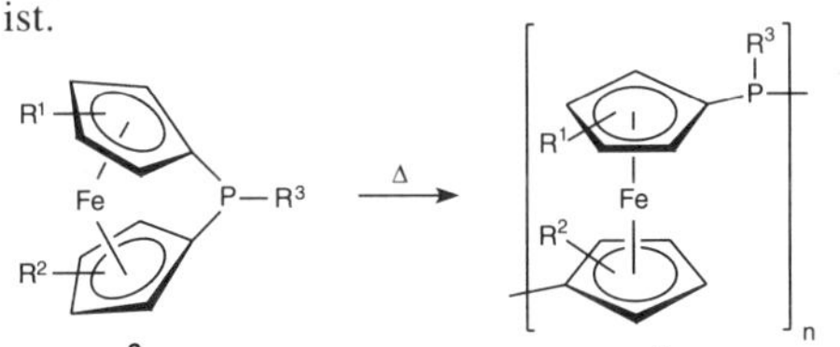

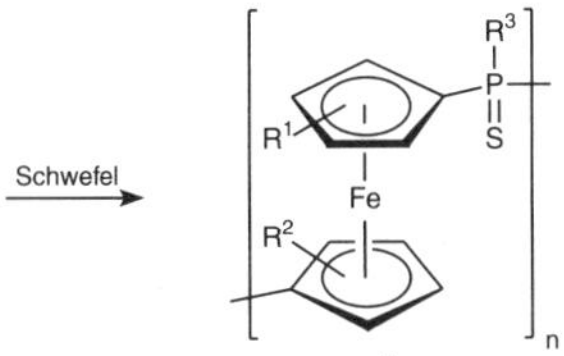

$R^1 = R^2 = R^3$ = Alkyl, Aryl

Neben der therm. Initiierung des Kettenwachstums kann die Polymerisation Phosphor-überbrückter [1]Ferrocenophane auch als lebende anion. Polymerisation durchgeführt werden. So ist bei Verw. von z. B. *n*-Butyllithium als Initiator eine gute Kontrolle der Molmassen möglich. Darüber hinaus sind sogar Block-*Copolymere herstellbar. Schließlich konnte gezeigt werden, daß die P. in einer einheitlich verlaufenden Reaktion mit Schwefel in Poly(1,1′-ferrocen-phosphansulfide) **5** umgewandelt werden können. Techn. Bedeutung konnten die P. aufgrund der Tatsache, daß sie erst wenige Jahre als einheitliche, hochmol. Polymere verfügbar sind, noch nicht erlangen. – ***E*** poly(1,1′-ferrocene phosphanes) – ***F*** poly(1,1-ferrocènes phosphanes) – ***I*** poli(1,1′-ferrocen-fosfani) – ***S*** poli(1,1′ ferroceno fosfanos)

Lit.: s. Poly(1,1′-ferrocen)e.

Poly(1,1′-ferrocen-selenid)e s. Poly(1,1′-ferrocensulfid)e.

Poly(1,1′-ferrocen-silan)e. Bez. für *Polymere der allg. Struktur **3**, in deren *Makromolekülen Ferrocen-Einheiten 1,1′-heteroannular [s. Poly(1,1′-ferrocen)e] durch Dialkylsilan-Gruppen miteinander verknüpft sind. Die ersten, nur unvollständig charakterisierten P. **3** mit Molmassen von bis zu 7000 g/mol wurden durch *Polykondensationen wie z. B. der von 1,1-Dilithiumferrocen **1** mit Organodichlorsilanen **2** erhalten:

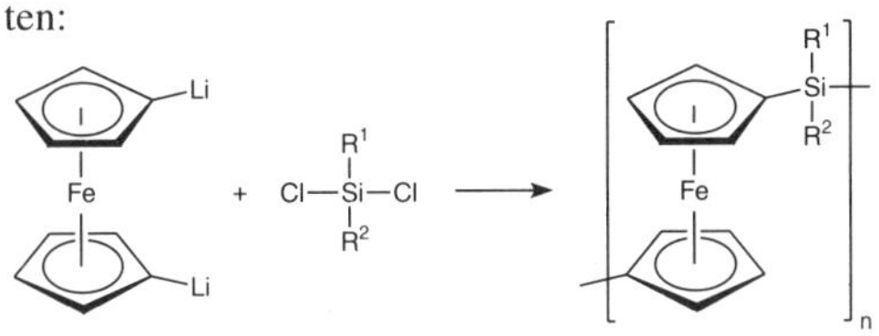

Anfang der 90er Jahre wurden dann durch therm. induzierte ringöffnende Polymerisation von Silan-überbrückten [1]Ferrocenophanen wie **4** die ersten wohldefinierten P. mit Molmassen von bis zu 10^6 g/mol erhalten:

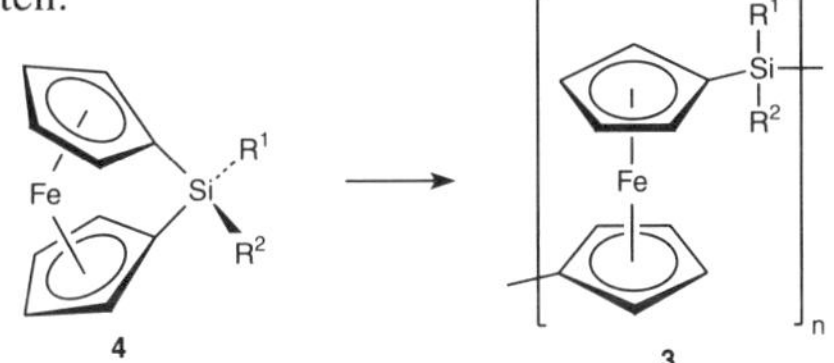

$R^1 = R^2$ = Alkyl, Aryl, Ferrocenyl

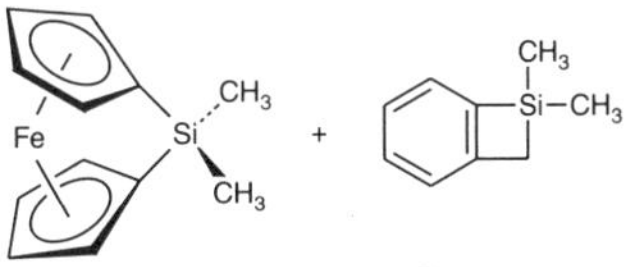

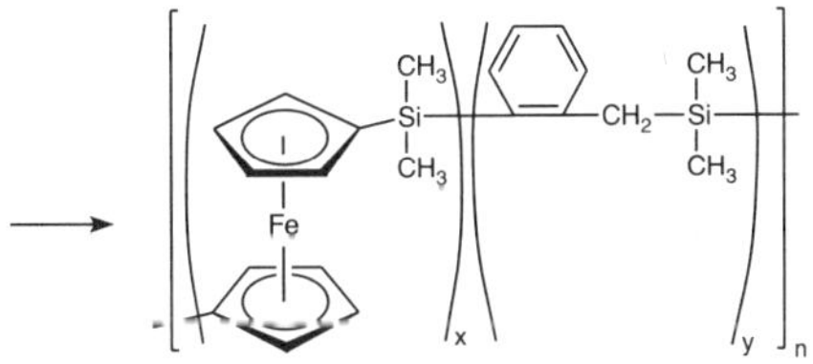

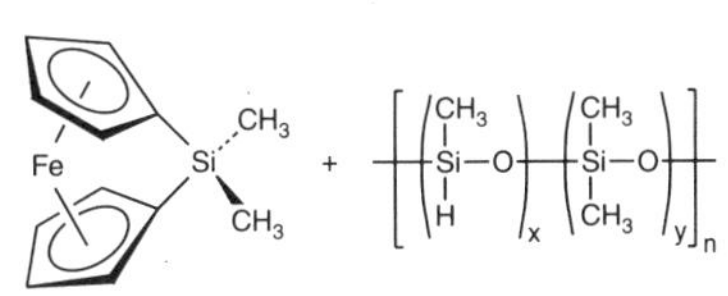

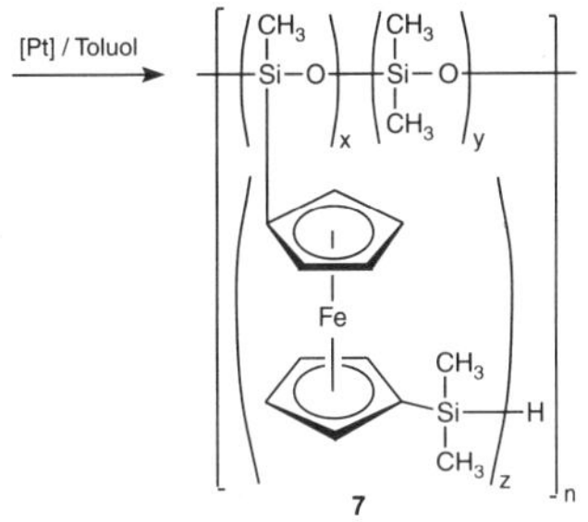

Die Triebkraft dieser Polymerisationen ist die Ringspannung der Monomere (ca. 80 kJ/mol), deren Cyclopentadienyl-Ringe aufgrund der Silicium-Überbrückung um ca. 21° gegeneinander gekippt sind. Seither konnten zahlreiche weitere Silicium-überbrückte [1]Ferrocenophane zu P. polymerisiert u. auf analoge Weise auch die entsprechenden Poly(1,1′-ferrocengerman)e erhalten werden. Darüber hinaus gelang kürzlich auch die durch z. B. *n*-Butyllithium initiierte, lebende anion. Polymerisation von **4**. Diese ermöglicht eine einfachere Kontrolle der Molmassen, gewährleistet enge Molmassen-Verteilungen u. erlaubt, auch Block-*Copolymere aufzubauen. Kurz darauf gelang auch die durch Pd- od. Pt-Komplexe katalysierte ringöffnende Polymerisation von [1]Sila- u. [1]Germaferrocenophanen, die bereits bei 20 °C zu Poly(1,1′-ferrocenylen-silan)en, Poly(1,1′-ferrocenylen-german)en u. Copolymeren aus den beiden Monomeren führt. Dieses letzte Verf. eröffnet einen eleganten Zugang zu Block-Copolymeren wie **6** (Molmasse ca. 10^4) u. Pfropf-Copolymeren wie **7** (s. Formeln S. 3453). Darüber hinaus können durch Copolymerisation von **4** u. **8** statist. Copolymere wie **9** hergestellt werden.

4a **8**

9

Schließlich wurden spirocycl. [1]Ferrocenophane wie **10** u. **11** entwickelt, die bei der Synth. der P. als Vernetzungsagenzien genutzt werden können. Sie könnten bei der Herst. von Keramiken aus diesen Polymeren große Bedeutung erlangen.

10 **11**

Alle gezeigten P. weisen interessante photochem., photophysikal. u. Ladungstransport-Eigenschaften auf. So findet man z. B. in cyclovoltammetr. Experimenten mit hochmol. P. **3a** ($R^1 = R^2 = CH_3$) zwei reversible Oxid. in einem Verhältnis von 1:1. Dies wird als Folge der intramol. elektron. Wechselwirkungen zwischen den Metallocen-Zentren interpretiert. Diese führen dazu, daß zunächst nur jedes zweite Eisen-Atom oxidiert wird. Ein weiterer Anstieg der Spannung ist erforderlich, um dann auch die verbliebenen Eisen(II)-Zentren in die dreiwertige Oxidationsstufe zu überführen. Ein sehr ähnliches Verhalten zeigen auch die meisten anderen P.; diese gehen weiterhin durch partielle Oxid. mit z. B. Iod („Dotierung") in halbleitende Materialien mit Leitfähigkeiten von bis zu 10^{-7} S/cm über. Das therm. Phasenverhalten der P. **3** hängt entscheidend von den Substituenten R am Silicium ab: Das Dimethyl-Derivat mit einer Schmelztemp. von $T_m = 122\,°C$ u. einer *Glasübergangstemperatur von $T_G = 33\,°C$ bildet bernsteinfarbene Filme, während das *n*-Hexyl-Derivat ($T_G = -26\,°C$) bei 20 °C kautschukartig ist. P. sind bis ca. 400 °C beständig, wandeln sich aber bei weiterem Erhitzen auf 500 bis 1000 °C in keram. Fe/Si/C-Komposits um. – ***E*** poly(1,1′-ferrocene silanes) – ***F*** poly(1,1-ferrocènes-silanes) – ***I*** poli(1,1′-ferrocen-silani) – ***S*** poli(1,1′-ferroceno silanos)

Lit.: s. Poly(1,1′-ferrocen)e.

Poly(1,1′-ferrocen-sulfid)e [Poly(1,1′-ferrocenylen-sulfid)e]. Bez. für *Polymere der allg. Strukturformel **I**, in deren *Makromolekülen Ferrocen-Einheiten 1,1′-heteroannular [s. Poly(1,1′-ferrocen)e] über Schwefel-Brücken miteinander verknüpft sind.

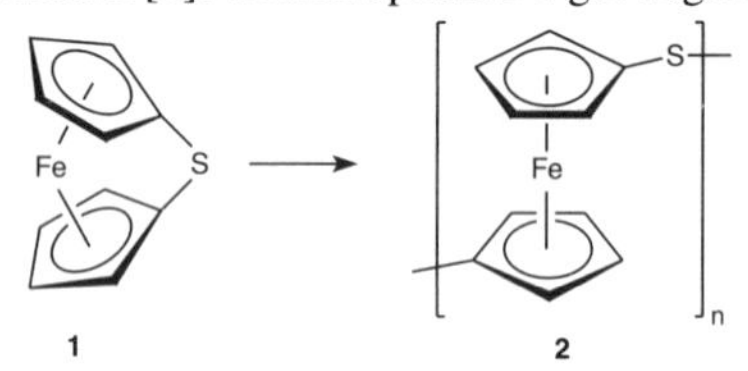

I

P. wie z. B. **2** sind durch die vor wenigen Jahren entwickelte ringöffnende Polymerisation von Schwefel-überbrückten [1]Ferrocenophanen **1** gut zugänglich:

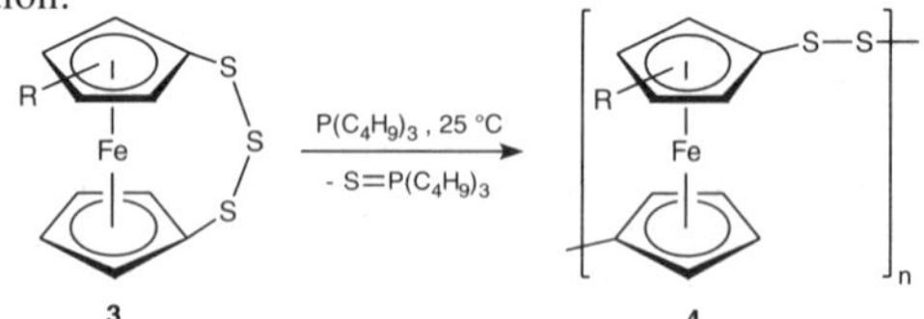

1 **2**

Triebkraft dieser Reaktion ist die Ringspannung der Monomere. Diese kommt dadurch zustande, daß die beiden Cyclopentadienyl-Ringe durch die Verbrückung über ein einziges Schwefel-Atom gegeneinander gekippt sind. Es zeigte sich aber, daß auch das nahezu ringspannungsfreie [3]Trithiaferrocenophan **3** ringöffnend polymerisiert werden kann. Unter Einsatz von $P(C_4H_9)_3$ als Desulfurierungs-Agens verläuft diese zu Poly(1,1′-ferrocen-persulfiden) **4** führende Reaktion allerdings als Atom-Abstraktions-Polymerisation:

$P(C_4H_9)_3$, 25 °C; $- S{=}P(C_4H_9)_3$

3 **4**

$R = (CH_2)_3{-}CH_3$, $C(CH_3)_3$

Die Molmassen von **4** schwanken zwischen 12000 u. 400000 g/mol. Auf analoge Weise können durch ringöffnende Polymerisation von [3]Ferrocenophanen mit zwei Trisulfid-Brücken vernetzte Poly(1,1′-ferrocen-persulfid)e u. aus durch drei Selen-Atome überbrückten [n]Ferrocenophanen Poly(1,1′-ferrocen-selenid)e erhalten werden, deren Molmassen allerdings nicht so hoch werden wie die von **4**.

Die P. zeichnen sich durch viele für Polymere ungewöhnliche Eigenschaften aus. So können die Schwefel-Schwefel-Bindungen der P. **4** durch Reaktion mit z. B. $Li[B(C_2H_5)_3H]$ reduktiv gespalten, anschließend aber durch Zugabe von z. B. Iod oxidativ wieder geschlossen werden. Ihr elektrochem. Verhalten ähnelt stark dem der *Poly(1,1′-ferrocen-silan)e, wobei die Wechselwirkung zwischen den einzelnen Eisen-Zentren der P.-Ketten allerdings noch stärker zu sein scheint. Trotz interessanter Ansätze hat die noch junge Verbindungsklasse der P. bisher noch keinen techn. Einsatz gefunden. – ***E*** poly(1,1′-ferrocene sulfides) – ***F*** poly(1,1-ferrocènes-sulfides) – ***I*** poli(1,1′-ferrocen-sulfuri) – ***S*** poli(1,1′-ferroceno sulfuros)

Lit.: s. Poly(1,1′-ferrocen)e.

Poly(1,1'-ferrocen-vinylen)e [Poly(1,1'-ferrocenylen-vinylen)e]. Bez. für Metall-organ. *Polymere der allg. Strukturformel I, in deren *Makromolekülen Ferrocen-Bausteine 1,1'-heteroannular [s. Poly(1,1'-ferrocen)e] über meist unsubstituierte (R = H), z. T. aber auch über substituierte (R z. B. Alkyl) Vinyl-Gruppen miteinander verknüpft sind:

I

Viele der ursprünglich für den Aufbau der analogen *Poly(*p*-phenylen-vinylen)e entwickelten Synth.-Meth. wurden in der Vergangenheit auch auf ihre Eignung zur Synth. von P. hin getestet. Die Produkte besaßen allerdings nur unzureichende Molmassen. Eine der ersten Synth. hochmol. P. gelang Anfang der 90er Jahre. Bei dieser sog. ADMET-Polymerisation (von *E* *A*cyclic *D*iene *Met*athesis) wird 1,1'-Divinylferrocen **1** unter Verw. verschiedener *Metathese-Katalysatoren u. unter Abspaltung von Ethylen in strukturell einheitliche P. **2** überführt.

$$\mathbf{1} \xrightarrow[-\ H_2C=CH_2]{[W]} \mathbf{2}$$

Kürzlich konnten weiterhin lösl. u. strukturell einheitliche P.-Derivate **4** mit Molmassen von bis zu 20000 g/mol auch durch reduktive *Polykondensation von 1,1'-Diacetylferrocen **3** in Ggw. niedervalenter Titan-Verb. erhalten werden.

$$\mathbf{3} \xrightarrow{Ti,\ THF} \mathbf{4}$$

Obwohl definierte P. wie **2** u. **4** somit erst seit kurzem verfügbar sind u. noch keine konkreten Anw. erschlossen werden, ist anzunehmen, daß ihre speziellen elektron., opt. u. magnet. Eigenschaften interessante Perspektiven für einen zukünftigen techn. Einsatz eröffnen werden. – ***E*** poly(1,1'-ferrocene vinylenes), poly(1,1'-ferrocenylene vinylenes) – ***F*** poly(1,1-ferrocènes-vinylènes) – ***I*** poli(1,1'-ferrocen-vinileni), poli(1,1'-ferrocenilen-vinileni) – ***S*** pol(1,1'-ferroceno vinilenos), poli(1,1'-ferrocenileno vinilenos)

Lit.: s. Poly(1,1'-ferrocen)e.

Polyfluoralkoxyphosphazene. Polyorganophosphazene (Formel s. dort) mit Fluoralkoxy-Gruppen [z. B. $-O-CH_2-CF_3$ bzw. $-O-CH_2-(CF_2)_x-CHF_2$] als Substituenten am Phosphor. Die bei der *Vulkanisation der P. resultierenden *Elastomere besitzen eine hohe Flexibilität bei tiefen Temp., gute Hitzestabilität, geringe Ermüdungs- u. ausgezeichnete Dämpfungseigenschaften. P. sind einsetzbar im Temp.-Bereich von –65 bis 175 °C, sind beständig gegen Oxid. (selbst bei Einwirkung von Ozon od. flüssigem Sauerstoff) u. gegenüber Chemikalien, Ölen u. Kraftstoffen; sie sind witterungsbeständig u. nicht brennbar.

Verw.: U. a. zur Herst. von Dichtungen u. Dämmelementen in der Automobil-, Raumfahrt- u. Petroleum-Ind., von Schläuchen für aggressive Materialien, Beschichtungsmassen u. medizin. Implantaten. – ***E*** poly(fluoroalkoxyphosphazene)s – ***F*** polyfluoroalcoxyphosphazènes – ***I*** polifluoroalcossifosfazeni – ***S*** polifluoroalcoxifosfazenos

Lit.: s. Polyorganophosphazene.

Polyfluorsilicone (Kurzz. FQ). Bez. für *Silicone mit seitenständigen Fluoralkyl-Gruppen. Von diesen haben v. a. die Polymethyltrifluorpropylsilicone mit Gruppierungen des Typs I u. II als Fluorsilicon-Kautschuke (*E* fluorosilicone rubbers; Kurzz. MFQ od. FMQ) techn. Bedeutung erlangt. MFQ werden eingesetzt als Ausgangsprodukte für Vulkanisate mit außergewöhnlich hoher Beständigkeit gegenüber Kraftstoffen, Ölen u. Chemikalien.

I: $-O-Si(CH_3)(CH_2-CH_2-CF_3)-$ II: $-O-Si(CH_2-CH_2-CF_3)_2-$

Daneben finden P. mit fluorierten Seitengruppen sowie Methyl- u. Vinylsubstituenten (Kurzz. FVMQ) Einsatz. P. werden hergestellt u. a. durch *Ringöffnungspolymerisation von cycl. Siloxanen, z. B. von Cyclotrisiloxanen. – ***E*** = ***F*** polyfluorosilicones – ***I*** polifluorosiliconi – ***S*** polifluorosiliconas

Lit.: Hofmann, Rubber Technology Handbook, S. 135 f., München: Hanser Publ. 1989 ▪ s. a. *Lit.* bei Silicone. – *[HS 391000]*

Polyformaldehyde s. Polyacetale.

Polyformaldezin. Bez. des strukturell einfachsten Aza-Polymers der Strukturformel **2**, das als Stickstoff-Analoges des *Polybutadiens aufgefaßt werden kann. P. ist durch anion. od. kation., nicht aber durch radikal. *Polymerisation von Formaldezin **1** zugänglich:

$$\underset{\mathbf{1}}{H_2C=N-N=CH_2} \longrightarrow \underset{\mathbf{2}}{\left[(CH_2-N=N-CH_2)_x(CH_2-N(N=CH_2))_y\right]_n}$$

Die entstehenden Polymerketten **2** enthalten – wie auch im Polybutadien – sowohl 1,4-verknüpfte als auch 1,2-verknüpfte Monomerbausteine. – ***E*** polyformaldezine – ***F*** polyformaldécine – ***I*** poliformaldezina – ***S*** poliformaldezina

Polyfructosen. Bez. für polymere Zucker aus *Fructose-Wiederholungseinheiten, die als Reservestoff in Wurzeln, Blättern u. Samen von Pflanzen vorkommen. P. werden außerdem durch einige Bakterien produziert. Man unterscheidet bei den P. zwischen den Phleanen, in denen die Fructose-Reste 2,6-glykosid. verknüpft sind, u. den *Inulinen, deren Wiederholungseinheiten 1,2-glykosid. verbunden sind.

In den Gräsern der gemäßigten Breiten nimmt der Gehalt an P. im Frühling stark zu u. läuft Mitte Mai durch ein Maximum. Aufgrund seines zu diesem Zeitpunkt hohen Wertes als Viehfutter findet die Heuernte bevorzugt Mitte Mai u. nicht erst beim späteren Höchstwuchs des Grases statt. – ***E*** polyfructoses – ***I*** polifruttosi – ***S*** polifructosas

Polyfunktionelle Proteine s. Polyproteine.

Polygalactomannane. Bez. für wasserlösl. pflanzliche Reserve-*Polysaccharide, deren Hauptkette aus Mannose-Einheiten, die z. T. in C_6-Position mit einem Galactose-Rest substituiert sind, besteht. Wichtigste Vertreter der P. sind das *Guaran* (a) des Guar-Mehls (Formel s. dort) u. das *Carubin* (b) des Johannisbrot-Kernmehls (s. Johannisbrotbaum). Carubin unterscheidet sich vom Guaran strukturell dadurch, daß nur jeder 4. Mannose-Baustein einen Galactose-Rest trägt u. eigenschaftsmäßig durch schlechtere Löslichkeit (nur in der Wärme) in Wasser.
Zu Eigenschaften, Verw. u. Lit. der P. s. Guar-Mehl u. Johannisbrotbaum. – ***E*** = ***F*** polygalactomannanes – ***I*** poligalattomannani – ***S*** poligalactomananos – *[CAS 9000-30-0 (a); 9034-32-6 (b)]*

Polygalactosen. Bez. für *Polymere, die vorwiegend od. vollständig aus *Galactose-Einheiten aufgebaut sind. Zusammen mit den Polymannosen, die hauptsächlich aus Mannose-Resten bestehen, werden diese oft als Untergruppe der *natürliche Harze aufgefaßt. Sie werden als Extrakte (z. B. aus Algen), Exsudate (z. B. von Bäumen), aus Samen u. Wurzelhaaren sowie als Produkte mikrobieller Fermentation gewonnen. P.-Derivate sind z. B. in *Agar-Agar, *Carrageen(in), *Tragant, *Pektinen, *Ghatti-Gummi u. *Gummi Arabicum enthalten, Polymannosen in z. B. *Pullulan, Guaran, Carobin u. *Alginaten. Da die meisten P. wasserlösl. sind, aufgrund ihrer Assoziations-Tendenz aber hochviskose Lsg. ergeben, werden sie als Verdicker (Lebensmittel), Emulgatoren u. Schutzkolloide (Kosmetika, Klebstoffe, Flockungsmittel, Filmbildner) verwendet. – ***E*** polygalactoses – ***I*** poligalattosi – ***S*** poligalactosas
Lit.: Elias (5.) **2**, 298.

Polygalacturonase s. Pektin-spaltende Enzyme.

Polygalacturonsäure s. Pektine.

Polygalit s. Sorbitane.

Polygermane. Bez. von *Polymeren der allg. Strukturformel **2** (R=H, Alkyl, Aryl), die erstmals am Anfang der 80er Jahre mit Molmassen von bis zu 500000 g/mol durch *Wurtz-Synthesen erhalten wurden. Zu ihrer Herst. werden Dichlordialkylgermane **1** in Ggw. von z. B. metall. Natrium in siedenden Kohlenwasserstoffen wie Toluol zur Reaktion gebracht.

$$\underset{\mathbf{1}}{Cl\text{–}GeR_2\text{–}Cl} \xrightarrow{\text{Na/Toluol, 110°C}} \underset{\mathbf{2}}{\left[\text{–}GeR_2\text{–}\right]_n}$$

Später wurde eine experimentell einfachere P.-Synth. entwickelt, bei der Diiodgermyle mit Grignard- od. Organolithium-Verb. umgesetzt werden. Diese Meth. erhöht die Ausbeuten an P., die darüber hinaus engere Molmassen-Verteilungen aufweisen, allerdings aber auch geringere Molmassen (10^3 – 10^4 g/mol). Die Eigenschaften der P. ähneln stark denen der *Polysilane: Auch sie zersetzen sich bei Bestrahlung mit Licht geeigneter Wellenlänge zu flüchtigen Abbauprodukten u. sind daher für die Mikrolithographie interessant. Die σ-Elektronen-Delokalisierung ist noch ausgeprägter als bei den Polysilanen, was z. B. dadurch zu erkennen ist, daß das langwellige Absorptionsmaximum bei den P. um ca. 20 nm zu längeren Wellen hin verschoben ist. – ***E*** = ***F*** polygermanes – ***I*** poligermani – ***S*** poligermanos
Lit.: s. Polysilane.

Polyglas®. Zahnfarbener Kronen- u. Brückenwerkstoff. Bestandteile: Barium-Aluminium-Silicatglas, rheolog. Kieselsäure, organ. Glas. ***B.:*** Heraeus Kulzer GmbH.

Polyglobin® N (Rp). Lsg. zur intravenösen Anw. mit humanem *Immunglobulin G gegen Infektionen bei *Antikörper-Mangelzuständen. ***B.:*** Bayer Pharma Deutschland.

Polyglucosane s. Glucane.

Polyglucosen. Bez. für *Polymere, die vorwiegend od. vollständig aus *Glucose-Einheiten aufgebaut sind. Die D-Glucose-Reste können darin im Prinzip auf acht verschiedene Weisen miteinander verknüpft sein, in α-(1→2, 1→3, 1→4 u. 1→6)- sowie in β-(1→2, 1→3, 1→4 u. 1→6)-Stellung. In der Natur dominieren die *Polysaccharide mit 1→3- u. 1→4-Verknüpfungen. Ihre linearen *Homopolymeren sind bekannt als *Cellulose (β-1→4), *Amylose (α-1→4) u. *Curdlan (β-1→3). Curdlan wird von Agrobakterien produziert, denen es als Struktur- u. Reserve-Polysaccharid dient. In höheren Organismen dient dagegen Cellulose als Struktur- u. Amylose als Reserve-Polysaccharid. Neben diesen linearen P. kennt man viele verzweigte P. (z. B. *Amylopektin u. *Glykogen) sowie zahlreiche P.-„Copolymere". So alternieren im Nigeran α-1→3- u. α-1→4-Bindungen der Glucose-Einheiten, im sog. *Pneumokokken*-Polysaccharid (Typ 3) dagegen β-1→3- u. β-1→4-Strukturen. Im über α-1→4-Strukturen verzweigten *Dextran besteht dagegen die Hauptkette aus α-1→6-verknüpften D-Glucose-Resten. Weiterhin zählen die *Dextrine, das Dextran u. die Poly(dextrose)n zu den Poly(α-glucosen). – ***E*** polyglucoses – ***I*** poliglucosi – ***S*** poliglucosas
Lit.: Elias (5.) **2**, 277.

Polyglutaminsäuren (Salze u. Ester der P.: Polyglutamate).

$$\left[\text{–NH–CH(COOH)–CH}_2\text{–CH}_2\text{–C(=O)–}\right]_n$$

Bez. für Polypeptide, die lediglich aus Glutaminsäure – meist in γ-Peptid-Bindung (Abb.) – aufgebaut sind (*Polyaminosäuren). Poly-γ-D-glutaminsäure kommt natürlicherweise in Milzbrandbakterien vor. Poly-γ-L-glutaminsäure wird durch *Bacillus licheniformis* gebildet[1]. Derivate der P. können als *Carrier für Arzneimittel[2] dienen. Hydrogele aus mit Gelatine vernetzter Poly-L-glutaminsäure werden als biolog. Kleber getestet[3]. Zur Nephrotoxizität von Poly-D-glutaminsäure s. *Lit.*[4]. – ***E*** poly(glutamic acids) – ***F*** acides polyglutamiques – ***I*** acidi poliglutam(m)ici – ***S*** ácidos poliglutámicos

Lit.: [1] Int. J. Biol. Macromol. **16**, 265–275 (1994); J. Bacteriol **180**, 3019–3025 (1998); Science **281**, 262–266 (1998). [2] Pharm. Res. **13**, 880–884 (1996). [3] Biomaterials **17**, 1387–1391 (1996); J. Biomed. Mater. Res. **31**, 158–166 (1996). [4] Lab. Invest. **74**, 1013–1037 (1996).

Polyglutarat. Bei der techn. durchgeführten Oxid. von Cyclohexan zu Adipinsäure fallen erhebliche Mengen an *Glutarsäure [HOOC–$(CH_2)_3$–COOH] an. Aus dieser werden durch Umsetzung mit verschiedenen *Glykolen techn. P. hergestellt. Sie fallen als hochviskose Flüssigkeiten an u. werden als Weichmacher für PVC, Klebstoffe od. Synthesekautschuke verwendet. – ***E*** polyglutarates – ***F*** polyglutarate – ***I*** poliglutarati – ***S*** poliglutaratos

Polyglycin. Bez. für ein *Polyamid der Struktur

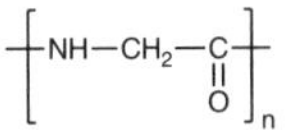

$$\left[-NH-CH_2-\underset{\underset{O}{\|}}{C}- \right]_n$$

das unter dem Namen Nylon 2 bekannt ist u. die einfachste Poly(α-aminosäure) darstellt. Es ist durch Polykondensation von Glycin-Estern synthet. zugänglich. Hohe Anteile an Glycin-Bausteinen sind weiterhin z.B. in den *Polypeptiden des Kollagens u. Seidenfibroins enthalten. – ***E*** = ***F*** polyglycine – ***I*** = ***S*** poliglicina – *[CAS 25718-94-9]*

Polyglykane s. Polysaccharide.

Polyglykole. Umgangssprachliche Bez. für *Polyethylenglykole.

Polyglykolether s. Polyalkylenglykole.

Polyglykolide s. Polyglykolsäuren.

Polyglykolsäuren [Polyglykolide, Poly(α-hydroxyessigsäure)n]. Bez. für den zu den Polyhydroxycarbonsäuren (s. Hydroxycarbonsäuren) zählenden *Polyester der Struktur **1**. P. ist der einfachste aliphat. Polyester u. kann durch anion. *Ringöffnungspolymerisation des cycl. Dimeren (Glykolid, 1,4-Dioxan-2,5 dion) (**2**) od. des *O*-Carboxyanhydrids der Glykolsäure (**3**) erhalten werden:

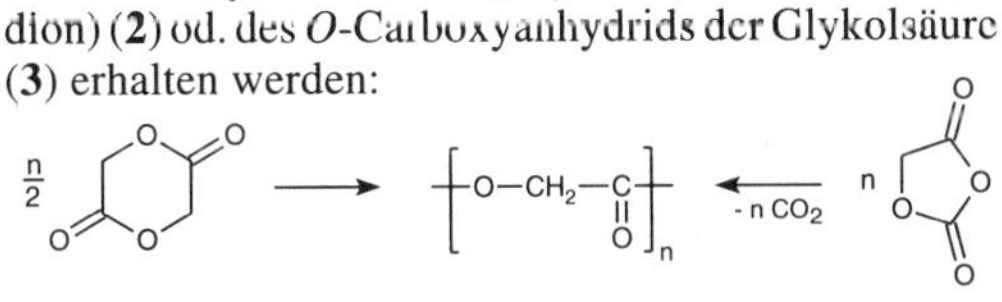

$$\frac{n}{2}\ \mathbf{2} \longrightarrow \left[-O-CH_2-\underset{\underset{O}{\|}}{C}- \right]_n\ \mathbf{1} \xleftarrow{-\,n\,CO_2} n\ \mathbf{3}$$

P. sind Hydrolyse-instabile, biolog. abbaubare *Polymere mit techn. Bedeutung als chirurg. Nahtmaterial. – ***E*** = ***F*** polyglycolides – ***I*** acidi poliglicolici – ***S*** poliglicólidos

Lit.: Elias (5.) **2**, 189 ▪ Encycl. Polym. Sci. Eng. **12**, 58 ▪ Houben-Weyl **E 20/2**, 1406 f. – *[HS 3907 99]*

Polygodial s. Drimane.

Polygosil®. Unregelmäßig geformte Kieselgel-Teilchen für die Hochleistungs-Flüssigkeitschromatographie mit Teilchendurchmessern von 5, 7 u. 10 µm für analyt. Zwecke u. gröber für präparative Zwecke. Das Kieselgel ist porös, druckstabil bis 400 bar, lieferbar mit 7 verschiedenen Porendurchmessern von 5 bis 400 nm u. zusätzlich mit vielen chem. gebundenen Phasen von sehr polar bis sehr unpolar. ***B.:*** Macherey-Nagel.

Polygram®. Mit Sorbentien (Aluminiumoxid, Cellulose-Pulver, Kieselgel u. Polyamid) beschichtete Polyester-Folien für die Dünnschicht-Chromatographie. ***B.:*** Macherey-Nagel.

Polyhalit. $K_2Ca_2Mg[SO_4]_4 \cdot 2H_2O$ od. $K_2SO_4 \cdot 2CaSO_4 \cdot MgSO_4 \cdot 2H_2O$; weißes, gelbes od. graues, oft durch Eisenoxid-Einschlüsse rotes triklines Salzmineral, Kristallklasse $\bar{1}$-C_i; Struktur s. *Lit.*[1]. Meist als derbe faserige od. blättrige Massen mit Glas- od. schwachem Fettglanz; H. 3,5, D. 2,78; vollkommene Spaltbarkeit. Nach der Formel 15,62% K_2O.

Vork.: In der sog. *P.-Region* in Salzlagerstätten (*Evaporite), z.B. in Berchtesgaden u. Bad Ischl. Große Vork. in New Mexico/USA. Diese Vork. stellen eine mögliche Kalium-Reserve dar. – ***E*** = ***F*** polyhalite – ***I*** polialite – ***S*** polihalita

Lit.: [1] Tschermaks Mineral. Petrogr. Mitt. **14**, 75–86 (1970). *allg.:* Ramdohr-Strunz, S. 610 f. ▪ Schröcke-Weiner, S. 592 ▪ s. a. Kalisalze, Evaporite. – *[HS 3104 10; CAS 15278-29-2]*

Polyhalogenierte Dibenzo[1,4]dioxine u. Dibenzofurane s. Dioxine.

Polyharnstoffe. Bez. für *Polymere der allg. Struktur:

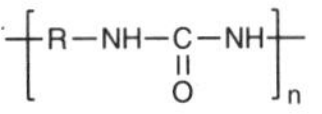

$$\left[-R-NH-\underset{\underset{O}{\|}}{C}-NH- \right]_n$$

Lineare P. des Typs I sind u.a. zugänglich durch *Polyaddition von Diaminen u. Diisocyanaten:

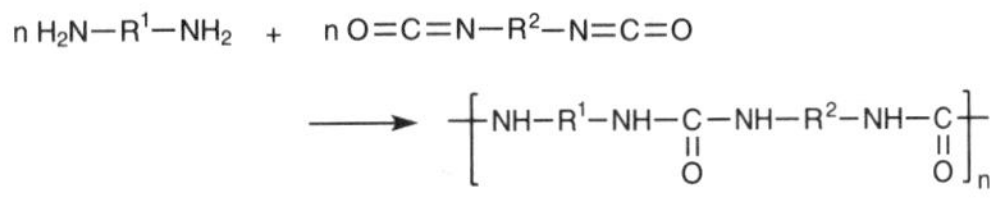

$$n\,H_2N-R^1-NH_2 \ + \ n\,O=C=N-R^2-N=C=O \longrightarrow \left[-NH-R^1-NH-\underset{\underset{O}{\|}}{C}-NH-R^2-NH-\underset{\underset{O}{\|}}{C}- \right]_n \quad \mathbf{I}$$

R^1 u. R^2 können für aliphat. od. aromat. Reste, R^1 auch für andere Gruppen, z.B. für *Polyether, stehen.

Andere Möglichkeiten zur Synth. von P. sind die *Polykondensation von Diaminen mit Kohlendioxid, Phosgen, Carbonsäureestern (z.B. aktivierte Diphenylcarbonate) od. Harnstoffen bzw. die Umsetzung von Diisocyanaten mit stöchiometr. Mengen an Wasser. Letztere verläuft über intermediär entstehende Diamine:

$$O=C=N-R-N=C=O \ + \ 2\,H_2O \longrightarrow H_2N-R-NH_2 \ + \ 2\,CO_2$$

Die so entstandenen Diamine reagieren anschließend nach obiger Gleichung mit überschüssigem Diisocyanat zu Polyharnstoffen. Diese letztere Umsetzung wird v.a. zur Herst. von P.-*Schaumstoffen angewandt, bei der das freigesetzte Kohlendioxid als Treibmittel genutzt wird.

Die nach den beschriebenen Meth. zugänglichen „Homo"-P. sind hochschmelzende *Thermoplaste, deren *Glasübergangstemperaturen bei aliphat. Produkten unterhalb, bei aromat. deutlich oberhalb 100 °C liegen. Die Zersetzungstemp. der aromat. P. liegen in der Nähe der Schmelzbereiche dieser Polymeren; diese können daher nur aus Lsg. (Lsm.: Dimethylformamid, Dimethylacetamid od. Schwefelsäure) verarbeitet werden. Aliphat. P. werden auch aus der Schmelze verarbeitet. Sog. „Co"-P. enthalten neben den Harnstoff- auch andere funktionelle Gruppen als Bestandteile der Hauptkette, z. B. Urethan- (Polyurethanpolyharnstoffe), Amid- (Polyamidpolyharnstoffe), Imid- (Polyimidpolyharnstoffe) od. Carbonat-Gruppen (Polycarbonatpolyharnstoffe). Am verbreitetsten von diesen *Copolymeren sind die Polyurethanpolyharnstoffe; sie entstehen bei der Umsetzung von NCO-terminierten *Polyesterpolyurethanen bzw. Polyetherpolyurethanen mit Diaminen od. Wasser unter Kettenverlängerung. Fast alle techn. hergestellten *Polyurethane, z. B. Weich- u. Hartschaumstoffe od. Elastomerfasern auf Polyurethan-Basis bzw. Polyurethane aus feuchtigkeitshärtenden Ein- bzw. Mehrkomponenten-Syst., enthalten Harnstoff-Gruppen.

P. sind sehr beständig gegenüber der Einwirkung von Lsm. u. Chemikalien; sie werden selbst von konz. Säuren (z. B. Schwefelsäure) u. Laugen nur wenig angegriffen.

Verw.: P. u. Polyurethanpolyharnstoffe werden in großem Umfang zur Herst. von harten u. flexiblen Schaumstoffen verwendet. Andere Einsatzmöglichkeiten für diese Polymere sind die Herst. von korrosions- u. schlagfesten Teilen im Automobilbau, von Chemikalien- u. Lsm.-beständigen Filmen u. Membranen mit guten Barriere-Eigenschaften sowie von Fasern u. Beschichtungsmaterialien. – ***E*** polyureas – ***F*** polyurées – ***I*** poliuree – ***S*** poliureas

Lit.: Compr. Polym. Sci. **5**, 427–454 ▪ Elias (5.) **2**, 221 ▪ Encycl. Polym. Sci. Eng. **13**, 212–243 ▪ Houben-Weyl **E 20/2**, 1721–1751. – *[CAS 37955-36-5]*

Polyhexamethylenadipamid s. Nylon.

Polyhydantoine. Bez. für *Polymere mit der Gruppierung

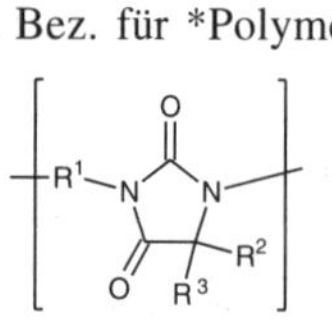

$$\left[-R^1-N\langle\text{Hydantoin-Ring: C=O, } C(R^2)(R^3)\text{, C=O}\rangle N- \right]$$

als charakterist. Grundeinheit der Hauptkette. R^1 kann eine aliphat. od. aromat. Gruppe, R^2 eine aliphat. Gruppe u. R^3 Wasserstoff od. eine aliphat. Gruppe sein. Techn. Synth. von P. werden durch *Polykondensation von aromat. Diaminen, Dimethylchloressigsäureethylestern u. aromat. Diisocyanaten in Toluol od. Kresol als Lsm. durchgeführt:

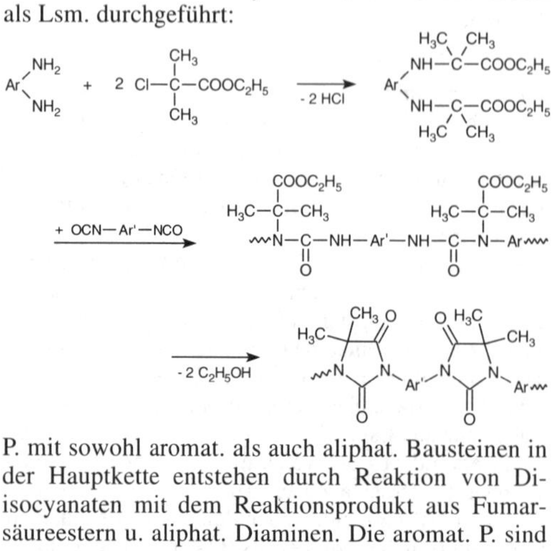

$$Ar(NH_2)_2 + 2\ Cl-C(CH_3)_2-COOC_2H_5 \xrightarrow{-2\,HCl} Ar[NH-C(CH_3)_2-COOC_2H_5]_2$$

$$\xrightarrow{+\ OCN-Ar'-NCO} \sim N(-C(CH_3)_2-COOC_2H_5)-C(=O)-NH-Ar'-NH-C(=O)-N(-C(CH_3)_2-COOC_2H_5)-Ar\sim$$

$$\xrightarrow{-2\,C_2H_5OH} \text{Polyhydantoin (Ringe mit } H_3C, CH_3, O\text{; } \sim N\ldots N-Ar'-N\ldots N-Ar\sim)$$

P. mit sowohl aromat. als auch aliphat. Bausteinen in der Hauptkette entstehen durch Reaktion von Diisocyanaten mit dem Reaktionsprodukt aus Fumarsäureestern u. aliphat. Diaminen. Die aromat. P. sind gegenüber vielen organ. Lsm. sowie gegenüber Säuren u. Laugen beständig. Sie besitzen eine Dauergebrauchstemp. von ca. 160 °C, Wärmeformbeständigkeitstemp. von 270–300 °C u. gute elektr. Isoliereigenschaften.

Verw.: Als Isolierlacke (Lsg. in Kresol, Dimethylformamid od. Methylenchlorid) u. zur Herst. von Isolierfolien. – ***E*** polyhydantoines – ***F*** polyhydantoïnes – ***I*** poliidantoine – ***S*** polihidantoínas

Lit.: Compr. Polym. Sci. **5**, 409 f. ▪ Domininghaus (5.), S. 964 ▪ Elias (5.) **2**, 239.

Polyhydrazide. Bez. für durch *Polykondensation von Hydraziden mit Dicarbonsäuren od. Dicarbonsäuredichloriden zugängliche *Polymere der allg. Struktur:

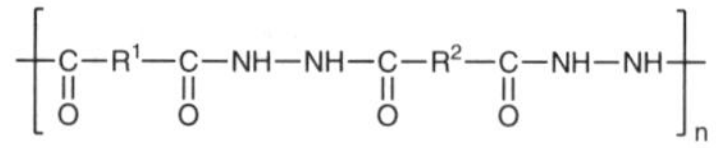

$$\left[-C(=O)-R^1-C(=O)-NH-NH-C(=O)-R^2-C(=O)-NH-NH- \right]_n$$

R^1 u. R^2 können gleich od. verschieden u. sowohl aliphat. als auch aromat. Reste sein. P. sind hygroskop. Produkte mit hohem Schmp. (aliphat. P. 200–300 °C; aromat. P. bis 400 °C); bei Erhitzen der P. auf Temp. oberhalb 150 °C bzw. 250 °C tritt allerdings Cyclodehydratisierung auf unter Bildung von Poly(1,3,4-oxadiazol)en (s. Polyoxadiazole) der allg. Struktur:

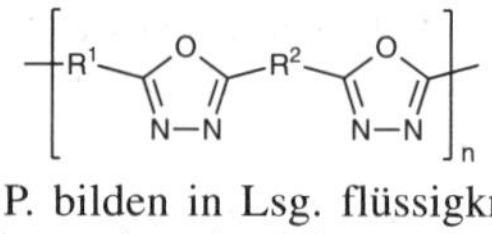

$$\left[-R^1-(\text{1,3,4-Oxadiazol: O, N–N})-R^2-(\text{1,3,4-Oxadiazol: O, N–N})- \right]_n$$

Vollaromat. P. bilden in Lsg. flüssigkrist. (lyotrope) Phasen, aus denen sie zu hochfesten, durch Verstrecken bei höheren Temp. (350–450 °C) noch verstärkbaren Fasern versponnen werden können. Verw.-Möglichkeiten für diese Fasern sind die Herst. von Anschnallgurten u. faserverstärkten Kunststoffen. – ***E = F*** polyhydrazides – ***I*** poliidrazidi – ***S*** polihidrazidas

Lit.: Elias (5.) **2**, 225 ▪ Encycl. Polym. Sci. Eng. **12**, 332 ff. ▪ Houben-Weyl **E 20/2**, 1548 ff.

Poly(α-hydroxyacrylsäure)n (Kurzz. PHAS). Bez. für *Polycarbonsäuren der Formel:

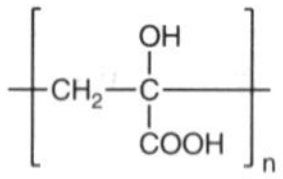

$$\left[-CH_2-C(OH)(COOH)- \right]_n$$

Sie sind u. a. durch Hydrolyse von α-Halogen-(Chlor, Brom)*polyacrylsäuren zugänglich. P. wurden als Phosphat-Substitute für Waschmittel entwickelt; sie sind in der Waschwirkung mit Pentanatriumtriphosphat vergleichbar, das sie hinsichtlich des Calcium-Bindevermögens sogar übertreffen. P. sind biolog. nicht abbaubar u. haben keine Anw. gefunden. – ***E*** poly(α-hydroxy acrylic acid)s – ***F*** poly(acide α-hydroxyacrylique)s – ***I*** acidi poli-α-idrossiacrilici – ***S*** poli(ácido α-hidroxiacrílico)s

Lit.: Jakobi u. Löhr, Detergents and Textile Washing, S. 72, Weinheim: VCH Verlagsges. 1987.

Polyhydroxyalkanoate. Sammelbez. für opt. aktive *Polyester meist bakterieller Herkunft der allg. Struktur:

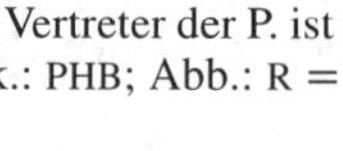

$$\left[-O-CH(R)-CH_2-C(=O)- \right]_n$$

Der bekannteste Vertreter der P. ist die *Polyhydroxybuttersäure (Abk.: PHB; Abb.: $R = CH_3$). Ähnlich wie tier. u. pflanzliche Fette dienen die P. den Mikroorganismen als Reservestoffe. PHB wird als biolog. abbaubares Äquivalent für Kunststoff (Bioplastik) hergestellt (Biopol von ICI); einer weiteren Verbreitung stehen jedoch z. Z. noch die Kosten entgegen. – ***E*** polyhydroxyalkanoates – ***F*** polyhydroxyalcanoates – ***I*** poliidrossialcanoati – ***S*** polihidroxialcanoatos

Lit.: Appl. Environ. Microbiol. **54**, 1977–1982, 2924–2932 (1988) ▪ Doi, Microbial Polymers, New York-Weinheim-Cambridge: VCH Publ. 1990 ▪ Microbiol Rev. **54**, 450-472 (1990) ▪ s. a. Poly(hydroxybuttersäure) u. Poly β-hydroxyfettsäuren.

Poly(4-hydroxybenzoesäure) s. Polyester.

Polyhydroxybuttersäure [Poly(β-hydroxybuttersäure), Kurzz. PHB]. Bez. für *Polyester der Struktur I:

$$\left[-O-CH(CH_3)-CH_2-C(=O)- \right]_n$$

I

P. ist eine biolog. abbaubare Polyhydroxycarbonsäure u. wird heute biotechnolog. in Fermentern aus Substraten wie Zucker, Alkohol od. CO_2/H_2-Gemischen produziert u. als *Biopol* vermarktet, Näheres s. Poly(β-hydroxyfettsäure)n.

P. ist ein hochkrist. *Thermoplast (Schmp. 180 °C), der zu Verbesserung von Anw.-techn. wichtigen Eigenschaften (Flexibilität) durch (mikrobielle) *Copolykondensation der 3-Hydroxybuttersäure mit 3-Hydroxyvaleriansäure zu Polyestern der allg. Struktur II

$$\left[-O-CH(CH_3)-CH_2-C(=O)- \right]_m \left[-O-CH(C_2H_5)-CH_2-C(=O)- \right]_n$$

II

modifiziert werden kann. Über den Comonomer (s. Monomere)-Gehalt sind Produkte herstellbar, die in den Film-Eigenschaften z. B. *Polyvinylchlorid, *Polypropylen od. *Polyethylen entsprechen.

Verw.: U. a. als biolog. abbaubares Verpackungsmaterial u. resorbierbares chirurg. Nahtmaterial. – ***E*** polyβ-hydroxybutyrates – ***F*** acide polyβ-hydroxybutirique – ***I*** acido poli-β-idrossibutirrico – ***S*** ácido poliβ-hidroxibutírico

Lit.: Doi, Microbial Polyesters, New York-Weinheim-Cambridge: VCH Publ. 1990 ▪ Encycl. Polym. Sci. Eng. **12**, 683 ▪ Polym. Prepr., Am. Chem. Soc., Div. Polym. Sci. **30** (2), 402 f. (1989) ▪ s. a. Polyhydroxyalkanoate. – *[CAS 26063-00-3]*

Polyhydroxycarbonsäuren s. Hydroxycarbonsäuren.

Poly(2-hydroxyethylmethacrylat). Bez. für *Polymere, die durch *radikalische Polymerisation von 2-Hydroxyethylmethacrylat [Glykolmethacrylat, $H_2C{=}C(CH_3){-}CO{-}O{-}CH_2{-}CH_2OH$] erhalten werden. Meist wird den Reaktionsmischungen etwas Glykoldimethacrylat zugesetzt, wodurch chem. vernetzte, hydrophile *Gele erhalten werden. Diese werden v. a. zu weichen Kontaktlinsen verarbeitet (Handelsname: Hydron). Im Kontakt mit der Tränenflüssigkeit nehmen diese Gele knapp 40% Wasser auf. Auch im gequollenen Zustand beträgt der Durchmesser der im Gel vorhandenen Poren aber nur zwischen 0,8 u. 3,5 nm u. ist damit zu klein für Bakterien (ca. 200 nm), die daher in das Material nicht eindringen können. Allerdings können sich auf der Oberfläche der P.-Gele Proteine ablagern, die ein guter Bakterien-Nährboden sind. Aus P. hergestellte Kontaktlinsen müssen daher regelmäßig enzymat. gereinigt werden. – ***E*** poly(2-hydroxyethylmethacrylate) – ***I*** poli(2-idrossimetacrilato) – ***S*** poli(2-hidroxietilmetaacrilato)

Lit.: Elias (5.) **2**, 173.

Poly(β-hydroxyfettsäure)n (PHA, PHB, PHBS, PHV). Zahlreiche Bakterien bilden P. [Polyhydroxy-β-alkanoate, PHA] als Reserve- od. Speicherstoffe, die ihnen bei Bedarf als Kohlenstoff- u. Energie-Quelle dienen. Monomere Bestandteile sind u. a. β-Hydroxybuttersäure, Hydroxyvaleriansäure u. Milchsäure. Das lineare Polymer *Poly(hydroxybuttersäure) (PHB, PHBS) wird in Form von Körnchen od. Granula intrazellulär angehäuft u. ist unter den P. von größter Bedeutung. Es ist ein Chloroform-lösl., Ether-unlösl. *Polyester aus durchschnittlich 60 (max. 25000) Einheiten Hydroxybuttersäure.

Abb. 1: 3 Polyhydroxy-β-alkanoate: a) Poly(β-hydroxybuttersäure), b) Copolyester aus β-Hydroxybuttersäure u. β-Hydroxyvaleriansäure, c) Homopolyester aus β-Hydroxyoctansäure.

PHB wurde 1926 von Lemoigne als intrazellulärer Speicherstoff in *Bacillus megaterium* entdeckt. P. blieb lange Zeit unbeachtet u. wurde Anfang der sechziger Jahre in der Arbeitsgruppe von Schlegel in Göttingen in aeroben Bacilli, anaeroben phototrophen Bakterien (z. B. *Chromatium okenii*), Cyanobakterien u. Bodenbakterien (*Alcaligenes eutrophus*) aufgefunden. P. werden ausschließlich in Bakterien gebildet. Die Biosynth. erfolgt in Nährlsg. hoher Konz. einer geeigneten Kohlenstoff-Quelle unter Stickstoff-Mangelbedingungen aus Acetyl-Coenzym A über Hydroxybutyryl-CoA. Unter bestimmten Wachstumsbedingungen kann PHB bis zu 80% der Trockenmasse von *Alcaligenes eutrophus* ausmachen. Aus getrockneten Zellen kann PHB mit organ. Lsm. wie Chloroform, Methylenchlorid, 1,2-Dichlorethan od. Ethylencarbonat extrahiert u. dann wieder mit z. B. Methanol, Ethanol, Ether od. Hexan ausgefällt werden.

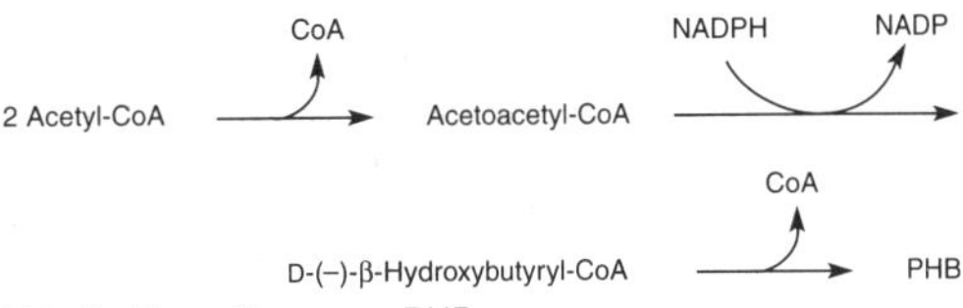

Abb. 2.: Biosynthese von PHB.

PHB u. a. PHA gewinnen als biolog. voll abbaubare Polymere mit thermoplast. Eigenschaften zunehmend

wirtschaftliche Bedeutung: Die Firma ICI in England produziert PHB bereits im Tonnenmaßstab. Probleme bestehen a) in der Freisetzung des Materials aus den Bakterienzellen, die dazu aufgebrochen werden müssen. Hier stellt eine Neuentwicklung mittels gentechn. veränderter Bakterien einen Fortschritt dar: Ein in das Bakterien-Genom eingeschleustes Virus wird oberhalb 42 °C aktiviert (die Fermentation erfolgt bei 28 °C) u. lysiert die Zellmembranen. – b) Die therm. Prozessierung des Bio-Polymers bei ca. 170 °C zu einem Plastikmaterial ist ein krit. Verarbeitungsschritt, weil Schmelz- u. Zers.-Temp. von PHB nahe zusammenliegen. Der so erhaltene Kunststoff ist spröde. Mit modifizierter Anzucht-Technik läßt sich jedoch ein Copolymer erhalten, bei dem 5–20% der Hydroxybuttersäure-Mol. durch Polyhydroxyvaleriansäure (PHV) ersetzt sind. Das resultierende PHB/PHV („PHB-V") ist weniger brüchig, flexibler u. schmilzt niedriger (ca. 130 °C) als PHB. Es ist in seinen physikal. Eigenschaften dem Polypropylen ähnlich u. kann u. a. zur Herst. von Plastikfilmen u. -beuteln verwendet werden. Das Produkt wird unter dem Namen „Biopol" von ICI in ca. 50 t/a (1989) produziert. Shampoo-Flaschen aus Biopol sind bereits auf dem Markt, sie werden unter Kläranlagen-Bedingungen in 4–6 Wochen vollständig abgebaut. Auch Spezialanw. z. B. im medizin. Bereich sind denkbar.
Das Biopolymer ist mit Herst.-Kosten von 30 $/kg im Vgl. zu den aus Erdöl gewonnenen Kunststoffen (ca. 1 $/kg) z. Z. noch sehr teuer. Mit anderen Kohlenstoff-Quellen können weitere Copolymerisate fermentativ hergestellt werden. Ein Fernziel ist der Einbau des Bakterien-Gens für die PHB/PHA-Produktion in Coli-Bakterien od. in Nutzpflanzen (transgene Pflanzen), um diese Biopolymere zukünftig in Getreide, Kartoffeln etc. anbauen zu können (nachwachsende Rohstoffe). – ***E*** polyhydroxyalkanoates – ***F*** polyhydroxyalcanoates – ***I*** poliidrossialcanoati – ***S*** polihidroxialcanoatos

Lit.: Blick durch die Wirtschaft 8. 10. 1989; 12. 11. 1990; 13. 11. 1990 ▪ Forum Mikrobiol. **1989**, 190–198.

Polyhydroxymethylen. Bez. für meist oligomere Verb. mit der konstitutiven Repetiereinheit –CH(OH)–. Diese sog. *Zucker entstehen in geringen Mengen z. B. als Nebenprodukte bei der *Polymerisation von Formaldehyd zu *Polyoxymethylen. Lediglich bei Verw. von TlOH als Katalysator gelingt es, P. in bis zu 90%iger Ausbeute zu erhalten. In allen Fällen sind *Cannizzaro-Reaktionen dafür verantwortlich, daß maximal Hexosen gebildet werden. – ***E*** polyhydroxymethylene – ***I*** poliidrossimetilene – ***S*** polihydroximetileno

Lit.: Elias (5.) **2**, 179.

Polyhydroxypivalinsäuren s. Polypivalactone.

Polyhydroxy-Verbindungen. Übergreifende Bez. für nieder- u. makromol. organ. Verb., die zwei u. mehr Hydroxy-Gruppen im Mol. enthalten. Zu den auch *Polyole genannten P. gehören definitionsgemäß mehrwertige Alkohole (Glycerin, Pentaerythrit u. a.), Phenole (*Polyphenole), *Zuckeralkohole, *Kohlenhydrate, natürliche Polymere (*Polysaccharide, *Cellulose u. *Stärke) sowie synthet. Polymere (z. B. *Polyvinylalkohol). – ***E*** polyhydroxy compounds – ***F*** composés polyhydroxy – ***I*** composti poliossidrici – ***S*** compuestos polihidroxi

Polyimidazole (Polyvinylimidazole). Bez. für *Polymere der allg. Struktur

$$\left[-CH_2-CH(\text{N-imidazolyl})-\right]_n$$

die v. a. bei der *Homopolymerisation des *N*-Vinylimidazols anfallen. P. sind von Interesse wegen ihrer Einsatzmöglichkeiten als Enzym-analoge Verb., als Esterhydrolyse- u. Acyltransfer-Katalysatoren sowie ihrer hohen Farbstoff-Affinität. – ***E*** = ***F*** polyimidazoles – ***I*** poliimidazoli – ***S*** poliimidazoles

Lit.: Encycl. Polym. Sci. Eng. **12**, 339–361.

Polyimidazopyrrolone. Bez. für *Polymere z. B. der Struktur **4**, die durch Reaktion aromat. Tetracarbonsäuren bzw. deren Dianhydride mit aromat. Tetraminen entstehen. Wegen der Schwerlöslichkeit der P. muß ihre einstufige Synth. in speziellen Lsm. wie Polyphosphorsäure, Zinkchlorid od. eutekt. Mischungen aus Aluminiumchlorid u. Natriumchlorid erfolgen. Alternativ dazu kann die P.-Synth. auch in zwei Teilschritte aufgeteilt werden:

n H_2N–(3,3'-Diaminobenzidin)–NH_2 (**1**) + n Pyromellitsäuredianhydrid (**2**) $\xrightarrow{20-40\,°C}$ [Polyamidaminocarbonsäure]$_n$ (**3**) $\xrightarrow{-4n\,H_2O}$ [Polyimidazopyrrolon]$_n$ (**4**)

Bei diesem Vorgehen können die Lsg. der aus den Monomeren **1** u. **2** in z. B. Dimethylformamid bei tiefen Temp. entstehenden *Polyamidaminocarbonsäuren* **3** auf z. B. Glasplatten gegossen u. dann langsam auf 300 °C erhitzt werden. Dabei erst entsteht unter Wasserabspaltung das tiefrote Polymer **4** als homogener Film. Verwendet man anstelle des Diaminobenzidins **2** das Tetraaminobenzol **5** als Monomer, so erhält man bei gleicher Reaktionsführung mehr od. weniger perfekte *Leiterpolymere **6** (s. Formel S. 3461).
Die P. weisen gegenüber dem verwandten *Polybenzimidazol eine um ca. 100 °C höhere Temp.-Beständigkeit auf u. können bis ca. 600 °C verwendet werden. – ***E*** polyimidazopyrrolones, polypyrrolones– ***I*** poliimidazopirroloni – ***S*** poliimidazopirrolona

Lit.: Elias (5.) **2**, 238.

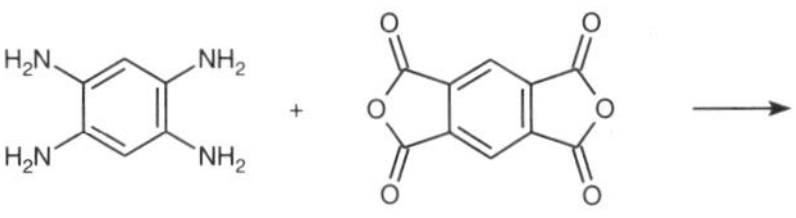

5 2

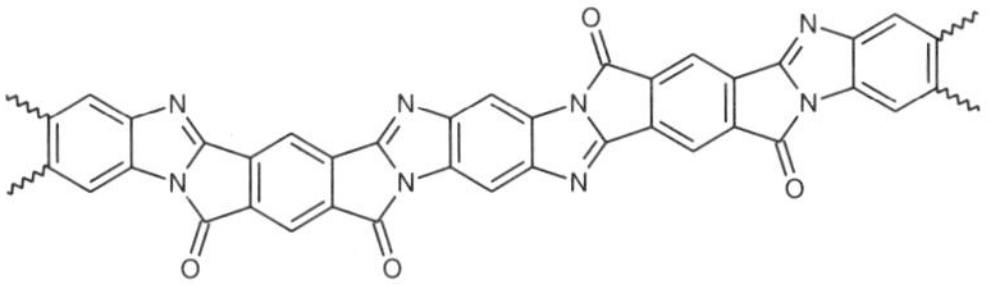

6

Polyimide (Kurzz. PI). Sammelbez. für *Polymere, deren Wiederholungseinheiten durch *Imid-Gruppen zusammengehalten werden. Die Imid-Gruppen können entsprechend den Formeln I bzw. II als lineare od. cycl. Einheiten vorliegen:

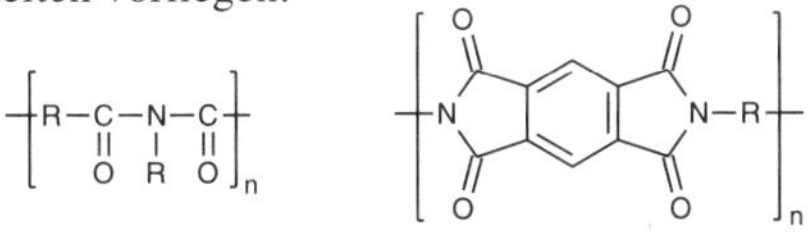

I II

Große techn. Bedeutung erlangt haben P., die durch *Polykondensation von aliphat. od. aromat. Diaminen mit aromat. Tetracarbonsäuredianhydriden (z. B. aus 4,4′-Oxydianilin u. Pyromellithsäuredianhydrid) über Polyamidcarbonsäuren als Zwischenstufen hergestellt werden (Reaktionsgleichung s. dort). Bei derartigen P.-Synth. entstehen die Imid-Gruppen während der Polymer-Synthese. Die hierbei erfolgende, intramol. Kondensationsreaktion verläuft allerdings nicht ausschließlich intramol. unter Cyclisierung, sondern auch intermolekular. Wegen der daraus resultierenden Vernetzung, die eine spätere formgebende Verarbeitung unmöglich macht, muß die Formgebung gleichzeitig mit der Ringschluß-Reaktion ausgeführt werden. Daneben kann das bei der Cyclisierung abgespaltene Wasser noch vorhandene Amid-Gruppen hydrolysieren u. so einen Kettenabbau auslösen. Vor der abschließenden Imidisierung werden die Polyamidcarbonsäure-Formstücke daher meist mit Akzeptoren für das freiwerdende Wasser getränkt. Vernetzung u. Hydrolyse lassen sich aber auch durch Ersatz der Diamine durch z. B. Diisocyanate vermeiden, die als verkappte Diamine aufzufassen sind. Diese durch starke Basen u. Spuren von Wasser ausgelöste Reaktion verläuft nach der Brutto-Reaktionsgleichung

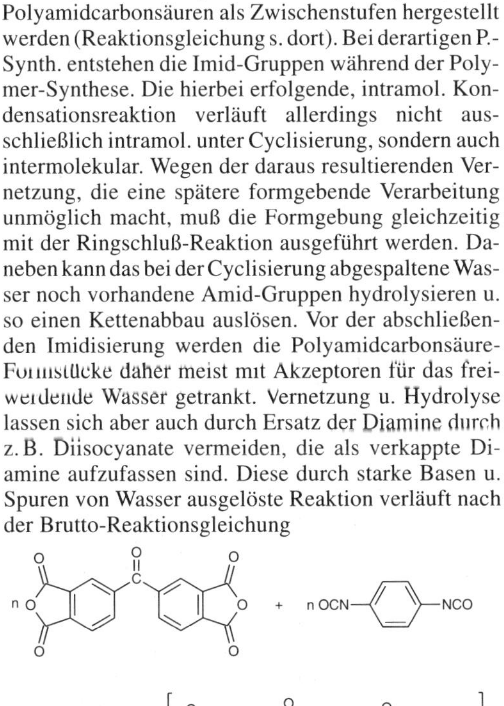

$\xrightarrow{-n\,CO_2}$

Die beiden zur *in-situ*-Imid-Bildung erforderlichen Funktionalitäten können ferner in einem einzigen Monomer-Mol. vereinigt sein, so daß außer AA-BB-Polyimiden auch AB-Polyimide zugänglich sind, z. B.:

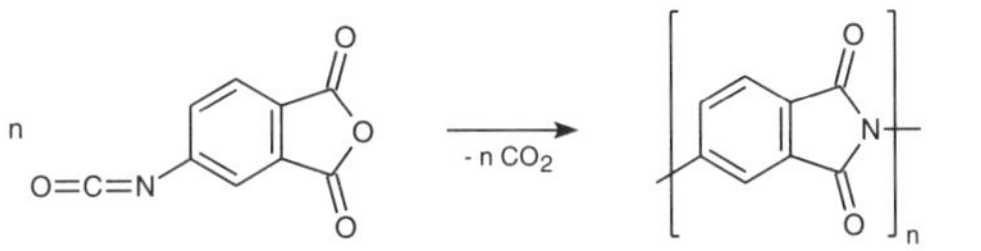

$\xrightarrow{-n\,CO_2}$

Die durch letztere Reaktionen erhaltenen P. sind nicht vernetzt, gut lösl. u. können direkt aus der Reaktionslsg. nach dem Naß- od. Trockenspinn-Verf. verarbeitet werden. Eine andere Möglichkeit zur Vermeidung der Vernetzung während der P.-Synth. besteht in der Verw. von Monomeren, die die Imid-Gruppen bereits vorgeformt enthalten. Geeignete Monomere sind z. B. Bismaleinimide **1**, die aus Maleinsäureanhydrid u. Diaminen erhalten werden. Die Bismaleinimide werden anschließend mit Diaminen, Aldoximen, Disulfiden etc. zu P. umgesetzt, z. B. durch *Polyaddition der Sulfhydryl-Gruppen der Disulfide an die C,C-Doppelbindungen der Bismaleinimide:

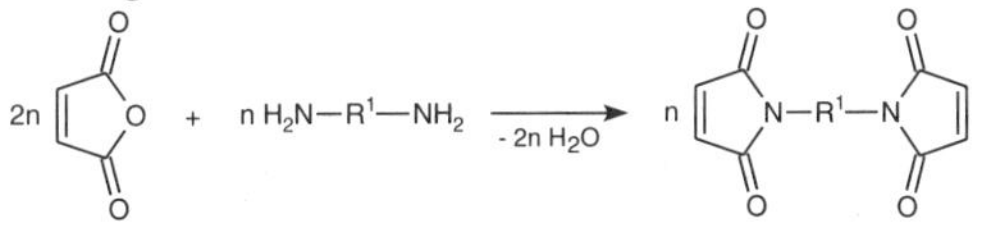

$2n$ + $n\,H_2N{-}R^1{-}NH_2$ $\xrightarrow{-2n\,H_2O}$ n

1

$\xrightarrow{+HS-R^2-SH}$

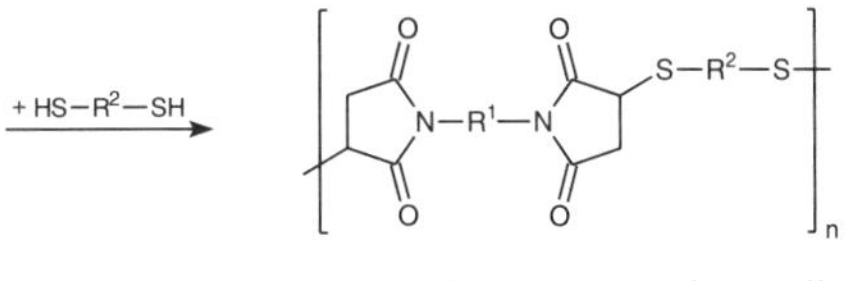

Zu den P. werden allg. auch Polymere gerechnet, die neben Imid- auch Amid- (Polyamidimide), Ester- (*Polyesterimide) u. Ether-Gruppen (*Polyetherimide) als Bestandteile der Hauptkette enthalten.

P. gehören zu den *hochtemperaturbeständigen Kunststoffen u. *Hochleistungskunststoffen. Sie zeichnen sich durch hohe Festigkeit in einem weiten Temp.-Bereich (–240 bis 370 °C), hohe Wärmeformbeständigkeit (bis 360 °C), hohe Anw.-Temp. (250–320 °C), Thermostabilität u. Flammwidrigkeit aus. Sie sind beständig gegen verd. Laugen u. Säuren, Lsm., Fette u. Öle, unbeständig gegenüber starken Laugen u. Säuren, kochendem Wasser u. Oxidationsmitteln.

Sehr hohe Oxidationsstabilität besitzen Wasserstoff-freie P. des Typs III auf der Basis von Pyrazintetracarbonsäureanhydrid u. Diaminothiadiazol,

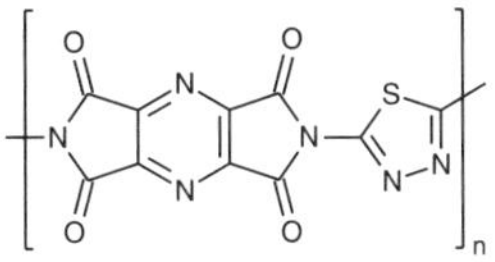

III

die an der Luft bis 600 °C beständig sind. Als nichtschmelzende Werkstoffe werden derartige P. durch Sintern in Blöcken od. spanabhebend aus Blöcken geformt. Für den Einsatz als Lagerwerkstoffe werden sie mit Graphit, MoS_2 od. *Polytetrafluorethylen versetzt.

Verw.: In der Luft- u. Raumfahrt zur Isolation von elektr. Anlagen u. Motorwicklungen, für Teile des Strahlentriebwerk-Zubehörs, zur Herst. von Rollen-, Gleit- u. Führungsschienen, Lagern, Kolbenringen, Ventilen; P.-Folien für Isolierungen, Kabel- u. Drahtummantelungen, für Träger von gedruckten Schaltungen, für therm. Isolierungen von Astronautenanzügen; P.-Schaumstoffe werden zur Schalldämpfung bei hohen Temp. eingesetzt. – ***E*** = ***F*** polyimides – ***I*** poliimmidi – ***S*** poliimidas

Lit.: Domininghaus (5.), S. 945 ff. ▪ Elias (5.) **2**, 232 ff. ▪ Encycl. Polym. Sci. Eng. **12**, 364–383 ▪ Wilson, Stenzenberger u. Hergenrother, Polyimide, London: Chapman and Hall 1990. – *[HS 3911 90]*

Polyiminoethylene s. Polyethylenimine.

Polyine. In Analogie zu *Polyene gebildete Bez. für organ. Verb. mit mehr als einer C,C-Dreifachbindung. P. sind wenig stabile, vielfach explodierende, leicht polymerisierende Körper, die gegen Sauerstoff ziemlich unempfindlich sind, dagegen leicht Wasserstoff anlagern. Die P. der allg. Formel $H-[C\equiv C]_n-H$ mit $n = 2-5$ sind farblose krist. Substanzen. Derartige P. sollten *nicht* als *Polyacetylene bezeichnet werden, denn diese enthalten – als Polymere des *Acetylens – nur Doppelbindungen. Als Oberbegriff für *Polyene u. Polyacetylene kann man *Polyalkine* ansehen. P. od. *Polyenine*, die sowohl Doppel- als auch Dreifachbindungen im Mol. enthalten, kommen auch in der Natur vor, z. B. in *Kamille, *Mariendistel, *Beifuß u. a. Compositae sowie im Wasser-*Schierling, s. a. Endiine; Bolekoöl enthält Glyceride der Isan- u. Isanolsäure. Manche *Phytoalexine enthalten ein P.-Gerüst, z. B. Wyeron (aus *Puffbohnen), *Falcarinol. Zwar sind die einzelnen P. sehr unbeständig, doch sind sie in den Pflanzen als Mol.-Verb., Einschlußverb. u. dgl. stabilisiert. Mit den natürlich vorkommenden P., deren Biogenese häufig über *Polyketide verläuft, hat sich bes. *Bohlmann beschäftigt (s. a. Alkine). Im interstellaren Raum wurden P.-Nitrile nachgewiesen, wohingegen die Existenz des sog. *Karbins heute fraglich erscheint. – ***E*** = ***F*** polyynes – ***I*** poliini – ***S*** poliinos

Lit.: s. Alkine.

Polyinsertion. P. sind *Polyreaktionen, bei denen das Monomere in die Bindung zwischen der bereits entstandenen Polymerkette u. dem am Ende dieser Polymerkette angebundenen Katalysator- od. Initiatorfragment eingelagert (insertiert) wird. Dem eigentlichen Insertionsschritt (Kettenwachstumsschritt) geht eine Koordinierung des Monomers am Polymer/Katalysator-„Komplex" voraus. Aus diesem Grunde werden P. vielfach auch als koordinative Polymerisationen bezeichnet.

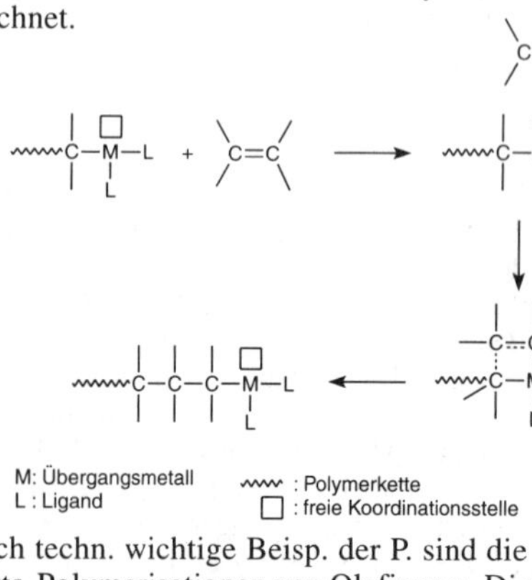

M: Übergangsmetall
L : Ligand
~~~ : Polymerkette
□ : freie Koordinationsstelle

Auch techn. wichtige Beisp. der P. sind die *Ziegler-Natta-Polymerisationen von Olefinen u. Dienen u. die *Metathese-Polymerisationen. Das bes. Interesse an diesen P. hat zwei Gründe: Zum einen fehlen bei ihnen weitgehend die Übertragungsreaktionen, die bei anderen Polymerisations-Verf. zu verzweigten Polymeren führen. So wird z. B. Ethylen in großem Umfang mit Ziegler-Katalysatoren zu *Polyethylenen umgesetzt, die im Gegensatz zum radikal. erzeugten nur wenig verzweigt sind u. daher höhere Dichten u. höhere Kristallinitätsgrade aufweisen. Zum anderen erlauben P. die Synth. stereoregulärer Polymerer (s. Taktizität). Großtechn. Prozesse sind z. B. die Ziegler-Natta-Polymerisationen von Propylen zu isotakt. Polypropylen, von 1-Buten zu isotakt. Poly(1-buten), weiterhin die Terpolymerisation von Ethylen, Propylen u. einem nicht-konjugierten Dien sowie die zu hochgradig *cis*-1,4-verknüpften Polymeren führenden Polymerisationen von Butadien u. Isopren.

Die Katalysator-Komplexe bestimmen aber nicht nur die Taktizität der Polymere, sondern auch die Richtung des Insertionsschrittes. So wird Propylen bei der unter $TiCl_4/AlR_3$-Katalyse isospezif. ablaufenden Polymerisation α-insertiert, bei der mit $VCl_4/(H_5C_2)_2AlCl$/Anisol syndiospezif. verlaufenden Polymerisation dagegen nach β:

α-Insertion

β-Insertion

Ähnliche Katalysatoren wie bei der Ziegler-Natta-Polymerisation werden auch bei der ebenfalls als P. verlaufenden Metathese-Polymerisation eingesetzt. Industriell werden so z. B. Cycloocten, *Norbornen u. *Dicyclopentadien polymerisiert. Neben diesen Beisp. zählen noch einige weitere Polymerisationen zu den P., die als solche jedoch nicht immer unmittelbar zu erkennen sind. So verlaufen z. B. die *pseudoanionischen u. die *pseudokationischen Polymerisationen ebenfalls als Polyinsertion. – ***E*** insertion polymerization – ***F*** polyinsertion – ***I*** poliinserzione – ***S*** polimerización de inserción

Lit.: Elias (5.) **1**, 409; **2**, 79.

Polyiodide. Verb. des Wasserstoffs u. der Metalle (bes. der Alkalimetalle) mit Iod, die einen höheren als den stöchiometr. Iod-Gehalt aufweisen. P. finden sich in oxidierten *Iodwasserstoffsäure- u. in *Iod-Kaliumiodid-Lösungen u. im tiefblauen Komplex der Iodstärke (s. Iodstärke-Reaktion, zur Struktur s. *Lit.*[1]). Die Iod-Atome der P. bilden z. B. lineare Ketten von I_4^{2-}, gewinkeltes I_5^-, isolierte I_7^--Ionen als $[(C_6H_5)_4P]^+$-Salz od. $[I_7^-]_n$-Polymere als verzerrt kub. Netzwerk mit $[Ag(18\text{-Krone-}S_6)]^+$ als Gegenion[2] u. ä. Einheiten. Iodid-Ionen, die locker an I_2-Mol. gebunden sind, treten dabei häufig als Strukturmotiv auf. – ***E*** polyiodides – ***F*** polyiodures – ***I*** poliioduri – ***S*** poliyoduros

Lit.: [1] Naturwissenschaften **71**, 31–36 (1984). [2] Angew. Chem. **107**, 2563 f. (1995).

allg.: Hollemann-Wiberg (101.), S. 454 ▪ s. Iodide, Iod-Kaliumiodid-Lösung. – *[G 8]*
~~~

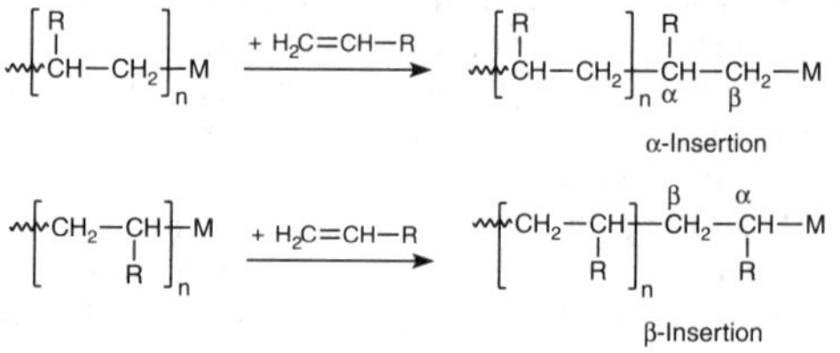

Polyionen s. Polyelektrolyte.

Polyisobutene (Polyisobutylene, Kurzz. PIB). Bez. für zu den *Polyolefinen zählende *Polymere der Struktur

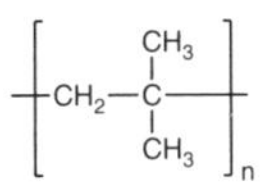

$$\left[-CH_2-\underset{CH_3}{\overset{CH_3}{\underset{|}{\overset{|}{C}}}}-\right]_n$$

die durch *kationische Polymerisation von Isobuten (Initiator: BF_3/H_2O; –80 °C) hergestellt werden. Handelsübliche P. lassen sich in 3 Produktkategorien einordnen:
- ölige Flüssigkeiten (Molmasse: 300–3000 g/mol)
- zähflüssige, klebrige Massen (Molmasse: 40000–120000 g/mol)
- Kautschuk-artige, elast. Massen (Molmasse: 300000–2500000 g/mol).

Die unterschiedlichen Molmassen können über den Einsatz von Reglern (z. B. 2,4,4-Trimethyl-1-penten, „Diisobuten") bei der Polymerisation eingestellt werden.
Eigenschaften: P. sind beständig gegen Säuren (ausgenommen Salpeter- u. Nitriersäure), Laugen u. Salze. P. sind unlösl. in Alkoholen, Estern u. Ketonen, quellbar in Ethen, Estern, Ölen u. Fetten, lösl. in (chlorierten) Kohlenwasserstoffen, brennbar u. physiolog. unbedenklich. Zur Modifizierung der P.-Eigenschaften kann Isobuten mit geeigneten Copolymeren [z. B. Styrol u. Styrol-Derivate, Isopren (s. Butylkautschuk), Inden, 1,3-Butadien, Cyclopentadien u. a.] copolymerisiert werden. Die techn. interessanten *Copolymere enthalten in der Regel >90% Isobuten.
Verw.: Niedermol. P. zur Verbesserung der Viskosität von Schmierölen, höhermol. zur Herst. von Dichtungsmassen, Dach- u. Isolierfolien, Klebebändern, zur Papierkaschierung u. als Kaugummi-Grundmasse. – ***E*** polyisobutenes – ***F*** polyisobutènes – ***I*** poliisobuteni – ***S*** poliisobutenos
Lit.: Domininghaus (5.), S. 233 ff. ■ Encycl. Polym. Sci. Eng. **8**, 423–448 ■ Houben-Weyl **E 20/2**, 769–792 ■ s. a. Polyolefine. – *[HS 3902 20]*

Polyisobutenoxide s. Polyisobutylenoxide.

Polyisobutylene s. Polyisobutene.

Polyisobutylenoxide (Polyisobutenoxide, Kurzz. PIBO). Bez. für *Polymere der Formel:

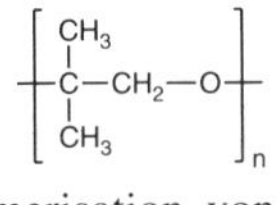

$$\left[-\underset{CH_3}{\overset{CH_3}{\underset{|}{\overset{|}{C}}}}-CH_2-O-\right]_n$$

Die durch *Polymerisation von Isobutylenoxid zugänglichen P. sind hochkrist. *Polyether, die sich zu harten, elast. Fasern mit guten therm. Eigenschaften (Schmp. 172 °C) verarbeiten lassen. – ***E*** polyiso-butene oxides – ***F*** polyoxyde d'iso-butènes – ***I*** ossidi di poliisobutilene – ***S*** polióxido de iso-butenos
Lit.: Encycl. Polym. Sci. Technol. **16**, 191–193.

Polyisobutylvinylether s. Polyvinylether.

Polyisocyanate. 1. Sammelbez. für niedermol. Verb., die im Mol. zwei od. mehrere *Isocyanat-Gruppen enthalten. Einfachste u. wichtigste Vertreter dieser P. sind die *Diisocyanate als Edukte für die Herst. von *Polyurethanen, *Polyisocyanuraten, *Polyharnstoffen u. von den unter 2. beschriebenen Produkten.

2. Bez. für *Polymere der allg. Struktur

$$\left[-\underset{O}{\overset{}{\underset{\|}{C}}}-\underset{R}{\underset{|}{N}}-\right]_n$$

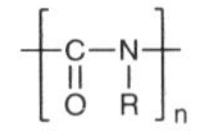

mit z. B. R = Alkyl od. Alkylaryl. Diese P. werden bei –20 bis –50 °C durch *anionische Polymerisation von Isocyanaten über die C,N-Doppelbindung hergestellt. Wird die Reaktion bei höheren Temp. durchgeführt, so bilden sich anstelle der linearen P. lediglich cycl. Trimere. Die meisten P. sind Polymere mit starrer Hauptkette, die abhängig vom Rest R flüssigkrist. Phasen ausbilden, also den *flüssigkristallinen Polymeren zugerechnet werden können. Viele P. bilden daher auch zugfeste Fasern (Nylon-1). – ***E*** = ***F*** polyisocyanates – ***I*** poliisocianati – ***S*** poliisocianatos
Lit. *(zu 1.):* Ullmann (4.) **19**, 303 ff. – *(zu 2.):* Compr. Polym. Sci. **5**, 708 ■ Encycl. Polym. Sci. Eng. **9**, 19–21 ■ Houben-Weyl **E 20/1**, 442–444.

Polyisocyanat-Harze s. Isocyanat-Harze.

Polyisocyanide. Bez. für durch *kationische Polymerisation von *Isocyaniden zugängliche *Polymere der allg. Struktur:

$$\left[-\underset{N-R}{\underset{\|}{C}}-\right]_n$$

R können Alkyl-, Alkylaryl- od. Aryl-Reste sein. P. sind schwerlösl., hochschmelzende Produkte, die noch keine techn. Verw. gefunden haben. – ***E*** polyisocyanides – ***F*** polyisocyanures – ***I*** poliisocianuri – ***S*** poliisocianuros
Lit.: Elias (5.) **2**, 207.

Polyisocyanurate (Kurzz. PIR). Bez. für hochvernetzte *Polymere mit der Gruppierung I

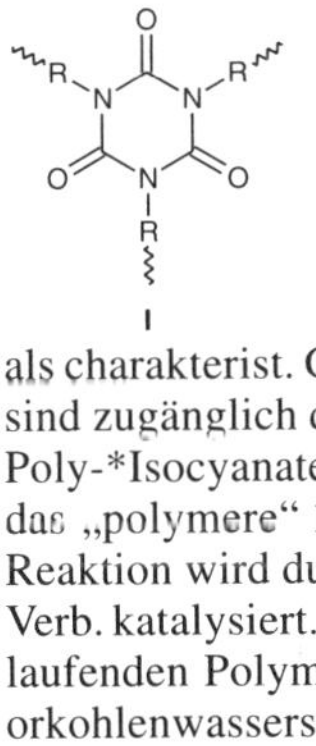

I: R–N(C=O)N(R)C(=O)N(R)C(=O) (Isocyanurat-Ring, 1,3,5-trisubstituiert)

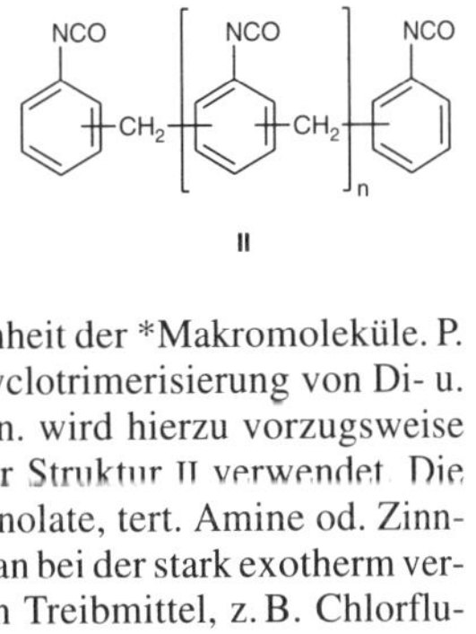

II: $OCN-C_6H_4-CH_2-[C_6H_3(NCO)-CH_2]_n-C_6H_4-NCO$

als charakterist. Grundeinheit der *Makromoleküle. P. sind zugänglich durch Cyclotrimerisierung von Di- u. Poly-*Isocyanaten. Techn. wird hierzu vorzugsweise das „polymere" PDMI der Struktur II verwendet. Die Reaktion wird durch Phenolate, tert. Amine od. Zinn-Verb. katalysiert. Setzt man bei der stark exotherm verlaufenden Polymerisation Treibmittel, z. B. Chlorfluorkohlenwasserstoffe ein, erhält man P. in Form von *Hartschaumstoffen mit guter Dauerwärmebeständgkeit u. niedriger Wärmeleitfähigkeit. Da reine P. wegen ihres hohen Vernetzungsgrades sehr spröde sind, setzt man bei techn. Synth. stets flexibilisierende *Polyether-Polyole zu, die mit den Isocyanat-Gruppen zu Urethanen abreagieren.
Verw.: U. a. im Bausektor als Temp.-Dämm-Materialien u. „Leichtbeton", zur Herst. von Sandwich-Elementen u. Isolierplatten für den Hoch- u. Schiffsbau. – ***E*** = ***F*** polyisocyanurates – ***I*** poliisocianurati – ***S*** poliisocianuratos
Lit.: Elias (5.) **2**, 244 ■ Ullmann (4.) **15**, 442 f.

Polyisoprene (Kurzz. PIP). Sammelbez. für *Polymere der allg. Struktur:

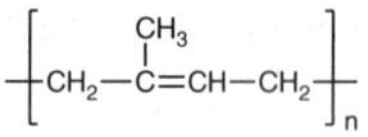

$$\left[-CH_2-\overset{CH_3}{\overset{|}{C}}=CH-CH_2- \right]_n$$

An natürlichen Polymeren zählen *Naturkautschuk, Balata u. *Guttapercha zu den P. (zu Gewinnung u. Eigenschaften s. dort). Synth. P. (*Isopren-Kautschuke, Polyisopren-Kautschuke*, Kurzz. *IR) werden hergestellt durch *Polymerisation von *Isopren, die als *Lösungspolymerisation (Lsm.: Pentan od. Hexan) unter Verw. von Koordinationskatalysatoren (s. Koordinationspolymerisation) od. von Butyllithium (als *Initiator einer anion. Polymerisation) durchgeführt wird. Die Molmassen der durch Koordinations- bzw. anion. Polymerisation hergestellten P. liegen im Bereich von 1 000 000 – 1 500 000 bzw. 1 500 000 – 2 500 000 g/mol. Auch die Kettenstruktur solcher synthet. P. wird stark durch das Polymerisationsverf. u. die Reaktionsbedingungen beeinflußt. So kann Isopren in *cis*-1,4-(I)-, *trans*-1,4-(II)-, 1,2-(III)- u. 3,4-(IV)-Struktur in die wachsende Polymerkette eingebaut werden.

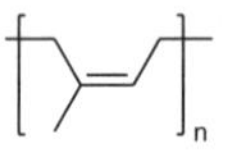

I 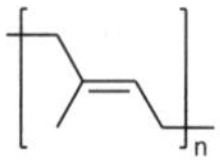 II 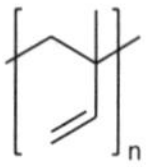 III 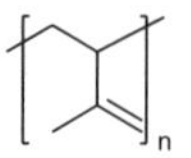 IV

Mit z. B. Titan-Katalysatoren werden P. mit hohem (~98%) *cis*-1,4- neben minimalem 3,4-Anteil, mit Butyllithium in Pentan Produkte mit 90–92% *cis*-1,4-, 2–3% *trans*-1,4- u. 6–7% 3,4-Anteilen erhalten, die in ihrer Struktur dem Naturkautschuk entsprechen. Mit Vanadium-Koordinations-Katalysatoren sind auch P. mit hohen *trans*-1,4-Anteilen zugänglich; diese entsprechen strukturell Guttapercha u. Balata, haben aber keine techn. Bedeutung.

Die strukturellen Unterschiede dieser P. wirken sich deutlich auf deren Eigenschaften (Kristallinitätsgrad, Verarbeitungs- u. Vulkanisations-Verhalten) aus. Titan-P. können ähnlich wie Naturkautschuk, Lithium-P. wie *Polybutadiene vulkanisiert werden.

Verw.: Prinzipiell können die synthet. P., insbes. die Titan-P., ähnlich wie Naturkautschuk eingesetzt werden. Lithium-P. werden vornehmlich im Verschnitt mit anderen Synthesekautschuken (SBR) od. Naturkautschuk verwendet. Haupteinsatzgebiete sind die Herst. von Laufflächen u. Karkassen für Reifen von LKW's, Traktoren u. Flugzeugen, von Schuhsohlen, von Produkten für medizin. Anw. od. für die Verpackung von Nahrungsmitteln. Anderen Kautschuken werden P. zugesetzt, um deren Verarbeitung zu erleichtern. Die Produktkapazitäten weltweit für Synth.-P. werden für 1991 mit ca. 1,25 Mio. t angegeben (*Lit.*[1]). – ***E*** polyisoprenes, polyisoprene rubbers – ***F*** polyisoprènes – ***I*** poliisopreni – ***S*** poliisoprenos

Lit.: [1] Gummi, Asbest + Kunstst. **44**, Nr. 1, 7 ff. (1991).
allg.: Encycl. Polym. Sci. Eng. **8**, 487–564 ▪ Franta, Elastomers and Rubber Compounding Materials, S. 112–121, Amsterdam: Elsevier 1989 ▪ Hofmann, Rubber Technology Handbook, S. 85–88, München: Hanser Publ. 1989. – *[HS 4002 60; CAS 9003-27-4]*

Polyisopren-Kautschuk s. Polyisoprene.

Polykationen s. Polyelektrolyte.

Polyketale. Bez. für auch *Polyketone genannte *Polymere der allg. Struktur:

$$\left[-\overset{R^1}{\underset{R^2}{C}}-O- \right]_n$$

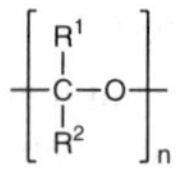

P. sind herstellbar durch *Polymerisation von Ketonen über die Carbonyl-Doppelbindung. Sie sind instabile Produkte, von denen nur das *Polyaceton ($R^1 = R^2 = CH_3$) näher untersucht worden ist. – ***E*** polyketals – ***F*** polycétals – ***I*** polichetali – ***S*** policetales

Lit.: s. Polyaceton.

Polyketide. Von *Ket(o)... abgeleitete Sammelbez. für Derivate von Poly-β-oxocarbonsäuren der allg. Formel

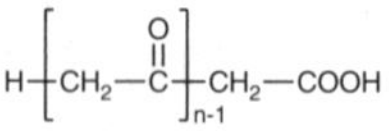

$$H\left[-CH_2-\overset{O}{\overset{\|}{C}}- \right]_{n-1}CH_2-COOH$$

die als Derivate der Essigsäure auch **Acetogenine* genannt werden. Der Begriff wurde 1907 von Collie aus der Hypothese abgeleitet, daß in der Natur Substanzen durch Polymerisierung des Ketens ($H_2C{=}C{=}O$) entstehen könnten. Als wichtige Zwischenprodukte der *Biogenese vieler *Naturstoffe werden die P., die man mit n = 2 Diketid, mit n = 3 Triketid, mit n = 4 Tetraketid usw. nennt, durch Cyclisierungen, Enolisierungen, Methylierungen u. a. Reaktionen in komplexe Mol. des Sekundärstoffwechsels umgewandelt. Zu den Naturstoffen, die man sich aus C_2-Bruchstücken entstanden denken kann, wobei die Biosynth. an Multienzym-Komplexen[1] über Acetyl- u. Malonyl-*Coenzym A verläuft, gehören nicht nur Mykotoxine wie *Moniliformin (Diketid), *Aflatoxine u. *Tetracyclin (Decaketide), *Cytochalasine (Nonaketide), *Ochratoxin A (Pentaketid), *Patulin u. Penicillsäure (Tetraketide), sondern v. a. viele Fettsäuren, Polyene, Polyine, Makrolide, Flavonoide u. a. Poly-β-carbonyl-Verbindungen. – ***E*** polyketides – ***F*** polycétides – ***I*** polichetidi – ***S*** policétidos

Lit.: [1] Annu. Rev. Genet. **24**, 37–66 (1990); FEBS Lett. **268**, 405 ff. (1990).
allg.: Angew. Chem. **107**, 963–967 (1995) ▪ Annu. Rev. Microbiol. **47**, 875–912 (1993) ▪ Chem. Rev. **97**, 2463–2680 (1997) (Biosynth.) ▪ Nature (London) **375**, 549–554 (1995) ▪ O'Hagan, The Polyketide Metabolites, Chichester: Ellis Horwood 1991 ▪ Vining u. Stuttard (Hrsg.), Genetics and Biochemistry of Antibiotic Production, Boston: Butterworth-Heinemann 1995.

Polyketone. 1. Bez. für *Polymere der allg. Struktur

$$\left[-R^1-\overset{O}{\overset{\|}{C}}-R^2-\overset{O}{\overset{\|}{C}}- \right]_n$$

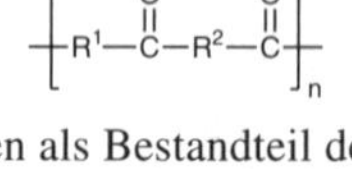

die Keto-Gruppen als Bestandteil der Hauptkette enthalten. Von diesen P. haben die *Polyetherketone (Kurzz. *PEK) u. die Polyetheretherketone (*PEEK, s. a. Polyetherketone) techn. Bedeutung erlangt.
2. Bez. für *Polyketale. – ***E*** polyketones, ketone polymers – ***F*** polycétones – ***I*** polichetoni – ***S*** policetonas

Lit.: s. Polyetherketone.

Polykieselsäuren s. Kieselgele u. Kieselsäuren; vgl. Silicate.

Polyklonale Antikörper s. monoklonale Antikörper.

Polykondensate. Bez. für nach Verf. der *Polykondensation hergestellte *Polymere.

Polykondensation. Sammelbez. für einen zu kettenförmigen (linearen), verzweigten od. vernetzten *Polymeren (*Polykondensaten*, *Kondensationspolymeren*) führenden Typ von *Polyreaktionen. Bei diesem erfolgt – im Gegensatz zu den als *Kettenreaktionen verlaufenden, radikal., ion. od. Metallkomplex-initiierten *Poly*meri*sationen – das Kettenwachstum ohne speziell zugesetztem *Initiator zunächst durch schrittweise Reaktion (*Stufenreaktion) zwischen den *Monomeren. Es entstehen diskrete *Oligomere als Zwischenverb., die ihrerseits wieder mit noch vorliegendem Monomer od. anderen Oligomeren unter Kettenverlängerung reagieren, so daß allmählich immer längere Polymerketten entstehen. Die P. verläuft damit als Sequenz vieler voneinander unabhängiger Einzelreaktionen, die (im Gegensatz zu der ebenfalls als Stufenreaktion verlaufenden *Polyaddition) auf jeder Stufe unter gleichzeitiger Abspaltung niedermol. Verb. (z. B. Wasser, Alkohol, Halogenwasserstoffe) erfolgen. Eine P. besteht damit, im Detail betrachtet, aus einer Vielzahl von Gleichgewichtsreaktionen, z. B. schemat. für die unter Wasserabspaltung erfolgende Bildung eines *Polyesters od. *Polyamids aus einer ω-Hydroxy- bzw. einer ω-Aminocarbonsäure:

X—○ + X—○ ⇌ X—ⓧ—○ + H_2O (a)

X—ⓧ—○ + X—○ ⇌ X—ⓧ—ⓧ—○ + H_2O (b)

X—ⓧ—○ + X—ⓧ—○ ⇌ X—ⓧ—ⓧ—ⓧ—○ + H_2O (c)

X—ⓧ—ⓧ—ⓧ—○ + X—○ ⇌ X—ⓧ—ⓧ—ⓧ—ⓧ—○ + H_2O (d)

X—ⓧ—ⓧ—ⓧ—○ + X—ⓧ—○ ⇌ X—ⓧ—ⓧ—ⓧ—ⓧ—ⓧ—○ + H_2O (e)

usw.

○ funktionelle Gruppe, z. B. COOH
X funktionelle Gruppe, z. B. OH od. NH_2
ⓧ durch Reaktion von O u. X entstehende Gruppe, z. B. —COO— od. —CONH—
— Monomerrest, z. B. $(CH_2)_4$ od. C_6H_4

Die spezielle Kettenwachstums-Statistik der P. bedingt, daß zum Erreichen hoher Polykondensationsgrade (s. Polymerisationsgrad) zum einen ein sehr präzises 1:1 Verhältnis q zwischen den miteinander reaktionsfähigen funktionellen Gruppen sichergestellt sein muß, u. daß zum anderen die Kondensationsreaktion bis zu nahezu vollständigem Umsatz p (p = Anzahl umgesetzter funktioneller Gruppen/Anzahl ursprünglich vorhandener funktioneller Gruppen; $0 \leq p \leq 1$) getrieben werden muß. Eine quant. Beziehung zwischen dem Verhältnis der funktionellen Gruppen q, dem Umsatz p u. dem Polykondensationsgrad P_n liefert die *Carothers*-Gleichung $P_n = (1+q)/(1+q-2pq)$. Synthetisiert man beispielsweise einen Polyester aus einer ω-Hydroxycarbonsäure (q = 1), so hat das Produkt bei 50%igem Umsatz (p = 0,5) erst einen mittleren Polykondensationsgrad von $P_n = 2$, bei 95%igem Umsatz gilt $P_n = 20$, u. erst bei Umsätzen von 99% ($P_n = 100$) u. mehr werden wirkliche Polymere erhalten. Diese Überlegung zeigt weiterhin, daß bei P.-Prozessen, bei denen die Gleichgewichtskonstante für die einzelnen Wachstumsschritte nicht hinreichend groß ist, die niedermol. Abspalt-Produkte sehr sorgfältig aus den Reaktionsgemischen zu entfernen sind (z. B. durch Dest. bei Wasser od. Alkoholen, durch Folgereaktionen mit Pyridin bei z. B. Halogenwasserstoffen), um ausreichenden Umsatz u. damit hohe Kettenlängen zu erzielen.

P. lassen sich systemat. in zwei Typen unterteilen: 1. In Unipolykondensationen, die entweder unter Beteiligung eines einzigen Monomeren ablaufen (sog. AB-Typ-P.), z. B. einer Hydroxycarbonsäure od. einer Aminosäure (Herst. von *Perlon® aus 6-Aminocapronsäure), od. bei denen zwei chem. verschiedene Monomere beteiligt sind (Herst. von *Polyamiden od. *Polyestern aus Diaminen od. Diolen u. Dicarbonsäuren; sog. AA-BB-Typ-Polykondensationen. – 2. In *Copolykondensationen, bei denen mehr als ein (AB-Typ-P.) bzw. zwei chem. verschiedene Monomere (AA-BB-Typ-P.) beteiligt sind.

Nach Verf. der P. werden im großen Umfang techn. wichtige Polymere hergestellt, z. B. die in Einzelstichworten behandelten *Polyamide, *Polyimide, *Polyester, *Polycarbonate, *Aminoplaste, Phenoplaste (s. Phenol-Harze), *Polysulfide od. *Harnstoff-Harze. – ***E*** polycondensation, condensation polymerization – ***F*** polycondensation – ***I*** policondensazione – ***S*** policondensación

Lit.: Elias (5.) **1**, 218 ff.; **2**, 68 ff. ▪ Houben-Weyl **E 20/2**, 555–608 ▪ Odian (3.), S. 40 ff.

Polykras s. Euxenit.

Polykristallin s. Kristalle.

Poly Kur®. Haarpflegeserien, bestehend aus Shampoos, Spülungen, Kuren, Spezialprodukten mit hohem kurativem Anspruch. ***B.:*** Schwarzkopf & Henkel Cosmetics.

Polylactid s. Polymilchsäure.

Polylinker (Multiple Klonierungsstelle, MCS). In *Vektoren enthaltene, ca. 10–100 Basenpaare lange Sequenzabschnitte, die in dichter Folge Erkennungsstellen für mehrere *Restriktionsenzyme enthalten u. die ansonsten nicht mehr im Vektor vorkommen. In diese Abschnitte der Vektoren können Fremd-DNA-Fragmente mit entsprechenden, unterschiedlichen Enden ligiert werden. – ***E*** polylinker, multiple cloning site (mcs) – ***F*** polylinker – ***I*** = ***S*** polilinker

Lit.: Biotechnol. Prog. **12**, 723–727 (1996) ▪ FEMS Microbiol. Rev. **18**, 93–104 (1996).

Polymaleinsäure(-Derivate). Sammelbez. für *Polymere auf der Basis von Maleinsäure (MA) u. deren Derivate [Maleinsäureanhydrid (MAN), Maleinsäureester u. a.]. MA kann sowohl über die C,C-Doppelbindung polymerisiert (**A**) als auch über die beiden Carboxy-Gruppen (z. B. mit Alkoholen) polykondensiert od. polyaddiert (**B**) werden, z. B. für MAN:

A; B + n HO—R—OH

Die *Polykondensation mit Alkoholen führt zu ungesätt. *Polyestern. Daher sind MA u. MAN wichtige Rohstoffe für *Alkydharze.

MA kann in wäss. Lsg. in Ggw. von Kaliumperoxidsulfat u. *Polyvinylpyrrolidon od. als Natrium-Salz bzw. Ammonium-Salz mit Peroxiden initiiert polymerisiert werden. Diester der MA sind nur schwer homopolymerisierbar, u. MAN galt lange als überhaupt nicht homopolymerisierbar. Erst 1961 wurde nachgewiesen, daß *Homopolymere aus MAN zugänglich sind. Diese werden unter Einsatz großer Mengen an Radikal-Initiatoren bei erhöhter Temp. u. unter teilweiser Kohlendioxid-Abspaltung erhalten.
Die *kationische Polymerisation von MAN führt zu dunkel gefärbten Polymeren, denen die Struktur

$$\left[\left[-\overset{O}{\overset{\|}{C}}-CH{=}CH-\right]_m-\overset{O}{\overset{\|}{C}}-CH{=}CH-\overset{O}{\overset{\|}{C}}-O-\overset{O}{\overset{\|}{C}}-CH{=}CH-\right]_n$$

zugeschrieben wird.
Homopolymere von MA u. MAN werden u. a. als Scale-Inhibitoren bei der Meerwasser-Entsalzung od. in Kühlwasser-Kreislauf-Syst. eingesetzt.
MAN ist mit einer Vielzahl von Monomeren unterschiedlicher Struktur gut copolymerisierbar (s. Qe-Schema). Hergestellt werden statist. Copolymere mit einem MAN-Anteil <50 Mol-% u. alternierende Copolymere mit einem MAN-Anteil von 50 Mol-%. Die alternierende MAN-Copolymerisation ist möglich u. a. mit 1-Alkenen (Ethylen, Propylen), 1,4-Dienen, Styrol, Allyl-Verb., (Meth)acrylsäure, cycl. Ethern, Vinylethern, Divinylethern u. Vinylestern (Vinylacetat).
Charakterist. für die MAN-Copolymere ist, daß sie über die Anhydrid-Gruppen in *polymeranalogen Reaktionen in ihren Eigenschaften breit variiert werden können. Die Anhydrid-Gruppen reagieren mit Natrium- od. Ammoniumhydroxid leicht zu den entsprechenden Disalzen, mit konz. Ammoniak zu Amid/Ammonium-Salzen, mit Alkoholen zu Halbestern u. mit prim. Aminen zu den entsprechenden Monoamiden. Letztere dehydratisieren bei höheren Temp. leicht zu Imid-Gruppen enthaltenden Produkten:

$$[\text{Anhydrid-Einheit}]_n \xrightarrow{+\ R-NH_2} \left[-\underset{COOH}{\underset{|}{CH}}-\underset{\overset{|}{C(=O)-NH-R}}{CH}-\right]_n \xrightarrow[-\ H_2O]{>140\,°C} [\text{N-R-Imid-Einheit}]_n$$

Techn. hergestellt werden Copolymere des MAN mit u. a. Styrol (SMA), Ethylen (EMA), Butadien, Methylvinylether, Vinylacetat u. Acrylsäure. Diese Produkte werden z. T. in hydrolysierter od. (halb)veresterter Form angeboten. Sie finden Verw. u. a. als Verdicker, Schutzkolloide, Pigmentdispergatoren, Textilhilfsmittel, Filmbildner, Bindemittel, ferner als Klebstoffe u. Phosphat-Substitute in Waschmitteln. – ***E*** polymaleic acid – ***F*** acide polymaléique – ***I*** acidi polimaleici – ***S*** ácido polimaleico

Lit.: Encycl. Polym. Sci. Eng. **9**, 231–294 ▪ Houben-Weyl **E 20/2**, 1234 ff.

Poly(β-malonsäure) s. Poly(β-malonsäureester).

Poly(β-malonsäureester). Bez. für *Polymere der Strukturformel **3**, die durch kation. od. anion. Polymerisation der entsprechenden Lactonester **2** zugänglich sind. Diese werden ihrerseits aus Hydroxybernsteinsäureestern **1** bzw. aus Brombernsteinsäure hergestellt:

$$n\ ROOC-\underset{OH}{\underset{|}{CH}}-CH_2-COOH\ (\mathbf{1}) \longrightarrow n\ \text{ROOC-β-Lacton}\ (\mathbf{2}) \longrightarrow \left[-O-\underset{COOR}{\underset{|}{\overset{H}{\overset{|}{C}}}}-CH_2-\overset{O}{\overset{\|}{C}}-\right]_n\ (\mathbf{3})$$

Schließlich kann man auch die freie Lactonsäure (**2** mit R = H) direkt zu *Poly(β-malonsäure)* (**3** mit R = H) polymerisieren. Es entstehen vorwiegend isotakt. Polymere, die biolog. abbaubar sind u. als Träger (Carrier) für Pharmaka verwendet werden. – ***E*** poly(β-malonic esters) – ***I*** esteri dell' acido poli(β-malonico) – ***S*** poli(éster de ácido β-malónico)

Lit.: Elias (5.) **2**, 191.

Poly(mannose)n s. Poly(galactose)n.

Polymeg s. Plurocol.

Polymekon®. Entschäumer-Emulsionen auf Basis von *Siliconen, bzw. organ. modifizierten Siloxanen für die Entschäumung wäss. Medien; Einsatzgebiete z. B. PVC-Produkte, Latex-, Klebstoff-Dispersionen, Textil-Ind., Wasch- u. Reinigungsmittel. ***B.:*** Goldschmidt.

Polymer-Abbau. Das Wort „Abbau" wird in der *Polymer-Lit. für Prozesse verwendet, (a) die eine Verringerung des Polymerisationsgrades von *Makromolekülen bewirken (= Umkehr einer *Polyreaktion), – (b) die eine (unkontrollierte) Änderung der chem. Struktur einiger Grundbausteine mit sich bringen (= *polymeranaloge Reaktionen) u. meist mit einer Verschlechterung der Materialeigenschaften einhergehen, u. – (c) für Kombinationen beider Prozesse (a) u. (b).
Bei den unter (a) zusammengefaßten Reaktionen kann man wiederum zwei Grenzfälle unterscheiden, die *Kettenspaltung* u. die *Depolymerisation*. Bei der Kettenspaltung werden die Makromol. an beliebigen Stellen statist. unter Bildung größerer u. kleinerer Bruchstücke gespalten:

$$P_{i+j} \rightarrow P_i + P_j \rightarrow P_{i-k} + P_k + P_{j-m} + P_m \text{ etc.}$$

Formal stellt die Kettenspaltung damit die Umkehrung von *Polyadditions- od. *Polykondensations-Reaktionen dar, also von sog. Stufenwachstums-Prozessen. Die Depolymerisation ist dagegen formal die Umkehr der Kettenwachstums-Reaktionen, also des Entstehungsprozesses von *Polymerisaten. Hier erfolgt der Kettenabbau ausgehend von aktivierten Kettenenden unter Abspaltung eines Monomer-Mol. nach dem anderen in einer Art „Reißverschlußreaktion". Nicht aktivierte Makromol. benötigen somit vor dem Beginn einer Depolymerisation zunächst die einmalige Aktivierung durch z. B. eine Kettenspaltung:

$$\text{Aktivierung: } P_{i+j} \rightarrow P_i^* + P_j^*$$
$$\text{Depolymerisation: } P_i^* \rightarrow P_{i-1}^* + M \text{ etc.}$$

P.-A. unter Veränderung der chem. Struktur der Polymeren sind vielfach Oxidationsprozesse od. Vernetzungen (s. Alterung). Alle P.-A.-Reaktionen können, je nach Polymerstruktur u. Reaktionsbedingungen, chem., enzymat. therm., mechan., durch Ultraschall od. durch Bestrahlung herbeigeführt werden. Nicht jeder P.-A. muß dabei unerwünscht sein. Gezielt eingeleitet werden solche Prozesse z. B. bei der Entsorgung, Verrottung u. dem Recycling von Kunststoffmüll. – ***E*** polymer degradation – ***F*** degradation polymerique – ***I*** degradazione polimera – ***S*** degradación de polímeros

Lit.: Elias (5.) **1**, 575.

Polymeranaloge Reaktionen. Bez. für Reaktionen an *Makromolekülen, die die chem. Zusammensetzung u. damit die Eigenschaften eines *Polymeren modifizieren, ohne gleichzeitig auch dessen *Polymerisationsgrad (signifikant) zu verändern; sie bewirken also die Umwandlung eines *Polymeren in ein anderes. P. R. werden in der Regel über funktionelle Gruppen (z. B. H-acide Gruppen, Carbonyl-, Ester-, Halogen-Gruppen) der Makromol. durchgeführt, können aber auch, z. B. bei *Pfropfcopolymerisationen, radikal. initiiert werden. Sie verlaufen im allg. aus unterschiedlichen Gründen nicht bis zum vollständigen Umsatz aller in den Makromol. vorhandenen funktionellen Gruppen. So bleiben bei irreversibel verlaufenden, intramol. Cyclisierungsreaktionen wie z. B. der Acetalisierung von *Polyvinylalkohol

$$\sim CH_2-CH(OH)-CH_2-CH(OH)-CH_2-CH(OH)-CH_2-CH(OH)-CH_2-CH(OH)\sim$$

$$\downarrow \; -n\,H_2O \; | \; +n\,R-CHO$$

$$\sim CH_2-CH(O)-CH_2-CH(O)-CH_2-CH(OH)-CH_2-CH(O)-CH_2-CH(O)\sim \quad (\text{je zwei O über } C(H)(R) \text{ verbrückt})$$

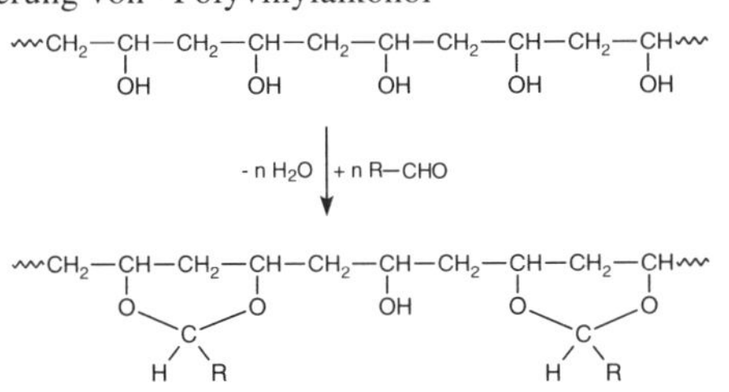

aus statist. Gründen ca. 13,5% der OH-Gruppen unumgesetzt. Sie sind von zwei Acetal-Strukturen umgeben u. haben daher keine Möglichkeit zur Reaktion. Weiterhin können Nachbargruppen-Effekte eine p. R. stark verzögern, wie dies z. B. bei der Verseifung von *Polyacrylamid der Fall ist:

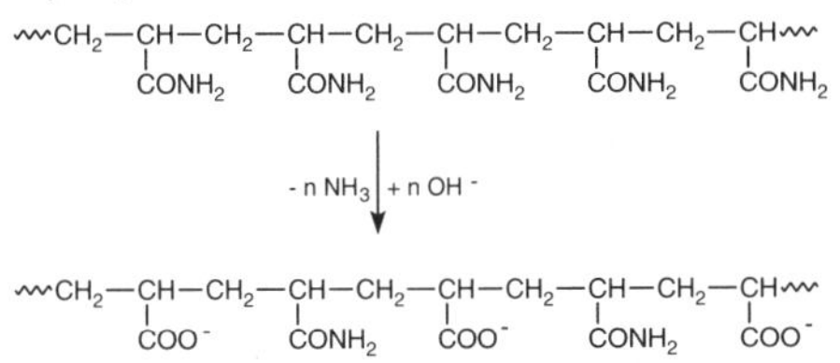

$$\sim CH_2-CH(CONH_2)-CH_2-CH(CONH_2)-CH_2-CH(CONH_2)-CH_2-CH(CONH_2)-CH_2-CH(CONH_2)\sim$$

$$\downarrow \; -n\,NH_3 \; | \; +n\,OH^-$$

$$\sim CH_2-CH(COO^-)-CH_2-CH(CONH_2)-CH_2-CH(COO^-)-CH_2-CH(CONH_2)-CH_2-CH(COO^-)\sim$$

Mit zunehmendem Umsatz befinden sich hier immer mehr neg. geladene Carboxylat-Gruppen auf den Ketten, die das Verseifungsreagenz, die ebenfalls neg. geladenen Hydroxy-Ionen, elektrostat. abstoßen u. so an der Reaktion hindern. Nach ca. 40%igem Umsatz ist die Geschwindigkeitskonstante der Hydrolyse um mehr als eine Größenordnung gesunken. Andererseits können Nachbargruppen-Effekte auch eine Beschleunigung der p. R. bewirken. Dies ist z. B. der Fall bei der Hydrolyse von Polyvinylacetat:

$$\sim CH_2-CH(OAc)-CH_2-CH(OAc)-CH_2-CH(OAc)-CH_2-CH(OAc)-CH_2-CH(OAc)\sim$$

$$\downarrow \; -n\,AcO^- \; | \; +n\,OH^-$$

$$\sim CH_2-CH(OH)-CH_2-CH(OAc)-CH_2-CH(OH)-CH_2-CH(OAc)-CH_2-CH(OH)\sim$$

$Ac = COCH_3$

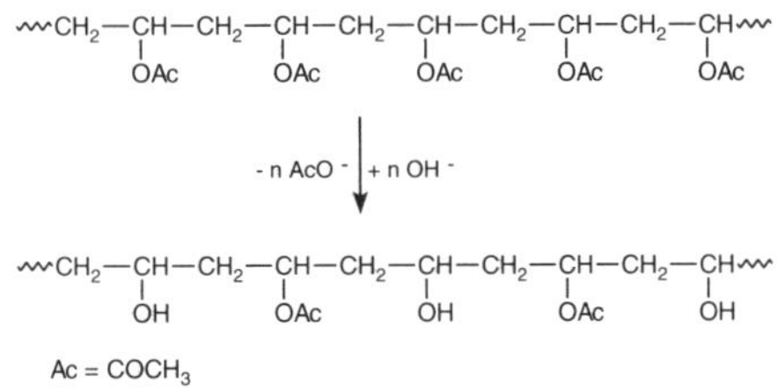

Ursache der Beschleunigung der Verseifung mit zunehmendem Umsatz ist die Adsorption von Hydroxy-Ionen an schon gebildeten OH-Gruppen des Polymeren, was zu einer lokal erhöhten Konz. an verseifend wirkendem Alkali führt. So verseift eine zwischen zwei Hydroxy-Gruppen befindliche Acetat-Gruppe 100mal schneller als eine zwischen zwei Acetat-Gruppen befindliche. Bei p. R. an lediglich dispergierten teilkrist. Polymeren ist zu beachten, daß hier das Reagenz zwar die gequollenen amorphen Bereiche erreicht, jedoch keine Umsetzung der in den krist. Domänen vorliegenden Kettensegmente bewirken kann. So führt z. B. die Chlorierung von Polyethylen oft zu blockförmig chlorierten Produkten. Durch p. R. werden großtechn. sowohl natürliche als auch synth. Polymere umgewandelt. Beisp. hierfür sind die Herst. von *Cellulose-Derivaten (*Celluloseestern, *Celluloseethern), *Stärke-Derivaten, die Hydrolyse von *Polyvinylacetat zu *Polyvinylalkohol sowie die Acetalisierung von Polyvinylalkohol (*Polyvinylacetal, *Polyvinylbutyral). Die hier genannten Polymeren sind nur über p. R. zugänglich. Andere p. R. sind die Sulfonierung von *Polystyrol (s. Ionenaustauscher), die Aminierung von Poly(4-chlormethylstyrol) mit unterschiedlichen Aminen od. der Ringschluß (Cyclisierung) von Poly(1,2-butadien). Schließlich ist auch die Cyclisierung von *Polyamidcarbonsäuren zu den *Polyimiden unter Wasserabspaltung eine p. Reaktion.
Eine partielle *Depolymerisation der Substrate bei p. R. ist in Einzelfällen, z. B. bei der Veresterung od. Veretherung von *Polysacchariden, nicht vermeidbar, z. T. aber auch zu Einstellung spezif. Produkteigenschaften (z. B. der Lsg.-Viskositäten) erwünscht. – ***E*** polymer analogous reactions, macromolecular substitution reactions – ***F*** réactions polymériques analogues – ***I*** reazioni polimeriche analoghe – ***S*** reacciones poliméricas análogas

Lit.: Elias (5.) **1**, 558 ff. ▪ Encycl. Polym. Sci. Eng. **14**, 101–169 ▪ Tieke, S. 177 ff.

Polymerase chain reaction (PCR). Bez. für eine in der *Gentechnologie angewandte Meth. zur gezielten Vervielfältigung eines spezif. DNA-Fragments. Mit diesem revolutionierenden Verf. kann eine bestimmte DNA-Sequenz unter einer Vielzahl ähnlicher Sequenzen erkannt u. *in vitro* in kurzer Zeit mengenmäßig stark angereichert u. damit der Analyse zugänglich gemacht werden. Die PCR-Technik wurde von *Mullis et al. bei der amerikan. Biotechnologie-Firma Cetus entwickelt[1].

Meth.: Die PCR basiert darauf, daß drei Reaktionsschritte vielfach wiederholt ablaufen: Der Reaktionsansatz mit Doppelstrang-DNA mit der gesuchten Sequenz als Matrize wird bei 94 °C denaturiert u. in die beiden Einzelstränge aufgespalten. Beim Abkühlen

auf ca. 50 °C hybridisieren die im Überschuß zugesetzten Primer [synthet. Oligonucleotide (15–30 Basen) mit zum Anfang u. Ende des gesuchten DNA-Abschnitts komplementären Sequenzen] mit den komplementären Basen-Sequenzen auf der Matrizen-DNA, so daß die doppelsträngige DNA nicht reassoziieren kann. Der gesuchte DNA-Abschnitt ist nun durch die beiden Primer genau umgrenzt. Beim dritten Reaktionsschritt wird die Temp. auf das Optimum von 72–75 °C der hitzestabilen *DNA-Polymerase aus *Thermus aquaticus* gebracht. Ausgehend von den Primern baut die Polymerase Kopien der Ausgangs-DNA auf, wobei die Länge der zu duplizierenden DNA durch den Abstand zwischen den Primern bestimmt ist (bis zu 10^4 Nucleotide). Wird das Gemisch erneut auf 94 °C erhitzt, so denaturiert die neugebildete Doppelstrang-DNA, der Prozeß wird neu durchlaufen.
Insgesamt werden ca. 25 solcher Cyclen (Aufheizen, Abkühlen, Polymerisation) hintereinander durchlaufen; in jedem Cyclus wird die Menge des gesuchten Gens verdoppelt. Innerhalb von ca. 3 h kann eine spezielle DNA-Sequenz etwa 100000fach vervielfältigt sein. Bei Einsatz unbekannter DNA-Sequenzen können keine passenden Primer hergestellt werden: An den zu kopierenden DNA-Strang wird dann nach Spaltung mit einer entsprechenden *Restriktionsendonuclease eine DNA bekannter Sequenz angeknüpft.
Anw.: Da jedes beliebige Gen spezif. vervielfältigt werden kann, wobei unter optimalen Bedingungen sogar eine einzige DNA-Kopie in der Probe als Matrize ausreicht, hat die PCR vielfältige Anw. in Biologie, Genetik u. Biochemie gefunden. In der Gentechnologie ist die klass. Technik des Klonierens zur Herst. einer ausreichenden Menge von Gen-Kopien durch die PCR-Technik abgelöst worden, v.a. wenn die zu analysierenden DNA-Abschnitte nur in sehr geringen Spuren vorliegen (z.B. Krebs-Forschung, Gerichtsmedizin, Archäologie). In der Virus-Forschung u. -Diagnostik können Virus-Genome direkt im Patientenblut detektiert werden (z.B. HIV), noch bevor Antikörper im Blut nachweisbar sind. Bei der vorgeburtlichen Diagnose von Erbkrankheiten kann DNA aus Fruchtwasserpunktionen bereits in einer frühen Embryonalphase gezielt nach Erbgutveränderungen untersucht werden, Veränderungen bis zu *Punktmutationen sind nachweisbar. Als weitere Beisp. der PCR-Anw. sind zu nennen die gezielte Mutagenese spezif. Positionen der DNA od. in der Tierzucht der Einsatz z.B. bei der Typisierung von Milchprotein-Genotypen. – ***E*** polymerase chain reaction – ***F*** réaction de la chaîne de polymérase – ***I*** reazione a catena della polimerasi – ***S*** reacción de la cadena de polimerasa

Lit.: [1] Nature (London) **331**, 461 (1988); Science **239**, 487, 491 (1988).
allg.: Am. J. Obstet. Gynecol. **176** (5), 1107–1111 (1997) ▪ Anal. Biochem. **227** (2), 255–273 (1995) ▪ Arch. Dermatol. Res. **288** (12), 786ff. (1996) ▪ BioTec **5**, 26 (1987); **4**, 38 (1991) ▪ J. Med. Entomol. **32** (3), 213–222 (1995) ▪ Newton u. Graham, PCR, Heidelberg: Spektrum Akadem. Verl. 1995.

Polymerasen. Meist Bez. für Enzyme, die als Nucleotidyl-*Transferasen die Verknüpfung von Nucleosid-5′-triphosphaten zu Polynucleotiden (Nucleinsäuren) unter Abspaltung von Diphosphat bewirken. Die **Transkription* der genet. Information der *Desoxyribonucleinsäuren (DNA) in die *Ribonucleinsäuren (RNA) erfolgt bei Bakterien mit Hilfe einer *DNA-abhängigen RNA-Polymerase* [1] (EC 2.7.7.6; DNA dient als Matrize für die Sequenz-Information; M_R ca. 500000), die durch Magnesium- od. Mangan(II)-Ionen aktiviert u. durch Rifampicin gehemmt wird. Zellen mit Zellkern (Eukaryonten) enthalten 3 mit A, B, C od. I, II, III unterschiedene, DNA-abhängige RNA-P., die für die Synth. der Ribosomen-RNA, der Messenger-RNA (*Transcriptase*, Hemmung durch Amanitin) bzw. der Transfer-RNA verantwortlich sind. Weitere RNA-P. sind in den Chloroplasten u. Mitochondrien zu finden. *DNA-abhängige DNA-Polymerasen* [2] (EC 2.7.7.7) werden in Eukaryonten mit griech. Buchstaben bezeichnet; die P. α, δ u. ε sind für die *Replikation der DNA notwendig. Die meisten DNA-P. besitzen zusätzlich *Nuclease-Aktivität, bes. 3′→5′-Exonuclease-Aktivität, durch die fehlerhaft eingebaute Nucleotide wieder entfernt werden können (*proofreading-Funktion*). Bestimmte DNA-P. haben auch 5′→3′-Exonuclease-Aktivität, so daß sie RNA-*Primer eines neu synthetisierten DNA-Stranges entfernen können u. eine Rolle bei der DNA-Reparatur spielen (s. Reparatursysteme). Die Kornberg-P. mit M_R ca. 109000 u. dem Magnesium-Ion als Aktivator wirkt in **Escherichia coli* als Reparaturenzym. Zum Mechanismus einer DNA-P. s. *Lit.* [3]. RNA-Viren enthalten eine von *Temin entdeckte *RNA-abhängige DNA-Polymerase* (*reverse Transcriptase, *Revertase*, EC 2.7.7.49; durch *Gliotoxin gehemmt), um ihr genet. Material in DNA zu übersetzen, da nur diese dem genet. Apparat der Wirtszelle als Matrize dient. Wegen ihrer Fähigkeit zur RNA→DNA-Übersetzung heißen diese Viren heute meist **Retroviren*; zu ihnen gehört auch das AIDS auslösende HIV. In Bakterien bzw. pflanzlichen u. tier. Zellen, die durch Phagen bzw. Viren infiziert sind, werden *RNA*-abhängige *RNA-Polymerasen* (EC 2.7.7.48) gefunden. *Poly-A-Polymerasen* (EC 2.7.7.19) benützen keine Matrize u. sind für die Anknüpfung von Polyadenylsäure an RNA verantwortlich [4]. Bei der *ADP-Ribosylierung können durch *Poly-(ADP-Ribose)-P.* (EC 2.4.2.30) ADP-Ribose-Reste von *Nicotinamid-Adenin-Dinucleotid übertragen werden [5].
Verw.: Zur spezif. Vervielfältigung von Desoxyribonucleinsäuren durch *polymerase chain reaction (Polymerase-Kettenreaktion) werden hauptsächlich thermostabile DNA-P. [6] verwendet. – ***E*** polymerases – ***F*** polymérases – ***I*** polimerasi – ***S*** polimerasas

Lit.: [1] Adhya, RNA Polymerase und Associated Factors, 2 Bd., San Diego: Academic Press 1996; Curr. Biol. **7**, R97ff. (1997); Nature (London) **382**, 278–281 (1996); **385**, 357–361 (1997); Science **273**, 107ff., 202f., 211–217 (1996); **275**, 1655ff. (1997); Trends Biochem. Sci. **21**, 325–355 (1996); **22**, 473–477 (1997). [2] Biol. Chem. **378**, 345–362 (1997); Nature (London) **379**, 183–186; **383**, 457 (1996); Trends Biochem. Sci. **21**, 128f. (1996); **22**, 424–427 (1997). [3] Nature (London) **391**, 231f., 304–307 (1998). [4] Genes Develop. **11**, 2755–2766 (1997); Trends Biochem. Sci. **21**, 247–250 (1996). [5] Curr. Biol. **8**, R49ff. (1998). [6] Adv. Protein Chem. **48**, 377–435 (1996).
allg.: Kuo, Viral Polymerases and Related Proteins, San Diego: Academic Press 1996 ▪ Stryer 1996, S. 840–850, 886–901, 1030f. ▪ Trends Biochem. Sci. **21**, 186–190 (1996).

Polymerbenzine s. Benzin (Herst.: 3).

Polymerbeton (Kunstharzbeton). Bez. für einen Werkstoff aus *Beton, in dem zur Verbesserung der Verarbeitungs- u./od. Gebrauchseigenschaften das hydraul. Bindemittel ganz od. teilw. durch *Betonzusatzstoffe auf der Basis von Kunstharzen, insbes. Reaktionsharzen (RH-Beton) ersetzt ist. P. besitzt hohe Zug- u. Druckfestigkeit u. weist starke Beständigkeit gegen chem. Korrosion u. Frost auf. Nachteile sind die hohen Kosten der organ. Harze u. die geringere Stabilität gegenüber hohen Temp. verglichen mit gewöhnlichem Beton. Der Polymerbinder kann der Mischung als einziger Binder zugemischt werden, z. B. Epoxy-Beton, od. er kann zusammen mit Wasser zugefügt werden wie in Polymer-Zement-Beton. – ***E*** polymer concrete – ***F*** béton polymérique – ***I*** calcestruzzo polimero, calcestruzzo resinaceo – ***S*** hormigón con polímeros

Lit.: Encycl. Polym. Sci. Eng. **12**, 462–470 ▪ Schorn, Betone mit Kunststoffen und anderen Instandsetzungsbaustoffen, Berlin: Ernst 1991 ▪ Ullmann (5.) **A 5**, 533. – *[HS 3214 90]*

Polymer-Blends (Polyblends, PB). Von *E* blend = Mischung, Verschnitt abgeleitete Bez. für Mischungen aus zwei od. mehr *Polymeren bzw. *Copolymeren. Diese werden hergestellt, um die Eigenschaften eines Basis-Polymeren, z. B. *Polystyrol, zu verbessern, insbes. um die Schlag- u. Kerbschlagzähigkeit zu erhöhen. PB werden eingeteilt in homologe (HPB), mischbare (MPB), nicht-mischbare u. verträgliche Produkte sowie *Polymerlegierungen.*

HPB sind Mischungen, die aus zwei chem. ident. Polymeren bestehen, die sich lediglich in ihren *Molmassenverteilungen unterscheiden. Derartige P.-B. sind stets homogen, die Mischung ist thermodynam. stabil. MPB sind dagegen Mischungen chem. unterschiedlich aufgebauter Polymere, die aber dennoch thermodynam. stabil sind. Dieser recht seltene Fall tritt z. B. dann auf, wenn die Segmente der zu mischenden Makromol. miteinander spezif. attraktive Wechselwirkungen eingehen (z. B. Wasserstoffbrücken, Dipol-Dipol- od. Ion-Dipol-Wechselwirkungen). Die weitaus meisten chem. unterschiedlichen Polymere sind von einem recht niedrigen Polymerisationsgrad aufwärts unverträglich, u. ihre Unverträglichkeit steigt mit wachsender Kettenlänge immer weiter, wie sich anhand statist.-thermodynam. Überlegungen u. experimenteller Befunde zeigen läßt. Hier entscheidet v. a. die Zusammensetzung u. Vorbehandlung der PB darüber, ob sie verträglich *erscheinen.* War nach dem Durchmischungsvorgang genügend Kettenbeweglichkeit u. Zeit gegeben, daß sich größere phasengetrennte Bereiche ausbilden konnten, ist dies meist an einer Trübung des Materials festzustellen. Als verträgliche PB werden dann im allg. solche Produkte bezeichnet, die bei Betrachtung mit dem bloßen Auge als homogen erscheinen u. deren physikal. Eigenschaften denen der Mischungskomponenten überlegen sind.

Durch Modifizierung eines Polymeren A durch Aufpfropfen geringer Anteile eines Polymeren B kann eine verbesserte Verträglichkeit der Polymeren A u. B erreicht werden, ebenso durch Zugabe von AB-*Blockcopolymeren. Pfropf- bzw. Blockcopolymere bilden in diesem Syst. die Grenze zwischen A- u. B-Phasen u. verhaften diese so miteinander. In diesen Fällen spricht man von *Polymerlegierungen* (*E* polymer alloys). Verträglichkeit kann auch durch Zusatz bestimmter Additive (*E* compatibilizer) bewirkt werden. Andererseits ist durchaus nicht immer eine möglichst homogene Mischbarkeit erwünscht. So ist die Schlagzäh-Modifizierung von Polymeren wie dem Polystyrol od. die Herst. thermoplast. *Elastomerer ohne Phasentrennung nicht denkbar. Wirtschaftlich spielen PB eine sehr bedeutende Rolle. – ***E*** polyblends, polymer blends – ***F*** mélanges polymériques – ***I*** miscugli di polimeri – ***S*** mezclas poliméricas

Lit.: Elias (5.) **2**, 620 ff. ▪ Encycl. Polym. Sci. Eng. **12**, 399–461 ▪ Utracki, Polymer Alloys and Blends, Thermodynamics and Rheology, S. 1 ff., München: Hanser Publ. 1990.

Polymercomposites. Auf *Polymeren basierende *Verbundwerkstoffe, von denen u. a. die *faserverstärkten Kunststoffe* (s. Faserverstärkung) u. *Verbundfolien* (s. Folien) große techn. Bedeutung erlangt haben. Zu Herst., Eigenschaft, Verw. u. *Lit.* s. die zitierten Stichworte. – ***E*** polymer composites – ***F*** composites polymériques – ***I*** composite polimere – ***S*** compósitos poliméricos

Lit.: Encycl. Polym. Sci. Eng. **3**, 776–820.

Polymercompounds. Verarbeitungsfertige Mischungen von *Polymeren mit allen *Additiven, z. B. Alterungsschutzmittel, Antioxidantien, Antistatika, Flammschutzmitteln, Füllstoffen, Vulkanisationshilfsmitteln od. Weichmachern, die für die Herst. der Endprodukte erforderlich sind (nach ASTM D-883, *Lit.*). – ***E*** polymer compounds – ***F*** composés polymériques – ***I*** composti polimeri – ***S*** compuestos poliméricos

Lit.: Batzer **1**, 9.

Polymerdampf-Fieber (Polymerenfieber). Krankheitsbild, das beim Einatmen der Pyrolyseprodukte von Fluorkunststoffen, z. B. *Polytetrafluorethylen, auftreten kann. Symptome: Trockenheitsgefühl im Nasen- u. Rachenraum, Reizhusten, Herzklopfen, evtl. Fieber (mit Schüttelfrost u. Schweißausbruch) u. in schweren Fällen Lungenödeme. – ***E*** polymer fume fever – ***F*** fièvre due aux vapeurs de polymères – ***I*** febbre polimera – ***S*** fiebre por vapores de polímeros

Polymerdispersionen. Sammelbez. für *Dispersionen (*Latices*) von feinverteilten natürlichen u./od. synthet. Polymeren (Teilchengröße 0,05–5 μm) in üblicherweise wäss., seltener nicht-wäss. Dispersionsmitteln (*E* non-aqueous dispersion, NAD). Eingeschlossen sind damit Dispersionen von Polymeren wie Natur- (*Kautschuklatex*) u. Synthesekautschuk (*Syntheselatex*), als auch von Kunstharzen (*Kunstharzdispersionen*) u. Kunststoffen (*Kunststoffdispersionen*) wie Polymerisaten, Polykondensaten u. Polyadditionsverbindungen. Man unterscheidet Primärdispersionen, bei welchen die Polymerisation der Basis-Monomeren direkt in der flüssigen Phase erfolgt (Suspensionspolymerisation od. Emulsionspolymerisation, z. B. von Vinylacetat od. Acrylaten) u. Sekundärdispersionen, bei welchen vorgefertigte Polymere in einem zweiten Verfahrensschritt dispergiert werden (P. z. B. von Polyisobuten, Siliconharzen, Polyurethanen, Polyvinylethern).

Verw.: In Anstrichstoffen (*Dispersions-, *Latex-, Binderfarben), im Bauten- u. Korrosionsschutz, in der Papier-, Textil- u. Teppichbeschichtung, für Latexschaumformteile, als Klebstoffe etc. – ***E*** polymer dispersions – ***F*** dispersions de polymères – ***I*** dispersioni polimeriche – ***S*** dispersiones de polímeros

Lit.: Calvert, Polymer Latices and their Applications, Barking: Appl. Sci. Publ. 1981 ▪ Elias (5.) **2**, 740 ▪ Lovell u. El-Aasser, Emulsion Polymerization and Emulsion Polymers, Chichester: John Wiley & Son 1997.

Polymere. Im eigentlichen Sinne des Wortes Bez. für das „Mehrfache" (griech.: poly) eines Teilchens (griech.: meros). Demnach wäre z. B. Benzol (C_6H_6) ein P. (genau: ein Trimeres) des Acetylens (C_2H_2) u. Glucose ($C_6H_{12}O_6$) wäre ein P. (Hexameres) des Formaldehyds (CH_2O).

Fachsprachlich wurde ursprünglich – u. wird auch noch heute vielfach – mit P. ein aus vielen diskreten Grundbausteinen aufgebautes Mol. bezeichnet, der Begriff P. also synonym mit „*Makromolekül" u. „Polymermol." verwendet. Nach einer Definition der IUPAC sollte aber unter P. eine *Substanz* verstanden werden, die sich aus einem *Kollektiv* chem. einheitlich aufgebauter, sich in der Regel aber hinsichtlich *Polymerisationsgrad, *Molmasse u. *Ketten-Länge unterscheidender Makromol. (Polymermol.) zusammensetzt („*makromolekulare Stoffe"). Nach dieser die Entstehungsweise des Begriffs nicht berücksichtigenden IUPAC-Definition ist ein Polymer „eine Substanz, die aus einer Vielzahl von Mol. aufgebaut ist, in denen eine Art od. mehrere Arten von Atomen od. Atom-Gruppierungen (sog. konstitutive Einheiten, Grundbausteine od. Wiederholungseinheiten) wiederholt aneinander gereiht sind". Nach dieser Definition sind P. „Polyreaktions-Produkte". Die unterschiedlich großen Makromol. eines P. sind aus so vielen gleichen od. ähnlichen niedermol. Bausteinen (*Monomeren) aufgebaut, daß sich die physikal. Eigenschaften der Substanz, bes. die Viskoelastizität, bei geringfügiger Erhöhung od. Reduzierung der Anzahl der Bausteine nicht mehr merklich ändern. Dies ist bei P. im allg. dann der Fall, wenn ihre mittlere Molmasse mind. 10000 g/mol beträgt. Die Größe der Makromol. bedingt, daß sich die Endgruppen relativ wenig auf die Eigenschaften der P. auswirken, so daß auf ihre explizite Angabe in den Strukturformeln meist verzichtet wird.

Für die niedermol. Produkte, d. h. Dimere, Trimere u. a. niedere Glieder der polymerhomologen Reihen, verwendet man die Bez. **Oligomere*. Bei den sog. *polymereinheitlichen Stoffen* sind alle Makromol. gleich aufgebaut u. unterscheiden sich lediglich durch ihre Kettenlänge (*Polymerisationsgrad). Man kann derartige P. als *Polymerhomologe* (Glieder sog. *polymerhomologer* Reihen, vgl. Homologe) bezeichnen. *Isomere P.* (Polymerisomere) sind solche P., die im wesentlichen die gleiche Bruttoformel besitzen, die aber in der räumlichen Anordnung der einzelnen Grundbausteine in den Makromol. voneinander abweichen; *Beisp.:* Kopf/Kopf- od. Kopf/Schwanz-P., s. die Abb. bei Taktizität u. isotaktische Polymere. *Cis-trans*-Isomerie kann in all jenen P. auftreten, die Doppelbindungen enthalten; *Beisp.:* *Polyacetylene, *Polybutadiene, *Polyisoprene. Im weiteren unterscheidet man P. nach der *Taktizität, d. h. der räumlichen Anordnung der Substituenten entlang der Ketten der Makromoleküle. Auch die Anzahl der verschiedenen Monomere, aus denen die Makromol. aufgebaut wurden, spielt als Differenzierungskriterium eine Rolle. Wird ein P. durch Polymerisation nur eines Monomeren erhalten, u. weisen auch die resultierenden Makromol. nur eine Sorte von Grundbausteinen auf, so spricht man von *Homopolymeren; sind die Makromol. eines P. dagegen aus mehr als einem Grundbaustein aufgebaut, so spricht man von *Copolymeren. Je nach der Abfolge der verschiedenen Grundbausteine entlang der Ketten der Makromol. unterscheidet man z. B. statist. (zufällige Abfolge), alternierende, Block- u. Pfropf-Copolymere. Entsprechend werden die Copolymere mit Prä- od. Infixen gekennzeichnet, die die statist., zufällige (*E* random), alternierende od. andere Anordnung der Grundeinheiten in den Makromol. wiedergeben, also z. B. Silben wie *-co-*, *-stat-*, *-ran-*, *-alt-*, *-block-*, *-graft-* etc. *Beisp.:* Poly(styrol-*co*-butadien), Poly(vinylmethylether-*alt*-maleinsäureanhydrid). Unterscheiden sich Blöcke von Grundbausteinen nicht in ihrer chem. Zusammensetzung, sondern lediglich in ihrer Taktizität, so spricht man von Stereoblock-Copolymeren.

Eine weitere Unterscheidung von P. zielt auf ihre Fähigkeit zur weiteren Anlagerung von Monomeren, also zu weiterem Kettenwachstum. Hier spricht man v. a. von *lebenden, toten u. schlafenden Polymeren. Hinsichtlich der Form der enthaltenen Makromol. differenziert man auch zwischen linearen, verzweigten u. vernetzten P., interpenetrierenden Polymernetzwerken, Leiterpolymeren etc. Durch ihre Entstehungsweise charakterisierte P. sind z. B. *telechel(isch)e Polymere u. *Telomere (s. Telomerisation). Zwar denkt man aus histor. Gründen beim Begriff P. zunächst immer an polymere Kohlenstoff-Verb., doch gibt es auch eine sehr große Zahl (ggf. organ. substituierte) *anorganische Polymere.

P. können nach sehr unterschiedlichen Kriterien klassifiziert werden, z. B.:

– nach ihrer Herkunft in natürliche P. u. synthet. P., – nach dem Polymerisations-Mechanismus in Polymerisate, Polyaddukte od. Polykondensate, – nach den Polymerisations-Verf., z. B. in Emulsions-P. od. Suspensions-P., – nach den charakterist. Gruppen der P.-Ketten, z. B. in Polyester, Polyether, Polyamide, Polyimide, Polyharnstoffe, Polyurethane od. Polysulfide, – nach den Basis-Monomeren, z. B. Polyethylene, Polyacrylate, Polyacrylamide, Polyvinylacetate od. Polyethylenimine, – nach seitenständigen funktionellen Gruppen, z. B. Polyamine, Polyalkohole od. Polycarbonsäuren, – nach den Eigenschaften, z. B. in Elastomere, Duromere, wasserlösl. P., elektr. leitfähige P., flüssigkrist. P., Komplex-bildende P. od. P.-Tenside, – sowie nach ihrer Verw., z. B. Klebstoffe, polymere Reagenzien.

Weitere Klassifizierungen sind bei *Kunststoffe aufgeführt. Als solche werden P. bei entsprechenden Eigenschaften breit eingesetzt u. durch Kurzz. nach unterschiedlichen Normen, allerdings nicht einheitlich, gekennzeichnet. Zur Auflistung der Kurzz. s. Kunststoffe.

Die Entwicklung von P.-Synth., die Untersuchungen der Reaktionsmechanismen u. der Struktur der P., ebenso wie die Bestimmung der Gebrauchseigenschaften, z. B. der Wärme-, Licht- u. Strahlungsbeständigkeit etc., aber auch die Einbeziehung von Energie-, Rohstoff- u. Recyclingbilanzen sind aktuelle Arbeitsgebiete der *makromolekularen od. P.-Chemie. Eine Übersicht vermitteln die angegebenen Lehrbücher u. Nachschlagewerke. Auf die Verw. von P. für die Massenkunststoffe, Fasern, Elastomeren, Beschichtungen, Klebstoffe etc. soll hier nicht eingegangen werden, man vgl. die Angaben bei Kunststoffe. Spezielle Erwähnung verdienen jedoch einige aktuelle Arbeitsfelder: **Wasserlösliche* bzw. *hydrophile P.*, insbes. Vinylpolymere, Alkyd- u. Aminharze sowie *Polyelektrolyte, **elektrisch leitfähige Polymere* („Synmetals"), insbes. dotierte Polyacetylene, -pyrrole u. -phenyle u. P. vom $(SN)_x$-Typ, **flüssigkristalline Polymere*, **reaktive Polymere, polymere Reagenzien, polymere Pharmaka*, **Metall-organische Polymere* u. *Metall-haltige Polymere*. Weitere Neuentwicklungen zielen auf die Verbesserung der Steifigkeit (*Beisp.* *Polymer-Blends od. -Leg.), des Viskoelastizitäts-Verhalten, der Flamm- u. Hochtemp.-Beständigkeit von P., auf die Einführung od. Verstärkung spezif. opt., piezo- u./od. pyroelektr., magnet. od. photochromer Eigenschaften, auf die Verbesserung der umweltrelevanten Eigenschaften, d. h. auf die Erzeugung u. Verarbeitung biolog. abbaubarer u./od. rückstandsfrei verbrennbarer P. usw. – ***E*** polymers – ***F*** polymères – ***I*** polimeri – ***S*** polímeros

Lit.: Batzer **1–3** ▪ Compr. Polym. Sci. **1–7** u. Erg.-Bd. 1, 2 ▪ Cowie ▪ Elias (5.) **1** u. **2** ▪ Encycl. Polym. Sci. Eng. **1–17**, Index-, Suppl.-Vol. ▪ Odian (3.) ▪ Tieke ▪ s. a. die Einzelstichwörter der P. sowie Biopolymere, Makromoleküle, Kunststoffe, makromolekulare Chemie, Polymerisation u. a. benachbarte Stichwörter.

Polymere Detergentien s. nichtionische Tenside u. Polymertenside.

Polymere Ferromagnete s. Polyradikale u. Polycarbene.

Polymere Gläser s. Kunstgläser.

Polymere Katalysatoren (Polymer-gebundene Katalysatoren). Sammelbez. für *Katalysatoren, deren aktive Zentren an linearen *Makromolekülen od. (meist) an *Polymer-Netzwerken angebunden sind u. sich während der von ihnen katalysierten Umsetzung niedermol. Substrat-Mol. im Idealfall nicht von ihren makromol. Trägern lösen. P. K. können daher auf einfache Weise von den Reaktionsprodukten abgetrennt u. recycliert werden. – ***E*** polymer catalysts – ***F*** catalysateurs polymères – ***I*** catalizzatori polimeri – ***S*** catalizadores polímeros

Lit.: Odian (3.), S. 728 f.

Polymere Komplexbildner s. komplexbildende Polymere.

Polymere Lichtwellenleiter. Bez. für *Lichtleitfasern aus speziellen organ. *Polymeren (z. B. *Polymethylmethacrylat, *Polycarbonat, *Polystyrol). P. L. – auch *p*last. *o*rgan. *F*asern – (Kurzz.: POF) genannt – werden im Schmelz-Spinnverf. mit einer Coextrusionstechnik hergestellt, die zu Fasern mit einer Kern-Mantel-Struktur führt. Sie zeichnen sich gegenüber konventionellen Lichtleitfasern aus Glas u. a. durch niedrigere Herstellkosten, bessere Verarbeitbarkeit, geringeres Gew. u. höhere Flexibilität aus. Nachteilig ist z. Z. noch ihre relativ hohe Lichtdämpfung, die z. B. bei aus Polymethylmethacrylat hergestellten p. L. u. Licht der Wellenlänge 650 nm bei 100–200 dB/km liegt. Diese hohe Dämpfung erlaubt nur kurze Übertragungsstrecken (ca. 100 m), wenn das Signal nicht aufgefrischt wird. Signifikant niedrigere Dämpfungswerte können über Polymer-Modifizierungen, z. B. durch Austausch von Wasserstoff- gegen Fluor-Atome, eingestellt werden; mit Poly(2-fluoracrylsäure) z. B. wurden Dämpfungswerte von ca. 5–18 dB/km erreicht.

Verw.: Einsatzmöglichkeiten für p. L., z. B. für solche mit Polymethylmethacrylat als Kern u. *Fluor-Polymeren als Mantel, bestehen insbes. auf dem Gebiet der Kommunikations-Technik, in den Bereichen der Optoelektronik, der Produktions-, Büro- u. Laborautomatisierung, des Automobilbaus, der Sensorik u. spezieller Beleuchtungstechniken. – ***E*** plastical optical fibers – ***F*** fibres optiques polymériques – ***I*** fibre ottiche polimere – ***S*** fibras ópticas poliméricas

Lit.: Encycl. Polym. Sci. Eng. **7**, 1–15; **10**, 493–540 ▪ Jenekhe u. Wynne, Photonic and Optoelectronic Polymers, ACS Symp. Ser. 672, Washington: ACS 1997 ▪ J. Polym. Sci. Part A **25**, 37–46 (1987) ▪ Phys. Unserer Zeit **19**, 37 ff. (1988).

Polymere Netzwerke. Bez. für das Produkt eines Prozesses, bei dem alle *Makromoleküle einer Polymer-Probe durch intermol. Bindungen miteinander verknüpft u. so letztlich zu *einem* Riesen-Mol. verbunden werden. Die Begriffe p. N. u. vernetzte Polymere werden oft synonym verwendet. P. N. wird jedoch bevorzugt für Produkte aus der Stufenwachstums-Polymerisation von multifunktionellen *Monomeren verwendet, vernetzte Polymere für solche Syst., die durch nachträgliche Vernetzung vorgeformter Polymere entstehen.

Die Vernetzungen werden überwiegend durch kovalente Bindungen verursacht, können aber auch physikal. od. ion. Natur sein. Physikal. Netzwerke entstehen z. B. durch die Assoziation von Polymermolekülen. Sie werden durch Wasserstoff-Brückenbindungen, durch Coulomb- od. van der Waals'sche Kräfte zusammengehalten. Zu den physikal. Netzwerken zählt man aber auch die Netzwerke, die durch einfache Verhakung od. Verschlaufung der Makromol. untereinander bewirkt werden (sog. Verhakungsnetzwerke). Vernetzung über ion. Wechselwirkungen basiert dagegen z. B. auf der Zusammenlagerung vieler an verschiedenen Polymerketten anhaftenden ion. Gruppen zu größeren Ionen-Clustern.

Kennzeichnend für p. N. sind Unlöslichkeit in allen Lsm. (Ausnahme: physikal. Vernetzungen, die in einem Lsm. aufbrechen), aber reversible Quellbarkeit, deren Maß außer von der Lsm.-Güte u. a. abhängig ist von der Vernetzungsdichte, d. h. der Anzahl der Vernetzungsstellen, dem Abstand zwischen den Vernetzungsstellen u. der Länge der Vernetzungsbrücken. P. N. können zwei- u. dreidimensional sein.

P. N. von mikroskop. Dimensionen (Teilchendurchmesser 0,01–1 μm) werden *Mikrogele* genannt. Bes. Formen der p. N. sind die *interpenetrierenden polymeren Netzwerke (Durchdringungsnetzwerke, Kurzz. IPN) mit *simultan interpenetrierenden Netzwerken* (SIN), *Semi-IPN*, *Latex-IPN* u. *IEN* als Produktformen. *Beisp.* für techn. wichtige p. N. sind Elastomere wie vulkanisierte *Kautschuke mit gummielast. Eigenschaften. – ***E*** polymeric networks – ***F*** reseaux polymériques – ***I*** reticoli polimeri – ***S*** redes poliméricas

Lit.: Burchard u. Ross-Murphy, Physical Networks, Polymers and Gels, London-New York: Elsevier Appl. Sci. Publ. 1990 ▪ Encycl. Polym. Sci. Eng. **10**, 95 ff. ▪ s. a. interpenetrierende polymere Netzwerke.

Polymerenfieber s. Polymerdampf-Fieber.

Polymere Reagenzien. Bez. für *Polymere, die funktionelle Gruppen tragen, mit deren Hilfe sich an niedermol. Substratmol. chem. Reaktionen durchführen lassen. Die funktionellen Gruppen der p. R. sind in der Regel nach einer Verw. leicht zu regenerieren u. das Polymer-Grundgerüst baut unter den Reaktionsbedingungen der Umsetzungen nicht ab. P. R. zeichnen sich als Träger von Reagenzien gegenüber niedermol. Verb. v. a. dadurch aus, daß sie nach erfolgter Reaktion aufgrund ihrer völlig andersartigen Löslichkeit leicht von den niedermol. Reaktionsprodukten abzutrennen sind. Diese Abtrennung ist noch einfacher, wenn die p. R. – wie dies meist der Fall ist – vernetzt sind u. die Reaktionen z. B. in Säulen durchgeführt werden.

Die reaktiven Gruppen der p. R. können bereits auf der Stufe des Monomeren eingeführt werden, das p. R. entsteht dann direkt durch anschließende Polymerisation. In den meisten Fällen wird aber zunächst ein unter den Polymerisationsbedingungen möglichst inertes Precursor-Polymer synthetisiert, in das nachträglich die reaktiven Gruppen eingeführt werden. Ein sehr oft beschrittener Weg besteht darin, durch *Suspensionspolymerisation perlförmiges, vernetztes *Polystyrol aufzubauen, das anschließend in einer *polymeranalogen Reaktion z. B. chlormethyliert wird. Abschließend werden die eingeführten Chlormethyl-Gruppen in die gewünschten Reagenz-Funktionalitäten umgewandelt.

Zu den p. R. zählen außer den *Ionenaustauschern auch die polymeren Träger, die z. B. bei der *Merrifield-Technik zur Synth. von Proteinen, Peptiden u. Nucleinsäuren verwendet werden, aber auch Polymere mit reduzierenden od. oxidierenden Funktionalitäten. Einige typ. Funktionalitäten von p. R. u. ihre Verw. zeigt die Tabelle.

Tab.: Funktionalitäten u. Verw. polymerer Reagenzien.

Funktionalität	Verw.
Ⓟ–(p-C_6H_4)-ICl_2	*cis*-Chlorierung von Olefinen
Ⓟ–(p-C_5H_4N)–BH_3	Hydrierung u. Red. von Aldehyden, Ketonen u. Säurechloriden
Ⓟ–(p-C_6H_4)–P=CR^1R^2	Wittig-Reaktion von Aldehyden
Ⓟ–(p-C_6H_4)–I($OOCCH_3$)$_2$	Oxid. von Anilin zu Azobenzol

Ⓟ: Polymerer Träger, z. B. vernetztes Polystyrol od. Poly(4-vinylpyridin)

Bei der Reaktionsplanung unter Verw. von p. R. ist zu berücksichtigen, daß Reaktionen an Polymeren aufgrund von Nachbargruppen-Effekten nicht immer gleich ablaufen wie bei der Verw. niedermol. Reagenzien. So führt z. B. die Reaktion von Cyclohexen mit *N*-Bromsuccinimid unter Substitution zum Bromcyclohexen, wohingegen die entsprechende Reaktion mit Polymer-gebundenem *N*-Bromsuccinimid unter Addition das 1,2-Dibromcyclohexan ergibt; zu weiteren Details s. a. Polymere, Festphasen- u. Merrifield-Technik. – ***E*** polymer reagents

Polymeres Diphenylmethan-Diisocyanat (polymeres MDI). Bez. für die bei der Phosgenierung von Kondensationsprodukten aus Formaldehyd u. Anilin anfallenden *Oligomere (n = 0–4, zur Struktur s. Formel II bei Polyisocyanurate). P. D.-D. wird in Verb. mit verschiedenen Polyolen hauptsächlich zur Herst. von *Polyurethan-Hartschäumen verwendet. Aufgrund seiner vergleichsweise hohen Molmasse hat es eine geringere Flüchtigkeit u. daher auch eine etwas geringere Toxizität als andere, typischerweise in der Polyurethan-Chemie verwendete Isocyanate. Darüber hinaus trägt seine Polyfunktionalität zu der für den Hartschaum wichtigen hohen Vernetzungsdichte bei. – ***E*** polymeric MDI – ***F*** polymères diphénylméthane-diisocyanates – ***I*** MDI polimerico – ***S*** MDI polímero

Polymere Wirkstoffe s. polymergebundene Wirkstoffe.

Polymergebundene Wirkstoffe. Bez. für Produkte, bei denen chemotherapeut. aktive Verb. kovalent an einen polymeren Träger gebunden od. in die Polymerkette selbst eingebaut sind.

Die Entwicklung der p. W. basiert u. a. auf Untersuchungsergebnissen von Schlipköter u. Brockhaus, nach denen bestimmte *Vinylpyridin-Polymere, insbes. die der *N*-Oxide, z. B. Poly(2-vinylpyridin-1-oxid) I, zur Bekämpfung von *Silicose eingesetzt werden können:

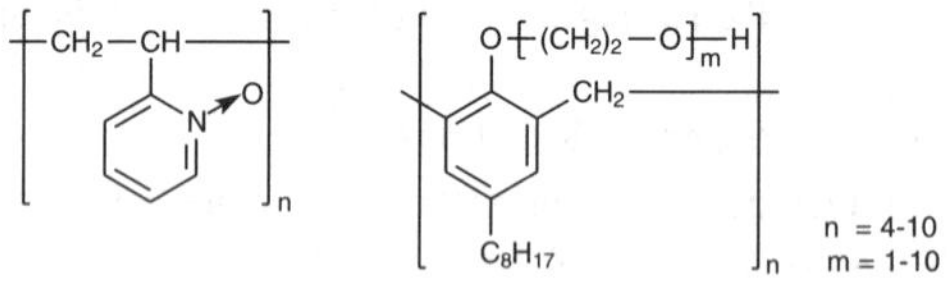

[Formeln I und II: –CH₂–CH– mit N-Oxid-Pyridinring, n; O–[(CH₂)₂–O]ₘ–H, CH₂, C₈H₁₇, n]

n = 4-10
m = 1-10

I II

*Polymertenside des Typs II zeigen Metastase-Hemmwirkung. Als andere Oberflächen-aktive Polymere mit pharmakolog. Wirksamkeit haben sich Monoalkylether von *Polyethylenglykolen erwiesen. *N*-alkylierte Poly(1-vinylpyridine) wurden als weniger tox. Polymeranaloga des Cytostatikums *Sarkolysin* untersucht. Viruzide Wirkung zeigen Polyvinyluracil (III) u. Polyvinyladenin (IV):

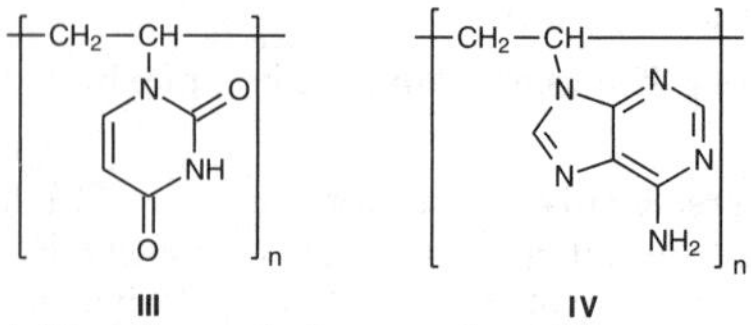

[Formeln III und IV: –CH₂–CH–, n; NH, O; N, NH₂]

III IV

Bakterizide Eigenschaften werden Polymeren mit seitenständigen Penicillin-, Tropolon- od. Nitrofuran-Gruppen attestiert.

Produkte mit Wirkgruppen als Bestandteil der Polymerkette sind u. a. polyquartäre Ammonium-Verb. des Typs V od. bakterizide polymere Sulfamide der Struktur VI:

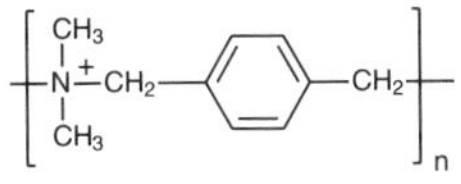

$$\left[-N^{+}(CH_3)_2-CH_2-C_6H_4-CH_2- \right]_n$$

V

$$\left[-CH_2-NH-C_6H_4-SO_2-NH-C_5H_3N- \right]_n$$

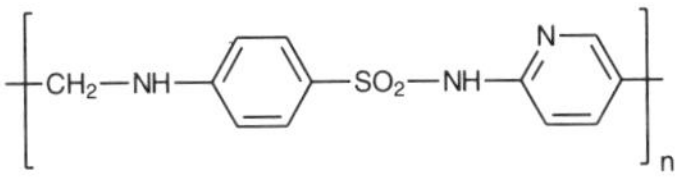

VI

Die bisher aufgeführten p. W. enthalten die Wirkgruppen meist in irreversibler Bindung am polymeren Trägermaterial sind also für sich wirksam. Bei anderen p. W. sind die Wirkgruppen mit reversibler Bindung an die Polymere gebunden. Die aktive Verb. wird zur Entfaltung ihrer biolog. Aktivität *in vivo* freigesetzt. *Beisp.* hierfür sind bakterizide Polymethacrylate des Tropolons (VII), das über eine hydrolyt. spaltbare Ester-Bindung an den polymeren Träger gebunden ist (s. Formel VII).

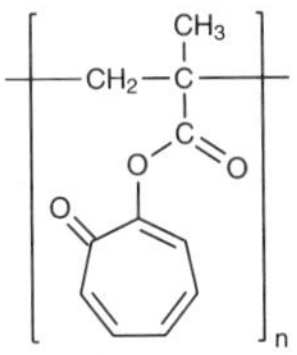

VII

P. W. sind zugänglich durch Polymerisation von derivatisierten Wirkstoffen, z. B. des Tropolon-Methacrylsäureesters, od. durch *polymeranaloge Reaktionen der Wirkstoffe mit funktionellen Polymeren wie mit Maleinsäureanhydrid-Copolymeren.

Mit p. W., die den Wirkstoff sukzessiv freisetzen, können Depot-Effekte erreicht werden. Depot-Effekte können auch bei einem anderen Typ von p. W. beobachtet werden, bei dem der Wirkstoff ohne kovalente Bindung in eine polymere Matrix eingebettet ist, aus der er langsam diffundieren kann.

Die Wirksamkeit der bisher beschriebenen p. W. beruht im allg. auf den gebundenen niedermol. Wirkgruppen, deren Aktivität bei der Bindung an den polymeren Träger bis zur Unwirksamkeit vermindert aber auch gesteigert werden kann.

Biolog. Aktivität wird aber auch bei Polymeren gefunden, die keine derartigen Wirkgruppen enthalten. Zu diesen, besser *polymere Wirkstoffe* genannten Produkte zählen u. a. die schon genannten Polyvinylpyridin(oxide), anion. Polymere mit bakterizider, fungizider od. virizider Wirkung, Plasmaextender (Dextrane, Polyvinylpyrrolidone) u. Carboxymethylcellulose (Hemostatikum). – ***E*** polymeric drugs – ***F*** substances actives en formation polymérique – ***I*** agenti legati ai polimeri – ***S*** principios activos unidos a polímeros

Lit.: Gebelein u. Carraher, Polymer Materials in Medicine, New York: Plenum Press 1985 ▪ Johnston u. Lloyd-Jones, Drug Delivery Systems, Chichester: Ellis Horwood 1987 ▪ Ottenbrite, Polymeric Drugs and Drug Administration, ACS Symp. Ser. 545, Washington: ACS 1994 ▪ Roche, Bioreversible Carriers in Drug Design, Theory and Application, Elmesford: Pergamon Press 1987.

Polymerholz s. Holz-Kunststoff-Kombinationen.

Polymerhomologe (Reihen). Bez. für *Makromoleküle, die aus ident. konstitutiven Strukturelementen (Wiederholungseinheiten) aufgebaut sind, sich aber in deren Anzahl pro Kette unterscheiden. So sind z. B. in einem polydispersen (*Polydispersität) *Polyethylen-Präp. die Makromol. mit verschiedenen Werten n zueinander polymerhomolog.

$$H\left[CH_2-CH_2\right]_nH$$

In diesem Sinne enthalten mit nur wenigen Ausnahmen alle synthet. u. natürlichen Polymere polymerhomologe Reihen von Makromol. (s. Polydispersität u. *Molmassenverteilung). – ***E*** polymer homolog[ue]s – ***F*** polymères homologues – ***I*** omologhi polimeri – ***S*** polímeros homólogos

Polymerie s. Polymere.

Polymerisate. Im engen (dtsch.) Sprachgebrauch verwendete Bez. für Produkte, die durch *Polymerisation, d. h. eine Kettenwachstumsreaktion (radikal., ion. od. Metallkomplex-katalysierte Polymerisation), hergestellt worden sind. In der Lit. wird P. jedoch häufig synonym mit der Bez. *Polymere gebraucht, die aus beliebigen *Polyreaktionen (Polymerisation, *Polyaddition, *Polykondensation) wie auch aus *polymeranalogen Reaktionen hervorgehen. – ***E*** polymers – ***F*** polymères – ***I*** polimeri – ***S*** polímeros, polimerizados

Polymerisation. Im engl. Sprachgebrauch (CAS, IUPAC) Oberbegriff für eine wie auch immer geartete Überführung von niedermol. (*Monomeren, *Oligomeren) in hochmol. Verb. (*Polymere, *Makromoleküle, *Polymerisate). Im Dtsch. ist der Begriff dagegen enger gefaßt. Er bezieht sich hier lediglich auf solche Reaktionen zum Aufbau hochmol. Verb., die nach einem Kettenwachstumsmechanismus (*E* chain-growth polymerization) verlaufen. Stufenwachstumsreaktionen (*E* step-growth polymerization) wie die *Polyaddition (*E* addition polymerization) od. die *Polykondensation [*E* (poly)condensation polymerization] sind im Dtsch. dagegen mit eigenen Begriffen belegt. Hier ist „*Polyreaktion" der adäquate Oberbegriff für eine beliebige Polymer-Aufbaureaktion. Die weitere Beschreibung des Stichwortes legt die dtsch. Begrifflichkeit zugrunde.

Die P. kann ausgelöst werden durch Einwirkung von *Initiatoren [z. B. *radikalische, *ionische (*anionische, *kationische), Insertions- (s. Koordinationspolymerisation) u. *Ringöffnungspolymerisation], von Wärme (*thermische Polymerisation), von ionisierender Strahlung (*Strahlenpolymerisation*) od. Licht (*Photopolymerisation).

Im Gegensatz zu den Stufenwachstumsreaktionen wie Polykondensation u. Polyaddition, bei denen das Wachstum der Polymeren ohne speziell ausgezeichnete u. bes. aktivierte Kettenenden auskommt, findet man bei P., die typ. Kettenwachstumsreaktionen sind, solche aktivierten Kettenenden vor. Man teilt hier den Wachstumsprozeß darüber hinaus in diskrete Einzelphasen ein: Diese sind (a) eine Primär-Reaktion, bei der der Kettenstart (*Initiierung) erfolgt, (b) eine Wachstums-, Aufbau- od. Fortpflanzungsphase (*Propagation), die begleitet sein kann von (c) Kettenübertragungen, u. (d) ein das Kettenwachstum beendender Schritt (Abbruch, *Termination, s. a. Kettenreaktion). Einzig bei den sog. *lebenden Polymeren erfolgt der abschließende Kettenabbruch (d) im Reaktionssyst. nicht von alleine, sondern muß durch von außen zugefügte Reagenzien speziell eingeleitet werden (s. Abb. 1).

(a) Kettenstart $I \rightarrow I^*$
$I^* + M \rightarrow I{-}M^*$

(b) Kettenwachstum $I{-}M^* + n\,M \rightarrow I{-}(M)_n{-}M^*$

(c) Kettenübertragung $I{-}(M)_n{-}M^* + H{-}Ü \rightarrow I{-}(M)_n{-}M{-}H + Ü^*$
$Ü^* \xrightarrow{+\,n\,M} Ü{-}(M)_{n-1}{-}M^*$

(d) Kettenabbruch $I{-}(M)_n{-}M^* + T^* \rightarrow I{-}(M)_n{-}M{-}T$

Abb. 1: Die Phasen einer Polymerisationsreaktion. Mit I = Initiator, M = Monomer, HÜ = Überträgersubstanz, T = Terminierungsreagenz. Der Stern (*) kennzeichnet aktivierte Verbindungen.

Bei der Initiation wird ein wachstumsfähiges Produkt (Radikal, Ion, Komplex) gebildet. Die fortlaufende Addition von polymerisierbaren Monomer-Mol. an dieses reaktive Primärprodukt bezeichnet man als *Aufbau-* od. *Wachstumsreaktion.* Bei der Ketten*übertragung* wird das Wachstum einer wachsenden Kette in der Weise unterbrochen, daß unter Verschiebung des Reaktionszentrums ein abgesätt. (nicht mehr fortpflanzungsfähiges) Makromol. u. zugleich ein zu weiterem Wachstum fähiges Primärprodukt (Radikal, Ion, Komplex) entsteht. Man spricht also von Kettenübertragung, wenn zwar das Wachsen eines individuellen Makromol. beendet wird, das aktive Zentrum aber als solches erhalten bleibt u. die Reaktionskette lediglich von einem neuen Mol. ausgehend weiterläuft. Beim Ketten*abbruch* „verschwinden" wachstumsfähige Produkte durch **Disproportionierung*, Rekombination od. andere *Abbruchreaktionen.* Das Wachstum der Makromol. wird also gleichzeitig mit der Reaktionskette beendet.

Wie aus der vereinfachenden Darst. (Abb. 2) ersichtlich ist, können die P. nach radikal., ion. od. koordinativen Mechanismen ablaufen, wobei auch mehrere parallel auftreten können. Notwendig ist in den meisten Fällen die Anwesenheit eines Initiators (die Bez. Katalysator für den Kettenstarter ist insofern irreführend, als die Verb. in das Polymerisat eingebaut u. somit – anders als bei der echten *Katalyse – verbraucht wird). Bei der sog. *Radikalketten-P.* (radikal. P.) entstehen aus den Initiatoren (z. B. H_2O_2, *tert*-Butylperoxide, Kaliumperoxodisulfat, Cumolhydroperoxid, Azo-Verb., Benzoylperoxid, im Spezialfall der *Telomerisation auch CCl_4 u. dgl.) bei der Primärreaktion *Radikale, an die sich das ungesätt. Monomere unter Ausbildung eines neuen Radikals addiert; an diese lagern sich erneut Monomer-Mol. an, so daß allmählich das Polymer immer länger wird. Die Radikale können auch strahlenchem., plasmachem. (**Plasmapolymerisation* durch Glimmentladung) od. photochem. (*Photopolymerisation) erzeugt werden. Mol. Sauerstoff wirkt bei der

Initiation | Propagation

Radikal. P.: $R^1{-}R^2 \xrightarrow[-R^{2\bullet}]{+\,C{=}C} R^1{-}C{-}C^\bullet \xrightarrow{+\,C{=}C} R^1{-}C{-}C{-}C{-}C^\bullet$

Anion. P.: $MA \xrightarrow[-M^+]{+\,C{=}C} A{-}C{-}C^- \xrightarrow{+\,C{=}C} A{-}C{-}C{-}C{-}C^-$

Kation. P.: $HB \xrightarrow[-B^-]{+\,C{=}C} H{-}C{-}C^+ \xrightarrow{+\,C{=}C} H{-}C{-}C{-}C{-}C^+$

Koordinative P.: $L_nMR \xrightarrow{+\,C{=}C} L_nM{-}C{-}C{-}R \xrightarrow{+\,C{=}C} L_nM{-}C{-}C{-}C{-}C{-}R$

Abb. 2: Mechanismen der Polymerisation.

radikal. P. aufgrund seines Diradikal-Charakters inhibierend: Die Kohlenstoff-Radikale bilden mit O_2 Peroxide, die die Reaktionskette unterbrechen können. Radikal. P. können auch durch *Redoxinitiatoren gestartet werden (Redoxpolymerisation). Bei der radikal. P. läßt sich der *Polymerisationsgrad durch Zusatz von *Reglersubstanzen beeinflussen. Die Wirkung der Reglersubstanzen entspricht dabei der des Kettenüberträgers H-Ü in Abb. 1.

Auch bei der sog. Ionenketten-P. (ion. P.) beginnt das Wachstum eines Makromol. mit einer ersten Anlagerung eines Monomers an den Initiator MA bzw. HB (Abb. 2). Bei der anion. P. ist MA z. B. Natriumhydroxid, -amid, -alkoholat, Phenyllithium od. Butylnatrium, u. es bildet sich je nach eingesetztem Monomer z. B ein *Carbanion, ein Alkoholat- od. ein Thiolat-Ion. Initiatoren HB bei der kation. P. können Brønsted-Säuren wie $HClO_4$ od. Lewis-Säuren wie Bortrifluorid, Aluminiumtrichlorid od. Zinntetrachlorid sein. Entsprechend bilden sich nach Anlagerung des Monomeren Carbenium-, Oxonium- u. a. Kationen. Die während des Kettenwachstums intermediär vorliegenden polymeren Ionen werden als Makroionen bezeichnet. Es ist allerdings zu beachten, daß die wachstumsfähigen Kettenenden bei ion. P. nicht immer als freie Ionen vorliegen. Vielmehr können über Ionengleichgew. verschiedene Spezies (Kontaktionenpaare, solvatgetrennte Ionenpaare) vorliegen (s. a. pseudoanionische u. pseudokationische Polymerisation, Makroester). Ion. P. können auch über Zwitterionen ausgelöst werden. P.-auslösende Ionen od. Radikale können auch elektrochem. generiert werden (s. elektrochemische Polymerisation). Die unter Einwirkung von Strahlen durchgeführte P. verläuft über Initiatoren (Ionen od. Radikale), die aus den zu polymerisierenden Monomeren selbst od. aus leicht zerfallenden Additiven (Sensibilisatoren, s. Photopolymerisation) gebildet werden.

Die koordinative P. od. *Koordinationspolymerisation erfordert Übergangsmetall-Komplexe vom Typ der *Ziegler-Natta-Katalysatoren, speziell aktivierte Metallocene, Metalloxide etc. (s. Polyethylen) u. geht als *Einschiebungsreaktion vor sich (L_n = Liganden, R = organ. Rest, z. B. C_2H_5). Zunehmende Bedeutung gewinnen Element-organ. Verb., insbes. des Nickels, Cobalts u. der Platinmetalle, die eine stereospezif. P. ermöglichen.

Polymerisierbar sind die meisten Verb. mit einer od. mehreren C,C-Mehrfachbindungen (insbes. Vinyl-, Vinyliden- u. Acryl-Verb., Olefine, Acetylen, Cyclo-

buten, Norbornen u.a.), aber auch einige Verb. mit Kohlenstoff-Heteroatom-Mehrfachbindungen, z.B. Carbonyl-Verbindungen. Die P. von Cyclobuten od. Norbornen verläuft meist unter Spaltung des Rings u. *Metathese (s. Ringöffnungspolymerisation u. Metathesepolymerisation). Auch vollkommen gesätt., aber hochgespannte Kohlenwasserstoffe können ringöffnend polymerisiert werden (z.B. das [1.1.1]Propellan, s. Polypropellane). Daneben sind viele gesätt. cycl. Verb. mit Heteroatomen im Cyclus (z.B. Oxirane, Tetrahydrofurane, Lactame u. Lactone) ringöffnend polymerisierbar. Bekannt sind andererseits auch P., bei denen aus acycl. Monomeren Ringe enthaltende Polymere entstehen (s. Cyclopolymerisation).
Die polymerisierbaren Verb. bezeichnet man als *Monomere*. Die P. kann auch von *Oligomeren od. von schon vorhandenen Polymeren [*Makro(mono)mere u. *lebende Polymere] ausgehen od. in Ggw. von vorgefertigten Polymeren unter deren Pfropfung als *Pfropf(co)polymerisation durchgeführt werden. Erfolgt die P. unter Beteiligung einer einzigen Art von Monomeren, spricht man von **Homopolymerisation*. **Copolymerisationen* sind P. von mindestens zwei verschiedenen copolymerisierbaren Monomeren.
Vielfältig wie die Mechanismen der P. sind auch die Verf., nach denen sie durchgeführt werden kann. Erfolgt die P. von Monomeren in Abwesenheit von Lsm. od. Verdünnungsmitteln, spricht man von *Massepolymerisation* od. besser *Substanzpolymerisation; die Bez. „Block-P." für dieses P.-Verf. ist zu vermeiden, da man als *Blockpolymere Polymere versteht, deren Mol. aus linear verknüpften Blöcken mit denselben od. verschiedenen Einheiten (*Blockcopolymere*) bestehen. Außer der Substanzpolymerisation, der man auch die **Festphasenpolymerisation* od. die *P. im Kristall* (*topochemische Polymerisation) zurechnen muß, unterscheidet man noch folgende P.-Verf.: die P. in der Gasphase (s. Gasphasenpolymerisation), in Lösung (s. Lösungspolymerisation), in Emulsion (s. Emulsionspolymerisation) u. in Dispersion bzw. Suspension (s. Suspensionspolymerisation). Eine bes. Form der Lösungs-P. ist die *Fällungspolymerisation, bei der das resultierende Polymer im verwendeten Lsm. unlösl. ist u. ausfällt.
Die Lösungspolymerisation wird für die ion. P. u. die Koordinationspolymerisation bevorzugt, spielt dagegen bei radikal. P. nur eine untergeordnete Rolle.
Zur Beschreibung der räumlichen Anordnung der *konstitutionellen* bzw. *konfigurativen Repetiereinheiten* (s. Makromoleküle) in den Polymeren hat sich eine eigene Terminologie entwickelt, insbes. am Beisp. des von *Natta eingehend studierten Polypropylens: Man spricht von *stereospezif. P.*, wenn mit Hilfe von stereospezif. wirksamen Initiatoren Makromol. mit stereoregulärer Struktur gebildet werden, wobei man ggf. iso-, syndio- u. disyndiotakt. Polymere unterscheiden kann (s.a. die Abb. bei isotaktische Polymere u. Taktizität).
Produkte der P. sind die Polymerisate od. allg. die Polymere u. damit auch viele *Kunststoffe. Auf die wirtschaftliche Bedeutung der P. einzugehen, erübrigt sich angesichts der immens wichtigen Rolle der Kunststoffe. Erinnert sei auch daran, daß z.B. bei verbreiteten Prozessen zur Lackhärtung, zur Härtung u. Vernetzung von Kunstharzen u. des Klebens P.-Reaktionen fast immer involviert sind. – ***E*** polymerization, addition polymerization – ***F*** polymérisation – ***I*** polimerizzazione – ***S*** polimerización

Lit.: s. Polymere u. Einzelstichwörter.

Polymerisation in ultradünnen Schichten. Sammelbez. für alle Arten von *Polymerisationen, die von in Schichten mol. Dicke angeordneten *Monomeren eingegangen werden. Die für diesen Typ von Polymerbildungsreaktion häufig erforderliche, spezielle geometr. Anordnung der Monomer-Mol. ist in einigen Schichtsyst. mit molekulardefiniertem Aufbau realisiert. Beisp. sind Lipid-Schichtstrukturen, auf festen Substraten adsorbierte od. auf Flüssigkeits-Oberflächen aufgebrachte sog. Monoschichten u. Mol.-Kristalle. Das wichtigste Verf. zur Herst. von Polymeren durch P. i. u. S. ist die Polymerisation von in *Langmuir-Blodgett-Filmen vororientierten Monomeren, die unter verschiedenen Bedingungen durchgeführt werden kann: Eine ist die Polymerisation monomol. Schichten an der Grenzfläche Wasser/Luft. Dazu wird eine Lsg. amphiphiler Mol. auf einer Wasseroberfläche gespreitet, durch Kompression orientiert u. anschließend polymerisiert. Andererseits kann die P.i.u.S. auch in LB-Multischichten erfolgen, die durch sukzessives Aufziehen orientierter Monoschichten auf feste Substrate erhalten werden. Bei dieser zweiten Meth. werden zunächst monomol. Schichten amphiphiler polymerisierbarer Monomere auf einer Wasserfläche erzeugt u. mit der beweglichen Barriere einer *Filmwaage komprimiert u. orientiert. Die entstehende festanaloge Schicht wird dann durch wiederholtes Eintauchen eines festen Trägers in das Wasser auf die Oberfläche des Trägers übertragen u. dort unter Initiierung mit Licht od. γ-Strahlung polymerisiert. Die Zahl der Tauchvorgänge bestimmt die Anzahl der aufgebrachten Schichten u. damit deren Gesamtdicke, die im Nanometer-Bereich liegt. Für diese Polymerisationstechnik geeignete Monomere sind u.a. langkettige Monoester ungesätt. Dicarbonsäuren, langkettige (Meth)acrylsäureester od. -amide sowie Fettsäurevinylester, wie z.B. Maleinsäure-mono-octadecylester, *N*-Octadecylacrylamid od. Stearinsäurevinylester. Die Abb. zeigt Beisp. einiger bereits realisierter P. i. u. Sichten.

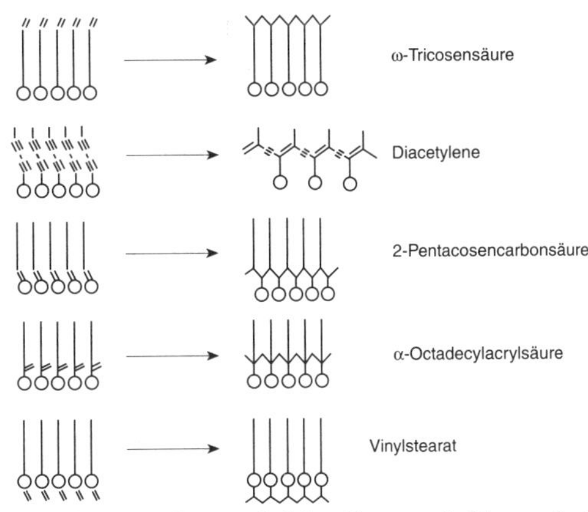

Abb.: Schemat. Darst. möglicher Monomerstrukturen, die in dünnen Filmen, aufgebaut mit Hilfe der Langmuir-Blodgett-Meth., polymerisiert werden können.

Ein Beisp. für die P. i. u. S. unter Verw. von Diacetylenen ist unter dem Stichwort *Poly(diacetylen)e gezeigt.
Eine Übersicht über die Anw.-Möglichkeiten ultradünner Polymerschichten, z. B. in Bereichen der Optoelektronik u. nicht-linearen Optik, für pyroelektr. Detektoren u. Sensoren, als Trennschichten, zur Oberflächenmodifizierung von Substraten, zur Erhöhung der Biokompatibilität künstlicher Implantate od. in der Mikrolithographie gibt die Literatur. – ***E*** polymerization of ultrathin films – ***F*** polymérisation dans couches ultraminces – ***I*** polimerizzazione in strati ultrasottili – ***S*** polimerización en capas ultradelgadas

Lit.: Adv. Mater. **3**, 11–31 (1991) ▪ Compr. Polym. Sci. Suppl. **1**, 449 ff. ▪ Encycl. Polym. Sci. Eng. **15**, 367 ff. ▪ Houben-Weyl **E 20/1**, 405–436.

Polymerisationsgrad. Nach einem IUPAC-Vorschlag differenziert man zwischen dem P. eines einzelnen *Makromoleküls u. dem durchschnittlichen P. des Kollektivs der in einem *Polymeren vorliegenden Makromoleküle. Der P. eines einzelnen Makromol. gibt die Anzahl der Monomer-Mol. an, aus dem es aufgebaut ist. Der P. eines Polymeren dagegen entspricht dem Mittelwert des P. der in ihm vorliegenden Makromol. u. wird als mittlerer od. durchschnittlicher P., Kurzz. *DP*, bezeichnet. Die Angabe eines DP-Wertes von 500 z. B. für *Polyvinylacetat bedeutet, daß die Makromol. dieses Polymeren im Durchschnitt aus 500 Vinylacetat-Mol. bestehen.
Bestimmen läßt sich der P. aus dem Quotienten der mittleren Molmasse eines Polymeren u. der Molmasse seiner einzelnen Grundbausteine. Letztere entspricht bei Polymeren aus *Polyreaktionen, die ohne Abspaltung von niedermol. Verb. verlaufen, der des Ausgangsmonomeren. Bei Produkten von z. B. *Polykondensationen ist hingegen die Molmasse des Abspalt-Produktes von der Molmasse des Monomeren abzuziehen (z. B. die von Wasser bei der Polykondensation einer ω-Hydroxycarbonsäure).
Die Werte der nach unterschiedlichen Meth. (s. Molmassenbestimmung) ermittelten Molmassen, u. damit auch die P. von in der Regel polydispersen Polymeren differieren z. T. erheblich (s. Polydispersität). Die Höhe des P. ist mitbestimmend für die Eigenschaft von Polymeren u. kann bei der Polymerisation durch unterschiedliche Maßnahmen (Initiatormenge, Temp., Einsatz von Reglersubstanzen, Umsetzungsgrad der Monomeren; bei *Polyadditionen u. *Polykondensationen über das Mol.-Verhältnis des Ausgangsmonomeren u. a.) gesteuert werden. – ***E*** degree of polymerization – ***F*** degré de polymérisation – ***I*** grado di polimerizzazione – ***S*** grado de polimerización

Lit.: s. makromolekulare Chemie, Polymere.

Polymerisationshilfsmittel. Sammelbez. für alle Arten von Hilfsstoffen, die zur Durchführung von *Polymerisationen eingesetzt werden, z. B. Initiatoren, Regler, Emulgatoren, Schutzkolloide etc. – ***E*** polymerization auxiliaries – ***F*** auxiliaires de polymérisation – ***I*** ausiliari di polimerizzazione – ***S*** auxiliares de polimerización

Lit.: s. Polymerisation u. einzelne Polymerisations-Verfahren.

Polymerisationsspinnen (Reaktionsspinnen, Reaktivspinnen). Das P. ist ein Verf. zum Erspinnen von Fasern u. Fäden, bei dem eine Mischung aus *Monomeren, *Prepolymeren, *Initiatoren, Füllstoffen, Pigmenten, Flammschutzmitteln usw. während der Polymerisations-Reaktion mit Geschw. von bis zu 400 m/min versponnen werden. Da dieses Verf. somit ohne zwischenzeitige Isolierung der *Polymeren direkt vom Monomeren od. *Prepolymeren zum Faden führt, ist es sehr wirtschaftlich, eignet sich allerdings nur für sehr schnell polymerisierende Monomere. Es wird z. B. bei der Produktion von Spandex-Fasern aus *Polyurethanen verwendet. – ***E*** reaction spinning – ***S*** hilatura polímera

Lit.: Elias (5.) **2**, 511.

Polymerisomere s. Polymere.

Polymerkohlenstoff s. Kohlenstoff.

Polymerkristalle. Sammelbez. für die verschiedenen Arten *kristalliner Phasen makromol. Verbindungen. Grundvoraussetzung für die Krist. von *Makromolekülen sind prinzipiell kristallisationsfähige Ketten. Nicht kristallisierbar sind z. B. vernetzte, verzweigte u. atakt. *Polymere sowie statist. *Copolymere. Entscheidend für die Bildung von P. ist daher das Vorliegen linearer, iso- od. syndiotakt. Homopolymerer bzw. von Block- od. Pfropfcopolymeren. Günstig auf die Kristallisierbarkeit wirken sich weiterhin starke intermol. Wechselwirkungen wie z. B. Wasserstoffbrücken aus. Erfüllt ein Polymer diese Voraussetzung, so hängt sein Zustand im Festkörper weiterhin von seiner therm. Vorgeschichte ab, d. h. den Kristallisationsbedingungen. So führt rasches Abkühlen einer Polymer-Schmelze auch bei kristallisationsfähigen Ketten oft nur zu amorphen Gläsern. Langsames Abkühlen sowie *Tempern bei Temp. wenig unterhalb der Schmelztemp. begünstigen dagegen die Krist. ebenso wie eine langsame Krist. aus einer verdünnten Lösung. Auch bei günstigsten Kristallisationsbedingungen bleiben polymere Festkörper aber in aller Regel *teilkrist.*, d. h. das Material enthält sowohl krist. wie auch ungeordnete (amorphe) Bereiche nebeneinander. Art, Größe, Anteil u. Orientierung der in einem teilkrist. Polymer enthaltenen Krist. od. Kristallite haben entscheidenden Einfluß auf die chem., v. a. aber auf die physikal. u. mechan. Eigenschaften des Werkstoffes.
Die meisten Polymermol. krist. entweder in einer Zickzack- od. in einer Helix-Konformation. *Polyethylen u. *Polyamide krist. z. B. in Zickzack-Strukturen (Abb. 1, S. 3477).
In Helixstruktur krist. dagegen *Polypropylen, isotakt. *Polystyrol, Polyethylenoxid u. *Polypeptide. So bildet isotakt. Polypropylen eine 3_1-Helix (d. h. drei Monomereinheiten bilden eine Helixwindung), während syndiotakt. Polypropylen eine 2_1-Helix bildet (Abb. 2, S. 3477).
Eine wichtige Möglichkeit zum Erhalt guter P. ist die Krist. der Makromol. aus verdünnten Lösungen. Erstmals 1957 konnten isolierte Polyethylen-Krist. aus verdünnter Lsg. gezüchtet werden, in den Folgejahren dann auch Krist. vieler anderer Polymere. Die P. besitzen typischerweise Durchmesser von ca. 10–20 µm

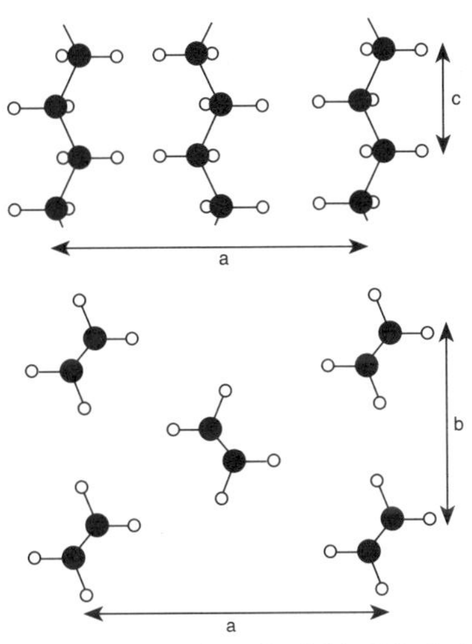

Abb. 1: Kettenpackung im krist. Polyethylen (a = 0,741 nm, b = 0,494 nm; die Länge c der Wiederholungseinheit beträgt 0,255 nm).

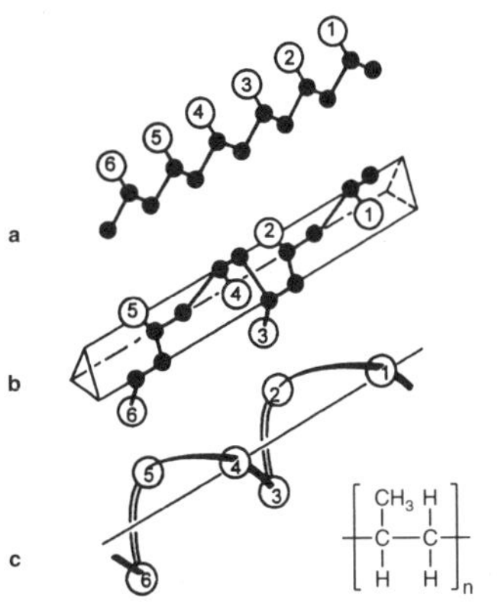

Abb. 2: Isotakt. Polypropylen. Die großen Kreise sind Methyl-Gruppen. (a) all-*trans*-Kette (ohne H-Atome), (b) 3_1-Helix, (c) die Methyl-Gruppen als Helix dargestellt.

u. erscheinen mit einer Dicke von nur 10 nm plättchenförmig. In diesen Plättchen stehen die Polymerketten senkrecht auf der Unterlage. Dies ist bei einer Länge der Einzelketten von ca. 100 nm nur durch mehrfache Kettenfaltung möglich (Abb. 3).

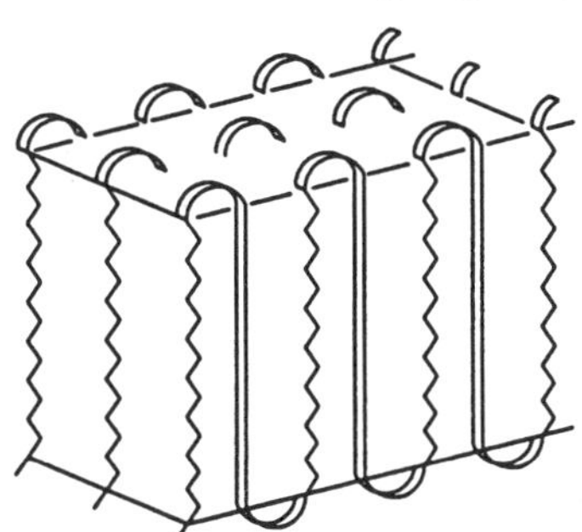

Abb. 3: Schemat. Darst. der Struktur eines aus Lsg. erhaltenen, lamellenförmigen Polyethylen-Kristalls.

Allerdings sind selbst für die kürzeste Rückfaltung der Ketten fünf C,C-Bindungen nötig, von denen drei eine *gauche*-Konformation einnehmen müssen. Daher ist die Kristalloberfläche nicht-krist., auch wenn die kürzestmögliche Rückfaltung vorherrscht (Abb. 4).

Abb. 4: Schemat. Darst. verschiedener Rückfaltungstypen in Polymerkristallen: Benachbarte Rückfaltung mit (a) scharfen u. (b) lockeren Falten sowie (c) unregelmäßige Rückfaltung (switchboard-Modell).

In konz. Lsg. u. in der Schmelze treten Kettenverdrillungen auf, die zur Bildung stark unregelmäßiger P. führen. Aus der Schmelze od. konzentrierten Lsg. erhaltene feste Polymere haben daher immer einen geringeren Kristallisationsgrad als solche aus Lösung. Eindrucksvoll läßt sich die Krist. von Polymer-Schmelzen anhand dünner Filme zeigen: Schmelzkrist. Proben zeigen im Mikroskop eine markante Sphärolith-Struktur mit radial wachsenden Fibrillen, die im polarisierten Licht an einem charakterist. „Malteserkreuz" zu erkennen ist. Auch die hier gebildeten, radialen Fibrillen bestehen aus rückgefalteten Lamellen, d. h. die Polymer-Ketten sind hierin senkrecht zur radialen Richtung der Lamelle orientiert. Diese Befunde haben dazu geführt, daß das zunächst zur Beschreibung der Morphologie teilkrist. Polymerer favorisierte Modell der *Fransenmicelle verworfen werden mußte (Abb. 5).

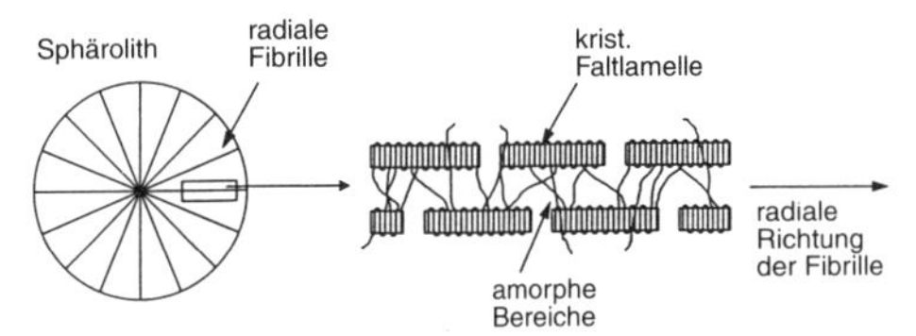

Abb. 5: Schemat. Darst. der Kettenanordnung in einem Sphärolithen.

Von Bedeutung für das Verständnis von P. ist weiterhin, daß die Dicke der Krist.-Lamellen mit zunehmender Kristallisationstemp. wächst u. beim Krist. wenig unterhalb der Schmelztemp. überproportional zunimmt. Dies weist darauf hin, daß die Ketten unter Idealbedingungen voll gestreckt krist. würden u. daß die festgestellte Kettenfaltung somit kinet. Ursachen hat. Bestätigt wird dies durch Befunde, die zeigen, daß – wo immer kinet. möglich (z. B. bei topochem. Polymerisationen od. bei der simultanen Polymerisation u. Krist. von Trioxan zu Polyoxymethylen-Einkrist. – stets weitgehend gestreckte Ketten gebildet werden. Die letztgenannten Verf. zählen daher auch zu den wenigen Meth., die wirkliche „Polymer-Einkrist." ergeben. So können bei der *topochemischen (gitterkontrollierten) Festkörper-Polymerisation ausgehend von Monomer-Einkrist. hochgradig geordnete Polymere erhalten werden. Voraussetzung ist dabei, daß während der Reaktion keine Monomerdiffusion auftritt u. die Monomer-Mol. unter nur geringer Drehbewegung um ihre Schwerpunktlage im Kristallgitter miteinander reagieren (Abb. 6, S. 3478).

Beisp. solcher topochem. Polymerisationen sind die 1,4-Addition von Diacetylen-Derivaten (Abb. 7, S. 3478) u.

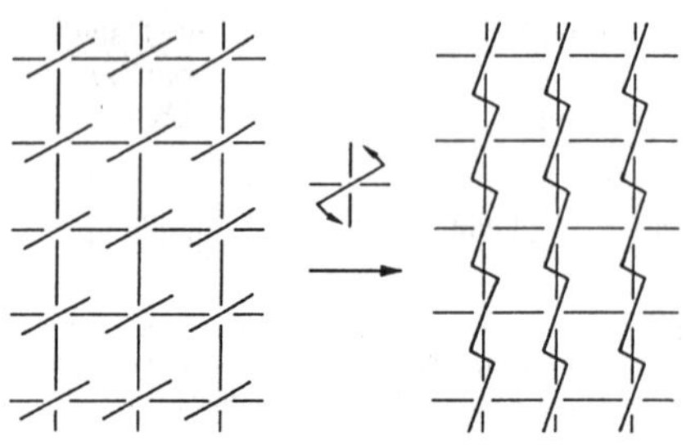

Abb. 6: Schemat. Darst. einer topochem. Polymerisation.

Abb. 7: Schema der topochem. Polymerisation von Diacetylen-Derivaten.

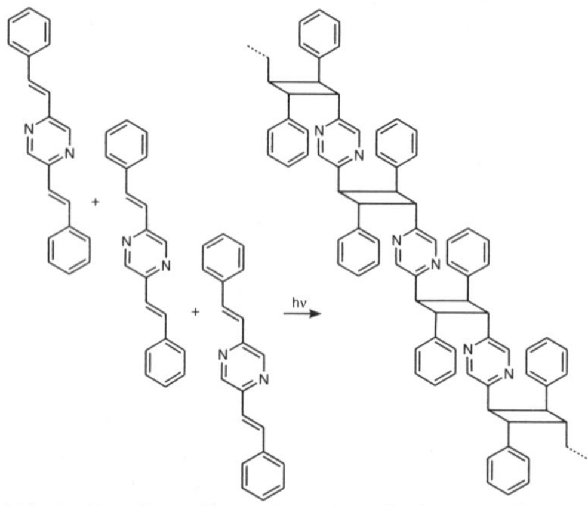

Abb. 8: Topochem. Vierzentrenpolymerisation von Distyrylpyrazin.

die [2+2]-Cycloadditionen von Diolefinen (Abb. 8). Erstere verläuft als Kettenreaktion, die zweite als Stufenreaktion, u. beide werden durch UV-Licht initiiert. In günstigen Fällen zerbricht der Monomer-Krist. während der Polymerisation nicht, u. es werden P. mit Größen im Zentimeter-Bereich erhalten.

Zentrale Befunde des Studiums der Polymer-Krist. sind somit z. B.:

1) Polymere krist. in dünnen Lamellen;
2) es besteht ein einheitlicher Zusammenhang zwischen Lamellendicke u. Kristallisationstemp.;
3) bei der Krist. aus verd. Lsg. u. Schmelze tritt Kettenfaltung auf;
4) die Wachstums-Geschw. der Polymerkrist. hängt von Kristallisationstemp. u. Molmasse der Polymeren ab.

Die am weitesten akzeptierte Theorie zur Beschreibung dieses komplexen Kristallisationsverhaltens ist die von Hoffman u. Lauritzen. Danach wird der Kristallisationsprozeß in die Teilstufen Nucleation u. Wachstum aufgeteilt. Bei der Nucleation entsteht ein winziger Kristallit aus wenigen Mol., ein sog. Embryo. Gelingt es diesem, durch Anlagerung weiterer Polymerketten ein krit. Oberflächen-zu-Volumen-Verhältnis zu überschreiten, wird er als Nucleus in die Wachstumsphase eintreten. Anderenfalls löst er sich wieder auf. Das anschließende Krist.-Wachstum erfolgt dann durch Anlagerung weiterer Polymerketten(-Segmente) unter Kettenfaltung an die Oberfläche des Nucleus.

Der letztlich in der Polymerprobe erreichte Kristallisationsgrad kann durch z. B. Dichtemessungen (hier wird ausgenutzt, daß die amorphen Bereiche des Polymers eine bis zu 20% geringere Dichte aufweisen als die krist.) od. durch Röntgenweitwinkelstreuung (WAXS) bestimmt werden. Im letzten Fall zeigen die WAXS-Kurven teilkrist. Polymerer scharfe Reflexe, die auf einer diffusen Untergrundstreuung aufsitzen (Abb. 9).

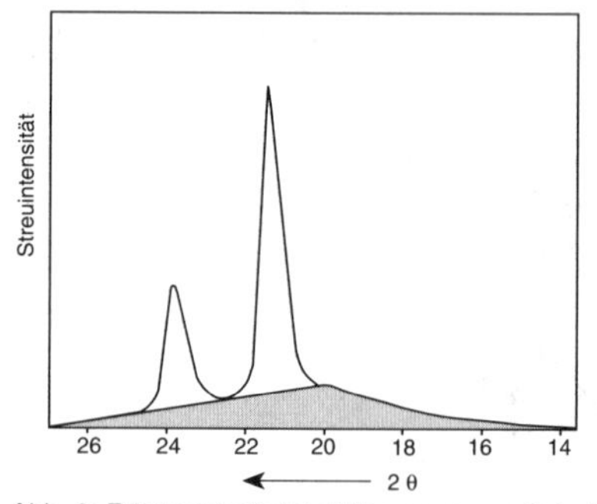

Abb. 9: Röntgenweitwinkeldiagramm von Polyethylen mittlerer Dichte. Die Streuintensität ist als Funktion des Streuwinkels 2 θ aufgetragen. Die Streuung der amorphen Bereiche (amorpher Halo) ist schraffiert eingezeichnet.

Die Streuung von krist. u. amorphen Bereichen läßt sich graph. trennen u. so der Kristallinitätsgrad bestimmen. – ***E*** polymer crystals – ***F*** cristaux polymères – ***I*** cristalli polimeri – ***S*** cristales polímeros

Lit.: Elias (5.) **1**, 215 ▪ Tieke, S. 242.

Polymerlatex s. Polymerdispersionen.

Polymerlegierungen s. Polymer-Blends.

Polymer-Matrix. Mischungen (Blends) zweier *Polymerer sind in der Regel mehrphasig (heterogen). Sind die Mengen der beiden Polymeren in der Mischung sehr unterschiedlich, so wird die an der Minderkomponente reiche Phase, in Form z. B. kleiner Tröpfchen in einer an Überschußkomponente reichen, kontinuierlichen Phase vorliegen. Die kontinuierliche Phase wird dann als *Polymer-Matrix* bezeichnet, die Phase der Minderkomponente als *disperse Phase*. – ***E*** polymer matrix – ***F*** matrice polymérique – ***I*** matrice polimera – ***S*** matriz polímera

Polymermischungen s. Polymer-Blends.

Polymermolekül s. Makromoleküle.

Polymer-Nomenklatur. Grundsätzlich können für *Polymere Herkunfts- (*E* source-based) od. Struktur-bezogene (*E* structure-based) Bez. gewählt werden. Bei der Herkunfts-bezogenen Nomenklatur wird bei *Homopolymeren das Präfix *Poly* dem Namen des Ba-

Tab.: Nomenklatur häufig vorkommender einfacher Polymere. Gegenüberstellung Struktur- u. Herkunfts-bezogener Bezeichnungen.

Monomer	Polymer		
	Struktur	Strukturbezogener Name	Herkunftsbezogener Name
Ethylen	$\left[CH_2-CH_2\right]_n$	Polyethylen	Polyethylen
Styrol	$\left[CH(C_6H_5)-CH_2\right]_n$	Poly(1-phenylethylen)	Polystyrol
Vinylchlorid	$\left[CH(Cl)-CH_2\right]_n$	Poly(1-chlorethylen)	Polyvinylchlorid
Vinylacetat	$\left[CH(O-CO-CH_3)-CH_2\right]_n$	Poly(1-acetoxyethylen)	Polyvinylacetat
Methylmethacrylat	$\left[C(CH_3)(COOCH_3)-CH_2\right]_n$	Poly[1-(methoxycarbonyl)-1-methylethylen]	Polymethylmethacrylat
Ethylenoxid	$\left[O-CH_2-CH_2\right]_n$	Polyoxyethylen	Polyethylenoxid

sis-*Monomeren vorangestellt. Bei Struktur-bezogener Nomenklatur von Homopolymeren beruht die Namensgebung auf der Bez. für die repetierende konstitutionelle Einheit der Makromoleküle (s. dort), die wiederum mit dem Präfix *Poly* verknüpft wird. Der Herkunfts-bezogene Name entspricht in der Regel auch dem Trivialnamen. Bei der Schreibweise für die Homopolymeren wird die Monomer-Bez. nur dann in Klammern gesetzt, wenn sie einen durch Bindestriche abgeteilten Namensteil enthält, z. B. *Polyhydroxybuttersäure, Poly(α-methylstyrol). Namen von *Copolymeren werden grundsätzlich unter Verw. von Klammern u. Infixen (*-co-*, *-stat-*, *-ran-*, *-alt-*, *-block-* od. *-b-*, *-graft-* od. *-g-*) geschrieben, die die Art der Copolymeren kennzeichnen, z. B. Poly(styrol-*co*-methylmethacrylat) für Copolymere aus Styrol u. Methylacrylat mit unbekannter Anordnung der konstitutionellen Einheiten, Poly(vinylmethylether-*alt*-maleinsäureanhydrid) für Copolymere mit alternierenden Einheiten aus Methylvinylether u. Maleinsäureanhydrid od. Poly(butadien-*g*-styrol) für *Pfropfcopolymere aus Butadien u. Styrol. Hinsichtlich weiterer Nomenklaturfragen wird auf die zitierte *Lit.* verwiesen. – ***E*** macromolecular nomenclature – ***F*** nomenclature des polymères – ***I*** nomenclatura dei polimeri, nomenclatura macromolecolare – ***S*** nomenclatura de los polímeros

Lit.: Encycl. Polym. Sci. Eng. **10**, 191–204 ▪ Metanomski, Compendium of Macromolecular Nomenclature, Oxford: Blackwell Sci. Publ. 1991.

Polymertenside. Sammelbez. für amphiphile, meist wasserlösl. *Polymere, die sich hinsichtlich ihrer Kolloid- u. Grenzflächen-Eigenschaften wie niedermol. *Tenside verhalten u. die Oberflächenspannung von Wasser erniedrigen.

Die *Makromoleküle der P. sind in der Lage, durch inter- u./od. intramol. Wechselwirkungen Micellen zu bilden, die im Falle rein intramol. Wechselwirkungen auch aus einem P.-Mol. bestehen können. Die Wechselwirkungen erfolgen zwischen den hydrophoben Segmenten der P., die Bestandteil der Hauptkette sein können (z. B. bei Ethylenoxid/Propylenoxid-Blockcopolymeren, s. Pluronic®-Marken) od. bevorzugt auch seitenständig sitzen können (in bestimmten *Kammpolymeren). *Beisp.* für Kammpolymere sind Salze von Produkten, die aus Maleinsäureanhydrid/Vinylethylether-Copolymeren u. längerkettigen Fettaminen folgender allg. Struktur ($R = C_{4-10}$-Alkyl) gebildet werden können:

$$\left[CH(COOH)-CH(CO-NH-R)-CH_2-CH(OC_2H_5)\right]_n$$

Den Einfluß der Kettenlänge der Alkyl-Gruppen auf die Oberflächenspannung wäss. Lsg. derartiger P. in Abhängigkeit von der Konz. zeigt Abb. 1.

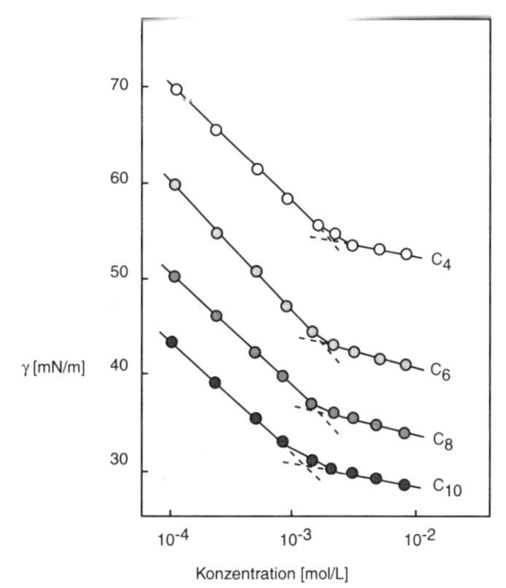

Abb. 1: Oberflächenspannung (γ) wäss. Lsg. der Kalium-Salze von Vinylethylether/Maleinsäuremonoalkylamid-Copolymeren in Abhängigkeit von der Konz. bei unterschiedlicher Kettenlänge des Alkyl-Restes [1].

P. können wie niedermol. Tenside nichtion. (s. Pluronic®-Marken, aber auch Celluloseether wie Methyl- od. Hydroxypropylcellulosen), anion. (z.B. Halbamide von Maleinsäure-Copolymeren, Copolymere von Acrylsäure mit langkettigen Acrylaten), kation. (quaternierte *Vinylpyridin-Polymere) u. auch amphoter sein.
Kennzeichnend für P. ist, daß die Endwerte der Oberflächenspannung ihrer Lsg. erst nach längeren Zeiten erreicht werden u. in der Regel niedriger sind als die von niedermol. Tensiden. Die Micell-Bildung der P. kann über Solubilisationseffekte, Leitfähigkeits- u. Lichtstreuungsmessungen sowie durch potentiometr. Titration nachgewiesen werden. – ***E*** polymeric surfactants, polysoaps – ***F*** agents de surface polymériques – ***I*** tensioattivi polimeri – ***S*** tensioactivos poliméricos

Lit.: [1] Falbe, Surfactants in Consumer Products, S. 153ff., Berlin: Springer 1987.

Polymerweichmacher. Sammelbez. für *Weichmacher auf der Basis von u.a. *Polyestern (meist Polyester der Adipinsäure), *Polyethern, Polyglykolen od. *Nitrilkautschuk. – ***E*** polymer(ic) plasticizers – ***F*** plastifiants polymériques – ***I*** ammorbidenti polimeri – ***S*** plastificantes poliméricos

Lit.: s. Weichmacher.

Polymer-Zemente. Bez. für die harten Polymer-Netzwerke, die beim Versetzen einer wäss. Lsg. eines Carboxygruppen-haltigen *Polyelektrolyten, vorzugsweise von *Polyacrylsäure, mit mehrwertigen Metalloxiden, z.B. Zinkoxid, entstehen. Aufgrund ihrer großen Härte eignen sich P.-Z. beispielsweise als Materialien für die Dental-Technik. – ***E*** polymer cement – ***F*** ciments polymériques – ***I*** cemento polimero – ***S*** cemento polímero

Polymetallaine. Bez. für *Polymere der allg. Struktur **I**, in denen organ. Diacetylen-Bausteine durch Übergangsmetall-Atome zu meist sehr kettensteifen, stäbchenförmigen *Makromolekülen verknüpft sind. Die P. zählen neben den Polymetallocenen zu den derzeit variantenreichsten u. am besten charakterisierten Übergangsmetall-haltigen Polymeren.

$$\left[-M(L)_2-C\equiv C-R-C\equiv C- \right]_n$$

I

M: Übergangsmetall
L : Ligand
R : direkte Bindung od. organ. (Alkyl- od. Aryl-)Rest

Lange Zeit galten σ-Bindungen zwischen Übergangsmetall- u. Kohlenstoff-Atomen als thermodynam. zu instabil u. kinet. zu labil, als daß damit Polymere aufzubauen wären, die beständig genug sind, um isoliert, gelöst u. charakterisiert zu werden. In den Übergangsmetall-Acetylid-Komplexen fand man jedoch Metall-Kohlenstoff-σ-Bindungen vor, die die erforderliche Beständigkeit aufweisen. Drei Synth.-Meth. wurden danach für den Aufbau der P. entwickelt, (a) die Dehydrohalogenierung von α,ω-Bisethinyl-Verb., – (b) die Alkinyl-Ligand-Austauschreaktionen u. – (c) die oxidative Kupplung von meist Zinn-funktionalisierten Oligoethinyl-Verbindungen.

Seit 1977, als die ersten P. beschrieben wurden, erfolgte die Herst. zahlreicher meist filmbildender Nickel-, Palladium- u. Platin-haltiger P. (**3** u. **4**) mit Molmassen von bis zu 120000 g/mol über die Dehydrohalogenierungs-Route:

$$n\,H-C\equiv C-C\equiv C-Pt(PR_3)_2-C\equiv C-C\equiv C-H \;(\mathbf{1}) + n\,Cl-Pt(PR_3)_2-Cl \;(\mathbf{2}) \xrightarrow[-2n\,HCl]{CuX\,/\,(H_5C_2)_2NH} \left[-Pt(PR_3)_2-C\equiv C-C\equiv C-\right]_n \;(\mathbf{3})$$

$$\left[-Pt(PR_3)_2-C\equiv C-C_6H_4-C\equiv C-\right]_n \;(\mathbf{4}) \qquad R = z.\,B.\ (CH_2)_3-CH_3$$

Später folgten hochmol. Nickel- u. Platin-haltige P. (z.B. **7**), die in guten Ausbeuten über die Alkinyl-Ligand-Austauschreaktionen aus z.B. den Monomeren **5** u. **6** erhalten wurden:

$$n\,H-C\equiv C-Ni(PR_3)_2-C\equiv C-H \;(\mathbf{5}) + n\,H-C\equiv C-Y-C\equiv C-H \;(\mathbf{6}) \xrightarrow[-2n\,HC\equiv CH]{} \left[-Ni(PR_3)_2-C\equiv C-Y-C\equiv C-\right]_n \;(\mathbf{7})$$

$$Y = -C\equiv C-Ni(PR_3)_2-C\equiv C- \;(\mathbf{a}) \qquad Y = -C\equiv C-Pt(PR_3)_2-C\equiv C- \;(\mathbf{b})$$

$$Y = -C_6H_4-C\equiv C-Pt(PR_3)_2-C\equiv C-C_6H_4- \;(\mathbf{c})$$

$$R = (CH_2)_3-CH_3$$

Schließlich wurden definierte, hochmol. Polyplatinaine **9** durch die oxidative Kupplung von *trans*-$PtCl_2(PR_3)_2$-Komplexen wie **2** mit Zinn-funktionalisierten Oligoethinyl-Verb. [z.B. Bis(trimethylstannyl)diinen **8**] aufgebaut.

$$n\,(H_3C)_3Sn-C\equiv C-C_6H_4-C\equiv C-Sn(CH_3)_3 \;(\mathbf{8}) \xrightarrow[-2n\,ClSn(CH_3)_3]{+n\,\mathbf{2}} \left[-Pt(PR_3)_2-C\equiv C-C_6H_4-C\equiv C-\right]_n \;(\mathbf{9})$$

$$R = (CH_2)_3-CH_3$$

Analog wurden hochmol. Polymere **11** u. **12** (S. 3481) mit Oligoacetylen-Blöcken in den Hauptketten synthetisiert.

$$n\,(H_3C)_3Sn-C\equiv C-(C\equiv C)_m-C\equiv C-Sn(CH_3)_3 \;(\mathbf{10}) \xrightarrow{+n\,Pt(XR_3)_2Cl_2} \left[-Pt(XR_3)_2-C\equiv C-(C\equiv C)_m-C\equiv C-\right]_n \;(\mathbf{11})$$

X = P, As
R = $(CH_2)_3—CH_3$
m = 0,1,2

12

In ausgezeichneten Ausbeuten sind heute weiterhin Eisen-haltige Polymeren **14** unter Einsatz von **13** als Übergangsmetall-haltigem Monomer verfügbar:

n $(H_3C)_3Sn—C≡C—C_6H_2R_2—C≡C—Sn(CH_3)_3$ **8** $\xrightarrow{+\,n\,\mathbf{13},\ CuI,\ Toluol,\ 50\ °C}$ **14**

R = H, CH_3 ; **13**: $Fe(DEPE)_2Cl_2$,

P⌒P = DEPE = $(H_5C_2)_2P—CH_2—CH_2—P(C_2H_5)_2$

Die Eigenschaften der gezeigten P. in Substanz u. Lsg. weisen auf deren stäbchenförmige Molekülgestalt hin. So zeigen einige P.-Derivate lyotrop-nemat. Mesophasen-Verhalten (s. flüssige Kristalle) od. bilden Kristallite mit einem Durchmesser von bis zu 50 nm. Gemäß ihren Absorptions- u. Photolumineszenz-Spektren u. der ungewöhnlich kleinen π-π*-Energielücke erstreckt sich die π-Elektronen-Konjugation in den meisten dieser P. über die gesamte Polymerkette hinweg. Entsprechend ist auch ihre nichtlinear-opt.

17

16

$(H_3C)_3Sn—C≡C—R^1—C≡C—Sn(CH_3)_3$

15

18b **18a**

20 **19**

$R^2 = (CH_2)_3—CH_3$
M = Fe , Ru , Os

Suszeptibilität dritter Ordnung größer als z. B. die der entsprechenden *Polydiacetylene.

In den vergangenen Jahren wurde schließlich auch eine Synth. für stäbchenförmige, oktaedr. koordinierte Eisen-, Ruthenium- u. Osmium-σ-Acetylid-Komplexe wie z. B. **17**, **19** u. **20** entwickelt (linke Spalte unten). Eine andere Entwicklung aus jüngster Vergangenheit ist die Synth. von Rhodium-haltigen P. **23** aus Diinen wie **22** u. z. B. $[Rh(PR_3)_4CH_3]$ **21** unter reduktiver Eliminierung von Methan u. einem Phosphin-Liganden:

$[Rh(PR_3)_4CH_3]$ + $H—C≡C—X—C≡C—H$ $\xrightarrow[-\,CH_4]{-\,PR_3}$

21 **22**

23

X = direkte Bindung,

R = CH_3 , $(CH_2)_3—CH_3$

Einige weitere Aryl-verbrückte P. wie **26** u. **27** wurden kürzlich durch Metathese-Polymerisation aus Organo-Lithium-Verb. wie **25** u. Nickel-Bromid-Komplexen **24** erhalten:

24 **25**

26

27

$R^1 = CH_3$, $R^2 = (CH_2)_3—CH_3$

Im Gegensatz zu den C_6F_4-verbrückten P. **27** ist bei den C_6F_4–C_6F_4-überbrückten Komplexen **26** keine nennenswerte elektron. Wechselwirkung zwischen den in den Polymerketten aufeinander folgenden Metallzentren festzustellen. Grund ist der mit ca. 52° zu große Torsionswinkel, den die beiden Phenyl-Ringe in **26** zu-

28 $\xrightarrow{+\,CH_3I}$ **29**

R = $(CH_2)_3—CH_3$

einander einnehmen u. der so die Konjugation zwischen den beiden aromat. π-Elektronensyst. weitestgehend unterbindet. Schließlich wurden kürzlich auf 2,5- u. 2,6-Diethinylpyridin basierende Pt-σ-Acetylid-P. beschrieben, z. B. Polymer **28** (S. 3481).
Die Quaternisierung der Pyridin-Stickstoff-Atome mit z. B. Methyliodid ist von einer starken Verschiebung der Absorptionsbanden der Polymere ins Rote begleitet u. führt zu stabilen Pyridinium-Polymeren wie **29** (S. 3481). – ***E*** polymetallaines – ***I*** polimetallaini – ***S*** polimetalainas

Lit.: Acta Polymerica **49**, 201 (1998) ▪ Angew. Chem. **108**, 1712 (1996).

Polymetallische Knollen s. Manganknollen.

Polymetallocene (Polymetallocenylene). Bez. für *Polymere, die aus bifunktionellen, Metallocen-Komplexen linear verknüpft aufgebaut sind. Bekannt sind neben den *Poly(1,1′-ferrocen)en (*Polyferrocenylene*) noch P. auf der Basis von Ruthenium (*Polyruthenocenylene*), Titan (*Polytitanocenylene*), Zirkonium (*Polyzircocenylene*), Vanadium (*Polyvanadocenylene*) u. Chrom (*Polychromocenylene*). Zu Eigenschaften u. Verw. der P. s. Poly(1,1′-ferrocen)e. – ***E*** polymetallocenylenes – ***F*** polymétallocènes – ***I*** polimetalloceni, polimetallocenileni – ***S*** polimetalocenos

Lit.: Carraher, Advances in Organometallic and Inorganic Polymer Science, S. 3–72, New York-Basel: Marcel Dekker 1982 ▪ Ciardelli, Tsuchida u. Wöhrle, Macromolecule-Metal Complexes, Berlin: Springer 1996.

Polymethacrylamide. Bez. für *Polymere der Struktur

$$\left[-CH_2-\overset{CH_3}{\underset{CO-NH_2}{C}}- \right]_n$$

die durch *Polymerisation von Methacrylamid nach einem ähnlichen Verf. hergestellt werden können wie *Polyacrylamid; Methacrylamid ist jedoch weniger reaktiv u. schlechter copolymerisierbar als Acrylamid. P. sind lösl. in Ameisen- u. Essigsäure sowie Formamid, in Wasser nur nach partieller Hydrolyse der Amid-Gruppen. Verbreitete Verw. haben P. bisher nicht gefunden. – ***E*** polymethacrylamides – ***F*** polyméthacrylamides – ***I*** polimetacrilammidi – ***S*** polimetacrilamidas

Lit.: Houben-Weyl **E 20/2**, 1176–1192 ▪ Molyneux, Water Soluble Synthetic Polymers, Properties and Behavior, Bd. 1, S. 103 f., Boca Raton: CRP Press 1984. – *[CAS 25014-12-4]*

Polymethacrylate (Polymethacrylsäureester). Bez. für aus Estern der Methacrylsäure durch meist radikal. *Polymerisation hergestellte *Polymere der allg. Formel

$$\left[-CH_2-\overset{CH_3}{\underset{COOR}{C}}- \right]_n$$

mit z. B. R = Alkyl (Methyl, Ethyl, Propyl u. a.). P. sind allg. amorphe, glasartig harte u. transparente *Kunststoffe, von denen das *Polymethylmethacrylat (R = CH_3) die techn. größte Bedeutung erlangt hat. – ***E*** polymethacrylates – ***F*** polyméthacrylates – ***I*** polimetacrilati – ***S*** polimetacrilatos

Lit.: s. Polymethylmethacrylate.

Polymethacrylimide s. Polyacrylimide.

Polymethacrylmethylimide (Kurzz. PMMI). Bez. für *Polymere der idealisierten Struktur:

[Strukturformel: CH_3, O, N, O, H_3C, CH_3, n]

P. werden hergestellt durch Einwirkung von Methylamin auf *Polymethylmethacrylat (PMMA) bei hohen Temp. u. Drücken. Sie zeichnen sich durch hohe Kettensteifigkeit, höhere Wärmeformbeständigkeit als die von PMMA u. hohe Transparenz- u. Witterungsbeständigkeit aus; sie haben einen niedrigen therm. Längenausdehnungskoeffizienten, gute Barriereeigenschaften (gegen Sauerstoff) u. sind weitgehend amorph. Mit anderen Kunststoffen (PC, PVC, PA, SAN u. a.) sind P. gut mischbar. Einsatzmöglichkeiten für P. werden insbes. in der Automobil- u. Leuchten-Ind. gesehen (u. a. zur Herst. von Scheinwerferstreuscheiben u. Straßenleuchtenabdeckungen). – ***E*** polymethacrylmethylimides – ***F*** polyméthacrylméthylimides – ***I*** polimetacrilmetilimmide – ***S*** polimetacrilmetilimida

Lit.: Kunststoffe **80**, 1134 f. (1990).

Polymethacrylsäuren. *Polymere der allg. Formel

$$\left[-CH_2-\overset{CH_3}{\underset{COOH}{C}}- \right]_n$$

die durch *radikalische Polymerisation von Methacrylsäure bzw. durch Verseifung von Polymethacrylsäure-Derivaten, z. B. von Polymethacrylsäureestern (s. Polymethacrylate), gewonnen werden. Die u. a. in Wasser u. Alkoholen lösl. P. werden ähnlich wie *Polyacrylsäuren verwendet. – ***E*** polymethacrylic acids – ***F*** acides polyméthacryliques – ***I*** acidi polimetacrilici – ***S*** ácidos polimetacrílicos

Lit.: Encycl. Polym. Sci. Eng. **1**, 211–234. – *[HS 3906 90; CAS 25087-26-7]*

Polymethin-Farbstoffe (Polymethine, Methin-Farbstoffe). Umfangreiche Gruppe von organ. Farbstoffen der vereinfachten Formel:

[Strukturformel: $\left[A=C(R)-\left(C(R)=C(R)\right)_n-D \right]^q$]

R = H, Alkyl, ...
A = Akzeptorgruppe
D = Donorgruppe
n = 0, 1, 2, ...
q = -1, 0, 1

Die P.-F. sind somit gekennzeichnet als substituierte od. unsubstituierte *Polyene (R = Alkyl od. H) mit einer ungeraden Anzahl von *Methin-Gruppen (Name!), die von zwei *Auxochromen A (Akzeptorgruppe) u. D (Donorgruppe) flankiert sind u. als *push-pull-Syst. wirken. Diese sind Heteroatome od. Heteroatomgruppierungen, die einen Mangel bzw. einen Überschuß an Pi-Elektronen aufweisen.
Als Untergruppen der P.-F. kann man die *Cyanin-Farbstoffe (mit A = D = N als Teil eines Stickstoff-Heterocyclus) u. die *Merocyanine (mit A = O u. D = N) auffassen, vgl. die schemat. Formelbilder der *Schiffschen Basen od. *Azomethine (P.-F.) dort, sowie die Oxonol-Farbstoffe (mit A = D = O), deren Chromophor einer vinylogen Carbonsäure entspricht. Über den Zu-

Tab.: Klassifizierung der Polymethin-Farbstoffe.

Name	allg. Formel	
*Cyanin-Farbstoffe	X, N, $^{+}$N, X, N; n	X^- n = 0, 1, 2
*Merocyanine	N; n; O	
*Oxonol-Farbstoffe	O; n; O^-	NH_4^+

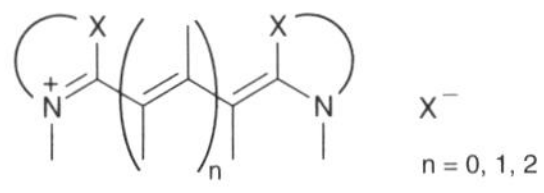

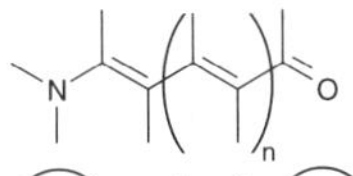

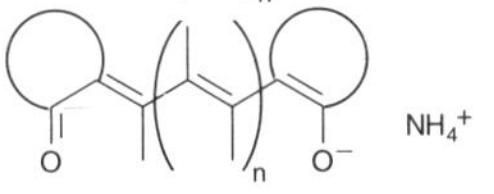

sammenhang zwischen Struktur u. Farbe s. *Lit.*[1]. Natürlich vorkommende P.-F. sind z. B. die *Betalaine u. *Trichochrome[2]. Von den weit über 100000 bekannten P.-F. besitzen einige bemerkenswerte techn. Bedeutung als photograph. *Sensibilisatoren u. als Laser- u. Textilfarbstoffe. Andere treten bei Nachw.-Reaktionen intermediär als Farbstoffe in Erscheinung[3]. Übrigens werden bei Chemical Abstracts die P.-F. als Cyanin-Farbstoffe bezeichnet. – ***E*** polymethine dyes – ***F*** colorants de polyméthine – ***I*** coloranti polimetinici – ***S*** colorantes de polimetino

Lit.: [1]Chem. Unserer Zeit **12**, 1–11 (1978). [2]Angew. Chem. **86**, 355–363 (1974). [3]Pharm. Unserer Zeit **5**, 145–154 (1976); **11**, 74–82 (1982).
allg.: Houben-Weyl **5/1 d**, 227–299 ▪ Kirk-Othmer (3.) **7**, 337–358; **18**, 848–874; (4.) **19**, 1004 ▪ Ullmann (5.) **A9**, 95; **A20**, 16 ▪ Venkataraman, The Chemistry of Synthetic Dyes, Bd. 4, S. 211, New York: Academic Press 1971 ▪ Zollinger, Color Chemistry, 2. Aufl., S. 56, Weinheim: VCH Verlagsges. 1991.

Polymethylaluminoxane s. Methylalumoxan.

Polymethylene. Bez. für *Polymere der Formel I:

$$\left[CH_2 \right]_n$$

I

P. sind z. B. durch Zers. (*Polyeliminierung) von Diazomethan II in Ggw. von Katalysatoren wie z. B. Bor-Verb., Platin, Gold od. deren Salzen zugänglich. Während der *Polymerisations-Mechanismus im Falle der Katalyse durch Übergangsmetall(salz)e noch weitgehend unklar ist, formuliert man die ersten Schritte des Kettenwachstums im Falle der Katalyse durch Bor-Verb. (z. B. Bortrifluorid) wie folgt:

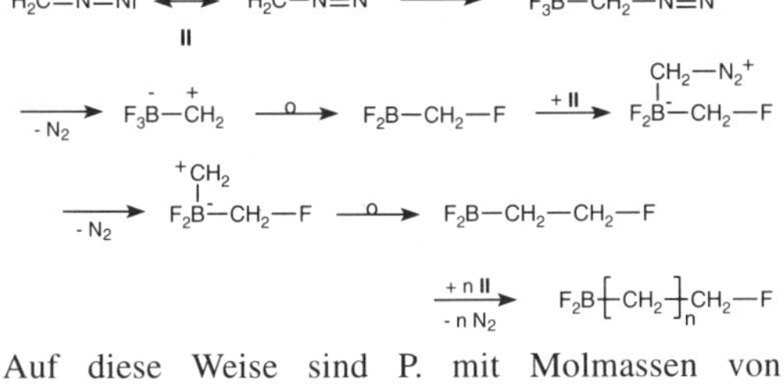

$$H_2C{=}\overset{+}{N}{=}\overset{-}{N}I \longleftrightarrow H_2\overset{-}{C}{-}\overset{+}{N}{\equiv}N \xrightarrow{+BF_3} F_3\overset{-}{B}{-}CH_2{-}\overset{+}{N}{\equiv}N$$

II

$$\xrightarrow[-N_2]{} F_3\overset{-}{B}{-}\overset{+}{C}H_2 \xrightarrow{\circ} F_2B{-}CH_2{-}F \xrightarrow{+II} F_2\overset{-}{B}(CH_2{-}N_2^+){-}CH_2{-}F$$

$$\xrightarrow[-N_2]{} F_2\overset{-}{B}(^{+}CH_2){-}CH_2{-}F \xrightarrow{\circ} F_2B{-}CH_2{-}CH_2{-}F$$

$$\xrightarrow[-n\,N_2]{+n\,II} F_2B\left[CH_2\right]_n CH_2{-}F$$

Auf diese Weise sind P. mit Molmassen von 500000 g/mol u. mehr zu erhalten. Diese zeichnen sich – im Gegensatz zum strukturgleichen, durch Polymerisation von Ethylen zugänglichen *Polyethylen – durch eine vollkommen unverzweigte Hauptkette u. infolge dessen durch sehr hohe Kristallinitätsgrade aus. Auch längerkettige Diazoalkane ($CHRN_2$ mit R = Alkyl) sind unter den oben skizzierten Bedingungen (co)polymerisierbar. Eine andere Synth. von P. geht von Kohlenmonoxid u. Wasserstoff aus. Diese gelingt bei hohen Temp. u. Drücken ebenfalls in Ggw. von Ruthenium-Katalysatoren. Techn. Bedeutung haben jedoch alle diese Reaktionen nicht erlangt.

$$\left[CH_2{-}CH_2 \right]_n$$

Polymethylen ist schließlich auch der strukturbezogene Name von streng linearen *Polyethylenen mit der allg. Formel – ***E*** polymethylenes – ***F*** polyméthylènes – ***I*** polimetileni – ***S*** polimetilenos

Lit.: Elias (5.) **2**, 125. – *[HS 3901 10, 3901 20; CAS 25038-57-7]*

Polymethylmethacrylat (Kurzz. PMMA). P. ist der techn. wichtigste Vertreter der Polymethacrylate (Formel s. dort; $R = CH_3$). P. wird techn. durch *radikalische Polymerisation von Methacrylsäuremethylester bei hohen (Initiatoren: Azo-Verb., Peroxide) od. niedrigen (Initiatoren: Redox-Syst.) Temp. hergestellt. Für die Verw. als gegossenes Halbzeug wird P. immer in Substanz (*Substanzpolymerisation, *Massepolymerisation) erzeugt. Bei diesem Verf. wird das *Monomere unter Rückfluß-Temp. zunächst teilpolymerisiert (10–30% Monomer-Umsatz). Anschließend wird die Polymerisation in Kammern mit beweglichen Wänden in einem Wasserbad fortgesetzt (Kammer-Verf.), wobei Polymerisationszeiten von mehreren Wochen erforderlich sein können (abhängig von der Schichtdicke der herzustellenden P.-Platten). Dünne P.-Platten können auch kontinuierlich, P.-Rohre auch durch Schleuderpolymerisation hergestellt werden. P.-Formmassen werden ebenfalls durch Substanzpolymerisation od. aber durch *Perlpolymerisation gewonnen. Die Polymerisation in Lsg. (Ketone, Ester, Aromaten) wird bei Verw. der P. für Lackharze durchgeführt.
Neben den Homo-P. haben auch *Copolymere von Methylmethacrylat mit geringen Mengen (<10 Masse-%) Acrylaten (z. B. Butylacrylat) als schlagzähe Produkte Bedeutung erlangt. Copolymere aus Methylmethacrylat u. Methacrylsäureestern höherer Alkohole werden z. B. in Mineralöl polymerisiert u. dienen als Viskositätsindex-Verbesserer.

Eigenschaften: Handelsübliche P. haben Molmassen von ca. 120000 (Spritzguß-Typen) bzw. ca. 180000 g/mol (Extrusions-Typen), die durch Zusatz von *Reglersubstanzen während der Polymerisation gesteuert werden. P. besitzen hohe Härte, Steifheit, Festigkeit u. Wärmeformbeständigkeit, gute elektr. u. dielektr. Eigenschaften, hohe Witterungsbeständigkeit u. haben *Glasübergangstemperaturen bzw. Anwendungstemp. von ca. 115 °C bzw. 78–110 °C. P. sind als *Homopolymere spröde. Ihre chem. Beständigkeit kann durch Einbau von Acrylnitril (Acrylnitril-Methylmethacrylat-Copolymere, Kurzz. AMMA) verbessert werden.
P. sind hochglänzend, kratzfest u. polierbar u. besitzen hohe Farblosigkeit u. ausgeprägte Transparenz. Ihre Verarbeitung ist möglich durch Spritzgießen, Extrudieren, Formen durch Verpressen in der Wärme u. Spanen. Gegenstände aus P. können verklebt u. verschweißt werden.

Verw.: Als *Acrylglas (*Plexiglas) in der Fahrzeug-Ind. u. a. zur Herst. von Verglasungen (auch bei Flugzeugen), von Blink- u. Rückleuchten sowie Prismenscheiben für Rückstrahler u. Warndreiecke; in der Elektro-Ind. zur Herst. von Bedienungsknöpfen, Schaltteilen, Leuchtwannen, Leuchtabdeckungen u. a.; im Bauwesen für Oberlichter, bruchsichere Verglasungen, sanitäre Installationsteile u. durchsichtige Rohrleitungen; zur Herst. von Haushaltsgegenständen (Becher, Bestecke u. Schüsseln); in der Optik zur Herst. von Brillen- u. Uhrgläsern, Lupen, Prismen, Linsen u. Lichtleitfasern; im Modellbau, als Einbettmaterial für Schaustücke, für Sicherheitsabdeckungen an Geräten, als Zahnersatz u. a.
In Westeuropa wurden 1994 ca. 247 000 t P. verbraucht bei einer Produktionskapazität von ca. 1,94 Mio. t/a weltweit (1995, *Lit.*[1]). – ***E*** polymethacrylates, polymethyl [meth]acrylates – ***F*** polyméthacrylates de méthyle – ***I*** polimetilmetacrilati – ***S*** polimetacrilatos de metilo

Lit.: [1] Kunststoffe **85**, 1583 (1995).
allg.: Domininghaus (5.), S. 455 ff. ▪ Elias (5.) **2**, 172. – *[HS 3906 10]*

Poly(4-methyl-1-penten) (Kurzz. PMP). Bez. für *Polymere der Struktur

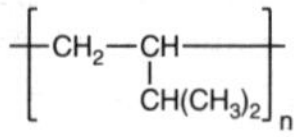

$$\left[-CH_2-CH(CH(CH_3)_2)- \right]_n$$

die durch *Polymerisation von 4-Methyl-1-penten mit *Ziegler-Natta-Katalysatoren hergestellt werden. P. sind Produkte mit niedriger D. (0,83 g/cm^3) sowie guter Wärmeform- u. Chemikalien-Beständigkeit, die trotz eines relativ hohen Kristallinitätsgrades transparent sind. Ihre *Glasübergangstemperaturen liegen bei ca. 50–60 °C, ihre Schmelztemp. bei 250 °C. P. werden kommerziell als Granulate angeboten u. durch Spritzgießen, Extrudieren od. Blasformen bei ca. 300 °C verarbeitet.

Verw.: Zur Herst. von Gehäusen, Abdeckungen, medizin. Geräten, Geschirr, transparenten Rohren u. hochfesten Folien für Lebensmittelverpackungen. – ***E*** poly(4-methyl-1-pentene) – ***F*** poly(4-méthyl-1-pentène) – ***I*** poli (4-metil-pentene-1) – ***S*** poli(4-metil-1-penteno)

Lit.: Domininghaus (5.), S. 236 ff. ▪ Elias (5.) **2**, 137. – *[CAS 25068-26-2]*

Poly(α-methylstyrol). Bez. für ein *Polymer der Strukturformel **2**, das durch radikal., ion. od. Metallkomplex-katalysierte *Polymerisation von α-Methylstyrol (**1**) erhalten werden kann:

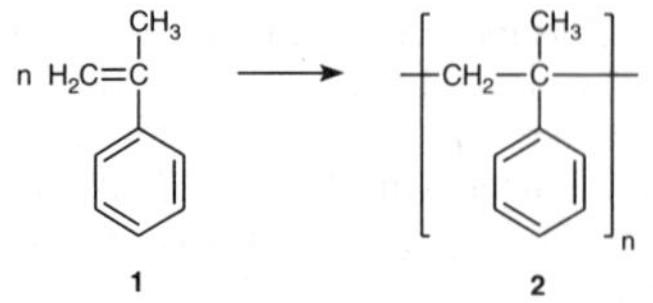

$$n\ H_2C=C(CH_3)(C_6H_5) \longrightarrow \left[-CH_2-C(CH_3)(C_6H_5)- \right]_n$$

1 → 2

Eine Besonderheit des P. ist seine sehr niedrige *Ceiling-Temperatur von 61 °C. Diese bedingt, daß sich bei der lebenden anion. Polymerisation ein von der Temp. abhängiges Gleichgew. zwischen monomerem u. polymerem α-Methylstyrol einstellt: Bei 20 °C wird nahezu kein P. gebildet, wohingegen bei Abkühlung der Reaktionsmischung auf –40 bis –70 °C hochmol. P. entsteht. Läßt man danach die Reaktionsmischung ohne Zugabe eines Abbrechers auftauen, so depolymerisiert das entstandene P. sofort wieder. Grund für dieses Verhalten ist die nur geringe *Enthalpie-Differenz zwischen monomerem u. polymerem α-Methylstyrol, die bei 20 °C den mit einer Polymerisation meist verbundenen *Entropie-Verlust nicht überkompensieren kann. Durch Absenken der Temp. wird der Einfluß der Entropie geringer u. das Kettenwachstum setzt ein. Trotz seiner thermodynam. Instabilität kann man hochmol. P. erhalten, indem man nach beendeter Polymerisation bei Temp. von unter –70 °C dem Reaktionsgemisch Wasser od. Methanol zusetzt. So werden die lebenden Kettenenden zerstört u. eine Depolymerisation beim Auftauen verhindert. Die niedrige Ceiling-Temp. macht sich dann erst wieder bei Temp. von über 200 °C durch spontan einsetzende Depolymerisation bemerkbar. Aus diesem Grunde ist P. z. B. für die Spritzguß-Verarbeitung ungeeignet. Andererseits besteht der große Vorteil der niedrigen Ceiling-Temp. darin, daß α-Methylstyrol zu P. sehr geringer *Polydispersität umgesetzt werden kann. Hierzu wird der Initiator zunächst bei 25 °C mit dem monomeren α-Methylstyrol vermischt u. der Ansatz dann langsam u. gleichmäßig auf –70 °C abgekühlt; bei dieser Temp. wird die Polymerisation durch Zusatz von Methanol beendet. So hergestelltes P. verhält sich in der Ultrazentrifuge wie ein monodisperses System. Die große Einheitlichkeit ist darauf zurückzuführen, daß die ansonsten durch mangelhaftes Rühren verursachte, ungleichmäßige Durchmischung des Ansatzes – wie sie bei anderen lebenden ion. Polymerisationen unter kontinuierlicher Zugabe des Monomeren auftritt – wegfällt. Die erhaltenen Polymere werden z. B. als Eichstandards für Molmassenbestimmungs-Meth. verwendet. – ***E*** poly(α-methylstyrene) – ***F*** poly(α-méthylstyrol) – ***I*** poli(α-metilstirene) – ***S*** poli(α-metilestirol)

Lit.: Elias (5.) **1**, 585, 595.

Polymethylvinylether s. Polyvinylether.

Poly(methylvinylether-co-maleinsäureanhydrid)e. Bez. für alternierende Copolymere aus Methylvinylether u. Maleinsäureanhydrid der Struktur:

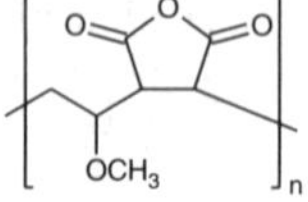

$$\left[-CH_2-CH(OCH_3)-CH(CO)-CH(CO)- \right]_n \quad (\text{Anhydridring: } -CO-O-CO-)$$

P. sind lösl. in polaren organ. Lsm. u. unter Hydrolyse in heißem Wasser; mit Alkoholen bilden sie Halbester. Sie werden verwendet (s. a. GANTREZ® AN) u. a. als Filmbildner in Haarsprays (insbes. als Ethyl- od. *n*-Butylhalbester), in Shampoos u. Kosmetika, als Schutzkolloide u. Stabilisatoren, für Beschichtungen, zur Textilausrüstung (Finishing) u. a. – ***E*** methylvinylether maleic acid anhydride copolymers – ***F*** copolymères de éther méthylvinylique et anhydride maléique – ***I*** copolimeri dell' anidride maleica e dell'etere metil-vinilico – ***S*** copolímeros de éter metilvinílico y anhídrido maleico

Lit.: Encycl. Polym. Sci. Eng. **9**, 271 ff. ▪ Ullmann (4.) **19**, 384.

Polymilchsäure (Polylactid). Polyester (Formel s. dort) auf Basis von Milchsäure, aus deren *Lactid sie durch Ringöffnungspolymerisation hergestellt werden kann. P. ist als Polyhydroxycarbonsäure (s. Hydroxycarbonsäuren) biolog. abbaubar u. wird u. a. als resorbierbares chirurg. Nahtmaterial u. als Verkapselungsmaterial für Pharmaka eingesetzt. *Copolymere aus L-Milchsäure u. ε-Caprolacton sind biolog. abbaubare orthopäd. Reparaturmaterialien für z. B. Knochenreparaturen. – ***E*** poly(lactic acid) – ***F*** acide polylactique – ***I*** acidi polilattici – ***S*** ácido poliláctico

Lit.: s. Polyester, Hydroxycarbonsäuren. – *[CAS 26100-51-6]*

Polymoist®. Kosmetikmaske aus Collagen-Fasermaterial mit u. ohne zusätzliche Wirkstoffe für die Spezialhautbehandlung. ***B.:*** Henkel.

Polymolekularität. *Makromoleküle eines chem. einheitlichen *Polymeren weisen allg. unterschiedliche *Polymerisationsgrade u. damit auch unterschiedliche Molmassen auf. Das Verhältnis der nach unterschiedlichen Meth. bestimmten Mittelwerte der Molmassen (z. B. Massen- od. Zahlenmittel) wird als P. (=Polymolekularitätsindex; s. a. Polydispersität u. Uneinheitlichkeit) bezeichnet. – ***E*** polymolecularity – ***F*** polymolécularité – ***I*** polimolecolarità – ***S*** polimolecularidad

Polymolekularitätsindex s. Uneinheitlichkeit.

Polymorphie [von *Poly... u. *...morph(o)]. Bez. aus der *Kristallchemie für die Eigenschaft vieler chem. Verb. (bei Elementen nennt man die Erscheinung auch *Allotropie*, seltener *Allomorphie*), im festen Zustand in mehreren krist. *Modifikationen aufzutreten. P. ist z. B. bei Kohlenstoff (Graphit – Diamant), Siliciumdioxid (Quarz – Tridymit – Cristobalit – Stishovit) u. Titandioxid (Rutil – Anatas – Brookit), aber auch bei vielen organ. Verb. bekannt [1]. Der Begriff P. wurde 1821 von Eilhard *Mitscherlich eingeführt. Sind nur zwei od. drei Modif. bekannt, spricht man von *Dimorphie* od. *Trimorphie*. Im allg. ist in einem bestimmten Temp.- u. Druckbereich nur eine Modif. thermodynam. stabil. Die reversible (*enantiotrope*) Umwandlung einer Modif. in eine andere kann entweder spontan od. zunächst unter Zusammenbruch der alten u. langsamem Aufbau der neuen Ordnung erfolgen. So können Phasenumwandlungen mit einer sprunghaften Änderung der Struktur, des Vol., der Entropie u. a. thermodynam. Größen bei definierten Druck- u. Temp.-Bedingungen erfolgen. Bei solchen Phasenumwandlungen *erster Ordnung* kann die Umwandlung der verursachenden Temp.- od. Druckänderung hinterherhinken (*Hysterese). Dagegen zeigen Phasenumwandlungen *zweiter Ordnung*, die mit einer stetig verlaufenden Strukturveränderung verbunden sind, keine Hysterese. Es gibt auch Fälle von metastabilen Modif., die überhaupt keinen Stabilitätsbereich aufweisen, aber beliebig lange haltbar sind. Hat jedoch eine Umwandlung eingesetzt, ist diese nicht mehr reversibel. Eine solche Umwandlung nennt man *monotrop*. Außer der unterschiedlichen kristallograph. Ordnung wird bei manchen Substanzen auch eine unterschiedliche biolog. Wirkung beobachtet. Das Antibiotikum *Chloramphenicol-palmitat ist dimorph. Während die eine Modif. hohe Wirksamkeit aufweist, ist die andere Form pharmakolog. unwirksam [2]; s. a. Polytypie; zur biolog. Bedeutung des Begriffs s. Polymorphismus. – ***E*** polymorphism – ***F*** polymorphisme – ***I*** = ***S*** polimorfismo

Lit.: [1] J. Am. Chem. Soc. **117**, 12299 – 12305 (1995). [2] Spectroscopy **5**, 12 – 14 (1990).

allg.: Ramdohr-Strunz, S. 122 – 125, 161 – 170 ▪ Ullmann (5.) **B 2**, 3 – 6 ▪ Verma u. Krishnan, Polymorphism and Polytypism in Crystals, New York: Wiley 1966 ▪ s. a. Modifikationen.

Polymorphismus. In der Biologie das Vork. einer genet. bedingten Variante eines Proteins in mind. 1% einer Organismen-Population; Beisp. beim Menschen: *Haptoglobin. Auch das Vork. von unterschiedlichen Individuen (z. B. bei Insekten), Organen od. auf Chromosomenmutationen zurückführbare Veränderungen in einer Population wird P. genannt. – ***E*** polymorphism – ***F*** polymorphie – ***I*** polimorfismo, polimorfia – ***S*** polimorfismo

Lit.: Wehner u. Gehring, Zoologie (23.), Stuttgart: Thieme 1995.

Polymorphkernige Neutrophile (Abk. PMN). Bez. für neutrophile Granulocyten, s. a. Leukocyten.

Polymyxine. Sammelname für einen Komplex von *Peptid-Antibiotika, deren erste Vertreter 1947 in *Bacillus polymyxa* (Bodenbakterien) entdeckt wurden. Von den ausschließlich gegen Gram-neg. Bakterien (Pneumokokken, *Pseudomonas*, Keuchhusten-Erreger) wirksamen P. wird medizin. nur P. B verwendet, ein Gemisch aus P. B_1 ($C_{56}H_{98}N_{16}O_{13}$, M_R 1198,45) u. P. B_2 ($C_{55}H_{96}N_{16}O_{13}$, M_R 1184,42). Als weitere Verb. des P.-Komplexes sind P. D_1 [1], P. D_2 [1], P. F [2], P. M [3], P. S_1 [4] u. P. T_1 [4] beschrieben.

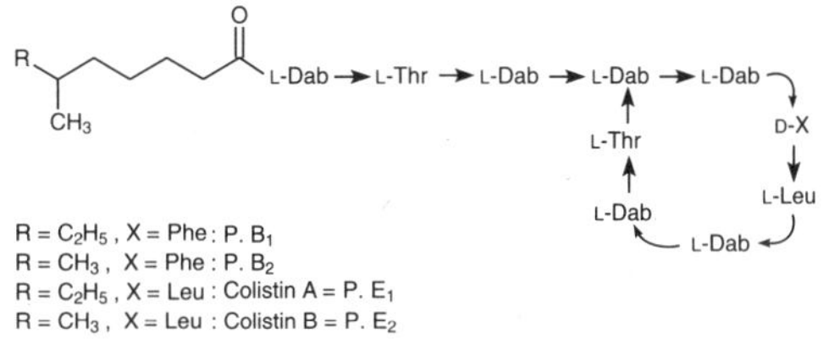

R–CH(CH₃)–(CH₂)₄–CO– L-Dab → L-Thr → L-Dab → L-Dab → L-Dab → D-X → L-Leu → L-Dab → L-Dab → L-Thr → L-Dab (Ring)

R = C_2H_5, X = Phe : P. B_1
R = CH_3, X = Phe : P. B_2
R = C_2H_5, X = Leu : Colistin A = P. E_1
R = CH_3, X = Leu : Colistin B = P. E_2

Bei den P. B handelt es sich um *Cyclopeptide mit L-2,4-Diaminobuttersäure-Resten (Dab) u. einer D-Aminosäure; die gleiche Grundstruktur haben die *Colistine A u. B, die auch P. E_1 u. E_2 genannt werden. P. wirken bakterizid auf wachsende u. ruhende Zellen durch eine Permeabilitätsstörung der Bakterienmembran. Wegen tox. Nebenwirkungen (Nephro-, Neurotoxizität) ist die therapeut. Anw. begrenzt, P. wurden vorwiegend lokal od. oral appliziert, seltener parenteral. – ***E*** polymyxins – ***F*** polymyxines – ***I*** polimixine – ***S*** polimixinas

Lit.: [1] Experientia **22**, 354 (1966). [2] J. Antibiot. **30**, 767 (1977). [3] Antibiotiki **16**, 250 (1971). [4] J. Antibiot. **30**, 427, 1029, 1039 (1977).

allg.: Annu. Rev. Biochem. **46**, 723 (1977) ▪ Beilstein E III/IV **26**, 4245 f. ▪ Eur. J. Clin. Microbiol. Infect. Dis. **15** (11), 879 – 882 (1996) ▪ Hum. Gene Ther. **8** (5), 555 – 561 (1997) ▪ s. a. Cyclopeptide u. Peptid-Antibiotika. – *[HS 2941 90; CAS 1406-11-7 (P.-Komplex); 1404-24-6 (P. A); 1404-26-8 (P. B); 4135-11-9 (P. B_1); 34503-87-2 (P. B_2)]*

Polynom. Gilt für eine Funktion f

$$y = f(x) = \sum_{i=0}^{n} a_i x^i$$

mit: a_i reell, $a_n \neq 0$, $n \in N_0$, $x \in D$, so bezeichnet man die rechte Seite als P. vom Grade n in der Variablen x. Die (n+1) Zahlen a_i nennt man die Koeff. des Polynoms. Eine bes. Rolle, z. B. bei der Lösung von Differentialgleichungssyst., spielen P., deren Koeff. bestimmte Beziehungen untereinander erfüllen. Hierzu zählen die Laguerre-, Legendre- u. Tschebyscheff-Hermitesche Polynome. – ***E*** polynomial – ***F*** polynôme – ***I*** = ***S*** polinomio

Polynorbornen [Poly(1,3-cyclopentylenvinylen), Kurzz. PN bzw. PNR]. Bez. für zu den *Polyalkenameren zählende, durch *Metathesepolymerisation von *Norbornen erhältliche *Polymere der Struktur:

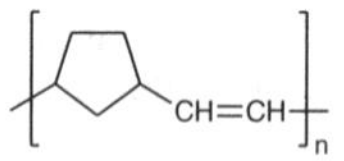

$$\left[-C_5H_8-CH{=}CH- \right]_n$$

P. werden als amorphe weiße Pulver gehandelt. Sie haben Molmassen von ca. 2000000 g/mol, eine *Glasübergangstemperatur von 35–45 °C u. einen hohen Anteil (ca. 80%) an Doppelbindungen in *trans*-Stellung. Sie können als *Kautschuk verarbeitet werden, wenn sie durch Zusatz von Mineralölen zur Senkung der Glasübergangstemp. zu *Elastomeren plastifiziert werden.

P. sind in der Lage, sehr hohe Ölmengen (bis zu 400% ihres Eigengew.) zu absorbieren u. werden daher bei der Ölpest-Bekämpfung eingesetzt. Als Kautschuke werden sie verwendet zur Herst. von Gummi-Artikeln mit guten Dämpfungseigenschaften, z. B. für den Einsatz im Automobil- u. Bausektor. – ***E*** polynorbornenes – ***F*** polynorbornènes – ***I*** polinorbornene – ***S*** polinorbornenos

Lit.: Batzer **3**, 376 ff. ▪ Encycl. Polym. Sci. Eng. **11**, 301–306 ▪ Houben-Weyl **E 20/2**, 930–942. – *[CAS 25038-76-0]*

Polynucleotide. Sammelbez. für Polymere, die aus mehr als 10 (nach anderem Verständnis: 20) über 3′,5′-Phosphodiester-Brücken verknüpften *Nucleotid-Einheiten aufgebaut sind; kleinere P. nennt man *Oligonucleotide. Zu den P. gehören v. a. die natürlich vorkommenden *Nucleinsäuren, aber auch synthet., als Modelle für natürliche *Desoxyribo- u. *Ribonucleinsäuren od. zu *Hybridisierungs-Versuchen dienende Produkte, für deren Synth. eine Vielzahl von Verf. auch nach *Festphasen-Techniken ausgearbeitet worden sind. Näheres, auch zur Nomenklatur, zu den Kurzz. u. zur Struktur s. Nucleinsäuren, Nucleoside u. Nucleotide. – ***E*** polynucleotides – ***F*** polynucléotides – ***I*** polinucleotidi – ***S*** polinucleótidos

Polyoctadecylvinylether s. Polyvinylether.

Polyoctenamere (Polyoctenylene). Zur Gruppe der *Polyalkenamere zählende, durch *Metathesepolymerisation von *cis*- od. *trans*-Cyclooctén zugängliche *Elastomere mit *Kautschuk-Eigenschaften. Von diesen haben v. a. *trans*-P. (Kurzz. TOR) (hoher *trans*-Gehalt u. Kristallinitätsgrad) techn. Bedeutung erlangt. TOR zeichnen sich aus durch eine große Rekristallisationsgeschw.; in TOR-enthaltenden Kautschukmischungen wird ein sehr schneller Aufbau von Rohfestigkeit erreicht. P. werden als Handelsprodukte (Vestenamer®) mit Molmassen von ca. 60000 g/mol angeboten.

Verw.: P. (TOR) werden u. a. in kleineren Anteilen (10–30%) konventionellen Kautschuken zugesetzt, um deren Verarbeitungseigenschaften zu verbessern. – ***E*** polyoctenamers – ***F*** polyocténamères – ***I*** poliottenameri – ***S*** polioctenámeros

Lit.: Dräxler, Polyalkenylenes, in Bhowmic u. Stephens (Hrsg.), Handbook of Elastomers, New York: Marcel Dekker 1988 ▪ Encycl. Polym. Sci. Eng. **11**, 307 ▪ Houben-Weyl **E 20/2**, 924 f.

Polyoctenylene s. Polyoctenamere.

Polyöl hüls. Viskoses Öl aus niedermol. *cis*-Poly(1,4-butadien) [s. Poly(butadien)e], das statt Leinöl u. a. ungesätt. Ölen als Bodenfestiger u. Korrosionsschutzöl verwendet werden kann.

Polyole (Polyalkohole, Polyhydroxy-Verb.). Sammelbez. für mehrwertige *Alkohole, d. h. organ. Verb., die mind. zwei alkohol. Hydroxy-Gruppen im Mol. enthalten; *Beisp.:* Diole, Glykole, Glycerin u. a. Zuckeralkohole, z. B. Sorbit u. Inosit, Pentaerythrit, Trimethylolpropan. Ein P. mit 42 (!) Hydroxy-Gruppen ist das äußerst giftige *Palytoxin. Auch die *Polyphenole kann man zu den P. rechnen. In der Polymerenchemie gebraucht man die Bez. P. für *Polyalkylenglykole, d. h. höhermol. Glykole wie *Polyethylenglykole, *Polyether- u. Polyester-Polyole. Die P. dienen z. T. als Lsm. u. als Rohstoffe für Polyester, Polyurethane, Polyisocyanurate, Kunstharze usw. – ***E*** = ***F*** polyols – ***I*** polioli – ***S*** polioles

Lit.: Kirk-Othmer (3.) **1**, 754–789; (4.) **1**, 913 ff. ▪ Ullmann (5.) **A 1**, 305–320 ▪ Winnacker-Küchler (4.) **6**, 743 ▪ s. a. Alkohole u. Kohlenhydrate.

Polyolefine. Übergreifende Bez. für *Polymere der allg. Struktur

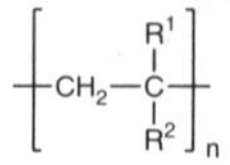

$$\left[-CH_2-C(R^1)(R^2)- \right]_n$$

in der R^1 meist für Wasserstoff u. R^2 für Wasserstoff, eine geradkettige od. verzweigte gesätt. aliphat. bzw. eine cycloaliphat. Gruppe stehen können. Gelegentlich werden auch Polymere mit aromat. Gruppen, z. B. dem Phenyl-Rest ($R^2 = C_6H_5$, s. Polystyrol), zu den P. gerechnet. Produkte mit $R^1 = H$ werden auch als *Poly(α-olefin)e* bezeichnet; sie können als *Vinyl-Polymere betrachtet werden.

P. werden überwiegend unter Verw. von *Ziegler-Natta-Katalysatoren als *isotaktische Polymere mit mäßigem od. hohem Kristallinitätsgrad hergestellt. Höhere Olefine können auch kation. polymerisiert werden.

P. mit großer techn. Bedeutung sind die in separaten Stichworten behandelten Polyethylene, Polypropylene, Polybutene, die gelegentlich irreführend auch *Polybutylene* genannt werden, sowie Polyisobutene u. Poly(4-methyl-1-penten)e. Polymere der höheren α-Olefine, z. B. Poly(1-hexen), Poly(1-octen) od. Poly(1-octadecen) haben nur sehr begrenzte techn. Anw. gefunden.

Zu den P. zählen auch *Copolymere aus unterschiedlichen Olefinen, z. B. die von Ethylen mit Propylen.

P. sind als polymere gesätt. Kohlenwasserstoffe chem. weitgehend inert, z. T. allerdings oxidationsempfindlich. Krist. P. sind relativ hart, steif u. schwerlöslich.

Zu weiteren Eigenschaften sowie zur Verw. der P. s. die einzelnen Polymeren. – ***E*** polyolefins – ***F*** polyoléfines – ***I*** poliolefine – ***S*** poliolefinas

Lit.: Batzer **3**, 28–83 ▪ Domininghaus (5.), S. 98 ff. ▪ Elias (5.) **2**, 125 ff. ▪ Encycl. Polym. Sci. Eng. **10**, 395–408 ▪ Houben-Weyl **E 20/2**, 689–798. – *[HS 3901, 3902]*

Polyolefin-Fasern s. Olefin-Fasern.

Polyolefin-Kautschuke. *Elastomere mit Kautschuk-Charakter auf der Basis von *Polyolefinen, insbes. Copolymeren aus Ethylen u. Propylen (*EPDM) bzw. *Terpolymeren aus Ethylen, Propylen u. einem nichtkonjugierten Dien; s. Ethylen-Propylen-Elastomere. – ***E*** polyolefin rubber – ***F*** caoutchouc polyoléfinique – ***I*** caucciù poliolefinici – ***S*** caucho poliolefínico

Polyolefin-Wachse. Bei den P.-W. handelt es sich um *Polyolefine mit wachsartigem Charakter. Techn. Bedeutung gefunden haben *Polypropylen-* u. insbes. *Polyethylen-Wachse*, bei denen es sich um Produkte mit relativ niedrigen Molmassen (ca. 3000–20 000 g/mol) handelt. P.-W. können hergestellt werden durch direkte *Polymerisation der Basis-*Monomeren Propylen bzw. Ethylen (spezif. Hochdruck- od. Niederdruck-Verf.) unter Einsatz von Reglern (s. Reglersubstanzen) od. durch *Depolymerisation von Produkten mit höheren Molmassen.
Modifizierte P.-W. werden durch *Copolymerisation von Ethylen mit geeigneten Comonomeren (Vinylacetat, Acrylsäure) gewonnen.
Eigenschaften: P.-W. sind transparente, farblose bis weiße Produkte, die klare Schmelzen ergeben u. in unpolaren Lsm. (aliphat., aromat. od. chlorierten Kohlenwasserstoffen) lösl. sind u. aus Lsg. od. der Schmelze verarbeitet werden können. Spezif. für sie ist ihre gute Emulgierbarkeit (P.-W.-Emulsionen).
Anw.: Die preiswerten P.-W. ersetzen auf vielen Gebieten die wesentlich teureren natürlichen Wachse. Ihre Haupteinsatzgebiete sind u.a. Druckfarben (als Scheuerschutz für Druckfarben-Filme), Lacke u. Anstrichmittel (Erzielung von Mattlackeffekten), die Kunststoffverarbeitung (Verw. als Gleit- u. Trennmittel), Putzmittel (Bohnerwachse, Schutz- u. Autopolituren), Heißschmelzbeschichtungen u. Korrosionsschutz. – ***E*** polyolefine waxes – ***F*** cires polyoléfinique – ***I*** cere poliolefiniche – ***S*** ceras poliolefínicas

Lit.: Encycl. Polym. Sci. Eng. **17**, 792 f. ▪ Ullmann (4.) **24**, 36–45. – *[HS 3404 20, 3404 90]*

Polyorganophosphazene. *Polymere der allg. Formel:

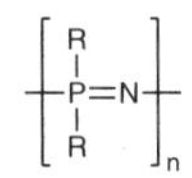

$$\left[-P(R)(R)=N- \right]_n$$

Zu Synth., Eigenschaften u. Anw. s. Polyphosphazene. – ***E*** polyorganophosphazenes – ***F*** polyorganophosphazènes – ***I*** poliorganofosfazeni – ***S*** poliorganofosfazenos

Polyorganosiloxane s. Silicone.

Polyosen (von *Poly... u. ...*ose). Eine früher – u. im fremdsprachigen Schrifttum auch heute noch bevorzugt – als **Hemicellulosen* bezeichnete Gruppe von *Polysacchariden unterschiedlicher Zusammensetzung, die in den Pflanzenfasern u. Zellwänden von Gräsern u. Getreide u.a. Höheren Pflanzen, bes. aber – mit Cellulose u. Lignin vergesellschaftet – in der *Holz-Zellwand vorkommen. Die P. (*Holz-P.*) sind wie *Cellulose aus glykosid. verknüpften Zuckereinheiten aufgebaut, doch sind die Kettenmol. mehr od. weniger verzweigt, u. der Polymerisationsgrad ist niedriger als bei Cellulose; er liegt zwischen 50 u. 250. Als Monomere finden sich Hexosen (z.B. *Galactose, *Glucose, *Mannose) u. Pentosen (z.B. *Arabinose, *Xylose). Man teilt die P. dementsprechend in *Hexosane* u. *Pentosane* ein. Die wichtigsten P. sind die **Xylane* (Holzgummi), **Arabinogalaktan*, *Arabinoxylane*, **Mannane* u. **Galactane*. Beim Holz-Aufschluß zur Gewinnung von Zellstoff (Cellulose) werden die P. weitgehend hydrolysiert. Die lösl. Oligo- u. Monosaccharide gehen dann in die Ablaugen über. Will man die P. isolieren, muß man das zuvor delignifizierte pflanzliche Material (Holz, Stroh usw.) alkal. extrahieren. Die P. haben ernährungsphysiolog. Wert [1] u. können außerdem ähnlich wie Pflanzengummen verwendet werden (s. Gummi). Die aus Pentosanen gewinnbare *Xylose kann zu Xylit, einem Zuckeraustauschstoff, reduziert werden. – ***E*** polyoses, hemicelluloses – ***F*** polyoses – ***I*** poliosi – ***S*** poliosas

Lit.: [1] Dtsch. Ärztebl. **75**, 2735–2741 (1978).
allg.: Fengel u. Wegener, Wood, Berlin: De Gruyter 1989 ▪ Holz-Lexikon (3.), S. 496 f., Leinfelden-Echterdingen: DRW 1988 ▪ Kirk-Othmer (4.) **13**, 54–60 ▪ Winnacker-Küchler (3.) **3**, 452; (4.) **5**, 593 f. ▪ Zechmeister **37**, 221–228. – *[CAS 9034-32-6]*

Polyoxadiazole (Kurzz. POD). Bez. für *Polymere mit Oxadiazol-Ringen, z.B. 1,2,4- (**A**) od. 1,3,4-Oxodiazol-Ringen (**B**) als charakterist. Grundeinheiten der Hauptkette.

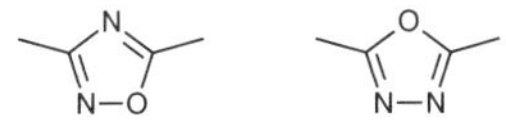

A B

Poly(1,3,4-oxadiazol)e (II) werden z.B. durch *Polykondensation von Terephthalsäure u. Hydrazin zum *Polyhydrazid (I) u. anschließender therm. Dehydratisierung hergestellt:

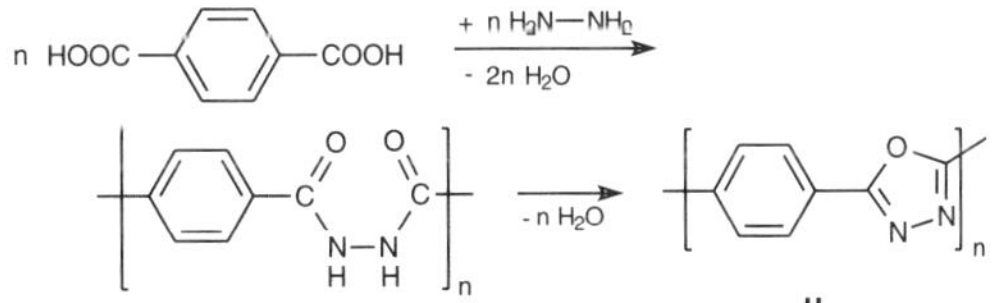

n HOOC–C₆H₄–COOH $\xrightarrow[-2n\,H_2O]{+\,n\,H_2N-NH_2}$ I $\xrightarrow{-n\,H_2O}$ II

Die Polykondensation wird in Oleum durchgeführt, in dem die P. lösl. sind u. aus dem sie direkt verarbeitet, z.B. zu Fasern versponnen werden können. Poly(1,2,4-oxadiazol)e (III) sind durch 1,3-dipolare Addition von Bisnitriloxiden u. Dinitrilen zugänglich:

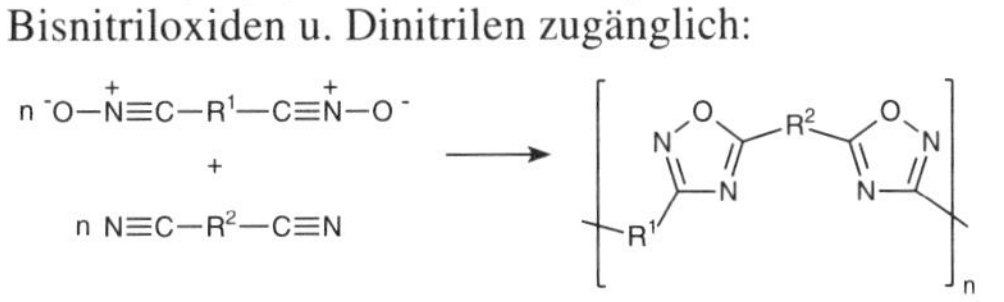

$n\ ^-O-\overset{+}{N}\equiv C-R^1-C\equiv\overset{+}{N}-O^-$ + $n\ N\equiv C-R^2-C\equiv N$ ⟶ III

P. gehören zu den sog. *hochtemperaturbeständigen Kunststoffen. Sie vertragen Dauer- bzw. Kurzzeitbelastungen von Temp. bis 180 °C bzw. 450 °C unbeschadet u. sind beständig gegen Lsm., organ. Säuren

u. Laugen. Potentielle Einsatzgebiete für P.-Faserstoffe sind u. a. Arbeitsschutzkleidungen, die Heißgasfiltration u. Elektroisolation. – ***E*** **=** ***F*** polyoxadiazoles – ***I*** poliossadiazoli – ***S*** polioxadiazoles
Lit.: Batzer **1**, 96 ▪ Elias (5.) **2**, 240 ff. ▪ Houben-Weyl **E 20/3**, 2192 f. – *[CAS 37281-37-1 (I)]*

Polyoxamide (Polyoxalamide). Bez. für *Polymere mit der Gruppierung

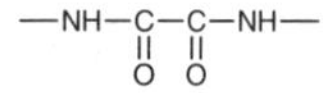

$$-NH-\underset{\underset{O}{\|}}{C}-\underset{\underset{O}{\|}}{C}-NH-$$

als charakterist. Grundeinheit der Hauptkette. Sie fallen an bei der Polykondensation von Oxalsäure(-Derivaten) mit aromat. Diaminen, z. B. von Diphenyloxalat mit *p*-Phenylendiamin:

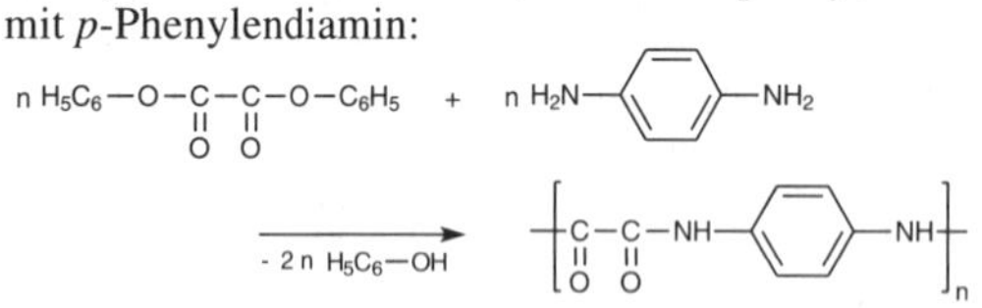

$$n\, H_5C_6-O-\underset{\underset{O}{\|}}{C}-\underset{\underset{O}{\|}}{C}-O-C_6H_5 \;+\; n\, H_2N-C_6H_4-NH_2 \xrightarrow[-2n\, H_5C_6-OH]{} \left[-\underset{\underset{O}{\|}}{C}-\underset{\underset{O}{\|}}{C}-NH-C_6H_4-NH-\right]_n$$

P. sind *flüssigkristalline Polymere, die in geeigneten Lsm. (Chlor- od. Fluorsulfonsäure) flüssigkrist. Phasen ausbilden. – ***E*** **=** ***F*** polyoxamides – ***I*** poliossammidi – ***S*** polioxamidas
Lit.: Encycl. Polym. Sci. Eng. **9**, 16 ff. ▪ s. a. flüssigkristalline Polymere.

Polyoxazolidone. Bez. für *Polymere, die Gruppen der Struktur

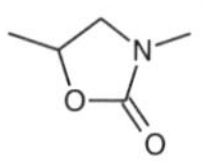

[Strukturformel: Oxazolidon-Ring mit N und O, Carbonyl-O]

als Bestandteil ihrer Hauptkette enthalten. Sie sind z. B. durch 1,3-dipolare Reaktionen aus Diisocyanaten u. Diglycidylethern zugänglich:

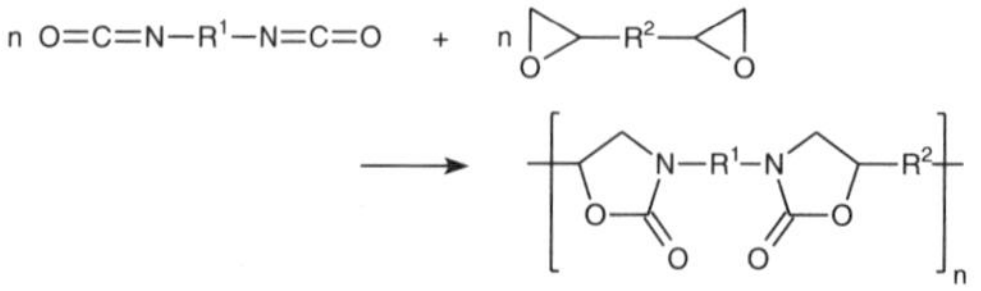

$$n\, O{=}C{=}N-R^1-N{=}C{=}O \;+\; n\, \text{(Epoxid)}-R^2-\text{(Epoxid)} \longrightarrow \left[\text{Oxazolidon}-N-R^1-N-\text{Oxazolidon}-R^2-\right]_n$$

Je nach Art der Reste R^1 u. R^2 zählen die P. zu den *Duroplasten od. den *Elastomeren. – ***E*** **=** ***F*** polyoxazolidones – ***I*** poliossazolidoni – ***S*** polioxazolidona
Lit.: Elias (5.) **2**, 226.

Polyoxazoline [Poly(2-oxazolin)e, Poly(*N*-acylaziridin)e]. Bez. für *Polymere der Struktur II, die durch kation. initiierte *Ringöffnungspolymerisation von unsubstituierten od. auch in 2-Position substituierten Δ^2-1,3-Oxazolinen (4,5-Dihydrooxazole) (I) hergestellt werden:

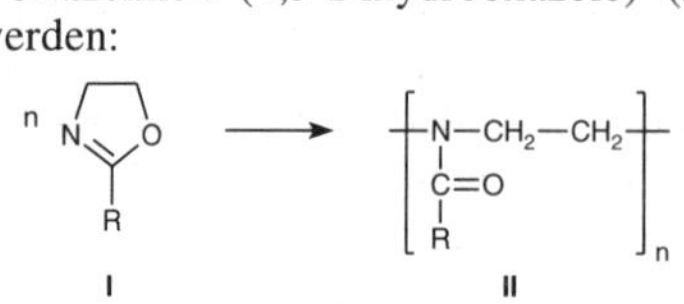

$$n\; \underset{\text{I}}{\text{(2-R-Oxazolin)}} \longrightarrow \underset{\text{II}}{\left[-\underset{\underset{R}{|}}{\underset{C=O}{|}}{N}-CH_2-CH_2-\right]_n}$$

Den Mechanismus des durch typ. Initiatoren für kation. Polymerisationen ausgelösten Kettenwachstums zeigt das Schema oben rechts.
Bei der Polymerisation resultieren *lebende Polymere, die über die kation. Endgruppe modifiziert werden können, z. B. zu *Blockcopolymeren durch *Polyaddition unterschiedlicher 4,5-Dihydrooxazole od. *Oxirane. In I bzw. II steht R im allg. für kurz- u. langkettige, ggf. substituierte (z. B. durch Hydroxy-Gruppen) Alkyl-Reste *(Polyalkyloxazoline)*; R kann aber auch ein aromat. Rest (z. B. Phenyl) sein *(Polyaryloxazoline)*.

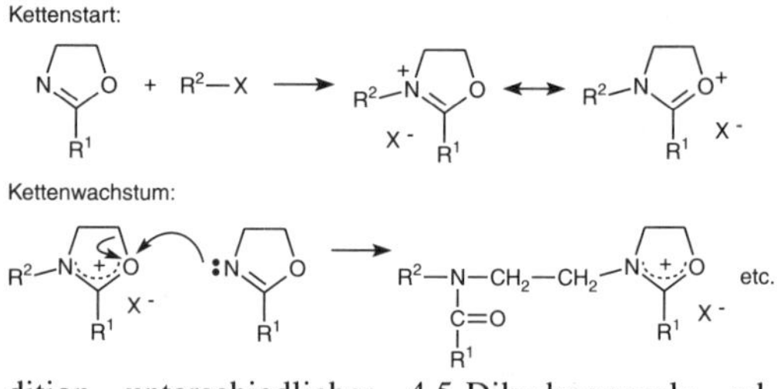

Kettenstart:

$$\text{Oxazolin}(R^1) + R^2-X \longrightarrow R^2-\overset{+}{N}\text{-Oxazolinium}(R^1)\; X^- \longleftrightarrow R^2-N\text{-Oxazolinium}(R^1)\,O^+\; X^-$$

Kettenwachstum:

$$R^2-\text{Oxazolinium}^+(R^1)\,X^- + :\!N\text{-Oxazolin}(R^1) \longrightarrow R^2-\underset{\underset{R^1}{\underset{|}{\underset{C=O}{|}}}}{N}-CH_2-CH_2-\text{Oxazolinium}^+(R^1)\,X^- \quad \text{etc.}$$

Die streng linearen P. können von der chem. Struktur her als *N*-acylierte *Polyethylenimine betrachtet werden, in die sie bei Hydrolyse unter Abspaltung der Acyl-Gruppe umgewandelt werden. Die dabei anfallenden Polymere besitzen eine hohe Linearität u. unterscheiden sich in dieser Hinsicht von den stark verzweigten Produkten, die bei der Polymerisation von Ethylenimin erhalten werden.
P. mit kurzkettigen Alkyl-Resten (R = Methyl, Ethyl) sind in Wasser, die mit längerkettigen Alkyl-Resten bzw. solche mit Aryl-Resten in organ. Lsm. löslich. Löslichkeit u. Produkteigenschaften können durch *Copolymerisation unterschiedlicher 4,5-Dihydrooxazole breit variiert werden. Copolymere mit kurz- u. langkettigen Acyl-Gruppen besitzen Tensid-Charakter (s. Polymertenside). Die *Polymerisationsgrade der P. können über die Menge der eingesetzten Katalysatoren (Trifluormethansulfonsäureester, *p*-Toluolsulfonsäuremethylester u. a.) prakt. beliebig eingestellt werden. Die Herst. der P. wird nach Verf. der *Lösungspolymerisation od. *Substanzpolymerisation durchgeführt.
Verw.: Potentielle Einsatzgebiete für P. sind u. a. Verdickungsmittel, Klebstoffe, Schutzkolloide, Oberflächenbeschichtungen u. Harzzusätze. – ***E*** **=** ***F*** polyoxazolines – ***I*** poliossazoline – ***S*** polioxazolinas
Lit.: Compr. Polym. Sci. **3**, 847 ▪ Elias (5.) **1**, 401 ▪ Encycl. Polym. Sci. Eng. **4**, 525–537.

Polyoxetane. Bez. für *Polymere der Struktur **2**, die z. B. durch mit Bortrifluorid initiierte kation. *Ringöffnungspolymerisation von Oxetan (*Oxacyclobutan*) **1** erhalten werden:

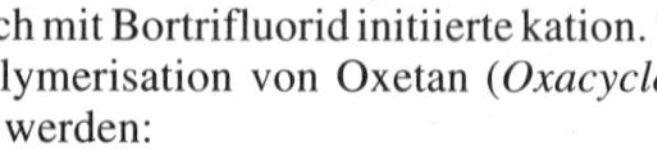

$$\underset{\mathbf{1}}{\text{Oxetan}} \longrightarrow \underset{\mathbf{2}}{\left[-CH_2-CH_2-CH_2-O-\right]_n}$$

P. krist. leicht, haben jedoch für typ. Polymer-Anw. mit ca. 35 °C einen zu niedrigen Schmelzpunkt. Daher hat bisher neben dem *Poly[3,3-bis(chlormethyl)oxacyclobutan] kein weiteres P.-Derivat kommerzielle Bedeutung erlangt. – ***E*** polyoxetanes – ***F*** polyoxétanes – ***I*** poliossetani – ***S*** polioxetanos

Polyoxine. Peptid. Nucleoside aus Kulturen von *Streptomyces*-Arten, u. a. *S. cacaoi*. P. sind wasserlösl. u. werden als Fungizide mit geringer wirtschaftlicher Bedeutung im japan. Reisanbau eingesetzt (gegen *Pellicularia sasakii*). Sie wirken als Hemmstoffe der

Tab.: Physikal.-chem. Daten der Polyoxine.

Name Poly-oxin	CAS Summen-formel	M_R	Schmp. [°C]	Formel Nr.	R^1	R^2	R^3
P. A	19396-03-3 $C_{23}H_{32}N_6O_{14}$	616,54	amorph	**1**	CH_2OH	X	OH
P. B	19396-06-6 $C_{17}H_{25}N_5O_{13}$	507,41	amorph	**1**	CH_2OH	OH	OH
P. D	22976-86-9 $C_{17}H_{23}N_5O_{14}$	521,39	>190 (Zers.)	**1**	COOH	OH	OH
P. E	22976-87-0 $C_{17}H_{23}N_5O_{13}$	505,39	>180 (Zers.)	**1**	COOH	OH	H
P. F	23116-76-9 $C_{23}H_{30}N_6O_{15}$	630,52	>190 (Zers.)	**1**	COOH	X	OH
P. G	22976-88-1 $C_{17}H_{25}N_5O_{12}$	491,41	>190 (Zers.)	**1**	CH_2OH	OH	H
P. H	24695-54-3 $C_{23}H_{32}N_6O_{13}$	600,54	–	**1**	CH_3	X	OH
P. J	22976-89-2 $C_{17}H_{25}N_5O_{12}$	491,41	amorph	**1**	CH_3	OH	OH
P. K	22886-46-0 $C_{22}H_{30}N_6O_{13}$	586,51	amorph	**1**	H	X	OH
P. L	22976-90-5 $C_{16}H_{23}N_5O_{12}$	477,38	amorph	**1**	H	OH	OH
P. M	34718-88-2 $C_{16}H_{23}N_5O_{11}$	461,39	–	**1**	H	OH	H
P. C	21027-33-8 $C_{11}H_{15}N_3O_8$	317,26	260–267	**2**	R=OH		
P. I	22886-33-5 $C_{17}H_{22}N_4O_9$	426,38	amorph	**2**	R=X		
P. N	37362-29-1 $C_{16}H_{23}N_5O_{12}$	477,38	190 (Zers.)	**3**	R=OH		
P. O	37362-28-0 $C_{16}H_{23}N_5O_{11}$	461,39	>190 (Zers.)	**3**	R=H		

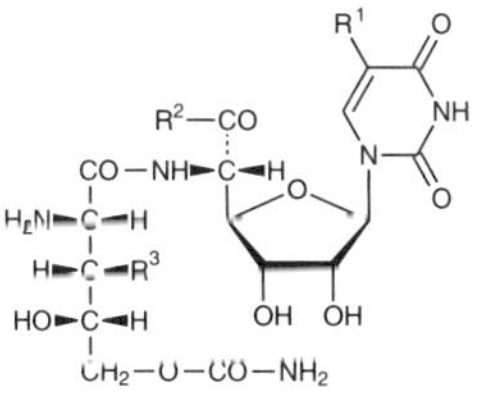

1 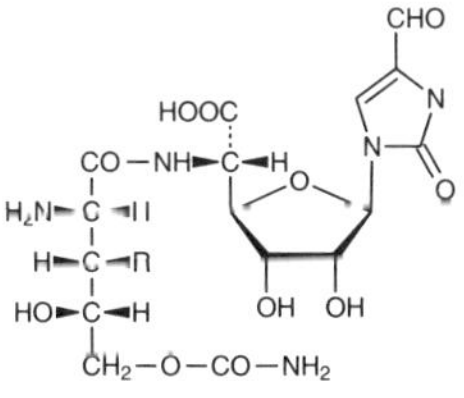 **3** 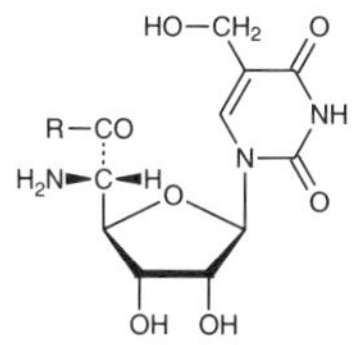 **2** X =

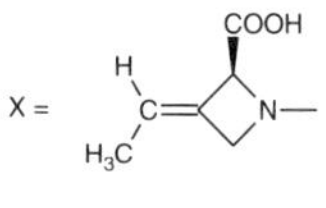

Chitin-Biosynth. in Pilzen. – ***E*** polyoxins – ***F*** polyoxines – ***I*** poliossine – ***S*** polioxinas

Lit.: Agric. Biol. Chem. **36**, 1229 (1972); **45**, 1901 (1981) ▪ Chem. Pharm. Bull. **25**, 1740 (1977) ▪ Exp. Opin. Ther. Patent. **4**, 699f. (1994) (Wirkung) ▪ J. Am. Chem. Soc. **100**, 3937 (1978) ▪ J. Antibiot. **41**, 1711 (1988) ▪ J. Chem. Soc., Chem. Commun. **1995**, 2127f. ▪ J. Med. Chem. **34**, 174 (1991) ▪ J. Org. Chem. **55**, 3853 (1990); **56**, 4875 (1991) ▪ J. Org. Chem. **62**, 5497 (1997) ▪ Sax (8.), Nr. PKE 100 ▪ Tetrahedron **46**, 7019 (1990) ▪ Tetrahedron Lett. **34**, 4153 (1993); **37**, 163 (1996) ▪ s. a. Blasticidine u. Nikkomycine.

Poly-β-oxocarbonsäuren s. Polyketide.

Polyoxothiazene. Bez. für *Polymere der allg. Struktur **2**, deren *Makromoleküle in der Hauptkette Schwefel- u. Stickstoff-Atome tragen. Bereits in den 60er Jahren wurden einige, wenn auch nur unvollständig charakterisierte P. beschrieben. Zu Beginn der 90er Jahre wurden dann die ersten gut definierten P. **2** mit Alkyl- od. Aryl-Substituenten am Schwefel-Atom verfügbar. Sie werden z.B. aus *N*-Silylsulfonimidaten **1** durch *Polykondensation bei 120–170 °C erhalten u. erreichen Molmassen von bis zu 100000 g/mol. Katalysiert wird diese Reaktion durch Lewis-Säuren [z.B. $BF_3 \cdot O(C_2H_5)_2$] od. Lewis-Basen (z.B. F^-):

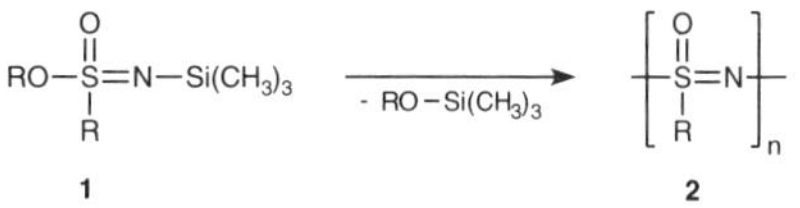

$$RO-S(=O)(R)=N-Si(CH_3)_3 \xrightarrow[- RO-Si(CH_3)_3]{} \left[-S(=O)(R)=N- \right]_n$$

1 **2**

Die hochpolaren P. lösen sich in z.B. DMF, DMSO od. heißem Wasser. In Substanz liegen die bis ca. 270 °C stabilen P. als glasartig erstarrte Feststoffe mit *Glasübergangstemperaturen (T_G) von z.B. 60 °C für P. **2** mit R = CH_3 vor. Dieser Wert ist deutlich höher als der des analogen *Polyphosphazens, das ein T_G von –46 °C aufweist. Dieser Unterschied läßt auf ein deutlich weniger flexibles Polymer-Rückgrat der P. schließen. – ***E*** polyoxothiazenes – ***F*** polyoxothiazènes – ***I*** poliossotiazeni – ***S*** polioxotiazenos

Lit.: Acta Polymerica **49**, 201 (1998) ▪ Angew. Chem. **108**, 1712 (1996).

Poly(oxy-2,6-dibrom-*p*-phenylen) s. Polyarylether.

Poly(oxy-2,6-dimethyl-*p*-phenylen) s. Polyarylether.

Poly(oxy-2,6-diphenyl-*p*-phenylen) s. Polyarylether.

Polyoxyethylene. Allg. Bez. für auf Ethylenoxid (Oxiran) basierende *Polymere der Struktur:

$$\left[\!-CH_2-CH_2-O-\right]_n$$

Zu Herst. u. Eigenschaft s. Ethoxylate, Ethoxylierungen u. Polyethylenglykole. – ***E*** poly(oxyethylenes)

Polyoxymethylene. Bez. für *Polymere des Formaldehyds der Struktur:

$$\left[\!-CH_2-O-\right]_n$$

Die P. stellen die wichtigsten Vertreter der Gruppe der *Polyacetale dar; zu Herst., Eigenschaften, Verw. u. Lit. s. Polyacetale. – ***E*** polyoxymethylenes – ***F*** polyoxyméthylènes – ***I*** poliossimetilene – ***S*** polioximetilenos – *[HS 3907 20; CAS 9002-81-7]*

Polyoxyphenylene s. Polyarylether.

Polyoxypropylene s. Polypropylenoxide.

Polyparabansäuren (2,4,5-Imidazolidintrion-Polymere, Kurzz. PPA). Bez. für *Polymere mit der Gruppierung

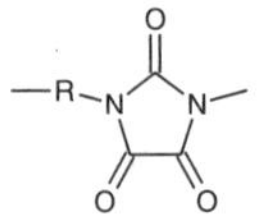

—R—N(C=O)N— (Imidazolidintrion-Ring mit drei O)

als charakterist. Grundeinheit der Hauptkette. Ihre Synth. aus Diisocyanaten [z. B. *4,4′-Methylendi(phenylisocyanat)] verläuft über mehrere Zwischenstufen mit u. a. Cyanoformamiden u. substituierten Harnstoffen als Intermediaten. P. sind amorphe Polymere, lösl. in polaren organ. Lsm. (Dimethylformamid, *N*-Methylpyrrolidon, Pyridin) u. können aus Lsg. od. in Substanz durch Formpressen verarbeitet werden, z. B. zu Filmen. P. sind beständig bis 400 °C. Sie werden von Kohlenwasserstoffen (auch halogenierten), Ethern u. Säuren nicht angegriffen. Sie besitzen hohe Oberflächenhärte.
Potentielle Einsatzgebiete für P. sind Drahtlackierungen, Klebstoffe, Isolierfilme u. Fasern. – ***E*** poly(parabanic acids) – ***F*** acides polyparabaniques – ***I*** acido poliparabanico – ***S*** ácidos poliparabánicos

Lit.: Encycl. Polym. Sci. Eng. **8**, 459 ▪ Houben-Weyl **E 20/2**, 2191 f. ▪ Ullmann (4.) **15**, 442.

Polypenco. Kurzbez. für Polypenco Kunststofftechnik GmbH, Gruppe DSM Engineering Plastic Products, 51437 Bergisch-Gladbach. *Produktion:* Halbzeuge, Tafeln, Stäbe, Rohre, Folien u. Profile aus PA, POM, PETP, PTFE, PVDF, PE (UHMW). Hochleistungskunststoffe: PEI, PSU, PAI, PEEK, PPS u. daraus hergestellte Fertigteile.

Polypentenamere [Poly(1-pentenylene)]. Bez. für durch *Ringöffnungspolymerisation (*Metathesepolymerisation) von Cyclopenten zugängliche, zu den *Polyalkenameren zählende, vulkanisierbare *Elastomere. P. besitzen einen hohen Gehalt an C,C-Doppelbindungen, die in der *cis-* od. *trans-*Form vorliegen können. Die *trans-*P. (Kurzz. TPA) entsprechen hinsichtlich krist. Schmp. (~20 °C) u. *Glasübergangstemperatur (–95 °C) etwa *Naturkautschuk u. sind von Interesse für die Herst. von Reifen. – ***E*** polypentenamers – ***F*** polypenténamères – ***I*** polipentenamero – ***S*** polipentenámeros

Lit.: Encycl. Polym. Sci. Eng. **11**, 287–314 ▪ Houben-Weyl **E 20/2**, 922. – *[CAS 28702-43-4]*

Poly(1-pentenylene) s. Polypentenamere.

Polypeptid-Antibiotika. Antibiot. wirksame, meist cycl. Peptide wie *Nisin od. *Subtilin, s. Peptid-Antibiotika.

Polypeptide. Sammelbez. für *Peptide, deren Mol. aus etwa 10 bis 100 durch *Peptid-Bindung verknüpften Aminosäure-Resten bestehen. Während die untere Grenze als Abgrenzung gegen die **Oligopeptide* allg. anerkannt ist, wird in der Lit. die obere Grenze gegenüber *Proteinen u. Eiweiß nicht scharf definiert; Näheres, auch zur Nomenklatur u. Struktur s. Peptide, Proteine. – ***E*** = ***F*** polypeptides – ***I*** polipeptidi – ***S*** polipéptidos

Polyperylene. Bez. für *Polymere, die Perylen-Einheiten entweder als Bestandteil ihrer Hauptkette od. seitenständig an dieser fixiert enthalten.

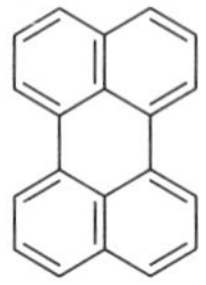

Ein Beisp. für Seitenketten-P. ist das Polyvinylperylen **I**, das bei einem Dotierungsgrad von 70% eine elektr. Leitfähigkeit von ca. 0,1 S/cm zeigt.

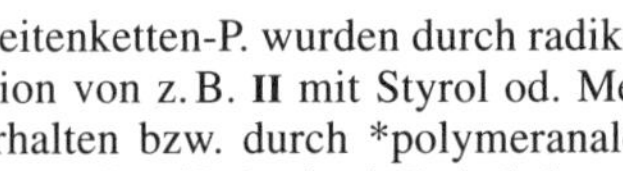

$$\left[\!-CH_2-CH-\right]_n \ (\text{Perylenyl}) \qquad H_2C{=}CH{-}C({=}O){-}O{-}(\text{Perylenyl})$$

I **II**

Andere Seitenketten-P. wurden durch radikal. *Copolymerisation von z. B. **II** mit Styrol od. Methylmethacrylat erhalten bzw. durch *polymeranaloge Reaktionen aus z. B. *Polyvinylalkohol hergestellt. In Hauptketten-P., die in den meisten Fällen eine nur sehr geringe Löslichkeit zeigen, können die Perylen-Einheiten über z. B. Ether-, Thioether-, Imid- od. Ester-Gruppen verknüpft sein. Substitution der Perylen-Einheiten mit flexiblen Seitenketten (s. stäbchenförmige Makromoleküle) od. voluminösen Substituenten erhöht ihre Löslichkeit deutlich. Unter Kombination beider Maßnahmen konnte kürzlich durch *Heck-Reaktion ein gut lösl. Hauptketten-P. mit einer Molmasse von ca. 10 000 g/mol erhalten werden:

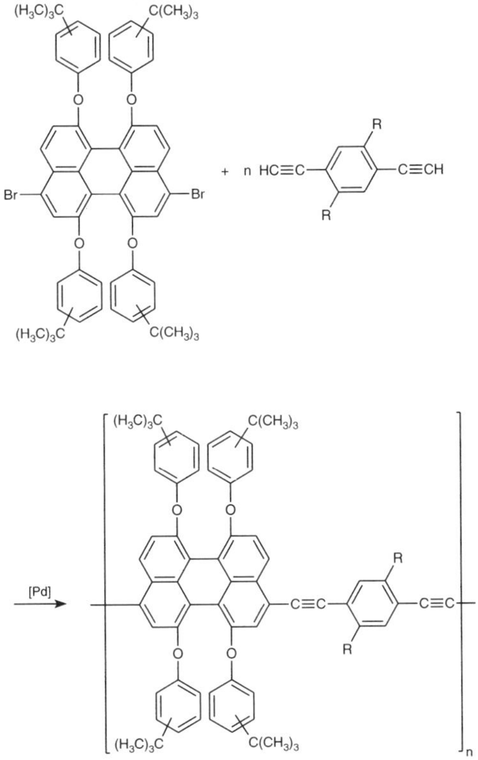

Anw. der noch sehr jungen Klasse der P. könnten sich in Zukunft z. B. auf den Gebieten nicht-migrierender Farbstoffe für die Einfärbung anderer Polymerer u. als photoleitende Materialien ergeben. – ***E*** polyperylenes – ***F*** polypérylènes – ***I*** poliperileni – ***S*** poliperilenos

Lit.: Salamone, Polymeric Materials Encyclopedia, S. 4999 f., Boca Raton: CRC-Press 1996.

Polyphenole. Sammelbez. für aromat. Verb., die mindestens zwei phenol. Hydroxy-Gruppen im Mol. enthalten (*Polyole*). Zu den Phenol-Derivaten zählen die drei Dihydroxybenzole (*Brenzcatechin, *Resorcin, *Hydrochinon), *Phloroglucin, *Pyrogallol od. *Hexahydroxybenzol. In der Natur treten freie u. veretherte P. in Blütenfarbstoffen (*Anthocyanidine, *Flavone), in Gerbstoffen (*Catechine, *Tannine), als Flechten- od. Farn-Inhaltsstoffe (*Usninsäure, Acylpolyphenole), in Ligninen, als Gallussäure-Derivate usw. auf. Enzymat. Oxid. durch Phenol-Oxidasen spielen eine Rolle in Bräunungsprozessen bei angeschnittenen Äpfeln, Kartoffeln etc. u. bei der Fermentation von Kakao (Phlobaphene), Oxid. durch Polyphenol-Oxidasen beim Lignin-Abbau. – ***E*** polyphenols – ***F*** polyphénols – ***I*** polifenoli – ***S*** polifenoles

Lit.: Hulse, Polyphenols in Cereals and Legumes, Ottawa: Int. Res. Centre 1980 ▪ Ullmann (4.) **18**, 215 ff. ▪ s. a. einzelne Textstichwörter. – *[HS 2907 21, 2907 22, 2907 29; CAS 27073-41-2]*

Polyphenol-Oxidasen s. Phenol-Oxidasen.

Polyphenyle s. Polyphenylene.

Poly(*p*-phenylenacetylen)e [Poly(*p*-ethinylbenzol)e]. Bez. für *Polymere der allg. Struktur

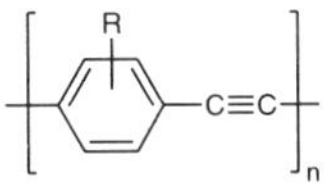

die am besten durch Übergangsmetall-katalysierte *Polykondensationen von z. B. *p*-Bromphenylacetylen zugänglich sind (s. Polyphenylenvinylene). P. zählen zu den kettensteifen, stäbchenförmigen Polymeren u. sind daher in unsubstituierter Form unlösl. u. unschmelzbar. Durch Einführung flexibler, löslichkeitsvermittelnder Alkyl-Seitenketten R können jedoch lösl. P.-Derivate erhalten werden. Das Phasenverhalten u. die elektron. Eigenschaften derartiger P. sind Gegenstand aktueller Grundlagenforschung. – ***E*** poly(*p*-phenyleneacetylenes) – ***F*** poli(*p*-phénylèneacétylènes) – ***I*** poli(*p*-fenilenacetileni) – ***S*** poli(*p*-fenilenacetilenos)

Poly(*p*-phenylenbenzoxazol)e (Kurzz. PBO). Bez. für *Polymere der Struktur

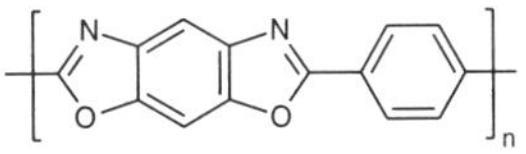

die durch *Polykondensation aus Terephthalsäure u. 1,5-Diamino-2,4-dihydroxybenzol in Polyphosphorsäure, Methansulfonsäure od. Chlorsulfonsäure zugänglich sind. Als stäbchenförmige Polymere bilden sie in starken Säuren lyotrop-flüssigkrist. Phasen (s. flüssige Kristalle), aus denen sie zu hochzugfesten Fasern u. Filmen verarbeitet werden können. P. sind vorwiegend für militär. Zwecke von Interesse. – ***E*** poly(*p*-phenylenebenzoxazoles) – ***F*** poli(*p*-phénylènebenzoxazoles) – ***I*** poli(*p*-fenilenbenzossazoli) – ***S*** poli(*p*-fenilenbenzoxazoles)

Poly(*p*-phenylenbenzthiazol)e (Kurzz. PBT). Bez. für *Polymere der Struktur

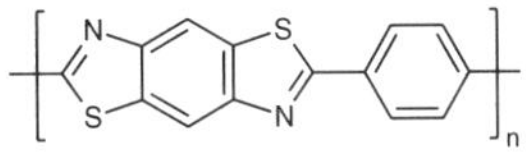

die durch *Polykondensation aus Terepthalsäure u. 1,4-Dithiol-2,5-dihydroxybenzol in Polyphosphorsäure, Methansulfonsäure od. Chlorsulfonsäure zugänglich sind. Die stäbchenförmige Mol.-Gestalt der P. bedingt ihre geringe Löslichkeit, aber auch die ausgeprägte Tendenz zur Bildung lyotrop-flüssigkrist. Phasen (s. flüssige Kristalle). Aus diesen können sie zu hochzugfesten Fasern versponnen u. zu Filmen großer Steifigkeit u. Stärke gegossen werden. P. zeichnen sich weiterhin durch hohe oxidative u. therm. Beständigkeit aus. Sie sind vorwiegend für militär. Zwecke von Interesse. – ***E*** poly(*p*-phenylenebenzthiazoles) – ***F*** poly(*p*-phénylènebenzothiazoles) – ***I*** poli(*p*-fenilenbenztiazoli) – ***S*** poli(*p*-fenilenbenztiazoles)

Lit.: Elias (5.) **1**, 263, 926; **2**, 238.

Polyphenylenchinoxaline (Kurzz. PPQ). Bez. für *Polymere der allg. Struktur **1**, die durch Reaktion von Bis(1,2-dicarbonyl)-Verb. u. aromat. Tetraminen entstehen (s. Seite 3492 oben).

R^1 stellt einen aromat. od. aliphat. Rest dar, R^2 eine Alkyl-, Hydroxy-, Ester-, Alkoxy- od. Nitril-Gruppe bzw. einen Halogen-Rest u. R^3 kann z. B. CH_2 od. O aber auch eine direkte Bindung sein. Filme aus P.

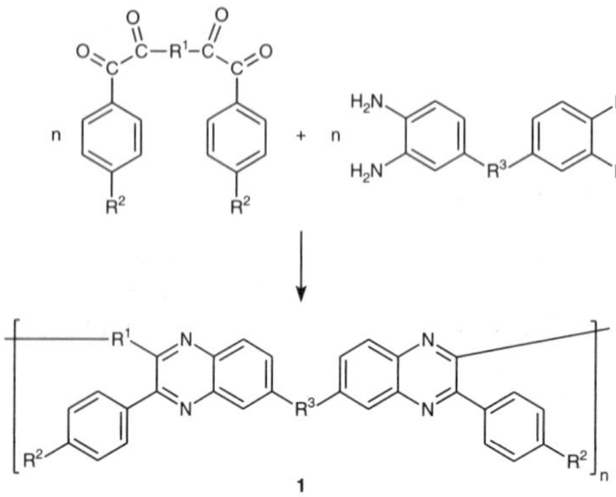

verfärben sich beim Erhitzen, behalten aber ihre Transparenz u. ihre mechan. Eigenschaften weitgehend bei. Sie finden daher Einsatz als hochtemp.-beständige Klebstoffe u. als Matrices für Verbundwerkstoffe. Für diese Anw. wird das P. durch therm. od. thermooxidative Vernetzung zusätzlich nachgehärtet. – ***E*** polyphenylenequinoxalines – ***F*** polyphénylènequinoxalines – ***I*** polifenilenchinossaline – ***S*** polifenilenquinoxalinas

Lit.: Elias (5.) **2**, 243 ▪ Odian (3.), S. 170.

Polyphenylene. Bez. für *Oligomere u. *Polymere aus in *o*-, *m*- od. *p*-Stellung verknüpften Phenylen-Ringen u. verwandten Syst. (Naphthalin-, Anthracen-Gruppen). Die oligomeren P. werden auch *Oligophenyle (*Terphenyle, Quater-, Quinquephenyle), die höhermol. auch *Polyphenyle* od. *Polybenzole* genannt. Lineare P. besitzen die Struktur:

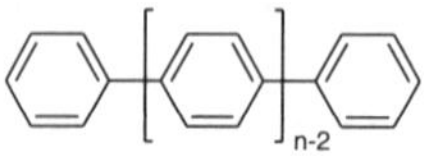

Sie werden nach IUPAC als Poly(*p*-phenylen)e bezeichnet. Die klass. Synth. der P. erfolgt durch oxidative *kationische Polymerisation von Benzol in Ggw. von Katalysatoren (Aluminium-, Kupfer-, Eisenchlorid). Die P. fallen dabei als unlösl., hochschmelzende (Schmp. >500 °C), braune, zu Formteilen verpreßbare Pulver an. Lösl. P. entstehen bei der Polymerisation von Terphenylen, die allerdings – wie auch die obige Synth. von P. aus Benzol – zu strukturell uneinheitlichen P. führt. Erst zwei kürzlich entwickelte Verf. führen auch zu strukturell weitgehend einheitlichen Polyphenylenen. Das eine wurde bei der ICI entwickelt u. verläuft über ein lösl., leicht zu verarbeitendes Precursor-Polymer: Die radikal. Polymerisation des bakteriell aus Benzol erhaltenen 5,6-Dihydroxycyclohexan-1,3-dien od. seines Diesters I liefert ein lösl. Polymer II, welches vor seiner abschließenden Thermolyse zum kettensteifen u. daher vollständig unlösl. u. unschmelzbaren P. III formgebend zu verarbeiten ist:

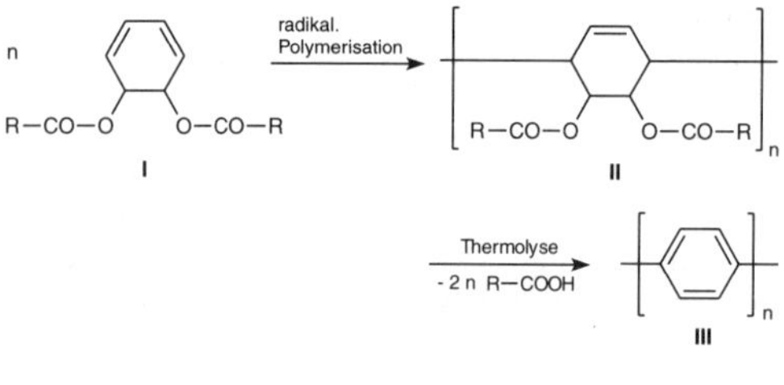

Der zweite Weg zu einheitlichen P. verläuft über Übergangsmetall-katalysierte *Polykondensationen. Eine der ersten dieser Reaktionen war die Nickel-katalysierte Kupplung von 1,4-Dibrombenzol IV in Ggw. von metall. Magnesium:

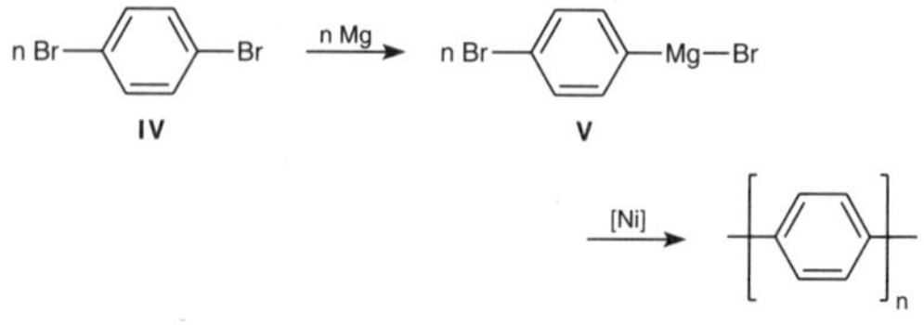

Die Unlöslichkeit der wachsenden Ketten bereits im *Oligomeren-Stadium u. die Hydrolyse-Empfindlichkeit der Grignard-Intermediate V führte allerdings dazu, daß hier nur niedermol. P. III erhalten werden. Sehr hochmol. P. konnten dann unter Anw. des Konzeptes löslichkeitsvermittelnder, flexibler Alkyl-Seitenketten R u. durch Einsatz der Palladium-katalysierten Kupplung von Bromaromaten u. Benzolboronsäure-Derivaten erhalten werden:

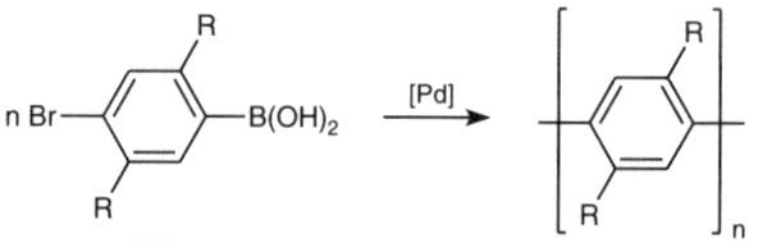

Die farblosen P. wie z. B. VII od. VIII weisen *Polymerisationsgrade von bis zu ≈ 100 auf, sind ab einer Seitenketten-Länge von R ≈ *n*-Butyl in zahlreichen organ. Lsm. gut lösl., unterhalb ihrer Zers.-Temp. schmelzbar u. bilden z. T. flüssigkrist. Phasen aus. Unsubstituierte P. sind *hochtemperaturbeständige Kunststoffe, die u. a. für Laminierungen u. korrosionsbeständige Beschichtungen eingesetzt werden. Durch *Dotierung, z. B. mit Arsenpentafluorid, erhalten sie elektr. Leitfähigkeit von bis zu ca. 500 S/cm (s. elektrisch leitfähige Polymere). Aktuell in der Erprobung ist auch der Einsatz (substituierter) P. in lichtemittierenden Dioden (LED's). – ***E*** polyphényl(ene)s – ***F*** polyphénylènes – ***I*** polifenileni – ***S*** polifenilenos

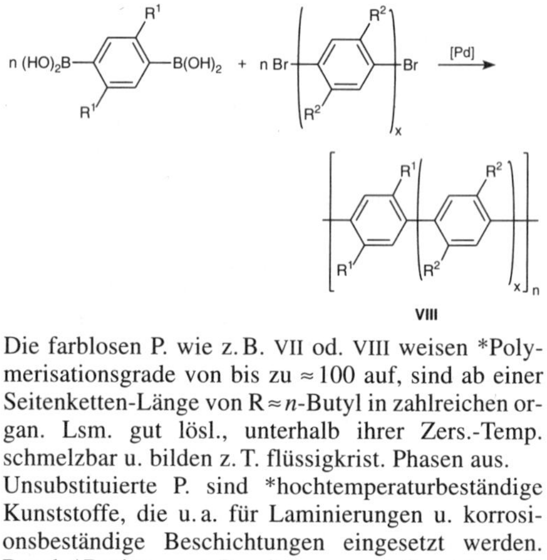

Lit.: Compr. Polym. Sci., Second Suppl. (1996), S. 133 ff. ▪ Cowie, S. 465 ▪ Encycl. Polym. Sci. Technol. **11**, 380–388. – *[CAS 25190-62-9]*

Polyphenylenether s. Polyarylether.

Polyphenylenoxide (Kurzz. PPO). Bez. für *Polymere, z. B. *Poly(2,6-dimethyl-1,4-phenylenoxid)* od. *Poly(2,6-diphenyl-1,4-phenylenoxid)*, deren Hauptketten aus über Sauerstoff-Brücken verknüpften

Phenylen-Resten aufgebaut, also prinzipiell *Polyether, u. zwar Polyarylether (zu Formel, Herst., Eigenschaft u. Lit. der P. s. dort), sind. – ***E*** poly(phenylene oxides) – ***F*** oxydes de polyphénylène – ***I*** ossidi di polifenilene – ***S*** óxidos de polifenileno

Polyphenylensulfide [Polyarylensulfide, Poly(thio-*p*-phenylen)e, Kurzz. PPS]. P. sind *Polymere der Struktur I. Sie werden techn. hergestellt durch *Polykondensation von 1,4-Dichlorbenzol mit Natriumsulfid:

$$n\ Cl{-}C_6H_4{-}Cl \xrightarrow[-\ 2n\ NaCl]{+\ n\ Na_2S} [{-}S{-}C_6H_4{-}]_n$$

I

P. fallen abhängig vom Herst.-Verf. als verzweigte bzw. weitgehend lineare Produkte in amorpher Form an, können aber durch Tempern kristallisiert werden. P. sind *Thermoplaste, deren Gebrauchstemp. durch ihren Schmp. von ca. 285 °C begrenzt ist. Sie sind sehr beständig gegenüber den meisten Säuren, wäss. Alkalien u. organ. Lsm., werden jedoch von konz. Schwefel- od. Ameisensäure, einigen Aminen u. halogenierten Kohlenwasserstoffen angegriffen. P. sind schwer entflammbar u. können durch Gießen, Spritzgießen od. Extrudieren bei Temp. >300 °C verarbeitet werden. P. sind *Hochleistungskunststoffe. Sie zeichnen sich u. a. durch eine hohe Festigkeit, Steifheit u. Härte, sowie durch Formbeständigkeit in der Wärme, Maßbeständigkeit, geringe Feuchtigkeitsaufnahme u. gute (di)elektr. Eigenschaften aus. Durch Dotieren, z. B. mit Arsenpentafluorid, werden P. elektr. leitend; s. a. elektrisch leitfähige Polymere.

Verw.: Zur Herst. von mechan., elektr., therm. u. chem. hochbeanspruchbaren Formteilen für die Elektro-Ind., den Apparate- u. Flugzeugbau sowie von Haushaltsgeräten.

Der weltweite P.-Verbrauch lag 1995 bei ca. 28 000 t (*Lit.*[1]).

Entwicklungen bei den P. konzentrieren sich v. a. auf Produkte mit höheren Gebrauchstemperaturen. Diese können eingestellt werden z. B. durch *Copolykondensation von 1,4-Dichlorbenzol u. Natriumsulfid mit 4,4′-Dichlordiphenylsulfon, 4,4′-Dichlorbenzophenon od. 4,4′-Dichlorbiphenyl zu den sog. *Polyarylensulfiden* (Kurzz. PAS). – ***E*** poly(phenylen sulfide)s – ***F*** sulfures de polyphénylène – ***I*** solfuri di polipropilene – ***S*** sulfuros de polifenileno

Lit.: [1] Kunststoffe **85**, 1600 (1995).
allg.: Domininghaus (5.), S. 887 ff. ▪ Elias (5.) **2**, 202 ▪ Encycl. Polym. Sci. Eng. **11**, 531–557 ▪ Houben-Weyl **E 20/2**, 1463–1467. – *[CAS 9016-75-5]*

Polyphenylensulfone s. Polysulfone.

Polyphenylenvinylene [Poly(phenylen-1,2-ethendiyl), Kurzz. PPV]. Bez. für *Polymere der allg. Struktur

$$[{-}C_6H_3R{-}CH{=}CH{-}]_n$$

Aufgrund der Unlöslichkeit u. Unschmelzbarkeit des bisher am eingehendsten untersuchten, unsubstituierten P.-Derivates Poly(*p*-phenylenvinylen) III wird zu dessen Synth. überwiegend die Route über das Precursor-Polymer II gewählt:

$$Cl^-\ R_2\overset{+}{S}{-}CH_2{-}C_6H_4{-}CH_2{-}\overset{+}{S}R_2\ Cl^- \ (\mathrm{I}) \xrightarrow[-\ HCl,\ -\ R_2S]{OH^-} [{-}CH_2{-}C_6H_4{-}CH(\overset{+}{S}R_2\ Cl^-){-}]_n \ (\mathrm{II}) \xrightarrow[-\ HCl,\ -\ R_2S]{\Delta} [{-}C_6H_4{-}CH{=}CH{-}]_n \ (\mathrm{III})$$

Diese geht aus vom Bis(sulfonium)-Salz I, das in alkal. Medium unter Halogenwasserstoff- u. Dialkylsulfid-Abspaltung den gut lösl. *Polyelektrolyten II ergibt. Dieser kann z. B. zu Filmen gegossen u. anschließend unter therm. Eliminierung von weiterem Dialkylsulfid u. Halogenwasserstoff in das intensiv gelbe, hochmol. P. überführt werden.

Von den vielen weiteren Reaktionen, mit denen ebenfalls versucht wurde, hochmol. P. darzustellen (z. B. *Wittig-Reaktion, *Knoevenagel-Kondensation od. *McMurry-Reaktion) hat bislang einzig die sog. *Heck-Reaktion größere Bedeutung erlangt. Als Einstufenreaktion eignet sie sich v. a. für den Aufbau substituierter u. daher lösl. P.-Derivate. Sie geht z. B. von substituierten *p*-Dibrombenzolen IV u. *p*-Divinylbenzol-Derivaten V aus, die unter bas. Bedingungen in Ggw. von katalyt. Mengen an Palladium(0)-Komplexen hochmol. Polymere VI liefern:

$$n\ Br{-}C_6H_2R^1_2{-}Br\ (\mathrm{IV}) + n\ H_2C{=}CH{-}C_6H_2R^2_2{-}CH{=}CH_2\ (\mathrm{V}) \xrightarrow[-\ 2n\ HBr]{[Pd]\ /\ Base} [{-}C_6H_2R^1_2{-}CH{=}CH{-}C_6H_2R^2_2{-}CH{=}CH{-}]_n\ (\mathrm{VI})$$

Neben den gezeigten P. konnte durch Heck-Kupplung eine Vielzahl weiterer mit den P. verwandte Polymere erhalten werden, z. B.:

P. sind aufgrund ihrer nach Dotierung hohen elektr. Leitfähigkeit, ihrer ausgezeichneten Photoleitfähigkeit, ihrer großen nichtlinear-opt. Aktivität (χ^3) u. ihrer starken Elektrolumineszenz von herausragendem aktuellen Interesse sowohl auf dem Gebiet der Grundlagen- als auch auf dem der angewandten Forschung. – ***E*** polyphenylenevinylenes – ***F*** polyphénylènevinylène – ***I*** polifenilenvinileni – ***S*** polifenilenvinilenos

Lit.: Acta Polym. **49**, 319 (1988) ▪ Compr. Polym. Sci., 1. Suppl., 407 f.; 2. Suppl., 133 f. ▪ Odian (3.), S. 175 ▪ Salamone, Polymeric Materials Encyclopedia, S. 2009, 6532, Boca Raton: CRC-Press 1996

Polyphenylphenylene. Bez. für hoch Phenyl-substituierte *Polyphenylene z. B. der Struktur IV, die über inverse *Diels-Alder-Polymerisation von Bis(tetraphenylcyclopentadienon)en wie I mit Diethinylbenzolen II zugänglich sind:

n I + n HC≡C–C₆H₄–C≡CH II → n III → (−CO) → → → IV

Die lateralen Phenyl-Substituenten der in unsubstituierter Form nahezu unlösl. u. unschmelzbaren Polyphenylene erhöhen die Löslichkeit signifikant, ohne gleichzeitig die therm. Beständigkeit des Materials zu veringern. – ***E*** polyphenylphenylenes – ***F*** polyphénylphénylènes – ***I*** polifenilfenileni – ***S*** polifenilfenilenos

Polyphenylsesquisiloxan (Polyphenylsilsesquioxane). Bez. für ein *Polysiloxan, das allg. als *Leiterpolymer der Struktur

aufgefaßt wird. Es ist aus Phenyltrichlorsilan durch Hydrolyse mit verd. Alkalien zugänglich u. zeichnet sich durch eine hohe therm. u. Hydrolyse-Beständigkeit aus. Nach neueren Studien scheint das P. jedoch nicht als Leiterpolymer vorzuliegen, sondern eher eine sog. „Perlenketten-Struktur" aufzuweisen. – ***E*** polyphenylsilsesquioxanes – ***F*** polyphénylsesquisiloxanes – ***I*** polifenilsesquisilossani – ***S*** polifenilsilsesquioxanos

Polyphosphate. Bez. für Salze u. Ester der sog. *Polyphosphorsäure. Dabei bilden die kettenförmigen, systemat. als *catena-P.* zu bezeichnenden P. die größte Gruppe der *kondensierten Phosphate; die ringförmigen *cyclo-P.* werden dagegen unter der gebräuchlicheren Bez. *Metaphosphate behandelt. Zu den P. gehören alle Salze der Zusammensetzung $M^I_{n+2}[P_nO_{3n+1}]$ bzw. $M^I_n[H_2P_nO_{3n+1}]$ (M^I = einwertiges Metall), bei denen der Kondensationsgrad n mind. 10 ist, also die P. von den Decaphosphaten bis zu hochmol. Substanzen. Im allg. rechnet man auch niedere Glieder der P. mit n = 2 – 10 (*Oligophosphate*) zu den Polyphosphaten, z. B. das noch in Waschmitteln eingesetzte *Pentanatriumtripolyphosphat*, s. Natriumphosphate u. Phosphate. Die Lsg. der neutralen Salze reagieren alkalisch. Soweit die höherkondensierten Salze therm. aus Dihydrogenmonophosphaten hergestellt werden, sind die H-Atome der als Endgruppe gebundenen sauren OH-Gruppen nicht durch Metall-Ionen ersetzt; P. liegen also in der Regel als saure Salze vor. Bei der therm. Dehydratisierung erhält man in Abhängigkeit von den Bedingungen verschiedene Polyphosphate, die mit histor. Namen wie *Schmelz-*, *Sinter-* od. *Glühphosphate*, **Grahamsches Salz*, *Maddrellsches* u. *Kurrolsches Salz* belegt werden. In den Stichwörtern *kondensierte Phosphate u. *Phosphate ist eine Zuordnung versucht worden.

Während die höhermol. P. in neutraler u. schwach alkal. Lsg. bei gewöhnlicher Temp. sehr beständig sind, werden sie bei Temp. über 100 °C hydrolyt. abgebaut. In Lsg. liegen die P.-Ketten wahrscheinlich gefaltet od. als Spirale gewunden vor, wobei die Faltung z. T. durch Wasser-Mol., die über H-Brückenbindungen an O-Atome gebunden sind, aufrechterhalten wird. Die P. sind *Polyelektrolyte, lassen sich in Lsg. als Ionenaustauscher verwenden u. vermögen so höherwertige Ionen, z. B. Ca^{2+}-, Mg^{2+}-, Zn^{2+}- u. Eisen-Ionen, an der Ausfällung durch Anionen, mit denen diese Ionen schwerlösl. Salze bilden, zu hindern. Diese Eigenschaft der *catena-*, nicht aber der *cyclo-P.*, zeigt sich bereits bei Konz., die weit unter der stöchiometr. Komplexierung liegen (*Threshold-Effekt*, s. Wasserenthärtung).

Verw.: In Wasch- u. Reinigungsmitteln als sog. Builder (zu den Beschränkungen u. Ersatzstoffen s. Natriumphosphate), Ammonium-P. als Düngemittel (Ammonium-P.), Natrium- u. Kalium-P. (EG-Nr. E 450 c) zur Schmelzkäse-Zubereitung, zur Herst. ultrahocherhitzter ungesüßter Kondensmilch u. zur Trinkwasseraufbereitung (auch Calcium-P.). Die Diphosphate von Natrium u. Kalium (nicht aber eigentliche P.) werden auch in Speiseeis u. in der Fleischwirtschaft zum Emulgieren von Wasser u. Fetten als Kutterhilfsmittel (bis 0,3 Gew.-%) eingesetzt. – ***E*** = ***F*** polyphosphates – ***I*** polifosfati – ***S*** polifosfatos

Lit.: Adv. Microbiol. Physiol. **24**, 83 – 171 (1983) ▪ Corbridge, Phosphorus (4.), S. 221 – 230, Amsterdam: Elsevier 1990 ▪ Kirk-Othmer (4.) **18**, 712 – 718 ▪ Ullmann (5.) **A 19**, 485 ff. ▪ Winnacker-Küchler (4.) **2**, 237 – 247 ▪ s. a. kondensierte Phosphate, Metaphosphate, Natriumphosphate. – *[HS 2835 31, 2835 39; G 8, verschiedene]*

Polyphosphazene. Bez. für *Polymere der allg. Struktur **1**, die ein Polymer-Rückgrat aufweisen, das alternierend aus Phosphor- u. Stickstoff-Atomen aufgebaut ist. Zur Absättigung der verbleibenden beiden Valenzen jedes Phosphor-Atoms sind dort zwei Substituenten R angeheftet:

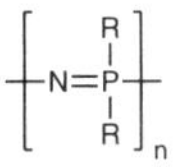

$$\left[-N=P(R)_2-\right]_n$$

1

Die P. stellen die bei weitem variantenreichste Klasse organ./anorgan. Hybridpolymerer dar, die heute bekannt ist. Obwohl die ersten P. bereits vor über 100 Jahren synthetisiert wurden, gelingt es erst seit den 60er Jahren, strukturell definierte u. hochmol. P. zu erhalten. Bis dahin war lediglich bekannt, daß die Reaktion von PCl_5 u. NH_3 zu einer Mischung cycl. Produkte $(NPCl_2)_{x<8}$ führt, die sich beim Erhitzen in ein elastomeres Material umwandeln, das heute als „anorgan. Kautschuk" bekannt ist. Da dieses aus vernetztem Polydichlorphosphazen bestehende Material unlösl., unverarbeitbar u. sehr hydrolyseinstabil ist, blieb es eine Kuriosität, bis man erkannte, daß unverzweigte, lösl. Polydichlorphosphazene **3** erhalten werden können, wenn man **2** unter sorgfältiger Kontrolle der Reaktionsbedingungen u. nicht bis zu vollständigem Umsatz ringöffnend polymerisiert. Außerdem lernte man, den bis dahin größten Nachteil des Materials, die hohe Reaktivität der P,Cl-Bindung, als Vorteil zu nutzen u. die hydrolyt. instabilen Polymere **3** vollständig u. schonend in Hydrolyse-stabile Polymere umzuwandeln. Diese Polymer-analogen Umwandlungen sind auf viele Weisen möglich. So führt die Behandlung von **3** mit organ. Nucleophilen (z. B. Alkoholaten, Phenolaten od. Aminen) zum Austausch aller Chlor-Atome durch die organ. Einheiten:

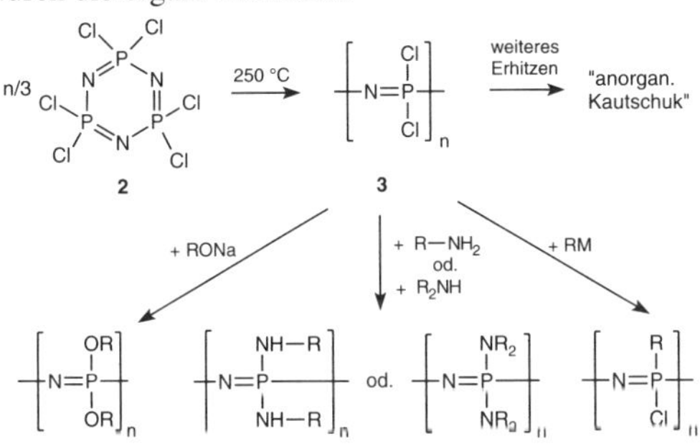

Dieser Polymer-analoge Substituenten-Austausch ist auch heute noch das Standard-Verf. zur Herst. der meisten P.-Derivate. Er erlaubt, Seitengruppen R fast beliebiger Art an das rein anorgan. Polymer-Rückgrat der P. anzuheften. Arbeiten aus jüngster Zeit beschreiben z. B. den Aufbau flüssigkrist., photochromer, photovernetzbarer, Metallkomplex-haltiger u. Kurzkettenverzweigter Polyphosphazene. Dennoch hat die Derivatisierung von **3** mit organ. Nucleophilen ihre Grenzen. So ist es nur schwer möglich, Seitengruppen durch direkte P,C-Bindungsknüpfung einzuführen. Anders als Sauerstoff- u. Stickstoff-Nucleophile können Metall-organ. Reagenzien nämlich Nebenreaktionen eingehen. So führt die Umsetzung von **3** mit Grignard-Reagenzien zwar zur erwünschten Substitution des Chlors gegen organ. Reste, ist aber von Brüchen der Phosphor-Stickstoff-Bindungen in der Polymer-Hauptkette begleitet, was zum Kettenabbau führt. Zwei Meth. wurden entwickelt, um P. mit über P,C-Bindungen angeknüpften Substituenten zu erhalten. Die erste besteht in der Einführung der organ. Seitengruppen bereits auf der Stufe des cycl. Trimers, das anschließend ringöffnend polymerisiert wird. Eingeschränkt ist dieses Vorgehen dadurch, daß die Polymerisations-Tendenz der cycl. Trimeren abnimmt, je mehr Halogen-Atome durch organ. Reste ersetzt sind. Diese Einschränkung existiert allerdings nicht, wenn die Phosphazen-Ringe gespannt sind, was wie in **4** durch z. B. transannulare Ferrocenyl-Gruppen erreicht werden kann. Hier erfolgt die Polymerisation problemlos, auch wenn im Monomer kein Halogen-Atom mehr enthalten ist:

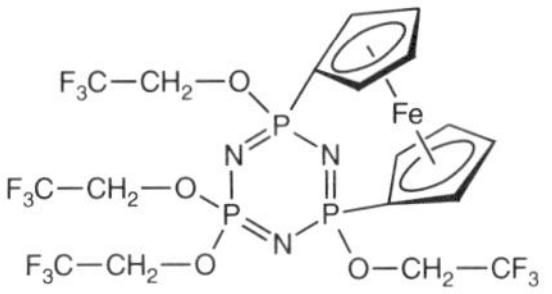

4

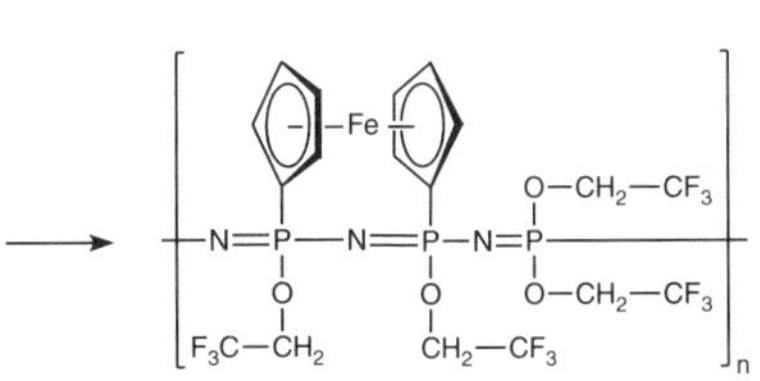

→

5

Polyorganophosphazene **7** sind weiterhin durch *Polykondensationen wie der von **6** verfügbar.

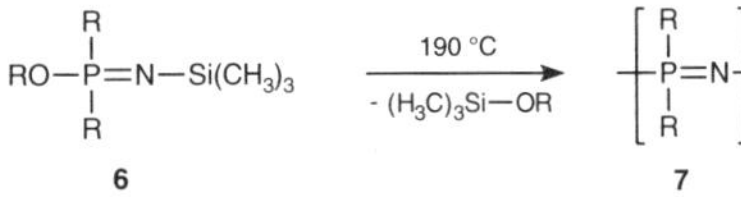

$$RO-P(R)_2=N-Si(CH_3)_3 \xrightarrow[-\,(H_3C)_3Si-OR]{190\,°C} \left[-P(R)_2=N-\right]_n$$

6 7

R = Alkyl od. Aryl

Auch wenn dieses Vorgehen hinsichtlich der Variabilität der Seitengruppen R zunächst eingeschränkt erscheint, so kann die Zahl der verschiedenen Substituenten doch z. B. dadurch vergrößert werden, daß Polymere wie **7a** einen gut kontrollierbaren Lithium-Wasserstoff-Austausch eingehen. Die so gebildeten anion. Spezies **8** reagieren mit organ. od. Metall-organ. Halogeniden zu weiteren P.-Derivaten wie **9**.

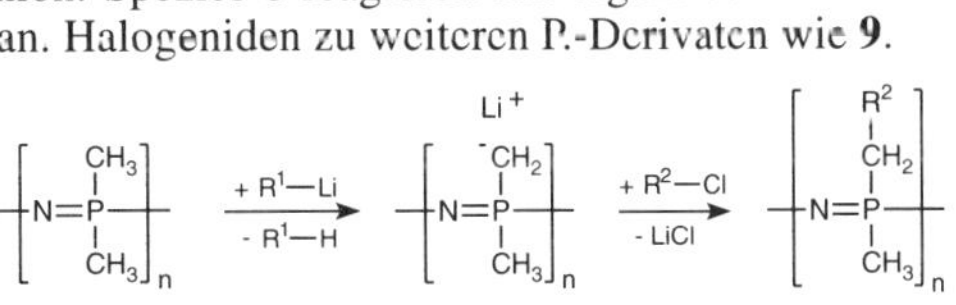

$$\left[-N=P(CH_3)_2-\right]_n \xrightarrow[-\,R^1-H]{+\,R^1-Li} \left[-N=P(CH_2^-)(CH_3)-\right]_n\,Li^+ \xrightarrow[-\,LiCl]{+\,R^2-Cl} \left[-N=P(CH_2R^2)(CH_3)-\right]_n$$

7a 8 9

Kürzlich wurde auch eine lebende kation. Polymerisation von Phosphoraniminen beschrieben. Diese Reaktion verläuft bei 20 °C u. bietet gute Möglichkeiten, die Molmassen der entstehenden P. zu kontrollieren. Hierzu wird Monomer **10** (s. S. 3496) in Methylenchlorid mit geringen Mengen PCl_5 versetzt, wonach schnell Polydichlorphosphazene niedriger *Polydispersität entstehen. Darüber hinaus können die noch aktiven Polymerketten **11** zur Synth. von Block-Copolymeren wie z. B. **12** u. **13** genutzt werden (s. S. 3496 oben).
Über die gezeigten P. hinaus existiert eine enorme Vielfalt weiterer P.-Derivate, die Einsatz z. B. als feste Polyelektrolyte, Membranen od. für opt. Anw. finden. Ebenfalls von Interesse sind viele P. aufgrund ihrer ungewöhnlich hohen Kettenflexibilität u. der daher sehr

$$Cl-P(Cl)_2=N-Si(CH_3)_3 \text{ (10)} \xrightarrow{PCl_5/CH_2Cl_2} [Cl-P(Cl)_2=N-(P(Cl)_2=N)_n-P(Cl)_3]^+ [PCl_6]^- \text{ (11)}$$

$$\xrightarrow{+\,Cl-P(R^1)(R^2)=N-Si(CH_3)_3} -(P(Cl)_2=N)_n-(P(R^1)(R^2)=N)_m- \text{ (12)}$$

$$\xrightarrow{+\,NaO-CH_2-CF_3} -(P(O-CH_2-CF_3)_2=N)_n-(P(R^1)(R^2)=N)_m- \text{ (13)}$$

$R^1 = C_6H_5$, $R^2 = Cl$
$R^1 = CH_3$, $R^2 = C_2H_5$
$R^1 = R^2 = CH_3$

niedrigen *Glasübergangstemperaturen (T_G). So hat z. B. $(NPCl_2)_n$ eine T_G von –66 °C, das $[NP(C_3H_7)_2]_n$ dagegen eine von –100 °C. Auch zeichnet viele P. ihre hohe therm. u. oxidative Stabilität, ihre opt. Transparenz (von 220 nm bis in den nahen IR-Bereich) u. ihre hohe Stabilität gegen Kohlenwasserstoffe aus.
Die Bindungsstruktur in den P. läßt sich formal durch alternierende Doppel- u. Einfachbindungen beschreiben. Diese Formulierung ist aber etwas irreführend, da alle Bindungen in der Hauptkette nahezu gleichlang sind. Dennoch wird nicht die in einem solchen Fall bei Kohlenstoff-Ketten erwartete Konjugation gefunden. Man nimmt daher an, daß sich die π-Elektronen am Stickstoff-Atom in einem $2p_z$-Orbital aufhalten, am Phosphor-Atom aber in einem 3d-Orbital. Damit ist die π-Bindung zwar über drei Atome delokalisiert („Insel-π-Struktur"), aufgrund des Orbital-Mismatches u. der Orbital-Knoten an jedem Phosphor-Atom aber nicht über die ganze Kette. Dies erklärt auch, weshalb die meisten P. farblos sind. Andererseits bedeutet dies, daß jedes Phosphor-Atom fünf d-Orbitale für die π-Bindungen nutzen kann. Die Rotation um die P,N-Bindung führt also bei nahezu jedem beliebigen Torsionswinkel dazu, daß das Stickstoff-p-Orbital mit einem Phosphor-d-Orbital überlappt. Aus diesem Grunde ist die Torsionsbarriere hier viel niedriger als in p_π-p_π-Doppelbindungen, wie man sie von organ. Mol. her kennt. Dies bedingt die hohe Kettenbeweglichkeit der P. u. entsprechend ihre niedrigen Glasübergangstemperaturen. – *E* polymeric phosphazenes – *S* polifosfacenos

Lit.: Acta Polymerica **49**, 201 (1998) ▪ Angew. Chem. **108**, 1712 (1996) ▪ Mark, Allcock u. West, Inorganic Polymers, Englewood Cliffs: Prentice Hall Inc. 1992.

Polyphosphine. Bez. für zur Gruppe der *Phosphor-haltigen Polymeren zählende Verb. mit Gruppierungen des Typs

$$-P(R)- \quad \text{bzw.} \quad -PR_2$$

in bzw. an der Hauptkette (R = H, Alkyl, Aryl). Sie sind herstellbar u. a. durch *polymeranaloge Reaktionen von Alkalimetall-diphosphiden mit Polymeren, die reaktive Halogen-Atome besitzen (z. B. Polychlormethylstyrol), od. durch Addition von Dialkyl- od. Diarylphosphinen an ungesätt. Polymere (u. a. an *Polybutadiene). P. mit Phosphin-Gruppen als Bestandteil der Hauptkette fallen bei der Addition von primären Phosphinen an nicht-konjugierte Diene an. P. sind starke Komplexbildner für Metalle, haben aber bisher keine prakt. Verw. gefunden. – *E* polymeric phosphines – *F* polyphosphines – *I* polifosfine – *S* polifosfinas

Lit.: Encycl. Polym. Sci. Eng. **11**, 98 f.

Polyphosphinoxide. Bez. für zur Gruppe der *Phosphor-haltigen Polymeren gehörende Verb. mit Gruppierungen des Typs

$$-P(R)(=O)- \text{ (I)} \quad \text{bzw.} \quad R-P(-)(=O)-R \text{ (II)}$$

in bzw. an der Hauptkette.
Hauptketten-P. mit Unterstrukturen des Typs I können durch Reaktion von Alkyl- bzw. Arylphosphordichloriden (III) u. Olefinen (IV) zu *Polydichlorophosphanen* (V) u. anschließende Hydrolyse hergestellt werden:

$$x\,R^1-PCl_2 \text{ (III)} \xrightarrow{+\,xn\,H_2C=C(R^2)(R^3) \text{ (IV)}} \left[-P(R^1)(Cl)_2-(CH_2-C(R^2)(R^3))_n- \right]_x \text{ (V)}$$

$$\xrightarrow[-\,HCl]{+\,H_2O} \left[-P(R^1)(=O)-(CH_2-C(R^2)(R^3))_n- \right]_x$$

P. mit Phosphinoxid-Gruppen *an* der Hauptkette werden durch *Polymerisation von Vinylphosphinoxiden, z. B. Diphenylvinylphosphinoxid, gewonnen:

$$n\,H_2C=CH-P(=O)(C_6H_5)_2 \longrightarrow \left[-CH_2-CH(O=P(C_6H_5)_2)- \right]_n$$

P. sind Produkte mit hoher Stabilität; sie werden u. a. als Flammschutzmittel für andere Polymere eingesetzt. – *E* polymeric phosphine oxides – *F* oxydes de polyphosphine – *I* ossidi di polifosfina – *S* óxidos de polifosfina

Lit.: Encycl. Polym. Sci. Eng. **11**, 98 ff.

Polyphosphite. Sammelbez. für zur Gruppe der *Phosphor-haltigen Polymeren zählende Produkte mit Gruppierungen des Typs

$$-O-P(O-R)-O-$$

mit z. B. R = Phenyl als charakterist. Segmente der *Makromoleküle. Sie können u. a. hergestellt werden durch Umesterung von Trialkyl- bzw. Triarylphosphiten mit Diolen wie Dipropylenglykol od. durch *Polykondensation von Phosphiten mit Formaldehyd. Sie werden als Stabilisatoren (z. B. für *Polyethylen) u. Flammschutzmittel eingesetzt. – *E* polyphosphites, polymeric phosphites – *F* polyphosphites – *I* polifosfiti – *S* polifosfitos

Lit.: Encycl. Polym. Sci. Eng. **11**, 102 f.

Polyphosphonate. Sammelbez. für zur Gruppe der *Phosphor-haltigen Polymeren zählende Verb. mit

Gruppierungen des Typs

$$-\overset{\overset{O}{\|}}{\underset{\underset{R}{|}}{P}}-O-$$

als charakterist. Segmente der *Makromoleküle. Sie sind u.a. herstellbar durch *Polykondensation von Phosphonyldichloriden mit Dihydroxy-Verb., z.B. von Phenylphosphonyldichlorid (I) mit *Bisphenol A (II):

$$n\ Cl-\overset{\overset{O}{\|}}{\underset{\underset{C_6H_5}{|}}{P}}-Cl + n\ HO-C_6H_4-\overset{\overset{CH_3}{|}}{\underset{\underset{CH_3}{|}}{C}}-C_6H_4-OH \xrightarrow{-2n\ HCl} \left[-\overset{\overset{O}{\|}}{\underset{\underset{C_6H_5}{|}}{P}}-O-C_6H_4-\overset{\overset{CH_3}{|}}{\underset{\underset{CH_3}{|}}{C}}-C_6H_4-O-\right]_n$$

I II

Verw.: U.a. als Flammschutzmittel für *Polyethylenterephthalat u.a. *Thermoplaste. – ***E=F*** polyphosphonates – ***I*** polifosfonati – ***S*** polifosfonatos
Lit.: Encycl. Polym. Sci. Eng. **11**, 103–108.

Polyphosphoramide. Bez. für *Polymere der Struktur **3**, die durch Reaktion eines Aryl- od. Alkyl-phosphondichlorids (**1**) mit einem Diamin (**2**) entstehen:

$$n\ Cl-\overset{\overset{R^1}{|}}{\underset{\underset{O}{\|}}{P}}-Cl + n\ H_2N-R^2-NH_2 \longrightarrow \left[-\overset{\overset{R^1}{|}}{\underset{\underset{O}{\|}}{P}}-NH-R^2-NH-\right]_n$$

1 2 3

R^1, R^2 = Aryl, Alkyl

Diese Phosphor-haltigen Polymere finden als schwer entflammbare *Kunststoffe od. als flammhemmende *Additive für andere Polymere techn. Interesse. – ***E=F*** polyphosphoramides – ***I*** polifosforoammidi – ***S*** polifosforamidas

Polyphosphorsäure. Farblose, viskose, hygroskop. Flüssigkeit der allg. Formel $H_{n+2}P_nO_{3n+1}$ od. $HO[P(OH)(O)-O]_nH$ (n: ca. 50–10000), die fälschlicherweise oft noch immer *Metaphosphorsäure genannt wird.
Verw.: Zur Herst. von *Polyphosphaten, als ggf. katalyt. wirkendes Reagenz zur Dehydratisierung, Acylierung u. Alkylierung, Cyclisierung, Isomerisierung, Polykondensation, Hydrolyse etc. – ***E*** polyphosphoric acid – ***F*** acide polyphosphorique – ***I*** acido polifosforico – ***S*** ácido polifosfórico
Lit.: Hollemann-Wiberg (101.), S. 782 ▪ Kirk-Othmer (4.) **18**, 650–685 ▪ Pizey, Synthetic Reagents, Bd. 6, S. 156–414, Chichester: Horwood 1985 ▪ Ullmann (5.) **A 19**, 478ff. ▪ Winnacker-Küchler (4.) **2**, 234–237. – *[HS 2809 20; CAS 8017-16-1; G 8, verschiedene]*

Polyphthalamide s. Polyamide.

Poly(phthalocyaninato)siloxane. Bez. für *Polymere, die aus einer Polysiloxan-Hauptkette u. senkrecht dazu fixierten Phthalocyanin-Ringen aufgebaut sind. Ihre Herst. ist durch verschiedene Verf. der *Polykondensation möglich (s. Schema bei *Phthalocyanin-Polymere, S. 3325). Die P. zählen wie die analogen Polygermanoxane, in denen die Silicium- durch Germanium-Atome ersetzt sind, zu den kettensteifen Polymeren u. sind daher als Bausteine supramol. Architekturen von großer Bedeutung. Allerdings sind unsubstituierte P. aufgrund ihrer Stäbchen-Gestalt unlösl. u. weisen Schmelztemp. oberhalb ihrer Zersetzungstemp. auf. Es wurden daher u.a. Alkoxy-substituierte P. entwickelt, die eine gute Löslichkeit zeigen, deren einheitlicher Aufbau zweifelsfrei nachzuweisen war u. die Molmassen von bis zu 360000 g/mol besitzen. Mit Hilfe der Langmuir-Blodgett-Technik lassen sich diese P. auch zu hochgeordneten, ultradünnen Filmen verarbeiten. So gelang es kürzlich, auf unterschiedlichen Trägersubstraten geordnete Filme aus bis zu 100 jeweils monomol. Schichten zu erzeugen. In Substanz zeigen diese P. je nach Seitenkettenlänge ein sehr unterschiedliches Phasenverhalten. P. mit nur kurzen Seitenketten sind bis zu ihrer Zers. unschmelzbar, bei größeren Seitenketten-Längen zeigen P. dagegen Übergänge in flüssigkrist. Mesophasen. – ***E*** polyphthalocyaninatosiloxanes – ***F*** poly(phthalocyaninato)siloxanes – ***I*** poli(ftalocianinato)silossani – ***S*** poli(ftalocianinato)siloxanos

Polyphthalocyanine s. Phthalocyanin-Polymere.

Polypivalactone (Polyhydroxypivalinsäuren). Bez. für zu den Polyhydroxycarbonsäuren (s. Hydroxycarbonsäuren) zählende *Polyester der Struktur II, die als *lebende Polymere durch *Ringöffnungspolymerisation von Pivalacton (I), z.B. mit Tributylphosphin als Katalysator, hergestellt werden:

$$n\ \text{(Pivalacton: } H_3C,\ CH_3\text{-substituiertes Oxetan-2-on)} \xrightarrow{[R_3P]} \left[-CH_2-\overset{\overset{H_3C}{|}}{\underset{\underset{CH_3}{|}}{C}}-\overset{\overset{O}{\|}}{C}-O-\right]_n$$

I II

Polykondensation der freien Hydroxypivalinsäure führt dagegen nur zu niedermol. Polypivalactonen.
P. sind beständig gegen Lsm., Säuren u. Alkalien, schmelzen bei ca. 245 °C (Dauerwärmeformbeständigkeit: ca. 180–200 °C) u. besitzen eine *Glasübergangstemperatur von –10 °C. Sie können aus der Schmelze zu Formartikeln, Filmen u. Folien verarbeitet werden. Allerdings zersetzt sich P. oberhalb seiner Schmelztemp. zu Pivalacton u. weiter zu Isobutylen u. Kohlendioxid, weshalb die Verarbeitung aus der Schmelze schnell erfolgen muß. Außerdem müssen den P.-Schmelzen zur besseren Krist. Nucleierungsmittel zugesetzt werden. – ***E=F*** polypivalactones – ***I*** polipivalattoni – ***S*** polipivalactonas
Lit.: Elias (5.) **2**, 190 ▪ Ullmann (4.) **15**, 431f.

Polyplasdone® XL u. XL-10. Kreuzvernetztes *Polyvinylpyrrolidon. Unlösl. in Wasser sowie in allen üblichen Lsm.; Tablettensprengmittel u. -füllstoff. Chem. inert, daher niedrige chron. Toxizität. Hohe Oberfläche, hohe Kapillar- bzw. Hydrationsaktivität; hohes Quellvol., gute Fließeigenschaften u. gute plast. Verformbarkeit. ***B.:*** ISP.

Polyploidie (von griech.: pollaplous = vielfach). Vorhandensein von mehr als zwei vollen Chromosomensätzen in Zellen, vgl. Mitosehemmer. – ***E*** polyploidy – ***F*** polyploïdie – ***I*** poliploidia – ***S*** poliploidía

Polyploidisierung s. Mitosehemmer.

Polyporsäure (2,5-Dihydroxy-3,6-diphenyl-1,4-benzochinon). $C_{18}H_{12}O_4$, M_R 292,28, bronzefarbene Platten, Schmp. 305 °C, lösl. in heißem Toluol, unlösl. in Wasser. P. ist Grundkörper der *Terphenylchinone, die in verschiedenen Höheren Pilzen vorkommen. P. selbst wurde in einigen Aphyllophorales (Baumpilzen) gefunden[1]. So bildet P. im zimtfarbenen Weichporling (*Hapalopilus rutilans*) bis zu 43,5% der Trockenmasse. P. entsteht biosynthet. durch Kondensation von zwei Mol. Phenylbrenztraubensäure u. besitzt antileukäm. Aktivität. – ***E*** polyporic acid – ***F*** acide polyporique – ***I*** acido poliporico – ***S*** ácido polipórico

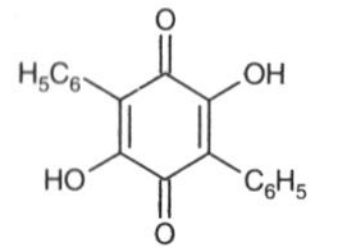

Lit.: [1]Zechmeister **51**, 12–32.
allg.: Beilstein EIV **8**, 3298 ▪ Z. Naturforsch. Teil C **30**, 1 (1975). – *[CAS 548-59-4]*

Polyprene. Kurzbez. für *Polyisoprene.

Polyprenoide s. Isoprenoide.

Polyprenole s. Prenole.

Polyprolin. Bez. für ein *Polymer der Struktur

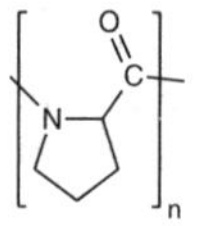

das zu den *Polypeptiden zählt u. durch *Polymerisation des *N*-Carboxyanhydrides der Aminosäuren Prolin synthetisiert werden kann. Anders als die Poly(α-aminosäure)n der üblichen Polypeptide kann diese Poly(iminosäure) aufgrund des Fehlens von Amid-Wasserstoff-Atomen keine Wasserstoff-Brückenbindungen ausbilden. P. kann in einer I- u. einer II-Konformation vorliegen, von denen letztere wasserlösl. ist u. als Modellsyst. zum Studium der *Collagen-Konformation genutzt wird. P. der I-Konformation wird direkt aus der Synth. über das *N*-Carboxyanhydrid erhalten. Es ist in alkohol. Lsg. beständig u. stellt eine rechtshändige Helix mit 3,3-Peptideinheiten pro Windung dar, deren Peptidbindungen in *cis*-Konformation vorliegen. Beim Lösen in Wasser od. organ. Säuren mutarotiert die I-Konformation in die II-Konformation. Hierin bildet das P. eine linkshändige 3_1-Helix mit 3 Peptideinheiten pro Windung, u. die Peptidbindungen liegen in *trans*-Konformation vor. – ***E*** = ***F*** polyproline – ***I*** = ***S*** poliprolina

Polypropellane. Bez. für *Polymere der allg. Struktur **II**

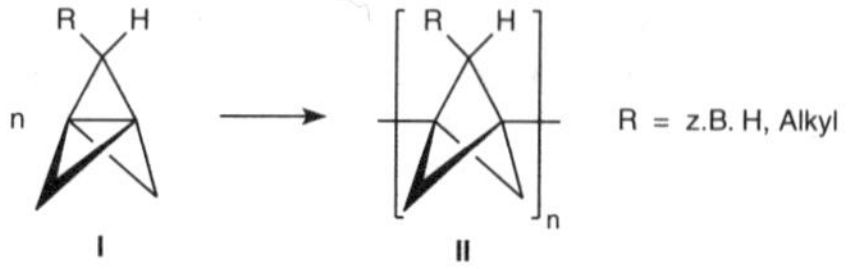

R = z.B. H, Alkyl

die – unter Bruch der zentralen C,C-Bindung – durch anion. od. radikal. *Polymerisation hochgespannter [1.1.1]Propellane **I** zugänglich sind. Aufgrund ihres speziellen Aufbaus sind P. zu den kettensteifen, stäbchenförmigen Polymeren zu rechnen. Für eine hinreichende Löslichkeit der P. **II** sind daher seitlich angeheftete, flexible Alkyl-Gruppen R erforderlich. Neben dem Grundkörper-P. (R = H) u. seinen Alkyl-substituierten Derivaten wurden in den letzten Jahren zahlreiche weitere P.-*Homopolymere mit funktionalisierten Seitenketten entwickelt. Diese könnten z. B. zu stäbchenförmigen *Polyelektrolyten od. zu zylinderförmigen, dendrit. *Makromolekülen führen. Neben der Homopolymerisation führen auch einige Copolymerisationen des [1.1.1]Propellans zu P., wobei z. B. mit Acrylnitril od. Maleinsäureanhydrid die streng alternierenden Copolymere **III** bzw. **IV** erhalten werden:

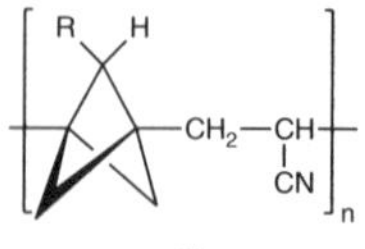

Schließlich kann das [1.1.1]Propellan auch als Baustein für *Polykondensate dienen, was z. B. im Falle des Polyamids **V** realisiert wurde.

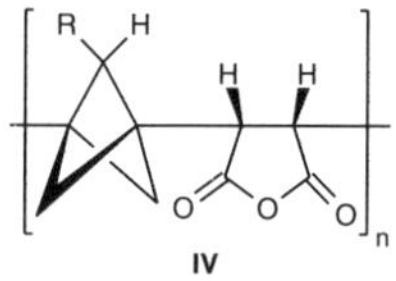

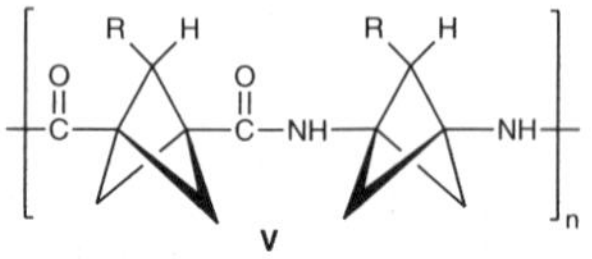

Viele P.-Derivate sind opt. klar u. könnten z. B. als Kontaktlinsen-Materialien Interesse finden. Für eine breitere techn. Anw. hinderlich sind allerdings die bislang noch zu hohen Kosten der Monomer-Synthese. – ***E*** = ***F*** polypropellanes – ***I*** polypropellani – ***S*** polipropelanos

Lit.: Salamone, Polymeric Materials Encyclopedia, S. 7250 f., Boca Raton: CRC-Press 1996.

Polypropylene (Kurzz. PP). Bez. für thermoplast. *Polymere des Propylens mit der allg. Formel:

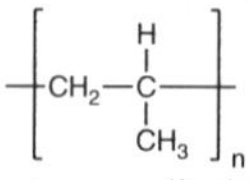

$$\left[CH_2-CH(CH_3) \right]_n$$

Basis für die P.-Herst. war die Entwicklung des Verf. zur stereospezif. *Polymerisation von Propylen in der Gasphase od. in Suspension durch *Natta. Diese wird mit *Ziegler-Natta-Katalysatoren, in zunehmendem Maße aber auch durch *Metallocen-Katalysatoren initiiert u. führt entweder zu hochkrist. *isotakt.* od. zu weniger krist. *syndiotakt.* bzw. zu amorphen *atakt.* P. (s. Taktizität). Zur Struktur der ster. unterschiedlichen P.-Mol. s. Makromoleküle, zum Mechanismus der stereospezif. Polymerisation s. Koordinationspolymerisation u. zur Charakterisierung der Stereoregularität von P. s. Isotaxie-Index.

Techn. wichtig ist insbes. das isotakt. Polypropylen:

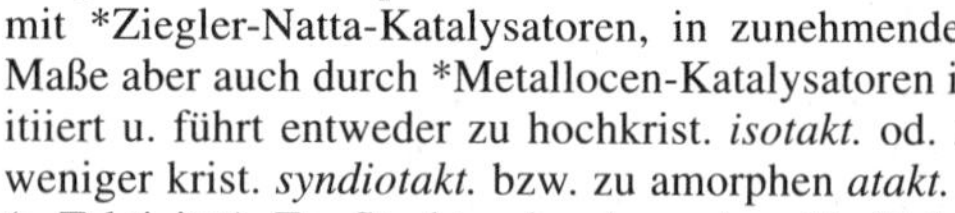

Bei der Propylen-Polymerisation dominieren heute – 1. das Suspensions-(Slurry-)Verf. (bei dem nach Verf.-Optimierung auf Abtrennung von Katalysator-Resten u. atakt. P. verzichtet werden kann), – 2. das Masse-(Bulk-)- u. – 3. das Gasphasen-Polymerisations-Verf. Das Suspensions-Verf. ist den beiden anderen Verf. hinsichtlich Variationsbreite u. Wirtschaftlichkeit unterlegen; seine Bedeutung nimmt ab. Die Regelung der mittleren relativen Molmasse (ca. 150 000–600 000 g/mol) kann durch Einstellung eines be-

stimmten Wasserstoff-Partialdruckes während der Polymerisation des Propylens erfolgen.
P. zeichnet sich durch hohe Härte, Rückstellfähigkeit, Steifheit u. Wärmebeständigkeit aus. Kurzfristiges Erwärmen von Gegenständen aus P. ist sogar bis 140 °C möglich. Bei Temp. unter 0 °C tritt eine gewisse Versprödung der P. ein, die jedoch durch Copolymerisation des Propylens mit Ethylen (*EPM, *EPDM) zu wesentlich tieferen Temperaturbereichen verschoben werden kann. Allg. läßt sich die Schlagzähigkeit von P. durch Modif. mit Elastomeren verbessern. Die Chemikalienbeständigkeit ist wie bei allen *Polyolefinen gut. Eine Verbesserung der mechan. Eigenschaften der P. erreicht man durch Verstärkung mit Talkum, Kreide, Holzmehl od. Glasfasern, u. auch das Aufbringen metall. Überzüge ist möglich. P. sind in noch stärkerem Maße als PE oxidations- u. lichtempfindlich, weshalb der Zusatz von Stabilisatoren (Antioxidantien, Lichtschutzmittel, UV-Absorber) erforderlich ist. Andererseits können P. durch Zusatz von Metalldialkyldithiocarbamaten photochem. abbaubar gemacht werden. Die räumliche *Orientierung* (s. orientierte Polymere) der Ketten in P.-Folien, die man durch uni- od. bisaxiales Recken erreichen kann (OPP-Folien), spielt für die Verarbeitung u. die Gebrauchseigenschaften eine wichtige Rolle. Für die Verarbeitung zu Fasern, die mit D. 0,91 die leichtesten aller Textilfasern sind, sind nur isotakt. P. geeignet. P. können auch verschäumt werden.
Verw.: Für hoch-beanspruchte techn. Teile, elektr. Haushaltsgeräte, Färbespulen, Damenschuhabsätze, Koffer, Wasch- u. Geschirrspülmaschinen, im Apparatebau, zur Herst. von Folien, zur Beschichtung von Papier, Gewebe, für Rohrleitungen für Gase u. Flüssigkeiten, als Schmelzspinnfasern, Filamente, Folienbändchen u. Spinnvliese für Teppiche, Nadelfilze, Papiere, Bezugs- u. Dekorstoffe, techn. Gewebe, Seile, Taue, Filter, Netze, Bindegarne, Kunstrasen, Hygienevliese, Naßvliese; auf dem Bausektor als Asbestersatz usw.
Seit 1975 hat sich das Weltverbrauchsvol. an P. von etwa 2,3 Mio. t/a auf rund 18 Mio. t/a in 1994 erhöht (ca. 11%/a)[1]. 1994 betrug der P.-Verbrauch in Westeuropa 5,1 Mio. t; zusätzlich wurden 0,5 Mio. t exportiert. Die Kapazitäten zur Herst. von P. beliefen sich 1994 auf ca. 20,8 Mio. t (Abb. 1, *Lit.*[1]).

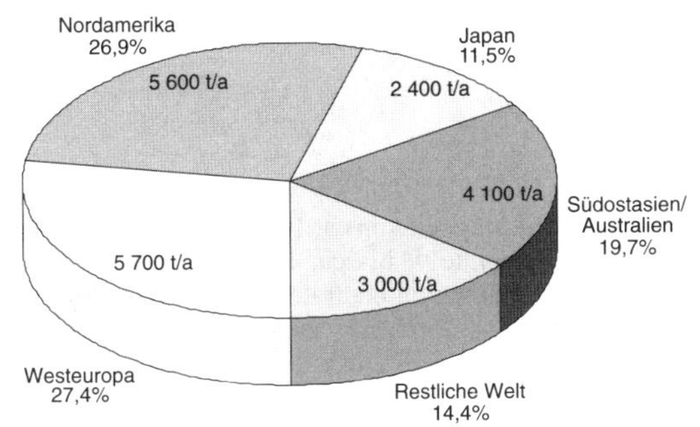

Abb. 1: Welt-PP-Kapazität nach Regionen (Stand Ende 1994).

Der P.-Verbrauch in Westeuropa (1994) gliedert sich nach Ländern aufgeschlüsselt wie in Abb. 2 gezeigt auf.

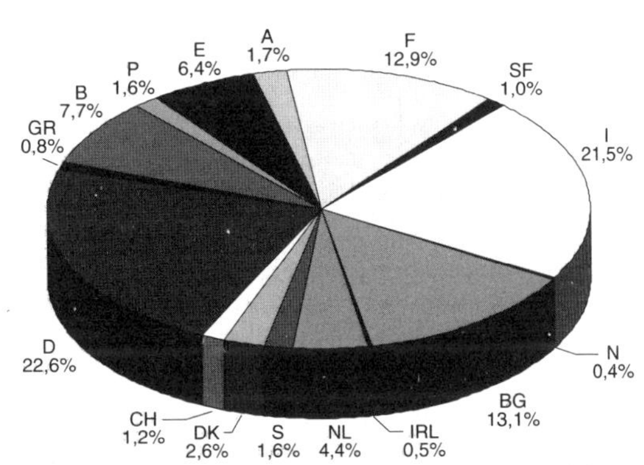

Abb. 2: PP-Verbrauch in Westeuropa aufgegliedert nach Ländern (Stand 1994).

Wesentliche Ursache des enormen Wachstums von P. ist die Substitution anderer Werkstoffe, neben Glas, Metall, Papier, Holz in großem Umfang auch die Substitution anderer Kunststoffe. Der Motor für die Substitution hin zum P. ist dessen günstiges Preis-/Leistungs-Verhältnis. Der Umfang der Substitution ist auf das breite Einsatzspektrum von P. zurückzuführen (Abb. 3, *Lit.*[1]).

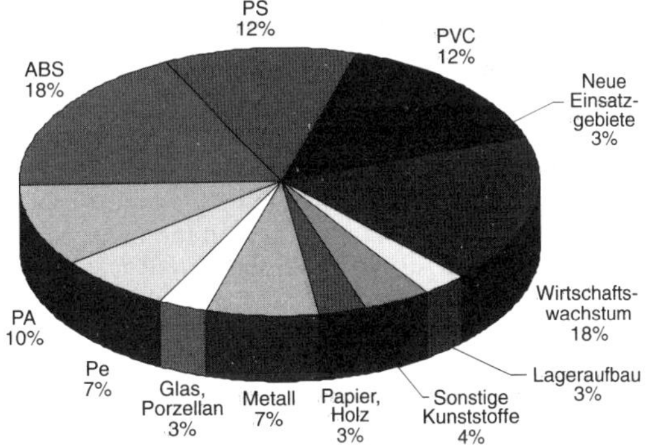

Abb. 3: Ursachen des Verbrauchswachstums bei PP in Westeuropa im Zeitraum 1988 – 1993 (Verbrauchszuwachs insgesamt 1,1 Mio. t).

Danach sind nahezu zwei Drittel des Verbrauchszuwachses von P. zu Lasten von anderen *Thermoplasten erfolgt, u. zwar ca. 300 000 t zu Lasten von *ABS, ca. 150 000 t zu Lasten von *PA, ca. 200 000 t zu Lasten von *PS, ca. 200 000 t zu Lasten von klass. *PVC-Anw. u. ca. 100 000 t auf Kosten von *PE. Auch die ökolog. Diskussion zum Einsatz von *Kunststoffen beeinträchtigt P. nicht negativ: P. wird häufig als der „umweltfreundliche" Kunststoff gesehen. Hinzu kommen neue aussichtsreiche Entwicklungen auf dem Gebiet der P., z. B. hochsteifes P., Weich-P., hochtransparentes P., extrusionsgeschäumtes P. sowie das Metallocen-Polypropylen. Eine ausführliche Übersicht über diese neuen Perspektiven vermittelt *Lit.*[2]. – ***E*** polypropylenes – ***F*** polypropylènes – ***I*** polipropileni – ***S*** polipropilenos

Lit.: [1]Kunststoffe **85**, 1537 (1995). [2]Kunststoffe **85**, 1109 (1995).
allg.: Domininghaus (5.), S. 178 ff. ▪ Encycl. Polym. Sci. Eng. **13**, 464 – 531 ▪ Houben-Weyl **E 20/2**, 722 – 758 ▪ Moore, Polypropylene Handbook, München: Hanser 1996. – *[HS 3902 10; CAS 9003-07-0]*

Polypropylenglykole (Kurzz. PPG). Flüssige, viskose *Polyalkylenglykole der allg. Formel

$$H\!-\![O-CH(CH_3)-CH_2]_n\!-\!OH$$

mit M_R 250–4000, deren niedermol. Vertreter mit Wasser mischbar sind, während die höhermol. P. dagegen kaum wasserlösl. sind. Sehr hochmol. P. werden als *Polypropylenoxide bezeichnet. Die P. entstehen durch *Ringöffnungspolymerisation von *Propylenoxid. Sie zählen als *Glykolether im weiteren Sinne zu den *Polyethern. Die einfachsten Vertreter der P. sind *Di-, Tri- u. Tetrapropylenglykol.
Verw.: Ebenso wie andere *Polyole zur Herst. von Polyurethanen sowie von nicht-ionogenen Wasch- u. Reinigungsmitteln, Kunstharzen, Gefrierschutzmitteln, Flotationsmitteln, als Antischaummittel, Weichmacher, Schmiermittel, in kosmet. Präp. etc. Blockcopolymere von P. mit *Polyethylenglykolen (genauer: von Propylenoxid mit Ethylenoxid, internat. Freiname: *Poloxamer*) finden Verw. als nicht-ionogene Tenside, als Emulgatoren, Netzmittel, Lösungsvermittler, etc. – ***E*** poly(propylene glycols) – ***F*** polypropylène-glycols – ***I*** polipropilenglicoli – ***S*** polipropilenglicoles
Lit.: Encycl. Polym. Sci. Eng. **6**, 273 ff. ▪ Ullmann (4.) **19**, 31–38. – *[HS 3907 20; CAS 25322-69-4]*

Polypropylenoxide (Polyoxypropylene, Kurzz. PPOX). Bez. für hochmol. Polypropylenglykole (zu Formel u. Herst. s. dort), die techn. v. a. in Form von Copolymeren Verw. finden. So liefert die *Copolymerisation von *Propylenoxid mit *Ethylenoxid *Blockcopolymere, die in Wasser aufgrund ihrer ausgeprägt hydrophilen (PEO-Block)/hydrophoben (PPOX-Block) Natur als nichtion. Tenside wirken. Durch Copolymerisation von Propylenoxid mit nichtkonjugierten Dienen entstehen ölfeste u. tieftemperaturbeständige *Kautschuke, die mit Schwefel zu *Elastomeren vulkanisierbar sind. – ***E*** poly(propylene oxide) – ***F*** polypropylène oxides – ***I*** ossidi di polipropilene – ***S*** polioxipropilenos

Polypropylenoxid-Kautschuke. Bez. für *Polyether-Kautschuke, die durch *Copolymerisation von Propylenoxid mit sehr geringen Mengen ungesätt. Epoxide (v. a. mit Glycidylallylether, Mol-Verhältnis: ca. 40:1) hergestellt werden u. für die u. a. folgende Struktur (Parel 58®, Goodrich) charakterist. ist:

$$[-CH_2-CH(CH_3)-O-]_x[-CH_2-CH(CH_2-O-CH_2-CH=CH_2)-O-]_{0,025\,x}$$

Die bei der Copolymerisation der *Monomeren resultierenden Produkte sind über die Doppelbindungen vernetz-, d. h. zu *Elastomeren vulkanisierbar. P.-K. haben eine *Glasübergangstemperatur von –65 °C u. eine D. von ca. 1 g/cm³. Das techn. Produkt hat Molmassen von ca. 1,5–3,5 · 10^6 g/mol. Die Vulkanisate bleiben auch bei tiefen Temp. flexibel, besitzen gutes Hochtemp.-Verhalten, gute Beständigkeit gegen Ozon, Öle u. Kraftstoffe u. vorteilhafte dynam. Eigenschaften.
Verw.: Alternativ zu *Naturkautschuk insbes. zur Herst. von Gummiteilen im Automobilbau (Motorauflagen u. -federungen), für Gewebebeschichtungen, Kabelummantelungen u. zur Herst. von Membranen. – ***E*** propylenoxide elastomers – ***F*** élastomères d'oxyde de propylène – ***I*** caucciù dell'ossido di polipropilene – ***S*** elastómeros de óxido de propileno
Lit.: Encycl. Polym. Sci. Eng. **16**, 315 ff. – *[HS 4002 99]*

Polypropylensulfide. Bez. für lineare *Polymere der allg. Struktur

$$[-CH(CH_3)-CH_2-S-]_n$$

die mit hoher Stereoregularität bei der *Ringöffnungspolymerisation von Propylensulfid in Ggw. von Metall-Alkylen u. Wasser od. Alkoholen als Co-Katalysatoren anfallen. – ***E*** polypropylene sulfides – ***F*** sulfures de polypropylène – ***I*** solfuri di polipropilene – ***S*** sulfuros de polipropileno
Lit.: Encycl. Polym. Sci. Eng. **15**, 722 f.

Polypropylen-Wachse s. Polyolefin-Wachse.

Polyproteine (polyfunktionelle Proteine). *Proteine, die durch ununterbrochene *Translation von mehrere Gen-Transkripte enthaltenden (*polycistron.*) *Ribonucleinsäuren entstehen u. nach der Translation durch spezif. *Proteinasen in mehrere *Polypeptide od. Proteine gespalten werden. P. werden v. a. als Vorläufer von *Peptidhormonen (z. B. Proopiomelanocortin, s. Lipotropin) od. von viralen Proteinen angetroffen (z. B. das P. des Poliomyelitis-Virus, aus dem u. a. Hüllproteine, eine Replicase, u. eine Proteinase entstehen). Zu bakteriellen P. s. *Lit.*[1]. – ***E*** polyproteins – ***F*** polyprotéines – ***I*** poliproteine – ***S*** poliproteínas
Lit.: [1] FEBS Lett. **307**, 62–65 (1992).

Polypyrazine s. Poly(chinoxalin)e.

Polypyrrole. Bez. für durch *oxidative Polymerisation od. *elektrochemische Polymerisation von Pyrrol hergestellte *Polymere (Strukturformel: s. elektrisch leitfähige Polymere). P. gewinnen wegen ihrer Eigenschaft, nach partieller Oxid. (*Dotierung) den elektr. Strom zu leiten, zunehmendes Interesse. Ein Vorteil der P. gegenüber anderen leitfähigen Polymeren ist, daß es direkt aus der Synth. in dotierter Form erhalten wird u. diese auch unter Umgebungsbedingungen stabil ist. So entsteht bei der Elektrolyse einer Lsg. von Pyrrol u. $(H_5C_2)_4N^+BF_4^-$ in Acetonitril an der Anode ein unlösl., schwarz-blauer P.-Film der Zusammensetzung

$$\left[\left(\text{2,5-Pyrrolylen}\right)_4^{+}\,BF_4^{-}\right]_n$$

der eine Leitfähigkeit von ca. 100 S/cm zeigt, die über längere Zeiträume u. bis ca. 300 °C erhalten bleibt. Gelb-grüne Filme von neutralem P. (Leitfähigkeit ca. 10^{-10} S/cm) sind durch z. B. elektrochem. Red. derartiger Filme erhältlich. Diese sind an Luft jedoch instabil u. kehren in kürzester Zeit in ihre oxidierte Form zurück. Lösl. P. sind durch Anheften flexibler Alkyl-Seitengruppen an das starre P.-Rückgrat zu erhalten. Die Synth. solcher P.-Derivate erfolgt vorzugsweise durch Übergangsmetall-katalysierte *Polykondensationen. Insbes. N-substituierte P. sind jedoch viel schlechtere Leiter u. fallen häufig in Pulvern anstelle von Filmen an. – ***E*** **=** ***F*** polypyrroles – ***I*** polipirroli – ***S*** polipirroles

Lit.: Compr. Polym. Sci., Second Suppl. (1996), S. 133ff. ▪ Cowie, S. 467 ▪ Encycl. Polym. Sci. Eng. **13**, 42–55 ▪ Mair u. Roth, Elektrisch leitende Kunststoffe, 2. Aufl., S. 547ff., München: Hanser 1989 ▪ s.a. elektrisch leitfähige Polymere.

Polyquart®. Sortiment von Kondensationsharzen als *Antistatikum u. *Avivage-Mittel in Shampoos u. Haarkur-Präparaten. ***B.:*** Henkel.

Polyquinane. Von Paquette geprägte Bez. für Verb., die aus miteinander kondensierten Fünfringen (...quin... von latein.: quinque = fünf) bestehen. Der Name leitet sich von dem von Woodward hergestellten Triquinacen ab[1] (...acen stammt von Ace.., das z.B. bei *Acenaphthen einen *peri*-anellierten Fünfring anzeigt). P.-Derivate finden sich vielfach bei Naturstoffen, z.B. den Terpenen[2]. Ein spektakuläres P. ist Dodecahedran, dessen Herst. den Arbeitsgruppen von Paquette 1982 u. Prinzbach u. von R. Schleyer 1987 gelang[3]; s.a. die Herst. eines Triquinans bei Käfigverbindungen.

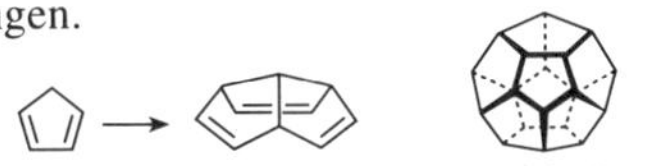

Cyclopentadien Triquinacen Dodecahedran

Abb.: Aufbau von Polyquinanen aus Cyclopentadien-Einheiten.

– ***E*** **=** ***F*** polyquinanes – ***I*** poliquinani – ***S*** poliquinanos

Lit.: [1] J. Am. Chem. Soc. **86**, 3162ff. (1964). [2] Ito et al., Synthesis of Polyquinane Terpenes, in Study in Organic Chemistry, Vol. 20, S. 159–170, Amsterdam: Elsevier 1984. [3] Vögtle, Reizvolle Moleküle der Organischen Chemie, S. 40–55, Stuttgart: Teubner 1989.

allg.: Lindberg, A new Strategy for the Synthesis of Polyquinanes, San Diego: Academic Press 1989 ▪ Mod. Synth. Methods **4**, 61–88 (1986) ▪ Nickon u. Silversmith, The Name Game, S. 201f., New York: Pergamon Press 1987 ▪ Tetrahedron Lett. **31**, 4285–4288 (1991) ▪ Tetrahedron **47**, 3665–3710 (1991) ▪ Top. Curr. Chem. **79**, 41–165 (1979); **119** (1984). – *[CAS 4493-23-6 (Dodecahedran)]*

Polyradikale. Bez. für Polymere, deren konstitutionelle Repetiereinheiten ungepaarte Elektronen u. damit Radikal-Charakter aufweisen. Zu den P. zählen Poly(*m*-phenylencarbene) wie z.B. **1a**, die im Grundzustand die max. mögliche Spin-Multiplizität aufweisen, jedoch sehr unbeständig sind. Gleiches gilt auch für viele Polytriarylmethyl-P. wie z.B. **1b**:

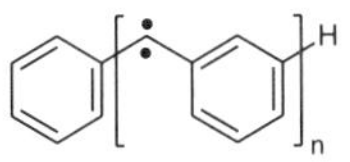

1a 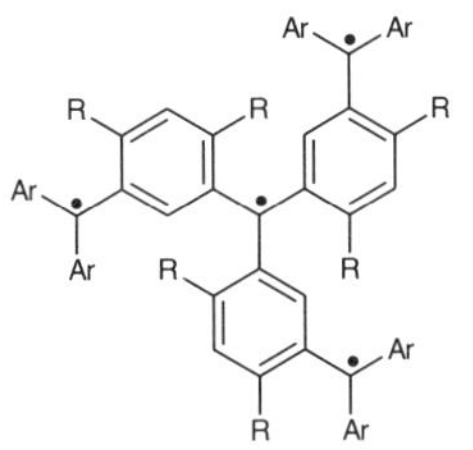 **1b**

Dagegen sind schon zahlreiche P. auf Basis des Polyphenylacetylens bekannt, die z.T. über gute Beständigkeit verfügen. Ein Beisp. ist das Polymer **3**, das zum einen durch Polymerisation von **2** mit WCl_6 od. $MoCl_5$ u. nachfolgende Oxid. mit PbO_2 od. $K_3[Fe(CN)_6]$ zugänglich ist, zum anderen durch Photolyse von **4**:

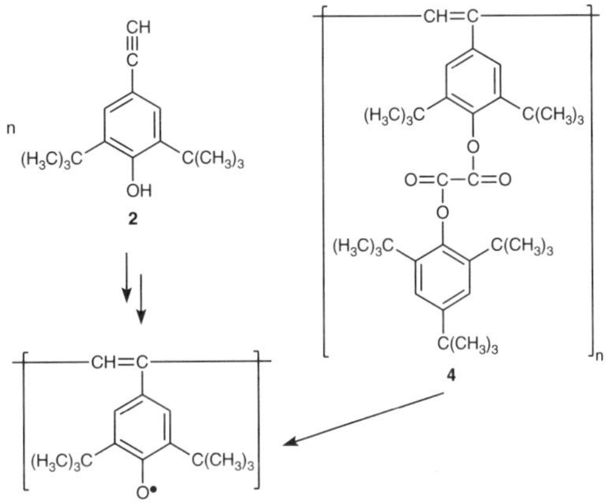

2 **3** **4**

Die Spin-Konz. in diesen Polymeren **3** (Molmasse ≤18000 g/mol) beträgt bis zu 0,4 Spins pro Monomereinheit. Ebenfalls auf Polyphenylacetylen basieren das Nitronyl-Nitroxid-P. **5**, das Polynitroxid **6** u. das P. **7** mit Triphenylmethyl-Seitengruppen:

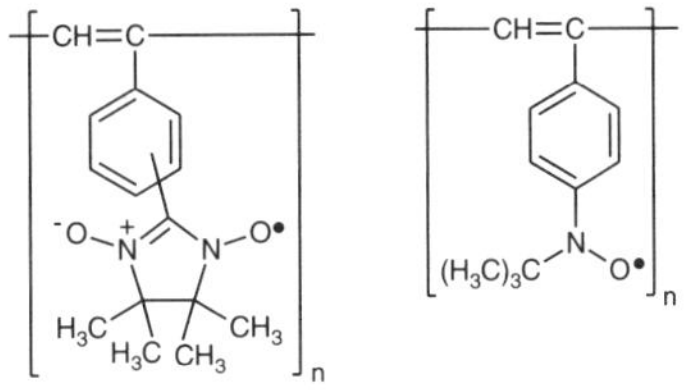

5 **6** 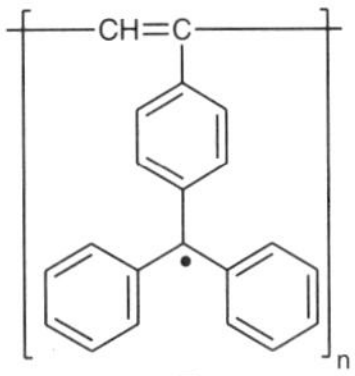 **7**

Wesentlich höhere Spin-Konz. von bis über 0,9 Spins pro Monomereinheit zeigen die auf Polyphenylenacetylen basierenden P. wie **8** u. P. auf der Basis von Polyphenylenvinylenen (z.B. **9**).

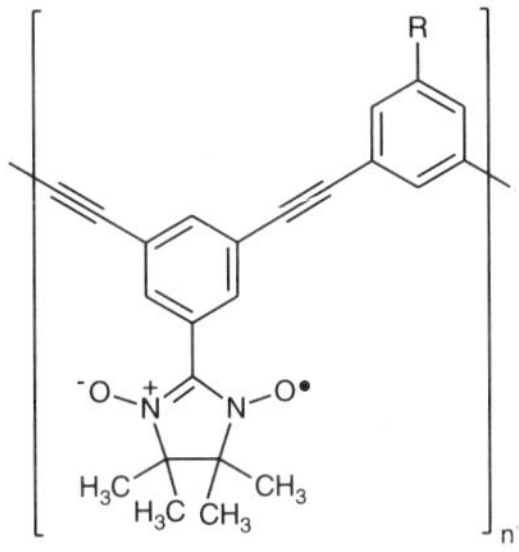

8 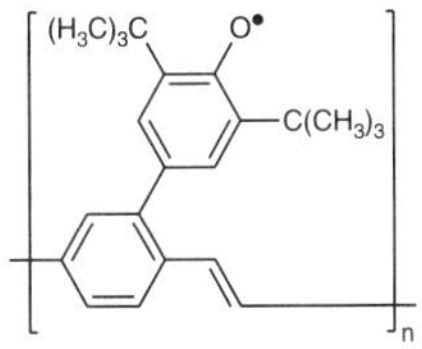 **9**

Schließlich zählen auch einige konjugierte organ. Polymere (s. elektrisch leitfähigen Polymere) nach ihrer partiellen Oxid. (Dotierung) zu den Polyradikalen. Beisp. sind die Polymeren **10** u. **11** nach Dotierung mit I_2 od. AsF_5 (s. Formel S. 3502 oben).

P. werden gegenwärtig intensiv beforscht, da sie – wie theoret. Arbeiten zeigen – als rein organ. Ferroma-

10 11

gnetika von großem techn. Nutzen sein könnten. – ***E*** polyradicals – ***F*** polyradicaux – ***I*** poliradicali – ***S*** poliradicales

Lit.: Salamone, Polymeric Materials Encyclopedia, S. 1484, 6686, Boca Raton: CRC-Press 1996.

Polyram® DF. *Fungizid mit breitem Wirkungsspektrum auf Basis *Metiram gegen Pilzkrankheiten. ***B.:*** BASF.

Polyreaktionen. In der deutschsprachigen Lit. Übergriff für Verf. zur Umsetzung eines *Monomeren od. eines Gemisches von Monomeren zu *Polymeren. P. können sowohl ohne als auch mit Abspaltung von niedermol. Verb., z. B. von Wasser od. Halogenwasserstoff, ablaufen.

Ohne Abspaltung von Nebenprodukten *stufenlos* verlaufende P. werden im Deutschen als *Polymerisationen bezeichnet (*Beisp.:* Herst. von *Polyethylen bzw. *Polystyrol aus Ethylen bzw. Styrol). *Mit Abspaltung* von Nebenprodukten stufenlos verlaufende P. werden als *Polyeliminationen bezeichnet (z. B. Umsetzung von Diazomethan zu *Polymethylen). *Ohne Abspaltung* von Nebenprodukten *in Stufen* verlaufende P. werden dagegen *Polyadditionen genannt (*Beisp.:* Synth. von *Polyurethanen aus Diolen u. Diisocyanaten). *In Stufen unter Abspaltung* von Nebenprodukten ablaufende P. sind *Polykondensationen (*Beisp.:* Reaktion von Dicarbonsäuren mit Diolen zu *Polyestern). Im Engl. werden für die einzelnen P. ähnliche Namen mit teilweise unterschiedlichen, zu Mißverständnissen führenden u. mit IUPAC-Vorschlägen nicht kongruenten Bedeutungen verwendet:

deutsch	IUPAC-Vorschlag	engl.
Polyreaktion	polymerization	polymerization
Polymerisation	chain polymerization	polymerization od. addition polymerization od. chain polymerization
Polyaddition	polyaddition	–
Polykondensation	polycondensation	condensation polymerization

Im Engl. werden die Polyaddition u. Polykondensation vielfach unter dem Oberbegriff step polymerization zusammengefaßt.

Grundsätzliche Unterschiede zwischen den einzelnen P.-Typen bestehen darin, daß bei der Polymerisation die polymerisierenden Monomere nur mit der wachsenden Polymerkette reagieren, bei Polyadditionen u. Polykondensationen aber aus den Monomeren in den ersten Reaktionsstufen zunächst Intermediate mit niedrigen Molmassen (*Oligomere) gebildet werden, die dann in weiteren Reaktionsstufen zu Ketten verschmelzen. Die Entwicklung der *Polymerisationsgrade (DP) mit dem Umsatz U verläuft gemäß (a) für die Polykondensation/Polyaddition, gemäß (b) für die radikal. Polymerisation u. gemäß (c) für die lebende (ion.) Polymerisation (Abb.).

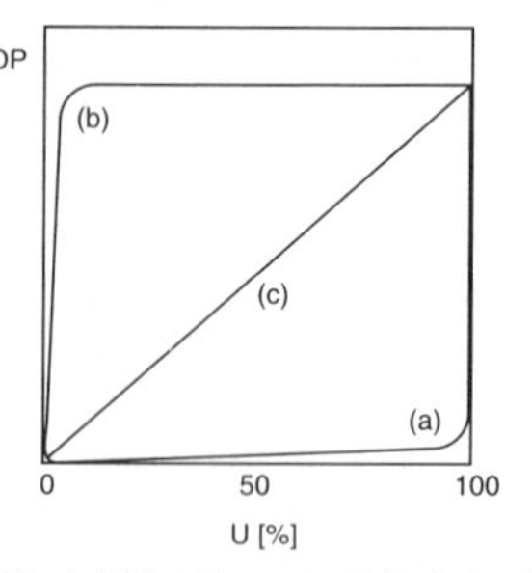

Abb. 1: Entwicklung der Polymerisationsgrade DP mit dem Umsatz U für (a) die Polykondensation/Polyaddition, (b) die radikal. Polymerisation u. (c) die lebende (ion.) Polymerisation (idealisiert).

Übergreifende Bez. für die bei P. resultierenden Produkte (*Polymerisate, *Polyaddukte, *Polykondensate) ist Polymere. – ***E*** polymerizations – ***F*** polymérisations – ***I*** polimerizzazioni – ***S*** polimerizaciones

Lit.: Elias (5.) **1**, 179 ff., 283 ff. ▪ Odian (3.), S. 1 ff.

Polyrekombination. Bez. für eine *Polyreaktion, bei der sich das Kettenwachstum aus drei Teilschritten – dem Initiator-Zerfall (1), der Radikalübertragung (2) auf das *Monomer (od. *Oligomer) u. der anschließenden Rekombination (3) zweier so entstandener Radikale – zusammensetzt. Zur Durchführung einer P. läßt man bei erhöhter Temp. auf ein Monomer, das zwei stark zur Kettenübertragung neigende Gruppen enthalten muß, einen Überschuß eines Peroxids einwirken. Durch den Peroxid-Zerfall entstehen zunächst Initiator-Radikale. Diese starten allerdings keine gewöhnliche radikal. *Polymerisation, sondern spalten ein Wasserstoff-Radikal vom Monomer ab u. bilden so ein Monomer-Radikal. Finden sich anschließend zwei solche Monomer-Radikale, so reagieren sie unter Rekombination miteinander u. bilden so ein Dimer, z. B.:

1) $R{-}O{-}O{-}R \longrightarrow 2\,R\bullet + O_2$

2) $R\bullet + HC(CH_3)_2{-}C_6H_4{-}CH(CH_3)_2 \longrightarrow R{-}H + \bullet C(CH_3)_2{-}C_6H_4{-}CH(CH_3)_2$

3) $2\,\bullet C(CH_3)_2{-}C_6H_4{-}CH(CH_3)_2 \longrightarrow HC(CH_3)_2{-}C_6H_4{-}C(CH_3)_2{-}C(CH_3)_2{-}C_6H_4{-}CH(CH_3)_2$

$\longrightarrow \longrightarrow \longrightarrow [{-}C(CH_3)_2{-}C_6H_4{-}C(CH_3)_2{-}]_n$

Anschließend wiederholt sich die Reaktion mit dem Dimeren usw., wobei allmählich *Polymere entstehen. Obwohl die P. durch Radikale ausgelöst wird, gehorcht sie hinsichtlich der Kettenwachstums-Statistik den Gesetzmäßigkeiten der *Polykondensation. Demnach sollten aufgrund von Nebenreaktionen der Radikale hohe *Molmassen kaum zu erreichen sein. Dennoch ist es gelungen, Reaktionsbedingungen zu finden, unter denen sich Polymere mit molaren Massen von bis zu 100 000 g/mol bilden. Auch in der Natur spielen P. eine wichtige Rolle. Sie sind beispielsweise bei der Bildung des Lignins in Pflanzen ein zentraler Schritt.

– ***E*** = ***F*** polyrecombination – ***I*** poliricombinazione – ***S*** polirecombinación
Lit.: Tieke, S. 165.

Polyribosomen s. Polysomen.

Polyrotaxane s. topologische Polymere.

Poly(1,1′-ruthenocen-alkylen)e s. Poly(1,1′-ferrocen-alkylen)e.

Polysaccharide (von *Poly... u. griech.: sakcharon = Zucker). P. (*Glykane, Polyglykane*) ist die Sammelbez. für makromol. *Kohlenhydrate, deren Mol. aus einer großen Zahl (mind. >10, gewöhnlich jedoch erheblich mehr) glykosid. miteinander verknüpfter Monosaccharid-Mol. (*Glykose*) bestehen.
Klassifizierung: Zu den P. gehören v.a. die als Reservestoffe wichtigen Biopolymeren *Stärke u. *Glykogen sowie das Struktur-P. *Cellulose, die ebenso wie *Dextran u. *Tunicin als Polykondensationsprodukt der D-Glucose aufgefaßt werden können (Polyglucosane, *Glucane*), *Inulin als Polykondensat der D-Fructose (Polyfructosan, *Fructan*), *Chitin, *Alginsäure u. andere. Während die erwähnten P. jeweils nur *eine* Art von Bausteinen – wenn auch ggf. in wechselnder glykosid. Verknüpfung – enthalten u. darum *Homo-P.* (*Homoglykane*) genannt werden, bestehen die v.a. in Pflanzengummen, Körperschleimen u. Bindegewebe vorkommenden *Hetero-P.* od. *Heteroglykane* aus *verschiedenartigen* Monomer-Einheiten. Bekannte Heteroglykane sind *Pektine, *Mannane, *Galactane, *Xylane u.a. *Polyosen, ferner *Chondroitinsulfate, *Heparin, *Hyaluronsäure u.a. *Glykosaminoglykane. In nicht wenigen P. tragen die Monomer-Einheiten Carboxy- u./od. Sulfonyl-Gruppen, was diesen P. Polyelektrolyt-Charakter verleiht. P.-haltige *Konjugate sind manche *Glykoproteine, die *Proteoglykane u. die Peptidoglykane (s. Murein) sowie ein Teil der *Glykolipide u. die *Lipopolysaccharide. Nomenklatur-Empfehlungen für P. s. eine der unter *Lit.*[1] angegebenen Stellen.
Analytik: Die P. liegen oft in geordneten räumlichen Strukturen vor, indem sie bestimmte Sekundär-Strukturen wie z.B. Bänder od. Helices ausbilden[2]. Die Analytik der P. macht Gebrauch von Farbreaktionen (Periodsäure/Schiffs Reagenz), Abbaureaktionen (zu Oligosacchariden), Methylierung, Gaschromatographie (auch zur Enantiomerentrennung), *Massenspektrometrie, Röntgenstrukturanalyse, ^{13}C-NMR-Spektroskopie u.a. Methoden.
Verw.: Mit P. als *Carrier kann eine gezielte Freisetzung von Arzneimitteln, z.B. im Dickdarm, erreicht werden[3]. In der Chromatographie werden P. u. ihre Derivate als Trennmittel verwendet, auch für Enantiomerentrennung[4]. Als Rohstoff- u. Energielieferanten spielen P. eine zentrale Rolle nicht nur in der Ernährung (vgl. Kohlenhydrate). Manche P. finden dank ihrer Gel-bildenden, pseudoplast. Eigenschaften (als sog. *Hydrokolloide*) techn. Verw. als Verdickungsmittel, Emulsionsstabilisatoren u. dgl. in der Lebensmittel-, Pharma-, Kosmetik- u.a. Industrien. Einige dieser P. werden auf biotechnolog. Weg mit Hilfe von Bakterien hergestellt, z.B. Dextran, Xanthan- u. Gellan-Gummi. – ***E*** polysaccharides – ***F*** polyosides – ***I*** polisaccaridi – ***S*** polisacáridos

Lit.: [1] Eur. J. Biochem. **126**, 439 ff. (1982); J. Biol. Chem. **257**, 3352 ff. (1982); Pure Appl. Chem. **54**, 1523–1526 (1982). [2] Adv. Carbohyd. Chem. Biochem. **52**, 311–439 (1997). [3] Crit. Rev. Ther. Drug Carrier Syst. **13**, 185–223 (1996). [4] Angew. Chem. **110**, 1072–1095 (1998).
allg.: Ullmann (5.) **A 25**, 2–59.

Polysäuren s. Polyelektrolyte u. Polycarbonsäuren.

Polysalz-Marken. Salze von *Polycarbonsäuren; Dispergiermittel für Füllstoffe u. Streichpigmente; zur Stabilisierung von Streichfarben u. Slurries; Mahlhilfsmittel für Kreide. ***B.:*** BASF.

Polysalze s. Polyelektrolyte.

Polysar® Brombutyl, Polysar®Chlorbutyl. Bromierter bzw. chlorierter *Butylkautschuk, zur Herst. von Artikeln mit geringer Durchlässigkeit von Gasen u. Flüssigkeiten. ***B.:*** BASF.

Polysar® Butyl. *Butylkautschuk zur Herst. von Artikeln mit geringer Durchlässigkeit von Gasen u. Flüssigkeiten. ***B.:*** BASF.

Polysar® S. *Styrol-Butadien-Kautschuk, Hauptanwendungsgebiet in der Reifenproduktion. ***B.:*** BASF.

Polyschwefel s. Schwefel.

Polyschwefelnitrid s. Schwefel-Stickstoff-Verbindungen.

Polysilane (Polysilylene). Im engeren Sinne Bez. für *Oligomere u. *Polymere, deren Mol. aus kettenförmig angeordneten Siliciumwasserstoff-Bausteinen bestehen u. denen die allg. Summenformel Si_nH_{2n+2} zukommt. Im Gegensatz zu den homologen Kohlenwasserstoff-Verbindungen C_nH_{2n+2} sind diese P. sehr instabil u. entzünden sich z.B. bei Kontakt mit Sauerstoff selbst. Ihre Beständigkeit nimmt mit steigender Zahl der Silicium-Atome weiter ab, u. in Ggw. von z.B. $LiAlH_4$ zerfallen sie in Monosilan u. Polysilene. Die längsten bislang rein isolierten Homologen dieser P. sind das *Decasilan* ($Si_{10}H_{22}$, M_R 303,03) u. das *Pentadecasilan* ($Si_{15}H_{32}$, M_R 453,54) (zur Herst. s. Silane). Bei steigender Kettenlänge ($n \rightarrow \infty$) erhält man das dem *Polyethylen entsprechende Polysilen $(SiH_2)_n$. Dieses ist ein farbloser, an der Luft entzündlicher u. sehr hydrolyseinstabiler Feststoff.
In den Polymer- u. Materialwissenschaften faßt man über dieses Grundkörper-P. hinaus auch die Polyorganosilane unter dem Begriff *Polysilan* zusammen u. damit alle Polymere der allg. Struktur **1**, die eine Hauptkette ausschließlich aus Silicium-Atomen aufweisen. Diese können anstelle des Wasserstoffs beliebige organ. (z.B. Alkyl, Aryl) od. Metall-organ. Substituenten R^1 u. R^2 als laterale Gruppen tragen.

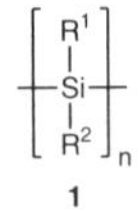

1

Obwohl kurzkettige Homologe solcher Polyorganosilane seit nahezu 80 Jahren bekannt sind, war man doch lange der Meinung, daß Silicium eine nur sehr begrenzte Eignung zum Aufbau kettenförmiger *Makromoleküle hat. Erst als man im Jahre 1975 beobachtete, daß das unlösl. Polydimethylsilan **1a** ($R^1 = R^2 = CH_3$) durch einfaches Erhitzen in Siliciumcarbid umzuwandeln ist, erwachte ein großes Interesse an strukturell definierten, hochmol. P. **1**. Bald gelang es zu zeigen, daß z. B. durch Einführung einiger statist. über die Ketten verteilter Phenyl-Gruppen die Kristallinität u. die Schmelztemp. des Polydimethylsilans drast. zu senken u. dessen Löslichkeit stark zu erhöhen sind. Erstmals wurden so aus Lsg. u. Schmelze verarbeitbare P.-Copolymere **1b** verfügbar, die unter dem Namen *Polysilastyrole* bekannt wurden. Sie lassen sich mittels *Wurtz-Synthese aus Mischungen von Dichlordimethylsilan **2** u. Dichlormethylphenylsilan **3** in Ggw. von metall. Natrium in siedenden Kohlenwasserstoffen wie z. B. Toluol herstellen:

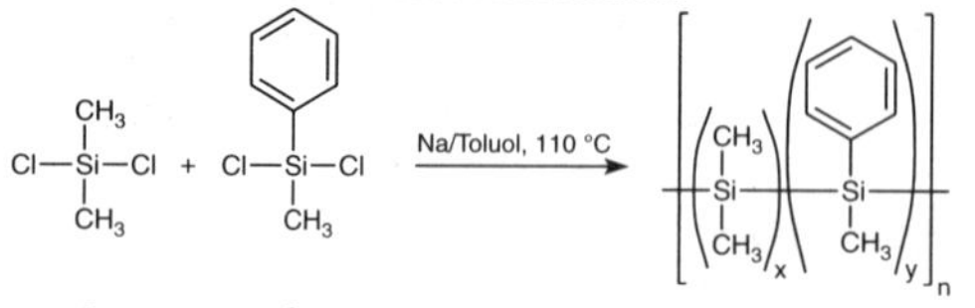

Na/Toluol, 110 °C

2 **3** **1b**

Die erhaltenen Polysilastyrole **1b** können zu Fasern versponnen werden, die anschließend durch Thermolyse bei Temp. von 800 bis 1300 °C in Siliciumcarbid-Fasern umzuwandeln sind.

Seit der Synth. dieses ersten definierten P. wurden durch Wurtz-Kupplung zahlreiche weitere P.-Derivate mit Molmassen von bis zu 10^5 g/mol aufgebaut. Dennoch blieben Fragen zum Mechanismus dieser klass. Wurtz-Synth. offen. So ist unklar, weshalb oft bi- od. multimodale Molmassen-Verteilungen beobachtet werden. Erst jüngste Untersuchungen deuten darauf hin, daß diese ihre Ursache in einer Konkurrenz zwischen Polymer-Wachstums- u. Polymer-Abbau-Prozessen haben, die beide in der Syntheselösung ablaufen. Diese Unklarheiten haben auch dazu geführt, daß bisher kein Standard-Verf. für die Synth. von P. durch Wurtz-Kupplungen existiert. Es haben sich im Gegenteil sogar sehr zahlreiche Modifikationen der klass. Wurtz-Kupplung entwickelt. Dabei erwiesen sich z. B. die Verw. von THF-lösl. Kronenether-Alkalimetall-Komplexen u. die von Graphit-Kalium (C_8K) als Reduktionsmittel als erfolgreich. Mit der letzteren Meth. konnten kürzlich sogar hochmol., aber dennoch engverteilte u. wasserlösl. P. **1c** aufgebaut werden. Auch die Aktivierung des Metalls durch Ultraschall wirkt sich pos. auf die Wurtz-Synth. aus. Sie beschleunigt das Kettenwachstum stark u. führt so zu höhermol. Produkten mit geringeren *Polydispersitäten.

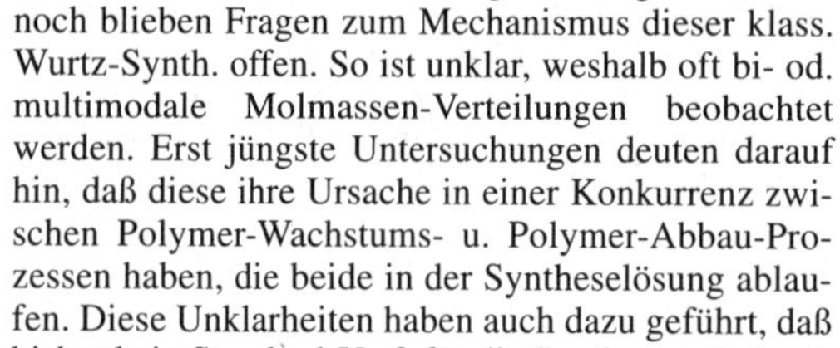

2eq C_8K, THF, 0 °C

4 **1c**

Trotz einiger Weiterentwicklungen bleiben aber gravierende Nachteile des Wurtz-Prozesses bestehen. So läßt er sich z. B. nicht zur Herst. funktionalisierter P. verwenden, liefert meist nur niedrige Gesamtausbeuten u. ist für Synth. in größerem Maßstab äußerst unattraktiv (Verw. von metall. Natrium). Daher wurden alternative Verf. zur P.-Synth. entwickelt. Eines ist die unter Wasserstoff-Abspaltung verlaufende *Polykondensation von Siliciumhydriden wie **5**, die schnell u. nahezu quant. verläuft, jedoch bislang nur recht niedermol. P. ergibt. Das Verf. ist dennoch interessant, da es P. mit Si–H-Gruppen verfügbar macht. Deren Umsetzung (z. B. **1d**→**1e**) erlaubt die Einführung auch funktionalisierter Seitengruppen in die Polysilane.

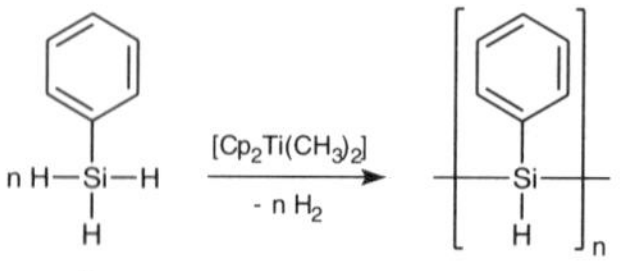

$[Cp_2Ti(CH_3)_2]$, $- n\,H_2$

5 **1d**

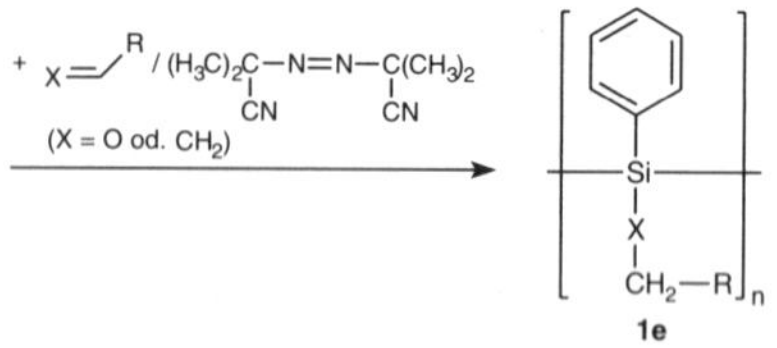

(X = O od. CH_2)

1e

Eine zweite Alternative zum klass. Wurtz-Prozeß sind ringöffnende Polymerisationen gespannter Cyclosilane wie z. B. **6**, u. auch durch die anion. Polymerisation von Disilabicyclooctadienen (z. B. **7**) konnten P. wie **1g** erhalten werden.

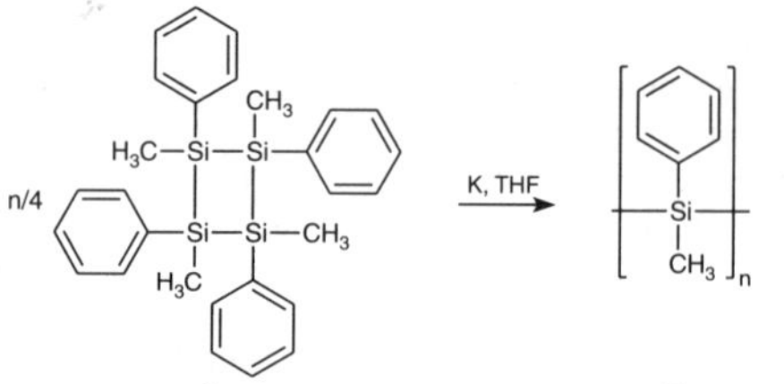

K, THF

6 **1f**

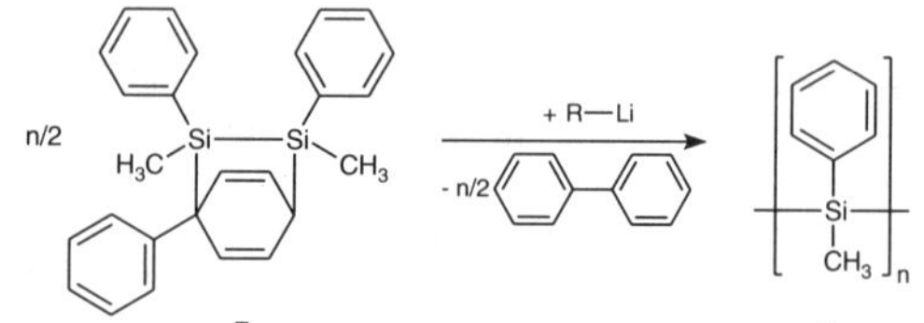

+ R—Li

7 **1g**

Schließlich fanden auch konventionelle *Polykondensations-Reaktionen zur Synth. von P. Verwendung. Beisp. sind die Copolykondensation von α,ω-Dilithiumoligosilanen u. Dichlorsilanen od. die therm. Zers. von Silyl-Quecksilber-Verbindungen.

Neben ihrem Einsatz als Precursor für keram. Materialien gilt den heute verfügbaren P. aufgrund ihrer ungewöhnlichen Eigenschaften auch selbst großes Interesse. So unterscheiden sich ihre elektron. u. photochem. Eigenschaften grundlegend von denen organ. Polymerer. Ursache dafür ist, daß hier σ-Elektronen-Delokalisierung entlang den aus kumulierten Si–Si-Bindungen bestehenden Polymer-Hauptketten möglich ist. Da weiterhin $\sigma \rightarrow \sigma^*$-Übergänge erlaubt sind, absorbieren P. sehr stark, wobei die Absorptionswellenlänge mit der Zahl der *trans*-Si–Si–Si–Si-Konformationen in den Ketten zunimmt. Da deren Anteil wiederum u. a. Temp.-abhängig ist, zeigen viele P. reversiblen Thermochromismus, d. h. sie ändern ihre Farbe mit der Temperatur. Eine andere Konsequenz der σ-Elektronen-Delokalisierung ist die beträchtliche elektr. Leitfähigkeit der P. nach partieller Oxid. („Dotierung"). Während das neutrale P. Leitfähigkeiten von weniger als 10^{-12} S/cm zeigt, werden nach Behandlung mit z. B. AsF_5 Leitfähigkeiten von bis zu 0,5 S/cm beobachtet. Auch sind P. photoleitend, d. h. sie leiten den elektr. Strom bei Belichtung besser als im Dunkeln. Daher sind sie als Ladungstransportschichten in der *Elektrophotographie von großem Interesse, aber auch als Transportschicht in Licht-emittierenden Dioden (LED's). Darüber hinaus zeigen einige P. interessante nichtlinear-opt. Effekte. Unter UV-Bestrahlung zerfallen die meisten P. in flüchtige Fragmente, was sie für die Mikrolithographie interessant macht (s. Photoresists). Schließlich spielen viele P. als Precursor von Siliciumcarbid-Keramiken eine wichtige Rolle. Dabei eröffnet die P.-Chemie – im Gegensatz zur konventionellen Pulver-Technik, bei der die Komplexität der realisierbaren Objekte stark eingeschränkt ist – interessante neue Perspektiven u. hat somit ein hohes Potential für die Produktion sowohl kompliziert aufgebauter Teile als auch von Fasern. Die Umwandlung der P. durch Thermolyse unter Inertgas-Atmosphäre führt bei ca. 450 °C über komplexe Umlagerungsprozesse zunächst zu *Polycarbosilanen. Deren lösl. Fraktionen werden isoliert, in die gewünschte Form gebracht u. anschließend bei bis zu 1300 °C unter Erhalt der entsprechenden Keramik-Teile aus überwiegend krist. β-Siliciumcarbid pyrolisiert. – ***E*** = ***F*** polysilanes – ***I*** polisilani – ***S*** polisilanos

Lit.: Acta Polymerica **49**, 201 (1998) ▪ Angew. Chem. **108**, 1712 (1996) ▪ Mark, Alock u. West, Inorganic Polymers, Englewood Cliffs: Prentice Hall Inc. 1992.

Polysilastyrole s. Polysilane.

Polysilazane. Bez. für *Polymere der allg. Strukturformel I, deren Polymerketten abwechselnd aus Silicium- u. Stickstoff-Atomen aufgebaut sind:

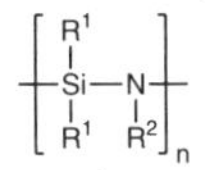

$$\left[-Si(R^1)_2-N(R^2)- \right]_n$$

I

Noch bis vor kurzem galten definierte u. hochmol. P. als nicht zugänglich, da alle Versuche, diese *Makromoleküle darzustellen, an Nebenreaktionen wie Kettenabbruch od. Kettenübertragung gescheitert waren. Anfang der 90er Jahre konnte dann aber gezeigt werden, daß sowohl die anion. als auch die kation. ringöffnende Polymerisation spezieller Cyclodisilazane (z. B. **1**) geeignet ist, um hochmol. P. **2** einheitlicher Struktur verfügbar zu machen. Dabei kann die anion. Variante dieser ringöffnenden *Polymerisation sogar so geführt werden, daß sie alle Charakteristika einer lebenden Polymerisation aufweist (s. lebende Polymere):

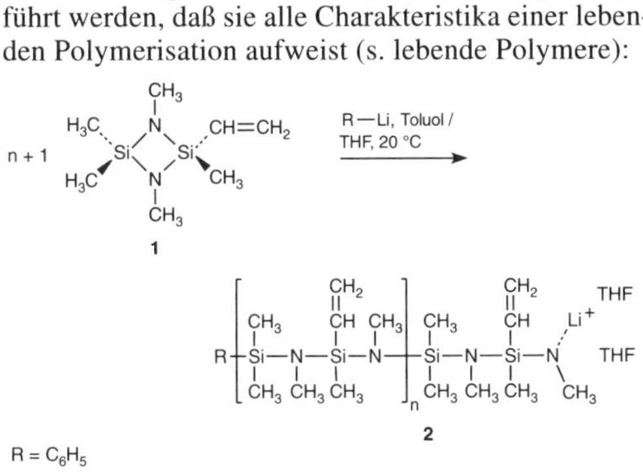

n + 1 **1** → (R—Li, Toluol / THF, 20 °C) **2**

R = C_6H_5

Die erhaltenen P. könnten – wie erste Untersuchungen zeigen – als Ausgangsmaterialien für Keramiken u. Temp.-beständige Fasern in Zukunft Bedeutung erlangen. – ***E*** = ***F*** polysilazanes – ***I*** polisilazani – ***S*** polisilazanos

Lit.: Acta Polymerica **49**, 201 (1998).

Polysilen, Polysilin s. Silane.

Polysiloxane. Systemat. Bez. für Sauerstoff-Verb. des Siliciums der allg. Formel $H_3Si-[O-SiH_2]_n-O-SiH_3$. Sind die Wasserstoff-Atome durch organ. Reste ersetzt, so werden die Verb. als *Polyorganosiloxane* (Silicon-Polymere) bezeichnet; Näheres s. unter Silicone u. Siloxane. – ***E*** = ***F*** polysiloxanes – ***I*** polisilossani – ***S*** polisiloxanos

Polysilylene s. Polysilane.

Poly(silylen-methylen)e s. Polycarbosilane.

Poly Soft®. Pflege-orientiertes Haarstyling-Syst., welches neben den traditionellen Haarstyling-Komponenten (Hold) dem Haar Pflege (Care) bietet. Angeboten werden Haarspray (Aerosol u. Micro-Spray-Syst.) u. Schaumfestiger, angepaßt an unterschiedliche Haartypen u. Haarfestiger. ***B.:*** Schwarzkopf & Henkel Cosmetics.

Polysomen (Polyribosomen). Von *Poly... u. *Ribosomen abgeleitete Bez. für Ribosomen-Aggregate, die entlang einer Messenger-*Ribonucleinsäure (mRNA) perlschnurartig aufgereiht, entweder frei im Cytoplasma schwimmend od. an die Membranen des *endoplasmatischen Retikulums gebunden (rauhes ER) auftreten. Die P. sind Organellen der zellulären Synth. der *Proteine (s. Translation), in denen nach Maßgabe des *genetischen Codes Aminosäuren miteinander zu Proteinen kondensiert werden, wobei an der Weitergabe der in den *Desoxyribonucleinsäuren festgelegten genet. Information Messenger- u. Transfer-Ribonucleinsäuren beteiligt sind. Die Passage eines mRNA-Stranges u. die damit verbundene Synth. z. B. einer Hämoglobin-Polypeptidkette sollen etwa eine Minute dauern. – ***E*** = ***F*** polysomes – ***I*** polisomi – ***S*** polisomas

Polysorb® A3/A4. Marke der Bonnes-Chemie für Kalium/Natrium-Aluminiumsilicat in *Ricinusöl als Molekularsieb in 2K-PUR-Systemen. ***B.:*** Erbslöh; Bonnes-Chemie.

Polysorbate (früher Sorbimacrogol). Bez. für nichtion. Tenside vom Typ ethoxylierter *Sorbitanester.

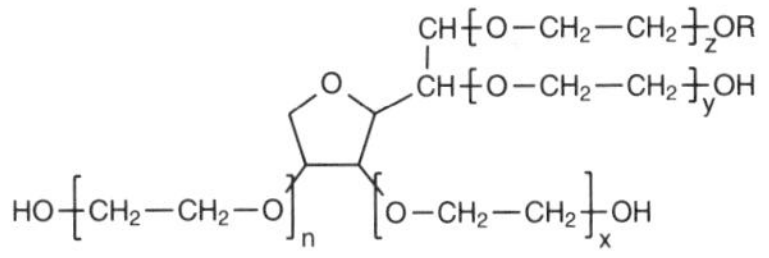

R = langkettige Acyl-Reste, n + x + y + z = ~4-10

P. zeigen gegenüber Sorbitanestern eine bessere Wasserlöslichkeit u. finden infolge ihrer ökotoxikolog. Unbedenklichkeit vorwiegend Verw. als Emulgatoren in der Kosmetik u. Nahrungsmittel-Ind., sowie auch als Phasentransfer-Katalysatoren (s. Phasentransfer-Katalyse). – ***E*** = ***F*** polysorbates – ***I*** polisorbati – ***S*** polisorbatos

Lit.: Hager **7 b**, 483–488 ▪ Janistyn **1**, 747, 751, 857–861 ▪ J. Org. Chem. **54**, 4476 (1989) ▪ Martindale (29.), S. 1246 f. ▪ s. a. Sorbitanester.

Polyspectran® (Rp). Salbe mit *Polymyxin-B-sulfat, *Bacitracin u. *Neomycinsulfat; *P.*-Tropfen enthalten statt Bacitracin *Gramicidin, gegen bakterielle Infektionen des Auges u. Ohres. *P. HC* enthält zusätzlich *Hydrocortison-21-acetat. ***B.:*** Alcon-Thilo.

Polyspher®. Stationäre Phasen für die HPLC; sphär., total poröse Teilchen auf Polymer-Basis. ***B.:*** Merck.

Polyspiroketale s. Spiropolymere.

Polystannane. Bez. von *Polymeren der allg. Strukturformel **2**, deren Hauptkette ausschließlich aus Zinn-Atomen aufgebaut ist. Diese tragen zur Absättigung der verbleibenden Valenzen als laterale Substituenten z. B. Wasserstoff, v. a. aber organ. Reste R.

$$Cl-SnR_2-Cl \xrightarrow{Na/Toluol,\ 110°C} [-SnR_2-]_n$$

1 → **2**

Bis 1992 waren P. mit max. neun Metallzentren bekannt. Dann wurden erste lineare P. mit Molmassen von bis zu 10^6 g/mol beschrieben. Sie wurden aus z. B. $(H_9C_4)_2SnCl_2$ durch *Wurtz-Synthesen in Ggw. von Kronenethern (15-Krone-5) erhalten. Auch eine Zirconocen-katalysierte Kupplung sekundärer Stannane unter Wasserstoff-Abspaltung gelang kürzlich (s. Polysilane). Erste Untersuchungen zu den Eigenschaften der P. bestätigen die Vorhersage, daß diese Polymere eine noch ausgeprägtere σ-Elektronen-Delokalisierung entlang ihrer Hauptkette zeigen als die verwandten *Polysilane u. *Polygermane. Auch sie sind durch partielle Oxid. („Dotierung") in Materialien mit einer elektr. Leitfähigkeit von bis zu 0,3 S/cm zu überführen. – ***E*** = ***F*** polystannanes – ***I*** polistannani – ***S*** poliestannanos

Lit.: s. Polysilane.

Polystictin s. Cinnabarin.

Poly Style®. Dauerwelle in Schaumform, die natürliche, sprungkräftige Locken verleiht. Varianten: Balsam, Kräuter, Normal u. Intensiv. ***B.:*** Schwarzkopf & Henkel Cosmetics.

Polystyrol (Polyphenylethylen, Polyvinylbenzol). Kurzz. PS nach DIN 7728-1: 1988-01 (alle im folgenden aufgeführten Kurzz. sind gleichfalls dieser Norm entnommen). Bez. für thermoplast. *Polymere der Struktur

$$[-CH_2-CH(C_6H_5)-]_n$$

Techn. wird P. fast ausschließlich durch radikal. *Polymerisation von Styrol hergestellt. Am häufigsten werden dazu die Verf. der *Suspensions- od. *Perlpolymerisation, der *Emulsions-, der *Substanz- u. der *Lösungspolymerisation verwendet. Die Suspensionspolymerisation erfolgt diskontinuierlich unter Initiierung durch z. B. Dibenzoylperoxid/*tert*-Butylperbenzoat u. in Ggw. von Polyvinylalkohol, Pektinen od. Methylcellulose als Schutzkolloide. Spezielle Verf. der Suspensionspolymerisation können weiterhin zu expandierbarem P. (Kurzz. EPS) führen. So erfolgt bei einem 1954 von der BASF eingeführten Verf. die Polymerisation in Ggw. von Treibmitteln [z. B. 5–7% an *n*-Pentan/*i*-Pentan (3:1)]. Dieses lagert sich während der Polymerisation in die P.-Kügelchen ein. Werden diese später über den Sdp. des Pentans u. die *Glasübergangstemperatur des P. erwärmt, so blähen sie sich auf u. es resultiert ein P. sehr geringer Dichte (Styropor). Die Synth. in Substanz od. in konzentrierter Lsg. (mit 5–25% Ethylbenzol) erfolgt dagegen meist kontinuierlich unter therm. Initiierung nach dem sog. Turmverfahren. Die nach diesem Verf. hergestellten P. sind sehr rein u. werden daher – obwohl es sich um amorphe, d. h. nicht-krist. Materialien mit einer Glasübergangstemp. von ca. 100 °C (D. 1,05) handelt – *Kristallpolystyrole* genannt. Daneben kann Styrol auch kation. u. anion. (s. lebende Polymere) polymerisiert werden. Schließlich sind isotakt. u. syndiotakt. P. (s. Taktizität) durch Polymerisation von Styrol unter Verw. von *Ziegler-Natta- od. Metallocen-Katalysatoren zugänglich (s. Koordinationspolymerisation). Isotakt., teilkrist. P. ist sehr spröde u. kann wegen seiner hohen Schmelztemp. von ca. 230 °C nur schlecht verarbeitet werden. Es konnte daher keine techn. Bedeutung erlangen. Interessante Anwendungsperspektiven werden dagegen bei dem erst kürzlich entdeckten syndiotakt. P. (T_G = 90 °C, T_M = 270 °C) gesehen. Je nach Polymerisationsbedingungen weisen die P. Molmassen von 170 000 bis 1 000 000 g/mol auf. Der entsprechende *Polymerisationsgrad wird häufig durch den sog. *K-Wert charakterisiert. Je nach Polymerisationsart gewinnt man ein pulverförmiges Produkt (durch *Emulsions-, *Lösungs- u. *Perlpolymerisation) od. eine Schmelze (*Substanzpolymerisation). Amorphes P. ist glasklar, steif u. ziemlich spröde; es ist gegen Säuren, Laugen, Alkohol u. Mineralöl beständig, gegen die meisten Lsm. dagegen unbeständig (Spannungsriß-Bildung) od. in ihnen löslich. Auch die Lichtbeständigkeit ist aufgrund leichter Photooxidierbarkeit gering, ebenso die Wasseraufnahme. Von bes. Bedeutung sind die guten dielektr. Eigenschaften, in denen es mit *Polyethylen u. *Polytetrafluorethylen vergleichbar ist. P. brennt mit leuchtender, stark rußender Flamme nach dem Entfernen der Zündquelle weiter u. riecht dabei süßlich. Die Mischpolymerisate verbreiten außerdem einen Gummi-artigen od. kratzenden Geruch. Durch Einarbeiten von *Flammschutzmitteln läßt sich die Entzündbarkeit des P. herabsetzen.

P. läßt sich spannend formen, biegen, bedrucken, polieren u. kleben, z. B. mit Lsm. wie Toluol, Xylol, 2-Butanon, Butylacetat od. Gemischen aus diesen. P. wird vorwiegend im Spritzguß verarbeitet u. zu 35% zu Platten u. Folien extrudiert u. thermogeformt. Standard-P.-Teile sind allerdings spröde u. schlagempfindlich. Es ist daher oft erforderlich, deren Eigenschaften durch z. B. *Copolymerisation des Styrols mit geeigneten Comonomeren (s. Styrol-Copolymere, Styrol-Acrylnitril-Copolymere, Styrol-Butadien-Copolymere, Styrol-Butadien-Kautschuk) od. durch Abmischen mit anderen Polymeren zu P.-Blends zu modifizieren. Gerade mit den Kautschuk-modifizierten P. liegen

heute schlagfeste bzw. hochschlagfeste Typen (SB- bzw. *HIPS-Typen) vor. Bei der Herst. dieser Produkte wird der Kautschuk – meist *Polybutadien, aber auch Styrol/Butadien-Kautschuk (SBA) od. *EPDM (für Produkte mit verbesserter Witterungsbeständigkeit) – in Styrol gelöst u. das Monomere in herkömmlicher Weise, vorwiegend nach Verf. der *Massepolymerisation, polymerisiert. Dabei erfolgt in geringem Umfang Pfropfung des wachsenden P. auf den vorgelegten Kautschuk u. damit eine gute Anbindung der beiden Komponenten aneinander.
Große techn. Bedeutung haben auch die *schäumbaren Polystyrole (*EPS).
Physiolog. Eigenschaften: P. als solches gilt als physiolog. unbedenklich u. ist deshalb für Lebensmittelverpackungen zugelassen. Bei der Polymerisation fällt es im allg. in großer Reinheit an. Evtl. vorhandene Rückstände an monomerem Styrol – dieses ist als Reizstoff eingestuft u. im Tierversuch mutagen – können durch Pyrolyse-Gaschromatographie, spektroskop. Meth. od. z. B. auch bromatometr. bestimmt werden. Auch beim Erhitzen der Polymeren können Styrol-haltige Dämpfe auftreten, die aber aufgrund ihres schon in äußerst geringer Konz. unangenehmen Geruches gut feststellbar sind.
Verw.: Standard-P. u. schlagzähe P. werden eingesetzt u. a. in der Feinwerk- u. Elektrotechnik zur Herst. von Gehäuseteilen für Fernseh-, Rundfunk-, Tonband-, Foto- u. Filmgeräte, Relaisteilen, Spulen, Schaugläsern u. Leuchten; in der Haushaltstechnik zur Herst. von Gehäusen für elektr. Küchengeräte, Kühlschrankteilen, Trinkbechern, Einweggeschirr, Toilettengeräten, Kleiderbügeln, Kleinmöbeln u. a.; P. wird weiter verwendet für Verpackungen jeder Art, die Herst. von Spielwaren, Dia-Rähmchen u. Stapelkästen.
Mit einem weltweiten Verbrauch von 8,2 Mio. t zählte P. 1994 zu den wichtigsten thermoplast. *Kunststoffen[1] (s. Tab. 1 u. 2).
Insgesamt ergibt sich für das P. eine günstige Verkaufs- u. Preisentwicklung in der Zukunft[1]. Gleiches gilt für das kürzlich als neuer Werkstoff semikommerziell eingeführte syndiotakt. P. (Kurzz. SPS). Dessen besonderes Eigenschaftsspektrum läßt einen Wettbewerb bes. mit den Ingenieur-Werkstoffen PPS, PA u. PBT in den Anwendungsgebieten Automobil u. Elektrotechnik erwarten.

Tab. 1: Welt-Polystyrol-Verbrauch (nach Regionen).

Region	Verbrauch (in 1000 t)	Anteil (in %)
Westeuropa	1885	23
Nordamerika/Mexiko	2625	32
Südostasien	1805	22
Japan	985	12
Restliche Welt	900	11

Tab. 2: Polystyrol-Verbrauch in Europa (nach Anwendungsgebieten).

Anwendungsgebiet	Verbrauch (in 1000 t)	Anteil (in %)
Nahrungsmittel-Verpackungen	640	34
Kühlgeräte/Haushaltsgeräte	95	5
Kommunikation, Unterhaltungselektronik	470	25
Sonstige Spritzguß-Erzeugnisse	680	36

Geschichte: P. wurde 1839 erstmals von Simon beschrieben. Blyth u. A. W. *Hofmann stellten 1845 fest, daß die Polymerisation von Styrol ohne Änderung der Zusammensetzung abläuft, aber erst 1920 erkannte *Staudinger den makromol. Aufbau der P. aus Styrol-Ketten. 1930 wurde bei der I. G. Farben in Ludwigshafen die Produktion aufgenommen. Das Verf. zur Herst. von Schaum-P. wurde von Stastny (1908–1985) bei der BASF entwickelt; das Produkt kam 1950 unter der Marke **Styropor* auf den Markt. – ***E*** polystyrene – ***F*** polystyrène – ***I*** polistirene, polistirolo – ***S*** poliestireno

Lit.: [1] Kunststoffe **85**, 1541 (1995).
allg.: Batzer **3**, 3–25 ▪ Domininghaus (5.), S. 329 ff. ▪ Elias (5.) **2**, 154 ff. ▪ Encycl. Polym. Sci. Eng. **16**, 1–246 ▪ Houben-Weyl **E 20/2**, 962–1013 ▪ Tieke, S. 94, 126. – *[HS 3903 11, 3903 19; CAS 9003-53-6]*

Polystyrylpyridine (Kurzz. PSP). Bez. für ein hochtemp.-beständiges Harz, das aus einem aromat. Dialdehyd, z. B. Terephthaldialdehyd, u. 2,4,6-Trimethylpyridin (Kollidin) entsteht. In einer ersten Stufe bildet sich ein unvernetztes, noch formgebend verarbeitbares *Prepolymer:

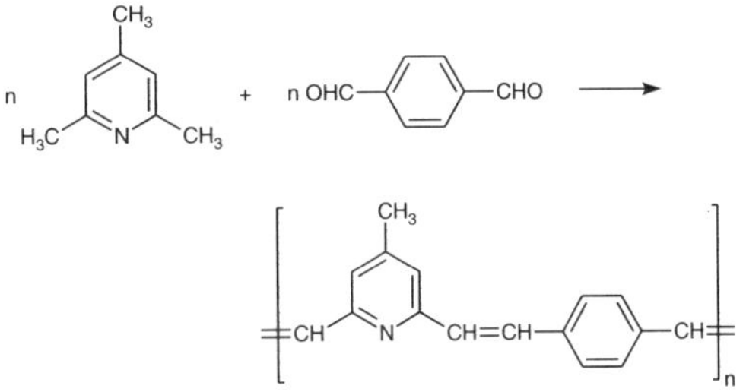

Dieses geht beim Erhitzen auf Temp. von über 150 °C unter Vernetzung in ein unlösl., unschmelzbares Harz über. – ***E*** polystyrylpyridines – ***F*** polistirilpyridines – ***I*** polistirilpiridine – ***S*** poliestirilpiridinas

Polysulfide. 1. Unter P., die sich formal als Derivate der *Sulfane auffassen lassen, versteht man meist Verb. von Alkali- od. Erdalkalimetallen mit Schwefel vom Typ $M^I_2S_n$ od. $M^{II}S_n$ (Vertreter mit n = 2–7 wurden isoliert, z. B. $[(C_6H_5)_4P^+]_2S_7^{2-}$, höhere P. wurden nachgewiesen). Die gelb bis braunrot gefärbten Alkalipolysulfide entstehen wenn man a) Alkalisulfid-Lsg. längere Zeit an offener Luft stehen läßt, – b) Alkalisulfide mit Schwefel zusammenschmilzt (z. B. *Hepar sulfuris*, s. Kaliumsulfide) od. – c) beim *Hepartest. Bei gewöhnlicher Temp. sind die P. ziemlich beständig; durch Säuren werden sie meist unter Schwefel-Abscheidung zersetzt. Z. B. besteht die Schwefel-reiche Phase der Natrium-Schwefel-Batterie (*Akkumulatoren) im geladenen Zustand aus P. der mittleren Zusammensetzung Na_2S_{10}; sie wird nur bis zum Erreichen der Zusammensetzung Na_2S_5 entladen, weil ein zu hoher S-Gehalt die Leitfähigkeit der Schmelze beeinträchtigt, während ein zu geringer S-Anteil den Schmp. erhöht. Die Farbigkeit der P. geht auf *Radikal-Ionen wie S_2^{-} (gelbgrün), S_3^{-} (blau) od. S_4^{-} (rot) zurück; z. B. verleiht das Trisulfid-Monoanion dem Ultramarin seine tiefblaue Farbe [1]. *Dihalogensulfane* (vgl. Schwefelchloride etc.) lassen sich ebenso als P. auffassen wie Übergangsmetall-*Polysulfido-Komplexe* [2]. Natriumtetrasulfid wird zur Enthaarung von Fellen, als Flotationshilfsmittel u. zur Herst. von *Schwefel-Farbstoffen verwendet.

2. Polymere P. sind Produkte, deren *Makromoleküle die allg. Formel

$$\left[R-S_x \right]_n$$

haben. Unter den aliphat. P. mit Monoschwefel-Strukturen (x = 1) ist das *Polythioformaldehyd* ($R = CH_2$) das einfachste Derivat. Es entsteht durch *Polymerisation von Thioformaldehyd od. dessen cycl. Trimeren. Da es sich therm. leicht zersetzt, hat es keine techn. Bedeutung erlangt. Aliphat. P. mit zwei od. mehr C-Atomen pro Grundbaustein können zum einen durch *Ringöffnungspolymerisation cycl. Sulfide erhalten werden, z. B.:

$$n\ \text{(2-Methylthietan)} \xrightarrow{C_4H_9Li} \left[S-CH(CH_3)-CH_2-CH_2 \right]_n$$

Durch Abstraktion je eines S-Atoms mit Tributylphosphan entstehen aus den Ferrocenylpolysulfiden kettenförmige od. vernetzte P. der Strukturen I u. II (s. a. *Lit.* [3]).

R = H, $(CH_2)_3-CH_3$

I II

Eine andere Möglichkeit ist der Aufbau von P. durch *Polykondensation. So kann z. B. aus Pentaerythrit u. Chloracetaldehyd eine Spiro-Verb. erhalten werden, die mit Dinatriumsulfid zu einem *Spiropolymer polykondensiert wird:

$$n\ Cl-CH_2-\text{(Spiro-bis-dioxan)}-CH_2-Cl \xrightarrow[-\ 2n\ NaCl]{+\ n\ Na_2S} \left[CH_2-\text{(Spiro-bis-dioxan)}-CH_2-S \right]_n$$

Schließlich lassen sich aliphat. P. durch *Polyaddition von Dithiolen u. Divinyl-Verb. erhalten:

$$n\ HS-R^1-SH\ +\ n\ H_2C=CH-R^2-CH=CH_2 \longrightarrow \left[S-R^1-S-CH_2-CH_2-R^2-CH_2-CH_2 \right]_n$$

Diese Polyaddition ist radikal. Natur. Als Radikalquelle dienen Peroxide, Elektronenstrahlen od. UV-Licht. Techn. nutzt man multifunktionelle Monomere u. erhält dann vernetzte Polymere, die sich als Überzüge eignen. Techn. bedeutsame aliphat. P. mit Polyschwefel in der Hauptkette (x > 1) werden dagegen durch Polykondensation von α,ω-Dichlor-Verb. (Cl–R–Cl) mit Natriumpolysulfiden NaS_x erhalten. Die mittlere Zahl x der Schwefel-Atome pro Wiederholungseinheit dieser P. wird als Schwefelgrad bezeichnet. Diese P. finden hauptsächlich Verw. als Polysulfid-Kautschuke (s. Thioplaste). Die festen aliphat. P. werden wegen ihrer Beständigkeit gegen Lsm., Sauerstoff u. Ozon weiterhin für Dichtungen u. andere Formartikel verwendet, außerdem als *Blends mit Epoxiden für Kleber u. als Beschichtungsmittel im Straßenbau. Gemische flüssiger aliphat. P. mit Oxidationsmitteln werden als Brennmittel für Feststoff-Raketen verwendet.

Aromat.-/aliphat. P. werden z. B. durch *death charge-Polymerisation* dargestellt:

$$n\ \text{(Tetrahydrothiophenium)}\overset{+}{S}-C_6H_4-O^- \longrightarrow \left[(CH_2)_4-S-C_6H_4-O \right]_n$$

Techn. Bedeutung konnten diese Polymere nicht erlangen, da die Monomere zu tox. sind. Zu Herst. u. Eigenschaften rein aromat. P. s. Polyphenylensulfide. – ***E*** polysulfides – ***F*** polysulfures – ***I*** polisolfuri – ***S*** polisulfuros

Lit.: [1] Angew. Chem. **85**, 416 f. (1973). [2] Angew. Chem. **97**, 745–760 (1985); Adv. Inorg. Chem. **31**, 89–122 (1987). [3] Angew. Chem. **105**, 1407 f. (1993).
allg. (zu 1.): Angew. Chem. **87**, 683–692 (1975) ▪ Brauer (3.) **1**, 374–387. – *(zu 2.):* Elias (5.) **2**, 200 ff. ▪ s. a. Thioplaste. – *[HS 3911 90, 2830 90; G 8]*

Polysulfidether s. Polyethersulfide.

Polysulfid-Kautschuke s. Thioplaste.

Polysulfonamide. Sammelbez. für *Polymere, die die Gruppierung $-R^1-SO_2-NH-R^2-$ als charakterist. Grundeinheit ihrer Hauptketten aufweisen. P. werden in der Regel durch Lsg. od. Grenzflächen-*Polykondensation bei tiefen Temp. aus einem Diamin u. Disulfonylchlorid in Ggw. eines HCl-Akezeptors hergestellt:

$$n\ H_2N-R^1-NH_2\ +\ n\ Cl-SO_2-R^2-SO_2-Cl \longrightarrow \left[HN-R^1-NH-SO_2-R^2-SO_2 \right]_n$$

$$\left[NH-(CH_2)_6-NH-SO_2-C_6H_4-SO_2 \right]_n$$

I

Am besten sind P. aus aliphat. Diaminen u. aromat. Disulfonylchloriden verfügbar, so z. B. das Poly(hexamethylen-1,3-benzoldisulfonamid) (I). Aromat. Diamine sind hingegen zu reaktionsträge, aliphat. Disulfonylchloride zu Hydrolyse-empfindlich. P. lösen sich in hochpolaren organ. Lsm., teilw. sogar in wäss. Alkalien u. weisen eine im Vgl. zu den entsprechenden *Polyamiden niedrigere Schmelztemp. auf. – ***E*** = ***F*** polysulfonamides – ***I*** polisulfonammidi – ***S*** polisulfonamidas

Polysulfone (Kurzz. PSU). Sammelbez. für *Polymere, deren Wiederholungseinheiten durch Sulfon-Gruppen

$$-\overset{O}{\underset{O}{\overset{\|}{\underset{\|}{S}}}}-$$

verknüpft sind. Sie können z. B. die allg. Strukturen I–IV aufweisen:

I $-R-SO_2-$ I : R = Alkyl, Aryl

II $-R-C(CH_3)_2-R-O-R-SO_2-R-$ II-IV : R = Aryl, insbes. Phenyl

III $-R-SO_2-R-O-$

IV $-R-O-R-SO_2-R-R-SO_2-$

Techn. Bedeutung erlangt haben insbes. P. des Typs II–IV, die als *Polyarylsulfone* od. *Polyphenylensulfone* (Kurzz. PPSU) bzw., da sie stets aromat. Ether-Gruppen enthalten, auch als *Polyethersulfone* od. *Polyarylethersulfone* (Kurzz. PES) bezeichnet werden.
P. des Typs II werden meist durch nucleophile Substitution von aromat. gebundenen Halogen-Atomen durch Phenoxy-Gruppen hergestellt, z. B. bei der *Polykondensation des Dinatriumsalzes von Bisphenol A (**2**) mit 4,4′-Dichlorsulfonyldiphenylmethan (**1**):

n Cl–C₆H₄–SO₂–C₆H₄–Cl (**1**) + n NaO–C₆H₄–C(CH₃)₂–C₆H₄–ONa (**2**) —[– (n-1) NaCl]→ Cl–[C₆H₄–SO₂–C₆H₄–O–C₆H₄–C(CH₃)₂–C₆H₄–O]ₙ–Na (**3**)

Die anfallenden Polymere (**3**), die neben Ether- u. Sulfo- auch Isopropyliden-Gruppen als Aromaten-verbrückende Strukturelemente enthalten, weisen *Polymerisationsgrade von 60–100 u. reaktive Phenolat-Endgruppen auf. Diese müssen mit z. B. CH_3Cl verethert werden, um bei der Verarbeitung aus der Schmelze unerwünschte Nachkondensation zu vermeiden. Diese P. werden als die eigentlichen *Polysulfone* aufgefaßt. Dagegen werden P. des Typs III u. IV als *Polyarylethersulfone* bezeichnet. Ihre Herst. erfolgt vielfach auch durch elektrophile Substitution von aromat. gebundenen Wasserstoff-Atomen durch Sulfonylium-Ionen, z. B.:

n C₆H₅–O–C₆H₄–SO₂–Cl —[– n HCl]→ [C₆H₄–O–C₆H₄–SO₂]ₙ

Eigenschaften: P. sind amorph u. weisen eine *Glasübergangstemperatur von ca. 200 °C auf. Charakterist. für P. sind weiterhin hohe Festigkeit, Steifheit u. Härte in einem weiten Temp.-Bereich (–100 °C bis 150–180 °C), gute Wärmeformbeständigkeit, gute Beständigkeit gegen Chemikalien- u. Strahleneinflüsse, gute Flammenwidrigkeit, hohe Transparenz sowie hohe Schmelzviskositäten u. Verarbeitungstemp. P. zählen zu den *Hochleistungskunststoffen. Sie können durch Spritzgießen, Extrudieren od. Warmumformen verarbeitet werden.
Anw.: U. a. zur Herst. von transparenten Formteilen für hohe mechan., elektr. u. therm. Beanspruchungen in den Bereichen Elektro-Ind., Geräte-, Apparate- sowie Fahrzeug- u. Flugzeugbau. Der Verbrauch an P. erreichte 1995 weltweit ein Vol. von ca. 14000 t[1]. Dies entspricht einer Verdoppelung seit 1990. Auch in den kommenden Jahren wird mit einem Wachstum von jährlich 10–15% gerechnet. Wichtigstes Anwendungsgebiet ist hier mit ca. 50% Verbrauchsanteil der Elektroniksektor. – ***E*** = ***F*** polysulfones – ***I*** polisolfoni – ***S*** polisulfonas

Lit.: [1] Kunststoffe **85**, 1606 (1995).
allg.: Batzer **1**, 78 ▪ Domininghaus (5.), S. 849 ff. ▪ Elias (5.) **2**, 204 ▪ Encycl. Polym. Sci. Eng. **13**, 196–211 ▪ Houben-Weyl **E 20/2**, 1467–1482 ▪ Tieke, S. 34. – *[HS 391190]*

Poly Swing®. Haarstyling-Serie, die unterschiedliche Produkte anbietet, welche auf individuelle Frisuren-Looks abgestimmt sind: Short Look – gibt kurzem Haar Form u. Struktur; Silk Look – verleiht langem Haar Glanz u. Halt; Curl Look – verhilft Locken zu Form u. Sprungkraft; Fashion Styling – ist die Basis-Serie für extra starken Halt u. individuelle Form. ***B.:*** Schwarzkopf & Henkel Cosmetics.

Polysynthren®. Stellmittelfreie, polymerlösl. Farbstoffe für das *PES-Spinnfärben. ***B.:*** Clariant.

Polytän-Chromosomen s. Chromosomen.

Polyterephthalate. Übergreifende Bez. für *Polyester auf Basis von Terephthalsäure, deren wichtigste Vertreter die zu den *Polyalkylenterephthalaten zählenden *Polyethylenterephthalate u. *Polybutylenterephthalate sind. – ***E*** polyterephthalates – ***F*** polytéréphthalates – ***I*** politereftalati – ***S*** politereftalatos

Polyterpene. Sowohl natürlich vorkommende, aufgrund ihrer Biogenese im allg. der *Isopren-Regel gehorchende Stoffe, die aus n C_{10}-Einheiten bestehen (*Beisp.:* *Triterpene, *Tetraterpene u. *Carotinoide, Ficaprenole, *Kautschuk, *Guttapercha), als auch synthet. durch *Polymerisation von Monoterpenen herstellbare *Kohlenwasserstoffharze (*Terpenharze*). – ***E*** polyterpenes – ***F*** polyterpènes – ***I*** politerpeni – ***S*** politerpenos
Lit.: Nat. Prod. Rep. **6**, 359–392 (1989); **7**, 223–249 (1991).

Polytetrafluorethylene (Kurzz. PTFE). Bez. für *Polymere des Tetrafluorethylens mit der allg. Formel:

$$\left[-CF_2-CF_2-\right]_n$$

Techn. Produkte haben *Polymerisationsgrade von ca. 5000–100000, was Molmassen von ca. 500000–10000000 g/mol entspricht.
Die Polymerisation der *Monomeren wird radikal. initiiert u. unter Druck mittels *Emulsions- od. *Suspensionspolymerisation durchgeführt, um die hohe Polymerisationswärme abzuführen. Bei der Polymerisation in Suspension wird das P. als Granulat erhalten, das zur gewünschten Partikelgröße vermahlen wird. Feinpulvrige P.-Produkte werden dagegen nur durch *Emulsionspolymerisation erhalten. Unter geeigneten Bedingungen sind beim Einsatz ion. Tenside als Stabilisatoren auch feinteilige stabile Dispersionen mit Feststoff-Gehalten von 60–65% herstellbar.
Eigenschaften: P. sind thermoelast. Polymere mit hoher Linearität, relativ hohem (bis 70%) Kristallinitätsgrad u. einem Schmp. von ca. 327 °C, bei dem sie glasartig transparent werden. Beim Erwärmen von 20 °C bis zum Schmp. tritt eine reversible Vol.-Zunahme der

P. von ca. 27% auf. P. besitzen eine äußerst hohe Chemikalienbeständigkeit u. sind in allen Lsm. unterhalb 300 °C unlöslich. Halogenkohlenwasserstoffe wirken quellend. P. können in einem sehr breiten Temp.-Bereich (–200 °C bis 250 °C) eingesetzt werden; sie besitzen hohe therm. Beständigkeit (max. Dauergebrauchs-Temp.: ca. 260 °C). Bei Temp. oberhalb 400 °C tritt Zers. auf; die Fluor-haltigen Zers.-Produkte, u. a. Fluorphosgen (COF_2) od. Perfluorisobuten, sind äußerst toxisch. Sie können beim Menschen bei längerer Einwirkung zu grippeähnlichen Erkrankungen (*Polymerdampf-Fieber*) u. zu Lungenödemen führen.

P. besitzen nur sehr geringes Adhäsionsvermögen; zum Verkleben müssen P.-Teile oberflächlich aktiviert werden (*CASING-Verfahren). P. zeigen sehr gute (di)elektr. Eigenschaften, sind physiolog. unbedenklich u. nicht brennbar.

Für bes. anspruchsvolle Anw., bei denen z. B. hohe Kriechfestigkeit u. niedriges Kaltfließen gefordert werden, werden P. durch Beimischen von Glasfasern, Kohlefasern, Ruß, Molybdänsulfid od. Polymeren wie *Polyimide, *Polyetherketone, od. *Polyphenylensulfide verstärkt.

Eigenschaftsveränderungen der P. sind auch über *Copolymerisationen des Basis-Monomeren mit anderen (Fluor-haltigen) Comonomeren (s. Monomere) möglich (*Tetrafluorethylen-Copolymere).

P. werden durch Preßsintern, Schlagpressen, Extrudieren u. Spanen verarbeitet; Kleben u. Schweißen sind möglich. Aus Dispersionen können P. auch auf Glasfasergeweben u. Metalloberflächen gesintert werden.

Verw.: P. kommt in Form von Folien, Platten, Stäben, Fasern (*Fluorfasern*), Röhren, Bändern usw. in den Handel. Die wichtigsten Anw.-Gebiete sind Beschichtungen u. Auskleidungen im chem. Apparatebau, Laborgeräte u. -Ausstattungen, wartungsfreie Lager u. Dichtungen, als antiadhäsive Überzüge in der Papier-, Textil-, Nahrungsmittel- u. Kunststoffverarbeitung, in der Elektro- u. Raumfahrt-Ind. u. im Flugzeugbau. Der P.-Verbrauch erreichte 1994 weltweit ein Vol. von ca. 43 000 t[1]. – ***E*** polytetrafluorethylene – ***F*** polytétrafluoroéthylène – ***I*** politetrafluoroetilene – ***S*** politetrafluoroetileno

Lit.: [1] Kunststoffe **85**, 1590 (1995).
allg.: Batzer **3**, 157 f. ▪ Domininghaus (5.), S. 525 ff. ▪ Encycl. Polym. Sci. Eng. **16**, 577–600. – *[HS 3904 61; CAS 9002-84-0]*

Polytetrahydrofurane (Kurzz. PTHF). Sammelbez. für auch *Tetramethylenglykole* (Kurzz. PTMG), *Polytetramethylenglykolether* (Kurzz. PTMEG) od. *Polytetramethylenoxide* (Kurzz. PTMO) genannte, durch *kationische Polymerisation (*Ringöffnungspolymerisation) von Tetrahydrofuran bei Temp. unterhalb 83 °C (*Ceiling-Temperatur der P.) zugängliche *Polyether der allg. Struktur:

$$HO\!\left[(CH_2)_4\!-\!O\right]_n\!H$$

P. sind streng lineare Polyetherdiole, die in techn. Verf. unter Verw. von rauchender Schwefelsäure od. Fluoroschwefelsäure als Katalysatoren hergestellt werden. Die Molmassen der P., die Werte bis zu mehreren Mio. g/mol erreichen können, liegen bei handelsüblichen Produkten im Bereich von ca. 650–3000 g/mol.

Eigenschaften: Die Konsistenz der P. nimmt mit steigender Molmasse von ölig über wachsartig bis fest zu. Amorphe P. mit Molmassen >100 000 g/mol sind Kautschuk-artige Produkte mit hohem Tack. Teilkrist. P. schmelzen bei ca. 43 °C; die *Glasübergangstemperatur der P. liegt bei –86 °C. P. sind gut lösl. in vielen organ. Lsm., niedermol. Typen auch in Wasser.

Verw.: Hauptsächlich als Diol-Komponenten zur Synth. von *Polyurethanen, denen sie verbesserte hydrolyt. Stabilität, Elastizität u. Abriebfestigkeit vermitteln, zur Herst. von elastomeren *Polyestern u. *Polyamiden, z. B. für den Einsatz als hoch-elast. Fasern (s. Lycra®). – ***E*** poly(tetrahydrofuran)s, tetrahydrofuran polymers – ***F*** polytétrahydrofuranes – ***I*** politetraidrofurani – ***S*** politetrahidrofuranos

Lit.: Dreifuss, Poly(tetrahydrofuran), New York: Gordon & Breach, Science Publishers 1982 ▪ Elias (5.) **2**, 186 ▪ Encycl. Polym. Sci. Eng. **16**, 649–681. – *[CAS 25190-06-1]*

Polytetramethylenglykolether s. Polytetrahydrofurane.

Polytetramethylenoxide s. Polytetrahydrofurane.

Polytetramethylenterephthalate s. Polybutylenterephthalate.

Poly(1,2,4,5-tetrazin)e [Poly(*s*-tetrazin)e, Poly(*sym*-tetrazine)]. Bez. für *Polymere, die heterocycl. Ringe der Struktur I od. II als charakterist. Grundeinheiten ihrer Hauptketten enthalten.

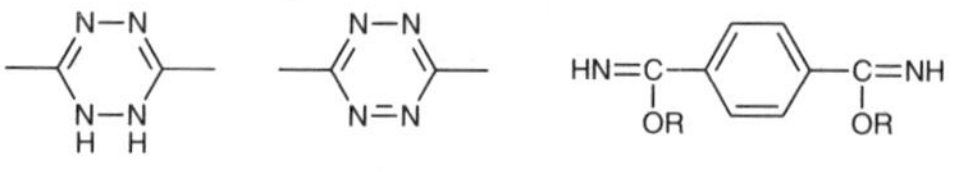

N–N, N–N, H H (I) · N–N, N=N (II) · HN=C(OR)–C₆H₄–C(OR)=NH (III)

P. mit Grundbausteinen **I** können z. B. durch *Polykondensation von Hydrazin mit einem Diiminoester, z. B. **III**, erhalten werden. Anschließend können sie unter Wasserstoff-Abspaltung in P. mit Grundbausteinen des Typs **II** überführt werden. Eine andere Route zum Aufbau von P. besteht in der Selbstkondensation aromat. Bishydrazidchloride, z. B.:

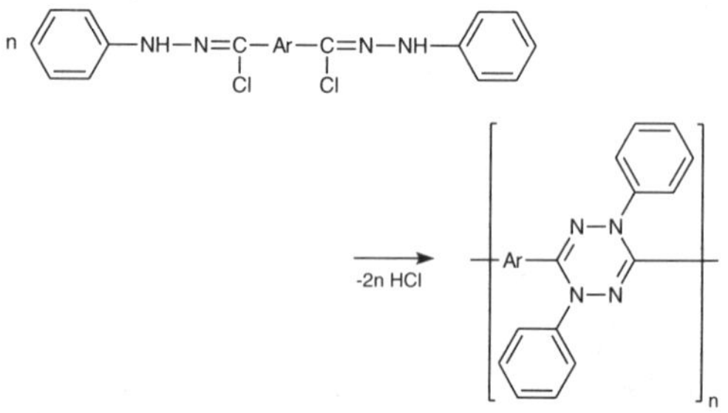

n C₆H₅–NH–N=C(Cl)–Ar–C(Cl)=N–NH–C₆H₅ —(-2n HCl)→ [Ar–(N-phenyl-tetrazin, N–N, N–N)]ₙ

– ***E*** poly(1,2,4,5-tetrazines) – ***F*** poly(1,2,4,5-tétrazines) – ***I*** poli(1,2,4,5-tetrazine) – ***S*** poli(1,2,4,5-tetrazinas)

Polythene. Alternative, bes. im Engl. gebrauchte Bez. für *Polyethylene.

Polythiadiazole [Poly(1,3,4-thiadiazole)]. Bez. für *Polymere der allg. Struktur II:

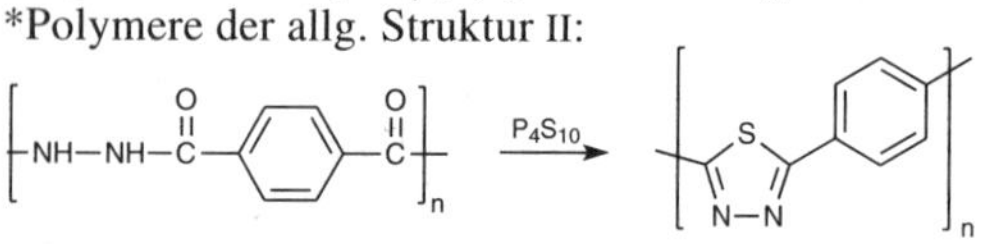

[–NH–NH–C(=O)–C₆H₄–C(=O)–]ₙ (I) —P_4S_{10}→ [(S, N–N)–C₆H₄–]ₙ (II)

P. resultieren aus der Umsetzung von *Polyhydraziden (I) mit Phosphorpentasulfid. – ***E*** = ***F*** polythiadiazoles – ***I*** politiadiazoli – ***S*** politiadiazoles
Lit.: Houben-Weyl **E 20/3**, 2193.

Polythiazid (Rp).

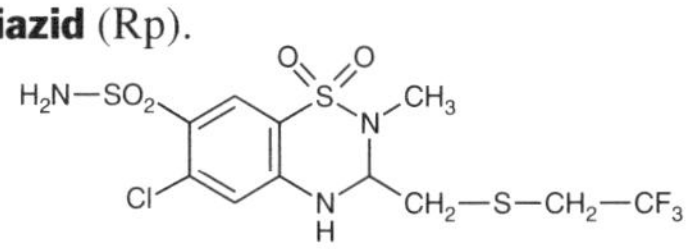

Internat. Freiname für das *Saluretikum u. *Antihypertonikum 6-Chlor-2-methyl-3-(2,2,2-trifluorethylthiomethyl)-3,4-dihydro-2*H*-1,2,4-benzothiadiazin-7-sulfonamid-1,1-dioxid, $C_{11}H_{13}ClF_3N_3O_4S_3$, M_R 439,90. Farblose Krist., Schmp. 202,5 °C, auch 207–217 °C angegeben; λ_{max} (0,1 M HCl) 227, 271, 314 nm ($A^{1\%}_{1cm}$ 900, 484, 71), unlösl. in Wasser u. Chloroform, lösl. in Methanol u. Aceton; s. a. Hydrothiazide. P. wurde 1961 von Pfizer (Polypress®) patentiert. – ***E*** = ***F*** polythiazide – ***I*** politiazide – ***S*** politiazida
Lit.: Hager (5.) **9**, 292 ff. ▪ Florey **20**, 665–692 ▪ Martindale (31.), S. 931. – *[HS 2935 00; CAS 346-18-9]*

Polythiazyl s. Schwefel-Stickstoff-Verbindungen.

Polythiiran s. Polyethylensulfid.

Polythioethylen s. Polyethylensulfid.

Polythionsäuren. Sauerstoff-Säuren des Schwefels der allg. Formel $HO_3S{-}S_{n-2}{-}SO_3H$ ($H_2S_nO_6$, n = 3 bis >13); *Beisp.:* *Trithionsäure, Tetra-, Penta- u. Hexathionsäure (n = 3, 4, 5 u. 6) u. die *Wackenroder-Lösung. P. sind nicht in freiem Zustand, sondern nur in wäss. Lsg. u. in Form von Salzen (Polythionate) bekannt. Z. B. entsteht das Tetrathionat-Dianion durch Oxid. von Thiosulfat mit Iod:

$$2\,(S_2O_3)^{2-} + I_2 \rightarrow (O_3S{-}S{-}S{-}SO_3)^{2-} + 2\,I^-.$$

Diese Reaktion wird in der Analytik zur titrimetr. Bestimmung von Iod verwendet. In alkal. Lsg. zerfallen die *Polythionate* in Schwefel, Thiosulfat u. Sulfat, in saurer Lsg. in Schwefel, Schweflige Säure u. Schwefelsäure. Die Polythionate finden Verw. als Reifkörper (s. Photographie), *Kaliumtetrathionat als Bakteriostatikum. – ***E*** polythionic acids – ***F*** acides polythioniques – ***I*** acidi politionici – ***S*** ácidos politiónicos
Lit.: Angew. Chem. **99**, 143–146 (1987) ▪ Brauer (3.) **1**, 397–402 ▪ Hollemann-Wiberg (101.), S. 595 f. – *[HS 2811 29]*

Polythionylphosphazene. Neben den *Polythiophosphazenen ist mit den P. wie z. B. **2–4** seit kurzem eine weitere Klasse von *Polymeren bekannt, deren *Makromoleküle Hauptketten aus Schwefel-, Stickstoff- u. Phosphor-Atomen aufweisen. Die Synth. dieser P. erfolgt durch ringöffnende *Polymerisation cycl. Thionylphosphazene **1**, die am Schwefel-Atom einen Halogen-Substituenten (X = Cl, F) tragen:

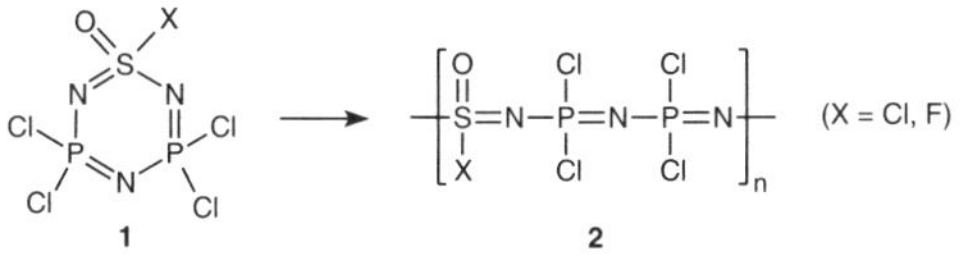

(X = Cl, F)

1 **2**

Die bei diesen Polymerisationen zunächst entstehenden Halogen-haltigen P. **2** sind noch relativ Hydrolyse-empfindlich. Man gelangt allerdings leicht zu Feuchtigkeits-stabilen Derivaten, indem man die Halogen-Atome von **2** durch Reaktion mit Nucleophilen (z. B. Amine, Phenolate) substituiert. Mit Phenolaten erfolgt dabei die Substitutionsreaktion regioselektiv am Phosphor-Atom u. ergibt P. **3**, in denen die Halogen-Atome am Schwefel noch erhalten sind (bei den Polythiophosphazenen ist die Reaktivität der Halogen-Substituenten gerade entgegengesetzt!). Im Gegensatz dazu führt die Umsetzung von **2** mit Aminen zur Substitution aller Halogen-Atome, sowohl der am Phosphor als auch der am Schwefel: Es bilden sich die sog. *Polyaminothionylphosphazene* **4**:

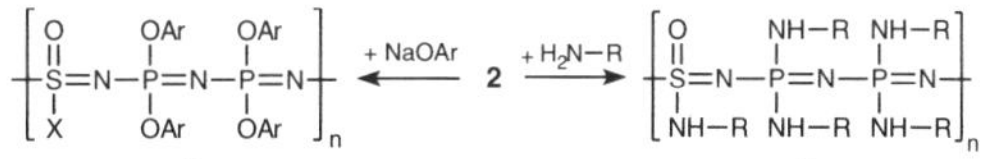

3 ← + NaOAr — **2** — + $H_2N{-}R$ → **4**

(X = Cl, F
R = Alkyl, Aryl)

Die elektron. Struktur der P. ist der der klass. *Polyphosphazene sehr ähnlich. Erhebliche Unterschiede findet man dagegen beim therm. Verhalten u. der Morphologie. So ist z. B. das P. mit der konstitutiven Repetiereinheit $[-N{=}SOF{-}\{N{=}P(OC_6H_5)_2\}_2{-}]_n$ ein amorphes Elastomer mit einer *Glasübergangstemperatur von TG = –15 °C. Das analoge Polyphosphazen $[-N{=}P(OC_6H_5)_2{-}]_n$ ist hingegen ein mikrokrist. Thermoplast mit einer Schmelztemp. von Tm = 390 °C u. einer TG von –6 °C. Auch sind die TG-Werte der an den Schwefel-Atomen mit Fluor-Atomen substituierten P. etwas niedriger als die der analogen Chlor-substituierten Polythionylphosphazene. – ***E*** polythionylphosphazenes – ***F*** polythionylphosphazènes – ***I*** politionilfosfazeni – ***S*** politionilfosfacenos
Lit.: Acta Polymerica **49**, 201 (1998) ▪ Angew. Chem. **108**, 1712 (1996).

Polythiophene. Bez. für *Polymere der allg. Formel

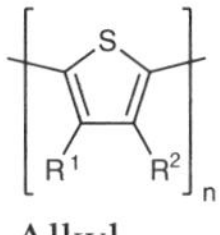

mit R^1, R^2 = H u./od. Alkyl.
P. werden bevorzugt durch *elektrochemische Polymerisation von Thiophen(-Derivaten) hergestellt, sind aber auch durch Kupplung der *Grignard-Verbindungen von 2,5-Dihalogenthiophenen zugänglich. P. sind thermostabile Produkte, die insbes. als *elektrisch leitfähige Polymere Interesse gefunden haben. – ***E*** polythiophenes – ***F*** polythiophènes – ***I*** politiofeni – ***S*** politiofenos
Lit.: Encycl. Polym. Sci. Eng. **16**, 290 ff. ▪ s. a. elektrisch leitfähige Polymere. – *[CAS 89231-11-8]*

Polythiophosphazene. Bez. für *Polymere wie z. B. **2** od. **3**, deren *Makromoleküle in ihren Hauptketten die Elemente Schwefel, Stickstoff u. Phosphor enthalten. Die ersten gut charakterisierten P. wurden durch ringöffnende *Polymerisation des Cyclothiophosphazens **1** erhalten (s. Formel S. 3512 oben).
Die aus **1** entstehenden, Halogen-haltigen u. daher sehr Hydrolyse-empfindlichen P. **2** können anschließend durch Umsetzung mit Nucleophilen (z. B. Phenolaten) in P. **3** umgewandelt werden, die weniger Hydrolyse-empfindlich sind. Eine befriedigende Stabilität kann jedoch nur erreicht werden, wenn die eingeführten Substituenten zusätzlich sehr voluminös sind (wie z. B.

1 —(90 °C)→ $-[S=N-P(Cl)_2=N-P(Cl)_2=N]_n-$ (S–Cl) **2**

—(+ NaOAr)→ $-[S(OAr)=N-P(OAr)_2=N-P(OAr)_2=N]_n-$ **3**

Ar = *o*-Phenylphenoxy). Trotz der insgesamt sehr hohen Reaktivität aller Chlor-Substituenten von **2** kann die Substitutions-Reaktion **2**→**3** dennoch so geführt werden, daß sich die höhere Reaktivität der S–Cl-Bindung zu erkennen gibt: Durch regioselektive Substitution am Schwefel-Atom können zunächst teilsubstituierte Makromol. **4** aufgebaut werden, deren nochmalige Umsetzung mit einem anderen Nucleophil zu P. **5** mit am Schwefel- u. am Phosphor-Atom unterschiedlichen Aryloxy-Substituenten führt:

2 —(+ NaOAr[1])→ $-[S(OAr^1)=N-P(Cl)_2=N-P(Cl)_2=N]_n-$ **4** —(+ NaOAr[2])→ $-[S(OAr^1)=N-P(OAr^2)_2=N-P(OAr^2)_2=N]_n-$ **5**

Hinsichtlich ihrer Materialeigenschaften vereinen die P. in sich sowohl Merkmale von Schwefel-Stickstoff-Polymeren {z.B. des im festen Zustand polymeren $[SN]_x$ od. des *Polyoxothiazens} als auch von klass. *Polyphosphazenen. – ***E*** polythiophosphazenes – ***F*** polythiophosphazènes – ***I*** politiofosfazeni – ***S*** politiofosfacenos

Lit.: Acta Polymerica **49**, 201 (1998) ▪ Angew. Chem. **108**, 1712 (1996).

Polytriazine. Sammelbez. für *Polymere, die s-Triazin-Ringe

als Bestandteil ihrer *Makromoleküle enthalten. Die s-Triazin-Substruktur ist wie der Benzol-Ring stark resonanzstabilisiert u. daher hochtemperaturbeständig. Diese Eigenschaft macht man sich z.B. in den *Melamin-Harzen zunutze, bei deren Herst. die Triazin-Einheiten bereits als solche über das monomere Melamin in das Polymere eingebracht werden. Die Triazin-Ringe können jedoch auch *in situ* während der Polymerisation selbst aufgebaut werden, z.B. durch Cyclotrimerisierung von Di- od. Polynitrilen sowie aus Biscyanamiden. Schließlich kann man auch von Cyansäureestern wie z.B. I ausgehen, die man aus Bisphenol A u. Cyanurchlorid (Chlorcyan) erhält. Diese Route führt über noch lösl., harzartige *Prepolymere, die bei hohen Temp. unter Vernetzung zu unlösl., unschmelzbaren P. des Typs II ausgehärtet werden (Formel unten links).

$HO-C_6H_4-C(CH_3)_2-C_6H_4-OH$ —(+ 2 Cl–CN, – 2 HCl)→ $N\equiv C-O-C_6H_4-C(CH_3)_2-C_6H_4-O-C\equiv N$ **I** —(Katalysator, 250°C)→ **II**

Die lösl. Prepolymere werden als Schmelze od. aus Lsg. zum Tränken von Glasfasergeweben eingesetzt, die zu Laminaten für Leiterplatten ausgehärtet werden. Die Laminate besitzen hohe chem. u. therm. Beständigkeit. – ***E*** = ***F*** polytriazines – ***I*** politriazine – ***S*** politriazinas

Lit.: Encycl. Polym. Sci. Eng. **4**, 378 f. ▪ Houben-Weyl **E 20/3**, 2194 f. – *[CAS 72172-70-4]*

Poly(trifluorchlorethylen)e s. Polychlortrifluorethylene.

Polytypie. Bei Substanzen, die in *Schichtstrukturen kristallisieren, können die Schichten in unterschiedlicher Reihenfolge gestapelt sein. *Beisp.*: *Kaolinit mit seinen Stapelvarianten Dickit u. Nakrit. Auch bei *Glimmern u. weiteren Phyllosilicaten, *Graphit u.ä. wird P. beobachtet. Ramsdell hat 1947 zur Kennzeichnung polytyper Strukturvarianten eine Zahl, die die Schichtenzahl bis zur translator. Identität angibt, u. einen Buchstaben für das Kristallsyst. (H für hexagonal, R für rhomboedr., M für monoklin usw.) eingeführt. Bei Graphit unterscheidet man beispielsweise zwischen dem häufigeren Graphit-2H u. Graphit-3R (s. Abb.).

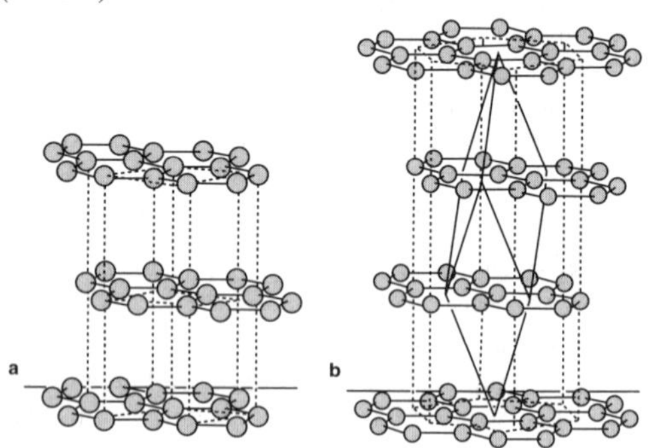

Abb.: Graphit-Struktur: a) Graphit-2H; b) Graphit-3R (nach Ramdohr-Strunz, s. *Lit.*).

– ***E*** polytypism – ***F*** polytypisme – ***I*** politipia, politipismo – ***S*** politipismo

Lit.: Ramdohr-Strunz, S. 123 f., 129 f. ▪ Verma u. Krishnan, Polymorphism and Polytypism in Crystals, New York: Wiley 1966.

Polyurethane. Sammelbez. (Kurzz. PUR) für *Polymere, in deren *Makromolekülen die Wiederholungseinheiten durch Urethan-Gruppierungen –NH–CO–O– verknüpft sind. P. werden im allg. erhalten durch *Polyaddition aus zwei- od. höherwertigen Alkoholen u. Isocyanaten gemäß

$$n\ HO{-}R^1{-}OH + n\ O{=}C{=}N{-}R^2{-}N{=}C{=}O \longrightarrow \left[O{-}R^1{-}O{-}\underset{\underset{O}{\|}}{C}{-}NH{-}R^2{-}NH{-}\underset{\underset{O}{\|}}{C} \right]_n$$

I II III

R^1 u. R^2 können dabei für niedermol. od. selbst schon polymere aliphat. od. aromat. Gruppen stehen. Techn. wichtige PUR werden hergestellt aus Polyester- u./od. Polyetherdiolen u. z. B. 2,4- bzw. 2,6-Toluoldiisocyanat (TDI, $R^2 = C_6H_3{-}CH_3$), *4,4′-Methylendi(phenylisocyanat) (MDI, $R^2 = C_6H_4{-}CH_2{-}C_6H_4$), 4,4′-Methylendicyclohexylisocyanat (HMDI, $R^2 = C_6H_{10}{-}CH_2{-}C_6H_{10}$) od. Hexamethylendiisocyanat [HDI, $R^2 = (CH_2)_6$].
Allg. kann die Synth. der P. Lsm.-frei od. in inerten organ. Lsm. erfolgen. Als Katalysatoren für die Polyaddition werden vielfach bestimmte Amine od. organ. Zinn-Verb. eingesetzt. Der Einsatz von bisfunktionellen Alkoholen u. Isocyanaten in äquimolaren Verhältnissen führt zu linearen PUR. Verzweigte u. vernetzte Produkte fallen bei Mitverw. von höherfunktionellen Edukten od. auch bei Isocyanat-Überschuß an, bei dem Isocyanat-Gruppen mit Urethan- bzw. Harnstoff-Gruppen unter Ausbildung von *Allophanat- bzw. *Biuret-Strukturen reagieren, z. B.:

$$\sim N{=}C{=}O + \sim NH{-}\underset{\underset{O}{\|}}{C}{-}O\sim \longrightarrow \sim N(\text{–}C{=}O\text{–}NH\sim){-}\underset{\underset{O}{\|}}{C}{-}O\sim$$

Allophanat-Struktur

$$\sim N{=}C{=}O + \sim NH{-}\underset{\underset{O}{\|}}{C}{-}NH\sim \longrightarrow \sim N(\text{–}C{=}O\text{–}NH\sim){-}\underset{\underset{O}{\|}}{C}{-}NH\sim$$

Biuret-Struktur

Entsprechend fallen je nach Wahl u. stöchiometr. Verhältnis der Ausgangsstoffe P. mit sehr unterschiedlichen mechan. Eigenschaften an, die als Bestandteile von Klebstoffen u. Lacken (*P.-Harze*), als Ionomere, als thermoplast. Material für Lagerteile, Rollen, Reifen, Walzen verwendet werden u. als mehr od. weniger harte Elastomere in Faserform (*Elastofasern, Kurzz. PUE für diese *Elastan-* od. *Spandex-Fasern*) od. als Polyether- bzw. Polyesterurethan-*Kautschuk (Kurzz. EU bzw. AU nach DIN ISO 1629: 1981-10), als duroplast. Gießharze (auch glasfaserverstärkt) u. v. a. aber als *Schaumkunststoffe vielfältige Einsatzmöglichkeiten finden.
P.-Schäume entstehen bei der Polyaddition, wenn Wasser u./od. Carbonsäuren zugegen sind, denn diese reagieren mit den Isocyanaten unter Abspaltung von auftreibend u. Schaum-bildend wirkendem Kohlendioxid:

$$R{-}N{=}C{=}O + HOH + O{=}C{=}N{-}R \rightarrow R{-}NH{-}CO{-}NH{-}R + CO_2.$$

Mit Polyalkylenglykolethern als Diolen u. Wasser als Reaktionskomponente gelangt man zu P.-*Weichschäumen*, mit Polyolen u. Treibgasen aus *FCKW (bes. R 11) erhält man P.-**Hartschaumstoffe* u. *Struktur-* od. **Integralschaumstoffe*. Zusätzlich benötigte Hilfsstoffe sind hier z. B. Katalysatoren, Emulgatoren, Schaumstabilisatoren (bes. Polysiloxan-Polyether-Copolymere), Pigmente, Alterungs- u. Flammschutzmittel. Man benutzt P.-Schaumstoffe in großem Umfang zur Herst. von Kissen, Matratzen, Polstermöbeln, Schwämmen, als Verpackungsmaterial, Isoliermaterial bei Bauten, Kühlmöbeln u. LNG-Tankschiffen, zur Beschichtung von Teppichen, Winterbekleidung usw. Zur Herst. von auch kompliziert geformten Gegenständen aus P.-Schaum hat man in den 70er Jahren die sog. *RIM-Technik* entwickelt (*E* reaction injection molding = *Reaktionsspritzguß*). Mit der RRIM-Technik (reinforced RIM) erzeugt man v. a. mit Glasfasern verstärkte Schaumstoffe. Das RIM-Verf. beruht auf raschem Dosieren u. Mischen der Komponenten, Injektion des reaktiven Gemisches in die Form u. schnellem Aushärten; die Cycluszeit beträgt nur wenige Minuten. Mittels RIM-Technik werden u. a. Autokarosserieteile, Schuhsohlen, Fensterprofile u. Fernsehgehäuse erzeugt.
In vielen anderen Fällen werden P. zunächst als *Prepolymere mit terminalen Isocyanat-Gruppen hergestellt, die bei der Anw., z. B. als *Klebstoffe od. Dichtungsmassen, mit Feuchtigkeit aus der Umgebung unter Kettenverlängerung u. ggf. Vernetzung aushärten. Derartige Prepolymere können auch mit Diaminen kettenverlängert werden, wobei PUR entstehen, die Harnstoff-Gruppen enthalten. NCO-terminierte Prepolymere spielen weiterhin eine wichtige Rolle bei der Herst. von *P.-Dispersionen*. Durch Einbau hydrophiler Gruppen (nicht-ion. *Polyethylenglykole, anion. Carboxy- od. Sulfonsäure-Gruppen od. kation. Gruppen, z. B. quartärer Ammonium-Gruppen) sind in Wasser selbstemulgierende *P.-Ionomere* zugänglich. Diese werden Lsm.-frei od. auch (aus Viskositätsgründen) in inerten organ. Lsm. (Aceton) hergestellt u. in Wasser unter Kettenverlängerung mit Wasser selbst od. mit Diaminen dispergiert. Dabei resultieren, ggf. nach Austreiben des organ. Lsm., stabile Dispersionen.
Die P. unterscheiden sich von anderen wichtigen Kunststoffen dadurch, daß die chem. Ind. nur die Rohstoffe bereitstellt (*Beisp.:* *Desmodur®, -phen, -rapid), die Polyreaktion aber erst beim Verarbeiter erfolgt. Voll ausgehärtete P. sind nicht tox. u. werden sogar zu künstlichen Herzklappen u. ä. Implantaten verarbeitet.
Marktdaten: 1994 wurden weltweit ca. 6,1 Mio. t P. verbraucht (s. Tab.).

Tab.: Verbrauch von Polyurethanen (nach Regionen), nach *Lit.*[1].

Region	Verbrauch [1000 t]	Anteil [%]
Westeuropa	1800	29
Osteuropa	100	2
Nordamerika	1900	31
Südamerika	400	7
Japan	500	8
Asien (ohne Japan)	1100	18
Afrika, Nahost	300	5

– ***E*** polyurethanes – ***F*** polyuréthanes – ***I*** poliuretani – ***S*** poliuretanos

Lit.: [1] Kunststoffe **85**, 1616 (1995).
allg.: Batzer **3**, 158–170 ▪ Domininghaus (5.), S. 1140 ff. ▪ Encycl. Polym. Sci. Eng. **13**, 243–303 ▪ Houben-Weyl **E 20/2**, 1561–1721. – *[HS 3909 50; CAS 61789-63-7]*

Polyurethan-Harze. Bez. für als Beschichtungsmassen eingesetzte *Harze auf der Basis von *Polyure-

thanen. Sie werden überwiegend aus Luft-trocknenden Ölen (Triglyceride, ungesätt. Fettsäuren) gewonnen, die zunächst mit Glycerin zu einer Mischung aus Mono- u. Diglyceriden umgeestert werden. Die resultierenden Produkte werden anschließend mit Diisocyanaten, bevorzugt Toluoldiisocyanaten (TDI), bei einem Stoffmengenverhältnis von Isocyanat-: Hydroxy-Gruppen ≤1:1 zu Polyurethanen umgesetzt, die keine Isocyanat-Gruppen mehr enthalten u. ähnlich wie *Alkydharze durch Luftoxid. trocknen u. aushärten.
P.-H. können alternativ hergestellt werden aus mit ungesätt. Säuren (z. B. mit *Tallöl) partiell veresterten Polyalkoholen (Glycerin, Pentaerythrit) u. Diisocyanaten. Sie sind üblichen Alkydharzen hinsichtlich Trocknungs-Geschw. u. Hydrolyse-Beständigkeit überlegen u. werden u. a. in Anstrichen für Möbel, Fußböden u. Boote, als Primer für Metalle u. in Druckfarben verwendet.
Zu den P.-H. gerechnet werden auch Polyurethan-*Prepolymere mit endständigen freien od. blockierten Isocyanat-Gruppen, die, ggf. therm. aktiviert, bei Feuchtigkeitseinwirkung aushärten. – ***E*** polyurethane resins – ***F*** résines de polyuréthane – ***I*** resine di poliuretano – ***S*** resinas de poliuretano

Lit.: Encycl. Polym. Sci. Eng. **5**, 67 ff.

Polyurethan-Kautschuke. *Kautschuke auf der Basis von *Polyurethanen, die als bes. Vorteile hohe Abrieb- u. Reißfestigkeit sowie ausgezeichnete Öl- u. Oxid.-Beständigkeit aufweisen. Man unterscheidet bei den P.-K. zwischen flüssigen Kautschuken (*E* casting rubbers), die als flüssige od. pastöse Mischungen direkt in der Form zum Endprodukt umgesetzt werden, thermoplast. Kautschuken u. vulkanisierbaren Kautschuken.
Die *flüssigen P.-K.* bestehen meist aus Polyurethanen mit Isocyanat-Endgruppen (I). Diese werden in der Regel mit schwach bas. Di- u. Polyaminen, z. B. II, vulkanisiert:

n O=C=N~~~N=C=O (I) + n H_2N–C_6H_3(Cl)–CH_2–C_6H_3(Cl)–NH_2 (II)

↓

$[$–C(=O)–NH~~~NH–C(=O)–NH–C_6H_3(Cl)–CH_2–C_6H_3(Cl)–NH–$]_n$

Die *Makromoleküle der *thermoplast. P.-K.* bestehen hingegen aus zahlreichen linearen, bei Gebrauchstemp. kautschukartig weichen *Polyester- od. *Polyether-Segmenten, die über die bei diesen Temp. harten Urethan-Segmente miteinander verknüpft sind. Die Unverträglichkeit dieser beiden Bestandteile der Makromol. führt zur Mikrophasenseparation, bei der sich weiche u. harte Segmente in getrennten Domänen ansammeln. Da die so entstehenden Hartdomänen, innerhalb derer die einzelnen Ketten aufgrund intermol. Wasserstoff-Brückenbindungen nicht voneinander abgleiten können, Urethan-Segmente unterschiedlicher Makromol. enthalten, wirken sie als physikal. Vernetzungspunkte für die weichen Polyester- bzw. Polyether-Kautschuk-Segmente. Das Material verhält sich bei mechan. Beanspruchung wie ein vulkanisierter Kautschuk (*Gummi). Erhitzt man es allerdings auf Temp. oberhalb der Erweichungstemp. der Urethan-Hartdomänen, so können auch hier die Ketten voneinander abgleiten u. der P.-K. wird – im Gegensatz zu chem. vernetzten (vulkanisierten) Kautschuken – formgebend verarbeitbar.
Vulkanisierbare P.-K. (*E* millable polyurethane rubbers) enthalten (z. B. über die Diol-Komponenten eingeführte) C,C-Mehrfachbindungen, über die sie, u. a. durch Schwefel-Vulkanisation, chem. u. damit irreversibel vernetzt werden können.
Verw.: U. a. zur Herst. von Reifen für Ind.-Fahrzeuge, Förderbändern, Folien, Gummifäden, Dämpfungselementen, Dichtungen u. *Schaumgummi. Limitierend für den Einsatz der P.-K. ist oft ihr relativ hoher Preis. – ***E*** polyurethane rubbers – ***F*** caoutchouc de polyuréthane – ***I*** caucciù di poliuretano – ***S*** caucho de poliuretano

Lit.: Franta, Elastomers and Rubber Compounding Materials, S. 181–194, Amsterdam: Elsevier 1989.

Polyurethan-Schäume s. Polyurethane.

Polyurie s. Harn.

Polyuronsäuren s. Uronsäuren.

Polyvidon. Von der WHO vorgeschlagener Freiname für auch *Povidon* genanntes *Polyvinylpyrrolidon unterschiedlicher Kettenlänge, M_R 10 000–70 000, hygroskop. Pulver; Lagerung: luftdicht verschlossen, in Wasser Bildung einer kolloidalen Lösung.
Verw.: Als Plasmaersatzmittel (nur Pyrogen-freie, niedermol. Typen mit Monomerengehalt <0,2%), Tablettier- u. Dragier-Hilfsstoff, Gelbildner u. *Lösungsvermittler. Außerdem ist es in vielen Augentropfen als Filmbildner gegen trockenes Auge enthalten. Zu beachten sind Unverträglichkeiten mit einer ganzen Reihe von Arzneistoffen. Außerdem sind Lsg. anfällig gegenüber Schimmelpilzen; Näheres s. bei Polyvinylpyrrolidon. – ***E*** = ***F*** polyvidone – ***I*** polividone – ***S*** polividona

Lit.: Florey **22**, 555–685 ▪ Hager (5.) **9**, 294 f. ▪ Martindale (31.), S. 1540 ▪ Ph. Eur. **1997** u. Komm. – *[HS 3905 99; CAS 9003-39-8]*

Polyvidon-Iod. Komplex aus *Polyvidon u. Iod (mind. 9% u. höchstens 12% frei verfügbares Iod): $(C_6H_9NO)_n \cdot I_2$, n ≈ 18. Gelblich-braunes Pulver; Lagerung: vor Licht u. Luft geschützt, lösl. in Alkohol u. Wasser. P.-I. wurde 1955, 1958 u. 1959 von GAF patentiert, als *Antiseptikum/*Desinfektionsmittel von Mundipharma (Betaisodona®) in der BRD eingeführt u. ist heute als Generikum von vielen Firmen im Handel; s. a. Polyvinylpyrrolidon. – ***E*** polyvidone-iodine – ***F*** polyvidone-iode – ***I*** iodopolividone – ***S*** polividona-yodo

Lit.: Hager (5.) **9**, 295–300 ▪ Martindale (31.), S. 1143 f. ▪ Ph. Eur. **1997** u. Komm. – *[CAS 25655-41-8]*

Polyvinyl... Verallgemeinerndes Präfix für durch *Polymerisation von Vinylgruppen-haltigen *Monomeren (Definition: s. Vinyl...) zugängliche *Polymere der allg. Struktur

$$[-CH_2-CH(X)-]_n$$

X stellt in der Regel ein Heteroatom bzw. eine über ein Heteroatom fixierte Gruppe (z. B. eine Halogen-, Hydroxy-, Amino-, Ester-, Ether-, Sulfonsäure- od. Phosphonsäure-Gruppe) dar. Nur in Ausnahmefällen wird das Präfix auch dann verwendet, wenn die Gruppe X über ein C-Atom an das Vinyl-Fragment angebunden ist (z. B. bei Vinylketonen). Zu den wichtigsten P.-Verb. s. die nachfolgenden Stichwörter. – ***E*** polyvinyl... – ***F*** polyvynil... – ***I*** polivinil..., di polivinile, polivinilico – ***S*** polivinil...

Polyvinylacetale (Kurzz. PVA). Bez. für durch intramol. partielle *Acetalisierung von *Polyvinylalkohol mit in der Regel kurzkettigen aliphat. Aldehyden herstellbare Produkte. Die zu ihrer Synth. benötigten Polyvinylalkohole werden ihrerseits polymeranalog durch meist nur partielle Veresterung von *Polyvinylacetaten erhalten, so daß typ. P. neben Acetal- auch Hydroxy- u. Acetat-Gruppen aufweisen; sie entsprechen also der allg. Formel

$$\left[\left(\text{HO} \right)_{\bar{x}} \left(\text{O–CO–R} \right)_{\bar{y}} \left(\text{O–CHR–O} \right)_{\bar{z}} \right]_n$$

wobei $\bar{x}$, $\bar{y}$ u. $\bar{z}$ zur Modifizierung der P.-Eigenschaften in weiten Bereichen variiert werden können. Über die verbliebenen Hydroxy-Gruppen sind die P. leicht vernetzbar.

Techn. Bedeutung haben die P. auf Basis von Formaldehyd (s. Polyvinylformale, R=H; Kurzz.: PVFM) u. Butyraldehyd [s. Polyvinylbutyrale, $R=(CH_2)_2–CH_3$; Kurzz. PVB]. Aus P. bestehen auch die *Vinal-Fasern, die aus Polyvinylalkohol aufgebaut sind u. durch Behandlung mit Formaldehyd wasserunlösl. gemacht werden; zur Verw. der P. s. die in eigenen Stichwörtern behandelten Polyvinylacetale. – ***E*** poly(vinyl acetal)s – ***F*** acétals de polyvinyle – ***I*** polivinilacetali – ***S*** poli(acetales de vinilo)

Lit.: Elias (5.) **2**, 158 ▪ Ullmann (4.) **19**, 378–382. – *[HS 3905 99]*

Polyvinylacetate (Kurzz. PVAC). Bez. für durch radikal. *Polymerisation von *Essigsäurevinylester zugängliche, thermoplast. *Polymere. Die Verknüpfung der *Monomeren beim Aufbau der Polymerkette erfolgt in hohen Anteilen (bis zu 98%) als *Kopf/Schwanz-Polymerisation u. nur in geringem Maß als Kopf/Kopf-Polymerisation; die *Makromoleküle der P. enthalten also hauptsächlich Gruppierungen des Typs I (Kopf/Schwanz) u. nur wenige des Typs II (Kopf/Kopf) als charakterist. Grundeinheiten:

$$—CH_2—CH(O—CO—CH_3)—CH_2—CH(O—CO—CH_3)— \quad \text{I}$$

$$—CH_2—CH(O—CO—CH_3)—CH(O—CO—CH_3)—CH_2— \quad \text{II}$$

Die Herst. der P. kann nach Verf. der *Substanz-, *Lösungs-, *Suspensions- (Perl-) od. – techn. bevorzugt – als *Emulsionspolymerisation erfolgen. P. haben Molmassen von 10000–1500000 g/mol u. eine Molmassen-abhängige *Glasübergangstemperatur von ca. 28 °C. Sie sind amorphe, geruch- u. geschmacklose Produkte mit hoher Licht- u. Witterungs-Beständigkeit, unlösl. in Wasser u. lösl. in vielen organ. Lsm. (Ester, Ether, Ketone, halogenierte Kohlenwasserstoffe u. a.). Die P. werden als Pulver, Körner, Granulate od. als wäss. Dispersionen in den Handel gebracht. ***Verw.:*** U. a. als Klebstoff(komponente), Lackrohstoff, Verpackungsfolien, für Beschichtungen von Papier u. Lebensmitteln (Wurst- u. Käsebeschichtungen, s. Käsewachse) u. als Additiv für Beton; als Rohstoffe für die Herst. von *Polyvinylalkoholen u. *Polyvinylacetalen.

Neben den *Homopolymeren des Vinylacetats haben auch dessen *Copolymere mit Ethylen (s. Ethylen-Vinylacetat-Copolymere, Kurzz. EVA od. EVAC) u./od. Vinylchlorid [Kurzz. VCEVAC (oft auch fälschlich VCEVA) bzw. VCVAC (auch PVCA); s. Vinylacetat-Polymere] große techn. Bedeutung. – ***E*** poly(vinyl acetate)s – ***F*** acétates de polyvinyle – ***I*** acetati di polivinile – ***S*** acetatos de polivinilo

Lit.: Elias (5.) **2**, 157 ▪ Encycl. Polym. Sci. Eng. **17**, 393–425 ▪ Houben-Weyl **E 20/2**, 1115–1125. – *[HS 3905 12, 3905 19; CAS 9003-20-7]*

Polyvinyladenin s. polymergebundene Wirkstoffe.

Polyvinylalkohole (Kurzz. PVAL, gelegentlich auch PVOH). Bez. für *Polymere der allg. Struktur

$$—CH_2—CH(OH)—CH_2—CH(OH)—$$

die in geringen Anteilen (ca. 2%) auch Struktureinheiten des Typs

$$—CH_2—CH(OH)—CH(OH)—CH_2—$$

enthalten.

P. können nicht direkt durch *Polymerisation von Vinylalkohol ($H_2C=CH–OH$) erhalten werden, da dessen Konz. im Tautomeren-Gleichgew. (*Keto-Enol-Tautomerie) mit Acetaldehyd ($H_3C–CHO$) zu gering ist. P. werden daher v. a. aus *Polyvinylacetaten über *polymeranaloge Reaktionen wie Hydrolyse, techn. insbes. aber durch alkal. katalysierte Umesterung mit Alkoholen (vorzugsweise Methanol) in Lsg. hergestellt. Handelsübliche P., die als weiß-gelbliche Pulver od. Granulate mit *Polymerisationsgraden im Bereich von ca. 500–2500 (Molmassen von ca. 20000–100000 g/mol) angeboten werden, haben Hydrolysegrade von 98–99 bzw. 87–89 Mol-%, enthalten also noch einen Restgehalt an Acetyl-Gruppen. Charakterisiert werden die P. von Seiten der Hersteller durch Angabe des Polymerisationsgrades des Ausgangspolymeren, des Hydrolysegrades, der Verseifungszahl bzw. der Lsg.-Viskosität. Vollverseifte P. haben eine *Glasübergangstemperatur von 85 °C u. einen Schmp. von 228 °C, D. 1,2–1,3 g/cm^3. Die entsprechenden Werte für teilverseifte (87–89%) Produkte liegen mit ca. 58 °C bzw. 186 °C deutlich niedriger. P. sind abhängig vom Hydrolysegrad lösl. in Wasser u. wenigen stark polaren organ. Lsm. (Formamid, Dimethylformamid, Dimethylsulfoxid); von (chlorierten) Kohlenwasserstoffen, Estern, Fetten u. Ölen werden sie nicht angegriffen. P. werden als toxikolog. unbedenklich eingestuft u. sind biolog. zumindest teilw. abbaubar. Die Wasserlöslichkeit kann man durch Nachbehandlung mit Aldehyden (Acetalisierung, s. Polyvinylacetale), durch Komplexierung mit Ni- od. Cu-Salzen od. durch Behandlung mit Dichromaten, Borsäure od. Bo-

rax verringern. Folien aus P. sind weitgehend undurchdringlich für Gase wie Sauerstoff, Stickstoff, Helium, Wasserstoff, Kohlendioxid, lassen jedoch Wasserdampf hindurchtreten.
Verw.: Als Schutzkolloid, Emulgator, Bindemittel, für Schutzhäute u. Klebstoffe, Appreturen, Schlichtemittel, Metallschutz-Überzüge, zur Herst. von Salben u. Emulsionen, wasserlösl. Beuteln u. Verpackungsfolien, Öl-, Fett- u. Treibstoff-beständigen Schläuchen u. Dichtungen, als Rasiercreme- u. Seifen-Zusatz, Verdickungsmittel in pharmazeut. u. kosmet. Präp., als künstliche Tränenflüssigkeit. Mit Dichromaten od. Diazonium-Verb. vermischte P. dienen als lichtempfindliche Schicht zur Herst. von Offset-Druckplatten, Farbfernsehbildröhren u. gedruckten Schaltungen (*Photoresists). P. kann zu wasserlösl. Fasern, sog. *Vinal-Fasern*, Kurzz. PVA [bzw. PVAL, DIN 60001-4: 1990-05 (Entwurf)] versponnen od. zu Schwämmen verschäumt werden. Als *reaktive Polymere, die über die sek. Hydroxy-Gruppen chem. breit variiert (acetalisiert, verestert, verethert od. vernetzt) werden können, dienen P. als Rohstoffe für die Herst. von z. B. *Polyvinylacetalen (z. B. *Polyvinylbutyrale). – ***E*** poly(vinyl alcohol)s – ***F*** alcools polyvinyliques – ***I*** alcooli polivinilici – ***S*** alcoholes polivinílicos

Lit.: Elias (5.) **2**, 157 ▪ Encycl. Polym. Sci. Eng. **17**, 167–198 ▪ Houben-Weyl **E 20/2**, 1115–1125. – *[HS 3905 30; CAS 9002-89-5]*

Polyvinylalkylether s. Polyvinylether.

Polyvinylamine s. Vinylamin-Polymere.

Poly(vinylbenzylchlorid)e s. Poly(chlormethylstyrol)e.

Polyvinylbutyrale (Kurzz. PVB). Bez. für durch *Acetalisierung von *Polyvinylalkohol mit Butyraldehyd hergestellte Polyvinylacetale [Formel s. dort; $R=(CH_2)_2–CH_3$]. P. sind die techn. wichtigsten Polyvinylacetale. Sie werden in Pulver- od. Dispersionsform mit Molmassen im Bereich von ca. 30 000–100 000 g/mol u. Acetalisierungsgraden von 75–90% angeboten. P. sind amorphe, transparente Produkte, die bei niedrigem Acetal-Gruppen-Gehalt wasserlösl. sind.
Verw.: Zu Folien verarbeitet für die Herst. von Verbundglasfolien, als Lackrohstoffe, in *Haftgrundmitteln, in Dispersionsform für Textilbeschichtungen, für Klebstoffe u. wieder abziehbare Beschichtungen u. anderes. – ***E*** poly(vinyl butyral)s – ***F*** polyvynilbutyrals – ***I*** polivinilbutirrali – ***S*** polivinilbutirales

Lit.: Elias (5.) **2**, 158 ▪ Ullmann (4.) **19**, 380 ff.

Polyvinylcarbazole [Poly(*N*-vinylcarbazol)e; Kurzz. PVK]. Bez. für *Polymere der Struktur

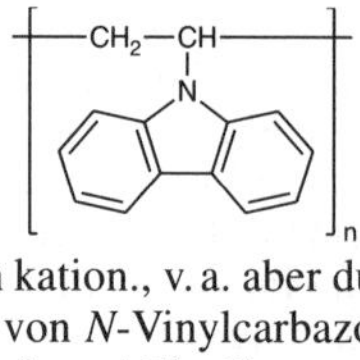

$$\left[CH_2–CH(N\text{-carbazolyl}) \right]_n$$

P. können durch kation., v. a. aber durch *radikalische Polymerisation von *N*-Vinylcarbazol hergestellt werden. P. sind mit ihrer *Glasübergangstemperatur von 227 °C u. ihrer Wärmeformbeständigkeitstemp. von ca. 160 °C sehr Temp.-beständige Polymere. Sie besitzen hohe Festigkeit u. Härte, gute (di)elektr. Eigenschaften u. gute Chemikalien-Resistenz (Ausnahmen: gegenüber konz. Mineralsäuren, Kraftstoffen, Kohlenwasserstoffen). Ihre extreme Sprödigkeit kann durch Copolymerisation mit etwas Isopren herabgesetzt werden. Die Verarbeitung von P. erfolgt durch Spritzgießen, Extrudieren od. Preßsintern; P. werden zur Herst. von hochbelastbaren (z. B. gegenüber mechan., therm. od. chem. Einflüssen) Isolierteilen in der Hochfrequenz-, Rundfunk- u. Fernsehtechnik sowie im Maschinen- u. Apparatebau eingesetzt. Wegen ihrer guten Photoleitfähigkeit werden P. zusammen mit Chloranil u. Tetracyanethylen in Fotokopier-Geräten (Xerographie) verwendet. – ***E=F*** polyvinylcarbazoles – ***I*** polivinilcarbazoli – ***S*** polivinilcarbazoles

Lit.: Domininghaus (5.), S. 483 ff. ▪ Elias (5.) **1**, 995; **2**, 160 ▪ Encycl. Polym. Sci. Eng. **17**, 257–294. – *[HS 3905 99; CAS 25067-59-8]*

Polyvinylchloride (Kurzz. PVC). Bez. für die bei der radikal. *Homopolymerisation von *Vinylchlorid (VC) anfallenden Polymeren der Struktur

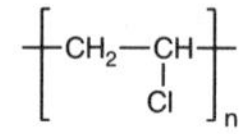

$$\left[CH_2–CH(Cl) \right]_n$$

Die *Makromoleküle sind nicht streng linear: Sie haben in Abhängigkeit vom Monomer-Umsatz u. der Polymerisations-Temp. ca. 3–20 kurze Seitenketten pro 1000 C-Atome. Techn. P. haben Molmassen von ca. 30 000–130 000 g/mol, die *K-Werten von 45–80 entsprechen.
P. wird techn. durch *Suspensionspolymerisation (S-PVC), Mikro-Suspensionspolymerisation (s. Suspensionspolymerisation), *Emulsionspolymerisation (E-PVC) u. *Substanz- bzw. *Massepolymerisation (M-PVC) hergestellt. Die weitaus größte Bedeutung haben Suspensionspolymerisations-Verfahren. Während der Polymerisation fallen bei allen drei Verf. zunächst sehr kleine P.-Primärteilchen an, die sich bei höherem Monomer-Umsatz zu wesentlich größeren Sekundärteilchen zusammenlagern. Die gewünschte Morphologie der P.-Teilchen, z. B. glatt, kompakt, unregelmäßig geformt od. porös, wird über die verwendeten Polymerisations-Hilfsmittel (Schutzkolloide, Emulgatoren) u. Rühr-Bedingungen eingestellt. Die VC-Polymerisation wird in der Regel bei Monomer-Umsätzen von 75-90% abgebrochen. Das hochtox., cancerogene, nicht umgesetzte Vinylchlorid wird destillativ weitestgehend aus den Polymerisationsansätzen entfernt u. durch Intensiventgasung auf zulässige niedrigste Restgehalte, z. B. <1 ppm bei P. für Lebensmittel-Verpackungen, abgesenkt.
Die so erhaltenen P. werden durch Extrudieren, Kalandrieren, Blasformen, Spritzgießen, Pressen od. Sintern verarbeitet u. zwar mit Gehalten an *Weichmachern von 0–12% (*Hart-PVC*), >12% (*Weich-PVC*) bzw. sehr hohem Weichmacher-Gehalt (*Plastisole, PVC-Paste). Hart-PVC ist gegen Wasser, Säuren, Laugen, Alkohole, Benzine u. Öle beständig. Viele Lsm. (Benzol, Treibstoff-Gemische) wirken jedoch quellend. Zusätze von Weichmachern (Dioctylphthalate u. a. Phthalate, Adipate u. Phosphate) verringern die Chemikalien-Beständigkeit; dieser Effekt tritt weniger stark bei Verw. von Polymer-Weichmachern auf. Auch

um deren *Migration vorzubeugen, werden zunehmend Weichmacher mit geringer Flüchtigkeit eingesetzt.
PVC brennt in der Flamme, erlischt jedoch nach Entfernen der Zündquelle; Weich-PVC kann aufgrund seines hohen Weichmacher-Gehaltes allerdings weiterbrennen. Die Flamme ist bei Anwesenheit von Kupfer (*Beilstein-Test) grün gesäumt. PVC ist therm. nicht bes. stabil, weshalb bereits für die Verarbeitung Stabilisatoren, Gleitmittel u. a. zugesetzt werden müssen, die den bei therm. Zers. freiwerdenden Chlorwasserstoff binden u. gleichzeitig als Antioxidantien wirken. Auch Alterungs- u. Witterungseinflüsse machen sich ungünstig bemerkbar. Als Stabilisatoren eignen sich v. a. anorgan. Schwermetallsalze, Metallseifen insbes. von Ba, Cd, Pb, Zn, Ca, ferner Dibutyl- u. Dioctylzinn-Verb. u. epoxidiertes Sojaöl. Da bestimmte Einstellungen von PVC (z. B. glasklares PVC) auch gegen UV-Licht empfindlich sind, werden solchen Produkten UV-Absorber zugesetzt, z. B. Hydroxybenzophenone od. -benzotriazole. Als Pigmente für PVC-Produkte sind u. a. verwendbar: Cadmiumsulfid, Eisenoxid, Chromoxidgrün, Titandioxid, Ruße, Phthalocyanin- u. a. organ. Pigmente, die meist als Farbpasten od. sog. *Masterbatches zur Anw. kommen. Außer Weichmachern, Stabilisatoren, Farbstoffen u. Pigmenten können PVC-Mischungen noch eine Reihe von Zusatzstoffen enthalten, wie Treibmittel, Haftvermittler, Füllstoffe, Gleitmittel, Antistatika, Fungizide usw.
Um die Schlagzähigkeit von Hart-PVC in der Kälte zu steigern, wird es mit Kautschuk, Acrylat-Kautschuk, MBS, ABS, EVA od. chloriertem Polyethylen modifiziert. Zur besseren Verarbeitbarkeit u. Wärmeform-Beständigkeit können außerdem Polymere wie Poly(α-methylstyrol), MMA- u. Acrylat-haltige Copolymere, verschiedene Pfropfcopolymere etc. eingearbeitet werden.
Als Material für Fasern [Kurzz. CLF, nach DIN 60001-4: 1990-05 (Entwurf)] hat PVC nur einen beschränkten Anwendungsbereich, nämlich für schwer entflammbare Gewebe, Vorhänge, Überzüge, Säureschutzkleider, Filtergewebe, Fischernetze u. dgl.
Nachchloriertes PVC (s. chloriertes Polyvinylchlorid, Kurzz. PVC-C) kann einen Chlor-Gehalt von bis zu 73% haben. Dadurch wird die Löslichkeit erheblich gesteigert, so daß dieses Material für die Herst. von Chemikalien-beständigen Lacken, von Gießfolien u. von Fasern (Kurzz. PVC+ nach DIN 60001-1: 1970-08; *Beisp.:* PeCe®-Faser) verwendet werden kann. Auch die therm. Stabilität u. die mechan. Festigkeit sind beträchtlich besser als die des ursprünglichen PVC. Außer den genannten, nach DIN genormten PVC-Typen ist eine große Zahl von Copolymerisaten des Vinylchlorids (VC) auf dem Markt, z. B. Copolymere aus VC u. 2–15% Vinylacetat für Folien u. Tafeln (VC/VAC), VC u. 14% Vinylacetat u. 1% Maleinsäure für Lacke, VC u. Acrylnitril bzw. Vinylacetat für Fasern (vgl. Modacrylfasern u. Vinyon) u. VC u. 12–20% Vinylidenchlorid u. 1% Acrylnitril für Fasern. DIN 7728 führt noch die folgenden Kurzz. für Copolymere auf: VC/E (VC-Ethylen), VC/E/MA (VC-Ethylen-Methylacrylat), VC/E/VAC (VC-Ethylen-Vinylacetat), VC/MA (VC-Methylacrylat), VC/MMA (VC-Methylmethacrylat), VC/OA (VC-Octylacrylat), VC/VAC (VC-Vinylacetat) u. VC/VDC (VC-Vinylidenchlorid), denen ggf. der Buchstabe P (für Poly...) vorangestellt werden kann, um Mißdeutungen zu vermeiden. DIN 60001-1: 1970-08 kennt für Faserarten aus VC-Copolymerisaten das Kurzz. PVM (Multipolymerisat).
Verw.: In Rohrleitungen, Apparaten, Kabeln, Drahtummantelungen, Fensterprofilen, im Innenausbau, im Fahrzeug- u. Möbelbau, in Bodenbelägen, zur Herst. von Kühlschrank-Dichtungen, Folien, Schallplatten (zusammen mit 5–15% PVAC), Kunstleder, Koffern, Vorhängen, Verpackungsbehältern, Klebebandfolien, Bekleidung, Schuhen, geblasenen Hohlkörpern, Getränkeflaschen, Pasten für Deckanstriche; zur Tapetenbeschichtung, als Plastisole zur Beschichtung, als Pulver zum Kunststoffspritzen, zum Unterbodenschutz, als Fasern für Gewebe u. Filter etc.
Geschichte: Die Polymerisation von Vinylchlorid gelang erstmals im Jahre 1912 in Deutschland durch *Klatte u. in England durch Ostromuislensky. Die großtechn. Auswertung dieser Entwicklungsarbeiten erfolgte jedoch erst Anfang der 30er Jahre. Eine bekannte Marke der I. G. Farben war Igelit. Für P. war damals die Abk. *PCU* in Gebrauch (von *Po*lyvinyl*c*hlorid *u*nchloriert) im Gegensatz zu *PeCe* (*Po*lyvinylchlorid *c*hloriert).
Marktdaten: In Westeuropa ist PVC mit einem Verbrauch von 5,5 Mio. t/a (1994; ca. 26% des Gesamt-Kunststoff-Verbrauchs) der zweitwichtigste Kunststoff hinter *Polyethylen. Mehr als 50% der Menge wird zu Bauprodukten verarbeitet, weitere 15% gehen in die Verpackungs-Ind. (s. Tab. 1, 2 u. 3).
Trotz des aus ökolog. Gründen umstrittenen Images von PVC steigen die Verbrauchsmengen nach dem kon-

Tab. 1: PVC-Verbrauch in Westeuropa von 1994.

Land	Anteil [%]
Belgien	4
Deutschland	26
Niederlande	4
Italien	17
Frankreich	16
Großbritannien	13
Skandinavien	5
Spanien	7
Sonstige	8

Tab. 2: PVC-Verbrauch nach Einsatzgebieten von 1994.

Anw.	Anteil [%]
Hart-PVC	67,0
Rohre u. Fittings	28,1
Profile	18,9
Folien	8,6
Hohlkörper	7,9
Sonstiges	3,5
Weich-PVC	33,0
Beschichtungen	4,1
Fußböden	4,9
Schläuche u. Profile	3,9
Kabelisolierungen	8,5
Folien	6,9
Sonstiges	4,7

Tab. 3: Welt-PVC-Produktionskapazität von 1994 (nach Regionen).

Region	Kapazität [1000 t]	Anteil [%]
Westeuropa	5700	22
Nordamerika	5900	23
Osteuropa	2600	10
Asien	7700	30
Restliche Welt	3600	15

junkturell bedingten Einbruch am Anfang der 90er Jahre wieder ständig an. Wichtige Aspekte der Diskussion über die Verw. von PVC u. daraus resultierenden Umweltproblemen faßt *Lit.*[1] zusammen. – ***E*** poly(vinyl chloride)s – ***F*** chlorures de polyvinyle – ***I*** cloruri di polivinile – ***S*** cloruros de polivinilo

Lit.: [1] Kunststoffe **85**, 1515 (1995).

allg.: Batzer **3**, 83–95 ▪ Domininghaus (5.), S. 259 ff. ▪ Elias (5.) **2**, 161 ▪ Encycl. Polym. Sci. Eng. **17**, 295–376 ▪ Houben-Weyl **14/1**, 866–895; **E 20/2**, 1041–1062 ▪ Tötsch u. Gaenssle‍n, Polyvinylchlorid, Zur Umweltrelevanz eines Standardkunststoffes, Köln: TÜV Rheinland 1990. – *[HS 3904 10; CAS 9002-86-2]*

Polyvinylcinnamate. Bez. für *Polymere der Struktur I

$$\left[-CH_2-\underset{OH}{CH}-\right]_n + n\ Cl-\overset{O}{C}-CH=CH-C_6H_5 \longrightarrow \left[-CH_2-\underset{O-\overset{O}{C}-CH=CH-C_6H_5}{CH}-\right]_n \quad \text{I}$$

$$H_2C=CH-O-\overset{O}{C}-CH=CH-C_6H_5 \quad \text{II}$$

die in einer *polymeranalogen Reaktion durch Veresterung von *Polyvinylalkohol mit Cinnamylchlorid in alkal. Lsg. (*Schotten-Baumann-Reaktion) zugänglich sind. Die radikal. *Polymerisation von Vinylcinnamat II hingegen liefert unlösl. vernetzte Produkte. Aus Lsg. kann das unvernetzte P. I auf unterschiedlichen Substraten in Form dünner, photoempfindlicher Filme aufgebracht u. dann durch Bestrahlung mit UV-Licht (in Ggw. von Sensibilisatoren auch durch sichtbares Licht) vernetzt u. unlösl. gemacht werden. Die Vernetzung läuft dabei zumindest teilw. über die Bildung von Cyclobutan-Ringen:

[Strukturformel: Cyclobutan-Ring mit zwei Phenyl-Gruppen und zwei O=C–O-Gruppen, verknüpft mit ~CH₂–CH~ Ketten]

Aufgrund ihrer leichten Vernetzbarkeit sind die P. für die Photoresist-Technologie von großem Interesse. – ***E = F*** polyvinylcinnamates – ***I*** polivinilcinnamati – ***S*** polivinilcinamatos

Polyvinylester s. Vinylester-Polymere.

Polyvinylether (Polyvinylalkylether, Kurzz. PVE). Bez. für *Polymere mit der allg. Struktur

$$\left[-CH_2-\underset{O-R}{CH}-\right]_n$$

in der R für eine Alkyl-Gruppe steht, als charakterist. Grundeinheit der Hauptkette. P. werden überwiegend hergestellt durch *kationische Polymerisation von Alkylvinylethern ($H_2C{=}CH{-}OR$). Kommerzielle Bedeutung erlangt haben *Polymethylvinylether* (a) ($R = CH_3$ Kurzz. PVME), *Polyethylvinylether* (b) ($R = C_2H_5$), *Polyisobutylvinylether* [$R = CH_2{-}CH(CH_3)_2$] u. *Polyoctadecylvinylether* (c) ($R = C_{18}H_{37}$). P. sind lösl. in vielen organ. Lsm., PVM unterhalb 30 °C auch in Wasser. P. haben in Abhängigkeit vom Alkyl-Rest u. der Molmasse flüssige bis feste, wachsartige Konsistenz. P. mit mittleren Molmassen besitzen gute Haftung an unterschiedlichen Substraten.

Verw.: U. a. als wiederbefeuchtbare Papierklebstoffe (PVM) u. *Haftklebstoffe (PVE, PVI); als Komponente (Tackifier) für andere Klebstoffe; niedrigmol. P. (PVM, PVE) können auch als Weichmacher für Beschichtungsmaterialien, *Cellulosenitrate od. Lacke auf Basis *natürlicher Harze od. als Wachskomponente für Polituren (Polyoctadecylvinylether) eingesetzt werden. Alkylvinylether sind untereinander u. auch mit anderen Monomeren, z. B. Maleinsäureanhydrid, Vinylacetat, Vinylchlorid, Styrol od. sogar mit Kohlendioxid copolymerisierbar (s. Vinylether-Copolymere). – ***E*** poly(vinyl ethers) – ***F*** éthers polyvyniliques – ***I*** polivinileteri – ***S*** éteres polivinílicos

Lit.: Elias (5.) **2**, 159 ▪ Encycl. Polym. Sci. Eng. **17**, 446–468 ▪ Houben-Weyl **E 20/2**, 1071–1115 ▪ Shields, Handbook of Adhesives, 3. Aufl., S. 71 f., London: Butterworths 1985 ▪ Ullmann (4.) **14**, 251 ff.; **19**, 382–385. – *[CAS 9003-09-2 (a); 25104-37-4 (b); 9003-96-7 (c)]*

Polyvinylferrocene. Bez. für ein *Polymer der Struktur **2**, das durch radikal. *Polymerisation von Vinylferrocen (**1**) unter Verw. von Azodiisobutyronitril als Initiator in hohen *Molmassen zugänglich ist:

$$n\ H_2C{=}CH{-}C_5H_4FeC_5H_5\ (\mathbf{1}) \longrightarrow \left[-CH_2-\underset{C_5H_4FeC_5H_5}{CH}-\right]_n\ (\mathbf{2})$$

Dibenzoylperoxid ist hier als Initiator nicht zu gebrauchen, da es das Eisen oxidiert. – ***E*** polyvinylferrocenes – ***F*** polyvinylferrocènes – ***I*** polivinilferroceni – ***S*** polivinilferrocenos

Lit.: Elias (5.) **2**, 327.

Polyvinylfluorid (Kurzz. PVF). Bez. für thermoplast. hochkrist. *Polymere der allg. Struktur

$$\left[-CH_2-\underset{F}{CH}-\right]_n$$

die unter Druck (ca. 30 MPa) mittels radikal. od. durch

*Ziegler-Natta-Katalysatoren initiierte *Polymerisation von Vinylfluorid nach Verf. der *Masse-, *Suspensions- od. *Emulsionspolymerisation in Molmassen von 50000–200000 g/mol hergestellt werden.
Eigenschaften: P. sind teilkrist. Polymere mit einem Schmp. von ca. 200 °C u. einer Dichte von ca. 1,4–1,6 g/cm^3. P. sind transparente Produkte mit hoher Beständigkeit gegenüber Laugen u. Säuren sowie organ. Lsm.; sie sind langsam brennend, haben eine Dauergebrauchs-Temp. von 100–120 °C u. können durch Warmpressen od. aus Lsg., z. B. aus Dimethylformamid od. Dimethylsulfoxid, verarbeitet werden. Zur Eigenschaftsmodifizierung wird vorzugsweise auf die *Copolymerisation von Vinylchlorid mit z. B. Ethylen, Acrylnitril, Acrylaten, Vinylchlorid, Vinylidenfluorid od. Tetrafluorethylen zurückgegriffen.
Verw.: P. wird als Folien-förmiges Halbzeug in den Handel gebracht u. wegen seiner guten Witterungsbeständigkeit für Außen-Materialien im Bauwesen (Dachbelag) eingesetzt; zur Kaschierung von Blechen im Bau- u. Fahrzeugsektor, als Verpackungsmaterial, für Verkleidungen u. Rohrisolierungen, beim Bau von Solarkollektoren (UV-Durchlässigkeit) u. für Überzüge im Werkstoffschutz. P. können u. a. elektrostat. durch Pulver-Beschichtung od. aus Dispersionen aufgebracht werden. – ***E*** poly(vinyl fluoride)s – ***F*** poli(fluorures de vinyle) – ***I*** fluoruro di polivinile – ***S*** poli(fluoruros de vinilo)

Lit.: Domininghaus (5.), S. 572 ff. ▪ Encycl. Polym. Sci. Eng. **17**, 468–491. – *[HS 3904 69; CAS 24981-14-4]*

Polyvinylformale (Kurzz. PVFM). Bez. für durch direkte *Acetalisierung von *Polyvinylacetat mit Formalin hergestellte Polyvinylacetale (Formel s. dort; R = H) mit einem Gehalt an Vinylformal-Gruppen von ca. 80%. Handelsübliche P. haben Molmassen im Bereich von ca. 10000–50000 g/mol.
Verw.: Als Komponente für Primer u. Beschichtungsmaterialien, insbes. für den Korrosionsschutz von Metallen in *Wash-Primern* (*Haftgrundmittel). P. mit ca. 84% Formal-, 6% Hydroxy- u. 10% Acetat-Gruppen werden mit Resolen (s. Phenol-Harze) gemischt u. zur elektr. Isolierung von Magnetdrähten verwendet. – ***E*** poly(vinyl formal)s – ***F*** polyvinilformals – ***I*** polivinilformali – ***S*** polivinilformales

Lit.: Ullmann (4.) **19**, 379 f. ▪ s. a. Polyvinylacetale.

Polyvinylidenchlorid [Poly(1,1-dichlorethylen); Kurzz. PVDC]. Bez. für *Polymere der Struktur

$$\left[-CH_2-CCl_2- \right]_n$$

P. werden hergestellt durch *radikalische Polymerisation von Vinylidenchlorid (VDC) nach Verf. wie *Substanz-, *Emulsions-, *Lösungs- u. *Suspensionspolymerisation. Die Polymerisation verläuft weitgehend als *Kopf/Schwanz-Polymerisation u. führt zu Produkten mit hohem Kristallinitätsgrad, einem Schmp. im Bereich von 198–207 °C u. einer *Glasübergangstemperatur von –17 °C.
Da sich reines P. bei den zur thermoplast. Verarbeitung erforderlichen Temp. zersetzt, werden in der Regel modifizierte P. durch Copolymerisation von VDC mit z. B. (Meth)acrylaten, Vinylchlorid od. Acrylnitril hergestellt. Die so erhaltenen Copolymere mit 60–95% VDC-Anteil lassen sich nach für Thermoplaste üblichen Verf. (z. B. Extrudieren, Spritzgießen) zu Folien, Profilen, Rohren, Fasern etc. verarbeiten. Sie werden als Dispersionen od. feste Produkte angeboten. Daneben sind P. u. modifizierte P. in vielen organ. unpolaren u. polaren aprot. Lsm. löslich.
Verw.: U. a. als *Barrierekunststoffe für Mehrschichtaufträge auf unterschiedlichen Substraten, als Schrumpffolien für Lebensmittelverpackungen sowie als Lackrohstoff. – ***E*** poly(vinylidene chloride) – ***F*** chlorure de polyvinylidène – ***I*** cloruro di polivinilidene – ***S*** cloruro de polivinilideno

Lit.: Encycl. Polym. Sci. Eng. **17**, 492–531 ▪ Houben-Weyl **E 20/2**, 1062–1068. – *[HS 3904 50; CAS 9002-85-1]*

Polyvinylidenfluoride (Kurzz. PVDF od. PVF$_2$). Bez. für aus Vinylidenfluorid herstellbare *Polymere der idealisierten Struktur:

$$\left[-CH_2-CF_2- \right]_n$$

Die Synth. erfolgt radikal. u. unter Druck nach dem Verf. der *Suspensions- od. *Emulsionspolymerisation. Dabei erfolgt nicht nur *Kopf/Schwanz-Polymerisation, sondern es werden auch erhebliche Anteile an Kopf/Kopf-Verknüpfungen gebildet. P. sind thermoplast., leicht verarbeitbare Fluorkunststoffe mit hoher Beständigkeit gegenüber Temp.- u. Chemikalien-Einwirkung, erreichen in dieser Hinsicht aber nicht *PTFE-Qualität. Der Kristallinitätsgrad der P. hängt stark ab von ihrer therm. Vorgeschichte: Schnelles Abkühlen dünner Formteile (Folien) führt zu transparenten (amorphen), langsames Abkühlen (od. Nachtempern) zu hochkrist. Produkten.
P. zeichnen sich durch hohe mechan. Festigkeit, Steifheit u. Zähigkeit (auch bei tiefen Temp.) aus u. finden breite Anw. im chem. Apparatebau bzw. als Beschichtungen im Bauwesen (60% bzw. 30% des P.-Marktes) sowie in der Elektro-Ind., u. a. zur Herst. von Ventil- u. Pumpenteilen, Dichtungen, Rohren; zur Auskleidung von Behältern, Rohren u. Autoklaven, als Draht- u. Kabelummantelungen u. zur Herst. von medizin. Instrumenten.
Die weltweite Kapazität zur Produktion von P. belief sich 1994 auf ca. 12000 t[1] (s. a. Tab.).

Tab.: PVDF-Verbrauch in Europa (1994) nach Anwendungsgebieten.

Anw.	Verbrauch [t]	Anteil [%]
Chemie- u. Halbleiter-Ind.	1800	51
Kabel, Leitungen	100	3
Extrusion, Spritzguß	800	23
Beschichtungen, Bau	800	23

– ***E*** poly(vinylidene fluorides) – ***F*** fluorures de polyvinylidène – ***I*** fluoruri di polivinilidene – ***S*** fluoruros de polivinilideno

Lit.: [1] Kunststoffe **85**, 1590 (1995).

allg.: Domininghaus (5.), S. 576f. ▪ Elias (5.) **2**, 167 ▪ Encycl. Polym. Sci. Eng. **17**, 532–548. – *[HS 3904 69; CAS 24937-79-9]*

Polyvinylimidazole s. Polyimidazole.

Polyvinylisocyanate. Bez. für *Polymere II, v. a. aber für Polymere der Struktur IV, die durch *Polymerisation von Vinylisocyanat (I) erhalten werden. Dieses kann einerseits bei tiefen Temp. anion. mit Natriumcyanid als Initiator über die C,N-Doppelbindung zu Produkten mit *Polyamid-Struktur (*N-Vinyl-1-nylon*, II) polymerisiert werden:

$H_2C{=}CH{-}N{=}C{=}O$ (I) $\xrightarrow{\text{NaCN, -55°C}}$ $[-N(CH{=}CH_2){-}C(=O)-]_n$ (II)

Diese können radikal. initiiert in *Leiterpolymere der idealisierten Struktur (III) umgewandelt werden:

III

Die *radikalische Polymerisation von Vinylisocyanat (I) führt andererseits zu Polymeren der Struktur IV:

$[-CH_2-CH(N{=}C{=}O)-]_n$ (IV) $\xrightarrow{+\,n\,R-OH}$ $[-CH_2-CH(NH-C(=O)-OR)-]_n$ (V)

Diese sind *reaktive Polymere, die über *polymeranaloge Reaktionen an den Isocyanat-Gruppen, z. B. durch Umsetzung mit Alkoholen zu Verb. V mit seitenständigen Urethan-Gruppen, umgewandelt werden können. – *E* poly(vinylisocyanate)s – *F* poly(isocyanates de vinyle) – *I* isocianati di polivinile – *S* poli(isocianatos de vinilo)

Lit.: Compr. Polym. Sci. **4**, 442 ▪ Encycl. Polym. Sci. Eng. **4**, 572. – *[CAS 29409-13-0]*

Polyvinylketale. Übergreifende Bez. für *Polymere der idealisierten allg. Struktur:

(1,3-Dioxan-Ring mit R^1, R^2 am Acetal-C-Atom)$_n$

mit $R^1, R^2 \neq H$. P. sind zugänglich durch *polymeranaloge Reaktion von *Polyvinylalkohol mit Ketonen, z. B. mit Aceton ($R^1{=}R^2{=}CH_3$). Im Gegensatz zu den *Polyacetalen haben P. keine größere techn. Bedeutung erlangt. – *E* poly(vinylketales) – *F* polyvinylcétals – *I* polivinilchetali – *S* polivinilcetales

Polyvinylketone. Bez. für *Polymere der allg. Struktur

$[-CH_2-CH(CO-R)-]_n$

mit R = Methyl, Ethyl, Isopropyl, *tert*-Butyl, Phenyl u. anderes. Sie sind erhältlich durch radikal. od. anion. *Polymerisation der entsprechenden Vinylketon-*Monomere. P. sind in der Regel amorphe Produkte mit relativ niedriger Molmasse u. geringer Stabilität gegenüber chem. u. therm. Einflüssen. Bei Bestrahlung depolymerisieren sie leicht über radikal. Zwischenstufen zu den Ausgangsmonomeren. Daher werden P. als Photosensibilisatoren eingesetzt. – *E* poly(vinyl ketone)s, vinyl ketone polymers – *F* polyvynilcétones – *I* polivinilchetoni – *S* polivinilcetonas

Lit.: Encycl. Polym. Sci. Eng. **17**, 548–567 ▪ Houben-Weyl **E 20/2**, 1138–1141. – *[HS 3911 90]*

Poly(4-vinylphenol)e. Bez. für *Polymere der allg. Struktur

$[-CH_2-CH(C_6H_4-OH)-]_n$

die mit Molmassen von ca. 2000–30000 g/mol z. B. für den Einsatz als Härter für hochtemp.-beständige *Epoxidharze, als photoempfindliche *Harze od. als Korrosionsschutz-Beschichtungsmaterial für die Metallbehandlung angeboten werden. – *E* 4-vinylphenol polymers – *F* poly-4-vinylphénols – *I* poli(4-vinilfenoli) – *S* poli-4-vinilfenoles

Lit.: Eur. Chem. News **1989**, Nr. 5, 26. – *[CAS 24979-70-2]*

Polyvinylphosphonsäure s. Vinylphosphonsäure-Polymere.

Polyvinylpropionate. Sammelbez. für *Homo- u. *Copolymere des Vinylpropionats, die die Gruppierung

$-CH_2-CH(O-CO-C_2H_5)-$

als charakterist. Grundeinheit der Hauptkette enthalten. Die zu den Polyvinylestern (s. Vinylester-Polymere) zählenden P. zeichnen sich gegenüber den *Polyvinylacetaten durch höhere Alkalien-Resistenz aus u. werden u. a. für Oberflächen-Beschichtungen verwendet. – *E* poly(vinylpropionate)s – *F* poly(propionates de vinyle) – *I* propionati di polivinile – *S* poli(propionatos de vinilo)

Lit.: Encycl. Polym. Sci. Eng. **17**, 440f. – *[HS 3905 90]*

Polyvinylpyridine s. Vinylpyridin-Polymere.

Polyvinylpyridinoxid s. Vinylpyridin-Polymere.

Polyvinylpyrrolidone [Poly(1-vinyl-2-pyrrolidinone); Kurzz. PVP]. Bez. für Polymere der allg. Formel:

$[-CH_2-CH(N\text{-Pyrrolidon})-]_n$

Sie werden hergestellt durch *radikalische Polymerisation von 1-Vinylpyrrolidon nach Verf. der *Substanz-, *Lösungs- od. *Suspensionspolymerisation unter Einsatz von Radikalbildnern (Peroxide, Azo-Verb.) als Initiatoren u. meist in Ggw. aliphat. Amine, die die im sauren Medium erfolgende Zers. des Monomers unterbinden. Die *ionische Polymerisation des *Monomeren liefert nur Produkte mit niedrigen Molmassen.

Handelsübliche P. haben Molmassen im Bereich von ca. 2500–750 000 g/mol, die über die Angabe der *K-Werte charakterisiert werden u. – K-Wert-abhängig – *Glasübergangstemperaturen von 130–175 °C besitzen. Sie werden als weiße, hygroskop. Pulver od. als wäss. Lsg. angeboten. P. sind gut lösl. in Wasser u. einer Vielzahl von organ. Lsm. (Alkohole, Ketone, Eisessig, Chlorkohlenwasserstoffe, Phenole u. a.). Bei Einwirkung starker Säuren hydrolysiert der Lactam-Ring der P. zu 4-Aminobuttersäure-Einheiten; in Ggw. von Alkalien bei höherer Temp. vernetzen die P. zu unlösl. Produkten.
Mit Farbstoffen, Iod, *Polyphenolen, *Tanninen u. Toxinen bildet P. Komplexe. Das 1939 von *Reppe synthetisierte P. wurde im 2. Weltkrieg u. danach wegen seiner Protein-ähnlichen Eigenschaften als *Blutersatzmittel verwendet, heute jedoch nicht mehr, weil höhermol. Anteile nicht ausgeschieden werden. Injiziertes P. kann außerdem Pseudo-Tumoren hervorrufen. Dagegen finden niedermol. (Molmassen ca. 25 000 g/mol), ausscheidbare P. in der Pharmazie Verw.; s. a. Polyvidon. In der Kosmetik werden P. als Binde- u. Verdickungsmittel, die Copolymeren des 1-Vinyl-2-pyrrolidinons mit Vinylacetat wegen ihrer Affinität zu Keratin als Filmbildner in Haarsprays u. Haarfestigern eingesetzt. Weitere Anw. sind: Als Hilfsmittel in der Textilverarbeitung, als Klebstoff, Schutzkolloid u. Verdickungsmittel. Der P.-Komplex mit Iod (PVP-Iod, **Polyvidon-Iod*, Povidon-Iod) wirkt als *Iodophor. Unlösl., vernetzte P. (Kurzbez.: *Crospovidon*, früher: *Polyvinylpolypyrrolidon*, PVPP) entstehen beim Erhitzen von Vinylpyrrolidon mit Alkalien od. Divinyl-Verb. als sog. *Popcorn-Polymere. Sie sind unlösl. in allen Lsm. u. werden zur Stabilisierung u. Klärung von Bier, Wein, Fruchtsäften, Pflanzenextrakten, als Tablettensprengmittel, als Adsorptionsmittel in der Humanmedizin u. als Adsorbens für die Chromatographie verwendet. – ***E* = *F*** poly(vinylpyrrolidones) – ***I*** polivinilpirrolidoni – ***S*** poli(vinilpirrolidona)

Lit.: Encycl. Polym. Sci. Eng. **17**, 199–236 ▪ Houben-Weyl **E 20/2**, 1267–1276; **14/1**, 1106–1118. – *[HS 3905 99; CAS 9003-39-8]*

Polyvinylsulfonsäuren (Polyethylensulfonsäuren). Bez. für *Polymere der Struktur

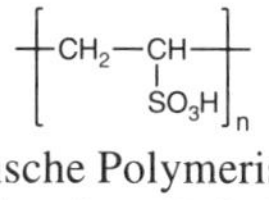

$$\left[-CH_2-\underset{SO_3H}{CH}-\right]_n$$

die durch *radikalische Polymerisation von Ethensulfonsäure (*Vinylsulfonsäure*, $H_2C{=}CH{-}SO_3H$) hergestellt werden. P. sind starke Polysäuren u. als Polyelektrolyte (s. dort) in Salzform gut wasserlöslich. Techn. wichtiger als die *Homopolymere sind die *Copolymere der Ethensulfonsäure, z. B. solche mit Acrylnitril, Methylmethacrylat, Vinylacetat, Acrylamid, Ethylacrylat od. Styrol. In diese Copolymere wird die Ethensulfonsäure vielfach nur in so kleinen Mengen eingebaut, die zum Erreichen der speziellen, auf der anion. Sulfonsäure-Gruppe basierenden Effekte (verbesserte Anfärbbarkeit, erhöhte Dispergierbarkeit) ausreichen. – ***E*** poly(ethylensulfonic acids) – ***F*** acides polyéthylène-sulfoniques – ***I*** acidi polivinilsolfonici, acidi polietilensolfonici – ***S*** ácidos polietilensulfónicos

Lit.: Encycl. Polym. Sci. Eng. **6**, 564–570.

Polyvinyluracil s. polymergebundene Wirkstoffe.

Polyviol®. Sortiment von festen, wasserlösl. *Polyvinylalkoholen zur Verw. als Folie, Schlichtemittel, Schutzkolloid, Verdickungs- u. Trennmittel, Klebstoff-Rohprodukte, zur Papier- u. Textilveredlung etc. ***B.:*** Wacker-Chemie.

Polywachse. Bez. für feste *Polyethylenglykole (Molmasse ca. 500 bis >10 000) mit wachsartiger Konsistenz. – ***E*** polywaxes – ***F*** cires polymériques – ***I*** policere – ***S*** ceras poliméricas

Polywasser s. Wasser.

Polywolframate s. Wolframate.

Polyxen s. Platin (Vork.).

Polyxylenole s. Polyarylether.

Poly(*p*-xylylen) s. Parylene.

Poly(*m*)-xylylenadipamid s. Polyarylamide.

Polyxylylidene [Poly(arylen-vinylen)e]. Bez. für *Polymere der allg. Formel

$$\left[-Ar-CH{=}CH-\right]_n$$

mit Ar = Aryl. Sie sind herstellbar z. B. durch *Polykondensation von aromat. Dialdehyden mit Trimethylpyridin:

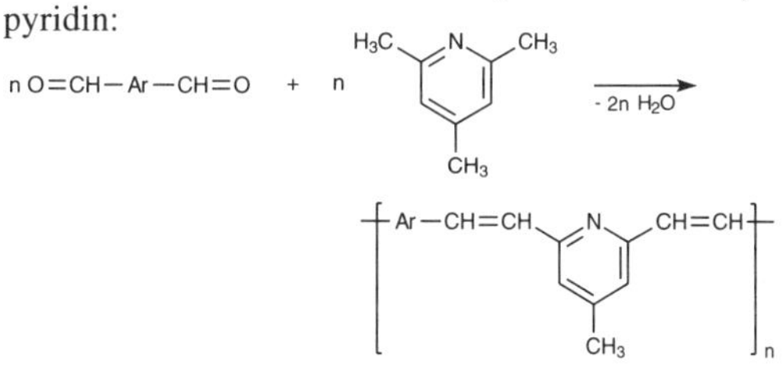

$$n\,O{=}CH-Ar-CH{=}O \;+\; n\,(H_3C,CH_3,CH_3\text{-pyridin}) \xrightarrow{-2n\,H_2O} \left[-Ar-CH{=}CH-(C_5H_2N)(CH_3)-CH{=}CH-\right]_n$$

Zu weiteren Synth. u. Eigenschaften s. Polyphenylenvinylene. – ***E*** polyxylylidenes – ***F*** polyxylidènes – ***I*** polixilylideni – ***S*** polixilidenos

Lit.: Batzer **1**, 73 ▪ s. a. Polyphenylenvinylene.

Polyzim®. Beizmittel auf Pankreasbasis für die Leder-Ind. (Wasserwerkstatt). ***B.:*** Diamalt.

Polyzinc. *Zinkoxid-Dispersionen als Kautschuk-Hilfsmittel.

Polzenit s. Lamprophyre.

Polzeniusz-Krauss-Verfahren s. Calciumcyanamid.

POM. 1. Abk. für *E* *p*articulate *o*rganic *m*atter. Organ. Anteil der *absetzbaren Stoffe (vgl. POC), zu dem mikroskop. kleine Partikel biolog. Ursprungs bzw. mit organ. Anteil gehören (s. Detritus). Die Abtrennung vom sog. DOM (*E* *d*issolved *o*rganic *m*atter, s. DOC) erfolgt durch Filtration (z. B. 0,45 µm Porendurchmesser). POM kann aus der Atmosphäre deponiert od. durch Flüsse in die Meere eingetragen werden. In Ozeanen entsteht POM in den lichtdurchstrahlten (euphot.) Schichten (NOM = *n*atural *o*rganic *m*atter[1]) u. wird in den *Nahrungsketten mannigfaltig umgeformt; ein Folgeprodukt ist mariner Gelbstoff (s. Meerwasser). Ein Teil regnet in die tieferen Schichten (bis 50% der Primär-Produktion) u. wird dort abgelagert bzw. verbraucht. Ein Teil steigt von dort v. a. mit Wasserströmungen, aber auch aufgrund seines Auftriebs in Form

von fettreichen Eiern, Larven od. Leichen, wieder auf (zum Partikelabbau in Meeren s. *Lit.*[2]).
2. Kurzz. (nach DIN 7728-1: 1988-01) für *Polyoxymethylen bzw. Polyformaldehyd (s. Polyacetale). – ***E*** particulate organic matter (1.)

Lit.: [1]Beck et al., Organic Substances in Soil and Water, S. 153–170, Cambridge: Royal Chem. Soc. 1993. [2]Rheinheimer (Hrsg.), Meereskunde der Ostsee (2.), S. 131–136, Berlin: Springer 1995.
allg. *(zu 1.):* Kausch u. Michaelis (Hrsg.), Suspendet Particulate Matter in Rivers and Estuaries, Stuttgart: Schweizerbart 1996 ▪ Rev. Environ. Contam. Toxicol. **155**, 111–127 (1998) ▪ Wotton (Hrsg.), Biology of Particles in Aquatic Systems, Boca Raton: CRC Press 1990.

Pomaden s. Haarbehandlung u. Enfleurage.

Pomander (von *F* pomme d'ambre). Bez. für ein kugelförmiges, poröses Aufbewahrungsgefäß für *Riechstoff-abgebende Stoffe.

Pomarsol®. *Fungizid gegen pilzliche Erkrankungen im Obst-, Gemüse- u. Zierpflanzenbau auf der Basis von Tetramethylthiuramdisulfid (TMTD) (P. forte) bzw. auf der Basis von *Ziram (P. Z). ***B.:*** Bayer.

POMC s. Endorphine.

Pomelo. Rundliche od. birnenförmige *Citrusfrucht (*Citrus paradisi*) aus der Familie der Rautengewächse. Die Frucht ist größer als eine *Grapefruit u. hat eine gelbe, sehr grobporige u. dicke Schale. Eine P. wiegt ca. 1–2,5 kg. Das Fruchtfleisch ist hellgelb, bei einigen Sorten auch rosa. Da die Haut der Segmente sehr fest ist, zieht man sie vor dem Verzehr ab. Der Geschmack des Fruchtfleischs ist säuerlich u. etwas bitter. Ist die Schale unbehandelt, kann sie zur Herst. von Marmeladen verwendet werden. Herkunftsland der P. ist Israel. – ***E*** grapefruit – ***F*** pamplemousse, pomélo – ***I*** pomelo, pompelmo – ***S*** pomelo

Lit.: Barsewisch, Exotische Früchte u. Gemüse, München: Mosaik 1989. – *[HS 0805 40]*

Pomeranzen (Bitterorangen, Sauerorangen; von *I* pomo = Apfel, arancia = Orange). Zusammen mit den Orangen (Einteilung, Verwandtschaftsbeziehungen u. Synonyma s. dort) zu den *Citrusfrüchten gehörende kugelige Früchte mit dicker, rauher Schale, die dem im Mittelmeergebiet, Nord- u. Südamerika sowie Südafrika angebauten Baum *Citrus aurantium* ssp. *aurantium* (Rutaceae) entstammen. Die in ihren Schalen den Bitterstoff Neohesperidin (s. Hesperetin) enthaltenden u. deshalb bitter schmeckenden Früchte dienen zur Herst. der bes. in England beliebten sog. Orangenmarmeladen, die Schalen zur Kandierung (*Orangeat*) u. Herst. von Tinkturen u. von *Curaçao. Ferner liefern die P. eine Reihe wertvoller ether. Öle, deren histor. Bez. allerdings zu Verwechslungen Anlaß geben können: Aus den Blüten von P. gewinnt man durch Extraktion das sog. *Orangenblütenöl u. durch Wasserdampfdest. das Neroliöl, bei dessen Herst. auch Neroliwasseröl (= *Orangenblütenwasser) anfällt. Aus den Blättern der P. erhält man das *Petitgrainöl Bigarade u. aus den Schalen das *Pomeranzenöl. Die P. wurde um ca. 1000 n. Chr. von den Arabern eingeführt u. war bis ca. 1500 die einzig bekannte Orange. – ***E*** bitter oranges – ***F*** bigarades – ***I*** melangole, arance amare – ***S*** naranjas amargas

Lit.: Franke, Nutzpflanzenkunde (6.), S. 295 f., Stuttgart: Thieme 1997 ▪ s. a. Citrusfrüchte. – *[HS 0805 10]*

Pomeranzenblütenöl s. Orangenblüten(-Absolue, -Öl).

Pomeranzenöl (bitteres Orangenöl). Durch Auspressen der Schalen von *Pomeranzen in Ausbeuten von ca. 0,2–2% gewinnbares, bitter schmeckendes ether. Öl. D 0,857–0,860, enthält ca. 92% Limonen, 1% Aldehyde, 0,4% Linalool u. α-Terpineol, 1% Linalylacetat, ca. 1% andere C_{10}-Ester, 0,8% Phenole, ferner Sinensale.
Verw.: In Frucht- u. Liköraromen, Back- u. Süßwaren, Kölnisch Wässern u. Parfüms sowie als Stomachikum. – ***E*** bitter orange peel oil – ***F*** essence d'écorce d'orange – ***I*** nerola, neroli, essenza d'arancio – ***S*** esencia da piel de naranja

Lit.: s. Pomeranzen. – *[HS 3301 12]*

Pomeranz-Fritsch-Reaktion. Bez. für eine Reaktion zur Herst. von *Isochinolinen. Dazu cyclisiert man mit Hilfe von Schwefelsäure Imine von aromat. Aldehyden, die im Alkylimino-Rest eine 2-Acetal-Gruppe enthalten, zu den gewünschten Isochinolinen. Im Prinzip handelt es sich um einen Spezialfall der elektrophilen *Substitution an Aromaten.

R^1, N, R^2O, OR^2 — H_2SO_4 / $-2\ R^2{-}OH$ → R^1, N

Weitere Synth. für diese Heterocyclen-Klasse sind die *Bischler-Napieralski- u. die *Pictet-Spengler-Reaktion. – ***E*** Pomeranz-Fritsch reaction – ***F*** réaction de Pomeranz-Fritsch – ***I*** reazione di Pomeranz-Fritsch – ***S*** reacción de Pomeranz-Fritsch

Lit.: Brossi, The Alkaloids, Bd. 29, S. 141, New York: Academic Press 1986 ▪ Hassner-Stumer, S. 303 ▪ Krauch u. Kunz, Reaktionen der Organischen Chemie, 6. Aufl., S. 428, Heidelberg: Hüthig 1997 ▪ s. a. Isochinolin.

Pommer, Horst (1919–1987), Prof. für Organ. Chemie u. Chem. Technologie, ehem. Forschungsleiter BASF. *Arbeitsgebiete:* Naturstoff-Synth., u. a. Vitamine A u. E, Carotinoide, Azulene, präparative organ. Chemie, Pflanzenschutzmittel-Synthesen.

Lit.: Kürschner (14.), S. 3207 ▪ Nachr. Chem. Tech. **24**, 286 f. (1976) ▪ Neufeldt, S. 279.

Ponal®. Universelle, Lsm.-freie Holzleime, teilw. schnellabbindend u. wasserfest, für den Einsatz in Haushalt u. Handwerk; Bodenklebstoffe für Kork u. Parkett. ***B.:*** Henkel.

Ponceau-Farbstoffe (von *F* ponceau = Klatschmohn). Gruppe von leuchtend scharlachroten, wasserlösl. Azo- u. Disazo-Farbstoffen, die früher vielfach bei der Lackfabrikation verwendet u. z. B. aus diazotiertem *m*-Xylidin u. Naphtholdisulfonsäuren hergestellt wurden (s. Formeln u. Tab. S. 3523 oben).
Weiter sind P.-F. zur Färbung von Textilien, Papier u. Leder, als Standards für die Histochemie u. zum Anfärben von Teststreifen für die Elektrophorese von Seren geeignet. – ***E*** Ponceau dyes – ***F*** colorants de Ponceau – ***I*** coloranti di Ponceau, coloranti del rosolaccio – ***S*** colorantes de Ponceau

Tab.: Ponceau-Farbstoffe.

Name	Ponceau 4R	Ponceau 6R	Ponceau S	Ponceau SX
C. I.-Name	Acid Red 18 Food Red 7	Acid Red 44	Acid Red 112	Food Red 1
C. I.	16255	16250	27195	14700
CAS	2611-82-7	2766-77-0	6226-79-5	4548-53-2
Summenformel	$C_{20}H_{11}N_2Na_3O_{10}S_3$	$C_{20}H_{12}N_2Na_2O_7S_2$	$C_{22}H_{12}N_4Na_4O_{13}S_4$	$C_{18}H_{14}N_2Na_2O_7S_2$
M_R	604,46	502,42	760,56	480,42
Anw.	Lebensmittel-/ Kosmetik-Farbstoff	Kosmetik-Farbstoff	Mikroskopie	Kosmetik-Farbstoff

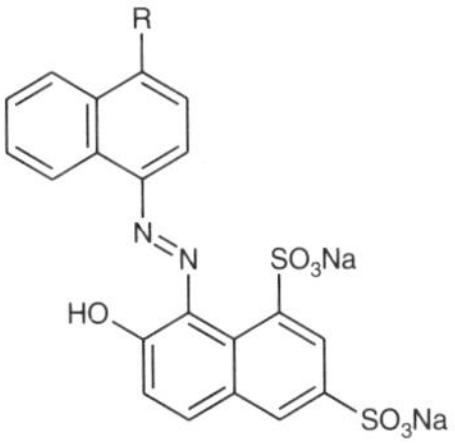

R = SO_3Na : Ponceau 4R
R = H : Ponceau 6R

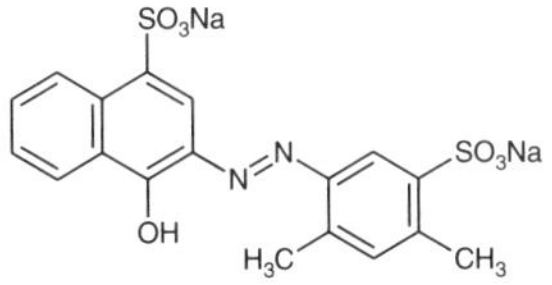

Ponceau SX

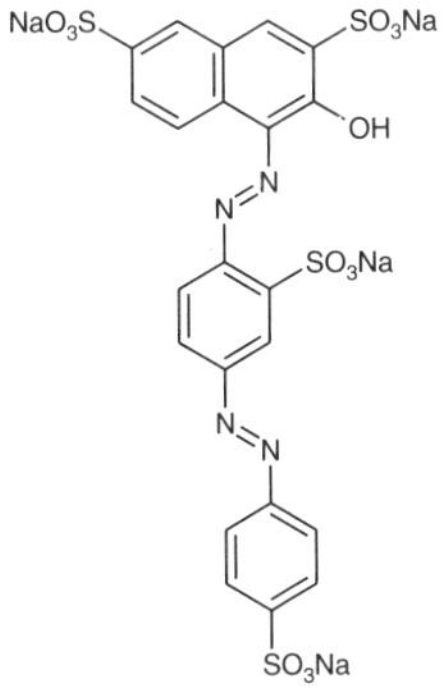

Ponceau S

Lit.: Blaue Liste, S. 122f. ▪ Hager (5.) **2**, 249 ▪ Kirk-Othmer (3.) **6**, 570f., 575, 584; **17**, 886f.; (4.) **6**, 902f. ▪ Ullmann (5.) **A3**, 277.

Pond (Symbol: p; von latein.: pondus = Gew., Schwere). Veraltete Einheit der Kraft; 1 p = 9,80665 mN, vgl. Kilopond u. Newton.

Ponnamperuma, Cyril (geb. 1923), Prof. für Chemie, Direktor am Laboratory of Chemical Evolution, University of Maryland. *Arbeitsgebiete:* Studium der chem. Evolution, Ursprung des Lebens, Suche nach außerird. Leben, Analyse von Meteoriten u. vom Mond, älteste Fossilien, Ursprung des genet. Codes, Wissenschafts- u. Technologie-Transfer.
Lit.: Lexikon der Naturwissenschaftler, S. 332.

Ponndorf-Reduktion s. Meerwein-Ponndorf-Verley-Reduktion.

Pontallor®. Gold-Silber-Palladium-Legierungen. ***B.:*** Degussa.

Pontianak. Pflanzengummi von *Dyera costulata* u. *D. laxifolia* (Bäume aus Borneo u. Malaya). Die grauweiße Masse mit ca. 60% Wasser u. 40% gummiartigen Stoffen ist mit Harzen ähnlich *Manilakopal vermischt u. wird für Isolierungen, in Lacken, als Kaugummizusatz u. dgl. verwendet. – ***E*** = ***F*** = ***I*** = ***S*** pontianak
Lit.: Hager **4**, 748 ▪ Kirk-Othmer (3.) **20**, 198. – *[HS 1301 90]*

POP. 1. Abk. für *E p*ersistent *o*rganic *p*ollutant(s); Bez. für organ. Chemikalien, die in Wasser, Boden u. Luft persistent (s. Persistenz) sind u. damit weiträumig, d. h. grenzüberschreitend od. global, verteilt werden können.
2. Kurzz. (nach ASTM) für *Polyphenylenoxide. – ***E*** persistent organic pollutants (1.) – ***I*** contaminanti organici persistenti (1.) – ***S*** contaminante orgánico persistente (1.)
Lit. (zu 1.): Int. Environ. Rep. **20**, 79 (1997); **21**, 141f. (1998) ▪ Nachr. Chem. Tech. Lab. **46**, 9–16 (1998). – INTERNET: http://www.cefic.be/Position/icca/pp_ic012.htm

Popcorn. Durch Dämpfen heller *Mais- od. *Reis-Körner bei Überdruck u. plötzlicher Druckreduktion erhält man unter Zerbersten u. erheblicher Vol.-Zunahme Popcorn. Bei der Herst. von P. in der Mikrowelle spielt die Feuchtigkeit der Körner eine große Rolle[1]. Kornschäden beeinflussen in unterschiedlicher Weise das Aufspringen[2]. Für das typ., auch im Reis auftretende P.-Aroma[3] ist das Maillard-Produkt 5-Acetyl-3,4-dihydro-2*H*-pyrrol [2-Acetyl-1-pyrrolin, 1-(4,5-Dihydro-3*H*-pyrrol-yl)-ethanon], C_6H_9NO, M_R 111,14, verantwortlich.

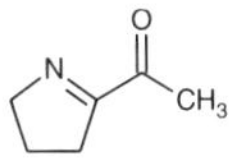

Darüber hinaus sind *2,4-Decadienal, 2-Furylmethanthiol u. 2-Methoxy-4-vinylphenol (4-Vinylguajacol) bes. aromaaktive Verb. im Popcorn[4]. Neue qual. Kapillar-GC-MS-Studien z. Farb- u. Aromastoffen von P. ergaben u. a., daß *Schwefelwasserstoff eine der Duft-Hauptkomponenten ist, welche während des Aufspringens emittiert werden[5]. Über die häufige Kontamination von P. mit *Zearalenon berichtet *Lit.*[6]. – ***E*** popcorn – ***F*** maïs grillé (éclaté), pop-corn – ***I*** pop-corn, chicchi di granoturco arrostiti – ***S*** palomitas de maíz
Lit.: [1] J. Food Sci. **53**, 1746–1749 (1988). [2] Cereal Chem. **74**, 672–675 (1997). [3] J. Food Sci. **55**, 1466–1469 (1990). [4] J. Agric. Food Chem. **39**, 1141–1144 (1991). [5] J. Agric. Food Chem. **45**, 837–843 (1997). [6] J. Food Prot. **50**, 502f., 526 (1987).
allg.: Belitz-Grosch (4.), S. 325 ▪ Vollmer et al., Lebensmittelführer (2.), Bd. 1, S. 220ff., Stuttgart: Thieme 1995. – *[HS 2008 99]*

Popcorn-Polymere. Von ihrem Aussehen abgeleitete Bez. (von *E* popcorn für Puffmais) für schaumige, krustige Polymerisat-Körner mit Blumenkohl-artiger Struktur. P.-P. sind meist stark vernetzte, unlösl. u. kaum quellbare Massen, die häufig ungewollt bei der *radikalischen Polymerisation unterschiedlicher *Monomere (Styrol/Divinylbenzol, Acrylsäuremethylester, Butadien/Styrol, 1-Vinyl-2-pyrrolidinon u. a.)

anfallen. P.-P., z. B. solche aus 1-Vinyl-2-pyrrolidinon, können aber auch gezielt hergestellt werden. – ***E*** popcorn polymers – ***F*** polymères pop-corn (cellulaires) – ***I*** polimeri pop-corn – ***S*** polímeros pop-corn (celulares)

Lit.: Encycl. Polym. Sci. Eng. **13**, 453–463; **17**, 212f.

Popcorn-Polymerisation. Polymerisation, die zur Bildung von *Popcorn-Polymeren führt.

Pople, John Anthony (geb. 1925), Prof. für Theoret. Chemie, Carnegie Mellon Univ., Pittsburgh (USA). *Arbeitsgebiete:* MO-Theorie, CNDO, ab initio-Verf., Störungsrechnungen, NMR-Spektroskopie, Strukturchemie.

Lit.: Strube et al., S. 160 ▪ The International Who's Who (17.), S. 1207.

POPOP [2,2′(*p*-Phenylen)bis(5-phenyloxazol), 1,4-Bis(5-phenyl-2-oxazolyl)benzol].

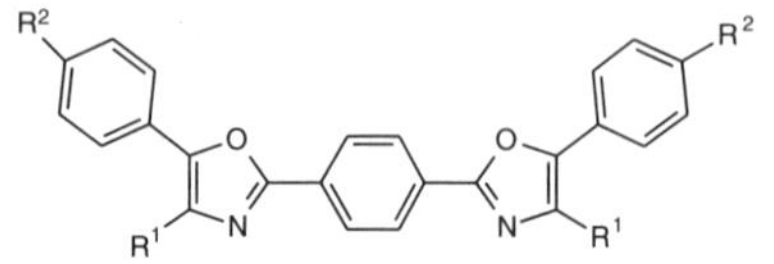

$R^1 = R^2 = H$: POPOP
$R^1 = CH_3$, $R^2 = H$: Dimethyl-POPOP
$R^1 = H$, $R^2 = C_6H_5$: BOPOB

$C_{24}H_{16}N_2O_2$, M_R 364,41. Fluoreszierende, gelbliche, filzige Krist., Schmp. 244–245 °C, die als Szintillator Verw. finden (sog. sek. Szintillator). Die Anw. wird durch die geringe Löslichkeit begrenzt (0,12 Gew.-% in Toluol, 0,02 in Hexan). In gleicher Weise verwendet man *Dimethyl-POPOP u. das verwandte Biphenylyl-Derivat BOPOB. Die Abk. leiten sich ab von P = Phenyl(en), B = Biphenyl u. O = Oxazol.

Lit.: Beilstein EIV **27**, 8607 ▪ s. a. Oxazole, Szintillationszähler. – *[HS 2934 90; CAS 1806-34-4]*

Popper, Sir Karl Raimund (1902–1994), Prof. für Logik u. Wissenschaftstheorie, London. *Arbeitsgebiete:* Erkenntnislehre, Wissenschaftstheorie in bezug auf Physik, Biologie u. die Sozialwissenschaften. Er gilt als Begründer des krit. Rationalismus u. somit als Gegner des log. Positivismus.

Lit.: Lexikon der Naturwissenschaftler, S. 332.

Population (Bevölkerung). Von latein.: populus = Volk hergeleiteter demograph. Begriff für die Gesamtheit aller Individuen derselben *Art eines zusammenhängenden Raumes (z. B. *Biotop). Die Organismen einer P. sind genet. verwandt u. bilden in der Regel eine Fortpflanzungsgemeinschaft. Aus den im *Ökosystem vorhandenen P. wandern Individuen ab; ggf. wandern auch Individuen von außen zu. In der P.-Statistik (*Demographie*) werden P. hinsichtlich ihrer Größe (*Bestand), ihrer *Dichte (*Abundanz, Individuen einer Flächen- od. Volumeneinheit), ihres Fortpflanzungspotentials (z. B. Geburtenziffer = Natalität je Bestand u. Zeit, Sterblichkeitsziffer = Mortalität je Bestand u. Zeit), ihrer Biomasse u. a. Parameter beschrieben.

Struktur: P. können z. B. genet., sozial od. ökolog. strukturiert sein. Die *genet. Strukturierung* geht manchmal auch auf umweltbedingte, unvollständige Vermischung der Individuen einer P. (Kline) zurück. *Soziale Struktur* äußert sich durch Variationen in Kommunikation od. Verhalten. *Ökolog. Strukturierung* kann auf Unterschieden in Alter, Morphologie, Geschlecht, räumliche Verteilung od. a. beruhen. Der *Altersaufbau* von kontinuierlich wachsenden P. wird durch die typ. Alterspyramide dargestellt; er kann durch sog. adaptive Autoinhibitoren beeinflußt werden [1]. Die Geschlechter der meisten Arten haben verschiedene Geburts- u. Sterbeziffern, woraus unterschiedliche Lebenserwartungen resultieren. Der *Sexualindex* (Geschlechterverhältnis) gibt das Zahlenverhältnis von Männchen zu Weibchen einer P. wieder. Die Mindestgröße des von einer P. in Anspruch genommenen Biotops wird von der entnehmbaren Biomasse bzw. Energie bestimmt. Der Kommunikation innerhalb einer P. bzw. einer *Art dienen u. a. *Pheromone (s. a. Körpergeruch). – ***E*** = ***F*** population – ***I*** popolazione – ***S*** población

Lit.: [1] Schlee (2.), S. 220–229, 367–394.

allg.: Hurst et al. (Hrsg.), Manual of Environmental Microbiology, S. 5–13, Washington: ASM Press 1997 ▪ Ricklefs, Ecology (3.), S. 279–382, New York: Freeman 1990 ▪ Soter (Hrsg.) Ecological Risk Assessment, S. 247–274, Chelsea: Lewis 1993.

Populationsdichte s. Abundanz.

Populationsdynamik. Bez., mit der die Änderungen der Größe von *Populationen zusammengefaßt werden, z. B. Massenwechsel, Massensterben, Oszillationen u. Fluktuationen. Beim Populationswachstum unterscheidet man zwei Wachstumsstrategien: In der *r-Strategie* werden kleine Fortpflanzungsprodukte in großer Zahl gebildet (hohe Geburtenzahl = hohe Natalität), von denen jedoch nur wenige das Fortpflanzungsalter erreichen (hohe Sterbeziffer = hohe Mortalität). Bei der *k-Strategie* werden verhältnismäßig große u. weitentwickelte Fortpflanzungsprodukte (Jungtiere, große Samen od. auf der Mutterpflanze keimende Samen etc.) gebildet od. oft ausgiebig Brutfürsorge betrieben, so daß relativ viele Jugendstadien das fortpflanzungsfähige Alter erreichen. Das Populationswachstum kann in der Anfangsphase exponentiell erfolgen (Malthus-Gesetz) u. mit zunehmender Mortalität zurückgehen, bis der Umweltwiderstand ein weiteres Wachstum unmöglich macht. In der graph. Darst. ergibt sich in diesem Fall die sog. logist. Kurve. Im *Ökosystem halten sich Natalität u. Mortalität nicht das Gleichgew., woraus Populationsschwankungen (= Massenwechsel, s. a. Massenentwicklung) resultieren, die auch das *biologische Gleichgewicht auszeichnen. Auch langfristig sind die Populationen im biolog. Gleichgew. nicht konstant, da sich biot. u. abiot. *Ökofaktoren laufend ändern. Über kurze Zeiträume kann man weitgehend regelmäßige *Abundanz-Änderungen wie Oszillationen od. Cyclen erkennen u. von unregelmäßigen Fluktuationen unterscheiden. Die Ökofaktoren, welche die P. stark beeinflussen, sind insbes. Dichte-abhängige (endogene) Faktoren, z. B. Konkurrenz um Nahrung, als auch Dichte-unabhängige (exogene) Faktoren, z. B. Klimabedingungen. Diese Faktoren werden auch als *Gradozön* od. *Demozön* zusammengefaßt. Massenentwicklungen sind z. B. von Seehunden im Wattenmeer bekannt (s. Robbensterben). – ***E*** population dynamics – ***F*** dynamique de la population – ***I*** dinamica della popolazione – ***S*** dinámica de la población

Lit.: Begon et al., Populationsökologie, S. 15–116, Heidelberg: Spektrum Akadem. Verl. 1997 ▪ Gutierrez, Applied Population Ecology: A Supply-Demand Approach, New York: Wiley 1996 ▪ Ricklefs, Ecology (3.), S. 385–524, New York: Freeman 1990 ▪ Ullmann (5.) **B 7**, 25–35.

Populin s. Salicylalkohol.

P/O-Quotient s. Atmungskette.

POR. Kurzz. für elastomere *Copolymere aus Propylenoxid u. Allylglycidylether.

Porafil®. Marke für ein Sortiment von Membranfiltern aus den verschiedensten Materialien u. mit den verschiedensten Porenweiten zur Feinst- u. Steril-Filtration. ***B.:*** Macherey-Nagel.

p-Orbitale. Bez. für *Atomorbitale (atomare Einelektronenwellenfunktionen) zur *Bahndrehimpuls-*Quantenzahl l = 1; Näheres s. Atombau, S. 293 f. – ***E*** p-orbitals – ***F*** = ***S*** orbitales p – ***I*** orbitali p

Poren. Von griech.: poros = Loch abgeleitete Bez. für durch Herst. od. Verw. bedingte Hohlräume in Werkstücken u. Oberflächen, die mit Luft od. anderen Werkstoff-fremden Stoffen ausgefüllt sind. Je nachdem, ob die P. mit bloßem Auge erkennbar (≥20 μm) od. nicht erkennbar sind (≤20 μm), unterscheidet man *Grob-* u. *Fein-P.*, u. die *IUPAC unterteilt letztere weiter in *Makro-P.* (>50 nm), *Meso-P.* (2–50 nm) u. *Mikro-P.* (<2 nm). *Offene P.* stehen mit dem umgebenden Medium in Verb., *geschlossene P.* sind in sich abgeschlossen u. lassen kein Medium eindringen. Das *P.-Vol.* ist der von den P. im Werkstoffgefüge eingenommene Raum; das durch *Porosimetrie bestimmbare Vol. aller vorhandenen P. wird *Gesamtporenvol.* genannt. Das *scheinbare P.-Vol.* umfaßt nur das Vol. der offenen, das *geschlossene P.-Vol.* nur das Vol. der geschlossenen P., s. a. Porosität. Poröse Stoffe erhält man durch Sintern von Pulvern (z. B. Keramik, Filterkerzen), chem. durch Einwirkung von Blähmitteln (z. B. Porenbeton, Schaumkunststoffe), physikal. durch Einwirkung von Schaumbildnern (z. B. Schlagsahne, Schaumbeton). Physiolog. wichtige P. finden sich in der Haut, als Kanäle in Zellmembranen, als Spaltöffnungen (= Blatt-P.) in Pflanzenblättern usw. – erst die P. ermöglichen den Stoffaustausch von Gasen u. Flüssigkeiten, s. a. Permeabilität. Andererseits können P. auch durchaus unerwünscht sein, z. B. in Metallüberzügen. S. a. Kapillarität, Porosität, Schaum, Adsorption u. Oberflächenchemie. – ***E*** = ***F*** pores – ***I*** pori – ***S*** poros

Lit.: s. Porosität.

Porenbeton. Bez. für einen früher auch *Gasbeton genannten *Leichtbeton poriger Struktur mit Rohdichten von 0,35 bis 1,0 kg/dm^3, wobei die Struktur erzeugt wird durch porenbildende Zusätze, vorzugsweise Aluminium-Pulver od. -Paste, mit anschließender Dampfhärtung. Nicht unter den Begriff P. in seiner heutigen Abgrenzung fallen andere Leichtbeton-Sorten poriger Struktur, wie *Schaumbeton od. *Leichtbeton mit porigen Zuschlägen (wie z. B. Bims, Blähglimmer, -ton, -perlit, Schaumkunststoffe).

Herst.: Die Rohstoffe (Quarz-haltiger Sand, Kalk, Zement, ggf. weitere Zuschlag- u./od. Zusatzstoffe sowie Aluminium-Pulver od. -Paste als porenbildender Zusatz) werden gemischt, ggf. vorher vermahlen, mit Wasser angeteigt u. in Formen gegossen. Durch Reaktion des Aluminiums im wäss.-alkal. Milieu entsteht Wasserstoff, der ein sehr gleichmäßiges Porengefüge mit Porengrößen von ca. 0,5 bis 1,5 mm Durchmesser erzeugt, wobei durch Vol.-Vergrößerung der Masse die Formen ganz ausgefüllt werden. Nach Erstarren der Rohblöcke werden diese in die gewünschten Formate zerschnitten u. in Autoklaven mit Sattdampf bei ca. 190 °C u. ca. 12 bar in ca. 6 bis 12 h gehärtet. Die Fertigung erfolgt industriell, das Produktionsprogramm umfaßt Mauersteine diverser Formate für tragende u. nichttragende Außen- u. Innenwände, Bauplatten, bewehrte Montagebauteile für Decken, Dächer u. Wände sowie Sonderbauteile wie Stürze, U-Schalen, Treppenstufen etc.

Für Herst., Verw. u. Prüfung von P. u. P.-Bauteilen gelten in der BRD verschiedene Normen (s. *Lit.*). Europ. Normen sind in Vorbereitung. Ferner erteilt das Dtsch. Inst. für Bautechnik, Berlin, Zulassungsbescheide für P.-Bauteile auf Antrag von u. geltend für einzelne Herstellfirmen.

Eigenschaften: Hohe Festigkeit bei niedriger Rohdichte, niedrige Wärmeleitfähigkeit u. gute Wärmespeicherung, gute Schalldämmung, gute Atmungsaktivität (Feuchtigkeitsausgleich), Nichtbrennbarkeit. Wegen der Kombination guter bautechn. Eigenschaften haben P.-Baustoffe im heutigen Bauwesen erhebliche Bedeutung erlangt.

Wirtschaft: In der BRD wurden 1997 ca. 4,87 Mio. m^3 P. hergestellt (Quelle: Bundesverband Porenbeton-Ind.). – ***E*** autoclaved aerated concrete – ***F*** béton poreux – ***I*** calcestruzzo aerato, calcestruzzo cellulare – ***S*** hormigón poroso

Lit.: DIN 4165: 1996-11; 4166: 1997-10; 4223: 1958 ▪ Porenbeton-Berichte 1–17, Wiesbaden: Bundesverband Porenbetonind. 1989–1998 ▪ Ullmann (5.) **A 5**, 519, 528, 532; **A 15**, 333 ▪ Weber u. Hullmann, Das Porenbeton-Handbuch, 3. Aufl., Wiesbaden: Bauverl. 1998. – *Organisationen:* Bundesverband Porenbetonindustrie e. V., Dostojewskistr. 10, 65187 Wiesbaden; European Autoclaved Aerated Concrete Association (E. A. A. C. A.), derzeitiges Sekretariat: Dostojewskistr. 10, 65187 Wiesbaden.

Poren-formende Proteine s. Perforine, Porine.

Porenfüller. Nach DIN 55945: 1996-09 mit Füllstoffen u./od. Farbmitteln versetzte Beschichtungsstoffe zum Füllen von Holzporen vor dem Lackieren. – ***E*** wood fillers – ***F*** bouche-pores – ***I*** turapori – ***S*** tapaporos

Porengips s. Leichtgips.

Porengummi. Bez. für Gummi-Artikel, die unter Zusatz von *Treibmitteln hergestellt werden. P. unterscheiden sich in ihrer Porenstruktur u. werden nach dieser eingeteilt in **Zellgummi* mit völlig geschlossenen, **Moosgummi* mit weitgehend geschlossenen u. **Schwammgummi* mit völlig geöffneten Poren. – ***E*** porous rubber – ***F*** caoutchouc poreux – ***I*** gomma porosa – ***S*** goma porosa

Porfido rosso antico, Porfido verde antico s. Porphyrite.

Porfimer-Natrium (Photofrin II, Rp).

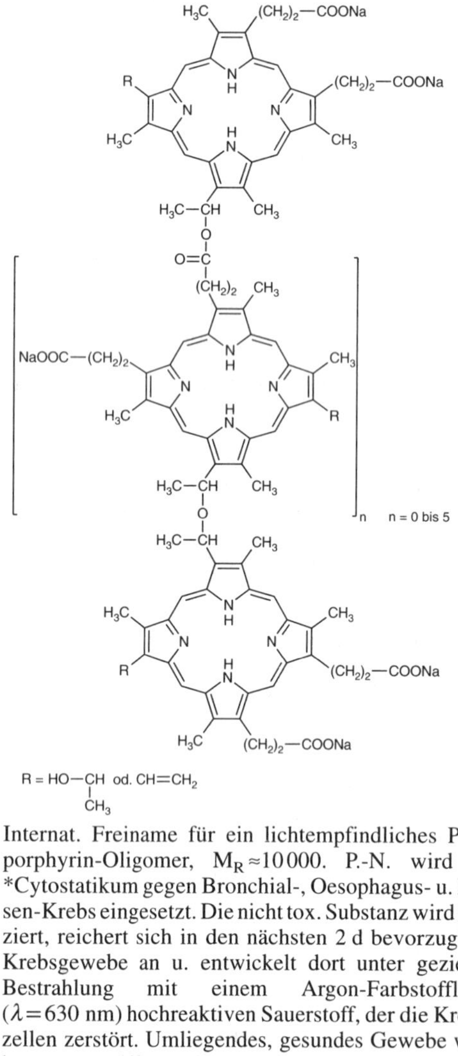

n = 0 bis 5

R = HO—CH(CH_3) od. CH=CH_2

Internat. Freiname für ein lichtempfindliches Polyporphyrin-Oligomer, $M_R \approx 10000$. P.-N. wird als *Cytostatikum gegen Bronchial-, Oesophagus- u. Blasen-Krebs eingesetzt. Die nicht tox. Substanz wird injiziert, reichert sich in den nächsten 2 d bevorzugt im Krebsgewebe an u. entwickelt dort unter gezielter Bestrahlung mit einem Argon-Farbstofflaser ($\lambda = 630$ nm) hochreaktiven Sauerstoff, der die Krebszellen zerstört. Umliegendes, gesundes Gewebe wird kaum angegriffen. P.-N. wurde 1997 von Ipsen Pharma (Photofrin®) ausgeboten. – ***E*** = ***I*** porfimer sodium – ***F*** sodium Porfimer – ***S*** porfimero sódico

Lit.: Drugs **48**, 510 (1994) ▪ Martindale (31.), S. 596 ▪ Merck-Index (12.), Nr. 7755. – *[CAS 87806-31-3]*

Porine. Poren-formende, meist trimere Proteine, die die äußere Membran Gram-neg. Bakterien sowie der *Mitochondrien u. *Chloroplasten durchspannen. Die Poren sind in wenig spezif. Weise für kleinere polare (hydrophile) Mol. u. Ionen durchlässig (bis M_R ca. 600 bei Bakterien, 10000 bei Mitochondrien u. Chloroplasten). In *Escherichia coli* kennt man z. B. die unspezif. P. OmpC, OmpF[1] u. PhoE, während LamB (Maltoporin) für *Maltose u. *Maltodextrine spezif. ist. Die P. von Säugetier-Mitochondrien binden das *Isoenzym I der *Hexokinase[2]. Elektrophysiolog. Untersuchungen lassen ein dynam. u. von verschiedenen physikochem. Parametern abhängiges Öffnungs- u. Schließverhalten bakterieller P. erkennen[3]; zu deren Struktur u. möglichen Transportmechanismen s. *Lit.*[4], zu P. der Wirbeltier-Plasmamembran s. *Lit.*[5]. – ***E*** porins – ***F*** porines – ***I*** porine – ***S*** porinas

Lit.: [1] Mol. Microbiol. **20**, 911–917 (1996). [2] J. Bioenerg. Biomembr. **29**, 97–102 (1997). [3] FEMS Microbiol. Lett. **151**, 115–123 (1997). [4] Physiol. Rev. **76**, 1073–1088 (1996). [5] Naturwissenschaften **84**, 480–498 (1997).

Porocel®. Adsorptionsmittel auf Basis von natürlichem, therm. aktiviertem *Bauxit mit hoher Oberfläche. Anw. als Trägerstoff für Katalysatoren, als regenerierbares Adsorbens zur Reinigung von petrochem. Produkten, insbes. Paraffinwachs. ***B.:*** Chemie-Mineralien AG & Co. KG.

Poröses Glas. Trägermaterial für *Gelchromatographie, *HPLC u. *Gaschromatographie, das aus einem SiO_2-Skelett besteht (ca. 97%) u. noch etwa 3% B_2O_3 enthält. Es wird aus Natriumborat-reichem *Glas hergestellt, indem man durch Tempern eine Entmischung herbeiführt u. anschließend die Borat-Phase durch Säuren herauslaugt. Das auch als Membran zur Immobilisierung u. als Träger für Katalysatoren verwendbare Material zeichnet sich durch mechan., chem. u. biolog. Beständigkeit u. leichte Handhabung aus u. hat präzise definierte, mechan. nicht beeinflußbare Porengrößen. Für andere Zwecke läßt sich p. G. durch Sintern herstellen (s. Sinterglas). – ***E*** pore glass, porous glass – ***F*** verre poreux – ***I*** vetro poroso – ***S*** vidrio poroso

Lit.: Janowski u. Heyer, Poröse Gläser, Leipzig: Grundstoffind. 1982 ▪ Kirk-Othmer (4.) **12**, 569 ▪ Ullmann (5.) **A 12**, 426.

Poröse Stoffe s. Poren, Porosimetrie u. Porosität.

Porofor®. Gruppe von organ. Verb., die bei höherer Temp. Gase abspalten u. daher als *Treibmittel bei der Herst. von Schaumstoffen aus PVC, PE, PP, PS, ABS, EVA u. Kautschuk verwendet werden. Die P.-Typen werden in Pulver u./od. Pastenform, ggf. mit Phlegmatisierungsmitteln geliefert. ***B.:*** Bayer.

Poromere (poromer. Werkstoffe). Mikroporöse, luftdurchlässige, wasserbeständige, als Lederaustauschstoffe geeignete mehrschichtige Verbundstoffe aus Wirrfaservliesen (synthet. Stapelfasern von Polyamiden, Polyestern, PVAC etc.) als Trägermaterial, die mit elast. Bindemitteln (synthet. Kautschuk, Polyurethanen) imprägniert u. mit Polyurethanen beschichtet sind, s. a. Kunstleder. – ***E*** poromerics – ***F*** poromériques – ***I*** materiali poromerici – ***S*** porómeros, materiales poroméricos

Lit.: Encycl. Polym. Sci. Eng. **8**, 680 ff. ▪ Kirk-Othmer (4.) **15**, 179 ff. ▪ Ullmann (4.) **19**, 314; (5.) **A 21**, 706 f.

Porometrie s. Porosimetrie.

Porosimetrie. Bestimmung der Porengrößenverteilung u. des Hohlraumvol. u. damit der Dichte poröser Körper (auch *Porometrie* genannt). Mit *Porosimetern* wird eine das Porenvol. erfüllende Flüssigkeits-Menge, z. B. Quecksilber, seltener Wasser, gemessen. In anderen Geräten wird die verdrängte Luftmenge bestimmt, ohne daß die Flüssigkeit mit dem Meßgut in Berührung kommt. Zur P. kann man auch Verf. der *Korngrößen-Analyse, die *Gelchromatographie od.

die *BET-Methode u. ä. Verf. der Gas-*Adsorption heranziehen. Bei radioaktiven od. radioaktiv markierten porösen Stoffen kann man aus der Menge des in der Zeiteinheit emittierten *Radons auf die innere Oberfläche schließen (Hahnsche *Emaniermeth.*). – ***E*** porosimetry – ***F*** porosimétrie – ***I*** porosimetria – ***S*** porosimetría

Lit.: Kirk-Othmer (3.) **S**, 245 f. ▪ Ullmann (4.) **5**, 751 f.; (5.) **A 5**, 353 f. ▪ s. a. Korngröße, Oberflächenchemie, Porosität.

Porosität. Bez. für die Eigenschaft eines Werkstücks od. Überzugs, mit *Poren versehen, durchlässig zu sein. Man unterscheidet *Fein-P.* u. *Grob-P.* sowie *offene (scheinbare) P.* u. *geschlossene P.* (vgl. Poren); die *Gesamt-P.* (*wahre P.*) umfaßt die offenen u. die geschlossenen Poren. Der *P.-Grad* ist die zahlenmäßige Angabe in Prozent über den Anteil des Porenvol. am Gesamtvol. eines Werkstückes od. Überzuges. Während P. in Beschichtungen, Elektroisolierfolien od. in Oberflächen von Metallen u. a. Werkstoffen oft als Materialfehler angesehen wird, erlangen viele andere Feststoffe durch die mit der P. verbundenen Eigenschaften – stark vergrößerte Oberfläche, Erscheinungen der Kapillarität, Transportphänomene etc. – erst ihr techn. Interesse. Zu denken ist hier an Prozesse der Filtration u. der Adsorption, z. B. an Aktivkohle od. Gasfiltern, an Molekularsieben, Zeolithen, Kieselgelen u. a. Füllmaterialien für die Gelchromatographie, an Osmose- u. Dialysevorgänge in Membranen für die Meerwasserentsalzung usw. Die P. spielt eine Rolle in der Petrographie u. Lagerstättenkunde (eine Maßeinheit bei Erdöl ist das *Darcy), in der Katalyse, bei der Herst. der Schaumkunststoffe, bei der Wärmedämmung von Mauersteinen u. Bauplatten (s. Porenbeton), bei der Kompressibilität von Schüttgütern u. bei zahllosen anderen techn. Vorgängen. Zur Messung der P. s. Porosimetrie. – ***E*** porosity – ***F*** porosité – ***I*** porosità – ***S*** porosidad

Lit.: Bear u. Corapcioglu, Fundamentals of Transport Phenomena in Porous Media, Den Haag: Nijhoff 1984 ▪ Gräfen (Hrsg.), Lexikon Werkstofftechnik, S. 793 f., Düsseldorf: VDI-Verl. 1993 ▪ Lowell u. Shields, Powder Surface Area and Porosity, London: Chapman & Hall 1984 ▪ s. a. Kapillarität, Permeabilität, Porosimetrie.

Porph... (von griech.: porphýra – *Purpur). Vorsilbe, die purpurne Farbe od. Beziehung zu purpurnen Substanzen anzeigt; *Beisp.:* folgende Stichwörter. – ***E*** = ***F*** porph... – ***I*** = ***S*** porf...

Porphin (Porphyrin, 21*H*,23*H*-Porphin) $C_{20}H_{14}N_4$, M_R 310,34, dunkelrote Krist., Schmp. >360 °C (Zers.), lösl. in Pyridin, Dioxan, wenig lösl. in Chloroform, Eisessig, unlösl. in Aceton, Ether. P. bildet u. a. Eisen-, Magnesium- u. Kupfer-Salze. Es ist Stammverb. aller Porphyrine (Formel s. dort), der Atmungspigmente der Tiere u. Pflanzen. – ***E*** = ***F*** porphine – ***I*** = ***S*** porfina

Lit.: Beilstein E V **26/12**, 168–172 ▪ Merck-Index (12.), Nr. 7758 ▪ Pure Appl. Chem. **53**, 1129–1140 (1981) ▪ Smith (Hrsg.), Porphyrins, Metalloporphyrins, S. 61–122, New York: Elsevier 1975 ▪ s. a. Chlorophyll, Cytochrome, Hämoglobin, Vitamin B_{12} u. Porphyrine. – *[CAS 101-60-0]*

Porphobilinogen [5-(Aminomethyl)-4-(carboxymethyl)-1H-pyrrol-3-propionsäure]. $C_{10}H_{14}N_2O_4$, M_R 226,23, als Monohydrat rosa Krist., Schmp. 172–175 °C, wenig lösl. in Wasser. P. ist ein Schlüs-

H
H_2N-CH_2 (N)
HOOC–CH_2 CH_2-CH_2-COOH

selbaustein in der Biosynth. sämtlicher *Porphyrine, Hydroporphyrine u. *Corrine. P. entsteht biogenet. aus *5-Amino-4-oxovaleriansäure u. wird unter Beteiligung der Enzyme Porphobilinogen-Desaminase u. einer Cosynthetase zu Uroporphyrinogen III (s. Uroporphyrine) tetramerisiert. Die säurekatalysierte nichtenzymat. Tetramerisierung von P. führt zu einem Gemisch der vier konstitutionsisomeren Uroporphyrinogene I – IV. Bei Blei-Vergiftungen u. *Porphyrie tritt P. im Harn auf. – ***E*** porphobilinogen – ***F*** porphobilinogène – ***I*** porfobilinogeno – ***S*** porfobilinógeno

Lit.: Angew. Chem., Int. Ed. Engl. **34**, 383 (1995) (Review) ▪ Beilstein E V **22/14**, 210 ▪ Biochem. J. **236**, 447 (1986) (Biosynth.) ▪ Merck-Index (12.), Nr. 7759 ▪ Nat. Prod. Rep. **4**, 77–87 (1987) ▪ Tetrahedron **53**, 7731–7752 (1997) (Synth.) ▪ Tetrahedron Lett. **36**, 9121 (1995) ▪ s. a. Porphyrine u. Porphyrie. – *[CAS 487-90-1]*

Porphobilinogen-Synthase s. 5-Amino-4-oxovaleriansäure.

Porphyre. Alteingeführte, im ursprünglichen Sinne heute nicht mehr verwendete Bez. für sek. veränderte, meist rote, paläozo. (*Erdzeitalter) *Vulkanite, die in dichter od. feinkörniger Grundmasse größere Einsprenglinge (*Phänokrist.*) von *Feldspäten (hier: *Orthoklas, bei *Porphyriten: Plagioklas) u. *Quarz enthalten; *Beisp.:* Quarzporphyr (= *Rhyolith), Ortho(por)phyr (= *Trachyt). Heute im erweiterten Sinne Bez. für *magmatische Gesteine, die eingesprengte größere Krist. in einer dichten od. feinkörnigen Grundmasse enthalten (s. Le Maitre, *Lit.*). *Porphyr.* od. P.-artig ist heute die Bez. für ein bes. Gesteins-*Gefüge. Der eigentliche P. mit roter Grundfarbe war schon im Altertum als „roter Marmor mit weißen Steinchen" bekannt; zur Geschichte des Namens P. s. Lüschen (*Lit.*).

Vork. (v. a. von Quarzporphyr): Im Harz (Ilfeld), Saar-Nahe Gebiet (Bad Kreuznach, Bad Münster), Odenwald (Dossenheim), Thüringer Wald, in Südtirol (bei Bozen; heute als *Ignimbrit gedeutet).

Verw.: Wegen ihrer Härte u. Zähigkeit als Schotter, Mosaikpflastersteine, Pflastersteine u. als polierbare Werkstücke für Architektur u. Skulptur. – ***E*** porphyries – ***F*** porphyres – ***I*** porfidi – ***S*** pórfidos

Lit.: Le Maitre (Hrsg.), A Classification of Igneous Rocks and Glossary of Terms, S. 107, Oxford: Blackwell 1989 ▪ Lüschen, Die Namen der Steine (2.), S. 294, Thun: Ott 1979 ▪ Tröger, Spezielle Petrographie der Eruptivgesteine, Ein Nomenklatur-Kompendium, S. 330 f., Stuttgart: Schweizerbart 1969. – *[HS 2516 90]*

Porphyrie. Krankheit, die durch eine erbliche od. erworbene Störung der *Häm-Biosynth. entsteht u. mit einer Überproduktion u. vermehrter Ausscheidung von **Porphyrinen* od. deren Vorstufen einhergeht. Je nachdem, welches Enzym im Porphyrin-Stoffwechsel gestört ist, unterscheidet man verschiedene Formen der Porphyrie. Die Anreicherung der überproduzierten Porphyrine (z. B. Uroporphyrin u. Koproporphyrin bzw. δ-Aminolävulinsäure u. *Porphobilinogen) im Organismus führt zu neurolog. Ausfällen (Lähmungen, Gefühlsstörungen, Bewußtseinsstörungen), Bauchkoliken u. durch Licht auslösbare Hauterkrankungen (*Lichtdermatose*, s. a. photodynamischer Effekt). Das Auftreten von Porphobilinogen u./od. Uro-, Kopro- u. Protoporphyrinen im Harn (*Porphyrinurie*) kann zur Diagnose klin.-chem. nachgewiesen werden. Eine kausale Behandlung der P. ist nicht möglich. – ***E*** porphyria – ***F*** porphyrisme – ***I*** porfiria – ***S*** porfirismo

Lit.: Gross et al., Die Innere Medizin, S. 1002–1017, Stuttgart: Schattauer 1996.

Porphyrin s. Porphin.

Porphyrin-Biosynthese. Die Biosynth. sämtlicher porphinoider Naturstoffe verläuft bis zum Uroporphyrinogen III parallel (s. Abb.).

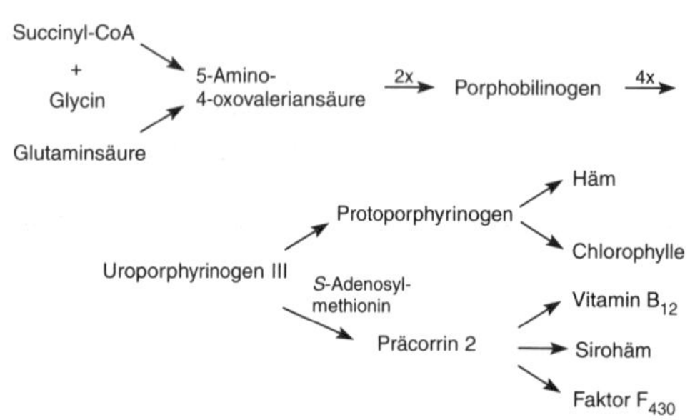

Abb.: Porphyrin-Biosynthese.

Aus Uroporphyrinogen wird durch Abbau u. Modifikation der Seitenketten Protoporphyrinogen gebildet, das durch Metall-Einbau u. Aromatisierung in *Häm od. durch weitere Seitenkettenmodifikationen in die *Chlorophylle übergeht. Die Methylierung der Peripherie von Uroporphyrinogen III mit *S-Adenosylmethionin führt zum Präcorrin 2, von dem ausgehend *Vitamin B_{12}, Sirohäm u. Faktor F_{430} (s. Coenzym F_{430}) durch Metall-Einbau u. chem. Transformationen der Peripherie u. des Grundgerüstes entstehen. Noch zu klären ist, wie einige Schritte der Vitamin B_{12}-Biosynth. ablaufen u. wie die Endschritte der Chlorophyll-Biosynth. aussehen. Auch der Abbau der porphinoiden Makrocyclen ist, bis auf den Katabolismus des Häm, weitgehend ungeklärt. – ***E*** porphyrin biosynthesis – ***F*** biosynthèse porphyrinique – ***I*** biosintesi della porfirina – ***S*** biosíntesis de porfirina

Lit.: Angew. Chem. **100**, 5 (1988); **105**, 1281 (1993) ▪ J. Chem. Soc., Perkin Trans. 1 **1996**, 2079–2102 ▪ Science **264**, 1551 (1994).

Porphyrine. Von griech.: porphýra = Purpur abgeleiteter Sammelname für in der Natur weitverbreitete (purpur)rote Pigmente, die sich vom Grundkörper **Porphin* durch Substitution des makrocycl. Tetrapyrrol-Gerüsts mit Methyl-, Vinyl-, Essigsäure-, Propionsäure- u. a. Resten ableiten. Die Abb. u. Tab. zeigt die auf Hans *Fischer zurückgehende, in der älteren Lit. benutzte Numerierung u. Kennzeichnung der *Methin-Gruppen durch griech. Buchstaben u. die nach den IUPAC-IUB-Regeln zur semisystemat. Nomenklatur der Tetrapyrrole empfohlene fortlaufende Numerierung [1].

Der Überblick über die zahlreichen möglichen Konstitutionsisomeren der P.[2] mit gleichen Substituenten

Tab.: Bezifferung der Porphyrine nach Fischer, TNP (*T*rivial*n*amensyst. für *P*orphyrine nach IUPAC-IUB) u. systemat. nach IUPAC-IUB/CAS.

Porphyrine		Stellungsbez. der Substituenten[a] (außer Wasserstoff) nach Fischer (F., linke Abb.), TNP (T, rechte Abb.) u. IUPAC-IUB/CAS (IC, rechte Abb.)								
	F	1	2	3	4	5	6	γ	7	8
	T	2	3	7	8	12	13	15	17	18
	IC	13	12	8	7	3	2	20	18	17
Uroporphyrin I		A	P	A	P	A	P		A	P
Uroporphyrin III		A	P	A	P	A	P		P	A
Koproporphyrin I		M	P	M	P	M	P		M	P
Koproporphyrin III		M	P	M	P	M	P		P	M
Mesoporphyrin		M	E	M	E	M	P		P	M
Deuteroporphyrin°		M		M		M	P		P	M
Protoporphyrin[x]		M	V	M	V	M	P		P	M
Hämatoporphyrin		M	H	M	H	M	P		P	M
Ätioporphyrin I		M	E	M	E	M	E		M	E
Atioporphyrin III		M	E	M	E	M	E		E	M
Cytoporphyrin[x]		M	R	M	V	M	P		P	F
Phylloporphyrin°		M	E	M	E	M		M	P	M
Pyrroporphyrin°		M	E	M	E	M			P	M
Rhodoporphyrin°		M	E	M	E	M	C		P	M
Phytoporphyrin°		M	E	M	E	M	C(O)	$-CH_2$	P	M

[a] Abk.: A = Essigsäure ($-CH_2-COOH$), C = Carboxy ($-COOH$), E = Ethyl ($-C_2H_5$), F = Formyl ($-CHO$), H = 1-Hydroxyethyl ($-CHOH-CH_3$), M = Methyl ($-CH_3$), P = Propionsäure ($-CH_2-CH_2-COOH$), R = $-CHOH-CH_2-$(*E,E*)-Farnesyl, V = Vinyl ($-CH=CH_2$)

° Abweichende Bezifferung nach IUPAC-IUB/CAS

[x] Systemat. Bezifferung nach IUPAC-IUB abweichend ($-CH=CH_2$ = Vinyl), aber nach CAS wie angegeben ($-CH=CH_2$ = Ethenyl)

wird für die natürlich vorkommenden P. durch die Tatsache erleichtert, daß sämtliche in der Natur vorkommenden porphinoiden Verb. biosynthet. aus Uroporphyrinogen III gebildet werden u. damit im Substitutionsmuster auf *Uroporphyrin III zurückgeführt werden können. In P. mit nur 2 Arten von Substituenten, von denen jeder Pyrrol-Ring je einen trägt (Koproporphyrine, Etioporphyrine u. Uroporphyrine), sind 4 Konstitutionsisomere möglich, die durch röm. Ziffern I – IV unterschieden werden; Typ III ist der in der Natur bevorzugte.
Sind 2 gleiche Seitenketten der Typen I – IV verändert, so sind 15 Isomere möglich; das natürliche Protoporphyrin hieß früher *Protoporphyrin IX.* Trivialnamen sind auch bei den partiell hydrierten P.-Derivaten gebräuchlich; *Beisp.: *Chlorine, Bakteriochlorine, Isobakteriochlorine, Corphine, Pyrrocorphine, Phlorine* u. **Porphyrinogene*. Die abgeleiteten natürlichen od. synthet. Derivate sind stark gefärbte, fluoreszierende Verb. u. im allg. gute Sensibilisatoren für die Bildung von Singulett-Sauerstoff, der nicht nur für den photodynam. Effekt u. die Hautläsionen bei Porphyrie-Kranken verantwortlich ist, sondern auch bei der Photochemotherapie von Tumoren wirksam wird[3]. Die P. bilden sehr leicht stabile Metallkomplexe, die sog. *Metall(o)-Porphyrine.* Diese sind v. a. biochem. von elementarer Bedeutung (z. B. *Bakteriochlorophylle, *Chlorophyll, *Häm, *Häm d, *Häm d_1, *Coenzym F_{430}, Sirohäm, *Vitamin B_{12}).
Das Ringsyst. der P. zeichnet sich durch bes. Stabilität aus, die auf die 18π-Aromatizität des Chromophors zurückgeht; es bildet sich leicht aus Pyrrolen. Es wird angenommen, daß P. bereits während einer präbiolog. Phase der Evolution gebildet wurden[4]. Die Beständigkeit des Ringsyst. zeigt sich auch darin, daß P. im interstellaren Raum nachgewiesen wurden u. als Geoporphyrine in Sedimenten u. Erdöl vorkommen. Metall-freie, natürlich vorkommende P. sind selten. In Form der Porphyrinogene treten sie in der *Porphyrin-Biosynthese auf u. können in der oxidierten P.-Form isoliert werden (Uroporphyrin III, Koproporphyrin III, Protoporphyrine). Andere natürlich vorkommende P. sind meistens die Produkte eines gestörten P.-Stoffwechsels, Corallistin A bildet eine Ausnahme. Nichtnatürliche Derivate od. Abbauprodukte natürlicher P. sind Chlorocruoroporphyrin, Cytoporphyrin, Proto-P., Etio-P., Meso-P., Hämatoporphyrin, Phyto-P., Phyllo-P. u. a. – ***E*** porphyrins – ***F*** porphyrines – ***I*** porfirine – ***S*** porfirinas

Lit.: [1]Eur. J. Biochem. **178**, 277 – 328 (1988). [2]Ann. N. Y. Acad. Sci. **244**, 327 (1975). [3]GIT Fachz. Lab. **35**, 567 – 572 (1991); Nachr. Chem. Tech. Lab. **33**, 582 (1985). [4]Angew. Chem. **100**, 5 (1988).
allg.: Chem. Eng. News (26.6.) **1995**, 30 f. ▪ Cubbeddu u. Andreoni, Porphyrins in Tumor Phototherapy, New York: Plenum 1984 ▪ Doiron u. Gomer, Porphyrin Localization and Treatment of Tumors, New York: Liss 1985 ▪ Hayata u. Dougherty, Lasers and Hematoporphyrin Derivatives in Cancer, Tokio: Igaku-Shoin 1983 ▪ Karrer, Nr. 2500 – 2508, 4362 – 4368 ▪ Kessel, Methods in Porphyrin Photosensitization, New York: Plenum 1986 ▪ Lavelle, The Chemistry & Biochemistry of N-Substituted Porphyrins, Weinheim: VCH Verlagsges. 1987 ▪ Lever u. Gray, Iron Porphyrins, Weinheim: VCH Verlagsges. 1989 ▪ Milgrom, The Colours of Life: Introduction to the Chemistry of Porphyrins and Related Compounds, Oxford: University Press 1997 ▪ Pure Appl. Chem. **65**, 1113 – 1122 (1993) (Biosynth.). – *Zeitschrift:* J. Porphyrins, Phthalocyanines, New York. VCH Wiley (seit 1997).

Porphyrinogene.

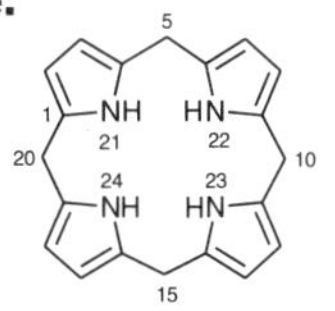

P. sind 5,10,15,20,22,24-Hexahydro-*Porphyrine mit vier isolierten, über Methylen-Brücken verknüpften Pyrrol-Ringen. P. werden chem. durch Kondensation von Pyrrolen mit Formaldehyd unter strikt anaeroben Bedingungen od. durch Red. von Porphyrinen erhalten. P. werden extrem leicht zu den Porphyrinen oxidiert u. treten daher nur als kurzlebige Zwischenprodukte in der *Porphyrin-Biosynthese auf. Das biolog. wichtigste P. ist Uroporphyrinogen III[1]. – ***E*** porphyrinogens – ***F*** porphyrinogènes – ***I*** porfirinogeni – ***S*** porfirinogenos

Lit.: [1]Angew. Chem. **100**, 5 (1988).

Porphyrinurie s. Porphyrie.

Porphyrisch s. Porphyre.

Porphyrite. Veraltete Bez. für in älteren geolog. Syst., z. B. im Karbon u. Perm (*Erdzeitalter), entstandene u. später unter Neubildung von Sericit (*Muscovit), Klinozoisit (*Epidot), *Calcit u. *Chlorit veränderte Dacite (*Vulkanite) u. *Andesite (Paläo-Andesite). Ferner Bez. für subvulkan. Gesteine diorit. (*Diorit-P.) u. gabbroider (*Gabbro-P.) Zusammensetzung. Klass. Beisp. für P. sind der durch Chlorit u. Eisen-Epidot grüne *Porfido verde antico* aus Griechenland u. der braunrote, *Hämatit u. Piemontit (s. Epidot) enthaltende *Porfido rosso antico* aus Ägypten, die schon im Altertum als Bau- u. Dekorationssteine verwendet wurden. – ***E*** = ***F*** porphyrites – ***I*** porfiriti – ***S*** porfiritas

Lit.: Wimmenauer, Petrographie der magmatischen u. metamorphen Gesteine, S. 185 f., Stuttgart: Enke 1985 ▪ s. a. Petrographie.

Porphyropsin. Sehfarbstoff (Photorezeptor-Protein) in der Retina von Süßwasserfischen u. einigen Amphibien. Das Absorptionsmaximum von P. liegt bei 520 – 530 nm. P. besteht aus dem Chromophor 3,4-Didehydro-11-*cis*-retinal (vgl. Opsine) u. dem Protein Scotopsin. Die biolog. Aktivität ist ähnlich der von *Rhodopsin. – ***E*** porphyropsin – ***F*** porphyropsine – ***I*** = ***S*** porfiropsina

Lit.: Angew. Chem. **80**, 857 – 867 (1968) ▪ Merck-Index (12.), Nr. 7761 ▪ Science **162**, 230 – 239 (1968) ▪ Sebrell et al., The Vitamins, New York: Academic Press 1967. – *[CAS 9009-58-9]*

Porphyry Copper-Lagerstätten s. Kupferkies.

Porree s. Lauch.

Pors-on®. Silber-haltige Palladium-Basis-Legierung. ***B.:*** Degussa.

Porst s. Rosmarinöl.

Porter s. Stout.

Porter, Baron George (geb. 1920), Prof. für Physikal. Chemie, London. *Arbeitsgebiete:* Kinetik schneller

Reaktionen, Blitzlicht-Photolyse, freie Radikale; Nobelpreis für Chemie 1967 (zusammen mit R. G. W. *Norrish u. M. *Eigen). 1989 wurde ihm der Orden of Merit verliehen.
Lit.: Chem. Br. **4**, 24 ff. (1968) ▪ Lexikon der Naturwissenschaftler, S. 333 ▪ Nachr. Chem. Tech. **15**, 413 (1967) ▪ Pötsch, S. 348 ▪ Science **158**, 746 ff. (1967) ▪ The International Who's Who, S. 1208 f.

Porter, Rodney Robert (1917–1985), Prof. für Biochemie, Univ. Oxford. *Arbeitsgebiete:* Eiweißstoffe, Struktur der Antikörper, Immunglobuline; Nobelpreis 1972 für Physiologie od. Medizin (zusammen mit *Edelman).
Lit.: Chem. Labor Betr. **24**, 97–103 (1973) ▪ Lexikon der Naturwissenschaftler, S. 333 ▪ Neufeldt, S. 289 ▪ Pötsch, S. 348 f.

Portier-Polonovski-Umlagerung s. Polonovski-Reaktion.

Portlandstein. Auf der Halbinsel Portland (Grafschaft Dorsetshire, engl. Kanalküste) vorkommender weißer bis grauer, oolith. (*Oolithe) Kalkstein (*Kalke), der zu den Lockerkalken gerechnet wird u. Verw. als Naturwerkstein findet. – ***E*** Portland stone, Portland limestone – ***F*** calcaire portlandien, pierre de Portland – ***I*** pietra di Portland – ***S*** piedra de Portland
Lit.: Müller, Gesteinskunde (3.), S. 132, Ulm: Ebner 1991.

Portlandzement (Abk. PZ). Ein *hydraul. Bindemittel*, das aus einem feingemahlenen Gemisch von PZ-*Klinker u. Calciumsulfaten (Gips od. Anhydrit) besteht, welches nach dem Anrühren mit Wasser sowohl an der Luft als auch unter Wasser erhärtet u. auch unter Wasser seine Festigkeit behält („*Wassermörtel*"). Zur Herst. von PZ vermischt man Kalk- u. Ton-haltige Rohstoffe (Kalkstein, Ton, Kalkmergel u. Tonmergel) derart miteinander, daß das Rohstoffgemisch neben SiO_2, Al_2O_3 u. Fe_2O_3 aus dem Tonanteil zwischen 75 u. 79 Gew.-% $CaCO_3$ enthält. Das Gemisch wird fein gemahlen u. sodann in Drehrohröfen mit vorgeschalteten Vorwärmsyst. unterschiedlicher Bauart bis zur Sinterung erhitzt. Die 2–6° geneigten, auf mehreren Rollen gelagerten u. etwa 50–250 m langen Drehrohröfen mit Durchmessern bis zu mehr als 7 m fördern durch langsame Drehung (30–120 s/U) um die Längsachse das Brenngut der Flamme entgegen. Im Brenngut laufen abhängig von der jeweils herrschenden Temp. folgende Reaktionen ab: Bei Temp. bis zu etwa 200 °C entweichen die Restfeuchtigkeit aus dem Rohmehl (bis zu 2 Gew.-%), das Wasser aus Rohmehlgranalien (10–14 Gew.-%) u. aus Rohmehlschlamm (30–40 Gew.-%). Bei Temp. von 100 bis etwa 400 °C wird das in den Tonmineralen adsorptiv gebundene, bei weiterem Erhitzen bis 750 °C das in Form von Hydroxy-Gruppen chem. gebundene Wasser ausgetrieben. Die Entsäuerung von Calciumcarbonat beginnt in Ggw. der Oxide SiO_2, Al_2O_3 u. Fe_2O_3 bereits bei etwa 600 °C. Diese bilden mit dem freiwerdenden CaO zunächst Kalk-ärmere Calciumaluminate ($CaO \cdot Al_2O_3$, $12CaO \cdot 7Al_2O_3$) u. -silicate ($2CaO \cdot SiO_2$). Die Bildung des Kalk-reicheren Tricalciumaluminats ($3CaO \cdot Al_2O_3$) u. Calciumaluminatferrits [$2CaO \cdot (Al_2O_3, Fe_2O_3)$] beginnt bei 800 °C, während das Tricalciumsilicat ($3CaO \cdot SiO_2$) bei Temp. über 1200 °C aus Dicalciumsilicat unter Verbrauch von freiem CaO entsteht. Die Brenngutsinterung wird durch das Auftreten von Schmelze ab etwa 1280 °C gefördert. Die höchsten Temp. in der Sinterzone des Ofens betragen etwa 1400–1450 °C, bei denen sich im PZ-*Klinker die Phasenzusammensetzung ausbildet, die dem Schmelzgleichgew. entspricht. Anschließend wird der Klinker in einem dem Ofen nachgeschalteten Klinkerkühler schnell abgekühlt; dabei krist. die Schmelze.
Zur Herst. von PZ werden Klinker u. Gips od. Anhydrit gemeinsam auf eine spezif. Oberfläche von mehr als 2000 bis zu etwa 6000 cm^2/g gemahlen. Die chem. Zusammensetzung des PZ beträgt: 60–69% CaO, 18–24% SiO_2, 4–8% Al_2O_3 u. TiO_2, 1–8% Fe_2O_3, <5,0% MgO, <2,0% K_2O u. Na_2O, <3,0% SO_3.
Das *Erhärten* des PZ beruht darauf, daß seine Bestandteile mit dem Anmachwasser reagieren (*hydratisieren*) u. dabei wasserhaltige Verb. (Calciumsilicat-, -aluminat- u. -aluminatferrithydrate) bilden. Aufgrund der morpholog. Beschaffenheit dieser Phasen bildet sich in den ursprünglich plast. Gemischen aus Zement u. Anmachwasser (*Zementleim* od. *Zementpaste*) ein Gefüge aus, das zum *Erstarren u. Erhärten führt (*Zementstein*). Das Erstarren von PZ wird durch die zugemahlenen Calciumsulfate mind. 1 h verzögert, wobei sich zunächst *Ettringit bildet, der sich nach einiger Zeit in Monosulfat umwandelt. Der Zementleim wird gebraucht zur Herst. von *Mörtel* (Zuschlag: Sand bis 4 mm) u. *Beton* (Zuschlag: Sand bis 4 mm u. Kies >4 mm). In DIN 1164-1: 1994-10 sind die Eigenschaften von PZ ebenso wie die von *Eisenportland-, *Hochofen- u. *Traß-Zementen genormt, die durch gemeinsames Vermahlen von PZ-Klinker mit glasig erstarrter, granulierter Hochofenschlacke (Hüttensand) od. Traß sowie mit Gips u./od. Anhydrit hergestellt werden. Auch *Flugasche od. gebrannter Ölschieferrückstand sind als *Betonzusatzstoff geeignet.
Die Zement- u. Beton-Eigenschaften lassen sich durch verzögernde, beschleunigende, verflüssigende (*Betonverflüssiger) od. luftporenbildende (*Porenbeton, *Schaumbeton) *Betonzusatzmittel in bestimmten Grenzen beeinflussen. Bei den anorgan. Zusatzmitteln gelten u. a. die Kationen von Pb u. Zn als wirksam; Zwecken des Strahlenschutzes dient der (teilw.) Ersatz von Ca- durch Ba-Ionen (*Barytzement*). Zu den wirksamen Anionen werden Borate, Phosphate, Fluorosilicate, Halogenide, Nitrite, Nitrate, Hydroxide, Carbonate, Hydrogencarbonate, Silicate od. Aluminate gezählt. Organ. Zusatzmittel enthalten als wirksame Substanzen u. a. Zucker, Hydroxycarbonsäuren u. ihre Salze, Ligninsulfonate, Melaminharze, Harzseifen u. Alkylarylsulfonate. *Betonzusatzmitteln u. -stoffen muß vor der Verw. ein amtliches Prüfzeichen erteilt werden; Näheres zur PZ-Wirtschaft s. bei Zement.
Geschichte: Im Jahre 1824 stellte der engl. Maurer Joseph Aspdin durch Brennen von Kalk u. Ton unterhalb der Sintertemp. einen hydraul. erhärtenden *Romankalk her, den er unter dem Namen „Portlandzement" im gleichen Jahr zum Patent anmeldete. Diese Bez. wurde in Anlehnung an das Aussehen von *Portlandstein gewählt. Der eigentliche P. wurde jedoch erst in den Jahren zwischen 1824 u. 1843 durch Sinterung einer Mischung aus Kalk u. Ton von William Aspdin in

England hergestellt. Die erste dtsch. P.-Fabrik erbaute Bleibtreu 1855. – ***E*** Portland cement – ***F*** ciment Portland – ***I*** = ***S*** cemento Portland

Lit.: Härig, Technologie der Baustoffe, 13. Aufl., Karlsruhe: Müller 1996 ▪ Kirk-Othmer (4.) **5**, 564–598 ▪ McKetta **7**, 82–93 ▪ Scholz, Baustoffkenntnis, 13. Aufl., Düsseldorf: Werner 1995 ▪ Ullmann (4.) **24**, 546 ff.; (5.) **A 5**, 491 ff. ▪ Winnacker-Küchler (4.) **3**, 214–277 ▪ s. a. Beton, Klinker, Zement. – *[HS 2523 21, 2523 29]*

Portwein. P. ist ein portugies. *Likörwein* mit einem Alkohol-Gehalt von 18–21% vol. Nur Qualitätslikörweine aus dem Gebiet des oberen Dourotales dürfen als P. (od. „Porto") bezeichnet werden[1] u. gelangen erst nach mind. 3jähriger Lagerung in den Handel. P. aus dunklen Trauben (*full*) werden mit zunehmendem Alter heller (*tawny*), solche aus hellen Trauben dunkler. Die Farbveränderungen sind auf Schwankungen im *Anthocyan-Muster zurückzuführen[2]. Der Anthocyan-Gehalt (Leitsubstanz Malvidin-3-glucosid) nimmt bei dunklen P. mit der Zeit ab u. führt zur Aufhellung[3]. Die Gehalte an Ethylcarbamat in P. schwanken zwischen 30 u. 120 µg/kg[4,5] (s. a. Urethan).

Zusammensetzung (durchschnittliche): Extrakt 67,6; Alkohol 166,5; Zucker 47; *Glycerin 2,8; titrierbare Gesamtsäure 4,5 (Angaben in g/L). – ***E*** port [wine] – ***F*** porto, vin de Porto – ***I*** porto – ***S*** vino de Oporto

Lit.: [1] VO (EWG) Nr. 4252/88 über die Herstellung u. Vermarktung von in der Gemeinschaft erzeugtem Likörwein vom 21. 12. 1988 in der Fassung vom 14. 5. 1990, ABl. der EG 33, Nr. L 132/24. [2] Vitis **25**, 203–214 (1986). [3] Inter. Analyst **2**, 28–33 (1988). [4] Food Add. Contam. **7**, 477–496 (1990). [5] Food Add. Contam. **6**, 383–389 (1989).
allg.: Belitz-Grosch (4.), S. 835 ▪ Lebensmittelpraxis **1992**, Nr. 24, 1–6 ▪ Würdig u. Woller (Hrsg.), Chemie des Weines, S. 730, Stuttgart: Ulmer 1989 ▪ Zipfel, C 403. – *[HS 2204 21, 2204 29]*

Porzellan. Durchscheinendes, porenfreies, weißes Tonzeug (*Sinterware*, vgl. keramische Werkstoffe), das aus einem sehr fein pulverisierten Gemisch von Kaolin, Quarz u. Feldspat gebrannt wird. Der Name stammt von dem italien. Wort „porcellana" für eine weiße Meeresmuschel, da man annahm, daß das aus China u. Japan importierte keram. Erzeugnis aus den pulverisierten Schalen solcher Muscheln stammte. P. hat eine D. von 2,3–2,5, ist undurchlässig für Gase u. Flüssigkeiten, seine Bruchflächen sind weißglänzend, dicht u. porenfrei u. mit Stahl u. Glas kann es nicht geritzt werden. Gegen Temperaturwechsel ist P. widerstandsfähiger als Glas, linearer Ausdehnungskoeff. für Berliner u. Meißener P. ca. $0{,}027 \cdot 10^{-4}$/°C (Bereich: 0–100 °C) bzw. ca. $0{,}036 \cdot 10^{-4}$/°C (Bereich: 16–500 °C). Die Hauptmasse des P. besteht aus einem Feldspatglas, das *Kieselsäure u. wenig *Mullit ($3\,Al_2O_3 \cdot 2\,SiO_2$) aufgelöst hat, dazu kommt noch freier Mullit u. wenig krist. Kieselsäure. Der prozentuelle Anteil der verwendeten Hauptrohstoffe *Kaolin (*Porzellanerde*; Lager bei Halle für Berliner Manufaktur, bei Meißen für Meißener Porzellan, bei Limoges für Werke von Sèvres u. Limoges), *Feldspat ($K_2O \cdot Al_2O_3 \cdot 6\,SiO_2$ mit 0,5–5% Na_2O u. bis zu 2% CaO od. MgO) u. *Quarz (SiO_2) schwankt nach Qualität u. Verwendungszweck des P. erheblich. Wenn die Grundmasse als Hauptbestandteil Kaolin enthält, entstehen die hochschmelzenden, gegen Temperaturwechsel beständigeren *Hart-P.*; überwiegen dagegen die „Flußmittel" (Feldspat u. Quarz) gegenüber dem Kaolin, so erhält man die leichter schmelzenden, gegen Temperaturschwankungen etwas empfindlicheren *Weichporzellane*. Die meisten guten Hart-P. werden aus einem Gemisch von etwa 50% Kaolin, 25% Feldspat u. 25% Quarz hergestellt; für chem. P.-Geräte (*Labor-P.*) verwendet man ein Pulvergemenge aus 54 Tl. Kaolin, 28 Tl. Feldspat u. 8 Tl. Quarz. Das Berliner *Seger-P.* besteht ähnlich wie japan. Weich-P. aus 25% Kaolin, 45% Quarz u. 30% Feldspat, das engl. *Knochenporzellan (ebenfalls ein Weich-P.) aus 20–30% Kaolin, 10–25% Feldspat, 10–25% Quarzmehl u. 20–60% Knochenasche.

Herst.: Kaolin wird mehrfach geschlämmt, durch feine Siebe gesiebt u. mit dem auf dem Kollergang feinst gemahlenen Quarz u. Feldspat naß gründlich gemischt. Die so entstehende P.-Masse formt man mittels Schablonen in Gipsformen od. im Spritzgußverf. zu dem gewünschten Gegenstand, trocknet gründlich u. brennt sie in P.-Öfen zunächst bis ca. 1000 °C (*Segerkegel 010 a, Biskuitbrand), trägt die *Glasur auf u. brennt nochmals etwa 24 h lang bei 1380–1450 °C (Segerkegel 14–17, Glattbrand od. Garbrand). Beim Brennen der Weich-P. wird nur auf etwa 1200–1300 °C erhitzt. Weich-P. sind leichter färbbar, da eine größere Anzahl von *keramischen Pigmenten die niederen Brenntemp. ohne Zers. erträgt. Daher bestehen die engl. *Wedgwood-P.* u. die farbenprächtigen P.-Kunstwerke – z. B. auch die chines. P.-Gegenstände – aus Weichporzellan. Während des Brennens sintern die feinen Teilchen weitgehend zu einer einheitlichen Masse zusammen. Hart- u. Weich-P. werden in der Regel mit einer *Glasur versehen; oft brennt man noch unter od. auf die Glasur farbige Dekors od. auch Lüster aus Metalloxiden ein (s. keramische Pigmente). Glasuren u. Dekors auf Haushalts-P. sollen Blei- u. Cadmium-frei sein. Bei unglasiertem P. (auch Biskuit, *Statuen-P.* od. *Parian* genannt) wird die geformte Masse direkt etwa 24 h auf 1410–1480 °C erhitzt.

Verw.: Zu Geschirr, Haus-, Küchen-, Ind.- u. Laborgeräten, in der Bau-Ind., Elektro-Ind. (vornehmlich als Isoliermaterial), für künstliche Zähne usw.

Geschichte: Nach heutiger Auffassung kann man das Grau-P. der chines. West-Chou-Kulturen (1122 bis 770 v. Chr.) bereits als echtes P. ansprechen. Auf jeden Fall war die Kunst der P.-Bereitung den Chinesen etwa um 600 n. Chr. bekannt; die alten ostasiat. P. wurden aus natürlichen (Quarz- u. Feldspat-haltigen) P.-Tonen direkt gebrannt (meist Weich-P.). Das mit zartgrüner Glasur versehene P. der Ming-Zeit (ca. 1370–1640) wird auch *Seladon-P.* genannt. In Deutschland wurde die P.-Bereitung von J. F. *Böttger in Meißen im Jahre 1709 im Anschluß an Versuche von von Tschirnhaus (seit 1692) wiedererfunden. Bedeutende techn. Verbesserungen in Theorie u. Praxis der P.-Herst. stammen von Seger (um 1880). Bereits 1722 benutzte Höroldt Bleisilicatflüsse zur P.-Malerei. Im Jahre 1879 begann *Roeßler* in Frankfurt (in der späteren Degussa) mit der fabrikmäßigen Herst. keram. Pigmente; er stellte z. B. aus Goldresinat u. etwas Rhodium das erste auf der P.-Unterlage fest haftende Glanzgold her. – ***E*** porcelain – ***F*** porcelaine – ***I*** porcellana – ***S*** porcelana

Lit.: Ullmann (4.) **19**, 391–410; (5.) **A 28**, 243–258 ▪ Winnacker-Küchler (4.) **3**, 192–194 ▪ s.a. Kaoline, Keramik. – *[HS 6909 11, 6910 10, 6911 10, 6911 90, 6913 10, 6914 10]*

Porzellanerde. Synonym für *Kaolin.

Porzellanit s. Kieselgesteine.

Posidonienschiefer s. Schiefer.

Positional cloning (Positionsklonierung). Verf. zur Identifizierung von *Genen, deren Produkte man nicht kennt, u. deren Wirkungsweise man nur am *Phänotyp, meist dem Auftreten von Krankheitssymptomen (v. a. bei Erbkrankheiten), ablesen kann. Die Strategien zur Identifizierung der betreffenden Gene sind jeweils den Bedingungen angepaßt. In jedem Fall von p. c. werden vier wesentliche Schritte eingehalten:
1. Das gesuchte Gen wird mit Hilfe von Kopplungsanalysen auf der Gen-Karte lokalisiert.
2. DNA-Marker, die möglichst beiderseits des gesuchten Gens liegen, werden identifiziert.
3. Die DNA zwischen diesen Markern wird aus einer Genom-Bibliothek isoliert. Das gesuchte Gen muß auf der klonierten DNA liegen.
4. Schließlich ist ein Vgl. des Gens von gesunden Menschen mit dem Gen von Kranken notwendig. Die *Mutationen im Patienten-Gen müssen eindeutige Hinweise auf die Ursache des Phänotyps geben.
Über p. c. sind bis heute die Ursachen von einigen Dutzend wichtiger menschlicher Erbkrankheiten aufgeklärt worden. Darunter sind die *zystische Fibrose (Mukoviszidose), die Duchenne-Muskeldystrophie u. die Huntington-Krankheit.
Die Zukunft des p. c. liegt in der Identifizierung von Genen, die zur Entstehung von häufigen menschlichen Krankheiten beitragen (s. a. HUGO). Zu diesen Krankheiten gehören Bluthochdruck, Diabetes, Krebs, manche Psychosen u. andere. Alle vorliegenden Daten zeigen, daß die Entwicklung dieser Krankheiten durch Schädigung mehrerer unabhängiger Gene beeinflußt wird. Deswegen spricht man auch von polygenen Krankheiten. – ***E*** positional cloning – ***F*** clonage positionnel – ***I*** clonazione per posizione – ***S*** clonación de posición
Lit.: Glick u. Pasternak, Molekulare Biotechnologie, S. 414 f., 425–433, Heidelberg: Spektrum Akadem. Verl. 1995 ▪ Knippers (7.), S. 434–437 ▪ Nature (London) **383**, 250–253 (1996).

Positionsangaben s. Lokanten.

Positionsklonierung s. positional cloning.

Positiv s. Photographie.

Positiv-Kopierverfahren s. Offsetdruck.

Positronen (Symbol e^+ od. β^+). Bez. für zur Familie der *Leptonen gehörende *Elementarteilchen, die die gleiche Ruhemasse wie die *Elektronen besitzen $[(9{,}1093897 \pm 0{,}0000054) \cdot 10^{-31}$ kg] u. durch eine ebenso starke, jedoch *pos.* elektr. Ladung von $(1{,}60217733 \pm 0{,}00000049) \cdot 10^{-19}$ C. ausgezeichnet sind; der Name P. ist dementsprechend zusammengezogen aus *posi*tiv u. Elek*tron*. P. wurden bereits 1928 von *Dirac aus einer relativist. Theorie des Elektrons vorhergesagt; ihr erster Nachw. in der *kosmischen Strahlung gelang 1932 C. D. *Anderson.
P. entstehen, wenn *Photonen von mehr als 1 MeV Energie auf einen Atomkern auftreffen (der hierbei nicht verändert wird), wobei gleichzeitig ein Elektron u. ein P. entstehen. Bei dieser *Paarbildung (s. Kernreaktionen, Abb.) erfolgt eine direkte Umwandlung von Strahlung (also Energie) in Materie. P. entstehen auch beim *Myonen- u. beim *Beta-Zerfall ($p \rightarrow n + e^+ + \nu$). Zahlreiche durch Kernumwandlung gewonnene radioaktiven Stoffe (s. Radioaktivität) zerfallen unter Aussendung eines P. („P.-Zerfall"), z. B. ^{11}C, ^{22}Na u. ^{58}Co. Die so gewonnenen P. lassen sich in *Teilchenbeschleunigern bündeln u. zu kernphysikal. Untersuchungen heranziehen. Man kann P. als *Antielektronen* auffassen u. der *Antimaterie zuordnen. In Umkehrung ihrer Entstehung bei der Paarbildung verschwinden P., sobald sie ihre Bewegungsenergie verloren haben u. mit einem Elektron zusammentreffen (s. Positronium), unter Emission von Photonen (Gammaquanten). Die Bestimmung der bei dieser *Zerstrahlung (*Paarvernichtung* od. *P.-Vernichtung*; *E* positron annihilation) auftretenden Strahlung läßt sich zur Messung effektiver Ladungen, zum Nachw. von Radikalen u. a. physikal.-chem. Untersuchungen nutzen. In der Nuklearmedizin kann man mit Hilfe der sog. *Positronen-Emissions-Tomographie* (PET) Wirkungsweisen von körpereigenen od. -fremden Stoffen (Gifte, Pharmaka), Stoffwechselvorgänge im Gehirn u. a. Organen, in Tumoren usw. untersuchen. Dazu werden die biolog. aktiven, mit P.-emittierenden Radionukliden *markierten Verbindungen injiziert u. die emittierte γ-Strahlung in Tomogrammen erfaßt (s. Szintigraphie). Auch in anderen Bereichen von Naturwissenschaft u. Technik lassen sich Anw.-Möglichkeiten der PET denken, wie z. B. im Pflanzenschutz, in der chem. Verfahrenstechnik, der Strömungstechnik u. a. zeit- u. ortsabhängigen Prozessen. – ***E*** = ***F*** positrons – ***I*** positroni – ***S*** positrones
Lit.: Heiss et al., Atlas der Positronen-Emissions-Tomographie des Gehirns, Berlin: Springer 1985 ▪ Mills u. Canter, Positron Studies of Solids, Surfaces and Atoms, Singapore: World Scientific Publishers 1985 ▪ Musiol et al., Kern- u. Elementarteilchenphysik, Weinheim: VCH Verlagsges. 1988 ▪ Phelps et al., Positron Emission Tomography and Autoradiography, New York: Raven Press 1985 ▪ Singru, Positron Annihilation, Singapore: World Scientific Publishers 1985 ▪ s. a. Elektronen, Elementarteilchen.

Positronium. Ersetzt man im Wasserstoff-Atom das *Proton durch ein knapp 2000mal leichteres *Positron von gleichgroßer pos. Ladung, dann erhält man das P. ($e^+ \cdot e^-$; Symbol Ps) mit einer Masse von 1,097152503 (26) $\cdot 10^{-3}$ u (u = atomare Masseneinheit, s. Atomgewicht). Dabei unterscheidet man 2 Arten von P.: Beim *Para-P.* sind die *Spins von Positron u. Elektron entgegengesetzt gerichtet, womit ein *Singulett-Zustand (Spinquantenzahl S = 0) vorliegt. Das Para-P. hat eine *Lebensdauer von $1{,}25 \cdot 10^{-10}$ s u. zerfällt in einem Zweiphotonen-Prozeß in 2 Gamma-Quanten:

$$e^- + e^+ \rightarrow 2\,\gamma.$$

Beim *Ortho-P.* (S = 1; Triplett-Zustand) sind Positronen- u. Elektronenspin gleichgerichtet. Als Folge der Erhaltung des Drehimpulses kann das Ortho-P. nur über einen weniger wahrscheinlichen Dreiphotonen-Prozeß in 3 Gamma-Quanten zerfallen. Es hat daher eine wesentlich größere Lebensdauer von $1{,}40 \cdot 10^{-7}$ s. Energet. liegt das Para-P. um $8 \cdot 10^{-4}$ eV tiefer als das Ortho-Positronium. Das von Deutsch

1951 entdeckte P. ist das leichteste aller Atome u. wird zu den sog. **exotischen Atomen* gezählt. – ***E*** = ***F*** positronium – ***I*** = ***S*** positronio

Lit.: s. Positronen.

Posorutin®. Augentropfen u. Retardtabl. mit *Troxerutin gegen Blutungen im Auge u. Thrombosen. ***B.:*** Ursapharm.

Possehl. Kurzbez. für den 1847 gegr. Konzern L. Possehl & Co. mbH, Lübeck mit den Geschäftsbereichen Handel, Produktion, Dienstleistung. Daten (1995): ca. 5000 Beschäftigte, 3 Mrd. DM Umsatz. *Produktion:* Thermoplast. Kunststoff-Rohstoffe, Chemikalien, Pharmarohstoffe, Mineralien (z. B. Glimmer), Ölbinder usw.

Posterisan®. Salbe u. Zäpfchen mit korpuskulären Bestandteilen u. Stoffwechselprodukten von *Escherichia coli* gegen Hämorrhoiden; *P. forte* (Rp) enthält zusätzlich *Hydrocortison. ***B.:*** Kade.

Postsuffixe s. Suffixe.

Post-translationale Modifizierung. Chem. Veränderung eines *Proteins od. *Peptids nach seiner Biosynth. (*Translation). Von herausragender Bedeutung ist hier die *O-Phosphorylierung* von Serin-, Threonin- u. Tyrosin-Resten durch *Protein-Kinasen, die ein weit verbreitetes Regulationsprinzip im zellulären Stoffwechsel darstellt u. Bestandteil vieler intrazellulärer Signalketten ist. Die Phosphat-Gruppen dieser drei modifizierten Aminosäuren können rasch wieder entfernt werden, woraus eine Schalterfunktion bei der Regulation zellulärer Prozesse resultiert. Von vergleichbarer Wichtigkeit für Signalprozesse zwischen Zellen ist die **Glykosylierung*, d. h. die Anheftung von Mono- od. Oligosaccharid-Resten an Amino-, Hydroxy- od. Carboxy-Gruppen von Proteinen nach der Translation. Diese *Glykoproteine sind zum Großteil an der Zelloberfläche lokalisiert. Daneben kennt man z. B. noch *Acylierungen*, die *Hydroxylierung* von Lysin- u. Prolin-Resten (in *Collagenen), *Prenylierung* von Cystein-Resten, *Carboxylierung* von Glutaminsäure-Resten (bei *Calcium-bindenden Proteinen, z. B. einigen Blutgerinnungsfaktoren) u. *Amidierung* des Carboxy-Terminus (z. B. bei Neuropeptiden). Durch zelleigene Transferasen u. durch einige Toxine erfolgt *ADP-Ribosylierung*; zum Abbau bestimmte Proteine werden mit dem Polypeptid **Ubiquitin* verknüpft. Eine regulator. Rolle spielt auch die Enzymaktivierung durch *proteolyt. Spaltung* von Proenzymen (*Zymogenen; bei *Proteasen u. Peptidhormonen verbreitet) u. die Abspaltung von *Signalpeptiden. Nach dem Transport durch die Membran erhalten manche Proteine durch *Disulfid-Isomerisierung*, d. h. durch Umordnung ihrer *Disulfid-Brücken, im *endoplasmatischen Retikulum ihre korrekte Raumstruktur. – ***E*** post-translational modifications – ***F*** modification post-traductionelle – ***I*** modificazione post-traduzionale – ***S*** modificación post-traduccional

Lit.: Biochem. Cell Biol. **74**, 449–457 (1996) ▪ J. Biol. Chem. **270**, 30491–30498 (1995); **271**, 10419–10424 (1996) ▪ Römpp Lexikon Biotechnologie, S. 618 ▪ Stryer 1996, S. 921 ff. ▪ Trends Biochem. Sci. **20**, 405–411 (1995).

Potamal. Lebensraum im unteren, schlammig-sandigen Abschnitt sommerwarmer Fließgewässer, in dem die Fließgeschw. des Wasseres relativ gering ist u. der durch das Vork. der Fische Blei u. Barbe (Cyprinidenregion) gekennzeichnet ist. – ***E*** potamal

Lit.: DIN 4049-2, S. 13: 1990-04 ▪ Schönborn, Fließgewässerbiologie, Jena: Fischer 1992 ▪ Sutcliffe (Hrsg.), The Ecology of Large Rivers, Stuttgart: Schweizerbart 1996.

Potamologie s. Limnologie u. Potamal.

Potasse et Produits Chimiques. Albemarle PPC, 95, rue du Général de Gaulle, F-68801 Thann; 1954 gegründet. *Produktion:* Chlor, Chlor- u. Brom-Derivate, Kaliumcarbonat.

Potée. Geschlämmtes Eisenoxidrot, dient zum Polieren von Glas, Metall, Stein usw.

Potential (von latein.: potentialis = nach Kräften, wirksam). In der Physik versteht man unter dem P. eines Körpers ein Maß (eine Größe) für seine Energie an einem bestimmten Punkt innerhalb eines auf ihn einwirkenden (elektr., magnet. Gravitations-) Kraftfeldes; *Beisp.:* Federkraft, Gummielastizität, Fließgrenze. In einem elektr. Feld kann man zwischen 2 Feldpunkten eine P.-Differenz (= *elektr. Spannung*, z. B. Elektroden-P.) messen. In Chemie u. Elektrochemie begegnet man dem Begriff P. in Zusammenhängen wie *chemisches Potential, Donnan-P., Nernst-P., elektrokinet. od. *Zeta-Potential, *Redoxpotential, Ionenpotential, *Normalpotential, Auftritts- u. Ionisations-P., Membran-P. (auch in Biochemie, Biophysik u. Medizin) etc. Ein chem. Syst., ein Mol., eine chem. Bindung besitzen jeweils eine bestimmte potentielle Energie (E_{pot}). Ein *P.-Diagramm* od. eine *P.-Kurve* (*Energieprofil*) erhält man, wenn man z. B. die potentielle Energie einer chem. Bindung gegen den Atomabstand aufträgt, s. die Abb. für die Bindung H–H bei Morse-Potential. In analoger Weise kann man für chem. *Reaktionen, *Umlagerungen, *Konformations-*Änderungen* etc. eine P.-Kurve erstellen, indem

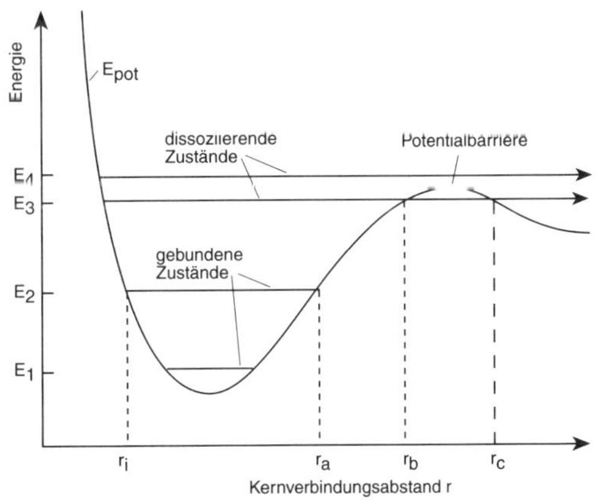

Abb.: Schemat. Darst. eines Mol.-Potentials, d. h. der potentiellen Energie (E_{pot}) in Abhängigkeit vom Kernverbindungsabstand r. Da sich die Gesamtenergie E in potentielle u. kinet. Energie (E_{kin}) aufteilt: $E = E_{pot} + E_{kin}$, kann ein Mol. mit der Gesamtenergie E_2 nur Kernabstände zwischen r_i u. r_a annehmen (≙ gebundener Zustand). Entsprechendes gilt auch für E_1. Ein Mol. mit der Gesamtenergie E_4 hat für große r-Werte eine pos. E_{kin}; es dissoziert. Für ein Mol. mit der Energie E_3 wäre E_{kin} im Bereich der Potentialbarriere (Kernabstandbereich r_b bis r_c) neg.; es kann sich nach der klass. Physik in diesem Bereich nicht aufhalten, ihn aber quantenmechan. durchtunneln.

man z. B. die potentiellen Energien von Edukt, Übergangszustand (s. die Abb. dort) u. Produkt gegen die Kernbewegung (*Reaktionskoordinate*) aufträgt. Berücksichtigt man außer der Kernbewegung eine (od. mehrere) weitere Variable, so erhält man statt einer P.-Kurve eine *P.-Fläche (Energiehyperfläche)*. Um ein chem. Syst. vom Ausgangs- in den Endzustand bringen zu können, muß man eine mehr od. weniger hohe *P.-Schwelle*, auch *P.-Barriere* genannt, überwinden (durch *Aktivierungsenergie od. Durchtunneln, s. Abb. u. *Lit.*[1] u. Tunneleffekte); s. a. Kinetik u. Reaktionsmechanismen. – ***E*** potential – ***F*** potentiel – ***I*** potenziale – ***S*** potencial

Lit.: [1] Phys. Bl. **46**, 113 (1990).
allg.: Jørgensen et al., Geometrical Derivatives of Energy Surfaces and Molecular Properties, Dordrecht: Reidel 1986 ▪ Murrell et al., Molecular Potential Energy Functions, New York: Wiley 1984 ▪ Rasmussen, Potential Energy Functions in Conformational Analysis, Berlin: Springer 1985 ▪ Szasz, Pseudopotential Theory of Atoms and Molecules, New York: Wiley 1985 ▪ Truhlar, Potential Energy Surfaces, in Encyclopedia of Physical Science and Technology, Vol. 13, S. 385–394, New York: Academic Press 1992 ▪ s. a. Kinetik, Reaktionsmechanismen.

Potentialfunktion. Mathemat. Funktion, die die Gesamtenergie eines Mol. bei festgehaltenen Kernen beschreibt. Die P. hängt bei einem zweiatomigen Mol. von nur einer Variablen (dem *Kernabstand) ab, bei mehratomigen Mol. von 3 N – 6 Variablen, wobei N die Anzahl der Atomkerne im Mol. ist. – ***E*** potential function – ***F*** fonction potentielle – ***I*** funzione potenziale – ***S*** función potencial

Potential(hyper)fläche s. Potential.

Potentialkurve s. Potential u. Morse-Potential.

Potentielle Energie s. Potential.

Potentiometrie. Bez. für ein Verf. der *Elektroanalyse, bei dem durch Potentialmessung an einer Elektrolyt-Lsg. Rückschlüsse auf deren Zusammensetzung gezogen werden; zur terminolog. Abgrenzung der P. gegenüber verwandten Verf. u. zur Definition einzelner Varianten s. *Lit.*[1]. Bei der *potentiometr. Titration* – genauer gesagt handelt es sich um ein Verf. der *Maßanalyse mit potentiometr. *Indikation des *Endpunktes der *Titration – wird die Potentialdifferenz zwischen einer Indikatorelektrode u. einer *Bezugselektrode stromlos gemessen. Da nach der *Nernstschen Gleichung für galvan. Konz.-Ketten das elektrochem. Potential der zu messenden Ionenart eine Funktion der Konz. ist, die sich am *Äquivalenzpunkt sprunghaft ändert, tritt hier gleichzeitig ein Potentialsprung auf, der den Endpunkt der Titration anzeigt. Die Bezugselektrode (im allg. eine *Kalomel-Elektrode), die mit der Analysen-Lsg. – ggf. über einen Stromschlüssel – in elektrolyt. Verb. steht, bildet mit der Indikatorelektrode eine galvan. Kette (s. galvanische Elemente). Während die *Referenz-* od. *Bezugselektrode* ein unter Versuchsbedingungen unverändertes Potential (*Standardpotential*) haben muß u. nicht mit den Komponenten der Lsg. reagieren darf, muß die *Indikatorelektrode* auf Konz.-Änderungen der zu messenden Spezies ansprechen. So kann z. B. die Fällung von Silber-Ionen durch Zugabe von Natriumchlorid-Lsg. zu einer Silbersalz-Lsg. potentiometr. verfolgt werden, wenn die Indikatorelektrode aus der Analysen-Lsg. u. einem darin eingetauchten Silber-Draht besteht. Die Konz.-Änderung der Silber-Ionen erreicht am Äquivalenzpunkt ihren größten Wert, da sie ja hier auf einen Betrag vermindert wird, der dem Löslichkeitsprodukt des Silberchlorids entspricht. Trägt man in ein Koordinatensyst. den (dekad.) Logarithmus der Ag^+-Konz. (lg C_{Ag^+}) bzw. das Potential der Ag-Elektrode (P_{Ag}) gegen das Vol. an NaCl-Titrations-Lsg. auf, so ergeben sich die einander entsprechende Kurven I u. II (s. Abb.).

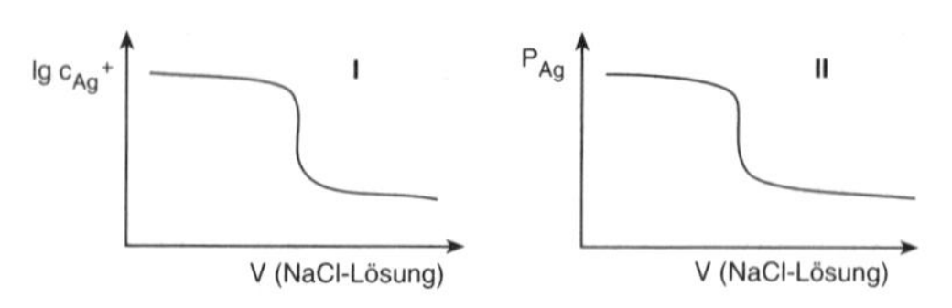

Abb.: Titrationskurven.

Der *Wendepunkt* der Titrationskurven ist der Äquivalenzpunkt; seine Bestimmung wurde früher eigens *Bathmometrie* (von griech.: bathmos = Stufe) genannt. Für die Potentialmessungen bei der potentiometr. Analyse kommen folgende Verf. in Betracht: 1. Die Kompensationsmeth. nach Poggendorff, – 2. die Messung mit Milliamperemeter u. Vorwiderstand, – u. 3. die Messung mit dem Röhrenvoltmeter. Für industrielle u. a. Routine-Untersuchungen, z. B. zur *TOC-Bestimmung im Wasser, werden heute im allg. automatisierte u. registrierende Analysengeräte eingesetzt.
Verw.: Die Anw. eines potentiometr. Verf. in der Analytik erfolgt nicht nur, wenn die gewöhnlichen maßanalyt. Meth. wegen der Eigenfarbe der zu untersuchenden Lsg. infolge störender Begleitstoffe od. mangels geeigneter Indikatoren versagen, sondern auch weil Genauigkeit u. Reproduzierbarkeit der Ergebnisse besser sind. Für die Neutralisationstitration (s. Säure-Base-Titration, vgl. a. Acidimetrie) u. zur pH-Messung benötigt man eine Indikatorelektrode, die auf Konz.-Änderungen von Wasserstoff-Ionen anspricht (z. B. Wasserstoff-, Chinhydron- od. Glaselektrode), Redoxtitrationen (s. a. Oxidimetrie) lassen sich mittels Pt-Elektrode, argentometr. Titrationen mittels Ag-Elektrode u. mercurimetr. Titrationen durch eine Hg-Elektrode (in Form von amalgamiertem Au od. Pt) indizieren. Komplexometr. Titrationen sind nur in Sonderfällen indizierbar; hierfür ist die eng verwandte *Voltametrie (auch „P. bei konstantem Strom" genannt) besser geeignet. In manchen Fällen kann es vorteilhaft sein, zwei Indikatorelektroden zu benutzen (*Bipotentiometrie*). Bei Redoxsyst. müssen Puffer-Einflüsse (sog. *Beschwerung) in Betracht gezogen werden. Mit Hilfe *ionenselektiver Elektroden od. *Sensoren lassen sich auch spezielle Titrationen (z. B. die von Na^+, Ag^+, S^{2-}, PO_4^{3-}, Cl^-, F^- u. CN^-) potentiometr. durchführen. – ***E*** potentiometry – ***F*** potentiométrie – ***I*** potenziometria – ***S*** potenciometría

Lit.: [1] Analyt.-Taschenb. **1**, 103–147, bes 138 f.; Pure Appl. Chem. **45**, 81–97 (1976); **57**, 1491–1505 (1985); Kohlrausch, Praktische Physik 2, S. 805, Stuttgart: Teubner 1996.
allg.: Barrow, Physikalische Chemie, S. III 47, Braunschweig: Vieweg 1984 ▪ Evans, Potentiometry and Ion Selective Electrodes, New York: Wiley 1987 ▪ Schwedt, Taschenatlas der

Analytik, S. 54, Stuttgart: Thieme 1996 ▪ Serjeant, Potentiometry and Potentiometric Titrations, New York: Wiley 1984 ▪ Snell-Hilton **3**, 200–216 ▪ s. a. Elektroanalyse, Elektroden, ionenselektive Elektroden, Maßanalyse u. Titration.

Potenz(ier)en s. Homöopathie.

Pottasche s. Holzasche u. Kaliumcarbonat. Im Engl. wird „potash" auch für Kaliumsalze allg. u. bes. für *Kalidünger benutzt.

Pott-Broche-Verfahren s. Benzin (Herst.: 7) u. Kohleverflüssigung.

Potter-Lösung. Lsg. für physiolog. Versuche, enthält ATP, KCl, Cytochrom-c, $MgCl_2$ u. KH_2PO_4.

POU-Box, POU-Domäne s. Octamer-Transkriptionsfaktoren.

Pound (Symbol: lb). Anglo-amerikan. Masseneinheit („Pfund"): a) *Avoirdupois-Syst. (imperial pound): 1 lb avdp (imp lb) = 16 *ounces avdp = 256 *drams avdp = 7000 *grains = 0,45359237 kg; 1 kg = 2,2046226 lb avdp (USA bis 1964: 1 US lb = 0,4535924277 kg; 1 kg = 2,204622341 US lb). – b) *Troy- u. Apothecaries'-Syst. (lb t, lb tr od. lb ap): 1 lb t = 12 oz t = 96 dr t = 240 *pennyweights = 288 scruples = 5760 grains t = 0,37324172 kg; 1 kg = 2,6792289 lb t.

Pourbaix-Diagramme s. Passivität.

Pourpoint. Dem Engl. (to pour = gießen, fließen, strömen) entlehnte Bez. für eine bei Mineralölen (*Beisp.:* *Dieselkraftstoff, *Heizöle) zur Charakterisierung geeignete Temp.; als Kriterium hat der P. den *Stockpunkt abgelöst. Der – nicht mit dem sog. *Fließpunkt ident. – P. ist diejenige Temp., bei der die Probe eines Mineralöls beim Abkühlen u. Prüfen in Abständen von jeweils 3 °C gerade noch fließfähig ist. Stoffe, die den P. herabsetzen, werden *P. depressants* genannt, vgl. die Stockpunkt-Erniedriger. – ***E*** pour point – ***F*** point d'écoulement – ***I*** punto di fusione – ***S*** temperatura de escurrimiento

Lit.: DIN ISO 3016: 1982-10.

Pourpre Française s. Orcein

POU-spezifische Domäne s. Octamer-Transkriptionsfaktoren.

Povidon s. Polyvidon.

P_{ow} (K_{ow}). Übliche Abk. für den Octanol/Wasser-Verteilungskoeffizienten. Der P_{ow} wird experimentell durch Schütteln eines Stoffs in einem Zwei-Phasen-Gemisch der nur wenig ineinander lösl. Verb. Wasser u. Octanol bestimmt; er kann auch durch Analogiebetrachtungen (s. QSAR) berechnet werden. Der P_{ow} dient für die Beurteilung des Verhaltens von Stoffen in Gewässern u. zwar insbes. zur Berechnung des *Biokonzentrationsfaktors. – ***E*** octanol-water partition coefficient

Lit.: Klöpffer, Verhalten u. Abbau von Umweltchemikalien, S. 27–30, Landsberg: ecomed 1996 ▪ van Leeuwen u. Hermens, Risk Assessment of Chemicals: An Introduction, S. 245–248, Dordrecht: Kluwer Academic Publ. 1996 ▪ Ullmann (5.) **B 7**, 78, 137.

Powdercat®. Umweltfreundliches, abwasserfreies Verf. zur Trockenkationisierung von Stärke u. anderen Polymeren. ***B.:*** Degussa.

Powell, Cecil Frank (1903–1969). Prof. für Physik, Univ. Bristol, England. *Arbeitsgebiete:* Ionenbeweglichkeiten, Nebelkammertechnik, photograph. Registrierung von Elementarteilchen, kosm. Strahlung, Entdeckung u. künstliche Erzeugung von π- u. geladenen K-Mesonen; hierfür 1950 Nobelpreis für Physik.

Lit.: Lexikon der Naturwissenschaftler, S. 334 ▪ Neufeldt, S. 221.

Powellit s. Scheelit.

POX. Abk. für *E Purgeable Organic Halides*, ausblasbare organ. gebundene Halogene, vgl. AOX u. VOC. Bei der POX-Bestimmung werden die in einer Schlamm-, Sediment- od. (Normentwurf) Wasserprobe enthaltenen, organ. gebundenen Halogene Chlor, Brom u. Iod unter bestimmten Bedingungen ausgeblasen, in Sauerstoff verbrannt u. als Chlorid bestimmt. – ***E*** purgeable organic halides

Lit.: DIN 38409-25 (Blaudruck): 1989 ▪ DIN 38414-17: 1989-11 ▪ Wasser, Luft, Betrieb **1988**, Nr. 10, 16 ff.

PP. 1. Kurzz. (nach DIN 7728-1: 1988-01 bzw. nach ASTM) für (orientierte) *Polypropylene. – 2. Abk. für *pankreatisches Polypeptid.

PPA. 1. Kurzz. für *Polyparabansäure. – 2. Kurzz. für *Polypropylen-adipate. – 3. Kurzz. für Poly(*p*-benzamid)e, s. Polybenzamide.

PPAS. Abk. für engl. *p*otassium *p*icrate *a*ctive *s*ubstance, d. h. mit Kaliumpikrat aus wäss. Lsg. extrahierbare *nichtionische Tenside.

ppb (p.p.b.). Abk. für engl.: „parts per billion" = „Teile pro *Milliarde(!)" = 0,001 *ppm = 10^{-9} (s. Nano…), bei Gasen meist Vol.-Anteile („ppb v/v" = mm^3/m^3 = nL/L), bei Lsg. u. Feststoffen meist Massenanteile („ppb w/w" = µg/kg = mg/t). Wegen dieser Unklarheit u. internat. Doppelsinns der Billion (10^{12} od. 10^9, s. Milliarde) lehnen *SI u. IUPAC-Regeln die Bez. ppb ab, doch ist ihre Verw. allg. üblich (auch bei IUPAC!). Die moderne *physikalische Analyse kann Konz. im ppb-, z. T. auch im *ppt- u. *ppq-Bereich erfassen.

Lit.: IUPAC, Quantitites, Units and Symbols in Physical Chemistry, S. 77 f., Oxford: Blackwell 1993 (deutsche Ausgabe: Weinheim: VCH Verlagsges. 1996).

PPC. 1. Kurzz. (nach DIN 7728-1: 1988-01) für *chloriertes Polypropylen. – 2. Kurzz. für Polyphthalatcarbonat, ein Bisphenol-A-*Polycarbonat mit Terephthalsäure als Comonomerem.

PPE. Kurzz. (nach DIN 7728-1: 1988-01) für Polyphenylenether, s. Polyarylether.

PP-Faktor s. Nicotinsäure(amid).

PPG. 1. Kurzbez. für die 1883 gegr. amerikan. Firma PPG Industries, Inc., One PPG Place, Pittsburgh, PA 15272 (USA). *Daten* (1995): ca. 31 200 Beschäftigte, 7,06 Mrd. $ Umsatz. *Produktion:* Glas, Glasfasern, beschichtetes Glas, Lacke u. Harze, Klebstoffe, Kunststoffbeschichtungen, Chemikalien. *Vertretung* in der BRD: PPG Industries (Deutschland) GmbH, 42329 Wuppertal.
2. Kurzz. für *Polypropylenglykole.

PPi. In der Biochemie Abk. für anorgan. Diphosphat (Pyrophosphat; $H_3P_2O_7^-$, $H_2P_2O_7^{2-}$, $HP_2O_7^{3-}$, $P_2O_7^{4-}$; *E inorganic pyrophosphate*).

PPIase s. Cyclophilin, Peptid-Bindung.

ppm (p.p.m.). Abk. für engl.: „parts per million" = „Teile pro Million" = 10^{-6} (s. Mikro...) = 10^{-4}% = 10^{-3} ‰ (Gase: „ppm v/v" = cm^3/m^3 = μL/L; Lsg. u. Feststoffe: „ppm w/w" = mg/kg = g/t); vgl. MAK, ppb u. Rückstand. In der *NMR-Spektroskopie gibt man Frequenzshifts in ppm (= Hz/MHz) an.

PPN. Abk. für Peroxypropionylnitrat, s. Peroxyacylnitrate.

PPO. 1. Nach DIN 7728, Tl. 1 (April 1978) Kurzz. für *Polyphenylenoxide. – 2. Abk. für Polypropylenoxide (s. Polypropylenglykole). – 3. Abk. (von *P*henyl-*p*henyl-*o*xazol) für den Szintillator *2,5-Diphenyloxazol.

PPOX. Kurz. für *Polypropylenoxide.

PPP. 1. Kurzz. für Poly(*p*-phenylene), s. Polyphenylene; – 2. Abk. für *P*urified *P*lacental *P*rotein, ein Synonym für HPL (s. Placentalactogen); – 3. s. PPP-Methode.

PPP-Methode (*Pariser-Parr-Pople*-Meth.). *Semiempirisches Verfahren der *Quantenchemie für *Pi-Elektronen-Systeme, das von R. Pariser, R. G. Parr u. J. A. *Pople eingeführt wurde [1,2]. Die PPP-M. zählt zu den *SCF-Verfahren; zur Berechnung elektron. angeregter Zustände u. der Intensitäten von Elektronenspektren wurde sie um *Configuration Interaction erweitert (SCF-PPP-CI). – ***E*** PPP method – ***F*** méthode PPP – ***I*** metodo PPP – ***S*** método PPP

Lit.: [1] Trans. Farad. Soc. **49**, 1375 (1953). [2] J. Chem. Phys. **21**, 466, 767 (1953).
allg.: Murrell u. Harget, Semi-Empirical Self-Consistent Field Molecular Orbital Theory of Molecules, New York: Wiley Interscience 1972 ▪ Nachr. Chem. Tech. Lab. **26**, 653–658 (1978) ▪ Scholz u. Köhler, Quantenchemie, Bd. 3, Heidelberg: Hüthig 1981 ▪ s. a. semiempirische Verfahren.

ppq (p.p.q.). Abk. für engl.: „parts per quadrillion" = „Teile pro Billiarde(!)" = 10^{-15} (s. Femto...) = 1 mL/km³ od. 1 ng/t; vgl. Milliarde, ppb u. ppm.

PPQ. Kurzz. für *Polyphenylenchinoxaline.

PPS. 1. Nach DIN 7728-1: 1978-04 Kurzz. für *Polyphenylensulfide. – 2. Kurzz. für *Polypropylenglykolsebacat.

PPSU. Kurzz. (nach DIN 7728-1: 1988-01) für Polyphenylensulfone, s. Polysulfone.

ppt. Abk. für a) engl.: „parts per trillion" (p.p.t.) = „Teile pro Billion(!)" = 10^{-12} (s. Piko...) = 1 nL/m³ od. 1 μg/t, vgl. Milliarde, ppb u. ppm; – b) engl.: precipitate = *Niederschlag.

PPTA. Kurzz. für Poly(*p*-phenylenterephthalamid)e; s. Polyaramide.

PPV. Kurz. für *Polyphenylenvinylene.

PPVC. Kurzz. für plastifiziertes *Polyvinylchlorid.

PP-Weg s. Pentosephosphat-Weg od. Cyclus.

PQ. 1. Abk. für *Plastochinon. – 2. Kurzz. (nach ASTM) für elastomere *Silicone mit Phenyl-Substituenten. – 3. Kurzz. für *Poly(chinoxalin)e.

PQQ. Abk. für *Pyrrolochinolinchinon.

Pr. Elementsymbol für *Praseodym; Abk. für *Propyl... (auch *n*-Pr, Pr^n = „*n*-Propyl") u. Prandtl-Zahl, s. Wärmeübertragung.

pract. (= praktisch). Als Reinheitsangabe bei *Chemikalien bedeutet „pract." im allg. 90–97%ig u. entspricht etwa der dtsch. Bez. „techn. rein"; vgl. a. chemische Reinheit. – ***E*** practical (grade) – ***F*** pureté technique – ***I*** pratico – ***S*** pureza técnica

Practo-Clyss®. Klistier mit Natriumdihydrogenphosphat-dihydrat u. Natriummonohydrogenphosphat als Laxans. ***B.:*** Fresenius.

Practolol (Rp).

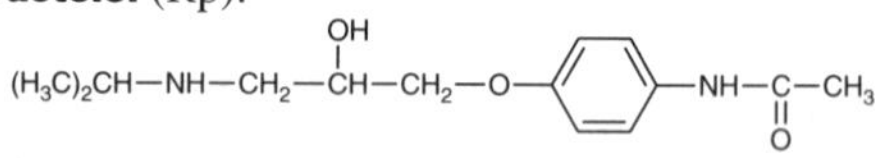

Von der WHO vorgeschlagener Freiname für ein *β*-*Sympathikolytikum (±)-4′-[2-Hydroxy-3-(isopropylamino)propoxy]acetanilid, $C_{14}H_{22}N_2O_3$, M_R 266,34, Schmp. 134–136 °C; λ_{max} (CH_3OH), 248 nm ($A^{1\%}_{1cm}$ 610). P. wurde 1966 u. 1968 von *ICI als Antiarrhythmikum patentiert, jedoch wegen schwerwiegender Nebenwirkungen in der BRD wieder aus dem Handel gezogen. – ***E*** = ***F*** = ***S*** practolol – ***I*** practololo

Lit.: Hager (5.) **9**, 300 f. ▪ Martindale (31.), S. 931. – *[HS 2924 29; CAS 6673-35-4]*

Pradimicine. Gruppe von bisher ca. 25 Anthracyclinon-Antibiotika mit antimykot. u. antiviraler Aktivität. P. wurden aus verschiedenen *Actinomadura*-Stämmen (Actinomycetes) isoliert, z. B. *P. A* ($N^{4'}$-Methyl-benanomicin B): $C_{40}H_{44}N_2O_{18}$, M_R 840,79, rote Krist., Schmp. 193–195 °C, $[\alpha]_D^{26}$ +685° (0,1 m HCl), Löslichkeit in H_2O 17 mg/L, LD_{50} (Maus i.v.) 120 mg/kg. Die P. sind mit den Benanomicinen verwandt., teilw. identisch. Ein P.-Derivat befand sich bis 1996 als system. Antimykotikum in klin. Entwicklung, die aufgrund von Wirksamkeits- u. Verträglichkeitsproblemen beendet wurde.

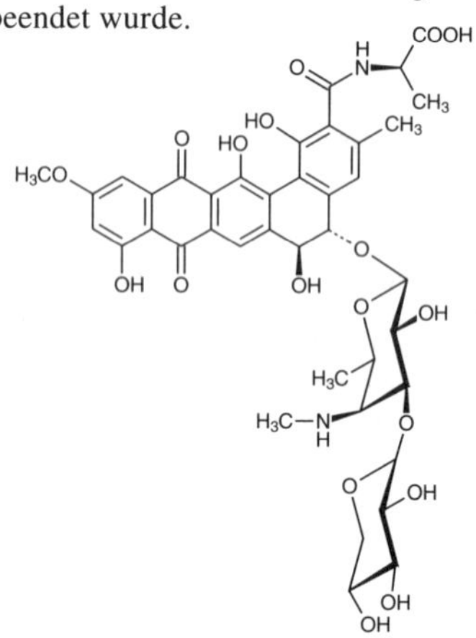

P. A

– ***E*** pradimicins – ***I*** pradimicine – ***S*** pradimicinas

Lit.: J. Antibiot. **43**, 771, 1367 (1990); **44**, 123 (1991); **46**, 387–411, 412–432, 580, 589–605, 631, 1447–1457 (1993). – *[HS 2941 90; CAS 117704-65-1 (P. A)]*

Prä... (pre..., von latein.: prae = vor). Vorsilbe, die eine Vorstufe od. allg. etwas Vorhergehendes kennzeichnet. *Beisp.:* Prächalciferole, Präproteine, Prephensäure, präbiot., Präkambrium usw. – ***E*=*I*=*S*** pre... – ***F*** pré...

Präbiotische Evolution s. chemische Evolution.

Praec. Abk. für *Praecipitatum.

Präcarcinogene. Per se nicht carcinogene Verb., die erst nach metabol. Aktivierung über die Stufe des *proximalen Carcinogens* zum *ultimalen Carcinogen* gegiftet werden. Klass. Beisp. (s. Abb.) sind die Dialkylnitrosamine, die durch eine *Cytochrom-P-450 abhängige *Monooxygenase am α-C-Atom zum proximalen Carcinogen hydroxyliert werden. Das α-Hydroxynitrosamin zerfällt unter Freisetzung des entsprechenden *Aldehyds zu einem Monoalkylnitrosamin od. dessen tautomerer Form, dem Diazohydroxid (ultimales Carcinogen), das mit der hochreaktiven aliphat. *Diazonium-Verbindung u. der *Diazo-Verbindung im Gleichgewicht steht (s. a. Diazotate).

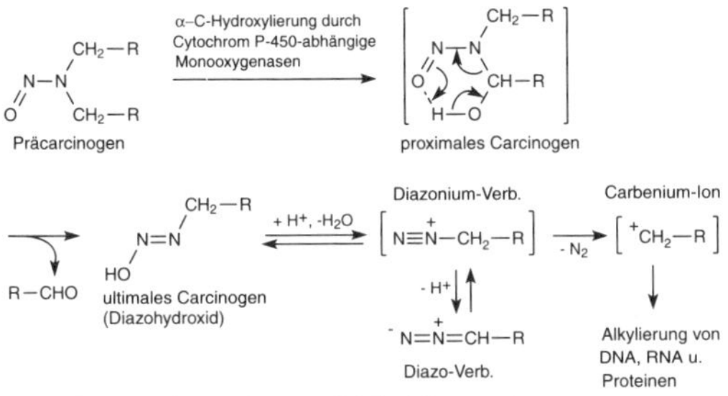

Abb.: Biotransformation von Dialkylnitrosaminen.

Auch Biphenyl-4-amin[1] u. *N*-(2-Fluorenyl)acetamid[2,3] unterliegen als P. einer metabol. Giftung zu den ultimalen Carcinogenen *O*-Acetyl-*N*-(4-biphenylyl)-hydroxylamin u. *O*-Acetyl-*N*-(2-fluorenyl)-hydroxylamin. Weitere Beisp. sind der Tab. zu entnehmen; s. a. Nitrosamine u. Carcinogene. – ***E*** precarcinogens – ***F*** pré-carcinogènes – ***I*** precarcinogeni – ***S*** precarcinógenos

Tab.: Präcarcinogene u. Bildungsmechanismen der entsprechenden ultimalen Carcinogene.

Präcarcinogene	Mechanismus
polycycl. aromat. Kohlenwasserstoffe (*PAH)	Epoxydierung durch *Monooxygenasen, bevorzugt in der Bay-Region (s. Carcinogene)
Aflatoxine	Epoxydierung, Doppelbindung im terminalen Furan-Ring
Safrol	Hydroxylierung an C-1 der Allyl-Gruppe; Veresterung od. Sulfat-Konjugation an dieser Hydroxy-Gruppe
Cycasin	β-Glucosidase-katalysierte hydrolyt. Freisetzung des Aglykons

Lit.: [1] Angew. Chem. **101**, 349 (1989). [2] Angew. Chem. **102**, 99–100 (1990). [3] Carcinogenesis **9**, 1295–1302 (1988). *allg.:* Concon, Food Toxicology, Part A, 160–167, New York: Dekker 1988 ▪ Koch, Pharmaka-Biotransformation, Landsberg: ecomed 1985.

Praecipitatum. Latein. Bez. für „gefällt“, „niedergeschlagen“, s. chemische Reinheit u. Präzipitate.

Präcocene s. Precocene.

Präfixe (latein.: praefixus = vorn befestigt). Vor Wortstämme gesetzte Wortteile (Vorsätze); Gegensatz: *Suffixe (Endungen) u. *Infixe (Einfügungen). Die chem. *Nomenklatur kennt viele P.: *Substituenten- u. *Hydr(o)-P., *Multiplikationspräfixe [oft Affixe (Beifügungen) genannt], P. für *Liganden, *Anellierungsnamen, *Austauschnamen, *Cyclophan-Namen u. *Hantzsch-Widman-System, gerüstabwandelnde P. [s. Nomenklatur (letzter Absatz)]. Nicht als P. gelten griech. u. *Kursivbuchstaben, nichtverbale Bez. wie *Lokanten, Symbole für anormale *Bindigkeit (*λ, *δ), *Stereochemie od. *Isotopenmarkierung. In *Nachschlagewerken gibt es im Register zum *Stammnamen gehörige P. u. invertierte, vom Namensstamm getrennte P.; *Beisp.:* „2-Oxaspiro[4.4]nonan, 1-Ethyl-“ [Substituenten- u. Hydro-P. sind zu invertieren (engl.: detachable = abzutrennen), Austausch- u. a. gerüstabwandelnde P. nicht (non-detachable; z. B. Oxa..., Spiro...)]. Zusammengesetzte P. gliedert man mit Klammern; *Beisp.:* {4-[4-(4-Ethylphenyl)butyl]phenyl}...; man setzt Hydro-P. log. vor den Namensstamm (Beilstein) od. ordnet sie alphabet. wie Substituenten-P. (Chemical Abstracts); *Beisp.:* 3,4-Diiod-tetrahydro- od. Tetra*h*ydro-3,4-di*i*odfuran. Dabei sortiert man nach Anfangsbuchstaben *ohne* vorgesetzte Multiplikations-P.; nach *Kursivbuchstaben, Zahlen u. a. Zeichen wird ggf. später feinsortiert; *Beisp.:* 2,3-Di*b*rom-3-*bu*tyl-2-*sec*-*bu*tyl-7-(*dic*hlormethylsilyl)-6-[(*dic*hlormethyl)silyl]-5-(1,1-*die*thyloctyl)-4,4-bis(2,2-*die*thyloctyl)-5-*i*sobutylcyclooctanol. Als Vervielfacher u. Teiler für *Einheiten im *Dezimalsystem gültige P. (*Beisp.:* s. Kilo..., Mega..., Mikro..., Milli...) heißen *Zahlen-*Vorsätze*. – ***E*** prefixes – ***F*** préfixes – ***I*** prefissi – ***S*** prefijos

Lit.: Beilstein E V **27/1**, Vorspann „Prefix Index“ (orangegelbe Seiten) ▪ Chemical Abstracts, Index Guide, Appendix IV, § 294 ▪ s. Nomenklatur.

Präkallikreine s. Kallikreine.

Präkambrium s. Erdzeitalter.

Präkinamycin (4,9-Dihydroxy-11-diazo-2-methyl-5*H*-benzo[*b*]fluoren-5,10(11*H*)dion).

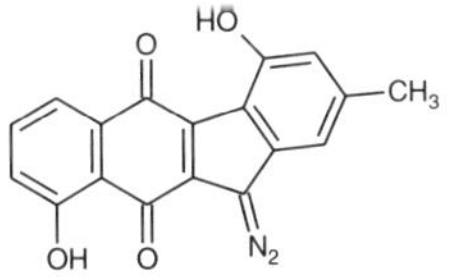

$C_{18}H_{10}N_2O_4$, M_R 318,29, violette Krist., Schmp. >300 °C (Zers.). Mikrobizid wirksame Diazo-Verb. aus Fermentationskulturen von *Streptomyces murayamaensis*. P. ist biogenet. Vorläufer von Kinamycin F. P. wurde bis 1994 fälschlich für ein *N*-Cyanobenzo[*b*]carbazol gehalten. – ***E*** prekinamycin – ***F*** prékynamycine – ***I*** prekinamicina – ***S*** prequinamicín

Lit.: J. Am. Chem. Soc. **116**, 2207, 2209 (1994) (Struktur) ▪ J. Antibiot. **42**, 179, 189 (1989) (Isolierung) ▪ J. Org. Chem. **61**, 5720, 5722 (1996) ▪ Tetrahedron Lett. **34**, 4713 (1993) (Synth.). – *[CAS 120796-24-9]*

Pränatale Diagnostik. Vorgeburtliche Untersuchungen, meist des durch Punktion gewonnenen Fruchtwassers, auf mögliche Schädigungen des Embryos.

Mit Hilfe der p. D. ist es möglich, bestimmte schwerwiegende Erkrankungen u. Fehlbildungen des Ungeborenen zu erkennen. Bei Verdacht auf Erbleiden (Erbkrankheiten) mit bekannten *Deletionen od. *Punktmutationen (z.B. *zystische Fibrose, Sichelzellanämie, Muskeldystrophie) werden DNA-Analysen auch mit fetalem Blut u. Gewebe od. einer Biopsieprobe aus den Chorionzotten durchgeführt, die man in einer frühen Phase der Schwangerschaft, etwa in der achten Woche, entnehmen kann. Diese Analysen erfolgen durch Spaltung der fetalen DNA mit *Restriktionsenzymen u. anschließendem Southern Blotting (s. Blotting) mit hochspezif. DNA-Sonden od. auch mittels *polymerase chain reaction (PCR). Bei der im Rahmen der genet. Beratung durchgeführten Chromosomenanalyse werden embryonale Zellen auf mögliche *Chromosomen-Aberrationen untersucht (s.a. Gendiagnostik u. Genomanalyse). – ***E*** prenatal diagnostic – ***F*** diagnostic prénatal – ***I*** diagnostica prenatale – ***S*** diagnóstico prenatal

Lit.: Clin. Obstet. Gynecol. **39**, 801–813 (1996) ▪ Römpp Lexikon Biotechnologie, S. 618f. ▪ Stryer 1996, S. 683.

Präparate (von latein.: praeparare = vorbereiten, instandsetzen). Fachsprachliche Bez. für im chem. Laboratorium mit den Meth. der *präparativen Chemie synthetisierte od. aus Rohstoffen abgetrennte u. gereinigte chem. Stoffe (*Chemikalien), gebrauchsfertige *Arzneimittel, eingebettete u./od. angefärbte Objekte in der *Mikroskopie, durch *Konservierung haltbar gemachte Museums- od. Demonstrationsobjekte etc. – ***E*** preparations – ***F*** préparations – ***I*** preparati – ***S*** preparaciones

Präparation. Anfertigung eines *Präparats, z. B. in der *Apotheke, von anatom.-zoolog. Objekten durch *Konservierung od. durch Imprägnierung mit Kunststoffen (*Plastination*, s. Silicone) usw. In der Textil-Ind. versteht man unter *P.* (meist Plural) od. *P.-Mitteln* Stoffe od. Stoffgemische, die die Weiterverarbeitung von Fasern erleichtern; s. a. Avivage, Schmälzmittel u. Spulöle. – ***E*** preparation – ***F*** préparation – ***I*** preparazione – ***S*** preparación

Präparative Chemie. Bez. für das Gebiet der Chemie, das sich mit der *Synthese von reinen Einzelverb. – seltener von Elementen – aus definierten Ausgangsstoffen befaßt (Gegensätze: analyt. u. mechanist. Chemie). Was als „präparativ" angesehen wird – Bandbreiten von Milligramm- bis Kilogramm-Mengen sind möglich –, ist durchaus vom Standpunkt des Synthetikers abhängig; Synth. im Milligramm-Bereich werden oft zur Mikrochemie, solche im Kilogramm-Bereich zur techn. Chemie gerechnet (s.a. industrielle u. technische Chemie). Die p. C. bedient sich des gesamten Repertoires der anorgan. u. organ. Synth. unter Einschluß von *Hochdrucksynthesen (s.a. Hochdruckchemie), der *organischen Elektro- u. *Photochemie u. bes. der *stereoselektiven Synthese. Ziel der p. C. ist es u.a., ausreichende Mengen für die Wirkstofforschung (s. pharmazeutische Chemie), zur Untersuchung neuer Materialien u. zur spektroskop. Identifizierung theoret. interessanter Mol. verfügbar zu machen. Auch die *Totalsynthese eines komplexen Naturstoffes zu dessen Konstitutionsabsicherung kann Ziel der p. C. sein; vgl. a. kombinatorische Synthese. Das Erlernen der p. C. kann durchaus mit dem Erlernen eines Handwerkes gleichgesetzt werden. Dieser Zweig der Chemie profitiert daher noch am stärksten von der Alchimisten-Kunst der Präparation, da sich viele Phänomene nicht theoret. vorhersagen, sondern nur empir. erfahren lassen. In den Studiengängen Chemie, Lebensmittelchemie u. Pharmazie spielt die p. C. als tragende Säule der Ausbildung der Studierenden eine große Rolle. Im deutschsprachigen Raum sind das „Organikum", der „Gattermann" u. der „Tietze-Eicher" (s. *Lit.* bei organische Chemie unter *Lehrbücher*) Standardwerke zur Durchführung organ.-chem. Praktika. Im Bereich der anorgan. Chemie ist der „Herrmann-Brauer" (s. Liste der häufig zitierten Werke) an herausragender Stelle zu nennen. Ausgearbeitete u. überprüfte präparative Vorschriften publizieren „Inorganic" u. „Organic Synthesis"; weitere Zeitschriften, Handbücher u. Monographien aus dem Bereich der p. C. findet man bei den Lit.-Übersichten der Stichwörter anorganische u. organische Chemie u. Synthese. – ***E*** preparative chemistry – ***F*** chimie préparative – ***I*** chimica preparativa – ***S*** química preparativa

Lit.: s. anorganische Chemie, organische Chemie u. Synthese.

Präpariersalz s. Stannate.

Präpeptide. Vorstufen biolog. aktiver *Peptide, die zusätzlich zum reifen Peptid bzw. zum *Propeptid – meist am Amino-Ende – Signalpeptide (vgl. dort) enthalten. Diese Signalsequenzen sind Erkennungszeichen („Adressen-Anhänger") für Transport-Syst., die dem Peptid den Durchtritt durch biolog. *Membranen erlauben, z.B. des *endoplasmatischen Retikulums (ER), der *Chloroplasten od. der *Mitochondrien. Einmal ins entsprechende Kompartiment gelangt, verlieren die Peptide die Signalsequenzen durch Proteolyse, wodurch der Transport irreversibel wird. Durch das ER u. den *Golgi-Apparat, wo die Peptide oftmals noch modifiziert werden, gelangen sekretor. Peptide in Speicher-Vesikeln u./od. durch Exocytose nach außen. Zunächst noch als inaktive *Propeptide* vorliegend (deren Signalsequenz-haltige Vorstufen dann: *Präpropeptide*), werden die sekretor. Peptide durch Proteolyse aktiviert. Entsprechendes gilt für *Proteine, wo von *Prä(pro)proteinen*, Präproenzymen (Präzymogenen) usw. gesprochen wird. *Beisp.:* Präproinsulin (s. Insulin), Präprotachykinine (s. Tachykinine). – ***E*** prepeptides – ***F*** prépeptides – ***I*** prepeptidi – ***S*** prepéptidos

Präpolymere s. Prepolymere.

Präprohormone s. Hormone.

Präproinsulin s. Insulin.

Präpropeptide s. Präpeptide.

Präprotachykinin s. Neurokinine, Tachykinine.

Präproteine s. Präpeptide, Signalpeptide.

Präseniline. Mutationen in *Genen, die die im Nervensyst. vorkommenden *Proteine P. 1 u. P. 2 codieren, sind oft die Ursache erblicher Formen der *Alzheimerschen Krankheit. Die P. sind miteinander verwandte Membran-Proteine des *endoplasmatischen Retikulums (ER) mit 6–8 Membran-durchspannenden

*Domänen; die mutierten Formen beeinflussen die Calcium-Freisetzung aus dem ER, verursachen erhöhten *oxidativen Streß, bewirken die Produktion des patholog. Amyloid-β-Peptids (Aβ) aus dem β-*Amyloid-Vorläuferprotein u. erhöhen die Anfälligkeit der Nervenzellen gegen Aβ u. Entzug *neurotropher Faktoren. – ***E*** presenilin – ***F*** préséniline – ***I*** = ***S*** presenilina

Lit.: J. Neurochem. **70**, 1–14 (1998) ▪ J. Neurosci. Res. **50**, 505–513 (1997) ▪ Mol. Biol. **32**, 58–69 (1998) ▪ Nature (London) **391**, 339f., 387–390 (1998) ▪ Neuron **18**, 687–690 (1997) ▪ Neuroreport **8**, R1–R12 (1997) ▪ Science **274**, 1838ff. (1996); **275**, 630f. (1997).

Präthrombin s. Prothrombin.

L-Prätyrosin [L-Arogensäure, 3-(*r*-1-Carboxy-*c*-4-hydroxycyclohexa-2,5-dienyl)-L-alanin].

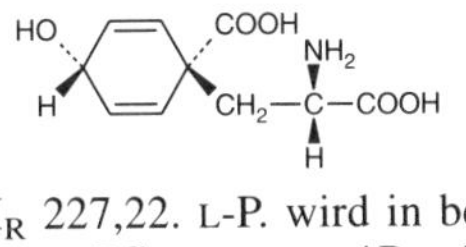

$C_{10}H_{13}NO_5$, M_R 227,22. L-P. wird in bestimmten Mikroorganismen u. Pflanzen aus *Prephensäure unter Katalyse von Prephenat-Aminotransferase (L-Glutaminsäure als Aminogruppen-Donor) gebildet u. ist in zahlreichen Fällen eine Vorstufe des L-Tyrosins (daher Name), da es durch Prätyrosin-Dehydrogenase (EC 1.3.1.43) unter gleichzeitiger Red. von NAD^+ (s. Nicotinamid-Adenin-Dinucleotid) u. Abspaltung von Kohlendioxid zu diesem reduziert wird. Seltener kann L-P. durch eine Prätyrosin-Dehydratase (EC 4.2.1.91) – ebenfalls unter Kohlendioxid-Abspaltung – in L-Phenylalanin überführt werden. – ***E*** pretyrosine – ***F*** prétyrosine – ***I*** = ***S*** pretirosina – *[CAS 53078-86-7]*

Prävalenz. Von latein.: praevalere = sehr stark sein hergeleitete Bez. für die Häufigkeit eines *Parasiten, gemessen als Anzahl der infizierten Wirte (s. Parasiten) in bezug zur Gesamtzahl der möglichen Wirte. – ***E*** prevalence – ***F*** prévalence – ***I*** prevalenza – ***S*** prevalencia

Lit.: Schäfer u. Tischler, Ökologie (2.), S. 216, Stuttgart: Fischer 1983.

Prävention. P. dient dem Ziel, Sicherheit u. Gesundheitsschutz der Beschäftigten bei der Arbeit durch Maßnahmen des Arbeitsschutzes zu sichern u. zu verbessern. Hierzu sollen Gefahrdungsanalyse u. Gefährdungsbeurteilung beitragen. Die P. umfaßt gesetzgeber., techn., organisator. u. arbeitsmedizin. Maßnahmen. Über das Sozialgesetzbuch wird den Berufsgenossenschaften der Weg für einen umfassenden Ansatz im Arbeitsschutz eröffnet. Der bisherige, nur auf die entschädigungspflichtigen Arbeitsunfälle u. Berufskrankheiten bezogene P.-Ansatz wird nunmehr auch auf arbeitsbedingte Gesundheitsgefahren ausgedehnt. Probleme der P. bestehen darin, daß sie ein in der Zukunft eintretendes Ereignis erkennen soll, seine Häufigkeit u. seinen Verlauf abzuschätzen hat u. seine den Menschen schädigenden Einflüsse erkennen u. einschätzen muß. – ***E*** prevention – ***S*** prevención

Präzessionsmethode. Von M. J. Buerger in den dreißiger Jahren entwickeltes Verf. zur *Kristallstrukturanalyse von Einkristallen. Ein auf der *Präzessionskamera* montierter Einkrist. führt um eine Achse entlang des Primärstrahls eine Präzessionsbewegung durch. Diese Bewegung ist über eine sinnreiche Mechanik mit einer analogen Bewegung des planaren Röntgenfilms gekoppelt (Abb.). Man erhält *Präzessionsdiagramme*, die einfache Bilder von *reziproken Gitter-Schichten sind u. daher leicht ausgewertet werden können.

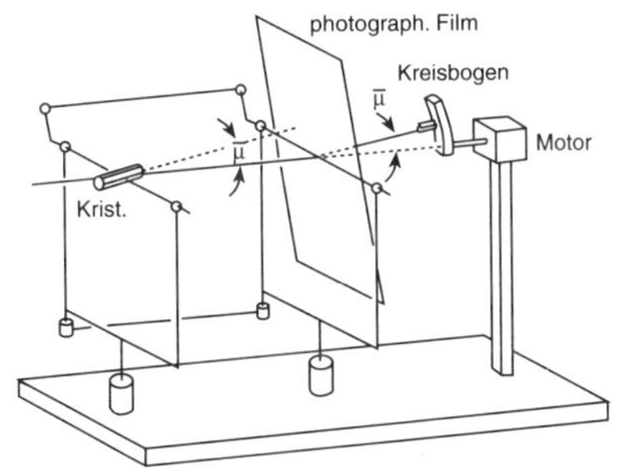

Abb.: Schemat. Darst. der Präzessionskamera ($\bar{\mu}$ = Präzessionswinkel) (nach Buerger, s. *Lit.*).

– ***E*** precession method – ***F*** méthode de la précession – ***I*** metodo della precessione – ***S*** método de la precesión

Lit.: Buerger, The Precession Method in X-ray Crystallography, New York: Wiley 1964 ▪ s. a. Kristallstrukturanalyse.

Präzipitate (von latein.: praecipitare = hinabstürzen, hinabfallen, sinken). 1. Veraltete Bez. für *Niederschläge bei chem. Reaktionen. In anderen Sprachen werden darunter auch meteorolog. Niederschläge wie Regen, Schnee usw., verstanden.

2. Eine auch heute noch gelegentlich angewendete Bez. für schon den Alchimisten bekannte Quecksilber-Verb.: (a) *Rotes P.* [*Quecksilber(II)-oxid] wurde früher durch Erhitzen von Quecksilbernitrat hergestellt. Wichtiger ist die Herst. auf nassem Weg durch Fällung z. B. aus Quecksilber(II)-chlorid-Lsg. mit Natronlauge. – (b) *Weißes, unschmelzbares P.* [Quecksilber(II)-amid-chlorid, $Hg(NH_2)Cl$] entsteht in wäss. Lsg. von $HgCl_2$ u. NH_3 als weißer Niederschlag nach:

$$HgCl_2 + 2\,NH_3 \rightarrow Hg(NH_2)Cl + NH_4Cl.$$

Das in Wasser unlösl. Produkt besteht aus am N-Atom gewinkelten Polymer-Kationen u. Chlorid-Anionen

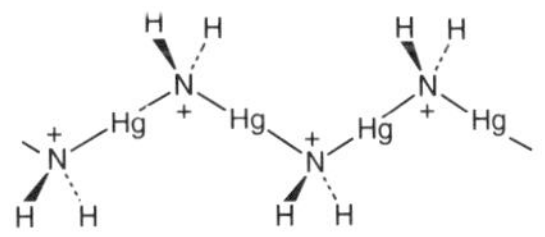

u. zerfällt beim Erhitzen in Quecksilber(I)-chlorid, Ammoniak u. Stickstoff. – (c) *Weißes, schmelzbares P.* {Diamminquecksilber(II)-chlorid, $[Hg(NH_3)_2]Cl_2$}, Schmp. 300 °C, entsteht als weißer, krist. Niederschlag beim Behandeln von geschmolzenem $HgCl_2$ (Schmp. 276 °C) mit gasf. NH_3. – ***E*** precipitates – ***F*** précipités – ***I*** precipitati – ***S*** precipitados

Lit.: Chem. Unserer Zeit **16**, 23–31 (1982) ▪ Kirk-Othmer (3.) **15**, 161 f. ▪ Riedel, Anorganische Chemie (3.), S. 740, Berlin: de Gruyter 1994 ▪ s. a. Quecksilber. – *[CAS 10124-48-8(b)]*

Präzipitation. Synonym für *Ausfällen. Speziell in der *Immunchemie Bez. für die Niederschlagsbildung bei der – z. B. durch *Antikörper (*Präzipitine*) ausgelösten – *Antigen-Antikörper-Reaktion. Diese *Im-*

munpräzipitation nutzt man z. B. bei der *Immundiffusion zum Nachw. von artfremdem Eiweiß in Fleischwaren, zur Unterscheidung von menschlichem u. tier. Blut usw. In der Meteorologie auch Bez. für Niederschläge (*Präzipitate*) wie Regen, Tau, Schnee etc. – ***E*** precipitation – ***F*** précipitation – ***I*** precipitazione – ***S*** precipitación

Präzipitations-Test s. Immundiffusion.

Präzipitine s. Präzipitation.

Präzision s. Genauigkeit u. Reproduzierbarkeit.

Prajmaliumbitartrat (Rp).

Internat. Freiname für das gegen Herzrhythmusstörungen wirksame *N*-Propylajmalinium-(*R*,*R*)-hydrogentartrat, $C_{27}H_{38}N_2O_8$, M_R 518,60, farblose Krist., Schmp. 149–152 °C; λ_{max} (CH_3OH) 245, 266 nm, LD_{50} (Maus oral) 43, (Maus i.v.) 1,7 mg/kg; lösl. in Wasser, Ethanol u. verd. Mineralsäuren, mäßig in Aceton, Chloroform, unlösl. in Ether (vgl. a. Ajmalin). P. wurde 1963 von Thomae, 1968 von Boehringer Ingelheim patentiert u. ist von Solvay Arzneimittel (Neo-Gilurytmal®) im Handel. – ***E*** prajmalium bitartrate – ***F*** bitartrate de prajmalium – ***I*** prajmalio bitartrato – ***S*** bitartrato de prajmalio

Lit.: Hager (5.) **9**, 301 ff. ▪ Martindale (31.), S. 931 f. – *[HS 2939 90; CAS 2589-47-1 (P.); 35080-11-6 (Prajmalium)]*

Pralidoximiodid (PAM, *P*yridin-2-carb*al*doxim-1-*m*ethiodid).

Internat. Freiname für 2-[(Hydroxyimino)-methyl]-1-methylpyridinium-iodid, $C_7H_9IN_2O$, M_R 264,08, gelbe Krist., Schmp. 225–226 °C; lösl. in Wasser, heißem Alkohol, unlösl. in Ether, Aceton. P. ist ein *Cholinesterase-Reaktivator u. wurde ebenso wie das Chlorid u. das Mesilat als Antidot bei Vergiftungen durch *Phosphorsäureester eingesetzt, aber durch *Obidoximchlorid, das 20-mal so wirksam ist u. die Blut-Hirnschranke überwinden kann, verdrängt. – ***E*** pralidoxime iodide – ***F*** iodure de pralidoxime – ***I*** pralidossima ioduro – ***S*** ioduro de pralidoxima

Lit.: Beilstein E III/IV **21**, 3515 ▪ Florey **17**, 533–569 ▪ Hager (5.) **9**, 303 f. ▪ Martindale (31.), S. 992 f. – *[HS 2933 39; CAS 94-63-3]*

Pralinen. Die Anlage zur Kakao-VO [1] (Nummer 1.28) definiert P. als Erzeugnisse in Bissengröße, die, meist unter Verw. weiterer anderer Lebensmittel, entweder aus gefüllter *Schokolade od. Schokoladenerzeugnissen hergestellt werden. *Mehl, *Stärke u. andere Fette als *Kakaobutter od. Milchfett dürfen nicht verwendet werden. Der Gehalt an Schokoladenerzeugnissen muß mind. 25% betragen; das Erzeugnis muß ganz von Schokolade umhüllt sein.

Produktion (BRD, 1997): Alkohol-P.: 37 145 t, andere P.: 100 456 t. Zur Historie s. Schokolade. – ***E*** chocolates – ***F*** bonbons – ***I*** praline, cioccolatini – ***S*** bombones

Lit.: [1] VO über Kakao- u. Kakaoerzeugnisse vom 30. 6. 1975 in der Fassung vom 27. 04. 1993 (BGBl. I, S. 512, 526).
allg.: Belitz-Grosch (4.), S. 878 ▪ Vollmer et al., Lebensmittelführer (2.), Bd. 1, S. 245–251, 182–184, Stuttgart: Thieme 1995 ▪ Ullmann (5.) **A 7**, 418 ▪ Zipfel, C 370. – *[HS 1806 90]*

Prallzerkleinerung s. Zerkleinern u. Mühlen.

Pramino® (Rp). Tabl. mit Norgestimat (17*O*-Acetyl-*Levonorgestrel-3-oxim) u. *Ethinylestradiol zur hormonalen Empfängnisverhütung. ***B.:*** Janssen-Cilag.

Pramipexol (Rp).

Internat. Freiname für das Antiparkinsonmittel (s. Parkinsonismus) (*S*)-4,5,6,7-Tetrahydro-N^6-propyl-2,6-benzothiazoldiamin, $C_{10}H_{17}N_3S$, M_R 211,33, einen Dopamin-D_2-Rezeptor-Agonisten. Verwendet wird meist das Dihydrochlorid, Schmp. 296–298 °C, $[\alpha]_D^{20}$ −67,2° (c 1/CH_3OH). P. wurde 1986 u. 1989 von Thomae patentiert u. hat im Herbst 1997 die europ. Zulassung erhalten. Seit 07/1997 ist es in den USA von Pharmacia & Upjohn (Mirapex®) im Handel. – ***E*** pramipexole – ***F*** = ***S*** pramipexol – ***I*** pramipexolo

Lit.: Clinical Pharmacol. Ther. **51**, 541 (1992) ▪ Eur. J. Pharmacol. **215**, 161 (1992) ▪ J. Med. Chem. **30**, 494 (1987). – *[CAS 104632-26-0 (P.); 104632-25-9 (Dihydrochlorid)]*

Pramiverin (Rp).

Internat. Freiname für das *Spasmolytikum *N*-Isopropyl-4,4-diphenylcyclohexylamin, $C_{21}H_{27}N$, M_R 293,46, Schmp. 70 °C, Sdp. 164–165 °C (6,7 Pa). Verwendet wird das Hydrochlorid, Schmp. 230 °C; λ_{max} (CH_3OH) 260 nm ($A_{1cm}^{1\%}$ 14,6), LD_{50} (Maus oral) 346 (Maus i.v.) 25 mg/kg. P. wurde 1966 u. 1968 von E. Merck patentiert. – ***E*** pramiverine – ***F*** pramivérine – ***I*** = ***S*** pramiverina

Lit.: Hager (5.) **9**, 304 f. ▪ Martindale (31.), S. 1745. – *[HS 2921 49; CAS 14334-40-8 (P.); 14334-41-9 (Hydrochlorid)]*

Pramocain.

Internat. Freiname für das *Lokalanästhetikum 4-[3-(4-Butoxyphenoxy)propyl]morpholin, $C_{17}H_{27}NO_3$, M_R 293,39, Sdp. 196 °C (8 hPa). Verwendet wird das Hydrochlorid, Schmp. 170–174 °C. P. wurde 1959 von Abbott patentiert. – ***E*** pramocaine – ***F*** pramocaïne – ***I*** pramocaina – ***S*** pramocaína

Lit.: Beilstein E III/IV **27**, 127 ▪ Hager (5.) **9**, 305 f. ▪ Martindale (31.), S. 1338. – *[HS 2934 90; CAS 140-65-8 (P.); 637-58-1 (Hydrochlorid)]*

Prandtl, Wilhelm Antonin Alexander (1878–1956), Prof. für Chemie, Univ. München. *Arbeitsgebiete:* Seltene Erden, Polysäuren, Vanadium-Komplexverb., Geschichte der Chemie.

Lit.: Pötsch, S. 349.

Prandtl-Zahl s. Wärmeübertragung.

Pranlukast (Rp).

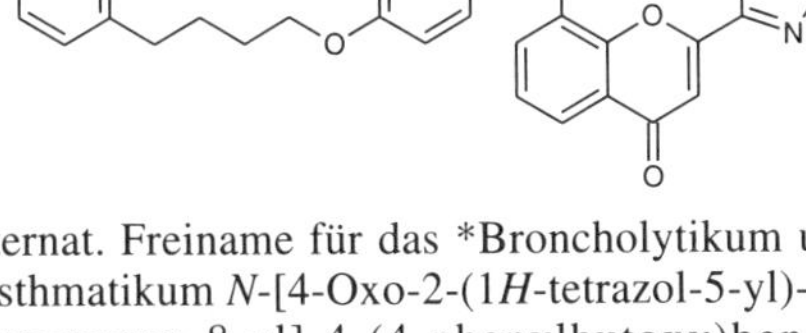

Internat. Freiname für das *Broncholytikum u. *Antiasthmatikum *N*-[4-Oxo-2-(1*H*-tetrazol-5-yl)-4*H*-1-benzopyran-8-yl]-4-(4-phenylbutoxy)benzamid, $C_{27}H_{23}N_5O_4$, M_R 481,52, Schmp. 244–245 °C, LD_{50} (Maus i.v.) >1 g/kg. P. ist ein Leukotrien-D_4-Rezeptor-Antagonist. P. wurde 1986 u. 1988 von Ono patentiert u. ist in den USA von SmithKline Beecham (Ultair®) im Handel. – ***E*** = ***F*** = ***I*** pranlukast

Lit.: Am. J. Respir. Crit. Care Med. **150**, 259 (1993); **154**, 850–857 (1996) ▪ J. Allergy Clin. Immunol. **92**, 507 (1993) ▪ Martindale (31.), S. 1445. – *[CAS 103177-37-3]*

p21^{ras} s. Ras-Proteine.

Praseodym (chem. Symbol Pr). Metall. Element der *Lanthanoiden-Gruppe, ein *Seltenerdmetall, Ordnungszahl 59, Atomgew. 140,90765. Pr ist ein anisotopes Element (Reinelement) mit den künstlichen Isotopen ^{132}Pr–^{152}Pr (HWZ zwischen 3,2 s u. 13,58 d). Elementares Pr ist silbrig glänzend u. duktil, Schmp. 931 °C, Sdp. 3250 °C. Pr existiert in 2 allotropen Modif.: Unterhalb 798 °C hexagonal, D. 6,77, oberhalb dieser Temp. kub. raumzentriert, D. 6,64. Pr-Metall ist an der frischen Schnittfläche silberweiß, läuft jedoch an der Luft unter Bildung von Oxiden bzw. Oxidhydraten leicht gelblich an. Je nach Form entzündet sich Pr-Metall zwischen 300 u. 450 °C. Es löst sich in verd. Mineralsäuren. In Verb. nimmt Pr hauptsächlich die Oxid.-Stufe +3, seltener die Oxid.-Stufen +2 u. +4 an; die 3-wertigen Pr-Salze sind grün, PrI_2 (Schmp. 758 °C) ist bronzefarben, PrI_4 (>90 °C Zers.) cremefarben.

Vork.: Pr kommt als Begleiter des Cers in den *Ceriterden* *Allanit, *Bastnäsit u. *Monazit vor. Die Häufigkeit in der Erdkruste liegt bei ca. $5{,}2 \cdot 10^{-6}$ (49. Stelle in der Häufigkeitsliste der Elemente).

Herst.: Durch Schmelzflußelektrolyse aus dem Chlorid u. Fluorid od. durch calciotherm. Red. der gleichen Salze nach Reinigung durch Ionenaustausch u. Elution von der Austauscher-Säule mit anion. Komplexbildnern od. Flüssig-Flüssig-Verteilung.

Verw.: Die Verw. von reinem Pr-Metall in der Technik ist unbedeutend. $PrCo_5$ besitzt hochinteressante dauermagnet. Eigenschaften. Die *Praseodym-Verbindungen finden Interesse aufgrund ihrer Katalysator-Eigenschaften, jedoch meistens in Kombination mit Lanthan, Cer u. Neodym. Pr-Verb. in Reinheitsgraden von 90% u. höher werden verwendet zum Färben von Gläsern u. zur Verbesserung der UV-Absorption sowie zur Herst. von keram. Farbkörpern (Zirkon-Praseodymgelb), s. a. Seltenerdmetalle.

Geschichte: P. wurde 1885 durch *Auer von Welsbach bei der Zerlegung von *Didym mittels fraktionierter Krist. der Ammonium-Doppelnitrate neben *Neodym erstmals isoliert. Den Namen prägte er nach griech.: prasaiōs = lauchgrün u. didymos = Zwilling; vgl. Neodym. – ***E*** praseodymium – ***F*** praséodyme – ***I*** = ***S*** praseodimio

Lit.: s. Lanthanoide u. Seltenerdmetalle. – *[HS 2805 30; CAS 7440-10-0]*

Praseodym-Verbindungen. a) *Praseodymtrioxid*, Pr_2O_3, M_R 329,81, gelbgrün, amorph, D. 7,07. – b) *Praseodymchlorid*, $PrCl_3$, M_R 246,27, blaugrüne Nadeln, wasserlösl., D. 4,02, Schmp. 786 °C. – c) *Praseodymsulfat*, $Pr_2(SO_4)_3$, M_R 570,01, grünes, wasserlösl. Pulver, D. 3,72. – d) *Praseodymcarbonat*, $Pr_2(CO_3)_3 \cdot 8\,H_2O$, M_R 605,97, grüne, wasserunlösl. Platten.

Verw.: In der Metallurgie, Eisen- u. Stahl-Herst., als lichtechte, feuerfeste, grüne u. gelbe Unterglasurfarben für die Porzellanmalerei, einige Pr-Chelate als NMR-*Verschiebungsreagenzien, z. B. *$Pr(fod)_3$ u. *$Pr(DPM)_3$. – ***E*** praseodymium compounds – ***F*** composés du praséodyme – ***I*** composti di praseodimio – ***S*** compuestos de praseodimio

Lit.: s. Lanthanoide u. Seltenerdmetalle. – *[HS 3207 10; CAS 12036-32-7 (a); 10361-79-2 (b); 10277-44-8 (c); 5895-45-4 (d)]*

Praseosalze (griech.: prasaiōs = lauchgrün). Veraltete Bez. für *Cobaltammine mit *trans*-Tetraammindichlorocobalt(1+)- od. *trans*-Tetraamminaquachlorocobalt(2+)-Ion.

Prasteron (Rp).

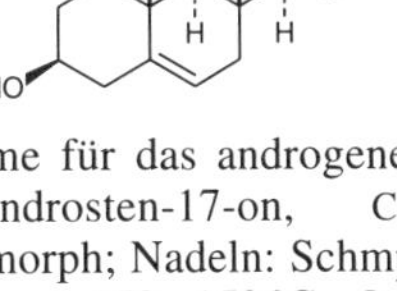

Internat. Freiname für das androgene *Anabolikum 3*β*-Hydroxy-5-androsten-17-on, $C_{19}H_{28}O_2$, M_R 288,41. P. ist dimorph; Nadeln: Schmp. 140–141 °C, Blättchen: Schmp. 152–153 °C, $[\alpha]_D^{18}$ +10,9° (c 0,4/C_2H_5OH), lösl. in Benzol, Alkohol, Ether, wenig in Chloroform, Petrolether. P.-Enantat ist in Kombination mit Estradiolvalerat gegen klimakter. Ausfallerscheinungen von Schering (Gynodian depot®) im Handel. – ***E*** = ***I*** prasterone – ***F*** prastérone – ***S*** prasterona

Lit.: Beilstein E IV **8**, 994 ▪ Hager (5.) **9**, 306 ff. ▪ Martindale (31.), S. 1504. – *[HS 2937 99; CAS 53-43-0]*

Pratensein s. Isoflavone.

Pravasin® (Rp). Tabl. mit *Pravastatin-Natrium zur Senkung erhöhter Blutfettwerte. ***B.:*** Bristol-Myers Squibb.

Pravastatin (3*β*-Hydroxycompactinsäure).

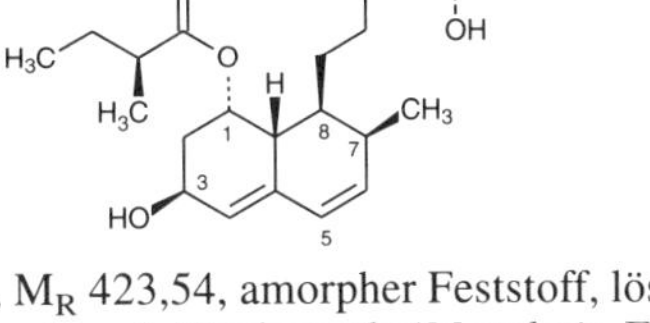

$C_{23}H_{36}O_7$, M_R 423,54, amorpher Feststoff, lösl. in Methanol, Aceton, als Natriumsalz (*Mevalotin*, Eptastatin-Natrium) mäßig wasserlöslich. Der Naturstoff P. wird aus dem Mikroorganismus *Nocardia autotrophica* (sowie *Syncephalastrum nigricans*, *Absidia coerulea*) gewonnen u. kam 1991 nach *Lovastatin u. *Simvastatin als dritter 3-Hydroxy-3-methylglutaryl-Coenzym-

A(HMG-CoA)-Reduktase-Hemmer in den Handel. P. wird im Gegensatz zu den beiden anderen Hexahydronaphthalinen nicht als δ-Lacton-Prodrug, sondern in der aktiven Form als 3,5-Dydroxycarbonsäure appliziert. P. wirkt somit direkt als kompetitiver Hemmstoff der HMG-CoA-Reduktase, dem Schlüsselenzym der Cholesterin-Biosynthese. Als Folge der Hemmung sinkt intrazellulär (v. a. in der Leber) die Cholesterin-Konzentration. Dies führt dazu, daß die Zahl der LDL (*Low Density Lipoprotein*)-Rezeptoren auf der Oberfläche von Leberzellen zunimmt. Plasma-LDL bindet sich vermehrt an diese Rezeptoren, was zur Folge hat, daß die Plasma-Cholesterin-Konz. sinkt. P. ist oral wirksam. Zielindikationen sind Hypercholesterinämie u. Arteriosklerose. Das Grundgerüst von P. wurde vielfach synthet. abgewandelt. – ***E*** pravastatin – ***F*** pravastatine – ***I*** = ***S*** pravastatina

Lit.: Arzneimitteltherapie **8**, 199 (1990) ▪ Atherosclerosis **61**, 125 (1986) ▪ Clin. Pharm. **11**, 677 (1992) ▪ Drugs **42**, 65 (1991) ▪ Lancet **1986**, Nr. 2, 740 ▪ Merck-Index (12.), Nr. 7894 ▪ Pharm. Ztg. **137**, 38 (1992) (Review) ▪ Wood (Hrsg.), Lipid Management: Pravastatin, London: Royal Soc. Med. 1990. – *Synth.:* Chem. Pharm. Bull. **34**, 1459 (1986) ▪ J. Am. Chem. Soc. **108**, 4586 (1986) ▪ J. Med. Chem. **30**, 1858 (1987) ▪ Tetrahedron **42**, 4909 (1986) ▪ Tetrahedron Lett. **31**, 2235 (1990) ▪ *Fermentation*: Yuki Gosei Kagaku Kyokaishi **55**, 334 (1997). – *[CAS 81093-37-0 (P.); 81131-70-6 (P.-Na-Salz)]*

Pravidel® (Rp). Tabl. u. Kapseln mit *Bromocriptinmesilat gegen erhöhten *Prolactin-Spiegel, Akromegalie, *Parkinsonsche Krankheit. ***B.:*** Novartis.

Praxair. Kurzbez. für die 1907 von Linde in den USA gegr. u. von Union Carbide (Tochterges. von 1917 bis 1992) wieder ausgegliederte Praxair, Inc., Danbury, CT 06810-5113, USA. *Daten* (1997): ca. 24000 Beschäftigte, ca. 4,7 Mrd. $ Umsatz. *Produktion*: Argon, Stickstoff, Sauerstoff, Helium, Edelgase, Acetylen, Kohlenstoffdioxid, Gase für die Elektronik-Ind., Wasserstoff, Keramik- u. Metall-Beschichtungen u. Pulver, Flugzeug-Komponenten.

Praxiten® (Rp). Tabl. mit dem *Tranquilizer *Oxazepam gegen schwere Angstzustände. ***B.:*** Wyeth.

Prayon. Kurzbez. für die 1882 gegr. Societé Chimique Prayon-Rupel S. A., 144 Rue Joseph Wauters, B-4480 Engis (Belgien). *Tochter- u. Beteiligungsges:* Silox S. A. (Belgien), Zeoline S. A. (Belgien), Europhos S. A. (Belgien), Zinchem GmbH (Deutschland), Zinchem Benelux (Belgien) u. a. *Daten* (1996): ca. 1100 Beschäftigte, 14,15 Mrd. BEF Umsatz. *Produktion:* Phosphorsäure, Schwefelsäure, flüssiges SO_2, Natriumdithionit, Ammoniumphosphat, Natriumorthophosphat, Natriumtripolyphosphat, Monokaliumphosphat, Natriumfluorid, Phosphate für die Lebensmittel-Ind., Natrium- u. Kaliumfluorosilicate, Zinkoxide, Zinkphosphate, Zeolithe, Ultramarinpigmente, Düngemittel, Gips, Uranoxid. *Vertretung* in der BRD: Zinchem GmbH, 44137 Dortmund.

Prayon-Verfahren s. Central-Prayon-Verfahren.

Prazepam. (Rp; BtMVV, Anlage III). Internat. Freiname für den *Tranquilizer 7-Chlor-1-(cyclopropylmethyl)-1,3-dihydro-5-phenyl-2*H*-1,4-benzodiazepin-2-on, $C_{19}H_{17}ClN_2O$, M_R 324,83, weißliches, krist. Pulver, Schmp. 145–146 °C; λ_{max} (0,1 M HCl) 240 nm

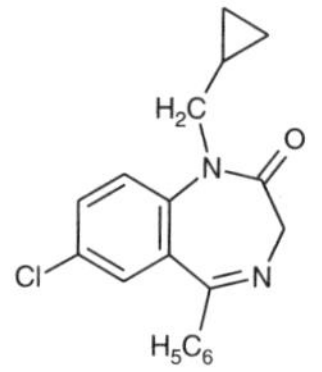

H₂C, O, N, Cl, N, H₅C₆

($A^{1\%}_{1cm}$ 1760), pK_a 2,7; lösl. in Alkohol, Chloroform u. verd. Mineralsäuren, Lagerung: vor Licht u. Luft geschützt. P. wurde 1965 von Warner Lambert patentiert u. ist von Gödecke/Parke Davis (Demetrin®) im Handel. – ***E*** = ***I*** = ***S*** prazepam – ***F*** prazépam

Lit.: ASP ▪ Hager (5.) **9**, 309 ff. ▪ Martindale (31.), S. 730. – *[HS 2933 90; CAS 2955-38-6]*

Praziquantel (Rp).

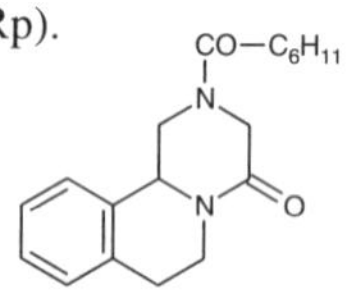

CO–C₆H₁₁, N, N, O

Internat. Freiname für ein bes. gegen Schistosomen u. Bandwürmer wirksames *Anthelmintikum, (±)-2-(Cyclohexylcarbonyl)-1,2,3,6,7,11b-hexahydro-4*H*-pyrazino[2,1-*a*]isochinolin-4-on, $C_{19}H_{24}N_2O_2$, M_R 312,41, Schmp. 136–138 °C, (+)-Form: $[\alpha]^{20}_{578}$ +277° (c 0,032/CH_3OH), (–)-Form: $[\alpha]^{20}_{578}$ –288° (c 0,036/CH_3OH); λ_{max} (CH_3OH) 264 nm ($A^{1\%}_{1cm}$ 1,4), LD_{50} (Maus oral) >2, (Maus s.c.) >3 g/kg; schwer lösl. in Wasser, leicht in Chloroform. P. wurde 1975 u. 1977 von E. Merck (Cesol®, Cysticide®) patentiert u. ist auch von Bayer (Biltricide®) im Handel. – ***E*** = ***F*** = ***I*** praziquantel – ***S*** prazicuantel

Lit.: ASP ▪ Hager (5.) **9**, 311–314 ▪ Martindale (31.), S. 123 ff. ▪ Ph. Eur. **1997** u. Komm. – *[HS 2933 59; CAS 55268-74-1]*

Prazosin (Rp).

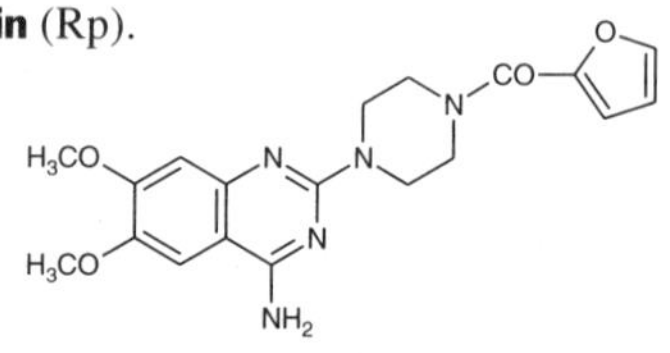

O, CO, N, N, N, N, H₃CO, H₃CO, NH₂

Internat. Freiname für das *Antihypertonikum (selektiver α_1-*Adrenozeptoren-Blocker) 1-(4-Amino-6,7-dimethoxy-2-chinazolinyl)-4-(2-furoyl) piperazin, $C_{19}H_{21}N_5O_4$, M_R 383,41, Krist., Schmp. 278–280 °C. Verwendet wird meist das Hydrochlorid, Schmp. >264 °C; λ_{max} (methanol. HCl) 247, 330, 343 nm ($A^{1\%}_{1cm}$ 1320–1400, 260–280, 250–265), pK_a 6,5. P. wurde 1969 u. 1970 von Pfizer (Minipress®) patentiert u. ist als Generikum im Handel. – ***E*** prazosin – ***F*** prazosine – ***I*** = ***S*** prazosina

Lit.: ASP ▪ Florey **18**, 351–378 ▪ Hager (5.) **9**, 314–317 ▪ Martindale (31.), S. 932 f. ▪ Ph. Eur. **1997** u. Komm. ▪ Ullmann (5.) **A 4**, 246. – *[HS 2934 90; CAS 19216-56-9 (P.); 19237-84-4 (Hydrochlorid)]*

Pr(DPM)₃ [auch $Pr(dpm)_3$, $Pr(thd)_3$, Praseodym-Shift]. Abk. für Tris(*dip*ivaloyl*m*ethanato)praseodym(III) [Praseodym(III)-tris(2,2,6,6-tetramethyl-3,5-heptandionat)], $C_{33}H_{57}O_6Pr$, M_R 690,73, Schmp. 219–221 °C; Formel analog zu $Eu(DPM)_3$ (s. dort). Das Praseodym-Chelat ist ein *Verschiebungsreagenz für die *NMR-Spektroskopie.

Lit.: Nachr. Chem. Tech. **18**, 459f. (1970) ▪ s. a. NMR-Spektroskopie u. Verschiebungsreagenzien. – *[HS 2846 90; CAS 15492-48-5]*

Pre... s. prä...

Precht, Heinrich (1852–1924), Chemiker. *Arbeitsgebiete:* Großtechn. Verarbeitung der Kalirohsalze, techn. Gewinnung von Pottasche aus Kaliumsulfat.
Lit.: Pötsch, S. 349f.

Precoccinellin s. Coccinellin.

Precocene. Von latein. praecox = verfrüht, frühzeitig abgeleitete Bez. für natürlich vorkommende *Chromen-Derivate aus *Ageratum*-Arten der trop. Gegenden Amerikas (Korbblütler).

R = H : Precocen I
R = OCH_3 : Precocen II
R = OC_2H_5 : Precocen III

P. I: 7-Methoxy-2,2-dimethyl-2*H*-1-benzopyran, $C_{12}H_{14}O_2$, M_R 190,24, Sdp. 68 °C (130 Pa), D. 1,052; *P. II:* 6,7-Dimethoxy-2,2-dimethyl-2*H*-1-benzopyran, $C_{13}H_{16}O_3$, M_R 220,27, Schmp. 46–47 °C. Das synthet. sog. *P.* III (Proallatocidin, 6-Ethoxy-7-methoxy-2,2-dimethyl-2*H*-1-benzopyran), $C_{14}H_{18}O_3$, M_R 234,30, Öl, Sdp. 109 °C (13 Pa), wirkt 10mal stärker als P. II. Die P. greifen bei Insekten hemmend in die Biosynth. des *Juvenilhormons im Corpus allatum ein (vgl. Insektenhormone), weshalb die Larven zum Zeitpunkt der Verpuppung noch nicht ausgereift sind (vorzeitige od. *präcoxe Metamorphose*). Die geschlüpften Insekten sind letztlich nicht fortpflanzungsfähig. Die indirekte Insektizid-Wirkung der P. hat den Anstoß zur Entwicklung von synthet. Analoga mit noch stärkerer biolog. *Antijuvenilhormon*-Aktivität gegeben, die als *Pflanzenschutzmittel geeignet sein sollten. – ***E*** precocenes – ***F*** précocènes – ***I*** precoceni – ***S*** precocenos
Lit.: Can. J. Chem. **72**, 1866 (1994) ▪ Nat. Prod. Rep. **10**, 327–348 (1993) ▪ Römpp Lexikon Naturstoffe, S. 513. – *[CAS 17598-02-6 (P.I); 644-06-4 (P.II); 65383-74-6 (P.III)]*

Precursor-Polymere s. Prepolymere.

Prednicarbat (Rp).

Internat. Freiname für das lokal entzündungshemmende, Halogen-freie *Corticosteroid 11*β*,17,21-Trihydroxy-1,4-pregnadien-3,20-dion-17-ethylcarbonat-21-propionat, $C_{27}H_{36}O_8$, M_R 488,58. P. bildet 2 krist. Formen mit Schmp. 110–112 °C u. 183 °C, $[\alpha]_D^{20}$ +63° (c 10/C_2H_5OH); λ_{max} (C_2H_5OH) 241 nm ($A_{1cm}^{1\%}$ 307). P. wurde 1979 u. 1980 von Hoechst (Dermatop®) patentiert. – ***E*** = ***F*** prednicarbate – ***I*** = ***S*** prednicarbato
Lit.: Hager (5.) **9**, 317ff. ▪ Martindale (31.), S. 1054. – *[HS 2937 29; CAS 73771-04-7]*

Predni-H-Tablinen® (Rp). Filmtabl. mit dem Glucocorticoid *Prednisolon. ***B.:*** Lichtenstein.

Prednimustin (Rp).

Internat. Freiname des *Prednisolon-21-Esters von *Chlorambucil, 11*β*,17,21-Trihydroxy-1,4-pregnadien-3,20-dion-21-(4-{4-[bis(2-chlorethyl)-amino]phenyl}butyrat), $C_{35}H_{45}Cl_2NO_6$, M_R 646,66, farblose Krist., Schmp. 163–164 °C, $[\alpha]_D^{24}$ +92,9° (c 1,06/$CHCl_3$); λ_{max} (C_2H_5OH) 256 nm ($A_{1cm}^{1\%}$ 475); in Wasser unlöslich. P. ist ein alkylierend wirkendes *Cytostatikum u. wurde 1970 u. 1973 von AB Leo patentiert. – ***E*** = ***F*** prednimustine – ***I*** = ***S*** prednimustina
Lit.: Hager (5.) **9**, 319f. ▪ Martindale (31.), S. 596. – *[HS 2922 49; CAS 29069-24-7]*

Prednisolon (Rp). Internat. Freiname für 11*β*,17,21-Trihydroxy-1,4-pregnadien-3,20-dion (Δ^1-Dehydrohydrocortison), $C_{21}H_{28}O_5$, M_R 360,44, Formelbild s. bei Prednison. P. schmilzt bei 240–241 °C (Zers.), $[\alpha]_D^{20}$ 96° – 102° (c 1/Dioxan); λ_{max} (CH_3OH) 242 nm ($A_{1cm}^{1\%}$ 414). P. ist kaum lösl. in Wasser, lösl. in Alkohol, Dioxan, Lagerung: vor Licht u. Luft geschützt. Es ist ein *Glucocorticosteroid* (vgl. Corticosteroide), dessen entzündungshemmende Wirkung bei oraler Anw. etwa 4–5mal stärker als die des Cortisols (s. Hydrocortison) ist, während die *mineralocorticoide* Wirkung nur zwei Drittel davon beträgt.
Verw.: Als Ausgangsprodukt für synthet. Nebennierenrindenhormone wie *Dexamethason u. *Triamcinolon. Verwendet werden auch das *P.-21-acetat*, $C_{23}H_{30}O_6$, M_R 402,5, Schmp. 237–239 °C (Zers.), $[\alpha]_D^{20}$ 112° – 119° (c 1/Dioxan); λ_{max} (CH_3OH) 243 nm ($A_{1cm}^{1\%}$ 370), das *P.-21-dihydrogenphosphat*, $C_{21}H_{29}O_8P$, M_R 440,4, das *P.-21-Hydrogensuccinat*, $C_{25}H_{32}O_8$, M_R 460,5, Schmp. 200–207 °C, u. das *P.-21-pivalat*, $C_{26}H_{36}O_6$, M_R 444,6, Schmp. 233–236 °C. P., seine Ester u. Salze sind von vielen Firmen als entzündungshemmende u. antirheumat. Mittel generikafähig im Handel. Bei lokaler Anw. gegen Dermatosen, Allergien usw. ist die Wirkung nur 2–3mal stärker als die des *Cortisons. ***E*** = ***F*** = ***I*** prednisolone – ***S*** prednisolona
Lit.: ASP ▪ Florey **21**, 415–500 ▪ Hager (5.) **9**, 321–327 ▪ Martindale (31.), S. 1054ff. ▪ Ph. Eur. **1997** u. Komm. – *[HS 2937 21; CAS 50-24-8 (P.); 52-21-1 (Acetat); 302-25-0 (Dihydrogenphosphat); 2920-86-7 (Hydrogensuccinat); 1107-99-9 (Pivalat)]*

Prednison (Rp).

Internat. Freiname für 17*α*,21-Dihydroxy-1,4-pregnadien-3,11,20-trion (Δ^1-Dehydrocortison), $C_{21}H_{26}O_5$, M_R 358,44, farblose Krist., Schmp. 233–235 °C (Zers.), $[\alpha]_D^{20}$ +167° bis +175° (c 0,5/Dioxan); λ_{max} (C_2H_5OH) 238 nm ($A_{1cm}^{1\%}$ 430); unlösl. in Wasser, wenig in Alkohol u. Chloroform, Lagerung: vor Licht ge-

Tab.: Substituenten ausgewählter Prednison-Derivate.

R^1	R^2	R^3	
=O	–H,–H	H	Prednison
---H,◄OH	–H,–H	H	*Prednisolon
---H,◄OH	$=CH_2$	H	*Prednyliden
---H,◄OH	---CH_3,◄H	F	*Dexamethason
---H,◄OH	---OH,◄H	F	*Triamcinolon

schützt. Hier wie auch beim *Prednisolon bewirkt die Einführung der Δ^1-Doppelbindung in das *Corticosteroid-Gerüst eine Steigerung der *glucocorticoiden* Wirkung um das 4–5fache, während die *mineralocorticoide* um ca. ein Drittel gesenkt wird.
Verw.: Zur Bestimmung von *(20*S*)-5*β*-Pregnan-3*α*,20-diol in Körperflüssigkeiten, zur Schwangerschaftsdiagnose, als Antiphlogistikum, Antirheumatikum u. Immunsuppressivum, z. B. zusammen mit CMF (s. Methotrexat). Durch Einführung von weiteren Hydroxy-, Fluor-, Chlor-, Methyl- u. Methylen-Gruppen erhält man Substanzen mit gesteigerter glucocorticoider u. herabgesetzter, z. T. fast ganz ausgeschalteter mineralocorticoider Wirkung. P. wurde 1959 von Schering patentiert u. ist als Generikum im Handel. – ***E*** **=** ***F*** **=** ***I*** prednisone – ***S*** prednisona
Lit.: ASP ▪ Beilstein E IV **8**, 3467, 3531 ▪ Hager (5.) **9**, 327 ff. ▪ IARC Monogr. **26**, 293–309 (1981) ▪ Martindale (31.), S. 1056. – *[HS 2937 21; CAS 53-03-2]*

Prednyliden (Rp). Internat. Freiname für das Glucocorticoid (s. Corticosteroide) 11*β*,17,21-Trihydroxy-16-methylen-1,4-pregnadien-3,20-dion, $C_{22}H_{28}O_5$, M_R 372,44, Schmp. 233–235 °C, $[\alpha]_D^{23}{}_D$ +31° (Dioxan); λ_{max} (CH_3OH) 244 nm ($A^{1\%}_{1cm}$ 412), Formelbild s. bei Prednison. Verwendet wird auch das Hydrochlorid des 21-(*N*,*N*-Diethylglycinats), $C_{28}H_{39}NO_6$, M_R 522,1, Schmp. 245–246 °C, $[\alpha]_D^{20}$ +45° (H_2O). P. wirkt als *Antiphlogistikum u. *Antiallergikum. Es wurde 1962 von Merck (Decortilen®) patentiert. – ***E*** prednylidene – ***F*** prednylidène – ***I*** prednilidene – ***S*** prednilideno
Lit.: ASP ▪ Hager (5.) **9**, 329 ff. ▪ Martindale (31.), S. 1056. – *[HS 2937 29; CAS 599-33-7 (P.); 22887-42-9 (21-Diethylglycinat-hydrochlorid)]*

Prefera®. Stearoyl-2-lactylates (E 481/E 482), *Emulgatoren zur Verw. in der Lebensmittel-Ind., speziell zur Herst. von hefegetriebenem Gebäck. ***B.:*** Grünau.

Prefondo®. Wäss. *Polyacrylat-Dispersionen als Imprägnierungsmittel für die Lederzurichtung. ***B.:*** Henkel.

Pregl, Fritz (1869–1930), Prof. für Chemie, Graz. *Arbeitsgebiete:* Entwicklung der qual. u. quant. Mikroanalyse u. der organ. Mikro-Elementaranalyse; 1923 Nobelpreis für Chemie.
Lit.: Lexikon der Naturwissenschaftler, S. 334 ▪ Neufeldt, S. 127 ▪ Pötsch, S. 350 ▪ Strube et al., S. 117, 121.

Preglsche Lösung. Nach F. *Pregl benannte isoton. Lsg. mit Iodat, Iodid u. Hypoiodit, bildet im sauren Milieu freies Iod u. wurde früher als *Desinfektionsmittel verwendet.

Pregnan. Name der tetracycl. Stammverb. der Gelbkörper- u. Nebennierenrindenhormone (*Gestagene u. *Corticosteroide), $C_{21}H_{36}$, nach IUPAC-Regel 3S-2.4; Struktur s. Steroide, s. a. Stichwörter bei Predn... u. Pregn... – ***E*** **=** ***F*** pregnane – ***I*** **=** ***S*** pregnano
Lit.: Beilstein E IV **5**, 1215 ▪ Elsevier **14**, 17; **14 S**, 1401. – *[CAS 24909-91-9]*

(20*S*)-5*β*-Pregnan-3*α*,20-diol (5*β*-Pregnan-3*α*,20*α_F*-diol, Pregnandiol).

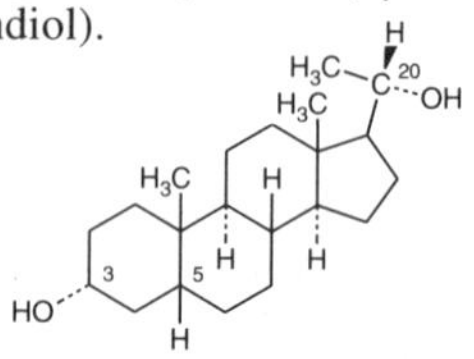

$C_{21}H_{36}O_2$, M_R 320,52. Farb- u. geruchslose, glänzende Krist., Schmp. 243–244 °C, lösl. in siedendem Aceton, nicht von Digitonin gefällt. P. ist als Metabolit des *Progesterons u. des 11-Desoxycorticosterons (s. Cortexon) aus Urin von Frauen während der *Menstruation u. in der Schwangerschaft, wo es als Glucuronid ausgeschieden wird, isolierbar; verminderte Ausscheidung kann auf eine drohende Fehlgeburt hindeuten. Das epimere 5*α*-Pregnandiol (Wasserstoff-Atom in 5-Pos. unter die Bildebene weisend) wurde früher als *allo*-Pregnandiol bezeichnet.
Verw.: Als Vergleichssubstanz für biochem. Untersuchungen, zur Herst. von Progesteron. – ***E*** (20*S*)-5*β*-pregnane-3*α*,20-diol – ***F*** (20*S*)-5*β*-prégnane-3*α*,20-diol – ***I*** (20*S*)-5*β*-pregnan-3*α*,20-diolo – ***S*** (20*S*)-5*β*-pregnano-3,20-diol
Lit.: Beilstein E IV **6**, 6111 f. – *[HS 2906 19; CAS 80-92-2]*

Pregnant-mare serum gonadotropin (PMSG) s. Serumgonadotropin.

(20*S*)-5*β*-Pregnan-3*α*,17,20-triol.

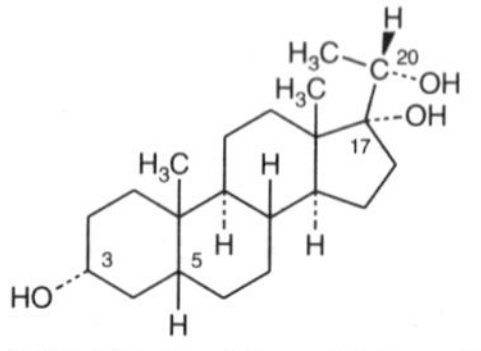

$C_{21}H_{36}O_3$, M_R 336,52. Farblose Krist., Schmp. 260 °C, kommt als Metabolit des 17-Hydroxyprogesterons u. des *Cortodoxons im Harn vor, vgl. (20*S*)-5*β*-Pregnan-3*α*,20-diol. – ***E*** (20*S*)-5*β*-pregnane-3*α*,17,20-triol – ***F*** (20*S*)-5*β*-prégnane-3*α*,17,20-triol – ***I*** (20*S*)-5*β*-pregnan-3*α*,17,20-triolo – ***S*** (20*S*)-5*β*-pregnano-3,17,20-triol
Lit.: Beilstein E IV **6**, 7456. – *[HS 2906 19; CAS 1098-45-9]*

Pregn-4-en-3,20-dion s. Progesteron.

Pregnenolon.

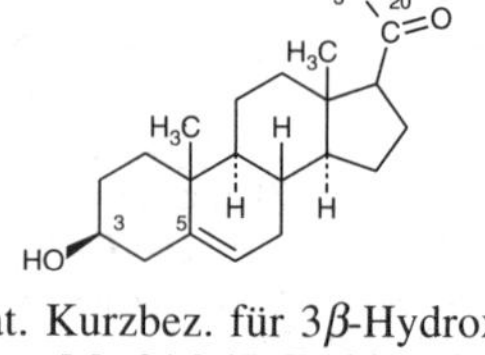

Freie, internat. Kurzbez. für 3*β*-Hydroxypregn-5-en-20-on. $C_{21}H_{32}O_2$, M_R 316,47. Farblose Nadeln, Schmp. 193 °C, wenig lösl. in Alkohol, Chloroform, unlösl. in Wasser. P. entsteht biosynthet. aus *Cholesterin. Die dabei notwendige Verkürzung der Cholesterin-Seitenkette (oxidative Abspaltung von 4-Methylpentanal)

wird durch das Schlüssel-Enzym *Cholesterin-Monooxygenase* (*Seitenketten-spaltend*) (EC 1.14.15.6) katalysiert u. unterliegt der Kontrolle durch das Hormon *Chorio(n)gonadotrop(h)in. P. ist eine Vorstufe des *Progesterons u. der *Androgene. Es bildet sich auch beim Abbau von *Diosgenin u. dient v. a. als Edukt für Progesteron-Derivate u. a. Gestagene. – ***E*** **=** ***I*** pregnenolone – ***F*** prégnénolone – ***S*** pregnenolona

Lit.: Beilstein E IV **8**, 1019 ▪ Karlson, Kurzes Lehrbuch der Biochemie (14.), S. 281, 430, Stuttgart: Thieme 1994 ▪ Stryer 1996, S. 740–743. – *[HS 2937 29; CAS 145-13-1]*

Prehnit. $Ca_2Al[(OH)_2/AlSi_3O_{10}]$; mit bis 7 Gew.-% Fe_2O_3. Strukturell in den Grenzbereich zwischen Inosilicaten (*Silicate) u. *Phyllosilicaten gehörendes, überwiegend grünliches rhomb. Mineral, Kristallklasse mm2-C_{2v}; komplizierte Struktur [1–3] mit rhomb. u. monoklinen Domänen. Tafelige u. prismat. Krist., oft gekrümmt u. gewöhnlich zu fächer- u. hahnenkammartigen, auch völlig kugeligen Gruppen verbunden; schalige, nierige u. kugelförmige strahlige Aggregate. H. 6–6,5, D. 2,8–3, Bruch uneben.

Vork.: Auf Klüften u. in Mandelräumen in bas. *magmatischen Gesteinen (*Basalte, *Melaphyre, *Diabase u. a.), z. B. Rauschermühle/Pfalz, Seiser Alm/Südtirol, Poona u. Bombay/Indien. In niedriggradig *metamorphen Gesteinen, z. B. Neuseeland, Japan. Auf alpinen Klüften, z. B. in der Schweiz u. in Österreich. – ***E*** **=** ***F*** **=** ***I*** prehnite – ***S*** prehnita

Lit.: [1] Z. Kristallogr. **185**, 599 (1988). [2] Can. Mineral. **9**, 485–492 (1968); **25**, 707–716 (1987). [3] Eur. J. Mineral. **2**, 731–734 (1990).
allg.: Anthony et al., Handbook of Mineralogy, Vol. II, Tl. 2., S. 660, Tucson (Arizona): Mineral Data Publishing 1995 ▪ Deer et al. (2.), S. 384–387 ▪ Lapis **8**, Nr. 12, 5–7 (1983) („Steckbrief") ▪ Ramdohr-Strunz, S. 737 f. – *[CAS 12027-58-6]*

Preiselbeeren (Kronsbeeren, Steinbeeren). Rote Beerenfrüchte des immergrünen Strauchgewächses *Vaccinium vitis-idaea* (Ericaceae), die wegen des charakterist. herb-säuerlichen Geschmacks in gekochtem Zustand als Kompott, Marmelade od. Dessert sehr geschätzt, in rohem Zustand wegen ihres hohen Pektin- u. Säure-Gehalts (2–2,5%, bes. Citronen- u. Äpfelsäure, ferner Benzoe-, China- u. Salicylsäure) jedoch wenig schmackhaft sind. Sie wirken adstringierend u. wegen des hohen Benzoat- u. des Salicylat-Gehalts fungistatisch. P. finden sich wild wachsend in trockenen Nadelwäldern u. auf Heideflächen; Haupterntezeit ist September, Hauptexportland Schweden.

Zusammensetzung: 100 g frische P. enthalten durchschnittlich 87,4 g Wasser, 0,3 g Eiweiß, 0,5 g Fett, 6,2 g Kohlenhydrate (davon 2,9 g Faserstoffe), 12 mg Vitamin C sowie bes. wenig Mineralstoffe; Nährwert 176 kJ (42 kcal). In den flüchtigen Aromastoffen der P. sind aliphat. Alkohole, Aldehyde, Terpene, aromat. Verb. usw. enthalten; 2-Methylbuttersäure bildet die wichtigste Aromakomponente. Die Farbstoffe der P. sind *Anthocyanidine* (Cyanidinglykoside, z. B. *Päoninchlorid u. *Idaein), in geringerer Menge auch Carotinoide. Getrocknete P. dienen als Antidiarrhoikum u. Adstringens, in der Volksheilkunde werden sie auch gegen Lungen- u. Gebärmutterblutungen empfohlen. Die Blätter des P.-Strauches enthalten 4–9% Arbutin, junge auch freies Hydrochinon, sowie 8% Gerbstoffe u. Flavonoide; sie werden als Tee bei Blasenleiden, Gicht u. Rheuma verwendet.

Nahe Verwandte der P. sind die *Moosbeere* (*V. oxycoccos*, *E* small cranberry), die in sumpfigen, torfigen Gegenden der nördlichen Breitengrade heim. ist, u. die aus Nordamerika stammende, in größerem Maßstab kultivierte *Großfruchtige Moosbeere* od. *Kranbeere* (*V. macrocarpon*, *E* cranberry). Die auf Hoch- u. Zwischenmooren wachsende *Moorbeere* (Rausch- od. Trunkelbeere, Sumpfheidelbeere; *V. uliginosum*, *E* bogbilberry) ist blaubereift, ähnelt der *Heidelbeere u. ruft beim Genuß Vergiftungserscheinungen (Übelkeit, rauschartige Erregungszustände, Schwindel, Sehstörungen) hervor, was möglicherweise durch einen häufig in der Beere schmarotzenden Pilz (*Sclerotina megalospora*) verursacht wird. Alle hier genannten *Vaccinium*-Arten bilden zusammen eine zu den Kieselpflanzen (s. Kalkpflanzen) zählende Gruppe. – ***E*** red whortleberries, cowberries, lingonberries – ***F*** airelles rouges – ***I*** mirtilli rossi – ***S*** arándanos encarnados

Lit.: Franke, Nutzpflanzenkunde (6.), S. 266 f., Stuttgart: Thieme 1997 ▪ Herrmann, Exotische Lebensmittel (2.), Berlin: Springer 1987. – *[HS 0811 90]*

Prekinamycin s. Präkinamycin.

Prelog, Vladimir (geb. 1906), Prof. für Organ. Chemie, ETH Zürich (1950–1976). *Arbeitsgebiete:* Heterocycl. Verb., Alkaloide, mittlere Ring-Verb., Stereochemie, asymmetr. Synth., abs. Konfiguration, Cahn-Ingold-Prelog-Regel (s. Chiralität), Siderochrome, Rifamicine u. a. Antibiotika, ster. Verlauf enzymat. Reaktionen usw.; Nobelpreis für Chemie 1975 (zusammen mit J. W. *Cornforth).

Lit.: Chem. Unserer Zeit **9**, A 68 (1975) ▪ Lexikon der Naturwissenschaftler, S. 334 f. ▪ Nachr. Chem. Tech. **14**, 344 (1966); **34**, 810 (1986) ▪ Naturwiss. Rundsch. **38**, 259–266 (1985) ▪ Neufeldt, S. 281 ▪ Pötsch, S. 350 ▪ Strube et al., S. 165 u. 191 ▪ The International Who's Who (17.), S. 1214.

Prelog-Djerassi-Lacton [(*R*)-2-((2*S*)-3*β*,5*β*-dimethyl-6-oxo-tetrahydro-2*H*-pyran-2*α*-yl)-propionsäure].

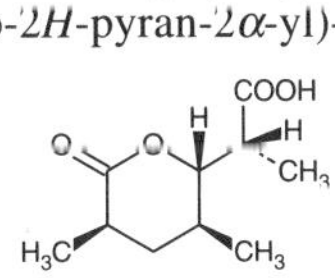

$C_{10}H_{16}O_4$, M_R 200,24. Schmp. 124–125 °C [(+)-Form]. Bez. für eine Verb., die erstmalig durch oxidativen Abbau von *Neomethymycin* u. a. Makrolid-Antibiotika isoliert wurde, wesentlich zu deren Strukturaufklärung beigetragen hat u. eine wichtige Zwischenstufe für die Synth. solcher *Makrolide darstellt. Da in vielen anderen Naturstoffen die gleichen stereochem. Verhältnisse wie im P.-D.-L. herrschen, kann seine Synth. als Modellfall für die Effektivität einer *stereoselektiven Synthese gelten [1]. – ***E*** Prelog Djerassi lactone acid – ***F*** lactone de Prelog-Djerassi – ***I*** lattone di Prelog-Djerassi – ***S*** lactona de Prelog-Djerassi

Lit.: [1] White, in Lindberg, Strategies and Tactics in Organic Synthesis, S. 344–366, Orlando: Academic Press 1984.
allg.: Synthesis **1991**, 245–262 ▪ Trost-Fleming **2**, 251. – *[CAS 69056-12-8]*

Prelude®. Marke der Schering AG für ein Flüssigfungizid (s. Fungizide) auf Basis von *Prochloraz zur Saatgutbehandlung.

Premier jus s. Talg.

Prenflo-Verfahren (von engl.: *P*ressurized *En*trained *Flo*w). Ein aus dem *Koppers-Totzek-Verf.* der *Kohlevergasung hervorgegangenes Flugstromvergasungsverf., bei dem Kohlenstaub unter N_2 als Trägergas mit Sauerstoff u. Wasserdampf bei Temp. >1350 °C u. 30 bar Druck in *Synthesegas umgewandelt wird. – ***E*** prenflo process – ***F*** procédé prenflo – ***I*** processo prenflo – ***S*** procedimiento prenflo

Lit.: Chem. Ind. (Düsseldorf) **37**, 397–403 (1985).

Prenole. Nach Empfehlungen der *IUPAC u. *IUBMB Bez. für iso*pren*oide Alkoh*ole* (vgl. Isoprenoide) der allg. Struktur:

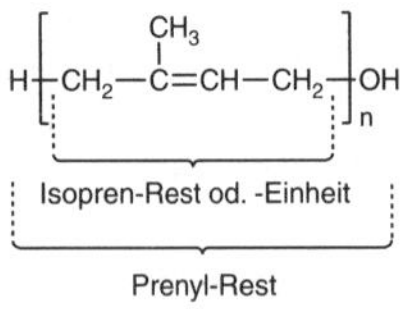

$H\!\left[CH_2-C(CH_3)=CH-CH_2\right]_n\!OH$

Isopren-Rest od. -Einheit

Prenyl-Rest

Ist die Anzahl n der Isopren-Reste = 2, 3 usw., so spricht man von Di-, Triprenolen usw., bei n>4 auch von *Polyprenolen.* Näheres zur Nomenklatur u. zur Bez. der Stereochemie s. *Lit.*; s.a. Methylbutenole. – ***E*** prenols – ***F*** prénols – ***I*** prenoli – ***S*** prenoles

Lit.: Eur. J. Biochem. **167**, 181–184 (1987).

Prenoxdiazin (Rp).

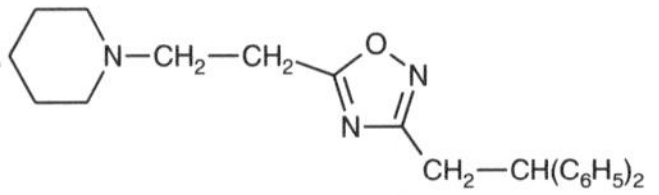

N–CH_2–CH_2 ; CH_2–$CH(C_6H_5)_2$

Kurzbez. für das *Antitussivum 1-{2-[3-(2,2-Diphenylethyl)-1,2,4-oxadiazol-5-yl]ethyl}piperidin, $C_{23}H_{27}N_3O$, M_R 361,48, Schmp. 75 °C, λ_{max} 259 nm (wäss. Säure). Verwendet wird das Hydrochlorid, Schmp. 192–193 °C; LD_{50} (Maus oral) 920, (Maus i.v.) 34 mg/kg. P. wurde 1964 von Chinoin patentiert. – ***E=F*** prenoxdiazine – ***I=S*** prenoxdiazina

Lit.: Hager (5.) **9**, 332f. ▪ Martindale (31.), S. 1074. – *[CAS 47543-65-7 (P.); 982-43-4 (Hydrochlorid)]*

Prenyl... In den IUPAC-Regeln ignorierte, aber in Namen für Naturstoffe übliche, von *Isopren abgeleitete Bez. für 3-Methyl-2-butenyl... (2-*Isopentenyl...), $-CH_2-CH=C(CH_3)_2$. – ***E*** prenyl... – ***F*** prényle... – ***I=S*** prenil...

Prenylamin (Rp).

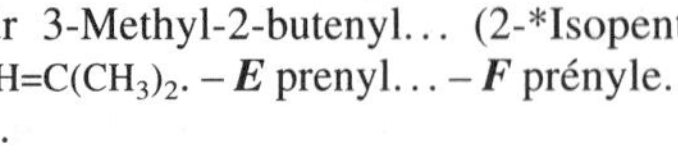

$(H_5C_6)_2CH-CH_2-CH_2-NH-CH(CH_3)-CH_2-C_6H_5$

Internat. Freiname für den *Calcium-Antagonisten (±)-3,3-Diphenyl-*N*-(1-methyl-2-phenylethyl)propylamin, $C_{24}H_{27}N$, M_R 329,46, Schmp. 36,5–37,5 °C; λ_{max} (CH_3OH) 255 nm ($A^{1\%}_{1cm}$ 22); verwendet wird meist das Lactat, Schmp. 140–142 °C, λ_{max} ($CHCl_3$) 260 nm ($A^{1\%}_{1cm}$ 170). P. wurde 1961 u. 1964 von Höchst patentiert. P. ist leider auch Trivialname für 3-Methyl-2-butenylamin (vgl. Prenyl...). – ***E*** prenylamine – ***F*** prénylamine – ***I=S*** prenilamina

Lit.: Hager (5.) **9**, 333ff. ▪ Martindale (31.), S. 1745. – *[HS 2921 49; CAS 390-64-7 (P.); 69-43-2 (Lactat)]*

Prenylierung s. Isopren u. Prenyl....

Prenylproteine. Bez. für Proteine, die kovalent gebundene Prenyl-Reste tragen (vgl. Prenole). Bei den bisher entdeckten P., zu denen *Lamine, *Ras-Proteine, *G-Proteine, *Protein-Kinasen u. Hefe-Paarungs-Faktoren (*E* yeast mating factors) gehören, sind *Farnesol od. *Geranylgeraniol Thioether-artig an L-Cystein-Reste am od. in der Nähe des *N*-Terminus gebunden u. dienen – soweit bekannt – der Verankerung der Proteine in Lipid-Membranen od. der Wechselwirkung mit anderen Proteinen. Für die zur Bildung der Farnesylproteine zuständigen *Farnesyltransferasen* wurden Hemmstoffe entwickelt, die in der Therapie Ras-abhängiger Tumoren zum Einsatz kommen sollen [1]. – ***E*** prenyl proteins – ***F*** protéines prénylées – ***I*** prenilproteine – ***S*** proteínas preniladas

Lit.: [1] Annu. Rev. Pharmacol. Toxicol. **37**, 143–166 (1997). *allg.:* Annu. Rev. Biochem. **65**, 241–269 (1996) ▪ Stryer 1996, S. 979f.

Prepacol®. Tabl. mit dem *Laxans *Bisacodyl u. Lsg. mit Natriummonohydrogenphosphat-decahydrat u. Natriumdihydrogenphosphat-dihydrat zur Darmentleerung vor Operationen. ***B.:*** Guerbet.

Prepbar®. Trennanlagen u. Kartuschen für die präparative Säulenchromatographie. ***B.:*** Merck.

Prephensäure (*cis*-1-Carboxy-4-hydroxy-α-oxo-2,5-cyclohexadien-1-propionsäure).

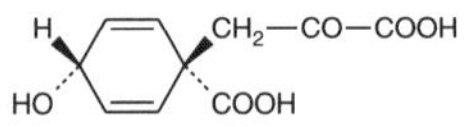

H ; HO ; $CH_2-CO-COOH$; COOH

$C_{10}H_{10}O_6$, M_R 226,19, in freier Form instabil, zersetzt sich zu Phenylbrenztraubensäure (Name von engl.: pre... = *Prä... u. *Phenyl...). Zwischenprodukt bei der Biosynth. vieler aromat. Naturstoffe wie z.B. *Phenylalanin, Phenylpyruvat, Tyrosin, *Lignin, zahlreicher Alkaloide etc. auf dem Shikimat-Weg. Im Organismus bildet sich P. über Chorisminsäure aus *Shikimisäure. Bei der Biosynth. aromat. Aminosäuren wird P. aromatisiert u. transaminiert. – ***E*** prephenic acid – ***F*** acide prephénique – ***I*** acido prefenico – ***S*** ácido prefénico

Lit.: Beilstein E IV **10**, 4024 ▪ Chem. Ber. **112**, 1571 (1979) ▪ Chem. Eng. News (21. 10. 1991) 27f. ▪ J. Chem. Soc. Chem. Commun. **1984**, 1008 ▪ Karrer, Nr. 4059 ▪ Nat. Prod. Rep. **12**, 101–133 (1995) ▪ Pure Appl. Chem. **56**, 1005–1010 (1984) ▪ Weiss u. Edwards, The Biosynthesis of Aromatic Compounds, S. 144–184, New York: Wiley 1980. – *[CAS 87664-40-2]*

Prepolymere (Präpolymere). Sammelbez. für meist *oligomere, teilw. aber auch selbst bereits polymere Verb., die als Vor- od. Zwischenprodukte zur Synth. von *Polymeren eingesetzt werden, die in ihrer Endform in der Regel unlösl., unschmelzbar u. daher nicht mehr formgebend verarbeitbar sind. Als noch lösl. u. plast. verarbeitbare Verb. werden die P. nach der Formgebung vorwiegend durch therm. ausgelöste Reaktion der in ihnen enthaltenen, reaktiven Gruppen unter meist starkem Anstieg der *Molmassen in die Zielpolymere überführt.

Am häufigsten wird der Begriff P. für Voraddukte verwendet, die unter anschließender Vernetzung in *Duroplaste (s. z.B. Phenol-Harze od. Melamin-Formaldehyd-Harze) überführt werden. Zielpolymere können

jedoch auch lineare *Makromoleküle sein. Hier sind die P. z. B. *Polyetherpolyole mit zwei Hydroxy-Funktionen, die durch Umsetzung mit Diisocyanaten in *Polyurethan-Elastomere überführt werden.
Im Gegensatz zu den P., die unter meist *starkem Anstieg* der Kettenlänge der Makromol. in die Endprodukte überführt werden, spricht man bei noch gut verarbeitbaren Polymeren, die durch polymeranaloge Reaktionen – d. h. *unter Beibehalt* ihres Polymerisationsgrades – in die unlösl. u. unschmelzbaren Zielpolymere überführt werden, von *Precursor*-Polymeren. Techn. bedeutende Precursor-Polymere sind z. B. die *Polyamidcarbonsäuren, die durch intramol. Cyclisierungs-Reaktionen in *Polyimide überführt werden. Auch für die Synth. anderer, meist vollaromat. u./od. leiterartig aufgebauter Polymerer (s. Leiterpolymere) wurden zur einfacheren Verarbeitung u. besseren Charakterisierung leistungsfähige Precursor-Routen entwickelt (s. z. B. Polyphenylene u. Polyphenylenvinylene). Schließlich werden auch reaktive Primärprodukte von Polymerisationen (z. B. das durch *Ringöffnungspolymerisation zugängliche aber instabile Polydichlorphosphazen) als Precursor-Polymere bezeichnet, da diese durch nachfolgende polymeranaloge Derivatisierung in beständigere Polymere umgewandelt werden; s. z. B. Polyphosphazene. – ***E*** prepolymers – ***F*** prépolymères – ***I*** prepolimeri – ***S*** prepolímeros
Lit.: Batzer **1**, 20 ▪ Elias (5.) **2**, 429.

Prepon®. Synthet. Guß- u. Modellierwachs zum Einsatz in der Zahntechnik. ***B.:*** Heraeus Kulzer GmbH & Co. KG.

Prepregs. Bez. für Fasermatten, die aus Glasfasern od. -filamenten bestehen u. mit wärmehärtbaren *Harzen imprägniert sind. Diese *pre*im*preg*nierten Matten können unter Formgebung durch Warm- od. Kaltpressen weiterverarbeitet werden, u. a. zu Formteilen od. Halbzeug. Das Verf. eignet sich auch für großflächige Gegenstände in kleinen Stückzahlen, z. B. für Bootskörper. Imprägniermassen für P. sind *Reaktionsharze. – ***E*** prepregs – ***F*** préimprégnés – ***I*** preimpregnati – ***S*** preimpregnados
Lit.: Batzer **1**, 20 ▪ Elias (5.) **2**, 395 ▪ Tieke, S. 92.

Preprints s. Konferenz-Berichte bei chemische Literatur.

Prepsolv®. Lsm. für die präparative Säulenchromatographie. ***B.:*** Merck.

Pres® (Rp). Tabl. u. Ampullen mit dem *ACE-Hemmer *Enalapril-hydrogenmaleat gegen Bluthochdruck; *P. plus* mit zusätzlichem *Hydrochlorothiazid. ***B.:*** Boehringer Ingelheim.

Pre-Shaves s. Rasiermittel.

Presomen® (Rp). Dragées mit natürlichen, konjugierten *Estrogenen, auch mit zusätzlichem *Medrogeston *(P. compositum)*, gegen klimakter. Beschwerden. ***B.:*** Solvay Arzneimittel.

Pressal®. Melamin-Harnstoff-Formaldehyd-Klebstoffe, konfektioniert zum Verleimen von Furnieren bei der Möbelherst. u. beim Innenausbau; zur koch- u. wetterfesten Verleimung von Sperrholz; zur Oberflächenvergütung von Betonschalungsplatten. ***B.:*** Henkel.

Pressen. Allg. bedeutet P. das Zusammendrücken u. Formen von Festkörpern u. *Pulvern. In der Metallverarbeitung versteht man darunter die *spanlose Umformung* von Werkstoffen durch Druck in zumeist hydraul. arbeitenden Maschinen. Je nach Verw. u. Aufbau unterscheidet man z. B. Zieh-, Präge-, Schmiede-, Fließ-, Stanz-, Biege-, Richt-, Tisch-, Metallrohr- u. Strangpressen. In der Kunststoffverarbeitung versteht man unter P. nach DIN 16700: 1967-09 das „Umformen der Formmasse zwischen Gesenk u. Stempel derart, daß die Masse unter Druck u. Wärmeeinwirkung plast. erweicht u. bei zusammengeführtem Stempel u. Gesenk den Hohlraum voll ausfüllt (*Warm-P.*), od. daß die durch geeignete Zusätze bereits bei Raumtemp. plast. Masse unter Druck geformt u. ggf. bei höheren Temp. nachbehandelt wird (*Kalt-P.*)". Spezialformen des *Kunststoff-P. sind Spritz-P. u. Strang-P. (s. Extrudieren). P. wird auch angewendet in der Textil-Ind. zur Erzielung von Glätte u. Glanz, in der chem. Ind. zur Entfernung von Restfeuchtigkeit aus Feststoffen (in Filter-P.), in der Fett-Ind. bzw. der Riechstoff-Ind. bei der Gewinnung von fettem Öl aus Ölfrüchten od. von ether. Ölen aus den Schalen der Citrusfrüchte u. in der Lebensmittel-Ind. zur Herst. von Säften aus Früchten. Beim P. von Pulvern zu Tabletten in der Arzneimittelherst. spricht man von *Tablettieren* (*Tabletten). Das P. von Metallpulvern in der Pulvermetallurgie bezeichnet man als **Kompaktieren*. – ***E*** [com]pressing – ***F*** compression – ***I*** pressatura – ***S*** compresión
Lit.: ACHEMA-Jahrb. **1994**, Bd. 3, 2282 ▪ Kirk-Othmer (3.) **5**, 253–259; **10**, 90; **18**, 201–204; **21**, 89–93 ▪ Ullmann (5.) **B 2**, 7-29, 7-30, 7-32 ▪ Winnacker-Küchler (4.) **4**, 580–590.

Preßhefe s. Hefen.

Preßholz. Kunstharz-P. ist ein aus Rotbuchenfurnieren u. härtbarem Kunstharz hergestellter *Schichtpreßstoff. Die nach der früheren DIN 7707-2: 1979-01 gültigen Regeln für P. sind ersetzt worden durch die Bestimmungen für Tafeln aus techn. Schichtpreßstoffen gemäß DIN-EN 60893-1 u. -2: 1996-03. – ***E*** laminated wood – ***F*** bois comprimé – ***I*** legno pressato – ***S*** madera comprimida

Preßluft s. Druckluft.

Preßluftatmer. P. sind frei tragbare, von der Umgebungsatmosphäre unabhängig wirkende *Atemschutzgeräte. Die Atemluft wird vom Gerätträger in Druckluftflaschen mitgeführt. Sie strömt über einen Druckminderer u. einen Lungenautomat, der die Atemluft entsprechend den Anforderungen des Gerätträgers dosiert, zum Atemanschluß, der in der Regel eine Vollmaske od. eine Mundstückgarnitur ist. Druckluftflaschen enthalten nur einen begrenzten Vorrat an Atemluft, so daß die Gebrauchsdauer begrenzt ist. Bei einem Atemluftvorrat von z. B. 1600 L liegt die Gebrauchsdauer je nach phys. u. psych. Belastung des Trägers zwischen 20 u. 50 min. Daher sind P. bei langen Anmarschwegen u. für länger dauernde Arbeiten nicht geeignet. – ***E*** self-contained open-circuit compressed air breathing apparatus – ***F*** respirateur à air sous pression – ***I*** apparecchio di respirazione ad aria compressa – ***S*** aparato respiratorio con aire comprimido

Lit.: Brauer, Handbuch Atemschutz, Landsberg/Lech: ecomed 1998 ▪ DIN EN 133 (Atemschutzgeräte – Einteilung) (1991); DIN EN 137 (Atemschutzgeräte – Behältergeräte mit Druckluft) (1993) ▪ Regeln für den Einsatz von Atemschutzgeräten, ZH 1/701, Hauptverband der gewerblichen Berufsgenossenschaften, 1996.

Preßmassen. Veraltete Bez. für härtbare *Formmassen auf der Basis von *Phenol-, *Harnstoff-, *Melamin-, *Polyester- u. *Epoxidharzen, die mit organ. od. anorgan. Füllstoffen u. ggf. anderen Zusätzen vermischt sein können. – ***E*** compression mo[u]lding materials – ***F*** matières à mouler par compression – ***I*** materie da stampeggio – ***S*** compuestos de moldeo
Lit.: Batzer **1**, 20 ▪ Ullmann (4.) **19**, 411–424.

Preßschweißen. Gruppe der Fügeverf. in der Fertigungstechnik, bei der der Verbund zwischen zwei Werkstücken durch gleichzeitiges Einwirken von Druck u. Wärme erreicht wird, s. a. Schweißverfahren. – ***E*** pressure welding

Preßspan. Hauptsächlich aus hochwertigen Cellulose-Fasern bestehende, schichtweise aufgebaute, gepreßte Feinpappe. – ***E*** press board – ***F*** presspahn – ***I*** cartone pressato – ***S*** papel prensado, cartón prespan

Preßspritzen. Veraltete Bez. für *Spritzpressen.

Preßstoffe. Ältere Bez. für *Formstoffe, die durch Pressen od. Spritzpressen hergestellt worden sind.

Preßteile. Ältere Bez. für durch Pressen od. Spritzpressen hergestellte *Formteile.

Prestomat®. Vak.-Druckguß-Gerät zur Herst. zahntechn. Gußobjekte. ***B.:*** Degussa.

Pretilachlor.

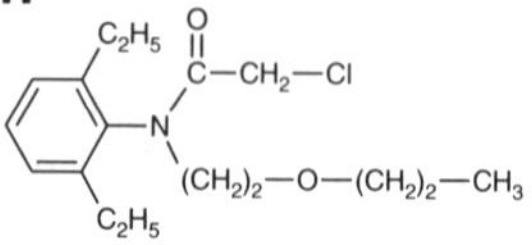

Common name für 2-Chlor-2′,6′-diethyl-*N*-(2-propoxyethyl)acetanilid, $C_{17}H_{26}ClNO_2$, M_R 311,85, Sdp. 135 °C (0,13 Pa), LD_{50} (Ratte oral) 6100 mg/kg (WHO), von Ciba Geigy (jetzt Novartis) 1982 eingeführtes *Herbizid gegen Unkräuter u. Schilfgräser im verpflanzten Reis. – ***E*** pretilachlor – ***F*** prétilachlore – ***I*** pretilacloro – ***S*** pretilaclor
Lit.: Pesticide Manual. – *[CAS 51218-49-6]*

Preuss, Heinzwerner (geb. 1925), Prof. für Theoret. Chemie, Univ. Stuttgart, Direktor des Inst. für Theoret. Chemie. *Arbeitsgebiete:* Entwicklung quantenmechan. Verf. (Pseudopotentiale), mol. Grafik, Anw. der Quantenchemie auf Probleme der Chemie, Festkörperchemie u. Pharmazie (Biochemie), Computerchemie, didakt. Aspekte der theoret. Chemie in Hochschule u. Gymnasien, philosoph. u. gesellschaftliche Konsequenzen aus der Wellenmechanik der chem. Materie.
Lit.: Kürschner (16.), S. 2834.

Preussag. Kurzbez. für die 1923 als Preuß. Bergwerks- u. Hütten-AG (Preußag) gegr. Firma Preussag AG, 30625 Hannover, die 1959 privatisiert wurde u. heute als Holding des Konzerns fungiert. Weltweit hat die P. 200 Konzernges., u. a. AMC (Amalgameted Metal), Deilmann-Haniel, Hapag Lloyd, HDW. 1998 wurde die Preussag Stahl AG an das Land Niedersachsen verkauft.
Konzernstruktur u. Produktion: Energie- u. Grundstoffe: Erdöl- u. Erdgasproduktion, Speicherbau u. -betrieb; Handel u. Schiffbau: NE-Metallhandel, Stahlhandel, Schiffbau; Logistik u. Touristik: Spezialgutlogistik, Chemiedienstleistungen, Mobilbauten, Tourismus; Gebäudetechnik: Porenbeton, Branntkalk, Trockenmörtel, Heiztechnik, Sanitärtechnik, Brandschutzsyst.; Anlagenbau: Rohrtechnik, Hafentechnik, Kranbau, Gastechnik, Energie- u. Abfalltechnik. *Daten* (1995/96): ca. 66226 (weltweit) Beschäftigte, davon 53603 in Deutschland, 25 Mrd. DM Umsatz (Konzern).

Preußensäure, Preußische Säure. Veraltetes Synonym für *Blausäure; vgl. dagegen Prussiate.

Preussin [(2*S*)-2α-Benzyl-1-methyl-5α-nonyl-3α-pyrrolidinol].

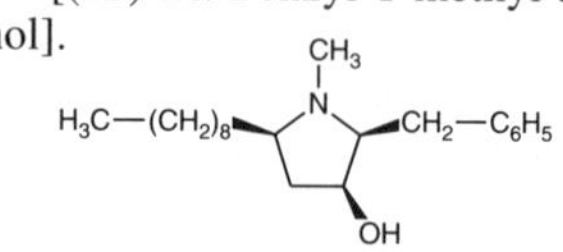

$C_{21}H_{35}NO$, M_R 317,51, gelbes Öl, $[\alpha]_D^{25}$ +22° ($CHCl_3$). Breit antifung. wirksamer Metabolit aus Kulturen von *Aspergillus ochraceus* u. einer *Preussia*-Art. – ***E*** preussine – ***F*** prussine – ***I*** preussina – ***S*** preussín
Lit.: *Isolierung:* J. Antibiot. **42**, 1184 (1989). – *Synth.:* J. Am. Chem. Soc. **116**, 11241 (1994) (Racemat) ▪ J. Chem. Soc., Chem. Commun. **1997**, 1601 ▪ Synthesis **1997**, 1296 ▪ Tetrahedron Lett. **39**, 131 (1998). – *[CAS 125356-66-3]*

Preußisch Blau. Histor. Name für ein meist als *Berliner Blau bezeichnetes *Eisenblaupigment*, das als kosmet. Färbemittel zugelassen ist, jedoch nicht im Mund- u. Lippenbereich (C-Blau 17). – ***E*** Prussian blue – ***F*** bleu de Prusse – ***I*** blu di Prussia – ***S*** azul de Prusia
Lit.: Pure Appl. Chem. **55**, 11–21 (1983) ▪ s. a. Berliner Blau. – *[HS 3206 43]*

Preventol®. Breites Sortiment von Mikrobioziden, Konservierungsmitteln u. Korrosionsinhibitoren.
Verw.: Holzschutzlasuren, Desinfektionsmittel, Kautschukmaterialien, Latexdispersionen, Betonzusatzmittel, Bitumen, Klebstoffe u. Leime, Korrosionsschutz, Kosmetika, Kühlschmiermittel, Wasserbehandlung, Kunststoffe, Pharmazeutika, Druckverdicker, Stärkeprodukte, Slurry, Antifouling, Zucker-Ind., Post-harvest, Sisal. ***B.:*** BASF.

Previcur® N. Flüssiges *Fungizid auf Basis *Propamocarb-Hydrochlorid mit system. Wirkung gegen *Pythium*- u. *Phytophthora*-Arten an Zierpflanzen u. Ziergehölzen unter Glas. ***B.:*** AgrEvo.

Prévost-Hydroxylierung. Alkene können nach Prévost mit Iod/Silberbenzoat im Verhältnis 1:2 zu *anti*-Glykolen (1,2-Diolen) hydroxyliert werden. Die Reaktion verläuft mehrstufig, wobei zunächst unter *anti*-Addition ein manchmal isolierbares β-Iodalkylbenzoat gebildet wird. Unter Beteiligung des bereits vorhandenen Benzoat-Restes (vgl. anchimere Hilfe u. Nachbargruppeneffekt) wird Iod durch ein zweites Benzoat substituiert, so daß im ganzen *anti*-Addition erfolgt.

Abb.: a) Prévost- u. b) Prévost-Woodward-Hydroxylierung.

Setzt man mit Iod/Silberacetat im Verhältnis 1:1 in Eisessig-Wasser um (*Prévost-Woodward-Hydroxylierung*), so bilden sich die *cis*-Glykole, da in diesem Fall das β-Iodalkyl-acetat einer normalen S_N2-Substitution unterliegt, was zur *cis*-Verb. führt. – ***E*** Prévost hydroxylation – ***F*** hydroxylation de Prévost – ***I*** ossidrilazione di Prévost – ***S*** hidroxilación de Prévost

Lit.: Hassner-Stumer, S. 305 ▪ Krauch u. Kunz, Reaktionen der Organischen Chemie, 6. Aufl., S. 434, Heidelberg: Hüthig 1997 ▪ March (4.), S. 823 ▪ s. a. Hydroxylierung.

Prévost-Woodward-Hydroxylierung s. Prévost-Hydroxylierung.

Pr(fod)₃. Abk. für das auch *Rondeaus Reagenz* genannte NMR-*Verschiebungsreagenz Tris(6,6,7,7,8,8,8-heptafluor-2,2-dimethyl-3,5-octandionato)praseodym(III), $C_{30}H_{30}F_{21}O_6Pr$, M_R 1026,45, Schmp. 215–219 °C; Formel analog zu $Eu(fod)_3$ (s. dort).

Lit.: Wenzel, NMR Shift Reagents, Boca Raton: CRC Press 1987 ▪ s. a. NMR-Spektroskopie u. Verschiebungsreagenzien. – *[CAS 17978-77-7]*

Přibil, Rudolf (geb. 1910), Prof. für Analyt. Chemie, Polarograph. Inst. Heyrovský, Prag. *Arbeitsgebiete:* Komplexometr. Titration, analyt. Chemie, Chelate, mikroanalyt. Nachw. von Metallen in Legierungen.

Pribnow(-Schaller)-Box. Bakterielle *Promotor-Sequenz, die ca. 10 Basenpaare vor dem Startpunkt lokalisiert ist (Bez. daher auch als –10-Sequenz) u. bei verschiedenen Promotoren auffallende Homologien in einem Bereich von 6 Basenpaaren (5′ TATAAT 3′) zeigt. Dabei sind die ersten beiden Positionen TA bei verschiedenen Promotoren zu 90% konserviert, die letzte Position T kommt in allen untersuchten Sequenzen vor, insgesamt liegt der Konservierungsgrad der einzelnen Basen zwischen 45–100% (*Consensus-Sequenz). *Eukaryonten* besitzen eine ähnlich konservierte Promotor-Sequenz („TATA"-Box). – ***E*** = ***I*** Pribnow box – ***F*** boîte de Pribnow – ***S*** caja de Pribnow

Lit.: Antimicrob. Agents Chemother. **39** (6), 1365–1368 (1995); **41** (2), 468 ff. (1997) ▪ J. Mol. Biol. **99**, 419 (1975).

Price, Charles C. (geb. 1913), Prof. für Chemie, Univ. of Pennsylvania, Philadelphia, Pa., USA. *Arbeitsgebiete:* Substitutionen, Copolymerisationsvorgänge, Price-Roberts-Synth. von 4-Hydroxychinolin, Dien-Synth., Reaktionen von Epoxid-Verb., Kampfstoffe, Chemotherapie von Krebserkrankungen, Malaria, Schwefel-Bindung u. Thiobenzene.

Priceit s. Pandermit.

Pricol®. Neutrales flüssiges od. pulverförmiges Reinigungsmittel auf der Basis von *Alkylsulfaten u. *Alkylbenzolsulfonaten. ***B.:*** Henkel Ecolab.

Pridinol (Rp).

Internat. Freiname für 1,1-Diphenyl-3-piperidino-1-propanol, $C_{20}H_{25}NO$, M_R 295,41, in Aceton lösl. Krist., Schmp. 120–121 °C. Verwendet werden das Hydrochlorid, Schmp. 238 °C (Zers.), LD_{50} (Maus i.v.) 35, (Maus i.p.) 131 mg/kg, u. das Mesilat $C_{21}H_{29}NO_4S$, M_R 391,53, Schmp. 152,5–155 °C. P. wurde 1949 von Wellcome patentiert u. ist als *Anticholinergikum u. Antiparkinsonmittel (s. Parkinsonismus) von Hommel (Parks 12®, Lyseen-Hommel®) im Handel. – ***E*** = ***F*** = ***S*** pridinol – ***I*** pridinolo

Lit.: Hager (5.) **9**, 335 f. ▪ Martindale (31.), S. 1525. – *[HS 2933 39; CAS 511-45-5 (P.); 968-58-1 (Hydrochlorid); 6856-31-1 (Mesilat)]*

Priem s. Kautabak.

Priestley, Joseph (1733–1804), freigeistiger Theologe u. Chemiker in England u. Amerika. *Arbeitsgebiete:* Entdeckung des Sauerstoffs (1774) unabhängig von Scheele, Untersuchungen zur Photosynth., Entwicklung von Geräten zum Auffangen u. Untersuchen von Gasen, Anw. des Quecksilbers als Sperrflüssigkeit für Gase, Entdeckung von Chlorwasserstoff, Ammoniak, Schwefeldioxid, Stickoxid, Lachgas, Kohlenoxid, Herst. von Mineralwasser.

Lit.: Chem. Labor Betr. **35**, 224 (1984) ▪ Krafft, S. 280 f. ▪ Lexikon der Naturwissenschaftler, S. 335 ▪ Pötsch, S. 350 f. ▪ Strube et al., S. 55 f.

Prigogine, Ilya (geb. 1917), Prof. für Chemie, Freie Univ. Brüssel, Texas, Direktor des Inst. Internationaux de Physique et de Chimie (seit 1959). *Arbeitsgebiete:* Thermodynamik, Oberflächenkräfte, Lösungseigenschaften, irreversible Prozesse, Theorie der dissipativen Struktur; Nobelpreis für Chemie 1977.

Lit.: Lexikon der Naturwissenschaftler, S. 335 ▪ Neufeldt, S. 274 ▪ Pötsch, S. 351 ▪ Rice, For Ilya Prigogine (Adv. Chem. Phys. 38), New York: Wiley 1978 ▪ Strube et al., S. 191 ▪ The International Who's Who (17.), S. 1217 f.

Pril®. Neutrales Geschirrspülmittel für den Handbetrieb, enthält als spülaktive Substanzen *Alkylpolyglucoside, s. Plantacare®. ***B.:*** Henkel.

Prileschajew-Reaktion. Eine von N. Prileschajew[1] (1872–1944) erstmals 1909 beschriebene Reaktion zwischen Verb. mit C,C-Doppelbindungen u. organ. *Persäuren, wobei *Epoxide (*Oxirane) entstehen. Für diese *Epoxidierung verwendete Persäuren sind Peroxybenzoesäure, 3-Chlorperoxybenzoesäure, Peroxyameisen- u. Peroxyessigsäure – häufig *in situ* aus der Carbonsäure u. H_2O_2 hergestellt –, geläufige Lsm. Chloroform, Dioxan u. Ether. An Stelle von Persäuren kann auch *Dimethyldioxiran (DDO) zur Epoxidierung eingesetzt werden[2]. In mechanist. Hinsicht wird ein einstufiger Prozeß, bei dem der Sauerstoff auf das Alken übertragen wird, angenommen[3]:

Auf dem Umweg über die P.-R. läßt sich die *trans*-Hydroxylierung vieler Alkene erreichen (s. a. bei Glykole u. Hydroxylierung). – ***E*** Prilezhaev reaction

Lit.: [1] Zh. Obshch. Khim. **43**, 697 f. (1973). [2] Acc. Chem. Res. **22**, 205 (1989). [3] Tetrahedron **32**, 2855–2866 (1976); **42**, 4017–4026 (1986); Russ. Chem. Rev. **54**, 986 (1985); J. Am. Chem. Soc. **113**, 6281 (1991).
allg.: Hudlický, Oxidations in Organic Chemistry, S. 60 f., Washington: American Chemical Society 1990 ▪ Krauch u. Kunz, Reaktionen der organischen Chemie, 6. Aufl., S. 493, Heidelberg: Hüthig 1997 ▪ Laue-Plagens, S. 258 ▪ March (4.), S. 826 ▪ s. a. Epoxide, Hydroxylierung, Oxidation u. Persäuren.

Prillen. Aus dem Engl. (*E* prilling = Formgebungsverf. durch Erstarren der Tropfen einer versprühten Schmelze) übernommene Bez. für die Herst. körniger Körper aus schmelzbaren Stoffen, wobei die Substanzen (z. B. Düngemittel) an der Spitze eines Turmes in definierter Tröpfchengröße eingesprüht werden, im freien Fall erstarren u. am Boden des Turmes als *Granulat anfallen. P. eignet sich im allg. zur Formgebung niedrigschmelzender Stoffe, die im Bereich der Schmelztemp. stabil sind (z. B. Harnstoff, Ammoniumnitrat u. diverse Formulierungen wie Enzymkonzentrate, Arzneimittel etc.). – ***E*** = ***F*** = ***S*** prilling – ***I*** prillare

Lit.: Kirk-Othmer (3.) **2**, 529 f.; **10**, 49 f., 53 f.; **21**, 98; **23**, 565 f. ▪ McKetta **24**, 425–431 ▪ Ullmann (5.) **B 2**, 3–34 ▪ Winnacker-Küchler (4.) **2**, 177 f., 345, 364, 368 f. ▪ s. a. Granulate.

Prilocain.

CH_3
NH–CO–CH–NH–$(CH_2)_2$–CH_3
CH_3

Internat. Freiname für das *Lokalanästhetikum (±)-2′-Methyl-2-(propylamino)propionanilid (*N*-Propyl-DL-alanin-*o*-toluidid), $C_{13}H_{20}N_2O$, M_R 220,31, Nadeln, Schmp. 37–38 °C, Sdp. 159–162 °C (133 Pa); n_D^{20} 1,5298, pK_b 6,1. Verwendet wird auch das Hydrochlorid, Schmp. 167–168 °C. P. wurde 1960 u. 1964 von Astra (Xylonest®) patentiert. – ***E*** prilocaine – ***F*** prilocaïne – ***I*** prilocaina – ***S*** prilocaína

Lit.: ASP ▪ Hager (5.) **9**, 337 ff. ▪ Martindale (31.), S. 1338 f. – *[HS 2924 29; CAS 721-50-6 (P.); 1786-81-8 (Hydrochlorid)]*

Primär (von latein.: primarius = erster Art; Abk.: prim.). a) In der anorgan. Chemie hieß früher die erste Neutralisationsstufe mehrbasiger Säuren *prim.* Salz; *Beisp.: prim.* *Natriumphosphat NaH_2PO_4, *prim.* Sulfate (s. Hydrogensulfate). – b) In der organ. Chemie heißen Alkohole, Alkyl-Reste, Amine u. Amide *primär*, wenn am C- bzw. N-Atom nur ein H-Atom durch einen organ. Rest R substituiert ist (allg. Formeln: R–CH_2–OH, –CH_2–R, R–NH_2, R–CO–NH_2); das gleiche gilt für *prim.* Kohlenstoff-, Stickstoff- u. a. Atome (R–CH_3, R–*N*H_2). – c) Bei Fachwörtern vieler Spezialgebiete tritt „*primär*“ in verschiedenem Sinne auf: *P.-acetat* (s. Celluloseacetat); *primär chron. Polyarthritis* (PCP, s. Penicillamin u. rheumatoide Arthritis); *P.-dispersion* (s. Polymerdispersionen), *P.-elemente* (s. galvanische Elemente u. Taschenbatterien), *P.-harn* (s. Nieren), *P.-kristallisation* (gefolgt von sek. Umwandlungen), *P.-Kühlkreislauf* (s. Kernreaktoren), *P.-*Lagerstätten*, *P.-literatur* (s. chemische Literatur), *P.-ozonid* (s. Ozonisierung), *P.-Pflanzenstoffe*; *P.-produkt* (erstes Produkt in Reaktionsfolgen), *P.-prozeß* (s. Photochemie: Anregung u. Thermalisierung als erste Stufe), *P.-reaktion* (Start einer *Kettenreaktion od. Hauptreaktion im Vgl. mit sek. Nebenreaktionen, vgl. Reaktionen), *P.-struktur* (s. Proteine), *P.-teilchen* (kolloidchem. Zustand im Sol vor der Koagulation), *P.-weichmacher* (s. Weichmacher); vgl. sekundär, tertiär u. quartär. – ***E*** primary – ***F*** primaire – ***I*** = ***S*** primario

Primäracetat. Während die vollständige Veresterung aller Hydroxy-Gruppen der *Cellulose problemlos gelingt, ist ihre nur teilw. u. über die *Makromoleküle gleichmäßig verteilte Acetylierung nicht möglich. Statt dessen werden hierbei je nach Reaktionsbedingungen Mischungen aus nicht acetylierter Cellulose u. voll substituiertem Cellulosetriacetat bzw. blockweise substituierte Cellulose-Derivate erhalten. Partiell acetylierte Produkte weden dann durch nachträgliches Verseifen von Cellulosetriacetat hergestellt. Das Triacetat wird daher auch *P.* genannt, das Cellulose-2½-Acetat *Sekundäracetat*. – ***E*** primary (cellulose) acetate – ***I*** = ***S*** acetato primario

Lit.: Elias (5.) **2**, 292.

Primärmetabolite s. Sekundärmetabolite.

Primärproduzenten. Autotrophe Pflanzen, die in der Nahrungspyramide von Primärkonsumenten (heterotrophe Organismen) verzehrt werden. Bei der Primärproduktion (Urproduktion) erfolgt der photo- od. chemosynthet. Aufbau organ. Substanz aus anorgan. Substanzen. – ***E*** primary producers – ***F*** producteurs primaires – ***I*** produttore primario – ***S*** productores primarios

Primärstruktur s. Proteine.

Primärtranskript s. Ribonucleinsäuren.

Primär-Weichmacher s. Weichmacher.

Primaquin (Rp).

CH_3
HN–CH–$(CH_2)_3$–NH_2
N
H_3CO

Internat. Freiname für das gegen *Malaria wirksame Protozoenmittel (±)-N^4-(6-Methoxy-8-chinolinyl)-1,4-pentandiamin, $C_{15}H_{21}N_3O$, M_R 259,34, viskose Flüssigkeit, Sdp. 175–179 °C (26,7 Pa), lösl. in Ether. Verwendet wird das Diphosphat, Schmp. 197–198 °C. P. ist das einzige Malariamaittel, das gegen Hypnozoiten wirkt, einer Ruheform der Parasiten. Es ist zur Ausheilung, nicht jedoch Therapie eines akuten Anfalls geeignet u. auf Anforderung von der Firma Bayer erhältlich. – ***E*** = ***F*** primaquine – ***I*** primachina – ***S*** primaquina

Lit.: Beilstein E III/IV **22**, 5817 ▪ Hager (5.) **9**, 339–342 ▪ Martindale (31.), S. 470 f. ▪ Ph. Eur. **1997** u. Komm. ▪ Wernsdorfer u. Trigg, Primaquine, New York: Wiley 1986 ▪ s. a. Malaria. – *[HS 2933 40; CAS 90-34-6 (P.); 63-45-6 (Diphosphat)]*

Primase s. Replikation.

Primasprit s. Ethanol (S. 1228).

Primeln (von latein. primula = die erste). Weltweit verbreitete, ausdauernde, weiß, rot, bläulich bis purpurn, meist aber gelb blühende Blütenpflanzen (*Primula veris*, *P. elatior*, *P. vulgaris*, Primulaceae) mit etwa 30 Gattungen u. fast 1000 meist in der Arktis u. den Hochgebirgen Europas u. Asiens heim. Arten; am bekanntesten ist die Schlüsselblume. Die Stengel u. die eiförmigen Blätter sind behaart. Bei den *Becher-* od. *Gift-P.* (*P. obconica*) enthalten diese Haare das auf manche Menschen stark allergisierend wirkende *Primin* (2-Methoxy-6-pentyl-1,4-benzochinon), $C_{12}H_{16}O_3$, M_R 208,26.

Primin

Wegen ihres Gehaltes an Saponinen vom β-*Amyrin-Typ werden die Wurzelinhaltsstoffe der Schlüsselblumen als *Expektorans bei Bronchitis, Husten, Asthma etc. verwendet. Eine Riechstoffvorstufe ist das Primverin, s. Primverose. – ***E*** cowslip, primrose – ***F*** primevère – ***I*** primule – ***S*** primaveras

Lit.: Angew. Chem. **93**, 164–183 (1981) ▪ Hager (5.) **6**, 269–290. – *[HS 2914 69 (Primin); CAS 15121-94-5 (Primin)]*

Primer. 1. Allg. Bez. für *Grundanstriche (Grundbeschichtungen) mit z. B. haftvermittelnder, passivierender u./od. korrosionshemmender Wirkung, s. Haftgrundmittel (Wash-Primer), Reaktionsprimer, Rostumwandler, Shop-Primer.
2. Bez. für die *Replikation, die reverse Transkription u. die *polymerase chain reaction als Starter-Mol. benötigte Oligoribonucleotide. – ***E*** primer

Primidon (Rp).

Internat. Freiname für das *Antiepileptikum 5-Ethyl-5-phenyl-dihydro-4,6(1*H*,5*H*)-pyrimidindion, $C_{12}H_{14}N_2O_2$, M_R 218,25, geschmackfreie Krist., Schmp. 281–282 °C; λ_{max} (CH_3OH) 251, 258, 264 nm ($A^{1\%}_{1cm}$ 9,8, 11,6, 8,6); lösl. in organ. Lsm., wenig in Wasser. P. wurde 1952 von ICI (Mylepsinum®, Zeneca) patentiert u. ist auch von Desitin (Liskantin®) u. Sanofi Winthrop (Resimatil®) im Handel. – ***E*** = ***F*** = ***I*** primidone – ***S*** primidona

Lit.: ASP ▪ Beilstein E III/IV **24**, 1493 ▪ Florey **2**, 409–437; **17**, 749–795 ▪ Hager (5.) **9**, 342 ff. ▪ Martindale (31.), S. 386 ▪ Ph. Eur. **1997** u. Komm. ▪ Ullmann (5.) **A 3**, 15. – *[HS 2933 79; CAS 125-33-7]*

Primin s. Primeln.

Primisulfuron-methyl. Xn

Common name für 2-{3-[4,6-Bis-(difluormethoxy)-pyrimidin-2-yl]ureidosulfonyl}-benzoesäuremethylester, $C_{15}H_{12}F_4N_4O_7S$, M_R 468,33, Schmp. 170 °C (Zers.), LD_{50} (Ratte oral) >5050 mg/kg (Pesticide Manual), von Ciba-Geigy (jetzt Novartis) 1985 eingeführtes selektives, system. *Herbizid gegen Ungräser u. Unkräuter im Maisanbau. – ***E*** primisulfuron-methyl – ***F*** primisulfuron-méthyle – ***I*** primisolfuron-metile – ***S*** primisulfuron-metil

Lit.: Farm. ▪ Perkow ▪ Pesticide Manual. – *[CAS 86209-51-0 (P.-m.); 113036-87-6 (Primisulfuron)]*

Primolut®-Nor (Rp). Tabl. mit *Norethisteron-acetat gegen Amenorrhoe. ***B.:*** Schering.

Primosiston® (Rp). Tabl. mit *Norethisteron-acetat u. *Ethinylestradiol gegen dysfunktionelle Blutungen. ***B.:*** Schering.

Primosom s. Replikation.

Primulagenin A s. Oleanan.

Primul(id)in s. Malvidinchlorid.

Primulin. a) P. (C. I. Direct yellow 59), Natrium-Salz der Monosulfonsäure, $C_{21}H_{14}N_3NaO_3S_3$, M_R 475,56, die zusammen mit anderen Isomeren bei der Sulfonierung der sog. P.-Base entsteht.

Der erste, heute für Baumwollfasern bedeutungslose Diazotierungsfarbstoff findet noch in der Mikroskopie Verw., z. B. als Farbreagenz-Komponente für Nervenzellen[1]. Die P.-Base ist eine wichtige Schwefel-Farbstoffkomponente u. Basis für gelbe *Direkt-Farbstoffe, die durch Schwefel-Schmelze von *p*-Toluidin als zweikerniges Benzothiazol-Derivat zusammen mit höheren Oligomeren entsteht.
b) Unter dem Namen P. versteht man auch das 3-β-D-Galactopyranosid von *Malvidinchlorid. – ***E*** primuline (a), primulin (b) – ***F*** primuline – ***I*** = ***S*** primulina

Lit.: [1] Science **204**, 873 (1979).
allg.: Beilstein E II **27**, 437 ▪ Kirk-Othmer (4.) **3**, 854 ▪ Ullmann (5.) **A3**, 280. – *[HS 2934 20; CAS 8064-60-6 (a); 30113-37-2 (b)]*

Primverin s. Primverose.

Primverose (6-*O*-β-D-Xylopyranosyl-D-glucose).

$C_{11}H_{20}O_{10}$, M_R 312,27. Krist., Schmp. 194–210 °C (Zers.), süßer Geschmack $[\alpha]^{20}_D$ +23,8° → −3,4° (H_2O). Disaccharid aus Xylose u. Glucose, reduziert Fehlingsche Lösung. Es kann aus einer Reihe von Glykosiden durch enzymat. Hydrolyse erhalten werden; z. B. aus Primverin (Glykosid mit 2-Hydroxy-4-methoxybenzoesäuremethylester aus *Primeln), aus Ruberythrinsäure (Glykosid mit Alizarin aus der *Krapp-Wurzel), aus Gaultherin = Monotropitosid (Glykosid mit Salicylsäuremethylester im *Wintergrünöl). – ***E*** primeverose – ***F*** primevérose – ***I*** primaverosio – ***S*** primaverosa

Lit.: Beilstein E III/IV **17**, 2447 ▪ Karrer, Nr. 633 ▪ Merck-Index (12.), Nr. 7926. – *[CAS 26531-85-1]*

Pringsheim, Peter (1881–1963), Prof. für Physik, Berlin, Berkeley, Chicago. *Arbeitsgebiete:* Lumineszenz von Gasen u. Dämpfen, Photoeffekte, Farbzentren in Alkalihalogeniden, Raman-Effekt.

Lit.: Lexikon der Naturwissenschaftler, S. 335 ▪ Naturwissenschaften **48**, 145 (1961); **51**, 153 f. (1964).

Pringsheim-Methode. Quant. Bestimmungsmeth. für Halogene u. Schwefel in organ. Verb.: Man läßt die organ. Substanz mit Na_2O_2 reagieren, löst die Reaktionsprodukte in Wasser u. analysiert in der üblichen Weise (z. B. Coulometrie, Photometrie, Ionenchromatographie, ionenselektive Elektroden). – ***E*** Pringsheim method – ***F*** méthode de Pringsheim – ***I*** metodo di Pringsheim – ***S*** método de Pringsheim

Prins-Reaktion. Eine von Prins 1919 aufgefundene Reaktion, bei der aus Formaldehyd u. Olefinen unter Säure-Einfluß je nach Reaktionsbedingungen prim. Allylalkohole (s. Abb. a), 1,3-Glykole (s. Abb. b) od. 1,3-Dioxane (s. Abb. c) gebildet werden (vgl. Hydroxymethylierung).

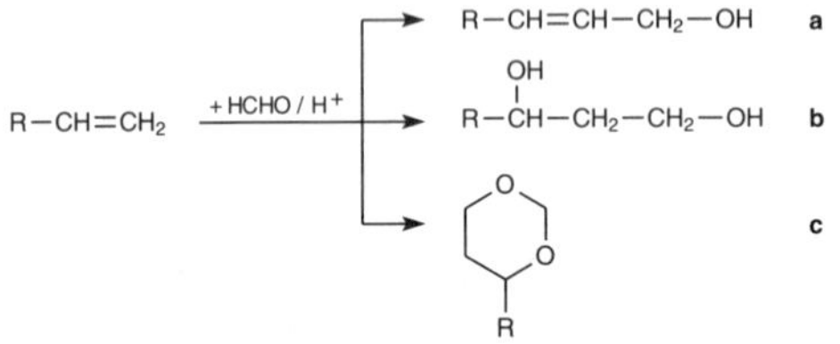

R–CH=CH$_2$ —(+HCHO / H$^+$)→ a: R–CH=CH–CH$_2$–OH; b: R–CH(OH)–CH$_2$–CH$_2$–OH; c: 1,3-Dioxan (R)

Die Reaktion wird durch die Protonierung des Formaldehyds eingeleitet, der sich unter Bildung von vorzugsweise tert. *Carbenium-Ionen an das Alken addiert, u. sie läßt sich auch auf höhere Aldehyde übertragen. – ***E*** Prins reaction – ***F*** réaction de Prins – ***I*** reazione di Prins – ***S*** reacción de Prins

Lit.: Hassner-Stumer, S. 306 ▪ Krauch u. Kunz, Reaktionen der organischen Chemie, 6. Aufl., S. 495, Heidelberg: Hüthig 1997 ▪ Laue-Plagens, S. 260 ▪ March (4.), S. 967 ▪ Russ. Chem. Rev. **37**, 17–25 (1968) ▪ Synthesis **1977**, 661–672; **1981**, 361 f. ▪ Trost-Fleming **2**, 527 ff.

Printex®. Pigmentruße für Anw. in der Druckfarben-, Kunststoff- u. Lack-Industrie. ***B.:*** Degussa.

Prinza®. *Guar-Mehl, pflanzliches Galactomannan (s. Mannane) zur Verw. in der Lebensmittel-Ind. als Verdickungs- u. Stabilisierungsmittel. ***B.:*** Grünau.

Prinzip. P. der übereinstimmenden Zustände s. kritische Größen; P. der mikroskop. Reversibilität s. Reaktionen; *Prinzip der minimalen Strukturänderung (s. a. Reaktionen); s. a. Phlogiston. – ***E*** principle – ***F*** principe – ***I = S*** principio

Prinzip der minimalen Strukturänderung. Von Hine entwickeltes Prinzip, mit dessen Hilfe der Verlauf von Reaktionen vorhergesagt werden kann. Es besagt, daß diejenige Reaktion bevorzugt abläuft, die die wenigsten Änderungen von Atompositionen u. Elektronenkonfigurationen benötigt. So läßt sich mit dem P. m. S. vorhersagen, warum bei der *Birch-Reduktion von aromat. Verb. 1,4-Diene u. nicht 1,3-Diene entstehen. Das Carbanion **A**, das als Zwischenstufe formuliert wird kann zu **B** od. **C** protoniert werden. Nach der einfachen *Valence-Bond-Methode ist **A** ein Resonanzhybrid mit den gezeigten Bindungsordnungen. Bei der Bildung von **B** ändern diese sich um 1⅓, von **C** dagegen um 2, so daß das P. m. S. klar die Bildung von **B** vorhersagt. – ***E*** principle of least motion

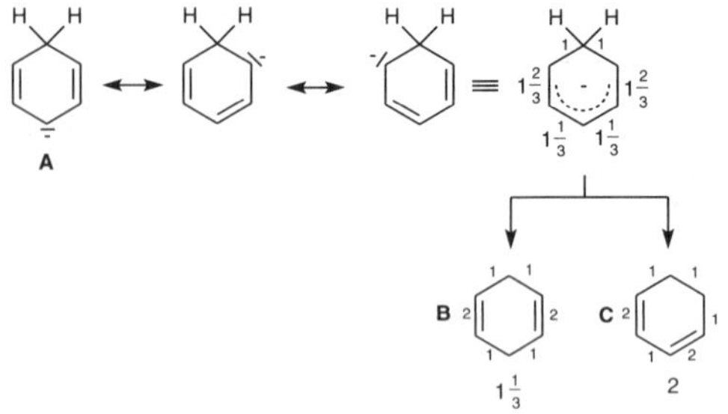

Abb.: Änderungen der Bindungsordnungen.

Lit.: Adv. Phys. Org. Chem. **15**, 1–61 (1977) ▪ Angew. Chem. **92**, 503–513 (1980).

Prinzip des kleinsten Zwanges (Le Châtelier-Braunsches Prinzip). Bez. für ein von H. L. *Le Châtelier u. K. F. *Braun formuliertes Prinzip, das die Abhängigkeit des *chemischen Gleichgewichtes von äußeren Bedingungen qual. beschreibt. Das Gleichgew. verschiebt sich demnach stets so, daß es dem äußeren Zwang ausweicht. Das bedeutet, daß im Falle einer mit einer Vol.-Änderung verbundenen Reaktion (z. B. Ammoniak-Zers.: $2NH_3 \rightleftharpoons N_2+3H_2$) eine Druckerhöhung zu einer Verringerung des Umsatzes führen muß. Entsprechend wird umgekehrt bei einer mit Vol.-Verkleinerung verbundenen Reaktion durch Druckerhöhung der Umsatz erhöht; im Falle der Ammoniak-Synth.: $N_2+3H_2 \rightleftharpoons 2NH_3$ wird unter hohem Druck das Gleichgew. in die Richtung des NH_3 verschoben. Das Prinzip besagt auch, daß bei *exothermen Reaktionen zusätzliche Wärmezufuhr das Gleichgew. in Richtung auf die Ausgangsstoffe, bei *endothermen Reaktionen in Richtung auf die Produkte verschiebt. Das Le Châtelier-Braunsche Prinzip wurde 1887, also 20 Jahre nach dem *Massenwirkungsgesetz formuliert. – ***E*** [Le Châtelier's] principle of least restraint – ***F*** principe [de Le Châtelier] de la moindre résistance – ***I*** principio di Le Chatelier – ***S*** principio [de Le Châtelier] de la mínima resistencia

Lit.: Brockhaus, Physik abc, Leipzig: Brockhaus 1989.

Prionen. Von *E* proteinaceous infectious particles abgeleitete Bez. für infektiöse Eiweiß-Partikel von 4–6 nm Durchmesser, die durch Substanzen, die Nucleinsäure angreifen, nicht inaktivierbar sind. P. wurden erstmals aus mit Scrapie, einer Schafe befallenden Seuche, infiziertem Gewebe isoliert. Scrapie-Erreger enthalten ein Sialoglykoprotein (s. Prion-Protein), das sich zu Amyloid-ähnlichen Aggregaten zusammenlagert. Diese krankheitserzeugende Form des PrP entsteht aus der zellulären Form (PrP^c) des Proteins, v. a. wenn sie durch eine bestimmte Mutation verändert wurde. Einmal im Organismus vorhanden, beschleunigt PrP^{Sc} die weitere Umformung von PrP^c in PrP^{Sc}. P. sind die Erreger verschiedener Hirnerkrankungen bei Menschen u. Tieren, die als spongiforme Enzephalopathien od. P.-Erkrankungen bezeichnet werden. Die häufigste durch P. hervorgerufene Erkrankung des Menschen ist die Creutzfeld-Jakob-Krankheit, eine infektiöse Gehirnerkrankung mit einer Inzidenz von 1/1 000 000. Eine neue Variante dieser Erkrankung scheint durch die ernährungsbedingte Aufnahme von

Hirngewebe von an der bovinen spongiformen Enzephalopathie (BSE) erkrankten Rindern (s. Rinderseuche) auf den Menschen übertragbar zu sein. – ***E*** = ***F*** prions – ***I*** prioni – ***S*** priones

Lit.: Court u. Dodet, Transmissible subacute spongiform encephalopathies: prion diseases, Amsterdam: Elsevier 1996 ▪ Curr. Op. Neurol. **10**, 273–281 (1997).

Prion-Protein (PrP). In *Eukaryonten verbreitetes *Glykoprotein (M_R 33000–35000). Das PrP kommt in einer normalen (PrP^c) u. einer patholog. Form (PrP^{Sc}) vor, die sich durch die Konformation (Raumstruktur) unterscheiden: hoher Anteil an α-*Helix bei PrP^c, an β-Faltblatt (s. Proteine) bei PrP^{Sc}. Außerdem ist PrP^c empfänglich für proteolyt. Spaltung, PrP^{Sc} dagegen in geringerem Maß. Letzteres ist auch durch hohe Thermostabilität ausgezeichnet (bis ca. 130 °C). PrP^c ist wichtigster od. einziger Bestandteil der *Prionen u. akkumuliert sich im Gehirn bei spongiformen Enzephalopathien (SE). Die Umwandlung $PrP^c \rightarrow PrP^{Sc}$ erfolgt normalerweise unmeßbar langsam, wird aber durch PrP^{Sc} autokatalyt. beschleunigt u. soll die Grundlage der Infektion durch Prionen u. Pathogenese bei den – übertragbaren u. erblichen – SE bilden. Diese Hypothese, obwohl nicht unumstritten [1], wurde 1997 mit dem Medizin-Nobelpreis für S. Prusiner bedacht [2]. Bei erblichen SE können Mutationen des PrP^c-Gens nachgewiesen werden. PrP^c scheint für das Überleben bestimmter Nervenzellen (Purkinje-Neuronen), für die Regulation *circadianer Rhythmik u. evtl. für die normale Funktion der *Synapsen verantwortlich zu sein; auf den Ausfall dieser Funktionen wird die Pathologie der SE teilw. zurückgeführt. Neuerdings wurde eine Membran-gebundene Form des PrP im Zusammenhang mit einzelnen Fällen experimenteller u. erblicher SE gefunden [3]. – ***E*** prion protein – ***F*** protéine prion – ***I*** proteina del prione – ***S*** proteína de prión

Lit.: [1] Science **279**, 42 f. (1998). [2] Spektrum Wiss. **1997**, Nr. 12, 22 ff. [3] Science **279**, 827–834 (1998).
allg.: Angew. Chem. **109**, 1749–1769 (1997) ▪ Cell **89**, 495–510 (1997); **93**, 337–348 (1998) ▪ Trends Cell. Biol. **7**, 56–62 (1997) ▪ Trends Genet. **13**, 264–269 (1997).

Priorität (Rangfolge, von lateln.: prior = der vordere, frühere) s. CIP-Regeln, Patente u. Suffixe.

Prism. Ein von Monsanto entwickeltes Syst. zur Gastrennung an Polymer beschichteten Polysulfon-Hohlfasern; *Beisp.:* Abtrennung von Stickstoff aus Luft, von Wasserstoff aus Ammoniak etc.

Lit.: J. Membr. Sci. **8**, 233 (1981) ▪ Kirk-Othmer (3.) **S**, 833 ▪ Ullmann (5.) **A 2**, 202 f.

Prisma s. Kristallmorphologie.

Prisman. C_6H_6, M_R 78,11. Trivialname für Tetracyclo[2.2.0.0^{2,6}.0^{3,5}]hexan, ein Valenzisomeres des Benzols. P. wurde aus *Benzvalen über eine Cycloaddition mit dem hochreaktiven 4-Phenyl-4*H*-1,2,4-triazol-3,5-dion (PTAD) hergestellt. Das Addukt kann durch Hydrolyse u. oxidative Decarboxylierung in eine Azo-Verb. überführt werden, bei deren Photolyse etwa 6% P. entstehen [1].

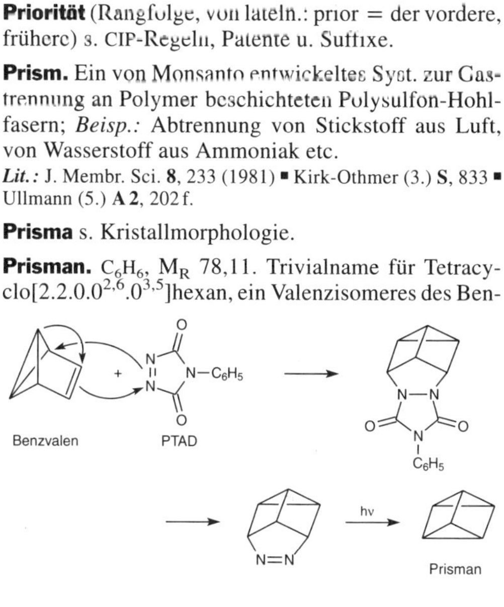

Benzvalen PTAD Prisman

P. ist eine hochexplosive, farblose Flüssigkeit, deren Halbwertszeit in Toluol bei 90 °C 11 h beträgt; stabiler sind substituierte Prismane. Der Name P. ist in Anlehnung an die Prismenformel für C_6H_6 (sog. Ladenburg-Benzol) gewählt worden. Eine Übersicht über P. u. homologe Käfigverb. gibt *Lit.* [2]. – ***E*** = ***F*** prismane – ***I*** = ***S*** prismano

Lit.: [1] Beyer-Walter, Lehrbuch der org. Chemie (23.), Stuttgart: Hirzel 1997. [2] Osawa, Carbocyclic Cage Compounds, S. 183–215, Weinheim: VCH Verlagsges. 1992.
allg.: Chem. Unserer Zeit **11**, 118–128 (1977). – *[CAS 650-42-0]*

Prismen. Dispersionsmittel zur Erzeugung *monochromatischer Strahlung z. B. in Monochromatoren u. IR-Geräten; heute meistens durch Gitter (s. Spektroskopie) ersetzt. – ***E*** prisms – ***F*** prismes – ***I*** prismi – ***S*** prismas

Pristan (Norphytan, *meso*-2,6,10,14-Tetramethylpentadecan).

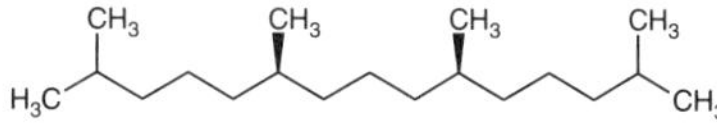

$C_{19}H_{40}$, M_R 268,53, leichtbewegliche, brennbare Flüssigkeit, D. 0,783, Schmp. –100 °C, Sdp. 296 °C, 158 °C (1,3 kPa), 68 °C (0,13 Pa); n_D^{20} 1,4385; lösl. in organ. Lösemitteln. P. ist ein in der Natur sehr weit verbreitet. Es kommt im Erdöl, im Haifischleber- u. im Heringsöl vor, daneben u. a. auch in der grauen *Ambra, im Plankton u. der Anisfrucht. Die relativen Mengenverhältnisse von P. zu seinen (*R*,*R*)- u. (*S*,*S*)-Diastereoisomeren od. zu anderen Kohlenwasserstoffen wie z. B. Phytan können zur Herkunftsbestimmung von Erdölen verwendet werden [1]. Wiederkäuer bauen Phytol über Phytansäure zu *Pristansäure* [(6*R*,10*R*)-2,6,10,14-Tetramethyl-pentadecansäure, $C_{19}H_{38}O_2$, M_R 298,51, Öl] [2] ab, da nur diese dem normalen Fettsäure-Abbau zugänglich ist.

Verw.: Schmiermittel, Transformatorenöl, Antikorrosionsmittel. – ***E*** = ***F*** pristane – ***I*** = ***S*** pristano

Lit.: [1] Mar. Pollut. Bull **12**, 78 (1981). [2] Agric. Biol. Chem. **38**, 1859 (1974); Biochim. Biophys. Acta **360**, 166 (1974).
allg.: Beilstein E IV **1**, 562 ▪ Can. J. Chem. **47**, 4359 (1969) ▪ J. Chem. Soc. C **1966**, 2144. – *[HS 2901 10; CAS 1921-70-6 (P.); 1189-37-3 (Pristansäure)]*

Pristansäure s. Pristan.

Pritt®. Lsm.-freies Klebstoffsortiment für Haushalt, Schule u. Büro, bestehend aus Klebestift, nachfüllbarem P.-Stift, Papierkleber, Bastelkleber, Klebepads u. nachfüllbarem Kleberoller (Klebstoff von der Rolle, dauerhaft u. ablösbar). P.-Stift besteht aus einem wäss. Seifen-Gel mit *Polyvinylpyrrolidon; der Papierkleber aus *Dextrin; Klebepads auf der Basis Polyacrylat. ***B.:*** Henkel.

PRL. Abk. für *Prolactin.

Pro s. Prolin.

Pro... (von griech. u. latein.: pro = vor, für). Vorsilbe, die in chem. Namen meist Vorstufen kennzeichnet; vgl. ...gen, Prä... u. Pros...; *Beisp.:* Pro-*Anthocyanidine, *Proazulene, *prochiral, Proenzyme (s. Zymogene), Pro-*Insulin, *Provitamine. In vielen *Freinamen ist Pro... von *Propan, *Propionyl... od. *Propyl... abgeleitet. – ***E*** = ***F*** = ***I*** = ***S*** pro...

Pro analysi s. chemische Reinheit.

Proazulene (Azulen-Bildner). Allg. Bez. für *Sesquiterpene, die sich z. T. schon bei Wasserdampf-Dest., z. T. erst bei drast. therm. Dehydrierung in *Azulen-Derivate umwandeln; *Beisp.:* *Sesquiterpen-Lactone aus ether. Ölen wie *Kamillenöl, Beifußöl, *Wermutöl od. Guajakholzöl. Als farblose biogenet. Vorstufen von blauem *Guajazulen u. *Chamazulen isolierte man aus der *Kamille *Matricin* ($C_{17}H_{22}O_5$, M_R 306,36, Schmp. 158–160 °C) u. *Matricarin* ($C_{17}H_{20}O_5$, M_R 304,34, Schmp. 191–193 °C) u. aus dem Wermutkraut *Artabsin* ($C_{15}H_{20}O_3$, M_R 248,32, Schmp. 133–135 °C) u. dessen Diels-Alder-Dimeres *Absinthin.

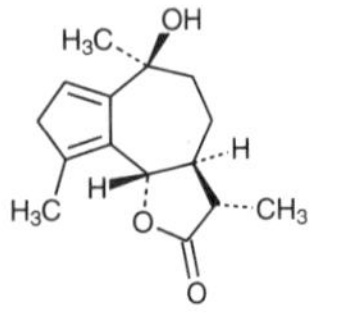

Artabsin

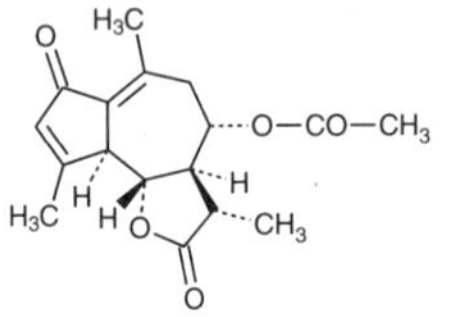

Matricarin

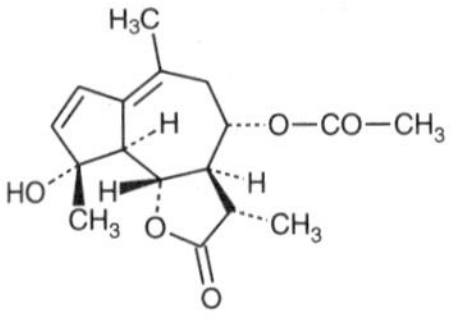

Matricin

– ***E*** proazulenes – ***F*** proazulènes – ***I*** proazuleni – ***S*** proazulenos

Lit.: Pharm. Unserer Zeit **13**, 65–70 (1984) ▪ Pharmazeutische Biologie, 3. Aufl., Bd. 2, S. 75, 111; Bd. 4, S. 233, 391–395, Stuttgart: Fischer 1985 ▪ Phytochemistry **29**, 3575 (1990) (Matricin). – *[CAS 5989-43-5 (Matricarin); 24399-20-0 (Artabsin); 29041-35-8 (Matricin)]*

Probe (Probekörper, Prüfkörper). Bez. für ein durch *Probenahme entnommenes wirtschaftliches Gut od. einen Teil bzw. eine kleine Menge eines solchen, dessen Beschaffenheit mittels chem., physikal., techn., biolog. Meth. od. ähnlich geprüft werden soll. Im Sinne der Werkstoffprüfung von Metallen versteht man unter P. den ggf. dem sog. Probestück entnommenen Teil des Werkstücks, der in unbearbeitetem od. auf bestimmte Maße bearbeitetem Zustand für die Durchführung eines Versuchs der angegebenen Art dient. In der analyt. Chemie wird P. als Synonym für *Stoffportion* verwendet, s. Makro-, Meso-, Mikro-P. etc. bei Mikro-Analyse. Nach der Systematik wirtschaftlicher Praxis wird P. geordnet in Analysen-P., Anfrage-P., Angebots-P., Arbitrage-P., Auftrags-P., Beanstandungs-P., Beleg-P., Gegen-P., Kauf-P., Laboratoriums-P., Schieds-P. u. Werks-Probe. Außerhalb dieser Systematik stehen die Begriffe Ausfall-P., Durchschnitts-P., Einzel-P., Sammel-P., Stich-P., Teil-P., Vergleichs-P. u. Vor-Probe.
Obwohl sich das Wort „P." von latein.: probare = prüfen, unterscheiden, beurteilen, „probieren" ableitet, soll die Benennung „P." *nicht* für Verf. u. Werkzeuge zum Untersuchen od. für einen an einem Werkstoff auszuführenden Versuch (hier im Sinne von Prüfung) verwendet werden, wie dies früher (z. B. Marshsche P., Gutzeitsche P. bzw. Druck-P.) oft geschah u. selbst heute noch kritiklos oft geschieht (...eine DNA-Sequenz „proben"). In diesem Fall spricht man statt dessen von den entsprechenden *Tests. – ***E*** sample, specimen – ***F*** échantillon – ***I*** campione – ***S*** muestra

Lit.: s. Probenahme.

Probenahme. Bez. für die Entnahme von Teilmengen aus definierten Gesamtmengen (bezogen auf Masse, Vol., Anzahl) gemäß festgelegten Richtlinien (*Probenahmeplan*). Die *Probe muß für das jeweilige Untersuchungsobjekt repräsentativ sein. Dies ist für homogene u. homogenisierbare Materialien leichter zu erreichen als für heterogene. Ort u. Zeit der P. sind wichtig u. müssen protokolliert werden. Die Probe darf nicht durch P.-Gerät, Aufbewahrungsbehälter od. Konservierungsmittel kontaminiert werden. Sie soll für die jeweilige Analysenmeth. sowie für Wiederholungsanalysen (Statistik) in ausreichender Menge zur Verfügung stehen. Die Anzahl der zu entnehmenden Proben hängt vom zulässigen P.-Fehler u. der geforderten Genauigkeit der Analyse ab. Die Probe soll sofort in geeigneten Gefäßen aus inertem Material u. in geeigneter Weise zum Labor transportiert werden. Zum Vermeiden von Verlusten der Analyten durch Lichteinfluß, Oxid., Temp., biolog. u. chem. Abbau, Verdampfung, Ad- bzw. Absorption, Diffusion, Ausfällung sowie Polymerisation sind geeignete Maßnahmen zu treffen. Selbstverständlich ist die Probe unverwechselbar u. dauerhaft zu kennzeichnen. Ihr Schicksal bis zum Erreichen des Labors soll dem Analytiker bekannt sein, weshalb er die P. nach Möglichkeit selbst durchführen soll. Die Verf. der P. sind für eine Reihe von Rohstoffen, Werkstoffen u. Fertigerzeugnissen in DIN-Normen beschrieben. – ***E*** sampling – ***F*** échantillonnage – ***I*** campionamento, campionatura – ***S*** toma de muestras, muestreo

Lit.: Analyt.-Taschenb. **1**, 3–17; **3**, 23–35; **6**, 237–280 ▪ Otto, Analytische Chemie, S. 10–15, Weinheim: VCH Verlagsges. 1995 ▪ Townshend, Encyclopedia of Analytical Science, Bd. 8, S. 4518–4533, New York: Academic Press 1995 ▪ Ullmann (5.) **B 5**, 59–64.

Probenazol.

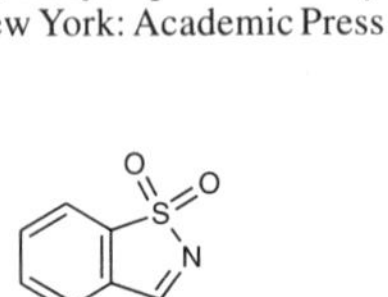

Common name für 3-Allyloxy-1,2-benzisothiazol-1,1-dioxid, $C_{10}H_9NO_3S$, M_R 223,24, Schmp. 138–139 °C, LD_{50} (Ratte oral) 2030 mg/kg, von Meiji Seika, Japan, eingeführtes *Fungizid gegen Pilzerkrankungen in Reis- u. Gemüsekulturen. – ***E*** = ***F*** probenazole – ***I*** probenazolo – ***S*** probenazola

Lit.: Pesticide Manual. – *[CAS 27605-76-1]*

Probenecid.

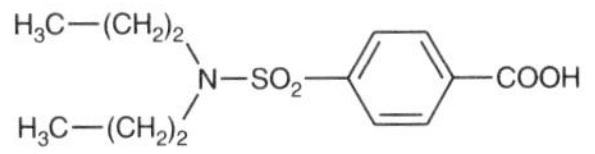

Internat. Freiname für das *Urikosurikum 4-(Dipropylsulfamoyl)benzoesäure, $C_{13}H_{19}NO_4S$, M_R 285,36, schwach bitter schmeckende Krist. mit angenehmem Nachgeschmack, Schmp. 197–202 °C; λ_{max} (c 0,001/HCl in C_2H_5OH 9+1) 248 nm ($A^{1\%}_{1cm}$ 310 bis 350), pK_a 5,8; LD_{50} (Ratte oral) 1,6 g/kg; unlösl. in Wasser, lösl. in Chloroform u. verd. Alkalihydroxid- u. Natriumcarbonat-Lösungen. P. wurde 1952 von Sharp & Dohme patentiert u. ist von Weimer als Generikum im Handel. – ***E*** = ***I*** probenecid – ***F*** probénécide – ***S*** probenecida

Lit.: ASP ▪ Florey **10**, 639–663 ▪ Hager (5.) **9**, 344 ff. ▪ Martindale (31.), S. 423 f. ▪ Ph. Eur. **1997** u. Komm. – *[HS 2935 00; CAS 57-66-9]*

Probenvorbereitung. Bez. für alle Maßnahmen mit dem Ziel, die *Probe durch Zerstörung der Matrix zu homogenisieren, die Analyten in die für die jeweilige Bestimmungsmeth. erforderliche Form zu bringen, die Matrix so weit wie möglich zu entfernen (Clean up) u. die Analyten, wenn nötig, anzureichern. Dazu wird die Probe zunächst durch schonende Lufttrocknung, Trocknung bei 105 °C (DIN 38414-2) od. Gefriertrocknung getrocknet u. danach durch geeignetes Mahlen zerkleinert. Viele Bestimmungsmeth. setzen die Überführung der Probe in den gelösten Zustand (Wasser, Säuren, Basen, organ. Lsm.) voraus. Für Bodenproben wird dafür die Elution verwandt: 100 g Boden werden mit 1 L Wasser versetzt u. 24 h geschüttelt; die ungelösten Bestandteile werden danach abgetrennt u. die gelösten Analyten bestimmt. Die verschiedenen Aufschlußmeth., die teilweise in Einzelstichwörtern behandelt sind, sind in der Tab. aufgeführt.

Tab.: Aufschlußsysteme.

	Naßaufschluß	Trockenaufschluß
Normaldruck:	offenes Syst.	Wickbold Verbrennung
	unter Rückfluß	Kaltplasma-Veraschung
	Mikrowellenanregung	Trockenveraschung
	UV-Aufschluß	Schmelzaufschluß
erhöhter Druck:	konvektive Wärmeübertragung	
	Mikrowellenanregung	

Zur anschließenden Abtrennung u. Anreicherung der Analyten können *Destillation, Flüssig-Flüssig-Extraktion, Ionenaustausch, *Elektrolyse, *Säulenchromatographie u. Fest-Phasen-Extraktion verwendet werden. Spezielle Verf. sind das *Purge and Trap-Verf. sowie die *Headspace-Analyse für flüchtige Analyten. Die Abtrennung der Matrix – das Clean up – kann nach den gleichen Verf. erfolgen. – ***E*** sample preparation – ***F*** préparation d'échantillon – ***I*** preparazione del campione – ***S*** preparacíon de la muestra

Lit.: Otto, Analytische Chemie, S. 15–19, Weinheim: VCH Verlagsges. 1995 ▪ Ullmann (5.) **B 5**, 65–90.

Probiergläser s. Reagenzgläser.

Probierstein. Histor. Bez. für einen durch kohlige Organismenreste schwarz gefärbten *Kieselschiefer, der auch *Lydit* heißt, weil er schon den Gold- u. Silberschmieden Lydiens (westliches Kleinasien) dazu diente, Silber in Metall-Waren nachzuweisen: Man feilt den zu prüfenden Gegenstand an u. zieht mit der angefeilten Stelle einen kräftigen Strich auf dem Probierstein. Hierauf betupft man den Strich mit einer Mischung aus 1 Tl. reiner Salpetersäure u. 1 Tl. Kaliumdichromat (Silberprobiersäure). Wird der Strich hierbei infolge Silberchromat-Bildung gerötet, so enthält der geprüfte Gegenstand mit Sicherheit Ag; Gold bleibt beim Behandeln des Striches mit Salpetersäure ungelöst zurück. – ***E*** touchstone – ***F*** pierre de touche – ***I*** pietra di paragone – ***S*** piedra de toque

Lit.: s. Silber.

Probucol (Rp).

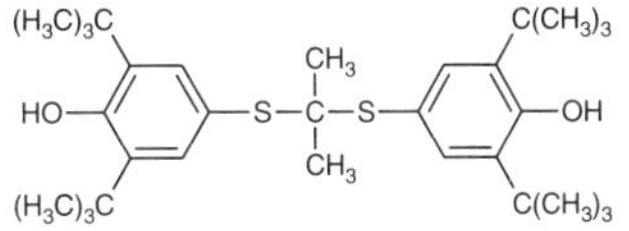

Internat. Freiname für den *Lipid-Senker 4,4′-(Isopropylidenbisthio)bis(2,6-di-*tert*-butylphenol), $C_{31}H_{48}O_2S_2$, M_R 516,84, Schmp. ca. 125–126,5 °C; λ_{max} (CH_3OH) 243 nm ($A^{1\%}_{1cm}$ 428). P. wurde 1975 von Dow patentiert. – ***E*** = ***F*** = ***S*** probucol – ***I*** probucolo

Lit.: Hager (5.) **9**, 346 ff. ▪ Martindale (31.), S. 1312 f. ▪ Ullmann (5.) **A 5**, 296. – *[HS 2930 90; CAS 23288-49-5]*

Proc. Abk. von *E* Proceedings = Bericht einer wissenschaftlichen Ges., s. chemische Literatur (11.) u. Konferenzen.

Procain (Rp zur Anw. am Auge).

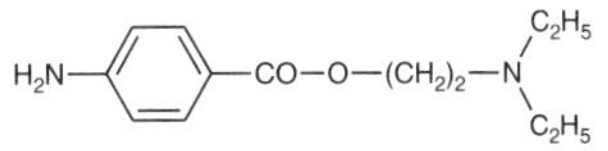

Internat. Freiname für [2-(Diethylamino)ethyl]-4-aminobenzoat, $C_{13}H_{20}N_2O_2$, M_R 236,30. Farblose, hygroskop. Krist., als Dihydrat Schmp. 51 °C, wasserfrei, Schmp. 61 °C, pK_b 5,0; LD_{50} (Maus i.p.) 195, (Maus i.v.) 45 mg/kg; in Wasser wenig, in organ. Lsm. gut löslich. Verwendet wird meist das *P.-Hydrochlorid*, Schmp. 153–156 °C, λ_{max} (H_2O) 220, 290 nm ($A^{1\%}_{1cm}$ 328, 684); in Wasser leicht, in Alkohol mäßig, in Chloroform u. Ether kaum löslich. Der *Aminobenzoesäureester P. ist eines der wichtigsten *Lokalanästhetika für die Infiltrations- u. Leitungsanästhesie, das sich mit anderen Wirkstoffen (z. B. *Penicillin G) gut kombinieren läßt u. auch als *Geriatrikum Verw. findet. P. wurde 1904 von Einhorn u. Uhlfelder in den Farbwerken Hoechst (Novocain®, von latein.: novus = neu u. Cocain abgeleiteten Bez.) synthetisiert u. ist als Generikum im Handel. – ***E*** procaine – ***F*** procaïne – ***I*** procaina – ***S*** procaína

Lit.: ASP ▪ Beilstein E IV **14**, 1138 ▪ Hager (5.) **9**, 348–353 ▪ Martindale (31.), S. 1339 ▪ Ph. Eur. **1997** u. Komm. – *[HS 2922 49; CAS 59-46-1 (P.); 51-05-8 (Hydrochlorid)]*

Procainamid (Rp). Internat. Freiname für das Antiarrhythmikum 4-Amino-*N*-[2-(diethylamino)ethyl]-benzamid,

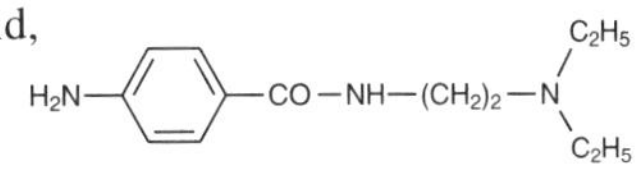

$C_{13}H_{21}N_3O$, M_R 235,32, Schmp. 46–48 °C, Sdp. 210–215 °C (267 Pa); λ_{max} (0,1 M NH_4OH) 282 nm ($A^{1\%}_{1cm}$ 676), pK_a 9,2. Verwendet wird meist das Hydrochlorid, M_R 271,79, Krist., Schmp. 165–169 °C, λ_{max} (CH_3OH) 289 nm ($A^{1\%}_{1cm}$ 680); leicht lösl. in Wasser, kaum in Benzol, Ether, Lagerung: luftdicht verschlossen. P. ist von Astra (Procainamid Duriles) im Handel. – ***E*** = ***I*** procainamide – ***F*** proca(namide – ***S*** procainamida

Lit.: ASP ▪ Beilstein E IV **14**, 1154 ▪ Florey **4**, 333–383 ▪ Hager (5.) **9**, 353–356 ▪ Martindale (31.), S. 935 ff. – *[HS 2924 29; CAS 51-06-9 (P.); 614-39-1 (Hydrochlorid)]*

Procarbazin (Rp).

$H_3C–NH–NH–CH_2–C_6H_4–CO–NH–CH(CH_3)_2$

Internat. Freiname für das *Cytostatikum *N*-Isopropyl-4-[2-(methylhydrazino)methyl]benzamid, $C_{12}H_{19}N_3O$, M_R 221,30, λ_{max} (0,1 M H_2SO_4) 232 nm ($A^{1\%}_{1cm}$ 497). Verwendet wird meist das Hydrochlorid, Schmp. 223–226 °C, pK_a 6,8; LD_{50} (Ratte oral) 785±34 mg/kg. P. wird trotz seiner *Carcinogen-Wirkung bei fortgeschrittenem Morbus Hodgkin u. B-Non-Hodgkin-Lymphomen eingesetzt, da es in der Hälfte der Fälle eine dauerhafte Heilung erzielen kann. P. wurde 1962 u. 1970 von Hoffmann-La Roche (Natulan®) patentiert. – ***E*** = ***F*** procarbazine – ***I*** = ***S*** procarbazina

Lit.: Florey **5**, 403–427 ▪ Hager (5.) **9**, 356 ff. ▪ IARC Monogr. **26**, 311–339 (1981) ▪ IARC Scient. Publ. **54**, (1983) ▪ Martindale (31.), S. 596 f. ▪ Ullmann (5.) **A 5**, 14 f. – *[HS 2928 00; CAS 671-16-9 (P.); 366-70-1 (Hydrochlorid)]*

Procaterol (Rp).

(Racemat)

Internat. Freiname für das als Bronchospasmolytikum verwendete β_2-*Sympathikomimetikum (±)-(*R**,*S**)-8-Hydroxy-5-[1-hydroxy-2-(isopropylamino)butyl]-2(1*H*)-chinolinon, $C_{16}H_{22}N_2O_3$, M_R 290,37. Verwendet wird das Hydrochlorid-Hemihydrat, Schmp. 193–197 °C (Zers.). P. wurde 1975 u. 1977 von Otsuka patentiert. – ***E*** = ***F*** = ***S*** procaterol – ***I*** procaterolo

Lit.: ASP ▪ Hager (5.) **9**, 358 ff. ▪ Martindale (31.), S. 1587. – *[HS 2933 79; CAS 72332-33-3 ((±)-(R*,S*)); 60443-17-6 (P.); 81262-93-3 (Hydrochlorid-Hemihydrat)]*

Proceedings s. chemische Literatur (11.) u. Konferenzen.

Prochiral. Bez. aus der Stereochemie der organ. Verb. (IUPAC-Regel E-4.12). Ein *p. Zentrum* hat im allg. Fall von Kohlenstoff-Verb. dreierlei verschiedene Substituenten (Liganden) a ≠ b ≠ d. Am p. C-Atom von Caabd liegen C, b u. d in der Symmetrieebene u. die beiden a spiegelbildlich zu beiden Seiten. Wird nun – z. B. in einer *stereoselektiven Synthese – einer der *heterotopen* (*enantiotopen* od. *diastereotopen*) Substituenten a durch den Substituenten c ersetzt, so entsteht ein neues *Chiralitätszentrum* (s. Chiralität); *Beisp.:* Übergang von Butan in 2-Butanol (s. Abb. a). P. *diastereotope* Gruppen, z. B. die Methylen-Gruppe in 2-Methyl-bernsteinsäure, sind in der NMR-Spektroskopie nicht mehr äquivalent, sondern erscheinen als getrennte Signale, es sei denn sie sind zufällig *isochron*.

a *prochirale* CH_2-Gruppe in Butan → *chirales* 2-Butanol

b prochirale, diastereotope CH_2-Protonen; Newman-Projektionsformel

Abb.: Beisp. für prochirale Verbindungen.

Die Verhältnisse kann man sich am besten durch *Newman-Projektions-Formeln der Rotationsisomere klar machen (s. Abb. b); man erkennt sofort, daß H_A u. H_B in jeder beliebigen Stellung zu den anderen Substituenten unterschiedliche chem. Umgebung haben müssen; s. a. Chiralität, NMR-Spektroskopie u. Stereochemie. – ***E*** = ***F*** prochiral – ***I*** prochirale – ***S*** proquiral

Lit.: Eliel u. Wilen, Organische Stereochemie, S. 291 ff., Weinheim: Wiley-VCH 1998 ▪ Friebolin, Ein- u. zweidimensionale NMR-Spektroskopie, 2. Aufl., Weinheim: VCH Verlagsges. 1992 ▪ Hauptmann u. Mann, Stereochemie, S. 103, Heidelberg: Spektrum 1996 ▪ March (4.), S. 134 f. ▪ Quinkert, Egert u. Griesinger, Aspekte der Organischen Chemie, Struktur, S. 49 f., Weinheim: VCH Verlagsges. 1995 ▪ Top. Curr. Chem. **105**, 1–76 (1982) ▪ Top. Stereochem. **15**, 253 ff. (1984).

Prochloraz. Xn

Common name für *N*-Propyl-*N*-[2-(2,4,6-trichlorphenoxy)ethyl]-1*H*-imidazol-1-carboxamid, $C_{15}H_{16}Cl_3N_3O_2$, M_R 376,66, Schmp. 46,5–49,3 °C, LD_{50} (Ratte oral) 1600–2400 mg/kg, von Boots Co. Ltd. (jetzt AgrEvo) 1974 eingeführtes protektives u. eradikatives *Fungizid mit system. Wirkung gegen eine Vielzahl von Pilz-Krankheiten im Getreide-, Obst- u. Gemüseanbau sowie im Sportrasen. – ***E*** = ***F*** prochloraz – ***I*** proclorazina – ***S*** procloraz

Lit.: Farm. ▪ Perkow ▪ Pesticide Manual. – *[CAS 67747-09-5]*

Prochlorophyten. Photosynthetisierende Gruppe von *Prokaryonten, die sich – wie die *eukaryontischen *Chloroplasten u. im Gegensatz zu den *Cyanobakterien (Blaualgen) – durch den Besitz von *Chlorophyll b u. das Fehlen von *Phycobilinen auszeichnen. Ihre Chlorophyll-bindenden Proteine u. die Proteine ihrer *Antennen-Komplexe zeigen jedoch Verwandtschaft zu den cyanobakteriellen Syst. u. haben sich unabhängig von den eukaryont. entwickelt. – ***E*** = ***F*** prochlorophytes – ***I*** proclorofiti – ***S*** proclorofitos

Lit.: Proc. Natl. Acad. Sci. USA **93**, 15 244–15 248 (1996).

Prochorow (Prokhorov), Aleksander Michailowitsch (geb. 1916), Prof. für Physik, Leiter der Abteilung für Experimentalphysik am Inst. für Hochenergiephysik am Protvino-Inst. der Akademie der Wissenschaften in Moskau. *Arbeitsgebiete:* Entwicklung von Molekularverstärkern, Quantenelektrodynamik; 1964 erhielt er zusammen mit *Basov u. C. H. *Townes den Nobelpreis für Physik für die Entwicklung von Laser u. Maser.

Lit.: Lexikon der Naturwissenschaftler, S. 336.

Procion®. Marke von ICI für *Reaktivfarbstoffe mit Monochlor- bzw. Dichlortriazin-Resten zum Bedrucken u. Färben von Cellulose- u. Cellulose-*PES-Mischgeweben.

Procollagen s. Collagene.

Procom®. *Polypropylen-Compounds zur Herst. von Kfz-Heizungskästen, -Innen- u. Kofferraumauskleidungen, -Spritzgußteilen, Stoßfängersyst., Elektro- u. Haushaltsgeräten. ***B.:*** ICI.

Proconvertin (Autothrombin I, serum prothrombin conversion accelerator, SPCA, „stabiler Faktor"). Synonym für den *Blutgerinnungs-Faktor VII (M_R ca. 50000); geht im extrins. Weg der Blutgerinnung bei Aktivierung durch den Gewebsfaktor in die Protease *Convertin* (Faktor VIIa, EC 3.4.21.21) über, die ihrerseits zusammen mit dem Gewebsfaktor den Faktor X aktiviert. P. enthält die für manche Calcium-Ionen-bindenden Proteine typ. 4-Carboxy-L-glutaminsäure [(*S*)-3-Aminopropan-1,1,3-tricarbonsäure], deren Bildung im Protein durch eine *Carboxylase *Vitamin-K-abhängig erfolgt. P. wird in der Leber synthetisiert u. abgebaut. Erhöhte Plasma-P.-Konz. gelten als ein Risikofaktor für Herzkranzgefäß-Erkrankungen. Bei erblich bedingtem Fehlen von P. kommt es zu Blutgerinnungsstörungen. – ***E*** proconvertin – ***F*** proconvertine – ***I*** = ***S*** proconvertina

Lit.: Blood Coag. Fibrinolysis **6**, Suppl. 1, S14–S19 (1995) ▪ Haemostasis **26**, Suppl. 1, 1–5, 35–39 (1996) ▪ Nature (London) **380**, 41–46 (1996) ▪ Thromb. Haemost. **78**, 108–111 (1997). – *[CAS 9001-25-6]*

Procorum® (Rp). Filmtabl. mit *Gallopamil-Hydrochlorid (einem *Calcium-Antagonisten) gegen chron. Herzinsuffizienz u. Angina pectoris. ***B.:*** Minden.

Procter & Gamble. Kurzbez. für die 1837 gegr. The Procter & Gamble Company mit Firmensitz in Cincinnati, OH 45201-0599, USA. *Daten* (1997): ca. 103000 Beschäftigte, 35,8 Mrd. $ Umsatz. *Produktion*: Waschmittel (Ariel®, Dash®, REI® u. a.), Reinigungsmittel (Meister Proper®, Spüli® u. a.), Papier (Bounty®, Pampers®), Hygieneartikel, Kosmetika u. Haarpflege (Oil of Olay®, Pantene® u. a.) Gesundheitspflege (Clearasil®), Lebensmittel. *Vertretung* in der BRD: Procter and Gamble GmbH, 65818 Schwalbach am Taunus.

Procto-Jellin® (Rp). Salbe u. Suppositorien mit *Fluocinolon-acetonid u. *Lidocain-hydrochlorid gegen Hämorrhoiden etc. ***B.:*** Grünenthal.

Procto-Kaban® (Rp). Salbe u. Suppositorien mit *Clocortolon-pivalat u. -capronat sowie *Cinchocain-hydrochlorid gegen Hämorrhoiden etc. ***B.:*** Asche.

Proctolin.

Arg-Tyr-Leu-Pro-Thr

$C_{30}H_{48}N_8O_8$, M_R 648,76. *Neuropeptid (Neurotransmitter) aus Insekten, das z. B. bei der Küchenschabe *Periplaneta americana* das Verdauungssyst. (Proctodäum, daher Name), die Eileiter-Muskeln u. verschiedene andere Muskelsyst. anregt, aber auch bei anderen Wirbellosen u. Säugetieren Wirkungen zeigt (Zentralnervensyst., Darm). P. inhibiert den Abbau von *Enkephalinen durch *Aminopeptidasen. – ***E*** proctolin – ***F*** proctoline – ***I*** = ***S*** proctolina

Lit.: J. Pept. Res. **49**, 457–466 (1997). – *[CAS 57966-42-4]*

Proculin®. Augentropfen mit dem α-*Sympath(ik)omimetikum *Naphazolin-Hydrochlorid. ***B.:*** ankerpharm.

Procyclidin (Rp).

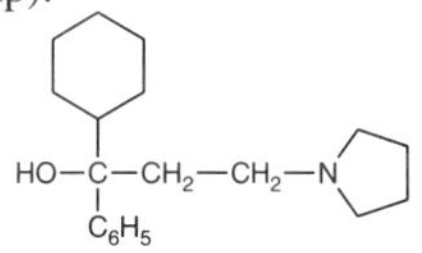

Internat. Freiname für (±)-1-Cyclohexyl-1-phenyl-3-(1-pyrrolidinyl)-1-propanol, $C_{19}H_{29}NO$, M_R 287,43, Krist., Schmp. 85–87 °C; λ_{max} (C_2H_5OH) 258,5 nm ($A^{1\%}_{1cm}$ 8,1). Verwendet wird das Hydrochlorid, Schmp. 226–227 °C. P. ist ein Antiparkinsonmittel (s. Parkinsonsche Krankheit). Es wurde 1954, 1958 u. 1959 von Burroughs Wellcome (Osnervan®) patentiert. – ***E*** = ***F*** procyclidine – ***I*** = ***S*** prociclidina

Lit.: Hager (5.) **9**, 362–365 ▪ Martindale (31.), S. 506. – *[HS 2933 90; CAS 77-37-2 (P.); 1508-76-5 (Hydrochlorid)]*

Procyclo® (Rp). Weiße Tabl. mit *Estradiol-17-valerat, blaue Tabl. zusätzlich mit *Medroxyprogesteronacetat gegen klimakt. Beschwerden. ***B.:*** Organon.

Procymidon.

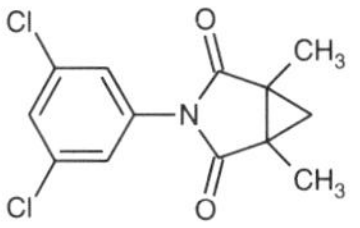

Common name für 3-(3,5-Dichlorphenyl)-1,5-dimethyl-3-azabicyclo[3.1.0]hexan-2,4-dion, $C_{13}H_{11}Cl_2NO_2$, M_R 284,14, Schmp. 164–166 °C, LD_{50} (Ratte oral) ca. 7000 mg/kg, von Sumitomo 1967 eingeführtes schwach system. *Fungizid mit protektiver u. kurativer Wirkung gegen *Botrytis*, *Sclerotinia*, *Monilinia* u. *Helminthosporium* im Bohnen-, Getreide-, Steinobst-, Wein-, Acker-, Raps-, Erdbeer-, Zierpflanzen- u. Gemüseanbau. – ***E*** = ***F*** procymidone – ***I*** procimidone – ***S*** procimidona

Lit.: Farm ▪ Perkow ▪ Pesticide Manual. – *[CAS 32809-16-8]*

ProdHaftG s. Produzentenhaftung.

Prodigiosin {4-Methoxy-5-[(5-methyl-4-pentyl-2*H*-pyrrol-2-yliden)methyl]-1*H*,1′*H*-2,2′-bipyrrol}.

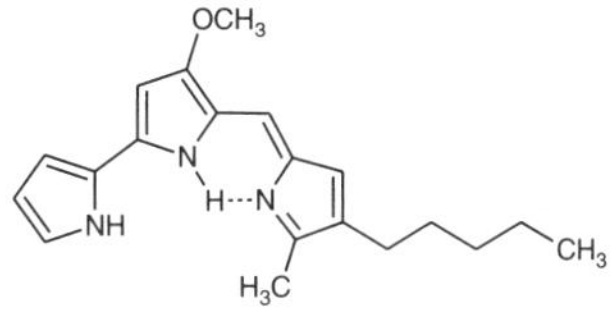

$C_{20}H_{25}N_3O$, M_R 323,44, dunkelrote, pyramidale Krist., Schmp. 151–152 °C (Sintern bei 70–80 °C), LD_{50} (Maus i. p.) 18 mg/kg. Antibiot. wirksamer, tox. *Pyrrol-Farbstoff aus verschiedenen Bakterien (*Serratia marcescens*, *Beneckea gazogenes*, *Cladospora* spp.). P. hat antifung. u. antileukäm. Eigenschaften u. Aktivität gegen Malaria. – ***E*** prodigiosin – ***F*** prodigiosine – ***I*** = ***S*** prodigiosina

Lit.: *Biosynth.:* J. Bacteriol. **129**, 124 (1977). – *Synth.:* ApSimon **1**, 227–232 ▪ Beilstein EV **26/3**, 352f. ▪ J. Chem. Soc. Chem. Commun. **1990**, 734 ▪ J. Org. Chem. **53**, 1405 (1988) ▪ Tetrahedron Lett. **28**, 2499 (1987); **30**, 1725 (1989). – *Wirkung:* Nature (London) **213**, 903 (1967). – *[CAS 82-89-3]*

Prodlur [Ferodin SL; Litlur A, (9Z,11*E*)-9,11-Tetradecadienyl-acetat].

H_3C … O … CH_3

$C_{16}H_{28}O_2$, M_R 252,40, Flüssigkeit, Sdp. 147–148 °C (26,7 Pa). Hauptkomponente des Sexual-Pheromons des Baumwoll-Schädlings *Spodoptera littoralis*. – ***E*** = ***F*** = ***I*** = ***S*** prodlure

Lit.: ApSimon **4**, 37f.; **9**, 56–59 (Synth.) ▪ Merck-Index (12.), Nr. 7950 ▪ Synthesis **7**, 510 (1979) ▪ s.a. Pheromone, Sexuallockstoffe u. Insektenlockstoffe. – *[CAS 50767-79-8]*

Pro-Drone s. Juvenilhormon.

Prodrug (Pro-Pharmakon). Selbst biolog. weitgehend inaktiver Arzneistoff, der erst im Körper zum eigentlichen Wirkstoff umgewandelt wird; häufig werden Ester eingesetzt. Erwünschte Vorteile: Verbesserte Resorption, erhöhte Wasserlöslichkeit, besserer Geschmack, geringere Giftigkeit. *Beisp.* (in Klammern Wirkform): Erythromycin-2′-propionat (*Erythromycin), *Pivampicillin (*Ampicillin), *Azathioprin (*Mercaptopurin). – ***E*** = ***F*** prodrug – ***I*** profarmaco – ***S*** profármaco

Lit.: Antiviral Res. **27**, 1–17 (1995) ▪ Auterhoff, Knabe u. Höltje, Lehrbuch der Pharmazeutischen Chemie, S. 51 f., Stuttgart: Wissenschaftliche Verlagsges. 1994 ▪ Bundgaard, Design of Prodrugs, Amsterdam: Elsevier 1986 ▪ Wolff, Burger's Medicinal Chemistry, 5. Aufl., Bd. 1, S. 949–982, New York: Wiley 1995.

Produktaufbereitung. Bez. für die Verfahrensschritte, die vom Fermentationsfluid bis zum Endprodukt erforderlich sind. Je nach Art u. Reinheitsanforderung an das Produkt werden mehrere Verfahrensschritte miteinander kombiniert. Dies sind im allg. Separieren u. Trennen, Konzentrieren u. Reinigen. Das Endprodukt der P. in der Biotechnologie kann entweder der Mikroorganismus selbst sein (z. B. *Backhefe) od. ein von ihm gebildetes Produkt. Die Produkte können entweder intrazellulär (z. B. *Proteine, *Nucleinsäuren, *Vitamine) od. extrazellulär (z. B. *Polysaccharide u. *Antibiotika) vorliegen. Bei der Gewinnung von Proteinen, die von Mikroorganismen normalerweise nicht ausgeschieden werden (insbes. Proteine aus rekombinanten Bakterienstämmen), ist man bestrebt, durch geeignete genet. Maßnahmen [z. B. Fusion des Proteins mit exkretionsspezif. Sequenzen (s. Fusionsproteine) od. mit Polypeptiden, die das Protein für eine *Affinitätschromatographie geeignet machen] [1] od. durch zusätzliche verfahrenstechn. Schritte (Permeabilisierung der Zellmembran mittels *Detergentien) eine Ausscheidung des Produkts in das Medium zu erreichen, weil dadurch die P. wesentlich erleichtert werden kann. Erster Aufarbeitungsschritt ist häufig eine Fest-/Flüssig-Trennung, um die Mikroorganismen u. unlösl. Bestandteile dem Fermentationsfluid zu entziehen. Hierzu bedient man sich der *Filtration od. *Flotation, evtl. verbunden mit einer *Flockung, od. der Zentrifugation. Bakterien werden wegen ihrer geringen Größe zumeist abfiltriert, während Hefezellen abzentrifugiert werden können (Separation). Liegen Produkte intrazellulär vor, so müssen die zuvor abgetrennten Zellen zunächst aufgeschlossen werden (s. Aufschluß von Mikroorganismen).

Mikrobiell erzeugte extrazelluläre Produkte liegen im Fermentationsfluid oftmals in geringer Konz. vor. Daher muß aus wirtschaftlichen Gründen vor der Reinigung eine Aufkonzentrierung erfolgen. Meist stehen am Anfang der Konzentrierung u. Reinigung je nach Produkt Verdampfungs- od. Fällungs-Prozesse od. *Extraktion mit Lsm., bei weiter fortschreitender Reinigung auch die chromatograph. Verfahren.

Zu den Operationen zur Produkt-Reinigung am Ende der P. (z. B. *Trocknung, *Kristallisation) kommen häufig die *Modifizierung* od. *Nachbehandlung*. Verschiedene zelleigene u. artfremde Proteine können heute erhalten werden, wenn dem Mikroorganismus die entsprechenden Gene einschließlich der Kontrollelemente für die *Genexpression mit Meth. der *Gentechnologie eingebaut wurden. Trotzdem führt die Überproduktion eines artfremden Proteins oft zur Bildung von unlösl. Aggregaten in der Zelle (s. inclusion bodies). Das Produkt liegt dann nach der P. zwar in gereinigter, aber in einer inaktiven Form vor, weil z. B. das Protein in dem Milieu der fremden Bakterienzelle nicht korrekt gefaltet wurde. Solche unlösl. Proteine können oft sogar leichter gereinigt werden. Man muß dann aber versuchen, das Protein durch nachträgliche Behandlung (z. B. mit *chaotropen Agentien, Harnstoff od. Guanidin-hydrochlorid kombiniert mit Detergentien) *in vitro* in die richtige Faltung zu bringen. Es ist auch bekannt, daß es spezif. Proteine gibt (sog. *Chaperone), die den Faltungsprozeß der Produkt-Proteine erleichtern [2]. Durch Optimierung des Fermentationsprozesses können bereits erhebliche Kosten bei der P. eingespart werden. Optimierungsschritte können die Selektion von Hochleistungs-Mikroorganismen, die das Produkt in höheren Konz. od. größeren Reinheiten herstellen od. die sich leicht abtrennen lassen (z. B. flockulierende Hefestämme), od. die Entwicklung von verfahrenstechn. Schritten bei der Fermentation sein, z. B. die Verschiebung od. Überwindung der *Produkthemmung, die bei den meisten Produkten die max. Produkt-Konz. im Fermentationsprozeß begrenzt. – ***E*** downstream processing – ***F*** traitement du produit – ***I*** compimento del prodotto – ***S*** tratamiento del producto

Lit.: [1] Trends Biotechnol. **8**, 88–93 (1990). [2] Trends Biotechnol. **8**, 354–358 (1990).

allg.: Food Biotechnol. **1**, 59–106 (1987) ▪ Pharm. Acta Helv. **71**, 395–403 (1996) ▪ Präve et al. (4.), S. 725–760 ▪ Römpp Lexikon Biotechnologie, S. 621 f.

Produktbildung. In der techn. Mikrobiologie versteht man unter P. die Bildung von Stoffen mit Hilfe von Organismen. Diese müssen zunächst vermehrt werden, um dann, entweder gekoppelt an das Zellwachstum od. im Anschluß daran u. wachstumsunabhängig, das gewünschte Produkt zu synthetisieren. Der P. liegen unterschiedliche u. z. T. komplizierte Prozesse im *Stoffwechsel u. der *Regulation zugrunde, weshalb bisher

noch keine völlig befriedigende systemat. Einteilung aller mikrobieller Fermentationsprodukte gelungen ist. Eine grobe Einteilung nach Pirt sieht fünf Kategorien vor[1]:
1. Endprodukt des Energiestoffwechsels (z. B. Ethanol, Essigsäure, Milchsäure, Aceton/Butanol); – 2. Energiereservestoffe (Glykogen, Dextran, Xanthan, Polyhydroxybuttersäure); – 3. Enzyme, entweder extrazelluläre (Amylasen, Proteasen) od. intrazelluläre (β-Galactosidase); – 4. Intermediärprodukt, prim. Stoffwechselmetabolite (Aminosäuren, Citronensäure, Vitamine); – 5. *Sekundärmetabolite (Antibiotika, Gibberelline). Zu den kinet. Grundlagen der P. s. a. *Lit.*[2]. – ***E*** product formation – ***F*** formation du produit – ***I*** formazione del prodotto – ***S*** formación del producto

Lit.: [1] Pirt, Principles of Microbe and Cell Growth, Oxford: Blackwell Scientific Publ. 1975. [2] Ann. N. Y. Acad. Sci. **413**, 144–156 (1984); Dellweg, S. 63 ff.
allg.: Appl. Environ. Microbiol. **62**, 3187–3195 (1996) ▪ Appl. Microbiol. Biotechnol. **43**, 1034–1038 (1995) ▪ Yeast **11**, 327–336 (1995).

Produkte s. Reaktionen u. Zwischenprodukte.

Produktfermenter. Bez. für den *Bioreaktor der Produktionsstufe (die bei der *Backhefe-Erzeugung als „Versandstufe" bezeichnet wird). Diesem vorgeschaltet sind eine Reihe von *Vorfermentern, deren Zahl von der Größe des P. u. der max. Wachstumsrate der Zellen abhängt. Die Notwendigkeit dieser Vorfermenter, in denen stufenweise die Impfgutvermehrung stattfindet, ist einer der wesentlichen Unterschiede zwischen biolog. u. chem. Stoffumwandlungsverf. (s. a. Produktionskultur). – ***E*** production fermenter – ***F*** fermenteur de production – ***I*** fermentatore di produzione – ***S*** fermentador de producción

Lit.: Glick u. Pasternak, Molekulare Biotechnologie, S. 330 ff., Heidelberg: Spektrum Akadem. Verl. 1995.

Produkthaftung s. Produzentenhaftung.

Produkthemmung. Im allg. die Hemmung des Wachstums von Mikroorganismen durch ein Stoffwechselprodukt [P]. Die P. ist nicht zu verwechseln mit der *Endprodukthemmung eines einzelnen Enzyms od. eines enzymat. Syntheseweges durch einen Metaboliten am Ende eines Stoffwechselweges [die sog. Rückkopplungs-(Feedback-)Hemmung]. Es handelt sich bei der P. meist um Hemmungen vom nichtkompetitiven Typ, die man, ausgehend von der *Monod-Kinetik mit K_P als Affinitätskonstante des Produkts folgendermaßen mathemat. beschreiben kann:

$$\mu = \mu_{max} \times \{[S]/(K_S + [S]\} \times \{K_P/(K_P + [P]\},$$

mit μ = spezif. Wachstumsrate, [S] = Substratkonz., K_S = Substratkonz., bei der die halbmax. spezif. Wachstumsrate erreicht wird.
Ein sehr nützlicher Ansatz für die Beschreibung der P. lautet:

$$\mu_P = \mu_0 \times (1-[P]/[P]_{max})^n,$$

mit μ = spezif. Wachstumsrate in Anwesenheit (μ_P) u. in Abwesenheit (μ_0) des Produktes. $[P]_{max}$ ist die max. erreichbare Produktkonz., oberhalb der kein Wachstum mehr stattfindet, n ist ein Exponent, der die Abweichung dieser Funktion von der Linearität angibt. – ***E*** product inhibition – ***F*** inhibition par produits du métabolisme – ***I*** inibizione da prodotto – ***S*** inhibición por productos del metabolismo

Lit.: Bailey u. Ollis, Biochemical Engineering Fundamentals, New York: McGraw-Hill 1977 ▪ Präve et al. (4.), S. 317–321.

Produktionsintegrierter Umweltschutz. *Umweltschutz-Maßnahmen, die im Produktionsprozeß ansetzen, um Ressourcen zu schonen (s. Sustainable Development) u. Abluft, Abwasser u. Abfall möglichst zu vermeiden, zu vermindern u. zu verwerten. Die Entsorgung durch am Ende der Produktionskette eingreifende Verf. (end of the pipe) steht in der Rangfolge der Umweltschutz-Maßnahmen an letzter Stelle. P. U. erfordert meist aufwendige Forschung u. ist in der Regel erst durch intensive Verfahrensüberarbeitung realisierbar. Oft werden bei Neuanlagen neue Produktionsverf. unter Vermeidung diskontinuierlicher Syntheseschritte bei Minimierung der Anzahl der Verfahrensschritte eingesetzt. In bestehenden Anlagen läßt sich manchmal p. U. durch Verbesserungen in der Prozeßführung erreichen, z. B. durch selektivere Katalysatoren, bessere Ausgangsstoffe, Austausch von Lsm. od. Kreislaufführung von Hilfsstoffen u. Nebenprodukten. Bei Verfahrensüberarbeitungen sollten grundsätzlich die techn. Realisierbarkeit, die ökonom. Belange u. der ökolog. Nutzen geprüft werden.
Die Schemata zeigen drei großtechn. Syntheseverf., die im Sinne des p. U. bei *Bayer verbessert wurden. U. a. wurde dadurch die Abwasserbelastung erheblich

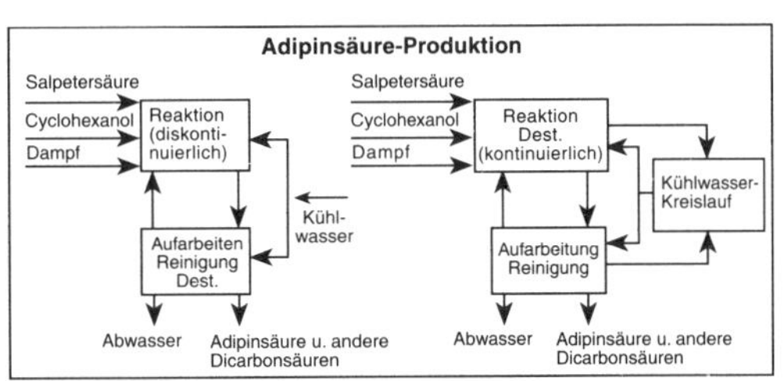

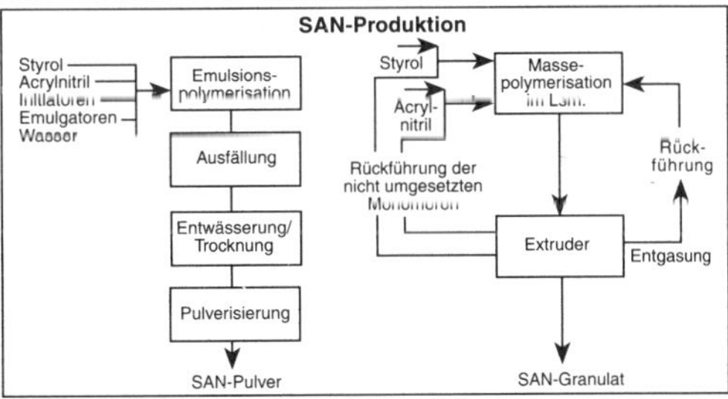

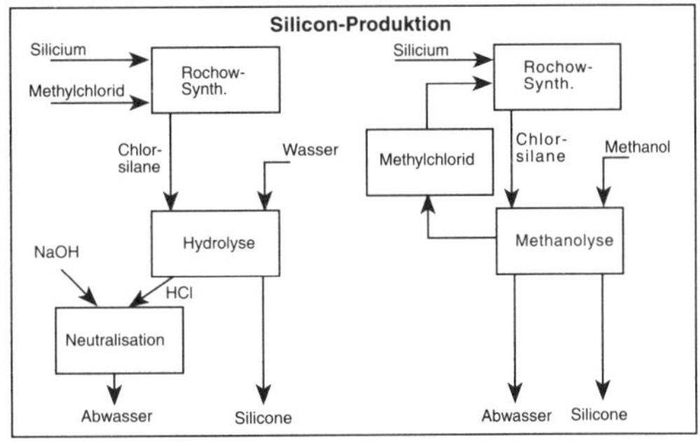

Abb.: Produktionsintegrierter Umweltschutz, alt (links) u. neu (rechts).

gesenkt (bis zu 99%). Die *Adipinsäure-Produktion wurde auf ein kontinuierliches Verf. umgestellt, wobei der *Cyclohexanol-Oxid. unmittelbar eine destillative Auftrennung der Reaktanten folgt. Mit der kontinuierlichen Prozeß-Führung geht die Einrichtung eines Kühlwasser-Kreislaufs einher. Die *SAN-(Styrol-Acrylnitril-)Latex-Herst. erfolgt nicht mehr in wäss. Emulsion, sondern in einem Lsm., das eine einfache Rückführung sowohl des Lsm. selbst als auch der nicht umgesetzten Monomeren erlaubt. Bei der *Silicon-Produktion wurde die Hydrolyse der Chlorsilane durch eine Methanolyse ersetzt, wodurch Methylchlorid als Einsatzstoff für die Rochow-Synthese zurückgebildet wird. – ***E*** production-integrated environmental protection – ***F*** protection environnementale intégrée à la production – ***I*** protezione dell'ambiente naturale integrando la produzione – ***S*** protección ambiental integrada a la producción

Lit.: Bauer, Integrierte Umwelttechnik, Landsberg: ecomed (Loseblattsammlung, Stand 1998) ▪ Brauer (Hrsg.), Handbuch des Umweltschutzes u. der Umweltschutztechnik, Bd. 2, Produktionsintegrierter u. produktintegrierter Umweltschutz, Berlin: Springer 1996 ▪ Bundesverband Junger Unternehmer (BJU) u. Ingenieurgemeinschaft für technischen Umweltschutz (INTECUS; Hrsg.), BJU-Umweltschutz-Berater 4.6.1, Köln: Dtsch. Wirtschaftsdienst (Loseblatt-Sammlung), Stand 1997 ▪ Drake, Integrated Pollution Control, Cambridge: Royal Soc. Chem. 1994 ▪ Environ. Sci. Pollut. Res. **4**, 146–153 (1997) ▪ Fleischer, Produktionsintegrierter Umweltschutz, Berlin: EF1994 ▪ Korrespondenz Abwasser **42**, 109–113 (1995) ▪ Shen, Industrial Pollution Prevention, Berlin: Springer 1995 ▪ Ullmann (5.) **B 8**, 213–309. – *Zeitschrift:* Journal of Cleaner Production, London: Butterworth-Heinemann Ltd.

Produktionskultur. Bez. für die Gesamtheit von produzierenden Mikroorganismen u. Wachstumsmedium im *Produktfermenter einer großtechn. Fermentation. Im allg. verläuft die großtechn. Fermentation sowie die anschließende Reinigung des Produkts in mehreren Stufen. Ein typ. Verlauf beginnt mit der Herst. des Wachstumsmediums, das dann ebenso wie die zur Fermentation benötigten Geräte sterilisiert werden muß. Man läßt die Zellen z. B. zunächst in einer Stammkultur (5–10 mL) wachsen, dann in einem Schüttelkolben (200–1000 mL) u. schließlich in einem Fermenter für die Impfkultur (10–100 L). Zum Schluß beimpft man den Produktfermenter (1000–100 000 L). Die Mikroorganismen lassen sich entweder in diskontinuierlicher (Batch u. Fed-Batch) od. in kontinuierlicher Kultur ziehen. Bei der sog. *Batch-Fermentation beimpft man das sterile Wachstumsmedium mit den geeigneten Mikroorganismen u. fermentiert ohne Zugabe von frischem Wachstumsmedium. Bei der *Fed-Batch-Fermentation od. Zulauffermentation gibt man zu verschiedenen Zeiten während der Fermentationsreaktion immer wieder Nährstoffe zu, entnimmt jedoch bis zum Ende des Vorgangs kein Wachstumsmedium. Bei der *kontinuierlichen Fermentation wird während des Prozesses ständig frisches Medium zugeführt, gleichzeitig aber verbrauchtes Medium mit darin suspendierten Mikroorganismen in demselben Umfang entnommen. Bei allen Fermentationstypen injiziert man in den *Bioreaktor je nach Bedarf Sauerstoff, der meist als sterile Luft geliefert wird, Antischaummittel u., falls erforderlich, eine Säure od. Base. – ***E*** production culture – ***F*** culture de production – ***I*** coltura di produzione – ***S*** cultivo de producción

Lit.: Glick u. Pasternak, Molekulare Biotechnologie, S. 330 ff., Heidelberg: Spektrum Akadem. Verl. 1995.

Produktionsspezifischer Frachtwert. Nach § 2 Abwasserverordnung [1] (s. a. Rahmen-Abwasserverwaltungsvorschrift) die mit dem Abwasser transportierte Fracht an Abwasserbestandteilen, bezogen auf die der wasserrechtlichen Zulassung zugrunde liegende Produktionskapazität der Anlage. Der p. F. wird z. B. in m^3/t, g/t, kg/t angegeben u. dient als Bestimmungsgröße zur Festlegung der Mindestanforderungen an die Abwasserbeschaffenheit. – ***E*** production-specific load

Lit.: [1] VO über Anforderungen an das Einleiten von Abwasser in Gewässer (Abwasserverordnung, AbwV) vom 21. 03. 1997 (BGBl. I, S. 566).

Produktionsstamm. Bez. für den Mikroorganismen-Stamm, mit dem die biolog. Stoffumwandlung im techn. Maßstab durchgeführt wird (s. Produktfermenter u. Produktionskultur). Sehr viele industriell verwendete Mikroorganismen-Stämme sind Mutanten. Zu ihrer Gewinnung setzt man die Ausgangskolonie (den „Wildstamm" od. *Wildtyp) der Einwirkung von chem. od. physikal. *Mutagenen aus u. sucht Stämme mit verbesserten Produktionseigenschaften durch *Selektion aus. In vielen Fällen werden auch durch *Rekombination erzeugte, genet. veränderte Mikroorganismen zur Erzeugung von Proteinen aus höheren Organismen verwendet. Die wertvollen Hochleistungsstämme verlieren mitunter leicht wieder ihre Leistungsfähigkeit. Wichtig ist daher die Erhaltung der Eigenschaften eines P., durch welche Überalterungen, Rückmutationen u. a. Degenerationen verhindert werden sollen (*Stammhaltung). Es gibt drei grundsätzlich verschiedene Meth. der Stammhaltung:
1. Konservierung durch Überschichtung mit „inerten" Flüssigkeiten (z. B. Paraffinöl, Glycerin); – 2. Konservierung durch Trocknung u. – 3. Konservierung durch Gefrieren (in Trockeneis od. flüssigem Stickstoff).
Zur Patentierung eines mikrobiellen Verf. muß der Mikroorganismus bei einer wissenschaftlich anerkannten Stelle, im allg. bei einer *Stammsammlung, hinterlegt u. nach der ersten Veröffentlichung der Patentanmeldung auch Interessenten zugänglich gemacht werden (s. a. Patente). – ***E*** production strain – ***F*** souche de production – ***I*** ceppo di produzione – ***S*** cepa de producción

Lit.: Präve et al. (4.), S. 46–56 ▪ Rehm, Industrielle Mikrobiologie, S. 48, 65–71, Berlin: Springer 1980.

Produktivität. 1. Synonym zu biolog. Produktion, die als Vorgang od. Ergebnis der Erhöhung von *Biomasse od. Energie in Ökosyst. od. Teilen davon aufgefaßt wird, s. Produzenten. Als *Primärproduktion* bezeichnet man die aus anorgan. Substanz gebildete Biomasse, als *Sekundärproduktion* (= Konsumption) die aus organ. Substanz umgeformte Biomasse, s. Nahrungskette. Die Brutto-P. entspricht der Gesamt-P. vor Abzug der Respirationsverluste, die Netto-P. der Gesamt-P. nach Abzug der Respirationsverluste, s. ökologische Effizienz.

2. Rate der Produktion pro Flächeneinheit.
3. Allg. Bez. für alle Aspekte der Zunahme von Biomasse od. Energie bei Organismen. – ***E*** productivity – ***F*** productivité – ***I*** produttività – ***S*** productividad
Lit.: DIN 4049-2, S. 11: 1990-04 ▪ Hurst et al. (Hrsg.), Manual of Environmental Microbiology, S. 252–271, Washington: ASM Press 1997 ▪ Lieth u. Wittaker (Hrsg.), Primary Productivity of the Biosphere, Heidelberg: Springer 1975 ▪ Lüning, Meeresbotanik, S. 277–282, Stuttgart: Thieme 1985 ▪ Newbould, Methods for Estimating the Primary Production of Forests, Oxford: Blackwell 1967 ▪ Odum, Grundlagen der Ökologie (2.), S. 52–95, Stuttgart: Thieme 1983 ▪ Petrusewicz u. Macfadyen, Productivity of Terrestrial Animals, Oxford: Blackwell 1970 ▪ Vollenweider, A Manual on Methods for Measuring Primary Production in Aquatic Environments, Oxford: Blackwell 1969.

Produzenten. 1. In der Ökologie Bez. für Organismen, die organ. Substanz aus anorgan. bilden (P. im engen Sinne = autotrophe Organismen = *Primärproduzenten*) od. die *Biomasse des Bestandsabfalls (s. Bestand) umformen (P. im weiteren Sinne = heterotrophe Organismen = *Sekundärproduzenten*).
Primärproduzenten sind die zur *Photosynthese befähigten *Pflanzen, *Cyanobakterien u. *Schwefelbakterien sowie die chemolithotrophen Bakterien (s. Chemolithotrophie), die aus der *Oxidation anorgan. Substrate den Energiebedarf für die Synth. organ. Substanz decken, z. B. *Eisenbakterien, Manganbakterien, Nitrifikanten, manche Methanbakterien, *Schwefelbakterien u. *Knallgasbakterien.
Zu den *Sekundärproduzenten* gehören Detritus-Fresser, *Koprophagen, saprophage u. viele nekrophage Organismen. Die Sekundärproduzenten werden meist als Destruenten od. Reduzenten bezeichnet, weil sie einen Großteil der konsumierten organ. Stoffe mineralisieren (s. biologischer Abbau). In Gewässern erzeugen Bakterien partikuläre Substanz (s. Detritus u. POM) aus gelösten organ. Verb. (s. DOC); man bezeichnet sie auch als Rekuperanten.
Den P. stehen die Pflanzenfresser (Herbivoren) u. Fleischfresser (Carnivoren) gegenüber, die als Konsumenten zusammengefaßt werden. Die P. bilden die Grundstufe der *Nahrungsketten u. Nahrungsnetze. Ihre *Produktivität bzw. ihr Energieinhalt begrenzt die mögliche Biomasse der von ihnen abhängigen Bakterien, Pilze u. Tiere (s. a. ökologische Effizienz).
2. Das *Chemikaliengesetz verwendet statt P. den Begriff Hersteller für eine natürliche od. jurist. Person od. eine nicht rechtsfähige Personenvereinigung, die einen Stoff, eine Zubereitung od. ein Erzeugnis herstellt od. gewinnt. In der Praxis der Anmeldung neuer Stoffe (s. Neustoff) ist der Einführer (Importeur) eines Stoffes in die EU dem Hersteller gleichgestellt.
3. Hersteller im Sinne des Produkthaftungsgesetzes (s. Produzentenhaftung) kann je nach Umständen der Hersteller eines Endproduktes, eines Teilproduktes od. eines Grundstoffs, der Anbringer eines Namens od. einer Marke, der Importeur u. der Lieferant sein. – ***E*** producers – ***F*** producteurs – ***I*** produttori – ***S*** productores
Lit.: DIN 4049-2, S. 10f.: 1990-04 ▪ Ullmann (5.) **B 7**, 38–54 ▪ Walter u. Breckle, Ökologie der Erde (2.), Bd. 1, S. 40–43, Stuttgart: Fischer 1991.

Produzentenhaftung. Haftung eines Herstellers für fehlerhafte Produkte. Der Produzent muß die notwendigen u. zumutbaren Vorkehrungen treffen, damit niemand durch seine Produkte zu Schaden kommt. Hat er diese Vorkehrungen unterlassen, so haftet er im Schadensfall nach § 823 des Bürgerlichen Gesetzbuches (BGB), wenn der Produktfehler für den Schaden ursächlich war. In Umsetzung der EG-Richtlinie Produkthaftung wurde das Produkthaftungsgesetz vom 15. 12. 1989 (ProdHaftG) erlassen [1]. Es enthält folgende zentrale Regelungen:
– Verschulden ist nicht Voraussetzung für die Haftung. Der Haftung nach dem neuen Gesetz kann der Hersteller daher nicht durch den Nachw. entgehen, daß er bei Entwicklung, Produktion u. Kennzeichnung des Produktes jede denkbare Sorgfalt aufgewandt hat, um Schäden durch das Produkt zu vermeiden.
– Wie nach BGB haftet der Hersteller für Auswirkungen von Fehlern des Produktes. Ein Produkt ist dann fehlerhaft, „wenn es nicht die Sicherheit bietet, die unter Berücksichtigung aller Umstände berechtigterweise erwartet werden kann". Umstände, die berücksichtigt werden müssen, sind z. B. die Darbietung des Produktes, aber auch der Gebrauch des Produktes, „mit dem billigerweise gerechnet werden kann". Das bedeutet zum einen, fehlende od. unzureichende Warnhinweise machen das Produkt fehlerhaft, andererseits besteht keine Haftungspflicht, wenn der Schaden durch eine mißbräuchliche Verw. des Produktes entstand, mit der man nicht ohne weiteres rechnen mußte.
– Es haftet der Hersteller, womit zunächst der Hersteller des Endproduktes gemeint ist. Liegt die Schadensursache in einem Grundstoff od. Teilprodukt, kann aber auch dessen Hersteller vom Geschädigten in Anspruch genommen werden. Als Hersteller gelten auch Importeure von Waren, die außerhalb der EU produziert wurden sowie die „quasi-Hersteller", die sich durch Anbringung ihres Namens am Produkt als dessen Hersteller ausgeben.
– Der Hersteller kann sich durch den Nachw. bestimmter Sachverhalte entlasten, z. B. wenn der Fehler erst entstand, nachdem das Produkt in den Verkehr gebracht wurde od. wenn nach dem *Stand der Wissenschaft u. Technik nicht erkennbar war, daß ein Schaden durch das Produkt entstehen könnte.
– Die Ersatzpflicht erstreckt sich auf alle Personenschäden. Insoweit gilt das P.-Gesetz auch im gewerblichen Bereich. Sachschäden sind nach dem neuen Gesetz erst ab einer Höhe von 1125 DM zu ersetzen, aber nur soweit Sachen beschädigt wurden, die von ihrer Art her für den privaten Gebrauch bestimmt sind u. auch privat genutzt werden.
– Das P.-Gesetz sieht eine pauschale Haftungshöchstsumme von 160 Mio. DM vor.
Das bisher geltende Recht auf der Grundlage des § 823 BGB wird durch das P.-Gesetz nicht abgelöst, es gilt neben dem neuen Gesetz weiter. Dies ist von Bedeutung für Sachschäden, die im gewerblichen Bereich entstehen (z. B. bei einem Ind.-Kunden) sowie für Schmerzensgeldansprüche, die das P.-Gesetz nicht gewährt. Außerdem enthält das Gesetz keine Regelungen zur Beobachtung u. zum Produktrückruf. – ***E*** warranty for the product – ***F*** garantie pour un produit – ***I*** responsabilità legale per prodotti difettosi – ***S*** garantía de un producto

Lit.: [1]Gesetz über die Haftung für fehlerhafte Produkte (BGBl. I, S. 2198), zuletzt geändert am 8. 2. 1995 (BGBl. II, S. 221).
allg.: Römpp Lexikon Umwelt, S. 573–574 ▪ Taschner, Produkthaftungsgesetz u. EG-Produkthaftungsrichtlinie, München: Beck 1990.

Proelastase s. Elastase.

Proendothelin s. Endothelin.

Proenzyme s. Zymogene.

Profenofos. T

Common name für (±)-*O*-(4-Brom-2-chlorphenyl)-*O*-ethyl-*S*-propyl-thiophosphat, $C_{11}H_{15}BrClO_3PS$, M_R 373,62, Sdp. 110 °C (0,13 Pa), LD_{50} (Ratte oral) 358 mg/kg (WHO), von Ciba-Geigy (jetzt Novartis) 1973 eingeführtes nicht-system. *Insektizid u. *Akarizid mit breitem Wirkungsspektrum im Baumwoll-, Acker-, Mais-, Soja- u. Gemüseanbau. – ***E*** = ***F*** = ***I*** = ***S*** profenofos

Lit.: Farm ▪ Pesticide Manual. – *[HS 2930 90; CAS 41198-08-7]*

Profibrinolysin s. Plasminogen.

Profilfaser. Bez. für eine *Chemiefaser mit bes., meist durch Verw. entsprechend gestalteter Düsenöffnungen gezielt geformtem Querschnitt, z. B. dreieckig od. sternförmig. – ***E*** profile fiber – ***F*** fibre à section profilée – ***I*** profilato di fibra – ***S*** fibra perfilada

Lit.: Rouette, Lexikon für Textilveredlung, Bd. 2, S. 1604, Dülmen: Laumann Verl. 1995.

Profilin. Ursprünglich in Kalbsmilz aufgefundenes Protein (M_R 12 000–15 000), das in zwei Isoformen in vielen tier. Zelltypen an *Actin gebunden vorkommt u. auch in Pflanzen[1] u. Hefe eine Rolle spielen soll. Durch seine Fähigkeit, monomeres Actin zu binden (*Maskierung), behindert es in hohen Konz. dessen Polymerisation u. begünstigt die Depolymerisation der Actin-Filamente. In geringeren Konz. kann es auch die Actin-Polymerisation begünstigen, indem es den Austausch von an monomeres Actin gebundenem *Adenosin-5′-diphosphat gegen *Adenosin-5′-triphosphat od. die Bindung von Actin an die Filamente beschleunigt[2]. P. wirkt regulator. auf das *Cytoskelett u. ist bei dessen Umbau organisator. beteiligt. Unter Dissoziation von Actin bindet es Phosphatidylinosit-4,5-bisphosphate u. hemmt deren Spaltung zu Inosit-1,4,5-trisphosphat (s. Inositphosphate) u. *Diacylglycerinen. Die beiden Isoformen menschlichen P. unterscheiden sich in der Affinität zu monomerem Actin[3]. – ***E*** profilin – ***F*** profiline – ***I*** = ***S*** profilina

Lit.: [1]Trends Plant Sci. **2**, 275–281 (1997). [2]Cell **75**, 835–838 (1993). [3]Eur. J. Biochem. **229**, 621–628 (1995).
allg.: Biochim. Biophys. Acta **1359**, 97–109 (1997).

Proflavin.

Von der WHO vorgeschlagener internat. Freiname für das *Antiseptikum u. *Desinfektionsmittel 3,6-Acridindiamin, $C_{13}H_{11}N_3$, M_R 209,25, gelbe Nadeln, Schmp. 281 °C (auch 288 °C angegeben), lösl. in Wasser, Ethanol, unlösl. in Benzol, Ether; verd. Lsg. fluoreszieren; vgl. a. Acridin u. Acridin-Farbstoffe.
P. wirkt durch *Interkalation in die Nucleinsäuren u. löst dadurch, z. B. bei Mikroorganismen, Mutationen aus; die Kombination der Hydrochloride von P. u. 10-Methyl-P. (**Acriflaviniumchlorid*) wurde als potentielles *Carcinogen angesehen. – ***E*** = ***F*** proflavine – ***I*** = ***S*** proflavina

Lit.: Beilstein E V **22/11**, 322 ▪ Hager (5.) **9**, 367 ▪ IARC Monogr. **13**, 31–37 (1977); **24**, 195–209 (1980) ▪ Martindale (31.), S. 1114. – *[HS 2933 90; CAS 92-62-6]*

Progastrit®. Kautabl. u. Suspension mit den *Antacida Algeldrat (*Aluminiumhydroxid-hydrat-Gel) u. *Magnesiumhydroxid-Gel. ***B.:*** Hexal.

Progesteron (Gelbkörperhormon, Corpus-Luteum-Hormon, Luteohormon, Pregn-4-en-3,20-dion).

$C_{21}H_{30}O_2$, M_R 314,45. Farblose Krist. in 2 biolog. gleich aktiven Modif., α-Form: orthorhomb. Prismen, D. 1,166, Schmp. 127–131 °C, β-Form: orthorhomb. Nadeln, D. 1,171, Schmp. 121 °C, lösl. in Alkohol, Aceton, Dioxan, konz. Schwefelsäure, unlösl. in Wasser, wenig lösl. in fetten Ölen.

Biolog. Funktion: Das Hormon P. ist das wichtigste der *Gestagene (*Progestine*), das im weiblichen Körper im Corpus luteum (Gelbkörper) der Ovarien u. nach der *Konzeption während der Schwangerschaft in der Placenta gebildet wird. Die P.-Bildung wird bei der Frau durch *Lutropin gesteuert, bei manchen Tierarten (z. B. Ratten) ist *Prolactin daran beteiligt. P. bereitet die Gebärmutter-Schleimhaut zur Aufnahme des befruchteten Eies vor u. dient der Aufrechterhaltung der Schwangerschaft („Schwangerschaftshormon"; zur Funktion vgl. auch Gestagene). Die Brust wird durch P. zur Milch-Sekretion vorbereitet, u. im Gehirn wird das Sexualverhalten gesteuert. Außerdem scheint P. den Umbau der Knochen zu beeinflussen. In bezug auf *Estrogene besitzt P. teilw. antagonist. Wirkung (z. B. auf das Uterus-, Eileiter- u. Brustwachstum), andere Estrogen-Effekte werden dagegen durch P. synergist. verstärkt (z. B. Vorbereitung des Uterus auf die Aufnahme des Blastocysten). Durch Bindung des P. am Oxytocin-Rezeptor werden dessen Funktionen am Uterus inhibiert[1]. Die P.-Bildung kann auch durch *Mönchspfeffer angeregt u. durch *Prostaglandine gehemmt werden.

Biochemie: Wichtigstes Zwischenprodukt für die Biosynth. des P. ist das *Cholesterin, aus dem es über *Pregnenolon gebildet wird. P. wird im Körper hauptsächlich in der Leber zu *(20*S*)-5β-Pregnan-3α,20-diol abgebaut, das als Glucuronid ausgeschieden wird. Außerdem entsteht P. auch in den *Nebennieren als Ausgangssubstanz für die Biosynth. der *Corticosteroide, die durch spezif. Steroid-11β-, -17α- u. -21-Monooxygenasen (*Hydroxylasen; EC 1.14.15.4, 1.14.99.9 bzw. 1.14.99.10) erfolgt. Wie auch andere Steroidhormone bindet P. im Kern der Zielzelle an *Rezeptoren[2], die die Chromatin-Struktur modifizieren[3] u. die *Transkription bestimmter Gene aktivieren. Die P.-Rezeptoren (M_R 110000) waren die ersten Steroid-Rezeptoren, die isoliert u. charakterisiert werden konnten; ihre Untersuchung ist bei Brustkrebs von diagnost. Wert.

Herst.: Techn. wird P. in großen Mengen durch oxidativen Abbau von *Stigmasterin (aus Sojabohnen), Solanum-Alkaloiden od. aus dem *Sapogenin* *Diosgenin gewonnen, das aus plantagenmäßig angebauten *Dioscorea*-Arten (Yamswurzgewächse) isoliert wird. Auch Cholesterin ist ein Ausgangsprodukt für P. u. Totalsynth. sind ebenfalls entwickelt worden.

Verw.: Synthet. Gestagene werden in *Antikonzeptionsmitteln eingesetzt u. darin – entsprechend dem Konzept von *Pincus – mit *Estrogenen kombiniert. P. selbst wird gegen Frühgeburten, bei Menstruationsstörungen u. Uteruskarzinom angewendet. In Kosmetika u. als Tiermasthilfsmittel ist seine Verw. verboten. Der P.-Antagonist RU486 (*Mifepriston) ist in Frankreich zum Abbruch von Schwangerschaften bis zur 7. Woche zugelassen. Bestimmte P.-Derivate wirken als alloster. (s. Allosterie) Modulatoren von *GABA-Rezeptoren u. sind möglicherweise als Medikamente gegen das prämenstruelle Syndrom od. gegen Epilepsie geeignet.

Geschichte: Die Existenz von P. wurde 1903 von Fraenkel physiolog. nachgewiesen, doch seine Isolierung u. Strukturaufklärung erfolgte erst 1934 durch die 4 Arbeitskreise von *Butenandt, Slotta, Wintersteiner u. *Wettstein. – ***E*** = ***I*** progesterone – ***F*** progestérone – ***S*** progesterona

Lit.: [1] Nature (London) **392**, 509–512 (1998). [2] Nature (London) **393**, 392–396 (1998). [3] Trends Endocrinol. Metab. **8**, 384–390 (1997).
allg.: Endocrine Rev. **18**, 502–519 (1997) ▪ Karlson et al., Kurzes Lehrbuch der Biochemie, 14. Aufl., S. 281, 430, 446f., Stuttgart: Thieme 1994 ▪ Stryer 1996, S. 741 ff., 1048 ▪ Trends Endocrinol. Metab. **8**, 34–39, 267–271 (1997). – *[HS 2937 92; CAS 57-83-0]*

Progestine s. Gestagene.

Progestogel (Rp). Gel mit *Progesteron zum Einreiben bei prämenstruellen Brustschmerzen. ***B.:*** Kade/Besins.

Progestogene s. Gestagene.

Proglumetacin (Rp).

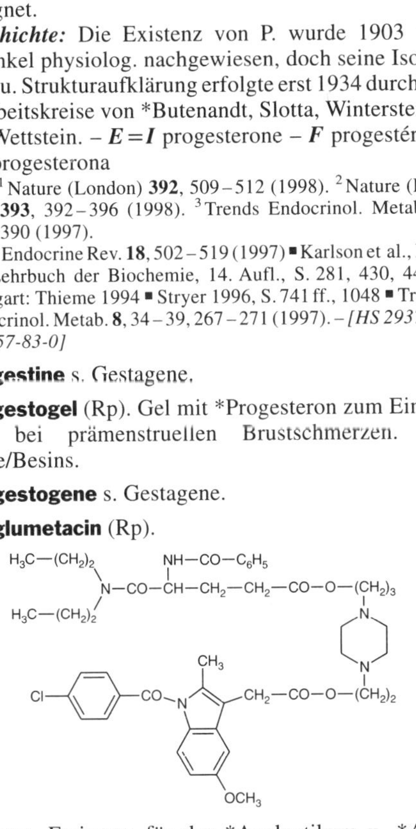

Internat. Freiname für das *Analgetikum u. *Antiphlogistikum (2-{4-[3-(N^2-Benzoyl-N^1,N^1,-dipropyl-DL-isoglutaminyloxy)propyl]-1-piperazinyl}ethyl)-1-(4-chlorbenzoyl)-5-methoxy-2-methyl-1*H*-indol-3-acetat, $C_{46}H_{58}ClN_5O_8$, M_R 844,46. Verwendet wird das Dimaleat $C_{54}H_{66}ClN_5O_{16}$, M_R 1076,6, Schmp. 146–148 °C, LD_{50} (Maus oral) 262 mg/kg. P. wurde 1976 von Rotta patentiert u. ist von Opfermann (Protaxon®) im Handel. – ***E*** proglumetacine – ***F*** proglumétacine – ***I*** = ***S*** proglumetacina

Lit.: ASP ▪ Hager (5.) **9**, 371 f. ▪ Martindale (31.), S. 92 f. ▪ Ullmann (5.) **A3**, 38. – *[HS 2933 59; CAS 57132-53-3 (P.); 59209-40-4 (Dimaleat)]*

Proglumid (Rp).

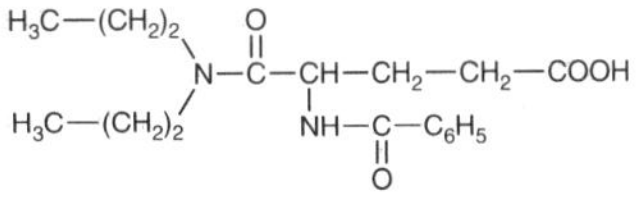

Internat. Freiname für die als Pankreozymin-Rezeptorenblocker schmerzstillende u. als *Ulcus-Mittel wirksame (±)-4-Benzamido-*N,N*-dipropylglutaramidsäure (N^2-Benzoyl-N^1,N^1-dipropyl-DL-isoglutamin), $C_{18}H_{26}N_2O_4$, M_R 334,42, Krist., Schmp. 142–145 °C, LD_{50} (Maus i.v.) >2, (Maus oral) >8 g/kg. P. wurde 1966 von Rotta patentiert u. ist von Opfermann (Milid®) im Handel. – ***E*** = ***F*** = ***I*** proglumide – ***S*** proglumida

Lit.: ASP ▪ Hager (5.) **9**, 373 f. ▪ Martindale (31.), S. 1237. – *[HS 2924 29; CAS 6620-60-6]*

Progoitrin s. Glucosinolate.

Progradation s. Massenentwicklung.

Programme Appliqué à la Sélection et à la Compilation Automatique de la Littérature s. PASCAL.

Proguanil (Rp).

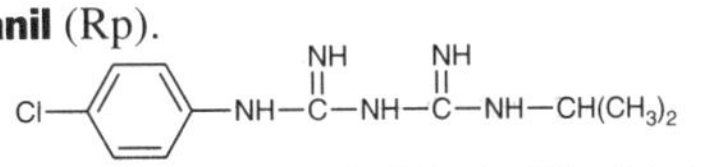

Internat. Freiname für das *Malaria-Mittel 1-(4-Chlorphenyl)-5-isopropyl-biguanid, $C_{11}H_{16}ClN_5$, M_R 253,75, rechtwinklige Plättchen, Schmp. 129 °C. Verwendet wird das Monohydrochlorid, Schmp. 244–245 °C; λ_{max} (CH_3OH) 258 nm ($A^{0,001\%}_{1cm}$ 0,82), pK_{a1} 2,3, pK_{a2} 10,4, LD_{50} (Ratte oral) 200 mg/kg. P. wurde 1952 von Rhône Poulenc patentiert u. ist von Zeneca (Paludrine®) im Handel. – ***E*** proguanil, chlorguanide – ***F*** = ***S*** proguanil – ***I*** proguanile

Lit.: ASP ▪ Hager (5.) **9**, 374 ff. ▪ Martindale (31.), S. 471 f ▪ Pharm. Ztg. **139**, 2908–2913 (1994). – *[HS 2925 20; CAS 500-92-5 (P.); 637-32-1 (Monohydrochlorid)]*

Progynova® (Rp). Dragées bzw. Tropfen zur *Estrogen-Therapie klimakter. Beschwerden mit *Estradiol-17-valerat. ***B.:*** Schering.

Prohormon-Convertase s. Furin.

Prohormone s. Hormone.

Proinsulin s. Insulin.

Projectin s. Titin.

Projektförderung (im Sinne der Förderung von Forschungsvorhaben bzw. Projekten). Bei der P., die in den Aufgabenbereich von Forschungs- u. Technologieministerien fällt, unterscheidet man zwischen *direkter P.* (Projekte, die i. d. R. einzeln begutachtet werden), *indirekter P.* (ohne Förderkataloge) u. *indirekt spezif. P.* (ohne steuerliche Maßnahmen; speziell für KMU konzipiert). Ca. 45% der Forschungs- u. Entwicklungsausgaben des Bundes fließen in die Projektförderung. Bei der P. des *BMBF sind innovative chem. Technologien in den Fachprogrammen Materialforschung, Biotechnologie u. chem. Forschung u. Entwicklung ein Schlüssel für die branchenübergreifende Nutzung neuer technolog. Entwicklungen. Informationen über die Förderung von Forschungsvorhaben u. technolog. Entwicklungen des BMBF können über die STN-Datenbank FORKAT (FOerderungs-KATalog des BMBF) abgerufen werden. Schon veröffentlichte Berichte zu geförderten Vorhaben sind in der STN-Datenbank FTN (Forschungsberichte aus Technik u. Naturwissenschaften) des FIZ-Karlsruhe hinterlegt.

Lit.: Bundesbericht Forschung 1996, S. 96ff., Bonn: BMBF 1996.

Projektionsformeln. In der *chemischen Zeichensprache Bez. für zweidimensionale bildliche Darst. des dreidimensionalen Aufbaus von Mol. in Form von (nicht perspektiv.) Strichformeln. Man spricht in diesem Zusammenhang auch oft von stereochem. Formeln, wenn die stereochem. Verhältnisse wiedergegeben werden sollen. Bekanntestes Beisp. sind die von Emil *Fischer 1891 eingeführten P., die ursprünglich zur Darst. der ster. Verhältnisse von Zuckern dienten. Für die Fischer-P. gelten folgende Konventionen: a) Die längste Kohlenstoff-Kette wird vertikal angeordnet, wobei das C-Atom mit dem niedrigsten Lokanten oben steht (in der Regel ist dies das am höchsten oxidierte C-Atom; Ausnahme: *Uronsäuren). – b) Für jedes C-Atom der Hauptkette zeigen die *vertikalen* Bindungen vom Betrachter weg (unterhalb der Papierebene). – c) Für jedes C-Atom der Hauptkette zeigen die *horizontalen* Bindungen zum Betrachter hin (oberhalb der Papierebene). *Beisp.:* D-*Glycerinaldehyd (Bezugssubstanz der *Aldosen zur D-Reihe; s.a. Aldohexosen).

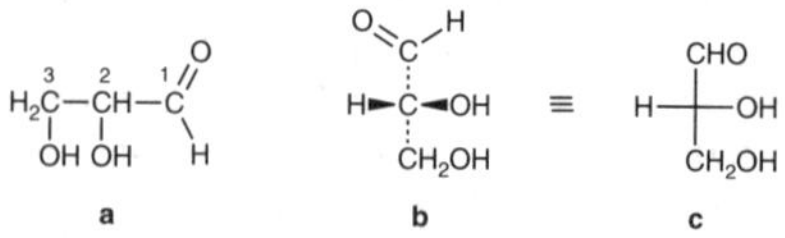

Abb. 1: Konstitutionsformel von Glycerinaldehyd (a), Fischer-Projektionsformel von D-Glycerinaldehyd (b) u. vereinfachte Darst. der Fischer-Projektionsformel (c).

Nach der Konvention von E. Fischer ist die Zuordnung zur D-Reihe dadurch gegeben, daß die Hydroxy-Gruppe in den Formeln (1b) od. (1c) *rechts* steht. Aus Fischer-P. läßt sich leicht für asymmetr. C-Atome ableiten, ob sie die (*R*)- od. (*S*)-*Konfiguration nach den *CIP-Regeln besitzen. Für D-Glycerinaldehyd ergibt sich, wie in Abb. 2 dargelegt, die (*R*)-Konfiguration:

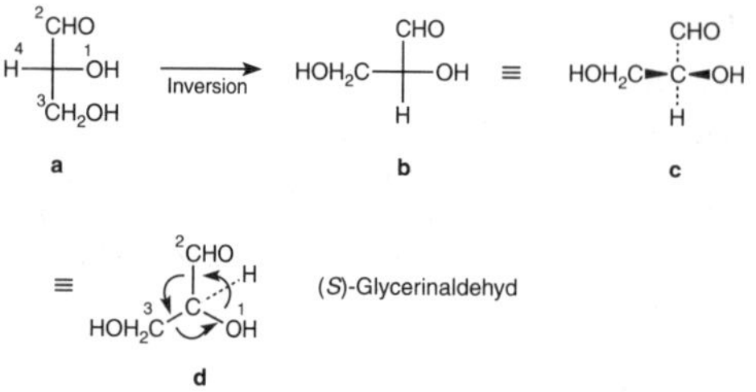

Abb. 2: Ermittlung der Konfiguration von D-Glycerinaldehyd (Erklärung s. Text).

Abb. 2a zeigt D-Glycerinaldehyd in der Fischer-Projektionsformel. Vertauschen zweier Substituenten, so daß der Substituent niedrigster Priorität – hier H – *unten* steht, führt zu einem Konfigurationswechsel (Abb. 2b). Für die Ermittlung der Konfiguration nach den CIP-Regeln befindet sich nun der Ligand niedrigster Priorität (H) hinter dem Zentralatom, die drei anderen Liganden sind im Gegenuhrzeigersinn angeordnet. Es ergibt sich die (*S*)-Konfiguration, so daß in (2a) die (*R*)-Konfiguration vorliegen muß.

Bildliche Darst. der *Konformation (Newman-Projektion) u. zweidimensionale Darst. von Verb. wie z.B. Penicillinen (vgl. die Abb. dort) werden ebenfalls P. genannt. – ***E*** projection formulas – ***F*** formules de projection – ***I*** formule di proiezione – ***S*** fórmulas de proyección

Lit.: Eliel u. Wilen, Stereochemistry of Organic Compounds, S. 1204, New York: Wiley 1994 ▪ Hauptmann u. Mann, Stereochemie, S. 10, Heidelberg: Spektrum 1996 ▪ Quinkert, Egert u. Griesinger, Aspekte der Organischen Chemie, S. 304, Weinheim: VCH Verlagsges. 1995.

Projektträger. Bei den P. des *BMBF handelt es sich um Großforschungseinrichtungen od. sonstige fachlich qualifizierte Einrichtungen, die für das BMBF wissenschaftlich-techn. u. administrative Managementaufgaben in verschiedenen Bereichen wahrnehmen. Der Schwerpunkt der Tätigkeit liegt in der fachlichen u. administrativen Beratung der Antragsteller, der Vorbereitung von Förderentscheidungen sowie der Projektbegleitung, Erfolgskontrolle u. Verbreitung der Forschungsergebnisse. – ***E*** project sponsor – ***F*** sponsor du projet – ***I*** titolare del progetto – ***S*** institución de proyectos

Lit.: Förderfibel 1997, Bonn: BMBF 1997. – INTERNET-Adresse: http://www.gsf.de/PTUKF/ptraeger.html.

Prokaryo(n)ten, prokaryo(n)tisch. Im Gegensatz zu den *Eukaryonten versteht man unter P. Organismen ohne abgegrenzten Zellkern. Die P. entbehren auch der *Mitochondrien u. *Plastiden, denen sie selbst (jedenfalls die Eubakterien – s. unten) jedoch in einigen Punkten ähnlich sind (z.B. genet. Apparat, Proteinbiosynth.-Apparat, Zusammensetzung der Membran). P. sind Bakterien, diese gliedern sich in Archaebakterien u. *Eubakterien. Erstere werden heute auch als *Archaea bezeichnet u. als eigenes Urreich neben Eukaryonten (*Eukarya) u. Eubakterien (Bacteria) gestellt. Die Eubakterien schließen die *Cyanobakterien (Blaualgen) mit ein, die früher zu den Pflanzen gerechnet wurden. – ***E*** prokaryotes (procaryotes), prokaryotic (procaryotic) – ***F*** procaryotes, procaryotique – ***I*** procarioti, procariotico – ***S*** procariotas, procariótico

Lit.: Lengeler et al., Biology of the Procaryotes, Stuttgart: Thieme 1998 ▪ White, The Physiology and Biochemistry of Prokaryotes, Oxford: Oxford University Press 1995.

Prolactin (PRL). Bei manchen Tierarten zu den *gonadotropen Hormonen gezähltes *Peptidhormon aus dem *Hypophysen-Vorderlappen, für das in der Lit. (histor. bedingt) eine Vielzahl von Namen anzutreffen sind: *Luteotropes Hormon* (LTH), *Luteotropin*, *Lactotropin*, *Mammotropin*, *mammogenes Hormon*, *Lactogen*. Mit dem entfernt verwandten *Placentalactogen sollte P. nicht verwechselt werden.

Struktur: Das PRL des Menschen (M_R 22 500) enthält 199 Aminosäure-Reste mit 3 Disulfid-Brücken u. stimmt in der Sequenz teilw. mit *Somatotropin u. Placentalactogen überein.
Biolog. Wirkung: Die Wirkung des PRL im weiblichen Organismus besteht – nach vorausgegangener *Konzeption – in der Anregung der *Milch-Sekretion (*Lactation*) u. der Gewebevermehrung u. -differenzierung der Brustdrüse, bei Nagetieren auch in der Stimulierung der *Progesteron-Produktion im Corpus luteum (Gelbkörper). PRL wird auch infolge des Stillens freigesetzt u. könnte für die herabgesetzte Empfängnisbereitschaft stillender Mütter verantwortlich sein. Die Funktion des PRL beim Mann, wo es in vergleichbaren Blut-Konz. auftritt, u. beim Neugeborenen, wo es die Spitzenwerte der schwangeren u. stillenden Frau übersteigt, ist unbekannt. Allerdings werden dem PRL – wie dem Somatotropin – auch regulierende Funktionen auf Wachstum u. Immunsyst.[1] zugeschrieben. Zur Rolle des PRL bei Autoimmunerkrankungen s. *Lit.*[2]. Der PRL-Rezeptor[3], ein Membran-durchspannendes Protein aus 598 Aminosäure-Resten, wird auch auf den Zellen des Immunsyst. exprimiert, signalisiert auf dem *Jak/STAT-Weg u. weist Homologie auf zu den Rezeptoren des Somatotropins u. verschiedener Cytokine (*Interleukine 2, 3, 4, 6 u. 7, *Erythropoietin, *Thrombopoietin u. *Kolonie-stimulierender Faktor GM-CSF). Somatotropin kann an den PRL-Rezeptor binden u. dadurch Lactation stimulieren.
Steuerung: Die hypophysäre Bildung des PRL wird gesteuert durch *Thyroliberin (Prolactoliberin), das PRL aus der Hypophyse freisetzt, u. *Dopamin (Prolactostatin), das die Freisetzung inhibiert. Daneben sind Dopamin-Agonisten (wie *Bromocriptin) auch in der Lage, die PRL-Sekretion zu hemmen. Zu einem neu aufgefundenen, spezif. PRL freisetzenden Pepitid s. *Lit.*[4]. PRL läßt sich im Blut durch *Enzymimmunoassay od. *Radioimmunoassay bestimmen. – ***E*** prolactin – ***F*** prolactine – ***I*** prolattina – ***S*** prolactina

Lit.: [1]Cytokines Cell. Mol. Ther. **3**, 197–213 (1997); Proc. Soc. Exp. Biol. Med. **215**, 35–52 (1997). [2]Proc. Soc. Exp. Biol. Med. **217**, 408–419 (1998). [3]Clin. Endocrinol. **45**, 247–255 (1996). [4]Nature (London) **393**, 272–276, 302 (1998).
allg.: Endocrine Rev. **16**, 354–369 (1995); **17**, 385–410, 639–669 (1996); **19**, 225–268 (1998) ▪ J. Biol. Chem. **272**, 7567 ff. (1997) ▪ Trends Endocrinol. Metab. **9**, 94–102 (1998).
– *[HS 2937 10; CAS 9002-62-4]*

Prolamine. Reserveproteine aus *Getreide-Arten; *Beisp.:* *Gliadin aus Weizen, Secalin aus *Roggen, *Hordein aus Gerste u. *Zein aus Mais. Während die P. in den genannten Getreidearten ca. 50% des Proteins des reifen Korns ausmachen, kommen sie in Hafer u. Reis nur zu ca. 10% vor. Die P. sind in 70%igem wäss. Ethanol lösl. u. können so von den zurückbleibenden *Glutelinen getrennt werden, mit denen zusammen sie den *Kleber (*Gluten*) des Getreides bilden. P. u. viele der Gluteline sind miteinander strukturell verwandt, wobei die letzteren durch *Disulfid-Brücken verbundene polymere Aggregate bilden. Aus diesen entstehen nach reduktiver Auftrennung Ethanol-lösl. Untereinheiten, die heute ebenfalls zu den P. gerechnet werden. Die P. sind *globuläre Proteine (M_R 10 000–100 000), deren Aminosäure-Zusammensetzung bei den nahe verwandten Triticeen Weizen, Roggen u. Gerste weitgehend übereinstimmt [>35% L-Glutamin(säure), ca. 20% L-Prolin]. L-Lysin ist sehr wenig, L-Tryptophan gar nicht vorhanden. Die Triticeen-P. können *Zöliakie hervorrufen, eine Unverträglichkeit mit Schleimhautatrophie im Dünndarm, die durch Ernährungsumstellung auf Reis, Mais od. Hirse behandelbar ist. – ***E*** prolamin(e)s – ***F*** prolamines – ***I*** prolammine – ***S*** prolaminas

Prolat s. Kernreaktionen u. Molekülspektren.

Proleukin® (Rp). Injektionslsg. mit Human-*Interleukin 2 (INN: Aldesleukin) bei metastasierendem Nierenkarzinom. ***B.:*** Chiron.

Prolidase (EC 3.4.13.9, Aminoacyl-L-Prolin-Hydrolase). Eine Dipeptidase (Dipeptide spaltende *Peptidase) der Darmschleimhaut, die Aminoacyl-L-proline u. -hydroxy-L-proline hydrolysiert. P. u. *Prolinase sind wichtig für den *Collagen-Abbau. – ***E*** = ***F*** prolidase – ***I*** prolidasi – ***S*** prolidasa – *[CAS 9025-32-5]*

Proliferation (latein.: proles = Nachkommen u. ferre = bringen). Wucherung, Vermehrung, v. a. im Zusammenhang mit gesteigerter Vermehrung von *Zellen, z. B. bei Entzündungen u. Geschwülsten. – ***E*** proliferation – ***F*** prolifération – ***I*** proliferazione – ***S*** proliferación

Prolin (Pyrrolidin-2-carbonsäure, Kurzz. für die L-Form ist P od. Pro).

H
N
COOH

$C_5H_9NO_2$, M_R 115,13. Farblose, hygroskop. Krist., Schmp. 220–222 °C (L-Form, Zers.) bzw. 215–220 °C (D-Form, Zers.) bzw. 210 °C (Racemat); in Wasser sehr gut, in Alkohol gut (im Gegensatz zu anderen Aminosäuren), in Aceton u. Benzol wenig u. in Ether nicht löslich.
Vork.: Das in *Casein (6,7%), *Prolaminen (ca. 20%; daher im Getreide u. Brot) u. *Collagen bzw. seinem Abbauprodukt Gelatine [bis zu 26,7% zusammen mit *trans*-*4-Hydroxy-L-prolin (Hyp)] vorkommende Pro ist eine nichtessentielle proteinogene Aminosäure („Iminosäure“), die biosynthet. aus L-Glutaminsäure entsteht u. auch wieder zu dieser abgebaut werden kann. Gemeinsames Zwischenprodukt des Auf- u. Abbaus ist (*S*)-3,4-Dihydro-2*H*-pyrrol-2-carbonsäure; diese steht mit Hilfe des Flavoenzyms *Prolin-Dehydrogenase* (EC 1.5.99.8) im Gleichgew. mit Pro. Der Übergang Pro→Hyp wird im Proteinverband des Procollagens (s. Collagene) durch *Procollagen-prolin-Dioxygenase* (EC 1.14.11.2) bewirkt.
Bedeutung: Pro ist in geringerem Maß als andere Aminosäuren zur Beteiligung an α-Helices (s. Proteine) befähigt, kommt aber sehr häufig in den haarnadelförmigen β-Schleifen (*E β-turns*) vor. Daher ist es als „Helixbrecher“ von bes. Bedeutung für die Protein-Struktur. Die Peptid-Bindung Amino-seitig von Pro ist in bes. Maß rotationsbehindert; die korrekte Faltung Pro-haltiger Proteine scheint deshalb durch Peptidyl-prolyl-*cis-trans*-Isomerasen (vgl. Cyclophilin, Peptid-Bindung) katalysiert zu werden. Zu Peptidasen, die

spezif. Pro-Reste erkennen s. *Lit.*[1]. Bei beginnender Austrocknung wird in Pflanzen freies Pro angereichert, um dem osmot. Streß zu begegnen[2]. An der *Maillard-Reaktion, die das typ. *Brot-Aroma entstehen läßt, ist Pro aufgrund seines Vork. im *Kleber beteiligt. Das innere Salz (*Betain) des 1,1-Dimethyl-P. ist ein in Pflanzen, z. B. im *Ziest, verbreitetes *Pyrrolidin-Alkaloid (*Stachydrin*). Weitere natürlich vorkommende Prolin-Analoga s. *Lit.*[3].

Gewinnung: Der Bedarf an P. (ca. 100 t/a) wird durch Extraktion aus Protein-Hydrolysaten u. durch Fermentation gedeckt, wenn auch inzwischen chem. Synth., z. B. von Acrolein ausgehend, verfügbar sind. Der Name P. wurde von Emil *Fischer 1904 aus Pyrrolidin abgeleitet. – ***E*** = ***F*** proline – ***I*** = ***S*** prolina

Lit.: [1]Biochim. Biophys. Acta **1343**, 160–186 (1997). [2]Plant Cell Physiol. **38**, 1095–1102 (1997). [3]J. Natural Prod. **59**, 1205–1211 (1996).

allg.: Amino Acids **13**, 189–217 (1997) ▪ Biochem. J. **297**, 249–260 (1994) ▪ Stryer 1996, S. 20, 210 f., 443 ff., 453 f., 674, 757. – *[HS 2933 90; CAS 7005-20-1; 147-85-3 (L-F.)]*

Prolinase (EC 3.4.13.8, L-Prolyl-Aminosäure-Hydrolase). Eine Dipeptidase (Dipeptide spaltende *Peptidase) der Darmschleimhaut, die L-Prolyl- u. Hydroxy-L-prolylaminosäuren hydrolysiert; vgl. Prolidase. – ***E*** = ***F*** prolinase – ***I*** prolinasi – ***S*** prolinasa – *[CAS 9025-33-6]*

Prolin-Dehydrogenase s. Prolin.

D-Prolin-Reduktase s. Pyruvoyl-Enzyme.

Prolintan.

N—CH—CH$_2$—CH$_2$—CH$_3$
CH$_2$—C$_6$H$_5$

Internat. Freiname für das zentral stimulierende *Analeptikum u. *Antidepressivum (±)-1-(1-Benzylbutyl)pyrrolidin, $C_{15}H_{23}N$, M_R 217,34, Sdp. 105 °C (66,7 Pa), 153 °C (2,13 kPa). Verwendet wird meist das Hydrochlorid, Schmp. 133–134 °C; LD_{50} (Maus oral) 257 mg/kg. P., das auch mißbräuchlich als *Doping-Mittel verwendet wird, wurde 1959 u. 1960 von Thomae patentiert. – ***E*** = ***F*** prolintane – ***I*** = ***S*** prolintano

Lit.: ASP ▪ Martindale (31.), S. 1556. – *[HS 2933 90; CAS 493-92-5 (P.); 1211-28-5 (Hydrochlorid)]*

Proloniumiodid.

$$\left[H_3C-\overset{CH_3}{\underset{CH_3}{N^+}}-CH_2-\underset{OH}{CH}-CH_2-\overset{CH_3}{\underset{CH_3}{N^+}}-CH_3 \right] 2\,I^-$$

Internat. Freiname für 2-Hydroxy-*N,N,N,N′,N′,N′*-hexamethyl-1,3-propandiaminium-diiodid, $C_9H_{24}I_2N_2O$, M_R 430,14, weißes krist. Pulver, Schmp. ca. 275 °C (Zers.), leicht lösl. in Wasser, wenig in Alkohol, unlösl. in Ether, Aceton. P. ist ein injizierbares Iod-Therapeutikum bei Thyreotoxikosen. Es wurde 1925 von Bayer patentiert. – ***E*** prolonium iodide – ***F*** iodure de prolonium – ***I*** prolonio ioduro – ***S*** ioduro de prolonio

Lit.: ASP ▪ Hager (5.) **9**, 380 f. ▪ Martindale (31.), S. 1604. – *[HS 2923 90; CAS 123-47-7]*

PROM. 1. In der elektron. Datenverarbeitung Abk. für *E* *p*rogrammable *r*ead *o*nly *m*emory. Es ist ein Halbleiterfestwertspeicher, der, nachdem er programmiert wurde, nur noch ausgelesen werden kann. Manche PROMs, die sog. *EPROM, können durch UV-Licht wieder gelöscht u. anschließend durch bestimmte Spannungs- u. Stromwerte neu programmiert werden.

2. In der *Optoelektronik Abk. für *E* *P*ockels *r*eadout *o*ptical *m*odulator. Auf dem Pockels-Effekt (s. elektrooptische Effekte) beruhendes optoelektr. Bauelement, mit dem log. Verknüpfungen durchgeführt werden u. das Informationen so speichert, daß sie opt. lesbar sind.

Promazin (Rp).

(CH$_2$)$_3$—N(CH$_3$)$_2$
N
S

Internat. Freiname für den *Tranquilizer *N,N*-Dimethyl-3-(10*H*-phenothiazin-10-yl)propylamin, $C_{17}H_{20}N_2S$, M_R 284,41, Sdp. 203–210 °C (40 Pa); λ_{max} (0,05 M H_2SO_4) 252, 300 nm ($A^{1\%}_{1cm}$ 1122, 130), pK_a 9,4. Verwendet wird meist das Hydrochlorid, Schmp. 177–181 °C. P. wurde 1950 von Rhône Poulenc patentiert u. ist von Wyeth (Protactyl®) u. Rodleben (Sinophenin®) im Handel. – ***E*** = ***F*** promazine – ***I*** = ***S*** promazina

Lit.: Hager (5.) **9**, 381 ff. ▪ Martindale (31.), S. 732. – *[HS 2934 30; CAS 58-40-2 (P.); 53-60-1 (Hydrochlorid)]*

Promethazin (Rp).

CH$_3$
CH$_2$—CH—N(CH$_3$)$_2$
N
S

Internat. Freiname für das *Antihistaminikum u. *Sedativum (±)-*N,N*-Dimethyl-1-(10*H*-phenothiazin-10-yl)-2-propanamin, $C_{17}H_{20}N_2S$, M_R 284,41, Krist., Schmp. 60 °C, Sdp. 190–192 °C (400 Pa); λ_{max} (C_2H_5OH/H_2O 1 + 1) 252 nm ($A^{1\%}_{1cm}$ 880), pK_b 4,9. Verwendet wird meist das Hydrochlorid, Schmp. 215–232 °C (Zers.), λ_{max} (H_2O) 249, 297 nm ($A^{1\%}_{1cm}$ 897, 106). P. wurde 1950 u. 1952 von Rhône Poulenc patentiert u. ist als Generikum im Handel. – ***E*** promethazine – ***F*** prométhazine – ***I*** = ***S*** prometazina

Lit.: ASP ▪ Beilstein E III/IV **26**, 1253 ▪ Florey **5**, 429–465 ▪ Hager (5.) **9**, 383–386 ▪ Martindale (31.), S. 450 ▪ Ph. Eur. **1997** u. Komm. – *[HS 2934 30; CAS 60-87-7 (P.); 58-33-3 (Hydrochlorid)]*

Promethium (chem. Symbol Pm). Zur Gruppe der *Lanthanoide gehörendes radioaktives chem. Element, *Seltenerdmetall, Ordnungszahl 61. Das leichteste Isotop ist ^{130}Pm, außerdem kennt man Pm-Isotope aller Massenzahlen von 132 bis 158. Von den Pm-Kernen der Massenzahlen 138–140, 148 u. 154 kennt man je zwei, von ^{152}Pm drei Isomere. Die kürzeste HWZ von 0,18 s weist ^{130}Pm auf, das längstlebige Isotop ^{145}Pm hat eine HWZ von 17,7 a; das bestuntersuchte u. techn. wichtigste Isotop ist ^{147}Pm mit einer HWZ von 2,62 a. Das silberweiße, glänzende Metall krist. hexagonal, D. 7,22, Schmp. 1042 °C, Sdp. 3000 °C (geschätzt). In seinen farbigen Verb. nimmt Pm die Oxid.-Stufe +3 an. ^{147}Pm findet sich in der Natur unter den Produkten des natürlichen Uran-Zerfalls in winzigen, mit gewöhnlichen analyt. Meth. nicht erfaßbaren Mengen, z. B. in afrikan. Pechblenden-Erzen

u. in den „natürlichen Reaktoren" von Oklo (s. Oklo-Phänomen). Die Entstehung von ^{147}Pm in Lanthanoid-Erzen, z. B. in Apatit, wird auf die radioaktive Umwandlung von Neodym mittels Neutronen (aus *kosmischer Strahlung) zurückgeführt. Der natürliche Gehalt der Erze an Pm reicht für dessen Gewinnung keinesfalls aus, doch läßt sich das Element heute in kg-Mengen aus Reaktorabbränden isolieren. Die Herst. von metall. ^{147}Pm ist z. B. durch Überführung des bei der Aufarbeitung von Brennelement-Spaltprodukten anfallenden Oxids in das Chlorid u. anschließende Red. mit Ca möglich.
Verw.: Als Wärmequelle, als β-Strahler für radioaktive Dickenmessungen, für Radionuklid-Batterien u. in der Raumfahrt, als Zusatz zu Leuchtstoffen, in Satelliten-Steuerdüsen.
Geschichte: Der Name Promethium wurde 1948 von Marinsky u. Glendenin vorgeschlagen, die das Element 1945 in Reaktorabbränden entdeckt u. 1947 durch Ionenaustausch-Chromatographie nachgewiesen haben; er soll an den Titanen Prometheus der altgriech. Mythologie erinnern. Frühere Bez. für Element 61 waren Illinium (Il), Florentium (Fl) u. Cyclonium. Einen ausführlichen Überblick über Entdeckungsgeschichte, Nachw.-, Isolierungs- u. Herst.-Meth. sowie über physikal. u. chem. Eigenschaften u. die Verw. gibt *Lit.*[1]. – ***E*** promethium – ***F*** prométhium – ***I*** prometio – ***S*** promecio

Lit.: [1] Chem. Ztg. **102**, 339–358 (1978) ▪ s. a. Lanthanoide, Radioaktivität, Seltenerdmetalle. – *[HS 2844 40; CAS 7440-12-2; G 7]*

Prometon.

H3CO, N, NH–CH(CH3)2, N, N, NH–CH(CH3)2

Common name für N^2,N^4-Diisopropyl-6-methoxy-1,3,5-triazin-2,4-diamin, $C_{10}H_{19}N_5O$, M_R 225,29, Schmp. 91–92 °C, LD_{50} (Ratte oral) 2980 mg/kg (WHO), von Geigy (jetzt Novartis) 1959 eingeführtes Totalherbizid gegen Unkräuter, Ungräser u. Gehölze auf Nichtkulturland. – ***E*** prometon ***F*** prométone – ***I*** prometone – ***S*** prometona

Lit.: Farm. ▪ Perkow ▪ Pesticide Manual. – *[HS 2933 69; CAS 1610-18-0]*

Prometryn.

H3CS, N, NH–CH(CH3)2, N, N, NH–CH(CH3)2

Common name für N^2,N^4-Diisopropyl-6-(methylthio)-1,3,5-triazin-2,4-diamin, $C_{10}H_{19}N_5S$, M_R 241,35, Schmp. 118–120 °C, LD_{50} (Ratte oral) 3150 mg/kg (WHO), von Geigy (jetzt Novartis) 1962 eingeführtes selektives *Herbizid zur Vor- u. Nachauflauf-Anw. im Baumwoll-, Erdnuß-, Soja-, Kartoffel-, Gemüse- u. Sonnenblumenanbau. – ***E*** prometryn – ***F*** prometryne – ***I*** = ***S*** prometrina

Lit.: Farm. ▪ Perkow ▪ Pesticide Manual. – *[HS 2933 69; CAS 7287-19-6]*

Promiskuöse DNA s. Desoxyribonucleinsäuren (S. 910).

Promit® (Rp). Injektionslsg. mit *Dextran für Allergietests zur Prophylaxe von anaphylakt. Reaktionen bei Dextran-Infusionen. ***B.:*** Reusch.

Promotion (von latein.: Beförderung zu Ehrenstellen). Bez. für das Verf. von der Einreichung einer Dissertation bis zur Verleihung des Doktorgrades. – ***E*** awarding of a doctorate – ***F*** promotion au grade de docteur – ***I*** dottorato – ***S*** doctorado

Promotoren (von latein.: promovere = vorwärtsbewegen, erweitern, fördern). Der dem Engl. entlehnte Begriff P. wird in Naturwissenschaft, Technik, Biologie u. Medizin in ähnlich unpräziser Form benutzt wie *Aktivator, *Synergist, *Beschleuniger od. *Verstärker im Sinne irgendeines *Synergismus. Beispielsweise spricht man von P. in der chem. *Katalyse, in der *Carcinogen-Forschung meint man mit P. sowohl Phorbol-Ester u. a. *Cocarcinogene als auch die Ornithin-Decarboxylase.
In der *Genetik bezeichnen P. einen bestimmten Sequenz-Bereich auf einer DNA-Doppelhelix, der vor den codierenden Sequenzen eines *Gens od. *Operons liegt u. von der RNA-Polymerase (s. Polymerasen) als spezif. Bindesequenz u. Startstelle für die *Transkription der Strukturgene erkannt wird. Ein typ. Bakterien-P. enthält als Signalstrukturen etwa in Position –35 vor dem Startpunkt (+1) eine Erkennungsstelle für die DNA-abhängige RNA-Polymerase [–35-Region; *Consensus-Sequenz (allen P. gemeinsam): TTGACA] u. eine Bindestelle etwa in der Position –10 [–10-Region, die sog. *Pribnow(-Schaller)-Box; Consensus-Sequenz: TATAATA]; s. a. Transkription u. Regulation. – ***E*** promotors – ***F*** promoteurs – ***I*** promotori – ***S*** promotores

Lit.: s. die Textstichwörter.

Pronto®. Fungizid auf der Basis von *Tebuconazole u. *Fenpropidin. ***B.:*** Bayer.

Prontosil®. Marke von Bayer für das (nicht mehr im Handel befindliche) erste *Sulfonamid 4-(2,4-Diaminophenylazo)benzolsulfonamid, $C_{12}H_{13}N_5O_2S$, M_R 291,32.

H2N, N=N, SO2–NH2, NH2

Die ausgezeichnete antibakterielle Wirkung hauptsächlich gegen Streptokokken, Staphylokokken u. Coli-Bakterien des 1932 von Mietsch u. Klarer in Elberfeld synthetisierten P. wurde von *Domagk erkannt. Später zeigte *Tréfouël, daß die gleiche Heilwirkung durch *4-Aminobenzolsulfonamid* (*Sulfanilamid, Prontalbin®) hervorgerufen wird, das im lebenden Organismus aus P. entsteht. Als *Azofarbstoff *(Sulfamidochrysoidin)* bewirkt P. eine gelbrote Haut- u. eine dunkelrote Harnfärbung.

Lit.: Beilstein E IV **16**, 563 ▪ Pharm. Unserer Zeit **13**, 177–186 (1984) ▪ Sneader, Drug Discovery, S. 278–287, Chichester: Wiley 1985. – *[CAS 103-12-8]*

Proof. Konz.-Bez. für wäss. *Ethanol, bezogen auf engl.: proof spirit = Standard-Alkohol von 50 Vol.-% [US-Skala: 0...200 proof; 60 °F (15,56 °C)] od. ca. 57 Vol.-% [brit.-kanad. Skalen, seit 1816 öfter neu geeicht: 0...ca. 175 proof od. 100 underproof...0...

ca. 75 overproof; 51 °F (10,56 °C) od. 60 °F (15,56 °C)].

Lit.: Janistyn **1**, 30–34 ▪ Kirk-Othmer (3.) **9**, 361–365 ▪ Ullmann (5.) **A 9**, 631.

Pro(OH). Kurzz. für *4-Hydroxy-L-prolin.

Proopio(melano)cortin s. Lipotropin.

Propachlor.

Common name für 2-Chlor-*N*-isopropyl-acetanilid, $C_{11}H_{14}ClNO$, M_R 211,69, Schmp. 77 °C, LD_{50} (Ratte oral) 1800 mg/kg, von Monsanto 1965 eingeführtes selektives *Herbizid gegen Ungräser u. einige Unkräuter im Bohnen-, Baumwoll-, Erdnuß-, Soja-, Mais-, Sorghum-, Kohl-, Raps-, Erbsen-, Zwiebel-, Kürbis- u. Zierpflanzenanbau. – ***E*** propachlor – ***F*** propachlore – ***I*** propacloro – ***S*** propaclor

Lit.: Farm. ▪ Perkow ▪ Pesticide Manual. – *[HS 2924 29; CAS 1918-16-7]*

Propadien s. Allen.

Propadiendion s. Kohlensuboxid.

Propafenon (Rp).

Internat. Freiname für das *Antiarrhythmikum (±)-1-{2-[2-Hydroxy-3-(propylamino)propoxy]-3-phenyl}-1-propanon, $C_{21}H_{27}NO_3$, M_R 341,46. Verwendet wird meist das Hydrochlorid, Schmp. 172–174 °C; λ_{max} (CH_3OH) 248, 304 nm ($A^{1\%}_{1cm}$ 217, 84). P. wurde 1971 von Helopharm patentiert u. ist als Generikum im Handel. – ***E*** = ***I*** propafenone – ***F*** propafénone – ***S*** propafenona

Lit.: ASP ▪ Hager (5.) **9**, 387–390 ▪ Martindale (31.), S. 935 f. – *[HS 2922 50; CAS 54063-53-5 (P.); 34183-22-7 (Hydrochlorid)]*

Propafilm®. Beidseitig orientierte *Polypropylen-Folie als Solo- od. Verbundfolie (auch bedruckbar u. kaschierfähig) als Verpackungsmaterial für Lebensmittel, Hygienemittel, pharmazeut. Präp., Tabakwaren u. Overheadfolien. ***B.:*** ICI.

Propafoil®. Beidseitig orientierte *Polypropylen-Folie, einseitig metallisiert, kombiniert mit *Propafilm® für Snacks, Back- u. Süßwaren. ***B.:*** ICI.

Propagation. Von latein.: propagatio = Fortpflanzung abgeleitete Bez. für die verschiedenen Fortpflanzungs-Reaktionen innerhalb einer Reaktionssequenz von Kettenreaktionen; Beisp. s. dort, vgl. a. Polymerisation. – ***E*** = ***F*** propagation – ***I*** propagazione – ***S*** propagación

Propaklone®. *Trichlorethan-Formulierung für die Reinigung elektron. Bauteile. ***B.:*** ICI.

Propallylonal (Rp).

Kurzbez. für das Hypnotikum 5-(2-Bromallyl)-5-isopropylbarbitursäure, $C_{10}H_{13}BrN_2O_3$, M_R 289,13, leicht bitter schmeckende Krist., Schmp. 177–179 °C, LD_{50} (Ratte oral) 300–350 mg/kg; wenig lösl. in Wasser, Ether, Benzol, leicht lösl. in Alkohol, Eisessig, Aceton u. Alkalien. P. wurde 1927 von der Riedel AG patentiert. – ***E*** = ***F*** propallylonal – ***I*** propallilonal – ***S*** propalilonal

Lit.: Martindale (31.), S. 716. – *[HS 2924 29; CAS 545-93-7]*

Propamocarb-hydrochlorid.

Common name für *O*-Propyl-*N*-[3-(dimethylamino)propyl]carbamat-hydrochlorid, $C_9H_{21}ClN_2O_2$, M_R 224,73, Schmp. 45–55 °C, LD_{50} (Ratte oral) weiblich 2000 mg/kg, männlich 2900 mg/kg, von Schering (jetzt AgrEvo) 1975 eingeführtes system. *Fungizid gegen Phycomyceten im Erdbeer-, Tabak- u. Gemüseanbau sowie in Zierpflanzen u. Ziergehölzen. – ***E*** propamocarb hydrochloride – ***F*** chlorhydrate du propamocarbe – ***I*** idrocloruro di propamocarb – ***S*** clorhidrato de propamocarb

Lit.: Farm. ▪ Perkow ▪ Pesticide Manual. – *[CAS 25606-41-1 (P.-HCl); 24579-73-5 (Propamocarb)]*

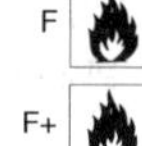

Propan. $H_3C–CH_2–CH_3$, C_3H_8, M_R 44,09. Farb- u. geruchloses Gas, D. 1,5503 (gasf., Luft = 1), D. (flüssig) 0,5005, Schmp. –189,7 °C, Sdp. –42 °C, Litergew. 1,97 g; krit. Temp. 96,8 °C, krit. Druck 42 bar, krit. D. 0,22. P. verbrennt an der Luft mit leuchtender, rußender Flamme zu CO_2 u. H_2O, in Wasser kaum, in organ. Lsm. gut löslich. MAK-Wert: 1800 mg/m³ (wirkt in hohen Dosen leicht narkot.). Gemische aus 2,12–9,35% P. in Luft sind explosiv; Nachw. mit Prüfröhrchen. Flüssiges P. kann wegen der hohen Verdampfungskälte auf der Haut Erfrierungen hervorrufen. P. kommt im Erdgas u. in Erdölkrackgasen vor, aus denen es auch gewonnen wird. P. aus sog. *nassen* **Erdgasen* muß noch einer *Entschwefelung unterzogen werden, wobei auch gleichzeitig gelöstes CO_2 entfernt wird, z. B. durch alkal. Wäsche.

Verw.: In Druckgasflaschen (Behälterfarbe rot, Linksgewinde) als *Flüssiggas (LPG) für Laboratorien u. Haushalte zu Brenn- u. Heizzwecken [mittlerer Heizwert (H_u) 93 MJ/m³], als Kältemittel in der Ind., als selektives Lsm. für höhersiedende Rohölfraktionen u. zur Entasphaltierung, für organ. Synth. (Chlorierung, Oxid., Ammonoxid., Nitrierung), hauptsächlich aber als Ausgangsprodukt für Ethylen u. Propylen. Durch Dehydrocyclooligomerisation an Zeolithen lassen sich *BTX-Aromaten herstellen [1]. Vielfach wird P. heute – im allg. zusammen mit Butan – anstelle von *FCKW als Treibmittel in Sprays eingesetzt, wobei allerdings landesrechtliche Bestimmungen (Brennbarkeit) u. die Ggw. evtl. geruchsintensiver Begleitstoffe beachtet werden müssen. – ***E*** = ***F*** propane – ***I*** = ***S*** propano

Lit.: [1] Gnep et al., in Karge u. Weitkamp, Zeolites as Catalysts, Sorbents and Detergent Builders, Amsterdam: Elsevier 1989.
allg.: Beilstein EIV **1**, 176–185 ▪ Hommel, Nr. 164 ▪ Kirk-Othmer (4.) **13**, 812–817 ▪ Ullmann (4.) **14**, 655–662; (5.) **A 13**, 228–237 ▪ Winnacker-Küchler (4.) **5**, 170–174. – *[HS 2711 12, 2711 29, 2901 10; CAS 74-98-6]*

Propanal s. Propionaldehyd.

Propanamine s. Propylamine.

Propandiamine (Diaminopropane).

$H_3C{-}CH(NH_2){-}CH_2{-}NH_2$ (a) $H_2N{-}CH_2{-}CH_2{-}CH_2{-}NH_2$ (b)

$C_3H_{10}N_2$, M_R 74,13. (a) *1,2-P.* (Propylendiamin): D. 0,929, Sdp. 119–120 °C, farblose Flüssigkeit, mischbar mit Wasser u. organ. Lösemitteln. Die Dämpfe reizen stark die Augen u. die Atemwege, bei hohen Dampfdrücken bis hin zur Verätzung, Lungenödem möglich. Kontakt mit der Flüssigkeit bewirkt starke Verätzung der Augen u. der Haut. 1,2-P. wird auch über die Haut aufgenommen; WGK 1; LD_{50} (Ratte oral) 2230 mg/kg.

Herst.: V. a. durch Aminierung von 1-Amino-2-propanol (aus Propylenoxid u. Ammoniak). 1,2-P. wird verwendet als Zwischenprodukt für Pflanzenschutzmittel, v. a. in den USA in Form von Derivaten für Zusätze zu Treibstoffen u. Schmiermitteln.

(b) *1,3-P.* (Trimethylendiamin): D. 0,886, Schmp. –12 °C, Sdp. 137–140 °C, farblose Flüssigkeit, mischbar mit Wasser u. den meisten organ. Lsm.; führt zu Reizungen von Augen, Haut u. Schleimhäuten; WGK 2 (Selbsteinst.); LD_{50} (Ratte oral) 350 mg/kg.

Herst.: Aus Acrylnitril u. Ammoniak[1]. 1,3-P. wird hauptsächlich verwendet zur Herst. von Tetrahydro-1,3-bis(hydroxymethyl)-2(1*H*)-pyrimidinon einem Textilveredlungsmittel, ferner als Base zur Herst. eines Isomerisierungsreagenzes zur Umwandlung von internen in externe Acetylene. – ***E = F*** propandiamines – ***I*** propandiammine, diamminopropani – ***S*** propanodiaminas

Lit.: [1] Ullmann (5.) **A 2**, 26.

allg.: Beilstein E IV **4**, 1255, 1258 ▪ Bretherick, Handbook of Reactive Chemical Hazards, Nr. 1247, 1248, London: Butterworths 1990 ▪ Hommel, Nr. 427 ▪ Org. Synth. **65**, 224 (1987) ▪ Ullmann (4.) **7**, 382 f.; (5.) **A 2**, 26. – *[HS 2921 29; CAS 78-90-0 (a); 109-76-2 (b); 26545-55-1 (allg.); G 8]*

Propandiole.

$HO{-}CH_2{-}CH_2{-}CH_2{-}OH$ (a) $H_3C{-}CH(OH){-}CH_2{-}OH$ (b)

$C_3H_8O_2$, M_R 76,11. (a) *1,3-P.* (Trimethylenglykol), neutrale, farb- u. geruchlose, süß schmeckende Flüssigkeit, D. 1,0597, Schmp. –32 °C, Sdp. 214 °C, mischbar mit Wasser u. Alkohol; WGK 0 (Selbsteinst.).

Herst.: Aus Acrolein u. Wasser u. anschließender katalyt. Hydrierung. Verw. zur Polyester-Herst., zur Synth. von Heterocyclen.

(b) Techn. weitaus bedeutender ist *1,2-P.* (Propylenglykol): ölige, farblose, fast geruchlose Flüssigkeit, D. 1,0381, Schmp. –60 °C (*dl*), Sdp. 188 °C (*dl*-Form), WGK 0, mischbar mit Wasser u. Alkohol, lösl. in vielen organ. Lösemitteln. 1,2-P. wird zumeist als prakt. ungiftig eingestuft; LD_{50} (Ratte oral) 20 g/kg; zugelassen als Lebensmittelzusatzstoff nach LMBG; zugelassen als Extraktionslösemittel gemäß ELV; gelegentlich sensibilisierend bei Hautkontakt. 1,2-P. wird aus Propylenoxid durch Wasseranlagerung hergestellt.

Verw.: Als Frostschutzmittel, als Bremsflüssigkeit, zur Herst. von Alkyd- u. Polyesterharzen, Weichmacher für Vinylharze, als Lsm. für Fette, Öle, Harze, Wachse, Farbstoffe usw. In der Nahrungsmittel-Ind. als Lsm. für Farbstoffe u. Aromen, Feuchthaltemittel für Tabak u. in Kosmetika, als Trägersubstanz bei verschiedenen Salben, Cremes u. Arzneimitteln. Die opt. aktiven (*R*)-(–)- u. (*S*)-(+)-Formen finden als chiraler Baustein in organ. Synth. Verwendung. Durch Veresterung u./od. Veretherung einer od. beider Hydroxy-Gruppen lassen sich zahlreiche, als Lsm., zu Synth., als Weichmacher, Verdickungsmittel, Emulgatoren usw. verwendbare Produkte gewinnen. Mit Propylenoxid entstehen *Di-, Tri- u. höhere Propylenglykole, u. die Polyaddition liefert *Polypropylenglykole. – ***E = F*** propanediols – ***I*** propandioli – ***S*** propanodioles

Lit.: Beilstein E IV **1**, 2468–2471, 2493 f. ▪ Hager (5.) **9**, 409 ▪ Hommel, Nr. 171 ▪ Paquette **6**, 4307 ▪ Ullmann (4.) **19**, 425–432; (5.) **A 3** 24, 30 ▪ Weissermel-Arpe (4.), S. 297 f. ▪ Zipfel, A 3. – *[HS 2905 39, 2905 32; CAS 504-63-2 (a); 57-55-6 (b); 4254-14-2 (–); 4254-15-3 (+)]*

Propandisäure s. Malonsäure.

Propanidid (Rp).

$(H_5C_2)_2N{-}CO{-}CH_2{-}O{-}C_6H_3(OCH_3){-}CH_2{-}CO{-}O{-}(CH_2)_2{-}CH_3$

Internat. Freiname für das *Injektionsnarkotikum {4-[(Diethylcarbamoyl)methoxy]-3-methoxyphenyl}essigsäure-propylester, $C_{18}H_{27}NO_5$, M_R 337,40, blaßgelbes Öl, Sdp. 210–212 °C (93,3 Pa), LD_{50} (Ratte oral) >10 g/kg; unlösl. in Wasser, lösl. in Ethanol, Chloroform. P. wurde 1962 u. 1963 von Bayer patentiert. – ***E*** propanidid – ***F = I*** propanidide – ***S*** propanidido

Lit.: ASP ▪ Hager (4.) **6 a**, 896 f. ▪ Martindale (31.), S. 1261 ▪ Ullmann (5.) **A 2**, 296. – *[HS 2924 29; CAS 1421-14-3]*

Propanil. Xn

$3,4\text{-}Cl_2C_6H_3{-}NH{-}CO{-}C_2H_5$

Common name für 3′,4′-Dichlorpropionanilid, $C_9H_9Cl_2NO$, M_R 218,08, Schmp. 91,5 °C, LD_{50} (Ratte oral) 1400 mg/kg (GefStoffV), von Rohm & Haas 1960 eingeführtes selektives Kontakt-*Herbizid zur Nachauflauf-Anw. gegen Ungräser u. Unkräuter im Kartoffel- u. Reisanbau. – ***E = F = S*** propanil – ***I*** propanile

Lit.: Farm ▪ Perkow ▪ Pesticide Manual. – *[HS 2924 29; CAS 709-98-8]*

Propannitril s. Propionitril.

Propanolamine s. Aminopropanole.

Propanolate s. Propoxide u. Propanole.

Propanole. F

$H_3C{-}CH_2{-}CH_2{-}OH$ (a) $H_3C{-}CH(OH){-}CH_3$ (b)

C_3H_8O, M_R 60,09. Beide Alkohole sind farblose, brennbare Flüssigkeiten, mischbar mit Wasser, Alkohol u. Ether. Ersatz des Hydroxywasserstoffs durch Metall-Atome gibt Propanolate (Propoxide; veraltete Bez.: Propylate); *Beisp.:* *Aluminiumisopropylat. Über Reinigungsmeth. für die P. s. *Lit.*[1].

(a) *1-P.* (Propylalkohol): D. 0,804, Schmp. –126 °C, Sdp. 97 °C, FP. 15 °C c.c., Explosionsgrenzen in Luft

(20 °C) 2,1 – 13,5 Vol.-%. Mit 28,3 Gew.-% Wasser bildet 1-P. ein bei 87,7 °C siedendes Azeotrop. Die Dämpfe wirken betäubend, u. eingenommen ruft es ähnliche Erscheinungen wie *Ethanol hervor (Schwindel, Rauschzustand, Bewußtlosigkeit), WGK 1; LD_{50} (Ratte oral) 1870 mg/kg; zugelassen als Lebensmittelzusatzstoff nach LMBG; zugelassen als Extraktionslösemittel gemäß ELV.
Herst.: Durch fraktionierte Dest. von Fuselöl, durch Oxo-Synth. aus Ethylen u. durch Oxid. von Propan. P. zeigt die üblichen Reaktionen der prim. aliphat. Alkohole mit niederen Molmassen u. ähnelt in seinen Eigenschaften dem Ethanol.
Verw.: Als Lsm., Verdünnungsmittel u. organ. Zwischenprodukte, z. B. zur Herst. von Propylacetat, als Hautdesinfektionsmittel, als Dispergiermittel in Bohnerwachsen, Reinigungsmittel usw., als Fließmittel in der Chromatographie.
(b) *2-P.* (Isopropylalkohol; IPA, die verbreitete Bez. „Isopropanol" ist unkorrekt u. nach IUPAC-Regel C-201.1 unzulässig), D. 0,7855, Schmp. –88 °C, Sdp. 82 °C, FP. 12° c.c., Explosionsgrenzen in Luft 2,0 – 12 Vol.-%. Mit 12,6 Gew.-% Wasser bildet 2-P. ein bei 80,4 °C siedendes azeotropes Gemisch, D. 0,8180. Die Dämpfe in hohen Konz. wirken betäubend, Atemlähmung möglich; sie reizen die Augen u. die Atemwege. Kontakt mit der Flüssigkeit führt zu starker Reizung der Augen u. schwächer der Haut, MAK-Wert 200 ppm, BAT-Wert 50 mg/L Untersuchungsmaterial Vollblut bzw. Harn, Parameter: Aceton[2]. 2-P. ist beschränkt verwendbar als Extraktionslösemittel gemäß ELV. 2-P. ähnelt in seinen physikal. Eigenschaften ebenfalls dem Ethanol, in den chem. weicht es etwas ab, da es ein sek. Alkohol ist.
Herst.: Durch katalyt. Addition von Wasser an Propen; vgl. Ullmann u. Weissermel (*Lit.*).
Verw.: In USA u. Westeuropa mit fallender Tendenz zur Herst. von Aceton, als Ausgangsprodukt für Isopropylacetat, Amine, Glycerin, Ester, Ether u. Flotationsmittel (Isopropylxanthate), die überwiegende Menge findet Einsatz als Lösemittel, Extraktionsmittel, als Ethanol-Ersatz in Kosmetik u. Pharmazie. Weiterhin wird 2-P. als Zusatz zum Fahrbenzin gegen Vergaservereisung verwendet. – ***E*** = ***F*** propanols – ***I*** propanoli – ***S*** propanoles
Lit.: [1] Pure Appl. Chem. **58**, 1411 – 1418 (1986). [2] Maximale Arbeitsplatzkonzentrationen und Biologische Arbeitsstofftoleranzwerte 1997, S. 86, 162, Weinheim: VCH Verlagsges. 1997.
allg.: Beilstein E IV **1**, 1413 – 1420, 1461 – 1470 ▪ Hager (5.) **9**, 391 ▪ Hommel, Nr. 167, 168 ▪ Rippen ▪ Ullmann (4.) **19**, 443 – 451; (5.) **A 1**, 84 f., 280; **A22**, 173 ff. ▪ Weissermel-Arpe (4.), S. 215 f. – *[HS 2905 12; CAS 71-23-8 (a); 67-63-0 (b); 62309-51-7 (allg.); G 3]*

2-Propanon s. Aceton.

Propanoyl... s. Propionyl...

Propansäure s. Propionsäure.

1,3-Propansulton (3-Hydroxy-1-propansulfonsäure-γ-sulton, 1,2-Oxathiolan-2,2-dioxid). T

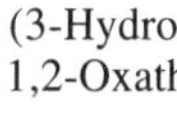

$C_3H_6O_3S$, M_R 122,14. Farblose, krist. Masse, D. 1,39 (40 °C), Schmp. 31 °C, lösl. in niederen Alkoholen u. aromat. Kohlenwasserstoffen, wird durch Wasser zersetzt; WGK 3. P. erwies sich im Tierversuch als eindeutig krebserzeugend (Gruppe III A 2 MAK-Werte-Liste 1997), weshalb bei seiner Handhabung bes. Vorsicht nötig ist.
Herst.: Aus Allylalkohol u. $NaHSO_3$ mit Luft od. Peroxiden als Initiatoren bei pH 7 – 9 in alkohol. Lösung.
Verw.: Zur Einführung der 3-Sulfopropyl-Gruppe in Verb. mit aktivem Wasserstoff-Atom, z. B. bei der Synth. von Sultainen od. *Sulfobetainen; wegen der starken carcinogenen Wirkung des P. jedoch keine Bedeutung mehr. – ***E*** = ***F*** 1,3-propanesultone – ***I*** 1,3-propansultone – ***S*** 1,3-propanosultona
Lit.: Beilstein E V **19/1**, 5 ▪ Kirk-Othmer (3.) **22**, 14; (4.) **23**, 156 f. ▪ Roth, Krebserzeugende Stoffe, S. 142 f., Stuttgart: Wiss. Verlagsges. 1988 ▪ Ullmann (4.) **7**, 200; (5.) **A 25**, 504. – *[HS 2934 90; CAS 1120-71-4; G 6.1]*

Propanthelinbromid (Rp).

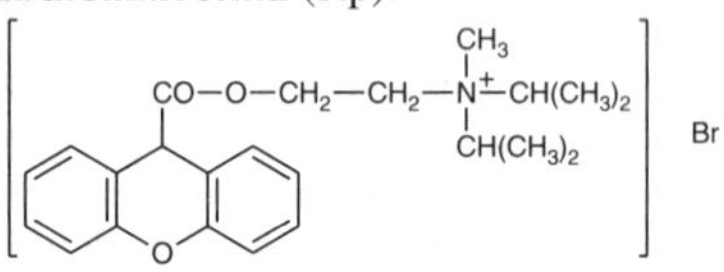

Internat. Freiname für *N,N*-Diisopropyl-*N*-methyl-*N*-[2-(9*H*-xanthen-9-carbonyloxy)ethyl]ammoniumbromid, $C_{23}H_{30}BrNO_3$, M_R 448,42, Krist., Schmp. 159 – 161 °C; λ_{max} (CH_3OH) 246, 282 nm ($A^{1\%}_{1cm}$ 118, 61); leicht lösl. in Wasser, Alkohol, Chloroform, unlösl. in Ether, Benzol. P. ist ein *Spasmolytikum u. *Anticholinergikum. Es wurde 1953 von Searle patentiert. – ***E*** propantheline bromide – ***F*** bromure de propanthéline – ***I*** propantelina bromuro – ***S*** bromuro de propantelina
Lit.: ASP ▪ Beilstein E V **18/6**, 590 ▪ Hager (5.) **9**, 392 ff. ▪ Martindale (31.), S. 506 f. – *[HS 2932 90; CAS 50-34-0]*

Propanthial-*S*-oxid (Thiopropionaldehyd-*S*-oxid; tautomere Form: 1-Propen-1-sulfensäure).

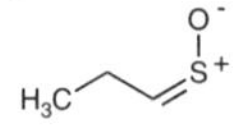

C_3H_6OS, M_R 90,14; P. ist der aus *S*-(1-Propenyl)-cysteinsulfoxid durch das Enzym Alliinase freigesetzte *Tränenreizstoff der *Zwiebel (*Allium cepa*), der zu ca. 95% in der (Z)-Form vorliegt, u. das einzige bisher bekannte natürlich vorkommende Thiocarbonyl-*S*-oxid. P. hydrolysiert mit Wasser leicht unter Freisetzung von Propionaldehyd, Schwefelsäure u. Schwefelwasserstoff. – ***E*** propanethial *S*-oxide – ***F*** *S*-oxyde de propanethial – ***I*** *S*-ossido di propantiale – ***S*** *S*-óxido de propanotial
Lit.: Chem. Unserer Zeit **24**, 161 (1990) ▪ J. Am. Chem. Soc. **101**, 2200 f. (1979); **102**, 2490 (1980); **105**, 4039 – 4049 (1983) ▪ J. Org. Chem. **53**, 2026 – 2031 (1988) ▪ Merck-Index (12.), Nr. 7985 ▪ Spektrum Wiss. **1985**, Nr. 5, 66 – 72 ▪ Tetrahedron Lett. **21**, 1277 (1980); **26**, 1425 (1985). – *[CAS 32157-29-2]*

Propanthiole.

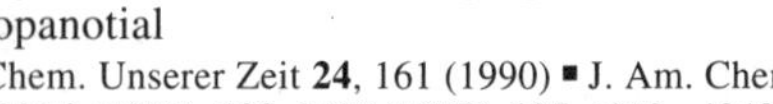

$H_3C-CH_2-CH_2-SH$ (a) $H_3C-CH(CH_3)-SH$ (b)

C_3H_8S, M_R 76,16. Widerlich riechende, brennbare, farblose bis gelbliche Flüssigkeiten, in Wasser wenig, in

Alkohol, Ether u. Benzol gut löslich. Mit aliphat. Kohlenwasserstoffen bilden sie azeotrope Gemische. Die Dämpfe reizen die Augen, die Atemwege, die Lunge sowie die Haut. Bei hohen Konz. Lungenödem möglich; dieses kann mit einer Verzögerung bis zu zwei Tagen auftreten. Kontakt mit der Flüssigkeit verursacht starke Reizung der Augen u. der Haut, die P. können auch über die Haut aufgenommen werden; WGK 3.
(a) *1-P.* (veraltet: Propylmercaptan): D. 0,8415, Schmp. –113 °C, Sdp. 67–68 °C, FP. –20,56 °C. – (b) *2-P.* (veraltet: Isopropylmercaptan): D. 0,8143, Schmp. –131 °C, Sdp. 51–55 °C, FP. –34 °C. Zu Herst.-Meth. für aliphat. Thiole s. *Lit.*[1]. Die P. werden wie auch andere niedere Thiole zur Gasodorierung verwendet, außerdem zu organ. Synth., als Polymerisations-Modifikatoren für Gummi u. Kunststoffe, 1-P. auch für Schmierölzusätze. – ***E*** = ***F*** propanethiols – ***I*** propantioli – ***S*** propanotioles

Lit.: [1] Ullmann (4.) **23**, 175 ff.; (5.) **A 26**, 770 f.
allg.: Beilstein E IV **1**, 1449, 1498 ▪ Hommel, Nr. 1028, 1029 ▪ Kirk-Othmer (3.) **22**, 946–964; (4.) **24**, 19 f. ▪ s. a. Thiole. – *[HS 2930 90; CAS 107-03-9 (a); 75-33-2 (b); 79869-58-2 (allg.)]*

1,2,3-Propantricarbonsäure (Tricarballylsäure).

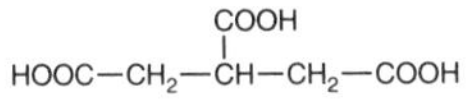

HOOC–CH₂–CH(COOH)–CH₂–COOH

$C_6H_8O_6$, M_R 176,13, Prismen, Schmp. 166 °C, subl., lösl. in Alkohol, Wasser, wenig lösl. in Ether. P. entsteht in Zuckerrüben u. -ahorn durch Red. aus Citronensäure, techn. durch Red. von Aconitsäure. P.-Ester mit Fettalkoholen gehören zu den *inversen Fetten. – ***E*** 1,2,3-propanetricarboxylic acid – ***F*** acide 1,2,3-propanetricarboxylique – ***I*** acido 1,2,3-propantricarbossilico – ***S*** ácido 1,2,3-propanotricarboxílico

Lit.: Acta Crystallogr. Sect. C **44**, 758 (1988) (Krist.-Struktur) ▪ Beilstein E IV **2**, 2366 ▪ Karrer, Nr. 875. – *[HS 2917 19; CAS 99-14-9]*

1,2,3-Propantriol s. Glycerin.

Propaphenin® (Rp). Filmtabl., Tropfen u. Ampullen mit dem *Neuroleptikum *Chlorpromazin-Hydrochlorid. ***B.:*** Rodleben.

Propaply®. Beidseitig orientierte *Polypropylen-Folie für Kombinationsfolien, Overheadfolien, Selbstklebeetiketten u. Beutel bis zu 1000 g Lastaufnahme. ***B.:*** ICI.

Propaquizafop.

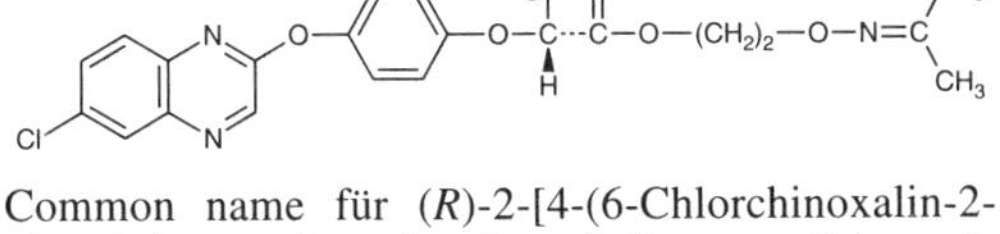

Common name für (*R*)-2-[4-(6-Chlorchinoxalin-2-yloxy)phenoxy]propionsäure-2-(isopropylidenaminooxy)ethylester, $C_{22}H_{22}ClN_3O_5$, M_R 443,88, Schmp. 62,5 °C, LD_{50} (Ratte oral) ca. 5000 mg/kg, von Dr. R. Maag Ltd. (jetzt Novartis) 1985 eingeführtes Nachauflauf-*Herbizid gegen Ungräser in breitblättrigen Kulturen. – ***E*** = ***F*** = ***I*** = ***S*** propaquizafop

Lit.: Perkow ▪ Pesticide Manual. – *[CAS 111479-05-1]*

Proparacain s. Proxymetacain.

Propargit.

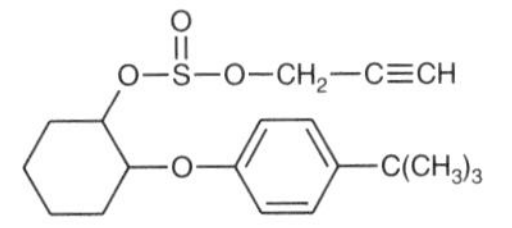

Common name für (±)-[2-(4-*tert*-Butylphenoxy)cyclohexyl]-prop-2-ynyl-sulfit, $C_{19}H_{26}O_4S$, M_R 350,47, viskose Flüssigkeit, LD_{50} (Ratte oral) 1500 mg/kg (GefStoffV), von Uniroyal 1964 eingeführtes breit wirksames nicht-system. *Akarizid mit Kontakt-Wirkung u. langer Residual-Aktivität zur Anw. im Baumwoll-, Erdnuß-, Soja-, Hopfen-, Wein-, Obst-, Zitrus-, Nuß-, Gemüse- u. Zierpflanzenanbau. – ***E*** = ***F*** = ***I*** propargite – ***S*** propargita

Lit.: Farm. ▪ Perkow ▪ Pesticide Manual. – *[HS 2920 90; CAS 2312-35-8]*

Propargyl... Üblicher Trivialname für 2-*Propinyl...; *Beisp.:* folgende Stichwörter. Der Name rührt daher, daß 1-*Alkine u. Silber(I) (latein.: *arg*entum) unlösl. Verb. bilden. – ***E*** = ***F*** propargyl... – ***I*** = ***S*** propargil...

Propargylalkohol s. 2-Propin-1-ol.

Propargyl-Allenyl-Umlagerung. Verb., die den Propargyl-Rest (= 2-*Propinyl-Rest) enthalten, lagern sich oft leicht in Allenyl-Verb. um. So beobachtet man bei (2-Propinyl)-vinylethern usw. eine der *Allyl- u. der *Claisen-Umlagerung entsprechende Umlagerung zu α-Allenylaldehyden, -ketonen, -estern usw.

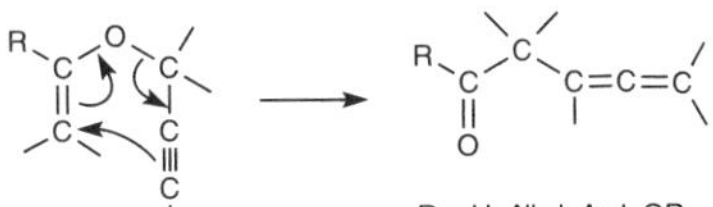

R = H, Alkyl, Aryl, OR

Abb. 1.: Sigmatrope [3,3]-elektrocycl. Propargyl-Allenyl-Umlagerung.

Andererseits führt auch die Umsetzung von 2-Alkinylhalogeniden mit z. B. Grignard-Verb. od. die basenkatalysierte Behandlung funktionalisierter Verb. mit einem 2-Alkinyl-Rest zu entsprechenden 1,2-Alkadienen:

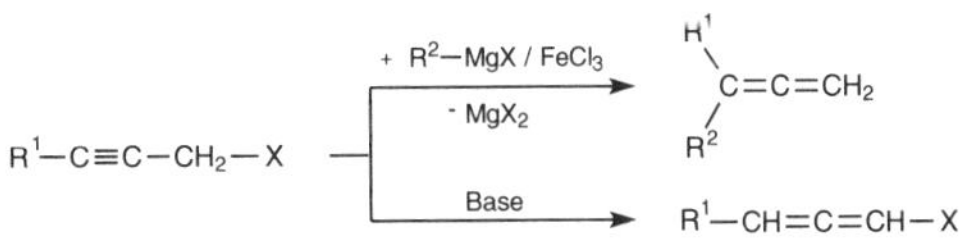

R^1–C≡C–CH₂–X —(+ R^2–MgX / $FeCl_3$, - MgX_2)→ R^1(R^2)C=C=CH₂
R^1–C≡C–CH₂–X —(Base)→ R^1–CH=C=CH–X

Abb. 2: Carbanion- u. Base-induzierte Propargyl-Allenyl-Umlagerung.

Diese Umlagerungen verlaufen über Carbanionen, die oft in flüssigem Ammoniak mit starken Basen, z. B. Natriumamid, erzeugt werden. – ***E*** propargyl-allenyl rearrangement – ***F*** réarrangement propargyl-allénylique – ***I*** trasposizione propargil-allenilica – ***S*** transposición propargilo-alenílica

Lit.: Brandsma, Synthesis of Acetylenes, Allenes and Cumulenes, Amsterdam: Elsevier 1981 ▪ Patai, The Chemistry of Carbon-carbon Triple Bond, Bd. 1, S. 381–445, Chichester: Wiley 1978 ▪ Patai, The Chemistry of Ketenes, Allenes, and Related Compounds, Bd. 2, S. 783, Chichester: Wiley 1980 ▪ Tetrahedron **40**, 2805 (1984) ▪ Trost-Fleming **6**, 829 ff. ▪ s. a. Allen, Allyl- u. Claisen-Umlagerung.

Propargylbromid (3-Brompropin). HC≡C–CH_2–Br, C_3H_3Br, M_R 118,97. Farblose, tränenreizende Flüssigkeit, D. 1,567, Schmp. –61 °C, Sdp. 89 °C, FP. 10 °C c.c., unlösl. in Wasser, lösl. in Ether, Benzol, Kohlenwasserstoffen; WGK 3. Die Dämpfe reizen sehr stark die Augen u. die Atmungsorgane. Kontakt mit der Flüssigkeit bewirkt starke Reizung bis hin zu Verätzung der Augen u. der Haut; es kann aus Propargylalkohol u. PBr_3 hergestellt werden.
Verw.: Vielseitiges Reagenz zur Propargylierung, für Cycloadditionen u. Grignard-Reaktionen; es wird verwendet zur Synth. von Vitamin A, Pflanzenwuchsstoffen, Hormonen, Fungiziden, Nematiziden, Terpenen, Alkaloiden, Schmiermittelzusätzen usw. – ***E*** propargyl bromide – ***F*** bromure de propargyle – ***I*** bromuro di propargile – ***S*** bromuro de propargilo
Lit.: Beilstein E IV **1**, 964 ▪ Hommel, Nr. 366 ▪ Kirk-Othmer (4.) **1**, 200 ▪ Paquette **6**, 4315. – *[HS 2903.30; CAS 106-96-7; G 3]*

Propargylchlorid (3-Chlorpropin). HC≡C–CH_2–Cl, C_3H_3Cl, M_R 74,51. Farblose, tränenreizende Flüssigkeit, D. 1,0297, Schmp. –78 °C, Sdp. 57 °C, FP. <60 °C, unlösl. in Wasser u. Glycerin, mischbar mit Benzol, Alkohol, Ether, Tetrachlormethan, WGK 2 (Selbsteinst.), kann aus 2-Propin-1-ol u. Phosphortrichlorid hergestellt werden.
Verw.: Zur Herst. von Farbstoffen, Fungiziden, Insektiziden, Bodendesinfektionsmitteln, Steroiden, Wuchshormonen, Additiven, Arzneimitteln usw. – ***E*** propargyl chloride – ***F*** chlorure de propargyle – ***I*** cloruro di propargile – ***S*** cloruro de propargilo
Lit.: Beilstein E IV **1**, 963 ▪ Merck-Index (12.), Nr. 7994 ▪ Paquette **6**, 4315. – *[HS 2903 29; CAS 624-65-7; G 3]*

Propathene®. Marke der ICI für *Polypropylen-Homo- u. -Copolymerisate für die Verarbeitung im Spritzguß, durch Extrusion u. Blasformen z. B. zur Herst. von Kfz-Teilen, Bier- u. Transportkästen, Flachfolien, Garnen, Säcken, Monofilen u. anderem. ***B.:*** ICI.

Propatylnitrat.

O_2N–O–CH_2–C(C_2H_5)(CH_2–O–NO_2)–CH_2–O–NO_2

Internat. Freiname für das als *Vasodilatator gegen Angina pectoris wirksame Propylidintrimethanol-trinitrat (Trimethylolpropantrinitrat), $C_6H_{11}N_3O_9$, M_R 269,18, weißes Pulver, Schmp. 51–52 °C, niedrigste Explosionstemp. 220 °C, Explosionswärme 829,2 kcal/mol; leicht lösl. in Aceton, Alkohol, unlösl. in Wasser. – ***E = F*** propatylnitrate – ***I = S*** propatilnitrato
Lit.: Hager (5.) **9**, 394 ▪ Martindale (31.), S. 936. – *[HS 2920 90; CAS 2921-92-8]*

Propellane. Von *Ginsburg geprägte Bez. für Mol., die (anders als *Propeller-Moleküle) drei an eine zweiatomige Achse anellierte Ringe als Propellerblätter besitzen (Abb. a); systemat. Bez.: Tricyclo[$x.y.z.0^{1,x+2}$]alkane (mit $x \geq y \geq z > 0$); das Mol. in Abb. b heißt Octahydro-4a,8a-butanonaphthalin, Tricyclo[4.4.4.$0^{1,6}$]tetradecan od. [4.4.4]Propellan. P. haben oft eine stabile helikal-chirale Konformation mit verdrillter Achse.

$(CH_2)_z$ $(CH_2)_y$ $(CH_2)_x$

a b

Es gibt auch Naturstoffe mit P.-Gerüsten; *Beisp.:* *Modhephen (ein P.-Sesquiterpen), *Batrachotoxin (mit Hetero-P.-Einheit). – ***E = F*** propellanes – ***I*** propellani – ***S*** propelanos
Lit.: Acc. Chem. Res. **2**, 121–128 (1969); **5**, 249–256 (1972); **7**, 286–293 (1974) ▪ Ginsburg, Propellanes, Weinheim: Verl. Chemie 1975 ▪ Justus Liebigs Ann. Chem. **749**, 38–48 (1971) ▪ Pure Appl. Chem. **51**, 1301–1315 (1979) ▪ Tetrahedron Suppl. **8**, 279–304 (1966) ▪ Top. Curr. Chem. **79**, 133 f. (1979); **119**, 68 ff., 130–134 (1984); **137**, 1–17 (1987).

Propeller-Moleküle. Der Umgangssprache entlehnte Bez. für organ. Verb., die die Struktur von zwei-, meist jedoch dreizähligen Propellern aufweisen. Die „Naben" der P.-M. bestehen z. B. aus B-, N-, P-, CH-Gruppierungen od. Benzol-Ringen, die „Blätter" aus – ggf. substituierten – Phenyl-, Biphenylyl- u. ä. Einheiten; altbekannte *Beisp.:* *Triphenylmethan, *Triarylmethan-Farbstoffe, *Triphenylphosphin.

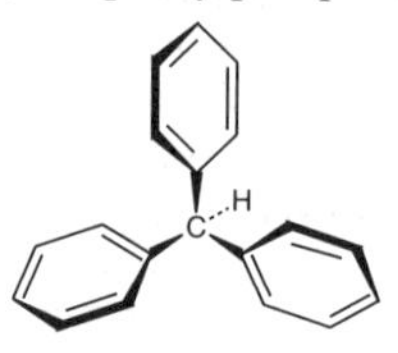

Triphenylmethan

Geeignet substituierte P.-M. zeigen eine stärker als bei *Propellanen ausgeprägte *helicale *Konformation.* – ***E*** propeller molecules – ***F*** molécules en hélice – ***I*** molecole a elica – ***S*** moléculas en hélice
Lit.: Angew. Chem. **97**, 227 f. (1985) ▪ Pharm. Unserer Zeit **12**, 135–144 (1983) ▪ Top. Curr. Chem. **127**, 1–76 (1985).

Propen (Propylen). $H_2C=CH-CH_3$, C_3H_6, M_R 42,08. Farb- u. geruchloses, brennfähiges Gas, D. 1,476 (gasf., Luft = l), D. 0,5139 (flüssig, 20 °C), Schmp. –185 °C, Sdp. –47,7 °C, krit. Temp. 92 °C, krit. Druck 46 bar, krit. D. 0,233; Explosionsgrenzen in Luft 2–10 Vol.-%. P. ist gut lösl. in Alkohol, Ether u. Essigsäure, in Wasser wenig lösl., brennt mit gelber, rußender Flamme. Es entsteht in großem Ausmaß beim Erdöl-*Kracken, zeigt die Reaktionen ungesätt. Kohlenwasserstoffe u. wirkt (zusammen mit Luft eingeatmet) wie ein Anästhetikum. Es ist als *Flüssiggas (Behälterfarbe rot, Linksgewinde) im Handel.

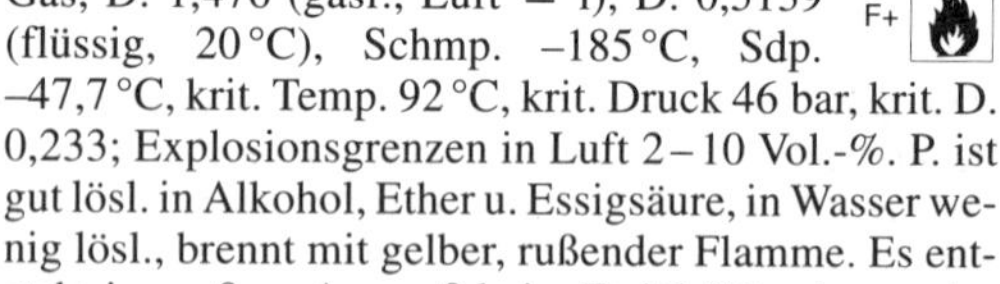

Verw.: Von den Polymerisationsprodukten ist das Dimere Ausgangsmaterial für Isopren. Zur Dimerisierung s. *Lit.*[1]. Die verzweigtkettigen Oligomeren Tripropylen (*Propylentrimer*, Isononen) u. Tetrapropylen (*Propylentetramer*, Isododecen) dienten früher zur Herst. von Nonyl- bzw. Dodecylbenzol u. -phenol u. von Alkylarylsulfonaten. Polypropylen hat als Kunststoff mit ähnlichen Eigenschaften wie Polyethylen auch zur Fasererzeugung ständig an Bedeutung gewonnen; die Copolymerisation mit Ethylen führt zu EPM- u. EPDM-Kautschuken. Durch *Metathese kommt man zu Ethylen u. Butenen, die Arylierung liefert Cumol, das zur Phenol-Synth. (mit Aceton als Beiprodukt) benötigt wird, durch Hydratisierung entsteht 2-Propanol, durch Oxid. Propylenoxid, Glycerin, Acrolein, Allylalkohol etc. Auch in der Oxo-Synth. wird P. als Basisprodukt eingesetzt, u. die katalyt. Umsetzung mit Ammoniak u. Luft (*Ammonoxidation) führt zu Acrylnitril. – ***E*** propene, propylene – ***F*** propène – ***I*** propene – ***S*** propeno

Lit.: [1] Chem. Rev. **86**, 353–400 (1986).
allg.: Beilstein EIV **1**, 725–732 ▪ Hommel, Nr. 169 ▪ Kirk-Othmer (4.) **20**, 249–271 ▪ Ullmann (4.) **19**, 463–470; (5.) **A 22**, 211–222 – *[HS 2711 29, 2901 22; CAS 115-07-1]*

Propenal s. Acrolein.

2-Propen-1-ol s. Allylalkohol.

Propensäure s. Acrylsäure.

1-Propen-1-sulfensäure s. Propanthial-*S*-oxid.

Propentdyopente.

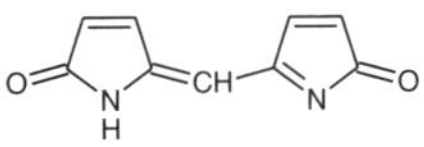

Sammelbez. für Derivate des 1,5-Dihydro-5-[(2-oxo-2*H*-pyrrol-5-yl)-methylen]-2*H*-pyrrol-2-ons ($C_9H_6N_2O_2$, M_R 174,15, s. Abb.), die u.a. durch Oxid. von Porphyrin-Eisen-Komplexen (*Häm-Derivaten) mit Wasserstoffperoxid od. durch Luftoxid. von *Bilirubin entstehen. Bei der Red. von P. in alkal. Milieu in Ggw. von Natriumdithionit tritt eine Rotfärbung infolge *Pentdyopent*-Absorption bei einer Wellenlänge von 525 nm auf (daher der Name von griech.: pente = 5 u. dyo = 2). Diese sog. *Stokvis-Reaktion* ist ein Nachw. für die bei Gelbsucht u. bestimmten Lebererkrankungen im Harn vermehrt auftretenden Propentdyopente. – ***E=F*** propentdyopents – ***I*** propentdiopenti – ***S*** propentdiopentes – *[CAS 27797-85-9]*

Propentofylin (Rp).

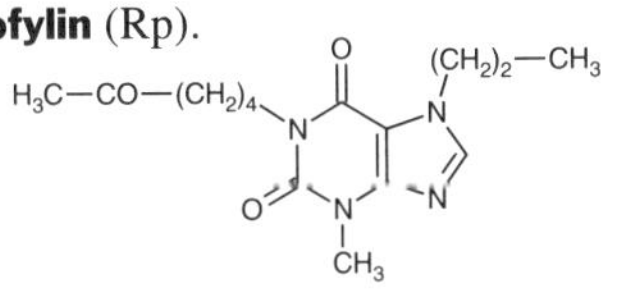

Internat. Freiname für den *Vasodilatator 3,7-Dihydro-3-methyl-1-(5-oxohexyl)-7-propyl-1*H*-purin-2,6-dion, $C_{15}H_{22}N_4O_3$, M_R 306,36, Schmp. 69–70 °C, LD_{50} (Maus oral) 900, (Maus i.v.) 168, (Maus i.p.) 375, (Maus s.c.) 450 mg/kg. P. wurde 1975 u. 1981 von Hoechst patentiert u. im Herbst 1996 für die Zulassung als Antidementivum bei Morbus Alzheimer eingereicht. – ***E=F*** propentofylline – ***I*** propentofillina – ***S*** propentofilina

Lit.: Gen. Pharmacol. **25**, 1053 (1994) ▪ Martindale (31.), S. 936. – *[HS 2939 50; CAS 55242-55-2]*

(*Z*)-1-Propen-1,2,3-tricarbonsäure s. Aconitsäure.

1-Propenyl... Systemat. Bez. der Atomgruppierung –CH=CH–CH_3 (IUPAC-Regel A-3.5; Beilstein: Propenyl...); die isomeren Reste heißen *Allyl... [CAS: (2-Propenyl)...] u. *Isopropenyl... [CAS: (1-Methylethenyl)...]. – ***E*** 1-propenyl... – ***F*** propényl... – ***I*** 1-propenil... – ***S*** propenil...

4-(1-Propenyl)anisol s. Anethol.

(+)-*S*-((*E*)-1-Propenyl)-L-cystein-(*R*)-sulfoxid {CA Index Name: 3-[(*S*)-(1*E*)-1-Propenylsulfinyl]-L-alanin, Isoalliin}. P. (I, $C_6H_{11}NO_3S$, M_R 177,22) ist die Vorläufersubstanz des tränenreizenden Prinzips der *Zwiebel (*Allium cepa*), u. die wichtigste Schwefel-haltige Verb. im Knoblauch (*Allium sativum*). 1 kg Knoblauch enthält ca. 2,4 g P., aus dem beim Zerkleinern des Gewebes unter dem Einfluß des Enzyms Alliinase (Alliin-Alkylsulfenat-Lyase, E. C. 4.4.1.4) der für die Tränenreizung verantwortliche Stoff *Propanthial-*S*-oxid (II) sowie weitere am Knoblaucharoma beteiligte Stoffe (z.B. *Allicin) [1–3] entstehen.

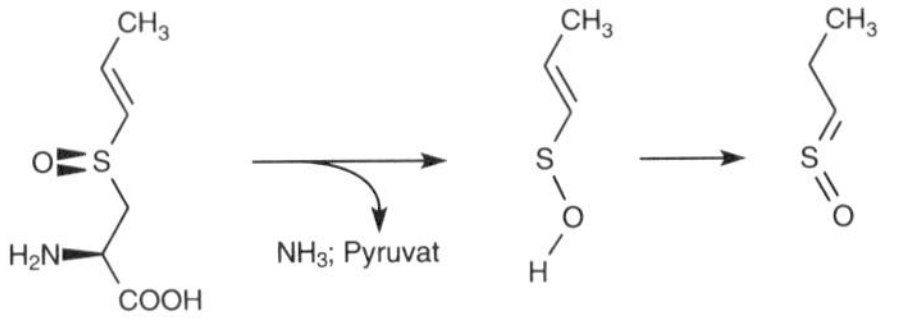

NH₃; Pyruvat

I II

Als Vorstufen für Aromastoffe sind neben P. auch *S*-Methyl- u. *S*-Propyl-L-cysteinsulfoxid von Bedeutung. Die Bildung von Allicin aus P. ist pH-abhängig u. hat ihr Optimum bei pH 6,5 [4]. Zum Nachw. von Allicin s. *Lit.* [5,6]. – ***E*** (+)-*S*-((*E*)-1-propenyl)-L-cysteine (*R*)-sulfoxide – ***F*** (*R*)-sulfoxyde de (+)-*S*-((*E*)-1-propényl)-L-cystéine – ***I*** (+)-*S*-((*E*)-1-propenil)-L-cistein-(*R*)-solfossido – ***S*** (*R*)-sulfóxido de (+)-*S*-((*E*)-1-propenil)-L-cisteína

Lit.: [1] Chem. Unserer Zeit **22**, 193–200 (1988). [2] Chem. Unserer Zeit **23**, 102 (1989). [3] J. Agric. Food Chem. **37**, 725–730 (1989). [4] J. Chromatogr. **462**, 137–145 (1989). [5] J. Assoc. Off. Anal. Chem. **72**, 917–920 (1989). [6] Lebensmittelchemie **44**, 110f. (1990).
allg.: Beilstein EIII **4**, 1519 ▪ Belitz-Grosch (4.), S. 708 ▪ Dtsch. Apoth. Ztg. **129**, Suppl. 15 (1989); **131**, 403–413 (1991) ▪ J. Chromatogr. **455**, 271–277 (1988) ▪ Koch, Grundlagen der therapeut. Anwendung von Allium sativum L., München: Urban u. Schwarzenberg 1988. – *[CAS 16718-23-3]*

Propeptide. Bez. für Vorstufen von biolog. aktiven Peptiden, bes. von *Peptidhormonen (Prohormone) u.a. sekretor. Peptiden, die erst nach proteolyt. Spaltung durch spezif. Proteinasen ihre volle Wirksamkeit erlangen. *Beisp.:* Proinsulin (s. Insulin), Angiotensinogen (s. Angiotensine). Entsprechendes gilt für *Enzyme, wo von Proenzymen (*Zymogenen) usw. gesprochen wird. – Andererseits, z.B. bei Procollagen (s. Collagene), werden zuweilen als P. diejenigen Teilpeptide bezeichnet, deren Abspaltung zum reifen Protein führt. – ***E=F*** propeptides – ***I*** propeptidi – ***S*** propéptidos

Properdin (Komplement-Faktor P). Aus Tier- u. Menschenblut (2 mg/100 mL Serum) isolierbares bas. *Serumprotein (3–4 Polypeptid-Ketten, M_R je ca. 50000, 9,8% Kohlenhydrat), das bei ca. 16 °C selektiv an *Zymosan bindet (Nachw.-Reaktion). Das früher sog. *P.-Syst.* (heute: *alternativer Komplement-Weg*) ist ein *Komplement-aktivierendes Syst., das wahrscheinlich durch die Polysaccharide der Bakterienzellwand aktiviert wird u. an dem neben P. die Faktoren B, D u. C3 u. Magnesium-Ionen beteiligt sind. Das Komplement-Syst. ist innerhalb des Immungeschehens maßgeblich an der bakteriziden u. viruziden Wirkung des

Serums beteiligt (*natürliche Immunität*). P. trägt zur Komplement-Aktivierung bei, indem es die *Serin-Protease stabilisiert, die C3 aktiviert (*C3/C5-Convertase des alternativen Komplement-Wegs*, EC 3.4.21.47, Komplex aus den Komplement-Komponenten C3b u. Bb). Bei erblich bedingtem Funktionsausfall von P. besteht erhöhte Infektionsanfälligkeit. – ***E*** properdin – ***F*** properdine – ***I***=***S*** properdina

Lit.: Immunol. Res. **12**, 233–243 (1993) ▪ Kuby, Immunology, 3. Aufl., S. 339–343, 519, New York: Freeman 1997. – *[CAS 11016-39-0]*

Propergole s. Raketentreibstoffe.

Prophage s. Phagen.

Propham.

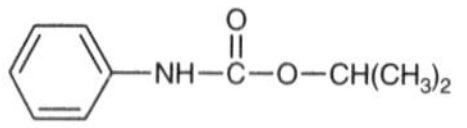

Common name für *O*-Isopropyl-*N*-phenylcarbamat, $C_{10}H_{13}NO_2$, M_R 179,21, Schmp. 87–88 °C, LD_{50} (Ratte oral) ca. 5000 mg/kg, von ICI (jetzt Zeneca) entwickeltes selektives Vorauflauf-*Herbizid gegen Unkräuter u. Ungräser im Rüben-, Kohl-, Spinat-, Salat- u. Bohnenanbau. – ***E***=***F***=***I*** propham – ***S*** profam

Lit.: Perkow ▪ Pesticide Manual. – *[HS 2924 29; CAS 122-42-9]*

Pro-Pharmakon s. Prodrug u. Pharmaka.

Prophase s. Mitose.

Prophylaxe (latein.: pro = vor u. griech.: phylattein = beschützen, Vorbeugung). In der Medizin: Verhütung von Krankheiten, z. B. durch Schutzimpfung (s. Immunisierung) od. hygien. Maßnahmen (s. Hygiene). – ***E*** prophylaxis, prevention – ***F*** prophylaxe – ***I*** profilassi – ***S*** profilaxis

Propicillin (Rp).

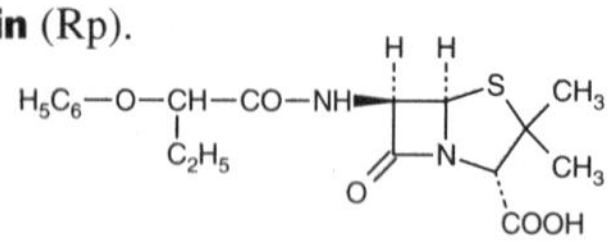

Von der WHO vorgeschlagener internat. Freiname für ((*RS*)-1-Phenoxypropyl)penicillin, $C_{18}H_{22}N_2O_5S$, M_R 378,44, pK_a 2,7, ein synthet. *Penicillin. Verwendet wird das Kaliumsalz, Schmp. 195–197 °C (Zers.), $[\alpha]_D^{20}$ +214° bis +225° (c 1/H_2O); λ_{max} (H_2O) 269, 276 nm ($A_{1cm}^{1\%}$ 27,4, 21,8). P. wurde 1961 von Beecham patentiert u. ist von Bayer (Baycillin®) im Handel. – ***E*** propicillin – ***F*** propicilline – ***I*** propicillina – ***S*** propicilina

Lit.: ASP ▪ Hager (5.) **9**, 395 ff. ▪ Martindale (31.), S. 266. – *[HS 2941 10; CAS 551-27-9 (P.); 1245-44-9 (Kaliumsalz)]*

Propiconazol.

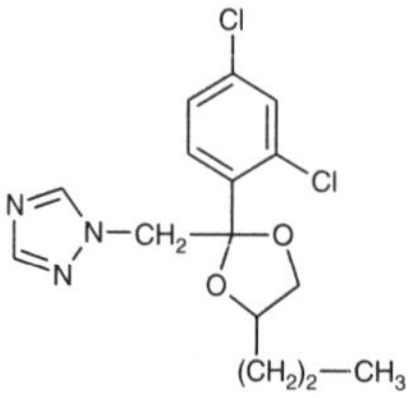

Common name für (±)-1-[2-(2,4-Dichlorphenyl)-4-propyl-1,3-dioxolan-2-ylmethyl]-1*H*-1,2,4-triazol, $C_{15}H_{17}Cl_2N_3O_2$, M_R 342,22, Sdp. 180 °C (13,3 Pa), LD_{50} (Ratte oral) 1517 mg/kg, von Janssen Pharmaceutica entdecktes u. von Ciba-Geigy (jetzt Novartis) entwickeltes breit wirksames system. Blatt-*Fungizid mit protektiver u. kurativer Wirkung gegen eine Vielzahl pilzlicher Schaderreger vor allem im Getreideanbau. – ***E***=***F*** propiconazole – ***I*** propiconazolo – ***S*** propiconazol

Lit.: Farm ▪ Perkow ▪ Pesticide Manual. – *[CAS 60207-90-1]*

Propin (veraltet Methylacetylen). HC≡C–CH_3, C_3H_4, M_R 40,07. Geruchloses, betäubend wirkendes Gas, brennt mit stark rußender Flamme, D. (flüssig) 0,6711, Schmp. –103 °C, Sdp. –23 °C, MAK 1650 mg/m³, sehr leicht lösl. in Alkohol, mäßig lösl. in Wasser, läßt sich unter 3–4 bar Druck verflüssigen; Explosionsgrenzen in Luft 1,7–11,7 Vol.-%. P. entsteht in geringen Mengen bei der Erdöl-Krackung als Nebenprodukt von Propen.

Herst.: Durch Dehydrohalogenierung von Dihalogenpropanen od. durch Isomerisierung von Allen.

Verw.: Für organ. Synth., als stabilisiertes Gemisch mit seinem Isomeren *Allen als Schweiß- u. Schneidgas. – ***E***=***F*** propyne – ***I***=***S*** propino

Lit.: Beilstein E IV **1**, 958–961 ▪ Ullmann (5.) **A 1**, 140 ff., 145 ▪ Winnacker-Küchler (4.) **5**, 227, 232, 235, 238 f. ▪ s. a. Allen. – *[HS 2711 19, 2901 29; CAS 74-99-7]*

Propineb.

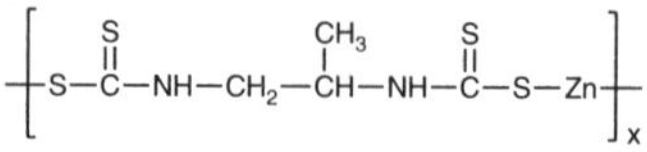

Common name für polymeres Zink-*N*,*N'*-propylenbis(dithiocarbamat), $(C_5H_8N_2S_4Zn)_x$, Zers. ab 160 °C, LD_{50} (Ratte oral) >5000 mg/kg, von Bayer 1962 eingeführtes protektives *Fungizid mit guter Sofortwirkung u. Wirkungsdauer gegen pilzliche Krankeitserreger im Wein-, Hopfen-, Obst-, Kartoffel-, Gemüse-, Tabak- u. Zierpflanzenanbau. – ***E***=***I***=***S*** propineb – ***F*** propinebe

Lit.: Farm. ▪ Perkow ▪ Pesticide Manual. – *[HS 3824 90; CAS 12071-83-9 (Monomer); 9016-72-2 (Homopolymer, früher: 31530-30-0)]*

2-Propin-1-ol (Propargylalkohol). T

HC≡C–CH_2–OH, C_3H_4O, M_R 56,06. Farblose, leicht geranienartig riechende Flüssigkeit, D. 0,9715, Schmp. –48 bis –52 °C, Sdp. 115 °C, FP. 36 °C, mischbar mit Wasser, Alkohol, Ether, Benzol, Chloroform, Pyridin, nicht mischbar mit aliphat. Kohlenwasserstoffen. Die Dämpfe reizen stark u. schädigen die Schleimhäute der Augen, der Atemwege u. die Lunge sowie die Haut. Die Flüssigkeit wird auch über die Haut aufgenommen; lähmende Wirkung auf das Zentralnervensystem. Kontakt mit der Flüssigkeit ruft sehr starke Reizung der Augen u. der Haut hervor, MAK-Wert 2 ppm bzw. 5 mg/m³ (MAK-Werte-Liste 1997); LD_{50} (Ratte oral) 20 mg/kg; WGK 2. P. fällt bei der Synth. von *2-Butin-1,4-diol aus Acetylen u. Formaldehyd als Nebenprodukt an.

Verw.: Korrosionsinhibitor für Stahl gegen den Angriff von Mineralsäuren, dient als Stabilisator für chlorierte Lsm. u. ist Zwischenprodukt für Pharmazeutika, Agrikulturchemikalien, Lsm. für Harze, Baustein für Diels-Alder-Reaktionen, etc. – ***E***=***F*** 2-propyn-1-ol – ***I*** 2-propin-1-olo – ***S*** 2-propin-1-ol

Lit.: Beilstein E IV **1**, 2214 ▪ Hommel, Nr. 970 ▪ Merck-Index (12.), Nr. 7993 ▪ Paquette **6**, 4312 ▪ Ullmann (4.) **7**, 219 ff.; (5.) **A 1**, 298. – *[HS 2905 29; CAS 107-19-7; G 6.1]*

Propinsäure s. Propiolsäure.

Propinyl... Systemat. Bez. der Atomgruppierungen $-C{\equiv}C-CH_3$ (1-P.) u. $-CH_2-C{\equiv}CH$ (2-P.) nach IUPAC-Regel A-3.5; für 2-P. ist die von IUPAC ignorierte Bez. *Propargyl... üblich. – ***E*** = ***F*** propynyl... – ***I*** = ***S*** propinil...

Prop(io)... Namensstamm für *Propionsäure [von griech.: pró = vor u. piōn = fett(ig)es, „Vorläufer der Fettsäure-Reihe" (nach *Dumas)] u. ihre Derivate. – ***E*** = ***I*** prop(io)... – ***F*** = ***S*** prop[io]...

***β*-Propiolacton** (3-Hydroxypropionsäurelacton, Propano-3-lacton, 3-Propanolid, 2-Oxetanon, veraltet: Hydracrylsäurelacton).

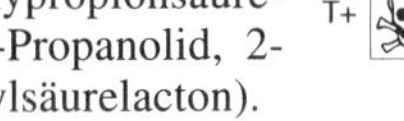

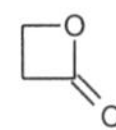

$C_3H_4O_2$, M_R 72,06. Farblose Flüssigkeit, D. 1,1460, Schmp. –33 °C, Sdp. 162 °C (Zers.), 51 °C (13 hPa), lösl. in Wasser, mischbar mit Alkohol, Aceton, Chloroform, polymerisiert mit Säuren; WGK 3 (Selbsteinst.). P. reagiert mit wäss. NaCl, NaSH u. NH_3 in Acetonitril-Lsg. unter Bildung von *β*-substituierten Propionsäuren, bei der langsamen Hydrolyse bildet sich 3-*Hydroxypropionsäure. P. ist eine alkylierende Verb. u. wirkt auf niedere Organismen mutagen. Im Tierversuch erweist sich P. als potentes Carcinogen, MAK-Werte-Liste 1997 Gruppe III A 2. P. inaktiviert Mikroorganismen wie Bakterien, Pilze, Phagen u. Viren; es wurde zur Sterilisierung von Blutkonserven verwendet.

Herst.: Durch Kondensation von Formaldehyd u. Keten in Ggw. von $ZnCl_2$ od. $AlCl_3$. P. findet als Zwischenprodukt in organ. Synth. Verwendung; zur Beschränkung des Inverkehrbringens s. Chemikalienverbotsverordnung vom 19.07.1996. – ***E*** = ***F*** *β*-propiolactone – ***I*** *β*-propiolattone – ***S*** *β*-propiolactona

Lit.: Beilstein E V **17/9**, 3 ▪ Gesundheitsschädliche Arbeitsstoffe: toxikologisch-arbeitsmedizinische Begründung von MAK-Werten, Weinheim: Verl. Chemie 1972–1998 ▪ Hager (5.) **2**, 683 ▪ Merck-Index (12.), Nr. 8005 ▪ Paquette **6**, 4326 ▪ Ullmann (4.) **19**, 452; (5.) **A 9**, 578. – *[HS 2932 29; CAS 57-57-8; G 3]*

Propiolsäure (Propinsäure, veraltet: Acetylencarbonsäure). $HC{\equiv}C-COOH$, $C_3H_2O_2$, M_R 70,05. Tränenreizende Flüssigkeit, D. 1,1380, Schmp. 18 °C (wasserfrei), Sdp. 144 °C (Zers.), 70–75 °C (67 hPa), mit Wasser, Alkohol, Ether mischbar; WGK 2 (Selbsteinst.). P. wird durch anod. Oxid. von *2-Propin-1-ol an Blei-Anoden in Ggw. von Schwefelsäure hergestellt. P. wird ebenso wie seine Ester (Propiolsäuremethylester: $HC{\equiv}C-COOCH_3$, $C_4H_4O_2$, M_R 84,07, Sdp. 103–105 °C) zu organ. Synth. verwendet. – ***E*** propiolic acid – ***F*** acide propiolique – ***I*** acido propiolico – ***S*** ácido propiólico

Lit.: Beilstein E IV **2**, 1687, 1688 ▪ Merck-Index (12.), Nr. 8006 ▪ Ullmann (4.) **9**, 139, 145; (5.) **A 5** 236, 240. – *[HS 2916 19; CAS 471-25-0 (P.); 922-67-8 (P.-methylester); G 8]*

Propiolsäuremethylester s. Propiolsäure.

Propionaldehyd (Propanal). H_3C-CH_2-CHO, C_3H_6O, M_R 58,08. Farblose, leicht bewegliche Flüssigkeit, stechender, fruchtiger Geruch, D. 0,807, Schmp. –81 °C, Sdp. 49 °C, lösl. in Wasser, mischbar mit Alkohol u. Ether; WGK 2 (Selbsteinst). P. reizt Augen, Atmungsorgane u. Haut u. kann auch über die Haut aufgenommen werden. Bei längerer Einatmung narkot. Wirkung möglich, später können Leber- u. Nierenschäden auftreten; LD_{50} (Ratte oral) 1410 mg/kg, Emissionsklasse II (TA Luft 3.1.7).

Herst.: Durch Hydroformylierung von Ethylen, durch Dehydrierung von 1-Propanol od. durch Isomerisierung von Propylenoxid.

Verw.: Zur Herst. von Kunststoffen, Weichmachern, Kautschuk-Hilfsprodukten, Duftstoffen, Chemikalien u. Arzneimitteln. – ***E*** propionaldehyde – ***F*** propionaldéhyde – ***I*** propionaldeide – ***S*** propionaldehído, aldehído propiónico

Lit.: Beilstein E IV **1**, 3165 ▪ Hommel, Nr. 367 ▪ Merck-Index (12.), Nr. 8008 ▪ Ullmann (4.) **7**, 128; (5.) **A 1**, 323. – *[HS 2912 19; CAS 123-38-6; G 3]*

Propionamid (Propionsäureamid, Propanamid). $H_3C-CH_2-CO-NH_2$, C_3H_7NO, M_R 73,09. Farblose, rhomb. Blättchen, D. 1,0335, Schmp. 79 °C, Sdp. 222 °C, mit Wasserdampf flüchtig, lösl. in Wasser, Alkohol, Ether, Chloroform. Herst. durch Erhitzen von Ammoniumpropionat unter Druck od. aus Propionylchlorid mit verd. Ammoniak-Wasser. P. findet Verw. als Zwischenprodukt für organ. Synthesen. – ***E*** = ***F*** propionamide – ***I*** propionammide – ***S*** propionamida

Lit.: Beilstein E IV **2**, 725 ▪ Merck-Index (12.), Nr. 8009. – *[HS 2924 10; CAS 79-05-0]*

Propionate. Zweideutige Bez. für Salze der *Propionsäure (z. B. *Natriumpropionat) u. *Propionsäureester.

Propionitril (Propiononitril, Propannitril). H_3C-CH_2-CN, C_3H_5N, M_R 55,08. Farblose, leicht entzündliche, Ether-artig süßlich riechende Flüssigkeit, D. 0,7818, Schmp. –93 °C, Sdp. 97,4 °C, FP. 6 °C c.c., lösl. in Wasser, Alkohol, Ether, Dimethylformamid; WGK 2 (Selbsteinst.). Die Dämpfe u. die Flüssigkeit sind sehr giftig. Die Gefährdung besteht in einer schleichend verlaufenden *Blausäure-Vergiftung. Die Symptome können mit mehrstündiger Verzögerung auftreten. Die Dämpfe reizen die Augen, die Atemwege u. die Lunge. Kontakt mit der Flüssigkeit ruft Reizung der Augen u. der Haut hervor. Die Flüssigkeit wird auch über die Haut aufgenommen.

Herst.: Durch Red. von Acrylonitril od. durch Wasserabspaltung aus Propionamid od. Ammoniumpropionat. P. findet Verw. für organ. Synth., Lsm., als Stabilisator für flüssiges SO_3 od. Oleum. – ***E*** = ***F*** = ***I*** propionitrile – ***S*** propionitrilo

Lit.: Beilstein E IV **2**, 728 ▪ Hommel, Nr. 716 ▪ Merck-Index (12.), Nr. 8012 ▪ Ullmann (4.) **17**, 323, 326, 329; (5.) **A 17**, 367. – *[HS 2926 90; CAS 107-12-0; G 3]*

Propionsäure (Propansäure). H_3C-CH_2-COOH, $C_3H_6O_2$, M_R 74,08. Farblose, stechend riechende Flüssigkeit, D. 0,992, Schmp. –22 °C, Sdp. 141 °C, FP. 50 °C c.c., mit Wasser beliebig mischbar, lösl. in Alkohol, Ether u. Chloroform.

C

Die Dämpfe u. die Nebel reizen sehr stark die Augen u. die Atmungsorgane, Kehlkopfödem u. Lungenödem möglich. Kontakt mit der Flüssigkeit führt zu Verätzung der Augen u. der Haut, WGK 1; MAK 10 ppm bzw. 30 mg/m^3. In der Natur kommt die freie P. in einigen ether. Ölen vor. *Propionsäureester sind in geringeren Mengen u.a. im Wein u. Latschenkieferöl enthalten. Die freie Säure bildet sich beim therm. Abbau von tier. od. pflanzlichen Materialien. So ist sie im Holzessig u. im Steinkohlenteer enthalten. P. entsteht ferner in wechselnden Mengen bei verschiedenen Gärungs- u. Fermentationsvorgängen. Bei der Vergärung von Kohlenhydrat-Gemischen mit *Lactobacillus casei* sowie von Cellulose in Zellstoffablaugen durch *Bacillus subtilis* u. von Eiweiß od. Kohlenhydraten durch Spaltpilze, wie z.B. *Propiobacterium pentosaceum*, ist sie das Hauptprodukt. P. tritt auch während der Verdauung im Pansen von Wiederkäuern auf.
Herst.: Nach Reppe aus Ethylen, Kohlenmonoxid u. Wasser, als Nebenprodukt bei der Leichtbenzin-Oxid. zu Essigsäure, hauptsächlich aber durch Hydroformylierung von Ethylen mit nachfolgender Oxidation.
Verw.: Zur Synth. von Estern, z.B. Pentylpropionat als Lsm. für Harze u. Cellulose-Derivate od. Vinylpropionat als Comonomer. Eine weitere wichtige Anw. ist die Herst. von Herbiziden. Aufgrund ihrer antimikrobiellen Wirkung werden P. u. Natrium- u. *Calciumpropionat als Konservierungsstoffe für Lebensmittel verwendet (E 280–282), 1988 wurden in der BRD P. u. ihre Salze aus der Liste der zur Konservierung zugelassenen Zusatzstoffe gestrichen [1]. Seit 1995 ist jedoch die Zulassung auch in der BRD über das EU-Zusatzstoff-Register wieder gegeben. Zum Nachw. von P. in Lebensmitteln u. kosmet. Mitteln s. *Lit.* [2]. Einen umfassenden Überblick über die Verw. von P. in Lebensmitteln gibt *Lit.* [3]. P. wurde 1844 von Gottlieb bei der Kalischmelze der Kohlenhydrate entdeckt. Der Name P. wurde 1847 von *Dumas geprägt [s. Prop(io)...]. – ***E*** propionic acid – ***F*** acide propionique – ***I*** acido propionico – ***S*** ácido propiónico

Lit.: [1] Verordnung zur Änderung der Zusatzstoff-Zulassungsverordnung u. der Diätverordnung vom 02.03.1988 (BGBl. I, S. 203); s.a. Bundesgesundheitsblatt **30** (10), 370 (1987). [2] Dtsch. Lebensm.-Rundsch. **84** (5), 144–146 (1988). [3] Linck u. Jager, Chemische Lebensmittelkonservierung, S. 151–157, Berlin: Springer 1995.
allg.: Beilstein EIV **2**, 695 ▪ Belitz-Grosch (4.), S. 408 ▪ Blaue Liste, S. 27 ▪ Brauer, Gefahrstoff-Sensorik, Landsberg: ecomed Verlagsges. 1988–1991 ▪ Gesundheitsschädliche Arbeitsstoffe: toxikologisch-arbeitsmedizinische Begründung von MAK-Werten, Weinheim: Verl. Chemie 1972–1996 ▪ Hager (4.) **4**, 1008f. ▪ Hommel, Nr. 311 ▪ J. Food Prot. **60**, 771–776 (1997) ▪ Keith u. Walters, Compendium of Safety Data Sheets for Research and Industrial Chemicals, Part VII, S. 3948f., Weinheim: VCH Verlagsges. 1989 ▪ Kirk-Othmer (4.) **5**, 149; **8**, 252; **10**, 316; **20**, 215, 298 ▪ Ullmann (4.) **19**, 453–462; (5.) **A5**, 223; **A11** 567 ▪ Weissermel-Arpe (4.), S. 138, 153f. ▪ Winnacker-Küchler (3.) **4**, 99f.; (4.) **6**, 94f. – *[HS 2915 50; CAS 79-09-4; G 8]*

Propionsäureamid s. Propionamid.

Propionsäureanhydrid. $(H_3C–CH_2–CO)_2O$, $C_6H_{10}O_3$, M_R 130,14. Farblose, unangenehm riechende Flüssigkeit, D. 1,0125, Schmp. –45 °C, Sdp. 169 °C, lösl. in Methanol, Ethanol, Ether, Chloroform, wird durch Wasser zersetzt; WGK 1. Die Dämpfe reizen stark die Augen, die Atemwege u. die Haut bis hin zu Verätzung; Kehlkopf- u. Lungenödem möglich. Bei Kontakt mit der Flüssigkeit Reizung u. Verätzung der Augen sowie der Haut; LD_{50} (Ratte oral) 2360 mg/kg.
Herst.: Durch Wasserabspaltung aus Propionsäure od. bei der techn. Propionsäure-Synthese. P. findet Verw. als Acylierungsmittel zur Herst. von Estern, bes. Cellulosepropionaten, zur Herst. von Alkydharzen, Farbstoffen, Pharmaka usw. – ***E*** propionic anhydride – ***F*** anhydride propionique – ***I*** anidride dell'acido propionico – ***S*** anhídrido propiónico

Lit.: Beilstein EIV **2**, 722 ▪ Hommel, Nr. 564 ▪ Merck-Index (12.), Nr. 8011 ▪ Ullmann (4.) **19**, 457; (5.) **A22**, 232. – *[HS 2915 90; CAS 123-62-6; G 8]*

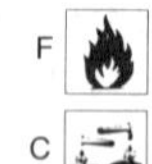

Propionsäurechlorid (Propionylchlorid). $H_3C–CH_2–CO–Cl$, C_3H_5ClO, M_R 92,53. Farblose, leicht flüchtige, stechend riechende Flüssigkeit, die in feuchter Atmosphäre raucht, D. 1,065, Schmp. –94 °C, Sdp. 78–84 °C, reagiert heftig mit Wasser od. Alkohol. Die Dämpfe verursachen schwere Reizung der Augen, der Atemwege u. der Haut. Lungenödem möglich, dieses kann mit einer Verzögerung bis zu zwei Tagen auftreten. Kontakt mit der Flüssigkeit löst schwere Reizung der Augen u. der Haut bis hin zu Verätzung aus. P. kann durch Umsetzen von Propionsäure mit PCl_3, PCl_5, $SOCl_2$ od. $COCl_2$ hergestellt werden u. wird als Zwischenprodukt in organ. Synth. verwendet. – ***E*** propionyl chloride – ***F*** chlorure de propionyle – ***I*** cloruro di propionile – ***S*** cloruro de propionilo

Lit.: Beilstein EIV **2**, 724 ▪ Hommel, Nr. 575 ▪ Merck-Index (12.), Nr. 8013 ▪ Ullmann (4.) **19**, 457; (5.) **A22**, 233. – *[HS 2915 90; CAS 79-03-8; G 3]*

Propionsäureester. Ester der Propionsäure mit aliphat. u. aromat. Alkoholen von der allg. Formel $H_3C–CH_2–COOR$. Die P. sind im allg. farblose, wohlriechende Flüssigkeiten, in Wasser wenig od. nicht lösl., mischbar mit Alkohol u. Ether, die in der Aromen- u. Riechstoff-Ind. u. z.T. auch als Lsm. Verw. finden.

a) *Propionsäureethylester* (Ethylpropionat, R = C_2H_5), $C_5H_{10}O_2$, M_R 102,13, D. 0,891, Schmp. –73 °C, Sdp. 99 °C, WGK 1, kommt in vielen Früchten vor u. riecht fruchtig rumartig; – b) *Propionsäurebenzylester* (Benzylpropionat, R = $CH_2–C_6H_5$), $C_{10}H_{12}O_2$, M_R 164,21, D. 1,036, Sdp. 222 °C, Riechstoff mit blumiger Note (Jasmin); – c) *Propionsäureisopentylester* [Isoamylpropionat, R = $(CH_2)_2–CH(CH_3)_2$], $C_8H_{16}O_2$, M_R 144,21, D. 0,858, Schmp. –73 °C, Sdp. 161 °C, fruchtiger, apfelartiger Geruch; –

d) *Propionsäurepentylester* (*n*-Amylpropionat, R = *n*-C_5H_{11}), $C_8H_{16}O_2$, M_R 144,21, D. 0,876, Schmp. –73 °C, Sdp. 169 °C, riecht fruchtig, apfelartig, auch als Lack-Lsm.; –
e) *Propionsäuremethylester* (Methylpropionat, R = CH_3), $C_4H_8O_2$, M_R 88,11, D. 0,9150, Schmp. –88 °C, Sdp. 79,8 °C, WGK 1, angenehmer, fruchtiger Geruch. – ***E*** = ***F*** propionates – ***I*** propionati – ***S*** propionatos

Lit.: Hommel, Nr. 501, 528, 742, 743, 924 ▪ Ullmann (4.) **19**, 457; (5.) **A11**, 152, 191; **A22**, 233. – *[HS 2915 90; CAS 105-37-3 (a); 122-63-4 (b); 2438-20-2 (c); 624-54-4 (d); 554-12-1 (e); G 3 (für Methyl- u. Ethylpropionat)]*

Propionyl... Bez. der Atomgruppierung $-CO-CH_2-CH_3$ (IUPAC-Regel C-404.1, Beilstein); die Bez. *Propanoyl...* ist in Regel R-5.7.1, R-9.1.28a.3 für substituierte P.-Reste u. bei CAS bevorzugt. – ***E*** = ***F*** propionyl... – ***I*** = ***S*** propionil...

Propionylchlorid s. Propionsäurechlorid.

Propiophenon. Neben *Ethylphenylketon, Phenylethylketon* u. *Propionylbenzol* zulässiger Name (IUPAC-Regeln C-313.2 u. R-5.6) für die systemat. als *1-Phenyl-1-propanon* zu bezeichnende Verb. $H_3C-CH_2-CO-C_6H_5$, $C_9H_{10}O$, M_R 134,17. Farblose, stark blumig riechende Flüssigkeit bzw. Krist., D. 1,009, Schmp. 21 °C, Sdp. 218 °C, unlösl. in Wasser, leicht lösl. in Alkohol, Ether, Benzol; LD_{50} (Ratte oral) 4490 mg/kg. P. kann durch *Friedel-Crafts-Reaktion von Benzol mit *Propionsäurechlorid hergestellt werden u. findet Verw. als Parfümfixateur, für organ. Synth., Zwischenprodukt für Arzneimittel (z. B. für synthet. *Ephedrin). P. ist stellungsisomer mit *1-Phenyl-2-propanon. – ***E*** propiophenone – ***F*** propiophénone – ***I*** propiofenone – ***S*** propiofenona

Lit.: Beilstein E IV **7**, 680 ▪ Merck-Index (12.), Nr. 8015 ▪ Ullmann (4.) **14**, 224; (5.) **A 15**, 91. – *[HS 2914 39; CAS 93-55-0; G 3]*

Propioxatine.

(S) COOH CO–NH–C–H (S) CH(CH₃)₂ N (R) CO HO–NH–CO H₃C R

R = H : P. A
R = CH_3 : P. B

Tab.: Daten zu Propioxatin A u. B.

	Summenformel	M_R	Schmp. [°C]	CAS
P. A	$C_{17}H_{29}N_3O_6$	371,43	106–110	102962-94-7
P. B	$C_{18}H_{31}N_3O_6$	385,46	84–90	102962-95-8

Peptid-Antibiotika aus Kulturen von *Kitasatosporia setae* mit Hemmwirkung auf das Enzym Enkephalinase B, das *Enkephaline an der Gly-Gly-Bindung hydrolysiert. P. verstärken somit die Wirkung von Enkephalinen, die Bedeutung als endogenes analget. Prinzip besitzen (Schmerzlinderung). P. werden als Leitstrukturen für neue Analgetika synthet. bearbeitet. – ***E*** propioxatins – ***F*** propioxatines – ***I*** propioxatine – ***S*** propioxatinas

Lit.: Biochim. Biophys. Acta **925**, 27–35 (1987) ▪ J. Antibiot. (Tokyo) **39**, 1368–1385 (1986) ▪ J. Biochem. (Tokyo) **104**, 706–711 (1988). – *[HS 2941 90]*

Propipocain.

O N $H_3C-(CH_2)_2-O$

Internat. Freiname für das *Lokalanaesthetikum 3-Piperidino-4′-propoxypropiophenon, $C_{17}H_{25}NO_2$, M_R 275,39. Verwendet wird meist das Hydrochlorid, Schmp. 166 °C. P. ist in Kombination mit *Nitrofurantoin von Apogepha (Nifucin®) gegen infektiöse Hauterkrankungen im Handel. – ***E*** propipocaine – ***F*** propipocaine – ***I*** propipocaina – ***S*** propipocaína

Lit.: Hager (5.) **9**, 401 ▪ Martindale (31.), S. 1339. – *[HS 2933 39; CAS 3670-68-6 (P.); 1155-49-3 (Hydrochlorid)]*

Propiverin (Rp).

$H_3C-(CH_2)_2-O$ O $H_5C_6-C-C-O$ N–CH_3 C_6H_5

Internat. Freiname für das Anticholinergikum (1-Methyl-4-piperidyl)-diphenylpropoxyacetat, $C_{23}H_{29}NO_3$, M_R 367,49. Verwendet wird meist das Hydrochlorid, Schmp. 216–218 °C, LD_{50} (Maus i.v.) 36, (Maus s.c.) 223, (Maus oral) 410 mg/kg. P. wurde 1975 von Starke et al. patentiert u. ist von Apogepha (Mictonorm®, Mictonetten®) gegen Blasenschwäche im Handel. – ***E*** propiverine – ***F*** propivérine – ***I*** = ***S*** propiverina

Lit.: ASP ▪ Martindale (31.), S. 507. – *[HS 2933 39; CAS 60569-19-9 (P.); 54556-98-8 (Hydrochlorid)]*

Proplastiden s. Plastiden.

Propofol (Rp).

OH $(H_3C)_2CH$ $CH(CH_3)_2$

Internat. Freiname für das als Kurz-Hypnotikum dienende *Injektionsnarkotikum 2,6-Diisopropylphenol, $C_{12}H_{18}O$, M_R 178,27, Schmp. 19 °C, Sdp. 136 °C (4 kPa); d_D^{20} 0,955, n_D^{20} 1,5234, λ_{max} (C_6H_{12}) 211, 269, 275,5 nm ($A_{1cm}^{1\%}$ 516, 107, 109). P. wurde 1953 von Ethyl Corp., 1984 von Universal Oil Products patentiert. – ***E*** = ***F*** = ***I*** = ***S*** propofol

Lit.: ASP ▪ Hager (5.) **9**, 402 ff. ▪ Martindale (31.), S. 1261. – *[HS 2907 19; CAS 2078-54-8]*

Propolis (von griech.: pros = für u. polis = Staat). Dunkelgelbliche bis hellbraune, harzartige, zwischen den Fingern erweichende Masse mit würzig-balsam. Geruch, D. 1,2, Schmp. 50–70 °C, die von *Bienen bes. von den Knospen der Pappeln, Birken u. a. Bäume gesammelt u. im Bienenstock als Überzug der Wände u. zum Befestigen der Waben benutzt wird (*Vorwachs, Stopfwachs, Bienenleim, Bienenharz*). P. enthält ca. 10–20% Wachs, größere Anteile Harz, ether. Öle u. v. a. *Flavonoide. Diese werden für antimikrobielle Eigenschaften, *Kaffeesäure-Derivate dagegen bes. für virostat. Eigenschaften von P. verantwortlich gemacht.

Verw.: In der Volksheilkunde als Einreibmittel gegen Rheuma u. Gicht sowie als Räuchermittel. Zu Kontaktallergien s. *Lit.*[1]. – ***E*** propolis, hive dross, bee glue – ***F*** = ***S*** propolis – ***I*** propoli

Lit.: [1] Med. Mol. Pharm. **15**, 343 f. (1992).
allg.: Justus Liebigs Ann. Chem. **1991**, 93–97 ▪ Jacobs u. Renner, Biologie u. Ökologie der Insekten (2.), Stuttgart: Fischer 1988 ▪ Merck-Index (12.), Nr. 8021. – *[HS 3004 90; CAS 85665-41-4]*

Proportionen. Gesetz der *multiplen P.* s. Daltonsche Gesetze; Gesetz der *konstanten P.* s. Proustsches Gesetz.

Proportionieren. *Dosieren von zwei od. mehreren Stoffen in einem definierten Mengenverhältnis. – ***E*** proportioning – ***F*** dosage proportionnel – ***I*** proporzionare – ***S*** dosificación proporcional

Lit.: Kirk-Othmer (3.) **24**, 482.

Propoxide. Neben *Propanolate* zulässige Bez. für *Alkoholate der *Propanole (IUPAC-Regel C-206, R-5.5.3); veraltete, unlog. Bez.: *Propylate*. – ***E*** propoxides – ***F*** propoxydes – ***I*** propossidi – ***S*** propóxidos

Propoxur. T

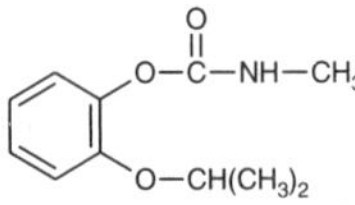

Common name für *O*-(2-Isopropoxyphenyl)-*N*-methylcarbamat, $C_{11}H_{15}NO_3$, M_R 209,24, Schmp. 90,7 °C, LD_{50} (Ratte oral) ca. 50 mg/kg, MAK 2 mg/m³, von Bayer 1961 eingeführtes nicht-system. *Insektizid mit Fraß- u. Kontaktgiftwirkung sowie rascher Anfangswirkung gegen saugende u. beißende Schädlinge im Acker-, Gemüse-, Obst- u. Zierpflanzenanbau sowie im Forst u. im häuslichen Bereich sowie zur Bekämpfung von Ectoparasiten (Flöhe usw.) bei Haustieren. – ***E*** = ***F*** = ***I*** = ***S*** propoxur

Lit.: Farm ▪ Perkow ▪ Pesticide Manual. – *[HS 2924 29; CAS 114-26-1]*

Propoxy... Bez. der Atomgruppierung $-O-CH_2-CH_2-CH_3$ (IUPAC-Regel C-205.1, R-9.1.26b. 1); als Bez. des Liganden $H_3C-CH_2-CH_2-O^-$ neben (1-Propanolato)... u. Propoxido... zulässig. – ***E*** = ***F*** propoxy... – ***I*** propossi... – ***S*** propoxi...

Propoxyphen s. Dextropropoxyphen u. Levopropoxyphen.

Propranolol (Rp).

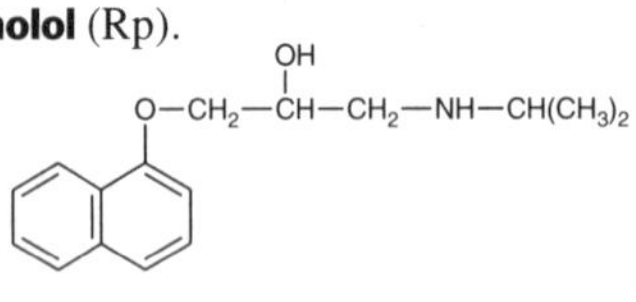

Internat. Freiname für den bei Angina pectoris u. Herzrhythmusstörungen eingesetzten Beta-Rezeptoren-Blocker (s. Adrenozeptoren) (±)-1-(Isopropylamino)-3-(1-naphthyloxy)-2-propanol, $C_{16}H_{21}NO_2$, M_R 259,34, Krist., Schmp. 96 °C; (*S*)-Form: $[\alpha]_D^{21}$ –10,2° (c 1,02/C_2H_5OH). Verwendet wird das Hydrochlorid, Schmp. 163–166 °C (zwei Modif.), λ_{max} (CH_3OH) 289, 306, 319 nm ($A_{1cm}^{1\%}$ 210, 125, 75). P. wurde 1964, 1967 u. 1970 von ICI (Dociton®, Zeneca) patentiert u. ist als Generikum im Handel. – ***E*** = ***F*** = ***S*** propranolol – ***I*** propranololo

Lit.: ASP ▪ Hager (5.) **9**, 404–409 ▪ Martindale (31.), S. 936 f. ▪ Ph. Eur. **1997** u. Komm. ▪ Ullmann (5.) **A 4**, 247 f. – *[HS 2922 50; CAS 525-66-6 (P.); 318-98-9 (Hydrochlorid); 3506-09-0 (RS-Form, Hydrochlorid)]*

Propriozeptoren s. Rezeptoren.

Propulsin® (Rp). Tabl. u. Suspension mit dem Peristaltikanreger *Cisaprid, ein 5-HT_4-Agonist. ***B.:*** Janssen-Cilag.

Propyl... Bez. der Atomgruppierung $-CH_2-CH_2-CH_3$ (IUPAC-Regel A-1.2, R-2.5); regelwidrige, aber übliche Sammelbez. der C_3H_7-Reste (*n-)Propyl... u. *Isopropyl... (folgende Stichwörter!). – ***E*** = ***F*** propyl... – ***I*** = ***S*** propil...

Propylacetate s. Essigsäurepropylester.

Propylalkohol s. Propanole.

Propylamine (Propanamine, Aminopropane).

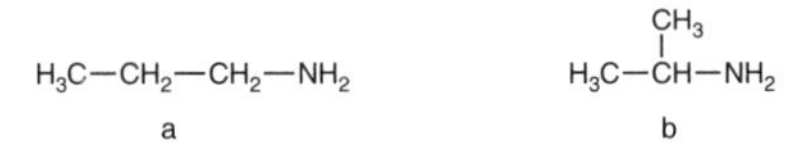

C_3H_9N, M_R 59,11. Farblose, Ammoniak-artig riechende Flüssigkeiten, gut lösl. in Wasser, Alkohol u. Ether. (a) (*n*-)*P.* (1-Propanamin), D. 0,7173, Schmp. –83 °C, Sdp. 47 °C, FP. <–20 °C c.c., Dämpfe u. Flüssigkeit reizen stark Augen, Atmungsorgane u. Haut; LD_{50} (Ratte oral): 570 mg/kg; WGK 1 (Selbsteinst.). (b) *Isopropylamin* (2-Propanamin), D. 0,8886, Schmp. –95 °C, Sdp. 32 °C, FP. <–20 °C. Die Dämpfe reizen stark Augen, Atemwege u. Haut, Gefahr des Lungenödems. 2-P. kann auch über die Haut aufgenommen werden; narkot. Wirkung u. Nierenschäden möglich. Kontakt mit der Flüssigkeit verursacht schwere Verätzung der Augen u. der Haut. Der Stoff kann allerg. Erscheinungen auslösen wie z. B. Gesichtsschwellungen u. Hautentzündung, MAK 5 ppm bzw. 12 mg/m³ (MAK-Werte-Liste 1997); WGK 2 (Selbsteinst.), LD_{50} (Ratte oral) 820 mg/kg. Zur Herst. der P. s. Ullmann (*Lit.*). F Xi

Verw.: Zwischenprodukt bei organ. Synth., z. B. von Farbstoffen, Gummichemikalien, Pharmazeutika, Insektiziden, Herbiziden, Emulgatoren u. Detergentien. – ***E*** = ***F*** propylamines – ***I*** propilammine – ***S*** propilaminas

Lit.: Beilstein EIV **4**, 464, 504 ▪ Hommel, Nr. 312, 492 ▪ Merck-Index (12.), Nr. 5228, 8028 ▪ Ullmann (4.) **7**, 374 ff.; (5.) **A 2** 1 ff. – *[HS 2921 19; CAS 107-10-8 (a); 75-31-0 (b); G 3]*

Propylate s. Propanole u. Propoxide.

Propylbenzol (1-Phenylpropan). Xi
$H_5C_6-CH_2-CH_2-CH_3$, C_9H_{12}, M_R 120,19. Farblose Flüssigkeit mit aromat. Geruch, D. 0,862, Schmp. –99 °C, Sdp. 159 °C, wenig lösl. in Wasser, lösl. in Alkohol u. Ether; WGK 2 (Selbsteinst.). Die Dämpfe reizen die Augen, die Atemwege u. die Lunge. Kontakt mit der Flüssigkeit bewirkt starke Reizung der Augen u. der Haut. Die Flüssigkeit wird auch über die Haut aufgenommen; LD_{50} (Ratte oral) 6040 mg/kg. P. kann aus Diethylsulfat u. Benzylmagnesiumchlorid hergestellt werden u. wird zum Textilfärben u. -drucken verwendet sowie als Lsm. für Celluloseacetat. Das isomere Isopropylbenzol (2-Phenylpropan) s. unter Cumol. – ***E*** propylbenzene – ***F*** propylbenzène – ***I*** propilbenzene – ***S*** propilbenceno

Lit.: Beilstein EIV **5**, 977 ▪ Hommel, Nr. 620 ▪ Kirk-Othmer (4.), **12**, 348 ▪ Merck-Index (12.), Nr. 8029. – *[HS 2902 90; CAS 103-65-1; G 3]*

Propylbromide (Brompropane).

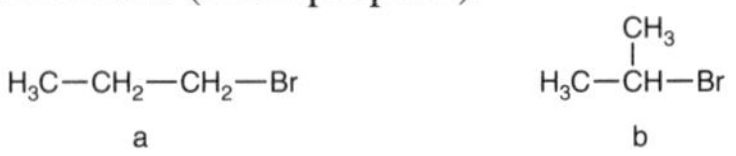

C_3H_7Br, M_R 123,00. Farblose, leicht entzündliche, in Wasser kaum, in organ. Lsm. gut lösl. Flüssigkeiten mit Chloroform-artigem Geruch. Die Dämpfe reizen stark die Augen, die Atemwege u. die Lunge sowie die Haut. Die P. wirken lähmend auf das Zentralnervensyst. u. rufen v. a. Leberschäden, daneben auch Störungen der Nieren- u. Herzfunktion sowie des Kreislaufs hervor. Kontakt mit den Flüssigkeiten bewirkt starke

Reizung der Augen u. der Haut. Zur Herst. s. Ullmann (*Lit.*).
(a) *(n-)P.* (1-Brompropan), D. 1,353, Schmp. –110 °C, Sdp. 71 °C, FP. 5 °C; WGK 3 (Selbsteinst.).

(b) *Isopropylbromid* (2-Brompropan), D. 1,322, Schmp. –89 °C, Sdp. 60 °C.
Verw.: Als Zwischenprodukt bei organ. Synth., z. B. *Grignard-Reaktionen. – ***E*** propyl bromides – ***F*** bromures de propyle – ***I*** bromuri di propile – ***S*** bromuros de propilo
Lit.: Beilstein E IV **1**, 205–208 ▪ Hommel, Nr. 936, 946 ▪ Ullmann (4.) **8**, 688; (5.) **A 4**, 406. – *[HS 2903 30; CAS 106-94-5 (a); 75-26-3 (b); 26446-77-5 (allg.); G 3]*

Propylchloride (Chlorpropane).

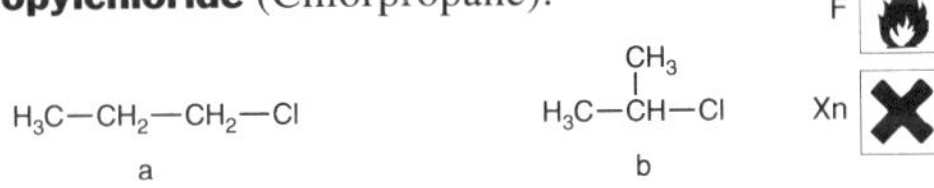

C_3H_7Cl, M_R 78,54. Beide P. sind farblose, leicht entzündliche Flüssigkeiten, wenig lösl. in Wasser, mischbar mit Alkohol u. Ether; WGK 2 (Selbsteinst.). Die P. können aus den entsprechenden Alkoholen mit $ZnCl_2$ u. HCl bzw. PCl_3 hergestellt werden. (a) *(n-)P.* (1-Chlorpropan), D. 0,8909, Schmp. –123 °C, Sdp. 46 °C, FP. <–18 °C c.c. Die Dämpfe u. die Flüssigkeit reizen Augen, Atemwege u. Haut. – (b) *Isopropylchlorid* (2-Chlorpropan), D. 0,8617, Schmp. –117 °C, Sdp. 35 °C, FP. –32 °C c.c. Die Dämpfe reizen die Augen u. die Atemwege. Kontakt mit der Flüssigkeit bewirkt Reizung der Haut u. schädigt die Augen. Die Dämpfe wirken stark narkot.; Leber- u. Nierenschäden möglich.
Verw.: Als Lsm., zu organ. Synth., z. B. *Friedel-Crafts-Reaktionen. – ***E*** propyl chlorides – ***F*** chlorures de propyle – ***I*** cloruri di propile – ***S*** cloruros de propilo
Lit.: Beilstein E IV **1**, 205–208 ▪ Hommel, Nr. 618, 751 ▪ Merck-Index (12.), Nr. 5230, 6032 ▪ Ullmann (4.) **9**, 464; (5.) **A 6**, 309. – *[HS 2903 19; CAS 540-54-5 (a); 75-29-6 (b); 26446-76-4 (allg.); G 3]*

Propylen. Alter, regelwidriger, aber bes. in der Chemie der *Kunststoffe u. *Polymere üblicher Name für *Propen. – ***E*** propylene – ***F*** propylène – ***I*** propilene – ***S*** propileno

Propylen... Bez. der Atomgruppierung $-CH_2-CH(CH_3)-$ [IUPAC-Regel A-4.2; Regel R-2.5: (1-Methyl-1,2-ethandiyl)... (CAS) od. (Propan-1,2-diyl)...]; vgl. Trimethylen...; z. B. für *Multiplikativnamen, *radikofunktionelle Namen, cycl. *Acetale. – ***E*** propylene... – ***F*** propylène... – ***I*** = ***S*** propilen...

Propylencarbonat s. 4-Methyl-1,3-dioxolan-2-on.

Propylenchlorhydrine s. Chlorpropanole.

Propylenchloride s. Dichlorpropane.

Propylendiamine s. Propandiamine.

Propylendichloride s. Dichlorpropane.

Propylenglykol s. Propandiole.

Propylenharnstoff.

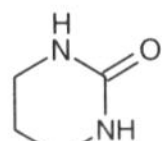

$C_4H_8N_2O$, M_R 100,12. In der Technik versteht man unter P. Tetrahydro-2(1*H*)-pyrimidinon (Trivialname: *Trimethylenharnstoff*): farbloses Pulver, leicht lösl. in Wasser, mäßig lösl. in kaltem Alkohol, schmilzt bei 260–265 °C. Das aus 1,3-Propandiamin u. Harnstoff herstellbare P. findet als Textilhilfsmittel Verwendung. – ***E*** propylene urea – ***F*** propylène-urée – ***I*** = ***S*** propilenurea
Lit.: Beilstein E III/IV **24**, 32, 38 ▪ Ullmann (4.) **12**, 513; (5.) **A 2**, 118. – *[HS 2933 59; CAS 1852-17-1]*

Propylenimin. Üblicher Trivialname für *2-Methylaziridin*, nicht zu verwechseln mit 1,3-P., dem Trivialnamen für das isomere Azetidin (Trimethylenimin, s. Azetidine):

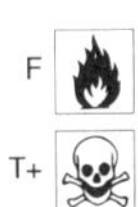

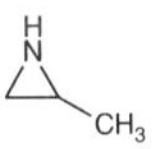

C_3H_7N, M_R 57,10, Schmp. –65 °C, Sdp. 63 °C, FP. –4 °C c.c. Klare, wasserhelle Flüssigkeit mit Ammoniak-ähnlichem Geruch. Die Dämpfe reizen u. schädigen stark die Augen, die Atemwege u. die Lunge bis hin zum Lungenödem. Kontakt mit der Flüssigkeit ruft sehr starke Reizung u. Verätzung der Augen sowie der Haut hervor. Die Flüssigkeit wird auch über die Haut aufgenommen; Leber u. Nierenschäden möglich. P. hat sich im Tierversuch als eindeutig krebserzeugend erwiesen, Gruppe III A 2 (MAK-Werte-Liste 1997); WGK 3; zur Beschränkung des Inverkehrbringens s. Chemikalienverbotsverordnung vom 19. Juli 1996. Das erstmals 1890 von Hirsch aus 2-Brompropylamin hergestellte P. findet ähnliche Verw. wie *Ethylenimin. P. kann bei Kontakt mit Säuren, säurehaltigem Material od. Kohlendioxid explosionsartig polymerisieren. Stabilisierung erfolgt durch Zusatz von Alkalien, z. B. Natriumhydroxid. – ***E*** propylenimine – ***F*** propylèneimine – ***I*** propilenimmina – ***S*** propilenimina
Lit.: Beilstein E V **20/1**, 150 ▪ Hommel, Nr. 649 ▪ Ullmann (5.) **A 3**, 239 ff.; **A 10**, 11. – *[HS 2933 90; CAS 75-55-8; G 3]*

Propylenoxid (1,2-Epoxypropan, Methyloxiran).

C_3H_6O, M_R 58,08. Wasserklare, leichtbewegliche u. entflammbare Flüssigkeit von Ether-artigem, süßlichem Geruch, D. 0,859, Schmp. –112 °C, Sdp. 35 °C, FP. –44 °C c.c., in Wasser gut lösl., mit den meisten organ. Lsm. mischbar. Die Dämpfe reizen die Augen sowie die Atemwege u. wirken narkotisch. Kontakt mit der Flüssigkeit führt zu schwerer Reizung der Haut u. der Augen (Hornhautschäden). P. hat sich im Tierversuch als eindeutig krebserzeugend erwiesen, Gruppe III A 2, TRK-Wert 2,5 ppm bzw. 6 mg/m^3 (MAK-Werte-Liste 1997); WGK 3 (Selbsteinst.); LD_{50} (Ratte oral) 380 mg/kg; Emissionsklasse III (TA Luft 2.3). Die Neigung zur Selbstpolymerisation (kann explosionsartig erfolgen!) ist geringer als bei *Ethylenoxid, kann aber durch Katalysatoren wie Eisen-, Zinn- u. Aluminiumchlorid, anorgan. u. organ. Basen u. Säuren od. Alkalimetalle eingeleitet werden. Das Reaktionsverhalten gleicht dem des *Ethylenoxids (Oxirans). P. ist chiral; die beiden Enantiomeren, (*R*)-(+)-P. u. (*S*)-(–)-P.,

$[\alpha]_D^{20}$ ±14±1° (unverd.), finden in der *enantioselektiven Synthese Verwendung.
Herst.: Nach dem Chlorhydrin-Verf. aus Chlor, Propen u. Wasser u. anschließende Behandlung der entstandenen α- u. β-Chlorhydrine (ohne Zwischenisolierung) mit einem Überschuß an Alkali, z. B. mit 10% Kalkmilch. 1991 betrug der Anteil der Herstellkapazität für P. nach dem Chlorhydrin-Verf. weltweit etwa 52%. Der übrige Anteil basiert auf Verf. der indirekten Propen-Oxid. mit Hydroperoxiden; eine ausführliche Beschreibung der heute angewendeten Verf. sowie eine Übersicht über Entwicklungsmöglichkeiten der P.-Herst. gibt *Lit.*[1]. Die weltweite Herstellkapazität für P. betrug 1991 etwa 4,2 Mio. t/a.
Verw.: Zur Herst. von 1,2-*Propandiol (Propylenglykol), Dipropylenglykol, verschiedenen sog. Propoxylierungsprodukten sowie von einigen kleineren Produktgruppen wie z. B. den Propylenglykolethern u. den Isopropanolaminen. Im Gegensatz zum Ethylenoxid, bei dem Ethylenglykol das wichtigste Folgeprodukt ausmacht, tritt hier das Propylenglykol mengenmäßig hinter *Polypropylenglykolen u. Propoxylierungsprodukten zur *Polyurethan-Herst. zurück. 1992 war die Propylenoxid-Verw. in Westeuropa folgendermaßen (in Gew.-%): Polypropylenglykole u. Propoxylierungsprod. für Polyurethane, 64%, Propylenglykol, 21%, Verschiedenes (Glykolether, Glycerin, Isopropanolamine u. a.), 15%. Opt. aktives P. findet in zahlreichen organ. Synth. Verwendung. – ***E*** propylene oxide – ***F*** oxyde de propylène – ***I*** ossido di propilene – ***S*** óxido de propileno
Lit.: [1] Weissermel-Arpe (4.), S. 288–300.
allg.: Beilstein EV **17/1**, 16 ▪ Gesundheitsschädliche Arbeitsstoffe: toxikologisch-arbeitsmedizinische Begründung von MAK-Werten, Weinheim: Verl. Chemie 1972–1998 ▪ Hommel, Nr. 172 ▪ J. Org. Chem. **47**, 3630 (1982); **50**, 470 (1985); **51**, 25 (1986); **58**, 7170 (1993) ▪ Paquette **6**, 4333 ▪ Ullmann (4.) **19**, 471–482; (5.) **A 9**, 243 ▪ s. a. Epoxide, Oxirane. – *[HS 2910 20; CAS 75-56-9; G 3]*

Propylentetramer s. Propen.

Propylentrimer s. Propen.

Propylether s. Dipropylether.

Propylgallat s. Gallussäureester.

Propylglykol (2-Propoxy-ethanol). Gebräuchliche Bez. für Ethylenglykolmonopropylether, $H_3C–(CH_2)_2–O–(CH_2)_2–OH$, $C_5H_{12}O_2$, M_R 104,15. Xn
Ölige, farblose, fast geruchlose Flüssigkeit, die sich vollständig mit Wasser mischt, D. 0,91, Sdp. 147–153 °C, FP. 51 °C c.c. Die Dämpfe reizen die Atemwege. Kontakt mit der Flüssigkeit, auch in verd. Form, verursacht Reizung der Augen u. der Haut; WGK 1 (Selbsteinst.); MAK 20 ppm (MAK-Werte-Liste 1997). P. findet als Lsm. für die Lack-Ind. Verwendung. – ***E*** propyl glycol – ***F*** propylglycol – ***I*** propilglicole – ***S*** propilglicol
Lit.: Beilstein E IV **1**, 2379 ▪ Hommel, Nr. 173 ▪ Ullmann (4.) **16**, 303, 307; (5.) **A 24**, 496. – *[CAS 2807-30-9; G 3]*

Propylhexedrin s. Levopropylhexedrin.

Propyliden... Bez. der Atomgruppierungen $=CH–CH_2–CH_3$ u. $–CH(C_2H_5)–$ (IUPAC-Regel A-4.1, CAS); letztere heißt auch *Propan-1,1-diyl...* (Regel R-2.5, Beilstein; vgl. Propylen...). – ***E*** propylidene... – ***F*** propylidène... – ***I*** propiliden... – ***S*** propilideno

Propyliodon (Rp).

$CH_2–CO–O–(CH_2)_2–CH_3$ (Strukturformel)

Internat. Freiname für das *Röntgenkontrastmittel Propyl-(3,5-diiod-4-oxo-1(4*H*)-pyridyl)acetat, $C_{10}H_{11}I_2NO_3$, M_R 447,03, Krist., Schmp. 186–187 °C (Zers.), LD_{50} (Maus i.v.) 300 mg/kg; schwer lösl. in Wasser, Salzlsg., Serum, sehr schwer in Ether. P. ist der Propylester des *Diodons. P. wurde 1940 von ICI patentiert. – ***E*** = ***F*** propyliodone – ***I*** propiliodone – ***S*** propiliodona
Lit.: Beilstein E V **21/7**, 164 ▪ Hager (4.) **6a**, 915 f. ▪ Martindale (31.), S. 1015. – *[HS 2933 39; CAS 587-61-1]*

Propylite. Bez. für *Andesite, Dacite u. verwandte Gesteine, die durch hydrothermale Lösungen intensive Umwandlungen (*Alterationen*) erfahren haben. Charakterist. Mineralneubildungen sind Chlorit, Albit, Epidot, Pyrit u. Carbonate (Calcit, Dolomit, Ankerit). Die *Propylitisierung* führt zur *Vergrünung* der betroffenen Gesteine; *Propylit-Zonen* liegen oft als weite Höfe bes. um die Erzkörper von subvulkan. Gold-Silber-Lagerstätten (z. B. in den Karpathen) u. von Porphyry copper-Lagerstätten (*Kupferkies) auf. – ***E*** = ***F*** propylites – ***I*** profilite – ***S*** propilitas
Lit.: Evans, Erzlagerstättenkunde, S. 177 f., 189, Stuttgart: Enke 1992 ▪ Wimmenauer, Petrographie der magmatischen u. metamorphen Gesteine, S. 186, 345 f., 355 f., Stuttgart: Enke 1985 ▪ s. a. Lagerstätten.

Propylparaben. Kurzbez. für 4-Hydroxybenzoesäurepropylester, s. 4-Hydroxybenzoesäureester.

2-Propylpentansäure s. Valproinsäure.

Propylthiouracil (Rp).

$H_3C–(CH_2)_2$ (Strukturformel)

Internat. Freiname für das *Thyreostatikum 2,3-Dihydro-6-propyl-2-thioxo-4(1*H*)-pyrimidinon (6-Propyl-2-thiouracil), $C_7H_{10}N_2OS$, M_R 170,23, vgl. a. Thiouracil. P. ist ein feinkrist. Pulver, Schmp. 219–221 °C; λ_{max} (CH_3OH) 214, 276 nm ($A_{1cm}^{1\%}$ 952, 957), pK_a 8,3; in Wasser schwer, in Alkohol u. Aceton besser, in wäss. Alkali-Lsg. sehr leicht löslich u. in Ether, Chloroform, Benzol unlöslich. P. ist von Solvay Arzneimittel (Propycil®) u. Herbrand/Berlin Chemie (Thyreostat II®) im Handel, allerdings im Tierversuch carcinogen[1] u. als Masthilfsmittel in der BRD ebenso wie *Methylthiouracil[2] verboten. – ***E*** propylthiouracil – ***F*** propylthiouracile – ***I*** propiltiouracile – ***S*** propiltiouracilo
Lit.: [1] IARC Monogr. **7**, 67–76 (1974); Suppl. 4, 222 (1982). [2] DFG Komm. Rückstände 4, Boppard: Boldt 1977.
allg.: ASP ▪ Beilstein E III/IV **24**, 1333 ▪ Florey **6**, 457–486 ▪ Hager (5.) **9**, 412–415 ▪ Martindale (31.), S. 1604 ▪ Ph. Eur. **1997** u. Komm. – *[HS 2933 59; CAS 51-52-5]*

Propyltitanat s. Titansäureester.

Propylur [(*E*)-10-Propyl-5,9-tridecadienylacetat].

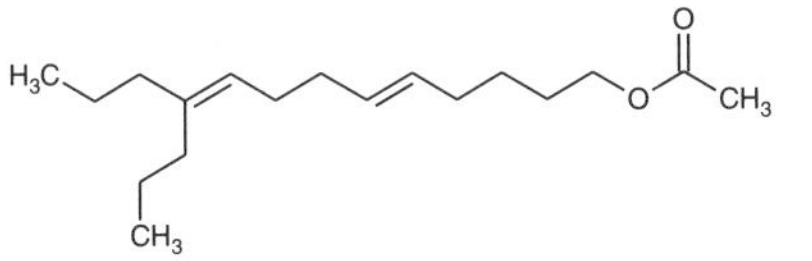

$C_{18}H_{32}O_2$, M_R 280,45, Flüssigkeit, Sdp. 110–120 °C (66,5 Pa). Sexuallockstoff des *Baumwoll-Schädlings *Pectinophora gossypiella*. P. wurde in einer Menge von 1,6 mg aus 850 000 weiblichen Tieren isoliert.[1] – ***E*** = ***F*** propylure – ***I*** = ***S*** propiluro

Lit.: [1] Science **152**, 1516 (1966).
allg.: Merck-Index (12.), Nr. 8055 ▪ s. a. Insektenlockstoffe u. Pheromone. – *[CAS 10297-61-7]*

Propymuls®. Propylenglykolester von *Fettsäuren zur Verw. in der Lebensmittel-Ind., hauptsächlich als Emulgator/Stabilisator von Lebensmittelschäumen. ***B.:*** Grünau.

Propyphenazon (Isopropylphenazon).

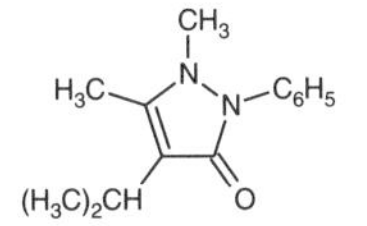

Internat. Freiname für das *Antipyretikum u. *Analgetikum 1,2-Dihydro-4-isopropyl-1,5-dimethyl-2-phenyl-3*H*-pyrazol-3-on, $C_{14}H_{18}N_2O$, M_R 230,30, schwach bittere Krist., Schmp. 103 °C; λ_{max} (CH_3OH) 246, 275 nm ($A^{1\%}_{1cm}$ 425, 420), pK_a 2,4; leicht lösl. in Alkohol, Ether, schwer in Wasser; s. a. Phenazon. P. wurde 1934 von Hoffmann-La Roche patentiert u. ist von Berlin Chemie (Demex®, Eufibron®) u. Merckle (Isoprochin P®) im Handel. – ***E*** propyphenazone – ***F*** propyphénazone – ***I*** propifenazone – ***S*** propifenazona

Lit.: ASP ▪ Beilstein E III/IV **24**, 141 ▪ Hager (5.) **9**, 415 ff. ▪ Martindale (31.), S. 93 ▪ Ph. Eur. **1997** u. Komm. – *[HS 2933 11; CAS 479-92-5]*

Propyzamid.

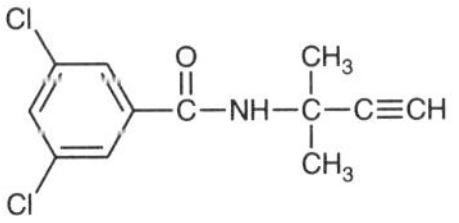

Common name für 3,5-Dichlor-*N*-(1,1-dimethyl-2-propynyl)benzamid, $C_{12}H_{11}Cl_2NO$, M_R 256,13, Schmp. 155–156 °C, LD_{50} (Ratte oral) weiblich 5620 mg/kg, männlich 8350 mg/kg, von Rohm & Haas 1965 eingeführtes selektives Vor- u. Nachauflauf-*Herbizid gegen Ungräser u. Unkräuter in zahlreichen Kulturen. – ***E*** = ***F*** propyzamide – ***I*** propizamide – ***S*** propizamida

Lit.: Farm. (Kerb®) ▪ Perkow ▪ Pesticide Manual. – *[HS 2924 29; CAS 23950-58-5]*

Proquazon (Rp).

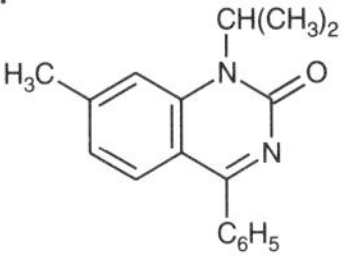

Internat. Freiname für das *Antiphlogistikum 1-Isopropyl-7-methyl-4-phenyl-2(1*H*)-chinazolinon, $C_{18}H_{18}N_2O$, M_R 278,35, gelbe Krist., Schmp. 137–138 °C, λ_{max} (CH_3OH) 235, 276, 356 nm ($A^{1\%}_{1cm}$ 1350, 366, 207); lösl. in Chloroform, unlösl. in Wasser. P. wurde 1969, 1974 u. 1975 von Sandoz patentiert. – ***E*** = ***F*** = ***I*** proquazone – ***S*** procuazona

Lit.: Drugs **33**, 478–502 (1987) ▪ Hager (5.) **9**, 417 f. ▪ Martindale (31.), S. 93 ▪ Ullmann (5.) **A 3**, 48. – *[HS 2933 59; CAS 22760-18-5]*

Prorenin s. Renin.

Prorennin s. Lab.

Pros... (griech.: pros... = hinzu..., näher..., zusätzlich...). Vorsilbe in Fremdwörtern; *Beisp.:* prosthetisch. Bei *Histidin ist *π od. *pros* *Lokant für das näher an der Seitenkette stehende N-Atom des Imidazol-Rings (IUPAC-Regel 3AA-2.2.4). – ***E*** = ***F*** = ***I*** = ***S*** pros...

Proscar® (Rp). Filmtabl. mit dem 5α-Reduktasehemmer *Finasterid zur symptomat. Behandlung benigner Prostata-Hyperplasie. ***B.:*** MSD Chibropharm.

Proscillaridin (Rp).

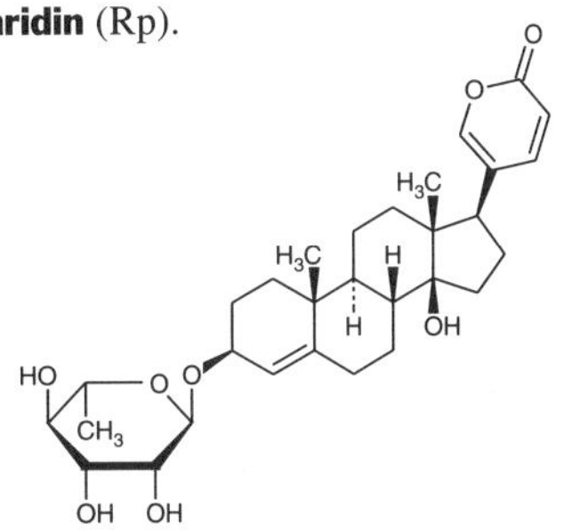

Internat. Freiname für 14-Hydroxy-3β-(α-L-rhamnopyranosyloxy)-4,20,22-bufatrienolid (Scillarenin-3β-rhamnosid, P. A), $C_{30}H_{42}O_8$, M_R 530,64, farblose Prismen, Schmp. 219–222 °C, $[\alpha]^{20}_D$ –91,5° (CH_3OH); λ_{max} (CH_3OH) 300 nm ($A^{1\%}_{1cm}$ 108); LD_{50} (Ratte oral) 56 mg/kg; schwer lösl. in Ethanol, unlösl. in Ether. P., ein *Herzglykosid aus der Weißen *Meerzwiebel, wurde 1968 von Knoll (Talusin®) patentiert. – ***E*** proscillaridin – ***F*** proscillaridine – ***I*** proscillaridina – ***S*** proscilaridina

Lit.: ASP ▪ Beilstein E V **18/3**, 587 ▪ DAB **8**, 751 f.; **8/1**, 5, Komm. 488–494 ▪ Hager (5.) **9**, 418–421 ▪ Martindale (31.), S. 937. – *[HS 2938 90; CAS 466-06-8]*

Prosiston® (Rp). Tabl. mit *Norethisteron-acetat u. *Ethinylestradiol gegen dysfunktionelle Blutungen. ***B.:*** Schering.

Prosomen s. Proteasomen.

Prospan®. Tabl., Suppositorien, Tropfen u. Saft mit Efeublättertrockenextrakt gegen Husten. ***B.:*** Engelhard.

Prospektion (Prospektieren). Aus dem Engl. übernommene Bez. für das Aufsuchen u. Erforschen der *Lagerstätten von Erzen, Kohle, Erdgas, Erdöl u. a. *Rohstoffen. Man unterscheidet heute *geochemische Prospektion, biogeochem. Prospektion (*Biogeochemie) u. geophysikal. Prospektion. Letztere untersucht Gesteine auf Rohstoff-anzeigende Anomalien, u. zwar durch Messung von Magnetismus, Gravitation, elektr. Leitfähigkeit, Radioaktivität usw. Der – oft vom Flugzeug od. Satelliten aus praktizierten – P. als qual. Meth. schließt sich in der zweiten Phase die *Exploration als quant. Meth. der Untersuchung an. Im internat. Sprachgebrauch ist die P. oft im Begriff „exploration" mit enthalten. – ***E*=*F*** prospection – ***I*** prospezione – ***S*** prospección

Lit.: Bender (Hrsg.), Angewandte Geowissenschaften, Bd. 4: Untersuchungsmethoden für Metall- u. Nichtmetallrohstoffe, Kernenergierohstoffe, feste Brennstoffe u. bituminöse Gesteine, Stuttgart: Enke 1986 ▪ Chaussier u. Morer, Mineral Prospecting Manual, Amsterdam: Elsevier 1986 ▪ Evans (Hrsg.), Introduction to Mineral Exploration, Oxford (U. K.): Blackwell 1994 ▪ Kovalevsky, Biogeochemical Exploration for Mineral Deposits (2.), Utrecht: VNU Science Press 1987 ▪ Kuzvart u. Böhmer, Prospecting and Exploration of Mineral Deposits, Amsterdam: Elsevier 1986 ▪ Lapis **5**, Nr. 9, 30 f., Nr. 12, 29 ff. (1980) ▪ Rose, Hawkes u. Webb, Geochemistry in Mineral Exploration (2.), London: Academic Press 1979 ▪ Van Loon u. Barefoot, Analytical Methods for Geochemical Exploration, London: Academic Press 1988 ▪ s. a. Erz, Lagerstätten, Mineralogie, Rohstoffe.

Prostacyclin [(5*Z*,13*E*,15*S*)-6,9α-Epoxy-11α,15-dihydroxy-prosta-5,13-dien-1-säure, Prostaglandin I_2 (PGI_2) od. X (PGX)].

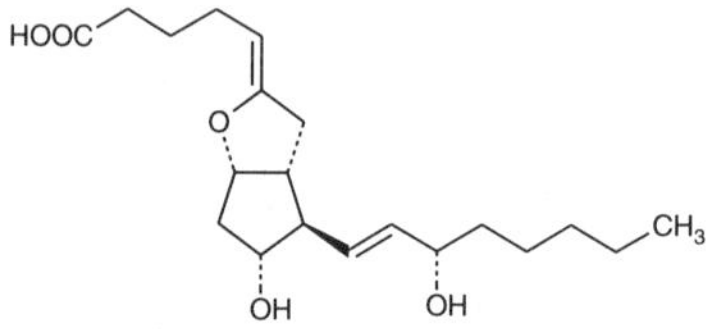

HOOC … CH3 … OH … OH

$C_{20}H_{32}O_5$, M_R 352,47, sehr instabile Verb. ($t_{1/2}$ 37 °C: ca. 2 min, $t_{1/2}$ –30 °C: einige Wochen), Natriumsalz: hygroskop. Krist., Schmp. 116–124 °C (Kapillare) bzw. 166–168 °C (Heizblock), $[\alpha]_D$ +88° ($CHCl_3$). Bicycl. *Eicosanoid, das im Organismus aus PGH_2 (vgl. Schema bei Prostaglandine) durch Prostacyclin-Synthase gebildet u. nichtenzymat. zu 6-Oxo-prostaglandin $F_{1\alpha}$ hydrolysiert wird.

Wirkung: P. hat im Tierexperiment u. am Menschen eine noch stärker gefäßerweiternde Wirkung als Prostaglandin E_2. Beim Menschen kommt es bei P.-Infusionen im Bereich von 2 ng/kg/min zur Vasodilatation (Blutdrucksenkung, Augendrucksenkung) mit Erhöhung der Hauttemperatur. Bei Infusionsraten >8 ng/kg/min treten Kopfschmerzen auf, bei >50 ng/kg/min deutlichere Vergiftungssymptome wie Blässe, Übelkeit, starker Blutdruckabfall u. Bradykardie. P. hemmt die Aggregation der *Thrombocyten u. wird in Form stabilerer synthet. Analoga klin. gegen arterielle Verschlußkrankheiten eingesetzt (*Carba-Prostacyclin, Epoprostenol, Iloprost* usw.). Damit erweist es sich als Gegenspieler des *Thromboxans A_2. Die Wirkung von P. setzt bereits bei Konz. von 1–10 nmol/L ein, etwa 30–50mal früher als PGE_1. Die Hemmung der Plättchenaggregation kommt durch eine Aktivierung der Adenylat-Cyclase u. die dadurch bedingte Anhäufung von cycl. AMP in den Thrombozyten zustande. P. hat eine schützende Wirkung für Gewebe (Cytoprotektion), z. B. für die Magenwand bei *Gastritis od. für Gewebe bei Organtransplantationen. Diese Schutzfunktion wird durch nichtsteroidale *Antiphlogistika beseitigt. Hierauf beruht die ulcerogene Wirkung dieser Pharmaka. – ***E*** prostacyclin – ***F*** prostacycline – ***I*** prostaciclina, epoprestenolo – ***S*** prostaciclina

Lit.: *Pharm.:* Adv. Exp. Med. Biol. **243**, 13–20 (1988) ▪ Adv. Prostaglandin, Thromboxane, Leukotriene Res. **19**, 331–334 (1989); **21 A**, 153–156, **21 B**, 607–610 (1990) ▪ Beilstein E V **18/7**, 485 ▪ Clin. Invest. Med. **13**, 343–352 (1990) ▪ Drug Metab. Drug Interact. **7**, 321–350 (1989) ▪ Dtsch. Med. Wochenschr. **115**, 994 ff. (1990) ▪ Klin. Pharmakol. **7**, 49–56, 106–136, 142–149 (1990) ▪ NATO ASI Ser., Ser. A **177**, 71–81 (1989) ▪ Merck-Index (12.), Nr. 8061 ▪ Pharmacol. Ther. **48**, 323–344 (1990) ▪ Prog. Clin. Biol. Res. **312**, 369–378 (1989) ▪ Thromb. Res. (Suppl. **11**), 3–13 (1990). – *Synth.:* Justus Liebigs Ann. Chem. **1990**, 1087–1091 ▪ Nachr. Chem. Tech. Lab. **37**, 584–590 (1989) ▪ s. a. Prostaglandine. – *[CAS 35121-78-9 (P.); 61849-14-7 (Na-Salz)]*

Prosta Fink®. Kapseln mit Extrakt aus Sabalpalmenfrüchten u. Kürbissamen sowie Kürbisöl; *P. forte* enthält Kürbissamenextrakt gegen Miktionsbeschwerden bei Prostataadenom Stadium I bis II u. Reizblase. ***B.:*** Fink, Kade.

Prostaglandine (Abk. PG, Prostanoide). Bez. für eine Gruppe von biolog. meist hochaktiven Abkömmlingen von Eicosapolyensäuren ($C_{20}H_{40-2n}O_2$), daher auch zu den sog. *Eicosanoiden gerechnet. PG werden in fast allen Geweben von Säugetieren u. Menschen gebildet. Einige PG [PGA_2, 15-epi-PGA_2, (5*E*)-PGA_2 u. 15-epi-PGE_2] kommen in bemerkenswert hohen Konz. auch in der Koralle *Plexaura homomalla* vor[1]. In Insekten wurden ebenfalls PG nachgewiesen[2]. Bis 1997 wurden ca. 30 natürliche PG beschrieben.

Die Benennung der PG erfolgt mit den Buchstaben A–J je nach Art der Substitution des Cyclopentan-Ringes. Die Indexzahl weist auf die Zahl der Doppelbindungen in den Seitenketten hin: Die Indexzahl 1 charakterisiert Derivate der (*all-Z*)-8,11,14-Eicosatriensäure, die Zahl 2 Derivate der (*all-Z*)-5,8,11,14-Eicosatetra-

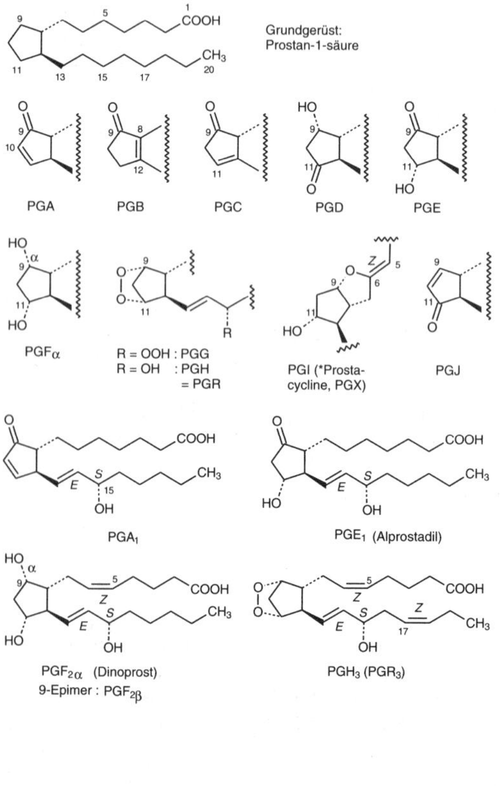

Grundgerüst: Prostan-1-säure

PGA PGB PGC PGD PGE

PGFα

R = OOH : PGG
R = OH : PGH = PGR

PGI (*Prostacycline, PGX)

PGJ

PGA_1

PGE_1 (Alprostadil)

$PGF_{2\alpha}$ (Dinoprost)
9-Epimer : $PGF_{2\beta}$

PGH_3 (PGR_3)

Tab.: Daten von Prostaglandinen.

PG	Formel	M_R	Schmp. [°C]	$[\alpha]_D$	CAS
PGA_1	$C_{20}H_{32}O_4$	336,47			14152-28-4
PGB_1	$C_{20}H_{32}O_4$	336,47			13345-51-2
PGD_1	$C_{20}H_{34}O_5$	354,49			17968-82-0
PGE_1	$C_{20}H_{34}O_5$	354,49	114–116,5	$[\alpha]_D^{24}$ –53,2° (THF*)	745-65-3
$PGF_{1\alpha}$	$C_{20}H_{36}O_5$	356,60	102–103		745-62-0
PGH_3	$C_{20}H_{30}O_5$	350,46			60114-66-1
PGA_2	$C_{20}H_{30}O_4$	334,45	Öl	$[\alpha]_D^{30}$ +140° ($CHCl_3$)	13345-50-1
PGB_2	$C_{20}H_{30}O_4$	334,46			13367-85-6
PGD_3	$C_{20}H_{30}O_5$	350,46	56–57	$[\alpha]_D^{25}$+9,22° (THF*)	71902-47-1
$PGF_{2\alpha}$	$C_{20}H_{34}O_5$	354,49	25–35	$[\alpha]_D^{25}$+23,5° (THF*)	551-11-1
$PGF_{2\beta}$	$C_{20}H_{34}O_5$	354,49	94–95	$[\alpha]_{365}^{25}$+12,7° (CH_3OH)	4510-16-1
PGC_3	$C_{20}H_{28}O_4$	332,44			52590-97-3

*THF = Tetrahydrofuran

ensäure (*Arachidonsäure) u. die Zahl 3 Derivate der (*all-Z*)-5,8,11,14,17-Eicosapentaensäure (Timnodonsäure; häufig in Meereswirbeltieren). Die Kennzeichnung der Stellung der OH-Gruppe am C-Atom 9 erfolgt durch den Index α bzw. β.

PGA_1 kommt in der Samenflüssigkeit vor, hemmt die Plättchenaggregation u. die Kontraktion der glatten Muskulatur; auch PGB_1 kommt in der menschlichen Samenflüssigkeit vor u. hemmt *in vitro* die Uteruskontraktion; PGD_1 wurde u. a. in Samenbläschen des Schafes nachgewiesen; $PGF_{1\alpha}$ kommt neben 8-Epi-$PGF_{1\alpha}$ in der Samenflüssigkeit von Schafen vor, stimuliert bei Kaninchen die Peristaltik des Duodenums; PGH_3 entsteht *in vivo* aus der in der Plasmamembran vorhandenen od. der mit pflanzlicher Nahrung aufgenommenen (*all-Z*)-5,8,11,14,17-Eicosapentaensäure; PGA_2 kommt in der Koralle *Plexaura homomalla* zu 1–3% neben den stereoisomeren 15-epi- u. (5*E*)-PGA_2 vor; PGB_2, isoliert aus menschlichem Samenplasma, hemmt *in vitro* die Uteruskontraktion; PGD_3 erscheint als Metabolit von PGH_3; es hemmt die Blutplättchenaggregation; $PGF_{2\alpha}$, weit verbreitet, löst Uteruskontraktionen aus (abortive Wirkung) u. stimuliert die glatte Muskulatur. Das 9-Epimere ($PGF_{2\beta}$) wirkt als starker Bronchodilator; PGC_3 ist eine Zwischenstufe der Umwandlung von PGA_3 in PGB_3.

Biosynth.: Die Endoperoxide PGG_2 u. PGH_2 entstehen in der sog. Arachidonsäure-Kaskade aus der von membranständigen Phospholipiden durch Phospholipase A_2 (EC 3.1.1.4) freigesetzten Eicosatetraensäure (Arachidonsäure) (s. Abb.) unter Einwirkung der Cyclooxygenase. Durch weitere enzymat. Reaktionen werden dann alle anderen PG gebildet. PG werden nicht wie andere Hormone in Zellen gespeichert, sondern bei Bedarf jeweils neu produziert. Auf dem Lipoxygenase-Weg werden aus Eicosapolyensäuren auch die mit den PG eng verwandten *Thromboxane, *Prostacycline, *Leukotriene u. *Lipoxine erzeugt. Zur Synth. s. *Lit.*[3].

Geschichte: Anfang der 30er Jahre entdeckten U. S. von Euler u. M. W. Goldblatt unabhängig voneinander in Samenflüssigkeit einen auf die glatte Muskulatur

Abb.: Biosynth. der Prostaglandine.

wirkenden Stoff, dessen Struktur Bergström 1958–1964 aufklärte. Weitere Daten in Stichworten: 1968 Totalsynth. durch Corey, Anfang der 70er Jahre Entdeckung des Wirkungsmechanismus der NSAID (von *E* non-steroidal anti-inflammatory drugs = nichtsteroidale Antiphlogistika), 1975 Thromboxan, 1976 Prostacyclin, 1979 Leukotriene, 1982 Nobelpreis für Medizin an Vane, Samuelsson u. S. Bergström[4]. – ***E*** prostaglandins – ***F*** prostaglandines – ***I*** prostaglandine – ***S*** prostaglandinas

Lit.: [1] Tetrahedron Lett. **1969**, 5185 ff.; J. Am. Chem. Soc. **94**, 2124 (1972). [2] Insect Biochem. Mol. Biol. **24**, 481–492 (1994). [3] Angew. Chem. **103**, 469–479 (1991); Corey u. Cheng, The Logic of Chemical Synthesis, S. 250–309, New York: Wiley 1989. [4] Angew. Chem. **95**, 782 ff., 854–864, 865–873 (1983). *allg.:* Bailey (Hrsg.), Prostaglandins, Leukotrienes and Lipoxins: Biochemistry, Mechanism and Clinical Applications, New York: Plenum 1985 ▪ Luckner (3.), S. 163 f., 457, 459, 464, 487 ▪ Merck-Index (12.), Nr. 8061–8065 ▪ Nat. Prod. Rep. **10**, 593–624 (1993) ▪ Sax (8.), Nr. MCA025 (PGA_2); POC250 (PGA_1); POC350 (PGE_1); POC400 ($PGF_{1\alpha}$); POC500 ($PGF_{2\alpha}$) (Toxikologie) ▪ Stryer 1996, S. 656 ff. ▪ Willis (Hrsg.), CRC Handbook of Eicosanoids, Prostaglandins and Related Lipids, Boca Raton: CRC 1987. – *Zeitschrift:* Advances in Prostaglandin, Thromboxan and Leukotriene Research, New York: Raven Press (seit 1976).

Prostaglandinendoperoxid-Synthase s. Cyclooxygenase.

Prostagutt® mono/uno. Kapseln mit Extrakt aus Sägepalmenfrüchten; *P. forte* (Kapseln u. Lsg.) enthält zusätzlich Brennesselwurzelnextrakt gegen Miktionsbeschwerden bei Prostataadenom Stadium I bis II u. Reizblase. ***B.:*** Schwabe.

Prostamed®. Tabl. mit Kürbisglobulin, Kürbiskernmehl, Flüssigextrakt aus Goldrutenkraut u. Zitterpappelblättern gegen Miktionsbeschwerden bei Prostataadenom Stadium I bis II u. Reizblase. ***B.:*** Klein.

Prostanoide s. Prostaglandine.

Prostata (Vorsteherdrüse, griech.: prostates = Vorsteher). Kastaniengroße Drüse, die den Anfangsteil der männlichen Harnröhre umgibt. Das alkal. P.-Sekret wird bei der Ejakulation dem Samen beigemischt u. erhöht die Beweglichkeit der Spermien. – ***E*** = ***F*** prostate – ***I*** prostata – ***S*** próstata

prostavasin® (Rp). Trockensubstanz zur Injektion mit dem *Prostaglandin E_1 (*Alprostadil) u. α-Cyclodextrin gegen chron. arterielle Verschlußkrankheit. ***B.:*** Schwarz Pharma.

prostereogen s. heterotop.

Prosthetische Gruppe. Von griech.: prosthetikos = zusätzlich abgeleitete Bez. für niedermol. häufig Metall-Ionen enthaltende Verb. (*Cofaktoren), die, nach Bindung an *Proteine (z. B. *Enzyme), die biochem. Eigenschaften derselben prägen. P. G. sollten im Gegensatz zu *Coenzymen kovalent an das *Apoprotein (das dadurch zum *Holoprotein* wird) gebunden sein u. nicht dissoziieren, doch wird hier nicht immer strikt abgegrenzt. Beisp. für derartige *konjugierte Proteine:* Flavoproteine (s. Flavin-Adenin-Dinucleotid), *Häm-Proteine. – ***E*** prosthetic group – ***F*** groupement prosthétique – ***I*** gruppo prostetico – ***S*** grupo prostético

Prosulfocarb. Xi

$C_6H_5–CH_2–S–C(=O)–N(CH_2–CH_2–CH_3)_2$

Common name für *S*-Benzyl-*N,N*-dipropyl-thiocarbamat, $C_{14}H_{21}NOS$, M_R 251,4, hellgelbe Flüssigkeit, Sdp. 129 °C (33 Pa), LD_{50} (Ratte oral) 1820 mg/kg (männlich) bzw. 1960 mg/kg (weiblich), von ICI (jetzt Zeneca) 1988 eingeführtes selektives Vorauflauf-*Herbizid gegen Unkräuter u. Ungräser in Wintergetreide-, Kartoffel- u. a. Kulturen. – ***E*** = ***F*** = ***I*** = ***S*** prosulfocarb

Lit.: Perkow ▪ Pesticide Manual. – *[CAS 52888-80-9]*

Prosulfuron.

$C_6H_4(CH_2–CH_2–CF_3)–SO_2–NH–C(=O)–NH–$(4-OCH₃-6-CH₃-1,3,5-triazin-2-yl)

Common name für *N*-(4-Methoxy-6-methyl-1,3,5-triazin-2-ylcarbamoyl)-2-(3,3,3-trifluorpropyl)benzolsulfonamid, $C_{15}H_{16}F_3N_5O_4S$, M_R 419,37, Schmp. 155 °C (Zers.), LD_{50} (Ratte oral) 986 mg/kg, von Ciba-Geigy (jetzt Novartis) Mitte der 90er Jahre eingeführtes *Herbizid gegen breitblättrige Unkräuter v. a. in Maiskulturen. – ***E*** = ***F*** prosulfuron – ***I*** prosulfurone – ***S*** prosulfurón

Lit.: Perkow ▪ Pesticide Manual. – *[CAS 94125-34-5]*

Pro-Symbioflor®. Tropfen mit sterilem Autolysat von *Escherichia coli* u. *Enterococcus faecalis* als Immunstimulans. ***B.:*** SymbioPharm.

Prosynth®. Marke von Riedel für Feinchemikalien für die organ. Synthese.

Prot... s. Prot(o)...

Protactinium (chem. Symbol Pa). Radioaktives, metall. Element; Atomgew. des stabilsten Isotops 231,03588, Ordnungszahl 91. Außer den natürlichen, in den radioaktiven Zerfallsreihen (s. Radionuklide) vorkommenden Isotopen (in Klammern die HWZ) 231 (32 500 a), 234 (6,69 h) u. 234m (1,17 min) kennt man künstliche Isotope $^{215}Pa–^{238}Pa$ mit HWZ zwischen 0,12 ms (^{218}Pa) u. 27 d (^{233}Pa). Von ^{217}Pa u. ^{234}Pa sind je zwei Isomere bekannt. Pa gehört zu den *Actinoiden u. steht im *Periodensystem unter Praseodym; Verb. des Pa verhalten sich, insbes. in wäss. Syst., ähnlich wie die des *Tantals, weshalb Pa früher *Eka-Tantal* genannt wurde. Das reine Metall ist glänzend grauweiß u. duktil, D. 15,37, Schmp. <1600 °C. Pa wird bei etwa 1,3 K supraleitend, in Verb. nimmt Pa die Oxid.-Stufen +4 u. +5 an, z. B. in den farblosen Oxiden PaO_2 u. Pa_2O_5. Das Monoxid PaO krist. in der NaCl-Struktur u. besteht nicht aus Pa^{2+}-Ionen, sondern enthält freie, delokalisierte Elektronen im Gitter, ähnlich wie in einem Metall.

Die physiolog. Gefährlichkeit von Pa ist mit der von Strontium-90 zu vergleichen. Pa entsteht in der Uran-Pechblende durch radioaktiven Zerfall (s. Radioaktivität) des Uran-Isotops 235 (Actinouran); es sendet selbst α-Teilchen aus u. geht dabei in *Actinium (Atomgew. 227) über; Pa wurde daher von Hahn u. Meitner (1918) als *Protoactinium* [von *Prot(o)...] bezeichnet. Pa gehört zu den seltensten Elementen der Erde; man schätzt seinen Anteil an der obersten, 16 km dicken Erdkruste auf $9{,}0 \cdot 10^{-13}$. Sein Anteil in Uranerzen beträgt nur 0,1–0,3 ppm des Gehalts an Uran, d. h. auf 1 t reines Uran kommen 100–300 mg Pa. Als bisher größte Menge wurde in den 60er Jahren von der UKAEA in England aus 60 t Rückständen der Uran-Produktion etwa 100 g Pa isoliert. Der als Tracer benutzte β-Strahler ^{233}Pa (HWZ 27 d) ist ein Zwischenglied bei der Bildung von ^{233}U aus ^{232}Th im Hochtemp.-Reaktor: 200 g bestrahltes Thorium-Metall enthalten ca. 1 g Pa. Einen wirtschaftlichen Nutzen hat Pa nicht.

Geschichte: Element 91 wurde 1913 unabhängig von *Fajans, *Russell u. *Soddy entdeckt; Fajans gab ihm den Namen *Brevium*. Die ersten chem. Untersuchungen haben 1913 O. *Hahn u. *Meitner unternommen, die dem Element den heute gültigen Namen gaben. Wägbare Mengen eines Pa-Präp. isolierte von Grosse erst 1927 (2 mg Pa_2O_5); metall. Pa wurde 7 Jahre später erhalten. Den Namen *Saturnium* (Symbol Sa od. St) prägte Katzin (1954). – ***E*** = ***F*** protactinium – ***I*** protoattinio – ***S*** protactinio

Lit.: Brauer (3.) **2**, 1163–1184 ▪ Burkart u. Kopp, in Seiler u. Sigel (Hrsg.), Handbook on Toxicity of Inorganic Compounds, S. 551 ff., New York: Dekker 1988 ▪ Gmelin, Syst.-Nr. 51, Pa, 1942, Erg.-Bd. 1 u. 2, 1977 ▪ Katz, Chemistry of the Actinide Elements (2.), Bd. 1, London: Chapman & Hall 1986 ▪ Kirk-Othmer (4.) **1**, 412–438 ▪ Ullmann (5.) **A 22**, 526 f. ▪ Wagman et al., Selected Values of Chemical Thermodynamic Properties, Compounds of Uranium, Protactinium... (NBS Techn. Notes

270-8), Washington: US-Governm. Print. Off. 1981 ▪ s. a. Actinoide. – *[HS 2844 40; CAS 7440-13-3; G 7]*

Protactyl® (Rp). Suspension, Ampullen u. Dragées mit dem *Neuroleptikum *Promazin-hydrochlorid gegen Erregungszustände, Psychosen, Neurosen usw. ***B.:*** Wyeth.

Protagent® SE. Augentropfen mit *Polyvidon bei Mangel an Tränenflüssigkeit u. bei Reizzuständen. ***B.:*** Alcon.

Protamine. Von J. F. *Miescher 1868 erstmals untersuchte Gruppe von Polypeptiden (*globuläre Proteine) von relativ niedriger M_R 1000–5000. Die P. bestehen zu 80–85% aus L-*Arginin, den Rest bilden L-Alanin, Glycin, L-Prolin, L-Serin, L-Isoleucin u. L-Valin. Die stark alkal. reagierenden P. sind die einfachsten in der Natur vorkommenden *Proteine; man gewinnt sie aus entfetteten Vogel- od. Fischspermien durch Schütteln mit verd. Säuren, womit die stark bas. P. krist. Salze bilden. Ähnlich den *Histonen in den somat. Zellen sind in den Spermien die P. als Polykationen mit den polyanion. *Nucleinsäuren zu leicht spaltbaren Salzen verbunden (*Nucleoprotamine*), bewirken eine sehr dichte Packung derselben u. eine Repression der Genaktivität. Durch Pepsin werden die P. nicht gespalten, wohl aber durch die anderen Protein-spaltenden Enzyme des Verdauungskanals. Das aus Heringen gewonnene P. heißt **Clupein*, das Karpfen-P. *Cyprinin*, das Lachs-P. *Salmin*, das Stör-P. *Sturin*, das Hecht-P. *Esocin*, das Forellen-P. *Iridin*, das Makrelen-P. *Scombrin* usw. Bei Säugern kennt man die P. P1 u. P2.
Verw.: Als *Heparin-Antagonisten[1] (*Protaminsulfate*), in Verbindung mit Zinkchlorid u. Insulin als Depot-Insulin. – ***E*** = ***F*** protamines – ***I*** protammine – ***S*** protaminas

Lit.: [1] Klin. Anästhesiol. Intensivther. **42**, 278–294 (1993).

Protamin „Roche“®. Ampullen mit dem *Heparin-Antagonist *Protamin-Hydrochlorid. ***B.:*** Novartis.

Protaxon® (Rp). Kapseln u. Filmtabl. mit *Proglumetacin-dimaleat gegen Rheuma, Ischias, Gicht usw. ***B.:*** Opfermann.

Protease-Einheit (PE). Von der Fédèration Internationale Pharmaceutique (FIP) festgelegte Einheit, 1 PE ist definiert (*Lit.*) „als die Aktivität derjenigen Enzymmenge, die Hämoglobin unter den angegebenen Bedingungen mit einer solchen Geschw. abbaut, daß die je min entstehenden, in Trichloressigsäure-Lsg. lösl. Spaltprodukte mit Folins Reagenz die gleiche Absorption ergeben wie 1 μmol Tyrosin“. So gibt man z. B. die Aktivität von *Pepsin in PE an. – ***E*** protease unit – ***F*** unité de protéase – ***I*** unità di proteasi – ***S*** unidad de proteasa

Lit.: Ph. Eur. **1997** u. Komm. (Pepsin, Trypsin).

Protease-Inhibitoren s. Proteasen.

Proteasen (Peptidasen, Peptid-Hydrolasen, EC 3.4). Sammelbez. für Enzyme, welche die hydrolyt. Spaltung der *Peptid-Bindung (*Proteolyse*) in Proteinen u. Peptiden katalysieren, daher systemat. zu den *Hydrolasen gerechnet u. in *Endopeptidasen* (*Proteinasen) u. *Exopeptidasen (früher: Peptidasen) unterteilt werden.

Vork.: In allen Lebewesen, intrazellulär im *Cytoplasma (*Calpaine), in *Lysosomen, Vakuolen (in Pflanzenzellen) u. a. Organellen. Vielfach jedoch als *Exoenzyme (*Ektoenzyme, sekretor. Enzyme), so z. B. im Verdauungstrakt der Tiere, im Blutplasma u. als Ausscheidungen von Mikroorganismen u. Pilzen in deren Kulturfiltraten.

Eigenschaften: Nach dem pH-Optimum ihrer Wirkung teilt man die P. in *saure, neutrale* u. *alkal.* P. ein. Nach den im aktiven Zentrum katalyt. wirkenden Gruppen, auf die man mit spezif. Hemmstoffen schließen kann, unterscheidet man *Serin-*, *Cystein-*, *Aspartat-* u. *Metall-Proteasen*. Die *Serin-Proteasen wie Chymotrypsin, Subtilisin, Elastase, Trypsin werden durch *Diisopropylfluorophosphat, *Cystein-Proteasen (Thiol-P., wie z. B. Calpain, manche Kathepsine, Papain) durch Schwermetalle od. Oxid.-Mittel, Aspartat-P. (s. Aspartat-Proteinasen, z. B. Pepsin, Rennin des Labs) durch *Pepstatin A, *Metall-Proteasen (*Beisp.:* *neutrale Endopeptidase 24.11) durch *Ethylendiamintetraessigsäure gehemmt. Eine Übersicht über P.-Familien s. *Lit.*[1].

Physiolog. Funktion: Unspezif. P. des Magens, Darms u. Pankreas wirken als Verdauungsenzyme; unter ihrer Einwirkung werden die Nahrungsproteine in immer kleinere Bruchstücke zerlegt u. schließlich zu Aminosäuren abgebaut. In Lysosomen u. Vakuolen dienen sie dem Abbau (intrazelluläre Verdauung) von eigenen od. fremden (durch *Phagocytose aufgenommenen) Proteinen, z. B. bei Entzündungsprozessen. Im Blutplasma befindliche spezif. P. besitzen Funktionen bei Steuerung der *Blutgerinnung u. Fibrinolyse (s. Fibrin), dem *Komplement-Syst. u. der proteolyt. Aktivierung von *Peptidhormonen u. Proenzymen (s. unten). Beim Protein-Transport durch Membranen, etwa in Mitochondrien, werden durch P. *Signalpeptide abgespalten (Signalpeptidasen); bei der Konzeption ist die P. Acrosin beteiligt. Im Cytoplasma werden zelleigene Proteine durch **Proteasomen* *Adenosin-5′-triphosphat (ATP)-abhängig gespalten, u. zwar einerseits bei der Antigen-Präsentierung (s. Antigene) mit Klasse I Mol. u. andererseits beim Abbau mit *Ubiquitin markierter Proteine. Die Antigen-Präsentierung durch Klasse-II-Mol. ist auf endosomale P. (*Kathepsine) angewiesen[2]. Die bakteriellen ATP-abhängigen P. Clp u. FtsH sowie verwandte mitochondriale P. können alternativ als *Chaperone wirken[3]. P. wie *Thrombin u. *Trypsin können auch geeignete *Rezeptoren durch Spaltung aktivieren (*Proteinase-aktivierte Rezeptoren*), die über *G-Proteine Signalketten auslösen[4]. Mikroorganismen setzen P. z. T. zur Erhöhung ihrer Virulenz (Angriff auf den Makroorganismus) ein; spezif. virale P. werden benötigt für die Bildung der Virus-Proteine aus *Polyproteinen; deshalb werden Inhibitoren der P. des Virus HIV-1 als AIDS-Therapeutika verwendet, wobei die Entstehung resistenter Virus-Stämme noch ein Problem darstellt[5]. Einige P. fördern Tumorwachstum u. Metastasierung[6]. Wegen der Beteiligung bestimmter P. an verschiedenen weiteren Krankheiten (z. B. Asthma, Osteoporose, Thrombose, Erkältung, Schistosomiasis) werden ebenfalls spezif. Inhibitoren als potentielle Heilmittel gesucht[7]. Auch

bei verschiedenen Stadien der *Apoptose spielen P. bedeutende Rollen[8].
Der potentiell zerstörer. Wirkung der proteolyt. Enzyme wird von den Organismen auf verschiedene Weise Rechnung getragen. Die meisten innerzellulären P. befinden sich in durch Membranen abgegrenzten Reaktionsräumen (*Lysosomen, *Endosomen); wenn nicht, unterliegen sie bestimmten Regulationsmechanismen. Z. B. werden die im *Cytoplasma lokalisierten Calpaine durch Calcium-Ionen aktiviert; Proteasomen u. andere selbst-aggregierende P.[9] verbergen ihre proteolyt. aktiven Zentren im Inneren von Kanälen, die diese Protein-Komplexe durchziehen. Signalpeptidasen wirken selektiv bei Vorhandensein bestimmter Signalsequenzen (*Signalpeptide). Im Blutplasma (wo sie ca. 10% des Proteins ausmachen) wie auch in anderen Geweben befinden sich verschiedene natürliche *P.-*Inhibitoren*[10], d. h. Polypeptide, die – meist spezif. – die Aktivität der P. hemmen, z. B. α_1-*Antitrypsin, *Antithrombin III, *Aprotinin, (pankreat. *Trypsin-Inhibitor), *α_2-Makroglobulin, *Protease-Nexine. Pflanzensamen (z. B. Sojabohnen), Gemüseknollen u. -wurzeln (z. B. Kartoffeln) enthalten ebenfalls P.-Inhibitoren, weshalb sie in rohem Zustand schwer verdaulich sind. Die Verdauungsenzyme sowie die P. des *Blutgerinnungs- u. *Komplement-Syst. werden als inaktive Vorstufen (*Proenzyme*, **Zymogene*) synthetisiert, die durch andere P. aktiviert werden müssen.
Verw.: In der *enzymatischen Analyse, zur *Endgruppenbestimmung, *Sequenzanalyse u. Reinigung von Proteinen, techn. in der Leder-Ind. zur Enthaarung, Weiche u. Beize, in der Waschmittel-Ind. (z. B. Subtilisin), in der Nahrungsmittel-Ind. bei der Herst. von Käse (Lab od. mikrobielle P.), Brot, Keksen u. in der Behandlung von Mehl, Milch, Bier sowie in der Futtermittelindustrie. In Umkehrung der normalerweise katalysierten Spaltungsreaktion können P. auch zur Peptid-Synth. benutzt werden[11]. – ***E*** proteases – ***F*** protéases – ***I*** proteasi – ***S*** proteasas

Lit.: [1] http://expasy.hcuge.ch/cgi-bin/lists?peptidas.txt. [2] Science **280**, 394 f. (1998); Trends Biochem. Sci. **22**, 377–382 (1997). [3] Trends Biochem. Sci. **22**, 118–123 (1997). [4] Am. J. Physiol. – Cell Physiol. **43**, C1429–C1452 (1998). [5] Expert Opin. Ther. Patents **7**, 111–121 (1997). [6] Cancer J. **10**, 80–86 (1997). [7] Science **277**, 1602 f. [8] Cell Death Different. **4**, 457–462 (1997); FASEB J. **10**, 587–597 (1996). [9] Trends Biochem. Sci. **22**, 399–404 (1997). [10] Biochem. J. **315**, 1–9 (1996); Cheronis u. Repine, Proteases, Protease Inhibitors and Protease-Derived Peptides. Importance in Human Pathophysiology and Therapeutics, Basel: Birkhäuser 1993; J. Insect Physiol. **43**, 885–895 (1997). [11] Biol. Chem. **377**, 455–464 (1996).
allg.: Barrett, Handbook of Proteolytic Enzymes, San Diego: Academic Press 1998 ▪ Biol. Chem. **378**, 121–165 (1997) ▪ Ciechanover u. Schwartz, Cellular Proteolytic Syst., New York: Wiley-Liss 1994 ▪ Sterchi u. Stöcker, Proteolytic Enzymes. Tools and Targets, Berlin: Springer 1999 ▪ Trends Biochem. Sci. **22**, 371–408 (1997). – http://delphi.phys.univ-tours.fr/Prolysis/.

Protease-Nexine. Von Fibroblasten (Bindegewebszellen) ausgeschiedene Proteine, die selektiv bestimmte *Serin-Proteasen inhibieren, indem sie eine Ester-Bindung zu deren katalyt. essentiellem L-Serin-Rest ausbilden. Ein Teilpeptid des P.-N. wird dabei freigesetzt. Die entstehenden Konjugate werden von den Fibroblasten aufgenommen u. proteolyt. abgebaut. Folgende Serin-Proteasen werden von den einzelnen P.-N. gebunden: *Thrombin, *Trypsin, *Urokinase, *Plasmin von P.-N. I (M_R ca. 44000), epidermal growth factor-binding protein von P.-N. II (M_R ca. 95000) u. *Nervenwachstumsfaktor γ von P.-N. III (M_R ca. 31000). P.-N. I wird auch *Glia-entstammendes Nexin* genannt u. reguliert im Gehirn als Gegenspieler des Thrombins das Wachstum der Nervenfasern. Die P.-N. sollen im Gehirn auch an der Kontrolle der Blutgerinnung beteiligt sein[1]. P.-N. II ist eine Form des β-*Amyloid-Vorläuferproteins. Die P.-N. sind *nicht* mit dem unter Nexin behandelten Protein identisch. – ***E*** protease nexins – ***F*** protéase-nexines – ***I*** proteasi nessine – ***S*** proteasa-nexinas

Lit.: [1] Science **256**, 1278 ff. (1992).
allg.: Ann. N. Y. Acad. Sci. **674**, 228–252 (1992) ▪ Brain Res. Rev. **20**, 171–184 (1995) ▪ Sem. Thromb. Hemost. **22**, 267–271 (1996).

Proteasomen (Prosomen, Proteosomen, multikatalyt. Proteinasekomplex, EC 3.4.99.6). Intrazelluläre Partikel mit einer Sedimentationskonstanten von 20 S od. 26 S, die mit proteolyt. Aktivität, aber auch mit einer Regulation der *Genexpression u. der Immunerkennung in Zusammenhang gebracht werden u. aus Proteinen u. möglicherweise auch aus RNA bestehen. Die proteolyt. Aktivität ist ATP-abhängig[1]. Diese Proteasen bilden eine neue Klasse, die mit bereits bekannten *Proteasen (Serin-, Zink-, Thiol-, Carboxy-Proteasen) nicht näher verwandt ist. Die 26-S-Form wird auch als *UCDEN* (Abk. von *E* für ubiquitin-conjugate degrading enzyme) bezeichnet, was auf die Tatsache hinweist, daß dieser Protease-Komplex an der *Ubiquitin-abhängigen Proteolyse beteiligt ist. – ***E*** proteasomes – ***F*** protéasomes – ***I*** proteasomi – ***S*** proteasomas

Lit.: [1] Biochem. Biophys. Res. Commun. **220**, 166–170 (1996); J. Infect. Dis. **175**, 292–301 (1997).
allg.: Biochem. Biophys. Res. Commun. **247**, 537–541 (1998) ▪ Biol. Chem. **378**, 121–140 (1997) ▪ Cell **92**, 367–380 (1998) ▪ Cell. Mol. Life Sci. **54**, 253–262 (1998) ▪ J. Biochem. **123**, 195–204 (1998) ▪ Nature (London) **386**, 437 f., 463–471 (1997).

Protectode®. Elektroden für den kathod. *Korrosionsschutz, insbes. Elektroden aus Ventilmetall mit einer aktiven Beschichtung für kathod. Korrosionsschutz. ***B:*** Heraeus Elektrochemie GmbH.

Protectol® 140. Tetramethylolacetylendiharnstoff; Konservierungsmittel für Farben, Klebstoffe u. Rohstoff für Desinfektionsmittel. ***B.:*** BASF.

Protectol® BCM * BCM-FI. 1*H*-Benzimidazol-2-ylcarbaminsäuremethylester zur fungiziden Ausrüstung von Farben, Papier, Dichtungsmassen u. Schwergeweben. ***B.:*** BASF.

Protectol® DMT. 2,5-Dimethoxytetrahydrofuran; Rohstoff für Desinfektionsmittel. ***B.:*** BASF.

Protectol® EPE. 2-Phenoxyethanol; Rohstoff für Desinfektionsmittel u. Konservierungsmittel für Kosmetika u. Kühlschmierstoffe. ***B.:*** BASF.

Protectol® EPE-SG. 2-Phenoxyethanol; Rohstoff für Desinfektionsmittel u. Konservierungsmittel für Kosmetika u. Kühlschmierstoffe; mit Zertifikat nach PhEur, DAB, BP. ***B.:*** BASF.

Protectol® GA 24. 1,5-Pentandial (Glutaraldehyd); Wasserbehandlung von Kühlkreisläufen u. Schleimverhinderung bei der Papierherst., Konservierungsmittel, Rohstoff für Desinfektionsmittel. *B.:* BASF.

Protectol® GDA. 1,5-Pentandial (Glutaraldehyd); Wasserbehandlung von Kühlkreisläufen u. Schleimverhinderung bei der Papierherst.; Konservierungsmittel; Rohstoff für Desinfektionsmittel. *B.:* BASF.

Protectol® GL 40. 1,2-Ethandial (Glyoxal); Rohstoff für Desinfektionsmittel. *B.:* BASF.

Protectol® HT. 1,3,5-Tris-(-2-hydroxyethyl)-hexahydro-1,3,5-triazin. Konservierungsmittel für Kühlschmiermittel, Leime, Papier, Textil- u. Lederhilfsmittel; Rohstoff für maschinelle Instrumentendesinfektionsmittel. *B.:* BASF.

Protectol® KLC 50. Dimethyl-*n*-(C12/C14)-alkylbenzylammoniumchlorid. Rohstoff für Desinfektions- u. Konservierungsmittel; mit erweitertem Prüfzertifikat gemäß EP-1996 u. DAB-1996-Methoden. *B.:* BASF.

Protectol® Marken. Biozide für die Desinfektion, Wasserbehandlung u. Konservierung. *B.:* BASF.

Protectol® TOE u. TOE Granulat. 3,5-Dimethyl-1,3,5-2*H*-tetrahydro-thiadiazin-2-thion. Wasserbehandlung von Kühlkreisläufen u. Schleimverhinderung bei der Papierherst., Konservierungsmittel für Leime, Papier, Textil- u. Lederhilfsmittel. *B.:* BASF.

Protectosil®. Organ. *Silane als Hydrophobierungsmittel für Beton, Natur- u. Kunststein sowie Holz. *B.:* Degussa.

Protegin®. Mischungen nichtionogener *Emulgatoren, v. a. partieller Fettsäureester, aliphat. *Alkohole u. *Sterine in Verbindung mit Wachsen u. Paraffinen als wasserbindende Grundlagen für Hautcremes vom Typ W/O. *B.:* Goldschmidt.

Proteide. Veraltete Sammelbez. für zusammengesetzte od. *konjugierte *Proteine*, deren Mol. auch Nichtaminosäure-artige Bausteine enthalten. Je nach Art der *prosthetischen Gruppe* (Nichtprotein-Bestandteil) unterscheidet man **Glykoproteine* (enthalten Kohlenhydrate), **Mucine* (Glykosaminoglykane), **Phosphoproteine* (Phosphorsäure), **Nucleoproteine* (Nucleinsäuren), **Metallproteine* (Metall-Verb.), **Chromoproteine* (Farbstoffe), **Lipoproteine* (Lipide). – *E* proteids – *F* protéides – *I* proteidi – *S* proteidos

ρ-Protein (Rho-Protein, ρ-Faktor, Rho-Faktor) s. Ribonucleinsäuren u. Transkription.

Protein 4.1 s. Bande 4.1, Synapsine.

Protein A (SpA). Ein Zellwandprotein des Bakteriums *Staphylococcus aureus*, M_R 42000, das als Mitogen u. Aktivator auf B-*Lymphocyten wirkt u. *Immunglobuline G (*Antikörper) verschiedener Säugetiere bindet, ohne daß deren Antigen-Bindungsvermögen beeinflußt wird.

Verw.: In spezif. markierter Form für die *Immunfluoreszenz, ELISA (s. Enzymimmunoassay) u. verwandte Meth. sowie immobilisiert an Trägern zur Reinigung von Antikörpern. Ähnliche Eigenschaften, Herkunft (Streptokokken) u. Verw. besitzt *Protein G* (SpG) [1]. Zur Verw. von *Fusionsproteinen des SpA u. SpG s. *Lit.*[2]. – *E* protein A – *F* protéine A – *I* proteina A – *S* proteína A

Lit.: [1] Nature (London) **359**, 752 ff. (1992). [2] Pathol. Biol. **45**, 66–76 (1997). – *[CAS 100179-19-9]*

Proteinase K (EC 3.4.21.64). *Serin-Protease (279 Aminosäure-Reste, M_R 29000) aus dem Pilz *Tritirachium album*, die die ungewöhnliche Fähigkeit besitzt, *Keratine zu spalten. P. K hat ein alkal. pH-Optimum, ist in der Spezifität dem *Subtilisin ähnlich u. benötigt Calcium-Ionen zur vollen Aktivität. – *E* proteinase K – *F* protéinase K – *I* proteinasi K – *S* proteinasa K – *[CAS 39450-01-6]*

Proteinasen (EC 3.4.21–3.4.24; Endopeptidasen). Untergruppe der *Proteasen. P. katalysieren die hydrolyt. Spaltung von *Peptid-Bindungen im Inneren von *Peptiden od. *Proteinen, – im Gegensatz zu den *Exopeptidasen, die von den Enden her angreifen. Die P. werden nach ihrem Katalyse-Mechanismus weiter untergliedert in Serin-P. (EC 3.4.21, s. Serin-Proteasen), *Cystein-P.* (Thiol-P., EC 3.4.22, vgl. Cystein-Proteasen), *Aspartat-Proteinasen (Carboxy-P., saure P., EC 3.4.23) u. *Metall-P.* (EC 3.4.24, s. Metall-Proteasen). – *E* proteinases – *F* protéinases – *I* proteinasi – *S* proteinasas

Protein-Biosynthese s. Proteine u. Translation.

Protein C (Autoprothrombin II A, Faktor XIV). Im Blut vorkommendes, *Vitamin-K-abhängiges *Glykoprotein aus zwei Polypeptid-Ketten (M_R 21000 bzw. 40000), das nach Aktivierung durch den *Thrombin-*Thrombomodulin-Komplex als *Serin-Protease (aktiviertes P. C, APC) die Faktoren V_a u. VIII_a abbaut u. somit die *Blutgerinnung hemmt. Bei angeborener Resistenz gegen aktiviertes P. C – meist verursacht durch Mutation (Arg 506 Gln) des Faktors V – besteht leicht (5–7fach) erhöhtes Thrombose-Risiko [1]. Als Cofaktor wirkt neben Calcium-Ionen u. Phospholipiden ein weiteres Protein (*Protein S*, M_R 84000), das jedoch selbst keine Protease-Aktivität besitzt, hingegen nach neueren Erkenntnissen durch Bindung an den Rezeptor Dtk (Tyro3, Sky, Rse, Brt, Tif) bei der Regulation der embryonalen *Hämatopoese mitwirkt [2] u. Verwandtschaft zum Sexualhormon-bindenden Globulin (s. Sexualhormone) aufweist. Außerdem fördert P. C die Fibrinolyse (s. Fibrin) u. stört die Funktion der *Thrombocyten bei der Gerinnung. – *E* protein C – *F* protéine C – *I* proteina C – *S* proteína C

Lit.: [1] Dtsch. Med. Wochenschr. **123**, 137 ff. (1998). [2] Exp. Hematol. **24**, 318–323 (1996).
allg.: Haematologica **82**, 91–95 (1997). – *[CAS 124585-18-8]*

Protein Data Bank (PDB). Bei Brookhaven National Laboratory (BNL) in Upton, NY, USA, seit 1971 unterhaltenes Computer-Datenarchiv für *Protein- u. a. makromol. Raumstrukturen. Die PDB wird durch staatliche US-amerikan. Stellen unterstützt, darunter National Science Foundation u. National Institutes of Health. Erklärtes Ziel des BNL ist, die inzwischen über 7350 Einträge umfassenden, aus *Röntgenstrukturanalyse u. zweidimensionaler *NMR-Spektroskopie stammenden Strukturdaten einer möglichst breiten Öffentlichkeit zugänglich zu machen. Die Datenbank kann über das Internet abgefragt werden [1].

Lit.: [1] http://pdb.pdb.bnl.gov/.

Protein-Disulfid-Isomerase s. Disulfid-Brücken.

Proteine (Eiweiße, Eiweißstoffe, Eiweißkörper). Auf *Berzelius zurückgehende u. seit Mulder (1838) gebräuchliche u. von griech.: proteuein = „der Erste sein“ abgeleitete Sammelbez. für natürlich vorkommende *Copolymere, die sich in der Regel aus 20 verschiedenen α-*Aminosäuren (im folgenden: AS) als Monomeren zusammensetzen. Von den nahe verwandten *Polypeptiden werden sie aufgrund ihrer mol. Größe unterschieden, wenn auch nicht immer streng abgegrenzt: Ab etwa 100 Monomer-Einheiten (AS-Resten) spricht man meist von Proteinen. Es ergeben sich M_R von 10000 bis mehrere Millionen.
Die Aufeinanderfolge der einzelnen Bausteine (*AS-Sequenz, Primärstruktur*) unterliegt im allg. keinen offensichtlichen Gesetzmäßigkeiten, so daß potentiell jede Kombination möglich ist. Gäbe es von jedem möglichen Protein-Mol. nur ein Exemplar u. würden nur Mol.-Größen entsprechend 150 AS-Einheiten betrachtet, so ergäbe sich bei 20 verschiedenen AS die unvorstellbar große Zahl von 20^{150} (eine Zahl mit 195 Stellen) unterschiedlicher Mol., die unser Weltall etwa 10^{90}-mal auffüllen könnten. Die Auswahl aus dieser Fülle treffen die Lebewesen nach Maßgabe der genet. Information (s. bei Biosynth.). Man schätzt, daß in unserem Lebensraum ca. 10^{11} verschiedene P. vorkommen; ein Höherer Organismus soll ca. 10^5-10^6 verschiedene P. enthalten.
Man teilt die P. nach Gestalt u. Verhalten gegen Wasser u. Salze ein in: **globuläre* od. *Sphäroproteine*, z. B. Albumine, Globuline, Gluteline, Histone, Prolamine, Protamine, sowie: **Skleroproteine* od. *fibrilläre, Gerüst-* od. *Faser-Proteine* (Gerüst-Eiweiß), z. B. Keratine, Fibroin, Elastin, Collagen. Nach der Zusammensetzung trifft man die Einteilung in *einfache P.*, deren Hydrolyse nur AS gibt, u. *zusammengesetzte P.* (*konjugierte Proteine*, veraltet: Proteide), die außer AS für die spezif. Eigenschaften *essentielle Nichtproteinkomponenten – die *prosthetischen Gruppen (in Klammern; ggf. mit Beisp.) – enthalten: *Nucleoproteine* (Nucleinsäuren; Chromatin), *Glykoproteine* (Kohlenhydrate; Lectine, Immunglobuline, Blutgruppensubstanzen), *Lipoproteine* (Lipide), *Phosphoproteine* (Phosphorsäure; Casein, Vitelline), *Chromoproteine* (Farbstoffe; Hämoglobin, Cytochrome, Katalase, Rhodopsin), *Metallproteine* (Metalle; Caeruloplasmin, Transferrin, Ferredoxin u. a. Eisenproteine) u. a. mehr.
Vork. u. biolog. Bedeutung: P. sind in der belebten Welt allgegenwärtig. Neben *Kohlenhydraten u. Fetten (s. Fette u. Öle) sind sie die dritte große Gruppe von Nahrungs- u. Reservestoffen. Auf der Anwesenheit bestimmter P. beruhen Struktur, Funktion u. *Stoffwechsel aller lebenden *Zellen u. *Gewebe; in gewissem Sinn sind die P. die Träger der Lebensfunktionen schlechthin. Man findet sie gleichermaßen in Tieren, Pflanzen u. Mikroorganismen, so z. B. in den Muskeln (*Actin, *Myoglobin, *Myosin), im Blut (*Hämoglobin), in Bindegewebe, Sehnen u. Bändern (*Collagen, *Elastin), im Serum (Fibrinogen, *Immunglobuline, s. a. Plasma- u. Serumproteine), in Wolle, Haaren, Hörnern, Hufen, Klauen, Nägeln usw. (*Keratine), in den Seidenfäden (*Fibroin), in Weichtierschalen (*Conchagene), in Knochen (*Ossein), in der Milch (*Albumine, *Casein) usw. – eine vollständige Aufzählung erscheint weder möglich noch sinnvoll. Der P.-Gehalt tier. u. pflanzlicher Organe ist sehr verschieden, z. B.: Fleisch (Muskelgewebe, Rind) 19%, Fisch 16–18%, Knochen (Rind) 30%, Haut 90–97%, Horn, Klauen, Haare 90–100%, Blut (Mensch) 21%, Milch (Mensch) 1%, (Kuh) 3,2%, (Schaf) 5,6%, Eiklar (Huhn) 12–13%. Pflanzliches P. ist vorwiegend in Samen, Knollen usw. gespeichert, z. B. in Getreidekörnern (10–12%), Lupinensamen (37%), Sojabohnen (36%), Kartoffelknollen (nur 2%). Vielfältig sind auch die Funktionen der P. im Organismus: Als Enzyme (Beisp. s. dort), Transport- u. Speichermol. (Ferritin, Hämoglobin), mol. Motoren (Dynein, Kinesin, Myosin), Gerüstsubstanzen (*Skleroproteine, *Gerüst-Eiweiß*) mit mechan. stützenden Funktionen (Keratine, Collagene, Ossein), in der Immunabwehr (Immunglobuline, Komplement), Hormone (Follitropin, Thyreotropin), Hormon- u. Neurotransmitter-*Rezeptoren, Regulatoren (Enzym-Inhibitoren, *Transkriptionsfaktoren), Schlangengifte, Bakterientoxine, als *Reservestoffe (Gliadin, Zein, Edestin) in Pflanzenorganen usw.
Eigenschaften: Die meist gut wasserlösl. P. (Ausnahmen: Membran-P., s. Membranen, u. Skleroproteine) sind gegen physikal. u. chem. Einwirkung im allg. ziemlich empfindlich. So gerinnt z. B. das Hühner-Eiweiß (Eiklar) oberhalb 65 °C; man bezeichnet diesen Vorgang als *Denaturierung*. Er beruht auf einer Zerstörung der Raumstruktur der P. unter Aufbrechen eines Teils der schwachen innermol. Wechselwirkungen [1] (vgl. den Abschnitt zur Struktur). Im Gegensatz dazu sind die *nativen P.* (die man z. B. durch Wasser od. Puffersalz-Lsg. aus den Geweben herauslöst) vermutlich noch in dem gleichen Zustand vorhanden wie im Gewebe selber. Denaturierende Agenzien sind z. B. Guanidiniumchlorid, Harnstoff, Natriumdodecylsulfat, elektr. Ladungen, Säuren (Milchgerinnung infolge Milchsäure-Bildung), Schwermetallsalze usw. Schonendere *Ausflockungen ohne bedeutende Denaturierung können z. T. durch Alkohol, Ammoniumsalze u. dgl. erreicht werden. Bei dieser Ausfällung erfolgt eine Schwächung der Hydrathülle der Proteine. Bei der *Quellung werden Wasser-Mol. von den P.-Mol. gebunden. Bei vielen globulären P. ist auch eine *Kältedenaturierung* bekannt, d. h. eine Inaktivierung bei Abkühlung der P.-Lösung.
Aufgrund der ionisierbaren Seitenketten der sauren AS Asparaginsäure u. Glutaminsäure (können Anionen bilden), der bas. AS Lysin, Arginin u. Histidin (können Kationen bilden), sowie der freien Amino- u. Carboxy-Gruppe an den Enden der Polypeptid-Kette kommt dem Protein ein *amphoterer Charakter zu, u. es nimmt in Abhängigkeit vom pH-Wert eine jeweils verschiedene elektr. Gesamtladung an; der pH-Wert, bei dem diese verschwindet, heißt *isoelektr. Punkt*. Bei ihm ist die Wasserlöslichkeit des P. am geringsten.
Struktur: Die *Elementaranalyse* weist bei P. (neben Sauerstoff, in % Trockengew.) Kohlenstoff (50–52%), Wasserstoff (6,8–7,7%), Stickstoff (15–18%) u. Schwefel (0,5–2%) nach. Häufig findet man auch

noch Phosphor, gelegentlich auch Spuren von Eisen, Kupfer, Zink, Mangan, Chlor, Brom, Iod u. dgl., die Begleitsubstanzen (*Cofaktoren) angehören.
AS-Zusammensetzung: Der für P. bes. kennzeichnende Stickstoff-Gehalt ist auf ihre Grundbausteine, die AS, zurückzuführen. Mit Hilfe von Säuren, Laugen od. Enzymen (s. Proteasen) lassen sich alle P. nahezu restlos hydrolyt. in AS zerlegen. Die Analyse dieser Hydrolysate ergibt, daß P. – neben selteneren Aminosäuren (s. dort) – immer wieder dieselben 20 AS enthalten, wenn auch in unterschiedlichen Anteilen u. nicht immer alle zugleich, nämlich Glycin (Gly), L-Alanin (Ala), L-Serin (Ser), L-Cystein (Cys), L-Phenylalanin (Phe), L-Tyrosin (Tyr), L-Tryptophan (Trp), L-Threonin (Thr), L-Methionin (Met), L-Valin (Val), L-Prolin (Pro), L-Leucin (Leu), L-Isoleucin (Ile), L-Lysin (Lys), L-Arginin (Arg), L-Histidin (His), L-Asparaginsäure (Asp), L-Asparagin (Asn), L-Glutaminsäure (Glu) u. L-Glutamin (Gln). Alle opt. aktiven AS der P. haben also L-Konfiguration, was im folgenden bei Nennung einzelner Aminosäuren nicht mehr speziell angegeben wird.
Peptid-Bindung: Der Zusammenschluß dieser AS zu den hochmol. P. geschieht durch die Bildung von Säureamid-Bindungen zwischen den Carboxy- u. Amino-Gruppen verschiedener AS-Moleküle. Die Zusammensetzung aus AS u. die Art der Bindung, die man als **Peptid-Bindung* bezeichnet, haben die P. mit den weniger hochmol. *Peptiden gemeinsam. Insbes. unterscheidet man diese nach Anzahl der verknüpften AS-Einheiten als Di-, Tri-, *Oligo- (bei bis zu 10 AS-Resten) u. *Polypeptide (ca. 10–100 AS-Reste). Demnach kann man Peptide u. P. mit der in Abb. 1 dargestellten Strukturformel charakterisieren, die auch zum Ring geschlossen sein kann, s. Cyclopeptide.

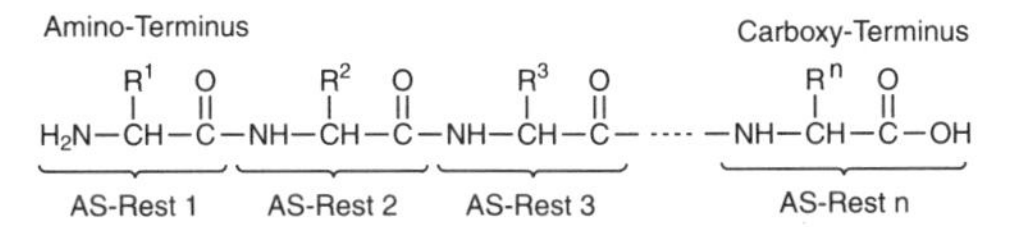

Abb. 1: Verknüpfung der AS in Proteinen durch Peptid-Bindung.

Am Aufbau des fortlaufenden Teils der Peptid-Kette (*Rückgrat*, *E* backbone) ist also jeder AS-Baustein mit dem gleichen Anteil –CO–C(R)H–NH– beteiligt; nur die außerhalb der Kette liegenden Reste R (*Seitenreste*, *Seitenketten*, *E* side chains) variieren. Mit Hilfe von in den Seitenketten enthaltenen Amino- u. Carboxy-Gruppen bilden einige P. jedoch auch *Isopeptid-Bindungen* (vgl. Isopeptide) aus.
Die Polypeptid-Ketten eines makromol. Proteins sind sowohl in Lsg. als auch im Krist. in charakterist. Weise gewunden u. gefaltet u. besitzen unter gegebenen Bedingungen eine ganz bestimmte **Konformation*. Bei der Struktur der P. unterscheidet man nach Linderstrøm-Lang zwischen Primär-, Sekundär-, Tertiär- u. Quartärstruktur. Für diesen Strukturaufbau sind nicht nur die Säureamid-Bindungen, sondern darüber hinaus kovalente *Disulfid-Brücken u. verschiedene Arten von *Nebenvalenzbindungen* (*zwischenmolekulare Kräfte) maßgebend, unter diesen bes. die **Wasserstoff-Brückenbindung* (in Abb. 2 durch Punktlinien dargestellt).

Die *Primärstruktur* wird durch das Zusammentreten der AS zum P. unter Knüpfung der Peptid-Bindung ausgebildet u. ist durch die jeweilige Reihenfolge (*Sequenz*) der AS charakterisiert. Sie wird durch Sequenzanalyse (s. unten) festgestellt u. beginnend mit der AS, die eine freie α-Amino-Gruppe besitzt (Amino-Terminus, s. Abb. 1) unter Benutzung des Drei- od. Einbuchstabencodes (s. Aminosäuren) angegeben. Man kennt heute über 70000 P.-Sequenzen. P. mit teilw. übereinstimmenden Primärstrukturen sind meist homolog (s. Homologie); die Übereinstimmung kann aber auch Ausdruck einer funktionell bedingten konvergenten Entwicklung sein.
Wasserstoff-Brückenbindungen des Typs N–H···O=C zwischen den Atomen des Peptid-Rückgrats sind für die Ausbildung der *Sekundärstruktur* verantwortlich. Darunter versteht man gewisse regelmäßige, d. h. vom „Zufallsknäuel" (*E* random coil) abweichende lokale Faltungsmuster, v. a. die schraubenförmige, rechtsgewundene α-**Helix* u. das durch parallele od. antiparallele (gegenläufige) Anordnung mehrerer Abschnitte der Polypeptid-Kette zustande kommende *β-Faltblatt* (Abb. 2).

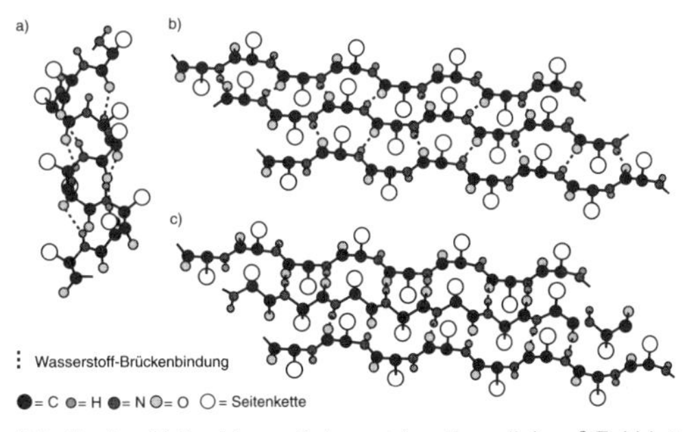

Abb. 2: a) α-Helix, b) paralleles u. c) antiparalleles β-Faltblatt. Von den Wasserstoff-Atomen sind aus Gründen der Übersichtlichkeit nur die polarisierten gezeigt, die an Wasserstoff-Brückenbindungen teilnehmen können.

Die von *Pauling u. *Corey aufgeklärte Struktur der α-Helix ist wie folgt zu charakterisieren: 3,6 Aminosäure-Reste pro Windung, 0,54 nm Ganghöhe, 1,05 nm Gesamtdurchmesser. Die Seitenketten weisen nach außen, Wasserstoff-Brücken bilden sich ungefähr in Richtung der Helix-Längsachse. Durch Prolin-Reste wird die Konformation der α-Helix gestört; die Tendenz der einzelnen AS, die α-Helix zu bilden, ist unterschiedlich. Beim β-Faltblatt liegen die Peptid-Ketten in nahezu gestreckter Konformation vor, Seitenreste stehen abwechselnd nach beiden Seiten senkrecht von der Faltblatt-Ebene ab, die Wasserstoff-Bindungen liegen in dieser. Einen hohen Anteil an α-Helix besitzen z. B. α-*Keratine, *Myosine, *Hämoglobin, *Myoglobin, während *Fibroin, *Immunglobuline u. a. überwiegend aus β-Faltblatt bestehen. Eine zylindr. Anordnung von 8 parallelen β-Faltblatt-Strängen, die von 8 α-Helices umgeben sind, verleiht dem sog. α/β-Faß (*E* α/β *barrel*) der *Triosephosphat-Isomerase, der *Ribulosebisphosphat-Carboxylase u. vieler anderer P. seinen ästhet. Reiz; ein reines β-Faß (10 zylindr. angeordnete β-Stränge, abwechselnd „auf- u. abwärts" laufend) liegt z. B. bei *Superoxid-Dismutase vor, ein entsprechendes 8-strängiges β-Faß ziert die *Lipocaline. Gewisse Sklero-P. besitzen bes. Sekundärstrukturen wie z. B. 3 umeinander gewundene linksgängige Helices bei *Collagenen; dimerisierende P. haben zuweilen zwei miteinander verdrillte α-Helices (*E*: coiled coil)[2]. Eine nicht selten vorgefundene Ungleichverteilung von polaren u. unpolaren AS auf zwei Längshälften der α-Helix resultiert in der *amphipathischen Helix.

Unter *Tertiärstruktur* versteht man die räumliche Anordnung der Peptid-Kette sowie der AS-Seitenreste, die durch *Disulfid-Brücken, durch Wasserstoff-Brückenbindungen, durch ion. u. durch hydrophobe Wechselwirkungen (s. hydrophobe Bindung), meist zwischen AS-Seitenketten, stabilisiert wird. Durch Disulfid-Brücken können – wie bei Ribonuclease u. Chymotrypsinogen – in der Sequenz voneinander entfernte Bereiche einer Polypeptid-Kette od. – wie bei Chymotrypsin u. Immunglobulin – mehrere Polypeptid-Ketten kovalent miteinander verbunden werden. Im Insulin finden sich zwei Disulfid-Bindungen zwischen den beiden Polypeptid-Ketten u. eine dritte zwischen den AS-Resten 6 u. 11 der sog. A-Kette. Die Wasserstoff-Brückenbindung zwischen AS-Seitenketten, die in Ggw. von Wasser, d. h. an der Oberfläche des Makromol., eher instabil ist, besitzt ihre größte Bedeutung in dessen Inneren. Dort befinden sich aufgrund hydrophober Wechselwirkung v. a. unpolare (hydrophobe, lipophile) AS-Reste, während sich die polaren u. geladenen Seitenketten (letztere können ion. Bindungen eingehen) in wäss. Lsg. eher nach außen wenden. Im Fall der integralen Membran-P. (s. Membranen) besteht jedoch der Teil der P.-Oberfläche, der ins lipophile Milieu der Membran eingebettet ist, ebenfalls überwiegend aus unpolaren AS-Gruppen. Auch ohne Disulfid-Brücken können allein durch Nebenvalenz-Stabilisierung mehrere Polypeptid-Ketten zu einer funktionellen Einheit verbunden sein. Eine *Quartärstruktur* liegt dann vor, wenn ein P. nicht aus einer einzigen Polypeptid-Kette besteht, sondern aus einer definierten Anzahl solcher Ketten (*Untereinheiten*; häufig 4, z. B. bei Hämoglobin, aber auch 2, 6 od. 20), die untereinander nicht durch Peptid-Bindungen, sondern durch intermol. wirkende Kräfte zusammengehalten werden. Dabei können sich Konformationsänderungen der einen Untereinheit den übrigen mitteilen u. auch bei diesen zu Veränderungen führen (**Kooperativität, Beisp.:* Hämoglobin).

Die vier genannten Strukturniveaus (Primär-, Sekundär-, Tertiär- u. Quartärstruktur) sind voneinander abhängig. So kann man – wenn auch noch mit mangelnder Treffsicherheit – die Elemente der Sekundärstruktur (Helix, Faltblatt) eines bestimmten P. aus dessen AS-Sequenz ableiten. Im Prinzip sollte es sogar möglich sein, die Gesamtstruktur aus der Kenntnis der Primärstruktur vorherzusagen, jedoch ist dieser Anspruch bis heute noch nicht verwirklicht[3]. Einige nicht natürlich vorkommende P. konnten jedoch am Reißbrett entworfen u. mit den gewünschten Struktur-Eigenschaften synthetisiert werden. Durch *Kristallstrukturanalyse u. mehrdimensionale *NMR-Spektroskopie (vgl. im Abschnitt über Analytik) kennt man heute jedoch die Geometrien hunderter verschiedener P.-Typen. Die vorliegenden Daten (zu einer P.-Datenbank s. Protein Data Bank) gestatten nicht nur, durch Strukturvergleich den Ablauf der biolog. *Evolution nachzuvollziehen, sondern auch den Mechanismus der P.-Faltung[4], die spontan erfolgen od. durch *Chaperone assistiert werden kann, zu erforschen – schließlich möchte man verstehen, wodurch die Topologie eines P. bestimmt wird.

Es hat sich erwiesen, daß sich bestimmte Teilbereiche der Kette mehr od. weniger unabhängig voneinander falten, wodurch sich *Domänen bilden. Die Raumstruktur der P. darf man sich übrigens nicht vollkommen starr vorstellen. Ihre Flexibilität, die sich in Fluktuationen zwischen Konformations-Unterzuständen u. mol. Beben ausdrückt u. die auch z. B. durch *NMR-Spektroskopie festgestellt werden kann, ermöglicht es erst den Makromol., ihre Funktionen als Enzyme, Rezeptoren usw. zu erfüllen, u. ist auch unerläßlich für die Übertragung von Konformationsänderungen, die alloster. Regulation (s. Allosterie) u. die Wechselwirkungen von P. untereinander (z. B. Protease u. Inhibitor) od. mit anderen Makromol. wie Nucleinsäuren (z. B. Transkriptionsfaktor u. *Desoxyribonucleinsäure, Abk.: DNA). Zur Veranschaulichung solcher mol. Wechselwirkungen u. Dynamik sowie zu Energieberechnungen bemüht man in der biochem., molekularbiolog. u. pharmakolog. Forschung Computer-Simulationen (*E molecular modeling* bzw. *molecular dynamics simulation*).

Biosynth.: Die *Biosynth.* der P. aus AS od. **Translation* findet in *eukaryo(n)tischen Zellen an den Ribosomen (vgl. dort) des Cytoplasmas, des rauhen *endoplasmatischen Retikulums (ER) u. der Kernhülle statt. Etwas andersgeartete Ribosomen besitzen die Bakterien, die *Mitochondrien u. *Plastiden. Die genannten Zell-Organellen besitzen also auch die Fähigkeit zur P.-Synth., importieren daneben aber viele P. aus dem *Cytoplasma.

Zu den einzelnen Schritten der P.-Biosynth. s. Translation.

Die Synth. der P. beginnt am Amino-Ende u. endet am Carboxy-Terminus. Man nimmt an, daß sie sich schon während des Synth.-Vorgangs zu falten beginnen. Viele sekretor. P. tauchen – auch schon während ihrer Synth. – mit ihren aminoterminalen Erkennungssequenzen (*Signalpeptiden) in die Membran des ER ein u. werden dort eingeschleust[5]. Dabei spielt ein bestimmtes Nucleoprotein, die Signal-Erkennungs-Partikel (*E* signal recognition particle, Abk. SRP), eine Vermittler-Rolle. P., die anschließend im ER zu verbleiben haben, besitzen das Retentions-Signal KDEL (Lys-Asp-Glu-Leu). Im Cytoplasma synthetisierte, für den Import z. B. in *Mitochondrien[6] vorgesehene P. besitzen ebenfalls Signal-Sequenzen u. werden durch die äußere u. die innere Membran, u. zwar an deren Kontaktstellen transportiert. Haben diese P. die Membranen passiert, werden sie durch spezif. *Proteasen ihres Signalpeptids entledigt, wodurch der Transport irreversibel wird, u. falten sich mit Unterstützung durch das *Hitzeschock-Protein hsp60. Für die innere Mitochondrien-Membran od. den Membran-Zwischenraum bestimmte P. besitzen weitere Signalsequenzen. Noch komplizierter ist der P.-Transport in

*Chloroplasten[7], da bei diesen zusätzlich das Kompartiment der Thylakoiden als Bestimmungsort in Frage kommt. In den Zellkern gelangen P., die die dementsprechende Signalsequenz besitzen, durch die Kernporen mit Hilfe des *Kernporen-Komplexes[8] u. verschiedener lösl. Proteine wie *Importin u. des *kleinen GTP-bindenden Proteins Ran.
Während der Translation (*cotranslational*) finden mit der Acetylierung u./od. Entfernung eines Methionin-Rests bei Eukaryonten bereits Modifizierungen des Amino-Terminus des entstehenden (naszierenden) P. statt. Im ER u. im *Golgi-Apparat, über den die P. per Vesikel-Transport zum Bestimmungsort wandern (z.B. Cytoplasma-Membran, Vakuole, Lysosomen), aber auch im Cytoplasma erfolgen etliche *posttranslationale Modifikationen*, darunter Acylierung, Carboxylierung (in Pos. 4 von Glutaminsäure-Resten – *Vitamin-K-abhängig), Glykosylierung, Glypiierung (Anknüpfung eines *Glykosylphosphatidylinosit-Ankers), Prenylierung (s. Prenylproteine), Disulfid-Isomerisierung[9] (durch P.-Disulfid-Isomerase, EC 5.3.4.1), Hydroxylierung (von Lysin u. Prolin – *Vitamin-C-abhängig, s. Collagene), *Phosphorylierung (an Threonin, Serin, Tyrosin; s.a. Protein-Kinasen), Sulfatierung (an Tyrosin), Protein-Spleißen[10] (vgl. Inteine) u. andere. Proteohormone u. sekretor. Enzyme müssen schließlich noch aus (nicht od. anders aktiven) Vorstufen (Prohormonen bzw. Proenzymen od. Zymogenen) „herausgeschnitten" werden.
Abbau: Von außen mit der Nahrung zugeführte P. werden im Verdauungstrakt, körpereigene dagegen meist intrazellulär zu AS abgebaut. Bei der *Verdauung erfolgt im Magen u. Darm eine Aufspaltung in Peptide bzw. AS unter dem Einfluß Eiweiß-spaltender Enzyme (*Proteasen), die allerdings zuvor erst aus ihren *Zymogenen freigesetzt werden müssen. Die Spaltprodukte wandern durch die Darmwand u. werden in den arbeitenden *Zellen (nach erfolgter Desaminierung) zu Kohlendioxid u. Wasser oxidiert (*Katabolismus*) od. aber mit Hilfe von Nucleinsäuren u. Enzymen zu arteigenen Eiweißstoffen zusammengefügt (*Anabolismus*). Beim vollständigen Abbau ergibt 1 g P. die Energie von etwa 17,2 kJ (4,1 kcal).
Durch oxidative Prozesse[11] u. *Glykation altern die Proteine. Die menschlichen Eiweißstoffe der Leber werden in 10–20 Tagen, diejenigen der Haut u. Muskulatur in ca. 160 Tagen zur Hälfte erneuert. Die Hälfte des menschlichen Bluteiweißes wird in 10 Tagen ab- u. wieder aufgebaut, u. täglich werden 9% der Plasma-Albumine umgesetzt. Bei Eukaryonten werden intrazelluläre P., die im Cytoplasma abgebaut werden sollen, von einem Multienzym-Komplex an ihrem aminoterminalen AS-Rest sowie einer AS im Inneren der Kette erkannt u. mit mehreren Mol. des Polypeptids *Ubiquitin verknüpft. Dies ist das „Brandzeichen" für einen *Adenosin-5′-triphosphat-abhängigen Protease-Komplex (Proteasom), der die ubiquitinierten P. verdaut. Bei Proteolyse innerhalb von tier. Zellen spielen auch *Lysosomen[12] u. die darin enthaltenen *Kathepsine eine wichtige Rolle. Dabei werden P., die bestimmte AS-Sequenzen enthalten, schneller abgebaut als andere.
Ernährung: Bei der Nutzung der P. denkt man zunächst an die **Ernährung* von Mensch u. Tier. Unter allen Nahrungsmitteln kann das P. dabei am wenigsten entbehrt werden. Durch gesteigerte Eiweiß-Verbrennung läßt sich ein Ausfall an Fetten u. Kohlenhydraten für einige Zeit ausgleichen, dagegen erfolgt bei völlig fehlender P.-Zufuhr (selbst bei überreichlicher Zufuhr an Fett u. Kohlenhydraten) eine nach kurzer od. längerer Zeit tödliche Auszehrung, da der Erwachsene täglich ca. 30 g seines Körpereiweißes verbrennt. Der tägliche Mindestbedarf an P. (Milcheiweiß) wird von der WHO auf 37 g für einen Mann von 65 kg u. auf 29 g für eine Frau von 55 kg berechnet; es gibt allerdings auch Auffassungen, daß diese Werte zu niedrig angesetzt seien. Man erwartet im allg., daß etwa 15% des Brennwertbedarfs durch P. gedeckt werden.
Übrigens sind die P. der verschiedenen Nahrungsmittel wegen unterschiedlicher AS-Zusammensetzung für den Menschen biolog. nicht gleichwertig. Wenn man z.B. für Milcheiweiß die Vergleichszahl 100 setzt, ergibt sich für P. aus Rindfleisch 104, für Fisch-P. 95, Reis-P. 88, Kartoffel-P. 79, Erbsen-P. 55 u. für Weizenmehl-P. 40. Der biolog. Wert von Hefe-P. liegt zwischen dem von tier. u. pflanzlichem Eiweiß. Der Mensch kann also z.B. aus 100 g Fleisch-P. bedeutend mehr körpereigene Substanz aufbauen als etwa aus 100 g Weizen-P. od. Mais-Protein. Mangel an P. führt bes. bei Kindern der P.-armen, feuchten Tropengebiete oft zu ausgesprochenen, manchmal tödlichen P.-Energie-Mangelsyndromen (PEM) wie *Marasmus* (kalor. Unterernährung) od. *Kwashiorkor* (Mehlnährschaden). Kwashiorkor wird heute zusätzlich auf eine Schädigung der Leber durch *Aflatoxine als Ursache zurückgeführt.
Herst.: *Chem. Synth.:* Die laboratoriumsmäßige Teilsynth. von P. ist schon Emil *Fischer vor dem 1. Weltkrieg geglückt. Er konnte bereits einen Eiweiß-ähnlichen Körper aus 18 Aminosäuren mit einer M_R von rund 1200 aufbauen (*Peptid-Synthese). Zahn et al. gelang 1963 die erste Totalsynth. eines P. (Insulin), u. 1969 synthetisierten Gutte u. Merrifield (Nobelpreis für Chemie 1984) in 11931 Schritten in ihrer Synth.-Maschine (s. Merrifield-Technik) die gesamte Sequenz der Ribonuclease. Zur Synth. von Peptiden im Labormaßstab ist die Meth. durchaus eingeführt, für P. ist sie jedoch im allg. immer noch relativ aufwendig u. besitzt vergleichsweise geringe Bedeutung. Natürlich kommen derartige vollsynthet. Meth. für die Gewinnung von Nahrungs-P. erst recht nicht in Frage.
In zunehmendem Maß werden heute die Meth. der *Gentechnologie* (Näheres s. dort) zur Synth. bestimmter P. angewendet (*E* protein engineering; z.B. Interferon, Somatostatin, Insulin), bei denen man sich der das betreffende P. codierenden DNA bedient, indem man diese entweder durch Total- od. Teilsynth. bereitstellt bzw. *cDNA verwendet od. natürlich vorkommende DNA modifiziert (gezielte Mutagenese, *E* site directed mutagenesis).
Angesichts der großen biolog. u. ernährungsphysiolog. Wichtigkeit der Eiweißstoffe kommt der ausreichenden P.-Produktion bes. Bedeutung zu. Schon seit Jahren hält man daher nach möglichen Quellen für die

zukünftige P.-Versorgung durch unkonventionelle Meth. Ausschau. Grundsätzlich bieten sich hier zwei Möglichkeiten an: 1. *Chem./biochem./biotechnolog.* u. 2. *biolog. Methoden.*

Bei den biochem. Verf. ließ man zunächst Zucker (Glucose, Xylose) u. Stickstoff-haltige Nährsalze mit Hilfe bestimmter Wildhefen (z.B. *Torula-Hefen) statt zu Alkohol zu P. „vergären". Später fand man durch systemat. Untersuchungen – Arbeitsgebiet ist die *Biotechnologie – weitere Substrate, die sich zusammen mit Stickstoff-, Schwefel- u. Phosphor-Quellen zur P.-Gewinnung eigneten, z.B. Cellulose, Sulfit-Ablaugen, Melasse u.a. Abfallprodukte, Erdöl-Paraffine (zur Deckung des Weltbedarfs an P. aus Erdöl würden weniger als 2% der Welt-Erdölförderung genügen), Ethanol, Methan u. Methanol. Als zur mikrobiellen P.-Herst. geeignete Organismen erwiesen sich neben *Hefen auch *Algen u. *Bakterien, also einzellige Mikroorganismen. Daher bezeichnet man die so produzierten P. heute bevorzugt als *Einzellerproteine* (EZP, s. single cell protein, Abk. SCP). Zwar haben sich die ursprünglichen Hoffnungen hinsichtlich der großtechn. Gewinnung von *Nahrungs-P.* bisher nicht erfüllt – die meisten P.-Qualitäten sind wegen ihres Aminosäure-Ungleichgew. u. erhöhten Nucleinsäure-Gehalts nicht ohne weiteres für den menschlichen Verzehr geeignet –, doch dürfte das SCP auf dem Umweg über **Futtermittel* beim Ausgleich des globalen P.-Defizits von Nutzen sein. Einschränkend ist festzustellen, daß z.Z. die Herst. von P. aus Erdöl (*Petroproteine*), verglichen mit derjenigen aus Methan(ol) od. gar aus Soja- od. Fischmehl (*E* fish protein concentrate, *FPC*), nicht wirtschaftlich ist.

Im Gegensatz zu den SCP sind P. aus pflanzlichen Quellen, ggf. nach Supplementierung defizitärer Aminosäuren (*Fortifikation*) u. nach Texturierung (vgl. Textur), direkt für die menschliche Ernährung geeignet. Aus Sojabohnen lassen sich die als *t*extured *v*egetable *p*roteins (TVP) bekanntgewordenen, fleischähnlichen P.-Produkte gewinnen, u. ähnlich ist das von Courtaulds entwickelte *e*dible *s*pun *p*rotein (KESP), das aus Puff- od. Saubohnen hergestellt wird. Als weitere pflanzliche P.-Quellen kommen in Frage: Baumwollsamen, Sonnenblumen, Sesam, Raps, Leinsamen, Luzerne, Lupinen, Erdnüsse u. selbst Gräser (leaf protein concentrate, *LPC*).

Die sog. *biolog. Meth.* der P.-Synth. bedienen sich der systemat. u. kontrollierten Züchtung von Fischen, Krebsen (z.B. Krill), Geflügel u. fleischliefernden Säugetieren bzw. der qual. u. quant. Verbesserung P.-liefernder Pflanzen durch züchter. Maßnahmen.

Reinigung: Die Isolierung bestimmter P. aus biolog. Material u. ihre Reinigung erfolgt klass. durch fraktionierte Fällung mit Salzen (z.B. Ammoniumsulfat) od. organ. Lsm. (z.B. Aceton), durch Adsorption (z.B. an Hydroxylapatit), durch *Ionenaustausch- u. *Gelchromatographie, verschiedene *Elektrophorese-Verf., präparative Ultrazentrifugation. Sie wird erleichtert durch neue Entwicklungen bei der HPLC (fast protein liquid chromatography, FPLC), od. durch Chromatofokussierung (eine Kombination der Säulenchromatographie u. der *isoelektrischen Fokussierung). Ein sehr effizientes Mittel ist oft die *Affinitätschromatographie.

Analytik[13]: Zum *qual.* u. teilw. *quant. Nachw.* sind folgende Reaktionen geeignet: Biuret-, Kjeldahlsche, Lowrysche, Millonsche, Ninhydrin-, Paulysche u. Xanthoprotein-Reaktion. Die UV-Photometrie macht Gebrauch von der Lichtabsorption durch aromat. AS-Reste.

Ermittlung der Mol.-Größe u. Form: Die Molmassen der makromol. P. können in *Ultrazentrifugen bestimmt werden, od. sie lassen sich aus *Lichtstreuung berechnen: P.-Lsg. sind opaleszierend (Tyndall-Effekt), u. aus der Intensität des gestreuten Lichts läßt sich auf die Molmasse schließen. Als Schnellmeth. hat sich die Gelelektrophorese[14] bewährt; daneben findet die *Gelchromatographie (Gelpermeationschromatographie, Gelfiltration) Anwendung. Bei P.-Krist. läßt sich das Mol.-Gew. recht genau durch Röntgenmessungen ermitteln, u. wertvolle Aufschlüsse liefert auch die *Massenspektrometrie.

Messungen der Viskosität u. Strömungsdoppelbrechung haben ergeben, daß Hämoglobin, Globulin, Ovalbumin kugelförmige od. rotationsellipsoide Mol. von Kolloidgröße, Fibrinogen, Myosin, Kollagen u. Seidenfibroin langgestreckte, Wollkeratin dagegen zickzackartig gefaltete Mol. besitzen. Mit dem Elektronenmikroskop kann man zahlreiche P.-Komplexe sichtbar machen; z.B. *Tabakmosaikvirus, *ATP-Synthase, *Pyruvat-Dehydrogenase-Komplex. Zur Untersuchung von P. durch Infrarot-Spektroskopie s. *Lit.*[15].

Aminosäure-Analyse: Zur quant. Bestimmung der Zusammensetzung eines P. aus AS müssen diese zunächst hydrolyt. freigesetzt werden. Am häufigsten wird zu dieser *Proteolyse* Säure verwendet. Man erhitzt dazu das P. 20 h od. länger mit der mehrfachen Menge seines Gew. an 6 M Salzsäure im geschlossenen Röhrchen auf 110 °C. Die heute meist automatisierte Trennung des AS-Gemisches erfolgt nach *Moore u. *Stein (Nobelpreis für Chemie 1972) durch Ionenaustauschchromatographie auf sulfonyliertem Polystyrol bei steigenden pH-Werten (*Moore-Stein-Analyse). Automat. Nachw. der AS durch Ninhydrin.

Sequenzanalyse[16]*:* Nach der AS-Analyse u. der Endgruppenbestimmung (s. dort) werden ggf. die verschiedenen Polypeptid-Ketten unter reduktivem Aufbrechen der *Disulfid-Brücken getrennt. Einzeln werden sie spezif. in Teil-Peptide „zerschnitten", z.B. enzymat. mit Trypsin, das an der Carboxy-Gruppe von Lysin u. Arginin angreift, od. chem. mit Bromcyan an Methionin. Das Ziel ist, ausreichend kurze Peptide zu erhalten, deren Sequenzen sich in bezug auf die Gesamtsequenz überlappen, so daß eindeutig auf letztere geschlossen werden kann. Zur Ermittlung der AS-Sequenzen sind spezif. schrittweise arbeitende u. daher mechanisierbare bzw. automatisierbare Abbaumeth. entwickelt worden (v.a. der **Edman-Abbau*, s.a. Sequenzanalyse), die den Zeitaufwand für die Strukturermittlung von P. sehr stark zu reduzieren vermögen.

Ermittlung der Raumstruktur: Der Helix-Anteil der Sekundärstruktur kann aus *Circulardichroismus u. opt. *Rotationsdispersion abgeschätzt werden. Bei der

Klärung der räumlichen Struktur von P. hat die *Kristallstrukturanalyse mit Röntgen- u. Neutronen-Beugung bes. wichtige Aufschlüsse geliefert (erreichte Auflösung: ca. 0,2 nm). *Kendrew u. *Perutz (Nobelpreis für Chemie 1962) lieferten die ersten Röntgenstrukturen von P., u. zwar von Myoglobin bzw. Hämoglobin. Kleinere in Lsg. befindliche P. sind der Strukturaufklärung durch mehr-dimensionale *NMR-Spektroskopie[17] zugänglich, wobei aufgrund der Flexibilität u. Bewegung der Mol. jeweils zahlreiche verschiedene Konformationen ermittelt werden können. *Immunchem. Charakterisierung:* *Antigen-Antikörper-Reaktionen, d.h. Reaktionen zwischen für einen bestimmten Wirbeltier-Organismus artfremden P. (*Antigenen) u. körpereigenen *Immunglobulinen (*Antikörpern) werden in Forschung u. medizin. Diagnostik dazu benutzt, um P. nachzuweisen u. ggf. zu identifizieren (Immunpräzipitation, *Immunelektrophorese, *Immunfluoreszenz, Immunfixation, *Immunoassay, *Immunoblot).

Anw.: In der *Biotechnologie, aber auch im chem. Laboratorium, werden P. v.a. als Enzyme „beschäftigt". Für Untersuchungen zum Stoffwechsel, in der Cytochemie, enzymat. Analyse u. für medizin. u.a. Anw. benötigt man oft markierte P. (s. markierte Verbindungen); zur Markierung eignen sich neben Radioisotopen bes. die sog. Fluoreszenz-, Spin- u. Photoaffinity-Label. *Gentechnologie u. industrielle *Mikrobiologie ermöglichen die Erzeugung pharmakolog. wichtiger P. in großem Maßstab; *Beisp.:* Peptidhormone, Interferon, Interleukin, Somatotropin, Lymphokine, Blutgerinnungsfaktoren, Impfstoffe. Zur Aufnahme bioaktiver P. durch Inhalation s. *Lit.*[18]. Da die meisten Menschen in ihren Ernährungsgewohnheiten konservativ sind u. die Synthese-P. zudem oft AS-Ungleichgewicht u. überhöhten Nucleinsäure-Gehalt aufweisen, sind die SCP vorläufig nur als *Futtermittelzusatzstoffe (statt Fischmehl) verwendbar. Für die menschliche Ernährung eher nutzbare P.-Quellen sind die Extraktionsrückstände von *Ölpflanzen, *Sojabohnen, in Zukunft vielleicht auch *Jojoba. Abschließend sei noch darauf hingewiesen, daß P. – freilich in wirtschaftlich untergeordnetem Maße – auch außerhalb des Nahrungs- u. Futtermittelgebietes Verw. finden, z.B. in Form von *Eiweißfasern, Caseinkunststoffen u. -leimen, *Gelatine, *Collagen u. *Eiweiß-Hydrolysaten in Haar- u. Hautkosmetika, Fettsäure-Kondensationsprodukten als Tenside, als schäumende Komponenten in Feuerlöschmitteln etc. – ***E*** proteins – ***F*** protéines – ***I*** proteine – ***S*** proteínas

Lit.: [1]FASEB J. **10**, 27–34 (1996). [2]Trends Biochem. Sci. **21**, 375–382 (1996). [3]Comp. Appl. Biosci. **13**, 345–356 (1997). [4]Angew. Chem. **110**, 908–935 (1998); Dobson u. Fersht, Protein Folding, Cambridge: Cambridge University Press 1996. [5]Hong, Protein Trafficking Along the Exocytotic Pathway, Berlin: Springer 1996; Int. Rev. Cytol. Survey Cell Biol. **178**, 277–328 (1998). [6]Annu. Rev. Biochem. **66**, 863–917 (1997); Biochim. Biophys. Acta **1318**, 71–78 (1997); J. Bioenerg. Biomembr. **29**, 3–34 (1997). [7]Annu. Rev. Plant Physiol. Plant Mol. Biol. **49**, 97–126 (1998); Biol. Unserer Zeit **26**, 104–109 (1996); Physiol. Plant. **100**, 53–64 (1997). [8]J. Biochem. **121**, 811–817 (1997). [9]J. Biol. Chem. **272**, 29 399–29 402 (1997). [10]Trends Biochem. Sci. **20**, 351–356 (1995). [11]FASEB J. **11**, 526–534 (1997); J. Biol. Chem. **272**, 20313-20316 (1997). [12]J. Mol. Med. **76**, 6–12 (1998). [13]Anal. Chem. **69**, 29R–57R (1997); Karger u. Hancock, High Resolution Separation and Analysis of Biological Macromolecules, 2 Bd., San Diego: Academic Press 1996. [14]Gersten, Gel Electrophoresis. Proteins, Chichester: Wiley 1997. [15]Maentele, Infrared Spectroscopy of Proteins. Principles and Applications, Berlin: Springer 1999; Quart. Rev. Biophys. **30**, 365–429 (1997). [16]Doolittle, Computer Methods for Macromolecular Sequence Analysis, San Diego: Academic Press 1996; Smith, Protein Sequencing Protocols, Totowa: Humana 1996. [17]Annu. Rev. Biophys. Biomol. Struct. **27**, 357–406 (1998); Curr. Biol. **8**, R331 ff. (1998); Protein, NMR Spectroscopy. Principles and Practice, San Diego: Academic Press 1995. [18]Adv. Drug Deliv. Rev. **26**, 3–15 (1997).

allg.: Annu. Rev. Biophys. Biomol. Struct. **26**, 597–627 (1997) ▪ Atassi u. Appella, Methods in Protein Structure Analysis, New York: Plenum 1995 ▪ Biswas u. Roy, Proteins: Structure, Function and Engineering, New York: Plenum 1995 ▪ Bollag et al., Protein Methods, 2. Aufl., Chichester: Wiley 1996 ▪ Cleland u. Craik, Protein Engineering. Principles and Practice, Chichester: Wiley 1996 ▪ Coligan et al., Current Protocols in Protein Science, Chichester: Wiley 1995 ▪ Crabb, Techniques in Protein Chemistry, Bd. 6, San Diego: Academic Press 1995 ▪ Eckert u. Kartenbeck, Proteine: Standardmethoden der Molekular- u. Zellbiologie, Berlin: Springer 1997 ▪ Fágáin, Stabilizing Protein Function, Berlin: Springer 1997 ▪ Glasel u. Deutscher, Introduction to Biophysical Methods for Protein and Nucleic Acid Research, San Diego: Academic Press 1995 ▪ Goody, Proteine, Heidelberg: Spektrum 1995 ▪ Havel, Spectroscopic Methods for Determining Protein Structure in Solution, Weinheim: VCH 1995 ▪ Holtzhauer, Methoden in der Proteinanalytik, Berlin: Springer 1996 ▪ Kamp et al., Protein Structure Analysis. Preparation, Characterization and Microsequencing, Berlin: Springer 1997 ▪ Kyte, Structure in Protein Chemistry, New York: Garland 1995 ▪ Neurath et al., DNA-Protein-Interaktionen, Heidelberg: Spektrum 1997 ▪ Pfeil, Protein Stability and Folding. A Collection of Thermodynamic Data, Berlin: Springer 1998 ▪ Rehm, Proteinbiochemie, 2. Aufl., Stuttgart: Fischer 1997 ▪ Schulz u. Schirmer, Principles of Protein Structure, 4. Aufl., Berlin: Springer 1996 ▪ Shirley, Protein Stability and Folding. Theory and Practice, Totowa: Humana 1995 ▪ Stryer 1996, S. 17–77, 153–463, 921–993 ▪ Subbiah, Protein Motions, Berlin: Springer 1996 ▪ Zaidi u. Smith, Protein Structure-Function Relationship, New York: Plenum 1996 ▪ Zayes, Functionality of Proteins in Food, Berlin: Springer 1996. – *World Wide Web*: Protein Reviews on the Web, http://www.ncbi.nlm.nih.gov/prow/ ▪ Structural Classification of Proteins, http://scop.mrc-lmb.cam.ac.uk/scop/ ▪ SWISS-PROT. Annotated protein sequence database, http://expasy.hcuge.ch/sprot/sprot-top.html ▪ s.a. Protein Data Bank. – *Zeitschriften:* Protein Profile, San Diego: Academic Press (seit 1994) ▪ Protein Science, Cambridge: Cambridge University Press (seit 1992).

14-3-3-Proteine. Hochkonservierte, weitverbreitete *eukaryontische *Protein-Familie, deren Vertreter als Regulatoren der *Signaltransduktion u. der *Phosphorylierung dienen. Sie kommen in allen Organismen in Isoformen (M_R 25 000–32 000) vor, die (Homo- u. Hetero-)Dimere bilden. Obwohl die 14-3-3-P. in vielen verschiedenen Zusammenhängen wirksam werden, konnte eine einheitliche physiolog. Rolle noch nicht gefunden werden. Die 14-3-3-P. wirken im Zellcyclus mit u. nehmen möglicherweise an der Initiierung der *Apoptose teil. Sie treten in Wechselwirkung mit der *Protein-Kinase Raf u. tragen zu deren Aktivierung bei, wodurch die Kaskade der *Mitogen-aktivierten Protein-Kinasen angeschaltet wird. Eine Isoform in T-*Lymphocyten wird von der Protein-Kinase Bcr phosphoryliert. In Pflanzen hat man gefunden, daß 14-3-3-P. *Enzyme regulieren; so wird die *Nitrat-Reduktase aus Spinatblättern in phosphoryliertem Zustand durch einen Vertreter dieser Familie inhibiert[1]. Der Name dieser Proteine leitet sich von ihrem speziellen Auftrennungsmuster bei zweidimensionaler Anw. von DEAE-Cellulose-Chromatographie u. Stärkegel-Elektrophorese her. – ***E*** 14-3-3 proteins – ***F*** protéines 14-3-3 – ***I*** proteine 14-3-3 – ***S*** proteínas 14-3-3

Lit.: [1] Trends Plant Sci. **1**, 432–438 (1996).
allg.: Annu. Rev. Plant Physiol. Plant Mol. Biol. **47**, 49–73 (1996) ▪ Biochem. Soc. Trans. **23**, 605–611 (1995).

Protein Engineering s. Gentechnologie.

Proteinfasern s. Eiweißfasern.

Protein G s. Protein A.

Proteinhydrolysate s. Eiweiß-Tenside.

Protein-Kinase C (C-Kinase). *Protein-Kinase (Protein-Serin/Threonin-Kinase, EC 2.7.1.37, M_R ca. 77000, je 1 regulator. u. katalyt. *Domäne), die als *Cofaktoren Calcium-Ionen u. *Phospholipide (Membranen) benötigt u. durch *Diacylglycerine aktiviert wird. Letztere entstehen durch Rezeptor-vermittelte Hydrolyse von 1-Phosphatidyl-D-*myo*-inosit-4,5-bisphosphaten (s. Inositphosphate). P.-K. C kommt in mehreren *Isoenzym-Formen vor u. ist an der Übertragung verschiedener Hormon- u. Neurotransmitter-Signale in die Zielzellen beteiligt (s. Signaltransduktion)[1]. Durch Phosphorylierung ihrer Zielproteine, z.B. MAPKKK (s. Mitogen-aktivierte Protein-Kinasen), reguliert P.-K. C deren zelluläre Aktivitäten. Die unphysiolog. dauerhafte Aktivierung von P.-K. C durch Phorbolester kann zur Krebsentstehung führen. Wegen der Beteiligung der P.-K. C bei Wachstum, Krebsentstehung u. a. Krankheiten werden deren Inhibitoren als potentielle Chemotherapeutika untersucht[2]. Zur Rolle der P.-K. C bei der frühen Embryonalentwicklung s. *Lit.*[3], bei Gefäß-Komplikationen des Diabetes mellitus s. *Lit.*[4], bei der Neurotransmission s. *Lit.*[5], bei Lernvorgängen s. *Lit.*[6], bei der *Apoptose s. *Lit.*[7]. – ***E*** protein kinase C – ***F*** protéine-kinase C – ***I*** cinasi C proteinica – ***S*** proteína-quinasa C, proteína-cinasa C

Lit.: [1] Biospektrum **3**, Nr. 1, 41 f. (1997). [2] Anti-Cancer Drugs **8**, 26–33 (1997); Drug Disc. Today **1**, 438–447 (1996); Expert Opin. Ther. Patents **7**, 63–68 (1997). [3] Bioessays **19**, 29–36 (1997). [4] J. Mol. Med. **76**, 21–31 (1998). [5] Prog. Neurobiol. **55**, 463–475 (1998). [6] Prog. Neuro-Psychopharmacol. Biol. Psychiatry **21**, 373–572 (1997). [7] J. Clin. Pathol. Mol. Pathol. **50**, 124–131 (1997).
allg.: Alberts et al., Molekularbiologie der Zelle, 3. Aufl., S. 883 ff., Weinheim: VCH Verlagsges. 1995 ▪ Biochem. J. **332**, 281–292 (1998) ▪ Mol. Cell. Endocrinol. **116**, 1–29 (1996) ▪ Parker u. Dekker, Protein-Kinase C, Berlin: Springer 1997 ▪ Stryer 1996, S. 365.

Protein-Kinasen. Zu den *Kinasen gehörende *Enzyme, die die Übertragung von Phosphat-Resten von *Adenosin-5′-triphosphat auf *Proteine katalysieren. Nach den Aminosäure-Resten, die als Phosphat-Gruppen-Akzeptoren fungieren, unterscheidet man *Protein-Serin/Threonin-Kinasen* (ungenau auch: Serin/Threonin-Kinasen, EC 2.7.1.37, s. z. B. Protein-Kinase C), *Protein-Tyrosin-Kinasen* („Tyrosin-Kinasen", EC 2.7.1.112), *Protein-Histidin-Kinasen* (EC 2.7.3.11, 2.7.3.12) u. *Protein-Aspartat-Kinasen*. Spezif. P.-K. phosphorylieren nur bestimmte Proteine, z. B. myosin light-chain kinase (EC 2.7.1.117, s. Myosin), Rhodopsin-Kinase (EC 2.7.1.125, s. Rhodopsin). Die Serin/Threonin-spezif. Kinasen gehören einer Protein-Familie mit ca. 100 bekannten Mitgliedern an u. werden teilw. durch *Adenosin-3′,5′-monophosphat (P.-K. A, A-Kinase)[1], *Adenosin-5′-monophosphat[2], Guanosin-3′,5′-monophosphat (s. Guanosinphosphate)[3], *Phosphoinositide[4], *Phospholipide/Calcium-Ionen (*Protein-Kinase C, C-Kinase) od. Calcium-Ionen/*Calmodulin (z. B. myosin light-chain kinase u. die multifunktionelle Ca^{2+}/Calmodulin-abhängige P.-K., EC 2.7.1.123) aktiviert. Rezeptoren von *Wachstumsfaktoren wie *epidermaler Wachstumsfaktor, *Insulin, M-CSF (s. Kolonie-stimulierende Faktoren), *plättchen-entstammende Wachstumsfaktoren besitzen Tyrosin-Kinase-Aktivität (*Rezeptor-Tyrosin-Kinasen*, s. Rezeptoren) u. phosphorylieren sich in Anwesenheit des entsprechenden Wachstumsfaktors auch selbst (*Autophosphorylierung*) an bestimmten L-Tyrosin-Resten.
Protein-*Phosphorylierung durch P.-K. bzw. die Dephosphorylierung durch *Protein-Phosphatasen ist ein Vorgang von überragender biolog. Bedeutung u. dient der *Signaltransduktion (s. z. B. Mitogen-aktivierte Protein-Kinasen) bei der Regulation einer Vielzahl vitaler Zellfunktionen (z. B. Zellteilung, *Apoptose u. Wachstum, *Lymphocyten-Aktivierung, *Translation, Muskelkontraktion) u. Stoffwechselprozesse (z. B. *Glykogen-Abbau u. *Lipolyse). Dementsprechend können Defekte dieser Enzyme fatale Folgen haben, z. B. Krebsentstehung; manche ihrer Gene gelten als Proto-*Onkogene, so ist c-fms der M-CSF-Rezeptor, während die Tyrosin-Kinase $pp60^{c\text{-}src}$ wahrscheinlich an der Regulation der *Mitose beteiligt ist. Die cocarcinogene Wirkung der Phorbolester beruht auf einer Aktivierung der *Protein-Kinase C, weshalb Inhibitoren dieses Enzyms von Interesse sind. Zur Rolle der P.-K. bei Pflanzen s. *Lit.*[5]. – ***E*** protein kinases – ***F*** protéine-kinases – ***I*** cinasi proteiniche – ***S*** proteína-quinasas, proteína-cinasas

Lit.: [1] FASEB J. **8**, 1227–1236 (1994); Trends Biochem. Sci. **18**, 84–89 (1993). [2] Eur. J. Biochem. **246**, 259–273 (1997). [3] Trends Biochem. Sci. **22**, 307–312 (1997). [4] Science **279**, 673 f. (1998). [5] Crit. Rev. Plant Sci. **17**, 245–318 (1998).
allg.: Biochim. Biophys. Acta **1314**, 191–225 (1996) ▪ Cell **85**, 149–158 (1996) ▪ FEBS Lett. **430**, 1–11, 45–50 (1998) ▪ Hardie u. Hanks, The Protein Kinase Facts Book, 2 Bd. od. CD-ROM, San Diego: Academic Press 1995–1996 ▪ Woodgett, Protein Kinases, Oxford: IRL Press 1995 ▪ Yakura, Kinases and Phosphatases in Lymphocyte and Neuronal Signaling, Berlin: Springer 1997. – *World Wide Web*: The Protein Kinase Resource, http://www.sdsc.edu/Kinases/pk_home.html.

Protein-Ligand-Wechselwirkungen. Bez. für die spezif. Bindung von kleineren Mol. an *Proteine, z. B. von *Substraten, *Coenzymen, *Rezeptoren od. *Repressoren an ein *Enzym. Zur Aufklärung der P.-L.-W. u. mol. *Strukturen, v. a. bei enzymat. Reaktionen, werden die *Thermodynamik, die *Biophysik, kinet. Meßmeth., die mehrdimensionale *NMR-Spektroskopie[1], die *Röntgenstrukturanalyse u. zunehmend computergestützte Verf.[2] (s. Computer Aided Drug Design) angewendet.
In der *Affinitätschromatographie werden *Liganden an unlösl. Trägermaterialien gebunden u. zur spezif.

Adsorption u. Isolierung von Proteinen eingesetzt. – ***E*** protein-ligand interactions – ***F*** interactions protéine-ligand – ***I*** interazioni tra proteina e legante – ***S*** interacciones proteína ligando

Lit.: [1] Angew. Chem. **107**, 1041–1058 (1995). [2] Böhm et al., Wirkstoffdesign, Heidelberg: Spektrum Akadem. Verl. 1996; Rapoport, Biologische Regulation durch intermolekulare Wechselwirkungen, Berlin: Volk u. Gesundheit 1976; Sund u. Blauer, Protein-Ligand Interactions, Berlin: de Gruyter 1975.

Proteinogene Aminosäuren (von *Protein u. *...gen). Bez. für die 20 häufigsten Aminosäuren (Näheres s. dort), die natürliche Proteine aufbauen. – ***E*** proteinogenic amino acids – ***F*** acides aminés protéinogènes – ***I*** amminoacidi proteinogeni – ***S*** aminoácidos proteinógenos

Proteinoplasten s. Plastiden.

Protein P4 s. Hämolin.

Protein-Phosphatasen (Phosphoprotein-Phosphatasen). *Phosphatasen, die die Hydrolyse von Phosphatestern (*Dephosphorylierung*) von *Proteinen (Phosphoproteinen) katalysieren (Beisp.: *Calcineurin). Die Phospho-Gruppen befinden sich häufig an Serin-, Threonin- u. Tyrosin-, seltener an Histidin- u. Asparaginsäure-Resten [1] (hier Amid- bzw. Säureanhydrid- statt Ester-Bindung); dementsprechend unterscheidet man hauptsächlich *Serin/Threonin-* [2] u. *Tyrosin-P.-P.* [3] (EC 3.1.3.16 bzw. 3.1.3.48). P.-P. besitzen für die biolog. Signalübertragung (*Signaltransduktion) u. Regulation sämtlicher Lebensvorgänge prinzipiell dieselbe Bedeutung wie die *Protein-Kinasen, da sie als deren Gegenspieler phosphorylierte *Transkriptionsfaktoren, *Rezeptoren, *Enzyme u. a. Proteine dephosphorylieren (vgl. Phosphorylierung) u. dadurch für die nötige Reversibilität der Regulationsvorgänge sorgen. Im Gegensatz zu den Protein-Kinasen herrscht unter den P.-P. beträchtliche strukturelle Vielfalt. – ***E*** protein phosphatases – ***F*** protéine phosphatases – ***I*** proteina fosfatasi – ***S*** proteína fosfatasas

Lit.: [1] Trends Genet. **12**, 97–101 (1996). [2] Trends Biochem. Sci. **22**, 245–251 (1997). [3] Biochim. Biophys. Acta **1341**, 137–156 (1997); Curr. Top. Cell. Regul. **35**, 21–68 (1997). *allg.:* Biochem. Cell Biol. **75**, 17–26 (1997) ▪ Cell **87**, 361–368 (1996) ▪ Compt. Rend. Acad. Sci. Ser. III Life Sci. **320**, 675–688 (1997)

Protein S s. Protein C.

Proteinurie. Ausscheidung von Eiweiß mit dem *Harn. Werte von über 150 mg/24 h gelten als krankhaft. Eine P. kommt z. B. im Rahmen verschiedener Nierenerkrankungen vor. Der Nachw. geschieht qual. mit Teststreifen od. durch Zugabe von Sulfosalicylsäure zum Urin, quant. mit der *Biuret-Reaktion nach Fällung mit Trichloressigsäure od. Perchlorsäure. Ferner können die nachgewiesenen *Proteine mittels *Elektrophorese nach ihrem M_R aufgetrennt werden, was weitere diagnost. Hinweise ergibt. – ***E*** = ***I*** = ***S*** proteinuria – ***F*** protéinurie

Lit.: Thomas, Labor u. Diagnose, Marburg: Medizin. Verlagsges. 1995.

Protektine s. Lektine.

Proteo... Begrifflich zu *Proteine (Eiweiß) gehörendes Präfix, vgl. die folgenden Stichwörter. – ***E*** = ***I*** = ***S*** proteo... – ***F*** protéo...

Proteoglykane (von *Proteo... u. Glykane, s. Polysaccharide). Sammelbez. für hochmol., in tier. Stütz- u. *Bindegeweben (*Knochen, *Knorpel) verbreitete Makromol., die zwar ebenso wie Glykoproteine aus *Proteinen u. *Kohlenhydraten zusammengesetzt sind, bei denen jedoch der *Polysaccharid*-Anteil überwiegt. Beispielsweise bestehen im Knorpel die zwischen *Collagen-Fibrillen eingelagerten P. (*Aggrecan*) aus einem Protein-Strang (Kern-Protein, *E core protein*, M_R ca. 300 000), an dessen L-Serin- u. L-Threonin-Resten Ketten von **Glykosaminoglykanen* (Mucopolysacchariden) wie *Chondroitinsulfat u. *Keratansulfat *O*-glykosid. gebunden sind; L-Asparagin-Reste können *N*-glykosid. gebundene Oligosaccharide als Seitenketten tragen; die Glykosylierung erfolgt durch Übertragung einzelner Monosaccharid-Einheiten im *Golgi-Apparat. Die P. der *Haut enthalten Dermatansulfat u. die des *Darms *Heparin. Schließlich lagern sich ca. 140 solcher P.-Kettenmol. (*P.-Untereinheiten*, P.-Monomere) ihrerseits mit Hilfe kleinerer Proteine (*Link-Proteine*) nichtkovalent an eine *Hyaluronsäure-Kette zu Mol.-Aggregaten (*P.-Aggregaten*), mit einer M_R von ca. 2 Mio. an.

Biolog. Funktion: Die durch ihr Wasserbindevermögen ausgezeichneten polyanion. Aggregate können feste Gele bilden, die dem Stützgewebe (*extrazelluläre Matrix) Elastizität u. Zugfestigkeit verleihen. In Schleimen schützen sie die Epithelien. Heparansulfat-haltige P. wirken an Zelloberflächen als Zell-Zell- u. Zell-Matrix-Adhäsionsmol., sind aber auch Bestandteile von *Rezeptoren, z. B. des *Transferrin-Rezeptors u. beeinflussen das Zellwachstum, Embryonal- u. Neuronalentwicklung, Wundheilung, mikrobielle Infektion, Amyloidose, Arteriosklerose, Tumormetastasierung u. vieles mehr. Weitere *Beisp.: Perlecan* ist Heparansulfat-haltig u. hauptsächliches P. der *extrazellulären Matrix (EM) [1]. *Syndecane* sind eine Familie von ebenfalls Heparansulfat-haltigen Membran-durchspannenden Zelloberflächen-P., die mit der EM u. Wachstumsfaktoren wechselwirken (z. B. als Corezeptoren des *Fibroblasten Wachstumsfaktors) [2] u. die Aufnahme von *Lipoproteinen (LDL) in Zellen bewirken können [3]. Auch *Agrin wurde als Heparansulfat-haltiges P. erkannt (M_R ca. 500 000, core protein ca. 220 000). Eine Form des *Amyloid-Vorläufer-Proteins verbindet sich mit Chondroitinsulfat zu *Appican*, das wahrscheinlich als *Zell-Adhäsionsmolekül dient [4]. Zu kleinen Leucin-reichen P. s. *Lit.* [5]. – ***E*** proteoglycans – ***F*** protéoglycan(n)es – ***I*** proteoglicani – ***S*** proteoglicanos

Lit.: [1] Biochem. J. **302**, 625–639 (1994); Matrix Biol. **14**, 203–208 (1994). [2] Ann. Med. **28**, 63–67 (1996). [3] Curr. Opin. Lipidol. **8**, 253–262 (1997). [4] Neurodegeneration **5**, 445–451 (1996). [5] Crit. Rev. Biochem. Mol. Biol. **32**, 141–174 (1997). *allg.:* Alberts et al., Molekularbiologie der Zelle, 3. Aufl., S. 1152–1156, Weinheim: VCH Verlagsges. 1995 ▪ FASEB J. **10**, 598–614 (1996) ▪ Jolles, Proteoglycans, Basel: Birkhäuser 1994 ▪ Stryer 1996, S. 498 f.

Proteohormone. *Hormone, die ihrer chem. Struktur nach *Proteine sind. Da die P. relativ niedrige M_R haben, spricht man meist von Peptidhormonen, s. die Beisp. dort. – ***E*** proteohormones – ***F*** protéohormones – ***I*** proteoormoni – ***S*** proteohormonas

Proteolipide s. Lipoproteine.

Proteolipid-Proteine (Lipophiline). Kleine Familie hydrophober Membran-Proteine. Prominentester Vertreter ist das P.-P. der *Myelin-Membranen des Gehirns, in denen es das häufigste Protein ist. – *E* proteolipid proteins – *F* protéines protéolipides – *I* proteine proteolipido – *S* proteína proteolípidas

Lit.: Develop. Neurosci. **18**, 297–308 (1996) ▪ J. Neurosci. Res. **50**, 659–664 (1997).

Proteoliposomen s. Liposomen.

Proteolyse (von *Proteo... u. *...lyse). Spaltung von *Protein durch Hydrolyse der *Peptid-Bindungen mittels Säuren od. Enzymen (s. a. Proteasen). – *E* proteolysis – *F* protéolyse – *I* proteolisi – *S* proteolisis

Lit.: Antonov, Chemistry of Proteolysis, Berlin: Springer 1993.

Proteom. In Analogie zum Genom (s. Gen) versteht man unter P. die Gesamtheit der genet. kodierten Proteine eines Organismus. Da im jeweils vorliegenden Entwicklungsstadium immer nur ein Teil der genet. kodierten Proteine synthetisiert wird u. ihre direkte vollständige Bestimmung experimentell schwierig ist, geht man bei P.-Analysen bzw. beim Erstellen von P.-Datenbanken oft vom Genom aus, dessen Sequenzen bereits für etliche Organismen vollständig bekannt sind, u. bestimmt die Abschnitte, die nach Kenntnis der *Transkriptions- u. *Translations-Mechanismen für Proteine kodieren (*offene Leserahmen*). – *E* proteome – *F* protéome – *I* proteoma – *S* proteóma

Lit.: Wilkins et al., Proteome Research: New Frontiers in Functional Genetics, Berlin: Springer 1997.

Proteosomen s. Proteasomen.

Proterozoikum s. Erdzeitalter.

Protex. Kurzbez. für die 1932 gegr. französ. Chemiefirma Manufacture de Produits Chimiques Protex, F-75007 Paris. *Produktion:* Textil- u. Papierhilfsmittel, Komplexbildner, Phosphonate, Kunstharze, Phosphorsäureester, Fettalkohol-Derivate, Formaldehyd, Riechstoffe, Wasserbehandlungsmittel usw. *Vertretung* in der BRD: Protex Extrosa GmbH, 79504 Lörrach.

Prothazin® (Rp). Filmtabl. u. Ampullen mit dem *Neuroleptikum *Promethazin-Hydrochlorid. ***B.:*** Rodleben, UCB.

Protheobromin (Rp).

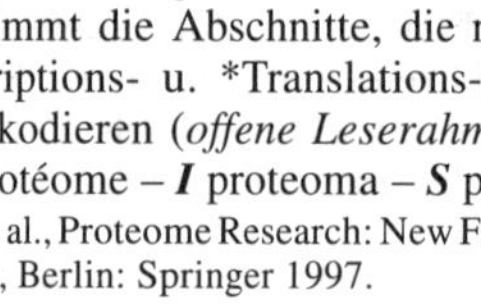

Internat. Freiname für das als *Diuretikum u. *Vasodilatator wirksame (±)-1-(2-Hydroxypropyl)-3,7-dimethyl-3,7-dihydro-1*H*-purin-2,6-dion, $C_{10}H_{14}N_4O_3$, M_R 238,24, Krist., Schmp. 140–142 °C; λ_{max} (CH_3OH) 270 nm ($A^{1\%}_{1cm}$ 403); LD_{50} (Maus s.c.) 580 mg/kg; leicht lösl. in neutralem od. schwach saurem Wasser, lösl. in Chloroform, unlösl. in Ether. P. wurde 1959 von Chemiewerk Homburg patentiert. – *E* protheobromine – *F* prothéobromine – *I* = *S* proteobromina

Lit.: Hager (5.) **9**, 425 f. ▪ Martindale (29.), S. 1526. – *[HS 2939 90; CAS 50-39-5]*

Prothesen. Techn. Ersatz fehlender Körperteile; s. a. Implantation u. Zähne, für Prothesenhaft- u. -pflegemittel s. Zahnpflegemittel.

Prothil® (Rp). Tabl. mit *Medrogeston gegen Menstruationsstörungen u. drohenden Abort. ***B.:*** Solvay Arzneimittel.

Prothiofos.

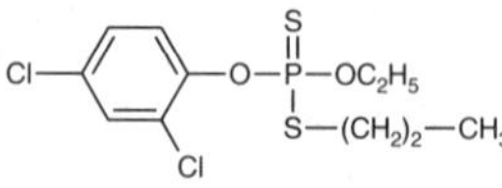

Common name für *O*-(2,4-Dichlorphenyl)-*O*-ethyl-*S*-propyl-dithiophosphat, $C_{11}H_{15}Cl_2O_2PS_2$, M_R 345,23, Sdp. 125–128 °C (13,3 Pa), LD_{50} (Ratte oral) 925 mg/kg (WHO), von Nihon Tokushu Noyaku Seizo K. K. u. Bayer 1969 entwickeltes u. 1974 eingeführtes nicht-system. *Insektizid mit Fraß- u. Kontaktgiftwirkung insbes. gegen blattfressende Raupen sowie gegen Schmierläuse, Thripse, Engerlinge u. Erdraupen v. a. im Obst- u. Gemüseanbau sowie gegen Fliegen im Hygienebereich. – *E* = *F* prothiofos – *I* = *S* protiofos

Lit.: Farm. ▪ Perkow ▪ Pesticide Manual. – *[CAS 34643-46-4]*

Prothipendyl (Rp).

Internat. Freiname für das *Antihistaminikum, *Neuroleptikum u. Psycho-*Sedativum *N*,*N*-Dimethyl-10*H*-pyrido[3,2-*b*][1,4]benzothiazin-10-propanamin, $C_{16}H_{19}N_3S$, M_R 285,42, Sdp. 195–198 °C (66,7 Pa). Verwendet wird das Hydrochlorid-Monohydrat, $C_{16}H_{22}ClN_3OS$, M_R 339,3, Schmp. 108–112 °C. P. wurde 1960 von Olin Mathieson patentiert u. ist von Asta medica (Dominal®) im Handel. – *E* = *F* prothipendyl – *I* protipendile – *S* protipendilo

Lit.: Hager (5.) **9**, 426 f. ▪ Martindale (31.), S. 732. – *[HS 2934 90; CAS 303-69-5 (P.); 70145-94-7 (Hydrochlorid-Monohydrat)]*

Prothoracotropes Hormon s. Insektenhormone.

Prothrombin (Thrombogen). Im Blutplasma in Konz. von 60 mg/L vorhandenes *Zymogen der *Serin-Protease *Thrombin. Innerhalb der **Blutgerinnungs-Kaskade* bewirkt Thrombin (sog. *Faktor IIa*, EC 3.4.21.5) die Umwandlung des Fibrinogens in *Fibrin. Die Vorstufe des Thrombins (P. od. *Faktor II*) ist ein *N*-Acetylhexosamin u. 4-Carboxy-L-glutaminsäure [Gla; (*S*)-3-Amino-1,1,3-propantricarbonsäure] enthaltendes *Glykoprotein (M_R ca. 72000), das – wie andere Gla-Proteine – unter Mitwirkung von *Vitamin K (s. a. 2-Methyl-1,4-naphthochinone) in der Leber gebildet wird. In Ggw. von Calcium-Ionen, Phospholipid-haltigen Lipoproteinen der Zellmembran der *Thrombocyten (Faktor III, Plättchenfaktor 3, *Thromboplastin, Gewebs-Thrombokinase) sowie der Faktoren Xa (Stuart-Faktor, Plasma-Thrombokinase, ebenfalls eine Serin-Protease, EC 3.4.21.6) u. Va (Accelerin) wird P. in das biolog. aktive Thrombin überführt. Dabei wird die Stufe des *Präthrombins 2* od. *Meizothrombins*[1] (M_R 52000) durchlaufen. Die P.-Wirkung kann durch *Schlangengifte, *Heparin, *Dicumarol u. a. *Antikoagulantien gehemmt werden. P. wurde erstmalig 1892 von Pekelharing aus dem Plasma isoliert. – ***E*** prothrombin – ***F*** prothrombine – ***I*** = ***S*** protrombina

Lit.: [1] Biochem. J. **319**, 399–405 (1996). – *[CAS 9001-26-7]*

Prothymosin s. Thymosine.

Prothyrid® (Rp). Tabl. mit Levothyroxin (*L-Thyroxin)-Natrium u. *Liothyronin-hydrochlorid gegen *Kropf, *Hypothyreose u. a. ***B.:*** Henning Berlin.

Protide s. Wasserstoff.

Protionamid (Rp).

Internat. Freiname für das *Tuberkulostatikum 2-Propyl-thioisonicotinamid, $C_9H_{12}N_2S$, M_R 180,26, Krist., Schmp. 142 °C; λ_{max} (C_2H_5OH) 291 nm ($A^{1\%}_{1cm}$ 390), LD_{50} (Maus i.p.) 1 g/kg; lösl. in Ethanol, wenig in Ether, Chloroform, unlösl. in Wasser, Lagerung: vor Licht geschützt. P. wurde 1958 von Chimie et Atomistique patentiert u. ist von hefa Pharma (ektebin®) als Reserve-Tuberkulostatikum u. gegen Lepra im Handel. – ***E*** = ***F*** = ***I*** protionamide – ***S*** protionamida

Lit.: Beilstein E V **22/2**, 376 ▪ Hager (5.) **9**, 427 ff. ▪ Martindale (31.), S. 266. – *[HS 2933 39; CAS 14222-60-7]*

Protirelin (Rp). Internat. Freiname für synthet. Thyroliberin (Näheres s. dort) zur Funktionsdiagnostik von Schilddrüse u. Hypophyse. – ***E*** protirelin – ***F*** protiréline – ***I*** = ***S*** protirelina

Lit.: Hager (5.) **9**, 429 ff. ▪ Martindale (31.), S. 1291 f. ▪ Ph. Eur. **1997** u. Komm. – *[HS 2937 10; CAS 24305-27-9]*

Protische Lösemittel. Nicht scharf definierte, manchmal mit *protogene Lsm.* gleichgesetzte, von der IUPAC zugunsten von **amphiprotische Lsm.* abgelehnte Bez. für solche *Lösemittel, die Protonen enthalten od. freisetzen u./od. *Wasserstoff-Brückenbindungen ausbilden können, z. B. Wasser, Alkohole, Amine usw.; die p. L. werden unterteilt in *protogene, *protophile u. neutrale Lsm.; vgl. aprotische u. nichtwäßrige Lösemittel. – ***E*** protic solvents – ***F*** solvants protiques – ***I*** solventi protici – ***S*** disolventes próticos

Protisten s. Protozoen.

Protium s. Wasserstoff.

Prot(o)... (griech.: prōtos = erster). a) Bez. für „Urstoffe“; *Beisp.:* *Proteine (davon abgeleitet: *Proteasen, Stichwörter auf Proteo...), *Protonen (davon abgeleitet: protogen, Protolyse, protophil, Prototropie), Protoplasma, *Protozoen. – b) Bez. für Vorstufen; *Beisp.:* *Protactinium, Protocatechusäure (Baustein von Catechusäure = *Catechin), *Protophane, *Protoporphyrine. – c) Veraltete Bez. der untersten Oxid.-Stufe bei anorgan. Verb.; *Beisp.:* Stickstoffprotoxid (N_2O), Eisenprotochlorid ($FeCl_2$); vgl. Per... – ***E*** = ***F*** = ***I*** = ***S*** prot(o)...

Protoactinium s. Protactinium.

Protoaescigenin s. Oleanan.

Protoanemonin [Isomycin, 5-Methylen-2(5*H*)-furanon].

$C_5H_4O_2$, M_R 96,09, blaßgelbes Öl, Sdp. 45 °C (0,2 kPa), Wasserdampf-flüchtig, dimerisiert beim Trocknen. P. ist ein reaktives Methylenlacton aus *Anemone-*, *Ranunculus-*, *Clematis-* u. *Helleborus*-Arten. P. hat antibakterielle Eigenschaften u. eine sehr kräftige örtliche Reizwirkung (Schleimhäute). Es wirkt mutagen. – ***E*** protoanemonin – ***F*** protoanémonine – ***I*** = ***S*** protoanemonina

Lit.: Beilstein E V **17/9**, 371 ▪ Bull. Chem. Soc. Jpn. **55**, 1584 (1982) (Biosynth.) ▪ Phytochemistry **33**, 1099 (1993) (Isolierung) ▪ Synth. Commun. **20**, 2607 (1990) (Synth.). – *[CAS 108-28-1]*

Protoberberin-Alkaloide.

(–)-Formen (+)-Formen

	R^1	R^2	R^3	R^4	R^5	R^6
Canadin	O—CH₂—O		OCH_3	OCH_3	H	H
Cheilanthifolin	OH	OCH_3	O—CH₂—O		H	H
Corexіmin	OH	OCH_3	H	OCH_3	OH	H
Corydalin	OCH_3	OCH_3	OCH_3	OCH_3	H	CH_3
Isocorypalmin	OH	OCH_3	OCH_3	OCH_3	H	H
Ophiocarpin	O—CH₂—O		OCH_3	OCH_3	H	OH
Scoulerin	OH	OCH_3	OH	OCH_3	H	H
Stylopin	O—CH₂—O		O—CH₂—O		H	H
Tetrahydropalmatin	OCH_3	OCH_3	OCH_3	OCH_3	H	H

	R^1	R^2	R^3	R^4
Berberin	CH_2		CH_3	CH_3
Columbamin	H	CH_3	CH_3	CH_3
Coptisin	CH_2		CH_2	
Jatrorrhizin	CH_3	H	CH_3	CH_3
Palmatin	CH_3	CH_3	CH_3	CH_3

Die P.-A. sind eine der am weitesten verbreiteten *Isochinolin-Alkaloid-Gruppen. P.-A. kommen in mindestens 9 Pflanzenfamilien vor, meistens als Tetrahydroprotoberberine od. als Protoberberinium-Salze: in Annonaceae, Berberidaceae, Lauraceae, Menispermaceae, Papaveraceae, Rutaceae, Fumariaceae. Beisp. für P. sind *Berberin, Canadin, Palmatin, Tetrahydropalmatin, Scoulerin (s. Tab. auf S. 3598). ***Biosynth.:*** Die P.-A. entstehen aus Benzylisochinolinen, wobei die sogenannte Berberin-Brücke durch oxidative Cyclisierung unter Einbeziehung der *N*-Methyl-Gruppe gebildet wird. – ***E*** protoberberine alkaloids – ***F*** alcaloïdes de protoberbérine – ***I*** alcaloidi della protoberberina – ***S*** alcaloides de protoberberina

Lit.: Beilstein E III/IV **27**, 6539 (Berberin); E V **21/6**, 174 (Corydalin) ▪ Hager (5.) **3**, 519; **4**, 480–497, 835–848, 1013–1027, 1055–1158; **5**, 110–115, 745–750 ▪ Heterocycles **37**, 897 (1994) (Berberin) ▪ J. Org. Chem. **55**, 1932 (1990); **57**, 6716 (1992) (Tetrahydropalmatin) ▪ Manske **28**, 95–181; **33**, 141–230; **49**, 273 ▪ Nuhn, Naturstoffchemie (3.), Stuttgart: Wiss. Verlagsges. 1997 ▪ Sax (8.) BFN 500 – BNF 750 ▪ Ullmann (5.) **A 1**, 373. – *[HS 2939 90]*

Protocatechualdehyd (3,4-Dihydroxybenzaldehyd).

$R^1 = R^2 = H$: Protocatechualdehyd
$R^1 = CH_3$, $R^2 = H$: Vanillin
$R^1 = C_2H_5$, $R^2 = H$: Ethylvanillin

Tab.: Daten u. Vorkommen von Protoberberin-Alkaloiden.

Name	Summen-formel	M_R	Schmp. [°C]	$[\alpha]_D$	Vork.	CAS
Berberin	$C_{20}H_{18}NO_4^+$	336,37	145[a]		*Berberis*- u. *Mahonia*-Arten	2086-83-1
(*S*)-Canadin	$C_{20}H_{21}NO_4$	339,39	134	−299° ($CHCl_3$)	*Hydrastis canadensis*, *Corydalis*-Arten	5096-57-1
Cheilanthifolin	$C_{19}H_{19}NO_4$	325,36	184	−311° (CH_3OH)	*Corydalis cheilanthifolia*, *C. scouleri*, *C. sibirica* u. *Argemone*-Arten	483-44-3
Columbamin	$C_{20}H_{20}NO_4^+$	338,38			*Jateorhiza palmata*, *Berberis*-Arten	3621-36-1
Coptisin	$C_{19}H_{14}NO_4^+$	320,32	216–218[a]		*Coptis japonica*	3486-66-6
Corexímin	$C_{19}H_{21}NO_4$	327,38	254–256	−420° (Pyridin)	*Dicentra eximia*, *Papaver somniferum*, *Corydalis*-Arten	483-45-4
(+)-Corydalin	$C_{22}H_{27}NO_4$	369,46	135	+295° (C_2H_5OH)	*Corydalis tuberosa* u. a. *Corydalis*-Arten	518-69-4
(−)-(*S*)-Isocorypalmin	$C_{20}H_{23}NO_4$	341,41	239–241	−282° (CH_3OH)	*Glaucium fimbrilligerum*, *Hydrastis canadensis*, *Corydalis*- u. *Thalictrum*-Arten	483-34-1
Jatrorrhizin (Jateorhizin)	$C_{20}H_{20}NO_4^+$	338,38			*Jateorhiza palmata*, *Berberis*- u. *Mahonia*-Arten	3621-38-3
Ophiocarpin	$C_{20}H_{21}NO_5$	355,39	188	−283° ($CHCl_3$)	*Corydalis*-Arten	478-13-7
Palmatin	$C_{21}H_{22}NO_4^+$	352,41			*Jateorhiza palmata*, *Berberis*- u. *Mahonia*-Arten	3486-67-7
(*R*)-Scoulerin	$C_{19}H_{21}NO_4$	327,38	195	+284° (CH_3OH)	*Corydalis tuberosa*, *C. cava*	6507-34-2
Stylopin	$C_{19}H_{17}NO_4$	323,35	204	−310° ($CHCl_3$)	*Corydalis*-Arten	84-39-9
(*R*)-Tetrahydropalmatin	$C_{21}H_{25}NO_4$	355,43	143	+291° (C_2H_5OH)	*Pachypodanthium confine*, *Corydalis*-Arten	3520-14-7

[a] Schmp. des Hydroxids

$C_7H_6O_3$, M_R 138,12. Flache, gelblichweiße Krist., Schmp. 153–154 °C (Zers.), wenig lösl. in Wasser, lösl. in Ethanol, Ether; WGK 2 (Selbsteinst.). P. kann sich aus seinem Methylenether (Piperonal) unter Einwirkung von Luft u. Licht bilden. Der in der Vanille glykosid. gebunden vorkommende P. ist ein Zwischenprodukt in organ. Synth., z. B. bei der Herst. von *Dopamin. – ***E*** protocatechualdehyde – ***F*** protocatéchoualdéhyde – ***I*** protocatechualdeide – ***S*** protocatechualdehído

Lit.: Beilstein EIV **8**, 1762 ▪ Kirk-Othmer (4.) **13**, 1031 ▪ Merck-Index (12.), Nr. 8079. – *[HS 2912 49; CAS 139-85-5]*

Protocatechusäure s. Dihydroxybenzoesäuren.

Protoferrohäm s. Häm.

Protofilamente s. Keratine.

Protogen A s. Liponsäure.

Protogene Lösemittel. Von der IUPAC gegenüber *protische Lösemittel bevorzugte Bez. für eine Gruppe der *nichtwäßrigen Lösemittel; vgl. dagegen protophile Lösemittel. Nach Brønsted handelt es sich hierbei um saure Lsm., die ionisiert sind u. leicht *Protonen abgeben; *Beisp.:* *Ameisen- u. *Essigsäure:

$$2\ R{-}COOH \rightleftharpoons R{-}C(OH)_2^{+} + R{-}COO^{-}$$

Im allg. sind ihre *Dielektrizitätskonstanten groß, u. ihr *Ionenprodukt ist größer als das des Wassers. – ***E*** protogenic solvents – ***F*** solvants protogènes – ***I*** solventi protogenici – ***S*** disolventes protógenos

Protohäm s. Häm.

Protohämatin s. Hämatin.

Protokylol (Rp).

Internat. Freiname für (±)-4-{2-[2-(1,3-Benzodioxol-5-yl)-1-methylethylamino]-1-hydroxyethyl}brenzcatechin, $C_{18}H_{21}NO_5$, M_R 331,36, ein *Sympathikomimetikum u. *Broncholytikum. Verwendet wird das Hydrochlorid, Schmp. 126 °C, λ_{max} (CH_3OH) 231, 284 nm ($A^{1\%}_{1cm}$ 254, 199), LD_{50} (Ratte oral) 938±96 mg/kg. P. wurde 1959 von Lakeside Labs. patentiert. – ***E*** = ***F*** protokylol – ***I*** protochilolo – ***S*** protoquilol

Lit.: Hager (5.) **9**, 432 f. ▪ Martindale (31.), S. 1588. – *[HS 2932 99; CAS 136-70-9 (P.); 136-69-6 (Hydrochlorid)]*

Protolichesterinsäure s. Isländisches Moos.

Protolyse (protolyt. Reaktion). Mißverständliche u. deshalb von der IUPAC nicht empfohlene Bez. für *Protonenübertragungsreaktionen. – ***E*** protolysis – ***F*** protolyse – ***I*** protolisi – ***S*** protólisis

Protolyte s. Säure-Base-Begriff.

Protomere. Kleinste sich wiederholende Kombination von Untereinheiten von oligomeren *Proteinen, z. B. das *αβ*-P. des *Hämoglobins, das *Tubulin-Heterodimer od. das G-*Actin. – ***E*** protomers – ***F*** protomères – ***I*** protomeri – ***S*** protómeros

Protonen [Symbol p od. H^+; Name von *Prot(o)...]. Neben den *Neutronen als *Nukleonen zur Familie der *Baryonen gehörende *Elementarteilchen mit einer pos. elektr. Elementarladung (1,60217733 ±0,00000049 C) u. der Ruhemasse (1,6726231 ±0,0000010) $\cdot 10^{-27}$ kg (1836,15fache Ruhemasse des Elektrons). P. tragen den *Spin $\hbar/2$ u. zählen daher zu den *Fermionen (s. a. Fermi-Dirac-Statistik). Mit dem Spin verknüpft ist ein magnet. Moment von μ_p = (1,41060761±0,00000047) $\cdot 10^{-26}$ JT^{-1} od. 2,79285 Kernmagnetonen (s. Fundamentalkonstanten). Wie bei *Elementarteilchen besprochen, sind P. aus drei *Quarks zusammengesetzt.
P. u. *Neutronen, die sich von den P. nur durch die Ladung u. einen geringfügigen Unterschied in der Ruhemasse unterscheiden (man betrachtet beide als zwei verschiedene Zustände des *Nukleons), bilden die Atomkerne der chem. Elemente; vom Wasserstoff-Atom an (1 P. im Kern) steigt die Zahl der P. im Atomkern von Element zu Element regelmäßig um 1 an. Bei elektr. neutralen Atomen entspricht die Zahl der P. (Protonen-, Ordnungs-, Kernladungszahl) der Zahl der Elektronen, s. a. Atombau, Periodensystem u. Moseleysches Gesetz. Stabile Isotope mit gleich viel P. wie Neutronen sind bis p = n = 20 bekannt; *Beisp.:* ^4_2He, $^{12}_6C$, $^{16}_8O$, $^{40}_{20}Ca$.
Ungebundene P. finden sich in großen Mengen in Sternen, interstellarer Materie, kosm. Strahlung u. Nordlichtern; auch die Magnetosphäre der Erde (van Allen-Gürtel) besteht größtenteils aus Protonen. Die P.-Energie der kosm. Strahlung kann 10^{18} eV erreichen, während im Protonensynchrotron bisher nur $4 \cdot 10^{11}$ eV erzielt werden konnten. Als Kern-Reaktionen des P. kennt man den Antineutrino-*Einfang, den Beta-Zerfall (s. Neutrinos), die Bildung von Deuteronen sowie thermonukleare Reaktionen, z. B. in der *Sonne.
Herst.: Durch Ionisation von H-Atomen (Ionisationsenergie 13,53 eV), z. B. als Kanalstrahlen bei einer Gasentladung in reinem Wasserstoff, durch Kernreaktionen od. durch radioaktiven Zerfall P.-reicher Nuklide wie ^{151}Lu od. ^{147}Tm. In *Teilchenbeschleunigern lassen sich P. auf höhere Energie bringen.
Verw.: Untersuchung von Kernstrukturen u. Kernprozessen in der Hochenergiephysik u. Schwerionenforschung, zur P.-induzierten Röntgen(emissions)spektroskopie (PIXE), zur Aktivierungsanalyse in der analyt. Chemie u. zur Strahlentherapie. Das Antiteilchen des P. ist das neg. geladene *Antiproton (vgl. Antimaterie), das man durch Beschuß von Wolfram mit P. von 26 GeV herstellen kann.
In der Chemie meint man mit „Proton" das *Wasserstoff-Ion* H^+ u./od. dessen Hydrate, die sich in wäss. Syst. durch Anlagerung von H_2O bilden; 1986 wurde auch über ein zweifach protoniertes Wasser-Mol. berichtet (H_4O^{2+}). Für das leicht pyramidale Ion H_3O^+ (s. a. quasiplanare Moleküle) ist die Bez. *Oxonium* zulässig. Mit Hilfe von cycl. Polyaminen lassen sich P. ohne ihre Hydrathülle aussondern u. untersuchen. Die Eigenschaften vieler chem. Verb., P. aufzunehmen u./od. abzugeben (als *P.-Akzeptoren* u./od. *P.-Donatoren* zu fungieren), ist die Ursache nicht nur für deren bas., amphotere od. saure Reaktionen (näheres s. bei pH-Wert, Puffer u. bes. bei Säure-Base-Begriff), sondern auch für die Lösungsqualitäten von aprot., amphiprot., prot., protogenen od. protophilen Lsm. (vgl. nichtwäßrige Lösemittel) u. sogar für Eigenheiten des Geschmacks u. a. physiolog. Eigenschaften. Von diesem Gebrauch der Bez. P. leiten sich auch Begriffe wie Protonierung u. Deprotonierung, Prototropie, Protolyse od. P.-Übertragungsreaktion ab. Letztere, die zu den sehr *schnellen Reaktionen in der Chemie zählt, ist eine Reaktion, bei der ein P. von einer Bindungsstelle zu einer anderen – inter- od. intramol. – wechselt. Zur Auffassung der Protolyse u. zur Definition protolyt. Syst. im Sinne Brønsteds s. Säure-Base-Begriff u. vgl. damit Hydrolyse u. Neutralisation. Der Name *Proton* wurde 1920 von Sir E. *Rutherford – in Anlehnung an das *Protyl* des Altertums u. dessen Interpretation als Wasserstoff durch die *Proutsche Hypothese – geprägt, als er durch Beschuß mit *α*-Teilchen aus dem Stickstoff der Luft Wasserstoff freisetzen konnte. – ***E*** = ***F*** protons – ***I*** protoni – ***S*** protones

Lit.: Proton and Electron Transfer, Biradicals (Landolt-Börnstein Neue Serie 2/13 e), Berlin: Springer 1985 ▪ Stewart, The Proton, Applications to Organic Chemistry, New York: Academic Press 1985 ▪ s. a. Atombau, Elementarteilchen, Kernphysik.

Protonenaffinität. *Reaktionswärme bei konstantem Druck (*Reaktionsenthalpie) für die Reaktion $BH^+ \rightarrow B + H^+$; hierbei ist B eine Brønsted-Base (s. Säure-Base-Begriff), die ein *Proton (H^+) zu binden vermag. Die P. ist im allg. pos., d. h. die obige Deprotonierungsreaktion ist endotherm. Ausnahmen bilden z. B. Dikationen (zweifach pos. geladene *Ionen), die bezüglich der Deprotonierung metastabil sind (s. metastabile Zustände). Die experimentelle Bestimmung von P. kann mit Hilfe der Hochdruck- *Massenspektrometrie, *ICR-Spektroskopie od. der SIFT-Technik erfolgen. Hierbei werden im allg. relative Werte der P. gemessen. Für kleine Mol. lassen sich abs. Werte der P. mittels *ab initio-Rechnungen auf 1 – 2 kcal $\cdot$ mol^{-1} genau erhalten. Die Tab. enthält einen Vgl. zwischen experimentellen u. theoret. Werten. – ***E*** proton affinity – ***F*** affinité protonique – ***I*** affinità protonica – ***S*** afinidad protónica

Tab.: Experimentelle u. berechnete Protonenaffinitäten bei 300 K [kcal $\cdot$ mol^{-1}] für einige kleine Mol. (nach *Lit.*[1]).

Mol.	experimentell	theoret.
CO	141,4	141,4
HBr	138,8	140,4
HCl	133,0	134,5
CH_4	130,0	129,0
CO_2	128,5	130,6

Lit.: [1] J. Chem. Phys. **91**, 4037–4042 (1989).
allg.: Annu. Rev. Phys. Chem. **34**, 187–215 (1983) ▪ J. Phys. Chem. Ref. Data **17**, Suppl. 1 (1988) ▪ Liebman u. Greenberg, Molecular Structure and Energetics, Weinheim: VCH Verlagsges. 1987.

Protonenakzeptoren s. Säure-Base-Begriff.

Protonendonatoren s. Säure-Base-Begriff.

Protonenmagnetische Resonanz s. NMR-Spektroskopie.

Protonenmotorische Kraft (PMK, engl. Abk. PMF). *Elektrochem. Potentialdifferenz*, die sich aus einem Konz.-Unterschied von Wasserstoff-Ionen (H^+ od. H_3O^+, „Protonen"), meist in bezug auf eine *Membran, ergibt. Die PMK setzt sich zusammen aus der chem. u. der elektr. Potentialdifferenz, die auf die Protonen einwirken. Nach der *chemiosmotischen Hypothese spielt die PMK z.B. bei der Energetisierung der *Mitochondrien eine Rolle. Der Begriff wurde in Analogie zur *elektromotorischen Kraft gebildet. – ***E*** proton motive force – ***F*** force protonomotrice – ***I*** forza motrice protonica – ***S*** fuerza protonomotriz

Protonenpumpe. 1. Als P. werden integrale Membran-*Proteine bezeichnet, die den Transport von Protonen von einem Zellkompartiment in ein anderes vermitteln. Der Transport richtet sich im allg. gegen einen Konz.-Gradienten u. erfordert Energie, die im allg. durch die Hydrolyse von *ATP bereitgestellt wird. Beim Transport von Protonen durch biolog. *Membranen wird ein *transmembraner Protonengradient* aufgebaut. Es entwickelt sich eine *protonenmotor. Kraft* (*E proton-motive force*, pmf), mit deren Hilfe andere Ionen u. organ. Verb. durch Membranen transportiert werden können. ATP-abhängige P. befinden sich z.B. in der Plasmamembran eukaryont. *Zellen, in *Lysosomen od. im Tonoplasten pflanzlicher Zellen.
2. Im weiteren Sinne werden auch Protonentransportsyst. mit der Fähigkeit zur ATP-Synth. als P. bezeichnet. Es handelt sich hierbei um ATP-Synthetase-Komplexe mit einem integralen Membranprotein, das als Protonenkanal fungiert. Diese Enzyme sind mit Elektronentransportketten gekoppelt, die einen Protonengradienten aufbauen. Dadurch entsteht ein elektr. Membranpotential, das mit der Rückführung von Protonen ausgeglichen wird. Die freiwerdende Energie wird dabei in ATP gebunden. Protonentransportsyst., mit deren Hilfe ATP synthetisiert wird, befinden sich in der Thylakoidmembran der *Chloroplasten u. in der inneren Membran der *Mitochondrien.
Das *Bakteriorhodopsin, ein Purpurmembranprotein aus *Halobakterien, wirkt bei Bestrahlung als Protonenpumpe. – ***E*** proton pump – ***F*** pompe protonique – ***I*** pompa protonica – ***S*** bomba protónica
Lit.: Annu. Rev. Biochem. **49**, 1079–1113 (1980); **52**, 801–824 (1983) ▪ Römpp Lexikon Biotechnologie, S. 633 ▪ Stryer 1996, S. 334 ff., 557 ff.

Protonenpumpen-Hemmer. Stoffe, die durch Hemmung der H^+/K^+-ATPase die Magensäure-Sekretion vermindern, unabhängig davon, wodurch die Sekretion stimuliert wurde. Sie werden zur Behandlung gastrointestinaler Geschwüre verwendet in Kombination mit einem *Antibiotikum zur Beseitigung einer *Helicobacter-pylori*-Infektion des Magens. Strukturell handelt es sich bei den auf dem Markt befindlichen Vertretern um substituierte Benzimidazole, z.B. *Omeprazol, mit pK_a-Werten um 4, die sich in den säuresezernierenden Zellen des Magens anreichern, dort nach metabol. Umwandlung in eine Sulfensäure mit Cysteinen des Zielenzyms reagieren u. es so blockieren. – ***E*** proton pump inhibitors – ***F*** inhibiteur d'accepteurs de protons – ***I*** inibitori della pompa protonica – ***S*** inhibidores de la bomba protónica
Lit.: Annu. Rev. Pharmacol. Toxicol. **35**, 277–305 (1995) ▪ Mutschler (7.), S. 539 ff. ▪ Pharmacotherapy **17**, 22–37

Protonenresonanz s. NMR-Spektroskopie.

Protonensäuren s. Säure-Base-Begriff.

Protonenschwamm. Bildhafte Bez. für sehr starke organ. Basen (sog. *Superbasen) vom Typ 1,8-Bis(dimethylamino)naphthalin (*N,N,N',N'*-Tetramethyl-1,8-naphthalindiamin, Proton Sponge®).

$(H_3C)_2N$ $N(CH_3)_2$

$C_{14}H_{18}N_2$, M_R 214,31. Sehr lichtempfindliche gelbliche Krist. vom Schmp. 47–48 °C (49–51 °C); eine Übersicht über aromat. Stickstoffbasen mit ungewöhnlicher Basizität gibt *Lit.* [1]; sie eignen sich bes. zur *Deprotonierung* von organ. Verbindungen. – ***E*** proton sponge – ***F*** éponge protonique – ***I*** spugna di protoni – ***S*** esponja protónica
Lit.: [1] Angew. Chem. **100**, 895 (1988).
allg.: Angew. Chem. **98**, 460–462 (1986); **103**, 1006 (1991) ▪ Beilstein EIV **13**, 344 ▪ Fieser u. Fieser, Reagents for Organic Synthesis, Bd. 3, S. 22, Bd. 4, S. 35, Bd. 6, S. 50, New York: Wiley 1972, 1974 u. 1977 ▪ Paquette **1**, 494. – *[CAS 20734-58-1 (1,8-Bis(dimethylamino)naphthalin)]*

Protonenübertragungsreaktionen. Chem. Reaktionen, bei denen ein *Proton entweder *intermolekular od. *intramolekular übertragen wird. Sie zählen zu den *Ionen-Molekül-Reaktionen u. laufen im allg. sehr schnell ab (s. a. schnelle Reaktionen). – ***E*** proton transfer reactions – ***F*** réactions de transfert d'électrons – ***I*** reazioni di trasporto protonico – ***S*** reacciones de transferencia de electrones
Lit.: s. Ionen-Molekül-Reaktionen u. schnelle Reaktionen.

Protonenzahl s. Ordnungszahl.

Protonierung (Hydronierung). Bez. für die Anlagerung von *Protonen (H^+; exakte, aber unübliche Bez.: Hydronen = Wasserstoff-Kationen in natürlicher Isotopenverteilung) an eine chem. Verb.; *Beisp.:* P. von gesätt. od. ungesätt. organ. Verb. mit *magischer Säure od. a. *Supersäuren, wobei organ. *Kationen (*Carbenium-, *Carbonium-, *Oxonium- u. a. Ionen) entstehen. P. können auch im Massenspektrometer auftreten; oft werden sie als 1. Schritt in einem Reaktionsmechanismus diskutiert (s. Säure-Base-Katalyse). Die entgegengesetzte Reaktion, d.h. die Abspaltung eines Protons z.B. bei organ. Verb. mit starken *Basen (*Beisp.:* *Superbasen wie *Kalium-*tert*-butoxid, *Protonenschwamm), heißt *Deprotonierung* u. führt zu *Anionen (z.B. organ. *Carbanionen). – ***E = F*** protonation – ***I*** protonazione – ***S*** protonación

Lit.: Reichardt, Solvents and Solvent Effects in Organic Chemistry, S. 81–91, Weinheim: VCH Verlagsges. 1988.

Proton-Proton-Kette s. Kernfusion.

Proton Sponge®. Marke von Aldrich für die starke Base 1,8-Bis(dimethylamino)naphthalin, Daten s. Protonenschwamm.

Protoonkogene. Ein zelluläres *Gen, das zum krebserzeugenden Gen werden kann, wird P. genannt (s. a. Onkogene). – ***E*** proto-oncogene – ***F*** proto-oncogène – ***I*** proto-oncogene, oncogene cellulare – ***S*** protooncogén
Lit.: Exp. Dermatol. **4**, 65–73 (1995) ▪ Stryer 1996, S. 373 ff.

Protopanaxadiol, -triol s. Ginseng.

Protopektin s. Pektine.

Protophane. Allg. Bez. für kettenförmige *Phane als Vorstufe der *Cyclophane; vgl. Proto...; s. a. Phan-Nomenklatur. – ***E*** = ***F*** protophanes – ***I*** protofani – ***S*** protofanos

Protophile Lösemittel. Bez. für eine Gruppe von *nichtwäßrigen Lösemitteln; vgl. dagegen protische u. protogene Lösemittel. Nach Brønsted handelt es sich um bas. Lsm., die ionisiert sind u. leicht *Protonen aufnehmen, d. h. Protonenakzeptoren sind; *Beisp.:* Ethylendiamin. Im allg. sind ihre *Dielektrizitätskonstanten groß u. ihr *Ionenprodukt kleiner als das des Wassers. – ***E*** protophilic solvents – ***F*** solvants protophiles – ***I*** solventi protofili – ***S*** disolventes protófilos

Protopin-Alkaloide. Die Struktur der P.-A. ist charakterisiert durch eine *N*-Methyl-tetrahydroprotoberberin-Struktur, deren Chinolizin-Syst. zum zehngliedrigen Azecin-Ring geöffnet ist u. die im allg. eine 14-Oxo-Gruppe enthält u. in einer transannularen Reaktion in *Protoberberin-Alkaloide übergeht. Sie sind weit verbreitet in den Familien der Berberidaceae, Fumariaceae, Papaveraceae, Ranunculaceae u. Rutaceae (s. Tab.).

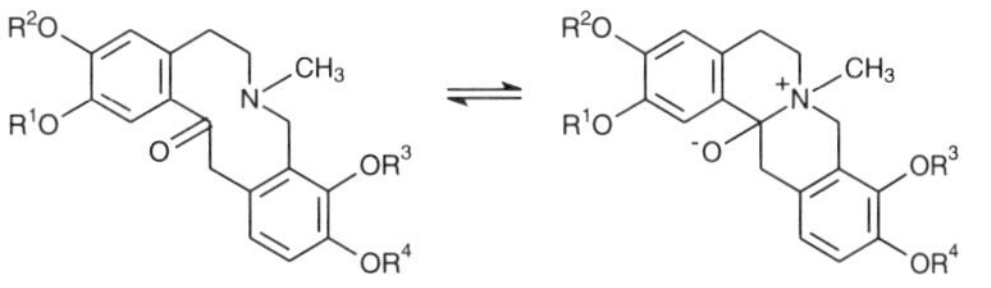

	R¹	R²	R³	R⁴
Allocryptopin	CH_2		CH_3	CH_3
Cryptopin	CH_3	CH_3	CH_2	
Muramin	CH_3	CH_3	CH_3	CH_3
Protopin	CH_2		CH_2	

P.-A. sind lösl. in Chloroform, Ethanol, Ether, unlösl. in Wasser. Allocryptopin ist ein hypotensives Agens, ein Atmungsstimulans u. ein Muskelrelaxans. Cryptopin ist als Nebenalkaloid des Opiums hoch toxisch. Protopin zeigt schwache spasmolyt. u. bakterizide Aktivität.

Die Biosynth.[1] erfolgt aus Reticulin über Protoberberine, z. B. über Stylopinmethochlorid. – ***E*** protopine alkaloids – ***F*** alcaloïdes de protopiue – ***I*** alcaloidi della protopina – ***S*** alcaloides de protopina

Lit.: [1] Mothes, Schütte u. Luckner, Biochemistry of Alkaloids, S. 226–230, Weinheim: Verl. Chemie 1985; Prog. Bot. **51**, 113–133 (1980).
allg.: Hager (5.) **4**, 480–497, 771–788, 1013–1027; **5**, 110–115 ▪ J. Heterocycl. Chem. **27**, 623 (1990) (Protopin) ▪ Manske **10**, 467; **12**, 333; **15**, 207; **17**, 385; **18**, 217; **34**, 181–209 ▪ Merck-Index (12.), Nr. 8083 (Protopin) ▪ R. D. K. (4.), S. 141 f., 300, 359 f., 478, 635 ff., 890 ▪ Sax (8.), FOW 000 ▪ Ullmann (5.) **A 1**, 375. – *[HS 2939 90]*

Protoplasten s. Protoplastenfusion.

Protoplastenfusion. In der Mikrobiologie (*Stammentwicklung) u. Pflanzenzüchtung Bez. einer Technik, bei der *Protoplasten* von zwei od. mehreren unterschiedlichen Stammlinien zu einer einzigen Zelle verschmolzen werden. Als Protoplasten bezeichnet man kugelige Zellkörper, die durch vollständiges Abverdauen der Zellwand mit lyt. Enzymen (z. B. Lysozym) in Ggw. osmot. Stabilisatoren (z. B. Zucker) aus einzelligen od. mycelbildenden Mikroorganismen od. Pflanzenzellen gebildet werden. Geeignete Kultur der

Tab.: Daten u. Vorkommen von Protopin-Alkaloiden.

Name	Summenformel	M_R	Schmp. [°C]	Vork.	CAS
Allocryptopin	$C_{21}H_{23}NO_5$	369,42	160–161 (α-Form) u. 169–171 (β-Form)	*Corydalis dactylicapnos, Argemone bocconia, Eschscholtzia glaucium, Macleaya-, Meconopsis-, Papaver-, Sanguinaria-, Stylomecon-, Chelidonium-, Thalictrum-*Arten	485-91-6 (α-Form) 24240-04-8 (β-Form)
Cryptopin	$C_{21}H_{23}NO_5$	369,42	221–223	*Corydalis-, Dicentra-, Argemone-, Meconopsis-, Papaver-, Stylomecon-, Thalictrum-*Arten	482-74-6
Muramin	$C_{22}H_{27}NO_5$	385,46	176–177	*Papaver nudicaule* u. *Papaver-*Arten, *Glaucium vitellinum, Argemone munita, A. squarrosa*	2292-20-8
Protopin	$C_{20}H_{19}NO_5$	353,37	207	Papaveraceae, Fumariaceae, Berberidaceae, Sapindaceae	130-86-9

Protoplasten in hyperton. Medium induziert die Biosynth. von Zellwandmaterial u. damit die *Regeneration* der Protoplasten zu normalen Zellen. Wegen der stark neg. Ladung der Protoplastenoberfläche treten Fusionen normalerweise selten auf, erst in Ggw. von Polyethylenglykol od. im elektr. Feld (*Elektrofusion) vernetzen die Protoplasten, u. es kommt zu Fusionen mit DNA-Austausch. Nach Regeneration der Zellwand findet man bei den Nachkommen einen signifikanten Anteil von Rekombinanten (d.h. Stämme mit Austausch u. Neuverknüpfung von DNA). Durch die Entwicklung geeigneter Meth. gelang bis heute die Protoplastierung u. Regeneration prakt. aller wichtigen Mikroorganismen (mit Ausnahme einiger Gram-neg.), die in der Grundlagenforschung od. in der industriellen Praxis eingesetzt werden.

Anw.: 1. Zur *intraspezif. Rekombination* (Kreuzung zwischen Stämmen einer Art) bei Organismen, bei denen sexuelle od. parasexuelle Syst. fehlen od. mit einer zu geringen Rekombinationshäufigkeit. Der Austausch von genet. Material ist unabhängig von Fertilitätsfaktoren, wobei DNA von mehreren Elternstämmen kombiniert werden kann. Dabei kommt es zur Übertragung des gesamten Genoms, nicht nur von Segmenten, wie bei Konjugation, Transduktion od. Transformation.

2. Zur *interspezif. Hybridisierung* (Kreuzung zwischen Stämmen unterschiedlicher Arten od. Gattungen) im Hinblick auf die Synth. modifizierter Metabolite. Im Gegensatz zu intraspezif. Kreuzungen ist die Fusionshäufigkeit bei interspezif. Verschmelzungen meist sehr niedrig, wahrscheinlich spielen hier Genom-Inhomologien eine Rolle, die keine Rekombination erlauben, außerdem die Restriktions- u. Modifikationssyst. der Zelle (s. Restriktionsenzyme) od. physiolog. Inkompatibilität.

P. kann zwischen Protoplasten od. zwischen Protoplasten u. *Liposomen ausgeführt werden. In der *Gentechnologie werden Protoplasten zur *Transformation mit *Plasmid-DNA, chromosomaler od. viraler DNA eingesetzt. Der Durchbruch der Protoplastentechnik gelang bei pflanzlichen Zellen Ende der sechziger Jahre (Mesophyllzellen von *Nicotiana tabacum*[1]). In der Mikrobiologie wurden die ersten genet. Untersuchungen mit Hilfe der P. in den siebziger Jahren durchgeführt[2,3]. – ***E*** protoplast fusion – ***F*** fusion de protoplastes – ***I*** fusione di protoplasti – ***S*** fusión de protoplastos

Lit.: [1] Plant Cell Physiol. **9**, 115 (1968). [2] Proc. Natl. Acad. Sci. USA **73**, 2147 (1976). [3] Nature (London) **268**, 171 (1977).
allg.: Annu. Rev. Microbiol. **35**, 237 (1981) ▪ Crueger, in Präve et al. (Hrsg.), Jahrbuch Biotechnologie, Bd. 2, S. 383–410, München: Hanser 1988/89 ▪ Genetics **144** (3), 871–881 (1996) ▪ J. Chem. Tech. Biotechnol. **32**, 347 (1982) ▪ J. Ind. Microbiol. **14** (6), 508–513 (1995) ▪ Kinzel, Stoffwechsel der Zelle, Stuttgart: Ulmer 1989 ▪ Methods Mol. Biol. **53**, 45–49 (1996) ▪ Mol. Gen. Genet. **254** (4), 379–388 (1997) ▪ Nultsch, Allgemeine Botanik (10.), S. 67, 382, Stuttgart: Thieme 1996.

Protoporphyrine. Metall-freie biosynthet. Vorstufen der *Porphyrine (cycl. Tetrapyrrol-Pigmente). Beisp. sind Protoporphyrin XIII, $C_{34}H_{34}N_4O_4$, M_R 562,67, rote Krist., Schmp. >300 °C, u. *Protoporphyrin IX. – ***E*** protoporphyrins – ***F*** protoporphyrines – ***I*** protoporfirine – ***S*** protoporfirinas

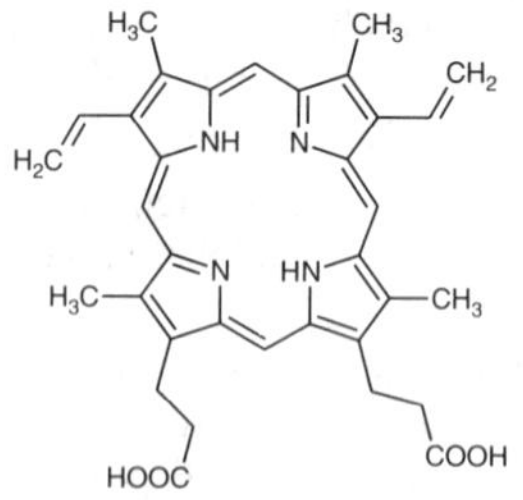

P. XIII

Lit.: Aust. J. Chem. **31**, 365, 639 (1978); **33**, 557 (1980) ▪ Frydman u. Valasinas, in Dolphin (Hrsg.), Porphyrins, Vol. 6, S. 1–123, New York: Academic Press 1979 ▪ Prog. Phytochem. **5**, 127–180 (1978) ▪ s.a. Protoporphyrin IX, Porphyrine. – *[HS 2933 90; CAS 59969-38-9 (P. XIII)]*

Protoporphyrin IX (Kammerers Porphyrin, Ooporphyrin).

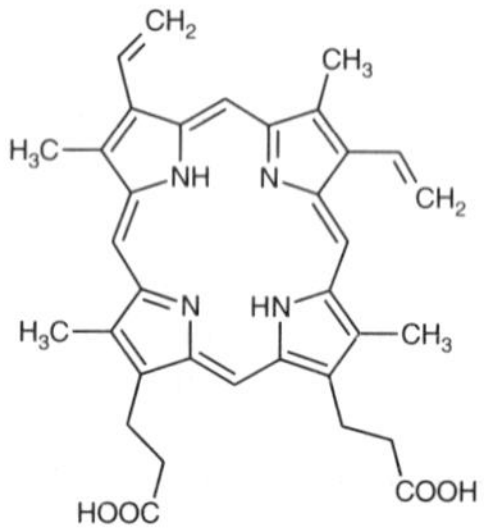

$C_{34}H_{34}N_4O_4$, M_R 562,67, gelblich-braune Krist., Schmp. >300 °C, die sich in Chloroform, anorgan. u. organ. Säuren bzw. sauren Lsm. leicht, in Basen kaum lösen. P. ist wichtiges Zwischenprodukt u. Verzweigungspunkt in der Biosynth. von *Chlorophyll u. *Hämoglobin: als Eisenkomplex (*Häm) bildet es dessen prosthet. Gruppe; Chlorophyll entsteht durch Komplexbildung mit Magnesium u. Modif. der Seitenketten; Näheres s. bei Häm u. Porphyrine. Durch Abbau von P. entstehen die *Gallenfarbstoffe; bei *Porphyrie kann P. auch im Harn ausgeschieden werden. Wegen seines Vork. in Vogeleierschalen hat man den Farbstoff früher *Ooporphyrin* genannt. – ***E*** protoporphyrin IX – ***F*** protoporphyrine IX – ***I*** = ***S*** protoporfirina IX

Lit.: Acc. Chem. Res. **12**, 374–381 (1979) ▪ Aust. J. Chem. **33**, 557 (1980) ▪ Beilstein E V **26/15**, 284 ▪ Dinello, in Dolphin (Hrsg.), The Porphyrins, Vol. 1, S. 290, New York: Academic Press 1979 ▪ Experientia **34**, 1–13 (1978) ▪ Heterocycles **26**, 1947–1963 (1987) ▪ Merck-Index (12.), Nr. 8084 ▪ Nature (London) **285**, 17–21 (1980) ▪ Sax (8.), DXF700 ▪ s.a. Protoporphyrine u. Porphyrine. – *[HS 2933 90; CAS 553-12-8]*

Protostemonin s. Stemona-Alkaloide.

Prototropie. Bez. für die Verschiebung eines *Protons innerhalb eines Mol., die häufigste Form von *Tautomerie.

Protoveratrine s. Veratrum-Alkaloide.

Protoxide s. Prot(o)...

Protozoen [von *Prot(o)... u. griech.: zoon = Lebewesen]. Vorwiegend im Wasser lebende tier. u. pflanzliche *Einzeller* (*Protisten*, „Urtierchen") mit etwa 30000 Arten, die meistens mikroskop. klein sind. Die Wissenschaft von den Einzellern ist die Protozoologie. Die ernährungsphysiolog. definierte Grenze zwischen Tier- u. Pflanzenreich verläuft mitten durch die Gruppe der P. hindurch. Man teilt die P. ein in: Geißeltierchen

(*Flagellaten), Wurzelfüßer (Rhizopoden), Sporentierchen (Sporozoen) u. Wimperntierchen (Ciliophoren od. Ciliaten). Die P. bestehen aus einem Zellkörper (Plasma), der einen od. mehrere Zellkerne aufweist, Organellen mit Bewegungs-, Ernährungs-, Exkretions-, Vermehrungs- u./od. Schutzfunktion. Die P. leben z.T. frei, z.T. als **Parasiten*, andere als *Kommensalen* (den Wirtsorganismus nicht schädigende P.). Manche P. bilden Zysten, die im Wasser, z.B. eines Heu-Aufgusses, reaktiviert werden (Aufgußtierchen, Infusorien). Die Fortpflanzung der P. erfolgt im allg. durch Zellteilung, wenn auch Generationswechsel mit sexuellem Stadium vorkommen können; bei den Blutparasiten ist ein Wirtswechsel auf Insekten notwendig. Als humanpatholog. kennt man ca. 30 P.-Arten, wie die Erreger der Malaria (Plasmodien), der Schlafkrankheit u. Chagas-Krankheit (Trypanosomen), Leishmaniosen, Amöbenruhr (Amöben), Kolpitis (Trichomonaden), Toxoplasmosen. Eine bes. für Hühner gefährliche *Protozoonose* ist die Kokzidiose. Die Chemotherapie der P.-Infektionen bedient sich der Antibiotika u. spezif. wirkender Mittel; *Beisp.:* *Nitrofurane, -imidazole u. -thiazole. Weitere Beisp. findet man bei den in Einzelstichwörtern behandelten Krankheiten u./od. deren Erregern sowie bei *Amöbizide, *Kokzidiostatika, *Antimalariamittel. Letztere teilt man, je nachdem in welchen Teil des komplexen Entwicklungscyclus von Plasmodium sie eingreifen, in schizontozide, gametocytozide u. sporontozide Malariamittel. Nicht wenige der bisher entwickelten *Parasitizide* od. *Protozoozide* sind mit starken Nebenwirkungen behaftet, z.B. die *Arsen- u. *Antimon-Präparate od. Trypan-Farbstoffe. – ***E*** protozoa – ***F*** protozoaires – ***I*** protozoi – ***S*** protozoos

Lit.: Hausmann u. Hülsmann, Protozoology (2.), Stuttgart: Thieme 1996 ▪ Mehlhorn u. Ruthmann, Allgemeine Protozoologie, Stuttgart: Fischer 1992 ▪ Streble u. Krauter, Das Leben im Wassertropfen (8.), Stuttgart: Franckh 1988.

Protriptylin (Rp).

$(CH_2)_3$—NH—CH_3

Internat. Freiname für das *Thymoleptikum *N*-Methyl(5*H*-dibenzo[*a,d*]cyclohepten-5-propanamin, $C_{19}H_{21}N$, M_R 263,37. Verwendet wird das Hydrochlorid, Schmp. 168 °C, λ_{max} (CH_3OH) 293 nm ($A^{1\%}_{1cm}$ 466), pK_a 8,2. P. wurde 1962, 1963 u. 1966 von Merck & Co patentiert. – ***E = F*** protriptyline – ***I = S*** protriptilina

Lit.: Hager (5.) **9**, 433f. ▪ Martindale (31.), S. 332f. – *[HS 2921 49; CAS 438-60-8 (P.); 1225-55-4 (Hydrochlorid)]*

Protyl s. chemische Elemente (Geschichte) u. Protonen.

Prourokinase s. Urokinase.

Proust, Joseph-Louis (1754–1826), Privatgelehrter in Madrid u. Angers. *Arbeitsgebiete:* Isolierung der Glucose, Ableitung der nach ihm benannten Gesetzmäßigkeit, Entwicklung naßanalyt. Verf. wie der H_2S-Fällung.

Lit.: Krafft, S. 281f. ▪ Lexikon der Naturwissenschaftler, S. 336 ▪ Neufeldt, S. 68 ▪ Pötsch, S. 352.

Proustide s. Daltonide.

Proustit (Lichtes Rotgültigerz). Ag_3AsS_3; zu den *Sulfosalzen gehörendes Erzmineral, dimorph (*Polymorphie) mit *Xanthokon* Ag_3AsS_3; zur Phasenumwandlung s. *Lit.*[1]. Diamant- bis blendeartig glänzende, ditrigonal-pyramidale Krist., vgl. die Abb. bei Pyrargyrit; Kristallklasse 3m-C_{3v}, Struktur s. *Lit.*[2]. Auch als derbe Massen, Einsprenglinge, Anflüge od. *Dendriten. H. 2,5, D. 5,55–5,64, Bruch muschelig, Farbe u. Strich scharlach- bis zinnoberrot. P. dunkelt an Licht nach (lichtgeschützt aufbewahren!). Experimentell ist vollständige *Mischkristall-Bildung zwischen $AgAsS_3$ u. Ag_3SbS_3 (*Pyrargyrit) bis herab zu 360 °C nachgewiesen; in der Natur bilden sich beide Phasen fast rein u. gleichzeitig nebeneinander bei tieferen Temperaturen. ***Vork.:*** Wie Pyrargyrit, bes. schöne Krist. von Chañarcillo/Chile. P.-Krist. finden Verw. in der Opto-Elektronik. – ***E = F = I*** proustite – ***S*** proustita

Lit.: [1] Phys. Chem. Miner. **24**, 50ff. (1997). [2] Neues Jahrb. Mineral. Monatsh. **1966**, 181–184.
allg.: Anthony et al., Handbook of Mineralogy, Vol. I, S. 423, Tucson (Arizona): Mineral Data Publishing 1990 ▪ Lapis **16**, Nr. 5, 8–11 (1991) („Steckbrief“) ▪ Ramdohr, Die Erzmineralien u. ihre Verwachsungen, S. 840–843, Berlin: Akademie Verl. 1975 ▪ Ramdohr-Strunz, S. 472 ▪ Schröcke-Weiner, S. 283–287. – *[HS 2616 10; CAS 15122-58-4]*

Proustsches Gesetz. Von *Proust 1797 abgeleitete Gesetzmäßigkeit, derzufolge die Gewichtsmengen der in einer definierten chem. Verb. vereinigten Elemente zueinander in einem konstanten Verhältnis stehen (*Gesetz der konstanten Proportionen*). Dieses Grundgesetz der *Stöchiometrie wurde vor Proust bereits von J. B. *Richter (1792) formuliert u. später von J. *Dalton durch das *Gesetz der multiplen Proportionen* (s. Daltonsches Gesetz) ergänzt. – ***E*** Proust's law – ***F*** loi de Proust – ***I*** legge di Proust – ***S*** ley de Proust

Prout, William (1785–1850), Arzt in London. *Arbeitsgebiete:* Atombau, Entwicklung der nach ihm benannten Hypothese, Nachw. der Magen-Salzsäure (s. nachfolgendes Stichwort).

Lit.: Krafft, S. 107 ▪ Lexikon der Naturwissenschaftler, S. 336 ▪ Naturwissenschaften **72**, 24 (1985) ▪ Neufeldt, S. 10 ▪ Pötsch, S. 352f. ▪ Strube et al., S. 83.

Proutsche Hypothese. von *Prout 1815 aufgestellte Hypothese, nach der die Atommassen (s. Atomgewichte) der Elemente das Vielfache der Atommasse des Wasserstoffs darstellen u. die Atome aller Elemente letzten Endes aus einer definierten Anzahl von Wasserstoff-Atomen (dem *Protyl* der alten Griechen vergleichbar, s. chemische Elemente u. Protonen) bestehen. Zwar mußte bei den späteren genaueren Atommassenbestimmungen Prouts Theorie aufgegeben werden, da viele Elemente keine ganzzahligen Atommassen haben, doch haben die Untersuchungen über Radioaktivität u. Isotope Prouts Überlegungen nachträglich gerechtfertigt u. Sir E. *Rutherford zur Prägung des Begriffs Proton veranlaßt. – ***E*** Prout's hypothesis – ***F*** hypothèse de Prout – ***I*** ipotesi di Prout – ***S*** hipótesis de Prout

Lit.: Brock, From Protyle to Proton. William Prout and the Nature of Matter 1785–1985, Bristol: Hilger 1985.

Provasopressin s. Vasopressin.

Provil®. Abformmaterial auf Basis additionsvernetzender *Silicone (Polyvinylsiloxane) für zahnärztliche Zwecke. ***B.:*** Heraeus Kulzer GmbH & Co. KG.

Provirus s. Viren.

Provitamin D_3 s. 7-Dehydrocholesterin.

Provitamine. Vorstufen von *Vitaminen, die erst im Organismus od. *in vitro* in diese überführt u. damit aktiv werden; *Beisp.:* β-Carotin ist P. für Vitamin A, Ergosterin für Vitamin D_2. – ***E*** provitamins – ***F*** provitamines – ***I*** provitamine – ***S*** provitaminas

Proxel®. Mikrobizide *Konservierungsmittel auf der Basis von 1,2-Benzisothiazolin-3-on-Verb. zur Verw. in Emulsionen, Bindemitteln, Lacken, Klebstoffen, Papier(beschichtungen) etc. ***B.:*** ICI.

Proxen® (Rp). Filmtabl., Dragées, Suppositorien u. Saft mit *Naproxen gegen rheumat. u. arthrit. Schmerzzustände. ***B.:*** Hoffmann-La Roche.

Proxibarbal (Rp).

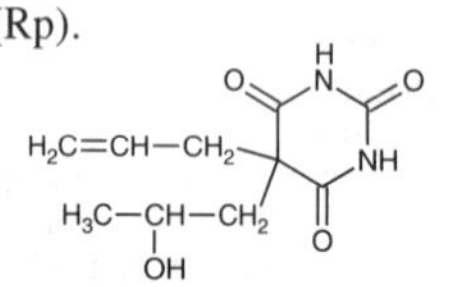

Internat. Freiname für das *Migräne-Mittel, *Sedativum u. Hypnotikum (±)-5-Allyl-5-(2-hydroxypropyl)barbitursäure, $C_{10}H_{14}N_2O_4$, M_R 226,23, Krist., Schmp. 157–158 °C, auch 166,5–168,5 °C angegeben, pK_a 8,31, mäßig lösl. in Wasser. P. wurde 1964 von Hommel AG patentiert. – ***E*** = ***F*** = ***I*** = ***S*** proxibarbal

Lit.: Beilstein E III/IV **25**, 457 ▪ Hager (5.) **9**, 434 f. ▪ Martindale (31.), S. 733. – *[HS 2933 51; CAS 2537-29-3]*

Proximale Carcinogene s. Präcarcinogene.

Proximitätseffekt s. Nachbargruppen-Effekte.

PROXITANE®. Peressigsäure in verschiedenen Konz., u.a. zum Einsatz als Desinfektionsmittel in Krankenhäusern, Brauereien, Molkereien u. in der Lebensmittel-Industrie. ***B.:*** Solvay Interox.

Proxymetacain (Rp zur Anw. am Auge).

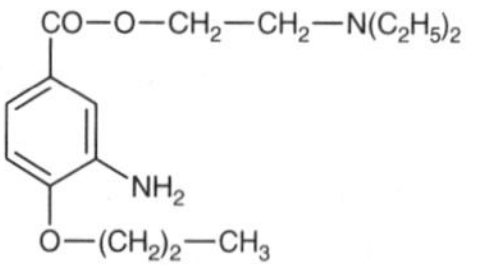

Internat. Freiname für das auch als *Proparacain* bekannte, bes. am Auge als *Lokalanästhetikum wirksame [2-(Diethylamino)ethyl]-3-amino-4-propoxybenzoat, $C_{16}H_{26}N_2O_3$, M_R 294,38. Verwendet wird das Hydrochlorid, Schmp. 182–183,3 °C; λ_{max} (CH_3OH) 225, 270, 300 nm, pK_a 3,2. P. wurde 1919 von Parke Davis, 1942 von Abbott patentiert u. ist von Ursapharm (Proparakain POS®) im Handel. – ***E*** proxymetacaine – ***F*** proxymétacaïne – ***I*** proxymetacaina – ***S*** proximetacaína

Lit.: ASP ▪ Florey **6**, 423–456 ▪ Hager (5.) **9**, 435 ff. ▪ Martindale (31.), S. 1340. – *[HS 2922 50; CAS 499-67-2 (P.); 5875-06-9 (Hydrochlorid)]*

Proxyphyllin.

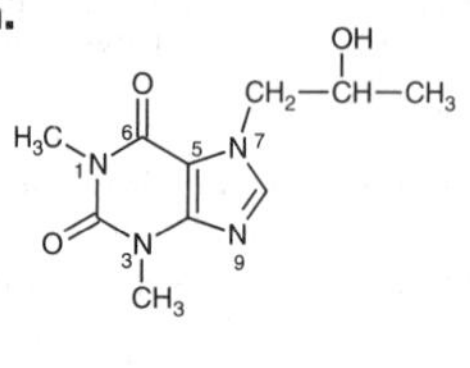

Internat. Freiname für das *Broncholytikum (±)-7-(2-Hydroxypropyl)-1,3-dimethyl-3,7-dihydro-1*H*-purin-2,6-dion [7-(2-Hydroxypropyl)-theophyllin], $C_{10}H_{14}N_4O_3$, M_R 238,24 (s.a. Theophyllin). P. bildet Krist., Schmp. 135–136 °C; λ_{max} (CH_3OH) 272 nm ($A^{1\%}_{1cm}$ 376); LD_{50} (Ratte oral) 938±96 mg/kg; leicht lösl. in Wasser, schwerer in Ethanol. P. wurde 1955 von Gane's Chem. Works patentiert. – ***E*** = ***F*** proxyphylline – ***I*** = ***S*** proxifilina

Lit.: Beilstein E III/IV **26**, 2366 ▪ Hager (5.) **9**, 437 f. ▪ Martindale (31.), S. 1656 ▪ Ph. Eur. **1997** u. Komm. – *[HS 2939 50; CAS 603-00-9]*

Prozeßanalytik. Aufgabe der P. ist die zeitliche Erfassung von Verf.-Abläufen, d.h. von stoffspezif. Größen bei stoffverändernden Prozessen. Dabei wird der zeitliche Verlauf von physikal. Probenveränderungen sowie von chem. Reaktionen verfolgt. Mit der Erfassung dieser Größen dient die P. der Überwachung u. Steuerung von Verf.-Abläufen in der chem., pharmazeut. u. biotechnolog. Produktion sowie in der Umwelttechnik. Physikal. Meßgrößen wie Druck, Temp., Leitfähigkeit, Brechungsindex od. Durchflußmenge werden meist durch Inline-Verf. erfaßt, wobei der entsprechende Sensor direkt in den Probenstrom eingebracht wird. Zur Bestimmung chem. Parameter bei industriellen Prozessen werden meist Online-Analysatoren mit integrierter Probenahme u. -aufbereitung eingesetzt. Geräte zur Überwachung gasf. Emissionen beruhen überwiegend auf dem Prinzip der *Photometrie (IR u. UV). Zur selektiven Stickstoffmonoxid-Bestimmung wird das Prinzip der *Chemilumineszenz verwendet. Der Sauerstoff-Gehalt kann aufgrund des paramagnet. Triplettzustands u. mit der Lambda-Sonde (s. Katalysator) gemessen werden. Elektrochem. Prinzipien wie *Konduktometrie u. *Potentiometrie werden in Geräten zur kontinuierlichen Messung gasf. Emissionen ebenfalls herangezogen. Zur Erfassung von Kohlenwasserstoffen werden die Flammenionisation sowie die *Kalorimetrie nach katalyt. Verbrennung aller brennbaren Abgasbestandteile u. einer Temp.-Differenzmessung verwendet. Ein wesentlicher Bestandteil der P. besteht in der Informationsverarbeitung. In der Regel werden Prozeßrechner eingesetzt, die alle aufgenommenen bzw. auch manuell eingegebenen Daten mit entsprechenden Programmen zeitbezogen verknüpfen können u. so bei der *Prozeßautomatisierung* unmittelbar auf den Prozeß regeltechn. einwirken. – ***E*** process analysis (control) – ***F*** analyse de processus – ***I*** analisi di processo, controlli di produzione – ***S*** análisis (control) de proceso

Lit.: Doerffel, Prozeßanalytik, Leipzig: Dtsch. Verl. für Grundstoffind. 1986 ▪ Oesterle, Prozeßanalytik, München: Oldenbourg 1995 ▪ Otto, Analytische Chemie, S. 549–600, Weinheim: VCH Verlagsges. 1995 ▪ Schwedt, Analytische Chemie, S. 403–410, Stuttgart: Thieme 1995.

Prozessierung. Bez. für Vorgänge, die im Zellkern der *Eukaryonten während u. nach der *Transkription durch RNA-Polymerase II (s. Polymerasen) an der heterogenen Kern-RNA (hnRNA) ablaufen, bevor diese zur Protein-Biosynth. verwendet werden kann (s. Translation).

Die Primärtranskripte, also die Produkte der RNA-Polymerase erhalten an ihrem 5′-Ende eine *Cap*-Struktur, an ihrem 3′-Ende einen *Poly(A)-Schwanz (Polyadenylierung). Das sog. „*5′-Cap*" („Kappe") spielt eine wichtige Rolle bei der Initiation der Protein-Synth. an den *Ribosomen u. schützt das RNA-Transkript vor dem Abbau. Anschließend werden aus der Vorläufer-mRNA die *Introns herausgeschnitten, u. es bildet sich reife mRNA, die fortlaufende Informationen beinhaltet. Die reife gespleißte mRNA (s. Spleißen) wird vom Kern ins Cytoplasma transportiert, wo sie dann translatiert wird. – ***E*** processing – ***F*** développement, déroulement de processus – ***I*** processazione – ***S*** proceso, procesamiento

Lit.: Curr. Opin. Cell Biol. **2**, 528–538 (1990) ▪ FEBS Lett. **409**, 115–120 (1997) ▪ Stryer 1996, S. 894–919.

Prozeßleitelektroniker (seit 1992 Berufsbez. für Meß- u. Regelmechaniker). Chemie-Beruf mit 3½jähriger Ausbildungsdauer. In der chem. Ind., der Mineralöl-Ind. u. in Kraftwerken arbeiten P. an modernen Produktionsanlagen. Sie sind mitverantwortlich für den störungsfreien u. sicheren Produktionsablauf. Dazu erweitern, ändern u. warten sie komplexe sog. Prozeßleiteinrichtungen, setzen diese evtl. instand u. beheben aufkommende Störungen. Sie messen elektr. u. verfahrenstechn. Größen wie Stromstärke, Temp., Druck u. Füllstände, lesen Zeichnungen, Schalt- u. Funktionspläne u. dokumentieren durchgeführte Arbeiten. Arbeitsorte der P. sind Produktionsanlagen, Meßwarten, Schalträume u. Werkstätten. – ***E*** electronic process control engineer – ***F*** technicien en mesures et réglage – ***I*** tecnico elettronico del processo di produzione – ***S*** ingeniero electrónico de procesos industriales

Prozeßleitsysteme s. Prozeßrechner.

Prozeßrechner. Zur Überwachung, *Regelung u. Steuerung (*Automation) techn. Prozesse eingesetzter Computer, der im *online*-Betrieb arbeitet. Im P. werden *Meßwerte* (Istwerte wie Temp., Druck, Feuchtigkeitsgehalt, Strömungsgeschw., pH-Wert, Flüssigkeitsniveaus, Viskositäten) mit den *Sollwerten* (vgl. Messen) in Relation gebracht u. in *Steuer-* u. *Regelungssignale* (Steuerung von Ventilen, Heiz- u. Kühlaggregaten, Waagen etc.) umgesetzt; gleichzeitig erfolgen **Registrieren* u. *Protokollieren* aller derartiger Verfahrensschritte, was für die Betriebsleitung u. a. für evtl. *Störfallanalysen* unerläßlich ist. Aspekte der **Arbeitssicherheit* (Unfallverhütung) können selbstverständlich ebenfalls berücksichtigt werden. In Konstruktion u. Fertigung kennt man heute Begriffe wie *CAD/*CAM (computer-aided design/manufacturing = rechnerunterstütztes Konstruieren/Fertigen). Die *Automation von Fertigungsprozessen u. bes. deren *Optimierung kommen heute ohne P. nicht mehr aus, wobei sich die Verw. von *Mikroprozessoren u. peripheren Mikrocomputern als sehr hilfreich erwiesen hat. Für integrierte Anlagen hat sich der Begriff *Prozeßleitsyst.* (PLS) eingebürgert. – ***E*** process control computers – ***F*** ordinateurs pour le contrôle de processus, calculateur de processus – ***I*** calcolatore di processo – ***S*** ordenadores para control de procesos

Lit.: Manka, Process Control (Chemical Engineering), in Encyclopedia of Physical Science and Technology, Vol. 13, S. 513–526, New York: Academic Press 1992 ▪ s. Mikroprozessor.

PrP s. Prionen.

PRP®. Säulen für die analyt. u. präparative Chromatographie sowie Vorsäulen; enthalten als Füllmaterial hochmol. vernetzte Polymere. P.-1, P.-2, P.-3 u. P.-Infinity für reversed phase-Trennungen; P.-3 u. P.-Infinity sind speziell für Peptid- u. Protein-Trennungen ausgelegt; P.-X100 u. P.-X200 für die Ionenchromatographie, P.-X300 für die Ionenausschlußchromatographie; weitere spezielle Ionenaustauscher sind P.-X400, P.-X500 u. P.-X600. ***B.:*** Hamilton.

PRT. Abk. für PR-Toxin.

PR-Toxin (PRT).

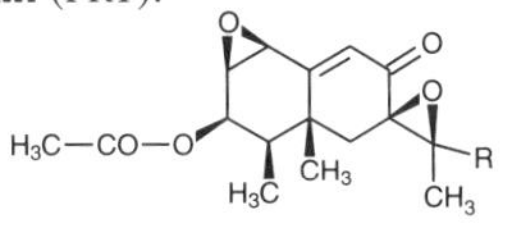

R = CHO : PR-Toxin
R = CH_3 : Eremofortin A
R = CH_2OH : Eremofortin C (12-Hydroxyeremofortin A)
R = $CONH_2$: Eremofortin E

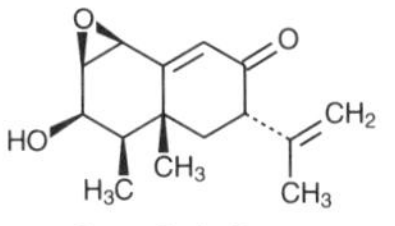

Eremofortin B

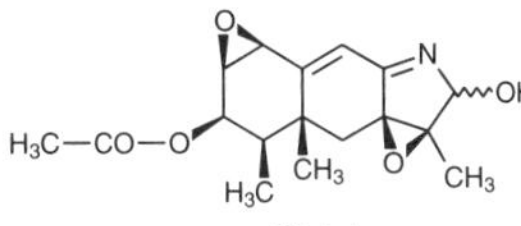

PR-Imin

Tab.: Daten von PR-Toxin u. Eremofortinen.

Verb.	Summenformel	M_R	Schmp. [°C]	$[\alpha]_D$ ($CHCl_3$)	CAS
PR-Toxin	$C_{17}H_{20}O_6$	320,34	155–157	+290°	56299-00-4
PR-Imin	$C_{17}H_{21}NO_5$	319,36			56349-25-8
Eremofortin A	$C_{17}H_{22}O_5$	306,36	159–161	+205°	62445-06-1
Eremofortin B	$C_{15}H_{20}O_3$	248,32	121–123	+115°	60048-73-9
Eremofortin C	$C_{17}H_{22}O_6$	322,36	122–126		62375-74-0
Eremofortin E	$C_{17}H_{21}NO_6$	335,36	240 (Zers.)	+227°	77732-43-5

*Mykotoxin; wird zusammen mit den strukturverwandten, nicht tox. Eremofortinen u. PR-Imin von *Penicillium roqueforti* gebildet. Letzteres entsteht auch spontan aus PR-T. in wäss. methanol. Ammoniak-Lösung. Alle Verb. sind *Sesquiterpene mit Eremophilan-Grundstruktur. PR-T. hemmt die RNA-Polymerasen u. die Protein-Biosynth., ist mutagen u. vermutlich carcinogen [1]. In Blauschimmelkäse wurde es noch nicht gefunden, da es wahrscheinlich mit Aminosäuren reagiert. LD_{50} (Maus i.p.) 1–5,8 mg/kg, bei oraler Verabreichung liegen die Werte zwischen 58 u. 100 mg/kg. – ***E*** PR toxin – ***F*** toxine PR – ***I*** tossina PR – ***S*** toxina PR

Lit.: [1] Cancer Res. **36**, 445 (1976). *Biosynth.:* Phytochemistry **20**, 2339 (1981).

allg.: Beilstein EV **19/6**, 233 ▪ Cole u. Cox, Handbook of Toxic Fungal Metabolites, S. 870f., New York: Academic Press 1981 ▪ Odell u. Ownby, Natural Toxins, Oxford: Pergamon 1989 ▪ Sax (8.), POF800 ▪ Tetrahedron Lett. **23**, 5359 (1982).

PRTR. Abk. für *E* *p*ollutant *r*elease and *t*ransfer *r*egister = Schadstoff-Freisetzungs- u. Transportregister, ein vom IOMC (Inter-Organization Programme for the Sound Management of Chemicals) im Auftrag von *OECD, *UNEP, *WHO u. a. geprägter Begriff für Inventare wie *TRI, die der Identifizierung, Bilanzierung u. Verminderung von Stoff-Freisetzungen dienen. – ***E*** pollutant release and transfer register – ***F*** RPRT – ***I*** registro sul liberamento e trasporto di contaminanti – ***S*** registro del tansporte y liberación de contaminantes

Lit.: IOMC (Hrsg.), Pollutant Release and Transfer Registers (PRTRs), Guidance Manual for Governments, Genf: OECD 1996. – Internet: http://www.oecd.org./ehs/prtr/index.htm

Prüfkörper s. Probe.

Prüfnachweise s. Chemikaliengesetz.

Prüfnachweisverordnung (ChemprüfV). Kurzbez. für die VO über Prüfnachw. u. sonstige Anmelde- u. Mitteilungsunterlagen nach dem *Chemikaliengesetz. Die P. regelt Inhalt u. Form der einzureichenden Unterlagen bei Anmeldung neuer Stoffe sowie bei Mitteilungen zu angemeldeten Stoffen, zu den von der Anmeldepflicht ausgenommenen neuen Stoffen sowie zu Stoffen, die nicht od. nur außerhalb der EU in den Verkehr gebracht werden.

Lit.: BGBl. I, S. 1877 (1994).

Prüfröhrchen. In Verb. mit manuell od. automat. zu bedienenden Pumpen verwendete Röhrchen zur *qual.* u./od. *halbquant.* *Gasanalyse tox. u. explosiver Gase u. Dämpfe (s. a. Gasspürgeräte). Zu diesem Zweck werden dem vor Gebrauch gasdicht verschlossenen Röhrchen aus farblos durchsichtigem Material (im allg. Glas) die Spitzen abgebrochen u. ein bestimmtes Vol. des Untersuchungsgases wird hindurchgesaugt. Das P. enthält auf Trägersubstanzen aufgezogene Reagenzien, welche mit der betreffenden gas- od. dampfförmigen Untersuchungssubstanz – ggf. mit Hilfe eines Katalysators – farbige Reaktionsprodukte bilden. Intensität od. Länge der Färbezone gestatten eine qual. bzw. quant. Auswertung. Im allg. gibt es für jedes der wichtigeren Schadgase ein spezif. P., doch ist es auch möglich, mit P. mehrere Substanzen, den *Blutalkohol od. sogar Cholinesterase-Hemmer (z. B. Phosphor-organ. Insektizide[1]) u. a. Stoffe quant. im Prozent- bis ppm-Bereich mit Hilfe von Vergleichstafeln zu erfassen. Derzeit sind >200 verschiedene P. auf dem Markt (s. Dräger- u. Auer-Prüfröhrchen®). Auch Langzeit-P. sind auf dem Markt, die für Messungen über mehrere Stunden am Arbeitsplatz geeignet sind[2]. – ***E*** detector tubes – ***F*** tubes détectifs – ***I*** tubi di prova – ***S*** tubos detectores

Lit.: [1]Int. J. Environ. Anal. Chem. **6**, 89–94 (1979). [2]Pure Appl. Chem. **54**, 1751–1767 (1982).
allg.: Analyt.-Taschenb. **1**, 205–216; **3**, 381–391; **5**, 311–322; **9**, 444–458 ▪ Kühn u. Birett, Merkblätter Gefährliche Arbeitsstoffe (5 Bd.), Landsberg: ecomed (seit 1982) ▪ Leichnitz, Gefahrstoff-Analytik, Landsberg: ecomed 1991 ▪ Leichnitz, Prüfröhrchen-Meßtechnik, Landsberg: ecomed 1982 ▪ Prüfröhrchen Taschenbuch, Lübeck: Dräger 1997 ▪ Pure Appl. Chem. **55**, 1239–1250 (1983).

Prüfstelle. Im weitesten Sinne eine Einrichtung, die mit techn.-naturwissenschaftlichen Meth. die Eigenschaften, Zustände, Zusammensetzungen von Proben bestimmt u. ggf. mit vorgegebenen Sollwerten vergleicht.
Dabei ist der Begriff Proben weit zu fassen: Er reicht von Proben, die in der Luft, im Boden od. im Wasser gewonnen werden über Produktproben, die als Stichprobe im Zuge der Fertigungskontrolle genommen werden bis hin zu Stichproben, die für Kontrollzwecke von Aufsichtsorganen erhoben werden.
Entsprechend breit ist die Basis der Sollwerte, mit denen die an den Proben ermittelten Werte verglichen werden: Sie reicht von Anforderungen u. Grenzwerten, die in Gesetzen, Verordnungen, Vorschriften od. Richtlinien niedergelegt sind, über Werte, die in nat. od. internat. Normen verankert sind, bis hin zu Betriebsnormen, die Hersteller für ihre Erzeugnisse aufgestellt haben.
Entsprechend vielfältig sind die Zusammenfassungen der Prüfergebnisse: Z. B. werden in Meß- od. Prüfprotokollen die Ergebnisse in der Regel unkommentiert aufgelistet, während z. B. in Prüfberichten, -zeugnissen, -bescheinigungen in der Regel bestimmte Zusammensetzungen, Eigenschaften bzw. die Übereinstimmung mit bestimmten Anforderungen bestätigt (zertifiziert) wird. Solche Zertifikate sind u. U. verbunden mit der Berechtigung, bestimmte *Prüfzeichen zu verwenden.
P. bieten ihre Dienstleistung frei auf dem Markt od. eingeschränkt für bestimmte Gruppen an, od. sie werden als behördliche Stelle, behördlich beliehene Stelle od. im Auftrage von Behörden tätig.
In der Regel sind bestimmte Akkreditierungsverf. zu durchlaufen, bevor eine P. für einen bestimmten Aufgabenbereich akkreditiert, benannt, od. notifiziert wird. Im Akkreditierungsverf. ist der Nachweis zu erbringen, daß die P. in techn.-apparativer, personeller u. organisator. Hinsicht für die jeweilige Aufgabe geeignet ist. – ***E*** test body – ***I*** sala di collaudo, sala prove – ***S*** lugar de prueba

Prüfzeichen. Unter P. versteht man allg. ein Zeichen, das zu führen derjenige berechtigt ist, dessen Erzeugnisse od. Fertigungsstätten bestimmte Anforderungen erfüllen. In der Regel geht der Genehmigung zur Führung des P. eine Baumusterprüfung am betreffenden Erzeugnis od. eine Überprüfung der Fertigungseinrichtungen voraus. Häufig ist die Genehmigung zur Führung des P. an bestimmte Auflagen gebunden: Hierzu zählen u. a. die Verpflichtung zur typident. Fertigung, die Mitteilung an die *Prüfstelle, wenn bestimmte Änderungen vorgenommen werden sollen, od. auch die Vereinbarung unregelmäßig wiederkehrender Stichprobenprüfungen. P. können auf der Basis von Gesetzen u. Verordnungen erworben bzw. vergeben werden od. auch im Rahmen privatrechtlicher Zeichenregelungen. Die Prüfstellen, die zur Vergabe des P. berechtigt sind, müssen in der Regel ihre Qualifikation im Rahmen von Akkreditierungsverf. nachweisen. – ***E*** test mark – ***I*** segno di verifica, marchio di controllo – ***S*** marca de tipificación

Prunase s. Amygdalin u. Mandelonitril-Lyase.

Prunasin s. cyanogene Glykoside.

Prunetin s. Isoflavone.

Prunetol s. Genistein.

Pruritus. Latein. Bez. für *Juckreiz.

Prusinier, Stanley B. (geb. 1942), Prof. für Neurologie u. Virologie, Univ. of California, San Francisco. *Arbeitsgebiete:* Prionen, Enzephalopathien. P. entdeckte, daß tödliche Hirnleiden, sog. spongiforme Enzephalopathien, von Krankheitserregern ohne Erbgut, sog. Prionen, hervorgerufen werden. Für diese Entdeckung erhielt er 1997 den Nobelpreis für Physiologie od. Medizin.

Prussiate (Prusside). a) Indirekt von *Preuß.* od. **Berliner Blau* abgeleitete Bez. für Pentacyanoferrate, d. h. Verb. in denen eine der 6 Cyano-Gruppen des Hexacyanoferrat(II)-Anions $[Fe(CN)_6]^{4-}$ durch einen anderen Liganden (z. B. NO od. NH_3 u. dgl.) ersetzt ist; *Beisp.:* Natriumnitroprussiat (s. Nitroprussidnatrium). – b) Veraltete Bez. für *Cyanide (Salze der *Preußensäure). – ***E*=*F*** prussiates – ***I*** prussiati – ***S*** prusiatos

Prussides s. Prussiate.

Pryleugan® (Rp). Dragées mit dem *Antidepressivum *Imipramin-Hydrochlorid. ***B.:*** Arzneimittelwerk Dresden.

ps. Kurzz. für Pikosekunde (10^{-12} s; s. Piko...) u. *Pseud(o)...

Ps s. Positronium.

PS. 1. Abk. für Phosphatidylserine (s. Kephaline); – 2. Kurzz. für *Polystyrol (DIN 7728-1: 1988-01) u. – 3. Abk. für Pferdestärke (abgeschaffte Einheit der physikal. Leistung; 1 PS = 735,499 W).

PSA. Abk. für *Phthalsäureanhydrid.

Psammite s. klastische Gesteine.

P-Schleife s. P-loop.

Pschorr-Synthese. Von Robert Pschorr (1868–1939, vgl. *Lit.*[1]) gefundene Cyclisierungsreaktion von Aryldiazonium-Salzen im alkal. Bereich zu kondensierten Aromaten, z. B.:

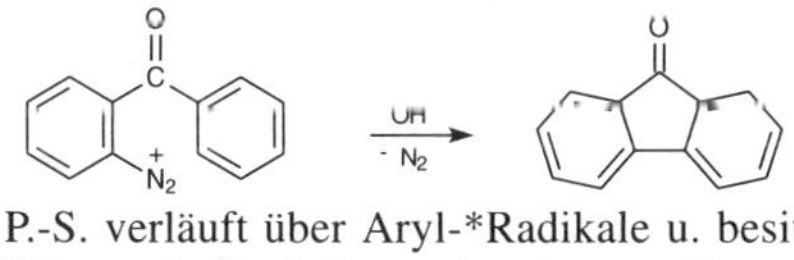

Die P.-S. verläuft über Aryl-*Radikale u. besitzt mit der *Meerwein-Reaktion u. den dort erwähnten Varianten eine große Gemeinsamkeit. – ***E*** Pschorr synthesis – ***F*** synthèse de Pschorr – ***I*** sintesi di Pschorr – ***S*** síntesis de Pschorr

Lit.: [1] Ber. Dtsch. Chem. Ges. **63 A**, 108 (1930).
allg.: Adv. Free Radical Chem. **2**, 87–138 (1966) ▪ Houben-Weyl **10/3**, 188 f.; **E 19 a**, 1221 ▪ Hassner-Stumer, S. 307 ▪ Krauch u. Kunz, Reaktionen der Organischen Chemie, 6. Aufl., S. 533, Heidelberg: Hüthig 1997 ▪ March (4.), S. 715 ▪ s. a. Meerwein-Reaktion.

PSE. Abk. für a) *Periodensystem der Elemente, – b) *P*almkern-α-*S*ulfofettsäure*e*ster, s. Estersulfonate, u. – c) einen Fleischfehler (s. PSE-Fleisch, s. a. Fleisch).

PSE-Fleisch. Unter der aus dem Engl. entlehnten Kurzbez. PSE-F. ist Schweinefleisch minderer Qualität zu verstehen, das durch seine blasse Farbe (*p*ale) u. seine weiche (*s*oft), wäss. (*e*xudative) Konsistenz charakterisiert ist. Unter wäss. ist kein erhöhter Wassergehalt, sondern ein vermindertes Wasserbindevermögen auf Grund teilw. denaturierter *Proteine zu verstehen. Dies führt beim Erhitzen zu einem starken Schrumpfen des *Fleisches. Bei Schweinerassen, die auf hohe Futterverwertung bei gleichzeitig geringem Fettansatz selektiert sind, tritt dieser genet. bedingte Fleischfehler bes. häufig auf. Als pathophysiolog. Befunde werden Streßanfälligkeit, *Hyperthermie u. Krampfen im *Halothan-Test beschrieben.

Physiologie: Die Ausbildung von PSE-F. ist auf eine verstärkte postmortale *Glykolyse zurückzuführen, die zu einer Milchsäure-Anreicherung u. zu einem pH-Abfall im Muskelfleisch führt (unter pH 5,8; normal pH 6,0). Als Ursache für die erhöhten Glykolyse-Raten werden sowohl die massive Freisetzung von *Adrenalin u. *Noradrenalin vor dem Schlachten (Aktivierung der *Glykogen-Phosphorylase über mehrere Zwischenstufen) als auch Membrandefekte, die zu einem mitochondrialen Calcium-Efflux führen, genannt[1,2].

Die Qualität von PSE-F. läßt sich durch sehr rasches Kühlen verbessern[3]. Eine photometr. Meth. zur Differenzierung von PSE-F. beschreibt *Lit.*[4]. – ***E*** pale soft exudative meat, PSE meat – ***F*** viande myopathique – ***I*** carne PSE, carne pallida, tenera e acquosa – ***S*** carne pálida, aguada y tierna

Lit.: [1] Forschungsmitteilungen der *DFG **1985**, Nr. 3–4. [2] Fleischwirtschaft **65**, 1125–1130 (1985); **66**, 349–353 (1986). [3] Fleischwirtschaft **69**, 875–878 (1989). [4] Can. J. Animal Sci. **76**, 455–457 (1996).
allg.: Belitz-Grosch (4.), S. 530 f. ▪ Brinkmann, PSE-Fleisch, Agrarmarkt-Studium, Heft 32, Berlin: Parey 1986 ▪ Meat Sci. **24**, 79–84 (1989) ▪ Trends Food Sci. Technol. **6**, 117–120 (1995) ▪ Vollmer et al., Lebensmittelführer (2.), Bd. 2, S. 25, Stuttgart: Thieme 1995. ▪ Z. Lebensm. Unters. Forsch. **201**, 30–34 (1995). – *[HS 0203]*

P-Selectin s. Selectine.

Psephite s. klastische Gesteine.

Pseud(o)... [griech.: pseud(o)... – Falsch..., Trug...]. Fremdwortteil, das scheinbare od. „täuschende" Ähnlichkeit od. Eigenschaften anzeigt; *Beisp.:* folgende Stichworter. Als Kurzz. für Pseud(o)... in Trivialnamen für chem. Verb. dienen oft *ψ- (*psi), *Ψ- (Psi) od. seltener (hilfsweise) die *Kursivbuchstaben *ps-* od. *psi-*. – ***E*=*F*=*I*=*S*** pseud(o)...

Pseudoäquatorial s. Äquatorial.

Pseudoakazie s. Robinie.

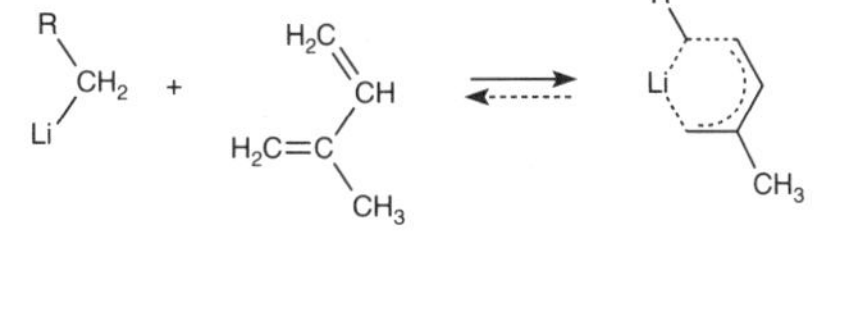

Pseudoanionische Polymerisationen. Eine Reihe von *Polymerisationen, für die üblicherweise ein anion. Kettenwachstumsmechanismus angenommen wird, verläuft in Wirklichkeit zumindest teilw. als *Polyinsertion. So assoziieren z. B. Lithiumalkyle in apolaren Medien zu größeren Clustern. Bei der anschließend von diesen Clustern ausgehenden Polymerisation von z. B. Isopren wird zunächst ein Isoprenyl-Lithium gebildet, das dann mit den Assoziaten des Initiators, z. B. den Dimeren, reagiert:

Die anschließende Polymerisation des Isoprens verläuft dann als typ. Polyinsertion u. nicht über freie Ionen od. Ionenpaare. Das gleiche gilt für z. B. die Polymerisation von Ethylenoxid in Ggw. von Natriumphenolat u. Phenol: Da Ethylenoxid weder mit Phenol noch mit Natriumphenolat alleine polymerisiert, löst das Phenolat-Ion keinesfalls gemäß

$$H_5C_6O^- + \text{Ethylenoxid} \longrightarrow H_5C_6O{-}CH_2{-}CH_2{-}O^-$$

eine typ. anion. Polymerisation aus. Man nimmt deshalb an, daß die Polymerisation über einen Komplex aus Ethylenoxid, Phenol u. Natriumphenolat abläuft, in den Ethylenoxid in Form seines Etherates eintritt:

$$\longrightarrow H_5C_6O{-}CH_2{-}CH_2{-}OH + NaOC_6H_5$$

In vielen weiteren heute als anion. angesehenen Polymerisationen ist ebenfalls davon auszugehen, daß diese in Wirklichkeit als p. P. verlaufen. Der mit der p. P. verknüpfte Insertions-Mechanismus erlaubt weiterhin, die hohe *Taktizität der erhaltenen Polymeren zu erklären. – *E* pseudoanionic polymerizations – *F* polymérisation pseudoanionique – *I* polimerizzatione pseudoanionica – *S* polimerizaciones pseudoaniónicas

Lit.: Elias (5.) **1**, 434.

Pseudoaromatizität s. Aromatizität.

Pseudoasymmetrie. 1. Nach IUPAC-Regel E-4.8 Bez. für Atome, Achsen od. Ebenen in achiralen *meso*-Verb. die von 2 verschiedenen achiralen u. 2 konstitutionell gleichen, aber spiegelbildlich enantiomorphen Liganden [(2*R*)-C u. (4*S*)-C] umgeben sind; *Beisp.* (Abb.): *meso*-(2*R*,3*s*,4*S*)-2,3,4-Trihydroxyglutarsäure (Ribarsäure). Pseudoasymmetr. Gruppen sind zur *Diastereo(iso)merie befähigt u. werden gemäß den *CIP-Regeln mit den Kleinbuchstaben *r od. *s bezeichnet; vgl. a. Chiralität.

2. In der Polymerforschung spricht man bei Kettenatomen eines *Makromoleküls dann von P., wenn diese zwei unterschiedliche seitenständige Substituenten (z. B. H u. R) tragen. Dies ist beispielsweise bei jedem zweiten Kohlenstoff-Atom (C*) eines Vinyl-*Polymers der Fall:

$$P_x{-}CH_2{-}C^*H(R){-}CH_2{-}C^*H(R){-}P_y$$

Die Asymmetrie dieser C*-Atome kommt hier einzig dadurch zustande, daß die beiden Kettenreste des Makromol. links (P_x) u. rechts (P_y) vom betrachteten C*-Atom (*Pseudochiralitätszentrum*) unterschiedlich lang sind. Da dieser geringfügige Unterschied vom betrachteten C*-Atom aus prakt. nicht feststellbar ist, spricht man von P.; zu weiteren Details s. isotaktische Polymere, Makromoleküle u. Taktizität. – *E* pseudoasymmetry – *F* pseudoasymétrie – *I* pseudoasimmetria – *S* pseudoasimetría

Lit.: *(zu 1):* Eliel u. Wilen, Stereochemistry of Organic Compounds, S. 67, 1204, New York: Wiley 1994 ▪ Hauptmann u. Mann, Stereochemistry, S. 79, Heidelberg: Spektrum 1996.

Pseudoatome s. Hydrid-Verschiebungssatz.

Pseudoaxial s. Axial.

Pseudobrookit. $Fe_2^{3+}TiO_5$; tafelige, prismat. od. nadelige, gelegentlich gebogene, häufig verzerrte, metall. bis diamantartig glänzende rhomb. Krist. od. kleine feinnadelige, büschelige, z. T. wirrstrahlige Krist.-Gruppen; gelb, braun, rotbraun, dunkelrot od. schwarz, Strich rötlich-braun. Durchscheinend bis undurchsichtig, H. 6, D. 4,33–4,39; orientierte Verwachsungen mit *Magnetit u *Hämatit. Kristallklasse mmm–D_{2h}; die Struktur[1-3] enthält Bänder von $[Fe^{3+}O_6]$- u. $[Ti^{4+}O_6]$-Oktaedern mit gemeinsamen Kanten. Zu natürlichen u. synthet. Phasen mit diesem Strukturtyp u. deren gegenseitige Abgrenzung s. *Lit.*[4]. Chem. Analysen zeigen Zusammensetzungen innerhalb eines Dreiecks Fe_2TiO_5 – $FeTi_2O_5$ (*Ferro-P.*) – $FeMg_{0,5}Ti_{1,5}O_5$ (*Armalcolit*[5,6]). Zur Synth. von P. u. Armalcolit s. *Lit.*[7]; beide Minerale können auch etwas Cr, Al, V, Mn, Ca u. Zr enthalten.

Vork.: Als Oxidationsprodukt von Titanomagnetit od. *Ilmenit in vulkan., bes. basalt. Gesteinen u. Schlacken (z. B. Odenwald, Eifel, Frankreich). In *Kimberliten u. *Lamproiten[3]. Als prim. Mineral in rasch abgekühlten basalt. Laven. Armalcolit (mit Ti^{3+}) u. a. in *Mondgesteinen. – *E* = *F* = *I* pseudobrookite – *S* pseudobrookita

Lit.: [1] Z. Anorg. Chem. **494**, 98–102 (1982). [2] Physica Status Solidi **A 84**, 55–64 (1984). [3] Eur. J. Mineral. **5**, 73–84 (1993). [4] Am. Mineral. **73**, 1377–1383 (1988). [5] Science **175**, 521 ff. (1972). [6] Am. Mineral. **62**, 913–920 (1977). [7] Mineral. Mag. **60**, 347–353 (1996).
allg.: Lindsley (Hrsg.), Oxide Minerals: Petrologic and Magnetic Significance (Reviews in Mineralogy Vol. 25), S. 43–46, 80, 392, 440 f., Washington (D. C.): Mineralogical Society of America 1991 ▪ Schröcke-Weiner, S. 409 f. – *[CAS 1310-39-0]*

Pseudobrüche s. Crazes.

Pseudochiralitätszentrum s. Pseudoasymmetrie.

Pseudo-Cholin-Esterase s. Cholin-Esterase.

Pseudoconhydrin s. Conium-Alkaloide.

Pseudocopolymere. *Copolymere unterscheiden sich von *Homopolymeren definitionsgemäß dadurch, daß erstere aus mehr als einer Sorte von *Monomeren erhalten wurden, letztere dagegen aus nur einer einzigen. Die Struktur der fertigen Polymerkette spielt bei dieser Unterscheidung keine Rolle. Aus verschiedenen Gründen kann es aber dazu kommen, daß aus nur einer Sorte von *Monomeren aufgebaute Polymere unterschiedliche Wiederholungseinheiten enthalten. So können z. B. durch *Polymerisation von Isopren $H_2C{=}C(CH_3){-}CH{=}CH_2$ Ketten mit sowohl 1,4- als auch 1,2- u. 3,4-verknüpften Einheiten entstehen (s. Polyisopren). Auch durch unvollständige *polymeranaloge Reaktionen wie z. B. die partielle Verseifung von *Polyvinylacetat zu *Polyvinylalkohol entstehen Polymere, die formal als Homopolymere zu bezeichnen sind. Um dennoch darauf hinzuweisen, daß sie mehr als eine Sorte von Wiederholungseinheiten enthalten, können sie als P. bezeichnet werden. – ***E*** pseudocopolymers – ***F*** pseudocopolymères – ***I*** pseudocopolymeri – ***S*** pseudocopolímeros

Lit.: Elias (5.) **1**, 32, 512; **2**, 46.

Pseudocumol s. Trimethylbenzole.

Pseudoebonite s. Hartgummi.

Pseudoephedrin [Isoephedrin, (1*S*,2*S*)-2-(Methylamino)-1-phenyl-1-propanol].

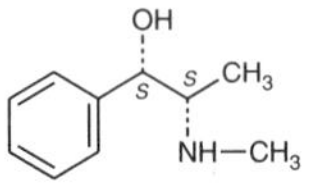

$C_{10}H_{15}NO$, M_R 165,24, Schmp. 117–118 °C, $[\alpha]_D$ +52° (C_2H_5OH). Alkaloid aus *Ephedra*-Arten. P. ist diastereoisomer mit (–)-*Ephedrin. Näheres zu Eigenschaften, Vork. u. Wirkung s. dort. Beide sind Phenylpropanolamine. Die pharmakolog. Wirkung von P. ist schwächer als die von Ephedrin. – ***E*** pseudoephedrine – ***F*** pseudoéphédrine – ***I*** = ***S*** pseudoefedrina

Lit.: Anal. Profiles Drug Subst. **8**, 489–507 (1979); **15**, 255 (1986) ▪ Beilstein EIV **13**, 1878 ▪ Hager (5.) **5**, 49; **9**, 439 ▪ Sax (8.), POH 000 – POH 500 ▪ Ullmann (5.) **A 1**, 357. – *[HS 2939 42; CAS 90-82-4]*

Pseudohalogene. Bez. für solche (teilw. hypothet.) Verb., deren Mol. aus 2 ident. elektroneg. zwei- od. dreiatomigen Atomgruppierungen bestehen, die den *Halogenen hinsichtlich ihrer physikal. u. chem. Eigenschaften ähnlich sind; *Beisp.:* –OCN, –SCN, $-N_3$. Die Salze u. organ. Derivate bezeichnet man als *Pseudohalogenide* (*E* pseudohalides) (s. Tab.).

P. bilden P.-Wasserstoffsäuren sowie Metallsalze u. kovalente Nichtmetallverb. wie $Si(NCO)_4$ od. $P(CN)_3$. Mit Ag^+, Hg_2^{2+} u. Pb^{2+} bilden sie schwerlösl. Salze u. mit anderen Metallpseudohalogeniden anion. Komplexe, z. B. $[Hg(SCN)_4]^{2-}$, $[Fe(CN)_6]^{4-}$. Oxid.-Mittel setzen aus den Salzen flüchtige P. frei, z. B. $(CN)_2$ (Dicyan, N≡C–C≡N), $(SCN)_2$ (Dirhodan, N≡C–S–S–C≡N), die analoge Se-Verb. u. a.; Diisocyanat (O=C=N–N=C=O) konnte kürzlich in Matrix erzeugt u. spektroskop. untersucht werden [1].

Den Polyhalogeniden entsprechen *Poly-Pseudohalogenide* wie z. B. $[(SCN)_3]^-$, aber auch gemischte Spezies wie $[I(CN)_2]^-$, während $(NCS)Cl_3$, $(NCS)Br_3$ u. $I(NCO)_3$ an Interhalogene erinnern. Schließlich reagieren P. mit Laugen unter Disproportionierung, z. B. $(CN)_2 + 2\,OH^- \rightarrow CN^- + OCN^- + H_2O$ u. setzen aus Iodid Iod frei, z. B. $2\,I^- + (SCN)_2 \rightarrow 2\,SCN^- + I_2$. – ***E*** pseudohalogens – ***F*** pseudohalogènes – ***I*** pseudoalogeni – ***S*** pseudohalógenos

Tab.: Pseudohalogenide.

Gruppe	Name der Verb.-Klasse
$-O-N^+{\equiv}C^-$	Fulminate
$-S-N^+{\equiv}C^-$	Thiofulminate
–O–C≡N	Cyanate
–S–C≡N	Thiocyanate (Rhodanide)
–Se–C≡N	Selenocyanate
–Te–C≡N	Tellurocyanate
$-N{=}N^+{=}N^-$	Azide
–N=C=O	Isocyanate
–N=C=S	Isothiocyanate (Senföle)
–N=C=Se	Isoselenocyanate
–N=C=Te	Isotellurocyanate
$-N^+{\equiv}C^-$	Isocyanide
–C≡N	Cyanide
$-C{\equiv}N^+{-}O^-$	Cyanid-*N*-oxide

Lit.: [1] Angew. Chem. **108**, 1800 f. (1996).
allg.: Chem. Ztg. **106**, 239–248 (1982) ▪ Golub et al., The Chemistry of Pseudo-Halides, Amsterdam: Elsevier 1986 ▪ Patai u. Rappoport, The Chemistry of Halides, Pseudohalides and Azides, Suppl. B 1, 2, New York: Wiley 1983.

Pseudoharnstoffe s. Isoharnstoffe.

Pseudoionische Polymerisationen s. pseudoanionische Polymerisationen u. pseudokationische Polymerisationen.

Pseudojonon (6,10-Dimethyl-3,5,9-undecatrien-2-on, Citrylidenaceton).

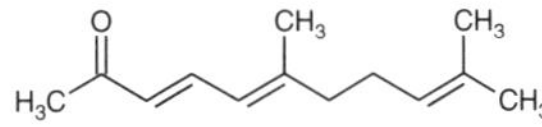

$C_{13}H_{20}O$, M_R 192,30, gelbliches Öl, D. 0,8984, Sdp. 143–145 °C (2,1 kPa), 114–116 °C (0,26 kPa), n_D^{20} 1,5335, lösl. in Ethanol u. Ether. Inhaltsstoff von Tabak (*Nicotiana tabacum*). P. besitzt *Juvenilhormon-Aktivität. – ***E*** = ***F*** = ***I*** pseudoionone – ***S*** pseudoionona

Lit.: Beilstein EIV **1**, 3598 ▪ Food Chem. Toxicol. **26**, 311 (1988) ▪ Merck-Index (12.), Nr. 8101 ▪ Synthesis **1980**, 651 ▪ Ullmann (5.) **A 11**, 162, 174. – *[HS 2914 19; CAS 141-10-6]*

Pseudokationische Polymerisationen. Ein Teil der *Polymerisationen, für die üblicherweise ein kation. Mechanismus formuliert wird, verläuft in Wirklichkeit nicht – od. zumindest nicht ausschließlich – über ion. Intermediate wie freie Ionen od. Ionenpaare. Vielmehr können die zum Kettenwachstum befähigten Spezies auch kovalent aufgebaut sein. Solche über kovalente Spezies verlaufende Polymerisationen werden dann präziser pseudokation. genannt. Speziell am Beisp. der Perchlorsäure-initiierten Polymerisation von Styrol, die sowohl über ion. als auch über kovalente Spezies erfolgen kann, wurde dieser Reaktionstyp intensiv studiert. Die jeweiligen Anteile ion. bzw. kovalenten Wachstums richten sich hierbei entscheidend nach den Reaktionsbedingungen. Für den ion. Mechanismus wird angenommen, daß bei Zugabe von Perchlorsäure zu Styrol Carbokationen entstehen, von denen aus eine typ. kation. Polymerisation einsetzt. Daneben kann sich aber auch ein Ester bilden.

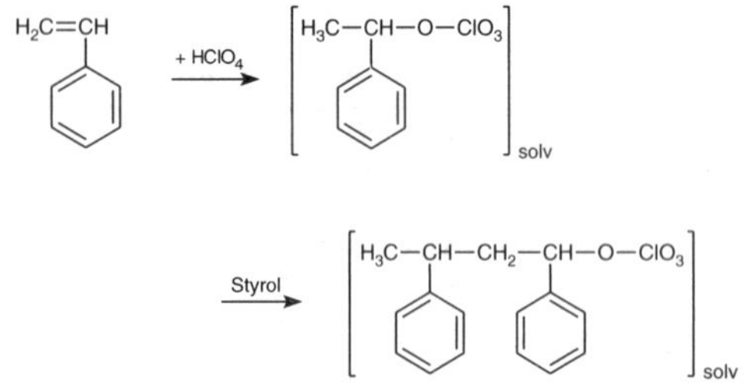

Dieser wächst zu einer Polymerkette, indem langsam Styrol in die C-O-Bindung des am Ende der wachsenden Kette vorliegenden Perchlorat-Esters insertiert. Damit ist die p. P. eine typ. *Polyinsertion:

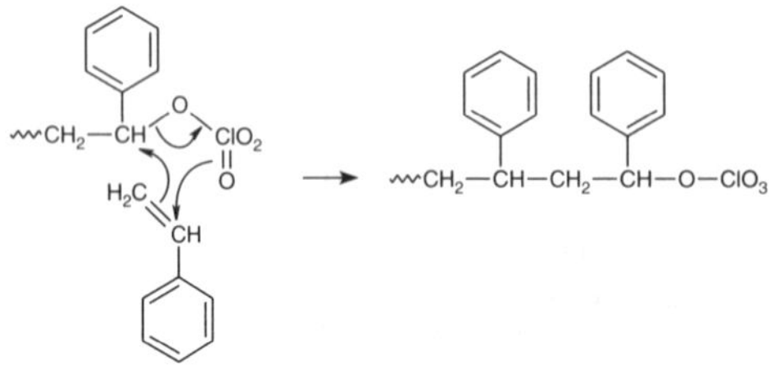

Der Ester **1** ist allerdings rein nicht beständig, sondern benötigt zu seiner Solvatation die Ggw. von ausreichend Styrol. Bei hohen Monomer-Umsätzen erfolgt daher Ionisierung der Kettenenden u. die Polymerisation vervollständigt sich rasch durch ion. Kettenwachstum.

Neben der Perchlorsäure-initiierten p. P. von Styrol wurde dieser Mechanismus kovalenten Wachstums auch z. B. für die durch CH_3COClO_4, FSO_3H, $ClSO_3H$, CH_3SO_3H, CF_3SO_3H od. CF_3COOH initiierten Polymerisationen von Styrol, *p*-Methylstyrol, *p*-Methoxystyrol u. *p*-Chlorstyrol in wenig polaren Lsm. festgestellt. Weiterhin zeigen auch einige Polymerisationen von Isobutylen, Vinylethern u. *N*-Vinylcarbazol, die gemeinhin als lebende Polymerisationen angesehen werden, starke Ähnlichkeiten mit p. Polymerisationen. Dagegen kann eine p. P. nicht erfolgen, wenn typ. Lewis-Säuren als Initiatoren verwendet werden, da hier das Gegenion keine kovalente Bindung mit dem Polymer-Kettenende eingehen kann.

Teilw. über p. P. verlaufende Polymerisationen geben sich häufig durch bimodale Molmassen-Verteilungen zu erkennen, d. h. die durch z. B. *Gelchromatographie bestimmten Molmassen-Verteilungskurven weisen zwei diskrete Maxima auf. P. P. können von „echten“ kation. Polymerisationen weiterhin über die Polymerisations-Geschw. u. die Wirkung von Wasser unterschieden werden. P. P. verlaufen bei tiefen Temp. (ca. –90 °C) sehr langsam, kation. aber auch dort noch sehr schnell. Außerdem wird die Polymerisations-Geschw. bei p. P. bis zu einem Verhältnis von $[H_2O]/[\text{Initiator}] \approx 10/1$ prakt. nicht durch Wasser beeinflußt. Carbokation. Kettenenden werden dagegen von Wasser sofort zerstört. – ***E*** pseudocationic polymerizations – ***F*** polymérisation pseudoanionique – ***I*** polimerizzatione pseudocationica – ***S*** polimerizaciones pseudocatiónicas

Lit.: Elias (5.) **1**, 434 ▪ Odian (3.), S. 385.

Pseudokontaktverschiebung s. Verschiebungsreagenzien.

Pseudolaueit s. Laueit.

Pseudolegierungen. Umgangssprachliche Bez. für metall. Werkstoffe aus verschiedenen Ausgangskomponenten, die nicht über den konventionellen Weg der Schmelzmetallurgie, sondern durch Verf. wie Sintern (s. Sintermetalle, Pulvermetallurgie) od. mechan. Legieren (extremes Vermahlen) hergestellt werden. P. sind teilw. schmelzmetallurg. nicht herstellbar (Ungleichgewichtszustände) od. bei schmelzmetallurg. Herst. z. B. aufgrund extremer Versprödungseffekte nicht verwendbar. – ***E*** pseudo alloys – ***F*** pseudoalliages – ***I*** pseudoleghe – ***S*** pseudoaleaciones

Pseudomalachit (Tagilit, Phosphorkupfererz, Phosphorochalcit). $Cu_5[(OH)_2/PO_4]_2$; smaragd- bis schwärzlichgrünes, glasglänzendes, splittrig brechendes, monoklines Mineral, Kristallklasse $2/m - C_{2h}$; Struktur s. *Lit.* [1]. Meist strahlig-faserige Aggregate mit nieriger od. traubiger Oberfläche, auch kugelig, mit konzentr.-schaligem Aufbau. H. 4–5, D. 4–4,4, spröde, Strich dunkelgrün. Lösl. in Säuren; P. braust aber im Gegensatz zum sehr ähnlichen (Name!) *Malachit beim Betupfen mit verd. Salzsäure nicht auf.

Vork.: Als sek. Mineral in der *Oxidationszone von Kupferlagerstätten, z. B. Rheinbreitbach, Ehl bei Linz/Rhein (Ehlit), Lichtenberg/Bayern u. Nishni Tagil/Ural/Rußland. – ***E*** = ***F*** = ***I*** pseudomalachite – ***S*** pseudomalaquita

Lit.: [1] Am. Mineral. **62**, 1042–1048 (1977).

allg.: Lapis **15**, Nr. 10, 9–11 (1990) („Steckbrief“) ▪ Nriagu u. Moore (Hrsg.), Phosphate Minerals, S. 94 f., 324, Berlin: Springer 1984 ▪ Ramdohr-Strunz, S. 630. – *[HS 2603 00; CAS 1318-44-1]*

Pseudomonas. Zur Familie der Pseudomonadaceae gehörende Gattung Gram-neg. Stäbchen-*Bakterien (0,5–1×1–4 µm), die in Boden, Wasser, Abwasser, auf Pflanzen u. in Nahrungsmitteln vorkommen. Einige Arten sind pathogen für Pflanzen, Tiere u. Menschen. Pseudomonaden sind polar begeißelt u. bilden keine Sporen. Sie sind in der Regel chemoorganotroph, Katalase-pos. u. obligat aerob. Unter Sauerstoff-Mangel können denitrifizierende Arten Nitrat als Wasserstoff-Akzeptor verwenden (Nitrat-Atmung), echte Gärung kommt nicht vor. P.-Arten wachsen auf mineral. Nährlsg. mit Ammonium od. Nitrat als Stickstoff-Quelle. Zucker werden über den KDPG(= 2-*k*eto-3-*d*eoxy-6-*p*hospho-D-*g*luconat, Entner-Doudoroff)-Weg abgebaut, bei einigen P. ist die Zucker-Oxid. unvollständig, Gluconsäure u. 2-Oxogluconat werden ausgeschieden. Daneben können P. eine Vielzahl organ. Verb. wie Paraffine, Aromaten u. Heterocyclen verwerten. Die Fähigkeit zur Metabolisierung dieser Verb. wird von *Plasmiden codiert, deren Austausch innerhalb verschiedener Spezies nachgewiesen ist.

In der Biotechnologie finden P.-Arten Anw. bei der Herst. organ. Säuren, in der *Biotransformation (z. B. Methylketone als Geruchsstoffe) u. in der Umwelttechnologie.

Als humanpathogenes Bakterium bes. gefürchtet ist *P. aeruginosa* [früher *P. pyocyanea*, Erreger des blaugrünen Eiters, s. Py(o)... u. Cyan... (c)], der bei ab-

wehrgeschwächten Individuen schwere Infektionen bis zu Bakteriämien verursacht. *P. aeruginosa* ist gegen die Mehrzahl gebräuchlicher Desinfektionsmittel u. Antibiotika resistent (R-Faktoren, s. Resistenz), zur Behandlung werden *Polymyxin B u. *Gentamicin eingesetzt. Viele pflanzenpathogene Stämme werden unter *P. syringae* zusammengefaßt.
Neben z.T. fluoreszierenden Farbstoffen werden von P.-Arten auch Antibiotika gebildet, z.B. *Pseudomon(in)säuren, *Pyrrolnitrin od. von *P. aeruginosa* Pyocyanase, das u.a. den tiefblauen *Phenazin-Farbstoff *Pyocyanin u. das gelbe *Pyoluteorin*[1] [(4,5-Dichlor-1*H*-pyrrol-2-yl)(2,6-dihydroxyphenyl)methanon; $C_{11}H_7Cl_2NO_3$, M_R 272,08] enthält. Pyocyanase wurde 1898 von Emmerich entdeckt. Es gilt als das erste klin. getestete u. techn. hergestellte Antibiotikum, das allerdings wegen seiner Giftigkeit keine dauernde Anw. fand. – ***E*** = ***F*** = ***I*** = ***S*** Pseudomonas

Lit.: [1] Karrer, Nr. 4345.
allg.: Schlegel (7.), S. 111f., 388f., 514f., 580f.

Pseudomon(in)säuren. Trivialname für ein aus Kulturen von *Pseudomonas fluorescens* isoliertes Antibiotika-Gemisch aus bisher 4 Komponenten: P. A[1–3], P. B[4], P. C[5,6] u. P. D[7]. P. sind Polyketide, die einen dihydroxylierten Tetrahydropyran-Ring mit funktionalisierten Seitenketten in 2- u. 5-Stellung enthalten. Zur Synth. s. *Lit.*[8].

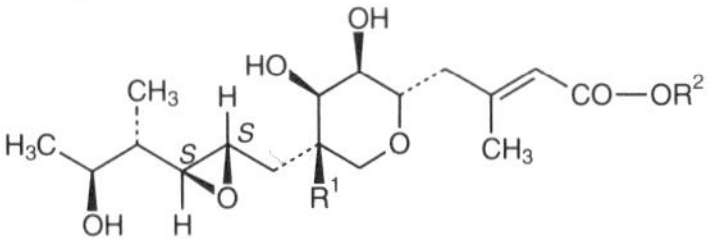

R^1 = H, R^2 = $(CH_2)_8$—COOH : P. A
R^1 = OH, R^2 = $(CH_2)_8$—COOH : P. B
R^1 = H, R^2 = $(CH_2)_4$—CH$\overset{E}{=}$CH—CH_2—CH_2—COOH : P. D

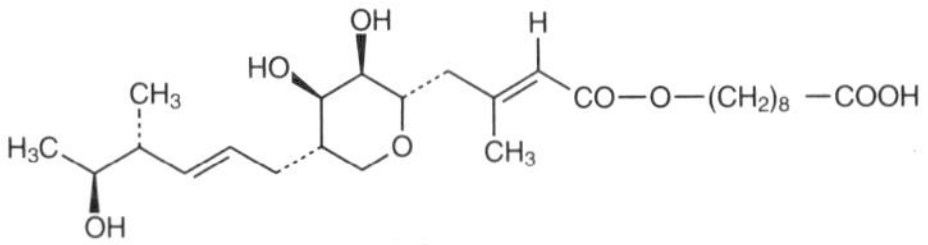

P. C

Tab.: Daten von Pseudomon(in)säuren

Pseudomon-(in)säuren	Summen-formel	M_R	Schmp. [°C]	CAS
P. A	$C_{26}H_{44}O_9$	500,63	77–78	12650-69-0
P. B (P. I)	$C_{26}H_{44}O_{10}$	516,63		40980-51-6
P. C	$C_{26}H_{44}O_8$	484,63		71980-98-8
P. D	$C_{26}H_{42}O_9$	498,61		85248-93-7

Die Hauptkomponente P. A (internat. Freiname *Mupirocin*, Handelsname Bactroban®) ist wirksam v.a. gegen Gram-pos. Erreger, Mycoplasmen, wenig aktiv gegen Gram-neg. Bakterien u. Corynebakterien. P. A wird bei Hautinfektionen (Creme) sowie Infektionen der Nasenschleimhäute (auch resistente Staphylokokken: MRSA) verwendet. Es wirkt als Inhibitor der bakteriellen Proteinsynth. durch spezif. Bindung an die Isoleucyl-tRNA-Synthase[9]. Im menschlichen Serum wird es schnell durch Esterhydrolyse zu inaktiver Moninsäure (Monsäure, für die herbizide Wirkung beschrieben wurde) abgebaut. Auch P. dienen neuerdings als herbizide Leitstrukturen. – ***E*** pseudomonic acids – ***F*** acides pseudomoniques – ***I*** acidi pseudomonici – ***S*** ácidos pseudomónicos

Lit.: [1] Nature (London) **234**, 416 (1971). [2] J. Chem. Soc., Perkin Trans. 1 **1978**, 561. [3] Antimicrob. Agents Chemother. **27**, 495 (1985). [4] J. Chem. Soc., Perkin Trans. 1 **1977**, 318. [5] J. Chem. Soc., Perkin Trans. 1 **1982**, 2827. [6] Tetrahedron Lett. **21**, 881 (1980). [7] J. Chem. Soc., Perkin Trans. 1 **1983**, 2655. [8] J. Med. Chem. **39**, 446–457; 3596–3600 (1996); Tetrahedron Lett. **24**, 3661 (1983); **36**, 7631 (1995). [9] J. Biol. Chem. **269**, 24304 (1994).
allg.: Beilstein EV **19/7**, 644, 663 ▪ Bioorg. Med. Chem. Lett. **7**, 2805 (1997) (Derivate) ▪ Chem. Rev. **95**, 1843–1857 (1995) ▪ Clin. Pharmacol. **7**, 761 (1987) ▪ Exp. Opin. Ther. Patents **6**, 971f. (1996) ▪ J. Antibiot. **41**, 609 (1988) ▪ J. Med. Chem. **40**, 2563 (1997) ▪ Synform **4**, 93 (1986). – *[HS 2941 90]*

Pseudomorphosen. In der Mineralogie Bez. für Umwandlungen, bei denen die ursprünglichen *Kristallformen* erhalten bleiben, während der Inhalt, d.h. die *chem. Zusammensetzung*, z.T. od. ganz einem Stoffaustausch od. einer (meist nur teilw.) Wegwanderung ohne Stoffzufuhr zum Opfer fällt. Dabei unterscheidet man zwischen *Verdrängungs-P.*, bei denen das ursprüngliche Mineral durch ein neugebildetes völlig verdrängt wird, u. *Umwandlungs-P.*, bei denen sich das Mineral durch Stoffzufuhr, -abgabe od. -austausch nur partiell ändert. *Beisp.:* Gelber *Pyrit wandelt sich in braunen Limonit (s. Brauneisenerz; P. von Limonit nach Pyrit), blauer *Azurit (Kupferlasur) in grünen *Malachit (P. von Malachit nach Azurit) um. Eine andere Art ist die sog. *Umhüllungs-P.* (*Perimorphose), während die *Umlagerungs-P.* (*Paramorphose) keine eigentliche P. ist. – ***E*** pseudomorphisms – ***F*** pseudomorphismes – ***I*** pseudomorfosi – ***S*** pseudomorfismos

Lit.: Lapis **6**, Nr. 11 (1981) (Themenheft „Pseudomorphosen") ▪ Min.-Mag. **4**, 391–395 (1980); **7**, 358f. (1983).

Pseudomurein. Zellwand-Polymersubstanz der zu den *Archaea gehörigen Methanobakterien, die dem Murein (vgl. dort) der *Eubakterien entspricht u. wie dieses eine Stützfunktion ausübt. Es besteht aus alternierenden Einheiten von *N-Acetyl-D-glucosamin* (GlcNAc, vgl. Glucosamin) u. *N-Acetyl-L-talosaminuronsäure* (L-TalNAcUA, vgl. Abb. u. Talose), die $\beta(1\rightarrow4)$-glykosid. miteinander verknüpft sind.

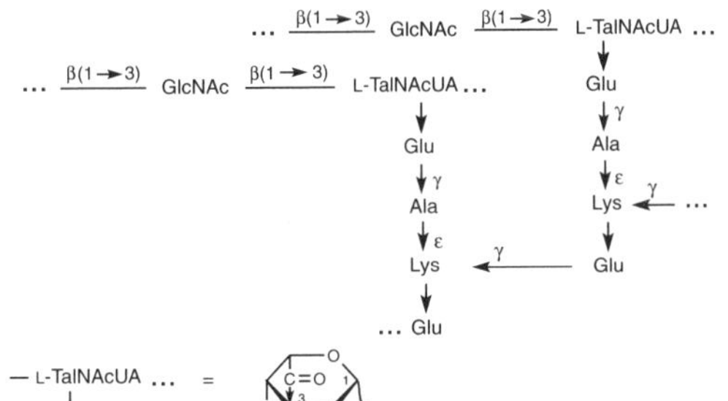

Abb.: Ausschnitt aus dem Pseudomurein von *Methanobacterium thermoautotrophicum*.

In den Tetrapeptiden, die die *Glykosaminoglykan-Ketten zum Zellkorsett quervernetzen, gibt es keine D-Aminosäure-Reste wie beim Murein. Auch in der Bio-

synth. werden unterschiedliche Wege beschritten. – *E* pseudomurein – *F* pseudomuréine – *I* pseudomureina – *S* pseudomureína
Lit.: Infect. Immun. **59**, 2502 ff. (1991).

Pseudonitrole s. Nitro-Verbindungen.

Pseudooxokohlenstoffe s. Oxokohlenstoffe.

Pseudopelletierin (9-Methyl-9-azabicyclo[3.3.1]-nonan-3-on, Granatan-3-on).

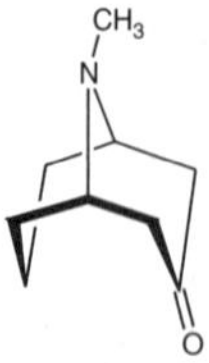

$C_9H_{15}NO$, M_R 153,22, prismat. Platten, Schmp. 54 °C (62–64 °C), Sdp. 246 °C, flüchtiges, relativ stark bas. Alkaloid aus der Wurzelrinde des Granatapfelbaumes (*Punica granatum*, Punicaceae). P. ist u. a. durch Robinson-Synth. aus 3-Oxoglutarsäureester (Acetondicarbonsäureester), Glutaraldehyd u. Methylamin synthet. zugänglich. – *E* pseudopelletierine – *F* pseudopellétiérine – *I* pseudopelletierina – *S* pseudopeletierina
Lit.: Beilstein EV **21/7**, 59 ▪ Merck-Index (12.), Nr. 8105 ▪ Tetrahedron **38**, 1959 (1982). – *[HS 2939 90; CAS 552-70-5]*

Pseudoplastizität s. Strukturviskosität, vgl. a. Nicht-newtonsche Flüssigkeiten u. Plastizität.

Pseudopotential. Begriff aus der *Quantenchemie. Bei der P.-Meth. werden nur die *Valenzelektronen explizit behandelt u. der Einfluß der Atomrümpfe auf sie wird durch ein spezielles *Potential, das P., berücksichtigt. Die P. sind im allg. verschieden für verschiedene Nebenquantenzahlen l (s. Atombau). Ihre Parameter werden meistens durch Anpassung an atomare Daten (z. B. Orbitalenergien, Anregungs- u. Ionisierungsenergien od. *Elektronendichten) bestimmt, wobei entweder *ab initio-Rechnungen od. experimentelle Informationen verwendet werden. Vorteilhaft ist hierbei die implizite Berücksichtigung *relativistischer Effekte über die gewählte Parametrisierung. P.-Meth. können eine erhebliche Rechenzeitersparnis bei Rechnungen an Mol. mit schwereren Atomen erbringen; insbes. auf Übergangsmetall-Verb. lassen sie sich vorteilhaft anwenden. – *E* pseudopotential – *F* pseudopotentiel – *I* pseudopotenziale – *S* pseudopotencial
Lit.: Annu. Rev. Phys. Chem. **35**, 357 (1984) ▪ Szasz, Pseudopotential Theory of Atoms and Molecules, New York: Wiley 1985 ▪ Theoret. Chim. Acta **38**, 283 (1975); **75**, 173 (1989) ▪ Veillard, Quantum Chemistry: the challenge of transition metals and coordination chemistry, Dordrecht: Reidel 1986.

Pseudoracemate s. Racemate.

Pseudorotation (Berry-Mechanismus, Berry-P., BPR). Von Berry 1960 entwickelte Theorie, die *Konfigurations-Änderungen am fünfbindigen Phosphor erklären u. auch auf die *Topologie anderer nicht-starrer Mol.[1] anwendbar sein soll. Bei der P. erfolgt die Stereomutation nach dem D_{3h}-C_{2v}-C_{4v}-Weg (zur Definition der Punktgruppen D_{3h} usw. s. bei Schönflies-System), was formal wie eine *Rotation des Gesamtmol. aussieht. Stereoskop. bildliche Darst. der P. u. der mechanist. Alternative (*Turnstile-Prozesse; *Lit.*[2,3]) findet man in *Lit.*[4]. – *E* = *F* pseudorotation – *I* pseudorotazione – *S* pseudorotación
Lit.: [1] Helv. Chim. Acta **66**, 1–18 (1983). [2] Angew. Chem. **83**, 691–721, 990 (1971). [3] Angew. Chem. **85**, 99–127 (1973). [4] Kontakte (Merck) **1985**, Nr. 1, 28–29.
allg.: Adv. Phys. Org. Chem. **9**, 26–126 (1971) ▪ Annu. Rev. Phys. Chem. **34**, 301–328 (1983) ▪ Chem. Unserer Zeit **9**, 10–17 (1975) ▪ J. Am. Chem. Soc. **113**, 55–64 (1991) ▪ s. a. Phosphor-organische Verbindungen.

Pseudostabile Zustände s. Stabilität.

Pseudotachylite s. kataklastische Gesteine.

Pseudouridin (5β-D-Ribofuranosyluracil; Kurzz.: Ψ od. Ψrd; im Computer: Q).

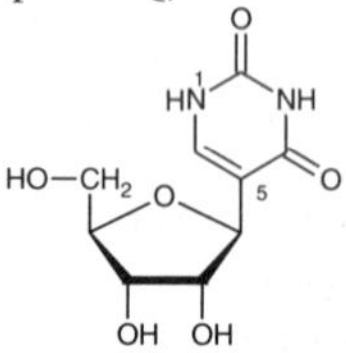

$C_9H_{12}N_2O_6$, M_R 244,20, Schmp. 223–224 °C. In Transfer-*Ribonucleinsäuren vorkommendes, sonst jedoch seltenes *Nucleosid. Bei Ψrd ist, anders als bei *Uridin, Uracil über Kohlenstoff-Atom 5 u. nicht über Stickstoff-Atom 1 mit D-Ribose verknüpft, vgl. Uridinphosphate. Ψrd wird in den durch *Transkription erzeugten Ribonucleinsäuren durch nachträgliche Modifizierung von Uridin-Resten gebildet. – *E* pseudouridine – *F* pseudo-uridine – *I* pseudouridina – *S* pseudo-uridina
Lit.: Beilstein EV **27/32**, 256. – *[CAS 1445-07-4]*

Pseudowavellit s. Crandallit.

Pseurotine. Spirocycl. Amide aus Kulturen des Niederen Pilzes *Pseudeurotium ovalis* sowie aus *Aspergillus fumigatus*. Sie unterscheiden sich in der Struktur der Seitenkette:

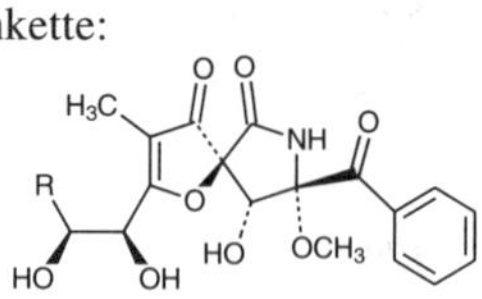

	R
P. A	CH$\overset{Z}{=}$CH–CH$_2$–CH$_3$
P. B	CH$\overset{Z}{=}$CH–CH(OH)–CH$_3$
P. C	CH$\overset{E}{=}$CH–CH(OH)–CH$_3$
P. E	CH$\overset{E}{=}$CH–CO–CH$_3$

Tab.: Daten zu den Pseurotinen.

Pseurotine	Summenformel	M_R	Schmp. [°C]	CAS
P. A	$C_{22}H_{25}NO_8$	431,44	162–164	58523-30-1
P. B	$C_{22}H_{25}NO_9$	447,44	204–206	77409-67-7
P. C	$C_{22}H_{25}NO_9$	447,44	(amorph)	77449-67-3
P. E	$C_{22}H_{23}NO_9$	445,43	Öl	77409-69-9

– *E* pseurotins – *F* pseurotines – *I* pseurotine – *S* pseudorotinas
Lit.: Biosci. Biotechnol. Biochem. **57**, 961 (1993) ▪ Helv. Chim. Acta **64**, 304, 379 (1981); **73**, 481–491 (1990); **78**,

1278–1290 (1995) (Synth.) ▪ Tetrahedron **37**, Suppl. 9, 201 (1981) (Biosynth.).

psi. a) s. ψ (vor p). – b) Abk. für engl.: *pounds per square *inch (p.s.i.) = engl. Pfund pro Quadratzoll = lb/in^2; 1 psi = 6,89476 kPa; 1 kPa = 0,145038 psi.

Psi s. Ψ (vor p).

PSI. 1. Kurzz. (nach ASTM) für Polymethylphenylsiloxane. – 2. Abk. für *Permuterm Subject Index.

Psilocin s. Psilocybin.

Psilocybin {3-[2-(Dimethylamino)ethyl]-4-indolyl-dihydrogenphosphat}. P. ist ein *Indol-Alkaloid aus dem mexikan. Rauschpilz Teonanácatl („Gottesfleisch", *Psilocybe mexicana*); der in Mexiko heim. Giftpilz läßt sich auch züchten. P. wirkt halluzinogen. Chem. ist es als Tryptamin-Derivat verwandt mit *Serotonin. Die orale Aufnahme ruft Farbvisionen, ein Gefühl der Bewußtseinserweiterung, auch der Persönlichkeitsspaltung u. eine stark erhöhte Lichtempfindlichkeit hervor. P. u. das mit ihm zusammen vorkommende, unveresterte *Psilocin* (ein Isomeres des Bufotenins, $C_{12}H_{16}N_2O$, M_R 204,27, Schmp. 146–147 °C, kommt in verschiedenen Nahrungspflanzen wie Ananas, Pflaume, Tomate in geringen Mengen vor) haben ca. 1% der Wirkung des *Lysergsäurediethylamids. Ihre Toxizität (LD_{50} Maus i.v.: 280 mg/kg, Kaninchen 12,5 mg/kg) ist dabei geringer als die des *Meskalins.

	R^1	R^2	R^3
Psilocybin (**1**)	PO_3H_2	CH_3	CH_3
Psilocin (**2**)	H	CH_3	CH_3
Baeocystin (**3**)	PO_3H_2	CH_3	H
Norbaeocystin (**4**)	PO_3H_2	H	H

Tab.: Daten von Psilocybin u. Derivaten.

Nr.	Summenformel	M_R	Schmp. [°C]	CAS
1	$C_{12}H_{17}N_2O_4P$	284,25	185–195 (wasserfrei) 220–228 (Hydrat)	520-52-5
2	$C_{12}H_{16}N_2O$	204,27	173–176	520-53-6
3	$C_{11}H_{15}N_2O_4P$	270,22	254–258	21420-58-6
4	$C_{10}H_{13}N_2O_4P$	256,20	188–192 (Zers.)	21420-59-7

Psilocin ist biosynthet. Vorläufer des Psilocybins. Es bildet sich im Körper infolge metabol. Dephosphorylierung aus P. u. stellt das ZNS-aktive Wirkprinzip dar. In *Psilocybe*-Arten sind neben P. u. Psilocin in geringer Menge die Psilocin-Derivate *Baeocystin* u. *Norbaeocystin* enthalten. P. fällt unter das Betäubungsmittelgesetz. – ***E*** = ***F*** psilocybine – ***I*** = ***S*** psilocibina

Lit.: Acta Pharm. Fenn. **96**, 133–145 (1987) ▪ Arch. Pharm. (Weinheim) **321**, 487 (1988) ▪ Beilstein E V **22/12**, 15 ▪ Chem. Unserer Zeit **13**, 147–156 (1979) ▪ Dtsch. Apoth. Ztg. **125**, 65 f. (1985) ▪ Hager (5.) **6**, 287–293; **9**, 443 f. ▪ J. Ethnopharmacol. **10**, 249–254 (1984) ▪ J. Het. Chem. **18**, 175 (1981) (Synth.) ▪ Merck-Index (12.), Nr. 8110, 8111 ▪ Planta Med. **1986**, 83 ff. ▪ Sax (8.), Nr. HKE 000, PHU 500 ▪ Schultes u. Hofmann, Pflanzen der Götter, 2. Aufl., S. 144, Bern: Hallwag 1987 ▪ Schweiz. Laboratoriumsztg. **50**, 10–14 (1993) ▪ Teuscher u. Lindequist, Biogene Gifte – Biologie, Chemie, Pharmakologie, 2. Aufl., S. 319, Stuttgart: G. Fischer 1994. – *[HS 2939 90; CAS 487-93-4 (Bufotenin)]*

Psilomelan s. Romanechit u. Braunsteine.

Psoralen (7*H*-Furo[3,2-*g*][1]benzopyran-7-on, Ficusin).

$C_{11}H_6O_3$, M_R 186,17; Krist., Schmp. 171 °C (161–165 °C). P. kommt in der asiat. Hülsenfrucht *Psoralea corylifolia* u. in mehr als 20 weiteren Pflanzenarten der Rutaceae (Bergamotte, Limonen, Nelken), Umbelliferae, Fabaceae u. Moraceae vor. Es ist Grundkörper einer Reihe weiterer, v. a. in *Citrusölen vorkommender *Psoralene*, *Beisp.:* 5-Methoxypsoralen (Bergapten) in *Bergamottöl. Psoralene sind *Phytoalexine u. dienen Höheren Pflanzen als Defensivsubstanzen gegen Insektenfraß u. Pilzbefall[1]. Psoralene zeigen *photodynamische Effekte (photosensibilisierend, phototox.) bei Säugetieren u. Menschen u. werden in der Photochemotherapie gegen Vitiligo, Psoriasis, atop. Dermatitis u. Mycosis fungoides eingesetzt[2]. Psoralen ist genotox.[3]. Photoaktivierte P. binden sich kovalent an Pyrimidine der DNA, bilden Monoaddukte u. Brücken aus u. hemmen dadurch DNA-Synth. u. Zellproliferation. Hierauf beruht wahrscheinlich der Mechanismus der PUVA-Therapie (P. u. UV-A, s. Ultraviolettstrahlung) der Psoriasis. Schlüsselschritt der P.-Biosynth. ist die oxidative Dealkylierung des (+)Marmesins in einem Schritt durch Cytochrom P 450 zu Psoralen u. Aceton (Syn-Eliminierung):

Por—Fe=O

(+)-Marmesin

P.

– ***E*** psoralen – ***F*** psoralène – ***I*** psoralene – ***S*** psoraleno

Lit.: [1]Science **212**, 927 (1981). [2]Adv. Radiat. Biol. **11**, 131–171 (1984); Annu. Rev. Biochem. **54**, 1151–1194 (1985); J. Invest. Dermatol. **77**, 39–44 (1981); Pharm. Unserer Zeit **10**, 18–28 (1981); Photochem. Photobiol. **32**, 813–821 (1980). [3]Acta Derm. Venereol. Suppl. **104**, 4–40 (1982).
allg.: Beilstein E V **19/4**, 445 ▪ Experientia **42**, 1302 (1986) ▪ Fitzpatrick et al., Psoralens, London: John Libbey 1989 ▪ Hager (5.) **1**, 200; **4**, 1160; **5**, 173, 433, 665 f.; **6**, 51, 111–120 ▪ Karrer, Nr. 1367 ▪ Merck-Index (12.), Nr. 8113 ▪ Murray, The Natural Coumarins, New York: Wiley 1982 ▪ Sax (8.), FQD 000 ▪ Tetrahedron **48**, 4239 (1992) (Synth.) ▪ Ullmann (5.) **A 8**, 311. – *[CAS 66-97-7]*

Psorcutan® (Rp). Salbe u. Creme mit *Calcipotriol gegen Psoriasis. ***B.:*** Schering.

Psoriasis (griech.: psora = Krätze, Räude, Schuppenflechte). Chron. Hautkrankheit mit Bildung scharf begrenzter, gelegentlich juckender roter Herde von unterschiedlicher Größe u. Gestalt, die mit silberweißen Schuppen bedeckt sind. Die P.-Herde kommen v. a. an den Streckseiten der Extremitäten, in der Kreuzbeingegend u. am behaarten Kopf vor. Ferner kommt es zu Veränderungen der *Fingernägel. Schwere P.-Formen führen zu Gelenkveränderungen (P.-Arthropathie, Arthritis psoriatica) ähnlich der *rheumatoiden Arthritis. Die Ursache der Krankheit liegt in einer Störung des Stoffwechsels der oberen Hautschichten mit beschleunigter Bildung von Zellen der Epidermis (s. a. Haut). Die Bereitschaft der Haut, P.-Herde zu bilden, wird multifaktoriell vererbt, Auslöser einer P.-Manifestation können z. B. Infektionen u. Verletzungen sein. Die Erkrankung gehört zu den häufigsten Hautkrankheiten (1–2% der Bevölkerung). Zur Behandlung werden u. a. äußerlich Glucocorticosteroide (s. Corticosteroide), *Calcipotriol, Cignolin (*Dithranol) u. Teer-Präp. sowie die Bestrahlung mit UV-A nach Behandlung mit *Psoralen-Präp. (PUVA) angewendet. – ***E*** = ***S*** psoriasis – ***F*** psoriase – ***I*** psoriasi

Lit.: Lancet **350**, 349–353 (1997) ▪ Steigleder, Dermatologie u. Venerologie, S. 41–54, Stuttgart: Thieme 1992.

PSP. 1. Abk. für *Phenolsulfonphthalein.
2. Abk. für *E* *P*aralytic *S*hellfish *P*oisoning = nervenlähmende Muschelvergiftung. Einzellige Meeresalgen, Dinoflagellaten u. Cyanobakterien bilden hochgiftige Toxine wie *Saxitoxin, Neosaxitoxin, *Gonyautoxine, *Brevetoxine, Anatoxine, die von Planktonfiltrierern wie Muscheln gespeichert werden u. bei deren Verzehr zu schweren Vergiftungen, PSP genannt, führen. Ca. 8% der Vergiftungsfälle enden tödlich, Hauptursache ist Saxitoxin. Die Symptome treten zumeist innerhalb der ersten 30 min auf: Kribbeln u. Brennen auf der Zunge, im Gesicht, Fortschreiten über den Hals u. Körper bis in Finger u. Zehen, zunehmende Taubheit, Gleichgewichtsstörungen, allg. Benommenheit, Schwäche, Kopf- u. Muskelschmerzen, Durst u. Sehstörungen. Gastrointestinale Symptome werden kaum beobachtet. Der Tod tritt innerhalb von 12 h durch Atemlähmung ein. Die tödliche Dosis für den Menschen liegt bei ca. 0,5–1,5 mg. Bei Einnahme geringerer Mengen verbleiben keine Spätfolgen. Die verschiedenen Giftstoffe zeigen LD_{50}-Werte bei der Maus (i.p.) von 10–500 µg/kg. Sie wirken als neuromuskuläre Depolarisatoren u. irreversible *Cholin-Esterase-Hemmer. Es gibt Anzeichen dafür, daß nicht die Dinoflagellaten selbst die Toxine produzieren, sondern Bakterien im Rahmen einer Symbiose mit den Algen. Saxitoxin ist vermutlich im Zellkern der Algen an DNA gebunden [1].
3. Kurzz. für *Polystyrylpyridine. – ***E*** PSP (2.) – ***F*** PPC (poison paralysant des crustacés) – ***I*** (2). abbr. di tossico paralitico dell'invertebrato testaceo

Lit.: [1] Naturwiss. Rundsch. **42**, 113 (1989).
allg. (zu 2): ACS Symp. Ser. **262**, 9–24, 99–125, 151–180, 191–216 (1984); **418**, 66–77, 87–106 (1990) ▪ Arch. Int. Med. **149**, 1735–1740 (1989) ▪ Bioact. Mol. **10**, 425–436 (1989) ▪ Chem. Unserer Zeit **29**, 68–75 (1995) ▪ Chem. Rev. **93**, 1897 (1993) ▪ Habermehl, Gift-Tiere und ihre Waffen (5.), S. 15–23, Berlin: Springer 1994 ▪ Med. Mo. Pharm. **14** (5.), 132 (1991) ▪ Nagashima et al., Red Tides: Proc. Int. Symp., 1st, Meeting Date 1987, New York: Elsevier 1989 ▪ Pure Appl. Chem. **61**, 7–18 (1989) ▪ Zechmeister **45**, 235–264 ▪ s. a. marine Naturstoffe.

PST. Abk. für *Patentstelle für die Deutsche Forschung der Fraunhofer-Gesellschaft.

PSU. Kurzz. (nach DIN 7728-1: 1988-01) für *Polysulfone.

PSUL. Kurzz. (nach ASTM) für *Polysulfone.

Psychedelisch s. Psychopharmaka.

Psychorelaxantien, -stimulantien, -therapeutika, -tika, -togene, -tolytika, -tomimetika, -tonika s. Psychopharmaka.

Psychopharmaka (von griech.: psychē = Seele, Geist u. *Pharmaka). Als P. im weitesten Sinne kann man alle Substanzen bezeichnen, die auf Stoffwechselvorgänge des Zentralnervensyst. (ZNS) einwirken u. dadurch Seele u. Geist beeinflussen.
Einteilung: Man unterscheidet als Hauptgruppen die *Psycho(pharmako)therapeutika*, d. h. solche Pharmaka, die bei psych. Störungen eingesetzt werden, u. *Psychodysleptika*.
Die Psycho(pharmako)therapeutika unterteilt man weiter in ggf. in Einzelstichwörtern behandelte Gruppen: 1. *Psycholeptika:* vorwiegend dämpfend wirkende Pharmaka, zu denen *Tranquilizer (Ataraktika, Anxiolytika, Psychorelaxantien, Minor Tranquilizers) u. *Neuroleptika (Psychotolytika, Major Tranquilizers) gehören. – 2. *Psychoanaleptika:* Vorwiegend anregend wirkende Mittel, zu denen man die Antidepressiva (*Thymoleptika, Thymeretika) u. die Psycho-*Stimulantien (Psychotonika, Psychoenergetika, Weckamine) zählt. Den beiden Gruppen (P. im engeren Sinne) stellt man oft auch noch die Hypnotika, *Sedativa u. *Narkotika an die Seite.
Unter dem Begriff Psychodysleptika (von griech.: dys... = miß..., übel..., schlecht... u. lēpsis = Ergreifung, Anfall) faßt man psychosenerregende Substanzen (*Psychotika*, *Psychotogene*, *Psycholytika*) u. zu Halluzinationen führende Substanzen [*Halluzinogene*, *Psycho(to)mimetika*, *Delirantien*, *Phantastika*] u. a. *Rauschgifte zusammen. Derartige Stoffe werden von interessierten Kreisen auch als *bewußtseinserweiternde* od. *psychedel. Drogen* bezeichnet (von griech. dēlos = deutlich, klar).
Anw. u. Wirkung: Die Psychodysleptika finden keine therapeut. Verw., sondern dienen allenfalls in der Pharmakologie als Modellsubstanzen zur Auslösung experimenteller Psychosen. Zur Anw. gelangen P. gegen unterschiedlich ausgeprägte psych. Störungen, z. B. Spannungs-, Unruhe-, Erregungs- u. Angstzustände, Neurosen, Depressionen u. Antriebsschwäche, gegen Geisteskrankheiten wie Psychosen, Manien u. Schizophrenien sowie gegen Epilepsie.
Die P. greifen in den Stoffwechsel von *Neurotransmittern ein, bes. von *Noradrenalin, *Dopamin, *Serotonin u. γ-Aminobuttersäure (s. Aminobuttersäuren); für weitere Einzelheiten zu diesen noch sehr unvollständig erforschten Prozessen s. die Textstichwörter der einzelnen P.-Gruppen. P. können *Arzneimittelsucht erzeugen. Mißbrauch ist bes. bei den *1,4-Benzodiazepinen gegeben, die zu den meistverordneten Arzneimitteln gehören u. bei *Amphetaminen u. dgl., die als *Appetitzügler verbreitete Anw. u. als *Doping-Mittel unerlaubte Nutzung finden. Die kulturelle Verw. der natürlich vorkommenden pflanzlichen *Halluzinogene hat eine jahrtausendealte Tradi-

tion – der Einsatz synthet. P. in der Medizin ist dagegen erst seit ca. 40 Jahren üblich u. begann mit der Einführung von *Chlorpromazin (1952), *Meprobamat (1954) u. *Reserpin (1954) in die Therapie. Rechtsgrundlagen für die Verw. von P. stellen das internat. Übereinkommen über psychotrope Stoffe von 1971, das in der BRD 1978 in Kraft trat, u. das *Betäubungsmittel-Gesetz der BRD dar.

Analytik: Wegen der chem. Vielfalt der P. gibt es keine allg. Nachw.-Meth., doch hat sich die Massenspektroskopie, bes. in Verbindung mit der Gaschromatographie in der Analytik von P. bewährt[1,2]. – ***E*** psychopharmacological agents – ***F*** médicaments psychopharmaceutiques – ***I*** psicofarmaci – ***S*** psicofármacos

Lit.: [1] Gudzinowicz, Antipsychotic, Antiemetic and Antidepressant Drugs (Anal. Drugs Metab. Gas Chrom./Mass. Spectr. 3), New York: Marcel Dekker 1977. [2] Analyt.-Taschenb. **1**, 381–390.

allg.: Fox u. Rüther, Handbuch der Arzneimitteltherapie Bd. 1: Psychopharmaka, Weinheim: Chapman & Hall 1997 ▪ Goodman u. Gilman, The Pharmacological Basis of Therapeutics, S. 399–459, New York: Pergamon Press 1996 ▪ Hall, Psychopharmaka: Ihre Entwicklung u. klinische Erprobung, Hamburg: Kovac 1997 ▪ Heinrich u. Klieser, Psychopharmaka in Klinik u. Praxis, Stuttgart: Thieme 1995 ▪ Möller u. Schmaus, Arzneimitteltherapie in der Psychiatrie, Stuttgart: WVG 1996 ▪ Pharm. Ztg. **141**, 175–179 (1996) ▪ Ullmann (5.) **A 22**, 341–381 ▪ s. a. Neurochemie, Rauschgifte u. P.-Gruppen ▪ weitere *Lit.* s. in Medical (bzw.) Scientific and Technical Books and Serials in Print, New York: Bowker (jährlich). – *Zeitschriften* u. *Serien:* Central Nervous System Pharmacology, New York: Raven Press ▪ Cooper (Hrsg.), Theory in Psychopharmacology, London: Academic Press (seit 1982) ▪ Iversen et al. (Hrsg.), Handbook of Psychopharmacology, New York: Plenum (seit 1975) ▪ Thompson u. Dews (Hrsg.), Advances in Behavioral Pharmacology, New York: Academic Press (seit 1977).

Psychorheologie s. Textur.

Psychotonin®. Kapseln u. Tinktur mit standardisiertem *Johanniskraut-Extrakt; *P. sed* zusätzlich mit Baldrianwurzelextrakt gegen psychovegetative Störungen. ***B.:*** Steigerwald.

Psychotrin s. Ipecacuanha.

Psychrometer (von griech.: psychrós = kalt, kühl). Geräte zur Messung der *Feuchtigkeit von Gasen, bes. von Luft. Neben einem normalen (*trockenen*) Thermometer wird ein mit feuchtem Mull umwickeltes (*feuchtes*) Thermometer angeordnet, das sich durch vorbeistreichende Luft abkühlt (Verdunstungskälte), u. zwar um so mehr, je trockener diese ist. Aus der Temp.-Differenz der beiden Thermometer läßt sich die Luftfeuchtigkeit ermitteln. – ***E*** psychrometers – ***F*** psychromètres – ***I*** psicrometro – ***S*** psicrómetros

Lit.: Kirk-Othmer (3.) **8**, 78–81 ▪ Ullmann (5.) **B 3**, 17-3.

Psychrophilie. Von griech.: psychrós = kühl, kalt u. *...phil abgeleitete Bez. für die Kälte-tolerierende Lebensweise von Mikroorganismen; Gegensatz: *Thermophilie. *Psychrophile* Organismen wachsen optimal bei Temp. um 0 °C u. gehen >20 °C zugrunde; als psychrotroph (von griech.: trophe = Ernährung) werden solche Keime bezeichnet, die zwar bei niedrigen Temp. auch wachsen können, deren Wachstums-Optimum aber im Bereich der Mesophilie (20–45 °C) liegt. Zu den psychrophilen Organismen gehören marine *Bakterien u. *Eisenbakterien. Einige Arten (z. B. **Bacillus insolatus*) können noch bei Temp. unter 0 °C wachsen u. ggf. sporulieren. Lebensräume kälteresistenter Vertreter verschiedener Bakterienarten sind arkt. u. antarkt. Ozeane u. Sedimente sowie gekühlte Lebensmittel. – ***E*** psychrophily – ***F*** psychrophilie – ***I = S*** psicrofilia

Lit.: Nultsch, Allgemeine Botanik (10.), Stuttgart: Thieme 1996 ▪ Schlegel (7.), S. 197.

Psychrotrophie s. Psychrophilie.

Psyllium s. Flohsamen.

PSZ-Keramik s. Oxidkeramik.

pt. Abk. für *pint u. engl.: part = Teil.

Pt. Chem. Symbol für *Platin.

PTB. Abk. für *Physikalisch-Technische Bundesanstalt.

PteGlu s. Folsäure.

Pteridine (von griech.: pterón, ptéryx = Feder, Flügel, Vogel).

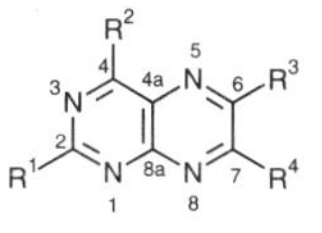

	R^1	R^2	R^3	R^4
Pteridin	H	H	H	H
Pterin	NH_2	OH	H	H
Xanthopterin	NH_2	OH	OH	H
Isoxanthopterin	NH_2	OH	H	OH
Leucopterin	NH_2	OH	OH	OH

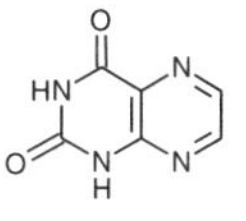

Lumazin

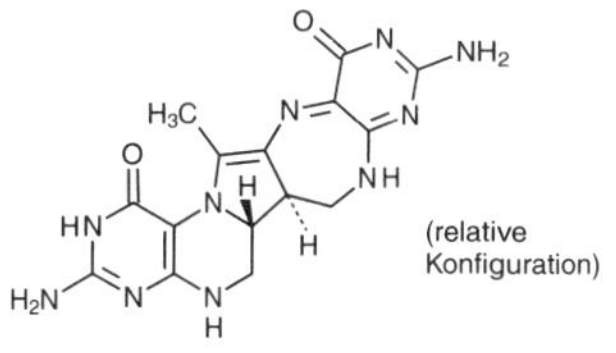

Drosopterin (relative Konfiguration)

Tab.: Daten der Pteridine (Biopterin u. Neopterin s. dort).

Name	Summenformel	M_R	Schmp. (Sdp.) [°C]	CAS
Pteridin	$C_6H_4N_4$	132,12	140; gelbe Krist. (125–130/27 kPa)	91-18-9
Pterin	$C_6H_5N_5O$	163,14	>360; gelbe Krist.	2236-60-4
Xanthopterin	$C_6H_5N_5O_2$	179,14	360 (Zers.); Monohydrat: orangegelbe Krist.	119-44-8
Isoxanthopterin	$C_6H_5N_5O_2$	179,14	310	529-69-1
Leucopterin	$C_6H_5N_5O_3$	195,14	feine farblose Krist.	492-11-5

Gruppe weit verbreiteter Naturstoffe, die als Farbstoffe (Pigmente) v. a. in Augen u. Flügeln von Insekten, bes. Schmetterlingen (Lepido*ptera*), u. in den Augen u. der Haut von Fischen, Amphibien u. Reptilien vorkommen, im Gegensatz zum nur synthet. *Pteridin*, dem Grundkörper der Verb.-Klasse (Synonyme: Pyrazino[2,3-*d*]pyrimidin, 1,3,5,8-Tetraazanaphthalin; lösl. in Wasser u. Alkohol, unlösl. in Ether, Benzol). Aufgrund ihrer Fluoreszenz im UV-Licht sind die P. auch schon in geringen Konz. in den Rohextrakten nachweisbar. Sie gleichen in vielen Eigenschaften (auch der Schwerlöslichkeit) den strukturell nahe verwandten *Purinen u. lassen sich teilw. aus diesen durch

Ringerweiterung erhalten; biogenet. entstehen sie über die *Guanosinphosphate. Die in der Abb. gezeigten Pteridinole liegen bevorzugt als Pteridinone vor (Lactim-Lactam-Tautomerie). Vom **Pterin* leiten sich nicht nur *Biopterin u. *Neopterin aus dem Weiselfuttersaft (*Gelee Royale) der *Bienen sowie Lepidopterin, *Leucopterin [1], Xanthopterin [2] (gelbes Pigment in Schmetterlingsflügeln, Wespen, anderen Insekten, auch im Harn von Säugetieren), Isoxanthopterin [2] (in der Haut von Feuersalamandern) u. a. Pigmente ab, sondern auch eine Reihe von Wachstumsfaktoren, deren wichtigster die im menschlichen Organismus Vitamincharakter entfaltende *Folsäure (*Pteroylglutaminsäure*) ist. Früher wurde die Gruppe der P. auch *Pterine* genannt, während man heute die Bez. auf dessen Derivate beschränkt. Andere natürliche P. sind Derivate des *Lumazins* [2,4(1*H*,3*H*)-Pteridindion, $C_6H_4N_4O_2$, M_R 164,12, gelborange, Schmp. 349 °C], dessen Benzo-Derivat dem *Riboflavin zugrunde liegt. Lumazine wurden auch in Höheren *Pilzen gefunden (Russupterine [3]). Ein dimeres pentacycl. P.-Derivat mit einem Diazepin-Ring ist das Augenpigment der Fliege **Drosophila melanogaster* (*Drosopterin* [4], $C_{15}H_{16}N_{10}O_2$, M_R 368,36, rote Krist., Schmp. >350 °C). Tetrahydropterine sind Coenzyme bei enzymat. Hydroxylierungen. So ist z.B. das *Tetrahydrobiopterin* (BH_4) notwendig für die Funktion der Phenylalanin-, Tyrosin- u. Tryptophan-Hydroxylase, weshalb ein Mangel an diesem Cofaktor zu *Phenylketonurie u. neurolog. Störungen führt, da dann die Neurotransmitter Dopamin u. Serotonin nicht synthetisiert werden können [5].

Die **Tetrahydrofolsäure* spielt im Organismus eine wichtige, bei Folsäure näher erläuterte Rolle als C_1-Überträger. Ein Schwefel-haltiges P. ist als Cofaktor von Oxidoreduktasen erkannt worden, der oxidative Abbau führt zu *Urothion*, einem P. mit ankondensiertem Thiophen-Ring.

Geschichte: Als erste P. wurden die in Schmetterlingsflügeln enthaltenen Verb. *Leucopterin* (Kohlweißling) u. *Xanthopterin* (Zitronenfalter) von H. O. *Wieland u. *Schöpf (1924) bzw. Purrmann (1940) aufgeklärt: zur Gewinnung von 40 g Leukopterin benötigte Wieland 200000 Kohlweißlinge. – ***E*** pteridines – ***F*** ptéridines – ***I*** pteridine – ***S*** pteridinas

Lit.: [1] J. Chem. Ecol. **13**, 1843–1847 (1987); Zechmeister **4**, 64. [2] Int. J. Biochem. **25**, 1873 (1993); Naturwissenschaften **74**, 563–572 (1987). [3] Helv. Chim. Acta **67**, 550–569 (1984); Zechmeister **51**, 210–215. [4] J. Het. Chem. **29**, 583 (1992). [5] Chem. Unserer Zeit **16**, 34 (1982).
allg.: Blair, Chemistry and Biology of Pteridines – Pteridines and Folic Acid Derivatives, Berlin: De Gruyter 1983 ▪ Blakeley et al., Folates and Pterins (3 Bd.), New York: Wiley 1984–1986 ▪ Cooper u. Whitehead, Chemistry and Biology of Pteridines, Berlin: De Gruyter 1986 ▪ Lovenberg u. Levine, Unconjugated Pterins in Neurobiology (Top. Neurochem. Neuropharm. 1), London: Taylor & Francis 1987 ▪ Pfleiderer, Chemistry and Biology of Pteridines, Berlin: De Gruyter 1975. – *Zeitschrift:* Pteridines, Berlin: De Gruyter (seit 1989). – *[HS 2933 59; CAS 487-21-8 (Lumazin); 33466-46-5 (Drosopterin)]*

Pterin [Tautomerie: 2-Amino-4-pteridinol ⇌ 2-Amino-4(1*H*)-pteridinon].

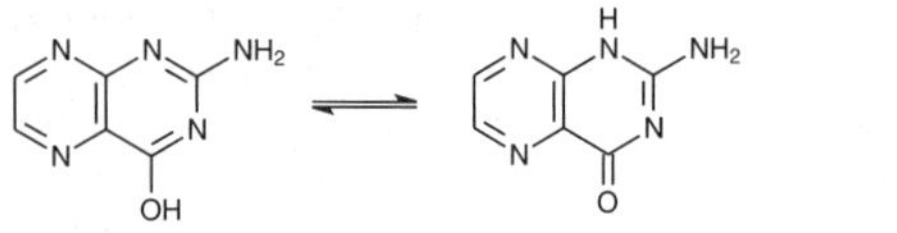

N N NH2 OH ⇌ H N N NH2 O

$C_6H_5N_5O$, M_R 163,14, gelbe Krist., Schmp. >360 °C. Grundkörper einer Reihe von Pigmenten u. Wachstumsfaktoren wie z. B. *Xanthopterin, *Leucopterin, *Folsäure. – ***E*** pterine – ***F*** ptérine – ***I*** = ***S*** pterina

Lit.: J. Biol. Chem. **265**, 3923–3930 (1990) ▪ s. a. Pteridine. – *[HS 2933 59; CAS 2236-60-4]*

Pterocarpane.

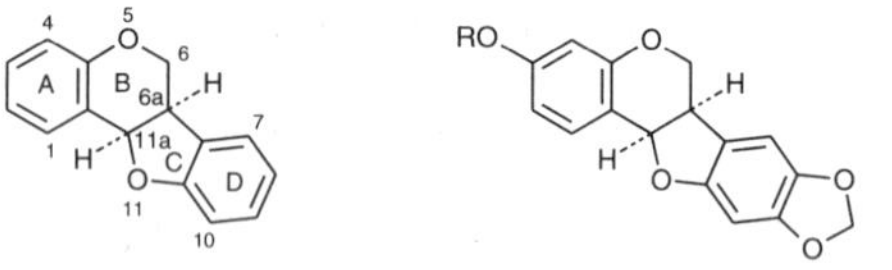

(–)-Pterocarpan

R = H : (–)-Maackiain
R = CH_3 : (–)-Pterocarpin

Gruppe charakteristischerweise in Leguminosen vorkommender Naturstoffe mit dem *cis*-6a,11a-Dihydro-6*H*-benzofuro[3,2-*c*][1]benzopyran-Ringsystem (Pterocarpan, 2′,4-Epoxy-isoflavan). Wichtige Vertreter sind u. a. die als konstitutive Inhaltsstoffe od. auch als *Phytoalexine erkannten P. *Maackiain* u. *Pterocarpin*. In der Natur kommen sowohl beide Enantiomere als auch die Racematformen vor.

(–)-*Maackiain:* $C_{16}H_{12}O_5$, M_R 284,27, Schmp. 179–181 °C, $[\alpha]_D^{22}$ –260° (Aceton), isoliert u. a. aus dem Kernholz von *Maackia amurensis* sowie *Sophora*-Arten. (+)-*Maackiain* kommt in *Dalbergia oliveri, Derris elliptica* u. a. Pflanzen vor. (±)-*Maackiain*, Schmp. 196 °C, wurde in *Sophora japonica* u. *Dalbergia spruceana* nachgewiesen. Maackiain zeigt antifung. Wirkung. (–)-*Pterocarpin:* $C_{17}H_{14}O_5$, M_R 298,30, Schmp. 168–169 °C, $[\alpha]_D$ –214,5° ($CHCl_3$), unlösl. in Wasser, lösl. in Chloroform, ist in rotem Sandelholz (*Pterocarpus santalinus*), in *Swartzia madagascariensis* u. in *Flemingia chappar* enthalten. Die auch als Phytoalexine wirksamen *Cabenegrine werden in Brasilien als Gegengifte bei Schlangen- u. Spinnenbissen verwendet.

Biosynth.: P. leiten sich biogenet. von *Isoflavonen ab. – ***E*** pterocarpans – ***F*** ptérocarpanes – ***I*** pterocarpani – ***S*** pterocarpanos

Lit.: Beilstein EV **19/2**, 117 ▪ Harborne (Hrsg.), The Flavonoids, 3 Bd.: Advances in Research, S. 166–180, London: Chapman u. Hall 1994 ▪ J. Chem. Soc., Chem. Commun. **1988**, 28 (Synth. Pterocarpan) ▪ J. Chem. Soc., Perkin Trans. 1 **1984**, 2831–2838 (Biosynth.); **1989**, 1219–1224 (Synth.) ▪ J. Nat. Prod. **58**, 1966 (1995) (Isolierung) ▪ J. Org. Chem. **55**, 1248–1254 (1990) (Synth.) ▪ Luckner (3.), S. 413 f. ▪ Merck-Index (12.), Nr. 8117. – *[CAS 61080-21-5 (P.); 2035-50-9 ((–)-P.); 2035-15-6 ((–)-Maackiain); 23513-53-3 ((+)-Maackiain); 19908-48-6 ((±)-Maackiain); 524-97-0 ((–)-Pterocarpin)]*

(–)-Pterocarpin s. Pterocarpane.

Pteroinsäure s. Folsäure.

***N*-Pteroyl-L-glutaminsäure** s. Folsäure.

Pteroylpolyglutaminsäuren s. Folsäure.

Pterulon.

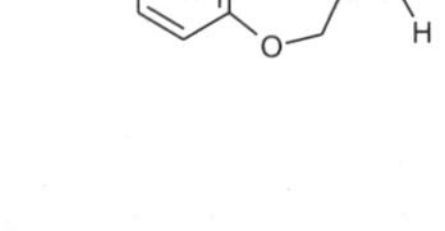

O H3C Cl O H

$C_{13}H_{11}ClO_2$, M_R 234,68, Öl. P. sowie die strukturell ähnliche Pterulinsäure wurden aus Kulturen einer *Pterula*-Art isoliert. Sie zeigen antifung. Wirkung auf phytopathogene Pilze (Hemmung eukaryot. Zellatmung durch Inhibition der mitochondrialen NADH: Ubichinon-Oxidoreduktase). – ***E*** = ***I*** pterulone – ***F*** ptérulone – ***S*** pterulona
Lit.: J. Antibiotics **50**, 325 (1997).

PTFE. Kurzz. (nach DIN 7728-1: 1988-01) für *Polytetrafluorethylene.

PTH s. Parathyrin.

PTH-Aminosäuren s. Edman-Abbau.

PTHF. 1. Kurzz. für *Polytetrahydrofurane. – 2. Nach DIN 60001-4: 1991-08 Kurzz. für Chemiefasern aus *Polytetrafluorethylen (*Fluorofasern*).

PTHrP s. Parathyrin.

Ptilocaulin.

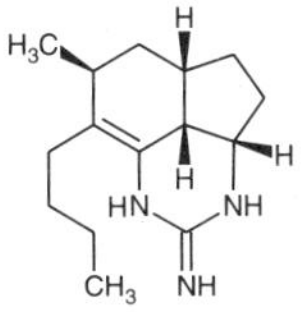

$C_{15}H_{25}N_3$, M_R 247,38; Nitrat: Schmp. 183–185 °C. Cycl. Guanidin-Derivat aus *Ptilocaulis spiculifer* (karib. Schwamm). P. zeigt signifikante antileukäm. u. antimikrobielle Aktivität. – ***E*** = ***F*** ptilocauline – ***I*** = ***S*** ptilocaulina
Lit.: Angew. Chem. **108**, 2277 (1996) ▪ Chem.-Eur. J. **4**, 57–66 (1998) (Synth.) ▪ Isr. J. Chem. **31**, 239 (1991) ▪ Tetrahedron Lett. **31**, 4759 (1990). – *[CAS 78777-02-3]*

Ptilolith s. Mordenit.

PTMA. Kurzz. für Polytetramethylenadipat.

PTMEG. Kurzz. für Polytetramethylenglykolether = *Polytetrahydrofurane.

PTMG. Kurzz. für Tetramethylenglykole = *Polytetrahydrofurane.

PTMO. Kurzz. für Polytetramethylenoxide = *Polytetrahydrofurane.

Ptomaine. Von griech.: ptōma = Leiche, Kadaver abgeleitete Bez. für die aus faulendem Eiweiß entstehenden sog. *Leichengifte*. Die früher als P. bezeichneten enzymat. Decarboxylierungsprodukte der Aminosäuren Lysin u. Ornithin (Cadaverin = *1,5-Pentandiamin bzw. Putrescin = *1,4-Butandiamin) sind jedoch relativ ungiftige *biogene Amine. Heute versteht man unter P. giftige – möglicherweise mit den Noxinen Gohrbandts ident. – Stoffwechselprodukte von *Fäulnis-Bakterien, die auf verdorbenen, Eiweiß-haltigen Lebensmitteln wie Fleisch, Fisch usw. angesiedelt sind. Chem. sind diese P. sehr verschiedenartig aufgebaut; ihre Wirkungen sollen denen von Pflanzengiften wie *Strychnin, *Atropin u. a. ähneln. – ***E*** ptomaines – ***F*** ptomaïnes – ***I*** ptomaine – ***S*** ptomaínas
Lit.: Daldrup, Die Aminosäuren des Leichengehirnes, Stuttgart: Enke 1984 ▪ Kauert, Katecholamine in der Agonie, Stuttgart: Enke 1985 ▪ J. Forensic Sci. **22**, 558–572 (1977) ▪ s. a. Polyamine.

PTS. Abk. für *Papiertechnische Stiftung für Papiererzeugung u. Papierverarbeitung.

PTX. Abk. für *Pumiliotoxine.

Ptyalin s. Amylasen.

PU. 1. Kurzz. für Polyurethan-Elastomere. – 2. Kurzz. für Polyurethan-Fasern. – 3. Kurzz. für *Polyurethane (s. a. PUR).

Puddel-Verfahren. Ein wichtiger Meilenstein in der Stahlmetallurgie; das P.-V. hat nur noch histor. Bedeutung, es wurde letztmalig um 1940 angewendet. Hierbei wurde das flüssige *Roheisen mittels durchgeleiteter Verbrennungsgase so weit entkohlt, daß es teigig u. – im Gegensatz zu *Gußeisen – schmiedbar wurde. Der histor. gesehen nächste Schritt war die Entwicklung von *Flußstahl. – ***E*** puddling process – ***F*** procédé par puddlage („puddling") – ***I*** puddellaggio – ***S*** procedimiento de pudelado
Lit.: Ullmann (5.) **A 25**, 74 f. ▪ Winnacker-Küchler (4.) **4**, 93 f.

Puddingpulver. P. ist nach den Leitsätzen[1] ein Gemisch aus konsistenzgebenden Stoffen wie *Verdickungs- u. Geliermitteln mit Zutaten. Aus P. wird mit Flüssigkeit, z. B. *Milch od. Wasser, vielfach unter Zusatz von *Zucker, Pudding hergestellt. Als konsistenzgebende Stoffe werden in den Leitsätzen *Stärke, Reis- od. Weizengries vorgeschlagen u. als Zubereitungsart das Kochen zwingend vorgeschrieben. Produkte, deren Zubereitung ohne Kochen nur durch Lösen in einer Flüssigkeit erfolgt (*Instant-Pudding*, s. Instant-Produkte), enthalten meist gelatinisierte *Stärke u. werden als Gelee- od. Götterspeise bezeichnet. Werden naturident. od. künstliche Aromastoffe (s. Aromen) zugesetzt, ist dies kenntlich zu machen. Für einzelne Erzeugnisse wie Frucht-P., Schokoladen-P., Vanille-P. u. a. gelten bes. Anforderungen[1]. Den Zusatz von *Farbstoffen (Anlage 6 Liste A u. Liste B Nr. 4) u. *Süßstoffen (nur *Aspartam® u. *Acesulfam-K sind nach Anlage 7 Liste A u. B Nr. 3 zugelassen) regelt die Zusatzstoff-Zulassungs-VO[2].
Produktionszahlen (BRD, 1997; Angabe als Lebensmittelzubereitung auf Getreide- od. Milchbasis ohne Kindernahrung): 377 297 t; s. a. Quellmehl. – ***E*** pudding powder – ***F*** flan en poudre – ***I*** polvere da budino – ***S*** polvos para flan
Lit.: [1] Leitsätze für Puddingpulver u. verwandte Erzeugnisse vom 14. 9. 1972 (B Anz. Nr. 207), abgedruckt in Zipfel, C 359. [2] Zusatzstoff-Zulassungs-VO vom 22. 12. 1981 in der Fassung vom 8. 3. 1996 (BGBl. I, S. 460).
allg.: Zipfel, C 359. – *[HS 1901 90, 2106 90]*

Puder. Nach allg. Verständnis ist P. eine Art *Mehl*, d. h. eine Anhäufung von Festteilchen mit einer Teilchengröße unter 100 nm, die als medizin. od. kosmet. Präp. zur lokalen Anw. auf der gesunden od. kranken Haut dient. Man unterscheidet bei den zahlreichen *kosmet. P.*, die sowohl einer Retusche der Hautfarbe dienen als auch Schweiß aufsaugen, gegen Witterungseinflüsse schützen u. die Haut glatt u. geschmeidig machen sollen, verschiedene Zubereitungen: Flüssige P., lose P. (Streupuder), festgepreßte P. (Compacts), P.-Crèmes sowie P. in Aerosolform. Als Hauptbestandteil der P. (*Pudergrundlagen*, *Puderbasen*) kommen feinpulvrige, einfache od. gemischte, saugfähige, gut deckende, an der Haut haftende, ungiftige Stoffe in Frage, wie Siliciumdioxid, gefällte Kreide, Magnesiumcarbonat, Kaolin, Talk, Zinkoxid, Titandioxid,

Strontiumcarbonat u. -sulfat, Calciumsulfat, Bismutsalze, Stearate von Mg, Zn, Ti, Ca u. Al, ferner Reis-, Mais- u. Weizenstärke, Lycopodium, Iriswurzel, gemahlene Seide. Die 3 letztgenannten werden heute nur noch selten verwendet. Zur Färbung von *Gesichts-* od. *Schmink-P.* dienen für äußerliche Anw. zugelassene kosmet. Färbemittel (vgl. Kosmetika) wie anorgan. Pigmente (meist Eisenoxidfarben wie z. B. Ocker, Siena, Venetianischrot) od. *Farblacke, zur Parfümierung stabilisierte Duftstoffe, die durch die anorgan. Bestandteile der Pigmente nicht verändert werden. Die losen *Streupuder* (Bade-, Rasier-, Fuß-, Sonnenbrandpuder usw.) enthalten als Hauptbestandteil meist Talk (Talkum). Als *Hautpflegemittel können P. auch adstringierende, desodorierende od. dermatolog. wirksame Zusätze wie Schwefel, Salicylsäure, Chlorbutanol u. a. in geringen Mengen enthalten. *Medizin. P.* dienen als Vehikel u. Verdünnungsmittel für pharmazeut. Wirkstoffe wie Penicillin, Sulfonamide u. dgl. – ***E*** powders – ***F*** poudres – ***I*** talco in polvere – ***S*** polvos

Lit.: Janistyn (3.) **1**, 770; (2.) **3**, 42–45, 754–776 ▪ Kirk-Othmer (4.) **7**, 593 ff. ▪ Umbach (Hrsg.), Kosmetik, 2. Aufl., S. 314 f., 317 f., Stuttgart: Thieme 1995. – *[HS 3304 91]*

Puderbasen (Singular: Puderbasis) s. Puder.

Pudergraphit s. Graphit.

Pudermetalle s. Bronzepigmente.

Puderzucker s. Saccharose.

PUE. Nach DIN 60001-1: 1970-08 Kurzz. für Elastofasern aus *Polyurethanen (Elastan); wurde in DIN 60001-4: 1990-05 (Entwurf) durch das Kurzz. EL ersetzt.

Pülpe od. Pulpe (die; auch: der *Pulp*, von latein.: pulpa = Fleisch). Fachsprachliche Bez. für breiige, oft noch gröbere Partikeln enthaltende Massen, z. B. in der Marmeladenherst. (Obstpülpe), Papierfabrikation (Faserbrei, s. a. Cellulose, Holzschliff u. Papier), Zucker-Ind. (Rübenzucker-Rohsaft mit restlichen Schnitzelteilchen) usw. – ***E*** pulp – ***F*** pâte, pulpe – ***I*** polpa – ***S*** pasta, pulpa

Puff (Puffs) s. Insektenhormone.

Puffbohnen (Ackerbohnen, Feldbohnen, Pferdebohnen, Saubohnen, Dicke Bohnen). Zu den Hülsenfrüchtlern (*Hülsenfrüchte, Leguminosen) zählende, in Südeuropa heim. u. weltweit kultivierte Pflanze (*Vicia faba* ssp. *faba*, Papilionaceae, Schmetterlingsblütler), die botan. *nicht* zu den *Bohnen, sondern zu den *Wicken (Viciae) gerechnet wird. Die seit der jüngeren Steinzeit bekannte P. ist eine Eiweiß-reiche Futterpflanze; die unreifen P. liefern ein nahrhaftes Gemüse. Sie enthalten 84,1% Wasser, 5,4% Proteine, 0,3% Fette, 7,3% Kohlenhydrate, 2,1% Faserstoffe u. 0,7% Asche. Reife getrocknete Bohnen enthalten 14,0% Wasser, 23% Proteine, 2,0% Fette, 55,0% Kohlenhydrate u. 6,2% Faserstoffe; außerdem sind P. reich an Kaliumphosphat. Aufgrund ihres hohen Protein-Gehalts sind die P. versuchsweise zu fleischähnlichen Produkten (KESP, s. Proteine, S. 3592) verarbeitet worden. Neben einer Reihe seltener Aminosäuren enthalten die P. in ihren Proteinen (z. B. Legumin, Vicilin) L-*Dopa, das sich daraus in techn. Maßstab gewinnen läßt. Allerdings sind unter den Aminosäuren auch *Lathyrogene* (s. Lathyrismus). Bei Personen mit einem erblichen Defekt der Glucose-6-phosphat-Dehydrogenase kann der Genuß von P. od. das Inhalieren des Blütenstaubes der Pflanze zu *Favismus* führen (äußert sich in hämolyt. Anämie). In den Wurzeln finden sich *Phytoalexine vom *Polyin-Typ (Wyeron u. Wyeronsäure), die Keime enthalten Proteinase-Inhibitoren (vgl. Proteasen). – ***E*** fodder-beans, horse-beans, broad beans, Faba beans, ticks – ***F*** fèves de marais, fèves de cheval – ***I*** fave – ***S*** habas panosas

Lit.: Franke, Nutzpflanzenkunde (6.), S. 145 ff., Stuttgart: Thieme 1997. – *[HS 0713 50]*

Puffer. Von Fernbach 1890 in bildlicher Übernahme der entsprechenden mechan. Vorrichtung an Eisenbahnwagen geprägte Bez. für eigentlich als *P.-Lsg.* zu bezeichnende Lsg. aus einer schwachen Säure (z. B. Essigsäure) mit einem prakt. völlig dissoziierten Neutralsalz derselben Säure (z. B. Natriumacetat). Wird etwas Base od. Säure zugegeben, so ändert sich der *pH-Wert kaum (*Pufferung*). Die Wirkung der in P.-Lsg. enthaltenen *P.-Substanzen* beruht auf der Abfangreaktion von Wasserstoff- bzw. Hydroxid-Ionen unter Bildung schwacher Säuren bzw. Basen auf Grund ihres Dissoziationsgleichgew. (vgl. elektrolytische Dissoziation u. Massenwirkungsgesetz).
Säuren können gepuffert werden durch alle Salze aus schwachen Säuren u. starken Basen, Basen durch Salze aus starken Säuren u. schwachen Basen. Die starke (vollständig in Ionen dissoziierte) Salzsäure kann z. B. durch Zusatz von Natriumacetat abgepuffert werden. Entsprechend dem Gleichgew.

$$H_3C{-}COONa + HCl \rightleftharpoons NaCl + H_3C{-}COOH$$

wird Natriumacetat in die schwache Essigsäure überführt, die in Ggw. eines Natriumacetat-Überschusses nur zu einem sehr geringen Anteil dissoziiert. P., die sowohl gegenüber Säuren als auch Basen wirken, sind Gemische aus schwachen Säuren u. ihren Salzen; *Beisp.:* Essigsäure/Natriumacetat, Borsäure/Natriumborat, Phosphorsäure/Natriumphosphat, Hydrogencarbonat/Soda. So erfolgt in einer Lsg., die Essigsäure u. Natriumacetat enthält, je nach Zugabe von Salzsäure od. Natronlauge eine Reaktion nach obiger Gleichung od. entsprechend der Gleichung

$$H_3C{-}COOH + NaOH \rightleftharpoons H_3C{-}COONa + H_2O,$$

wobei das Gleichgew. fast vollständig auf der rechten Seite liegt. Analog kann das Syst. NH_3/NH_4Cl formuliert werden: Bei Zugabe von Natronlauge entsteht mehr NH_3, mit Salzsäure wird mehr NH_4Cl gebildet.

$$NH_4Cl + NaOH \rightleftharpoons NH_3 + H_2O + NaCl$$
$$NH_3 + HCl \rightleftharpoons NH_4Cl$$

Da in beiden P.-Syst. eine zugegebene starke Base unter Bildung einer schwächeren Base ($H_3C{-}COO^-$ od. NH_3) verbraucht u. dabei die ohnehin bereits im Syst. vorhandene Menge dieser schwächeren Base etwas erhöht wird, ändert sich der pH-Wert nur wenig. Gleiches gilt für starke Säuren, welche dem Syst. zugefügt werden. Die schwächeren Säuren, die unter Verbrauch der zugegebenen stärkeren Säure gebildet werden, sind $H_3C{-}COOH$ bzw. NH_4^+, von denen jeweils eine bestimmte Menge von Anfang an in der P.-Lsg. vorhanden war.

Zur Kennzeichnung der Pufferung dienen die Begriffe P.-Kapazität, P.-Wert u. Verdünnungseinfluß. Eine P.-Kapazität von 1 entspricht einer P.-Lsg., deren pH-Wert sich bei Zugabe von 1 mol Säure od. Base pro Liter P.-Lsg. um eine Einheit ändert. Der *P.-Wert* β ist der auf ein vorgegebenes Vol. (in Litern) V_0 der P.-Lsg. bezogene Quotient aus der Zugabe einer differentiellen Stoffmenge (dn) einer starken Säure (starken Base) u. der dadurch verursachten Änderung des pH-Wertes: $\beta = (1/V_0)\,(dn/dpH)$. Der *Verdünnungseinfluß* ΔpH gibt die Änderung des pH-Wertes durch Verdünnung mit reinem Wasser im Verhältnis 1:1 an (s. *Lit.*[1]); zur Berechnung des pK-Wertes s. dort.
Standardpuffer-Lsg. sind nach DIN (*Lit.*[2]) genormt, z. B. als sog. *NBS-Puffer; die Tab. gibt Beisp. für verschiedene pH-Werte.
Techn. P., wie sie zur Eichung von pH-Meßketten benutzt werden, werden durch den Vgl. mit Standard-P. auf ihren pH-Wert eingestellt. Ihre Puffergüte ist höher u. der Verdünnungseinfluß geringer als bei Standard-Puffer-Lösungen. Eich- u. Meßtemp. sollen möglichst übereinstimmen; die am pH-Meter vorhandene Temp.-Kompensation ersetzt nur begrenzt die Temp.-Eichung bei der Arbeitstemperatur. Für biochem. Reaktionen hat sich die Einführung von *zwitterion. P.* durch Good (1966; sog. *Good-Puffer*) als außerordentlich nützlich erwiesen. Die *Zwitterionen enthalten sek. u. tert. Amino-Gruppen als Träger der pos. Ladung u. Sulfonsäure- od. Carboxy-Gruppen als Träger der neg. Ladung; *Beisp.*: ACES {2-[(Carbamoylmethyl)amino]ethansulfonsäure}, *ADA, *BES, *BICINE, *CAPS, *HEPES, *MES, *MOPS, *PIPES, *TES, *Tricin. Zwitterion. P. lassen sich in *chaotrope u. *taxigene P. einteilen; Näheres zu Eigenschaften u. Anw. dieser P., die den pH-Bereich 5,8–11,1 bzw. pK 6,15–10,40 abdecken, s. *Lit.*[4].
Vielfach sind spezielle P.-Mischungen nach den Namen ihrer Erstanwender benannt; *Beisp.: Laurell-Puffer* (Barbital/Barbitalnatrium, pH 9), *Michaelis-Puffer* (Barbital/Natriumacetat, pH 8,6, pH 6,9), *Sørensen-Puffer* (KH_2PO_4/Na_2HPO_4), P. nach Hanks, Dulbecco. P. spielen nicht nur in der klass., sondern auch in der physiolog. Chemie eine wichtige Rolle; das physiolog. wichtigste Beisp. für einen P. ist *Blut; Näheres s. bei Säure-Basen-Gleichgewicht. Auch die *Haut nimmt eine P.-Funktion wahr (Schlagwort „Säuremantel“, s. pH). Im *Meerwasser wirken bes. Carbonat, Borat u. die Sedimentgesteine als Puffer. In der Potentiometrie von *Redoxsystemen spricht man statt vom Puffern des Syst. von *Beschwerung. – ***E*** buffers – ***F*** tampons – ***I*** soluzioni tamponi – ***S*** amortiguadores, tampones

Lit.: [1] DIN Normenheft 22, Richtlinien für die pH-Messung in industriellen Anlagen, Berlin: Beuth 1974. [2] DIN 19266: 1979-08; DIN 19267: 1985-02. [3] Handbook **73**, 8–30 ff. [4] Kontakte (Merck) **1981**, Nr. 1, 37–43.
allg.: Chem. Tech. **29**, 402–404 (1977) ▪ DIN 19260: 1971-03 ▪ Kirk-Othmer (4.) **13**, 952 f. ▪ Pure Appl. Chem. **57**, 887–898 (1985) ▪ Rilber, pH and Buffer Theory: A New Approach, Chichester: Wiley 1997 ▪ Wasserkalender **21**, 191–198 (1987) ▪ Zwitterionische Puffersubstanzen (FS), Darmstadt: Merck 1985 ▪ s. a. pH, pK-Wert, Säure-Basen-Gleichgewicht.

Pulegon [(*R*)-*p*-Menth-4(8)-en-3-on, (*R*)-2-Isopropyliden-5-methylcyclohexanon].

$C_{10}H_{16}O$, M_R 152,24, farblose Flüssigkeit mit einem Geruch zwischen Pfefferminze u. Campher, Sdp. 224 °C, D. 0,932; n_D^{20} 1,4894, $[\alpha]_D^{20}$ +22,5°, die (–)-Form ist synthet. zugänglich, kommt aber auch natürlich in *Agastache formosanum* vor; unlösl. in Wasser, lösl. in Alkohol u. empfindlich gegen Licht, Luft, Eisen u. Alkalien (Bildung von Iso-Verb.). P. ist im europ. *Poleiöl (aus *Mentha pulegium*) zu 80 bis 94% u. im ether. Öl der mit der *Pfefferminze verwandten südamerikan. Muna-Pflanze zu 33% enthalten. Das *Terpen P. kommt v. a. in Ölen aus Lippenblütlern (Lamiaceae) vor.
Verw.: Zur Menthol-Synth. u. zur Aromatisierung. – ***E*** = ***I*** pulegone – ***F*** pulégone – ***S*** pulegona

Lit.: Beilstein E IV **7**, 188 ▪ Karrer, Nr. 549 ▪ Merck-Index (12.), Nr. 8124 ▪ Perfum. Flavorist **4**, Nr. 1, S. 15 ff. (1979) ▪ Umschau **84**, 765 (1984). – *Synth.:* J. Org. Chem. **30**, 3207 (1965); **41**, 380 (1976) ▪ Sax (8.), MCF 500 ▪ Tetrahedron Lett. **1980**, 3377. – *[HS 291429; CAS 89-82-7 (+)-P.; 3391-90-0 (–)-P.]*

Tab.: Zusammensetzung u. pH-Grenzwerte wäss. Pufferlösungen (bei 25 °C) aus jeweils 50 mL A u. x mL B*; Zwischenwerte s. *Lit.*[3].

nutzbarer pH-Bereich	A	Puffergemisch aus 50 mL A			
		+x mL B	gibt pH	+x mL B	gibt pH
1,0–2,2	0,2 m KCl (25 mL)	67,0 mL 0,2 m HCl	1,0	3,9 mL 0,2 m HCl	2,2
2,2–4,0	0,1 m KHPhth.	49,5 mL 0,1 m HCl	2,2	0,1 mL 0,1 m HCl	4,0
4,1–5,9	0,1 m KHPhth.	1,3 mL 0,1 m NaOH	4,1	43,7 mL 0,1 m NaOH	5,9
5,8–8,0	0,1 m KH_2PO_4	3,6 mL 0,1 m NaOH	5,8	46,1 mL 0,1 m NaOH	8,0
7,0–9,0	0,1 m Tris-P.	46,6 mL 0,1 m HCl	7,0	5,7 mL 0,1 m HCl	9,0
8,0–9,1	0,025 m Borax	20,5 mL 0,1 m HCl	8,0	2,0 mL 0,1 m HCl	9,1
9,2–10,8	0,025 m Borax	0,9 mL 0,1 m NaOH	9,2	24,25 mL 0,1 m NaOH	10,8
9,6–11,0	0,05 m $NaHCO_3$	5,0 mL 0,1 m NaOH	9,6	22,7 mL 0,1 m NaOH	11,0
10,9–12,0	0,05 m Na_2HPO_4	3,3 mL 0,1 m NaOH	10,9	26,9 mL 0,1 m NaOH	12,0
12,0–13,0	0,2 m KCl (25 mL)	6,0 mL 0,2 m NaOH	12,0	66,0 mL 0,2 m NaOH	13,0

Abk.: KHPhth. = Kaliumhydrogenphthalat, Tris-P. = Tris-Puffer [Tris(hydroxymethyl)aminomethan, 2-Amino-2-(hydroxymethyl)-1,3-propandiol]. Endvol. der Mischungen = 100 mL.
* Die Komponenten A u. B werden in einem 100 mL-Meßkolben gemischt u. mit dest. Wasser bis zur Eichmarke aufgefüllt; bei 0,2 m KCl wird nur 25 mL eingesetzt.

Pullulan. Bez. für ein von dem Pilz *Aureobasidium pullulans* (früher *Pullularia pullulans*) extracellulär gebildetes α-D-Glucan, das sich aus α-1,6-glykosid. verknüpften D-Maltotriose-Einheiten (repeating units) aufbaut. Neben Maltotriose sind auch Maltotetraose u. einige α-1,3-Verknüpfungen nachweisbar. Das Polymer P. ist gut wasserlösl. u. kann zu Folien verarbeitet werden, die wegen einer bedingten Sauerstoff-Undurchlässigkeit zur Lebensmittel-Verpackung geeignet sind. Weitere Verw. sind Produkte für Beschichtungen u. Klebstoffe. Mittels *Pullulanase* (Amylopektin-6-glucan-Hydrolase) werden P., *Amylopektin u. *Glykogen durch Spaltung der α-1,6-glykosid. Bindung zu reduzierenden Zuckern umgewandelt. Das Enzym findet in der Lebensmittel-Ind. zur Stärke-Spaltung während der Isoglucose-Produktion Anw. (s. Fructose). – ***E*** pullulan – ***F*** pullulane – ***I*** pullulano – ***S*** pululano

Lit.: Appl. Microbiol. Biotechnol. **32**, 637 (1990) ▪ FEMS Microbiol. Lett. **71**, 65 (1990) ▪ Food Chem. Toxicol. **35** (3–4), 323–329 (1997) ▪ Planta **199** (2), 209–218 (1996). – *[CAS 9057-02-7]*

Pulmicort® (Rp). Dosieraerosol u. Inhalationsampullen mit *Budesonid gegen Bronchialasthma. ***B.:*** Astra Chemicals.

Pulmicret® (Rp). Brausetabl. mit *Acetylcystein als Mucolytikum, auch bei Mukoviszidose. ***B.:*** Pharma Stern.

PulmiDur® (Rp). Retardtabl. mit *Theophyllin gegen Atemnot bei Bronchitis, Asthma u. dgl. ***B.:*** Pharma Stern.

Pulmotin®. Saft mit Thymianfluidextrakt u. *Guaifenesin, Salbe mit Anis-, Eucalyptus-, Thymian- u. Koniferen-Öl sowie Campher u. Thymol gegen Erkrankungen der Atemwege. ***B.:*** Serum-Werk Bernburg.

Pulp(e) s. Pülpe u. Holzschliff.

Pulper s. Papier.

Pulp-wash (Pulpenextrakt). Engl. Bez. für ein, durch nachträgliches Auswaschen der Pulpe erhaltenes Zwischenprodukt der Citrussaftherstellung. Da p.-w. bes. *Pektin- u. Calcium-reich ist, kann anhand dieser Parameter ein eventuell erfolgter, aber ungesetzlicher Zusatz von p.-w. zu *Fruchtsaft-Getränken (v. a. *Orangen- u. Grapefruitsaft) erkannt werden. Die *Calcium- u. *Flavonoid-Gehalte, ab denen ein p.-w.-Zusatz diskutiert werden kann, sind für die einzelnen Fruchtsäfte den *RSK-Werten [1] zu entnehmen. Ein direkter Nachw. von p.-w. in Citrussäften ist über das Spektrum polymethoxylierter Flavonoide möglich [2]. – ***E*** pulp wash – ***F*** extrait de pulpe – ***I*** estratto di polpa – ***S*** extracto de pulpa

Lit.: [1] Verband der dtsch. Fruchtsaftind. e. V. (Hrsg.), RSK-Werte – Die Gesamtdarst., Schönborn: Verlag Flüssiges Obst 1987. [2] Lebensmittelchemie **45**, 36–37 (1991).
allg.: Lebensmittelchemie **45**, 36 f. (1991) ▪ Schobinger (Hrsg.), Frucht u. Gemüsesäfte (2.), S. 215–216, Stuttgart: Ulmer 1987.

Pulque. P. ist ein *alkoholisches Getränk (4–6% vol), das aus Agaven gewonnen wird. Die Blütenstände 7–10jähriger Agaven der Arten *Agava atrovirens* od. *A. americana* (Agavaceae) werden herausgeschnitten u. der austretende milchige, zuckerhaltige Saft (bis 2 L täglich) vergoren. Der frisch gewonnene Saft wird als „Aguamiel" (Rohsaft), das homogenisierte teilgegorene Produkt als „Tlachique" u. erst das durchgegorene Endprodukt als P. bezeichnet (Gärzeit: 8 Monate). P. ist als weinähnliches Getränk zu beurteilen. In Mexico, wo P. auch als „Ococtli" bezeichnet wird, ist sie Nationalgetränk. – ***E*** = ***F*** = ***I*** = ***S*** pulque

Lit.: Hermann, Exotische Lebensmittel (2.), S. 129, Berlin: Springer 1987 ▪ Ullmann (4.) **24**, 414 ▪ Würdig u. Woller, Chemie des Weines, S. 768, Stuttgart: Ulmer 1989. – *[HS 2206 00]*

Pulsare s. Sterne.

Pulsfeld-(Gel-)Elektrophorese (Wechselfeld-Gelelektrophorese). Unterwirft man *Desoxyribonucleinsäuren (DNA) der konventionellen Träger-*Elektrophorese, z. B. in Agarose-Gelen, so erhält man eine Separation dieser Makromol. aufgrund eines Molekularsieb-Effekts: Die Polyanionen der DNA wandern unter dem Einfluß des elektr. Felds desto langsamer durch die Poren des dreidimensional vernetzten Gels, je größer sie sind. Allerdings findet die Trennschärfe der Meth. bei Mol.-Größen von ca. 50 Kilo-Basenpaaren (kbp) ihre Grenze, u. größere DNA-Mol. zeigen im Wesentlichen dieselbe elektrophoret. Beweglichkeit. Dies liegt v. a. daran, daß man aus Stabilitätsgründen die Poren des Gels nicht beliebig vergrößern kann. Bei der P.-G. alterniert das elektr. Feld zwischen zwei um einen gewissen Winkel verschiedenen Richtungen. Da sich DNA-Mol. mit ihrer Längsachse in Feldrichtung orientieren, sind sie bei der P.-G. zwischen den kurzen Wanderungen jeweils einer Umorientierung unterworfen, welche in ihrem Zeitbedarf stark von der Mol.-Größe abhängt. Im Endeffekt ergibt sich eine Wanderung in einer mittleren Richtung, deren Geschw. nun auch bei größeren DNA-Mol. durch die M_R bedingt ist. Mit der P.-G. können ganze Hefe-*Chromosomen (200 bis 3000 kbp) getrennt werden.

Anw.: In der Genetik, Mikrobiologie, biolog. Systematik, Medizin, z. B. zur Typisierung pathogener Keime [1]. – ***E*** pulsed field (gel) electrophoresis – ***F*** électrophorèse [sur gel] à champ pulsatif – ***I*** elettroforesi (su gel) a campo impulsato – ***S*** electroforesis [sobre gel] de campo pulsante

Lit.: [1] Biospektrum **2**, Nr. 5, 53 f. (1996).
allg.: Birren u. Lai, Pulsed-Field Gel Electrophoresis. A Practical Guide, San Diego: Academic Press 1993 ▪ Burmeister u. Ulanovsky, Pulsed-Field Gel Electrophoresis, Totowa: Humana Press 1992 ▪ Methods Enzymol. **270**, 255–272 (1996) ▪ Monaco, Pulsed-Field Gel Electrophoresis. A Practical Approach, Oxford: IRL Press 1995.

Puls-Fourier-Transformation. Verf. zur Verbesserung des Signal/Rausch-Verhältnisses. Z. B. regt man bei der *NMR-Spektroskopie alle Kerne mit einem kräftigen kurzzeitigen Impuls bis zur Sättigung an u. beobachtet anschließend die Rückkehr der magnet. Zustände zum therm. Verteilungsgleichgew. während der Relaxationszeit. Aus der hieraus resultierenden Kurve erhält man unter bestimmten Bedingungen durch *Fourier-Transformation das NMR-Spektrum. – ***E*** pulse Fourier transformation – ***F*** transformation de Fourier d'impulsions – ***I*** trasformazione di impulsi di Fourier – ***S*** transformación de Fourier de impulsos

Pulsradiolyse. Ein der Blitzlicht-Photolyse (s. Abb. dort, S. 475) analoges Analysen-Verf. der *Strahlenchemie. Hierbei läßt man im µs- bis ps-Bereich einen sehr intensiven Elektronenstrahl auf eine Probe in einer Quarzzelle einwirken. Man muß sich die Blitzlampe durch eine Elektronenstrahlquelle (Linearbeschleuniger, *van de Graaff-Generator) ersetzt denken. Während bzw. sofort nach dem „Puls" wird ein Meßstrahl aus der Lichtquelle durch die Probe geführt u. das Spektrum der *Radikale u. a. kurzlebigen Spezies aufgenommen. Mit dieser Meth. konnten Hart u. Boag 1962 *solvatisierte Elektronen (e^-_{aq}) als *Zwischenstufen der Wasserradiolyse in flüssigem Wasser erstmals nachweisen. Die P. eignet sich bes. zur Untersuchung *schneller Reaktionen u. zum Studium von strahlenchem. Reaktionsmechanismen auch in biolog. Material. Ausführliche Darst. der Anw.-Möglichkeiten der P. in der chem. Forschung findet man in *Lit.*[1]. – ***E*** pulse radiolysis – ***F*** radiolyse pulsée – ***I*** radiolisi a impulsi – ***S*** radiolisis pulsada

Lit.: [1] Baxendale u. Busi, The Study of Fast Processes and Transient Species by Electron Pulse Radiolysis, Dordrecht: Reidel 1982.
allg.: Adv. Inorg. Bioinorg. Mechanismus **3** (1984) ▪ Bensasson et al., Flash Photolyse and Pulse Radiolysis, Oxford: Pergamon 1983 ▪ The Dosimetry of Pulsed Radiation (ICRU Rep. 34), Bethesda: ICRU 1982.

Pultrusion. Von *E* pull = ziehen u. latein.: trudere = stoßen, drängen (vgl. Extrudieren) abgeleitete Bez. für ein Verf. zum Strangziehen bes. von *glasfaserverstärkten Kunststoffen, bei dem das mit Harz getränkte Verstärkungsmaterial kontinuierlich durch eine beheizte Düse mit dem gewünschten Profil gezogen wird, wobei es seine endgültige Form erhält u. gleichzeitig aushärtet. – ***E*** = ***F*** pultrusion – ***I*** pultrusione – ***S*** pultrusión

Lit.: Dev. Plastics Technol. **3** (1986) ▪ Encycl. Polym. Sci. Eng. **4**, 3–9 ▪ Kunststoffe-Plastics (Solotherm Switz.) **32**, Nr. 8, 12 f. (1985) ▪ Meyer, Handbook of Pultrusion Technology, New York: Chapman & Hall 1985 ▪ Ullmann (5.) **A 11**, 17; **A 23**, 59 ▪ s. a. Faserverstärkung.

Pulver (von latein.: pulvis = Staub). Allg. Bez. für eine Form der Zerteilung trockener fester Stoffe, die man durch *Zerkleinern, d. h. Zerreiben od. Zerstoßen in der Reibschale (*Pulverisieren*), Mahlen in Mühlen od. als Folge von Zerstäubungs- od. Gefriertrocknungen erhält. Eine bes. feine Zerteilung nennt man oft *Atomisierung* od. *Mikronisierung*.

P. als Arzneiform (s. a. Pulvis) sind gleichmäßige Mischungen von festen feinzerteilten Arzneistoffen. Sind dermatolog. od. kosmet. Wirkstoffe auf neutralen pulverförmigen Grundlagen aufgezogen, nennt man die Präp. *Puder. P. können sich physikal. recht unterschiedlich verhalten: in Form von *Staub od. *Rauch ähneln sie Gasen, im Fließverhalten (Sand), beim pneumat. Transport in Rohrleitungen od. beim Brodeln der *Wirbelschicht erinnern P. an Flüssigkeiten u. sehr dicht gepackte P. können Eigenschaften von Festkörpern zeigen (Tabl., pulvermetallurg. Produkte, Kohle-Briketts etc.). Beim Umgang mit losen P. ist bes. auf die Gefahren *elektrostatischer Aufladung u. von *Staubexplosionen zu achten.

Nach der *Korngröße ist eine grobe Einteilung der P. in Grob-, Fein- u. Feinst-P. üblich; eine genauere Klassifizierung pulverförmiger *Schüttgüter erfolgt über ihre *Schüttdichte u. durch *Siebanalyse, vgl. a. Granulate, Grieß, Staub. Auch zur Bestimmung der P.-Oberfläche existieren Meth., z. B. die *BET-Methode. Zur Kontrolle der Gleichmäßigkeit von P. bestimmt man die *Schüttdichte* nach DIN ISO 697: 1984-01.

P. lassen sich durch *Pressen, *Walzen, *Brikettieren, Pelleti(si)eren (s. Pellets) u. verwandte Verf. *verdichten* (*agglomerieren*, *kompaktieren*). Dem unerwünschten Zusammenbacken von techn. P. begegnet man durch Verw. von *Rieselhilfen. Während für die Mischbarkeit von trockenen P. bes. die Unterschiede in der Korngröße der Komponenten eine Rolle spielen, hat bei der Dispersion von P., z. B. von Pigmenten, in Flüssigkeiten der Charakter der Teilchenoberfläche einen wesentlichen Einfluß auf die Dispergierbarkeit. P. sind in der chem. Technologie, z. B. bei der Erzaufbereitung, in der Sinter- od. Pulvermetallurgie, bei der Herst. von Wasch- u. Düngemitteln, in der Nahrungs- u. Futtermittel-Ind. usw. eine der üblichen Zustandsformen der Materie; s. die zahlreichen zusammengesetzten Begriffe wie Brause- u. *Milch-Pulver. Es sei darauf hingewiesen, daß im dtsch. Sprachgebrauch die Bez. P. häufig als Synonym für *Schießpulver verwendet wird. – ***E*** powder – ***F*** poudre – ***I*** polvere – ***S*** polvo

Lit.: Hager (5.) **2**, 856–860 ▪ Kirk-Othmer (4.) **22**, 222–296 ▪ s. a. Staub.

Pulverbeschichtung. Unter der P. versteht man die *Beschichtung von Metall- u. Kunststoffoberflächen durch Auftragen u. *Sintern von wärmehärtenden *Pulvern. Diese können im Rotations- od. Flockverf., durch *Pulverspritzverfahren* wie *Flammspritzen, Kunststoff-Flammspritzen od. Metallspritzverf., im Wirbelsinterbad sowie durch elektrostat. Beschichtung (Pulverelektrostatik, PUESTA) aufgebracht werden. Zur elektrostat. P. (EPS) eignen sich bes. duroplast. *Pulverlacke* aus Epoxid-, Polyester- u. Acrylharzen, beim Wirbelsintern bevorzugt man Thermoplaste aus *PA, *EVA-Copolymeren, *PE, *PVC, Polyestern u. Polyepoxiden, die hier *Beschichtungs-Pulver* genannt werden. Die P. ermöglicht eine weitgehend automatisierte Arbeitsweise, ist – wegen der Abwesenheit von Lsm. – umweltfreundlich u. findet daher in steigendem Ausmaß bei der Herst. von Autoteilen, Haushaltsgeräten u. in der Möbel-Ind. Anwendung. Neuere Entwicklungen betreffen die Anw. von Kunststoffpulvern in wäss. od. Lsm.-Dispersionen. *Beisp.:* EPC (electrophoretic powder coating), APS (aqueous powder suspension), PLW (Pulverlack in Wasser), NAD (non aqueous dispersion, s. Polymerdispersionen). – ***E*** powder coating – ***F*** revêtement par poudre – ***I*** rivestimento di polvere – ***S*** revestimiento con polvo

Lit.: Encycl. Polym. Sci. Eng. **3**, 575–601 ▪ Kirk-Othmer (4.) **6**, 635–661 ▪ Römpp Lexikon Lacke u. Druckfarben, S. 477 f. ▪ Ullmann (4.) **15**, 660–664, 693; (5.) **A 18**, 438–444, 499 f. ▪ Winnacker-Küchler (4.) **6**, 803 f.

Pulverkautschuk. Alle unmodifizierten *Kautschuke zeichnen sich durch eine mehr od. weniger starke Eigenklebrigkeit aus. Weiterhin zeigen sie das Phänomen des *kalten Flusses. Aus diesem Grunde können sie nicht wie *Thermoplaste durch z. B. Sprühtrocknung, Gefriertrocknung, Entspannungsverdampfung od.

Mahlen in lagerfähige Pulverform überführt werden. Um dennoch lagerstabile Pulver zu erhalten, fällt man den Kautschuk aus seiner Lsg. gemeinsam mit diversen *Füllstoffen aus. Man isoliert so *Masterbatches mit Teilchendurchmessern von 10–1500 µm. Auf diese Weise können Polybutadien-, Ethylen/Vinylacetat- u. Styrol/Butadien-Kautschuke direkt aus ihren Polymerisations-Lsg. bzw. -Emulsionen u. chlorierte *Polyethylene aus ihren Reaktionslsg. als trockene, lagerfähige Pulver gefällt werden. Nach der Vulkanisation dieser P. unterscheiden sich die Eigenschaften der Vulkanisate prakt. nicht von denen ballenförmig eingesetzter Kautschuke.
Speziell für den Einsatz als P. wurde daneben das *Polynorbornen (PNR) entwickelt. Dieses Polymere weist in reiner Form eine Schmelztemp. von ca. 170 °C u. eine *Glasübergangstemperatur von ca. 40 °C auf, ist also ein typ. Thermoplast. Nach seiner *Weichmachung mit diversen Ölen besitzt das Polymere dann aber je nach Weichmacher-Gehalt Glasübergangstemp. von –45 bis –60 °C u. verhält sich wie ein Kautschuk. Aufgrund seiner Doppelbindungen ist PNR auf klass. Weise mit Schwefel vulkanisierbar. – ***E*** pulverized caoutchouc – ***I*** caucciù in polvere – ***S*** caucho en polvo

Lit.: Elias (5.) **2**, 493.

Pulverlöscher s. Feuerlöschmittel.

Pulvermetallurgie. Metallurg. *Fertigungsverfahren der Hauptgruppe *Urformen.* Nach DIN 8580: 1985-07 beschreibt diese Gruppe das Herstellen metall. Teile aus dem festen (körnigen od. pulvrigen) Zustand. Werden auch nichtmetall. Werkstoffe einbezogen, spricht man von *Pulver-* od. *Sintertechnologie.* Bei Anw. der P. als dem formgebenden Fertigungsverf. wird der schmelzflüssige Zustand einzelner Komponenten im Gegensatz zum Gießen in der Regel nicht erreicht. Das erzeugte Porenvol. liegt dabei zwischen Null u. einem erwünschten, durch die Anw. bedingten Wert. Die Menge der über P. erzeugten techn. Bauteile (Fertigteile od. weiterzuverarbeitende Halbzeuge) ist im Vgl. zu den gießtechn. hergestellten vernachlässigbar, nicht jedoch deren techn. Bedeutung. So hat die P. als Fertigungsverf. eine Reihe anwendungsspezif. Vorteile: Endabmessungsnahe Bauteilherst. (*E* near net shape) in nur einem Fertigungsschritt; eine Fertigung ohne aufzubereitende Reststoffe; das Einstellen der Bauteileigenschaften über die verwendeten Ausgangspulver; eine extreme Homogenität der Bauteile auf mikroskop. u. makroskop. Ebene; die Verarbeitung von Werkstoffsyst., die sich durch Gießen aufgrund mangelhafter Mischbarkeit od. der Entstehung unerwünschter Phasen nicht od. nicht sinnvoll realisieren lassen (s. Pseudolegierungen); das Erzeugen definierter Porositäten.
In der P. können drei nacheinander erforderliche Fertigungsschritte unterschieden werden, wobei bes. bei modernen Verf. der P. die Schritte 2 u. 3 in einem Fertigungsgang gemeinsam erfolgen können:
1. *Herstellen der Ausgangspulver* (Pulverfertigung u. -vorbereitung): Viele der verwendeten Metallpulver sind *Pyrophore, d. h. sie neigen in Sauerstoff-haltiger Atmosphäre zur Selbstentzündung u. müssen daher unter bes. Vorsichtsmaßnahmen gehandhabt werden. Die erwünschten Ausgangspulver werden chem. (Red.), elektrochem. (Elektrolyse) od. physikal. (Zerkleinern, Verdüsen) aus festem od. flüssigem Metall gefertigt. Zur Herst. von Pulvern aus Nitriden, Siliciden od. Carbiden, z. B. TiN, Si_3N_4, TiC, werden neuerdings auch Verf. eingesetzt, bei denen Precursor-Moleküle in Flammen od. Plasmen chem. umgesetzt werden, z. B. $SiCl_4$ mit NH_3 zur Herst. von Si_3N_4. Das Herstellverf. hat über die Einstellung der Pulvereigenschaften (Zusammensetzung, Reinheit, Oberfläche, Korngrößen u. -form, Verarbeitungsverhalten) maßgeblichen Einfluß auf die (chem. u. physikal.) Eigenschaften des Bauteils.
2. *Herstellen von Preßkörpern* (Formgebung): Bei der Formgebung findet im wesentlichen eine Pulververdichtung in drei Stufen statt: Verdichten ohne äußeren Druck; Dichteerhöhung mit plast. Verformung u. Erhöhung der Kontaktstellenzahl zwischen den Pulverteilchen aufgrund äußeren Drucks; Zunahme des Verformungswiderstands durch Kaltverfestigung. Am häufigsten ist die Formgebung durch einachsiges Pressen zwischen einem Ober- u. Unterstempel in einer Matrize. Die Preßdrücke liegen dabei zwischen 40 u. 800 MN/m^2. Durch einen Zusatz an Gleitmitteln können Reibungseffekte (Pulver/Pulver, Pulver/Matrize) u. daraus resultierende Heterogenitäten des Preßkörpers vermindert werden. Bei mehrachsigem Pressen (isostat. Pressen) wird das Pulver über eine Hydraulikflüssigkeit (Öl, Öl-Wasser-Emulsion) mit dem Ergebnis einer homogeneren Verteilung im Preßkörper verdichtet. Hierbei sind Preßdrücke bis 1,5 GPa erreichbar. Die Preßform besteht aus einer elast. Hülle sowie ggf. starren Elementen (Kern, Mantel). Ein Gleitmittelzusatz ist nicht erforderlich, im Vgl. zum einachsigen Pressen sind kompliziertere Bauteile herstellbar. Poröse Bauteile können durch druckloses Vibrationsverdichten od. durch Schlickergießen erreicht werden; letzteres Verf. wurde von der Keramik-Ind. übernommen.
3. *Sintern der Preßkörper* (Kompaktieren): Erst durch das Sintern des Preßkörpers werden dessen geforderte Festigkeitseigenschaften erreicht. Das Sintern verläuft in drei Stufen: Entstehung von Sinterbrücken zwischen den Pulverteilchen; Bildung eines zusammenhängenden Porenskeletts; Reduzierung der Poren bis hin zu ihrer Eliminierung. In Mehrkomponentensyst. kann es in Einzelfällen zum Auftreten einer Flüssigphase kommen. Die Adhäsionskräfte in dem bei Raumtemp. gefertigten Preßling werden bei den erhöhten Sintertemp. als Folge der therm. aktivierten Diffusionsvorgänge durch chem. Bindungen ersetzt. In dem dabei entstehenden Gefüge können die einzelnen Pulverteilchen nicht mehr identifiziert werden; die Eigenschaften des Preßlings nähern sich denen des entsprechenden porenfreien Festkörpers an.
Im Falle einer *Formgebung bei höheren Temp.* überlagern sich Formgebung u. Sinterung synergistisch. Man unterscheidet hierbei die Verf. Heißpressen, Pulverschmieden, Strangpressen u. *heißisostatisches Pressen (HIP) mit ihren entsprechend hohen therm.-mechan. Anforderungen an das Preßwerkzeug. Von diesen Verf. hat bes. das heißisostatische Pressen (Nähe-

res s. dort) an Bedeutung gewonnen, da es zu Bauteilen mit hervorragenden Gebrauchseigenschaften führt. Die *Anw.* der P. erstreckt sich auf alle Bereiche der metall. Werkstoffe [1]. Wegen des nicht unerheblichen Fertigungsaufwands ist allerdings bis heute bevorzugt das Gebiet der Hochleistungsleg. u. -komponenten nennenswert betroffen. So bildet die P. bei der Herst. von Bauteilen aus Refraktärmetallen (Ta, W, Nb, Mo) wegen deren Reaktivität u. hohen Schmp. eine wirtschaftliche Alternative zu anderen Herstellungsverfahren. Die P. hat weiterhin durch Verbesserung der Gebrauchseigenschaften die Einsatzmöglichkeiten der *Superlegierungen für Hochtemp.-Anw. wegen der Komplexität der betroffenen Leg.-Syst. entscheidend ausgedehnt. Ebenso werden durch langzeitigen Einsatz therm. geschädigte Turbinenschaufeln in Flugtriebwerken durch heißisostat. Pressen wieder regeneriert. Aus physikal. Gründen haben gesinterte Magnete erhebliche Bedeutung erlangt; durch pulvermetallurg. Kompaktieren können in diesen Leg. magnet. Eigenschaften erreicht werden, die über eine gießtechn. Herst. nicht realisierbar sind. Die P. hat des weiteren die Herst. von Metall-Keramik-Verbunden mit Metallmatrix (*Cermets*) ermöglicht, die etwa aus Schaltkomponenten der Elektrotechnik nicht mehr wegzudenken sind. Schließlich haben auch Werkstoffe mit definiertem Porengrad die Anw.-Breite höchstbeanspruchter Gleitlagerungen erweitert, da sie neben Selbstschmiereffekten auch die Notlaufeigenschaften derartiger Lagerungen erweitern konnten. – ***E*** powder metallurgy – ***F*** métallurgie des poudres – ***I*** metalloceramica, metallurgia sinterizzata, metallurgia polverosa – ***S*** metalurgia de polvos

Lit.: [1] Winnacker-Küchler (4.) **4**, 573 ff.
allg.: Metals Handbook (9.), Vol. 7: Powder Metallurgy, Metals Park, Ohio: American Society for Metals 1984 ▪ Schatt, Pulvermetallurgie: Technologie u. Werkstoffe, Düsseldorf: VDI-Verl. 1994 ▪ Ullmann (5.) **A 22**, 105 ff.

Pulvermethoden. Beugungsverf. zur schnellen, zerstörungsfreien Charakterisierung u. gegebenenfalls zur Strukturbestimmung von *röntgenkristallinen Pulvern (s. a. Kristallstrukturanalyse). Bei Einkristallverf. wird die Braggsche Beugebedingung (*Braggsche Reflexionsbedingung*, s. Kristallstrukturanalyse) für eine bestimmte Netzebenenschar dadurch eingestellt, daß der zu untersuchende *Einkristall entsprechend orientiert wird. Im Gegensatz dazu benötigt man für P. Pulver, in denen die Partikel regellos orientiert sind. Für jede Netzebenenschar gibt es also Kriställchen, die gerade so liegen, daß für sie die Beugebedingung zutrifft. Das Ergebnis der Messung ist ein *Pulverdiffraktogramm.* Die klass. Filmaufnahme ist heute weitgehend durch elektron. registrierende Pulverdiffraktometer verdrängt, die die Reflexintensitäten in Abhängigkeit vom Bragg-Winkel registrieren u. dadurch eine weitaus bessere quant. Auswertung des Diffraktogramms ermöglichen. Am weitesten verbreitet sind Pulverdiffraktometer mit *Bragg-Brentano*-Geometrie. Auch das Prinzip der *Guinier*-Kamera, für die es verschiedene Anordnungen gibt, kann mit elektron. Detektoren verwirklicht werden.

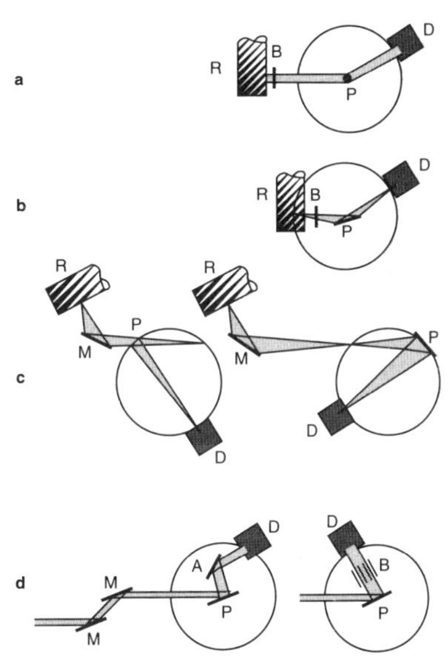

Abb.: Schemat. Strahlengang in verschiedenen Pulverdiffraktometern (R = Röntgenröhre, M = Monochromator, P = Präp., B = Blende, D = Detektor):
a) Debye-Scherrer-Geometrie (D = Einfachzähler, Mehrfachzähler, ortsempfindlicher Zähler, Film od. Image Plate).
b) Bragg-Brentano-Geometrie (D = Einfachzähler).
c) Guinier-Transmissions- u. Reflexions-Geometrie (D = Einfachzähler, Mehrfachzähler, Film od. Image Plate).
d) Parallelstrahl-Geometrie mit Analysatorkrist. (A) od. Kollimator (D = Einfachzähler).

Pulveruntersuchungen kann man relativ einfach bei tiefen od. hohen Temp. aber auch unter Druck in Zellen mit Diamant-Stempeln durchführen. Dadurch können z. B. Phasenumwandlungen detektiert werden. Auch heute noch sind Einkristallverf. die idealen Meth. zur Krist.- u. Mol.-Strukturbestimmung. Vielfach gelingt es jedoch nicht, hinreichend große Einkrist. von der zu untersuchenden Substanz zu züchten. In solchen Fällen greift man auf P. zurück. Auf der Basis von hochaufgelösten Diffraktogrammen gelingt immer häufiger die sog. *ab initio*-Strukturbestimmungen von kleinen Molekülen. Die Verf. der Strukturlösung sind mit den für Einkrist. gebräuchlichen vergleichbar. Hat man schließlich ein Strukturmodell entwickelt, kann man mittels *Rietveld-Methoden die Strukturparameter verfeinern. – ***E*** powder methods – ***F*** méthodes de mesure au moyen de poudres – ***I*** metodi delle polveri, metodi di Debye e Scherrer – ***S*** métodos de polvos

Lit.: Allmann, Röntgenpulverdiffraktometrie, Köln: Sven von Loga 1994 ▪ Bish u. Post (Hrsg.), Reviews in Mineralogy, Vol. 20: Modern Powder Diffraction, Washington D. C.: Min. Soc. Am. 1989 ▪ Kirk-Othmer (3.) **24**, 689 ▪ Krischner, Einführung in die Röntgenfeinstrukturanalyse, Braunschweig: Vieweg 1990.

Pulvertechnologie s. Pulvermetallurgie.

Pulvertrichter. Aus Polypropylen od. Glas gefertigte Trichter mit einem großen Stiel-Durchmesser, die das Einfüllen von Feststoffen in Reaktionsgefäße erleichtern. P. mit einem seitlich abgeflachten Trichterkörper sind dabei bes. für Mehrhalskolben mit Normschliffen geeignet. – ***E*** powder funnels – ***F*** entonnoirs à poudre – ***I*** imbuti per polvere, tramogge per polvere – ***S*** embudo para polvos

Pulvinsäure.

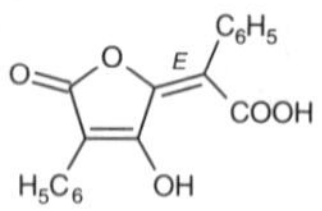

$C_{18}H_{12}O_5$, M_R 308,29, orange Prismen, Schmp. 216–217 °C, lösl. in Ethanol, wenig lösl. in Wasser u. Ether. Farbstoff zahlreicher Flechten. P. entsteht biosynthet. aus Phenylalanin über Phenylbrenztraubensäure u. Dimerisierung zu *Polyporsäure, enzymat. oxidative Ringöffnung u. Recyclisierung zum Butenolid. Hydroxylierte P.-Derivate (OH-Gruppen in 3,3'- u. 4,4'-Position) wie *Gomphidsäure, *Variegatsäure, *Xerocomsäure sind wichtige Pilzfarbstoffe u. für die Bläuungsreaktion vieler Röhrlinge beim Anschnitt verantwortlich (Bildung blauer chinoider Anionen durch Luftsauerstoff u. Oxidasen). – ***E*** pulvinic acid – ***F*** acide pulvinique – ***I*** acido pulvinico – ***S*** ácido pulvínico

Lit.: Beilstein E V **18/8**, 611 ▪ Chem. Rev. **76**, 625 (1976) ▪ J. Chem. Soc., Perkin Trans. 1 **1980**, 1547 ▪ Zechmeister **51**, 32–75. – *[CAS 26548-70-9]*

Pulvion®-Marken. Hydrophobierungsmittel für die Leder-Ind.; P. BL ist eine leimfreie Aluminium- u. Zirconiumsalz-haltige Paraffin-Emulsion, schwach kationaktiv, P. L7 auf der Basis eines hochmol. Sulfobernsteinsäureesters in Kombination mit Paraffinen. ***B.:*** Dr. Th. Böhme KG.

Pulvis. Latein. Bez. für *Pulver. Es heißen in der Apotheker- u. Drogistensprache: P. aërophorus = *Brausepulver, P. aromaticus = aromat. Pulver, P. dentifricius = Zahnpulver, P. exsiccans = Zink-Streupulver, Wundpuder, P. fumalis = Räucherpulver, P. gummosus compositus = zusammengesetztes Gummipulver (arab. Gummi, Süßholz, Zucker 5:3:2), P. insectorum = Insektenpulver, P. liquiritiae = Süßholzpulver, P. sinapis concentratus = entöltes Senfmehl, P. sternutatorius = Schnupfpulver, *Niespulver, P. stomachicus = Magenpulver. – ***E*** = ***F*** = ***S*** pulvis – ***I*** polvere

Lit.: Eschrich, Pulver-Atlas der Drogen (5.), Stuttgart: Fischer 1988 ▪ Hunnius, Pharmazeutisches Wörterbuch, Berlin: de Gruyter 1997 ▪ s. a. Apotheker.

Pumiliotoxine (PTX). Aus mittelamerikan. Farbfröschen (v. a. aus dem Hautsekret von *Dendrobates pumilio*) isolierbare Indolizidin- u. Decahydrochinolin-Alkaloide. Hauptalkaloide sind die P. A, B u. C (s. Tab.).

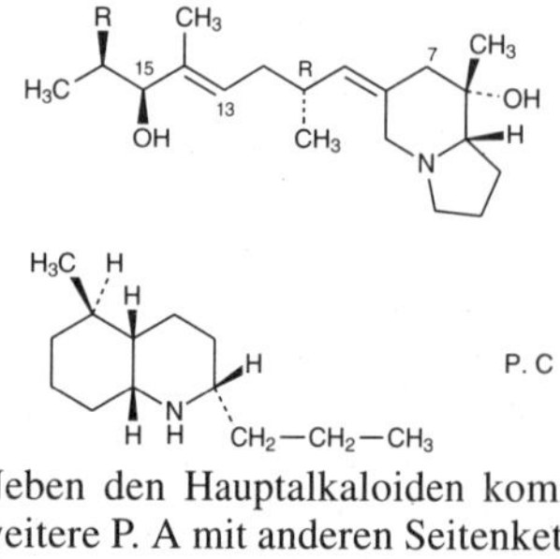

R = H : P. A
R = OH : P. B

P. C

Neben den Hauptalkaloiden kommen noch etwa 20 weitere P. A mit anderen Seitenketten, 15 Allo-P. (mit einer OH-Gruppe an C-7 des Indolizin-Syst.) u. 10 Homo-P. (mit einem Chinolizidin statt einem Indolizidin als Grundkörper) sowie etwa 25 Decahydrochinoline vor, deren Strukturen noch nicht alle genau bekannt sind. Die Nebenalkaloide unterscheiden sich von den P. durch unterschiedliche Seitenketten, die hydriert, oxidiert, methyliert od. verkürzt sein können [1]. Die P. A u. B zeigen kardioton. u. myoton. Wirkung u. sind daher von pharmakolog. Interesse. Außerdem beeinflussen sie Natrium-Ionenkanäle. Eine subcutane Injektion von 50 µg P. A od. 20 µg P. B führt bei Mäusen zum Tod. Die Decahydrochinoline sind dagegen weniger tox. (erst 400 µg führen bei Injektion von P. C bei Mäusen zum Tod) u. beeinflussen Nicotin-Rezeptoren sowie Natrium- u. Kalium-Ionenkanäle. – ***E*** pumiliotoxins – ***F*** pumiliotoxines – ***I*** pumiliotossine – ***S*** pumiliotoxinas

Tab.: Daten von Pumiliotoxinen.

	P. A (307 A)	P. B (323 A)	P. C (195 A)
Summenformel	$C_{19}H_{33}NO_2$	$C_{19}H_{33}NO_3$	$C_{13}H_{25}N$
M_R	307,48	323,48	195,35
Schmp. [°C]	Öl	Öl	230–240 (Zers.)
$[\alpha]_D^{25}$	+22,7° (C_2H_5OH)	+20,5° (C_2H_5OH)	–13,1° (C_2H_5OH, als Hydrochlorid)
LD_{50}	2,5 mg/kg	1,5 mg/kg	1,2 mg/kg
CAS	67054-00-6	67016-65-3	27766-71-8

Lit.: [1] J. Am. Chem. Soc. **115**, 6652 (1993); J. Org. Chem. **60**, 279 (1995); Manske **43**, 185–288.

allg.: Aldrichim. Acta **28**, 107–120 (1995) ▪ Beilstein E V **20/4**, 457, 459 ▪ Habermehl, Gift-Tiere u. ihre Waffen (5.), S. 129–143, Berlin: Springer 1994 ▪ Pelletier **4**, 1–247 ▪ Proc. Natl. Acad. Sci. USA **85**, 1272–1276 (1988) ▪ Spektrum Wiss. **1983**, Nr. 4, 34–43 ▪ Zechmeister **41**, 235–245, 300–310. – *Synth.:* Chem. Rev. **96**, 505–522 (1996) (P. A) ▪ J. Am. Chem. Soc. **118**, 9062, 9073 (1996) ▪ J. Chem. Soc., Perkin Trans. 1 **1996**, 1113–1124 ((–)-P. C) ▪ J. Org. Chem. **61**, 8687 (1996) ▪ Tetrahedron **43**, 643 (1987) ▪ Tetrahedron: Asymmetry **7**, 1595 (1996) ((–)-P. C) ▪ Tetrahedron Lett. **37**, 4401 (1996); **38**, 1505 (1997) ((±)-P. C).

Pummelo. Synonym für Pampelmuse, s. Grapefruit.

Pummerer, Rudolf (1882–1973), Prof. für Chemie, Erlangen. *Arbeitsgebiete:* Freie Radikale mit einwertigem Sauerstoff, Phenol-Oxid., Reaktion von Sulfoxiden (vgl. folgendes Stichwort), Valenz, Analyse u. Synth. von natürlichem u. künstlichem Kautschuk, Farbstoffe, Zwischenprodukte usw.

Lit.: J. Chem. Educ. **28**, 243 f. (1951).

Pummerer-Umlagerung. Die von *Pummerer 1909 beschriebene Reaktion von Sulfoxiden z. B. mit Säureanhydriden führt unter *Umlagerung* zu α-Acyloxythioethern [1]. Prim. bilden sich unter Deprotonierung Alkylidensulfonium-Ionen, die durch das Acetat-Anion od. ein anderes Nucleophil zu α-funktionalisierten Sulfiden abgefangen werden (s. die Abb. rechts oben). Die P.-U. besitzt beträchtliche präparative Bedeutung für die Herst. von komplexen Carbocyclen u. Heterocyclen sowie die Totalsynth. von Zuckern. Daneben dient sie zur Einführung der Methylthiomethyl-Schutzgruppe. – ***E*** Pummerer rearrangement – ***F*** réarrangement de Pummerer – ***I*** trasposizione di Pummerer – ***S*** transposición de Pummerer

$H_3C-S(=O)-CH_2-C(=O)-R$ $\xrightarrow[-\ H_3C-COOH]{(H_3C-CO)_2O}$ $[H_3C-S^+=CH-C(=O)-R \leftrightarrow H_3C-S-CH^+-C(=O)-R]$ H_3C-COO^-

$\downarrow$

$H_3C-S-CH(O-C(=O)-CH_3)-C(=O)-R$

Lit.: [1] Chem. Ber. **42**, 2282 (1909).
allg.: Hassner-Stumer, S. 308 ■ Houben-Weyl **E 11**, 872–886 ■ Krauch u. Kunz, Reaktionen der Organischen Chemie, 6. Aufl., S. 626, Heidelberg: Hüthig 1997 ■ Org. React. **40**, 157 ff. (1991) ■ Phosphorus, Sulfur and Related Elements **120/121**, 145 (1997) ■ Russ. Chem. Rev. **60**, 1255 (1991) ■ Synthesis **1997**, 1353 ■ Trost-Fleming **6**, 924 ff.; **7**, 193 ff.

Pumpellyit. Zusammensetzung z. B. $Ca_2Al_2(Al,Fe^{3+},Fe^{2+},Mg)_{1,0}[SiO_4/Si_2O_6(OH)](OH,O)_3$ bzw. allg. für Minerale der *P.-Gruppe*: $W_8X_4Y_8Z_{12}O_{56-n}(OH)_n$, mit W = Ca, Na, K; X u. Y = zwei- u. dreiwertige Kationen: Mg, Al, Fe, Cr, Mn, V; Z = Si. Grünes, bläulichgrünes od. braunes monoklines Mineral, Kristallklasse 2/m-C_{2h}; Kristallstruktur s. *Lit.*[1,2], zur Kristallchemie von P. s. *Lit.*[3], von Mn-reichem P. *Lit.*[4]. Kleine tafelige bis nadelige, glasglänzende Krist.; faserig, als Körner u. Rosetten. H. 5,5–6, D. 3,2. *Varietäten* sind P.-(Fe^{2+}), P.-(Mg), P.-(Mn^{2+}) u. nach vorherrschendem Y-Kation: *P.* (mit Al), *Julgoldit* (P. mit vorherrschend $Fe^{2+}+Fe^{3+}$), *Okhotskit* (mit Mn^{3+}), *Shuiskit* (Cr-P.) u. *V-Pumpellyit*. Zur Fe-Mn-Verteilung in der P.-Jugoldit-Okhotskit-Serie s. *Lit.*[5].

Vork.: V. a. in niedriggradig *metamorphen Gesteinen sowohl der Regionalmetamorphose (z. B. in Neuseeland, Japan, Washington/USA) als auch der *Hochdruckmetamorphose (z. B. in Kalifornien, Zentralalpen). In ozean. *Basalten u. *Ophiolithen. In den Kupfer-Lagerstätten des Oberen Sees/USA. – ***E–F=I*** pumpellyite – ***S*** pumpellyita

Lit.: [1] Am. Mineral. **70**, 1011–1019 (1985). [2] Acta Crystallogr. Sect. B **25**, 2276–2281 (1969). [3] Phys. Chem. Miner. **20**, 443–453 (1994). [4] Am. Mineral. **81**, 603–610 (1996). [5] Mineralogy and Petrology **61**, 181–198 (1997).
allg.: Anthony et al., Handbook of Mineralogy, Vol. II, S. 662–665, Tucson (Arizona): Mineral Data Publishing 1995 ■ Deer et al. (2.), S. 103–107 ■ Deer, Howie u. Zussman, Rock-Forming Minerals (2.), Vol. 1 B, Disilicates and Ring Silicates, S. 201–247, Harlow: Longman Scientific & Technical 1986 ■ Schröcke-Weiner, S. 724 ff. – *[CAS 1319-12-6]*

Pumpen. Zum *Fördern (ggf. auch *Dosieren) von Flüssigkeiten u. Gasen in der Aufbereitungs- u. Verfahrenstechnik verwendete Maschinen, die der Aufgabenvielfalt entsprechend in Konstruktion u. Ausführungsform sehr vielgestaltig sind.

Bei den sog. *Flüssigkeits-P.* lassen sich nach der Funktionsweise z. B. *Kolben-* u. *Kreisel-P.*, *rotierende* u. *oszillierende Verdränger-P.* unterscheiden. In *Lit.*[1] werden u. a. aufgeführt: Radialkreisel-, Axialkreisel-, Tauch-, Kurztauch-, Propeller-, Kanalradkreisel-, Membran-, Drehkolben-, Mahl-, Schraubenspindel-, Zahnrad-P. usw. mit ein- u. mehrstufiger Funktionsweise aus Stahl, Nickel, Titan, keram. Werkstoffen, Glas, Hartgummi, Kunststoff für hohe u. tiefe Drücke u. Temp., für gasende u. viskose Flüssigkeiten, Säuren, Salzlsg., Schmutzwasser, Teer, Schokolade usw. sowie P. für die Chromatographie. Für Laboratoriumszwecke genügen zum Flüssigkeits-Fördern häufig einfache *Schlauchpumpen. Bei Gas-P. kann man zwischen *Kompressoren* (*Verdichtern*) u. *Vak.-P.* unterscheiden, doch gibt es auch P., die für beide Arbeitsweisen geeignet sind, z. B. Membranpumpen. Von den etwa 20 verschiedenen P.-Typen zur Erzeugung von *Vakuum finden im chem. Laboratorium für Grobvakua *Wasserstrahl-, Flüssigkeitsdampfstrahl-, *Wasserring- u. Kolben-P. Verw., auch Drehschieber-, Sperrschieber-, Trochoiden- u. Sorptions-P. sowie sog. Rootsgebläse u. Kryopumpen. Das Feinvak. wird bes.

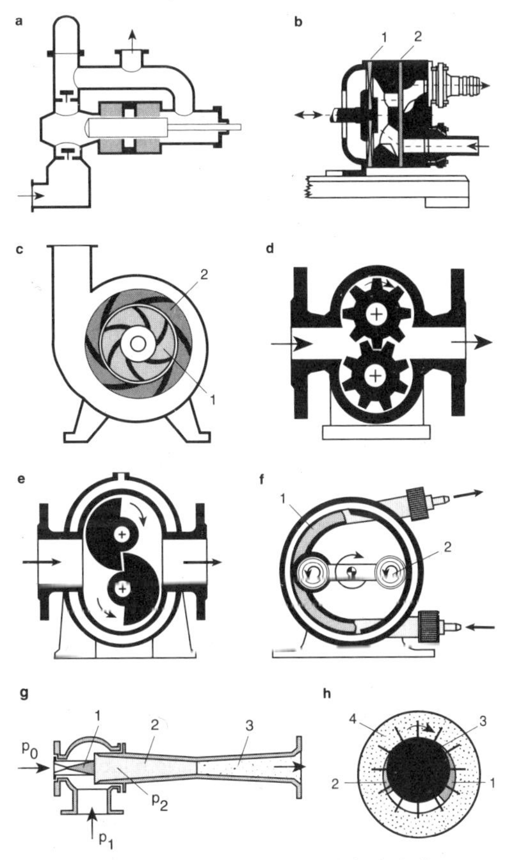

Abb.: Die wichtigsten Pumpen-Typen: a) Stufenkolbenpumpe mit Tauchkolben;
b) Membranpumpe mit Ventilklappen (1 = Membran, 2 = Ventilplatte);
c) Kreiselpumpe (1 = Laufrad, 2 = feststehendes Leitrad);
d) Zahnradpumpe;
e) Kreiskolbenpumpe;
f) Schlauchpumpe (1 = Silicon-Kautschuk-Schlauch, 2 = Druckrolle);
g) Dampfstrahlverdichter (1 = Treibdüse, 2 = Mischdüse, 2 = Diffusor);
h) Wasserringpumpe (1 = Saugschlitz, 2 = Druckschlitz, 3 = Rotor, 4 = Wasserring).

mit Hilfe der Drehschieber-P. erzeugt, als Hochvak.-P. finden *Diffusionspumpen, Rootsgebläse, Verdränger-, Turbomolekular-, Sorptions-, Ionengetter-P. (*Getter) usw. Anwendung. Von den nach dem Wälzkolbenprinzip arbeitenden Roots-P. abgesehen lassen sich bei geeigneter Anordnung der Apparaturen mit diesen Hochvak.-P. auch sog. Ultrahochvakua erzeugen.
Näheres über techn. P. – in der chem. Technik ist die P. die meistgebrauchte Maschine – s. *Lit.*[2].
In übertragenem Sinne spricht man von P. (*opt. P.*) bei *Lasern, von *Ionen-P.* (*Beisp.:* Kalium-Natrium-Pumpe, s. Natrium-Kalium-ATPase) bei Stoffwechselvorgängen u. von *Wärme-P.*[3], die ähnlich wie Kältemaschinen arbeiten. – ***E*** pumps – ***F*** pompes – ***I*** pompe – ***S*** bombas

Lit.: [1]ACHEMA-Jahrb. **1994**, Bd. 3, 2309, 2310. [2]Chem. Tech. (Heidelberg) **13**, Nr. 9, 73–143 (1984); Ullmann (5.) **B 4**, 600 ff. [3]Annu. Rev. Energy **9**, 447–472 (1984).
allg.: v. Badeke et al., Technisches Handbuch Pumpen, Berlin: Verl. Tech. 1987 ▪ Brauer (3.) **1**, 74 ff. ▪ Kirk-Othmer (3.) **S**, 753–785 ▪ McKetta **10**, 157–409; **24**, 107–112 ▪ v. Vetter (Hrsg.), Jahrbuch Pumpen, Essen: Vulkan Verl. (seit 1987) ▪ s. a. Gase. – *Zeitschrift:* Industriepumpen und Kompressoren, Essen: Vulkan-Verl. (seit 1997). – *Organisationen:* British Hydromechanics Research Association (BHRA), Cranfield, Bedford MK43 OAJ (England) ▪ Europump, Chertsey Street, Guildford GU1 4EU (England) ▪ Fachgemeinschaft Pumpen im VDMA, 60498 Frankfurt.

Pumpzerstäuber s. Sprays.

Punicin s. Pelargonin.

Punktdefekte (Punktfehlstellen). Nulldimensionale Abweichungen des realen *Kristallgitters vom idealen Gitter, s. a. Kristallbaufehler. P. weisen in keiner Richtung Abmessungen auf, die nennenswert größer sind als der Gitterparameter. P. stehen mit dem Gitter im thermodynam. Gleichgewicht. Der Ort ihres Auftretens ist daher nur mit einer gewissen Aufenthaltswahrscheinlichkeit zu beschreiben. Man unterscheidet zwei Arten von P., *Leerstellen* u. *Zwischengitteratome.* Erstere liegen vor, wenn reguläre Gitterplätze nicht durch Atome besetzt sind. Von letzteren spricht man, wenn sich Atome auf anderen als den regulären Gitterplätzen befinden. Wenn ein Atom seinen regulären Gitterplatz verläßt u. als Folge eines Aktivierungsvorgangs auf einen Zwischengitterplatz springt, treten eine Leerstelle u. ein Zwischengitteratom als *Defektpaar* auf. Diesen Sachverhalt bezeichnet man nach seinem Entdecker als *Frenkel-Defekt.* P. führen zu Verspannungen des Gitters u. erhöhen damit dessen innere Energie. Trotz ihrer vergleichsweise geringen Anzahl (Silber weist in der Nähe seines Schmp. nur etwa einen P. auf 5000 reguläre Gitterplätze auf) sind P. für verschiedene physikal. Eigenschaften des krist. Festkörpers bedeutend. – ***E*** point defect (imperfection) – ***F*** défaut ponctuel (de point) – ***I*** difetti puntuali – ***S*** defecto puntual

Lit.: Brostow, Einstieg in die moderne Werkstoffwissenschaft, München: Carl Hanser 1984 ▪ Guy, Metallkunde für Ingenieure, Wiesbaden: Akadem. Verlagsanstalt. 1983 ▪ Smallman, Modern Physical Metallurgy, 4. Aufl., London: Butterworths 1985.

Punktgruppen s. Gruppentheorie.

Punktmutation. Typ einer *Mutation, die auf dem Austausch (*Transition, *Transversion), der *Insertion od. *Deletion von nur einem Basenpaar der DNA (RNA bei einigen Viren) beruht. Das mutierte *Codon kann hierdurch für eine andere Aminosäure codieren (*Missense-Mutation*) od. es kann zu einem *Stop-Codon (*Nonsense-Codon*) werden (*Nonsense-Mutation*). Durch die Degeneration des *genetischen Codes muß eine P. jedoch nicht in jedem Falle zu einer der genannten Mutationen führen, es kann trotz der Basenveränderung zur Bildung der ursprünglichen Aminosäure kommen. – ***E*** point mutation – ***F*** mutation ponctuelle – ***I*** mutazione puntiforme – ***S*** mutación puntual

Punktsymmetrie s. Kristallgeometrie.

Punsch. 1. Kurzbez. für P.-Extrakt (Synonym: P.-Sirup). P.-Extrakte sind *Spirituosen-Konzentrate, die dazu bestimmt sind, verd. getrunken zu werden. Der Mindestalkohol-Gehalt beträgt 33% vol (bei einem Extrakt-Gehalt von 100 g/L jedoch nur 15% vol). Im *Rum- od. Arrak-P. müssen 5 bzw. 10% des Gesamtalkohols vom Originalerzeugnis stammen. Beim Wein-P. müssen 15% des Erzeugnisses *Wein sein[1,2].
2. Unter P. kann auch ein heißes, in Spezialfällen auch kaltes Mischgetränk (Eis-P.) aus *Wein od. weinähnlichen Erzeugnissen mit Rum od. Arrak verstanden werden. Zur Aromatisierung u. Geschmacksabrundung können Aromastoffe, Genußsäuren, *Gewürze u. *Zucker zugesetzt werden. – ***E*** = ***F*** punch – ***I*** ponce – ***S*** ponche

Lit.: [1]VO über Schaumwein u. Branntwein aus Wein vom 15. 7. 1971 in der Fassung vom 22. 12. 1981 (BGBl. I, S. 1625, 1676). [2]Begriffsbestimmungen für Spirituosen, Artikel 52, abgedruckt in Zipfel, C 419.
allg.: Belitz-Grosch (4.), S. 846 ▪ Ullmann (4.) **8**, 133 ▪ VO (EWG) Nr. 1576/89 zur Festlegung der allgemeinen Regeln für die Begriffsbestimmung, Bezeichnung u. Aufmachung von Spirituosen vom 29. 5. 1989 (ABl. der EG **32**, Nr. L 160, S. 51) ▪ Würdig u. Woller (Hrsg.), Chemie des Weines, S. 742, Stuttgart: Ulmer 1989 ▪ Zipfel, A 420, C 403 *31*, 29, C 419.

Puo. Kurzz. für ein beliebiges Purin-Ribonucleosid, vgl. die Tab. bei Nucleoside.

Pur. a) Abk. für latein.: purum = rein; s. chemische Reinheit. – b) Kurzz. für eine beliebige Purin-Base in *Nucleosiden nach IUPAC/IUB-Regel N-2.2.

PUR. Kurzz. (nach DIN 7728-1: 1988-01) für *Polyurethane.

Pural®. Hochreine *Aluminiumhydroxide mit Böhmit-Struktur für Katalysatoren u. Katalysatorträger, für die Keramik u. Aluminium-Verbindungen. ***B.:*** Condea.

Puralox®. Hochreine aktivierte *Aluminiumoxide für Katalysatoren u. Katalysatorträger. ***B.:*** Condea.

Puranal®. Marke von Riedel für Chemikalien bes. Reinheit für die Halbleiterfertigung.

Purasafe®. Marke von Riedel für das erste freitragend zugelassene Kunststoffkleingebinde aus *Polyethylen für Gefahrgüter.

Puratronic®. Hochreine Verb. u. Metalle für Elektronik, Optik, Kristallzucht u. Aufdampftechnik, die im Alfa-Katalog aufgelistet sind. ***B.:*** Johnson Matthey GmbH.

Purcell, Edward Mills (geb. 1912), Prof. für Physik, Harvard Univ. Cambridge, Massachusetts (USA). *Arbeitsgebiete:* Radartechnik, Astrophysik, Radioastronomie, Kernphysik, kernmagnet. Momente, Kernresonanz, Entwicklung der NMR-Spektroskopie; hierfür Nobelpreis für Physik 1952 (zusammen mit F. *Bloch).
Lit.: Chem. Unserer Zeit **20**, 173–177 (1986) ▪ Lexikon der Naturwissenschaftler, S. 337 ▪ Neufeldt, S. 219 ▪ Strube et al., S. 200, 201.

Purcellin(öl). Älterer Handelsname von Dragoco für heute PCL genannte wachsartige, verzweigte Fettsäureester.
Lit.: Dragoco-Rep. **32**, 99 (1985). – *[HS 3805.90]*

Purex®. Industrieruß als Verstärkerfüllstoff für Kunststoff u. Kautschuk. *B.:* Degussa.

Purex-Verfahren (von *E P*lutonium-*U*ranium *R*efining by *Ex*traction). Ein Verf. der Wiederaufarbeitung von Kernbrennstoffen unter Ausnutzung der komplexbildenden Eigenschaften von Plutonium (Pu) u. Uran (U). Beim P.-V. erfolgt daher mehrfache *Flüssig-Flüssig-Extraktion von U(VI) u. Pu(IV) aus salpetersaurer Lsg. mit Tributylphosphat (TBP), das mit Kerosin od. Dodecan verdünnt wird. Nach Abtrennung von 99% der Spaltprodukte im ersten Extraktionsschritt erfolgt die Trennung der beiden Elemente durch Red.: Das im organ. Medium unlösl. Pu(III) wandert in die wäss. Phase, U(IV) ist in der organ. Phase sehr gut lösl.; zu den Abfallbeseitigungsproblemen s. *Lit.*[1]. – ***E*** purex process – ***F*** procédé purex – ***I*** processo purex – ***S*** procedimiento purex
Lit.: [1] Nachr. Chem. Tech. Lab. **30**, 372–377 (1982).
allg.: Chem. Ztg. **101**, 64–81 (1977) ▪ Czakainski, Energie für die Zukunft, Frankfurt: Ullstein 1989 ▪ Dechema Monogr. **94**, 253–280 (1983) ▪ GIT Fachz. Lab. **29**, 284–298 (1985) ▪ Knief, Nuclear Fuel Cycles, S. 201–212 u. Simnad, Nuclear Reactor Materials and Fuels, S. 327–372, in Encyclopedia of Physical Science and Technology, Bd. 11, New York: Academic Press 1992 ▪ Kirk-Othmer (3.) **16**, 175–179 ▪ Winnacker-Küchler (3.) **2**, 602–605; (4.) **3**, 501–510 ▪ s. a. Brennelemente, Kernbrennstoffe, Radioaktive Abfälle, Plutonium, Uran.

Purgantia s. Abführmittel.

Purge and Trap. Verf. der Wasseranalyse, bei dem leichtflüchtige Stoffe aus einer erwärmten Probelsg. mit einem Trägergas (Helium) ausgetrieben (engl.: purge = ausspülen) u. in einer Absorptionsfalle (engl.: trap = in die Falle gehen lassen) angereichert werden. Nach therm. Desorption erfolgt üblicherweise eine Bestimmung mittels *Gaschromatographie. Geräte für dieses Verf. sind kommerziell erhältlich. – ***E*** purge and trap – ***I*** purge and trap, purga e trappola – ***S*** purga y separación

Purimycin s. Puromycin.

Purin (7*H*-Imidazo[4,5-*d*]pyrimidin). $C_5H_4N_4$, M_R 120,11. Farblose Nadeln, Schmp. 217 °C, lösl. in Wasser u. in heißem Alkohol, unlösl. in Ether, Chloroform, bildet Salze mit Säuren u. Basen. P. kommt frei in der Natur nicht vor, bildet jedoch den Grundkörper der *Purine. P. kann u. a. aus Aminoacetonitril u. Formamid hergestellt werden. P. ist ein heteroaromat. 10π-Elektronensystem. Sofern die 7- od. 9-Stellung unsubstituiert ist liegt folgendes tautomere Gleichgew. vor:

9*H*-Purin ⇌ 7*H*-Purin

Der Name wurde gebildet aus latein.: purus = rein, acidum uricum = *Harnsäure u. der Endung *...in, da P. das „reine" Stammgerüst der Harnsäure ist, aus der es erstmals 1898 von E. Fischer hergestellt wurde. – ***E*** = ***F*** purine – ***I*** = ***S*** purina
Lit.: Beilstein E III/IV **26**, 1736 ▪ Katritzky-Rees **5**, 499–605 ▪ Ullmann (4.) **19**, 577–581; (5.) **A 22**, 383 ff. – *[HS 2933 59; CAS 51953-03-8 (9H-P.)]*

Purin-Alkaloide, Purinamine, Purinbasen s. Purine.

Purine (Purin-Basen). Eine Gruppe wichtiger, in der Natur weit verbreiteter u. an menschlichen, tier., pflanzlichen u. mikrobiellen Stoffwechselvorgängen beteiligter Verb., die sich vom Grundkörper *Purin durch Substitution mit OH, NH_2, SH in 2-, 6- u. 8-Stellung (s. Abb. 1) u./od. mit CH_3 in 1-, 3-, 7-Stellung (s. Abb. 3, S. 3628) ableiten.

Purin	: $R^1 = R^2 = R^3 = H$
Adenin	: $R^1 = NH_2$, $R^2 = R^3 = H$
Guanin	: $R^1 = OH$, $R^2 = NH_2$, $R^3 = H$
Harnsäure	: $R^1 = R^2 = R^3 = OH$
Hypoxanthin	: $R^1 = OH$, $R^2 = R^3 = H$
6-Purinthiol	: $R^1 = SH$, $R^2 = R^3 = H$
6-Thioguanin	: $R^1 = SH$, $R^2 = NH_2$, $R^3 = H$
Xanthin	: $R^1 = R^2 = OH$, $R^3 = H$

Abb. 1: Purine.

Struktur: In den *Nucleosiden u. deren Derivaten ist der Zucker-Rest über Stickstoff-Atom 9 gebunden u. die Doppelbindung verbindet die Atome 7 u. 8 statt 8 u. 9. Man findet in der Lit. (u. auch in diesem Werk) verschiedene Darst. mit einem Wasserstoff-Atom in 1-, 7- od. 9-Stellung. Darüber hinaus können *Purinole,* Lactam/Lactim-, *Purinthiole* Thiolactam/Thiolactim- u. *Purinamine,* Ketimin/Enamin-*Tautomerie zeigen (s. Abb. 2).

Lactam-Form	Lactim-Form	X = O
Thiolactam-Form	Thiolactim-Form	X = S
Ketimin-Form	Enamin-Form	X = NH

Abb. 2: Tautomerie bei Purinen am Beisp. der 1- u. 6-Position.

Bei den Purinolen (X=O) überwiegt im chem. Gleichgew. die in Abb. 2 links sowie in Abb. 3 u. bei den Einzelstichwörtern gezeigte Lactam- od. Keto-Form gegenüber der in Abb. 1 u. Abb. 2 rechts angedeuteten Lactim- od. Enol-Form, was bei der Basenpaarung durch *Wasserstoff-Brückenbindungen in *Nucleinsäuren von bes. Bedeutung ist.

Biosynth. u. Abbau: Die Biosynth. der P. erfolgt auf der Stufe der Nucleotide (vgl. dort) aus Glycin u. Kohlendioxid sowie kleinen Mol.-Bruchstücken des L-Glutamins, der L-Asparaginsäure u. der 10-Formyltetrahydrofolsäure. Im Stoffwechsel werden Purinbasen freigesetzt, die in den Zellen z. T. wiederverwertet, d. h. ineinander umgewandelt werden (*E salvage pathway*). Die P. stehen chem. in naher Verwandtschaft zu den *Pteridinen, die auf biochem. Weg aus P. entstehen können. Der Abbau verläuft über Xanthin u. Harnsäure zu Allantoin u. in weiteren Schritten zu Harnstoff u. Glyoxylsäure. Der Mensch, dem das Enzym *Uricase fehlt, muß allerdings als Endprodukt Harnsäure ausscheiden (*Urikotelier*). Störungen im P.-Stoffwechsel können sich als *Gicht bemerkbar machen, s. a. Harnsäure.

Nachw., Vork.: Zu Nachw. u. Bestimmung der P. sind enzymat. Meth., die *Murexid-Reaktion u. die UV-Spektroskopie geeignet. Zu den wichtigsten P. gehören Adenin u. Guanin (Abb. 1), die – zusammen mit den *Pyrimidinen Uracil, Thymin u. Cytosin – Bestandteile der Nucleinsäuren sind (s. a. Nucleoside u. Nucleotide), ferner Hypoxanthin, Xanthin u. Harnsäure (Abb. 1) als Stoffwechselprodukte von Menschen u. Tieren sowie die pflanzlichen, vielfach als *Purin-Alkaloide* bezeichneten P. *Coffein, *Theobromin u. *Theophyllin (s. Abb. 3), die im Kaffee, Kakao bzw. Tee vorkommen. Ebenfalls zu den P. zu zählende *Pflanzenwuchsstoffe sind *Zeatin u. *Kinetin (*Cytokinine*). Unter den tier. Nahrungsmitteln sind die Innereien, bes. Bries (Thymus), reich an P., auch Fisch u. grüne Erbsen enthalten relativ viel. Die P.-Derivate *Adenosin u. *Adenosin-5′-triphosphat wirken als Hormone u. Neutrotransmitter an P.-Rezeptoren (Purinozeptoren). U. a. zeigen sie Wirkungen auf Herz u. Gefäße[1] u. auf Leukocyten[2]. Zu einem Modell des menschlichen P.-Stoffwechsels s. *Lit.*[3].

Coffein : $R^1 = R^2 = CH_3$
Theobromin : $R^1 = H$, $R^2 = CH_3$
Theophyllin : $R^1 = CH_3$, $R^2 = H$

Abb. 3: Purin-Alkaloide.

Verw.: Eine Reihe von P.-Derivaten u. -Analoga, die *P.-Nucleosid-Antibiotika*, werden als *Antimetaboliten pharmazeut. genutzt; *Beisp.:* *Azathioprin als Immunsuppressivum, 8-*Azaguanin, 6-Purinthiol, 6-*Thioguanin u. a. gegen einige Krebsformen, s. a. *Lit.*[4], *Allopurinol gegen Gicht. Andererseits können *N*-Hydroxy-P. u. P.-*N*-oxide carcinogen wirken.

Geschichte: Emil *Fischer erhielt den Chemie-Nobelpreis 1902 auch für seine P.-Forschungen. – ***E*** = ***F*** purines – ***I*** purine – ***S*** purinas

Lit.: [1]Clin. Sci. **92**, 13–24 (1997). [2]Drug Develop. Res. **39**, 377–387 (1996); Gen. Pharmacol. **28**, 345–350 (1997). [3]Biochem. J. **324**, 761–775 (1997). [4]Ann. Oncol. **7**, Suppl. 6, 21–33, 41–47 (1996); Hematol. Cell Ther. **38**, Suppl. 2, S109–S116 (1996).

Purin-6-ol s. Hypoxanthin.

Purinole s. Purine.

Purinozeptoren s. Adenosin u. Adenosin-5′-triphosphat.

6-Purinthiol s. Mercaptopurin.

Purinthiole s. Purine.

Puriss. Abk. von latein.: purissimum = reinst, s. chemische Reinheit.

Puromycin. Von der WHO vorgeschlagener Freiname für das früher *Purimycin* genannte *Nucleosid-Antibiotikum aus *Streptomyces alboniger* 3′-Desoxy-N^6,N^6-dimethyl-3′-(*O*-methyl-L-tyrosinamido)adenosin, $C_{22}H_{29}N_7O_5$, M_R 471,51, Krist., Schmp. 175,5–177 °C, $[\alpha]_D^{25}$ –11° (C_2H_5OH); λ_{max} (0,1 M HCl) 267,5 nm ($A_{1cm}^{1\%}$ 414); LD_{50} (Maus i.v.) 350, (Maus i.p.) 525, (Maus oral) 675 mg/kg. P. bildet wasserlösl. Dihydrochlorid od. Monosulfat. P. wurde 1954 von Am. Cyanamid patentiert, hemmt die Protein-Biosynth. u. wird deswegen experimentell genutzt. Außerdem ist es gegen einige Tumoren sowie gegen *Amöben, *Trypanosomen u. *Würmer wirksam, für den Einsatz am Menschen aber zu giftig. – ***E*** puromycin – ***F*** puromycine – ***I*** = ***S*** puromicina

Lit.: Beilstein E III/IV **26**, 3704 ▪ Hager (4.), **6a**, 983 f. ▪ Martindale (29.), S. 292. – *[HS 2941 90; CAS 53-79-2]*

Purpald®. Marke von Aldrich für 4-Amino-3-hydrazino-5-mercapto-1,2,4-triazol.

$C_2H_6N_6S$, M_R 146,17, ein von Dickinson u. Jacobsen[1] eingeführtes spezif. Reagenz auf Aldehyde (Purpurfärbung); zur Klassifikation von Aldehyden mittels P. s. *Lit.*[2].

Lit.: [1]J. Chem. Soc. Chem. Commun. **1970**, 1719. [2]J. Chem. Educ. **55**, 206 (1978).

Purpur. Der *antike* od. *tyr. P.* ist ein Gemisch von Farbstoffen. Diese entstehen aus dem Saft der Drüsen od. „weißen Adern" der Purpurschnecken (*Murex-*, *Purpura-* u. a. Arten) u. a. *Mollusken durch Einwirkung von Luftsauerstoff u. Licht in Form von drei P.-Arten, nämlich rotem (*Purpura blatta*), blauem (*Purpura hyacinthina*) u. violettrotem P. (*Purpura dibapha*). Hauptbestandteil der P.-Arten sind *6,6′-Dibromindigo* u. *Indigo* (s. Formeln dort). Rezepte zur P.-Färbung von Wolle sind schon von *Plinius dem Älteren überliefert. Da ca. 12 000 Schnecken für 1,5 g Farbstoff benötigt wurden, ist die Kostbarkeit des P. verständlich. Auch der im 4. Buch Mose erwähnte blaue Farbstoff *Tekhelet* stammt aus dem Schleim einer *Murex*-Art; der Anteil von nur 50% Dibromindigo erklärt die blaue Farbe[1]. – ***E*** purple, Tyrian purple – ***F*** pourpre – ***I*** porpora – ***S*** púrpura

Lit.: [1]Naturwiss. Rundsch. **38**, 386 (1985).
allg.: Deutscher Färber Kalender **88**, 199 ff. (1984) ▪ Hager **5**, 906 ff. ▪ Textilveredlung **24**, Nr. 6, 207 (1989).

Purpurat s. Murexid.

Purpurbakterien s. Schwefelbakterien.

Purpureaglykoside s. Digitalis-Glykoside.

Purpureosalze (latein.: purpureus = purpurn). Veraltete Bez. für *Cobaltammine mit dem Pentaamminchlorocobalt(2+)-Ion. – *E* purpureo salts – *I* sali purpurei – *S* sales púrpuras

Purpurerz. Aus *Pyrit-*Kiesabbränden hergestelltes Eisenerz mit einem Eisen-Gehalt von über 60%.
Lit.: Winnacker-Küchler (3.) **2**, 1, 23, 163; (4.) **2**, 19f.

Purpurin (1,2,4-Trihydroxyanthrachinon, Krapp-Purpur, C. I. 75410).

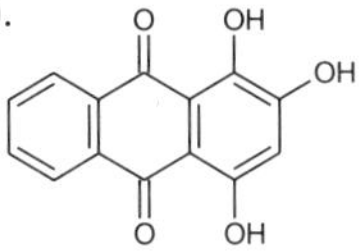

$C_{14}H_8O_5$, M_R 256,23, orangegelbe bis orangerote Nadeln (Monohydrat: gelborange), Schmp. 259 °C, in heißem Alkohol, Benzol u. Essigsäure gut, in heißem Wasser etwas, in Alkalien mit karminroter Farbe leicht löslich. P. kommt zusammen mit *Alizarin in der Krappwurzel (*Rubia tinctorum*) u. verschiedenen *Galium*-Arten vor u. kann durch Oxid. von Alizarin mit Braunstein u. Schwefelsäure hergestellt werden. Synthet. Isomere des P. sind das *Isopurpurin* (Anthrapurpurin, 1,2,7-Trihydroxyanthrachinon) u. das **Flavopurpurin*. P. liefert rotviolette Chrom-Lacke u. färbt Al-gebeizte Fasern scharlachrot; es dient zum Nachw. von Bor u. unlösl. Ca-Salzen u. zur Kernfärbung in der Histologie. – *E* purpurin – *F* purpurine – *I* = *S* purpurina
Lit.: Beilstein EIV **8**, 3568 ▪ Karrer, Nr. 1247 ▪ Kirk-Othmer (3.) **8**, 272 ▪ Merck-Index (12.), Nr. 8132 ▪ Sax (8.), TKN750 ▪ Schweppe, S. 207 ▪ Synthesis **1991**, 438. – *[HS 291469; CAS 81-54-9]*

Purpurogallin (2,3,4,6-Tetrahydroxy-5*H*-benzocyclohepten-5-on).

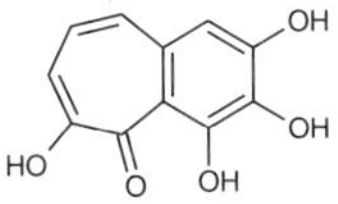

$C_{11}H_8O_5$, M_R 220,17, tiefrote Nadeln, Schmp. 274–275 °C (Zers.), in Ether u. Chloroform lösl., in anderen organ. Lsm. wenig lösl., gibt mit Alkalien charakterist. Färbung (orange → blau → grün → gelb). P. entsteht aus *Pyrogallol durch Oxid.; diese Reaktion kann zum Nachw. von Peroxidasen verwendet werden. P. bildet den Grundkörper der sog. *P.-Glucosid*-Farbstoffe aus den an Zweigen u. Blättern durch Gallwespen hervorgerufenen *Gallen. – *E* purpurogallin – *F* purpurogalline – *I* purpurogallina – *S* purpurogalina
Lit.: Angew. Chem. **97**, 219f. (1985) ▪ Beilstein EIV **8**, 3456 ▪ Karrer, Nr. 579 ▪ Kirk-Othmer (3.) **18**, 672 ▪ Merck-Index (12.), Nr. 8133 ▪ Sax (8.), TDD500. – *[HS 291450; CAS 569-77-7]*

Purpuron. $C_{40}H_{27}NO_{11}$, M_R 697,65, tiefrotes Glas. Hochsymmetr. Alkaloid aus einem Meeresschwamm der Gattung *Iotrochota* mit hemmender Wirkung auf ATP-Citrat-Lyase (EC 4.1.3.8). – *E* = *I* purpurone – *S* purpurona 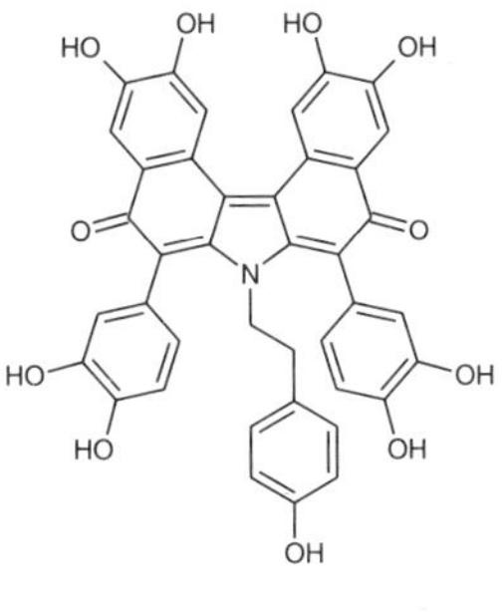
Lit.: J. Org. Chem. **58**, 2544ff. (1993). – *[CAS 147362-37-6]*

Purpurrote saure Phosphatase s. Uteroferrin.

Purronic®. *Wasserstoffperoxid als Ätz-, Ablöse- u. Entschichtungsmittel für elektron. Zwecke. ***B.:*** Degussa.

Purum. Latein. Bez. für „rein", s. chemische Reinheit.

Push-pull. Von Engl. *push* = schieben u. *pull* = ziehen abgeleiteter Begriff aus der organ.-theoret. Chemie. P.-p.-substituierte Mol. erfahren eine bes. *Resonanz-Stabilisierung, wie z.B. die antiaromat. *Cyclobutadiene[1] (s. Abb. 1):

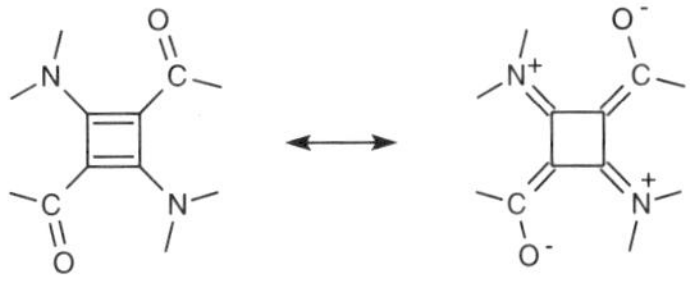

Abb. 1: Stabilisierung von Cyclobutadienen durch push-pull-Effekte.

Voraussetzung für den p.-p.-Effekt ist, daß sowohl Elektronendonatoren als auch -akzeptoren miteinander in Wechselwirkung treten können. P.-p.-substituierte Alkene besitzen eine deutlich niedrigere Rotationsbarriere um die C,C-Doppelbindung (s. Abb. 2).

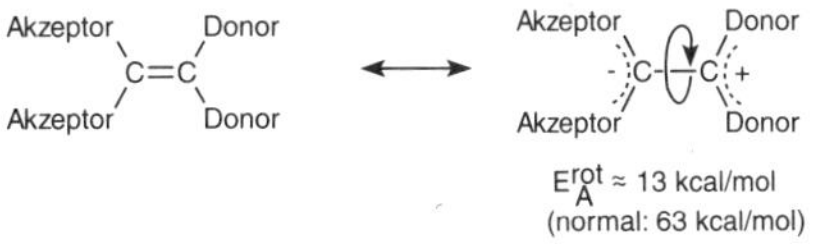

Akzeptor, Donor, C=C, Akzeptor, Donor ⟷ Akzeptor, Donor, C, C, Akzeptor, Donor
E_A^{rot} ≈ 13 kcal/mol
(normal: 63 kcal/mol)

Abb. 2: Rotation um die C,C-Doppelbindung bei push-pull-substituierten Alkenen.

Viehe[2] führte statt p.-p. die Adjektive *dativ* u. *captiv* ein, um bes. die Stabilisierung von *Radikalen zu charakterisieren. Weitere Angaben zu Elektronendonator- u. -akzeptorgruppen findet man bei *Akzeptor u. *Don(at)or. Man kann die p.-p.- od. *capto-dativen* Effekte ebenso wie *Ortho-Effekte zu den *Resonanz-Effekten* zählen. – *E* = *F* = *I* = *S* push-pull
Lit.: [1] Angew. Chem. **80**, 804 (1968); **87**, 711 (1975). [2] Angew. Chem. **91**, 982–997 (1979).
allg.: Adv. Phys. Org. Chem. **26**, 131ff. (1990) ▪ Angew. Chem. **88**, 496–504 (1976) ▪ J. Am. Chem. Soc. **87**, 5132 (1965) ▪ March (4.), S. 55, 129, 190 ▪ Top. Stereochem. **14**, 83–182 (1983).

Putaminoxine. Phytotox. Inhaltsstoffe aus *Phoma putaminum*, einem pathogenen Pilz auf dem Zweijährigen Feinstrahl (*Erigeron annuus*, Asteraceae). P. verursachen Nekrosen u. Chlorose, ohne zootox. zu sein. P. wirken semiselektiv, d.h. nur bestimmte Pflanzen werden geschädigt.

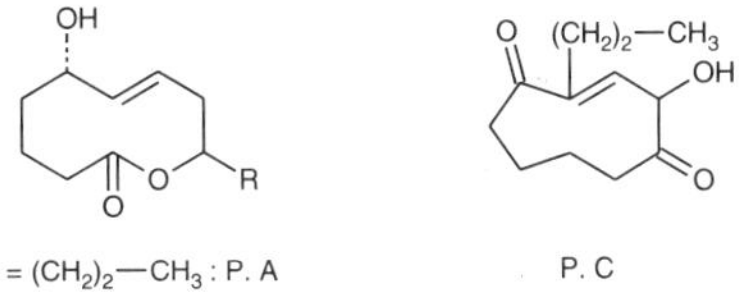

R = $(CH_2)_2—CH_3$: P. A
R = $(CH_2)_4—CH_3$: P. B

P. C

Tab.: Daten von Putaminoxinen.

Putaminoxin	Summenformel	M_R	opt. Aktivität
P. A	$C_{12}H_{20}O_3$	212,29	$[\alpha]_D^{25}$ –23,1° ($CHCl_3$)
P. B	$C_{14}H_{24}O_3$	240,34	
P. C	$C_{12}H_{18}O_3$	210,27	

– ***E*** putaminoxins – ***F*** putaminoxines – ***I*** putaminossine – ***S*** putaminoximas
Lit.: Phytochemistry **40**, 1637 (1995); **44**, 1041 (1997).

Putrescin s. Butandiamin.

Putzmittel. Diese dienen zur Reinigung bzw. zum Putzen u. Polieren harter Oberflächen aus Metall od. Keramik. Sie werden vertrieben in Form von Putzpulvern, -cremes, -ölen, -pasten, -pomaden, -seifen, -stein, -wasser, -tüchern usw. P. enthalten zumeist sehr feingemahlene Mineralien, z. B. Schmirgel, Quarz, Kreide, Diatomeenerde, Glaspulver usw. als Schleif-, Abrasiv- bzw. Polierkomponente, ferner waschaktive Substanzen, Alkalisalze (Phosphate) zur Emulgierung von Fettschmieren, organ. Lsm. (Alkohole, Chlorkohlenwasserstoffe), Olein od. Paraffin als Klebe- od. Bindemittel. Die Wahl des P. hängt von der Härte u. der Beschaffenheit der zu reinigenden Oberfläche ab. Nähere Einzelheiten zu P. s. bei Metallreinigung, Polieren, Reinigungs- u. Scheuermitteln – die Übergänge sind fließend. Im allg. Sinne versteht man unter P. Mittel zur Reinigung nicht nur von Metallen u. Keramik, sondern auch von Holz, Leder, Kunststoffen etc.; der Ind.-Zweig wird meist zusammenfassend als *Putz-* u. *Pflegemittel*-Ind. betrachtet mit P. für Schuhe (s. Schuhpflegemittel), Fußböden (s. Fußbodenpflegemittel), Möbel (s. Polituren), Fahrzeuge (s. Autopflegemittel), Haushaltsgeräte (s. Fensterreiniger, Herdputzmittel, Fleckentfernungsmittel etc.). Diese *Haushaltschemikalien enthielten früher z. T. auch gefährliche Stoffe; in den heute für den Haushalt angebotenen P. sind diese weitestgehend substituiert.
Marktdaten: Das Umsatzvol. zu Endverbraucherpreisen an Putz- u. Pflegemitteln betrug 1996 in der BRD ca. 2324 Mio. DM, davon 45% Haushaltsreiniger, 21% Autopflegemittel, 17% Spezial-Putz u. Pflegemittel, 9% Lederpflegemittel u. 8% Wohnraumpflegemittel (*Lit.*[1]). – ***E*** cleaning materials – ***F*** produits de nettoyage – ***I*** sostanze per pulire – ***S*** productos de limpieza
Lit.: [1] IKW Tätigkeitsbericht 1996/97, Frankfurt: Industrieverband Körperpflege u. Waschmittel 1997.
allg.: s. a. Haushaltschemikalien u. Polieren.

PUVA s. Psoralen u. Photochemotherapie.

Puzzolane s. Puzzolanerde.

Puzzolanerde. Im Dachbereich des sog. Neapolitan. Gelben *Tuffes (vgl. *Lit.*[1]) befindliche Lage von unverfestigter vulkan. Asche bei Pozzuoli am Vesuv, die nach Zusatz von weiterem Kalk beim Brennen einen hydraul. Mörtel (*Zement) liefert. *Puzzolanzemente* sind Mischzemente aus *Portlandzement u. hydraul. Zusätzen, den sog. *Puzzolanen* (auch: Pozzolane). Zu den *natürlichen Puzzolanen* zählen vorwiegend glasreiche Aschen u. Gesteine vulkan. Ursprungs wie Bims (*Bimsstein), *Traß, *Santorinerde u. a. sowie als sehr SiO_2-reiche Vertreter *Kieselgur, Hornsteine (*Kieselgesteine), *Kieselschiefer u. *Molererde. *Künstliche Puzzolane* sind das bereits aus der Römerzeit bekannte Ziegelmehl sowie der größte Teil der Steinkohle-Kraftwerksaschen. Beim Brennen reagiert der Kalk mit der Kieselsäure der Puzzolane unter Bildung von *Calciumsilicaten. – ***E*** Pozzuolana – ***F*** pouzzolane – ***I*** pozzolana – ***S*** puzolana
Lit.: [1] Eur. J. Mineral. **2**, 779–786 (1990).
allg.: Henning et al., Technologie der Bindebaustoffe (2.), Bd. 1, Eigenschaften, Rohstoffe, Anwendung, S. 127, Berlin: VEB Verl. für Bauwesen 1989 ▪ Ind. Miner. (London) **1983**, Nr. 186, 47–53 ▪ Pohl, Lagerstättenlehre (4.), S. 302 f., Stuttgart: Schweizerbart 1992 ▪ Ullmann (5.) **A 5**, 503 ▪ s. a. Zement. – *[HS 2530 90]*

PVA. 1. Kurzz. für *Polyvinylacetale. – 2. Kurzz. (nach ASTM) für Vinal-Fasern, s. Polyvinylalkohole.

PVAC. Kurzz. (nach DIN 7728-1: 1988-01) für *Polyvinylacetate.

PVAL. 1. Kurzz. (nach DIN 7728-1: 1988-01) für *Polyvinylalkohole. – 2. Kurzz. (nach DIN 60001-4: 1991-08) für Vinal-Fasern, s. Polyvinylalkohole.

PVB. Kurzz. (nach DIN 7728-1: 1988-01) für *Polyvinylbutyrale.

PVC. Kurzz. (nach DIN 7728-1: 1988-01) für *Polyvinylchloride.

PVCA. Kurzz. (nach ASTM) für *Copolymere aus Vinylchlorid u. Vinylacetat.

PVCC. Kurzz. (nach DIN 7728-1: 1988-01) für *chloriertes Polyvinylchlorid.

PVDC. Kurzz. (nach DIN 7728-1: 1988-01) für *Polyvinylidenchlorid.

PVDF. Kurzz. (nach DIN 7728-1: 1988-01) für *Polyvinylidenfluoride.

PVD-Verfahren. Abk. für *E p*hysical *v*apour *d*eposition. Hierunter werden Vak.-Beschichtungs-Verf. zur Herst. *dünner Schichten zusammengefaßt, bei denen das Beschichtungsmaterial durch rein physikal. Meth. in die Gasphase überführt wird, um dann auf dem Substrat abgeschieden zu werden. Im wesentlichen unterscheidet man drei verschiedene Verf.-Techniken.
1. Beim *Aufdampfen* wird das Beschichtungsmaterial im Hochvak. bis zum Übergang vom festen über den flüssigen in den gasf. Zustand erhitzt. Je nach Material kann auch der direkte Übergang fest → gasf. (*Sublimation) auftreten. Die notwendige Erwärmung geschieht durch Beschuß mit hochenerget. Elektronen, durch Laser od. durch elektr. Wiederstandsheizungen. Neben diesen bewährten Heiztechniken gewinnt das Verf. des Bogenverdampfens, bei dem durch Zünden eines Lichtbogens zwischen zwei Elektroden das Elektrodenmaterial verdampft wird, immer mehr an Bedeutung.
2. Beim *Zerstäuben* kommt es durch Beschuß eines Targets, das aus dem gewünschten Beschichtungsmaterial besteht, mit energiereichen Edelgasionen zur Zerstäubung der Oberfläche. Als Ionenquelle dient meist ein Edelgasplasma; je nachdem, ob dieses durch ein Gleich- od. Wechselstromfeld angeregt wird, spricht man vom *DC-sputtern* bzw. *RF-sputtern*. Mit

RF-sputtern können auch nichtleitende Materialien zerstäubt werden (s.a. Sputtering).
3. Auch mit *Ionenstrahlen* kann die Oberfläche des Targetmaterials abgetragen werden. Diese Technik erlaubt sehr genaue Abtrags- u. entsprechend genaue Aufwachsraten auf dem Substrat, ist aber wegen der niedrigen Beschichtungsraten im allg. auf Anw. in der Forschung beschränkt.
Häufig werden die genannten Verf. kombiniert. Zu den gebräuchlichsten Techniken gehören dabei das *Plasma-unterstützte Aufdampfen* od. das *Ionenplattieren*, bei dem die Oberfläche während des Schichtwachstums mit Edelgasionen beschossen wird.

Lit.: Bunshah, Deposition Technologies for Films and Coatings, Park Ridge, N.Y.: Noyes Publ. 1982 ▪ Frey u. Kienel, Dünnschichttechnologie, Düsseldorf: VDI-Verl. 1987 ▪ Haefer, Oberflächen- u. Dünnschichttechnologie, Berlin: Springer 1987.

PVE. Kurzz. für Polyethylvinylether, s. Polyvinylether.

PVF. Kurzz. (nach DIN 7728-1: 1988-01) für *Polyvinylfluorid.

PVF_2. Kurzz. für *Polyvinylidenfluorid (s.a. PVDF).

PVFM. Kurzz. (nach DIN 7728-1: 1988-01) für *Polyvinylformale, Polyvinylformaldehyd.

PVI. Kurzz. für Polyisobutylvinylether, s. Polyvinylether.

PVK. Kurzz. (nach DIN 7728-1: 1988-01) für Poly(*N*-vinylcarbazol)e, s. Polyvinylcarbazole.

PVM. 1. Kurzz. für *Copolymere aus Vinylchlorid u. Vinylmethylether, s.a. Polyvinylchloride. – 2. Kurzz. für Polymethylvinylether, s. Polyvinylether.

PVME. Kurzz. für Polyvinylmethylether.

PVMQ. Kurzz. (nach ASTM) für *Silicon-Kautschuke mit Methyl-, Phenyl- u. Vinyl-Substituenten.

PVNO. Kurzz. für Polyvinylpyridinoxid, s. Vinylpyridin-Polymere.

PVOH. Gelegentlich verwendetes Kurzz. für *Polyvinylalkohole.

PVP. Kurzz. (nach DIN 7728-1: 1988-01) für *Polyvinylpyrrolidone.

PVP-Iod-Marken. Komplex von *Polyvinylpyrrolidon u. *Iod; alle Produkte entsprechen den Anforderungen von USP u. DAB; gut verträgliche Breitbandantiseptika. Für die Herst. von mikrobizid wirksamen pharmazeut. Zubereitungen – in Form von Gelen, Salben, Seifen, Lsg., Aerosolen usw. ***B.:*** BASF.

PVSI. Kurzz. (nach ASTM) für Polydimethylsiloxane mit Phenyl- u. Vinyl-Substituenten.

PWA. Kurzbez. für die 1970 aus der Fusion der Aschaffenburger Zellstoffwerke (Aschzell, gegr. 1871) u. der Zellstoffabrik Waldhof (gegr. 1884) hervorgegangene PWA Papierwerke Waldhof-Aschaffenburg AG, 83064 München, an der die Svenska Cellulosa Aktiebolaget (SCA) Stockholm mit 75% beteiligt ist. *Daten* (1995): ca. 11455 Beschäftigte, 5,2 Mrd. DM Umsatz. *Produktion:* Zell- u. Holzschliff, graph. Papiere, Hygienepapiere, Wellpappenverpackung, Verpackungen u. Dekorpapiere.

PWM s. Phytolacca-Mitogen.

pwt. Neben dwt Abk. für *pennyweight, s. pound (troy).

PXDD, PXDF. Abk. für polyhalogeniertes Dibenzodioxin bzw. -Furan, s. Dioxine.

py. Abk. für *Pyridin als Ligand in Metall-*Komplexen (IUPAC-Regel I-10.4.5.7).

Py. Abk. für *Pyridin als Lsm. od. Reagenz.

Py... s. Py(o)... u. Pyr(o)...

Pyd. Kurzz. für ein beliebiges Pyrimidin-Ribonucleosid, vgl. die Tab. bei Nucleoside.

Pyknit s. Topas.

Pyknometer (von griech.: pyknós = dicht, fest, stark, groß). Meßgefäße verschiedener Größe u. Konstruktion, mit denen man die *Dichte von Flüssigkeiten od. zerkleinerten, festen (wasserunlösl.) Körpern bei vorgegebenen Temp. bestimmen kann. Die meisten P. sind rundliche Glasfläschchen mit ebenem Boden (s. Abb.) u. einem eingeschliffenen Kapillarstopfen, die z.B. bei völliger, vorschriftsmäßiger Füllung mit einer Flüssigkeit genau 50 mL enthalten (die Inhaltsangabe ist aufgeätzt).

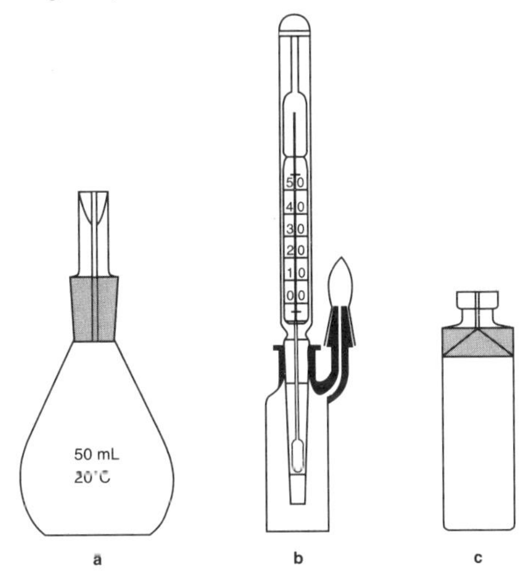

Abb.: a) Birnenförmiges Pyknometer mit Kapillarstopfen. b) Pyknometer mit eingeschliffenem Thermometer u. Kappe. c) Pyknometer nach Hubbard für Teer.

Man füllt das P. vorsichtig so, daß die Flüssigkeit auch die ganze Kapillare des aufgesetzten Kapillarstopfens erfüllt; die aus der Kapillare austretende Flüssigkeit wird mit Fließpapier entfernt. Die D. wird dann durch Differenzwägung des leeren u. gefüllten P. als Masse pro Vol.-Einheit bestimmt. Eine bequeme, wasserfreie D.-Bestimmung von Feststoffen ermöglicht das sog. *Luftvergleichs-P.*; es wird hier anstelle von Flüssigkeit einfach Luft (od. ein Inertgas) zur Vol.-Bestimmung unregelmäßig geformter, pulverförmiger od. poröser Feststoffe benutzt. Im allg. ist die pyknometr. bestimmte D. von Festkörpern infolge Gitterstörungen geringer als die röntgenograph. ermittelte (*Röntgendichte). – ***E*** pycnometers – ***F*** pycnomètres – ***I*** picnometri – ***S*** picnómetros

Pylumin-Verfahren. Engl. Variante des *MBV-Verfahrens zum alkal. Chromatieren von Aluminium.

Pymetrozin.

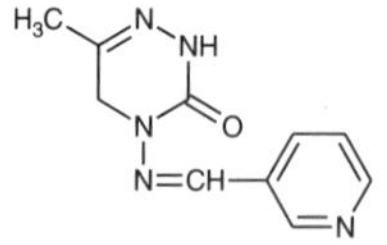

Common name für 6-Methyl-4-[(pyridin-3-ylmethylen)amino]-4,5-dihydro-1,2,4-triazin-3(3*H*)-on, $C_{10}H_{11}N_5O$, M_R 217,23, Schmp. 217 °C (Zers.), LD_{50} (Ratte oral) 5820 mg/kg, von Ciba-Geigy (jetzt Novartis) eingeführtes selektives *Insektizid gegen Homopteren (Läuse, Weiße Fliege u. a.) im Gemüse-, Obst-, Tabak- u. Zierpflanzenanbau. – ***E*** = ***F*** pymetrozine – ***I*** = ***S*** pimetrozina

Lit.: Perkow ▪ Pesticide Manual. – *[CAS 123312-89-0]*

Py(o)... Von griech.: pȳon = Eiter abgeleiteter Fremdwortteil; *Beisp.:* folgende Stichwörter.

Pyocyanase s. Pseudomonas.

Pyocyanin (Cyanomycin; Mesomerie: 1-Hydroxy-5-methylphenazinium-betain ↔ 5-Methyl-1(5*H*)-phenazinon). Antibiot. wirksames, stark tox. Phenazin-Pigment aus Kulturen von *Pseudomonas aeruginosa* (= *P. pyocyanea* = *Bacillus pyocyaneus*) u. *Streptomyces cyanoflavus*. $C_{13}H_{10}N_2O$, M_R 210,24, dunkelblaue Nadeln (Hydrat), Schmp. 133 °C, lösl. in Chloroform u. heißem Wasser, schwerlösl. in kaltem Wasser u. Benzol. P. verstärkt die Atmung lebender Zellen. Es zersetzt sich beim Stehen im Licht zu 1-Phenazinol. – ***E*** = ***F*** pyocyanine – ***I*** = ***S*** piocianina

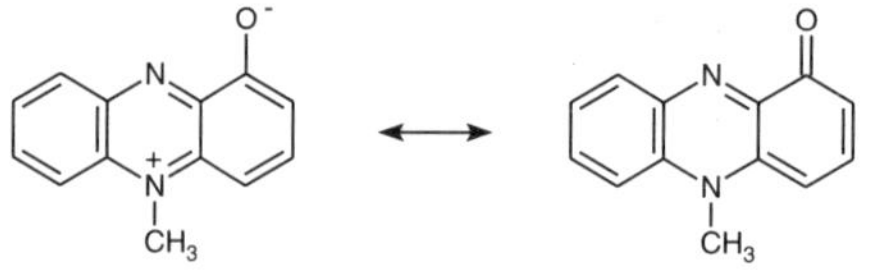

Lit.: Antimicrob. Agents Chemother. **20**, 814 (1981) ▪ Beilstein E III/IV **23**, 2755 ▪ Merck-Index (12.), Nr. 8137 ▪ Sax (7.), 2322. – *Synth.:* Anal. Biochem. **95**, 19 (1979). – *[CAS 85-66-5]*

Pyoluteorin s. Pseudomonas.

Pyolysin®. Salbe mit Pyolysin, *Zinkoxid u. *Salicylsäure gegen Hautinfektionen. ***B.:*** Serum-Werk Bernburg.

Pyoverdine. Oligopeptid-Antibiotika aus *Pseudomonas fluorescens* u. *P. aeruginosa*, fluoreszierende *Siderophore, gelbgrüne Feststoffe mit Pyrimido[1,2-*a*]chinolin-Chromophor. Die drei Hauptvertreter (bisher wurden 25 P. beschrieben) sind *P. C* ($C_{56}H_{83}N_{17}O_{23}$, M_R 1362,38), *P. D* ($C_{55}H_{83}N_{17}O_{22}$, M_R 1334,36) u. *P. E* ($C_{55}H_{84}N_{18}O_{21}$, M_R 1333,38). Der 2,3-Diamino-6,7-chinolindiol-Chromophor entspricht dem von Pseudobactin. Zur Isolierung s. *Lit.*[1]; zur Biosynth. s. *Lit.*[2]; zur Analytik s. *Lit.*[3]. – ***E*** pyoverdins – ***F*** pyoverdines – ***I*** pioverdine – ***S*** pioverdinas

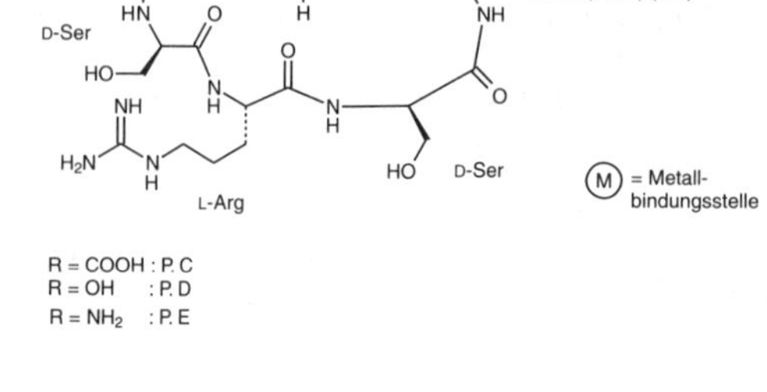

R = COOH : P. C
R = OH : P. D
R = NH_2 : P. E

(M) = Metallbindungsstelle

Lit.: [1] FEMS Microbiol. Rev. **104**, 209–228 (1993); Z. Naturforsch. Teil C **41**, 497–506 (1986); Justus Liebigs Ann. Chem. **1989**, 375–384; J. Prakt. Chem. **335**, 157–168 (1993); Tetrahedron **43**, 2261–2272 (1987). [2] Z. Naturforsch. Teil C **50**, 622–629 (1995). [3] J. Chromatogr. **787**, 195–203 (1997). – *[HS 2941 90; CAS 104022-78-8 (P. C); 104022-79-9 (P. D); 88966-86-3 (P. E)]*

Pyr. 1. Kurzz. für ein beliebiges *Pyrimidin in Nucleotid-Formeln, s. die Tab. bei Nucleoside. – 2. Kurzz. für *Pyroglutaminsäure in Peptid-Formeln.

Pyr... s. Pyr(o)...

Pyraclofos.

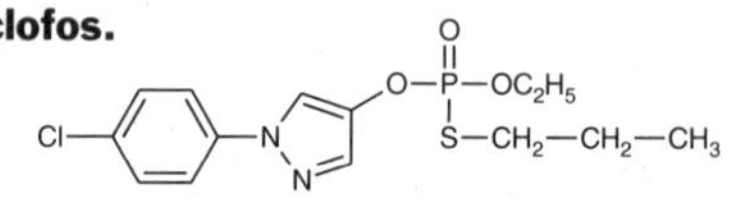

Common name für (±)-*O*-[1-(4-Chlorphenyl)-1*H*-pyrazol-4-yl]-*O*-ethyl-*S*-propylthiophosphat, $C_{14}H_{18}ClN_2O_3PS$, M_R 360,79, Sdp. 164 °C (1,3 Pa), LD_{50} (Ratte oral) 237 mg/kg, von Takeda 1989 eingeführtes *Insektizid gegen eine Vielzahl von Insekten im Obst-, Gemüse-, Blumen- u. Ackeranbau sowie in der Forstwirtschaft. – ***E*** = ***F*** pyraclofos – ***I*** = ***S*** piraclofos

Lit.: Pesticide Manual. – *[CAS 89784-60-1]*

Pyracur®. Herbizid auf Basis *Chloridazon u. *Metolachlor zur Vorauflaufbekämpfung von Unkräutern u. Ungräsern in Zucker- u. Futterrüben-Kulturen. ***B.:*** BASF.

Pyradex®. *Herbizid auf Basis *Chloridazon u. Trillate zur Bekämpfung von Unkräutern u. Ungräsern in Zucker- u. Futterrüben-Kulturen. ***B.:*** BASF.

Pyrafat® (Rp). Filmtabl. mit dem *Tuberkulostatikum *Pyrazinamid. ***B.:*** Fatol.

Pyralin. Handelsname für ein kommerziell erhältliches *Polyimid auf der Basis von 4,4′-Diaminodiphenylether u. Pyromellithsäure-Dianhydrid. Ähnliche Produkte werden weiterhin auch unter den Namen *Kapton* u. *Vespel* angeboten.

Pyralspite s. Granate.

Pyralvex®. Gel u. Lsg. mit Rhabarberwurzel-Extrakt u. *Salicylsäure gegen Entzündungen der Mundschleimhaut. ***B.:*** Norgine.

Pyramidon®. Marke von Hoechst für das ehem. vielbenutzte Schmerz-, Fieber- u. Rheumamittel *Aminophenazon, das schon 1893 von F. *Stolz bei Hoechst synthetisiert, von Filehne auf seine Wirkungen untersucht u. von 1897–1977 in den Handel gebracht wurde. Der Name ist aus Buchstaben von Dimethylaminoantipyrin gebildet.

Lit.: Ehrhart-Ruschig, S. 391–394, 408.

Pyramin®. *Herbizid auf Basis *Chloridazon zur Unkrautbekämpfung im Vor- u. Nachauflauf in Zucker- u. Futterrüben-Kulturen. ***B.:*** BASF.

Pyran®. Vorgespanntes *Borosilicatglas für den Brandschutz am Bau. ***B.:*** Schott.

Pyrane. C_5H_6O, M_R 81,09. Von den beiden möglichen Isomeren wurde nur das 4*H*-Pyran (γ-Pyran) 1962 von Strating [1] aus Glutaraldehyd synthetisiert: Farbloses Öl, Sdp. 80 °C, in Alkohol, Ether, Benzol lösl., färbt sich an der Luft rasch braun. Die P. als Sauerstoff-Heterocyclen bilden die Grundkörper einer großen Zahl von Naturstoffen u. a. Verb. z. B. der *Chromene, *Flavone u. a. Chromone, von *Cumarin, *Koji-Säure, *Furocumarinen, *Xanthen, Pyranosen, *Pyronen,

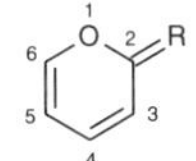

2*H*-Pyran : R = H, H
2-Pyron : R = O

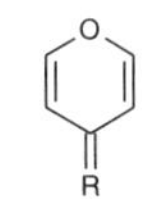

4*H*-Pyran : R = H, H
4-Pyron : R = O

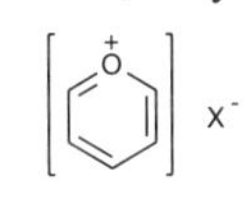

Pyrylium-Salze

*Pyrylium-Salzen, *Rotenoiden usw., cycl. Polyether-Antibiotika wie *Nigericin. Spiropyrane zeigen häufig Photochromie. *3,4-Dihydro-2*H*-pyran wird in der präparativen Chemie als Reagenz zur Einführung der Tetrahydro-2*H*-pyran-2-yl-Schutzgruppe (Abk.: Thp) verwendet; eine gute Übersicht über neue Entwicklungen in der Chemie der P. gibt *Lit.*[2]. – ***E*** pyrans – ***F*** pyran[ne]s – ***I*** pirani – ***S*** piranos

Lit.: [1] Angew. Chem. **74**, 465 (1962). [2] Adv. Heterocycl. Chem. **62**, 19–135 (1995).
allg.: Adv. Heterocycl. Chem. **34**, 145–303 (1983) ▪ Beilstein EV **17/1**, 321 ▪ Katritzky-Rees **3**, 574–883. – *[HS 2934 90; CAS 289-65-6 (4H-P.); 33941-07-0 (allg.)]*

Pyranin (8-Hydroxypyren-1,3,6-trisulfonsäure-Trinatriumsalz, C. I. 59040, Solvent Green 7).

$C_{16}H_7Na_3O_{10}S_3$, M_R 524,42. Grüner Farbstoff, der zur Herst. kosmet. Mittel u. als Indikator verwendet wird. – ***E = F*** pyranine – ***I = S*** piranina

Lit.: Beilstein EIV **11**, 628 ▪ Blaue Liste, S. 178 ▪ Ullmann (5.) **A13**, 271. – *[CAS 6358-69-6]*

Pyranone s. Pyrone.

Pyranosen. Sammelbez. u. Namenendung für Zucker (*Monosaccharide), die in der sechsgliedrigen Ringform des (Tetrahydro-)Pyrans vorliegen, vgl. die Abb. der *pyranosiden* Formen bei Aldosen, Glucose u. Fructose, s. a. Kohlenhydrate. – ***E*** pyranoses – ***F*** pyrannoses – ***I*** piranosi – ***S*** piranosas

Pyrantel (Rp).

Internat. Freiname für das *Anthelmintikum 1,4,5,6-Tetrahydro-1-methyl-2-[*trans*-2-(2-thienyl)vinyl]-pyrimidin, $C_{11}H_{14}N_2S$, M_R 206,32, Krist., Schmp. 178–179 °C. Verwendet wird das Embonat, $C_{11}H_{14}N_2S \cdot C_{23}H_{16}O_6$, $C_{34}H_{30}N_2O_6S$, M_R 594,7, gelbes krist. Pulver. P. wurde 1965, 1968 u. 1970 von Pfizer (Helmex®) patentiert. – ***E = F*** pyrantel – ***I = S*** pirantel

Lit.: Hager (5.) **9**, 445 ff. ▪ Martindale (31.), S. 125 ▪ Ullmann (5.) **A 2**, 340. – *[HS 2934 90; CAS 15686-83-6 (P.); 22204-24-6 (Embonat)]*

8,16-Pyranthrendion, Pyranthron s. Indanthren®-Farbstoffe (Formel 11, Indanthren Goldorange G).

Pyrargyrit (Dunkles Rotgültigerz). Ag_3SbS_3, zu den *Sulfosalzen gehörendes Erzmineral. Blendeartig bis stark metall. glänzende, in auffallendem Licht dunkelrote bis grauschwarze, in durchfallendem Licht rot durchscheinende, oft gut ausgebildete (z. B. St. Andreasberg/Harz, Freiberg u. Schneeberg/Sachsen), flächenreiche, trigonale Krist., s. die Abb.; Kristallklasse 3m-C_{3v}; isotyp (*Isotypie) mit *Proustit; dimorph (*Polymorphie) mit *Pyrostilpnit* Ag_3SbS_3.

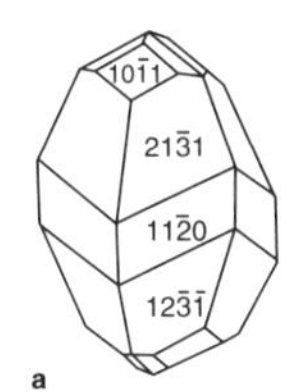

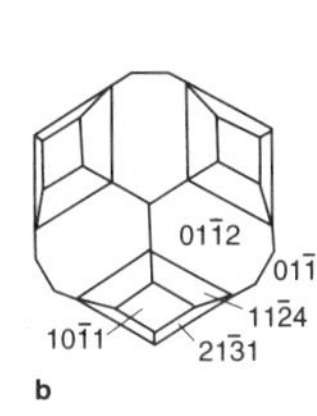

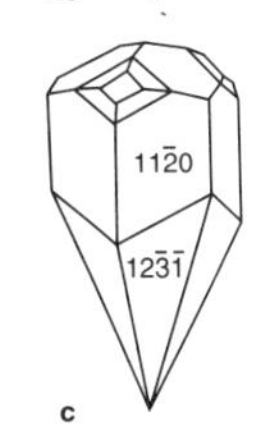

Abb.: Krist. von Pyrargyrit u. Proustit, Flächensymbole s. Kristallgeometrie; nach Ramdohr-Strunz, *Lit.*, S. 471.

H. 2–2,5, D. 5,8, Bruch muschelig, Strich kirschrot bis bräunlichrot. An Licht dunkelt P. nach (lichtgeschützt aufbewahren!). Mit 60% Ag, 22,2% Sb u. 17,8% S ist P. ähnlich wie der oft begleitende Proustit ein lokal noch heute wichtiges Silbererz, das nur hydrothermal in subvulkan. Gold-Silber-Lagerstätten u. in Gängen vorkommt, z. B. in Mexiko, Chile, Peru, Bolivien u. mehrorts in den USA. *Name* von griech.: pyr = Feuer u. argyros = Silber. – ***E = F*** pyrargyrite – ***I*** pirargirite, argento rosso – ***S*** pirargirita

Lit.: Anthony et al., Handbook of Mineralogy, Vol. I, S. 425, Tucson (Arizona): Mineral Data Publishing 1990 ▪ Lapis **5**, Nr. 9, S. 1 (1980) („Steckbrief") ▪ Ramdohr, Die Erzmineralien u. ihre Verwachsungen, S. 843–846, Berlin: Akademie Verl. 1975 ▪ Ramdohr-Strunz, S. 472 f. – *[HS 2616 10; CAS 15123-77-0]*

Pyrasur®. *Herbizid auf Basis *Chloridazon u. *Lenacil gegen Unkräuter in Zucker- u. Futterrüben-Kulturen. ***B.:*** BASF.

Pyratex®. Latex auf Basis eines 2-Vinylpyridin-Styrol-Butadien-Terpolymeren; dient zur Haftungsverbesserung von Festkautschuk an Gewebeeinlagen. ***B.:*** Bayer.

Pyrazin (1,4-Diazin).

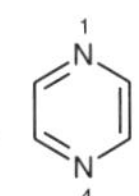

$C_4H_4N_2$, M_R 80,09. Farblose Krist. od. wachsartige Flüssigkeit, D. 1,031 (bei 61 °C), Schmp. 53 °C, Sdp.

115 °C, lösl. in Wasser, Alkohol u. Ether. Das P.-Gerüst ist in zahlreichen Naturstoffen, Farbstoffen (z. B. den sog. Azin-, genauer Phenazin-Farbstoffen) u. a. Verb. enthalten, z. B. Pteridinen, Flavinen u. a. Systemen. Alkyl-substituierte P. finden sich als geschmackgebende Stoffe in rohen Kartoffeln, Paprika, Erbsen, getrockneten Pilzen, in den Röstaromen von Kaffee u. Kakao (vgl. Kaffee-Aroma, Kakao-Aroma), im Aroma von gebratenem Fleisch, Erdnüssen, Puffmais, Kartoffelchips usw., wo sie möglicherweise durch *Maillard-Reaktion entstehen. Alkylpyrazine finden sich auch in Pheromonen mancher Ameisen[1]. P.-Derivate spielen bei manchen Biolumineszenz-Reaktionen eine Rolle, z. B. *Aequorin u. Cypridina-*Luciferin. Vollständige Hydrierung des P. führt zu *Piperazin. Eine ausführliche Beschreibung (Reaktivität, Synth. u. Verw.) der Pyrazine u. ihrer Benzo-Derivate findet man in *Lit.*[2]. Zur Entstehung des Namens s. Pyr(o)... u. *Lit.*[3]. – ***E*** = ***F*** pyrazine – ***I*** = ***S*** pirazina

Lit.: [1]Science **182**, 501 (1973); Naturwissenschaften **68**, 374 ff. (1981); **70**, 364 f. (1983). [2]Katritzky-Rees **3**, 157–197. [3]Angew. Chem. **A 60**, 206 (1948).

allg.: Angew. Chem. **95**, 201–221 (1983) ▪ Beilstein E V **23/5**, 351 ▪ Belitz-Grosch (4.), S. 328 ff. ▪ Synthesis **1985**, 216 f. – *[HS 2933 90; CAS 290-37-9]*

Pyrazinamid (Rp).

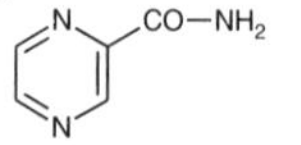

Internat. Freiname für das *Tuberkulostatikum Pyrazincarboxamid, $C_5H_5N_3O$, M_R 123,11, Krist., Schmp. 189–191 °C (Subl. bei 60 °C), λ_{max} (H_2O) 209, 269, 310 nm ($A^{1\%}_{1cm}$ 712, 653, 50), pK_a 0,5; lösl. in Wasser, Alkohol, schwerer in Ether. P. wurde 1934 von E. Merck patentiert u. ist als Generikum im Handel. – ***E*** = ***F*** pyrazinamide – ***I*** pirazinamide – ***S*** pirazinamida

Lit.: Beilstein E III/IV **25**, 772 ▪ Florey **12**, 433–462 ▪ Hager (5.) **9**, 447 ff. ▪ Martindale (31.), S. 266 f. ▪ Ph. Eur. **1997** u. Komm. ▪ Ullmann (5.) **A 6**, 194. – *[HS 2933 90; CAS 98-96-4]*

Pyrazinobutazon (Rp). Kurzbez. für die als *Antirheumatikum u. *Antiphlogistikum u. bei *Gicht-Anfall wirksame Mol.-Verb. aus *Phenylbutazon u. *Piperazin, $C_{23}H_{30}N_4O_2$, M_R 394,52, Schmp. 140–141 °C, verfestigt sich wieder u. schmilzt dann bei ~180 °C; λ_{max} (0,01 M HCl in CH_3OH) 222, 239 nm ($A^{1\%}_{1cm}$ 299, 397). – ***E*** = ***F*** pyrazinobutazone – ***I*** pirazinobutazone – ***S*** pirazinobutazona

Lit.: Hager (5.) **9**, 449 ff. ▪ Martindale (31.), S. 90. – *[CAS 4985-25-5]*

1*H*-Pyrazol (1*H*-1,2-Diazol). Formel s. Pyrazole. Das zu den Diazolen gehörende P., $C_3H_4N_2$, M_R 68,08, bildet farblose, Pyridin-ähnlich riechende Krist., Schmp. 69–70 °C, Sdp. 186–188 °C, lösl. in Wasser (Reaktion neutral), Alkohol u. Ether; WGK 1 (Selbsteinst.), LD_{50} (Ratte oral) 1010 mg/kg. P. ist ein Isomeres des *Imidazols; es verhält sich aromat., läßt sich wie Benzol sulfurieren u. nitrieren u. ist gegen Oxid.-Mittel sehr beständig. P. kann u. a. aus Malondialdehyddiacetal u. Hydrazin hergestellt werden. Eine Übersicht über Struktur, Reaktivität, Synth. u. Verw. von Pyrazolen u. deren Benzo-Derivaten findet man in *Lit.*[1]. Von Dihydro-P. (*Pyrazoline) u. Tetrahydro-P. (*Pyrazolidine*) leiten sich zahlreiche Derivate ab, die z. T. antipyret. u. antirheumat. Wirkung haben u. auch bei der Herst. von Azofarbstoffen Verw. finden. Ein kondensiertes Derivat des P. ist das *Indazol. – ***E*** 1*H*-pyrazole – ***F*** 1*H*-pyrazol(e) – ***I*** 1*H*-pirazolo – ***S*** 1*H*-pirazol

Lit.: [1]Katritzky-Rees **5**, 167–302.

allg.: Beilstein E III/IV **23**, 550 ▪ Kirk-Othmer (3.) **19**, 436–453; (4.) **20**, 620 ff. ▪ Mutschler (7.). – *[HS 2933 19; CAS 288-13-1]*

Pyrazole. Zu den *Diazolen gehörige Klasse von Fünfring-Heterocyclen, deren wichtigster Vertreter das *1*H*-Pyrazol ist.

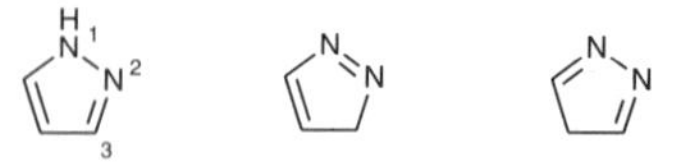

1*H*-Pyrazol 3*H*-Pyrazol 4*H*-Pyrazol

1*H*-P. sind Heteroaromaten; die nichtaromat. 3*H*- u. 4*H*-P. lagern sich leicht durch *sigmatrope Substituentenverschiebung in die stabileren 1*H*-Isomere um. ***Herst.:*** Durch Kondensation von 1,3-Diketonen mit Hydrazinen (s. Abb. a; s. a. Knorr-Synthesen) od. durch *1,3-dipolare Cycloaddition von *Diazo-Verbindungen (s. Abb. b) od. Nitriliminen (s. Abb. dort) mit Alkinen; daneben gibt es noch spezielle Herst.-Methoden.

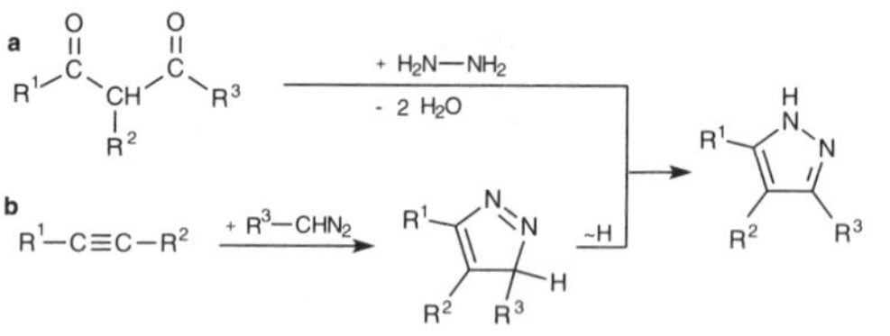

Abb.: Herst. von Pyrazolen.

P. sind auch als Liganden in Übergangsmetallkomplexen einsetzbar[1]; zur allg. Reaktivität s. 1*H*-Pyrazol. – ***E*** = ***F*** pyrazoles – ***I*** pirazoli – ***S*** pirazoles

Lit.: [1]Coord. Chem. Rev. **147**, 247 (1996).

allg.: Staab, Bauer u. Schneider, Azolides in Organic Synthesis and Biochemistry, Weinheim: Wiley-VCH 1997 ▪ s. a. 1*H*-Pyrazol.

3,5-Pyrazolidindion. Techn. unbedeutender Grundkörper antirheumat. wirksamer *Butazone*, s. die Abb. bei Phenylbutazon. – ***E*** = ***F*** pyrazolidinedione – ***I*** pirazolidindione – ***S*** pirazolidindiona

Lit.: Dtsch. Apoth. Ztg. **123**, 1027–1030 (1983) ▪ Synthesis **1985**, 1028–1042 ▪ s. a. Phenylbutazon u. Pyrazolone.

Pyrazolidine s. 1*H*-Pyrazol.

Pyrazoline. Nach IUPAC-Regel R-2.3.3.1 (Tab. 4, Anm. 4) nicht mehr empfohlener Name für die *Dihydropyrazole*, $C_3H_6N_2$, M_R 70,09. Je nachdem, ob sich die verbliebene Doppelbindung zwischen den beiden N-Atomen (Stellungen 1 u. 2), zwischen N u. C (zwischen den Atomen 2 u. 3) od. zwischen C-3 u. C-4 befindet, unterschied man die Isomeren 1-, 2- od. 3-P. (auch: Δ^1-, Δ^2- u. Δ^3-P.); die korrekten Namen sind

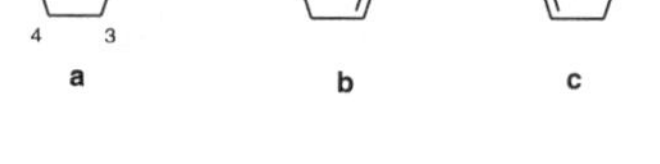

a b c

heute: 4,5-Dihydro-3*H*- (a), 4,5-Dihydro-1*H*- (b) u. 2,3-Dihydro-1*H*-pyrazol (c).
Allg. sind die P. stärker bas., leichter substituierbar u. oxidierbar als *Pyrazole. Von den P. leiten sich viele Pharmazeutika, Farbstoffe u. opt. Aufheller ab; s. a. Pyrazolone. – ***E*=*F*** pyrazolines – ***I*** pirazoline – ***S*** pirazolinas
Lit.: s. Pyrazolone.

Pyrazolone.

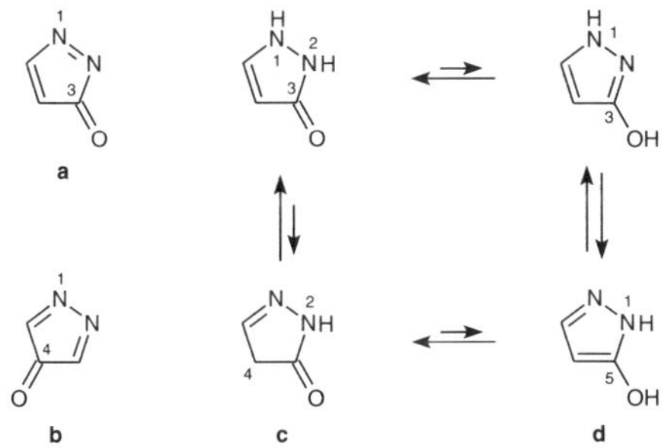

Systemat. Sammelbez. für 3*H*-Pyrazol-3-on (a), 4*H*-Pyrazol-4-on (b), $C_3H_2N_2O$, M_R 82,06, u. Derivate (nützlich als Heterodiene zur *Diels-Alder-Reaktion), u. ungenaue übliche Sammelbez. für 1,2- u. 2,4-Dihydro-3*H*-pyrazol-3-on (c), $C_3H_4N_2O$, M_R 84,08, u. Derivate [früher *3-* u. *2-Pyrazolin-5-one* genannt u. oft als tautomere 1*H*-Pyrazol-3-ole u. -5-ole (d) formuliert], von denen viele als *Analgetika, *Antiphlogistika u. *Antipyretika (bes. *Phenazon-Derivate) u. als Bausteine für *Azofarbstoffe bekannt wurden (*Pyrazolon-Farbstoffe*, z. B. *Flavazine, *Tartrazin). – ***E*=*F*** pyrazolones – ***I*** pirazoloni – ***S*** pirazolonas
Lit.: Beilstein E V **24/1**, 287 ff. ▪ Brune, 100 Years of Pyrazolone Drugs, Basel: Birkhäuser 1986 ▪ Hager (4.) **3**, 9–12; **6a**, 115–119, 571–575 ▪ Ullmann (5.) **A 2**, 273; **A 3**, 254; **A 20**, 72 f.; **A 22**, 389–397 ▪ Winnacker-Küchler (3.) **4**, 287, 354, 535 ff. – *[CAS 56240-95-0 (a); 135455-73-1 (b); 137-45-1, 137-44-0 (c); 60456-92-0, 60456-93-1 (d)]*

Pyrazolynat.

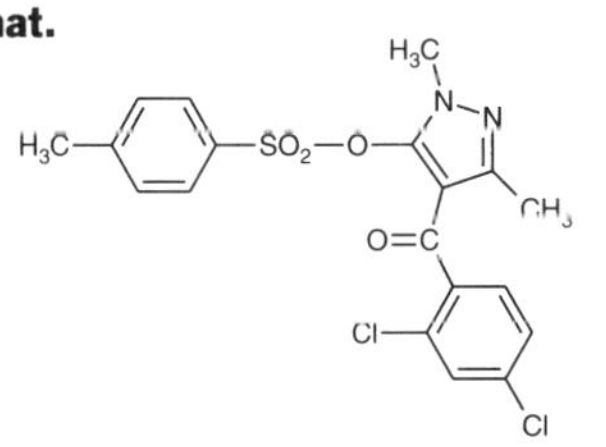

Common name für [4-(2,4-Dichlorbenzoyl)-1,3-di methyl-1*H*-pyrazol-5-yl]-toluol-4-sulfonat, $C_{19}H_{16}Cl_2N_2O_4S$, M_R 439,31, Schmp. 117,5–118,5 °C, LD_{50} (Ratte oral) ca. 10 000 mg/kg, von Sankyo, Japan, in den 80er Jahren eingeführtes *Herbizid gegen Unkräuter u. Ungräser in Reis- u. a. Kulturen. – ***E*=*F*** pyrazolynate
Lit.: Pesticide Manual. – *[CAS 58011-68-0]*

Pyrazophos. Xn

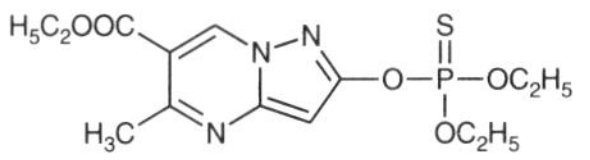

Common name für 2-(Diethoxythiophosphoryloxy)-5-methylpyrazolo[1,5-*a*]pyrimidin-6-carbonsäure-ethylester, $C_{14}H_{20}N_3O_5PS$, M_R 373,36, Schmp. 50–51 °C, LD_{50} (Ratte oral, weiblich) 151 mg/kg, (männlich) 242 mg/kg, von Hoechst 1971 eingeführtes system. *Fungizid mit protektiver u. kurativer Wirkung gegen Echte Mehltaupilze v. a. im Obst-, Gemüse- u. Zierpflanzenanbau. – ***E*=*F*** pyrazophos – ***I*=*S*** pirazofos
Lit.: Farm ▪ Perkow ▪ Pesticide Manual. – *[HS 2933 59; CAS 13457-18-6]*

Pyrazosulfuron-ethyl.

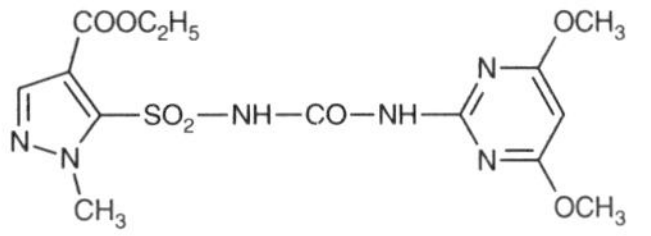

Common name für 5-[3-(4,6-Dimethoxypyrimidin-2-yl)ureidosulfonyl]-1-methyl-1*H*-pyrazol-4-carbonsäure-ethylester, $C_{14}H_{18}N_6O_7S$, M_R 414,39, Schmp. 181–182 °C, LD_{50} (Ratte oral) >5000 mg/kg, von Nissan Anfang der 90er Jahre eingeführtes *Herbizid gegen Unkräuter in Reis- u. a. Kulturen. – ***E*=*F*** pyrazosulfuron – ***S*** pirazosulfurón-etilo
Lit.: Pesticide Manual. – *[CAS 93697-74-6]*

Pyren (Benzo[*def*]phenanthren).

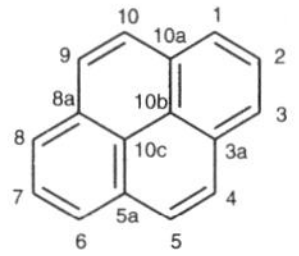

$C_{16}H_{10}$, M_R 202,26. In reinem Zustand farblose, in techn. Qualitäten durch Naphthacen-Spuren gelb gefärbte Krist., D. 1,271, Schmp. 150 °C, Sdp. 393 °C, die in fester u. gelöster Form blau fluoreszieren; in Wasser unlösl., in Ether u. aromat. Lsm. löslich. P. als solches ist im Gegensatz zu manchen anderen polycycl. aromat. Kohlenwasserstoffen (*PAH) (bes. *Benzo[*a*]pyren) nach *Lit.*[1] nicht carcinogen. Mutagen u. carcinogen sind allerdings z. B. Nitropyrene[2], von denen geringe Mengen in Tonern für die *Elektrophotographie gefunden wurden[3].
Vork.: P. ist ubiquitär in allen Produkten unvollständiger Verbrennung, in fossilen Brennstoffen u. zu etwa 2% im *Steinkohlenteer enthalten, aus dem es bei fraktionierter Dest. gewonnen wird.
Verw.: Zur Herst. von Naphthalintetracarbonsäure, als Vorprodukt für Farbstoffe (sog. *Teerfarbstoffe*). Name von griech.: pyr = Feuer, weil P. bei trockener Dest. von Steinkohle entsteht. – ***E*** pyrene – ***F*** pyrène – ***I*** pirene – ***S*** pireno
Lit.: [1]IARC Monogr. **32**, 431–445 (1983). [2]IARC Monogr. **33**, 171–222 (1984). [3]Science **209**, 1037–1043 (1980).
allg.: Beilstein E IV **5**, 2467 ▪ Kirk-Othmer (4.) **23**, 701 f. ▪ Ullmann (4.) **14**, 686 f.; (5.) **A 13**, 271 f. – *[HS 2902 90; CAS 129-00-0]*

Pyrenit s. Tetryl.

Pyrethrine, Pyrethrinsäure s. Pyrethrum.

Pyrethroide. Bez. für lipophile synthet. Verb. mit naher od. ferner struktureller Verwandtschaft zu den Wirkprinzipien des *Pyrethrums, deren insektizide Wirkung wie bei dem Hauptwirkstoff des Pyrethrums, dem Pyrethrin I, auf einer starken Beeinflussung der Natrium-Kanäle in den Nervenmembranen beruht. Die

P.-Forschung begann mit der Aufklärung der wirksamen Bestandteile des natürlichen Insektenvernichtungsmittels Pyrethrum ab 1924 durch Staudinger u. Ruzicka, die auch die ersten synthet. Abwandlungen herstellten. Die geringe Stabilität u. die relativ hohen Herstellkosten stehen einer ökonom. sinnvollen Verw. des Pyrethrums in der Landwirtschaft entgegen. Ziel der Forschungsarbeiten war deshalb die Entwicklung analoger synthet. leicht zugänglicher Verb. erhöhter Stabilität. Die nachfolgende Abb. zeigt die wichtigsten synthet. Wirkstoffe, die zum größten Teil in Einzelstichwörtern ausführlicher behandelt werden, dort finden sich auch Angaben zur Stereochemie.

R^1, R^2	R^3	R^4	
$CH{=}CCl_2$, H	CN	H	Cypermethrin α-Cypermethrin β-Cypermethrin
$CH{=}CCl_2$, H	CN	F	Cyfluthrin β-Cyfluthrin
$CH{=}C(CF_3)(Cl)$, H	CN	H	Cyhalothrin
$CH{=}CBr_2$, H	CN	H	Deltamethrin
CH_3, CH_3	CN	H	Fenpropathrin
$CH{=}CCl_2$, H	H	H	Permethrin
$CHBr{-}CBr_3$, H	CN	H	Tralomethrin
$CH{=}C(CH_3)_2$, H	H	H	Phenothrin

$R = CH_2$–(Furyl)–$CH_2-C_6H_5$: Resmethrin, Bioresmethrin, Cismethrin

$R = CH_2-N$(Imid): Tetramethrin

R = (Cyclopentenon): Allethrin, Bioallethrin, (*S*)-Bioallethrin

R = 4-Chlorphenyl: Fenvalerat

R = 4-($O-CHF_2$)-phenyl: Flucythrinat

$R = -NH-$(2-Cl-4-CF_3-phenyl): Tau-fluvalinat

Etofenprox

Abb.: Die wichtigsten Pyrethroide (Stereochemie s. Einzelstichwörter).

Das erste sehr wirksame P. war Allethrin, das sich strukturell noch sehr eng an das Pyrethrin I anlehnte. Durch Variation der Alkohol-Komponente u. die Einführung von Halogen-Atomen entfernten sich die P. in ihrer Struktur immer weiter von ihrem natürlichen Vorbild. Wie die Beisp. Fenvalerat, Flucythrinat u. Taufluvalinat zeigen, ist selbst der Cyclopropan-Ring für die insektizide Wirkung nicht unbedingt notwendig. Auch Wirkstoffe ohne Carboxy-Gruppe sind bekannt. Während bei Insektiziden aus der Gruppe der chlorierten Kohlenwasserstoffe, Carbamate u. Phosphorsäureester Aufwandmengen von ca. 1 kg/ha nötig sind, kommt man bei den P. mit rund 50–200 g/ha, teilw. sogar mit nur bis zu 10–25 g/ha aus. Die P. besitzen in der Regel eine starke, schnell einsetzende Kontakt- u. Fraßgiftwirkung gegen fast alle Insekten (ausgenommen Schildläuse, Milben u. bodenlebende Arten). Von Nachteil ist ihre Giftigkeit gegenüber Bienen, die jedoch zum Teil durch eine gleichzeitige Repellent-Wirkung nicht zum Tragen kommt, u. Fischen. – ***E*** pyrethroids – ***F*** pyrethroïdes – ***I*** piretroidi – ***S*** piretroides

Lit.: Chem. Unserer Zeit **24**, 292 (1990) ▪ Naumann, in Chemistry of Plant Protection, Bd. 4 u. 5, Berlin: Springer 1990 ▪ Naumann, in Wegler, Chemie der Pflanzenschutz- u. Schädlingsbekämpfungsmittel, Bd. 7, Berlin: Springer 1981 ▪ Pestic. Sci. **27**, 337–351 (1989) ▪ Ullmann (5.) **A 14**, 273–277 ▪ Winnacker-Küchler (4.) **7**, 308–312. – *[HS 2916 20]*

Pyrethrolon s. Pyrethrum.

Pyrethrosin s. Germacranolide.

Pyrethrum. Aus den getrockneten Blütenköpfen verschiedener *Chrysanthemum*-Arten durch Pulverisieren od. Extraktion gewonnenes *Insektizid, dessen Hauptwirkstoffe die insgesamt sechs opt. aktiven Ester der (+)-*trans-Chrysanthemumsäure* {$C_{10}H_{16}O_2$, M_R 168,24, Schmp. 17–21 °C, $[\alpha]_D^{20}$+14,2° (C_2H_5OH)} u. der (+)-*trans-Pyrethrinsäure* {$C_{11}H_{16}O_4$, M_R 212,25, Schmp. 84 °C, $[\alpha]_D^{18}$ +103,9° (CCl_4)} mit den Hydroxyketonen (+)-*Pyrethrolon* [Pyrethrolon B_2, $C_{11}H_{14}O_2$, M_R 178,23, Öl, Sdp. 140–142 °C (120 Pa), $[\alpha]_D^{20}$ +17,8° (Ether)}, (+)-*Cinerolon* {$C_{10}H_{14}O_2$, M_R 166,22, Öl, Sdp. 180–184 °C (133 Pa), $[\alpha]_D^{25}$ +9,9° (C_2H_5OH)} u. (+)-*Jasmolon* [$C_{11}H_{16}O_2$, M_R 180,25, Öl, Sdp. 140 °C (6,6 Pa)] sind (s. Abb.).

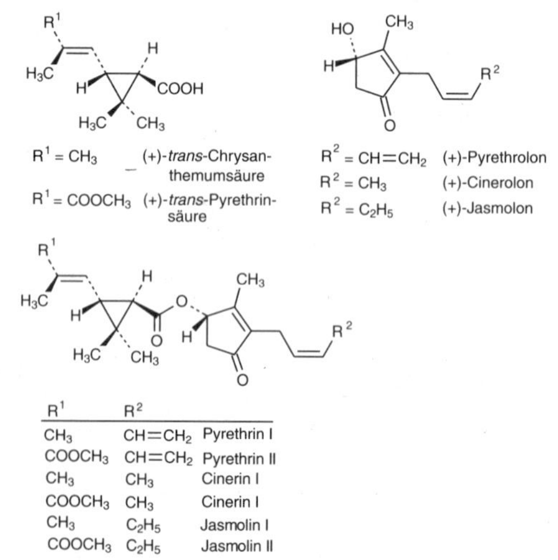

Abb.: Die insektiziden Bestandteile des Pyrethrums u. ihre Bausteine.

Alle sechs Verb. sind farblose Flüssigkeiten, lösl. in Alkohol, Petrolether u. Tetrachlormethan, die leicht oxidieren, ihre Aktivität an Licht u. Luft schnell verlieren u. auch gegen Feuchtigkeit u. Alkalien empfindlich sind. Es sind reine Kontaktgifte, die rasch in

das Nervensyst. gelangen u. bei Insekten die hierfür charakterist. Symptome (starke Erregung, gefolgt von Koordinationsstörungen, Lähmung u. schließlich Tod) hervorrufen. Die Anfangswirkung setzt dabei sehr schnell ein, d.h. das Insekt ist innerhalb weniger Minuten bewegungsunfähig. Dieser „knock-down“-Effekt wird bes. bei Fliegen nur von wenigen Insektiziden erreicht. Die hierfür nötige Dosis reicht aber meist nicht für eine tödliche Wirkung aus, da die Wirkstoffe des P. im Insekt durch enzymat. Oxid. schnell umgewandelt werden, so daß sich ein Teil der Tiere wieder erholen kann. Dies kann durch Zusatz von *Synergisten od. Wirkstoffen aus der Gruppe der Phosphorsäureester u. Carbamate verhindert werden. Für Menschen u. Warmblüter (Vögel, Säugetiere) ist P. – v.a. unter den empfohlenen Anwendungsbedingungen – relativ harmlos.
Hauptproduzenten von P. sind Kenia u. Tansania, daneben spielen Ecuador, Kolumbien, Neuguinea u. Japan noch eine Rolle. Die Welternte wird für 1997 auf 30000 t geschätzt. Bei den pulverisierten Blüten unterscheidet man im Handel zwischen dalmatin. u. pers. Insektenpulver; das dalmatin. Produkt gewinnt man aus *Pyrethram cinerariifolium* (synonym *Chrysanthemum cinerariifolium*), das pers. aus *P. roseum* (*P. carneum* u. *caucasicum*, *C. coccineum*). Extrakte werden mit Lsm.-Gemischen wie Methanol/Kerosin, Petrolether/Acetonitril od. Petrolether/Nitromethan gewonnen. P. wird seit altersher in Asien als natürliches Insektenvernichtungsmittel verwendet u. auch heute noch ist es in zahlreichen Mitteln bes. gegen Hygiene- u. Vorratsschädlinge enthalten. Seine geringe Stabilität u. die hohen Herstellungskosten stehen einem ökonom. sinnvollen Einsatz in der Landwirtschaft entgegen. Für die breite Verw. im Veterinär- u. Pflanzenschutzbereich wurden deshalb selektive, hochwirksame synthet. Verb. mit analogem Wirkungsmechanismus, die sog. *Pyrethroide, entwickelt. – ***E*** pyrethrum – ***F*** pyrèthe – ***I*** = ***S*** piretro

Lit.: Casida u. Quistad (Hrsg.), Pyrethrum Flowers, S. 217–233, New York: Oxford University Press 1995 ▪ Nuhn, Naturstoffchemie (3.), Stuttgart: Hirzel 1997 ▪ R. D. K. (4.), S. 221 f., 894 f. ▪ Sax (8.), S. 2944 f. ▪ s.a. Pyrethroide. – *[HS 1211 90, 1302 14; CAS 4638-92-0 ((+)-trans-Chrysanthemumsäure); 26767-71-5 ((+)-trans-Pyrethrinsäure); 487-67-2 ((+)-Pyrethrolon); 22054-39-3 ((+)-Jasmolon)]*

Pyrex®. Marke der amerikan. Firma Corning für *Borosilicatgläser, die sich in ihrem Gehalt an B_2O_3, SiO_2, Al_2O_3 usw. unterscheiden. P. findet wegen seiner chem. Beständigkeit u. des geringen Ausdehnungskoeff. als Geräteglas im chem. Laboratorium u. bei großtechn. Prozessen sowie bei der Herst. von Küchengeräten Verwendung. Beisp. für die Zusammensetzung (in Gew.-%): 80,6 SiO_2, 12,6 B_2O_3, 4,2 Na_2O, 2,2 Al_2O_3, 0,04 Fe_2O_3, 0,1 CaO, 0,05 MgO, 0,1 Cl.

Pyributicarb.

Common name für *O*-(3-*tert*-Butylphenyl)-*N*-(6-methoxy-2-pyridyl)-*N*-methyl-thiocarbamat, $C_{18}H_{22}N_2O_2S$, M_R 330,44, Schmp. 85,7–86,2 °C, LD_{50} (Ratte oral) >5000 mg/kg, von Tosoh eingeführtes system. *Herbizid gegen Unkräuter in Reis- u.a. Kulturen. – ***E*** = ***F*** pyributicarb – ***I*** = ***S*** piributicarb

Lit.: Pesticide Manual. – *[CAS 88678-67-5]*

Pyridaben.

Common name für 2-*tert*-Butyl-5-(4-*tert*-butylbenzylthio)-4-chlor-3(2*H*)-pyridazinon, $C_{19}H_{25}ClN_2OS$, M_R 364,93, Schmp. 111–112 °C, LD_{50} (Ratte oral) >5000 mg/kg, von Nissan Chemical Ltd. eingeführtes nicht-system. *Akarizid u. *Insektizid mit Kontaktgiftwirkung gegen Spinnmilben, Schnabelkerfen (Hemipteren) u. Thripse im Baumwoll-, Obst-, Citrus-, Gemüse-, Wein- u. Zierpflanzenanbau. – ***E*** = ***I*** pyridaben – ***F*** pyridabène – ***S*** piridabeno

Lit.: Perkow ▪ Pesticide Manual. – *[CAS 96489-71-3]*

Pyridafenthion.

Common name für *O*-(1,6-Dihydro-6-oxo-1-phenyl-3-pyridazinyl)-*O*,*O*-diethyl-thiophosphat, $C_{14}H_{17}N_2O_4PS$, M_R 340,33, Schmp. 54,5–56 °C, LD_{50} (Ratte oral) 770 mg/kg (männlich), 850 mg/kg (weiblich), von Mitsui Toatsu Chem. eingeführtes *Insektizid gegen saugende u. beißende Insekten im Obst-, Gemüse- u. Zierpflanzenanbau. – ***E*** = ***F*** pyridafenthion – ***I*** piridafentione – ***S*** piridafentión

Lit.: Perkow ▪ Pesticide Manual. – *[CAS 119-12-0]*

Pyridat.

Common name für *O*-(6-Chlor-3-phenylpyridazin-4-yl)-*S*-octyl-thiocarbonat, $C_{19}H_{23}ClN_2O_2S$, M_R 378,91, Schmp. 27 °C, LD_{50} (Ratte oral) 3544 mg/kg (weiblich), 5993 mg/kg (männlich), von Chemie Linz 1976 entwickeltes selektives Kontakt-*Herbizid gegen Unkräuter u. einige Ungräser u.a. im Mais-, Getreide- u. Reisanbau. – ***E*** = ***F*** pyridate – ***I*** = ***S*** piridato

Lit.: Farm ▪ Perkow ▪ Pesticide Manual. – *[CAS 55512-33-9]*

Pyridazin s. Azine.

Pyridazinone. Sammelbez. für Oxo-Derivate des Pyridazins (s. Azine), von denen einige als Herbizide (*Chloridazon, *Maleinsäurehydrazid) u. Akarizide (*Pyridaben), andere pharmazeut. Verw. finden. – ***E*** = ***F*** pyridazinones – ***I*** piridazinoni – ***S*** piridazinonas

Pyridin (als Ligand in Koordinationsverb. „py“, als Lsm. od. Reagenz als „Py“ abgekürzt).

C_5H_5N, M_R 79,10. P. ist eine farblose, hygroskop., brennbare Flüssigkeit mit unangenehmem, scharfem, stechendem Geruch, D. 0,982, Schmp. –42 °C, Sdp. 115 °C, FP. 17 °C c.c. P. ist mit Wasser u. den üblichen organ. Lsm. beliebig mischbar. Die Dämpfe reizen die Augen u. die Atemwege sowie die Haut. Kontakt mit der Flüssigkeit führt zu starker Reizung der Augen u. zu Reizung der Haut. Die Flüssigkeit kann möglicherweise auch über die Haut aufgenommen werden. Bei schweren Vergiftungen kann es zu Blutdruckabfall, mit Verzögerung zu Leber-, Nieren- u. Herzschäden kommen, MAK 5 ppm bzw. 15 mg/m^3 (MAK-Werte-Liste 1997), WGK 2; Emissionsklasse I (TA Luft 3.1.7); LD_{50} (Ratte oral) 891 mg/kg. P. gilt als typ. Vertreter der π-elektronenarmen Heteroaromaten, s. heterocyclische Verbindungen. P. ist eine schwache tert. Base, die Basizität ist viel geringer als die des *Piperidins. Mit Säuren bildet P. krist. wasserlösl., hydrolysierbare Salze. Mit Alkylierungsmitteln erfolgt *Quaternisierung u. mit Persäuren entstehen *Pyridin-*N*-oxide. Die Red. führt zu Dihydropyridinen, vollständige elektrochem. Red. od. Hydrierung zu Piperidin. P. u. viele seiner Derivate liefern mit *Aconitsäure charakterist. Färbungen, was zum Nachw. benutzt werden kann (zahlreiche Nachw.-Meth. finden sich in *Beilstein's Handbuch der Organischen Chemie).

Vork. u. Herst.: Viele P.-Derivate spielen in der Natur eine wichtige Rolle; *Beisp.:* *Nicotinamid-Adenin-Dinucleotid u. Pyridoxine (s. Vitamine B_6). Pyridin-Alkaloide wie *Nicotin, *Anabasin u. a. sind im Tabak enthalten, *Arecolin in Betel u. Ricinin im *Ricinusöl. P. kommt neben den sog. Pyridinbasen (Sammelbez. für Alkyl-P. wie *Picoline, *Lutidine, *Kollidin) im Steinkohlenteer vor u. wird heute noch vorwiegend aus diesem isoliert; die techn. Herst. kann auch aus Acetaldehyd, Ammoniak u. Formaldehyd erfolgen; Näheres zur Herst. von P. u. seiner Derivate s. Ullmann u. Weissermel (*Lit.*).

Verw.: Als Lsm. im Laboratorium u. in der Technik, als Komponente für organ. Salze u. organ. Chemikalien, zur Synth. von Piperidin, Alkaloiden, Farbstoffen, Nicotinsäure, Vitaminen, Arzneimitteln, Desinfektionsmitteln (z. B. *Cetylpyridiniumchlorid), Herbiziden (*Diquat-dibromid, *Paraquat-dichlorid), Insektiziden, Textilhilfsmitteln, als Anionen-bindendes Mittel bei Acylierungen mit Säurehalogeniden od. -anhydriden, in Form von *Pyridinium-Verbindungen als chem. Reagenz, zur Verbesserung der Netzfähigkeit von Baumwolle, zur Denaturierung von Alkohol, als Reaktionsmedium im *Karl-Fischer-Reagenz (hier zunehmend durch andere Basen ersetzt), als Lsm. u. Katalysator in der Knoevenagel-Reaktion u. bei nucleophilen Substitutionen. P. wurde von Anderson aus Knochenteer 1851 erstmals hergestellt; Name von griech.: pȳr = Feuer, weil P. bei der trockenen Dest. von Knochen entsteht. – ***E = F*** pyridine – ***I = S*** piridina

Lit.: Beilstein E V **20/5**, 160 ▪ Hommel, Nr. 314 ▪ Katritzky-Rees **2**, 99–524 ▪ Kirk-Othmer (3.) **19**, 454–483; (4.) **20**, 641 ff. ▪ Koch, Umweltchemikalien, 3. Aufl., Weinheim: VCH Verlagsges. 1995 ▪ Paquette **6**, 4345 ▪ Ullmann (4.) **19**, 591–618; (5.) **A 22**, 399 ff. ▪ Weissermel-Arpe (4.) S. 205 f. – *[HS 2933 31; CAS 110-86-1; G 3]*

Pyridin-Alkaloide s. Tabak-Alkaloide.

Pyridincarbaldehyde („Pyridinaldehyde").

N CHO N CHO N CHO

a b c

C_6H_5NO, M_R 107,11. Die drei isomeren P. sind farblose Flüssigkeiten, in Wasser, Alkohol u. Ether lösl.; sie können durch katalyt. Luftoxid. der entsprechenden *Picoline (Methylpyridine) hergestellt werden; WGK 2 (Selbsteinst.).

(a) *Pyridin-2-carbaldehyd* (α-P., Picolinaldehyd, 2-Formylpyridin): Schmp. –21 °C, Sdp. 181 °C, reizt Haut u. Schleimhäute. – (b) *Pyridin-3-carbaldehyd* (β-P., Nicotinaldehyd): Sdp. 201–203 °C, ist haut- u. schleimhautreizend u. wirkt hyperämisierend auf die Haut. – (c) *Pyridin-4-carbaldehyd* (γ-P., Isonicotinaldehyd): Schmp. –4 °C, Sdp. 67–68 °C (9 hPa) ist haut- u. schleimhautreizend. Die P. sind Zwischenprodukte in organ. Synth., sie dienen zur Herst. von Pharmazeutika, Naturstoffen u. den entsprechenden Oximen (vgl. Pyridincarbaldoxime). – ***E*** pyridinecarbaldehydes – ***F*** pyridinecarbaldéhydes – ***I*** piridincarbaldeidi – ***S*** piridincarbaldehídos

Lit.: Beilstein E V **21/7**, 293, 334, 351 ▪ Ullmann (4.) **19**, 605 ff.; (5.) **A 22**, 421 – *[HS 2933 39; CAS 1121-60-4 (a); 500-22-1 (b); 872-85-5 (c); 26445-06-7 (allg.); G 8]*

Pyridincarbaldoxime (Pyridincarbaldehydoxime, „Pyridinaldoxime").

N CH=N–OH N CH=N–OH N CH=N–OH

a b c

$C_6H_6N_2O$, M_R 122,12. Von den drei *Pyridincarbaldehyden abgeleitete, krist. Oxime, die z. T. auch aus (Chlormethyl)pyridinen zugänglich sind.

(a) *Pyridin-2-carbaldoxim*: Schmp. 110–112 °C; Reagenz zur spektrophotometr. Bestimmung von Au(II), Co(II), Cu(II), Fe(II), Pd(II) u. Ru(III). – (b) *Pyridin-3-carbaldoxim*: Schmp. 150–153 °C; – (c) *Pyridin-4-aldoxim*: Schmp. 131–133 °C; WGK 2 (Selbsteinst.). Die P. dienen zur Herst. von Pharmaka z. B. *Pralidoximiodid (*Cholinesterase-Reaktivator) als Anditot bei Vergiftungen durch Phosphorsäureester wie z. B. E 605. – ***E = F*** pyridinecarbaldoximes – ***I*** piridincarbaldossimi – ***S*** piridincarbaldoximas

Lit.: Beilstein E V **21/7**, 305, 355 ▪ Mutschler (7.) ▪ s. a. Pyridincarbaldehyde. – *[HS 2933 39; CAS 873-69-8 (a); 1193-92-6 (b); 696-54-8 (c); 50853-79-7 (allg.)]*

Pyridin-3-carbamid s. Nicotinsäureamid.

Pyridincarbonsäuren. Sammelbez. für *Picolinsäure (2-P.), *Nicotinsäure (3-P.) u. *Isonicotinsäure (4-P.)

2,6-Pyridindiamin s. 2,6-Diaminopyridin.

Pyridinio... s. Pyridyl...

Pyridiniumchlorochromat, Pyridiniumtribromid s. Pyridinium-Verbindungen.

Pyridinium-Verbindungen. Sammelbez. für solche Verb. des *Pyridins, in denen das Ringstickstoff-Atom quaternisiert ist. 1-Alkyl-P.-V. (z. B. *Cetylpyridiniumchlorid) entstehen durch Reaktion von Pyridin mit Alkylhalogeniden; daneben existieren auch P.-V. mit elektronenziehenden Resten, z.B. dem Cyano-Rest, am Stickstoff-Atom (z.B. 1-Cyanopyridinium-Salze), die leicht von nucleophilen Reagenzien angegriffen werden, wobei Ringöffnung eintritt (s. Zincke-Aldehyd). Die Deprotonierung von 1-Alkyl-P.-V. führt zu *N*-*Yliden, die wichtige Zwischenstufen der organ. Synth. darstellen. Am Stickstoff-Atom protonierte P.-V. sind ebenfalls wichtige Reagenzien; so ist *Pyridiniumtribromid*[1], $C_5H_6Br_3N$, M_R 319,82, ein ausgezeichnetes Bromierungsmittel, das viele Vorteile gegenüber elementarem Brom besitzt, u. *Pyridiniumchlorochromat*[2] (PCC), $C_5H_6ClCrNO_3$, M_R 215,56, Schmp. 205 °C (Zers.) (*Corey*-Reagenz; vgl. a. Jones-Oxidation), ein vielseitig verwendbares Oxid.-Mittel.

R = CN : 1-Cyanopyridinium-Salz
R = H, X = Br_3^- : Pyridiniumtribromid
R = H, X = $ClCrO_3^-$: Pyridinium-chlorochromat
N-Ylide

*Pyridostigminbromid wird als Cholinergikum therapeut. eingesetzt, während das sehr tox. *Paraquat-dichlorid ein wirksames Herbizid darstellt. P.-V. sind auch Bestandteile wichtiger Naturstoffe (z.B. von *Coenzymen*, s. Nicotinamid-Adenin-Dinucleotid). – ***E*** pyridinium compounds – ***F*** composés de pyridinium – ***I*** composti di piridinio – ***S*** compuestos de piridinio

Lit.: [1]Paquette **6**, 4370; J. Org. Chem. **53**, 2199 (1988); J. Chem. Educ. **67**, 554 (1990). [2]Merck-Index (12.), Nr. 8157; Synthesis **1982**, 245; **1983**, 890; Trost-Fleming **7**, 103; Paquette **6**, 4356.
allg.: Acc. Chem. Res. **17**, 289–296 (1984) ▪ Angew. Chem. **88**, 41–49 (1976) ▪ Katritzky-Rees **2**, 167–186 ▪ s.a. Pyridin. – *[CAS 39416-48-3 (Pyridiniumtribromid); 26299-14-9 (Pyridiniumchlorochromat)]*

Pyridiniumyl... s. Pyridyl...

Pyridinmethanole s. Pyridylmethanole.

Pyridinole (Hydroxypyridine).

C_5H_5NO, M_R 95,10. (a) *2-P.* [tautomer mit 2(1*H*)-Pyridinon]: Farblose Krist., Schmp. 107 °C, Sdp. 280–281 °C, leicht lösl. in Wasser, Alkohol u. Chloroform. 2-P. wird als Zwischenprodukt für organ. Synth., Reagenz zur direkten *N*-Arylierung von Amiden[1], Edukt zur Synth. von Indolizinonen u. Pyridoazepinonen[2], zur Herst. von 2-(Trifluoracetoxy)pyridin, eines milden Trifluoracetylierungsmittels[3].
(b) *3-P.:* Farblose Krist., Schmp. 129 °C; in Wasser lösen sich bei 20 °C ca. 33 g/L; Zwischenprodukt für organ. Synthesen.
(c) *4-P.* [tautomer mit 4(1*H*)-Pyridinon]: Farblose Krist. mit 1 Mol. H_2O je Formeleinheit, Schmp. 66–67 °C (wasserfrei 148 °C), Sdp. 230–235 °C (1,6 kPa), leicht lösl. in Wasser, gibt mit $FeCl_3$ Gelbfärbung; Zwischenprodukt für die Herst. von Röntgenkontrastmitteln.
2- u. 4-P. werden durch Umsetzung der entsprechenden Pyrone mit Ammoniak hergestellt. Sie sind tautomer u. liegen in Lsg. fast ausschließlich als Pyridone vor, während in der Gasphase das Gleichgew. auf der Seite der Hydroxy-Verb. liegt[4].

+ NH_3, - H_2O

– ***E***=***F*** pyridinols – ***I*** piridinoli – ***S*** piridinoles

Lit.: [1]Synthesis **1985**, 856. [2]J. Org. Chem. **51**, 2184 (1986). [3]Chem. Express **1**, 539 (1986). [4]Beyer-Walter, Lehrbuch der Organischen Chemie, S. 764, Stuttgart: Hirzel 1991; Katritzky-Rees **2**, 347 f.
allg.: Beilstein EV **21/2**, 68 ff.; **21/7**, 106 ff., 152 ff. ▪ Mutschler (7.) ▪ Paquette **4**, 2773; **6**, 4376 ▪ Ullmann (5.) **A 22**, 419. – *[HS 2933 39; CAS 142-08-5 (2-P.); 109-00-2 (3-P.); 626-64-2 (4-P.)]*

Pyridinone s. Pyridinole.

Pyridinophane. Sammelbez. für *Phane, die Pyridin-Ringe enthalten, s. bei Cyclophane.

Pyridin-*N*-oxide. Sammelbez. für Derivate des Pyridins mit einem Sauerstoff-Atom am Ring-Stickstoff. Stammverb.:

Pyridin-1-oxid, C_5H_5NO, M_R 95,10, hygroskop. farblose Krist., Schmp. 66 °C, Sdp. 270 °C, leicht lösl. in Wasser u. in organ. Lösemitteln. P. kann aus Pyridin, Eisessig u. 30%igem Wasserstoffperoxid hergestellt werden u. ist ein nützliches Ausgangsprodukt für chem. Synthesen. – ***E*** pyridine *N*-oxides – ***F*** *N*-oxydes de la pyridine – ***I*** *N*-ossidi di piridina – ***S*** *N*-óxidos de la piridina

Lit.: Beilstein EV **20/5**, 217 ▪ Kirk-Othmer (3.) **19**, 466, 477–483; (4.) **20**, 669 ▪ Paquette **6**, 4348 ▪ Ullmann (4.) **19**, 600 f.; (5.) **A 22**, 411. – *[HS 2933 39; CAS 694-59-7]*

2-Pyridinthiol-1-oxid s. Pyrithion.

Pyridinyl... s. Pyridyl...

Pyridone s. Pyridinole.

Pyridopyridine s. Naphthyridine.

Pyridosin [(*S*)-2-Amino-6-(5-hydroxy-2-methyl-4-oxo-1(4*H*)-pyridyl)hexansäure].

$C_{12}H_{18}N_2O_4$, M_R 254,28. P. ist ein Maillard-Produkt (s. Maillard-Reaktion), das am Ende der Reaktionskaskade von reduzierenden *Zuckern mit Verb. mit freien Amino-Gruppen (hier ε-Amino-Gruppe von *L-Lysin) steht u. als Erhitzungsindikator herangezogen werden kann (s. Milch, S. 2691). P. wurde in vielen erhitzten Lebensmitteln (z.B. *Milchpulver) nachgewiesen. Der Nachw. von P. u. anderen Hitzeschädigungsprodukten kann möglicherweise größere Bedeutung erlangen, da Höchstmengenregelungen für ihr Vork. in bestimmten Lebensmitteln im Gespräch sind[1,2]. Zur Analytik s. *Lit.*[3]; zur Synth. s. *Lit.*[4]; s.a. Maillard-Reaktion. – ***E*** pyridosin – ***F*** pyridosine – ***I***=***S*** piridosina

Lit.: [1]Lebensmittelchem. Gerichtl. Chem. **41**, 88–89 (1987). [2]Bundesgesundheitsblatt **29**, 166 (1986). [3]Z. Lebensm. Un-

ters. Forsch. **168**, 6–8 (1979). [4]Z. Lebensm. Unters. Forsch. **198**, 66f. (1994).
allg.: Beilstein EIV **21**, 2509 ▪ Belitz-Grosch (4.), S. 67, 247. – *[CAS 31489-08-4]*

Pyridostigminbromid (Rp).

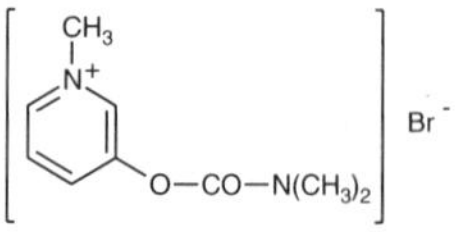

Internat. Freiname für das *Parasympathikomimetikum (*Cholin-Esterase-Hemmer) 3-(Dimethylcarbamoyloxy)-1-methyl-pyridinium-bromid, $C_9H_{13}BrN_2O_2$, M_R 261,14, hygroskop. Krist., Schmp. 152–154 °C; λ_{max} (CH_3OH) 272 nm ($A^{1\%}_{1cm}$ 185); leicht lösl. in Wasser, Alkohol, unlösl. in Ether, Benzol, Lagerung: vor Licht u. Luft geschützt. P. wurde 1951 von Hoffmann-La Roche (Mestinon®) patentiert u. ist auch von AWD (Kalymin®) im Handel. – ***E*** pyridostigmine bromide – ***F*** bromure de pyridostigmine – ***I*** piridostigmina bromuro – ***S*** bromuro de piridostigmina
Lit.: ASP ▪ Hager (5.) **9**, 451 ff. ▪ Martindale (31.), S. 1426 f. – *[HS 2933 39; CAS 101-26-8]*

Pyridoxal (3-Hydroxy-5-hydroxymethyl-2-methyl-pyridin-4-carbaldehyd, Abk.: PL).

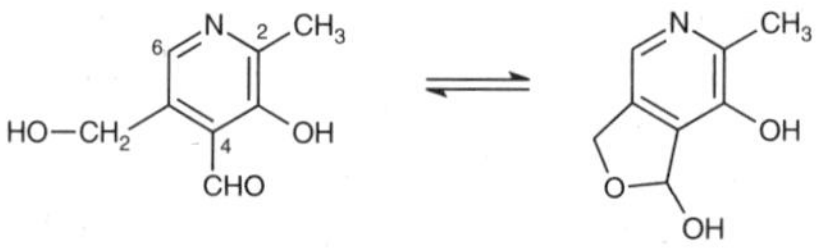

$C_8H_9NO_3$, M_R 167,16. Als Hydrochlorid farblose, lichtempfindliche Krist., Schmp. 165 °C (Zers.), in Wasser leicht, in Alkohol mäßig löslich. PL kann durch Oxid. mit Mangandioxid aus *Pyridoxin hergestellt werden. Die Aldehyd-Form steht im Gleichgew. mit einer halbacetal. Furopyridin-Form (s. Abb.). Es gehört zusammen mit *Pyridoxamin u. Pyridoxin zur *Vitamin B_6-Gruppe (frühere Bez.: *Pyridoxine*); seine physiolog. Rolle spielt es als *Pyridoxal-5′-phosphat u. als Vorstufe körpereigener Alkaloide. Manche *Invertasen werden durch PL gehemmt. Es eignet sich als Reagenz auf Aminosäuren. – ***E*** = ***F*** pyridoxal – ***I*** piridossale – ***S*** piridoxal
Lit.: Beilstein E V **21/13**, 44 f. ▪ Methods Enzymol. **280**, 1–77 (1997). – *[HS 2936 25; CAS 66-72-8]*

Pyridoxal-Kinase s. Pyridoxal-5′-phosphat.

Pyridoxal-5′-phosphat (Pyridoxalphosphat, Abk.: PLP).

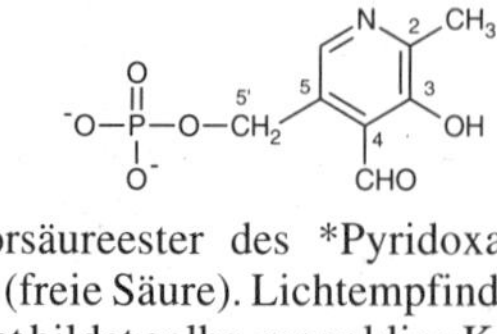

5′-Phosphorsäureester des *Pyridoxals, $C_8H_{10}NO_6P$, M_R 247,15 (freie Säure). Lichtempfindliche Verb.; das Monohydrat bildet gelbe, monokline Krist. mit Schmp. 139–142 °C (Zers.).
Biolog. Funktionen: PLP ist neben Pyridoxamin-5′-phosphat (vgl. Pyridoxamin) die eigentliche biolog. aktive Form des Vitamins B_6. Bei Reaktionen von Transaminasen, Decarboxylasen (daher der frühere Name *Codecarboxylase*), Racemasen u.a. Enzymen spielt PLP im Organismus als *Coenzym des Aminosäure-Stoffwechsels eine wichtige Rolle, wobei die Aldehyd-Gruppe des PLP mit den Amino-Gruppen der Substrate unter Bildung von *Schiffschen Basen (*Phosphopyridoxylidenimine*) reagiert. Bei der *Transaminierung wird eine Amino-Gruppe mittels des zwischenzeitlich auftretenden Pyridoxamin-5′-phosphats von einer α-L-Aminosäure auf eine 2-Oxosäure transferiert. In Abwesenheit von Substraten bildet PLP eine Schiffsche Base mit einem L-Lysin-Rest des Enzyms. PLP ist ferner ein Bestandteil der Glykogen-*Phosphorylase. Hier spielt die Phosphat-Gruppe des PLP die Rolle eines Säure-Base-Katalysators.
Biosynth.: PLP wird *in vivo* durch Übertragung einer Phosphat-Gruppe von *Adenosin-5′-triphosphat auf Pyridoxal synthetisiert (Katalyse durch *Pyridoxal-Kinase*, EC 2.7.1.35), jedoch kann es auch aus Pyridoxin-5′-phosphat od. Pyridoxamin-5′-phosphat durch *Pyridoxin-4-Oxidase* (EC 1.1.3.12) gebildet werden. – ***E*** pyridoxal 5′-phosphate – ***F*** pyridoxal-5′-phosphate – ***I*** piridossale-5′-fosfato – ***S*** piridoxal-5′-fosfato
Lit.: Beilstein E V **21/13**, 46–48 ▪ Biochim. Biophys. Acta **1248**, 81–96 (1995) ▪ Biosci. Biotechnol. Biochem. **60**, 181–187 (1996) ▪ Stryer 1996, S. 199, 477, 621, 665 ff., 756 f., 761, 764 f., 772 ▪ s. a. Pyridoxal. – *[HS 2936 25; CAS 54-47-7]*

Pyridoxamin (4-Aminomethyl-5-hydroxymethyl-2-methylpyridin-3-ol, Abk.: PM).

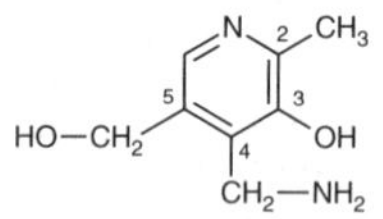

$C_8H_{12}N_2O_2$, M_R 168,20. Farblose, licht- u. wärmeempfindliche Krist., Schmp. 193 °C (als Dihydrochlorid Schmp. 228 °C, Zers.), in Wasser leicht löslich. PM gehört zusammen mit *Pyridoxal u. *Pyridoxin, aus denen es auch gewonnen werden kann, zur Vitamin B_6-Gruppe (frühere Bez.: *Pyridoxine*). Bei Transaminierung entsteht *PM-5′-phosphat* ($C_8H_{13}N_2O_5P$, M_R 248,19) als Coenzym aus *Pyridoxal-5′-phosphat. – ***E*** = ***F*** pyridoxamine – ***I*** piridossammina – ***S*** piridoxamina
Lit.: Beilstein E V **22/12**, 324. – *[HS 2936 25; CAS 85-87-0]*

Pyridoxin [4,5-Bis(hydroxymethyl)-2-methylpyridin-3-ol, Abk. PN].

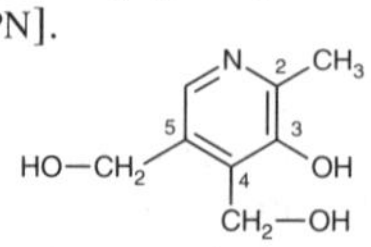

$C_8H_{11}NO_3$, M_R 169,18. Farblose, lichtempfindliche Krist., Schmp. 160 °C [Hydrochlorid Schmp. 206–212 °C (Zers.), λ_{max} (CH_3OH) 292 nm ($A^{1\%}_{1cm}$ 412), pK_{a1} 5,0, pK_{a2} 9,0], in Wasser sehr leicht, in Alkohol u. Aceton gut löslich. Das früher auch als *Adermin* bekannte u. von der *IUPAC vorübergehend *Pyridoxol* genannte PN hat wie *Pyridoxal u. *Pyridoxamin, in die es im Körper leicht umgewandelt wird, *Vitamin-B_6-Eigenschaften u. spielt im Organismus in Form seines Phosphats bei enzymat. Vorgängen als Cofaktor eine Rolle. Es wird im allg. in ausreichender Menge mit der Nahrung (bes. in Hefe, Nüssen, Getreide, Leber) aufgenommen. Die quant. Bestimmung

von PN u. der anderen Vitamin-B_6-aktiven Verb. ist in natürlichen Vork. mikrobiolog. od. durch HPLC mit Fluoreszenzmessung möglich.
Verw.: Die Vitamin-B_6-Verb., die in Mengen von 1700 t/a nach verschiedenen Verf. produziert werden, werden als Futtermittelzusatz, medizin. bei Vitaminmangel (Näheres s. bei Vitamin B_6) u. gegen Reisekrankheit, Schwangerschaftserbrechen, Strahlenschäden u. dgl., als Glyoxylat (*Piridoxilat*) auch als Vasodilator verbraucht. – ***E*** = ***F*** pyridoxine – ***I*** piridossina – ***S*** piridoxina
Lit.: ASP ▪ Beilstein E V **21/5**, 492 f. ▪ Hager (5.) **9**, 454–457 ▪ Martindale (31.), S. 1384 f. ▪ Ph. Eur. **1997** u. Komm. ▪ s. a. Pyridoxal. – *[HS 2936 25; CAS 65-23-6 (P.); 58-56-0 (Hydrochlorid)]*

Pyridoxine s. Vitamine (B_6).

Pyridoxin-4-Oxidase s. Pyridoxal-5′-phosphat.

Pyridoxinsäuren s. Pyridoxsäuren.

Pyridoxol s. Pyridoxin.

Pyridoxsäuren (Pyridoxinsäuren).

4-Pyridoxsäure (Pyridoxin-4-säure) 5-Pyridoxsäure (Pyridoxin-5-säure)

Bez. für 3-Hydroxy-5-hydroxymethyl-2-methylpyridin-4-carbonsäure u. 3-Hydroxy-4-hydroxymethyl-2-methylpyridin-5-carbonsäure. $C_8H_9NO_4$, M_R 183,17. *4-P.*[1] bildet farblose Krist., Schmp. 247 °C, in Wasser mäßig löslich. Im Organismus ist 4-P. das Endprodukt des *Vitamin-B_6-Stoffwechsels, das im Harn ausgeschieden wird. Aus *Pseudomonas*-Kulturen kann *5-P.*[2] (blaßgelbe Krist., Schmp. 280–283 °C, Zers.) isoliert werden. – ***E*** pyridoxic acids – ***F*** acides pyridoxiques – ***I*** acidi piridossici – ***S*** ácidos piridóxicos
Lit.: [1] Beilstein E V **22/5**, 379 f. [2] Beilstein E III/IV **22**, 2471. *allg.:* s. Pyridoxal. – *[CAS 82-82-6 (4-P.); 524-07-2 (5-P.)]*

Pyridyl...

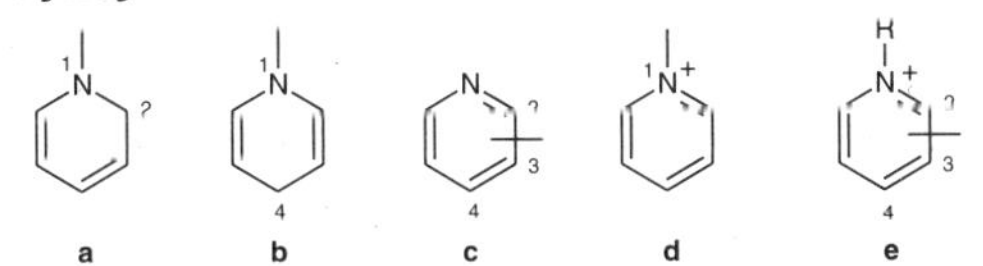

*Pyridin-Reste heißen 1(2*H*)-, 1(4*H*)- u. 2-, 3-, 4-Pyridyl... [(a), (b) u. (c); IUPAC-Regeln B-2.11.15, B-5.11 u. R-9.1.25; CAS: (...-Pyridinyl)...; Beilstein: (2*H*-, (4*H*-Pyridin-1-yl)... u. Pyridin-2-, -3-, -4-yl...]. Für *Pyridinium-Verbindungen mit ranghöherer Gruppe im Mol. gelten die Präfixe Pyridinio... u. Pyridinium-2-, -3-, -4-yl... [(d) u. (e); Regeln C-82.1, C-85.1, R-5.8.2 u. RC-82.5.8, CAS; Beilstein: Pyridinium-1-yl... (d)]. – ***E*** = ***F*** pyridyl... – ***I*** = ***S*** piridil...

1-(2-Pyridylazo)-2-naphthol (PAN).

$C_{15}H_{11}N_3O$, M_R 249,27, Schmp. 138–141 °C. Das ziegelrote, in Wasser schwer, in Ethanol unter Erwärmen lösl. PAN dient zur komplexometr. Bestimmung von Al, Bi, Cd, Co, Cu, Fe, Ga, Hg, In, Mn, Ni, Pb, Th, Tl, U, V, Zn u. zur photometr. Bestimmung von Ag, Bi, Cd, Co, Fe, Ga, Lanthaniden, Pd, Sc, U, V, Y, Zn, Zr. – ***E*** = ***F*** 1-(2-pyridylazo)-2-naphtol – ***I*** 1-(2-piridilazo)-2-naftolo – ***S*** 1-(2-piridilazo)-2-naftol
Lit.: Beilstein E **22/14**, 618 ▪ Fries-Getrost, S. 191, 302–304, 360 f. ▪ Ullmann (5.) **A 14**, 141, 143. – *[CAS 85-85-8]*

4-(2-Pyridylazo)resorcin (PAR).

$C_{11}H_9N_3O_2$, M_R 215,21, Schmp. 183–186 °C. PAR dient zur komplexometr. Bestimmung von Al, Bi, Cd, Cu, Fe, Ga, Hg, In, Lanthaniden, Mn, Ni, Pb, Sr, Th, Tl, Zn u. zur photometr. Bestimmung von Ag, Bi, Cd, Co, Cr, Cu, Fe, Ga, Hg, La, Mn, Nb, Ni, Pb, Pd, Sc, U, V, Y, Zn, Zr. Das braune, in Wasser mit gelblicher Farbe lösl. Natriumsalz findet ebenfalls als Indikator bei Metallionen-Titrationen Verwendung. – ***E*** 4-(2-pyridylazo)-resorcinol – ***F*** 4-(2-pyridylazo)résorcinol – ***I*** 4-(2-piridilazo)resorcinolo – ***S*** 4-(2-piridilazo)-resorcinol
Lit.: Anal. Chem. **44**, 1091 (1972); **57**, 625 (1985) ▪ Beilstein E **22/14**, 619 ▪ Fries-Getrost, S. 70 f., 263 f., 384 ▪ Pure Appl. Chem. **55**, 1194–1202 (1983) ▪ Ullmann (5.) **A 14**, 141, 143. – *[CAS 1141-59-9]*

Pyridylmethanole [(Hydroxymethyl)pyridine, C. A.: Pyridinmethanole].

a b c

C_6H_7NO, M_R 109,13. Die 3 isomeren P. sind in Wasser u. vielen organ. Lsm. leicht lösl.; sie dienen als Ausgangsprodukt zur Synth. von Arzneimitteln; WGK 2 (Selbsteinst.). – a) *2 P.:* Viskoses Öl, D. 1,131, Sdp. 112–113 °C (21 hPa); b) *3 P.* (Nicotinylalkohol): Ölige Flüssigkeit, D. 1,124, Sdp. 144 °C (21 hPa), wirkt als Vasodilatator bei Durchblutungsstörungen u. als Lipid-Senker; – c) *4-P.:* Farblose Krist., Schmp. 53–55 °C, Sdp. 110 °C (1,33 hPa), dient als Schutzgruppe bei Peptid-Synthesen. – ***E*** = ***F*** pyridylmethanols – ***I*** piridilmetanoli – ***S*** piridilmetanoles
Lit.: Beilstein E III/IV **21/2**, 150, 172, 191 ▪ Merck-Index (12.), Nr. 6614 ▪ Mutschler (7.) ▪ Ullmann (4.) **12**, 660; **19**, 612; (5.) **A 22**, 420 f. – *[HS 2933 39; CAS 586-98-1 (a); 100-55-0 (b); 586-95-8 (c)]*

Pyrifenox.

Common name für 2′,4′-Dichlor-2-(3-pyridyl)acetophenon-*O*-methyloxim, $C_{14}H_{12}Cl_2N_2O$, M_R 295,16, Sdp. >150 °C (13,3 Pa), LD_{50} (Ratte oral) 2900 mg/kg, von Dr. R. Maag Ltd. (jetzt Novartis) eingeführtes system. *Fungizid mit protektiver u. kurativer Wirkung gegen zahlreiche pilzliche Krankheitserreger im Bananen-, Erdnuß-, Gemüse-, Obst-, Wein- u. Zierpflanzenanbau. – ***E*** pyrifenox – ***F*** pyrifénox – ***I*** = ***S*** pirifenox

Lit.: Farm ▪ Perkow ▪ Pesticide Manual. – *[CAS 88283-41-4]*

Pyrimethamin (Rp).

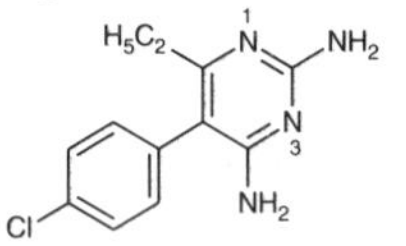

Internat. Freiname für das gegen *Malaria u. *Toxoplasmose wirksame Protozoenmittel 5-(4-Chlorphenyl)-6-ethyl-2,4-pyrimidindiamin, $C_{12}H_{13}ClN_4$, M_R 248,71, Krist., Schmp. 238–242 °C; λ_{max} (0,005 M HCl) 272 nm ($A^{1\%}_{1cm}$ 320), pK_a 7; unlösl. in Wasser, wenig lösl. in kaltem, gut in siedendem Ethanol, Lagerung: vor Licht u. Luft geschützt. P. wurde 1951 u. 1952 von Burroughs Wellcome (Daraprim®) patentiert u. ist von Heyl als Generikum im Handel. – ***E*** pyrimethamine – ***F*** pyriméthamine – ***I*** = ***S*** pirimetamina

Lit.: Beilstein E III/IV **25**, 3014 ▪ Florey **12**, 463–482 ▪ Hager (5.) **9**, 457 ff. ▪ IARC Monogr. **13**, 233–242 (1977) ▪ Martindale (31.), S. 472 ff. ▪ Ph. Eur. **1997** u. Komm. ▪ Ullmann (5.) **A 6**, 208 f. – *[HS 2933 59; CAS 58-14-0]*

Pyrimethanil.

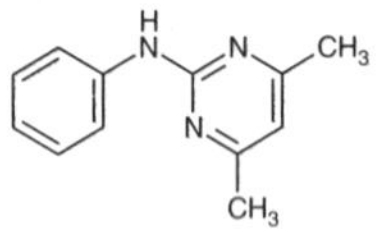

Common name für 4,6-Dimethyl-*N*-phenyl-2-pyrimidinamin, $C_{12}H_{13}N_3$, M_R 199,25, Schmp. 96,3 °C, LD_{50} (Ratte oral) 4150–5970 mg/kg, von Schering (jetzt AgrEvo) Mitte der 90er Jahre eingeführtes, system. *Fungizid aus der neuen Klasse der Anilinopyrimidine, v. a. gegen Mehltau in Wein-, Obst- u. Gemüsekulturen. – ***E*** = ***F*** pyrimethanil – ***I*** pirimetanile – ***S*** pirimetanil

Lit.: Perkow ▪ Pesticide Manual. – *[CAS 53112-28-0]*

Pyrimidin (1,3-Diazin).

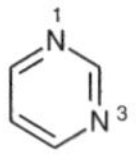

$C_4H_4N_2$, M_R 80,09. Farblose, charakterist. riechende Krist., Schmp. 20–22 °C, Sdp. 124 °C, in Wasser mit neutraler Reaktion leicht lösl., bildet mit Säuren Salze. Der P.-Kern ist biolog. wichtig: Von ihm leiten sich viele Verb. u. Stoffklassen wie *Flavine, *Pteridine, *Purine formal her. Als Bestandteile von *Nucleinsäuren bzw. von *Nucleosiden u. *Nucleotiden sind die P. allgegenwärtig, u. zwar in Form von den Oxo- u. Amino-Derivaten *Cytosin, *Uracil u. *Thymin (*Pyrimidin-Basen*). Der biolog. Abbau der beiden Erstgenannten führt zu β-*Alanin, der von Thymin zu 3-Amino-2-methylpropionsäure; bei der Biosynth. (aus L-*Asparaginsäure u. *Carbamoylphosphat), die durch das Enzym *Aspartat-Transcarbamoylase eingeleitet wird, wird die Stufe der *Orotsäure durchlaufen. Inhibitoren der P.-Biosynth. sind als Chemotherapeutika von Interesse.

Verw.: Pharmakolog. wichtige P.-Derivate sind die Abkömmlinge der *Barbitursäure, Vitamine (*Thiamin, *Riboflavin), einige Diuretika, Nucleosid-Antibiotika (s. Nucleoside) u. Antimetaboliten (Antipyrimidine), die in der Krebs- u. antiviralen Therapie eingesetzt werden [1] (z. B. *Fluorouracil u. *Thiouracil). Wegen der Zusammenhänge mit biolog. Strahlenschädigungen (P.-Dimerisierung) hat die Strahlenchemie der P. v. a. in wäss. Lsg. Beachtung gefunden. Die Reaktionsfähigkeit der 5,6-Doppelbindung der P.-*Nucleobasen stellt einen gewissen Schwachpunkt für die Stabilität der genet. Information dar [2]. Von techn. Interesse sind P.-Derivate als Fungizide, Farbstoffe für Cellulose, Textilhilfsmittel u. als Düngemittel. Nicht selten findet man in der älteren Lit. über techn. P.-Derivate noch Namen wie Crotonyliden- od. Propylenharnstoff.

Das Gerüst des P. wurde durch Einwirkung von Acetessigester auf Amidine (daher Name) von Pinner 1885 zum erstenmal synthetisiert. – ***E*** = ***F*** pyrimidine – ***I*** = ***S*** pirimidina

Lit.: [1] Antivir. Chem. Chemother. **5**, 131–146 (1994); Pharm. World Sci. **16**, 84–112 (1994). [2] J. Biochem. **119**, 391–395 (1996).

allg.: Beilstein E V **23/5**, 334–341. – *[HS 2933 59; CAS 289-95-2]*

Pyrimidin-Basen s. Pyrimidin.

2,4-Pyrimidindiol s. Uracil.

1*H*-Pyrimidin-2,4-dion s. Uracil.

Pyrindamycine s. Duocarmycine.

Pyriproxyfen.

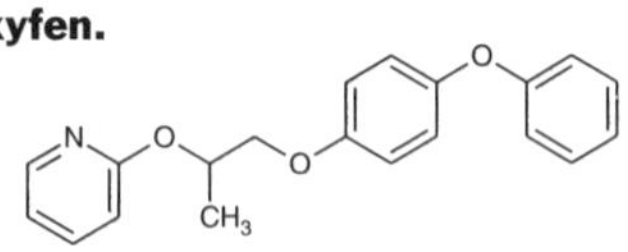

Common name für (±)-2-[1-Methyl-2-(4-phenoxyphenoxy)ethoxy]pyridin, $C_{20}H_{19}NO_3$, M_R 321,37, Schmp. 45–47 °C, LD_{50} (Ratte oral) >5000 mg/kg, von Sumitomo eingeführtes *Insektizid mit Wirkung als Insektenwuchsregulator; als Juvenilhormon-Analoges hemmt es die Metamorphose der Insekten; eingesetzt zur Kontrolle von Haushaltsinsekten wie Fliegen, Schaben, Mücken, Flöhen. – ***E*** = ***F*** pyriproxyfen – ***I*** piriproxifen – ***S*** piriproxifén

Lit.: Perkow ▪ Pesticide Manual. – *[CAS 95737-68-1]*

Pyrit (Schwefelkies). FeS_2, M_R 119,98. Weitverbreitetes u. techn. wichtiges Eisenerz- u. Schwefel-Mineral mit 46,6% Fe u. 53,4% S; oft mit kleinen Gehalten an Ni, Co, Cu (Verwachsungen mit *Kupferkies), V, Cr, W, Te; Gehalte an „unsichtbarem Gold" sind an As-haltige P. gebunden [1]. P. krist. kub., Kristallklasse m3-T_h; Abb. des P.-Gitters s. Abb. 5 b bei Kristallstrukturen, S. 2283; zur Kristallchemie u. Struktur von P. s. *Lit.* [2], zur Elektronenstruktur s. *Lit.* [3]; zur strukturellen Beziehung zwischen P. u. dem öfters mit ihm verwachsenen *Markasit s. *Lit.* [4]. Mehr als 200 verschiedene Krist.-Formen; am häufigsten sind Würfel u. Pentagondodekaeder (s. Abb. 1 bei Kristallmorphologie auf S. 2277); bes. gute Krist. z. B. von Peru u. Spanien. Würfelflächen oft parallel zu den Kanten gestreift. Durchdringungs-*Zwillinge in der Form eines Eisernen Kreuzes. Meist derb grob- bis feinkörnig eingesprengt od. massiv; als radialstrahlige Aggregate (flach als „*P.-Sonnen*"), kugelige *Konkretionen; auch stalaktitisch. In *Sedimenten häufig als bis 0,1 mm große Himbeer-ähnliche Kügelchen aus zahlreichen 1–10 µm großen Krist. (sog. *framboidaler P.*, Entstehung s. *Lit.*[5]). H. 6–6,5, D. 5–5,2; hell messinggelb bis goldgelb („fool's gold") metallglänzend, manchmal bunt angelaufen, Strichfarbe grünlich-schwarz; Bruch muschelig bis uneben; spröde. Beim Anschlagen von P.-Krist. mit Stahl entstehen Funken, worauf im Mittelalter die Verw. als Feuerstein (griech.: pyr = Feuer, Name!) zurückging. P. ist nicht magnet.; lösl. in Salpetersäure; beim Erhitzen in einer Glasröhre subl. Schwefel ab. P. verwittert leicht zu Eisensulfaten, aus denen z. T. durch Hydrolyse *Brauneisenerz (Limonit) ausgefällt wird; eine Hauptrolle spielen dabei Sauerstoff, Fe^{3+} u. die relative Luftfeuchtigkeit; zur Oberflächen-Oxid. von P. s. *Lit.*[6,7]. Beim Erhitzen auf >570 °C (z. B. durch *Metamorphose) geht P. unter Schwefel-Abscheidung in *Pyrrhotin über.

Vork.: P. ist eines der verbreitetsten Mineralien u. als sog. *Durchläufer* der „Hans Dampf in allen Gassen" im Mineralreich. In Sedimenten entsteht er in reduzierendem bis Sauerstoff-freiem (anaeroben) Milieu als häufige, oft frühe Neubildung (s. dazu *Lit.*[8]), u. zwar überwiegend aus FeS-Vorläufer-Phasen[9–11], darunter *Greigit* Fe_3S_4 (*Kobaltnickelkiese) u. *Mackinawit* $Fe_{1+x}S$ (tetragonales FeS; Struktur s. *Lit.*[12]); zur Bildung von P. aus wäss. Lsg. durch Oxid. von FeS-Phasen mit H_2S s. *Lit.*[13]. Oft als Gel ausgefällter, noch $Fe_{1-x}S$, Wasser u. z. T. Arsen enthaltender, sich schon unter dem Einfluß von feuchter Luft zersetzender P. ist als sog. *Melnikovit-P.* für den Zerfall von Sulfiderzen in Sammlungen verantwortlich.

Wirtschaftlich wichtig sind v. a. die P.-Vork. in massiven Sulfiderz-*Lagerstätten, den sog. *Kieslagern*, z. B. von Rio Tinto/Spanien, Norwegen u. Meggen/Westfalen (Abbau eingestellt). Weitere Vork. in der Toskana, in Japan u. in porphyrycopper-Lagerstätten (*Kupferkies); rezent in Erzschlämmen im Roten Meer.

Verw.: In P.-reichen Ländern ist FeS_2 auch heute noch Hauptausgangsprodukt für die Schwefelsäure-Produktion. P.-Erze werden – u. wurden schon bei den Römern (in Spanien) – auch wegen ihrer Gehalte an Kupfer u. örtlich an Gold abgebaut. Das beim Rösten des P. entstehende Schwefeldioxid wird in Schwefelsäure überführt u. die zurückbleibenden *Kiesabbrände (*Purpurerz*, Fe_2O_3) im Hochofen auf Eisen verarbeitet. P. kann auch aus organ. Materie entstehen; *Beisp.: Pyritisierung* (Verkiesung) von Ammoniten u. *Bakterien; er kann bei der Entstehung des Lebens auf der Erde eine wesentliche Rolle gespielt haben[14]. Synthet. erzeugte P.-Krist. haben als Halbleiter interessante opt. Eigenschaften, z. B. für Anw. in Solarzellen[15] u. optoelektron. Bauteilen. – ***E = F*** pyrite – ***I*** pirite – ***S*** pirita

Lit.: [1]Am. Mineral. **82**, 182–193 (1997). [2]Phys. Chem. Miner. **7**, 177–184 (1981). [3]Phys. Chem. Miner. **20**, 248–254 (1993); **22**, 311–317 (1995). [4]Am. Mineral. **81**, 119–125 (1996). [5]Geochim. Cosmochim. Acta **61**, 323–339 (1997). [6]Am. Mineral. **81**, 1036–1056 (1996). [7]Appl. Surface Science **72**, 157–170 (1993). [8]Geochim. Cosmochim. Acta **48**, 605–615 (1984). [9]Earth Sci. Rev. **24**, 1–42 (1987). [10]Nature (London) **346** (6286), 742 ff. (1990). [11]Geochim. Cosmochim. Acta **55**, 1495–1514 (1991). [12]Mineral. Mag. **59**, 677–683 (1995). [13]Geochim. Cosmochim. Acta **61**, 115–147 (1997). [14]Bild Wiss. **1991**, Nr. 1, 60–65. [15]J. Electrochem. Soc. **133**, 97–106 (1986).

allg.: Deer et al., S. 583–589 ▪ Ramdohr, Die Erzmineralien u. ihre Verwachsungen, S. 848–867, Berlin: Akademie Verl. 1975 (erzmikroskop. Beschreibung) ▪ Ramdohr-Strunz, S. 454–459 ▪ Schröcke-Weiner, S. 245–251 ▪ Ullmann (5.) **A 14**, 465 f.; **A 25**, 572 f., 577 ▪ Weise (Hrsg.), Pyrit u. Markasit (extra Lapis Nr. 11), München: C. Weise 1996 ▪ s. a. Eisensulfide, Lagerstätten. – *[HS 2502 00; CAS 1309-36-0]*

Pyrithiobac.

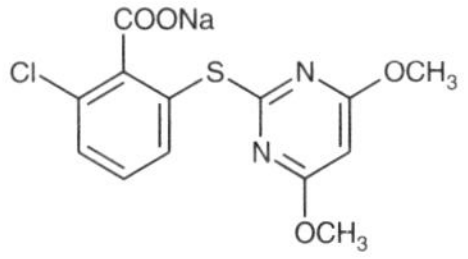

Common name für Natrium-2-chlor-6-(4,6-dimethoxypyrimidin-2-ylthio)-benzoat, $C_{13}H_{10}ClN_2NaO_4S$, M_R 348,73, Schmp. 247,7 °C (Zers.), LD_{50} (Ratte oral) 1000–3000 mg/kg (männlich), 3000–5000 mg/kg (weiblich), von DuPont entwickeltes *Herbizid gegen Unkräuter u. Ungräser v. a. in Baumwollkulturen. – ***E = F*** pyrithiobac – ***I = S*** piritiobac

Lit.: Pesticide Manual. – *[CAS 123343-16-8]*

Pyrithion. Internat. Freiname für 2-Pyridinthiol-1-oxid (PTO, Omadin).

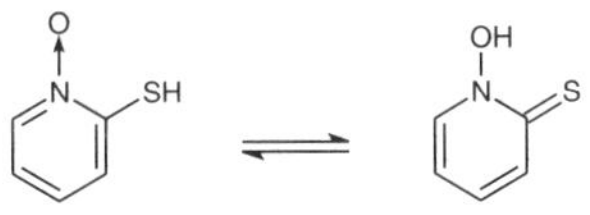

C_5H_5NOS, M_R 127,18, Schmp. 69–72 °C. Die Thiol-Form von P. (a) steht mit *1-Hydroxy-2(1H)-pyridinthion* (b) im tautomeren Gleichgewicht; zur Verw. in der organ. Synth. s. Paquette (*Lit.*). Das fungizid u. bakerizid wirksame P. wird in Form von *P.-Zink* (internat. Freiname) in Antischuppen-Präp. eingesetzt; das Dimere, $C_{10}H_8N_2O_2S_2$, M_R 254,36, Dipyrithion, Omadindisulfid wirkt ebenfalls fungizid u. bakterizid; das Natriumsalz ist ein *Antimykotikum; die Verw. des Na-Salzes in kosmet. Mitteln ist verboten, Kosmetik-VO Anlage 1, Nr. 369 (7. 10. 1997). ***E = F*** pyrithione – ***I*** piritione – ***S*** piritiona

Lit.: Aldrichimica Acta **20**(2), 35 (1987) ▪ Beilstein E V **21/7**, 150 ▪ Merck-Index (12.), Nr. 8178 ▪ Paquette **4**, 2775 ▪ Ullmann (4.) **23**, 200; (5.) **A 22**, 412; **A 26**, 782. – *[HS 2933 39; CAS 1121-31-9 (a); 1121-30-8 (b)]*

Pyrithioxin. Alte Bez. für *Pyritinol.

Pyritinol.

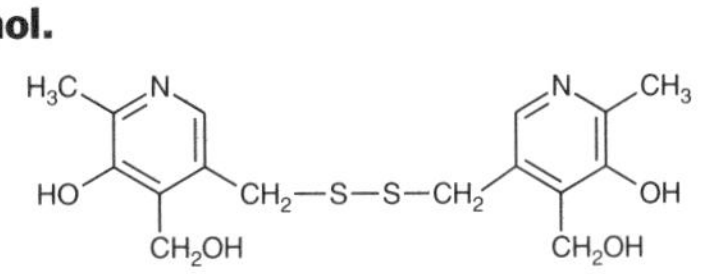

Internat. Freiname für 3,3′-(Dithiobismethylen)bis(5-hydroxy-6-methyl-4-pyridinmethanol), $C_{16}H_{20}N_2O_4S_2$, M_R 368,48, Schmp. 218–220 °C. Verwendet wird Dihydrochlorid Monohydrat, Schmp. 184 °C. P. wurde 1961 von E. Merck (Encephabol®) patentiert. P. soll *nootrop*, d. h. anregend auf den Gehirnstoffwechsel wirken; es wird bei cerebralen Abbauerscheinungen, psych. Entwicklungsstörungen u. rheumatoider Arthritis eingesetzt. – ***E=F*** pyritinol – ***I*** piritinolo – ***S*** piritinol

Lit.: ASP ▪ Beilstein E V **21/5**, 503 ▪ Martindale (31.), S. 1747 ▪ Ullmann (5.) **A 3**, 51. – *[HS 2933 39; CAS 1098-97-1]*

Pyr(o)... Von griech.: pȳr = Feuer, Hitze, Glutröte, Fieber abgeleiteter, vieldeutiger Fremdwortteil; *Beisp.:* oben u. unten abgehandelte Stichwörter. In Namen für chem. Verb. bedeutet Pyr(o)... meist, wie Brenz..., Herst. durch *Pyrolyse (*Brenzen); *Beisp.:* *Pyren, Pyrocatechol (*Brenzcatechin), *Pyrone, *Pyruvate (*Brenztraubensäure-Salze). Zweikernige anorgan. Säuren u. ihre Salze u. Ester werden heute mit Di... statt Pyro... bezeichnet (IUPAC-Regel I-9.4); *Beisp.:* *Diphosphate, *Diphosphorsäure, *Disulfate, *Dischwefelsäure. In medizin. Bez. ist Pyr(o)... meist von *Fieber abgeleitet; *Beisp.:* *Antipyretika, *Pyrogene. *Pyrrol ist nach der Farbreaktion mit Salzsäure-getränktem Fichtenspan benannt (griech.: pyrrós = feuerrot), u. sein Namensstamm fand Verw. für andere Stickstoff-Heterocyclen; *Beisp.:* *Pyrazol u. *Pyridin (dessen Name auch an das Vork. in *Pyr*olyseprodukten von Knochen- u. Steinkohle erinnert u. Ursprung der Namen *Pyrazin, Pyridazin u. *Pyrimidin ist), Pyrazolidin, *Pyrrolidin, *Pyrrolizidin. – ***E=F*** pyro... – ***I=S*** piro...

Pyrobitumen. Die Verbindungsklasse der Natur-*Asphalte wird in Schwefelkohlenstoff-lösl. *Bitumina u. darin unlösl. P. eingeteilt. Bei den P. unterscheidet man zwischen P. mit niedrigen Sauerstoff-Gehalten, den sog. Asphaltoiden (z. B. das Mineral Elaterit, ein hochverzweigtes *Polyethylen), u. denen mit hohen Sauerstoff-Gehalten, den nicht-asphalt. P. (z. B. Torf, Braunkohle u. Kohle). – ***E*** pyrobitumen – ***I*** pirobitume – ***S*** pirobetúm

Pyrochlor. $(Ca,Na)_2(Nb,Ta,Ti)_2O_6(O,OH,F)$; mit 45–65% Nb_2O_5 Niob-reichstes Mineral der *P.-Gruppe*, mit der allg. Formel $A_{2-m}B_2X_6Y_{1-n} \cdot p\ H_2O$; darin bedeuten: *A* = Ca, Na (K, Sb^{3+}, U, Pb, Sr, Th, Seltene Erden, Bi, Sn^{2+}, Ba, Mn, Fe^{2+}); *B* = Ta, Nb, Ti (Zr, Fe^{3+}, Sn^{4+}, W); *X* = O, OH; *Y* = O, OH, F; $m = 0-1{,}7$; $n = 0-2$ u. $p = 0-2$. A-Kationen, außer Na u. Ca, die mehr als 20% der gesamten A-Kationen ausmachen, bedingen Namen wie *Kalium-P.*, *Bario-P.*, *Uran-P.*[1] usw.; zur Abgrenzung der zur P.-Gruppe gehörenden Mineralien Pyrochlor (Nb + Ta > 2 Ti u. Nb > Ta), *Mikrolith* (Nb + Ta > 2 Ti u. Ta ≥ Nb) u. *Betafit* (2 Ti ≥ Nb + Ta) s. *Lit.*[2]. Zur Geochemie u. Alteration (durch hydrothermale Lösungen u./od. *Verwitterung) der 3 Untergruppen s. *Lit.*[3] (Mikrolith), *Lit.*[4] (P.) u. *Lit.*[5] (Betafit). P. krist. kub., Kristallklasse m3m-O_h; die Struktur[6] toleriert Leerstellen auf den Gitterplätzen A, X u. Y; max. H_2O-Gehalte 10–15 Gew.-%. P. bildet oktaedr. od. würfelige, gelbe, orangefarbene, rötlichbraune, braune od. schwarze, muschelig brechende Krist., eingewachsene Körner od. unregelmäßige Massen; Mikrolith ist blaßgelb bis braun, Betafit gelb bis grünlichbraun. H. 5–5,5, D. 4,2–6,4, Glas- od. Wachsglanz, spröde; P. wird bei starkem Erhitzen gelbgrün (Name!). Das Kristallgitter ist oft durch Selbstbestrahlung infolge der Uran- u./od. Thorium-Gehalte (auch Ursache für die Radioaktivität mancher P.-Konzentrate!) teilw. od. ganz zerstört (Isotropisierung; fachsprachlich *metamikt*).

Vork.: P. in *Karbonatiten (z. B. Kaiserstuhl, Tansania), *Nephelinsyeniten (z. B. Südnorwegen) u. Granit-*Pegmatiten (z. B. Ontario/Kanada); *Mikrolith* in Li- u. Be-haltigen Granit-Pegmatiten (z. B. in South Dakota, Colorado u. New Mexico/USA). P.-Phasen können auch in glasartig immobilisierten *radioaktiven Abfällen auftreten[7] u. in keram. Formen für radioaktive Abfälle enthalten sein[8].

Verw.: P. aus Karbonatiten (z. B. Oka u. a. in Kanada, Araxa u. a. in Brasilien, Lueshe/Zaire) u. aus deren Verwitterungsbereichen ist wichtigster Rohstoff für die Gewinnung von *Niob; Mikrolith (mit 60–70% Ta_2O_5) wird zur Gewinnung von *Tantal abgebaut. – ***E=F*** pyrochlore – ***I=S*** pirocloro

Lit.: [1] Mineral. Mag. **53**, 257–262 (1989). [2] Am. Mineral. **62**, 403–410 (1977). [3] Am. Mineral. **77**, 179–188 (1992). [4] Am. Mineral. **80**, 732–743 (1995). [5] Am. Mineral. **81**, 1237–1248 (1996). [6] Prog. Solid State Chem. **15**, 55 (1983). [7] Angew. Chem. **97**, 369–376 (1985). [8] Lutze u. Ewing (Hrsg.), Radioactive Waste Forms for the Future, S. 233 f., 335–392, Amsterdam: North-Holland 1988.

allg.: Bundesanstalt für Geowissenschaften u. Rohstoffe ▪ Hannover et al. (Hrsg.), Untersuchungen über Angebot u. Nachfrage mineralischer Rohstoffe, Bd. XVI, Niob, u. Bd. XVII, Tantal, Stuttgart: Schweizerbart 1982 ▪ Ramdohr-Strunz, S. 520 f. ▪ Schröcke-Weiner, S. 406 ff. ▪ Ullmann (5.) **A 17**, 252 f. – *[CAS 12174-36-6]*

Pyroelektrizität. Bez. für die Erscheinung, daß sich Krist. mit einer polaren Achse bei schneller Temp.-Änderung auf zwei gegenüberliegenden Seiten elektr. entgegengesetzt aufladen. Das Vorzeichen der Aufladung ändert sich bei Erwärmung od. Abkühlung. Bekanntestes Material, das P. zeigt, ist der *Turmalin, doch sind noch viele andere pyroelektr. Festkörper bekannt wie Quarz u. Triglycinsulfat. Notwendig für das Auftreten von P. ist, wie schon erwähnt, eine polare Achse, d. h. jede Elementarzelle des Kristalls trägt ein gleichorientiertes elektr. Dipolmoment. Aus diesen elementaren Dipolen ergibt sich ein makroskop. Dipolmoment der Probe, das aber nach außen nicht in Erscheinung tritt, da die Polarisationsladungen durch innere elektr. Leitfähigkeit u./od. durch die Anlagerung von elektr. Ladungen aus der umgebenden Atmosphäre an den polaren Oberflächen kompensiert werden. Ändert man nun die Temp. der Probe, so ändert sich im allg. die Gitterkonstante u. damit die Größe der elementaren Dipole u. des makroskop. Dipolmomentes. Diese Änderung macht sich nach außen durch die Aufladung der Oberflächen bemerkbar bis diese Aufladung durch die genannten Effekte wieder kompensiert ist. Überprüfen läßt sich diese Vorstellung, indem man z. B. Turmalin-Krist. senkrecht zur polaren Achse bricht u. die Polarisationsladungen schnell z. B. mit einem Faraday-Becher u. einem elektrostat. Voltmeter mißt. Man findet an gegenüberliegenden Bruchflächen eine entgegengesetzte Aufladung, deren Betrag proportional zur Fläche senkrecht zur polaren Achse ist. Techn. Anw. findet die P. in Infrarot- u. Thermosensoren.

P. ist eng verwandt mit *Piezoelektrizität u. Ferroelektrizität (s. Ferroelektrika); der Unterschied besteht darin, daß beim Piezoeffekt eine elektr. Aufladung durch Veränderung vorhandener od. Erzeugung neuer elementarer Dipole unter uniaxialem äußeren Druck od. Zug erreicht wird. Pyroelektr. Krist. sind auch piezoelektrisch. Piezoelektr. Krist. können pyroelektr. sein. Bei ferroelektr. Krist. ist unterhalb einer krit. Temp. T_c eine spontane Polarisation in jeder Elementarzelle vorhanden. Im Gegensatz zu pyroelektr. Krist. läßt sich die Richtung des Dipolmomentes durch äußere Felder aber verändern, z. B. auch umklappen. Ferroelektr. Krist. bilden ohne äußeres Feld im allg. unterschiedlich orientierte Domänen aus, die sich in ihrer Wirkung nach außen kompensieren. Eindomänige, ferroelektr. Krist. zeigen Pyroelektrizität. – ***E*** pyroelectricity – ***F*** pyroélectricité – ***I*** piroelettricità – ***S*** piroelectricidad

Lit.: Ann. N. Y. Acad. Sci. **238**, 68 – 94 (1974) ▪ Hellwege, Einführung in die Festkörperphysik, 3. Aufl., Berlin: Springer 1994 ▪ Kittel, Einführung in die Festkörperphysik, 11. Aufl., Oldenbourg: München 1995 ▪ *Landolt-Börnstein NS 3/1, 2, 11, 18 ▪ Lang, Pyroelectricity, New York: Gordon & Breach 1981 ▪ Pykacz, Der pyroelektrische Effekt u. seine Anwendungen, Ashtead: Yarsley 1985 ▪ Pykacz, Investigation of Pyroelectric Properties of Triglycine Sulphate and Sodium Trihydrogen Selenite Single Crystals at an Electric Bias Field, Wroclaw: PWr 1981 ▪ Ramdohr-Strunz, S. 233 ff. ▪ Umschau **75**, 125 f. (1975).

Pyrogallol (1,2,3-Trihydroxybenzol, Benzol-1,2,3-triol, Pyrogallussäure). Xn 

R = H : Pyrogallol, R = COOH : Gallussäure

$C_6H_6O_3$, M_R 126,11. Farblose, glänzende Blättchen od. Nadeln, die sich im Licht od. an der Luft allmählich grau färben, D. 1,453, Schmp. 133 – 134 °C, Sdp. 309 °C, 171 °C (12 hPa), bei langsamem Erhitzen erfolgt Subl.; lösl. in Wasser, Ethanol, Ether, wenig lösl. in Chloroform, Benzol; WGK 2 (Selbsteinst). P. ist ein starkes Red.-Mittel u. wird bei Berührung mit Luft schnell oxidiert; wäss. alkal. Lsg. absorbieren O_2 aus der Luft u. dunkeln schnell nach, was durch die Anw. von Na_2SO_3 verzögert wird. P. bildet mit vielen Metallen Salze od. Chelate; Gold u. Silber-Salze werden leicht zu Metall reduziert u. mit Eisen(III)-Salzlsg. gibt es eine vorübergehende Blaufärbung. Der Nachw. von P. im µg-Bereich ist mit *Osmiumtetroxid kolorimetr. möglich. P. ist giftig u. wird auch über die Haut aufgenommen. Bei oraler Aufnahme schwere gastro-enteritische Reizerscheinungen, Methämoglobinämie, Hämolyse, Nieren- u. Leberschäden.

Herst.: P. wurde von Scheele (1786) beim Erhitzen von *Gallussäure erhalten u. wird noch heute nach diesem Verf. gewonnen. Derivate des P. od. vielmehr der Gallussäure treten in der Natur häufig auf, z. B. im Buchen- u. a. *Holzteer, in *Ellagsäure, *Hämatoxylin u. Anthocyanen.

Verw.: Zur Absorption von Sauerstoff in der Gasanalyse, medizin. früher äußerlich bei *Psoriasis u. Lupus, in der Galvanotechnik, für Pestizid- u. Farbstoff-Synth., als Reagenz auf Sb, Bi, Nb, Os, Ta, zur Red. von Ag-, Au- u. Hg-Salzen, zur Aktivitätsbestimmung von Peroxidasen (Bildung von *Purpurogallin) usw. Eine Reihe von Antioxidantien u. Stabilisatoren für Treibstoffe, Hydrauliköle, Schmierfette u. synthet. Polymere leiten sich von Pyrogallol u. seinen Derivaten ab. P. darf beim Herstellen od. Behandeln von kosmet. Mitteln nicht verwendet werden (Kosmetik-VO Anl. 1 Nr. 409, 7. 10. 1997). – ***E = F*** pyrogallol – ***I*** pirogallolo, acido pirogallico – ***S*** pirogalol

Lit.: Beilstein E IV **6**, 7327 ▪ Fries-Getrost, S. 39, 266, 279, 339, 392 f. ▪ Hager (5.) **4**, 505 ▪ Kirk-Othmer (3.) **18**, 670 – 676; (4.) **19**, 778 f. ▪ Moeschlin, Klinik u. Therapie der Vergiftungen, S. 398, Stuttgart: Thieme 1986 ▪ Ullmann (4.) **18**, 222; (5.) **A 19**, 345 f. – *[HS 2907 29; CAS 87-66-1]*

Pyrogallol-Gerbstoffe s. Gerbstoffe u. Tannine.

Pyrogallo(l)phthalein s. Gallein.

Pyrogallolrot [Pyrogallolsulfonphthalein, tautomere Form: 2-(4,5,6-Trihydroxy-3-oxo-3*H*-xanthen-9-yl)-benzolsulfonsäure].

farblos ⇄ (– 2H⁺ / + 2H⁺) rot

$C_{19}H_{12}O_8S$, M_R 400,37. Dunkles, in Wasser u. Alkohol lösl. Pulver, das als Indikator für komplexometr. Titrationen von Bi, Co, Ni u. Pb verwendet wird. – ***E*** pyrogallol red – ***F*** rouge de pyrogallol – ***I*** rosso di pirogallolo – ***S*** rojo de pirogalol

Lit.: Beilstein E V **19/10**, 226 ▪ Ullmann (5.) **A14**, 141 f. – *[HS 2932 99; CAS 32638-88-3]*

Pyrogallolsulfonphthalein s. Pyrogallolrot.

Pyrogallussäure s. Pyrogallol.

Pyrogene [von *Pyr(o)... u. *...gen]. Das *Europäische Arzneibuch definiert P. als „Stoffe, die, in kleinsten Mengen verabreicht, innerhalb einer begrenzten Einwirkungszeit beim Menschen u. bestimmten Versuchstieren *Fieber erzeugen". Im allg. als Einzelstichwörter behandelte Beisp. für P. sind Bakterien, Pilze, Viren, Lymphokine, doppelsträngige Ribonucleinsäuren, Freundsches Adjuvans u. die das sog. Steroidfieber auslösenden Verb. wie 3α Hydroxy 5α androstan-17-on (s. Androsteron), ein Metabolit des Testosterons. Stärkste P.-Wirkung zeigen die *Endotoxine aus der Zellwand Gram-neg. Bakterien, d. h., hochmol., Protein-freie *Lipopolysaccharide aus einer phosphorylierten Polysaccharid- u. einer Phospholipid-Komponente („Lipid A"). Gelangen diese *exogenen P.* in den Körper, werden sie von bes. Lymphocyten durch *Phagocytose aufgenommen unter Freisetzung von *endogenem P.*, einem hitzelabilen Protein (M_R 15 000), das als Mediator auf das *Körpertemperatur-Regelsyst. im *Hypothalamus einwirkt. Die hochgereinigten Bakterien-P. sind bereits in Dosen von <1 µg/kg bei Menschen u. Tieren wirksam, sehr hitzebeständig u. ertragen siedendes Wasser od. Erhitzen im Autoklaven über Stunden. Die Vernichtung kann erfolgen durch Heißluftsterilisation (2 h bei 200 °C), Chemikalien (Alkali- u. Säurelsg., $KMnO_4$, H_2O_2 usw.) u. Filtration z. B. durch Membranfilter, Al_2O_3 od. Aktivkohle. Insbes. in der Pharmazie ist auf *Pyrogenfrei-*

heit von Parenteralia zu achten; zur Prüfung von Injektions- u. Infusionslsg. schreiben die *Pharmakopöen einen Test am Kaninchen vor[1]. Zur Prüfung der Rohstoffe, v. a. des dest. Wassers, hat sich als *in vitro*-Meth. der *Limulus*- od. *LAL-Test* (von *Limulus*-Amöbocyten-Lysat) eingeführt. Endotoxine lösen nämlich in den Amöbocyten, den „Blutkörperchen" in der Hämolymphe des Pfeilschwanzkrebses (*Limulus polyphemus*) eine der Blutgerinnung ähnliche Reaktion aus. Werden Probe u. Amöbocyten-Lysat gemischt, zeigt sich die Anwesenheit von P. durch Gel-Bildung. Näheres, auch über den Test störende Verb. s. *Lit.*[2–6]. – ***E*** pyrogens – ***F*** pyrogènes – ***I*** pirogeni – ***S*** pirógenos

Lit.: [1] Pharm. Ind. **45**, 76 (1983). [2] Pharm. Ind. **43**, 376 (1981). [3] Pharm. Ind. **46**, 85 (1984). [4] Pharm. Ind. **48**, 951 (1986). [5] Pharm. Ind. **47**, 203 (1985). [6] Pharm. Unserer Zeit **13**, 137 (1984).
allg.: Adv. Exp. Med. Biol. **391**, 131–154 (1996) ▪ J. Infect. Dis. **175** (1), 191–195 (1997) ▪ Pearson, Pyrogens, New York: Dekker 1985 ▪ Pharm. Ind. **42**, 185 (1980); **43**, 163 (1981); **45**, 881 (1983); **49**, 193 (1987) ▪ Watson et al., Endotoxins and their Detection with the Limulus Amebocyte Lysate Test, New York: Liss 1982 ▪ s. a. Endotoxine, Lipopolysaccharide.

Pyrogene Kieselsäuren s. Kieselsäuren.

Pyroglutaminsäure (PCA, Pyrrolidoncarbonsäure, 5-Oxopyrrolidin-2-carbonsäure, 5-Oxoprolin; Kurzz. der L-Form in Peptid-Formeln: ᒪGlu <Glu, Glp od. Pyr).

$C_5H_7NO_3$, M_R 129,11. Farblose Krist., Schmp. 162–163 °C [L-(–)-P.], lösl. in Wasser, Alkohol, Aceton. Pyr ist in Pflanzenfrüchten, Gräsern u. Melasse enthalten. Sie bildet sich aus *Glutaminsäure durch Cyclisierung beim Erhitzen od. auf anderen Wegen. Sie ist ein *N*-terminaler Bestandteil einer Reihe natürlich vorkommender Peptidhormone wie *Gonadoliberin, *Thyroliberin, *Neurotensin, *Gastrin u. *Kinin-ähnlicher Substanzen wie *Bombesin, *Eledoisin u.*Caerulein.
Verw.: In kosmet. Haut-Feuchthaltemitteln (z. B. *Lactil®), zur Racemattrennung von Aminen u. als Ausgangsmaterial für die asymmetr. Synthese. – ***E*** pyroglutamic acid – ***F*** acide pyroglutamique – ***I*** acido piroglutam(m)ico – ***S*** ácido piroglutámico

Lit.: Beilstein E V **22/6**, 7 f. ▪ Physiol. Chem. Phys. Med. NMR **27**, 351 ff. (1995). – *[CAS 16891-48-8]*

L-Pyroglutamyl-L-histidyl-L-prolinamid s. Thyroliberin.

Pyrogramme s. Gaschromatographie.

Pyroklastische Gesteine (Pyroklastite). Sammelbez. für vulkan. Lockergesteine, im strengen Sinne auf verfestigte pyroklast. Ablagerungen beschränkt. Unverfestigtes vulkan. Lockermaterial nennt man *Tephra*, die einzelnen Partikel *Pyroklasten*.
Klassifikation, Nomenklatur (s. a. *Lit.*[1,2]): 1. *Nach der *Korngröße* teilt man ein in *Aschen* (<2 mm), *Lapilli* (2–64 mm) sowie *Bomben* u. *Blöcke* (beide >64 mm). *Schlacken* sind blasige Lava-Fetzen, die aus dünnflüssigerem Material erstarrt sind. Verfestigte pyroklast. Ablagerungen, die überwiegend aus Asche, Lapilli, Bomben u. Blöcken bestehen, nennt man **Tuff, Lapillistein* u. *pyroklast. Breccie*; in *Agglomeraten* herrschen rundliche Pyroklasten vor. Wegen der Instabilität bes. ihrer Glaspartikel werden Aschenlagen u. Tuffe während der Diagenese häufig in *Tonminerale, bes. *Montmorillonite (vgl. Bentonite), sowie in *Zeolithe umgewandelt. – 3. *Nach der Art des Transportes* unterscheidet man: Aus Aschenwolken ausgedimentierte, die bedeckte Landoberfläche abbildende *Fall-Ablagerungen* (*E* fallout) u. am Boden fließende Partikelsyst. wie die *pyroklast. Ströme* (*E* pyroclastic flows). Aus *Bimsstein-reichen Strömen entstehen die *Ignimbrite. Ströme mit blasenfreien, dichten Klasten werden *Glutwolken* (Glutlawinen, nuées ardentes) genannt, sie bilden Block- u. Asche-Ablagerungen. Übergänge zwischen Fall- u. Fließmechanismen stellen die mit einem engl. Ausdruck als *Surges* bezeichneten Ablagerungen dar, die sowohl durch Ausdehnung magmat. Gase als auch durch Expansion von externem magmat. aufgeheiztem Wasser entstehen können. *Lahars* sind auf Täler beschränkte vulkan. Schutt-/Schlammstrom-Ablagerungen. *Hyaloklastite* bestehen aus subaquat. entstandenen Glasfragmenten, die z. B. von Pillow-Laven (*Lava) abgeplatzt sind; diese Bez. wird auch für Tuffe benutzt, die aus blasigen, subaquat. entstandenen Partikeln aufgebaut sind.
Entstehung: P. G. entstehen durch die Fragmentierung eines in einem Schlot aufsteigenden Magmas durch die Expansion magmat. Gase, v. a. H_2O u. CO_2. Das entstandene Gemisch aus Pyroklasten u. magmat. Gasen verläßt den Schlot – meist explosionsartig – mit Geschw. bis über 300 m/s; über der Ausbruchsstelle kann sich eine bis zu 50 km hohe Eruptionssäule bilden; zu den Mechanismen pyroklast. Eruptionen s. Francis (*Lit.*). – ***E*** pyroclastic rocks – ***F*** roches pyroclastiques – ***I*** rocce piroclastiche, piroclastiti – ***S*** rocas piroclásticas

Lit.: [1] Neues Jahrb. Mineral. Monatsh. **1981**, 190–196. [2] Aufschluß **37**, 101–108 (1986).
allg.: Fischer u. Schmincke, Pyroclastic Rocks, Berlin: Springer 1984 ▪ Francis, Volcanoes, A Planetary Perspective, S. 167–265, Oxford: Oxford University Press 1993 ▪ Füchtbauer (Hrsg.), Sedimente u. Sedimentgesteine (Sediment-Petrologie Tl. 2) (4.), S. 731–778, Stuttgart: Schweizerbart 1988 ▪ Schmincke, Vulkanismus, S. 63–70, 79–127, Darmstadt: Wissenschaftliche Buchges. 1986 ▪ s. a. Vulkane, magmatische Gesteine.

Pyrokohlenstoff. Bez. für ein Produkt, das durch CVD (*c*hemical *v*apor *d*eposition, s. Gasphasenabscheidung) von gasf., Kohlenstoff enthaltenden Verb. hergestellt wird. Die Eigenschaften werden hauptsächlich durch die Art der Kohlenstoff-haltigen Verb., durch die Pyrolysetemp. u. die Verweilzeit der Edukte in der Pyrolysezone bestimmt. Edukte sind vorzugsweise Kohlenwasserstoffe wie Methan, Propan od. Propen. Bei niedrigen Pyrolysetemp. u. niedrigen Eduktkonz. haben die P.-Schichten laminare Strukturen, hohe Pyrolysetemp. u. niedrige Konz. fördern die Bildung von granulären u. säulenförmigen Mikrostrukturen. Der P. wird auf Substraten abgeschieden, die die Form des endgültigen Werkstücks besitzen. Die Abscheideraten betragen im allg. 10–2000 $\mu m\ h^{-1}$, die D. des abgeschiedenen P. beträgt je nach Abscheidetemp. etwa 1,3 $g \cdot cm^{-3}$ (1400 °C) bis 2,23 $g \cdot cm^{-3}$ (2700 °C). Da P. verträglich mit menschlichem Gewebe ist u. die Herst. sehr gut reproduzierbar ist, stellt er ein interessantes Material für Anw. in der Humanmedizin dar. – *E* pyrocarbon – *F* pyrocarbone – *I* pirocarbonio – *S* pirocarbón

Lit.: Ullmann (5.) **A 5**, 121.

2-Pyrol® (*2-Pyrrolidon). Hochsiedendes, wasserlösl. u. nicht korrosives Lösemittel. Mischbar mit polaren organ. Lsm. sowie Chloroform. Hohe chem. Stabilität, gutes Lsm. für Wirkstoffe in pharmazeut. u. industriellen Produkten. Reaktionen mit Halogenen, Säureanhydriden, Ethylenoxid sowie Grignard-Reagens. Bildet Alkalisalze, Thiopyrrolidone, Nitropyrrolidone. ***B.:*** ISP.

Pyrolit s. Erde.

Pyrolusit. β-MnO_2; zu den *Braunsteinen gehörendes wichtiges tetragonales Erzmineral, Kristallklasse 4/mmm-D_{4h}, Struktur[1] wie *Rutil. Grauweiße bis stahlgraue, prismat. bis nadelige, z. T. durch *Pseudomorphosen-Bildung nach *Manganit rissige Krist. mit H. 6–6,5, D. 5 (früher als *Polianit* bezeichnet); radialstrahlige Aggregate, Krist.-Krusten; feinkörnige bis dichte, z. T. röntgenamorphe eisengraue bis schwarze Massen mit nierig-traubigen, z. T. *Glaskopf-artigen (*Schwarzer Glaskopf*) Oberflächen; als „*Wad*" pulverig u. erdig u. schwarz abfärbend; als *Oolithe; als **Dendriten*. Strich schwarz bis schwarzblau. Nach der Formel 63,19% Mn; Analysen zeigen fast stets bis 0,4% Fe u. bis 2% H_2O, daneben Alkalien, Ba, Ca, Mg, Si u. P.

Vork.: P. entsteht unter oxidierenden Bedingungen. *Beisp.:* In *Oxidationszonen Mn-haltiger Erzgänge, z. B. Ilfeld/Harz u. Ilmenau/Thüringen. In Karst-Hohlräumen in *Kalken, z. B. bei Bingerbrück u. Gießen. Als Hauptbestandteil in marinen Manganerz-Lagerstätten, z. B. Nikopol/Ukraine u. Tschiaturi/Georgien. In *Lateriten über Mangan-reichen Gesteinen, z. B. abbauwürdig in Nsuta/Ghana, Mokta/Elfenbeinküste u. Amapa/Brasilien. Als ein Hauptbestandteil der *Manganknollen.

Verw.: Erdiger P. ist ein wichtiger Bestandteil der *Weichmanganerze* des Bergbaus, die 30–35 Gew.-% Mn enthalten. Die Verw. von P. (s. a. Mangandioxid) zu metallurg. Zwecken, als Pigment in der Keramik (*Manganschwarz-Technik) u. in Glashütten ist altüberliefert. – ***E*** = ***F*** pyrolusite – ***I*** pirolusite – ***S*** pirolusita

Lit.: [1] Acta Crystallogr. Sect. B **32**, 2200–2204 (1976); **42**, 58–61 (1986).
allg.: Lapis **7**, Nr. 9, 5–7 (1982) („Steckbrief") ▪ Ramdohr-Strunz, S. 534 ff. ▪ Varentsov u. Grasselly (Hrsg.), Geology and Geochemistry of Manganese, Vol. 1, S. 83–86, Stuttgart: Schweizerbart 1980 ▪ s. a. Braunsteine. – *[HS 2602 00; CAS 14854-26-3]*

Pyrolyse. Von *Pyr(o)... u. *Lyo... abgeleitete Bez. für die therm. Zers. chem. Verbindungen. Chem. Umwandlungen von Stoffen bei hohen Temp. gehen im allg. mit dem Bruch chem. Bindungen einher (*Hochtemperaturchemie). Dabei können aus komplizierten Verb. kleinere u. evtl. einfacher gebaute Mol. entstehen. Erhitzt man beispielsweise bei der sog. *trockenen Dest.* (*Brenzen) feste Stoffe in hitzebeständigen Apparaturen bis zu ihrer chem. Zers., wobei die flüchtigen Zers.-Produkte überdestillieren, so erhält man z. B. von fettsauren Salzen Aldehyde u. Ketone. In der Technik hatte die trockene Dest. der Steinkohle große Bedeutung (*Schwelung, s. *Lit.*[1]). Die P. von Kohle unter Wasserstoff-Atmosphäre (2,5–10 MPa, sog. *Hydro-P.*) ist eigentlich eine *Kohlehydrierung[2]. Techn. wichtige P.-Verf. sind auch das therm. *Kracken u. a. Verf. der *Petrochemie zur Herst. von sog. Pyrolysebenzin, von BTX etc. sowie die Herst. von Keten durch die katalysierte therm. Zers. von Essigsäure od. Aceton.

Die Produkte der P. sind meist keine eigentlichen Bausteine des zerlegten Stoffes, sondern sind gegenüber diesen strukturell (z. B. durch Cyclisierungen od. Umlagerungen) verändert; auch können sie mit den Komponenten der Atmosphäre, in der die P. vorgenommen wurde, reagiert haben (z. B. mit Sauerstoff od. Wasserstoff). Auch wenn die P. nicht zu den Ausgangsstoffen zurückführt, kann das Verteilungsmuster der Zers.-Produkte für die jeweilige Verb. charakterist. sein. So hat sich in der analyt. Chemie die Kombination von P. u. *Massenspektrometrie zur Identifizierung chem. Verb. bewährt, insbes. zur Identifizierung größerer Mol. wie Polymere, Aminosäuren od. sogar Huminstoffe u. Mikroorganismen. Ein viel praktiziertes Analysenverf. auch zur Kunststoffanalyse[3–9] ist die *P.-Gaschromatographie* (s. dort). Eine spezielle Form der Gasphasen-P. ist die sog. *Blitzpyrolyse mit den Varianten FVT, VLPP u. a.[10–12].

Die einzelnen Schritte der P. sind therm. *Anregung u. therm. *Dissoziation der Mol. (*Thermolyse*), wobei *freie Radikale als Zwischenstufen auftreten können, die in Kettenreaktionen weiterreagieren; zur Untersuchung der Mechanismen eignet sich die *CIDNP-Spektroskopie. Zum Verständnis der therm. Anregung u. Dissoziation von Mol. bei der Pyrolyse sind verschiedene Theorien entwickelt worden (*Rice-Herzfeld-Mechanismus u. die *RRKM-Theorie). Chem. Reaktionen bei erhöhter Temp. müssen nicht notwendigerweise über Radikale ablaufen, wie z. B. die therm. *cis*-Eliminierung von *ε-Caprolactam aus Nylon-6, die *Hofmann-Eliminierung, Decarboxylierung von Malonsäure-Derivaten (*Malonester-Synthese), *Claisen-Umlagerung, Retro-*Diels-Alder-Reaktion u. verwandte *elektrocyclische Reaktionen.

P.-Reaktionen können auch durchaus unerwünscht, nämlich bei fehlerhafter Wärmeführung durch Überhitzen eintreten. Durch *Zersetzung entstehen ggf. gefährliche Stoffe, bei Erhitzen od. *Verbrennung von organ. Material unter Sauerstoff-Mangel können polycycl. aromat. Kohlenwasserstoffe (*PAH) gebildet werden; *Beisp.* aus der MAK-Liste (Abschnitt V d, s. a. III B): Ruße, Teere u. ihre Dämpfe, Kokereirohgase, Auspuffgase, Räucherrauch, gebrauchte Motorenöle u. Schneidöle. Manche dieser P.-Produkte stehen im Verdacht, carcinogen zu sein. Bei der kontrollierten P. von Kunststoff-Abfällen, Altreifen od. Kunststoff-haltigem Haus-*Abfall od. Klärschlamm können wertvolle Rohstoffe (Gas, Öl, Ruß) wiedergewonnen werden, z. B. Hamburger Wirbelschichtpyrolyse (s. *Lit.*[13] u. vgl. *Lit.*[14,15]). In neuerer Zeit wurden auch Verf. zur Beseitigung von Hausmüll entwickelt, die in einer P.-Stufe (Siemens-KWU-Schwelbrennverfahren) bzw. einer Hochtemperatur-P. unter Sauerstoff-Atmosphäre (Thermoselect-Verfahren) ein brennbares Gas aus dem Müll erzeugen, das in nachgeschalteten Verf.-Schritten (nach seiner Reinigung) verbrannt wird. Einen Vgl. von verschiedenen P.-Techniken findet man in *Lit.*[16]. P.-Reaktionen treten auch im Alltag auf, z. B. beim Backen, Grillen u. Frittieren, u. Raucher atmen mit dem *Tabakrauch zahlreiche P.-Produkte ein. In der anorgan. Chemie werden P.-Prozesse oft anders bezeichnet, z. B. als Calcinieren, als Brennen (von Kalk), als Zerfall (von Nickeltetracarbonyl) etc. Werden Festkörper erhitzt, zeigen sie bei beginnender therm. Zers. bes. ausgeprägte Reaktionsbereitschaft *(Hedvall-Effekt)*. – ***E*** pyrolysis – ***F*** pyrolyse – ***I*** pirolisi – ***S*** pirólisis

Lit.: [1]Chem. Ztg. **109**, 401–404 (1985). [2]Erdoel, Kohle, Erdgas, Petrochem. **38**, 448–455 (1985). [3]Liebman u. Levy, Pyrolysis and GC in Polymer Analysis, New York: Dekker 1985. [4]Analyt.-Taschenb. **3**, 229–261. [5]Roy u. Schulman in Munson, Pharmaceutical Analysis, Tl. A, New York: Dekker 1982. [6]Alexeeva, Pyrolytic Gas Chromatography, Moskva: Khimiya 1985. [7]Bock, Handbook of Decomposition Methods in Analytical Chemistry, Glasgow: Int. Textbook Co. 1979. [8]Irwin, Analytical Pyrolysis, New York: Dekker 1982. [9]Jones u. Cramers, Analytical Pyrolysis, Amsterdam: Elsevier 1977. [10]Angew. Chem. **85**, 602–614 (1973). [11]Angew. Chem. **98**, 413–429 (1986). [12]Angew. Chem. **89**, 377–385 (1977). [13]Bockhorn, VDI-GBT Jahrbuch 1994, S. 204, Düsseldorf: VDI-Verl. 1994. [14]DECHEMA-Monogr. **86**, 181–196 (1980). [15]Ullmann (5.), **A 21**, 57. [16]Chem. Kunst. Aktuell **33**, 191–203 (1979).

allg.: Adv. Chromatogr. **23**, 149–197 (1984) ▪ Adv. Free Radical Chem. **98**, 413–429 (1986) ▪ Adv. Polym. Sci. **47**, 1–65 (1982) ▪ Albright et al., Pyrolysis, New York: Academic Press 1983 ▪ Annu. Rev. Mater. Sci. **12**, 81–102 (1982) ▪ Brown, Pyrolytic Methods in Organic Chemistry, New York: Academic Press 1980 ▪ Chem. Ind. **32**, 764–767 (1980); **35**, 535 ff. (1983) ▪ Chem. Tech. (Leipzig) **32**, 29–33, 249–253 (1980) ▪ Choudhry u. Hutzinger, Mechanistic Aspects of the Thermal Formation of Halogenated Organic Compounds Including Polychlorinated Dibenzo-p-Dioxins, New York: Gordon & Breach 1983 ▪ Erdoel, Kohle, Erdgas, Petrochem. **39**, 495–500 (1986); **40**, 21–27 (1987) ▪ Hellmold, Hochtemperaturreaktionen, Berlin: Akademie-Verl. 1983 ▪ Hilado, Pyrolysis of Polymers, Lancaster: Technomic 1976 ▪ Kirk-Othmer (3.) **3**, 754 f; **4**, 274–277; **11**, 449–457 ▪ Meuzelaar et al., Pyrolysis Mass Spectrometry of Recent and Fossil Biomaterials, Amsterdam: Elsevier 1982 ▪ Pure Appl. Chem. **51**, 747–768 (1979) ▪ Thomé-Kozmiensky, Pyrolyse von Abfällen, Berlin: EF-Verl. für Energie- u. Umwelttechnik 1985 ▪ Toxicol. Environ. Chem. **5**, 1–151 (1982) ▪ Ullmann (5.) **A 7**, 245–280 ▪ Voorhees, Analytical Pyrolysis, London; Butterworth 1984 ▪ Zimmermann, Zerfall u. Bildung cyclischer Kohlenwasserstoffe unter den Bedingungen der Kohlenwasserstoffpyrolyse, Berlin: Akademie-Verl. 1985. – *Zeitschrift:* Journal of Analytical and Applied Pyrolysis, Amsterdam: Elsevier (seit 1979).

Pyrolysebenzin. Beim Steam-*Kracken von Naphtha zur Herst. von Ethylen u. Propylen anfallendes, Aromaten-reiches *Benzin, das sich durch gute Klopffestigkeit auszeichnet. – ***E*** pyrolysis gasoline – ***F*** essence de pyrolyse – ***I*** benzina di pirolisi – ***S*** gasolina de pirólisis – *[HS 2707 50, 2710 00]*

Pyrolyse-Gaschromatographie s. Pyrolyse u. Gaschromatographie.

Pyromed® S. Suppositorien mit *Paracetamol gegen Schmerzen u. Fieber. ***B.:*** Sanofi Winthrop.

Pyromellit(h)säure (1,2,4,5-Benzoltetracarbon-säure).

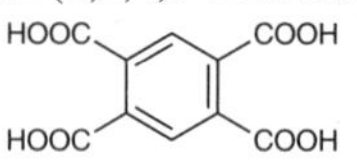

$C_{10}H_6O_8$, M_R 254,15. Farblose, trikline Krist., als Dihydrat Schmp. 242 °C, wasserfrei D. 1,79, Schmp. 276 °C (auch 281–285 °C angegeben, unter Anhydrid-Bildung), in Benzol unlösl., in kaltem Wasser u. Ether wenig lösl., besser dagegen in Alkohol, Aceton. Zur Herst. u. Verw. s. folgendes Stichwort. – ***E*** pyromellitic acid – ***F*** acide pyromellytique – ***I*** acido piromellitico – ***S*** ácido piromelítico

Lit.: s. Pyromellit(h)säuredianhydrid – *[HS 2917 39; CAS 89-05-4]*

Pyromellit(h)säuredianhydrid (1,2,4,5-Benzoltetracarbonsäure-1,2:4,5-dianhydrid, Benzo[1,2-*c*;4,5-*c*′]difuran-1,3,5,7-tetraon).

$C_{10}H_2O_6$, M_R 218,13. Hygroskop., farblose Krist., D. 1,68, Schmp. 287 °C, Sdp. 397–400 °C, reagiert mit Wasser unter Bildung der *Pyromellit(h)säure, kann mit starken Oxid.-Mitteln heftig reagieren. P. kann durch Gasphasen-Oxid. von 1,2,4,5-Tetramethylbenzol u. ä. Alkylbenzolen hergestellt werden. P. dient zur Herst. wärmebeständiger Alkydharze, Polyester, Polyamide u. Polyimide (z. B. Kapton-Folie aus P. u. 4,4′-Diamino-phenylether), u. findet Verw. in organ. Synthesen. – ***E*** pyromellitic dianhydride – ***F*** dianhydride pyromellitique – ***I*** dianidride piromellitica – ***S*** dianhídrido piromelítico

Lit.: Beilstein E III/IV **19/5**, 407 ▪ Merck-Index (12.), Nr. 8188 ▪ Ullmann (4.) **9**, 151; (5.) **A 5**, 255 ▪ Weissermel-Arpe (4.), S. 343 f. – *[HS 2917 39; CAS 89-32-7]*

Pyrometallurgie. Sammelbez. für metallurg. Verf. wie *Rösten, *Raffination, *Reduktion u. *Metallothermie, die sich an die Verf. der *Aufbereitung von Erzen anschließen u. bei Temp. oberhalb von ca. 200 °C ablaufen. Verfahrenstechn. Vorteile der P. sind hohe Reaktionsgeschw. u. große Durchsatzleistungen, nachteilig sind gelegentlich die sog. Trennschärfe (Reinheitsgrad), die eine hohe Anzahl von Reinigungsstufen erforderlich macht, sowie Reststoff-, Energie- u. Lärmprobleme. Bes. bei der Eisen- u. Stahl-Erzeugung werden Verf. der P. eingesetzt. Daneben sind Verf. der *Hydrometallurgie (Nichteisenmetalle) u. der *Elektrometallurgie (teilw. Überdeckung mit P. u. Hydrometallurgie) bekannt. – ***E*** pyrometallurgy – ***F*** pyrométallurgie – ***I*** pirometallurgia – ***S*** pirometalurgia

Lit.: Ullmann (5.) **A 16**, 379 ff. ▪ Winnacker-Küchler (4.) **4**, 18 ff.

Pyrometamorphose s. Kontaktmetamorphose.

Pyrometer s. Pyrometrie.

Pyrometrie [von *Pyr(o)...]. Ein Verf. der berührungslosen *Temperaturmessung, bei der die von einem Körper ausgesandte Strahlung als Maß für die Höhe der *Temperatur verwendet wird. Je nachdem, ob der Strahlungsempfänger eine *Photozelle bzw. ein *Bolometer od. ein *Thermoelement bzw. ein Widerstandsthermometer ist, unterscheidet man zwischen *opt.* (den im folgenden ausschließlich behandelten eigentlichen *Strahlungspyrometern*) u. *thermoelektr.* Pyrometern. Die P. dient in erster Linie zur Messung von hohen u. höchsten Temp., z. B. in der *Hochtemperaturchemie, wobei die Genauigkeit bei der opt. P. im Bereich zwischen 500 u. 3000 °C etwa ±10 °C, in Einzelfällen ±1 °C beträgt.

Opt. P.: Die Intensität u. Helligkeit des von einem erhitzten, festen Körper ausgestrahlten Lichts steigt mit dessen Temp. T ($I \sim T^4$, s. Stefan-Boltzmann Gesetz). So entspricht die schwache Rotglut ca. 500 °C, die Dunkelrotglut 525–700 °C, die Hellrotglut 850–950 °C, die Gelbglut 1100 °C, die Weißglut >1300 °C u. die volle Weißglut etwa 1500 °C. Das aus einem glühenden Ofen od. anderen Anlagen austretende Licht wird mit dem *Strahlungspyrometer* gemessen. Nach DIN 16160: 1990-11 werden folgende Meßmeth. bei der opt. P. unterschieden:

1. Die *Gesamtstrahlungs-* bzw. *Teilstrahlungs-P.* beruht auf der Bestimmung der vom Meßobjekt über einen größeren bzw. engeren Wellenlängenbereich emittierten Strahlungsintensität, da sich aus dieser mit Hilfe des Planckschen Strahlungsgesetzes die Temp. des strahlenden Körpers richtig berechnen läßt, sofern die Emissivität des Meßobjektes, d. h. die Abweichung vom Verhalten des sog. „idealen schwarzen Körpers", berücksichtigt wird.
2. Die *Leuchtdichte-P.* arbeitet mit einem Teilstrahlungspyrometer, bei dem die Temp. eines Körpers durch photometr. Vgl. seiner Leuchtdichte mit der eines Vgl.-Strahlers ermittelt wird; *Beisp.:* Glühfadenpyrometer.
3. Bei der *Farb-P.* bestimmt man die Temp. des Strahlers aus dem Verhältnis der Strahlungsintensitäten in zwei verschiedenen engen Spektralbereichen; dieser Quotient bestimmt auch den subjektiven Farbeindruck. Bzgl. Kalibrierung, techn. Realisierung u. Details der Meßverf. s. *Lit.*[1]. – ***E*** pyrometry – ***F*** pyrométrie – ***I*** pirometria – ***S*** pirometría

Lit.: [1] Kohlrausch, Praktische Physik 1, 315 ff., Stuttgart: Teubner 1996.
allg.: Brauer (3.) **1**, 39 f. ▪ Kirk-Othmer (4.) **20**, 680–697 ▪ Phys. Unserer Zeit **19**, 109 (1988); **21**, 210 (1990) ▪ Winnacker-Küchler (4.) **1**, 525 ▪ s. a. Temperatur, Hochtemperaturchemie.

Pyromorphit. $Pb_5[Cl/(PO_4)_3]$; meist grüne, seltener braune (*Grün-* bzw. *Braunbleierz*), gelbe od. farblose bis weiße, prismat., oft charakterist. bauchige od. tonnenförmige, auch stengelige bis nadelige hexagonale Krist., Krist.-Gruppen, kugelige, traubige, nierige Aggregate od. Anflüge, auch erdig. Kristallklasse 6/m-C_{6h}, Struktur[1] wie *Apatit. Bruch muschelig, uneben, spröde; H. 3,5–4, D. 6,7–7,1, fettiger Diamantglanz. Lösl. in Kalilauge u. Salpetersäure. Chem. Analysen ergeben u. a. (Gew.-%): 77,3–81,2% PbO u. 0–12,3% CaO; zur *Mischkristall-Bildung mit *Mimetesit s. *Lit.*[2].
Vork.: In *Oxidationszonen sulfid. Bleierz-Lagerstätten, z. B. Bad Ems/Rheinland-Pfalz, Hofsgrund/Baden, Freiung/Oberpfalz, Zschopau/Sachsen, Ussel/Frankreich, Zaire u. vielerorts in den USA. – ***E = F*** pyromorphite – ***I*** piromorfite – ***S*** piromorfita

Lit.: [1] Can. Mineral. **27**, 189–192 (1989). [2] Mineral. Mag. **53**, 363–372 (1989).
allg.: Lapis **18**, Nr. 12, 10–13 (1993) („Steckbrief") ▪ Nriagu u. Moore (Hrsg.), Phosphate Minerals, 95 f., 178, 185, 321 ff., 326 ff., Berlin: Springer 1984 ▪ Ramdohr-Strunz, S. 638. – *[HS 2607 00; CAS 12190-77-1]*

Pyromors®. Dämmschichtbildende Anstrichstoffe für Vollholz u. Holzwerkstoffe nach DIN 4102. Machen Hölzer schwer entflammbar (B 1). Mit Prüfbescheid des Inst. für Bautechnik, Berlin. ***B.:*** DESOWAG.

Pyrone (Pyranone).

α-P. (2-P.) γ-P. (4-P.)

Ketone, die sich von den *Pyranen ableiten, $C_5H_4O_2$, M_R 96,09. *2H-Pyran-2-on* (α-Pyron, Cumalin): nach Heu u. Waldmeister riechende Flüssigkeit, D. 1,2, Schmp. 5 °C, Sdp. 206 °C, mit Wasser beliebig mischbar. *4H-Pyran-4-on* (γ-Pyron): hygroskop. Krist., D. 1,190, Schmp. 32 °C, Sdp. 217 °C, 126 °C (14 hPa), in Wasser u. organ. Lsm. gut löslich. Substituierte P. wie *Maltol entstehen z. B. beim Erhitzen von Kohlenhydraten u. von Kaffee, Kakao, Kaffee-Ersatz; sie prägen u. a. den Geruch u. Geschmack von Brot- u. Backwaren u. wirken z. T. als *Geschmacksverstärker. Andere Derivate des 2- bzw. 4-P. wie *Kawain, Chelidon-, *Mekon- u. *Kojisäure etc. finden sich als Stoffwechselprodukte von Pflanzen u. Mikroorganismen, v. a. die kondensierten Ringsyst. der Chromone u. Cumarine sind in zahlreichen Naturstoffen vertreten; *Beisp.:* *Flavonoide, *Furocumarine, *Aflatoxine u. a. *Mykotoxine. – ***E = F*** pyrones – ***I*** pirone – ***S*** pironas

Lit.: Angew. Chem. **101**, 215 ff. (1989) ▪ Beilstein E V **17/9**, 288, 290 ▪ Chem. Pharm. Bull. **38**, 1182–1191 (1990) ▪ Karrer, Nr. 1316–1688, 7208–7298, 7340–7523 ▪ J. Org. Chem. **55**, 4975 f. (1990) ▪ Zechmeister **55**, 1–35. – *[HS 2932 99; CAS 504-31-4 (α-P.); 108-97-4 (γ-P.)]*

Pyronine. Sammelbez. für kation. *Xanthen-Farbstoffe, ringgeschlossene Diphenylmethan-Farbstoffe, die sich von 3,6-Bis(dialkylamino)-xanthenen ableiten u. heute keine techn. Bedeutung mehr haben. Lediglich *P. G* [3,6-Bis(dimethylamino)-xanthyliumchlorid, C. I. 45005], $C_{17}H_{19}ClN_2O$, M_R 302,80, glänzende, grüne Krist., mit roter Farbe in Wasser lösl., findet Verw. als Farbstoff in der Mikroskopie, zusammen mit Methylgrün bei der (Unna-) *Pappenheim-Färbung. P. B ist das entsprechende Tetraethyl-Analogon. Beide werden als Laser-Farbstoffe verwendet.

P. G

Herst.: Durch Umsetzung von Formaldehyd mit 3-(Alkylamino)phenolen wird zunächst die Leukoverb. 2,2′-Methylenbis[5-(alkylamino)phenol] erhalten, die durch Abspaltung von Wasser u. Oxid. mit Salpetriger Säure zum Xanthen-Farbstoff weiterreagiert. – ***E = F*** pyronines – ***I*** pironine – ***S*** pironinas

Lit.: Gurr, in Venkataraman (Hrsg.), The Chemistry of Synthetic Dyes, Bd. 7, S. 339, New York: Academic Press 1974 ▪ Ullmann (5.) **A27**, 209. – *[CAS 92-32-0 (P. G); 2150-48-3 (P. B)]*

Pyrop (Magnesiumtongranat). $Mg_3Al_2[Si_3O_{12}]$; durch Eisen- u. Chrom-Gehalte blutroter bis schwarzroter, durchsichtiger bis undurchsichtiger, überwiegend als eingewachsene od. lose abgerollte Körner vorkommender *Granat; in der Natur stets mit Gehalten an Almandin-Komponente (s. Granate). Die Farbe wird durch Eisen- u. Chrom-Gehalte bedingt; Varietäten sind der weinrote bis purpurfarbene od. grünlich-violette *Chrom-P.* (bis 18,9 Gew.-% Cr_2O_3), der kräftig rosenrote *Rhodolith* (P.-Almandin-Mischkrist.) u. die rötlich-orangefarbigen „*Malaya-Granate*" (aus Kenia). D. 3,7–3,9 (3,582 bei reinem P.). Zur Struktur s. *Lit.*[1,2], Untersuchung von P.-Almandin-Granaten mit *IR-Spektroskopie s. *Lit.*[3]; zu OH-Gehalten in P. (bis >100 ppm H_2O) s. *Lit.*[4].
Vork.: Z.T. Chrom-reiche P. im oberen Erdmantel (*Erde), in *Kimberliten u. als Einschlüsse in *Diamanten. Als ein Hauptbestandteil der Granate in *Eklogiten. In Granat-*Peridotiten u. -Pyroxeniten (z.B. Alpe Arami/Schweiz, Norwegen) u. daraus hervorgegangenen *Serpentin-Gesteinen (z.B. bei Trebenice/Böhmen). Als abgerollte Körner u. Bruchstücke in *Seifen u. Schottern (z.B. Podsedice/Böhmen). In Gesteinen der Hochdruckmetamorphose, z.B. im Dora Maira-Massiv/Italien[5].
Verw.: Zu Schmuckzwecken. Die sog. *Böhm. Granate* (Karfunkelsteine) sind P.; sie machten bes. im 19. Jh. den Großteil der zu Schmuck verarbeiteten Granate aus. P. von fast rubinroter Farbe (sog. *Kaprubine*) werden in Südafrika gewonnen. – ***E*** = ***F*** pyrope – ***I*** = ***S*** piropo

Lit.: [1]Am. Mineral. **77**, 512–521, 704–717 (1992); **80**, 457–464 (1995). [2]Z. Kristallogr. **203**, 41–48 (1993). [3]Am. Mineral. **81**, 418–428 (1996). [4]Am. Mineral. **81**, 706–718 (1996). [5]Contrib. Mineral. Petrol. **86**, 107–118 (1984).
allg.: Deer, Howie u. Zussman, Rock-Forming Minerals (2.), Vol. 1 A, Orthosilicates, S. 498–535, London: Longman 1982 ▪ Eppler, Praktische Gemmologie (5.), S. 209–213, Stuttgart: Rühle-Diebener 1994 ▪ Weise (Hrsg.), Granat (extraLapis Nr. 9), S. 12, 36–39, 76–83, München: C. Weise 1995 ▪ s.a. Granate. – *[HS 2513 20, 7103 10; CAS 1302-68-7]*

Pyrophanit. $MnTiO_3$; tafelige bis plattige, metallglänzende, blutrote bis grünlichgelbe, trigonale Krist. u. Körner, Kristallklasse $\bar{3}$-C_{3i}, isotyp mit *Ilmenit; Struktur s. *Lit.*[1]. H. 5, D. 4,5, Strich ockergelb.
Vork.: Im Oslo-Gebiet/Norwegen; in Manganerzen in Pajsberg/Schweden u. mehrorts in Japan. – ***E*** = ***F*** pyrophanite – ***I*** pirofanite – ***S*** pirofanita

Lit.: [1]Acta Crystallogr. Sect. B **40**, 329–332 (1984).
allg.: Ramdohr-Strunz, S. 517 ▪ Roberts, Campbell u. Rapp, Encyclopedia of Minerals (2.), S. 705f., New York: Van Nostrand Reinhold 1990. – *[HS 2614 00; CAS 1313-16-2]*

Pyrophore [von *Pyr(o)... u. *...phor]. Bez. für Substanzen, die sich bei gewöhnlicher Temp. an der Luft von selbst entzünden. Zu den bekanntesten Beisp. gehören Phosphor u. einige Flüssigkeiten u. Gase, z.B. viele Metall-organ. Verb. wie Triethyl- u. Trimethylaluminium, Triethylbor, Diethyl- u. Dimethylzink u.a. Metallalkyle, Diboran, Phosphane, Silan u. Metallhydride, die in Ggw. von O_2 zur *Selbstentzündung neigen. Von bes. Bedeutung sind die sog. *pyrophoren Metalle*, die sich bei Berührung mit Luftsauerstoff durch die bei der Oxid. freiwerdende Wärme unter Aufglühen entzünden. Z.B. verglimmt Eisen-Pulver, das durch Red. von Eisen(III)-hydroxid mit Wasserstoff bei möglichst tiefer Temp. hergestellt wurde, sobald es der Luft ausgesetzt wird. P. sind auch, sofern sie in *hinreichend feiner Zerteilung* vorliegen, Nickel, Cobalt, Blei, Aluminium, Hafnium, Seltenerdmetalle, Cer-Mischmetall, Actinoide wie z.B. Th u. U (s. *Lit.*[1]), die *Raney-Katalysatoren u. die bei niederen Temp. (ca. 450 °C) reduzierend wirkenden Hydrierungs- u. Synth.-Kontakte auf Co-, Ni- u. Fe-Basis.
Beim Umgang mit pyrophoren Metall-Pulvern müssen bes. Vorsichtsmaßnahmen getroffen werden, z.B. in der *Pulvermetallurgie. Ursache des pyrophoren Verhaltens sind neben der feinen Zerteilung u. der damit verbundenen großen Oberfläche (pyrophor sind z.B. alle Eisen-Sorten mit einer spezif. Oberfläche über ca. 3 m^2/g) insbes. *Gitterstörungen* (*Kristallbaufehler, Atome auf Zwischengitterplätzen).
P. der erwähnten Art finden Verw. in der Katalyse, in *Zündsteinen u. -hölzern, zur Zündung von Seenotmarkierungsfeuern u. *Raketentreibstoffen od. *Brandwaffen.
Im erweiterten Sinne zählt man zu den P. auch Stoffgemenge, die bei geringster (mechan.) Energiezufuhr entflammen od. explodieren, z.B. Gemische aus Bleichromat u. Schwefel, Aluminium u. Zucker u. die in der *Pyrotechnik verwendeten Mischungen. Pyrophor könnte man auch Stoffgemenge nennen, die sich in Ggw. von Wasser od. Alkohol od. aufgrund chem. Reaktionen entzünden; *Beisp.:* *Hypergole, s.a. *Lit.*[2].
– ***E*** pyrophoric substances – ***F*** pyrophores – ***I*** pirofori – ***S*** piróforos

Lit.: [1]Herrmann-Brauer **6**, 145, 152. [2]Kirk-Othmer (4.) **20**, 696.
allg.: s. Pyrotechnik u.a. Textstichwörter. – *[G 4.2]*

Pyrophosphatasen s. Phosphatasen.

Pyrophosphate s. Diphosphate(V).

Pyrophosphorsäure s. Diphosphorsäure(V).

Pyrophyllit. $Al_2[(OH)_2/Si_4O_{10}]$ bzw. $Al_2O_3 \cdot 4SiO_2 \cdot H_2O$; *Talk-ähnliches, zu den Dreischicht-Phyllo-*Silicaten (s. die dortige Abb.) gehörendes Mineral; triklin (*P.-1Tc*, Struktur s. *Lit.*[1]) u. monoklin (*P.-2M*). Perlmutterglänzende od. matte tafelige Krist. od. strahlige, fächerförmige Aggregate mit vollkommener Spaltbarkeit; weiß, grau, grünlich od. gelblich durchscheinend od. undurchsichtig; H. 1–1,5, D. 2,8; P. fühlt sich fettig an. Chem. Analysen s. *Lit.*[2]; zur thermodynam. Stabilität von P. s. Bailey (*Lit.*).
Vork.: In niedriggradig *metamorphen Gesteinen, z.B. in *Phylliten (u.a. Zermatt/Schweiz). Bauwürdige P.-Lagerstätten sind überwiegend durch hydrothermale Umwandlung saurer *magmatischer Gesteine, bes. *Rhyolithe u. deren *Tuffe, entstanden. Hauptförderländer sind Japan, Südkorea u. die USA (v.a. North Carolina); weitere Vork. stehen in der VR China, Brasilien, Australien, Indien u. der Republik Südafrika (hier als *wonderstone* bezeichnetes Erz mit über 90% P.) im Abbau. Als „*Roseki*" (Wachs-Stein) werden in Japan hydrothermal entstandene, wachsartig aussehende tonige Gesteine bezeichnet, die überwiegend aus P. od. Sericit (*Muscovit) od. *Kaolinit bestehen. Eine dichte kryptokrist. Abart von P. ist *Agalmatolith*, ein gut schnitzbares Bildhauer-Material (z.B. in China).

Verw. (vgl. *Lit.*[2,3]): Vielfach wie *Talk, v.a. als *Feuerfestmaterial, gewöhnlich in Kombination mit *Zirkon, z.B. für Feuerfest-Keramiken u. P.-Zirkon-Pfannensteine für die Stahl-Industrie. Ferner für Isolations-Keramiken, Wandfliesen, als Füllstoff für Papier, Kunststoffe, Kautschuk u. Seifen, Füllstoff für Puder in der kosmet. u. pharmazeut. Ind. u. als Trägerstoff für Insektizide. – *E=F* pyrophyllite – *I* pirofillite – *S* pirofilita

Lit.: [1] Am. Mineral. **66**, 350–357 (1981). [2] Bundesanstalt für Geowissenschaften u. Rohstoffe Hannover et al. (Hrsg.), Industrieminerale (Untersuchungen über Angebot u. Nachfrage mineralischer Rohstoffe XIX), S. 571–640, Stuttgart: Schweizerbart 1986 (mit Talk). [3] Z. Angew. Geol. **34**, 76–81 (1988). *allg.:* Bailey (Hrsg.), Hydrous Phyllosilicates (Reviews in Mineralogy, Vol. 19), S. 225–294, Washington (D. C.): Mineral. Soc. Am. 1988 (mit Talk) ▪ Deer et al. (2.), S. 324ff. ▪ Schröcke-Weiner, S. 805ff. – *[HS 2530 90; CAS 12269-78-2]*

Pyrophyten (von griech.: pyr = Feuer u. phyton = Pflanze). Pflanzen, die eine (kurzfristige) Feuereinwirkung tolerieren od. durch diese gefördert werden (z.B. Auslösung von Keimung od. Samenfreisetzung, Wachstumsschub). Beisp. hierfür sind in Mitteleuropa die Waldkiefer (*Pinus sylvestris*) u. das Heidekraut (*Calluna vulgaris*), im Mittelmeerraum die europ. Zwergpalme (*Chamaerops humilis*), in Nordamerika Mammutbäume (*Sequoiadendron giganteum*), in Australien Grasbäume (*Xanthorrhoea*), Eukalypten (*Eucalyptus*) u. – wie auch in Südafrika – viele Proteaceen. – *E=F* pyrophytes – *I* pirofiti – *S* pirofitas

Lit.: Bond u. van Wiglen, Fire and Plants, London: Chapman and Hall 1996 ▪ Crutzen u. Goldammer, Fire in the Environment, Chichester: Wiley 1993 ▪ Goldammer, Feuer in Waldökosystemen der Tropen u. Subtropen, Basel: Birkhäuser 1993.

Pyropissit. Amorphe, derbe, leicht zerreibliche, hellgelbe, braune bis graue Abart der *Braunkohle, die 40–70% Bitumen enthält u. zu den *Liptobiolithen (Wachskohlen) gehört; D. 0,5–1,13. P. gibt beim Verbrennen weiße, schwere Dämpfe ab; bei trockener Dest. entsteht Paraffin. P. kommt in Helbra bei Eisleben u. Gerstewitz bei Weißenfels vor. – *E=F* pyropissite – *I* piropissite – *S* piropisita

Pyroquilon.

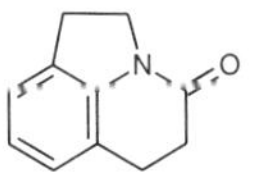

N O

Common name für 1,2,5,6-Tetrahydro-4*H*-pyrrolo[3,2,1-*ij*]chinolin-4-on, $C_{11}H_{11}NO$, M_R 173,21, Schmp. 112 °C, LD_{50} (Ratte oral) 320 mg/kg (WHO), von Pfizer Ltd. entdecktes, von Ciba-Geigy (jetzt Novartis) eingeführtes system. *Fungizid gegen *Pyricularia oryzae* im Reisanbau. – *E=F* pyroquilone – *I* piroquilone – *S* piroquilona

Lit.: Farm ▪ Perkow ▪ Pesticide Manual. – *[CAS 57369-32-1]*

Pyroschwefelsäure s. Dischwefelsäure.

PYROSET®. *Phosphonium-Salze u. deren Harnstoff-Vorkondensate zur permanenten flammhemmenden Ausrüstung von Cellulose u. Cellulose-Mischgeweben. *B.:* Cytec Industries Inc.

Pyrosole. Bez. für kolloide Syst., bei denen Schmelzen als Dispersionsmittel fungieren; z.B. Gold in Glasschmelze bei der Herst. von *Rubinglas*. – *E=F* pyrosols – *I* pirosol – *S* pirosoles

Pyrosol-Verfahren. Bez. für ein Verf. zur *Kohleverflüssigung.

Lit.: Nachr. Chem. Tech. Lab. **33**, 220 (1985).

Pyrostibit s. Kermesit.

Pyrosulfate s. Disulfate.

Pyrosulfite s. Disulfite.

Pyrotechnik. Von *Pyr(o)... abgeleitete Bez. für die Herst. u. Anw. von Produkten der pyrotechn. Industrie. Da es sich hierbei überwiegend um den Umgang mit *Explosivstoffen handelt, gelten das Sprengstoffgesetz (SprenG) in der Neufassung vom 17. April 1986, BGBl. I, S. 578, die entsprechenden VO über Transport u. Lagerung explosionsgefährlicher Güter sowie die einschlägigen Unfallverhütungsvorschriften.

Das SprenG definiert *pyrotechnische Erzeugnisse als „Gegenstände, die Vergnügungs- od. techn. Zwecken dienen u. in denen explosionsgefährliche Stoffe od. Stoffgemische (pyrotechn. Sätze) enthalten sind, die dazu bestimmt sind, unter Ausnutzung der in ihnen enthaltenen Energie Licht-, Schall-, Rauch-, Nebel-, Heiz-, Druck- od. Bewegungswirkungen zu erzeugen". Hauptbestandteile sind Oxidationsmittel bzw. Sauerstoff abgebende Stoffe (z.B. Nitrate, Chlorate, Perchlorate, Oxide, Peroxide), Brennstoffe (wie Holzkohle, Schwefel, Aluminium, Magnesium, Phosphor u. viele weitere anorgan. u. organ. Stoffe) sowie vielerlei Hilfsstoffe z.B. zur Flammenfärbung, Abbrandregelung, als Bindemittel sowie zur funktionsgerechten Umhüllung. Als *Zündmittel dienen überwiegend *Zündschnüre* bzw. *Stoppine*.

Überwiegend militär. genutzte Produkte der P. sind bei *Brandwaffen, *Nebelwaffen, *Rauchwaffen u. *Leuchtsätze näher beschrieben, wobei letztere als *Signalmittel* auch zu zivilen Zwecken verwendet werden. Weitere Produkte der P. sind bei *pyrotechnische Erzeugnisse näher beschrieben.

Geschichte: Die Verw. von „Pech u. Schwefel" ist bereits aus dem 5. Jh. v.Chr. überliefert. Das *griechische Feuer als Brandsatz wurde im 7. Jh. n.Chr. als wirksame Waffe eingesetzt. Das *Weißfeuer war den Arabern bereits im Mittelalter bekannt. Das seit ca. 1200 aus China u. seit Mitte des 14. Jh. in Europa bekannte *Schwarzpulver wird noch heute in der P. vielfach verwendet. P. zu zivilen Zwecken, in erster Linie als *Feuerwerk*, ist aus Europa seit etwa Ende des 15. Jh. überliefert. Schriftliche Zeugnisse über die Feuerwerkskunst sind aus dem 17. u. 18. Jh. bekannt. Mit Beginn des 19. Jh. entwickelte sich die P. als industrielle Fertigung in Deutschland zunächst in kleinen Familienbetrieben, erhielt durch die rasch wachsende chem. Ind. neue Impulse u. wurde neben der Sprengstoff-Ind. zu einem eigenen Wirtschaftszweig. – *E* pyrotechnics – *F* pyrotechnique – *I* pirotecnica – *S* pirotécnica

Lit.: Kirk-Othmer (4.) **20**, 680–697 ▪ Ullmann (4.) **19**, 623–638; (5.) **A 22**, 437–452.

Pyrotechnische Erzeugnisse. Den größten Anteil hieran haben die *Feuerwerks*-Artikel. Das Sprengstoffgesetz (s. Pyrotechnik) unterscheidet Mittel- u. Großfeuerwerk vom Kleinfeuerwerk (mit Zimmerfeuerwerk, Feuerwerks-Spielwaren u. pyrotechn. Scherz-

artikeln). Während für die erste Gruppe amtliche Zulassungen erforderlich sind, können die Artikel der zweiten Gruppe von jedermann erworben u. verwendet werden (z. T. mit Altersbegrenzungen sowie saisonalen Einschränkungen).
Feuerwerkskörper werden in zahlreichen Ausführungen hergestellt u. (z. T. mit Phantasie-Namen) angeboten. Einige hiervon sollen nachfolgend beschrieben werden:
Raketen enthalten *Treibsätze (fast ausschließlich aus *Schwarzpulver) sowie sog. „Effektfüllungen", die überwiegend aus *Leuchtsätzen, z. T. auch aus *Knall-* u./od. *Pfeifsätzen* bestehen. Die Steighöhe ist bei Kleinfeuerwerks-Raketen auf 100 m begrenzt, Großfeuerwerks-Raketen erreichen Höhen bis 200 m. Werden dem *Treibladungspulver* funkengebende Stoffe, wie z. B. gekörnte Holzkohle od. Metallspäne, zugemischt, steigen die Raketen mit einem feuersprühenden Schweif auf. Die Effektfüllungen werden kurz nach dem Kulminationspunkt mittels „Ausstoßladung" gezündet; bes. wirkungsvoll sind Mehrstufeneffekte, die mittels „Verzögerungssätzen" erzielt werden.
Knallsätze enthalten z. B. Kaliumperchlorat mit Aluminium-Pulver od. Bariumnitrat mit Aluminium-Schliff, in Kleinfeuerwerkskörpern meist Schwarzpulver, unverdichtet u. in fester Umhüllung eingedämmt. Außer in Raketen befinden sich Knallsätze mit unterschiedlich starker Ladung in Feuerwerkskörpern wie „Chinakrachern", „Knallfröschen", „Kanonenschlägen" usw. Sog. *Schwärmer* bestehen aus einer (ggf. pfeifenden) Treibladung mit abschließendem relativ schwachem Knallsatz.
Pfeifsätze enthalten meist Chlorate od. Perchlorate als Oxidationsmittel sowie Salze organ. Säuren, z. B. Kaliumperchlorat mit Natriumbenzoat od. -salicylat. Die Geräuschentwicklung entsteht durch oszillierend pulsierenden Abbrand in einseitig offener Papphülse. Außer in Raketen finden Pfeifsätze Verw. z. B. in sog. „Luftheulern".
*Bengalische Feuer, *Wunderkerzen, *Pharaoschlangen u. *Zündblättchen (Amorces) als Kleinfeuerwerks- bzw. pyrotechn. Scherzartikel od. Kinderspielzeug sind in gesonderten Stichwörtern beschrieben. *Knallerbsen* u. *Knallbonbons* enthalten geringe Mengen an Silberfulminat mit etwas Friktionsmittel.
Als p. E. für techn. Zwecke seien erwähnt: *Gassätze* zum Auslösen sicherheitstechn. Vorgänge, wie z. B. Luftsack (Airbag)-Füllung sowie Gurtstraffung (bei Autounfall) od. Austreiben von Löschpulver (im Brandfall); *Heizsätze* zum Verschweißen von Kunststoffen od. Schmelzen von Metallen (*Aluminothermie); *Rauch-* bzw. *Schwelsätze* entsprechender Zusammensetzung können zur Schädlingsbekämpfung eingesetzt werden; in der Frühzeit der Photographie wurde bis vor etwa 60 Jahren *Blitzlicht pyrotechn. erzeugt.
Wirtschaft: Das Produktionsvol. an p. E. für zivile Zwecke betrug 1996 in der BRD ca. 49500 t im Wert von ca. 199 Mio. DM (laut Statist. Bundesamt). Der überwiegende Anteil wird traditionell zu Sylvester verbraucht. – ***E*** pyrotechnic products – ***F*** produits pyrotechniques – ***I*** prodotti pirotecnici – ***S*** productos pirotécnicos

Lit.: s. Pyrotechnik. – *Organisationen*: Verband der Pyrotechnischen Industrie (VPI), An der Pönt 48, 40885 Ratingen. – *[HS 3604 10, 3604 90; G 1c]*

Pyrotect®. Dämmschichtbildende *Brandschutz-Beschichtungssyst. für innen bzw. außen, nach DIN 4102 (F30). Zugelassen vom Inst. für Bautechnik, Berlin. ***B.:*** DESOWAG.

Pyroxene. Zu den Ino-(Ketten-)*Silicaten gehörende wichtige, in vielen *magmatischen (z. B. *Peridotite, *Gabbros, *Basalte) u. *metamorphen Gesteinen (z. B. *Kalksilicatgesteine, *Eklogite, *Granulite) verbreitete monokline (*Klino-P.*; Kristallklasse 2/m-C_{2h}) od. orthorhomb. (*Ortho-P.*; Kristallklasse mmm-D_{2h}) gesteinsbildende Minerale. In der allg. Formel $\{M2\}\{M1\}[T_2O_6]$ bzw. $\{M1\}\{M2\}[(Si,Al)_2O_6]$ kann die *M2*-Position in 5er- bis 8er-Koordination u. a. von Na, Ca, Mg u. Fe^{2+}, die *M1*-Position in 6er-Koordination (oktaedr.) u. a. von Mg, Fe^{2+}, Fe^{3+}, Al, Ti u. die *T*-Position neben Si in geringem Umfang auch von Al, Fe^{3+} u. Ti besetzt werden. H. 5–6, Spaltbarkeit vollkommen nach den Prismenflächen {110} bei Klino-P., Spaltwinkel 87°; Glasglanz, auf Spaltflächen z. T. perlmuttartig. Zur Kristallchemie u. Struktur der P. s. *Lit.*[1], der Ortho-P. *Lit.*[2]; zu OH-Gehalten in P. s. *Lit.*[3].

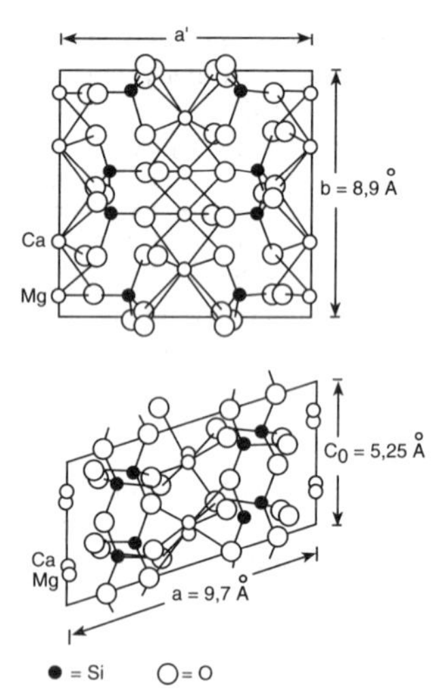

Abb.: Struktur der Klinopyroxene am Beisp. von Diopsid; nach Ramdohr-Strunz, *Lit.*, S. 717.

Die *P.-Struktur* (s. die Abb.) enthält parallel zur kristallograph. c-Achse (*Kristallgeometrie) angeordnete $[Si_2O_6]^{4-}$-Einfachketten aus über gemeinsame Ecken verknüpften $[SiO_4]$-Tetraedern; diese sind mit parallel dazu angeordneten Ketten aus über gemeinsame Kanten verknüpften M1-Oktaedern u. M2-Polyedern verbunden.
Nomenklatur: Die P. werden nach *Lit.*[4] u. Deer et al. (*Lit.*) eingeteilt in: Magnesium-Eisen-P., Calcium-P., Calcium-Natrium-P., Natrium-P., Lithium-P. (*Spodumen) u. Mangan-Magnesium-P. (selten). Zu den *Mg-Fe-P.* gehören die rhomb. *Orthopyroxene* $(Mg,Fe)_2[Si_2O_6]$ mit den Endgliedern *Enstatit* $Mg_2[Si_2O_6]$ (grau, grün, braun; säulige Krist., körnig, derb, spätig; u. a. in *Meteoriten) u. Orthoferrosilit $Fe_2[Si_2O_6]$, die entsprechende monokline Reihe *Clinoenstatit*–Clino-

ferrosilit (v. a. in Meteoriten) u. *Pigeonit. Zu den *Ca-P.* (alle monoklin) gehören die P. der *Mischkristall-Reihe *Diopsid* $CaMg[Si_2O_6]$ (glasglänzende prismat. od. tafelige, manchmal durchsichtige Krist.; Körner, stengelige Aggregate, derbe Massen; farblos, weiß, grün; als *Chrom-Diopsid*, z. B. in Peridotiten, smaragdgrün) -*Hedenbergit* $CaFe[Si_2O_6]$ (quadrat. Krist., stengelige bis strahlige Aggregate, spätige Massen; grünblau, dunkel- bis schwarzgrün; z. B. in *Skarnen u. *Kalksilicatgesteinen), ferner *Johannsenit u. die *Augite* $(Ca,Mg,Fe^{2+},Al)_2[(Si,Al)_2O_6]$ (meist kurzsäulige Krist. mit achtseitigem Querschnitt; körnig, spätig, massiv); bei letzteren weden in der dtsch. Lit. *gemeiner A.* (grün- bis bräunlichschwarz, D. 3,3–3,5; z. B. in Gabbros u. Gabbro-*Pegmatiten) u. *basalt. Augit* (schwarz, Ti-haltig; in *Basalten, z. T. mit 3–5% TiO_2 als *Titanaugit*) unterschieden. Zu den *Na-P.* gehören *Jadeit, *Kosmochlor u. *Ägirin* (Akmit, Acmit) $NaFe^{3+}[Si_2O_6]$ (stengelige bis nadelige Krist., oft büschelige Aggregate; grün od. rötlichbraun bis schwarz; in alkalibetonten magmat. Gesteinen).

Die *Ca-Na-P.* (monoklin) sind Mischkrist. zwischen Ägirin u. Augit (*Ägirinaugit*) u. zwischen Jadeit u. Augit bzw. Diopsid (Omphacit). *Omphacit* $(Ca,Na)(Mg,Fe^{2+},Fe^{3+},Al)[Si_2O_6]$ ist hell- bis dunkelgrün körnig; zur Struktur s. *Lit.*[5] (Umgebung von Na) u. *Lit.*[6] (Umgebung von Ca); Vork. v. a. in *Eklogiten. Im Nomenklatur-Vorschlag in *Lit.*[4] sind einige bisher gebräuchliche Namen nicht mehr enthalten, z. B. *Bronzit* $(Mg,Fe)_2[Si_2O_6]$ (10–30 Mol.-% $FeSiO_3$, braun bis grün, bronzenartig-metall. Glanz; u. a. in Meteoriten), *Hypersthen* $(Mg,Fe)_2[Si_2O_6]$ (30–50% Mol.-% $FeSiO_3$; schwarz, schwarzbraun, schwarzgrün; häufig metall., z. T. kupferroter Schiller; z. B. in Gabbros, *Andesiten, Granuliten u. Meteoriten), *Diallag* (ein Augit mit bes. Teilbarkeit; v. a. in Gabbros; grünlichgrau bis bräunlichschwarz) u. *Fassait* (hell- bis dunkelgrüne Al-reiche, Na-arme Klinopyroxene v. a. in durch *Metamorphose veränderten *Kalken u. *Dolomiten).

Bedeutung: Wegen der Bedeutung der P. für die Mineralogie u. Petrologie (*Petrographie) der unteren Erdkruste u. des oberen Mantels (*Erde) in jüngster Zeit zahlreiche Untersuchungen zum Verhalten der P.-Strukturen bei hohen Drücken, z. B. *Lit.*[7,8] (Klino-P.), *Lit.*[9] (Diopsid) u. *Lit.*[10] (Diopsid-Hedenbergit-Reihe), sowie zu Phasenumwandlungen bes. bei den Mg-Fe-P., z. B. Orthoferrosilit-Clinoferrosilit[11], Orthoenstatit-Clinoenstatit[12] u. Tief- zu Hoch-Clinoenstatit[13]; ebenso wegen der Bedeutung der P. für die *Thermobarometrie zahlreiche Untersuchungen zur – geordneten od. ungeordneten – Verteilung der Kationen auf die M1- u. M2-Positionen, v. a. bei Orthopyroxenen, z. B. *Lit.*[14–16]. Zu den magnet. Eigenschaften von Ägirin u. Hedenbergit s. *Lit.*[17]. Zur Darst. der Mg-Fe-P. u. der Ca-P. im sog. *P.-Viereck* (P.-Trapez) mit den Eckpunkten Diopsid, Hedenbergit, Enstatit, Ferrosilit u. der darin befindlichen Mischungslücke zwischen den Mg-Fe-P. u. den Ca-P. s. die allg. Literatur. – ***E*** pyroxens – ***F*** pyroxènes – ***I*** pirosseni – ***S*** piroxenos

Lit.: [1] Am. Mineral. **66**, 1–50 (1981). [2] Eur. J. Mineral. **4**, 709–719 (1993). [3] Am. Mineral. **80**, 465–474 (1995). [4] Fortschr. Mineral. **66**, 465–474 (1988). [5] Phys. Chem. Miner. **24**, 500–509 (1997). [6] Eur. J. Mineral. **7**, 1065–1070 (1995). [7] Eur. J. Mineral. **7**, 141–149 (1995). [8] Am. Mineral. **82**, 245–258 (1997). [9] Contrib. Mineral. Petrol. **124**, 139–153 (1996). [10] Am. Mineral. **77**, 462–473 (1992). [11] Eur. J. Mineral. **8**, 1337–1345 (1996). [12] J. Geophys. Res. **B95**, 15853–15858 (1990). [13] Nature (London) **358** (6384), 322f. (1992). [14] Am. Mineral. **79**, 633–643 (1994). [15] Phys. Chem. Miner. **23**, 503–519 (1996). [16] Eur. J. Mineral. **9**, 705–733 (1997). [17] Phys. Chem. Miner. **24**, 294–300 (1997).

allg.: Deer et al. (2.), S. 143–202 ▪ Deer, Howie u. Zussman, Rock-Forming Minerals (2.), Vol. 2A, Single-Chain Silicates, S. 3–544, London: Longman 1978 ▪ Matthes, Mineralogie (5.), S. 129–136, Berlin: Springer 1996 ▪ Prewitt (Hrsg.), Pyroxenes (Reviews in Mineralogy, Vol 7), Washington (D. C.): Mineralogical Society of America 1980 ▪ Ramdohr-Strunz, S. 714–724.

Pyroxenite s. Peridotite.

Pyroxenoide. Zu den Ino-(Ketten-)*Silicaten gehörende Mineralgruppe, die sich von den im Hinblick auf ihre Kristallstrukturen ähnlichen *Pyroxenen durch die Anzahl der $[SiO_4]$-Tetraeder in der Identitätsperiode der Einfachketten (das ist der Bereich, aus dem sich die einzelne Tetraederkette durch fortgesetzte Translation aufbauen läßt) u. die entsprechende Anordnung der oktaedr. koordinierten Kationen unterscheidet.

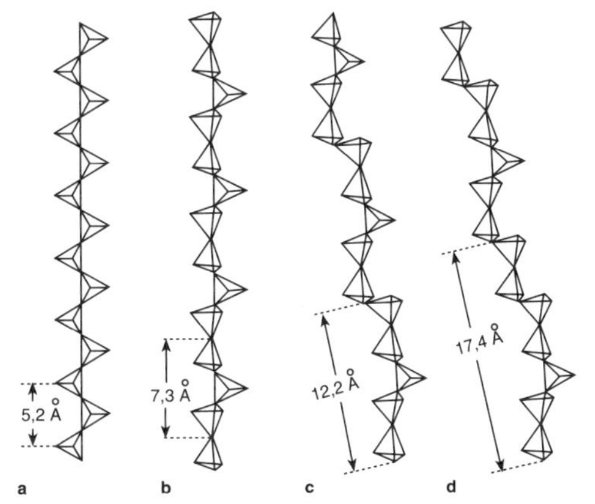

Abb.: Schemat. Darst. der Typen von $[SiO_4]$-Tetraeder-Ketten in Pyroxenen (a) u. Pyroxenoiden: (b) Dreier-Kette, (c) Fünfer-Kette, (d) Siebener-Kette; nach Liebau, *Lit.*[1], S. 180.

Die allg. chem. Formel der P. lautet $M[SiO_3]$, mit M überwiegend = Ca, Mg, Fe u. Mn. Die *Periodizitäten* der Ketten betragen: 3 Tetraeder (*Dreier-Ketten*, Abb. Teil b) bei *Wollastonit, Bustamit $(Mn,Ca,Fe)[SiO_3]$ u. *Pektolith; 5 Tetraeder (*Fünfer-Ketten*, Abb. Teil c) bei *Rhodonit u. Babingtonit $Ca_4Fe_2^{2+}Fe_2^{3+}[Si_{10}O_{28}](OH)_2$; 7 Tetraeder (*Siebener-Ketten*, Abb. Teil d) bei Pyroxmangit (*Rhodonit) u. dem in *Mondgesteinen gefundenen Pyroxferroit $(Ca,Fe)_7[Si_7O_{21}]$ bzw. $(Ca,Fe)[SiO_3]$. – ***E*** pyroxenoids – ***F*** pyroxénoïdes – ***I*** pirossenoidi – ***S*** piroxenoides

Lit.: [1] Acta Crystallogr. **12**, 180 (1959).

allg.: Deer et al. (2.), S. 203–215 ▪ Deer, Howie u. Zussman, Rock-Forming Minerals (2.), Vol 2 A, Single-Chain Silicates, S. 545–613, London: Longman 1978 ▪ Naturwissenschaften **49**, 482f. (1962).

Pyroxferroit s. Pyroxenoide.

Pyroxmangit s. Rhodonit.

Pyroxylin s. Collodium(wolle).

Pyrrhotin (Magnetkies, Magnetopyrit). Ein *Eisensulfid-Mineral mit geringem Eisen-Unterschuß, für das Formeln zwischen FeS (*Troilit) u. $Fe_{11}S_{12}$ od. allg. $Fe_{1-x}S$, ~x = 0,0–0,15, angegeben werden. Oberhalb 300 °C krist. P. dihexagonal-dipyramidal (Kristallklasse 6/mmm-D_{6h}) im Rotnickelkies-Gitter (NiAs-Typ, s. Kristallstrukturen, Abb. 4c, S. 2283). Ordnungsvorgänge bei den *Eisen-Leerstellen* in der Struktur geben unterhalb von 300 °C Anlaß zur Bildung zahlreicher *Überstrukturen, deren Elementarzellen-Dimensionen (s. Kristallstrukturen) jeweils Vielfache der Dimensionen einer „Unterzelle“ sind, s. *Lit.*[1,2]; Beisp. sind hexagonaler *3C-P.* (Fe_7S_8; auch Fe_7Se_8; s. dazu *Lit.*[3]), monokliner *4C-P.* (ebenfalls Fe_7S_8), hexagonaler *5C-P.* (Fe_9S_{10}, s. *Lit.*[4]) u. monoklin-pseudorhomb. *6C-P.* ($Fe_{11}S_{12}$; s. *Lit.*[5]); 6C bedeutet das 6-fache der c-Dimension der „Unterzelle“. Zu den komplizierten Verhältnissen im Syst. Eisen-Schwefel s. *Lit.*[6,7]; zu den thermodynam. Eigenschaften von P. s. *Lit.*[8,9].

Eigenschaften: P. ist hell tombakbraun (bronzefarben mit bräunlichem Stich), oft jedoch matt braun angelaufen (Bildung von *Brauneisenerz), hat H. 4, D. 4,6, ist spröde u. wird vom Magneten angezogen. Meist derbe Massen u. eingesprengte Körner, seltener auch hexagonale tafelige bis prismat. Krist. (z.B. Dalnegorsk/Sibirien, Santa Eulalia/Mexiko). P. enthält oft Einschlüsse von *Pentlandit, auch von *Zinkblende u. *Kupferkies.

Vork., Verw.: In *Gabbros, z.B. bei Bad Harzburg. In intramagmat. (innerhalb von *magmatischen Gesteinen gebildeten) Lagerstätten; hier oft mit Pentlandit verwachsen u. dann als Nickelerz abgebaut; *Beisp.:* Sudbury/Kanada, Bushveld/Südafrika (hier v.a. Gewinnung von Platin-Metallen), Norilsk – Talnakh/Sibirien. In massiven, durch *Metamorphose überprägten Sulfiderz-*Lagerstätten (sog. Kieslager), z.B. Falun u. Boliden/Schweden, Outokumpu/Finnland; Ducktown/Tennessee; aus dem P. vom Silberberg bei Bodenmais/Bayer. Wald wurde durch künstliche Verwitterung *Hämatit hergestellt, der früher als *Polierrot in der Glas-Ind. verwendet wurde. – ***E*** = ***F*** pyrrhotite – ***I*** pirrotina, pirrotite – ***S*** pirrotita

Lit.: [1] Acta Crystallogr. Sect. A **37**, 301–308 (1984). [2] Eur. J. Mineral. **2**, 525–535 (1990). [3] Eur. J. Mineral. **9**, 1131–1146 (1997). [4] J. Chem. Thermodyn. **23**, 261–272 (1991). [5] Acta Crystallogr. Sect.B **31**, 2759–2764 (1975). [6] Mineral. Sci. Eng. **8**, 106–128 (1976). [7] Econ. Geol. **77**, 1739–1754 (1982). [8] Geochim. Cosmochim. Acta **50**, 2185–2194 (1986). [9] J. Chem. Themodyn. **24**, 913–936 (1992).
allg.: Anthony et al., Handbook of Mineralogy, Vol. I, S. 428, Tucson (Arizona): Mineral Data Publishing 1990 ▪ Deer et al. (2.), S. 590–593 ▪ Ramdohr, Die Erzmineralien u. ihre Verwachsungen, S. 634–657, Berlin: Akademie Verl. 1975 (erzmikroskop. Beschreibung) ▪ Ramdohr-Strunz, S. 445 ff. ▪ s.a. Erz, Lagerstätten. – *[HS 2604 00; CAS 1310-50-5, 12660-66-1]*

Pyrrobutamin.

C_6H_5
Cl–C_6H_4–CH_2–C=CH–CH_2–N

Kurzbez. für das *Antihistaminikum 1-[4-(4-Chlorphenyl)-3-phenyl-2-butenyl]pyrrolidin, $C_{20}H_{22}ClN$, M_R 311,85, ölige Flüssigkeit, Sdp. 190–195 °C (40 Pa), beim Stehen bilden sich Krist., Schmp. 48–49 °C; λ_{max} (C_2H_5OH) 243, 360 nm, pK_b 5,23. Verwendet wird auch das Bisphosphat, $C_{20}H_{28}ClNO_8P_2$, M_R 507,8, Schmp. 129,5–130 °C; λ_{max} (0,1 M HCl) 226 nm; LD_{50} (Maus s.c.) 1270, (Maus i.m.) 837, (Maus oral) 1116 mg/kg. P. wurde 1953 von Eli Lilly patentiert. – ***E*** pyrrobutamine – ***F*** pyrrobutamin – ***I*** = ***S*** pirrobutamina

Lit.: Beilstein E V **20/1**, 200 ▪ Hager (5.) **9**, 463 ff. ▪ Martindale (29.), S. 461. – *[HS 2933 90; CAS 91-82-7 (P.); 135-31-9 (Diphosphat)]*

Pyrrol (1*H*-Pyrrol, 1*H*-Azol).

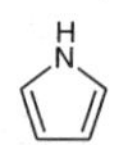

C_4H_5N, M_R 67,09. Farblose, brennbare, Chloroform-ähnlich riechende u. brennend schmeckende Flüssigkeit, D. 0,9691, Schmp. –24 °C, Sdp. 130–131 °C, wenig lösl. in Wasser, in den meisten organ. Lsm. löslich. P. färbt sich an der Luft bald braun u. verharzt allmählich. Gegen Säuren ist P. sehr instabil; bei der Einwirkung von Mineralsäuren bilden sich rote polymere Produkte (Pyrrolrot), da durch Salz-Bildung das aromat. Syst. des P. – es ist isoelektron. mit dem Cyclopentadienyl-Anion – gestört wird u. olefin. Charakter annimmt. Die gleiche Reaktion findet bei der *Fichtenspan-Reaktion* nach Runge statt: Die Dämpfe von P. u. seinen Derivaten färben einen mit Salzsäure befeuchteten Fichtenspan feuerrot (daher der Name, von griech.: pyrros = feuerrot u. latein.: oleum = Öl). Das zu den *Azolen gehörende P. ist bei Substitutions-, Oxid.- u. Red.-Reaktionen sehr reaktionsfähig; es weist nur eine geringe Basizität auf. Mit Kalium reagiert P. zu *Pyrrolkalium* (C_4H_4KN, M_R 105,14, farblose Krist.) aus dem es beim Auflösen in Wasser wieder frei wird. P.-Kalium kann daher zur Reinigung von P. benutzt werden, sowie zur Synth. von *N*-substituierten P.-Derivaten.

Vork.: P. selbst kommt im Steinkohlenteer u. in Knochenöl vor; in synthet. Brennstoffen aus Ölschiefern u. dgl. wird die Anwesenheit von P. für das Entstehen störender, schlammiger Sedimente verantwortlich gemacht. Vom P. leiten sich u.a. die (systemat. Dihydro-P. zu nennenden) *Pyrroline, die *Pyrrolidine, Pyrrolidone u. viele Naturstoffe ab; *Beisp.:* **Pyrrol-Farbstoffe* wie die Tetrapyrrole der Porphyrine, Gallenfarbstoffe usw., P.-Alkaloide (s. Atropin, Cocain, Nicotin), *P.-Aminosäuren* (s. Prolin, 4-Hydroxy-L-prolin), *P.-Antibiotika* [s. Pyrrolnitrin, Pyoluteorin (s. Pseudomonas)], *Indol u. dessen Derivate.

Herst.: Zur Herst. von P. u. seinen Derivaten sind zahlreiche Synth. entwickelt worden, z.B. Synth. von P. aus 2-Butin-1,4-diol u. Ammoniak, aus Furan u. Ammoniak, aus Knochenteer, substituierte P. aus 1,4-Diketonen u. Ammoniak (Paal-Knorr-Synth.) od. durch *Knorr-Synthese.

Verw.: Zur Herst. von Pharmazeutika u. Farbstoffen. P. wurde erstmals 1833 von Runge, der auch den Namen prägte, im Teer entdeckt; Rein-Herst. durch Anderson aus Knochenteer. – ***E*** pyrrole – ***F*** pyrrol[e] – ***I*** pirrolo – ***S*** pirrol

Lit.: Beilstein E V **20/5**, 3 ▪ Beyer-Walter, Lehrbuch der organischen Chemie (23.), Stuttgart: Hirzel 1997 ▪ Gossauer, Die Chemie der Pyrrole, Berlin: Springer 1984 ▪ Jones, Pyrroles,

Tl. 1, New York: Wiley 1990 ▪ Katritzky-Rees **4**, 155–529 ▪ Kirk-Othmer (3.) **19**, 499–510 ▪ Ullmann (4.) **19**, 639–642; (5.) **A 22**, 453 ff. – *[HS 2933 90; CAS 109-97-7; G 3]*

Pyrrolame. Pyrrolizidinone aus Kulturen von *Streptomyces olivaceus*. Sie besitzen wie die *Pyrrolizidin-Alkaloide aus Pflanzen u. Insekten das 1-Azabicyclo[3.3.0]octan-Gerüst, sind jedoch sehr einfach gebaut.

P. A

R = OCH_3 : P. B
R = OH : P. C
R = O–CH(CH_3)–OC_2H_5 : P. D

Tab.: Daten zu den Pyrrolamen A–D.

Pyrrolame	Summenformel	M_R	Schmp. [°C]	CAS
P. A	C_7H_9NO	123,15	62, farblose Krist.	126424-76-8
P. B	$C_8H_{13}NO_2$	155,18	farbloses Öl	126424-77-9
P. C	$C_7H_{11}NO_2$	141,16	farbloses Öl	119100-90-2
P. D	$C_{11}H_{19}NO_3$	213,27	amorph farbloser Feststoff	126424-78-0 u. 126424-84-8

P. A ist schwach herbizid wirksam. – ***E*** pyrrolams – ***F*** pyrrolames – ***I*** pirrolami – ***S*** pirrolamas

Lit.: Justus Liebigs Ann. Chem. **1990**, 525–530 ▪ Synlett **1997**, 1179 f. ▪ Tetrahedron: Asymmetry **8**, 515 (1997).

Pyrrol-Farbstoffe. Biochem. bedeutsame Substanzen, die aufgrund mehrerer linear od. cycl. konjugierter *Pyrrol-Ringe farbig erscheinen. Zu den P.-F. zählen die *Porphine u. *Porphyrine mit 16-gliedrigem mesomeriestabilisiertem Ringsyst. als Chromophor, in dem 4 Pyrrol-Ringe durch 4 Methin-Brücken verbunden sind, metallfrei od. mit Metall-Ionen als Zentralatom: *Häm im *Hämoglobin, *Protoporphyrine, *Hämatoporphyrin, Mesoporphyrin, Etioporphyrine, *Uroporphyrine, *Koproporphyrine, der Photosynth.-Farbstoff *Chlorophyll, die *Chlorine, *Bakteriochlorophylle sowie die *Corrinoide aus 4 cycl. verknüpften, partiell hydrierten Pyrrol-Ringen mit 3 Methin-Brücken, z. B. *Vitamin B_{12} (*Cyanocobalamin). Bei den *Gallenfarbstoffen handelt es sich um grüne, gelbe od. rotbraune, Eisen-freie lineare Tetrapyrrol-Farbstoffe, deren Bildung im tier. Organismus auf den oxidativen Abbau des *Hämins zurückzuführen ist. Der wichtigste Vertreter ist das orangerote *Bilirubin der Galle aus 4 linear über Methin- u. Methylen-Gruppen verknüpften Pyrrol-Ringen. Weitere lineare P.-F. sind das grüne *Biliverdin u. der aus 3 Ringen aufgebaute Bakterienfarbstoff *Prodigiosin. Eine mit den P.-F. vom Porphin-Typ strukturell verwandte Stoffklasse sind die synthet. zugänglichen *Phthalocyanin-Farbstoffe. – ***E*** pyrrole pigments – ***F*** pigments pyrroliques – ***I*** coloranti pirrolici – ***S*** pigmentos pirrólicos

Lit.: GIT Fachz. Lab. **1992**, 524–535 (Review Biosynth., Synth.). – *[HS 2933 90, 2936 26, 3203 00]*

Pyrrolidin (Tetrahydropyrrol, Tetramethylenimin, Azolidin).

C_4H_9N, M_R 71,12. Farblose, hygroskop., brennbare, Amin-artig riechende, ätzende Flüssigkeit, D. 0,8520, Schmp. ca. –60 °C, Sdp. 88,5–89 °C. P. ist eine relativ starke Base, die mit Wasser mischbar u. in den üblichen organ. Lsm. lösl. ist; WGK 2 (Selbsteinst.). P. kommt in der Natur in verschiedenen Gemüsearten (z. B. Radieschen 38 ppm) u. deren Zubereitungen (eingelegte Paprika 8,4 ppm) vor. Nahrungsmittel (Tilsiter Käse 19,9 ppm) u. Genußmittel (Pulverkaffee 7–11 ppm) können P. in ppm Konz. enthalten. Es bildet sich u. a. leicht aus der Aminosäure Prolin. Die Reaktion mit nitrosierenden Agenzien kann zur Bildung des carcinogen *N*-Nitrosopyrrolidins (s. Nitrosamine) führen.

Herst.: Durch Red. von Pyrrol od. durch Einwirkung von NH_3 auf Tetrahydrofuran.

P. ist der Grundkörper der Pyrrolidin-Alkaloide die sich entweder vom Prolin ableiten (*Beisp.:* Stachydrin, Betonicin u. Turicin als Betaine aus *Stachys officinalis*, Lamiaceae, s. Ziest) od. von einem 2-Alkyl-*N*-methyl-p. [*Beisp.:* *Cusc(o)hygrin, *Hygrin u. a. *Coca-Alkaloide]. Im übrigen sind P.-Derivate auch in anderen Naturstoffen zahlreich vertreten, vgl. Pyrrol. P. dient als Ausgangsprodukt für Arzneimittel, Fungizide, Insektizide, Vulkanisationsbeschleuniger, Härtungsmittel für Epoxidharze, Inhibitoren usw. u. in organ. Synthesen. – ***E*** = ***F*** pyrrolidine – ***I*** = ***S*** pirrolidina

Lit.: Beilstein EV **20/1**, 162 ▪ Gesundheitsschädliche Arbeitsstoffe: toxikologisch-arbeitsmedizinische Begründung von MAK-Werten, Weinheim: VCH Verlagsges. 1972–1998 ▪ Hommel, Nr. 714 ▪ Merck-Index (12.) Nr. 8199 ▪ Paquette **6**, 4381 ▪ Tetrahedron: Asymmetrie **7**, 927–964 (1996) ▪ Ullmann (5.) **A 1**, 358; **A 2**, 13. – *[HS 2933 90; CAS 123-75-1; G 3]*

Pyrrolidin-2-carbonsäure s. Prolin.

2,5-Pyrrolidindion s. Succinimid.

Pyrrolidino... Übliche Bez. des von *Pyrrolidin abgeleiteten, über das N-Atom gebundenen Restes, analog zu *Piperidino... [IUPAC-Regel B-2.12, B-5.11, CAS: (1-*Pyrrolidinyl)...; Regel R-2.5, Beilstein: Pyrrolidin-1-yl...; analog zu *Piperidyl... auch: (1-Pyrrolidyl)...]. – ***E*** = ***F*** pyrrolidino... – ***I*** = ***S*** pirrolidino...

2-Pyrrolidinon s. Pyrrolidon.

Pyrrolidinyl... Bez. der von *Pyrrolidin abgeleiteten Reste [IUPAC-Regel B-2.12, B-5.11, CAS: (1-, (2-, (3-Pyrrolidinyl)...; Regel R-2.5, Beilstein: Pyrrolidin-1-, -2-, -3-yl...]. Üblich sind auch die Bez. (1-, (2-, 3-Pyrrolidyl)... u. *Pyrrolidino... (analog zu *Piperidyl... u. *Piperidino...). – ***E*** = ***F*** pyrrolidinyl... – ***I*** = ***S*** pirrolidinil...

3-(2-Pyrrolidinyl)pyridin s. Nicotin.

2-Pyrrolidon (2-Pyrrolidinon, 4-Aminobuttersäurelactam, γ-Butyrolactam).

C_4H_7NO, M_R 85,11. Farblose Flüssigkeit, D. 1,103 (30 °C), Schmp. 25 °C, Sdp. 245 °C, mit Wasser u. vielen organ. Lsm. mischbar; WGK 1. In der Ggw. stöchiometr. Mengen Wasser bildet sich ein krist. Monohydrat, Schmp. 30 °C.

Herst.: Durch Umsetzung von γ-*Butyrolacton mit Ammoniak, zukünftig vielleicht mehrstufig auf Basis Acrylnitril[1].
Verw.: Hochsiedendes Lsm., hauptsächlich jedoch zur Herst. von *1-Vinyl-2-pyrrolidinon (daraus Polyvinyl-P. od. Copolymere). – ***E*** = ***F*** 2-pyrrolidone – ***I*** 2-pirrolidone – ***S*** 2-pirrolidona
Lit.: [1] Weissermel-Arpe (4.), S. 112 f.
allg.: Beilstein E V **21/6**, 317 ▪ Merck-Index (12.), Nr. 8200 ▪ Ullmann (4.) **19**, 640; (5.) **A 5**, 247. – *[HS 2933 79; CAS 616-45-5; G 6.1]*

Pyrrolidoncarbonsäure s. Pyroglutaminsäure.

Pyrrolidyl... s. Pyrrolidino... u. Pyrrolidinyl...

Pyrroline. Bez. nach IUPAC-Regel B-2.12 für Verb., die nach neuer Regel R-2.3.3.1.3 (Fußnote 4) u. R-9.1.24 (Fußnote 120) als *Dihydropyrrole* benannt u. beziffert werden (Beilstein, CAS): 3,4-Dihydro-2*H*- (1-P., Δ^1-P.), 2,3-Dihydro-1*H*- (2-P., Δ^2-P.) u. 2,5-Dihydro-1*H*-pyrrol (3-P., Δ^3-P.).

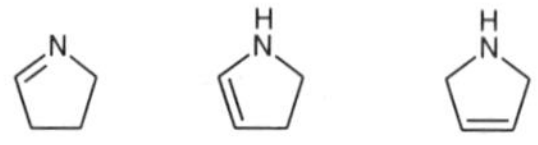

1-P. 2-P. 3-P.

– ***E*** = ***F*** pyrrolines – ***I*** pirroline – ***S*** pirrolinas
Lit.: Beilstein E V **20/4**, 273 ff. ▪ Kirk-Othmer (3.) **19**, 503 f. ▪ Ullmann (5.) **A 22**, 454. – *[CAS 5724-81-2 (1-P.); 638-31-3 (2-P.); 109-96-6 (3-P.)]*

Pyrrolizidin (Hexahydro-1*H*-pyrrolizin).

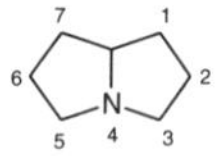

$C_7H_{13}N$, M_R 111,18. Grundgerüst der *Pyrrolizidin-Alkaloide, die im Pflanzenreich weit verbreitet sind u. a. im Abwehrsekret einiger Tierarten vorkommen. Meist handelt es sich bei den Naturstoffen um Derivate eines *Necins [1-(Hydroxymethyl)-P.]. – ***E*** = ***F*** pyrrolizidine – ***I*** = ***S*** pirrolizidina
Lit.: s. Pyrrolizidin-Alkaloide. – *[CAS 643-20-9]*

Pyrrolizidin-Alkaloide. Sammelbez. für Alkaloide, die das Pyrrolizidin-Ringsyst. (Hexahydro-1*H*-pyrrolizin, Abb. 1) enthalten.
Struktur u. Vork.: Die im Pflanzenreich weitverbreiteten P.-A. sind fast immer Ester-Alkaloide aus Derivaten des Aminoalkohols Pyrrolizidin-1-methanol (Necine) u. meist aliphat. Mono- od. Dicarbonsäuren (Necinsäuren). Die meisten der ca. 370 bis heute aus dem Pflanzenreich bekannten P.-A. lassen sich 6 Strukturtypen zuordnen (Abb. 1), die charakterist. für bestimmte Pflanzenfamilien sind. Die beiden größten Gruppen sind die makrocycl. P.-A. vom Senecionin-Typ u. Ester vom Lycopsamin-Typ. P.-A. vom Triangularin-Typ stehen dem Senecionin-Typ nahe. Es sind offenkettige Diester, bei denen der Makrocyclus noch nicht geschlossen ist. In der Fabaceen-Gattung *Crotalaria* dominieren makrocycl. P.-A. vom *Monocrotalin-Typ. Vorherrschende Necin-Base der genannten Gruppen ist das 1,2-ungesätt. *Retronecin* {$C_8H_{13}NO_2$, M_R 155,19, Schmp. 121 °C, $[\alpha]_D^{26}$ +50,2° (C_2H_5OH)}; es fehlt bei den P.-A. vom Phalaenopsin-Typ der Orchidaceae. Die nur aus histor. Gründen bei den P.-A. stehenden *Loline unterscheiden sich von allen anderen

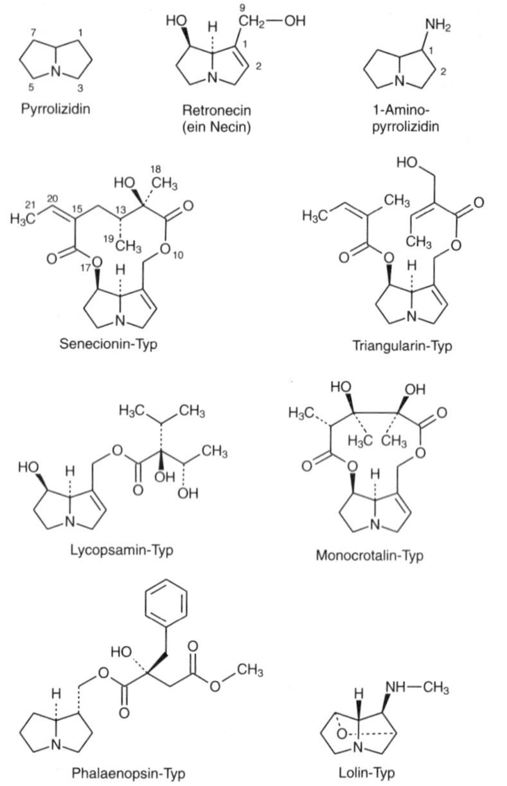

Pyrrolizidin Retronecin (ein Necin) 1-Amino-pyrrolizidin
Senecionin-Typ Triangularin-Typ
Lycopsamin-Typ Monocrotalin-Typ
Phalaenopsin-Typ Lolin-Typ

Abb. 1: Pyrrolizidin-Alkaloide, Grundstrukturen u. Struktur-Typen.

P.-A. durch die Necin-Base, die ein 1-Aminopyrrolizidin darstellt. Einfache Lactame mit Pyrrolizidin-Gerüst sind z. B. die *Pyrrolame.
Biosynth. u. Physiologie: Die Necin-Basen werden aus Arginin gebildet. Die Necinsäuren leiten sich v. a. von den Aminosäuren Isoleucin, Leucin u. Valin ab.
Chem. Ökologie: Die P.-A. sind Bestandteil der chem. Abwehr der Pflanze. Sie wirken fraßhemmend od. abschreckend auf viele Tiere. Angepaßte Insekten aus verschiedenen Taxa (Lepidopteren, Heuschrecken, Käfer u. Blattläuse) sind in der Lage, pflanzliche P.-A. zum eigenen Nutzen aufzunehmen u. zu speichern. Sie nutzen die P.-A. als Schutzstoffe gegen Insektenfresser u. signalisieren ihre Ungenießbarkeit durch auffällige Warnfärbung (Aposematismus)[1]. Einige Lepidopteren nutzen pflanzliche P.-A. auch als Vorstufen für Pheromone[2].
Toxizität: Alle P.-A. mit einem 1,2-ungesätt. Necin u. Veresterung mind. der prim. Hydroxy-Gruppe am C-9 mit einer verzweigten aliphat. C_5- bis C_7-Carbonsäure sind potentiell toxisch. Das betrifft mehr als 70% aller natürlich vorkommenden P.-Alkaloide. Oral aufgenommene P.-A. werden in der Leber durch mischfunktionelle *Cytochrom-P_{450}-abhängige Oxygenasen in die eigentlich tox. Pyrrol-Derivate überführt (Abb. 2).
Diese sind sehr reaktiv u. alkylieren unter physiolog. Bedingungen nucleophile Gruppen der DNA (Amino-, Thiol- u. Hydroxy-Gruppen). Durch Abspaltung der

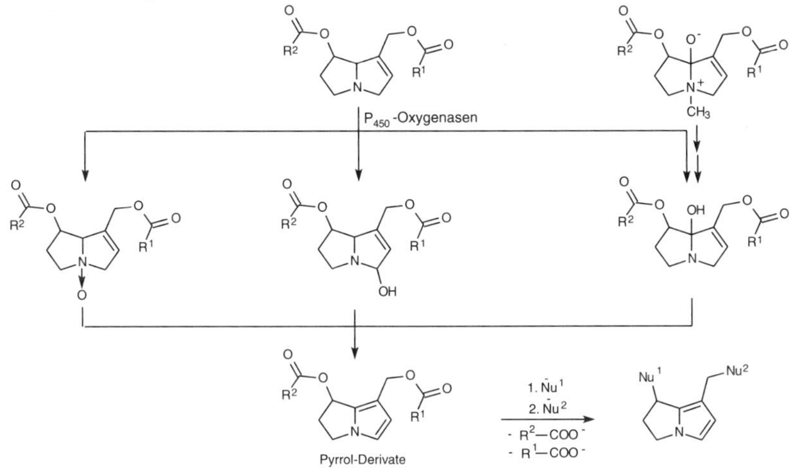

Abb. 2: Metabolisierung der Pyrrolizidin-Alkaloide.

Seitenketten kommt es zu Quervernetzungen der Nucleotid-Ketten. Für die chron. tox. u. carcinogenen Effekte ist eine bifunktionelle Gruppe im P.-A.-Mol. notwendig. Akute Vergiftungen mit P.-A.-haltigen Pflanzen sind v. a. bei Weidetieren bekannt[3]. Bei akuten Vergiftungen werden Koliken, Durchfälle, Krämpfe bis zum Tod, bei chron. Vergiftungen Leberzirrhosen, Nekrosen u. Leberkrebs beobachtet. P. wirken bei der Ratte embryotoxisch. Auch beim Menschen wurden Lebererkrankungen mit tödlichem Verlauf beobachtet, die auf die Einnahme von P.-A. mit durch *Heliotropium*- od. *Crotalaria*-Samen verunreinigtem Mehl od. auf *Senecio*-haltige Teeaufgüsse zurückzuführen waren[4].

Verw.: Das BGA hat alle Arzneipflanzen u. ihre Präparate, die tox. P.-A. enthalten, als gesundheitlich bedenklich eingestuft. Es hält bei einer Einschränkung der Anwendungsgebiete eine tolerierte tägliche Stoffmenge von 1 µg P.-A. (orale Aufnahme) bzw. von 100 µg (top. Anw.) für vertretbar. Die Anwendungsdauer soll auf sechs Wochen begrenzt sein[5].

Synth.: Zahlreiche diastereo- u. enantioselektive Synth. der P. wurden beschrieben[6]. – ***E*** pyrrolizidine alkaloids ***F*** alcaloïdes de pyrrolizidine – ***I*** alcaloidi della pirrolizidina – ***S*** alcaloides de pirrolizidina

Lit.: [1]Naturwissenschaften **73**, 17–26 (1986); Rosenthal u. Berenbaum (Hrsg.), Herbivores: Their Interactions with Secondary Plant Metabolites, Bd. 1, S. 79–121, San Diego: Academic Press 1991. [2]J. Chem. Ecol. **16**, 165–185 (1990); Naturwissenschaften **79**, 241–288 (1992). [3]Cheeke (Hrsg.), Toxicants of Plant Origin, Bd. 1, S. 23–40, Boca Raton: CRC Press 1989. [4]Teuscher u. Lindequist, Biogene Gifte, S. 440ff., Stuttgart: Fischer 1994. [5]Dtsch. Apoth. Ztg. **132**, 1939–1943 (1992); Pharmazie **50**, 83–98 (1995). [6]Synlett **1**, 433–440 (1990); Nat. Prod. Rep. **10**, 487–496 (1993); **14**, 653 (1997).
allg.: Hager (5.) **3**, 1079f.; **6**, 664f. ▪ Manske **26**, 327–384; **31**, 193–315 ▪ Mattocks, Chemistry and Toxicology of Pyrrolizidine Alkaloids, London: Academic Press 1986 ▪ Pelletier **9**, 155–233 ▪ Rizk (Hrsg.), Naturally Occurring Pyrrolizidine Alkaloids, Boca Raton: CRC Press 1990 ▪ Rodd's Chem. Carbon Cmpds. (2.) **4B**, 1–19, 21–67, 277–357 ▪ Ullmann (5.) **A1**, 362f. ▪ Zechmeister **41**, 115–204. – *Analytik:* Dtsch. Apoth. Ztg. **137**, 4066, 4070 (1997). – *Biosynth.:* J. Chem. Soc., Perkin Trans. 1 **1997**, 677. – *[HS 2939 90; CAS 480-85-3 ((+)-Retronecin)]*

Pyrrolkalium s. Pyrrol.

Pyrrolnitrin [3-Chlor-4-(3-chlor-2-nitrophenyl)-1*H*-pyrrol, Pyro-Ace, Rugosin H].

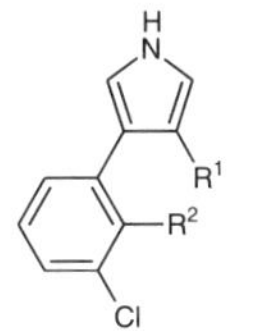

R^1 = Cl, R^2 = NO_2 : Pyrrolnitrin
R^1 = CN, R^2 = Cl : Fenpiclonil

$C_{10}H_6Cl_2N_2O_2$, M_R 257,08, blaßgelbe Krist., Schmp. 125 °C, im Licht Umwandlung zu rotbraunen Zers.-Produkten; lösl. in Methanol, Ether, Chloroform, unlösl. in Wasser u. Petrolether.

Das Antibiotikum P. wurde aus Kulturen von *Pseudomonas*-Arten u. Myxobakterien (*Myxococcus fulvus*) isoliert. Es ist breit wirksam gegen humanpathogene Dermatophyten u. pflanzenpathogene Pilze u. dabei wenig tox. [LD_{50} (Maus oral) 1 g/kg]. Die wesentlich stabileren synthet. *Fenpiclonil u. *Fludioxonil werden als Fungizid-Beizmittel im Pflanzenschutz eingesetzt. – ***E*** pyrrolnitrin – ***F*** pyrrolnitrine – ***I = S*** pirrolnitrina

Lit.: Baker, Fenyes u. Steffens (Hrsg.), Synthesis and Chemistry of Agrochemicals, S. 395–404, Washington: Am Chem. Soc. 1992 ▪ J. Antibiot. **34**, 555 (1981); **35**, 1101 (1982) ▪ Martindale (30.), S. 331 ▪ Sax (8.), CFC000. – *[HS 2941 90; CAS 1018-71-9]*

Pyrrolochinolinchinon (4,5-Dihydro-4,5-dioxo-1*H*-pyrrolo[2,3-*f*]chinolin-2,7,9-tricarbonsäure, Methoxatin, Abk.: PQQ).

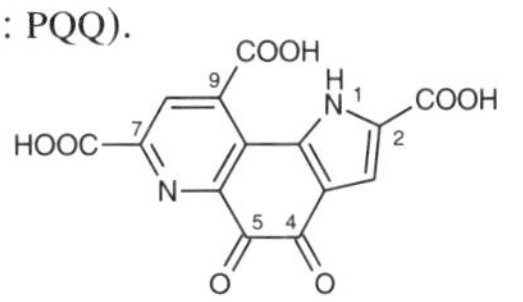

$C_{14}H_6N_2O_8$, M_R 330,21. Dunkelroter Feststoff, in wäss. Lsg. zersetzlich. PQQ ist neben dem NAD- u. Flavin-Syst. (s. Nicotinamid-Adenin-Dinucleotid bzw. Flavin-Adenin-Dinucleotid) ein *Coenzym der Wasserstoff- u. Elektronen-Übertragung durch *Oxidoreduktasen, v. a. bei bakteriellen Alkohol- u. Aldose-Dehydrogenasen. Bei Red. geht PQQ in das 4,5-Diol über. Als *ortho*-Chinon ist es reaktiv gegenüber Aminen u. a. Nucleophilen u. kommt *in vivo* wahrscheinlich nur im Komplex mit Proteinen vor (*Chinoproteine). Die relativ späte Entdeckung des Cofaktors wird auf Schwierigkeiten bei der Analytik zurückgeführt („elusive coenzyme"). In einigen Fällen wurde PQQ irrtümlich als Cofaktor identifiziert. Biosynthet. wird PQQ aus L-Tyrosin u. L-Glutaminsäure gebildet. Mehrere Synth. sind beschrieben worden, jedoch ist die fermentative Herst.[1] bisher das ökonomischste Verfahren. – ***E*** pyrroloquinoline quinone – ***F*** pyrroloquinoline-quinone – ***I*** pirrolochinolinchinone – ***S*** pirroloquinolinquinona

Lit.: [1] FASEB J. **8**, 513–521 (1994).
allg.: Biochem. J. **320**, 697–711 (1996) ▪ Biospektrum **2**, Nr. 1, 35–43 (1996) ▪ Methods Enzymol. **280**, 89–167 (1997). – *[CAS 72909-34-3]*

Pyrroloindol-Alkaloide. Bestimmte *Indol-Alkaloide mit Pyrrolo[2,3-*b*]indol-Skelett werden in den *Eserin-Typ* (Vertreter: *Physostigmin=Eserin aus *Dioclea-* sowie *Physostigma*-Arten sowie Geneserin aus *Physostigma*-Arten) u. den *Echitamin-Erinin-Typ* (z. B. Echitamin aus *Alstonia-*, Corymin u. Erinin aus *Hunteria*-Arten) unterteilt. Zu den P. rechnen auch bestimmte di-, tri- u. tetramere Indol-Alkaloide aus *Calycanthus*-Arten, z. B. *Chimonanthin* u. *Folicanthin*[1] (s. Formeln). Die Anzahl der während der letzten Jahre isolierten Alkaloide dieses Typs nahm deutlich zu. Neben pentameren Pyrroloindolen wie Psychotridin u. dem Hexamer Vatin wurden ähnliche Strukturen mit bis zu 8 Tryptamin-Einheiten entdeckt. Das hochgiftige *Physostigmin, ein Alkaloid aus der Calabar-Bohne, wurde in Westafrika als Pfeilgift verwendet. Es ist ein Acetylcholin-Esterase-Hemmer u. wird klin. zur Therapie der *Alzheimerschen Krankheit erprobt.

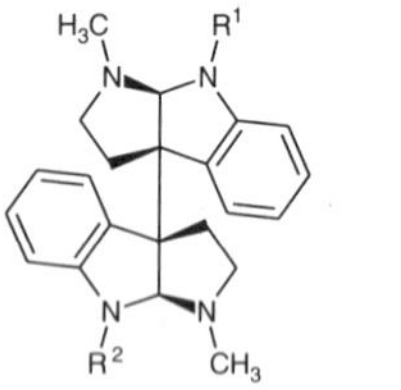

$R^1 = R^3 = H$: Chimonanthin
$R^1, R^2 = CH_3$: Folicanthin

– ***E*** pyrroloindole alkaloids – ***F*** alcaloïdes du pyrroloindole – ***I*** alcaloidi del pirroloindolo – ***S*** alcaloides del pirroloindol

Lit.: [1] Beilstein E III/IV **26**, 1865.
allg.: ApSimon **3**, 307–315 ▪ J. Am. Chem. Soc. **116**, 9480 (1994) (Synth.) ▪ Manske **34**, 1. – *[CAS 5545-89-1 (Chimonanthin); 6879-55-6 (Folicanthin)]*

Pyrrolrot s. Pyrrol.

Pyrron. Kurzbez. für Polybenzimidazopyrrolon, ein *Polymer der Strukturformel

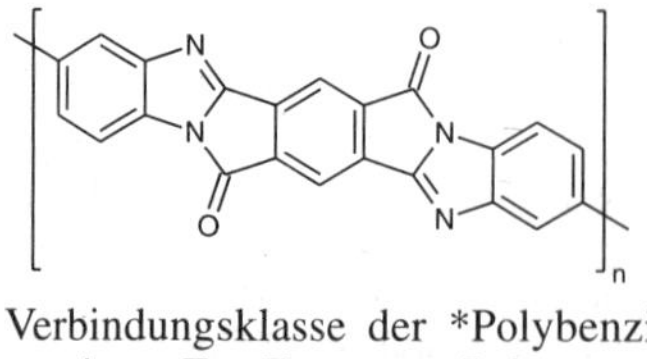

das der Verbindungsklasse der *Polybenzimidazole zuzurechnen ist. – ***E*** = ***F*** pyrron – ***I*** pirrone – ***S*** pirróm

Pyruvaldehyd s. Methylglyoxal.

Pyruvat, Orthophosphat-Dikinase s. Phosphoenolpyruvat.

Pyruvat-Carboxylase (EC 6.4.1.1). Zink- od. Mangan-haltige *Carboxylase, die Oxalacetat (s. Oxobernsteinsäure) aus Pyruvat u. Kohlendioxid aufbaut u. eine bedeutende Rolle in der *Gluconeogenese (vgl. a. Glykolyse) u. als Katalysator einer *anaplerotischen Reaktion spielt. P.-C. ist auch am Transport von *Acetyl-CoA aus *Mitochondrien in das *Cytoplasma beteiligt (*Citrat-Malat-Shuttle*). Das meist nur als Tetramer aktive Enzym (M_R 500000–600000) benötigt Magnesium-Ionen, *Adenosin-5′-triphosphat zur Energiebilanz u. *Biotin als Coenzym; dementsprechend kann es durch *Avidin gehemmt werden. Durch Acetyl-CoA wird P.-C. alloster. (s. Allosterie) aktiviert. Bei genet. Defekt der P.-C. kommt es zu Lactatazidose mit geistiger Behinderung u. Todesfolge. – ***E*** pyruvate carboxylase – ***F*** pyruvate-carboxylase – ***I*** piruvato carbossilasi – ***S*** piruvato-carboxilasa

Lit.: Int. J. Biochem. Cell Biol. **27**, 231–249 (1995) ▪ Stryer 1996, S. 600–605, 653. – *[HS 350790; CAS 9014-19-1]*

Pyruvat-Decarboxylase (2-Oxosäure-Carboxylyase, EC 4.1.1.1). Eine Lyase (Hefe: M_R ca. 250000, 4 ident. Untereinheiten), die Brenztraubensäure (als Salz: Pyruvat) u. andere 2-Oxosäuren zu Aldehyden decarboxyliert, wozu sie Magnesium-Ionen u. *Thiamindiphosphat als Coenzym benötigt. P.-D. ist in *Hefen enthalten u. spielt in der *alkohol. Gärung* (s. Ethanol) eine Rolle. – ***E*** pyruvate decarboxylase – ***F*** pyruvate-décarboxylase – ***I*** piruvato decarbossilasi – ***S*** piruvato-descarboxilasa – *[HS 350790; CAS 9001-04-1]*

Pyruvat-Dehydrogenase (Abk.: PDH). Bez. für Enzyme, die Brenztraubensäure (als Salz: Pyruvat) unter Abspaltung von Kohlendioxid oxidieren (oxidative Decarboxylierung). Ein Cytochrom-abhängiges Enzym dieses Namens (EC 1.2.2.2) produziert freie Essigsäure (Acetat). Bekannter ist jedoch diejenige PDH (EC 1.2.4.1), die amid. gebundene *Liponsäure (Liponamid) als Wasserstoff-Akzeptor u. Empfänger der entstehenden Acetyl-Gruppe verwendet, wobei sie als Komponente E_1 eines in Bakterien u. *Mitochondrien vorkommenden Multienzymkomplexes, des *PDH-Komplexes*, fungiert. Bei der Aktivierung des Pyruvats wirkt *Thiamindiphosphat als *Coenzym. Durch das ebenfalls im PDH-Komplex enthaltene Enzym E_2 od. *Dihydroliponamid-Acetyltransferase* (Dihydrolipoyltransacetylase, EC 2.3.1.12) wird der Acetyl-Rest von Dihydroliponamid auf *Coenzym A (CoA) übertragen; das entstehende *Acetyl-CoA ist ein wichtiges Stoffwechsel-Zwischenprodukt u. kann z. B. im *Citronensäure-Cyclus abgebaut od. für Biosynth. verwendet werden. Schließlich wird aus Dihydroliponamid unter Katalyse der Komponente E_3 des PDH-Komplexes, der *Dihydroliponamid-Dehydrogenase* (Dihydrolipoyldehydrogenase, EC 1.8.1.4), Liponamid regeneriert, indem Elektronen u. Wasserstoff über *Flavin-Adenin-Dinucleotid (oxidierte Form: FAD, reduzierte Form: $FADH_2$) auf *Nicotinamid-Adenin-Dinucleotid (oxidierte Form: NAD^+, reduzierte Form: NADH) übertragen werden.

Pyruvat
E_1 (Thiamin-diphosphat)
Liponamid
CO_2
S^6-Acetyldihydroliponamid
E_2
Coenzym A
Dihydroliponamid
Acetyl-CoA
E_3
$FADH_2$
FAD
E_3
NAD^+
NADH

Abb.: Reaktionsschema der Umwandlung von Pyruvat in Acetyl-CoA durch den PDH-Komplex.

Der PDH-Komplex des Darmbakteriums **Escherichia coli* (M_R ca. 4,6 Mio.) besteht aus je 24 Mol. E_1 u. E_2 sowie 12 Mol. E_3. Bei Säugern u. Hefe ist eine andere Stöchiometrie sowie ein weiteres Liponsäure-haltiges Protein, die Komponente X, vorhanden. Der Komplex unterliegt in Säugetieren der Regulation durch Produkthemmung (die Produkte Acetyl-CoA u. NADH wirken hemmend), durch die Energieladung (s. Adenosin-5′-triphosphat) u. durch reversible *Phosphorylierung. Genet. bedingter Ausfall von E_1 bewirkt Lactatazidose mit geistiger Behinderung u. Todesfolge. Patholog. Autoimmunreaktion (vgl. Autoimmunität) gegen E_2 führt zur prim. biliären Zirrhose, einer von den Gallengängen ausgehenden Lebererkrankung.
Dem PDH-Komplex in Aufbau u. Wirkungsweise analog ist der *2-Oxoglutarat-Dehydrogenase-Komplex*, der im Citronensäure-Cyclus 2-Oxoglutarat zu Succinyl-CoA umsetzt – man stelle sich statt $-CH_3$ bei Pyruvat die Einheit $-CH_2-CH_2-COO^-$ des 2-Oxoglutarats vor. Ebenfalls analog ist der *2-Oxoisovalerat-Dehydrogenase-Komplex*, der die oxidative Decarboxylierung von verzweigtkettigen Carbonsäuren bewirkt. – ***E*** pyruvate dehydrogenase – ***F*** pyruvate déshydrogénase – ***I*** piruvato deidrogenasi – ***S*** piruvato-deshidrogenasa
Lit.: Biol. Chem. **378**, 617–634 (1997) ▪ Science **255**, 1544–1550 (1992) ▪ Stryer 1996, S. 541–545, 551 f. – *[HS 3507 90; CAS 9014-20-4]*

Pyruvate {von latein.: acidum pyruvicum [von *Pyr(o)... u. latein.: uva = Traube] – Brenztraubensäure}. Bez. für Salze u. Ester der *Brenztraubensäure. Da letztere bei physiolog. pH-Wert (im allg. ca. 7,2) weitgehend dissoziiert vorliegt, benützt man in der Biochemie meist den Salznamen in der Einzahl als Bez. für das Säure-Anion. P. tritt im Stoffwechsel als Zwischenprodukt physiolog. Auf- u. Abbauprozesse häufig auf (vgl. die benachbarten Stichwörter). Es entsteht z. B. im Verlauf der *Glykolyse aus Phosphoenolpyruvat durch Katalyse der *Pyruvat-Kinase, aus L-Lactat (anion. Form der L-*Milchsäure) in der Leber durch Oxid. mittels *Lactat-Dehydrogenase (LDH) od. durch oxidative *Desaminierung von L-*Alanin (durch *Alanin-Dehydrogenase*, EC 1.4.1.1). Bei der *Transaminierung übertragen L-Aminosäuren ihre Amino-Gruppen auf P. unter Bildung von L-Alanin. Ein LDH-*Isoenzym setzt P. im Muskel wieder zu L-Lactat um, wodurch das während der Glykolyse reduzierte *Nicotinamid-Adenin-Dinucleotid reoxidiert u. der Fortgang der Kohlenhydrat-Verwertung gewährleistet wird. Zum vollständigen Abbau des P. zu Kohlendioxid od. zur Verw. in biosynthet. Reaktionen ist die Umsetzung zu *Acetyl-CoA notwendig (s. Pyruvat-Dehydrogenase). Mit Hilfe der *Pyruvat-Carboxylase kann aus P. Oxalacetat u. letztlich durch *Gluconeogenese D-Glucose erzeugt werden. P. ist an der *Stickstoff-Fixierung u. am Aufbau von *Opinen (z. B. *Octopin) beteiligt. In gebundener Form findet sich P. als *prosthetische Gruppe in *Pyruvoyl-Enzymen. Verw. findet P. in der *enzymatischen Analyse. – ***E*** = ***F*** pyruvates – ***I*** piruvati – ***S*** piruvatos
Lit.: Lehrbücher der Biochemie.

Pyruvat-Kinase (ATP : Pyruvat-O^2-Phosphotransferase, EC 2.7.1.40, Abk.: PK). Als *Kinase zu den *Transferasen zählendes tetrameres Enzym (M_R in Hefe 190 000, in Erythrocyten 230 000), das bei der *Glykolyse mitwirkt, indem es die Umwandlung von Phosphoenolpyruvat (PEP) in Pyruvat katalysiert. Da der Phosphat-Rest des PEP auf *Adenosin-5′-diphosphat übertragen wird, kommt es zur Bildung des für den Energie-Haushalt der Zelle wichtigen *Adenosin-5′-triphosphats (ATP; der Vorgang wird auch als Substratketten-*Phosphorylierung bezeichnet).
Regulation: Die Biosynth. der PK wird durch das Hormon *Insulin induziert. Die Aktivität der PK selbst wird in Ggw. von *D-Fructose-1,6-bisphosphat, eines relativ frühen Intermediats des Kohlenhydrat-Abbaus, gesteigert, durch das Produkt ATP u. andere Produkte des späteren Katabolismus aber gehemmt, vgl. Pasteur-Effekt. Bei Säugern kennt man 4 *Isoenzyme der PK, die in verschiedenen Organen bzw. Geweben vorherrschen: L od. PK_2 (Leber, Niere), R od. PK_1 (Erythrocyten), M_1 od. PK_3 (Muskel, Herz, Gehirn, Leukocyten, Thrombocyten) u. M_2 (frühe fötale Gewebe). L u. R stammen vom selben *Gen, werden jedoch mit Hilfe unterschiedlicher Promotoren transkribiert (s. Transkription). M_1 u. M_2 stammen von einem weiteren Gen; ihre Messenger-*Ribonucleinsäuren werden unterschiedlich gespleißt (s. Spleißen). Das *cytosol. Thyroid-Hormon-bindende Protein* ist mit M_1 identisch. – ***E*** pyruvate kinase – ***F*** pyruvate-kinase – ***I*** piruvato cinasi – ***S*** piruvato-quinasa, piruvato-cinasa
Lit.: FEBS Lett. **389**, 15–19 (1996) ▪ Stryer 1996, S. 513 ff., 520. – *[HS 3507 90; CAS 9001-59-6]*

Pyruvoyl... Bez. der Atomgruppierung $-CO-CO-CH_3$ nach IUPAC-Regel C-416.3 [nach Regel R 9.1.28b nur noch für den unveränderten Rest gültig; Beilstein: (2-Oxo-propionyl)...; CAS: (1,2-Dioxopropyl)...], in der Biochemie üblich; vgl. Pyruvate. – ***E*** = ***F*** pyruvoyl... – ***I*** = ***S*** piruvoil...

Pyruvoyl-Enzyme. Bez. für *Enzyme, die kovalent gebundene *Brenztraubensäure als *prosthetische Gruppe enthalten. Bei den P.-E. handelt es sich im allg. um Aminosäure-*Decarboxylasen u. -*Reduktasen, in denen der Pyruvoyl-Rest wahrscheinlich eine ähnliche Aufgabe wie das anderweitig bei solchen Enzymen oft gefundene *Pyridoxal-5′-phosphat erfüllt. P.-E. wurden zuerst in Bakterien entdeckt [*Histidin-Decarboxylase* [1], EC 4.1.1.22; *D-Prolin-Reduktase*, EC 1.4.4.1, in *Clostridium sticklandii* (M_R 300 000, 10 ident. Untereinheiten)], wurden später jedoch auch in Eukaryonten angetroffen [z. B. *Adenosylmethionin-Decarboxylase*, EC 4.1.1.50, in menschlichen Fibroblasten u. Rattenprostata (M_R 76 000, je 2 größere u. kleinere Polypeptid-Ketten) sowie in Ratten- u. Kaninchenleber (M_R ca. 70 000, 2 ident. Untereinheiten) u. *Phosphatidylserin-Decarboxylase*, EC 4.1.1.65]. – ***E*** pyruvoyl enzymes – ***F*** enzymes pyruvoïliques – ***I*** enzimi piruvoilici – ***S*** enzimas piruvoílicos

Lit.: [1] Methods Enzymol. **280**, 81–88 (1997). – *[HS 3507 90]*

Pyrviniumchlorid.

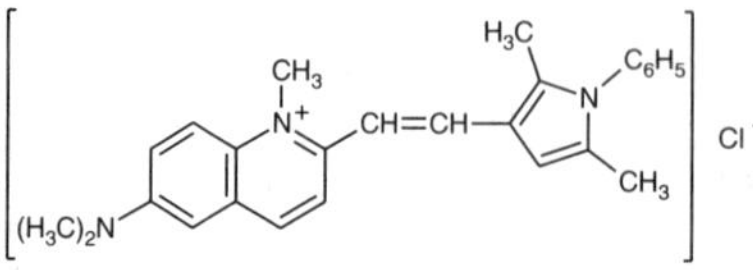

Internat. Freiname für das *Anthelmintikum 6-(Dimethylamino)-2-[2-(2,5-dimethyl-1-phenyl-3-pyrrolyl)vinyl]-1-methylchinolinium-chlorid, $C_{26}H_{28}ClN_3$, M_R 417,99. Das Dihydrat ist ein tiefrotes Pulver, Schmp. 249–251 °C (Zers.), wenig lösl. in Wasser. Häufig wird auch das *Pyrvinium-embonat* (s. Embonsäure) verwendet, $C_{75}H_{70}N_6O_6$, M_R 1151,44, hell- bis dunkelorangefarben, Schmp. 210–215 °C, Substanz sintert ab 190 °C; λ_{max} (CH_3OH) 223, 356, 505 nm ($A^{1\%}_{1cm}$ 1315, 390, 750), wenig lösl. in Chloroform, sehr wenig in Alkohol, unlösl. in Wasser, Ether. P. wurde 1960 von Parke Davis (Molevac®) patentiert u. ist auch von Krewel Meuselbach (Pyrcon®) im Handel. – ***E*** pyrvinium chloride – ***F*** chlorure de pyrvinium – ***I*** pirvinio cloruro – ***S*** cloruro de pirvinio

Lit.: Hager (5.) **9**, 465 ff. ▪ Martindale (31.), S. 127 ▪ Ullmann (5.) **A 2**, 340 f. – *[HS 2933 40; CAS 548-84-5 (P.); 3546-41-6 (Embonat)]*

Pyrvinium-embonat s. Pyrviniumchlorid.

Pyrylium-Salze. Im Gegensatz zu den nichtaromat. *Pyranen besitzen deren Oxid.-Produkte, die P.-S., ein aromat. Elektronensextett. Sie bilden sich deshalb auch bes. leicht durch oxidative Aromatisierung aus Pyranen, meist sogar direkt beim Versuch diese herzustellen. Eine gängige Meth. zur Herst. von P.-S. besteht in der dehydratisierenden Cyclisierung von 1,5-Dicarbonyl-Verb. (s. Abb. a); aus Glutacon(di)aldehyd (*2-Pentendial*) erhält man so mit Perchlorsäure das unsubstituierte Pyrylium-perchlorat (s. Abb. b).

P.-S. gehören zu den *Oxonium-Salzen u. sind im Gegensatz zu den meisten anderen Oxonium-Salzen von Ethern stabil, bes. wenn sie in 2,4,6-Stellung substituiert sind. Als 2-Phenyl-1-benzopyrylium-chloride isoliert man die in der Natur weit verbreiteten *Anthocyanidine; s. a. Flavonoide. P.-S. sind wichtige Zwischenprodukte in der organ. Synthese. Ihre Reaktivität beruht darauf, daß der pos. geladende Sechsring von Nucleophilen in 2- u. 4-Stellung angegriffen werden kann. Diese Addukte unterliegen einer reichhaltigen Folgechemie; sie können z. B. leicht in Pyridine (s. Abb. c) od. *Phosphinine umgewandelt werden. – ***E*** pyrylium salts – ***F*** sels de pyrylium – ***I*** sali di pirilio – ***S*** sales de pirilio

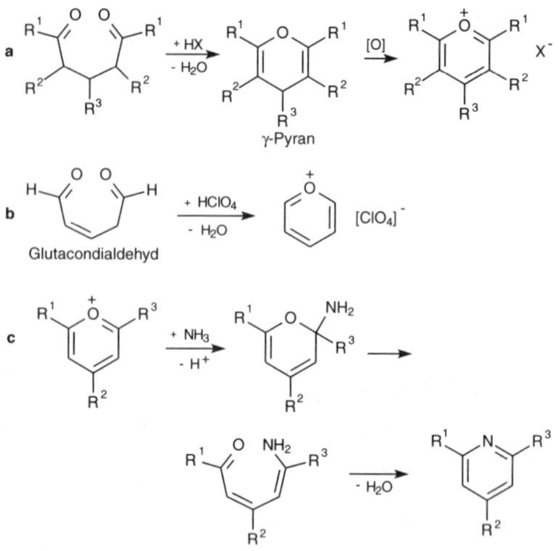

Abb.: Allg. Synth. von Pyrylium-Salzen aus Pyranen (a), Synth. von Pyrylium-perchlorat aus Glutacon(di)aldehyd (b) u. Umwandlung von Pyrylium-Salzen in Pyridine (c).

Lit.: Adv. Heterocycl. Chem. **10**, 241 f. (1969); **50**, 158–254 (1990) ▪ Adv. Heterocycl. Chem. Suppl. **2**, 1 ff. (1982) ▪ Angew. Chem. **72**, 331 f. (1960); **96**, 403–413 (1984) ▪ Eicher u. Hauptmann, Chemie der Heterocyclen, S. 222 f., Stuttgart: Thieme 1994 ▪ Gilchrist, Heterocyclenchemie, S. 177 f., Weinheim: VCH Verlagsges. 1995 ▪ Houben-Weyl **E 7 b**, 755 ff. ▪ Katritzky-Rees **3**, 573 ff. ▪ Tetrahedron **36**, 679 ff. (1980) ▪ s. a. Pyrane.

PYY s. Peptid YY.

PZ. Abk. für 1. *Portlandzement u. 2. Pankreozymin (s. Cholecystokinin).

P-Zahl. Die P-Z. ist eine empir. Kennzahl, der das Verhältnis zwischen Gesamt-Phosphor (als P_2O_5) u. Protein-Gehalt von Fleischerzeugnissen zugrunde liegt. Mittels der P-Z. ist es möglich, zugesetztes Monophosphat (auch natürlicher Fleischinhaltsstoff) od. hydrolyt. gespaltene (durch fleischeigene *Enzyme) zugesetzte, kondensierte Phosphate nachzuweisen. Durch Berechnen der P. kann der Zusatz von Polyphosphat nachgewiesen werden [1,2]. Diese Aussage läßt sich durch die *SP-Zahl* (SP = säurelöslicher Gesamt-Phosphor) überprüfen, die gegenüber Verfälschung (Eizusatz zu Muskelfleisch) unempfindlicher als die P. ist [2]. – ***E*** P index – ***F*** = ***I*** indice P – ***S*** índice P

Lit.: [1] Lebensmittelchem. Gerichtl. Chem. **7**, 173 (1953). [2] Lebensmittelchem. Gerichtl. Chem. **19**, 170–177 (1965).

PZC s. isoelektrischer Punkt.

PZT. Abk. für $Pb(Zr,Ti)O_3$ (*Bleizirkonat, Bleititanat), s. a. PLZT u. Perowskit.

Q

q. a) Veraltete Abk. für Quadrat... in Flächeneinheiten; *Beisp.:* qm = m^2 (*E* sq od. s = square; s. psi u. SP). – b) Symbol für physikal. Größen, z. B. elektr. Feldgradient, Fließgeschwindigkeit (Flußrate; q_m: Masse/Zeit; q_v: Vol./Zeit), *Ladungsdichte (auch ρ), *Wärme („Wärmemenge", auch Q), mol. *Verteilungsfunktion (auch z), Vibrations-*Normalkoordinaten.

Q. a) Im *Atombau Bez. der 7. Elektronenschale. – b) In den Ein-Buchstaben-Notationen für *Aminosäuren u. *Nucleoside Kurzz. für *Glutamin (IUPAC/IUB-Regel 3AA-1) u., hilfsweise statt Ψ, für *Pseudouridin (Regel N-3.2.1), biochem. Abk. für *Chinone, bes. für Coenzym Q (*Ubichinon). – c) Symbol für physikal. Größen, z. B. elektr. *Ladung, Energie von *Strahlung (auch W), mol. *Quadrupolmoment (auch Θ), Qualitätsfaktoren (z. B. für *relative biologische Wirksamkeit im *Strahlenschutz), Reaktions- u. a. *Q*uotienten, *Verteilungsfunktionen von Syst., massenangepaßte Vibrations-*Normalkoordinaten, bei unelast. Teilchenkollisionen verlorene kinet. Energie (*Q-Wert*), *Wärme (neben q), Zerfallsenergie bei *Kernreaktionen. – d) In Kurzz. für Siliconkautschuke charakterist. Endbuchstabe, s. Silicone.

Q. b. A. (*Q*ualitätswein eines *b*estimmten *A*nbaugebietes). Ein Wein, der die Bez. Q. b. A. trägt, muß ausschließlich aus Qualitätsweinen eines genannten Anbaugebietes stammen. In der BRD entspricht dies im allg. den höchsten Qualitätsstufen. Festgelegt wird diese Bez. in der EWG-VO Nr. 3201/90, Artikel 3, Abs. (1) [1]. Die Angaben „Qualitätswein bestimmter Anbaugebiete" od. „Qualitätswein b. A." od. eine gleichwertige, in anderen Mitgliedsstaaten gültige Angabe (ggf. in einer anderen Amtssprache der Gemeinschaft) od. andere qualitätsbezogene Angaben sind auf dem Etikett in einer bestimmten Art u. Weise anzugeben.

Lit.: [1] EWG-VO Nr. 3201/90 der Kommission über Durchführungsbestimmungen für die Bezeichnung u. Aufmachung der Weine u. der Traubenmoste vom 16. 10. 1990 in der Fassung vom 7. 4. 1997 (ABl. der EG Nr. L 93/9).

Qβ-Replikase (Q-beta-Replikase). RNA-abhängige RNA-*Polymerase der Qβ-Phagen, die in der *Gentechnologie zur gezielten *Mutagenese durch Einbau von *Nucleotid-Analoga in RNA verwendet wird (rekombinante RNA-Technik). – ***E*** Qβ replicase – ***F*** réplicase Qβ – ***I*** replicasi Qβ – ***S*** replicasa Qβ

Lit.: J. Biol. Chem. **272**, 15 339–15 345 (1997) ▪ Proc. Natl. Acad. Sci. USA **93**, 11 558–11 562 (1996) ▪ Structure **4**, 543–554 (1996) ▪ Stryer 1996, S. 941 ▪ Winnacker, From Genes to Clones, S. 462 f., Weinheim: VCH Verlagsges. 1987. – *[CAS 9026-28-2]*

QCD. Abk. für *Quantenchromodynamik.

QCPE. Abk. für *Q*uantum *C*hemistry *P*rogram *E*xchange. Organisation zur Verbreitung quantenchem. Programme, deren Bedeutung in den letzten Jahren – seit dem kommerziellen Vertrieb einiger der großen Programmsyst. u. der weltweiten Computervernetzung – etwas abgenommen hat. Adresse: Dept. of Chemistry, Indiana University, Bloomington, Indiana 47 401, USA (publiziert auch Newsletter u. Bulletin).

QED. Abk. für *Quantenelektrodynamik.

Q-e-Schema (e-Q-Schema). Ein zentraler Aspekt bei der Planung von *Copolymerisationen ist die Vorhersage von Zusammensetzung u. Aufbau der entstehenden *Copolymere als Funktion der Art u. des Mischungsverhältnisses der zu ihrer Synth. eingesetzten *Monomere. Für den häufigsten Fall, daß zwei Monomere A u. B copolymerisiert werden, ist die sog. Copolymerisationsgleichung

$$m_A/m_B = [A]/[B] \cdot \{r_1[A]+[B]\}/\{r_2[B]+[A]\}$$

die entscheidende Gleichung. Sie gibt das Einbauverhältnis der Comonomeren (m_A/m_B) in das entstehende Copolymer als Funktion der jeweils vorliegenden Monomer-Konz. [A] u. [B] an. Die in der Gleichung auftretenden Parameter r_1 u. r_2 sind die sog. *Copolymerisationsparameter („r-Werte"). Sie berechnen sich aus dem Verhältnis der Geschw.-Konstanten k der Anlagerung von „eigenem" bzw. „fremdem" Monomer an ein wachsendes Kettenende. Im betrachteten Fall der Copolymerisation zweier Monomerer A u. B sind somit vier verschiedene Wachstumsreaktionen zu betrachten:

$$\sim\!\sim A\bullet + A \xrightarrow{k_{AA}} \sim\!\sim A{-}A\bullet$$
$$\sim\!\sim A\bullet + B \xrightarrow{k_{AB}} \sim\!\sim A{-}B\bullet$$
$$\sim\!\sim B\bullet + B \xrightarrow{k_{BB}} \sim\!\sim B{-}B\bullet$$
$$\sim\!\sim B\bullet + A \xrightarrow{k_{BA}} \sim\!\sim B{-}A\bullet$$

Hieraus folgt für die Copolymerisationsparameter:

$$r_1 = k_{AA}/k_{AB}$$

u.

$$r_2 = k_{BB}/k_{BA}.$$

Die Parameter r_1 u. r_2 werden meist experimentell ermittelt od. können Tabellenwerken entnommen werden. Für ein besseres theoret. Verständnis von Copolymerisationen u. die schnellere Vorhersage des chem. Aufbaus von Copolymeren aus neuartigen Monomer-Kombinationen beschrieben Alfrey u. Price das Verhalten einzelner Monomere quant. mit Hilfe zweier Größen Q u. e. Für die Geschw.-Konstante k_{XY} der

Addition eines Monomeren Y an das Kettenradikal ~X•, die zum neuen Kettenradikal führt, wurde die Gleichung

$$k_{XY} = P_X Q_Y \exp\{-e_X e_Y\}$$

angesetzt. Darin ist P_X ein für das Radikal ~X• charakterist. Proportionalitätsfaktor. Q_Y ist ein Maß für die Resonanzstabilisierung des nach erfolgter Monomer-Anlagerung entstehenden Radikals u. somit ein indirektes Maß für die Reaktionsbereitschaft des Monomers Y. Die Größen e_X u. e_Y beschreiben eine durch eventuelle Substituenten bedingte Polarisierung von Radikal u. Monomer (z. B. durch den Phenyl-Rest im Styrol od. das Chlor-Atom im Vinylchlorid). Dabei wird angenommen, daß ein ident. e-Wert (z. B. e_x) für sowohl die Polarisierung des Radikals (z. B. ~X•) als auch die des entsprechenden Monomers (X) angesetzt werden darf. Will man mit Hilfe der so parametrisierten Geschw.-Konstanten k_{XY} die r-Werte einer beliebigen Kombination von Monomeren berechnen, so bildet man aus diesen, wie oben gezeigt, die Quotienten. Dabei setzt man – z. B. für die Bestimmung von r_1 – im Zähler X=Y=A ein, im Nenner dagegen X=A u. Y=B:

$$r_1 = \frac{k_{AA}}{k_{AB}} = \frac{P_A Q_A}{P_A Q_B} \frac{\exp(-e_A e_A)}{\exp(-e_A e_B} = \frac{Q_A}{Q_B} \exp[-e_A(e_A - e_B)]$$

Analog erhält man für r_2:

$$r_2 = \frac{Q_B}{Q_A} \exp[-e_B(e_B - e_A)].$$

Die zur Berechnung erforderlichen Werte für e u. Q sind, bezogen auf Styrol als Standard mit Q=1 u. e=–0,8, für alle bekannten Monomere berechnet u. tabellar. erfaßt (s. *Lit.*[1]). Sehr instruktiv ist es weiterhin, die Q- u. e-Werte wichtiger Monomere in einem Diagramm zusammenzustellen, dessen x-Achse die Q-Werte u. dessen y-Achse die e-Werte angibt. Man erhält so das sog. Q-e-Schema (Abb.).

Aus diesem läßt sich sofort das ungefähre Verhalten eines Monomeren-Paares bei der Copolymerisation ablesen: Ganz allg. werden die weit rechts stehenden Monomeren (großer Q-Wert) mit den weit links stehenden (kleiner Q-Wert) nicht gut copolymerisieren, weil die Addition eines Monomeren mit kleinem Q-Wert an ein radikal. Kettenende mit guter Resonanz-Stabilisierung von einem energieärmeren zu einem energiereicheren Radikal führen würde. Dies ist wenig wahrscheinlich. Wird eine solche Copolymerisation durchgeführt, so ist allenfalls eine geringe Menge des Monomers mit dem kleinen Q-Wert im Copolymer zu finden, d. h. es polymerisiert kaum ein. Aus diesem Grunde sind z. B. Vinylchlorid od. Vinylacetat zur Copolymerisation mit Styrol ungeeignet. Nahezu ideale Copolymerisation – d. h. Einbau der Monomeren in das Copolymere in dem Verhältnis, in dem sie in der Monomer-Mischung vorliegen – ist bei Monomer-Paaren gegeben, die im Diagramm nahe beieinander stehen, also ähnliche Q- u. e-Werte aufweisen. Schließlich zeigen Monomerenpaare mit gegensinniger Polarisierung, d. h. mit einem pos. u. einem neg. e-Wert, eine deutliche Tendenz zur alternierenden Addition an die wachsenden Kettenenden. Dieses Verhalten ist bes. dann sehr ausgeprägt, wenn beide Monomere darüber hinaus ähnliche Q-Werte aufweisen. Im Extremfall werden streng alternierende Copolymere –A–B–A–B–A–B– erhalten (z. B. aus Styrol u. Maleinsäureanhydrid).

Auch wenn wegen der stark vereinfachenden Annahmen, die dem Q-e-S. zugrunde liegen, die Übereinstimmung zwischen Vorhersage u. Experiment nicht immer gut ist, geben die Q- u. e-Werte doch das Verhalten von Monomeren bei der Copolymerisation in ihrer Tendenz korrekt wieder. – ***E*** Q-e-scheme – ***F*** schéma e-Q – ***I*** schema Q-e – ***S*** esquema Q-e

Lit.: [1] Brandrup u. Immergut, Polymer Handbook, New York: Wiley & Sons 1975.
allg.: Elias (5.) **1**, 530 ▪ Odian (3.), S. 489 ▪ Tieke, S. 153.

Q-Fieber s. Rickettsien.

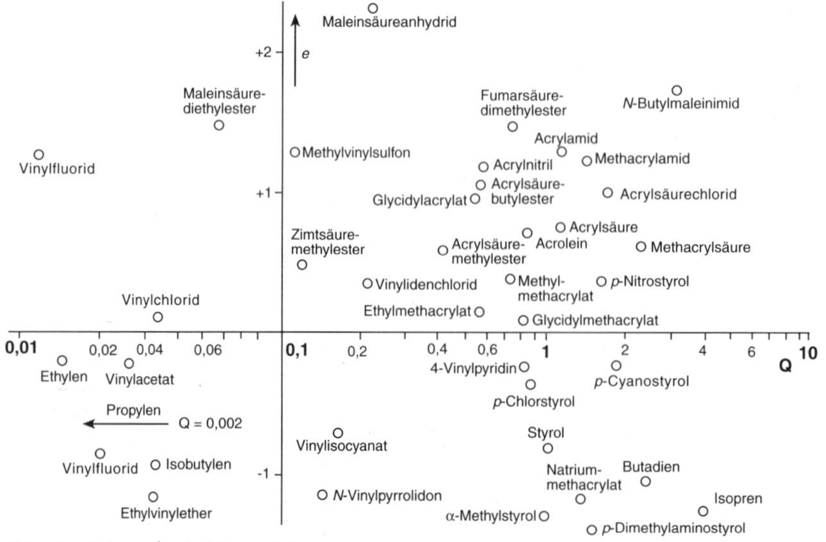

Abb.: Q-e-Schema nach Alfrey u. Price.

Qinghaosu [Arteannuin, Artemisinin, Qing Hao Su, Qinghao, QHS].

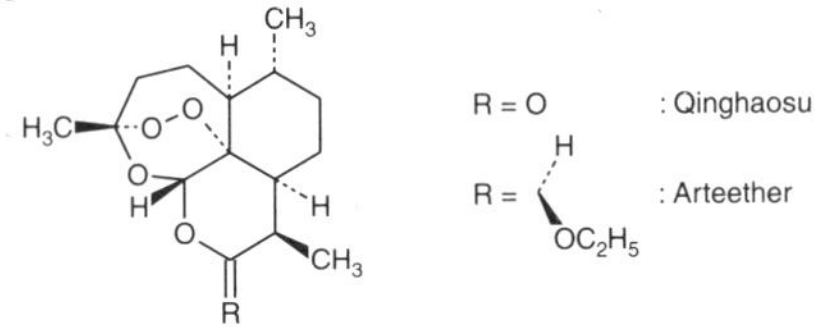

R = O : Qinghaosu

R = OC_2H_5 : Arteether

$C_{15}H_{22}O_5$, M_R 282,34, Krist., Schmp. 156–157 °C, $[\alpha]_D^{17}$+66,3° ($CHCl_3$), lösl. in Chloroform, Petrolether, fast unlösl. in Wasser.

Das Sesquiterpenperoxid Q. ist das potente plasmodizide Prinzip der chines. Heilpflanze *Artemisia annua* (Asteraceae). In der traditionellen chines. Volksmedizin wird *Artemisia annua* unter der Bez. Qinghao zur Fiebersenkung verwendet. Bereits vor 2000 Jahren wurde Qinghao in den „52 Verschreibungen" im Grab der *Mawangdui Han Dynastie* erwähnt. In der Mitte des 4. Jh. wird im *Zhouhou Bei Ji Fang* (Hdb. der Notfallmedizin) die Verw. bei *Malaria zum ersten Mal genannt.

Im Jahr 1972 konnte Q. isoliert u. als die wirksame Substanz identifiziert werden. *A. annua* enthält zwischen 0,01 u. 0,6% Trockengew. Q., die am besten mit Petrolether extrahiert werden. In klin. Studien konnte sehr gute Wirkung gegen *Plasmodium falciparum* nachgewiesen werden, das für 85% der weltweit mehr als 300–500 Mio. Malariaerkrankungen jährlich verantwortlich ist. Die minimale effektive Konz. von Q. *in vitro* beträgt 10^{-9} Mol/L. Q. scheint die Membran der Parasiten zu schädigen u. in ihren Nucleinsäure-Stoffwechsel einzugreifen. Q. wirkt auch gegen *Chloroquin-resistente Erreger. Die akute Toxizität von Q. ist sehr niedrig (Maus p. o.: LD_{50} >4000 mg/kg). Hauptlieferanten für Q. sind China u. Vietnam.

Für die Chemotherapie der Malaria bes. vielversprechende Derivate werden nach Red. des Lactons zum Lactol (*Dihydro-Q., DHQHS*) erhalten. Der Methylether wird *Artemether* (Paluther®), das Natriumsalz des Hemisuccinats *Artesunat®* genannt. Durch diese Modif. wird die Hydrolyse des Lacton-Rings im Q. unterdrückt, so daß bei Arthemether u. Artesunat Dosen von ca. 400–600 mg alle 3 d ausreichen [1]. Der Ethylether von Q., *Arteether* [2] genannt, hat in China die breiteste klin. Verw. gefunden: $C_{17}H_{28}O_5$, M_R 312,35, Krist., Schmp. 80–82 °C.

Q. u. seine Derivate werden von der WHO zur Malariatherapie bei Chloroquin- u. Mefloquin-resistenten Erregern empfohlen. Resistenzen gegen Q. wurden noch nicht beobachtet. Aufgrund der medizin. Bedeutung von Q. wurden zahlreiche Synth. beschrieben. Stärker strukturell abgewandelte tri- u. tetracycl. Verb., z. B. Ro 42-1611, die sich an Q. als Leitstruktur orientieren, befinden sich in klin. Prüfungen. – ***E*** = ***F*** = ***I*** = ***S*** qinghaosu

Lit.: [1] Lancet **341**, 603 (1993). [2] Parasitol. Today **12**, 79 ff. (1996). *allg.:* Acc. Chem. Res. **27**, 211 (1994) ▪ Helv. Chim. Acta **67**, 1515 (1984) ▪ J. Nat. Prod. **51**, 1273–1276 (1988); **52**, 337–341 (1989) ▪ Sax (8.), ARL375. – *Biosynth.:* Phytochemistry **25**, 2777 (1986) ▪ J. Nat. Prod. **56**, 1559 (1993). – *Review:* Atta-ur-Rahman, Stud. Nat. Prod. Chem. Bd. 3, S. 495–527, Amsterdam: Elsevier 1989 ▪ Dtsch. Apoth. Ztg. **127**, 2515 (1987) ▪ Med. Res. Rev. **7**, 29–52 (1987) ▪ Phillipson et al., in Hostettmann et al., Biologically Active Natural Products, S. 49–64, Oxford: Clarendon Press 1987 ▪ Science **228**, 1049–1055 (1985). – *Synth.:* J. Am. Chem. Soc. **114**, 974 ff. (1992) ▪ J. Chem. Soc. Chem. Commun. **1990**, 726 f. ▪ J. Org. Chem. **54**, 1789–1792 (1989). – *Synth.-Analoge:* J. Chem. Soc. Chem. Commun. **1988**, 372 ff. ▪ J. Med. Chem. Med. Chem. **32**, 1249 (1989); **38**, 607–616 (1995); **39**, 1885–1897 (1996) ▪ Tetrahedron **45**, 7287–7290 (1989). – *Wirkung, Mechanismus:* J. Am. Chem. Soc. **118**, 3537 (1996) ▪ Pharm. Unserer Zeit **24**, 189 (1995) ▪ Tetrahedron Lett. **37**, 253, 257 (1996). – *[CAS 63968-64-9 (Q.); 75887-54-6 (Arteether); 71963-77-4 (Artemether); 88495-63-0 (Artesunate)]*

QSAR. Als QSAR-Meth. (von *E* Quantitative Structure-Activity Relationship = Quantitative Struktur-Wirkungs-Beziehung) faßt man heute alle Bemühungen zusammen, zwischen der Struktur von Mol. u. ihren Wirkungen quant., d. h. in Zahlenverhältnissen ausdrückbare Beziehungen herzustellen. Fernziel der Betrachtungen ist es, Mol. mit gewünschten Eigenschaften mit den Mitteln der präparativen Chemie „nach Maß" synthetisieren zu können. Das erste u. bevorzugte Wirkungsfeld für QSAR-Untersuchungen war u. ist naturgemäß die *Pharmazeutische Chemie mit der Arzneimittel-Synth., wo sie bei der Optimierung von Leitstrukturen hilft.

Gegenwärtig werden folgende QSAR-Verf. angewendet: 1. Modelle, die mit *de-novo*-Parametern arbeiten, d. h. mit empir., aus dem jeweiligen Datensatz abgeleiteten Konstanten (sog. Free-Wilson-Analyse). – 2. Verf., die mit physikochem. Parametern arbeiten u. versuchen, diese Parameter od. Kombinationen von Parametern mit der biolog. Aktivität zu korrelieren (*Hansch-Analyse). – 3. Weiterentwicklungen wie die multivariate Analyse [1] u. die MTD-Meth. [2] (MTD = minimal topological differences). – 4. Bei 3D-QSAR werden Kenngrößen von der 3D-Struktur eines Mol. abgeleitet u. mit Bindungseigenschaften gegenüber einer biolog. Zielstruktur korreliert. Die verbreitetste Meth. ist die vergleichende mol. Feldanalyse (CoMFA [3]), bei der man die Mol. in ein Gitter einbettet. An jedem Gitterpunkt sitzt eine „Sonde" (Atom), u. man berechnet die Wechselwirkung zwischen dieser Sonde u. dem Molekül. Die Gesamtheit der Wechselwirkungen ist das „Feld" (ster. od. elektron.) des Moleküls. Man kann dann die Felder von Mol. untereinander vergleichen od. versuchen, sie mit Bindungsaffinitäten zu korrelieren. Eine Weiterentwicklung von CoMFA ist die CoMSIA-Meth. [4], die auf einem Ähnlichkeitsvergleich des Mol. mit einer Sonde beruht.

Alle Verf. müssen sehr komplex sein, da Struktur-Wirkungs-Beziehungen von Lipophilie, Dissoziation, elektron. u. ster. Wechselwirkungen u. der Beteiligung von Wasser abhängen. Ebenso wie viele andere Verf. der Statistik u. Stochastik bedient sich auch das der QSAR der elektron. Datenverarbeitung, um die verschiedenen Parameter miteinander in Beziehung zu setzen u. eine Optimierung zu erreichen. Die Verf. stoßen dort an ihre Grenzen, wo gegenseitige dynam. Anpassung von Mol. („induced fit") stattfindet sowie bei dem ebenfalls dynam. Prozeß der Resorption, Verteilung, Metabolisierung u. Elimination von Arzneistoffen, da hier andere Strukturparameter als die für die eigentliche Wirkung verantwortlichen entscheidend sein können.

Anw.: Als Routine-Meth. in der *Pharmazeutischen Chemie u. *Pharmazeutischen Industrie (s. die zahlrei-

Tab.: QSAR-Untersuchung in Umweltwissenschaften u. Wirkstoffdesign (nach *Lit.*[6]).

	Umweltwissenschaften	Wirkstoffdesign
Ziele	Analyse u. Quantifizierung von Verteilungs- u. Abbau-Prozessen in der Umwelt, Wirkungsvorhersage, z. B. Ökotoxizität, Risikobewertung	Optimierung der biolog. Aktivität von Pharmazeutika, Pflanzenschutzmitteln u. a.; Auffinden neuer (Leit)Strukturen/ Verb./Verb.-Klassen
Biorezeptor	ganze Ökosyst., Populationen, Organismen; nicht genau definierbar; meist nicht vollständig bekannt	isolierte, makromol. Rezeptoren; meist definiert; meist bekannt
Reaktionen	sehr viele	eine bis wenige
Reaktionsmechanismus	unspezif. u. spezif. Mechanismen	spezif. Mechanismus
Effekte	Mortalität, Wachstum, Fortpflanzung	spezif., abstufbare u. definierte Effekte von einzelnen Enzymen bzw. Testsyst.

chen Beiträge in *Lit.*[5]) sowie zur Untersuchung der Wirkung von Enzymen, Einschlußverb., Pflanzenschutzmitteln, Pheromonen u. Riechstoffen. QSAR sind von Bedeutung für die Vorhersage u. Berechnung der physikal., chem. u. ökotoxikolog. Eigenschaften von *Neustoffen u. *Altstoffen bes. im Rahmen von *Risiko-Bewertungen. Über QSAR werden häufig der Octanol/Wasser-Verteilungskoeff. *P_{OW} u. Bioakkumulationsfaktoren bestimmt. Die grundlegenden Unterschiede beim Einsatz von QSAR in Umweltwissenschaften u. Wirkstoffdesign sind in der Tab. zusammengefaßt. – ***E*** quantitative structure-activity relationship – ***F*** RQSA (relation quantitative structure-activité) – ***S*** relación cuantitativa estructura/actividad

Lit.: [1]Mager, Multidimensional Pharmacochemistry, New York: Academic Press 1984. [2]Simon et al., Minimum Steric Difference, Letchworth: Res. Stud. Press 1984. [3]J. Med. Chem. **28**, 849–857 (1985). [4]J. Med. Chem. **37**, 4130–4146 (1994). [5]Ariens, Drug Design, New York: Academic Press, seit 1971. [6]Hermens u. Opperhuizen, QSAR in Environmental Toxikology IV, Amsterdam: Elsevier 1991.

allg.: Böhm, Klebe u. Kubinyi, Wirkstoffdesign, S. 361–397, Heidelberg: Spektrum Akad. Verl. 1996 ▪ Chemosphere **36**, 271–295 (1998) (QSAR von Aminen) ▪ Chem. Unserer Zeit **20**, 191 (1986) ▪ Environ. Sci. Technol. **31**, 2313–2318 (1997) ▪ Jörgensen u. Hallig-Sorensen (Hrsg.), Handbook of Estimation Methods in Ecotoxicology and Environmental Chemistry, Berlin: Springer 1998 ▪ Kubinyi, 3D QSAR in Drug Design, Leiden: Escom 1993 ▪ Pharm. Unserer Zeit **17**, 106, 129, 177 (1988) ▪ Prog. Drug Res. **23**, 97 f., 199 f. (1979); **29**, 67 (1985) ▪ Seydel, QSAR and Strategies in the Design of Bioactive Compounds, Weinheim: VCH-Wiley 1985 ▪ Ullmann (5.) **5**, 47 ff. – *Zeitschriften:* Quantitative Structure-Activity Relationships, Weinheim: VCH-Wiley (seit 1982) ▪ SAR and QSAR in Environmental Research, Reading: Gordon and Breach (seit 1993) ▪ s. a. Hansch-Analyse u. Molecular Modelling.

QSL-Verfahren s. Zink.

QSPR. Abk. für *E Q*uantitative *S*tructure *P*roperty *R*elationship = Quant. Struktur-Eigenschafts-Beziehung. Die Meth. versucht, ähnlich wie *QSAR, eine mathemat. Beziehung zwischen den Eigenschaften einer Verb., z. B. dem pK_A-Wert von Carbonsäuren od. dem *Retentionsindex von Substanzen in der Gaschromatographie, u. einem Deskriptor herzustellen, der sich aus der zwei- od. dreidimensionalen Struktur der Verb. ableiten läßt; Näheres s. QSAR u. Hansch-Analyse. – ***E*** quantitative structure property relationship – ***F*** RQSP (relation quantitative structure-propriété)

Lit.: Chem. Soc. Rev. **24**, 297 (1995).

Q-switched (von *E* quality switched, dtsch: Güte geschaltet). Verf., um bei einem *Laser kurze Pulse mit sehr hoher Leistung zu erzeugen. Wenn bei einem Laser durch Besetzungsinversion (s. Laser) der Verstärkungsfaktor größer als der Resonatorverlust wird, findet *stimulierte Emission* statt, wobei der Laser einen intensiven, gut gebündelten Lichtstrahl emittiert. Da die Besetzungsinversion sofort wieder abgebaut wird, ist die Größe der Verstärkung u. damit die Lichtintensität beschränkt. Eine höhere Besetzungsinversion kann erreicht werden, indem die Rückkopplung (≙ Güte) des *Laser-Resonators verschlechtert wird. Da der Laser später anschwingt, wird die Besetzungsinversion bei niedrigen Werten nicht abgebaut. Für einen kurzen Zeitbereich wird die Rückkopplung verbessert, d. h. der Laser schwingt sofort an u. sendet einen wesentlich intensiveren Puls aus.

Die techn. Realisierung der Güteschaltung kann mechan. durch Rotieren eines Endspiegels od. durch opt. Schalter, z. B. mit optoakust. od. optoelektr. Modulatoren sowie mit Farbstoffküvetten (sättigbare Absorber), erfolgen. Je kürzer der Zeitbereich der Güteschaltung ist, um so mehr Moden des Lasers werden gekoppelt (s. Modenkopplung). – ***E*** quality switched – ***F*** modulation de qualité – ***S*** modulación de calidad

Lit.: s. Laser u. Modenkopplung.

qt. Kurzz. der engl.-amerikan. Vol.-Einheit *Quart.

Quab®. 3-Chlor-2-hydroxypropyl-trimethylammoniumchlorid bzw. 2,3-Epoxypropyltrimethylammoniumchlorid als quarternäre Kationisierungsreagenzien für die Modifizierung von Stärke u. anderen Biopolymeren. ***B.:*** Degussa.

Quadbeck-Seeger, Hans-Jürgen (geb. 1939), Prof. für industrielle organ. Chemie, Univ. Heidelberg. Forschungsleiter der BASF AG (1990–1997), Präsident der GDCh (1994–1995), Tätigkeit im Senat der DFG u. der MPG. *Arbeitsgebiete:* Industrielle organ. Chemie, Forschungsmanagement, Forschungs- u. Bildungspolitik, Autorentätigkeit.

Quadr... Von latein.: quadri..., quadru... = vier(fach)... od. quadrum = Viereck abgeleiteter Fremdwortteil; *Beisp.:* folgende Stichwörter. – ***E*** quadr..., squar... – ***F*** = ***I*** quadr... – ***S*** cuadr...

Quadraine s. Quadratsäure.

Quadratischer elektrooptischer Effekt s. Kerr-Effekt u. elektrooptische Effekte.

Quadratsäure (3,4-Dihydroxy-3-cyclobuten-1,2-dion). $C_4H_2O_4$, M_R 114,06. Farb- u. geruchlose Krist., Schmp. 293 °C (Zers.) wenig lösl. in Wasser, unlösl. in den gebräuchlichen organ. Lösemitteln. Q. wurde erstmals durch Cyclodimerisierung u. Dechlorierung von Chlortrifluorethylen mit Zink über Perfluorcyclobuten u. 1,2-Diethoxy-3,3,4,4-tetrafluorcyclobuten u. dessen saure Hydrolyse hergestellt [1].

CFCl=CF2 —Dimerisierung (Zn)→ ; + 2 C2H5OH, − 2 HF ; + 4 H2O (H+), − 2 C2H5OH, − 4 HF

Quadratsäure — Dianion der Quadratsäure

Q. ist eine zweibasige starke Säure, die mit Alkalimetallen wasserlösl. Salze bildet, während die Quadratate der 2- u. 3-wertigen Metalle unlösl. sind. Das zu den *Oxokohlenstoffen gerechnete Dianion besitzt aromat. Charakter. Die Q. u. ihre Derivate sind zu einer Vielzahl von chem. Reaktionen befähigt. Mit prim. u. sek. aromat. od. cycl. Aminen reagiert Q. zu 1,3-Diamiden, die man in Anlehnung an *Betaine *Quadraine* nennt, da sie wie jene eine mesoion. (Zwitterionen-)Struktur aufweisen. Ein mit Q. eng verwandter Naturstoff ist das Mykotoxin *Moniliformin, das das K-Salz der sog. *Semiquadratsäure* darstellt; diese enthält eine Hydroxy-Gruppe weniger als Quadratsäure. Photochem. läßt sich aus Q. die homologe *Dreiecksäure (Deltasäure, 2,3-Dihydroxy-2-cyclopropen-1-on) erhalten. Q. findet Verw. zur Synth. von Cyclobutendionen, Chinonen u. Hydrochinonen. – ***E*** squaric acid – ***F*** acide quadratique – ***I*** acido quadratico – ***S*** ácido cuadrático

Lit.: [1] J. Am. Chem. Soc. **81**, 3480 (1959).
allg.: Angew. Chem. **78**, 927 (1966); **96**, 462 (1984); **106**, 193 (1994) ▪ Beilstein EIV **8**, 2701 ▪ Beyer-Walter, Lehrbuch der organischen Chemie (23.), Stuttgart: Hirzel 1997 ▪ Paquette **7**, 4665 ▪ s. a. Oxokohlenstoffe. – *[CAS 2892-51-5]*

Quadricyclan. Trivialname für den tetracycl. Kohlenwasserstoff Tetracyclo[$3.2.0.0^{2,7}.0^{4,6}$]heptan.

C_7H_8, M_R 92,15, eine farblose Flüssigkeit, Sdp. 108 °C (Zers.). Das mit *2,5-Norbornadien isomere u. auf photochem. Wege aus diesem entstehende Q. wurde früher Quadricyclen genannt; aufgrund seiner gespannten Struktur ist es zu vielen Additions- u. a. Reaktionen befähigt, s. a. Käfig-Verbindungen. – ***E*** = ***F*** quadricyclane – ***I*** quadriciclano – ***S*** cuadriciclano

Lit.: Helv. Chim. Acta **57**, 465–480 (1974); **68**, 1557–1568 (1985) ▪ Org. Synth. **51**, 133 (1971) ▪ Osawa, Carbocyclic Cage Compounds, S. 376, Weinheim: VCH Verlagesges. 1992. – *[HS 2902 19; CAS 278-06-8]*

Quadrillion s. Milliarde u. ppq.

Quadrilur [(3*R*,6*E*)-7-Methyl-6-nonen-3-ol-acetat].

$C_{12}H_{22}O_2$, M_R 198,30, Öl, Sdp. 63–64 °C (1,73 kPa); n_D^{20} 1,4331; $[\alpha]_D^{20}$ +9,6° ($CHCl_3$), lösl. in Chloroform, Pentan, unlösl. in Wasser. Aggregationspheromon männlicher Tiere des Kornkäfers *Cathartus quadricollis*, der weltweit große Schäden an gelagertem Getreide anrichtet. Eine Synth. der Enantiomeren von Q. wurde beschrieben. – ***E*** = ***F*** = ***I*** = ***S*** quadrilure

Lit.: J. Chem. Ecol. **14**, 2169 (1988) ▪ Justus Liebigs Ann. Chem. **1990**, 159–162 ▪ Tetrahedron: Asymmetry **6**, 463 (1995) ▪ s. a. Pheromone. – *[CAS 100429-35-4]*

Quadriperm®. Rechteckige Zellkulturschalen mit vier Unterteilungen, in denen sich Zellen auf Objektträgern normaler Größe kultivieren lassen. ***B.:*** Heraeus Instruments GmbH.

quadro-. Kursiv gesetztes Präfix, das quadrat. Anordnung der Metallatome in vierkernigen Komplexen anzeigt (IUPAC-Regel I-10.8.3.3); vgl. *tetrahedro-*. – ***E*** = ***F*** = ***I*** quadro- – ***S*** cuadro-

Quadrol®. Ethylendiaminpropoxylat; Neutralisierungskomponente für Säuregruppen-haltige Verb.; insbes. für die Wasch- u. Reinigungsmittel-Herst. u. die chem.-techn. Industrie. ***B.:*** BASF.

Quadron (Octahydro-10,10-dimethyl-6,8b-ethano-8b*H*-cyclopenta[*de*]isochromen-1,4-dion).

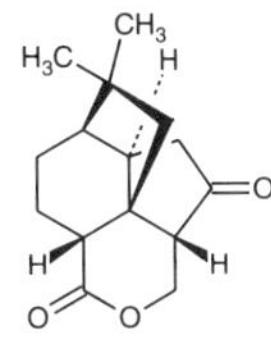

$C_{15}H_{20}O_3$, M_R 248,32; Krist., Schmp. 185–186 °C; $[\alpha]_D^{18}$ −50° (C_2H_5OH), tetracycl. Sesquiterpen aus Kulturen von *Aspergillus terreus*. Q. besitzt Antitumorwirkung. – ***E*** = ***F*** = ***I*** quadrone – ***S*** quadrón

Lit.: Beilstein E V **17/11**, 232. – *Biosynth.:* Tetrahedron Lett. **25**, 1119 (1984). – *Isolierung:* Tetrahedron Lett. **19**, 499 (1978). – *Synth.:* Can. J. Chem. **66**, 528 ff. (1988) ▪ J. Am. Chem. Soc. **113**, 3533–3542 (1991) ▪ J. Chem. Soc. Chem. Commun. **1989**, 1090 ▪ J. Org. Chem. **50**, 4418 (1985); **52**, 1483 (1987) ▪ Tetrahedron Lett. **31**, 485–488 (1990). – *[CAS 66550-08-1]*

Quadrupelpunkt s. Eutektikum.

Quadrupolanordnung s. Massenspektrometrie.

Quadrupolmoment. Elektr. Moment bei Atomen mit einem *Spin ≥1. Das Q. wird verursacht durch die nichtsphär. Verteilung der Kernladung.

Quaglio, Julius s. Periodensystem.

Qualifizierte Stichprobe. Nach § 2 Abwasserverordnung [1] (s. a. Rahmen-Abwasserverwaltungsvorschrift) eine *Mischprobe aus 5 Stichproben, die in einem Zeitraum von höchstens 2 h im Abstand von mind. 2 min aus dem Abwasser entnommen wurden.

Lit.: [1] VO über Anforderungen an das Einleiten von Abwasser in Gewässer (Abwasserverordnung, AbwV) vom 21. 03. 1997 (BGBl. I, S. 566).

Qualitätsfaktor s. Äquivalent-Dosis.

Qualitätskontrolle. Der wirtschaftliche Erfolg eines Unternehmens hängt wesentlich von der Qualität seiner Produkte u. Leistungen ab. Ein Kernpunkt unternehmer. Tätigkeit sollte daher die Kontrolle u. Sicherung der Qualität durch ein geeignetes Qualitätssicherungssyst. sein. Durch ein solches Syst.
- läßt sich das Risiko, fehlerhafte Produkte od. den Erfordernissen nicht entsprechende Leistungen anzubieten, verringern
- kann man Beanstandungen u. Ersatzansprüchen besser begegnen
- wird die Wettbewerbsfähigkeit gesichert.

Durch ein – z. B. durch die DQS (Dtsch. Gesellschaft zur Zertifizierung von Qualitätssicherungssyst.) – zertifiziertes Qualitätssicherungssyst.
- können Prüfungen des Qualitätssicherungssyst. durch den Kunden vermieden od. reduziert werden,
- können Kunden auf Feststellung der Qualitätsfähigkeit beim Lieferer verzichten,
- kann sich der Kontakt zwischen Kunde u. Lieferant auf Produkte u. Leistungen konzentrieren.

Beim Aufbau eines zertifizierten Qualitätssicherungssyst. geht es um organisator. Maßnahmen in allen Unternehmensbereichen, die eine laufende Kontrolle u. damit die Sicherung der Qualität gewährleisten. Wie diese organisator. Maßnahmen nachzuweisen sind, wird in den DIN ISO-Normen 9000–9004 festgelegt; s. a. Good Laboratory u. Good Manufacturing Practices. – ***E*** quality control – ***F*** contrôle de qualité – ***I*** controllo di qualità – ***S*** control de calidad

Qualitätswein b. A. s. Q.b.A.

Qualitative Analyse. Bez. für dasjenige Teilgebiet der *chemischen Analyse, das die Feststellung der *Art der Bestandteile* (z. B. Elemente, Ionen, Radikale, funktionelle Gruppen, Verb.) einer unbekannten Substanz (z. B. einheitliche chem. Verb., Stoffgemisch) mit chem., biochem., physikal.-chem. od. rein physikal. Meth. zum Ziele hat, ohne deren Mengenanteile zu berücksichtigen u. ohne zu untersuchen, wie die nachgewiesenen Ionen u. Atome in der Probe ursprünglich miteinander verbunden gewesen sind. Auch das Teilgebiet der *Analytischen Chemie, das sich mit der Durchführung solcher Analysen befaßt, wird q. A. genannt.

Der systemat. Gang umfaßt bes. bei der anorgan. q. A. im allg. folgende Stufen: 1. *Probenahme, 2. *Vorprobe, 3. *Aufschluß der unlösl. Verb., 4. *Trennungsgang, 5. *Identifizierung. Die angegebene Reihenfolge der Arbeitsgänge ist nicht zwingend. Zum einen können z. B. 2. u. 5. zusammenfallen, zum anderen sind z. B. 3. u. 4. dann überflüssig, wenn die Analysensubstanz aus einer lösl. einheitlichen Substanz besteht. Bei der qual. Schnellanalyse verzichtet man auf einen Trennungsgang u. weist die Ionen direkt mit *selektiv od. *spezifisch wirkenden, empfindlichen *Reagenzien, *Testpapieren od. -stäbchen, geeigneten Lsm., spektrophotometr., mit *ionenselektiven Elektroden u. dgl. od. durch *Tüpfelanalyse nach. Je nachdem, wieviel Untersuchungsgut verfügbar ist, unterscheidet man Makro-, Mikro- u. Spurenanalyse; vgl. die Einzelstichwörter zur weiteren Feingliederung.

Für die *Vorproben* (*Beisp.:* *Lötrohranalyse, *Salzperlen, *Flammenfärbung) genügt meist die zerkleinerte, feste, trockene Substanz. Zur Ausführung der eigentlichen Analyse muß man meist die Analysensubstanz in Lsg. bringen, denn in der Regel geben nur diese mit den Reagenzien die für einzelne Ionen od. Gruppen charakterist. Niederschläge, Färbungen u. dgl. Falls sich die Untersuchungssubstanz in dest. Wasser od. in *nichtwäßrigen Lösemitteln nicht löst, verwendet man (chem. reine) Säuren. Wenn sie sich auch in diesen nicht vollständig löst, ist für den unlösl. Anteil ein *Aufschluß* notwendig. Mit den so erhaltenen Analysen-Lsg. wird dann (soweit angebracht) der systemat. *Trennungsgang* durchgeführt, u. die dabei getrennten Bestandteile werden schließlich durch für sie charakterist. Reaktionen einzeln *identifiziert*, s. die Beisp. bei Mikroanalyse. Ein bes. Vorgehen erfordert die qual. *Gasanalyse; halbquant. Bestimmungen sind mit *Prüfröhrchen möglich.

Bes. in der organ. q. A. werden neben der Gruppenanalyse physikal.-chem. u. rein physikal. Meth. zur Identifizierung einer Substanz herangezogen (chromatograph. Verf., Schmelz- u. Siedepunktbestimmung, Bestimmung der Brechungsindizes, UV-, IR-, NMR-Spektroskopie usw., s. a. physikalische Analyse). In der *biochemischen Analyse bevorzugt man immunolog. Meth. (*Beisp.:* *Agglutinations-Reaktionen in der *Serodiagnostik, *Immundiffusion u. -elektrophorese, *Radioimmunoassay) od. *enzymatische Analysen; allerdings sind die Fragestellungen hier häufiger quant. Art. In der klin. Chemie u. Diagnostik werden Schnelltests mit *Reagenzpapieren u. Teststreifen vielfach als *halbquantitative Bestimmung durchgeführt. Häufig schließt sich an die q. A. eine *quantitative Analyse an. – ***E*** qualitative analysis – ***F*** analyse qualitative – ***I*** analisi qualitativa – ***S*** análisis cualitativo

Lit.: Christian, Analytical Chemistry, New York: Wiley 1994 ▪ Doerffel, Analytikum: Methoden der analytischen Chemie u. ihre theoretischen Grundlagen, Stuttgart: Dtsch. Verl. für Grundstoffind. 1994 ▪ Kunze u. Schwedt, Grundlagen der qualitativen u. quantitativen Analyse, Stuttgart: Thieme 1996 ▪ Strähle u. Schweda, Jander-Blasius, Einführung in das anorganisch-chemische Praktikum, Stuttgart: Hirzel 1995 ▪ s. a. analytische Chemie, chemische bzw. physikalische Analyse, Identifizierung, Lebensmittelchemie.

Qualitrol®. Richtigkeits-Kontrollseren tier. Ursprungs zur Qualitätskontrolle in der Klin. Chemie. ***B.:*** Merck.

Quallen s. Hohltiere.

Quantalan® (Rp). Pulver mit *Colestyramin gegen Hypercholesterinämie. ***B.:*** Bristol Myers Squibb.

Quantasomen s. Zellen.

Quantelung s. Quanten.

Quanten (Singular: das Quant, von latein.: quantum = wieviel, soviel). In der Physik wurde der Begriff Q. ursprünglich auf Licht-Q. (*Photonen) angewandt, die zuerst von *Planck postuliert wurden (s. a. Quantentheorie) u. allg. die Q. der elektromagnet. Wechselwirkung darstellen. In Verallgemeinerung dieses Sachverhalts bezeichnet man als Q. auch die den Feldern anderer Wechselwirkungen zugeordneten Teilchen; so betrachtet man z. B. die Gluonen (s. Elementarteilchen) als Q. der starken Wechselwirkung, die inter-

mediären Vektorbosonen als Q. der schwachen Wechselwirkung u. die experimentell bisher noch nicht beobachteten Gravitonen als Q. des Gravitationsfeldes. In der Festkörperphysik (s. Festkörper) bezeichnet man die Q. der Gitterschwingungen als *Phononen. Für die Energie der Lichtquanten gilt E = h ν, wobei h das *Plancksche Wirkungsquantum u. ν die Frequenz der zugehörigen elektromagnet. *Strahlung (Gamma-, Infrarot-, ionisierende, kosmische, Röntgen-, Ultraviolettstrahlung u. a., allg. Licht) sind.
Bei Mol. unterscheidet man zwischen Schwingungs-Q. u. Rotations-Q., je nachdem ob Aufnahme od. Abgabe von Lichtquanten od. Energieübertragung durch Stöße eine Änderung des Schwingungszustands od. des Rotationszustands bewirken. Da außer der Energie auch der Drehimpuls quantisiert ist (s. Drehimpulsquantenzahl), wird auch der Begriff Drehimpuls-Q. verwendet.
Unter *Quantelung* versteht man zum einen das Vorliegen diskreter, durch *Quantenzahlen beschreibbarer Energieniveaus (*Beisp.:* Richtungsquantelung von *Atomstrahlen), zum anderen die *Quantisierung* als Übergang von der klass. zur quantentheoret. Beschreibung physikal. Vorgänge. Die Einführung sog. *Quantenbedingungen* (mathemat. Vorschriften bezüglich Operatoren bzw. Matrizen) bei der Beschreibung von physikal. Phänomenen od. Effekten wird durch Voranstellen des Begriffs „Quanten..." gekennzeichnet; *Beisp.: Q.-Chromodynamik* (s. a. Elementarteilchen), *Q.-Elektrodynamik* (*Quantentheorie), *Q.-Elektronik* (für *Laser u. *Maser), *Q.-Festkörper* (s. Helium), *Q.-Flüssigkeiten* (s. Helium u. Suprafüssigkeiten), *Q.-Gas* (s. Wasserstoff), **Quanten-Hall-Effekt* (für seine Entdeckung wurde K. von *Klitzing 1985 mit dem Nobelpreis für Physik ausgezeichnet), *Q.-Sprung* u. *Q.-Zustand* (s. Quantenzahlen); s. a. die folgenden Stichwörter. – ***E*** = ***F*** quanta – ***I*** quanti – ***S*** cuantos, quanta

Lit.: Atkins, Quanta, 2. Aufl., Oxford: Oxford University Press 1991 ▪ s. a. Quantentheorie.

Quantenausbeute (Symbol Φ od. φ). Bez. für den Quotienten aus der Anzahl definierter Ereignisse bei photophysikal. od. photochem. Prozessen u. der Zahl der absorbierten Lichtquanten, s. *Lit.*[1]. Für eine photochem. Reaktion kann die Q. als Quotient aus Umsatzgeschw. u. Geschw. der Photonenabsorption definiert werden. Die IUPAC hat Empfehlungen zur Darst. von Q. in Publikationen erlassen, s. *Lit.*[2]. – ***E*** quantum yield – ***F*** rendement quantique – ***I*** rendimento quantico – ***S*** rendimiento cuántico

Lit.: [1] Homann, Größen, Einheiten u. Symbole in der Physikalischen Chemie, Weinheim: VCH Verlagsges. 1996. [2] Pure Appl. Chem. **60**, 1055–1106 (1988).
allg.: von Bünau u. Wolff, Photochemie, Weinheim: VCH Verlagsges. 1987 ▪ Ulessinger u. Miehl, Excited State and Photochemistry of Organic Molecules, Weinheim: VCH Verlagsges. 1995 ▪ s. a. Aktinometrie u. Photochemie.

Quantenbeats. Oszillationen, die in der *Fluoreszenz von gekoppelten Zuständen beobachtet werden. Üblicherweise klingt die Fluoreszenz eines angeregten Zustandes mit einer e-Funktion ab: $I_{Fl} = I_o e^{-\lambda t}$ (I_{Fl} = Fluoreszenzintensität, I_0 = Intensität zum Zeitpunkt t = 0, t = Zeit, λ = mittlere Lebensdauer des angeregten Niveaus). Werden durch einen breitbandigen *Laser mehrere angeregte Niveaus kohärent, d. h. mit gleicher Phase, bevölkert, so werden dieser e-Funktion Schwingungen überlagert. Bei Anregung von zwei Zuständen E_1 u. E_2 (s. Abb.) ist die Schwingungsfrequenz ν durch die Energiedifferenz $\Delta E = E_1 - E_2 = h \cdot \nu$ gegeben (h = *Plancksches Wirkungsquantum).

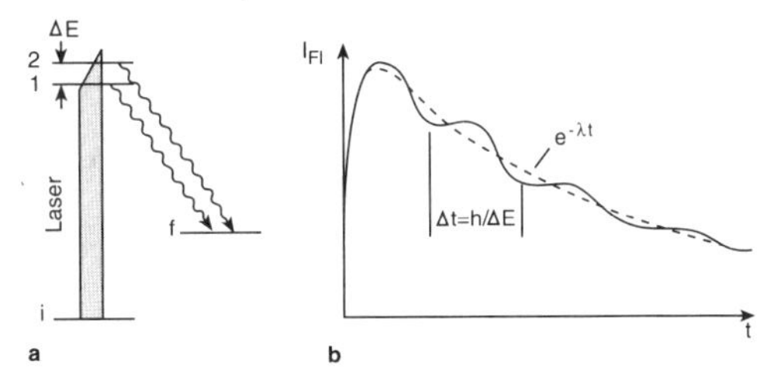

Abb.: Entstehung von Quantenbeats: a) Kohärente Anregung der Niveaus 1 u. 2; b) beobachtete Fluoreszenz in den Zustand f (*Lit.*[1]).

Bei der *Q.-Spektroskopie* werden durch Ausmessen der Oszillationen die Energieabstände der angeregten Niveaus bestimmt. Die spektrale Auflösung ist durch die Beobachtungszeit u. Zeitauflösung bestimmt. Q. wurden in den letzten Jahren auch an Halbleitern beobachtet, die insbes. durch die Schwebung von energet. benachbarten Excitonenzuständen[2] erzeugt werden. – ***E*** quantum beats – ***F*** oscillations quantiques – ***I*** oscillazioni quantiche – ***S*** oscilaciones cuánticas

Lit.: [1] Demtöder, Laserspectroscopy, Berlin: Springer 1996. [2] Klingshirn, Semiconductor Optics, Berlin: Springer 1997.
allg.: Hollas, High Resolution Spectroscopy, London: Butterworths 1982 ▪ Opt. Commun. **80**, 184 (1990).

Quantenchemie. Bez. für das Teilgebiet der *Theoretischen Chemie, welches sich mit der Anw. der *Quantenmechanik auf chem. Probleme beschäftigt. Der Begriff Q. geht wahrscheinlich auf Hellmann[1] zurück. Als Geburtsstunde der Q. kann das Erscheinen der fundamentalen Arbeit von *Heitler u. *London[2] über die *chemische Bindung im Wasserstoff-Mol. angesehen werden. Unter Anw. der ein Jahr zuvor von *Schrödinger entwickelten *Wellenmechanik, einer der Darst. der Quantenmechanik (s. a. Quantentheorie), konnte erstmals das Phänomen der kovalenten Bindung befriedigend erklärt werden; mit den Mitteln der „älteren Quantentheorie" war dies nicht möglich gewesen. Wenige Jahre später konnten James u. Coolidge[3], aufbauend auf Arbeiten von Hylleraas, am H_2-Mol. derart genaue Rechnungen durchführen, daß eine Verbesserung (unter Verw. von Computern) erst 1960 gelang[4]. Heutzutage finden *ab initio u. *semiempirische Verfahren der Q. in weiten Bereichen der Chemie (auch im industriellen Bereich; s.a. Dichtefunktionaltheorie, hierfür Nobelpreis für Chemie für W. Kohn u. J. Pople, 1998) Anw., wobei von Computern unterschiedlicher Größe – vom Personal-Computer bis zu Vektor- u. Parallelrechnern mit Leistungen weit im Gigaflop-Bereich – Gebrauch gemacht wird. Die Anw. der Q. sind von vielfältiger Natur; hierzu gehören die Ermittlung der geometr. u. elektron. *Struktur von Mol., Mol.-Komplexen u. Festkörpern, die Analyse von Bindungsverhältnissen, Berechnung von elektr. u. magnet. Eigenschaften, theoret. Untersuchungen zur

Reaktivität u. a. Für spezielle Anw. der Q. im biolog. u. pharmazeut. Bereich werden gelegentlich die Begriffe Quantenbiochemie bzw. Quantenpharmakologie[5] verwendet.

Eine zentrale Stellung nimmt die approximative Lösung der zeitunabhängigen *Schrödinger-Gleichung ein. Die wichtigsten Näherungsverf. sind hierbei die *MO-Theorie, die *Valence-Bond-Methode u. die *Dichtefunktionaltheorie. Spezielle Verf. der Q. u. die zugehörigen Acronyme findet man unter Einzelstichwörtern wie *CASSCF, *CEPA, *CNDO, *Configuration Interaction, *Coupled Cluster, *EHT, *Hartree-Fock-Verfahren, *HMO-Theorie, *INDO, *MCSCF-Verfahren, *MINDO, *MNDO, *MR-CI, *PM3, *Pseudopotential, *SCF-Verfahren, *Störungstheorie u. a. – ***E*** quantum chemistry – ***F*** chimie quantique – ***I*** chimica quantistica – ***S*** química cuántica

Lit.: [1] Hellmann, Einführung in die Quantenchemie, Leipzig: Deuticke 1937. [2] Z. Phys. **44**, 455 (1927). [3] J. Chem. Phys. **1**, 825 (1933). [4] Rev. Mod. Phys. **32**, 219 (1960). [5] Richards, Quantum Pharmacology, London: Butterworth 1983.
allg.: Levine, Quantum Chemistry, 4. Aufl., Englewood Cliffs: Prentice-Hall 1991 ▪ Lipkowitz u. Boyd, Reviews in Computational Chemistry, 10 Bd., Weinheim: VCH Verlagsges. 1990 –1997 ▪ Pilar, Elementary Quantum Chemistry, 2. Aufl., New York: McGraw Hill 1990. – *Zeitschriften u. Serien:* Int. J. Quant. Chem., New York: Wiley (seit 1967) ▪ Jerusalem Symposia on Quantum Chemistry and Biochemistry, Dordrecht: Reidel (seit 1969) ▪ Journal of Computational Chemistry, New York: Wiley (seit 1980) ▪ Quantum Chemistry, Dordrecht: Reidel (seit 1974) ▪ Theoretical Chimica Acta, Berlin: Springer (seit 1962). – *Organisationen:* Quantum Chemistry Program Exchange, Dept. of Chemistry, Indiana University, Bloomington, Ind. 47401, USA (publiziert auch Newsletter u. Bulletin) ▪ s. a. chemische Bindung.

Quantenchromodynamik (Abk. QCD). Gebiet der Theoret. Physik, welches die starke Wechselwirkung zwischen *Elementarteilchen, insbes. *Quarks, beschreibt. Der Name Q. resultiert daraus, daß man einen Freiheitsgrad der Quarks willkürlich als Farbe (griech.: chroma) bezeichnet hat. Die Q. ist – ähnlich der *Quantenelektrodynamik für die elektromagnet. Wechselwirkung – eine Feldtheorie; präziser gesagt, eine nicht-abelsche Eichtheorie, die in bezug auf lokale Farb-Transformation symmetr. ist. Die Quanten der „Farbfelder", d. h. die Überträger der starken Wechselwirkung, werden *Gluonen* genannt. Es sind masselose, elektr. neutrale Vektor-*Bosonen mit *Spin 1. Jedes Gluon trägt eine Farbe (3 verschiedene Möglichkeiten, im allg. mit rot, grün u. blau bezeichnet) u. eine Anti-Farbe (türkis = antirot, violett = antigrün u. gelb = antiblau). Die mathemat. Struktur der Q. ist sehr kompliziert u. es ist daher schwierig, exakte Vorhersagen aus ihr abzuleiten. Unter Verw. von Höchstleistungsrechnern u. Formulierung der Q. auf diskreten Raum-Zeit-Gittern wurden in jüngster Zeit aber wichtige Fortschritte gemacht u. die Q. gilt inzwischen als die anerkannte Theorie der starken Wechselwirkung. – ***E*** quantum chromodynamics – ***F*** chromodynamique quantique – ***I*** cromodinamica quantistica – ***S*** cromodinámica cuántica

Lit.: Dosch, Teilchen, Felder u. Symmetrien, 2. Aufl., Heidelberg: Spektrum 1995 ▪ Greiner u. Schäfer, Quantenchromodynamik, Frankfurt: Harri Deutsch 1989.

Quantendefekt. Begriff aus der Atom- u. Molekülphysik, der eingeführt wurde, um die Abweichungen in den Spektralserien der Alkaliatome von den *Serienformeln des Wasserstoff-Atoms zu beschreiben. Die Zahlenwerte für die Q. sind für s-Elektronen am größten u. nehmen mit zunehmender Bahndrehimpulsquantenzahl l (s. Atombau, S. 292) ab; sie zeigen eine geringe Abhängigkeit von der Hauptquantenzahl n. In der Reihe der Alkaliatome nehmen sie mit steigender Kernladungszahl zu. Der Begriff Q. wird auch bei Rydbergzuständen von Mol. verwendet. – ***E*** quantum defect – ***F*** défaut quantique – ***I*** difetto quantistico – ***S*** defecto cuántico

Lit.: Haken u. Wolf, Atom- u. Quantenphysik, 6. Aufl., Berlin: Springer 1996.

Quantendraht s. Quantentrog.

Quantenelektrodynamik (Abk.: QED). Teilgebiet der Theoret. Physik, das sich als Quantenfeldtheorie v. a. mit den Wechselwirkungen von *Elektronen, *Positronen u. *Photonen (elektromagnet. Wechselwirkung) beschäftigt. Die Entwicklung der Theorie erfolgte v. a. durch *Feynman[1], Schwinger u. Tomonaga, die hierfür 1965 den Nobelpreis für Physik erhielten. – ***E*** quantum electrodynamics – ***F*** électrodynamique quantique – ***I*** elettrodinamica quantistica – ***S*** electrodinámica cuántica

Lit.: [1] Phys. Rev. **75**, 749, 769 (1969).
allg.: Greiner u. Reinhardt, Theoretische Physik, Bd. 7, Quantenelektrodynamik (2.), Thun: Harri Deutsch 1994.

Quantenflüssigkeiten s. Helium u. Supraflüssigkeiten.

Quanten-Hall-Effekt. Effekt, der 1980 von Klaus von *Klitzing entdeckt u. mit dem Nobelpreis ausgezeichnet wurde. Mißt man den *Hall-Effekt für quasi-zweidimensionale Elektronensyst., wie sie mit *Quantentrögen u. Heterostrukturen hergestellt werden können, so findet man bei sehr tiefen Temp. (T<1 K) charakterist. Besonderheiten: Erhöht man die zweidimensionale Ladungsträgerdichte bei konstantem B-Feld kontinuierlich, so nimmt die Hall-Leitfähigkeit σ_{xy} bzw. der Hall-Widerstand ρ_{xy} nicht kontinuierlich mit der Ladungsträgerdichte zu bzw. ab gemäß $\sigma_H^0 = e \cdot n \cdot c \cdot B^{-1}$ mit n = zweidimensionale Ladungsträgerdichte, e = Elementarladung, c = Vakuumlichtgeschw. u. B = magnet. Flußdichte, sondern zeigt Plateaus mit $\sigma_{xy} = i \cdot e^2/h$, wobei i = 1, 2, 3, ... u. h = Plancksches Wirkungsquantum sind. Diese Werte sind unabhängig vom verwendeten Hall-Leitermaterial u. dienen u. a. zu Präzisionsbestimmungen der Naturkonstanten. Das ist der sog. ganzzahlige Quanten-Hall-Effekt. σ_{xy} ist dabei definiert als Quotient der Stromdichte j_x u. der senkrecht dazu u. zum B-Feld auftretenden elektr. Hall-Feldstärke E_y. Im Bereich dieser Plateauwerte verschwinden sowohl die zweidimensionale Leitfähigkeit σ_{xx} als auch der spezif. longitudinale Widerstand ρ_{xx}. Die Tatsache, daß σ_{xx} u. ρ_{xx} gleichzeitig Null sein können, erklärt sich durch die Beziehungen $\rho_{xx} = \sigma_{xx}(\sigma_{xx}^2 + \sigma_{xy}^2)^{-1}$; bzw. $\rho_{xy} = \sigma_{xy}(\sigma_{xy}^2 + \sigma_{xx}^2)^{-1}$. In den Übergangsbereichen von einem Plateau zum anderen nehmen σ_{xx} u. ρ_{xx} endliche Werte an. Analoges Verhalten beobachtet man, wenn man bei konstantem n die magnet. Flußdichte B erhöht wie in Abb. 1 schemat. dargestellt.

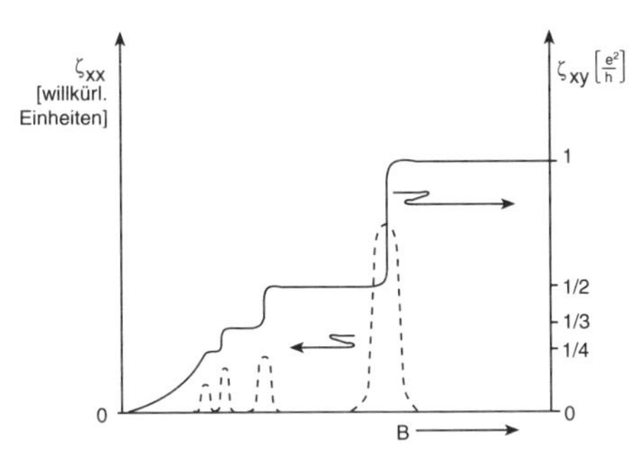

Abb. 1: Schemat. Darst. des spezif. Widerstands ζ_{xx} u. des Hall-Widerstands ζ_{xy} eines quasi-zweidimensionalen Elektronengases in Abhängigkeit von der magnet. Flußdichte B bei tiefen Temperaturen.

Der Q.-H.-E. ist von theoret. Seite noch nicht gänzlich verstanden. Eine wichtige Rolle scheint zu spielen, daß die Bewegung der Elektronen beim Q.-H.-E. vollständig quantisiert ist, parallel zum B-Feld durch den Einschluß in den *Quantentrog, senkrecht dazu durch die Quantisierung der Zyklotron-Bahn in sog. Landauniveaus. Diese Niveaus sind durch Dickenfluktuationen der Quantentröge u. a. Effekte verbreitert u. zeigen an den Rändern räumlich lokalisierte, in der Mitte ausgedehnte Elektronenzustände. Die Plateauwerte treten nur auf, wenn das Ferminiveau E_F, das die Grenze zwischen besetzten u. unbesetzten Zuständen angibt, zwischen zwei Landauniveaus od. in den lokalisierten Zuständen liegt (Abb. 2), während die Übergänge auftauchen, wenn E_F bei Veränderung von n od. B durch die ausgedehnten Zustände schiebt.

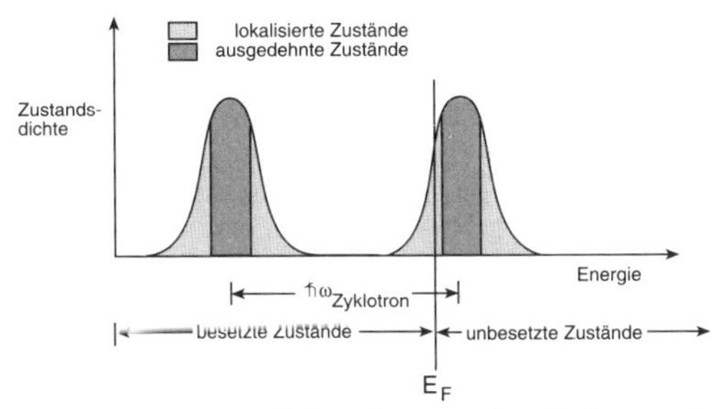

Abb. 2: Die Zustandsdichte eines quasi-zweidimensionalen Elektronengases in Anwesenheit eines äußeren Magnetfeldes.

Neben dem bisher beschriebenen ganzzahligen Q.-H.-E. wurde 1982 von Tsui u. Störmer bei noch höheren B-Feldern der fraktionierte Q.-H.-E. entdeckt, bei dem i-Werte von $1/3$, $1/5$, $1/7$, $2/3$, $2/5$, $2/7$ u. a. beobachtet wurden. Es wird angenommen, daß der fraktionierte Q.-H.-E. mit „elementaren“ Anregungen des zweidimensionalen Elektronensyst. zusammenhängt, die theoret. Vorstellungen sind aber noch weniger weit entwickelt als beim ganzzahligen Quanten-Hall-Effekt. – ***E*** quantum Hall effect – ***F*** effet Hall quantique – ***I*** effetto quantistico di Hall – ***S*** efecto Hall cuántico

Lit.: Festkörperprobleme **21**, 1 (1981); **30**, 25 (1990) ▪ Ibach u. Lüth, Festkörperphysik, 4. Aufl., Berlin: Springer 1995 ▪ MacDonald, The Quantum Hall Effect: A Perspective, Milano: Jaca Books 1989 ▪ Phys. Bl. **46**, 426, 432 (1990) ▪ Phys. Rev. Lett. **45**, 494 (1980); **48**, 1559 (1982) ▪ Prange u. Girvin (Hrsg.), The Quantum Hall Effect, 2. Aufl., New York: Springer 1990.

Quantenmechanik. Teilgebiet der Theoret. Physik, das sich mit der Struktur, Wechselwirkung u. Dynamik von *Elementarteilchen, Atomen u. Mol. beschäftigt. Zur Q. kann man durch Quantisierung der klass. Mechanik od. der klass. Wellentheorie gelangen. Der erste Weg wurde von *Heisenberg, *Born u. *Jordan (sog. **Matrizenmechanik*) beschritten, der zweite von *Schrödinger (sog. **Wellenmechanik*). Für den Chemiker ist die letztere die wichtigere Darst.; Näheres s. bei Wellenmechanik. Anw. der Q. auf chem. Probleme sind Gegenstand der *Quantenchemie; Näheres s. dort u. bei Quantentheorie, Atombau, chemische Bindung u. Wellenmechanik. – ***E*** quantum mechanics – ***F*** mécanique quantique – ***I*** meccanica quantistica – ***S*** mecánica cuántica

Lit.: s. Quantentheorie u. Quantenchemie.

Quantenpharmakologie s. Pharmakologie u. Quantenchemie.

Quantenpunkt s. Quantentrog.

Quantenstatistik s. statistische Mechanik.

Quantentheorie. Physikal. Theorie für den Bereich mol., atomarer u. subatomarer Dimensionen, die den experimentell gesicherten Welle-Teilchen-Dualismus widerspruchsfrei beschreibt u. das *Plancksche Wirkungsquantum h als fundamentale Naturkonstante (s. Fundamentalkonstanten) enthält. Der Begriff Q. hängt damit zusammen, daß die Q. die diskrete (quantenhafte) Natur vieler physikal. Größen als Folge eines endlichen Zahlenwertes von h erklärt. Im Grenzwert $h \rightarrow 0$ geht aus der Q. die zugehörige klass. Theorie hervor, z. B. aus der nichtrelativist. Q. die Newtonsche Mechanik. Für den Übergang von der klass. Theorie zur Q. gibt es *Quantisierungsvorschriften.* Z. B. wird in der Q. der klass. Impuls $\vec{p}$ durch den Differentialoperator $\hbar/\mathrm{i}\,\Delta$ ersetzt ($\hbar$): s. Plancksches Wirkungsquantum; i: Einheit der imaginären Zahl; Δ: *Laplace-Operator). Diese Vorschriften sind nicht herleitbar, sondern als Axiome od. Postulate aufzufassen. Weiterhin gilt eine Vorschrift über die zeitliche Entwicklung eines Quantensyst. [s. Schrödinger-Gleichung (zeitabhängige)].

Als Geburtstag der Q. kann man den 14.12.1900 bezeichnen. An diesem Tag trug *Planck der Physikal. Gesellschaft in Berlin die Herleitung seines Strahlungsgesetzes für die Hohlraumstrahlung des abs. schwarzen Körpers vor. Er nahm hierbei an, daß die Energie *harmonischer Oszillatoren nur diskrete Werte annehmen kann – im Gegensatz zu der klass. Vorstellung, wonach ein Kontinuum von Energiewerten vorliegt. Plancks Quantenhypothese wurde durch A. *Einstein, N. *Bohr u. *Sommerfeld weiterentwickelt u. führte zur sog. „älteren Q.“, die in der Erklärung des *Atombaus, v. a. der *Elektronenstruktur des Wasserstoff-Atoms bemerkenswerte Erfolge erzielen konnte. Allerdings wies sie auch einige innere Widersprüche auf, da sie gewissermaßen in einem Aufpfropfen von Quantenvorstellungen auf die klass. Physik bestand (s. a. Atommodelle). Zudem vermochte die ältere Q. das Zustandekommen der chem. Bindung, z. B. im H_2-Mol., nicht zu erklären.

Diese Probleme wurden durch *Heisenbergs *Matrizenmechanik (1925) u. *Schrödingers *Wellenmechanik (1926) überwunden; Schrödinger konnte wenig später zeigen, daß beide Formulierungen äquivalent sind (s. a. Quantenmechanik).
Der grundlegende Unterschied zwischen klass. Theorie u. Q. besteht darin, daß gewisse physikal. Größen – insbes. Ort u. *Impuls – nicht gleichzeitig beliebig genau gemessen werden können (Heisenbergsche *Unschärfebeziehung, s. *Lit.*[1]). Dies hat zur Folge, daß die Q. im allg. nur Wahrscheinlichkeitsaussagen zu machen gestattet. Z. B. wird die Position des Elektrons im elektron. *Grundzustand des Wasserstoff-Atoms durch eine Wahrscheinlichkeitsamplitude (od. *Wellenfunktion) beschrieben.
Durch Quantisierung klass. relativist. Feldtheorien gelangt man zu Quantenfeldtheorien, z. B. der *Quantenelektrodynamik. Noch nicht abgeschlossen ist die Q. der *Elementarteilchen. Philosoph. Probleme der Q. behandeln z. B. *Lit.*[2–5]. – ***E*** quantum theory – ***F*** théorie quantique – ***I*** teoria quantistica – ***S*** teoría cuántica
Lit.: [1] Heisenberg, Die physikalischen Prinzipien der Quantentheorie, Leipzig: Hirzel 1936. [2] Heisenberg, Physik u. Philosophie, Stuttgart: Hirzel 1950. [3] Jammer, The Philosophy of Quantum Mechanics, New York: Wiley 1974. [4] Jauch, Foundations of Quantum Mechanics, Reading: Addison-Wesley 1968. [5] Von Weizsäcker, Aufbau der Physik, München: Hanser 1985.
allg.: Baumann u. Sexl, Die Deutungen der Quantentheorie, Wiesbaden: Vieweg 1984 ▪ Frick, Einführung in die Grundlagen der Quantentheorie, 6. Aufl., Wiesbaden: Aula Verl. 1988 ▪ Mehra u. Rechenberg, The Historical Development of Quantum Theory (9 Bd.), Berlin: Springer (seit 1982) ▪ s. a. Atombau u. Quantenchemie.

Quantentrog. In *Halbleitern wurden in den letzten 50 Jahren überwiegend die Eigenschaften von dreidimensionalen Volumenproben untersucht. Seit ca. 20 Jahren richtet sich das Interesse in verstärktem Maß darauf, Elektronenzustände reduzierter Dimensionalität zu erzeugen, d. h. quasi-zwei-, -ein- u. -nulldimensionale Syst., die als *Q.*, *Quantendrähte* u. *Quantenpunkte* bezeichnet werden. Die Herst., das Verständnis u. die Anw. ist bei den quasi-zweidimensionalen Quantentrögen am weitesten fortgeschritten.
Zweidimensionale Elektronensyst. lassen sich durch geeignete Heterostrukturen von zwei Halbleitern unterschiedlicher Bandlücke erzeugen, wie in der Abb. gezeigt.

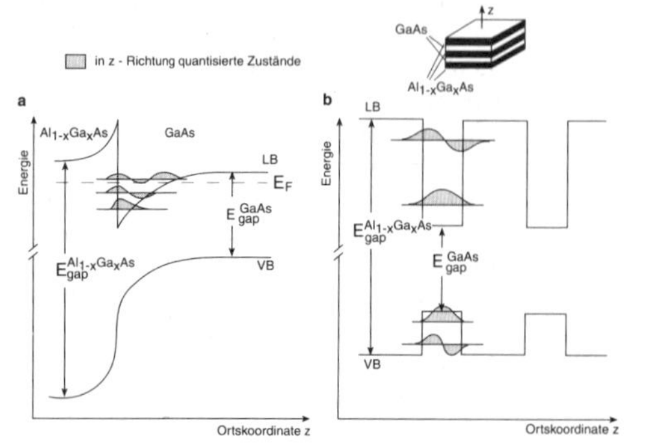

Abb.: Zweidimensionale Elektronensyst.: Einfacher Heteroübergang (a) u. zwei Quantentröge (b) (E_{gap} = Energie der Bandlücke od. verbotenen Zone, s. Halbleiter).

Gezeichnet ist ein einfacher Heteroübergang (a) u. zwei Quantentröge (b). Die Bewegung der Elektronen im Leitungsband (LB) bzw. der Löcher im Valenzband (VB) (*Halbleiter) ist in z-Richtung quantisiert, in der xy-Ebene senkrecht dazu können sich die Teilchen frei bewegen. Durch die Quantisierung in z-Richtung spalten das LB u. das VB in Subbänder auf. Der untere Rand der Subbänder ist durch die dicken waagrechten Striche angegeben, zusätzlich ist die z-Abhängigkeit einiger Wellenfunktionen eingezeichnet. Enthält eine Probe nur einen Trog, spricht man von single quantum well (SQW), enthält sie mehrere mit einer Barrierendicke, die so groß ist, daß die Wellenfunktionen der einzelnen Tröge nicht überlappen, so liegen Vielfachquantentrogstrukturen (multiple quantum wells, MQW) vor, im anderen Fall ein Übergitter (superlattice, SL). Das am besten untersuchte Syst. enthält $Al_{1-x}Ga_xAs$-Barrieren u. GaAs-Tröge, da beide Materialien unabhängig von x fast gleiche Gitterkonstanten haben u. daher gut aufeinander wachsen. Andere Syst. enthalten z. B. InP- od. $Al_{1-x}In_xAs$-Barrieren u. $Ga_{1-x}In_xAs$-Tröge od. $Zn_{1-y}Mg_yS_{1-x}Se_x$-Barrieren u. $Zn_{1-y}Cd_ySe$-Tröge.
Herst.-Verf. für Q. sind *Epitaxie-Meth., bes. *MBE od. *MOCVD. Eingesetzt werden quasi-zweidimensionale Elektronensyst. zur Herst. von Halbleiterlasern mit niedrigen Schwellwertströmen od. von extrem schnellen Feldeffekttransistoren (*Halbleiter, *MOSFET), sog. high electron mobility transistors (HEMT), auch modulationsdotierte FET (MODFET) genannt, od. zur Untersuchung des *Quanten-Hall-Effektes.
Derzeit bemüht man sich, durch laterale Strukturierung von Q. in eine od. zwei Richtungen od. durch selbstorganisiertes Wachstum auch Quantendrähte u. Quantenpunkte herzustellen. Die letzteren lassen sich auch durch ein diffusionsbegrenztes Wachstum in halbleiterdotierten Gläsern bei erhöhter Temp. (bes. mit CdS, CdSe u. CdTe) od. durch Fällung aus Lsg. mit Radien von ca. 2 nm u. größer herstellen. – ***E*** = ***F*** quantum well – ***I*** trogolo quantistico – ***S*** pozo cuántico
Lit.: Festkörperprobleme **30**, 77, 335 (1990) ▪ Haug u. Banyai (Hrsg.), Optical Switching in Low-Dimensional Systems, NATO ASI Series B, New York, London: Plenum Press 1989 ▪ Ibach u. Lüth, Festkörperphysik, 4. Aufl., Heidelberg: Springer 1995 ▪ IEEE J. **22**, 1609–1915 (1986); **24**, 1579–1791 (1988) ▪ JOSA B **2**, 1135–1243 (1985) ▪ Klingshirn, Semiconductor Optics, Berlin: Springer 1997 ▪ Reed u. Krirk (Hrsg.), Nanostructures, Physics and Fabrication, Boston: Academic Press 1989 ▪ Waggon, Optical Properties of Semiconductor Quantum Dots, Springer Tracts in Modern Physics Nr. 136, Berlin: Springer 1997.

Quantenzahlen. Zahlen, die den Zustand eines quantenphysikal. Syst. (z. B. ein Atom od. Mol.) beschreiben. Sie können ganzzahlig od. halbzahlig sein. Die Q. spiegeln die diskrete Natur vieler physikal. Größen (z. B. *Energie od. Drehimpuls) wider. Die Existenz von Q. hängt eng mit Erhaltungssätzen zusammen u. folgt mathemat. aus den Randbedingungen, die zu Lösungen der *Schrödinger-Gleichung führen.
Dem Chemiker am besten vertraut sind die vier bei *Atombau ausführlich besprochenen Q. für das Einelektronenatom: Hauptquantenzahl n, Drehimpulsquantenzahl l, magnet. Q. m_l (od. m) u. Spinquantenzahl m_s. Bei Mehrelektronenatomen beschreibt man

den Gesamtdrehimpuls durch die Q. J u. seine Komponente in z-Richtung durch die Q. M; beide Größen können gleichzeitig scharf gemessen werden. Bei leichten Atomen, bei denen die Russell-Saunders-Kopplung (s. Magnetochemie) eine gute Näherung darstellt, verwendet man außerdem die Q. L für den Gesamtbahn- u. S für den Gesamt-*Spindrehimpuls. Der elektron. Zustand eines Atoms wird dann mit dem Termsymbol $^{2S+1}L_J$ beschrieben. Die Projektionen des Gesamtbahn- bzw. Gesamt-Spindrehimpulses auf die z-Achse werden durch die Q. M_L bzw. M_S beschrieben.
In der *Molekülspektroskopie verwendet man zur Charakterisierung der elektron. Zustände linearer Mol. eine Q., die der Projektion des elektron. Gesamtbahndrehimpulses auf die Kernverbindungslinie entspricht. Sie wird mit Λ bezeichnet u. kann die Werte $\Lambda = 0$ (Σ), $\Lambda = 1$ (Π) usw. annehmen; Näheres s. Molekülspektren.
Q. zur Beschreibung der Rotationen u. Schwingungen eines Mol. heißen Rotationsquantenzahlen u. Schwingungsquantenzahlen; Näheres s. dort.
Eine größere Menge von Q. gibt es in der *Kernphysik u. Physik der *Elementarteilchen, z. B. Q. für den *Kernspin, *Isospin, die *Parität, die elektr. *Ladung, die *Baryonen-Ladung u. die lepton. Ladung (s. Elementarteilchen); weitere Q. heißen z. B. Baryonenzahl (s. Baryonen), Leptonenzahl, Hyperladung (s. Isospin) u. *Strangeness. – ***E*** quantum numbers – ***F*** nombres quantiques – ***I*** numeri quantici – ***S*** números cuánticos

Quantenzwiebel s. Nanoröhre.

Quantisierung s. Quanten.

Quantitative Analyse. Bez. für dasjenige Teilgebiet der *chemischen Analyse, das die Feststellung der *Mengenanteile der bekannten* – evtl. durch eine vorausgegangene *qualitative Analyse ermittelten – *Bestandteile* (z. B. Elemente, Ionen, Radikale, funktionelle Gruppen, Verb.) einer Substanz (z. B. einheitliche chem. Verb., Stoffgemisch) mit chem., biochem., physikal.-chem. od. rein physikal. Meth. zum Ziele hat. Auch das Teilgebiet der *Analytischen Chemie, das sich mit der Durchführung solcher Analysen befaßt, wird q. A. genannt.
Mit den heute immer mehr bevorzugten Meth. der *physikalischen Analyse mißt man im allg. ein für den Stoff möglichst spezif. physikal. bzw. physikal.-chem. Kriterium wie z. B. Absorption od. Emission von Lichtstrahlen (*Spektroskopie, Flammen-, Fluoreszenz-, Atomabsorptions-Spektroskopie usw.), Löslichkeits- u. Verteilungsparameter (*Gaschromatographie), Verhalten als Dielektrikum (DK-Messung), Diffusion von Ionen (*Polarographie), Brechungsindex (*Refraktometer), Potentialbildung an Elektroden (*Potentiometrie) u. Widerstandsmessung zwischen Elektroden (*Konduktometrie). Bei den rein chem. Verf. führt man eine chem. Umsetzung der gesuchten Verb. durch u. bestimmt die Masse des Reaktionsprodukts (*Gravimetrie) od. den Verbrauch an Reaktionspartnern (*Maßanalyse). Biochem. Bestimmungsverf. sind die enzymat. Verf., die verschiedenen Varianten der *Elektrophorese, *Radio- u. *Enzymimmunoassays u. a. immunolog. Meth. u. die *Affinitätschromatographie, wobei man die elektrophoret. u. chromatograph. Meth. auch als *Trennverfahren auffassen kann, die der eigentlichen Bestimmung vorausgehen. Nicht selten sind *halbquantitative Analysen ausreichend, z. B. in der Diagnostik u. klin. Chem. (Schnelltests mit *Testpapieren u. *Teststäbchen; s. *Lit.*[1]), bei der pH-Messung mit Indikatorpapieren, bei der Gasanalyse mit *Prüfröhrchen u. in der Umweltanalytik[2].
Art, Beschaffenheit u. Menge (*Beisp.:* Mikro- u. Spurenanalyse) des Untersuchungsgutes bestimmen in erster Linie die Wahl der Analysenmethode. Neben den oben erwähnten Meth. der q. A. sind hier weiter zu nennen: *Elementaranalyse, *Gasanalyse, *Kolorimetrie, *Photometrie, *Elektroanalyse, Thermoanalyse, *Massenspektrometrie, Polarimetrie, *Aktivierungsanalyse, *Radiometrie, *Isotopenverdünnungsanalyse u. v. a. Für die Auswahl einer bestimmten Meth. ist neben *Genauigkeit, *Empfindlichkeit u. *Nachweisgrenze die *Reproduzierbarkeit ein wichtiges Kriterium.
Q. A. werden v. a. ausgeführt zur Auswahl u. Überwachung industrieller Rohstoffe (Mineralien, Erze, fossile Brennstoffe), von Zwischenprodukten, Fertigwaren u. Abfallstoffen, zur Kontrolle von Luftverunreinigungen, Abwasser u. MAK-Werten in Arbeitsräumen, zur Untersuchung von Böden, Lebensmitteln u. Trinkwasser, zur Untersuchung auf Schädlingsbekämpfungsmittel- u. Pflanzenschutzmittel-Rückstände sowie auf Schwermetalle in Böden, Pflanzen, Tieren u. Lebensmitteln, auf unzulässigerweise eingesetzte Chemikalien (*Beisp.:* Estrogene in Fleisch, Diethylenglykol in Wein) usw. Dank hochempfindlicher physikal. Analysen-Meth. wie NMR-, GC/Massen-, *Atomabsorptionsspektroskopie, ESCA, HPLC, NAA usw. (vgl. die Aufstellung in *Lit.*[3]) sind *Lebensmittel-, *Forensische u. *Ökochemie, *Toxikologie, Archäologie u. a. Disziplinen heute in der Lage, Spurenanalysen bis hinab zum Nano-, Piko- od. gar Femtogramm-Bereich ($10^{-9}-10^{-15}$ g; man vgl. ppb, ppt, ppq) präzise durchzuführen, wobei die weitgehende *Automation der Meth. u. die Auswertung mit Hilfe der elektron. Datenverarbeitung die Untersuchung einer großen Anzahl von Proben in relativ kurzer Zeit gestattet. – ***E*** quantitative analysis – ***F*** analyse quantitative – ***I*** analisi quantitativa – ***S*** análisis cuantitativo

Lit.: [1] Analyt.-Taschenb. **5**, 161–181. [2] Analyt.-Taschenb. **5**, 183–197; **9**, 444–458. [3] Kirk-Othmer (3.) **23**, 312–315.
allg.: Christian, Analytical Chemistry, New York: Wiley 1994 ▪ Crompton, Determination of Anions, Berlin: Springer 1996 ▪ Doerffel, Analytikum, Stuttgart: Dtsch. Verl. für Grundstoffind. 1994 ▪ Kunze u. Schwedt, Grundlagen der qualitativen u. quantitativen Analyse, Stuttgart: Thieme 1996 ▪ Naumer u. Adelhelm, Untersuchungsmethoden in der Chemie: Einführung in die Analytik, Stuttgart: Thieme 1997 ▪ Strähle u. Schweda, Jander-Blasius, Einführung in das anorganisch-chemische Praktikum, Stuttgart: Hirzel 1995.

Quantitative Struktur-Eigenschafts-Beziehung s. QSPR.

Quantitative Struktur-Wirkungs-Beziehungen s. QSAR.

Quantofix®. Teststäbchen zur halbquant. Bestimmung von Ionen, Wasserhärte, Ascorbinsäure (Vitamin C), Peroxid etc. ***B.:*** Macherey-Nagel.

Quark (Weiß-, Frischkäse, Topfen). Q. ist die Kurzbez. für Speise-Q., der nach § 7 der Käse-VO [1] als Standardsorte der Käsegruppe „*Frischkäse*" zuzuordnen ist. Der Mindestwassergehalt von Q. ist durch den § 6 der Käse-VO auf 73% festgelegt u. kann mittels *Karl-Fischer-Reagenz [2] überprüft werden. Die Mindestgehalte an Trockenmasse u. Eiweiß für die einzelnen Fett-Gehaltsstufen sind der Anlage 1 der Käse-VO [1] zu entnehmen. Der Höchstgehalt an *Molken-Eiweiß ist auf 18,5% des Gesamteiweißes begrenzt.
Herst.: Durch Labung od. Säuregerinnung wärmebehandelter *Milch erhält man den frischen Käsestoff, dem noch Reste der Milch anhaften. Durch Nachwärmen scheidet sich die Molke ab u. der erhaltene Q. wird durch Pressen auf den gewünschten Wassergehalt eingestellt. Der Zusatz von Rahm für Q. höherer Fettgehaltsstufen ist üblich. Q. schmeckt rein milchsauer u. ist nur kurze Zeit haltbar. Über Aromafehler von Q. berichtet *Lit.* [3].
Zusammensetzung: Typischerweise haben je 100 g Q. der Stufe fett (bzw. mager) folgende Zusammensetzung (Angaben in g): Wasser 70 (76,6), Eiweiß 14 (17,2), Fette 14 (1,2), *Kohlenhydrate 4 (4), Vitamine u. die *Mineralstoffe *Natrium, *Kalium, *Calcium, *Eisen u. relativ viel *Phosphor (im Mager-Q.), *Nährwert 829 (410) kJ/100 g bzw. 198 (98) kcal/100 g.
Q.-Sorten: *Hüttenkäse* (*E* cottage cheese) ist ein gewaschener Q. von körniger Struktur.
Schichtkäse ist eine Q.-Mischung, deren Schichten unterschiedliche Fettgehalte aufweisen.
Kochkäse ist nach § 13 der Käse-VO [1] ein durch Erhitzen von Lab- od. Sauermilch-Q. in Ggw. von Schmelzsalzen erhaltenes Produkt, das keinesfalls unter Verw. von *Schmelzkäse hergestellt werden darf.
Q.-Zubereitungen mit Früchten sind Milcherzeugnisse im Sinne der Milch-Erzeugnis-VO [4] u. fallen nicht unter die Käse-VO [1]. Zur Überprüfung der mikrobiolog. Situation in Q. s. Methoden nach § 35 LMBG L 02.00-10. Produktion (BRD, 1997): 748 650 t. – ***E*** curd, cottage cheese – ***F*** fromage blanc, caillebotte – ***I*** latticino di latte cagliato, ricotta, quark – ***S*** cuajo, requesón, cuajada

Lit.: [1] Käse-VO vom 14.4.1986 in der Fassung vom 03.02.1997 (BGBl. I, S. 144). [2] Mitt. Geb. Lebensmittelunters. Hyg. **77**, 535–543 (1986). [3] J. Dairy Sci. **71**, 3188–3196 (1988). [4] VO über Milcherzeugnisse vom 15.7.1970 in der Fassung vom 03.02.1997 (BGBl. I, S. 144).
allg.: Kiehwein, Leitfaden der Milchkunde u. Milchhygiene (2.), S. 141–142, Berlin: Parey 1985 ▪ Spreer, Technologie der Milchverarbeitung, S. 373–385, Hamburg: Behr 1995 ▪ Ullmann (4.) **16**, 716 ▪ Vollmer et al., Lebensmittelführer (2.), Bd. 2, S. 84–96, Stuttgart: Thieme 1995 ▪ Zipfel, C 277. – *[HS 0406 10]*

Quarks. Dem Roman „Finnegan's Wake" von James Joyce entlehnter Phantasiename (Q. = Dreikäsehoch) für subnukleare *Elementarteilchen, die der starken Wechselwirkung unterliegen; Näheres s. Elementarteilchen. – ***E*** = ***F*** = ***S*** quarks – ***I*** quark

Lit.: s. Elementarteilchen.

Quart (Symbol: qt). Engl. u. amerikan. Vol.-Einheit (1 qt = 2 *pints = 1/4 *gallon; vgl. Bushel, Ounce): a) Brit. imperial Syst.: 1 qt = 1,1365225 L. – b) US-Syst. für Flüssigkeiten u. Apotheken: 1 liq qt = 0,946353 L. – c) US-Syst. für Feststoffe: 1 dry qt = 1,101221 L.

Quartär (von latein.: quartarius = vierter Art; Abk.: quart.). a) N-Atome u. organ. Ammonium-Verb. sind *quartär*, wenn alle vier H-Atome des NH_4^+-Ions durch organ. Reste R ersetzt sind [allg. Formel: $(R^1R^2R^3R^4N)^+X^-$; Unterklasse: *quart.* Iminium-Verb. $(R^1R^2N{=}CR^3R^4)^+X^-$], ebenso *quart.* Phosphonium- u. Arsonium-Verb. usw. (vgl. Quaternisierung) u. *quart.* C-Atome ($R^1R^2R^3R^4C$; *Beisp.:* Ringatome mit **gem-* od. *angulären Methyl-Gruppen, s. Oleanan u. Steroide). – b) *Quartärstruktur* heißt bei *Proteinen die räumliche Anordnung u. Verknüpfung von Untereinheiten. – c) Das *Quartär*, das jüngste *Erdzeitalter, dauert seit $1{,}6 \cdot 10^6$ a (Ende des Tertiärs) an; vgl. primär, sekundär, tertiär, quaternär. – ***E*** quaternary – ***F*** quaternaire – ***I*** quaternario – ***S*** cuaternario

Quartäre Ammonium-Verbindungen. Bez. für organ. *Ammonium-Verbindungen mit *quartären Stickstoff-Atomen; *Beisp.:* $[(H_3C)_4N]^+ \, ^-OH$ (Tetramethylammoniumhydroxid). Q. A. werden durch Umsetzung tert. Amine mit Alkylierungsmitteln, wie z.B. Methylchlorid, Benzylchlorid, Dimethylsulfat, Dodecylbromid, aber auch Ethylenoxid hergestellt. In Abhängigkeit von dem eingesetzten tert. Amin unterscheidet man drei Gruppen:

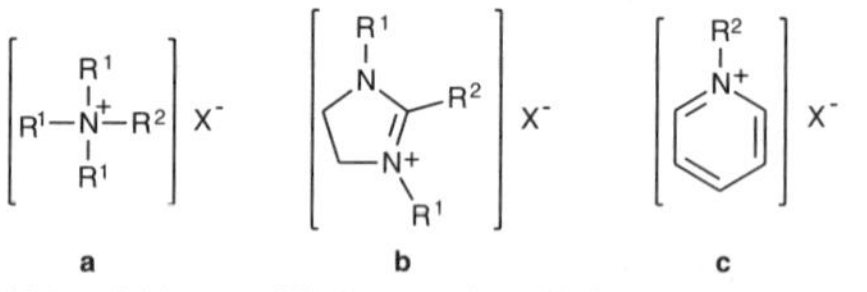

a: $[R^1{-}N^+(R^1)_2{-}R^2]\,X^-$ b: Imidazolinium (R^1, R^2) X^- c: Pyridinium ($N^+{-}R^2$) X^-

Abb.: a) Lineare Alkylammonium-Verb.,
b) Imidazolinium-Verb.,
c) Pyridinium-Verb. $R^1 = CH_3$, $R^2 = C_{8-18}$, X = Halogen.

Die Alkylierung von tert. Aminen mit einem langen Alkyl-Rest u. zwei Methyl-Gruppen gelingt bes. leicht, auch die Quaternierung von tert. Aminen mit zwei langen Resten u. einer Methyl-Gruppe kann mit Hilfe von Methylchlorid unter milden Bedingungen durchgeführt werden. Amine, die über drei lange Alkyl-Reste od. Hydroxy-substituierte Alkyl-Reste verfügen, sind wenig reaktiv u. werden bevorzugt mit Dimethylsulfat quaterniert.
Verw.: Q. A.-V. mit einem hydrophoben Alkyl-Rest sind biozid; ihr Einsatz ist jedoch aus toxikolog. Gründen rückläufig. Q. A.-V. mit zwei hydrophoben Gruppen, die zusätzlich eine Ester-Bindung aufweisen (*Esterquats), dienen als *Weichspüler-Wirkstoffe. Das hierfür früher verwendete Distearyldimethylammoniumchlorid (DSDMAC) ist wegen seines unzureichenden biolog. Abbaus in der BRD u.a. Ländern vom Markt genommen. Q. A.-V. sind als *Kationtenside nicht zum Waschen geeignet, da sie auf die Faser aufziehen; sie dienen z.B. als *Antistatika u. zur Haarkonditionierung. In wäss. Lsg. liegen die q. A.-V. vollständig dissoziiert vor, weshalb z.B. das Tetramethylammoniumhydroxid die Basenstärke von KOH erreicht. In der organ. Synth. eignen sich q. A.-V. als Phasentransfer-Katalysatoren. Der *Emde-Abbau u. die

*Hofmann-Eliminierung von durch erschöpfende Methylierung gewonnenen q. A.-V. sind Meth. der Strukturermittlung von organ. Naturstoffen. – *E* quaternary ammonium compounds – *F* composés d'ammonium quaternaire – *I* composti quaternari d'ammonio – *S* compuestos de amonio cuaternario

Lit.: Cross u. Singer (Hrsg.), Cationic Surfactants: Analytical and Biological Evaluation, New York: Dekker 1996 ▪ Richmond (Hrsg.), Cationic Surfactants: Organic Chemistry, New York: Dekker 1990 ▪ Rubingh u. Holland (Hrsg.), Cationic Surfactants: Physical Chemistry, New York: Dekker 1991.

Quartäre Phosphonium-Verbindungen s. Phosphonium-Salze.

Quartärstruktur s. quartär, Proteine.

Quarternär. Sprachlich falsche Vermengung der Bez. *quartär u. *quaternär.

Quartz & Silice. Kurzbez. für die französ. Firma Quartz & Silice, 77793 St. Pierre Les Nemours Cedex, eine Tochterges. von *Saint-Gobain. *Daten* (1996): 139 MF Umsatz. *Produktion:* Quarzglas- u. Quarzgutgeräte, Quarzfasern (Quartzel®), Isolatoren (Micaver®), Füllstoffe, opt. Gläser.

Quarz (Siliciumdioxid, „Kieselsäure"). SiO_2; mit 12% Anteil nach den *Feldspäten häufigstes Mineral der Erdkruste; wird in der dtsch. Lit. zu den *Oxiden, in der engl. zu den *Silicaten gerechnet. Gewöhnlicher Q. (*Tief-Q., α-Q.*) krist. trigonal-trapezoedr., Kristallklasse 32-D_3. Die Struktur besteht aus einem dreidimensionalen Netzwerk von über alle Ecken verknüpften Tetraedern $[SiO_4]^{4-}$; zu den Bindungsverhältnissen s. *Lit.*[1]. Schraubenförmige Anordnung dieser Tetraeder parallel zur c-Achse (*Kristallsysteme) läßt nach rechts u. links gedrehte Kristallgitter (*Rechts- u. Links-Q.*) entstehen, die sich spiegelbildlich verhalten (*Enantiomorphie*). Zur Ausbildung („Tracht") von Q.-Krist. (oft als sechsseitige Prismen) s. Abb. 2 bei Kristallmorphologie (S. 2277) u. die Abb. von Links- u. Rechtsquarz mit den sog. Trapezflächen x bzw. 51$\bar{6}$1 (links bzw. rechts unter dem Rhomboeder r) unter optische Aktivität (S. 3028).

Q. bildet *Zwillinge* v.a. nach dem sog. *Brasilianer-Gesetz* (Verwachsung von abwechselnd Rechts- u. Links-Q., bes. häufig bei *Amethyst) u. dem sog. *Dauphineer-Gesetz* (Verwachsung von 2 Rechts- od. 2 Links-Q.); vgl. Ramdohr-Strunz (*Lit.*). Aggregate von Q. sind stengelig, dicht, körnig od. faserig (*Faserquarz*). Q. ist ein häufiges Versteinerungsmittel, z. B. in Kieselhölzern. D. 2,65, Schmp. 1710 °C, H. 7; zur Kompressibilität s. *Lit.*[2,3]. Q. ist meist farblos od. weiß, durchsichtig, trübe od. undurchsichtig, zeigt auf Krist.-Flächen Glasglanz u. auf den muscheligen Bruchflächen Fettglanz. Rötliche (Spuren von Eisenoxid, z. B. bei *Rotem Eisenkiesel*), gelbliche, bräunliche u. a. Färbungen sind teils auf Verunreinigungen, teils auf Einwirkung radioaktiver Strahlung (bei **Rauchquarz*, dem dunkelbraunen bis braunschwarzen *Morion*, dem gelben bis orange-braunen *Citrin* u. bei **Amethyst*) zurückzuführen u. beruhen auf *Kristallbaufehlern. Solche Farbzentren (Punktdefekte) lassen sich mit ionisierender Strahlung auch künstlich erzeugen (z. B. in Rauch-Q., s. *Lit.*[4]). Der Gehalt an verunreinigenden Spurenelementen[5] in Q. (z. B. Fe^{3+}) überschreitet selten 100 ppm. Am häufigsten wird Al^{3+} anstelle von Si^{4+} eingebaut; das entstandene Ladungsdefizit wird durch Li^+, Na^+, K^+ u. H^+ (Bildung von Al–OH-Zentren) auf Zwischengitterplätzen u. durch Elektronenleerstellen ausgeglichen, s. dazu *Lit.*[4]. Wasser kann bis zu mehreren tausend ppm in Q. enthalten sein (vgl. *Lit.*[6,7]), dabei entstehen Silanol-Gruppen Si–OH.

Neben opt. Aktivität (Enantiomorphie) zeigen Q.-Krist. ggf. auch *Piezoelektrizität u. *Thermolumineszenz. Weitere techn. wichtige Eigenschaften sind: Hoher Wärmeausdehnungskoeff., niedrige Wärmeleitfähigkeit, Durchlässigkeit für Licht aller Wellenlängen u. hohe chem. Widerstandsfähigkeit. Q. ist in Wasser[8], Salzsäure, Schwefelsäure u. a. Mineralsäuren prakt. unlösl., dagegen löst er sich in Flußsäure ($SiO_2 + 4HF \rightarrow SiF_4 + 2H_2O$) u. (pulverisiert) in konz. siedenden Laugen od. geschmolzenen Alkalihydroxiden ($2NaOH + SiO_2 \rightarrow Na_2SiO_3 + H_2O$) unter Bildung von Silicaten. Bes. die farblos durchsichtige Abart *Bergkristall* enthält oft Einschlüsse anderer Mineralien, z. B. goldfarbene Nadeln von Rutil (*Venushaare*), ferner *Turmalin, *Goethit u. *Hämatit, sowie auch *fluide Einschlüsse (v. a. H_2O, CO_2, CH_4, auch NaCl). *Milchquarz* ist durch zahllose winzige Flüssigkeits- u. Gaseinschlüsse weiß getrübt; *Rosenquarz* ist blaß bis kräftig rosa, *Prasem* ist lauchgrün, *Aventurinquarz* grasgrün gefärbt. Neben diesen sog. phanero-(od. makro-)krist. Q.-Abarten unterscheidet man noch mikro- od. kryptokrist. Varietäten, darunter *Chalcedon, *Achat, *Onyx, *Jaspis, *Heliotrop u. Carneol (s. Chalcedon); s. a. Kieselgesteine u. Feuerstein. Auch der wasserhaltige *Opal gehört zur SiO_2-Gruppe.

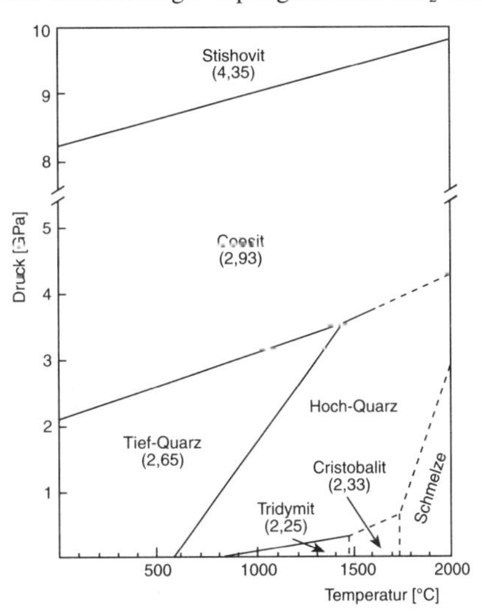

Abb.: Druck-Temp.-Diagramm der Modif. von SiO_2; in Klammern die Dichten; nach Schreyer aus Matthes, *Lit.*, S. 63.

Modif. (vgl. die Abb.): Beim Erhitzen auf über 573 °C wandelt sich α-Q. in den äußerlich sehr ähnlichen, im Kristallgitter etwas verschiedenen hexagonalen (Kristallklasse 622-D_6) *β-Q.* (Hochquarz) um, bei Abkühlung bildet sich von selbst wieder α-Q.; diese Umwandlung kann als sog. geolog. Thermometer (vgl. Thermobarometrie) verwendet werden. Zur Phasenumwandlung α-Q. ↔ β-Q. s. *Lit.*[9,10] u. Heaney et al.

(*Lit.*); hier auch Details zum Auftreten einer stabilen intermediären Q.-Phase im Bereich von 573–574,3 °C. Die Stabilitäts-Bereiche für die Modif. *Tridymit, *Cristobalit u. die Hochdruck-Modif. *Coesit u. *Stishovit zeigt die Abb.; zu weiteren Höchstdruck-Modif. von SiO_2 s. *Lit.*[11]. Der in *Fulguriten auftretende *Lechatelierit* ist ein *Quarzglas u. der **Melanophlogit* ein Clathrat; *Keatit* ist eine metastabile Modif. von SiO_2. Stöchiometr. Einbau von Alkalimetall- u. Al-Ionen in die SiO_2-Modif. β-Q., Cristobalit u. Keatit führt zu sog. *stuffed derivatives* (gestopfte abgeleitete Phasen), z. B. Eukryptit $LiAl[SiO_4]$ aus β-Q.; Mischkrist. zwischen diesen Phasen, z. B. mit Zusammensetzungen im Syst. SiO_2–$LiAlO_2$–$MgAl_2O_4$, sind wichtige Werkstoffe für *Glaskeramiken.

Vork.: In SiO_2-reichen *magmatischen Gesteinen (z. B. *Granite, Granit-*Pegmatite, *Rhyolithe) u. in *metamorphen Gesteinen (z. B. *Gneise, *Quarzite). In zahlreichen Lagerstätten als Gangart (*Erz). In *Sedimenten (z. B. Quarzsand, *Kies) u. – z. T. als Kornzement neu gebildet – in *Sedimentgesteinen (z. B. *Sandsteine, *Kieselgesteine). Als Füllung von kleinen od. mächtigen Spalten (z. B. Pfahl im Bayer. Wald; hier v. a. zur Erzeugung von Ferrosilicium abgebaut). Große Krist. werden in Pegmatiten (z. B. Brasilien; bis >40 t) u. in alpinen Klüften (z. B. St. Gotthard/Schweiz) gefunden; Hauptförderländer für natürliche Q.-Krist. sind Brasilien, Kanada, Spanien u. Mexiko. Von den zahlreichen als Schmucksteine bekannten Q.-Abarten werden Bergkrist. v. a. in Brasilien, Madagaskar u. Arkansas/USA u. Rosenquarz in Brasilien, Madagaskar u. Namibia gefunden. Der größte Teil des auf dem Markt befindlichen Citrins (fälschlich: Madeira-Topas, Gold-Topas) ist bei etwa 420–560 °C gebrannter Amethyst. Zu weiteren Vork. vgl. die Kiesel...-Stichwörter u. die Einzelstichwörter.

Synth.: Nicht verzwillingte (piezoelektr.) Q.-Einkrist. sowie Amethyst u. Citrin werden durch *Hydrothermalsynthese (350–400 °C, 100–170 MPa Druck) aus gebrochenem natürlichem Q. in wäss. Lsg. von Na_2CO_3 od. NaOH hergestellt; vgl. Ullmann (*Lit.*) u. *Lit.*[12].

Verw.: Quarzsand bzw. Quarzmehl als Strahl- u. Schleifmittel; als Streu-, Form- u. Kernsand für den Metallguß; als Katalysator-Träger, Füllstoff u. Filterschicht; als Rohstoff zur Herst. von Mörtel, Zement, Glas u. Spiegel (z. B. aus reinen eisenarmen Q.-Sanden in Niedersachsen, Westfalen u. vom Niederrhein), Porzellan, *Quarzglas u. *Quarzgut, Siliciumcarbid, metall. Silicium, Wasserglas, Silica-Erzeugnissen, Säurekitten. Bergkrist. u. synthet. Q. z. B. in der *UV-Spektroskopie; geschmolzene Bergkrist. für Quarzlampen u. torsionsfreie Quarzfäden. Synthet. piezoelektr. Q. als Schwingerkrist. (Oszillatoren, Schwing-Q.) für Q.-Uhren, zur Frequenz-Stabilisierung in Rundfunk- u. Fernseh-Sendern, als Hochfrequenzfilter, zur Ultraschall-Erzeugung, in Kraft-, Druck- u. Beschleunigungsmeßgeräten u. dergleichen. Die Quarzmikrowaage ermöglicht die *in situ*-Untersuchung des Phasengrenzbereichs fest/flüssig[13]. Die bei der Aufbereitung der *Kaoline von Hirschau-Schnaittenbach anfallenden, sehr reinen Q.-Sande finden Verw. für die Glaserzeugung u. in der chem.-techn. Ind. (Zusatz für feuerfeste Anstriche u. Kitte, Füllstoff für Schleif- u. Putzmittel, für Filterzwecke). Zahlreiche Q.-Varietäten werden als *Edelsteine und Schmucksteine, zu Heilzwecken[14] u. zur Herst. von kunstgewerblichen Gegenständen verwendet. Vgl. auch die Einzelstichwörter u. die folgenden Stichwörter.

Arbeitsschutz: Stäube von Q., Tridymit u. Cristobalit können beim Menschen *Silicose, Lungenkrebs, Silico-Tuberculose, Erweiterungen des Herzens u. Nierenschäden hervorrufen, s. dazu den Übersichtsartikel Kap. 16 in Heaney et al. (*Lit.*) u. die dort zitierte Literatur. MAK-Werte für Q.-Feinstaub 0,15 mg/m³, für Q.-haltige Feinstäube (Q.-Gehalt 1% u. mehr) 4 mg/m³. Zur Q.-Bestimmung in Stäuben durch Röntgenbeugung s. *Lit.*[15]. – ***E*** = ***F*** quartz – ***I*** quarzo – ***S*** cuarzo

Lit.: [1] Phys. Chem. Miner. **17**, 97–107 (1990). [2] Spektrum Wiss. **1985**, Nr. 7, 76–84. [3] Z. Kristallogr. **184**, 257–268 (1988). [4] Phys. Chem. Miner. **24**, 254–263 (1997). [5] Neues Jahrb. Mineral. Monatsh. **1984**, 137–144. [6] Eur. J. Mineral. **1**, 221–237 (1989). [7] Phys. Chem. Miner. **16**, 334–342 (1989). [8] Geochim. Cosmochim. Acta **61**, 2553–2558 (1997). [9] Phase Transitions **21**, 59–72 (1990). [10] Am. Mineral. **76**, 1018–1032 (1991); **81**, 1057–1079 (1996); **82**, 99–108 (1997). [11] Nature (London) **336**, 670 ff. (1988). [12] Angew. Chem. **97**, 1017–1032 (1985). [13] Angew. Chem. **102**, 347–361 (1990). [14] Gienger, Lexikon der Heilsteine (2.), Fulda: Fuldaer Verlagsanstalt 1997. [15] Int. J. Environ. Anal. Chem. **21**, 1–8 (1985).
allg.: Blankenburg, Götze u. Schulz, Quarzrohstoffe (2.), Leipzig: Dtsch. Verl. für Grundstoffind. 1994 ▪ Deer et al. (2.), S. 457–472 ▪ Eppler, Praktische Gemmologie (5.), S. 247–271 (1994) ▪ Heaney, Prewitt u. Gibbs, Silica (Reviews in Mineralogy, Vol. 29), Washington (D. C.): Mineralogical Society of America 1994 ▪ Matthes, Mineralogie (5.), S. 59–71, Berlin: Springer 1996 ▪ Ramdohr-Strunz, S. 139 f., 165 f., 521–529 ▪ Rykart, Quarz-Monographie (2.), Thun: Ott 1995 ▪ Ullmann (5.) **A 23**, 583–607 ▪ s. a. Siliciumdioxid, Silicose. – *[HS 2506 10; CAS 14808-60-7]*

Quarzglas. Vollkommen durchsichtiges, klares, erst bei 1710 °C schmelzbares Glas. D. 2–2,2, von chem. Widerstandsfähigkeit ähnlich wie *Quarz. Da der Ausdehnungskoeff. äußerst klein ist ($5,4 \cdot 10^{-7}$/K), kann Q. z. B. ohne Schaden nach Erhitzen auf Weißglut sofort in flüssiger Luft getaucht werden. Zur Herst. von Q. verwendet man vollständig reine, auch künstlich dargestellte Bergkrist. od. Quarzsand. Q. wird daher auch oft als *Kieselglas* bezeichnet. Undurchsichtiges Q. nennt man *Quarzgut. Ein natürlich vorkommendes Q. ist der *Lechatelierit* in *Fulguriten.

Verw.: Als für UV-Strahlung durchlässiger Werkstoff für Linsen, Prismen u. Küvetten in der opt. Ind. u. Spektroskopie, in der Halbleiter- u. Elektronik-Ind., für hochschmelzende, temperaturwechsel- u. säurebeständige Geräte u. Apparaturen für chem. Laboratorien u. die Industrie. Q. findet auch in Form von *Quarzfasern*, *Q.-Seide* u. *-Wolle* prakt. Verwendung. Quarzglasseide enthält 96% SiO_2 u. wird durch Auslaugung aus Glasseide od. aus geschmolzenem α-Quarz gewonnen, hat zwar etwas geringere Festigkeitswerte als Glasseide, behält jedoch die mechan. u. dielektr. Eigenschaften bis zu Temp. von 1090 °C bei. Q.-Seide u. Q.-Wolle finden vielfältige Anw. als elektr. u. therm. isolierendes Material in der Elektro-, Heizungs-, Filter- u. Raketentechnik, Q.-Wolle darüber hinaus auch als Katalysatorträger. – ***E*** vitreous silica, quartz glass, silica glass – ***F*** verre quartzeux – ***I*** vetro di quarzo – ***S*** vidrio de cuarzo

Lit.: Kirk-Othmer (4.) **12**, 562 f.; **21**, 1032–1075 ▪ Ullmann (4.) **12**, 351; **21**, 451; (5.) **12**, 372, 426 ▪ s. a. Quarz.

Quarzgut. Trübes, undurchsichtiges, für opt. Zwecke ungeeignetes *Quarzglas, das aus sehr reinen Quarzsanden in elektr. Widerstandsöfen erschmolzen u. z. B. mit Preßluft zu Hohlzylindern aufgeblasen u. verformt wird. Die weiße Trübung des Q. ist auf viele feine Luftbläschen zurückzuführen.
Verw.: Zu Gerätschaften für chem. Anw. u. elektrotechn. Isolierungen. – ***E*** fused quartz – ***F*** silice fondue (vitreuse) – ***I*** quarzo fuso – ***S*** cuarzo fundido, sílice fundida
Lit.: s. Quarz, Quarzglas.

Quarzite. Bez. für aus *Sandsteinen, *Kieselgesteinen usw. entstandene, vorwiegend weiße, auch graue, rote (durch *Hämatit), bräunliche od. andersfarbige, sehr harte *metamorphe Gesteine, die zu mind. 80% aus *Quarz bestehen; 4% übersteigende Gehalte an *Granat, *Glimmer, *Chlorit, *Graphit, *Goethit u. dgl. sind für die meisten Anw. unerwünscht. Q. sind meist körnig bis dicht, fein lamelliert bis massig u. dünn- od. dickbankig; die Körner sind mosaikartig verzahnt. Nach wie vor werden auch kieselig (durch *Opal, *Chalcedon od. feinkrist. Quarz) gebundene, nicht metamorphe Sandsteine als Q. bezeichnet; bei ihnen handelt es sich nach heutiger Nomenklatur – ebenso wie bei *Ganister – um Quarzsandsteine (Quarzarenite).
Vork.: Z. B. im Spessart, Thüringer Wald, Harz, in der Eifel, in Sachsen u. Österreich (Semmering-Q., Radstädter Q.).
Verw.: In der Ind. unterscheidet man zwischen *Felsquarzit* (metamorph, ohne Bindemittel, >96% SiO_2) u. *Zementquarzit* (Braunkohlen-Q., mit feinkrist. Bindemittel, >96% SiO_2). Q. werden in der BRD hauptsächlich im Rhein. Schiefergebirge (Westerwald, Taunus, Hunsrück, Eifel) u. im Harz gewonnen u. v. a. für *Feuerfestmaterialien, bes. zur Herst. von *Silicasteinen, ferner im Straßen- u. Hochbau verwendet, sehr reine Q. auch für einige bei Quarz erwähnte Einsatzgebiete (z. B. Glas-Herst.). – ***E*** = ***F*** quartzites – ***I*** quarziti – ***S*** cuarcitas
Lit.: BGR Hannover u. Prognos AG Basel (Hrsg.), Industrieminerale (Untersuchungen über Angebot u. Nachfrage mineralischer Rohstoffe XIX), S. 465–471, Stuttgart: Schweizerbart 1986 ▪ Pohl, Lagerstättenlehre (4.), S. 289 f., Stuttgart: Schweizerbart 1992 ▪ Wimmenauer, Petrographie der magmatischen u. metamorphen Gesteine, S. 289 f., Stuttgart: Enke 1985.

Quarzkeratophyr s. Keratophyr.

Quarzlampe s. Analysenlampe u. Ultraviolettstrahlung.

Quarzmehl. Bez. für fein vermahlenen, meist Eisenfreien u. hochreinen *Quarz(sand) zur Verw. in der Glas-, Email- u. keram. Ind. sowie als Abrasiv-Komponente in Schleif- u. Putzmitteln u. dgl. Da Q. stets Anteile mit Korndurchmessern <5 μm u. damit „silicogenen Staub" enthält, sind bei seiner Verarbeitung die *Gefahrstoffverordnung sowie die einschlägigen Unfallverhütungsvorschriften zu beachten. – ***E*** grinded quartz – ***F*** poudre de quartz – ***I*** farina quarzifera – ***S*** polvo de cuarzo

Lit.: Ullmann (4.) **21**, 444–450; (5.) **A 23**, 603 f. ▪ s. a. Quarz. – *[HS 2506 10]*

Quarzporphyr s. Porphyre u. Rhyolith.

Quarzsand s. Sand u. Quarz.

Quarzuhren s. Piezoelektrizität u. Quarz.

Quasiäquatorial s. äquatorial u. Konformation.

Quasiaromatizität s. Aromatizität.

Quasiatome (Quasimol.). Begriff aus der *Kernphysik, mit dem man sehr kurzlebige unter dem Einfluß starker Felder durch Kollision entstehende u. nur für den Moment der Begegnung existenzfähige Atom- od. besser Mol.-artige Gebilde beschreibt, die aus zwei nicht miteinander verschmolzenen Atomkernen u. einer weitgehend verschmolzenen Elektronenhülle bestehen. Superschwere Q. erhält man z. B. aus beschleunigten Iod-Ionen mit Targets (Zielatomen) aus Gold, Thorium, Uran; den „neuen Elementen" (Q.) entsprechen die Ordnungszahlen 132, 143 u. 145 (*Superactinoide*). Als *Kernmol.* bezeichnet man äußerst kurzlebige Gebilde, die aus zwei von ihren Elektronenhüllen befreiten („nackten") Atomkernen beim Aufeinanderprallen mit hoher Energie entstehen. Die beiden *Schwerionen werden durch – beiden Kernen gemeinsam angehörende – *Nukleonen für kurze Zeit zusammengehalten, bis sie wieder auseinanderfliegen od. zu einem einzigen Kern verschmelzen; s. a. Quasiteilchen. – ***E*** quasiatoms – ***F*** quasi-atomes – ***I*** quasiatomi – ***S*** cuasi-átomos
Lit.: Musiol et al., Kern- und Elementarteilchenphysik, 2. Aufl., Frankfurt: Harri Deutsch 1995.

Quasiaxial s. axial u. Konformation.

Quasielastische Lichtstreuung s. Spektroskopie.

Quasikristalle. Während *Kristalle eine Orientierungs- u. Translationsfernordnung aufweisen, gibt es in Gläsern nur eine Nahordnung. Q. stellen neben den *flüssigen Kristallen u. den *plastischen Kristallen einen weiteren Übergang zwischen beiden Festkörperformen dar. In den Q. ist die *Translationsinvarianz* zugunsten der *Quasiperiodizität* aufgehoben. Deshalb sind auch nichtkristallograph. Symmetrieoperationen, z. B. mit 5-, 8-, 10- u. 12-zähliger Symmetrie, erlaubt. *Quasigitter* können mittels eines speziellen Projektionsverf. aus *Translationsgittern* mit doppelter Dimensionalität konstruiert werden. Das Quasigitter in der Abb. auf S. 3676 ist aus zwei verschiedenen Elementarzellen aufgebaut (Rhomben mit $\alpha = 36°$ u. $\alpha' = 72°$). Die Abfolge dieser Elementarzellen ist nicht period. aber dennoch nicht regellos: Sie ist streng vorausbestimmt u. wird daher als *quasiperiod.* bezeichnet. Beim Studium binärer metall. Gläser fand man, daß ikosaedr. Cluster energet. bes. stabil sind. Transmissionselektronenmikroskop. Untersuchungen an rasch abgeschreckten Proben der Zusammensetzung $Al_{86}Mn_{14}$ hatten zu Beugungsmustern geführt, die nur mit der nichtkristallograph. Ikosaeder-Punktgruppe $m\bar{3}\bar{5}$ erklärt werden konnten [1]. Der Begriff Q. wurde von Levine u. Steinhardt [2] eingeführt, die zeigen konnten, daß zwei- u. dreidimensionale Quasigitter, die entsprechend den sog. *Penrose*-Mustern aufgebaut sind, quasiperiod. Beugungsmuster ergeben.

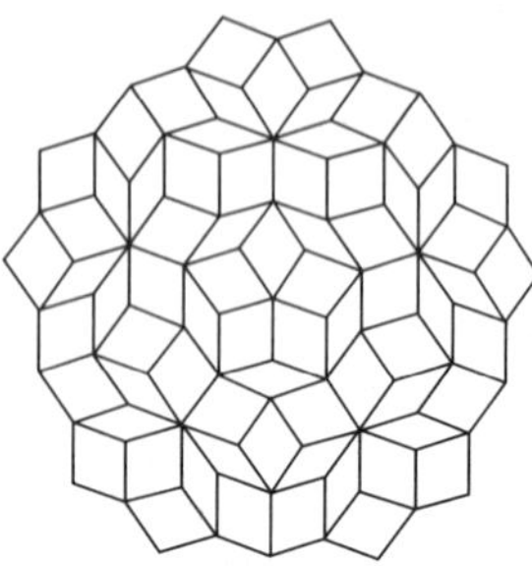

Abb.: Beisp. für ein zweidimensionales Quasigitter (Penrose-Muster) mit fünfzähliger Symmetrie (nach *Lit.*[3]).

– *E* quasicrystals – *F* quasi-cristaux – *I* quasicristalli – *S* cuasicristales

Lit.: [1] Phys. Rev. Lett. **53**, 2477 (1984). [2] Phys. Rev. Lett. **53**, 183 (1984). [3] Nachr. Chem. Tech. Lab. **38**, 1346–1352 (1990). *allg.:* Angew. Chem. **103**, 771–775 (1991) ▪ Janot, Quasicrystals: A primer, Oxford: Clarendon 1995 ▪ Jarić u. Gratias (Hrsg.), Aperiodicity and Order, San Diego: Academic Press 1989 ▪ Ullmann (5.) **B 6**, 254.

Quasilebende Polymerisationen. Viel schwieriger als bei anion. *Polymerisationen ist es, kation. Polymerisationen lebend, d. h. über *lebende Polymere durchzuführen. Grund hierfür sind die viel beschränkteren Möglichkeiten, carbokation. Zentren durch geeignete Wahl der Reaktionsbedingungen so zu stabilisieren, daß zwar das Kettenwachstum noch hinreichend schnell verläuft, daß Kettenübertragungs- u. Kettenabbruchs-Reaktionen aber entweder weitgehend unterbunden od. reversibel sind. Da dies – wenn überhaupt – nur näherungsweise gelingt, sollten diese Polymerisationen korrekterweise als „quasi-lebend" bezeichnet werden. Geeignete Monomere für q. P. sind z. B. Styrol, substituierte Styrole, Isobutylen u. Vinylether. Von größerem Interesse ist die q. P. für die Herst. telecheler Polymerer (s. Inifer-Polymerisation) u. einiger Block-Copolymerer; s. a. radikalische Polymerisation. – *E* quasiliving polymerization – *F* polymérisation quasi-vivante – *I* polimerizzazioni quasiviventi – *S* polimerización cuasiviva

Lit.: Odian (3.), S. 390, 425.

Quasilineare Moleküle. Mol. mit linearer od. nahezu linearer *Gleichgewichtsgeometrie u. Knickschwingungen mit großer Amplitude. *Beisp.:* HCNO od. C_3O_2. In q. M. liegt starke Kopplung zwischen Knickschwingungsbewegung u. Rotation vor u. die hochaufgelösten Infrarotspektren od. Millimeterwellenspektren weisen gegenüber normalen Mol. Besonderheiten auf. – *E* quasilinear molecules – *F* molécules quasi-linéaires – *I* molecole quasi-lineari – *S* moléculas cuasilineales

Lit.: Bunker, Molecular Symmetry and Spectroscopy, New York: Academic Press 1979 ▪ Rao, Molecular Spectroscopy: Modern Research, Bd. 3, S. 321–419, Orlando: Academic Press 1985.

Quasimoleküle s. Quasiatome.

Quasiplanare Moleküle. Mol. mit leicht pyramidaler *Gleichgewichtsgeometrie, die einer kleinen Energiebarriere gegenüber der Planarität entspricht. Zu den q. M. zählt z. B. das Hydronium-Ion H_3O^+, für das die Abhängigkeit der Gesamtenergie bei ruhenden Atomkernen vom Winkel Θ in der Abb. dargestellt ist. Der Winkel Θ mißt hierbei die Abweichung von der planaren Anordnung der Atomkerne. Nach genauen *ab initio-Rechnungen[1] beträgt die Energiebarriere zur Planarität im H_3O^+-Ion 8,1 kJ mol^{-1}.

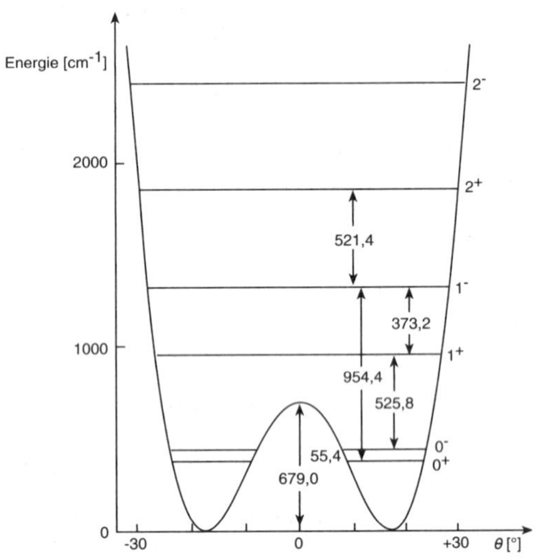

Abb.: Inversionsschwingungspotential (in Wellenzahl-Einheiten) des H_3O^+-Ions mit den untersten 6 Inversionsschwingungsniveaus, die durch die *Quantenzahl v_2^p gekennzeichnet sind (p: *Parität).

– *E* quasi planar molecules – *F* molécules quasiplanaires – *I* molecole quasi-planari – *S* moléculas cuasiplanares

Lit.: [1] J. Chem. Phys. **84**, 6523 f. (1986). *allg.:* Annu. Rev. Phys. Chem. **34**, 59–75 (1983).

Quasiracemate s. Racemate.

Quasistabile Zustände s. Stabilität.

Quasistationäre Systeme s. thermodynamische Systeme u. vgl. stationärer Zustand.

Quasistatisch. Begriff aus der *Thermodynamik. Ein q. Prozeß läuft unendlich langsam ab, so daß das betrachtete Syst. trotz einer ablaufenden Zustandsänderung ständig im thermodynam. Gleichgew. ist. – *E* quasistatic – *F* quasi-statique – *I* quasi-statico, reversibile – *S* cuasiestático

Quasiteilchen. Ein Q. ist ein Teilchen, das nicht wie ein Photon od. ein Elektron im Vak., sondern nur in Materie, z. B. in Festkörpern existieren kann. Viele Q. sind *Quanten von *elementaren Anregungen in Festkörpern, wie *Phononen, *Plasmonen, *Magnonen od. *Excitonen. Diese sind im allg. *Bosonen. Fermion. Q. in Festkörpern sind Kristallelektronen u. Löcher sowie *Polaronen (s. a. Halbleiter). Diese können nur paarweise erzeugt od. vernichtet werden. In kristall. Festkörpern od. im Rahmen von Kontinuumsmodellen werden Q. durch ihre Energie u. ihren Quasiimpuls beschrieben. Q. spielen auch in der *Quantenchemie eine wichtige Rolle. *Solitonen existieren auch in vielen anderen Medien wie Flüssigkeiten. Weiterhin wird das Q.-Konzept angewandt in Atomen mit vielen Elektronen u. in Atomkernen (Vielteilchen-Syst.). – *E* quasiparticle – *F* quasi-particules – *I* quasi-particella – *S* cuasi-partículas

Lit.: Ibach u. Lüth, Festkörperphysik, 4. Aufl., Berlin: Springer 1995 ▪ Kittel, Einführung in die Festkörperphysik, 11. Aufl., München: Oldenbourg 1995 ▪ Musiol et al., Kern- u. Elementarteilchenphysik, 2. Aufl., Frankfurt: Harri Deutsch 1995 ▪ NATO ASI Series B, Vol. 88 u. Vol. 356, New York: Plenum Press 1993, 1997.

Quassia (Quassie, Bitterholzbaum). Bez. sowohl für den in Brasilien u. Guayana heim., in Westindien, Kolumbien u. Panama kultivierten Baum *Quassia amara* (Simaroubaceae, Bitterholzgewächse) als auch für Extrakte, die aus dem leichten, hellgelben, bitter schmeckenden Holz gewonnen werden. Diese sog. *Surinam-Q.* ist der *Jamaika-Q.* ähnlich, die Holz bzw. Extrakt von *Picrasma excelsa*, einem auf Jamaika u. den Karib. Inseln heim. Bitterholzgewächs, enthalten. In Japan ist ein ähnliches Produkt von *P. ailanthoides* als *Nigaki* bekannt. In den Tropen stellt man aus Q. insektenbeständige Furniere her. Die insektizide Eigenschaft (Kontakt-Insektizid) von Q. wurde im 17. Jh. in Surinam von dem Negersklaven Graman Quassi erkannt; sie geht auf den Gehalt an *Quassin* u. *Neoquassin* zurück; Näheres s. Quassin(oide). – ***E*** = ***F*** = ***I*** quassia – ***S*** cuasia

Lit.: Franke, Nutzpflanzenkunde (6.), S. 464f., Stuttgart: Thieme 1997. – *[HS 1302 19]*

Quassin(oide). Eine Gruppe strukturell komplexer, abgebauter *Triterpene mit verschiedenen tetra- u. pentacycl. C_{18}-, C_{19}-, C_{20}- u. C_{25}-Grundstrukturen. Das C_{20}-Picrasan-Gerüst hat die weiteste Verbreitung. Q. kommen v. a. im Holz des in Brasilien u. Surinam heim. Baumes *Quassia amara* sowie in *Picrasma excelsa* der Karibik (Simaroubaceae, Bitterholzgewächse) vor. Sie wirken auf Insekten fraßhemmend u. schmecken sehr bitter. Wichtigster Vertreter der Q. ist das *Quassin* (2,12-Dimethoxypicrasa-2,12-dien-1,11,16-trion, Nigakilacton D), $C_{22}H_{28}O_6$, M_R 388,46; Krist., Schmp. 221–222 °C, $[\alpha]_D^{20}$ 34,5° ($CHCl_3$), lösl. in Chloroform, Aceton – ein partiell hydriertes Phenanthren-Derivat.

Quassin

Q. ist ein im Lebensmittelbereich verwendeter *Bitterstoff, nach der Aromen-VO dürfen Trinkbranntweine bis zu 50 mg/L Q. enthalten. Q. schmeckt noch in 1:60000facher Verdünnung bitter. Bei Säugetieren kann Q. Erniedrigung der Herzfrequenz bewirken u. in hohen Konz. Muskelzittern u. Lähmungen hervorrufen. Das „Quassin" des Handels ist ein Gemisch aus Quassin, Neoquassin, Isoquassin u. 18-Hydroxyquassin. Q. kann *Emetin-Hydrochlorid ersetzen. Einige pentacycl. Q. besitzen antivirale, antiparasit., insektizide, fraßhemmende, amöbizide u. entzündungshemmende Eigenschaften. Die Q. wurden intensiv synthet. bearbeitet. – ***E*** quassin, quassinoids – ***F*** quassin; quassinoïdes – ***I*** quassina, quassinoidi – ***S*** cuasín; cuasinoides

Lit.: Aust. J. Chem. **44**, 927–938 (1991) ▪ Beilstein E V **18/5**, 175 ▪ Karrer, Nr. 3688, 3711 ▪ Merck-Index (12.), Nr. 8209 ▪ Parasitol. Today **2**, 355–359 (1986) ▪ R. D. K. (4.), S. 902. – *Review:* Annu. Proc. Phytochem. Soc. Eur. **22**, 247–266 (1983) ▪ Can. Chem. News **47**, 16f. (1995) ▪ Zechmeister **30**, 101–150; **47**, 221–264. – *Synth.:* Bull. Chem. Soc. Jpn. **61**, 3587 (1988) ▪ Can. J. Chem. **69**, 853 ff. (1991) ▪ J. Am. Chem. Soc. **110**, 5568f. (1988); **111**, 6287–6294 (1989); **112**, 9436 (1990) ▪ Org. Prep. Proc. Int. **21**, 521–618 (1989) ▪ Synth. Commun. **18**, 13–20 (1988) ▪ Tetrahedron **46**, 2187–2194 (1990) ▪ Tetrahedron Lett. **30**, 5985–5992 (1989). – *[HS 2932 29; CAS 76-78-8 (Quassin)]*

Quater... (latein.: quater = viermal). *Multiplikationspräfix, das 4 ident. Ringsyst. zu *Ringsequenzen verknüpft; vgl. quartär u. quaternär. Abb.: *p,p*- od. 1,1′:4′,1″:4″,1‴-Quaterphenyl.

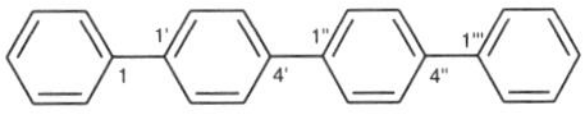

– ***E*** = ***F*** = ***I*** quater... – ***S*** cuater...

Quaternär (latein.: quaterni = je vier, vierfach, zu viert; vgl. quater...). a) Oft statt *quartär (a) benutzte Bez., von engl.: quaternary = quartär, quaternär; vgl. Quaternisierung. – b) Bez. für Vierstoffsyst.: *quaternäre Verbindungen, Leg. u. Gemische. – ***E*** quaternary – ***F*** quaternaire – ***I*** quaternario – ***S*** cuaternario

Quaternäre Verbindungen. Aus dem Latein. (s. quaternär) abgeleitete allg. Bez. für Verb., die aus vier verschiedenen Elementen bestehen, z. B. $CaMg(CO_3)_2$, od. auch bei *quaternären Leg.* für Leg. aus 4 Metallen. Fälschlicherweise werden als q. V. gelegentlich auch durch *Quaternisierung gebildete organ. Verb. mit *quartärem Zentralion verstanden, z. B. *quartäre Ammonium-Verbindungen. Die Ursache für diese falsche begriffliche Gleichsetzung ist, daß im Französ. u. Engl. für quaternär u. quartär dasselbe Wort verwendet wird. – ***E*** quaternary compounds – ***F*** composés quaternaires – ***I*** composti quaternari – ***S*** compuestos cuaternarios

Quaternisierung. Vom Latein. (vgl. quaternär) abgeleitete Bez. für die Überführung geeigneter Atome in durch organ. Reste vierfach substituierte Verb., z. B. die Umwandlung (durch Alkylierung) von Aminen in *quartäre Ammonium-Verbindungen, von Pyridin in *Pyridinium-Verbindungen, von Phosphanen in *Phosphonium-Salze od. von *Sulfiden in *Sulfonium-Verbindungen; derartige Verb. sind nützlich zur Herst. von *Yliden. – ***E*** quaternization – ***F*** quaternisation – ***I*** quaternizzazione – ***S*** cuaternización

Quaterphenyl s. quater...

Quaterpolymere. Bez. für *Polymere, die durch *Copolymerisation von 4 unterschiedlichen *Monomere entstanden sind. – ***E*** quaterpolymers – ***F*** quaterpolymères – ***I*** polimeri quaternari – ***S*** cuaterpolímeros

3,2′:3′,4″:2″,3‴-Quaterpyridin (Nemertellin).

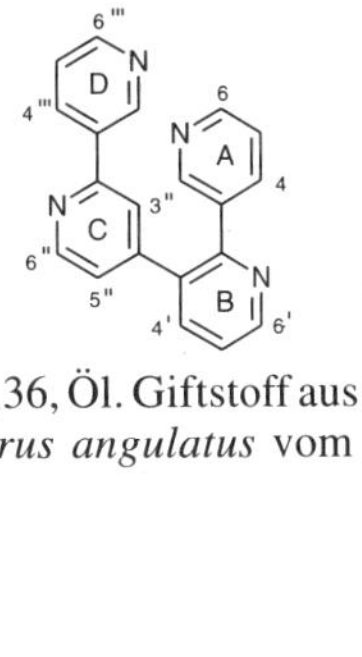

$C_{20}H_{14}N_4$, M_R 310,36, Öl. Giftstoff aus Schnurwürmern der Art *Amphiporus angulatus* vom Stamm der Nemertinen mit bewaffnetem Rüssel. – ***E*** = ***F*** 3,2′:3′,4″:2″,3‴-quaterpyridine – ***I*** 3,2′:3′,4″:2″,3‴-quaterpiridine – ***S*** 3,2′:3′,4″:2″,3‴-cuaterpiridina

Lit.: Tetrahedron **51**, 11 401 (1995). – *[CAS 59697-14-2]*

Quebrachamin (Kamassin).

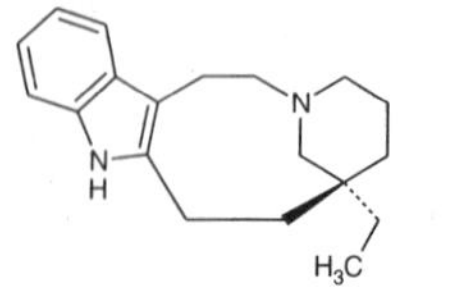

(+)-(S)-Form

$C_{19}H_{26}N_2$, M_R 282,43; Krist., Schmp. 147 °C, lösl. in Aceton, Chloroform u. verd. Säuren. *Indol-Alkaloid vom *Aspidosperma*-Typ, beide Enantiomeren kommen natürlich vor: die (+)-Form {$[\alpha]_D$ +98° ($CHCl_3$), +109° (Aceton)} in *Pleiocarpa-* u. *Stemmadenia*-Arten, die (–)-Form {$[\alpha]_D$ –100° ($CHCl_3$), –110° (Aceton)}, in *Aspidosperma quebracho-blanco* u. a. *Aspidosperma*-Arten sowie *Gonioma, Hunteria-* u. *Rhazya*-Arten. – ***E*** quebrachamine – ***F*** québrachamine – ***I*** = ***S*** quebrachoammina

Lit.: Beilstein E III/IV **23**, 1427 ▪ Heterocycles **16**, 247 (1981); **29**, 243 (1989) ▪ J. Org. Chem. **55**, 517 (1990) ▪ Manske **27**, 131–407 ▪ Merck-Index (12.), Nr. 8212 ▪ s. a. Quebracho, Yohimbin. – *[HS 2939 90; CAS 4850-21-9 ((–)-Q.); 14430-17-2 ((+)-Q.)]*

Quebracho (Cortex Quebracho, Quebrachorinde; span. kebratscho; von quebrar = brechen, hacha = Axt). 1. Dicke, braungelbe, flache od. rinnenförmige Stammrinde der argentin. Apocynacee (Hundsgiftgewächse) *Aspidosperma quebracho-blanco* (Bäume mit gelben Blüten). Q. enthält Tannin-artige Gerbstoffe u. mehrere Alkaloide, Quebrachin (ident. mit *Yohimbin), *Quebrachamin, Aspidosamin, Aspidospermin u. a. **Aspidosperma-Alkaloide* (*Indol-Alkaloide), ferner Quebrachol (ident. mit β-Sitosterin) u. Quebrachit (*chiro*-Inosit-2-methylether). Man gewinnt durch Auskochen u. Eindicken einen harten, harzartigen, schwarzbraunen, bitter schmeckenden Extrakt mit ca. 60–83% lösl. Tannin; die flüssigen Q.-Extrakte enthalten 30–42% Tannin. Derartige Präp. werden gegen Asthma, Herzleiden als Expektorans u. zur Likörbereitung verwendet.

2. Das sog. Rote Q.-Holz, auch Q. Colorado genannt, stammt von der argentin. Anacardiacee (Sumachgewächse) *Schinopsis quebracho-colorado* u. der kleineren *S. balansae*; das dunkelrote bis rotbraune, harte, leicht spaltbare, infolge seines Gerbstoff-Gehalts (14–26%) sehr beständige Holz wird zu Eisenbahnschwellen u. als Gerbmittellieferant für die Lederherst. sowie für Bohrspülmittel verwendet. Der Q.-Gerbstoff gehört ebenso wie der verwandte Eichengerbstoff zur Gruppe der *Catechin-*Gerbstoffe. – ***E*** = ***I*** = ***S*** quebracho – ***F*** québracho

Lit.: Franke, Nutzpflanzenkunde (6.), S. 441, Stuttgart: Thieme 1997 ▪ Römpp Lexikon Naturstoffe, S. 538 f. (Quebracho cortex). – *[HS 1404 10, 3201 10]*

Quecksilber (chem. Symbol Hg). Metall. Element, Ordnungszahl 80, Atomgew. 200,59. Natürliche Isotope (Häufigkeit in Klammern): 196 (0,14%), 198 (10,02%), 199 (16,84%), 200 (23,13%), 201 (13,22%), 202 (29,80%), 204 (6,85%). Daneben bildet Hg künstliche Isotope (^{175}Hg bis ^{207}Hg) mit HWZ zwischen 0,02 s (^{175}Hg) u. 520 a (^{194}Hg), von denen ^{197}Hg (HWZ 64,1 h) u. ^{203}Hg (HWZ 46,61 d) in der Tumordiagnostik Anw. finden [*Chlormerodrin (^{197}Hg)]. Hg tritt in den Oxid.-Stufen +1 (veraltete Bez.: Mercuro...) u. +2 (veraltete Bez.: Mercuri...) auf; „einwertiges" Hg findet man nur in den Hg,Hg-Bindungen enthaltenden Diquecksilber-Verbindungen. Zweiwertiges Hg bildet bevorzugt kovalente Bindungen (s. chemische Bindung), u. nur HgF_2 ist ein richtiges Salz; die wasserlösl. u. giftigen Quecksilber(II)-Verb. sind am beständigsten. In der goldfarbenen Verb. $Hg_{2,85}AsF_6$ liegt Hg in einer Oxid.-Stufe <1 vor (Alchemisten-Gold). Hg in neg. Oxid.-Stufen liegt in den festen Alkalimetall-*Amalgamen vor, welche z. B. isolierte Hg_4-Quadrate (z. B. Na_3Hg_2), Zick-Zack-Ketten von neg. geladenen Hg-Atomen (z. B. NaHg), Raumnetze (z. B. $NaHg_2$) od. isolierte Hg-Anionen (z. B. Na_3Hg) enthalten [1]. Die chem. Verwandtschaft mit den im *Periodensystem senkrecht über dem Hg stehenden Metallen Cadmium u. Zink ist nicht sehr ausgeprägt. Hg ist das einzige bei 20 °C flüssige Metall; es zeigt lebhaften Silber-Glanz, D. 13,546 (20 °C), Schmp. –38,87 °C (festes Hg bildet rhomboedr. Krist.), Sdp. 357,25 °C. Hg zeichnet sich durch sehr gute Wärmeleitfähigkeit aus u. zeigt eine verhältnismäßig geringe elektr. Leitfähigkeit: Eine Säule von 1 mm^2 Querschnitt u. 106,300 cm Länge besitzt bei 0 °C einen elektr. Widerstand von 1 Ω. Durch elektr. Entladung wird Hg-Dampf zu intensivem Leuchten mit einem an *Ultraviolettstrahlung reichen Lichtes angeregt (s. Quecksilberdampflampen).

Schon bei 20 °C weist Hg einen erheblichen Dampfdruck auf: 0,170 Pa (20 °C), 0,246 Pa (25 °C), 0,391 Pa (30 °C), 0,81 Pa (40 °C), 1,69 Pa (50 °C); mit gasf. Hg gesätt. Luft enthält in 1 m^3 (in Klammern die jeweilige Temp.): 2,0 mg (0 °C), 13,6 mg (20 °C), 29,6 mg (30 °C), 62,7 mg (40 °C), 126 mg (50 °C). Der MAK-Wert von Hg ist auf 0,1 mg/m^3 festgesetzt, der BAT-Wert (s. MAK) auf 50 µg/L im Blut bzw. 200 µg/L im Harn. In luftfreier Salzsäure u. verd. Schwefelsäure löst sich Hg nicht auf, weil es wie die *Edelmetalle in der *Spannungsreihe unterhalb von Wasserstoff steht (aus diesem Grund wird Hg oft zu den Edelmetallen gerechnet). Hg löst sich in oxidierenden Säuren (Königswasser, Salpetersäure usw.) u. konz. heißer Schwefelsäure. Die meisten Metalle (mit Ausnahme der Edelmetalle) fällen Hg aus seinen Salz-Lösungen. Mit vielen Metallen bildet Hg Amalgame, die je nach Zusammensetzung flüssig, teigig od. fest sein können; z. B. beträgt bei 20 °C die Löslichkeit in Q. für Kupfer 0,002, Silber 0,035, Gold 0,131, Natrium 0,62, Zinn 0,90, Zink 1,99, Cadmium 5,0 u. Thallium sogar 42,5%. Eisen ist in Hg unlösl. u. dient deshalb als Behältermaterial. Die IUPAC hat eine Aufstellung der Diffusionskoeff. von Metallen in Hg sowie der Standardpotentiale u. Aktivitätskoeff. von Amalgam-Elektroden veröffentlicht [2]. Daten zur Löslichkeit von Hg in Flüssigkeiten, Gasen u. Salzen finden sich in *Lit.* [3]. An trockener Luft wird Hg bei 20 °C nicht oxidiert, an feuchter dagegen überzieht sich Hg allmählich mit einem dünnen Oxid-Häutchen. Die Oberflächenspannung von Hg ist etwa 6mal so groß wie die von Wasser: Glas, Stein u. a. Materialien werden deshalb von Hg nicht benetzt. Die Einführung von Hg in organ. Verb. bezeichnet man als *Mercurierung*, s. Quecksilber-organische Verbindungen. Zur Interkalation von Hg in Graphit s. *Lit.*[4]; einen Überblick über die Chemie von Hg gibt *Lit.*[5].

Nachw.: Mit Prüfröhrchen sind Hg-Dämpfe im Bereich von 0,1 – 2 mg/m^3 nachweisbar. Angesichts der allg. Verbreitung u. der Toxizität von Hg sind eine Vielzahl von mehr od. weniger spezif. Nachw.-Verf. entwickelt worden, die z. T. auf chem. Grundlagen basieren, z. B. die Reaktionen mit 2-*Aminobenzoesäure, *5-[4-(Dimethylamino)benzyliden]rhodanin, mit *Thionalid, *Dithizon, *2-Mercaptobenzothiazol, 1,5-*Diphenylcarbonohydrazid, *1,5-Diphenylcarbazon, Thio-*Michlers Keton, 4-Methoxy-2-(2-thiazolylazo)-phenol u. *Natrium-diethyldithiocarbamat; Näheres s. in *Lit.*[6]. Auch eine Chelatisierung mit *S*-(Carboxymethyl)-thiophthalat od. ein Nachw. durch Ionenaustausch kommen in Frage. Für die Spurenanalyse von Hg benutzt man physikal. Meth.: Atomabsorptionsspektroskopie (eine speziell für Hg in Lebensmitteln u. biolog. Material geeignete Standardmeth. nach IUPAC wird in *Lit.*[7] beschrieben), Emissionsspektroskopie, Neutronenaktivierungsanalyse od. Gaschromatographie/Massenspektrometrie[8]. Für elementares Hg spezif. ist die Adsorption (Amalgam-Bildung) auf dünnen Gold-Filmen[9]. Die meisten Meth. gestatten einen Nachw. im Nanogramm-Bereich, aber durch Verbund von Aufschluß, Anreicherung u. Bestimmung kann die Erfassungsgrenze auf <1 pg gedrückt werden; über wesentliche Entwicklungen bei der Spurenanalytik von Hg, insbes. der *Atomabsorptionsspektroskopie (AAS), informiert *Lit.*[10].

Eine Reihe neuerer DIN-Vorschriften befaßt sich mit der Bestimmung von Q. in Gasen (DIN 51865-1: 1998-02; 51865-2: 1995-09; 51865-3: 1998-02), Wasser (DIN EN 1483: 1997-08) u. Luft (DIN EN 13211: 1998-06). Wegen der Gefährlichkeit von Hg-Dämpfen ist es bes. wichtig, auch kleinste Mengen an Hg so schnell wie möglich unschädlich zu machen. Hat sich das verschüttete Hg sehr fein zerteilt, so kann man sich behelfen durch Aufstreuen Hg-bindender Stoffe wie *Mercurisorb® Roth, Schwefel-Pulver, Zink-Staub zusammen mit $CuSO_4 \cdot 5H_2O$, Kupfer-Pulver, Iod-Kohle, frischen Zink- u. Messing-Feilspänen, durch Aufsaugen mit speziellen Vakuumpipetten od. mit PU-Schaumstoffen od. auch durch Aufbringen von Trockeneis u. Zusammenfegen der erstarrten Kügelchen od. Aufnehmen mittels Klebstreifen. Mit Thiol-Gruppen-haltiger Cellulose, speziellen Ionenaustauschern (IMAC) od. 1,3,5-Triazin-2,4,6-trithiol (TMT) lassen sich Hg-Ionen aus wäss. Lsg. beseitigen. Für die Entfernung von gasf. Hg, z. B. aus Wasserstoff-Gas, hat man die Bez. *Entquickung* geprägt. In zahnärztlichen Praxen sind bes. Sicherheitsmaßnahmen bei der Amalgam-Herst. zu beachten; die Dental-Amalgame selbst sind schwerlösl. u. äußerst korrosionsbeständig.

Physiologie: Hg-Dämpfe wirken im Gegensatz zum flüssigen Hg stark tox., weil gasf. Hg in der Lunge zu 80% resorbiert wird u. davon 80% direkt ins Blut übergehen. Da elementares Hg die Blut-Hirn-Schranke leicht überwindet u. im Hirn durch Katalase zu Hg^{2+} oxidiert wird, akkumuliert es sich dort. Darauf beruht die Gefährlichkeit einer langjährigen Exposition auch gegenüber geringsten Hg-Dampf-Konzentrationen. Ebenfalls tox. sind zahlreiche Hg-Verb., wobei Verb. des zweiwertigen Hg generell giftiger sind als die des einwertigen. Die Giftigkeit von anorgan. Hg-Verb. nimmt mit zunehmender Löslichkeit der Substanz zu, bleibt jedoch unter der von organ. Verb., bes. unter der von Methylquecksilber-Verbindungen. Z. B. können wenige Tropfen Dimethylquecksilber auf der durch einen Latex-Handschuh geschützten Hand einen Menschen töten[11]. *Akute Vergiftungen*, die durch Einatmen von Hg-Dampf, Hg-haltigem Staub, durch orale Aufnahme größerer Mengen Hg-Verb. od. durch Aufnahme über die Haut (z. B. aus Salben) zustandekommen, äußern sich in schweren Magen- u. Darmkoliken, lokalen Schleimhautverätzungen, einem dunklen Saum von HgS im Zahnfleisch (ähnlich dem Bleisaum, s. Blei) u. ggf. in Nierenversagen. Hg-Ionen reagieren wie Ionen anderer Schwermetalle leicht mit freien Thiol-Gruppen von Proteinen u. sind daher starke Enzym-Inhibitoren; Hg^{2+} reichert sich in der Nierenrinde an, wo das *Metallothionein der Tubuluszellen einen Großteil bindet. Lipophile organ. Hg-Verb. wirken hauptsächlich auf das Zentralnervensystem. *Chron. Vergiftungen* äußern sich anfänglich durch Entzündungen der Mundschleimhaut, leichte Erregbarkeit u. feines Zittern der Hände (sog. Q.-Zittern, im angelsächs. Sprachraum „hatter's shakes" genannt, weil Hg-Salze früher als Fungizid für die Filzherst. verwendet wurden) u. führen zu Gedächtnisschwäche od. sogar zu Verblödung u. Tod durch Gewebserkrankungen. Als Antidot bei Hg-Vergiftungen kommt – neben Penicillamin – v. a. Dimercaprol in Frage; verschluckte Hg-Salze können durch Tierkohle gebunden werden, Näheres zu Erste-Hilfe-Maßnahmen s. *Lit.*[12]. Ein wichtiger Schritt im biogeochem. Kreislauf von Hg ist die **Methylierung* zu Lipid-lösl. Hg-organ. Verb.[13], die schon in äußerst geringen Konz. die Photosynth. im Phytoplankton hemmen u. in tier. Organismen gespeichert werden können. Auf dem Wege über die natürlichen *Nahrungsketten kann Hg auch in die menschlichen Nahrungsmittel u. damit in den Organismus gelangen. In der BRD ist nach Schadstoff-Höchstmengenverordnung (SHmV) vom 23. 3. 1988 (BGBl. I, S. 422), zuletzt geändert am. 3. 3. 1997 (BGBl. I, S. 430) für eine Anzahl von Fischarten (darunter z. B. Thunfisch, Aal, Barsch u. Hecht) als Höchstmenge 1 ppm Hg festgesetzt, für andere Fischarten sowie Krebs- u. Weichtiere gilt 0,5 ppm als Grenzwert. Thunfische sollen (hauptsächlich in Form von Dimethylquecksilber) 0,3 – 0,4 g Hg/t Fisch (0,3 – 0,4 ppm) speichern, Heringe, Makrelen u. a. Fische wesentlich weniger. Zu bes. spektakulären Fällen von chron. Vergiftungen durch Hg-Verb. kam es bisher in Japan (Minamata 1953 bis 1960, Niigata 1965; Näheres s. Quecksilber-organische Verbindungen). Andererseits wirken schwer lösl. Hg-Verb. durch *Oligodynamie, gelöste Hg-Ionen durch Eiweiß-fällende Eigenschaften bakterizid u. antisept., weshalb Hg früher z. B. in der sog. *grauen Salbe* (15 – 30% Hg) gegen Hauterkrankungen u. Syphilis sowie in der sog.

gelben Salbe in Form von HgO medizin. zur Anw. kam. Hg-Verb. spielen heute in der Medizin als Diuretika, Desinfektionsmittel u. Antiseptika (s. Quecksilber-organische Verbindungen) eine immer geringere Rolle [14]. Zum Depigmentieren der Haut sind Hg-Verb. verboten.

Vork.: Hg gehört zu den seltenen Elementen der Erde; sein Anteil an der obersten, 16 km dicken Erdkruste wird auf ca. 10^{-7} geschätzt; in der Luft völlig unbelasteter Gebiete der nördlichen Hemisphäre findet man 2 ng Hg/m^3, in stark industrialisierten Gebieten bis zu 20 ng/m^3. Das bei weitem wichtigste Hg-Mineral ist der *Zinnober (HgS); gelegentlich kommen auch kleine Hg-Tröpfchen „gediegen" vor. Seltene, techn. bedeutungslose Hg-Minerale sind: Coloradoit (HgTe), Tiemannit (HgSe), Kalomel (Hornquecksilber, Quecksilberhornerz, Hg_2Cl_2), Coccinit (Iodhydrargyrit, Hg_2I_2). Wichtige Hg-Lager befinden sich in devon. Ablagerungen von Almadén (Südspanien), im Monte Amiata (erloschener Vulkan) der Provinz Siena u. im alpinen Triasgestein von Idria (etwa 250 km nördlich von Triest); weitere z. T. kleinere Lagerstätten gibt es in der Rheinpfalz (Moschellandsberg bei Kreuznach), in Tschechien, im ehem. Jugoslawien, in Rumänien, der Türkei, Algerien, im Westen Kanadas u. den USA, in Peru, Brasilien, Mexiko, der VR China u. Japan. Das Erz von Almadén enthält 3,5%, in tieferen Lagen bis 14% Hg; im allg. liegt der Durchschnittsgehalt abgebauter Erze zwischen 0,2 u. 1%. In Spuren ist Hg jedoch, wie man seit den Untersuchungen von A. *Stock weiß, in der Natur weit verbreitet. In natürlichen, nicht verunreinigten Wässern ist Hg in Konz. zwischen 0,5–15 (Meerwasser) u. 1–5 (Flußwasser) ng/L enthalten [15].

Jährlich gelangen durch Vulkanismus u. Verwitterung 500–5000 t Hg in die Hydrosphäre (bei einem einzigen Vulkan auf Hawaii wurde eine jährliche Ausstoßmenge von 260 t Hg gemessen), 25 000–150 000 t entweichen gasf. aus der Erdkruste, 23 000 t aus dem Meer u. 3800 t stammen aus Flüssen u. Gletschern [16]. Selbst 2000 Jahre alte Fische u. 1000 Jahre altes Grönlandeis weisen einen überhöhten Hg-Gehalt auf. Zu diesen natürlichen Hg-Emissionen addieren sich etwa 8000–38 000 t/a aus anthropogenen Quellen: 6000–10 000 t von der Hg-verarbeitenden Ind., 1500–20 000 t aus der Erz- u. Mineral-Aufbereitung u. 100–8000 t aus der Verbrennung fossiler Brennstoffe; auch bei der Müllverbrennung wird Hg emittiert. Bei einer lokalen Bodenkontamination mit Hg-Konz. >10,1 g/kg muß der Boden ausgetauscht u. in Sondermülldeponien gelagert werden [17]. Durch Extraktion aus Baggerschlämmen, Sammlung u. Aufarbeitung von Altbatterien sowie spezif. Verf. der Abwasser- u. Abgas-Reinigung, z. B. mit Hilfe Thiol-Gruppen-haltiger Ionenaustauscher od. an mit Schwefel imprägnierter Aktivkohle [18], werden Verringerungen der Hg-Belastung erreicht. Die Hg-Emissionen durch Chloralkalielektrolyse haben dank verbesserter Umweltschutzmaßnahmen u. neuer, Hg-freier Verf. beträchtlich abgenommen [19].

Herst.: Durch Erhitzen von Quecksilbersulfid (Zinnober) im Luftstrom ($HgS + O_2 \rightarrow Hg + SO_2$) bei Temp. über 400 °C, selten auch mit Eisen-Feilspänen ($HgS + Fe \rightarrow FeS + Hg$) od. gebranntem Kalk ($4\,HgS + 4\,CaO \rightarrow 4\,Hg + 3\,CaS + CaSO_4$) u. anschließende Verdichtung der Hg-Dämpfe in Wasser-gekühlten Steinzeugröhren od. in Röhren aus säurefesten Legierungen. Aus dem abgeschiedenen Hg-haltigen Flugstaub (*Stupp*) wird metall. Hg nach Zusatz von gebranntem Kalk herausgepreßt. Bei der techn. Herst. fällt Hg im allg. bereits mit einem Reinheitsgrad von 99,9% an; auch hochreine Präp. (bis 99,9995%) sind im Handel. Automat. Dest.-Apparaturen zur Hg-Reinigung sind in *Lit.* [20] beschrieben. Im Labor läßt man Hg zur Entfernung fester Verunreinigungen durch fein durchlöchertes Papier od. Leder fließen; beigemengte Schwermetalle lassen sich herauslösen, wenn man Hg z. B. mehrmals in feinem Strahl durch eine dicke Schicht verd. Salpetersäure gießt. Hg kommt in eiserne Flaschen abgefüllt (gebräuchliches Handelsmaß 34,5 kg = 1 *flask*) in den Handel. 1992 wurden weltweit 3014 t Hg produziert, davon in den GUS-Staaten 700 t, der VR China ca. 950 t, Algerien 425 t, den USA ca. 64 t u. in der Türkei 5 t. 1971 lag die Weltproduktion noch über 10 000 t; heute wird ein beträchtlicher Teil der Verbrauchsmenge durch Recycling gewonnen u. immer öfter wird Hg durch andere Werkstoffe ersetzt. In den USA wird der Vorrat der Defense Logistics Agency von 4766 t Hg (31. 12. 1992) gegen Angebote abverkauft.

Verw.: Zur Füllung von Barometern (*Luftdruck-Angaben in *mmHg) u. Thermometern (lineare Wärmeausdehnung zwischen 0 u. 100 °C), zum Herauslösen von Gold u. Silber aus Edelmetall-haltigen Sanden (s. Amalgame), als Sperrflüssigkeit beim Auffangen von Gasen, in Hg-Diffusionspumpen, Manometern, Blutdruckmessern, Gasanalyse-Apparaten, in Neonröhren, *Quecksilberdampflampen, Gleichrichtern, Tropfelektroden, als Kathodenmaterial bei der *Chloralkalielektrolyse, als Katalysator, zur Herst. von fungiziden u. antisept. Hg-Verb., Dental-Leg. (Ag-, Sn-, Cu- u. a. *Amalgame; s. *Lit.* [21]), Knall-Q. für Zünder (nicht in der BRD) u. a. Hg-Verb. sowie von Amalgamen für Trockenbatterien. (Hg,Cd)- u. (Hg,Zn)-Telluride sind Materialien für Infrarot-Detektoren [22]. *Q.-Spritzmittel* (Pflanzenschutzmittel) auf der Basis von Phenyl-Q.- u. a. *Quecksilber-organischen Verbindungen sind in den USA seit 1980 verboten. In der BRD gliederte sich 1992 der Q.-Verbrauch von 621 t etwa wie folgt [23]: Elektrotechn. Ind. 124 t, Chloralkalielektrolyse 209 t, Zahnmedizin 37 t, Chemikalien einschließlich Pharmaka 18 t, Instrumente u. Apparate 52 t, Batterien 16 t, Laborbedarf 18 t u. Sonstiges 148 t. Die Verw. von Q. für Farbpigmente betrug 1988 in den USA noch 197 t u. wurde 1991 eingestellt.

Geschichte: Q. gehört zu den 7 schon im Altertum bekannten Metallen. Die Hg-Gewinnung aus Zinnober wurde 315 v. Chr. von Theóphrastos beschrieben, u. arab. Edelleute sollen in ihren Gärten Q.-Teiche als bes. Attraktion gehabt haben. Auch Amalgame wurden im Rom der Kaiserzeit bereits benutzt, wie sich an der Feuervergoldung (vgl. Vergolden) der Pferdequadriga von San Marco in Venedig zeigen läßt. Das chem. Symbol Hg ist von spätlatein.: hydrargyrum (aus griech.: hýdor = Wasser u. árgyros = Silber, „Wassersilber") abgeleitet. Das dtsch. Wort geht auf das althochdtsch.: quecsilbar = lebendiges Silber (*E* quicksilver) zurück. Die Bez. in anderen Sprachen leiten sich meist von dem Planeten u. dem „geschäftigen“ Handelsgott Merkur ab, denen das Metall im Mittelalter zugeordnet wurde. Im Mittelalter repräsentierte das „philosoph. Q.“ das Flüssigkeitsprinzip [vgl. chemische Elemente (Geschichte)]. Bereits 1527 beschrieb Paracelsus Salben mit fein verteiltem Hg od. HgO als Heilmittel (graue Salbe) gegen Syphilis; Näheres zur Geschichte des Q. s. *Lit.*[24]. – ***E*** mercury – ***F*** mercure – ***I*** = ***S*** mercurio

Lit.: [1]Chem. Unserer Zeit **25**, 83–86 (1991). [2]Pure Appl. Chem. **56**, 635–644 (1984); **57**, 169–179 (1985). [3]IUPAC Solubility Data Series **25** (1986); **29** (1987). [4]Angew. Chem. **95**, 45 (1983). [5]Hollemann-Wiberg (101.), S. 1378–1392. [6]Fries-Getrost, S. 293–300; DIN 38406-2: 1980-07; Chem. Labor Betr. **37**, 619–624 (1986). [7]Pure Appl. Chem. **57**, 1507–1514 (1985). [8]Analyt.-Taschenb. **1**, 391–402; Townshend, Encyclopedia of Analytical Science, S. 3050–3059, London: Academic Press 1995. [9]Int. Lab. **13**, Nr. 7, 56–60 (1983). [10]Z. Chem. **29**, 157–165 (1989). [11]Chem. Eng. News (12.5.) **1997**, 7; (16.6.) **1997**, 6, 12. [12]Braun-Dönhardt, S. 319 ff.; Merkblatt M024: Quecksilber u. seine Verbindungen (ZH 1/125), Heidelberg: BG Chem. Ind. 1985. [13]Chem. Ztg. **102**, 258–260 (1978). [14]Arzneimittelchemie II, 102 f.; III, 40 f. [15]Trends Anal. Chem. **8**, 339–342 (1989). [16]Hutzinger **1 A**, 169–227; **3 A**, 1–58. [17]Europ. Chem. **1986**, 8. [18]Wasser Luft Betr. **31**, 38, 41 f. (1987). [19]Ullmann (5.) **A 6**, 422 ff., 437 f. [20]Brauer (3.) **1**, 24–27. [21]Gainsford, Silberamalgam in der zahnärztlichen Praxis, Stuttgart: Thieme 1983; Pharm. Ind. **45**, 909–923 (1984); DIN EN ISO 8282: 1997-05. [22]J. Cryst. Growth **86** (1–4), 79–86 (1988). [23]Metall (Berlin) **42**, 1137–1141 (1988). [24]Weeks u. Leicester, Discovery of the Elements, S. 46–51, Easton: J. Chem. Educ. Publ. Co. 1968.
allg.: Annu. Rev. Microbiol. **40**, 607, 634 (1986) ▪ Brauer (3.) **2**, 1052–1065; **3**, 2060–2067 ▪ Curr. Top. Nutr. Dis. **6**, 549–568 (1982) ▪ Fresenius Z. Anal. Chem. **318**, 498–501 (1984) ▪ Friberg et al. (Hrsg.), Handbook on the Toxicology of Metals (2.), Vol. II, S. 387–445, Amsterdam: Elsevier 1986 ▪ Gmelin, Syst.-Nr. 34, Hg, 1960–1969 ▪ Greenwood u. von Burg, in: Merian (Hrsg.), Metalle in der Umwelt, S. 511–539, Weinheim: Verl. Chemie 1984 ▪ Hommel, Nr. 868 ▪ Hutchinson u. Meema, Occurrence and Pathways of Lead, Mercury, …, New York: Wiley 1987 ▪ D'Itry u. D'Itry, Mercury Contamination: A Human Tragedy, New York: Wiley 1977 ▪ Kirk-Othmer (4.) **16**, 212–228 ▪ Marquardt u. Schäfer, Lehrbuch der Toxikologie (4.), S. 531, Mannheim: BI Wissenschaftlicher Verl. 1994 ▪ Mercury, Environmental Aspects, Genf: WHO 1989 ▪ Neurosci. Biobehav. Rev. **14**, 169–176 (1990) ▪ Snell-Ettre **16**, 1–66 ▪ Ullmann (5.) **A 16**, 269–298 ▪ Winnacker-Küchler (4.) **2**, 382–442; **4**, 478 ff. ▪ s. a. Quecksilber-organische Verbindungen. – *[HS 2805 40; CAS 7439-97-6; G 8]*

Quecksilber(II)-acetat. $(H_3C–CO–O)_2Hg$, $C_4H_6HgO_4$, M_R 318,70. Feines, weißes Krist.-Pulver, Schmp. 178 °C, lösl. in Alkohol u. Wasser. Staub u. Dämpfe führen zu Reizung der Augen, der Atemwege, der Lunge sowie der Haut, Lungenödem möglich (kann mit einer Verzögerung bis zu zwei Tagen auftreten). Kontakt mit dem festen Stoff bewirkt starke Reizung der Augen u. der Haut. Q. selbst u. seine Lsg. können auch über die Haut aufgenommen werden. Schwere Nierenschäden- u. -versagen sind Folge der Aufnahme des Quecksilbers, MAK 0,01 mg/m³ (als Hg berechnet) (MAK-Werte-Liste 1997); WGK 3.

T+

Herst.: Durch Lösen von Quecksilber(II)-oxid in verdünnter Essigsäure. Q. findet Verw. in organ. Synth., z. B. zur Einführung der Acetoxy-Gruppe in organ. Verb. (*Treibs-Reaktion), als Katalysator bei organ. Synth., zur Lagebestimmung von Doppelbindungen durch Massenspektroskopie der Q.-Addukte, zur Herst. Quecksilber-organ. Verbindungen. Die Verw. in kosmet. Mitteln ist verboten[1]. – ***E*** mercury(II) acetate – ***F*** acétate de mercure(II) – ***I*** acetat di mercurio(II) – ***S*** acetato de mercurio(II)

Lit.: [1]Kosmetik-Verordnung (Verordnung über kosmetische Mittel, Neufassung 7. 10. 1997), Nr. 221, Anlage 1.
allg.: Beilstein E IV **2**, 114 ▪ Gmelin, Syst.-Nr. 34, Hg, Tl. B, 1968 S. 1266–1289 ▪ Hommel, Nr. 861 ▪ Kirk-Othmer (3.) **15**, 158; (4.) **16**, 230 ▪ Paquette **5**, 3242 ▪ Ullmann (4.) **19**, 643. – *[HS 2915 29; CAS 1600-27-7; G 6.1]*

Quecksilberalkyle s. Quecksilber-organische Verbindungen.

Quecksilber(II)-amido-chlorid s. Präzipitate.

Quecksilber(II)-bariumiodid s. Bariumtetraiodomercurat(II).

Quecksilber(II)-bromid. $HgBr_2$, M_R 360,40. Silberglänzende Blättchen od. farblose, rhomb. Prismen, D. 6,10, Schmp. 236 °C, Sdp. 325 °C, wenig lösl. in Wasser, lösl. in Alkohol u. Ether. Die Schmelze dient als *nichtwäßriges Lösemittel. – ***E*** mercury(II) bromide – ***F*** bromure de mercure(II) – ***I*** bromuro di mercurio(II) – ***S*** bromuro de mercurio(II)

T

Lit.: Brauer (3.) **2**, 1052 ▪ Gmelin, Syst.-Nr. 34, Hg, Tl. B, 1967, S. 718–809 ▪ Hommel, Nr. 862 ▪ s. a. Quecksilber. – *[HS 2827 59; CAS 7789-47-1; G 6.1]*

Quecksilberchloride. Die beiden Chloride des Quecksilbers sind schon seit der Zeit der Alchemisten unter ihren Trivialnamen *Kalomel* (a) u. *Sublimat* (b) bekannt.

a) *Quecksilber(I)-chlorid*, Hg_2Cl_2, M_R 472,09. Weiße, glänzende, krist. Masse od. weißes Pulver, wird beim Übergießen mit Ammoniak durch die Bildung von fein verteiltem Hg tiefschwarz (daher auch der Name *Kalomel*, von griech.: kalós = schön u. mélas = schwarz), D. 7,15, subl. bei 383 °C; beim Erhitzen im geschlossenen Rohr entsteht bei 525 °C unter teilw. Zerfall eine rotbraune Flüssigkeit; in Wasser, Alkohol, Ether u. Aceton nahezu unlösl., dagegen in Benzol u. Pyridin löslich. In der Natur kommt Hg_2Cl_2 als *Quecksilberhornerz* od. *Hornquecksilber* in kleinen Tetraedern vor.

Xn

Herst.: Hg verbrennt in Cl_2 mit grüner Flamme; bei knapper Cl_2-Dosierung entsteht fast reines Hg_2Cl_2, ebenfalls gebildetes $HgCl_2$ wird mit Wasser ausgewaschen. Hg_2Cl_2 läßt sich auch durch Erhitzen eines Gemenges von Hg u. Quecksilber(II)-chlorid unter Komproportionierung herstellen, wobei Hg_2Cl_2 absublimiert.

Verw.: In der Porzellanmalerei zur Goldauftragung, zur Herst. von grünleuchtenden Fackeln, in Zeugdruck u. Galvanoplastik, zur Herst. von *Kalomel-Elektroden, früher offizinell als Diuretikum u. Laxans, auch gegen Syphilis.

b) *Quecksilber(II)-chlorid*, $HgCl_2$, M_R 271,50. Strahlige, durchscheinende, weiße Krist. od. farblose, rhomb. Bipyramiden, D. 5,44, Schmp. 276 °C, Sdp. 302 °C, lösl. in Wasser, Alkohol, Ether, Benzol u. a. organ. Lsm.; die wäss. Lsg. reagiert deutlich sauer. $HgCl_2$ ist sehr giftig u. wirkt ätzend. $HgCl_2$ besitzt eine für Metallchloride ungewöhnlich ge-

T

ringe elektr. Leitfähigkeit, da es aus nicht dissoziierenden Mol. mit kovalenten Hg,Cl-Bindungen aufgebaut ist. Mit NH_3 bildet $HgCl_2$ zwei verschiedene *Präzipitate.
Herst.: Durch Erhitzen von $HgSO_4$ mit NaCl u. Isolierung des $HgCl_2$ als *Sublimat* (Name); techn. wird sehr reines $HgCl_2$ durch Chlorierung von Hg mit überschüssigem Cl_2 hergestellt.
Verw.: Bereits eine 0,1%ige wäss. Lsg. von $HgCl_2$ vernichtet od. hemmt viele Bakterien, Kleinpilze, Schimmelpilze usw.; $HgCl_2$ wurde daher seit R. *Koch als Desinfektionsmittel, Konservierungsmittel für anatom. Präp. u. Holz, als Saatbeizmittel u. zur Fellbeize verwendet. Heute dient es v.a. zur Herst. anderer Hg-Verb., als Katalysator (z.B. für die Synth. von Vinylchlorid), Verstärker in der Photographie u. Reagenz (vgl. Takata-Reaktion u. Mayers Reagenz). – ***E*** mercury chlorides – ***F*** chlorures de mercure – ***I*** cloruri di mercurio – ***S*** cloruros de mercurio

Lit.: Gmelin, Syst.-Nr. 34, Hg, Tl. B, 1967, S. 419–668 ▪ Holleman-Wiberg (101.), S. 1382ff. ▪ Hommel, Nr. 831, 863 ▪ Kirk-Othmer (4.) **16**, 231 f. ▪ Prog. Inorg. Chem. **24**, 109–178 (1978) ▪ Synthetica **1**, 425–430 ▪ s.a. Quecksilber. – *[HS 2827 39; CAS 10112-91-1 (a); 7487-94-7 (b); G 9]*

Quecksilberdampflampen. *Gasentladungs-Lampen mit Quecksilberdampf-Füllung, die sich durch einen hohen Anteil an *Ultraviolettstrahlung auszeichnen. Hg-*Niederdrucklampen* (0,005–0,1 mbar) emittieren hauptsächlich unsichtbares UV-Licht der Quecksilber-Resonanzlinie 253,7 nm mit kleinen Anteilen der Wellenlänge 185 nm (Quarzkolben). Hg-*Hochdrucklampen* (Hg-Mitteldrucklampen, 1–10 bar) strahlen ihre Energie im Bereich Blau, Grün, Gelb ab mit hohen Anteilen der Linien 313, 365, 436, 546 u. 578 nm. Diese Q. bestehen aus einem luftleer gepumpten Quarzrohr, in dessen Enden Glühelektroden eingeführt sind. Das Rohr enthält eine geringe Menge Edelgas u. etwas Quecksilber. Beim Einschalten des elektr. Stroms geht zunächst ein *Lichtbogen im Edelgas über; hierbei verdampft Quecksilber, so daß die Entladung nach kurzer Zeit nur noch vom Quecksilberdampf getragen wird. Mit noch höherem Innendruck nimmt neben der Lichtausbeute auch die Breite des Emissionsbereichs zu, der UV-Anteil dagegen ab (Hg-*Höchstdrucklampen*, Hg-Hochdrucklampen, bis 200 bar). Techn. Q. für photochem. Reaktionen werden häufig als sog. *Tauchlampen* mit Wasserkühlung ausgeführt. Für Beleuchtungszwecke (*Leuchtstoffröhren*) beschichtet man die Innenseiten der Lampenkolben mit *Leuchtstoffen; eine Emissionsverschiebung läßt sich auch durch Zusätze von Halogeniden erzwingen, z.B. mit Cadmium-, Indium-, Magnesium-, Natrium-, Thallium- od. Zinkiodid, vgl. a. Gasentladung u. Ultraviolettstrahlung.
Verw.: Beleuchtung, Leuchtwerbung, Scheinwerfer, Höhensonnen, Analysenlampen, Ultraviolettstrahler für die Reprographie u. Spektroskopie. Q. für die Entkeimung von Luft od. Wasser u.a. Flüssigkeiten, für die präparative *Photochemie, für die UV-induzierte Polymerisation, z.B. bei der *Lackhärtung u.a. industrielle photochem. Prozesse haben im allg. bis zu 60 kW Leistung, doch geht die Entwicklung zu noch stärkeren Lampen mit 100 kW. – ***E*** mercury (vapor arc) lamps – ***F*** lampes à vapeur de mercure – ***I*** lampade a vapori di mercurio – ***S*** lámparas de vapor de mercurio

Lit.: Kirk-Othmer (3.) **17**, 545–548 ▪ Ullmann (4.) **3**, 308 ff.; (5.) **A 15**, 123–127, 136.

Quecksilber-Diffusionspumpen s. Diffusionspumpen.

Quecksilberfahlerz s. Fahlerze.

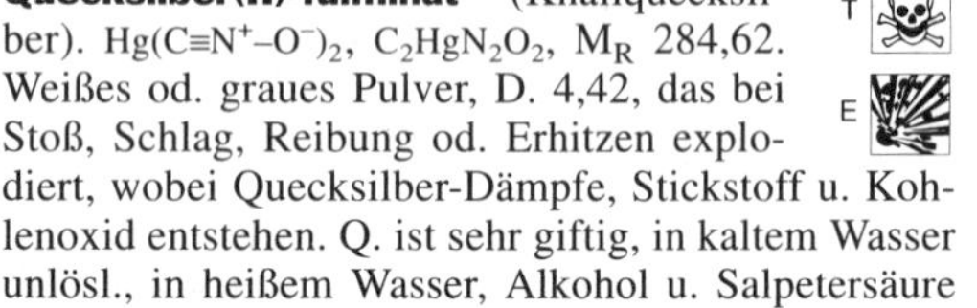

Quecksilber(II)-fulminat (Knallquecksilber). $Hg(C{\equiv}N^+–O^–)_2$, $C_2HgN_2O_2$, M_R 284,62. Weißes od. graues Pulver, D. 4,42, das bei Stoß, Schlag, Reibung od. Erhitzen explodiert, wobei Quecksilber-Dämpfe, Stickstoff u. Kohlenoxid entstehen. Q. ist sehr giftig, in kaltem Wasser unlösl., in heißem Wasser, Alkohol u. Salpetersäure löslich; zu den Explosivstoff-Eigenschaften s. dort.
Verw.: Aufgrund seiner Empfindlichkeit als *Initialsprengstoff in Zündhütchen, Sprengkapseln, Patronen usw.; wegen der Toxizität hat seine Bedeutung abgenommen. – ***E*** mercury(II) fulminate – ***F*** fulminate de mercure(II) – ***I*** fulminato di mercurio(II) – ***S*** fulminato de mercurio(II)

Lit.: Beilstein E III **1**, 2941 ▪ Gmelin, Syst.-Nr. 34, Hg, Tl. B, 1968, S. 1229–1247 ▪ Kirk-Othmer (4.) **16**, 231 ▪ Ullmann (5.) **A 10**, 155 f. ▪ Winnacker-Küchler (4.) **7**, 384 ▪ s.a. Explosivstoffe. – *[HS 2838 00; CAS 20820-45-5; G 1.1A verboten]*

Quecksilberiodide. a) *Quecksilber(I)-iodid*, T+ Hg_2I_2, M_R 654,99. Gelbes Pulver, D. 7,70, subl. bei 140 °C, unlösl. in Wasser, Alkohol u. Ether. Hg_2I_2 tritt, wenn auch selten, als Mineral auf (*Iodhydrargyrit, Coccinit*).
b) *Quecksilber(II)-iodid*, HgI_2, M_R 454,399. Rotes, feinkrist. Pulver, D. 6,09, Schmp. 259 °C, Sdp. 354 °C, schwerlösl. in Wasser, lösl. in heißem Alkohol.
Verw.: HgI_2 diente als rotes Pigment (*Iodzinnober*); Hg-haltige Pigmente wurden inzwischen durch weniger bedenkliche Pigmente ersetzt. Die alkal. Lsg. zusammen mit KI wird auch heute noch als *Neßlers Reagenz zum Ammoniak-Nachw. benutzt. In KI-Lsg. löst sich HgI_2 zu *Kaliumtetraiodomercurat(II)* (Kaliumquecksilberiodid, $K_2[HgI_4]\cdot 2H_2O$, gelbe, in Wasser u. Alkohol gut lösl. Krist.); die Lsg. (*Thoulets Lsg.*) eignet sich ebenso wie die von Bariumtetraiodomercurat ($Ba[HgI_4]$, *Rohrbachs Lsg.*) als *Schwerflüssigkeit zur Dichte-Bestimmung von Mineralen.
Von beiden Q. sind andersfarbige Modif. mit thermochromen Eigenschaften bekannt. Derartige *Thermochromie-Erscheinungen zeigen auch Hg-Komplexe wie $Ag_2[HgI_4]$ (gelb ⇄ rot) u. $Cu_2[HgI_4]$ (rot ⇄ schwarz, vgl. Kupferiodide). – ***E*** mercury iodides – ***F*** iodures de mercure – ***I*** ioduri di mercurio – ***S*** yoduros de mercurio

Lit.: Brauer (3.) **1**, 121; **2**, 1052 ▪ Gmelin, Syst.-Nr. 34, Hg, Tl. B, 1967, S. 815–922 ▪ Kirk-Othmer (4.) **16**, 232 ▪ Ramdohr-Strunz, S. 214 f. ▪ s.a. Quecksilber. – *[HS 2827 60; CAS 7783-30-4 (a); 7774-29-0 (b); G 6.1]*

Quecksilber-Legierungen s. Amalgame.

Quecksilbermohr s. Quecksilber(II)-sulfide.

Quecksilbernitrate. a) *Quecksilber(I)-nitrat*, T+ $Hg_2(NO_3)_2\cdot 2H_2O$, M_R 561,22. Kurze, farblose, monokline Säulen, D. 4,68, die an der Luft unter Wasser-Abgabe verwittern u. bei 70 °C schmel-

zen; in Wasser sehr leicht mit saurer Reaktion lösl., bei starker Verdünnung fallen bas. Salze als hellgelbe Niederschläge aus [z. B. $Hg_2(NO_3)(OH)$].
b) *Quecksilber(II)-nitrat*, $Hg(NO_3)_2 \cdot H_2O$, M_R 342,60. Farblose, zerfließende Krist., D. 4,3, sehr leicht lösl. u. beständig in Salpetersäure-haltigem Wasser; in verd. wäss. Lsg. wird $Hg(NO_3)_2$ zu Quecksilberoxid u. Salpetersäure hydrolysiert. Verw. zur Nitrierung von aromat. Verb. u. zur Titration in der *Mercurimetrie. – ***E*** mercury nitrates – ***F*** nitrates de mercure – ***I*** nitrati di mercurio – ***S*** nitratos de mercurio

Lit.: Gmelin, Syst.-Nr. 34, Hg, Tl. B, 1965, S. 95–127 ▪ Hommel, Nr. 864 ▪ Kirk-Othmer (4.) **16**, 233 ▪ s. a. Quecksilber. – *[HS 2834 29; CAS 10415-75-5 (a); 10045-94-0 (b); G 6.1]*

Quecksilber-organische Verbindungen. Von Quecksilber (Hg) sind zahlreiche organ. Verb. mit einer gegen Wasser u. Luft relativ stabilen C,Hg-Bindung bekannt. Da Kohlenstoff u. Quecksilber ähnliche Elektronegativitäten besitzen, ist diese Bindung als *kovalent* anzusehen. Q.-o. V. leiten sich fast ausnahmslos von Hg(II) ab, wobei zwei Verb.-Typen auftreten: Zum einen die Dialkyl-, Diaryl- u. Alkylaryl-quecksilber-Verb. u. zum anderen die Alkyl-/Aryl-quecksilber-Verb. mit einem Heteroatom-Rest am Hg:

$R^1–Hg–R^2$	R–Hg–X
R^1, R^2 = Alkyl, Aryl	R = Alkyl, Aryl
	X = Halogen, OR′ etc.

Beide Verb.-Typen sind aufgrund der sp-(od. $d_{z^2}s$-)Hybridisierung am Hg *linear* aufgebaut; Beisp. s. Tabelle.
Toxikologie: Durch Einleiten Hg-haltiger Abfälle in Gewässer kam es z. B. in Minamata (Japan) über den Verzehr von verseuchtem Fisch zu Massenerkrankungen (>1200 Geschädigte, 55 Todesfälle). Dies u. Saatgut-Vergiftungen im Irak haben die Rolle der Q.-o. V. als ernste Umweltgifte deutlich gemacht. Gelangen Quecksilber-haltige Ind.-Abwässer in marine Organismen, nehmen die Menschen über die Nahrungskette hochgiftiges „Methylquecksilber“ ($H_3C–Hg^+$) auf u. akkumulieren es im Körper. Wichtig für die Toxizität ist, daß anorgan. Hg(II)-Salze *biolog. methyliert* werden u. daß viele $H_3C–Hg–X$-Verb. wasserlösl. sind, in wäss. Ökosyst. rasch umgesetzt u. in bestimmten Organismen, z. B. Fischen, hoch angereichert werden. Die *Pharmakokinetik Q.-o. V. unterscheidet sich von der anorgan. Hg-Verb. (s. Quecksilber). Wegen der hohen Lipid-Löslichkeit stehen bei einer akuten Vergiftung Symptome von Seiten des Zentralnervensyst. (ZNS) im Vordergrund, Schäden des Magen-Darm-Trakts u. der Nieren sind gering od. fehlen ganz. Im Organismus kann Hg z. T. aus der organ. Bindung freigesetzt werden, bei polaren Nachbargruppen relativ leicht. Die Lipophilie bedingt die langen biolog. HWZ (~80 d, im ZNS >100 d) u. die Kumulationsneigung. Chron. Vergiftungen haben das gleiche Erscheinungsbild wie die durch anorgan. Verb. od. metall. Hg verursachten. Eine tägliche Aufnahme von 0,3 mg $H_3C–Hg–X$-Verb. führt mit Sicherheit zu Vergiftungen. Die Quecksilber-Emission in die Umwelt hat zu etwa gleichen Teilen natürliche (z. B. Vulkanismus) u. anthropogene (z. B. Gewinnung von Hg, fossile Brennstoffe, *Chloralkalielektrolyse, Fungizide) Ursachen, wobei letztere jedoch *lokal* bedeutend sein können.
Bei der biolog. Methylierung von Hg(II)-Salzen zu $H_3C–Hg^+$ u. $H_3C–Hg–CH_3$ durch Mikroorganismen kommt dem Methylcobalamin, einem Derivat des *Vitamin-B_{12}-Coenzyms, eine bes. Bedeutung zu. Diese Verb. ist als einziger Naturstoff in der Lage, ein *Methyl-carbanion* auf das elektrophile Hg-Ion zu übertragen. Nach Aufnahme des wasserlösl. $H_3C–Hg^+$-Ions durch den Organismus wird dieses im Magen in das

Tab.: Beisp. Quecksilber-organischer Verbindungen (s. a. *Lit.* [1]).

Name	Summenformel	Strukturformel	M_R	Schmp. [°C]	Beschreibung (Verw. bzw. ehem. Verw.)	CAS
Dimethyl-quecksilber	C_2H_6Hg	$H_3C–Hg–CH_3$	230,66	96 (Sdp.)	farblose, süßlich riechende Flüssigkeit, sehr giftig	593-74-8
Chloromethyl-quecksilber	CH_3ClHg	$H_3C–Hg–Cl$	251,01	170	Blättchen	115-09-3
Chlorophenyl-quecksilber	C_6H_5ClHg	$H_5C_6–Hg–Cl$	313,15	258 (subl.)	farblose, seidige Krist. (Bakterizid)	100-56-1
Hydroxophenyl-quecksilber	C_6H_6HgO	$H_5C_6–Hg–OH$	279,70	197–205	farbloses, krist. Pulver (Polymerisationskatalysator, Stabilisator für Kosmetika wie Augen-make-up bis zu einer Konz. von 70 ppm bezogen auf Hg)	100-57-2
(Acetato-*O*)phenyl-quecksilber	$C_8H_8HgO_2$	$H_5C_6–Hg–O–CO–CH_3$	336,74	146	farblose, glänzende Nadeln (Bakterizid, Fungizid, Algizid)	62-38-4
(Oleato-*O*)phenyl-quecksilber	$C_{24}H_{38}HgO_2$	$H_5C_6–Hg–O–CO–R$	559,17	45	Kristallpulver (Fungizid, Antifoulingmittel für Anstrichfarbstoffe)	104-60-9
Chloro-(2-methoxyethyl)-quecksilber	C_3H_7ClHgO	$H_3CO–CH_2–CH_2–Hg–Cl$ $R=(CH_2)_7–CH=CH–nC_8H_{17}$	295,13	68	Kristallpulver (Fungizid, Saatbeizmittel)	123-88-6
(Nitrato-*O*)phenyl-quecksilber	$C_6H_5HgNO_3$	$H_5C_6–Hg–O–NO_2$	339,70	115	Kristallpulver (Bakterizid, Germizid)	55-68-5
*Thiomersal	$C_9H_9HgNaO_2S$	s. Thiomersal	404,84	225–245	Kristallpulver (Antiseptikum)	54-64-8
Mercurochrom (*Merbromin)	$C_{20}H_8Br_2HgNa_2O_6$	s. Merbromin	750,70	–	Kristallpulver (Antiseptikum)	129-16-8

Lipid-lösl. H_3C–Hg–Cl umgewandelt u. durch Resorption in die Blutbahn gebracht, wo es sich an Zentren mit freien SH-Gruppen bindet. Dadurch werden Thiol-Gruppen von Enzymen blockiert; man diskutiert auch eine Bindung an die N-Atome der Pyrimidin-Basen Uracil u. Thymin. Dies würde erklären, weshalb H_3C–Hg^+ mutagen wirkt u. selbst bei Einhaltung des MAK-Wertes (0,01 mg/m^3) eine Fruchtschädigung bei der Exposition von Schwangeren nicht ausgeschlossen werden kann. Andererseits kann H_3C–Hg^+, an Thiol-Gruppen gebunden, auch als Chemotherapeutikum (Cytostatikum) interessant sein, da die kinet. labile Hg,S-Bindung durch Änderung des Mediums H_3C–Hg^+ am Therapieort in Freiheit setzen kann. Der MAK-Wert für Q.-o. V. (berechnet als Hg) ist auf 0,1 mg/m^3 (0,01 ppm) festgelegt; der BAT-Wert (s. biologischer Arbeitsstofftoleranzwert) wurde auf 100 µg/L Vollblut festgesetzt (s. a. Technische Regeln für Gefahrstoffe) [2].
Nachw.: Q.-o. V. können qual. durch die Dithizon(*Di*phenyl*th*iocarba*zon*)-Reaktion (Umschlag der grünen (CCl4-Lsg. nach orange bei Anwesenheit von Hg) u. quant. durch *Atomabsorptionsspektroskopie (AAS) nachgewiesen werden.
Herst.: Q.-o. V. werden am besten durch Umsetzung von $HgCl_2$ mit *Lithium-organischen Verbindungen (s. Abb. 1 a), von Quecksilber(rII)-acetat mit Alkylboranen (s. Abb. 1 c), durch die *Mercurierung* – das ist die Reaktion von genügend aciden C,H-Bindungen mit Quecksilber(II)-acetat (*Wasserstoff-Metall-Austausch*, s. Abb. 1 d) – od. durch Elektroalkylierung hergestellt (s. Abb. 1 b).

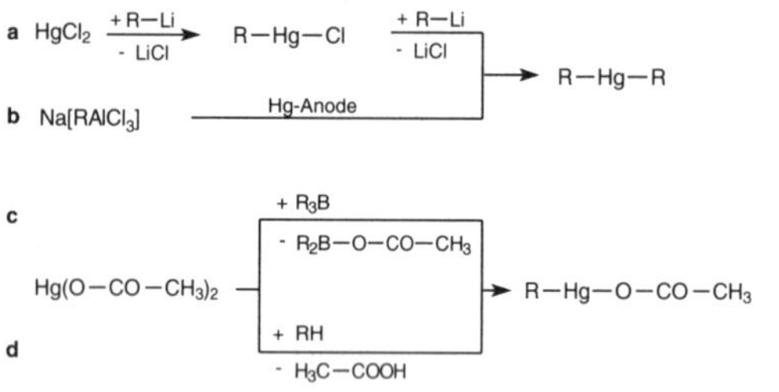

a $HgCl_2$ $\xrightarrow[-\text{LiCl}]{+\text{R–Li}}$ R–Hg–Cl $\xrightarrow[-\text{LiCl}]{+\text{R–Li}}$ R–Hg–R
b $Na[RAlCl_3]$ $\xrightarrow{\text{Hg-Anode}}$ R–Hg–R
c $Hg(O–CO–CH_3)_2$ $\xrightarrow[-R_2B–O–CO–CH_3]{+R_3B}$ R–Hg–O–CO–CH_3
d $Hg(O–CO–CH_3)_2$ $\xrightarrow[-H_3C–COOH]{+RH}$ R–Hg–O–CO–CH_3

Abb. 1: Herst.-Meth. für Quecksilber-organische Verbindungen.

Eine wichtige Reaktion Q.-o. V. ist die bereits seit 1900 bekannte *Hofmann-Sand-Reaktion*, bei der Hg(II)-Salze in einem prot. polaren Lsm. an Alkene addiert werden. Diese auch als **Oxymercurierung* (s. Abb. 2 a) bezeichnete Reaktion dient zur Herst. von Alkoholen, da die prim. gebildete Q.-o. V. reduktiv (z. B. mit Natriumborhydrid) demercuriert werden kann.
Umwandlungen: Von Seyferth [3] sind Verb. des Typs H_5C_6–Hg–CX_3 (*Seyferth-Reagenzien*) als Dihalogen-*Carben-Überträger entwickelt worden (s. Abb. 2 b). Mit ihrer Hilfe lassen sich z. B. Cyclopropanierungen durchführen, wobei im Gegensatz zur *Simmons-Smith-Reaktion „freie" Carbene auftreten sollen.
Die kovalente Struktur u. leichte homolyt. Spaltung der C,Hg-Bindung bedingt auch, daß Q.-o. V. als *Radikal-Quellen fungieren u. typ. Radikal-Reaktionen initiieren können [4] (s. Abb. 2 c). Die Nützlichkeit der Q.-o. V. für *Transmetallierungen ist ebenfalls in der

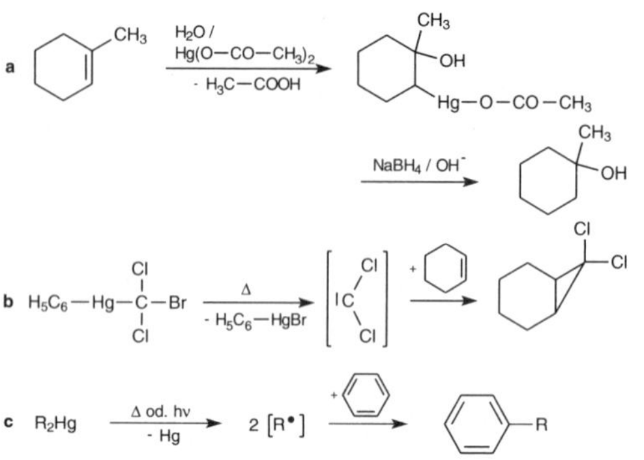

a $\xrightarrow[-H_3C–COOH]{H_2O\,/\,Hg(O–CO–CH_3)_2}$ ... OH, Hg–O–CO–CH_3 $\xrightarrow{NaBH_4\,/\,OH^-}$ ... OH
b H_5C_6–Hg–CCl_2Br $\xrightarrow[-H_5C_6–HgBr]{\Delta}$ [$:CCl_2$] → ...
c R_2Hg $\xrightarrow[-Hg]{\Delta\text{ od. }h\nu}$ 2 [R•] → C_6H_5–R

Abb. 2: Quecksilber-organische Verbindungen in der organ. Synthese.

leichten Spaltung der C,Hg-Bindung begründet. Einen Überblick über den Einsatz von Q.-o. V. in der organ. Synth. findet sich in *Lit.* [5].
Verw.: Zur organ. Synth., als Katalysatoren u., bes. *Phenylquecksilber-Verb.*, als antimykot. u. antibakterielle Haut- u. Schleimhautantiseptika [z. B. *Merbromin (*Mercurochrom*), Phenylmercurioborat (H_5C_6–Hg–O–B(OH)$_2$, *Merfen*, Phenylhydrargyri boras)]. Laut Pflanzenschutz-Anw.-VO vom 27. 07. 1988, zuletzt geändert am 25. 07. 1994 [6] ist die Verw. von Q.-o. V. wie *2-Methoxyethylquecksilberchlorid u. Phenylquecksilber-Derivaten als Pflanzenschutzmittel (z. B. Fungizide u. Saatgutbeizmittel) aufgrund der hohen Toxizität vollständig verboten. Z. B. kam es mehrfach im Irak zwischen 1956 u. 1971/1972 (>6000 Geschädigte, 500 Todesfälle) durch mit Q.-o. V. behandeltes Saatgetreide zu Massenvergiftungen. Die Verw. als Antisyphilitika u. als Diuretika ist wegen der Nebenwirkungen ebenfalls aufgegeben worden. – ***E*** organomercury compounds, organomercurials – ***F*** composés d'organomercure – ***I*** composti organici di mercurio – ***S*** compuestos de organomercurio

Lit.: [1] Nature (London) **223**, 753 (1969); Buckingham, Dictionary of Organometallic Compounds, Bd. 1, S. 1016–1135 u. Suppl. 1–5, London: Chapman & Hall 1984–1990. [2] DIN-Katalog für technische Regeln 1997, Nr. 71.060.10-ZH 1/125, Quecksilber u. seine Verbindungen (April 1985), Berlin: Beuth-Verl. 1997. [3] Acc. Chem. Res. **5**, 65–74 (1972). [4] Angew. Chem. **97**, 555–567 (1985). [5] Angew. Chem. **90**, 28–38 (1978); Chem. Rev. **88**, 487–509 (1988); Larock, Organomercury Compounds in Organic Synthesis, Berlin: Springer 1985; Larock, Solvomercuration/Demercuration Reactions in Organic Synthesis, Berlin: Springer 1986; Tetrahedron **38**, 1738–1754 (1982). [6] Verordnung über Anwendungsverbote für Pflanzenschutzmittel (Pflanzenschutz-Anw.-VO) vom 27. 07. 1988 (BGBl. I, S. 1196), zuletzt geändert am 25. 07. 1994.
allg.: Acc. Chem. Res. **11**, 100 ff. (1978); **22**, 1 ff. (1989) ▪ Afghan u. Chau, Analysis of Trace Organics in the Aquatic Environment, S. 283–321, Boca Raton: CRC Press 1989 ▪ Chem. Unserer Zeit **11**, 150–156 (1977) ▪ Craig, Organometallic Compounds in the Environment, S. 65–110, Harlow: Longman 1986 ▪ Elschenbroich u. Salzer, Organometallics, S. 50–56, Weinheim: VCH Verlagsges. 1990 ▪ Houben-Weyl **13/2 b** ▪ Hutzinger **3 A**, 1–58 ▪ Kirk-Othmer (3.) **15**, 162–165; (4.) **16**, 235 ▪ Merian, Metals and their Compounds in the Environment, S. 1045–1088, Weinheim: VCH Verlagsges. 1991 ▪ Naturwissenschaften **72**, 88 f. (1985) ▪ Russ. Chem. Rev. **66**, 789 (1997) ▪ Tsubaki u. Irukayama, Minamata Disease: Methylmercury Poisoning in Minamata and Niigata, Tokyo: Kodansha 1977 ▪ Tsubaki u. Takahashi, Recent Advances in Mi-

namata Diseases Studies, Tokyo: Kodansha 1986 ▪ Ullmann (5.) **A 16**, 290 ▪ Wardell, Organometallic Compounds of Zink, Cadmium and Mercury, London: Chapmann & Hall 1985 ▪ Wilkinson-Stone-Abel **2**, 863–978, 984–987, 997f., 1005–1008 ▪ s. a. Quecksilber.

Quecksilberoxide. a) *Quecksilber(I)-oxid*, T+ Hg_2O, M_R 417,179. Schwarzes od. bräunlichschwarzes Pulver, D. 9,8, bei ca. 100 °C Zers., in Wasser unlösl., lösl. in Salpetersäure. Hg_2O ist unbeständig u. disproportioniert bereits durch Licht zu HgO u. Hg. b) *Quecksilber(II)-oxid* (Rotes Präzipitat, Ruber), HgO, M_R 216,589. Je nach Korngröße rote od. gelbe Krist., D. 11,1, sehr schwer lösl. in Wasser, leicht lösl. in Säuren unter Salz-Bildung. Oberhalb 450 °C zersetzt sich HgO in seine Elemente, aus denen es sich im Temp.-Bereich von 350–420 °C bildet. Gelbes HgO entsteht aus Quecksilber(II)-Salz in überschüssiger Natronlauge ($HgCl_2 + 2NaOH \rightarrow HgO + H_2O + 2NaCl$). Rotes, krist. HgO erhält man bei mäßigem Erhitzen von Quecksilber(II)-nitrat [$2Hg(NO_3)_2 \rightarrow 2HgO + 4NO_2 + O_2$].
Verw.: Gelbes HgO wegen seiner geringen Teilchengröße bevorzugt als Ausgangsmaterial für die Synth. anderer Hg-Verb., rotes HgO z. B. als Depolarisator in Trockenbatterien, als Reagenz auf Citronensäure, Thiophen, Essigsäure, Zn, HCN, als Antiseptikum (Gelbe HgO-Salbe), früher zu Schiffsanstrichen u. Porzellanfarben (inzwischen verboten). – ***E*** mercury oxides – ***F*** oxydes de mercure – ***I*** ossidi di mercurio – ***S*** óxidos de mercurio
Lit.: Brauer (3.) **2**, 1053 ▪ Dirkse, Copper, Silver, Gold, Zinc, Cadmium, Mercury Oxides and Hydroxides (Solubility Data Series 23), Oxford: Pergamon 1986 ▪ Gmelin, Syst.-Nr. 34, Hg, Tl. B, 1965, S. 15–71 ▪ Hommel, Nr. 865 ▪ Kirk-Othmer (4.) **10**, 233f. ▪ s. a. Quecksilber. – *[HS 2825 90; CAS 15829-53-5 (a); 21908-53-2 (b); G 6.1]*

Quecksilber-Präzipitate s. Präzipitate.

Quecksilberrhodanid s. Quecksilber(II)thiocyanat.

Quecksilbersäule s. mmHg.

Quecksilberselenid s. Tiemannit.

Quecksilber-Spritzmittel s. Quecksilber (Verw.).

Quecksilbersulfate. a) *Quecksilber(I)-sulfat*, T Hg_2SO_4, M_R 497,24. Farblose, monokline Prismen, D. 7,56, färbt sich am Licht grau, wenig lösl. in Wasser u. verd. Schwefelsäure; die Lsg. in dest. Wasser zersetzt sich allmählich unter Abscheidung grünlichgelber, bas. Salze.
Verw.: Als Katalysator, z. B. bei der Oxid. organ. Stoffe durch Rauchende Schwefelsäure, sowie in Normalelementen als Bezugselektrode (+614 mV).
b) *Quecksilber(II)-sulfat*, $HgSO_4$, M_R 296,64. Weiße, sternförmig angeordnete Blättchen od. (mit einem Mol Kristallwasser pro Formeleinheit) farblose, rhomb. Säulen, D. 6,47 (wasserfrei), lösl. in konz. Kochsalz-Lsg. u. in heißer, verd. Schwefelsäure.
Verw.: Als Katalysator bei der *Kjeldahl-Methode, zur Oxid. von Acetylen zu Acetaldehyd, von anderen Alkinen zu Ketonen u. von Olefinen zu Alkoholen u. Ethern, für galvan. Elemente. – ***E*** mercury sulfates – ***F*** sulfates de mercure – ***I*** solfati di mercurio – ***S*** sulfatos de mercurio
Lit.: Gmelin, Syst.-Nr. 34, Hg, Tl. B, 1968, S. 1005–1022 ▪ Hommel, Nr. 866 ▪ Kirk-Othmer (4.) **16**, 235 ▪ s. a. Quecksilber. – *[HS 2833 29; CAS 7783-36-0 (a); 7783-35-9 (b); G 6.1]*

Quecksilber(II)-sulfid. HgS, M_R 232,66. HgS kommt in einer roten (**Zinnober*, **Vermeil*) u. einer schwarzen [*Quecksilbermohr*, *Metacinnabarit*; zur Namensgebung s. Met(a)...] Modif. in der Natur vor. Quecksilbermohr ist ein schwarzes Pulver (D. 7,7–7,8) aus sehr kleinen, kub. Krist., während Zinnober hexagonal krist., D. 8,10, subl. bei 580 °C. Schwarzes HgS entsteht als unlösl. Niederschlag, wenn man eine Quecksilbersalz-Lsg. mit Schwefelwasserstoff behandelt; aus Hg-Acetat u. H_2S in Ggw. von Eisessig bildet sich rotes HgS (s. *Lit.*[1]). HgS ist kaum akut tox., da es in Wasser prakt. unlösl. ist; sogar von konz. Mineralsäuren wird HgS nur langsam aufgelöst. HgS wird gelegentlich als Pigment sowie in galvan. Elementen verwendet. – ***E*** mercury(II) sulfide – ***F*** sulfure de mercure(II) – ***I*** solfuro di mercurio(II) – ***S*** sulfuro de mercurio(II)
Lit.: [1] Brauer (3.) **2**, 1054f.
allg.: Gmelin, Syst.-Nr. 34, Hg, Tl. B, 1968, S. 954–1001 ▪ Kirk-Othmer (4.) **16**, 235 ▪ Ramdohr-Strunz, S. 429, 443f. ▪ s. a. Quecksilber. – *[HS 2617 90, 2830 90; CAS 1344-48-5]*

Quecksilber(II)-thiocyanat (Quecksilberrhodanid). T $Hg(SCN)_2$, M_R 316,76. Weiße Kristallnadeln, schwer lösl. in Wasser, lösl. in NaCl-Lsg., Salzsäure, Salpetersäure. $Hg(SCN)_2$ bildet leicht Doppelsalze; beim Erhitzen tritt starke Aufblähung ein (s. Pharaoschlangen). Q. fand Verw. in der Photographie, zur titrimetr. Bestimmung von Chlorid in der Wasseranalyse, zu *Pharaoschlangen. – ***E*** mercury(II) thiocyanate – ***F*** thiocyanate de mercure(II) – ***I*** tiocianato di mercurio(II) – ***S*** tiocianato de mercurio(II)
Lit.: Beilstein E IV **3**, 305 ▪ Brauer (3.) **2**, 1064 ▪ Gmelin, Syst.-Nr. 34, Hg, Tl. B, 1968, S. 1248–1262 ▪ Hommel, Nr. 867 ▪ Kirk-Othmer (4.) **16**, 235. – *[HS 2838 00; CAS 592-85-8; G 6.1]*

Quecksilber-Verfahren s. Chloralkalielektrolyse.

Queens Metal. Gruppe von Zinn-Leg., die in gegossener od. geknetеter Form bevorzugt als Grundleg. für Silber-Plattierungen verwendet wird, s. Britannia-Metall, u. eine typ. Zusammensetzung von >50% Sn u. >5% Sb mit Zn- u. Cu-Zusätzen aufweist. Bes. Typen: *Q. M. „B"* mit 50,5% Sn, 16,5% Sb, 16,5% Pb, 16,5% Zn u. *Q. M. „C"* mit 87% Sn, 8,5% Sb, 3,5% C u. 1% Zn. Bei Verw. für Geschirr ist ein Pb-Zusatz nicht erlaubt. – ***E*** = ***F*** = ***S*** queens metal – ***I*** peltro

Quellax®. Schlichtemittel auf Stärkebasis von Henkel.

Quellfestmittel. In der *Textilveredlung Bez. für Substanzen der *Pflegeleicht-Ausrüstung, die das Quellvermögen der Cellulosefasern herabsetzen u. die Naßreißfestigkeit erhöhen mittels einer chem. Verkettung der Fasermol. durch Formaldehyd u. a. *Hochveredlungsmittel. – ***E*** swell-resistant agents, antiswelling agents – ***F*** agents antigonflants – ***I*** agenti antigonfianti – ***S*** agentes antihinchamiento
Lit.: s. Pflegeleicht-Ausrüstung u. Textilveredlung.

Quellmehl (Quellstärke). Q. sind physikal. modifizierte Stärkemehle, die als Trockenprodukte mit mind. 70% Stärke-Gehalt in den Handel gelangen.
Herst.: Die physikal. Modif. der Stärke (Getreide- od. Kartoffelstärke) erfolgt durch Herstellen einer wäss. Suspension, die durch Erhitzen vorverkleistert u. nach

dem Trocknen vermahlen wird. Die so erhaltenen Q. sind bereits in kaltem Wasser lösl. u. nehmen das Mehrfache ihres Eigengew. an Flüssigkeit auf. Erfolgt die Vorverkleisterung in Wasser-Ethanol-Gemischen, erhält man Stärken, die der nativen sehr ähnlich sind u. sturzfähige Gele liefern.
Verw.: Q. werden als Backhilfsmittel eingesetzt, da sie durch ein erhöhtes Wasserbindevermögen die Konsistenz des Teiges pos. beeinflussen können. Aufgrund der guten Löslichkeit werden sie auch in *Instant-Produkten (Instant-*Puddingpulver) verwendet. Zur Beurteilung von Q. ist die Richtlinie für Stärke u. bestimmte Stärkeerzeugnisse heranzuziehen [1]. – ***E*** swell-starch flour – ***F*** amidon gonflant (pré-gélatinisé) – ***I*** farina pregelatinizzata – ***S*** harina pregelatinizada
Lit.: [1] Richtlinie für Stärke u. Stärkeerzeugnisse vom 1. 6. 1979, abgedruckt in Zipfel, C 303.
allg.: Belitz-Grosch (4.), S. 650 ▪ Ullmann (5.) **A 4**, 333, 344 f. ▪ Zipfel, C 303 Abschnitt III Nr. 3 u. Anhang I Nr. 2. – *[HS 3505 10]*

Quellstärke s. Quellmehl u. Stärke-Derivate.

Quellton s. Bentonite.

Quellung. Bez. für den Vorgang der Änderung von Vol. u. Gestalt eines Festkörpers bei Einwirkung von Flüssigkeiten, Dämpfen u. Gasen. Bei *unbegrenzter Q.* geht die quellende Substanz schließlich in eine Lsg. (z. B. Gelatinegel u. Wasser bei 40–50 °C) od. Suspension über, bei *begrenzter Q.* bleibt sie dagegen kohärent (*Gel-Bildung, s. Kolloidchemie). Bei Agar-Agar, Furcellaran u. Gelatine sind beide Fälle möglich, da deren Teilchen nur durch Nebenvalenzkräfte an sog. Haftstellen zusammengehalten werden. Durch Divinylbenzol hauptvalent vernetztes Polystyrol quillt durch Benzol zwar stark auf, löst sich darin jedoch auch nicht bei erhöhter Temperatur. Bei Krist. mit Schichtengittern (*Beisp.:* Graphit, Bentonite u. a. Montmorillonite, „Quelltone“) läßt sich die Q. nach Flüssigkeits-Aufnahme kristallograph. untersuchen. DIN 55945: 1996-09 definiert die Q. von *Lacken u. *Anstrichstoffen als mit Vol.-Vergrößerung verbundene Aufnahme von Flüssigkeiten, Dämpfen od. Gasen in die *Beschichtung. Bei Cellulose-Produkten versteht man unter Q. das Eindringen von Wasser-Mol. in die nichtkrist. Bereiche der Cellulose u. die damit verbundene Spreizung der Cellulose-Ketten. Das *Quellvermögen* ist bei nativer u. regenerierter Cellulose unterschiedlich ausgeprägt; Gegenmaßnahmen bestehen in der Anw. von *Quellfestmitteln; Näheres zu den *Quellwerten* (Massenänderung durch Q. in Prozent des Fadentrockengew.) von Textilfasern s. dort. Die Prüfung des *Quellverhaltens* von Kautschuk u. Gummi gegenüber Flüssigkeiten, Dämpfen u. Gasen wird nach DIN 53521: 1987-11 vorgenommen. Bei *Drogen, insbes. Schleimdrogen, bezeichnet man nach DAB (*Lit.*) als *Quellungszahl* das Vol. (in mL), das 1 g Droge eines bestimmten Zerkleinerungsgrades nach 4stündiger Q. in wäss. Flüssigkeiten einnimmt. In Biologie u. Medizin spricht man von **Imbibition* (latein. = Aufsaugung) od. **Intumeszenz* bei einer Q. (*Schwellung*) von *Gewebe infolge Eindringens körpereigener od. fremder Flüssigkeit. – ***E*** swelling – ***F*** gonflement – ***I*** gonfiamento – ***S*** hinchamiento
Lit.: Adv. Polym. Sci. **44**, 27–72 (1982); **71**, 229–247 (1985) ▪ DAB **9**, 95, Komm.: 180 f. ▪ Encycl. Polym. Sci. Eng. **3**, 103 f.; **6**, 657; **15**, 384 ▪ Hager **1**, 455 f.

Quell(ungs)mittel s. Verdickungsmittel.

Quellverhalten, Quellvermögen s. Quellung.

Quellwasser. Nach § 10 der Mineral- u. Tafelwasser VO [1] ist Q. ein Wasser, das seinen Ursprung in einem unterird. Wasservork. hat u. aus einer od. mehreren natürlich od. künstlich erschlossenen Quellen gewonnen worden ist. Q. ist bei der Herst. keinem od. lediglich den in § 6 der Mineral- u. Tafelwasser VO [1] aufgeführten Verf. unterzogen worden. Nach § 12 darf Q. nur am Quellort in Fertigpackungen abgefüllt werden. Bes. gekennzeichnetes Q. (*zur Säuglingsernährung geeignet* § 15 Absatz 2, *mit Kohlensäure versetzt* § 14 Absatz 3) unterliegt speziellen Anforderungen. Hinsichtlich *Mikrobiologie (§ 13) u. Belastung mit chem. Stoffen (§ 11 Absatz 3 u. Anlage 5) gelten die gleichen Anforderungen wie an Mineralwasser (s. a. dort). – ***E*** springwater – ***F*** eau vive (de source) – ***I*** acqua sorgiva, acqua di fonte – ***S*** agua de manantial
Lit.: [1] VO über natürliches Mineralwasser, Quellwasser u. Tafelwasser vom 1. 8. 1984 in der Fassung vom 27. 4. 1993 (BGBl. I, S. 512, 527).
allg.: Zipfel, C 435. – *[HS 2201 10, 2201 90]*

Quellwert s. Textilfasern.

Quenchen. Aus dem Engl. (quench = löschen) übernommene, in der Photochemie u. Spektroskopie verwendete Bez. für die Lumineszenzlöschung durch eine chem. Verb. od. eine Verunreinigung, den *Quencher* od. *Löscher* (s. Photochemie, S. 3301, u. Sensibilisatoren). In der chem. Technik bezeichnet Q. die (vorzeitige) Beendigung eines Prozesses durch **Abschrecken*, z. B. im sog. *Quenchkühler* [1], durch **Desaktivierung* eines *Katalysators od. *Initiators od. durch *Einfrieren* in einer *Matrix. – ***E*** quench – ***F*** extinction – ***I*** estinzione, spegnimento – ***S*** extinción
Lit.: [1] Winnacker-Küchler (4.) **5**, 182 ff.

Quencher. Bez. für chem. Verb., die über Energie-Transfer-Prozesse photoangeregte Zustände anderer Mol. desaktivieren (*quenchen) u. diese dadurch am Lumineszieren od. an einer Folgechemie hindern. Der Q. selbst geht dabei zunächst in einen angeregten Zustand über, gibt seine Energie dann aber strahlungslos wieder ab u. kehrt so in den Grundzustand zurück (s. Photochemie).
In der Technik werden Q. z. B. als Stabilisatoren für *Kunststoffe gegen ihre durch Licht bewirkte vorzeitige *Alterung genutzt. Für solche Zwecke eignen sich allerdings nur Q., die die übernommene Energie ohne schädliche Folgen für die sie umgebenden *Polymere dissipieren. Vor allem Nickel-Verb. haben sich als solche Schutzmittel bewährt. Bei diesen ist jedoch zu beachten, daß sie nicht alle das Material durch einen echten Quench-Prozeß schützen. So beruht z. B. die Schutzwirkung von Verb. wie dem *Nickeldibutyldithiocarbamat* (NiDBC, $C_{18}H_{36}N_2NiS_4$, M_R 467,43) od. dem *Nickelacetophenodioxim* (NiOx, $C_{18}H_{20}N_2NiO_4$, M_R 387,06), die lange als echte Q. angesehen wurden, in Wirklichkeit darauf, daß sie bei erhöhter Temp. Hy-

droperoxide zerstören u. so potentielle Photoinitiatoren beseitigen.

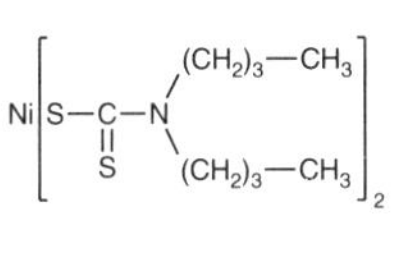

NiDBC 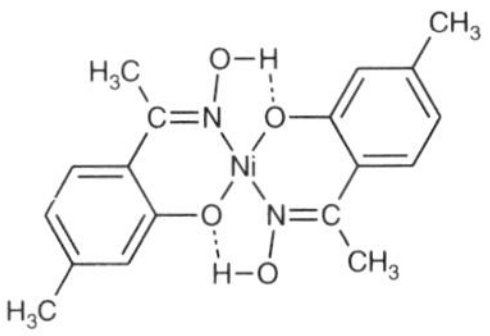 NiOx

– *E* = *I* quencher – *S* extintor

Lit.: Domininghaus (5.), S. 61 ▪ Elias (5.) **2**, 368 ▪ Odian (3.), S. 228.

Quendel s. Thymian.

Quene 1.

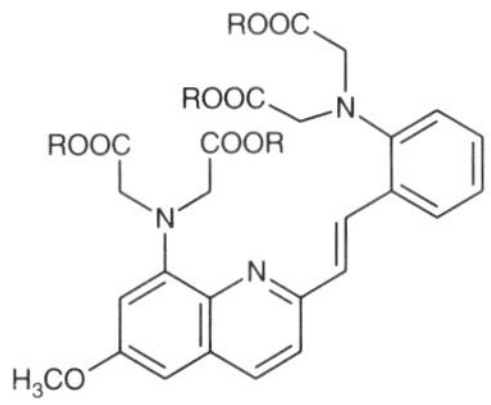

Kurzbez. für 8-Amino-2-(2-amino-*trans*-styryl)-6-methoxychinolin-*N,N,N′,N′*-tetraessigsäure, $C_{26}H_{25}N_3O_9$, M_R 523,50 (R = H). Deren Tetrakis-(acetoxymethyl)ester (R = CH_2–O–CO–CH_3) wird in biolog. Proben von Zellen aufgenommen u. durch Esterasen zur freien Säure gespalten, deren Fluoreszenzausbeute ein Maß für den intrazellulären pH-Wert ist. – *E* = *F* = *I* = *S* quene 1 – *[CAS 86277-62-5]*

Quent(chen). Altes *Apothekergewicht, entspricht 1 Drachme = 3,65 g.

Quercetin (3,3′,4′,5,7-Pentahydroxyflavon, C. I. 75 670, Natural Yellow 10, 13, Natural Red 1). Formel s. Flavone. $C_{15}H_{10}O_7$, M_R 302,23; Dihydrat: gelbe Nadeln, Schmp. 316 °C (Zers.), verlieren bei 95 – 97 °C Kristallwasser, LD_{50} (Maus p. o.) 160 mg/kg; in Wasser schwer, in siedendem Ethanol, Essigsäure u. verd. Natronlauge leicht löslich.

Vork.: Als Glykosid sehr weit verbreitet in Baumrinden, bes. der amerikan. Färbereiche u. a. Eichenarten u. der Douglasfichte, ferner in Rinden u. Schalen vieler Früchte u. Gemüse sowie in deren Blättern, auch in gelben Blüten (Goldlack, Stiefmütterchen). In Kreuzdornbeeren u. a. Gelbbeeren kommen u. a. *Rhamnetin* (Q.-7-methylether) u. *Rhamnazin* (Q.-3′,7-dimethylether) vor; mit diesen färbte man in China die mit Alaun gebeizte Seide der Mandaringewänder.

Verw.: Früher zum Färben u. Bedrucken von gebeizter Wolle u. Baumwolle, als Antioxidans u. Schutzmittel gegen UV-Bestrahlung, als Reagenz zum Nachw. von Hafnium, Zink u. Zinn. Die dem Q. u. seinen Derivaten Hesperidin (s. Hesperetin) u. *Rutin (*Bioflavonoide*) zugesprochene Wirkung gegen Kapillarbrüchigkeit (Venenmittel) ist fragwürdig, was 1970 zur Zulassungsrücknahme führte. Außerdem gilt Q. als Enzymhemmstoff, z. B. bei Phosphodiesterasen, u. als Mutagen in Mikroorganismen u. Insekten.

Q.-Glykoside: Die pulverisierte, schmutziggelbe Rinde der Färbereiche heißt *Quercitron*; diese enthält neben freiem Q. viel *Quercitrin* (Q.-3-rhamnosid, $C_{21}H_{20}O_{11}$, M_R 448,37) als hellgelbe Nadeln, Schmp. 176 °C, in heißem Wasser, Alkohol, Eisessig, verd. Natronlauge u. Ammoniakwasser lösl., wirkt diuretisch.

Vork.: Vorwiegend in Blättern von *Adonis vernalis* (Frühlings-Teufelsauge), Roßkastanie, Zwiebel, Kamille, Weißdorn, Hopfen, Apfelbaum, Stiefmütterchen, Eichen, Rosen, Ericaceae u. v. a. *Isoquercitrin* {Q.β-D-3-glucofuranosid, $C_{21}H_{20}O_{12}$, M_R 464,37, $[\alpha]_D^{25}$ –19,5° (Pyridin), gelbe Nadeln, Schmp. 225 – 227 °C} kommt in den Blüten der Baumwolle, Roßkastanie, Kapuzinerkresse, Arnika u. a. vor. *Quercimeritrin* (Q.-7-glucosid), Schmp. 247 – 249 °C, ist in Baumwollblüten u. Chrysanthemenblättern nachweisbar u. *Spiraeosid* (Q.-4′-glucosid), Schmp. 209 – 211 °C, in den Blüten der Spierstaude. Q. ist auch Aglykon von *Rutin (Q.-3-rutinosid), *Hyperin* (Q.-3-galactosid aus *Johanniskraut) u. a. *Flavonoiden. – *E* quercetin – *F* quercétine – *I* = *S* quercetina

Lit.: Beilstein E V **18/5**, 494 ▪ Karrer, Nr. 1522 – 1552, 4642 – 4656, 7450 – 7474 ▪ Martindale (30.), S. 1342 ▪ Merck-Index (12.), Nr. 5240, 8216 – 8219 ▪ R. D. K. (4.), S. 903 ▪ Römpp Lexikon Lebensmittelchemie, S. 707 ▪ Sax (8.), Nr. QCA 000, QCA 175 ▪ Schweppe, S. 331, 358 – 378 ▪ s. a. Flavonoide. – *[HS 2932 99; CAS 117-39-5 (Q.); 522-12-3 (Quercitrin); 21637-25-2 (Isoquercitrin); 491-50-9 (Quercimeritrin); 20229-56-5 (Spiraeosid); 482-36-0 (Hyperin)]*

Quercimeritrin s. Quercetin.

Quercitrin, Quercitron s. Quercetin.

Querflußfraktionierung s. FFF.

Querstromfiltration s. cross-flow-Filtration.

Querto® (Rp). Tabl. mit dem β-*Adrenozeptoren-Blocker *Carvedilol gegen essentielle Hypertonie. *B.:* Byk Gulden.

Quest. Kurzbez. für das 1987 durch Fusion von Naarden Internat. u. PPF Internat. entstandene Unternehmen Quest Internat. Ashford/(England) u. Bussum (Niederlande). Hauptsitz ist in 1400 CA Bussum, Niederlande. *Daten* (1996): Ca. 5000 Beschäftigte, ca. 1,50 Mrd. $ Umsatz. *Produktion:* Riechstoffe, Geschmackstoffe, Lebensmittelzusatzstoffe. *Vertretung* in der BRD: Quest Internat. Fragrance Division Deutschland GmbH, 20099 Hamburg.

Quetiapin (Rp).

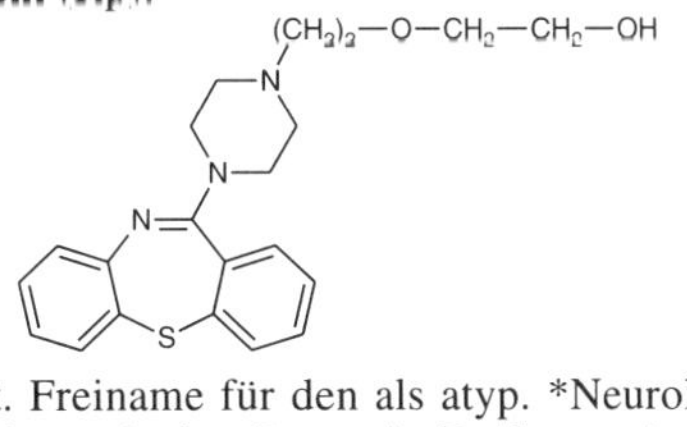

Internat. Freiname für den als atyp. *Neuroleptikum verwendeten dualen Dopamin-D_2/Serotonin-Antagonisten, 2-{2-[4-(Dibenzo[*b,f*][1,4]thiazepin-11-yl)piperazino]-ethoxy}ethanol, $C_{21}H_{25}N_3O_2S$, M_R 383,51. Verwendet werden das Hydrochlorid, Schmp. 218 – 219 °C, das Fumarat, Schmp. 172 – 173 °C u. das Maleat, Schmp. 129 – 130 °C. Q. wurde 1987 von I. C. I. (Seroquel®, Zeneca, USA u. GB) patentiert. – *E* quetiapine – *I* = *S* quetiapina

Lit.: J. Chromatogr. **573**, 49 (1992) ▪ Psychopharmacology **112**, 285, 293, 299 (1993). – *[CAS 111974-69-7 (Q.); 111997-26-3 (Hydrochlorid); 111974-72-2 (Fumarat); 111974-71-1 (Maleat)]*

Quetschhähne (Schlauchklemmen). Vorrichtungen zum Verschluß von Gummischläuchen. Man unterscheidet: Q. nach *Mohr (1853): Das Öffnen des Verschlusses erreicht man hier durch Zusammendrücken der beiden Knöpfe; Schraub-Q.: Hier wird der Schlauch durch ein herabgeschraubtes, bewegliches Zwischenplättchen zusammengedrückt; Q. mit regelbarem Anschlag.

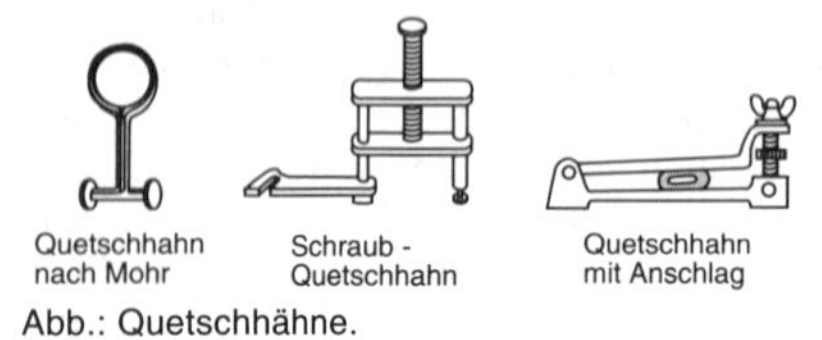

Abb.: Quetschhähne.

– ***E*** pinch-cocks – ***F*** pinces presses-tubes – ***I*** pinze a molla, pinze per tubi di gomma – ***S*** pinzas aprietatubos

Lit.: ACHEMA-Jahrb. **1991**, 2441.

Quick-Cup. Meßtiegel für die therm. Analyse in Eisenschmelzen (internat. Registrierung, in der BRD nicht als Marke eingetragen). ***B.:*** Heraeus Electro-Nite GmbH.

Quickfloc®. *Eisen(II)-sulfat, Flockungsmittel u. Fällungsmittel zur Wasserreinigung. ***B.:*** Kronos International, Inc.

Quickton s. Ton, Tone.

Quillajarinde s. Panamarinde.

Quillajasäure s. Quillajasaponin.

Quillajasaponin. Hygroskop., mit Wasser schäumendes Pulver, Schmp. 292–294 °C (Zers.), das stark zum Niesen reizt; eine Verw. als *Niespulver ist jedoch nach dem Lebensmittelrecht verboten. Das aus *Panamarinde erhältliche *Triterpen-Saponin Q. liefert bei der Hydrolyse *Galacturonsäure, *Glucuronsäure, *Galactose u. das Sapogenin *Quillajasäure*

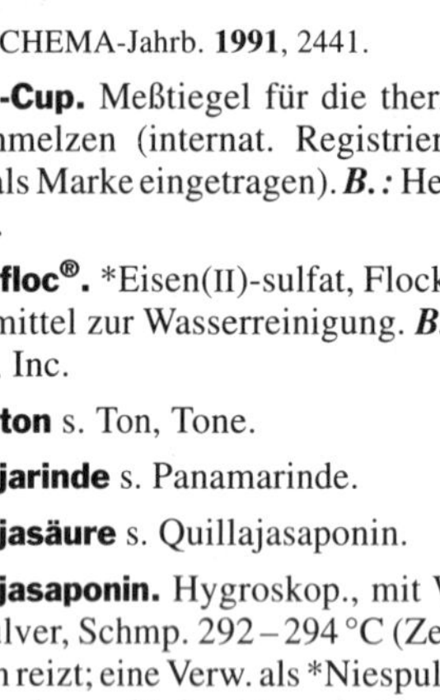

Quillajasäure

(3β,16α-Dihydroxy-23-oxoolean-12-en-28-säure) $C_{30}H_{46}O_5$, M_R 486,69, Krist., Schmp. 294 °C, $[\alpha]_D$ +56,1° (Pyridin), lösl. in Alkohol, Ether, Aceton, Eisessig. – ***E*** quillaja saponin – ***F*** quillayasaponine – ***I*** saponina della quillaia – ***S*** saponina de quillay

Lit.: Chem. Eng. News (11.9.) **1995**, 28–35 (Review) ▪ Janistyn (3.) **1**, 777 f. ▪ Merck-Index (12.), Nr. 8221 ▪ Pharm. Biol. (3.) **2**, 148 f. ▪ Phytochemistry **40**, 509 (1995). – *[CAS 631-01-6 (Quillajasäure)]*

Quilonum® (Rp). Oblong-Tabl. mit *Lithium-acetat bzw. -carbonat (*Q. retard*) gegen manisch-depressive Erkrankungen. ***B.:*** Smithkline Beecham.

Quin... Silbe in engl., französ. u. span. Namen für chem. Verb., die deutsch u. italien. Chin... geschrieben wird; *Beisp.:* quinine (*Chinin), quinoline (*Chinolin), quinones (*Chinone).

Quin 2.

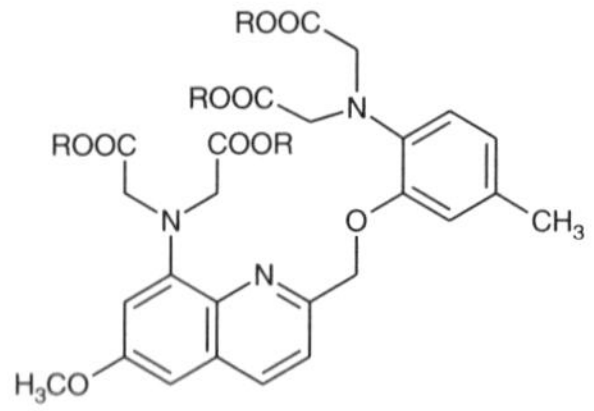

Kurzbez. für 8-Amino-2-[(2-amino-5-methylphenoxy)-methyl]-6-methoxychinolin-*N,N,N′,N′*-tetraessigsäure, $C_{26}H_{27}N_3O_{10}$, M_R 541,51 (R=H). Die Verb. wird in Form ihres Tetrakis-(acetoxymethyl)esters (Quin 2/AM; R=CH_2–O–CO–CH_3) in Zellen eingeführt, wo hydrolyt. die Säure freigesetzt wird, die ein Calcium-*Chelat bildet u. deren Fluoreszenzausbeute ein Maß für die zelluläre Calciumionen-Konz. ist. – ***E=F=I=S*** quin 2

Lit.: Nachr. Chem. Tech. Lab. **41**, 997–1002 (1993). – *[CAS 73630-23-6]*

Quinagolid (Rp).

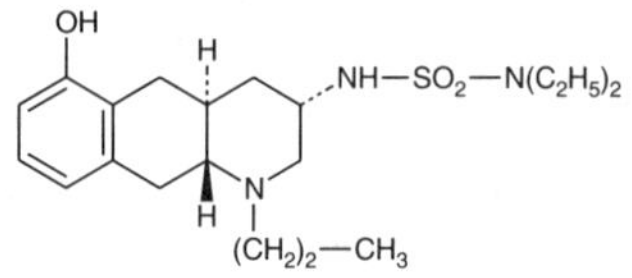

(relative Konfiguration)

Internat. Freiname für den als *Prolactin-Hemmer wirkenden Dopamin-D_2-Rezeptor-Agonist, (±)-*N,N*-Diethyl-*N′*-(1,2,3,4,4aα,5,10,10aβ-octahydro-6-hydroxy-1-propylbenzo[*g*]chinolin-3α-yl)sulfamid, $C_{20}H_{33}N_3O_3S$, M_R 395,57, Schmp. 122,5–124 °C. Verwendet wird meist das Hydrochlorid, Schmp. 234–236 °C, $[\alpha]_D^{20}$ −72° (c 1/DMF). Q. wurde 1983 u. 1986 von Sandoz (Norprolac®, Novartis) patentiert. – ***E=F=I*** quinagolide – ***S*** quinagolida

Lit.: J. Med. Chem. **28**, 367, 1510 (1985) ▪ Martindale (31.), S. 1166. – *[CAS 87056-78-8 (Q.); 97805-50-0 ((−)-Hydrochlorid)]*

Quinalphos.

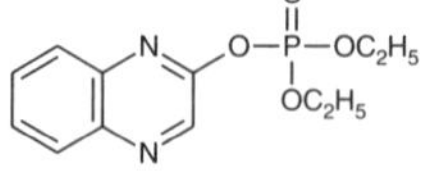

Common name für *O*-Chinoxalin-2-yl-*O,O*-diethylthiophosphat, $C_{12}H_{15}N_2O_3PS$, M_R 298,29, Schmp. 31–32 °C, LD_{50} (Ratte oral) 62 mg/kg (WHO), von Bayer 1969 eingeführtes *Insektizid u. *Akarizid mit Kontakt- u. Fraßgiftwirkung gegen beißende u. saugende Schädlinge im Baumwoll-, Obst-, Zitrus-, Erdnuß-, Gemüse-, Reis- u. Teeanbau sowie im Forst. – ***E=F*** quinalphos – ***I=S*** quinalfos

Lit.: Farm ▪ Perkow ▪ Pesticide Manual. – *[HS 2933 90; CAS 13593-03-8]*

Quinapril (Rp).

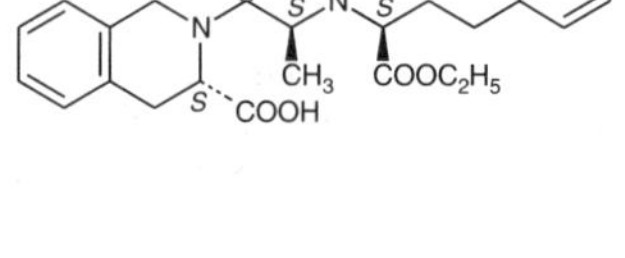

Internat. Freiname für den *Angiotensin-Converting-Enzym-(ACE)-Hemmer (*S*)-2{*N*-[(*S*)-1-(Ethoxycarbonyl)-3-phenylpropyl]-L-alanyl}-1,2,3,4-tetrahydro-3-isochinolincarbonsäure, $C_{25}H_{30}N_2O_5$, M_R 438,52. Verwendet wird meist das Hydrochlorid, Schmp. 120–130 °C; $[\alpha]_D^{23}$ +14,5° (c 2/C_2H_5OH); LD_{50} (Maus oral) 1739, (Maus i.v.) 504 mg/kg. Q. wurde 1982 von Warner-Lambert patentiert u. ist von Gödecke/Parke Davis (Accupro®) im Handel. Die Substanz ist wie *Enalapril, *Perindopril u. *Ramipril ein *Prodrug, das nach der Resorption in seine aktive Form, das Quinaprilat, hydrolysiert wird. Die HWZ wird mit 26 h angegeben, was ein tägliches Einmaldosieren erlaubt. – ***E*** = ***F*** = ***I*** = ***S*** quinapril

Lit.: ASP ▪ Hager (5.) **9**, 479 f. ▪ Martindale (31.), S. 938. – *[CAS 85441-61-8 (P.); 82768-85-2 (Quinaprilat); 82586-55-8 (Hydrochlorid)]*

Quinclorac.

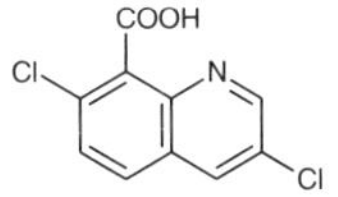

Common name für 3,7-Dichlorchinolin-8-carbonsäure, $C_{10}H_5Cl_2NO_2$, M_R 242,06, Schmp. 274 °C, LD_{50} (Ratte oral) 2680 mg/kg, von BASF 1984 eingeführtes *Herbizid mit spezif. Wirkung gegen Ungräser, insbes. *Echinocloa*-Arten im Saat- u. Pflanzenreis. – ***E*** = ***F*** = ***I*** = ***S*** quinclorac

Lit.: Farm ▪ Pesticide Manual. – *[CAS 84087-01-4]*

Quinestrol (Rp).

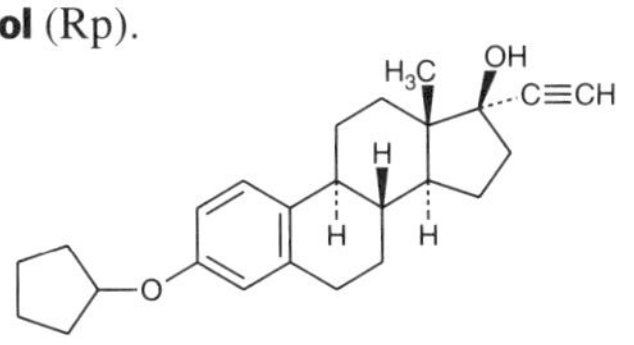

Internat. Freiname für das *Estrogen 3-*O*-Cyclopentyl-17*α*-ethinylestradiol, $C_{25}H_{32}O_2$, M_R 364,51, weißes Pulver, Schmp. 107–108 °C, $[\alpha]_D^{25}$ +5° (c 0,5/Dioxan); unlösl. in Wasser, lösl. in Chloroform, Ethanol u. Ether. Q. wurde 1964 u. 1966 von Vismara patentiert. ***E*** = ***F*** = ***S*** quinestrol – ***I*** quinestrolo

Lit.: Hager (5.) **9**, 480 f. ▪ Martindale (31.), S. 1505. – *[HS 2937 92; CAS 152-43-2]*

Quinethazon (Rp).

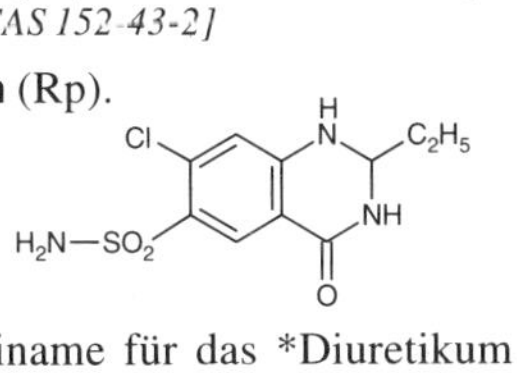

Internat. Freiname für das *Diuretikum u. *Antihypertonikum (±)-7-Chlor-2-ethyl-1,2,3,4-tetrahydro-4-oxo-6-chinazolinsulfonamid, $C_{10}H_{12}ClN_3O_3S$, M_R 289,73, fasrige Krist., Schmp. 250–252 °C; λ_{max} (0,1 M HCl) 235, 280 nm ($A_{1cm}^{1\%}$ 3000, 700); lösl. in Aceton, Alkohol, leicht lösl. in Alkalihydroxid- u. Carbonat-Lösungen. Q. wurde 1961 von Am. Cyanamid patentiert. – ***E*** quinethazone – ***F*** quinéthazone – ***I*** quinetazone – ***S*** quinetazona

Lit.: Hager (5.) **9**, 481 f. ▪ Martindale (31.), S. 938. – *[HS 2935 00; CAS 73-49-4]*

Quinisocain.

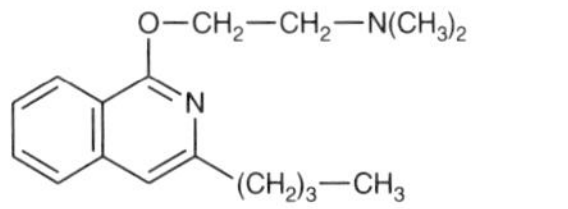

Internat. Freiname für das *Lokalanaesthetikum 2-(3-Butyl-1-isoquinolyloxy)-*N*,*N*-dimethyl-ethylamin, $C_{17}H_{24}N_2O$, M_R 272,38, Sdp. 155–157 °C (400 Pa), n_D^{20} 1,5486. Verwendet wird das Hydrochlorid, Schmp. 144–148 °C, LD_{50} (Ratte i.p.) 45–50 mg/kg. Q. wurde 1952 von Smith Kline & French patentiert. – ***E*** quinisocain, dimethisoquin – ***F*** quinisocaïne – ***I*** quinisocaina – ***S*** quinisocaína

Lit.: ASP ▪ Hager (5.) **9**, 482 ff. ▪ Martindale (31.), S. 1331. – *[HS 2933 40; CAS 86-80-6 (Q.); 2773-92-4 (Hydrochlorid)]*

Quinkert, Gerhard (geb. 1927), Prof. emerit. für Organ. Chemie, Univ. Frankfurt/M. *Arbeitsgebiete:* Stereoselektive Naturstoff-Synth., synthet. Photochemie.

Lit.: Kürschner (16.), S. 2860 f. ▪ Nachr. Chem. Tech. Lab. **32**, 349 (1984) ▪ Wer ist Wer? (36.), S. 1120.

Quinmerac.

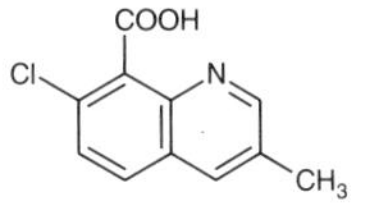

Common name für 7-Chlor-3-methylchinolin-8-carbonsäure, $C_{11}H_8ClNO_2$, M_R 221,64, Schmp. 244 °C, LD_{50} (Ratte oral) >5000 mg/kg, von BASF eingeführtes system. *Herbizid gegen Klettenlabkraut, Ehrenpreis- u. Taubnessel-Arten sowie andere Unkräuter im Getreide-, Raps- u. Zuckerrübenanbau. – ***E*** = ***F*** = ***I*** = ***S*** quinmerac

Lit.: Perkow ▪ Pesticide Manual. – *[CAS 90717-03-6]*

Quinocarcin.

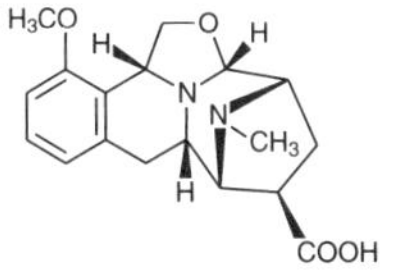

$C_{18}H_{22}N_2O_4$, M_R 330,38, Krist., ab 170 °C Zers., $[\alpha]_D$ –32° (H_2O), lösl. in Wasser, Butanol, wenig lösl. in Essigester, unlösl. in Chloroform.

Q. ist ein mutagenes Antibiotikum aus Kulturbrühen von *Streptomyces melanovinaceus*. Die alkylierende Wirkung kommt durch Öffnung des Oxazolidin-Ringes zum Iminium-Ion zustande, das die 2-Amino-Gruppe der Guanosin-Reste der DNA angreift. – ***E*** quinocarcin – ***F*** quinocarcine – ***I*** = ***S*** quinocarcina

Lit.: Cancer Res. **55**, 862 (1995) (Wirkungsmechanismus) ▪ J. Antibiot. (Tokyo) **44**, 1367 (1991) ▪ J. Am. Chem. Soc. **115**, 10742 (1993) (Synth.) ▪ J. Comput. Aided Mol. Des. **2**, 91–106 (1988) ▪ J. Org. Chem. **54**, 2041 f. (1989); **55**, 3973 ff. (1990) ▪ Pure Appl. Chem. **68**, 609 (1996) (Synth.) ▪ Tetrahedron **47**, 2629–2642 (1991); **50**, 6193–6258 (1994) (Synth.) ▪ Tetrahedron Lett. **31**, 2105 (1990). – *[HS 2939 90; CAS 84573-33-1]*

Quinque... (latein.: quinque = fünf). *Multiplikationspräfix, das fünf ident. Ringsyst. zu *Ringsequenzen verknüpft; Abb.: *p,p,p*- od. 1,1′:4′,1″:4″,1‴:4‴,1⁗-Quinquephenyl.

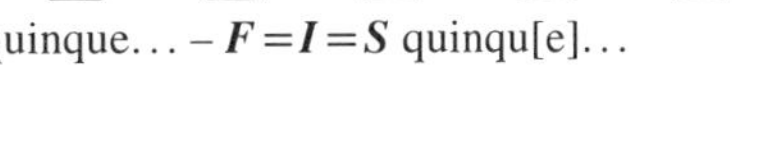

– ***E*** quinque... – ***F*** = ***I*** = ***S*** quinqu[e]...

Quinta essentia s. Stein der Weisen.

Quintozen (PCNB).

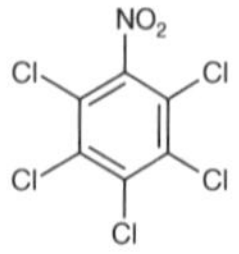

Common name für Pentachlornitrobenzol, $C_6Cl_5NO_2$, M_R 295,33, Schmp. 146 °C, LD_{50} (Ratte oral) >12000 mg/kg (WHO), von der IG Farbenindustrie nach 1930 eingeführtes *Fungizid zur Saatgut- u. Bodenbehandlung gegen *Botrytis-*, *Rhizoctonia-* u. *Sclerotinia-*Arten im Acker-, Gemüse- u. Zierpflanzenanbau sowie gegen Steinbrand an Weizen. In der BRD besteht für PCNB ein vollständiges Anwendungsverbot als Pflanzenschutzmittel. – ***E*** = ***I*** quintozene – ***F*** quintozène – ***S*** quintozeno

Lit.: Beilstein EIV **5**, 728 ▪ Farm ▪ Perkow ▪ Pesticide Manual. – *[HS 2904 90; CAS 82-68-8]*

Quinupristin (Rp).

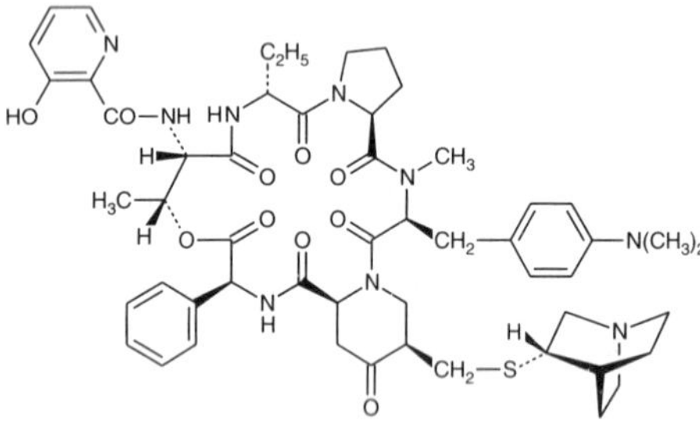

Internat. Freiname für ein *Antibiotikum der Streptogramin-B-Gruppe, ein Derivat von Pristinamycin IA (das aus *Streptomyces pristina spiralis* gewonnen wird), $C_{53}H_{67}N_9O_{10}S$, M_R 1022,24. Q. ist in einer 30:70-Mischung mit *Dalfopristin von Rhône Poulenc Rorer (Synercid®) in der klin. Prüfung. Es ist das erste parenteral applizierbare Antibiotikum der Streptogramine. Die beiden Stoffe binden sich an bakterielle Ribosomen u. hemmen die Elongation bei der Protein-Biosynthese. Synercid® ist das einzige verfügbare Antibiotikum, das gegen multiresistente Stämme von Staphylokokken u. *Enterococcus faecium* wirksam ist. – ***E*** = ***F*** quinupristin – ***I*** = ***S*** quinupristina

Lit.: Chemotherapie J. **6**, 31–42 (1997) ▪ Microb. Drug Resist. **1**, 223–234 (1995). – *[CAS 120138-50-3]*

Quisqualat-Rezeptor s. Glutamat-Rezeptoren.

Quisqualsäure [(*S*)-α-Amino-3,5-dioxo-1,2,4-oxadiazolidin-2-propionsäure].

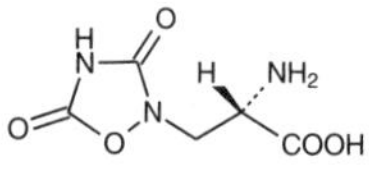

$C_5H_7N_3O_5$, M_R 189,13, Schmp. 190–191 °C (Zers.), $[\alpha]_D^{20}$ +17,0° (6 m HCl). Neurotox. nichtproteinogene Aminosäure in den Samen von *Quisqualis* spp., wie *Q. fructus* [1], *Q. chinensis, Q. indica.* Q. wird in der chines. Volksmedizin wegen ihrer anthelminth. Wirkung verwendet. Q. wirkt im Gehirn als sog. excitator. Aminosäure [2,3] u. Agonist des Neurotransmitters L-Glutamat. Die Biosynth. erfolgt aus 1,2,4-Oxadiazolidin-3,5-dion u. *O*-Acetylserin. Zur Synth. s. *Lit.* [3]. Zum Reaktionsmechanismus s. *Lit.* [4,5]. – ***E*** quisqualic acid – ***F*** acide quisqualique – ***I*** acido quisqualico – ***S*** ácido quiscuálico

Lit.: [1] Yakugaku Zasshi **95**, 176, 326 (1975). [2] Neuropharmacology **13**, 665–672 (1974). [3] Chem. Pharm. Bull. **34**, 1473 (1986); J. Chem. Soc., Chem. Commun. **1984**, 1156 f.; **1985**, 256 f.; Tetrahedron: Asymmetry **4**, 2041 (1993); Tetrahedron Lett. **37**, 5225 (1996). [4] Chem. Pharm. Bull. **22**, 473 ff. (1974). [5] Life Sci. **37**, 1373–1379 (1985); J. Pharmacol. Exp. Ther. **233**, 254–263 (1985). – *[CAS 52809-07-1]*

Quitten. Apfel- (var. *maliformis*) od. birnenförmige (var. *pyriformis*), mit gelber Schale u. weißlichem, filzigem Flaum bedeckte Früchte von *Cydonia oblonga* (Apfelgewächs, Rosaceae; sommergrüner, bis 8 m hoher Baum), die wegen ihres herben, süßlich-säuerlichen u. adstringierenden Geschmacks u. des harten Fleisches (reich an Steinzellen) roh kaum genießbar sind. Gekocht werden sie wegen ihres bes. Aromas u. ihres Pektin-Gehalts zur Herst. von Kompott, Marmeladen, Gelees od. Saft verwendet. Sie enthalten in 100 g eßbarem Anteil 83 g Wasser, 7,3 g Kohlenhydrate (dazu 6,0 g Faserstoffe), 0,42 g Eiweiß, 0,5 g Fette, 13 mg Vitamin C, 0,68–1,59 g Äpfelsäure u. 203 mg Kalium. Die ebenfalls genießbaren, in Gärten kultivierten *Japan. Q.* od. *Zier-Q.* (*Chaenomeles japonica*) kann ebenfalls zur Saftgewinnung u. Herst. von Gelees od. Q.-Brot genutzt werden. Das Blütenbodengewebe ist reicher an Vitamin C (grün 158 mg, gelb 107 mg). Q.-Öl enthält ca. 24% Farnesen neben Ethylestern von gesätt. u. ungesätt. Fettsäuren. Aufgrund ihres hohen Gehalts an Schleimstoffen, Pektinen u. Gerbstoffen werden Q. medizin. zu Husten-, Magen- u. Darmmitteln, der Schleim der Samen (Quittenkernschleim) auch für Emulsionen in der Kosmetik u. als Appreturmittel für Textilien benutzt. – ***E*** quinces – ***F*** coings – ***I*** cotogne – ***S*** membrillos

Lit.: Franke, Nutzpflanzenkunde (6.), S. 311 f., Stuttgart: Thieme 1997. – *[HS 0808 20]*

Quizalofop-ethyl. Xn

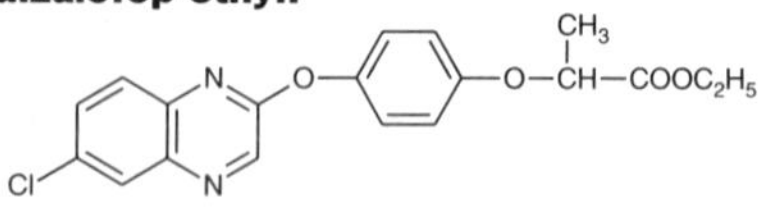

Common name für (±)-2-[4-(6-Chlorchinoxalin-2-yloxy)phenoxy]propionsäure-ethylester, $C_{19}H_{17}ClN_2O_4$, M_R 372,80, Schmp. 92 °C, LD_{50} (Ratte oral) weiblich 1460 mg/kg, männlich 1670 mg/kg, von Nissan Chemical Industries Ltd. 1983 eingeführtes selektives Nachauflauf-*Herbizid gegen einjährige u. perennierende Ungräser in breitblättrigen Kulturen. – ***E*** quizalofop-ethyl – ***F*** quizalofop-éthyle – ***I*** quizalofop-etile – ***S*** quizalofop-etilo

Lit.: Farm ▪ Perkow ▪ Pesticide Manual. – *[CAS 76578-14-8 (Q.-e.); 76578-12-6 (Quizalofop)]*

Quizalofop-P-ethyl. Common name für das (*R*)-Enantiomere von *Quizalofop-ethyl.

Q-Wert s. Q.

R

ϱ (rho). 17. Buchstabe des *griechischen Alphabets. In Physik u. Chemie Symbol für die Dichte, für die Ladungsdichte, den spezif. Widerstand, den Depolarisationsgrad in der Raman-Spektroskopie, die Reaktionskonstante der *Hammett- u. *Taft-Gleichung, den Schallreflexionsgrad, die Strahlungsenergiedichte, den Reflexionsgrad u. die Zustandsdichte.

Lit.: IUPAC, Größen, Einheiten u. Symbole in der Physikalischen Chemie, Weinheim: VCH Verlagsges. 1996.

r. a) In der *Stereochemie bezeichnet kursives *r* die *R*eferenz-Gruppe am Ringsyst., auf die sich *c* u. *t* für *cis-* u. *trans*-ständige Gruppen beziehen (IUPAC-Regel E-2.3.3 u. R-7.1.1); *Beisp.:* Cyclohexan-*r*-1,*c*-3,*t*-5-triol (Beilstein: ...-1*r*,3*c*,5*t*-triol; CAS: 1α,3α,5β-Cyclohexantriol). Kursives geklammertes (*r*) entspricht nach den *CIP-Regeln dem Symbol (*R*) bei *Pseudoasymmetrie; *Beisp.:* (2*R*,3*r*,4*S*)- u. (2*R*,3*s*,4*S*)-Pentan-1,2,3,4,5-pentol sind CIP-Bez. für *Xylit u. *Ribit. – b) Symbol für physikal. Größen; *Beisp.:* Abstand, Radius, Verhältnis (Quotient, *E r*atio, z.B. von Stoffmengen), *Reaktionsgeschwindigkeit (*E* rate; meist: v). – c) Symbol der veralteten Einheit *Röntgen (meist R; vgl. Rem). – d) *Index für „Reaktion" od. „relativ" (dtsch. oft *R); *Beisp.:* Reaktions-*Enthalpie ΔH_r, relative mol. Masse M_r.

R. a) In chem. Formeln ist R allg. Symbol für „organ. Rest", s. Markush-Formeln, Reste; unterschiedliche Reste zeigt man mit Strich- od. Zahlenindizes an: NRR'R" od. $NR^1R^2R^3$. In anorgan. Formeln steht R od. RE für *Seltenerdmetall (*E* rare earth metal; dtsch. Abk.: SE; s. magnetische Werkstoffe). In biochem. Ein-Buchstaben-Notationen bedeutet R *Arginin (IUPAC/IUB-Regel 3AA-1, s. Aminosäuren) od. ein beliebiges *Purin-*Nucleosid (Regel N-3.2.1).

b) In der *Stereochemie bezeichnet kursives geklammertes (*R*)- die abs., (*R**)- die relative *Konfiguration, s. CIP-Regeln u. rel-.

c) Kurzz. für Kältemittel (*E* refrigerant) in Kurzbez. für *FCKW; Endbuchstabe in Abk. für *Elastomere (Kautschuke, *E* rubbers).

d) Symbol für physikal. Größen u. Konstanten, z.B. elektr. u. therm. Widerstand (*E* resistance, s. elektrische Einheiten), *Auflösung(svermögen) (*E* resolving power) bei chromatograph., opt. u. spektroskop. Geräten, opt. *Reflexion, Mol-*Refraktion (auch R_m), Retentionsfaktor (s. R_f-Wert), allg. *Gaskonstante (s.a. Gasgesetze), *Rydberg-Konstante.

e) Symbol der seit 1.1.1986 unzulässigen Einheit *Röntgen (auch *r) u. veralteter Temp.-Einheiten: Grad Réaumur = °R, (Grad) Rankine = R, °R, deg R od. Rank; s. Temperaturskalen.

f) Risiken von *Gefahrstoffen kennzeichnet man durch *R-Sätze.

g) In medizin. *Rezepten ist R. Abk. für Recipe (meist *Rp) od. *Radix.

h) Stoffbez. mit nachgestelltem Symbol ® sind eingetragene Handelsmarken (*E* registered trademarks). Im Römpp Lexikon als Stichwörter aufgeführte *Marken sind nach bestem Wissen mit ® gekennzeichnet; s. Vorwort „Hinweise für die Benutzung", Abschnitt „Marken (Warenzeichen) u. Bezugsquellen".

R11 bis RC318 s. FCKW.

Ra. Symbol des chem. Elements *Radium (RaA bis RaG: histor. Bez. der Radium-Zerfallsstufen, s. Radioaktivität).

RA. Nach DIN 60001-4: 1991-08 Kurzz. für Textilfasern aus *Ramie.

Raab Karcher. Kurzbez. für die 1848 gegr. Raab Karcher AG, 45136 Essen, die im Besitz der VEBA AG ist. 1998 wurden die Geschäftsbereiche neu organisiert. Die Unternehmensbereiche Baustoffe, Sanitär, Heizung u. Fliesen werden von der *Stinnes AG weitergeführt. Die R. K. Electronic Components u. R. K. Electronic Systems wurden in die VEBA Electronics Inc. eingegliedert. Die Dienstleistungsbereiche im Immobilien-Sektor wurden mit dem VEBA Unternehmensbereich Immobilien zum neuen Dienstleistungskonzern Raab Karcher AG-Veba Immobilien Management zusammengefaßt. *Daten* (1997, alte Struktur): 30866 Beschäftigte, 12,5 Mrd. DM Umsatz.

Rabe, Paul (1869–1952), Prof. für Pharmazie, Univ. Hamburg. *Arbeitsgebiete:* Alkaloide, bes. Chinin, partielle Chinin-Synth., Totalsynth. des Hydrochinins.

Lit.: Chem. Ber. **99**, XCI (1966) ▪ Neufeldt, S. 120.

Rabeprazol (Rp).

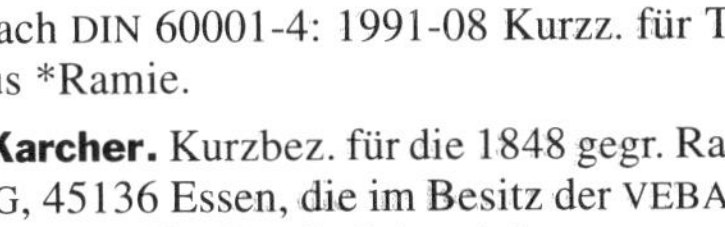

Internat. Freiname für den *Protonenpumpen-Hemmer (±)-2-{[4-(3-Methoxypropoxy)-3-methyl-2-pyridyl]methylsulfinyl}-1*H*-benzimidazol, $C_{18}H_{21}N_3O_3S$, M_R 359,45, Schmp. 99–100 °C (Zers.). Verwendet wird auch das Natriumsalz, Schmp. 140–141 °C (Zers.). R. wurde 1988 u. 1991 von Eisai patentiert u. soll nach *Omeprazol, *Lansoprazol u. *Pantoprazol als vierter Vertreter dieser Gruppe demnächst in Großbritannien in den Handel kommen. – ***E*** rabeprazole – ***F*** rabeprazol – ***I*** rabeprazolo – ***S*** rabeprazola

Lit.: Martindale (31.), S. 1237 ▪ Merck-Index (12.), Nr. 8272. – *[CAS 117976-89-3 (R.); 117976-90-6 (Natriumsalz)]*

Rabi, Isidor Isaac (1898–1988), Prof. für Physik, Columbia Univ. New York. *Arbeitsgebiete:* Kernphysik, Quantenmechanik, Molekularstrahlenphysik, Magnetismus; Nobelpreis für Physik 1944 für die 1933/34 entwickelte Resonanzmeth. zur Registrierung magnet. Eigenschaften des Atomkerns.

Lit.: Lexikon der Naturwissenschaftler, S. 338.

Rabi-Resonanz-Methode. Atomstrahl-Resonanz-Meth., die von dem Physiker I. I. *Rabi zur Präzessionsmessung von Hochfrequenzübergängen in Atomen entwickelt worden ist. Mit diesen Messungen lassen sich magnet. *Dipol- u. Oktupolmomente sowie Quadrupolmomente von Atomkernen ermitteln.

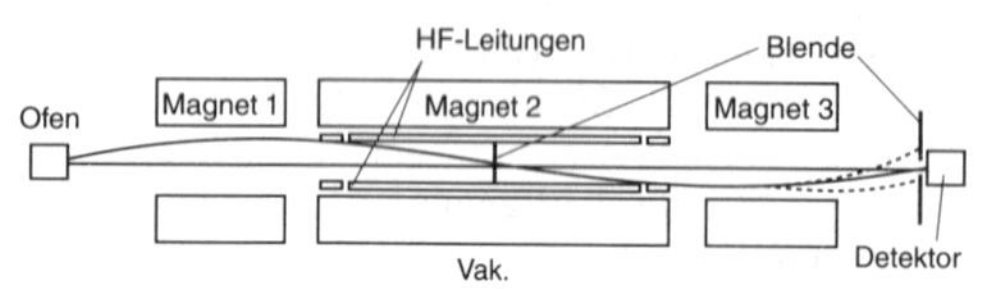

Abb.: Schemat. Aufbau einer Atomstrahl-Resonanz-Apparatur.

In der Atomstrahl-Resonanz-Apparatur (s. Abb.) wird ein kollimierter Atomstrahl durch drei Magnetfeldsektoren geschickt. Die Magnetfelder H_1 u. H_3 sind stark inhomogen, so daß nur Atome mit einer bestimmten Orientierung des magnet. *Dipolmomentes zurück zur Hauptachse abgelenkt werden. In dem mittleren Segment werden die Energieniveaus durch ein homogenes Magnetfeld H_2 aufgrund des *Zeeman-Effektes aufgespalten. Ein eingestrahltes Hochfrequenzfeld induziert Übergänge zwischen den verschiedenen Zeeman-Komponenten, wobei im Fall einer Resonanz, d. h. die Frequenz des Hochfrequenzfeldes stimmt mit der Frequenz eines Übergangs überein, die Orientierung des atomaren Dipolmomentes geändert wird. Folglich ändert sich auch die Ablenkung der Atome im Magnetfeld H_3 u. damit die Anzahl der Atome, die durch die letzte Blende hindurch in den Detektor gelangen.
Die R.-R.-M. wird heute nicht nur bei Atomen, sondern auch bei Mol. eingesetzt, wobei neben Magnetfeldern auch elektr. Quadrupolfelder verwendet werden, um z. B. Übergänge zwischen verschiedenen Stellungen des elektr. Dipolmomentes auszumessen. – ***E*** Rabi resonance method – ***F*** méthode de résonance de Rabi – ***I*** metodo di risonanza di Rabi – ***S*** método de resonancia de Rabi

Lit.: Demtröder, Laserspectroscopy, Berlin: Springer 1996 ▪ Scoles (Hrsg.), Atomic and Molecular Beam Methods, Oxford: University Press 1988.

Rabitz-Wände. Von dem Berliner Maurermeister K. Rabitz 1878 entwickelte wärme- u. schallisolierende Leichtbauwände, die aus einem Drahtgeflechtkern bestehen, der beidseitig mit Gips-haltigem, mit Tierhaaren, Filz u. dgl. versetztem Kalkmörtel beschichtet ist. Die heutige Ausführung von R.-W. ist für innere Trennwände durch DIN 4103-1: 1984-07 u. 4103-2: 1985-12, für hängende Deckenplatten durch DIN 4121: 1978-07 spezifiziert. – ***E*** rabitz wall – ***F*** parois système Rabitz – ***I*** muri di Rabitz – ***S*** tabique Rabitz

Lit.: Scholz, Baustoffkenntnis, 13. Aufl., Düsseldorf: Werner 1995.

rac- (racemo-). Kursives Präfix für *halbsystematische Namen von *Racematen, wenn der Name ohne *rac-* ein Enantiomeres bezeichnet (IUPAC-Regel F-6.6); vgl. dl-, DL-, ent-, rel- u. RS. Hierfür sind in *Trivialnamen geklammerte Plusminus-Zeichen, (±)-, üblich. Bei *systematischen Namen erkennt man Racemate am Fehlen von Chiralitätssymbolen, so daß sich Zeichen wie (±)- erübrigen. Die kursive Abk. *racem.* kennzeichnet oft Racemate, deren Mol. zu einer **meso*-Form diastereomer sind, also aus zwei chiralen Hälften bestehen, die nicht zueinander spiegelbildlich, sondern ident. sind; mit (±)- od. der Bez. „opt. *inaktiv" ist bei solchen Verb. meist ein Gemisch von *racem.* u. *meso*-Form gemeint.

Rac s. Rho-Proteine.

racem. ... s. rac- u. Racemate.

Racemasen. Zu den *Isomerasen gehörende Enzyme, die durch Inversion am einzigen asymmetr. Atom (od. an allen) von Aminosäuren, Hydroxysäuren u. a. Verb. die Entstehung von *Racematen bewirken können; so wandelt z. B. die Alanin-Racemase (EC 5.1.1.1, in Bakterien vorkommend) L- in D-Alanin u. die Mandelat-Racemase (EC 5.1.2.2) (*S*)- in (*R*)-Mandelsäure um. Threonin-R. (EC 5.1.1.6) invertiert beide chirale Zentren (L-Threonin ⇌ D-Threonin). Wird bei Mol. mit mehreren asymmetr. Zentren nur ein Teil von ihnen invertiert, spricht man von *Epimerasen* (s. a. Isomerasen), z. B. Diaminopimelat-Epimerase (EC 5.1.1.7), die (*S,S*)-2,6-Diaminoheptandisäure in die *meso*-Form umwandelt. Die auf Aminosäuren wirkenden R. enthalten als *Cofaktoren oft *Pyridoxal-5′-phosphat. – ***E*** racemases – ***F*** racémases – ***I*** racemasi – ***S*** racemasas

Racemate. Nach IUPAC-Regel E-4.5 Bez. für homogene Phasen, die ein Gemisch aus gleichen Anteilen der beiden *Antipoden (*Enantiomeren*, s. Enantiomerie) einer opt. aktiven Verb. enthalten. Der Wortstamm Racem... leitet sich ab von latein.: acidum racemicum = Traubensäure für das R. aus D- u. L-*Weinsäure [s. a. Diastereo(iso)merie]. Im krist. Zustand kann man noch unterscheiden: 1. *Racem. Verb.* od. *R.* im eigentlichen Sinne, bei denen im Idealfall je ein Mol. jedes der Enantiomeren zur *Molekülverbindung (1:1) zusammentreten, deren physikal. Eigenschaften von denen der Enantiomeren abweichen. – 2. *Racem. Gemische* od. **Konglomerate*, in denen Krist. der beiden opt. aktiven Formen makroskop. erkennbar nebeneinander vorliegen (2-Phasen-Syst. mit *Eutektikum). – 3. In sog. *Pseudo-R.* können die opt. Enantiomeren *Mischkristalle miteinander bilden.
Lsg. von R. drehen die Ebene des polarisierten Lichtes nicht, sind also opt. *inaktiv – die Drehungsbeiträge der enantiomeren Formen kompensieren sich nämlich. Genaugenommen könnte man sagen: Jedes Mol. eines R. ist chiral, das R. als chem. Verb. aber ist opt. inaktiv. Diese so aufgefaßte opt. Inaktivität ist begrifflich zu trennen von der mit achiralen Mol. verbundenen, s. das *Beisp.* der *meso*-Weinsäure bei Diastereo(iso)merie. Das Vorliegen eines R. macht man durch Voran-

setzen von „*rac*-", „(±)-", „DL-" od. „(*RS*)-" (bei Kenntnis der abs. *Konfigurationen) vor den Verb.-Namen kenntlich. R. sind in der Natur nicht eben häufig, da Biosynth. im allg. als *stereoselektive Synthesen ablaufen; zur Entstehung der opt. Aktivität innerhalb der *Evolution s. *Lit.*[1]. Dagegen entstehen R. durch *Racemasen od. chem. katalysierte *Racemisierungen, ferner bei allen Reaktionen, bei denen opt. inaktive Stoffe (z. B. in Abwesenheit opt. aktiver Katalysatoren) miteinander umgesetzt werden. Durch *Racemattrennung lassen sich die Enantiomeren ggf. isolieren.

Als *Quasi-R.* (quasiracem. Verb., partielle R.) bezeichnet man Mol.-Verb. zwischen chem. ähnlichen opt. aktiven Verb. entgegengesetzter *Konfiguration; *Beisp.:* Mol.-Verb. aus (+)-Chlorbernsteinsäure u. (–)-Brombernsteinsäure (im Schmelzdiagramm nachweisbar). Demgegenüber zeigen Verb. der gleichen Konfiguration Phasendiagramme wie gewöhnliche Mischungen. – ***E*** racemates – ***F*** racémates – ***I*** racemati – ***S*** racematos

Lit.: [1] Naturwiss. Rundsch. **39**, 327–332 (1986).
allg.: Eliel u. Wilen, Organische Stereochemie, S. 121 ff., Weinheim: Wiley-VCH 1998 ▪ Hauptmann u. Mann, Stereochemie, S. 69, Heidelberg: Spektrum 1996 ▪ s. a. Racemattrennung.

Racematspaltung s. Racemattrennung.

Racemattrennung (Racematspaltung). Hierunter versteht man die Zerlegung von *Racematen in die opt. aktiven Komponenten (*Antipoden*, *Enantiomere*, daher R. = *Enantiomerentrennung*). In denjenigen Fällen, in denen racem. Gemische od. *Konglomerate vorliegen, kann man ggf. die verschieden enantiomorphen Krist. im Handausleseverf. trennen; *Beisp.:* Das opt. aktive Natrium-ammoniumtartrat krist. bei Temp. <28 °C als Konglomerat direkt in Form von rechtshemiedr. u. linkshemiedr. Kriställchen aus, die man auslesen kann, um die D- bzw. L-Form nahezu rein zu erhalten (*spontane Racematspaltung*).

Zur R. können physikal. Verf. herangezogen werden, die Gebrauch von opt. aktiven Trägermaterialien machen, die nur zu einem der Enantiomeren eine räumliche Affinität haben. Beispielsweise krist. *Einschlußverbindungen des Harnstoffs in 2 enantiomorphen (s. Enantiomerie) Formen als Rechts- bzw. Linksschraube, in denen aus racem. Gemischen jeweils nur der eine bzw. der andere Antipode eingeschlossen wird. Der in diesem Zusammenhang wichtigste „Wirt" für R. ist Tri-ortho-thymotid (TOT).

Auf der bevorzugten Retention nur eines Enantiomeren basieren auch die R. durch Chromatographie, z. B. *Dünnschichtchromatographie, Blitzchromatographie, *HPLC, *Gaschromatographie, *RLCC etc., an opt. aktiven Adsorbentien; *Histor. Beisp.:* R. der Trögerschen Base an Lactose. Als chirale stationäre Phasen fungieren Cyclodextrine, Stärke, an Polymere od. an Kieselgel gebundene opt. aktive Aminosäure-Derivate, Kronenether, Metallkomplexe etc.; zur aktuellen Lit. s. bei den einzelnen Chromatographie-Methoden. Mit chiralen mobilen Phasen ist die R. auch an opt. inaktiven Adsorbentien möglich[1]. Liganden-Austausch, die Bildung von Übergangsmetall-Koordinationsverb., z. B. des Platins, od. Charge-transfer-Komplexe, z. B. mit der π-Säure (2,4,5,7-Tetranitro-9-fluorenylidenamino-oxy)propionsäure (TAPA) u. Lewis-Basen, u. a. Wechselwirkungen können zur Enantiomerentrennung ebenfalls ausgenutzt werden.

Früher ausschließlich u. auch heute noch sehr häufig werden R. als sog. chem. Spaltungen racem. Gemische od. Mol.-Verb. durchgeführt. Hierbei vereinigt man z. B. entweder die racem. Säure, die in die Enantiomeren getrennt werden soll, mit einer opt. aktiven Base od. umgekehrt die opt. aktive Säure mit der racem. Base unter Salzbildung zu *Diastereomeren* [s. Diastereo(iso)merie], deren Bestandteile aufgrund unterschiedlicher physikal. Eigenschaften, z. B. durch verschiedene Löslichkeit, voneinander getrennt werden können (s. Abb.).

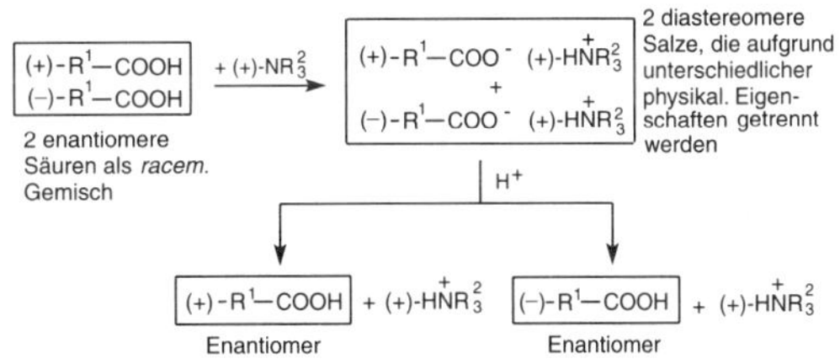

Abb.: Schema einer Racemattrennung über Diastereomere.

Hierbei ist die Impftechnik, durch die die bevorzugte od. ausschließliche Krist. nur eines Salzes induziert wird, häufig von ausschlaggebender Bedeutung. Als Säurekomponenten viel benutzt werden *Weinsäure*, *Dibenzoylweinsäure*, *Camphersulfonsäure*, *Camphersäure*, *Bromcamphersulfonsäure*, *Chinasäure*, *Äpfelsäure*, *Mandelsäure* u. als Basen z. B. *Chinin*, *Cinchonin*, *Chinidin*, *Brucin*, *Strychnin*, *Quinotoxin*, *Ephedrin*, *1-Phenylethylamin*. Die Qualität der Trennung wird durch die *optische Reinheit des Produkts ausgedrückt.

Daß die R. nicht nur im Laboratorium, sondern auch im großtechn. Maßstab eine Rolle spielt, wird durch die im >1000 jato-Maßstab praktizierte Herst. des (*D*)- od. (*R*)-(–)-*Phenylglycins, einem wichtigen Zwischenprodukt für die Herst. von Penicillinen, z. B. Ampicillin- u. Cephalosporin-Antibiotika, belegt. Das Racemat wird durch selektive Krist. des Camphersulfonsäure-Salzes getrennt (*DSM/Andeno-Verf.*)[2]. Von bes. Bedeutung ist die R. bei Pharmaka, da bei vielen Arzneistoffen die physiolog. Wirkung der Enantiomeren unterschiedlich ist; bes. drast. *Beisp.* sind *Penicillamin, *Thalidomid u. Ethambutol (*Lit.*[3]). Die kinet. R. erfolgt dadurch, daß eines der Enantiomere schneller zu einem Produkt reagiert als das andere. Herausragend ist in diesem Sinne die Reaktion mit Enzymen (*enzymat. R.*). Beispielsweise metabolisiert der Schimmelpilz *Penicillium glaucum* aus einem D,L-Milchsäure-Gemisch nur die L-Milchsäure-Mol., so daß D-Milchsäure übrigbleibt. Eine kinet. R. beobachtet man z. B. auch bei der Herst. eines Allyllithium-Derivats durch enantiomerendifferenzierende Deprotonierung mit (–)-*Spartein als Base[4]. Die verschiedenen Prinzipien der R. wurden bereits von *Pasteur 1848–1858 erarbeitet. – ***E*** (optical) resolution – ***F*** dédoublement – ***I*** risoluzione ottica, risoluzione dei racemi – ***S*** desdoblamiento de racematos (racémicos)

Lit.: [1] Adv. Chromatogr. **27**, 73 f. (1987). [2] Chem. Ind. **1990**, 212. [3] Chem. Unserer Zeit **19**, 177–190 (1985). [4] Angew. Chem. **102**, 336 (1990).
allg.: Angew. Chem. **92**, 14–25 (1980) ▪ Chem. Rev. **80**, 215–230 (1980) ▪ Chem. Unserer Zeit **14**, 61–70 (1980) ▪ Eliel u. Wilen, Organische Stereochemie, S. 185 ff., Weinheim: Wiley-VCH 1998 ▪ Houben-Weyl **4/2**, 509–538; **6/1 b**, 785–796; **E 21 a**, 77 ff. ▪ Kirk-Othmer (3.) **17**, 325 ff.; (4.) **18**, 511 ff. ▪ Sheldon, Chirotechnology, Industrial Synthesis of Optically Active Compounds, New York: Dekker 1993 ▪ Top. Curr. Chem. **140**, 21–41, 43–69 (1987) ▪ s. a. Chiralität, optische Aktivität, Stereochemie.

Racemische Gemische, Verbindungen s. Racemate.

Racemisierung. Bez. für den bereits 1848–1853 von *Pasteur untersuchten Übergang einer opt. aktiven Substanz in das entsprechende **Racemat*. Dabei sinkt z. B. beim Prolin der Drehwert (s. optische Aktivität) von +82° bzw. –82° für D- bzw. L-Prolin auf 0°; die Aufarbeitung der R.-Lsg. liefert DL-Prolin (Racemat). Von derartigen R. ist die *Mutarotation zu unterscheiden, obwohl beiden Erscheinungen eine *Isomerisierung zugrundeliegt. Von *partieller R.* spricht man dann, wenn bei einer opt. aktiven Verb. mit mind. zwei Asymmetriezentren die R. nicht alle davon erfaßt, z. B. wenn sich bei Weinsäure die *Konfiguration an nur einem der H u. OH tragenden C-Atome ändert (*Epimerisierung); in diesem Fall erhält man je 50% der *meso...-Form u. des ursprünglichen Enantiomeren zurück [s. a. Diastereo(iso)merie]. Dagegen wäre die Dehydratisierung mit anschließender Hydratisierung der Weinsäure eine vollständige R., weil gleiche Anteile der Enantiomeren (neben *meso*-Weinsäure) entstehen. Die meist unerwünschten R. treten bei organ.-chem. Reaktionen oft ein, wenn unter dem Einfluß von Säuren od. Basen kurzfristig symmetr. Mol.-Strukturen gebildet werden, z. B. wenn sich ein Kation (*Carbenium-Ion) ausbildet, das „eben" gebaut ist u. das Herantreten eines Substituenten von beiden Seiten erlaubt; so können beide Antipoden in gleicher Menge entstehen (s. nucleophile Substitution). Das gleiche gilt für Reaktionen, in denen therm., photochem. od. durch Dehydrierung Radikale erzeugt werden od. wenn Ringe sich kurzzeitig öffnen u. wieder schließen. Enzymat. können R. durch *Racemasen hervorgerufen werden. Bei Substanzen, deren opt. Aktivität auf axiale *Chiralität zurückgeht (Helicene, Biphenyl-Derivate), läßt sich die R. oft schon durch Erwärmung erreichen [1]. Auf die Tatsache, daß in Fossilien vorliegende Aminosäuren mit zunehmendem Erdalter mehr u. mehr racemisieren, wurde eine Meth. der *Altersbestimmung gegründet [2], die allerdings zunehmend kritischer gesehen wird. – ***E*** racemization – ***F*** racémisation – ***I*** racemizzazione – ***S*** racemización

Lit.: [1] Chem. Unserer Zeit **17**, 21–30 (1983). [2] Annu. Rev. Earth Planet. Sci. **13**, 241–268 (1985).
allg.: s. Racemattrennung.

racemo- s. rac-.

Racer®. Vorauflauf-*Herbizid, Emulsionskonzentrat auf der Basis von Fluorchloridon, gegen zweikeimblättrige Unkräuter einschließlich Klettenlabkraut u. einjähriges Rispengras in Kartoffel-Kulturen vor dem Auflaufen. ***B.:*** ICI.

Rachelmycin s. CC-1065.

Rachitis (griech.: rachis = Rücken). Störung der *Mineralisation der Knochengrundsubstanz (s. a. Knochen) infolge eines unzureichenden Angebots an *Calcium u. *Phosphat. Dazu kommt es bei der *Vitamin-D-Mangel-R.* (Engl. Krankheit) durch unzureichende photochem. Umwandlung von *Vitamin D in Vitamin D_3 (1,25-Dihydroxycholecalciferol, s. a. Calciferole) in der Haut u./od. durch mangelnde Zufuhr bzw. Resorption von Vitamin D_3. Der Vitaminmangel führt zur Verminderung der Calcium-Resorption aus dem Darm, der Phosphat-Rückresorption in der *Niere u. des Calcium-Austauschs zwischen Knochen u. Blut. Dadurch entstehen schon bei Kindern Skelettveränderungen wie Abflachung des Hinterhaupts, Auftreibungen der Knochenwachstumszonen mit Bildung von Doppelknöcheln, Deformierungen von Wirbelsäule, Becken u. Brustkorb sowie Schmelzdefekte der Zähne, ferner Unruhe, verminderte Muskelspannung u. Verstopfung, evtl. Muskelkrämpfe (Tetanie). Die Behandlung besteht aus dem Ersatz des fehlenden Vitamins. Zur Vorbeugung wird Kindern ab der zweiten Lebenswoche zusätzlich Vitamin D verabreicht.
Die *Vitamin-D-resistente* Form der R. spricht auf Zufuhr von Vitamin D nicht an u. beruht auf verschiedenen Störungen des Phosphat-Stoffwechsels. – ***E*** rickets – ***F*** rachitisme – ***I*** rachitismo – ***S*** raquitismo

Lit.: Schulte u. Spranger, Lehrbuch der Kinderheilkunde, S. 97–101, Stuttgart: Fischer 1993 ▪ Siegenthaler, Klinische Pathophysiologie, S. 289–292, Stuttgart: Thieme 1994.

Racimat-Methode s. Ranzigkeit.

Racumin®. Streumittel u. Ködergift bzw. Fertigköder auf der Basis von *Cumatetralyl gegen Ratten. ***B.:*** Bayer.

rad. a) Symbol für Radian (Radiant), die SI-Einheit des ebenen Winkels, die einem Kreisbogen der Länge 1 m auf einem Kreis mit Radius 1 m entspricht. Die ältere Einheit Grad (Symbol: °) ist daneben weiter zulässig: $1\ \text{rad} = 180°/\pi = 57{,}2957795°$; $1° = \pi\ \text{rad}/180 = 17{,}4532925\ \text{mrad}$. Von rad abgeleitet sind z. B. rad/s (Winkelgeschw.), rad/s^2 (Winkelbeschleunigung). Die SI-Einheit des *Raumwinkels*, Steradian (Steradiant; Symbol: sr), entspricht $1\ \text{m}^2$ auf einer Kugelfläche $4\,\pi\,r^2 = 12{,}5663706\ \text{m}^2$ mit Radius $r = 1$ m. – b) Symbol der veralteten Einheit *Rad.

Rad. a) Ab 1. 1. 1986 durch die SI-Einheit *Gray (Symbol: Gy) ersetzte Einheit der (Energie-)*Dosis der Strahlungsabsorption [*E* *r*adiation *a*bsorption (energy) *d*ose, Abk. r.a.d.], die durch *ionisierende Strahlung erzeugt wird; Symbol: rd, *rad; 1 rd = 0,01 Gy = 0,01 J/kg = 100 erg/g. – b) In medizin. Rezepten steht die Abk. „Rad." für *Radix. – ***E*** = ***F*** = ***I*** = ***S*** rad

Radedorm® (Rp). Tabl. mit dem Hypnotikum *Nitrazepam. ***B.:*** Arzneimittelwerk Dresden.

Radel. Handelsname eines aromat. Polyethersulfons der Strukturformel

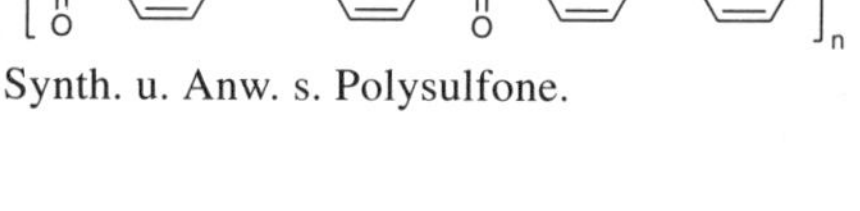

Zu Synth. u. Anw. s. Polysulfone.

Radepur® (Rp). Dragées mit dem *Tranquilizer *Chlordiazepoxid. ***B.:*** Arzneimittelwerk Dresden.

Radialene. Trivialname für ungesätt. cycl. Kohlenwasserstoffe C_nH_n u. deren Derivate, die ausschließlich *semicycl. Doppelbindungen* (vgl. exocyclisch) enthalten.

[3]- [4]- [5]- [6]-Radialen

Eine Herst.-Meth. für R. besteht in der durch Übergangsmetall-Komplexe katalysierten *Cyclooligomerisation von 1,2,3-Trienen [1]; daneben gibt es z. T. noch spezielle Meth. für die Herst. dieser noch relativ jungen Substanzklasse.

C=C=C=C Katalysator od.

Abb.: Herst. von Radialenen mittels Übergangsmetall-Komplexen als Katalysatoren.

– ***E*** radialenes – ***F*** radialènes – ***I*** radialeni – ***S*** radialenos

Lit.: [1] Angew. Chem. **100**, 190–211 (1988).
allg.: Angew. Chem. **101**, 1750ff. (1989) ▪ Thummel, Advances in Theoretically Interesting Molecules: [l.m.n.] Hericenes and Related Exocyclic Polyenes, Bd. 1, S. 201 f., Greenwich, Conn.: IAC Press 1989.

Radial-Nomenklatur s. Nomenklatur.

Radialpolymere s. Sternpolymere.

Radialreifen s. Reifen.

Radialstromdüse. Bez. für eine in die Gruppe der *Volumenbelüfter einzuordnende *Zweistoffdüse (Luft, Wasser) zur Belüftung von *Abwasser in der *biologischen Abwasserbehandlung. – ***E*** radial flow jet – ***F*** diffuseur à fluxradial – ***F*** getto radiale

Lit.: s. Schlitzstrahler.

Radialstromwäscher. Bez. für ein nasses Abscheideverf. (s. Naßabscheider, Entstaubung) für Stäube. Im Gegensatz zum Rotationszerstäuber wird hier die Waschflüssigkeit aus stationären Düsen in den Abgasstrom versprüht (Düsenwäscher). Leitschaufeln im Tropfenabscheider versetzen die Abluft in Rotation, wodurch der benetzte Staub an die Gehäusewand geschleudert wird, von wo er in den Wäschersumpf abfließt (s. a. Zyklone). – ***E*** radial flow washer – ***F*** laveur de courant radial – ***I*** lavaggio radiale dell'area – ***S*** lavador de corriente radial

Radian, Radiant s. rad.

Radiationschemie. Aus dem Engl. übernommene, wenig gebräuchliche Bez. für dasjenige Gebiet der Chemie, das sich mit der Wirkung *ionisierender Strahlung auf chem. Syst. befaßt u. das übergreifend als *Strahlenchemie aufgefaßt wird. – ***E*** radiation chemistry

Radicidation s. Strahlenbiologie.

Radiergummi. Weichgemachter Gummi, Weich-PVC od. *Faktisse zum Radieren von Bleistiftstrichen, als Tinten- od. Schreibmaschinen-R. (auch als *Radierstift*) mit eingearbeitetem Glas- u./od. Bimssteinpulver. Zum Entfernen von Tinten eignen sich auch *Tintenentferner. – ***E*** eraser, india rubber – ***F*** gomme à effacer – ***I*** gomma per cancellare – ***S*** goma de borrar – *[HS 3926 10, 4016 92]*

Radieschen (von *Radix). Weiße bis rote, kugelförmige od. längliche Pfahlwurzeln von *Raphanus sativus* var. *sativus* (Brassicaceae), die im allg. roh verspeist werden. Aus ehemals länglichen, weißen Formen entstanden die heutigen roten, runden Sorten erst Ende des 18. Jh. in Italien u. Frankreich. Je 100 g eßbare Substanz enthalten 94,4 g Wasser, 1,1 g Eiweiß, 0,1 g Fette, 2,2 g Kohlenhydrate (dazu 1,6 g Fasermaterial), 0,9 g Mineralstoffe u. 29 mg Vitamin C; Nährwert 75 kJ (18 kcal). R. werden als Zutaten wegen ihres scharfen, beißenden Geschmacks geschätzt, der auf *Senföle wie die im Verhältnis 4:1 vorliegenden *trans*- u. *cis*-4-(Methylthio)-3-buten-1-ylisothiocyanate zurückgeht, die aus entsprechenden *Glucosinolaten enzymat. freigesetzt werden. Auch das schwach antibiot. wirksame Sulfoxid dieser Verb. (*Sulforaphen) ist im R. (in Samen) enthalten. – ***E*** small radish – ***F*** petit radis – ***I*** ravanello – ***S*** rábanos encarnados

Lit.: Franke, Nutzpflanzenkunde (6.), S. 201, Stuttgart: Thieme 1997. – *[HS 0706 90]*

Radikal-Anionen s. Radikal-Ionen.

Radikal-Bildner s. Radikale u. Initiatoren.

Radikale. Als R. bezeichnet man Atome, Mol. od. Ionen mit einem *ungepaarten* Elektron. Im Falle von mehreren ungepaarten Elektronen spricht man von Bi-R., Tri-R. usw. Wenn auch die meisten R. eine ungerade Anzahl von Elektronen besitzen, so sind auch R. mit gerader Elektronenzahl, bei denen Elektronen ungepaart u. ferromagnet. gekoppelt vorliegen, möglich [1] (zur Definition des R.-Begriffes s. a. freie Radikale). R. existieren auch als geladene Teilchen. Diese *Radikal-Ionen werden meistens durch Einelektronen-Übertragung gebildet. Sauerstoff ist ein natürliches Bi-R. im *Triplett*-Zustand. Weitere natürliche R. sind Stickstoffmonoxid [$^{\bullet}NO$], Stickstoffdioxid [$^{\bullet}NO_2$] u. das Wasserstoff-Atom [$H^{\bullet}$]; Chlordioxid [$^{\bullet}ClO_2$] ist ein explosives, aber trotzdem isolierbares freies Radikal [2]. 2,2-Diphenyl-1-pikrylhydrazyl (DPPH, Formel s. dort), ein käufliches, stabiles, freies R., kann beliebig lang aufbewahrt werden. In der Regel haben R. aber eine kurze Lebensdauer, wie auch Carbene, Carbenium-Ionen u. a. *reaktive Zwischenstufen. R. reagieren oft sehr rasch mit Halbwertszeiten von ca. 10^{-10} s. Die folgenden Ausführungen beschränken sich im wesentlichen auf organ. R. mit *einsamen Elektronen am C-Atom.

Erzeugung: R. können prinzipiell auf drei Arten erzeugt werden: (a) Durch homolyt. Bindungsbruch, (b) durch Reaktion mit anderen R. u. (c) durch Einelektronen-Übertragung [3] (s. radikalische Reaktionen u. single electron transfer). Bei der Erzeugung von R. durch Homolyse werden labile Bindungen therm. od. photolyt. gespalten. Eine weitere Möglichkeit besteht in der photochem. Anregung von *Carbonyl-Verb.* (s. a. bei Norrish-Reaktionen u. organische Photochemie).

Tab.: Meth. zur Erzeugung von Radikalen.

Erzeugung von Radikalen	
a) durch Homolyse:	
– aus Halogenen	Hal–Hal $\rightarrow$ 2 Hal$^\cdot$
– aus Azo-Verb.	R–N=N–R $\rightarrow$ 2 R$^\cdot$ + N_2
– aus Peroxiden	R–O–O–R $\rightarrow$ 2 R$^\cdot$ + O_2
– aus Dialkylquecksilber-Verb.	R–Hg–R $\rightarrow$ 2 R$^\cdot$ + Hg
b) durch Einwirkung von Radikalen auf funktionelle Gruppen, z. B. durch radikal. Substitution, Addition od. Polymerisation	
c) durch Einelektronen-Übertragung:	
– durch anod. Oxid. von Carboxylat-Anionen (Kolbe-Synth.)	
$R{-}COO^- \xrightarrow[-e^-]{\text{Anode}} R{-}COO^\cdot \xrightarrow[-CO_2]{} R^\cdot$	
– durch Red. von Diazonium-Salzen (Sandmeyer-Reaktion)	
$R{-}\overset{+}{N}{\equiv}N \xrightarrow[-Cu^{2+},\ -N_2]{Cu^+} R^\cdot$	

Radikal. *Polymerisationen gehören vom Typ her zu den radikal. Additionen.

Vork.: Bes. häufig treten R. in Flammen u.a. Verbrennungsvorgängen auf, die als Kettenreaktionen ablaufen. Hierbei spielen ebenso wie bei der (radikal.) Autoxid. Peroxid-R. intermediär eine Rolle, u. deshalb enthalten Flammschutz- u. Feuerlöschmittel sowie Antioxidantien als R.-Fänger wirksame Bestandteile. Auf dem leicht therm. initiierten Zerfall von organ. Peroxiden (z.B. Benzoylperoxid, Di-*tert*-Butylperoxid, *tert*-Butylpersäureestern u. Ketonperoxiden) u. Azo-Verb. (z.B. Azoisobuttersäurenitril) zu reaktionsfähigen R. basieren viele präparativ wichtige Kettenreaktionen u. Polymerisationen. Das Auftreten freier R. beim Zerkleinern von Polymeren kann als mechanochem. (s. Mechanochemie) R.-Bildung angesehen werden.

Im biolog. Geschehen sind R. – seien sie natürlichen od. künstlichen Ursprungs – nahezu allgegenwärtig. R. verursachen z.B. infolge Autoxid. die Ranzigkeit der Fette, rufen als Carcinogene, Mutagene u. Teratogene ggf. Krebs od. genet. Defekte hervor u. sind auch für biolog. Strahlenschäden verantwortlich. Das Auftreten derartiger R. versucht man mit Antioxidantien bzw. mit radikal. wirkenden Alkylierungsmitteln bzw. mit Strahlenschutzmitteln zu verhindern, die jeweils als R.-Fänger wirken. In der Haut übernehmen die *Melanine diese Schutzfunktion. Außerdem werden radikal. Zwischenprodukte nicht nur beim Elektronentransport in der Atmungskette u. bei der Photosynth. postuliert, sondern auch bei Entzündungen u.a. degenerativen Prozessen (s. *Lit.*[4] u. Autoxidation).

Nachw.: Nach außen hin geben sich viele R. durch Farbigkeit zu erkennen. So sind z.B. Ketyl-R. blauviolett wie auch das Diphenylpikrylhydrazyl-R., Triphenylmethyl-R. ist gelb. Das Auftreten von R. läßt sich durch physikal. u. chem. Meth. nachweisen. Die *Elektronenspinresonanz-Spektroskopie* (ESR- od. *EPR-Spektroskopie) u. die *chem. induzierte dynam. Kernpolarisation* (*CIDNP) stehen bei den physikal. Meth. an herausragender Stelle. Bei den chem. Meth. kommen Abfangexperimente mittels sog. *Spinfallen* (s. Radikal-Fänger) z.B. mit 2-Methyl-2-nitroso-propan od. Benzaldehyd-*tert*-butylnitron, bei denen langlebige Nitroxide (s. Nitroxyl-Radikale) entstehen, in Frage. Diese können dann ESR-spektroskop. untersucht werden. Weitere Möglichkeiten sind der Einbau von Gruppen in ein Mol., die rasche u. für R. typ. intramol. Folgereaktionen eingehen, womit auch Reaktionsgeschw. von R.-Reaktionen (sog. *Radical Clocks*) ermittelt werden können.

Stabilität: Die Stabilität von R. wird durch unterschiedliche Effekte bewirkt, z.B. durch kinet. od. thermodynam. Stabilisierung. Zunehmende Substitution mit Alkyl-Gruppen, benachbarte C,C-Mehrfachbindungssyst. (Alkenyl- od. Phenyl-Gruppen) u. gleichzeitige Anwesenheit eines elektronenziehenden u. elektronenspendenden Substituenten (*capto-dativer Effekt*[5], s. push-pull) wirken stabilisierend. Relativ langlebig sind z.B. R., deren einsame Elektronen durch sperrige Substituenten (s. sterische Hinderung) abgeschirmt werden, so daß sie kaum Gelegenheit zu Folgereaktionen finden. Ein bes. stabiles, aliphat. R. ist das tert. Alkyl-R. Triisopropylmethyl $\{\cdot C[CH(CH_3)_2]_3\}$. Durch geeignete Maßnahmen sucht man zu erreichen, daß sich die R. wirklich wie **freie Radikale* verhalten u. mit physikal. Meth. untersuchen lassen. So kann man ggf. R., deren Lebensdauer bei Raumtemp. im ms-Bereich liegen würde, bei der Temp. der flüssigen Luft „einfrieren" u. der physikal. Analyse zugänglich machen. Denselben Effekt kann man u.U. durch Einbetten in eine inerte Matrix erreichen, wodurch die R.-Diffusion unterbunden wird. Andere R. lassen sich womöglich durch Solvatation in geeigneten Lsm. stabilisieren.

Verw.: In der präparativen organ. Chemie spielen R. eine große Rolle (s. radikalische Reaktionen), ebenso wie als Initiatoren für die *radikalische Polymerisation (s.a. Kettenreaktion). Die zur Einleitung von *Pfropfcopolymerisationen notwendigen R. können durch ionisierende Strahlung erzeugt werden. Bei Photopolymerisationen wirken Ketone zusammen mit leicht dehydrierbaren Substraten als R.-Quellen. Eine Reihe von reprograph. Verf. beruht ebenfalls auf der intermediären Bildung von R., z.B. bei Entwicklungsprozessen in der Photographie. Die Polymerisations-Technologie macht nicht nur Gebrauch von Initiatoren, die leicht in R. zerfallen u. so *Radikalketten-Polymerisationen* einleiten, sondern auch von Inhibitoren u. Reglersubstanzen, die als *R.-Fänger* für den Kettenabbruch sorgen.

Umweltaspekte: s. Ozon, Antiklopfmittel, Photooxidantien u. Photosmog.

Geschichte: Ursprünglich hielt man R. für die eigentlichen „Elemente" der organ. Chemie; Berzelius nannte sie „Elementnachahmer". Die zunächst für R. gehaltenen Verb. Cyan, Kakodyl u. Ethyl erwiesen sich jedoch später als Dimere. Große Verdienste um die Klärung des R.-Begriffs haben sich im 18. u. 19. Jh. Liebig, Wöhler, Kolbe, Dumas, A. W. von Hofmann, Wurtz, Gerhardt, Kekulé, Guyton de Morveau u. Lavoisier erworben[6,7]. Zwar findet sich in der älteren Lit. der Begriff R. noch für solche Atomgruppierungen wie Methyl, Phenyl, Hydroxy, Carboxy etc., die heute vorwiegend *Reste (Acyl, Alkyl, Aryl, allg. Abk.: R) genannt werden u. denen systemat. die Namensendung ...yl gemeinsam ist (vgl. a. radikofunktionelle Namen!), doch hat sich inzwischen der Bedeutungsinhalt von „R." – bes. im deutschsprachigen Raum – auf „echte", d. h. sog. *freie Radikale* eingeschränkt. – ***E*** radicals – ***F*** radicaux – ***I*** radicali – ***S*** radicales

Lit.: [1] Angew. Chem. **105**, 1472 (1993); **109**, 2551 (1997); **110**, 1284 (1998). [2] Angew. Chem. **103**, 1506 (1991). [3] Pure Appl. Chem. **69**, 601 (1997). [4] Halliwell u. Gutteridge, Free Radicals in Biology and Medicine, Oxford: University Press 1985. [5] Acc. Chem. Res. **18**, 148 (1985); Adv. Phys. Org. Chem. **26**, 131–178 (1990); Angew. Chem. **91**, 982 (1979). [6] Pure Appl. Chem. **15**, 1–13 (1967). [7] Chem. Ztg. **106**, 1–11 (1982).
allg.: Abramovitch, Reactive Intermediates, Bd. 2, Kap. 3, New York: Plenum Press 1981 ▪ Astruc, Electron Transfer and Radical Processes in Transition-Metal Chemistry, New York: VCH Verlagsges. 1995 ▪ Barton u. Parekh, Half a Century of Free Radical Chemistry, Cambridge: Cambridge University Press 1993 ▪ Curran, Porter u. Giese, Stereochemistry of Radical Reactions, Weinheim: VCH Verlagsges. 1995 ▪ Fossy, Lefort u. Sorba, Free Radicals in Organic Chemistry, New York: Wiley 1995 ▪ Giese, Radicals in Organic Synthesis: Formation of Carbon Carbon Bonds, Oxford: Pergamon Press 1987 ▪ Houben-Weyl **E 19 a** (2 Bd.) ▪ Motherwell, Free-Radical Chain Reactions in Organic Synthesis, Orlando: Academic Press 1991 ▪ Platz, Kinetics and Spectroscopy of Carbenes and Biradicals, New York: Plenum 1990 ▪ Simões, Greenberg u. Liebman, Energetics of Free Radicals, Vol. 4, London: Chapman & Hall 1996 ▪ Tanner, Advances in Free Radical Chemistry, Bd. 1, Greenwich: JAI Press 1990 ▪ Viehe et al., Substituent Effects in Radical Chemistry, Dordrecht: Reidel 1986 ▪ Walling, Fifty Years of Free Radicals, Washington DC: American Chemical Society 1995. – *Zeitschriften u. Serien:* Advances in Free Radical Biology and Medicine, Oxford: Pergamon (seit 1985) ▪ Reactive Intermediates, New York: Wiley (seit 1978).

Radikal-Fänger. Fachsprachliche Bez. für solche Substanzen, die reaktive *Radikale durch chem. Reaktion „unschädlich" machen. Als R.-F. kommen in erster Linie organ. u. anorgan. Verb. in Frage, die entweder selbst Radikale sind u. daher mit den abzufangenden Radikalen unter Bildung einer σ-Bindung (*Radikal-Kombination*) od. durch *Disproportionierung* reagieren, od. Verb., die das Radikal addieren u. dabei selbst in ein neues Radikal übergehen (*Radikal-Übertragung*). Zu den R.-F. der ersten Gruppc, mit denen Radikale sogar maßanalyt. bestimmt („titriert") werden können, gehören z. B. NO, *Bis(trifluormethyl)-nitroxid u. a. *Nitroxyl-Radikale sowie *2,2-Diphenyl-1-pikrylhydrazyl. Oft werden R.-F. jedoch so gewählt, daß die neu entstandenen Radikale reaktionsträge sind u. sich nicht an Ketten-Fortpflanzungsreaktionen beteiligen. Zu den in der Technik bes. wichtigen R.-F. der zweiten Gruppe zählen daher die leicht in Aroxyle (*Sauerstoff-Radikale) überführbaren Alkylphenole wie *tert*-*Butylmethoxyphenol, *BHT u. verwandte Phenole (s. bei Antioxidantien), aromat. Amine, Sulfide, Disulfide, Thiole, ferner Brom, Sauerstoff u. Bleitetraalkyle. Persistente (stabile) Radikale bildende R.-F. sind auch die sog. *Spinfallen* (*E* spin traps). Die hierfür üblicherweise verwendeten Nitrone od. Nitroso-Verb. wie Nitrosobenzol, 2-Methyl-2-nitroso-propan u. Benzaldehyd-*tert*-butylnitron (s. Abb.) reagieren mit kurzlebigen paramagnet. Reaktionsprodukten zu langlebigen, therm. stabilen Radikalen, die einer EPR-spektroskop. Untersuchung zugänglich sind [1].

$$R^{\bullet} + H_5C_6-CH=\overset{+}{N}(O^{-})-C(CH_3)_3 \longrightarrow H_5C_6-CH(R)-N(O^{\bullet})-C(CH_3)_3$$

Abb.: Nitrone als Radikal-Fänger.

Über R.-F. verfügen auch die Körpergewebe; *Beisp.:* Cystein, Cysteamin, Melanine, Tocopherole [2].
Verw.: Als Inhibitoren, Alterungsschutzmittel, Antihautmittel, Antioxidantien, die die *Autoxidation z. B. von Nahrungsmitteln u. deren Folge (*Ranzigkeit) herabsetzen sollen, Antiklopfmittel, Reglersubstanzen bei *radikalischen Polymerisationen, Stabilisatoren, Strahlenschutz-, Sonnenschutz- u. Lichtschutzmittel, Flammschutz- u. Feuerlöschmittel zum Abbruch der Kettenreaktionen in *Flammen u. a. – ***E*** radical scavengers – ***F*** capteurs de radicaux – ***I*** sostanza di cattura radicalica – ***S*** capturadores de radicales

Lit.: [1] Adv. Free Radical Chem. **1**, 253–295 (1990). [2] Römpp Lexikon Naturstoffe, S. 653.
allg.: s. Radikale.

Radikal-Ionen (Ionenradikale). Bez. für Mol., die in sich die Merkmale von *Radikalen (das *einsame Elektron) u. von *Ionen (die elektr. Ladung) vereinigen. Einige als Einzelstichwörter behandelte bes. stabile R.-I. wie Semichinone u. Ketyle (Radikal-*Anionen*) u. Wurstersche Salze (Radikal-*Kationen*; s. *Lit.* [1]) nannte man früher wegen ihrer Farbigkeit auch *merichinoide Verbindungen* [2]. R.-I. entstehen z. B. durch *Einelektronenübertragung* (*single electron transfer, SET; s. a. radikalische Reaktionen u. *Lit.* [3]) bei der Elektrolyse, durch *kathodische Reduktion od. *anodische Oxidation [4], durch *Photoionisation bei der *Photoelektronen-Spektroskopie u. durch Elektronenstoß bei der *Massenspektrometrie. Als Zwischenstufen können R.-I. ferner auftreten bei Reaktionen von *Carbanionen mit elektronenarmen organ. Verb., bei Red. mit Metall-organ. Verb., bei radikal. nucleophilen Substitutionen (s. radikalische Reaktionen u. *Lit.* [5]) u. a. Prozessen; ein anorgan. Radikal-Anion u. starkes Stoffwechselgift ist $O_2^{\bar{\cdot}}$ (*Hyperoxid). – ***E*** radical ions – ***F*** ions radicaux – ***I*** ioni radicali – ***S*** iones radicalcs

Lit.: [1] Angew. Chem. **91**, 982–997 (1979); **109**, 2659 (1997); Chem. Unserer Zeit **12**, 89–98 (1978). [2] Angew. Chem. **66**, 658–677 (1954). [3] Acc. Chem. Res. **18**, 212 ff. (1985); Nachr. Chem. Tech. Lab. **32**, 436–439 (1984). [4] Angew. Chem. **93**, 978–1000 (1981); **94**, 275–289 (1982); Chem. Unserer Zeit **19**, 145–155 (1985). [5] Angew. Chem. **87**, 797–808 (1975).
allg.: Eberson, Electron Transfer Reactions in Organic Chemistry, Berlin: Springer 1987 ▪ Kavarnos, Fundamentals of Photoinduced Electron Transfer, New York: VCH Verlagsges. 1993 ▪ s. a. Radikale.

Radikalische Polymerisation (Radikalkettenpolymerisation). Bez. eines Typs von Polymerisationen (s. dort), bei der im Initiierungsschritt nach unterschiedlichen Meth. Radikale gebildet werden. An diese lagern sich die zu polymerisierenden *Monomeren in einer *Kettenreaktion so lange an, bis Abbruch durch Kombination od. *Disproportionierung zweier Makroradikale od. durch deren Reaktion mit *Reglersubstanzen od. Verunreinigungen (z. B. Sauerstoff) eintritt. Zu Details der Einzelschritte s. Polymerisation. Eine in jüngster Zeit intensiv erforschte Variante der r. P. ist die sog. *lebende r. P.* (s. a. lebende Polymere). Drei Varianten hiervon werden in der Lit. unterschieden. Die erste umfaßt r. P., bei denen die üblichen Kettenabbruch-Reaktionen aufgrund des Reaktionsmediums od. der Umgebung der wachsenden Kettenenden sehr langsam od. völlig unterbunden ist. Beisp. sind *Fällungspolymerisationen, einige Templat-Polymerisationen u. Polymerisationen in Einschlußverbindungen. Eine zweite Gruppe bilden r. P., in deren Verlauf zwar ein Verlust der wachsenden Kettenenden durch Abbruchreaktionen erfolgt, diese prim. Abbruchreaktionen aber unter verschärften Reaktionsbedingungen rückgängig zu machen sind. Dieser Typ von r. P. wird z. B. zum Aufbau von *Makroinitiatoren genutzt. Da durch diese beiden Varianten allerdings weder Polymere mit enger Molmassenverteilung noch definierte Blockcopolymere aufzubauen sind, sollte nur die dritte Variante als lebend bezeichnet werden. Auch diese beinhaltet reversible Kettenabbruch-Reaktionen. Diese sind hier allerdings bereits unter den normalen Polymerisationsbedingungen reversibel. Das Grundprinzip dieser eigentlichen lebenden r. P. zeigt das folgende Schema:

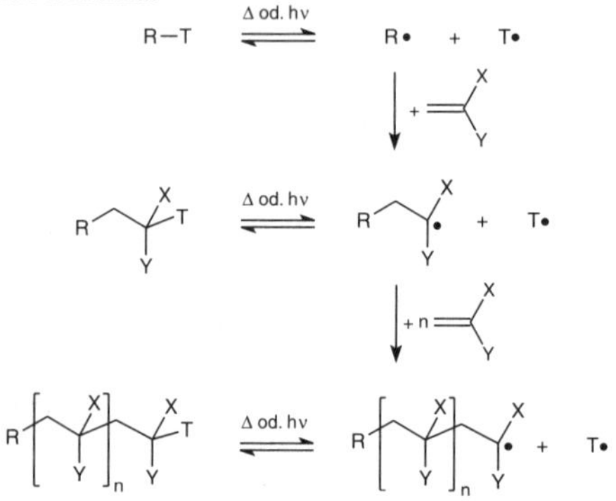

Im ersten Schritt dissoziiert der Initiator R – T u. ergibt so ein das Kettenwachstum auslösendes Radikal R• sowie ein stabiles Radikal T•, das gegenüber dem Monomeren inaktiv ist. T•kann jedoch reversibel mit dem Kettenende des aktiven Radikals rekombinieren, wobei ein schlafendes Kettenende entsteht. Das Kettenwachstum bleibt dann so lange unterbrochen, bis die Bindung zwischen T u. dem Kettenende wieder homolyt. aufbricht. Vielfache Wiederholung dieses Vorgangs führt dazu, daß die individuellen Polymerketten während ihrer Lebenszeit häufig zwischen aktiver u. schlafender Form hin- u. herpendeln. Entscheidend für den lebenden Prozeß ist aber, daß durch die Einführung des reversiblen Terminierungsschrittes jederzeit die vorliegende Gesamtkonz. an aktiven, d. h. zum Wachstum, aber auch zum irreversiblen Abbruch fähigen Radikale sehr gering wird. So wird auch die Wahrscheinlichkeit eines stets als bimol. Reaktion zwischen zwei aktiven Kettenenden ablaufenden Abbruchs minimal. Unter geeigneter Wahl der Reaktionsparameter kann erreicht werden, daß die individuellen Polymerketten über die gesamte Dauer der Polymerisation wachsen, wenn auch bei weitem nicht alle gleichzeitig.

Die vier wichtigsten Typen von Initiatoren, die bisher für lebende r. P. eingesetzt werden, sind Organosulfide, Tri- u. Diarylmethyl-Derivate, Alkoxyamine sowie Übergangsmetallkomplexe des Kobalts u. Kupfers. Am häufigsten werden die Alkoxyamine gewählt. Sie entstehen durch Reaktion von Kohlenstoff-Radikalen mit Nitroxiden u. eignen sich gut für die Synth. von Styrol- u. Acrylat-Polymeren. Ein Beisp. ist die Verb. **1**, die durch Zerfall von Di-*tert*-butyl-peroxyoxolat in Ggw. von Di-*tert*-butylnitroxid entsteht. **2** bildet sich dagegen bei der Zers. von Azobis(isobutyronitril) (AIBN) in Ggw. von 2,2,6,6-Tetramethylpiperidin-*N*-oxid (TEMPO).

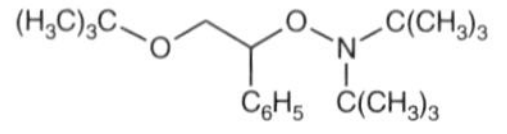

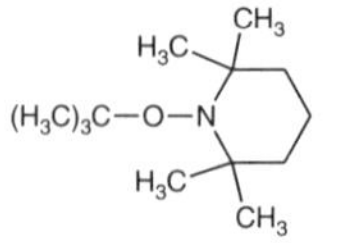

Das sich während der Polymerisation einstellende Gleichgew. zwischen aktivem, wachsendem Kettenende u. entsprechenden schlafenden Spezies kann für Verb. wie **1** folgendermaßen formuliert werden:

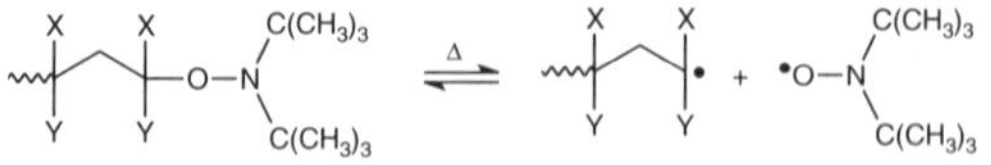

Eine kürzlich entwickelte, elegante Route zum Aufbau von Pfropfcopolymeren unter Nutzung zweier verschiedener Varianten der lebenden r. P. zeigt das Schema:

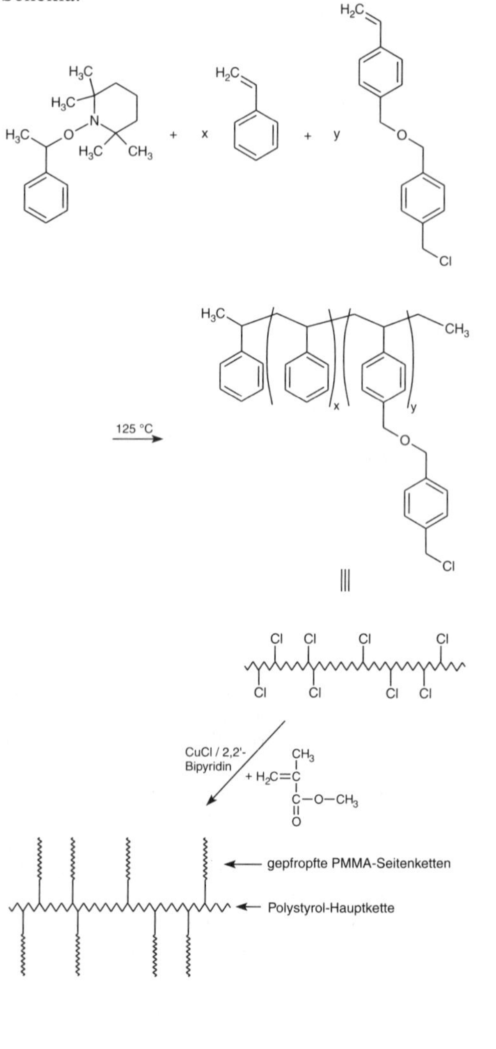

Zunächst wird unter Verw. von Alkoxyaminen ein Polystyrol-Copolymer aufgebaut, das über einige seitenständige Chlor-Funktionen verfügt. Diese sind unter den Bedingungen dieser ersten r. P. stabil, werden jedoch anschließend zum Aufwachsen der Seitenarme aktiviert. Für die nachfolgende „r. P. unter Atom-Transfer" (ATRP) werden dem Syst. 2,2′-Bipyridin-komplexierte Kupferhalogenide u. dann neues Monomer zugegeben. Unter diesen Bedingungen polymerisieren die Seitenäste an den Chlor-Funktionen auf. – ***E*** [free-]radical polymerization – ***F*** polymérisation radicalaire – ***I*** polimerizzazione radicale – ***S*** polimerización radicalaria (por radicales)

Lit.: Acta Polymer. **49**, 253 (1998) ▪ Macromol. Chem. Phys. **199**, 923 ▪ Polymeric Materials Encyclopedia 3834, 3840 ▪ s. a. Kettenreaktionen, Polymere u. Radikale.

Radikalische Reaktionen. *Radikale können 6 unterschiedliche *Elementarreaktionen eingehen. Es sind dies Atomabstraktionen, Additions-, Eliminierungs-, Umlagerungs-, Elektronen-Übertragungs- u. Kombinations-Disproportionierungs-Reaktionen (s. die Abb. bei Polymerisation, s. a. Kettenreaktion). *Umlagerungsreaktionen* spielen bei r. R., im Gegensatz zur Chemie der *Carbenium-Ionen, eine untergeordnete Rolle, da bei synchronem Verlauf der Umlagerung eine energet. ungünstige Dreielektronen-Dreizentren-Bindung durchlaufen wird [1]. Von großer Bedeutung dagegen sind *Elektronen-Übertragungsreaktionen* (*single electron transfer). Viele nicht-radikal. Reaktionen sind u. U. begleitet von radikal. Konkurrenzreaktionen, wenn die Übertragung eines Elektrons von einem Reaktionspartner ermöglicht wird. Hierbei entstehen Radikale od. *Radikal-Ionen. Große präparative Bedeutung haben SET-Schritte bei aromat. Substitution nach dem $S_{RN}1$-Mechanismus [2]; dabei werden meist Halogenaromaten mit Anionen in DMSO, THF usw. umgesetzt (s. Abb. 1).

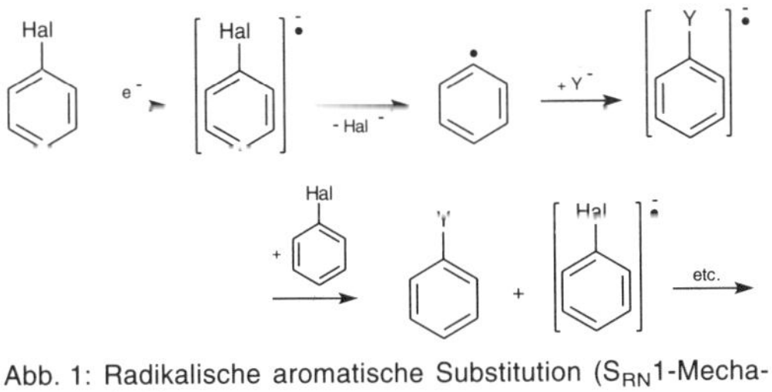

Abb. 1: Radikalische aromatische Substitution ($S_{RN}1$-Mechanismus, SET).

SET-Mechanismen werden auch als Konkurrenzreaktionen bei der *Grignard-Reaktion [3], der *Aldol-Addition [4] u. der *Wittig-Reaktion [5] diskutiert. Bei der *elektrophilen* Aromaten-Substitution machen sich SET-Reaktionen durch das Auftreten von Dimerisierungsprodukten u. Reaktionen an der Seitenkette bemerkbar [6].

Kombinations-Disproportionierungs-Reaktionen sind wichtige r. R., die mit Geschw. von 10^9 – 10^{10} mol/L · s ablaufen. Verhindern sperrige Substituenten die Rekombination (*Dimerisierung*) u. fehlen *β*-C,H-Bindungen für die Disproportionierung, so werden diese Radikale wie z. B. das Di-*tert*-butylmethyl-Radikal langlebiger. Das ähnlich sperrige *Triphenylmethyl-Radikal (Struktur s. Hexaphenylethan) reagiert jedoch rascher, weil die Rekombination über die *p*-Position eines Benzol-Ringes abläuft.

R. R. weisen oft für die organ. Synth. erwünschte Eigenschaften wie Flexibilität u. schonende Reaktionsbedingungen auf. In jüngster Zeit sind daher r. R. verstärkt in das Interesse des Synthetikers getreten, wobei auch alte Reaktionen, wie z. B. die *Barton-McCombie-Reaktion* (s. Abb. 2), eine Renaissance erfahren haben [7].

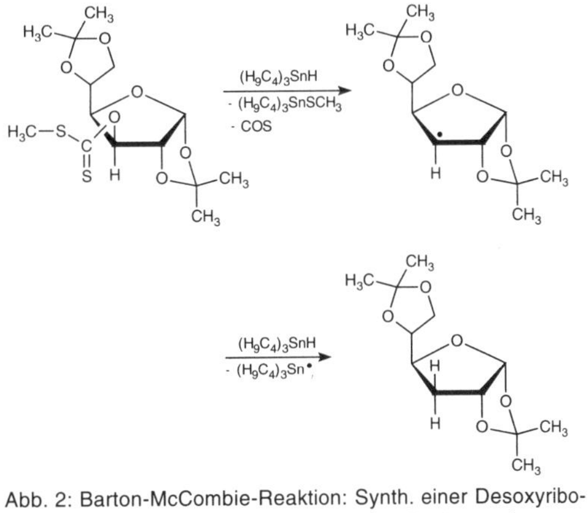

Abb. 2: Barton-McCombie-Reaktion: Synth. einer Desoxyribohexafuranose durch Desoxygenierung des Zuckerxanthogenates mit Tributylzinnhydrid.

Bes. Bedeutung haben radikal. *Cyclisierungen erlangt, die im Zusammenspiel mit *Tandem-Reaktionen komplizierte polycycl. Ringsyst. zugänglich machen [8]. Die Cyclisierung von *Endiinen (*Bergman-Cyclisierung*) über benzoide 1,4-Diradikale ist der Schlüsselschritt für die Wirkungsweise der Endiin-Antitumor-Verbindungen [9]. Die selektive Halogenierung u. Oxid. von Alkanen, Alkenen u. Alkylaromaten mit $(H_3C)_3C$–OOH unter den Bedingungen der *Gif-Barton-Katalyse* (Pyridin/Eisessig-Lsg., Oxid.-Mittel, Eisen-Katalysator) verläuft über freie *Radikale [10]. Ein vergleichbares Syst. stellt die durch Metall-*Porphyrine katalysierte Oxid. dar [11]. Beide Prozesse wollen die im Organismus durch *Cytochrom P-450 katalysierte, selektive Hydroxylierung hydrophober Substanzen imitieren. – ***E*** radical reactions – ***F*** réactions radicalaires – ***I*** reazioni radicaliche – ***S*** reacciones radicalarias

Lit.: [1] Kochi, Free Radicals, Bd. 2, S. 63, New York: Wiley 1973. [2] Acc. Chem. Res. **11**, 413 (1982). [3] Pure Appl. Chem. **52**, 545 (1980). [4] Tetrahedron Lett. **24**, 1667 (1983). [5] J. Am. Chem. Soc. **104**, 3987 (1982). [6] Chem. Unserer Zeit **13**, 87 (1979). [7] Angew. Chem. **109**, 724 (1997). [8] Chem. Rev. **96**, 177, 339 (1996). [9] Chem. Rev. **96**, 207 f. (1996). [10] Acc. Chem. Res. **25**, 504 (1992); Tetrahedron **50**, 1011 (1994); Synlett **1996**, 119. [11] Chem. Rev. **92**, 1411 (1992); Kluwer, Metalloporphyrin Catalyzed Oxidations, Dordrecht: Academic Publ. 1994. *allg.:* Aldrichimica Acta **25**, 71 (1992) ▪ Curran, Porter u. Giese, Stereochemistry of Radical Reactions, Weinheim: VCH Verlagsges. 1996 ▪ Isr. J. Chem. **37**, 119 (1997) ▪ Linker u. Schmittel, Radikale u. Radikalkationen in der Organischen Synthese, Weinheim: Wiley-VCH 1998 ▪ Tetrahedron **51**, 7095, 7579 (1995) ▪ Trost-Fleming **4**, 716 ff. ▪ s. a. Radikale.

Radikal-Kationen s. Radikal-Ionen.

Radikalkettenpolymerisation s. radikalische Polymerisation.

Radikalname s. Radikale u. radikofunktioneller Name.

Radikal-Starter. Bez. für Initiatoren *radikalischer Reaktionen, z.B. der Radikal-Kettenpolymerisation; Näheres s. bei Initiatoren.

Radikofunktioneller Name (Funktionsklassenname). Name für organ.-chem. Verb., gebildet aus Bez. für organ. *Reste (alte Bez.: *Radikale; *Beisp.:* Ethyl...) u. für die „Funktionsklasse" (Verb.-Klasse mit typ. *funktioneller Gruppe). IUPAC-Regeln erlauben r. N., oft aber nur als 2. Wahl; *Beisp.* (bevorzugter Name in Klammern): Diethylketon (3-Pentanon), Ethylalkohol (Ethanol), Ethylamin (Ethanamin), Ethylcyanid (Propionitril), Ethyliodid (Iodethan), Ethylisocyanid (Isocyanoethan), Ethylmercaptan (Ethanthiol). Für viele Verb. sind nur r. N. sinnvoll, die sogar CAS nur teilw. starr mit *Substitutionsnamen umgeht; *Beisp.:* Acetyliodid, Ethylacetat, Ethylhydroperoxid, Ethyllithium, Diethylether (CAS: 1,1′-Oxybis[ethan]), Dimethylsulfoxid (CAS: Sulfinylbis[methan]), Diethylamin (CAS: *N*-Ethylethanamin). Viele r. N. werden wie Substitutionsnamen benutzt; *Beisp.:* Amin (Substitution an NH_3), *Carbinol (Substitution an CH_3OH; von *Kolbe 1868 geprägte, lange übliche, aber regelwidrige Bez.), ...oylchlorid (*Suffix für die Substitution $-CH_3 \rightarrow -COCl$). – ***E*** radicofunctional name – ***F*** nom radico-fonctionnel – ***I*** nome del radicale – ***S*** nombre radico-funcional

Radio... (latein.: radius = Stab, Speiche, Strahl). Wortteil, der in Fachbez. auf *ionisierende Strahlung (*Radioaktivität; *Beisp.:* folgende Stichwörter) od. langwellige elektromagnet. Strahlung hinweist (zur Telekommunikation genutzte Radiowellen; *Beisp.:* *Radioastronomie) u. vor chem. Stoffbez. allg. *Radioisotope andeutet; *Beisp.:* Radioiod. – ***E*** = ***F*** = ***I*** = ***S*** radio...

Radioactinium (Kurzz. RdAc). Unsystemat. Bez. für das Thorium-Isotop $^{227}_{90}Th$ aus der Uran-Actinium-Zerfallsreihe, s. Radioaktivität (Tab.).

Radioaktive Abfälle. Nach DIN 25401-5: 1986-09 Bez. für nicht mehr verwendbare *radioaktive Stoffe, die bei der Aufarbeitung od. nach der Benutzung von radioaktiven Stoffen anfallen, z.B. von *Brennelementen, radioaktiven *Leuchtstoffen, in Isotopenlaboratorien, v.a. aber beim Betrieb von *Reaktoren zur Nutzung der *Kernenergie. Erfassung, Aufarbeitung u. Verwahrung von gasf., flüssigen od. festen r. A. („Entsorgung") sind heute Hauptprobleme der Kerntechnik. Prinzipiell unterscheidet man hoch-, mittel- u. schwach-r. A. (*E* high, medium, low active waste, Abk.: HAW, MAW, LAW). Bes. viel r. A. entstehen naturgemäß in Ländern mit Kernwaffen-Produktion; allerdings rechnet man radioaktiven *Fallout nicht zu den r. A. im engeren Sinne. Durch *Wiederaufarbeitung* z.B. nach dem *Purex-Verfahren, verringert sich die Menge radioaktiver Abfälle. Die Vol. von r. A., die in der BRD bis Ende 1995 anfielen, sind in der Tab. zusammengefaßt [1].

Tab.: Vol. radioaktiver Abfälle.

Abfallart	Abfälle mit vernachlässigbarer Wärmeentwicklung [m³]	wärmeentwickelnde Abfälle [m³]
unbehandelte Reststoffe	30100	500
Zwischenprodukte	2900	
konditionierte Abfälle		
Ende 1995	60800	1900
Prognose 2010	173200	9300
Prognose 2080	412400	51300

Anfallende flüssige r. A. werden durch Verdampfen, Ausfällen, Sedimentieren, Filtern, Zentrifugieren etc. so konzentriert, daß sie mit geeigneten Trägersubstanzen (Borosilicat- od. Phosphatgläsern, Asphalt, Bitumen-Salz-Gemischen, Beton, keram. Matrices, synthet. Gesteinen wie SYNROC [2]) verfestigt werden können (*Konditionierung*). Bei den HAW-Lsg., wie sie beim *Purex-Verf.* anfallen (sie enthalten ca. 99% der nicht-flüchtigen Spaltprodukte), wird derzeit die Verglasung als Meth. zur *Immobilisierung bevorzugt. Bei dem dtsch. *PAMELA-Verf.* (Abk. für *P*hosphatglasverfestigung mit *a*nschließender *M*etall*e*inbettung zur End*la*gerung od. *P*ilot-*A*nlage *M*ol zur *E*rzeugung *la*gerfähiger *A*bfälle) fällt das Glas in Form von Perlen an, die in eine Schwermetall-Leg. eingebettet werden. Bes. Probleme ergeben sich natürlich beim Abbau stillgelegter Kernkraftwerke. MAW- u. LAW-Lsg. werden nach Konzentrierung mit Bitumen- od. Zement-Matrices verfestigt. Unbrennbare feste Abfälle, Hülsen u. Strukturteile können in Beton eingebunden werden. Leicht kontaminierte brennbare Materialien wie Holz, Papier od. Kunststoffe können so verbrannt werden, daß die *Radioaktivität prakt. vollständig in der Asche verbleibt, die wie oben verfestigt wird. Zur Entfernung flüchtiger radioaktiver Stoffe aus den Abgasen von Wiederaufbereitungsanlagen sind spezielle Meth. entwickelt worden: Krypton-85 kann ausgefroren u. in Stahlzylinder abgefüllt werden, Iod-129 läßt sich an Metall-beladenen Zeolithen od. Silbernitrat-imprägnierten Filtern zurückhalten, Tritium wird als kondensierbarer Wasserdampf frei, u. $^{14}CO_2$ kann z.B. mit $Ca(OH)_2$-Lsg. ausgewaschen od. an Molekularsieben adsorbiert werden.

Prinzipiell stehen folgende Möglichkeiten zur *Endlagerung* der in korrosions-, druck-, wärme- u. strahlungsfesten Behältern eingeschlossenen konditionierten r. A. zur Diskussion: Vergraben in Wüstengebieten, Versenken od. Vergraben im Meer [3], Lagern in aufgegebenen Bergwerken u. Einbringen in geeignete geolog. Formationen wie Salzstöcke, Granite od. wasserdichte Tonformationen [4]. Den Stand der nuklearen Entsorgung in der BRD referiert *Lit.* [1,5], zu Details zur *Dekontamination u. zur techn. Durchführung der Beseitigung von r. A. s. *Lit.* [6–8]. – ***E*** radioactive wastes – ***F*** déchets radioactifs – ***I*** residui radioattivi – ***S*** residuos radioactivos

Lit.: [1] Brennecke u. Hollmann, Anfall radioaktiver Abfälle in der Bundesrepublik Deutschland, BFS-ET-29/97, Bundesamt für Strahlenschutz, 38226 Salzgitter. [2] Angew. Chem. **97**, 369 (1985). [3] Science **213**, 1321 (1981); Naturwissenschaften **70**,

430 (1983). [4]Milnes, Radioactive Waste Disposal (Geology), S. 95–108, u. Barney, Radioactive Wastes, S. 109–124, in Encyclopedia of Physical Science and Technology, Bd. 14, New York: Academic Press 1992. [5]Herrmann u. Röthemeyer, Langfristig sichere Deponien, Berlin: Springer 1988. [6]Winnacker-Küchler (4.) **3**, 515–521. [7]Ullmann (4.) **14**, 157ff. [8]Kirk-Othmer (3.) **16**, 206–215.
allg.: (nur soweit von chem. Interesse): Baumgärtner et al., Nukleare Entsorgung, Bd. 3, Weinheim: VCH Verlagsges. 1987 ▪ Brookins, Geochemical Aspects of Radioactive Waste Disposal, Berlin: Springer 1984 ▪ Phys. Unserer Zeit **20**, 116 (1989) ▪ Simon, Radioactive Waste Management and Disposal, Cambridge: University Press 1986 ▪ s.a. Brennelemente, Kernbrennstoffe, Kernenergie, Radioaktivität, Reaktoren. Eine Vielzahl einschlägiger Titel erscheinen bei IAEA (Wien), OECD (Paris), Harwood (New York) u. Ann Arbor Sci. (Ann Arbor).

Radioaktive Familien. Bez. für radioaktive Zerfallsreihen, s. Radioaktivität.

Radioaktive Indikatoren s. Radioindikatoren.

Radioaktive Isotope s. Radioisotope.

Radioaktiver Verschiebungssatz s. Radioaktivität.

Radioaktiver Zerfall. Umwandlung von *Radionukliden unter Emission von α-, β^-- od. γ-Strahlung, bei künstlichen Radionukliden auch Umwandlung durch *Elektroneneinfang u. β^+-Zerfall; Details s. Radioaktivität. – ***E*** radioactive decay – ***F*** désintégration radioactive – ***I*** disintegrazione radioattiva – ***S*** desintegración radioactiva
Lit.: s. Radioaktivität.

Radioaktive Stoffe. Unter r. S. werden verstanden:
1. Bes. spaltbare Stoffe (*Kernbrennstoffe*) in Form von a) Plutonium-239 u. Plutonium-241, b) Uran-233, c) mit den Isotopen 235 od. 233 angereichertes Uran, d) jeder Stoff, der einen od. mehrere der vorerwähnten Stoffe enthält, e) Uran u. Uran-haltige Stoffe der natürlichen Isotopenmischung, die so rein sind, daß durch sie in einer geeigneten Anlage (*Reaktor) eine sich selbst tragende *Kettenreaktion aufrechterhalten werden kann.
2. Stoffe, die zwar keine Kernbrennstoffe sind, aber ionisierende Strahlen spontan aussenden (*sonstige r. S.*). Analoge Definitionen bes. *spaltbarer Stoffe* finden sich in DIN 25401-4: 1986-09. Außerdem definiert Tl. 8 der Norm *umschlossene r. S.* als r. S., die ständig von einer allseitig dichten, festen, inaktiven Hülle umschlossen od. in festen inaktiven Stoffen ständig so eingebettet sind, daß bei üblicher betriebsmäßiger Beanspruchung ein Austritt r. S. mit Sicherheit verhindert wird; eine Abmessung muß mind. 0,5 cm betragen. *Offene r. S.* sind dementsprechend alle nicht umschlossenen radioaktiven Stoffe. Beisp. finden sich unter den Stichwörtern Radioindikatoren, Radionuklide, Radiopharmazeutika usw.
Bes. hohen Sicherheitsbedingungen unterliegt der Transport von r. S.; nach den *Transportbestimmungen müssen sie als *gefährliche Güter mit entsprechendem Gefahrensymbol (s. die Abb. dort) gekennzeichnet (hierbei bedeutet I-WEISS: Dosisleistung an der Oberfläche max. 0,5 mrem/h; II-GELB: Dosisleistung in 1 m Abstand max. 1 mrem/h; III-GELB: Dosisleistung in 1 m Abstand max. 10 mrem/h) u. in die *Gefahrenklasse 7 [*G 7*] eingereiht werden. – ***E*** radioactive materials – ***F*** matières radioactives – ***I*** materie radioattive – ***S*** materiales radioactivos
Lit.: DIN 25425-1: 1995-09 (Radionuklidlaboratorien: Regeln für die Auslegung) ▪ DIN 25425-2: 1979 (Schutzmaßnahmen beim Umgang mit offenen radioaktiven Stoffen) ▪ DIN 25426-4: 1995-04 (Umschlossene radioaktive Stoffe. Dichtheitsprüfung während des Umgangs) ▪ DIN 25426-1: 1986 (Entwurf) (Umschlossene radioaktive Stoffe. Anforderungen und Klassifikation) ▪ DIN 54115-5: 1980-08 (Strahlenschutzregeln für die technische Anwendung umschlossener radioaktiver Stoffe) ▪ s.a. markierte Verbindungen, Radioaktivität u. Radionuklide.

Radioaktive Tracer s. Radioindikatoren u. Tracer.

Radioaktive Zerfallsreihe, -konstante s. Radioaktivität.

Radioaktivität. Eigenschaft einer Reihe von Atomkernen, sich ohne äußere Einwirkung spontan in einen anderen Atomkern umzuwandeln (*Kernumwandlungen). Die dabei freiwerdende Energie wird in Form von elektromagnet. Strahlung (γ-Strahlung) u./od. Teilchen (α-, β^+-, β^-- od. Neutronenstrahlung) abgegeben.
Geschichte: Die natürliche R. wurde von dem französ. Physiker A. H. *Becquerel 1896 beobachtet. Bei der Entdeckung der Röntgenstrahlen (s. Röntgenstrahlung; W. C. *Röntgen, 1895) stellte man fest, daß diese auch erzeugt werden können, wenn man Kathodenstrahlen mittels elektr. od. magnet. Felder auf eine Glaswand lenkt. Neben den Röntgenstrahlen entsteht dabei auch sichtbare Fluoreszenz. Es war bekannt, daß eine Reihe von Mineralien, bes. Uransalze, fluoreszieren, wenn man sie dem Sonnenlicht aussetzt. Becquerel prüfte zunächst, ob bei Sonnenbestrahlung ein US_2-Krist. Strahlung emittiert, die, ähnlich wie Röntgenstrahlen, schwarzes Papier durchdringen kann u. dann Photomaterial schwärzt. Dies fand er bestätigt, unerwarteter Weise fand er aber auch, daß die Anregung durch die Sonne zur Erzeugung der neuen durchdringenden Strahlung nicht notwendig ist. Der Krist. strahlt von sich aus, er ist, wie es Becquerel am 2. März 1896 formulierte, „radioaktiv", also selbststrahlend. Angeregt durch Becquerels Beobachtung untersuchte man das Uran-Pecherz von Joachimsthal u. a. Mineralien auf die Ursache der Strahlung. Schon 1898 entdeckten G. C. Schmidt (1865–1949) fast gleichzeitig mit Marie *Curie die R. des *Thoriums u. das Ehepaar Curie die bes. stark radioaktiven Elemente *Polonium u. *Radium. Im Jahre 1899 wurde das *Actinium von *Debierne in den Uran-Pechblende-Rückständen aufgespürt. Zur Geschichte der Entdeckung der R. s.a. *Lit.*[1].
Die *künstliche R.* wurde 1934 von dem französ. Forscherehepaar I. *Joliot-Curie u. J. F. *Joliot entdeckt. Sie bestrahlten Aluminium mit α-Strahlen u. erhielten radioaktiven Phosphor. Al wurde nach *Einfang des α-Teilchens u. Aussendung eines Neutrons in ein unbeständiges, radioaktives Phosphor-Isotop der *Massenzahl 30 umgewandelt, das mit einer *Halbwertszeit von 2,50 min unter Aussendung von *Positronen (e^+) in ein stabiles Silicium-Isotop der Massenzahl 30 überging:

$$^{27}_{13}Al + ^{4}_{2}\alpha \rightarrow ^{30}_{15}P + ^{1}_{0}n \quad u. \quad ^{30}_{15}P \xrightarrow{m} ^{30}_{14}Si + e^+$$

(zur Symbolik u. zur moderneren Schreibweise solcher Gleichungen s. Kernreaktionen). Daß die Positronenstrahlung von einem Phosphor-Isotop ausging, konnte man chem. beweisen; wenn man nämlich das mit α-Strahlen bestrahlte Aluminium-Blech in Salzsäure löste, blieb die Strahlung nicht in Lsg., sondern ging in ein Gas, in Phosphan (PH_3), über. Seit 1934 entdeckte man in rascher Folge, daß die meisten neuen Kerne, die bei der Beschießung mit α-, p-, d-, n- od. γ-Strahlen, also als Folge von Kernreaktionen entstehen, nicht stabil, sondern radioaktiv sind u. nach einer – für jedes Isotop charakterist. – Halbwertszeit (zwischen ms u. einigen 100000 a) unter Aussendung von Elektronen od. Positronen, α-Strahlen (bei *Transuranen) u. dgl. in stabile Kerne übergehen. Näheres zur *induzierten R.* s. bei Kernreaktionen u. Radionuklide.

Physikal. Grundlagen: Das wichtigste u. empfindlichste Erkennungszeichen der radioaktiven Elemente ist ihre *Strahlung, mit der sich schon geringste Spuren von radioaktiven Stoffen nachweisen lassen. Auf dieser Eigenschaft beruhen die analyt. Anw. in der Kernchemie u. als *markierte Verbindungen, z. B. in der *Hevesy-Paneth-Analyse u. der *Isotopenverdünnungsanalyse. Die v. a. anhand von Radium-Präp. frühzeitig untersuchte Strahlung hat folgende Eigenschaften:

1. Sie schwärzt eine Photoplatte. Aus nächster Nähe können schon einige mg Radium nach einminütiger Belichtungszeit Schwärzung hervorrufen; ggf. ist mehrtägige Exposition nötig.
2. Sie kann bestimmte Stoffe (*Szintillatoren, z. B. Sidot-Blende) zur Aussendung von Licht anregen; diese Erscheinung nutzte man in radioaktiven *Leuchtstoffen u. im *Spinthariskop.
3. Die von Radium u. a. radioaktiven Elementen ausgehenden Strahlen rufen in der umgebenden Luft starke *Ionisation hervor; infolgedessen wird die Luft leitend, u. die Blättchen eines Elektroskops fallen zusammen. Die Ionisierung ermöglicht auch die Sichtbarmachung der radioaktiven Strahlung in der *Wilson-Kammer u. der *Blasenkammer u. die Registrierung mit Geigerzähler u. a. *Zählrohren; zur Meßtechnik der R. in Luft-, Wasser-, Bodenproben u. Lebensmitteln s. *Lit.*[2].

Die von Radium ausgehende Strahlung ist nicht einheitlich, sondern ein Gemisch aus drei verschiedenen Strahlensorten, die man als α-, β- u. γ-Strahlen bezeichnete; als Oberbegriff dient heute die Bez. **ionisierende Strahlung*. Der Schluß auf die 3 verschiedenen Strahlungen ergab sich aus dem in Abb. 1 dargestellten Experiment, bei dem die Strahlung nur durch eine röhrenartige Öffnung geradlinig aus einem Blei-Block (zur Abschirmung) austreten konnte.

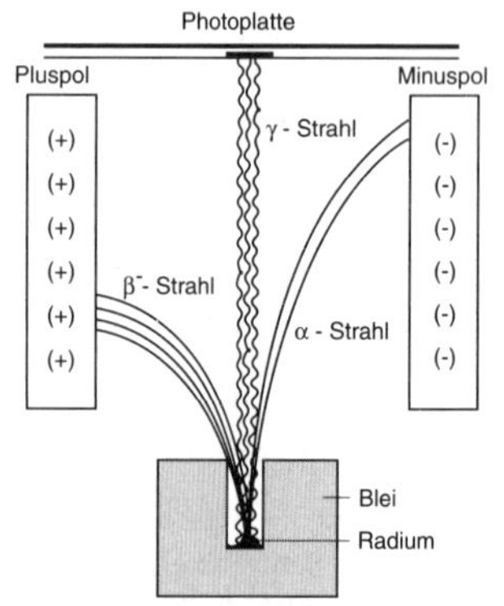

Abb. 1: Von einem Radium-Präp. ausgehende ionisierende Strahlung.

Beim Anlegen eines magnet. od. elektr. Feldes in der Wilson-Kammer zeigte sich, daß ein Teil der Radium-Strahlung unverändert geradeaus geht (γ-Strahlung), während andere Teile zum Pluspol (β^--Strahlung = Elektronen) od. Minuspol (α-Strahlung = Helium-Kerne) abgelenkt werden. Im folgenden sollen die verschiedenen Arten der Strahlung anhand von Beisp. aus den Zerfallsreihen der natürlichen radioaktiven Elemente beschrieben werden. Die Tab., S. 3705, benutzt noch die histor. Namen für die einzelnen Nuklide, die heute natürlich als Isotope des jeweils entstandenen Elementes (s. jeweils linke Spalte) benannt werden; *Beisp.:* Das Radium C (RaC) ist $^{214}_{83}Bi$, also ein Bismut-Isotop mit der *Ordnungs- od. Kernladungszahl Z = 83 u. der *Massenzahl A = 214. Von den aus den Kernen emittierten Strahlungsarten sind nur Alpha- u. Betastrahlen mit „α" bzw. „β" gekennzeichnet. Die Halbwertszeiten (HWZ) sind in Jahren (a), Tagen (d), Stunden (h), Minuten (min) u. Sekunden (s) angegeben.

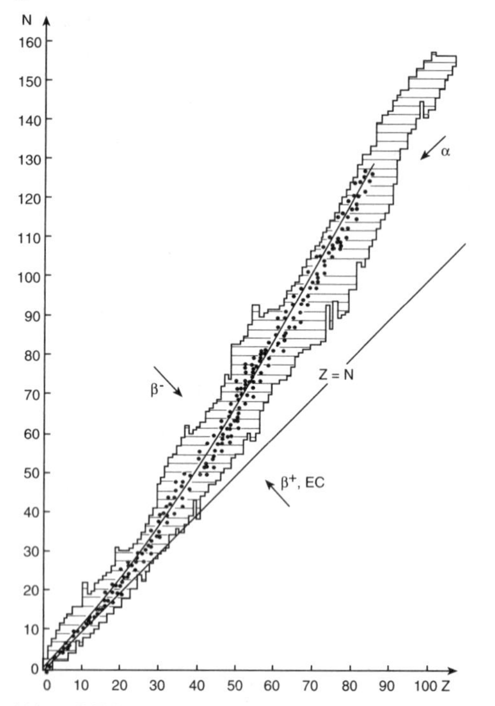

Abb. 2: N-Z-Diagramm der bekannten Nuklide. Die Pfeile oben geben die Änderungen aufgrund des verschiedenen radioaktiven Zerfalls an.

Abb. 2 zeigt in einem N-Z-Diagramm (N = Anzahl der Neutronen, Z = Anzahl der Protonen) die heute bekannten Nuklide. Die stabilen Kerne sind durch Punkte gekennzeichnet; für kleine Kerne gilt nahezu N = Z, bei größeren Kernen N > Z. Nuklide außerhalb des Stabilitätsbereiches wandeln sich durch radioaktiven Zerfall in stabile Kerne um, wobei je nach Protonen- od. Neutronenüberschuß verschiedene Prozesse stattfinden:

Neutronenüberschuß:

β^--Zerfall mit (Z, N) $\rightarrow$ (Z + 1, N − 1)

Protonenüberschuß:

β^+-Zerfall mit (Z, N) $\rightarrow$ (Z − 1, N + 1)
od. Elektroneneinfang.

Bei großen Kernen (Z≥83) findet α-Zerfall statt mit (Z, N) $\rightarrow$ (Z−2, N−2). Im Folgenden werden die einzelnen Strahlungsarten detailliert dargestellt:

1. ***α-Strahlen*** (*Alphastrahlen*, *Alpha-Zerfall). Bei dieser zum Minuspol abgelenkten Strahlung handelt es sich um eine *Korpuskularstrahlung* aus energiereichen ${}^4_2He^{2+}$-Kernen (*α-Teilchen*); diese besitzen diskrete Anfangsenergien, deren Spektrum (Linienspektrum, s. Spektroskopie) für das emittierende Nuklid charakterist. ist (s. Geiger-Nutall'sches Gesetz). Die α-Strahlen des Radiums haben nur eine Energie von 4,9 MeV; energiereicher sind die des ThC′ mit 8,8 u. die des RaC′ mit 7,7 MeV; mit Hilfe von *Teilchenbeschleunigern können jedoch künstlich erzeugte α-Strahlen mit Energien von $\gg 10^8$ eV hergestellt werden. Durch ihre Energie ist die Geschw. der α-Teilchen bestimmt: Während ein α-Teilchen von 4,9 MeV eine Geschw. von ca. 15 000 km/s hat, erreicht ein künstliches α-Teilchen von 400 MeV bereits 130 000 km/s. Die Anzahl der emittierten α-Teilchen ist von Menge u. HWZ des in einem radioaktiven Präp. enthaltenen Radionuklids abhängig: In 1 g Radium finden in jeder Sekunde $3{,}7 \cdot 10^{10}$ Zerfallsreaktionen statt (daher als – veraltete – Einheit der *Aktivität 1 Ci = 37 GBq) u. mithin emittiert 1 g Ra $3{,}7 \cdot 10^{10}$ ${}^4_2He$ in der Sekunde, zusammen mit seinen Folgeprodukten etwa die fünffache Anzahl. Die Reichweite der α-Strahlen ist vom durchsetzten Stoff abhängig: In Luft von 15 °C u. Normaldruck erreichen die α-Teilchen des ThC′ von 8,8 MeV Energie etwa 9 cm, in Metallen nur wenige hundertstel mm; in Luft von 15 °C u. Normaldruck beträgt die Reichweite der α-Strahlen von Ra 3,4 cm, von U 2,63 cm, von RaC′ ca. 7 cm, von ThA 5,66 cm, von ThC′ ca. 9 cm, von AcA 6,5 cm usw. Die Energie der Strahlen ist um so größer, je höher die Energie der emittierten α-Teilchen ist, d. h. gemäß dem Geiger-Nutallschen Gesetz, je kürzer die HWZ des zerfallenden Nuklids ist. α-Strahlen werden schon durch eine 0,1 mm dicke Aluminium-Folie, ein Glimmerblättchen od. ein Blatt Schreibpapier vollständig zurückgehalten. In Wasserstoff-Gas ist die Reichweite der α-Strahlen viermal so groß wie in Sauerstoff-Gas; im Vak. wird die Reichweite größer, da hier keine Stösse mit den Luft-Mol. stattfinden. Man hat berechnet, daß jedes einzelne α-Teilchen auf 1 cm seiner Bahn (in Luft von 20 °C u. Atmosphärendruck) 20 000 bis 40 000 Mol. streift u. durch Stoßionisation in Ionenpaare überführt, vgl. Abb. 3. Da in Mineralien die ${}^4_2He$-Teilchen eingeschlossen bleiben, kann man durch quant. Bestimmung von He u. U bzw. Th u. deren Mengenverhältnis auf das Gesteinsalter schließen (*Helium-Methode der *Geochronologie).

2. ***β-Strahlen*** (genau: *β^--Strahlen* od. β^+-Strahlen, s. *Beta-Strahlen*). Diese bestehen aus *Elektronen bzw. Positronen, die von einem entgegengesetzt geladenen Pol angezogen werden (s. Abb. 1). Ebenso wie die α-Strahlen kommen die β-Strahlen aus dem Atomkern (u. nicht aus der Elektronenhülle) des radioaktiven Elements, in dem sie im Augenblick der Aussendung aus einem Neutron entstehen:

$$n \rightarrow p + e^- + \nu \; (\beta^-\text{-Zerfall, *Beta-Zerfall}).$$

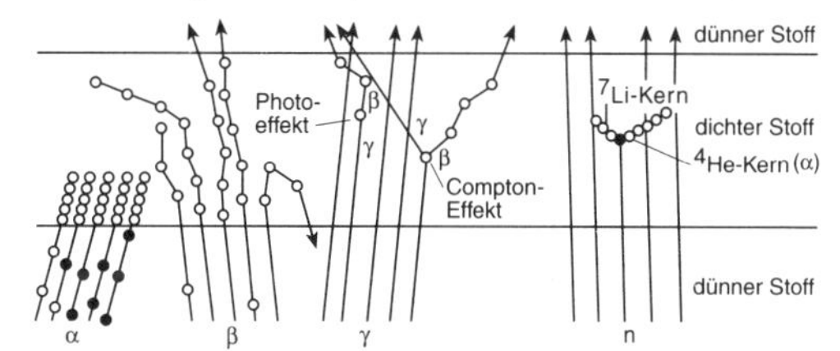

Abb. 3: Schema der Wechselwirkung verschiedener Arten von Kernstrahlung mit Materie: Direkte *Ionisation durch α- u. β-Strahlung, indirekte Ionisation durch γ-Strahlung u. Neutronen (nach *Lit.*[3]).

In den β^--Strahlen kommen Elektronen aller möglichen Energien bis zu einem für das betreffende Radionuklid charakterist. Höchstwert vor, der max. *Beta-Energie des Nuklids* (Kontinuumspektrum). Die Beta-Energie der natürlichen *Beta-Strahler* liegt meist in der Größenordnung von 10^6 eV; sie ist am größten (3,28 MeV) beim Radium C. Die Geschw. der Elektronen in den β^--Strahlen erreicht nahezu Lichtgeschwindigkeit. Im β^--Spektrum treten nebenbei auch Elektronen mit definierter Energie auf; hier handelt es sich um *Konversionselektronen aus *Kernumwandlungen. Die Reichweite der β^--Strahlen in Luft liegt im Meter-Bereich. Ihr Durchdringungsvermögen ist wesentlich größer als das der α-Strahlen; während diese schon durch eine 0,05 mm dicke Aluminium-Folie zur Hälfte zurückgehalten werden, braucht man bei den β^--Strahlen zur gleichen Strahlungsschwächung schon eine Al-Folie von 0,5 mm Dicke. Elektronen werden gebeugt, gestreut u. reflektiert, vgl. Abb. 3. Zur *Abschirmung verwendet man Stoffe wie Blei u. Eisen. β^+-Strahlen entstehen, indem sich ein Proton p gemäß $p \rightarrow n + e^+ + \nu$ in ein Neutron n, ein Positron e^+ u. ein Elektron-Neutrino ν umwandelt. β^+-Strahler sind nur unter künstlich erzeugten Isotopen wie z. B. ${}^{19}_{10}Ne \rightarrow {}^{19}_{9}F + \beta^+$ bekannt. β^+- haben wie β^--Strahlen ein kontinuierliches Energiespektrum; auch ihre Reichweite in Materie ist ähnlich. Energiearme (stark abgebremste) β^+-Teilchen wandeln sich mit Elektronen in je zwei γ-Quanten (der Energie 511 keV) um: $e^- + e^+ \rightarrow 2\gamma$ (s. Vernichtungsstrahlung).

3. ***γ-Strahlen*** (*Gammastrahlen*). Bei der elektr. u. magnet. nicht ablenkbaren γ-Strahlung (vgl. Abb. 1, S. 3702, u. 3) handelt es sich um eine elektromagnet. Strahlung aus *Photonen (*Gammaquanten*), die z. T. vom Atomkern beim Übergang aus einem angeregten Kernzustand in einen Zustand geringerer Energie emittiert werden. Da die Quantenenergie (s. Quantentheorie) der Differenz diskreter Energiezustände entspricht, ist das Energiespektrum dieser Gammastrahlen ein Linienspektrum (*Kernspektrum*, vgl. auch Mößbauer-Spektroskopie). Ein anderer Anteil der γ-Strahlung entstammt der *Bremsstrahlung, d. h. der Wechselwirkung von β-Strahlen (mit Energiekontinuum) mit den Elektronen der Atomhülle eines *Tar-

gets; diese γ-Strahlung hat ein kontinuierliches γ-Spektrum.
Bei allen natürlichen radioaktiven Vorgängen treten im wesentlichen nur α-, β^-- u. γ-Strahlen auf, während bei der künstlichen R. von Elementen mit $Z>90$ *spontane* Kernspaltung (s. Kernreaktionen) in zwei Kerne eintreten kann u. außerdem auch *Neutronen (vgl. Abb. 3, S. 3703), *Positronen (β^+), in seltenen Fällen *Protonen, mittelschwere Teilchen wie ^{14}C od. ^{24}Ne u. bei der sog. β-verzögerten Emission auch ungewöhnliche bzw. mehrere Teilchen gleichzeitig emittiert werden; bezüglich der Kenntnisse über neue radioaktive Zerfallarten s. *Lit.*[4]. Elektronen, die durch direkt ionisierende Strahlung aus Atomen herausgestoßen werden u. ihrerseits weiter ionisieren können, nennt man manchmal *δ-Strahlen (Delta-Strahlen)*. Die gesamte Energie der radioaktiven Strahlung wird schließlich in Wärme umgewandelt. Wenn sich ein Mol (226,01 g) Radium vollständig in Radiumblei (205,97 g) u. Helium (20,01 g) umgewandelt hat – was etwa nach der 10fachen HWZ (rund 16000 a) der Fall ist –, so sind hierbei insgesamt rund 2,1 TJ frei geworden; dies entspricht etwa dem Heizwert von 100 t Kohle. Diese Energie ist durch *Massendefekte zu erklären: Die genaue Gew.-Differenz (etwa 30 mg!) zwischen den in g ausgedrückten durchschnittlichen Atomgew. von Radium u. Radiumblei u. 5 He-Kernen wurde nach der Gleichung $m=E/c^2$ (s. Einsteins Masse-Energie-Gleichung) in Energie umgewandelt; Näheres s. bei Kernreaktionen u. Massendefekt.
Beim Zerfall eines natürlichen Radionuklids entsteht im allg. ein Kern, der wieder radioaktiv ist u. weiter zerfällt. Man kann daher für die natürlich radioaktiven Elemente (ab Ordnungszahl 81) sog. *„radioaktive Zerfallsreihen"* aufstellen, d.h. Folgen (*radioaktive Familien*) der jeweils auseinander hervorgehenden Radionuklide. Die Glieder der Zerfallsreihen haben die Massenzahlen $A=4n+0$ (*Thorium-Familie*), $A=4n+2$ (*Uran-Radium-Familie*) u. $A=4n+3$ (*Uran-Actinium-Familie*); die nicht natürlich vorkommende, vom Neptunium-Isotop $^{237}_{93}Np$ (bzw. schon vom Einsteinium-Isotop $^{249}_{99}Es$) ausgehende *Neptunium-Familie* hat $A=4n+1$ (n = ganze Zahlen). Die Endglieder der Familien sind jeweils stabile Blei-Isotope. Das erste Glied einer Zerfallsreihe – oft auch nur das jeweils dem betrachteten Radionuklid vorangehende Glied – wird als *Mutternuklid*, die folgenden Glieder (bzw. das folgende Glied) als *Tochterprodukt* bezeichnet. Ein analog zu verstehender Terminus ist *Mutterkern*. In der Tab. sind die drei natürlichen Zerfallsreihen wiedergegeben. Die Uran-Radium-Zerfallsreihe beginnt mit Uran I (Atomgew. rund 238) u. endet nach Verlust von 32 amu, entsprechend 8 Helium-Kernen, mit dem stabilen Radium G (Radiumblei, Atomgew. rund 206). Die 13 dazwischenliegenden instabilen Atomsorten gehen unter Aussendung von α- od. β-Strahlen in die nächstleichtere Atomsorte über. Dabei können Nebenwege („Verzweigungen") beschritten werden. Die Geschw. dieser Umwandlungen, die zum Teil um mehrere Größenordnungen verschieden ist, wird durch die *Halbwertszeit ($T_{1/2}$) angegeben, die für das einzelne Radioelement eine charakterist. Größe ist. Diese HWZ ist mit der *Lebensdauer (τ) eines Radionuklids über die *Zerfallskonstante* (λ) verknüpft: $1/\tau=\lambda=0{,}6931/T_{1/2}$.
Die radioaktiven Umwandlungen folgen einem Schema (vgl. Radionuklide), zu dessen Aufklärung von *Fajans, *Soddy u. *Russell Vorarbeit geleistet wurde (sog. *radioaktiver Verschiebungssatz*, 1913): Bei der Aussendung eines α-Teilchens (*α-Zerfall*) aus einem Radionuklid ändert sich dessen Ordnungszahl um zwei Einheiten, seine Massenzahl um vier Einheiten. Gibt sein Kern ein Elektron ab (*β^--Zerfall*), so nimmt dadurch die Ordnungszahl des betreffenden Radionuklids bei prakt. unveränderter Massenzahl um eine Einheit zu, entsprechend bei Positronen-Abgabe (*β^+-Zerfall*) um eine Einheit ab, s. Beta-Zerfall. Beim Aussenden von γ-Strahlung ändern sich weder die Massen- noch Ordnungszahl, sondern lediglich die Energieinhalte der Nuklide. α-Strahlung tritt bezeichnenderweise nur bei den schwersten Elementen mit höchsten Atomgew. auf; die α-Strahler beginnen mit dem Bismut im *Periodensystem, d.h. Elemente mit $Z>83$ zeigen natürlichen radioaktiven Zerfall.
Das Maß für die Intensität od. Stärke einer radioaktiven Quelle ist ihre **Aktivität*, d.h. die Anzahl der radioaktiven Umwandlungen od. isomeren Übergänge in den betrachteten radioaktiven Präp. pro Zeiteinheit. Einheit der Aktivität im Internat. Einheitensyst. (SI) ist seit 1. 1. 1986 das *Becquerel (Kurzz. Bq), das die bis dahin gebräuchliche Einheit *Curie (Kurzz. Ci) abgelöst hat – diese war ursprünglich definiert als die Aktivität von 1 g elementarem Radium. Abgeleitete Einheiten sind Bq/g (*spezif. Aktivität*) u. Bq/L (*Aktivitäts-Konz.*). Hochradioaktive Stoffe, die sehr energiereiche Strahlung emittieren, werden manchmal als *heiß* bezeichnet; Untersuchungen werden in *Heißen Zellen vorgenommen. Als *radioaktives Gleichgew.* bezeichnet man den Zustand einer Zerfallsreihe, bei dem in einer Zeitspanne ebenso viele Atome eines Gliedes zerfallen, wie durch den Zerfall des vorhergehenden Radionuklids wieder nachgebildet werden. Ein *stationäres Gleichgew.* (Dauergleichgew.) kann sich nur dann einstellen, wenn die HWZ der Muttersubstanz sehr groß gegenüber der aller Folgeprodukte ist. Alle Glieder einer unverzweigten Zerfallsreihe haben in diesem Falle die gleiche Aktivität. Ist die HWZ des Mutternuklids nicht sehr groß, sondern nur merklich größer als alle übrigen HWZ, so stellt sich ein *laufendes Gleichgew.* ein, bei dem die Aktivitäten aller Glieder der Zerfallsreihe in zeitlich konstanten Verhältnissen zueinander stehen; vgl. DIN 25401-1: 1986-09. In der *Radiobiologie ist die sog. *relative biologische Wirksamkeit (RBW) ein Maß für potentielle Strahlenschäden an lebenden Organismen od. Teilen eines Organismus (RBW = 20 für α-Strahlen u. bis 1 für β- bzw. γ-Strahlen, s. Äquivalent-Dosis, LET). Eine in der *Balneologie übliche Einheit für die Aktivitäts-Konz. ist das *Eman.
Vork.: R. ist in einem bestimmten Maß in der Natur vorhanden; die natürliche R. hat einen Dosismittelwert von 2 mSv/a. Der Wert hängt stark von der geolog. Struktur u. der Höhe über dem Meeresspiegel ab (s. Tab. 1 unter ionisierende Strahlung). In erhöhtem Maße ist R. anzutreffen in *Monazit u.a. radioaktiven Mineralien, in Rückständen „prähistor. Reaktoren" (s.

Tab.: Zerfallsreihen radioaktiver Elemente mit Verzweigungen (1–9).

Uran-Actinium-Zerfallsreihe

Isotop	(Histor.) Name	Halbwertszeit
$^{235}_{92}U$ ↓ $-\alpha$	Actinouran (AcU)	$7{,}13 \times 10^8$ a
$^{231}_{90}$**Th** ↓ $-\beta$	Uran Y (UY)	25,6 h
$^{231}_{91}$**Pa** ↓ $-\alpha$	*Protactinium (Pa)	$3{,}43 \times 10^4$ a
$^{227}_{89}$**Ac** ↓ $-\beta$ (Verzweigung 1)	*Actinium (Ac)	21,773 a
$^{227}_{90}$**Th** ↓ $-\alpha$	Radioactinium (RdAc)	18,17 d
$^{223}_{88}$**Ra** ↓ $-\alpha$	Actinium X (AcX)	11,7 d
$^{219}_{86}$**Rn** ↓ $-\alpha$	Actinon (An) (Actinium-Emanation)	4,0 s
$^{215}_{84}$**Po** ↓ $-\alpha$ (Verzweigung 2)	Actinium A (AcA)	$1{,}8 \times 10^{-3}$ s
$^{211}_{82}$**Pb** ↓ $-\beta$	Actinium B (AcB)	36,1 min
$^{211}_{83}$**Bi** ↓ $-\alpha$ (Verzweigung 3)	Actinium C (AcC)	2,15 min
$^{207}_{81}$**Tl** ↓ $-\beta$	Actinium C″ (AcC″)	4,78 min
$^{207}_{82}$**Pb**	Actinium D (AcD) (Actiniumblei)	∞

Uran-Radium-Zerfallsreihe

Isotop	(Histor.) Name	Halbwertszeit
$^{238}_{92}U$ ↓ $-\alpha$	*Uran I (UI)	$4{,}51 \times 10^9$ a
$^{234}_{90}$**Th** ↓ $-\beta$	Uran X_1 (UX_1)	24,10 d
$^{234m}_{91}$**Pa** ↓ $-\beta$ (Verzweigung 4)	Uran X_2 (UX_2) (Brevium)	1,18 min
$^{234}_{92}U$ ↓ $-\alpha$	Uran II (UII)	$2{,}48 \times 10^5$ a
$^{230}_{90}$**Th** ↓ $-\alpha$	Ionium (Io)	$8{,}0 \times 10^4$ a
$^{226}_{88}$**Ra** ↓ $-\alpha$	*Radium (Ra)	1600 a
$^{222}_{86}$**Rn** ↓ $-\alpha$	*Radon (Rn) (Radium-Emanation)	3,823 d
$^{218}_{84}$**Po** ↓ $-\alpha$ (Verzweigung 5)	Radium A (RaA)	3,05 min
$^{214}_{82}$**Pb** ↓ $-\beta$	Radium B (RaB)	26,8 min
$^{214}_{83}$**Bi** ↓ $-\beta$ (Verzweigung 6)	Radium C (RaC)	19,7 min
$^{214}_{84}$**Po** ↓ $-\alpha$	Radum C′ (RaC′)	$1{,}64 \times 10^{-4}$ s
$^{210}_{82}$**Pb** ↓ $-\beta$	Radium D (RaD) (Radioblei)	21 a
$^{210}_{83}$**Bi** ↓ $-\beta$ (Verzweigung 7)	Radium E (RaE)	5,0 d
$^{210}_{84}$**Po** ↓ $-\alpha$	Radium F (RaF) (*Polonium)	138,40 d
$^{206}_{82}$**Pb**	Radium G (RaG) (Radiumblei)	∞

Thorium-Zerfallsreihe

Isotop	(Histor.) Name	Halbwertszeit
$^{232}_{90}$**Th** ↓ $-\alpha$	*Thorium (Th)	$1{,}39 \times 10^{10}$ a
$^{228}_{88}$**Ra** ↓ $-\beta$	Mesothorium 1 ($MsTh_I$)	6,7 a
$^{228}_{89}$**Ac** ↓ $-\beta$	Mesothorium 2 ($MsTh_{II}$)	6,13 h
$^{228}_{90}$**Th** ↓ $-\alpha$	Radiothorium (RdTh)	1,91 a
$^{224}_{88}$**Ra** ↓ $-\alpha$	Thorium X (ThX)	3,64 d
$^{220}_{86}$**Rn** ↓ $-\alpha$	Thoron (Tn) (Thorium-Emanation)	55,6 s
$^{216}_{84}$**Po** ↓ $-\alpha$ (Verzweigung 8)	Thorium A (ThA)	0,16 s
$^{212}_{82}$**Pb** ↓ $-\beta$	Thorium B (ThB)	10,64 h
$^{212}_{83}$**Bi** ↓ $-\beta$ (Verzweigung 9)	Thorium C (ThC)	60,6 min
$^{212}_{84}$**Po** ↓ $-\alpha$	Thorium C′ (ThC′)	3×10^{-7} s
$^{208}_{82}$**Pb**	Thorium D (ThD) (Thoriumblei)	∞

1. $^{227}_{89}Ac \xrightarrow[1\,\%]{-\alpha} {}^{223}_{87}Fr \xrightarrow[22\,min]{-\beta} {}^{223}_{88}Ra$ — Actinium K (AcK)
2. $^{215}_{84}Po \xrightarrow[0{,}005\,\%]{-\beta} {}^{215}_{85}At \xrightarrow[ca.\ 10^{-4}\,s]{-\alpha} {}^{211}_{83}Bi$ — Actinium B′ (AcB′)
3. $^{211}_{83}Bi \xrightarrow[0{,}3\,\%]{-\beta} {}^{211}_{84}Po \xrightarrow[0{,}52\,s]{-\alpha} {}^{207}_{82}Pb$ — Actinium C′ (AcC′)
4. $^{234m}_{91}Pa \xrightarrow[1\,\%]{-\gamma} {}^{234}_{91}Pa \xrightarrow[6{,}66\,h]{-\beta} {}^{234}_{92}U$ — Uran Z (UZ)
5. $^{218}_{84}Po \xrightarrow[0{,}02\,\%]{-\beta} {}^{218}_{85}At \xrightarrow[1{,}35\,s]{-\alpha} {}^{214}_{83}Bi$ — Radium B′ (RaB′)
6. $^{214}_{83}Bi \xrightarrow[0{,}04\,\%]{-\alpha} {}^{210}_{81}Tl \xrightarrow[1{,}3\,min]{-\beta} {}^{210}_{82}Pb$ — Radium C″ (RaC″)
7. $^{210}_{83}Bi \xrightarrow[ca.\ 10^{-4}\,\%]{-\alpha} {}^{206}_{81}Tl \xrightarrow[4{,}20\,min]{-\beta} {}^{206}_{82}Pb$ — Radium E″ (RaE″)
8. $^{216}_{84}Po \xrightarrow[0{,}01\,\%]{-\beta} {}^{216}_{85}At \xrightarrow[ca.\ 3 \cdot 10^{-4}\,s]{-\alpha} {}^{212}_{83}Bi$ — Thorium B′ (ThB′)
9. $^{212}_{83}Bi \xrightarrow[35\,\%]{-\alpha} {}^{208}_{81}Tl \xrightarrow[3{,}1\,min]{-\beta} {}^{208}_{82}Pb$ — Thorium C″ (ThC″)

Oklo-Phänomen), im Abraum des Uran-Bergbaus, ggf. aber auch in Brillengläsern (enthalten Thorium), in Baustoffen[5], in der Abluft von Kohlekraftwerken[6] etc. Eine merkliche Erhöhung der radioaktiven *Kontamination ergab sich in den 60er Jahren durch den *Fallout aus *Kernwaffen-Versuchen in der Atmosphäre. Größere Mengen an R. können auch bei Vulkanausbrüchen wie z. B. dem des Mount St. Helens (USA) im Mai 1980 (10^{17} Bq) od. bei Reaktorunfällen (Tschernobyl/Ukraine, April 1986) frei werden[6] (s. a. ionisierende Strahlung). Zum Verhalten radioaktiver Nuklide in der Nahrungskette s. *Lit.*[7]. Dem Schutz des Menschen vor den – von der ionisierenden Strahlung ausgehenden – Folgen der R. dient der *Strahlenschutz, s. a. *Lit.*[8].

Die *Kontaminationen von Castor-Behältern, die im Frühjahr 1998 öffentlich bekannt wurden, überschritten die vorgeschriebenen Grenzwerte von 4 Bq/cm^2 z. T. erheblich (Zwischenlager Ahaus: Castor V/52-Behälter mit 7 Bq/cm^2, französ. Behälter mit „hot spot“ von 13400 Bq, im Kraftwerk Grohnde ankommender Waggon 23000 Bq; in allen Fällen waren die Behälter dicht u. die kontaminierte Stelle abgeschirmt u. nicht zugänglich), stellten aber keine nennenswerte Gefährdung dar. Die Dosisleistung der direkten Gammastrahlung z. B. des 13400 Bq-Spots beträgt in 1 m Entfernung 0,002 µSv/h durch Cäsium-137 u. 0,005 µSv/h durch Cobalt-60; dieses ist deutlich niedriger als die natürliche Strahlung von 0,070 µSv/h. Selbst eine Aufnahme der Substanzen in den Körper hätte durch Inhalation (Lunge) 0,5 mSv (Cäsium-137) u. 0,4 mSv (Cobalt-60) bzw. durch Ingestion (Magen, Darm) 0,2 mSv (Cäsium-137) u. 0,05 mSv (Cobalt-60) ergeben[9].

Verw.: Radioaktive Präp. zeigen interessante chem. Wirkungen; sie können z. B. den Sauerstoff der Luft in Ozon umwandeln u. Chlorwasserstoff, Ammoniak, Kohlenoxid, Kohlendioxid usw. in ihre Elemente zerlegen bzw. aus ihnen aufbauen. Da Wasser in Wasserstoff u. Sauerstoff gespalten wird (**Radiolyse*), darf man stärkere Präp. wegen der Bildung von Überdruck nicht zusammen mit Wasser in Glasröhren einschließen. Die Untersuchung der chem. Wirkung der von Radionukliden ausgehenden R. ist weniger ein Arbeitsgebiet der *Kernchemie u. *Radiochemie als vielmehr der *Strahlenchemie. Mit den biolog. Wirkungen der R. beschäftigen sich die *Radiobiologie (s. a. Strahlenbiologie), mit ihrer medizin. Anw. (z. B. als *Strahlentherapie) die *Radiologie. Zur Anw. der R. in Naturwisssenschaft u. Technik s. die hier benachbarten Stichwörter sowie Stichwörter mit den Präfixen Kern- u. Strahlen-, außerdem ionisierende Strahlung u. Kernreaktoren. – ***E*** radioactivity – ***F*** radioactivité – ***I*** radioattività – ***S*** radi[o]actividad

Lit.: [1] Minder, Geschichte der Radioaktivität, Berlin: Springer 1981; Keller, Die Geschichte der Radioaktivität, Stuttgart: Wissenschaftliche Verlagsges. 1982. [2] Kohlrausch, Praktische Physik 2, Stuttgart: Teubner 1996; Reich (Hrsg.), Dosimetrie ionisierender Strahlung, Stuttgart: Teubner 1990. [3] Kraut, Kernstrahlungsmeßtechnik, Bonn: Dtsch. Atomforum 1969. [4] Spektrum Wiss. **1990**, Nr. 5, 62. [5] New Sci. **99**, 3 (1983). [6] Rassow, Risiken der Kernenergie, Weinheim: VCH Verlagsges. 1988. [7] Naturwissenschaften **65**, 137 (1978). [8] Livesey et al., Radiation-Protective Drugs and Their Reaction Mechanisms, Park Ridge: Noyes 1985. [9] Stellungnahme der 154. Sitzung der Strahlenschutzkommission (SSK), Bonn bzw. INTERNET: http.//www.SSK.de; Phys. Unserer Zeit **29**, 178 (1998); Phys. Blätter **54**, 581 (1998).

allg.: Durrance, Radioactivity in Geology, Chichester: Horwood 1986 ▪ Eichholz u. Poston, Principles of Nuclear Radiation Detection, New York: Wiley 1986 ▪ Eisenbud, Environmental Radioactivity, New York: Academic Press 1986 ▪ Guinn, Radioactivity, in Encyclopedia of Physical Science and Technology, Vol. 14, S. 125–140, New York: Academic Press 1992 ▪ Kase et al., The Dosimetry of Ionizing Radiation, Bd. 1, New York: Academic Press 1985 ▪ Kathren, Radioactivity in the Environment, New York: Harwood 1984 ▪ Kirk-Othmer (4.) **17**, 466, 485; **19**, 1089; **20**, 405–859 ▪ Kocher, Radioactive Decay Data Tables, Springfield: NTIS 1981 ▪ *Kolthoff-Elving 14/1 (1986) ▪ Krieger, Strahlenphysik, Dosimetrie u. Strahlenschutz, Stuttgart: Teubner 1998 ▪ Mahesh u. Vij, Techniques of Radiation Dosimetry, New York: Wiley 1986 ▪ Phys. Bl. **52**, 233 (1996) ▪ Pochin, Nuclear Radiation: Risks and Benefits, Clarendon Press 1983 ▪ Radioaktive Stoffe u. ionisierende Strahlung, Bonn: Dtsch. Atomforum 1984 ▪ Ullmann **2/1**, 925–966; **9**, 86 ff.; **18**, 37 ff. ▪ Winnacker-Küchler (3.) **2**, 558–651; (4.) **3**, 464–528. Eine Vielzahl einschlägiger Titel werden von *IAEA, *OECD, *TÜV u. dem Dtsch. Atomforum (Referateorgan: Atom Informationen) herausgegeben.

Radioallergosorbens-Test s. Radioimmunoassay.

Radioastronomie. Teilgebiet der Astronomie, das mit Hilfe von Radioteleskopen (z. B. dem 100 m-Teleskop auf dem Effelsberg bei Bonn od. dem 45 m-Teleskop in Nobeyamo/Japan) die kosm. Radiofrequenzstrahlung (Bereich: ca. 1 mm bis 20 m) untersucht. Die beobachteten Signale werden z. T. durch Rotationsübergänge *interstellarer Moleküle verursacht. Bisher wurden ca. 100 interstellare Mol. mit Hilfe der R. entdeckt; s. die Tab. auf S. 1947. Kürzlich neuentdeckte Mol. sind das ungesätt. Carben H_2C_6 u. das lineare Radikal $^{\bullet}C_7H$ (*Lit.*[1,2]). Die ersten bedeutsamen Untersuchungen der R. erfolgten an atomarem Wasserstoff, dem häufigsten Atom im Kosmos. Er hat eine Radiolinie bei 21 cm, die dem Übergang zwischen den beiden Hyperfeinstrukturniveaus (s. Hyperfeinstruktur) im elektron. *Grundzustand entspricht; s. a. interstellare Materie. – ***E*** radio astronomy – ***F*** radioastronomie – ***I*** radioastronomia – ***S*** radioastronomía

Lit.: [1] Astrophys. J. Lett. **480**, L 63–L 66 (1997). [2] Astron. Astrophys. **317**, L 1–L 4 (1997).

allg.: s. interstellare Materie u. interstellare Moleküle.

Radiobiochemikalien. Sammelbez. für in der Biochemie, Immunchemie u. Nuklearmedizin verwendete radioaktiv *markierte Verbindungen einschließlich *Radiopharmazeutika. – ***E*** radiobiochemicals – ***F*** produits radiobiochimiques – ***I*** prodotti radiobiochimici – ***S*** productos radiobioquímicos

Radiobiologie. Ein Teilgebiet der biolog. Wissenschaften, das sich mit der Einwirkung der aus natürlicher od. künstlicher *Radioaktivität stammenden *ionisierenden Strahlung auf biolog. Syst. (Organismen, Zellen u. deren Bausteine) befaßt; Näheres s. bei Strahlenbiologie u. relative biologische Wirksamkeit. – ***E*** radiobiology – ***F*** radiobiologie – ***I*** radiobiologia – ***S*** radiobiología

Radioblei s. Radioaktivität.

Radiochemie. Im weitesten Sinne ist R. der Teil der *Chemie*, der sich mit *radioaktiven Stoffen beschäftigt. Nicht selten versteht man unter R. jedoch nur dasjenige Teilgebiet der **Kernchemie*, das sich mit Herst., chem. Eigenschaften u. Anw. von *Radionukliden befaßt, u. zwar vorwiegend solchen, die bei *Kernreaktionen meist in Spurenmengen entstehen. Bei Aktivitäten oberhalb ca. 100 GBq (>10 Ci) – z. B. in der *techn. Kernchemie* bei der Verarbeitung *radioaktiver Abfälle – spricht man im Jargon von *heißer Chemie* (heiß = hochradioaktiv). Also kann auch „der chem. Teil" der Wiederaufarbeitung von *Brennelementen, der Herst. von radioaktiven Strahlenquellen u. *markierten Verbindungen etc. zur R. gerechnet werden. Ein weitgehend selbständiger Zweig der R. (bzw. der Kernchemie) ist die sog. *Chemie der *Heißen Atome*, die sich mit dem Studium der chem. Umwandlungen beschäftigt, die aufgrund der Rückstoßenergie bei Kernprozessen zustande kommen [1]. Die *angewandte R.* befaßt sich mit dem Einsatz der Radionuklide in der Biochemie, Nuklearmedizin, Klin. Chemie (*Radioimmunoassay), Landwirtschaft u. Ind., v. a. aber in der Analyt. Chemie; *Beisp.:* *Altersbestimmung, *Hevesy-Paneth-Analyse u. *Isotopenverdünnungsanalyse, (*Neutronen-) *Aktivierungsanalyse u. a. Meth. der *Spurenanalyse. Bezüglich der Einrichtung u. des Aufbaus eines Labors für R. s. Radionuklid-Laboratorium. – ***E*** radiochemistry, nuclear chemistry – ***F*** radiochimie – ***I*** radiochimica – ***S*** radioquímica

Lit.: [1] Matsuura, Hot Atom Chemistry, Amsterdam: Elsevier 1984.
allg.: Brune et al., Nuclear Analytical Chemistry, New York: Chartwell-Bratt 1984 ▪ Das et al., Environmental Radioanalysis, Amsterdam: Elsevier 1983 ▪ Geary u. James, Radiochemical Methods, New York: Wiley 1986 ▪ Hagebø u. Salbu, Aspects of Nuclear Science, Oxford: University Press 1987 ▪ Herforth et al., Praktikum der Radioaktivität u. der Radiochemie, 3. Aufl., Leipzig: Barth 1992 ▪ Jervis u. Monaro in: Lawrence, Trace Analysis, Bd. 4, New York: Academic Press 1985 ▪ Kirk-Othmer (4.) **20**, 830–858 ▪ *Kolthoff-Elving, Bd. 14/1 (1986) ▪ Loveland, Nuclear Chemistry, in Encyclopedia of Physical Science and Technologies, Vol. 1, S. 141–162, New York: Academic Press 1992 ▪ Vértes u. Kiss, Nuclear Chemistry, Amsterdam: Elsevier 1987 ▪ s. a. Heiße Atome u. Kernchemie.

Radiochromatographie. Bez. für die Kombination aus *Chromatographie u. *Radiographie bzw. *Radiometrie. Bei der erstmals 1942 von O. *Hahn an Aluminiumoxid ausgeführten R. (*radiometr. Adsorptionsanalyse*) handelt es sich um die Trennung von radioaktiv *markierten Verbindungen bzw. von Substanzen, denen relativ kleine Mengen von *Radioindikatoren zugesetzt wurden. Die R. wird sowohl als *Dünnschicht- u. *Papierchromatographie als auch als *Säulenchromatographie (HPLC, GC) ausgeführt. Die Detektion der radioaktiv markierten Verb. aufgrund der von ihnen ausgehenden *Strahlung erfolgt bei der Schichtchromatographie heute im allg. durch geeignete Proportionalzähler u. durch *Autoradiographie (*Auto-R.*), bei der Säulenchromatographie mittels Durchfluß-*Szintillationszähler (*Radio-HPLC*) u. Durchflußproportionalzähler nach chem. Umwandlung (*Radio-Reaktions-GC*). – ***E*** radiochromatography – ***F*** radiochromatographie – ***I*** radiocromatografia – ***S*** radiocromatografía

Lit.: Chromatogr. Sci. **30**, 497–539 (1985) ▪ GIT Suppl. **4**, 24–28 (1984) ▪ Roberts, Radiochromatography, Amsterdam: Elsevier 1978 ▪ s. a. Radiographie u. Radiometrie.

Radiographie (von *Radio... u. griech.: graphein = schreiben). In Analogie zu *Photographie gebildeter Begriff, unter dem man die Sichtbarmachung **ionisierender Strahlung* mittels photograph. Materials versteht. Das in der photograph. Schicht entstehende sog. *Radiogramm* ist also das Bild eines Gegenstandes. Dieses wird bei der **Autoradiographie* hervorgerufen durch die Eigenstrahlung von entweder bereits im Gegenstand vorhandenen radioaktiven Elementen od. durch Aktivierung dieser mittels Bestrahlung von außen. Je nach angewandter Strahlung unterscheidet man *Gammagraphie, Röntgenographie* (R. mit *Röntgenstrahlung einschließlich der sog. *Computer-Tomographie), Protonen-* u. *Neutronen-Radiographie.* Neutronenstrahlen lassen sich nämlich (indirekt) photographieren, wenn man Photoplatten verwendet, die einen Stoff enthalten, der in seinen Atomkernen Neutronen absorbiert u. dadurch künstlich radioaktiv wird (Prinzip der *Neutronen-*Aktivierungsanalyse). Die Bilder der *Neutronen-R.* unterscheiden sich von Röntgenaufnahmen jedoch wesentlich, da die Schwermetalle für Röntgenstrahlen schwer, für Neutronenstrahlen hingegen leicht durchlässig sind, während z. B. Wasserstoff sich umgekehrt verhält. Anw. findet die R. – bei quant. Auswertung der Radiogramme kann man die R. als Meth. der *Radiometrie ansehen – in der zerstörungsfreien *Werkstoffprüfung (Untersuchung von Schweißnähten, Werkstückrissen etc.), in der medizin. Radiologie (ggf. in Verbindung mit radioopaken, d. h. für Strahlung undurchdringlichen Stoffen wie z. B. *Röntgenkontrastmitteln), in der *Szintigraphie, v. a. als Autoradiographie zur Untersuchung von Transport- u. *Stoffwechsel-Vorgängen in pflanzlichen u. tier. Organismen u. Organen, in der Archäologie u. der *Kunstwerkprüfung, als *Radiochromatographie u. Radioelektrophorese. – ***E*** radiography – ***F*** radiographie – ***I*** radiografia – ***S*** radiografía

Lit.: Barton u. von der Hardt, Neutron Radiography, Dordrecht: Reidel 1983 ▪ Becker, Grobstrukturprüfung mittels Röntgenstrahlung u. Gammastrahlung, Leipzig: Grundstoffind. 1984 ▪ Björklund u. Hökfelt, Methods in Chemical Neuroanatomy, Amsterdam: Elsevier 1983 ▪ Domanus, Reference Neutron Radiographs of Nuclear Reactor Fuel, Dordrecht: Reidel 1984 ▪ Dühmke, Medizinische Radiographie mit schnellen Neutronen, München: Thiemig 1980 ▪ Felix et al., Contrast Media in Digital Radiography, Amsterdam: Excerpta Medica 1983 ▪ *Kolthoff-Elving **14/1** (1986) ▪ Sharp, Radionuclide Imaging Techniques, Clinical, in Encyclopedia of Physical Science and Technology, Vol. 14, S. 191–200, New York: Academic Press 1992 ▪ Sovak, Radiocontrast Agents (Hdb. Exp. Pharm. 73), Berlin: Springer 1984.

Radio-HPLC s. Radiochromatographie.

Radioimmunkonjugate s. Immunkonjugate.

Radioimmunoassay (Abk.: RIA). Aus dem Engl. (*E* assay = Versuch, Probe, Analyse) übernommene Bez. für eine Reihe von Verf. der *Nuklearmedizin u. der analyt. *Immunchemie, bei denen *in vitro* mit Hilfe spezif. wirkender *Antikörper (Ak, meist *monoklonale Antikörper) u. eines radioaktiven Indikators *Antigene (Ag) u. *Haptene quant. bestimmt werden. Alternativ können Ak unter Zuhilfenahme von Ag od. anderen Ak bestimmt werden. Proteine werden üblicherweise mit dem Iod-Nuklid ^{125}I markiert. Der RIA stellt somit eine Kombination der hochspezif. **Anti-*

gen-Antikörper-Reaktion mit der sehr präzisen Aktivitätsmessung von **Radioindikatoren* dar; dementsprechend ist ein empfindlicher Nachw. auch in komplexen Gemischen in spezif. Weise möglich. Heute steht eine große Zahl kommerzieller Reagenziensätze (RIA-Kits) zur routinemäßigen Anw. der Meth. zur Verfügung. Vgl. können gezogen werden zu nichtradioaktiven *Immunoassays, wie z. B. zum *Enzymimmunoassay (EIA), bei dem eine enzymat. Reaktion zur Indikation verwendet wird. Eine verwandte Meth. ist auch der *Radiorezeptor-Test*, der auf der Rezeptor-Ligand-Wechselwirkung beruht.

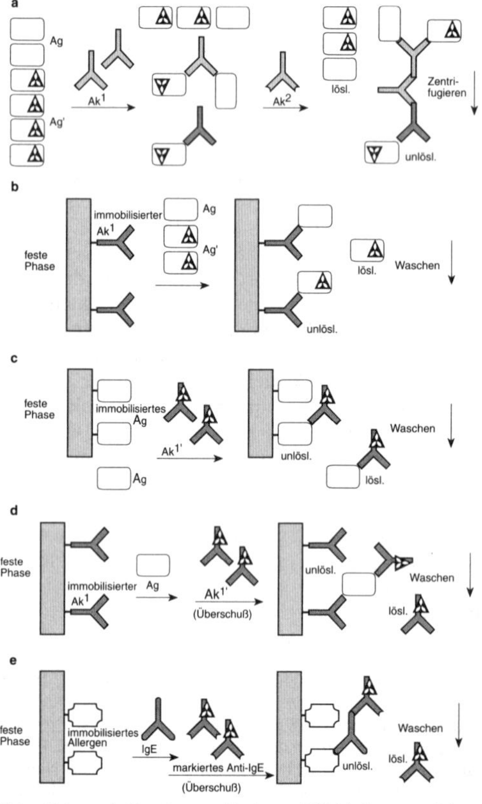

Abb.: Schemat. Darst. verschiedener RIA-Varianten: a) kompetitiver RIA, – b) RIST, – c) IRMA, – d) nichtkompetitiver RIA, – e) RAST.

Man unterscheidet verschiedene Varianten (s. Abb.). Beim *kompetitiven* RIA wird die Probe des zu bestimmenden Ag mit einer bekannten Menge von radioaktiv markiertem, ansonsten gleichartigem Ag′ versetzt. Bei der Reaktion mit einem spezif. Ak^1 wird um so weniger Ag′ gebunden, je mehr Ag die Probe enthielt. Vor dem Nachw. des Ag′-Ak^1-Komplexes im Szintillationszähler muß er von freiem Ag′ getrennt werden. Dies geschieht durch Ausfällung mit einem gegen Ak^1 gerichteten Ak^2 u. Zentrifugation. Beim *Radioimmunosorbens-Test* (RIST) ist dagegen Ak^1 u. somit auch der Ag′-Ak^1-Komplex an eine feste Phase (z. B. Sephadex® od. eine Mikrotiterplatte) gebunden (immobilisiert), die sich leicht von ungebundenem Ag′ freiwaschen läßt – oft mit *Immunglobulin E (IgE) als Ag verwendet. Beim *immunradiometr. Assay* (IRMA) reagiert ein markierter $Ak^{1'}$, u. das zu bestimmende Ag tritt mit immobilisiertem Ag in Kompetition. Dabei kann die Markierung des Ak^1 in einer Bindung eines gegen ihn gerichteten markierten $Ak^{2'}$ bestehen (Ak^1-$Ak^{2'}$-Komplex statt $Ak^{1'}$; Doppelantikörper-IRMA). Beim *nichtkompetitiven* RIA muß die Probe (Ag bzw. Ak^1) mit einem Überschuß an radiomarkiertem Reagenz ($Ak^{1'}$ bzw. Ag′, in letzterem Fall ggf. auch markiertem *Protein A) zur Reaktion gebracht u. der resultierende Komplex von überschüssigem Reagenz abgetrennt werden. Dies geschieht meist durch Bindung an feste Phase mit Hilfe von immobilisiertem Ak^1 od. Ag u. anschließendem Waschen (Zwei-Seiten- od. Sandwich-Test). Speziell beim *Radioallergosorbens-Test* (RAST) wird IgE an ein spezif. immobilisiertes Ag (Allergen) gebunden u. mit einem markierten Anti-IgE-Ak detektiert.

Verw.: Zur Bestimmung von *Peptidhormonen u. a. Hormonen, zur Diagnose von Krebs[1], Infektionen (z. B. mit Hepatitis-Viren) od. Stoffwechselkrankheiten (z. B. Hypothyreose), in der Pharmakologie, als RAST zur Bestimmung von spezif. IgE, als RIST zur Bestimmung von Gesamt-IgE, weiter zum Nachw. von Fremdstoffen (z. B. Anabolika od. PCB) in Nahrungsmitteln, von Rauschmitteln in der forens. Chemie, zum Screening in der Gesundheitsvorsorge, zur Rückstandsanalyse in Bodenproben usw. – Der RIA wurde 1958 von Berson u. *Yalow entwickelt; 1977 erhielt letzterer dafür den Nobelpreis für Medizin. – ***E*** radioimmunoassay – ***F*** radioimmuno-essai – ***I*** saggio radioimmunologica, dosaggio (test) radioimmunologico – ***S*** radioinmunoensayo

Lit.: [1] J. Nucl. Med. **33**, 803–814 (1992).
allg.: Chard, An Introduction to Radioimmunoassay and Related Techniques, Amsterdam: Elsevier 1995.

Radioimmunosorbens-Test s. Radioimmunoassay.

Radioindikatoren. Mehrdeutige Bez., unter der man verstehen kann: a) *Radioaktive Indikatoren* od. *radioaktive Tracer* als Indikatoren od. *Tracer, deren kennzeichnendes Merkmal die *Radioaktivität ist, – b) **Indikatoren*, die zusätzlich radioaktiv sind u. – c) *Radioisotopen-Indikatoren* als Isotopen-Indikatoren, in denen ein Isotop einer in ihnen vorkommenden Atomart radioaktiv ist u. die als chem. Tracer verwendet werden (z. B. Verb. mit ^3H, ^{14}C, ^{35}S, ^{32}P als radioaktive *Leitisotopen*); Näheres u. Beisp. für die Verw. von R. in *Nuklearmedizin u. Technik s. z. B. *Lit.*[1]; s. a. bei Radiometrie, Hevesy-Paneth-Analyse, markierte Verbindungen u. Tracer. – ***E*** radioactive tracers – ***F*** traceurs radioactifs – ***I*** radioindicatori – ***S*** trazadores (indicadores) radioactivos

Lit.: [1] Chem.-Tech. **9**, 229–236 (1980).
allg.: Blaszkowski u. Insull, Proc. Workshop on the Development of Markers for Use as Adherence Measures in Clinical Studies, Amsterdam: Elsevier 1984 ▪ Bowring, Radionuclide Tracer Techniques in Haematology, London: Butterworth 1981 ▪ Buncel u. Lee, Isotopes in Organic Chemistry, Secondary & Solvent Isotope Effects, Amsterdam: Elsevier 1987 ▪ Colombetti, CRC Series in Radiotracers in Biology and Medicine (mehrbändig), Boca Raton: CRC Press (seit 1982) ▪ Führ, Praxisnahe Tracerversuche zum Verbleib von Pflanzenschutzwirkstoffen im Agrarökosystem (N 326), Opladen: Westdtsch. Verl. 1984 ▪ Kirk-Othmer (4.) **20**, 670–859 ▪ *Kolthoff-Elving, Bd. 14/1 (1986) ▪ L'Annunziata u. Legg, Isotopes and

Radiation in Agricultural Sciences (2 Bd.), London: Academic Press 1984 ▪ Thakur, Radiolabelled Cellular Blood Elements, New York: Plenum 1985 ▪ Wellner, Tracer in Lebewesen, Stuttgart: Hippokrates 1982. Zahlreiche einschlägige Publikationen werden von der *IAEA herausgegeben.

Radioisotope. Bez. für die radioaktiven *Isotope *eines bestimmten* Elementes; *Beisp.:* Wasserstoff besteht aus den Isotopen Protium (^{1}H), Deuterium (^{2}H) u. Tritium (^{3}H); davon ist nur ^{3}H radioaktiv. Der Sammelbegriff für die R. *aller* Elemente ist *Radio*nuklide*. Es gibt ≫1900 bekannte Radionuklide, aus denen z. B. für Anw. in der *Radiologie solche geeigneter *Aktivität u. *Halbwertszeit ausgewählt werden können (z. B. für die *Radiographie, die Strahlentherapie in der *Nuklearmedizin od. als Strahlenquelle für Isotopenbatterien). Stehen jedoch neben den radioaktiven bes. die *chem.* Eigenschaften eines Elements im Vordergrund, wie z. B. bei *markierten Verbindungen u. allg. bei *Radioindikatoren, in der *Autoradiographie etc., dann wird man unter den R. eines bestimmten Elements suchen müssen; Näheres zur Herst. u. Verw. s. bei Radionukliden. – ***E = F*** radioisotopes – ***I*** radioisotopi – ***S*** radioisótopos

Lit.: s. Radionuklide.

Radiokarbon-Methode s. Radiokohlenstoff-Datierung.

Radiokohlenstoff-Datierung (Radiokarbon-Meth., C 14-Datierung). Bez. für eine von *Libby seit 1947 entwickelte physikal. Meth., die eine *Altersbestimmung von ehemals belebten (z. B. Holz, Knochen, Zähne, Torf) od. Carbonate enthaltenden (z. B. Muschelschalen) Gegenständen mit einem verhältnismäßig hohen Genauigkeitsgrad ermöglicht. Die R.-D. beruht darauf, daß durch die Primär-Teilchen der *kosmischen Strahlung in der Atmosphäre Neutronen gebildet werden, die aus dem Stickstoff der Luft nach $^{14}_{7}N(n,p)^{14}_{6}C$ radioaktiven Kohlenstoff bilden, der mit einer *Halbwertszeit von 5730 a unter Aussendung von β-Strahlen geringer Energie wieder in $^{14}_{7}N$ übergeht. Die frisch gebildeten ^{14}C-Atome werden in der Erdatmosphäre rasch zu Kohlendioxid oxidiert, das sich gleichmäßig mit dem atmosphär. CO_2 vermischt u. zusammen mit diesem in den Kohlenstoff-*Kreislauf eingeht (*Photosynthese – *Nahrungskette – *Atmung – Verwesung). So kann ein $^{14}CO_2$-Mol. aufgrund der hohen HWZ durch viele lebende Pflanzen u. Tiere hindurchwandern. Die *lebenden* Organismen enthalten pro 10^{12} stabilen ^{12}C- u. ^{13}C-Atomen ein radioaktives ^{14}C-Atom; dieser Anteil bleibt zu Lebzeiten der Organismen ziemlich unverändert, da durch den Stoffwechsel (Assimilation usw.) immer wieder neues ^{14}C aus der Luft aufgenommen wird. Nach dem Tode hört der Stoffwechsel jedoch auf, u. da von einem *toten* Organismus somit kein radioaktives ^{14}C mehr aufgenommen werden kann, zerfällt der zum Zeitpunkt des Todes vorhandene ^{14}C-Anteil. Bei etwa 17 150 a alten Leichen ist der Gehalt an radioaktivem Kohlenstoff auf ⅛ des zu Lebzeiten vorhandenen Betrages abgesunken. Zur Messung solch schwacher Radioaktivität muß man Anreicherungs-Verf. anwenden. Die sog. Beschleuniger-Massenspektrometrie (Abk.: AMS von *E* Accelerator *M*ass *S*pectrometry) erlaubt es heute, ^{14}C mit Hilfe kernphysikal. Meßmeth. im ppt- bis ppq-Bereich (von 10^{-12} bis 10^{-16}) selbst in kleinsten Probenmengen (Milligrammbereich) noch nachzuweisen[1]. Verfälschungen der R.-D. von Carbonaten aus tier. *Fossilien kommen z. B. durch *Austauschreaktionen im feuchten Erdreich zustande. Zuverlässiger ist die R.-D. des im *Collagen eingebauten ^{14}C.

Die R.-D. ermöglicht plausible *Altersbestimmungen für Zeiträume von 1000–40 000 a; eine Ausdehnung bis zu 100 000 a erscheint möglich, denn neuerdings bestimmt man das $^{14}C/^{12}C$-Verhältnis direkt durch Massenspektrometrie[2]. Voraussetzungen für die Zuverlässigkeit der R.-D. sind allerdings die Gleichförmigkeit der Sonneneinstrahlung u. damit der Neutronen-Bildung, die Konstanz des erdmagnet. Feldes, der CO_2-Konz. in der Lufthülle u. deren $^{12}C/^{14}C$-Verhältnis. Zuweilen ergaben sich auch Unstimmigkeiten beim Vgl. der Ergebnisse aus der R.-D. mit histor. Altersangaben od. den Resultaten anderer *Geochronologie-Meth., z. B. der *Dendrochronologie od. der *Racemisierung von Aminosäuren[3]. Es zeigte sich nämlich, daß der ^{14}C-Gehalt der Atmosphäre in den vergangenen Jahrtausenden gewissen Schwankungen unterworfen war. Als Ursachen sind anzusehen: Änderungen des Erdmagnetfelds, der Sonnenaktivität u. damit der kosm. Strahlung sowie seit 1850 die stärkere Nutzung fossiler, bereits an ^{14}C verarmter Brennstoffe. Andererseits hat sich durch die Kernwaffenversuche insbes. der 60er Jahre der ^{14}C-Gehalt deutlich erhöht. Die Probleme bei der Standardisierung u. Kalibrierung sind in *Lit.*[1] beschrieben.

Verw.: Zur Altersbestimmung von *Fossilien u. Gegenständen geschichtlicher u. vorgeschichtlicher Zeit für die Anthropologie u. Archäologie, zu Untersuchungen über Zusammenhänge zwischen *Sonnen-Aktivität u. *Klima früherer *Erdzeitalter, zu Echtheitsuntersuchungen an Reliquien, Waffen, Schmuckstücken u. Gemälden (*Kunstwerkprüfung), zur Aufklärung von Lebensmittelfälschungen (das durch Gärung von Wein entstandene Ethanol enthält viel mehr ^{14}C als evtl. zugesetztes synthet., das über Ethylen aus Erdöl hergestellt wurde) usw. – ***E*** radiocarbon dating – ***F*** datation radiocarbone – ***I*** datazione radiocarbonica, metodo del carbonio-14 – ***S*** datación por radiocarbono

Lit.: [1] Phys. Unserer Zeit **25**, 58 (1995). [2] Spektrum Wiss. **1986**, Nr. 3, 110–121. [3] Chem. Labor Betr. **28**, 339–348 (1977).
allg.: Adv. Archaeolog. Meth. Theory **4** (1981) ▪ Annu. Rev. Earth Planet. Sci. **6**, 457–494 (1978) ▪ Annu. Rev. Ecol. Syst. **11**, 359–386 (1980) ▪ Berger u. Suess, Radiocarbon Dating, Berkeley: University of California Press 1979 ▪ Environ. Health Crit. **25**, 40–51 (1983) ▪ Hrouda, Methoden der Archäologie, S. 111–124, München: Beck 1978 ▪ Naturwissenschaften **62**, 476–481 (1975); **68**, 472 ff. (1981) ▪ Polach, Radiocarbon Dating Literature. The first 21 Years 1947–1968, London: Academic Press 1988 ▪ Taylor, Radiocarbon Dating, in Encyclopedia of Physical Science and Technology, Vol. 14, S. 173–176, New York: Academic Press 1992 ▪ Willkomm, Altersbestimmungen im Quartär, München: Thiemig 1976 ▪ s. a. Geochronologie.

Radiolarit s. Kieselgesteine.

Radiologie. Lehre von den *ionisierenden Strahlen u. ihren Anw. in Medizin u. Biologie (s. a. Strahlenbiologie). In der Medizin ist die R. als Strahlenheilkunde ein Gebiet, das sich mit der Anw. ionisierender Strahlen in Diagnostik u. Therapie befaßt. Verschiedene Teilgebiete sind Röntgendiagnostik (s.a. Röntgenstrahlung), *Nuklearmedizin u. *Strahlentherapie. – ***E*** radiology – ***F*** radiologie – ***I*** radiologia – ***S*** radiología

Radiolumineszenz s. Lumineszenz.

Radiolyse (von *Radio... u. *...lyse). Bez. für einen der *Photolyse analogen Vorgang der Spaltung einer chem. Bindung in organ. Verb. durch Einwirkung von *ionisierender Strahlung. Die Wechselwirkung zwischen Strahlung u. Materie in dem hier in Frage kommenden Energiebereich betrifft dabei ausschließlich die Elektronenhüllen; es werden also keine *Kernumwandlungen vollzogen, u. die Materie selbst wird nicht radioaktiv. Durch die R. können aber beim Bestrahlen von Arzneimitteln od. deren Rohstoffen Substanzen mit veränderten pharmakolog. u. toxikolog. Eigenschaften entstehen. Die Primärprodukte der R. sind *Radikale, *Ionen, *Radikal-Ionen, angeregte Mol. u. *solvatisierte Elektronen; Näheres s. bei Strahlenchemie. Die R. tritt in Ggw. von Sauerstoff u./od. Wasser ein. Ein spezielles Verf. der R. ist die *Pulsradiolyse. – ***E*** radiolysis – ***F*** radiolyse – ***I*** radiolisi – ***S*** radiolisis

Lit.: Verordnung über radioaktive od. mit ionisierenden Strahlen behandelte Arzneimittel (AmRadV) vom 28.01.1987, BGBl. I (1987) ▪ Wallhäußer, Praxis der Sterilisation, Stuttgart: Thieme 1995 ▪ s. Strahlenchemie.

Radiometrie. 1. Sammelbez. für Meth. zur quant. Bestimmung von Substanzen aufgrund der von ihnen emittierten radioaktiven Strahlung; auch die quant. betriebene *Radiographie kann man hierzu zählen. Anw. findet die R. prakt. überall da, wo *Radionuklide als *Radioindikatoren zu Meßzwecken eingesetzt werden, beispielsweise in der Textiltechnik, in der Papier- u. Kunststoff-Ind., in der Staub- u. Aerosolmessung, bei Abwassermengenbestimmungen u. verfahrenstechn. Untersuchungen, z.B. von Transportvorgängen wie Migration, Penetration, Permeation von Chemikalien in Kunststoffen u. Membranen. Radiometr. Meth., v.a. unter Verw. von ^{14}C-*markierten Verbindungen, werden in großem Umfang eingesetzt in der medizin. Forschung bei Studien zur Pharmakokinetik u. zum Metabolismus von Arzneimitteln, bei Pflanzenschutzmitteln, Tensiden u.a. Xenobiotika zur Untersuchung von Rückstandsbildung, biolog. u. abiot. Abbau, Versickerung im Boden usw. Bes. wichtig sind radiometr. Überwachungen von kerntechn. Anlagen, z.B. von deren Abwässern [1]. Auch die *Geochronologie u. die Archäologie [2] machen Gebrauch von radiometr. Meth.; *Beisp.:* *Radiokohlenstoff-Datierung u.ä. *Altersbestimmungen. Als *radiometr. Adsorptionsanalyse* wurde früher die *Radiochromatographie bezeichnet. Die *radiometr. Endpunktbestimmung* od. *radiometr. Titration* läuft ab unter Zusatz eines radioaktiven *Indikators, der am Äquivalenzpunkt gefällt od. aufgelöst werden kann, wodurch sich die Aktivität der Lsg.-Phase ändert.

2. Häufig, bes. im engl. Sprachgebrauch, wird unter R. (auch) die Messung von *opt. Strahlung* – z.B. von Licht-, Laser-, aber auch Wärmestrahlung – verstanden. – ***E*** radiometry – ***F*** radiométrie – ***I*** radiometria – ***S*** radiometría

Lit.: [1] Chem. Tech. **5**, 181 f. (1976). [2] Naturwissenschaften **62**, 476–481 (1975).
allg.: Anal. Chem. **62**, 50R–70R (1990) ▪ Kirk-Othmer (3.) **2**, 640–643; **19**, 660–672 ▪ *Kolthoff-Elving, Bd. 14/1 (1986) ▪ Stolz, Messung ionisierender Strahlung, Berlin: Akademie-Verl. 1989 ▪ s.a. Radiographie, Radioindikatoren u. Radionuklide.

Radiomimetika. Wenig gebräuchliche Bez. für Substanzen, die auf den Organismus ähnlich wirken (griech.: mimētikós = nachahmend) wie *ionisierende Strahlung, nämlich indem sie die Zellteilung beeinträchtigen. Zu den R. gehören alkylierende *Cytostatika. – ***E*** radiomimetics – ***F*** radiomimétiques – ***I*** radiomimetici – ***S*** radiomiméticos

Radionuklide. Sammelbez. für alle *Nuklide, die sich durch ihre *Radioaktivität von stabilen Nukliden abheben; zur terminolog. Unterscheidung zwischen „R." u. den irrtümlicherweise oft mit diesen begrifflich gleichgesetzten Radioisotopen s. dort. R. sind Nuklide, die durch ggf. mehrfache radioaktive Umwandlungen (spontane *Kernumwandlungen) in stabile Nuklide übergehen. Sie können natürlichen Ursprungs sein (z.B. ^{40}K od. die Glieder der 3 großen Zerfallsreihen, s. Radioaktivität) od. durch *Kernreaktionen künstlich erzeugt werden (z.B. *Transurane). Als charakterist. Konstanten der R. gelten: – 1. Die *Zerfallskonstante* (λ) (Zerfallswahrscheinlichkeit od. Proportionalitätsfaktor), mit der die Anzahl der vorhandenen Atome eines R. multipliziert werden muß, um die Anzahl der in der Zeiteinheit zerfallenden Atome zu erhalten, bzw. die *mittlere *Lebensdauer* (τ) als reziproker Wert der Zerfallskonstanten, die beide mit der HWZ (*Halbwertszeit, $T_{1/2}$) in folgendem Zusammenhang stehen: $1/\tau = \lambda = \ln 2/T_{1/2} \approx 0{,}6931/T_{1/2}$; – 2. die *spezif. Gammastrahlenkonstante* (Dosisleistungskonstante); – 3. das *Konversionsverhältnis* (vgl. Kernenergie).

Wichtige *natürliche R.* sind z.B. ^{210}Po, ^{220}Rn, ^{226}Ra, ^{232}Th, ^{235}U, ^{238}U [zur hier verwendeten Symbolik s. Kernreaktionen u. chemische Zeichensprache (1.)]. Sie zerfallen unter α- od. β^--Emission; als Begleiterscheinung werden häufig (z.B. bei ^{226}Ra) γ-Quanten emittiert, deren Energie ebenfalls mehrere MeV od. keV beträgt. Anw.-techn. wesentlich wichtiger sind die *künstlich erzeugten R.*, die sich von allen Elementen herstellen lassen. Hierfür stehen prinzipiell eine Anzahl von Wegen offen, die in unterschiedlichem Maß bei der Herst. beschritten werden. Zur Gewinnung von nicht zu kurzlebigen R. nutzt man die bei der *Kernspaltung* von Uran in *Reaktoren auftretenden Spaltprodukte, indem man verbrauchte *Brennelemente (s.a. Kernbrennstoffe) z.B. nach dem *Purex-Verfahren aufarbeitet – die Spaltprodukte liegen in Mengen von wenigen ppm bis >3% im abgebrannten Brennstoff vor, aus dem sie durch Extraktionsprozesse isoliert werden können. Zu den wichtigsten Spaltprodukten gehören ^{85}Kr, ^{137}Cs, ^{89}Sr, ^{90}Sr, ^{140}Ba, ^{95}Zr, ^{99}Mo, ^{106}Ru, ^{144}Ce, ^{147}Nd, die ihrerseits wieder *Mutternuklide* (s. Radioaktivität) weiterer, meist durch *Beta-Zerfall entstehender *Tochterprodukte* sind. Viele nützliche R. werden aus *radioaktivem Abfall extrahiert. Zahlreicher als die so erhaltenen R. sind R., die durch *induzierte Kernreaktionen* hergestellt werden; ihr Verwandtschaftsprinzip ist schon 1913 von *Fajans,

*Soddy u. *Russell (*radioaktiver Verschiebungssatz*) erkannt worden; die Abb. stellt die mit den *Kernumwandlungen verbundenen Änderungen der *Massenzahl u./od. Kernladungszahl (*Ordnungszahl) zusammen (zur symbol. Schreibweise s. Kernreaktionen). Die techn. wichtigste erzwungene Kernreaktion ist die (n,γ)-Reaktion mittels der bei der Kernspaltung im Kernreaktor (je Uran-Atom 2–3) freiwerdenden *Neutronen, die aus vielen Elementen R. zu erzeugen vermögen; *Beisp.:* $^{31}P(n,\gamma)^{32}P$, $^{59}Co(n,\gamma)^{60}Co$, $^{197}Au(n,\gamma)^{198}Au$. Andere aus *Neutroneneinfang*-Prozessen hervorgehende R. sind Tritium [$^{6}Li(n,\alpha)^{3}H$], Radiokohlenstoff [$^{14}N(n,p)^{14}C$], Radioschwefel [$^{35}Cl(n,p)^{35}S$]. Dagegen sind R. wie ^{22}Na, ^{54}Mn, ^{7}Be auf keinem der genannten Wege zugänglich, sondern nur mit Hilfe von *Teilchenbeschleunigern (*Zyklotron od. *Synchrotron). Hierbei werden entweder die auf hohe Bewegungsenergie beschleunigten Protonen, Deuteronen od. α-Teilchen direkt zur Kernumwandlung benutzt (*Beisp.:* $^{24}Mg + d \rightarrow {}^{22}Na + \alpha$), od. die Beschleuniger erzeugen zunächst γ-Quanten, die ihrerseits Kernprozesse, meist (γ,n)- od. (γ,2 n)-Prozesse, auslösen.

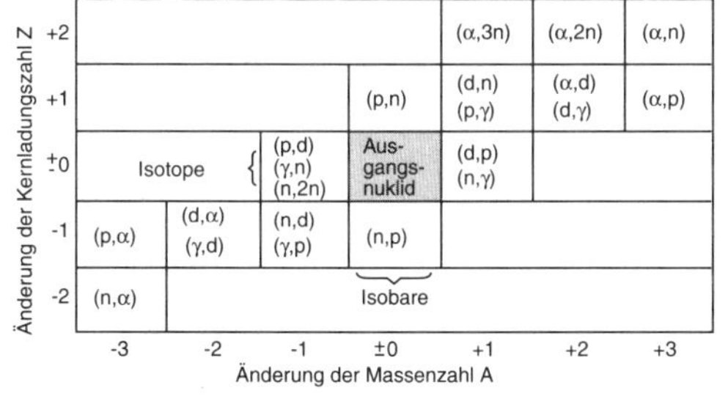

Abb.: Mit der Herst. von Radionukliden durch induzierte Kernreaktionen verbundene Änderungen von Massen- u./od. Kernladungszahl (Ordnungszahl). Es bedeuten: n = Neutron ($^{1}_{0}n$), p = Proton ($^{1}_{1}p = {}^{1}_{1}H^{+}$), d = Deuteron ($^{2}_{1}H^{+} = np$), α = Alphateilchen ($^{4}_{2}He^{2+}$), γ = Gammaquant.

Bis 1986 waren mehr als 1900 R. bekannt; eine Tab. mit Zerfallsdaten u. energien von Hunderten von R. mit HWZ > ca. 15 min findet man in *Lit.*[1]. Auch die IUPAC-Kommission für Atomgew. publiziert Referenzdaten von Isotopen, Radioisotopen u. von Radioelementen[2].

Die auf den verschiedenen Wegen erzeugten R. liegen oft nur in Spuren vor u. müssen angereichert od. von anderen R. od. inaktiven Substanzen abgetrennt werden: Arbeitsgebiete der *Kern- bzw. der *Radiochemie u. der *Isotopentrennung; aus naheliegenden Gründen ist es unmöglich, einen radioaktiven Stoff nuklearrein zu isolieren. Häufig benötigt man radioaktive Präp. hoher spezif. Aktivität, die trägerfrei sind. Solche kann man direkt nicht durch eine (n,γ)-Reaktion erhalten, sondern nur durch Reaktionen, bei denen sich die Kernladung u. damit die chem. Eigenschaften ändern, also z. B. durch (n,p)- od. (n,α)-Reaktionen. Trägerfrei sind auch R., die durch β-Zerfall aus einem anderen R. entstehen, das prim. durch Neutroneneinfang gebildet wurde (*Beisp.:* $^{130}Te + n \rightarrow {}^{131}I + \beta^{-}$). Solche R. erhält man aufgrund des sog. *Szilard-Chalmers-Effekts* als *heiße Atome; techn. Details zu den Herst.-Prozessen sind in *Lit.*[1,3] beschrieben. Als Strahlenquellen werden R. mit spezif. Aktivitäten im Bereich Kilo- bis Petabecquerel (kBq – PBq; 10^{3}–10^{15} Bq) – früher Mikro- bis Megacurie (μCi – MCi) – angeboten. In die BRD wurden im Jahr 1992 R. u. umschlossene *radioaktive Stoffe mit der Gesamtaktivität 37 PBq eingeführt, wobei neben ^{3}H, ^{60}Co, ^{99}Mo, ^{131}I u. ^{192}Ir andere R. kaum ins Gew. fielen. Der Export war im gleichen Jahr 8 PBq (s. *Lit.*[4]).

Verw.: R. werden sowohl in Naturwissenschaft u. Technik als auch in Medizin u. Biologie verwendet, u. zwar je nach Anw. als *offene* od. *umschlossene radioaktive Stoffe* (zur Definition s. radioaktive Stoffe). Selbstverständlich sind beim Umgang mit R. alle notwendigen Maßnahmen zum *Strahlenschutz zu ergreifen; *Beisp.:* *Abschirmung, Verw. von *Glove Boxes, ggf. auch *Heiße Zellen mit Manipulatoren, s. a. Radionuklid-Laboratorium. In der Chemie (*Kernchemie) setzt man z. B. mit R. *markierte Verbindungen als *Radioindikatoren (*Leitisotopen-Meth.*) ein, um zeitliche u. örtliche Veränderungen sowie Mengenbestimmungen aller Art durchzuführen. Der prinzipielle Vorteil dieser Indikator-Meth. liegt darin, daß chem. äquivalente Isotope des zu untersuchenden Elements (also *Radioisotope) zugesetzt werden, die bei allen chem. Operationen den gleichen Weg wie das inaktive Trägermaterial gehen; durch ihre Radioaktivität sind die Indikator-Atome jedoch auf einfache Weise von den Träger-Atomen zu unterscheiden u. lassen sich so noch in äußerster Verdünnung nachweisen. Mit radioaktiven *Tracern lassen sich u. a. Löslichkeitsmessungen durchführen, das Kristallwachstum verfolgen, Reaktionsmechanismen untersuchen, Mitfällung nachweisen u. so Reinigungsprozesse überprüfen, zur Spurenanalyse geeignete Meth. entwickeln[3], Phasenumwandlungspunkte feststellen, Austauschreaktionen u. a. Reaktionsmechanismen untersuchen.

In der *quantitativen Analyse finden *Radiometrie-Verf. Anw., die sich in zwei Gruppen zusammenfassen lassen: 1. Verf., bei denen während des Versuchs keine Änderung der spezif. Aktivität der zu bestimmenden Substanz stattfindet (*Indikatoranalyse*); – 2. Verf., die darauf beruhen, daß eine Änderung der spezif. Aktivität gemessen wird (*Isotopenverdünnungsanalyse). Zur *Aktivierungsanalyse – genauer zur *Neutronenaktivierungsanalyse – benötigt man R. zur Erzeugung der zur Aktivierung notwendigen Neutronenstrahlung. Hierfür kommen neben ^{210}Po, ^{226}Ra, ^{227}Ac bes. *Transurane in Frage, die mit Beryllium als Target in (α,n)-Prozessen Neutronen liefern; weitere Anw. von Transuranen s. *Lit.*[5]. Als Strahlenquellen dienen R. auch in sog. *Isotopenbatterien*, die für Satelliten u. unabhängige Sendestationen benötigt werden, wobei die Wärme aus dem α-Zerfall von Plutonium-238 stammt. Von den Amerikanern wurden 24 u. von den Russen 33 Isotopenbatterien in das Weltall transportiert (bisher sind zwei russ. abgestürzt u. in der Atmosphäre verglüht[6]). Für zukünftige Mond- u. Marsmissionen möchte die USA einen 100 kW-Kernreaktor einsetzen[7]. Diese Energiequellen gewinnen ihre elektr. Energie auf dem Umweg über Wärme (s. Thermoelektrizität) od. Licht (s. Photoeffekte) od. durch *thermionische Energieumwandlung (s. a. Energie-Direktumwandlung). Zur *Altersbestimmung mit (natürlichen) R. dienen v.a. die *Radiokohlenstoff-Datierung, die *Kalium-Argon-Methode u. die *Rubidium-Strontium-Datierung. *Radiographie u. insbes. die *Gammagraphie sind vielbenutzte Meth. der zerstörungsfreien *Werkstoffprüfung. Durch Radiometrie lassen sich Durchflußmengen, Mischvorgänge etc. bestimmen, Dichten, Dicken von Folien u. Schichten, Füllhöhen in Behältern messen, Füllkontrollen an Paketen, Dosen u. Flaschen durchführen, Staubemissionen verfolgen usw. Demgegenüber stehen die Verw.-Möglichkeiten der R. als Strahlenquellen für die *Strahlenchemie etwas im Hintergrund. Im techn. Maßstab betreibt man den Einsatz von R. für die Vernetzung von Polymeren, die Herst. von *Holz-Kunststoff-Kombinationen (Polymerholz), die Klärschlamm-Bestrahlung usw.

Spezif. Anw. haben R. in Biologie u. Medizin gefunden. Eine ganze Reihe von Stoffwechselprozessen im lebenden Organismus wurde erst durch die Markierung mit R. u. die Beobachtung mittels *Autoradiographie u. *Radiochromatographie möglich; hierdurch konnten grundsätzliche Erkenntnisse über den Ansatzpunkt von *Pharmaka u. ihre Wirkungsmechanismen, aber auch über den Ablauf der *Stoffwechsel-Vorgänge gewonnen werden. Auf dem Gebiet der Pflanzenernährung bot der Einsatz von R. erstmals die Möglichkeit, zwischen solchen Nährstoffen zu unterscheiden, die die Pflanze aus dem urspünglichen Bodenvorrat aufgenommen hat, u. jenen, die durch die Düngemittel zur Verfügung gestellt werden. Wesentliche Erkenntnisse zur *Biogenese pflanzlicher u. tier. Metaboliten, die Aufklärung des Calvin-Cyclus der *Photosynthese od. der Rolle der *Mevalonsäure im Aufbau der *Isoprenoide usw. wären ohne Verw. von R. kaum möglich gewesen. In der Medizin, d.h. in der *Nuklearmedizin, wendet man diagnost. (*Radiodiagnostika*) u. therapeut. (**Radiopharmazeutika*) Meth. an, die sich auf Markierungen mit R. stützen. Hier ist zu denken an die Lokalisations- u. Funktionsdiagnostik von Organen wie Schilddrüse, Leber, Milz, Niere, Lunge, Gehirn etc. durch *Szintigraphie u. *Radiographie einschließlich der verschiedenen Meth. der *Tomographie*[7], wobei natürlich die Kurzlebigkeit der R. (^{131m}In, ^{99m}Tc, ^{64}Cu, ^{197}Hg, ^{198}Au, ^{131}I u. der noch kürzerlebigen β^+-Strahler ^{11}C, ^{13}N, ^{15}O, ^{18}F sowie ^{123}I) eine Rolle spielen, vgl. a. *Lit.*[8-10]. In der *Strahlentherapie kommen umschlossene R. zur Anw., z.B. ^{60}Co („Cobaltkanone"); Näheres zu den dort verwendeten R. s. bei Nuklearmedizin. Nicht nur bei *in vivo*-, sondern auch bei *in vitro*-Untersuchungen der Pharmakologie, z.B. bei der Entwicklung neuer Arzneimittel, sind R. heute unentbehrlich; allerdings müssen auch die Detektions-Meth. für die emittierte Strahlung optimiert sein; *Beisp.:* *Szintillationszähler[11]. Einen kurzgefaßten Überblick über alle Aspekte der Verw. von R. gibt *Lit.*[12]. – ***E*** = ***F*** radionuclides – ***I*** radionuclidi – ***S*** radionúclidos

Lit.: [1] Kirk-Othmer (4.) **17**, 374; Handbook **67**, B 440–446. [2] Pure Appl. Chem. **56**, 653–768 (1984); **58**, 1688 (1986). [3] Int. Lab. **12**, 12–25 (1982). [4] atw **40**, 183 (1995). [5] Spektrum Wiss. **1980**, Nr. 12, 120–133. [6] Cosmos **1983**, 1402; **1987** 954. [7] Phys. Unserer Zeit **22**, 145 (1991). [8] Chem.-Ztg. **104**, 77–104 (1980). [9] Naturwiss. Rundsch. **32**, 374 (1979). [10] Annu. Rev. Pharmacol. **13**, 325–358 (1973). [11] Pharm. Unserer Zeit **12**, 80–89 (1983). [12] Meurin, Anwendung ionisierender Strahlen, Bonn: Dtsch. Atomforum 1978.

allg.: Biologische Wirkungen von inhalierten Radionukliden (ICRP Nr. 31), Stuttgart: Fischer 1985 ▪ Börner et al., Strahlenschutz für Patienten u. Personal in Diagnostik u. Therapie mit offenen Radionukliden, Stuttgart: Thieme 1982 ▪ Browne et al., Table of Radioactive Isotopes, New York: Wiley 1986 ▪ Bucka, Chart of Nuclides, Berlin: de Gruyter 1985 ▪ Bulman u. Cooper, Speciation of Fission and Activation Products in the Environment, Barking: Elsevier Appl. Sci. Publ. 1986 ▪ Chackett, Radionuclide Technology, New York: Van Nostrand Reinhold 1981 ▪ Charlton, Radioisotope Techniques for Problem Solving on Industrial Plant, London: Hill 1985 ▪ Coughtrey et al., Radionuclide Distribution and Transport in Terrestrial and Aquatic Ecosystems (6 Bd.), Rotterdam: Balkema 1983, 1984 ▪ Földiák, Industrial Application of Radioisotopes, Amsterdam: Elsevier 1986 ▪ Grenzwerte der Aktivitätszufuhr von Radionukliden für Beschäftigte, Tl. 1–3 (ICRP Nr. 30), Stuttgart: Fischer 1985 ▪ Kohlrausch, Praktische Physik 2, Stuttgart: Teubner 1996 ▪ Krieger u. Petzold, Strahlenphysik, Dosimetrie und Strahlenschutz, Band 2, Stuttgart: Teubner 1989 ▪ L'Annunziata, Radionuclide Tracers, New York: Academic Press 1986 ▪ Muccino, Synthesis and Applications of Isotopically Labeled Compounds 1985, Amsterdam: Elsevier 1986 ▪ Regulations for the Safe Transport of Radioactive Material, Vienna: IAEA 1985 ▪ Ullmann (4.) **5**, 709–716; **20**, 1–90 ▪ Winnacker-Küchler (4.) **3**, 464–528. Zahlreiche relevante Titel werden herausgegeben bei *IAEA u. *OECD. – *[G 7]*

Radionuklid-Laboratorien (heiße Laboratorien). Speziell eingerichtete u. ausgestattete *Laboratorien, in denen mit *Radionukliden experimentiert werden kann. Die baulichen u. techn. Anforderungen an Radionuklid-Laboratorien sind in DIN 25425 (-1: 1995-09; -2: 1989-08; -3: 1997-10; -5: 1994-09) geregelt. Man unterscheidet drei Labortypen, A, B u. C, in denen die max. radioaktive Verarbeitungsaktivität um den Faktor N über der Freigrenze üblicher radiochem. Verf. liegt (Labortyp A: $N > 10^5$, Typ B: N bis 10^5, Typ C: N bis 10^2). Die Tab. veranschaulicht die Klassifizierung.

Tab.: Einteilung von Radionuklid-Laboratorien nach DIN 25425

Radionuklid	Freigrenze	Verarbeitungsaktivität	
		C-Labor	B-Labor
^{3}H	$3{,}7 \cdot 10^6$ Bq	$3{,}7 \cdot 10^8$ Bq	$3{,}7 \cdot 10^{11}$ Bq
^{14}C	$3{,}7 \cdot 10^5$ Bq	$3{,}7 \cdot 10^7$ Bq	$3{,}7 \cdot 10^{10}$ Bq
^{131}I	$3{,}7 \cdot 10^4$ Bq	$3{,}7 \cdot 10^6$ Bq	$3{,}7 \cdot 10^9$ Bq

In C-Laboratorien sind Abzüge, ggf. auch Handschuhkästen zu installieren, wenn nicht sichergestellt werden kann, daß die Raumluft nicht unzulässig stark kontaminiert wird. In Sonderfällen kann eine normale Fensterlüftung genügen. In A- u. B-Laboratorien sind in vielen Fällen Handschuhkästen u. sonstige Arbeitszellen erforderlich. Oft muß eine zusätzliche Raumlüftung vorgesehen werden; eine Abluftfilterung ist ebenfalls erforderlich. Ferner ist bei A-, B- u. C-Labors eine Kontrolle des Abwassers notwendig. Im allg. sind eine Auffanganlage und ggf. Einrichtungen zur *Dekontamination vorzusehen. Bei C-Labors kann die Aufbereitung des Abwassers u.U. entfallen. Ein- u.

Ausgang eines R.-L. müssen über Personenschleusen führen. Für A- u. B-Labors sind Dekontaminationsduschen erforderlich, für A-Labors ebenfalls eine Materialschleuse; weitere Details s. die oben erwähnte DIN-Vorschrift. – ***E*** radionuclide laboratory – ***F*** laboratoire de radionuclides – ***I*** laboratorio per radionuclidi – ***S*** laboratorio de radionúclidos

Radioopak. Von *Radio... u. *Opak abgeleitetes Synonym für strahlungsundurchlässig, z.B. infolge Aufnahme von *Röntgenkontrastmitteln.
Lit.: s. Röntgenkontrastmittel.

Radiopharmaka s. Radiopharmazeutika.

Radiopharmazeutika. Bez. für solche Zubereitungen von radioaktiven *Pharmaka *(Radiopharmaka)*, die zur Diagnose od. zur *Therapie direkt am Menschen angewendet werden. Diagnostika – *Beisp.:* Cyanocobalamin-^{57}Co-Kapseln, *o*-Iodhippursäure-^{131}I-Injektionslsg., ^{99m}Tc-Präparationen – dürfen physiolog. Vorgänge im Organismus nicht beeinflussen. Diese mit *Radioisotopen markierten Verb. werden in der *Nuklearmedizin zur Funktionsdiagnose sowie zur Organdarst. (*Szintigraphie) verwendet (*Radioindikatoren). Die biolog. Wirkung von in der *Strahlentherapie eingesetzten Präp. – *Beisp.:* Na^{131}I-Kapseln, ^{198}Au-Injektionslsg. – beruht auf der Einwirkung der vom Gewebe absorbierten β- u. γ-Strahlung. Die Applikation erfolgt oral, durch Injektion od. durch Inhalation. Die Herst. der *markierten Verbindungen erfolgt durch chem., biolog. od. enzymat. Umsetzung von in Kernreaktoren od. aus Nuklidgeneratoren od. mit *Zyklotrons gewonnenen *Radionukliden. Dabei sind eine Reihe von spezif. Gesichtspunkten zu beachten [1], s.a. markierte Verbindungen. Im weiteren Sinne kann man zu R. auch *Radioprotektiva* [2] zählen, die dem Schutz od. der Behebung von Läsionen dienen, z.B. Thiole. – ***E*** radioactive drugs, radiopharmaceuticals – ***F*** médicaments radioactifs – ***I*** radiofarmaceutici – ***S*** radiofármacos

Lit.: [1] GIT Fachz. Lab. **30**, 226–232 (1986). [2] Wolff, Burger's Medicinal Chemistry, Bd. 3, S. 11 f., New York: Wiley 1981.
allg.: Advances in Radiopharmaceutical Design, London: IAI 1998 ▪ Hundeshagen, Handbuch der medizin. Radiologie, Bd. 15, 1. Tl.: Radiopharmaka, Berlin: Springer 1980 ▪ Owunwaune, The Handbook of Radiopharmaceuticals, London: Chapman & Hall 1994 ▪ Ph. Eur. **1997** u. Komm. ▪ Wieland et al., Analytical and Chromatographic Techniques in Radiopharmaceutical Chemistry, Berlin: Springer 1986. – *Serie:* Traité de Radiodiagnostic, Paris: Masson (seit 1969). *Weitere Lit.* s. in Medical Books and Serials in Print, New York: Bowker (jährlich).

Radiophyllit s. Zeophyllit.

Radioprotektiva s. Radiopharmazeutika.

Radio-Reaktions-GC s. Radiochromatographie.

Radiorezeptor-Test s. Radioimmunoassay.

Radiosensibilisatoren s. Strahlenbiologie u. -chemie.

Radiosumin.

$C_{22}H_{32}N_4O_5$, M_R 434,53, amorphes Pulver, $[\alpha]_D^{20}$ +96° (H_2O). Trypsin-Inhibitor aus Kulturen des Süßwasser-Cyanobakteriums *Plectonema radiosum* (IC_{50} 0,14 µg/mL). R. ist ein strukturell ungewöhnliches Dipeptid. – ***E*** radiosumin – ***F*** radiosumine – ***I*** radiosumina – ***S*** radiosumín

Lit.: J. Org. Chem. **61**, 8648 (1996) ▪ Tetrahedron Lett. **38**, 2883 (1997). – *[CAS 157744-22-4]*

Radiothermolumineszenz s. Thermolumineszenz.

Radiothorium (Kurzz. RdTh). Unsystemat. Bez. für das Thorium-Isotop $^{228}_{90}$Th aus der Thorium-Zerfallsreihe, s. Radioaktivität (Tab.).

Radiowellen s. Strahlung.

Radium (chem. Symbol Ra, von latein.: radiare = strahlen, leuchten). Metall., radioaktives Element der 2. Gruppe des *Periodensystems, Ordnungszahl 88, Atomgew. 226,0254. Man kennt Isotope u. Isomere von ^{206}Ra–^{234}Ra mit HWZ zwischen 0,18 µs (^{216}Ra) u. 1599 a (^{226}Ra). In Übereinstimmung mit der Stellung im Periodensyst. tritt Radium in der Oxid.-Stufe +2 auf. Das in reinem Zustand hellbläulich-weiß glänzende Metall krist. kub.-raumzentriert (isomorph mit Ba), D. 5,50 (einziges Schwermetall der Erdalkaligruppe), Schmp. 700 °C, Sdp. etwa 1140 °C. Ra ist äußerst luft- u. feuchtigkeitsempfindlich u. reagiert mit Wasser u. Säuren ebenso energ. wie metall. Kalium. Die Verb. des R. sind isomorph mit denen des Bariums, dem es auch sonst wesentlich ähnlicher ist als dieses dem Strontium. Der Flamme erteilen Ra-Verb. eine intensiv karminrote Färbung. Chlorid, Bromid, Nitrat u. Acetat sind wasserlösl., Sulfat, Carbonat, Oxalat u. tert. Phosphat dagegen nahezu unlöslich. Die hervorstechendste Eigenschaft des Elements, der es auch seinen Namen verdankt, ist die *Radioaktivität. Diese Eigenschaft ist an die Atomkerne gebunden; die gleichen Mengen von Ra-Atomen strahlen also in den verschiedensten Ra-Verb. prakt. gleich stark. Größere Mengen von konz. Ra zeigen schon am Tageslicht ein starkes Leuchten. Umschlossene Ra-Präp. (s. radioaktive Stoffe) sind, weil die Tochternuklide wie *Radon nicht entweichen können, starke γ-Strahler, offene dagegen hauptsächlich α-Strahler. Daher sind entsprechende Strahlenschutz-Maßnahmen beim Umgang mit Ra erforderlich. Bei ^{223}Ra können auch ^{14}C-Zerfälle auftreten [1]. Evtl. in den Organismus gelangtes Ra [2] lagert sich ähnlich wie andere Erdalkalimetalle (z.B. ^{90}Sr) bevorzugt im Knochen ab. Auch manche Pflanzen (z.B. Paranüsse u. Wasserlinsen) vermögen Ra in erheblichem Maße zu akkumulieren.
Nachw.: Nachw. u. Bestimmung erfolgen im allg. durch Radioaktivitätsmessung; Näheres hierzu u. allg. zu den chem. u. physikal. Eigenschaften sowie zur Reinherst. s. *Lit.* [3].
Vork.: R. ist eines der seltensten Elemente; sein Anteil an den obersten 16 km der Erdkruste wird auf nur $7 \cdot 10^{14}$ geschätzt. Man findet es stets in geringen Spuren in den Mineralen des *Urans (ca. 300 mg/t), aus dem es entsteht, s. die sog. *Uran-R.-Zerfallsreihe* bei Radioaktivität (Tab.), die auch die weiteren, früher mit Namen wie Radium A, B, ... G belegten Stationen des Ra-Zerfalls bis zum stabilen Blei (*R.-Blei*) aufführt.

Das wichtigste Rohmaterial für die Ra-Gewinnung war die Pechblende von Joachimsthal, aus dem Kongo u. vom Großen Bärensee (Nordkanada); auch der *Carnotit in Colorado u. Utah war von Bedeutung.
Herst.: Das aus den unlösl. Rückständen der Uran-Gewinnung isolierte Gemisch von Ba- u. Ra-Sulfat wird in die Chloride, Bromide od. Nitrate übergeführt, aus denen durch fraktionierte Krist., fraktionierte Fällung als Chromate od. mittels Ionenaustauschern das betreffende Ra-Salz erhältlich ist. Reines R. kann durch Elektrolyse von $RaCl_2$ an Quecksilber-Kathoden u. therm. Zers. des dabei gebildeten Amalgams od. aluminotherm. im Hochvak. hergestellt werden [3]. Die Produktion von Ra ist erheblich zurückgegangen seit künstliche *Radionuklide zur Verfügung stehen.
Verw.: Früher diente Ra zur Ausführung von *Kernreaktionen, zur Behandlung krebsartiger Geschwülste, Gicht, Gelenk- u. Muskelrheumatismus (Trinkkuren mit sehr stark verd. wäss. Lsg. von Ra-Salzen), zur Durchführung biolog. Versuche (Hervorrufen von künstlichen Mutationen), für Leuchtzifferblätter an Uhren u. Kompassen. Ra als (α,n)-Quelle wurde durch ^{241}Am-Be-Quellen ersetzt, in anderen Anw. wurde Ra durch ^{60}Co abgelöst. Heute stellt man aus R. durch Bestrahlung in Kernreaktoren *Actinium her:

$$^{226}\mathrm{Ra}(n,\gamma)^{227}\mathrm{Ra} \xrightarrow{\beta^-} {}^{227}\mathrm{Ac}.$$

Ein Gemisch von Ra (als α-Strahler) mit Beryllium-Pulver kann als Quelle für schnelle Neutronen dienen, gemäß der Kernreaktion $^9\mathrm{Be}(\alpha,n)^{12}\mathrm{C}$.
Geschichte: Ra wurde 1898 im Anschluß an die von A. H. *Becquerel beobachtete Strahlung der Joachimsthaler Pechblende von M. u. P. *Curie in diesem Mineral nachgewiesen. Aus 2 Waggons Joachimsthaler Pechblende (einem Geschenk der K. u. K. Regierung) konnte M. Curie nach mühsamer Arbeit etwa 100 mg reines Radiumbromid ($RaBr_2$) gewinnen. Die Isolierung des Ra-Metalls erfolgte 1910 durch M. Curie u. *Debierne. Eine experimentelle Meisterleistung war die Bestimmung des Atomgew. durch Hönigschmid [4]. – ***E*** = ***F*** radium – ***I*** = ***S*** radio

Lit.: [1] Nature (London) **307**, 245 (1984). [2] Dtsch. Ärztebl. **83**, 2013–2023 (1986). [3] Chem. Ztg. **101**, 486–499 (1977). [4] Chem. Unserer Zeit **15**, 163–174 (1981).
allg.: Chem. Ztg. **104**, 109 ff. (1980) ▪ Gmelin, Syst.-Nr. 31, Radium u. seine Isotope, 1928 u. Erg.-Bd. 1 u. 2, 1977 ▪ Gössner et al., Radiobiology of Radium and Thorotrast, München: Urban & Schwarzenberg 1986 ▪ Hutzinger **3 A**, 260–264 ▪ Kirk-Othmer (4.) **20**, 871 ff. ▪ Müller u. Ebert, Biological Effects of ^{224}Ra, Den Haag: Nijhoff 1978 ▪ Rundo et al., Radiobiology of Radium and the Actinides in Man, Oxford: Pergamon 1983 ▪ Snell-Ettre **17**, 443–469 ▪ Ullmann (5.) **A 22**, 525 f. – *[HS 2844 40; CAS 7440-14-4; G 7]*

Radium A, B, ... s. Radioaktivität.

Radiumblei. Ältere Bez. für das stabile Blei-Isotop $^{206}_{82}$Pb als Endglied der Uran-Radium-Zerfallsreihe, s. Radioaktivität (Tab.).

Radium-Emanation s. Radon.

Radix (von latein.: radix = Wurzel). In der Apotheker- u. Drogistensprache Bez. für offizinell genutzte *Drogen aus Wurzeln, die z. T. in eigenen Stichwörtern abgehandelt sind; weitere, medizin. verwendbare Wurzelstöcke sind unter *Rhizoma erfaßt. Im Unterschied zur echten Wurzel handelt es sich jedoch beim Rhizom um einen unterird. Sproß, den sog. Erdsproß, der eine verdickte Achse hat u. als Speicherorgan dient.
Beisp.: Radix Aconiti = Eisenhutknollen, R. Althaeae = Eibischwurzel, R. Bardanae = Klettenwurzel, R. Belladonnae = Tollkirschwurzel, R. Gentianae = Enzianwurzel, R. Ipecacuanhae = Brechwurzel, R. Rhei = Rhabarberwurzel, R. Rubiae tinctorum = Krappwurzel, R. Taraxaci = Löwenzahnwurzel, R. Valerianae = Baldrianwurzel.
Lit.: s. Drogen u. pharmazeutische Biologie.

Radixin s. Talin.

Radom (von engl.: radio dome = Radiokuppel). Kuppelförmige Schutzhüllen für elektron. Geräte usw., die für elektromagnet. Strahlen durchlässig sind u. meist aus Glasfaser-verstärkten Kunststoffen bestehen. R. findet Verw. als Wetterschutz für Radar- u. Satelliten-Luft- u. -Bodenantennen. – ***E*** = ***I*** radome – ***F*** radôme – ***S*** cúpula protectora, radome

Radon (chem. Symbol Rn). Gasf., radioaktives, zu den *Edelgasen gehörendes chem. Element, Ordnungszahl 86. Von Rn kennt man nur radioaktive Isotope mit Massenzahlen zwischen 198 u. 228 u. HWZ von 0,27 µs (^{214}Rn) bis 3,824 d (^{222}Rn), von denen einige früher eigene Namen hatten, die den gasf. Charakter als **Emanation* betonten; *Beisp.:* Astat-Emanation (^{218}Rn), Actinium-Emanation od. *Actinon* (^{219}Rn), Thorium-Emanation od. *Thoron* (^{220}Rn) u. Radium-Emanation od. *Radon* (^{222}Rn). Alle natürlich vorkommenden Isotope entstehen als kurzlebige Zwischenprodukte der radioaktiven Zerfallsreihen des Urans, Thoriums u. Actiniums [s. Radioaktivität (Tab.)], bei denen sie ständig nachgeliefert werden. Da sich das längstlebige ^{222}Rn als Gas verflüchtigt u. ausbreitet, wird auch die Umgebung der fortgesetzt R.-bildenden Radium-Präp. radioaktiv; nach Aussendung von je einem α-Teilchen gehen alle Rn-Isotope in (feste) Polonium-, Blei- u. Bismut-Isotope über, die sich in der Umgebung des Mutternuklids (im Beisp. *Radium) ablagern. R. ist farb- u. geruchlos, Gasdichte 9,73 g/L, D. des flüssigen Rn 4,4 (–62 °C), D. des festen Rn 4, Schmp. –71 °C, Sdp. –61,8 °C. Festes R. phosphoresziert zunächst stahlblau, mit abnehmender Temp. gelblich werdend, bis die Farbe bei der Temp. des flüssigen Stickstoffs (–196 °C) orangerot ist. Von Rn sind *Edelgas-Verbindungen der Zusammensetzung RnF_2, $RnF^+[SbF_6]^-$ u. a. Fluoro-Komplexe bekannt; ferner bildet Rn Clathrate z. B. mit Wasser u. Phenol; Näheres zu den physikal.-chem., physiolog. u. allen anderen Eigenschaften des Rn s. *Lit.* [1].
Physiologie: Das Gas Rn ist bes. wegen seiner an Aerosole gebundenen u. daher nicht flüchtigen, stark strahlenden Zerfallsprodukte (Po-, Pb- u. Bi-Isotope der Zerfallsreihen) gefährlich. Beim Einatmen R.-haltiger Luft verbleiben ca. 25% des Rn im Atmungstrakt. Daher ist für eine Entfernung des Rn am Arbeitsplatz, z. B. in Bergwerken (zur R.-Belastung s. Strahlenbiologie), in Aufarbeitungsanlagen od. im Labor durch Absaugen der kontaminierten Luft od. durch R.-Absorber zu sorgen, um Schäden durch ionisierende Strahlung (Näheres zur Wirkung s. dort) zu vermeiden. Mit erhöhten R.-Belastungen ist überall da zu rechnen, wo sich die Ggw. von Uran-Spuren nicht ausschließen

läßt, also z. B. in Phosphat-Düngemitteln. Nahezu unvermeidlich ist die Inhalation von Rn-Spuren in umbauten Räumen, weil prakt. alle Baumaterialien Spuren von radioaktivem U od. Th enthalten[2]; ca. 50% der Strahlenbelastung der Bevölkerung sind auf Rn-Isotope zurückzuführen.

Nachw.: Zum Nachw. u. zur Bestimmung wird das vom Mutternuklid freigesetzte Rn mit einem Trägergas einer geeigneten Meßanordnung (z. B. Elektroskop, Szintillationszähler etc.) zugeführt.

Vork.: R. ist neben *Plutonium eines der seltensten Elemente unserer Erdrinde. Der R.-Anteil wird auf nur 0,62 ppq geschätzt, der Rn-Gehalt der Luft beträgt 0,046 ppq. R. findet sich spurenweise in allen radioaktiven Stoffen, insbes. in Mineralen. Es ist auch in Quellwässern, bes. in der Nähe radioaktiver Lagerstätten (Karlsbad, Joachimsthal), u. in der Luft von aufgelassenen Bergwerksstollen (Bad Gastein) enthalten; z. T. wird R. therapeut. verwendet. Für diese Zwecke kann Rn auch durch Abpumpen aus Radium-Präp. speziell gewonnen werden. Erhebliche R.-Mengen können bei Vulkanausbrüchen frei werden – im Fall der Mount St. Helens-Eruption (USA) im Mai 1980 ca. 10^{17} Bq (3 MCi).

Verw.: In der Festkörperchemie dient die sog. *Hahnsche Emaniermeth.* zur *Porosimetrie u. zur Ermittlung von Phasenumwandlungs- u. Reaktionstemperaturen. Sie beruht darauf, daß sich die ansonsten konstante Rn-Abgabe aus in Festkörpern eingebautem Ra bei Strukturänderungen schlagartig vervielfacht (Emanationsschwall), was sich exakt messen läßt.

Geschichte: Schon M. u. P. *Curie hatten beobachtet, daß die Umgebung von Radium-Präp. radioaktiv „verunreinigt" wird. 1900 stellte Dorn fest, daß dies von einer *Emanation herrührte (Symbol: Em, heute ^{222}Rn). Sir E. *Rutherford fand ebenfalls 1900 ein ähnliches Gas von Thorium (Tn, ^{220}Rn) u. Giesel (1903) u. *Debierne (1905) eines bei Actinium (An, ^{219}Rn). *Ramsay, der den bis 1934 gültigen Namen *Niton* (Symbol Nt) vorschlug, kennzeichnete 1910 das Radon-222 durch sein Spektrum; er ermittelte auch seine Gasdichte u. das Atomgewicht. ***E* = *F* = *I*** radon – ***S*** radón

Lit.: [1] Chem. Ztg. **102**, 287 – 299 (1978). [2] Naturwissenschaften **73**, 655 – 668 (1986); Phys. Bl. **45**, 430 – 434 (1989).
allg.: Adv. Radiat. Biol. **11**, 391 – 428 (1984) ▪ J. Chem. Soc. Chem. Commun. **1985**, 1631 ▪ Clever, Krypton, Xenon, and Radon – Gas Solubilities (Solubility Data Series 2), Oxford: Pergamon 1979 ▪ Dosimetry Aspects of Exposure to Radon and Thoron Daughter Products, Paris: OECD 1983 ▪ Environ. Health Crit. **25**, 143 – 168 (1983) ▪ Hopke, Radon and its Decay Products, Washington: ACS 1987 ▪ Integrierende Radonmessungen... (FFH C 392), Leipzig: Grundstoffind. 1984 ▪ Kirk-Othmer (4.) **20**, 871 f. ▪ Metrology and Monitoring of Radon, Thoron and their Daughter Products, Paris: OECD 1985 ▪ Ullmann (5.) **A 22**, 525. – *[HS 2844 40; CAS 10043-92-2; G 7]*

Rädelerz s. Bournonit.

Räuchermittel. Sammelbez. für solche Stoffmischungen aus brennbarem Material (z. B. Kohle-Pulver, Aluminium-Pulver, Holzmehl u. dgl.), Oxid.-Mittel (Nitraten, Chloraten) u. Bindemitteln, die beim Abbrennen Rauch od. Dämpfe entwickeln. *Räucherkerzen, -stäbchen, -fäßchen* usw., mit denen man angenehme Gerüche erzeugen u. unangenehme überdecken kann, enthalten außerdem wohlriechende Balsame, Harze u. ether. Öle (*Beisp.:* *Opopanax u. Weihrauch, s. Olibanum). *Riechstoff-haltige R. spielten schon im Altertum bei Kultgebräuchen u. in der Heilkunst eine Rolle. *Räucherpatronen* sind mit R. gefüllte Papphülsen, deren Zündmasse Schwefel enthält, der beim Abbrennen SO_2 entwickelt; sie werden zur Bekämpfung von Wühl- u. Erdmäusen in deren Gängen entzündet; s. a. Fumigantien u. vgl. a. Räuchern. – ***E*** fumigating agents, incense – ***F*** fumigateurs – ***I*** sostanza profumata da bruciare – ***S*** fumigantes

Lit.: s. Fumigantien u. Riechstoffe. – *[HS 3307 41, 3307 49, 3808 10]*

Räuchern (Selchen). R. ist eine althergebrachte Form der *Konservierung von *Fleisch u. Wurstwaren sowie von *Fischen[1], ggf. auch von Hartkäse. Neben der *Konservierung steht eine pos. Beeinflussung von Aussehen, Geruch u. Geschmack im Vordergrund. Dies gilt neben Fleischerzeugnissen hauptsächlich für *Whisky u. *Bier (Bamberger Rauchbier).

Technologie: Beim R. wirken Gase u. Dämpfe unvollständig verbrannter Pflanzenteile (meist *Holz) auf Lebensmittel ein. Dazu wird das R.-Gut in sog. R.-Kammern eingebracht in denen der entweder direkt in der Kammer od. extern in Rauch-Generatoren erzeugte Rauch einwirkt.

Neben den in der Tab. aufgeführten Verf. kennt man das sog. *Katen-R.*, bei dem neben Holz auch *Torf u. Heidemoos als *Räuchermittel verbrannt werden. Katen-R. ist aus toxikolog. Gründen nur zum R. von *Malz zugelassen (§ 2 Absatz 2 u. Anlage 2 der Zusatzstoff-Zulassungs-VO[2]). Eine *Schwarzräucherung* wird durch Verw. harzreicher Wurzelhölzer erreicht u. führt zu einem rußigen Belag (toxikolog. bedenklich) auf derart geräucherten Fleischwaren. Verfahrenstechn. Aspekte des R. sind *Lit.*[3] zu entnehmen. Einen Überblick u. eine Diskussion moderner u. zukünftiger Meth. der Anw. von Raucharomen, wie z. B. aerosol- u. elektrostat. Meth. od. Injektion von Raucharomen, gibt *Lit.*[4].

Tab.: Räucher Verf. in der Fleischtechnologie.

Verf.	Temp. [°C]	Räucher-Dauer	Erzeugnisse
Kalträucherung	18 (12–24)	mehrere Tage bis Wochen	Rohwürste, Rohpökelwaren, Brühdauerwürste, Kochwürste
Feuchträucherung (selten)	bis 30	2–3 d	schnellgereifte Rohwürste
Warmräucherung (selten)	bis 50	1 – 3 h	großkalibrige Brühwurst
Heißräucherung	60–100	20–60 min	Brühwurst, Kochwurst

Rechtliche Beurteilung: Nach § 1 Absatz 2 der Fleisch-VO[5] darf zum R. nur frisch entwickelter, äußerlich einwirkender Rauch aus naturbelassenen Hölzern u. Zweigen, Heidekraut, Nadelholzsamenständen u. *Gewürzen verwendet werden. Der Höchstgehalt an *Benzo[*a*]pyren wird auf 1 µg/kg Lebensmittel festgelegt. Nach Abschnitt II, B Nr. 1 – 3 der

Leitsätze für Fische, Krusten-, Schalen- u. Weichtiere[6] darf zum R. von Fischen nur Rauch verwendet werden, der den Maßgaben der Anlage 2 der Zusatzstoff-Zulassungs-VO[2] entspricht. Danach ist Rauch als *Zusatzstoff zu Lebensmitteln allg. zugelassen. Ausnahmen sind Wasser, Öle sowie die in § 2 Absatz 3 genannten Lebensmittel (z. B. Milch).

Zusammensetzung: R.-Rauch entsteht in einer zweiphasigen Reaktion. Zunächst bilden sich im *Pyrolyse-Schritt therm. Abbauprodukte, die anschließend unter Sauerstoff-Einfluß oxidiert werden. Als flüchtige Verb. (mehr als 300 identifiziert) entstehen hauptsächlich *Phenole, organ. *Säuren u. Carbonyl-Verb.; in der nichtflüchtigen Fraktion findet man *Teer, *Harze u. *Ruß. In der Phenol-Fraktion dominieren bei Hartholzrauch *Syringaaldehyd, bei Weichholzrauch 4-Methylguajakol u. *Guajakol[7]. *Raucharomen:* Für das *Aroma geräucherter Fleischwaren sind v. a. die Vertreter der phenol. Fraktion verantwortlich (4-Methylguajakol, *Isoeugenol, *Dimethylphenol, *Syringaaldehyd)[8,9].

Einen Überblick über die Zusammensetzung des Rauches u. die bakterizide, fungizide u. antioxidative Wirkung der Einzelstoffe (z. B. *Formaldehyd) gibt *Lit.*[10–12].

Rauchkondensate erhält man durch Auffangen der Rauchbestandteile in Flüssigkeiten[13]. Ein weiteres Fraktionieren (z. B. durch Ether-Extraktion) liefert toxikolog. weniger bedenkliche Produkte, die, auf *Kochsalz aufgezogen, als *Räuchersalz* bezeichnet werden[12]. Auch diese Kondensate besitzen antimikrobielle Wirkung[14].

Toxikologie: Als Pyrolyseprodukte sind im Rauch über 40 *PAH (polycycl. aromat. Kohlenwasserstoffe) nachgewiesen, die auch auf das Räuchergut übergehen.

Diese Stoffklasse wird von der *MAK-Kommission in Liste III A 2 (im Tierversuch carcinogen) eingestuft[15]. Darüber hinaus wird Räucherrauch im Abschnitt V d der MAK-Liste für *Pyrolyse-Produkte aus organ. Material aufgeführt. Auch hier wird auf ein potentielles Carcinogenese-Risiko beim Menschen hingewiesen. Ein Überblick zur Toxikologie gibt *Lit.*[16]. Zum Benzo[*a*]pyren-Gehalt geräucherter Fleischwaren s. *Lit.*[17].

Analytik: Zum Nachw. von Benzo[*a*]pyren in geräucherten Fleischwaren s. Methoden nach § 35 LMBG L 07.0026, 27 u. 40. Die weitgehende Beschränkung auf Benzo[*a*]pyren erscheint problemat., da diese Verb. mengenmäßig nicht immer dominiert u. andere PAH teilw. ein höheres carcinogenes Potential besitzen. – ***E*** smoking, smoke-drying, curing – ***F*** fumage (Fleisch), saur[iss]age (Fisch) – ***I*** affumicamento – ***S*** ahumado

Lit.: [1] Z. Lebensm. Unters. Forsch. **189**, 317–321 (1989). [2] Zusatzstoff-Zulassungs-VO vom 22. 12. 1981 in der Fassung vom 8. 3. 1996 (BGBl. I, S. 460). [3] Prändl (Hrsg.), Fleisch, S. 364–370, 445–455, Stuttgart: Ulmer 1988. [4] Alimentaria **274**, 45–53 (1996). [5] Fleisch-VO vom 21. 1. 1982 in der Fassung vom 25. 3. 1988 (BGBl. I, S. 482). [6] Leitsätze für Fische, Krusten-, Schalen- u. Weichtiere vom 14. 5. 1982, abgedruckt in Zipfel, C 251. [7] Fleischwirtschaft **68**, 651–655, 991–1000, 1350–1365 (1988). [8] Food Rev. Int. **3**, 139–183 (1987). [9] Fleischwirtschaft **67**, 1523–1525 (1987); **68**, 770–772 (1988). [10] Wittkowski, Phenole im Rauch, Weinheim: Verl. Chemie 1985. [11] Toth, Chemie der Räucherung, Weinheim: Verl. Chemie 1985. [12] Fat. Sci. Technol. **91**, 207–210 (1989). [13] Int. Z. Lebensm.-Technol. Verfahrenstech. **39**, 209–213 (1988). [14] J. Food Sci. **53**, 1840–1843 (1988). [15] Henschler (Hrsg.), DFG-Senatskommission zur Prüfung gesundheitsschädlicher Arbeitsstoffe, Mitteilung XXVI, Weinheim: VCH Verlagsges. 1990. [16] Classen et al., Toxikologisch-hygienische Beurteilung von Lebensmittelinhalts- u. -zusatzstoffen sowie bedenklicher Verunreinigungen. Berlin: Parey 1987. [17] Fleischwirtschaft **65**, 908–915 (1985); **74**, 547–553 (1994); Lück u. Jager, Chemische Lebensmittelkonservierung, S. 207–211, Berlin: Springer 1995; Wissenschaftlicher Lebensmittelausschuß der EU (Hrsg.), Raucharomen, 34. Folge, Luxemburg: EU 1995.

allg.: Belitz-Grosch (4.), S. 199, 538, 575 ▪ Fleischwirtschaft **69**, 308–319 (1989); **70**, 18–30 (1990); **71**, 61–65 (1991) ▪ Maga, Smoke in Food Processing, Boca Raton: CRC-Press 1988 ▪ Prändl (Hrsg.), Fleisch, S. 357–371, 445–455, Stuttgart: Ulmer 1988 ▪ Rev. Env. Contam. Toxicol. **119**, 2–41 (1991) ▪ Tscheuschner, Grundzüge der Lebensmitteltechnik, S. 512ff., Hamburg: Behr 1996 ▪ Vollmer et al., Lebensmittelführer (2.), Bd. 2, S. 5, 23, Stuttgart: Thieme 1995 ▪ WHO (Hrsg.), Food Additives Series, Nr. 22, Toxicological Evaluation of Certain Food Additives, Cambridge: University Press 1988 ▪ Zipfel, C 120 *2*, 76–77; C 232 *1*, 14; C 235 *1*, 88–96.

Räude s. Milben u. Antiscabiosa.

Raf s. Mitogen-aktivierte Protein-Kinasen.

Rafaelit. Harter, schwarzglänzender Naturasphalt aus den Anden Argentiniens, D. 1,103, Schmp. 180–188 °C, Zers. bei ca. 315 °C, lösl. in Schwefelkohlenstoff, Toluol, Xylol, Benzin u. Chlorkohlenwasserstoffen, weniger lösl. in Terpentinöl, unlösl. in Alkohol. R. wurde früher in der Lackfabrikation verwendet. – ***E*** = ***I*** rafaelite – ***F*** rafaélite – ***S*** rafaelita

Lit.: Ullmann (3.) **4**, 417 ▪ s. a. Asphalte.

Raffinade (raffinierter Zucker, Weißzucker). Nach § 1 u. Anlage 1 der Zuckerarten-VO[1] ist R. gereinigte u. krist. *Saccharose, die folgenden Merkmalen entspricht:

Polarisation: mind. 99,7°
Gehalt an *Invertzucker: höchstens 0,04%
Trockenverlust: höchstens 0,1%.

R. entspricht dem *Zucker der EWG-Qualität I; s. a. Zucker u. Saccharose. – ***E*** refined sugar – ***F*** sucre raffiné – ***I*** zucchero raffinato – ***S*** azúcar refinado

Lit.: [1] VO über einige zur menschlichen Ernährung bestimmte Zuckerarten vom 8. 3. 1976 in der Fassung vom 27. 04. 1993 (BGBl. I, S. 512).

allg.: Belitz-Grosch (4.), S. 785, 786 ▪ Hoffmann, Zucker u. Zuckerwaren, S. 65, 83, Berlin: Parey 1985 ▪ Zipfel, C 355 *1*, 5. – *[HS 1701 99]*

Raffinase s. Raffinose.

Raffination. Von französ. *re* u. *affiner = verfeinern* abgeleitete Bez. für die Reinigung u. die Veredlung von Rohstoffen, Nahrungsmitteln u. techn. Produkten, ggf. auch für den Verfahrensschritt des *Recycling. Die *R. von Metallen*, mit der eine nicht ausreichende Trennschärfe (Reinheitsgrad) der vorausgegangenen metallurg. Prozesse verbessert wird, geschieht meist durch *elektrolytische Raffination, *Sublimation, *Seigern, *Destillation, *Entgasung, Fällungsreaktionen, R. mit Sauerstoff, *Hydro- od. *Pyrometallurgie. *Beisp.:* Bei den Verf. der *Pyrometallurgie werden häufig hohe Durchsatzleistungen auf Kosten geringer Reinheit erzielt; durch die anschließende R. wird das erzeugte

Rohmetall zu einem Metall höherer Reinheit verarbeitet. Bei der R. fallen Produkte (z.B. Schlacke) an, die neben unerwünschten Begleitstoffen auch Metallanteile enthalten. Durch nachfolgendes Isolieren dieser Anteile bleibt der Metallverlust der metallurg. Verf. insgesamt gering.
Bei der *R. des *Zuckers* wird der Rohzucker vorgereinigt (Affination) u. die Affinade entsprechend weiterverarbeitet; der Weißzucker (*Raffinade) wird abgeschleudert; s.a. Saccharose. Bei der *R. der Fette u. Öle* werden neben Verunreinigungen auch störende Begleitstoffe (Farb-, Geruchs-, Geschmacksstoffe usw.) entfernt, s. Fette u. Öle. Zur R. von Rohölen, bei der diese in Anlagen der *Petrochemie nach Kracken u. Reformieren durch *Rektifikation in verschieden hoch siedende Bestandteile zerlegt werden, s. Erdöl; zur Untersuchung von Abwässern der Mineralöl-R. s. *Lit.* Auch *Altöl kann durch R. z.T. wiederverwertet werden. Die techn. Anlagen zur R. von Zucker od. Erdöl werden *Raffinerien genannt. – ***E*** refining – ***F*** raffinage – ***I*** raffinazione – ***S*** refinado, refinación

Lit.: Belitz-Grosch (4.), S. 591f., 785 ▪ Chem. Unserer Zeit **18**, 181f., 574f. (1984) ▪ Dechema-Monogr. **86**, 313f. (1980) ▪ Erdöl, Kohle, Erdgas, Petrochem. **38**, 176 (1985) ▪ Gary u. Handwerk, Petroleum Refining, New York: Dekker 1984 ▪ Gorbaty u. Harney, Refining of Synthetic Crudes (Adv. Chem. Series 179), Washington: ACS 1979 ▪ Meyers, Handbook of Petroleum Refining Processes, New York: McGraw-Hill 1986 ▪ Milazo, Elektrochemie, Bd. 2, S. 19f., Basel: Birkhäuser 1983 ▪ Raffinationsverfahren in der Metallurgie, Weinheim: Verl. Chemie 1983 ▪ Ullmann (5.) **B 4**, 362; **A 13**, 402 ▪ Winnacker-Küchler (4.) **4**, 28f.; **7**, 455f. ▪ Wiseman, Petrochemicals, Chichester: Horwood 1986.

Raffinerie. Techn. Anlage zur *Raffination von *Erdöl bzw. *Zucker.

Raffinose (β-D-Fructofuranosyl-6-*O*-α-D-galactopyranosyl-α-D-glucopyranosid, Melitriose, Gossypose, Melitose).

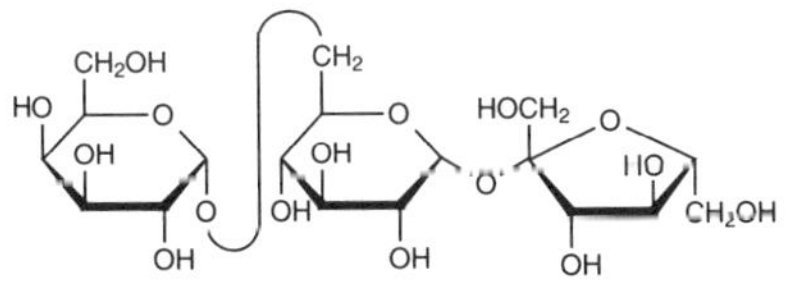

$C_{18}H_{32}O_{16}$, M_R 504,46, farblose Prismen. R.-Pentahydrat: Schmp. 80 °C, $[\alpha]_D^{20}$ +104° (H_2O); R. (wasserfrei): Schmp. 118–119 °C (Zers.), $[\alpha]_D^{20}$ +123° (H_2O), von indifferentem Geschmack, sehr gut lösl. in Wasser, Methanol, schwerlösl. in Ethanol. R. reduziert Fehlingsche Lsg. nicht, ist gegen Alkalien beständig u. bildet kein Osazon. Als *Trisaccharid (Triose) aus je 1 Mol. Galactose, Glucose u. Fructose wird R. durch verd. Säuren u. *Invertase in Fructose u. Melibiose, durch *Emulsin u. α-*Galactosidasen in Saccharose u. Galactose, durch starke Säuren in alle drei Monosaccharide gespalten. R. kommt in Zuckerrüben-*Melasse (<2%), Baumwollsamen u. Eucalyptusmanna, jedoch nicht im Zuckerrohr vor. Bei der *Raffination von *Saccharose aus Zuckerrüben reichert sich R. im Muttersirup an u. mindert die Saccharose-Ausbeute durch Störung des Krist.-Wachstums. Zum R.-Abbau kann die Zucker-Ind. α-Galactosidasen einsetzen, die entweder gentechnolog. (aus **Escherichia coli*-Bakterien [1]) od. biotechnolog. (als sog. *Raffinase* aus dem Schimmelpilz *Mortierella ovinacea*) [2] erhalten werden. R. wird zur Herst. von Melibiose u. als Bakterien-Nährbodenzusatz verwendet. – ***E*** = ***F*** raffinose – ***I*** raffinosio – ***S*** rafinosa

Lit.: [1] Chem. Unserer Zeit **17**, 54–58 (1983). [2] Rehm-Reed **6a**, 443–447.
allg.: Beilstein E V **17/8**, 403 ▪ Carbohydr. Res. **26**, 234 (1973) ▪ Karrer, Nr. 671 ▪ Merck-Index (12.), Nr. 8279 ▪ Ullmann (5.) **A 5**, 83, 86; **A 14**, 34. – *[HS 1702 90, 2940 00; CAS 512-69-6]*

RAG s. Ruhrkohle.

Rahm s. Butter, Milch u. Sahne.

Rahmen-Abwasserverwaltungsvorschrift (Rahmen-AbwasserVwV). Kurzbez. für die auf § 7 *Wasserhaushaltsgesetz basierende Allg. Rahmen-Verwaltungsvorschrift über Mindestanforderungen an das Einleiten von *Abwasser in Gewässer vom 08.09.1989 [1]. Die R.-A. gilt in Bereichen weiter, wo noch keine Regelungen durch die VO über Anforderungen an das Einleiten von Abwasser in Gewässer (Abwasserverordnung, AbwV) vom 21.03.1997 [2] getroffen wurden. Die AbwV bestimmt wie die alte R.-A. die Anforderungen, die in einer Erlaubnis für das Einleiten von Abwasser in Gewässer in Abhängigkeit von der Abwasserherkunft mind. festzulegen sind.
Abwasser darf nur in Gewässer eingeleitet werden, wenn am *Ort des Anfalls des Abwassers die *Schadstoff-Fracht so gering gehalten wird, wie dies durch Einsatz wassersparender Verf. bei Wasch- u. Reinigungsvorgängen, Indirektkühlung u. den Einsatz von schadstoffarmen Betriebs- u. Hilfsstoffen möglich ist. Es dürfen keine Verf. angewendet werden, bei denen entgegen dem *Stand der Technik Umweltbelastungen in andere Umweltmedien wie Luft od. Boden verlagert od. Konz.-Werte durch Verdünnung erreicht werden. Die AbwV definiert Begriffe wie *Mischprobe, *qualifizierte Stichprobe u. *produktionsspezifischer Frachtwert u. legt Meßverf. unter Bezug auf Normen fest. Für die Einhaltung von Überwachungswerten gilt die sog. 4-von-5-Regel: Ist ein nach der AbwV festgesetzter Wert überschritten, so gilt er dennoch als eingehalten, wenn die Ergebnisse der letzten 5 im Rahmen der staatlichen Gewässeraufsicht durchgeführten Überprüfungen in 4 Fällen diesen Wert nicht überschreiten u. kein Ergebnis diesen Wert um mehr als 100% übersteigt (zur Berechnung im Zusammenhang des Abwasserabgabengesetzes s. *Lit.* [3]). Die Anhänge der AbwV enthalten die Einzelregelungen für die Herkunftsbereiche des Abwassers, z.B. Anhang 1 für häusliches u. kommunales Abwasser, Anhang 40 für die Metallbearbeitung u. -verarbeitung einschließlich Batterie-Herst. u. Emaillierbetrieb sowie Anhang 48 für die Verwendungsbereiche bestimmter gefährlicher Stoffe wie Asbest. Die in der R.-A. u. in bestimmten Abwasserverwaltungsvorschriften (z.B. die 43. AbwVwV für Chemiefasern [4]) festgelegten Mindestanforderungen an das Einleiten von Abwasser in Gewässer gelten fort, bis in der AbwV Anforderungen festgelegt sind. Zu den derzeit vorgesehenen Änderungen der AbwV (nach einem halben Jahr nach Verkündigung!) s. *Lit.* [5].

Lit.: [1] GMBl., S. 518 (1989), in der Fassung der Bekanntmachung vom 31.07.1996, GMBl., S. 729 (1996). [2] BGBl. I, S. 566 (1997). [3] Niedersächs. Ind.- u. Handelskammern

(Hrsg.), Das neue Abwasserabgabenrecht, Hannover: IHKN 1997. [4]43. AbwasserVwV vom 05.09.1984 (GMBl., S. 359), geändert 15.04.1996 (GMBl., S. 463). [5]Bundesverband Junger Unternehmer (BJU) u. Ingenieurgemeinschaft für techn. Umweltschutz (INTECUS; Hrsg.), BJU-Umweltschutz-Berater, S. 955–959, Köln: Dtsch. Wirtschaftsdienst (Loseblatt-Sammlung) 1997.
allg.: Abwassertechn. Vereinigung (Hrsg.), ATV-Handbuch Mechan. Abwasserreinigung (4.), S. 40ff., Berlin: Ernst 1997 ▪ Schendel et al. (Hrsg.), Umwelt u. Betrieb, Tl. 305, 310 u. 312, Berlin: E. Schmidt (Loseblatt-Ausgabe seit 1990).

Rahmendruck s. Siebdruck.

Rahmenprogramm für Forschung u. technologische Entwicklung der EU. Die europ. Zusammenarbeit auf den Gebieten Forschung u. Technologieentwicklung in Europa, die erst 1987 in der „Einheitlichen Europ. Akte" als eigenständige Zuständigkeit der Europ. Gemeinschaft festgelegt wurde, basiert auf einem breit gefächerten Instrumentarium von Organisationsformen, in deren Mittelpunkt das R. steht. Ziel ist es, die wissenschaftlichen u. techn. Grundlagen der Ind. in den EU-Staaten zu stärken u. ihre internat. Wettbewerbsfähigkeit zu fördern. An den Programmen können sich Unternehmen, Hochschulen sowie Forschungseinrichtungen beteiligen. Für kleine u. mittlere Unternehmen (*KMU) sind bes. Fördermaßnahmen vorgesehen. Alle Maßnahmen der Gemeinschaft zur technolog. Entwicklung, hierzu zählt auch die *GFS, sind unter dem Dach des R. vereinigt. Die zu fördernden Forschungsgebiete u. die Finanzausstattung werden vom Rat der EU u. vom Europ. Parlament in Form eines mehrjährigen R. festgelegt, in spezif. Programmen u. Arbeitsprogrammen umgesetzt u. inhaltlich präzisiert. Im ersten R. (1984–1987) wurden die Aktivitäten der EU erstmals in einem strukturierten Rahmen geordnet. Das zweite R. (1987–1991) diente der Entwicklung der Technologien der Zukunft (z.B. *BRITE, *EURAM, *ESPRIT). Im dritten (1990–1994) u. vierten R. (1994–1998) wurde der Schwerpunkt auf die Biowissenschaften u. -technologien, auf Maßnahmen zur Ausbildung u. Mobilität sowie die Verbreitung der Forschungsergebnisse gelegt. Im fünften R. (1999–2003) soll mehr Gewicht auf eine Kohärenz des Gesamtkonzeptes u. eine stärkere Berücksichtigung sowohl der Nutzung der Ergebnisse als auch der Verwaltungsaspekte gelegt werden. Schwerpunkte werden die Schlüsselfelder Gesundheit, Biotechnologie, Informationsges. sowie wettbewerbsfähiges, nachhaltiges Wachstum sein. Zur Information u. fachlichen Beratung hat das BMBF ein Netz von kompetenten Ansprechpartnern eingerichtet. Ein zentraler Informationseinstieg ist das Internet-Angebot des BMBF (http://www.bmbf.de, Rubrik Förderprogramme). – INTERNET-Adresse: http://www.cordis.lu.

Rahmkäse. Kurzbez. für das in der *Käse-VO [1] als *Rahmfrischkäse* definierte Erzeugnis. Die Standardsorte R. gehört zur Gruppe Frischkäse (*Quark) u. darf nur aus *Milch, *Sahne od. entrahmter Milch mit einer Mindesttrockenmasse von 39% hergestellt werden (Mindestfettgehalt 50%). Als Beschaffenheitsstufe ist nur die Rahmstufe zulässig. – ***E*** cream cheese – ***F*** fromage à la crème – ***I*** formaggio di panna, formaggio alla crema – ***S*** queso crema

Lit.: [1]Käse-VO vom 14.4.1986 in der Fassung vom 03.02.1997 (BGBl. I, S. 144).
allg.: Belitz-Grosch (4.), S. 479 ▪ Spreer, Technologie der Milchverarbeitung, S. 303f., 373, Hamburg: Behr 1995 ▪ Ullmann (4.) **16**, 716 ▪ Zipfel, C 277 *16*, 10. – *[HS 0406 10]*

Rahn. Kurzbez. für die Schweizer Firma Rahn AG, Dörflistr. 120, CH-8050 Zürich. *Produkte: Humanchemie:* Lebensmittelzusätze, Chemikalien für Kosmetika, biotechnolog. Reagenzien u. Testsyst., Pharmachemikalien; *Polychemie:* Chemikalien für Anstriche, Hoch- u. Tiefbau, Wasserbehandlung, Druckfarben u. Klebstoffe; *Mewitec:* Medizin. Ausrüstungen, elektron. Implantate. *Tochterges.* in der BRD: Rahn GmbH, 63477 Maintal.

Rainfarn (Wurmkraut). An Wegrändern u. auf Ödland in Mitteleuropa, Nordamerika u. Nordasien ausdauernd wachsender Korbblütler *Chrysanthemum vulgare* (L.) Bernh. (Asteraceae), 60–120 cm hoch, mit dicht beblättertem Stengel u. goldgelben Blüten. Diese enthalten ether. Öle, Bitterstoffe (Tanacetin), Harze, Fette u. dgl. Im ether. Öl des R. wurden Derivate vom Thujon-, Isothujon- u. Campher-Typ, Sesquiterpene, Artemisiaketon u. Umbellulon gefunden, von denen bes. das *Thujon für die Wirkung (das ether. Öl ist ziemlich giftig) verantwortlich gemacht wird. R.-Blüten u. -Kraut wurden früher als *Anthelmintikum (wegen Giftigkeit u. unsicherer Wirkung heute nicht mehr), als Mittel gegen *Migräne u. Neuralgien, mißbräuchlich auch zu Abtreibungszwecken, als Extrakt u. Destillat zur Herst. von bitteren *Spirituosen (Klosterbitter, Kartäuser u. dgl.) verwendet. Die Aromen-VO untersagt in der BRD diese Verw.; von der Aufbereitungskommission beim Bundesgesundheitsministerium wurden R.-Zubereitungen neg. bewertet. – ***E*** tansy – ***F*** tanaisie vulgaire – ***I*** tanaceto, erba amara – ***S*** tanaceto, hierba lombriguera

Lit.: Arch. Pharm. **304**, 944–952 (1971) ▪ Bundesanzeiger 122/06.07.1988 ▪ Giftliste ▪ Hager (4.) **3**, 902–905. – *[HS 1211 90]*

Rainwater, Leo James (1917–1986), Prof. für Physik, Columbia-Univ., New York. *Arbeitsgebiete:* Kernphysik, Atombau, Entwicklung des sog. Kollektivmodells zusammen mit A. *Bohr u. B. R. *Mottelson, für welches sie 1975 den Nobelpreis für Physik erhielten.

Lit.: Lexikon der Naturwissenschaftler, S. 338 ▪ Neufeldt, S. 227.

RAK®. Gruppe von Marken mit *Pheromonen, die zur biotechn. Bekämpfung von Schädlingen (Verwirrungsmeth.) eingesetzt werden. RAK 1: Pheromon auf der Basis von *(*Z*)-9-Dodecenylacetat zur Bekämpfung des Einbindigen Traubenwicklers im Weinanbau. RAK 2: Pheromon auf der Basis von (*E*)-7-(*Z*)-9-Dodecadienylacetat zur Bekämpfung des Bekreuzten Traubenwicklers im Weinanbau. RAK 1 + RAK 2: Kombinationsprodukt aus RAK 1 u. RAK 2. RAK 3 + 4: Pheromon auf der Basis von (*E*)-8-(*E*)-10-Dodecadienol u. (Z)-11-Tetradecenylacetat zur Bekämpfung des Apfelwicklers u. des Schalenwicklers im Apfelanbau. RAK 5: Pheromon auf der Basis von (*Z*)-8-Dodecenylacetat zur Bekämpfung des Pfirsichtriebbohrers im Pfirsichanbau. ***B.:*** BASF.

Raketen s. pyrotechnische Erzeugnisse, Raketentreibstoffe, Raketenwerkstoffe.

Raketentreibstoffe. In der Raketentechnik verwendete *Treibstoffe (**Ergole*), die sich nach den Arbeitsmedien (*Propergolen*) in auf physikal. od. chem. Grundlage arbeitende Gruppen einteilen lassen. Zur ersten Gruppe gehören die Atom-, Ionen- u. Plasma-Raketentriebwerke, bei denen z. B. Ionen durch elektr. Felder beschleunigt u. zu einem Strahl (*Beisp.:* *Ionenstrahlen) gebündelt werden. Die Ausströmgeschw. (maßgeblich für Rückstoß) erreicht dabei höhere Werte (bis 60000 m/s) als bei den chem. R. (bis ca. 4500 m/s). Wegen der leichten Ionisierbarkeit u. des hohen Atomgew. erscheint Cäsium als R. für *Ionentriebwerke* bes. geeignet. Die meisten mit Abk. od. Decknamen belegten *chem. Propergole*, deren Zusammensetzung häufig geheimgehalten wird, bestehen prinzipiell aus Brennstoffen u. Oxidationsmitteln. Bei den Reaktionen miteinander werden Wärme u. gasf. Produkte frei, deren Ausstoß aus der Brenndüse nach dem Newtonschen Axiom „actio = reactio" den Vorschub der Rakete bewirkt. Auf Fragen der Werkstofftechnologie für die Brennkammern wird bei *Raketenwerkstoffe eingegangen. Der Brennstoff kann aus einer, zwei od. mehreren chem. Verb. aufgebaut sein u. entsprechend lassen sich Einstoff-, Zweistoff- u. Mehrstoffsyst. unterscheiden, die nach ihrem Aggregatzustand fest, flüssig, fest/flüssig od. geliert sein können. Man spricht daher auch von Feststoff-, Flüssigkeits- u. sog. Hybrid-Raketen. Ein Charakteristikum der R. ist auch ihr Zündverhalten. Diergol. R., deren Komponenten sich bereits bei ihrem Kontakt entzünden, bezeichnet man als **Hypergole*. Muß die Zündung der Komponenten durch externe Energiezufuhr erfolgen, spricht man von *Ahypergolen*.

Monergole (*Einfachtreibstoffe*) sind feste od. flüssige einheitliche Substanzen od. Substanzgemische, deren Zers. zu energiereichen Produkten durch Temp.-Erhöhung od. Katalysatoreinfluß (*Katergole*) in Gang gesetzt wird. Zu ihnen gehören z. B. Alkylnitrate, aliphat. Nitro-Verb., *Hydrazin, *Wasserstoffperoxid u. a. Beispielsweise zerfällt $H_2N{-}NH_2$ an Fe-, Co od Ni-Verb. auf Al_2O_3- od. ZrO_2-Trägermaterialien zunächst in NH_3 u. weiter zu N_2 u. H_2. Die Leistung der Einstoffsyst., zu denen auch einige *Explosivstoffe gezählt werden können, ist relativ gering, weshalb sie meistens nur zum Antrieb von Hilfsaggregaten verwendet werden. Die wichtigeren *Diergole* (*Zweifachtreibstoffe*) sind Kombinationen von zwei Flüssigkeiten (Brennstoff u. Oxidator werden meist getrennt in die Brennkammern eingespritzt) bzw. einer Flüssigkeit u. einer festen Komponente, wobei das Syst. flüssig/fest auch als *Hybridtreibstoff* bezeichnet wird. Diese auch als *Lithergole* bezeichneten R. enthalten als flüssige Oxidationsmittel HNO_3, O_2, H_2O_2, Fluor u. N_2O_4, als Brennstoffe Polyethylen, Polystyrol usw. mit Zusätzen an Beryllium, Bor, Aluminium, Magnesium usw., die auch in Form ihrer Hydride beigegeben werden.

Bes. in der *Raumfahrt* werden die gut dosierbaren flüssig/flüssig-Kombinationen eingesetzt, wobei als Brennstoffe Wasserstoff, Kohlenwasserstoffe, Borwasserstoffe, Amine, Hydrazin, UDMH (1,1-Dimethylhydrazin) od. Gemische wie Aerozin-50, Methylhydrazin, Ammoniak usw., als Oxidatoren flüssiger O_2 (LOX), H_2O_2, N_2O_4, HNO_3, F_2 usw. fungieren können; *Beisp.:* In der von W. von Braun entwickelten *Saturn-Rakete* des *Apollo-Programms Kerosin/flüssiger O_2 in der ersten, flüssiger H_2/O_2 in der 2. u. 3. Stufe, in der Europa-Rakete Ariane UDMH/N_2O_4 für die beiden ersten, flüssiger H_2/O_2 für die 3. Stufe. Bes. Bedeutung hatten im 2. Weltkrieg die H_2O_2-Methanol-Hydrazinhydrat-Triebwerke nach Walter, die HNO_3-Anilin-Raketen nach Zborowski u. die Flüssigsauerstoff-Alkohol-Raketen nach Oberth erlangt. Zum Antrieb von V2-Raketen wurden ca. 3500 kg Ethylalkohol mit 5250 kg Sauerstoff je Flugkörper in ca. 70 s verbrannt. Im 2. Weltkrieg wurden bei den dtsch. Raketen u. a. folgende Decknamen für R. verwendet: „Salbei" (Rauchende Salpetersäure), „T-Stoff" (80%iges H_2O_2 mit H_3PO_4 stabilisiert), „Z-Stoff" (Permanganate, „Z-Stoff C" = Calciumpermanganat), „*Tonka", C-Stoff nach Walter [Gemisch aus Methanol, Hydrazinhydrat u. Kaliumkupfer(I)-cyanid-Lsg.]. Der erste Satellit (sowjet. *Sputnik*, 1957) hatte eine Dreistufenrakete von ca. 30 m Länge u. 69,5 t Startgew.; als Treibstoff dienten 69 t raffiniertes Leuchtpetroleum u. flüssiger Sauerstoff.

In der Raumfahrt – v. a. als *Booster* (Verstärker) – u. in R. für militär. Zwecke werden oft Feststoff-R. verwendet; ältester Vertreter dieses Typs ist *Schwarzpulver, das heute noch in der *Pyrotechnik eingesetzt wird. Im Gegensatz zu den flüssig/flüssig-R. können Feststoffantriebe nicht wieder abgeschaltet werden (Challenger-Explosion 1986, s. *Lit.*[1]). Ein *homogener R.* aus Cellulosenitrat in Glycerintrinitrat wird „Double Base" genannt. Als *heterogene R.* od. *Composites* bezeichnet man bei den Feststoffraketen solche R., die aus einer Sauerstoff-abspaltenden u. einer brennbaren Komponente bestehen, wobei letztere zusätzliche Bindemittelfunktionen wahrnimmt. Heute benutzt man Gemische aus Sauerstoff-Trägern (z. B. *Ammoniumnitrat, *Ammonium-, *Kalium- u. *Lithiumperchlorat u. dgl.), Bindern (meist. hochmol. synthet. Produkte wie Gummi, Acryl-, Phenol-Polymere, Polyethylen, Polysulfid, Polybutadien, Polyurethan usw.) u. – ggf. pyrophore – Zusätze (z. B. Li, Be, Al, Mg, B, Borane, Metallhydride, Ti, Na, C, Si, P, S u. dgl.). Beispielsweise enthalten jede der beiden Booster-Raketen der amerikan. *Space Shuttles* (die 3 Haupttriebwerke arbeiten mit flüssigem H_2/O_2) 500 t Composite aus 16% Aluminium-Pulver, 70% NH_4ClO_4, Eisenoxid-Pulver als Katalysator u. 14% Epoxidharz als Bindemittel; die Brenntemp. erreicht 3200 °C. – ***E*** rocket propellants – ***F*** combustibles pour fusées – ***I*** propellenti per razzi – ***S*** combustibles para cohetes

Lit.: [1] Umschau **86**, 324–329 (1986).
allg.: Encycl. Polym. Sci. Technol. **12**, 105–139 ▪ Kirk-Othmer (4.) **10**, 69–125 ▪ Ullmann (4.) **20**, 91–112; (5.) **A 22**, 185–209 ▪ Winnacker-Küchler (3.) **5**, 519–527. – *Inst. u. Organisationen:* Bundesverband der Deutschen Luft- u. Raumfahrt-Ind. (BDLI), Konstantinstr. 90, 53179 Bonn ▪ Deutsche Forschungsanstalt für Luft- u. Raumfahrt (DLR), Linder Höhe, 51147 Köln ▪ Deutsche Gesellschaft für Luft- u. Raumfahrt-Lilienthal-Oberth (DGLR), Godesberger Allee 70, 53175 Bonn.

Raketenwerkstoffe. Umgangssprachliche Sammelbez. für Hochleistungswerkstoffe od. Werkstoffsyst. die bei der Herst. von Raketen u. a. Flugobjekten verwendet werden. Diese Werkstoffgruppe ist durch bes. physikal. Eigenschaften gekennzeichnet, z. B. durch hohe Zähigkeit bei sehr tiefen od. durch hohe *Festigkeit bei sehr hohen Temp., durch hohe od. niedrige Wärmeleitfähigkeit, durch bes. Beständigkeit im Kontakt mit gasf. od. flüssig vorliegenden *Raketentreibstoffen unter den jeweils herrschenden Temp. u. durch geringe spezif. Masse. In bes. Fällen handelt es sich um Werkstoffe, die im Verlaufe ihres Einsatzes nur einem Lastcyclus unterworfen werden. Stellvertretend für Werkstoffe seien hochfeste, extrem leichte Mg-Leg. genannt, für Werkstoffsyst. keram. Spritzbeschichtungen zur temporären Wärmedämmung. – *E* rocket materials – *F* matériaux pour fusées (engins) – *I* materiali per razzi – *S* materiales para cohetes

Raki. Hauptsächlich in der Türkei aus *Rosinen od. getrockneten *Feigen hergestellte *Spirituose mit Anisgeruch: Alkoholgehalt 43–50% vol. Über sensor. Probleme bei der Lagerung von R. in Plastikflaschen berichtet *Lit.*[1]. Zur rechtlichen Beurteilung, Klassifizierung u. Identifizierung der wichtigen Aromastoffe s. *Lit.*[2]. – *E* = *F* = *S* raki – *I* rachi

Lit.: [1] Lebensmittelchemie **44**, 16 (1990). [2] Dtsch. Lebensm. Rundsch. **87**, 41–45, 242–245 (1991). – *[HS 2208 90]*

Rakusol®. Flüssige Präparationen organ. u. anorgan. Pigmente in Paraffinöl u. Glycerinester (*Glyceride), sie finden Verw. zur Einfärbung von Kunststoffen, für PVC weniger geeignet. *B.:* BASF.

RAL. Abk. für den 1927 gegr. *R*eichs-*A*usschuß für *L*ieferbedingungen, dessen Nachfolger das Deutsche Institut für Gütesicherung u. Kennzeichnung, 53757 Sankt Augustin, Siegburger Str. 39, ist. Der RAL ist mit der Aufgabe betraut, freiwillige Regelungen herbeizuführen, die der Redlichkeit im Handelsverkehr, der Qualitätsförderung u. dem Verbraucherschutz dienen. Zu diesen Zwecken vereinbart der RAL Bezeichnungsvorschriften, Güte- u. Prüfbestimmungen (z. B. nach DIN-Normen) für Waren od. Leistungen, deren *Güteschutz* u. Kennzeichnung mittels *Gütezeichen* Hauptaufgaben darstellen. Ein Verzeichnis von *Gütegemeinschaften* mit ihren Gütezeichen findet sich in Verbänden, Behörden, Organisationen der Wirtschaft, Darmstadt-Hoppenstedt 1997, Nr. U 583–700. Die offizielle, vom RAL herausgegebene Gesamtübersicht der RAL-Gütezeichen mit Angabe der Anwendungsbereiche, der Zeichenträger u. sämtlicher Zeichen-Abb. ist beim RAL zu beziehen.

Raldur®. Marke für Harnstoff-Formaldehyd-Harze (*Harnstoff-Harze) zur Verw. als Beschichtungsmaterialien u. zur Herst. von Druckfarben. *B.:* AKZO Coatings Division Synthese bv.

RAL-Farbenregister. Das RAL-F., herausgegeben vom Deutschen Institut für Gütesicherung u. Kennzeichnung e. V. (s. RAL), bringt eine numerierte u. mit Farbnamen belegte Ordnung industriell hergestellter *Farbmittel für die Bedürfnisse von Behörden u. Firmen (Post, Bahn etc.) u. Herstellern von Konsumartikeln. Die Ordnung ist nur grob nach farblicher Verwandtschaft ausgerichtet u. ist farbmetr. an die DIN-Farbenkarte (DIN 6164: 1980-02; s. a. Farbe) angebunden. – *E* RAL color scale – *I* registro dei colori RAL – *S* registro de los colores RAL

Lit.: Herbst u. Hunger, Industrielle Organische Pigmente (2.), S. 52 f., Weinheim: VCH Verlagsges. 1995 ▪ Völz, Industrielle Farbprüfung, S. 30, Weinheim: VCH Verlagsges. 1990.

Ralfen®. Phenol-Formaldehyd-Harze (*Phenol-Harze) als Beschichtungsmaterialien u. zur Herst. von *Druckfarben. *B.:* AKZO Coatings Division Synthese bv.

Ralkyd®. *Alkydharze als Beschichtungsmaterialien u. zur Herst. von *Druckfarben. *B.:* AKZO Coatings Division Synthese bv.

Ralmel®. *Melamin-Formaldehyd-Harze als Beschichtungsmaterialien u. zur Herst. von *Druckfarben. *B.:* AKZO Coatings Division Synthese bv.

Ralofekt® (Rp). (Retard-) Tabl. u. Ampullen mit dem durchblutungsfördernden Mittel *Pentoxifyllin. *B.:* Arzneimittelwerk Dresden.

Ralox®. Sortiment von *Antioxidantien auf der Basis von 2,6-Di-*tert*-butyl-4-methylphenol, Alkylphenolen u. polymeren Chinolinen für die Mineralöl-, Kunststoff-, Kautschuk-, Gummi-, Futtermittel- u. Lebensmittel-Industrie. *B.:* Raschig.

Raloxifen (Rp).

HO S OH O O N

Internat. Freiname für das Anti-*Estrogen [6-Hydroxy-2-(4-hydroxyphenyl)benzo[*b*]thien-3-yl][4-(2-piperidinoethoxy)phenyl]methanon, $C_{28}H_{27}NO_4S$, M_R 473,59, Schmp. 143–147 °C, λ_{max} (C_2H_5OH) 290 nm ($A^{1\%}_{1\,cm}$ 718); Hydrochlorid: Schmp. 258 °C. R. wurde 1982 von Eli Lilly (Evista®) patentiert. Es ist ein neuer Estrogen-Rezeptor-Modulator, der zur Estrogen-Ersatztherapie in der Postmenopause gegen Osteoporose eingesetzt werden soll. Die Zulassung für die USA u. Europa ist beantragt. – *E* = *I* raloxifene – *F* raloxifène – *S* raloxifeno

Lit.: Drugs Fut. **21**, 760–763 (1996) ▪ Drug News Persp. **8**, 531–539 (1995) ▪ Martindale (31.), S. 1506 ▪ Pharmacology **50**, 209–217 (1995). – *[CAS 84449-90-1 (R.); 82640-04-8 (Hydrochlorid)]*

Ral-Protein s. Ras-Proteine.

Ralsin®. *Maleinatharze, die in Glykolen lösl. sind, als Beschichtungsmaterialien u. zur Herst. von *Druckfarben. *B.:* AKZO Coatings SA.

Raluben®. *Bakterizid u. *Fungizid auf der Basis von Tetrabrom-2-methylphenol. *B.:* Raschig.

Ralubit®. Kation. *Bitumen-Emulsionen. *B.:* Raschig.

Raluflex®. Elastomer-verstärkte *Bitumen-Emulsion zur Oberflächenbehandlung von Straßen. *B.:* Raschig.

Ralufon®. Sortiment von Anionen- u. Amphotensiden auf der Basis von Sulfopropyl-Derivaten zur Verw. als

Rohstoff in Wasch- u. Reinigungsmitteln, als Netzmittel in der Erdölförderung, als Emulgatoren in der Polymerisation u. Galvanotechnik. ***B.:*** Raschig.

Ralumac®. *Bitumen-Emulsion zur Herst. von Straßenüberzügen in Kaltbauweise. ***B.:*** Raschig.

Ralu-Pak®. Stoffaustauschpackung in geordneter Ausführung aus Metall- u. Kunststoff. ***B.:*** Raschig.

Ralupol®. Kunstharz-Preßmassen als Rohstoff zur Herst. duroplast. Formteile in Preß- u. Spritzgieß-Verfahren. ***B.:*** Raschig.

Raluquin®. Futtermittel-Antioxidans auf der Basis von Ethoxyquin von Raschig.

Ralu-Ring®. *Füllkörper aus Metall od. Kunststoff. ***B.:*** Raschig.

Raman, Sir Chandrasekhara Venkata (1888–1970), Prof. für Physik, Indian Inst. of Science, Bangalore. *Arbeitsgebiete:* Schwingungen von Saiten, Theorie von Musikinstrumenten, Wissenschafts- u. Forschungspolitik, Lichtstreuungs-Effekte (s. Raman-Spektroskopie); hierfür 1930 Nobelpreis für Physik.

Lit.: Krafft, S. 287f. ▪ Lexikon der Naturwissenschaftler, S. 339 ▪ Neufeldt, S. 162 ▪ Pötsch, S. 354 ▪ Poggendorff **7 b/7**, 4217–4222 ▪ Strube et al., S. 118.

Raman-Effekt s. Raman-Spektroskopie.

Raman-Spektroskopie. Ein Teilgebiet der *Spektroskopie, das sich des sog. *Raman-Effekts* (*Smekal-Raman-Effekt*) bedient. Unter diesem versteht man die 1923 von *Smekal vorausgesagte u. 1928 von *Raman, einige Monate später auch von Landsberg u. Mandelstam experimentell nachgewiesene Erscheinung, daß das Streulicht-Spektrum (s. Lichtstreuung) von festen, flüssigen od. gasf., mit monochromat. Licht bestrahlten, chem. Verb. außer der Linie (Primärfrequenz) des anregenden Lichtes noch davon verschiedene, schwache Linien (sog. *Raman-Linien*) enthält, die auf *Schwingungen u. *Rotationen der streuenden Mol. zurückzuführen sind. Die Frequenz der Raman-Linien ergibt sich zu: $\nu_{RA}=\nu_0\pm\nu_S\pm\nu_R$, wobei die Frequenzen ν_{RA} die der Raman-Linien, ν_0 die der Erregerlinie, ν_S die Schwingungseigenfrequenzen u. ν_R die Rotationsfrequenzen der streuenden Mol. sind. Eine zum Nachw. des Raman-Effekts geeignete Versuchsanordnung zeigt die Abb. 1. Hier wird also das in der 90°-Richtung gestreute Licht spektral zerlegt.

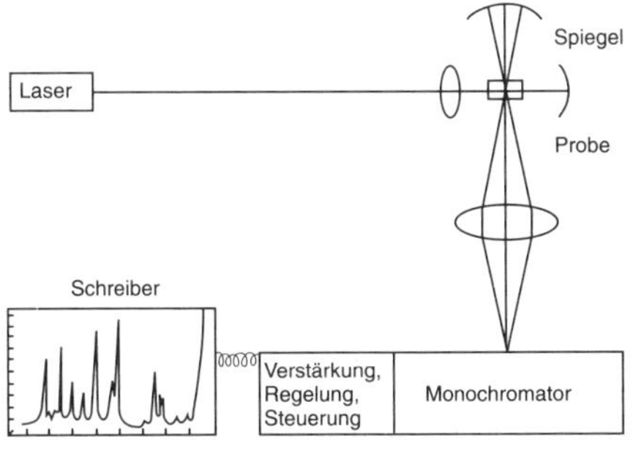

Abb. 1: Schemat. Aufbau eines Raman-Spektrometers.

Die auf *elast.* *Streuung an Mol. zurückgehende, kohärente Streustrahlung, deren Frequenz gegenüber der einfallenden Strahlung *nicht* verschoben ist, nennt man *Rayleigh-Strahlung*. Die Intensität der Rayleigh-Strahlung ist proportional dem Quadrat der *Polarisierbarkeit des Mol., die der Raman-Strahlung dagegen dem Quadrat der Änderung der Polarisierbarkeit bei der beobachteten Schwingung. Da das „Raman-Licht" im Vgl. zum „Rayleigh-Licht" etwa tausendmal schwächer ist, mußte man bei Aufnahme der *Raman-Spektren* zunächst von extrem opt. klaren Proben ausgehen, d.h. farblosen, niedermol. Flüssigkeiten; dagegen mußten stark gefärbte u. fluoreszierende Stoffe, kolloidale Lsg., hochpolymere Flüssigkeiten ausscheiden. Seitdem *Laser in modernen Raman-Spektrometern die *Quecksilberdampflampen ersetzt haben, gelten diese Einschränkungen nur noch teilweise. Das monochromat. Licht wird durch eine Linse auf die Probe fokussiert; zwei Spiegel verdoppeln durch *Reflexion die Intensität des Anregungs- bzw. des Streulichts. Letzteres wird in einem Gittermonochromator spektral zerlegt. Das Spektrum wird mit einem Schreiber registriert. Method. Verbesserungen sind durch Verw. von Polychromatoren u. Vielkanaldetektoren, von *Prozeßrechnern zur Steuerung u. Anschluß an die Labor-Datenverarbeitung erreichbar. Zur Darst. von Raman-Spektren für Publikations- u. Dokumentationszwecke sollten die IUPAC-Empfehlungen beachtet werden.

Die in der R.-S. angewandte monochromat. *Strahlung liegt im sichtbaren od. ultravioletten Wellenlängenbereich, u. im allg. werden keine Elektronenübergänge in den Mol. angeregt. Im Raman-Spektrum findet man neben der Erregerlinie (*Rayleigh-Strahlung*, $\nu_{RA} \triangleq \nu_0$) längerwellige (rotverschobene, *Stokessche Linien*) u. kürzerwellige (blauverschobene, *Anti-Stokessche Linien*) Trabanten. Dies läßt sich nach der *Quantentheorie dadurch erklären, daß nach der *Anregung durch das auftreffende u. *inelast.* gestreute Lichtquant das Mol. nicht in den *Grundzustand, sondern in einen höher liegenden, schwingungsangeregten Zustand zurückkehrt (Stokessche Linien, $\nu_{RA}=\nu_0-\nu_S$) od. – falls das streuende Mol. gerade therm. angeregte Schwingungen ausführte, ein Schwingungsquant zusätzlich emittiert (Anti-Stokessche Linien, $\nu_{RA}=\nu_0+\nu_S$); letztere sind allerdings von geringerer Intensität. In Gasen existiert neben dem *Schwingungs-Raman-Spektrum* auch ein *Rotations-Raman-Spektrum*, bei dem allerdings die Frequenzverschiebungen wesentlich geringer sind. Hier werden jeweils zwei Rotationsquanten ausgetauscht, weil während einer Umdrehung des Mol. die Polarisierbarkeit zweimal denselben Wert annimmt. Das Glied $\pm\nu_R$ der Gleichung bewirkt demnach das Entstehen einer Feinstruktur im Raman-Spektrum (*Rotationsschwingungsspektrum). Die Bedeutung der Raman-Spektren für die Konstitutionsaufklärung von komplizierten Mol. beruht darauf, daß Raman- u. IR-Spektrum häufig komplementäre Bilder des *Schwingungsspektrums liefern: Die Raman-Linien zeigen die Modulation der Polarisierbarkeit bei einer Schwingung, die IR-Banden die des *Dipolmoments. Ein Mol. aus n Atomen besitzt 3n–6 (3n–5, falls es linear ist) Eigenschwingungen. Raman- bzw. IR-Aktivität dieser Schwingungen werden von den *Symmetrie-Eigenschaften des Mol. bestimmt. Besitzt z.B. ein Mol. ein Symmetriezentrum, so gilt das Alternativverbot: Zum Symmetriezentrum symmetr. Schwingungen dürfen nicht IR-aktiv, dazu antisymmetr. nicht Raman-aktiv sein. So besitzt z. B. (*E*)-Dichlorethylen 6 Raman-aktive u. 6 IR-aktive Schwingungsmoden. Das Raman-Spektrum dieses Mol. ist in Abb. 2 dargestellt, wobei die einzelnen Banden näherungsweise klassifiziert werden. Z. B. steht die Bez. γ(C–H) für eine symmetr. Schwingung v. a. der H-Atome aus der Mol.-Ebene heraus.

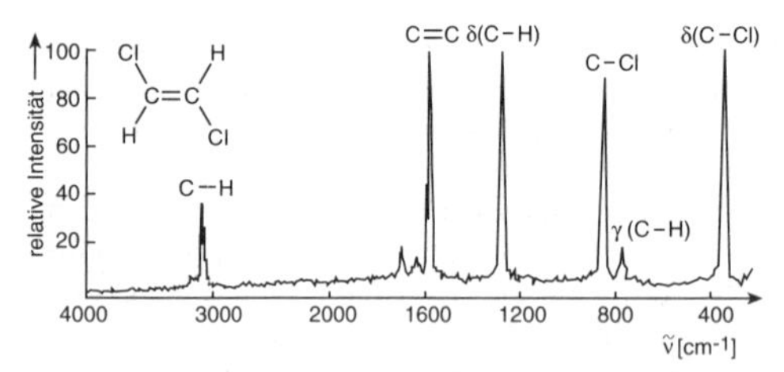

Abb. 2: Laser-Raman-Spektrum von (*E*)-Dichlorethylen (nach *Lit.*[1]) u. näherungsweise Zuordnung der Banden (nur symmetr. Schwingungen sind Raman-aktiv).

Die R.-S. eignet sich v. a. zur Charakterisierung unpolarer od. wenig polarer Bindungen (z. B. C≡C, C=C, N=N, C–C, O–O, S–S, von ringförmigen Verb., Metall-Metall-Bindungen u. a.). Die zugehörigen Schwingungen sind mit erheblichen Änderungen der Polarisierbarkeit verknüpft. Im IR-Spektrum erscheinen solche Banden hingegen nur schwach – falls sie nicht aus Symmetriegründen ganz verboten sind (s. oben). Die charakterist. Werte der Wellenzahlen einiger Mol.-Gruppen, die der Untersuchung mittels R.-S. gut zugänglich sind, sind in folgender Tab. angegeben.

Tab.: Wellenzahlen von Mol.-Gruppen [cm^{-1}].

X–X [500-1300 cm^{-1}]		X=X [1200-1800 cm^{-1}]		X≡X [1800-2400 cm^{-1}]		X–H [>2400 cm^{-1}]	
–C–O–	1050	>C=O	1720	–C≡N	2240	–C–H	2900
–C–N<	1000	>C=N–	1660	–C≡C–	2200	>N–H	3340
–C–C–	950	>C=C<	1640	N≡N	2330	–O–H	3400
–C–Cl	650	O=O	1555			Cl–H	2880
–C–Br	560					Br–H	2550
–C–I	500					I–H	2220

In der R.-S. läßt sich auch Wasser als Lsm. verwenden, da in Glasküvetten gearbeitet wird u. Wasser ein linienarmes u. wenig intensives Raman-Spektrum besitzt. Mit der R.-S. lassen sich auch Metall-Metall-Streckschwingungen u. Gitterschwingungen in Festkörpern untersuchen, die bei – der Routine-IR-Spektroskopie aus apparativen Gründen nicht zugänglichen – Wellenzahlen <200 cm^{-1} auftreten. Der Substanzbedarf für die R.-S. läßt sich u. U. auf <1 µL reduzieren, u. durch Mikro-R.-S., bei der die Optik eines Mikroskops verwendet wird, lassen sich sogar Staubkörner untersuchen – theoret. liegt die Nachweisgrenze der R.-S. im Pikogramm-, die der IR-Spektroskopie dagegen im Nanogramm-Bereich.
Durch die Aufnahme der Raman-Spektren, v. a. in Kombination mit *IR-Spektroskopie, lassen sich Konstitutionsfragen der Organ. u. Anorgan. Chemie u. der Biochemie[1–4] klären u. viele Strukturprobleme lösen. *Beisp.:* Das Raman-Spektrum der chem. reinen, wasserfreien Salpetersäure zeigt z. B. Linien, die man auch bei andersartigen NO_2- u. OH-Verb. wieder trifft; man gibt daher der wasserfreien Salpetersäure die Formel O_2NOH. Wird die Säure dagegen mit Wasser verdünnt, so dissoziiert sie prakt. vollständig in *Ionen (hydratisierte H^+ u. NO_3^-) u. das OH-Signal verschwindet. Die Raman-Spektren sind im allg. um so einfacher, je höher die Symmetrie u. je niedriger die Atomzahl der betreffenden Mol. ist. So haben z. B. NH_3, H_2S u. CCl_4 wenige Raman-Linien, während diese z. B. schon bei den höheren Kohlenwasserstoffen erheblich zahlreicher sind. Starre vielatomige Mol., z. B. Steroide, geben Spektren mit vielen schmalen Linien, die sich gut zur Identifizierung (*Fingerprint*) eignen. Aus der Tatsache, daß die Raman-Streustrahlung polarisiert ist, lassen sich zusätzliche Informationen über den Mol.-Bau gewinnen, zumal mit einem zwischen Probe u. Monochromator eingeschobenen *Polarisator die Polarisation bzw. der *Depolarisationsgrad* ρ leicht zu messen ist. Die R.-S. kann auch zur Bestimmung der abs. Konfiguration von organ. Mol. herangezogen werden.
In jüngerer Zeit wurden Meth. entwickelt, um die Empfindlichkeit der R.-S. zu erhöhen. Beim *Resonanz-Raman-Effekt*[5,6] wird die Anregungswellenlänge so gewählt, daß sie dem Absorptionsmaximum eines Elektronenübergangs entspricht. Gegenüber herkömmlicher R.-S. lassen sich Signalverstärkungen bis zu 10^6 erreichen. Die Resonanz-R.-S. findet inzwischen einen weiten Anw.-Bereich in Chemie, Physik u. Biologie, zur quant. Analyse, zur Untersuchung von Wasser, Halbleitern, Biochemikalien, insbes. Naturfarbstoffen wie Carotinoiden, Rhodopsin u. Hämoglobin. Eine ausführliche Erläuterung des Resonanz-Raman-Effekts u. einige seiner Anw. in der Anorgan. Chemie findet man bei *Lit.*[6].
Um mehrere Größenordnungen verstärkte Signale zeigen auch bestimmte, an der Oberfläche adsorbierte Moleküle. Dieser Effekt wurde zuerst im Raman-Spektrum von an einer aufgerauhten Silber-Elektrode adsorbiertem Pyridin beobachtet. Diese sog. *SERS* bzw. *SERRS* [*S*urface-*E*nhanced (*R*esonance) *R*aman *S*pektroscopy] eignet sich zur Untersuchung von Oberflächen- u. Elektroden-Eigenschaften, kann auch zum tieferen Verständnis der heterogenen *Katalyse beitragen u. wird auch in der *Kolloidchemie eingesetzt; Näheres s. *Lit.*[7–10].
Fluoreszierende Verb. werden einer Analyse mittels R.-S. zugänglich durch die Einführung der *CARS*-Meth. (*C*oherent *A*ntistokes *R*aman *S*cattering). Diese zählt zu den Meth. der *nichtlinearen* R.-S. (s. *Lit.*[11,12]). Bei dieser instrumentell sehr aufwendigen Meth. benötigt man zwei kohärente (*Kohärenz) Laserstrahlen, die, wenn sie sich in einem bestimmten Winkel kreuzen, einen neuen kohärenten Wellenzug mit der Frequenz der Anti-Stokes-Linie entstehen lassen. Mit diesem können selbst so stark fluoreszierende Verb. wie die polycycl. aromat. Kohlenwasserstoffe (*PAH) untersucht werden[13], da die *Fluoreszenz, die ja längerwelliger als das Anregungslicht ist (*Stokes-Regel), die Messung nicht mehr stören kann.

Zeitaufgelöste R.-S. läßt sich zur Untersuchung kurzlebiger Spezies od. angeregter Elektronenzustände stabiler Mol. u. zum detaillierten Studium chem. Elementarreaktionen heranziehen. Dabei werden gepulste *Laser eingesetzt [14]. – ***E*** Raman spectroscopy – ***F*** spectroscopie Raman – ***S*** espectroscopia Raman

Lit.: [1] Hesse et al., Spektroskopische Methoden in der organischen Chemie, 3. Aufl., Stuttgart: Thieme 1987. [2] Graselli et al., Chemical Applications of Raman Spectroscopy, New York: Wiley 1981. [3] Carey, Biochemical Applications of Raman and Resonance Raman Spectroscopies, New York: Academic Press 1982. [4] Spiro, Biological Applications of Raman Spectroscopy (3 Bd.), New York: Wiley 1987, 1988. [5] Parker, Applications of Infrared, Raman and Resonance Raman Spectroscopy in Biochemistry, New York: Plenum 1983. [6] Angew. Chem. **98**, 131–160 (1986). [7] Acc. Chem. Res. **17**, 271 ff. (1984). [8] Pure Appl. Chem. **56**, 1428–1437 (1984). [9] Top. Curr. Chem. **134**, 1–57 (1986). [10] Champ u. Furtak, Surface Enhanced Raman Scattering, New York: Plenum 1982. [11] Kiefer u. Long, Non-Linear Raman Spectroscopy and its Chemical Applications, Dordrecht: Reidel 1982. [12] Harvey, Chemical Applications of Nonlinear Raman Spectroscopy, New York: Academic Press 1981. [13] Int. J. Environ. Anal. Chem. **22**, 85–97 (1985). [14] Pure Appl. Chem. **57**, 187–193, 195–200 (1985).
allg.: Baranska et al., Laser Raman Spectroscopy, Chichester: Horwood 1987 ▪ Cardona u. Güntherodt, Light Scattering in Solids, Bd. 2 u. 4, Heidelberg: Springer 1982, 1984 ▪ Clark u. Hester, Advances in Infrared and Raman Spectroscopy, Chichester: Wiley-Heyden, mehrere Bd. (Serie) ▪ Eesley, Coherent Raman Spectroscopy, Oxford: Pergamon Press 1981 ▪ Fadini u. Schnepel, Schwingungsspektroskopie, Stuttgart: Thieme 1985 ▪ Nakamoto, Infrared and Raman Spectra of Inorganic and Coordination Compounds, New York: Wiley 1986 ▪ Nakamoto u. Strommen, Laboratory Raman Spectroscopy, New York: Wiley 1985 ▪ Pockrand, Surface Enhanced Raman Vibration Studies at Solid/Gas Interfaces, Berlin: Springer 1984 ▪ Weidlein et al., Schwingungsspektroskopie, Stuttgart: Thieme 1982 ▪ s. a. IR-Spektroskopie.

Raman-Streuung s. Lichtstreuung.

Raman-Verschiebung. Durch den Raman-Effekt (s. Raman-Spektroskopie) hervorgerufene Linienverschiebung. Sie wird zur Veränderung von Wellenlängen eines Laserstrahles eingesetzt, indem die Strahlung eines intensiven Laser mit fester Wellenlänge durch eine Gaszelle geleitet wird – ***E*** Raman shift ***F*** décalage (déplacement) Raman – ***I*** spostamento Raman – ***S*** desplazamiento Raman

Ramasil®-Marken. Hydrophobierungsmittel für die Textilausrüstung. ***B.:*** BASF.

Ramberg-Bäcklund-Reaktion. Bei der Behandlung von α-Halogensulfonen mit Basen werden Alkene gebildet. Das durch die Deprotonierung gebildete Carbanion verdrängt das Halogen-Ion, wobei ein Thiiran-1,1-dioxid gebildet wird, das leicht SO_2 abspaltet u. so das Alken bildet.

Abb. 1: Herst. von Alkenen nach der Ramberg-Bäcklund-Reaktion (X = Halogen).

Die R.-B.-R. verläuft stereounspezif., da *E*- u. *Z*-Alken nebeneinander gebildet werden; vgl. dagegen die Corey-Winter-Reaktion bei Olefine. Bedeutung besitzt die R.-B.-R. v. a. in der Synth. gespannter Cycloalkene, die auf andere Weise schlecht zugänglich sind. Cycl. *Endiine lassen sich z. B. so herstellen [1] (s. Abb. 2).

Abb. 2: Herst. von cycl. Endiinen mittels Ramberg-Bäcklund-Reaktion.

– ***E*** Ramberg-Bäcklund reaction – ***F*** réaction de Ramberg-Bäcklund – ***I*** reazione di Ramberg-Backlund – ***S*** reacción de Ramberg-Bäcklund

Lit.: [1] Angew. Chem. **103**, 1453 (1991).
allg.: Acc. Chem. Res. **1**, 209–216 (1968); **3**, 281–290 (1970) ▪ Hassner-Stumer, S. 309 ▪ Houben-Weyl **E 11**, 1523 ▪ Krauch u. Kunz, Reaktionen der Organischen Chemie, S. 364, Heidelberg: Hüthig 1997 ▪ Laue-Plagens, S. 263 ▪ Org. React. **25**, 1–72 (1977) ▪ Tetrahedron **42**, 3731–3752 (1986) ▪ Trost-Fleming **3**, 861 ff.

Rambutan. Früchte des in Malaysia heim. u. in Südostasien kultivierten immergrünen, bis 15 m hohen R.-Baumes *Nephelium lappaceum* (Sapindaceae). Das von einem warzig-stacheligen roten Mantel geschützte weiße Fruchtfleisch schmeckt angenehm süß-säuerlich ähnlich *Litchi u. wird roh od. als Kompott genossen. Der ca. 2 cm große Samen ist sehr fettreich (35–55%); sein Öl wird auf Nahrungsfett, zur Seifen- u. Kerzenherst. aufgearbeitet. – ***E*** = ***F*** = ***I*** rambutan – ***S*** rambután

Lit.: Franke, Nutzpflanzenkunde (6.), S. 260, Stuttgart: Thieme 1997. – *[HS 0810 90]*

Ramie (Chinagras). Weiße, seidenglänzende, feine *Bastfaser (Kurzz. RA) aus den 2–3 m hohen Stengeln der Staude *Boehmeria nivea* (*Nesselpflanze). Die Rohfaser enthält neben der Cellulose noch 25–35% Pflanzengummen aus Xylan u. Arabinan, die durch Kochen in wäss. Alkali-Lsg. entfernt werden, 10% Wasser sowie Fette, Wachse u. Lignin, während die degummierte Faser aus nahezu reiner Cellulose besteht. R. wird in Südostasien schon seit Jh. gewonnen, wird heute in China, Indien u. Florida kultiviert u. ist eine der wichtigsten *Faserpflanzen der Weltwirtschaft. R. ist die stärkste u. haltbarste *Cellulose-Faser, die auch unter dem Einfluß von Wasser u. Luft nicht verrottet. In Pharaonengräbern fand man jahrtausendealte, kaum beschädigte Kleider u. Decken aus Ramie.

Verw.: Zu Fallschirmen, Segeltuch, Wagenplanen, Fischernetzen u. hochwertiger Tischwäsche (*Nessel*), auch zur Papierherstellung. – ***E*** = ***F*** ramie – ***I*** ramia – ***S*** ramio

Lit.: Brücher, Tropische Nutzpflanzen, S. 242 f., Berlin: Springer 1977 ▪ Franke, Nutzpflanzenkunde (6.), S. 415 f., Stuttgart: Thieme 1997 ▪ Kirk-Othmer (4.) **10**, 736 ▪ Rouette, Lexikon für Textilveredlung, Bd. 2, S. 1699 f., Dülmen: Laumann Verl. 1995. – *[HS 5305 91, 5305 99]*

Ramifenazon. (Isopropylaminophenazon, Isopyrin; Rp zur parenteralen Anw.). Internat. Freiname für das nichtsteroidale *Antirheumatikum 4-(Isopropylamino)-1,5-dimethyl-2-phenyl-1,2-dihydro-3*H*-pyrazol-3-on, $C_{14}H_{19}N_3O$, M_R 245,32, Krist., Schmp. 80 °C; λ_{max} (0,1 M HCl) 259 nm ($A^{1\%}_{1cm}$ 383). Verwendet wird meist das Hydrochlorid: Schmp. 195 °C, λ_{max} (CH_3OH) 243, 269 nm ($A^{1\%}_{1cm}$ 270, 332). – ***E*** = ***I*** ramifenazone – ***F*** ramifénazone – ***S*** ramifenazona

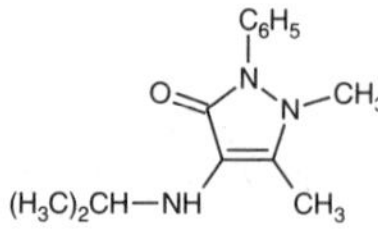

Lit.: Hager (5.) **9**, 486 f. ▪ Martindale (31.), S. 93. – *[HS 2933 11; CAS 3615-24-5 (R.); 13576-96-0 (Hydrochlorid)]*

Ramipril. Internat. Freiname für den *ACE-Hemmer (2*S*)-1-[*N*-((*S*)-1-Ethoxycarbonyl-3-phenylpropyl)-L-alanyl]-(3a*β*,6a*β*)-octahydrocyclopenta[*b*]pyrrol-2*α*-carbonsäure, $C_{23}H_{32}N_2O_5$, M_R 416,52, Nadeln, Schmp. 109 °C, $[\alpha]^{24}_D$ +33,2° (c 1/0,1 methanol. HCl); λ_{max} (CH_3OH) 258 nm ($A^{1\%}_{1cm}$ 4,8). R. wurde 1983 von Hoechst (Delix®) u. 1986 von Schering Corp. patentiert u. ist auch von Astra/Promed (Vesdil®) im Handel. – ***E*** = ***F*** = ***I*** = ***S*** ramipril

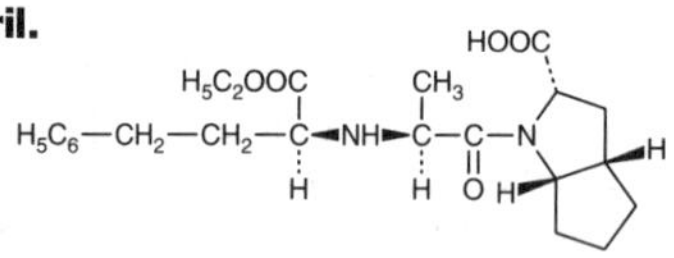

Lit.: ASP ▪ Hager (5.) **9**, 487 ff. ▪ Martindale (31.), S. 940 f. – *[HS 2933 90; CAS 87333-19-5]*

Rammelsbergit (Weißnickelkies z. T.). $NiAs_2$; rhomb. Nickelerz, Kristallklasse mmm – D_{2h}, das häufig verwachsen mit *Safflorit ($CoAs_2$) od. *Skutterudit vorkommt. Meist derbe kompakte, zinnweiß metallglänzende, dunkel anlaufende Aggregate; H. 5,5, D. 7,1, Strichfarbe grauschwarz. R. ist trimorph mit *Pararammelsbergit* $NiAs_2$ (rhomb., Struktur s. *Lit.*[1]) u. *Krutovit* $NiAs_2$ (kub.).

Vork.: Auf hydrothermalen Cobalt-Nickel-Silber-Gängen, z. B. Schneeberg/Sachsen, Mansfelder Rücken, Riechelsdorf/Hessen, Cobalt in Ontario u. Great Bear Lake/Kanada, Bou Azzer/Marokko. – ***E*** = ***F*** = ***I*** rammelsbergite – ***S*** rammelsbergita

Lit.: [1] Am. Mineral. **57**, 1–9 (1972).

allg.: Anthony et al., Handbook of Mineralogy, Vol. I, S. 432, Tucson (Arizona): Mineral Data Publishing 1990 ▪ Ramdohr, Die Erzmineralien u. ihre Verwachsungen, S. 909–912, Berlin: Akademie Verl. 1975 ▪ Schröcke-Weiner, S. 266 f. – *[HS 2604 00; CAS 1303-22-6]*

Ramón y Cajal, Santiago (1852–1934), Prof. für Medizin u. Histologie, Univ. Valencia u. Prof. für Histologie, Univ. Barcelona. *Arbeitsgebiete:* Nervensyst., Nervenzellen. 1906 erhielt er den Nobelpreis für Physiologie od. Medizin für seine Untersuchungen über Neuronen als Basiseinheit von Nervenstrukturen zusammen mit *Golgi.

Lit.: Lexikon der Naturwissenschaftler, S. 339.

RAMP s. SAMP.

Ramrod®. Vorauflauf-*Herbizid auf der Basis von *Propachlor zur Anw. bei Zwiebeln, Porree, Raps u. Kohl. ***B.:*** Monsanto.

Ramsauer, Carl Wilhelm (1879–1955), Prof. für Physik, Danzig, AEG-Forschungsinst., Berlin. *Arbeitsgebiete:* Stoßprozesse, Begriff des Wirkungsquerschnitts, Elektronenmikroskopie; fand 1920 bei der Untersuchung der Elektronenstreuung an Edelgasen in dem nach ihm benannten Ramsauer-Effekt (abnorm kleiner Wirkungsquerschnitt der Atome bei sinkender Elektronengeschw.) die erste Andeutung für die Wellennatur des Elektrons; gründete 1944 die „Physikalischen Blätter".

Lit.: Krafft, S. 219 ▪ Lexikon der Naturwissenschaftler, S. 340.

Ramsay, Sir William (1852–1916), Prof. für Chemie, Univ. Glasgow, Bristol u. London. *Arbeitsgebiete:* Erforschung der Atmosphäre, zusammen mit F. *Soddy Nachw., daß einige radioaktive Elemente ständig Helium erzeugen. Entdeckung der Edelgase, wofür er 1904 den Nobelpreis für Chemie erhielt.

Lit.: Lexikon der Naturwissenschaftler, S. 340 ▪ Pötsch, S. 354 f.

Ramsay-Fett. Spezialfett auf der Basis Kautschuk/Vaseline für Hähne u. Schliffverbindungen, wasserbeständig, leichtlösl. in Ether u. Benzin, verwendbar im Vak. bis 10^{-2} Pa. – ***E*** Ramsay grease – ***F*** graisse de Ramsay – ***I*** grasso Ramsay – ***S*** grasa de Ramsay

Ramsdellit. MnO_2; schwarzes, zu den *Braunsteinen zählendes, außerordentlich brüchiges, rhomb. Mineral, dimorph (*Polymorphie) mit *Pyrolusit, Kristallklasse mmm – D_{2h}; Struktur (mit Doppelketten aus $[MnO_6]$-Oktaedern) u. Unterscheidung des R. von anderen Manganoxiden mittels *IR-Spektroskopie s. *Lit.*[1]. Kurzprismat. od. blättrige, undurchsichtige, metallglänzende Krist., blättrige bis tafelige Aggregate u. derbe bis feinkrist. Massen. Häufig mit Pyrolusit verwachsen, in den R. zwischen ca. 300 u. 500 °C übergeht; H. ca. 3, D. 4,37–4,84, Strich schwarz.

Vork.: In oxid. Manganerzen, z. B. Arizona u. anderorts in den USA, Kumpumba/Simbabwe, Indien, Südafrika u. Gözören/Türkei. – ***E*** = ***F*** = ***I*** ramsdellite – ***S*** ramsdellita

Lit.: [1] Am. Mineral. **64**, 1199–1218 (1979).

allg.: Roberts, Campbell u. Rapp, Encyclopedia of Minerals (2.), S. 715 f., New York: Van Nostrand Reinhold 1990 ▪ Varentsov u. Grasselly (Hrsg.), Geology and Geochemistry of Manganese, Vol. 1, S. 83–86, Stuttgart: Schweizerbart 1980 ▪ s. a. Braunsteine. – *[HS 2820 90; CAS 12032-73-4]*

Ramsey, Norman Foster (geb. 1915), Prof. für Physik, New York, Cambridge (Mass.). *Arbeitsgebiete:* Mikrowellen-Radaranlagen, Mitarbeit bei der Entwicklung der amerikan. Atombombe, Untersuchung elektr. u. magnet. Eigenschaften von Atomkernen. Steigerung der Genauigkeit von Atomuhren mit Hilfe der nach ihm benannten Resonanz-Methode (*Ramsey-Resonanzen). Er erhielt für die Weiterentwicklung der Atomstrahlresonanzmeth. 1989 zusammen mit H. G. *Dehmelt u. W. Paul den Nobelpreis für Physik.

Lit.: Lexikon der Naturwissenschaftler, S. 340.

Ramsey-Resonanzen. Zusätzliche Resonanzstrukturen, die aufgrund getrennter oszillierender Felder bei Messungen mit Atom- u. Mol.-Strahlen auftreten u. es erlauben, Übergänge um rund zwei Größenordnungen genauer zu bestimmen. Theoret. ist die Breite einer Resonanzlinie durch die endliche Lebensdauer der beteiligten Niveaus bestimmt (s. natürliche Linienbreite). In der Praxis wird dieser Wert selten erreicht, denn zusätzliche Effekte wie Feldinhomogenitäten, der *Doppler-Effekt u. *Stoßprozesse führen zu zusätzlichen Verbreiterungen. Die Verw. kollimierter Atom- bzw. Mol.-Strahlen schließt eine Reihe dieser Störeffekte aus; allerdings halten sich dann die Partikel nur kurz in dem Strahlungsfeld auf, womit wieder eine Verbreiterung („Flugzeitverbreiterung") einhergeht.

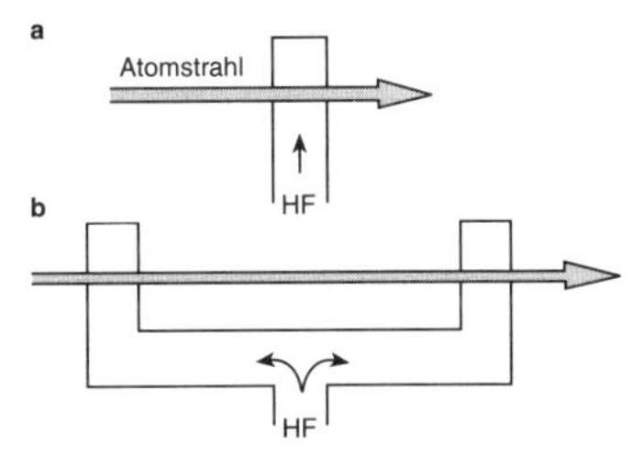

Abb. 1: a) Herkömmliche Hochfrequenz-(HF)-Anregung in einem Atomstrahl; b) Erweiterung von a zur Beobachtung von Ramsey-Resonanzen.

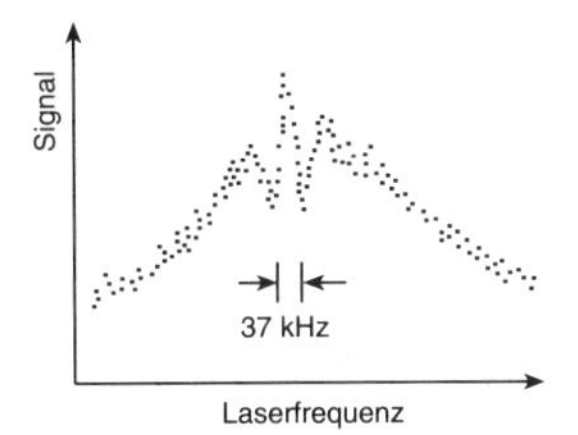

Abb. 2: Zwei-Photonen-Ramsey-Resonanz des Überganges $32^2S \leftarrow 5^2S$, F=3 in ^{86}Rb.

Bei der 1950 von N. F. *Ramsey vorgeschlagenen Meth. durchlaufen die Partikel nicht nur eine Wechselwirkungszone (s. Abb. 1 a), sondern zwei Zonen, wobei zwischen den Strahlungsfeldern in den Zonen eine feste Phasenbeziehung bestehen muß (s. Abb. 1 b). Bei der Anw. im mittleren Sektor einer Rabi-Apparatur (*Rabi-Resonanz-Methode) wird das magnet. Moment in jeder Zone um 90° gedreht. Damit sich beide Drehungen zu der gewünschten Drehung um 180° addieren, muß die Phasenlage des magnet. Momentes beim Eintritt in die zweite Zone richtig gewählt sein; bei falscher Phase kann die Drehung aus der ersten Zone sogar wieder rückgängig gemacht werden. Beobachtet wird auf einem breiteren Resonanzprofil eine Interferenzstruktur mit sehr schmalen Breiten. Mit Hilfe dieser schmalen Strukturen konnte u. a. die Genauigkeit der Cäsium-Uhr (s. Atomuhr) erheblich gesteigert werden.
Die zunächst für den Hochfrequenzbereich entwickelte Technik der R.-R. wird heute auch im Infrarotbereich sowie im sichtbaren Spektralgebiet mit Hilfe von *Lasern für Präzisionsmessungen eingesetzt (s. Abb. 2). – ***E*** Ramsey resonances – ***F*** résonances de Ramsey – ***I*** risonanze di Ramsey – ***S*** resonancias de Ramsey

Lit.: Phys. Unserer Zeit **20**, 192 (1989) ▪ Demtröder, Laser-spectroscopy, Berlin: Springer 1996.

-ran- s. statistische Copolymere.

Ran. In allen *eukaryontischen Zellen mit relativ geringen Strukturabweichungen vorkommendes (hochkonserviertes) *kleines GTP-bindendes Protein. Als solches besitzt es schwache intrins. Aktivität als Guanosintriphosphatase (s. Guanosinphosphate), die durch ein spezif. *GTPase-aktivierendes Protein stimuliert u. durch einen spezif. *Guaninnucleotid-Austauschfaktor* regeneriert wird. Von den übrigen Vertretern der Superfamilie unterscheidet Ran sich dadurch, daß es hauptsächlich im Zellkern lokalisiert u. nicht lipophil modifiziert ist. Ran ist am Export von Proteinen aus dem Zellkern u. an ihrem Import in ihn beteiligt. – ***E*** = ***F*** = ***I*** = ***S*** ran

Lit.: Bioessays **18**, 103–112 (1996) ▪ Microbiol. Mol. Biol. Rev. **61**, 193–211 (1997).

Randen s. Rote Rüben.

Randlöslichkeit s. Mischkristalle.

Randolf-Metall. Kupfer-Leg. mit 39,4% Sn u. 0,6% Pb. Ursprünglich verwendet für zahnmedizin. Prothesen wie Kronen od. Brücken ist R.-M. heute jedoch weitgehend durch *Edelmetalle ersetzt. – ***E*** Randolf's metal – ***F*** métal de Randolf – ***I*** metallo di Randolf – ***S*** metal de Randolf

Random-Copolymere s. statistische Copolymere.

Randwinkel s. Benetzung.

Raney®. Gruppe von Katalysatoren für Hydrierungs- u. Dehydrierungsprozesse auf der Basis von Nickel, Cobalt u. Kupfer mit Aluminium-Zusatz, die sich durch hohe Aktivität u. Selektivität auszeichnen. ***B.:*** Grace.

Raney-Cobalt s. Raney-Nickel.

Raney-Katalysatoren. Gruppe von *Hydrierungs- u. *Dehydrierungs-*Katalysatoren, die 1925/27 von dem Amerikaner Raney erstmals hergestellt wurden. Der am leichtesten zugängliche u. daher am meisten verwendete R.-K. ist das Raney-Nickel (zur allg. Herst. s. dort), aber auch Raney-Fe, -Co, -Cu u. -Ag werden gelegentlich zu speziellen Synth. benutzt. – ***E*** Raney catalysts – ***F*** catalysateurs de Raney – ***I*** catalizzatori di Raney – ***S*** catalizadores de Raney

Lit.: s. Raney-Nickel.

Raney-Kupfer s. Raney-Nickel.

Raney-Nickel. Eine bes. aktive, pyrophore Form des *Nickels u. wichtigster Vertreter der *Raney-Katalysatoren.

Herst.: Man legiert Ni mit Al, Si, Mg od. Zn (häufig mit Al im Verhältnis 1:1) u. löst aus der Leg. nach mechan. Zerkleinerung mit Alkalien das katalyt. unwirksame Metall heraus. Dabei bleibt ein schwarzer *Metallschwamm* als *Aktivstoff zurück. Da R.-N. ein *Pyrophor darstellt, ist bei der Handhabung Vorsicht geboten (Filter nicht trocken werden lassen, Leg.-Metalle vollständig entfernen, vgl. *Lit.*). Auf die Toxizität von Nickel-Stäuben sei ebenfalls hingewiesen. R.-N. wird am besten vor der Verw. frisch hergestellt, da beim Lagern ein starker Aktivitätsverlust eintreten kann. Eine selektive *Desaktivierung erreicht man durch Waschen mit 0,1%iger Essigsäure; durch Zugabe kleiner Mengen Triethylamin-hexachloroplatinat(IV) wird dagegen die Aktivität gesteigert. Reste des noch im Katalysator verbliebenen Aluminiums können ebenfalls synerget. wirken. *Hydrierungen u. *Dehydrierungen mit R.-N. können sowohl bei Raumtemp. unter Normaldruck, als auch bei erhöhten Temp. im Autoklaven durchgeführt werden. Das Reaktionsgut muß während der H_2-Einleitung ständig durchmischt werden.

Verw.: Zur Entschwefelung u. Dehalogenierung, zur Hydrierung von Doppel- u. Dreifachbindungen in Olefinen (*Beisp.:* Fetthärtung), Alkinen u. Aromaten, zur Red. von Aldehyden u. Ketonen zu Alkoholen sowie von Nitrilen, Nitro-Verb. od. Oximen zu Aminen, zur Zers. von Hydrazin in Laborabfällen; zur Dehydrierung von prim. u. sek. Alkoholen zu Aldehyden bzw. Ketonen, als Katalysator in Brennstoffzellen sowie als Elektrodenmaterial. In prinzipiell gleicher Weise wie R.-N. lassen sich auch *Raney-Cobalt* (aus Al/Co) u. *Raney-Kupfer* (aus Al/Cu) herstellen u. verwenden. – ***E*** Raney nickel – ***F*** nickel de Raney – ***I*** nichel Raney – ***S*** níquel Raney

Lit.: Dechema-Monogr. **98**, 181–194, 229–244 (1985) ▪ Ullmann (5.) **A 22**, 706.

Rangoonbohnen (Mondbohnen). Unreife Hülsen wie auch reife Samen von *Phaseolus lunatus* (Schmetterlingsblütler), beheimatet in Mittel- od. Südamerika. R. gehören dort zu den ältesten Kulturpflanzen. Heute werden sie in den gesamten Tropen, aber auch in der gemäßigten Zone angebaut u. sind unter Namen wie *Lima-, Peru-, Birma-, Java-, Madagaskar- u. Siévabohnen* Volksnahrungsmittel in Hinterindien u. Ostafrika. Je 100 g reife Samensubstanz enthalten 11,5 g Wasser, 20,6 g Eiweiß, 1,4 g Fett, 45 g Kohlenhydrate, 3,7 g Rohfasern u. 3,7 g Mineralstoffe. R. enthalten wildwachsend bis 760 mg/kg Blausäure in Form des Glykosids *Linamarin. Beim üblichen Einweichen u. Kochen wird HCN abgespalten u. entweicht. Wie viele andere *Bohnen-Sorten besitzen auch R. einen Trypsin-Inhibitor u. *Lektine. Diese aus 4 bzw. 8 Untereinheiten aufgebauten Glykoproteine (M_R 247 000) benötigen zur Aktivität je ein Ca- u. Mn-Ion pro Untereinheit. – ***E*** Rangoon beans – ***F*** haricots de Lima – ***I*** fagioli Rangoon – ***S*** judías de Lima

Lit.: Franke, Nutzpflanzenkunde (6.), S. 135, Stuttgart: Thieme 1997 ▪ s. a. Bohnen u. Hülsenfrüchte. – *[HS 0713 39]*

Ranitidin (Rp).

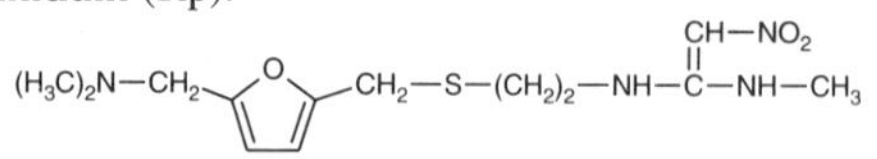

$(H_3C)_2N{-}CH_2{-}$[Furan-2,5-diyl]${-}CH_2{-}S{-}(CH_2)_2{-}NH{-}C({=}CH{-}NO_2){-}NH{-}CH_3$

Internat. Freiname für das gegen Gastritis u. *Ulcus als H_2-*Rezeptoren-Blocker wirksame *N*-{2-[5-(*N*,*N*-Dimethylaminomethyl)furfurylthio]ethyl}-*N′*-methyl-2-nitro-1,1-ethendiamin, $C_{13}H_{22}N_4O_3S$, M_R 314,41, Schmp. 69–70 °C. Verwendet wird das Hydrochlorid, Schmp. 135–136 °C; λ_{max} (CH_3OH) 228, 325 nm ($A^{1\%}_{1cm}$ 490, 527); pK_{b1} 5,8, pK_{b2} 11,7. R. wurde 1978 u. 1983 von Glaxo (Zantic®) patentiert u. ist als Generikum im Handel. – ***E*** = ***F*** ranitidine – ***I*** = ***S*** ranitidina

Lit.: ASP ▪ Florey **15**, 533–561 ▪ Hager (5.) **9**, 490 ff. ▪ Martindale (31.), S. 1237 ff. ▪ Misiewicz u. Wood, Ranitidine, Therapeutic Advances, Amsterdam: Elsevier 1984 ▪ Ph. Eur. **1997** u. Komm. ▪ Riley u. Salmon, Ranitidine, Amsterdam: Excerpta Medica 1982 ▪ Ullmann (5.) **A 2**, 322 ff. – *[HS 2932 19; CAS 66357-35-5 (R.); 66357-59-3 (Hydrochlorid)]*

Ranker s. Boden.

Rankine-Skale s. Temperaturskalen.

RANTES s. Chemokine.

Rantudil® (Rp). Kapseln mit *Acemetacin gegen rheumat. Erkrankungen, Lumbago, Gicht u. dgl. ***B.:*** Bayer Pharma Deutschland.

Ranunculaceae s. Hahnenfußgewächse.

Ranviersche Knoten s. Neuron u. Myelin.

Ranviersche Schnürringe s. Neuron u. Myelin.

Ranzigkeit, Ranzigwerden (von latein. rancidus = stinkend). Die sowohl analyt. als auch sensor. faßbare Folge von *Lipid-Peroxidationsprozessen (s. Autoxidation) wird als R. bezeichnet. Das Ranzigwerden von Lebensmitteln (kratziger, unangenehmer Geschmack) u. kosmet. Mitteln führt zu deren Unbrauchbarkeit. Auch in physiolog. Hinsicht wird die Rolle der Lipid-Peroxid. in jüngster Zeit immer deutlicher.

Sowohl Schäden an der Zellmembran als auch die Generierung von mutagenen u. carcinogenen Stoffen [1,2] (z. B. α,β-ungesätt. Aldehyde) können auf die Lipid-Peroxid. zurückgeführt werden [3]. Der erste Schritt der Reaktionsfolge besteht entweder in einem radikal. Angriff von Luftsauerstoff auf C–H-Bindungen od. in einer *Lipoxygenase-katalysierten Addition von Sauerstoff an die Doppelbindungen im Fett enthaltener ungesätt. Fettsäuren; beide Reaktionen führen zur Bildung von Fettperoxiden. Zum Mechanismus der Lipid-Peroxid. s. a. *Lit.* [3,4]. Die Autoxid. wird durch Licht, Feuchtigkeit sowie durch die Anwesenheit von Oxid.-Promotoren, wie beispielsweise Chlorophyll, Blutfarbstoffe od. Schwermetall-Spuren (Cu, Fe, Ni, Mn, Co), begünstigt. Durch prim. Spaltung der gebildeten *Peroxide u. *Hydroperoxide entstehen daraus unangenehm riechende gesätt. u. ungesätt. Aldehyde sowie Mono- u. Dicarbonsäuren, wie z. B. Heptanal, Nonanal, 9-Oxononansäure, 2,3-Epoxypropionaldehyd (Epihydrinaldehyd), Malonaldehyd u. die entsprechenden Carbonsäuren (s. a. *Lit.* [5]). Auf enzymat. Wege können außerdem Methylketone wie 2-Heptanon od. 2-Nonanon entstehen, die für die sog. „Parfümranzigkeit" verantwortlich sind. Dieser Prozeß wird auch als *Desmolyse* bezeichnet.

Antioxidativ hingegen wirken der Ausschluß von Licht u. *Sauerstoff, der Zusatz von Schwermetall-komplexierenden Stoffen (z. B. *Citrate, Gallate, *Tartrate), sowie der Zusatz von natürlichen (*Vitamin E, Vitamin C, *Carnosin) od. synthet. *Antioxidantien. Der Zusatz von Antioxidantien, die als *Radikal-Fänger wirken, ist in der BRD durch die *Zusatzstoff-Zulassungsverordnung amtlich geregelt. Zugelassene Stoffe sind danach z. B. **tert*-Butylmethoxyphenol u. *2,6-Di-*tert*-butyl-4-methylphenol, Ester der *Gallussäure, bestimmte Citrate, *Lactate, Phosphate, Tartrate u. deren freie Säuren, *Tocopherole (Vitamin E), *Ascorbinsäure u. deren fettlösl. Salze, Ester sowie die *Lecithine.

Analytik: Der Oxidationsstatus eines Fettes kann nach der *Racimat-Meth.* [6,7] bestimmt od. durch Fettkennzahlen (Peroxid-Zahl, Thiobarbitursäure-Zahl) wiedergegeben werden. Der Gehalt an Malondialdehyd, der photometr. mit *2-Thiobarbitursäure od. über *HPLC bestimmt werden kann [8], dient als Maß für die oxidative Belastung eines Fettes; s. a. Methoden nach

§ 35 LMBG L 13.00-6 u. 57.06-01-1. Darüber hinaus stellt die gaschromatograph. Erfassung geruchsaktiver Aldehyde eine weitere Möglichkeit dar, den Oxidationsgrad eines Fettes bzw. fetthaltigen Lebensmittels zu quantifizieren[9]. Zur Messung des Oxid.-Status *in vivo* s. *Lit.*[10]. Über eine Meth. zur Bestimmung der R. von Sojaöl mittels NIR-Spektroskopie berichtet *Lit.*[11].
Rechtliche Beurteilung: Nach den Leitsätzen für Speisefette u. Speiseöle, Abschnitt D[12], darf ein Fett od. Öl nicht kratzend, bitter, tranig, ranzig od. fischig schmecken. Die unter Nr. 4 festgelegten Höchstwerte der Peroxid-Zahl betragen für Schweineschmalz 4, für raffinierte u. unraffinierte Speisefette u. -öle 10 u. für natives *Olivenöl 15. – ***E*** rancidity – ***F*** rancidité – ***I*** rancidezza, rancidità – ***S*** rancidez

Lit.: [1]Mutat. Res. **238**, 223–233 (1990). [2]Mutat. Res. **214**, 123–127 (1989). [3]Crit. Rev. Toxicol. **18**, 27–79 (1987). [4]Lebensmittelchem. Gerichtl. Chem. **38**, 81–87 (1984). [5]Chem. Unserer Zeit **24**, 82–89 (1990). [6]Fette Seifen Anstrichm. **88**, 53–56 (1986). [7]Dtsch. Lebensm. Rundsch. **85**, 390–393 (1989). [8]Food Add. Contam. **7**, Suppl. I, 35–40 (1990). [9]GIT, Fachz. Lab. **32**, 4–7 (1988). [10]Chem. Ind. (London) **1991**, 42 ff. [11]Foods Biotechnol. **5**, 210–214 (1996). [12]Leitsätze für Speisefette u. Speiseöle, in der Fassung vom 9. 6. 1987 (BAnz. Nr. 140 a), abgedruckt in Zipfel, C 296.
allg.: Allen u. Hamilton (Hrsg.), Rancidity in Foods (2.), Essex: Elsevier Applied Science 1989 ▪ Belitz-Grosch (4.), S. 172, 174 ▪ Concon, Food Toxicology, Part A, S. 616 ff., New York: Dekker 1988 ▪ Crit. Rev. Food Sci. Nutr. **29**, 273–300 (1990) ▪ Fat Sci. Technol. **91**, 1–6 (1989); **92**, 201 (1990) ▪ J. Agric. Food Chem. **39**, 439–442, 896 ff. (1991) ▪ J. Sci. Food Agric. **54**, 495–511 (1991) ▪ Lipids **25**, 33, 40, 48 (1990) ▪ Lipid Technol. **3**, 23–28 (1991) ▪ Trends Food Sci. Technol. **1**, 67–70 (1990) ▪ Vollmer et al., Lebensmittelführer (2.), Bd. 2, Stuttgart: Thieme 1995 ▪ Z. Lebensm. Unters. Forsch. **193**, 32–35 (1991).

Raoult, François-Marie (1830–1901), Prof. für Chemie, Grenoble. *Arbeitsgebiete:* Gefrierpunkt, Sdp. u. Dampfdruck bei Lsg. (s. Raoultsche Gesetze), Molmassen-Bestimmung aus der Gefrierpunktserniedrigung von Lösungen.

Lit.: Lexikon der Naturwissenschaftler, S. 341 ▪ Neufeldt, S. 81 ▪ Pötsch, S. 355 ▪ Strube et al., S. 127.

Raoultsche Gesetze. Von *Raoult 1882 bzw. 1886 erkannte Gesetzmäßigkeiten in den Beziehungen zwischen *Erstarrungspunkten u. *Dampfdrücken von Lsg. u. ihren Konzentrationen. Das 1. R. G. besagt, daß in einer *Lösung die relative *Dampfdruckerniedrigung* gleich dem Stoffmengenanteil x_1 (*Molenbruch) des gelösten Stoffes ist, wobei dessen Natur keine Rolle spielt (*kolligative Eigenschaft):

$$\frac{\Delta p}{p_0} = \frac{p_0 - p}{p_0} = \frac{n_1}{n_0 + n_1} = x_1$$

mit p_0 = Dampfdruck des reinen Lsm., p = Dampfdruck der gelösten Komponente (Feststoff od. schwerflüchtige Flüssigkeit), n_0 = Stoffmenge des Lsm. u. n_1 = Stoffmenge des gelösten Stoffes. Diese Beziehung gilt streng nur für Lsg. u. Mischungen im idealen Zustand, also für große Verdünnungen u. unter der Voraussetzung, daß der gelöste Stoff selbst keinen meßbaren Dampfdruck besitzt, nicht dissoziiert ist u./od. keine Anziehungskräfte auf die Lsm.-Mol. ausübt. Aus der Dampdruckerniedrigung resultiert eine *Siedepunktserhöhung* von Lsg. gegenüber dem Sdp. des reinen Lösemittels. Auf dieser Gesetzmäßigkeit, die nicht ohne Ausnahmen ist (vgl. *Lit.*[1]) u. deren theoret. Deutung u. Verknüpfung mit dem *osmot. Druck* auf van't *Hoff zurückgeht, bzw. auf der analog zu deutenden *Gefrierpunktserniedrigung* von Lsg. (2. R. G.) basieren die Meth. der *Ebullioskopie* bzw. der *Kryoskopie* (s. Molmassenbestimmung). In Syst. mit *elektrolytischer Dissoziation werden ebenso wie bei den osmot. Verf. (*Osmose) abweichende Werte gefunden, was mit dem *van't Hoffschen Faktor* $i = 1 + (\nu - 1)\,\alpha$ berücksichtigt werden kann (ν = Zahl der vom Elektrolyt gebildeten Ionen, α = Dissoziationsgrad). Auf kolloide Syst. (Suspensionen, Emulsionen etc.) sind die R. G. nicht anwendbar. – ***E*** Raoult's laws – ***F*** lois de Raoult – ***I*** leggi di Raoult – ***S*** leyes de Raoult

Lit.: [1]J. Chem. Educ. **52**, 641 (1975).
allg.: Kohlrausch, Praktische Physik 1, S. 391, Stuttgart: Teubner 1996.

Rapakivi s. Granite.

Rapamycin (Sirolimus).

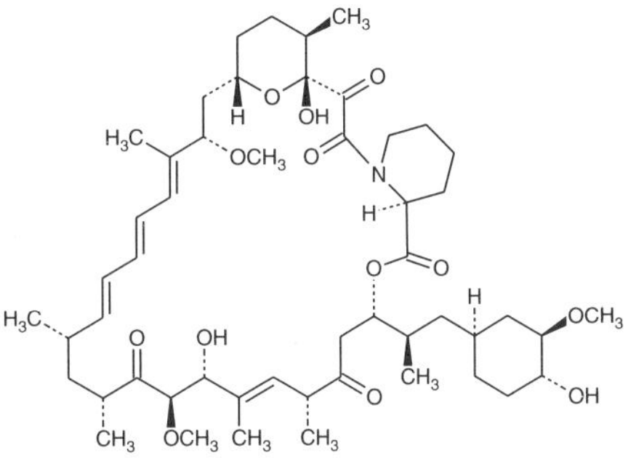

$C_{51}H_{79}NO_{13}$, M_R 914,19, Krist., Schmp. 183–185 °C, $[\alpha]_D$ −58,2° (CH_3OH), von *Streptomyces hygroscopicus* produziertes 31-gliedriges Peptidlacton, in dem eine langkettige Carbonsäure mit L-Pipecolinsäure (s. Piperidincarbonsäuren) als Brücke cyclisiert ist. R. wirkt antifung., antineoplast. u. immunsuppressiv, es ist strukturell mit *FK-506 verwandt. R. bindet an *Immunophiline.
Zelluläre Wirkung: Der Komplex aus R. u. einem Immunophilin (FK506-bindendes Protein, FKBP) bindet an das Protein mTOR („mammalian target of rapamycin"), das Sequenzvergleichen zufolge möglicherweise die Aktivität einer *Phosphatidylinosit-Kinase besitzt, u. unterbricht indirekt die Signalkette, die zur Aktivierung von T-*Lymphocyten durch *Interleukin 2 (IL-2) führt. Durch die erwähnten Wechselwirkungen u. weitere noch unbekannte Folgeereignisse verhindert R. die Vermehrung der Lymphocyten, indem zum einen die Aktivierung der für die Protein-Synth. wichtigen *Protein-Kinase $p70^{S6K}$ inhibiert u. zum anderen der normalerweise durch IL-2 bewirkte Abbau eines Inhibitors verzögert wird, der die enzymat. Aktivität des Komplexes aus *Cyclin-abhängiger Kinase 2 u. *Cyclin E inhibiert.
Herst. u. Verw.: Eine neuere Totalsynth. von R. beschreibt *Lit.*[1]. Immunsuppressiva wie *Cyclosporin, FK506 u. R. werden u. a. zur Verhinderung von Abstoßungsreaktionen bei Organ-Transplantationen u. zur Behandlung von *Autoimmunerkrankungen

benötigt. – *E* rapamycin – *F* rapamycine – *I*=*S* rapamicina

Lit.: [1] J. Am. Chem. Soc. **119**, 947–973 (1997); Contemp. Org. Synth. **3**, 345–371 (1996) (Review); Classics in Total Synthesis, Weinheim: Wiley-VCH 1997.
allg.: Annu. Rev. Immunol. **14**, 483–510 (1996) ▪ Curr. Opin. Immunol. **8**, 710–720 (1996); **10**, 330–336 (1998). – *[HS 2941 90; CAS 53123-88-9]*

Raphanin s. Sulforaphen.

RapiCure®. Mono- u. Divinylether unterschiedlicher Kettenkonstitution als reaktive Verdünner zur Strahlungshärtung in kation. UV- u. Hybridsyst. für Farben, Tinten u. Photobeschichtungen. ***B.:*** ISP.

Rapid-Echtfarbstoffe (Entwicklungsfarbstoffe). R.-E. sind Gemische von stabilisierten *Diazonium-Verbindungen mit Kupplungskomponenten, die durch Wärmezufuhr (Dämpfen) od. durch Säuren entwickelt werden, z. B. *Naphtol® AS-Produkte für den Textildruck von Hoechst. – *E* rapidazol dyestuffs, rapid fast dyes – *F* colorants rapides solides – *I* coloranti puri rapidi – *S* colorantes rápidos sólidos

Rapid-Faß-Pulver s. Gerberei.

Rapid Iron (engl. = rasches Bügeln). Eine *Pflegeleicht-Ausrüstung für Textilien.

Rapidogen®. *Entwicklungsfarbstoffe aus Gemischen von *Naphthol-Derivaten u. Diazoamino-Verb. zum Bedrucken von Cellulose-Geweben. ***B.:*** Bayer.

Rapifen® (Btm). Injektionslsg. mit *Alfentanil-Hydrochlorid zur Neuroleptanalgesie. ***B.:*** Janssen-Cilag.

Rapok®. Fein gekörntes, modifiziertes CSL-Harz (von *E* cashewnut shell liquid = Cashew-Nußschalenöl, s. Cashew-Nüsse) zur Konstanthaltung der Reibwerte von Bremsbelägen bei hohen Temperaturen. ***B.:*** Raschig.

Rap-Proteine s. Ras-Proteine.

Raps (Reps, Kohlraps, Kohlsaat). Ebenso wie der eng verwandte Rübsen zu den Kreuzblütlern (Brassicaceae) zählende wichtige einheim. *Ölpflanze (*Brassica napus*), die auch in Asien, Nordafrika u. Amerika kultiviert wird. Der mit *Kohl verwandte R. u. der *Rübsen* (Rübsaat, Rübsamen, Rübenkohl, -gras, -reps; *B. rapa* ssp. *oleifera*) sind ein- od. zweijährig, 60–120 cm hoch u. gelb blühend. Ihre Samen enthalten 40 bzw. 30% fettes Öl (s. Rapsöl). R.-Schrot wird als Tierfutter verwendet, da er außerordentlich Proteinreich ist (ca. 25%); R.-Samen enthalten *Glucosinolate (z. B. *Goitrin). Als Wachstumsregler im Pollen sind *Brassine* (β-D-Glucose-1-fettsäureester) gefunden worden. – *E* rape[seed], colza – *F*=*I*=*S* colza

Lit.: Franke, Nutzpflanzenkunde (6.), S. 159ff., Stuttgart: Thieme 1997 ▪ s. a. Rapsöl. – *[HS 1205 00]*

Rapsöl (Rüböl). Aus den Samen von *Raps od. Rübsen (s. Raps) gewonnenes Öl. Rapssaat enthält ca. 40–50% Öl u. ca. 30% Eiweiß. Weltproduktion (1992) an R.: 9,4 Mio. t; in der BRD 1,06 Mio. t. Hauptanbauländer: China, Indien, BRD u. a. EU-Länder, Kanada. Schmp. 0–2 °C. *Alte* Raps-Sorten enthalten hohe Anteile (35–64%) *Erucasäure, 5–10% Gondosäure [(*Z*)-11-Eicosensäure, $C_{20}H_{38}O_2$, M_R 310,52, Schmp. 24–25 °C] u. Nervonsäure neben 13–38% Ölsäure, 10–22% Linolsäure u. 2–10% Linolensäure. Wegen möglicher gesundheitsschädlicher Wirkung von Eruca-, Gondo- u. Nervonsäure auf die Herzmuskulatur darf R. aus *alten* Sorten (*E* *h*igh *e*rucic *a*cid *r*apeseed, HEAR) nur noch als techn. Öl genutzt werden [1]. *Neue* Raps-Sorten enthalten gewöhnlich <2% der langkettigen Monoenfettsäuren (≥20 C-Atome) u. liefern ernährungsphysiolog. hochwertige Öle [2]. Die Züchtung neuer Sorten führte in jüngster Zeit zu sog. Doppelnull- od. „00-Sorten" (*E* *l*ow *e*rucic *a*cid *r*apeseed, LEAR; „Canola"), die sowohl Erucasäure als auch tox. *Glucosinolate nur noch in Spuren enthalten, während sie reich an Ölsäure (50–65%), Linolsäure (15–30%) u. Linolensäure (5–13%) sind.

Verw.: V. a. im Nahrungsmittel-Bereich (Speiseöl, Salatöl); partiell gehärtet als Margarine, Brat- u. Backfett; geringere Anteile für techn. Zwecke (Sägekettenöl, Bohr- u. Schalöle) u. Grundstoff für die Oleochemie; Fettsäuremethylester aus R. (sog. Rapsölmethylester, RME) als „Biodiesel" [3]. In den letzten Jahren gewinnt die gentechn. Steuerung des Fettsäurespektrums in R. rasch an Bedeutung. Um R. als *nachwachsendem Rohstoff in der Ind. neue Chancen zu eröffnen, sind z. B. transgene Rapspflanzen mit hohem Anteil an *Ölsäure (>80%) od. der für die Synth. von *Tensiden wichtigen *Laurinsäure im R. bereits in Freilandkultur [4].

Welterzeugung (1997): 10,1 Mio. t. – *E* rapeseed oil – *F* huile de colza – *I* olio di colza – *S* aceite de colza

Lit.: [1] Erucasäure-VO vom 24.05.1977 (BGBl. I, S. 782) i. d. F. vom 26.10.1982 (BGBl. I, S. 1446). [2] Raps **11**, 137 (1993). [3] Chem. Unserer Zeit **25**, 232 (1991). [4] Eierdanz (Hrsg.), Perspektiven nachwachsender Rohstoffe in der Chemie, Weinheim: VCH Verlagsges. 1993; Murphy (Hrsg.), Designer Oil Crops – Breeding, Processing and Biotechnology, Weinheim: VCH Verlagsges. 1994.
allg.: Kramer, Sauer u. Pigden, High and Low Erucic Rapeseed Oils, New York: Academic Press 1983 ▪ Raps **6**, Sonderausgabe, 145 (1988). – *[HS 1514 10, 1514 90; CAS 8002-13-9 (R.); 5561-99-9 (Gondosäure)]*

Ras-artige Proteine s. kleine GTP-bindende Proteine.

Raschig. Kurzbez. für die 1891 von Friedrich *Raschig gegr. Firma Raschig GmbH, 67011 Ludwigshafen. Im Juni 1996 Übernahme durch die Kamius-Gruppe (USA, Kalifornien). *Daten* (1996): 856 Beschäftigte, 258 Mio. DM Umsatz. *Produktion: Chemie:* Additive für die Oberflächenbehandlung (Sulfopropyl-Spezialitäten), Additive für die Kunststoff- u. Latex-Ind. (Antioxidantien: Ralox®, Raluquin®), Produkte für die pharmazeut. u. chem. Ind. (Pyridin-, Piperidin- u. Chinolin-Derivate, Epichlorhydrin-Derivate). *Baustoffe für Straßen:* Asphalt-Syst. (Ralumac®), Emulgatoren, Bitumenemulsionen, Compact-Mischgut, Haftmittel, Schmelzkleber u. Dachbahnen; thermoplast. Markierungsstoffe. *Kunststoffe:* Duroplast. Formmassen (Phenol, Melamin u. Polyesterharze), techn. Harze (Phenol-Harze), Gießereiformstoffe (Furan-, Phenol-, Alkyd- u. Polyurethan-Harze). *Füllkörper:* Für Dest.- u. Extraktionsanlagen, Absorptions- u. Desorptionskolonnen.

Raschig, Friedrich August (1863–1928), Chemiker u. Gründer der Firma *Raschig. *Arbeitsgebiete:* Synth. von Hydrazin, Schwefel-Stickstoff-Verb., Hydroxylamin, Bleikammerprozeß, Iodstickstoff, Chloramin, Cumarin, Chlorkresole, Phenolformaldehyd-Kunstharze; patentierte 1919 die nach ihm benannten Füllkörper (*Raschig-Ring®), die in Rieseltürmen u. Dest.-Anlagen Verw. finden.

Lit.: Lexikon der Naturwissenschaftler, S. 341 ▪ Pötsch, S. 356 ▪ Strube et al., S. 138.

Raschig-Grid®. *Füllkörper-Tragrost aus keram. Material od. Kunststoff. ***B.:*** Raschig.

Raschig-Ring®. Von F. *Raschig entwickelter Füllkörper; Näheres u. Abb. s. dort. ***B.:*** Raschig.

Raschig-Super-Grid®. Tragroste aus Kunststoffen, Porzellan od. Steingut. ***B.:*** Raschig.

Raschig-Verfahren. Sammelbez. für Verf., deren Entwicklung mit dem Namen von F. *Raschig u./od. der Firma *Raschig verbunden ist, z. B. Prozesse zur Herst. von *Hydrazin, *Hydroxylamin, *Phenol (s. a. Oxychlorierung), *Cumarin od. Salicylaldehyd. – ***E*** Raschig processes, Raschig Hooker process – ***F*** procédés Raschig – ***I*** processo di Raschig – ***S*** procedimientos Raschig

Lit.: Kirk-Othmer (3.) **5**, 798; **7**, 199; **12**, 744, 749 f.; **17**, 378; **18**, 428 ▪ Ullmann (5.) **A 19**, 301.

Rasen s. Gräser.

Raser s. CIDNP.

ras-Gene s. Ras-Proteine.

Rasiermittel. Sammelbez. für *Kosmetika, die als Rasiercremes, -seifen, -schäume (-sprays), -steine u. -wässer mit den unterschiedlichsten Duftnoten der Vorbereitung bzw. Nachbehandlung der *Haut vor bzw. nach der Naß- u./od. Trocken-Rasur dienen. Für die Naß-Rasur bestimmte R. sollen ein Gleitmittel für die Klinge u. ein Quellmittel zum Aufweichen des *Keratins der *Haare enthalten. Mittel für die Elektrorasur sollen den bremsenden Feuchtigkeitsfilm der Haut durch einen Ölfilm ersetzen u. die Haare aufrichten.

Rasierseifen, Rasiercremes, Rasiersprays: Am längsten im Handel sind die *Rasierseifen*, die im allg. als Stangen (*Sticks*) hergestellt werden. Bei ihnen handelt es sich – im Gegensatz zu Feinseifen – meist um Kalium-*Seifen. *Schäumende Rasiercremes* zum Einseifen appliziert man mit angefeuchtetem Rasierpinsel. Der Seifenschaum muß milde, dicht, sahnig u. neutral sein u. die Rasiercreme darf sich auch bei längerer Lagerung nicht zersetzen od. entmischen. Sehr weiche Rasiercreme erhält man durch Verseifen von pflanzlichen od. tier. Ölen mit Kalilauge, festere aus verseiftem Stearin u. Talg. Ein Überschuß von 2–4% Stearin verleiht der Rasiercreme den beliebten Perlschimmer. Oft werden noch kleinere Mengen von verbessernden Zusätzen eingearbeitet, so z. B. Überfettungsmittel (Lanolin, Glycerinmonostearat), *Collagen-Hydrolysate, Fettsäurealkylolamide, Feuchthaltemittel (5 bis 25% Glycerin) u. dgl. Die sog. pinsellosen, *nichtschäumenden Rasiercremes* als überfettete O/W-Emulsionen schonen den Säuremantel der Haut u. sind bes. Personen mit trockener, fettarmer Haut zu empfehlen. Man reibt diese Rasiercremes (ohne Pinsel u. Wasser) direkt in die Haut ein u. rasiert dann. *Rasierschäume* (*Rasiersprays*) werden durch einen Druck auf den Knopf der Sprühdose mit Hilfe von Treibgasen auf die Haut geschäumt. Hauptbestandteile derartiger R. sind Triethanolaminsalze der Fettsäuren, *Türkischrotöl u. a. *Tenside, flüssige Fette u. Glycerin.

Pre-Shave-Präp.: Die zur Hautvorbehandlung für die Elektrorasur dienenden R., die in Alkohol-Wasser-Gemischen neben bakteriziden, fungiziden, die Gleitfähigkeit erhöhenden u. hautpflegenden Bestandteilen adrenerg. wirksame *Pilomotorika enthalten, werden meist als Lotionen (*Rasierwässer*) od. Gelees, seltener als Kompaktpuder angewendet.

After-Shave-Präp.: Bei den nach Naß- u. Trockenrasur verwendbaren *After-Shave-Artikeln* handelt es sich um Präp., die die Hautreizung nach dem Rasieren mildern, die bas. Rasiermittel neutralisieren, den biolog. Säuremantel der Haut wieder herstellen, erfrischend, kühlend u. desinfizierend wirken sollen. Ein After-Shave kann z. B. zusammengesetzt sein aus *Glycerin (od. Glykol-Derivaten), *Citronensäure, *Alaun (auch im Rasierstein enthalten), *Menthol (erfrischt), Desinfiziens, Riechstoffen u. Alkohol. Ein aus Sprühdosen versprühbares Produkt erhält man z. B. aus 85%igem Alkohol, Parfüm, Polyvinylpyrrolidon u. gasf. Treibmittel. Im Handel sind After-Shave-Mittel als Lotionen (*Rasierwässer*), Gelees, Sprays, Schaum, Cremes, Stifte, flüssige u. feste Puder.

Rasiersteine: Quaderförmige od. zylindr., eisartig aussehende Stücke von geschmolzenem Alaun od. Aluminiumsulfat mit Zusätzen an Bakteriziden, verdunstungshemmendem Glycerin, Menthol u. a. Betupft man verletzte Hautstellen mit dem befeuchteten Rasierstein, so hat dies eine Stillung des Blutes zur Folge, da Alaun Gewebseiweiß zum Gerinnen bringt. – ***E*** shave products – ***F*** produits pour le rasage – ***I*** prodotti da barba – ***S*** productos para el afeitado

Lit.: Kirk-Othmer (4.) **7**, 605 f. ▪ Ullmann (4.) **12**, 447 ff. ▪ Umbach (Hrsg.), Kosmetik, 2. Aufl., S. 168–178, Stuttgart: Thieme 1995 ▪ Vollmer u. Franz, Chemie in Bad und Küche, S. 65–99, Stuttgart: Thieme 1991 ▪ s. a. Haarbehandlung, Kosmetik. – *[HS 3307 10]*

Rasorit s. Kernit.

Ras-Proteine ($p21^{ras}$). Familie von Proteinen mit M_R 21 000, die auf den *ras*-Genen codiert sind. Diese kommen als virale *Onkogene (v-*ras*) in Krebs-erzeugenden Viren (aus *Ra*tten-*s*arkom, daher Name) bzw. als zelluläre Proto-Onkogene (c-*ras*) in *eukaryontischen Organismen vor, wo sie normale physiolog. Funktionen erfüllen, solange sie nicht durch *Mutationen zum Onkogen transformiert werden.

Bei Säugetieren kennt man die Proteine c-H-Ras (c-Ha-Ras) u. c-K-Ras (c-Ki-Ras) – nach bestimmten Maus-Viren: Harvey- bzw. Kirsten-Maus-Sarkom-Virus – sowie c-N-Ras (aus einer Tumor-Zellinie). Von K-Ras gibt es zwei verschieden gespleißte Varianten (*Spleißen). Ras ist mit je einem lipophilen Palmitoyl- u. Farnesyl-Rest in der Nähe des Carboxy-Terminus an die Membran gebunden.

Funktion: Die Ras-P. sind *kleine GTP-bindende Proteine, die an der *Signaltransduktion von *Wachstumsfaktoren (z. B. *Insulin [1], *Plättchen-entstammender Wachstumsfaktor) beteiligt sind. Wenn die Ras-P. GTP (s. Guanosinphosphate) gebunden haben, sind sie aktiv u. übermitteln das Hormon-Signal, indem sie dazu beitragen, die *Protein-Kinase Raf u. damit eine Kaskade von weiteren Protein-Kinasen zu aktivieren (s. Mitogen-aktivierte Protein-Kinasen), die sich über *Transkriptionsfaktoren auf die Ablesung bestimmter *Gene im Zellkern auswirkt. Dabei werden die Ras-P. von einem *GTPase-aktivierenden Protein (GAP) reguliert, das an den Ras/GTP-Komplex bindet u. in Ras eine GTPase-Aktivität (GTP-spaltende Aktivität) stimuliert[2]. Während der daraufhin erfolgenden Hydrolyse von GTP zu GDP (s. Guanosinphosphate) ändern die Ras-P. ihre Raumstruktur (Konformation), u. ihre Signalaktivität schaltet sich wieder ab. Um wieder ein neues Signal übertragen zu können, müssen die Ras-P. mit Guaninnucleotid-Austauschfaktoren (z. B. RasGRP[3], Cdc25 u. Sos) wechselwirken, die den Austausch von GDP gegen GTP katalysieren. Neben Raf werden weitere Effektoren von Ras-P. kontrolliert, z. B. Phosphoinositid-3-Kinase (s. Phosphoinositide), die mit der Regulation von *Apoptose in Verbindung gebracht wird, u. bestimmte Formen der *Protein-Kinase C. Als Folge ergibt sich kein linearer, sondern ein verzweigter Signalweg, in den zusätzlich Signale weiterer kleiner GTP-bindender Proteine (z. B. von *Rho-Proteinen) u. a. Mol. integriert werden[4].

Pathologie: Punktmutationen in Ras-P., die aufgrund des Austausches einzelner Aminosäuren die GTPase-Aktivität erniedrigen, führen zur Onkogen-Transformation, da dann das Signal eines Wachstumsfaktors verlängert od. überhaupt erst vorgetäuscht wird; ca. 30% der menschlichen Tumoren enthalten ein aktiviertes Allel von Ras. Für die Tumor-erzeugende Aktivität von Ras ist der oben erwähnte Farnesyl-Rest notwendig, daher werden Inhibitoren der Farnesylierung auf Anti-Tumor-Wirksamkeit geprüft[5].

Als Unterfamilie der Ras-P. gelten die strukturell u. funktionell ähnlichen *Ral-*[6] u. *Rap-Proteine*. Ras-transformierte Zellen können durch Rap zu normaler Morphologie zurückkehren, wahrscheinlich deshalb, weil Rap durch Bindung an GAP u. Raf mit Ras in Konkurrenz tritt. Rap wird – neben Ras – bei Stimulation von Zellkulturen mit *Nervenwachstumsfaktor, nicht jedoch mit *epidermalem Wachstumsfaktor aktiviert – ein Beisp., wie Zellen zwischen Wachstumsfaktoren unterscheiden[7]. – ***E*** Ras proteins – ***F*** protéines Ras – ***I*** proteine Ras – ***S*** proteínas Ras

Lit.: [1]Cell Signal. **10**, 297–391 (1998); Mol. Cell. Biochem. **182**, 23–29 (1998). [2]FEBS Lett. **410**, 63–67 (1997). [3]Science **280**, 1082–1086 (1998). [4]Adv. Cancer Res. **72**, 57–107 (1998); FEBS Lett. **410**, 73–77 (1997); Immunol. Cell Biol. **76**, 125–134 (1998); Nature (London) **394**, 220f., 295–299 (1998). [5]Pharmacol. Ther. **74**, 103–114 (1997). [6]Curr. Biol. **8**, 471–474, 839–842 (1998); Trends Biochem. Sci. **21**, 438–441 (1996). [7]Nature (London) **392**, 553f., 622–626 (1998).

allg.: Balch et al., Small GTPases and Their Regulators (Part A: Ras Family), San Diego: Academic Press 1995 ▪ Biochem. J. **318**, 729–747 (1996) ▪ Biochim. Biophys. Acta **1333**, M19–M31 (1997) ▪ Curr. Biol. **7**, R258ff. (1997) ▪ J. Mol. Med. **75**, 587–593 (1997) ▪ J. Physiol. Biochem. **52**, 173–192 (1996) ▪ Maruta u. Burgess, Regulation of the RAS Signaling Network, Berlin: Springer 1996 ▪ Prog. Biophys. Mol. Biol. **66**, 1–41 (1996) ▪ Trends Biochem. Sci. **21**, 488–491 (1996).

Ras-Superfamilie s. kleine GTP-bindende Proteine.

Rast. Teil des *Hochofens.

RAST s. Radioimmunoassay.

Rasterätzung s. Chemigraphie.

Raster-Elektronenmikroskopie s. Elektronenmikroskop.

Raster-Tunnelmikroskop s. Tunnelmikroskop.

Rast-Methode. Verf. zur kryoskop. *Molmassenbestimmung (K. Rast, Chemiestudent in Würzburg 1922).

Lit.: J. Chem. Educ. **35**, 355ff. (1958).

Rat für Forschung, Technologie u. Innovation. Der Rat, der am 22. 03. 1995 zu seiner konstituierenden Sitzung zusammenkam, hat die Aufgabe, sich ein umfassendes Bild über Anw.-Möglichkeiten u. Hemmnisse auf wichtigen Innovationsfeldern zu verschaffen u. daraus Empfehlungen abzuleiten sowie gesellschaftliche Debatten anzustoßen u. die Aufgeschlossenheit für neue Techniken zu fördern. Im Vordergrund steht die Intensivierung des Dialogs zwischen Wirtschaft, Wissenschaft u. Staat zu grundlegenden Fragen u. Aspekten von Forschung, Technologie u. Innovation. Der Rat wird von Persönlichkeiten aus Hochschulen, Forschungseinrichtungen, Unternehmen, Gewerkschaften u. der Politik gebildet, die vom Bundeskanzler eingeladen werden. Seine Zusammensetzung kann je nach Themenschwerpunkt verändert werden. Die Bundesminister für Bildung, Wissenschaft, Forschung u. Technologie sowie für Wirtschaft sind ständige Teilnehmer. Die Geschäftsführung liegt beim *BMBF. Repräsentant der chem. Ind. ist der Präsident des *VCI. Die in den Diskursen erarbeiteten Feststellungen u. Empfehlungen veröffentlicht das Gremium als Berichte. Der Rat hat 1995 den Bericht zum Thema „Informationsges." u. 1997 den Bericht zum Thema „Biotechnologie, Gentechnik u. wirtschaftliche Innovation" vorgelegt, die beide über das BMBF zu beziehen sind. Nächstes Thema des Rates ist „Kompetenz im globalen Wettbewerb". – INTERNET-Adresse: http://www.technologierat.de/vdi.

Ratanhiawurzel (Payta- od. Peru-Ratanhia). Große, runde, bis 3 cm dicke u. bis 90 cm lange, braunrote Wurzelstücke von der strauchartigen *Krameria lappacea* (Domb.) Burd et Simp. (syn. *K. triandra* Ruiz et Pavon, Krameriaceae), die in den Anden Südamerikas, in Peru u. Bolivien vorkommt. Wurzel u. Rinde enthalten bis zu 15% Catechin-*Gerbstoffe (mit heißem Wasser extrahierbar), Zucker, Stärke, Gummi u. einen roten Farbstoff. Dieser, ein pharmakolog. wirkungsloses *Phlobaphen, entsteht durch Oxid. des Gerbstoffs.

Verw.: Äußerlich bei Frostbeulen, Hämorrhoiden, in Gurgel- u. Mundwässern sowie als Zusatz zu Zahntinkturen aufgrund der adstringierenden u. schwach desinfizierenden Wirkung; außerdem zur Schnapsbereitung u. als Gerbmittel, früher auch innerlich bei Durchfällen u. Blutungen. – ***E*** rhatany root – ***F*** racine de ratanhia – ***I*** radice della ratania – ***S*** raíz de ratania

Lit.: Bundesanzeiger 43/02. 03. 89 ▪ Hager (5.) **5**, 614–621 ▪ Ph. Eur. **1997** u. Komm. ▪ Wichtl (3.), S. 479ff. – *[HS 1211 90]*

Rationale Ebene s. Netzebene.

Rationalisierungskuratorium der deutschen Wirtschaft s. RKW.

Rationalitätsgesetz. Um die an einer *Kristall-Art auftretenden Flächen miteinander vergleichen zu können, werden die Krist. zunächst einheitlich orientiert u. auf ein gemeinsames Koordinatensyst. bezogen. C. S. Weiss (1809) führte für das Längenverhältnis der Koordinatenachsen a:b:c u. die von diesen eingeschlossenen Winkel α, β u. γ die Bez. „Kristallelemente" ein; z. B. betragen für α-Schwefel das Achsenverhältnis a:b:c = 0,813:1:1,903 u. die Winkel $\alpha = \beta = \gamma = 90°$. Innerhalb der Fehlergrenzen stimmen diese Werte mit dem Verhältnis der röntgenograph. ermittelten *Gitterkonstanten überein. Kennt man nun das Achsenverhältnis einer Kristallart, so lassen sich alle weiteren an den Einzelkrist. beobachtbaren Flächen im Verhältnis ganzzahliger Koeff. (rationaler Zahlen) auf das Achsenverhältnis beziehen (*Rationalität der Flächen*). Es gilt also $m \cdot a : n \cdot b : p \cdot c$ mit m, n, p = ganze Zahl (Weiss'sche Koeff.). Zur Berechnung besser geeignet sind die *Millerschen Indizes, die sich aus den Weiss'schen Koeff. durch Bildung des Kehrwerts u. Multiplikation mit dem Generalnenner ergeben. Aus den Weiss'schen Koeff. 2 3 4 erhält man die Kehrwerte ½ ⅓ ¼ u. mit dem Generalnenner 12 die Millerschen Indizes 6 4 3. Zur Indizierung von Flächen werden die Millerschen Indizes *hkl* in runde Klammern eingeschlossen, z. B. (643); s. a. die Abb. 3 bei Kristallgeometrie.
Analog läßt sich auch die *Rationalität der Kanten* ableiten. Richtungen werden zur Unterscheidung von Flächen mit [*uvw*] gekennzeichnet. Die *Zonengleichung* $h \cdot u + k \cdot v + l \cdot w = 0$ gilt für alle Flächen (*hkl*), die parallel zur Richtung [*uvw*] sind. – ***E*** law of rational indices – ***F*** loi de rationalité des indices – ***I*** legge della razionalità degli indici – ***S*** ley de racionalidad de los índices

Lit.: Ramdohr-Strunz, S. 18–23 ▪ s. a. Kristallographie.

Rationalname, Rationeller Name s. systematischer Name.

ratiopharm. Kurzbez. für die 1973 als 100%ige Tochterges. von *Merckle gegr. ratiopharm GmbH, 89023 Ulm, die Arzneimittel unter ihren Freinamen vertreibt.

Rattengift s. Rodentizide.

Raub, Christoph Julius (geb. 1932), Prof. für Metallurgie, Leiter des Forschungsinst. für Edelmetalle u. Metallchemie, Schwäbisch Gmünd. *Arbeitsgebiete:* Oberflächentechnik, industrielle Anw. der Edelmetalle, Fragen der angewandten Galvanotechnik, Korrosion, Festkörperphysik, Supraleitung u. Festkörperchemie.

Lit.: Kürschner (16.), S. 2888.

Raubasin s. Ajmalicin.

Rauch. Bez. für disperse Verteilung feinster, fester Stoffe in einem Gas, insbes. Luft. Nach MAK-Wertliste entstehen R. durch therm. u./od. chem. Prozesse. Therm. Prozesse führen auf zweifache Weise zu R.: 1. Durch Kondensation aus der Dampfphase, teilw. verbunden mit chem. Reaktionen, z. B. Schweiß-, Metall(oxid)-Rauch, od. – 2. durch unvollständige Verbrennung organ. Materialien (*Ruß) u. der hierin enthaltenen anorgan. Verunreinigungen (*Flugasche). Chem. Prozesse können ebenfalls zur R.-Bildung führen (z. B. Reaktion von Ammoniak mit Chlorwasserstoff). Die Korngröße von R. liegt meist bei 0,01–1 µm. Durch Agglomeration kommt es – v. a. bei hoher R.-Konz. – zu Gebilden mit großen Durchmessern. Die Agglomerate weisen teilw. kettenförmige Struktur auf. Bei R.-Agglomeraten u. größeren Einzelteilchen findet ein Übergang zu dem Verhalten von *Staub-Teilchen (mit einem aerodynam. Durchmesser >0,5 µm) statt. Arbeitsmedizin. Kriterien von R. s. Staub (Recht) u. ultrafeine Teilchen. – ***E*** fume – ***F*** fumée – ***I*** fumo – ***S*** humo

Lit.: DFG (Hrsg.), MAK- u. BAT-Werte-Liste, S. 144, Weinheim: Wiley-VCH 1997.
allg.: s. Staub.

Raucharomen s. Räuchern.

Rauchberg-Metall. Kupfer-Leg. mit 15–19% Pb, 5–10% Sn u. 1–5% Sb.

Rauchen s. Tabak u. Tabakrauch.

Rauchende Säuren. Herkömmliche Bez. für hochkonz. Säuren, die unter Bildung von Rauch od. Nebel in der Säure gelöstes Anhydrid, sauer reagierende Gase od. Zers.-Produkte der Säure an die umgebende Luft abgeben, z. B. SO_3 (aus Oleum; s. Schwefelsäure), NO_2 (aus Salpetersäure, s. dort) od. HCl (aus Salzsäure), das mit Luftfeuchtigkeit Nebel bildet. – ***E*** fuming acids – ***F*** acides fumants – ***I*** acidi fumanti – ***S*** ácidos fumantes – *[G 8]*

Raucherentwöhnungsmittel s. Tabakentwöhnungsmittel.

Rauchgas. Übliche Bez. für *Abgas aus Verbrennungsprozessen (Feuerungsabgase). Wesentliche Bestandteile von unbehandeltem R. aus der Verbrennung fossiler Brennstoffe [1] od. von *Abfall sind Gase u. flüssige od. feste Partikel [2] (s. Rauch, Ruß, Flugasche, Staub) wie *Stickstoff, *Sauerstoff, *Edelgase, *Kohlendioxid, *Kohlenoxid, *Stickstoffoxide, *Schwefeloxide, *Wasserdampf, sowie unverbrannte Bestandteile u. *Pyrolyse-Produkte von Brennstoffen. R.-*Emissionen werden z. B. durch die *Kleinfeuerungsanlagen-Verordnung, die *Großfeuerungsanlagen-Verordnung u. die *Abfallverbrennungsanlagen-Verordnung begrenzt. Zur R.-Reinigung s. Entstaubung, Entstickung u. Entschwefelung. – ***E*** smoke gas – ***F*** gaz de fumée (combustion) – ***I*** gas di combustione – ***S*** gases de humo (combustión)

Lit.: [1] Fortschr.-Ber. VDI, Reihe 15, **105** (Baumgärtner, Partikelemissionen aus Leichtölfeuerungen – Charakterisierung u. Verminderung) (1993). [2] VDI-Richtlinie **3491** (1989).
allg.: Spelsberg, Rauchplage (Zur Geschichte der Luftverschmutzung), Köln: Kölner Volksblatt Verl. 1988 ▪ VDI-Ber. **1193, 1313**, VDI-Ges. Energietechnik (Hrsg.), Verbrennung u. Feuerungen – 17. bzw. 18. Deutsch-Niederländ. Flammentag (1995, 1997).

Rauchgasentstickung s. Entstickung.

Rauchkondensat s. Räuchern.

Rauchlose Pulver s. Schießpulver.

Rauchpulver. Sammelbez. für Pulver, die beim Abbrennen einen signalgebenden *Rauch erzeugen. Die

R. bestehen meist aus einer Mischung von *Naphthalin, *Ruß, *Anthracen, *Schwefel, *Kaliumchlorat u. Milchzucker sowie Natriumbicarbonat als Stabilisator. Die Farbrauchbildung beruht auf der Verdampfung zugesetzter Pigmente. Zur Erzeugung schwarzen Rauches findet insbes. die sog. *Berger-Mischung Verwendung. – *E* smoke powders – *F* poudres fumigènes – *I* polveri fumogene – *S* pólvoras fumígenas
Lit.: Kirk-Othmer (4.) **20**, 691 f. – *[HS 3604 90]*

Rauchquarz (nicht: *Rauchtopas!*). Zart rauchfarbene od. braune bis braunschwarze Varietät von *Quarz; fast schwarze u. prakt. undurchsichtige R. werden *Morion* genannt. Farbursache ist die Einwirkung natürlicher radioaktiver Strahlung auf Al-haltigen Quarz mit Bildung von *Farbzentren: Defektelektronen-Zentren (Entstehung von O^--Ionen durch Abgabe eines Elektrons aus einer Al–O-Bindung) $[AlO_4]^0$ u. Vorläufer-Zentren $[AlO_4/M^+]^0$; M = Li, Na od. H auf *Zwischengitterplätzen in der Nachbarschaft des Al (*Lit.* [1]). Die braune Farbe kann auch durch künstliche Bestrahlung von natürlichen u. synthet. Quarzen im Labor erzeugt werden (bes. bei Quarzen aus Arkansas/USA u. Rußland praktiziert). Durch Erhitzen auf über 180 °C werden die Farbzentren zerstört.
Vork.: Auf Klüften in den Alpen (Krist. bis über 200 kg Gew.!), im Ural/Rußland; in *Pegmatiten, z. B. Fichtelgebirge, Bayer. Wald, Brasilien. – *E* smoky quartz – *F* quartz fumé – *I* quarzo affumicato – *S* quarzo ahumado
Lit.: [1] Phys. Chem. Miner. **24**, 254–263 (1997).
allg.: Heaney, Prewitt u. Gibbs (Hrsg.), Silica (Reviews in Mineralogy, Vol. 29), S. 448–452, Washington (D. C.): Mineralogical Society of America 1994 ▪ Rykart, Quarz-Monographie (2.), S. 151–155, Thun: Ott 1995. – *[HS 2506 10]*

Rauchschwache Pulver s. Schießpulver.

Rauchtopas. Irreführende Bez. (kein Topas!) für *Rauchquarz.

Rauchunterdrücker. Bei Bränden wirken *Rauchgase erstickend, vergiftend u. erschweren durch Sichtbeeinträchtigung die Rettungsmaßnahmen. Daher werden v. a. den im Bau verarbeiteten *Kunst- u. Faserstoffen (z. B. Fußbodenbelägen, Gardinen, Türen, Fensterrahmen u. Möbeln) sog. R. zugesetzt, die die Entwicklung von Rauchgasen unterbinden. Als solche haben sich v. a. MoO_3, Zn- u. Mg-Komplexe sowie $Al(OH)_3$ als wirksam erwiesen. Letzteres ist darüber hinaus auch ein gutes *Flammschutzmittel. – *E* smoke suppressant – *I* inibitori di fuomo – *S* supresor de humo

Rauchverzehrer. Vorrichtungen, durch welche die Luft in *Tabakrauch-haltigen Räumen „verbessert" werden soll. Ihre Wirkung beruht hauptsächlich auf einem Nachverbrennungsprozeß, der zur völligen Verbrennung des *Rauches führt. Schon dem Abbrennen von einfachen Kerzen im Raucherzimmer wird eine rauchverzehrende Wirkung zugeschrieben. Neuere R. sind vielfach Aerosolpräp. (*Sprays) mit hygroskop. Eigenschaften: Die darin befindlichen Glykole sollen die in der Luft befindlichen Rauchteilchen absorbieren u. zum Absetzen bringen. Häufig enthalten die R. noch Riechstoffe als *Geruchsverbesserungsmittel. – *E* smoke consumers – *F* fumivores – *I* bruciaprofumi – *S* fumívoros, eliminadores de humos

Rauchwaffen. Diese zählen ähnlich den *Nebelwaffen in erweitertem Sinne zu den *chemischen Waffen u. gehören zu den Erzeugnissen der *Pyrotechnik, s. a. Rauchpulver. – *E* smoke weapons – *F* armes fumigènes – *I* armi fumogeni – *S* armas fumígenas – *[HS 3604 90]*

Rauchwaren. Von mittelhochdtsch.: ruoch = mit Haaren bewachsen, rauh abgeleitete Bez. für fertig gegerbte u. zugerichtete *Pelze. Dagegen sind die – fälschlicherweise auch oft als R. bezeichneten – Genußmittel zum Rauchen *Tabakwaren.* – *E* peltry – *F* pelleterie – *I* pellicce – *S* peletería, pieles

Rauhimbin s. Yohimbin.

Rauhreif s. Reif.

Rauhwacke s. Zellenkalk.

Raumchemie. Bez. für die Gesamtheit der chem. Experimente, die im Weltraum – im allg. an Bord von Satelliten – betrieben werden; s. a. Kosmochemie.

Raumfahrt s. Apollo-Programm, Kosmochemie (2.) u. Raketentreibstoffe.

Raumgewicht. Veraltete, unkorrekte Bez. für *Dichte od. für Gewichtskraft pro Vol.; vgl. Masse.

Raumgitter s. Kristallgeometrie.

Raumgruppen. Die Symmetriebeziehungen im atomaren Aufbau von *Kristallen werden durch die 32 kristallograph. Punktgruppen (s. Kristallklassen) wiedergegeben. Symmetrieelemente ohne Translation sind jedoch zu einer vollständigen Beschreibung der Symmetrie in *Kristallstrukturen nicht hinreichend. Translationen kombiniert mit Drehungen führen zu Schraubenachsen, kombiniert mit Spiegelebenen zu Gleitspiegelebenen. Unter Einbeziehung dieser Symmetrieelemente ergeben sich zwanglos 219 affine R.-Typen. Läßt man nur rechtshändige Koordinatensyst. zu, so erhält man die 230 R., genauer: R.-Typen (s. Kristallgeometrie).
Will man im Krist. Vektorgrößen wie z. B. die magnet. Eigenschaften bei antiferromagnet. Ordnung beschreiben, so muß die Richtung des magnet. Vektors berücksichtigt werden. Dies geschieht durch die „Farben" Schwarz u. Weiß; z. B. geht die Inversion i′ mit einem Farbwechsel von schwarz nach weiß od. umgekehrt einher. Diese Erweiterung führt zu den 1651 *Schwarz-Weiß-* od. *Shubnikov*-Gruppen. – *E* space groups – *F* groupes spatiaux (d'espace) – *I* gruppi spaziali – *S* grupos espaciales
Lit.: s. Kristallographie.

Raumisomerie s. Stereoisomere.

Raumlufterfrischer, Raumsprays s. Geruchsverbesserungsmittel u. Sprays.

Raupenleim. Bez. für ein sehr klebriges Material zum Schutz von Bäumen gegen Schädlingsbefall. R. basiert auf einer Mischung von *Kolophonium, *Harzen, Holzteer, Ölen u. dgl. u. wird nach dem Laubfall in Ringen entweder direkt auf den Stamm od. auf einer Pergamentunterlage an diesem angebracht. Mit Hilfe des R. werden schädliche Raupen, v. a. aber die flügellosen Weibchen des Frostspanners auf ihrem Weg zur Eiablage in die Baumkrone abgefangen. – ***E*** insect lime – ***F*** colle antichénilique – ***I*** vischio per i bruchi – ***S*** cola orugicida

Raupin s. Rauwolfia-Alkaloide u. Sarpagin.

Rauschbeeren s. Preiselbeeren.

Rauschgelb s. Arsensulfide.

Rauschgifte. Stoffe, die Rauschzustände zu erzeugen vermögen, indem sie auf das Zentralnervensyst. (ZNS) erregend, dämpfend od. lähmend einwirken. Die Abgrenzung der R. gegenüber anderen, auf das Nervensyst. (s. Neurochemie) wirkenden Pharmaka ist unscharf. So rechnet man z. B. *Nicotin (Tabak) u. *Coffein eher zu den Genußgiften (Genußmitteln), während *Ethanol als R. betrachtet wird. Umgangssprachlich wird hauptsächlich mit der aus dem Engl. rückübersetzten Bez. Drogen operiert, obwohl im Deutschen das Wort *Drogen einen eigenen Bedeutungsinhalt hat.
Wirkung: R. bewirken nach enteraler od. parenteraler Zufuhr eine verzerrte Wahrnehmung der Umgebung u. der eigenen Person. Durch Erregung od. Lähmung des ZNS hervorgerufene Rauschzustände gehen mit psych. Enthemmung, Störungen des seel. Gleichgewichts, Verzerrung von Sinneswahrnehmungen, Auslösung von Halluzinationen, Euphorie, Stimmungsveränderungen, Analgesie etc. einher, wobei Stärke u. Art der Symptome vom jeweiligen R.-Typ abhängig ist. Wegen ihrer nicht nur bewußtseinsverändernden („psychedel."), sondern auch die Persönlichkeitsstruktur tangierenden Wirkung rechnet man einige der R. zu Psychodysleptika bzw. Psycho(to)lytika, vgl. die Einteilung bei Psychopharmaka. Die Gefährlichkeit der R. beruht erstens darauf, daß sie eine (kurzfristige) „Problemlösung" od. eine „Bewußtseinserweiterung" vorgaukeln, wo nur eine Wirklichkeitsflucht bzw. eine Störung der Neurophysiologie stattfindet. Hieraus folgen die persönlichkeitszerstörenden Wirkungen der R. sowie die bei allen diesen Stoffen eintretende psych. Abhängigkeit. Zweitens führen manche R. auch zu phys. Abhängigkeit infolge einer dauerhaften Schädigung bestimmter (neuro)physiolog. Gleichgewichte (Toleranzentwicklung) [1]. Beide Arten der Abhängigkeit verursachen einen allmählichen phys. u. sozialen Verfall. Manche Arzneimittel können bei Mißbrauch zu ähnlichen Problemen führen (*Arzneimittelsucht). Neuere Forschungen beschäftigen sich mit den biochem. Mechanismen der R.-Suchtentstehung, um evtl. Entziehungstherapien durch medikamentöse Maßnahmen unterstützen zu können. Bes. das dopaminerge Syst. scheint an der Ausbildung von Abhängigkeit beteiligt zu sein, ohne daß man natürlich diesen Vorgang auf rein physiolog. Prozesse reduzieren kann [2]. Für *Haschisch u. *Heroin wurden gleiche Effekte auf Dopamin-Ausschüttung im ZNS beobachtet [3]; für *Cocain wurde bei Mäusen nachgewiesen [4], daß es seine Wirkungen durch Hemmung des Dopamin-Transporters entfaltet, der für die Wiederaufnahme von Dopamin aus dem synapt. Spalt verantwortlich ist.
Einteilung: Unter dem Gesichtspunkt des Motivs für ihren Gebrauch bzw. des „künstlichen Paradieses", das sie vorgaukeln, kann man nach einer neueren Einteilung vier R.-Gruppen unterscheiden [5]: 1. *Morphin-Typ:* Stoffe, die in trüger. Traumwelten entführen; sie sedieren u. lösen gleichzeitig traumähnliche Halluzinationen aus. *Beisp.:* *Opiate u. Opioide, bes. die Reinsubstanzen *Morphin, Heroin, *Methadon u. a.; Hanf-Produkte (s. Haschisch u. Marihuana). – 2. *Cocain-Typ:* Stoffe, die zu einer übersteigerten Einschätzung der eigenen Fähigkeiten bzw. zu kurzer, starker Stimmungsaufhellung führen; die meisten aktivieren das sympath. u. dopaminerge Syst. (s. Sympathikus u. Dopamin-Rezeptoren). *Beisp.:* *Cocain; *Amphetamin-Derivate u. „Designer-Drogen" [6] wie *Ecstasy, *Kat, *Betelnüsse. Manche Designer-Drogen werden auch als Entaktogene bezeichnet („im Inneren ein Gefühl erzeugend"); sie erleichtern subjektiv die Selbstversenkung im Sinne einer Vorstufe der echten Trance od. Ekstase. – 3. *Ethanol-Typ:* Stoffe, die zu einer Flucht aus der Wirklichkeit in seel. Trägheit führen. Sie dämpfen das ZNS, indem sie die Wirkung des dämpfenden Neurotransmitters GABA (s. GABA-Rezeptoren) verstärken u./od. in das dopaminerge Syst. eingreifen. *Beisp.:* Alkohol, Tranquilizer vom *1,4-Benzodiazepin-Typ, *Barbiturate, *Neuroleptika, *Schnüffelstoffe. – 4. *LSD-Typ:* Stoffe, die scheinbar zu einer erweiterten od. vertieften Wahrnehmung der Wirklichkeit führen; sie verzerren – meist über Beeinflussung serotonerger u. dopaminerger Neurone – die Sinneswahrnehmung (s. Serotonin u. Halluzinogene). *Beisp.:* Hanf-Produkte (s. oben), *Lysergsäurediethylamid (LSD), *Meskalin (s. a. Peyotl), Inhaltsstoffe von Rauschpilzen wie *Psilocybin u. Psilocin; *Fliegenpilz-Inhaltsstoffe.
Natürlich können einige Stoffe auch in mehrere Gruppen eingeordnet werden, da ihre Wirkungsqualität von der Dosierung abhängt sowie von der Person u. Umgebung („setting") des Konsumenten. Insbes. beim LSD-Typ sind Art u. Erleben der Halluzinationen stark von der aktuellen Stimmungslage abhängig u. können als „Himmel" od. „Hölle" empfunden werden.
Chem. Struktur: R. haben sehr unterschiedliche Konstitutionsformeln, aber – wie aus dem Vorangegangenen ableitbar – sind viele Strukturen Neurotransmittern ähnlich, häufig von biogenen Aminen abgeleitet, insbes. von Adrenalin, Dopamin, Serotonin u. Tryptamin. Die Opiate u. Opioide dagegen sind Peptid-Mimetika, *Cannabinoide wiederum Mimetika von Fettsäure-Derivaten, die Botenstoff-Eigenschaften haben [7]. Allg. wichtig für die Wirkung von R. ist, daß sie lipophil sind, damit sie rasch im ZNS – einem sehr fettreichen Organ – anfluten u. einen als „flush" bezeichneten plötzlichen u. starken Effekt auslösen. So erklären sich beispielsweise die intensivere Wirkung des lipophileren Heroins gegenüber seinem nicht-acetylierten Edukt, dem Morphin, u. der freien Cocain-Base („Crack") gegenüber einem Cocain-Salz.
R.-Handel: Die mißbräuchliche Verw. der R. soll durch das Betäubungsmittel-Gesetz (BtmG) u. die Betäubungsmittelverschreibungs-VO (BtMVV, s. Betäubungsmittel) unterbunden werden. Der illegale R.-Handel ist allerdings völlig unübersichtlich u. nahezu unkontrollierbar. In den letzten Jahren hat in den westlichen Staaten der R.-Mißbrauch beängstigende

Ausmaße angenommen[8]: In der BRD gab es 1995 etwa 275 000 Konsumenten harter Drogen. 1988 wurden etwa 73 000 Betäubungsmittel-Delikte gezählt, 1995 etwa 159 000, Cannabis, Heroin u. Cocain standen an der Spitze. 1994 gab es nach BKA-Statistik in der BRD 1624 Drogentote, u. es wurden in Europa ca. 608 t Cannabis, 30 t Cocain, 10 t Heroin u. 2 t Amphetamin sichergestellt.

Analytik: Im Rahmen der forens. Chemie u. a. behördlicher, auch internat. Maßnahmen kommt der Analytik der R. große Bedeutung zu (vgl. *Lit.*[9–11]). Zur Trennung eignen sich die verschiedenen Verf. der Chromatographie[12,13], wobei zur R.-Identifizierung die Bestimmung der gaschromatograph. Retentionsindizes bes. nützlich ist. Qual. u. halbquant. Schnelltests lassen sich mittels Dünnschichtchromatographie od. Farbreaktionen, z. B. im Speichel od. Sputum, vornehmen[14–16]. – ***E*** drugs, narcotic drugs – ***F*** stupéfiants – ***I*** stupefacenti – ***S*** estupefacientes

Lit.: [1] Goodman u. Gilman, The Pharmacological Basis of Therapeutics, S. 557–577, New York: Pergamon Press 1996. [2] Med. Monatsschr. Pharm. **20**, 300–309 (1997). [3] Science **276**, 2050 ff. (1997). [4] Nature (London) **379**, 606–612 (1996). [5] Pharm. Ztg. **141**, 3635–3645 (1996). [6] Pharm. Unserer Zeit **19**, 99, 211 (1990). [7] Science **258**, 1946 ff. (1992). [8] Dtsch. Hauptstelle gegen die Suchtgefahren (Hrsg.), Jahrbuch Sucht '97, Geesthacht: Neuland 1996. [9] Analyt. Taschenb. **4**, 67–82. [10] Analyt. Taschenb. **1**, 381–390. [11] GIT Spez. Chromatogr. **15**, 10–24 (1995). [12] Fishbein, Drugs of Abuse (Chromatography of Environmental Hazards, Vol. 4), Amsterdam: Elsevier 1982. [13] J. Chromatogr. A **735**, 221–226 (1996). [14] Kontakte (Merck) **1974**, Nr. 3, 17–24. [15] J. Chromatogr. Sci. **20**, 289 ff. (1982). [16] Dtsch. Apoth. Ztg. **122**, 3–22 (1982).

allg.: Hoffmeister u. Stille, Psychotropic Agents (Handbook of Experimental Pharmacology, Bd. 55), Berlin: Springer 1982 ▪ Lewin, Phantastika, Linden: Volksverl. 1980 ▪ Pharm. Unserer Zeit **10**, 65–74 (1981) ▪ Pharm. Ztg. **141**, 3635–3645 (1996) ▪ Schulz, Die Bekämpfung der Rauschgiftkriminalität, Heidelberg: Hüthig 1987 ▪ Wilder-Smith, Ursache u. Behandlung der Drogenepidemie, Hamburg: Fliss 1994. – *[HS 2939]*

Rauschgold. Auch als Flitter-, Knitter-, Lahngold bezeichnete, aus *Messing durch Walzen u. Hämmern hergestellte 10–15 µm starke, bei Bewegung raschelnde Folien für Dekorationszwecke. – ***E*** imitation gold foil – ***F*** oripeau, clinquant d'or – ***I*** orpello – ***S*** oropel, bricho de oro

Rauschmittel s. Rauschgifte.

Rauschpfeffer s. Kawain.

Rauschrot s. Realgar.

Rauschthermometrie s. Temperaturmessung.

Rautenöl. Durch Wasserdampfdest. erhältliches ether. Öl der blühenden Edelraute (Garten-, Kreuz-, Weinraute) *Ruta graveolens* (Rutaceae) u. verwandter Arten, die im Mittelmeerraum u. Indien heim. sind u. in Amerika u. Afrika kultiviert werden. Das aromat. riechende R. hat eine D. von 0,826–0,838, löst sich in der 2–3fachen Menge 70%igen Alkohols u. enthält ca. 80% *2-Undecanon, 10% 2-Nonanon, ferner Methylanthranilat u. die den Ketonen entsprechenden sek. Alkohole.

Verw.: Zur Aromatisierung von Backwaren u. a. Lebensmitteln, früher zur Gewinnung der Ketone, als Hautreizmittel u. Abortivum. Die Blätter enthalten *Rutin, Cumarin- u. *Furocumarin-Derivate, die photoallergisierend wirken können. – ***E*** rue oil – ***F*** essence de rue – ***I*** olio essenziale di ruta – ***S*** esencia de ruda

Lit.: Pharm. Weekbl. **113**, 1169–1174 (1978) ▪ Riv. Ital. Essenze, Profumi, Piante, Off., Aromi, Saponi, Cosmet., Aerosol **59**, 9–32, 64–75 (1977) ▪ Roth u. Kormann, S. 255 ▪ Ullmann (4.) **20**, 278. – *[HS 3301 29]*

Rauwolfia-Alkaloide (Rauvolfia-Alkaloide). Sammelbez. für über 100 penta- u. hexacycl., zum größten Teil in Einzelstichwörtern behandelte monoterpenoide Indol-Alkaloide aus den getrockneten Wurzeln der in den Tropen u. Subtropen heim., etwa 50 cm hohen, rötlich bis rot blühenden Ind. Schlangenwurzel (*Rauwolfia serpentina*, Apocynaceae). Das wichtigste ist *Reserpin. Ebenfalls therapeut. verwendet werden z. B. *Ajmalin (Rauwolfin), *Serpentin, *Yohimbin, *Deserpidin (Canescin), *Ajmalicin (δ-Yohimbin, Raubasin), *Sarpagin (Raupin) u. *Rescinnamin sowie Corynanthin (s. Yohimbin).

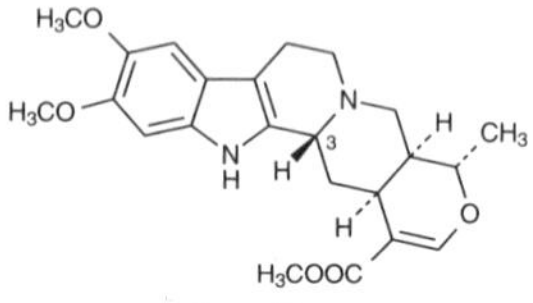

Reserpilin

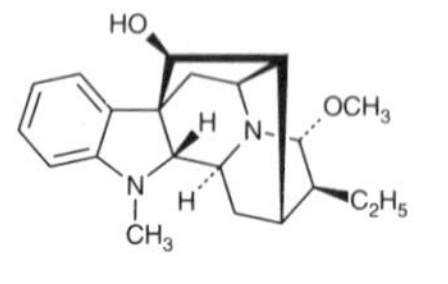

Sandwicolidin

Weitere R.-A. sind *Reserpinsäure* (die freie Hydroxy-Carbonsäure, von der sich Rescinnamin u. Reserpin ableiten, $C_{22}H_{28}N_2O_5$, M_R 400,47), *Reserpilin* {$C_{23}H_{28}N_2O_5$, M_R 412,49, Schmp. als Hydrochlorid 205–207 °C, $[\alpha]_D$ −12° ($CHCl_3$)}, Raucaffricin, Raufloridin, *Sandwicolidin* {$C_{21}H_{28}N_2O_2$, M_R 340,46, Schmp. 213–214 °C, $[\alpha]_D$ +227° ($CHCl_3$)}, Sandwicolin u. das stark Brechreiz-erzeugende Vomicin. Gemeinsam ist den R.-A. eine peripher gefäßerweiternde Wirkung, Stimulierung der Serotonin-Sekretion u. ein sedierender Effekt. Einzelne R.-A. od. Extrakte aus *Rauwolfia* finden daher Verw. als *Antihypertonika, wenn auch die Therapie oft von unerwünschten Nebenwirkungen wie Depressionen, Kopf- u. Muskelschmerzen begleitet sein kann. Viele *Rauwolfia*-Präp. enthalten zusätzlich häufig noch *Convallaria*-Glykoside, *Crataegus*-Extrakte, Rutin sowie Barbitursäure-Präp. u. a. Beruhigungsmittel.

Biosynth.: Die Biosynth. der R.-A. ist gut verstanden, insbes. was den Aufbau des Ajmalin- u. Sarpagin-Typs betrifft, da gut wachsende u. Alkaloid-produzierende Zellsuspensionskulturen etabliert werden konnten. Über 10 lösl. u. membrangebundene Enzyme synthetisieren aus *Tryptamin u. *Secologanin erst den Sarpagin-Typ, aus dem dann die Alkaloide der Ajmalin-Gruppe hervorgehen. Auch hier, wie wohl bei allen monoterpenoiden Indol-Alkaloiden, nehmen das Enzym Strictosidin-Synthase sowie ihr Produkt – das Glucoalkaloid *Strictosidin – eine Schlüsselstellung ein.

Geschichte: *R. serpentina*, als wichtigste *Rauwolfia*-Art wurde bereits als Medizinalpflanze während der vor-ved. Zeit (vor ca. 3000 a) therapeut. volksmedizin. verwendet bei der Therapie von Schlangenbissen, fiebrigen Erkrankungen u. allg. Unwohlsein. Während der folgenden Ayurved. Periode wurde die „Sarpagandha-Wurzel" genannte Droge bereits systemat. eingesetzt: *R. serpentina* gehörte schon in den Ayurved. Hospitälern zum typ. Arzneischatz, bevor diese Droge über die arab. Länder dem europ. Raum bekannt u. nach dem Augsburger Botaniker u. Arzt Leonhard Rauwolf[1] benannt wurde, der Ende des 16. Jh. Palästina u. Syrien bereiste. – ***E*** rauwolfia alkaloids – ***F*** alcaloïdes de rauwolfia – ***I*** alcaloidi della rauwolfia – ***S*** alcaloides de rauwolfia

Lit.: [1] Dannenfeldt, Leonhard Rauwolf, Cambridge: Harvard Univ. Press 1968.
allg.: Hager (5.) **3**, 31 f.; **6**, 361–380; **9**, 495–502 ▪ Handb. Exp. Pharmacol. **19**, 529–592 (1966); **39**, 77–159 (1977); **55**, 43–58 (1980) ▪ J. Pharm. Biomed. Anal. **8**, 91 (1990) (Rescinnamin) ▪ Magn. Res. Chem. **27**, 935 (1989) (Reserpilin) ▪ Manske **7**, 62; **8**, 287, 785; **11**, 41; **47**, 115–172 (Biosynth.) ▪ Merck-Index (12.), Nr. 8311–8313 ▪ Sax (8.), Nr. MPH300, TLN500 ▪ Ullmann (5.) **A1**, 387–390 ▪ Zechmeister **43**, 267–346. – *[HS 2939 90; CAS 83-60-3 (Reserpinsäure); 131-02-2 (Reserpilin); 99612-65-4 (Sandwicolidin)]*

Rauwolfin s. Ajmalin.

Ravioli. Kleine, mit Fleisch gefüllte Teigtaschen; s. Teigwaren. – *[HS 1902 20]*

Raxil®. Fungizides Beizmittel mit system. Eigenschaften auf Basis *Tebuconazole zur Getreidesaatgutbehandlung v. a. gegen samenbürtige Krankheiten; hoch wirksam mit sehr niedrigen Aufwandmengen. ***B.:*** Bayer.

Raychem. Kurzbez. für die 1957 gegr. Firma Raychem Corp., Menlo Park, CA 94025-1164, USA. *Daten* (1997): 8500 Beschäftigte, 1,7 Mrd. $ Umsatz. *Produktion:* Aus mol.-vernetzten Polymeren hergestellte Wärmeschrumpfschläuche, Kabelisolierungen, elektr. Verbindungselemente, Kupferkabel, Koaxialkabel, Lichtwellenleiter u. dgl. für die Bereiche Elektronik, Telekommunikation, Energie u. Industrie. *Vertretung in der BRD:* Raychem GmbH, 85521 Ottobrunn.

Lord **Rayleigh,** John William, vor der Adelung Strutt (1842–1919), Prof. für Physik, Cambridge, London. *Arbeitsgebiete:* Akustik, Optik, Strahlungstheorie, Messung der Schallstärke (*Rayleighsche Scheibe*), Lichtstreuung (*Rayleigh Strahlung*, s. Raman-Spektroskopie), Deutung der blauen Himmelsfarbe als Lichtstreuungserscheinung an Luftmol. (*Rayleighsches Gesetz*, s. Kolloidchemie, S. 2212), Gasdichte-Bestimmung, zusammen mit *Ramsay Entdecker des Argons; 1904 Nobelpreis für Physik.

Lit.: Krafft, S. 289 f. ▪ Lexikon der Naturwissenschaftler, S. 341 ▪ Pötsch, S. 357.

Rayleigh-Streuung s. Lichtstreuung.

Rayon. Engl. Schreibweise für *Reyon.

Rb. Chem. Symbol für das Element *Rubidium.

RBE. Abk. für *r*elative *b*iological *e*ffectiveness, s. relative biologische Wirksamkeit.

rbGH s. Somatotropin.

RBMK. Abk. für Graphit-moderierter Hochleistungs-Druckröhren-Reaktor, s. a. Kernreaktoren. Das Reaktorunglück von Tschernobyl (April 1986) ereignete sich in einem RBMK-1000-Reaktor, der im Gegensatz zu den in der BRD u. Westeuropa genehmigungsfähigen Kernreaktoren keine „inhärente" Sicherheit besitzt, durch die bei Temp.-Erhöhung aus physikal. Gründen eine Leistungsminderung bewirkt wird.

Lit.: Rassow, Risiken der Kernenergie, Weinheim: VCH Verlagsges. 1988 ▪ s. a. Kernreaktoren.

RBP. Abk. für *Retinol-bindendes Protein.

Rb-Protein s. Retinoblastom-Protein.

RBS® (von Roth-Borghgraef-Solution). Marke von Roth für flüssige od. pulverförmige Reinigungskonzentrate für Laborgefäße u. -geräte mit glatten, nicht korrodierenden Oberflächen. RBS enthält Tenside, Lösungsvermittler, etwas Phosphat u. a. Komplexbildner; die Lsg. für Hand- od. Maschinenspülgang haben pH 7–13. ***B.:*** Roth.

RBW. Abk. für *relative biologische Wirksamkeit.

RC. Abk. für *Rhein Chemie, auch in Marken.

rd. Symbol der veralteten Einheiten *Rad u. *Rutherford.

Ψrd. Kurzz. für *Pseudouridin.

R&D. Abk. für *E* Research and Development = *Forschung u. Entwicklung (FuE).

RDA. Abk. für engl.: *R*ecommended (Daily) *D*ietary *A*llowance = empfohlene (tägliche) Nährstoffzufuhr, d. h. der Tagesbedarf an Eiweiß, *Vitaminen, essentiellen Fettsäuren u. *Mineralstoffen, der durch die Ernährung aufgenommen werden soll, um die Gesundheit zu erhalten. Empfehlungen werden von der National Academy of Sciences (Washington) u. ähnlich von der Deutschen Gesellschaft für Ernährung ausgesprochen. Richtwerte im Sinne von Orientierungshilfen werden genannt für Energiezufuhr, Zufuhr von Wasser, Fett, Cholesterin, Saccharose, Ballaststoffe, Natrium, Kalium, Fluorid u. β-Carotin[1]. Die Tab. gibt einen Überblick über die RDA-Werte von Vitaminen u. Mineralstoffen. Die Nährwertkennzeichnungsrichtlinie der EG[2] sieht vor, daß Angaben über Vitamine u. Mineralstoffe zusätzlich als Prozentsatz der empfohlenen Tagesdosen (RDA) ausgedrückt werden müssen. Krit. setzt sich *Lit.*[3] mit dem Konzept der RDA-Werte (v. a. für Vitamine) auseinander. – ***E*** recommended (daily) dietary allowance – ***F*** PAR (prise alimentaire (journalière) recommandée) – ***I*** razione giornaliera raccomandata – ***S*** dieta diaria recomendada

Tab.: Mittlere RDA-Werte von Vitaminen u. Mineralstoffen.

Vitamin A µg	800
Vitamin D µg	5
Vitamin E mg	10
Vitamin C mg	60
Thiamin mg	1,4
Riboflavin mg	1,6
Niacin mg	18
Vitamin B6 mg	2
Folsäure µg	200
Vitamin B12 µg	1
Biotin mg	0,15
Pantothensäure mg	6
Calcium mg	800
Phosphor mg	800
Eisen mg	14
Magnesium mg	300
Zink mg	15
Iod µg	150

Lit.: [1] Deutsche Gesellschaft für Ernährung: Empfehlungen für die Nährstoffzufuhr, Frankfurt: Umschau 1991. [2] Richtlinie des Rates der EG (90/496/EWG) über die Nährwertkennzeichnung von Lebensmitteln vom 24. 9. 1990 (ABl. der EG **33**, Nr. L 276, 40). [3] Gaby et al., Vitamin Intake and Health, New York: Dekker 1991.
allg.: Bundesgesundheitsblatt **38**, 484 f. (1995) ▪ Ernähr.-Umsch. **42**, 1–10, 44–50 (1995) ▪ Muermann, Lexikon Ernährung, S. 89, Hamburg: Behr 1993 ▪ National Research Council, Recommended Dietary Allowances (10.), Washington: National Academy of Science Press 1989 ▪ WHO (Hrsg.), Codex Alimentarius, Vol. I, General Requirements, S. 42–47, Rome: WHO 1992.

RdAc. Kurzz. für *Radioactinium.

RDE s. Neuraminidasen.

rDNA. 1. Abk. für ribosomale DNA (IUPAC/IUB-Regel N-1.3.2). Sie enthält die Gene für die ribosomale RNA (rRNA; s. Ribosomen). – 2. Regelwidrige, dennoch häufige Abk. für rekombinante od. besser rekombinierte DNA (s. Gentechnologie).

RdTh. Kurzz. für Radiothorium.

RDX. Engl. Bez. für den Sprengstoff *Hexogen.

Re. 1. Chem. Symbol für das Element *Rhenium. – 2. Kurzz. für die *Reynolds-Zahl. – 3. In der Stereochemie selten benutztes Symbol für eine *Topizität.

RE. Im Engl. vielbenutztes „Elementsymbol“ für *Seltenerdmetalle (*E* *r*are *e*arth metals).

REA. Abk. für *R*auchgas-*E*ntschwefelungs-*A*nlage, s. Entschwefelung. Zu dem bei der Entschwefelung anfallenden Gips s. *Lit.*[1].
Lit.: [1] Römpp Lexikon Umwelt, S. 590 f.

REACCS. Abk. für *RE*action *ACC*ess *S*ystem. „Inhouse“-Datenbank-Management-Syst. für chem. Reaktionen, das von der Firma Molecular Design Ltd. vertrieben wird. Innerhalb dieses Syst. besteht Zugang zu verschiedenen Datenbanken wie „CHIRAS Asymmetric Synthesis“, „Journal of Synthetic Methods“, „Organic Synthesis“ od. „Theilheimer/Synthetic Methods of Organic Chemistry“.
Lit.: CHEMTECH **17**, 106–111 (1987) ▪ Chimia **40**, 38–50 (1986) ▪ J. Chem. Inf. Comput. Sci. **28**, 148–150 (1988); **30**, 360–372, 384–393 (1990) ▪ Kasparek, Computer Graphics and Chemical Structures: Database Management Systems, CAS Registry, Chembase, REACCS, MACCS II, Chemtalk.,New York: Wiley 1990 ▪ Nachr. Chem. Tech. Lab. **35**, 586–594 (1987).

REacton™. Hochreine Verb. u. Metalle der Seltenen Erden, die im Alfa-Katalog aufgelistet sind. ***B.:*** Johnson Matthey GmbH.

Reagens, Reagentien, Reagenz s. Reagenzien.

Reagenzgläser. Bez. für zylindr., einseitig geschlossene, dünnwandige Röhrchen aus gewöhnlichem od. schwer schmelzbarem Glas, die zur Durchführung von Reaktionen mit kleinen Mengen (z. B. qual. Analysen, Vorproben) dienen, weshalb sie früher *Probiergläser* od. *Eprouvetten* genannt wurden.
Nach DIN 12395: 1954-01 sind R. mit Bördelrand zwischen 8 u. 40 mm Durchmesser u. 70–200 mm Länge genormt. Ein *R.-Halter* (R.-Klemme, *E* test-tube holder) u. das *R.-Gestell* (*E* test-tube rack) dienen zum Festhalten des R. bzw. zum bequemen Aufstellen u. zum raschen Trocknen von R.; die nassen, ausgespülten R. werden mit der Öffnung nach unten über die Stäbe gesteckt. Für spezielle Anw. werden R. auch aus Kunststoffen, z. B. aus *Fluor-Polymeren hergestellt. – ***E*** test tubes – ***F*** tubes à essais – ***I*** provette – ***S*** tubos de ensayo
Lit.: ACHEMA-Jahrb. **1991**, 2327, 2328.

Reagenzien (Reagentien; Singular: Reagenz, Reagens). Im dtsch. Sprachgebrauch versteht man unter R. meist *Chemikalien bes. *chemischer Reinheit, die zum qual. u./od. quant. Nachw. von Substanzen od. Substanzgruppen dienen können (*Identifizierungs-R.*), weil sie mit diesen unter definierten Bedingungen charakterist. Reaktionen (z. B. Fällungen, Zers., Farbänderungen usw.) eingehen. Derartige chem. R. werden in der anorgan. Analytik meist am Ende eines *Trennungsganges eingesetzt – z. B. werden Nickel-Ionen durch die Farbreaktion mit Dimethylglyoxim identifiziert, nachdem die die Reaktion störenden Ionen entfernt wurden. Die Trennungen selbst werden mit Hilfe von sog. *Gruppen-R.* durchgeführt. Als solche verwendet man für die Metalle (Kationen) nacheinander Salzsäure (scheidet Pb z. T., Ag u. Hg^{I} aus), Schwefelwasserstoff (fällt Hg^{II}, Pb, Bi, Cu, Cd, As, Sb, Sn), Ammoniumsulfid (fällt Co, Ni, Mn, Zn, Fe, Cr, Al) u. Ammoniumcarbonat (fällt Ba, Ca, Sr). In der organ. Analytik werden die R. zum Nachw. *funktioneller Gruppen eingesetzt (*Gruppenanalyse*). Zur Analytik von Polymeren, zur Textilprüfung (s. Faserreagenzien), zur Wasser- u. Umweltanalytik, zur Reinheits- u. Gehaltsbestimmung von Arzneimitteln, zur Gasanalyse usw. wurden jeweils spezielle, oftmals spezif. R. entwickelt, wenn möglich in der Form von *Reagenz- od. *Testpapieren u. *Teststäbchen. In der klin. Chemie werden R. oft *Diagnostika (s. a. Serodiagnostik) genannt. In der Cyto- u. Histochemie bedient man sich gern spezieller Farbstoffe als R.; *Beisp.:* Gram-, Giemsa-, May-Grünwald-, Pappenheim-Färbung, Papanicolaous Farblösung. Überhaupt werden viele R. nach ihrem „Erfinder“ benannt, so z. B. Bettendorfs Reagenz, Millons Reagenz, Mannich-Reagenzien, Tschugaeffs Reagenz. Bes. im engl. Sprachraum versteht man unter R. allg. Chemikalien, also auch Stoffe, die zu präparativ-synthet. Zwecken verwendet werden: Oxid.- u. Red.-Mittel, Schutzgruppen-R., R. zur Racemattrennung, Phasentransfer-R. etc., auch an Polymere od. anorgan. Träger durch *Immobilisierung gebundene R. (*Festphasen-, *Merrifield-Technik). Nicht wenige der R. zählen zu den *Gefahrstoffen, werden aber üblicherweise nur in *chemischen od. a. *Laboratorien unter Beachtung der *Arbeitssicherheits-Richtlinien angewendet; Ausnahmen sind R. zur Wasser- u. Bodenanalytik vor Ort u. R. in *Experimentierkästen, die bes. Aufmerksamkeit bedürfen. – ***E*** reagents – ***F*** réactifs – ***I*** reagenti, reattivi – ***S*** reactivos
Lit.: Aldrichimica Acta **17**, 13–23 (1984) ▪ Analyt.-Taschenb. **5**, 183–197 ▪ Fries-Getrost ▪ Laszlo (Hrsg.), Preparative Chemistry Using Supported Reagents, San Diego, CA: Academic Press 1987 ▪ Pelter, Shith u. Brown, Boran Reagents, London: Academic Press 1988 ▪ Top. Curr. Chem. **106**, 119–175 (1982) ▪ Reagent Chemicals, Washington: ACS 1986.

Reagenzpapiere (Testpapiere). Bez. für mit *Reagenzien-Lsg. getränkte Papierstreifen, die ähnlich wie bei der *Tüpfelanalyse zum qual. Nachw. od. zur halbquant. Bestimmung gasf., flüssiger od. gelöster Substanzen od. Parameter durch möglichst charakterist. Farbreaktion dienen; *Beisp.:* pH-Indikatorpapiere wie Phenolphthalein-, Lackmus-, Curcuma-, Kongo-Papier. R. dienen weiterhin zum Nachw. anorgan. Kationen u. Anionen, zur Prüfung auf Wasser (z. B. in Butter), Blutspuren, Fette, Kohlenwasserstoffe, Öle etc. Für manche Zwecke sind die ähnlich aufgebauten *Teststäbchen praktischer. Für die klin. Diagnostik gibt es eine Reihe einfacher R. sowie kompliziert aufgebaute *Teststreifen* mit Reaktions-Zonen zur Untersuchung von Blut, Harn u. anderen Körperflüssigkeiten auf Glucose, Eiweiß, Enzyme, Bilirubin, Nitrit, Bakterien usw. – ***E*** test papers, indicator papers, reactions papers – ***F*** papiers à réactifs – ***I*** carte reattive – ***S*** papeles reactivos (indicadores)

Lit.: Analyt.-Taschenb. **3**, 78–86; **5**, 161–181 ▪ Anal. Chem. **55**, 498 A–500 A, 502 A, 504 A, 506 A, 508 A, 510 A, 512 A, 514 A (1983) ▪ Houben-Weyl **3/2**, 105–133 ▪ Sonntag, Trockenchemie, Analytik mit trägergebundenen Reagenzien, Stuttgart: Thieme 1988 ▪ Ullmann (5.) **A 14**, 134.

Reagieren (von latein.: re = wieder, zurück u. agere = treiben, handeln, wirken, tun). Einwirkung eines *Agens* – eines Stoffes od. einer Kraft – während einer *Reaktion. Die (sichtbare) Wirkung wird vom *Reagens* (s. Reagenzien) gezeigt. Mehrere Stoffe, die man miteinander zum R. bringen will, nennt man *Reaktanten* od. (häufiger) *Reaktanden* (obgleich grammatikal. nicht ganz korrekt). – ***E*** react – ***F*** réagir – ***I*** reagire – ***S*** reaccionar

Reagine. Ältere Bez. für die – nur in geringen Konz. vorliegenden – *Immunglobuline vom IgE-Typ, die nach Reaktion mit auslösenden *Antigenen (*Allergenen*) für die *Allergien vom Sofort-Typ (*Atopien, Beisp.:* Heuschnupfen) u. evtl. *Anaphylaxien verantwortlich sind. Die R.-Allergen-Komplexe binden insbes. an die Oberflächenrezeptoren Histamin-enthaltender Zellen. – ***E*** reagins – ***F*** réagines – ***I*** reagine – ***S*** reaginas

Reaktand, Reaktant s. Reagieren.

Reaktantharze. Ein Nachteil der für die Hochveredelung von *Cellulose-Fasern heute meist verwendeten Harnstoff-Formaldehyd-Vorkondensate (UF-Harze; s. Harzbildner) besteht darin, daß die erhaltenen Gewebe nicht kochwaschecht sind. Diesen Nachteil haben die mit sog. R., ausgerüsteten Gewebe nicht. Als R. dienen hauptsächlich Methylol-Verb. cycl. Harnstoffharze wie z. B. die Verb. **1**–**4**.

Diese reagieren in einem geringeren Ausmaß als die Harnstoff-Formaldehyd-Vorkondensate unter Eigenvernetzung, sondern vielmehr durch intermol. Vernetzung der Cellulose-Ketten. Als Stickstoff-haltige Verb. bilden viele R. bei der Wäsche mit chloriertem Wasser aber Chloramine. Diese spalten beim Bügeln Chlorwasserstoff ab, der die Fasern schädigt. Diese Nebenwirkung fällt bei Stickstoff-freien R. wie denen auf der Basis von Epoxiden (z. B. Butadiendiepoxid **5**) od. von Substanzen mit aktivierten ethylen. Doppelbindungen (z. B. Divinylsulfon **6**) weg. – ***E*** reactant-type resins – ***I*** resine di reattanza – ***S*** resinas reactantes

Lit.: Elias (5.) **2**, 552.

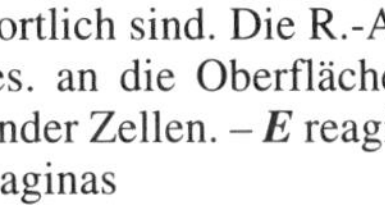

$HOCH_2$–N–C(=O)–N–CH_2OH **1**

$HOCH_2$–N–C(=O)–N–CH_2OH (O im Ring) **2**

R; $HOCH_2$–N–C(=O)–N–CH_2OH **3**

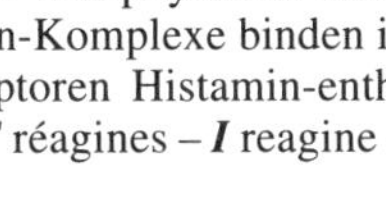

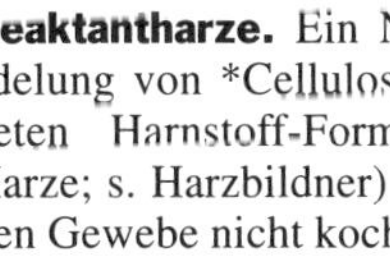

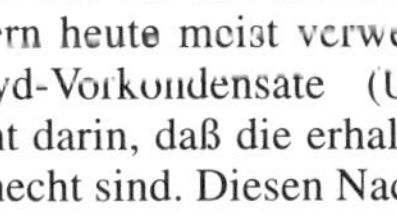

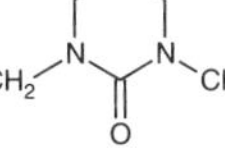

$HOCH_2$–N–C(=O)–N–CH_2OH **4**

5

$H_2C{=}CH{-}SO_2{-}CH{=}CH_2$ **6**

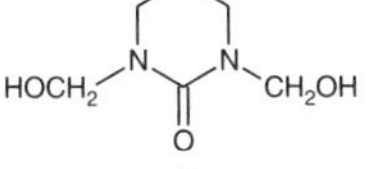

Reaktionen (von *Reagieren). In der Chemie Sammelbez. für alle zu stofflichen Umwandlungen führenden Wechselwirkungen zwischen chem. Elementen u./od. Verb., d. h. auf mikroskop. Ebene zwischen *Molekülen u./od. *Atomen. Von diesen *chem. R.*, bei denen im wesentlichen Veränderungen in den Elektronenhüllen der Atome der Reaktionspartner eintreten, sind die sog. *Kernreaktionen zu unterscheiden, bei denen Umwandlungen der Atomkerne erfolgen, sowie Streuprozesse als R. zwischen *Elementarteilchen. In Anbetracht der Unzahl interessanter R. – man könnte ja die R. als „Stoffwechsel der Chemie" ansehen – kann natürlich im folgenden nur auf einige wenige typ. Gesichtspunkte hingewiesen werden, die außerdem im allg. im Chemie-Lexikon als Einzelstichwörter ausführlicher behandelt sind. Weitere Details findet man vor allem bei *Reaktionsmechanismen, aber auch bei *Kinetik, *chemische Gleichgewichte, *Massenwirkungsgesetz, *Katalyse, *Thermochemie u. *Photochemie.

Die chem. Vorgänge in der Natur, in Laboratorium u. Technik vollziehen sich zwischen den reagierenden Mol. im allg. in Lsg. od. Gasgemischen, aber auch in Krist. (*homogene Festkörper-R.*) bzw. an den Grenzflächen von festen, flüssigen u. gasf. Stoffen (*heterogene R.*). Es gelten die gleichen Gesetzmäßigkeiten für chem. R., gleichgültig, ob es sich um R. zwischen Atomen, synthet. Makromol. (*polymeranaloge R.*) od. natürlichen Polymeren wie bei *enzymat. R.* handelt. Bei einer *synthet. R.* (s. Synthese u. präparative Chemie) erfolgt der Aufbau einer Verb. aus den Elementen od. aus einfacheren Verb. (Synthons od. Relais-Substanzen). Eine *analyt. R.* (s. Analyse u. chemische Analyse) besteht in der Zerlegung einer Verb. in einfachere Bestandteile – im Extremfall in die Elemente. Dementsprechend spricht man von Aufbau- u. von Abbau-R. – bei Stoffwechsel-R. statt dessen von Anabolismus u. Katabolismus.

Bei chem. R. nennt man diejenigen Elemente u./od. Verb., durch deren Wechselwirkung die R. in Gang kommt, die *Ausgangsmaterialien* od. *-stoffe* od. *Edukte* od. *Reaktanten* (Reaktanden) u. demgegenüber die am Schluß vorhandenen Elemente u./od. Verb. *R.-Produkte* od. *Endprodukte* od. *Produkte.* Die Wechselwirkung zwischen zwei R.-Partnern kann entweder direkt zum R.-Produkt od. auch zunächst nur zu einer nicht isolierbaren Zwischenstufe od. zu einem isolierbaren Zwischenprodukt führen, das seinerseits entweder sogleich zum Endprodukt od. zuvor zu einem weiteren Zwischenprodukt weiterreagiert (*R.-Sequenz*). Bei derartigen aus mehreren *Elementarreaktionen *zusammengesetzten R.* (s. Stufenreaktionen u. das schemat. Beisp. bei Reaktionsmechanismen) folgen der Primär-R. eine od. mehrere Sekundär-R., die als *Simultan-* bzw. *Parallel-R.* od. als *Sukzessiv-* bzw. *Folge-R.* ablaufen können. Bekannte Beisp., bei denen solche *Zwischen-R.* durchlaufen werden, sind *Kettenreaktionen, bei denen vielfach die *Katalyse eine Rolle spielt, u. die Poly-R. – beispielsweise definiert man hier Start-, Fortpflanzungs-, Wachstums-, Aufbau-, Einschiebungs- u. Abbruch-Reaktionen. Hat ein R.-Partner die Möglichkeit, mit mehreren anderen Komponenten des *R.-Syst.* (zu dem auch Lsm., Katalysatoren, Puffer, Trägergase etc. gehören) zu reagieren, dann wird er im allg. mit einem der Partner bevorzugt zum *Hauptprodukt* reagieren (*Haupt-R.*), u. die *Nebenprodukte* werden in *Neben-R.* gebildet. Wetteifern mehrere Ausgangsmaterialien miteinander, so spricht man auch von *Konkurrenzreaktion*. Übrigens sind Zwischen-, Haupt- u. Neben-R. nicht nur bei der R. mehrerer Ausgangsstoffe miteinander anzutreffen (*intermol. R.*), sondern auch bei R. innerhalb desselben Mol. (*intramol. R.* wie Umlagerungen, Isomerisierungen). Als sog. *induzierte R.* (*gekoppelte R.*) bezeichnet man solche Stufen-R., die durch eine gleichzeitig ablaufende zweite R. ausgelöst od. beschleunigt werden. *Beisp.:* *Landoltsche Zeitreaktion. Der Ersatz eines Bestandteils einer Verb. durch einen anderen heißt *Austausch-R.* mit dem Sonderfall der Metathese; in der organ. Chemie wird dieser R.-Typ *Substitutions-R.* (s. Substitution) genannt. Bei der Bildung einer neuen Verb. durch Anlagerung eines Elements od. einer Verb. an eine ungesätt. Verb. spricht man von *Additions-R.* (s. Addition u. Cycloaddition), bei der Umkehrung des Vorgangs (vgl. Retro...) von *Eliminierungs-R.* (s. Eliminierung u. Fragmentierung). Unter *chem. Transport-R.* versteht man solche R., bei denen eine Substanz von einer anderen reversibel aufgenommen u. an anderer Stelle wieder in Freiheit gesetzt od. auf eine dritte Substanz übertragen wird (*Übertragungsreaktion*). Bei einer *Abfang-R.* wird eine intermediär auftretende instabile Zwischenstufe an einen zugesetzten R.-Partner (z. B. einen Radikalfänger) gebunden u. kann sich somit nicht weiter umsetzen. R. können auch beeinflußt werden durch sog. *Käfig-Effekte*, die die Diffusion behindern. Werden Verb. in andere umgewandelt, so liegt eine doppelte (od. mehrfache) *Umsetzung* vor, die sich allg. durch die folgende R.-Gleichung ausdrücken läßt: $AB + CD \rightleftharpoons AD + CB$. Der nach rechts weisende Pfeil steht dabei für die sog. *Hin-R.*, der nach links weisende für die *Rück-R.*; Näheres zur symbol. Schreibweise von R. s. bei chemische Zeichensprache, vgl. a. *Lit.*[1]. Befindet sich ein R.-Syst. im chem. Gleichgew., so gilt das *Prinzip der mikroskop. Reversibilität*, welches besagt, daß für jede individuelle R. auf demselben R.-Weg eine Rück-R. mit gleicher Häufigkeit abläuft. Makroskop. folgt daraus ein *stationärer Zustand*, den das Massenwirkungsgesetz beschreibt. Sonderfälle reversibler R., d. h. mehrfach wiederholter Hin- u. Rück-R., sind die *oszillierenden R.*, bei denen in einer längeren R.-Kette die Ausgangsstoffe immer wieder neu gebildet werden. Verzichtet man in R.-Gleichungen auf die formelmäßige Erfassung einzelner R.-Glieder, dann spricht man von *Bruttoreaktion*. Eine chem. R. ist gekennzeichnet durch Stöchiometrie, Thermodynamik u. Kinetik, die auch den *Stoffumsatz* (*Umsatz*, vgl. Ausbeute) bestimmen.

Damit eine chem. R. nach den Gesetzen der *Thermodynamik freiwillig ablaufen kann, muß die *freie Reaktionsenthalpie $\Delta_r G$ einen neg. Wert besitzen; man redet dann auch von einer *exergon. Reaktion*. Hinsichtlich der Aufnahme od. Abgabe von *R.-Wärme* (*Wärmetönung*; s. a. Enthalpie) unterscheidet man zwischen *endothermen* bzw. *exothermen* Reaktionen. Erstere besitzen eine pos., letztere eine neg. *R.-Enthalpie* $\Delta_r H$ (s. a. Gibbs-Helmholtzsche Gleichung für den Zusammenhang zwischen $\Delta_r G$ u. $\Delta_r H$).

Mit welcher Geschw. chem. R. ablaufen, wird in der *R.-Kinetik* untersucht. Näheres s. Kinetik; dort wird auch auf Begriffe wie *R.-Ordnung* u. *Molekularität* eingegangen. Ob ein Produkt durch eine *kinet. kontrollierte* od. eine *thermodynam. kontrollierte R.* entsteht, hängt von den jeweiligen Beträgen der notwendigen Aktivierungsenergien u. der freien R.-Enthalpien ab. Die Geschw. chem. R. erstrecken sich über viele Größenordnungen. Zur Untersuchung schneller Reaktionen wurden spezielle Techniken entwickelt; Näheres s. dort.

Die von einer Verb. zu erwartenden R. lassen sich zwar weitgehend an den Strukturformeln ablesen, doch ob diese R. dann über Radikale od. über Ionen verlaufen, hängt von zahlreichen Parametern, insbes. äußeren Einflüssen wie Druck, Temp., Strahlung, elektr. od. magnet. Feldern, Katalysatoren, Art des Lsm. etc. ab. In der organ. Chemie ist die Ionenbindung (s. chemische Bindung, S. 675) relativ selten, u. mithin sind *Ionen-R.* nicht so selbstverständlich wie in der anorgan. Chemie. Dennoch sind zahllose R. in der organ. Chemie nur über Ionen formulierbar, die sich erst während der R. durch Heterolyse der chem. Bindung (durch Homolyse entstehen dagegen Radikale) bilden; man faßt deshalb die sog. *elektrophilen* u. die *nucleophilen R.* oft auch als *kryptoion. R.* zusammen. Nur dem Namen nach mit diesen R. verwandt sind die Ionen-Mol.-Reaktionen. Bei Kenntnis aller Faktoren, die für Eintreten u. Ablauf einer R. verantwortlich sind, kann man einen *R.-Mechanismus* formulieren, s. die Gesichtspunkte bei Reaktionsmechanismen.

Auf empir. Wege, d. h. durch Auswertung einer Vielzahl von R., hat die theoret. Chemie bestimmte Voraussetzungen für den Ablauf von R. u. deren Gesetzmäßigkeiten erkannt. Die heutigen Vorstellungen finden ihre Formulierung als *Prinzip der minimalen Strukturänderung (zu dessen zahlreichen Ausnahmen die Umlagerungen zählen), Prinzip minimaler Kernbewegungen od. Prinzip der minimalen chem. Distanz, aber auch die sog. Rice-Teller- u. Schuler-Prinzipien u. die Woodward-Hoffmann-Regeln kann man hierher zählen[2]. Zum Verständnis der *Reaktivität* chem. Elemente u. Verb. trägt insbes. die **Quantenchemie* bei, die z. B. mit Hilfe von störungstheoret. (s. Störungs-

theorie) u. a. Rechenverf. der *MO-Theorie Voraussagen über das mögliche R.-Verhalten von Mol. machen kann. *R.-Datenbanken* wie *REACCS od. ORAC erleichtern die *Synthese-Planung.
Zur Klassifikation, Notation u. Dokumentation chem. R. sind zahlreiche Vorschläge gemacht worden, vgl. die Aufsätze in der Zeitschrift J. Chem. Inform. Computer Sci. sowie die IUPAC-Empfehlungen in *Lit.*[3]. Viele der R. tragen als Namensreaktionen den Namen ihrer Entdecker. Einen Zugang zur Lit. über chem. R. findet man über die *Nachschlagewerke der anorgan. u. organ. Chemie, über die *Handbücher der präparativen Chemie, über *Referateorgane u. Datenbanken[4]; vgl. a. die folgenden Stichwörter. – ***E*** reactions – ***F*** réactions – ***S*** reacciones

Lit.: [1]Chem.-Ztg. **109**, 344–347 (1985). [2]Adv. Phys. Org. Chem. **15**, 1–61 (1977); Angew. Chem. **92**, 503–513 (1980). [3]Pure Appl. Chem. **53**, 305–321, 753–771 (1981); **55**, 1281–1371 (1983). [4]Nachr. Chem. Tech. Lab. **32**, 578–580 (1984).
allg.: Bamford u. Tipper, Comprehensive Chem. Kinetics 18–25, Amsterdam: Elsevier 1976–1985 ▪ Boudart u. Djéga-Mariadassou, Kinetics of Heterogeneous Catalytic Reactions, Princeton: Univ. Press 1984 ▪ Carpenter, Determination of Organic Reaction Mechanisms, New York: Wiley 1984 ▪ Fisher u. Stair, Catalytic Reaction Mechanisms, Amsterdam: North-Holland 1984 ▪ Hauptmann, Über den Ablauf organisch-chemischer Reaktionen, Berlin: Akademie-Verl. 1986 ▪ Heublein et al., Einführung in die Reaktionstheorie, Wien: Springer 1984 ▪ Kotz u. Purcell, Chemistry and Chemical Reactivity, Eastbourne: Holt Saunders 1987 ▪ Nikitin u. Zülicke, Theorie chemischer Elementarprozesse, Braunschweig: Vieweg 1986 ▪ Plonka, Time-Dependent Reactivity of Species in Condensed Media, Berlin: Springer 1986 ▪ Radical Reaction Rates in Liquids (*Landolt-Börnstein NS 2/13 a–c), Berlin: Springer 1983–1985 ▪ Reaktionsverhalten u. Syntheseprinzipien, Leipzig: Grundstoffind. 1985 ▪ Rentzepis u. Capellos, Advances in Chemical Reaction Dynamics, Dordrecht: Reidel 1986 ▪ Setton, Chemical Reactions in Organic and Inorganic Constrained Systems, Dordrecht: Reidel 1986 ▪ Sykes, A Guidebook to Mechanism in Organic Chemistry, Harlow: Longman 1986 ▪ Top. Curr. Chem. **137** (1986) ▪ Watson, Stereochemistry and Reactivity of Systems Containing π-Electrons, Weinheim: Verl. Chemie 1983 ▪ Weissberger, Investigation of Rates and Mechanisms of Reactions (Techn. Chem. 6/1, 2), New York: Wiley 1986, 1987 ▪ Wentrup, Reactive Molecules: The Neutral Reactive Intermediates in Organic Chemistry, New York: Wiley 1984 ▪ Wilkinson et al., Comprehensive Coordination Chemistry, Bd. 1, Oxford: Pergamon 1987 ▪ Willett, Modern Approaches to Chemical Reaction Searching, Hampshire: Gower 1986 ▪ Willi, Isotopeneffekte bei chemischen Reaktionen, Stuttgart: Thieme 1983 ▪ Zuman u. Patel, Techniques in Organic Reactions Kinetics, New York: Wiley 1984.

Reaktionsapparate (chem. Reaktoren). Sammelbez. für diejenigen Teile einer chem.-techn. Anlage, in denen chem. Umsetzungen durchgeführt werden. Den R. sind Anlageteile vor- u. nachgeschaltet, in denen im wesentlichen nach physikal. Prinzipien die zur Reaktion kommenden Ausgangsstoffe vorbereitet u. die gebildeten Produkte aufgearbeitet werden, in denen also z. B. Prozesse des *Zerkleinerns (in *Brechern u. *Mühlen), des *Mischens, *Trennens u. *Trocknens ablaufen. Neben Vorrichtungen zum Stofftransport u. zur Durchmischung (Homogenisierung) der Reaktionsgemische enthalten R. Einrichtungen zur Wärmeübertragung (Heizen od. Kühlen), zum Messen, Steuern u. Regeln (s. Prozeßrechner), um Überdruck u. Überhitzung zu verhindern, zum Explosionsschutz u. a. Aspekten der *Arbeitssicherheit, zur Vermeidung von *Korrosion, zur Erleichterung der Wartung etc. Die genaue Kenntnis der *Reaktion(en), ihrer Kinetik u. Thermodynamik ist von wesentlicher Bedeutung für eine optimale Reaktionsführung.
Wichtige Aspekte, die bei der Auslegung von R. eine Rolle spielen, sind die Temp. u. die Drücke, unter denen die Reaktionen ablaufen, sowie der Wärmeumsatz u. die rheolog. Eigenschaften der Reaktionsgemische (*Rheologie). Die konstruktiven Prinzipien der R. hängen weitgehend vom *Aggregatzustand u. Phasencharakter der Reaktorinhalte ab (homogene Gas- od. Flüssigphasenreaktionen, heterogene Gas-Flüssig-, Flüssig-Flüssig- od. Feststoff-Flüssigkeits-Reaktionen, homogene od. heterogene *Katalyse usw.). Beisp. für häufig benutzte R. sind Rührkessel, Strömungsrohre, Rohr- u. Schneckenreaktoren, Festbett-, Wirbelschicht-, Blasensäulenreaktoren, Strahlwäscher, Kolonnen, Konverter, Drehrohr- u. a. Öfen, Autoklaven. Die in der *Biotechnologie verwendeten R. [Bioreaktoren od. Fermenter; s.a. Reaktoren (2.)] unterscheiden sich in grundlegenden konstruktiven Merkmalen nicht von solchen für chem. Verfahren. Die Auslegung von R. erfolgt mit Hilfe von Reaktormodellen, die durch Stoff-, Energie- u. Impulsbilanzen die techn. R. mehr od. weniger angenähert abbilden. Diese Bilanzen stellen meist Differentialgleichungssyst. dar, die mit den zutreffenden Randbedingungen (meist numer.) gelöst werden müssen. Zur Auslegung von R. sind heute Programmsyst. verfügbar (z. B. Aspen-plus[1]), die das Syst. aus Bilanzgleichungen lösen u. die ganze Anlage aus Einzelelementen aufbauen u. simulieren. Zur Steuerung techn. R. werden heute ebenfalls mehr od. weniger komplizierte Reaktormodelle verwendet, die das Verhalten der R. bei Änderungen der Zustandsgrößen vorauszuberechnen gestatten.
In der chem. Verfahrenstechnik geht die Entwicklung zu multifunktionellen Reaktoren[2], die mehrere für den gesamten Prozeß notwendige Funktionen in sich vereinigen (Reaktionsdestillation, *Reaktivextraktion, Membranreaktoren, s. Membranen). Darüber hinaus versucht man, möglichst viele Schritte des gesamten Prozesses zu integrieren[3]; Beisp. hierfür ist die partielle Oxid. von Kohlenwasserstoffen, bei der der Energiebedarf der endothermen Pyrolyse und die Verbrennung eines Teils der Edukte gedeckt wird. Einige Typen chem. Reaktoren sind in den Abb. 1–3, S. 3740 u. 3741 schemat. dargestellt. – ***E*** reaction apparatus – ***F*** appareillage pour réactions chimiques – ***I*** apparecchi a reazione – ***S*** aparatos para reacciones químicas

Lit.: [1]Ullmann (5.) **B4**, 551. [2]Nachr. Chem. Tech. Lab. **46**, 235 ff. (1988). [3]Chem. Eng. Res. Rev., Sonderheft **1996**, 74, 509.
allg.: Carberry u. Varma, Chemical Reaction and Reactor Engineering, New York: Dekker 1986 ▪ Catalysis **8**, 173–226 (1987) ▪ Chem. Tech. **11**, 828–835 (1982) ▪ DECHEMA-Monogr. **95**, 133–244 (1984) ▪ Deckwer, Reaktionstechnik in Blasensäulen, Frankfurt: Salle/Sauerländer 1985 ▪ De Lasa, Chemical Reactor Design and Technology, Dordrecht: Nijhoff 1986 ▪ Doraiswamy, Recent Advances in the Engineering Analysis of Chemically Reacting Systems, New York: Wiley 1985 ▪ Gianetto u. Silveston, Multiphase Chemical Reactors, Berlin: Springer 1986 ▪ Lee, Heterogeneous Reactor Design, London: Butterworth 1984 ▪ Naumann, Chemical Reactor Design, New York: Wiley 1987 ▪ Ramachandran u. Chaudhari,

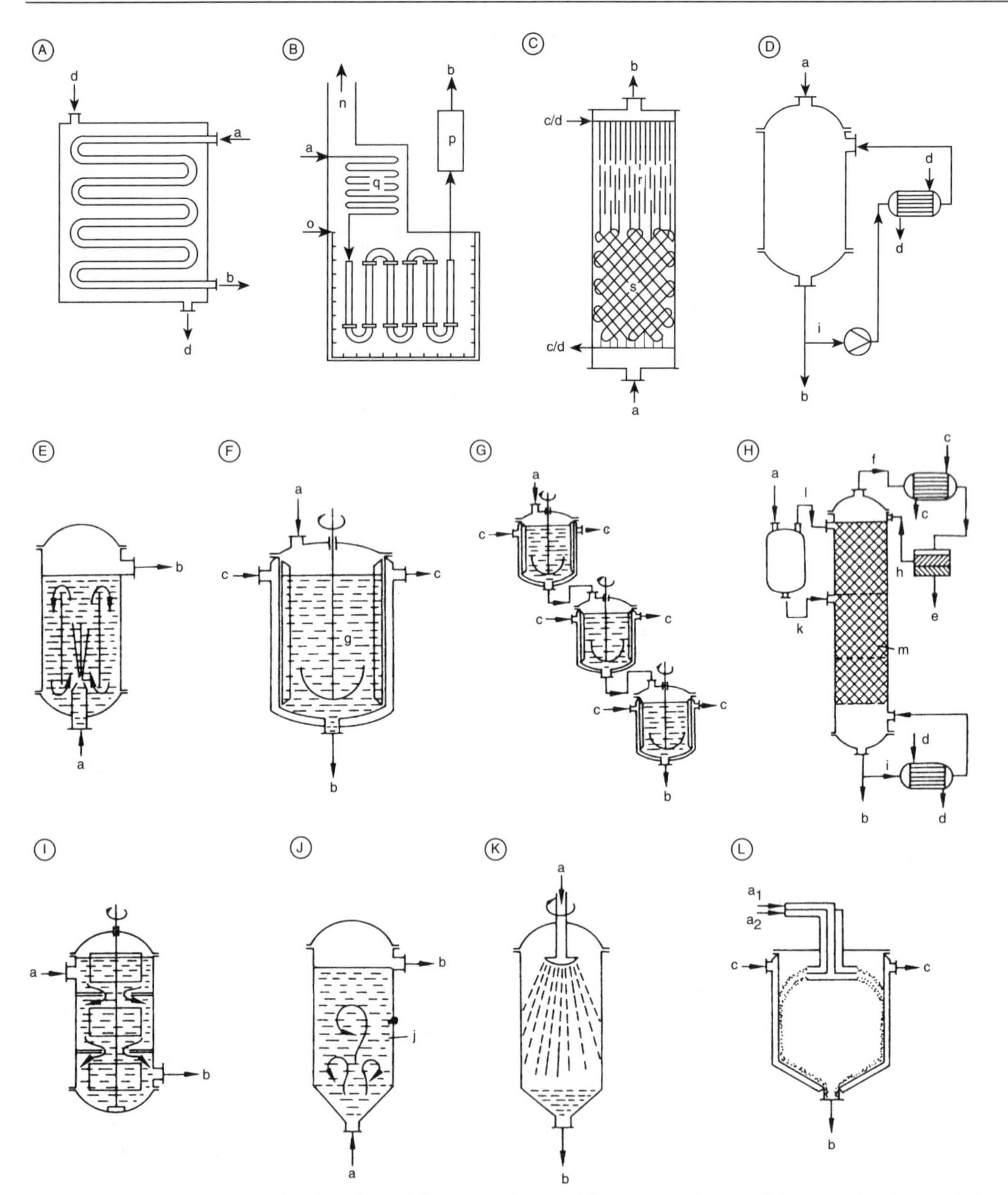

Abb. 1: Flüssigphasenreaktoren. A: Rohrreaktor; B: Steam-Cracker; C: Sulzer-Mischer Reaktor; D: Reaktor mit äußerem Umlauf; E: Reaktor mit innerem Umlauf; F: Rührkesselreaktor; G: Rührkesselkaskade; H: Kolonnenreaktor; I: Multikammerreaktor; J: Wirbelschichtreaktor; K: Spray-Reaktor; L: Fallfilm-Reaktor. Es bedeuten: a, a_1, a_2: Edukte; b: Produkte; c, d: Wärmeträger; e: Wasser; f: zweiphasiges Produkt; g: Umlenkblech; h: leichte Phase; i: Teilstrom; j: Katalysator; k, l: Zuführung; m: Füllkörperpackung; n: Abgas; o: Brenngas zum Heizen; p: Quenchkühler; q: Wärmeaustauscher: r, s: Mischerelemente.

Three Phase Catalytic Reactors, New York: Gordon & Breach 1983 ▪ Schügerl, Bioreaktionstechnik, Bd. 1, Frankfurt: Salle/Sauerländer 1985 ▪ Trambouze et al., Les réacteurs chimiques, Paris: Technip 1984 ▪ Ullmann (5.) **B4**, 5 ff., 87–433 ▪ Villermaux, Génie de la réaction chimique, Paris: Techn. & Doc. 1985 ▪ Westerterp et al., Chemical Reactor Design and Operation, New York: Wiley 1984 ▪ Whitaker u. Cassano, Chemical Reactor Analysis, New York: Gordon & Breach 1986 ▪ Winnacker-Küchler (4.) **1**, 242–496 ▪ Yates, Fundamentals of Fluidized-Bed Chemical Processes, London: Butterworth 1983. Weitere *Lit.* s. in Führer durch die technische Literatur, Hannover: Weidemanns Buchhandlung (jährlich) u. Scientific and Technical Books and Serials in Print, New York: Bowker (jährlich).

Reaktionsbreite s. ökologische Potenz.

Reaktionsdestillation s. Destillation, S. 918.

Reaktionsdynamik. Teilgebiet der *Physikalischen Chemie u. der *Theoretischen Chemie, das sich mit der experimentellen u. theoret. Untersuchung von atomaren u. mol. Stößen, intra- u. intermol. Energieaus-

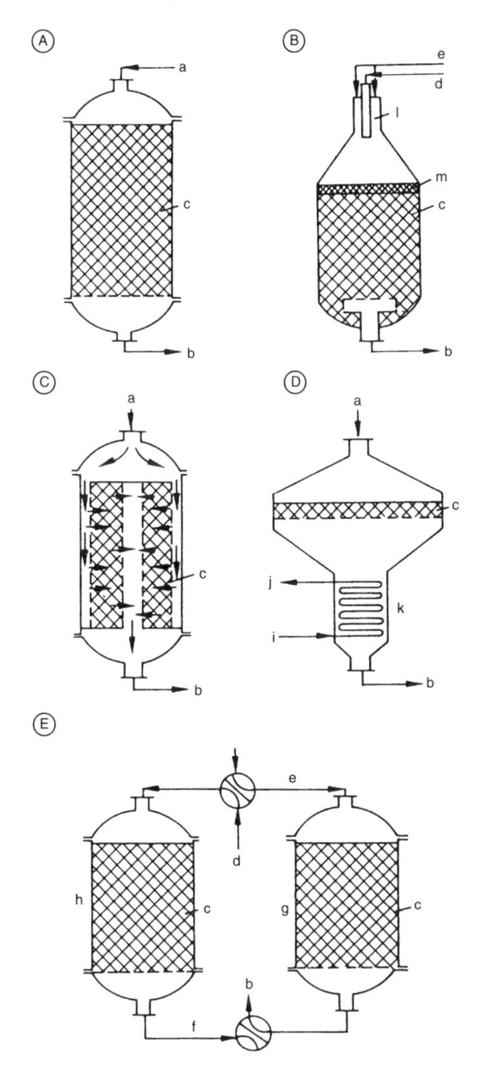

Abb. 2: Festbettreaktoren. A: Einfacher Festbettreaktor; B: Festbettreaktor mit vorgelagerter Verbrennungszone; C: Radialstrom-Festbettreaktor; D: Flach-Bett Reaktor; E: Regenerativ-Festbettreaktor für period. Fahrweise. Es bedeuten a: Edukt, b: Produkt; c: Katalysator; d: Luft; e: Kohlenwasserstoff; f: Abgas; g: Reaktionszone; h: Regenerationszone; i: Kondensat; j: Dampf; k: Dampferzeuger; l: Brenner; m: Inertschicht.

tausch, der mol. Basis chem. *Reaktionen u. dem Verhalten von Atomen u. Mol. an Oberflächen beschäftigt. Die R. hat in den letzten zwei Jahrzehnten v. a. zwei techn. Entwicklungen große Fortschritte zu verdanken: Auf experimenteller Seite der Entwicklung von Lasertechniken, auf theoret. Seite der Entwicklung leistungsfähiger Computer. Für grundlegende Arbeiten zur R. ging 1986 der Nobelpreis für Chemie an D. R. *Herschbach, Y. T. Lee u. J. C. *Polanyi (*Lit.*[1]). Seit etwa 1985 ist es möglich geworden, mit Hilfe von Kurzzeitlasern (Pulsdauer im Femtosekunden-Bereich) die Dynamik bestimmter Reaktionen in Echtzeit zu untersuchen[2]. – ***E*** reaction dynamics – ***F*** dynamique de réaction – ***I*** dinamica di reazione – ***S*** dinámica de reacción

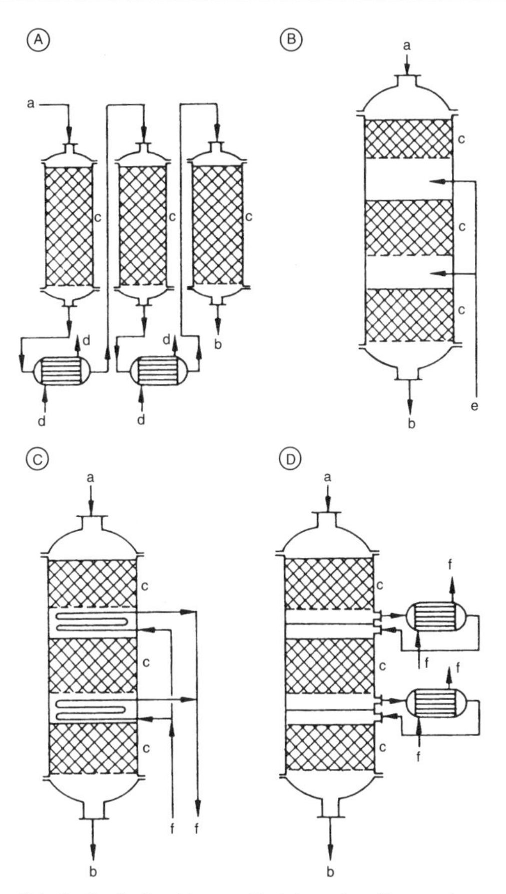

Abb. 3: Festbettreaktoren mit stufenweiser Temperaturregelung. A: Kaskade aus Festbrettreaktoren; B: Hordenreaktor; C: Hordenreaktor mit innerer Zwischenkühlung; D: Hordenreaktor mit externer Zwischenkühlung. Es bedeuten: a: Edukt; b: Produkt; c: Katalysator; d, f: Wärmeträger; e: Kaltgas.

Lit.: [1] Angew. Chem. **99**, 967, 981, 1251 (1987). [2] Manz u. Wöste, Femtosecond Chemistry, 2. Bd., Weinheim: VCH Verlagsges. 1995.
allg.: Levine u. Bernstein, Molekulare Reaktionsdynamik, Stuttgart: Teubner 1991 ▪ Rentzepis u. Capellos, Advances in Chemical Reaction Dynamics, Dordrecht: Reidel 1986 ▪ Steinfeld, Francisco u. Hase, Chemical Kinetics and Dynamics, Englewood Cliffs: Prentice Hall 1989.

Reaktionsenthalpie. Änderung der *Enthalpie bei einer chem. *Reaktion. Standard-R. lassen sich aus den Standardbildungsenthalpien berechnen; Näheres s. Bildungswärme. – ***E*** reaction enthalpy – ***F*** enthalpie de réaction – ***I*** entalpia di reazione – ***S*** entalpía de reacción

Reaktionsentropie. Mit einer chem. *Reaktion verknüpfte Änderung der *Entropie. – ***E*** reaction entropy – ***F*** entropie de réaction – ***I*** entropia di reazione – ***S*** entropía de reacción

Reaktionsfarbstoffe. Veraltete Bez. für *Reaktivfarbstoffe.

Reaktionsgeschwindigkeit (Abk. RG). Begriff aus der chem. *Kinetik, der von *Wilhelmy eingeführt wurde zur Beschreibung der zeitlichen Änderung der

Konz. bei chem. *Reaktionen. Diese laufen bekanntlich mit unterschiedlicher Geschw. ab, manche, wie Enzym-Reaktionen od. die anorgan. *Ionenreaktionen u. v. a. die *Neutralisationen, so schnell, daß die Bestimmung der R. mit Schwierigkeiten verbunden ist (vgl. schnelle Reaktionen), andere dagegen fast unmerklich langsam (s. Zeitreaktionen u. den Vgl. in *Lit.*[1]). In jedem der Fälle (außer dem der Reaktionen nullter Ordnung) läßt sich die R. als Differentialquotient, nämlich als Stoffumsatz in der Zeiteinheit formulieren: $\xi = \pm \nu_B^{-1} \cdot dn_B/dt$; mit $n/V = c$ kann man daraus ableiten: $v_B = \pm \nu_B^{-1} \cdot dc_B/dt$. Hierbei bedeuten nach IUPAC-Auffassung[2] n = Stoffmenge, c = Konz., t = Zeit, ν = *stöchiometrischer Faktor, V = Vol., ξ (od. J) = *R.*, v_B (od. r_B) = *Geschw. des Konz.-Anstiegs* von Substanz B. Das pos. Vorzeichen wird für die Bildung von Produkt B, das neg. für den Verbrauch von Edukt B verwendet. Es sei bes. darauf hingewiesen, daß nach IUPAC-Vorschlägen (s. *Lit.*[2], S. 58) v als *R.* bezeichnet werden sollte, während ξ (Umsatzgeschw., *E* rate of conversion) genannt wird. Bei einer Reaktion $A + B \rightleftharpoons D + E$ läßt sich der Zusammenhang zwischen R. u. den Konz. der Ausgangsstoffe auch in der Form $v_1 = k_1 \cdot c_A \cdot c_B$ für die Hinreaktion u. $v_{-1} = k_{-1} \cdot c_D \cdot c_E$ für die Rückreaktion beschreiben, wobei die Koeff. od. Proportionalitätsfaktoren k_1 u. k_{-1} als *(Reaktions-)Geschw.-Konstanten* bezeichnet werden. Hat sich das *chemische Gleichgewicht eingestellt, ist $v_1 = v_{-1}$ u. die R. scheinbar = Null. Das Verhältnis k_1/k_{-1} entspricht der *Gleichgewichtskonstanten* K des *Massenwirkungsgesetzes. Da das Eintreten von chem. Reaktionen mit der Häufigkeit u. der Relativgeschw. der Mol. im Reaktionsgemisch zusammenhängt, ist die R. nicht nur der Konz. der Reaktionspartner proportional, sondern hängt auch vom Aggregatzustand (Möglichkeit zur *Diffusion), vom Druck, vom Katalysator (vgl. Katalyse), bes. aber von der Temp. ab. Hierfür hat van't *Hoff als Gesetzmäßigkeit abgeleitet: $d(\ln K)/dT = \Delta H/(RT^2)$. Die *van't-Hoff-Regel* od. *RGT-Regel* (*R*eaktionsgeschw.-*T*emp.-Regel) besagt dasselbe qual. vereinfacht: Eine Erhöhung der Reaktions-Temp. um 10 K hat eine Verdoppelung bis Verdreifachung der R. zur Folge. Mit den verschiedenen Ursachen für das „Durchgehen" einer Reaktion infolge von Temp.-Erhöhungen – das kann bis zur Explosion führen – beschäftigt sich *Lit.*[3]. Eine quant. Beziehung zwischen R.-Konstante (k), *Aktivierungsenergie (E_A) u. Temp. (T) liefert die *Arrheniussche Gleichung $d(\ln K)/dT = E_A/(RT^2)$. Substituenteneinflüsse auf die R. bestimmter Reaktionen beschreiben die *Hammett- u. die *Taft-Gleichung; zum Einfluß von Lsm. s. *Lit.*[4–6]. Die R. steht in unmittelbarem Zusammenhang mit der sog. *Reaktionsordnung*, nicht jedoch mit der *Reaktions-*Molekularität*; Näheres s. bei Kinetik. – ***E*** rate of reaction – ***F*** vitesse de réaction – ***I*** velocità di reazione – ***S*** velocidad de reacción

Lit.: [1]Chem. Unserer Zeit **2**, 18 (1968). [2]IUPAC (Hrsg.), Größen, Einheiten u. Symbole in der Physikalischen Chemie, Weinheim: VCH Verlagsges. 1996. [3]DECHEMA-Monogr. **88**, 21–30 (1980). [4]Buncel u. Lee, Isotopes in Cationic Reactions, Amsterdam: Elsevier 1980. [5]Acc. Chem. Res. **12**, 42 ff. (1979). [6]Angew. Chem. **91**, 119–131 (1979).
allg.: s. Reaktionen, Kinetik u. Katalyse.

Reaktionsgeschwindigkeitskonstante s. Reaktionsgeschwindigkeit.

Reaktionsgleichung s. chemische Zeichensprache.

Reaktionsharze. Bez. (nach DIN 16945: 1989-03) für flüssige od. verflüssigbare *Harze, die für sich allein od. mit Reaktionsmitteln, z. B. Härter od. Beschleuniger, ohne Abspaltung flüchtiger Komponenten durch *Polymerisation od. *Polyaddition zu *Duroplasten aushärten. Zu den R. gehören die *Gießharze, Laminierharze, *Imprägnier-Harze, *Tränkharze u. Träufeharze. Nach ihrer chem. Basis unterteilt man die R. in *Epoxidharze (EP-Harze), *Methacrylatharze (MA-Harze), *ungesättigte Polyesterharze (UP-Harze), *Isocyanatharze u. Phenacrylatharze (PHA-Harze). Die zuletzt genannten R. sind Lsg. von Phenyl- u./od. Phenylen-Derivaten [z. B. mit (Meth)acrylsäure veresterte Glycidylether von Bisphenol A od. von *Novolaken] in reaktiven, copolymerisierbaren *Monomeren.
Verarbeitungsfertige Mischungen von R., die neben den notwendigen Reaktionsmitteln ggf. noch Füllstoffe od. Lsm. enthalten, werden als *Reaktionsharzmassen* bezeichnet. Ausführliche Angaben zur Prüfung u. Charakterisierung der R. enthält DIN 16945. Zu Eigenschaften, Anw. u. Lit. s. einzelne R.-Typen. – ***E*** reaction resins – ***F*** résines de réaction – ***I*** resine di reazione – ***S*** resinas de reacción

Reaktionsharzmassen s. Reaktionsharze.

Reaktionskette s. Kettenreaktionen.

Reaktionskinetik s. Kinetik.

Reaktionskitte s. Kitte.

Reaktionsklebstoffe (Reaktivklebstoffe, chem. reagierende Klebstoffe). Bez. für *Klebstoffe, die über chem. Reaktionen (*Polyreaktionen, Vernetzung), die durch Wärme, zugesetzte Härter od. andere Komponenten bzw. Strahlung ausgelöst werden können, aushärten u. abbinden. R. ergeben sehr feste u. dauerhafte Verklebungen. *Beisp.:* s. Einteilungsschema für Klebstoffe, S. 2169. – ***E*** reaction adhesives – ***F*** liants de réaction – ***I*** adesivi di reazione – ***S*** adhesivos de reacción

Lit.: s. Klebstoffe u. einzelne Klebstoffe.

Reaktionskoordinate s. Reaktionsmechanismen.

Reaktionslacke (Reaktivlacke). Nach DIN 55945: 1996-09 Bez. für *Lacke auf der Basis von *Reaktionsharzen, die durch chem. Reaktion bereits bei 20 °C härten. Man unterscheidet Ein-, Zwei- od. Mehrkomponenten-Reaktionslacke. – ***E*** reaction lacquers – ***F*** vernis réactionnel, laque à durcissement chimique – ***I*** lacche reagenti, lacche reattive – ***S*** lacas reactivas

Lit.: s. Lacke.

Reaktionsladungszahl. Die R. Z_R gibt die Zahl der pos. bzw. neg. Elementarladungen an, die von links nach rechts bzw. umgekehrt bei einem Formelumsatz in einer Elektrodenreaktion transportiert werden. Sie ergibt sich zu

$$Z_R = -\sum_i{}^{I} \nu_i z_i = \sum_i{}^{II} \nu_i z_i \,,$$

wobei ν_i die stöchiometr. Koeff. u. z_i die *Ladungszahl des i-ten Ions in der linken (I) bzw. rechten (II) *Phase sind. Die Reaktionsgleichung der Elektrodenreaktion muß dabei ebenfalls von links nach rechts geschrieben sein. Für eine elektrochem. Zelle ist für alle einzelnen Elektrodenreaktionen die R. gleich. – ***E*** reaction atomic charge – ***F*** nombre de charge de réaction – ***I*** numero della carica atomica – ***S*** número de carga de reacción

Reaktionslaufzahl. Die R. ξ gibt den Grad an, zu dem eine Reaktion abgelaufen ist. Sie besitzt einen Wertebereich von 0 bis 1 u. ist auf einen Formelumsatz bezogen. Für den Fall der einfachen Modellreaktion $A \rightarrow B$ bedeutet $\xi = 0$, daß die Reaktion noch nicht begonnen hat (es liegt nur der Stoff A vor), u. $\xi = 1$, daß die Reaktion vollständig abgelaufen ist (es liegt nur noch Stoff B vor). Bei einem chem. Gleichgew. besitzt ξ den Wert, an dem $(\partial G / \partial \xi) = 0$ ist (G *freie Reaktionsenthalpie). Die Änderung der Stoffmenge n_i eines Stoffes i u. die R. sind über den stöchiometr. Koeff. ν_i miteinander verbunden: $dn_i = \nu_i d\xi$. Die zeitliche Änderung von ξ ist ein Maß für die Geschw. eines Reaktionsablaufs (s. Reaktionsgeschwindigkeit). – ***E*** extent of reaction – ***F*** état d'avancement de la réaction – ***I*** estenzione della reazione – ***S*** grado de avance de la reacción

Reaktionsmechanismen. Im Gegensatz zur Brutto-Reaktionsgleichung machen R. Aussagen über das Geschehen *während* der *Reaktion. Dem im Dtsch. früher gelegentlich synonym verwendeten Begriff *Chemismus* hat die Bez. R. voraus, daß in ihr sowohl das Steuerbare als auch das selbsttätig Ablaufende eines Mechanismus (von griech.: mechanema = Kunstgriff, Maschine) anklingen. Im folgenden soll – unter Bezug auf das Stichwort *Reaktionen – versucht werden, anhand von Beisp. v. a. aus der organ. Chemie einige vielgebrauchte Begriffe zu definieren u. sie in Beziehung zueinander zu setzen; die erwähnten Begriffe sind im allg. in Einzelstichwörtern ausführlicher behandelt. Terminolog. Hilfestellung geben auch *Lit.*[1,2].

Während die Stöchiometrie einer Reaktion eine Aussage über die Mengenverhältnisse der an ihr beteiligten Stoffe macht u. die Ableitung von Gleichungen (s. chemische Zeichensprache) für die sog. *Bruttoreaktion* erlaubt, sollen R. beschreiben, *wie* es im einzelnen zur Bildung bzw. Nicht-Bildung des od. der Produkte kommt. Dabei muß man zunächst festzustellen versuchen, ob die betrachtete Reaktion eine *einfache* od. *zusammengesetzte Reaktion* (*Stufenreaktion*) ist. Beispielsweise kann die Isomerisierung (s. die zahlreichen Beisp. dort) einer Verb. A in einem Lsm. (M) in einer einfachen Reaktion direkt zum Isomeren A′ führen ($A \rightarrow A'$), sie kann aber auch als Stufen-Reaktion – z. B. unter Beteiligung des Lsm. – vor sich gehen ($A + M \rightarrow AM \rightarrow A' + M$). Oder eine Reaktion zweier Verb. A u. B zum Produkt C kann sich bei näherem Zusehen als nach

$$A + M \rightarrow AM \xrightarrow{B} AMB \rightarrow C + M$$

verlaufend herausstellen. Da die meisten chem. Reaktionen Gleichgew.-Reaktionen sind (vgl. chemische Gleichgewichte u. Massenwirkungsgesetz), sind selbstverständlich nicht nur die sog. *Hinreaktionen*, sondern auch die *Rückreaktionen* zu berücksichtigen (s. Reaktionen). In der Mehrzahl der Fälle liegen *Reaktionssequenzen* mit *Verzweigung* vor. Bilden sich in dem obigen Beisp. neben einem *Hauptprodukt* C noch weitere Produkte E, F u. G (*Nebenprodukte*), so könnten diese beispielsweise wie folgt entstehen:

$$A + B \xrightarrow{M} C + [D] \xrightarrow{M} F$$

$$A + E \longleftarrow [D] \xrightarrow{+B} G$$

Dabei sollen die eckigen Klammern symbolisieren, daß es sich bei D um eine instabile *Zwischenstufe* handelt. Die Aufklärung der zeitlichen Abfolge dieser verschiedenen *Elementarreaktionen* u. *Zwischenreaktionen* als Simultanreaktionen (*Parallelreaktionen*, *Konkurrenzreaktionen*) u. Sukzessivreaktionen (*Folgereaktionen*) ist eine äußerst diffizile Aufgabe für die Reaktionskinetik (s. Kinetik). Diese muß versuchen, über die *Reaktionsgeschwindigkeiten (z. B. die Halbwertszeiten) die *Reaktionsordnungen* zu ermitteln u. über Konz.-Abhängigkeiten die *Reaktionsmolekularitäten* festzustellen, d. h. ob eine Elementar-Reaktion unimol. (s. unimolekulare Reaktionen) abläuft od. ob sie eine bimol. od. höhermol. Reaktion ist. Zur Klärung derartiger Fragen stehen heute Verf. der physikal. Analyse zur Verfügung, mit denen sich auch sehr *schnelle Reaktionen untersuchen lassen, z. B. *Blitzlicht-Photolyse, Pulsradiolyse, Drucksprung- u. Temp.-Sprung-, d. h. Relaxations-Meth., Strömungsmeth., nichtisotherme *Kalorimetrie, Untersuchungen mit gekreuzten *Molekularstrahlen, mit *NMR- od. *EPR-Spektroskopie od. mit *ICR-Spektroskopie, unter hohen Drücken in *Stoßwellen od. mit Dilatometrie. Vielfach werden auch *Laser eingesetzt. Daneben stehen chem. Meth. zur Verfügung, mit denen z. B. reaktive *Zwischenstufen* wie Radikale, Carbenium- u. Carbonium-Ionen, Carbanionen, Carbene etc. durch zweckmäßig geplante *Abfang*-, d. h. *Konkurrenzreaktionen* nachgewiesen bzw. wahrscheinlich gemacht werden können[3]. Durch Untersuchung derselben Reaktion sowohl in wäss. als auch nichtwass. Lsm. od. in der Gasphase, durch Untersuchung des Einflusses von Salzen (Salzeffekte), Schweratomen, Säuren od. Basen, Radikalfängern, Sensibilisatoren u. Katalysatoren od. mit anderem rein chem. Rüstzeug kann der Chemiker feststellen, ob eine Reaktion nach radikal., ion. od. elektroneutralen Gesichtspunkten abläuft, ob sie einen Protonierungsschritt enthält, katalyt. beeinflußbar ist od. welchem der beteiligten Mol. die photochem. zugeführte Aktivierungsenergie zugute kommt usw. Wichtige Hilfsmittel sind auch markierte Verbindungen, z. B. zur Untersuchung von Isotopie-Effekten. Auch *Myonen werden zur Aufklärung der R. von Radikalreaktionen eingesetzt[4].

Erst bei Kenntnis der erwähnten kinet. Parameter (u. natürlich der chem. Konstitution der Ausgangs-, Zwischen- u. Endprodukte) kann man versuchen, den *mol. Mechanismus* einer Reaktion zu beschreiben. Oft wird unter dem „eigentlichen R." überhaupt nur dieser Teil der Reaktionsaufklärung verstanden, der unter Zuhilfenahme von Strukturformeln, Elektronendichteverteilungen u. Ladungsschwerpunkten an einzelnen Atomen, Bindungsabständen etc. u. Berücksichtigung des

Energieinhalts der verschiedenen Zustände verständlich zu machen sucht, warum ein Mol. mit einem anderen Mol., Atom, Radikal, Ion, so u. nur so reagiert, wie dies beobachtet wird. Resultate derartiger Überlegungen an einer Vielzahl jeweils gleichartiger Reaktionen waren zunächst *empir. Regeln* (*Beisp.:* *Auwers-Skita-, *Bredtsche-, Hofmann-, *Markownikoffsche-, *Saytzeff-Regel) für die *Oxidation, *Reduktion, *Substitution, *Eliminierung u. *Fragmentierung, *Addition, *Hydrolyse, *Veresterung, Salzbildung, *Dissoziation, *Cyclisation u. a. *Ringreaktionen, *Umlagerung, *Valenzisomerisierung, *Keto-Enol-Tautomerie, *Polymerisation etc. In diesen nur phänomenolog. abgeleiteten Regeln waren bereits die Einflüsse von funktionellen Gruppen, von Substituenten (vgl. Taft-, Hammett-Gleichung), von Nachbargruppen, von *Hyperkonjugation, ster. Hinderung etc. auf den Reaktionsverlauf berücksichtigt, u. auch die **Stereochemie* einer Reaktion war in Grenzen voraussagbar, beispielsweise, ob sie mit Inversion od. Retention der Konfiguration verbunden sein würde. Ähnlich beschreibend, wenn auch mit der Kenntnis der Bindungsverhältnisse formuliert, sind Begriffe wie *Resonanz, *Push-pull, *Akzeptor/*Don(at)or, Capto-dativ, Mesomerer u. *Induktiver Effekt, *Ortho-Effekt, Elektromerie, Käfig-Effekt, *Pseudorotation od. *Turnstile-Prozesse, *Umpolung usw., bei R. der anorgan. Chemie bes. das *HSAB-Prinzip, Rückbindung, Cluster.

Mit dem Eindringen der Quantentheorie-Betrachtungen in die chem. Theorie, d. h. mit dem Aufkommen der **Quantenchemie*, fanden diese empir. abgeleiteten Gesetzmäßigkeiten teilweise ihre theoret. Untermauerung. Insbes. die semiempir. **Molekülorbital-Theorie* hat seit den 60er Jahren viel zum Verständnis der R. beigetragen. Dabei hat sich eine eigenständige R.-Terminologie entwickelt, in der einem Begriffe begegnen wie: Konzertierte Reaktion, Mehrzentren-Reaktion, Synchron-Reaktion, dyotrope u. sigmatrope Reaktion, antara- u. suprafacial, con- u. disrotator., cheletrope Reaktion etc. Für pericycl. Reaktionen haben Woodward u. R. Hoffmann das „Prinzip der Erhaltung der Orbitalsymmetrie" abgeleitet. Diese **Woodward-Hoffmann-Regeln* haben nicht nur den ster. Verlauf pericycl. Reaktionen erklären können, sondern z. B. auch das Verständnis dafür eröffnet, warum bestimmte Mol. bei photochem. ganz anders als bei therm. Anregung reagieren, vgl. die Beisp. bei elektrocyclische Reaktionen u. Isomerisierung. Gleichwertige Aussagen zu R. erhält man häufig bei Anw. des *Frontorbital-Konzepts* von Fukui (*Lit.*[5]; s. a. HOMO-LUMO-Modell), bei dem die Elektronen-Delokalisierung zwischen den HOMO u. LUMO genannten Molekülorbitalen untersucht wird. Heutzutage werden in vielen Labors quantenchem. Verf., sowohl *ab initio als auch *semiempirische Verfahren, eingesetzt, um die Geometrien u. Energien von *Übergangszuständen zu berechnen. Oft wählt man zur Beschreibung der energet. Verhältnisse innerhalb einer Reaktion die Darst. ihres *Energieprofils*. Trägt man das Potential (die Energie des Syst. bei festgehaltenen Atomkernen, d. h. die Atomkerne haben keine kinet. Energie), mitunter auch die *freie Enthalpie, entlang des Reaktionsweges (der *Reaktionskoordinate*) auf, der Edukte u. Produkte über den (od. die) Übergangszustand (-zustände) verbindet (s. a. die Abb. bei Katalyse u. Übergangszustand), werden mehrere geometr. Parameter gleichzeitig berücksichtigt (z. B. Kernabstände u. Bindungswinkel). So erhält man eine *Energie(hyper)fläche* mit Tälern, Sattelpunkten u. Spitzen (s. z. B. *Lit.*[6]). Der „ideale Reaktionsweg" (*E* intrinsic reaction coordinate = IRC, s. *Lit.*[5]) durch ein solches Gebirge ist der mit minimalem Energieaufwand begehbare.

Über die Aufklärung bes. interessanter R. informieren regelmäßig nicht nur die Serienwerke (s. Reaktionen), sondern auch die Zeitschrift Nachr. Chem. Tech. Lab. in den jeweiligen Jahresübersichten. Heute ist der „Reaktionsmechaniker" im allg. in der Lage, bei den noch überschaubaren Reaktionen der anorgan. u. organ. Chemie – wenn auch noch nicht bei denen im biolog. Geschehen, z. B. im Stoffwechsel – aufgrund der erarbeiteten Regeln quant. Aussagen über den voraussichtlichen Mechanismus einer Reaktion, ihre *Selektivität* u./od. *Spezifität* bis hin zur Stereoselektivität u./od. -spezifität zu machen. Die vollständige Kenntnis eines R. erleichtert die Optimierung einer Synth.-Reaktion, u. es ist nur folgerichtig, daß sich die präparative Chemie zur Synth.-Planung heute der Datenverarbeitung unter Verw. der erarbeiteten R.-Parameter bedient. Die Verw. von Reaktions-Datenbanken wie **REACCS* od. *ORAC* (*Lit.*[7]) spielt in der *Synthese-Planung eine zunehmend wichtigere Rolle; überhaupt ist *CAMD* (s. Computer Aided Molecular Design) eine Meth. mit guten Zukunftsaussichten. – ***E*** reaction mechanisms – ***F*** mécanismes réactionnels – ***S*** mecanismos de reacción

Lit.: [1] Pure Appl. Chem. **53**, 753–771 (1981); **55**, 1281–1371 (1983). [2] Orchin et al., The Vocabulary of Organic Chemistry, New York: Wiley 1980. [3] Angew. Chem. **82**, 783–794 (1970). [4] Roduner, The Positive Muon as a Probe in Free Radical Chemistry, Lecture Notes in Chemistry, Bd. 49, Berlin: Springer 1988. [5] Angew. Chem. **94**, 852–861 (1982). [6] Angew. Chem. **92**, 1–14 (1980). [7] J. Chem. Inf. Comput. Sci. **28**, 148–150 (1988).

allg.: Brückner, Reaktionsmechanismen, Heidelberg: Spektrum Akadem. Verl. 1996 ▪ Fleming, Grenzorbitale u. Reaktionen organischer Verbindungen, Weinheim: Wiley-VCH 1998 ▪ Jacobs, Understanding Organic Reaction Mechanisms, Cambridge: University Press 1997 ▪ Lünig, Reaktivität, Reaktionswege, Mechanismen, Heidelberg: Spektrum Akadem. Verl. 1997 ▪ Sykes, Reaktionsmechanismen der organischen Chemie, 9. Aufl., Weinheim: VCH Verlagsges. 1988. – *Zeitschriften, Serien u. Referateorgan:* Advances in Inorganic and Bioinorganic Mechanisms (Hrsg.: Sykes), London: Academic Press (seit 1982) ▪ Current Chemical Reactions s. Current Abstracts of Chemistry and Index Chemicus® ▪ Houben-Weyl ▪ Inorganic Reactions and Methods (18 Bd., Hrsg.: Zuckerman), Weinheim: VCH Verlagsges. (seit 1985) ▪ Mechanisms of Inorganic and Organometallic Reactions (Hrsg.: Twigg), New York: Plenum (seit 1983).

Reaktionsmolekularität s. Kinetik u. Molekularität.

Reaktionsordnung s. Kinetik.

Reaktionsprimer. Bez. für *Haftgrundmittel mit meist mehrkomponentigem Aufbau, deren haftungsvermittelnde, passivierende u./od. korrosionsschützende Wirkung auf der chem. Reaktion der Komponenten untereinander u. mit den Substratoberflächen beruht. Zu den R. gehören z. B. *Shop-Primer u.

*Wash-Primer. – ***E*** reaction primer – ***F*** peinture de fond réactionnelle – ***I*** imprimitura reagente – ***S*** capa de fondo reactiva

Reaktionssequenz s. Reaktionen.

Reaktionsspinnen s. Polymerisationsspinnen.

Reaktionsspritzguß s. Polyurethane.

Reaktionswärme. Bei chem. *Reaktionen umgesetzte Wärmemenge Q. Wird bei einer chem. Reaktion Wärme freigesetzt, so spricht man von einer **exothermen* Reaktion (neg. Vorzeichen von Q); wird hingegen Wärme aufgenommen, dann ist die Reaktion **endotherm* (pos. Vorzeichen von Q); s. a. Bildungswärme u. Reaktionen. – ***E*** heat of reaction – ***F*** chaleur de réaction – ***I*** calore di reazione – ***S*** calor de reacción

Reaktivanker. Bez. für die faserreaktive Gruppe bei Reaktivfarbstoffen, die mit den funktionellen Gruppen der Faser (Hydroxy-, Amid- od. Amino-Gruppen) kovalente Bindungen ausbildet. Man unterscheidet zwei Gruppen: Die einen reagieren im alkal. Milieu unter nucleophiler Substitution, die anderen unter Addition mit den funktionellen Gruppen der Faser, wobei letztendlich durch das Alkali erst die reaktive Form (Vinyl-Verb., s. Formel) aus einer lagerstabilen Ausgangssubstanz freigesetzt werden muß. Bei der ersten Gruppe wird eine Isoharnstoffester-artige, bei der zweiten Gruppe eine Ether-Bindung ausgebildet. Dabei tritt die Hydrolyse des R. jeweils als unerwünschte Nebenreaktion auf (s. a. Reaktivfarbstoffe).

FS—NH—(Triazinyl: Cl, N, N, N, R^1) + $^-$O— ⟶ FS—NH—(Triazinyl: Cl, O—, N$^-$) ⟶ FS—NH—(Triazinyl: O—, R^1) + Cl^-

$$FS{-}SO_2{-}CH_2{-}CH_2{-}O{-}SO_3^-\ Na^+ \xrightarrow[-Na_2SO_4,\ -H_2O]{+NaOH} FS{-}SO_2{-}CH{=}CH_2 \xrightarrow{H{-}O{-}} FS{-}SO_2{-}CH_2{-}CH_2{-}O{-}$$

FS = farbgebender Teil
R^1 = Cl, substituierte Amino-Gruppe, OH, OR^2

Die wirtschaftlich wichtigsten R. sind in der Tab. (rechte Spalte oben) aufgelistet. Eine chronolog. Auflistung der R. ist in *Lit.*[1] wiedergegeben. – ***E*** reactive anchor – ***F*** ancre réactive – ***I*** ancora reattiva – ***S*** áncora reactiva

Lit.: [1] Rys u. Zollinger, The Theory of Coloration, Bradford: Dyers Comp. Publ. Trust 1975, 1987.
allg.: Siegel, in Venkataraman (Hrsg.), The Chemistry of Synthetic Dyes, Bd. 6, S. 1 ff., New York: Academic Press 1972 ▪ Ullmann (5.) **A22**, 652 ff. ▪ Zollinger, Color Chemistry, 2. Aufl., S. 167 ff., Weinheim: VCH Verlagsges. 1991.

Reaktive Polymere (funktionalisierte Polymere). Sammelbez. für z. T. auch techn. sehr bedeutende *Polymere, die reaktive Gruppen tragen, anhand derer vielfältige Reaktionen (s. polymeranaloge Reaktionen) durchgeführt werden können, z. B. Veretherungen u. Veresterungen von *Polysacchariden, Hydrolysen von Polyvinylestern (s. Vinylester-Polymere) od. Acetalisierungen von *Polyvinylalkohol. Zu den r. P.

Tab.: Reaktivanker.

Name	Struktur	Bindungsart an Cellulosefaser
Dichlortriazin (DCT)	Triazinyl (Cl, Cl)	Ester
Monochlortriazin (MCT)	Triazinyl (Cl, R)	Ester
[2-(Sulfooxy)ethyl]sulfon (Vorstufe für Vinylsulfon, VS)	$—SO_2—CH_2—CH_2—OSO_3H$	Ether
Trichlorpyrimidin (TCP)	Pyrimidinyl (Cl, Cl, Cl)	Ester
2,3-Dichlorchinoxalin (DCC)	Chinoxalinyl (Cl, Cl)	Ester
3-Chlorpropionamid (CPA)	$—NH—CO—CH_2—CH_2—Cl$	Ether
Difluorchlorpyrimidin (DFCP)	Pyrimidinyl (F, Cl, F)	Ester
Monofluortriazin	Triazinyl (F, R)	Ester

zählen weiterhin auch die sog. *polymeren Reagenzien*, wie sie z. B. bei der *Immobilisierung (u. a. von Enzymen) od. der *Festphasen- od. *Merrifield-Technik eine Rolle spielen, aber auch Polymer-gebundene Katalysatoren u. *Redoxpolymere. Zu den r. P. sind schließlich auch die *lebenden Polymere u. *Makromonomere zu rechnen. – ***E*** reactive polymers – ***F*** polymères réactifs – ***I*** polimeri reattivi – ***S*** polímeros reactivos

Lit.: Elias (5.) **1**, 558 ff. ▪ Encycl. Polym. Sci. Eng. **12**, 618–658.

Reaktivextraktion. Bez. für ein Verf. der *Flüssig-Flüssig-Extraktion, bei dem die zu extrahierende Verb. durch Reaktion mit einem im Extraktionsmittel gelösten Stoff in die andere Phase übergeführt wird. – ***E*** reactive extraction – ***F*** extraction réactive – ***I*** estrazione reattiva – ***S*** extracción reactiva

Lit.: Chem. Ind. (Düsseldorf) **36**, 458–461 (1984).

Reaktive Zwischenstufen. Bez. für Minima auf einer Reaktionskoordinate, deren Energien jedoch höher als die der Edukte u. der Produkte liegen. Die Energiemaxima dagegen repräsentieren die *Übergangszustände extrem kurzer Lebensdauer (~10^{-13} s), die nicht mit konventionellen Valenzstrichformeln dargestellt werden können. R. Z. besitzen eine deutlich längere Lebensdauer u. sind unter geeigneten Bedingungen spektroskop. nachweisbar, u. U. sogar isolierbar. Bekannte r. Z. der organ. Chemie sind **Carbene*, **Carbokationen* (*Carbenium- u. *Carbonium-Ionen), **Radikale* u. **Carbanionen*. *Arine* werden ebenfalls oft zu den r. Z. gerechnet.

Carbene Carbenium-Ionen Radikale Carbanionen Carbonium-Ionen

Abb. 1: Reaktive Zwischenstufen der organ. Chemie.

In Carbenen, Carbenium-Ionen u. Radikalen weist das zentrale Kohlenstoff-Atom kein vollständiges Oktett in der Valenzschale auf, woraus sich die hohe Reaktivität verbunden mit großer Elektrophilie erklärt. Carbenium-Ionen sind deshalb Elektronenmangel-Verb., da sie eine ungenügende Anzahl an Valenzelektronen zur vollständigen Ausbildung von Elektronenpaar-Bindungen besitzen, während Carbanionen eine neg. Ladung am Kohlenstoff aufweisen, wodurch sich die große Nucleophilie u. Basizität erklärt.

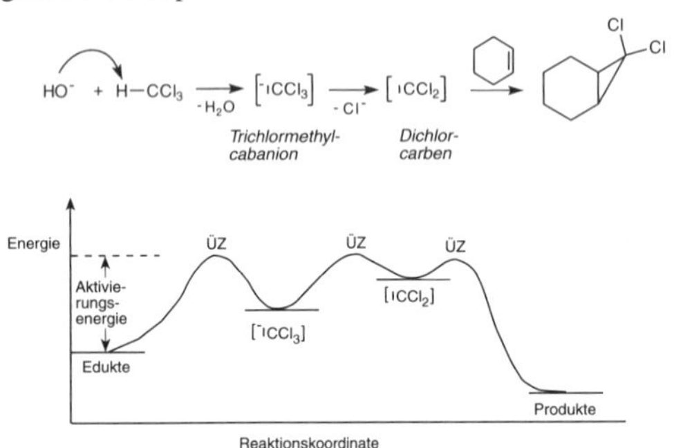

Abb. 2: Reaktive Zwischenstufen bei der Carben-Erzeugung aus Chloroform u. nachfolgender Abfangreaktion mit Cyclohexen; reaktive Zwischenstufen in [ ]; ÜZ = Übergangszustand.

Der Nachw. für r. Z. erfolgt, wenn er nicht durch spektroskop. Meth. od. durch Isolierung erbracht werden kann, vorwiegend durch kinet. Untersuchungen (s. Kinetik) unter Bestimmung der Aktivierungsgrößen, der Reaktionsgeschw., der Substituenteneffekte od. durch Abfangreaktionen, wie in Abb. 2 gezeigt. Oft wird auch die *Isotopenmarkierung eingesetzt. – ***E*** reactive intermediates – ***F*** intermédiaires réactifs – ***I*** intermedi reattivi – ***S*** intermediarios reactivos

Lit.: Carey-Sundberg, S. 1249 ff. ▪ Chem. Rev. **91**, 263–436 (1991) ▪ Christen u. Vögtle, Organische Chemie: Von den Grundlagen zur Forschung (2.), Bd. 1, Frankfurt-Aarau: Salle u. Sauerländer 1992 ▪ March (4.), S. 165 ff. ▪ Moody u. Whitham, Reaktive Zwischenstufen, Basistexte Chemie (Bd. 4), Weinheim: VCH Verlagsges. 1995 ▪ Platz, Kinetics and Spectroscopy of Carbenes and Biradicals, New York: Plenum Press 1990 ▪ Pure Appl. Chem. **63**, 231–241 (1991) ▪ Sykes, Reaktionsmechanismen der Organischen Chemie, 9. Aufl., S. 39 ff., Weinheim: VCH Verlagsges. 1988 ▪ s. a. Zwischenstufen.

Reaktivfarbstoffe (Reaktionsfarbstoffe). Bez. für eine Gruppe von *Farbstoffen, deren Mol. neben der farbgebenden Komponente (FS) eine spezielle reaktionsfreudige Komponente (*Reaktivkomponente*) enthalten, über die sie durch Reaktion mit *funktionellen Gruppen der Faser (z. B. Hydroxy-Gruppen bei Cellulose od. Amid-Gruppen bei Wolle u. Polyamiden) kovalent an diese gebunden werden. Das Aufbauprinzip von R. ist die Kombination von einem nahezu beliebigen Chromophorensyst., das noch löslichmachende Gruppen enthalten muß, mit einem elektrophilen Zentrum entweder über eine direkte Bindung od. ein

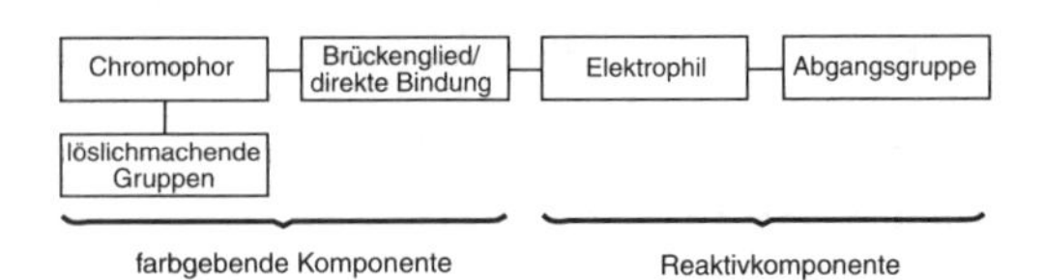

Brückenglied. An das elektrophile Zentrum sind im allg. eine od. mehrere Abgangsgruppen gebunden. Als Chromophore dienen z. B. Formazan-Metallkomplex-, Azo-, Anthrachinon-, Phthalocyanin- u. Phenoxazin-Farbstoffe. Bei den Reaktivkomponenten handelt es sich hauptsächlich um zwei Gruppen (s. Reaktivanker): Die erste enthält halogenierte, ungesätt., meist heterocycl. Reste wie z. B. 1,3,5-Triazine, Pyrazine, Pyrimidine. Die Halogen-Atome reagieren im alkal. Milieu mit OH-Gruppen der Cellulose unter Halogenwasserstoff-Abspaltung u. Bildung Ester-artiger Bindungen (*Substitutionsfarbstoffe*). Die Vertreter der 2. Gruppe enthalten Hydrogensulfat- od. Sulfamat-Ester z. B. von 3-Hydroxypropionamido- u. 2-Hydroxyethylsulfonyl-Gruppen; diese Gruppen spalten im Alkal. spontan Sulfat ab u. gehen in Acrylamido- bzw. Vinylsulfonyl-Gruppen über, die ihrerseits mit OH-Gruppen der Cellulose stabile Ether bilden (*Additionsfarbstoffe*). In Konkurrenz steht dabei die Reaktion mit Wasser (Hydrolyse). Da der hydrolysierte R. nicht mehr mit der Faser (Baumwolle, Wolle) reagieren kann, ist man bestrebt, einen möglichst hohen Anteil an Farbstoff zu fixieren, d. h. einen hohen Fixiergrad zu erzielen. Dabei spielt die *Affinität u. Reaktivität des R. sowie sein Aufziehvermögen eine wesentliche Rolle. Die Reaktivität eines R. läßt sich durch die Temp. u. den pH-Wert steuern. Je nach Reaktivität unterteilt man die R. in Heiß- u. Kaltfärber.

Heißfärber (60–80 °C) besitzen ein geringes Reaktionsvermögen u. müssen durch hohe Temp. u. starkes Alkali aktiviert werden. Dazu gehören z. B. Monochlortriazin- u. Trichlorpyrimidin-Farbstoffe.

Kaltfärber (40–60 °C) sind hochreaktive Farbstoffe mit Dichlortriazin-, Chlordifluorpyrimidin- od. Dichlorchinoxalin-Ankern, die ohne starkes Alkali u. bei relativ niedrigen Temp. bereits mit der Faser reagieren.

Die R. liefern echte, meist sehr brillante *Textilfärbungen u. *-drucke, v. a. mit Cellulosefasern, Seide, Wolle u. neuere Typen auch mit Polyamid-Fasern. Zur Verw. von R. in der Biotechnologie s. *Lit.*[1]. – ***E*** reactive dyes – ***F*** colorants réactifs – ***I*** coloranti reattivi – ***S*** colorantes reactivos

Lit.: [1] Top. Enzyme Ferment. Biotechnol. **9**, Kap. 3, 78–201 (1984).

allg.: Kirk-Othmer (4.) **3**, 815; **8**, 809–838 ▪ Melliand Textilber. **63**, 798–801 (1982); **64**, 752–762 (1983) ▪ Peter u. Rouette, Grundlagen der Textilveredlung, 13. Aufl., S. 510 f., Frankfurt/M.: Dtsch. Fachverl. 1989 ▪ Text. Prax. Int. **37**, 1312 ff. (1982) ▪ Ullmann (5.) **A3**, 263; **A22**, 651 ff. ▪ Venkataraman, The Chemistry of Synthetic Dyes, Bd. 6 (Reactive Dyes), Bd. 8, New York: Academic Press 1972, 1977 ▪ Zollinger, Color Chemistry, 2. Aufl., S. 167 ff., Weinheim: VCH Verlagsges. 1991.

Reaktivität s. Reaktionen.

Reaktivklebstoffe s. Reaktionsklebstoffe.

Reaktivspinnen s. Polymerisationsspinnen.

Reaktoren. 1. Kurzbez. für *Kernreaktoren.
2. Ein chem. Reaktor (s. a. Reaktionsapparate) ist ein offener od. geschlossener Behälter, in dem die Rohmaterialien in das vorgesehene Produkt umgewandelt werden. Hierbei muß die Aufenthaltszeit der Stoffe im R. groß genug sein, damit die chem. Reaktion stattfinden kann. Ein *homogener R.* beinhaltet nur Stoffe eines *Aggregatzustandes, während in einem *heterogenen R.* gasf.-flüssige, gasf.-feste, flüssig-feste od. gasf.-flüssig-feste Stoffkombinationen eingesetzt werden.

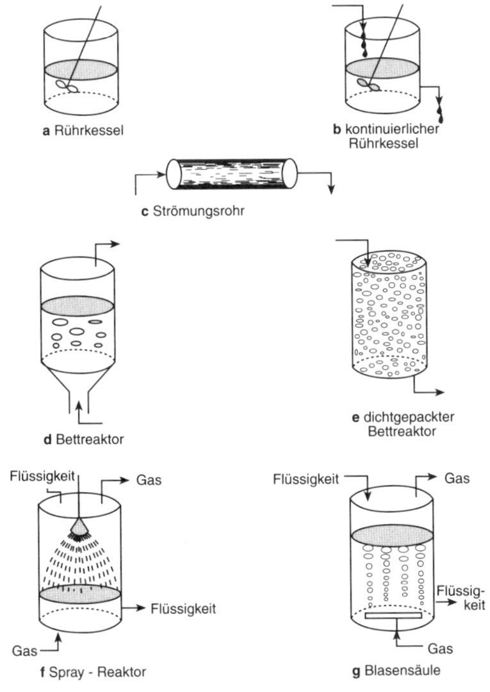

Abb.: Unterschiedliche Reaktortypen; nach *Lit.*[2].

Der einfachste Aufbau eines R. ist ein *Kessel* (s. Abb. a, *E* batch), in den die Substanzen eingefüllt u. nach der Reaktion entnommen werden. Zur besseren Durchmischung wird ein Rührer eingesetzt (*Rührkessel*). Dieser *diskontinuierliche* Kessel kann durch einen kontinuierlichen Zu- u. Abfluß erweitert werden (Abb. b, *E* CSTR, *c*ontinous-*s*tirred *t*ank *r*eactor) u. wird dann als *kontinuierlicher Rührkessel* bezeichnet; er ist bereits ein *Durchfluß*-Reaktor. Zu der gleichen Art zählt auch das *Strömungsrohr* (Abb. c, *E* plug flow reactor), in den das Material schichtweise eingefüllt wird (radial sind die Schichten gut vermischt, es existiert aber keine Vermischung in Längsrichtung). Bei den *Bett*-R. wird ein Flüssigkeitsstrom od. Gasstrom (s. Abb. d, *E* fluidized bed u. Abb. e, *E* packed bed) durch eine Schichtung von Festkörperpartikeln geleitet. Der umströmte Festkörper kann ein Reaktant, ein *Katalysator od. ein inerter Stoff sein. Der Aufbau ist ein senkrechter Turm. Erfolgt die Strömung von unten nach oben, so muß bei großem Gas- od. Flüssigkeitsdurchsatz Sorge getragen werden, daß das Festkörperbett nicht angehoben wird u. sich so Blasen od. Hohlräume bilden. Die Effektivität dieses R.-Types hängt krit. von der Größe von Blasen ab[1].
Um die Oberfläche bei der Reaktion von gasf. mit flüssigen Reaktanten zu vergrößern kann die Flüssigkeit zerstäubt werden: *Gebläse*-R. (Abb. f, *Spray*-Reaktor, *E* blast furnace), od. man läßt das Gas in kleinen Bläschen durch die Flüssigkeit strömen: *Blasensäule* (Abb. g, *E* bubble column).
Für die Produktion kleinerer Mengen von Spezialchemikalien, die nur bei hohen Temp. u. hohen Drücken erzeugt werden können, werden *Autoklaven eingesetzt.
Beschreibung weiterer Spezial-R. sowie Darst. der Ratengleichungen zur Konstruktion von R. s. *Lit.*[2]. – ***E*** reactors – ***F*** réacteurs – ***I*** reattori – ***S*** reactores

Lit.: [1] Ehrlich, Fluidized Bed Combustion, in Encyclopedia of Physical Science and Technology, Vol. 5, S. 460–481, New York: Academic Press 1987. [2] Foutch u. Johannes, Reactors in Process Engineering, in Encyclopedia of Physical Science and Technology, Vol. 12, S. 40–60, New York: Academic Press 1987.

Reaktortechnik s. Kerntechnik.

Reale Gase. Gase, die im Gegensatz zu *idealen Gasen dem Gesetz p · V = n · R · T (*Zustandsgleichung der idealen Gase, p = Druck, V = Vol., n = Stoffmenge, R = allg. Gaskonstante, T = abs. Temp.) nicht gehorchen. Die Zustandsgleichung läßt sich aber nach Ergänzung von Korrekturgliedern (s. Virialkoeffizienten) auch auf r. G. anwenden; dabei wird die gegenseitige Anziehung u. das Eigenvol. der Mol. berücksichtigt, vgl. Gase u. Gasgesetze. Oberhalb ihrer jeweiligen Boyle-Temp. (s. Gasgesetze) verhalten sich die r. G. wie ideale. – ***E*** real gases – ***F*** gaz réels – ***I*** gas reali – ***S*** gases reales

Realer Zustand s. idealer Zustand.

Realgar (Rauschrot). As_4S_4 (auch: AsS); T monoklines Mineral, eine der 4 krist. Modif.[1] von As_4S_4 [R. = α-As_4S_4 (Tieftemp.-Modif.), β-As_4S_4 (Hochtemp.-Modif., oberhalb ca. 250 °C stabil), As_4S_4(II) u. Pararealgar[2]]. Kristallklasse 2/m-C_{2h}, Struktur mit As_4S_4-Käfigmolekülen, s. *Lit.*[1,3]; Struktur von *Pararealgar* s. *Lit.*[4]. Prismat., längsgestreifte, durchscheinende, blendeartig diamantglänzende Krist.; derb u. grob- bis feinkörnig; als Krusten; H. 1,5–2, D. 3,5–3,6. Farbe rot bis orangerot, Strich orangegelb; an Licht wandelt sich R. in erdigen orangegelben bis gelben Pararealgar[2,5] (nicht, wie oft angegeben, in *Auripigment!) um.
Vork.: Auf Erz-*Gängen niedriger Bildungstemp., z. B. Allchar/Mazedonien (Bildungstemp. zwischen ca. 145 u. 170 °C, *Lit.*[6]), Getchell/Nevada/USA, Menkule/Jakutien/Sibirien; gute Krist. u. a. von Allchar, aus dem *Dolomit von Lengenbach im Binntal/Schweiz u. aus der Provinz Xiangsi/VR China. Als vulkan. Sublimationsprodukt, z. B. Solfatara bei Pozzuoli/Vesuv. In altägypt. Wandmalereien[7] (z. T. zersetzt). Zur Verw. s. Arsensulfide. – ***E*** = ***I*** realgar – ***F*** réalgar – ***S*** rejalgar, arsénico rojo

Lit.: [1] Am. Mineral. **81**, 874–880 (1996). [2] Can. Mineral. **18**, 525 ff. (1980). [3] Z. Kristallogr. **136**, 48–65 (1972). [4] Am. Mineral. **80**, 400–403 (1995). [5] Am. Mineral. **77**, 1266–1274 (1992). [6] Neues Jahrb. Mineral. Abh. **167**, 345–348 (1994). [7] Geowissenschaften **9**, 199–209 (1991).

allg.: Anthony et al., Handbook of Mineralogy, Vol. I, S. 436, Tucson (Arizona): Mineral Data Publishing 1990 ▪ Ramdohr-Strunz, S. 482 ff. ▪ Schröcke-Weiner, S. 305 ff. – *[HS 2530 90; CAS 12044-30-3]*

Realkristalle s. Einkristalle u. Kristallbaufehler.

Réaumur, René-Antoine Ferchault de (1683–1757), Physiker u. Zoologe, Privatgelehrter. *Arbeitsgebiete:* Verbesserung der Gewinnung des Stahls, Erfindung des Weingeistthermometers, Einführung der nach ihm benannten 80teiligen Temp.-Skala zwischen den Fixpunkten des Wassers; beobachtete als erster die Volumenkontraktion einer Mischung aus Alkohol u. Wasser, Arbeiten zur Papierherst., grundlegende Forschung über Insekten; umfangreiches Naturalienkabinett, das heute einen wesentlichen Anteil des „Musée national d'Histoire naturelle" (Paris) ausmacht.

Lit.: Lexikon der Naturwissenschaftler, S. 341 ▪ Pötsch, S. 357.

Réaumur-Skale s. Temperaturskalen.

Rebeccamycin.

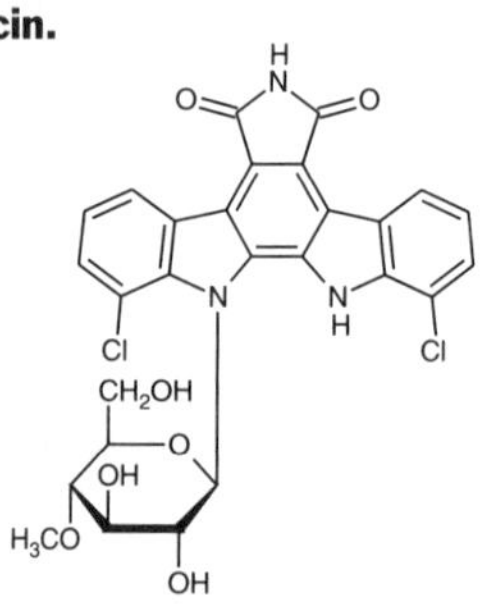

$C_{27}H_{21}Cl_2N_3O_7$, M_R 570,38, gelbe Krist., Schmp. 327–330 °C (Zers.), $[\alpha]_D$ +138° (THF). Antitumor-Antibiotikum mit Nucleosid-ähnlicher Struktur aus Kulturen von *Nocardia aerocolonigenes*. Strukturverwandt sind *Staurosporin u. die *Arcyria-Farbstoffe. Wasserlösl. Derivate von R. befinden sich in klin. Prüfung gegen Lungen-Adenocarcinome. – ***E*** rebeccamycin – ***F*** rebeccamycine – ***I*** rebeccamicina – ***S*** rebecamicina

Lit.: J. Antibiot. (Tokyo) **40**, 668–678 (1987); **47**, 792–798 (1994) ▪ J. Med. Chem. **41**, 1631 (1998) (Synth.-Analoge) ▪ J. Nat. Prod. **51**, 937–940 (1988) ▪ J. Org. Chem. **58**, 343–349 (1993) (Synth.) ▪ Tetrahedron Lett. **26**, 4011, 4015 (1985). – *[HS 2941 90; CAS 93908-02-2]*

Rebell®/Rebell® T. *Herbizid auf der Basis von Cloridazon u. *Quinmerac zur Unkrautbekämpfung in Rüben (Zucker- u. Futterrüben). ***B.:*** BASF.

Rebenschwarz (Rebschwarz, Frankfurter Schwarz). Schwarze, wasserunlösl. Malerfarbe, die durch trockene Dest. von Pflanzenabfällen (z. B. Trestern, Reben, Weinhefe, Kaffeesatz, Rinde, Kastanien usw.) erhalten wird. R. besteht aus Kohlenstoff, unlösl. Kohlenstoff-Verb. u. Aschenbestandteilen u. kann mit Öl, Öllack, Leimlsg., Spritlack od. Kalk angerührt werden. Die pflanzlichen Schwarzpigmente haben heute nur noch histor. Bedeutung. Es werden als R. auch Schwarzfarben aus Schwarzbasalt, Grudekoks, Anthrazitkohle od. Torfkohle bezeichnet. – ***E*** vegetable black, vine black – ***F*** noir de vigne – ***I*** nero vegetale – ***S*** negro de viña

Lit.: Gatz (Hrsg.), Lexikon der Anstrichtechnik, 10. Aufl., Bd. 1, München: Callwey 1994 ▪ Ullmann (3.) **13**, 772 f. – *[HS 3206 49]*

Reboxetin (Rp).

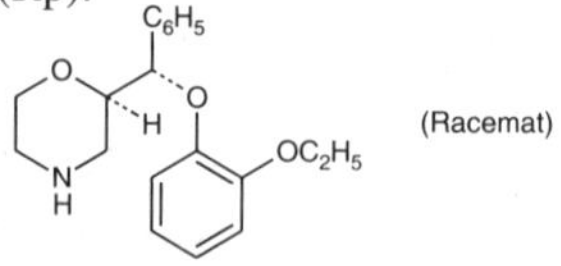

(Racemat)

Internat. Freiname für das *Antidepressivum, ein selektiver Noradrenalin-Wiederaufnahme-Hemmer, (±)-(2*RS*)-2-[(α*SR*)-α-(2-Ethoxyphenoxy)benzyl]morpholin, $C_{19}H_{23}NO_3$, M_R 313,40. Verwendet wird auch das Mesilat, $C_{20}H_{27}NO_6S$, M_R 409,51, Schmp. 145–146 °C. R. wurde von Farmitalia (Edronax®, Pharmacia & Upjohn) patentiert u. soll demnächst in den Handel kommen. – ***E*** reboxetine – ***F*** réboxétine – ***I*** = ***S*** reboxetina

Lit.: Eur. Neuropsychopharmacol. **7**, Suppl. 1, S1–S73 (1997). – *[CAS 71620-89-8 (R.)]*

Recanescin s. Deserpidin.

Receptor-destroying enzymes s. Neuraminidasen.

Recessan®. Salbe mit *Polidocanol gegen Entzündungen in der Mundhöhle. ***B.:*** Kreussler.

Rechen. Anlage mit gitterförmig angeordneten Stäben zur Zurückhaltung sperriger Schwimmstoffe (Holz, Kunststoffe, Putztücher, mehrlagiges Toilettenpapier usw.) bei der *mechanischen Abwasserbehandlung. Handgeräumte Rechen werden nur noch selten als Schutzrechen mit großen Spaltweiten (über 60 mm) eingesetzt. Maschinell geräumte Feinst- (Spaltweite kleiner 8 mm) u. Feinrechen (Spaltweite 8–20 mm) verwendet man im Zulauf von *Kläranlagen, Grobrechen (Spaltweite 20–100 mm) auch im Vorfluter od. in offenen Gerinnen (zu den Bauarten s. *Lit.*). Das R.-Gut wird häufig vor seiner weiteren Entsorgung gesiebt, gewaschen u. durch eine R.-Gutpresse entwässert. – ***E*** screen, grating, rake – ***F*** grille – ***I*** griglia – ***S*** rastr[ill]o

Lit.: Abwassertechn. Vereinigung (Hrsg.), ATV-Handbuch Mechan. Abwasserreinigung (4.), S. 73–95, Berlin: Ernst 1997.

Rechenblätter s. Nomogramme.

Recherche. Aus dem Französ. recherche = Suche, Untersuchung, Forschung übernommener Ausdruck aus der *Dokumentation für eine sorgfältige u. möglichst vollständige Durchsicht der Lit. (auch im Abonnement), bes. im Zusammenhang mit *Patenten u. *chemischer Literatur. „Manuelle" R. nimmt man anhand gedruckter *Referateorgane u. ihrer Register vor, „maschinelle" anhand geeigneter „Frageprofile" mit Hilfe der elektron. Datenverarbeitung in *Datenbanken. Von *Referatediensten* od. *Informationsdiensten* kann man R.-Ergebnisse im Abonnement beziehen (*SDI, vgl. Schnellinformationsdienste). Heute werden R. oft vom Benutzer selbst, der über Terminals u. Datennetze mit Datenbankzentren (*Hosts*) verbunden ist, im *Online-Betrieb* vorgenommen. – ***E*** search – ***F*** recherche – ***I*** ricerca – ***S*** investigación

Lit.: Bachrach, The Internet: A Guide for Chemists, Washington: American Chemical Society 1996 ▪ BMBF, Information als Rohstoff für Innovation, Bonn: BMBF 1996 ▪ Bottle u. Rowland, Information Sources in Chemistry, London: Bowker-Saur 1993 ▪ Cohausz, Info & Recherche, München: Wila 1996 ▪ Ridley, Online-Searching: a Scientist's Perspective – a Guide for the Chemical and Life Sciences, Chichester: Wiley 1996 ▪ Warr u. Suhr, Chemical Information Management, Weinheim: VCH Verlagsges. 1992 ▪ s. a. Referateorgane, chemische Literatur, Dokumentation.

Recken (Strecken). Bez. für ein bes. bei thermoplast. Kunststoffen (PP, PS, PAN, PA, PC, PETP) praktiziertes Verf. zur Erhöhung der Festigkeit von Folien u. Filamenten. Diese werden im festen Zustand od. während des Erstarrens einem Zug, seltener einem Druck, in einer bzw. zwei Richtungen (*mono-* od. *uniaxiale* bzw. *biaxiale Reckung*) ausgesetzt, was eine Vergrößerung der Abmessungen bis zu einem Faktor 10 zur Folge hat. Beim R. werden die Kettensegmente der *Makromoleküle in den amorphen Bereichen der Polymeren verstärkt parallel ausgerichtet (*Orientierung*); beim anschließenden Thermofixieren können hinreichend orientierte Bereiche dann in dieser Anordnung kristallisieren. So behandelte Kunststoffe ziehen sich auch bei späterem Erwärmen nicht od. nur geringfügig zusammen. Ein im *Kalander gerecktes PVC zieht sich dagegen beim Erhitzen wieder zusammen u. bildet so *Schrumpffolien. In der Textil-Ind. wird das R. von Chemiefasern meist *Verstrecken* genannt u. führt zu einem starken Anstieg der mechan. Festigkeit in Faserrichtung. – ***E*** stretching – ***F*** étirage – ***I*** stiramento – ***S*** estirado

Lit.: Elias (5.) **2**, 514, 676 ▪ Encycl. Polym. Sci. Eng. **10**, 619–634; **16**, 817 ff.

Recoil-Chemie. Aus dem Engl. (*E* recoil = Rückstoß) übernommene, jargonhafte Bez. für die „Chemie der *heißen Atome".

Recombinasen. Unsystemat. Bez. für Proteine, die für die *Sequenz-spezif.* **Rekombination* (SSR; *E* site-specific recombination), d. h. die Umordnung bestimmter Abschnitte von *Desoxyribonucleinsäuren (DNA) im Genom (s. Gene) in eindeutiger Weise, benötigt werden. Die SSR kann *konservativ*, auch unter gegenseitigem Auswechseln homologer Sequenzen, vor sich gehen od. als *Transposition*, bei der nicht-verwandte Genstücke ausgetauscht werden. Die R. erkennen Sequenzen auf dem zu übertragenden DNA-Abschnitt sowie auch im Zielbereich. Während der Transposition des spezif. Gen-Abschnitts an die Zielstelle wird dessen Ende mit Phosphatester-Bindung an das Protein gebunden. R. spielen u. a. bei der Integration von Viren- od. Phagen-DNA ins Wirtsgenom, bei der Rekombination der *Immunglobulin-Gene [*V(D)J-Rekombination* [1]] u. T-Zell-Antigen-Rezeptor-Gene eine Rolle. Zur Struktur der Phagen-R. Cre im Komplex mit DNA s. *Lit.*[2]. Eine R., die sich mit der Reparatur der DNA befaßt, ist das RecA-Protein [3]. Zur Int-Familie der R. s. *Lit.*[4]. – ***E*** = ***F*** recombinases – ***I*** ricombinasi – ***S*** recombinasas

Lit.: [1] Annu. Rev. Immunol. **14**, 459–481 (1996). [2] Nature (London) **389**, 40–46 (1997). [3] Trends Biochem. Sci. **19**, 217–222 (1994). [4] Nucl. Acids Res. **26**, 391–406 (1998).

Recommended Dietary Allowance s. RDA.

Recorcinbraun s. Tropäolin.

Recorcingelb s. Tropäolin.

Recoverin. Ein Aktivator-Protein (M_R 23 000, Calcium-bindendes *EF-Hand-Protein) der Guanylat-Cyclase (EC 4.6.1.2, vgl. Guanosinphosphate) aus den Photorezeptor-Zellen (Stäbchen- u. Zäpfchenzellen) des Auges. Die Cyclase sorgt nach einer Lichteinwirkung für die Wiedersynth. von Guanosin-3′,5′-monophosphat (cGMP), das für den *Sehprozeß vonnöten ist. Die Aktivierung der Cyclase durch R. wird durch den niedrigen Calcium-Gehalt im *Cytoplasma der photoerregten Zelle ausgelöst (<0,3 µM Ca^{2+}). Bei der Krebs-assoziierten Retinopathie werden Autoantikörper (s. Autoimmunität) gegen R. gebildet. – ***E*** recoverin – ***F*** recovérine – ***I*** = ***S*** recoverina

Lit.: Curr. Biol. **4**, 64 ff. (1994).

rect(if). Latein. Abk. für rectificatus = wiederholt gereinigt, s. Destillation u. Rektifikation.

Rectil®. Entkälkungsmittel (s. Gerberei) für die Leder-Herstellung. ***B.:*** Henkel.

Rectisol®. Verf. zur Reinigung von *Synthesegas u. ä. Gasen, wobei durch Waschen mit Methanol bei –30 bis –60 °C alle Gasverunreinigungen (HCN, H_2S, CO_2, organ. Schwefel-Verb., Harzbildner u. dgl.) in einem einzigen Arbeitsgang entfernt werden. Ein verwandtes Verf. ist das *Purisol*®-Verf. der Lurgi, das *N*-*Methylpyrrolidon zur Extraktion benutzt. ***B.:*** Linde; Lurgi.

Lit.: Winnacker-Küchler (3.) **2**, 492 ff.; (4.) **5**, 265 ff.

Rectodelt® (Rp). Suppositorien mit *Prednison gegen Bronchialasthma, Polyarthritis, Dermatosen usw. ***B.:*** Trommsdorff.

Rectorit s. Wechsellagerungs-Minerale.

Recycling. Unter R. versteht man das Schließen von Stoffkreisläufen durch Rückführung von Rückständen aus Produktionsprozessen bzw. von Altprodukten u. Altstoffen nach deren Gebrauch in die Produktion od. für den (erneuten) Gebrauch, d. h. alle Maßnahmen der erneuten Verw. od. Verwertung von Produkten bzw. Stoffen. Bei der Verw. wird die Produktgestalt weitgehend beibehalten, während sie bei der *Verwertung* aufgelöst wird. Im einzelnen lassen sich folgende R.-Formen unterscheiden:

1. *Wiederverwendung:* Erneute Nutzung eines gebrauchten Produktes für den gleichen Verwendungszweck wie zuvor (z. B. Pfandflasche).
2. *Weiterverwendung:* Erneute Nutzung eines gebrauchten Produkts in einer neuen Funktion, für die es ursprünglich nicht hergestellt wurde (z. B. Altreifen als Fender).
3. *Wiederverwertung:* Wiederholter Einsatz von Altstoffen u. Produktionsabfällen in einem gleichartigen wie dem bereits durchlaufenen Produktionsprozeß (z. B. *Altglas, *Schrott).
4. *Weiterverwertung:* Einsatz von Altstoffen u. Produktionsabfällen in einem von diesen noch nicht durchlaufenen Produktionsprozeß (z. B. Pyrolyse von *Kunststoffabfällen).

Die Rückführung von Produktionsrückständen in den Produktionsprozeß bezeichnet man als *Produktions-R.*, während man die Wieder- od. Weiterverw. von Altstoffen bzw. Altprodukten als *Nutzungs-R.*, die Wie-

der- od. Weiterverwertung von Altstoffen bzw. Altprodukten als *Altstoff-R.* zusammenfaßt. Im Unterschied zum Produktions- u. Nutzungs-R., die in vielen Fällen aufgrund einfacher, wirtschaftlicher Verf. durchgeführt werden, treten beim Altstoff-R. dadurch Probleme auf, daß Altstoffe überwiegend verschmutzt u. nicht sortenrein vorliegen u. z. T. aufwendigen Aufbereitungsverf. unterworfen werden müssen (s. a. Altglas, Altmetall, Kunststoffabfälle).
R. führt durch die Substitution von Primärressourcen durch *Sekundärrohstoffe (Ressourcenschonung) sowie durch die Verminderung von letztlich zu deponierenden Abfällen zur Umweltentlastung. Allerdings verursachen R.-Maßnahmen bzw. im Vorfeld notwendige Aufbereitungsschritte selbst Umweltbelastungen durch Energieverbrauch, Emissionen u. die im Zuge der R.-Maßnahme anfallenden Abfälle. Zur ökolog. Bewertung von R.-Maßnahmen müssen daher die R.-induzierten Be- u. Entlastungen bilanziert werden, wobei auch die ökonom. Rahmenbedingungen zu berücksichtigen sind. – ***E*** recycling – ***F*** recyclage – ***I*** riciclaggio – ***S*** reciclaje

Lit.: Abfallwirtsch. J. **5**, Nr. 3, 227–233 (1993) ▪ Müller u. Schmitt-Gleser, Handbuch der Abfallentsorgung, Loseblatt-Sammlung, Teil III – 5.2, Landsberg: ecomed.

Recyclingbörse s. Abfallbörse.

Recycling-Papier s. Papier.

Reddingit s. Manganphosphate.

Redox. Aus **Red*uktion u. **Ox*idation zusammengezogenes Kunstwort als Wortbestandteil in Bez. für Vorgänge, bei denen beide Prozesse gleichzeitig ablaufen, d. h. Erscheinungen in *Redoxsystemen.

Redoxasen s. Oxidoreduktasen.

Redoxaustauscher. Bez. für vernetzte, begrenzt quellbare Polymere („Redoxharze", „Redoxpolymere") von ähnlichem Aufbau wie die *Ionenaustauscher-Materialien. R. enthalten fest eingebaut reversibel reduzierbare od. oxidierbare Gruppen (*Beisp.:* substituierte Anthrachinone, Chinone, Methylenblau, Ferrocen), die mit oxidier- od. reduzierbaren gelösten Verb. als *Elektronenaustauscher* reagieren. Anorgan. R. bezeichnet man manchmal als *Redoxite*, z. B. die *Nontronite, d. h. Silicate von der Art der *Montmorillonite, in denen Al isomorph durch Fe(III) ersetzt ist, das sich weitgehend zur Fe(II)-Stufe reduzieren läßt [das Fe(II)/Fe(III)-haltige Silicat ist tiefdunkelgrün]. – ***E*** oxidation-reduction exchangers – ***F*** échangeurs d'oxydoréduction – ***I*** scambiatore redox, scambiatore di ossidoriduzione – ***S*** intercambiadores redox

Lit.: s. Redoxsysteme.

Redox-Copolymerisation. Die meisten *Copolymerisationen werden durch bewußt zugegebene, stoffliche *Initiatoren ausgelöst. Bei speziellen Mischungen von Comonomeren kann es aber auch ohne Initiator bereits beim Vermischen der *Monomeren zu einer spontanen Copolymerisation kommen. Dies ist z. B. dann der Fall, wenn eines der gewählten Monomere ein starker Elektronen-Akzeptor, das andere ein starker Elektronendonator ist. Je nach Stärke der Donor/Akzeptor-Wechselwirkungen u. dem Mechanismus des nachfolgenden Kettenwachstums unterscheidet man zwischen Redox-, zwitterionischer u. Ladungsübertragungskomplex-Copolymerisation. Ein typ. Beisp. für die R.-C. ist die Copolymerisation fünfgliedriger Phosphite (z. B. **1**) mit Brenztraubensäure **2**. Hier reagieren die beiden Monomere zunächst in einer Redox-Reaktion miteinander, bei der ersteres Monomer oxidiert, das zweite dagegen reduziert wird. Durch die nachfolgende Polymerisation entsteht bereits bei 20 °C ein streng alternierendes Copolymer **3**:

$$n\ \underset{\mathbf{1}}{(\text{cycl. } P{-}O{-}C_6H_5)} + n\ \underset{\mathbf{2}}{O{=}C(CH_3){-}COOH} \longrightarrow \underset{\mathbf{3}}{\left[{-}CH_2{-}CH_2{-}O{-}\overset{O}{\overset{\|}{P}}(O{-}C_6H_5){-}O{-}CH(CH_3){-}COO{-}\right]_n}$$

Häufiger als dieser Extremfall einer R.-C. sind allerdings zwitterion. u. Ladungsübertragungskomplex-Polymerisationen. – ***E*** redox copolymerization – ***F*** copolymérisation Redox – ***I*** copolimerizzazione redox – ***S*** copolimerisatión redox

Lit.: Elias (5.) **1**, 542.

Redoxharze s. Redoxaustauscher.

Redoxindikatoren s. Indikatoren, Oxidimetrie u. bes. Redoxsysteme.

Redoxine. Gruppenbez. für Elektronen-übertragende Proteine (oft *Metallproteine), die an vielen Redox-Reaktionen des tier. u. pflanzlichen Stoffwechsels beteiligt sind. Näheres s. bei einzelnen R. wie Ferredoxinen u. Rubredoxinen. Zu Glutaredoxin s. Glutathion. Metall-freie R. sind die *Thioredoxine u. die *Flavodoxine. – ***E*** redoxins – ***F*** rédoxines – ***I*** ridossine – ***S*** redoxinas

Redoxinitiatoren. R. sind Kombinationen aus oxidierenden u. reduzierenden Verb., die zur Initiierung von *radikalischen Polymerisationen (*Redoxpolymerisationen*) eingesetzt werden. Redoxpolymerisationen können bei relativ niedrigen Temp. durchgeführt werden, da die Aktivierungsenergie für die Bildung von Radikalen bei Redoxprozessen nicht sehr hoch ist.
Als R. können wasserlösl. u. -unlösl. Verb. eingesetzt werden. Wasserlösl. R. enthalten in vielen Fällen Übergangsmetalle [z. B. das Syst. Fe^{2+}/H_2O_2, (I)], können aber auch andere Basiskomponenten enthalten [u. a. die Syst. Peroxodisulfate/Metabisulfate, (II); Peroxodisulfate/Thiosulfate, (III), od. Peroxide/Thiosulfate, (IV)]. Wasserunlösl. R. sind u. a. Syst. aus organ. Peroxiden u. tert. Aminen (V).
Allen R. ist gemeinsam, daß bei der Reaktion ihrer Einzelkomponenten Radikale gebildet werden. Diese Radikale sind die eigentlichen *Initiatoren für die sich anschließende Redoxpolymerisation. Die folgenden Gleichungen zeigen einige der z. T. sehr komplex ablaufenden Redoxreaktionen in vereinfachter Form (s. Tab.).

Tab.: Redoxreaktionen (vereinfacht).

I	$Fe^{2+} + H_2O_2$	$\rightarrow Fe^{3+} + HO^- + HO^\cdot$
II	$S_2O_8{}^{2-} + S_2O_5{}^{2-}$	$\rightarrow SO_4{}^{2-} + SO_4{}^{\cdot -} + S_2O_5{}^{\cdot -}$
III	$S_2O_8{}^{2-} + S_2O_3{}^{2-}$	$\rightarrow SO_4{}^{2-} + SO_4{}^{\cdot -} + S_2O_3{}^{\cdot -}$
IV	$ROOH + S_2O_3{}^{2-}$	$\rightarrow RO^\cdot + S_2O_3{}^{\cdot -} + HO^-$
V	$R_3N + R{-}CO{-}O{-}O{-}CO{-}R$	$\rightarrow R_3N^{\cdot +} + R{-}COO^\cdot + R{-}COO^-$

Komponenten von R. können auch Polymere selbst sein. Bei *Pfropfcopolymerisationen von z. B. *Cellu-

lose unter Einwirkung von Cer(IV)-Salzen fungiert das Polysaccharid als reduzierende Komponente.
R. werden verbreitet bei techn. Polymerisationsverf. eingesetzt. Bes. Bedeutung haben R. bei der *Emulsionspolymerisation, wo z. B. Vinylchlorid, v. a. aber viele *Polymere mit niedriger *Glasübergangstemperatur gut erhalten werden können, da eine Polymerisation bei niedrigen Temp. u. damit ohne Verkleben der Partikel möglich ist. – ***E*** redox initiators – ***F*** initiateurs redox – ***I*** iniziatori redox, iniziatori di ossidoriduzione – ***S*** iniciadores redox

Lit.: Compr. Polym. Sci. **3**, 123–139 ▪ Elias (5.) **2**, 450 ▪ s. a. Initiatoren u. Emulsionspolymerisation.

Redox-Pfropfen. Die v. a. bei *Emulsionspolymerisationen häufig gewählte Initiierung der radikal. Polymerisation durch Redox-Reaktionen (s. Initiatoren u. Redoxinitiatoren) kann auch als eine effiziente Meth. zur Darst. von Pfropf-Copolymeren genutzt werden. So gehen Hydroxygruppen-haltige Polymere wie *Cellulose od. *Polyvinylalkohol mit Ce^{4+}-Ionen od. anderen Oxidationsmitteln Redox-Reaktionen unter Ausbildung Polymer-gebundener Radikale ein:

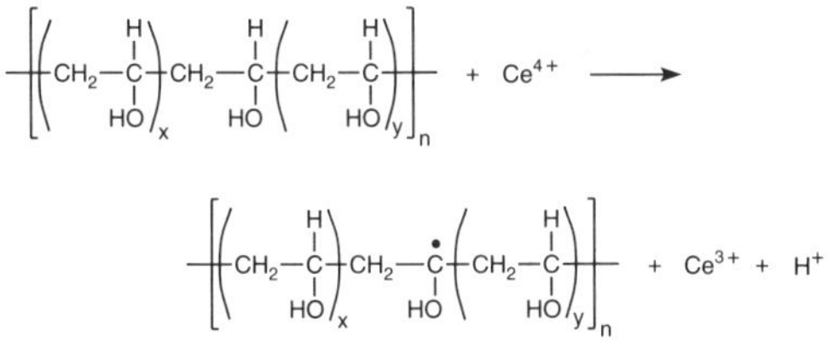

Diese *Makroradikale lösen in Ggw. eines geeigneten Monomers dessen radikal. Polymerisation aus, u. es wachsen auf das ursprünglich vorgelegte Polymer seitliche Pfropfäste auf. Der Vorteil dieses sog. R.-P. ist, daß es meist mit nur einem Minimum an gleichzeitiger Homopolymerisation des Monomers einhergeht, da hier ausschließlich Polymer-gebundene Radikale entstehen. Das Verf. ist allerdings auf solche Polymere beschränkt, die für eine Redox-Initiierung geeignete funktionelle Gruppen tragen. Neben Polymeren mit Hydroxy-Gruppen eignen sich für die R.-P. weiterhin solche mit Amid-, Urethan- od. Nitril-Gruppen. – ***E*** redox grafting – ***F*** bouturage Redox – ***I*** innesti redox – ***S*** injerto redox

Redoxpolymere. Bez. für zu den *reaktiven Polymeren zählende Verb., die über funktionelle Gruppen verfügen, die Elektronen aufnehmen od. abgeben können (*E* electron-transfer polymers, Kurzz. ETP). Zu den R. gehören u. a. Polymere auf der Basis von *Hydrochinonen, die sowohl durch *radikalische Polymerisation von Vinylhydrochinon(-Derivate) (I) als auch durch *Polykondensation von Hydrochinonen mit Formaldehyd (II) zugänglich sind:

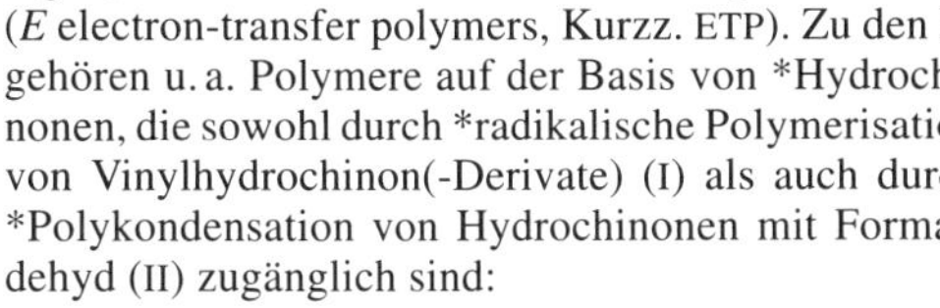

Wichtige Kriterien für R. sind das Redoxpotential u. das elektrochem. Verhalten. R. werden u. a. als polymere Reagenzien u. polymere Katalysatoren eingesetzt. – ***E*** redox-polymers – ***F*** polymères redox – ***I*** polimeri redox – ***S*** polímeros redox

Lit.: Elias (5.) **1**, 568 ▪ Encycl. Polym. Sci. Eng. **5**, 725–747.

Redoxpolymerisation s. Redoxinitiatoren.

Redoxpotential (Reduktions-Oxidations-Potential). Bez. für das in Volt ausgedrückte *Potential (*Redoxspannung*) eines *Redoxsystems gegen die Normalwasserstoff-Elektrode bzw. eine andere *Bezugselektrode. Tatsächlich sind im Prinzip alle Elektrodenpotentiale zugleich R., da die zugrunde liegenden Vorgänge immer mit der Aufnahme od. Abgabe von Elektronen verknüpft sind. Die Konz.-Abhängigkeit des R. (s. a. elektromotorische Kraft) bei einer bestimmmten Temp. wird durch die *Nernstsche Gleichung beschrieben. Einige Beisp. für R. (Angaben in Volt bei 25 °C; 10^5 Pa Druck, pH 7, 1 molare wäss. Lsg.):

Cr^{2+}/Cr^{3+}	–0,41
Sn^{2+}/Sn^{4+}	+0,150
Cu^{+}/Cu^{2+}	+0,153
Fe^{2+}/Fe^{3+}	+0,771
$NO+2H_2O/NO_3^-+4H^+$	+0,957
$Cl^-+3H_2O/ClO_3^-+6H^+$	+1,451
Pb^{2+}/Pb^{4+}	+1,69
Co^{2+}/Co^{3+}	+1,92
O_2+H_2O/O_3+2H^+	+2,076

Eine ausführlichere Zusammenstellung von R.-Werten findet man in Tabellenwerken (s. z. B. *Lit.*[1]). Anstelle des R. wird manchmal der *rH-Wert* benutzt (s. Redoxsysteme).
Zur Bestimmung von R. in *nichtwäßrigen Lösemitteln empfiehlt die IUPAC die Redoxpaare Ferrocen/Ferrocenium(1+)-Ion u. Bis(biphenyl)chrom(0)/Bis(biphenyl)chrom(1+)-Ion als Referenzsyst.[2]. Zur Messung von R. eignen sich Potentiometrie, Polarographie u. die verschiedenen Verf. der Voltammetrie. Näherungsweise lassen sich R. auch mit *Redoxindikatoren* (s. Redoxsysteme) bestimmen.
Aus den angegebenen Normalpotentialen lassen sich sofort Aussagen über die Eignung bestimmter Stoffe zu Redoxreaktionen, d. h. über ihre oxidierenden od. reduzierenden Eigenschaften machen. Die Tatsache, daß ein Platin-Draht im Syst. Fe^{2+}/Fe^{3+} gegenüber der Normalwasserstoffelektrode einen pos. Wert (+0,771 V) annimmt, besagt z. B., daß Wasserstoff unter Atmosphärendruck Fe^{3+}-Ionen zu Fe^{2+}-Ionen reduzieren könnte. Ebenso wie Wasserstoff reagiert z. B. metall. Kupfer (Cu/Cu^{2+}: +0,34 V), nicht aber Silber (Ag/Ag^{+}: +0,799 V), dessen Ionen Fe^{2+} zu Fe^{3+}-Ionen oxidieren, wobei infolge der Entladung metall. Silber ausgeschieden wird (vgl. a. Spannungsreihe).
R. treten natürlich auch in organ. Syst. u. bei organ. Reaktionen auf, z. B. bei enzymat. *Hydrierungen bei der *Stickstoff-Fixierung. Die zum Leben notwendige Energie gewinnen alle Organismen aus *Elektronentransportketten*; *Beisp.:* *Atmungskette u. *Photosynthese. Typ. R. sind (bezogen auf die Wasserstoffelektrode bei pH 7: –0,42 V):

Succinat + CO_2/2-Oxoglutarat	–0,67 V
NADH + H^+/NAD^+	–0,32 V
NADPH + H^+/$NADP^+$	–0,32 V
$Ubichinon_{red.}/Ubichinon_{ox.}$	+0,10 V

Cytochrom c + Fe(II)/Cytochrom c + Fe(III)	+0,22 V
$H_2O/½O_2+2H^+$	+0,82 V

Die in der „R.-Kaskade“ freiwerdende Energie wird in der oxidativen *Phosphorylierung verbraucht bzw. als chem. Energie im Adenosintriphosphat gespeichert. – ***E*** oxidation-reduction potential – ***F*** potentiel d'oxydo-réduction – ***I*** potenziale redox – ***S*** potencial redox

Lit.: [1]Handbook **73**, 8-17–8-29. [2]Pure Appl. Chem. **56**, 461–466 (1984).
allg.: Bard, Standard Potentials in Aqueous Solution, New York: Dekker 1985 ▪ Hamann u. Vielstich, Elektrochemie, Weinheim: Verl. Chemie 1997 ▪ Milazzo u. Caroli, Tables of Standard Electrode Potentials, New York: Wiley 1978 ▪ s.a. Redoxsysteme u. Spannungsreihe.

Redoxprozesse. Reaktionen in Redoxsystemen; Näheres s. dort.

Redoxreaktionen s. Redoxsysteme.

Redoxspannung s. Redoxpotential.

Redoxsysteme (Red.-Oxid.-Syst.). Bez. für Syst., in denen ein Oxid.- neben einem korrespondierenden Red.-Mittel vorliegt u. sich ein Gleichgew. entsprechend dem *Massenwirkungsgesetz einstellt. Die Lage dieses Gleichgew. ist durch das sog. *Redoxpotential bestimmt. Mit jedem Oxid.-Vorgang ist ein Red.-Vorgang untrennbar verbunden, denn die vom reduzierten Stoff (= Red.-Mittel) bei dessen Oxid. abgegebenen Elektronen müssen gleichzeitig von einem oxidierten Stoff (= Oxid.-Mittel) aufgenommen werden, der dabei reduziert wird:

$$\text{Red.-Mittel} \underset{\text{Red.}}{\overset{\text{Oxid.}}{\rightleftharpoons}} \text{Oxid.-Mittel} + \text{Elektronen.}$$

Beisp.: Kupfer läßt sich mit Sauerstoff oxidieren (1); das dabei gebildete Kupferoxid kann mit Wasserstoff wieder zum Metall reduziert werden. Dabei entstehen Kupfer u. Wasserdampf (2). Jede Redox-Reaktion kann man formal als Summe zweier Redox-Teilgleichungen, einer Red. (1a, 2a) u. einer Oxid. (1b, 2b), formulieren:

Red.:	$½O_2$	+	$2e^-$	→	O^{2-}			(1a)
Oxid.:	Cu	→	Cu^{2+}	+	$2e^-$			(1b)
Redox:	$½O_2$	+	Cu	→	CuO			(1)
Red.:	CuO	+	$2e^-$	→	Cu	+	O^{2-}	(2a)
Oxid.:			H_2	→	$2H^+$	+	$2e^-$	(2b)
Redox:	CuO	+	H_2	→	Cu	+	H_2O	(2)

Bei der Bildung von CuO aus den Elementen (1) gibt Cu 2 Außenelektronen an O ab u. ergänzt damit die 6 Außenelektronen des Sauerstoffs zur stabilen Edelgasschale (s. Atombau, Periodensystem). Bei der Einwirkung von Wasserstoff geben die beiden H-Atome ihre Elektronen an das Kupfer-Ion ab, wobei dieses zu Kupfer reduziert u. gleichzeitig Wasserstoff zu Wasser oxidiert wird. Anders ausgedrückt: Durch die Reaktion nach (2) ändert sich die *Oxidationszahl des Kupfers von +2 im Oxid auf 0 im Metall, die des Wasserstoffs von 0 auf +1 im Wasser. Solche Red.-Oxid.-Prozesse (*Redox-Reaktionen*) finden als Ein-Elektronen-Übergang (s. single electron transfer) zwischen reagierenden Stoffen in außerordentlich zahlreichen Fällen statt. Ebenso wie die Metalle haben z.B. auch die als Red.-Mittel wirkenden Ionen (z.B. Fe^{2+}, Cu^+, Sn^{2+}, Cr^{2+}) u. Mol. (v.a. viele organ. Verb.) bei Anwesenheit eines geeigneten Elektronenakzeptors (Oxidans) das Bestreben, Elektronen abzugeben u. damit ihre pos. Ladung zu erhöhen. Verb., die in einer mittleren Oxid.-Stufe vorliegen u. sowohl Elektronen abgeben als auch aufnehmen können u. daher je nach Reaktionspartner reduzierend od. oxidierend wirken (*Beisp.:* H_2, O_2, MnO_2), bezeichnet man als *redox-amphoter* (vgl. amphoter).

Die Neigung, in sog. *Elektronenübertragungsprozesse* einzutreten, ist von Stoff zu Stoff sehr verschieden u. man unterscheidet deshalb zwischen starken, mittleren u. schwachen Oxid.- u. Red.-Mitteln. Ein quant. Maß für das Bestreben, Elektronen abzugeben od. aufzunehmen, stellt das Redoxpotential (s.a. Spannungsreihe) dar, dessen Wert unter Standardbedingungen *Normalpotential* genannt wird. Stärkere Oxid.-Mittel als Wasserstoff haben pos., stärkere Red.-Mittel neg. Redoxpotentiale, s. die Beisp. dort. Man hat also mit den exakt meßbaren Potentialen – ähnlich wie bei Säuren mit dem pH-Wert – ein nützliches Vergleichssyst. in der Hand. Übrigens ist das Redoxpotential in vielen Fällen vom pH der betreffenden Lsg. abhängig. Manchmal bedient man sich deshalb des sog. *rH-Wertes*, der definiert ist als $rH=2E_h/E_N+2pH$, mit E_h=Normalpotential u. E_N=Nernst-Spannung (s. Nernstsche Gleichung). Die Temp.-Abhängigkeit des rH-Wertes wird mit der Gleichung $rH=10087 \cdot E_h/T+2pH$ (T=abs. Temp.) erfaßt. Die rH-Skala reicht von 0 bis etwa 42; der Wert 42 entspricht dem Potential einer sog. Sauerstoff-Elektrode od. stark oxidierenden Lsg. wie z.B. Permanganat- od. Cer(IV)-Salz-Lösungen. Eine Lsg. mit dem rH-Wert 0 hat die gleiche Red.-Wirkung wie gasf., durch Berührung mit Platin aktivierter Wasserstoff von Atmosphärendruck; der rH-Wert 0 kennzeichnet also eine stark reduzierende Lsg. [etwa Titan(III)-Lsg.].

Redoxpotentiale lassen sich potentiometr. sehr genau bestimmen. Manche R. sind bei 20 °C allerdings kinet. gehemmt, so daß ihre Bestimmung nur in Ggw. eines Katalysators möglich ist. Die Elektroden bestehen meist aus Platin, seltener aus Gold od. aus anderen Edelmetallen. Zum Eichen benutzt man Redox-Puffer, im allg. gesätt. Lsg. von Chinhydron od. 1:1-Gemische von rotem u. gelbem Blutlaugensalz in pH-Pufferlösung. Das Ausmaß der Pufferung, d.h. des Widerstands, den das R. gegen eine von außen einwirkende Gleichgewichtsverschiebung leistet, wird hier *Beschwerung* genannt. Für annähernde Potentialbestimmungen kann man Farbstofflsg. verwenden, von denen man weiß, daß sie bei bestimmten EMK-Werten die Farbe wechseln, meist von farbig nach farblos umschlagen. Man nennt solche Farbstoffe (die zumeist in verd. wäss. od. alkohol. Lsg. angewendet werden) *Redoxindikatoren*. Ihre Farbänderung ist wie bei anderen Indikatoren umkehrbar, d.h., wenn man z.B. zu einer blauen Methylenblau-Lsg. ein genügend starkes Red.-Mittel gibt (Glucose), wird sie entfärbt; fügt man zu dieser Lsg. dann ein Oxid.-Mittel (z.B. Luftsauerstoff), so bläut sie sich wieder (das „blaue Wunder“, s. *Lit.*[1]).

Verw.: Das wichtigste Anw.-Gebiet für Redoxindikatoren ist die **Oxidimetrie*. Man teilt die Redoxindikatoren meist in solche für biochem. (Gruppe A) u. solche für volumetr. Gebrauch (Gruppe B) ein. In der Tab.

sind für die ggf. als Einzelstichwörter behandelten Indikatoren – soweit bekannt – die rH-Werte, die Farbbez. im oxidierten/reduzierten Zustand u. die EMK-Werte in Volt angegeben, wobei man bei den Redoxindikatoren der Gruppe A den sog. E_m-Wert im Umschlagsgebiet bei pH=7 u. 30 °C u. bei denen der Gruppe B den Umschlags-E_o-Wert bei pH=0 u. 20 °C angibt.

Tab.: Redoxindikatoren.

Indikator	Farbe im oxidierten/reduzierten Zustand	rH-Wert	EMK-Wert [V]
A) biochem. Anw.			
Methylviologen (*Paraquat-dichlorid)	farblos/violett	–	–0,45
Benzylviologen	–	–	–0,359
Neutralrot	rot/farblos	2–4	–0,29
Safranin T	blauviolett, braun/farblos	4	–0,29
Phenosafranin	–	–	–0,252
Janusgrün B	–	–	–0,225
Indigodisulfonat	blau/gelblich	10	–0,11
Indigotrisulfonat-Kaliumsalz	blau/geblich	9,5–12	–0,07
Indigotetrasulfonat	blau/gelblich	11,5–13,5	–0,03
Methylenblau	blau/farblos	13,5–15,5	+0,01
Thionin	violett/farblos	15–17	+0,06
Toluylenblau	blauviolett/farblos	18	+0,11
Thymolindophenol	rötlich	17,5–20	
>pH	blau/farblos	–	+0,18
2,6-Dichlorphenol-indophenol-Natriumsalz	blau/farblos	20–22,5	+0,217
Indophenol-Natriumsalz	rotviolett/farblos	–	+0,23
Variaminblau	blauviolett/farblos	–	+0,31
B) volumetr. Anw.			
Phenosafranin	blau/farblos	–	+0,28
Kakothelin	gelb/rotviolett	18	+0,525
Methylenblau	blau/farblos	–	+0,53
2,6-Dichlorphenol-indophenol-Natriumsalz	rot/farblos	–	+0,67
Variaminblau	blauviolett/farblos	–	+0,712
Diphenylamin	violett/farblos	–	+0,76
4-Diphenyl-aminsulfonsäure-Natrium- od. Bariumsalz	violett/farblos	27–29	+0,84
N-Phenylanthranilsäure	purpurrot/farblos	–	+0,89
Lissamingrün	grün/orange	–	+0,99
Xylolcyanol FF	gelb/rosa	–	+1,00
Ferroin	blaßblau/rot	–	+1,00
1,10-Phenanthrolin-Hydrat	blaßblau/rot	–	+1,14
α-Naphthoflavon	orange/farblos	–	+1,52

ferner 1,5-Diphenylcarbonohydrazid u. einige Chemilumineszenz-Indikatoren.

R. liegen vor bzw. Redoxbestimmungen sind notwendig in der anorgan., organ. u. physiolog. Chemie, in Biochemie u. -technologie, Elektroanalyse, Polymerisation von Butadien mit Acrylnitril, Styrol usw., Schwärzung von Photoplatten, Küpenfärberei, Wirkung Sauerstoff-empfindlicher Vitamine (z. B. Ascorbinsäure) u. Hormone (z. B. Adrenalin), Trinkwasserchlorung, Passivität der Metalle, Stabilisierung Eisen(II)-haltiger Arzneimittel usw. In der anorgan. Chemie sind Redoxreaktionen überall da anzutreffen, wo einzelne Elektronen von Elektronen-Don(at)oren auf -Akzeptoren übergehen [s. Elektronen-Don(at)or-Akzeptor-Komplexe, s. a. Oxidationen u. Reduktionen], z. B. bei Elektrolysen u. a. elektrochem. Prozessen wie etwa in galvan. Elementen, bei der Oxidimetrie (Redox-Titrationen), Dead-Stop-Titrationen, in oszillierenden Reaktionen od. bei der Auflösung von Metallen in Säuren od. in anderen Lösemitteln. Untersuchungen zur Oxid. des Kupfers erklären, warum bei der Korrosion nur Verb. des Cu^{2+} u. nicht intermediär solche des Cu^{+} entstehen: Kupfer zeigt eine sog. *Potentialinversion* (Normalpotential Cu^{+}/Cu: +0,522 V, Cu^{2+}/Cu: +0,345 V). Über R. in Festkörpern s. *Lit.*[2] u. zur Anw. in elektrochromen Anzeigen s. *Lit.*[3]. Auch in der organ. Chemie sind R. nicht eben selten, z. B. bei Chinonen u. Hydrochinonen, Radikal-Ionen[4], bei Hydrierungen u. Dehydrierungen. Redoxvorgänge spielen eine entscheidende Rolle bei fast allen biolog. Prozessen, z. B. bei der Mehrzahl der durch Enzyme katalysierten Stoffwechselreaktionen wie z. B. in der Atmungskette, im Citronensäure-Cyclus, bei Photosynth. u. Stickstoff-Fixierung, d. h. überall da, wo Redox-Enzyme (s. Oxidoreduktasen) bzw. Coenzyme wie *Acetyl-CoA[5], *Flavin-Adenin-Dinucleotid od. Nicotinamid-Adenin-Nucleotide, Eisen- u. a. Metallproteide[6], Redoxine, Porphyrine[7] eingreifen; weitere Beisp. für biochem. R. s. *Lit.*[8]. – ***E*** oxidation-reduction systems, redox systems – ***F*** systèmes d'oxydo-réduction – ***I*** sistemi redox – ***S*** sistemas redox

Lit.: [1] Kontakte (Merck) **1984**, Nr. 2, 42–47. [2] Angew. Chem. **92**, 1015–1035 (1980). [3] DECHEMA Monogr. **90**, 107–119 (1981). [4] Angew. Chem. **109**, 2658–2699 (1997). [5] Chem. Unserer Zeit **11**, 165–175 (1977). [6] Angew. Chem. **107**, 1595–1598 (1995). [7] Struct. Bonding **48**, 93–124 (1982). [8] Stryer 1996, S. 559 ff., 643.

Redoxtitration s. Oxidimetrie.

Reductasen s. Reduktasen.

Reduktasen (Reductasen). Von der *IUBMB empfohlene halbsystemat. Bez. vieler *Oxidoreduktasen, bei denen ein Reaktionsverlauf in Richtung der *Reduktion des angegebenen Substrates angenommen wird od. demonstriert ist (im Gegensatz zu den Dehydrogenasen u. Oxidasen). *Beisp.:* Dihydrofolat-Reduktase (s. Folsäure), Glutathion-Reduktase (s. Glutathion), *Nitrat-, *Nitrit-, *Ribonucleotid-Reduktase. – ***E*** reductases – ***F*** réductases – ***I*** riduttasi, reduttasi – ***S*** reductasas

Reduktinsäure s. Reduktone.

Reduktion. Bez. für die stets mit der *Oxid.* gekoppelte u. dieser gegenläufige Reaktion (s. a. Redoxsysteme). Der Begriff R. entwickelte sich somit parallel dem inversen Begriff Oxidation (s. dort), d. h. statt „chem. Vereinigung von Elementen od. Verb. mit Sauerstoff" gilt hier „chem. Abspaltung von Sauerstoff aus einer Verb. durch *Desoxidationsmittel" (*Beisp.:* $PbO + C \rightarrow Pb + CO$), statt „Entziehung von Wasserstoff-

Atomen, d. h. *Dehydrierung" gilt hier „Anlagerung von Wasserstoff-Atomen, d. h. *Hydrierung" (*Beisp.:* $H_3C–CHO + H_2 \rightarrow H_3C–CH_2–OH$). Charakterist. Merkmal des R.-Vorganges ist, daß der zu reduzierende Stoff **Elektronen* von dem R.-Mittel (*Elektronendonator*) aufnimmt. Die R. geht also einher mit einer Verringerung der *Oxidationszahl (*Beisp.:* $Fe^{3+} \rightarrow Fe^{2+}$, $Cu^+ \rightarrow Cu$, $Cl \rightarrow Cl^-$). Reduziert man z. B. ein Metalloxid durch Erhitzen mit Wasserstoff (vgl. das Beisp. der Kupferoxid-R. bei Redoxsysteme), so erhält das Metall-Ion seine – dem Sauerstoff im Oxid überlassenen – Außenelektronen wieder zurück, weil ein H_2-Mol. als R.-Mittel im Verlauf der Reaktion zwei Elektronen abgibt. Die Stelle des H kann auch ein anderes Element mit einem *einsamen Elektron einnehmen; viele Metalloxide lassen sich mit Natrium zum Metall reduzieren, u. selbst Wasserstoff wird durch Li zu LiH reduziert. Geladene Ionen können gleichfalls reduzierend wirken: Zinn(II)-chlorid reduziert Quecksilber(II)-chlorid zu metall. Quecksilber u. geht dabei in Zinn(IV)-chlorid über. Bei der *Elektrolyse findet an der Kathode R. statt, da diese die vom neg. Pol kommenden Elektronen der Lsg. zuführt (*kathodische Reduktion, s. a. Elektrochemie). In „sichtbarer" Weise (als *solvatisierte Elektronen an ihrer intensiv blauen Farbe erkennbar) wirken die R.-Äquivalente im *Reduktionsmittel Na/flüssiges NH_3.

R.-Prozesse spielen, z. T. auch wegen ihrer Kopplung mit Oxid.-Vorgängen, in Natur u. Technik eine bedeutende Rolle. Im anorgan. Bereich ist z. B. die Gewinnung von Metallen durch R. von Erzen od. Salzen ein wichtiges Anw.-Gebiet – man denke auch an das Haber-Bosch-Verf., an den Hochofen-Prozeß u. verwandte carbotherm. R.-Verf., denen metallotherm., insbes. die Aluminothermie, zur Seite stehen, an Photographie, Bleich- u. R.-Prozesse an Farbstoffen usw. Hier sind auch elektrochem. R.-Meth. zu erwähnen wie z. B. die Schmelzflußelektrolyse zur Herst. von Al, Alkali-, Erdalkali- u. Seltenerdmetallen, Elektrolyse-Verf. in Lsg. etc.

In der organ. Chemie bedeutet R. in den meisten Fällen der Verlust von Sauerstoff u./od. den Zuwachs an Wasserstoff in bezug auf die Umwandlung von Stoffklassen. In der Tab. sind wichtige Stoffklassen mit den zugehörigen Oxid.-Zahlen der C-Atome aufgelistet. R. bedeutet dann die Umwandlung einer Kategorie in die nächst tiefere. Umwandlungen innerhalb einer Kategorie sind weder Oxid.- noch R.-Prozesse.

Tab.: Stoffklassen u. Oxid.-Zahl des C-Atoms

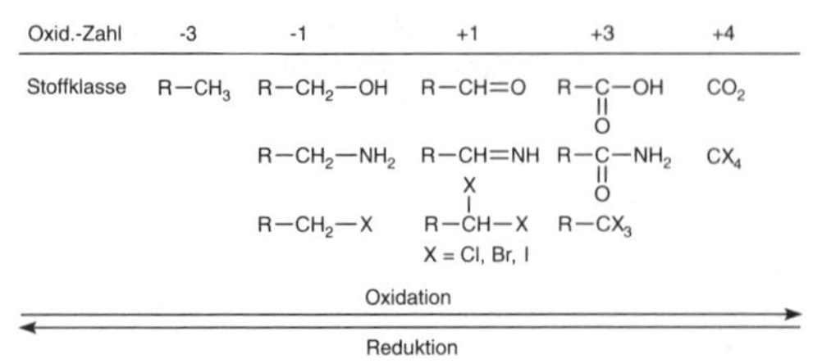

Oxid.-Zahl	-3	-1	+1	+3	+4
Stoffklasse	R–CH$_3$	R–CH$_2$–OH	R–CH=O	R–C(=O)–OH	CO$_2$
		R–CH$_2$–NH$_2$	R–CH=NH	R–C(=O)–NH$_2$	CX$_4$
		R–CH$_2$–X	R–CHX–X	R–CX$_3$	

X = Cl, Br, I

Oxidation →

← Reduktion

Es haben sich eine Vielzahl von z. T. nach ihren Erstanwendern benannten R.-Meth. entwickelt, die ggf. in Einzelstichwörtern behandelt sind: R. nach Clemmensen, Wolff-Kishner, Huang-Minlon, Meerwein-Ponndorf-Verley, Birch, Béchamp, Bouveault-Blanc, Rosenmund-Saytsev u. viele andere. Bestimmte, meist in eigenen Stichwörtern abgehandelte Verb. bzw. Verb.-Klassen sind als R.-Mittel bes. zweckmäßig, z. B. Wasserstoff an homogenen od. heterogenen Katalysatoren (*Beisp.:* *Raney-Katalysatoren), Na in Alkoholen, Alkalimetalle in flüssigem NH_3, Zink-Staub, Sulfite, Hydrogensulfite, Dithionite, Übergangsmetalle in niedrigen Oxid.-Stufen, z. B. Samariumdiiodid [1] (s. a. Lanthanoide-organische Verbindungen), Metall-organ. Verb. wie Alkyllithium, Silicium-organ. Verb., Bor-Stickstoff-Verb., Metallhydride u. komplexe Hydride von Al od. B [2] (s. Alanate u. Boranate), Alkohole, Polyole, Polyphenole, Diimine [3]. In Laboratorium u. Technik haben mikrobielle bzw. enzymat. R. (s. Hydrogenasen, Nitrogenasen, Oxidoreduktasen) schon Einzug gehalten [4]. Als Cosubstrat (H-Überträger) fungiert meist NADH; im Fall der sog. elektromikrobiellen R. übernimmt kathod. reduziertes Methylviologen (Paraquat) diese Aufgabe. Stereoselektive R. spielen eine bedeutende Rolle in der stereoselektiven Synthese. So können mit BINAL-H, einem Aluminiumhydrid-Komplex von BINOL (s. Binaphthyl), stereoselektiv Ketone zu sek. Alkoholen reduziert werden. [5]

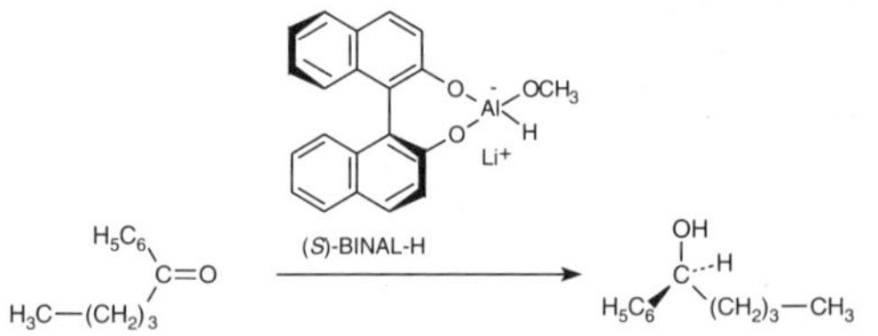

Abb.: Enantioselektive Reduktion von 1-Phenyl-1-pentanon zu (*S*)-1-Phenyl-1-pentanol (ee = 100%) mit (*S*)-BINAL-H.

– ***E*** reduction – ***F*** réduction – ***I*** riduzione – ***S*** reducción

Lit.: [1] Org. React. **46**, 211 ff. (1995). [2] Seyden-Penne, Reductions by the Alumino- and Borohydrides, Chichester: Wiley 1998. [3] Org. React. **40** (1991). [4] Mulzer et al., Organic Synthesis Highlights, S. 216 f., Weinheim: VCH-Verlagsges. 1991. [5] Nógrádi, Stereoselective Synthesis, 2. Aufl., S. 83, Weinheim: VCH Verlagsges. 1995.
allg.: Abdel-Magid, Reductions in Organic Synthesis, Washington: American Chemical Society 1996 ▪ Angew. Chem. **92**, 675–683 (1980); **95**, 597–611 (1983); **96**, 556–565 (1984); **97**, 541–555 (1985) ▪ Acc. Chem. Res. **16**, 399 ff. (1983); **17**, 338–344 (1984) ▪ Chem. Rev. **85**, 129–170 (1985) ▪ Houben-Weyl **4/1 c, d** (1980, 1981) ▪ Hudlicky, Reductions in Organic Chemistry, 2. Aufl., Washington: American Chemical Society 1996 ▪ March (4.), S. 1206 ff. ▪ Org. React. **23**, 1–285 (1975); **29**, 163–344 (1983); **34**, 1–318 (1985) ▪ Top. Curr. Chem. **130**, 133–181 (1986) ▪ Trost-Fleming **8** ▪ Ullmann (5.) **A 1**, 447–457; **A 2**, 42–48; **A 22**, 687 ff. ▪ Winnacker-Küchler (4.) **4**, 22–28; **6**, 205–219.

Reduktionsäquivalent (Redox-Äquivalent). Diejenige Menge eines *Reduktionsmittels, die genau ausreicht, um an jedes Mol. eines zu reduzierenden Oxidationsmittels ein Elektron abzugeben (s. Redoxsysteme). – ***E*** reduction equivalent – ***F*** équivalent de réduction – ***I*** equivalente di riduzione – ***S*** equivalente de reducción

Reduktionsflamme s. Bunsenbrenner u. Lötrohranalyse.

Reduktionsmittel. Bez. für diejenigen Elemente u. Verb., die als *Elektronendonatoren* [s. a. Elektronen-

Don(at)or-Akzeptor-Komplexe] bestrebt sind, durch die Abgabe von Elektronen (*Oxidation*) in einen energieärmeren Zustand überzugehen, v.a. unter Bildung stabiler Elektronenschalen. Ein Maß für die Stärke eines R. ist das sog. *Redoxpotential. Beisp. s. bei Reduktion u. Redoxsysteme. – ***E*** reducing agents – ***F*** réducteurs – ***I*** riducente, agente riducente – ***S*** reductores

Reduktionsteilung s. Mitose.

Reduktiv. Ein Prozeß heißt r., wenn er mit einer *Reduktion verknüpft ist. *Beisp.:* R. Dehalogenierung, d.h. Ersatz von Halogen- durch Wasserstoff-Atome. – ***E*** reductive – ***F*** réductif, réducteur – ***I*** riduttivo – ***S*** reductor

Reduktive Aminierung s. Ketone.

Reduktive Eliminierung s. Metall-organische Reaktionen.

Reduktone. Um 1930 erhielt von *Euler-Chelpin beim Erhitzen von Glucose mit verd. Natronlauge eine farblose, krist. Substanz mit der Summenformel $C_3H_4O_3$, die er ihrer stark reduzierenden Wirkung wegen als R. bezeichnete (heutige Bez.: *Hydroxypropandial*, Hydroxymalonaldehyd od. *Trioseredukton). Hiervon abgeleitet benutzt man die Bez. R. heute für solche *Endiole, die durch Substitution in α-Stellung stabilisiert sind u. deren *Tautomerie-Möglichkeiten ähnlich sind wie die der *Acyloine. R. sind starke Red.-Mittel u. kommen in der Natur als biochem. wichtige, oft als natürliche *Antioxidantien fungierende Stoffe vor. Die wichtigsten derartigen R., *Ascorbinsäure, *Isoascorbinsäure, *Trioseredukton u. *Reduktinsäure* (2,3-Dihydroxy-2-cyclopentenon, $C_5H_6O_3$, M_R 114,10, Schmp. 213 °C, Formel s. Abb. c), sind sog. *aci*-R., d.h. *α-Carbonyl-endiole* (s. Abb. a). Diese bilden Chelate (s. Abb. b) der abgebildeten Art od. ähnliche, stark farbige Chelate mit Metallionen (Fe^{3+}, Ti^{4+}).

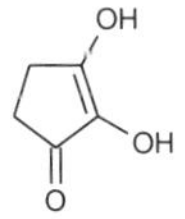

Abb.: a) Hydroxypropandial (Triosereduktion); b) Triosereduktion-Chelat; c) Reduktinsäure.

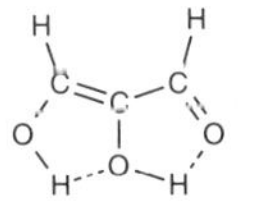

In alkal. Milieu bilden R. Salze (*Reduktonate*); Näheres zu Struktur, Analyse, Herst. u. Eigenschaften der R. s. *Lit.*[1]. Der Nachw. der Red.-Wirkung erfolgt durch *2,6-Dichlorphenol-indophenol-natrium. Die R. wirken in Lebensmitteln teils günstig (Antioxidantien), teils nachteilig (Zerstörung von Geruchs- u. Geschmacksstoffen). Daneben schreibt man ihnen eine Mitwirkung zu an der Bräunung von Brot, Kaffee, Malz usw. – ***E*** reductones – ***F*** réductones – ***I*** riduttoni – ***S*** reductonas

Lit.: [1] Synthesis **1972**, 176–190.
allg.: Chem. Rev. **64**, 7–18 (1964) ▪ von Euler u. Eistert, Chemie u. Biochemie der Reduktone u. Reduktonate, Stuttgart: Enke 1957 ▪ Hager **2**, 726 ▪ Houben-Weyl **6,1 d** ▪ s.a. Endiole. – *[CAS 80-72-8 (Reduktinsäure)]*

Redundanz (von latein.: redundantia = Überfluß). Begriff aus der Informationstheorie, der in der Molekularbiologie u. Gentechnik (s. Gentechnologie) die Sicherung u. Weitergabe von genet. Information durch Vervielfältigung beschreibt. Dabei können *Gene (auch in Form unterschiedlicher *Allele), Signalbereiche od. nichtfunktionelle Sequenzen im Genom eines Organismus mehrfach vorliegen (repetitive DNA). Das natürliche Ende von linearen *Chromosomen z.B. bilden sog. *Telomere, die essentiell für die vollständige Replikation u. Stabilität der Chromosomen-Enden sind. Terminale R. findet sich bei Bakteriophagen (s. Phagen u. Viren) an den Enden der linearen DNA in homologen Sequenzbereichen, die für die Phagen-Vermehrung essentiell sind. – ***E*** redundancy – ***F*** redondance – ***I*** ridondanza – ***S*** redundancia

Reduplikation s. Replikation.

Reduzenten s. Destruenten.

Reduzierstücke. Auch als Übergangsstücke bezeichnete Adapter aus Glas, die mit Normschliffen nach DIN 12242-1 versehen sind u. zur Verbindung unterschiedlich großer Kegelschliffe dienen. – ***E*** adapters, reducers – ***F*** adapteurs, réducteurs – ***I*** adattatori, raccordi – ***S*** reductores, adaptadores

Lit.: DIN 12257: 1981-11.

Reduzierte Größen s. kritische Größen.

Redwitzit. Lokale Bez. für einen variabel zusammengesetzten, hinsichtlich seiner Entstehung umstrittenen, *Diorit-ähnlichen Naturstein aus der Nähe von Marktredwitz im Fichtelgebirge, der früher als Dekorationsgestein, zu Denkmälern, Grabsteinen, Pflastern u. dgl. verwendet wurde. – ***E*** = ***F*** = ***I*** redwitzite – ***S*** redwitzita

Lit.: Müller, Bayerns steinreiche Ecke, S. 179ff., Hof: Oberfränkische Verlagsanstalt 1979 ▪ Wimmenauer, Petrographie der magmat. u. metamorphen Gesteine, S. 92, Stuttgart: Enke 1985.

Reed-Reaktion s. Sulfochlorierung.

Reerink, Wilhelm (geb. 1905), Prof. für Chemie, TH Clausthal, Geschäftsführer des Steinkohlenbergbauvereins in Essen (1935–1970), Geschäftsführer der Bergbau-Forschung GmbH (1955–1970). *Arbeitsgebiete:* Kohlechemie u. -technologie, insbes. Kohleveredlung u. Kohleforschung.

Lit.: Kürschner (16.), S. 2903 ▪ Strube et al., S. 171.

Reetz, Manfred T. (geb. 1943), Prof. für Organ. Chemie, Univ. Bochum; MPI für Kohlenforschung, Mülheim an der Ruhr. *Arbeitsgebiete:* Organ. Synth., Metall-organ. Chemie, Katalyse, Metallcluster, Biokatalyse. 1986 erhielt er den Otto-Bayer-Preis u. 1989 den Leibniz-Preis der DFG.

Lit.: Kürschner (16.), S. 2903.

REFA. Abk. für den 1924 als „Reichsausschuß für Arbeitszeitstudien" gegr. Verband für Arbeitsgestaltung, Betriebsorganisation u. Unternehmensentwicklung e.V. mit Sitz in 64295 Darmstadt, Wittichstr. 2. Der von 35000 Einzel- u. Firmenmitgliedern getragene gemeinnützige Verein befaßt sich mit der Entwicklung,

Anw. u. Verbreitung von Erkenntnissen u. Erfahrungen auf den Gebieten Arbeitsgestaltung, Betriebsorganisation, Unternehmensentwicklung sowie auf verwandten Gebieten, die auch für die chem. Ind. Bedeutung erlangt haben (Fachausschuß Chemie). Ausbildungsstätten von REFA sind das REFA-Inst. Darmstadt, das REFA-Informatikcenter Dortmund u. die REFA-Akademie für Betriebswirtschaft Mannheim. REFA-Publikationen sind beim Beuth Verl., Berlin erhältlich. INTERNET-Adresse: http://www.REFA.de.

Referatedienste s. Recherche, Referateorgane u. SDI.

Referateorgane. Allg. Bez. für Publikationsformen der *Sekundärlit.* (s. chemische Literatur), die – meist in Form von Zeitschriften, CD-ROM's od. Magnetbändern, seltener von Karteien (Gedruckte, Magnetband-, Kartei-Dienste) – ausschließlich *Referate* publizieren, d. h. kurze Inhalts-Zusammenfassungen von Veröffentlichungen der *Primärlit.* unter Herausstellung des wesentlichen Informationsinhaltes einschließlich der Daten. Ziel der R. ist die inhaltliche Erschließung möglichst aller das Fachgebiet betreffenden Publikationen unabhängig von Publikationsart (Zeitschriften, Patent) od. -medium (Papier, Mikrofiche), von Sprache od. regionaler Verbreitung. – ***E*** abstracts – ***I*** relazioni pubblicate – ***S*** boletín de resúmenes

Referenz s. Standard.

Referenzelektroden s. Bezugselektroden.

Refiner-Verfahren s. Papier.

Reflection High Energy Electron Diffraction s. LEED.

Reflectoquant®. Test u. Geräte zur quant. Schnellanalytik. ***B.:*** Merck.

Reflektometer s. Reflexionsspektroskopie.

Reflektoren. *R.-Leg.* ist eine in der Optik verwendete Guß-Leg. aus 60–70% Cu, 30–34% Sn u. bis zu 5% Ni.

Reflexblau-Marken. Organ. Pigmente von Hoechst für Druckfarben u. Büroartikel.

Reflexfolien. Für Projektionsleinwände, Warn- u. Signaleinrichtungen verwendete Folien, die auftreffendes Licht reflektieren, weil sie zahllose, winzige *Glaskugeln (Brechungsindex 1,5–2,2) enthalten. Typ., ggf. durch *Leuchtpigmente, Farbstoffe od. *Tagesleuchtfarben in *Sicherheitsfarben eingefärbte R. bestehen aus Deckschicht, Glaskugel, Distanzschicht, Spiegelschicht, Schutzschicht. Vgl. a. Reflexion. – ***E*** reflecting films – ***F*** feuilles refléchissantes – ***I*** foglie riflettenti – ***S*** láminas reflejantes

Reflexion (von latein.: reflectere = rückwärts biegen, zurückwenden). Wenn Wellen (*einlaufende Welle*) elektromagnet. Strahlung (z. B. *Licht) od. Teilchenwellen (Wasser-, Schallwellen) aus einem Medium auf die *Grenzfläche zu einem anderen Medium auftreffen, werden sie mehr od. weniger stark in das 1. Medium zurückgeworfen (*reflektierte Welle*), soweit sie nicht unter Refraktion (s. die Abb. 1 dort) in das 2. Medium eintreten.

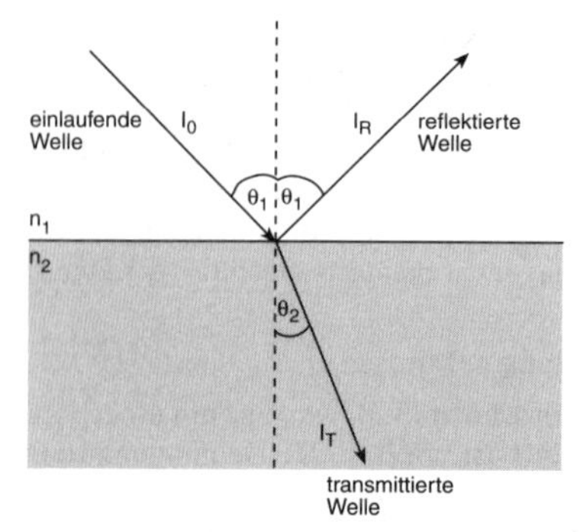

Abb. 1: Reflexion u. Transmission einer Welle an der Grenzfläche von zwei transparenten Medien mit den Brechungsindices n_1 bzw. n_2.

Der R.-Winkel (Ausfallswinkel) ist gleich dem Einfallswinkel θ_1 (s. Abb. 1). Bei senkrechtem Auftreffen von Lichtstrahlung auf durchsichtige Körper gilt die Beziehung $R = (n_2 - n_1)^2/(n_2 + n_1)^2$, wobei n der *Brechungsindex* (s. Refraktion) u. R (früher: ρ) $= I_R/I_0$ der *R.-Grad* od. das *R.-Vermögen* ist (s. a. Glanz), d. h. das Intensitätsverhältnis der reflektierten (I_R) zur einfallenden Strahlung (I_0). Der R.-Grad hängt von der *Polarisation der Welle ab. Schwingt linear polarisiertes Licht parallel zur Einfallsebene (= Zeichenebene von Abb. 1), so ergibt sich für parallele Polarisation

$$R_{\parallel} = \left\{ \frac{n_2 \cos\theta_1 - n_1 \cos\theta_2}{n_2 \cos\theta_1 + n_2 \cos\theta_2} \right\}$$

bzw. für senkrechte Polarisation

$$R_{\perp} = \left\{ \frac{n_1 \cos\theta_1 - n_2 \cos\theta_2}{n_1 \cos\theta_1 + n_2 \cos\theta_2} \right\}.$$

Die beiden Winkel sind über das *Snellius'sche Brechungsgesetz* miteinander verbunden:

$$\sin\theta_2 = \frac{n_1}{n_2} \cdot \sin\theta_1 .$$

Sofern keine *Absorption stattfindet, gilt für den Transmissionsgrad:

$$T = I_T/I_0 \text{ u. } R + T = 1.$$

In Abb. 2 sind die Werte für $R_{\parallel}$ u. $R_{\perp}$ für das Beisp. $n_1 = 1$ u. $n_2 = 1{,}5$ (Übergang opt. dünneres in opt. dichteres Medium, z. B. Luft-Glas-Übergang) dargestellt.

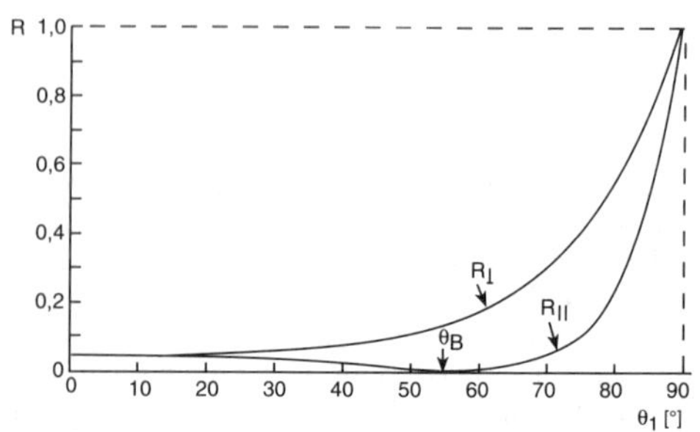

Abb. 2: Reflexionsgrad R in Abhängigkeit vom Einfallswinkel θ_1 für $n_1 = 1$ u. $n_2 = 1{,}5$; θ_B = Brewster-Winkel.

Für den Winkel θ_B (genannt *Brewster-Winkel*; mit *tan* $\theta_B = n_2/n_1$) wird $R_{\parallel}$ gleich Null, d. h. unter diesem Winkel wird eine parallel polarisierte Welle vollständig in das Medium 2 transmittiert. Diese Tatsache wird beim Bau von Laserkomponenten u. zum Polarisieren von Licht ausgenutzt, denn die unter dem Winkel θ_B reflektierte Komponente ist vollständig senkrecht polarisiert. Zu beachten ist ferner, daß alle Stoffe, sofern deren Oberfläche nicht zu rauh ist, bei streifendem Einfall (d. h. θ_1 nahe 90°) einen R.-Grad von 1 besitzen. Abb. 3 gibt die Werte von $R_{\|}$ u. $R_{\perp}$ für das Zahlenbeisp. $n_1 = 1{,}5$ u. $n_2 = 1$ (Übergang opt. dichteres in opt. dünneres Medium, z. B. Glas-Luft-Übergang).

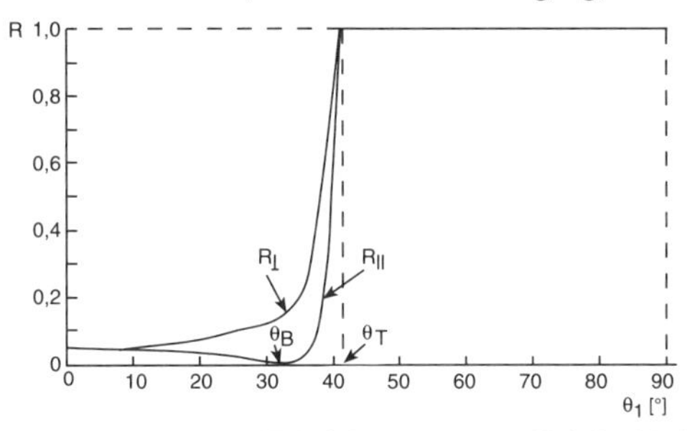

Abb. 3: Reflexionsgrad R in Abhängigkeit vom Einfallswinkel θ_1 für $n_1 = 1{,}5$ u. $n_2 = 1$; θ_T = Winkel für Totalreflexion.

Auch hier gibt es wieder einen Brewster-Winkel θ_B; die Besonderheit besteht darin, daß für alle Winkel $\theta_1 \geq \theta_T$ der R.-Grad gleich 1 ist; man spricht von *Totalreflexion*. Es gilt sin $\theta_T = n_2/n_1$. Die Total-R. wird u. a. für *Lichtleitfasern (s. Glasfasern, Faseroptik), in R.-Prismen u. in der *ATR-Spektroskopie* (s. IR-Spektroskopie u. Reflexionsspektroskopie) angewendet; auch das Glitzern von Brillanten beruht auf Totalreflexion. Je nach physikal. Beschaffenheit der Grenzflächen tritt auch *Spiegelung* (gerichtete R.) u./od. *Remission* (ungerichtete od. diffuse R.) ein; quant. überwiegt bei durchsichtigen Körpern, sofern der Einfallswinkel ≤80° ist, die *Transmission. Das Verhältnis von remittierter zu eingestrahlter Energie in Prozent nennt man *Albedo*-Wert (*Beisp.:* *Sonnenenergie).
Krist. von Fuchsin od. Methylviolett u. a. Farbstoffen reflektieren das Licht ähnlich wie die Metalle; sie zeigen starkes R.-Vermögen im gleichen Strahlenbezirk (grün od. gelb), in dem sie Licht absorbieren. Daher ist ihre Farbe im auffallenden Licht grün (od. gelb), hingegen zeigt deren Lsg. in durchfallendem Licht die Komplementärfarbe (Rot bzw. Violett). Metalle zeigen infolge der Wechselwirkung von Photonen mit Leitungselektronen eine anomale R.; sie reflektieren das Licht fast vollständig (*Metallglanz*, s. *Lit.*[1]). Bei Glas, insbes. bei *optischen Gläsern, läßt sich unerwünschte R. durch *Vergüten (*Entspiegelung* durch Antireflexbeläge) vermindern. Dagegen ist R. z. B. in *Reflexfolien u. *Glanzpigmenten erwünscht. Durch selektive Verstärkung od. Schwächung der R. in bestimmten Wellenlängenbereichen mittels *Interferenz werden Spiegel mit hohem R.-Grad hergestellt (z. B. Laserspiegel), s. a. Interferenzschicht. – ***E*** reflection – ***F*** réflexion – ***I*** riflessione – ***S*** reflexión

Lit.: [1] Kohlrausch, Praktische Physik 3, S. 416, Stuttgart: Teubner 1996.
allg.: Gauert u. Bode, Reflexionsmeßgerät für Reihenuntersuchungen von Aufdampfschichten (DFVLR-Mitt. 85-18), Köln-Porz: DFVLR 1985 ▪ Hecht, Optik, New York: McGraw-Hill 1987 ▪ Kohlrausch, Praktische Physik 2, Stuttgart: Teubner 1996 ▪ Lerner u. Trigg (Hrsg.), Encyclopedia of Physics, Weinheim: VCH Verlagsges. 1991 ▪ Spektrum Wiss. **1986**, Nr. 6, 152–157 ▪ s. a. Reflexionsspektroskopie u. Refraktion.

Reflexionsphotometer s. Reflexionsspektroskopie.

Reflexionsspektroskopie. Spektroskopie der Strahlung, die von diffus streuenden Stoffen reflektiert wird. Da diffuse *Reflexion oft *Remission* (Rückstrahlung) genannt wird, bezeichnet man die R. auch als *Remissionsspektroskopie*. Die method. u. theoret. bes. von *Kortüm entwickelte R. eignet sich zur Untersuchung der Lichtabsorption lichtundurchlässiger u. unlösl. Stoffe u. läßt sich daher zur Analyse von *Pigmenten (z. B. in od. auf Papier, Textilien, Kunststoffen), amorphen u. krist. Festkörpern, Adsorbaten, z. B. Dünnschichtchromatogrammen [1], Reagenzpapieren u. Teststreifen od. -stäbchen [2,3], Pulvern, therm. Zers.-Produkten u. dgl. heranziehen. Unter der Voraussetzung, daß Streuung u. Lumineszenz vernachlässigbar sind, ist die Summe von Transmission, Absorption u. Reflexion = 1. Die theoret. Grundlage der *Farbmetrik* für die quant. Bestimmung des *Remissionsgrades* (Anteil reflektierter Strahlung, *Albedo*) ist die sog. *Kubelka-Munk-Theorie* (s. Farbe u. die dort zitierten Arbeiten). Allerdings ist bei glatten Oberflächen, z. B. von Kunststoffen, neben der Farbe noch deren *Glanz zu berücksichtigen [4]. Bei Weißpigmenten beträgt das Remissions-(Rückstrahlungs-)Vermögen etwa 70–97% (aufgerauhtes MgO), bei weißer Emaille u. poliertem Aluminium 70%, bei poliertem Messing um 60% u. bei Ruß unter 4%, vgl. a. die Zusammenstellung einiger Werte für *Reflexionskoeff.* in *Lit.*[5]. Die Geräte zur R. nennt man Remissions- od. Reflexionsphotometer, Reflektometer od. gar Reflometer. Daneben sind sog. Remissionsansätze zu den handelsüblichen Spektralphotometern für den sichtbaren u. UV-Bereich entwickelt worden. Auch im IR ist die R. anwendbar; bes. Bedeutung hat die sog. ATR-Variante der R. (von *E* attenuated total reflectance = abgeschwächte Totalreflexion) in der *IR-Spektroskopie gefunden. Anw. findet die R. außer für die oben genannten Zwecke zur Untersuchung von Säure-Basen- u. Charge-transfer-Wechselwirkungen, Redoxsyst., in Photo-, Thermo- u. Piezochromie, in der Wasser-Untersuchung, in der medizin. Analytik [2] u. zum Studium von Organfunktionen [6] etc. Die R. gestattet auch, Fälle von sog. *Metamerie zu untersuchen. – ***E*** reflectance spectroscopy – ***F*** spectroscopie de réflexion – ***I*** spettroscopia di riflessione – ***S*** espectroscopia de reflexión

Lit.: [1] Top. Curr. Chem. **126**, 71 (1984). [2] Labo **16**, 399 (1985). [3] GIT Fachz. Lab. **29**, 369 (1985). [4] Plaste Kautsch. **24**, 468 (1977). [5] Handbook **75**, E404–405. [6] Int. Instrum. Res. **1**, 82 (1985).
allg.: Annu. Rev. Biophys. Bioeng. **13**, 247–268 (1984) ▪ Annu. Rev. Phys. Chem. **31**, 97–130 (1980) ▪ Chem. Tech. **7**, 107–110 (1978) ▪ Int. Lab. **9**, Nr. 1, 19–33, Nr. 4, 49–58 (1979); **10**, Nr. 3, 63–74, Nr. 5, 47–55 (1980) ▪ Nachr. Chem. Tech. Lab. **33**, 708–711 (1985) ▪ Ullmann **2/1**, 315–325; (4.) **5**, 206, 298 ff.; **11**, 175 ▪ Winnacker-Küchler (3.) **2**, 183 ff.; (4.) **3**, 352–357, 393 f. ▪ Z. Chem. **23**, 353–365 (1983); **25**, 358–361 (1985).

Reflometer s. Reflexionsspektroskopie.

Reflux(ier)en. Aus der engl. Sprache übernommene Bez. für *Sieden unter *Rückfluß.

Refobacin® (Rp). Creme, Puder, Ampullen, Trockensubstanz zur Injektion, Augensalbe u. -tropfen mit *Gentamicin-sulfat gegen bakterielle Infektionen; *R.-Palacos R* ist ein Gentamicin-haltiger Knochenzement (*Knochenklebstoff) auf der Basis von Polymethacrylaten, Zirconium(IV)-oxid u. Benzoylperoxid sowie Methylmethacrylat u. *N,N*-Dimethyl-*p*-toluidin. ***B.:*** Merck.

Reformatbenzin. Klopffestes, weil Aromaten-reiches *Benzin, das durch *Reformieren geeigneter Rohölfraktionen hergestellt wird. – ***E*** reformate – ***F*** essence de reformage – ***I*** benzina di reforming – ***S*** gasolina reformada – *[HS 2707 50, 2710 00]*

Reformatsky-Reaktion. Von Sergei Nikolayevich Reformatsky [1] (1860–1934, Kiew) entdeckte Synth. von 3-Hydroxycarbonsäureestern durch Umsetzung von Halogenessigsäureestern mit Aldehyden od. Ketonen in Ggw. von Zink in siedendem Benzol od. a. Lösemitteln. Die R.-R. besitzt große Ähnlichkeit mit der *Grignard-Reaktion, wobei analog zu den *Grignard-Verbindungen *Zink-organische Verbindung als Zwischenstufen durchlaufen werden. Insbes. mit aromat. Aldehyden unterliegen die 3-Hydroxycarbonsäureester der katalysierten Eliminierung von Wasser, wobei *α,β*-ungesätt. Carbonsäureester gebildet werden. Da von *α*-Halogenestern *keine* Grignard-Verb. hergestellt werden können, bietet die R.-R. hier eine willkommene Alternative.

$R^1-CH(Br)-COOR^2 \xrightarrow{+Zn} R^1-CH(ZnBr)-COOR^2 \xrightarrow{+R^3-CO-R^4}$

$R^3-C(R^4)(O-ZnBr)-CH(R^1)-COOR^2 \xrightarrow[-ZnBr(OH)]{H^+/H_2O} R^3-C(R^4)(OH)-CH(R^1)-COOR^2$

$\xrightarrow[-H_2O]{H^+} R^4(R^3)C=C(R^1)COOR^2$

– ***E*** Reformatsky reaction – ***F*** réaction de Reformatsky – ***I*** reazione di Reformatsky – ***S*** reacción de Reformatsky

Lit.: [1] Poggendorff **7 b/7**, 4308.
allg.: Hassner-Stumer, S. 312 ▪ Houben-Weyl **8**, 511 f.; **13/2a**, 809–839; **E 5**, 708 ▪ J. Org. Chem. **56**, 4333 f. (1991) ▪ Krauch u. Kunz, Reaktionen der Organischen Chemie, 6. Aufl., S. 395, Heidelberg: Hüthig 1997 ▪ Laue-Plagens, S. 265 ▪ March (4.), S. 929 ▪ Org. React. **22**, 423–460 (1975) ▪ Synthesis **1989**, 571 f. ▪ Trost-Fleming **2**, 277 ff. ▪ s. a. Zink-organische Verbindungen.

Reformieren (von latein.: reformare = umgestalten, verbessern). Im chem. Sinne Bez. für einen Veredlungsschritt in der *Petrochemie. Hierbei wandelt man therm. u./od. katalyt. bestimmte Erdöl-Produkte, insbes. Schwerbenzine u. sog. *straight-run-Benzine* (s. Benzin, S. 392), in Aromaten u. Isoparaffine um. Zweck des R. als *Raffinations-Verf. sind die *Octan-Zahl-Erhöhung der *Motorkraftstoffe u. die Gewinnung der *BTX-Fraktion für die chem. Industrie. Während das *Kracken hauptsächlich eine Spaltung größerer in kleinere Mol. bewirkt, finden beim R. an den Alkanen u. Cycloalkanen Umlagerungen, Isomerisierungen, Desalkylierungen, Cyclisationen, Dehydrierungen, Dehydrocyclisationen u. ä. Reaktionen statt. Die älteren therm. R.-Verf. (650 °C, Verweilzeiten von wenigen Zehntelsekunden) sind heute durch katalyt. Verf. verdrängt worden. Als Katalysator diente ursprünglich MoO_3; heute bevorzugt man Pt-haltige sowie Bi- u. Multi-Edelmetall-Katalysatoren auf Molekularsieben bei Temp. von 490–540 °C, Drücken von 0,8–4 MPa u. unter H_2-Partialdruck.
Gebräuchliche, z. T. in Einzelstichwörtern behandelte R.-Verf. sind: Platforming, Magnaforming, Rheniforming, Powerforming, Ultraforming u. IFP-Reforming. Heute weniger bedeutende od. gar nicht mehr praktizierte R.-Verf. sind: Catarolprozeß, Houdriforming, Hydroforming, Hyperforming, Isomerate, Isoplus, MHC-Prozeß, Penex, Rexforming, Sinclair-Baker-Kellogg- bzw. Udex-Verf., Unifining u. a. Über die beim R. anfallenden Nebenprodukte (Spaltgase mit Olefinen etc.) u. über die Einordnung der R.-Verf. innerhalb der Verfahrensschritte der Petrochemie s. Erdöl (S. 1198). – ***E*** = ***F*** = ***I*** reforming – ***S*** reformado, reforming

Lit.: Kirk-Othmer (4.) **4**, 592–597; **5**, 408 f.; **18**, 448 ▪ Ullmann (4.) **10**, 681–690; (5.) **A 13**, 496 f. ▪ Weissermel-Arpe (4.), S. 340 ff. ▪ Winnacker-Küchler (4.) **5**, 94–104 ▪ s. a. Erdöl, Petrochemie.

Reforming-Verfahren s. Reformieren.

Refraktion (von latein.: refringere = zer-, aufbrechen). Unter R. od. *Lichtbrechung* versteht man die Ablenkung (Richtungsänderung), die ein Lichtstrahl erfährt, wenn er im Winkel in ein opt. andersartiges Medium (z. B. beim Übergang aus Luft in Glas od. Wasser u. dgl.) eintritt, in dem auch seine Fortpflanzungsgeschw. (c = Lichtgeschw. im Vak., c/n = Lichtgeschw. im Medium mit dem Brechungsindex n) anders ist (s. Abb. 1). Augenfällig werden Brechungsunterschiede demonstriert beim Mischen von Flüssigkeiten od. bei der Bildung von Luftspiegelungen über heißen Flächen (*Schlieren). Bei senkrechtem Eintritt findet keine Brechung statt. In dem bereits von Snellius (1615) aufgestellten Lichtbrechungsgesetz $\frac{\sin\alpha}{\sin\beta} = \frac{n_2}{n_1}$ bedeuten n_1 bzw. n_2 die Brechungsindices der beiden Medien, *α* der Winkel des Lichtstrahles zum Einfallslot im Medium 1 u. *β* der entsprechende Winkel im Medium 2. Beim Übergang vom opt. dichteren zum opt. dünneren Medium ($n_1 > n_2$) tritt für Winkel $\alpha > \alpha_G$ [$\alpha_G = \arcsin(n_2/n_1)$, *Grenzwinkel*, s. Abb. 1 b] *Totalreflexion* ein (s. Reflexion).

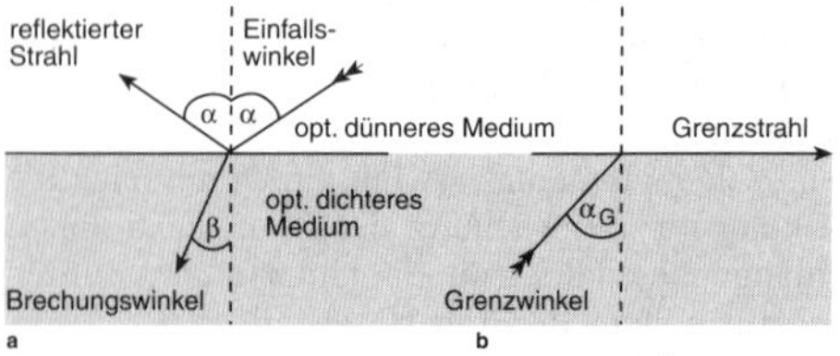

Abb. 1: Refraktion eines Lichtstrahles beim Übergang vom a) opt. dünneren ins opt. dichtere Medium (z. B. Luft–Glas od. Luft–Wasser), – b) vom opt. dichteren ins opt. dünnere Medium.

Der *Brechungsindex* von Luft unter Normalbedingungen ist im sichtbaren Spektralbereich n = 1,00028. Für viele Anw. wird $n_{Luft} = 1$ gesetzt. Die explizite Abhängigkeit von n_{Luft} von der Wellenlänge sowie eine Tab.

über den Brechungsindex verschiedener Materialien gibt *Lit.*[1]. Da die R. von der Wellenlänge der einfallenden *Strahlung abhängig ist (kurzwelliges, z. B. violettes *Licht wird stärker abgelenkt als langwelliges, z. B. rotes; man bezeichnet diese Eigenschaft als *normale Dispersion*; bei der *anomalen* ist es umgekehrt), mißt man den Brechungsindex n nach Übereinkunft bei der Standardwellenlänge, der (gelben) D-Linie des Natriums (ca. 589 nm), u. kennzeichnet dies durch n_D. Tab. 1 gibt weitere Standardlinien an.

Tab. 1: Standardlinien zur Bestimmung von Brechungsindices u. zugehöriger Brechungsindex von Benzol.

Linienbezeichnung	Element	Wellenlänge [nm]	n (Benzol)
i	Hg	365,0	1,54460
h	Hg	404,7	1,53180
g	Hg	435,8	1,52319
F′	Cd	480,0	1,51420
e	Hg	546,1	1,50545
d	He	587,6	1,50155
D	Na	589,3	1,50140
C′	Cd	643,8	1,49740
r	He	706,5	1,49380
S	Cs	852,1	1,48850

Man kann die Bestimmung des Brechungsindex auch mit „weißem" Licht ausführen, wenn das Meßgerät ein sog. *geradsichtiges* Dispersionsprisma (z. B. ein dreiteiliges Amiciprisma, vgl. Abb. 2, Abbe-Refraktometer) enthält, das nur *eine* Farbe ohne Ablenkung durchläßt u. die übrigen wegbricht.

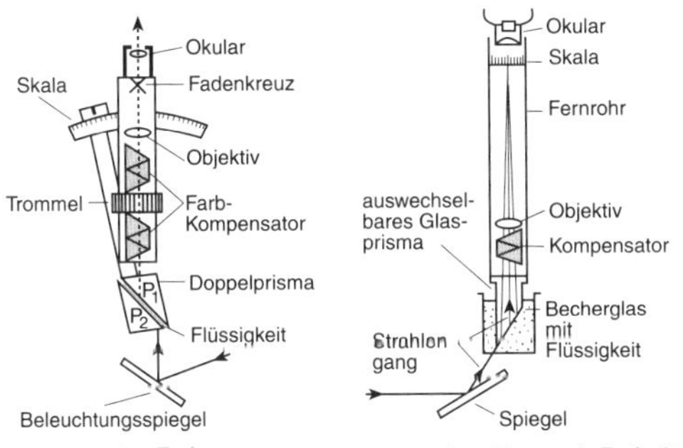

Abb. 2: Abbe-Refraktometer (linke Abb.) u. Eintauch-Refraktometer (rechte Abb.).

Geräte zur Messung der R. heißen *Refraktometer.* In Abb. 2 sind zwei Instrumente wiedergegeben, mit denen der Brechungsindex von Flüssigkeiten im Meßbereich n_D 1,3 bis n_D 1,7 mit einer Genauigkeit von ±0,0002 u. darunter bestimmt werden kann, nämlich das *Abbe-* u. das *Eintauch-Refraktometer.* Bei letzterem wird nach dem Prinzip des Abbe-Refraktometers mit streifend unter einem Einfallswinkel (α) von 90° eintretendem Lichtstrahl gemessen; da das eine opt. Medium stets das gleiche Glas von bekanntem Brechungsindex ist, braucht man bei den verschiedenen Flüssigkeiten nur den jeweiligen Grenzwinkel β genau zu messen, von dem man dann aus Tab. od. durch Ablesung von am Instrument angebrachten Skalen die n_D-Werte erhält. Beobachtet wird immer eine ausgeprägte Hell/Dunkel-Grenze, auf die mit Hilfe eines Fadenkreuzes scharf eingestellt wird. Für schnelle n-Bestimmungen von Flüssigkeiten genügt oft das *Jelley-Refraktometer*, bei dem ein Tropfen Substanz in ein keilförmiges Hohlprisma gefüllt u. die Minimal-Ablenkung eines senkrecht einfallenden Lichtstrahls an der 2. Prismenfläche gemessen wird. Der Brechungsindex ist nicht nur von der Meßwellenlänge abhängig, sondern auch von der Dichte u. der Temp., vgl. das Beisp. Wasser in *Lit.*[2]. Der Brechungsindex nimmt mit steigender Temp. etwas ab, weshalb man die Meßtemp. stets angeben muß; *Beisp.:* n_D^{25} bedeutet, daß der Brechungsindex bei 589 nm u. 25 °C gemessen wurde. Fehlt die Temp.-Angabe, ist im allg. 20 °C gemeint. Tab. 2 enthält die n_D^{20} einiger organ. Flüssigkeiten sowie deren Molrefraktion (R_{m_D}, s. unten).

Tab. 2: D., Brechungsindizes u. Molrefraktionen einiger organ. Flüssigkeiten bei 20 °C.

Verb.	D.	n_D	R_{m_D}
Benzol	0,879	1,5014	26,33
Cyclohexan	0,788	1,4268	27,41
Hexan	0,66	1,3769	30,02
Toluol	0,866	1,4978	31,17
Chloroform	1,483	1,4486	21,58
Tetrachlormethan	1,594	1,4631	26,58
1-Bromnaphthalin	1,48	1,6588	51,58
Ethanol	0,7937	1,3617	12,84
Phenol	1,060	1,5425	27,96
Aceton	0,7908	1,3589	16,16
Essigsäure	1,0492	1,3715	12,99
Acetonitril	0,783	1,3460	11,16
Triethylamin	0,728	1,4003	33,70
Pyridin	0,982	1,5092	24,06

Organ. Flüssigkeiten haben in der Regel Brechungsindices zwischen 1,3 u. 1,7. Bei Lsg. steigt n mit der Konz.; *Beisp.:* Wäss. Lsg. von HCl der Massenkonz. 10, 20, 50, 100 u. 150 g HCl/L haben $n_D^{17,5}$ = 1,33551, 1,33779, 1,34449, 1,35528 u. 1,36565. Man kann somit durch Bestimmung des Brechungsindex die Konz. von Lsg. u. Flüssigkeitsgemischen rasch ermitteln; dieses Verf. wird bes. zur Konz.-Bestimmung von Zuckersäften, Fruchtsirupen, Milchfett, Alkohol in alkohol. Getränken (bzw. Extraktgehalt von Bier), Gefrierschutzmitteln u. dgl., ferner bei der Reinheitsprüfung von Glycerin, Kohlenwasserstoffen, Mineralölen, ether. Ölen, Wachsen, Fetten usw. angewendet. Die Ind. verwendet dazu auch eine Reihe von – ggf. automat., z. T. auch kontinuierlich u. in strömenden Syst. arbeitenden – Spezialrefraktometern, so z. B. das Butterrefraktometer, das Milchfettrefraktometer, das direkt die *Oechsle-Grade anzeigende Hand-Zuckerrefraktometer u. das Saccharimeter. Eine überraschend einfache Beziehung zwischen der Iod-Zahl von *Fetten u. Ölen u. dem Brechungsindex wird in *Lit.*[3] aufgezeigt. Auf der Messung von Konz.-Änderungen beruht die Verw. von Differentialrefraktometern als Detektoren bei der HPLC, wobei gegen eine Referenz-Zelle gemessen wird; als Meßprinzip kann z. B. die *Interferometrie dienen[4]. Die Bestimmung von n bei krist. u. glasartigen Festkörpern ist weniger einfach als bei Flüssigkeiten[5]. Dabei hat sich herausgestellt, daß n in krist. Stoffen um so größer ist, je kleiner die Atomabstände sind. Krist. Festkörper u. *flüssige Kristalle mit opt. *Anisotropie haben in den verschiedenen Raumrichtungen verschiedene n, wodurch der Lichtstrahl in zwei polarisierte (s. Polarisation) Teilstrahlen aufgespalten wird (Phänomen der *Doppelbrechung*). Opt. Anisotropie läßt sich jedoch selbst isotropen Stoffen (*Beisp.:* kub. Krist., amorphe Festkörper wie Gläser) aufzwingen u. zwar durch Anlegen eines elektr. bzw. magnet. Feldes (sog. lineare u. quadrat. **elektrooptische* bzw. *Cotton-Mouton-Effekte*, Cotton-Effekt u. vgl. Kerr-Effekt). Krist. mit derartigen Effekten dienen z. B. als Modulatorkristalle. Doppelbrechung läßt sich ferner in Syst. beobachten, auf die mechan. Kräfte wie Zug- od. Druckspannungen (s. Spannungsdoppelbrechung) od. Strömungskräfte, z. B. in Kolloiden u. Polymer-Lsg. (s. Strömungsdoppelbrechung u. *Lit.*[6]), einwirken. Durch hohe Lichtintensitäten, die mit heutigen *Lasern erreichbar sind, kann der Brechungsindex von Krist. verändert werden (s. a. Frequenzverdopplung). Diesen photorefraktiven Effekt möchte man dafür einsetzen, Computer zu entwickeln, die mit Licht statt mit Strom arbeiten[7].

Das „Feuer" von Edelsteinen beruht auf ihren hohen Brechungsindices – die meisten haben $n>1,7$ (s. Tab. 3).

Tab. 3: Brechungsindizes einiger Minerale u. Edelsteine u. von Vergleichsflüssigkeiten.

Wasser	1,33		
Aceton	1,36		
Petroleum	1,45	Flußspat	1,43
Glycerin	1,45	Opal	1,44–1,47
Terpentinöl	1,47		
		Obsidian	1,48–1,51
		Quarz-Modif.	1,49–1,55
		Calcit	1,49–1,66
Zedernöl	1,51	Orthoklas	1,52–1,54
Chlorbenzol	1,53		
Kanadabalsam	1,53		
Tetralin	1,54	Bernstein	1,54
Brombenzol	1,56		
		Berylle	1,56–1,60
Bromoform	1,59		
Zimtöl	1,59		
		Edeltopas	1,61–1,64
		Türkis	1,61–1,65
Iodbenzol	1,62	Turmalin	1,62–1,65
		Apatit	1,63–1,65
1-Chlornaphthalin	1,63		
		Spodumene	1,65–1,70
1-Bromnaphthalin	1,66	Diopsid	1,67–1,70
1-Iodnaphthalin	1,70	Vesuvian	1,72
		Spinelle	1,72–1,75
Methyleniodid	1,74	Crysoberyll	1,74–1,76
		Korunde	1,76–1,78
Bariumtetraiodomercurat	1,78		
Methyleniodid + Schwefel (gesätt.)	1,79	Granate	1,74–1,90
		Titanit	1,89–2,05
		Zirkon	1,92–1,99
Westsche Lösung	2,06	Fabulit	2,41
		Diamant	2,42
		Rutil	2,62–2,90

Der Diamant ($n=2,42$) wird hierin allerdings noch weit übertroffen von den Titandioxid-Modif. Anatas (2,49 – 2,56) u. Rutil (2,62 – 2,90). Auf dieser hohen R. beruht die Deckkraft des letzteren als Weißpigment. Eine Unterscheidung der natürlichen u. aus dem gleichen Material bestehenden synthet. Edelsteine ist auf refraktometr. Wege nicht möglich. Immerhin kann der Juwelier mit Hilfe von Flüssigkeiten mit verschiedenen Brechungsindices entscheiden, ob z. B. ein echter Edelstein od. ein gefärbter Glasstein vorliegt. Wird ein geschliffener Stein in eine Flüssigkeit von gleichem Brechungsindex eingetaucht (*Immersionsmeth.*), so werden die geschliffenen Flächen (Facetten) nahezu od. völlig unsichtbar: Bergkristall od. Bernstein wird z. B. beim Eintauchen in Tetralin unsichtbar[8]. Bei anisotropen Krist. beobachtet man das Verschwinden der verschiedenen stark brechenden Kanten der Raumrichtungen nacheinander, wenn man n durch Mischen von verschiedenen Flüssigkeiten verändert. Unter bestimmten Umständen kann man unter dem Mikroskop die sog. *Beckesche Linie* (eine helle Lichtlinie) beobachten, die beim *H*eben des Tubus zum *h*öher brechenden Medium wandert (2-H-Regel). *Beisp.* für Immersionsflüssigkeiten s. in Tab. 3. Auf dem gleichen Effekt beruht die Verw. von *Kanadabalsam als Kitt für Prismen u. als *Einbettungsmittel in der Mikroskopie. Ausführliche Zusammenstellungen von Brechungsindices findet man in Tabellenwerken (s. *Lit.*). Die R. läßt sich, z. B. in Gläsern, durch Änderung der Zusammensetzung variieren; bes. stark lichtbrechende *optische Gläser erhält man z. B. durch Lanthan-Zusätze (La-Kronglas, La-Schwerflintglas).

In der organ. Chemie spielt die *Refraktometrie* (Bestimmung der Brechungsindices) bei Identifizierung, Reinheitskontrolle u. bei der quant. Analyse von Gemischen, früher auch bei der *Konstitutionsermittlung, eine große Rolle. Ausgehend von der Beobachtung, daß der Brechungsindex eines Stoffes in gleicher Weise wie die D. vom Aggregatzustand, vom Druck u. der Temp. abhängig ist, haben Lorentz u. Lorenz ziemlich gleichzeitig (1880) die Beziehung

$$R_{m_D} = \frac{n^2-1}{n^2+2}\cdot\frac{M}{\rho} = \frac{3\pi}{4} N_A \cdot \alpha$$

abgeleitet. Hierbei ist R_m die sog. *Molrefraktion* od. *Mol.-R.* (der Index D steht für die Wellenlänge der benutzten Natrium-D-Linie), n ist der experimentell bestimmte Brechungsindex, M die Molmasse des betreffenden Stoffes in g/mol ausgedrückt u. ρ seine D.; statt M/ρ könnte man auch das Molvol. einsetzen. Die vollständige *Lorentz-Lorenz-Gleichung* stellt eine Beziehung her zwischen der R. u. der **Polarisierbarkeit* α der Teilchen, genauer der Elektronen (α_E) u. der Atomkerne (α_A; $\alpha=\alpha_E+\alpha_A$); N_A ist die Avogadro-Konstante.

Die Mol-R. gibt ungefähr den Raum in cm^3 an, den die Mol. von 1 Mol des betreffenden Stoffes tatsächlich ausfüllen. Dieser Betrag ist für einen gegebenen Stoff charakterist. u. weitgehend unabhängig vom Aggregatzustand (da ja das *Eigenvol.* der Mol. ziemlich unabhängig von der Temp. ist). So beträgt z. B. R_m bei flüssigem Schwefelkohlenstoff 21,27, bei gasf. 21,32. Ersetzt man übrigens in der obigen Gleichung unter Zuhilfenahme der – streng nur für sehr große Wellenlängen gültigen – Maxwellschen Beziehung $n^2=\varepsilon$ den Brechungsindex durch die *Dielektrizitätskonstante ε,

so erhält man die **Debye-Clausius-Mosotti-Gleichung*.
Die Mol-R. ist für Flüssigkeiten eine charakterist. Kennziffer. Es hat sich gezeigt, daß, im Gegensatz zum Brechungsindex („R."), der eine *intensive Größe* mit *konstitutiven (stoffspezif.) Eigenschaften ist, die Mol-R. eine **extensive Größe* mit *kolligativen (additiven) Eigenschaften darstellt: Man braucht nur die *Inkremente (R.-Werte, s. Tab. 4) für Atome (*Atom-R.*) u. Bindungen (*Bindungsinkremente*) zu addieren, um die Mol-R. zu erhalten.

Tab. 4: Atomrefraktionen (D-Linie) in organ. Molekülen.

Atom bzw. Bindung	Atomrefraktion nach	
	Lit.[9]	*Lit.*[10]
Kohlenstoff: $>C<$	2,418	2,591
Ethylen-Bindung: (C)=(C)	1,733	1,575
Acetylen-Bindung: (C)≡(C)	2,398	1,977
Dreiring		0,614
Vierring		0,317
Phenyl: $-C_6H_5$		25,359
Naphthyl: $-C_{10}H_7$		43,00
Wasserstoff: (C)–H	1,100	1,028
Fluor: (C)–F		0,81
Chlor: (C)–Cl	5,967	5,844
Brom: (C)–Br	8,865	8,741
Iod: (C)–I	13,900	13,954
Ether-Sauerstoff: (C)–O–(C)	1,643	1,764
Hydroxy-Sauerstoff: (C)–O–(H)	1,525	
Hydroxy-Gruppe: (C)–OH		2,546
Sulfid-Schwefel: (C)–S–(C)		7,921
Carbonyl-Sauerstoff: (C)=O	2,211	2,122
Thion-Schwefel: (C)=S		7,921
Stickstoff, prim. Alkyl: (C)–N<	2,322	2,376
Stickstoff, sek. Alkyl: $(C)_2N-$	2,499	2,582
Stickstoff, tert. Alkyl: $(C)_3N$	2,840	
Aryl-Stickstoff: $H_5C_6-N<$		3,550
Nitril-Stickstoff: (C)≡N	3,118	
Cyano-Gruppe: –C≡N		5,459
Imid-Stickstoff: (C)–N=(C)	3,776	

Der additive Charakter der Mol-R. zeigt sich ebenfalls darin, daß sich auch bei Gemischen von Flüssigkeiten (z. B. 1,2-Dibromethan u. Propanol) die Mol-R. des Gemisches additiv aus den Mol-R. der Einzelbestandteile errechnen läßt. Dies gilt allerdings nur dann, wenn die Mischungskomponenten vom gleichen Bindungstyp (z. B. kovalent) sind. Man hat aus vielen einfachen organ. Verb. die Atom-R.-Werte der einzelnen chem. gebundenen Atome berechnen können. Um z. B. die Atom-R. des an Kohlenstoff gebundenen Wasserstoff-Atoms zu erhalten, vergleicht man die (gemessene) Mol-R. des Cyclohexans mit der des Hexans: Die Differenz der Mol-R. beider Verb. ergibt dann die doppelte Atom-R. des am C-Atom gebundenen H-Atoms. In ähnlicher Weise hat man die Atom-R. der Tab. 4 berechnet, in der Werte aus *Lit.*[9] denen aus *Lit.*[10] gegenübergestellt sind.
Die additive Berechnung der Mol-R. aus den Atom- bzw. Bindungs-R. (*Inkrementen*) soll an folgenden *Beisp.* gezeigt werden:
Propionsäure (H_3C-CH_2-COOH):
$R_m = 3 \cdot 2{,}591 + 5 \cdot 1{,}028 + 2{,}122 + 2{,}546 = 17{,}581$ (beobachtet: 17,51) u.
N-Methylanilin ($H_5C_6-NH-CH_3$):
$R_m = 25{,}359 + 3{,}550 + 2{,}591 + 4 \cdot 1{,}028 = 35{,}612$ (beobachtet: 35,67).
Bei den *Konstitutionsermittlungen organ. Stoffe ging man früher z. B. folgendermaßen vor: Es wurden von einer chem. reinen Substanz der Brechungsindex (n), die D. (ρ) u. die Molmasse (M) experimentell bestimmt u. in die Lorentz-Lorenz-Gleichung eingesetzt. War man z. B. im Zweifel, ob in der Verb. der Sauerstoff als Carbonyl-Sauerstoff (d. h. in der Bindung C=O) od. als Hydroxy-Sauerstoff (d. h. in der Bindung C–O–H) vorliegt, so addierte man die betreffenden Atom-R.-Werte u. prüfte, ob die Summe dieser Atom-R. bei der Annahme von C=O od. von C–O–H am besten mit dem mit obiger Gleichung gefundenen R_m-Wert übereinstimmte. Verb. mit konjugierten Doppelbindungen haben bes. hohe *Exaltationen* (d. h. Steigerungen der Mol-R.): Während isolierte u. kumulierte Doppelbindungen bei der Berechnung der Mol-R. aus den Atom-R. einfach zu addieren bzw. multiplizieren sind (1,733mal der Zahl der Doppelbindungen im Mol.), ist bei konjugierten Doppelbindungen nochmals ein Zuschlag hinzuzusetzen. Man kann also bei einer Verb. von nicht genau bekannter Konstitution auf konjugierte Doppelbindungen schließen, wenn bei der Addition der Atom- bzw. Bindungs-R. noch eine größere Differenz bis zu dem aus n, ρ u. M an Hand der Gleichung errechneten Wert für die Mol-R. verbleibt. Kleine Exaltationen sind auch für 3- u. 4-Ringe anzusetzen, *Depressionen* (Verminderung der R_m, Abzug) dagegen bei 7- u. 8-Ringen u. bes. bei heterocycl. Ringsystemen. Die R_m-Bestimmung hat heute nicht mehr die frühere Bedeutung, doch kann man mit ihr oft einfach zwischen Alternativen entscheiden; z. B. lassen sich mit Hilfe von R_m u. n mit empir. Regeln (*Auwers-Skita-Regel) auch Aussagen über die Stereochemie von organ. Mol. machen. – ***E*** refraction – ***F*** réfraction – ***I*** rifrazione – ***S*** refracción

Lit.: [1] Kohlrausch, Praktische Physik 3, S. 405 ff., Stuttgart: Teubner 1996. [2] J. Phys. Chem. Ref. Data **14**, 933 (1985). [3] Nachr. Chem. Tech. **14**, 169 (1966). [4] LABO **14**, 86 (1983). [5] Kohlrausch, Praktische Physik 2, S. 117, Stuttgart: Teubner 1996. [6] Adv. Polym. Sci. **39**, 95–207 (1981). [7] Spektrum Wiss. **1990**, Nr. 12, 72. [8] Min. Mag. **5**, 470–474 (1981). [9] Ullmann **2/1**, 483. [10] J. Chem. Soc. **1948**, 1804–1855.
allg.: Handbook **75**, 8–64, 3-1 bis 330, 4-36 bis 114, 10-300 bis 302 ▪ Kirk-Othmer (4.) **17**, 264, 982; **19**, 248 ▪ *Landolt-Börnstein N. S. 3/11 ▪ Niemczyk, in: Kuwana (Hrsg.), Physical Methods in Modern Chemical Analysis, Bd. 2, New York: Academic Press 1989 ▪ Refractive Index (JPCRD Pack. B 5), Washington: ACS ▪ Spektrum Wiss. **1983**, Nr. 8, 123–129; **1987**, Nr. 3, 146–149 ▪ Ullmann **2/1**, 480–495; (4.) **5**, 641–650 ▪ Winnacker-Küchler (4.) **3**, 108 f. ▪ s. a. physikalische Analyse.

Refraktometer. Opt. Instrument, mit dem der Brechungsindex (Brechzahl, s. Refraktion) transparenter Medien bestimmt wird. In der Praxis werden eingesetzt: Das Abbe-R. bzw. das Eintauch-R. (s. Abb. 2 bei Refraktion) sowie das Kristall-R. (s. Abb. 1, S. 3762) u. das Hilger-Chance-R. (s. Abb. 2, S. 3762). Ferner werden *Interferometer wie das Jamin-Interferometer[2] u. das *Mach-Zener-Interferometer verwendet. – ***E*** refractrometer – ***F*** réfractomètre – ***I*** rifrattometro – ***S*** refractómetro

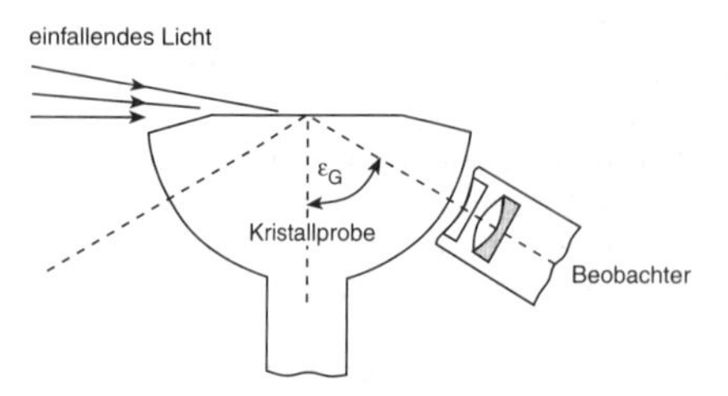

Abb. 1: Kristallrefraktometer (nach *Lit.*[1]).

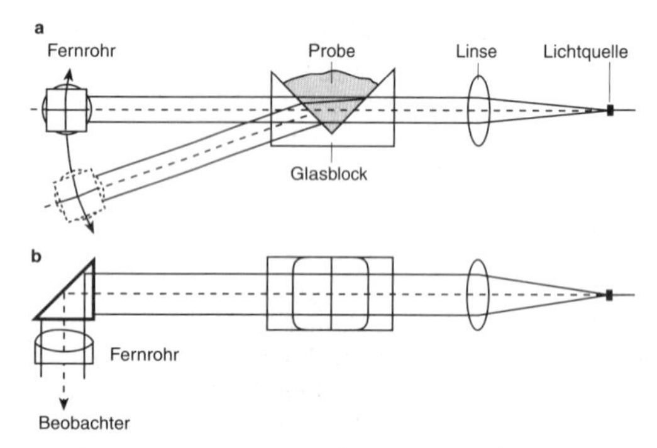

Abb. 2: Hilger-Chance-Refraktrometer (nach *Lit.*[1]); a) von oben, b) von der Seite.

Lit.: [1] Kohlrausch, Praktische Physik 2, S. 116ff., Stuttgart: Teubner 1996. [2] Hecht, Optik, New York: McGraw-Hill 1987.

Refraktometrie s. Refraktion.

Refsum-Syndrom s. Phytansäure.

Regelmäßige Polymere s. Makromoleküle.

Regelung. Die R. (das Regeln) ist ein Vorgang, bei dem die zu regelnde Größe, die *Regelgröße*, fortlaufend (durch *Messen als *Istwert*) erfaßt u. mit einer anderen Größe, der *Führungsgröße* (als *Sollwert*) verglichen wird. Abhängig vom Ergebnis des Vgl. zwischen beiden Größen im Regler wird dann – mittels der aus dem Vgl. resultierenden *Stellgrößen* – Angleichung an die Führungsgröße herbeigeführt. Der sich dabei ergebende Wirkungsablauf findet in einem geschlossenen Kreis mit *Rückkopplung*, dem *Regelkreis*, statt (s. a. MSR). Ist das Regelsignal (R), mit dem die Abweichung (A) des Istwertes vom Sollwert ausgeglichen wird, proportional zu dieser Abweichung, spricht man von *Proportional-(P.-)Regelung*. Sie hat den Nachteil, eine Abweichung nie vollkommen ausgleichen zu können. Besser ist hierfür die *Integral-(I.-) R.*, bei der sich das Regelsignal aus $R_I \approx \int_0^T A\,dt$ ergibt; eine I.-R. ist sehr langsam. Es gibt auch eine schnelle *Differential-(D.-)R.* mit $R_D \approx dA/dt$ (proportional zur Ableitung von A nach der Zeit). Eine D.-R. allein kann eine Abweichung nicht ausgleichen; sehr gut bewährt hat sich daher die Überlagerung dieser drei Typen zu einem *PID-Regler*. Wird die Größe des Regelsignals zu groß gewählt, so neigt jeder Regelkreis zum Überschwingen u. wird zum Oszillator. Auf die Querbeziehungen zwischen Messen, Steuern u. Regeln (**MSR-Technik*), *Instrumentation, *Automation, Datenverarbeitung insbes. mit *Prozeß-, aber auch mit *Analogrechnern, *Optimierung u. auf die allg. Bedeutung innerhalb der *Verfahrenstechnik kann hier nicht eingegangen werden. Über R. im biolog. Bereich s. Regulation. Die Steuerung chem. Reaktionen mit Lasern wird in *Lit.*[1] beschrieben. – ***E*** control, feedback control – ***F*** contrôle [automatique] – ***I*** regolazione – ***S*** control [automático]

Lit.: [1] Spektrum Wiss. **1995**, Nr. 5, 70.
allg.: Buckley et al., Design of Distillation Column Control Systems, London: Arnold 1985 ▪ Chem. Ind. (Verband der Dtsch. Chem. Ind.) **36**, 735–738 (1984); **37**, 845–849 (1985); **38**, 763–794 (1986) ▪ Czeija, Computerized Control and Operation of Chemical Plants, New York: Pergamon 1985 ▪ DIN-Katalog-Sachgruppe 7050, Berlin: Beuth (jährlich) ▪ Kirk-Othmer (4.) **14**, 147, 478 ▪ Lutz u. Wendt, Taschenbuch der Regelungstechnik (2.), Frankfurt: Harri Deutsch 1998 ▪ Manka, Process Control (Chemical Engineering), in Encyclopedia of Physical Science and Technology, Vol. 13, S. 513–526, New York: Academic Press 1992 ▪ Ullmann **2/2**, 141–262; **4**, 173–312 ▪ Winnacker-Küchler (3.) **7**, 391–490; (4.) **1**, 504–598.

Regen. Im *Kreislauf des *Wassers bringt der R. als flüssiger *Niederschlag – in Form von Land-, Dauer-, Strich-, Platz-R., Wolkenbruch od. Sprüh.-R. (Nieseln) – aus der Atmosphäre die Wassermengen teilw. wieder zurück, die vorher durch *Verdampfen (*Verdunsten*) in sie aufgestiegen waren. Aus unterkühlten Wolkenfeldern läßt sich R. ggf. durch *Impfen mit pulverförmigen *Keimen von Silberiodid, Trockeneis (CO_2), Natriumalginat, Harnstoff etc. zur Ausscheidung bringen, was einerseits in Trockengebieten zur R.-Induktion hilfreich sein, andererseits in gemäßigten Zonen der Bildung von Hagel vorbeugen kann. Versuche mit Tritium-markiertem Wasser haben ergeben, daß es entgegen landläufiger Meinung oft Jahre dauert, bis R.-Wasser bei Sickergeschw. von 1–3 m/a den Grundwasserspiegel erreicht. Man kann den R. als Waschwasser der Atmosphäre ansehen, da ein 50 mg schwerer R.-Tropfen beim Fall aus 1 km Höhe 16,3 L Luft von lösl. Bestandteilen reinigen u. zusätzlich noch die unlösl. Bestandteile des *Aerosols mitreißen kann. Die vom R. aufgenommenen Inhaltsstoffe stammen sowohl aus natürlichen Quellen (Meeresgischt, Salz- u. Mineralstaub, Gase aus dem Boden u. von Vulkanen etc.) als auch von anthropogenen Emissionen. Zwar ist der R. natürlicherweiser etwas sauer (pH=5,6), weil er CO_2 gelöst enthält, doch hat die zunehmende Industrialisierung seit etwa 100 Jahren ein Absinken des R.-*pH-Werts auf Werte zwischen 4,5 u. 5,6 bewirkt – als Konsequenz entstand das Schlagwort vom *Sauren Regen*; Näheres s. dort sowie bei Luftverunreinigung, Waldschäden u. Ökologie. Als *gelben R.* bezeichnet man seit langem einen mit Staub von afrikan. Wüsten angereicherten Niederschlag, der z. B. in Mitteleuropa großflächig niedergehen kann. Ende der 70er Jahre wurde in Laos u. Kambodscha (Kampuchea) ein gelber R. beschrieben, der einen chem. Kampfstoff enthalten sollte. Spätere Untersuchungen zeigten, daß dieser gelbe R. nicht die vermuteten *Trichothecene enthalten hatte, sondern Bienenkot, dessen Hauptbestandteil *Pollen waren. – ***E*** rain – ***F*** pluie – ***I*** pioggia – ***S*** lluvia

Regeneratcellulose (regenerierte Cellulose). Bez. für aus Lsg. (*Viskose, *Schweizers Reagenz) von Cellulose (s. a. Cellulosehydrat) od. Cellulose-Derivaten durch Fällungsprozesse meist unter Formgebung (Filme, Folien, Fasern) wiedergewonnene Cellulose. *Beisp.* für R. sind u. a. *Kupferseiden, *Viskosefasern od. *Zellglas. – ***E*** regenerated cellulose – ***F*** cellulose régénérée – ***S*** celulosa regenerada

Lit.: Kennedy, Phillipp u. Williams, Cellulose, Structural and Functional Aspects, S. 45 ff., Chichester: Horwood 1989. – *[HS 3920 71, 3920 72, 5504 10, 5507 00]*

Regenerate. Von latein.: regeneratus = wiedergeboren, wieder erzeugt abgeleitete Bez. für techn. Produkte, die durch Aufarbeitung (*Regeneration*) gebrauchter Konsumartikel zurückgewonnen u. als *Rohstoffe erneuter Verw. zugeführt werden können, vgl. Altmaterial u. bes. Recycling. Beim längerdauernden Erhitzen von Kautschukvulkanisaten (Altreifen) auf 150–250 °C in Ggw. von *Regeneriermitteln* wie Ditolyl- od. Dixylyldisulfid zur Kettenspaltung u. Tallöl od. Harzöl zum Quellen erhält man R., die erneut vulkanisierbar sind. In leicht verändertem Sinne spricht man von R.-Fasern z. B. bei Casein-Fasern, v. a. aber von Fasern aus *regenerierter Cellulose* (*Regeneratcellulose), wenn man *Viskosefasern u. *Kupferseide meint. – ***E*** reclaimed materials – ***F*** régénérés – ***I*** rigenerati – ***S*** regenerados

Lit.: Berghaas, Handbuch für die Gummi-Industrie, Leverkusen: Bayer 1991 ▪ Kirk-Othmer (3.) **19**, 936–1010 f.; **20**, 409 f.

Regeneratfasern. Bez. von Fasern, die entstehen, wenn polymere Naturstoffe wie z. B. *Polysaccharide od. *Polyaminosäuren durch chem. od. physikal. Prozesse zunächst in eine verarbeitungsfähige (lösl.) Form überführt u. anschließend unter weitgehender Rückbildung ihrer ursprünglichen Struktur versponnen werden. Für die großtechn. Produktion von R. wird v. a. *Cellulose eingesetzt, aus der z. B. Rayon-Fasern hergestellt werden. Es finden aber auch verschiedene Proteine Verw., die z. B. zu Ardein-, Casein- u. Zein-Fasern führen. Die R. werden vielfach auch als „abgewandelte Naturfasern" bezeichnet. – ***E*** regenerated fibres – ***I*** fibre rigenerate – ***S*** fibras regeneradas

Regeneration (Regenerierung). Allg. Bez. für die Reaktivierung od. Wiederherst. eines Stoffes od. Syst.; *Beisp.:* R. von Trägermaterialien, Adsorbentien, Molekularsieben u. dgl. durch Auswaschen u./od. Ausheizen, R. von Katalysatoren z. B. durch Desorption von *Katalysatorgiften od. von Ionenaustauschern mit Natriumchlorid (Regeneriersalz, s. a. Härte des Wassers). In der chem. Verfahrenstechnik wird oft der Wärmebedarf einer chem. Reaktion durch period. Fahrweise des Prozesses gedeckt. Dabei läuft in der *Regenerationsperiode* eine exotherme Reaktion ab u. das Reaktormaterial dient als Wärmespeicher. In der *Reaktionsperiode* wird die gespeicherte Wärme auf die Edukte übertragen. Auch in diesen Fällen spricht man von Regeneration. Zu einem speziellen Aspekt des Begriffs s. Regeneration von Pflanzen. – ***E*** regeneration – ***F*** régénération – ***I*** rigenerazione – ***S*** regeneración

Regenerationsgeräte. R. sind frei tragbare, von der Umgebungsatmosphäre unabhängig wirkende *Atemschutzgeräte, die den Geräteträger mit Sauerstoff versorgen, der im Gerät mitgeführt wird. Der Sauerstoff-Vorrat kann in Form von Drucksauerstoff, Drucksauerstoff-Stickstoff-Gemisch od. chem. gebundenem Sauerstoff zur Verfügung stehen, der durch eine chem. Reaktion freigesetzt wird. Die Ausatemluft wird nicht, wie beim *Preßluftatmer, über ein Ausatemventil in die Umgebung abgegeben, sondern im Gerät zur Atemluft aufbereitet (regeneriert). Als Atemanschlüsse dienen Vollmasken od. Mundstückgarnituren, jeweils ohne Atemventile. Die Gebrauchsdauer liegt je nach der Sauerstoff-Vorratsmenge u. der Belastung des Trägers zwischen 15 min u. mehreren Stunden. Bei R. mit Drucksauerstoff wird das Kohlendioxid der Ausatemluft chem. gebunden, der vom Geräteträger verbrauchte Sauerstoff wird aus der Druckgasflasche ersetzt. Bei R. mit chem. gebundenem Sauerstoff (Chemikalsauerstoff-Geräte) reagieren entweder der Wasserdampf u. das Kohlendioxid der ausgeatmeten Luft mit Kaliumhyperoxid, wodurch sich Sauerstoff entwickelt, od. es wird Sauerstoff durch therm. Zers. von Natriumchlorat erzeugt. – ***E*** closed-circuit breathing apparatus – ***F*** respirateur avec régénération par oxygène – ***I*** respiratori rigenerativi – ***S*** aparato respiratorio con regeneración por oxígeno

Lit.: Bauer, Handbuch Atemschutz, Landsberg-Lech: ecomed 1988 ▪ DIN EN 133 (Atemschutzgeräte – Einteilung) (1991); DIN EN 145 (Atemschutzgeräte – Regenerationsgeräte mit Drucksauerstoff) (1989); DIN EN 401 (Atemschutzgeräte für Selbstrettung – Regenerationsgeräte – Chemikalsauerstoffselbstretter) (1993); DIN EN 1061 (Atemschutzgeräte für Selbstrettung – Regenerationsgeräte – Chloratselbstretter) (1993) ▪ Regeln für den Einsatz von Atemschutzgeräten, ZH 1/701, Hauptverband der gewerblichen Berufsgenossenschaften, 1996.

Regeneration von Pflanzen. Die R. v. P. *in vitro* ist eine Meth. der Pflanzenzüchtung, bei der aus einzelnen Zellen, Gruppen von Zellen od. Pflanzenteilen (z. B. Sproßabschnitte) intakte Pflanzen hergestellt werden können. Grundlage für die R. v. P. ist die *Totipotenz* (totipotente Zellen verfügen noch über alle Informationen des Gesamtorganismus) von Meristem-Zellen (s. Pflanzen). Geeignete Kulturbedingungen induzieren die R. v. P., wobei insbes. die Anwesenheit von Phytohormonen (s. Pflanzenhormone) für die Ausbildung ganzer Pflanzen u. einzelner Pflanzenorgane von großer Bedeutung ist. Nährstoffgehalt des Mediums u. mögliche Zusätze müssen für jede Pflanzenart neu ermittelt werden.

Verw.: Die Meth. der R. v. P. ermöglichen den Pflanzenzüchtern die vegetative Massenvermehrung vieler wirtschaftlich interessanter Pflanzen. Zudem können Nutzpflanzen mit neuen od. verbesserten Eigenschaften, die auf der Stufe der Einzelzelle erzielt wurden (z. B. durch genet. *Transformation od. *Mutation), durch Regeneration ausgehend von der Einzelzelle erhalten werden. – ***E*** regeneration of plants – ***F*** régénération des plantes – ***I*** rigenerazione delle piante – ***S*** regeneración de plantas

Lit.: Campbell, Biologie, S. 811, Heidelberg: Spektrum Akadem. Verl. 1997.

Regeneratives Verhalten s. aromatische Verbindungen.

Regeneratoren s. Photographie.

Regepithel®. Augensalbe mit *Retinol-palmitat, *Thiamin-chloridhydrochlorid u. *Calciumpantothenat zur Behandlung von Hornhautverletzungen. ***B.:*** Alcon.

Regio... (latein.: regio = Richtung, Gegend). Teil von chem. Fachbez., die besagen, daß bestimmte Bereiche od. Atome der Mol. bevorzugt od. als einzige reagieren; *Beisp.:* s. Regiochemie, regioselektiv; s. a. KKK-Regel, Markownikoffsche Regel, SSS-Regel. In *regioregulären* Polymeren sind Monomere regioselektiv od. regiospezif. verknüpft. – ***E*** = ***I*** = ***S*** regio... – ***F*** régio...

Regio®. *Herbizid auf der Basis von *Chloridazon, *Phenmedipham u. *Desmedipham zur Unkrautbekämpfung im Nachauflauf in Zuckerrüben-Kulturen. ***B.:*** BASF.

Regiochemie. Von *regio... abgeleiteter Begriff, der bei einer chem. Reaktion zur Charakterisierung der Reaktionsrichtung bzw. des Reaktionsortes dient, wenn mehrere Möglichkeiten vorhanden sind. So besteht bei der *Diels-Alder-Reaktion eines 1,3-Diens mit einem unsymmetr. *Dienophil* die Möglichkeit, daß sich Cycloaddukt A od. B bildet. Man spricht dann z. B. davon, daß der Substituent X die R. in bezug auf die Produkte A u. B bestimmt.

$$R^1\text{-Dien-}R^2 + H_2C{=}CH{-}X \longrightarrow \mathbf{A} + \mathbf{B}$$

In diesem Zusammenhang sind auch die Begriffe *regiospezif.* bzw. *regioselektiv* zu sehen, die aussagen, ob ausschließlich A od. B bzw. bevorzugt A od. B gebildet wird. – ***E*** regio chemistry – ***F*** régiochimie – ***I*** regiochimica – ***S*** regioquímica

Regioisomerie. Hinsichtlich ihrer *Summenformel ident. *Polymer-Grundbausteine können auf sehr unterschiedliche Weise aufgebaut u./od. miteinander verknüpft sein. Dadurch entstehen zueinander regioisomere Untereinheiten (s. Isomerie). So verläuft z. B. die *Polymerisation von Propylen mit bestimmten *Ziegler-Natta-Katalysatoren prakt. vollständig über 1,2-Additionen, u. es entstehen *Polypropylene **1** mit ausschließlich Kopf/Schwanz-verknüpften Wiederholungseinheiten:

$$n\ H_2C{=}CH(CH_3) \longrightarrow \left[-CH_2{-}CH(CH_3){-}CH_2{-}CH(CH_3){-}CH_2{-}CH(CH_3)-\right]_{n/3}$$

1

Copolymerisiert man dagegen Ethylen u. 2-Buten mit anderen Ziegler-Natta-Katalysatoren, so erhält man Copolymere **2**, in denen Ethylen- u. Buten-Einheiten einander abwechseln. Dieses alternierende Copolymer **2** kann als ein Regioisomeres des Polypropylens **1** aufgefaßt werden, in dem nun formal die Propylen-Einheiten Kopf/Kopf-verknüpft vorliegen:

$$n\ H_2C{=}CH_2 + n\ CH(CH_3){=}CH(CH_3) \longrightarrow \left[-CH_2{-}CH_2{-}CH(CH_3){-}CH(CH_3){-}CH_2{-}CH_2{-}CH(CH_3){-}CH(CH_3)-\right]_{n/2}$$

2

Das gleiche Regioisomer bildet sich auch bei der polymeranalogen Hydrierung des Poly(2,3-dimethylbutadien)s:

$$H_2C{=}C(CH_3){-}C(CH_3){=}CH_2 \longrightarrow \sim CH_2{-}C(CH_3){=}C(CH_3){-}CH_2\sim \xrightarrow{+H_2} \sim CH_2{-}CH(CH_3){-}CH(CH_3){-}CH_2\sim$$

Viele *Makromoleküle bestehen darüber hinaus nicht nur aus einer einzigen regioisomeren Substruktur. Vielmehr können je nach der zu ihrem Aufbau gewählten Reaktion, den Synthesebedingungen u. den verwendeten Monomeren variable Anteile verschiedener regioisomerer Untereinheiten in ein u. derselben Kette vorliegen. So bilden sich Kopf/Kopf-Strukturen häufig auch während „normaler", d. h. zu Ketten mit hauptsächlich Kopf/Schwanz-verknüpften Grundbausteinen führenden Polymerisationen: Es entstehen z. B. bei der radikal. Polymerisation von Vinylacetat Ketten mit etwa 1–2% Kopf/Kopf-Verknüpfungen, bei der von Vinylfluorid solche mit 6–10% u. bei der von Vinylidenfluorid solche mit 10–12% Kopf/Kopf-Strukturen. Schließlich werden bei der Polymerisation von Propylenoxid mit Diethylzink/Wasser als Initiator sogar bis zu 40% regioisomere Kopf/Kopf-Strukturen erhalten.

Neben diesen Beisp. regioisomerer Grundbausteine, bei denen sich lediglich die Orientierung der Wiederholungseinheiten in der Kette ändert, können während einer Polymerisation durch parallel zum Kettenwachstum erfolgende *Umlagerungen auch völlig veränderte Grundbausteine entstehen. Auch diese sind Regioisomere der regulären Bausteine. So polymerisiert z. B. Methacrylnitril radikal. im wesentlichen über die C,C-Doppelbindung, in geringem Ausmaß aber auch unter Einbeziehung der Nitril-Gruppe, u. es entstehen Ketten mit zwei verschiedenen regioisomeren Substrukturen:

$$\sim CH_2{-}C(CH_3)(C{\equiv}N)\sim \xleftarrow{\text{viel}} H_2C{=}C(CH_3){-}C{\equiv}N \xrightarrow{\text{wenig}} \sim CH_2{-}C(CH_3){=}C{=}N\sim$$

Bei ion. Polymerisationen können solche „Fehlstrukturen" sogar zum Haupt-Isomer werden: Während z. B. Acrylamid radikal. zu Polyacrylamid polymerisiert, entsteht bei dessen anion. Polymerisation unter Protonen-Verschiebung Poly(β-alanin):

$$H_2C{=}CH{-}CO{-}NH_2 \xrightarrow{\text{radikal}} \sim CH_2{-}CH(CO{-}NH_2)\sim$$

$$H_2C{=}CH{-}CO{-}NH_2 \xrightarrow{\text{anion.}} \sim CH_2{-}CH_2{-}CO{-}NH\sim$$

Ähnlich reagieren auch *p*-Vinylbenzamid u. Styrol-*p*-sulfamid. Bei kation. Polymerisationen treten im Gegensatz dazu gelegentlich Hydrid-Verschiebungen auf. So polymerisiert 4,4-Dimethyl-1-penten bei tiefen Temp. regulär über die C,C-Doppelbindung, während bei höheren Temp. zusätzlich Bausteine mit drei kettenständigen Kohlenstoff-Atomen pro Grundbaustein entstehen:

$H_2C{=}CH{-}CH_2{-}C(CH_3)_3$

- 130 °C → $\sim CH_2{-}CH(CH_2{-}C(CH_3)_3)\sim$

0 °C → $\sim CH_2{-}CH_2{-}CH(C(CH_3)_3)\sim$

Da für Polymere wie dem letzten keine ihren Grundbausteinen entsprechenden Monomere existieren, werden sie auch als *Phantom- od.* **Exotenpolymere* bezeichnet. – ***E*** regioisomerism – ***I*** regioisomeria – ***S*** regioisomería

Regionalmetamorphose s. Metamorphose.

Regioselektiv, Regiospezifisch. Bei Reaktionen von unsymmetr. Mol. untereinander kann ausschließlich (*regio-*spezifisch*) od. bevorzugt (*regio-*selektiv*) eines von mehreren möglichen Produkten (sog. *Regioisomeren*, s.a. Regioisomerie) gebildet werden; s. Beisp. bei Regiochemie. – ***E*** regioselectiv, regiospecific – ***F*** régiosélectif, régiospécifique – ***I*** regioselettivo, regiospecifico – ***S*** regioselectivo, regioespecífico

Register s. Index.

Registerstammname s. Stammname.

Registrieren. Im techn. Sinne Bez. für das Aufzeichnen von Daten, die z. B. beim *Messen, bei *Regelung u. Steuerung anfallen, durch entsprechende *Registriergeräte* (Linienschreiber, Punktschreiber, druckende Registriergeräte, Magnetband- u. photograph. Registriergeräte, datenverarbeitende Prozeßleitsyst., s. Prozeßrechner) auf Registrierpapiere, *Magnetbänder, Lochstreifen, als Kurvenzüge auf Farbmonitoren der Prozeßleitsyst. etc. zum Zweck des Protokollierens u. Dokumentierens. Als *Registrierpapier* wird in den sog. „Tintenschreibern" ein tintenfestes Papier hoher Zerreißfestigkeit, in den „Lichtschreibern" ein entsprechend lichtempfindliches Papier benutzt. Außerdem verwendet man in Spezialfällen mit einem Metallstift zu beschriftende Wachsschichtpapiere, elektr. leitende Metallpapiere (für Funkenregistrierung) u. dgl. – ***E*** recording – ***F*** enregistrement – ***I*** registrare – ***S*** registro

Lit.: ACHEMA-Jahrb. **1994**, Bd. 3, 2348, 2349, 2350 ■ Winnacker-Küchler (4.) **1**, 553 f. ■ s.a. Messen, Regelung, Instrumente

Registrierformel. Zur *Registrierung* verwendete Formeln: a) *Bruttoformel (Summenformel) für Formel*register*. – b) Nach *Tautomerie- u. *Mesomerie-Regeln in *Beilstein's Handbuch der Organischen Chemie u. *Chemical Abstracts bevorzugt *registrierte* *Strukturformel. – ***E*** registry formula – ***I*** formula di registrazione – ***S*** fórmula usada para el registro

Registrierpapiere s. Registrieren.

Registry Number (Abk. RN). Bez. für eine Nummer, die vom *Chemical Abstracts Service seit 1965 zur eindeutigen Kennzeichnung von chem. Stoffen verwendet wird. Jede RN, die keine chem. Bedeutung hat, bezeichnet eine Substanz u. eignet sich zur Identifizierung der Substanz durch CA Index-Name, Struktur der Verb., Summenformel u. Synonym od., falls kein Name vorhanden, durch Verweis auf entsprechende Publikationen. Die CAS RN besteht aus bis zu 9 Ziffern, die in drei Teile unterteilt u. durch Bindestriche getrennt sind. Der erste Teil enthält bis zu 6, der zweite bis zu 2 u. der dritte Teil eine Ziffer. 1998 waren 16,4 Mio. chem. Substanzen mit 23 Mio. Namen versehen. Jedes Jahr kommen 500000 neue Substanzen hinzu. 10 Mio. der 16,4 Mio. Substanzen besitzen nur einen Referenzartikel. Die Substanz mit den meisten Referenzartikeln ist RN 7440-50-8 (Kupfer) mit ca. 275000. Die RN werden nicht nur in den Referaten u. Registern von *Chemical Abstracts (wie dem Registry Handbook) u. a. *Referateorganen verwendet, sondern auch in Veröffentlichungen in chemischen Zeitschriften, *Handbüchern (*Kirk-Othmer, Merck-Index, Negwer), *Pharmakopöen, der MAK-Liste, in Stofflisten wie der Arbeitsstoff-VO, in Chemikalienkatalogen usw. RN können in der von CAS hergestellten STN-Datenbank REGISTRY recherchiert werden, die chem. Strukturen u. Substanznamen von 1957 bis heute nachweist. Als Lerndatenbank steht LREGISTRY zur Verfügung.

Lit.: 1997 CAS Catalog, Columbus: CAS 1997 ■ Registry Handbook-Number Section, Columbus: CAS (jährlich).

Regitz, Manfred (geb. 1935), Prof. für Organ. Chemie, Univ. Kaiserslautern. *Arbeitsgebiete:* Diazoverb., Carbene, Antiaromaten, Phosphaalkene, Phosphaalkine. Mithrsg. des Houben-Weyl u. des Römpp Chemie Lexikons sowie Hrsg. der Zeitschrift Synthesis, seit 1995 Mitglied im Kuratorium des Fonds der Chem. Industrie. Mitglied der Dtsch. Akademie der Naturforscher Leopoldina, 1988 wurde ihm von der Regierung Frankreichs der Alexander-von-Humboldt-Preis verliehen.

Lit.: Kürschner (16.), S. 2904 ■ Wer ist Wer? (36.), S. 1134.

Regler s. Regelung u. Reglersubstanzen.

Reglersubstanzen (Regler). Bez. für Verb. mit hohen Übertragungskonstanten, die bei *radikalischen Polymerisationen eingesetzt werden, um den *Polymerisationsgrad der entstehenden *Makromoleküle zu begrenzen. Im Gegensatz zu den *Inhibitoren zerstören sie jedoch nicht die wachstumsfähigen Radikal-Funktionalitäten, sondern übernehmen diese von den Enden der wachsenden Makromol., um damit dann selbst das Wachstum einer neuen Kette auszulösen. Auf diese Weise bildet sich pro im Syst. entstandenem Radikal nicht eine lange, sondern zwei od. mehrere kürzere Polymerketten. Da die R. keine Radikale zerstört, bleibt auch die Brutto-Polymerisationsgeschw. unverändert. Die Fähigkeit von R., den Radikal-Charakter von wachsenden Kettenenden zu übernehmen, wird mit Hilfe der sog. *Übertragungskonstanten* gemessen (s. Mayo-Gleichung). Als R. eingesetzt werden v. a. Mercaptane (z. B. 1-Dodecanthiol), Halogenmethane (Tri-, Tetrachlormethan), Aldehyde, Acetale u. andere. Zu beachten ist bei der Festlegung der R.-Konz. in einem Polymerisationsansatz weiterhin, daß auch das Lsm., der Initiator u. das Monomere selbst als Kettenüberträger u. damit als R. wirken können. – ***E*** (polymerization) regulators – ***F*** régulateurs – ***I*** regolatori – ***S*** reguladores

Lit.: Batzer **1**, 21, 50 ■ Elias (5.) **1**, 476 ■ Houben-Weyl **E 20/1**, 66 f. ■ Tieke, S. 76 ff.

Reglone®. Marke von ICI für ein *Diquat-dibromid-Präp. zur Unkrautbekämpfung in Obst-, Wein-, Gartenbau u. Landwirtschaft sowie zur Krautabtötung bei Kartoffeln, Raps usw.

Regnault, Henri Victor (1810–1878), Prof. für Physik u. Chemie, Paris. Direktor der Porzellanfabrik Sèvres. *Arbeitsgebiete:* Ausdehnung u. Kompressibilität von Gasen u. Flüssigkeiten, Verdampfungswärmen, Herst. der Chlormethane, Entdeckung des Vinylchlorides u. dessen Polymerisation zu PVC.
Lit.: Lexikon der Naturwissenschaftler, S. 343 ▪ Pötsch, S. 357 ▪ Strube et al., S. 79.

Regolith s. Mondgestein.

Regressionsanalyse. Von latein.: regressio = Rückkehr, Wiederholung abgeleitete Bez. für ein – im allg. große Datenmengen auswertendes – Verf. der *Statistik, mit dessen Hilfe Zusammenhänge zwischen verschiedenen Variablen erkannt u. überprüft werden können. Wechselwirkende Variablen, an die im Rahmen der Chemie bei R. (*Korrelationsanalyse*) gedacht werden kann, sind z. B. chem. *Struktur u. biolog. Wirkung (*Pharmakologie), vgl. Hansch-Analyse, QSAR, s. a. Arzneimittel. Anw. findet die R. weiter z. B. bei der *Optimierung von Verf.-Schritten, bei der Berechnung von *Retentionsindizes u. allg. bei der Auswertung von Meßergebnissen in der analyt. Chemie. – ***E*** regression analysis – ***F*** analyse de régression – ***I*** analisi di regressione – ***S*** análisis de regresión
Lit.: Appl. Spectrosc. **42**, 217–227, 1572ff. (1988) ▪ Chem. Anal. (N. Y.) **93**, 1–303 (1987) ▪ J. Chemom. **2**, 155–167 (1988); **3** (Suppl. A), 103–114 (1988) ▪ s. a. Hansch-Analyse, QSAR u. Struktur.

Reguläre Polymere. *Polymere, deren streng lineare *Makromoleküle nur eine Art von konstitutioneller Einheit in nur einer einzigen sequenziellen Anordnung (z. B. nur Kopf/Schwanz-Verknüpfungen) enthalten. – ***E*** regular polymers – ***F*** polymères reguliers – ***I*** polimeri regolatori – ***S*** polímeros regulares

Reguläres System. Veraltetes Synonym für das kub. od. isometr. *Kristallsystem.

Regulation. Von latein.: regula = (Richt-)Latte, Maßstab abgeleitete Bez. für die *Regelung im biolog. Bereich, d. h. für die *Steuerung der Lebensprozesse* in makrobiolog. Syst. (*Biozönose, *Ökologie) ebenso wie in mikrobiolog. bis hin zu molekularbiolog. Syst. (*Zellen, *Ribosomen). Wo immer in der belebten Natur, in u. zwischen tier. u. pflanzlichen Organismen, ein Kreislauf od. ein Gleichgew. (*Homöostase) funktioniert, sind R.-Mechanismen dafür verantwortlich. Beisp. von Regelkreisen sind zu finden bei Hunger u. Sättigung, Körpertemp. u. *Hyperthermie, Blutdruck, Säure-Basen-Gleichgew. (s. a. Alkalose), Wasser- u. Glucose-Haushalt, Tag-Nacht- od. *circadianer Rhythmik (s. Melatonin), bei der Hierarchie der in *Hypothalamus, *Hypophyse u. Drüsen gebildeten (Releasing) Hormone u. ihrer Hemmstoffe, bei der *Konzeption u. Gravidität, bei der *Metamorphose der Insekten u. bei der Photomorphogenese der Pflanzen (s. a. Phytochrom).
In Höheren Organismen erfolgt die R. von Energie- u. Substanz-*Stoffwechsel durch *Hormone (*hormonale R.*), durch *Enzyme, pH-Wert, Stoffwechselprodukte (*humorale R.*) u. bei Tieren zusätzlich durch das Nervensyst. (*nervale R.*). Die Informationen (das „Steuersignal" u. die „Rückmeldung") werden durch *Neurotransmitter, Hormone, Wachstumsregler, Mediatoren u. a. *Botenstoffe* als chem. Signale transportiert, von *Rezeptoren auf der Zellmembran empfangen u. auf die sog. *zweiten Boten* (*E* *second messenger) im Cytoplasma [*Beisp.:* *Adenosin-3′,5′-monophosphat od. Calcium-Ionen zusammen mit D-*myo*-Inosit-1,4,5-trisphosphat (s. Inositphosphate) u. *Diacylglycerinen] übertragen.
Im molekularbiolog. Bereich, d. h. in der Zelle selbst, werden Nährstoffe aufgenommen u. abgebaut (Katabolismus), wobei der Organismus mit Energie u. niedermol. Bausteinen versorgt wird, von denen ein Teil zum Aufbau zelleigener Bestandteile genutzt wird (Anabolismus). Beide Biosynth.-Wege sind R.-Mechanismen unterworfen; der Zellstoffwechsel arbeitet im Normalfall so ökonom., daß eine Überproduktion von Zwischenprodukten od. Endprodukten vermieden wird. Der Stoffwechsel wird v. a. über die R. von Enzymaktivität u. -synth. kontrolliert.
Die *Aktivität vorhandener Enzyme* kann durch verschiedene Mechanismen kontrolliert werden. Bei einer unverzweigten Biosynth.-Kette hemmt das Endprodukt im Normalfall das erste Enzym des Synth.-Weges (**Endprodukt-Hemmung*, *Feedback-Hemmung*). Durch die Bindung des *Effektors (Endprodukt) an einer spezif. Bindungsstelle des Enzyms (*E* allosteric site) kommt es zu einer Konformationsänderung u. damit Inaktivierung (alloster. Effekt, vgl. Allosterie). Bei einem verzweigten Biosynth.-Weg würde eine Feedback-Hemmung des ersten gemeinsamen Enzyms durch eines der Endprodukte zu einer Unterversorgung mit den übrigen Endprodukten führen. Hier treten verschiedene Varianten der Feedback-Hemmung auf:
– Das Endprodukt hemmt das jeweilige erste Enzym nach dem Verzweigungspunkt.
– Der erste Synth.-Schritt des gemeinsamen Synth.-Wegs wird durch mehrere Isoenzyme katalysiert, die unabhängig voneinander jeweils durch ein Endprodukt reguliert werden können.
– Das erste gemeinsame Enzym einer verzweigten Biosynth. wird wenig od. nicht durch die einzelnen Endprodukte beeinflußt; für eine Hemmung müssen alle Endprodukte im Überschuß vorhanden sein (*multivalente Hemmung*).
– Jedes Endprodukt einer verzweigten Synth.-Kette hat Hemmwirkung; die Wirkung der einzelnen Inhibitoren addiert sich (*kumulative Hemmung*).
Feedback-Hemmung reguliert auch Abbauwege, als deren Hauptprodukt Adenosin-5′-triphosphat (ATP) entsteht. Enzyme, die im Stoffwechsel nicht mehr nötig sind, werden durch hochspezif. Proteasen abgebaut. Die Aktivität einiger Enzyme wird über Konformationsänderungen, z. B. durch Phosphorylierung od. Adenylierung gesteuert.
Bei der *R. der Enzymsynth.* wird die sog. *Enzyminduktion* [vgl. Induktion (3.)] oft als R. im engeren Sinne od. als *genet. R.* betrachtet. Nach den an Bakterien u. Phagen gewonnenen Vorstellungen von *Jacob u.

*Monod läßt sich die durch den *genetischen Code gesteuerte Enzymsynth. als ein kompliziertes Wechselspiel von 3 Effektoren verstehen, nämlich von *Repressoren entweder mit *Induktoren* (*Aktivatoren*) od. mit den als *Co-Repressoren* wirkenden *Endprodukten*. Die erste Kombination wirkt auf ein im DNA-Strang befindliches *Operator-*Gen* so ein, daß die strukturabhängige Enzymsynth. ungehindert abläuft (**Induktion*), die zweite Kombination jedoch so, daß die Enzymsynth. blockiert wird: *Repression* durch einen Rückkopplungs-Mechanismus. Der Repressor ist ein Protein, das Bindungsstellen einerseits für den *Operator*, andererseits jedoch auch für niedermol. Effektoren (Substrat bzw. Endprodukt) enthält. Bes. gut untersucht sind die Mechanismen der R. bei der β-Galaktosidase-Synth. durch das Bakterium **Escherichia coli*, an dessen genet. Material Monod u. Jacob die Funktionen der Regulator-, Operator- u. Strukturgene u. des sog. *lac-Operons u. lac-Repressors erstmals aufklärten.
In der Biotechnologie hat die zunehmende Kenntnis der biochem. u. genet. Abläufe bei Mikroorganismen durch Ausschalten von Feedback-Hemmung u. Repression zur Züchtung von Stämmen geführt, die Primärmetabolite (Aminosäuren, Vitamine, Purin-Nucleotide) im Überschuß ausscheiden (s. Stammentwicklung). Bei *Sekundärmetaboliten (z. B. Antibiotika) werden die aufgeführten Techniken ebenfalls mit Erfolg eingesetzt. Führt ein verzweigter Biosynth.-Weg gleichzeitig zu Primär- u. Sekundärmetaboliten, kann eine Auxotrophie-Mutation (*auxotrophe Organismen) im Biosynth.-Ast des Primärmetaboliten zur verstärkten Bildung des Sekundärmetaboliten führen. Daneben gibt es weitere R.-Mechanismen, die die Bildung von Produkten des Sekundärstoffwechsels beeinflussen. In *Batch-Fermentationen mit gut metabolisierbaren Kohlenstoff- u. *Stickstoff-Quellen werden Sekundärmetabolite in einer Produktionsphase (*Idiophase) gebildet, die auf die logarithm. Wachstumsphase (*Trophophase) folgt. In allen bisher untersuchten Fällen ist die Synth. der am Sekundärmetabolismus beteiligten Enzyme während der Trophophase reprimiert. Über die Art der Induktion der Schlüsselenzyme des Sekundärmetabolismus sind nur wenige Daten vorhanden. V. a. bei Antibiotika ist Feedback-Hemmung beschrieben. Die Biosynth. verschiedener Sekundärmetabolite (Antibiotika, Gibberelline, Ergot-Alkaloide) wird durch schnell fermentierbare Kohlenstoff-Quellen, v. a. Glucose, gehemmt. Entsprechendes gilt für Ammonium-Verb. od. andere rasch fermentierbare Stickstoff-Quellen. Anorgan. Phosphat im Kulturmedium fördert bei Pro- u. Eukaryonten das Wachstum, die Produktion von Sekundärmetaboliten wird dagegen durch geringe Phosphat-Konz. gehemmt. Die Grundlagen dieser R.-Prozesse sind noch weitgehend unverstanden. Bei *Actinomyceten konnte bei einigen Stämmen gezeigt werden, daß Differenzierung u. Sekundärmetabolit-Bildung durch vom Produzentenstamm selbst gebildete niedermol. Substanzen beeinflußt werden (*Autoregulation*). Derzeit am besten untersucht ist der *A-Faktor (ein Butyrolacton), der in *Streptomyceten für *Streptomycin-Bildung u. -Resistenz u. Sporenbildung essentiell ist u. auf DNA-Ebene bei der Induktion der Streptomycin-Bildung beteiligt ist. – ***E*** regulation – ***F*** régulation – ***I*** regolazione – ***S*** regulación

Lit.: Crueger u. Crueger, Biotechnologie – Lehrbuch der angewandten Mikrobiologie, München: Oldenbourg 1989 ▪ Karlson, Kurzes Lehrbuch der Biochemie für Mediziner u. Naturwissenschaftler (14.), S. 60–67, 469 ff., Stuttgart: Thieme 1994 ▪ Schlegel (7.), S. 530 ff., 543 ff. ▪ Spektrum Wiss. **1985**, Nr. 12, 135.

Regulatorgen. Gen, das für ein *Repressor-Protein codiert, das die *Transkription von Strukturgenen eines zugeordneten *Operons reguliert. Das Repressor-Protein bindet sich an den Operator des Operons u. verhindert dadurch das Ablesen der Gene durch die RNA-*Polymerase. Durch geeignete Induktoren wird der Repressor inaktiviert, so daß die Gene abgelesen werden können (Enzyminduktion).
Analog funktioniert der Mechanismus der Enzymrepression: Das R.-Produkt benötigt einen Co-Repressor (im allg. das Endprodukt einer Biosynthesekette), um sich an den Operator binden u. die Transkription der Strukturgene abschalten zu können (vgl. lac-Operon). – ***E*** regulator gene – ***F*** gène régulateur, gène de régulation – ***I*** gene regolatore – ***S*** gen regulador

Lit.: Infect. Immun. **64**, 4438 (1996) ▪ Stryer 1996, S. 997 ff.

Regulus (von latein.: regulus = Kleinkönig, Fürst, Prinz). Veraltete Bez. für einen z. B. bei der *Lötrohranalyse aus reduzierten Erzen ausgeschiedenen u. zusammengeschmolzenen, ggf. glänzenden Metallklumpen od. Bez. für gediegenes Metall. *R.-Metall* ist der Name für Pb-Leg. mit 6–12% Sb. – ***E*** regulus – ***F*** régule – ***I*** regolo – ***S*** régulo

Rehbinder (Rebinder), Pjotr Aleksandrovich (1898–1972), Prof. für Physikal. Chemie, Univ. Moskau. *Arbeitsgebiete:* Kolloide, Grenzflächenaktivität, Festkörperphysik, *Rehbinder-Effekt, Flotation, Metall-Bearbeitung, Bohröle, Kühlflüssigkeiten u. dgl.

Lit.: Poggendorff **7 b/7**, 4280–4305 ▪ Z. Phys. Chem. **252**, 273 ff. (1973).

Rehbinder-Effekt. Von P. A. *Rehbinder (Rebinder) 1928 entdeckte Beeinflussung der physikal. Eigenschaften metall. Werkstoffe im Kontakt mit *Schmelzen od. *grenzflächenaktiven Stoffen. Da insbes. mechan. Eigenschaften wie Festigkeit u. Plastizität beeinträchtigt werden, muß der R.-E. in der Metall-Verarbeitung bei Vorliegen entsprechender Bedingungen berücksichtigt werden. – ***E*** Rehbinder's effect – ***F*** effet de Rehbinder – ***I*** effetto di Rehbinder – ***S*** efecto de Rehbinder

Lit.: Encyclopaedic Dictionary of Physics, Bd. 6, S. 262, Oxford: Pergamon Press 1962.

Rehm-Reed. Kurzbez. für das seit 1981 in 8 Bd. u. Teil-Bd. in der VCH Verlagsges. erschienene Hdb. „Biotechnology“, Hrsg.: H.-J. Rehm u. G. Reed. Seit 1992 erscheint bei Wiley-VCH die 2. Aufl. mit bisher 12 Bd., Hrsg.: Rehm, Reed, Pühler, Stadler.

Reibkorrosion s. Schwingungsverschleiß.

Reibschalen. Flache, starkwandige Schalen aus Porzellan (seltener aus Achat, Korund, Borcarbid od. Sintermaterialien), in denen man mit Hilfe des kolbenförmigen *Pistills* (Reibkeule, Stößel, s. Abb.) feste gröbere Substanzen durch reibende od. stoßende Bewegung pulverisiert.

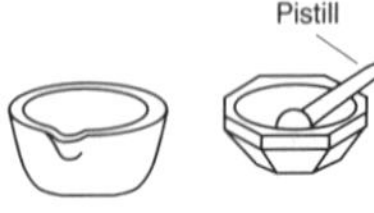

Abb.: Reibschalen u. Pistill.

Topfförmige R. aus Metall werden meist *Mörser* (Symbol der Drogisten) genannt, doch wird diese Bez. auch allg. als Synonym für R. verwendet. – ***E*** mortars – ***F*** mortiers – ***I*** mortai – ***S*** morteros

Lit.: ACHEMA-Jahrb. **1991**, 2352 ▪ DIN 12906: 1976-02.

Reibschweißen s. Schweißverfahren.

Reibung. Teilgebiet der *Tribologie. R. ist eine Kraft, die der Relativbewegung sich berührender fester Körper od. der Strömung flüssiger u. gasf. Medien entgegenwirkt. Die R. in der Kontaktfläche sich berührender Körper wird gelegentlich als äußere R. bezeichnet, um sie von der inneren R. zu unterscheiden, die bei der Relativbewegung von Vol.-Elementen innerhalb von festen, flüssigen od. gasf. Stoffen auftritt.

Bei der *äußeren R.* fester Körper wird zwischen *Haft-* u. *Bewegungs-R.* (Gleit-R.) unterschieden. Kenngröße dafür ist die *R.-Zahl* (R.-Koeff.) μ, die bei der Haft-R. stets größer als bei der Bewegungs-R. ist. Im Gegensatz zur früheren Betrachtungsweise gilt die R.-Zahl nicht mehr als eine reine Werkstoff-Kenngröße, sondern als eine tribolog. Syst.-Kenngröße, die von verschiedenen Faktoren, z. B. Relativgeschw., Belastung, Schmierungszustand, Werkstoffpaarung, abhängig ist. Die Änderung eines tribolog. Syst. durch den Einfluß der Relativgeschw. Öl-geschmierter Gleitflächen kommt auch in der sog. *Stribeck-Kurve* zum Ausdruck. Bei Beginn der Bewegung liegt eine hohe R.-Zahl vor (*Festkörper-R.*), mit zunehmender Relativgeschw. nimmt sie bis zu einem Minimum ab (*Grenz- u. Misch-R.*) u. steigt nach vollständiger Trennung der Gleitflächen wegen zunehmender innerer R. der Schmierflüssigkeit wieder an (*Flüssigkeits-R.*, hydrodynam. Schmierung).

Die Kenngröße für die *innere R.* in Flüssigkeiten u. Gasen ist die *Viskosität, die außer vom Medium auch von Druck u. Temp. abhängt. Bei Nichtnewtonschen Flüssigkeiten, wie z. B. Mineralölen mit polymeren Zusätzen (u. a. Motorenöle), kommen die Abhängigkeiten von Scherung u. Beanspruchungsdauer hinzu.

R. ist insgesamt gesehen ein komplexer Vorgang, zu dessen Erklärung verschiedene Theorien herangezogen werden. Dies sind die *mechan.-geometr. Theorie* (Verklammerung durch Oberflächenrauheit), die *mol.-atomist. Theorie* (Wechselwirkung von Oberflächenatomen), die *Deformations-Theorie* (plast. Verformung der Rauheitsspitzen, Furchung) u. die *energet. Theorie* (Umsetzung mechan. Energie in andere Energieformen, z. B. Wärme). Eine alle Erscheinungen der R. umfassende Theorie steht jedoch noch aus.

Nach der Bewegungsform wird R. in *Gleit-R.* (Relativbewegung sich berührender Oberflächen), *Roll-R.* (Abrollbewegung, z. B. Rad/Schiene), *Wälz-R.* (Kombination von Roll- u. Gleit-R.) u. *Bohr-R.* (von Drehpunkt nach außen zunehmende Gleitbewegung um eine senkrecht zur Oberfläche im Drehpunkt stehende Achse) unterschieden. Bezüglich des R.-Zustandes wird eingeteilt in *Festkörper-R.* (unmittelbarer Kontakt der Reibpartner), *Grenz-R.* als Sonderfall der Festkörper-R. (Reaktionsschichten mit Schmierstoff auf der Oberfläche der Reibpartner), *Flüssigkeits-R.* (lückenlos trennender Schmierfilm zwischen den Reibpartnern), *Gas-R.* (lückenlos trennender Gasfilm zwischen den Reibpartnern) u. *Misch-R.* (gleichzeitiges Vorliegen von Festkörper u. Flüssigkeits- od. Gas-R.).

R. ist oft unerwünscht, da sie mechan. Energie in meist wirtschaftlich nicht nutzbare Wärmeenergie umwandelt. Daher wird in vielen Fällen versucht, die R. zu vermindern. Andererseits kann insbes. hohe R. erwünscht sein, z. B. bei sog. kraftschlüssigen, über R.-Kraft wirkende Kupplungen, Bremsen u. Autoreifen. – ***E*** = ***F*** friction – ***I*** attrito – ***S*** fricción, rozamiento

Lit.: DIN 50323-2: 1995-08; 50323-3: 1993-12 ▪ Zum Gahr et al., Reibung und Verschleiß, Oberursel: Dtsch. Ges. f. Metallkunde 1983 ▪ Klamann, Schmierstoffe u. verwandte Produkte, Weinheim: Verl. Chemie 1982 ▪ Ullmann (5.) **B 1**, 9-1/9-25 ▪ Winnacker-Küchler (4.) **4**, 645 ff.

Reibungs... s. Tribo...-Stichwörter

Reibungselektrizität s. Triboelektrizität.

Reich, Ferdinand (1799–1882), Prof. für Mineralogie, Bergakademie Freiberg. Mitentdecker des Indiums in der schwarzen Zinkblende mittels Spektralanalyse.

Lit.: Lexikon der Naturwissenschaftler, S. 343.

Reichardtit s. Epsomit.

Reichelt AG. Kurzbez. für die F. Reichelt AG, 22014 Hamburg, die zusammen mit den Tochterges. Efeka Friedrich & Kaufmann GmbH & Co. KG in Arzneimittel-Herst. u. Großhandel tätig ist. *Daten* (1996, Konzern): ca. 284 Mitarbeiter, ca. 13,9 Mio. DM Umsatz.

Reichenbach, Carl-Ludwig Freiherr von (1788–1869), Chemiker, Industrieller. *Arbeitsgebiete:* Eisen-Verhüttung, Rohrwalzen, Holzverkohlung (R.-Ofen), Holzdest., Paraffin, Kreosol usw. im Holzteer, Mineralogie, Geologie, Meteoriten. Begründer der Od-Lehre (Naturphilosophie von einer vom Menschen ausgehenden, alles durchdringenden Kraft, die für die Phänomene des Magnetismus, der chem. Aktion, der Hypnose etc. verantwortlich sein soll).

Lit.: Lexikon der Naturwissenschaftler, S. 343 ▪ Pötsch, S. 358 f.

Reichenstein, F. J. von, s. Müller, Franz.

Reichert-Meissl-Zahl. Maßzahl für den Anteil freier Fettsäuren in *Fetten und Ölen u. damit Qualitätsmerkmal. Der Zahlenwert gibt das Vol. an 0,1 n NaOH in mL an, das zur Neutralisation der aus 5 g Fett od. Öl abdest. flüchtigen Fettsäuren erforderlich ist (in der Regel unter 1). – ***E*** Reichert Meissl number – ***F*** indice de Reichert-Meissl – ***I*** numero di Reichert-Meissl – ***S*** índice de Reichert-Meissl

Reichgas. Histor. Bez. für ein als *Stadtgas verwendbares Gasgemisch, das als Hauptbestandteil CH_4, daneben je nach Verwendungszweck unterschiedliche

Anteile CO, CO_2, N_2 u. H_2 enthält, vgl. Brenngase u. Starkgase. Die Herst. erfolgt durch Hydrierung von CO (*Methanisierung von *Synthesegas) od. durch *Kohlevergasung; Heizwert $H_u = 25-42$ MJ/m^3 (6–10 Mcal/m^3). – ***E*** high Btu gas – ***F*** gaz à pouvoir calorifique élevé – ***I*** gas combustibile, gas industriale – ***S*** gas de poder calorífico elevado

Lit.: Falbe, Chemierohstoffe aus Kohle, S. 174–190, Stuttgart: Thieme 1977 ▪ Kirk-Othmer (3.) **6**, 251; **11**, 419; **12**, 903 ▪ Ullmann (5.) **A 12**, 175 ff. ▪ Winnacker-Küchler (4.) **5**, 422–449, 559–568 ▪ s. a. Kohleveredlung. – *[HS 2705 00]*

Reichhold Chemicals, Inc. (RCI). Kurzbez. für die 1927 gegr. amerikan. Firma in Research Triangle Park, N. C. 27709-3582, USA; Mutterges.: DAINIPPON INK & CHEMICALS, Inc., Japan. *Daten* (1997): 3500 Mitarbeiter, 1,2 Mrd. $ Umsatz. Der Konzern hat weltweit zahlreiche Beteiligungs- u. Tochtergesellschaften. *Produktion:* Spezialpolymere, Additive u. Polymer-Syst. für die Auto-, Textil-, Verpackungs-, Papier-Ind.; Feuerschutz, Korrosionsschutz, Farben u. Lacke usw. *Vertretung* in der BRD: Reichhold GmbH, 60323 Frankfurt.

Reichsausschuß für Arbeitszeitstudien s. REFA.

Reichsmetall. Veraltete Bez. für CuZn-Leg.-Gruppe mit 54–56% Cu, 40–42% Zn, 3% Mn, 1–2% Al u. 1% Fe. Heute zählt die auch als *Delta-Metall* bezeichnete Leg.-Gruppe zu den *Sondermessingen u. entspricht etwa $CuZn_{40}Al_2$ nach DIN 17660[1]. Eingesetzt wird R. als Konstruktionswerkstoff mittlerer bis hoher Festigkeit im Maschinen- u. Apparatebau, wobei je nach Leg.-Zusatz bes. Korrosionsbeständigkeit, Warmfestigkeit od. Gleiteigenschaften eingestellt werden können, z. B. wird Blei zur Verbesserung der Zerspanbarkeit zugesetzt. – ***E*** manganese bronze – ***I*** metallo delta – ***S*** metal rico

Lit.: [1] DIN 17660: 1983-12.
allg.: Wieland-Buch, Kupferwerkstoffe, Ulm: Wieland-Werke 1986.

Reichstein, Tadeus (1897–1996), Prof. für Organ. Chemie, Univ. Basel. *Arbeitsgebiete:* Kaffeearoma, Furane, Synth. der Ascorbinsäure unabhängig von W. N. Harworth, Zucker, Isolierung u. Teilsynth. der Hormone der Nebennierenrinde, herzaktive Glykoside; Nobelpreis für Physiologie od. Medizin 1950 (zusammen mit *Hench u. *Kendall).

Lit.: Chimia **21**, 432 (1967) ▪ Lexikon der Naturwissenschaftler, S. 344 ▪ Neufeldt, S. 165, 193, 238 ▪ Pötsch, S. 359 ▪ Strube et al., S. 171.

Reichsteins Substanz... s. Cortison u. Nebennierenhormone.

Reichweite s. Radioaktivität.

Reif. Aus feinkrist. *Eis bestehender, meteorolog. *Niederschlag, der auf kalten Flächen (<0 °C) entsteht, wenn Wasser als unterkühlter atmosphär. *Wasserdampf (*Nebel, Tau*) aus dem gasf. direkt in den festen Zustand übergeht (*Rauhreif*). – ***E*** hoarfrost, rime – ***F*** givre – ***I*** brina – ***S*** escarcha

Reifen. 1. Begriff, dem man (auch als *Reifung*) im Zusammenhang mit dem *Altern bzw. der *Alterung von *Pflanzen, bes. *Obst, von *Käse, *Fleisch, *Keimen, *Papier usw. begegnet, s. a. Ostwald-Reifung, Photographie (Reitkeime) u. Kristallisation.
2. Umgangssprachliche Bez. für auf Metallfelgen aufgezogene Fahrzeug-R., früher als Vollgummi-R., heute meist als Luft-R. auf der Basis von Natur- u./od. Synth.-*Kautschuk. Der herkömmliche R. besteht aus einem Gummischlauch (z. B. aus Butylkautschuk), der mit Luft gefüllt u. von einer schützenden *Decke* od. einem *Mantel* umgeben ist (*Bereifung*); häufig wird auch nur die Decke als „R." bezeichnet. Schlauchlose R. besitzen innenseitig eine luftdichte Gummischicht. Der Unterbau der Decke, d. h. das tragende Element des R. (die sog. *Karkasse*), besteht aus mehreren kreuzweise übereinandergelegten u. miteinander fest verbundenen Gewebelagen aus Textilfäden (Baumwolle, Reyon, Polyester usw.), die im Reifenfuß (*Wulst*) um einen Stahlseilkern geschlungen sind (beim *Diagonal-R.*). Beim *Gürtel-R.* (*Radial-R.*) verlaufen die Fäden dieser Gewebelagen radial u. die auf der Karkasse aufliegenden Gewebelagen des Gürtels, die aus Textil-, Glasfaser- od. Stahlfäden bestehen können, spitzwinklig zur Umfangrichtung. Der Gürtel ist hier der Festigkeitsträger, der die Lauffläche stabilisiert u. dem R. eine stärkere Seitenführungskraft verleiht. Auf dem Gürtel befindet sich eine Polsterschicht, die eine profilierte Lauffläche (*Protektor*) aus natürlichem u./od. synthet. Gummi trägt, wobei die Profilierung einmal vom Verwendungszweck (z. B. Sommer-R., Winter-R., Matsch- u. Schnee-R.), zum anderen von der Einsatzart (PKW-R., Motorrad-R., Renn-R., LKW-R., Erdbewegungs-R., Ind.-R., Flugzeug-R., Fahrrad-R. usw.) bestimmt wird.
Die **Altreifen* (in der BRD jährlich ca. 450000 t) werden teilw. durch „Runderneuerung" wiederverwendbar gemacht od. mittels anderer Verf. einem *Recycling zugeführt, z. B. durch *Kaltmahlung zu verwertbarem Gummigranulat od. -mehl; Näheres zur Altreifenverwertung s. *Lit.*[1].
Der durch Abrieb im Straßenverkehr Luft u. Verkehrswege verunreinigende Gummistaub stellt eine merkliche Umweltbelastung dar. – ***E*** 1. ripening, maturation, 2. tyre, tire – ***F*** 1. maturation – ***I*** 1. maturazione, 2. pneumatici – ***S*** 1. maduración

Lit.: [1] Römpp Lexikon Umwelt, S. 55.
allg. (zu 2.): Encycl. Polym. Sci. Eng. **16**, 834–861 ▪ Kirk-Othmer (4.) **21**, 22–46, 520 f.; **24**, 161–186 ▪ Ullmann (4.) **6**, 554 f., 558 ff.; **13**, 695–700; (5.) **A 27**, 83–94 ▪ Winnacker-Küchler (4.) **6**, 519 ff., 528, 597, 599, 698, 720 ▪ s. a. Kautschuk, Altreifen.

Reifkeim, Reifkörper s. Photographie.

Reifung s. Reifen (1.).

Reifungs-fördernder Faktor. Dtsch. Bez. für maturation-promoting factor, s. Cycline.

Reilly. Kurzbez. für die 1896 gegr. amerikan. Firma Reilly Industries, Inc., Indianapolis, Ind. 46204 u. die Tochterfirmen Reilly Chemicals, 1050 Brüssel, Belgien u. Morflex, Inc., Greensboro, NC. *Produktion:* Pyridin (Reilly®), Piperidin u. Picolin sowie deren Derivate, Citrat-Ester u. Teer-Produkte.

Reimer-Tiemann-Reaktion. Von K. L. Reimer (1856–1921)[1] u. Tiemann 1876 aufgefundener Syntheseweg zu aromat. *o*- u. *p*-Hydroxyaldehyden durch

Umsetzung von Phenolen mit Chloroform in Ggw. von KOH. Anstelle von Phenolen können auch reaktive Heterocyclen wie Pyrrol od. Indol formyliert werden; vgl. a. Formylierung. Die Orientierung für die Substitution ist im allg. *ortho* u. erfolgt nur dann in *para*-Stellung, wenn beide *ortho*-Positionen blockiert sind. Das den Aromaten angreifende elektrophile Reagenz ist Dichlor-*Carben, das aus Chloroform durch α-*Eliminierung, am besten in Ggw. eines Phasentransfer-Katalysators (s. Phasen-Transfer-Katalyse) erzeugt wird. Eine typ. Verb., die durch die R.-T.-R. hergestellt werden kann, ist *Salicylaldehyd.

O^- + $|CCl_2$ → (O, H, $\bar{C}Cl_2$) → (O^-, $CHCl_2$) $\xrightarrow{H^+/H_2O,\ -2\,HCl}$ (OH, CHO)

– ***E*** Reimer-Tiemann reaction – ***F*** réaction de Reimer et Tiemann – ***I*** reazione di Reimer-Tiemann – ***S*** reacción de Reimer-Tiemann

Lit.: [1] Ber. Dtsch. Chem. Ges. **54**, A 159 (1921).
allg.: Chem. Rev. **60**, 169–184 (1960) ▪ Hassner-Stumer, S. 314 ▪ Houben-Weyl **E 3**, 16; **E 19 b**, 1523–1527 ▪ Krauch u. Kunz, Reaktionen der Organischen Chemie, 6. Aufl., S. 541, Heidelberg: Hüthig 1997 ▪ Laue-Plagens, S. 267 ▪ March (4.), S. 544 ▪ Org. React. **28**, 1–36 (1982) ▪ Trost-Fleming **2**, 769 f.

Rein, Herbert (1899–1955), Industriechemiker in Wolfen, Bobingen u. bei Cassella-Mainkur. *Arbeitsgebiete:* PVC-Fasern, Aufbau der PeCe-Faserwerke, Entwicklung der PAN-Fasern.

Lit.: Neufeldt, S. 213 ▪ Pötsch, S. 359 ▪ Strube et al., S. 210.

Reine Chemie. Ursprünglich wurde diese Bez. für den Lehrstoff der *Chemie im Gegensatz zum Experiment verwendet; heute bedeutet r. C. die Chemie als *Wissenschaft* (*Forschung) im Gegensatz zu ihren *Anw.* in Ind. od. anderen Wissensgebieten (*angewandte Chemie). Die heutige Auffassung wird deutlich im Namen der Weltorganisation der Chemie ausgedrückt, s. IUPAC. – ***E*** pure chemistry – ***F*** chimie pure – ***I*** chimica pura – ***S*** química pura

Reineckate s. Reinecke-Salz.

Reinecke-Salz [Ammonium-diammintetrakis(thiocyanato-*N*)chromat(1–)-monohydrat, Ammoniumreineckat]. $NH_4[Cr(NH_3)_2(NCS)_4]\cdot H_2O$, $C_4H_{10}CrN_7S_4\cdot H_2O$, M_R 354,45. Dunkelrote Krist., lösl. in heißem Wasser u. Alkohol, entstehen durch Zusammenschmelzen von Ammoniumthiocyanat u. Ammoniumdichromat. Das R.-S. dient zur Fällung von Aminen, Alkaloiden, Prolin u. Hydroxyprolin aus biolog. Lsg., wobei schwerlösl., meist rosafarbene *Reineckate* entstehen, die zur quant. gravimetr. Bestimmung, ggf. nach Verbrennung zu Chromoxid, geeignet sind. Daneben ist das R.-S. ein Fällungsreagenz auf Cu^+ (gelb), Hg^{2+} (rot) u. Cd^{2+} (blaßrosa). – ***E*** Reinecke salt – ***F*** sel de Reinecke – ***I*** sale di Reinecke – ***S*** sal de Reinecke

Lit.: Beilstein EIV **3**, 309 ▪ Gmelin, Syst.-Nr. 52, Cr, Tl. C, 1965, S. 243–273. – *[HS 2842 90; CAS 13573-16-5 (wasserfrei)]*

Reineclauden s. Pflaumen.

Reinelemente s. chemische Elemente (S. 679).

Reines, Frederick (geb. 1918), Prof. für Physik, Univ. of California (Irvine). *Arbeitsgebiete:* Elementarteilchen, Leptonen, Nachw. der Existenz des Neutrinos u. Entdeckung des Elektronen-Antineutrinos. Hierfür erhielt er zusammen mit M. L. *Perl 1995 den Nobelpreis für Physik.

Lit.: Lexikon der Naturwissenschaftler, S. 344 ▪ The International Who's Who (17.), S. 1253.

Reingold-Legierung s. Dutch-Metall.

Reinhardt-Zimmermann-Titration. Manganometr. Verf. (s. Oxidimetrie) zur Bestimmung des Eisen-Gehalts in Erzen, Leg. usw., das auf der Oxid. von Fe^{2+} zu Fe^{3+} in salzsaurer Lsg. beruht. Um die durch Fe^{2+}-Ionen katalysierte Oxid. von Chlorid-Ionen durch Permanganat (Mehrverbrauch an MnO_4^-) zu vermeiden u. eine bessere Endpunktbestimmung zu erreichen [$(FeCl_8)^{3-}$-Ionen färben die Titrationslsg. gelbbraun], wird zu Beginn der Titration *Reinhardt-Zimmermann-Lsg.* (bestehend aus 65 g $MnSO_4\cdot 4\,H_2O$, 140 mL 85%ige Orthophosphorsäure u. 130 mL konz. Schwefelsäure in 1 L Lsg.) zugesetzt. – ***E*** Reinhardt-Zimmermann titration – ***F*** titration de Reinhardt-Zimmermann – ***I*** titolazione di Reinhardt-Zimmermann – ***S*** valoración de Reinhardt-Zimmermann

Reinheit. Im Sinne von *chemische Reinheit* (Näheres s. dort) von *Chemikalien drückt das Wort „rein" aus: „Unvermischt, frei von andersartigen Bestandteilen". Eine reine Substanz hat einen hohen Gehalt an wertgebenden Bestandteilen u. einen möglichst geringen Gehalt an *Verunreinigungen, denn nach dem R.-Grad richten sich Verwendbarkeit u. Preis eines Produkts. Abgesehen von den bei chemische Reinheit definierten, durch die verschiedenen *Reinigungs-Operationen erreichbaren Qualitäten kennt man noch Begriffe wie **Nuklearreinheit*, **optische Reinheit*, *Enantiomeren-R.* (s. optische Ausbeute), bei *markierten Verbindungen u. *Radioindikatoren eine *Isotopen-R.* des Leitisotops, bei *Radiopharmazeutika die *radiochem. R.*, im biolog.-medizin. Bereich die *mikrobiolog. R.*, im Bereich der *Molekularbiologie u. *Genetik die *genet. R.*, bei medizin. Präp. die *Pyrogen-Freiheit* etc. Für Arbeiten unter bes. R.-Bedingungen sind – noch speziell zu definierende – *Reinraumtechniken entwickelt worden. Der Begriff „rein" ist naturgemäß relativ, u. man unterscheidet dementsprechend verschiedene Stufen, für die sich allerdings auch keine Mindestprozentgehalte der zulässigen Verunreinigungen angeben lassen. Festlegungen darüber müssen für jeden einzelnen Stoff getrennt getroffen werden. – ***E*** purity – ***F*** pureté – ***I*** purezza – ***S*** pureza

Lit.: s. chemische Reinheit, Trennverfahren.

Reiniger (Reinigungsmittel, Reiniger für harte Oberflächen). Bez. für – zumeist *Tensid-haltige – Formulierungen mit sehr weitem Einsatzbereich u. davon abhängig sehr unterschiedlicher Zusammensetzung. Die wichtigsten Marktsegmente sind Haushalts-R., industrielle (techn.) u. institutionelle {I&I [industrial & institutional (cleaners)]} Reiniger. Nach dem pH-Wert unterscheidet man alkal., neutrale u. saure R., nach der Angebotsform flüssige (auch in Sprayform) u. feste R.

(auch in Tablettenform). Die sog. R. für harte Oberflächen sollen im Unterschied etwa zu *Geschirrspülmitteln, die meist mit in die Produktgruppe der R. eingeordnet werden, sowohl im konz. Zustand als auch in verd. wäss. Lsg. in Verbindung mit mechan. Energie ein optimales Anwendungsprofil zeigen. Kaltreiniger entfalten ihre Leistung ohne erhöhte Temperatur. Maßgebend für die Reinigungswirkung sind v.a. Tenside u./od. Alkaliträger, alternativ Säuren, ggf. auch Lsm. wie *Glykolether u. niedere Alkohole. Im allg. sind in den Formulierungen darüber hinaus *Builder, je nach R.-Typ auch Bleichmittel, *Enzyme, keimmindernde od. desinfizierende Zusätze sowie Parfümöle, die über eine häufig „herbe" Beduftung wie Citrus ein „kraftvolles" Leistungsprofil vermitteln sollen, u. Farbstoffe enthalten. R. können auch als *Mikroemulsionen formuliert sein. Der Reinigungserfolg hängt in hohem Maße von der – auch geograph. sehr unterschiedlichen – Schmutzart u. den Eigenschaften der zu reinigenden Oberflächen ab.

Haushalts-R.: Können als *Universal-R.* od. als *Spezial-R.* für u.a. Keramik, Fliesen, Fenster, Kunststoffe, (Teppich-)Böden, Kochfelder, Backöfen, Mikrowellenherde, als *Sanitär-R.* od. *WC-R.* formuliert werden. *Rohr-R.* sind alkal. eingestellt u. bestehen z.B. aus festem Natriumhydroxid u. Aluminium-Pulver, bei dessen Auflösung der entstehende Wasserstoff für eine entsprechende Verwirbelung in den freizuspülenden Rohrsegmenten sorgt. Sanitär-R. enthalten neben Tensid u. Builder v.a. keimmindernde Wirkstoffe, wobei das früher verwendete Natriumhypochlorit teilw. durch Wasserstoffperoxid od. andere Persauerstoff-Verb. ersetzt ist. WC-R. sind überwiegend sauer, manchmal auch alkal. eingestellt, wobei im ersteren Fall die ursprünglich verwendete Phosphorsäure u. das Natriumhydrogensulfat weitgehend durch organ. Säuren, v.a. Citronensäure, ersetzt sind. Zu den Spezial-R. gehören im Do-it-yourself-Bereich auch *Kfz-, Autoscheiben-, Felgen-, Motoren-* u. *Farbauftragsgeräte-Reiniger.*

Institutionelle R.: Dienen der betrieblichen Reinigung u. Hygiene z.B. in Schulen, Bürogebäuden, Hotels, Gaststätten u. Krankenhäusern, wobei im letzteren Fall eine sichere Flächendesinfektion eine bes. Anforderung an die Produkte stellt. Diese R. werden in Großgebinden abgegeben (Großverbraucherware). Die Produkte u. die zugehörige Dienstleistung unter Einsatz speziell entwickelter Reinigungsgeräte werden als Systemlösung angeboten.

Techn. R.: Werden v.a. in der Getränke-, Nahrungsgüter-, kosmet. u. pharmazeut. Ind., aber auch in der Metall-Ind. zum Metallentfetten eingesetzt. Die Produktgruppe umfaßt u.a. auch *R. für Kfz-Waschanlagen, Tankwagen-* u. *Flugzeug-Reiniger.* Im Hinblick auf die erforderliche Produktivität z.B. bei der Flaschenreinigung müssen diese R. mit schaumarmen Tensiden formuliert sein, wofür sich spezielle *nichtionische Tenside, wie Ethylenoxid-Propylenoxid-Blockcopolymere u. sog. endgruppenverschlossene Alkylethoxylate, eignen.

Umweltaspekte: R. unterliegen hinsichtlich ihrer biolog. Abbaubarkeit wie *Waschmittel den Bestimmungen des Wasch- u. Reinigungsmittelgesetzes (WMRG). In der BRD (seit 1986) u.a. Ländern besteht eine freiwillige Selbstverpflichtung der Ind. zum Verzicht auf den Einsatz der schwer abbaubaren Alkylphenolethoxylate in Wasch- u. Reinigungsmitteln, in der Schweiz seit 1986 ein Verbot zum Einsatz in Textilwaschmitteln.

Wirtschaftliche Bedeutung: Der Umsatz an I&I-R. wird weltweit auf über 11 Mrd. $ geschätzt (1993), bei Haushalts-R. erreichte er 1997 in der BRD 1,065 Mrd. DM, für Spezial-Putz- u. Pflegemittel kamen weitere 419 Mio. DM hinzu. Trends gehen wegen der größeren Convenience wieder etwas stärker in Richtung Spezial-R. u. im Hinblick auf die Einsparung von Packmitteln zu Konzentraten. – ***E*** cleaners (hard-surface cleaners) – ***F*** produits à nettoyer – ***I*** detergente detersivo – ***S*** productos de limpieza

Lit.: Cahn (Hrsg.), Proc. 3rd World Conf. Det.: Global Persp., S. 99–107, 111–116, Champaign, IL: ADCS Press 1994 ▪ Jahrbuch für den Praktiker 1988, Industrie – Gewerbe – Haushalt, Rohstoff u. Formulierung, Augsburg: Verl. für chem. Ind. 1998 ▪ Lange (Hrsg.), Detergents and Cleaners: A Handbook for Formulators, München: Hanser 1994 ▪ SÖFW J. **122**, 370–375 (1996); **123**, 222, 415–421 (1997); **124**, 128–132, 319ff. (1998).

Reinigung. 1. Im chem. Sinne faßt man unter dem Begriff „R." alle Verf. zusammen, die zur Gewinnung von chem. Substanzen eines bestimmten Reinheitsgrades (s. chemische Reinheit) durch *Trennen von den *Verunreinigungen dienen; in der Technik spricht man oft von *Läutern u. *Seigerung, in anderem Zusammenhang auch von *Aufbereitung. Zu den zahlreichen, in eigenen Stichwörtern abgehandelten R.-Meth. gehören z.B. Lösen u. Fällen, Adsorptions- u. Chromatographie-Verf., Elektrophorese, Schmelzen, insbes. Zonenschmelzverf., Ausfrieren, normales Erstarren, Krist., Sublimation, Aufwachsverf. u.a. Transport-Reaktionen, Dest., Rektifikation u. viele andere *Trennverfahren. Von allg. Bedeutung für den Umweltschutz sind z.B. *Gasreinigungs-Meth. für Abgase u. Rauchgase u. die R. von Abwässern. Bes. hohe Anforderungen werden an die R. von Halbleitermaterial für die Elektronik-Ind. gestellt. Selbst analyt. reine *Reagenzien bedürfen oft noch einer Nachreinigung. Mehrere Kommissionen der IUPAC beschäftigen sich mit der Ausarbeitung von Empfehlungen sowohl für R.-Meth. als auch für Tests auf Verunreinigungen.

Im chem. Laboratorium ist bei „R." auch zu denken an die Säuberung von Geräten u. Gefäßen aus Glas, Kunststoff, Keramik, Metall etc., wofür spezielle *Reiniger entwickelt worden sind, die z.T. auch in Geschirrspülmaschinen einsetzbar sind. Eine neuere Meth. ist die R. mittels Ultraschall-Geräten. Andere Gesichtspunkte gelten für die – ggf. mit *Desinfektion zu verbindende – R. in der chem. u. nahrungsmitteltechn. Industrie. In der *Metallreinigung werden unter R. alle Verf. wie Bürsten, Entfetten, Strahlen, Waschen, Beizen u.a. zusammengefaßt, die der Entfernung unerwünschter Stoffe dienen, die bei der Fertigung u. Metallbearbeitung auf der Oberfläche verblieben sind.

2. Der Körper-R. dienen *Seifen u. *Hautpflegemittel (*R.-Cremes, -Lotionen, -Milch* etc.); zur R. im Haushalt benutzt man *Putzmittel u. *Reiniger, bei der R. von Textilien *Waschmittel (*Tenside, Detergentien)

u. beim gewerblichen *Chemisch-Reinigen setzt man sog. *Reinigungsverstärker ein. – ***E*** purification, cleaning – ***F*** purification, nettoyage – ***I*** purificazione – ***S*** purificación, limpieza
Lit.: s. chemische Reinheit, Reiniger.

Reinigungsmittel s. Reiniger.

Reinigungsverfahren s. Reinigung, Trennverfahren u. chemische Reinheit.

Reinigungsverstärker. Eine 1953 von Kreussler geprägte Bez. für beim *Chemisch-Reinigen eingesetzte Benzinseifen u. *Tenside, die die Reinigungswirkung der organ. Lsm. verstärken, indem sie durch Bildung inverser *Micellen in Ggw. geringer Mengen Wasser die Reinigungsleistung auch auf hydrophile Anschmutzungen ausdehnen. Eine andere Gruppe von R. stellen Polymere vom Typ der Polyglykolether, Polyacrylate od. Polyacrylamide mit Molmassen von ca. 1 000 000 dar, die in *Reinigern für harte Oberflächen eingesetzt werden u. zur Stabilisierung der aus wäss. Tensid-Lsg. u. Schmutz gebildeten Emulsion bzw. Dispersion beitragen. – ***E*** dry cleaning detergents – ***F*** renforçateurs de nettoyage – ***I*** intensificatore detersivo – ***S*** reforzadores de limpieza

Reinkultur. In der Mikrobiologie Bez. für einen Kulturansatz, der nur aus Zellen einer Spezies od. eines *Stammes besteht (Gegensatz: *Mischkultur). Ausgangsmaterial für eine R. ist eine einzige Zelle, die mit verschiedenen Verf. (z. B. *Kochsches Plattengußverfahren od. Verdünnungsreihen) aus einer Zellpopulation isoliert, auf ihre Identität überprüft u. weitervermehrt wird. Bei genet. instabilen – häufig industriell genutzten – Stämmen muß die Neuisolierung bereits nach wenigen Vermehrungsschritten erneut vorgenommen werden; bei stabilen Stämmen kann eine R. über eine Vielzahl von Überimpfungs-Passagen erhalten bleiben. R. sind Ausgangsmaterial für systemat. u. physiolog. Untersuchungen, aber auch Grundlage für biotechnolog. Prozesse zur Produktion von Metaboliten od. zur *Biotransformation. R. werden in *Stammsammlungen hinterlegt. – ***E*** pure culture – ***F*** culture pure – ***I*** coltura pura – ***S*** cultivo puro
Lit.: Schlegel (7.), S. 205 f.

Reinluftgebiete. Ungenaue Bez. für gering od. nicht besiedelte Gebiete, in denen der Gehalt an Spurenstoffen in der Luft niedrig ist im Vgl. zu Siedlungsgebieten[1] (s. a. Immissionen, Luftverunreinigung). R. mit Immissionsmeßstationen der Landesämter befinden sich innerhalb der BRD größtenteils in Mittelgebirgslagen, werden also bei entsprechenden Wetterlagen von anthropogenen Emissionen angrenzender Gebiete sowie des weiteren Umfeldes beeinflußt. Die Immissionswerte an *Ozon[2] u. a. *Photooxidantien liegen in R. in der Regel höher als in Ballungsgebieten bzw. in der Nähe der *Emissions-Quellen. – ***E*** clean air areas – ***F*** zones d'aire pure – ***I*** zona coll'area definitiva – ***S*** zouas de aire puro
Lit.: [1] Fortschr. Ber. VDI Reihe 12, **183**, 72 (1993). [2] Umweltbundesamt (Hrsg.), Daten zur Umwelt 1997, S. 157, Berlin: Schmidt 1997.

Reinraumtechnik. Die modernen Herst.-Meth. der Elektronik- u. Halbleiter-Ind. verlangen eine weitgehend staubfreie Atmosphäre an den Orten der Fertigung; auch die Arbeitsmeth. der Mikrobiologie, der Pharma-Ind. u. der Gentechnologie setzen solche Bedingungen voraus. Diese Anforderungen führten zur Entwicklung der R., wobei man unter „reinen Räumen" Bereiche versteht, die gegenüber ihrer Umgebung klimat. abgeschirmt sind u. in denen die durch verschiedene Meth. der *Entstaubung u. *Entkeimung erreichte niedrige Partikel- u. Keim-Konz. unter Kontrolle gehalten wird. Diese Bereiche können durch Maßnahmen der *Klimatechnik mit Temp.-, *Feuchtigkeits- u. *Luftdruck-Regelung ausgestattet u. als be-

Tab.: Partikel-Grenzkonz. je Kubikmeter [m^{-3}] für die Luftreinheitsklassen nach Richtlinie VDI 2082 Blatt 1.

Luftreinheitsklassen n	Partikelgrößen [µm] ≥0,1	≥0,2	≥0,3	≥0,5	≥1,0** 10^n	≥5,0	≥10,0
0	150	33	14	–	10^0		
1 (1)*	1 500 (35)*	330 (8)*	140 (3)*	45 (1)*	10^1		
2 (10)*	15 000 (350)*	3 300 (75)*	1 400 (30)*	450 (10)*	10^2		
3 (100)*		33 000 (750)*	14 000 (300)*	4 500 (100)*	10^3		
4 (1000)*				45 000 (1 000)*	10^4	300 (7)*	
5 (10 000)*				450 000 (10 000)*	10^5	3 000 (70)*	
6 (100 000)*				4 500 000 (100 000)*	10^6	30 000 (700)*	
7***					10^7	300 000	70 000

* Reinheitsklassen u. Partikelkonz. je Kubikfuß [ft^3] nach US Federal Standard 209D (zum Vgl.)
** Bezugspartikelgröße für Klassendefinition (keine Meßgröße!)
*** Diese Klasse wurde v. a. im Hinblick auf die Beurteilung von Reinräumen im Installationszustand eingeführt

gehbare Räume od. als „reine Werkbänke" ausgelegt sein. Die Zufuhr von störenden Partikeln durch die Außenluft kann durch wirksame Filter verhindert werden. Partikel, die von anwesenden Personen, Präp. u. Gegenständen ausgehen, können durch eine laminare Luftströmung (turbulenzarme Verdrängungsströmung) bei kontinuierlicher Abführung der kontaminierten Luft entfernt werden. Das Arbeitspersonal muß strenge Hygieneauflagen wie das Tragen spezieller Schutzkleidung erfüllen, u. auch an Einrichtungsgegenstände, Arbeitsmaterialien etc. werden bes. Maßstäbe gelegt. Für die Klassifizierung von Reinräumen u. die Überwachung der Anlagen sind nat. u. internat. Richtlinien erarbeitet worden. Die Tab. (S. 3772) gibt eine Übersicht über die Luftreinheitsklassen. – ***E*** clean room technique – ***F*** technique des espaces propres – ***I*** tecnica di spazio puro – ***S*** técnica de espacios limpios

Lit.: Pharm. Ind. **43**, 467–472 (1981) ▪ Reinraumtechnik (VDI-Richtl. 2083, Bl. 1–10), Düsseldorf: VDI 1991–1998.

Reinst(stoffe) s. chemische Reinheit.

Reinstwasser. Die Qualitätsanforderungen an R. richten sich im allg. nach dem Verwendungszweck. Je nach Einsatzgebiet unterscheidet man 5 Stoffgruppen, die aus dem Rohwasser entfernt werden müssen: 1. Gelöste organ. Verunreinigungen; – 2. gelöste anorgan. Verunreinigungen; – 3. partikuläre Verunreinigungen; – 4. kolloidale Verunreinigungen; – 5. mikrobiolog. Verunreinigungen. Da sich bis heute keine allg. gültige Definition zur Klassifizierung für R. durchgesetzt hat, verwendet man sinnvoll die Definition nach DAB 10 für „Aqua ad injectabilia". Durch weitere Kombination verschiedener Normen wie *ASTM Typ I u. CAP (The *C*ollege of *A*merican *P*athologists) Typ I erhält man genügend Qualitätsmerkmale für eine vernünftige Definition entsprechend dem jeweiligen Verwendungszweck.

Herst.: Früher wurde R. ausschließlich durch energieaufwendige Mehrstufen-Dest. erzeugt. Später haben sich *Ionenaustauscher-Verf. u. die *umgekehrte Osmose durchgesetzt. Heutige R.-Anlagen (R.-Syst.) kombinieren in verschiedenen Modulen mehrere Verf., die in der Lage sind, alle 5 Gruppen von Verunreinigungen zu entfernen. Durch Kombination einer Spezial-Aktivkohle-Stufe, einem Mischbett-Ionenaustauscher u. einer Adsorberharz-Stufe erhält man bereits R., das den Standard nach ASTM Typ I erfüllt. Durch UV-Oxid. lassen sich gelöste organ. Verunreinigungen gezielt entfernen. Membranfilter mit einer Porenweite von 0,2 µm halten Partikel zurück u. sorgen für eine Sterilfiltration. Eine Ultrafiltrationseinheit schließlich erfüllt höchste Ansprüche an mikrobiolog. u. organ. Reinheit.

Verw.: Für anspruchsvollste Anw. in der Analytik, wie die *HPLC, die Aminosäure-*Sequenzanalyse od. die *Ionenchromatographie; in der Mikro- u. Molekularbiologie, Medizin, Pharmazie u. Biotechnologie wird absolut keimfreies Laborwasser von allerhöchster Reinheit z. B. zur Herst. von Gewebekulturen u. in der Enzymologie gebraucht. – ***E*** purified water – ***F*** eau purifiée – ***I*** acqua purificata – ***S*** agua extrapura

Lit.: Labo **1996**, Nr. 12, 28; **1997**, Nr. 2, 46; Nr. 12, 62 ▪ Nachr. Chem. Tech. Lab. **46**, 552 (1998).

Reinstwasseranlagen, Reinstwassersysteme s. Reinstwasser.

Reis (von altind.: vrihi über latein.: oryza = R.). Zu den *Gräsern (Poales) zählende, in trop. u. subtrop. Regionen vielfach kultivierte *Getreide-Art (*Oryza sativa*), die die älteste Kulturpflanze der Welt sein soll (Anbau in Ostasien wohl schon vor 7000 Jahren). Je 100 g unpolierter R. enthalten durchschnittlich 13,1 g Wasser, 7,2 g Proteine, 2,2 g Fett, 74 g Kohlenhydrate (davon 2,2 g Faserstoffe, 1,2 g Mineralstoffe u. B-Vitamine). Im Roh-R. (*Paddy-R.*) ist Thiamin (Vitamin B_1) hauptsächlich in der Samen- u. Silberhaut enthalten, die beim *Polieren* entfernt wird; der ausschließliche Genuß von poliertem R. ruft die *Beri Beri-Krankheit hervor. Der rundkörnige *Kleb-R.* unterscheidet sich von dem nach dem Kochen trockenen, luftigen *Langkorn-R.* durch einen geringeren Gehalt an Amylose. Wegen des Fehlens von *Kleber ist R. zur Brotbereitung ungeeignet. Blätter u. Spelzen der R.-Pflanze enthalten viel SiO_2. Als wichtige Aromakomponente von gekochtem R. wurde 2-Acetyl-3,4-dihydro-2*H*-pyrrol isoliert.

Verw.: Hauptnahrungsmittel der süd- u. ostasiat. Völker, wird aber auch in der übrigen Welt als leicht verdauliches, auch diätet. Nährmittel geschätzt, das jedoch auch von *Mykotoxin-produzierenden Mikroorganismen befallen wird. Die Produktion betrug 1994 weltweit 534 Mio. t, von denen nahezu 85% auf die ostasiat. Länder entfielen (Angaben in Mio. t): VR China (178), Indien (118), Indonesien (46), Bangladesch (27), Thailand (19), Vietnam (23), Birma (19) u. Japan (15); die jährlichen Ernteverluste durch Schädlinge schätzt man auf 47%! In der Produktion folgen Brasilien (11), Süd-Korea (7), USA (9), Pakistan (5,2), Ägypten (2,6). *R.-Stärke* (s. Abb. 3 bei Stärke) findet Verw. in der Kosmetik (Puder) u. in der Textilverarbeitung (Appretur), *R.-Kleie* zur Gewinnung von *Reis(keim)öl. In Ostasien werden aus R. alkohol. Getränke (Arrak, R.-Bier, Sake) hergestellt. *Puff-R.* – durch Dämpfen von gequollenem R. unter Überdruck u. plötzliches Entspannen erzeugt – wird für Süßwaren u. Diätkost geschätzt. – ***E*** rice – ***F*** riz – ***I*** riso – ***S*** arroz

Lit.: Franke, Nutzpflanzenkunde (6.), S. 92ff., Stuttgart: Thieme 1997. – *[HS 1006 10, 1006 20]*

Reisekrankheit (Bewegungskrankheit, Kinetose). Oberbegriff für Störungen wie Übelkeit, Erbrechen, Schwindel, Schweißausbrüche, Blutdruckschwankungen u. Kopfschmerzen, die durch Reizung des Gleichgewichtsorgans infolge plötzlicher od. schneller Bewegungen hervorgerufen werden. R. tritt bei entsprechend empfindlichen Menschen bei Reisen mit dem Auto, Zug, Schiff (Seekrankheit) od. Flugzeug (Luftkrankheit) auf. Zur Behandlung werden u. a. *Antiemetika u. *Antihistaminika eingesetzt. – ***E*** motion sickness, cinesia – ***F*** cinétose, cinépathie – ***I*** cinetosi, cinesia, sindrome da movimento – ***S*** cinetosis, cinepatía

Reiset-Salze s. Magnus-Salz u. Platin-Verbindungen.

Reis(keim)öl. Aus der den fettreichen Keimling (24%) enthaltenden *Reis-*Kleie* (8–16% Ölgehalt) durch

*Extraktion mit *Hexan u. anschließende Reinigung u. Entsäuerung gewonnenes gelbes *Getreidekeimöl. R. ist ein Speiseöl mit einem hohen Anteil an ungesätt. *Fettsäuren (40–43% *Ölsäure, 35–38% *Linolsäure) u. *Vitamin E sowie *Sterinen, *Wachse usw., das auch in *Kosmetika u. dermatolog. Arzneimitteln Verw. findet. Aus dem R. läßt sich das Wachs extrahieren, das u.a. als Basis für *Lippenstifte dient.
R. ist wie *Olivenöl *Squalen-reich (3,3 g/kg). Zur ernährungsphysiolog. Qualität ungeesterter R.-Produkte s. *Lit.*[1]. Die gute Haltbarkeit von R. scheint hauptsächlich auf antioxidativ wirksame C-glykosid. *Flavonoide (z.B. Isovitexin) u. weniger auf Oryzanol u. Vitamin E zurückzuführen zu sein[2]; s.a. Reis. – ***E*** rice [germ] oil – ***F*** huile [de germe] de riz – ***I*** olio essenziale (dei germi) di riso – ***S*** aceite [de germen] de arroz

Lit.: [1] Fette Seifen Anstrichm. **87**, 486–489 (1989). [2] J. Agric. Food Chem. **37**, 316–319 (1989).
allg.: Belitz-Grosch (4.), S. 207 ▪ Merck-Index (12.), Nr. 8375 ▪ Ullmann (4.) **11**, 458, 466, 508; (5.) **A 10**, 176, 226. – *[HS 1515 90; CAS 685531-81-1]*

Reißblei (Wasserblei, Schreibblei, Töpferblei). Veraltete Bez. sowohl für *Graphit als auch für *Molybdändisulfid, die erst 1778 unterschieden werden konnten, als *Scheele den Molybdänglanz zerlegte. Der Name *Wasserblei* ist vielleicht auf die mittelalterliche Vorstellung zurückzuführen, daß Steine aus den Elementen Erde u. Wasser bestehen u. somit um so leichter sind, je mehr Wasser sie enthalten. – ***E*** blacklead – ***F*** plombagine, graphite – ***I*** piombaggine, grafite – ***S*** plomo negro, grafito

Lit.: Lüschen, Die Namen der Steine (2.), S. 341 f., Thun: Ott 1979.

Reissert-Reaktion. 1. Von Reissert 1897 aufgefundene Indol-Synth. durch Umsetzung von 2-Nitrotoluol mit Oxalsäureestern; im prim. Kondensationsprodukt wird die Nitro-Gruppe mit Zn/Eisessig zur (2-Aminophenyl)-brenztraubensäure reduziert, die zum Indol-2-carbonsäureester cyclisiert. Beim Erhitzen erfolgt Decarboxylierung zum Indol (s. Abb. a).
2. Bildung von 1-Acyl-1,2-dihydrochinolin-2-carbonitrilen (sog. *Reissert-Verb.*) aus Chinolin, Säurechloriden u. KCN (s. Abb. b), die zu Aldehyden u. Chinaldinsäure hydrolysieren. Mit Hilfe der R.-R. lassen sich also Säurechloride in Aldehyde umwandeln (*reduzieren*; vgl. Rosenmund-Saytsev-Reduktion). Reissert-Verb. stellen *Syntheseäquivalente für das Acyl-Anion-*Synthon dar. – ***E*** Reissert reaction – ***F*** réaction de Reissert – ***I*** reazione di Reissert – ***S*** reacción de Reissert

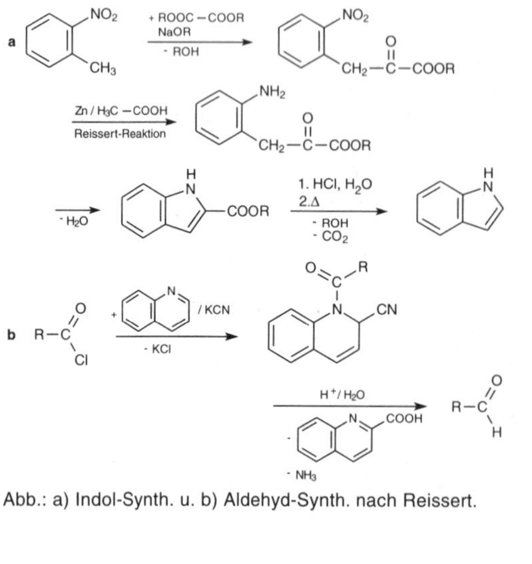

Abb.: a) Indol-Synth. u. b) Aldehyd-Synth. nach Reissert.

Lit. *(zu 1):* Alkaloids **31**, 1–28 (1987) ▪ J. Med. Chem. **24**, 238 ff. (1981) ▪ Krauch u. Kunz, Reaktionen der Organischen Chemie, 6. Aufl., S. 419, Heidelberg: Hüthig 1997 ▪ Weissberger **25**, 396–413 ▪ s.a. Indol. – *(zu 2.):* Adv. Heterocycl. Chem. **9**, 1–25 (1968); **24**, 187–214 (1979) ▪ Chem. Rev. **55**, 511 (1955) ▪ Hassner-Stumer, S. 315 ▪ Krauch u. Kunz, Reaktionen der Organischen Chemie, 6. Aufl., S. 214, Heidelberg: Hüthig 1997 ▪ Weissberger **32/2**, 353–375 ▪ s.a. Chinolin u. Isochinolin.

Reißfestigkeit. Bei Textilfasern versteht man unter R. die Widerstandskraft gegenüber einer Zugbeanspruchung, also die *Zugfestigkeit*, die man im Moment des Reißens entweder an trockenen (*Trockenfestigkeit) od. nassen Fasern (*Naßfestigkeit) mißt; Maßeinheit ist heute cN/dtex, früher war es kp/mm^2. – ***E*** tensile strength – ***F*** résistance à la traction – ***I*** resistenza allo strappo, resistenza alla trazione – ***S*** resistencia al desgarro, tenacidad

Reißöle s. Walzöle.

Reisstärke s. Reis u. Abb. 3 bei Stärke.

Reißverschluß-Reaktion s. Zip-Reaktion.

Reißwolle (Altwolle, Kunstwolle). Aus getragenen, wollenen Kleidungsstücken u./od. Garn- u. Neutuchabfällen durch mechan. Zerfasern zurückgewonnene *Wolle, die nach dem Streichgarnverf. erneut versponnen wird. Man unterscheidet zwischen *Shoddy* (aus Wirk- u. Strickwaren), *Tybet* (aus ungewalkten Tuchen) u. *Mungo* (aus gewalkten Tuchen), wobei die erste Sorte die hochwertigste u. manchmal nur schwer von Schurwolle zu unterscheiden ist. Unter *Extrakt* versteht man R. aus halbwollenen Abfällen. – ***E*** reprocessed wool, reclaimed wool – ***F*** laine renaissance (rénovée) – ***I*** lana rigenerata – ***S*** lana regenerada

Lit.: DIN 60004: 1974-11 ▪ Rouette, Lexikon für Textilveredlung, Bd. 2, S. 1770 f., Dülmen: Laumann Verl. 1995.

Reiswein s. Sake.

Reith, Jan Franz (geb. 1902), Prof. für Lebensmittelchemie u. Toxikologie, Univ. Utrecht. *Arbeitsgebiete:* Iod-Gehalt der Luft, Blei- u. Arsen-Gehalt von biolog. Lsg., Biphenyl, Oxalsäure, tox. wirkende Spurenelemente, Farbstoffe, Pestizide usw.

Lit.: Nachr. Chem. Tech. **8**, 231 (1960).

Reiz. Allg. versteht man unter einem Reiz einen auf einen Organismus einwirkenden Vorgang, der in jenem eine Reaktion (z.B. Erregung, Empfindung, Reflex) hervorruft. Der R. kann von außen od. von innen auf den Organismus wirken. Voraussetzung für seine Wahrnehmung ist das Vorhandensein spezif. physiolog. *Sensoren, der sog. **Rezeptoren*, u. das Überschreiten der sog. *Reizschwelle*. Die R., auf die die Organismen (der Mensch u.a. Tiere, Pflanzen, Mikroorganismen) in unterschiedlicher Weise reagieren (vgl. a. Reizkörpertherapie), können *physikal. Natur* (Licht,

Wärme, Kälte, Schwerkraft, Druck, Schall, Elektrizität) od. *chem. Natur* sein (Riechstoffe, Pheromone, Hormone, Enzyme, Pharmaka, Neurotransmitter). Resultate der R.-Aufnahme in den dafür bestimmten Nervenzellen sind beim Menschen – nach Weiterleitung des umgewandelten Signals in den Nervenbahnen zum Erfolgsorgan – *Sinneswahrnehmungen* (s. Sinnesphysiologie) wie Geschmack, Geruch, der Sehvorgang, der Eindruck von Farbe, von Musik od. Lärm, das Entstehen von Hunger u. Durst, aber auch von Schmerz, Juckreiz, Tränen, Allergien, Entzündungen usw. In der Pflanzenwelt werden *Nastien* u. *Tropismen* durch innere od. äußere R. ausgelöst (vgl. Pflanzenphysiologie). Auch im Bereich der Mikrobiologie spielen R. eine wichtige Rolle; man denke z. B. an Chemo-, Thermo-, Halo- u. a. *Taxien, Philien* u. *Phobien* von Bakterien. – ***E*** = ***F*** stimulus, irritation – ***I*** stimolo, irritazione – ***S*** estímulo, irritación

Lit.: Eckert, Tierphysiologie (2.), Stuttgart: Thieme 1993 ▪ Immelmann, Einführung in die Verhaltensforschung, 4. Aufl., Berlin: Parey 1996 ▪ Reichert, Neurobiologie, Stuttgart: Thieme 1990 ▪ Schmidt u. Thews, Physiologie des Menschen (27.), Berlin: Springer 1997.

Reiz-Antwort-Kopplung s. Signaltransduktion.

Reizend. *Gefährlichkeitsmerkmal für Stoffe u. Zubereitungen. Im Sinne des *Chemikaliengesetzes u. der ihm nachgeordneten *Gefahrstoffverordnung werden Stoffe u. Zubereitungen als r. eingestuft, wenn sie – ohne ätzend zu sein (s. ätzende Stoffe) – bei kurzzeitigem, länger andauerndem od. wiederholtem Kontakt mit Haut u./od. Schleimhäuten (Atemwege, Augen) eine Entzündung verursachen; zu Art u. Ausmaß der Entzündung, die eine Einstufung als r. S. bewirkt, s. Gefahrstoffverordnung (Anhang I). Der Stoff od. die Zubereitung wird nach der GefStoffV als reizend eingestuft u. mit dem *Gefahrensymbol „Xi" u. der Gefahrenbez. „Reizend" u. den *R-Sätzen R 38, „Reizt die Haut", od. R 37, „Reizt die Atmungsorgane", od. R 36, „Reizt die Augen", od. R 41, „Gefahr ernster Augenschäden", od. Kombinationen dieser R-Sätze versehen. – ***E*** irritating materials – ***F*** matières (substances) irritantes – ***I*** materie irritanti – ***S*** substancias irritantes

Lit.: Gefahrstoffverordnung, Anhang I ▪ Merkblatt M004, Reizende Stoffe, Ätzende Stoffe, Heidelberg: Berufsgenossenschaft der Chemischen Industrie 1992.

Reizgase s. Reizstoffe.

Reizkörpertherapie. Therapieverf., das durch Applikation von stark reizenden Substanzen (*Reizkörper*) in od. auf die Haut eine Aktivierung der Abwehrkräfte des Organismus hervorrufen soll. Als Reizkörper werden u. a. artfremde Eiweiße, Schwefel u. Metalle (Gold, Silber) verwendet. Als erfahrungsmedizin. Heilverf. basiert die R. nicht auf Wirksamkeitsnachw. u. naturwissenschaftlichen Konzepten. – ***E*** stimulation therapy – ***F*** thérapeutique stimulante – ***I*** terapia stimolante – ***S*** terapia estimulante

Lit.: Schimmel, Lehrbuch der Naturheilverfahren, Bd. II, Stuttgart: Hippokrates 1990.

Reizstoffe. Sammelbez. für gasf., flüssige od. feste Substanzen, die auf den Atemtrakt, die Augen od. die Haut mehr od. minder reizauslösend wirken. Atemweg- bzw. lungenreizende Stoffe wirken abhängig von Wasserlöslichkeit u. Reaktionsfähigkeit auf die unterschiedlichen Abschnitte des Atemtraktes. Stoffe mit hoher Wasserlöslichkeit schlagen sich schnell auf den feuchten Schleimhäuten nieder u. gelangen nicht über die Luftröhre hinaus. Mögliche Folgen sind langwierige Entzündungen u. Narbenbildungen. Im Kehlkopf kann Stimmritzenkrampf u. Glottisödem ausgelöst werden. Bei mittlerer Löslichkeit im Gewebswasser werden auch tiefere Abschnitte, nämlich Bronchien u. Bronchiolen erreicht. Diese reagieren hauptsächlich mit Schleimabsonderung, Hustenreiz, später Bronchitis. Bei geringer Wasserlöslichkeit können die Stoffe bis in die Alveolen vordringen u. dort die empfindlichen Lungenbläschen schädigen u. zu lebensbedrohlichen Lungenödemen führen (*Beisp.:* *Nitrose Gase, Phosphortrichlorid, Natriumdisulfit). Augen- bzw. *Tränenreizstoffe können Augenbrennen, Tränenfluß u. Lidschluß bis hin zum Lidkrampf verursachen (*Beisp.:* Tränengase, *Phenylhydrazin, *Citronensäure). Haut-R. rufen auf der Haut eine Entzündung (Rötung) hervor. Diese Entzündung bildet sich nach einiger Zeit wieder zurück, sie stellt eine reversible Körperreaktion dar im Gegensatz zur Zerstörung der Haut durch *ätzende Stoffe (*Beisp.:* *Xylol, Dichlorprop). S. a. chemische Waffen u. Kampfstoffe. – ***E*** = ***F*** irritants – ***I*** sostanze irritanti – ***S*** irritantes

Lit.: Bender, Das Gefahrstoffbuch (2. Aufl.), Weinheim: VCH Verlagsges. 1996 ▪ Forth et al. (6.).

Rekalzitranz s. Persistenz u. abbauresistente Substanzen.

Rekawan®. Kapseln, Filmtabl. u. Granulat mit *Kaliumchlorid gegen Kalium-Mangel. ***B.:*** Solvay Arzneimittel.

Rekombinante DNA-Technik s. Gentechnologie.

Rekombination. 1. Bez. für die (*Wieder-*)*Vereinigung* von (getrennten) *Teilchen*, z. B. von Ladungsträgern mit entgegengesetzten Vorzeichen, von *Ionen in der Gasphase, von *Radikalen, beim „Ausheilen" von Gitterdefekten (*Kristallbaufehler). Im Bereich der *Halbleiter-Technik handelt es sich um das (Wieder-) Vereinigen von Elektronen mit ionisierten Donatoren, von *Defektelektronen („Löcher") mit ionisierten Akzeptoren u. um die Vereinigung von Elektronen mit Defektelektronen (z. B. beim Zerfall von *Excitonen), die in den meisten Fällen nicht unmittelbar, sondern durch Mitwirkung von Haftstellen vor sich geht. Man unterscheidet zwischen *Vol.-R.*, die im Innern, u. *Oberflächen-R.*, die an der Oberfläche des Krist. stattfindet. Der bei der R. freiwerdende Energiebetrag kann als therm. Energie u./od. als Strahlungsenergie in Erscheinung treten, therm. z. B. in der *Langmuir-Fackel, radiativ als sog. R.-Leuchten in *LED u. *Leuchtstoffen (*Phosphoreszenz 2. Art), als *Thermolumineszenz u. Radiolumineszenz. Bei radikal. Autoxid. u. *Polymerisationen bilden die R.-Reaktionen einen Typ der Abbruchreaktionen od. *Termination. Die unerwünschte R. von Radikalen läßt sich in vielen Fällen erschweren od. unterbinden, indem man die Diffusion der Teilchen verhindert, z. B. durch Einfrieren des Syst. od. Entfernung der Lsm. durch Gefriertrocknung etc.

Die Bildung von neutralen Mol. in interstellaren Wolken (s. a. interstellare Moleküle) erfolgt wahrscheinlich durch *dissoziative* R. eines Kations mit einem Elektron.
2. In der *Genetik bedeutet die R. die *Neukombination von Erbanlagen*, d. h. die Neuordnung der *Chromosomen innerhalb der Meiose (s. Mitose), weshalb sich Tochterzellen von den Zellen der Eltern unterscheiden. Bei Bakterien versteht man unter R. den natürlichen Austausch von *Genen untereinander mit Hilfe von *Plasmiden (*Konjugation*), die Übertragung von Bakterien-Genomen durch *Phagen auf ein Empfänger-Bakterium (**Transduktion*) sowie Übertragung u. Einbau extrazellulärer DNA aus einem in ein anderes Bakterium (**Transformation*). DNA-R. od. DNA-Neukombination (*E* annealing, recombinant DNA technique) ist ein Wesensmerkmal der Gentechnologie. Näheres s. dort u. in der *Lit.* – ***E*** recombination – ***F*** recombinaison – ***I*** ricombinazione – ***S*** recombinación

Lit. *(zu 1.):* Acc. Chem. Res. **9**, 99 ff. (1976); **15**, 2 ff. (1982) ▪ Annu. Rev. Mater. Sci. **12**, 377–400 (1982) ▪ Annu. Rev. Phys. Chem. **29**, 223–250 (1978) ▪ Bohn, Besetzungsinversionen..., Theorie des Rekombinationslasers (Forsch.-Ber. 85-47), Köln-Porz: DFVLR 1985 ▪ Brennan, in Bamford et al. (Hrsg.), Comprehensive Chemical Kinetics, Bd. 21, Amsterdam: Elsevier 1984 ▪ DIN 41852: 1978-08 ▪ Nayfeh u. Clark, Atomic Excitation and Recombination in External Fields, New York: Gordon & Breach 1985. – *(zu 2.):* Angew. Chem. **95**, 874–891 (1983) ▪ Cozzarelli, Mechanisms of DNA Replication and Recombination, New York: Liss 1984 ▪ Kirk-Othmer (3.) **11**, 730–745; **S**, 495–513 ▪ Rehm-Reed **1**, 331–354 ▪ Watson et al., Recombinant DNA, New York: Freeman 1983.

Rekontamination s. Kontamination.

Rekristallisation. Nicht eindeutig verwendeter Terminus: 1. Synonym für *Umkristallisation [1]. – 2. Selten verwendetes Synonym für *Ostwald-Reifung. – 3. Bez. für die Änderung od. Neuordnung eines bestehenden Kristallgefüges unter mechan. Beanspruchung od. nach Wärmeeinwirkung [2]: Voraussetzung für das Eintreten einer R. bei metall. Werkstoffen ist eine vorausgegangene plast. Verformung des Metalls (erforderlicher Mindestwert ca. 2%) bei einer Temp. unterhalb der *Rekristallisationstemperatur (*Kaltverformung*). Ein (geringer) Teil der zur Kaltverformung aufgebrachten Energie wird im Kristallgitter als Verzerrungsenergie gespeichert (s. Versetzungen); er steigert die innere Energie des Gitters. Beim Erwärmen auf R.-Temp. kommt es als Folge der angehobenen Energieniveaus ausgehend von Keimen durch Wachstum neuer Körner zur Neubildung des Gefüges. Die R. ist beendet, wenn sich die neugebildeten Körner berühren (*Korngrenzen*). Durch die R. wird die innere Energie des Gitters auf einen minimalen Wert abgesenkt. Mit zunehmendem Kaltverformungsgrad u. ansteigender Verzerrungsenergie sinken sowohl R.-Temp. als auch Korngröße des Gefüges nach der Rekristallisation. Ein hoher Kaltverformungsgrad führt daher durch R. zu einem Gefüge mit geringer Korngröße (*Feinkorn*). Wenn das Metall dagegen nur mit dem Mindestwert kaltverformt wird, kommt es bei der nachfolgenden R. zur Bildung sehr großer Körner (*Grobkorn*). – 4. Bez. für die Wiederherst. eines Kristallgefüges nach voraufgegangener Gitterstörung; *Beisp.:* *Wigner-Effekt; s. a. Kristallisation. – ***E*** recrystallization – ***F*** recristalisation – ***I*** ricristallizzazione – ***S*** recristalización

Lit.: [1] Ullmann (5.) **B 2**, 3–41. [2] Gottstein, Rekristallisation metallischer Werkstoffe, Oberursel: Dtsch. Ges. für Metallkunde 1984; Gräfen (Hrsg.), Lexikon Werkstofftechnik, S. 835 ff., Düsseldorf: VDI-Verl. 1993; Cahn (Hrsg.), Materials, Science and Technology, Vol. 15, S. 371 ff., Weinheim: VCH Verlagsges. 1991.

Rekristallisationstemperatur. Temp., bei der eine *Rekristallisation erfolgt. Bei metall. Werkstoffen liegt die R. zuvor kaltverformter Gefüge bei ca. 50% des Schmelzpunktes. – ***E*** recrystallization temperature – ***F*** température de récristallisation – ***I*** temperatura di ricristallizzazione – ***S*** temperatura de recristalización

Lit.: s. Rekristallisation.

Rektal (latein.: rectum = Mastdarm). Adjektiv mit der Bedeutung „zum Mastdarm gehörig, durch den Mastdarm". Das Einführen von Medikamenten in Form von *Suppositorien od. *Infusionen (Einläufen) durch den After in den Darm bezeichnet man als r. Applikation. Diese wird oft angewandt, wenn die *orale Zufuhr unzweckmäßig od. unmöglich ist. Ferner werden in der Medizin bestimmte Untersuchungen r. durchgeführt, z. B. die Temp.-Messung od. die tastende Untersuchung der Unterleibsorgane. – ***E*** = ***F*** = ***S*** rectal – ***I*** rettale

Rektifikation (Gegenstrom-, Kolonnendest.; von latein.: recte = richtig u. facere = machen). Bez. für die Zerlegung flüssiger od. dampfförmiger Gemische dadurch, daß Flüssigkeit u. Dampf unter unmittelbarer Berührung (an *Füllkörpern od. Rektifizierböden) im Gegenstrom zueinander geführt werden. Wesentlich gegenüber einfacher od. mehrfacher Dest. ist die Gegenstromführung von Dampf u. Flüssigkeit, die durch Rückführung eines Teils des Destillats erreicht wird; Näheres s. bei Destillation u. Kolonnen, über neuere apparative Entwicklungen auf dem Gebiet der Dest.- u. R.-Technik s. *Lit.* – ***E*** = ***F*** rectification – ***I*** rettificazione – ***S*** rectificación

Lit.: ACHEMA-Jahrb. **1994**, Bd. 3, 2361, 2362 ▪ Buckley et al., Design of Distillation Column Control Systems, London: Arnold 1985 ▪ CAV **1983**, Nr. 8, 7–10 ▪ Chem. Ind. **36**, 340–344 (1984) ▪ Chem. Rundsch. **37**, Nr. 10, 9–13, 16 (1984) ▪ Deshpande, Introduction to Distillation Dynamics and Control, London: Arnold 1985 ▪ Kister, Distillation Operation, New York: McGraw-Hill 1989 ▪ Krell, Handbook of Laboratory Distillation, Berlin: Dtsch. Verl. Wiss. 1982 ▪ Ullmann (4.) **2**, 489–545; (5.) **B 3**, 4-1–4-94 ▪ Winnacker-Küchler (3.) **7**, 185–202; (4.) **1**, 180–199 ▪ s. a. Destillation.

Rektifikatoren s. Destillation.

Rektifiziertes Traubenmostkonzentrat (Abk. RTK). RTK ist nach Anhang I, Nr. 7 der gemeinsamen Marktorganisation für Wein [1] das flüssige, nicht karamelisierte Erzeugnis, das durch weitgehenden Wasserentzug u. weitere zugelassene Verf. (*Ionenaustauscher-Behandlung) zur Entfernung der Inhaltsstoffe, außer *Zucker, aus Traubenmost hergestellt wird. Zur Verpackung von RTK zum Zwecke der Abfüllung u. Verkauf s. Artikel 21 der VO für die Bez. u. Aufmachung der Weine u. Traubenmoste [2]. Die Anforderungen an die Beschaffenheit [z. B. höchstens 25 mg *Schwefeldioxid u. 25 mg *5-(Hydroxymethyl)furfural/kg Gesamtzucker] sind *Lit.* [1] zu entnehmen.

Verw.: RTK besteht weitgehend aus *Glucose u. *Fructose (Verhältnis wie im Traubenmost) u. wird dem *Most vor der *Gärung mit dem Ziel der Anreicherung zugesetzt. Unter Anreicherung versteht man alle Meth., die den natürlichen Zuckergehalt im Most erhöhen, um einem Mangel an Alkohol abzuhelfen. Die Anreicherung mit RTK ist nur für bestimmte *Weine zugelassen u. darf max. eine Alkohol-Erhöhung von 2% vol zur Folge haben. Der Zusatz von RTK zu Qualitätswein mit dem Ziel der Süßung ist nach § 11 Absatz 2 Wein-Gesetz [3] nicht zulässig.
Analytik: Zum Nachw. von 5-(Hydroxymethyl)furfural (Erhitzungsindikator) s. *Lit.*[4]; s.a. Wein u. Süßreserve. – ***E*** rectified concentrated grape must – ***F*** concentré rectifié de moût de raisin – ***I*** concentrato rettificato di mosto – ***S*** concentrado rectificado de mosto de uva

Lit.: [1] VO (EWG) 822/87 über die gemeinsame Marktorganisation für Wein vom 16.03.1987 in der Fassung vom 17.03.1997 (ABl. der EG Nr. L 83/5). [2] VO (EWG) 3201/90 der Kommission über Durchführungsbestimmungen für die Bezeichnung u. Aufmachung der Weine u. der Traubenmoste vom 16.10.1990 in der Fassung vom 07.04.1997 (ABl. der EG Nr. L 93/9). [3] Weingesetz vom 27.08.1982 in der Fassung vom 08.07.1997 (BGBl. I, S. 1467, 1485). [4] J. Food Sci. **51**, 1498 ff. (1986).
allg.: Dtsch. Weinbau **36**, 1093–1106 (1981) ▪ Koch, Getränkebeurteilung, S. 149, Stuttgart: Ulmer 1986 ▪ Würdig u. Woller, Chemie des Weines, S. 126, 130, Stuttgart: Ulmer 1989 ▪ Zipfel, A 401, A 402a Anhang I, C 403 *1*, 112–116. – *[HS 200960]*

Rekuperationsschwefel s. Schwefel (Herst.).

rel-. Kursive Stereobez. für chirale, opt. aktive Verb. mit mehreren Stereozentren bekannter *relativer, noch unbekannter *absoluter *Konfiguration (IUPAC-Regel E-4.10, R-7.2.2). *Beisp.:* (*rel*-2*R*,3*S*,4*R*)-2,3,4-Hexantriol, *rel*-Estran-17α-ol. Wurde die *optische Aktivität gemessen, dann ist das Zeichen der opt. Drehrichtung, (+)- od. (–)-, sinnvoller. Die bei CAS verwendeten Stereosymbole mit Sternindex, (*R**)- u. (*S**)-, sind auch zulässig, aber ungenau, da sie auch für Racemate (s. rac-) gelten; *Beisp.:* Unter (2*R**,3*S**,4*R**)-2,3,4-Hexantriol registriert CAS (+)- u. (–)-Form unbekannter opt. Aktivität u. (±)-Form.

RelA s. NF-κB.

Relais-Substanzen s. Synthese u. Synthone.

Relativ [spätlatein.: relativus = rückführend, (rück)erinnernd, sich (rück)beziehend]. In Wissenschaft u. Umgangssprache im Gegensatz zu *absolut stehende Bez. für Eigenschaften, Werte, *Größen u.a. Begriffe, die zu einem *Standard (*Normzustand, Bezugs- od. Referenzsyst., Bezugsgröße etc.) in Beziehung (Relation) gesetzt sind. Nach DIN 5490: 1974-04 müssen r. Größe u. Bezugsgröße von gleicher Dimension sein. Im Römpp Lexikon findet man R.-Begriffe wie r. *Dichte, r. *Konfiguration etc. unter dem Hauptbegriff; *Ausnahmen:* folgende Stichwörter. Die üblichen alten Bez. *Atomgewicht u. *Molmasse, die sogar die IUPAC noch oft verwendet, wurden den normgerechten Bez. *r. Atom-* bzw. *r. Molekülmasse* (= *r. molare Masse*) vorgezogen. – ***E*** relative – ***F*** relatif – ***I*** = ***S*** relativo

Relative biologische Wirksamkeit (Abk.: RBW). Ein von der Strahlungsart u. dem Gewebe abhängiger Faktor, mit dem von einer gemessenen Energiedosis (s. Dosis) auf biolog. Effekte geschlossen werden kann. Nach der neuesten Definition der *ICRU versteht man unter der RBW einer Strahlungsart X (z.B. α-, β- od. γ-Strahlung) für einen biolog. Endpunkt (z.B. einen vorgegebenen Wert für die Überlebenswahrscheinlichkeit einer Zellart) das Verhältnis zweier Energiedosen in der betreffenden Gewebeart

$$R_u = \left(\frac{D_{ref}}{D_x}\right)_u$$

D_{ref} ist die Referenz-Energiedosis einer anzugebenden Vgl.-Strahlung (meist Cobalt-60-γ-Strahlung od. 250 kV-Röntgenstrahlung), durch die unter sonst gleichen Bedingungen die gleiche biolog. Wirkung u hervorgerufen wird, wie durch die Energiedosis D_x der Strahlungsart X. – ***E*** relative biological effectiveness, RBE – ***F*** efficacité biologique relative – ***I*** efficacia biologica relativa – ***S*** eficacia biológica relativa

Lit.: ICRU 40, The Quality Factor in Radiation Protection, Bethesda, USA: ICRU Publications 1986 ▪ Reich (Hrsg.), Dosimetrie ionisierender Strahlung, Stuttgart: Teubner 1990.

Relative Luftfeuchtigkeit. Die Aufnahmefähigkeit von *Luft für *Wasserdampf steigt mit der Temp. bis zu einem jeweiligen Höchstgehalt, dem *Sättigungsgehalt*, gemessen in g/m³. 1 m³ Luft von 17 °C ist mit 14,4 g Wasserdampf gesätt., 1 m³ Luft von 11 °C mit 10 g. Die r. L. ist das in Prozent ausgedrückte Verhältnis des tatsächlich vorhandenen Wasserdampf-Gehalts zu dem der herrschenden Temp. entsprechenden Sättigungsgehalt, vgl. a. Feuchtigkeit. *Beisp.:* Enthält Luft von 17 °C 12 g/m³ Wasserdampf, dann ist die r. L. = (12/14,4) · 100% ≈ 83%. Kühlt man diese Luft ab, dann wird Sättigung (100% r. L.) beim sog. *Taupunkt (in diesem Beisp.: 14 °C) erreicht, d.h., bei weiterem Abkühlen bildet sich ein *Niederschlag in Form von *Nebel (*Tau*). Zur quant. Bestimmung der Feuchtigkeit benutzt man *Hygrometer u. *Psychrometer. Eine Übersicht ist in *Lit.*[1] gegeben.
Bringt man eine Schale mit einer gesätt. wäss. Lsg. von Ammoniumsulfat, die noch einen Bodenkörper von Ammoniumsulfat enthält, in einen luftdicht verschlossenen Exsikkator, so stellt sich im Luftraum nach einigem Warten bei 20 °C eine konstant bleibende r. L. von 81% ein, die auf dem *Phasen-Gleichgew. zwischen *Partialdruck des Wassers, gesätt. Lsg. u. Bodenkörper beruht; zur Temp.-Abhängigkeit des auch bei der Analyse der *Gase zu berücksichtigenden Wasserdampfdrucks s. Abb. 1 bei Hydrate. In entsprechender Weise wie oben erhält man folgende Werte r. L. (immer bei 20 °C u. gesätt. Lsg.): $Pb(NO_3)_2$, 98%; $Na_2HPO_4 \cdot 12H_2O$, 95%; $(NH_4)H_2PO_4$, 93%; $ZnSO_4 \cdot 7H_2O$, 90%; K_2CrO_4, 88%; $KHSO_4$, 86%; KBr, 84%; NH_4Cl, 79%; $H_3C{-}COONa \cdot 3H_2O$, 76%; $NaClO_3$, 75%; $NaNO_2$, 66%; $NaBr \cdot 2H_2O$, 58%; $Mg(NO_3)_2 \cdot 6H_2O$, 56%; $Na_2Cr_2O_7 \cdot 2H_2O$, 58%; KSCN, 47%; $Zn(NO_3)_2 \cdot 6H_2O$, 42%; CrO_3, 35%; $CaCl_2 \cdot 6H_2O$, 31%; $H_3C{-}COOK$, 20%; $LiCl \cdot H_2O$, 15%; weitere Beisp. für *Feuchthaltemittel s. *Lit.*[2]. Eine Tab. Temp.-abhängiger r. L. über gesätt. wäss. Salz-Lsg. ist in *Lit.*[3] ent-

halten. Die durch die *Klimatechnik regelbare r. L. in Räumen ist nicht nur für das Wohlbefinden von Bedeutung, sondern auch für die *Hygiene, das Korrosions-Verhalten von Werkstoffen, die *Reinraumtechnik, für die *Konservierung u. die Stabilität von Kunstwerken u. Museumsgegenständen usw. Bei dem Austrocknungseffekt spielt die *Hygroskopizität der jeweiligen Stoffe eine Rolle: Mit P_2O_5 erreicht man z. B. eine – selbst in Wüstengebieten nicht erreichbare – r. L. von 0%, vgl. a. Trockenmittel. – ***E*** relative humidity – ***F*** humidité relative – ***I*** umidità relativa – ***S*** humedad relativa

Lit.: [1] Kohlrausch, Praktische Physik 1, S. 400, Stuttgart: Teubner 1996. [2] Handbook **75**, E42. [3] Kohlrausch, Praktische Physik 3, S. 357, Stuttgart: Teubner 1996.
allg.: CAV **1977**, Nr. 10, 114 ff. ▪ Henne, Luftbefeuchtung, Karlsruhe: Müller 1984 ▪ Tables de l'air humide en unités S. I. (2 Bd.), Paris: Techn. & Doc. 1986.

Relativistische Effekte. Unter r. E. versteht man die Einflüsse der *Relativitätstheorie auf die Eigenschaften von Atomen u. Molekülen. Sie sind bedeutsam in schweren Atomen u. Molekülen. Die Rumpfelektronen schwerer Atome bewegen sich mit Geschw., die der *Lichtgeschwindigkeit nahekommen können. Damit erfahren sie eine erhebliche Massenzunahme (s. a. Relativitätstheorie), woraus eine deutliche Abnahme des mittleren *Atomradius resultiert (s. a. Atombau u. Atommodelle). R. E. führen also dazu, daß die inneren *Orbitale (v. a. die 1s-Orbitale) schrumpfen. Um die *Orthogonalität zu erfüllen, müssen auch die äußeren Orbitale schrumpfen u. somit haben r. E. auch einen Einfluß auf die *Valenzelektronen. Z. B. führen sie zu einer Verkürzung des Gleichgewichtskernabstands (s. Gleichgewichtsgeometrie) im Au_2-Mol. um 40 pm; die *Dissoziationsenergie wird etwa verdoppelt gegenüber einer Rechnung, die keine r. E. berücksichtigt. Eine umfangreiche Bibliographie über dem r. E. gewidmete Arbeiten wurde von Pyykkö herausgegeben [1]. – ***E*** relativistic effects – ***F*** effets relativistes – ***I*** effetti relativistici – ***S*** efectos relativísticos

Lit.: [1] Pyykkö, Relativistic Theory of Atoms and Molecules (2 Bd.), Berlin: Springer 1986 u. 1993; Pykkö, Database RTAM – INTERNET-Adresse: http://www.csc.fi/u/rtam.
allg.: Adv. Chem. Phys. **67**, 287 (1987) ▪ Annu. Rev. Phys. Chem. **36**, 407 (1985) ▪ Ber. Bunsenges. Phys. Chem. **101**, 1 (1997) ▪ Chem. Rev. **88**, 563 (1988).

Relativitätstheorie. Von A. *Einstein begründetes Teilgebiet der theoret. Physik, wobei zwischen spezieller R. u. allg. R. unterschieden wird. Die *spezielle R.* gründet sich auf die Beobachtung, daß die Vak.-*Lichtgeschwindigkeit konstant ist, d. h. nicht vom Bewegungszustand des Beobachters abhängt. Daneben gilt das (spezielle) *Relativitätsprinzip*, welches besagt, daß die Naturgesetze in jedem Bezugssyst. (genauer: Inertialsyst.) in der gleichen Form gelten. Aus diesen beiden Grundtatsachen folgen unmittelbar bemerkenswerte Effekte wie die *Längenkontraktion* (die Länge eines Stabes in einem ruhenden Syst. ist größer als die Länge desselben Stabes, die in einem Syst. gemessen wird, gegen das sich der Stab in Längsrichtung mit einer endlichen konstanten Geschw. bewegt), die *Zeitdilatation* (die Zeit auf einem bewegten Körper scheint schneller zu vergehen als in einem ruhenden Bezugssyst.) u. die Abhängigkeit der trägen Masse eines Teilchens von seiner Geschw. v gemäß $m = m_0/\sqrt{1-(v/c)^2}$, wobei m_0 die Ruhemasse des Teilchens u. c die Vak.-Lichtgeschw. sind. Die Einbeziehung der speziellen R. in die *Quantenmechanik (zur sog. relativist. Quantenmechanik) ist wichtig für Teilchen, die sich mit Geschw. bewegen, die der Lichtgeschw. nahekommen. Dies trifft z. B. auf *Elementarteilchen in *Teilchenbeschleunigern od. der *kosmischen Strahlung u. die Rumpfelektronen schwerer Atome (s. relativistische Effekte) zu.

Die *allg. R.* ist eine geometr. Theorie des Gravitationsfeldes u. damit von entscheidender Bedeutung für die Entstehung u. Struktur des Weltalls (s. a. Kosmologie). – ***E*** theory of relativity – ***F*** théorie de la relativité – ***I*** teoria della relatività – ***S*** teoría de la relatividad

Relax®. Sortiment von *Bautenschutzmitteln, z. B. Trennmittel u. Baumaschinenschutzmittel. ***B.:*** Deitermann.

Relaxation. 1. Von latein.: relaxatio = Erholung, Erschlaffung abgeleitete Bez., die zum Ausdruck bringt, daß ein Syst. auf die Veränderung seines Zustands von außen durch innere Prozesse reagiert. Diese spontan ablaufenden Prozesse können experimentell beobachtet werden. Aus der Messung der *R.-Zeit*, d. h. der Zeit die vergeht, bis keine Veränderungen mehr zu beobachten sind, können Rückschlüsse auf die innere Dynamik des Syst. gezogen werden. Mit der R. ist die *Hysterese nicht zu verwechseln, die ein zeitlich konstantes Phänomen darstellt.

Ohne Wert auf Vollständigkeit zu legen, werden im folgenden einige Beisp. genannt. Bei *Ferromagnetika kennt man eine R. der Magnetisierung bei Änderung des äußeren Feldes. In *Dielektrika gibt es eine R. der *Polarisation. In der *Spektroskopie u. der *Photochemie bezeichnet man die der *Anregung der Mol. folgende *Thermalisierung bzw. allg. *Desaktivierung als Relaxation. In der *NMR-Spektroskopie unterscheidet man zwei konkurrierende Phänomene, die transversale (Spin-Spin-)R. u. die longitudinale (Spin-Gitter-)Relaxation. Bei Kunststoffen (DIN 53441: 1984-01) bzw. bei Elastomeren u. Kautschuk (DIN 53537: 1977-02) spricht man von *Spannungs-R.*, wenn einer „formschlüssig" eingespannten Probe eine Anfangsverformung aufgezwungen wird u. die Spannung dann allmählich abnimmt; *Deformations-R.* tritt auf, wenn umgekehrt an die Probe eine Anfangsspannung gelegt wird u. sich die Deformation dann allmählich ändert.

Unter *chem. R.* versteht man die allmähliche Wiedereinstellung eines *chemischen Gleichgewichts nach plötzlicher Störung durch schnelle Änderung von Druck, Vol., Temp., elektr. Feldstärke usw. Die in der Physik bekannten R.-Meth. werden – bes. durch *Eigen – seit 1953 auf das Studium schnell verlaufender chem. *Reaktionen (s. schnelle Reaktionen) angewandt. Bei den chem. R.-Meth. wird ein im *stationären Zustand befindliches Syst. durch eine kurzzeitige Störung aus dem Gleichgew. herausgebracht, u. anschließend wird verfolgt, wie schnell sich das Syst. wieder in die Gleichgew.-Situation zurückbegibt.

In der sog. *Drucksprung-Meth.* beobachtet man z. B. mittels Spektroskopie od. Leitfähigkeitsmessung, wie sich nach Druckaufgabe od. -entlastung die Konz. im Syst. zeitabhängig ändert. Analog geht man in der sog. *Temperatursprung-Meth.* vor [1]. Weitere Verf. sind die *pH-Sprung-Meth.* [2], die *Ultraschall-Meth.* [3] u. die *elektr. Feldsprungmethode.* Da die Beobachtungsmeth. vorwiegend spektroskop. Art sind, spricht man häufig von *Relaxationsspektroskopie*. Mit Hilfe der method. vervollkommneten, für die Aufklärung von *Reaktionsmechanismen sehr hilfreichen R.-Meth. lassen sich schnelle Reaktionen in der anorgan. u. organ. Chemie sowie in der Biochemie mit *Relaxationszeiten* zwischen 10^{-10} s u. 1 min messen, insbes. wenn die Gleichgewichtseinstellungen nicht stufenartig, sondern period. erzwungen werden.

2. Auf die Bedeutung R. = Entspannung geht der Gebrauch des Begriffs in der Medizin zurück: Man spricht hier z. B. von der R. von *Muskeln nach vorausgegangener Kontraktion od. nach Einwirkung von *Muskelrelaxantien, von R. im psych. Bereich nach Entspannungstherapie od. Einnahme von *Psychopharmaka, u. von R.-Kopfschmerzen als Reaktion auf Streß. – ***E*** = ***F*** relaxation – ***I*** rilassazione – ***S*** relajación

Lit.: [1] Chem. Unserer Zeit **17**, 59–64 (1983). [2] Meth. Biochem. Anal. **30** (1984). [3] Naturwissenschaften **63**, 280–285 (1976). *allg.:* Adv. Polym. Sci. **46**, 119–161 (1982) ▪ Angew. Chem. **93**, 553–566 (1981); **96**, 96–123 (1984) ▪ Annu. Rev. Phys. Chem. **32**, 77–102 (1981); **35**, 591–612 (1984) ▪ Brawer, Relaxation in Viscous Liquids and Glasses, Columbus: Am. Ceram. Soc. 1985 ▪ Encycl. Polym. Sci. Technol. **S 2**, 745–839 ▪ Excited States **5**, 141–200 (1982) ▪ Int. Lab. **16**, Nr. 2, 70–81 (1986) ▪ Kubo u. Hanamura, Relaxation of Elementary Excitations, Berlin: Springer 1980 ▪ Plaste Kautsch. **32**, 56–58 (1985) ▪ Scherer, Relaxation in Glasses and Composites, New York: Wiley 1986 ▪ Shapiro, Ultrashort Light Pulses, Berlin: Springer 1984 ▪ Süsse u. Welsch, Relaxationserscheinungen in atomaren Systemen, Leipzig: Teubner 1984.

Relaxierte Plasmide s. stringente Plasmide.

Relaxin. Ein im Blut, in der *Placenta u. im Ovarium schwangerer Säugetiere, aber auch z. B. bei Haifisch u. Rochen vorkommendes Protein, das hauptsächlich im Corpus luteum (Gelbkörper) gebildet wird. Während der Schwangerschaft wird R. auch in der Decidua (Auskleidung der Gebärmutter) gebildet. Bei Männern wird es von der Prostata in die Sammenflüssigkeit abgegeben. Weiterhin wird R. im Herz produziert. Menschliches R. tritt in zwei genet. Varianten auf, hat ein M_R von ca. 6000 u. besteht aus zwei Polypeptid-Ketten mit 24 bzw. 28–29 Aminosäure-Resten, die durch *Disulfid-Brücken verbunden sind, u. ist homolog zu *Insulin. R. ist ein *Hormon mit Wirkungen auf Fortpflanzungs- u. andere Funktionen, z. B. fördert es Wachstum u. Differenzierung der Brustgewebe u. beeinflußt Brustkrebszellen in Kultur [1], durch Umbau der *Collagen-Fasern wird der Geburtskanal erweicht u. erweitert (daher Name), Uterus-Kontraktionen werden inhibiert. Darüber hinaus erweitert R. Blutgefäße, z. B. in Uterus, Brust u. Herz, inhibiert *Histamin-Ausschüttung durch Mastzellen u. wirkt dadurch gegen Asthma, unterdrückt Thrombocyten-Aggregation, beeinflußt die Hormon-Ausschüttung durch die Hypophyse u. reguliert den Flüssigkeits-Haushalt. Die Wirkungen des R. scheinen durch Produktion von Stickstoffmonoxid (s. Stickstoffoxide) u./od. *Adenosin-3′,5′-monophosphat vermittelt zu werden. Zur Synth. an fester Phase s. *Lit.* [2]. – ***E*** relaxin – ***F*** relaxine – ***I*** = ***S*** relaxina

Lit.: [1] Bull. Cancer **84**, 179–182 (1997). [2] Methods Enzymol. **289**, 637–646 (1997).
allg.: Gen. Pharmacol. **28**, 13–22 (1997) ▪ Schwabe u. Büllesbach, Relaxin and the Fine Structure of Proteins, Berlin: Springer 1998. – *[CAS 9002-69-1]*

Releasing-Hormone (Releasing-Faktoren). Von engl.: release = freilassen, auslösen abgeleitete Bez. für diejenigen *Neurohormone, die, im *Hypothalamus gebildet, in der *Hypophyse die Ausschüttung von Hormonen veranlassen u. sich so an der *Regulation des Hormonspiegels im Körper beteiligen. Eine Zusammenstellung der im allg. als Einzelstichwörter behandelten R.-H., deren Namen bzw. Freinamen nach Vorschlag der *IUPAC/*IUBMB bzw. WHO auf *...*liberin* bzw. *...*relin* enden, sowie der empfohlenen Abk. findet man bei *Hormone (S. 1803, Übersicht). Als *Peptidhormone gehören die R.-H. zu den Oligo- od. Polypeptiden – das kleinste (Thyroliberin, TRH, ident. mit Prolactoliberin, PRH) besteht aus nur 3 Aminosäure-Resten. Während TRH in allen bis heute untersuchten Tieren ident. ist, sind andere R.-H. speziesspezifisch. Die quant. Bestimmung erfolgt oft mit dem *Radioimmunoassay. Arzneilich genutzt wird z. Z. nur *Gonadoliberin (ident. mit Folliberin u. Luliberin), diagnost. auch *Thyroliberin. Einigen R.-H. stehen als Gegenspieler ebenfalls im Hypothalamus gebildete ***inhibiting factors*** gegenüber. Releasing-Faktoren treten aber nicht nur im Zwischenhirn in Erscheinung. Beispielsweise konnte aus dem Magen von Schwein, Hund u. Huhn ein mit *Bombesin verwandtes Peptid isoliert werden, das die Ausschüttung von *Gastrin bewirkt (*Gastrin-Releasing-Peptid*). – ***E*** releasing hormones, releasing factors – ***F*** releasing factors, facteurs déchaînants, facteurs de libération – ***I*** ormoni liberatori, fattori di liberazione – ***S*** hormonas (factores) de liberación

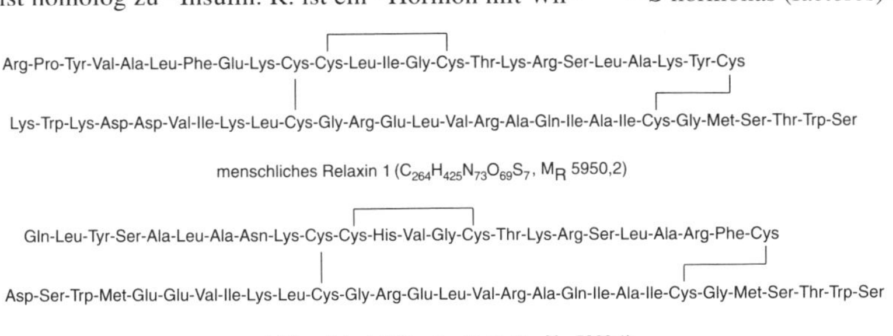

menschliches Relaxin 1 ($C_{264}H_{425}N_{73}O_{69}S_7$, M_R 5950,2)

menschliches Relaxin 2 ($C_{256}H_{415}N_{75}O_{73}S_8$, M_R 5962,1)

...relin. Von der WHO statt *...liberin (IUPAC) bevorzugtes systemat. Suffix in Freinamen von *Releasing-Hormonen. – ***E*** ...relin – ***F*** ...réline – ***I*** **=** ***S*** ...relina

rem. Symbol der veralteten Einheit *Rem.

Rem (von *R*oentgen *e*quivalent *m*an). In der älteren Lit. gebräuchliche, seit 1. 1. 1986 nicht mehr zulässige u. durch *Sievert ersetzte Einheit für die Angabe von **Äquivalent-Dosen* (Produkt aus der Energiedosis u. dem jeweiligen Bewertungsfaktor, s. relative biologische Wirksamkeit u. vgl. Dosis): 1 rem = 10 mSv = 0,01 J/kg; zur natürlichen Strahlenbelastung des Menschen s. ionisierende Strahlung u. Strahlenbiologie. – ***E*** **=** ***F*** **=** ***I*** **=** ***S*** rem

REM. Abk. für Raster-*Elektronenmikroskop u. für engl.: *r*apid *e*ye *m*ovement = rasche Augenbewegung (Phase im *Schlaf).

Remafin®. Pigment-Präparationen ausgesuchter organ. u. anorgan. Pigmente auf der Basis eines Polyolefin-Trägers, welcher sowohl mit Polyethylen hoher u. niederer Dichte, als auch mit Polypropylen verträglich ist. Die Lieferform ist Granulat.
Verw.: Einfärben während der thermoplast. Verarbeitung für dickwandige Artikel, wie z. B. Spritzgußteile, Hohlkörper u. Profile sowie für dünnwandige Artikel, wie z. B. Folien. ***B.:*** Hoechst.

Remalloy. Teilw. veraltete Handelsbez. von Leg.-Herstellern in den USA für unterschiedliche Leg.-Gruppen:
1. 17–20% Mo, 12% Co, max. 3% Mn, Rest Fe zur Anw. in der Elektrotechnik als Dauermagnete;
2. 0,1% Kohlenstoff, 0,5% Mn, 0,6% Cr, Rest Fe zur Anw. im Formenbau für die Kunststoffverarbeitung;
3. 0,7% Kohlenstoff, 18% W, 12% Co, 4% Cr, 2% V, Rest Fe zur Anw. als Werkzeugstahl für hohe Arbeitsgeschwindigkeiten. – ***E*** **=** ***I*** **=** ***S*** remalloy

Lit.: Woldmann u. Gibbons (Hrsg.), Engineering Alloys, 5. Aufl., New York: Van Nostrand Reinhold 1973.

Remanenz s. Ferromagnetika u. magnetische Werkstoffe.

Remastral®. Kation. Farbstoffe für die Spinnfärbung von PAC-Fasern. ***B.:*** Clariant.

Rematard®. Kation. Retarder beim Färben von *Polyacrylnitril-Fasern mit kation. Farbstoffen. ***B.:*** Clariant.

Remazol®-Farbstoffe. *Reaktivfarbstoffe für Cellulosefasern u. deren Fasermischungen. *Reaktivanker ist das Vinylsulfon (*Vinylsulfon-Farbstoffe), das in der Handelsform maskiert als *β*-Sulfatoethylsulfon vorliegt. Mit Alkali erfolgt Freisetzung der Reaktivgruppe, die mit der Cellulosefaser unter Ether-Bildung reagiert. R.-Farbstoffe sind universell nach Auszieh- u. Klotzfärbeverf. sowie im Druck nach 1- u. 2-phasigen Fixierverf. einsetzbar. Hervorzuheben sind die gute Ätzbarkeit von Remazol-Fonds u. deren Reservierbarkeit im sauren Bereich od. mit Sulfit-abspaltenden Reservierungsmitteln. ***B.:*** DyStar.

Remazol®-Salz FD. Na-Salz der *Trichloressigsäure, mildes Alkali für *Remazol®-Farbstoffe im Direkt- u. Reservedruck. ***B.:*** DyStar.

Remedacen® (Rp). Kapseln mit *Dihydrocodein-Polistirex gegen Reizhusten. ***B.:*** Rhône Poulenc Rorer.

Remestan (Rp). Kapseln mit *Temazepam gegen Schlafstörungen. ***B.:*** Wyeth.

Remid (Rp). Dragées mit *Allopurinol gegen Hyperurikämie u. *Gicht. ***B.:*** TAD.

Remifemin®. Tabl. u. Lsg. mit Flüssigextrakt aus Cimicifuga-Wurzelstock gegen klimakter. Beschwerden; *R. plus* zusätzlich mit *Johanniskraut-Extrakt. ***B.:*** Schaper & Brümmer.

Remifentanil (Rp).

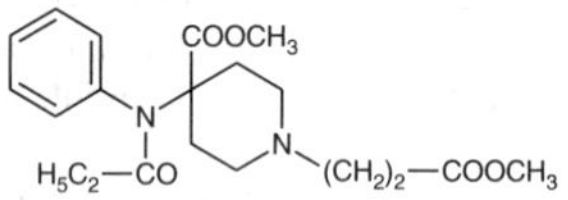

Internat. Freiname für das Opioid-*Analgetikum Methyl-4-(methoxycarbonyl)-4-(*N*-phenylpropionamido)-1-piperidinpropionat, $C_{20}H_{28}N_2O_5$, M_R 376,46. Verwendet wird das Hydrochlorid, Schmp. 212–214 °C. R. wurde 1990 u. 1991 von Glaxo (Ultiva®) patentiert. Es wird bei der Einleitung od. Aufrechterhaltung der Narkose als *Analgetikum infundiert u. zeichnet sich durch raschen Wirkungseintritt u. kurze Wirkdauer aus. – ***E*** **=** ***I*** **=** ***S*** remifentanil

Lit.: Br. J. Anaesth. **76**, 341 (1996) ▪ Martindale (31.), S. 93 ▪ Merck-Index (12.), Nr. 8300. – *[CAS 132875-61-7 (R.); 132539-07-2 (Hydrochlorid)]*

Remission. Von latein.: remissio = Zurücksendung abgeleitetes Synonym für *diffuse Reflexion*; s. dort u. vgl. Farbe.

Remissionsspektroskopie s. Reflexionsspektroskopie.

Remmers. Kurzbez. für die Remmers Bauchemie GmbH mit Stammsitz in 49624 Löningen; Niederlassung in 69126 Heidelberg. Tochterges. in den Niederlanden, England, Belgien, Singapur. *Produktion*: Produkte für die Bauwerksabdichtung u. -instandhaltung (Solutan®, Sulfiton®), Fassadenschutz, Sanierputze, Bodenbeschichtungen (Rofaplast®, Visacid®), Silicon-Fugenmassen, Farben, Fensterbeschichtungen, Lasuren, Holzschutzmittel.

Remobilisierung. In der Chemie Bez. für die Umkehrung der *Immobilisierung, d. h. für die Erscheinung, daß unlösl. (gemachte) Stoffe durch Einwirkung von Lsm. od. Komplexbildnern wieder in Lsg. gehen; *Beisp.:* Die unerwünschte R. von Schwermetallen aus Böden, Klärschlämmen u. dgl. durch *Chelat-Bildner wie EDTA od. NTA. Die R. von Metalloxiden durch CO_2 gibt Hydrogencarbonate in natürlichen Wässern. – ***E*** remobilization – ***F*** remobilisation – ***I*** rimobilizzazione – ***S*** removilización

Lit.: Lorenz, Remobilisierung von Schwermetallen aus ruhenden Gewässersedimenten durch EDTA u. NTA bei aerober u. anaerober Wasserphase, Univ. Karlsruhe 1997.

Remolgan®-Marken. Wasch-, Netz- u. Entfettungsmittel für Pelzfelle. ***B.:*** Clariant.

Remotiv®. Dragées mit *Johanniskraut-Extrakt gegen psychovegetative Störungen. ***B.:*** Bayer.

Remoxiprid (Rp).

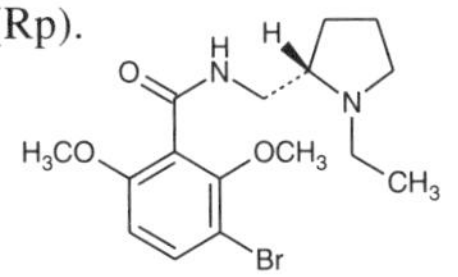

Internat. Freiname für das *Neuroleptikum, ein selektiver Dopamin-D_2-Antagonist, (–)-(*S*)-3-Brom-*N*-(1-ethyl-2-pyrrolidinylmethyl)-2,6-dimethoxybenzamid, $C_{16}H_{23}BrN_2O_3$, M_R 371,27, $[\alpha]_D^{20}$ –64° (c 2/ C_2H_5OH). Verwendet wird das Hydrochlorid Monohydrat, Schmp. 173 °C, $[\alpha]_D^{20}$ –11° (c 2/H_2O), pK_a 8,9, λ_{max} (H_2O) 286 nm ($A_{1\,cm}^{1\%}$ 53,6), LD_{50} (Ratte i.p.) 338 mg/kg. R. wurde 1979 u. 1980 von Astra patentiert u. war als Roxiam® im Handel, wurde aber wegen aufgetretener Fälle von aplast. Anämie nach kurzem wieder zurückgezogen. – ***E*** = ***I*** remoxipride – ***F*** rémoxipride – ***S*** remoxiprida

Lit.: Dtsch. Apoth. Ztg. **133**, 4850 (1992) ▪ Martindale (31.), S. 733 ▪ Pharm. Ztg. **138**, 428–434 (1993). – *[CAS 80125-14-0 (R.); 73220-03-8 (Hydrochlorid); 117591-79-4 (Hydrochlorid-Monohydrat)]*

REMPI s. Mehrphotonen-Spektroskopie.

Remsen, Ira (1846–1927), Prof. für Organ. Chemie, Johns Hopkins Univ., Baltimore (USA). *Arbeitsgebiete:* Entdeckung des Saccharins (zusammen mit Fahlberg), Konstitution von Piperin, Begründer des American Chemical Journal.

Lit.: Chem. Unserer Zeit **20**, A 37, 47 (1986) ▪ Neufeldt, S. 71 ▪ Pötsch, S. 360.

Remsen-Fahlberg-Verfahren s. Saccharin.

Remy. Kurzbez. für die 1920 gegr. Firma Remy & Co., 20459 Hamburg, die an Auer-Remy zu 30% beteiligt ist. *Produktion:* Anorgan. u. organ. Chemikalien, Pharmarohstoffe, Hilfsmittel für keram. Werkstoffe, Thallium-Verbindungen.

Remy, Heinrich (1890–1974), Prof. für Anorgan. Chemie, Hamburg. *Arbeitsgebiete:* Hydratation der Ionen, Adsorption, Stabilität der Aerosole, Mehrstoffkatalysatoren, Koordinationsverb., insbes. Eisen-Fluor-Komplexsalze, Kupfer-Bestimmung, anorgan. Nomenklaturfragen, Verfasser von Lehrbüchern.

Lit.: Pötsch, S. 360.

Renacit®. Mastizier- u. Regenerierungsmittel insbes. für *Naturkautschuk. ***B.:*** Bayer.

Renacor® (Rp). Tabl. mit *Enalapril-hydrogenmaleat u. *Hydrochlorothiazid gegen Bluthochdruck. ***B.:*** Dieckmann.

Renatox®. *Wasserstoffperoxid-Lsg. als Bodensanierungsmittel. ***B.:*** Degussa.

Renaturierung. Wiedergewinnung des nativen Zustandes eines (denaturierten) biolog. Makromol. (z. B. *Proteins), der Voraussetzung für die biolog. Aktivität ist. Die R. geht meist mit *Faltung einher. – ***E*** renaturation – ***F*** rénaturation – ***I*** renaturazione – ***S*** renaturalisación

Rendzina s. Boden.

Renecker-Defekt. Bez. eines speziellen Punktdefektes in *Polymerkristallen, der – wie *Kinken u. *Jogs – auf konformative Fehler in einzelnen Ketten des Kristallverbandes zurückzuführen ist. Ein R.-D. kann als Kombination einer Sequenz mehrerer Fehlkonformationen (z. B. *gauche*-Konformationen in einer ansonsten *all-trans*-kristallisierten Kette) in Verbindung mit der Änderung von Bindungswinkeln beschrieben werden.

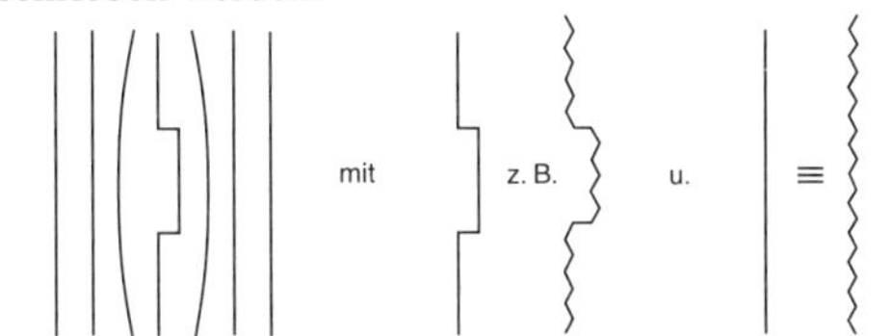

Aufgrund dieses speziellen Aufbaus kann R.-D. im Gegensatz zu Kinken u. Jogs die Polymerkette entlangwandern, ohne daß sich deren relative Lage im Kristallverband ändern muß. Ein R.-D. verkürzt die Polymerkette in Kettenfortpflanzungsrichtung allerdings um die Länge mehrerer C–C-Bindungen. – ***E*** Renecker defect – ***I*** difetto Renecker – ***S*** defecto Renecker

Lit.: Elias (5.) **1**, 742.

Renekloden. Umgangssprachliche, phonet. Schreibweise für Reineclauden, s. Pflaumen.

Renforcé s. Nessel.

Reng. Gepulverte Blätter des pers. Indigostrauches (*Indigofera argentea*, Fabaceae), die aufgrund ihres Gehaltes an *Indigo zusammen mit *Henna früher als Haarfärbemittel (s. Haarbehandlung) für blonde, braune bis tiefschwarze Tönungen verwendet wurden.

Lit.: Janistyn (2.) **3**, 380 f.

Reniérit. $(Cu,Zn)_{11}(Ge,As)_2Fe_4S_{16}$; dem *Bornit sehr ähnliches Erzmineral; bildet *Mischkristalle zwischen den Endgliedern *Zink-R.*, $Cu_{10}ZnGe_2Fe_4S_{16}$ u. *Arsen-R.*, $Cu_{11}GeAsFe_4S_{16}$, über die gekoppelte Substitution Zn(II) + Ge(IV) ⇌ Cu(I) + As(V). R. krist. tetragonal, Kristallklasse $\bar{4}2m-D_{2d}$; Struktur s. *Lit.*[1]. Orangebraune bis bronzebraune, metall. glänzende kleine Krist., feinkörnige Masse u. körnige Einschlüsse in anderen Sulfiden, z. B. in *Germanit. H. 3,5, D. 4,38–4,50. R. enthält 4,5–9,2% Germanium; chem. Analysen, Eigenschaften (auch elektr. u. magnet.) u. Vork. s. *Lit.*[2]; Variationen in der Zusammensetzung u. weitere Formen für R. s. *Lit.*[3]. R. ist ein p-Halbleiter. ***Vork.:*** Verbreitet in Cu-Pb-Zn-Sulfiderzen, bes. solchen in *Dolomiten, z. B. Kipushi/Zaire, Tsumeb/Namibia, Bulgarien u. Ruby Creek/Alaska. R. findet Verw. als Germanium-Rohstoff. – ***E*** = ***F*** = ***I*** reniérite – ***S*** renierita

Lit.: [1] Am. Mineral. **74**, 1177–1181 (1989). [2] Am. Mineral. **71**, 210–221 (1986). [3] Mineralogy and Petrology **46**, 55–65 (1992).
allg.: Anthony et al., Handbook of Mineralogy, Vol. I, S. 438, Tucson (Arizona): Mineral Data Publishing 1990 ▪ Ramdohr, Die Erzmineralien u. ihre Verwachsungen, S. 614 f., Berlin: Akademie Verl. 1975. – *[CAS 12211-41-5]*

Renin (EC 3.4.23.15; von latein.: ren = Niere; nicht zu verwechseln mit dem Labferment Rennin, s. Lab). Das auch *Angiotensinogenase* genannte *Enzym R. ist eine *Proteinase, speziell eine *Aspartat-Proteinase mit zwei L-Asparaginsäure-Resten im aktiven Zentrum, M_R 43 000. R. wird in den Arterienwänden der *Niere aus *Prorenin* gebildet u. von dort in den Blutstrom abgegeben. Hier spaltet es aus dem Tetradecapeptid Angiotensinogen das *Angiotensin I ab, welches im Lungenkreislauf durch das Angiotensin-Konversions-Enzym (ACE) in Angiotensin II umgewandelt wird. Letzteres wirkt stark blutdrucksteigernd, stimuliert die Sekretion von *Aldosteron u. weiteren Hormonen u. hat Einfluß auf die Natrium-Ausscheidung der Niere. Somit reguliert das *Renin-Angiotensin-Syst.* (RAS) den Natrium- u. Wasserhaushalt sowie den *Blutdruck. Durch *natriuretische Peptide kann die Ausschüttung von R. u. Aldosteron gehemmt werden. Auf der Suche nach Mitteln gegen *Hypertonie untersucht man neben Angiotensin-Rezeptor-Antagonisten auch R.-Inhibitoren [1]. Andere *Antihypertonika wirken als *ACE-Hemmer. Neben dem zirkulierenden RAS findet man Prorenin, R., Angiotensinogen, ACE u. Angiotensin-Rezeptoren in vielen Geweben (Gewebs-RAS); man nimmt an, daß Angiotensin II hier lokal wirkt (als Gewebs-Hormon) u. z. B. an der Regulation der Fortpflanzung [2], der Hormon-Ausschüttung der Hypophyse, des Gedächtnisses, des Nerven- u. Gefäßwachstums, der Hypertrophierung des Herzens [3] u. der Embryonalentwicklung der Nieren [4] beteiligt ist. – ***E*** renin – ***F*** rénine – ***I*** = ***S*** renina

Lit.: [1] Cardiovasc. Drugs Ther. **10**, 309–312 (1996). [2] Human Reprod. **12**, 651–662 (1997). [3] Heart **76**, Suppl. 3, 33 ff. (1996). [4] Trends Endocrinol. Metab. **8**, 199–207 (1997).
allg.: Kobayashi u. Takei, The Renin-Angiotensin System. Comparative Aspects, Berlin: Springer 1996 ▪ Pharm. World Sci. **20**, 93–99 (1998). – *[CAS 9015-94-5]*

Rennie®. Tabl. mit Calcium- u. schwerem bas. *Magnesiumcarbonat gegen Hyperacidität. ***B.:*** Roche Nicholas.

Rennin s. Lab.

Rennverfahren s. Krupp-Renn-Verfahren.

Renol®. R.-Marken sind granulatförmige, pulverförmige od. pastenförmige hochkonz. Farbstoff- bzw. Pigment-Präparationen.
Verw.: Einfärben während der thermoplast. Verarbeitung von Polyester, Polyamid, Polystyrol; SAN, ABS, Polycarbonat u. a. techn. Kunststoffe. Für dickwandige Artikel, wie z. B. Spritzgußteile, Hohlkörper u. Profile; sowie für dünnwandige Artikel, wie z. B. Folien, u. in der Spinnfärbung. R.-Pasten dienen v. a. zum Einfärben von PUR-Schäumen. ***B.:*** Clariant.

Rentylin® (Rp). Retardtabl., Infusions- u. Injektionslsg. mit *Pentoxifyllin gegen arterielle Durchblutungsstörungen. ***B.:*** Rentschler.

Rep. a) Veraltete Einheit der *Dosis *ionisierender Strahlung (engl. Abk.: *R*oentgen *e*quivalent *p*hysical = phys. Röntgen-Äquivalent). In tier. Weichgewebe gilt: 1 rep = 9,3 mGy = 9,3 mJ/kg; vgl. Rad u. Rem. – b) In medizin. Rezepten ist „Rep." Abk. für latein.: repetatur = es werde wiederholt.

Repaglinid (Rp).

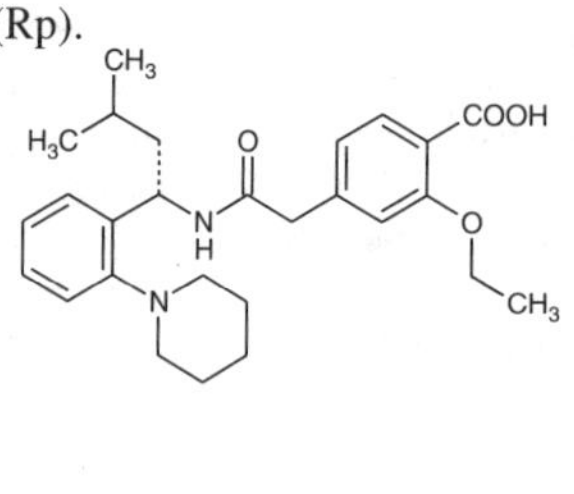

Internat. Freiname für das *Antidiabetikum (*S*)-(+)-2-Ethoxy-4-{2-[3-methyl-1-(2-piperidinophenyl)butyl-amino]-2-oxoethyl}benzoesäure, $C_{27}H_{36}N_2O_4$, M_R 452,59, Schmp. 126–128 °C, $[\alpha]_D^{20}$ +6,97° (c 0,975/ CH_3OH), LD_{50} (Ratte, oral) >1 g/kg. Es wurde 1993 von Thomae patentiert u. soll 1998 von NovoNordisk u. Boehringer Ingelheim als NovoNorm® auf den Markt kommen. Von den antidiabet. Sulfonylharnstoffen wie *Glibenclamid unterscheidet sich R. durch die wesentlich kürzere HWZ von ca. 1 h; sein Angriffsort ist aber derselbe: der ATP-sensitive Kaliumkanal der Betazellen des *Pankreas. – ***E*** = ***I*** repaglinide – ***F*** répaglinide – ***S*** repaglinida

Lit.: Dtsch. Apoth Ztg. **138**, 33 f. (1998) ▪ Diabet. Med. **13** (Suppl. 6), S143–S147 (1996). – *[CAS 135062-02-1]*

Reparatursysteme. Bei Mikroorganismen, Pflanzen, Tieren u. Menschen wirksame Mechanismen, die die DNA als konstantes Erbmaterial vor Veränderungen durch *Mutationen od. Fehler bei der *Replikation schützen. Die wichtigsten der während der Evolution entwickelten R. sind:
Photoreaktivierung: Durch kurzwellige UV-Strahlung gebildete Pyrimidin-Dimere werden in Ggw. von Licht (300–450 nm) wieder gespalten. Dieses R. arbeitet irrtumsfrei u. führt daher nicht zu Mutationen.
Excisions-Reparatur (Excision Repair): In einer Dunkelreaktion werden Schäden der DNA, wie die durch UV-Strahlung induzierten Pyrimidin-Dimere od. Alkylierungsprodukte von spezif. Endonucleasen (s. Nucleasen) erkannt u. ausgeschnitten. Neue, korrekte Basen werden durch Polymerasen mit Hilfe des Komplementärstrangs als Matrize eingebaut u. von Ligasen mit dem ursprünglichen DNA-Strang verknüpft.
Weitere R. zur Korrektur von DNA-Läsionen sind die *postreplikative Rekombinationsreparatur, SOS-Reparatur* u. *adaptive Reparatur.* Diese R. sind jedoch nicht immer in der Lage, fehlerfrei zu arbeiten. Nach Doppelstrang-Brüchen durch ionisierende Strahlung z. B. werden die Bruchstücke zwar wieder verknüpft, Basenverluste können aber aufgrund der fehlenden Matrize nicht mehr ausgeglichen werden, eine Mutation manifestiert sich.
Bei der DNA-Replikation werden etwaige Fehlpaarungen durch mehrere enzymat. Schritte eliminiert, so daß die Fehlerquote auf ca. 10^{-10} absinkt. – ***E*** repair systems – ***F*** systèmes de réparation – ***I*** sistemi di riparazione – ***S*** sistemas de reparación

Lit.: Friedberg, DNA Repair, San Francisco: Freeman 1985 ▪ Gottschalk, Allgemeine Genetik (4.), Stuttgart: Thieme 1994 ▪ Knippers (7.), S. 236 ff., 249–256 ▪ Mutat. Res. **358**, 193 (1996) ▪ Proc. Natl. Acad. Sci. USA **94**, 1113 (1997).

Reparil®. Ampullen u. Dragées mit *Aescin, Gel zusätzlich mit *Diethylaminsalicylat gegen Schwellungen u. lokalisierte Ödeme. ***B.:*** Madaus.

Repellan®. Imprägniermittel für die wasser- u. ölabweisende Ausrüstung von Textilien. ***B.:*** Henkel.

Repellat®. Kationaktives Dodecylpyridiniumsulfat als Egalisier- u. Abziehmittel für Küpenfärbungen (s. Küpenfärberei), Nachbehandlungsmittel von substantiven Färbungen, Avivage- u. Netzmittel. ***B.:*** Henkel.

Repellentien. Von latein.: repellere = zurücktreiben, abweisen, abgeleitete Bez. für Mittel, die abwehrend

od. vertreibend auf andere Lebewesen, insbes. Schädlinge u. Lästlinge, wirken. Viele der Mittel veranlassen durch ihren unangenehmen Geruch u. Geschmack, daß die Tiere sich von z. B. Nahrung od. bestimmten Plätzen fernhalten. Hierzu gehören Mittel zur Abschreckung von *Insekten u. *Spinnen, zu denen außer den bei **Insektenabwehrmitteln* genannten Stoffen (z. B. DEET) auch Octansäurediethylamid, 2-(Octylthio)-ethanol u. 3-(*N*-Acetyl-*N*-butylamino)-propionsäureethylester zählen, ferner manche **Holzschutzmittel* sowie *Fraßhemmstoffe* od. *„Fraßschutzmittel"*, z. B. im Pflanzenschutz, für Saatgut (s. Vorratsschutz) od. für Textilien (Mittel zur *Mottenbekämpfung, gegen Silberfischchen u. Teppichkäfer). In erweitertem Sinne gelten als R. auch alle Mittel, die zur Vertreibung von Nagetieren, Vögeln z. B. in Obstkulturen, Weinbergen usw. dienen, **Wildverbißmittel* zum Schutz der jungen Forstkulturen sowie Mittel, die Hunde u. Katzen abschrecken sollen, bestimmte Stellen zu verunreinigen (z. B. 2-Undecanon). Zur Abschreckung von Vögeln kann man Brechreiz auslösende Stoffe wie Anthrachinon od. Mercaptodimethur benutzen, aber auch akust. od. opt. Vergrämungsmittel, wie sie als anthropogene Zivilisationsranderscheinungen auch ungewollt auftreten. Gewissermaßen indirekt wirkt 4-Aminopyridin auf Vögel: Tiere, die es mit dem Köder aufgenommen haben, werden paralysiert, sie fliegen in Spiralen u. stoßen „Notschreie" aus, woraufhin der übrige Schwarm die Flucht ergreift. Auf Maulwürfe wirkt Chlorbenzol als Vergrämungsmittel. Bei vielen niederen u. höheren Pflanzen u. Tieren gehört die Entwicklung spezif. R. zur Überlebensstrategie. So produzieren z. B. Mollusken Furanosesquiterpene als Fraßschutzmittel gegen Korallenfische, u. ein im Pazifik lebender Fisch sondert Steroidaminoglykoside gegen Haie ab. Nicht nur zur Reviermarkierung, sondern auch zur Abwehr von Feinden dienen die Analdrüsensekrete mancher *Musteliden, insbes. des *Stinktiers. Manche Tiere nehmen tox. wirkende Stoffe mit der Nahrung auf (Pharmakophagie) u. funktionieren diese zu R. um. Auch Pflanzen (s. Pflanzenphysiologie) verfügen über Abwehrstrategien, u. zwar sowohl gegen ihresgleichen (Allelopathika, Phytoaggressine) als auch gegen Fraßfeinde, gegen die sie sich mit *sek. Pflanzenstoffen* wie *Phytonziden, giftigen Alkaloiden, *Glucosinolaten, Nachahmungen von *Insektenhormonen (*Precocenen) u. *Pheromonen zur Wehr setzen.
Gelegentlich versteht man unter R. auch Mittel zur Hydrophobierungs- u. *Oleophobierungs-Ausrüstung von Textilien. – ***E*** repellents – ***F*** répulsifs – ***I*** repellenti – ***S*** repelentes, ahuyentadores

Lit.: Jacobs u. Renner, Biologie u. Ökologie der Insekten (2.), Stuttgart: Fischer 1988 ▪ Schwenke, Die Forstschädlinge Europas, Bd. 5, Hamburg: Parey 1986 ▪ s. a. Insektenabwehrmittel u. a. Textstichwörter.

Reperkolation. Bez. für ein *Extraktions-Verf., bei dem mehrere Perkolatoren (s. Perkolation) hintereinandergeschaltet werden.

Repetierende Grundeinheit s. konstitutionelle Repetiereinheit.

Repetitive DNA. Bez. für DNA-Abschnitte, die in Form von mehreren Kopien v. a. im Genom von Eukaryonten vorkommen. Beim Menschen kann der Anteil r. DNA 30–35% des Gesamtgenoms ausmachen, bei Pflanzen sogar bis zu 90%. Abhängig vom Repetitionsgrad unterscheidet man hochrepetitive DNA (10^4–10^6 Kopien/Genom), mittelrepetitive DNA (10^2–10^3 Kopien/Genom) u. nicht-repetitive DNA (*E* single copy sequences).
Sowohl Gene als auch Nicht-Gen-Sequenzen können in repetitiver Form im Genom vorkommen. Zu den repetitiven Genen gehören z. B. die *Hämoglobin-Gene, die *Histon-Gene, die Gene für *rRNA u. die *Immunglobulin-Gene. Der größte Teil der r. DNA besteht allerdings aus Sequenzen, die vermutlich kein Codierungspotential besitzen. Dazu zählt z. B. die Satelliten-DNA, die im Heterochromatin (s. Chromatin) der Chromosomen lokalisiert ist. – ***E*** repetitive DNA – ***F*** ADN répétitive – ***I*** DNA ripetitivo – ***S*** ADN repetitivo

Lit.: Chromosome Res. **4**, 491 (1996) ▪ J. Mol. Evol. **44**, 321 (1997) ▪ Knippers (7.), S. 31 f., 422 ▪ Singer u. Berg, Gene u. Genome, S. 606 ff., Heidelberg: Spektrum Akadem. Verl. 1992.

Replicasen s. Replikation.

Replikatechnik (Lederberg-Stempeltechnik). In der Mikrobiologie bezeichnet R. die Übertragung eines Koloniemusters von einer Agarplatte (Stammplatte, *E* masterplate) auf andere Agarplatten mit Hilfe eines samtbespannten Stempels. Mit dieser Meth. können alle Kolonien einer Platte gleichzeitig auf physiolog. Merkmale hin untersucht werden, indem man z. B. auf verschiedene selektive Nährmedien stempelt. – ***E*** replica plating – ***F*** test des répliques – ***I*** metodo della replica – ***S*** replicación en placas

Lit.: Antimicrob. Agents Chemother. **40**, 2399 (1996) ▪ J. Clin. Microbiol. **33**, 3146 (1995) ▪ Knippers (7.), S. 92 ▪ Singer u. Berg, Gene u. Genome, S. 263, Heidelberg: Spektrum Akadem. Verl. 1992.

Replikation. *DNA-R.* ist diejenige Biosynth. der *Desoxyribonucleinsäuren (DNA), bei der die vorhandenen zweisträngigen DNA-Mol. eine sequenzgetreue Verdoppelung (*ident. Reduplikation*) erfahren. Die R. erfolgt in den Zellkernen der *eukaryo(n)tischen Zellen vor der *Mitose in der sog. *S-Phase* des Zellcyclus, bei Bakterien u. *Archaea, die als *Prokaryonten keinen Zellkern besitzen, vor der Zellteilung im Cytoplasma. Auch in *Mitochondrien u. *Plastiden[1] findet R. statt – einer der Gründe, eine Abstammung dieser Organellen von Bakterien anzunehmen. Der biolog. Sinn der R. ist die Verdopplung der in der Basensequenz der genom. DNA (s. Gen) gespeicherten genet. Information (vgl. auch genetischer Code) u. die Vererbung der beiden Kopien der Gensätze auf die Tochterkerne, Tochterzellen bzw. Tochterorganellen. In mit *Viren befallenen Zellen werden virale DNA od. *Ribonucleinsäuren (RNA) repliziert. Die für die *RNA-R.* zuständigen RNA-abhängigen RNA-*Polymerasen werden *Replicasen* genannt, ein Begriff, der jedoch zuweilen auch für den Multienzym-Komplex der DNA-R. gebraucht wird.
Verlauf der R.: Im Prinzip verläuft die DNA-R. so, daß die DNA-Doppelhelix durch eine DNA-*Topoisome-

rase II (DNA-Gyrase) eine neg. Superspiralisierung erhält. Daraufhin kann die Doppelhelix lokal aufgebrochen u. durch eine DNA-*Helicase entwunden werden, was durch die neg. Superspiralisierung erleichtert wird. Ein *Einzelstrang-DNA-bindendes Protein* (single strand-binding protein, SSB) stabilisiert die entstehenden Einzelstränge u. verhindert ein Wiederzusammentreten zur Doppelhelix. In der Folge lagern sich an die entstehenden DNA-Einzelstränge unter Katalyse der DNA-abhängigen DNA-Polymerase III wie an Schablonen („Matrizen") die aufgrund der *Wasserstoff-Brückenbindungen passenden Desoxyribonucleosid-5'-triphosphate (dNTP) an u. kondensieren unter Abspaltung von anorgan. Diphosphat (PP_i) zu neuen Ergänzungssträngen miteinander (s. Abb. 1). Dabei beginnt der neue Strang an seinem 5'-Ende u. wächst am 3'-Ende.

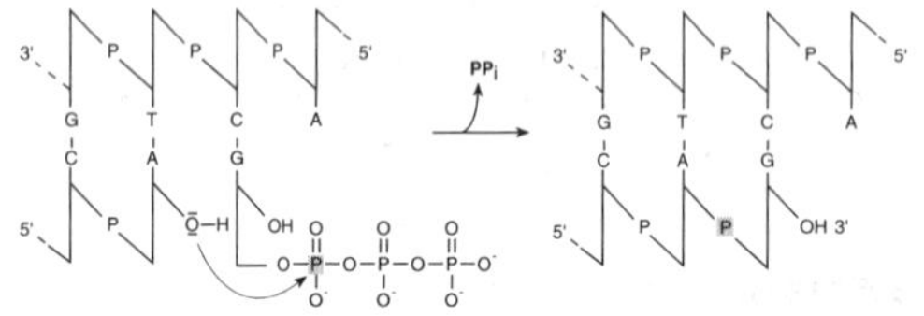

Abb. 1: Angriff der 3'-OH-Gruppe auf das α-Phosphor-Atom eines dNTP (hier: dGTP). Es kommt zur Ausbildung eines Phosphodiesters.

Die Polymerase kann allerdings die neuen Komplementärstränge nicht von Beginn an synthetisieren, weshalb kurze, ca. 10 Basen lange Stücke von RNA als sog. **Primer* vorher von einer RNA-Polymerase (*Primase*; bildet mit verschiedenen anderen Proteinen das *Primosom*) synthetisiert werden müssen, die später mit Hilfe von DNA-Polymerase I wieder durch DNA ersetzt u. durch eine DNA-Ligase mit dem fortlaufenden Strang verbunden werden. Vom *Replikationsursprung* (Replikationsstartpunkt, *Origin) schreitet die R. meist in 2 Richtungen fort, wobei *Replikationsgabeln* entstehen (s. Abb. 2).

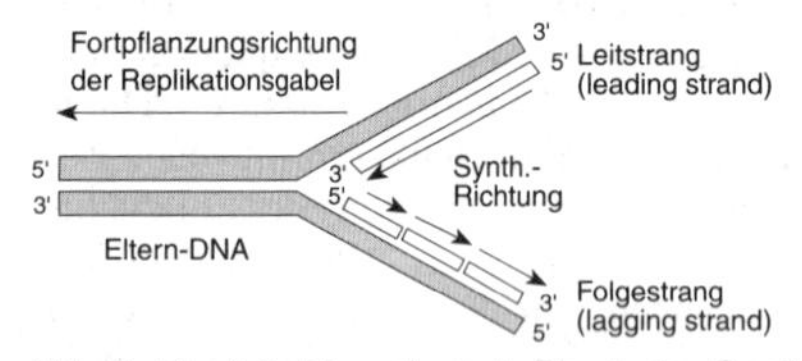

Abb. 2: Vereinfachte schemat. Darst. der Replikationsgabel. Auf dem Folgestrang laufen die Synth. der neuen DNA u. die Wanderung der Replikationsgabel entgegengesetzt, deshalb erfolgt die Synth. hier diskontinuierlich (*Okazaki-Fragmente).

Es bilden sich zwei ident. Doppelstränge, bei denen je ein einzelner Strang dem Original-Mol. entstammt (*semikonservative* R.). Da die Polymerisationsrichtung an den beiden Einzelsträngen eigentlich entgegengesetzt verläuft, die jeweilige Replikationsgabel aber in einer bestimmten Richtung wandert, erfolgt die Synth. am sog. *Folgestrang* (im Gegensatz zum *Leitstrang*) diskontinuierlich u. führt zu den von Okazaki entdeckten Fragmenten. Diese werden von *DNA-Ligasen* (EC 6.5.1.1, 6.5.1.2) miteinander verbunden. Die hohe Genauigkeit der R. (Fehlerrate ca. 1 : 1 Mrd.) kommt durch einen der Polymerase inhärenten Korrekturmechanismus zustande, durch den fälschlich anpolymerisierte u. somit nicht paarende Nucleotide wieder entfernt werden[2].

Besonderheiten bei Eukaryonten: Die ansonsten recht ähnliche eukaryont. DNA-R. verwendet unterschiedliche Polymerasen am Leit- u. Folgestrang (δ bzw. α). Während das bakterielle Genom nur einen einzigen Replikationsursprung enthält, gibt es bei Eukaryonten mehrere pro Chromosom. Die Einheit, die von einem solchen Ursprung aus repliziert wird, bezeichnet man als *Replikon* od. *autonom replizierende Sequenz*[3]. Zur Initiation der R. s. *Lit.*[4]. Durch die Linearität der eukaryont. Chromosomen ergibt sich das Problem der unvollständigen R. der Chromosomenenden (Telomere – s. dort), das durch den Einsatz spezieller Enzyme (Telomerasen) gelöst wird. Als Modellsyst. zur Untersuchung der Eukaryonten-R. wird oft das Genom des Affen-Virus SV 40 herangezogen[5]. Zum mechanist. Vgl. von R., *Rekombination u. *Transkription s. *Lit.*[6].

R. viraler DNA: Zirkuläre Viren-DNA u. *Plasmide (Episomen) – das sind kleinere, ringförmige Doppelstrang-DNA, die als zusätzliche genet. Elemente bei Bakterien vorkommen – können nach dem Mechanismus des rollenden Rings (*E rolling circle*) repliziert werden[7]. Dabei wird einer der Einzelstränge aufgebrochen, u. der andere bleibt als cycl. Matrize geschlossen, während an beide Stränge komplementäre Tochterstränge anpolymerisiert werden. Bei der R. mancher DNA-Viren übernehmen Proteine statt RNA die Funktion des primer. – ***E*** replication – ***F*** réplication – ***I*** repliazione – ***S*** replicación

Lit.: [1]J. Plant Biochem. Biotechnol. **6**, 1–7 (1997). [2]Annu. Rev. Biochem. **65**, 101–133 (1996). [3]Methods (Duluth) **13**, 221–233 (1997). [4]Annu. Rev. Cell Develop. Biol. **13**, 293–332 (1997); Annu. Rev. Microbiol. **51**, 125–149 (1997); Mol. Microbiol. **19**, 659–666 (1996). [5]Crit. Rev. Biochem. Mol. Biol. **32**, 503–568 (1997). [6]Trends Biochem. Sci. **23**, 79–83 (1998). [7]Microbiol. Mol. Biol. Rev. **61**, 442–455 (1997); **62**, 434–464 (1998).
allg.: Alberts et al., Molekularbiologie der Zelle, 3. Aufl., S. 292–305, 418–429, Weinheim: VCH Verlagsges. 1995 ▪ Blow, Eukaryotic DNA Replication, Oxford: IRL Pres 1996 ▪ Campbell, DNA Replication, San Diego: Academic Press 1995 ▪ DePamphilis, DNA Replication in Eucaryotic Cells, Cold Spring Harbor: CSH Laboratory Press 1996 ▪ J. Biol. Chem. **272**, 4647–4650 (1997) ▪ Stryer 1996, S. 827–859, 1029–1035.

Replikationsgabel s. Replikation.

Replikations-Origin, -Startpunkt, -Ursprung s. Origin u. Replikation.

Replikon s. Origin u. Replikation.

Replizierende DNA. DNA, die sich im Zustand der ident. Verdoppelung (*Replikation, Reduplikation) befindet, s. Desoxyribonucleinsäure (Biosynth.). – ***E*** replicating DNA – ***F*** ADN de réplication – ***I*** DNA replicante – ***S*** ADN de replicación

Reportergen (Reporter, Indikatorgen). Bez. für ein Gen od. Genfragment, dessen Anwesenheit sich nach Übertragung in einen Zielorganismus (s. Transformation) leicht nachweisen läßt. Der Nachw. erfolgt normalerweise durch einfache biochem. Verf. (z. B. Farbreaktionen). R. können im Gegensatz zu selektierbaren Markergenen (z. B. *Resistenz-Gene) nicht zur Selektion transformierter Organismen verwendet werden. Ein R. zeigt lediglich an, ob u. in welchem Ausmaß fremde DNA in die Zielzellen eingebracht werden konnte. Häufig verwendete R. sind das Gen für β-Galactosidase (lacZ-Gen, s. lac-Operon) aus *Escherichia coli*, das Gen für alkal. *Phosphatase od. verschiedene lux-Gene (für *Luciferasen), die die markierten Zellen zum Leuchten bringen können. – ***E*** reporter gene – ***F*** gène indicateur – ***I*** reporter, gene indicatore – ***S*** gen informador

Lit.: Invasion Metastasis **16**, 107 (1996) ▪ Knippers (7.), S. 305 ▪ Singer u. Berg, Gene u. Genome, S. 189 ff., Heidelberg: Spektrum Akadem. Verl. 1992.

Reportergruppe s. Spinmarkierung.

Reports. Aus dem *E* übernommene Bez. für eine Lit.-Gattung, die, früher für „nicht bibliothekswürdig" erachtet, heute eine wichtige Informationsquelle auch innerhalb der chemischen Literatur (s. dort, S. 686) u. der *Dokumentation ist. Es handelt sich im allg. um in Schreibmaschinenschrift vervielfältigte od. aus Kosten- u. Archivierungsgründen in Mikroficheform publizierte Tätigkeitsberichte von staatlichen, militär., privaten od. anderen Forschungsstellen über die geleistete Arbeit u. die erzielten Ergebnisse, die meist ausführliche Versuchsbeschreibungen, Tab. usw. enthalten. R. sind häufig sehr aktuell, da sie unmittelbar nach od. während der laufenden Arbeit geschrieben werden. Allerdings werden R. von militär. Interesse zunächst als geheim unter Verschluß gehalten („classified") u. erst später freigegeben („declassified"). Zur Identifizierung tragen die R. meist eine laufende Nummer u. eine Abk. der herausgebenden Inst. (ein Akronym); *Beisp.:* ANL- (Argonne National Laboratory), BNL- (Brookhaven National Laboratory), EUR- (Euratom), HMI- (Hahn-Meitner-Institut), KFA- (Kernforschungsanlage Jülich). Die (amerikan.) R. werden z. T. in *Referateorganen wie *Chemical Abstracts u. Biological Abstracts referiert, darüber hinaus aber auch in spezif. Referateblättern für Reports. Erhältlich sind R. normalerweise nicht durch den Buchhandel, da sie zur sog. grauen Lit. gehören, sondern nur durch die herausgebenden Inst. bzw. durch zentrale Sammelstellen wie das *NTIS (für amerikan. R.) u. die mit diesen zusammenarbeitenden *Bibliotheken u. Dokumentationsstellen. In der BRD können R. über die TIB Hannover u. das Fachinformationszentrum Karlsruhe, die über umfangreiche R.-Bestände verfügen, recherchiert u. bestellt werden. Europ. R. lassen sich mittels der STN-Datenbank SIGLE (System for Information on Grey Literature in Europe), die auch als CD-ROM Datenbank verfügbar ist, für den Zeitraum 1980 bis heute recherchieren. SIGLE umfaßt ca. 460 000 Zitate auf den Gebieten der reinen u. angewandten Naturwissenschaften, Technik sowie Wirtschafts-, Sozial- u. Geisteswissenschaften. Als modernes Medium ist auch das Internet zu nennen, in dem Forschungsberichte diverser Inst. hochaktuell verfügbar sind. – ***E*** reports – ***F*** comptes-rendus – ***I*** rapporti – ***S*** reportes

Lit.: Heidtmann, Wie finde ich Normen, Patente, Reports?, Berlin: Spitz 1995 ▪ Mildren, Information Sources in Engineering, London: Bowker-Saur 1996 ▪ s. a. chemische Literatur, Dokumentation.

Reppe, Walter (1892–1969), Prof. für Organ. u. Techn. Chemie, Univ. Mainz, TH Darmstadt, Forschungsleiter der BASF. *Arbeitsgebiete:* Synth. mit Ethylen u. Kohlenoxid (Oxo-Synth.), v. a. aber mit Acetylen unter hohem Druck (s. Reppe-Synthesen), Schwermetall-Acetylide, Metallcarbonyle (insbes. Nickeltetracarbonyl) u. -carbonylwasserstoffe als Katalysatoren, Polyvinylpyrrolidon, Cyclooctatetraen. Die Hochdruckchemie des Acetylens wird heute auch *Reppe-Chemie* genannt.

Lit.: Lexikon der Naturwissenschaftler, S. 345 ▪ Neufeldt, S. 163, 198, 206, 226 ▪ Pötsch, S. 360 ▪ Strube et al., S. 186 f.

Reppe-Synthesen. Mit dem Namen *Reppe sind eine Reihe techn. wichtiger Reaktionen des *Acetylens verbunden; *Beisp.: Die *Vinylierung* zu Vinylacetat, Vinylethern (s. Abb. a), Acrylonitril u. Vinylpyrrolidon, die **Ethinylierung* zu Propinol (s. Abb. b), Methylbutinol od. Butindiol (s. Abb. c), die **Hydrocarboxylierung* zu Acrylsäure (s. Abb. d), die **Cyclooligomerisation* zu Benzol od. Cyclooctatetraen (s. Abb. e, f):

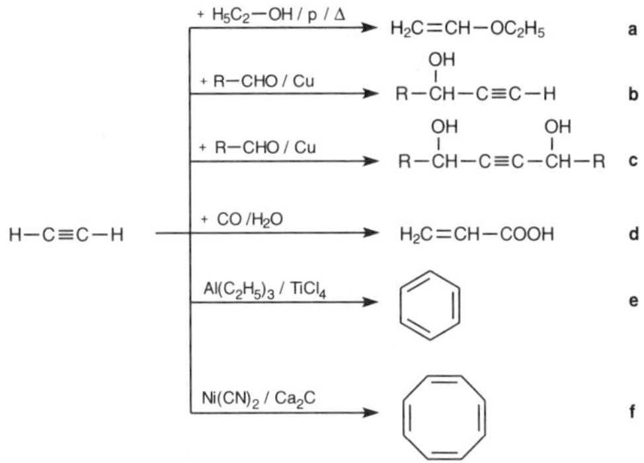

Abb.: Wichtige Reppe-Synthesen.

– ***E*** Reppe syntheses – ***F*** synthèses de Reppe – ***I*** sintesi di Reppe – ***S*** síntesis de Reppe

Lit.: Angew. Chem. **81**, 717–723 (1969) ▪ Hassner-Stumer, S. 316 ▪ Krauch u. Kunz, Reaktionen der organischen Chemie, 6. Aufl., S. 208, 325, 572, 650, Heidelberg: Hüthig 1997 ▪ Reppe, Neue Entwicklungen auf dem Gebiet des Acetylens und Kohlenoxids, Berlin: Springer 1949 ▪ Weissermel-Arpe (4.), S. 108, 234, 314, 394 ▪ s. a. Acetylen.

λ-Repressor s. Phagen.

Repressoren (Repressorproteine). Bez. für Proteine, die durch reversible u. spezif. Bindung an Signalstrukturen (*Operator-Sequenzen*) die Aktivität von Genen od. Gen-Gruppen (**Operon*) durch Anlagerung blockieren, wodurch die Bindung von RNA-Polymerase u. damit die *Transkription der *Gene verhindert wird. R. werden von *Regulatorgenen codiert, die in den meisten Fällen von dem Operon, das sie kontrollieren, räumlich getrennt sind. Die Blockierung kann dadurch aufgehoben werden, daß der Repressor seinerseits inaktiviert wird durch sog. Induktor-Mol., die die ster. Konformation des R. verändern (alloster. Kontrolle), so daß er sich vom Operator ablöst. Das Operon ist damit frei u. kann transkribiert werden. – ***E*** repressors – ***F*** répresseurs – ***I*** repressori – ***S*** represores

Lit.: Schlegel (7.), S. 537 ff. ▪ Stryer 1996, S. 995 ff., 1005 ff.

Repriman®. Entschäumer, Entlüfter u. Schaumverhütungsmittel für die Papier- u. Zellstoff-Ind. auf der Basis von Ölen u. *Tensiden. ***B.:*** Henkel.

Reproactive®. Abdruckmasse für zahntechn. Zwecke. ***B.:*** Degussa.

Reproduktion s. Gen u. Konzeption (R. von Organismen) od. Reprographie (R. von Objekten).

Reproduktions-Immunologie s. Immunologie.

Reproduktionstoxisch s. fortpflanzungsgefährdend.

Reproduzierbarkeit. Unter R. kann man die *Wiederholbarkeit* von techn.-naturwissenschaftlichen Messungen, Untersuchungen, Herst.-Meth. usw. mit möglichst geringer Abweichung der Einzelergebnisse voneinander verstehen. In der Analytik spricht man bevorzugt von *Präzision* statt von R.: Hohe Präzision liegt vor, wenn Meßergebnisse übereinstimmen – über die **Richtigkeit* od. **Genauigkeit* der Ergebnisse sagt dies nichts aus. Nach anderen Auffassungen ist zwischen *Wiederholbarkeit* (*E* repeatability) u. *Vergleichbarkeit* (*E* reproducibility) zu unterscheiden als max. zu erwartende Differenzen zweier Bestimmungen, ausgeführt im ersten Fall vom selben Analytiker u. im zweiten Fall von zwei verschiedenen Laboratorien (*Ringversuch). Messungen unter Wiederholbedingungen lassen systemat. Fehler nicht erkennen. – ***E*** reproducibility – ***F*** reproductibilité – ***I*** riproducibilità – ***S*** reproduc[t]ibilidad

Lit.: Analyt.-Taschenb. **9**, 10 ▪ DIN 1319-3: 1996-05 ▪ DIN ISO 5725-1: 1994-01.

Reproform®. Abdruckmasse für zahntechn. Zwecke. ***B.:*** Degussa.

Reprographie (Reprotechnik). Sammelbez. für Kopierverf. mittels elektromagnet. Strahlung, vorwiegend mit sichtbarem, ultraviolettem od. infrarotem Licht, vielfach auch für Vervielfältigungsverf. u. Büro-Offsetdruck. Die verschiedenen *Kopier-* u. *Vervielfältigungs-* od. *Reproduktionsverf.* sind in diesem Werk unter *Diazokopie, *Elektrophotographie, *Farbphotographie, Kalvar-Verf., *Lichtpause, *Hektographie, *Chemigraphie, *Offsetdruck, *Photographie, *Photokopie, *Thermokopie, *Druckverfahren u. unter einzelnen Marken näher behandelt. – ***E*** reprography – ***F*** reprographie – ***I*** reprografia – ***S*** reprografía

Lit.: Angew. Chem. **92**, 95–106 (1980) ▪ Bauer, Lexikon der Reprotechnik, Itzehoe: Beruf + Schule 1988 ▪ Chem. Unserer Zeit **17**, 10–20, 33–40 (1983) ▪ Chem.-Ztg. **106**, 275–287, 313–326 (1982) ▪ DIN-Katalog, Sachgruppen 7770, 7780, Berlin: Beuth (jährlich) ▪ DIN-Taschenbuch 153, 154, Berlin: Beuth 1984 ▪ Ihme, Lehrbuch der Reproduktionstechnik, Leipzig: Fachbuchverl. 1982 ▪ Müller, Dictionary of the Graphic Arts Industry, Amsterdam: Elsevier 1981 ▪ Ullmann (5.) **A 13**, 574 ff. ▪ Winnacker-Küchler (3.) **5**, 590–652.

Reprotechnik s. Reprographie.

Reproterol (Rp).

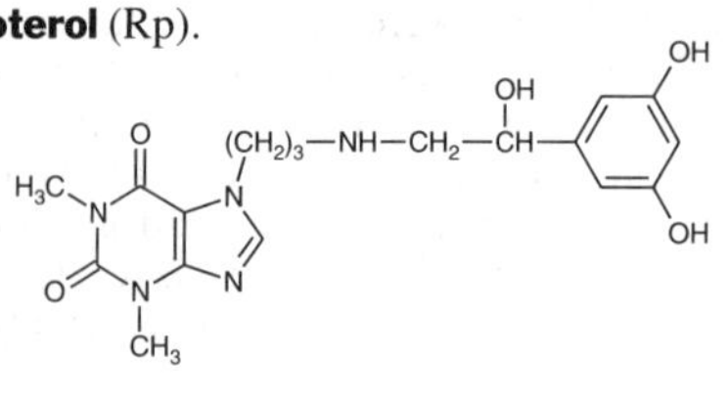

Internat. Freiname für das *Broncholytikum u. *Sympathikomimetikum (±)-7-{3-[2-(3,5-Dihydroxyphenyl)-2-hydroxyethylamino]propyl}-3,7-dihydro-1,3-dimethyl-1*H*-purin-2,6-dion, $C_{18}H_{23}N_5O_5$, M_R 389,42. Verwendet wird das Hydrochlorid, Schmp. 246–251 °C, pK_{a1} 8,1, pK_{a2} 9,8. R. wurde 1970 von Degussa patentiert u. ist von Asta Medica (Bronchospasmin®) im Handel. – ***E*** = ***S*** reproterol – ***F*** réprotérol – ***I*** reproterolo

Lit.: ASP ▪ Hager (5.) **9**, 497 ff. ▪ Martindale (31.), S. 1589. – *[HS 2939 50; CAS 54063-54-6 (R.); 13055-82-8 (Hydrochlorid)]*

Reproxal®. Sortiment von *Weichmachern für PVC u. Cellulosenitrat auf der Basis von Dialkylphthalaten (s. Phthalsäureester) (P-Typen) bzw. Trimellithsäurealkylestern (TR-Typen). ***B.:*** RWE-DEA AG.

Reps s. Raps.

Reptation. Von latein.: reptare = kriechen. Bez. für eine translator., d. h. unter Veränderung des Aufenthaltsortes erfolgende Bewegungsmöglichkeit von *Makromolekülen durch die Matrix der übrigen Makromol. des *Polymeren hindurch, die dem Schlängeln von Kriechtieren ähnelt, z. B.:

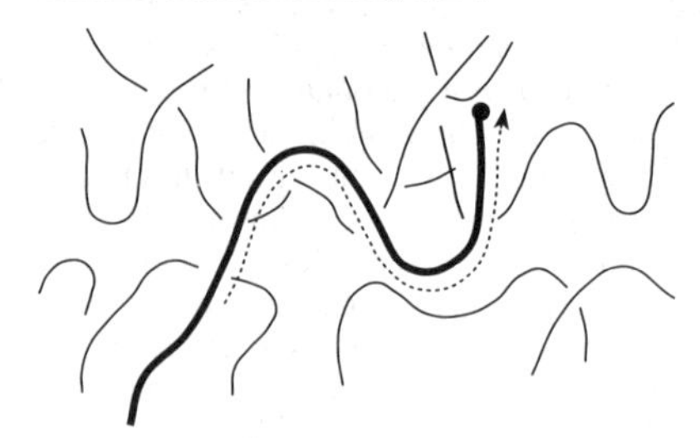

Abb.: Schemat. Darst. der Reptation eines Makromol. (fett, entlang des gestrichelten Pfeils) durch die Matrix der anderen Makromoleküle; nach Cowie (*Lit.*).

Mit Hilfe des sog. Reptationsmodells, das auf dieser Beschreibung von Platzwechselvorgängen in makromol. Stoffen beruht, läßt sich das rheolog. Verhalten von Polymerschmelzen u. hochkonzentrierten Polymer-Lsg. auch mathemat. beschreiben. – ***E*** = ***F*** reptation – ***I*** reptazione – ***S*** reptación

Lit.: Cowie, S. 283 ▪ Elias (5.) **1**, 875, 896.

RES. Abk. für *retikulo-endotheliales System.

Resart GmbH. Kurzbez. für die 1966 gegr. Resart GmbH, 55024 Mainz. *Produktion:* Acrylglas (Resartglas® GS, Resartglas® XT), Polycarbonat (Resart PC).

Resazurin (7-Hydroxy-3*H*-phenoxazin-3-on-10-oxid).

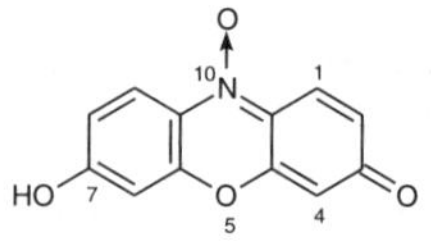

$C_{12}H_7NO_4$, M_R 229,18. Dunkelrote, schmale Krist. mit grünlichem Glanz, unlösl. in Wasser u. Ether, wenig lösl. in Alkohol, besser in verd. Laugen; kann aus *Resorcin hergestellt werden. R. wird als Redox-Indikator u. Reagenz auf Hyposulfite verwendet. – ***E*** resazurin – ***F*** résazurine – ***I*** = ***S*** resazurina

Lit.: Beilstein E III/IV **27**, 3594 ▪ Merck-Index (12.), Nr. 8309. – *[HS 2934 90; CAS 550-82-3]*

Rescinnamin (Rp).

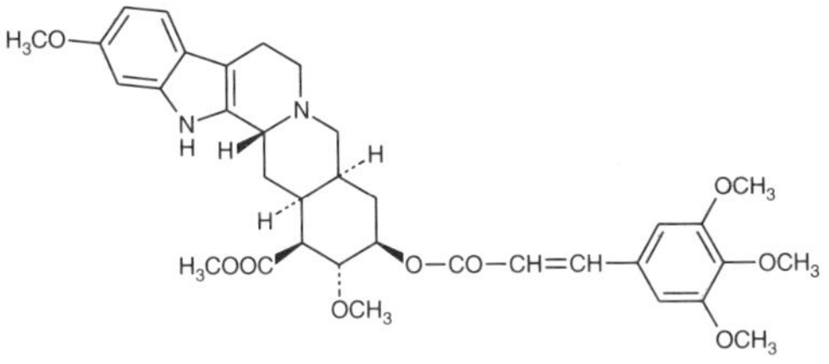

Internat. Freiname für das *Antihypertonikum u. *Sympathikolytikum 18-*O*-(3,4,5-Trimethoxycinnamoyl)reserpsäure-methylester *(Reserpinin)*, $C_{35}H_{42}N_2O_9$, M_R 634,72, feine Nadeln, Schmp. 235–239 °C, $[\alpha]_D^{24}$ –97° (c 1/$CHCl_3$); λ_{max} (CH_3OH) 228, 302 nm ($A_{1cm}^{1\%}$ 971, 476), pK_b 7,6; leicht lösl. in Chloroform, Dimethylformamid, wenig in Ether, unlösl. in Wasser, Lagerung: vor Licht u. Luft geschützt. R. ist neben *Reserpin für die zentral sedierende Wirkung der *Rauwolfia-Alkaloide hauptverantwortlich. R. wurde 1959 von Pfizer, 1961 von Riker patentiert. – ***E*** = ***F*** rescinnamine – ***I*** = ***S*** rescinnamina

Lit.: Beilstein E III/IV **25**, 1323 ▪ Hager (5.) **9**, 499 f. ▪ Martindale (31.), S. 941 ▪ s. a. Reserpin u. Rauwolfia-Alkaloide. – *[HS 2939 90; CAS 24815-24-5]*

Research-Octan-Zahl s. Octan-Zahl.

Resene s. natürliche Harze.

Reserpilin s. Rauwolfia-Alkaloide.

Reserpin.

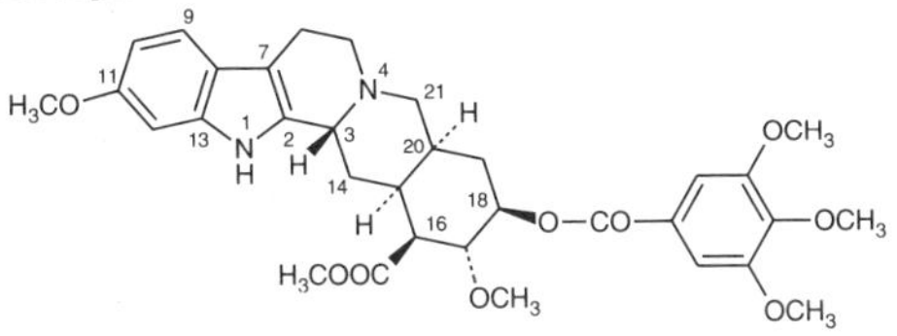

Internat. Freiname für 18-*O*-(3,4,5-Trimethoxybenzoyl)reserpinsäure-methylester [11,17α-Dimethoxy 18β-(3,4,5-trimethoxybenzoyloxy)-3β,20α-yohimban-16β-carbonsäure-methylester]. $C_{33}H_{40}N_2O_9$, M_R 608,69. Prismat. Krist., Zers. bei 265 °C, gut lösl. in Chloroform, weniger in Wasser, Essigester, kaum lösl. in Aceton, Methanol, Ether. R. ist ein *Rauwolfia-Alkaloid aus der Wurzel der ind. *Rauwolfia serpentina* u. der mexikan. *Rauwolfia heterophylla* (Schlangenwurzel) sowie aus der austral. *Alstonia constricta* (Bitterrinde). Es wirkt beruhigend u. blutdrucksenkend, wird deshalb in *Rauwolfia-Präp.* (als Einzelstoff od. in Kombination mit Diuretika) gegen Bluthochdruck (s. Hypertonie) eingesetzt u. ist auch bei *Hyperthyreosen günstig. Für die biolog. Wirkung ist nicht nur die β-Carbolin-Gruppierung, sondern bes. die Trimethoxybenzoat-Gruppe essentiell, die unter Erhaltung der Aktivität auch variiert sein kann wie im *Rescinnamin. Das Einwirken von R. hat eine Verarmung der Synapsen an Noradrenalin, Dopamin u. Serotonin zur Folge[1]. Dadurch ist die Erregungsübertragung vermindert, die Gefäße erweitern sich, u. das Herzminutenvol. verringert sich: Der Blutdruck sinkt bei gleichzeitiger zentraler Sedierung. R. wirkt daher auch als *Neuroleptikum. Als Nebenwirkung bes. bei Überdosierung können Durchfall, erhöhte Speichel- u. Magensaftsekretion, Depressionen u. Parkinsonismus auftreten[2]. R. steht im Verdacht, carcinogen zu sein[3,4], da bei weiblichen Tieren eine erhöhte Brustkrebsrate aufzutreten scheint. Die Wurzel von *Rauwolfia serpentina* wird in Indien seit Jh. als Sedativum verwendet; sie enthält auch *Yohimbin. Die erste Totalsynth. gelang Woodward (1956)[5]. Eine stereospezif. Totalsynth. gelang G. Stork 1989[6]. – ***E*** reserpine – ***F*** réserpine – ***I*** = ***S*** reserpina

Lit.: [1] Pharm. Unserer Zeit **6**, 60–64 (1977). [2] Prakt. Arzt **16**, 109–115 (1979). [3] Fourth Annual Report Carcinogens (NTP 85-002), 177 (1985); J. Am. Coll. Toxicol. **7**, 95–109 (1988). [4] Saxton (Hrsg.), The Monoterpenoid Indole Alkaloids, Suppl. Vol. 25, Heterocyclic Compds., S. 724 f., Chichester: Wiley 1994. [5] J. Am. Chem. Soc. **78**, 2023 (1956). [6] Pure Appl. Chem. **61**, 439–442 (1989).

allg.: Beilstein E V **25/7**, 104 f. ▪ Dtsch. Apoth. Ztg. **130**, 79 ff. (1990) ▪ Hager (5.) **6**, 361–380; **9**, 499 f. ▪ J. Org. Chem. **62**, 465 (1997) ▪ Martindale (29.), S. 498 ▪ Merck-Index (12.), Nr. 8314 ▪ R. D. K. (4.), S. 907 ▪ Sax (8.), DIG 800, DIH 000, RDK 000 ▪ Saxton (Hrsg.), The Monoterpenoid Indole Alkaloids, Suppl. Vol. 25, Heterocyclic Compounds, S. 161, Chichester: Wiley 1994 ▪ Synform **3**, 204–224 (1985) ▪ Toxicol. Pathol. **8**, 1–21 (1980) ▪ Ullmann (5.) **A 1**, 388, 389; **A 4**, 244 f. – *[HS 2939 90; CAS 50-55-5]*

Reserpinin s. Rescinnamin.

Reserpinsäure s. Rauwolfia-Alkaloide.

Reservedruck. Bez. für ein Verf. des *Textildrucks. Der mit dem *Ätzdruck verwandte R. macht Gebrauch von *Reservierungsmitteln, um an bestimmten Gewebestellen die Farbstoff-Fixierung mechan. od. chem. zu verhindern. Nach Entfernung dieser Mittel lassen sich die entsprechenden Stellen anders färben bzw. bedrucken. – ***E*** resist printing – ***F*** impression de réserve – ***I*** stampa di riserva, stampa resistente – ***S*** estampación por reserva

Lit.: Kirk-Othmer (4.) **8**, 735 ▪ Ullmann (4.) **22**, 568; **23**, 56 ff.; (5.) **A 26**, 515, 521.

Reservefärbung. Ein mit dem *Reservedruck verwandtes, z. B. in der *Batik-Technik verwendetes Verf. zum *Textilfärben.

Reserven s. Lagerstätten u. Rohstoffe.

Reserve-Polysaccharide. *Polysaccharide kommen im Tier- u. Pflanzenreich als Stoffwechselprodukte von Bakterien u. Pilzen, v. a. aber als Gerüst- („*Struktur-Polysaccharide*“) od. Speicherstoffe („*R.-P.*“) vor. Die Struktur-Polysaccharide zeichnen sich durch weitgehend gestreckte, unverzweigte u. daher gut kristallisationsfähige Ketten aus, welche die geforderte mechan. Festigkeit sicherstellen (z. B. Cellulose, Chitin). Im Gegensatz dazu sind die R.-P. schwach bis stark verzweigt, haben dadurch eine nur geringe Tendenz zur Kristallisation, u. können als weitgehend amorphe Verb. vom Organismus leicht wieder abgebaut werden. Typ. R.-P. sind z. B. *Amylose, *Amylopektin u. *Glykogen. – ***E*** reserve (deposit) polysaccharides, food deposit polysaccharides – ***I*** polisaccaridi di riserva – ***S*** reservas de polisacáridos

Lit.: Elias (5.) **1**, 324; **2**, 270.

Reservestoffe. R. werden als *Speicherstoffe* von pflanzlichen u. tier. Organismen gebildet u. intrazellulär abgelagert; *Beisp.:* Polysaccharide (Kohlenhydrate wie *Lichenin, *Stärke, *Glykogen, Polyfructosane), Proteine [1], Fette, auch Polyphosphate, *Polyhydroxyalkanoate u. Schwefel (bei bestimmten Mikroorganismen). Die R. können bei Bedarf wieder in den Stoff- u. Energiewechsel eingeschleust werden, beispielsweise bei Nahrungsmangel, der *Keimung von *Samen, dem Wachstum u. energieverbrauchenden Vorgängen. Andererseits bilden die R. der Pflanzen u. Tiere die Basis vieler menschlicher Nahrungsmittel. Die sog. *sek. Stoffwechselprodukte* (sek. *Metaboliten, vgl. a. Stoffwechsel) von *Pflanzen u. Tieren (z.B. Farbstoffe, Gifte, ether. Öle, Alkaloide, Fruchtsäuren) werden im allg. nicht zu den R. gezählt. – ***E*** storage compounds – ***F*** substances de réserve – ***I*** sostanze di riserva – ***S*** substancias de reserva

Lit.: [1] Biol. Rev. Cambridge Phil. Soc. **70**, 375–426 (1995).

Reservierungsmittel. Bez. für *Textilhilfsmittel, die beim Färben od. Bedrucken von Geweben das Anfärben örtlich verhindern. Beim *Reservedruck wird die sog. *Reserve* vor od. nach der Applikation des Farbstoffs, auf jeden Fall jedoch vor dessen Fixierung aufgedruckt. Als R. sind Oxid. u. Red.-Mittel, anorgan. Salze, geschwefelte Phenole, polyanion. Verb., *Batik-Wachs usw. im Gebrauch. Die Reserve- ist mit der *Resist-Technik im Prinzip verwandt. – ***E*** resists – ***F*** réserves – ***I*** riserve – ***S*** reservas

Lit.: s. Reservedruck. – *[HS 380991]*

Resifix®. Kalthärtende *Furan-Harze für sämtliche Gußarten zur Herst. mittlerer u. größerer Kerne ohne Ofentrocknung. ***B.:*** Raschig.

Resilin. Wasserunlösl., gummiartiges Protein der *Cuticula (Exoskelett) von *Insekten aus meist 2–5 µm dicken Schichten, die durch Lamellen aus *Chitin (0,2 µm dick) voneinander getrennt sind. R. enthält ca. 30% Glycin, 16% Dicarbonsäuren u. 14% Hydroxyaminosäuren; Tryptophan u. Schwefel-haltige Aminosäuren fehlen fast ganz; Querbrücken bestehen aus L-Tyrosin-Dimeren u. -Trimeren. Das in seinen Eigenschaften dem *Elastin ähnliche R. findet sich offenbar in der Cuticula aller beflügelten Insekten u. ermöglicht durch seine Elastizität deren rasche u. gleichmäßige Bewegungen. – ***E*** resilin – ***F*** résiline – ***I*** = ***S*** resilina

Resimene®. Modifizierte *Harnstoff- u. *Melamin-Harze zur Verw. für Ind.-Lacke, Klebstoffe, Laminate u. Bindemittel. ***B.:*** Monsanto.

Resina (Plural: resinae). Latein. Bez. für Harz, d.h. für pflanzliche *Exsudate* aus Wunden von Pflanzen. In den latein. Namen der *Balsame u. *Harze wird in unsystemat. Weise teils von Gummi (s. die Aufzählung dort), teils von R. gesprochen. *Beisp.:*

Resina Abietis nigrae = Schwarzfichtenharz, R. Benzoe = *Benzoeharz, R. Colophonium = *Kolophonium, R. Copal = *Kopal, R. Dammar = *Dammarharz, R. Draconis = *Drachenblut, R. elastica depurata = *Kautschuk, R. Guajaci = *Guajakharz, R. Lacca = *Schellack, R. Labdanum = *Labdanum, R. Mastix = *Mastix, R. Podophylli = Podophyllin, R. Sandaracae = *Sandarak, R. Scammoniae = Skammoniaharz, R. Tolutana = *Tolubalsam.

– ***E*** = ***F*** = ***I*** = ***S*** resina

Lit.: Hager (5.) **5**, 542; **6**, 168, 628, 852 ▪ PTA heute **11**, 1204–1209 (1997).

Resinae s. Hartharze.

Resinate. Bez. für Salze der *Harzsäuren.

Resine. Bez. für in *natürlichen Harzen vorkommende *Harzester aus *Harzsäuren u. Harzalkoholen (Resinole). – ***E*** resins – ***F*** résines – ***I*** resine – ***S*** resinas

Resiniferatoxin (RTX).

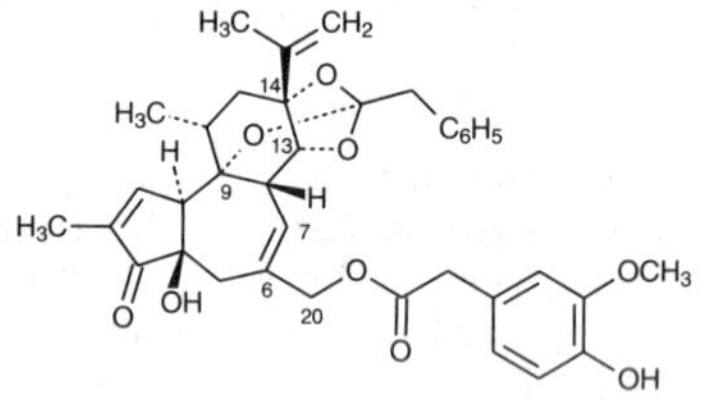

$C_{37}H_{40}O_9$, M_R 628,72; glasartiges Harz. Stark hautreizender Diterpen-Ester aus dem Harz verschiedener Wolfsmilchgewächse (Euphorbiaceae). Bezüglich seiner pharmakolog. Wirksamkeit ist R. ein ultrapotentes Analoges zu *Capsaicin [1], dem *Scharfstoff des roten Pfeffers, als Tumorpromotor ist R. prakt. inaktiv [2]. Für die Wirkung ist die Homovanillinsäure-Gruppierung in der 20-*O*-Position essentiell, während die typ. tumorfördernde Eigenschaft der Phorbolester an eine freie OH-Gruppe an C-20 gebunden ist [3]. R. ist wie Capsaicin u. Zingeron ein sog. Vanilloid. Der R. enthaltende Latex von *Euphorbia resinifera* wurde bereits in der medizin. Lit. des 1. Jh. n. Chr. mit hautreizender Wirkung beschrieben u. diente (in getrockneter Form) sowohl als Niespulver als auch zur Linderung chron. Schmerzen [4]. R. dient der modernen Schmerzforschung als Modellsubstanz zur Analyse des Capsaicin-Rezeptors (Ziel: Entwicklung neuer Analgetika ohne Suchtpotential). – ***E*** resiniferatoxin – ***F*** résinifératoxine – ***I*** resiniferatossina – ***S*** resiniferatoxina

Lit.: [1] Mol. Brain Res. **35**, 173 (1996); Neuroscience **30**, 515 (1989). [2] J. Cancer Res. Clin. Oncol. **108**, 98 (1984). [3] J. Nat. Prod. **45**, 347 (1982); Z. Naturforsch. Teil B **48**, 364 (1993). [4] Life Sci. **60**, 681 (1997); Lancet **350**, 640 (1997).
allg.: Beilstein E V **19/10**, 584 ▪ Chem. Eng. News (4.3.) **1996**, 30f.; (26.1.) **1998**, 31–34 ▪ J. Am. Chem. Soc. **119**, 12976 (1997) (Synth.) ▪ J. Chem. Soc., Chem. Commun. **1991**, 215 ▪ J. Pharm. Pharmacol. **32**, 373 (1980); **44**, 361 (1992) ▪ Phytother. Res. **3**, 253 (1989). – *[CAS 57444-62-9]*

Resinit s. Macerale.

Resinoide. Von *Resina abgeleitete, in der Parfümerie gebräuchliche Bez. für Extraktprodukte aus pflanzlichen od. tier. *Drogen, *Balsamen, Gummen (s. Gummi), *Harzen u. dgl.; als Extraktionsmittel kommen Alkohol, Aceton, Petrolether, Benzol u. dgl. in Betracht. Eine bes. schonende Meth. ist die *Destraktion mit überkrit. CO_2. Die Zusammensetzung der wegen ihrer Konsistenz auch *Oleoresine* genannten R. entspricht der der ether. Öle; allerdings enthalten die R. auch noch Harze, Wachse, Farbstoffe u. Lipide, soweit diese in dem betreffenden Extraktionsmittel lösl. sind. Die extrahierten R. sind gewöhnlich hochviskos u. werden manchmal (z.B. mit Phthalaten od. Benzylbenzoat) verdünnt, um sie gebrauchsfertig zu machen. Die manchmal „nachgestellten“ (synthet.) R. werden u.a. als *Fixateure in Parfümkompositionen u. in Seifen als Parfümbasen verwendet (Verfärbung durch Chlorophyll-Gehalt möglich). – ***E*** resinoids – ***F*** résinoïdes – ***I*** resinoidi – ***S*** resinoides

Lit.: Naves, Technologie et chimie des parfums naturels, Essences, concrètes, résinoïdes, huiles et pommades aux fleurs, Paris: Masson 1974 ▪ Roth u. Kormann, S. 17 ▪ Ullmann (5.) **A 11**, 213 ▪ s. a. etherische Öle, Parfümerie, Riechstoffe.

Resiren®. Synthet. organ. Farbstoffe für den Transferdruck auf Polyester. ***B.:*** Bayer.

Resista®. *Konservierungsmittel auf Basis von *Formaldehyd-Spendern für Textilflotten. ***B.:*** Henkel.

Resistenz (von latein.: resistere = sich widersetzen). Im medizin.-biolog. u. im chem.-techn. Sinn versteht man unter R. die Widerstandsfähigkeit von Organismen od. Materialien gegenüber biolog. u./od. chem.-physikal. Angriffen. So spricht man z. B. nicht nur von hitzeresistent (hitzeunempfindlich), säureresistent (durch Säure nicht zerstörbar), magenresistent (durch die Verdauungsenzyme des Magens nicht zersetzbar), sondern auch von *Resists u. *Photoresists.
In Biochemie, Pharmakologie u. Pflanzenschutz bedeutet R. die (relative) Unempfindlichkeit (*Immunität) gegen Wirkstoffe, Bakterien, Viren u. a. Krankheitserreger, umgekehrt aber auch die durchaus unerwünschte, durch Gewöhnung, Selektion od. Mutation erworbene Unempfindlichkeit gegen bestimmte Pharmaka wie Antibiotika [1], Sulfonamide u. a. Chemotherapeutika, Pflanzenschutzmittel, aber auch gegen Körper-eigene Hormone etc. In diesem Sinne spricht man z. B. von DDT-resistenten Fliegen, Penicillin-resistenten Bakterienstämmen, Herbizid-resistenten u. Pathogen-resistenten [2] Pflanzen, von Insulin-Resistenz des menschlichen Organismus [3] usw., aber auch von Abbau-resistenten Insektiziden (vgl. Persistenz u. Rückstand). Manche Krebszellen zeigen eine unspezif. Chemotherapeutika-R. (*E multidrug resistance*), die auf die Wirkung eines Transportproteins (*P-Glykoprotein) zurückzuführen ist.
Wenn ein (Mikro-)Organismus eine R. gegen eine bestimmte Substanz entwickelt hat, kann sich diese R. evtl. auch auf andere, ähnlich gebaute Stoffe erstrecken (*Kreuz-R.*; *Beisp.:* Chlortetracyclin/Oxytetracyclin). Bei der – z. B. auch für manche Phänomene des *Hospitalismus verantwortlichen – *Erreger-R.* gegen Antibiotika u. a. Chemotherapeutika spielen die bakteriellen *Plasmide als Träger u. Überträger der *R.-Faktoren* (*R-Faktoren*, *Episomen) eine wesentliche Rolle. Derartige Plasmide macht man sich in der Gentechnologie (vgl. dort) als Vektoren zunutze; die R.-Gene dienen dabei als Markergene.
Durch Anpassungsmechanismen kann es auch dazu kommen, daß sowohl Bodenbakterien „lernen“, mehrfach hintereinander angewandte Pflanzenschutzmittel in immer kürzerer Zeit abzubauen, als auch daß Pflanzen die ihnen *angezüchtete* R. gegenüber bestimmten Schaderregern allmählich wieder einbüßen. Für die *natürliche* R. von Pflanzen gegen Schadorganismen, hauptsächlich Pilze – werden die *Phytoalexine verantwortlich gemacht. In der Pflanzenschutzmittel-Ind. versucht man, sog. *Antiresistants* (R.-Brecher) zu entwickeln, die die R. der Schadorganismen überwinden können. – ***E*** resistance – ***F*** résistance – ***I*** resistenza – ***S*** resistencia

Lit.: [1] Amabilé-Cuevas, Antibiotic Resistance. From Molecular Basics to Therapeutic Options, Berlin: Springer 1997; Biospektrum **1997**, Sonderausgabe, 4–46; Levy, Antibiotic Resistance. Evolution, Selection and Spread, Chichester: Wiley 1997; Spektrum Wiss. **1997**, Nr. 7, 50–57; **1998**, Nr. 5, 34–41. [2] Trends Biochem. Sci. **22**, 291–296 (1997); Trends Plant Sci. **2**, 452–458 (1997). [3] J. Invest. Med. **45**, 238–251 (1997).

Resistenzfaktoren s. Resistenz.

Resistenz-Gen. Plasmid-codierter, selektierbarer Marker, der *Antibiotika-Resistenz verleiht (*Antibiotikaresistenz-Marker). R.-G. liegen oft auf *Transposa, so daß sie nicht nur durch Transfer der Plasmide an sich, sondern auch durch Einbau in die Wirts-DNA od. in andere Plasmide übertragen werden können. – ***E*** resistance genes – ***F*** gènes de résistance – ***I*** gene di resistenza – ***S*** gen de resistencia

Lit.: Ann. Hematol. **72**, 184 (1996) ▪ Schlegel (7.), S. 513 f. ▪ Singer u. Berg, Gene u. Genome, S. 223 ff., Heidelberg: Spektrum Akadem. Verl. 1992.

Resistherm®. Bindemittel auf Basis *Polyhydantoin, *Polyamidimid od. *Polyesterimid für wärmebeständige Draht- u. Ind.-Lacke. ***B.:*** Bayer.

Resists. Dem Engl. (resist = widerstehen) entlehnte Bez. für Beschichtungsmassen, die auf eine Substratoberfläche aufgebracht werden, um den von ihnen bedeckten Teil vor dem Angriff aggressiver Medien wie Ätzmitteln, chem. od. galvan. Metallisierungsbädern u. dgl. zu schützen. Die R. müssen also gegen diese Agenzien *Resistenz zeigen, während unbedeckte Substrate angegriffen werden können/sollen. Anw. finden R. – z. B. als *Photoresists – in der *Halbleiter-Ind., in *Chemigraphie u. *Reprographie. Mit der R.-Technik prinzipiell verwandt ist die textile *Reserve-Technik*; hier nennt man die R. *Reservierungsmittel. – ***E*** resists – ***F*** résistes – ***I*** materiale di stratificazione resistente, rivestimento isolante – ***S*** capas protectoras, resists

Lit.: Kirk-Othmer (4.) **9**, 239 ff. ▪ Ullmann (5.) **A 13**, 637–642.

Resite s. Phenol-Harze.

Resithren®. Mischungen von *Küpen- u. *Dispersionsfarbstoffen zum Färben von Bw-PES-Mischgespinsten. ***B.:*** Bayer.

Resitole s. Phenol-Harze.

Resmethrin. Xn

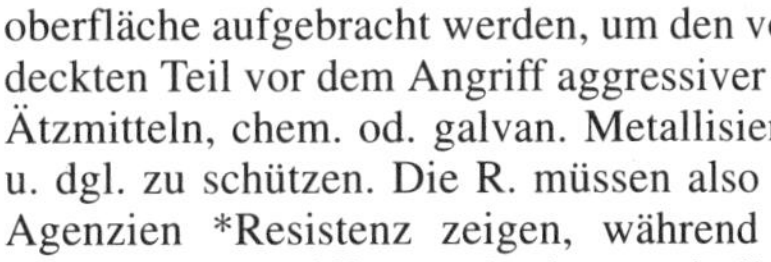

racem. *cis,trans*-Gemisch

Common name für (5-Benzyl-3-furylmethyl)-(±)-*cis,trans*-chrysanthemat, $C_{22}H_{26}O_3$, M_R 338,44, Schmp. 43–48 °C [20–30% *cis* (*Cismethrin*), 80–70% *trans* (*Bioresmethrin*)], LD_{50} (Ratte oral) 2000 mg/kg (WHO), von NRDC (National Research and Development Corporation) 1967 entdecktes nichtsystem. *Insektizid aus der Gruppe der synthet. *Pyrethroide mit Kontaktgiftwirkung gegen Haus-, Hygiene- u. Vorratsschädlinge; auch gegen Weiße Fliege, Blattläuse u. a. in Gewächshäusern sowie in landwirtschaftlichen Kulturen, oft in Kombination mit anderen persistenteren Insektiziden. R. wird durch Licht u. Luft rasch zersetzt. – *E* resmethrin – *F* resmethrine – *I*=*S* resmetrina

Lit.: Farm ▪ Perkow ▪ Pesticide Manual. – *[HS 2932 19; CAS 10453-86-8]*

Resochin® (Rp). Tabl., Saft u. Ampullen mit *Chloroquin-bis(dihydrogenphosphat) gegen *Malaria u. Amöbiasis (s. Amöben), zur Basistherapie der Polyarthritis (chron.). *B.:* Bayer Pharma Deutschland.

Resocoton®. Kombination von *Reaktiv- u. *Dispersionsfarbstoffen zur Verw. bei Bw-PES-Mischgeweben. *B.:* Bayer.

Lit.: Bayer Farben Rev. **24**, 38–46 (1974).

Resolamin-Farbstoffe. Mischungen aus Dispersionsfarbstoffen u. sauren Wollfarbstoffen zum Färben von Mischgespinsten aus Polyesterfasern u. Wolle. – *E* resolamine dyestuffs (colorants) – *F* colorants de résolamine – *I* coloranti resolamminici – *S* colorantes de resolamina

Resole s. Phenol-Harze.

Resolin®. Sortiment von *Dispersionsfarbstoffen für *PES- u. *PA-Fasern. *B.:* Bayer.

Resoltex®. Phenol-Tränkharze für die Imprägnierung von Kernlagenpapieren zur *Schichtpreßstoff-Herstellung. *B.:* RWE-DEA AG.

Resolve-Al®. Marke von Aldrich für Verschiebungsreagenzien für die NMR-Spektroskopie auf der Basis von *$Eu(DPM)_3$ u. *$Eu(fod)_3$, auch mit Ag, Dy, Gd, Ho, La, Pr, Yb statt Eu.

Resolvosil®. Chirale Chromatographiesäule zur flüssigkeitschromatograph. Trennung von opt. aktiven Isomeren auf Basis Rinderserum-*Albumin, kovalent gebunden an weitporiges Kieselgel. *B.:* Macherey-Nagel.

Resonanz (von latein.: resonare = widerhallen). 1. Begriff aus der Theorie der *chemischen Bindung, der v.a. von *Pauling – im Rahmen der *Valence-Bond (VB)-Methode propagiert wurde [1]. Im dtsch. Sprachbereich wird auch der Begriff *Mesomerie verwendet, mit zunehmend zurückgehender Häufigkeit. Eine einzige Valenzstrichformel (s.a. Lewis-Formeln) liefert meistens keine befriedigende Darst. der chem. Bindung in Mol. mit delokalisierten Bindungen. Z.B. liegen im CO_2-Mol. zwei äquivalente CO-Bindungen vor, die hinsichtlich ihrer Stärke ziemlich genau in der Mitte zwischen einer *Doppelbindung u. einer *Dreifachbindung liegen. Deshalb beschreibt man CO_2 in der qual. VB-Theorie als *R.-Hybrid* aus den 4 *R.-Strukturen* (andere Bez.: *mesomere Grenzstrukturen* od. *Grenzformeln, kanon. Formen*):

$$:\ddot{O}=C=\ddot{O}: \;,\; :O=C=\ddot{O}: \;,\; :\overset{+}{O}\equiv C-\ddot{O}:^- \;,\; ^-:\ddot{O}-C\equiv\overset{+}{O}:$$

Mathemat. entsprechen den R.-Strukturen *Wellenfunktionen, deren Linearkombination die Gesamt-Wellenfunktion ergibt. R.-Strukturen sind lediglich gedankliche Hilfsmittel u. entsprechen keiner realen physikal. Situation; Näheres s. z.B. *Lit.* [2]. Das Konzept der R.-Strukturen wird häufig für qual. Betrachtungen zu Bindungsverhältnissen u. zur Reaktivität verwendet. So ist z.B. die Essigsäure wegen der Carbonyl-Gruppen-R. schwieriger zu reduzieren als Acetaldehyd od. Aceton, da das Acetat-Ion *R.-stabilisiert* ist (s. Abb. 1).

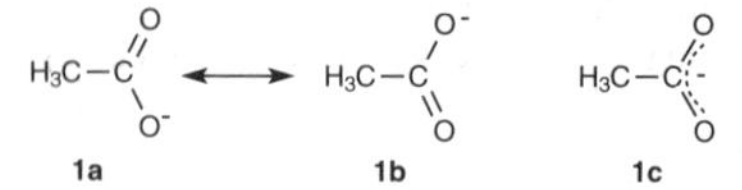

1a 1b 1c

Abb. 1: Resonanzstrukturen des Acetat-Ions (1c Resonanzhybrid).

Die Stabilität eines R.-Hybrids ist größer als die theoret. von jeder der Grenzstrukturen zu erwartende, denn der Energieinhalt ist um den Betrag der sog. *R.-Energie* (*Mesomerieenergie*) geringer. Diese wiederum ist um so größer, je mehr Grenzstrukturen von vergleichbarem Energieinhalt formulierbar sind. Die R.-Energie des Benzols läßt sich z.B. aus den Hydrierungs- od. Verbrennungswärmen ermitteln: Benzol + $3H_2 \rightarrow$ Cyclohexan + 208,5 kJ/mol: 3 Cyclohexen (3 Doppelbindungen) + $3H_2 \rightarrow$ 3 Cyclohexan + 361,7 kJ/3 mol, woraus sich die R.-Energie des Benzols zu –153,2 kJ/mol ergibt: Benzol – wie alle *aromatischen Verbindungen – ist *R.-stabilisiert.* Wird die R.-Energie von Benzol auf die von offenkettigem Hexatrien bezogen, so erhält man Werte zwischen 84 u. 109 kJ/mol für die *Stabilisierungs-(R.-)Energie.* Ein einfaches Experiment zur Demonstration der R.-Energien von Benzol- im Vgl. mit denen von Cycloheptatrien-Derivaten beschreibt Brandsma (*Lit.* [3]).

Den dirigist. Einfluß im Mol. bereits vorhandener funktioneller Gruppen bei *Substitutions-Reaktionen bezeichnet man als *R.-* od. *Mesomerie-Effekt* (*R-* od. *M-Effekt*), wenn er durch *Delokalisierung der *p-* od. π-Elektronen des Substituenten über das π-Elektronensyst. im restlichen Mol. zustandekommt. Werden diesem Elektronen geliehen, d.h. wird seine Elektronendichte erhöht, dann können *elektrophile Reaktionen leichter eintreten (+M- od. +R-Effekt); umgekehrt verhält es sich mit dem –M- od. –R-Effekt u. *nucleophilen Reaktionen. Ein +M- od. +R-Effekt liegt z.B. im Anilin vor (s. Abb. 2), das leichter elektrophil zu substituieren ist als Benzol. Die Beimischung der 3 ion. R.-Strukturen 2c–2e erklärt die Bevorzugung elektrophiler Substitution in der ortho- u. para-Stellung.

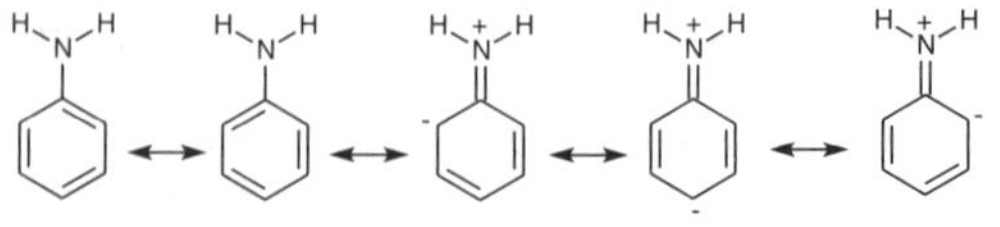

2a 2b 2c 2d 2e

Abb. 2: Resonanzstrukturen des Anilins.

R.-Strukturen werden auch zur Diskussion der Stabilität der bei elektrophilen Reaktionen auftretenden σ- u. π-Komplexe herangezogen (s. z.B. *Lit.* [4]).

2. In der Physik bezeichnet man als R. den Mitschwingvorgang, den ein schwingungsfähiges Syst. (sog. Resonator) unter der Einwirkung period. wirkender äußerer Kräfte dann erleidet, wenn die Erregungsfrequenz (nahezu) gleich einer der Eigenfrequenzen des Syst. ist. Derartige Phänomene treten nicht nur in makroskop. Syst., sondern auch im atomaren u. mol. Bereich auf u. bilden die Grundlage für wichtige Techniken der *Spektroskopie, insbes. die

magnet. R.-Spektroskopie (s. EPR-Spektroskopie, NMR- u. NQR-Spektroskopie), die *Mößbauer-Spektroskopie, Ionen-Cyclotron-Resonanz-Spektroskopie (s. ICR-Spektroskopie) u. a. als Einzelstichwörter behandelte Meth. der *physikalischen Analyse. Bei der sog. *R.-Ionisationsspektroskopie* (RIS) od. REMPI (*R*esonance *E*nhanced *M*ulti-*P*hoton *I*onization)-Spektroskopie[5–7] werden Ionen durch Mehrphotonen-Anregung (s. Photochemie) mittels Laserlicht so selektiv erzeugt, daß einzelne Atome nachgewiesen werden können.

3. In der Atom-, Mol.-, Kern- u. *Elementarteilchen-Physik verwendet man den Begriff R. für kurzlebige, metastabile od. instabile Spezies, die sich als im allg. scharfe Maxima in der Energieabhängigkeit des *Wirkungsquerschnitts eine reaktiven od. inelastischen Prozesses zu erkennen geben (*Lit.*[8]). Das Auftreten von R. bei chem. *Reaktionen gilt inzwischen als gesichert (s. a. Reaktionsdynamik). – ***E*** resonance – ***F*** résonance – ***I*** risonanza – ***S*** resonancia

Lit.: [1] Pauling, Die Natur der chemischen Bindung, 2. Aufl., Weinheim: Verl. Chemie 1964. [2] Huheey, Anorganische Chemie, S. 130–138, Berlin: De Gruyter 1988. [3] Chem. Unserer Zeit **20**, 27–29 (1986). [4] Sykes, Reaktionsmechanismen der organischen Chemie, 9. Aufl., Weinheim: VCH Verlagsges. 1988. [5] Hurst u. Payne, Resonance Ionisation Spectroscopy, Bristol: Hilger 1984. [6] Cantrell, Multiple Photon Excitation and Dissociation of Polyatomic Molecules, Berlin: Springer 1986. [7] Cin et al., Multiphoton Spectroscopy of Molecules, New York: Academic Press 1984. [8] Truhlar, Resonances in Electron-Molecule Scattering, van der Waals Complexes and Reactive Chemical Dynamics (ACS Symp. Series 263), Washington: ACS 1984.

allg.: s. Reaktionsmechanismen u. Spektroskopie.

Resonanzenergie s. Resonanz (1.).

Resonanzfrequenz. Begriff aus der *Spektroskopie. Bei einem Absorptionsexperiment entspricht die Frequenz der eingestrahlten elektromagnet. Strahlung dann einer R., wenn sie gleich (od. nahezu gleich) der durch das *Plancksche Wirkungsquantum h dividierten Differenz zwischen den Energieniveaus zweier stationärer Zustände eines Atoms od. Mol. ist: $\nu_{res} = \Delta E/h$ – ***E*** resonance frequency – ***F*** fréquence de résonance – ***I*** frequenza di risonanza – ***S*** frecuencia de resonancia

Resonanzstruktur s. Resonanz (1.).

Resonium A® (Rp). Pulver mit einem Ionenaustauscher [Copoly(styrol/divinylbenzol)sulfonsäure-Natriumsalz] gegen Hyperkaliämie. ***B.:*** Sanofi Winthrop.

Resorcin (1,3-Dihydroxybenzol, 1,3-Benzoldiol).

N Xn

$C_6H_6O_2$, M_R 110,11. Große, farblose, süß schmeckende Nadeln, D. 1,272, Schmp. 109–111 °C, Sdp. 280 °C, in Wasser, Alkohol, Ether u. Glycerin leicht, in Chloroform u. Schwefelkohlenstoff wenig lösl.; WGK 1 (Selbsteinst.); färbt sich im Licht, an der Luft u. in Ggw. von Eisen rosa. R. reduziert Fehlingsche Lsg. beim Erhitzen, gibt beim Schmelzen mit Natriumhydroxid u. a. *Phloroglucin u. beim Erhitzen mit Phthalsäureanhydrid *Fluorescein. Wäss. R.-Lsg. geben mit Eisenchlorid-Lsg. eine Violettfärbung. Mit zahlreichen Verb. reagiert R. unter Rotfärbung, was zu qual. Nachw.-Reaktionen ausgenutzt wird. R. wird über die Haut u. die Schleimhäute leicht resorbiert u. überwiegend über die Nieren ausgeschieden. Neben lokaler Reizwirkung bis hin zu tox. Dermatitis u. Gewebsnekrose treten nach Resorption hoher Dosen, z. B. bei therapeut. Anw. auf die Haut, system. Giftwirkungen auf. Diese entsprechen strukturbedingt z. T. qual. einer Phenol-Vergiftung. Schwere Krankheitsbilder mit Kollaps u. Krampfzuständen wurden beobachtet; die akute Toxizität von R. ist jedoch signifikant geringer als die des *Phenols, es hat ebenso wie Phenol bakterizide Eigenschaften; LD_{50} (Ratte oral) 301 mg/kg; MAK 10 ppm (TRGS 900).

Vork.: Im Steinkohlenteer u. im Gaswasser bei der Verkokung von Steinkohle od. als Anlagerungsprodukt in Naturstoffen. R. ist Bestandteil des *Galbanum-Harzes woraus es auch isoliert werden kann.

Herst.: Durch Sulfonierung von Benzol u. Gewinnung von R. durch Alkalischmelze aus dem 1,3-Benzoldisulfonat; die *Hocksche Spaltung des Dihydroperoxids von 1,3-Diisopropylbenzol ist ebenfalls möglich, zur Wirtschaftlichkeit beider Verf. s. *Lit.*[1].

Verw.: Als Zwischenprodukt für Farbstoffe, UV-Stabilisatoren für Polyolefine u. Pharmazeutika, Reagenz auf Aldehyde, Invertzucker, Alkaloide, Co, Zn, Pb, V, U. Der weitaus größte Anteil (in USA 1994 über 70% u. in Westeuropa über 55% des Verbrauchs) dient in Form von Resorcin/Formaldehyd-Cokondensaten (Resorcin-Formaldehydharze, s. a. Phenol-Harze) die noch weitere Comonomere wie Butadien, Styrol od. Vinylpyridin enthalten können, als Haftvermittler zwischen Stahl od. Cord u. Kautschuk. R. dient weiterhin nach Polykondensation mit Formaldehyd od. Formaldehyd u. Phenol als beständiger u. wasserfester Spezialkleber für die Holz-Industrie. Medizin. findet R. äußerlich als Antiseptikum bei Hautkrankheiten u. als mildes Ätzmittel Verw.; es wirkt keratolytisch. Die Verw. von R. in kosmet. Mitteln ist mit Einschränkungen erlaubt (Kosmetik-VO Anlage 2, Nr. 22; 07. 10. 1997). – ***E*** resorcinol – ***F*** résorcine, résorcinol – ***I*** resorcina, resorcinolo – ***S*** resorcina, resorcinol

Lit.: [1] Weissermel-Arpe (4.), S. 391.

allg.: Beilstein E IV **6**, 5658 ▪ Hager (5.) **9**, 505 ▪ Hommel, Nr. 890 ▪ Kirk-Othmer (3.) **13**, 39–69; (4.) **13**, 996 ff. ▪ Moeschlin, Klinik u. Therapie der Vergiftungen, S. 398, Stuttgart: Thieme 1986 ▪ Ullmann (4.) **20**, 189–192; (5.) **A 23**, 111 ff. – *[HS 2907 21; CAS 108-46-3; G 6.1]*

Resorcindimethylether s. Dimethoxybenzole.

Resorcin-Formaldehyd-Harze s. Resorcin u. Phenol-Harze.

Resorcinphthalein s. Fluorescein.

Resorcylsäuren s. Dihydroxybenzoesäuren.

Resorption (von latein.: resorbere = aufsaugen). In der Physiologie u. Pharmakologie Bez. für die Aufnahme von Nahrungsmitteln, Arzneimitteln u. ä. Stoffen in die Blut- u. Lymphbahnen. Gewöhnlich erfolgt die R. durch die Schleimhäute der Darmwand, seltener der Magenwand od. durch die Körperhaut. Letzterer Fall (oft als *Absorption* bezeichnet) ist bes. bei *Hautpflegemitteln u. *Kosmetika wichtig; der R. gehen hier die

Penetration* (Eindringen in die 1. Hautschicht) u. die *Permeation* (Wanderung durch mehrere Hautschichten) voraus. Die Geschw., mit der eine Substanz resorbiert wird, hängt von ihrem Aggregatzustand, von Partikelgröße, Lipid- bzw. Wasserlöslichkeit, pK-Wert u. ä. Faktoren ab. Die Ermittlung der R.-Parameter (*Bioverfügbarkeit*) applizierter *Pharmaka ist ein wesentlicher Schritt in der Untersuchung der *Pharmakokinetik einer Verb. u. ihrer verschiedenen *Arzneiformen. Bei *parenteraler-*Applikation kann der R.-Schritt umgangen werden. – ***E* resorption – ***F*** résorption – ***I*** riassorbimento – ***S*** resorción

Respiratorischer Quotient (RQ). Verhältnis von ausgeatmetem Kohlendioxid zu eingeatmetem Sauerstoff. Da zur Verstoffwechselung verschiedener Nahrungsbestandteile unterschiedliche Mengen an Sauerstoff benötigt werden, ist der RQ von der Zusammensetzung der Nahrung abhängig. Bei reiner Kohlenhydrat-Ernährung beträgt er 1, der Mittelwert bei gemischter Diät liegt bei 0,82. – ***E*** respiratory quotient – ***F*** quotient respiratoire – ***I*** quoziente respiratorio – ***S*** cociente respiratorio

Lit.: Schmidt u. Thews, Physiologie des Menschen, Heidelberg: Springer 1997.

Respiratory burst s. Makrophagen.

Respirometer s. Spirometer.

Responsible Care. R. C. ist eine Initiative der internat. chem. Ind. zur kontinuierlichen Verbesserung von Umweltschutz, Gesundheitsschutz sowie der Sicherheit von Mitarbeitern u. Mitbürgern, unabhängig von gesetzlichen Vorschriften. Die Idee des R. C. stammt aus Kanada, wo sich Mitte der 80er Jahre Migliedsfirmen der Canadian Chemical Producer's Association (CCPA) zum R. C. verpflichtet haben. Mittlerweile haben sich 42 nat. chem. Ges., die ca. 88% der weltweiten chem. Produktion repräsentieren, dem R. C. verschrieben. Aufgrund der Leitlinie der Initiative, die übersetzt „Verantwortliches Handeln" bedeutet, verpflichtet sich jedes Mitgliedsunternehmen dazu, die Sicherheit u. den Schutz von Mensch u. Umwelt als vordringliches Ziel zu betrachten. Die Initiative, deren zentrales Anliegen der Dialog mit Mitarbeitern u. der Öffentlichkeit ist, umfaßt die Bereiche: Umweltschutz, Anlagensicherheit u. Gefahrenabwehr, Arbeitssicherheit u. Gesundheitsschutz, Transportsicherheit, Produktverantwortung u. Dialog. Einige wichtige Beisp. dieser Initiative sind die Einrichtung der *Chemie-Umweltberatungs GmbH (CUB) u. des Transportunfall-Informations- u. Hilfeleistungssyst. (TUIS) sowie der VCI-Verhaltenskodex für die Ausfuhr gefährlicher Chemikalien, das VCI-Altstoffuntersuchungsprogramm u. die VCI-Abfallbörse.

Lit.: Facts, Analyses, Perspectives – The Chemical Industry 1997, Frankfurt a. M.: VCI 1997 ▪ Responsible Care – Bericht '97, Frankfurt a. M.: VCI 1997 ▪ Römpp Lexikon Umwelt, S. 598 ▪ Ullmann (5.) **B** 7, 375 ff. ▪ Verantwortliches Handeln – Daten zur Sicherheit, Gesundheit, Umweltschutz-Bericht 1996, Frankfurt a. M.: VCI 1996.

Responsivelemente, responsive elements s. Corticosteroide, Hormone, Signaltransduktion.

Respumit®. Schaumdämpfungsmittel auf *Silicon-Basis für die Textil-Industrie. ***B.:*** Bayer.

Ressourcen s. Lagerstätten u. Rohstoffe.

Restabfall s. Restmüll.

Restacid®. Säure-beständiges Steinzeug (s. keramische Werkstoffe) u. *Porzellan für *Füllkörper u. Kolonneneinbauten in der chem. Technik. ***B.:*** Raschig.

Restaurierung. Von latein.: restaurare = wiederherstellen abgeleitete Bez. für die Wiederherst. od. Ergänzung von Kunstwerken, die durch *Alterung, *Korrosion, Naturkatastrophen, *Verwitterung od. auch durch Menschenhand beschädigt worden sind. Die R. ist eine ebenso interessante wie schwierige Tätigkeit, bei der der Chemie nicht wenige Aufgaben zufallen. Vorauszugehen hat der eigentlichen R. im allg. eine *Kunstwerkprüfung als möglichst zerstörungsfreie *Werkstoffprüfung. Deren Ergebnisse bestimmen das weitere Vorgehen, denn Kunstgegenstände aus anorgan. Material (Metall, Stein, Keramik, Glas usw.) erfordern natürlich andere Arbeitsmeth. u. Reparaturmaterialien als solche aus organ. (Holz, Pergament, Papier, Textilien, Leder, Knochen u. dgl.). Erfreulicherweise gestattet v. a. die Vielseitigkeit moderner Kunststoffe, insbes. der Kunstharze als Klebstoffe, Bindemittel, Lacke, Filme, Tränkharze, Polymerbeton etc. eine optimale Anpassung an den jeweiligen Werkstoff. Bei Ausbesserungen muß der neu eingefügte Teil ggf. künstlich „gealtert" werden. Die R. frühgeschichtlicher Funde für die Archäologie u. *Paläontologie wird im allg. mit der *Konservierung dieser Gegenstände abgeschlossen. – ***E*** restoration – ***F*** restauration – ***I*** restaurazione – ***S*** restauración

Lit.: Encycl. Polym. Sci. Eng. **7**, 135–153 ▪ s. a. Kunstwerkprüfung.

RestBestV. Abk. für *Reststoffbestimmungs-Verordnung.

Reste. Bez. für kovalent in organ. Verb. gebundene, meist organ. Atomgruppierungen (auch Gruppen, *Substituenten od. früher *Radikale genannt, s. radikofunktioneller Name); *Beisp.:* *Acyl…, *Alkyl…, *Alkyliden…, *Aryl…; in Struktur- u. *Markush-Formeln werden R. oft mit *R abgekürzt. *Säurereste sind in organ. u. anorgan. Chemie unterschiedlich definiert. – ***E*** residues – ***F*** restes, résidus – ***I*** resti – ***S*** restos, residuos

Resting Cells (ruhende Zellen, stationäre Zellen). Bez. für eine mikrobielle Kultur, die nach der Wachstumsphase in einen „ruhenden" Zustand übergegangen ist. R. C. haben nur noch einen eingeschränkten Stoffwechsel, ein Teil der induzierten u. konstitutiven Enzyme der Zellen ist jedoch aktiv. R. C. werden für *Biotransformationen zur Herst. von *Aminosäuren (Tyrosin, Phenylalanin, Lysin, Alanin) od. von *Steroid-Hormonen techn. eingesetzt. Vorteile gegenüber wachsenden Kulturen sind: Keine Wachstumshemmung durch Substrat sowie erhöhte Produktivität durch Arbeiten mit hoher Zelldichte. In der Grundlagenforschung werden R. C. bei Biosynth.-Studien für Einbau- u. Markierungsversuche von Metaboliten verwendet. – ***E*** resting cells – ***F*** resting cells, cellules restantes – ***I*** cellule a riposo – ***S*** resting cells, células restantes

Lit.: Biosci. Biotechnol. Biochem. **60**, 1604 (1996) ▪ Präve (4.), S. 705 ff.

Restmüll (Restabfall). Anteil des *Hausmülls, der nach Getrennterfassung der *Wertstoffe wie z. B. Glas, Papier, Pappe, *Bioabfälle, Metalle u. Kunststoffe noch verbleibt. – ***E*** remaining waste, residue waste – ***I*** rifiuti rimanenti – ***S*** desechos residuales

Restmüllverbrennung s. Hausmüllverbrennung.

Restriction fragment length polymorphism s. Desoxyribonucleinsäuren.

Restriktionsendonucleasen. Klasse von Enzymen, die Doppelstrang-DNA sequenzspezif. spalten u. daher zu mehr od. weniger großen, exakt definierten DNA-Fragmenten führen. Ihre Spezifität u. die Vielzahl der inzwischen bekannten R. (u. ihrer Schnittstellen) hat sie heute zu unentbehrlichen Hilfsmitteln in der *Molekularbiologie gemacht. Neben Typ II-R., bei denen Bindungs- u. Schnittstelle ident. sind, gibt es R. vom Typ I u. III, bei denen die Erkennungssequenz u. die Schnittstelle nicht zusammenfallen (bei Typ I werden >100 Basenpaare, bei Typ III ca. 24–26 Basenpaare entfernt).

Tab.: Beisp. für häufig verwendete Restriktionsendonucleasen u. ihre Schnittstellen (/).

Bez.	Erkennungssequenz
Eco RI	5′-G/AATTC-3′
Bam I	5′-G/GATCC-3′
Hae III	5′-GG/CC-3′
Pst I	5′-CTGCA/G-3′

Die physiolog. Bedeutung der R. liegt im Schutz der eigenen Zellen gegen eindringende Fremd-DNA (z. B. von Viren). Die eigene DNA wird an den potentiellen Schnittstellen durch Methylierung maskiert; s. a. Gentechnologie. – ***E*** restriction endonucleases – ***F*** endonucléases de restriction – ***I*** endonucleasi di restrizione – ***S*** endonucleasas de restricción

Lit.: Can. J. Microbiol. **41**, 657 (1995) ▪ Knippers (7.), S. 41 ff. ▪ Schlegel (7.), S. 517 ff

Restriktionsenzyme. Klasse Doppelstrang-DNA-spaltender Enzyme mit denen sich Mikroorganismen gegen Fremd-DNA schützen (s. Restriktionsendonucleasen). – ***E*** restriction enzymes – ***F*** enzymes de restriction – ***I*** enzimi di restrizione, endonucleasi di restrizione – ***S*** enzimas de restricción

Restspannungen. Permanente mechan. Spannungen in Glasgegenständen, die beim übereilten Abkühlen des Glases von einer im od. oberhalb des Transformationsbereiches liegenden Temp. entstehen. Aufgrund der *Spannungs-Doppelbrechung kann die R. durch polarisiertes Licht sichtbar gemacht werden. Derartige Spannungen werden bei der Herst. von Einscheiben-*Sicherheitsglas absichtlich erzeugt. – ***E*** residual stresses – ***F*** contraintes résiduelles – ***I*** tensione residue – ***S*** tensiones residuales

Reststoff. Frühere Bez. für Stoffe, die bei der Energieumwandlung od. bei der Herst., Be- od. Verarbeitung von Stoffen anfallen, ohne daß der Zweck des Anlagenbetriebs hierauf gerichtet ist (auf Anlagen bezogene, enge Definition des Immissionsschutzrechts, sog. herkunftsbezogener R.-Begriff), bzw. für bewegliche Sachen, die bei der Herst., Be- od. Verarbeitung von Gütern in gewerblichen Anlagen od. im Rahmen sonstiger wirtschaftlicher Unternehmungen unbeabsichtigt anfallen u. verwertet werden können (abfallrechtliche Definition, sog. verbleibsorientierter R.-Begriff). Mit Inkrafttreten des *Kreislaufwirtschafts- und Abfallgesetzes am 07. 10. 1996 wurde der bisherige R.-Begriff sowohl im *Abfallrecht als auch im Immissionsschutzrecht durch den Abfallbegriff ersetzt (s. a. Abfall). Z. T. wurde auch in anderen Rechtsgebieten, in denen der R.-Begriff zur Anw. kam, bereits eine Anpassung an die neue Nomenklatur vorgenommen (z. B. Düngemittelgesetz, *Chemikaliengesetz). – ***E*** residue (material) – ***F*** substances résiduelles – ***I*** residui – ***S*** substancias residuales

Lit.: Von Lersner u. Wendenburg, Recht der Abfallbeseitigung, Kz. 1120/44, Berlin: E. Schmidt, Loseblatt-Sammlung.

Reststoffbestimmungs-Verordnung (RestBestV). VO zur Bestimmung von *Reststoffen nach § 2 Abs. 3 des *Abfallgesetzes[1]. Die am 01. 10. 1990 in Kraft getretene R.-V. legte diejenigen Reststoffe fest, die den Überwachungsbestimmungen des Abfallgesetzes unterworfen werden konnten (überwachungsbedürftige Reststoffe). Mit Inkrafttreten des *Kreislaufwirtschafts- und Abfallgesetzes am 07. 10. 1996 trat die R.-V. außer Kraft u. wurde durch die Bestimmungsverordnung bes. überwachungsbedürftige Abfälle[2] abgelöst (s. Abfallbestimmungs-Verordnungen).

Lit.: [1] BGBl. I, S. 631 (1990). [2] BGBl. I, S. 1366 (1996).

Reststoffbörse s. Abfallbörse.

Restsüße. Süßer Geschmack des *Weines, der als Folge des nicht vergorenen *Zuckers (Restzucker, normalerweise 4–20 g/L) od. durch den Zusatz von *Süßreserve* zustande kommt. Der Gehalt an *Restzucker* ist aus Gründen des Verbraucherschutzes (Vortäuschen einer besseren Qualität bei Spätlese) begrenzt. Die Begriffe R. u. Restzucker werden auch als Synonyme gebraucht; s. a. Wein. – ***E*** residual sweetness – ***F*** douceur résiduelle – ***I*** dolcezza residua, dolcezza rimanente – ***S*** dulzor residual

Lit.: Würdig u. Woller, Chemie des Weines, S. 151, Stuttgart: Ulmer 1989 ▪ Zipfel, C 403 9, 9.

Restvalenz s. Oberflächenchemie u. Wertigkeit.

Restzucker s. Restsüße.

Resublimation. Bez. für einen wiederholten *Sublimations-Vorgang. Öfters auch im Sinne von *Kondensation für den Phasenübergang gasf. → fest unkorrekt angewendet. – ***E*** resublimation – ***F*** résublimation – ***I*** risublimazione – ***S*** resublimación

Resubstitution s. Substitution.

Resveratrol s. Pinosylvin.

Resydrol®. Wasserverdünnbare Kunstharze zur Verw. als Bindemittel für die Lack-Industrie. ***B.:*** Vianova Resins.

Ret s. neurotrophe Faktoren.

Retacillin® (Rp). Injektionslsg. mit dem *Antibiotikum Benzylpenicillin-Natrium, -Procain u. -Benzathin. ***B.:*** Jenapharm.

Retaminol®. Sortiment von *Polyethyleniminen, *Polyaminen, Polyamidaminen od. *Polyacrylamid als Retentions- u. Entwässerungsmittel zur Füllstoff- u. Pigmentzurückhaltung bei der *Papier-Herstellung. ***B.:*** Bayer.

Retardation s. kalter Fluß.

Retarder. Von latein.: retardare = aufhalten, hemmen abgeleitete u. aus dem Engl. übernommene Bez. für Stoffe, die eine chem. Reaktion verlangsamen (*Katalyse, *Antikatalyse). Solche *Verzögerer* werden z. B. eingesetzt in der Kautschuk-Ind. zur Steuerung der Vulkanisationszeit (als *Vulkanisationsverzögerer*), bei Polymerisationen zum Abbremsen, bei der *Photographie (S. 3409) zur Verhinderung der Schleierbildung, bei Beton-Arbeiten (als *Erstarrungsverzögerer) u. bei der *Textilfärbung als *Egalisiermittel zur Verlängerung der Aufziehphase u. für gleichmäßigere Verteilung des Farbstoffs auf der Faser. Bei Arzneimitteln sollen **Depot-* od. *Retard-Präparate* die Wirkungsdauer der Pharmaka durch verzögerte Freisetzung des Wirkstoffs verlängern. – ***E*** retarder – ***F*** retard[at]eur – ***I*** ritardatore – ***S*** retardador

Lit.: Kirk-Othmer (3.) **20**, 355–363 ▪ Ullmann (4.) **23**, 39–52.

Retard-Präparate s. Depot-Präparate.

Reten (7-Isopropyl-1-methylphenanthren).

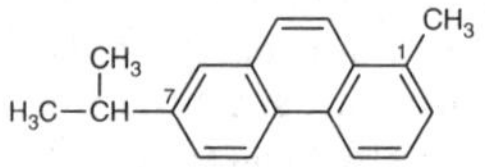

$C_{18}H_{18}$, M_R 234,34; gelbliche Krist., Schmp. 101 °C, Sdp. 390–394 °C, unlösl. in Wasser, lösl. in heißem Ethanol, Ether. R. ist Bestandteil des skandinav. Kieferntееrs u. a., auch fossiler Nadelholzteere. R. entsteht durch Decarboxylierung u. Dehydrierung aus *Harzsäuren u. Bernstein; es ist der Grundkörper der *Abietinsäure u. verwandter Diterpene. R. entsteht bes. beim Verbrennen von Nadelhölzern; es kann daher als Leitsubstanz für polycyclische aromatische Kohlenwasserstoffe (s. PAH) im Holzrauch dienen[1]. Name von griech.: retíne = Harz. – ***E*** = ***I*** retene – ***F*** rétène – ***S*** reteno

Lit.: [1] Nature (London) **306**, 580 (1983).
allg.: Beilstein EIV **5**, 2368 ▪ Chem. Unserer Zeit **8**, 78–83 (1974) ▪ Merck-Index (12.), Nr. 8328. – *[HS 2902 90; CAS 483-65-8]*

Retention. Von latein.: retentio = Zurückhaltung abgeleiteter Begriff, der in Chemie u. Technik unterschiedliche Bedeutung hat.

1. Chem. Reaktionen, bei denen *asymmetrische Atome am Reaktionsgeschehen beteiligt sind, können unter Erhalt (*R.*) od. Umkehrung (**Inversion*) der *Konfiguration am Asymmetriezentrum ablaufen. Ein illustratives Beisp. ist die *nucleophile *Substitution am aliphat (s. Abb.).

Im Falle der S_N2-Reaktion bezeichnet man die Inversion auch oft als *Walden-Umkehrung (s. a. die Abb. bei Inversion).

2. In der *Filtrations-Technik versteht man unter R. die Zurückhaltung der dispergierten Phase im Filtermittel, u. bei der Herst. von *Papier (S. 3111) wird von Faser- u. Füllstoff-R. auf dem Sieb der Papiermaschine gesprochen. Hier läßt sich die R. durch Zusatz von *R.-Mitteln* verbessern, zu denen Aluminiumsalze, Stärke, Carboxymethylcellulose, Pflanzenschleime, Polyamine, Polyethylenimine, Polyamidamine, Polyacrylamide etc. zu zählen sind.

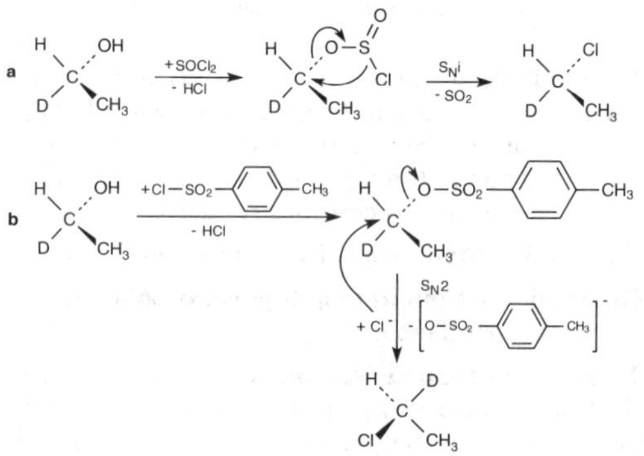

Abb.: Nucleophile Substitution am aliphat. Kohlenstoff-Atom: a) S_Ni-Reaktion unter *Retention*; b) S_N2-Reaktion unter *Inversion*.

3. In der Chromatographie-Technik, z. B. in *Dünnschicht-, *Säulenchromatographie u. *HPLC bezeichnet man als R. die Zurückhaltung von Stoffen in der stationären Phase u. führt R.-Vol., R.-Zeit u. den *R.-Faktor* (R_f-Wert) sowie abgeleitete Daten als Kennwerte für die chromatograph. Trennung ein. In der *Gaschromatographie werden die *R.-Zeit* einer Substanz u. die hieraus ableitbaren *Kováts-* od. **Retentionsindices* zur Charakterisierung verwendet. – ***E*** retention – ***F*** rétention – ***I*** ritenzione – ***S*** retención

Retentionsindex (RI). Von Kováts 1959 eingeführte Kenngröße, die die Lage eines Peaks in einem Gaschromatogramm (s. Gaschromatographie) angibt u. insoweit eine ähnliche Funktion wie ein *R_f-Wert (genaugenommen ein Analogon zur Retentionszeit) hat. Der R. ist für jede Substanz charakterist. u. stark abhängig von der verwendeten *stationären Phase u. der Meßtemperatur. Er wird ermittelt durch Interpolieren zwischen den R. von zwei dem Teststoff im Chromatogramm benachbarten Verb., im allg. Alkanen. Für diese Bezugsstoffe sind die R. per definitionem zu (100 · Zahl der C-Atome des Alkans) festgesetzt; *Beisp.:* RI (Ethan) = 200, RI (Heptadecan) = 1700. In die Berechnung des R. einer Testsubstanz gehen außerdem die Bruttoretentionszeiten aller 3 Stoffe u. die Totzeit (die Aufenthaltszeit der Stoffe in der *mobilen Phase) ein. – ***E*** retention index – ***F*** indice de rétention – ***I*** indice di ritenzione – ***S*** análisis de retención

Lit.: Analyt.-Taschenb. **1**, 165–203 ▪ Chem. Pharm. Bull. **37**, 1554 f. (1989) ▪ Gaschromatographische Retentionsindices toxikologisch relevanter Verbindungen (DFG Mitt. I Komm. Klin.-Toxikol. Analytik), Weinheim: Verl. Chemie 1983 ▪ Pacáková u. Feltl, Chromatographic Retention Indices, New York: Ellis Horwood 1992 ▪ s. a. Gaschromatographie.

Retentionsmittel s. Retention (2.).

Retentionssignale s. Signalpeptide.

Retentionsvolumen, -zeit s. HPLC u. Retentionen.

Reteplase (Rp). Internat. Freiname für das direkte *Fibrinolytikum 173-L-Serin-174-L-tyrosin-175-L-glutamin-plasminogenaktivator-(173-527)-peptid,

$C_{1736}H_{2653}N_{499}O_{522}S_{22}$, M_R 39572, $\lambda_{max}(H_2O)$ 280 nm ($A^{1\%}_{1\,cm}$ 1,69), IEP 7,23, LD_{50} (Ratte) 14,5 mg/kg (=8,4 U). R. besteht aus 355 Aminosäuren u. wird als rekombinantes Protein aus transformierten *Escherichia coli*-Zellen isoliert. Es wurde zur thrombolyt. Therapie bei akutem Herzinfarkt von Boehringer Mannheim (Rapilysin® 10U) 1996 für Europa zugelassen. – ***E*** **=*I*** reteplase – ***F*** rétéplase – ***S*** reteplasa

Lit.: Cardiovasc. Drug Rev. **11**, 299–311 (1993) ▪ Martindale (31.), S. 942. – *[CAS 133652-38-7]*

Reticulin. 1. Schwefel-haltiges Protein, das aus elast. Fasern (Retikularfasern) bestehende feinste Netze in der *extrazellulären Matrix des *Bindegewebes bildet. Das heute als **Collagen Typ III* bezeichnete R. ist aufgrund gebundener *Kohlenhydrate mit Silbersalzen schwärzbar u. wird von Pepsin, nicht jedoch von Trypsin verdaut. Die R.-Anfärbung kann in Biopsie-Proben zur Tumordifferentialdiagnose verwendet werden[1]. Bei *Zöliakie treten im Serum u.a. gegen R. gerichtete Autoantikörper auf[2].

2. *Laudanosolin-4′,6-dimethylether* (Coclanolin).

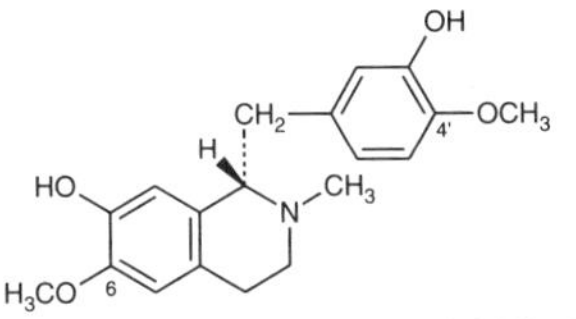

$C_{19}H_{23}NO_4$, M_R 329,40, Schmp. 146 °C, $[\alpha]_D$ +132° (CH_3OH). Biogenet. sehr bedeutsames *Isochinolin-Alkaloid, Intermediat in der Biosynth. von Morphin-, Aporphin-, Protoberberin-, Spirobenzylisochinolin- u. Rheadan-Alkaloiden. R. kommt in beiden enantiomeren Formen in Mohngewächsen (Papaveraceae) sowie in Ammonaceae u. Rhamnaceae vor.

3. Nicht mehr gebräuchlicher Name für das Antibiotikum *Hydroxystreptomycin* (Streptomycin C, $C_{21}H_{39}N_7O_{13}$, M_R 597,58) aus *Streptomyces reticuli*.

4. Ein glykosyliertes Pregnan-Derivat aus *Leptadenia reticulata*, $C_{48}H_{80}O_{17}$, M_R 929,15, Krist., Schmp. 119–122 °C, $[\alpha]_D$ –7° (CH_3OH). – ***E*** 1., 3., 4. reticulin, 2. reticuline – ***F*** réticuline – ***I*** reticolina – ***S*** reticulina

Lit.: [1] Mod. Pathol. **10**, 1258–1264 (1997). [2] Gastroenterol. Clin. Biol. **20**, 931–937 (1996).

allg. (zu 2.): Beilstein EV **21/6**, 46 ▪ Gene **179**, 73 (1996) ▪ Hager (5.) **4**, 837; **6**, 614 ▪ Heterocycles **28**, 295–301 (1989) ▪ Merck-Index (12.), Nr. 8330 ▪ Tetrahedron Lett. **31**, 7591 (1990) ▪ Ullmann (5.) **A 1**, 370. – *(zu 4.):* Tetrahedron **50**, 789 (1994). – *[CAS 485-19-8 (2.; (S)-Form); 6835-00-3 (3.); 155709-39-0 (4.)]*

Retigeransäure (Retigeransäure A).

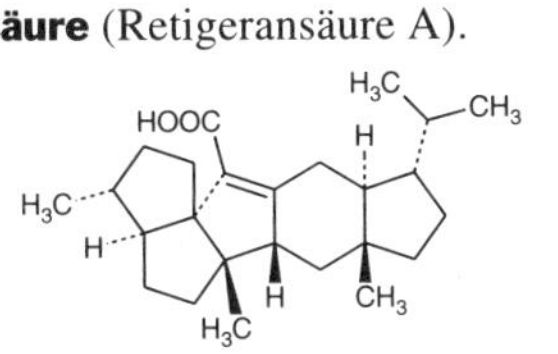

$C_{25}H_{38}O_2$, M_R 370,57; Krist., Schmp. 221–222 °C, $[\alpha]_D$ –99° ($CHCl_3$). R. B ist das Isomere mit epimerer Isopropyl-Gruppe. Strukturell ungewöhnliches *Triquinan-Sesterterpen aus Himalaya-Flechten der *Lobaria retigera*-Gruppe. R. ist das erste in Flechten aufgefundene *Sesterterpen. Die erste Synth. des Racemats[1] wurde 1985, der Enantiomeren[2] 1988 beschrieben. – ***E*** retigeranic acid – ***F*** acide rétigéranique – ***I*** acido retigeranico – ***S*** ácido retigeránico

Lit.: [1] J. Am. Chem. Soc. **107**, 4339 (1985); J. Org. Chem. **52**, 2960 (1987). [2] J. Am. Chem. Soc. **110**, 5806–5817 (1988); **111**, 6691–6707 (1989).

allg.: Chem. Pharm. Bull. **39**, 3051 (1991) (Krist.-Struktur) ▪ Lindberg, Strategies Tactics Org. Synth., Bd. 2, S. 91–122, New York: Academic Press 1989 ▪ Tetrahedron Lett. **31**, 2517 (1990). – *[CAS 40184-98-3 (R.); 108814-51-3 (R. B)]*

Retikulo-endotheliales System (RES, mononukleäres phagocytäres Syst., retikulo-histiocytäres Syst.). Im *Bindegewebe u. dem die Lymph- u. Blutgefäße u.a. innere Hohlräume auskleidenden Endothel verteilte funktionelle Einheit äußerst stoffwechselaktiver *Zellen, die immunolog. Freß- u. Speicherfunktionen im Organismus wahrnehmen [*Phagocytose, *Antigen-Präsentierung (vgl. a. Immunsystem), *Erythrocyten- u. Hämoglobin-Abbau zu den *Gallenfarbstoffen etc.]. Die Zellen des RES finden sich in *Knochenmark (als Promonocyten), in *Blut u. *Lymphe (als Monocyten, s. Makrophagen), in *Milz, Lymphknoten u. *Lunge (als *Makrophagen), in den *Nieren (als Mesangiumzellen), im *Gehirn (Mikroglia) sowie in der *Leber (als Kupffer-Sternzellen). – Bei der Tropenkrankheit Kala-Azar, einer *Leishmaniose, ist bes. das RES befallen. – ***E*** reticuloendothelial system – ***F*** système réticuloendothélial – ***I*** sistema reticoloendoteliale – ***S*** sistema reticuloendotelial

Lit.: Roitt et al., Kurzes Lehrbuch der Immunologie, 3. Aufl., S. 23f., Stuttgart: Thieme 1995.

Retikulo-histiocytäres System s. retikulo-endotheliales System.

Retina s. Auge u. Sehprozeß.

Retinal (Vitamin-A_1-Aldehyd).

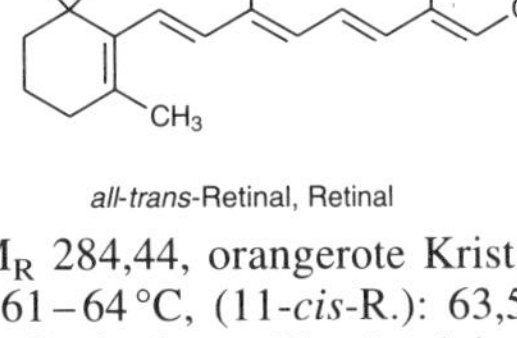

11-*cis*-Retinal

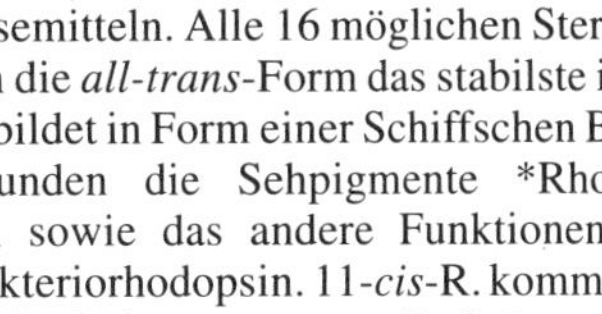

all-trans-Retinal, Retinal

$C_{20}H_{28}O$, M_R 284,44, orangerote Krist., Schmp. (*all-trans*-R.): 61–64 °C, (11-*cis*-R.): 63,5–64,5 °C. Diterpen vom Cyclophytan-Typ. Lösl. in allen gängigen organ. Lösemitteln. Alle 16 möglichen Stereoisomere, von denen die *all-trans*-Form das stabilste ist, sind bekannt. R. bildet in Form einer Schiffschen Base an Opsine gebunden die Sehpigmente *Rhodopsin u. *Iodopsin sowie das andere Funktionen wahrnehmende Bakteriorhodopsin. 11-*cis*-R. kommt nur in Augen sehender Lebewesen vor, alle Stämme, die sehen können – Wirbeltiere, Gliedertiere u. Weichtiere – verwenden 11-*cis*-R. als Sehchromophor.

Der Sehprozeß wird in der Netzhaut (Retina) durch eine photochem. Isomerisierung initiiert: Im Rhodopsin wandelt sich die Schiffsche Base des 11-*cis*-R. in ihr *all-trans*-Gegenstück um, woraufhin über mehrere Intermediate *all-trans*-R. u. Opsin freigesetzt werden. Zur Aufrechterhaltung des Sehprozesses muß anschließend das 11-*cis*-R. wiederhergestellt werden, was über den Sehcyclus geschieht: Das *all-trans*-R. wird zunächst zum *all-trans*-Retinol (Vitamin A) reduziert u. danach verestert. Dieser *all-trans*-Retinylester wird wahrscheinlich direkt in das 11-*cis*-Retinol umgewandelt, wobei die zur Isomerisierung benötigte Energie durch die Hydrolyse der Esterbindung gewonnen wird. Durch Oxid. wird schließlich das 11-*cis*-R. zurückgebildet u. reagiert mit Opsin weiter zum Rhodopsin [1]. R. entsteht durch oxidative Spaltung von Carotinen. In der älteren Lit. wird R. oft Retinen genannt. Altersbedingte Erblindung wird mit der Bildung eines Pyridinium-Bisretinoids („AZ-E", orange Farbe) in Verbindung gebracht [2]. – ***E*** = ***S*** retinal – ***F*** rétinal – ***I*** retinale

Lit.: [1] Angew. Chem. **102**, 507–526 (1990); **108**, 419 (1996). [2] J. Am. Chem. Soc. **118**, 1559 f. (1996).
allg.: Angew. Chem. **96**, 76 (1984); (Int. Ed.) **37**, 320 (1998) (Synth.) ▪ Chem. Ind. (London) **1995**, 735 ▪ Merck-Index (12.), Nr. 8331 ▪ Pure Appl. Chem. **63**, 161 (1991) ▪ Sporn et al., The Retinoids, Vol. 1–2, New York: Academic Press 1984. – *Synth.:* Tetrahedron **50**, 3389 (1994) ▪ Tetrahedron Lett. **28**, 65 (1987); **29**, 209 (1988); **32**, 4499 (1991); **34**, 319 (1993); **35**, 1209 (1994). – *Reihe:* Progress in Retinal Research, Oxford: Pergamon Press (9 Bd. bis 1990). – *[HS 293621; CAS 116-31-4]*

Retinales S-Antigen (Arrestin). Protein aus der Netzhaut (Retina) mit M_R 48000, das am *Sehprozeß beteiligt ist u. dort eine neg.-regulator. Funktion ausübt, indem es an phosphoryliertes *Rhodopsin bindet u. damit die Wechselwirkung zwischen aktiviertem Rhodopsin u. der α-Untereinheit des *Transducins unterbindet. Aufgrund seiner Eigenschaft als *Antigen kann das r. S-A. die *Autoimmunerkrankung Uveitis auslösen. – ***E*** retinal S-antigen – ***F*** antigène S rétinien – ***I*** antigene S retinico – ***S*** antígeno S retinal

Lit.: s. Arrestine.

Retinalproteine s. Rhodopsin.

Retinen. Veraltete Bez. für *Retinal.

Retingan®. Harzgerbstoffe für die Nachgerbung von Chromleder. Die R.-Marken sind anion. od. kation. Kondensationsprodukte des Dicyandiamids. ***B.:*** Bayer.

Retinoblastom-Protein (Rb-Protein). *Protein (928 Aminosäure-Reste beim Mensch) im Kern aller Arten von Säugerzellen, das einige regulator. Proteine (hauptsächlich der E2F-Familie der *Transkriptionsfaktoren) bindet, die für die *Transkription von *Genen benötigt werden, die für die Zellvermehrung verantwortlich sind, u. sie inaktiviert. Bei der E2F-Bindung kooperiert Rb mit einer Histon-Desacetylase u. reprimiert so das Gen des Cyclin E [1]. In der G_0-Phase des Zellcyclus verhindert Rb die Transkription von *Fos u. *Myc. Bei der Phosphorylierung des Rb verliert es die Fähigkeit zur Bindung der regulator. Proteine. Der Phosphorylierungsgrad des Rb schwankt im Rhythmus des Zellcyclus (phosphoryliert in der späten G_1-, in der S-, G_2- u. M-Phase, unphosphoryliert im ersten Teil der G_1-Phase) u. kann von *Wachstumsfaktoren beeinflußt werden, deren Signale über *Ras-Proteine vermittelt werden [2]. Rb ist nach derzeitigem Wissen der Haupt-Regulator am *Restriktionspunkt* des Zellcyclus, wo in der späten G_1-Phase über verschiedene alternative Reaktionen der Zelle (Vermehrung, *Differenzierung, *Apoptose usw.) entschieden wird.
Rb wurde entdeckt, da es bei dem Retinoblastom, einer seltenen erblichen Krebserkrankung des kindlichen Auges, Mutationen aufweist. Tatsächlich gilt das *Rb*-Gen als *Tumor-Suppressor-Gen, dessen Funktionsausfall das Wachstum etlicher verbreiteter Krebsarten ermöglicht. Proteine mit ähnlicher Funktion sind p 107 und p 130 [3]. – ***E*** retinoblastoma protein – ***F*** protéine de rétinoblastome – ***I*** proteina della retinablastoma – ***S*** proteína retinoblastomal

Lit.: [1] Nature (London) **391**, 597–605 (1998). [2] Nature (London) **386**, 177–181, 521 (1997). [3] Trends Genet. **14**, 223–229 (1998).
allg.: Alberts et al., Molekularbiologie der Zelle, 3. Aufl., S. 1066 ff., Weinheim: VCH Verlagsges. 1995 ▪ Cancer Invest. **15**, 243–254 (1997) ▪ Exp. Cell Res. **237**, 1–6 (1997) ▪ Eur. J. Biochem. **246**, 581–601 (1997) ▪ Trends Biochem. Sci. **22**, 14–17 (1997).

Retinoide. Sammelbez. für Verb., die sich vom natürlichen Retinol (vgl. das Formelbild dort) od. synthet. Analoga ableiten u. interessante pharmakolog. Wirkungen, allerdings ohne *Vitamin-A-Aktivität zeigen. Die R., zu deren Nomenklatur von der IUPAC/IUB Vorschläge gemacht wurden [1], sind C_{20}-*Isoprenoide mit einem apolaren cycl. Rest an einem u. einer polaren Gruppe (Carboxy-, Ester-, Amid- od. Alkohol-Gruppe) am anderen Ende. Sie wirken hemmend auf Zellwachstum u. -differenzierung u. scheinen auch einen präventiven Effekt auf verschiedene Formen von Haut- u. Blasenkrebs zu haben, sind aber auch *Teratogene. Vitamin-A-Säure (*Tretinoin), Isotretinoin (13-*cis*-Retinsäure) u. *Acitretin werden therapeut. bei Hyper- u. Dyskeratosen (*Akne, *Psoriasis u. a.) eingesetzt; für die Wirkung ist jeweils die freie Säure verantwortlich. Die Herst. der R. erfolgt im allg. nach dem Prinzip der *Retinol-Synth.; Näheres s. dort. – ***E*** retinoids – ***F*** rétinoïdes – ***I*** retinoidi – ***S*** retinoides

Lit.: [1] Pure Appl. Chem. **55**, 721–726 (1983).
allg.: Chem. Eng. News **1998** (22.05.), 40 f. ▪ Dtsch. Apoth. Ztg. **129**, 2039–2044 (1989); **138**, 704–710 (1998) ▪ Livrea u. Vidali, Retinoids: From Basic Science to Clinical Applications, Basel: Birkhäuser 1994 ▪ Sporn u. Roberts, The Retinoids (2.), New York: Academic Press 1994 ▪ s. a. Retinal, Retinol.

Retinoid-Rezeptoren. Für *Retinoide spezif. Kernrezeptoren (vgl. dort). Man kennt den *Retinsäure-Rezeptor* (M_R ca. 50000, engl. Abk.: RAR) u. den *Retinoid-X-Rezeptor* (M_R 49000–56000, RXR), die in mehreren Unterformen vorkommen, bei Bindung von *alltrans*- (*Tretinoin) bzw. 9-*cis*-Retinsäure aktiviert werden (RAR von beiden, RXR nur von letzterer), miteinander dimerisieren (RAR mit RXR) u. dann als *Transkriptionsfaktoren Sequenz-spezif. an bestimmte Abschnitte (Retinsäure-Responsivelemente, RARE) der *Desoxyribonucleinsäuren binden. RXR dimerisiert auch promiskuös mit den Rezeptoren für *Thyroid-Hormone u. *Vitamin-D-Hormon (Calcitriol, s. a. Calciferole), um dann an deren jeweilige Responsivelemente zu binden. Zur Regulation der

*Apoptose von T-Lymphocyten durch RAR u. RXR s. *Lit.*[1]. Das *zelluläre Retinsäure-bindende Protein* (engl. Abk.: CRABP), das Retinsäure im *Cytoplasma bindet, zählt nicht zu den Retinoid-Rezeptoren. – ***E*** retinoid receptors – ***F*** récepteurs à rétinoïdes – ***I*** recettori retinoidici – ***S*** receptores de retinoides

Lit.: [1]Cell Death Different. **5**, 4–10 (1998).
allg.: Annu. Rev. Nutrit. **16**, 257–283 (1996) ▪ FASEB J. **10**, 940–954 (1996) ▪ J. Endocrinol. **150**, 249–257 (1996) ▪ Methods Enzymol. **282**, 13–64 (1997).

Retinol [Axerophthol, Vitamin A_1, (*all-E*)-3,7-Dimethyl-9-(2,6,6-trimethyl-1-cyclohexenyl)-2,4,6,8-nonatetraen-1-ol].

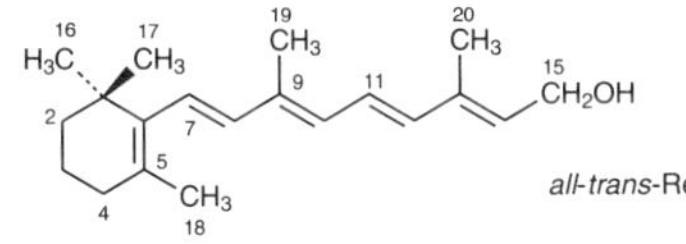

all-trans-Retinol, Retinol

$C_{20}H_{30}O$, M_R 286,46, gelbe Prismen, Schmp. 63–64 °C, Sdp. 120–125 °C (0,6 Pa), zeigt in Lsg. charakterist. grüne Fluoreszenz. Durch UV-Licht wird R. in Produkte ohne Vitamin-A-Aktivität umgewandelt; gegen Sauerstoff u. Schwermetall-Ionen (Cu, Co) ist es sehr empfindlich; Singulett-Sauerstoff kann R. durch Peroxid-Bildung völlig zerstören. Mit Säuren bildet R. Ester, die beständiger gegen Autoxid. sind.
Vork.: Von den möglichen Stereoisomeren des R. kommen nur einige (z. B. 11-*cis*- u. 13-*cis*-R.) in der Natur vor. Im Pflanzenreich kommt R. nur selten vor; allerdings ist sein *Provitamin *β-Carotin weit verbreitet. Der R.-Bedarf wird v. a. gedeckt aus Fettsäureestern in Milch, Butter, Eidotter u. bes. Fischölen (Lebertran). Letztere enthalten auch das 3,4-Didehydroretinol (Vitamin A_2), dessen Aldehyd im Sehprozeß eine Rolle spielt (s. a. Retinal). Das Wal-Leberöl enthält ein Provitamin A (*Kitol*, $C_{40}H_{60}O_2$, M_R 572,92, Schmp. 88–90 °C, ein Diels-Alder-Dimer von R.). Zur physiolog. Wirkung von R. s. *Lit.*[1].

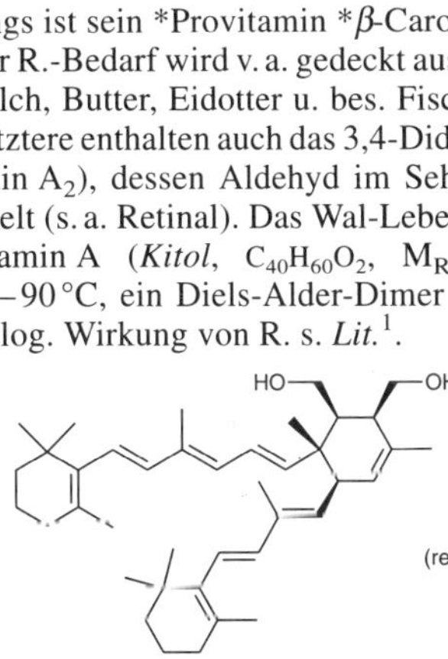

Kitol
(relative Konfiguration)

Nachweis: Durch Fluoreszenzmessung, massenspektroskop. od. mit HPLC[2].
Toxikologie: Vitamin-A-Hypervitaminose kann zu Krankheitserscheinungen wie Kopfschmerzen, Übelkeit, in chron. Fällen Schlafstörungen, Appetitlosigkeit, Haarausfall, Knochenschwellungen an den Extremitäten führen, die allerdings bei Entzug des Vitamin A_1 wieder verschwinden. Akute Vergiftungen wurden z. B. bei Polarforschern nach dem Verzehr von bes. Vitamin-A_1-reicher Eisbärleber beobachtet. Die als R.-Metabolit auftretende Vitamin-A-Säure *Tretinoin (Retinsäure) kann Mißbildungen hervorrufen, weshalb bei Schwangeren die Vitamin-A_1-Zufuhr 3,3 mg pro Tag nicht übersteigen sollte[3].
Synth.: Früher wurde R. aus Fischölen gewonnen, in denen es bis zu 17% enthalten ist, heute fast ausschließlich synthetisch[4,5].
Geschichte: Die Struktur des R. wurde 1931 von Karrer (Nobelpreis 1937) aufgeklärt, seine Rolle beim Sehprozeß von Wald 1935. Isler u. Mitarbeitern gelang 1947 die erste Synth. des reinen krist. R. u. Jones 1952 die von 3,4-Dehydroretinol. – ***E*** = ***S*** retinol – ***F*** rétinol – ***I*** retinolo

Lit.: [1]Hager (5.) **9**, 506–512; **7**, 459; Monographie A 11, D 10 AD, R 01 AX, S 01 XA. [2]Fette Seifen Anstrichm. **81**, 40 ff. (1979). [3]J. Org. Chem. **61**, 3542 (1996); Teratology **35**, 268–275 (1987). [4]Angew. Chem. **109**, 804 (1997); Pure Appl. Chem. **43**, 527–552 (1975). [5]Justus Liebigs Ann. Chem. **1995**, 717; Kirk-Othmer (4.) **25**, 172–192; Tetrahedron Lett. **28**, 65 (1987); **32**, 4115, 4117 (1991).
allg.: Angew. Chem. **102**, 507–526 (1990) ▪ Bauernfeind, Vitamin A Deficiency and its Control, New York: Academic Press 1986 ▪ Beilstein E IV **6**, 4133 ▪ Merck-Index (12.), Nr. 10 150 (Vit. A_1), 10 151 (Vit. A_2), 8333 (Retinolsäure) ▪ Nat. Prod. Rep. **8**, 223–249 (1991) ▪ Pure Appl. Chem. **51**, 581–591 (1979) ▪ Sax (8.), Nr. VSK600, VSK900, VSP000 (Toxikologie). – *[HS 2936 21; CAS 68-26-8 (Vitamin A_1); 79-80-1 (Vitamin A_2); 4626-00-0 (Kitol)]*

Retinol-bindendes Protein (Abk.: RBP). Blut-Plasma-Protein (M_R 21 000, Plasma-Konz. 4,5 mg/L), das in der Leber synthetisiert wird u. das in freiem Zustand hydrophobe u. oxidationsempfindliche *Retinol (*Vitamin A) im Blut bindet u. von der Leber zu peripheren Organen transportiert. Die Bindung des Retinol/RBP-Komplexes an Transthyretin (s. Thyroid-Hormone)[1] soll seiner Rückhaltung in der Niere dienen. Das Plasma-RBP ist verschieden von den *zellulären Retinol-bindenden Proteinen* (engl. Abk.: CRBP), die Retinol im Cytoplasma von Leberzellen speichern u. transportieren, u. vom *interstitiellen Retinol-bindenden Protein*, das Retinoide zwischen der Retina u. Epithelzellen des Auges befördert. Zu β-*Lactoglobulin, das auch Retinol bindet, zeigt das Plasma-RBP Sequenz-Ähnlichkeit, ebenso zu Apolipoprotein D (s. Lipoproteine) u. α_1-*Mikroglobulin (*Lipocalin-Familie). – ***E*** retinol-binding protein – ***F*** protéine fixant le rétinol – ***I*** proteina che lega il retinolo – ***S*** proteína fijadora del retinol

Lit.: [1]Science **268**, 1039 ff. (1995).

Retinsäure s. Tretinoin

Retofinish®. Verf. zum Entgraten, Entzundern, Schleifen, Glätten, Glänzen, Polieren u. Reinigen von metall. u. nichtmetall. Massenartikeln. Man bringt die Artikel in mit verschleißfestem Polyurethan ausgekleidete Fliehkraftmaschinen od. in Vibratoren, in denen sich scheuernde Chips (Formschleifkörper mit keram. Schleifmitteln) u. Compound (in Wasser lösl. od. suspendierbare Chemikalienmischungen mit Netz-, Emulgier-, Flotations- u. Inhibitorwirkung) befinden. ***B.:*** Chemetall GmbH.

Retorten (von latein.: retorquere = zurückdrehen, umändern = „umwandeln", auch auf den verdrehten, rückwärts gewendeten R.-Hals bezogen). In früheren Zeiten verwendete man zu Dest. aller Art gläserne od. keram. R., s. die Abb. auf S. 3798 u. die bildlichen Darst. bei Priesner[1]. Zwar wird die R. als Symbol für chem. Tätigkeit auch heute noch benutzt, doch destilliert man im chem. Laboratorium der Ggw. in prinzipiell anders konstruierten gläsernen Schliffapparaturen (*Kolben mit *Kolonnen, *Kühlern u. Vorlagen unterschiedlicher Ausführung). In der chem. Technik versteht man unter R. große, meist serienweise angeordnete, waagerechte od. senkrechte zylindr. od. lange, flache Behälter, die innen mit feuerfestem Material ausgekleidet sind u. von außen beheizt werden. In solchen R. kann z. B. Steinkohle zu Gas, Teer u. Koks verarbeitet, *Retortenkohle hergestellt od. Holz in *Holzkohle (*Lit.*[2]) umgewandelt werden.

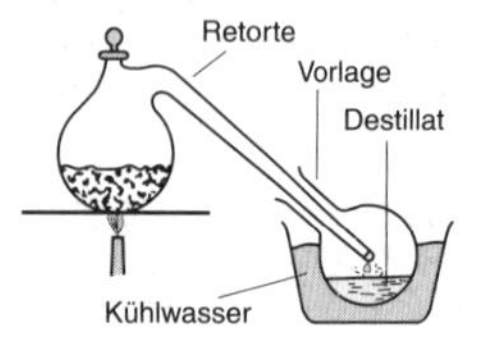

Abb.: Dest.-Vorrichtung mit Retorte.

– ***E*** retorts – ***F*** retortes, cornues – ***I*** storte – ***S*** retortas

Lit.: [1] Chem. Unserer Zeit **16**, 149–159 (1982). [2] Winnacker-Küchler (4.) **5**, 643 f.

Retortenkohle (Retortengraphit, Retortenkoks). Bez. für die Ausscheidungen von fast reinem, aber stark gittergestörtem (Härte!), *Graphit-ähnlichem Kohlenstoff, die sich bei der trockenen Dest. von Steinkohle in *Retorten u. durch therm. Zerfall von Kohlenwasserstoffen an heißen Wänden absetzen (Petrolkoks). Techn. versteht man unter R. oft auch die in Retorten hergestellte *Holzkohle. Man verwendet R. zur Herst. von Elektroden für galvan. Elemente u. zu Kohlenstiften für Bogenlampen; s. a. Graphit. – ***E*** retort carbon – ***F*** charbon de cornue – ***I*** carbone di storta – ***S*** carbón de retorta

Retro... Wortvorsatz, abgeleitet von latein: retro = rückwärts, zurück (*Beisp.:* folgende Stichwörter): a) Kursives *retro-* bei *Carotinoiden u. *Retinoiden: um eine Bindung „rückversetzte" Polyen-Syst. (IUPAC-Regeln Carot-9 u. Ret-4.7; Lokanten: dehydriertes u. hydriertes C-Atom); *Beisp.:* 6′,7-*retro*-β,ε-Carotin, 4,14-*retro*-*Retinol. – b) Retro... in Trivialnamen für *Steroide: invertierte Stereozentren 9 u. 10 (IUPAC-Regel 3S-5.2 empfiehlt 9β,10α-); *Beisp.:* Retroprogesteron. – c) Retro... vor Bez. für Stoffklassen: umgekehrte Abfolge von Mol.-Bausteinen; *Beisp.: Retrofette* (*inverse Fette: Esterbindungen –CO–O– im Vgl. zu Fetten umgedreht); *Retropeptide* (*Peptide mit unnatürlicher, umgekehrter Aminosäure-Sequenz). – d) Retro- vor Bez. für chem. Reaktionstypen bedeutet deren Umkehrung; *Beisp.* (in Klammern andere, meist klarere Bez.): Retro-*Aldol-Addition (Aldol-Spaltung; falsch: retro-Aldol-Spaltung), Retro-*Cycloaddition (Cycloeliminierung, Cycloreversion), Retro-Dien-Synthese ([4+2]-Cycloreversion, [4+2]-Ringspaltung; s. Diels-Alder-Reaktion), Retro-*Oxo-Synthese (Deformylierung, s. Decarbonylierung). Auch in Bez. gedanklicher Transformationen der *Retrosynthese ist Retro- üblich; *Beisp.:* Retro-Ozonolyse-Transformation (RR′C=O → RR′C=CH_2), retro-Grignard-Transformation [R–CH(OH)–R′ → R–CHO + R′–MgX]. – ***E*** = ***I*** = ***S*** retro... – ***F*** rétro...

Retroelektrodialyse. Ein Verf., das die *Elektrodialyse umkehrt u. zusammen mit *Osmose zur Energiegewinnung geeignet ist (s. Meerwasserentsalzung). – ***E*** retroelectrodialysis – ***F*** rétroélectrodialyse – ***I*** retroelettrodialisi – ***S*** retroelectrodiálisis

Retro-Fette s. inverse Fette.

Retrogradation. 1. Die stabile *Makrokonformation der *Amylose ist die einer einfachen Helix. In der natürlich vorkommenden *Stärke sind die Amylose-Mol. allerdings in das physikal. Netzwerk des *Amylopektins eingebettet. Dieses hindert die Amylose an der Ausbildung größerer Helix-Segmente u. hält sie so weitgehend amorph. Extrahiert man eine Stärke mit heißem Wasser, so gehen die Amylose-Mol. zunächst als statist. Knäuel, bestehend aus ungeordneten Kettensegmenten u. kurzen Helixstücken, in Lsg., während das Amylopektin als unlösl. Netzwerk zurückbleibt. Ist die erhaltene Amylose-Lsg. hinreichend verdünnt, so wachsen die schon vorgeformten, kurzen Helix-Stücke rasch zu langen Helix-Segmenten heran. Diese lagern sich ihrerseits wieder zu mehreren zusammen, wodurch die anfangs lösl. Amylose allmählich unlösl. wird u. aus ihrer wäss. Lsg. auskristallisiert. Diesen Vorgang des allmählichen, aber irreversiblen Unlöslichwerdens der Stärke bezeichnet man als Retrogradation. Er führt z. B. auch zu dem Nachhärten von Lebensmitteln während der Lagerung (Hartwerden von Brot). Sind die wäss. Stärke-Extrakte andererseits zu konzentriert, so behindern sich die einzelnen Amylose-Ketten gegenseitig so stark, daß sich längere Helix-Segmente kaum ausbilden. In diesem Fall assoziieren bereits die kurzen Helixsegmente intra- u. intermol., was unter Ausbildung eines physikal. Netzwerkes zur Gelierung der konz. Amylose-Lsg. führt.

2. S. Massenentwicklung. – ***E*** retrogradation – ***F*** rétrogradation – ***I*** retrogradazione – ***S*** retrogradación

Lit.: Elias (5.) **2**, 278 ▪ J. Food Sci. **56**, 564 ff. (1991) ▪ Ullmann (5.) **A 11**, 502.

Retrograde Botenstoffe s. Glutamat-Rezeptoren.

Retronecin s. Pyrrolizidin-Alkaloide.

Retropeptide s. Peptide.

Retro-Pinakolon-Umlagerung. Von Zelinsky 1901 beobachtete, von einer Umlagerung des Kohlenstoff-Gerüsts begleitete Dehydratisierungsreaktion bei sek. Alkoholen mit quartärem α-C-Atom:

$$R^2\text{–}C(R^1)(R^3)\text{–}CH(OH)\text{–}R^4 \xrightarrow[-H_2O]{+H^+} R^2\text{–}C(R^1)(R^3)\text{–}\overset{+}{C}H\text{–}R^4 \xrightarrow{\sim R^3}$$

$$R^2\text{–}\overset{+}{C}(R^1)\text{–}CH(R^3)\text{–}R^4 \xrightarrow[-H^+]{} (R^1)(R^2)C{=}C(R^4)(R^3)$$

Die über Carbenium-Ionen verlaufende R.-P.-U. – treibende Kraft ist die Bildung des stabileren *Carbenium-Ions – ist ebenso wie die **Pinakol-Pinakolon-Umlagerung* u. die *Nametkin-Reaktion* (S. S. Nametkin, 1876–1950)[1], die bei Terpenen vom Camphen-Typ unter Methyl-Gruppenwanderung verläuft, verwandt mit der *Wagner-Meerwein-Umlagerung. – ***E*** retropinacol rearrangement – ***F*** transposition rétropinacolique – ***I*** trasposizione retropinacolica – ***S*** transposición retropinacólica

Lit.: [1] Poggendorff **7 b/6**, 3492–3496.
allg.: Houben-Weyl **4/2**, 16 ▪ Krauch u. Kunz. Reaktionen der organischen Chemie, 6. Aufl., S. 603, 605, Heidelberg: Hüthig 1997 ▪ s. a. Wagner-Meerwein-Umlagerung.

Retrosublimation. Als *Sublimation werden Phasenübergänge fest → gasf. bezeichnet, bei denen kein flüssiger Aggregatzustand durchlaufen wird. Der Umkehrvorgang, d. h. die unmittelbare *Kondensation eines Dampfes zum Feststoff, kann als R. od. Desublimation bezeichnet werden. – ***E*** retrosublimation – ***F*** rétrosublimation – ***I*** retrosublimazione – ***S*** retrosublimación
Lit.: Ullmann (4.) **2**, 664, 668.

Retrosynthese (retrosynthet. Analyse). Die retrosynthet. Analyse (auch „Antithese") ist ein wichtiger, bes. von *Corey entwickelter Bestandteil der Synth.-Planung. Dazu wird ausgehend von einem *Zielmol.* (Abk. TM, von *E* target molecule) durch geeignete Bindungszerlegungen (Entknüpfungen, *E* disconnections) rückwärts der Weg zu geeigneten, leicht erhältlichen u. wenn möglich billigen *Startmol.* verfolgt. Entknüpfungen, die in der Regel heterolyt. erfolgen, zerlegen ein Mol. in *Synthone. Die Reagenzien, die im Sinne von Synthonen reagieren, bezeichnet man als *Syntheseäquivalente.
Wenn die Entknüpfungen keine vernünftigen Synthone liefern, so wandelt man eine funktionelle Gruppe in eine andere um (*E* functional group interconversion, Abk. FGI). Bei den Entknüpfungen ist das Reaktivitätsmuster entlang einer Heteroatom substituierten Kohlenstoff-Kette von Interesse. Dabei entstehen, je nachdem ob ein normales od. umgepoltes Reaktivitätsmuster vorliegt (s. a. Umpolung), Donor- u. Akzeptor-Synthone (= *d*- bzw. *a*-Synthone).

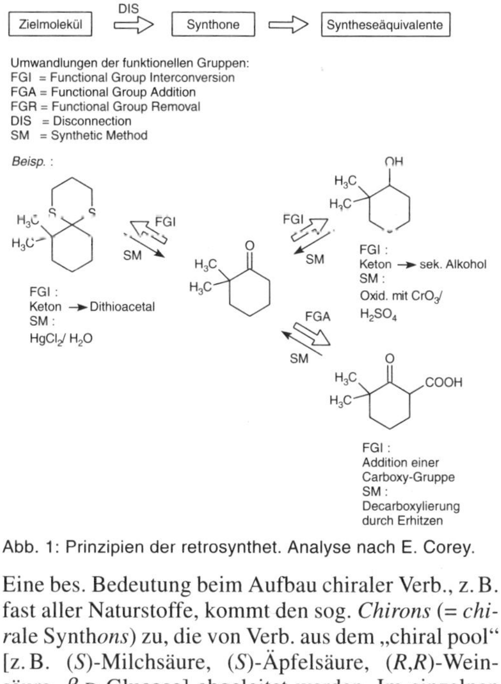

Zielmolekül ⇨(DIS) Synthone ⇨ Syntheseäquivalente

Umwandlungen der funktionellen Gruppen:
FGI = Functional Group Interconversion
FGA = Functional Group Addition
FGR = Functional Group Removal
DIS = Disconnection
SM = Synthetic Method

Abb. 1: Prinzipien der retrosynthet. Analyse nach E. Corey.

Eine bes. Bedeutung beim Aufbau chiraler Verb., z. B. fast aller Naturstoffe, kommt den sog. *Chirons* (= *chi*rale Synth*ons*) zu, die von Verb. aus dem „chiral pool" [z. B. (*S*)-Milchsäure, (*S*)-Äpfelsäure, (*R*,*R*)-Weinsäure, *β*-D-Glucose] abgeleitet werden. Im einzelnen

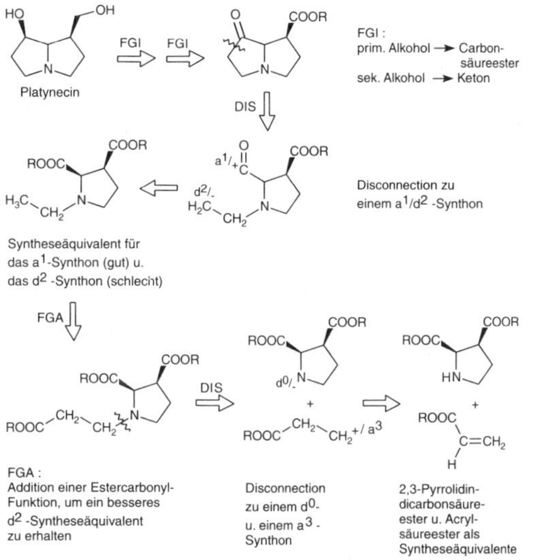

Abb. 2: Teilschritte einer retrosynthet. Analyse von Platynecin, einem *Pyrrolizidin-Alkaloid.

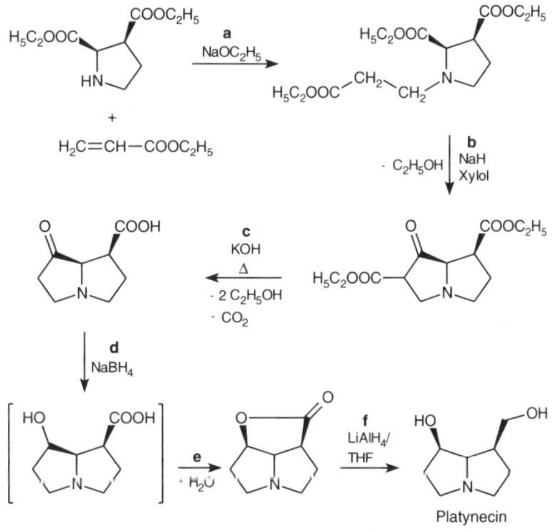

Abb. 3: Synth. von Platynecin gemäß der retrosynthet. Analyse. a) Addition eines sek. Amins an eine *α*,*β*-ungesätt. Carbonyl-Verb.; – b) *Dieckmann-Kondensation; – c) Verseifung der Carbonsäureester u. *Decarboxylierung der *β*-Keto-carbonsäure; – d) Red. des cycl. Ketons zum sek. Alkohol; – e) intramol. *Lacton-Bildung, – f) Red. des Lactons zum prim. Alkohol.

geht man bei der R. so vor, daß zunächst funktionelle Gruppen im Mol. gesucht werden u. deren heterolyt. Zerlegung in geeignete Synthone geprüft wird; wenn nötig werden FGI u./od. FGA (Abk. von *E* functional group addition) eingeschaltet. Danach wird ein Synth.-Plan erstellt, wobei Synthone in Synth.-Äquivalente umgesetzt, ggf. *Schutzgruppen eingeführt u. optimale Bedingungen für die Regio-, Diastereo- u. Enantioselektivität berücksichtigt werden. Bei der R. kommen in zunehmenden Maße Computerprogramme zur Anw., so z. B. die von Hendrickson bzw. Gasteiger entwickelten Programme SYNGEN [1] od. PROLOG [2] (s. a. *Lit.* [3], S. 1374). – ***E*** retrosynthesis – ***F*** rétrosynthèse – ***I*** retrosintesi – ***S*** retrosíntesis

Lit.: [1] Angew. Chem. **102**, 1328–1338 (1990). [2] Gasteiger, Software-Development in Chemistry 4, S. 265–273, Heidelberg: Springer 1990. [3] Angew. Chem. **102**, 1363–1409 (1990). *allg.:* Angew. Chem. **103**, 469–479 (1991) ▪ Bols, Carbohydrate Building Blocks, Chichester: Wiley 1996 ▪ Chem. Soc. Rev. **17**, 11–133 (1988) ▪ Corey u. Cheng, The Logic of Chemical Synthesis, New York: Wiley 1989 ▪ Fuhrhop u. Penzlin, Organic Synthesis, 2. Aufl., Weinheim: VCH Verlagsges. 1994 ▪ Hannesian, Total Synthesis of Natural Products: The Chiron Approach, Oxford: Pergamon Press 1983 ▪ J. Am. Chem. Soc. **113**, 2494–2500 (1991); **114**, 2623 (1992) ▪ Warren, Organische Retrosynthese, Stuttgart: Teubner 1997 ▪ Willis u. Willis, Syntheseplanung in der Organischen Chemie (Basistext Chemie Nr. 16), Weinheim: VCH Verlagsges. 1997.

Retro(trans)posons s. Retroviren.

Retrovir® (Rp). Infusionslsg., Liquidum u. Kapseln mit *Zidovudin gegen HIV-Erkrankungen [AIDS od. ARC (AIDS related complex)]. ***B.:*** Glaxo Wellcome.

Retroviren (Retroviridae, RNA-Viren der Klasse 6). Tiere u. Menschen befallende *Viren, die einsträngige *Ribonucleinsäure (RNA) u. das Enzym *reverse Transcriptase enthalten. Mit Hilfe des Letzteren wird die in die Wirtszelle gelangte RNA in *Desoxyribonucleinsäure (DNA) übersetzt (transkribiert, s. Transkription), um mitsamt zusätzlicher repetitiver Sequenzen (*E* long terminal repeats, LTR) anschließend in das Wirts-Genom (s. Gen) integriert [1] u. als sog. Provirus mit ihm repliziert (vermehrt, s. Replikation) zu werden. Normale gelegentliche Transkription des Provirus erzeugt virale Nachkommen-RNA (Virion-RNA) sowie Messenger-RNA für virale Proteine, u. zwar mit ein- u. demselben DNA-Strang als Matrize, weshalb die Virion-RNA auch als (+)-RNA gekennzeichnet wird. Die Virus-Proteine entstehen als *Polyproteine u. sind zu ihrer Reifung auf *Proteasen angewiesen. R. töten ihre Wirtszelle im allg. nicht. Die meisten von ihnen sind harmlos, manche enthalten jedoch *Onkogene (z.B. v-Ha- u. v-Ki-*ras*, vgl. Ras-Proteine), die die Zelle bei Befall transformieren (in eine Krebszelle umwandeln). Zu den R., die menschliche Krankheiten hervorrufen, gehören das HIV (erzeugt AIDS) sowie HTLV I u. II (Leukämie). Für ihre Untersuchungen an R. u. Onkogenen erhielten 1989 Bishop u. Varmus den Nobelpreis für Physiologie od. Medizin. Den R. stehen die *Retro(trans)posons* nahe, bewegliche genet. Elemente, die ebenfalls eine RNA-Zwischenstufe durchlaufen, jedoch keine Virionen (übertragbare Virus-Partikel) bilden. Ca. 1% des menschlichen Genoms soll von R. stammen, die in der Vorzeit die Keimbahnen unserer Primaten-Vorfahren infiziert haben [2].
Verw.: Als Vektoren in der *Gentechnologie u. potentiell in der Gentherapie; vgl. auch Viren. – ***E*** retroviruses – ***F*** rétrovirus – ***I*** = ***S*** retrovirus

Lit.: [1] Antivir. Res. **36**, 139–156 (1997). [2] FEBS Lett. **428**, 1–6 (1998).
allg.: Chen et al. Transacting Functions of Human Retroviruses, Berlin: Springer 1995 ▪ Coffin et al., Retroviruses, Cold Spring Harbor: CSH Laboratory Press 1997 ▪ Kräußlich, Morphogenesis and Maturation of Retroviruses, Berlin: Springer 1996 ▪ Levy, The Retroviridae, 4 Bd., New York: Plenum 1992–1995 ▪ Litvak, Retroviral Reverse Transcriptases, Berlin: Springer 1996 ▪ Trends Genet. **13**, 116–120 (1997). – *Diakollektion:* Hughes u. Varmus, The Art of Retroviruses: A Companion Slide Set, Cold Spring Harbor: CSH Laboratory Press 1998.

Rettenmaier. Kurzbez. für die 1877 gegr. Firma J. Rettenmaier & Söhne GmbH & Co., Faserstoff-Werke, 73494 Ellwangen-Holzmühle. *Produktion:* Herst. u. Vertrieb organ. Fasern auf Basis Holz, Cellulose u. Baumwolle; Herst. von Bitumen-Cellulose-Verb. u. Zerkleinerung organ. Grundstoffe im Kundenauftrag.

Rettich. Fleischig verdickte Pfahlwurzeln von *Raphanus sativus* (Brassicaceae), der in Asien u. dem Mittelmeerraum heim. ist u. als schwarzschalige (var. *niger*, Schwarzer od. Winterrettich) od. weißschalige Varietät (var. *albus*, Weißer, Garten- od. Mairettich, Münchener Bierrettich) u. in vielen Abarten wie z.B. *Radieschen kultiviert wird. Durch die Römer gelangte der R. nach Mitteleuropa. Der im allg. roh od. als Saft verzehrte R. enthält je 100 g eßbarer Substanz durchschnittlich 93,5 g Wasser, 1 g Eiweiß, 0,2 g Fett u. 2 g Kohlenhydrate, außerdem verschiedene Spurenelemente u. Vitamin C (27 mg, als Ascorbigen, s. Ascorbinsäure). Der scharfe Geschmack des R. geht auf den Gehalt an *Glucosinolaten zurück, aus denen *Senföle (Allyl-, Benzylsenföl u.a. Isothiocyanate) durch das Enzym *Myrosinase* freigesetzt werden. Weitere Inhaltsstoffe: Indolessigsäure u. -acetonitril, ein Cytokinin, Peroxidasen u. Phytosterine, in Samen auch *Sulforaphen. R. wirkt choleret. u. anregend auf die glatte Muskulatur, antibakteriell, in größerer Menge auch schleimhautreizend durch freie Isothiocyanate, ggf. auch strumigen (*Kropf-bildend). R. wird als Krampflöser in Hustenmitteln u. Mitteln gegen Bronchitis sowie in Präp. zur Anregung der Gallensaftsekretion eingesetzt. Nicht zu den eigentlichen R.-Arten, wohl aber zu den Brassicaceae, gehört der ebenfalls Glucosinolat-haltige *Meerrettich. – ***E*** radish – ***F*** radis – ***I*** ravano – ***S*** rábano

Lit.: Franke, Nutzpflanzenkunde (6.), S. 197, Stuttgart: Thieme 1997. – *[HS 0706 90]*

Reuterin. R. (M_R <200) ist eine antimikrobiell, vorwiegend gegen Bakterien, wirkende Substanz. R. ist resistent gegen die Wirkung von Proteasen u. wird deshalb nicht der Klasse der *Bacteriocine zugeordnet [1].
Physiologie: R. wird von einigen *Lactobacillus reuteri*-Stämmen [2,3] unter bestimmten Bedingungen gebildet. R. wurde isoliert, gereinigt u. identifiziert als eine im Gleichgew. stehende Mischung aus hydratisierter monomerer u. cycl. dimerer Form von *β*-Hydroxypropionaldehyd [4,5]. Es entsteht durch Umlagerung aus Glycerin in Abhängigkeit von Coenzym B_{12} [6].
Verw.: Es gibt Untersuchungen hinsichtlich der Möglichkeit, R. produzierende Mikroorganismen od. R. direkt Fleischwaren od. Seetieren zuzusetzen, um deren Haltbarkeit zu verlängern [7,8]. Der Einsatz in der Tierernährung [9] gegen pathogene Keime im Darm von Nutztieren wurde zeitweise diskutiert. Die gesundheitliche Unbedenklichkeit von R. ist jedoch noch nicht vollständig nachgewiesen, so daß z.Z. der Zusatz zu Lebensmitteln nicht gestattet ist. – ***E*** reuterine – ***I*** = ***S*** reuterina

Lit.: [1] Microb. Ecol. Health Dis. **2**, 131–136 (1989). [2] Zentralbl. Bakteriol. Parasitenkd. Infektionskr. Hyg. Abt. 1 Orig. **C1**, 264–269 (1980). [3] Int. J. Syst. Bacteriol. **32**, 266ff. (1982). [4] Antimicrob. Agents Chemother. **32**, 1854f. (1988). [5] Antimicrob. Agents Chemother. **33**, 674–679 (1989).

[6]Microb. Ecol. Health Dis. **2**, 137–144 (1989). [7]Food Technol. **43**, 164–167 (1998). [8]Microbiol. Rev. **87**, 149–163 (1990). [9]Lücke, Einsatzmöglichkeiten von Schutzkulturen, in Dehne u. Bögl, Die biologische Konservierung von Lebensmitteln. Ein Statusbericht. SozEp-Heft 4 des BGA, 16–33 (1992).

Rev. Abk. für Review, Revue in den Namen von chem. Zeitschriften, s. a. chemische Literatur (1.).

Reverse Genetik (umgekehrte Genetik). Bez. für molekularbiolog. u. gentechnolog. Verf., bei denen die normale Reihenfolge genet. Analysen umgekehrt ist (vom *Genotyp zum *Phänotyp). Dabei wird ein unbekanntes Gen auf einem Chromosom od. DNA-Fragment z. B. durch *chromosome walking od. Gensuche in *Genbanken mit heterologen Sonden (s. Gensonden) identifiziert. Weitere Untersuchungen, z. B. Sequenz-Vgl. mit bekannten Genen od. **in vitro*-Mutagenese mit nachgeschaltetem Studium ihrer Auswirkungen (verändertes Genprodukt) auf den Organismus, folgen zur Aufklärung der Funktion dieses Gens. – ***E*** reverse genetics, surrogate genetics – ***F*** génétique inverse – ***I*** genetica a rovescio, genetica inversa – ***S*** genética inversa

Lit.: Crit. Rev. Toxicol. **27**, 199 (1997) ▪ Knippers (7.), S. 280 f. ▪ Methods Cell Biol. **48**, 59 (1995).

Reverse Osmose s. umgekehrte Osmose.

Reverse Phase Ion Pair Chromatography s. Ionenpaarchromatographie.

Reverse Phasen (Umkehrphasen, Abk. RP-Phasen). Bez. für die stationäre Phase eines chromatograph. Syst., die im Gegensatz zu der im üblichen Adsorptions-Syst. unpolar (hydrophob) ist. Die mobile Phase ist dagegen polar (hydrophil). Entsprechend nennt man die analyt. Meth. z. B. RP-HPLC. R. P. sind meistens Kieselgele, deren Oberflächen-Silanol(SiOH)-Gruppen durch chem. Umsetzung mit Dialkyldichlorsilanen gebunden sind. Dabei erhält man stabile Materialien mit Kohlenwasserstoff-Ketten mit 2 bis 18 C-Atomen, die man auch als *chem.-gebundene Phasen* bezeichnet; die von den Alkyl-Ketten auf dem Kieselgel gebildete Schicht wird als *Bürste* bezeichnet. Durch die Umkehr der Phasen-Eigenschaften werden unpolare Substanzen stärker zurückgehalten als polare, wodurch sich auch die Reihenfolge der Elution umkehrt. Als mobile Phasen benutzt man Gemische aus dem polaren Lsm. Wasser u. unpolaren Lsm. wie Methanol od. Acetonitril. – ***E*** reversed phases – ***F*** phases inversées – ***I*** fasi invertite – ***S*** fases invertidas

Reverse Transcriptase (Revertase). *Polymerase aus *Retroviren, die mit Hilfe von *Ribonucleinsäuren (RNA) als Matrizen 2′-Desoxy-β-D-ribofuranosid-5′-triphosphate (s. Desoxynucleotide) unter Diphosphat-Abspaltung zu komplementären *Desoxyribonucleinsäuren (DNA) zu polymerisieren hilft (Aktivität einer *RNA-abhängigen DNA-Polymerase*, EC 2.7.7.49). Im weiteren Lebenscyclus des Retrovirus wird das entstehende RNA-DNA-Hybridmol. durch die Aktivität einer *Ribonuclease H* (EC 3.1.26.4, RNase H; „H“ steht für „Hybrid“) zur einsträngigen (–)-DNA abgebaut, diese wiederum durch *DNA-abhängige DNA-Polymerase*-Aktivität (EC 2.7.7.7) zur Doppelstrang-DNA komplettiert u. ins Wirtsgenom integriert. Die drei genannten enzymat. Aktivitäten sind im selben Protein (eben der r. T.) verwirklicht. Bei Eukaryonten werden die Chromosomen-Enden (*Telomere) von einer *„Telomerase“* genannten r. T. instand gehalten. Zur Notwendigkeit von Primern bei der reversen Transkription s. *Lit.*[1].

Verw.: In der Molekularbiologie zur Herst. von *cDNA, die anschließend durch *polymerase chain reaction vermehrt werden kann (RT-PCR). Hemmstoffe der r. T. des HIV[2] sind als potentielle AIDS-Therapeutika von Interesse. – ***E*** reverse transcriptase – ***F*** transcriptase reverse – ***I*** trascriptasi inversa – ***S*** trancriptasa inversa

Lit.: [1]Cell **88**, 5–8 (1997). [2]Biol. Chem. **377**, 97–120 (1996); Science **267**, 988–993 (1995).

allg.: Skalka u. Goff, Reverse Transcriptase, Cold Spring Harbor: CSH Lab. Press 1993 ▪ s. a. Retroviren. – *[CAS 9068-38-6]*

Reversibel. Von latein.: reverti = umkehren abgeleitetes Fremdwort für „umkehrbar“; viele chem. *Reaktionen sind reversibel (*chemische Gleichgewichte), viele thermodynam. Prozesse ebenfalls. *Gegensatz:* *Irreversibel. – ***E*** = ***S*** reversible – ***F*** réversible – ***I*** reversibile

Reversible Kolloide s. Kolloidchemie.

Reversible Polymerisationen s. Gleichgewichts-Polymerisationen u. Poly(α-methylstyrol).

Reversionsgeschmack. Unter R. versteht man ein Fehlaroma (*off-flavour) des *Sojaöls, das bereits nach kürzeren Lagerzeiten auftreten kann u. als butterartig, grasig beschrieben ist. Als maßgeblich an der Entstehung dieses *off-flavours beteiligter Aromastoff wurde ein *Autoxidations-Produkt der *Linolensäure, das *3-Methylnonan-2,4-dion* ($C_{10}H_{18}O_2$, M_R 170,25), identifiziert[1]. Daneben wurde eine Beteiligung des Nonan-2,4-dions sowie des (*Z*)-3-Hexenals u. einiger Vinylketone nachgewiesen (*F-Säuren)[2,3]. Zur Rolle von Furanfettsäuren bei der Entdeckung des R. s. *Lit.*[4]. – ***E*** reversion flavor – ***F*** saveur réversive – ***I*** gusto di reversione – ***S*** sabor a reversión

Lit.: [1]Fat Sci. Technol. **91**, 1–7, 225–230 (1989). [2]Fat Sci. Technol. **90**, 332–336 (1988). [3]Chem. Unserer Zeit **24**, 82–89 (1990). [4]Fat. Sci. Technol. **93**, 249–255 (1991).

allg.: Belitz-Grosch (4.), S. 590.

Revertase s. reverse Transcriptase.

Revertex®. Eingedampfter Naturlatex zur Herst. von Lederfaserwerkstoff, als Bindemittel für Granulate, zur Elastifizierung von *Bitumen- u. *Zement-Mischungen sowie in der Produktion von Klebstoffen. ***B.:*** Kautschuk-Gesellschaft mbH.

Revier-Markierung. Die Kennzeichnung eines Reviers durch das Markierverhalten wird verhaltenskundlich unterschiedlich weit gefaßt. Bei einer engen Anw. bezieht es sich lediglich auf die olfaktor. (= geruchliche) Markierung, d. h. auf solche Fälle, in denen tatsächlich „Marken“ wie Harn, Kot (z. B. Flußpferd) od. Drüsensekrete (z. B. Faultier) abgesetzt werden. Im weiteren Sinne wird auch die akust. u. die opt. R.-M. mit einbezogen u. die olfaktor. Markierung dann als Duft-Markieren bezeichnet. Alle drei Formen der Markierung dienen der Kenntlichmachung eines Reviers.

Viele Frösche u. Vögel sowie manche Säugetiere tun dies durch Rufe u. Gesänge, während die leuchtend gefärbten Männchen der Prachtlibellen die Grenzen ihrer Reviere mit auffälligem Flug abfliegen. Olfaktor. R.-M. kann darüber hinaus auch zur geruchlichen Kennzeichnung des eigenen Körpers u. zur Kennzeichnung von Sozialpartnern, z.B. des Paarpartners od. der Gruppenmitglieder, eingesetzt werden. – ***E*** territorial marking – ***F*** marquage de territoire – ***I*** marcatura territoriale – ***S*** marcado territorial

Lit.: Franck, Verhaltensbiologie (3.), Stuttgart: Thieme 1997 ▪ Krebs u. Davies, Einführung in die Verhaltensökologie (3.), Berlin: Blackwell 1996.

Reviews s. chemische Literatur (1.).

Reviparin-Natrium (Rp). Internat. Freiname für einen zu den *Antikoagulantien zählenden Thrombozyten-Aggregationshemmer. Es wird durch Depolymerisation von Heparin (Formel vgl. dort) aus Schweinedarmmukosa gewonnen, M_R 3500–4500. Der Sulfatierungsgrad ist etwa 2,2 pro Saccharid-Einheit. Wie alle niedermol. Heparine, ist es nur in Ggw. von *Antithrombin III wirksam. R. ist von Immuno u. Knoll im Handel (Clivarin®). – ***E*** reviparine sodium – ***F*** sodium réviparine – ***I*** reviparina sodio – ***S*** reviparina sódica

Lit.: ASP ▪ Ph. Eur. **1997** u. Komm. („Niedermolekulare Heparine") ▪ Pharm. Ztg. **142**, 3124 ff. (1997) ▪ World J. Surg. **21**, 2–9 (1997). – *[CAS 9005-49-6 (Heparin); 9041-08-1 (Heparin-Natriumsalz)]*

Revitalin®. Spezialfraktion eines wäss. Extrakts aus frischen od. tiefgefrorenen, kontrollierten Rindermilzen für hochwertige Hautpflegeprodukte; R. aktiviert u. reaktiviert die Geweberegeneration der Haut u. dient zu deren Stärkung gegen hautschädliche Einflüsse der oft aggressiven Atmosphäre sowie gegen Reizungen infolge übermässigen Sonnenbadens. ***B.:*** Pentapharm.

Revultex®. Vorvulkanisierter Naturlatex zur Herst. von medizin. Tauchartikeln, Kaltgußartikeln, Klebstoffen usw. ***B.:*** Kautschuk-Gesellschaft mbH.

Rewodina® (Rp). Retardkapseln, (Retard)-Tabl., Ampullen, Gel u. Suppositorien mit dem *Antirheumatikum *Diclofenac-Natrium. ***B.:*** Arzneimittelwerk Dresden.

Rewoteric®. Gruppe von *Amphotensiden, z.B. auf der Basis von Betainen, Lauryl-, Koko-, Caprylglycinat bzw. Kokoamidopropionat od. Caprylamidopropionat, für kosmet., pharmazeut. u. chem.-techn. Anwendungen. ***B.:*** Rewo.

Rex®. System. *Fungizid auf der Basis von *Epoxiconazol u. *Thiophanat-methyl zur Bekämpfung von Rost, echtem Mehltau, Halmbruchkrankheit, *Septoria, Fusarium* u. *Rhynchosporium* in Getreide. ***B.:*** BASF.

Rexforming®. 2-Stufen-Verf. zur *Octan-Zahl-Verbesserung von Benzin, bestehend aus einem *Platforming®- u. einem *Udex-Verfahrens-Schritt zur Abtrennung der aromat. Kohlenwasserstoffe, worauf die nichtaromat. Anteile des Reformats von neuem reformiert werden. ***B.:*** UOP.

Rey, Jean (ca. 1590–1645), Chemiker u. Arzt in Périgord, stellte 1630 erstmals die Gewichtszunahme beim Erhitzen von Zinn u. Blei an der Luft fest u. führte diese auf eine Beteiligung der Luft zurück.

Lit.: Pötsch, S. 361.

Reynolds Metals. Handelsbez. für Aluminium-Leg. des gleichnamigen Herstellers Reynolds Metals Co., Richmond, Virginia, USA.

Reynolds-Zahl (Kurzz.: Re). Die nach dem engl. Physiker O. Reynolds (1842–1912) benannte R.-Z. ist die kennzeichnende Größe für den Verlauf von Strömungsvorgängen in voll gefüllten Hohlräumen (Rohrleitungen), indem sie das Verhältnis von Trägheits- zu Reibungskräften in strömenden Flüssigkeiten definiert:

$$Re = \frac{2R \cdot \bar{v} \cdot \rho}{\eta} = \frac{w \cdot l}{\nu} = \frac{200\,Q}{\pi \cdot R \cdot k \cdot t^2}$$

In den Gleichungen bedeuten R = Halbmesser des durchströmten Rohres bzw. l = Durchmesser od. charakterist. Länge, $\bar{v}$ = mittlere Strömungsgeschw. bzw. w = charakterist. Geschw., ρ = D. der zu messenden Flüssigkeit, η = dynam. Viskosität, ν = kinemat. Viskosität, Q = durchflossenes Vol., k = Gerätekonstante für Viskosimeter ohne Fremddruck u. t = Durchflußzeit. Eine *laminare *Strömung* liegt immer dann vor, wenn die R.-Z. unter einem krit. Wert Re_{krit} liegt; Re_{krit} hängt von der Form der Strömung ab. Bei einem Kreisrohr ergibt sich Re_{krit}=2300; bei Re=2300 bis ca. 4000 bilden sich *Wirbel* aus u. >4000 herrscht **Turbulenz*. Durch Zusatz kleiner Mengen linearer Polymerer (*Beisp.:* PEOX, Polysaccharide) läßt sich die R.-Z. von Flüssigkeiten jedoch stark erhöhen, wodurch deren *Strömungs-Widerstand verringert wird[1]; bezüglich der Modellierung von Turbulenzen s.a. *Lit.*[2]. Die R.-Z. steht auch in Zusammenhang mit bestimmten Kenngrößen der konvektiven *Wärmeübertragung u. des Stoff-*Transports, insbes. mit der Prandtl-Zahl (Kurzz.: Pr) u. der Péclet-Zahl (Kurzz.: Pe): Re · Pr = Pe = w · l/a (a = Temp.-Leitfähigkeit). – ***E*** Reynolds number – ***F*** nombre de Reynolds – ***I*** numero di Reynolds – ***S*** número de Reynolds

Lit.: [1] Encycl. Polym. Sci. Eng. **5**, 100; Fernwärme international **19**, 117 (1990). [2] Spektrum Wiss. **1997**, Nr. 12, 92.
allg.: DIN 1341: 1986-10; 5491: 1970-09; 53012: 1981-03 ▪ Kakaç et al., Low Reynolds Number Flow Heat Exchangers, Washington: Hemisphere 1982 ▪ Kohlrausch, Praktische Physik 1, S. 68, Stuttgart: Teubner 1996 ▪ Winnacker-Küchler (4.) **1**, 142–145.

Reyon (von französ.: rayon = Lichtstrahl). Nicht durch DIN-Normen definierte Sammelbez. für seidig glänzende (Name!) *Chemiefasern aus regenerierter *Cellulose od. *Celluloseestern, vgl. Kunstseiden. – ***E*** rayon – ***F*** rayonne – ***I*** raion – ***S*** rayón

Lit.: s. Cellulose, Chemiefasern, Kunstseiden. – *[HS 5504 90, 5507 00]*

Rezente Harze s. natürliche Harze.

Rezept [von latein. recipere = (auf)nehmen]. Bez. für die schriftliche ärztliche Anweisung für den *Apotheker zur Herst. u. Abgabe eines *Arzneimittels, die korrekt heute als *Verschreibung* bezeichnet wird. R. sind rechtlich Privaturkunden. Die Verw. bestimmter Vordrucke ist gesetzlich nicht vorgeschrieben, hat sich jedoch eingebürgert. Zu den Anforderungen an ein R. s. *Lit.*[1]. Nach der Kostenerstattung des R. unterscheidet

man Privat- von Kassen-Rezepten. Viele Arzneimittel dürfen nur auf R. an Patienten abgegeben werden, zu den Rechtsgrundlagen s. *Lit.*[1] u. *Lit.*[2]. Zur Ausstellung eines R. sind alle Ärzte, Zahnärzte u. Tierärzte berechtigt. Strenge Maßstäbe werden an die Ausgabe von *Betäubungsmittel-R. gelegt (BtmVVO). Heute nur noch selten praktiziert wird das Rezeptieren in latein. Sprache als Arbeitsanweisung des Arztes an den Apotheker.
In übertragenem Sinn bezeichnet man als „R." od. Rezeptur allg. Vorschriften zur Herst. eines aus mehreren Bestandteilen in bestimmten Mischungsverhältnissen zusammenzusetzenden Produkts. Die „Dtsch. Rezept-Formeln" (DRF) u. das „Neue Rezept-Formularium" des *Deutschen Arzneimittel-Codex stellen Sammlungen solcher Rezepturen dar. – ***E*** prescription, recipe – ***F*** ordonnance (med.), recette – ***I*** ricetta – ***S*** receta

Lit.: [1]VO über verschreibungspflichtige Arzneimittel vom 30.08.1990 (BGBl. I, S. 1866), wird mehrmals pro Jahr geändert. [2]VO über die automatische Verschreibungspflicht vom 26.6.1978 (BGBl. I, S. 917), wird mehrmals pro Jahr geändert. *allg.:* Dtsch. Apoth. Ztg. **130**, 970–979 (1990) ▪ Lambeck u. Ochsenfarth, Das 1×1 des Rezeptierens, Stuttgart: Thieme 1985 ▪ s. a. Arzneimittel, Pharmazeutische Chemie u. Pharmazie.

Rezeptoren (von latein.: receptor = Empfänger). In Biologie u. Medizin versteht man unter R. *physiolog.* **Sensoren*, d. h. bestimmte Empfangsorganellen (Makromol. od. *Zellen) für spezif. physiolog. *Signale (*Reize). Nach der Art des ankommenden Signals unterscheidet man *Thermo-R.* (Wärme u. Kälte), **Photorezeptoren* (Lichtreiz), **Mechanorezeptoren* (Berührung, Schall) u. die große Gruppe der **Chemorezeptoren* (chem. Signale durch Konz.-Änderung bestimmter Stoffe). Der Begriff des R. ist von grundlegender Bedeutung in der *Sinnesphysiologie (Sinnes-R.), *Endokrinologie (*Hormon-R.), *Neurochemie (R. für *Neurotransmitter), *Immunologie (R. für Antigene, Antikörper, Mediatoren usw., s. Immunsystem), *Pharmakologie (Arzneimittel-R.) u. bei allen biolog. Vorgängen, die eine Wechselwirkung der Zelle mit ihrer Umwelt verlangen wie *Chemotaxis, *Phototaxis, *Chemotropismus, Erkennung von *Pheromonen u. viele andere – der Umfang der Thematik erlaubt in diesem Werk keine vollständige Darstellung.
Sinnesphysiolog. R.-Begriff: In der Sinnesphysiologie empfangen die *Exterozeptoren* sinnliche Reize, die dem Organismus Informationen über die Beschaffenheit der Umwelt u. die Orientierung im Raum geben. *Interozeptoren* (*Propriozeptoren*) können Informationen über Zustände u. Vorgänge im Inneren des Organismus vermitteln. Einzelne Sinnesvorgänge (*Geruch, *Geschmack, *Sehprozeß) sind in Einzelstichwörtern behandelt. Die für Sinnesreize empfänglichen R. od. *Sensoren* sind an den Sinneszellen der Nervenenden lokalisiert. *Beisp.: Photo-R.* im Auge, Wärme- u. Kältegefühl vermittelnde *Thermo-R.* u. auf Druck, Schall, Schwerkraft reagierende *Mechano-R.*[1] in der Haut u. den Ohren u. *Chemo-R.* für Geruch u. Geschmack in der Zunge u. im Nasen-Rachenraum, sowie zur Erfassung der Konz. z. B. von Sauerstoff u. Kohlendioxid in den Blutgefäßen. Die für die Schmerz-Wahrnehmung zuständigen *Nozizeptoren* der Organe werden erregt durch starke physikal. Reize wie Hitze od. mechan. Einwirkungen od. durch exogene chem. Stoffe (allerdings oft indirekt durch Freisetzung endogener *Mediatoren wie *Bradykinin u. *Histamin).
Mol. R.-Begriff: Die Mehrzahl der R., die auf Mediatoren (Hormone, Gewebshormone, Neurotransmitter, Interleukine) usw. reagieren, hat die Aufgabe der *Informationsübermittlung*. Dabei komplexieren die R., die nach ihrer chem. Natur meist *Glykoproteine u. an der Zelloberfläche in die *Membran eingebettet sind, ihre jeweiligen Bindungspartner (**Liganden*) in komplementären Strukturen ähnlich wie *Enzyme die Substrate. Die Weiterleitung des Signals ins Zellinnere (Signaltransduktion, Näheres s. dort) erfolgt prim. durch eine Konformationsänderung des R.-Makromol., die auch auf der Membran-Innenseite erkennbar u. durch geeignete mol. Syst. (*G-Proteine, *Ionenkanäle, Enzyme, *second messengers, *Transkriptionsfaktoren) verstärkt u. in Stoffwechselaktivität usw. umgesetzt wird. Beisp. sind die R. für *Acetylcholin, die *Adrenozeptoren, *Dopamin-Rezeptor, *GABA-Rezeptor, *Glutamat-Rezeptoren u. andere. Etliche R. für *Wachstumsfaktoren (z. B. *epidermaler Wachstumsfaktor, *Insulin) besitzen *Protein-Kinase-Aktivität in Anwesenheit ihrer Liganden (*Rezeptor-Tyrosin-Kinasen*, RTK). Die an G-Proteine gekoppelten R.[2] besitzen das gemeinsame Strukturmerkmal der 7 Transmembran-Helices.
R. für *Steroidhormone, Secosteroide (s. Calciferole), *Retinoide u. *Thyroid-Hormone sind nicht in der Zellmembran, sondern als lösl. Proteine im Zellinneren beheimatet u. stellen Liganden-abhängige Transkriptionsfaktoren dar (s. Kernrezeptoren): Die R.-Hormon-Komplexe binden im Zellkern an spezif. *Desoxyribonucleinsäure-Sequenzen u. induzieren die Synth. bestimmter Messenger-*Ribonucleinsäuren u. damit auch bestimmter Proteine.
Einige Membran-R. dienen v. a. der Entfernung u. Neutralisierung gefährlicher Substanzen (z. B. Scavenger-R. für oxidierte *Lipoproteine) od. der Aufnahme für den Stoffwechsel benötigter Stoffe (z. B. R. für *Transferrin). Ein solcher *Stofftransport* ins Zellinnere geschieht durch Komplex-Bildung der fraglichen Liganden mit dem R., durch Aggregation der R.-Liganden-Komplexe an gewissen Membranbereichen u. durch *Endocytose (*R.-vermittelte Endocytose*). Endocytose von R. geht auch ihrem Abbau voraus. Auch für den Import in Mitochondrien bestimmte Proteine binden an diese Organellen mittels R.; der Transportmechanismus ist noch nicht in allen Einzelheiten geklärt. Glykoproteine, die *Viren binden u. Voraussetzung für deren Infektiosität sind, werden ebenfalls zu den R. gerechnet. Mol., die ganze Zellen binden, werden meist als *Zell-Adhäsionsmoleküle, zuweilen jedoch auch (v. a. in der Immunologie, s. Homing-Rezeptoren) als R. bezeichnet.
Natürliche od. exogene Liganden eines jeweiligen R., die die physiolog. Antwort der Zelle auslösen, werden auch als *Agonisten*, solche, die dies nicht tun, sondern die Auslösung dieser Antwort verhindern, als *Antagonisten* (bisweilen auch: *R.-Blocker*) bezeichnet. Durch

zusätzliche Liganden (*Modulatoren*) kann die Wirkung eines Agonisten od. Antagonisten beeinflußt werden. Regulation der R.-Aktivität, z.B. bei der *Adaptation* (Anpassung an andauernde Reizzustände) kann auch durch *Phosphorylierung/Dephosphorylierung bewirkt werden. Dabei sind R.-Kinasen u. *Arrestine beteiligt[3]. Zu Proteinase-aktivierten R. s. Proteasen u. *Lit.*[4]. Liganden werden u.a. zur pharmakolog. Typisierung von R. benutzt. Die Lokalisierung von R. in Geweben kann mit Hilfe radioaktiv markierter Liganden erfolgen, die Isolierung u. Reinigung mit *Affinitätschromatographie. Statt der Liganden werden auch von diesen abgeleitete antiidiotyp. *Antikörper in der R.-Forschung verwendet.
Die Untersuchung von Aufbau u. Funktion von R. erlaubt Einblicke in die Pharmakodynamik u. a. Mechanismen der Pharmakologie u. Toxikologie. Dies ist von Nutzen bei der Entwicklung neuer Pharmaka[5] (*drug design*, evtl. durch Computer-unterstütztes Modellieren der R.-Ligand-Wechselwirkungen), bei der Arteriosklerose-Prophylaxe (Lipoprotein-R., hierfür Medizin-Nobelpreis 1985 an M. S. *Brown u. *Goldstein), bei der Behandlung mit R.-Blockern, bei der Besetzung von Opiat-R. in der Therapie schwerer Schmerzzustände, bei der Behandlung von Angstzuständen („Angst-R.") mit Tranquilizern, bei der Bestimmung von Estrogen-R. in der Brustkrebs-Diagnostik usw.
Geschichte: Das R.-Konzept wurde schon um die Jh.-Wende von P. *Ehrlich im Zusammenhang mit Untersuchungen zur Immunologie entwickelt. In den 70er Jahren wurden bei der Suche nach Opiat.-R. im Gehirn die Endorphine u. Enkephaline entdeckt. – ***E*** receptors – ***F*** récepteurs – ***I*** recettori, ricettori – ***S*** receptores

Lit.: [1]Annu. Rev. Neurosci. **20**, 567–594 (1997). [2]Annu. Rev. Neurosci. **20**, 399–427 (1997); *World Wide Web:* http://www.sander.embl-heidelberg.de/7tm/. [3]Annu. Rev. Pharmacol. Toxicol. **38**, 289–319 (1998). [4]Brit. J. Haematol. **101**, 1–9 (1998). [5]J. Receptor Signal Transd. Res. **17**, 671–776 (1997).
allg.: Adv. Drug Deliv. Rev. **29**, 197–213 (1998) ▪ Ariano, Receptor Localization Laboratory Methods and Procedures, Chichester: Wiley 1998 ▪ Jans, The Mobile Receptor Hypothesis. The Role of Membrane Receptor Lateral Movement in Signal Transduction, Berlin: Springer 1997 ▪ Morel, Visualization of Receptors: Methods in Light and Electron Microscopy, Boca Raton: CRC Press 1997 ▪ Nederkoorn et al., Signal Transduction by G Protein-Coupled Receptors, Berlin: Springer 1997 ▪ Raffa u. Porreca, Antisense Strategies for the Study of Receptor Mechanisms, Berlin: Springer 1996 ▪ Sealfon, Receptor Molecular Biology, San Diego: Academic Press 1995 ▪ Shaw, Receptor Dynamics in Neural Development, Boca Raton: CRC Press 1996 ▪ Trends Pharmacol. Sci. **1998**, Receptor & Ion Channel Nomenclature Supplement. – *Zeitschriften:* Receptor, Totowa: Humana Press (seit 1990) ▪ Receptors and Channels, Newark: Harwood Academic Publishers (seit 1993).

α-Rezeptoren, β-Rezeptoren bzw. **Alpha-Rezeptoren, Beta-Rezeptoren** s. Adrenozeptoren.

Rezeptorenblocker s. Rezeptoren.

Rezeptor-Tyrosin-Kinasen s. Protein-Kinasen, Rezeptoren.

Rezeptpflichtige Arzneimittel s. Arzneimittel u. Rezept.

Rezeptur. 1. In der **Pharmazie* ist R. die Bez. für die Anfertigung einer Arznei aufgrund eines *Rezepts, oft wird auch der hierfür in der *Apotheke vorgesehene Arbeitsraum „R." genannt. – 2. In der **Chemie* ist R. die Bez. für kurzgefaßte Anleitungen zur Herst. von Produkten u. insoweit bedeutungsgleich mit Rezept. *Experimentierbücher sind oftmals eine Sammlung von Rezept(ur)en. – ***E*** recipe, formulary – ***F*** préparation, formulation – ***I*** 1. ricetta, istruzioni per la preparazione della ricetta, 2. ricetta – ***S*** preparación, formulación

Rezessive Onkogene s. Tumor-Suppressor-Gene.

Reziproke Gitter. Jedem Punktgitter (s. Kristallgeometrie, Kristallstrukturen) kann man eindeutig ein anderes Punktgitter, das r. G. zuordnen. Das r. G. ist ein erstmals von Bravais vorgeschlagenes Hilfsmittel, das eine einfache geometr. Behandlung von Beugungsvorgängen erlaubt. Größen im direkten Raum werden mit einfachen Symbolen (z.B. a, b, c, α, β, γ, V), solche im reziproken Raum mit den entsprechenden gesternten Symbolen angegeben. In einem orthorhomb. r. G. bestehen z.B. folgende Zusammenhänge: $\alpha = \beta = \gamma = \alpha^* = \beta^* = \gamma^* = 90°$; $a \cdot a^* = b \cdot b^* = c \cdot c^* = V \cdot V^* = 1$. Das bedeutet, einer Länge im direkten Raum entspricht der Kehrwert im r. Gitter. Außerdem sind die Richtungen der direkten u. reziproken Zellkanten gleich.

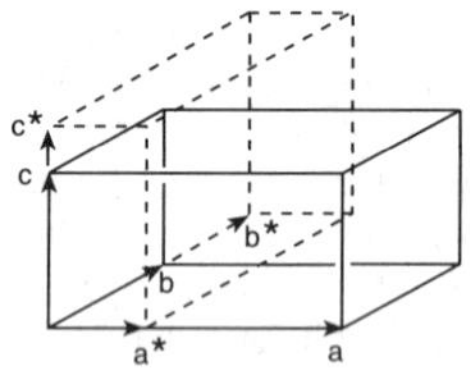

Abb.: Beisp. für eine direkte (durchgezogene Linien) u. eine reziproke (gestrichelte Linien) orthorhomb. Elementarzelle (nach Stout u. Jensen, s. *Lit.*).

Für ein allg., d.h. triklines Gitter sind die Verhältnisse etwas komplizierter. Gitterpunkte in einem r. G. werden durch Angabe eines Tripels $h\ k\ l$ (*Millersche Indizes) eindeutig festgelegt. Die möglichen Symmetrien solcher Gitter sind die 11 *Laue-Symmetrien*. Werden die Gitterpunkte in einem r. G. mit Gew. belegt, die den Intensitäten der zugehörigen Röntgenreflexe entsprechen, spricht man von einem gewichteten r. Gitter. – ***E*** reciprocal lattice – ***F*** réseau réciproque – ***I*** reticolo reciproco – ***S*** red recíproca

Lit.: Stout u. Jensen, X-ray Structure Determination, S. 28, New York: Macmillan Publishing Co., Inc. 1968 ▪ s. a. Kristallographie.

Reziproker piezoelektrischer Effekt s. Piezoelektrizität.

Reziproke Salzpaare s. Salze.

Reziprozitätsgesetz s. Bunsen-Roscoe'sches Gesetz u. Photochemie.

Rf. Chem. Symbol für *Rutherfordium, s. Kurtschatovium u. Periodensystem.

R_f. 1. In chem. Formeln benutzt man R_f auch als Symbol für den (C_nF_{2n+1})-Rest, s. perfluorierte Verbindungen; – 2. s. R_f-Wert.

RF. Abk. für Fluoralkane, Releasing Factor (s. Releasing Hormone), Resorcin-Formaldehyd-Harze (DIN 7728-1: 1978-04; s. Phenol-Harze), Radiofrequenz, *Resonanzfrequenz, Resonanz-*Fluoreszenz u. engl.: response factor = (biolog. od. elektron.) Signal-Antwort-Faktor.

RFA s. Röntgenfluoreszenzspektroskopie.

R-Faktoren s. Resistenz.

RFLP s. Desoxyribonucleinsäuren (S. 913).

RFP-Verfahren. Abk. für *R*apid-*F*aß-*P*ulver, s. Gerberei.

R_f-Wert (von *E* *r*etention *f*actor). Bez. für eine die Wanderungsgeschw. einer Substanz charakterisierende Größe bei der *Papier- u. *Dünnschichtchromatographie; sie ist definiert durch das Verhältnis der Wanderungsstrecke einer Substanz zur Wanderungsstrecke der Laufmittelfront (vgl. Abb. 2 bei Dünnschichtchromatographie, S. 1055). – ***E*** R_f value – ***F*** valeur de R_f – ***I*** numero R_f – ***S*** valor R_f

RG. Abk. für *Reaktionsgeschwindigkeit.

RGD-Sequenz s. Integrine.

RG-Säure s. Naphtholsulfonsäuren.

RGT-Regel s. Reaktionsgeschwindigkeit u. van't-Hoff-Regel.

rh. Kurzz. für „Rhesus neg.", s. Rhesusfaktoren.

rH s. Redoxsysteme.

Rh. 1. Chem. Symbol für das Element *Rhodium. – 2. Kurzz. für „Rhesus positiv", s. Rhesusfaktoren.

Rhabarber. Grüne od. rötliche Blattstiele von *Rheum rhabarbarum* L. (syn. *R. undulatum*, Krauser R., Polygonaceae), der in Mittelasien beheimatet ist u. in Mitteleuropa u. Nordamerika angebaut wird. Die in gekochter Form genutzten, nährwertarmen (68 kJ bzw. 16 kcal) Blattstiele enthalten in 100 g eßbarer Substanz durchschnittlich 94,9 g Wasser, 0,5 g Proteine, 0,1 g Fett, 3,8 g Kohlenhydrate, wenig Vitamine u. Spurenelemene, jedoch viel *Äpfelsäure (1,8 g), 0,4 g *Citronensäure u. 0,5 g *Oxalsäure (auch 2,4 g werden angegeben). Der Oxalsäure-Gehalt ist im Herbst u. bei den Blattspreiten am höchsten, daher sind die Blätter zum Verzehr ungeeignet. Der Genuß von wenigen rohen R.-Stielen kann bei Kleinkindern zu Nierenversagen führen, was allerdings auch auf den Anthrachinon-Gehalt der Pflanze zurückgeführt wird. Unreife R.-Blätter enthalten Glyoxylsäure. R. dient zur Gemüse-, Kompott-, Marmelade-, Likör- u. Obstweinzubereitung.
In China seit 5000 Jahren, bei uns seit dem Mittelalter medizin. genutzt werden die unterird., von Stengelanteilen, kleinen Wurzeln u. größtenteils von der Rinde befreiten Teile (Rhei radix) von 4–7jährigen Pflanzen der chines. Arten *R. palmatum* L. s.l., *R. officinale* Baill. od. Hybriden der beiden Arten. Die Wurzelstöcke des R. wirken infolge ihres Gehalts an *Anthraglykosiden (mind. 2,5%, berechnet als *Rhein) in größeren Mengen abführend; als Wirkstoffe wurden die Glucoside von Aloemodin, *Emodin, *Chrysophansäure, *Physcion, Rheïn u. ihrer Iso- u. Heterobianthrone, Sennidine (s. Sennoside) u. Palmidin identifiziert. Kleine Mengen R.-Wurzel können infolge ihres Gehalts an Gerbstoffglykosiden wie 1-*O*-Galloylglucose (Glucogallin) u. a. Phenolcarbonsäure- sowie Catechin-Derivaten stopfend wirken. Einen ausführlichen Überblick über die R.-Inhaltsstoffe findet man in *Lit.*[1]. Die R.-Arten lassen sich nur chemotaxonom. unterscheiden. Verfälschungen der Droge mit *R. rhaponticum* geben sich durch die blaue Fluoreszenz des Phytoestrogens *Rhaponticin* [= Rhaponticosid; 4'-Methoxy-3,3',5-stilbentriol-3-β-D-glucopyranosid,

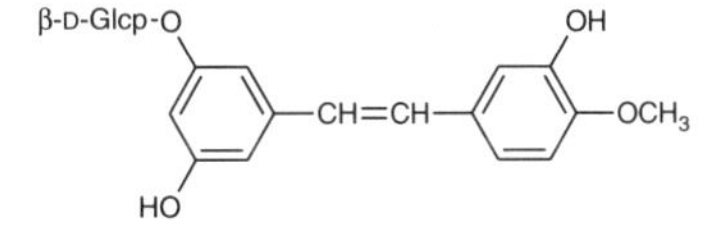

β-D-Glcp-O, OH, CH=CH, OCH3, HO

$C_{21}H_{24}O_9$, M_R 420,40, Schmp. 236–237 °C (Zers.), $[\alpha]_D^{32}$ –59,5° (Aceton) s. a. *Lit.*[2]] zu erkennen. – ***E*** rhubarb – ***F*** rhubarbe – ***I*** rabarbaro – ***S*** ruibarbo

Lit.: [1] Pharm. Unserer Zeit **14**, 40–49 (1985). [2] Arch. Pharm. **303**, 681 (1970); Karrer, Nr. 340.
allg.: Bundesanzeiger 133/21.07.1993 ▪ Franke, Nutzpflanzenkunde (6.), S. 213 f., Stuttgart: Thieme 1997 ▪ Giftliste ▪ Hager (5.) **6**, 411–439 ▪ Pharm. Unserer Zeit **14**, 40–49 (1985) ▪ Ph. Eur. **1997** u. Komm. ▪ Wichtl (3.), S. 492–496. – *[HS 0709 90; CAS 155-58-8 (Rhaponticin)]*

Rhabdit (Schreibersit) s. Meteoriten.

Rhamnazin, Rhamnetin s. Quercetin.

Rhamnose (6-Desoxymannose).

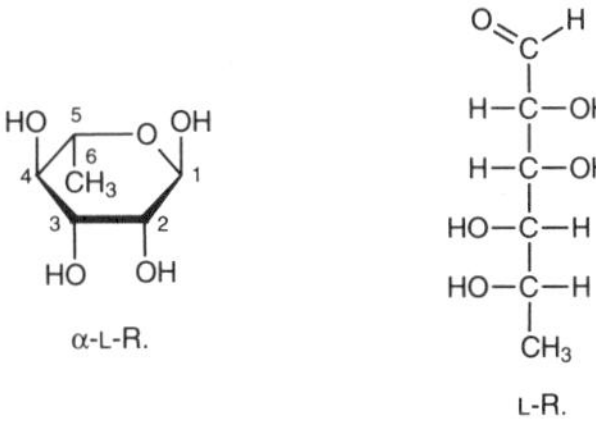

HO 5 O OH, 6 CH3, 4, 1, 3, 2, HO OH
α-L-R.

O=C–H, H–C–OH, H–C–OH, HO–C–H, HO–C–H, CH3
L-R.

$C_6H_{12}O_5$, M_R 164,16. D-R.: (Monohydrat) Schmp. 90–91 °C, $[\alpha]_D^{20}$ –8° (H_2O); ist selten u. kommt in bestimmten Kapselpolysacchariden Gram-neg. Bakterien vor. L-R.: Erst süß, dann bitter schmeckende Kristalle. Die in der linken Abb. dargestellte pyranoide Form stellt α-R. dar, die gewöhnlich als Monohydrat vorliegt, Schmp. 92–94 °C, bei 105 °C (200 Pa) Sublimation, $[\alpha]_D^{20}$ –9 → +8° (H_2O). Die β-Form, Schmp. 122–126 °C, $[\alpha]_D^{20}$ +38 → +9° (H_2O) ist hygroskop. u. geht unter Einwirkung von Luftfeuchtigkeit in die α-Form über (*Mutarotation). L-R. ist die bekannteste 6-Desoxyaldohexose; sie kommt frei im *Giftsumach*, als *Rhamnosid* gebunden in der *Rutinose (Disaccharid) u. in vielen natürlichen Glykosiden vor, so z. B. in Xanthorhamnin, Quercitrin (s. Quercetin), *Strophanthin, *Naringin, Hesperidin (s. Hesperetin) u. verschiedenen *Anthocyanen. L-R. ist auch in der Arabinsäure, dem Hauptbestandteil von *Gummi arabicum, u. als Rhamnogalacturonan im Polysaccharid pflanzlicher Zellwände enthalten. Der Name R. ist von der botan. Bez. für Kreuzdorn-Arten (Rhamnaceae) hergeleitet, die viel L-R. glykosid. an Quercetin u. seine Methylether gebunden enthalten.
Verw.: Für enzymat. u. biochem. Untersuchungen als Nährmedium sowie als Synthesebaustein („chiral

pool“). – ***E*** L-rhamnose – ***F*** L-rhamnose – ***I*** L-ramnosio – ***S*** L-ramnosa

Lit.: Adv. Carbohydr. Chem. Biochem. **42**, 15 (1984) ▪ Beilstein E IV **1**, 4260 ▪ Collins-Ferrier, Monosaccharides, their Chemistry and Roles in Natural Products, S. 47, 206, Chichester: Wiley 1995 (Biosynth., Vork.) ▪ Karrer, Nr. 589 ▪ Merck-Index (12.), Nr. 8338 ▪ Spektrum Wiss. **1985**, Nr. 11, 86–93 ▪ Synthesis **1979**, 951. – *[HS 1702 90, 2940 00; CAS 3615-41-6 (α-L-Form); 634-74-2 (L-Form)]*

Rhaponticin s. Rhabarber.

Rhapsamin.

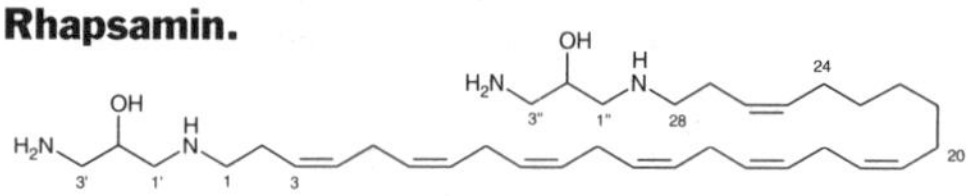

$C_{34}H_{60}N_4O_2$, M_R 556,85, amorpher Feststoff. Cytotox. Inhaltsstoff des antarkt. Schwammes *Leucetta leptorhapis*, ein strukturell ungewöhnliches Polyen mit terminalen 1,3-Diamino-2-propanol-Substituenten. – ***E*** = ***F*** rhapsamine – ***I*** rapsammina – ***S*** rapsamina

Lit.: Tetrahedron Lett. **38**, 7507 (1997).

RH-Beton s. Polymerbeton.

RHEED s. LEED.

Rhefluin® (Rp). Tabl. mit dem *Diuretikum *Amilorid-Hydrochlorid. ***B.:*** Kytta-Siegfried.

Rhein (4,5-Dihydroxyanthrachinon-2-carbonsäure, Cassinsäure, Rhabarbergelb).

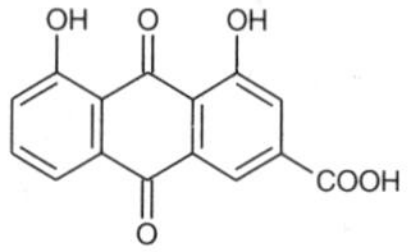

$C_{15}H_8O_6$, M_R 284,21; orange Nadeln, Schmp. 321 °C (Subl.), λ_{max} 431 nm (CH_3OH), in Wasser unlösl., lösl. in Pyridin u. Alkalilösungen. Das Octaketid R. kommt frei, in Form von β-D-Glucosiden u. in dimerer Form (Rheidine u. Sennidine, s. Sennoside) in Wurzeln des *Rhabarbers (*Rheum palmatum*) u. des Sauerampfers sowie in Sennesblättern vor. Neben seinen laxierenden Eigenschaften werden die entzündungshemmenden Wirkungen, insbes. des Rhein-1,8-diacetats, zur Arthritisbehandlung genutzt. Die Biosynth. erfolgt auf dem Polyketid-Weg. – ***E*** rhein – ***F*** rhéine – ***I*** rheina – ***S*** reína

Lit.: J. Pharm. Pharmacol. **35**, 262 (1983) ▪ Karrer, Nr. 1297 ▪ Schweppe, S. 213 ▪ Tetrahedron Lett. **35**, 289 (1994) (Synth.). – *[CAS 478-43-3]*

Rheinau-Mannheim-Verfahren s. Holzverzuckerung.

Rhein Chemie. Kurzbez. für die 1889 gegr. Firma Rhein Chemie Rheinau GmbH, 68219 Mannheim, seit 1971 eine 100%ige Tochterges. der Bayer AG. *Produktion:* Rohstoffe, Hilfs- u. Zusatzmittel für die Kautschuk-, Kunststoff- u. Mineralöl-Ind., z. T. unter den mit *RC-* od. **Rheno...* anlautenden Marken.

Rheinische Olefinwerke s. ROW.

Rhenate. Bez. für die Salze der *Rhenium-Säure. Man unterscheidet R.(IV) mit dem Anion ReO_3^{2-}, R.(VI) mit dem Anion ReO_4^{2-} u. R.(VII) mit dem Anion ReO_4^-; letztere heißen *Perrhenate. – ***E*** rhenates – ***F*** rhénates – ***I*** renati – ***S*** renatos

Rhenium (chem. Symbol Re). Metall. Element, Ordnungszahl 75, Atomgew. 186,207±0,001. Natürliche Isotope sind (Häufigkeit in Klammern): 185 (37,40%), 187 (62,60%; radioaktiv); außerdem kennt man auch Isotope aller anderen Massenzahlen (^{161}Re bis ^{192}Re, wobei Re-Kerne der Massenzahlen 168, 169, 172, 182, 184, 186, 188 u. 190 je zwei Isomere bilden) mit HWZ zwischen 0,01 s (^{161}Re) u. 165 d (^{184m}Re). ^{187}Re ist ein sehr schwacher Betastrahler, der mit einer HWZ von $4{,}2 \cdot 10^{10}$ a zu ^{187}Os zerfällt. Das Verhältnis $^{187}Re/^{187}Os$ bzw. $^{187}Os/^{186}Os$ wird in der *Geochronologie zur *Altersbestimmung von Lagerstätten herangezogen (Faure, *Lit.*). Re gehört zur 7. Nebengruppe des *Periodensystems (Mangan-Gruppe) u. hat die typ. Eigenschaften der Übergangsmetalle: Tendenz zur Komplexbildung, Farbigkeit der Verb., katalyt. Wirkung, Vielfalt der Oxid.-Zahlen (in seinen Verb. nimmt Re alle Oxid.-Stufen von –3 bis +7 an mit Stabilisierung der hohen Stufen). In dieser Hinsicht steht Re dem Mangan sehr nahe, doch ist es viel edler als dieses – nicht selten wird Re wegen seiner elektrochem. Eigenschaften als *Edelmetall eingestuft. Re ist in reinstem Zustand ein glänzendes, Platin-artig aussehendes, kaltduktiles (bei Raumtemp. schmiedbares) Metall, D. 21,03, Schmp. 3186 °C (zweithöchster Schmp. unter den Metallen nach Wolfram), Sdp. 5900 °C. Das durch Red. der *Perrhenate im Wasserstoff-Strom hergestellte u. gesinterte Metallpulver kann die H. 8 erreichen. Massives Re wird oberhalb 600 °C von Luftsauerstoff angegriffen u. zu Re_2O_7 oxidiert; das feuchte Pulver wird schon bei Raumtemp. allmählich unter Bildung von Perrheniumsäure ($HReO_4$) oxidiert. Re widersteht Salzsäure u. Flußsäure; dagegen wird es durch Salpetersäure u. andere oxidierende Säuren zu Perrheniumsäure ($HReO_4$) oxidiert. Beim Schmelzen mit Kaliumhydroxid entsteht unter Luftzutritt *Kaliumperrhenat ($KReO_4$). Re zählt zu den arbeitshygien. unbedenklichen Stoffen.

Nachw.: Geeignete Reagenzien zum Nachw. von Re sind $SnCl_2$ u. NH_4SCN, α-Furildioxim, Dimethylglyoxim u. a. Oxime, ferner Nitron, Diphenylcarbazid, Thioharnstoff u. Tetraphenylarsoniumchlorid [1].

Vork.: Re gehört zu den sehr seltenen Elementen der Erdkruste; sein Anteil an der obersten, 16 km dicken Erdrinde wird auf 10^{-7}% (1 ppb) geschätzt; damit ist Re seltener als *Rhodium u. etwa so häufig wie *Iridium. Durch isomorphen Einbau kann Re im Molybdänglanz bis auf 0,02% angereichert sein. In Spuren ist Re in Columbit, Gadolinit u. einigen Mangan-, Platin- u. Uranerzen enthalten, doch eigentliche Re-Mineralien sind nicht bekannt. Die Jahresproduktion an Re (35 t 1994) wird aus den Röstgasen der Molybdän- bzw. Kupfer-Röstung bestritten. Die Re-reichsten Lagerstätten (Cu-Erz mit Mo-Gehalten) befinden sich entlang des westlichen Küstenstreifens des amerikan. Kontinents; sie bilden ca. 85% der Weltreserven. Die mit heutigen Mitteln gewinnbaren Vorräte an Re liegen bei 100 000 t.

Herst.: Beim Röstprozeß setzt sich das in den Erzen befindliche Re zu Rheniumheptoxid (Re_2O_7) um. Diese Verb. subl. u. geht in das Röstgas über, aus dem sie durch intensive Wasserwäsche gewonnen werden kann. Das Re_2O_7 reagiert mit dem Wasser zu Perrheni-

umsäure ($HReO_4$); aus der resultierenden Lsg. läßt sich das Re durch Ionenaustausch od. Flüssig-Flüssig-Extraktion reinigen u. anreichern. Das Recycling von Re aus inaktiven sog. Rheniform-Katalysatoren der Mineralöl-Ind. wird seit Jahren mit Erfolg praktiziert.
Verw.: Hoher Schmp., gute Dehnbarkeit, hervorragende mechan. Festigkeit bei hoher Temp. u. ein relativ hoher spezif. Leitungswiderstand machen Re v.a. für die Herst. von Thermoelementen, Heizwendeln für Massenspektrometer u. verschleißfeste Elektrokontakte geeignet. Als Material für Lampenglühdrähte u. Elektronenröhren verträgt Re besser als Wolfram u. andere hitzebeständige Metalle den Angriff durch Spuren von Wasserdampf. Als Zuschlag zu Wolfram- u. Molybdän-Leg. verbessert es deren mechan. Eigenschaften u. verleiht ihnen Beständigkeit bei hoher Temperatur. Solche Leg. werden für den Bau von Heizelementen u. verschiedenen wichtigen Teilen in der Raumfahrtausrüstung eingesetzt. Eine W-Re-Leg. findet Verw. in rotierenden Röntgenanoden, u. als Leg.-Bestandteil von Superleg. wird Re in Turbinentriebwerken verwendet. Wichtigstes Einsatzgebiet ist in Bimetall-Reformierkatalysatoren zur Herst. von bleifreiem Benzin (Rheniforming®). Metall. Re sowie seine Salze u. Oxide finden außerdem als bes. selektive vergiftungsbeständige Katalysatoren bei der Hydrierung u. Dehydrierung Anwendung.
Geschichte: Re wurde 1925 von *Noddack u. I. Tacke nach einem mühsamen Anreicherungsverf. in Columbit u. Tantalit mit Hilfe von Röntgenspektren nachgewiesen. Im Jahre 1928 isolierten diese Forscher erstmals aus 660 kg norweg. Molybdänglanz 1 g reines Re. Die Atomgew.-Bestimmung erfolgte 1930 durch Hönigschmidt. Der Name weist auf die rhein. Heimat der Entdecker hin. – ***E*** rhenium – ***F*** rhénium – ***I*** = ***S*** renio

Lit.: [1] Fries-Getrost, S. 301.
allg.: Angew. Chem. **100**, 1269–1286 (1988) ▪ Brauer (3.) **3**, 1606–1639 ▪ Faure, Principles of Isotope Geology, New York: Wiley 1977 ▪ Gmelin, Syst.-Nr. 69/70, Tc/Re, 1941 ▪ Helv. Chim. Acta **69**, 1990–2012 (1986) ▪ Kirk-Othmer (4.) **21**, 335–346 ▪ Ullmann (5.) **A 23**, 199–209 ▪ Winnacker-Küchler (4.) **4**, 4f., 543, 554, 559, 561. *[HS 811299, CAS 7440-15-5]*

Rhenium-organische Verbindungen. *Metall-organische Verbindungen der Übergangsmetalle besitzen gewöhnlich Metallzentren in niedrigen Oxidationsstufen. Metall-organ. Verb. der Metalloxide dagegen waren lange Zeit als Kuriositäten angesehen, bis ihr synthet. Potential erkannt wurde. Sie spielen als Katalysatoren od. Katalysatoren-Vorstufen eine herausragende Rolle, wobei bes. R.-o. V., die hauptsächlich in der *Metathese-Reaktion von funktionalisierten Alkenen Verw. finden, zu nennen sind. Methyltrioxorhenium (MTO) zeigt wie andere Alkyl-, Alkenyl- u. Alkinylrheniumtrioxide zusätzlich eine reichhaltige Chemie, wobei seine Rolle als Oxid.- u. Alkenylidenierungs-Katalysator erwähnt werden muß. – ***E*** organorhenium compounds – ***F*** composés organo-Rhénium – ***I*** composti organici di renio – ***S*** compuestos orgánicos de Renio

Lit.: Chem. Rev. **97**, 3197 (1997) ▪ s. a. Metall-organische Verbindungen u. Rhenium.

a: $+2\,H_2O_2$ / $-2\,H_2O$ → MTO; Methyloxobis-(peroxo-O,O')-rhenium
b: MTO als Katalysator, H_2O_2
c: MTO als Katalysator, H_2O_2 / H_3C–COOH
d: MTO als Katalysator, $(H_5C_6)_3P$; $-N_2$; $-(H_5C_6)_3P{=}O$

Abb.: Methyltrioxorhenium (MTO) in der organ. Synth.: a) Bildung des aktiven Oxid.-Katalysators; b) u. c) Beisp. für Oxid.-Reaktionen; d) Alkylidenierung von Aldehyden mit Diazo-Verbindungen.

Rhenium-Verbindungen. Von den Verb. des *Rheniums haben nur wenige eine techn. Bedeutung. Bekannt sind zwar *Rheniumdioxid* [ReO_2 (a), M_R 218,24, grauschwarze Krist., D. 11,4, Schmp. 1000 °C] u. *Rheniumtrioxid* [ReO_3 (b), M_R 234,22, rote Krist., D. 6,9–7,4, bei 400 °C Zers.], doch spielt bei den Oxiden nur das *Rheniumheptoxid* [Re_2O_7 (c), M_R 484,40, gelbe Krist., D. 6,103, Schmp. 297 °C, subl. ab 250 °C] eine Rolle, das beim Erhitzen von Rhenium-Pulver im Sauerstoff-Strom entsteht u. in Wasser leicht lösl. ist unter Bildung von *Perrheniumsäure* ($HReO_4$) bzw. $Re_2O_5(OH)_4$. Von $HReO_4$ leiten sich die wichtigen *Perrhenate [Rhenate(VII)] ab. Bei den Halogeniden sind alle Oxid.-Stufen von +1 (ReI) bis +7 (ReF_7) bekannt; *Beisp.: Rheniumtrichlorid* [$ReCl_3$ (d), M_R 292,56, dunkelrote Krist., Sdp. >550 °C, zeigt eine interessante Struktur als cycl. Trimer Re_3Cl_9 mit drei verbrückenden u. sechs terminalen Chlorid-Liganden u. drei Re,Re-Doppelbindungen im Re_3-Dreiring] u. *Rheniumpentachlorid* [$ReCl_5$ (e), M_R 363,47, schwarzbraune Krist., D. 4,0, im Cl_2-Strom od. Vak. unzersetzt destillierbar]. Das *Kaliumsalz* der Zusammensetzung $KReCl_4 \cdot H_2O$ (f) ist von Interesse, weil es das *Octachlorodirhenat-Ion* $[Re_2Cl_8]^{2-}$ mit acht terminalen Chlorid-Liganden enthält. Das zweikernige Anion besteht aus zwei eklipt. angeordneten $ReCl_4$-Quadraten mit einem sehr kurzen Re,Re-Abstand; es wurde 1964 als erstes Beisp. für das Vorliegen einer Metall-Metall-Vierfachbindung beschrieben [1]. *Methylrheniumtrioxid* [CH_3ReO_3 (g)] katalysiert die Oxid. von Olefinen u. Acetylenen mit H_2O_2 u. wurde in jüngster Zeit intensiv untersucht [2]. – ***E*** rhenium compounds – ***F*** composés de rhénium – ***I*** composti di renio – ***S*** compuestos de renio

Lit.: [1] Acc. Chem. Res. **30**, 169ff. (1997). [2] Cotton u. Walton, Multiple Bonds between Metal Atoms, New York: Wiley 1982.
allg.: s. Rhenium. – *[HS 282590; CAS 12036-09-8 (a); 1314-28-9 (b); 1314-68-7 (c); 13569-63-6 (d); 13596-35-5 (e)]*

Rheno... Von latein. Rhenus = Rhein abgeleiteter Wortbestandteil in durch Marken geschützten Handelsnamen der *Rhein Chemie für Kautschuk-, Kunststoff- u. Mineralöl-Additive.

Rhenoblend®. Polymer-Gemische auf der Basis von Polychloropren-, Fluor- od. Acrylnitrilbutadien-*Kautschuk u. PVC sowie Regeneraten aller Art. ***B.:*** Rhein Chemie Rheinau GmbH.

Rhenocure®. Vulkanisationsbeschleuniger (Thiophosphat-, Kombinations- u. diverse Amin- u. Dithiocarbamat-Beschleuniger) sowie Vulkanisiermittel (Dithiodimorpholin, Dithiodicaprolactam, Thiadiazol-Derivate, Diuron, unlösl. Schwefel). ***B.:*** Rhein Chemie Rheinau GmbH.

Rhenofit®. Aktivatoren für Füllstoffe, Treibmittel u. Peroxid-Vernetzungen; Vulkanisationsaktivatoren u. Säureakzeptor für halogenierte Elastomere. Feuchtigkeitsabsorber für *Kautschuk-Mischungen. ***B.:*** Rhein Chemie Rheinau GmbH.

Rhenogran®. Vordispergierte *Kautschuk-Chemikalien, Vulkanisationsbeschleuniger, Alterungsschutzmittel, Metalloxide u.a., Polymer-gebunden. ***B.:*** Rhein Chemie Rheinau GmbH.

Rhenopren®. Verarbeitungswirkstoffe u. Faktisse auf Basis Chlorschwefel-, Schwefel- u. Dicarbonsäure-vernetzten nativen Ölen für die Verbesserung der Entgasung, der Rohstandfestigkeit u. Extrudierbarkeit von *Kautschuk-Mischungen sowie der Oberflächenbeschaffenheit von Kautschuk-Artikeln. ***B.:*** Rhein Chemie Rheinau GmbH.

Rhenosin®. Homogenisatoren u. Konfektionierungsmittel; Verarbeitungswirkstoffe auf Basis von aromat., naphthen. u. bitumösen Kohlenwasserstoffharzen. ***B.:*** Rhein Chemie Rheinau GmbH.

Rheo... Von griech.: rhéos = Fluß, Strom, Strömung, Fließen abgeleitete Vorsilbe; Beisp. s. folgende Stichwörter.

Rheologie. Von *Rheo... abgeleitete Bez. für die *Fließkunde*, d.h. für das Teilgebiet der Physik, das sich mit dem Fließ- u. Deformationsverhalten von Materie insbes. unter Bedingungen befaßt, bei denen das *Hookesche Gesetz der *Elastizität bzw. die Gesetzmäßigkeiten idealviskosen *Fließens von *Newtonschen Flüssigkeiten verlassen werden. Man beobachtet hier das Auftreten od. die Änderung der *Viskosität unter der Einwirkung von Druck-, Zug-, Schub- u. Scherspannungen. Untersuchungsobjekte können Nahrungsmittel, Kosmetika, Kunststoffe, Anstrichmittel, Bohrspülmittel u. dgl. sein, also meist hochviskose *Flüssigkeiten u. plast. Massen, die das Verhalten Nichtnewtonscher Flüssigkeiten (s. dort die schemat. Abb.) zeigen, sowie feste Körper. Man unterscheidet dabei die *Dilatanz, *Rheopexie, *Strukturviskosität, *Thixotropie u. das Verhalten von *Binghamschen Medien u. Cassonschen Stoffen. Die komplexen rheolog. Eigenschaften der Stoffe werden durch stoffspezif. Änderungen ihres inneren Strukturzustandes (z.B. Änderung des Dispersions- od. Orientierungsgrades bei dispersen Stoffsyst., Streckungsgrad von übermol. Strukturen bei hochpolymeren Festkörpern usw.) als Folge der mechan. Beanspruchung hervorgerufen. Das Auftreten solcher – im allg. thermodynam. nicht begünstigter – Zustände ist mit der *Dissipation der mechan. Energie u. häufig mit der Speicherung einer zusätzlichen inneren Energie gekoppelt. Zu rheolog. Phänomenen werden in der Regel reversible od. halbwegs reversible *Zustandsänderungen gerechnet u. die charakterist. *Relaxations-Vorgänge, die bei Verringerung od. beim Aufheben der Beanspruchungen stattfinden. Eine Übersicht über die R. polymerer Flüssigkeiten gibt *Lit.*[1]. Die *Rheometrie*[2] bedient sich zur Bestimmung der **Fließgrenze* u. zur Messung der Viskositäts-/Schergeschw.-Relation spezieller Rotations- od. Kapillar-*Viskosimeter* bzw. (in *Strömungs-Syst.) sog. Prozeßviskosimeter (s. Viskosimetrie u. *Lit.*[3]) od. der sog. *Viskoelastometer* (s. Viskoelastizität). In der Verf.-Technik ist die Kenntnis der Stoff-R. eine Vorbedingung, z.B. beim Fördern, Pumpen, Mischen, Rühren usw., denn dabei können sehr unterschiedliche Schergeschw. auftreten; *Beisp.:* Ein Kunststoff kann beim Pressen, Mischen, Kalandrieren (s. Kalander), *Extrudieren, Spritzgießen od. Spinnen Schergeschw. zwischen 1 s^{-1} u. 10^5 s^{-1} ausgesetzt sein. Ebenso wichtig sind die rheolog. Eigenschaften für Schmierstoffe, Tinten u. Druckfarben, für das Verlauf-Verhalten von Lacken u. für die modernen Meth. des *Umformens – in Stoßwellen werden selbst spröde Metalle plast. u. lassen sich fließend verformen, vgl. a. Plastizität. Die Fließeigenschaften spielen aber nicht nur bei techn. Stoffen eine Rolle, sondern auch bei der *Konsistenz von Kosmetika, Pharmazeutika u. Nahrungsmitteln – man denke z.B. an die Wechselwirkung zwischen Kaubewegung u. *Textur der Lebensmittel od. an die Streichfähigkeit von Butter u. Margarine. Die *Bio-R.* beschäftigt sich mit dem Fließ-Verhalten von Körper-Flüssigkeiten wie Blut u. Synovialflüssigkeit[4]. Bestimmte Flüssigkeiten werden unter der Wirkung eines elektr. Feldes zäh od. sogar steif (Elektro-R.). Ihre techn. Anw. wird in *Lit.*[5] beschrieben.

Der Terminus R. wurde von Bingham u. Crawford in Chemie u. Physik eingeführt; in der Biologie war er schon seit der Jh.-Wende üblich. Die *Bundesanstalt für Materialforschung und -prüfung beschäftigt sich auch mit Fragen der R. u. *Tribologie u. veröffentlicht Dokumentationen hierzu. – ***E*** rheology – ***F*** rhéologie – ***I*** reologia – ***S*** reología

Lit.: [1]Han, Rheology of Polymeric Liquids, in Encyclopedia of Physical Science and Technology, Vol. 14, S. 509–520, New York: Academic Press 1992. [2]Chimia **38**, 35–45, 65–75 (1984); Kunststoffe **75**, 3–10 (1985); Labo **14**, 575–584 (1983). [3]Kunststoffe **75**, 785 (1985). [4]Naturwissenschaften **70**, 602 (1983). [5]Phys. Unserer Zeit **21**, 209 (1990); Science **247**, 1180 (1990).

allg.: Chmiel u. Walitza, On the Rheology of Blood and Synovial Fluids, New York: Wiley 1980 ▪ Encycl. Polym. Sci. Eng. **3** ▪ Greenkorn, Flow Phenomena in Porous Media, New York: Dekker 1983 ▪ Kenndaten für die Verarbeitung thermoplastischer Kunststoffe, Tl. 2: Rheologie, München: Hanser 1982 ▪ Kirk-Othmer (4.) **21**, 347–436 ▪ Shahinpoor, Advances in the Mechanics and the Flow of Granular Materials (2 Bd.), Clausthal: TransTech Publ. 1983 ▪ Snell-Hilton **3**, 408–463 ▪ Ullmann **1**, 67–85; (4.) **1**, 115–118; **5**, 755–778; (5.) **A 5**, 305–311 ▪ Winnacker-Küchler (3.) **7**, 430ff.; (4.) **1**, 537f.

Rheometrie s. Rheologie.

Rheopexie. Von *Rheo... u. griech.: pexis = das Befestigen abgeleitete Bez. für die der *Thixotropie entgegengesetzte Erscheinung, d.h. für die Zunahme der

*Viskosität infolge andauernder Einwirkung mechan. Kräfte mit anschließender Wiederabnahme nach Aufhören der Beanspruchung. Bei R. beobachtet man also, daß ein Sol od. eine Suspension (z. B. von Ton od. Gips) unter dem Einfluß einer Bewegung (z. B. rhythm. Schlagen od. Schwingen) zu einer festen Masse (z. B. Gel) erstarrt, jedoch nach Aufhören der Bewegung allmählich wieder flüssig wird. Ein Beisp. für die techn. Ausnutzung der R. ist die Streckhärtung von Metallen auf kaltem Wege. Die R. wird begrifflich oft mit Dilatanz gleichgesetzt (s. das Beisp. dort u. vgl. die Abb. bei Nichtnewtonsche Flüssigkeiten), doch steigt bei letzterer die Viskosität mit zunehmender *Schergeschw.*, bei der R. hingegen bei konstanter Schergeschw. mit zunehmender *Versuchszeit*; bei der R. handelt es sich also gewissermaßen um eine mit Zeitverzögerung einsetzende Dilatanz. – ***E*** rheopexy – ***F*** rhéopexie – ***I*** reopessia – ***S*** reopexia

Lit.: s. Rheologie, Nichtnewtonsche Flüssigkeiten, Viskosität.

Rheotaxis s. Taxis.

Rhesogam® (Rp). Ampullen mit Anti-D-*Immunglobulin vom Menschen zur Prophylaxe der Rh-Sensibilisierung. ***B.:*** Centeon Pharma, Chiron Behring.

Rhesusfaktoren (Rh-Faktoren). Von *Landsteiner u. Wiener 1940 im Serum von Rhesusaffenblut entdecktes *Erythrocyten-Antigen-Syst., das auch z. B. ca. 85% der weißen Bevölkerung u. 100% der Chinesen besitzen, diese sind „Rhesus-pos." [Kurzz.: Rh(+), heute: Rh]. Menschen mit Reaktion „Rhesus-neg." [Kurzz.: Rh(–), heute: rh], d. h. 15% der weißen Bevölkerung, bilden Erythrocyten-agglutinierende *Antikörper unter dem Einfluß von Rh-Blut, z. B. bei *Blut-Transfusionen od. Schwangerschaften von rh-Müttern mit Rh-Embryonen (*Gene vom Rh-Vater), woraus gesundheitliche Schädigungen beim Transfusionsempfänger bzw. beim Kind (Rhesus-Erythroblastose, Morbus haemolyticus neonatorum) resultieren können (*Antigen-Antikörper-Reaktion). Eine Mutter bildet Antikörper jedoch immer erst *nach* der ersten (ausgetragenen od. abgebrochenen) Schwangerschaft; Gefahr besteht also erst für das zweite Kind. In der BRD besteht bei ca. 10% der Neugeborenen die Konstellation Mutter rh/Kind Rh.

Die R. werden durch verschiedene Gene (v. a. *D*, *C*, *E*, *c* u. *e*) determiniert. Antikörper treten in 98% der Fälle gegen das D-*Antigen auf. Dank routinemäßiger Bestimmung der R. ebenso wie anderer *Blutgruppensubstanzen u. infolge prophylakt. Maßnahmen, u. zwar durch die Gabe von Anti-D-*Immunglobulin spätestens 72 h nach jeder Geburt bzw. Fehlgeburt, wodurch eine aktive *Immunisierung der Mutter verhindert wird, sind die Probleme der R.-Unverträglichkeit heute weitgehend unter Kontrolle. – ***E*** rhesus factors – ***F*** facteurs Rh – ***I*** fattori Rhesus, fattori Rh – ***S*** factores Rh

Lit.: Blood Rev. **8**, 199–212 (1994) ▪ Roitt et al., Kurzes Lehrbuch der Immunologie, 3. Aufl., S. 291 ff., Stuttgart: Thieme 1995 ▪ Semin. Hematol. **30**, 193–208 (1993) ▪ Transfusion **34**, 539 ff. (1994).

Rheuma (griech.: rheuma = Fließen, Strömen). Umgangssprachliche Kurzform für *Rheumatismus*, eine veraltete Bez. für akute od. chron. Erkrankungen des Bewegungsapparates (Muskeln, Sehnen, Gelenke), die mit meist reißenden u. ziehenden Schmerzen einhergehen (s. a. rheumatische Erkrankungen). – ***E*** rheumatism – ***F*** rhumatisme – ***I*** = ***S*** reumatismo

Rheumafaktoren (rheumat. Faktoren, rheumatoide Faktoren). *Immunglobuline, vorwiegend der Klasse M (IgM), die mit den Fc-Segmenten von menschlichen Immunglobulinen der Klasse G (IgG) reagieren. R. kommen häufig im Blut von Menschen mit *rheumatoider Arthritis vor. Das Fehlen von R. schließt eine solche Erkrankung nicht aus. Als Bestimmungsverf. kommen Agglutinationsmeth. (Waaler-Rose-Test, Latex-Test), ggf. auch Radioimmunoassay, Enzymimmunoassay u. Laser-Nephelometrie zur Anwendung. – ***E*** rheumatoid factors – ***F*** facteurs rhumatoïdes – ***I*** fattori reumatoidi – ***S*** factores reumatoides (reumáticos)

Lit.: Greiling u. Gressner, Lehrbuch der Klinischen Chemie u. Pathobiochemie, S. 1119–1122, Stuttgart: Schattauer 1995.

Rheumapflaster s. Pflaster u. ABC-Pflaster®.

Rheumatests. Sammelbez. für verschiedene serolog. Verf. zur Diagnostik *rheumatischer Erkrankungen. Dazu gehören zum einen Meth. zum Nachw. von *Rheumafaktoren. Bei diesen Agglutinationstests werden mit *Antikörpern beladene Schaf-*Erythrocyten (*Waaler-Rose-Test*) bzw. Latex-Partikel (*Latex-Test*) mit Patientenserum unterschiedlicher Verdünnung inkubiert. Vorhandene Rheumafaktoren reagieren mit den gebundenen Antikörpern u. führen zur *Agglutination. Zum anderen zählt man zu den R. auch Tests zum Nachw. einer Streptokokkeninfektion (Antistreptolysintiter-Bestimmung) bei *rheumatischem Fieber. – ***E*** rheumatism tests – ***F*** tests du rhumatisme – ***I*** reumatest – ***S*** pruebas del reumatismo

Lit.: Greiling u. Gressner, Lehrbuch der Klinischen Chemie u. Pathobiochemie, S. 1119–1122, Stuttgart: Schattauer 1995 ▪ Thomas, Labor u. Diagnose, Marburg: Medizin. Verlagsges. 1995.

Rheumatische Erkrankungen. Oberbegriff für verschiedene entzündliche Erkrankungen des Binde- u. Stützgewebes v. a. des Bewegungsapparates, aber auch innerer Organe (Herz, Blutgefäße, Lunge, Darm, Zentralnervensyst.) u. der Haut. Die Krankheitserscheinungen sind, je nach befallenem Organsyst., ganz unterschiedlich. So führt z. B. die chron. Polyarthritis (*rheumatoide Arthritis) zu Entzündungen u. Deformierungen der Gelenke; andere, vorwiegend die Gefäße befallende Krankheiten, führen zu Funktionsstörungen der Nieren od. auch des Zentralnervensyst. (z. B. Panarteriitis nodosa). Wieder andere zeigen Hautsymptome (z. B. Lupus erythematodes) od. Entzündungen des Herzmuskels u. der Skelettmuskulatur. Gemeinsam sind den r. E. entzündliche Reaktionen, die z. T. auf Autoimmunprozesse (s. a. Autoimmunerkrankungen) zurückgeführt werden. Mit der Erforschung der Ursachen, Pathophysiologie u. Behandlungsmöglichkeiten von r. E. befaßt sich ein bes. Teilgebiet der Medizin, die *Rheumatologie*. – ***E*** rheumatic diseases – ***F*** maladies rheumatiques – ***I*** malattie reumatiche – ***S*** enfermedades reumáticas

Rheumatisches Fieber (Streptokokken-Rheumatismus). *Rheumatische Erkrankung, die als Nachkrankheit infolge einer Infektion mit β-hämolysierenden *Streptokokken der Gruppe A auftritt. Dabei liegt zwischen der Streptokokken-Infektion, meist einer Angina, u. dem Auftreten des r. F. eine Latenzzeit von ca. 2–4 Wochen. Die Krankheit äußert sich u. a. in Fieber, akuten Entzündungen von v. a. großen Gelenken, Herzentzündung u. evtl. zentralnervösen Bewegungsstörungen. Der Verlauf wird von der Ausprägung der Herzentzündung bestimmt, die übrigen Symptome heilen meist folgenlos aus. Dem r. F. liegt eine Immunreaktion gegen Streptokokken zugrunde, die nicht vollständig geklärt ist. Eine Rolle spielen dabei Antikörper gegen Stoffwechselprodukte der Streptokokken (*Streptolysin O, *Streptokinase, *Hyaluronidase, *Desoxyribonuclease B, Nicotinamid-Adenin-Dinucleotidase), die zur Diagnose im Blut nachgewiesen werden können. Bes. Bedeutung hat dabei der Nachw. von Antikörpern gegen Streptolysin O (Anti-Streptolysin O, ASLO). Die Behandlung erfolgt mit *Antiphlogistika (Nicht-Steroiden sowie Steroiden) u. *Penicillin G (zur Beseitigung evtl. noch vorhandener Antigen-produzierender Streptokokken). Zur Verhütung von Neuinfektionen wird eine langjährige vorbeugende Penicillin-Behandlung durchgeführt. Bei Penicillin-Unverträglichkeit kann ersatzweise Erythromycin verabreicht werden. – ***E*** rheumatic fever – ***F*** fièvre rhumatismale – ***I*** febbre reumatica – ***S*** fiebre reumática

Lit.: Gross et al., Lehrbuch der Inneren Medizin, S. 810f., Stuttgart: Schattauer 1996.

Rheumatoide Arthritis (chron. Polyarthritis, PCP = Abk. für prim. chron. Polyarthritis). Entzündliche Erkrankung des Bindegewebes (*rheumatische Erkrankungen) mit bevorzugter Manifestation als Gelenkentzündung. Dabei werden, oft symmetr., v. a. kleine (Finger- u. Zehengelenke) aber auch große Gelenke befallen, was mit Schmerzen, morgendlicher Steifigkeit, Schwellungen, Funktionseinschränkungen u. knotenförmigen Verdickungen unter der Haut (*Rheumaknoten*) einhergeht. Im weiteren Verlauf führt die chron. Entzündung zu Knochendefekten u. Gelenkdeformierungen. Häufig (in 80% der Fälle) finden sich *Antikörper gegen Immunglobuline (**Rheumafaktoren*) im Blutserum. Die Ursache der Erkrankung ist nicht geklärt, bei ihrer Entstehung scheinen Autoimmunprozesse (s. a. Autoimmunerkrankungen) eine wichtige Rolle zu spielen. Die Behandlung der r. A. erfolgt durch physikal., evtl. auch operative Maßnahmen u. medikamentös mit **Antirheumatika* (nichtsteroidale Antiphlogistika, Corticosteroiden u. sog. Basistherapeutika). – ***E*** rheumatoid arthritis – ***F*** polyarthrite chronique rhumatismale – ***I*** artrite reumatoide – ***S*** reumatismo articular crónico

Lit.: Hettenkofer, Rheumatologie, Stuttgart: Thieme 1998.

Rheumatologie s. rheumatische Erkrankungen.

Rh-Faktoren s. Rhesusfaktoren.

Rhinitis s. Schnupfen.

Rhinologika. Heilmittel (von griech.: rhis, rhinos = Nase) gegen Affekte des Nasen- u. Rachenraums (Rhinitiden, d. h. *Schnupfen, Nasenkatarrh), Heuschnupfen usw. Es handelt sich um Präp., die als Wirkstoffe neben ether. Ölen u. Azulenen hauptsächlich *Antihistaminika u. *Sympath(ik)omimetika enthalten. – ***E*** rhinological agents – ***I*** rinologici – ***S*** rinológica

Rhipidolith s. Chlorite.

Rhizobien, Rhizobium s. Knöllchenbakterien.

Rhizoma. Von griech.: rhízoma = Verwurzelung abgeleitete Bez. der latein. Apotheker u. Drogistensprache für mehrjährige unterird. Sprosse od. Stengelteile, die meist waagerecht weiterwachsen u. nur kleine, bräunliche Blattschuppen (keine Laubblätter) tragen. Es werden als *Drogen – neben den unter *Radix erfaßten echten Wurzeln – u. a. verwendet. *Beisp.:* Rh. Calami = Kalmuswurzel, Rh. Convallariae = Maiglöckchenwurzel, Rh. Zingiberis = Ingwer usw.

Die Wurzelstöcke (botan. Fachbez.: Rhizome) von Ingwer, Curcuma, Galgant u. Kalmus sind auch Rohstoffe für beliebte *Gewürze *(Rhizom-Gewürze)*. – ***E*** rhizoma – ***F*** rhizome – ***I*** = ***S*** rizoma

Lit.: s. Drogen u. pharmazeutische Biologie.

Rhizopoden s. Protozoen.

Rhizoxin.

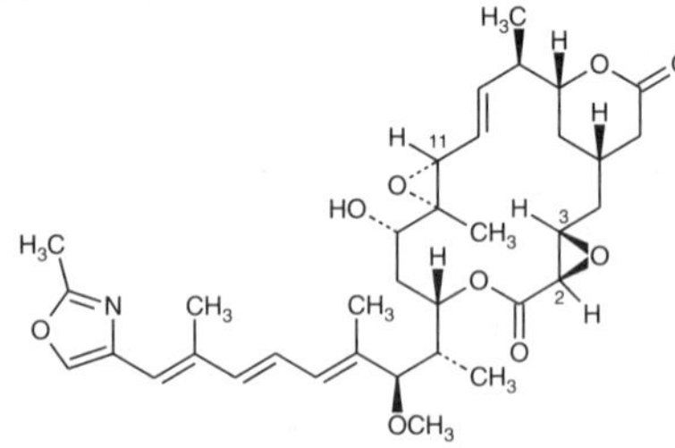

$C_{35}H_{47}NO_9$, M_R 625,76; blaßgelbe Krist., Schmp. 131–135 °C; $[\alpha]_D^{24}$+155° (CH_3OH), lösl. in Methanol, prakt. unlösl. in Wasser. R. ist ein *Makrolid-Antibiotikum aus Kulturen von *Rhizopus chinensis* mit Wirkung in Tiermodellen gegen Leukämie u. Melanome. R. wirkt auch antifung. u. phytotox. auf Reiskeimlinge. Der Wirkmechanismus von R. ist dem von Maytansin (s. Maytansinoide) u. den *Dolastatinen ähnlich. Es ist ein Mitosehemmer, bindet an β-Tubulin u. hemmt die Aggregation des Tubulins zu den Mikrotubuli. – ***E*** rhizoxin – ***F*** rhizoxine – ***I*** = ***S*** rizoxina

Lit.: Biochim. Biophys. Acta **926**, 215–223 (1987) ▪ Cancer Res. **50**, 4277–4280 (1990) ▪ J. Antibiot. (Tokyo) **37**, 354 (1984); **39**, 424, 762 (1986); **40**, 66 (1987) ▪ J. Chem. Soc. Chem. Commun. **1986**, 1701 (Biosynth.) ▪ J. Org. Chem. **57**, 2235–2244 (1992) (Synth., Rev.) ▪ Mol. Gen. Genet. **222**, 53–59, 169–175 (1990) ▪ Tetrahedron Lett. **38**, 6825 (1997). – *[HS 2941 90; CAS 90996-54-6]*

rho s. ρ (vor r).

Rho s. Rho-Proteine.

Rhod... s. Rhod(o)...

Rhodamine. Von *Rhod(o)... abgeleiteter Gruppenname für 3,6-Bis(alkylamino)-9-phenylxanthylium-Verb. (*Xanthen-Farbstoffe), die durch Kondensation von 1 Mol Phthalsäureanhydrid mit 2 Mol eines 3-Aminophenols erhalten werden können. Vom eigent-

R[1]	R[2]	R[3]	R[4]	
H	COOH	H	C_2H_5	**1**
H	$COOC_2H_5$	CH_3	H	**2**
SO_3Na	SO_3	H	C_2H_5	**3**
SO_3Na	SO_3	CH_3	H	**4**

Tab.: Daten zu den Rhodaminen.

Name	Summenformel	M_R	CAS
Rhodamin B (C. I. 45170, Basic Violet 10, **1**)	$C_{28}H_{31}ClN_2O_3$	479,02	81-88-9
Rhodamin 6G, **2**	$C_{28}H_{31}ClN_2O_3$	479,02	989-38-8
Sulforhodamin B (C. I. 45100, Acid Red 52, **3**)	$C_{27}H_{29}N_2NaO_7S_2$	580,67	3520-42-1
Sulforhodamin G (C. I. 45220, Acid Red 50, **4**)	$C_{25}H_{25}N_2NaO_7S_2$	552,60	5873-16-5

lichen R. leiten sich durch Substitution an den Amino-Gruppen u. den aromat. Ringen zahlreiche Derivate ab. Wichtigster Vertreter ist das *R. B* (**1**): Grüne Krist. od. rötlich-violettes Pulver, Schmp. 165 °C, gut lösl. in Wasser unter starker Fluoreszenz, leichtlösl. auch in Alkohol. R. B wird zum Nachw. von Au, Cd, Ga, Sb, Tl, U, W u. als Kosmetik-Farbstoff (außer für Anw. am Auge) verwendet. *R. 6G* (**2**) wird hauptsächlich in der Druckfarben-Ind. verwendet, während *Sulforhodamin B* (**3**) als Kosmetik- u. *Sulforhodamin G* (**4**) als Wollfarbstoff benützt werden.

Die R., von denen einige *Photochromie zeigen, allerdings bei Tieren auch als Carcinogene wirken[1], dienen als Farbstoffe für Laser, zur Herst. von Mikroskopie-Farbstoffen, Leuchtpigmenten, Pigmenten für Druckfarben- u. Schreibtinten (Salze mit Phosphor-Heteropolysäuren), zur Färbung von Papier, Seide, Wolle, Jute, Sisal. Aufgrund der Fluoreszenz zeigen manche rosenrot gefärbten Stoffe in den Falten einen eigenartigen, orangefarbenen Schimmer. – ***E*** **=** ***F*** rhodamines – ***I*** rodammine – ***S*** rodaminas

Lit.: [1] IARC Monogr. **16**, 221–239 (1978).

allg.: Beilstein EV **19/8**, 667 ff. ▪ Blaue Liste, S. 163, 165 ▪ Fries-Getrost, S. 33, 152, 162, 346, 372, 395 ▪ Kirk-Othmer (4.) **6**, 956, 1012; **8**, 847 ▪ Ullmann (5.) **A11**, 281; **A20**, 183.

Rhodan. Histor. Bez. [von *Rhod(o)...] für den Rest –SCN, s. Thiocyanate u. vgl. die folgenden Begriffe.

Rhodanase s. Rhodanese.

Rhodanato... Veraltete Bez. für *Thiocyanato...

Rhodanese (Rhodanase). Histor. Bez. für ein als Antidot einsetzbares Enzym, das heute als *Thiosulfat-Schwefel-Transferase* (EC 2.8.1.1) bezeichnet wird u. *Blausäure u. Cyanide in Ggw. von Thiosulfat od. Kolloidschwefel in *Thiocyanat umwandelt. R. ist bes. in Mitochondrien der Leber enthalten (M_R 35 000–37 000, krist. in Würfeln bzw. rechteckigen Plättchen) u. dient dort sowie in bestimmten Pflanzen wahrscheinlich der Entgiftung. – ***E*** rhodanese – ***F*** rhodanèse, rhodanase – ***I*** rodanesi – ***S*** rodanesa, rodanasa

Lit.: Biochem. Biophys. Res. Commun. **231**, 56–60 (1997). – *[CAS 9026-04-4]*

Rhodanide. Veraltete, von *Rhod(o)... abgeleitete Bez. für *Thiocyanate.

Rhodanin (2-Thioxo-4-thiazolidinon).

$C_3H_3NOS_2$, M_R 133,18. Feines, blaßgelbes Krist.-Pulver. D. 0,868, Schmp. 168° (Zers., kann bei schnellem Erhitzen explodieren), lösl. in Methanol, Ether u. heißem Wasser; LD_{50} (Ratte oral) 320 mg/kg. R. kann aus dem Natrium-Salz der Chloressigsäure mit Ammoniumdithiocarbamat hergestellt werden. R. findet Verw. als Reagenz auf Aldehyde u. Nitroso-Verb. sowie für organ. Synthesen. – ***E*** **=** ***F*** rhodanine – ***I*** **=** ***S*** rodanina

Lit.: Anal. Chem. **47**, 465 (1975) ▪ Beilstein E III/IV **27**, 3188 ▪ Merck-Index (12.), Nr. 8351 ▪ Ullmann (5.) **A9**, 10. – *[HS 2934 10; CAS 141-84-4]*

Rhodano... Veraltete Bez. für *Thiocyanato...

Rhodanwasserstoffsäure s. Thiocyansäure.

Rhodan-Zahl. Von H. P. Kaufmann entwickelte Meth.; ursprünglich zur Bestimmung von Doppelbindungsäquivalenten bei der Keto-Enol-Tautomerie, später auch bei *Fetten und Ölen u. a. ungesätt. Verb.; Dirhodan (Dithiocyanatogen, Dischwefeldicyanid, Thiocyanogen, Disulfandicarbonitril, N≡C–S–S–C≡N), $C_2N_2S_2$, M_R 116,17, Schmp. –2 °C, reagiert dabei energischer als Iod, jedoch milder als Brom. Wegen der geringen Stabilität des Dirhodans hat die Rhodanometrie inzwischen an Bedeutung verloren.

Lit.: Fat. Sci. Technol. **92**, 3 (1990).

Rhodate. Bez. für die Salze der Rhodiumsäuren. Man unterscheidet R.(III) mit den Anionen RhO_2^- od. $Rh_2O_4^{2-}$ u. R.(VI) mit dem Anion RhO_4^{2-}. – ***E*** **=** ***F*** rhodates – ***I*** rodati – ***S*** rodatos

Rhodeftal®. *Polyamidimid-Lsg. zur Herst. von Tränk-, Korrosionsschutz- u. Drahtlacken sowie Formmassen. ***B.:*** Rhône-Poulenc Chimie.

Rhodeose s. Fucose.

Rhodia. 1998 wurde der ehem. Chemie-, Garn- u. Polymer-Sektor des Konzerns *Rhône-Poulenc S. A. in das selbständige Unternehmen Rhodia, 92408 Courbvoie Cedex, mit 6 Geschäftsbereichen (organ. Feinchemikalien, Spezialchemikalien für Verbraucher, Spezialchemikalien für die Ind., Polyamide, Service u. Spezialitäten, Polyester) überführt. *Daten* (1997, ehem. Sektor der Rhône-Poulenc S. A.): 26 000 Beschäftige, 38,1 Mrd. FF Umsatz. *Produktion*: Chemikalien u. Zwischenprodukte für Pharmazeutika, Agrochemie, Lebensmittel, Geruchsstoffe, Kosmetika, Petrochemie, Metallbehandlung, Papier, Farben, Silicone, Gummi, Polyamide, Celluloseacetate, Polyester, Seltenerdmetalle u. Gallium.

Rhodiastab®. Costabilisator, Basis *Diketon, für Ca/Zn- u. Ba/Zn-Stabilisatoren; Anw. bei PVC. ***B.:*** Rhône-Poulenc Chimie.

Rhodinal (3,7-Dimethyl-6-octenal, α-Citronellal).

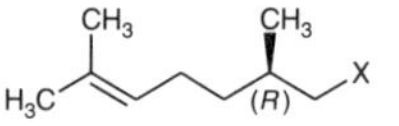

X = CHO : Rhodinal
X = CH_2OH : Rhodinol

$C_{10}H_{18}O$, M_R 154,25, Flüssigkeit, Sdp. 204–205 °C, 90 °C (1,9 kPa), n_D^{20} 1,4477. Bestandteil essentieller Öle mit kräftigem, frisch-krautigem Citrus-Aroma. Die natürliche Enantiomeren-Zusammensetzung ist je nach Herkunft des essentiellen Öls sehr unterschiedlich: z. B. 89% (*S*)-R. im Zitronenschalenöl u. 87% (*R*)-R. im Citronella-Öl. Die Enantiomeren ($[\alpha]_D^{20}$ 13,1°) riechen sehr ähnlich.
R. findet hauptsächlich Verw. als Zwischenprodukt für Riechstoff-Synthesen. R. selbst findet begrenzte Verw. zur Aromatisierung von Seifen u. Waschmitteln. – ***E*** rhodinal

Lit.: Bauer et al. (2.), S. 31 f. ▪ Beilstein E IV **1**, 3515 ▪ Heterocycles **26**, 2469 (1987) ▪ Martindale (30.), S. 1355 ▪ Phytochemistry **25**, 421 (1986) (Biosynth.). – *[CAS 106-23-0, 26489-02-1 (racem.); 2385-77-5 ((R)-R.); 5949-05-3 ((S)-R.)]*

Rhodinierung s. Rhodium.

Rhodinol (3,7-Dimethyl-6-octen-1-ol, α-Citronellol, Jacarol). $C_{10}H_{20}O$, M_R 156,27, D^{20} 0,8549, Sdp. 114–115 °C (1,6 kPa), n_D^{20} 1,4556, $[\alpha]_D^{20}$ 4,7°. Bestandteil vieler essentieller Öle, teilw. als Racemat. (*S*)-R. wird aus Geranienöl od. synthet. gewonnen. Es ist wichtiger Bestandteil floraler Parfüms u. Citrus-Aromen. (*R*)-R. ist ein nach Rosen duftendes Öl u. z. B. Bestandteil des Cymbopogon-Öls, zur Struktur s. Rhodinal. Die β-D-Glucopyranoside von (*R*)- u. (*S*)-R. kommen im Wein (*Vitis vinifera*) vor. – ***E*** rhodinol

Lit.: Bauer et al. (2.), S. 25 f. ▪ Beilstein E IV **1**, 2188 ▪ J. Chem. Soc., Perkin Trans. 1 **1988**, 415 ▪ Justus Liebigs Ann. Chem. **1989**, 415; **1996**, 529 ▪ Merck Index (12.), Nr. 8352 ▪ Org. Synth. **72**, 74 (1995). – *[CAS 106-22-9, 26489-01-0 (racem.); 1117-61-9 ((R)-R.); 7540-51-4 ((S)-R.)]*

Rhodium (chem. Symbol Rh). Metall. Element, *Edelmetall, Ordnungszahl 45, Atomgew. 102,90550. Man kennt keine natürlichen Isotope neben ^{103}Rh, jedoch künstliche (^{94}Rh – ^{116}Rh, wobei alle Isotope außer die der Massenzahlen 109, 111, 113 u. 115 je zwei Isomere bilden) mit HWZ zwischen 0,7 s (^{116}Rh) u. 3,3 a (^{101}Rh), die z. T. in verbrauchten Uran-Brennelementen enthalten, aber z. Z. noch nicht gewinnbar sind. Als *Platin-Metall zeigt Rh deren typ. Eigenschaften u. Verwandtschaftsbeziehungen. Weitaus wichtigste Oxid.-Stufe ist +3, außerdem kommen alle Stufen von –1 bis +6 vor. Rh steht in der 9. Gruppe des *Periodensystems zwischen Cobalt u. Iridium, weist aber auch mit seinen waagerechten Nachbarn Ruthenium u. Palladium Ähnlichkeit auf. Reines Rh ist ein silberweißes, zähes, dehnbares u. hämmerbares Metall; es hat die Brinellhärte 100, die Mohs-Härte 6 u. ist somit härter als Gold, Silber u. Platin, aber weicher als Iridium; D. 12,41, Schmp. 1966 °C, Sdp. 3730 °C; im elektr. Lichtbogen destillierbar. Geschmolzenes Rh löst Sauerstoff, der beim Erstarren unter Spratzen wieder abgegeben wird. Rh ist neben Ir das chem. resistenteste Platinmetall. Massives Rh ist in allen Säuren unlösl., dagegen ist es aufschließbar mit $K_2S_2O_7$ sowie in Cyanid-, Alkali- u. Soda-Schmelzen. In feinstverteilter Form (*Rhodiummohr*) ist Rh in HCl/Cl_2 od. Königswasser löslich. Bei 600–700 °C setzt es sich mit Cl_2 zu $RhCl_3$ u. mit O_2 zu Rh_2O_3 um. Rh bildet zahlreiche Koordinationsverb., von denen bes. die organ. Verb. interessante Katalysator-Eigenschaften besitzen (s. Rhodium-Verbindungen). Zum Nachw. u. zur Bestimmung von Rh kommen *N*-Phenyl-1-naphthylamin (*PAN), *Natrium-diethyldithiocarbamat u. *Thionalid in Frage [1], Dithizon [2] u. die Isolierung als Königswasser-unlösl. $RhCl_3$ zur Spurenanalyse s. *Lit.*[3], zu Risiken im Umgang mit Platin-Metallen s. dort.
Vork.: Rh gehört zu den seltensten Elementen u. ist neben Ruthenium das seltenste Platin-Metall. Man schätzt den Anteil des Rh an der obersten, 16 km dicken Erdkruste auf etwa $5 \cdot 10^{-7}$%; damit steht Rh in der Häufigkeitsliste der Elemente zwischen Tellur u. Rhenium (s. a. Platin-Metalle). Man findet elementares Rh (Rh-Minerale sind unbekannt) als Begleitsubstanz mancher Platinerze, z. B. in Mengen von 0,5–4,5% in mexikan. Gold, in Ausnahmefällen bis zu 43%, u. in Iridosmium ca. 1,5%. Hauptfundstellen sind die Kupfer- u. Nickelerze in Südafrika, Kanada (Ontario) u. Sibirien. 1993 wurden 11,7 t Rh produziert.
Herst.: Zusammen mit den anderen Platin-Metallen (s. dort); im Fällungs-Trennungsgang wird das bei deren Oxid. zu Platinaten(IV) 3-wertig bleibende Rh z. B. als Ammoniumchlororhodat(III), $(NH_4)_3RhCl_6$, gefällt u. hieraus durch therm. Zers. als Metall gewonnen. Zur Abtrennung des Rh eignen sich auch die mehr od. weniger schwer lösl. Verb. $K_3[Rh(NH_2)_6]$ u. $[RhCl(NH_3)_5]Cl_2$; zur Herst. von reinem Rh-Metall u. Rh-Verb. im Labor s. *Lit.*[4].
Verw.: Ein großer Bedarf besteht v. a. bei Pt/Rh-Katalysatornetzen, die für die Ammoniak-Oxid. (90% Pt/10% Rh, s. Salpetersäure-Herst.) verwendet werden, sowie bei Pt/Rt-Rh-*Thermoelementen. Außerordentlich wird die zukünftige Bedeutung von Rh-organ. Verb. als Katalysatoren (s. Rhodium-Verbindungen) eingeschätzt; so wurden 1993 90% des Rh-Jahresbedarfs für die Herst. von Autoabgaskatalysatoren verwendet. Andere Anw.-Gebiete für Rh sind die Photographie, Rh/Kohle-Katalysatoren, Leg. für die Glas-Ind., Tiegel u. Heizwicklungen aus Rh für höchste Beanspruchungen, galvanotechn. Beschichtungen (*Rhodinierung*). Derart erzeugte Überzüge haben gegenüber galvan. aufgebrachten Schichten anderer Platin-Metalle den Vorzug großer Härte, chem. Beständigkeit u. hohen Reflexionsvermögens. Weitere Anw.-Bereiche liegen bei elektr. Kontakten, Spiegeln u. a. Reflektoren u. auf dekorativem Gebiet (Brillen, Uhrgehäuse, Schmuck; Weißgold wird meist rhodiniert). Für dickere Rh-Schichten (10–20 µm) in der Elektro-Ind. bzw. für dekorative Zwecke verwendet man Rh-Sulfat- bzw. Rh-Sulfat/Sulfit-Bäder, Rh-Phosphat-Bäder scheiden bes. helle, brillantweiße Überzüge mit max. 0,5 µm Schichtdicke ab.
Geschichte: R. wurde 1803 gleichzeitig mit Palladium von *Wollaston im Rohplatin entdeckt. Seinen Namen

erhielt es nach der rosenroten Farbe vieler *Rhodium-Verbindungen (von *rhod(o)...). – ***E*** = ***F*** rhodium – ***I*** = ***S*** rodio

Lit.: [1] Fries-Getrost, S. 302 ff. [2] Z. Chem. **22**, 338 f. (1982). [3] Townshend, Encyclopedia of Analytical Science, S. 4461 ff., London: Academic Press 1995. [4] Brauer (3.) **3**, 1737–1746.
allg.: Gmelin, Syst.-Nr. 64, Rh, 1938, Suppl. (2 Bd.), 1982, 1984 ▪ Kirk-Othmer (4.) **19**, 347 ff., 383–388 ▪ Toxicol. Environ. Chem. Rev. **8**, 81–94 (1984) ▪ s. a. Platin-Metalle u. Rhodium-Verbindungen. – *[HS 7110 31, 7110 39; CAS 7440-16-6]*

Rhodium-Verbindungen. a) *Rhodiumtrichlorid*, $RhCl_3$, M_R 209,26, braunrotes Pulver, Schmp. 450 °C (Zers.), unlösl. in Wasser, in Hydrat-Form wasserlösl., dient als Katalysator bei Red., Polymerisationen, Isomerisierungen u. a. Synthesen. – b) *Rhodiumtrioxid*, Rh_2O_3, M_R 253,81, graues Pulver, D. 8,2 bei 1100–1150 °C Zers., unlösl. in Säuren. – c) *Rhodiumtrinitrat*, $Rh(NO_3)_3$, M_R 288,92, rote, zerfließende Kristalle. – d) *Hexadecacarbonylhexarhodium*, $Rh_6(CO)_{16}$, M_R 1065,59, schwarze Krist., zur Herst. von Rh-Carbonyl-Verbindungen.
Organ. R.-V.: Rh neigt zur Bildung von Koordinationsverb., z. B. mit CO, Triphenylphosphin, Tetracyanoethylen, Aminen u. a. Liganden. Derartige Komplexe wie der sog. *Wilkinson-Katalysator* {Chloro-tris(triphenylphosphin)rhodium, $RhCl[P(C_6H_5)_3]_3$ (e), M_R 925,21, rote Krist., Schmp. 157–158 °C, lösl. in Chloroform, Methylenchlorid u. Benzol} lassen sich als Katalysatoren im homogenen Syst. einsetzen, z. B. bei Carbonylierung (Essigsäure-Prozeß der *Monsanto) u. Decarbonylierung, Hydroformylierung (s. a. Oxo-Synthese) u. Oxid.; bei Reaktionen mit CO entstehen wahrscheinlich intermediär organ. R.-V. vom Typ $HRh[(CO)L_3]$ mit L = Ligand. Organ. R.-V. mit chiralen Phosphan-Liganden wurden als Homogenkatalysatoren für *asymmetrische Synthesen [1] durch Hydrierung (z. B. Dopa-Synth. von Monsanto) od. Silylierung eingesetzt. Andere Rh-Komplexe wurden auf ihre Eignung zur Photolyse von Wasser untersucht [2] u. neuerdings werden Rh-Phosphan-Komplexe mit $SO_3^-Na^+$ – Substituenten als wasserlösl. Katalysatoren eingesetzt [3]. – ***E*** rhodium compounds – ***F*** composés de rhodium – ***I*** composti di rodio – ***S*** compuestos de rodio

Lit.: [1] Cornils u. Herrmann, Applied Homogeneous Catalysis with Organometallic Compounds, Weinheim: VCH Verlagsges. 1996. [2] Helv. Chim. Acta **62**, 1345–1384 (1979). [3] Angew. Chem. **107**, 893 f. (1995).
allg.: Acc. Chem. Res. **18**, 301–308 (1985) ▪ Anal. Phys. Inorg. Chem. **2**, 51 ff. (1990) ▪ Chemtracts: Org. Chem. **2**, 33–35 (1989) ▪ Hartley (Hrsg.), Chemistry of the Metal-Carbon Bond, Vol. 4, S. 733–818, Chichester: Wiley 1987 ▪ Hill (Hrsg.), Activation and Functionalization of Alkanes, S. 111–149, New York: Wiley 1989 ▪ Houben-Weyl **13/9 1**, 121–173; **13/9 b**, 285–462 ▪ Pure Appl. Chem. **61**, 795–804 (1989); **62**, 1147–1150 (1990) ▪ Synthetica **2**, 389 f. ▪ Wilkinson-Stone-Abel II **8**, 115–302 ▪ s. a. Rhodium. – *[HS 2843 90; CAS 10049-07-7 (a); 12036-35-0 (b); 10139-58-9 (c); 28407-51-4 (d); 14694-95-2 (e)]*

Rhodizonsäure (5,6-Dihydroxy-5-cyclohexen-1,2,3,4-tetraon).

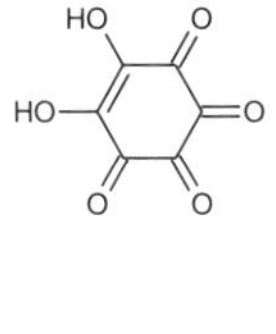

$C_6H_2O_6$, M_R 170,08. Dunkelorange, nadelförmige Krist., lösl. in Alkohol. Das Dihydrat, M_R 206,11 ist farblos bis schwach violett u. zersetzt sich bei 130–140 °C. Die zu den Oxokohlenstoffsäuren gezählte R. bildet ein violettes Na-Salz (*Natriumrhodizonat*, $C_6Na_2O_6$, M_R 214,05, Schmp. >300 °C) das als Titrationsindikator für Barium- u. Sulfat-Ionen u. zum Nachw. von Pb, Sn u. Sr. Verw. findet. – ***E*** rhodizonic acid – ***F*** acide rhodizonique – ***I*** acido rodizonico – ***S*** ácido rodizónico

Lit.: Beilstein E IV **8**, 3609 ▪ Fries-Getrost, S. 46, 325, 334 f. ▪ Merck-Index (12.), Nr. 8818 ▪ s. a. Oxokohlenstoffe – *[HS 2914 49; CAS 118-76-3]*

Rhod(o)... (von griech.: rhodo... = rosen...). Vorsilbe, die auf (rosen)rote Farbe od. Rosenduft hinweist; *Beisp.:* folgende u. vorangehende Stichwörter. – ***E*** = ***F*** rhod(o)... – ***I*** = ***S*** rod(o)...

Rhodochinon (Rhodochinon-10).

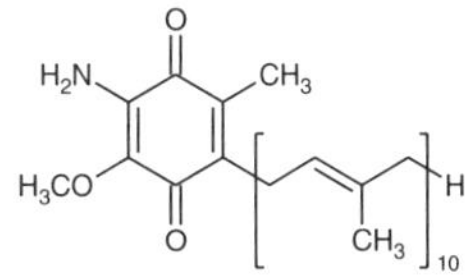

$C_{58}H_{89}NO_3$, M_R 848,36, violette Krist., Schmp. 70–71 °C, lösl. in Aceton, heißem Petrolether. Violetter Farbstoff aus dem phototrophen Bakterium *Rhodospirillum rubrum*. – ***E*** = ***F*** rhodoquinone – ***I*** rodochinone – ***S*** rodoquinona

Lit.: Biochem. J. **117**, 593 (1970) ▪ J. Am. Chem. Soc. **88**, 567 (1966); **90**, 5587, 5593 (1968). – *[CAS 5591-74-2]*

Rhodochrosit [Manganspat; von griech.: rhodochros = rosenfarbig, vgl. Rhod(o)...]. $MnCO_3$; mit *Calcit isotypes (*Isotypie), trigonales, vollkommen spaltbares, glasglänzendes Mineral, Kristallklasse 3m–D_{3d}; Struktur s. *Lit.* [1]. Überwiegend rhomboedr. od. skalenoedr., oft gerundete Krist.; meist aber derb, körnig, dicht u. traubig; auch tropfsteinartig mit feiner bis grobkörniger Bänderung (Argentinien). H. 4–4,5, D. 3,3–3,7. Rosa in verschiedenen Tönungen, himbeerrot (*Himbeerspat*), gelbgrau, bräunlich; meist durchscheinend bis undurchsichtig. Lösl. in warmen Säuren. R. kann bis über 26% FeO, bis zu 20% CaO (s. dazu *Lit.* [2]) u. bis zu 13% MgO enthalten, seltener auch etwas Zink, Cobalt u. Cadmium.
Vork.: In hydrothermalen Erzvork., z. B. Cavnic/Siebenbürgen, Freiberg/Sachsen, Colorado/USA, Peru [3]. In der *Oxidationszone von Mangan-haltigen Eisenerz-Lagerstätten, z. B. Grube Wolf/Siegerland.
Verw.: Lokal als Manganerz. R. von Minas Capillitas/Argentinien zur Herst. von Steinketten, Cabochons (*Edelsteine u. Schmucksteine), polierten Platten u. kunstgewerblichen Gegenständen; R. von Hotazel u. N'Chwaning/Republik Südafrika seit 1971 als klar durchsichtige, tiefrote Edelsteine. – ***E*** = ***F*** rhodochrosite – ***I*** rodocrosite – ***S*** rodocrosita

Lit.: [1] Z. Kristallogr. **156**, 233–243 (1981). [2] Contrib. Mineral. Petrol. **109**, 304 ff. (1992). [3] Mineral. Rec. **28**, Nr. 4 (1997) (Peru-Heft).
allg.: Eppler, Praktische Gemmologie (5.), S. 365 ff., Stuttgart: Rühle-Diebener 1994 ▪ Lapis **4**, Nr. 10 (1979) (R.-Heft) ▪ Schröcke-Weiner, S. 524 f. – *[HS 2602 00; CAS 14476-12-1]*

Rhododendron. Zu den Heidekrautgewächsen (Ericaceae) zählende Pflanzengattung, die 500–1000 Arten (u.a. die Azaleen) u. mehrere tausend natürliche Bastarde u. künstliche Zuchtformen umfaßt, von denen viele beliebte Ziersträucher sind. Die auf sauren Böden in China u. Zentralasien, in den Hochgebirgen Europas u. in Nordamerika heim. Sträucher u. Bäume können sommer- od. immergrün sein, haben wechselständige, ungeteilte Blätter u. glocken- od. trichterförmige, meist als endständige Doldentrauben ausgebildete u. z.T. wohlduftende Blüten. Medizin. genutzt wurden früher die Blätter der Alpenrose u. des Almenrauschs (*Rhododéndron ferrugineum* u. *R. hirsutum*) gegen rheumat. Beschwerden u. die von *R. ponticum* (heim. im Schwarzmeergebiet) als blutdrucksenkendes Mittel (Antihypertonikum). Diese Wirkung geht zurück auf den Gehalt an *Andromedotoxin (Rhodotoxin, Acetylandromedol*; s. Grayanotoxine), ein tox. Diterpen, das auch im Blütennektar enthalten ist, so daß der Genuß größerer Mengen von R.-Honig (*Tollhonig*) zu Vergiftungen führen kann. Derselbe Giftstoff ist auch im Wilden Rosmarin enthalten. – ***E*** **=** ***F*** rhododendron – ***I*** **=** ***S*** rododendro – *[HS 1211 90]*

Rhodolith s. Pyrop.

Rhodommatin s. Ommochrome.

Rhodonit. (Mn,Fe,Ca)[SiO_3] od. $CaMn_4[Si_5O_{15}]$; zu den *Pyroxenoiden gehörendes triklines Mineral, Kristallklasse $\bar{1}$-C_i. Zur Struktur von R., die Fünfer-Ketten aus [SiO_4]-Tetraedern enthält (Abb. s. Pyroxenoide), u. dem in seinen Eigenschaften sehr ähnlichen, bei höheren Drücken u. niedrigeren Temp. als R. stabilen *Pyroxmangit* (Mn,Fe,Ca)[SiO_3] s. *Lit.*[1,2]. R. bildet rote, fleischrote od. rosafarbene, körnige, derbe Massen, die oft von Adern schwarzer Manganoxide durchgesetzt sind, seltener auch prismat. od. tafelige Krist.; H. 5,5–6,5, D. 3,57–3,76, Spaltbarkeit vollkommen; Glasglanz, auf Spaltflächen perlmuttartig.
Vork.: V.a. in metamorphen Mangan-Lagerstätten, z.B. in Mittelschweden u. New Jersey/USA; mehrorts in Peru. R. von Broken Hill/Australien, mehreren Vork. in den USA u. im Ural sowie von Tansania werden zu Schmucksteinen, bes. zu Steinketten, u. zu kunstgewerblichen Gegenständen verarbeitet. *Name* s. Rhod(o).... – ***E*** **=** ***F*** rhodonite – ***I*** rodonite – ***S*** rodonita

Lit.: [1]Carnegie Inst. Washington Year Book 74, Ann. Rept. Dir. Geophys. Lab. **1974/75**, 565–569. [2]Am. Mineral. **73**, 798–808 (1988).
allg.: Anthony et al., Handbook of Mineralogy, Vol. II, Tl. 2, S. 682, Tucson (Arizona): Mineral Data Publishing 1995 ▪ Deer, Howie u. Zussman, Rock-Forming Minerals (2.), Vol. 2A, Single-Chain Silicates, S. 586–599 (R.), 600–613 (Pyroxmangit), London: Longman 1978 ▪ Eppler, Praktische Gemmologie (5.), S. 345f., Stuttgart: Rühle-Diebener 1994 ▪ Gmelin, Syst.-Nr. 56, Mn, C 8, 1982, S. 178–201 ▪ Lapis **13**, Nr. 6, 7–9 (1988) („Steckbrief"). – *[HS 7103 10, 7103 99; CAS 14567-57-8]*

Rhodopas®. Dispersionen u. redispergierbare Pulver auf Basis von *PVAC, -Versatat, -Maleat, Styrol-Butadien, -Acrylat, -Versatat-Acrylat, auch modifiziert, als Zusatz- od. Bindemittel für Streich- u. Anstrichfarben, Lacke, Zement- u. Gips-gebundene Massen, Klebstoffe, textile Anw. usw. ***B.:*** Rhône-Poulenc Chimie.

Rhodoplasten s. Plastiden.

Rhodopsin [Sehpurpur, von *Rhod(o)... u. Opsin]. Ein labiles, tiefrotes *Chromoprotein (M_R ca. 28 600) in den gestapelten, scheibenartigen Membranstrukturen in den Außensegmenten von tier. Sehstäbchen-Zellen, das als **Photorezeptor* für den *Sehprozeß dient. Das *Sehpigment* R. (Absorptionsmaximum bei 500 nm) besteht chem. aus dem Chromophor *Retinal als *prosthetischer Gruppe u. *Opsin als Protein-Komponente. Der 5fach konjugierte Aldehyd Retinal, ein Derivat des *Vitamins A wechselt während des Sehprozesses (Näheres s. dort) zwischen der 11-*cis*- u. der *all-trans*-Form; erstere ist nach Art einer Schiffschen Base an eine ε-Amino-Gruppe eines L-Lysin-Rests im Opsin gebunden, u. zwar an der Innenseite eines aus 7 Membran-durchspannenden α-Helices gebildeten Zylinders. Im photoerregten Zustand wirkt R. auf *Transducin (ein *G-Protein) ein; diese Wechselwirkung dient der Weiterleitung des Lichtsignals (vgl. auch Signaltransduktion). Nach *Phosphorylierung durch eine *Rhodopsin-Kinase* (EC 2.7.1.125) bindet R. das Inhibitor-Protein *Arrestin (*retinales S-Antigen) u. verliert die Fähigkeit zu Transducin-Aktivierung – ein Mechanismus zur Hell-Adaptation. Für eine Form der Retinitis pigmentosa (einer Netzhaut-Degeneration) wurde eine Punktmutation des R. verantwortlich gemacht.
Dem R. ähnlich in Bau u. Funktion sind die Sehpigmente *Cyanopsin, *Iodopsin u. *Porphyropsin. Auch *Melanocyten (Melanophoren) aus Froschhaut besitzen die Fähigkeit, auf Licht zu reagieren, u. enthalten *Melanopsin*, das überraschenderweise dem R. der Wirbellosen näher verwandt ist als dem des Frosches[1]. Weitere verwandte *Retinalproteine* sind die lichtgetriebenen Ionenpumpen *Bakteriorhodopsin u. *Halorhodopsin. Das 7-Helix-Motiv ist etlichen weiteren Membran-Rezeptoren gemeinsam, z.B. dem muscarin. Acetylcholin-Rezeptor (s. Acetylcholin), den *Adrenozeptoren u. den *Dopamin-Rezeptoren. Zu archäalen (archäbakteriellen) sensor. R. s. *Lit.*[2]. – ***E*** rhodopsin – ***F*** rhodopsine, érythropsine – ***I*** **=** ***S*** rodopsina

Lit.: [1]Nature (London) **391**, 632f. (1998). [2]Annu. Rev. Biophys. Biomol. Struct. **26**, 223–258 (1997); Mol. Microbiol. **28**, 1051–1058 (1998).
allg.: Stryer 1996, S. 352–358.

Rhodorsil®. *Silicon-Öle, -ölemulsionen, -harzemulsionen, -pasten, -fette, -harze u. -entschäumer als Trenn-, Schmier-, Hydrophobier- u. Isoliermittel sowie kalt u. warm härtende Elastomere (1- u. 2-Komponenten-Elastomere). ***B.:*** Rhône-Poulenc Chimie.

Rhodotorucine s. Pheromone.

Rhodotorula. Gattung der „Roten Hefen". Imperfekte *Hefen mit durch *Carotinoide rot od. gelb gefärbten Kolonien, bestehend aus runden od. ovalen Zellen (4–10×2–5 μm) mit multilateraler Sprossung, selten Bildung von Pseudo-*Mycel. R. besitzen keine Fähigkeit zur Vergärung von Zuckern, sie leben als *Saprophyten. – ***E*** **=** ***F*** **=** ***S*** rhodotorula – ***I*** rodotorula

Lit.: Schlegel (7.), S. 84–88, 182ff.

Rhodotoxin s. Rhododendron u. Grayanotoxine.

Rhodoxanthin [(*all-E*)-4′,5′-Didehydro-4,5′-*retro*-β,β-carotin-3,3′-dion].

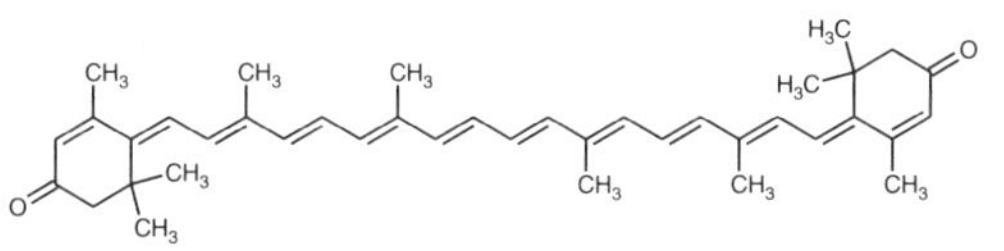

$C_{40}H_{50}O_2$, M_R 562,83, rosettenförmige, blauschwarze Krist., Schmp. 219 °C (Vak.), unlösl. in Petrolether, wenig lösl. in Ethanol, Methanol, lösl. in Pyridin, Chloroform. R. ist eines der wenigen *Carotinoide mit Retro-Struktur. Das als kosmet. Färbemittel u. als Lebensmittelfarbstoff (E 161 f) zugelassene R. (ein *Xanthophyll) ist in der Natur in geringen Konz. weit verbreitet, z. B. in den Samenbechern (Arilli) von Eiben (*Taxus baccata*), in den scharlachroten Federn von *Phoenicurus nigricollis* u. der austral. Pflaumenfußtaube (*Megaloprepia magnifica*), in Samenschalen. – ***E*** rhodoxanthin – ***F*** rhodoxanthine – ***I*** = ***S*** rodoxantina

Lit.: Beilstein E III **7**, 4387 ▪ Helv. Chim. Acta **64**, 1092 – 1097 (1981); **65**, 944 – 967 (1982) ▪ Karrer, Nr. 1855 ▪ Merck-Index (12.), Nr. 8362. – *[CAS 116-30-3]*

Rhodulinrot, -violett s. Safranine.

Rhoeadin-Alkaloide. R.-A. besitzen ein cycl. Acetal- od. Hemiacetal-System. Sie sind durch eine charakterist., von Rot über Braun in Grün umschlagende Färbung mit konz. Schwefelsäure leicht nachzuweisen. R.-A. kommen vorwiegend im Genus *Papaver* der Familie Papaveraceae vor, aber auch in zwei anderen Genera der Papaveraceae, in *Bocconia* u. *Meconopsis*. So ist Alpinigenin (1) in *Papaver alpinum, P. bracteatum, P. fugax* u. *P. orientale*, Oreodin (2) in *P. fugax, P. oreophylum, P. tauricola* u. *P. triniaefolium*, Rhoeadin (3) in verschiedenen *Papaver*-Arten wie *P. rhoeas* u. *P. albiflorum*, aber auch in *Bocconia frutescens* u. *Meconopsis betonicifolia* u. Rhoeagenin (4) in vielen *Papaver*-Arten nachgewiesen worden.

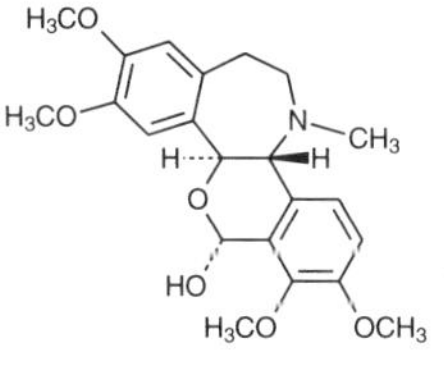

Alpinigenin (1)

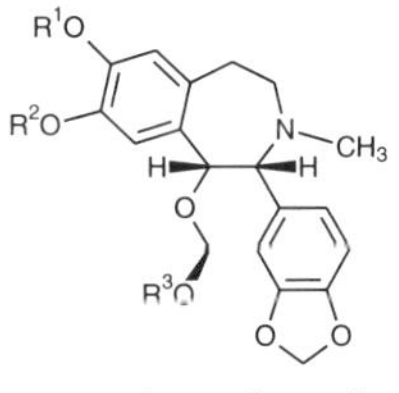

	R^1	R^2	R^3
Oreodin (**2**)	CH_3	CH_3	CH_3
Rhoeadin (**3**)	—CH₂—		CH_3
Rhoeagenin (**4**)	—CH₂—		H

Tab.: Daten von Rhoeadin-Alkaloiden.

Nr.	Summenformel	M_R	Schmp. [°C]	$[\alpha]_D$	CAS
1	$C_{22}H_{27}NO_6$	401,46	193–195	+286° (CH_3OH)	14028-91-2
2	$C_{22}H_{25}NO_6$	399,44	184–186	+224° ($CHCl_3$)	6516-48-9
3	$C_{21}H_{21}NO_6$	383,40	253–254	+228,5° ($CHCl_3$)	2718-25-4
4	$C_{20}H_{19}NO_6$	369,37	236–238	+134° (Pyridin)	5574-77-6

R.-A. sind unlösl. in Wasser, Chloroform, Ether, wenig lösl. in Essigester u. Methylenchlorid. Rhoeadin ist schwach tox. [LD_{50} (Ratte i.p.) 530 mg/kg]. Es bewirkt Pupillenerweiterung. *P. rhoeas*-Extrakte werden als Sedativa u. Expectorantien verwendet, was aber nicht durch Rhoeadin bedingt sein soll. Die R.-A. entstehen aus *Protoberberin-Alkaloiden. – ***E*** rh(o)eadine alkaloids – ***F*** alcalo(des de la rhoéadine – ***I*** alcaloidi della roeadina – ***S*** alcaloides de roeadina

Lit.: Manske **28**, 1 – 93 ▪ Planta Med. **49**, 43 (1983) ▪ R. D. K. (4.), S. 533 f., 909 ▪ Ullmann (5.) **A 1**, 376. – *[HS 2939 90]*

Rhoeagenin s. Rhoeadin-Alkaloide.

Rhombisch. Mit *orthorhombisch gleichbedeutende Bez. für eines der 6 *Kristallsysteme (bzw. der 7 Kristallfamilien), nicht zu verwechseln mit *rhomboedrisch. – ***E*** rhombic – ***F*** rhombique – ***I*** rombico – ***S*** rómbico

Rhomboedrisch. Bestimmte *Kristallklassen des hexagonalen *Kristallsystems können entweder ein primitives hexagonales od. ein primitives r. Gitter bilden, welche durch Transformation ineinander überführbar sind. Das r. Koordinatensyst. weist drei gleiche Achsen auf, die miteinander gleiche, jedoch von 90° verschiedene Winkel einschließen; vgl. dagegen rhombisch. – ***E*** rhombohedral – ***F*** rhomboédrique – ***I*** romboedrico – ***S*** romboédrico

Rhône-Poulenc. Kurzbez. für das französ. Chemieunternehmen Rhône-Poulenc S. A., F-92408 Courbevoie Cedex, das 1928 durch Fusion der Société Chimique des Usines du Rhône (Lyon, gegr. 1895) mit dem Établissement Poulenc Frères (Paris, gegr. 1858) entstand. *Tochter-* u. *Beteiligungsges.:* Rhône-Poulenc Rorer, Pasteur Métieux Connaught, Centeon, Rhône-Poulenc Agro,- Jardin, -Animal, -Nutrition, Merial (50:50 Joint Venture mit *Merck & Co, USA), *Donau Chemie. *Daten* (1997): ca. 68 400 Beschäftigte, 90 Mrd. F Umsatz. *Produktion* (gegliedert nach Unternehmensbereichen): Pharmazeutika (u. a. Herz-Kreislauf, Krebs, Asthma, Hormone, Allergien), Pflanzen- u. Tiergesundheit (Herbizide, Insektizide, Fungizide, Wachstumsregulatoren, Futterzusätze, Parasitenschutz, Tiermedizin, Impfstoffe); Chemikalien u. Spezialchemikalien (s. Rhodia; Diphenole, Vanillin, Aspirin, Phosphate). *Rho...* ist anlautender Namensbestandteil einer Vielzahl von Marken des Unternehmens. *Vertretung* in der BRD: Rhône-Poulenc Rorer GmbH, 50792 Köln.

Rho-Proteine (Rho). Unabhängig von dem bei *Ribonucleinsäuren u. *Transkription erwähnten Rho(ρ)-Protein od. -Faktor u. verschieden von diesem, bezeichnet man mit Rho eine Familie *kleiner GTP-bindender Proteine, die neben den verwandten Proteinen *Rac* u. *CDC42* bei der Regulation des *Cytoskeletts, der Zell-Adhäsion u. -Beweglichkeit (Ausbildung von Fokalkontakten u. Streßfasern), der Zellteilung u. -kontraktion, der Weiterleitung von Signalen von *Wachstumsfaktoren, bei der *Apoptose[1] u. der Regulation des Vesikel-Transports mitwirken. – ***E*** Rho proteins – ***F*** protéines Rho – ***I*** proteine Rho – ***S*** proteínas Rho

Lit.: [1] Immunol. Cell Biol. **76**, 125 – 134 (1998).
allg.: Adv. Cancer Res. **72**, 57 – 107 (1998) ▪ Balch et al., Small GTPases and Their Regulators (Part B: Rho Family), San Diego: Academic Press 1995 ▪ FASEB J. **10**, 625 – 630 (1996) ▪ FEBS Lett. **410**, 68 – 72 (1997) ▪ Immunity **8**, 395 – 401 (1998) ▪ Science **279**, 509 – 514 (1998).

Rhovyl®. Eine seit 1946 hergestellte *PVC-Faser, die z. B. aus einer Lsg. von Schwefelkohlenstoff u. Aceton (40:60) gewonnen u. als vollsynthet. Faser verwendet wird. ***B.:*** Rhône-Poulenc.

Rhozyme®. Sortiment von Hemicellulasen u. *Amylasen zum Abbau von *Stärke. Verw. in der Nahrungsmittel-, Textil-, Papier-Ind., Brauereien, Abwassertechnik. ***B.:*** Rohm & Haas.

Rhus s. Sumach.

Rhusma s. Calciumhydrogensulfid.

rh-Wert s. Redoxsysteme.

Rhyolith (Liparit). Überwiegend helles, dichtes bis feinkörniges, oft durch Einsprenglinge von *Feldspäten (davon 65 bis >90% Sanidin, bis 35% Plagioklas), *Quarz (>20% der hellen Gemengteile) u. – selten – Biotit (*Glimmer) – porphyr. (*Gefüge) saures vulkan. Gestein, *Vulkanit-Äquivalent von *Granit; mit durchschnittlich 73% SiO_2. Die Grundmasse enthält häufig Gesteinsglas u. feinverteilten *Hämatit als rötliches Pigment; verbreitet sind Fließgefüge. Die R. zeigen alle Übergänge von völlig krist. Formen bis zu den glasigen *Obsidianen, *Pechsteinen, *Perliten u. *Bimssteinen; zur Entstehung von R.-*Magma im Größenbereich von 1 km^3 u. seiner Erstarrung zu einem völlig glasigen R. (Glass Mountain/Kalifornien) s. *Lit.*[1].

Vork.: Wegen ihrer hohen Viskosität als meist nur kurze, aber oft sehr dicke, z. T. über mehrere Jahrzehnte aktiv gewesene[2] *Lava-Ströme, die u. a. Stau- u. Quellkuppen (*Vulkane) bilden, u. als *pyroklastische Gesteine (z. B. Aschen, *Tuffe, *Ignimbrite). Für dicke R.-Laven in Idaho/USA wurde die Fließgeschw. auf ~0,6 – 2,5 km/a geschätzt[2]. *Beisp.:* Im Bereich konvergierender Plattenränder (*Erde), z. B. Japan, Westränder von Amerika, Karpathen u. im Mittelmeerraum (u. a. *Liparit* auf der Insel Lipari); hier auch Alkali-R. wie *Pantellerit* u. *Comendit*. Ferner auf Island. Paläozoische (*Erdzeitalter), sek. veränderte R. (z. B. Bozen, Saar-Nahe-Gebiet) werden z. T. noch heute als *Quarzporphyr* bezeichnet.

Verw.: Zur Werksteinen, Bordsteinen, Pflastern, Schotter, Splitt; s. a. Bimsstein, Obsidian, Perlite. – ***E = F*** rhyolite – ***I*** riolite – ***S*** riolita

Lit.: [1] Contrib. Mineral. Petrol. **127**, 205 – 223 (1997). [2] J. Vulcanol. Geotherm. Res. **53**, 27 – 46 (1992).
allg.: Hall, Igneous Petrology (2.), S. 35 – 44, 121, 331 – 374, Harlow (U. K.): Longman 1996 ▪ Wimmenauer, Petrographie der magmatischen u. metamorphen Gesteine, S. 175 – 183, Stuttgart: Enke 1985 ▪ s. a. magmatische Gesteine.

RhZ. Abk. für *Rhodan-Zahl.

RI. Abk. für *Retentionsindex.

RIA. Abk. für *Radioimmunoassay.

Rib. Kurzz. für *Ribose.

Ribavirin.

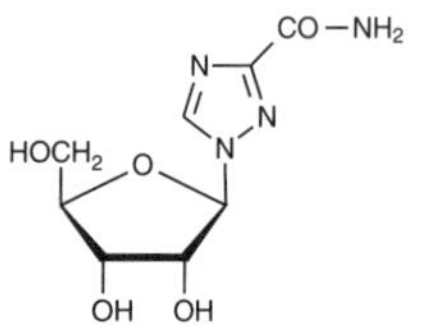

Von der WHO vorgeschlagener Freiname für 1-β-D-Ribofuranosyl-1*H*-1,2,4-triazol-3-carboxamid, $C_8H_{12}N_4O_5$, M_R 244,21, farbloses, wasserlösl. Pulver, dimorph; Schmp. 166 – 168 °C u. 174 – 176 °C, $[\alpha]_D^{25}$ –36,5° (C_2H_5OH), LD_{50} (Maus i.p.) 1,3, (Maus oral) 5,3 g/kg. R. ist ein synthet., *keine* Interferon-Bildung induzierendes Nucleosid mit breitem Wirkungsspektrum als *Virostatikum. Es wurde 1976 u. 1979 von ICN patentiert. – ***E*** ribavirin – ***F*** ribavirine – ***I = S*** ribavirina

Lit.: Martindale (31.), S. 660 f. ▪ Smith u. Kirkpatrick, Ribavirin, New York: Academic Press 1980 ▪ Smith et al., Clinical Applications of Ribavirin, New York: Academic Press 1984. – *[HS 2934 90; CAS 36791-04-5]*

Ribit (Ribitol).

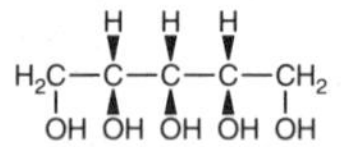

$C_5H_{12}O_5$, M_R 152,15. Farblose wasserlösl. Krist., Schmp. 102 °C, achiraler **meso*-*Pentit [fünfwertiger *Aldit (*Zuckeralkohol)]; alter Name Adonit(ol): Vork. in *Adonis*-Arten (Adonisröschen). *Riboflavin ist ein R.-Derivat. – ***E = F = S*** ribitol – ***I*** ribitolo

Lit.: Beilstein E IV **1**, 2832. – *[CAS 488-81-3]*

ribo-. Kursiv gesetzte Bez. für *Ribose-artige Konfiguration von 3 Stereozentren, Abb. s. Aldopentosen u. Kohlenhydrate. – ***E = F = I = S*** ribo-

Riboflavin.

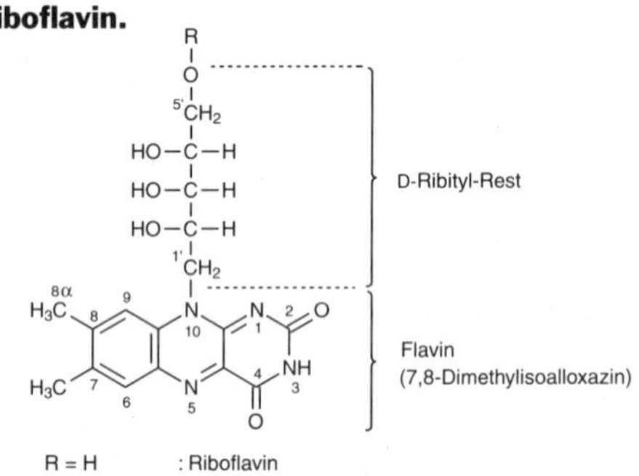

D-Ribityl-Rest

Flavin (7,8-Dimethylisoalloxazin)

R = H : Riboflavin
R = P(O)(OH)₂: Riboflavin-5'-phosphat

Internat. Freiname für das im dtsch. Sprachgebrauch früher bevorzugt *Lactoflavin* genannte *Vitamin B_2, systemat. Name: 7,8-Dimethyl-10-(1-D-ribityl)-benzo[*g*]pteridin-2,4(3*H*,10*H*)-dion. $C_{17}H_{20}N_4O_6$, M_R 376,36. Bitter schmeckende, gelbe bis orangegelbe Krist., Schmp. 275 – 282 °C (Zers.), $[\alpha]_D^{20}$ –115° bis –135° (c 0,5/0,1 M NaOH), λ_{max} (0,1 M HCl) 223, 267 nm ($A_{1cm}^{1\%}$ 760, 854), pK_a 1,9, 10,2, in Wasser sehr wenig lösl. mit gelbgrüner Fluoreszenz, in siedendem Ethanol u. in höheren Alkoholen schwach lösl., in anderen organ. Lsm. dagegen gar nicht; leicht lösl. in Alkalien (unter Zers.). Bei Belichtung des R. in alkal. Lsg. entsteht *Lumiflavin, in neutraler od. saurer Lsg. *Lumichrom. Zur quant. Bestimmung von R. sind Fluoreszenzspektroskopie, HPLC u. Polarographie sowie mikrobiolog. Meth. geeignet. In freier Form kommt R. in der Retina des Auges, im Harn u. in Molke vor. Das R.-Gerüst liegt wichtigen Wasserstoff-übertragenden Coenzymen wie *Flavin-Adenin-Dinucleotid (FAD) u. Flavinmononucleotid (FMN, *Riboflavin-5'-phosphat) zugrunde, woraus sich sein *Vitamin*-Charakter erklärt; Näheres s. bei Vitamin B_2. In einigen

Redoxenzymen (Oxidasen) ist FAD kovalent an Proteine gebunden u. zwar über das 8α-Kohlenstoff-Atom des R. an L-Histidin- od. L-Cystein-Reste. Andere R.-Derivate lassen sich aus Bakterien u. Hefen isolieren. Das aus Fischmehl u. Leberpräp. isolierbare *Lyxoflavin* als Stereoisomeres des R. mit D-*Arabit (*D-Lyxit*) statt D-*Ribit wird dem Viehfutter zur Wachstumsförderung beigemischt. In Pflanzen u. Mikroorganismen wird R. aus Purin-Vorstufen, insbes. aus Guanosin, über Pteridin-Derivate aufgebaut. Chem. Synth. gehen vom 6-Chloruracil aus.

Verw.: Gegen Vitaminmangel, als Lebensmittelfarbstoff in Mayonnaise, Eiscreme, Pudding etc., fermentativ gewonnenes R. als Futtermittelzusatz.

Geschichte: R. wurde 1932 von R. *Kuhn u. *György isoliert u. als Vitamin erkannt; 1934 gelangen gleichzeitig Kuhn u. P. *Karrer die Aufklärung der Konstitution u. die Synthese. – ***E*** riboflavin – ***F*** riboflavine – ***I*** = ***S*** riboflavina

Lit.: ASP ▪ Beilstein EV **26/14**, 334–339 ▪ Florey **19**, 429–476 ▪ Hager (5.), **9**, 510–514 ▪ Martindale (31.), S. 1383f. ▪ Methods Enzymol. **280**, 343–359, 374–407 (1997) ▪ Ph. Eur. **1997** u. Komm. – *[HS 2936 23; CAS 83-88-5 (R.); 146-17-8 (5′-Phosphat)]*

Riboflavin-5′-phosphat (Flavinmononucleotid, FMN). Als freie Säure (Formel s. Riboflavin) $C_{17}H_{21}N_4O_9P$, M_R 456,39. Als Natriumsalz-Dihydrat ($C_{17}H_{20}N_4NaO_9P \cdot 2H_2O$, M_R 514,40) ist R. ein gelbes, fast geschmackfreies Pulver, lösl. in Wasser, unlösl. in organ. Lsm.; lichtgeschützt aufzubewahren. Saure Hydrolyse ergibt *Riboflavin u. Phosphat; in alkal. Lsg. wird die Bindung zwischen D-Ribit u. Flavin (s. Abb. bei Riboflavin) gespalten. Im Organismus wird R. durch Phosphat-Gruppenübertragung von *Adenosin-5′-triphosphat auf Riboflavin synthetisiert u. ist die biosynthet. Vorstufe von *Flavin-Adenin-Dinucleotid (FAD). R. ist in manchen *Flavoenzymen* anstelle von FAD als *prosthetische Gruppe enthalten, z. B. im sog. „gelben Ferment“ O. H. *Warburgs u. *Theorells sowie in *Flavodoxinen u. fungiert ebenso wie dieses als Cofaktor der Wasserstoff-Übertragung. Die erwähnten Flavodoxine können *Ferredoxin-spezif. Aktivitäten ausüben u. dieses z. B. bei der Stickstoff-Fixierung ersetzen; vgl. auch Flavin-Adenin-Dinucleotid.

Verw.: Wie Riboflavin zur Vorbeugung u. Heilung von Vitamin-B_2-Mangelerscheinungen. – ***E*** riboflavin 5′-phosphate – ***F*** riboflavine-5′-phosphate – ***I*** riboflavin-5′-fosfato – ***S*** riboflavina-5′-fosfato

Lit.: Beilstein EV **26/14**, 343ff. ▪ s. Flavin-Adenin-Dinucleotid, Riboflavin. – *[HS 2936 23; CAS 146-17-8]*

Ribofluor® (Rp). Ampullen mit dem *Cytostatikum *Fluorouracil. ***B.:*** ribosepharm.

Ribofolin®. Kapseln u. Ampullen mit dem *Antidot *Calciumfolinat-Pentahydrat bei der Behandlung mit Folsäure-Antagonisten (z. B. *Methotrexat). ***B.:*** ribosepharm.

Ribofuranose s. Ribose.

5-β-D-Ribofuranosyluracil s. Pseudouridin.

Ribonucleasen (RNasen). Zu den *Esterasen (Esterspaltenden *Hydrolasen), u. speziell zu den *Nucleasen gehörende Enzyme, die *Ribonucleinsäuren (RNA) – nicht jedoch *Desoxyribonucleinsäuren – zu Mono- u. Oligonucleotiden mit Phosphat-Gruppen in 3′- od. 5′-Stellung abbauen. Man unterscheidet *Exo-RNasen* (EC 3.1.13, 3.1.14), die Nucleotide von den Enden der RNA abspalten, u. *Endo-RNasen* (EC 3.1.26, 3.1.27), die den RNA-Strang an innenständigen Phosphodiester-Brücken hydrolysieren.

RNase A: Die 1920 von Jones entdeckte u. 1940 aus Rinderpankreas in krist. Form dargestellte RNase I, RNase A od. RNase schlechthin (EC 3.1.27.5) ist eine für Pyrimidinnucleotide spezif., d. h. Cytidin- bzw. Uridin-3′-phosphat abspaltende Endo-Nuclease, M_R 13683. Sie besteht aus einer durch 4 Disulfid-Brücken intramol. vernetzten Kette mit 124 Gliedern aus 17 verschiedenen Aminosäuren. Mittels *Moore-Stein-Analyse u. *Edman-Abbau konnte die Primärstruktur (Aminosäure-Sequenz) der RNase bereits in den 50er Jahren aufgeklärt werden – die RNase war überhaupt das erste Beisp. eines Enzyms, dessen Sequenz vollständig angegeben werden konnte. Auch die Sekundär- u. Tertiärstruktur (vgl. Proteine) der RNase sind durch Kristallstrukturanalyse seit 1967 bekannt. Zum Mechanismus des Faltungsvorgangs bei RNase A s. *Lit.*[1]. Die chem. Synth. der RNase gelang 1969 durch *Festphasen-Technik.

Andere RNasen: Außer der – durch Dicarbonate hemmbaren – Pankreas-RNase gibt es weitere RNasen mit z. T. unterschiedlicher Zusammensetzung u. Spezifität, die aus Mikroorganismen, Pflanzen, Schlangengiften, *Sperma etc. isoliert werden können. So baut z. B. RNase H (EC 3.1.26.4) mit DNA hybridisierte RNA ab (vgl. a. reverse Transcriptase) u. wird als Angriffspunkt für antivirale Agenzien in Betracht gezogen[2]. Bei **Escherichia coli* ist RNase E für den Abbau von RNA verantwortlich[3]. RNase P[4] (EC 3.1.26.5), die an der Synth. von Transfer-RNA aus größeren RNA-Mol. beteiligt ist, besitzt eine katalyt., aus RNA bestehende Untereinheit u. ist somit ein Beisp. eines *Ribozyms. Zur Struktur, Faltung u. Funktion der bakteriellen RNase T_1 (EC 3.1.27.3) s. *Lit.*[5]. Zur Faltung der *Barnase*, einer *Bacillus*-RNase (M_R 17500), s. *Lit.*[6]. Eine RNase ist wahrscheinlich auch am Mechanismus der Selbst-Inkompatibilität (Verhinderung der Befruchtung durch eigenen Pollen) von Blütenpflanzen beteiligt[7].

Verw.: RNasen stellen nützliche Hilfsmittel für die *Sequenzanalyse von RNA dar. Die Bestimmung von RNasen aus Urin od. Serum mit Polycytidylsäure kann über die Nierenfunktion Auskunft geben. – ***E*** ribonucleases – ***F*** ribonucléases – ***I*** ribonucleasi – ***S*** ribonucleasas

Lit.: [1]Folding Design **2**, R1–R11 (1997). [2]Antivir. Chem. Chemother. **8**, 173–185 (1997). [3]Mol. Microbiol. **23**, 1099–1106 (1997). [4]Prog. Nucl. Acid Res. Mol. Biol. **55**, 87–119 (1996). [5]Biol. Chem. **377**, 417–424 (1996); Eur. J. Biochem. **247**, 1–11 (1997); J. Mol. Biol. **266**, 400–423 (1997). [6]FEBS Lett. **325**, 5–16 (1993). [7]Curr. Biol. **4**, 545f. (1994).

allg.: D'Allessio u. Riordan, Ribonucleases. Structures and Functions, San Diego: Academic Press 1997 ▪ FEBS Lett. **404**, 1–5 (1997) ▪ J. Biol. Chem. **268**, 13011–13014 (1993) ▪ Nature Biotechnol. **15**, 529–536 (1997). – *[HS 3507 90]*

Ribonucleinsäuren (RNS; internat. empfohlene, vom Engl. abgeleitete Abk.: RNA). Als Träger lebenswich-

tiger Funktionen sind RNA Bestandteile aller lebenden *Zellen, z. B. im Zellplasma u. im Nucleolus des Zellkerns, in Mitochondrien u. Chloroplasten.
Struktur [1]***:*** RNA sind *Polynucleotide u. bestehen aus Phosphorsäure u. β-D-Ribofuranose (s. D-Ribose), die zusammen das sog. *Rückgrat* (*E* backbone) bilden, sowie den *Nucleobasen Cytosin, Uracil, Adenin u. Guanin (Abb. 1). Chem. u. enzymat. durch *Ribonucleasen sind sie in Mono- od. Oligo-*Ribonucleotide* spaltbar.

Abb. 1: Verknüpfung von Phosphorsäure, β-D-Ribofuranose u. Nucleobasen (Namen angegeben) zu RNA.

Von *Desoxyribonucleinsäuren (DNA) unterscheiden sich RNA durch niedrigeren Polymerisationsgrad (M_R 10^4–10^7), durch den Ersatz des Zuckers *2-Desoxy-D-ribose durch D-*Ribose, der Pyrimidin-Base Thymin (in DNA) durch Uracil (in RNA) u. dadurch, daß sie üblicherweise nicht durchweg doppelsträngig vorliegen – außer in bestimmten *Viren bzw. *Phagen. RNA sind jedoch ebenso zur Ausbildung von *Wasserstoff-Brückenbindungen (Watson-Crick-Basenpaarung) zwischen *komplementären Basen* (Adenin-Uracil u. Guanin-Cytosin) befähigt wie DNA, u. Doppelstrang-Hybride (s. Hybridisierung, 2.) aus RNA u. DNA bilden sich ebenso leicht wie doppelhelikale Bereiche durch Rückfaltung palindromer (selbstkomplementärer) Einzelstrang-RNA. Dadurch entstehen die *Haarnadelschleifen der RNA-Sekundärstruktur, z. B. bei der Kleeblattstruktur, der Transfer-RNA (tRNA, Abb. 2), Pseudoknoten, Bäusche (*E* bulges) u. a. Strukturen. Der Doppelhelix-Anteil liegt in RNA typischerweise bei ca. 50%.
Die „Kleeblattstruktur" ist jedoch eine Folge der Projektion der Sekundärstruktur in die Zeichenebene. Die räumliche Tertiärstruktur der tRNA besitzt L-Form („Lötpistolen"-Form, Abb. 3). Zur Ausbildung der Raumstruktur (Faltung) bei RNA s. *Lit.* [2].
Synth.: Die chem. Synth. von RNA kann analog der DNA-Synth. nach der *Phosphoramidit-Meth.* erfolgen, wobei für die 2′-Hydroxy-Gruppe eine zusätzliche Schutzgruppe erforderlich ist.
Biosynth.: RNA entsteht durch *Polykondensation von *Ribonucleotiden*, deren für *Purin- u. *Pyrimidin-Derivate unterschiedliche Biosynth. bei *Nucleotide behandelt wird. Die Ribonucleotide stellen zugleich die Vorstufen zu den *Desoxyribonucleotiden* (s. Desoxynucleotide) dar, die unter Einwirkung der *Ribonucleotid-Reduktase entstehen u. als Monomere der DNA fungieren. Der wichtigste Prozeß der RNA-Neusynth. ist die *Transkription, bei der DNA als Vorlagen (Matrizen) für die Basensequenz dienen. Das Bakterium **Escherichia coli* benötigt dazu *σ-Faktoren* als

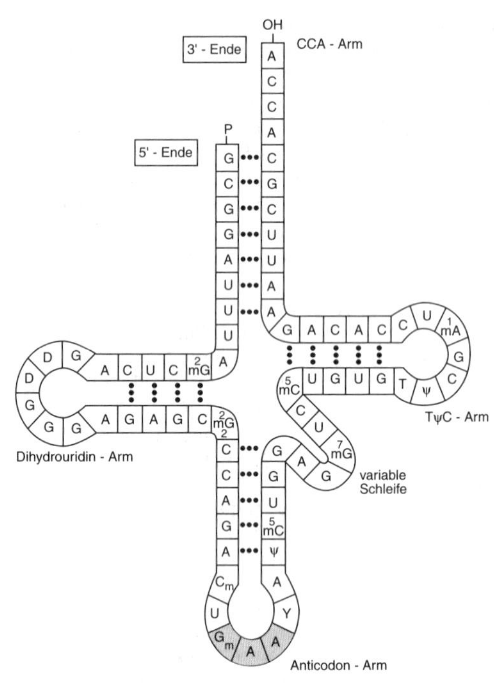

Abb. 2: Sekundärstruktur (Kleeblattstruktur) einer tRNA [$tRNA^{Phe}$ aus Hefe; zu den Kurzz. s. Nucleoside, darüber hinaus: P = Phosphat-Rest, D = 5,6-Dihydrouridin, m^1A = 1-Methyladenosin, m^2G = N^2-Methylguanosin, m_2^2G = N^2-Dimethylguanosin, G_m = $O^{2'}$-Methylguanosin, m^7G = 7-Methylguanosin, C_m = $O^{2'}$-Methylcytosin, m^5C = 5-Methylcytosin, Y = Y-Butosin (stark modifiziertes Guanosin-Derivat); Anticodon-Triplett unterlegt].

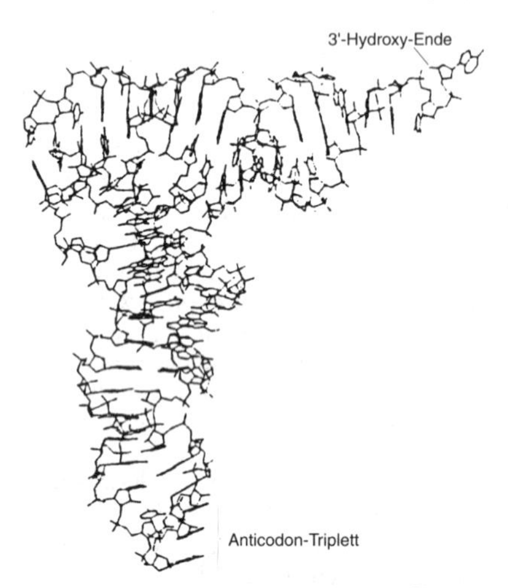

Abb. 3: Tertiärstruktur einer tRNA ($tRNA^{Phe}$ aus Hefe; ohne Wasserstoff-Atome; Koordinaten aus der *Protein Data Bank).

*Initiationsfaktoren u. – zumindest in einigen Fällen – den *ρ-Faktor* (*ρ-Protein*) zur Termination. Die Synth. der RNA an den DNA-Matrizen erfolgt beginnend beim 5′-Ende des neuen Stranges (s. Abb. 1), wobei DNA-abhängige RNA-*Polymerasen Ribonucleosid-5′-triphosphate unter Abspaltung von Diphosphat an die 3′-Hydroxy-Gruppe des letzten Nucleotids der wachsenden Kette knüpfen. Die RNA mancher Viren können in einem *RNA-*Replikation* genannten Vorgang durch RNA-abhängige RNA-Polymerasen gebildet werden.

mRNA-Processing[3]**:** Bei *Eukaryonten entstehen Vorstufen der Messenger-RNA (mRNA, s. unten) bei der Transkription als Prä-mRNA, die durch nachgeschaltete Prozesse modifiziert werden (mRNA-Processing, mRNA-Reifung). So wird z. B. der wachsenden mRNA-Kette zum „Kopfschutz" (sog. Kappe, *E* cap) zunächst 7-Methylguanosin über seine 5′-Position mit einer Triphosphat-α,γ-diester-Brücke an die 5′-Hydroxy-Gruppe des ersten Nucleotids angeheftet. Das Kettenende erhält mit Hilfe einer Poly-A-Polymerase einen „Schwanz" von 150–200 Adeninnucleotiden (*Polyadenylierung*). Dieses *Primärtranskript* – von manchen Autoren hnRNA genannt (von *h*eterogeneous *n*uclear RNA, heterogene Kern-RNA) – ist ca. 20000 Nucleotide lang, weil die *Gene durch nichtcodierende Abschnitte (**Introns*) mehrfach unterbrochen sind. Die für die Übersetzung in Protein benötigten **Exons* (ca. 2000 Nucleotide lang) sowie Kopf- u. Schwanzregion werden „herausgeschnitten" u. neu zusammengefügt. Dieser *Spleißen genannte Vorgang erfolgt unter dem Einfluß kleiner Kern-Ribonucleoproteine (snRNP od. verballhornt: snurps, s. a. Nucleoproteine). Diese stellt man sich zusammengesetzt vor aus mehreren Proteinen, die an eine 100–300 Nucleotide lange *snRNA* (von *s*mall *n*uclear RNA, kleine Kern-RNA) angelagert sind. Aus den Introns können durch Translation Proteine hervorgehen, die als *Maturasen* den Vorgang des Spleißens mit katalysieren. Etliche Prä-mRNA können an verschiedenen Stellen gespleißt werden, so daß unterschiedliche Proteine (z. B. *Calcitonin u. *Calcitonin-Gen-zugehöriges Peptid[4]) aus demselben Gen hervorgehen. Der Transport der mRNA aus dem Kern[5] bzw. Ribosom geschieht in Form von Ribonucleoprotein-Komplexen, die *Informoferen* bzw. *Informosomen* genannt werden. Das Schneiden u. Spleißen von RNA ist auch ohne die Hilfe von Proteinen möglich, da die RNA in bestimmten Fällen selbst wie ein Enzym (*Ribozym) wirkt. In Mitochondrien kommt es zu nachträglichen Sequenzveränderungen der mRNA (*RNA editing*)[6] unter Umgehung des genet. Codes, so gefunden z. B. in Trypanosomen (Erregern der Schlafkrankheit), in Weizen u. in dem Schleimpilz *Physarum polycephalum*. Ähnliche posttranskriptionale Bearbeitung erfahren auch die Vorstufen anderer RNA-Typen.

Biolog. Funktionen: Man unterscheidet RNA nach ihren Funktionen: *Ribosomale RNA*[7] (rRNA), M_R $5 \cdot 10^4 – 10^6$, die bei Eukaryonten im Nucleolus synthetisiert werden, sind neben den ribosomalen Proteinen Bestandteile der Ribosomen (Näheres s. dort) u. als solche an der Biosynth. der *Proteine (*Translation) beteiligt. – *Messenger-* od. *Boten-RNA*[8] (mRNA), M_R $10^5 – 10^7$, besitzen ebenfalls eine wichtige Funktion bei der Protein-Biosynthese. Sie dienen als Überbringer der genet. Information von der DNA zum *Ribosom, wo bei der Translation (Näheres s. dort) jeweils 3 aufeinanderfolgende Nucleobasen (**Codon-Triplett*) als Code für eine Aminosäure interpretiert werden (vgl. genetischer Code). mRNA werden *in vivo* relativ schnell wieder in Nucleotide gespalten. In der Steuerung der Rate ihrer Synth. u. ihres Abbaus besitzt die Zelle eine Möglichkeit zur Regulation der Genexpression. Einer mRNA komplementäre einsträngige RNA od. DNA (*Antisense-Nucleinsäuren) wirkt durch Doppelstrang-Bildung inhibierend auf die Expression des jeweiligen Gens. *In vitro* lassen sich mRNA mit *reverser Transcriptase in doppelsträngige *cDNA übersetzen, die zum *Klonieren (s. a. Gentechnologie) verwendet werden können. – *Transfer-RNA*[9] (tRNA), M_R $2{,}5 – 3{,}0 \cdot 10^4$, die aufgrund ihrer Löslichkeit im Cytoplasma auch *soluble RNA* (sRNA) genannt wurden, enthalten seltene *Nucleoside (s. Abb. 2). Bei der Translation (Näheres s. dort) dienen sie als Transport- u. Adapter-Mol., die – mit Hilfe spezif. *Aminosäure-tRNA-Ligasen am freien 3′-Hydroxy-Ende mit den zu polymerisierenden Aminosäure-Resten verestert – durch Wechselwirkung ihres *Anticodon-Tripletts* mit dem Codon-Triplett der mRNA die korrekte Umsetzung der mRNA-Sequenz in die Aminosäure-Sequenz der Proteine gewährleisten. Zu einer bakteriellen RNA, die sowohl die tRNA als auch als mRNA fungiert, s. *Lit.*[10]. – *Virus-RNA*, die einsträngig od. doppelsträngig vorliegen kann, enthält die genet. Information des Virus. Wegen ihrer Fähigkeiten, insbes. zur Katalyse u. zur Informationsspeicherung, nimmt man heute vielfach an, daß sich RNA bereits vor Proteinen u. DNA als biolog. funktionelle Makromol. entwickelt haben könnten (*RNA-Welt*)[11]. In ihren Funktionen sind die verschiedenen RNA reversibel od. irreversibel hemmbar, z. B. durch Antibiotika wie *Puromycin od. *Streptomycin. Farbstoffe, die durch *Interkalation in die DNA wirken, blockieren die RNA-Synth. (z. B. *Homidiumbromid). – ***E*** ribonucleic acids – ***F*** acides ribonucléiques – ***I*** acidi ribonucleici – ***S*** ácidos ribonucleicos

Lit.: [1] Trends Biochem. Sci. **22**, 262–266 (1997). [2] Annu. Rev. Biophys. Biomol. Struct. **26**, 113–137 (1997); Folding & Design **2**, R55–R70 (1997). [3] Histol. Histopathol. **13**, 585–589 (1998), Lamond, Pre-mRNA Processing, Berlin: Springer 1995. [4] J. Endocrinol. **156**, 401–405 (1998). [5] Semin. Cell Develop. Biol. **8**, 71–78 (1997). [6] RNA **3**, 1105–1123 (1997); Trends Biochem. Sci. **22**, 157–166 (1997). [7] Green u. Schroeder, Ribosomal RNA and Group I Introns, Berlin: Springer 1997. [8] Harford u. Morris, mRNA Metabolism and Post-Translational Gene Regulation, Chichester: Wiley 1997; Jeanteur, Cytoplasmic Fate of Messenger RNA, Berlin: Springer 1997. [9] Söll u. Raj-Bhandary, tRNA Structure, Biosynthesis, and Function, Washington: ASM Press 1995. [10] Trends Biochem. Sci. **23**, 25–29 (1998). [11] J. Mol. Evol. **46**, 1–36 (1998).
allg.: Curr. Opin. Biotechnol. **9**, 59–73 (1998) ▪ Docherty, Gene Transcription. RNA Analysis, Chichester: Wiley 1996 ▪ Farrell, RNA Methodologies. A Laboratory Guide for Isolation and Characterization, 2. Aufl., San Diego: Academic Press 1998 ▪ Harwood, Basic DNA and RNA Protocols, Totowa: Humana Press 1996 ▪ Krieg, A Laboratory Guide to RNA. Isolation, Analysis, and Snythesis, New York: Wiley-Liss 1996 ▪ Nagai u. Mattaj, RNA-Protein Interactions, Oxford: IRL Press 1995 ▪ Simons u. Grunberg-Manago, RNA Structure and Function, Cold Spring Harbor: CSH Laboratory Press 1997. – *Zeitschrift:* RNA, Cambridge University Press (seit 1995). – *[HS 2933 59]*

Ribonucleoproteine s. Nucleoproteine.

Ribonucleoside (Riboside der Nucleobasen). Sammelbez. für *Nucleoside, die als Zuckerkomponente *Ribose enthalten.

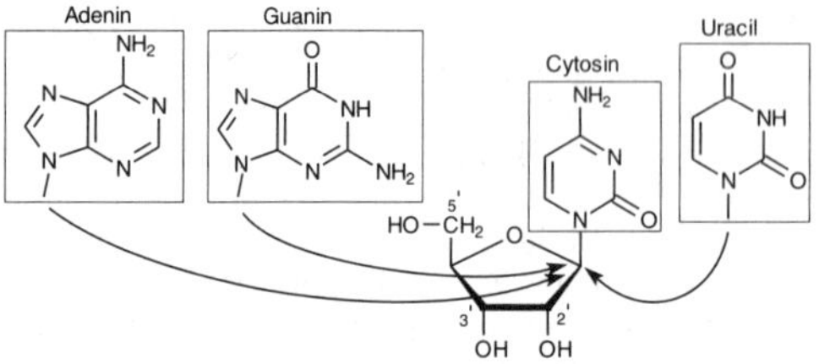

Abb.: Die vier wichtigsten Ribonucleoside entstehen formal durch β-N-glykosid. Verknüpfung von D-Ribofuranose mit *Nucleobasen (markiert).

Um auszudrücken, daß sich die Ribose in der 5gliedrigen Ring-Form befindet, wird der Worteinschub „furano" verwendet. β-D-Ribofuranoside entstehen im Stoffwechsel aus ihren 5′-Phosphaten durch Einwirkung von 5′-Nucleotidasen u. Phosphatasen. Als Bausteine der *Ribonucleinsäuren (RNA) sind vier R. wichtig: *Adenosin*, *Guanosin*, *Cytidin* u. *Uridin*, jedoch kommen auch zahlreiche seltenere R. vor. Der Abbau erfolgt phosphorolyt. durch *Nucleosidasen (Nucleosid-Phosphorylasen) unter Bildung der entsprechenden Nucleobase u. von D-Ribose-1-phosphat. *Ribonucleotide* (Phosphatester sowie Di- u. Triphosphatester der R., v.a. in 5′-Position) besitzen Bedeutung als unmittelbare Vorstufen u. Abbauprodukte der RNA, als Coenzyme u. Überträger chem. Energie (bekanntestes Beisp.: *Adenosin-5′-triphosphat) sowie als *second messenger (z.B. *Adenosin-3′,5′-monophosphat). – ***E*** ribonucleosides – ***F*** ribonucléosides – ***I*** ribonucleosidi – ***S*** ribonucleósidos

Ribonucleotide s. Nucleotide, Ribonucleinsäuren, Ribonucleoside.

Ribonucleotid-Reduktasen. *Enzyme, die Ribonucleosiddi- bzw. -triphosphate in die entsprechenden 2′-*Desoxynucleotide umwandeln. Als *Cofaktor fungiert bei der Ribonucleosid*tri*phosphat-Reduktase (EC 1.17.4.1) aus *Lactobacillus leichmannii* (M_R 76000) *Coenzym B_{12}. Ribonucleosid*di*phosphat-Reduktase (EC 1.17.4.2) aus **Escherichia coli* (2 Untereinheiten; B_1, M_R 175000, u. B_2, M_R 87000) ist ein Eisen-Schwefel-Protein u. enthält ein stabilisiertes Tyrosyl-Radikal. In beiden Fällen ist die Anwesenheit von *Adenosin-5′-triphosphat nötig, u. die benötigten Redoxäquivalente (Elektronen) stammen von oxidiertem *Thioredoxin od. Glutaredoxin (s. Glutathion). Die Reaktion ist der einzige Stoffwechsel-Weg zur Bereitstellung der Desoxynucleotide, die als Vorstufen der *Desoxyribonucleinsäuren von jedem Organismus benötigt werden. Durch alloster. (s. Allosterie) Regulation wird sichergestellt, daß die verschiedenen Desoxynucleotide in aufeinander abgestimmten Mengen entstehen. Aufgrund der Bedeutung der R.-R. für die Vermehrung der *Zellen sind ihre Inhibitoren als mögliche Antikrebs- u. Antivirenmittel von Interesse. – ***E*** ribonucleotide reductases – ***F*** ribonucléotide-réductases – ***I*** ribonucleotide reduttasi – ***S*** ribonucleótido-reductasas

Lit.: Annu. Rev. Biophys. Biomol. Struct. **25**, 259–286 (1996) ▪ Biol. Chem. **378**, 821–825 (1997) ▪ Nature (London) **370**, 502, 533–539 (1994) ▪ Trends Biochem. Sci. **22**, 81–85 (1997).

Ribophorine. Hochkonservierte u. häufig vorkommende Membran-durchspannende *Glykoproteine des *endoplasmatischen Retikulums (ER), die an der Bindung von *Ribosomen an dieses Membran-Syst. beteiligt sind (Ausbildung des rauhen ER). Der Komplex aus R. I (M_R 67000), R. II (M_R 63000–64000) u. einem weiteren Protein (M_R 48000) wirkt außerdem als Oligosaccharyltransferase (EC 2.4.1.119), die Oligosaccharid-Einheiten von Dolichyldiphosphat (vgl. Dolichylphosphat) auf L-Asparagin-Reste von Proteinen überträgt. – ***E*** ribophorins – ***F*** ribophorines – ***I*** riboforine – ***S*** riboforinas

Lit.: Cell **69**, 55–65 (1992).

D-Ribose (Kurzz. Rib).

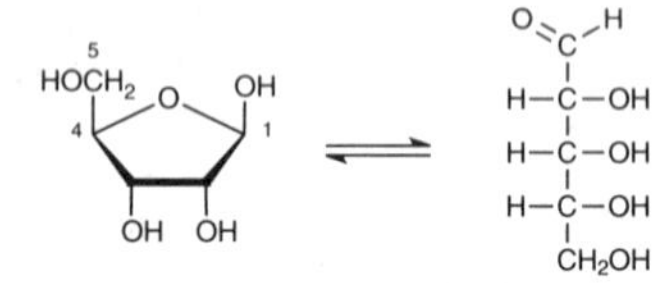

β-D-Ribofuranose D-Ribose

$C_5H_{10}O_5$, M_R 150,13, hygroskop. Krist., Schmp. 95 °C (87 °C), $[\alpha]_D^{20}$ –21,5° (H_2O); in Wasser leicht, in Alkohol wenig löslich. R. zeigt in Lsg. komplexe *Mutarotation [1]. Beim Erhitzen mit Phloroglucin u. HCl gibt R. eine Rotfärbung. Die *Pentose D-R. ist ein in der Natur weit verbreiteter Zucker, z.B. in *Ribonucleinsäuren, *Ribonucleosiden u. -nucleotiden, Coenzymen, sowie als 2-Hydroxyadenosin (Isoguanosin, Crotonosid) in *Crotonbohnen.* In DNA ist R. durch 2-*Desoxy-D-ribose ersetzt. – ***E*** = ***F*** D-ribose – ***I*** D-ribosio – ***S*** D-ribosa

Lit.: [1] Adv. Carbohydr. Chem. Biochem. **42**, 15 (1984).
allg.: Adv. Enzymol. **28**, 391–489 (1966) ▪ Althaus et al., ADP-Ribosylation of Proteins, Berlin: Springer 1985 ▪ Beilstein EIV **1**, 4211 ff.; **31**, 21 ▪ Carbohydr. Res. **235**, 281 (1992) (Synth.); **258**, 27 (1994) ▪ Karrer, Nr. 580 ▪ Merck-Index (12.), Nr. 8371 ▪ Miwa et al., ADP-Ribosylation, DNA Repair and Cancer, Utrecht: VNU Sci. Press 1983 ▪ Origins Life Evol. Biosphere **18**, 71–85 (1988) ▪ Tetrahedron Lett. **38**, 4199–4202 (1997) (Synth. von L-R. aus D-R.). – *[HS 1702 90, 2940 00; CAS 50-69-1 (D-R.); 36468-53-8 (β-D-Ribofuranose)]*

Riboside. *Glykoside der Ribose; wichtig sind z.B. die *Ribonucleoside. – ***E*** = ***F*** ribosides – ***I*** ribosidi – ***S*** ribósidos

Ribosomale RNA s. Ribonucleinsäuren, Ribosomen.

Ribosomen. Von *Palade (Nobelpreis 1974) in der *Mikrosomen-Fraktion entdeckte u. als für die zelluläre Protein-Synth. (*Translation) verantwortlich erkannte Partikel. Die R. sind (nur elektronenmikroskop. sichtbare) ellipsoidförmige Körperchen, die frei im Cytoplasma u. bei Eukaryonten auch gebunden an das *rauhe *endoplasmatische Retikulum* (ER) vorkommen. Die Bindung an das ER wird durch Signalerkennungs-Partikeln (SRP von *E signal recognition particle*), SRP-Rezeptoren (*E docking proteins*) u. R.-Rezeptoren vermittelt u. bewirkt die Einschleusung neu synthetisierter sekretor. Proteine in das Mem-

bransyst. des ER. Häufig sind die R. zu *Polysomen (Polyribosomen) auf dem Strang der Messenger-*Ribonucleinsäure (mRNA) vereinigt.
Bakterielle R.: Die ca. 15000 R. aus einer Zelle des Bakteriums **Escherichia (E.) coli* haben Durchmesser von ca. 20 nm; ihr M_R beträgt ca. $2{,}7 \cdot 10^6$ u. ihre durch Ultrazentrifugation bestimmte Sedimentationskonstante 70 S. Chem. bestehen die R. der Bakterien, Mitochondrien u. Chloroplasten aus *Nucleoprotein mit ca. 65% Ribonucleinsäure (RNA) u. 35% Protein sowie Magnesium-Ionen. Sinkt deren Konz. unter einen bestimmten Wert, dann spaltet das R. in zwei Untereinheiten (UE), die man als 50-S-UE (M_R $1{,}8 \cdot 10^6$) u. 30-S-UE (M_R $9 \cdot 10^5$) bezeichnet. Beide UE lassen sich weiter zerlegen; die größere in 34, davon 32 verschiedene Proteine (M_R 8000–34000) u. zwei *ribosomale RNA* (rRNA), nämlich 5-S-rRNA (M_R $4 \cdot 10^4$, 120 Nucleotide) u. 23-S-rRNA (M_R ca. $1{,}2 \cdot 10^6$, 2904 Nucleotide), die kleinere UE enthält 21 verschiedene Proteine u. eine 16-S-rRNA (M_R $5{,}5 \cdot 10^5$, 1542 Nucleotide). Die Aminosäure- u. die Nucleotid-Sequenzen aller Bestandteile sind bekannt. Die meisten ribosomalen Proteine sind bas., weil reich an L-Lysin u. L-Arginin. Durch Anw. physikal. u. chem. Meth., insbes. von Elektronenmikroskopie, Neutronenbeugung, Vernetzung mit bifunktionellen Reagenzien u. immunolog. Techniken konnte man ein recht genaues Bild vom räumlichen Aufbau der *E.-coli*-R. gewinnen.
Eukaryont. R.: Die R. aus tier. u. pflanzlichen Zellen haben Sedimentationskonstanten von 80 S (M_R $4{,}2 \cdot 10^6$), ihre UE solche von 60 S u. 40 S. Der Gehalt an Eiweiß beträgt ca. 50% u. verteilt sich auf etwa 80 Proteine. Die R. enthalten vier rRNA, wovon die größeren 28 S (M_R, $1{,}7 \cdot 10^6$, größere UE) u. 18 S (M_R $7 \cdot 10^5$, kleinere UE) aufweisen. Der Bildungsort der eukaryont. R. ist der Nucleolus des Zellkerns. *Mitochondrien u. *Chloroplasten haben eigene R. mit Sedimentationskonstanten von 60–78 S.
Biosynth.: Ribosomale Proteine werden durch *Translation ihrer mRNA gebildet, die sie bei Überproduktion auch rückkoppelnd hemmen. rRNA entsteht durch *Transkription u. nachfolgendes Schneiden der Primärtranskripte durch *Ribonuclease III (EC 3.1.26.3). Die Bestandteile können sich ohne Energiezufuhr zum R. organisieren.
Inhibitoren: Verständlicherweise bietet ein derart kompliziertes Syst. wie das R. viele Angriffsflächen für Störfaktoren, z.B. für *Antibiotika* wie *Chloramphenicol, *Neomycin, *Erythromycin, *Streptomycin, *Tetracyclin, (bakterielle R.) sowie Cycloheximid (eukaryont. R.) u.a.; mitochondriale R. werden ebenfalls durch Chloramphenicol gehemmt. Auch Toxine wie *Abrine, *Gelonin, Luffin B, α-Momorcharin, **Phytolacca*-Antivirus-Proteine, *Ricin, α-*Sarcin, *Shiga-Toxin u. Shiga-ähnliche Toxine hemmen als *Ribosomen-inaktivierende Proteine* die eukaryont. Eiweiß-Biosynthese. – ***E = F*** ribosomes – ***I*** ribosomi – ***S*** ribosomas

Lit.: Annu. Rev. Biochem. **66**, 679–716 (1997) ■ Annu. Rev. Biophys. Biomol. Struct. **27**, 35–58 (1998) ■ J. Theor. Biol. **185**, 97–118 (1997) ■ Trends Biochem. Sci. **23**, 208–212 (1998).

Ribosylnicotinamid s. Nicotinamid-Adenin-Dinucleotid u. Nucleoside.

Ribosylthymin s. Thymidin u. Nucleoside.

Ribosylxanthin s. Xanthosin.

Ribozyme (katalyt. RNA, RNA-Enzyme). Aus *Ribonucleinsäuren (RNA) u. *Enzyme gebildete Bez. für katalyt. wirksame RNA (entdeckt von Altman u. Cech, dafür Nobelpreis für Chemie 1989). Im weiteren Sinne versteht man darunter auch selbstspleißende RNA (s. Spleißen), obwohl bei ihnen das Kriterium eines Katalysators nicht erfüllt ist, wonach dieser unverändert aus der Reaktion hervorgehen soll. Ein Beisp. für ein echtes u. natürlich vorkommendes R. ist Ribonuclease P aus **Escherichia coli*. Das kleinste bekannte R. ist das *Hammerkopf-R.*[1], das man, ebenso wie das *Haarnadel-R.*[2], aufgrund ihrer adaptierbaren Sequenz-spezif. *Ribonuclease-Aktivität für die Entwicklung von (Gen-)Therapeutika gegen Krebs u. virale Erkrankungen in Betracht zieht (gezielte Ausschaltung bestimmter Messenger-RNA, ähnlich wie bei *Antisense-Nucleinsäuren)[3]. Zur Aktivität ribosomaler RNA bei der Peptid-Synth. s. *Lit.*[4]. Nach einer weithin akzeptierten, jedoch nicht unwidersprochenen Hypothese sind RNA entwicklungsgeschichtlich vor den Proteinen als Enzyme wirksam gewesen (u. vor den *Desoxyribonucleinsäuren als *Gene: „RNA-Welt"). – ***E = F*** ribozymes – ***I*** ribozimi – ***S*** ribozimas

Lit.: [1] Annu. Rev. Biophys. Biomol. Struct. **27**, 475–502 (1998); Curr. Biol. **8**, R 495 ff. (1998); RNA **2**, 395–403 (1996). [2] Antisense Nucl. Acid Drug Develop. **7**, 403–411 (1997); Prog. Nucl. Acid Res. Mol. Biol. **58**, 1–39 (1998). [3] Blood **91**, 371–382 (1998); Biochem. Mol. Med. **62**, 11–22 (1997). [4] Science **281**, 666–669 (1998).
allg.: Curr. Biol. **8**, R 441 ff. (1998) ■ Drug Disc. Today **1**, 94–102 (1996) ■ Eckstein u. Lilley, Catalytic RNA, Berlin: Springer 1996.

RIBS. Abk. für *R*utherford *i*on *b*ack *s*cattering, s. Ionenstreu-Spektroskopie.

D-Ribulose (D-*erythro*-2-Pentulose, D-Adonose; Kurzz.: Rul).

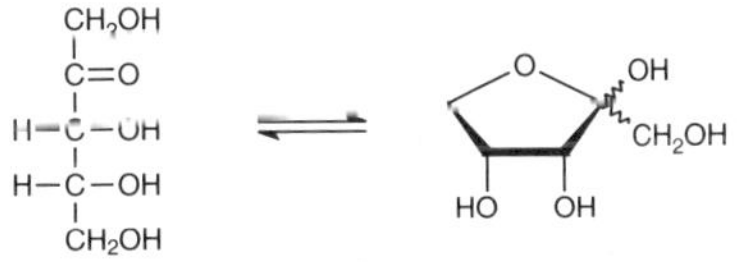

D-Ribulose D-Ribulofuranose

$C_5H_{10}O_5$, M_R 150,13; farbloser bis hellgelber, süßlich schmeckender Sirup, in Wasser leicht lösl., $[\alpha]_D^{24}$ −15° (H_2O). *R.-5-phosphat* ist ein Zwischenprodukt im Pentosephosphat-Weg der *Glykolyse, *R.-1,5-diphosphat* eine der Schlüsselverb. im *Calvin-Cyclus* der *Photosynthese[1]. In freier Form tritt R. in Algen, Zuckerrübenblättern u. Gerstenkeimblättern in Erscheinung; auch manche Bakterien sind zur R.-Bildung befähigt[2]. – ***E = F*** D-ribulose – ***I*** D-ribulosio – ***S*** D-ribulosa

Lit.: [1] Biol. Rundsch. **23**, 207–224 (1985); Int. Rev. Cytol. **115**, 67–138 (1989); Photosynth. Res. **16**, 117–139 (1988); **23**, 119–130 (1990); Plant Biol. **10**, 119–132, 191–224 (1990). [2] Photosynth. Res. **18**, 245–260 (1988).
allg.: Agric. Biol. Chem. **37**, 2245–2251 (1973) ■ Annu. Rev. Plant Physiol. **32**, 349–384 (1981) ■ Beilstein E IV **1**, 4256 ■ Chem. Lett. **1981**, 1005, 1529 ■ Karrer, Nr. 588 ■ Merck-Index

(12.), Nr. 8374 ▪ Tetrahedron Lett. **31**, 2337–2340 (1990). – *[CAS 488-84-6]*

Ribulosebisphosphat-Carboxylase (EC 4.1.1.39, Kurzz. Rubisco). Ein Enzym der grünen Pflanzen u. photosynthetisierenden Bakterien, das die Reaktion D-Ribulose-1,5-bisphosphat + $CO_2 \rightarrow 2$ 3-Phospho-D-glycerat, d.h. den ersten Schritt der Dunkelreaktion (Calvin-Cyclus) der *Photosynthese katalysiert u. dadurch atmosphär. Kohlendioxid in organ. Materie fixiert (s. Assimilation, Photosynthese). Es ist ein wichtiger Katalysator im Kohlenstoff-Kreislauf u. wird von manchen als das massenmäßig u. planetenweit häufigste Protein eingeschätzt, das jährlich ca. 500 Mrd. t Kohlendioxid umsetzen soll. Bei hohen Sauerstoff-Konz. wirkt das Enzym als *Oxygenase u. baut Sauerstoff statt Kohlendioxid in das Substrat ein (*Photoatmung*). Das Kupfer-Protein R.-C. (M_R 560000 in Spinat) besteht bei höheren Pflanzen aus je 8 größeren (L, M_R 56000) u. kleineren (S, M_R 14000) Untereinheiten; die L-Untereinheit besitzt das aktive Zentrum, weist das Strukturmotiv des α/β-Fasses (vgl. Proteine, S. 3589) auf u. wird im Chloroplasten – die S-Untereinheit im Zellkern – synthetisiert. Die Faltung u. Assoziation der Rubisco-Untereinheiten kommt im Chloroplasten unter Mithilfe eines Chaperonins (s. Chaperone), nämlich des *Rubisco-(Untereinheiten-)bindenden Proteins* (6 α- u. 6 β-Untereinheiten von je M_R 60000) zustande. Unter Katalyse einer *Rubisco-Activase* kann R.-C. an einer Amino-Gruppe carboxyliert u. damit aktiviert werden[1]. – ***E*** ribulosebisphosphate carboxylase – ***F*** ribulosebisphosphate-carboxylase – ***I*** ribulosio bifosfato carbossilasi – ***S*** ribulosabisfosfato-carboxilasa

Lit.: [1] Photosynth. Res. **47**, 1–11 (1996).
allg.: Adv. Enzymol. Rel. Areas Mol. Biol. **67**, 1–75 (1993) ▪ Annu. Rev. Biochem. **63**, 197–234 (1994) ▪ Annu. Rev. Biophys. Biomol. Struct. **21**, 119–143 (1992) ▪ Annu. Rev. Plant Physiol. Plant Mol. Biol. **44**, 411–434 (1993) ▪ Stryer 1996, S. 706–713, 965, 976f.

Riccardine. Makrocycl. cytotox. Bis(bibenzyle) aus Lebermoosen der Gattung *Riccardia.*

Tab.: Daten zu den Riccardinen A–C.

Riccardine	Summenformel	M_R	Konsistenz	CAS
R. A	$C_{29}H_{26}O_4$	438,52	Farbloses Harz	85318-25-8
R. B	$C_{28}H_{24}O_4$	424,50	Öl	85318-27-0
R. C	$C_{28}H_{24}O_4$	424,50	Öl	84575-08-6

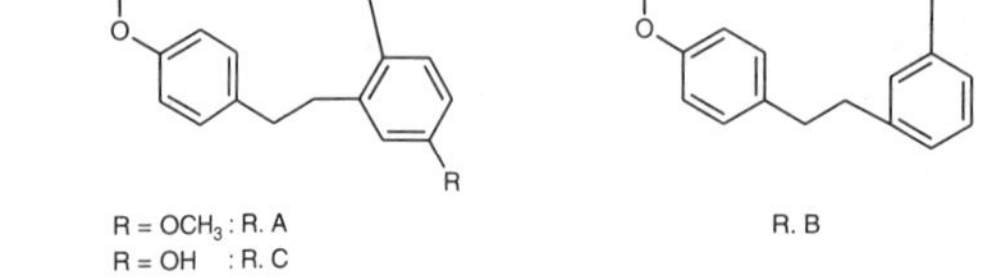

HO OH O R

R = OCH_3 : R. A
R = OH : R. C

HO OH O O

R. B

– ***E*** riccardins – ***F*** riccardines – ***I*** riccardine – ***S*** riccardinas

Lit.: Chem. Lett. **1985**, 1587 ▪ J. Org. Chem. **48**, 2164 (1983). – *Synth.:* J. Chem. Soc., Perkin Trans. 1 **1990**, 315f.

Rice-Herzfeld-Mechanismus. Die *Kinetik von Gasphasenreaktionen insbes. bei erhöhter Temp. (z.B. beim *Kracken, *Pyrolyse) läßt sich häufig befriedigend deuten, wenn man annimmt, daß die Reaktionen als *Kettenreaktionen über *Radikale verlaufen, wofür Rice u. Herzfeld[1] mechanist. Vorstellungen entwickelt haben. – ***E*** Rice-Herzfeld mechanism – ***F*** mécanisme de Rice-Herzfeld – ***I*** meccanismo di Rice-Herzfeld – ***S*** mecanismo de Rice-Herzfeld

Lit.: [1] J. Am. Chem. Soc. **56**, 284 (1934).
allg.: Atkins, Physikalische Chemie, S. 851, Weinheim: VCH Verlagsges. 1996.

Rice-Ramsperger-Kassel-Marcus (O.K. Rice) s. RRKM.

Richards, Dickinson Woodruff (1895–1973), Prof. für Medizin, Columbia's College of Physicians and Surgeons (bis 1961), Direktor der Columbia medical division des Bellevue Hospital, New York. *Arbeitsgebiete:* Kardiologie, Herzkatheter. 1956 erhielt er für seine Arbeiten über Anw.-Möglichkeiten des Herzkatheters den Nobelpreis für Physiologie od. Medizin zusammen mit A.F. *Cournand u. W.T.O. *Forßmann.

Lit.: Lexikon der Naturwissenschaftler, S. 346.

Richards, Theodore William (1868–1928), Prof. für Chemie, Harvard-Univ., Cambridge (USA). *Arbeitsgebiete:* Atomgewichtsbestimmung, Nephelometrie, Atomvolumina u. Kompressibilität der Elemente, Neutralisationswärme, Elektrochemie; erhielt 1914 für seine exakten Atommassenbestimmungen den Nobelpreis für Chemie.

Lit.: Lexikon der Naturwissenschaftler, S. 346f. ▪ Neufeldt, S. 131 ▪ Pötsch, S. 361f.

Richardson, Sir Owen Williams (1879–1959), Prof. für Physik, King's College, London. *Arbeitsgebiete:* Glühemission, photoelektr. Effekt, Spektroskopie des Ultravioletts, Maxwellsches Verteilungsgesetz; erhielt 1928 den Nobelpreis für Physik.

Lit.: Lexikon der Naturwissenschaftler, S. 347 ▪ Nachmansohn, S. 124.

Richter, Burton (geb. 1931), Prof. für Physik, Univ. Stanford, Californien (USA). *Arbeitsgebiete:* Atombau, Teilchenbeschleuniger, Hochenergiephysik, Entdeckung der Ψ-Mesonen als Elementarteilchen, wodurch die schon 1964 postulierte ladungsartige Quantenzahl „Charm" bestätigt werden konnte; hierfür 1976 Nobelpreis für Physik (zusammen mit S.C.C. *Ting).

Lit.: Lexikon der Naturwissenschaftler, S. 347.

Richter, Jeremias Benjamin (1762–1807), Chemiker, Privatgelehrter u. Bergbausachverständiger in Breslau. *Arbeitsgebiete:* Äquivalenz von Säuren u. Basen, Neutralisationsvorgänge, Konstanz der Verbindungsverhältnisse, Begründung u. Namensgebung der *Stöchiometrie.

Lit.: Lexikon der Naturwissenschaftler, S. 347 ▪ Krafft, S. 293 ▪ Pötsch, S. 362 ▪ Strube et al., S. 67f.

Richter GmbH s. CLR.

Richtersches Gesetz s. Proustsches Gesetz u. Stöchiometrie.

Richtersches System. Bez. für ein auf A. Pinner zurückgehendes Syst. zur Reihung der organ. Verb. aufgrund der *Bruttoformeln. Dem von M.M. Richter

1884 erstmals angewandten u. bis zur Übernahme des einfacheren *Hillschen Systems in den 60er Jahren auch für das *Chemische Zentralblatt u. *Beilsteins Handbuch der Organischen Chemie gültigen R. S. lagen folgende Regeln zugrunde:
A. Die mit C verbundenen anderen, häufiger vorkommenden Elemente wurden in der Summenformel nach dem folgenden „Chem. Alphabet" gereiht: H, O, N, Cl, Br, I, F, S, P, dann folgten die übrigen Elemente in der alphabet. Folge ihrer Symbole.
B. Die Registeranordnung der Formeln richtete sich dann 1. nach der Anzahl der Kohlenstoff-Atome, 2. nach der *Anzahl* der neben C im Mol. enthaltenen anderen Elemente, 3. nach der *Art* der neben C im Mol. vorhandenen Elemente im Sinne des „Chem. Alphabets", 4. nach der Anzahl von Atomen jedes einzelnen Elements in der Verb. (außer C).
Sortier-Beisp.: CO_2, CS_2, CHI_3, CH_6N_2, CH_4O_3S, $C_4H_6O_6$, $C_4H_2O_4N_2$, C_6H_6, $C_6H_3Br_3$, $C_7H_{15}N$, $C_7H_5O_5NS$. – ***E*** Richter system – ***F*** système de Richter – ***I*** sistema di Richter – ***S*** sistema de Richter

Lit.: Ber. Dtsch. Chem. Ges. **1898**, 3368–3388.

Richtigkeit. In der Analytik versteht man unter dem – mit dem Begriff **Genauigkeit* nicht deckungsgleichen – Terminus R. die Übereinstimmung zwischen den gemessenen u. gemittelten Werten einerseits u. den wahren od. definierten Werten andererseits. Daß ein Meßergebnis „richtig wird", kann durch *zufällige Fehler* (große Streuung od. Abweichung, geringe Präzision, keine *Reproduzierbarkeit) u./od. *systemat. Fehler* (kleine Streuung, hohe Präzision, gute Reproduzierbarkeit) verhindert werden. Bei der Überprüfung der R. von Ergebnissen (*Zertifizierung*) ist die Verw. von Referenzmaterialien (*Standards, s. a. *Lit.*[1]) geboten u. der Vgl. durch *Ringversuche aufschlußreich. – ***E*** accuracy – ***F*** exactitude – ***I*** accuratezza – ***S*** exactitud

Lit.: [1] Analyt.-Taschenb. **6**, 3–16.
allg.: Analyt.-Taschenb. **9**, 10 ▪ DIN ISO 5725-1: 1997-11 ▪ Otto, Analytische Chemie, S. 24, 26, Weinheim: VCH Verlagsges. 1995 ▪ Schwedt, Analytische Chemie, S. 24, Stuttgart: Thieme 1995.

Richtlinien. Bez. für EU-Gesetze, die im Gegensatz zu EU-VO, ohne daß sie in nat. Recht überführt werden müssen, bindend für alle EU-Staaten sind. R. im allg. Sinne sind Anweisungen ohne Gesetzescharakter, die nur für nachgeordnete Institutionen bindend sind. *R. zum Schutz vor Gefahren durch in vitro neukombinierte Nucleinsäuren* (Gen-R.) z. B. waren ursprünglich in der BRD nur für mit öffentlichen Mitteln geförderte Institute bindend u. sind heute durch das *Gentechnik-Gesetz abgelöst. – ***E*** guidelines – ***F*** recommandetions – ***I*** direttive – ***S*** recomendaciones

Richtlinien für Laboratorien. Diese Richtlinien werden unter Federführung der *Berufsgenossenschaft der chem. Ind. für den industriellen, gewerblichen, den universitären u. sonstigen öffentlichen Bereich von einem Gremium von Fachleuten aus diesen Bereichen erarbeitet. Sie gelten für die Beschaffenheit u. das Arbeiten in *Laboratorien, in denen nach chem., physikal. od. physikal.-chem. Meth. präparativ, analyt. od. anwendungstechn. mit *Gefahrstoffen gearbeitet wird, jedoch auch für den Umgang mit *Nicht*-Gefahrstoffen unter bes. physikal. Bedingungen (z. B. Stickstoff unter hohem Druck). Dabei steht im Vordergrund des Einsatzes der R. f. L. nicht der Charakter einer Vorschrift, sondern das Angebot an den Anwender, zu einer entsprechenden Gefährdung in seinem Verantwortungsbereich eine geeignete Maßnahme schnell aus einem Maßnahmenkatalog, den die R. f. L. darstellen, auswählen zu können. Damit wird der Forderung nach einem hohen Grad an Flexibilität in der Laborarbeit dadurch Rechnung getragen, daß ein erhebliches Maß an Freiheitsgraden, allerdings gepaart mit einem ebensolchen Maß an Eigenverantwortung, eingebaut ist. Auch die Verpflichtung zur Durchführung von Gefährdungsermittlungen wird hierdurch unterstützt. Die Autoren der R. f. L. im Fachausschuß Chemie bei der BG Chemie stehen darüber hinaus auch für die Beratung in Einzelfragen zur Verfügung. Die R. f. L. ergänzen u. konkretisieren somit andere einschlägige Vorschriften, die selbstverständlich auch für Laboratorien gelten, in geeigneter Weise, insbes. die *Unfallverhütungsvorschrift „Allgemeine Vorschriften" (VBG 1), die VO über Arbeitsstätten u. die *Gefahrstoffverordnung. – ***E*** guidelines for laboratories – ***F*** recommandations pour laboratoires – ***I*** direttive per i laboratori – ***S*** recomendaciones para laboratorios

Lit.: Brock, Sicherheit u. Gesundheitsschutz im Laboratorium – Die Anwendung der Richtlinien für Laboratorien, Heidelberg: Springer 1997 ▪ Guidelines for Laboratories, Heidelberg: Jedermann 1998 ▪ Richtlinien für Laboratorien (ZH1/119, GUV 16.17), Köln: Heymanns 1998.

Richtsalze s. Schmelzkäse.

Richtwert. Die TA Lärm nennt Immissions-R.[1] ebenso wie andere Lärmschutzregelungen nach *Bundes-Immissionsschutzgesetz. Zum Schutz des Arbeitnehmers vor krebserzeugenden Gefahrstoffen gelten TRK-Werte (s. technische Richtkonzentration). Die EG-Gewässerschutzregelungen [s. Schwebstoffe (*Lit.*)] nennen z. T. R., z. T. verbindliche Grenzwerte[2]. Im Bodenbereich synonymisiert man R. häufig mit Orientierungswert u. bezeichnet damit rechtlich unverbindliche Vergleichsgrößen, die zur Beurteilung von Altlasten herangezogen werden. – ***E*** guide values – ***F*** valeurs indicatives – ***I*** valori indicativi – ***S*** valores indicativos

Lit.: [1] Beilage BAnz. Nr. 137. [2] Pöppinghaus et al. (Hrsg.), Abwassertechnologie (2.), S. 464–480, Berlin: Springer 1994.

Ricin. Äußerst giftiges Protein aus den Samen der Ricinusstaude (Castorbohne, *Ricinus communis*) u. a. *Ricinus*-Arten. R., ein weißes Pulver, besteht aus über Disulfid-Brücken miteinander verbundenen Peptid-Ketten, die zu 4–8% ihrer M_R glykosyliert sind u. Sequenzhomologien mit den *Abrinen aufweisen. Das ursprünglich als einheitliche Substanz angesehene R. enthält zwei *Lektine (Hämagglutinine RCL I u. RCL II, Tetramer aus je zwei Untereinheiten vom M_R 33 000 bzw. 30 000) u. zwei *Toxine: Ricin D u. RCL IV (Dimere einer A-Kette vom M_R 30 000 u. einer B-Kette vom M_R 33 000). Das R.-Lektin RCL II (B-Kette) als *Haptomer* bindet sich spezif. an endständige Galactose-Reste von *Rezeptoren auf der Zelloberfläche u. aktiviert damit das *R.-Toxin*, das durch *Endocytose in

das Zellinnere eingeschleust wird. Dessen A-Kette blockiert innerhalb der Zelle die Protein-Synth., indem sie die 60S-Untereinheiten der *Ribosomen inaktiviert (*Effektomer*). Konjugate von R. mit zellbindenden Antigenen od. Antikörpern (sog. *Immunotoxine*) wirken cytotox. u. könnten deshalb in der Krebstherapie Verw. finden. Synergist. Effekte mit *Daunorubicin, *Cisplatin u. *Vincristin werden bei Leukämie beobachtet. Antikörper-Ricin-(Toxin, A-Kette)Konjugate wurden in der AIDS-Therapie getestet.
Andererseits wurde R. 1962 als *Atemgift-*Kampfstoff patentiert. Die Agglutination von Erythrocyten durch R. ist nicht Blutgruppen-spezif.; die tödliche Dosis beträgt nur 1 µg/kg Körpergew. bei Mäusen, doch kann das Tumorwachstum mit noch geringeren Dosen unterdrückt werden. R. widersteht den Verdauungsenzymen weitgehend, wird dagegen durch starke Säuren gespalten u. verliert so seine Wirksamkeit. Wegen ihres R.-Gehalts können die beim Auspressen des *Ricinusöls verbleibenden Preßrückstände nicht als Viehfutter genutzt werden. – ***E*** ricin – ***F*** ricine – ***I*** = ***S*** ricina

Lit.: Ann. N. Y. Acad. Sci. **507**, 172–186 (1987) ▪ Med. Klin. (München) **85**, 555 (1990) ▪ Merck-Index (12.), Nr. 8376 ▪ PTA Heute **4**, 605 (1990) ▪ R. D. K. (4.), S. 618, 909. – *[CAS 9009-86-3]*

Ricinenfettsäuren. Gemischte dehydratisierte *Ricinusöl-*Fettsäuren, im wesentlichen bestehend aus 9,11- u. (*Z,E*)-9,12-Octadecadiensäure neben 5–7% Ölsäure u. 3–5% gesätt. Fettsäuren.
Verw.: Als Alkydharz-Zusatz in der Lack-Industrie. Beide Diensäuren werden als *Ricinensäuren* bezeichnet; sie sind isomer mit *Linolsäure. – ***E*** ricinene fatty acids – ***I*** acidi grossi di ricino

Lit.: Seifen, Öle, Fette, Wachse **108**, 149–152, 422 f., 515 f., 607 ff., 635 f. (1982).

Ricinenöl s. Ricinusöl.

Ricinensäure s. Ricinenfettsäuren.

Ricinin s. Ricinusöl.

Ricinoleate. *Metallseifen der *Ricinolsäure, z. B. mit Ba, Cd, Ca, Mg, Zn, Na. Die R. sind verwendbar in Klebstoffen, Korrosionsschutzmitteln, Kosmetika, Schmierfetten, Lacken, Druckfarben, Vinylharzstabilisatoren etc. sowie zur Desodorierung. – ***E*** ricinoleates – ***F*** ricinoléates – ***I*** ricinoleati – ***S*** ricinoleatos

Lit.: Beilstein E IV **3**, 1026 ▪ s. a. Metallseifen.

Ricinolsäure [(*R*)-12-Hydroxy-(*Z*)-9-octadecensäure].

$C_{18}H_{34}O_3$, M_R 298,47, gelbliche, viskose Flüssigkeit, D. 0,940, Schmp. 5,5 °C, Sdp. 245 °C (1 kPa), $[\alpha]_D^{22}$ +6,67°; unlösl. in Wasser, leicht lösl. in Alkohol, Eisessig, Ether u. Chloroform. Na-Salz: *Soricin, Colidosan*, weißes bis blaßgelbes, geruchloses Pulver, lösl. in Wasser u. Alkohol.
Vork.: Als Glycerid im *Ricinusöl (80–90%), dessen Eigenschaften es weitgehend bestimmt (im Dünndarm durch Lipasen freigesetzte R. bewirkt durch Reizung der Schleimhaut eine erhöhte Peristaltik) u. aus dem es durch Verseifung gewonnen wird, außerdem noch im Mutterkornöl (Ergotöl) u. verschiedenen anderen Samenölen.
Verw.: Für Seifen, *Ricinoleate, Schmiermittel, Desodorantien, Textilhilfsmittel, Antikonzeptionscremes, Herst. von Sebacinsäure, Heptanol, *12-Hydroxystearinsäure. – ***E*** ricinoleic acid – ***I*** acido ricinoleico

Lit.: Gunston, Harwood u. Padley, The Lipid Handbook, 2. Aufl., S. 15 f., 55 f., 616, London: Chapman & Hall 1994 ▪ J. Am. Chem. Soc. **105**, 7130 (1983) (Synth.) ▪ Merck-Index (12.), Nr. 8378 ▪ Ullmann (5.) **A 10**, 255. – *[HS 2918 19; CAS 141-22-0]*

Ricinusöl (Rizinusöl, Kastoröl). Schwach gelbes, viskoses, brennbares, unverdauliches Öl mit schwachem Geruch, aber unangenehmem Geschmack, das an der Luft verdickt, ohne jedoch in dünnen Filmen zu erstarren, also kein „trocknendes" Öl, D. 0,961–0,963 (höchstes spezif. Gew. aller Öle), Schmp. –10 °C bis –18 °C, VZ 176–190, IZ 82–90; in Alkohol, Ether, Eisessig u. a. leicht lösl., unlösl. in Aliphaten (Benzin), löst jedoch kleine Mengen derselben klar auf. R. besteht zu 80–85% aus dem Glycerid der *Ricinolsäure, auf der die abführende Wirkung des R. beruht, daneben aus Glyceriden der Öl- (7%), Linol- (3%), Palmitin- (2%) u. Stearinsäure (1%).
Herst.: Durch Kaltpressen aus den Samen der Ricinusstaude (*Ricinus communis* L., Euphorbiaceae, Wolfsmilchgewächs trop. u. subtrop. Länder), die bis zu 50% R., 20% Proteine (vorwiegend Globuline, bes. *Edestin, wenig Albumine u. Glykoproteine), Rest Kohlenhydrate, Cellulose u. Alkaloide enthält. Die Preßrückstände sind sehr giftig wegen ihres Gehalts an **Ricin* u. *Ricinin*, einem Pyridin-Alkaloid (1,2-Dihydro-4-methoxy-1-methyl-2-oxonicotinsäurenitril,

Ricinin

$C_8H_8N_2O_2$, M_R 164,16, Schmp. 202 °C); die Preßkuchen können daher nicht als Viehfutter genutzt werden.
Die Ricinusstaude ist eine wirtschaftlich bedeutende *Ölpflanze. Im Jahre 1994 (in Klammern 1985) wurden weltweit ca. 1,2 Mio. (0,54 Mio) t Ricinusöl produziert; Hauptproduzent war Indien mit 0,7 Mio. t.
Verw.: In der Human- u. Tiermedizin als Abführmittel, zur Herst. von Kosmetika, Farben, Lacken, Kunststoffen, Polier- u. Schmiermitteln usw., zur Synth. von Sebacinsäure, 12-Hydroxystearinsäure u. deren Metallseifen sowie von Polyamid 11. Die Sulfonierung ergibt *Türkischrotöl, die Umsetzung von hydriertem R. mit Ethylenoxid gibt Lsm. u. Emulgatoren für die kosmet., pharmazeut. u. Textil-Ind., u. die Dehydratisierung von R. mit Hilfe von Schwefelsäure, Phosphorsäure, Metalloxid-Katalysatoren (z. B. Al_2O_3, MoO_3, WO_3, ThO_3), Mono- u. Dicarbonsäuren, Trimellithsäureanhydrid, Natriumhydrogensulfat, Bleich-

erde u. dgl. führt zum *Ricinenöl*, das zur Herst. von Farbanstrichen, Klar- u. Emaillelacken, Druckfarben, lithograph. Firnis, Öltuch, Linoleum, ölmodifizierten Alkydharzen u. dgl. dient. Als *Synourinöl* od. *Scheiberöl* (nach Scheiber) bezeichnete man ein Ricinenöl, das durch Verseifung, Dehydratisierung u. erneute Veresterung mit Glycerin hergestellt wurde. Eine bes. Verw. fand früher der Globulin-reiche R.-Schrot, nämlich als Casein-Ersatz in der Malerei. – ***E*** castor oil – ***F*** huile de ricin – ***I*** olio di ricino – ***S*** aceite de ricino

Lit.: Franke, Nutzpflanzenkunde, Stuttgart: Thieme 1997 ▪ Hager (4.) **6b**, 143 ff.; **7b**, 201 ff. ▪ Kirk-Othmer (3.) **5**, 1–15 ▪ Martindale, S. 1554 f. ▪ McKetta **6**, 401–420 ▪ Murphy (Hrsg.), Designer Oil Crops, S. 81 f., 181 f., Weinheim: VCH Verlagsges. 1994 ▪ Ph. Eur. **1997** u. Komm. ▪ Schormüller, S. 437 f., 454 ▪ Ullmann (5.) **A 10**, 233, 239, 241 ▪ Winnacker-Küchler (4.) **6**, 745, 747 ▪ s. a. Ölpflanzen. – *[HS 1515 30; CAS 8001-79-4 (R.); 524-40-3 (Ricinin)]*

Rickamicin s. Sisomicin.

Rickettsien. Bez. einer Bakterien-Gruppe, benannt nach H. T. Ricketts, dem Entdecker des amerikan. Felsengebirgsfiebers. R. haben die Größenordnung der Quaderviren (0,3–0,6×0,8 µm), liegen einzeln, in Paaren od. Ketten vor u. besitzen eine Zellwand, die *Muraminsäure enthält u. *Lysozym-empfindlich ist. Eine Kernregion ist elektronenmikroskop. nachweisbar. R. sind Gram-pos. (s. Gram-Färbung) u. gut nach Giemsa (s. Giemsa-Färbung) anfärbbar.
Die R. sind mit einer Ausnahme obligat intrazelluläre Bakterien u. sind weit verbreitet. Die Gattungen *Rickettsia* (8 Species), *Rochalimaea* u. *Coxiella* sind beim Menschen verantwortlich für leichte, selbstlimitierende bis schwere, akut verlaufende Krankheiten (*Rickettsia prowazekii:* Klass. Fleckfieber; *R. typhi:* Murines Fleckfieber; *R. rickettsii:* Amerikan. Felsengebirgsfieber; *R. sibirica:* Nordasiat. Zeckenbißfieber; *R. akari:* Rickettsienpocken; *Coxiella burnetii:* Q-Fieber). Durch lösl. Gruppenantigene werden die verschiedenen Gruppen voneinander unterschieden, Spezies-spezif., unlösl. *Antigene führen zur Differenzierung innerhalb der Gruppen.
Mit Ausnahme von *Coxiella burnetii*, die durch Inhalation von infektiösem Staub übertragen wird, gelangen R. durch Arthropoden (Kleiderlaus, Rattenfloh, Zecken, Milben, Milbenlarven) an den Menschen. Eine Reihe von Rickettsiosen unterliegen nach dem Bundes-Seuchengesetz der Meldepflicht. Alle Rickettsiosen können durch Antibiotika wie Tetracycline u. Chloramphenicol therapiert werden. Zu R.-ähnlichen Organismen s. RLO. – ***E*** rickettsiae – ***F*** rickettsies – ***I*** rickettsie – ***S*** rickettsias

Lit.: Emerg. Infect. Dis. **3**, 137 (1997) ▪ Kayser et al., Medizinische Mikrobiologie (9.), S. 332–335, Stuttgart: Thieme 1998 ▪ Schlegel (7.), S. 130 f.

RID. Abk. für *R*eglement *i*nternational concernant le transport des marchandises *d*angereuses par chemin de fer = Internat. Übereinkommen über den Transport *gefährlicher Güter auf der Schiene, das zwischen (z. Z.) 32 Staaten vereinbart ist. Die dtsch. Fassung dieser internat. *Transportbestimmungen ist die *GGVE*, s. Eisenbahnverkehrsordnung.

Lit.: Kühn-Birett (Hrsg.) Gefahrgut-Schlüssel, Landsberg: ecomed 1997 ▪ VO über die innerstaatliche u. grenzüberschreitende Beförderung gefährlicher Güter mit Eisenbahnen (Gefahrgutverordnung Eisenbahn – GGVE), BGBl. I, 1996, S. 1876.

Rideal-Walker-Koeffizient s. Phenol-Koeffizient.

Ridoline®. Reinigungsprodukt für Metalloberflächen, insbes. vor der Aufbringung von Konversionsschichten. ***B.:*** Henkel.

Ridosol®. Gruppe von Tensid/Emulgator-Kombinationen als Entfettungsverstärker für alkal. u. saure Reinigungsprodukte. ***B.:*** Henkel.

Riebeckit s. Krokydolith u. Amphibole.

Rieche, Alfred Friedrich Robert (geb. 1902), Prof. für Techn. Chemie, Univ. Jena, Inst. für Organ. Chemie, Dtsch. Akademie der Wissenschaften, Berlin. *Arbeitsgebiete:* Organ. Peroxide u. Ozonide, Autoxid., Katalyse, Phenol-Oxid., Chlorether, Hydrierung von Vinylacetylen, Eiweiß-Synth., Lignin-Verwertung, Abwasserchemie, Mikrobiologie, Mikroanalyse.

Lit.: Kürschner (16.), S. 2973 ▪ Pötsch, S. 363.

Riechsalze. Stark riechende Substanzen wie Ammoniumcarbonat bzw. Gemische aus Ammoniumchlorid u. Calciumhydroxid, die zusammen mit z. B. Bergamotteöl, Lavendelöl, Menthol u. a. starken *Riechstoffen in dicht schließende Behälter gefüllt werden. Das beim Öffnen der Fläschchen ausströmende Ammoniak-Gas soll bei Ohnmächtigen als *Analeptikum wirken. Heute kaum mehr gebräuchlich. – ***E*** smelling salts – ***F*** sels volatils – ***I*** sali aromatici – ***S*** sales volátiles (olorosas)

Riechstoffe. Sammelbez. für solche Stoffe od. Stoffgemische, welche durch *Geruch wahrnehmbar sind. Zunächst sollen solche R. behandelt werden, die vom menschlichen Geruchssinn wahrgenommen werden u. entsprechende Empfindungen auslösen. Ganz grob kann zwischen *Duftstoffen mit angenehmer Wirkung u. *Stinkstoffen mit Erzeugung unangenehmer Empfindung bis zu Ekel u. Erbrechen unterschieden werden. Da die Geschmacksnerven nur die vier Geschmacksqualitäten süß, sauer, bitter u. salzig zu unterscheiden vermögen (s. Geschmack), spielt der Geruchssinn auch beim Empfinden der vielfältigen Geschmacksnuancen eine wichtige Rolle; demgemäß können *Aromen den R. zugerechnet werden. Um geruchlich wahrgenommen werden zu können, muß ein Stoff bestimmte mol. Voraussetzungen erfüllen: Niedrige Molmasse (max. 300) mit entsprechend hohem Dampfdruck, Oberflächenaktivität, minimale Wasser- u. hohe Lipoid-Löslichkeit sowie schwache Polarität. Ein stark hydrophober u. ein schwach polarer Molekülteil genügen zur Auslösung der *sensorischen Aktivität* (s. Sensorik). Die Bedeutung der polaren *funktionellen Gruppen für die R.-Eigenschaften wurden früh erkannt, u. man bezeichnete sie als *osmophore Gruppen, wie z. B. –OH, –OR, –CHO, –COR, –COOR (*Euosmophore*, mit angenehmer Geruchswirkung) od. –SH, –SR, –CHS, –CSR, $-NH_2$ (*Kakosmophore*, mit unangenehmer Geruchswirkung). Ferner spielt die *Stereochemie, d. h. die räumliche Konfiguration der Mol., für die Eigenschaften eines Stoffes als R. eine wichtige Rolle. Zum heutigen Stand der Kenntnisse über die Beziehungen zwischen Mol.-Struktur u. Geruch der R. vgl. *Lit.*[1], S. 11–56. Die Versuche, mittels *QSAR u. *Hansch-Analyse quant. Relationen zwischen Struktur u. Geruchscharakter von R. aufzufinden, zeigen erfolgversprechende Ansätze (s. *Lit.*[1], S. 45–48). Wichtiges Instrument auch der wissenschaftlichen Untersuchung von R. ist nach wie vor der menschliche Geruchssinn. Dieser vermag unter mehreren Tausend verschiedener Gerüche zu unterscheiden, ist allerdings individuell unterschiedlich ausgeprägt. Zur Erzielung möglichst objektiver Ergebnisse bedarf es daher möglichst breit angelegter statist. Vergleiche. Für die mehr künstler. ausgerichtete Tätigkeit des *Parfümeurs* ist ein bes. fein differenzierender Geruchssinn u. ein verläßliches „Geruchsgedächtnis" notwendig (s. Parfümerie). Die geringste geruchlich noch wahrnehmbare Konz. eines Stoffes wird als „Wahrnehmungsschwelle" bzw. Entdeckungs- od. Erkennungsschwellenwert bezeichnet. Bei den bisher als geruchsintensivsten bekannten natürlichen Aromastoffen liegt dieser bei ca. 10^{-6} bis 10^{-5} ppb. Für Buttersäure wurde die Wahrnehmungsschwelle auf ca. $2{,}4 \cdot 10^9$ Mol. pro mL Luft berechnet (s. Geruch). Näheres zur quant. Geruchswahrnehmung s. *Lit.*[1], S. 57–69 u. zur Funktion der Geruchswahrnehmung *Lit.*[2].

Geschichte: R. spielen in der menschlichen Kultur seit Urzeiten eine gewichtige Rolle. Zunächst in kult.-religiösen Gebräuchen, bald auch in der Schönheitspflege (vgl. Geschichte bei Parfüms), haben sie heute in vielen Bereichen erhebliche Bedeutung. In der Heilkunde sind sie aus den Schriften von Hippokrates, Plinius d. Ä. u. Galenus aus dem griech.-röm. Kulturkreis überliefert. Auch die heute nur noch selten verwendeten *Riechsalze haben jahrhundertealte Tradition.

Verw.: Der Schwerpunkt der Verw. von R. liegt auch heute in der Herst. von *Parfüms u. der *Parfümierung vieler Gebrauchsartikel. Bis zur 2. Hälfte des 19. Jh. waren die R. ausschließlich natürlichen Ursprungs. Sie wurden überwiegend aus Pflanzen gewonnen (s.a. etherische Öle), einige wenige, allerdings bes. kostbare, auch aus tier. Produkten (*Ambra, Castoreum, *Moschus, *Zibet). Bei der R.-Synth. versuchte man zunächst, die natürlichen R.-Komponenten nach ihrer Strukturaufklärung synthet. zu gewinnen u. durch Rekombination der Komponenten die Duftnoten möglichst naturident. nachzustellen (*Rekonstitution, Rekonstruktion*). Hierbei spielen auch sog. *Paragenosen* eine Rolle – Wechselwirkungen zwischen einzelnen R., die den Duft pos. od. neg. beeinflussen können. Inzwischen werden eine Vielzahl von R. synthet. hergestellt z. B. *Cumarin, *Jonone, *Vanillin u. zusätzlich R. synthetisiert, die keinen natürlichen Vorbildern entsprechen u. zur Komposition von „Phantasie-Duftnoten" dienen.

Eine systemat. Ordnung der R. erfolgt nicht nach chem. Strukturmerkmalen, sondern nach einer Geruchs-Charakteristik. Man ordnet nach „Duft-Familien" u. nach charakterist. Duftnoten, s. Parfüms u. als Beisp. Anethol, Geraniol, Citral, Eugenol, Menthol, Santalol. R. finden außer zur Herst. von *Parfüms vielfältige Verw. z. B. zur *Parfümierung von Seifen, Desodorantien, Haarbehandlungsmitteln u. a. Körperpflegemitteln, von Wasch- u. Reinigungsmitteln u. a. Haushaltsartikeln, als *Geruchsverbesserungsmittel in techn. Produkten, in Raumlufterfrischern bzw. Raumsprays, in der Nahrungs- u. Genußmittel-Ind. als *Aromen, *Essenzen u. *Gewürz-Bestandteile (Lebensmittel-*Zusatzstoffe), auch zur *Aromatisierung von Arzneimitteln sowie in *Räuchermitteln auch für den sakralen Bereich.

Der Weltmarkt der R. u. Aromastoffe betrug 1994 9,7 Mrd. US-$[3].

In der Tierwelt spielen R. eine ungleich wichtigere Rolle als beim Menschen, dessen Geruchssinn (als „Mikrosmat") bedeutend geringer ausgebildet ist als bei vielen Tierarten. So hat z. B. der Schäferhund (als „Makrosmat") gegenüber dem Menschen eine mehr als 20fach erhöhte Anzahl von Sinneszellen in der Riechschleimhaut. Der Mensch macht sich diese Eigenschaften zunutze z. B. bei der Fährtensuche auf der Jagd u. in der Verbrechensbekämpfung sowie bei der Suche nach Rauschgiften od. Sprengstoffen. R. wirken in der Tierwelt überwiegend als Signalstoffe, z. B. im Sozialverhalten zur Abgrenzung von Revieren, bei der Nahrungssuche, als *Sexuallockstoffe, z. T. auch als Kampfstoffe. Bes. umfangreiche Untersuchungen liegen zur Rolle der R. bei Insekten vor, s. Insektenlockstoffe u. Pheromone. – ***E*** odorants, fragrance raw materials – ***F*** odorants – ***I*** sostanze odoranti, odorizzanti – ***S*** substancias odorantes (odoríferas, aromáticas)

Lit.: [1]Ohloff. [2]Ohloff, Irdische Düfte – himmlische Lust, S. 10–69, Basel: Birkhäuser 1992. [3]Chem. Ind. (London) **1996**, 170 ff.

allg.: Frosch et al. (Hrsg.), Fragrances: Beneficial and Adverse Effects, Berlin: Springer 1997 ▪ Hager (5.) **1**, 152, 198 ff. ▪ Kirk-Othmer (4.) **18**, 171–201 ▪ Römpp Lexikon Naturstoffe, S. 552 f. ▪ Ullmann (4.) **20**, 199–287; (5.) **A 11**, 141–250 ▪ Vollmer u. Franz, Chemie in Bad u. Küche, S. 128–140, Stuttgart: Thieme 1991. – *Organisationen:* Internationaler Riechstoffverband (IFRA), 8, rue Charles Humbert, CH-1205 Genève; Vereinigung Deutscher Riechstoffhersteller (VDRH), Meckenheimer Allee 87, 53115 Bonn. – *[HS 3301.., 3302 10, 3302 90, 3303 00]*

Riechwachs s. Ozokerit.

Riedel. Kurzbez. für die aus der Fusion der 1814 gegr. Firma J. D. Riedel mit der 1861 errichteten Chem. Fabrik E. de Haën hervorgegangene Riedel-de Haën Aktienges., 30926 Seelze. Das Unternehmen ist in den Konzern AlliedSignal eingegliedert. 1997 ist für die Laborchemikalien-Aktivitäten das Joint Venture RdH Laborchemikalien GmbH & Co. KG gegr. worden, an dem mit 75% Sigma Aldrich u. mit 25% AlliedSignal beteiligt sind. *Daten* (1996): 1350 (davon 200 Laborchemiker) Beschäftigte, 380 Mio. DM Umsatz (LC 70 Mio. DM). *Produktion:* Anorgan. u. organ. Ind.-Chemikalien, techn. Konservierungsmittel, Leuchtpigmente, Fotofarbstoffe, Elektronikchemikalien, Laborchemikalien usw.

Riedel-Zahl s. kritische Größen.

Riedgräser s. Gräser.

Rieglers Reagenz. Sammelbez. für mehrere Reagenzlsg.: 1. Lsg. von diazotiertem *p*-Nitranilin zum Nachw. von Ammoniumsalzen (Rotfärbung in Ggw. von CaO). – 2. Lsg. von diazotiertem *p*-Nitranilin in Ether zum Nachw. von Saccharin u. Salicylsäure (Grünfärbung). – 3. Lsg. von Naphthalinsulfonsäure zur Eiweißprobe. – ***E*** Riegler's reagent – ***F*** réactif de Riegler – ***I*** reattivo di Riegler – ***S*** reactivo de Riegler

Riehl, Nikolaus (geb. 1901), Prof. für Techn. Physik, TU München. *Arbeitsgebiete:* Entwicklung der Gammagraphie, Leuchtstoff-Lampen, Lumineszenzstoffe, Seltene Erden, Halbleiter, elektr. Leitfähigkeit, Kerntechnik.

Lit.: Kürschner (16.), S. 2980.

Riementang s. Laminarin.

Riemschneider, Randolph (geb. 1920), Prof. für Biochemie, Freie Univ. Berlin. *Arbeitsgebiete:* Schädlingsbekämpfungsmittel, insbes. der Lindan- u. Dien-Reihe, Kontaktinsektizide, DDT u. Derivat-Sonnenfleckentheorie.

Lit.: Kürschner (16.), S. 2982 ▪ Wer ist Wer? (36.), S. 1160.

Rieselfeld. Landfläche mit bewachsenen, durchlässigen Böden über grundwasserführenden Schichten, die zum Zweck der Trinkwassergewinnung mit Oberflächenwasser überflutet wird. Durch Versickerung u. biolog., chem. u. mechan. Reinigung des Wassers bes. in den belebten Bodenschichten wird hochwertiges *Grundwasser gebildet (sog. künstliche Anreicherung des Grundwassers), das zur Trinkwasseraufbereitung eingesetzt wird. R. waren früher auch zur Reinigung mechan. behandelter Abwässer im Einsatz; sie spielen z. B. als Nachreinigung von anaerob behandelten (s. anaerobe Biologie) Nitrat-reichen Grundwässern od. als Sicherheitsstufe bei der Verw. bestimmter Uferfiltrate eine Rolle. – ***E*** irrigation fields, sewage farms – ***F*** champs d'irrigation, champs d'épandage – ***I*** marcite – ***S*** campos de irrigación

Lit.: Abwassertechnische Vereinigung (Hrsg.), ATV-Handbuch Biologische u. weitergehende Abwasserreinigung (4.), S. 29–48, Berlin: Ernst 1997 ▪ Grombach et al. (Hrsg.), Handbuch der Wasserversorgungstechnik (2.) S. 333 ff., München: Oldenbourg 1993 ▪ Habeck-Tropfke u. Habeck-Tropfke, Abwasserbiologie (2.), S. 141–144, Düsseldorf: Werner 1992.

Rieselfilmreaktor. Typ eines *Bioreaktors, der in der *Abwasserbehandlung (Tropfkörper-Reaktor) eingesetzt wird, früher aber auch zur *Essig-Produktion benutzt wurde. Für die Abwasserreinigung besteht der Reaktor aus 3–4 m hohen Zylindern, die zur Oberflächenvergrößerung mit Füllmaterial aus Lavatuff od. Schlacke gefüllt sind. Mikroorganismen, Protozoen, Kleinkrebse, Würmer u. Insekten-Larven siedeln sich auf den Füllkörpern an u. metabolisieren Inhaltsstoffe des Abwassers, das durch Verteilersyst. von oben aufgetragen wird, über den Tropfkörper-Rasen rieselt u. dabei gereinigt wird. Die Belüftung des R. erfolgt mittels natürlicher Zirkulation durch Temp.-Unterschiede der Innen- u. Außenluft. Für die Essig-Herst. wurden Buchenspäne als Besiedlungsflächen der Essigbakterien eingesetzt. – ***E*** trickling film reactor – ***F*** réacteur à ruissellement par film – ***I*** filtro percolatore, letto percolatore – ***S*** reactor de película de escurrimiento

Lit.: Appl. Environ. Microbiol. **62**, 4641 (1996) ▪ Crueger-Crueger (3.) ▪ s. a. Abwasserbehandlung.

Rieselhilfen. Bez. für alle Hilfsmittel, die pulverförmigen od. granulierten, insbes. hygroskop. Substanzen in geringen Mengen beigemischt werden, um deren Verklumpen od. Zusammenbacken zu verhindern u. so dauernd freies Fließen zu gewährleisten; gelegentlich spricht man von *Fließfähigmachen* od. von *Fluidifikation.* Als solche auch *Antikleber, Antibackmittel* od. *Fluidifiantien* genannte R. kommen wasserunlösl., hydrophobierende od. *Feuchtigkeit adsorbierende Pulver von Kieselgur, pyrogenen Kieselsäuren, Tricalciumphosphat, Calciumsilicaten, Al_2O_3, MgO, $MgCO_3$, ZnO, Stearaten, Fettaminen u. dgl. in Frage. Angewendet werden R. z. B. bei Düngemitteln, Zement, Speisesalz u. a. Salzen, Waschpulver etc. – ***E*** free-flow agents, anticaking agents – ***F*** agents antimottants – ***I*** agenti antiraggrumanti – ***S*** agentes anticompactantes

Lit.: Kirk-Othmer (4.) **11**, 809 ▪ Ullmann (5.) **A 11**, 571.

Rieselkolonnen s. Destillation (S. 917).

Rieselsäulen s. Destillation (S. 917).

Riesenchromosomen s. Chromosomen.

Riesenmoleküle s. Makromoleküle.

Rietveld-Methode. Verf. zur Strukturanalyse auf der Basis von Röntgen- od. Neutronenbeugungsdiagrammen. Bei der gängigen *Kristallstrukturanalyse mit Einkristallen benötigt man ca. 50–100mal so viele Reflexintensitäten wie unabhängige Atomlagen vorhanden sind. So viele Daten können *Pulvermethoden nicht erbringen. Darüber hinaus fallen viele Reflexe unterschiedlicher Indizierung (s. Millersche Indizes) zusammen. Einen Ausweg fand H. M. Rietveld: Statt einzelner Reflexintensitäten verwendet man die Zählraten der einzelnen Meßpunkte eines gesamten Pulverdiffraktogramms. Mit Hilfe der R.-M. werden dann least-square-Verfeinerungen durchgeführt, bis die beste Anpassung zwischen dem kompletten beobachteten Pulverdiffraktogramm u. dem vollständig berechneten Diffraktogramm erreicht wird. Letzteres beruht auf den gleichzeitig verfeinerten Modellen der Kristallstruktur, der beugungsopt. Effekte, der instrumentellen Parameter u. a. Probencharakteristika, wie z. B. der Gitterkonstanten. Eine Schlüsselrolle während der Verfeinerung spielt die Rückkopplung zwischen der Verbesserung des Strukturmodells u. der verbesserten Zuweisung der beobachteten Intensität zu den teilweise überlappenden Bragg-Reflexen. In diesem interaktiven Vorgehen liegt der Vorteil der R.-M. gegenüber gebräuchlichen Strukturverfeinerungsmeth. aus Pulverdaten, bei denen die beobachteten Intensitäten nur einzelnen Bragg-Reflexen zugeordnet werden. – ***E*** Rietveld method – ***F*** méthode de Rietveld – ***I*** metodo di Rietveld – ***S*** método de Rietveld

Lit.: Young, The Rietveld Method, New York: Oxford University Press 1995.

Rifabutin (Rp).

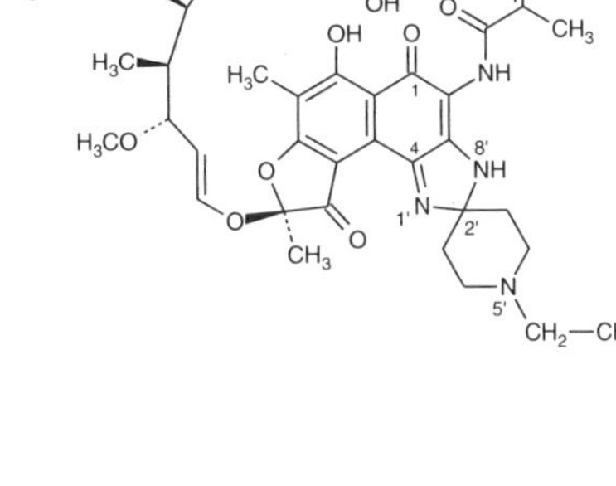

Internat. Freiname für das *Antibiotikum O^1,1′-Didehydro-5′-isobutylrifamycin XIV [N^3,N^4-(1-Isobutyl-4,4-piperidindiyl)-3-aminorifamycin-1,4-chinonimin], $C_{46}H_{62}N_4O_{11}$, M_R 847,02. R. ist ein semisynthet. Derivat von Rifamycin S (s. Rifampicin), das die RNA-Polymerase Gram-pos. u. -neg. Bakterien hemmt. R. wurde 1979 u. 1980 von Farmitalia u. Archifar Labs patentiert u. ist von Pharmacia & Upjohn (Mycobutin®) zur Behandlung mycobakterieller Infektionen, insbes. Tuberkulose, im Handel. – ***E*** rifabutin – ***F*** rifabutine – ***I*** = ***S*** rifabutina

Lit.: Hager (5.) **9**, 515 ff. ▪ Merck-Index (12.), Nr. 8380. – *[CAS 72559-06-9]*

Rifampicin. $C_{43}H_{58}N_4O_{12}$, M_R 822,96, Schmp. 183–188 °C. Internat. Freiname für das gegen Gram-pos. Erreger u. *Mykobakterien wirksame halbsynthet. 3-[(4-Methyl-1-piperazinylimino)methyl]-Derivat des *Rifamycins* ($C_{37}H_{47}NO_{12}$, M_R 697,80; gelborange Krist., Schmp. ca. 300 °C).

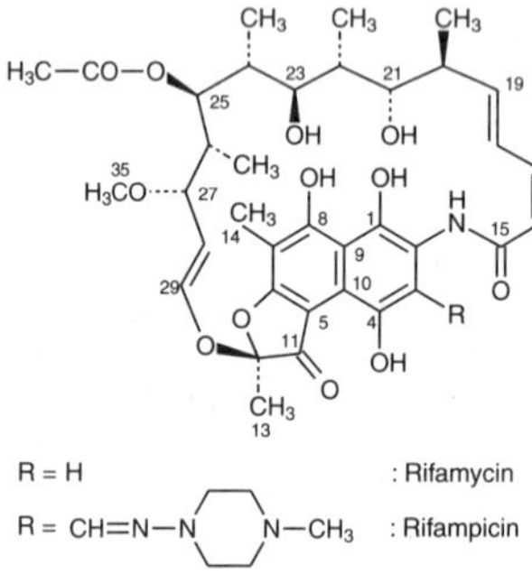

R = H : Rifamycin

R = CH=N–N(piperazin)N–CH₃ : Rifampicin

Dieses früher *Rifamycin SV* genannte Antibiotikum u. R. gehören wie die nahe verwandten, seit 1959 aus *Nocardia mediterraneus*-Kulturen isolierten Rifamycine B, G, L, O, P, Q, S, W, X, Z zu den **Ansamycinen*, um deren Konstitutionsaufklärung sich bes. *Prelog u. Sensi verdient gemacht haben. R. wirkt gegen Gram-pos. u. einzelne Gram-neg. Erreger, einige Viren u. gegen Mykobakterien, v. a. *Mycobacterium tuberculosi.* Es findet daher Verw. als *Tuberkulostatikum u. hat auch bei der *Lepra-Bekämpfung Erfolge gezeigt. Bei Monotherapie mit R. entsteht rasch Resistenz; daher wird es im allg. zusammen mit anderen Tuberkulosemitteln wie z. B. INH (*Isoniazid) angewandt. R. ist darüber hinaus für die Virusbekämpfung interessant, da es die *Transkription durch Blockierung der RNA-*Polymerase hemmt. – ***E*** rifampicin – ***F*** rifampicine – ***I*** = ***S*** rifampicina

Lit.: Angew. Chem. **97**, 1011 (1985) ▪ Beilstein E V **27/26**, 147, 172 f. ▪ Drugs Pharm. Sci. **22**, 281 (1984) ▪ Indian Drugs **26**, 324 (1989) ▪ J. Antibiot. **48**, 815 (1995) ▪ Präve (4.), S. 687. – *[HS 2941 90; CAS 6998-60-3 (Rifamycin); 13292-46-1 (R.)]*

Rifamycin s. Rifampicin.

Rilanit®. Erster auf Basis nativer *Fettsäuren für die chem.-techn. Ind. R. spezial: Gehärtetes *Ricinusöl (D. 0,98, Schmp. 84–85 °C, Verseifungszahl ca. 180) als Thixotropiermittel bei Lacken. ***B.:*** Henkel.

Riley-Oxidation s. Selendioxid.

Riluzol (Rp).

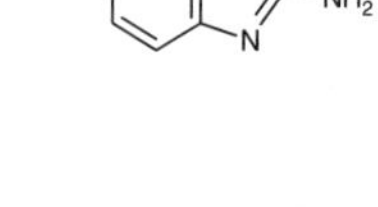

Internat. Freiname für das Neuropathiemittel 6-(Trifluormethoxy)-2-benzothiazolamin, $C_8H_5F_3N_2OS$, M_R 234,20, Schmp. 119 °C, LD_{50} (Maus, oral) 67 mg/kg. R. ist ein Glutamat-Antagonist mit antikonvulsiver Wirkung. Es wurde 1982/83 von Pharmind. patentiert u. ist zur symptomat. Behandlung der amyotrophen Lateralsklerose (ALS), einer Degeneration von Neuronen der Willkürmotorik, von Rhône-Poulenc Rorer (Rilutek®) im Handel. – ***E*** = ***F*** riluzole – ***I*** riluzolo – ***S*** riluzol

Lit.: Drugs Fut. **19**, 920 ff. (1994) ▪ Lancet **347** (No. 9013), 1425–1431 (1996) ▪ Martindale (31.), S. 1748 ▪ Merck-Index (12.), Nr. 8389. – *[CAS 1744-22-5]*

RIM. 1. Abk. von *E r*eaction *i*njection *m*oulding = Reaktionsspritzguß, ein bei der Herst. von Kunststoff-Formteilen, bes. von *Polyurethanen, praktiziertes Verf.; Näheres s. dort. – 2. Abk. von *E r*adioactive *i*on *m*icroscopy = Mikroskopie mit Radionuklid-Ionen als Meth. zur Untersuchung *dünner Schichten: Ein Strahl von z. B. Tritium-Ionen wird nach Durchtritt durch eine zu untersuchende Folie in einen Stapel von PETP- od. Glimmerfolien proportional zur Dicke u. Dichte der Probe mehr od. weniger tief eindringen. Aus der durch *Autoradiographie bestimmten Tiefenverteilung der Ionen wird auf die Probenstruktur geschlossen.

Lit. *(zu 1.):* Elias (5.) **1**. – *(zu 2.):* INIS **12**, 7536 (1981) [(vgl. Chem. Ztg. **106**, 258 (1982)] ▪ Naturwissenschaften **67**, 254 f. (1980).

Rimactan® (Rp). Kapseln, Sirup, Trockensubstanz zur Injektion u. Dragées mit dem *Tuberkulostatikum *Rifampicin. ***B.:*** Novartis.

Rimexolon (Rp).

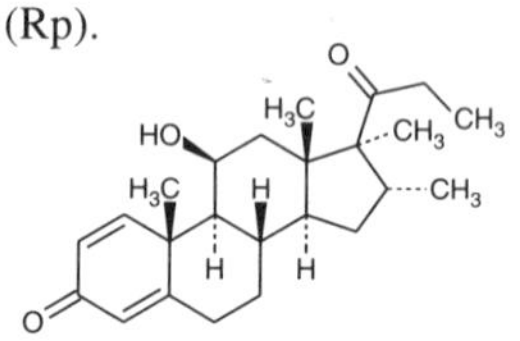

Internat. Freiname für ein neues Corticosteroid zur Anw. am Auge, 11β-Hydroxy-16α,17α-dimethyl-17β-propionyl-androsta-1,4-dien-3-on, $C_{24}H_{34}O_3$, M_R 370,53, Schmp. 258–268 °C, $[\alpha]_D$ +100° (c 0,92/Pyridin), λ_{max} 244 nm ($A^{1\%}_{1\,cm}$ 394). R. wurde 1973 u. 1976 von Azko patentiert u. für die USA (Vexol®) bereits zugelassen. – ***E*** = ***F*** = ***I*** rimexolone – ***S*** rimexolona

Lit.: Acta Crystallogr. Sect. C **41**, 763 ff. (1985) ▪ Dtsch. Apoth. Ztg. **137**, 4144 (1997) ▪ Drugs Today **33**, 123–129 (1997) ▪ Merck-Index (12.), Nr. 8392. – *[CAS 49697-38-3]*

Rimsulfuron.

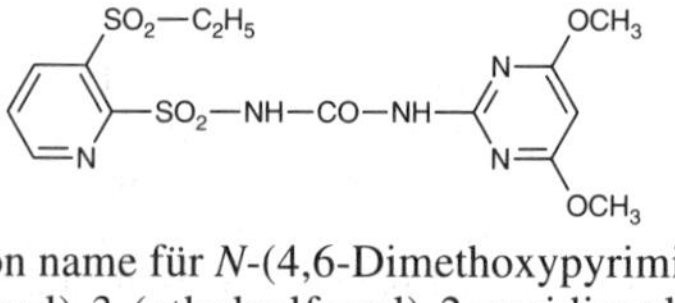

Common name für *N*-(4,6-Dimethoxypyrimidin-2-ylcarbamoyl)-3-(ethylsulfonyl)-2-pyridinsulfonamid, $C_{14}H_{17}N_5O_7S_2$, M_R 431,43, Schmp. 176–178 °C, LD_{50} (Ratte oral) >5000 mg/kg, von DuPont Anfang der 90er Jahre eingeführtes selektives, system. *Herbizid gegen Unkräuter u. Ungräser in Mais-, Kartoffel- u. a. Kulturen. – ***E*** = ***F*** rimsulfuron – ***I*** rimsulfurone – ***S*** rimsulfurón

Lit.: Perkow ▪ Pesticide Manual. – *[CAS 122931-48-0]*

Rindbox. Wichtigstes der chromgegerbten Oberleder aus leichteren Rindshäuten, wird vollnarbig (auch als sehr weiches *Nappaleder) od. geschliffen (Schleifbox) hergestellt. – ***E*** side leather – ***F*** vachette box, vachette tannée au chrome – ***I*** vacchetta morbida – ***S*** „rindbox", cuero de vaqueta al cromo

Lit.: Herfeld (Hrsg.), Bibliothek des Leders, Bd. 10, S. 257, Frankfurt: Umschau 1982 ▪ Ullmann (4.) **16**, 115.

Rinderfett s. Rindertalg.

Rindergalle s. Ochsengalle.

Rinderklauenöl s. Klauenöle.

Rinder-Serumalbumin s. Serumalbumin.

Rinderseuche (BSE, mad cows disease). Unter R. versteht man eine spongiforme Enzephalopathie, die im Jahre 1990 in Europa für agrarpolit. Auseinandersetzungen, v. a. zwischen Großbritannien u. dem Rest der EU (Importverbot für brit. Rindfleisch) sorgte [1,2]. Die möglicherweise durch *Prionen (s. a. Prion-Protein) induzierte, in Großbritannien epidem. verbreitete Krankheit wird auch mit dem Kürzel BSE = bovine spongiform (schwammartige) encephalopathy bezeichnet. Als Symptome werden bei Rindern Aggressivität, Verlust der Koordination u. im Endstadium der stets tödlich verlaufenden Krankheit Teilnahmslosigkeit beschrieben. Die Symptome sind als Folge degenerativer Veränderungen des Gehirns zu werten. Ähnliche Symptome sind für die wahrscheinlich ebenfalls durch Prionen verursachte, bei Schafen vorkommende Traberkrankheit (engl.: scrapie) beschrieben, so daß das Auftreten bei Rindern durch die Verfütterung von Schlachtabfällen an Traberkrankheit erkrankter Schafe, erklärt werden könnte. Bei Menschen, die am (mit ähnlicher Symptomatik beschriebenen) Creutzfeld-Jakob-Syndrom leiden, konnten ebenfalls scrapieassoziierte Fibrillen (SAF) im Gehirn identifiziert werden. SAF lagern sich im fortgeschrittenen Stadium der Krankheit zu *Amyloiden zusammen, anhand derer die Krankheit patholog. nachweisbar ist. Einen umfassenden Überblick zu BSE gibt *Lit.* [3–5]. Untersuchungen zu Spezies-Barrieren bezüglich der Übertragbarkeit von BSE sind *Lit.* [6] zu entnehmen. Über in bestimmten Regionen häufig auftretende, u. mit ähnlicher Symptomatik beschriebene Todesfälle beim Menschen berichtet *Lit.* [7]. Um einer Verbreitung von BSE in der BRD vorzubeugen, wurde eine entsprechende VO [8] erlassen. – ***E*** bovine spongiform encephalopathy – ***F*** encéphalopathie bovine spongiforme (EBS) – ***I*** epidemia bovina, encefalopatia spongiforme bovina (BSE) – ***S*** epidemia bovina

Lit.: [1] Die Zeit, Nr. 30 vom 10. 8. 1990, S. 54. [2] Frankfurter Allgemeine Zeitung vom 8. 8. 1990. [3] Bundesgesundheitsblatt **33**, 189–193, 435–440 (1990). [4] Chem. Unserer Zeit **25**, 12–14 (1991). [5] Chem. Ind. (London) **1991**, Nr. 5, 163–168. [6] Nature (London) **378**, 779–783 (1995). [7] Sci. Am. **24** (8), 5 (1990). [8] VO zur Verhütung einer Einschleppung der spongiformen Rinderenzephalopathie bei der Einfuhr von Futtermitteln tier. Herkunft vom 7. 3. 1991 (BGBl. I, S. 629).

allg.: AID-Verbraucherdienst **36**, 100–102 (1991) ▪ Ärztl. Lab. **36**, 240–245 (1990) ▪ BIOForum **18**, 8–12 (1995) ▪ Biotech. Forum Eur. **8**, 308–310 (1991) ▪ Bundesgesundheitsblatt **34**, 211 (1991) ▪ Dtsch. Tierärztl. Wochenschr. **97**, 540–544 (1990) ▪ Fleischwirtschaft **71**, 269–270 (1991) ▪ Lancet **335**, 1252–1253; **336**, 1300–1303 (1990) ▪ New Sci. **126**, 32–34 (1990) ▪ Ridley u. Baker, Fatal Protein: The Story of CJD, BSE and Other Prion Diseases, Oxford: Oxford Univ. Press 1998.

Rindertalg (Rinderfett). R. wird aus dem Fettgewebe des Rindes hergestellt u. hat auf Grund seines hohen Anteils an Glyceriden langkettiger gesätt. *Fettsäuren einen hohen Schmp. (45–90 °C). Ausgelassener R. ist nicht streichfähig, sondern hart u. spröde. Die Farbe von R. schwankt je nach Fütterung (Weide od. Stall) zwischen gelb u. weißgrau.
Zur Zusammensetzung s. die Tabellen. Vergleichend ist die Zusammensetzung von intramuskularem Rinderfett *Lit.* [1] zu entnehmen, zum Stearin-Gehalt s. *Lit.* [2].

Tab. 1: Fettsäure-Zusammensetzung von Rindertalg.

Fettsäure	Angaben in Gew.% der Gesamtfettsäuren
12:0	0
14:0	3
14:1 (9)	0,5
16:0	26
16:1 (9)	3,5
18:0	19,5
18:1 (9)	40
18:2 (9, 12)	4,5
18:3 (9, 12, 15)	0
20:0	0
20:1	0
20:2	0
sonstige	3

Tab. 2: Mittlere Triacylglycerid-Zusammensetzung (Gew.-%) von Rindertalg.

SSS	29
SUS	33
SSU	16
SUU	18
USU	2
UUU	2

S: gesätt. Fettsäure, U: ungesätt. Fettsäure.

Erläuterung:
SSS= Triacylglycerid, das in Position 1, 2 u. 3 eine gesätt. Fettsäure enthält.
USU= Triacylglycerid, das in Position 1 u. 3 eine ungesätt. Fettsäure u. in Position 2 eine gesätt. Fettsäure enthält.

Verw.: Nach den Leitsätzen für Speisefette u. Speiseöle [3] dient R. als Back- u. Kochfett u. wird zur *Margarine-Herst. verwendet. R. bes. hoher Qualität wird als *Premier Jus* bezeichnet. Früher wurde R. auf Grund seines ähnlichen Fettsäure-Spektrums zur Streckung von *Kakaobutter verwendet.
Herst.: R. erhält man durch schonendes Auslassen von Fettgewebe des Rindes in Talgschmelzen. Die anschließende Filtration befreit den R. von Grieben.
Analytik: *Iod-Zahl: 40 (32–48), Verseifungszahl: 196 (190–200). Zur klass. Analytik s. *Lit.* [4].
Produktionszahlen (BRD, 1997, Angabe als tier. Fette u. Öle): 58 179 t. Zur techn. Bedeutung s. Talg. – ***E*** beef tallow, beef fat, beeffat – ***F*** suif de boeuf – ***I*** sego bovino – ***S*** sebo bovino

Lit.: [1] Zivocisna Vyroba **41**, 21–24 (1996). [2] Fat Sci. Technol. **91**, 23–27 (1989). [3] Leitsätze für Speisefette u. Speiseöle i. d. F. vom 9. 6. 1987 (Bundesanzeiger Nr. 140 a), abgedruckt in Zipfel, C 296. [4] Pardun, Analyse der Nahrungsfette, S. 277–278, Berlin: Parey 1976.

allg.: Belitz-Grosch (4.), S. 159, 580, 583 ▪ Ullmann (4.) **11**, 516; (5.) **A 10**, 176, 234; **A 11**, 499 ▪ Vollmer et al., Lebensmittelführer (2.), Bd. 2, S. 103, 108, Stuttgart: Thieme 1995 ▪ Zipfel, C 296 II C. – *[HS 1502 00; CAS 61789-97-7]*

Ringanalyse s. Ringversuche.

Ring Code. In *Notationen benutzte Verf., *Ringsysteme in *Datenbanken alphanumer. zu speichern.

Ringe s. Ringsysteme.

Ringelblumen s. Calendulaöl u. Tagetes.

Ringer-Lösung. Eine von dem Londoner Pharmakologen S. Ringer (1835–1910) angegebene *isotonische Lösung, deren osmot. Druck dem des normalen Blutes gleicht (7,55 bar): wäss. Lsg. von 0,8% Kochsalz, 0,02% Kaliumchlorid, 0,02% Calciumchlorid u. 0,1% Natriumhydrogencarbonat. Die R.-L. enthält die Salze ungefähr im gleichen Verhältnis wie das Blutserum, weshalb man in ihr viele Zellen längere Zeit am Leben erhalten kann; v. a. dient sie ebenso wie die *Tyrode-Lösung als *Blutersatzmittel u. Infusionslsg. bei Elektrolyt- u. Wasser-Verlusten. Ringer-Lactat-Lsg. enthält statt Natriumhydrogencarbonat 0,3 od. 0,6% Natriumlactat. – ***E*** Ringer's solution – ***F*** solution de Ringer – ***I*** soluzione di Ringer – ***S*** solución Ringer

Lit.: United States Pharmacopeia 23, S. 1383–1389, Rockville: USP Convention 1994.

Ringerweiterung s. Ringreaktionen.

Ring Index. Als Revised Ring Index (RRI) 1960–1965 von der American Chemical Society herausgegebenes Nachschlagewerk für die systemat. *Nomenklatur von 14265 einfachsten bis polycycl., carbo- bzw. heterocycl. *Ringsystemen. Angegeben wurden ferner Bezifferung, Bruttoformeln u. Lit.-Zitate. Die 4 Bd. enthielten kumulierende Register der systemat. u. Trivialnamen. Ersetzt wurde dieses Nachschlagewerk durch das 1977–1983 vom Chemical Abstracts Service publizierte Parent Compound Hdb., zu finden in den Bandregistern von *Chemical Abstracts. Im Parent Compound Hdb. werden mehr als 56000 Ringsyst. aufgeführt u. mit 7 Registern erschlossen. Seit 1984 erscheint das Ring System Hdb. (RSH) mit 5 Ausgaben pro Jahr, welches mehr als 100000 (1998) Ringsyst. beschreibt. Zusätzlich werden alle 6 Monate Supplements zum RSH herausgegeben.

Ring-Kette-Gleichgewichte. Bez. für eine sich im Verlaufe zahlreicher *Polymerisationen, *Polykondensationen u. *Polyadditionen ausbildende Gleichgew.-Situation zwischen niedermol., cycl. *Monomeren u. *Oligomeren unterschiedlicher Größe auf der einen u. hochmol., linearen *Polymeren auf der anderen Seite.

Die Gleichgew.-Lage hängt entscheidend von der Stabilität der cycl. Spezies ab, die ihrerseits wiederum von der Ringgröße abhängt. Sechsgliedrige Ringe sind die am wenigsten gespannten. Sie sind daher am stabilsten u. lassen sich oft nur noch bei sehr tiefen Temp. (d. h. unter kinet. Kontrolle) ringöffnend polymerisieren (s. Ringöffnungspolymerisation). Aus dem gleichen Grunde bilden sich während der Polykondensation von z. B. AB-Monomeren, die im Oligomerenstadium die Möglichkeit haben, Fünf- od. Sechsringe zu bilden, bevorzugt diese Cyclen u. nur wenig lineares Polymer. –

n A—B ⇌ $-[A-B]_n-$; n (A—B ring)

z.B.: n $H_2N-R-COOH$ ⇌ $-[NH-R-C(=O)]_n-$ + n H_2O ; n (lactam ring, H–N–C(=O), R) + n H_2O

E ring-chain equilibrium – ***F*** équilibres annulaires – ***I*** equilibrio anello-catena – ***S*** equilibrios cadema-anillo

Lit.: Odian (3.), S. 73 f., 533 f., 667 f.

Ring-Ketten-Tautomerie s. Tautomerie.

Ringöffnung s. Ringreaktionen.

Ringöffnungspolymerisation. Bez. für *Polyreaktionen, bei denen aus cycl. *Monomeren (I) Polymere des Typs II aufgebaut werden:

n (R X ring) ⟶ $-(R-X)_n-$
I II

Hierbei steht X für eine funktionelle Gruppe, z. B. CH=CH, oder ein Heteroatom (O, N, S, P, Si u. a.). Für die R. geeignete Monomere sind u. a. cycl. Ether (X=O; Epoxide, Tetrahydrofuran), Amine (X=N; Aziridine, Azetidine, Oxazoline, 1,3-Oxazine), Sulfide (X=S; Ethylensulfid, Thietane), Lactone (X=CO–O; ε-Caprolacton), Lactame (X=CO–NH, ε-Caprolactam), Siloxane (X=Si), Formale (Trioxane) od. *N*-Carboxyanhydride von Aminosäuren. Die R. kann durch verschiedene *Initiatoren ausgelöst werden. Die größte Bedeutung hat dabei die kation. initiierte R., deren Start- u. Wachstumsschritte am Beisp. der Trioxan-Polymerisation gezeigt sind:

Start:

H^+ + (Trioxan) ⇌ H–O^+(Trioxan) ⇌ $HO-CH_2-O-CH_2-O-\overset{+}{C}H_2$

Wachstum:

$HO-CH_2-O-CH_2-O-\overset{+}{C}H_2$ + n (Trioxan) ⟶ $H-[O-CH_2-O-CH_2-O-CH_2]_n-\overset{+}{O}$(Trioxan)

Wichtige anion. initiierte R. sind z. B. die von Lactonen u. Lactamen. – ***E*** ringopening polymerization – ***F*** polymérisation par ouverture de noyau (cycle) – ***I*** polimerizzazione di apertura anulare – ***S*** polimerización por apertura de anillo

Lit.: Compr. Polym. Sci. **3**, 283–318, 467–485 ▪ Encycl. Polym. Sci. Eng. **14**, 622–647 ▪ Houben-Weyl **E 20/1**, 448–513.

Ringofen. Mit R. bezeichnet man einen Brennofen, der aus einem in mehrere Kammern unterteilten Brennkanal, den Rauchkanälen, dem Rauchsammler u. dem

Kamin besteht u. kontinuierlichen Betrieb dadurch erlaubt, daß die mobile Feuerungsanlage (meist Gasbeheizung, seltener Ölfeuerung) von Kammer zu Kammer wandert, während das Brenngut im R. feststeht. Dadurch kann das gebrannte Material nach Beendigung des Brennvorganges abkühlen, das ungebrannte Gut dagegen wird von den angesaugten Verbrennungsgasen vorgewärmt. Nach Abschluß des Kühlvorgangs wird die jeweilige Kammer ent- u. anschließend mit Calciniergut wieder beladen. R. finden Verw. z. B. zum *Brennen* (*Calcinieren) von Kalk zu *Calciumoxid, von *keramischen Werkstoffen (s. a. Ziegel), zur Herst. von Kunstkohle bzw. Graphit (Carbonisierung) etc. Etwas völlig anderes ist dagegen die in der *Weisz Ringofen-Technik zur Spurenanalyse benutzte Apparatur, vgl. die Abb. bei Burns et al. (*Lit.*). – ***E*** ring furnace – ***F*** four annulaire (circulaire) – ***I*** forno ad anello – ***S*** horno anular

Lit.: Burns et al., Inorganic Reaction Chemistry, Bd. 1: Systematic Chemical Separation, Chichester: Horwood 1980 ▪ Kirk-Othmer (3.) **4**, 582 ff. ▪ Spektrum Wiss. **1981**, Nr. 4, 131–137 ▪ Winnacker-Küchler (3.) **2**, 260; (4.) **3**, 290–295; **3**, 258.

Ring-Opening-Metathesis-Polymerization s. Metathese u. Metathesepolymerisation.

Ringpolymere s. makrocyclische Polymere.

Ringreaktionen. Für den Auf-, Ab- u. Umbau von *Ringsystemen sind zahlreiche spezielle R. entwickelt worden, die meist in eigenen Stichwörtern behandelt sind. Die Synth. von kleineren Ringen bedienen sich häufig der Cycloadditionen u. Valenzisomerisierungen, wobei bes. vielfältige R. bei *peri-, insbes. *elektrocyclischen Reaktionen [1] u. bei photochem. Reaktionen von Benzol-Derivaten u. anellierten aromat. Verb. zu beobachten sind [2]. Bei mittleren u. großen Ringen werden die herkömmlichen **Ringschlußreaktionen* (*Cyclisierung) z. B. durch intramol. Substitution, ggf. unter Heranziehung des *Zieglerschen Verdünnungsprinzips*, noch bevorzugt. In jüngerer Zeit sind allerdings zahlreiche neuartige Synth. aufgekommen, die zu *makrocyclischen Verbindungen führen; *Beisp.*: *Story-Methode, *Metathese, *Zip-Reaktion [3,4]. Mittlere Ringe sind auch durch **Cyclooligomerisation* von Butadien u. Ethylen mit Hilfe von Übergangsmetallkomplexen zugänglich. Weitere synthet. Möglichkeiten bieten spezif. *Ringerweiterungen* [5] u. *Ringvereng(er)ungen* durch Umlagerung, Valenzisomerisierung, transannulare Effekte etc. Durch *Ringöffnungs-Reaktionen* [6] schließlich können die cycl. Verb. wieder in offenkettige übergehen (*Cycloreversion*, *Cycloeliminierung*, *Decyclisation*). Hier seien auch die sog. **Ringöffnungspolymerisationen* erwähnt, die von Cycloalkenen ausgehen u. zu linearen Polymeren führen (s. a. Polymerisation). – ***E*** ring system reactions – ***F*** réactions des systèmes cycliques – ***I*** reazioni dei composti ciclici – ***S*** reacciones de los sistemas cíclicos

Lit.: [1] Angew. Chem. **89**, 589–602 (1977). [2] Angew. Chem. **92**, 245–276 (1980). [3] Helv. Chim. Acta **61**, 1342–1352 (1978). [4] Helv. Chim. Acta **68**, 1033–1053 (1985). [5] Hesse, Ring Enlargement in Organic Chemistry, Weinheim: VCH Verlagsges. 1991. [6] Top. Curr. Chem. **190**, 1 (1997).
allg.: Trost-Fleming **1**, 843 ff.

Ringschluß-Olefin-Metathesis s. Metathese.

Ringschlußreaktionen. Solche Reaktionen sind in diesem Lexikon bereits unter dem Stichwort **Cyclisierungen* abgehandelt. An dieser Stelle soll auf das stark expandierende Gebiet der R. von Iminium-, Oxonium- u. Sulfonium-Ionen verwiesen werden, die in zunehmendem Maße zur *stereoselektiven Synth. von heterocycl. Verb. zur Anw. kommen. Für die Herst. von großen Ringen durch R., z. B. durch die *Thorpe-Reaktion, ist es günstig, Heteroatome in die Kette einzubauen (sog. *Heteroatom-Effekt*), wodurch die Ausbeuten oft beträchtlich erhöht werden können. – ***E*** cyclization, ring formation – ***F*** réactions de cyclisation – ***I*** ciclizzazioni – ***S*** reacciones de ciclación

Lit.: Mulzer et al., Organic Synthesis Highlights, Vol. 1, S. 121 ff., Weinheim: VCH Verlagsges. 1991 ▪ Nachr. Chem. Tech. Lab. **37**, 370–374, 498–505, 602–605 (1989) ▪ Waldmann, Organic Synthesis Highlights, Vol. 2, S. 167 ff., Weinheim VCH Verlagsges. 1995.

Ringsequenzen (Ringverbände). Mol.-Gerüste aus n ident., durch n–1 Bindungen verketteten Ringsyst., deren Benennung IUPAC-Regeln A-51 bis A-55, B-13, C-71 u. R-2.4.4 festlegen: Lokantenpaare der Verknüpfungen, ein spezielles Zahlwort (s. Multiplikationspräfixe) u. der Name des vervielfachten Ringsyst. (*Ausnahme:* bei Benzol-R. stets ...phenyl) od. des verdoppelten Restes (bei Zweiersequenzen) bilden den Namen. Die Lokanten der einzelnen Ringsyst. unterscheidet man mit Strichindizes. Für R. mit über 5 Gliedern wird diskutiert, statt Strichen kleine röm. Zahlen zu setzen; *Beisp.:* $1,1^{i}:4^{i},1^{ii}:4^{ii},1^{iii}:4^{iii},1^{iv}:4^{iv},1^{v}$-Sexiphenyl (statt $1,1':4',1'':4'',1''':4''',1'''':4'''',1'''''$-... od. *p,p,p,p*-). Für Doppelbindungen zwischen Ringsyst. fand früher *Δ Verw.; *Beisp.:* $\Delta^{1(1')}$-1,1′-Bicyclobutan (jetzt: 1,1′-Bicyclobutyliden), $\Delta^{1(1'),3'(1'')}$-1,1′:3′,1″-Tercyclohexan-2′-on (jetzt: 2,6-Dicyclohexylidencyclohexanon). – ***E*** ring assemblies – ***F*** séquences en boucle – ***I*** sequenze di anello – ***S*** secuencias de anillos

Ringsilicate s. Silicate.

Ringspannung. In kleinen *Ringsystemen auftretendes Phänomen, welches sich experimentell in ungewöhnlich großen Verbrennungswärmen (verglichen mit den entsprechenden offenkettigen Verb.) äußert; s. a. Baeyer-Spannung. Die R. ist bes. groß in Dreiringen. Z. B. hat *Cyclopropan eine Verbrennungswärme von 697 kJ · mol^{-1} pro CH_2-Gruppe; der entsprechende Wert für *Cyclohexan u. offenkettige Alkane beträgt nur 658 kJ · mol^{-1}. – ***E*** ring strain – ***F*** tension annulaire – ***I*** tensione anulare – ***S*** tensión anular

Lit.: Halton, Advances in Strain in Organic Chemistry, Vol. 1–5, Greenwich, Connecticut: JAI Press 1991–1996 ▪ s. a. Ringsysteme.

Ringstrom. Im ^{1}H-NMR-Spektrum sind die Protonen von aromat. Verb. stark *entschirmt* (s. Abschirmung u. NMR-Spektroskopie) (*Beisp.:* Benzol δ=7,27 ppm, Ethen δ=5,84 ppm). Dieser Effekt wird mit einem R. erklärt, der induziert wird, wenn man das Mol. mit seinen delokalisierten π-Elektronen in ein Magnetfeld bringt. Der R. erzeugt seinerseits ein zusätzliches Magnetfeld, dessen Kraftlinien im Zentrum des Aromaten dem äußeren Magnetfeld entgegengerichtet, im Bereich der direkt an den Aromaten gebundenen H-

Atome aber parallel zu dem äußeren Magnetfeld gerichtet sind (s. Abb.).

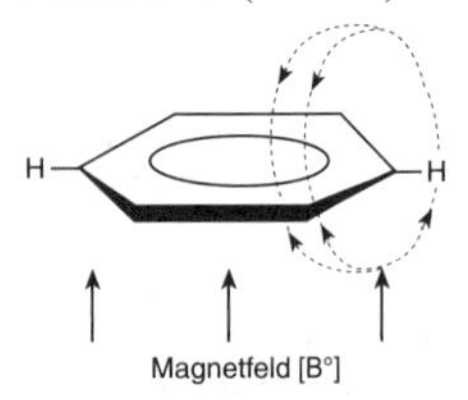

Abb.: Zusätzlich durch den Ringstrom induziertes Magnetfeld: schwächt äußeres Feld im Innern des Rings (Protonen werden abgeschirmt) u. verstärkt es an der Peripherie des Rings (Protonen werden entschirmt).

Daher sind die Protonen in Aromaten schwächer abgeschirmt (*entschirmt*) als in Alkanen. Der R.-Effekt kann als ein Kriterium aromat. Charakters betrachtet werden (s. Aromatizität). In der ^{13}C-NMR-Spektroskopie hat er nur untergeordnete Bedeutung, da er lediglich wenige Prozent der gesamten Abschirmung ausmacht. – ***E*** ring current – ***F*** courant annulaire – ***I*** corrente d'anello – ***S*** corriente anular

Lit.: Friebolin, Ein- u. zweidimensionale NMR-Spektroskopie (2.), Weinheim: VCH Verlagsges. 1992 ▪ Prog. NMR Spectr. **13**, 303–344 (1980) ▪ Pure Appl. Chem. **52**, 1541–1548 (1980) ▪ s. a. Aromatizität u. NMR-Spektroskopie.

Ringsysteme. Sammelbez. für die in *cyclischen Verbindungen vorliegenden, im allg. in Einzelstichwörtern näher beschriebenen Ringstrukturen, wobei man zweckmäßigerweise unterteilt in *kleine Ringe* (3–4 Glieder, z. B. Cyclobutan), *gewöhnliche Ringe* (5–7 Glieder, z. B. Benzol), *mittlere Ringe* (8–12 Glieder, z. B. Cyclododecan) u. *große Ringe* (13 u. mehr Glieder, z. B. Muscon, Annulene, u. a. makrocycl. Verb.). Diese Ringe können wiederum isoliert, über Einfach- od. Doppelbindungen verknüpft (*mehrkernige Verbindungen) od. als durch *Anellierung verbundene *kondensierte Ringsysteme vorliegen. Die Verb. der letztgenannten Gruppe – wichtigste Vertreter sind die *polycyclischen aromatischen Kohlenwasserstoffe – werden auch oft zusammen mit *Käfigverbindungen u. Brücken-Verb. als *polycyclische Verbindungen zusammengefaßt. Die R. können gesätt., ungesätt. u. aromat., carbo- u. heterocycl. od. auch Metall-organ. sein. Selbst rein anorgan. R. sind in größerer Zahl beschrieben. Bei vielen Reaktionen am R. (s. Ringreaktionen) spielt die von der Ringgliederzahl abhängige therm. Stabilität eine Rolle, die eine Folge von **Konformation* u. **Ringspannung* (s. a. Baeyer- u. Pitzer-Spannung) ist[1]. – ***E*** ring systems – ***F*** systèmes cycliques – ***I*** sistemi ciclici – ***S*** sistemas cíclicos

Lit.: [1] Pure Appl. Chem. **52**, 1645–1667 (1980); **55**, 315–321 (1983); **56**, 1781–1796 (1984); Top. Curr. Chem. **125**, 1–25 (1984).

Ring System Handbook s. Ring Index.

Ringverbände s. Ringsequenzen.

Ringverbindungen s. Ringsysteme.

Ringvereng(er)ung s. Ringreaktionen.

Ringversuche (Ringanalysen). In der Analytik Bez. für unabhängig voneinander u. gleichzeitig von mehreren Untersuchungsstellen mit gleicher instrumenteller Ausrüstung nach denselben Analyseverf. unternommene Untersuchungen, deren Ergebnisse Aufschluß über die *Richtigkeit, Präzision u. *Reproduzierbarkeit (*Vgl.-* u. *Wiederholbarkeit*) der Analysen, über erreichbare *Nachweisgrenzen u. über die Zweckmäßigkeit der Meth. überhaupt liefern kann. – ***E*** collaborative studies, round-robin analysis – ***F*** essais comparatifs – ***I*** prove comparative – ***S*** ensayos comparativos (cooperativos, interlaboratorio)

Lit.: Analyt.-Taschenb. **6**, 3–16 ▪ DIN 38402-41/42: 1984-05 ▪ Otto, Analytische Chemie, S. 27, 643, Weinheim: VCH Verlagsges. 1995 ▪ Schwedt, Analytische Chemie, S. 30, 41 f., Stuttgart: Thieme 1995.

Rinman(n)s Grün s. Cobaltgrün.

Rinofluimucil®-S (Rp). Mikrozerstäuber mit *Acetylcystein u. *Tuaminoheptan-sulfat gegen Entzündungen in Nase u. Nebenhöhlen. ***B.:*** Zambon.

Rio de Janeiro. Konferenz für Umwelt u. Entwicklung, s. UNCED.

Riopan®. Kautabl. mit *Magaldrat, Gel zusätzlich mit *Simethicon gegen Magenübersäuerung. ***B.:*** Roland Arzneimittel.

RIS. Abk. für Resonanz-Ionisationsspektroskopie; Näheres s. Resonanz (2.).

Rishitin.

Rishitin Rishitinol

Rishitinon

$C_{14}H_{22}O_2$, M_R 222,33, Schmp. 65–67 °C, Krist., $[\alpha]_D^{20}$ –8,7° ($CHCl_3$). R. wird von Kartoffeln (*Solanum tuberlosum*) u. Tomaten (*Lycopersicon esculentum*) nach Befall mit Mikroorganismen [z. B. *Phytophthora infestans* (Pilz) od. *Erwinia atroseptica* (Bakterium)] zusammen mit *Rishitinol*[1] {$C_{15}H_{22}O_2$, M_R 234,34, Krist., Schmp. 127–129 °C, $[\alpha]_D$ +47° ($CHCl_3$)} u. *Rishitinon*[2] {$C_{15}H_{24}O_2$, M_R 236,36, Krist., Schmp. 72–75 °C, $[\alpha]_D$ +10,1°} u. anderen *Phytoalexinen gebildet. – ***E*** rishitin – ***F*** rishitine – ***I*** risitina – ***S*** rishitina

Lit.: [1] Arch. Biochem. Biophys. **134**, 34 (1969); Bull. Chem. Soc. Jpn. **45**, 2871 (1972). [2] Chem. Lett. **1980**, 1455.
allg.: Agric. Biol. Chem. **49**, 2537 (1985) ▪ Can. J. Chem. **61**, 1766 (1983) (Biosynth.) ▪ J. Chem. Soc. C **1969**, 1073 ▪ Phytochemistry **24**, 1219 (1985) (Biosynth.) ▪ Tetrahedron **49**, 4761 (1993) (Synth., Review) ▪ Tetrahedron Lett. **38**, 1889 (1997) ▪ s. a. Phytoalexine, Phaseolin u. Pisatin. – *[CAS 18178-54-6 (R.); 31316-42-4 (Rishitinol); 74299-59-5 (Rishitinon)]*

Risiko. Aus der Versicherungswirtschaft von italien. rischio entlehnter Begriff, der die Möglichkeit bezeichnet, einen Schaden zu erleiden, dessen Eintritt ungewiß ist u. nicht ausgeschlossen werden kann. Das R., das mit einem bestimmten techn. Vorgang od. Zustand verbunden ist, wird zusammenfassend durch eine Wahrscheinlichkeitsaussage beschrieben, die das zu

erwartende Schadensausmaß u. die zu erwartende Häufigkeit des Eintritts eines zum Schaden führenden Ereignisses berücksichtigt.
R. können untergliedert werden nach dem Bezugsobjekt in Individual- u. Kollektiv-R., nach der potentiellen Schadensursache in biolog. (Toxine, Viren, Bakterien, Schadorganismen) u. abiot. R. (anorgan. Stoffe, Hitze, Kälte, Strahlung), in vom Menschen unbeeinflußte R. (Naturkatastrophen) u. von ihm beeinflußte (Krieg), in gewollte (gefährliche Freizeitbeschäftigungen, Rauchen, Sonnenbräune) u. ungewollte R. (*Passivrauchen, Freizeitlärm, Kernkraftwerke), in R. aus dem bestimmungsgemäßen Betrieb von Anlagen u. sonstigen Gegenständen (industrielle *Emissionen, Heizungs- u. *Kraftfahrzeugabgase, *Abfall) od. aus Störungen (Störfall-R., s. Störfall-Verordnung; Entweichen u. Verwildern von Nutz- u. Heimtieren u. Pflanzen [1], Unfall, Havarie).
R. als Rechtsbegriff: Der Begriff R. liegt vielen sicherheitsrechtlichen Schutznormen (z. B. § 7 Abs. 2 Nr. 3 Atomgesetz, s. Kernenergie) zugrunde u. bezeichnet einen theoret. möglichen Schadenseintritt, der jedoch so unwahrscheinlich ist, daß die Gefahrenschwelle nicht erreicht wird. Mit dem Begriff R. werden also v. a. Sachverhalte u. Gefährdungspotentiale erfaßt, die wegen ihrer geringen Eintrittswahrscheinlichkeit keine Gefahr im polizeirechtlichen Sinne darstellen. Ein R., das nach seiner Art u. seinem Ausmaß von einem vernachlässigbar geringen Gew. ist, das *Restrisiko*, muß hingenommen werden. Die Frage, ob ein R. so hoch einzuschätzen ist, daß es eine Pflicht zu Vorsorgemaßnahmen auslöst od. nur ein nicht weiter zu beachtendes Restrisiko darstellt, muß die Behörde aufgrund einer sorgfältigen *Risikoanalyse beantworten. – ***E*** risk – ***F*** risque – ***I*** rischio – ***S*** riesgo

Lit.: [1] Suter (Hrsg.), Ecological Risk Assessment, S. 391–401, Chelsea: Lewis 1993.
allg.: von Cube, Gefährliche Sicherheit – die Verhaltensbiologie des Risikos, München: Piper 1990 ▪ Hohlneicher u. Raschke (Hrsg.), Leben ohne Risiko?, Köln: TÜV Rheinland 1989 ▪ Krüger u. Ruß-Mohl (Hrsg.), Risikokommunikation, Berlin: edition sigma 1991 ▪ Umweltwiss. Schadstoff Forsch. **2**, 121 (1990) ▪ Z. Umweltpolitik Umweltrecht **13**, 103–118 (1990).

Risiko-Akzeptanz. Von latein. accipere = annehmen, sich gefallen lassen; Zustimmung zu einem Vorhaben od. zu einer Entscheidung, auch wenn diese mit einem *Risiko verbunden sind. Im Umweltbereich geht R.-A. von der Bevölkerung aus u. ist das Ergebnis einer Auswahl zwischen unterschiedlichen Chancen. R.-A. drückt den gesellschaftlichen Konsens aus, zu Gunsten von Dritten Risiken zu tragen. Im Gegensatz zu Akzeptanz ist Akzeptabilität die Annehmbarkeit von Risiken. Akzeptabilität wird von Fachleuten bestimmt, die eine Risikoanalyse durchführen u. prüfen, ob das Vorhaben umwelt-, sozial- u. mit den Rechtssyst. verträglich ist (s. UVP, Chemikaliengesetz). Akzeptabilität hängt von der Größe der Risiken ab, Akzeptanz v. a. von ökolog. Betroffenheit, Risikokommunikation u. Risikopräferenz. So findet das Rauchen Akzeptanz, obwohl ihm aus medizin. Sicht jegliche Akzeptabilität fehlt. Die Tab. nennt Eigenschaften eines Risikos, unter denen es (eher) als sicher bzw. unsicher (riskant) gilt.

Tab.: Risiko-Akzeptanz.

Akzeptanz bestimmende Risiko-Eigenschaften [1]	
sicher	riskant
freiwillig	erzwungen
natürlich	industriell
gewöhnlich	ungewöhnlich
(ordinär)	(exot.)
nicht erinnernswert	erinnernswert
(nicht bemerkenswert)	(bemerkenswert)
chron.	akut (katastrophal)
bekannt	unbekannt
selbstbestimmt	fremdbestimmt
(individuell kontrolliert)	(von anderen kontrolliert)
fair	unfair
moral. irrelevant	moral. relevant
glaubwürdige Quellen	unglaubwürdige Quellen
beeinflußbare Prozesse	unbeeinflußbare Prozesse

– ***E*** risk acceptance – ***F*** acceptance du risque – ***I*** accettabilità del rischio – ***S*** aceptación de riesgo

Lit.: [1] Tomorrow **6**, Nr. 21 (1996).
allg.: Schütz u. Wiedemann (Hrsg.), Technik kontrovers, S. 16–21, Frankfurt: IMK 1993.

Risikoanalyse. Verf. zur Abschätzung u. Quantifizierung von Risiken. Das *Risiko, einen Schaden durch ein unerwünschtes Ereignis zu verursachen, berechnet sich aus dem möglichen Schadensumfang S u. der Eintrittswahrscheinlichkeit p des Schadensereignisses innerhalb eines bestimmten Zeitraumes: Risiko = S · p. Entsprechend dieser Definition ist Risiko ein Erwartungswert für einen Schaden innerhalb eines bestimmten Zeitraumes. Dafür können Werte auf zweierlei Weise gewonnen werden [1]:
1. Empir. durch Ableitung aus der Vergangenheit, wobei Umfang u. Häufigkeit der Schadensereignisse für eine Voraussage ausgenutzt werden. Voraussetzung ist, daß der betrachtete Bereich genügend viele gleichartige Teile enthält, um daraus eine statist. gesicherte Aussage ableiten zu können. Zudem müssen in Zukunft dieselben Voraussetzungen für Schadensereignisse gegeben sein, wie sie in der Vergangenheit bestanden.
2. Theoret. analyt., wenn keine Erfahrungswerte aus der Vergangenheit vorliegen, z. B. für techn. Großanlagen zur Ableitung des sog. Störfall-Risikos. Bei der R. durch theoret.-analyt. Verf. wird das Risiko ermittelt, indem das zu untersuchende Syst. gedanklich in Komponenten zerlegt wird, deren Risiken bekannt sind. So werden bei der dazu verwendeten *Ereignisbaummeth.* die möglichen Ursachen eines Unglücks erfaßt u. ihnen einzeln Eintrittswahrscheinlichkeiten zugeordnet, die entweder statist. begründet, subjektiv geschätzt, aus Analog-Fällen abgeleitet od. ihrerseits durch eine R. ermittelt wurden.
R. für alltägliche Risiken: Die Ergebnisse einer R. sind in Abb. 1 für die in einem Chemiewerk arbeitenden Menschen u. die Nachbarschaft dargestellt. Die angegebenen Werte entsprechen den Erfahrungen aus den 70er u. 80er Jahren, die R. sind seither kleiner geworden.
Aus der Auswertung von Todesfallstatistiken, Versicherungsunterlagen, Meldungen nach Giftinformati-

ons-VO (*Chemikaliengesetz, § 16e) u. a. Datenquellen ergibt sich ein Chemie-typ. Risiko, das ungefähr gleich groß wie das Risiko des Ertrinkens ist (Abb. 2).

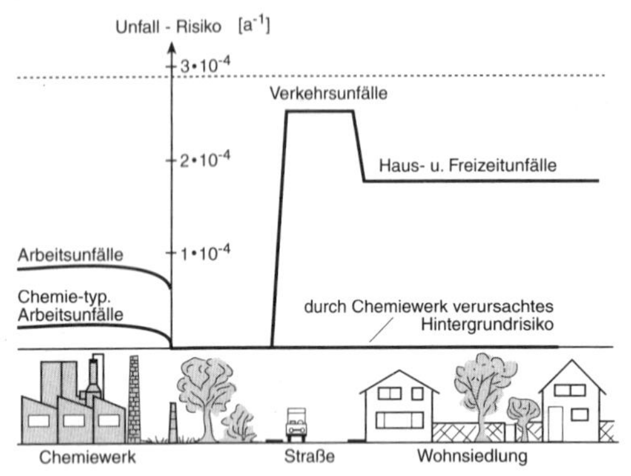

Abb. 1: Risikokataster im Umfeld eines Chemiewerkes (nach *Lit.*[2]).

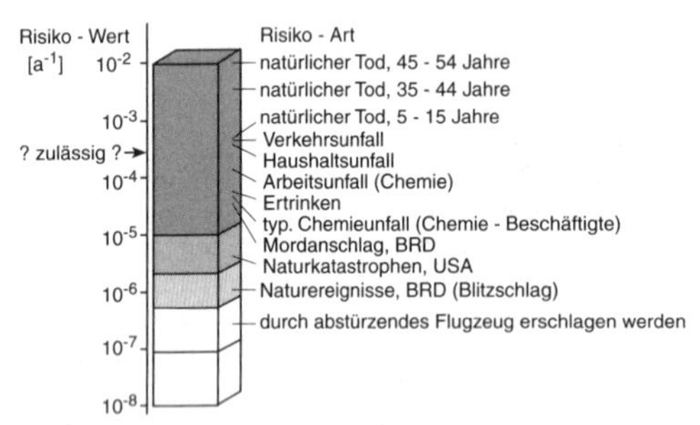

Abb. 2: Vgl. verschiedener letaler Risiken (Todesfallrisiko pro Person u. Jahr. Der Risiko-Wert 10^{-2} bedeutet, daß eine von 100 Personen pro Jahr verstirbt; nach *Lit.*[2]).

R. für stoffliche Risiken: Der im *Chemikaliengesetz vorgeschriebene Stufenplan für Prüfungen an neuen Stoffen – in Abhängigkeit von der in Verkehr gebrachten Menge – ist eine solche human- u. ökotoxikolog. R. u. umfaßt seinerseits die Analyse des stofflichen Wirkungspotentials (s. Risikobewertung u. PNEC).

R. für die Anlagengenehmigung: Bevor die *Genehmigungsbehörde über die Zulässigkeit der Errichtung od. Inbetriebnahme einer Anlage entscheiden, ist in der Regel ein *Genehmigungsverfahren durchzuführen (s. a. genehmigungsbedürftige Anlagen), das einer R. gleichkommt bzw. diese umfaßt (s. a. Störfallverordnung u. *Lit.*[1]). – ***E*** risk analysis, risk assessment – ***F*** analyse du risque – ***I*** analisi di rischio – ***S*** análisis del riesgo

Lit.: [1] Römpp Lexikon Umwelt, S. 61–64 (Anlagengenehmigung), 601 ff. (Risikoanalyse). [2] Thieme schafft Wissen, 1886–1986, S. 145–164, Stuttgart: Thieme 1987.
allg.: Dekant u. Vamvakas, Toxikologie für Chemiker u. Biologen, S. 346–376, Heidelberg: Spektrum Akadem. Verl. 1995 ▪ Wöstmann u. Zentgraf, Umweltrisikoprüfung u. Umwelt-Audit, Landsberg: ecomed 1994.

Risikobeschreibung. Laut EU-Risikobewertungsrichtlinie ist R. die Abschätzung der Häufigkeit u. Schwere schädlicher Wirkungen, die in einer Bevölkerungsgruppe od. in einem Umweltbereich infolge einer tatsächlichen od. vorhergesagten Exposition gegenüber einem Stoff wahrscheinlich auftreten; die R. kann eine Risikoeinschätzung im Sinne einer Quantifizierung dieser Wahrscheinlichkeit einschließen. – ***E*** risk characterisation – ***F*** charactérisation du risque – ***I*** descrizione del rischio – ***S*** caracterización del riesgo

Lit.: ECETOC Technical Report 56, Aquatic Toxicity Data Evaluation, Brüssel 1993.

Risikobewertung (von Stoffen). Bez. für den administrativen u. techn. Prozeß, der gemäß EU-Risikobewertungsrichtlinie für bestimmte neue Stoffe, gemäß EU-Risikobewertungsverordnung von Altstoffen (nach Prioritätenliste) durchzuführen ist, nach anderer Definition Synonym zu *Risikoanalyse[1]. Zur R. gehören u. a. die Ermittlung schädlicher Wirkungen sowie ggf. die Ermittlung der Dosis (Konz.)/Wirkungs-Beziehung, eine Ermittlung der Exposition u. eine *Risikobeschreibung. Die zu untersuchenden Wirkungen umfassen akute Toxizität, Reizwirkung, Ätzwirkung, sensibilisierende Wirkung, Toxizität nach wiederholter Verabreichung, Mutagenität, Carcinogenität u. reproduktionstox. Wirkung. Zudem sind die abiot. u. leichte biolog. Abbaubarkeit, die Toxizität gegenüber Wasserorganismen nach kurzzeitiger Einwirkung, die Hemmung des Algenwachstums, Bakterieninhibition u. Absorption u. Desorption zu prüfen. Die Expositionsermittlung bezieht sich zum Schutz der menschlichen Gesundheit auf die jeweiligen Bevölkerungsgruppen, die wahrscheinlich gegenüber dem Stoff exponiert werden (Arbeitnehmer, Verbraucher, über die Umwelt indirekt exponierte Bevölkerung), zum Schutz der Umwelt auf den Umweltbereich, der gegenüber dem Stoff wahrscheinlich exponiert wird (Wasser, Boden, Luft). Die R. kann zu folgenden Schlußfolgerungen führen:

- Der Stoff gibt zu keiner unmittelbaren Besorgnis Anlaß u. muß erst dann erneut überprüft werden, wenn dies aus anderen Gründen z. B. wegen Überschreitung der nächst höheren Produktions- bzw. Importmengenschwelle[2] erforderlich ist.
- Der Stoff gibt zu Besorgnis Anlaß u. die Behörde entscheidet, welche weiteren Informationen zur R. notwendig sind. Die Forderung wird zurückgestellt, bis die nächst höhere Mengenschwelle[2] erreicht ist.
- Der Stoff gibt zu Besorgnis Anlaß, weitere Informationen werden sofort angefordert.
- Der Stoff gibt zu Besorgnis Anlaß u. die zuständige Behörde gibt unverzüglich Empfehlungen zur *Risikominderung.

Über die R. berichtet die Behörde an die Kommission (s. *Lit.*[2]). – ***E*** risk assessment – ***F*** évaluation du risque – ***I*** valutazione del rischio – ***S*** evaluación de riesgo

Lit.: [1] EC Directorate XI, Workshop on Environmental Hazard and Risk Assessment in the Context of Directive 79/831/EEC, 15.–16. 10. 1990 at Joint Research Centre, Ispra, Document XI/730/89. [2] Richtlinie 67/548/EWG des Rates vom 27. 06. 1967 zur Angleichung der Rechts- u. Verwaltungsvorschriften für die Einstufung, Verpackung u. Kennzeichnung gefährlicher Stoffe, zum siebtenmal geändert durch die Richtlinie 92/32/EWG vom 30. 04. 1992 (ABl. der EG L84, S. 1 berichtigt ABl. der EG L 224, S. 34).
allg.: Bartell et al., Ecological Risk Estimation, Chelsea: Lewis Publ. 1992 ▪ Environ. Sci. Technol. **31**, 370A–375A (1997) ▪ Gefahrstoffe – Reinhalt. Luft **57**, 289–293 (1997) ▪ Leeuwen v. u. Hermens, Risk Assessment of Chemicals: An Introduction, Dordrecht: Kluwer Acad. Publ. 1996 ▪ Quint et al. (Hrsg.), Environmental Impact of Chemicals: Assessment and Control, Cambridge: Royal Soc. Chem. 1996 ▪ Suter (Hrsg.), Ecological Risk Assessment, Chelsea, Lewis 1993.

Risikokommunikation. Unter R. versteht man die verständliche Darst. von Gefahren u. eine sachgerechte Auseinandersetzung über *Risiken. Es soll zwischen vermeintlichen u. tatsächlichen Gefahren unterschieden werden, mit dem Ziel, eine aufgeschlossene Haltung zu wissenschaftlichen, techn., medizin., ökonom. u. a. Fragestellungen zu entwickeln. Angst, Skepsis u. Fatalismus sollen abgebaut werden. Durch R. der Unternehmen soll die Öffentlichkeit überzeugt werden, unvermeidbare Risiken einer ökonom. nützlichen Betätigung zu akzeptieren (s. a. Risiko-Akzeptanz). – ***E*** risk communication – ***F*** communication du risque – ***I*** comunicazione del rischio – ***S*** comunicación des riesgo

Lit.: Jungermann et al. (Hrsg.), Risiko-Konzepte, Risiko-Konflikte, Risiko-Kommunikation, Jülich: Forschungszentrum Jülich GmbH 1990 ▪ Quint et al. (Hrsg.), Environmental Impact of Chemicals: Assessment and Control, S. 209–222, Cambridge: Royal Soc. Chem. 1996.

Risikominderung. Maßnahmen, mit deren Hilfe die *Risiken für Mensch u. Umwelt verringert werden können. Bei der *Risikobewertung von Stoffen kann die zuständige Behörde laut EU-Risikobewertungsrichtlinie Empfehlungen zur R. geben, wenn ein Stoff Anlaß zur Besorgnis gibt. Zu diesen Maßnahmen gehören Änderungen der Einstufung, Verpackung od. *Kennzeichnung eines Stoffes, Änderung des Sicherheitsdatenblattes, Änderung der techn. Beschreibung der Anmeldung od. eine Empfehlung an andere Behörden, Maßnahmen zu ergreifen. – ***E*** risk reduction, risk management – ***F*** réduction du risque – ***I*** minimizzazione del rischio – ***S*** reducción del riesgo

Lit.: ECETOC Technical Report 56, Aquatic Toxicity Data Evaluation, Brüssel 1993 ▪ Schlottmann (Hrsg.), Prüfmethoden für Chemikalien (Loseblatt-Sammlung, 1. Aufl., 1. Ergänzungslieferung), Stuttgart: Hirzel 1994.

Risiko-Sätze. Hinweise auf bes. Gefahren, s. R-Sätze.

Risperdal® (Rp). Filmtabl. mit dem *Neuroleptikum *Risperidon. ***B.:*** Janssen-Cilag, Organon.

Risperidon (Rp).

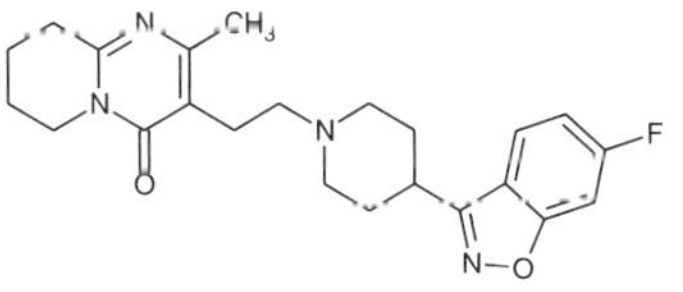

Internat. Freiname für das *Neuroleptikum 3-{2-[4-(6-Fluor-1,2-benzisoxazol-3-yl)-1-piperidinyl]ethyl}-6,7,8,9-tetrahydro-2-methyl-4*H*-pyrido[1,2-*a*]pyrimidin-4-on, $C_{23}H_{27}FN_4O_2$, M_R 410,49, Schmp. 170,0 °C, LD_{50} (Ratte, oral) 34,3 mg/kg. R. hemmt Serotonin-5-HT_2- u. Dopamin-D_2-Rezeptoren. Es wurde 1986/89 von Janssen patentiert u. ist von Janssen-Cilag/Organon (Risperdal®) im Handel. – ***E*** = ***I*** risperidone – ***F*** rispéridone – ***S*** risperidona

Lit.: J. Pharm. Sci. **82**, 447 ff. (1993) (Bestimmung im Plasma) ▪ Martindale (31.), S. 734 f. ▪ Merck-Index (12.), Nr. 8397 ▪ Pharm. Ztg. **141**, 2920–2924 (1996). – *[CAS 106266-06-2]*

RIST s. Radioimmunoassay.

Ritalin® (Btm). Tabl. mit *Methylphenidat-Hydrochlorid als Psychotonikum bei Narkolepsie (zwanghafte, kurzdauernde Schlafanfälle am Tag), hyperkinet. Verhaltensstörungen von Kindern. ***B.:*** Novartis.

Riteflex®. Thermoplast. *Polyester. Elastomer mit Kautschuk-ähnlichen Eigenschaften (hoher Kälteschlagzähigkeit) u. gutem Rückstellungsvermögen. ***B.:*** Ticona.

Ritodrin (Rp).

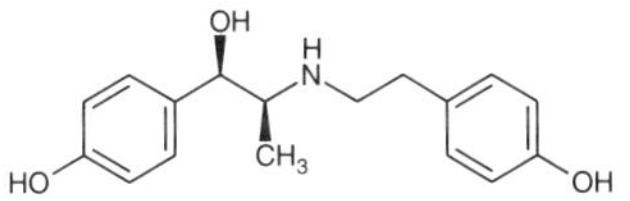

(Racemat)

Internat. Freiname für das *Sympathikomimetikum (±)-(1*RS*,2*SR*)-2-(4-Hydroxyphenethylamino)-1-(4-hydroxyphenyl)-1-propanol, $C_{17}H_{21}NO_3$, M_R 287,37, harzige Masse, Schmp. 88–90 °C. Verwendet wird meist das Hydrochlorid, Schmp. 193–195 °C; λ_{max} (CH_3OH) 224, 278, 284 nm ($A^{1\%}_{1cm}$ 550, 99, 81). R. wurde 1968 von Philips patentiert u. ist von Solvay Arzneimittel (Pre-par®) als Tokolytikum (s. Wehenmittel), z. B. bei drohendem Abort, im Handel. – ***E*** = ***F*** ritodrine – ***I*** = ***S*** ritodrina

Lit.: Hager (5.) **9**, 527–530 ▪ Martindale (31.), S. 1589 f. – *[HS 2922 50; CAS 26652-09-5 (R.); 23239-51-2 (Hydrochlorid)]*

Ritonavir (Rp).

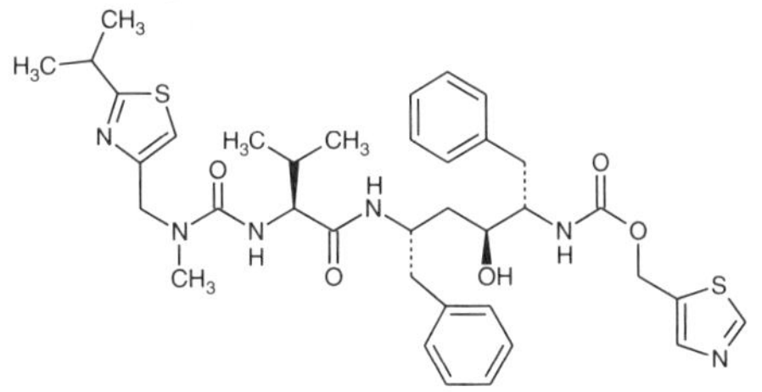

Internat. Freiname für das *Virostatikum (5*S*,8*S*,10*S*,11*S*)-8,11-Dibenzyl-10-hydroxy-5-isopropyl-1-(2-isopropyl-4-thiazolyl)-2-methyl-3,6-dioxo-2,4,7,12-tetraazatridecan-13-säure-(5-thiazolylmethyl)-ester, $C_{37}H_{48}N_6O_5S_2$, M_R 720,94. R. ist ein *Peptidomimetikum, das die HIV-1-Protease inhibiert. Es wurde 1994 von Abbott patentiert u. ist von dieser Firma als *AIDS-Therapeutikum (Norvir®) im Handel. – ***E*** = ***F*** = ***I*** = ***S*** ritonavir

Lit.: ASP ▪ Merck-Index (12.), Nr. 8402 ▪ N. Eng. J. Med. **333**, 1528–1533 (1995). – *[CAS 155213-67-5]*

Ritter. Kurzbez. für die Firma Ritter-Chemie GmbH & Co. KG, 27718 Ritterhude. *Produktion:* Beiz-, Reinigungs- u. Entfettungsmittel für Metalle, Hilfsmittel für die Galvanotechnik, Ölaufsaugmittel, Entschäumer.

Ritter, Johann Wilhelm (1776–1810), Privatgelehrter in Jena u. München. *Arbeitsgebiete:* Erfindung eines ersten Akkumulators, tier. Galvanismus, Begründung der Elektrochemie, Wasser-Elektrolyse, photochem. Wirkung von ultravioletten Strahlen, elektrochem. Spannungsreihe der Metalle.

Lit.: Krafft, S. 296 ff. ▪ Lexikon der Naturwissenschaftler, S. 349 ▪ Neufeldt, S. 1 ▪ Pötsch, S. 365 ▪ Strube et al., S. 78.

Ritterazine. Disteroidale Alkaloide mit zentraler Pyrazin-Struktur aus der Tunikate *Ritterella tokioka* mit stark cytotox. u. Antitumor-Wirkung.

R. A

Die R., z. B. *R. A.*: $C_{54}H_{76}N_2O_{10}$, M_R 913,20, Glas, $[\alpha]_D$ +112° (CH_3OH), sind eng mit den *Cephalostatinen verwandt. – ***E*** ritterazines – ***F*** rittérazine – ***I*** ritterazine – ***S*** ritterazinas

Lit.: J. Am. Chem. Soc. **117**, 10187 (1995) (Synth.) ▪ J. Org. Chem. **59**, 6164 (1994); **62**, 4484 (1997) ▪ Tetrahedron **51**, 6707 (1995) (Isolierung). – *[CAS 160391-62-8 (R. A)]*

Ritter-Kellner-Verfahren. Von Ritter u. Kellner 1872 entwickeltes Verf. zur Cellulose-Gewinnung aus Holzbrei durch sauren Aufschluß mit Calciumhydrogensulfit unter direkter Dampfbeheizung (140–150 °C, 8–15 h). – ***E*** Ritter-Kellner process – ***F*** procédé Ritter-Kellner – ***I*** processo di Ritter-Kellner – ***S*** procedimiento Ritter-Kellner

Lit.: Winnacker-Küchler (4.) **5**, 599.

Ritter-Reaktion. Von J. J. Ritter 1948 aufgefundener Syntheseweg für Säureamide durch Reaktion von Alkoholen mit Nitrilen od. HCN in stark saurem Medium. Die R.-R. unterscheidet sich von der *Alkoholyse der Nitrile, die zu *Iminoestern* führt, dadurch, daß unter den dehydratisierenden Bedingungen *Carbenium-Ionen gebildet werden, die mit dem nucleophilen Nitril-Stickstoff-Atom zu einem Addukt, reagieren, das letztlich zu dem Säureamid hydrolysiert wird. Es ist damit verständlich, daß nur *tert.*- u. *sek.* Alkohole aber auch Alkene, die in der Lage sind, stabilisierte Carbenium-Ionen zu bilden, in der R.-R. eingesetzt werden können.

$$R^1R^2R^3C{-}OH \xrightarrow[-H_2O]{H^+} R^1R^2R^3C^+ \xrightarrow{+R^4{-}C{\equiv}N} R^1R^2R^3C{-}N{=}\overset{+}{C}{-}R^4 \xrightarrow[-H^+]{+H_2O} R^1R^2R^3C{-}NH{-}\overset{O}{\overset{\|}{C}}{-}R^4$$

Durch Hydrolyse der Säureamide läßt sich die R.-R. zur Synth. von Aminen, bes. *tert.* Aminen (*Ritter-Amine*) heranziehen. – ***E*** Ritter reaction – ***F*** réaction de Ritter – ***I*** reazione di Ritter – ***S*** reacción de Ritter

Lit.: Adv. Heterocycl. Chem. **6**, 95–146 (1966) ▪ Hassner-Stumer, S. 320 ▪ Krauch u. Kunz, Reaktionen der organischen Chemie, 6. Aufl., S. 475, Heidelberg: Hüthig 1997 ▪ J. Org. Chem. **46**, 78 ff. (1981) ▪ March (4.), S. 970 ▪ Org. React. **17**, 213–326 (1969) ▪ Tetrahedron **36**, 1279 ff. (1980) ▪ Trost-Fleming **4**, 292 f.; **6**, 261.

Rittersporn. Zu den Hahnenfußgewächsen (Ranunculaceae) zählende, v. a. wegen ihres Alkaloid-Gehalts bemerkenswerte u. diuret. wirkende, meist ein- bis zweijährige Pflanzen, die hauptsächlich im südlichen Europa beheimatet sind (ca. 400 Arten). Der eigentliche R., *Delphinium staphisagria*, auch Stephanskraut, Läusesamenkraut od. Rattenpfeffer genannt, blüht violett u. enthält in den Samen neben 15–35% fettem Öl das äußerst giftige Alkaloid *Delphinin, das in seiner Wirkung dem *Aconitin ähnelt. Andere R.-Arten sind der Acker-R. (*Consolida regalis*; in der BRD im Rückgang begriffenes, wärmeliebendes Ackerwildkraut) mit außen violettblauen, innen azurblauen Blüten, die das Anthocyanglykosid Delphinin enthalten. Der Garten-R. (*C. ajacis*) mit violett, blau, rosa od. weiß blühenden Varianten, der Hohe R. (*D. elatum*), der bes. in den Alpen vorkommt u. ausdauernde, bis 1,50 m hohe Stauden mit stahlblauen bis violetten Blüten bildet u. der Gelbe od. Persische R. (*D. zalil*), dessen Blüten *Kaempferol, Isorhamnetin (s. Termone) u. *Quercetin enthalten u. in Indien zu Farbstoff verarbeitet werden. – ***E*** larkspur, stavesacre – ***F*** dauphinelle, delphinelle – ***I*** speronella – ***S*** espuela de caballero – *[HS 1211 90]*

Rituximab (IDEC-C2B8, Rp). Internat. Freiname für einen chimären humanisierten monoklonalen Mausantikörper, der sich hochspezif. an CD20-Antikörper aller reifen B-Zellen bindet u. die Zellen so zerstört. R. wurde von IDEC Pharmaceutical, Genentech u. Hoffmann-La Roche entwickelt u. in den USA als *Cytostatikum gegen Non-Hodgkin-Lymphom zugelassen. Die Zulassung für Europa wird Mitte 1998 erwartet. – ***E*** = ***F*** = ***I*** = ***S*** rituximab

Lit.: Biochem. Soc. Trans. **25**, 705–708 (1997) ▪ Blood **90**, 2188–2195 (1997) ▪ Dtsch. Apoth. Ztg. **137**, 3560 ff. (1997). – *[CAS 174722-31-7]*

Ritzhärte s. Härte fester Körper.

Ritzsches Verfahren. Verf. der Mathematik (Variationsrechnung), welches in der *Quantenchemie vielfältige Anw. findet, z. B. zur Berechnung von *Molekül-Orbitalen; s. a. Energievariationsprinzip, LCAO-(MO)-Methode u. MO-Theorie. – ***E*** Ritz method – ***F*** méthode de Ritz – ***I*** metodo di Ritz – ***S*** método de Ritz

Lit.: s. ab initio, Configuration Interaction, MO-Theorie u. Quantenchemie.

Rivanol®. Tabl., Lösung, Salbe u. Pulver mit *Ethacridin-lactat zur lokalen Desinfektion. ***B.:*** Chinosolfabrik.

Riva-Rocci, Scipione (1863–1937), italien. Kinderarzt u. Internist, dessen unblutige Meth., den *Blutdruck mit Hilfe einer aufblasbaren Manschette u. einem Manometer (R.-R.-Apparat) zu messen, noch heute angewandt wird.

Rivastigmin (Rp).

Internat. Freiname für den zentral wirksamen *Acetylcholin-Esterase-Hemmer *O*-{3-[(*S*)-1-(Dimethylamino)ethyl]phenyl}-*N*-ethyl-*N*-methylcarbamat, $C_{14}H_{22}N_2O_2$, M_R 250,34. R. wurde von Sandoz (Codename ENA 713) patentiert u. ist von Novartis in Form des (*R,R*)-Hydrogentartrates (Exelon®) zur Behandlung der Alzheimerschen Erkrankung in der Schweiz im Handel. – ***E*** = ***F*** rivastigmine – ***I*** = ***S*** rivastigmina

Lit.: Life Sci. **58**, 1201–1207 (1996). – *[CAS 129101-54-8 (R.-(R,R)-hydrogentartrat)]*

Rivotril® (Rp). Tabl., Ampullen u. Lsg. mit *Clonazepam gegen Epilepsie. ***B.:*** Hoffmann-La Roche.

Rizatriptan (Rp).

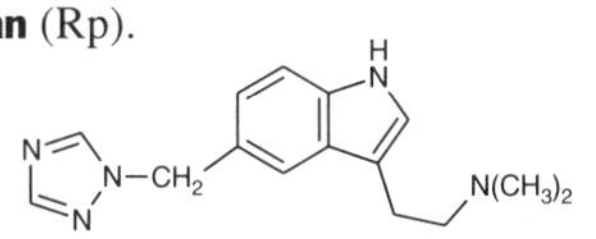

Internat. Freiname für das *Migräne-Mittel *N,N*-Dimethyl-5-(1*H*,1,2,4-triazol-1-ylmethyl)-1*H*-indol-3-ethanamin, $C_{15}H_{19}N_5$, M_R 269,39, log P –0,74 (pH 7,4). R. ist ein Serotonin-5-$HT_{1B/1D}$-Antagonist, wurde von Merck & Co. patentiert (Codenamen MK-0462 u. L-705,126) u. ist von dieser Firma (Maxalt®) in den USA im Handel. – ***E*** = ***I*** rizatriptan – ***F*** rizatriptane – ***S*** rizatriptán

Lit.: J. Chromatogr. A **726**, 115–124 (1996) ▪ J. Med. Chem. **38**, 1799–1810 (1995). – *[CAS 145202-66-0]*

Rizolipase. Internat. Freiname für eine Lipase aus dem Zygomyceten (s. Schimmelpilze) *Rhizopus arrhizus* var. *delemar* als Verdauungsenzym, die von Asche (Nortase®) zur Anw. bei Störungen der Pankreasfunktion im Handel ist. – ***E*** = ***F*** rizolipase – ***I*** rizolipasi – ***S*** rizolipasa

Lit.: Ann. N. Y. Acad. Sci. **799**, 115–128 (1996) ▪ Proteins **18**, 301–306 (1994). – *[HS 3507 90; CAS 9001-62-1 (Triacylglycerol-Lipase)]*

RJ®. Styrol-Allylalkohol-Harze als Reaktionskomponenten für Kunstharz-Lacke (RJ 100, 101). ***B.:*** Monsanto.

RKI. Abk. für Robert-Koch-Inst., s. Bundesinstitut für Infektionskrankheiten und nicht übertragbare Krankheiten. INTERNET-Adresse: http://www.rki.de.

RKR-Potential. Molekülpotential (s. a. Morse-Potential) eines zweiatomigen Mol., das nach der Meth. von *R*ydberg-*K*lein-*R*ees berechnet wurde. Dies ist das am häufigsten verwendete Verf., um die Potentiale von zweiatomigen Mol. aus den spektroskop. Daten zu berechnen. Dafür gibt es eine Reihe unterschiedlicher Computerprogramme, die im allg. schon auf Personal Computern durchgeführt werden können.
Das elektron. Potential V(R) (R = Kernbindungsabstand) wird aus dem Abstand des Schwingungsniveaus G(v) (v = Schwingungsquantenzahl) u. der Rotationskonstante B(v) erhalten, indem für jedes Schwingungsniveau v der innere u. äußere Umkehrpunkt R_i u. R_a berechnet wird. Grundlage hierfür ist die quantenmechan. Gleichung

$$\int_{R_i}^{R_a} \frac{p(R)}{\hbar} dR = \left(v + \tfrac{1}{2}\right) \cdot \pi,$$

mit $\hbar = h/2\pi$; h = Plancksches Wirkungsquantum. p(R) ist der Impuls der beiden Atomkerne im Schwerpunktsyst. des Moleküls. – ***E*** RKR potential – ***F*** potentiel RKR – ***I*** potenziale RKR – ***S*** potencial RKR

Lit.: Lefebvre-Brion u. Field, Pertubation in the Spectra of Diatomic Molecules, New York: Academic Press 1986.

RKS. Abk. für *Röntgenkleinwinkelstreuung.

RKW. Abk. für das *R*ationalisierungs*k*uratorium der dtsch. *W*irtschaft e. V., 65760 Eschborn, Düsseldorfer Str. 40. Im 1921 gegr. RKW, das 5900 Unternehmen u. Einzelpersonen als Mitglieder u. 15 Landesgruppen hat, arbeiten Wirtschaft, Gewerkschaften u. Staat zusammen, um einen Beitrag zur Bewältigung wirtschaftlicher, techn. u. sozialer Probleme zu leisten. Zielgruppen sind mittelständ. Produktions- u. Dienstleistungsunternehmen. *Publikationen:* Wirtschaft & Produktivität sowie ca. 300 weitere Titel aus dem RKW-Verlag. INTERNET-Adresse: http://www.RKW.de.

RLCC. Abk. von *E r*otation *l*ocular *c*ounter-*c*urrent *c*hromatography, ein nach dem Prinzip der *Gegenstromverteilung arbeitendes Trennverf. für Pflanzeninhalts- u. a. Naturstoffe, ggf. auch für die Trennung von Enantiomerengemischen.

Lit.: Naturwissenschaften **70**, 186–189 (1983) ▪ Pharm. Unserer Zeit **10**, 182 (1981).

RLO (RÄO). Abk. für *E r*ickettsia *l*ike *o*rganisms, *R*ickettsien-*ä*hnliche *O*rganismen. RLO verursachen Pflanzenkrankheiten, sind aber trotz ihrer Ähnlichkeit zu tierpathogenen *Rickettsien noch nicht als Taxon in die Bakteriensystematik aufgenommen. Zu den RLO-bedingten Krankheiten gehört der Hexenbesen der Lärche, die Rosettenkrankheit der Zuckerrübe u. die Vergilbung der Weinrebe. – ***E*** rickettsia like organisms – ***F*** organismes analogues a les rickettsies – ***I*** materie prime – ***S*** organismos análogos a las rickettsias

Lit.: Schlösser, Allgemeine Phytopathologie (2.), S. 45f., Stuttgart: Thieme 1997.

RME. Kurzbez. für *R*apsöl*m*ethyl*e*ster als „Biodiesel" aus nachwachsenden Rohstoffen, s. Dieselkraftstoffe.

Rn. Chem. Symbol für das Element *Radon.

RN. Abk. für *Registry Number.

RNA. Abk. für *Ribonucleinsäuren.

RNAA s. Aktivierungsanalyse u. Neutronenaktivierungsanalyse.

RNA editing s. Ribonucleinsäuren.

RNA-Enzyme s. Ribozyme.

RNA-Ligase. Enzym (*Ligase), das die Verknüpfung von zwei RNA-Doppelsträngen od. einem RNA-Strang u. einem Ribonucleotid, die Zirkularisierung eines RNA-Mol. od. manchmal auch die Verknüpfung von DNA-Einzelstrangmol. katalysiert. – ***E*** RNA ligase – ***F*** ligases de l'ARN – ***I*** RNA ligasi – ***S*** ligasas del ARN

Lit.: Biochimie **77**, 227 (1995) ▪ J. Biol. Chem. **271**, 31 145 (1996) ▪ Nucleic Acids Res. **24**, 990 (1996).

RNA-Polymerasen s. Polymerasen.

RNasen s. Ribonucleasen, Nucleasen.

RNA-Synthese. 1. *RNA-abhängige RNA-S.:* Diese Synth. findet man in RNA-Viren (s. Retroviren); sie wird von RNA-Replicasen katalysiert u. beginnt am 3'-Ende der Matrix. Die Synth. verläuft durchgehend bis zum Ende der Matrix. *Reparatursysteme sind nicht vorhanden.
2. *DNA-abhängige RNA-S.:*
2 a. *Synth. von messenger-RNA* s. Transkription u. Ribonucleinsäuren.
2 b. *Synth. von transfer-RNA:* Wird von der RNA-Polymerase III durchgeführt. Die tRNA-Gene liegen in Form von mehreren Kopien geclustert im Genom vor. Diese werden als multimere Vorstufen transkribiert u.

von Ribonuclease P u. Ribonuclease D weiter prozessiert.
2c. *Synth. von ribosomaler RNA:* Wird von der RNA-Polymerase I im Zellkern katalysiert. Wie bei der tRNA sind die Gene mehrfach in Form von Clustern im Genom vorhanden. Bei der Prozessierung des prim. Transkripts entstehen zu gleichen Teilen 28S-RNA, 18S-RNA u. 5,8S-RNA (s. Ribosomen), die 5S-RNA der großen ribosomalen Untereinheit wird separat von RNA-Polymerase III synthetisiert. – ***E*** RNA synthesis – ***F*** synthèse de l'ARN – ***I*** sintesi dell'RNA – ***S*** síntesis del ARN

Lit.: J. Cell. Biochem. **59**, 11 (1995) ▪ Knippers (7.), S. 47 ff., 299 ff. ▪ Singer u. Berg, Gene u. Genome, S. 124 ff., Heidelberg: Spektrum Akadem. Verl. 1992.

RNA-Vektoren. Aus *Retroviren (enthalten einzelsträngige RNA) kann man sog. Proviren (mit Doppelstrang-DNA) herstellen. In diesen können Teile des ursprünglichen Virus-Genoms durch exogene Gene ersetzt werden. Diese Konstrukte (*Vektoren) werden in die Zielzelle eingeschleust. Durch die starken retroviralen *Promotoren werden die exogenen Gene in den Zielzellen exprimiert, ohne daß gleichzeitig infektiöse Viruspartikel gebildet werden. RNA-V. werden angewendet als Gen-Expressionsvektoren, als *Genmarker in der Entwicklungsbiologie u. als Vektoren in der Gentherapie. Für biotechn. Anw., um z. B. große Mengen an Proteinen herzustellen, sind sie weniger geeignet, da meistens nur eine Kopie des Vektors ins Genom der Zielzelle integriert wird. – ***E*** RNA vectors – ***F*** vecteurs à l'ARN – ***I*** vettori del RNA – ***S*** vectores ARN

Lit.: Knippers (7.), S. 264 ff. ▪ Prog. Nucleic Acid Res. Mol. Biol. **51**, 225 (1995) ▪ Singer u. Berg, Gene u. Genome, S. 297 ff., Heidelberg: Spektrum Akadem. Verl. 1992 ▪ Spektrum Wiss. **1997**, Nr. 11, 50.

RNA-Viren s. Retroviren.

RNA-Welt s. Ribozyme.

RNP s. Nucleoproteine.

R-N-Prozeß s. SL/RN-Verfahren.

RNS s. Ribonucleinsäuren.

R-Nummer s. FCKW u. Fluorkohlenwasserstoffe.

RO. Abk. von *E* reverse osmosis = *umgekehrte Osmose, s. a. Meerwasserentsalzung.

Roaccutan® (Rp). Kapseln mit Isotretinoin (s. Tretinoin) gegen schwere *Akne-Formen. ***B.:*** Hoffmann-La Roche.

Robbensterben. Umgangssprachliche Bez. für Massensterben (s. Populationsdynamik) von Robben bzw. *Seehunden. Die *Abundanz der Robben wird durch eine Vielzahl von *Ökofaktoren beeinflußt, dazu gehören Nahrungsangebot, Klima u. anthropogene Eingriffe. Im 20. Jh. sind mehrere große R. beobachtet worden (s. Tab.), die – soweit bekannt – während ungewöhnlich warmer Wetterbedingungen Robben-*Populationen heimsuchten, deren Individuenzahlen deutlich über den langfristigen Mittelwerten lagen[1] (s. a. biologisches Gleichgewicht, Massenentwicklung).
Hohe Populationsdichten begünstigen die Ausbreitung von Krankheitskeimen, insbes. wenn die Tiere zur Fortpflanzung od. zum Haarwechsel das Land bzw. Eisflächen aufsuchen. Eine hohe Populationsdichte erhöht die Wahrscheinlichkeit, daß ein latent vorhandener Krankheitskeim von scheinbar gesunden auf empfindliche Individuen übertragen u. damit eine Seuche (Epizootie) ausbricht. Einzig das R. 1978 in Alaska war nicht auf eine Krankheit zurückzuführen: Schwangere Weibchen u. Jungtiere wurden im Gedränge der Ruheplätze von den viel größeren Bullen zerquetscht[2]. Es wird behauptet, daß die Meeresverschmutzung eine wichtige Rolle bei R. spielt, z. B. PCB, Quecksilber, od. a. Stoffe in der Nordsee 1988[3]. Dieses R. begann im Kattegat[4], wo die Seehund-Populationen ungeachtet der *Schadstoff-Belastungen mit ca. 12% jährlich anwuchsen[5]. Die 1988 betroffenen Seehunde wiesen deutlich niedrigere Schadstoff-Gehalte auf als Seehunde im Jahrzehnt zuvor[1]. Die Seuche breitete sich nicht wesentlich in die Ostsee aus[4], wo zwar die Schadstoff-Gehalte[6] sehr hoch, die Populationsdichten der Seehunde aber gering sind[7]. Grundsätzlich ist es unwahrscheinlich, daß die Meeresverschmutzung bei den frühen R., so in Island 1918 (die PCB-Produktion begann erst 1929), od. in abgelegenen Meeren, so in der Antarktis 1955, bedeutsam war[1] (s. a. *Lit.*[8]). Die 1988 betroffenen Seehundbestände haben innerhalb weniger Jahre wieder den Stand von 1987 erreicht u. übertroffen.
Bejagung: Zwecks Pelzgewinnung wurden mehrere Arten, insbes. die nord. Pelzrobben[9] (*Callorhinus ursinus*) u. Bartrobben (s. Seehunde) jährlich zu hunderttausenden gejagt; dieses sog. Robbenschlachten ist eingestellt. An der schleswig-holstein. Küste wurden zwischen 1951 – 1972 jährlich etwa 200 Seehunde abgeschossen, danach nur noch jährlich wenige Dut-

Tab.: Im 20. Jahrhundert beobachtete große Robbensterben; nach *Lit.*[1].

Jahr	Gebiet	betroffene Art	Populationsdichte	Temp.	Krankheit/ Pathogen
1918	Island	Gemeiner Seehund (*Phoca vitulina*)	?	–/+	Pneumonie
1955	Antarktis	Krabbenfresser-Robbe (*Lobodon carcinophagus*)	10× Normalwert	+	Virus
1978	Alaska	Walroß (*Odobenus rosmarus*)	hoch	?	keine
1979/80	Neu-England-Staaten (USA)	Gemeiner Seehund (*P. vitulina*)	ungewöhnlich groß	+	Virus
1987/88	Baikalsee (UdSSR)	Baikalrobbe (*Phoca sibirica*)	?	?	Virus
1988	Kattegat/Nordsee	Gemeiner Seehund (*P. vitulina*)	hoch[10]	+	Virus

Zeichenerklärung: ? = unbekannt, –/+ = extrem kalter Winter, warmer Frühling; + = wärmer als im Mittel der zehn vorhergehenden Jahre.

zend[10]. Intensive Bejagung findet z. B. in Norwegen statt[11].
Fischerei/Tourismus: Im Nordpazifik verfangen sich jährlich etwa 6% der Robben in Netzen, wobei ca. 90% der betroffenen Robben sterben[12]. Den norweg. Fischern sind 1987 ca. 60000 Robben in die Netze gegangen[11]. In den siebziger Jahren wurden an jungen Seehunden der dtsch. Nordseeküste vielfach großflächige Geschwüre im Bauchnabelbereich beobachtet, denen ein Großteil der erkrankten Tiere zum Opfer fiel. Diese Geschwüre waren auf Verletzungen bei der Fortbewegung über Sandbänke – infolge der häufigen Flucht nach Störungen – zurückzuführen[13]. Schlechte Ergebnisse bei der Aufzucht von Jungtieren u. a. R. wurden auf Nahrungsmangel durch Überfischung zurückgeführt[14]. – ***E*** seal deaths, seal plague – ***F*** mort des phoques – ***I*** moria di foche – ***S*** muerte masiva de las focas

Lit.: [1] Mar. Pollut. Bull. **21**, 280–284 (1990). [2] Arctic **33**, 226–245 (1980). [3] Ambio **18**, 144, 297 f. (1989); Ecologist **19**, 124 (1989). [4] Ambio **18**, 258–264 (1989). [5] Mar. Mammal Sci. **4**, 231–246 (1988). [6] Ambio **5**, 261 ff. (1976). [7] Int. Counc. Explor. Sea. CM. **N 16** (1982). [8] Mammal Rev. **8**, 53–66 (1978). [9] Can. J. Fish. Aquat. Sci. **46**, 1437–1445 (1989). [10] Helgoländer Meeresuntersuchungen **43**, 347–356 (1989); Minister für Ernährung, Landwirtschaft u. Forsten des Landes Schleswig-Holstein, Drucksache VIII 630 a (1982); Z. Säugetierkunde **55**, 233–238 (1990). [11] Holarctic Ecol. **13**, 173 ff. (1990). [12] Ecol. Model. **48**, 193–213 (1989). [13] Säugetierkd. Mitt. **26**, 50–59 (1978). [14] Cunningham et al. (Hrsg.), Environmental Encyclopedia (2.), S. 930, Dordrecht: Gale 1998.
allg.: Mar. Pollut. Bull. **20**, 110–115, 580–584 (1989) ▪ Nature (London) **335**, 403 (1988); **336**, 115 (1988) ▪ Vet. Microbiol. **23**, 343–350 (1990) ▪ Vet. Rec. **125**, 647 f. (1989).

Robert-Koch-Institut s. Bundesinstitut für Infektionskrankheiten und nicht übertragbare Krankheiten.

Roberts, John D. (geb. 1918), Prof. für Organ. Chemie, Caltech, Gates and Crellin Laboratories of Chemistry, Pasadena. *Arbeitsgebiete:* Kleine organ. Ringe, NMR-Spektroskopie, Reaktionsmechanismen von Carbokationen, nicht-klass. Ionen, Umlagerungen, Chemieunterricht

Lit.: Chem. Eng. News **45**, Nr. 27, 80 (1967) ▪ Neufeldt, S. 277 ▪ The International Who's Who (17.), S. 1275.

Roberts, Richard John (geb. 1943), Prof. für Biochemie, Direktor der Forschungsabteilung der New England Biolabs in Beverly (Mass.). Er erhielt 1993 zusammen mit P. A. *Sharp den Nobelpreis für Physiologie od. Medizin für die Entdeckung der diskontinuierlich aufgebauten Gene.

Lit.: Lexikon der Naturwissenschaftler, S. 350 ▪ The International Who's Who (17.), S. 1275.

Robin s. Robinie.

Robinetin (3,3′,4′,5′,7-Pentahydroxyflavon). Formel s. Flavone. $C_{15}H_{10}O_7$, M_R 302,24, gelbgrüne Nadeln (wäss. Essigsäure), Schmp. 325–330 °C (Zers.). Das zu den Flavonolen zählende R. kommt in *Robinia pseudoacacia* (Fabaceae), *Gleditsia monosperma* (Fabaceae) u. a. Pflanzen vor. R. wird als 1 mM ethanol. Lsg. zur photometr. Bestimmung von Zr verwendet (λ_{max} 415 nm). – ***E*** robinetin – ***F*** robinétine – ***I*** robinetina – ***S*** robinetín

Lit.: Karrer, Nr. 1573 ▪ Sax (8.), Nr. RLP 000 ▪ Schweppe, S. 333. – *[CAS 490-31-3]*

Robinie. Die in Nordamerika heim., weltweit angepflanzte R. od. Falsche Akazie (*Robinia pseudoacacia* L., Fabaceae, Schmetterlingsblütler) ist ein dorniger, 10–25 m hoher Baum mit weißen, wohlriechenden Blütentrauben u. langen *Hülsenfrüchten. Die R. breitet sich in manchen Gegenden Mitteleuropas stärker aus als gewünscht[1]. Das Holz enthält die fäulnishemmenden *Flavone *Robinetin* (3,3′,4′,5′,7-Pentahydroxyflavon, 2%; gelbgrüne Krist., Schmp. 330 °C, Zers.) u. *Dihydrorobinetin* (5,3%), die Rinde neben 2–7% *Catechin-Gerbstoffen die äußerst giftigen *Lektine **Phasin* u. *Robin*, die auch im Samen zu finden sind. Der Duft der Blüten geht auf Nerol (s. Geraniol), *Piperonal, *Indol, *Linalool, Anthranilsäureester etc. zurück, die gelbe Farbe des Holzes auf **Robinin* (Kaempferolglykoside), Blüten, Blätter u. die Rinde werden als Aromatikum genutzt; das Holz ist dauerhaft, tragfähig u. brennkräftig. – ***E*** false acacia, locust tree – ***F*** faux acacia, robiniers – ***I*** robinia, gaggia, pseudacacia – ***S*** robinia, falsa acacia

Lit.: [1] Böcker et al., Gebietsfremde Pflanzenarten, S. 57–66, Landsberg: ecomed 1995.
allg.: Giftliste ▪ Hager (4.) **6 b**, 153–155 ▪ Frohne u. Pfänder, Giftpflanzen, S. 207 f. Stuttgart: WVG 1997. – *[CAS 490-31-3 (Robinetin)]*

Robinin [Kaempferol-3-*O*-(6-*O*-rhamnosylgalactosid)-7-*O*-rhamnosid].

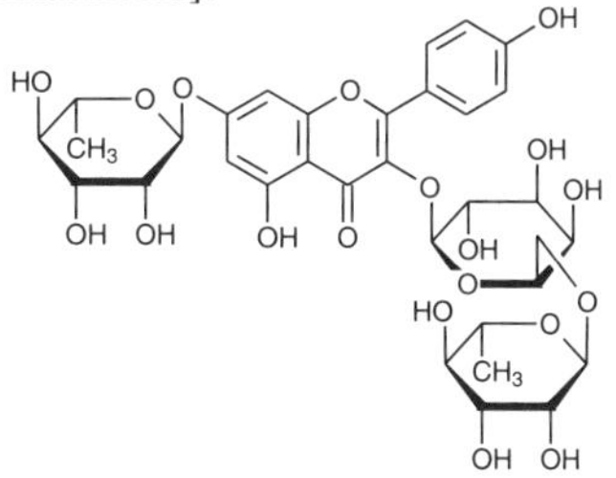

$C_{33}H_{40}O_{19}$, M_R 740,68; *β*-Form: gelbe Krist., Schmp. 250–254 °C, lösl. in heißem Wasser, $[\alpha]_D^{20}$ –122,5° (wäss. Pyridin); Hydrat: gelbe Nadeln, Schmp. 195–199 °C. *Flavon-Glykosid aus *Robinien, z. B. *Robinia pseudoacacia*, wirkt diuretisch. – ***E*** robinin – ***F*** robinine – ***I*** = ***S*** robinina

Lit.: Merck-Index (12.), Nr. 8404 ▪ Phytochemistry **15**, 215 (1976); **16**, 1811 (1977); **24**, 575 (1985) ▪ Schweppe, S. 368 f. ▪ s. a. Flavone u. Robinien. – *[CAS 301-19-9]*

Robinson, Sir Robert (1886–1975), Prof. für Organ. Chemie, Univ. Oxford. *Arbeitsgebiete:* Alkaloide (Morphin, Tropin, Thebain, Strychnin, Brucin usw.), Anthocyane, Penicillin, Steroide, Aromatizität, Elektronentheorie von organ. Reaktionen, präparative Methoden; erhielt für seine Arbeiten über biolog. wichtige Pflanzenstoffe 1947 den Nobelpreis für Chemie.

Lit.: Lexikon der Naturwissenschaftler, S. 350 ▪ Nachmansohn, S. 222 ▪ Neufeldt, S. 218 ▪ Pötsch, S. 366 ▪ Strube et al., S. 189, 177, 191.

Robinson-Anellierung. Mit dem Namen Sir R. *Robinsons sind eine Reihe synthet. nützlicher Reaktionen verbunden, wobei die R.-A. die bei weitem wichtigste darstellt, da sie zum Aufbau von anellierten

Ringsyst., z. B. aus der Steroid-Reihe benutzt werden kann. Im Prinzip handelt es sich bei der R.-A. um die Kombination zweier Reaktionen, nämlich der *Michael-Addition mit nachfolgender *Aldol-Addition.

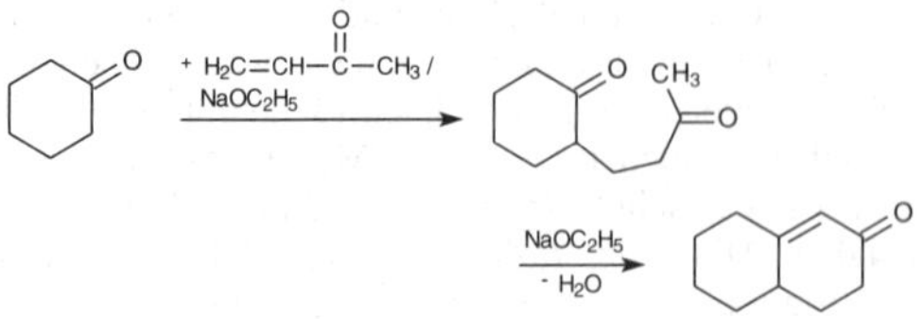

Als *Michael-Acceptoren* kommen z. B. 3-Buten-2-on u. seine Derivate od. *Mannich-Basen* (s. Mannich-Reaktion), die das α,β-ungesätt. Keton *in situ* in Freiheit setzen, in Frage. Weitere von Robinson gefundene Reaktionen [1] sind die Synth. von *Chinolinen od. *Indolen aus 2-Acetylaminostyrol-Derivaten, von *Chromonen (*4H-1-Benzopyran-4-onen*) aus 2-Hydroxyarylketonen, von *Oxazolen aus α-Acylaminoketonen, von *Pyrrolen aus *Azinen u. von Tropanon (s. 3α-Tropanol) über eine modifizierte Mannich-Reaktion. – ***E*** Robinson reaction – ***F*** réaction de Robinson – ***I*** anellazione di Robinson – ***S*** reacción de Robinson

Lit.: [1] Krauch u. Kunz, Reaktionen der organischen Chemie, 6. Aufl., S. 211, 222, 231, 441, 513, 596, 643, Heidelberg: Hüthig 1997.
allg.: Hassner-Stumer, S. 321 f. ▪ Laue-Plagens, S. 269 ▪ March (4.), S. 943 ▪ Nat. Prod. Rep. **4**, 13–23, 35–40 (1987) ▪ Synthesis **1976**, 777–794 ▪ Tetrahedron **32**, 3–31 (1976) ▪ Wiliams, Robert-Robinson-Chemist Extraordinary, Oxford: Oxford University Press 1990.

Robison, Robert (1883–1941), Prof. für Biochemie, Univ. London. *Arbeitsgebiete:* Reaktionen der Phosphorsäure bzw. Phosphorsäureester beim Kohlenhydrat-Stoffwechsel, Entdeckung des Robison-Esters (s. D-Glucose-6-phosphat).
Lit.: Nachmansohn, S. 297.

Roborantien. Von latein.: roborare = kräftigen abgeleitete Bez. für *Stärkungsmittel* (*Kräftigungsmittel*, **Tonika*, *Ergotropika*). R. enthalten oft Glucose, Glycerophosphate, Lecithine, Vitamine, *Anabolika, Aminosäuren od. Proteine. Derartige R. sind vielfach in *Geriatrika enthalten, oft zusammen mit Organpräp. (s. Organotherapie), *Reizkörpertherapie (früher auch Arsenik) u. Pflanzenextrakten z. B. von *Ginseng u. Yohimbe (vgl. Yohimbin). Einige der R. weisen z. T. recht hohe Ethanol-Gehalte auf. – ***E = F*** roborants – ***I*** roboranti – ***S*** roborantes
Lit.: Ehrhart-Ruschig, S. 1096–1099 ▪ Kirk-Othmer (3.) **15**, 132–143.

Rocaglamid.

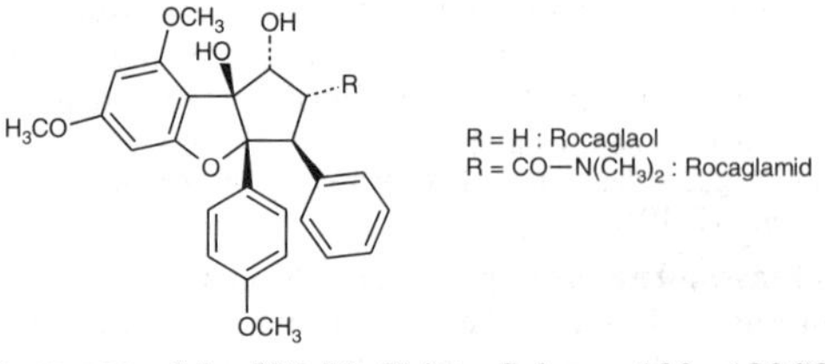

R = H : Rocaglaol
R = CO—N$(CH_3)_2$: Rocaglamid

$C_{29}H_{31}NO_7$, M_R 505,57, Krist., Schmp. 129–130 °C, $[\alpha]_D^{25}$ –96° ($CHCl_3$). R. sowie die Decarboxy-Verb. *Rocaglaol* {$C_{26}H_{26}O_6$, M_R 434,49, Schmp. 76–77 °C, $[\alpha]_D$ –125° ($CHCl_3$)} werden aus Wurzeln, Stengeln u. Blättern von *Aglaia*-Arten (*A. odorata, A. elliptifolia, A. duppereana, A. forbesii*, Meliaceae) isoliert. Sie zeigen insektizide u. antileukäm. Aktivität. Die LC_{50} von R. auf *Spodoptera*-Larven beträgt 0,9 ppm [1]. – ***E = F = I*** rocaglamide – ***S*** rocaglamida
Lit.: [1] Phytochemistry **44**, 1455 (1997).
allg.: J. Am. Chem. Soc. **112**, 9022 (1990) ▪ J. Chem. Soc., Perkin Trans. 1 **1992**, 2657 ▪ Phytochemistry **32**, 67, 307 (1993) ▪ Tetrahedron **53**, 17625 (1997). – *[CAS 84573-16-0 (R.); 147059-46-9 (Rocaglaol)]*

Rocaglaol s. Rocaglamid.

Rocaltrol® (Rp). Kapseln mit Calcitriol gegen nierenbedingten Knochenschwund u. Unterfunktion der Nebenschilddrüse. ***B.:*** Novartis.

Rocephin® (Rp). Trockensubstanz zur Injektion u. Infusion mit *Ceftriaxon-Dinatrium (ein Cephalosporin) gegen schwere Infektionen. ***B.:*** Novartis.

Rochellesalz. Bez. für *Kaliumnatriumtartrat, welches von dem französ. Apotheker Seignette (1623–1663) in der Hafenstadt La Rochelle hergestellt wurde.

Rochow, Eugene George (geb. 1909), Prof. für Anorgan. u. Organometall. Chemie, Harvard Univ. Cambridge (USA). *Arbeitsgebiete:* Silicon-Polymere, insbes. Methylsilicone u. ihre Herst.-Meth., direkte Synth. organometall. Verb., anorgan. Chemie, Chemieunterricht.
Lit.: Pötsch, S. 367.

Rockbridgeit $(Fe^{2+},Mn)Fe_4^{3+}[(OH)_5/(PO_4)_3]$; tief- od. olivgrünes bis dunkel-schwarzgrünes, durch Oxid. bräunlichgrün od. rötlichbraun werdendes rhomb. Mineral, Kristallklasse mmm-D_{2h}. Überwiegend derbe undurchsichtige Massen, *Glaskopf-artige Aggregate faseriger Einzelkrist., langnadelige Krist.-Büschel u. parallelnadelige bis radialstrahlige Partien. H. 4,5, D. 3,3–3,49. Mn^{2+}-reiche *Mischkristalle zwischen R. u. $Mn^{2+}Fe_4^{3+}[(OH)_5/(PO_4)_3]$ werden *Frondelit* genannt; bei *Zink-R.* ist (Fe^{2+},Mn) durch Zn^{2+} ersetzt.
Vork.: Als Umwandlungsprodukt von *Triphylin u. a. Eisen-Mangan-Phosphaten in *Pegmatiten, z. B. Hagendorf/Bayern (histor.), Mangualde/Portugal, South Dakota u. New Hampshire/USA. In *Brauneisenerz-Vork., z. B. Auerbach/Bayern u. Rockbridge/Virginia (Name!). – ***E = I*** rockbridgeite – ***F*** rockbridgéite – ***S*** rockbridgeíta
Lit.: Am. Mineral. **55**, 135–169 (1970) ▪ Kastning u. Schlüter, Die Mineralien von Hagendorf, S. 28, 46 f., 69, München: C. Weise 1994 ▪ Nriagu u. Moore (Hrsg.), Phosphate Minerals, S. 98 f., Berlin: Springer 1984 ▪ Schröcke-Weiner, S. 621 f. – *[CAS 12274-73-6]*

Rockwell-Härte (HR). Eine dimensionslose, an zur *Härteprüfung geeigneten Geräten direkt ablesbare Zahl zur Kennzeichnung der *Härte fester Körper. – ***E*** Rockwell hardness – ***F*** dureté Rockwell – ***I*** durezza Rockwell – ***S*** dureza Rockwell
Lit.: s. Härteprüfung.

Rocornal® (Rp). Kapseln u. Ampullen mit dem *Vasodilatator *Trapidil. ***B.:*** Rentschler, UCB.

Rocuroniumbromid (Rp).

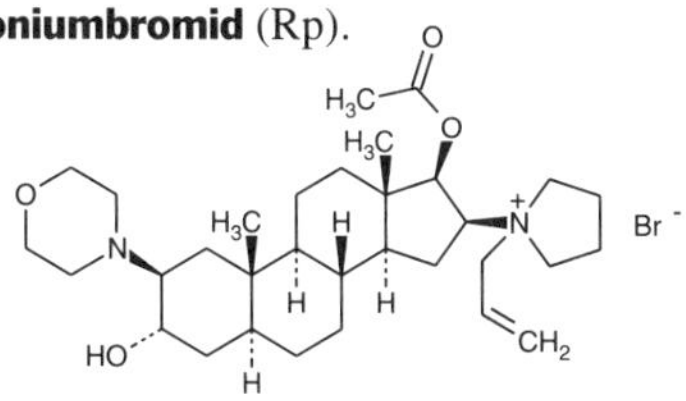

Internat. Freiname für das zu den *Muskelrelaxantien gehörende 1-(17β-Acetoxy-3α-hydroxy-2β-morpholino-5α-androstan-16β-yl)-1-allylpyrrolidinium-bromid, $C_{32}H_{53}BrN_2O_4$, M_R 609,70, Schmp. 161–169 °C, $[\alpha]_D^{20}$ +18,7° (c 1,03/$CHCl_3$). R. ist ein nicht-depolarisierender Blocker vom *Tubocurarin-Typ. Es wurde 1988/90 von Akzo patentiert u. ist von Organon Teknika (Esmeron®) als Hilfsmittel bei Narkosen im Handel. – ***E*** rocuronium bromide – ***F*** bromure de rocuronium – ***I*** rocuronio bromuro – ***S*** bromuro de rocuronilo

Lit.: Drugs **44**, 182–189 (1992) ▪ Martindale (31.), S. 1525 ▪ Merck-Index (12.), Nr. 8407. – *[CAS 119302-91-9]*

Rodaplutin.

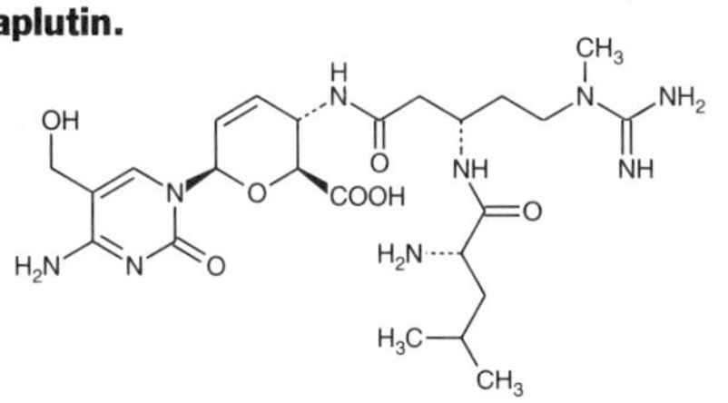

$C_{24}H_{39}N_9O_7$, M_R 565,61, amorphes Pulver, *Blasticidin S-Derivat aus Kulturen von *Nocardioides albus* mit akarizider u. insektizider sowie schwach antimikrobieller Wirkung. – ***E*** rodaplutin – ***F*** rodaplutine – ***I = S*** rodaplutina

Lit.: J. Antibiot. (Tokyo) **41**, 1145 ff. (1988). – *[CAS 108351-49-1]*

Rodbell, Martin (geb. 1925), Prof. für Biochemie, wissenschaftlicher Direktor am National Health Sciences bei Durham (N.C.). 1994 erhielt er zusammen mit A. G. Gilman den Nobelpreis für Physiologie od. Medizin für den Nachw. der Beteiligung von G-Proteinen an der Signaltransduktion u. deren Bedeutung für die Entstehung von Krebs u.a. Krankheiten.

Lit.: Lexikon der Naturwissenschaftler, S. 50 ▪ The International Who's Who (17.), S. 1279.

Rodd. Kurzbez. für das im Verl. Elsevier, Amsterdam in den Jahren 1951–1962 in erster Aufl. von E. H. Rodd u. Sir R. *Robinson, in 2. Aufl. ab 1964 von S. Coffey u. M. Ansell in 4 Hauptbd. mit zahlreichen Teilbd. herausgegebene *Handbuch (s.a. chemische Literatur) der organ. Chemie „Rodd's Chemistry of Carbon Compounds".
Von 1973–1995 sind zusätzlich 21 Supplementbd. erschienen.

Rodentizide. Von latein. rodere = nagen u. *...zid abgeleitete Bez. für Mittel zur Bekämpfung kommensaler (s. Kommensalismus) Nagetiere, insbes. Ratten (Wanderratte, Hausratte) u. Mäusen (Hausmaus). Der wirtschaftliche Schaden durch Nagetiere resultiert nicht nur aus der Vernichtung u. Verschmutzung von Vorräten sowie der Zerstörung von Baulichkeiten u. Nutzflächen – ein Wühlmauspärchen kann pro Jahr 2300 Nachkommen haben –, sondern auch aus der Übertragung gefährlicher Infektionskrankheiten wie Pest, Typhus, Paratyphus, Ruhr, Leptospirose u. Trichinose auf Menschen. Die heute zu ihrer Bekämpfung eingesetzten Mittel lassen sich in akut, subakut u. chron. wirkende Gifte einteilen, die in Form von Ködern od. Streupulvern angewendet werden. *Akut* wirkende Mittel sind bereits bei einmaliger Aufnahme voll wirksam. Bei Ratten führen die schnell eintretenden Vergiftungssymptome oft zur Köderscheu, während die unsteter lebenden Mäuse besser bekämpft werden. *Beisp.* für diesen Typ von R. sind *Bromethalin, *Calciferol (Vitamin D_2), Cholecalciferol (Vitamin D_3), α-*Chloralose, Fluoressigsäure-Derivate, *Scillirosid, *Thallium(I)-sulfat u. *Zinkphosphid. Zu den *subakut* od. *chron.* wirkenden R. gehören die Blutgerinnungshemmer (**Antikoagulantien*). Die als Folge auftretenden inneren Blutungen führen zu einem unauffälligen Tod. Die Tiere entwickeln daher keine Köderscheu. Während ältere Präp. erst bei mehrmaliger Aufnahme voll wirksam wurden, kann bei neueren Wirkstoffen schon eine Einzeldosis genügen. Zum Einsatz kommen Cumarin- u. Indandion-Derivate wie *Brodifacoum, *Bromadiolon, *Chlorphacinon, Cumachlor, *Cumatetralyl, *Difenacoum, *Diphacinon, *Flocoumafen u. *Pindon sowie *Difethialon, ein 4-Hydroxy-1-benzothiopyran-2-on. Die Verb. besitzen eine verzögert einsetzende Wirkung, können in geringer Konz. ausgebracht werden u. sind relativ sicher zu handhaben. Außerdem steht mit Vitamin K_1 ein zuverlässiges *Antidot zur Verfügung. Nachteilig bei dieser Art von Verb. ist die Fähigkeit der Nager, im Laufe der Zeit eine Resistenz gegen einzelne Wirkstoffe zu entwickeln. Die akut wirkenden Mittel sind von diesem Phänomen nicht betroffen. – ***E = F*** rodenticides – ***I*** rodenticidi – ***S*** rodenticidas

Lit.: Farm ▪ Perkow ▪ Ullmann (5.) **A23**, 211–220. – *[HS 2911 00, 2914 39, 2932 29, 2936 29, 3808 90]*

Rodine®. Hochwirksame *Inhibitoren für organ. u. anorgan. Säuren; werden als Beizlsg. u. Ind.-Reiniger verwendet. ***B.:*** Henkel.

Rodleben s. Deutsche Hydrierwerke.

RODP s. ODP.

Röhm. Kurzbez. für die 1907 von O. *Röhm u. O. Haas gegr. bis 1970 als Röhm & Haas firmierende, bis 1989 mehrheitlich im Familienbesitz befindliche u. dann zur Hüls-Gruppe gehörende Röhm GmbH, Chem. Fabrik, 64275 Darmstadt. Zu den *Tochter-* u. *Beteiligungsges.* gehören u.a. *Burnus (100%). *Daten* (1991, in Klammern Konzern): 4566 (5186) Beschäftigte, 1,1 (1,24) Mrd. DM Umsatz. *Produktion:* Bauchemikalien, Dispersionen, Enzyme, Folien, Formmassen, Halbzeuge, Hartschaumstoffe, Industriehilfsmittel, Lackrohstoffe, Methacrylate, Monomere, Öl-Additive, pharmazeut. Hilfsstoffe, Polycarbonate (Makrolon®), Polymerblend, Polymethacrylate (Plexiglas®), Schmierstoffe, Textil- u. Papierhilfsmittel, Waschmittel.

Röhm, Otto (1876–1939), Chemiker u. Industrieller. *Arbeitsgebiete:* Acrylate, Methacrylate, Acrylglas, techn. Verw. von Enzymen, Mitbegründer der Firmen *Röhm u. *Rohm and Haas.

Lit.: Chem.-Ztg. **100**, 192–194 (1976) ▪ Kunststoffe **75**, Nr. 5, VIII f. (1985) ▪ Pötsch, S. 367 f. ▪ Trommsdorff, Dr. Otto Röhm – Chemiker u. Unternehmer, Düsseldorf: Econ 1976.

Röhren s. Rohre.

Röhrenpilze s. Speisepilze.

Rökan®. Filmtabl. mit Trockenextrakt aus *Ginkgo-biloba*-Blättern als Adjuvans bei dementiellem Syndrom. ***B.:*** Intersan.

Römische Kamille s. Kamille u. Kamillenöl.

Römischer Kümmel (Kreuz-, Mutter-, Wanzenkümmel, türk., ägypt. Kümmel). Früchte des im Mittleren Osten heim., auch in Vorder- u. Ostasien sowie im Mittelmeerraum kultivierten Krautes *Cuminum cyminum* (Apiaceae). R. K. wird als *Carminativum u. *Stomachikum sowie (als *Cumin*) als würzig, brennend bis bitter schmeckendes Gewürz für Suppen, Soßen, Salate, zur Herst. von **Curry-Pulver* u. *Chili-Pulver* (s. Paprika) sowie zur Verfälschung des echten *Kümmels verwendet. Die Früchte enthalten ca. 10% Fette, 15% Proteine u. 2,5–4,8% ether. Öl mit Cuminaldehyd (25–35%). Cuminalkohol, Perillaaldehyd (s. Perillaaldehydoxim), *Pinene, Dipenten (s. Limonen), *p*-*Cymol u. *β*-*Phellandren. Als R. K. od. *Röm. Koriander* wird auch der *Schwarzkümmel* (*Nigella sativa*, Ranunculaceae) bezeichnet. – ***E*** = ***F*** cumin – ***I*** cumino romano – ***S*** comino

Lit.: Franke, Nutzpflanzenkunde (6.), S. 377, Stuttgart: Thieme 1997. – *[HS 0909 30, 0909 40]*

Römpp, Hermann (1901–1964), Prof. für Chemie, Studienrat, Weiden bei Horb/Neckar. *Arbeitsgebiete:* Chemieunterricht (bis 1945), fachschriftsteller. Tätigkeit insbes. zu Themen aus der Welt der Chemie (seit 1937), Hrsg. des „Chemie-Lexikons" (allg. als „der Römpp" bezeichnet) in 1. bis 5. Aufl. (1947–1962), Vorbereitung der 6. Aufl. (1966, von E. *Ühlein bis 1969 fortgeführt).
Bekannt wurde Römpp außer durch sein Hauptwerk durch zahlreiche populärwissenschaftliche Aufsätze sowie durch Bücher wie „Chemie des Alltags" u. „Chemische Zaubertränke"; eine (unvollständige) Bibliographie fand sich in der 7. Aufl. dieses Werkes.

Lit.: Kürschner (9.), S. 1676 ▪ Lexikon der Naturwissenschaftler, S. 351 ▪ Nachr. Chem. Tech. **12**, 266 (1964) ▪ Vorwort zu Bd. 1 A–Cl der 8. Aufl. dieses Werkes, S. 7 f.

Röntgen (Kurzz. R). In der älteren Lit. gebräuchliche Einheit der *Ionendosis* (vgl. Dosis), die von *ionisierender Strahlung erzeugt wird. Seit 1. 1. 1986 ist die Einheit der Ionendosis: Coulomb pro Kilogramm: $1\ R = 2{,}58 \cdot 10^{-4}$ C/kg = 258 µC/kg; 1 C/kg = 3876 R – ***E*** = ***F*** = ***S*** roentgen – ***I*** röntgen

Lit.: Reich (Hrsg.), Dosimetrie ionisierender Strahlung, Stuttgart: Teubner 1990.

Röntgen, Wilhelm Conrad (1845–1923). Prof. für Physik, Würzburg u. München. *Arbeitsgebiete:* Spezif. Wärme, Kristallphysik, Kompressibilität, optoakust. Effekt, Gasgesetze, Entdeckung der Röntgenstrahlen (1895), die von ihm als X-Strahlen bezeichnet wurden. Er erhielt 1901 als erster den Nobelpreis für Physik. Ein Röntgen-Museum befindet sich in 42897 Remscheid-Lennep.

Lit.: Beier, Wilhelm Conrad Röntgen (2.), Leipzig: Teubner 1995 ▪ Hermann, W. C. Röntgen, München: Moos 1973 ▪ Krafft, S. 299 ff. ▪ Lexikon der Naturwissenschaftler, S. 351 ▪ Neufeldt, S. 95 ▪ Strube et al., S. 99, 120, 152 f.

Röntgenabsorptionsspektroskopie s. Röntgenspektroskopie.

Röntgenamorph. Sammelbez. für im wesentlichen krist. Festkörper minimaler Teilchengröße od. extremer Gitterstörung, die im Vgl. zu mikrokrist. Pulvern nur sehr verbreiterte Röntgenreflexe liefern. Amorphe Festkörper (s. amorphe Metalle) ergeben dagegen nur diffuse Beugungsmuster. Bei Beugungsexperimenten bewirken Faktoren wie z. B. die *Teilchengröße* (s. Korngröße), **Kristallbaufehler* u. innere *Spannungen* eine Linienverbreiterung von Reflexen. Der Einfluß der einzelnen Parameter auf die Breite bestimmter Reflexe od. Reflexgruppen ist unterschiedlich. Es wurden daher Verf. entwickelt, diese Parameter aus den Linienbreiten zu bestimmen. So kann man unter bestimmten Annahmen die Korngröße ermitteln. Bei Verw. von Cu-K_α-Strahlung sind z. B. Teilchengrößen von ca. $10^{-1}-10^{-3}$ mm meßbar. Die röntgenograph. Meth. ergänzt somit die mikroskop. Teilchengrößenbestimmung; s. a. röntgenkristallin. – ***E*** X-ray amorphous – ***F*** amorphe aux rayons X – ***I*** röntgenamorfo – ***S*** amorfo a los rayos X

Röntgenanalyse. Unspezif. Begriff für eine der vielen analyt. Meth., bei denen *Röntgenstrahlung auftritt, absorbiert, gebeugt od. emittiert wird; *Beisp.:* s. die folgenden Stichwörter sowie ESMA (s. Elektronenstrahl-Mikroanalyse), XAES (Röntgenstrahl-induzierte *Auger-Spektroskopie), EDAX (s. Energiedispersive Röntgen-Spektroskopie), EXAFS u. PIXE (s. Röntgen-Spektroskopie), *ESCA od. XPS. – ***E*** X-ray analysis – ***F*** analyse par rayons X – ***I*** analisi mediante raggi X – ***S*** análisis por rayos X

Lit.: Jenkin, X-Ray Analysis, in Encyclopedia of Physical Science and Technology, Vol. 17, S. 691–708, New York: Academic Press 1992.

Röntgenauftrittspotentialspektroskopie (SXAPS, *S*oft *X*-Ray *A*ppearance *P*otential *S*pectroscopy). *Oberflächenanalyse-Methode, bei der die Energie E der Elektronen, die auf die Oberfläche eines Stoffes treffen, so lange erhöht wird, bis im emittierten Röntgenspektrum eine charakterist. Überhöhung auftritt. R. wird erfolgreich zur Spurenanalyse an Metalloberflächen u. zur Untersuchung chem. Einflüsse auf die elektron. Oberflächenstruktur eingesetzt. – ***E*** soft X-ray appearance potential spectroscopy – ***F*** spectroscopie de potentiel d'apparition de rayon X [mous] – ***I*** spettroscopia del potenziale di apparizione di raggi X molli – ***S*** espectroscopia de potencial de aparición de rayos X [poco penetrantes]

Lit.: Kohlrausch, Praktische Physik 2, S. 725, Stuttgart: Teubner 1996 ▪ Nachr. Chem. Tech. Lab. **37**, M 3 (1989).

Röntgenbaryt s. Bariumsulfat.

Röntgenbeugung s. Kristall- u. Röntgenstrukturanalyse.

Röntgendichte (röntgenographische Dichte). Bez. für die *Dichte krist. Stoffe, die nach $\rho = (Z \cdot M)/(N_A \cdot V)$ berechnet werden kann, wobei Z = Zahl der Formeleinheiten in der Elementarzelle, M = molare Masse der Formeleinheit, N_A = *Avogadrosche Zahl u. V = Vol. der Elementarzelle sind. Bedingt durch Gase, Mutterlauge od. feste Fremdstoffe, die im Realkristall (s. Einkristalle) eingeschlossen sind, ist die experimentell z. B. mit der *Pyknometer-Meth. bestimmte Dichte im Vgl. zur R. meist zu niedrig. – ***E*** X-ray density – ***F*** densité par analyse aux rayons X – ***I*** densità radiologica – ***S*** densidad por análisis de rayos X

Lit.: Ramdohr-Strunz, S. 211–213.

Röntgenemissionsspektroskopie s. Elektronenstrahl-Mikroanalyse u. Röntgen-Spektroskopie.

Roentgen equivalent ... s. Rem u. Rep.

Röntgenfilme s. Photographie, S. 3308.

Röntgenfluoreszenzspektroskopie (Abk. RFA, nach der älteren Bez. Röntgenfluoreszenzanalyse). Bez. für ein Verf. der *Röntgenspektroskopie, das die Prinzipien der *Fluoreszenzspektroskopie auf Röntgenstrahlen (Wellenlänge 2–0,02 nm) überträgt. Röntgenfluoreszenzstrahlung entsteht, wenn durch harte Röntgenquanten Elektronen in den Atomen von den inneren Schalen auf weiter außen gelegene Schalen gehoben werden u. zu deren Ersatz andere Schalen-Elektronen zurückfallen (vgl. Konversionselektronen u. die Abb. 1 bei Röntgenspektroskopie); dabei wird die sog. *charakterist. *Röntgenstrahlung* (Eigenstrahlung, Sekundärstrahlung) emittiert. Techn. geht man bei der RFA so vor, daß man die zu untersuchende Probe (s. Abb.) mit der polychromat. Strahlung einer Röntgenröhre zur Aussendung der Fluoreszenzstrahlung anregt; die Fluoreszenzanregung ist auch mit Gamma- od. Ionenstrahlen möglich. Die Sekundärstrahlung wird durch den Kollimator parallel gerichtet, durch den beweglichen Krist. (Analysator-Krist., meist Lithiumfluorid, Ethylendiamintartrat, Pentaerythrit, Graphit, Rubidium-, Thallium- od. Kaliumhydrogenphthalat) gebeugt (gestreut, reflektiert) u. durch Photographie, Geiger-, Proportionalitäts- od. Szintillationszähler, registriert. Moderne Geräte sind vollautomatisiert u. werten die Ergebnisse mittels EDV aus.

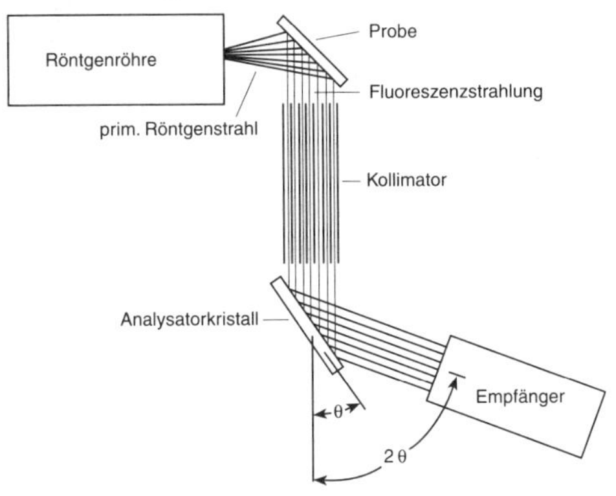

Abb.: Schemat. Aufbau einer Röntgenfluoreszenzspektroskopie-Apparatur.

Für die Beugung gilt die Braggsche Reflexionsbedingung $n\lambda = 2d \cdot \sin\Theta$ (s. Kristallstrukturanalyse), wobei Θ der sog. Bragg-Winkel ist (Winkel zwischen Röntgenstrahl u. Analysatorkristalloberfläche, früher: *Glanzwinkel a*). Der Netzebenenabstand d ist ein limitierender Faktor für die Beugung, weshalb man für große Wellenlängen λ, wie sie bei leichten Elementen ($Z \leq 13$) auftreten, synthet. Schichtstrukturen mit bes. großem Netzebenenabstand entwickelt hat[1]. Jedes von einem Element emittierte Röntgenfluoreszenzspektrum besteht im Gegensatz zu dem linienreichen opt. Spektrum aus nur wenigen charakterist. Linien, anhand derer es eindeutig identifiziert werden kann. Zur quant. Analyse wird neben der Wellenlänge auch die Intensität der emittierten Strahlung gemessen, denn diese ist proportional dem Gehalt des betreffenden Elements in der Probe, d. h. dem Produkt aus Schichtdicke u. Konzentration. Zur genauen Gehalt-Bestimmung verwendet man Vgl.-Proben bekannter Zusammensetzung. Zur Probenpräparation bedient man sich zweckmäßigerweise des Borat-Aufschlusses[2], bei dem das Material in eine glasartige Matrix eingebettet wird; zur Anreicherung von Metallspuren s. *Lit.*[3]. Die RFA ist ein sehr rasch u. zerstörungsfrei arbeitendes, quant. Bestimmungs-Verf. für Elemente in Festkörpern, Pulverpreßlingen, Pasten u. Lsg., das allerdings nur Elemente mit Ordnungszahlen ≥9 (Fluor) zu erfassen gestattet. Anw. findet die Meth. allg. in Forschungs- u. Betriebslaboratorien, bes. in Metallurgie, Petrochemie, Geochemie, Toxikologie u. Kriminalistik, Umweltschutz, bei Waschpulvern, Leder usw. Als Meth. der zerstörungsfreien *Werkstoffprüfung ist die RFA bes. geeignet zur *Kunstwerkprüfung u. zu Untersuchungen in Archäologie u. *Paläontologie. Die oben beschriebene RFA wird *wellenlängendispersive R.* genannt; RFA kann jedoch auch als *energiedispersive R.* (EDRFA) betrieben werden. Method. sind die beiden RFA-Meth. verwandt einerseits mit der *ESCA u. der *Auger-Spektroskopie, andererseits mit der *Elektronenstrahl-Mikroanalyse u. der *Energiedispersiven Röntgen-Spektroskopie (EDAX), vgl. die Abb. bei Elektronenspektroskopie. Durch den streifenden Einfall der anregenden Strahlung u. der Ausnutzung der Totalreflexion an der betrachteten Oberfläche kann die R. als *Oberflächenanalysemethode (als Total Reflection X-ray fluorescence analysis, Abk. TXRF) eingesetzt werden. Hauptanwendungsgebiet dieser Technik ist der extrem empfindliche Spurennachweis von Verunreinigungen (10^{10}–10^{13} Atome/cm^2) an Oberflächen z. B. von Silicium-Wafern in der Halbleiter-Industrie[4]. – ***E*** X-ray fluorescence spectroscopy, XRF – ***F*** analyse par fluorescence X – ***I*** analisi per fluorescenza di raggi X – ***S*** espectroscopia de fluorescencia de rayos X

Lit.: [1] GIT Fachz. Lab. **30**, 438 (1986). [2] Z. Anal. Chem. **303**, 268 (1980); Metalloberfläche **35**, 164 (1981). [3] Int. J. Environ. Anal. Chem. **7**, 85–108 (1979). [4] Spectrochim. Acta **46**B, 1313–1321, 1331–1340 (1991).
allg.: Bertin, Principles and Practice of X-ray Spectrometric Analysis (2.), New York: Plenum Press 1975 ▪ Dzubay, X-Ray Fluorescence Analysis of Environmental Samples, Ann Arbor: Ann Arbor Sci. 1977 ▪ Hahn-Weinheimer et al., Grundlagen u. praktische Anwendungen der Röntgenfluoreszenzanalyse (RFA), Wiesbaden: Vieweg 1984 ▪ Int. J. Environ. Anal. Chem.

20, 55–67 (1985) ▪ Int. Lab. **11**, Nr. 2, 62–72 (1981); **12**, Nr. 2, 54–62, Nr. 4, 24–31, Nr. 6, 44–56 (1982); **14**, Nr. 1, 84–93 (1984) ▪ Kirk-Othmer (4.) **19**, 366 ▪ Kohlrausch, Praktische Physik 2, S. 725, Stuttgart: Teubner 1996 ▪ Nachr. Chem. Tech. Lab. **37**, M3 (1989) ▪ Ullmann (4.) **5**, 501–518 ▪ s. a. Röntgenspektroskopie.

Röntgenkleinwinkelstreuung (RKS). Bez. für das Analogon der *Lichtstreuung im Bereich der *Röntgenstrahlung, das prakt. auf den gleichen theoret. Grundlagen basiert. Während jedoch bei der Lichtstreuung die Streustrahlung auf den gesamten Raum verteilt ist, wird bei der Röntgenstrahlung – wegen der über tausendfach kleineren Wellenlänge – die Streustrahlung auf einen sehr engen Bereich (Abweichung weniger als 1°) in der Nähe des Primärstrahls zusammengedrängt. Der Meßbereich liegt bei Teilchen-Dimensionen <50 nm. Die R. wurde bes. von Guinier, *Kratky, Porod u. *Hosemann entwickelt. Im Gegensatz zur R. ist die durch den Netzebenenabstand begrenzte Röntgenbeugung an Krist. ein Weitwinkel-Phänomen. – ***E*** small-angle X-ray scattering – ***F*** diffusion étroite de rayons X – ***I*** dispersione dei raggi X ad angolo piccolo – ***S*** dispersión de rayos X de ángulo pequeño

Lit.: Kratky u. Laggner, X-Ray Small-Angle Scattering, in Encyclopedia of Physical Science and Technology, Vol. 17, S. 727–782, New York: Academic Press 1992.

Röntgenkontrastmittel. Bez. für solche Stoffe, die bei der medizin. Röntgenographie (*Radiographie mit Röntgenstrahlen) die *Röntgenstrahlung schwächer (neg. R.) od. stärker (pos. R.) absorbieren als das umgebende Körpergewebe. Sie finden daher in der Röntgendiagnostik Verw., um Organe u. Gefäße auf dem Röntgenfilm od. -schirm sichtbar u./od. photograph. registrierbar zu machen. Mit Hilfe von oral od. parenteral verabreichten R. kann man so Organe u. funktionelle Vorgänge wie Harnabfluß od. die Blutversorgung bestimmter Körperregionen darstellen. Die *neg. R.* sind gasf. u. bestehen aus Elementen niedriger Ordnungszahlen, die weitgehend strahlendurchlässig sind; *Beisp.:* Luft, Sauerstoff, Stickstoff, Edelgase. Demgegenüber enthalten die radioopaken (d. h. strahlungsundurchlässigen) *pos. R.* vorwiegend Elemente hoher Ordnungszahlen, da deren Absorptionsvermögen für Röntgenstrahlen größer ist: für den Intestinaltrakt meist Bariumsulfat, für alle anderen Zwecke Wasser- bzw. Öl-lösl. organ. Iod-Derivate, die sich von Pyridinen od. aromat. Carbonsäuren ableiten. Pos. R. werden zusammen mit neg. R. beim sog. Doppelkontrastverf. zur Reliefdarst. von Hohlorganen eingesetzt. – ***E*** X-ray contrast media, radiopaques – ***F*** substances de contraste aux rayons X – ***I*** radioopaco, radiotrasparente – ***S*** sustancias de contraste para rayos X

Lit.: Peters u. Zeitler, Röntgenkontrastmittel, Berlin: Springer 1991 ▪ Ullmann (4.) **10**, 84 ff.; (5.) **A 8**, 481 f.

Röntgenkristallin. Während die Bausteine in amorphen Festkörpern (s. amorphe Metalle) lediglich eine Nahordnung aufweisen, ist im *kristallinen Zustand auch eine langreichweitige Fernordnung vorhanden. Der Übergang zwischen beiden Zuständen ist fließend, s. a. röntgenamorph. Innerhalb der einzelnen Kriställchen von r. Pulvern ist die Fernordnung hinreichend groß, um bei Röntgen-*Pulveraufnahmen* (s. Pulvermethoden) zu scharfen Röntgenreflexen zu führen; s. a. Korngröße u. Kristalle. – ***E*** X-ray crystalline – ***F*** cristallin aux rayons X – ***I*** röntgencristallino – ***S*** cristalino a los rayos X

Röntgenlaser. *Laser, der *kohärente Strahlung im Röntgengebiet emittiert. Da die Forschung auf dem Gebiet von Lasern im harten Röntgengebiet (s. Röntgenstrahlung) militär. Geheimhaltung unterliegt, sind im wesentlichen nur Ergebnisse mit weichen Röntgenstrahlen (*E* soft x-ray) bekannt.
Die Realisierung eines Lasers im Röntgengebiet ist wesentlich schwieriger als die im sichtbaren Bereich, da das Verhältnis der Einsteinkoeff. B für stimulierte u. A für spontane Emission von der Wellenlänge abhängt: $B/A = \lambda^3/(8\pi h)$ mit λ = Wellenlänge u. h = Plancksches Wirkungsquantum (Details s. a. Laser). Bei einer 25fach kleineren Wellenlänge ($\lambda_{opt} = 500$ nm, $\lambda_{Röntgen} = 20$ nm) benötigt man also eine mehr als 15000fach stärkere Lichtintensität, um das gleiche Verhältnis zwischen stimulierter u. spontaner Emission zu erhalten; daher konnten R. bisher nur als gepulste Laser realisiert werden. Als verstärkendes Medium werden hochionisierte Atome eingesetzt, deren Elektronenübergänge, da es sich um Übergänge zwischen inneren Schalen handelt, im Röntgenbereich liegen.

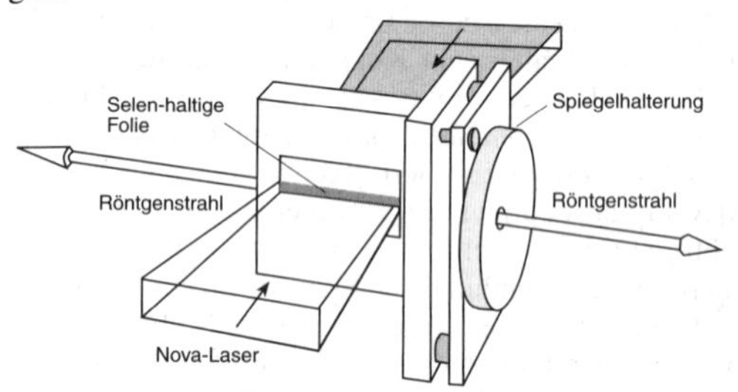

Abb. 1: Realisierung eines Röntgenlasers am Lawrence-Livermore National Laboratorium.

Am Lawrence Livermore National Laboratory verwendet man einen großen Nd: YAG-Laser (Nova, Pulsenergie bis 100 kJ; Pulszeit ≤1 ns; Pulsleistung bis 10^{14} W, s. Neodym-Laser u. *Lit.*[1]) zum Beschuß einer Selen-haltigen Vinylfolie (s. Abb. 1), wobei sich in einer Plasmasäule 24fach ionisiertes Selen (Z=34) bildet. Die *Elektronenkonfiguration von Se^{24+} ist vergleichbar mit Neon; Grundzustand: $1s^2 2s^2 2p^6$.
In dem Plasma sind viele schnelle Elektronen enthalten, die durch Stoßanregung die Niveaus $1s^2 2s^2 2p^5 3s^1$ u. $1s^2 2s^2 2p^5 3p^1$ bevölkern. Während 3s-Elektronen sehr schnell aufgrund des erlaubten Dipolübergangs nach 2p zurückkehren, ist der Übergang 3p→2p verboten. Es reichert sich in 3p eine größere Besetzung als in 3s an, d. h. es wird Besetzungsinversion erreicht u. die Übergänge 2p→3s (mit $\lambda_1 = 20{,}6$ nm u. $\lambda_2 = 21$ nm) werden verstärkt (s. Abb. 2 auf S. 3845). Da Spiegel für den Röntgenbereich erst seit kurzem zur Verfügung stehen, wurde Lasertätigkeit bisher anhand der Intensität der Röntgenstrahlung überprüft, die längs der Plasmasäule viel stärker als in anderen Raumrichtungen ist[2]. Durch neue Entwicklungen auf dem Gebiet der Linearbeschleuniger (s. Teilchenbeschleu-

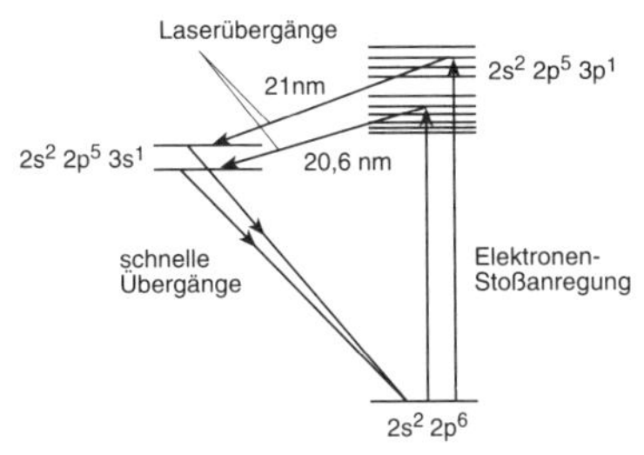

Abb. 2: Übergänge beim Se^{24+}.

niger) eröffnet sich der Weg, mittels eines Freien-Elektronen-Lasers Strahlung mit Wellenlängen von 100 pm zu erzeugen[3]. Anw. finden R. in der *Röntgenmikroskopie, Röntgenholographie u. zur Erzeugung kurzer Pulse bis in den Atto-Bereich (10^{-18} s). – ***E*** X-ray laser – ***F*** laser aux rayons X – ***I*** laser a raggi X – ***S*** láser de rayos X

Lit.: [1] Hora, Laser and Particle Beams, in Encyclopedia of Physical Science and Technology Vol. 8, S. 433–466, New York: Academic Press 1992. [2] Sci. Am. **1988**, Nr. 12, 60. [3] Phys. Bl. **51**, 286 (1995).
allg.: Phys. Unserer Zeit **20**, 11 (1989).

Röntgenlumineszenz s. Lumineszenz.

Röntgenmikroanalyse s. Elektronenstrahl-Mikroanalyse.

Röntgenmikroskopie. Verf., um mit Hilfe von Röntgenstrahlen Objekte vergrößert darzustellen. Da die Wellenlänge von *Röntgenstrahlung wesentlich kleiner ist als die von sichtbarem Licht, sollte ein Röntgenmikroskop eine höhere Auflösung als ein Lichtmikroskop ermöglichen. Da aber bis vor kurzem abbildende Elemente, wie z. B. Linsen, nicht zur Verfügung standen, mußte die sog. *Kontaktmikroskopie* (s. Abb., Teil a) angewendet werden, bei der nach der Entwicklung das Relief eines Photolacks mit einem Lichtmikroskop betrachtet wird. Die Verw. von Photolack (meist PMMA, *Polymethacrylat, *Plexiglas®) anstelle von Röntgenfilmen hat die Auflösung um rund zwei Größenordnungen verbessert; aber erst die Betrachtung des Reliefs durch *Elektronenmikroskope ergibt eine Auflösung, die besser als die der Lichtmikroskopie ist.

Aufgrund der starken Abschwächung von Röntgenstrahlen in allen Materialien ist die Verw. von solchen Linsen, die auch bei der Anw. von sichtbarem Licht zum Einsatz kommen, im Röntgenbereich nicht möglich. Eine gewisse Fokussierung erfolgt durch streifenden Einfall auf glatte Metalloberflächen u. findet z. B. beim Bau von Röntgensatelliten (ROSAT, s. *Lit.*[1] bei Röntgenstrahlung) Anw., mit dem Nachteil einer sehr aufwendigen Optik mit langer Brennweite. In jüngster Zeit werden Fresnelsche Zonenplatten zum Fokussieren von Röntgenstrahlen eingesetzt; es handelt sich um Platten mit ringförmigen Hell-Dunkelzonen, deren Abstände sich nach außen hin verjüngen, so daß durch *Interferenz aus einer ebenen Welle (paralleler Strahl) Kugelwellen (konvergenter u. divergenter Strahl) entstehen (Details s. *Lit.*[1]). Die Herst. von Zonenplatten für den Röntgenbereich ist techn. sehr schwierig; wird z. B. eine Auflösung von

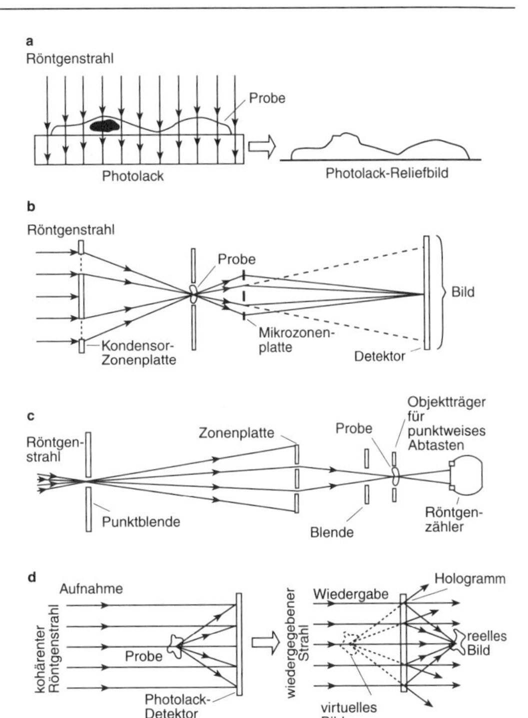

Abb.: Realisierte Versionen eines Röntgenmikroskops (nach *Lit.*[2]): a) Kontaktmikroskopie; b) abbildendes Röntgenmikroskop; c) Abtast-Röntgenmikroskop; d) Röntgenholographie.

20–30 nm angestrebt, so müssen auch die Abstände der äußeren Ringe von dieser Größe sein. Die Herst. erfolgt durch UV-*Holographie (bis 50 nm) bzw. Abtragung von Photolack mittels eines gelenkten Elektronenstrahls. Zonenplatten werden eingesetzt zum Bau von abbildenden Röntgenmikroskopen (s. Abb., Teil b), sowie von Abtast- bzw. Raster-Röntgenmikroskopen (s. Abb., Teil c). Beim abbildenden Mikroskop wird die gesamte Probe zur selben Zeit beleuchtet u. abgebildet, wodurch die Bewegungsunschärfe u. die Strahlenbelastung der Probe gesenkt werden. Dieser Mikroskoptyp kommt ohne bewegliche Teile aus u. gilt als bes. zuverlässig. Es wird eine Auflösung von bis zu 55 nm erreicht.

Beim Rastermikroskop wird die Probe mit dem Fokus des Röntgenstrahles abgetastet u. zu jedem Auftreffpunkt der entsprechende Grauwert bestimmt. Die Bildaufzeichnung erfolgt computerunterstützt.

Eine ganz andere Aufbauweise ist die Röntgen-*Holographie (s. Abb., Teil d), bei der die vom Objekt kommende Strahlung mit einer Referenzstrahlung überlagert wird. Die hierfür verwendete Röntgenstrahlung muß möglichst kohärent sein (s. kohärente Strahlung). Wird das Hologramm mit kohärenter Strahlung größerer Wellenlänge, z. B. sichtbarem Laserlicht, beleuchtet, so entsteht ein vergrößertes räumliches Abbild, das ebenfalls mit Photolackdetektoren aufgenommen wird. Die bisher erreichte Auflösung ist rund 60 nm.

Im Vgl. zur Elektronenmikroskopie ist die Auflösung der R. um mind. eine Größenordnung geringer. Während die Probe bei der Elektronenmikroskopie in aufwendiger Weise für den Einsatz im Hochvak. präpa-

riert werden muß, ggf. unter physikal. u. chem. Veränderung, kann bei der R. bei Normaldruck od. sogar in nassem Milieu gearbeitet werden, ein bes. Vorteil bei der Untersuchung von biolog. Objekten. Um Streuverluste der Röntgenstrahlung zu vermindern, ist die Hauptstrecke des Strahlengangs im Röntgenmikroskop evakuiert.
Da der Schwächungskoeff. von Röntgenstrahlung in der Probe elementspezif. von der Wellenlänge abhängt, können Aufnahmen, die bei verschiedenen Wellenlängen gewonnen wurden, voneinander subtrahiert werden. Auf diese Weise wird die räumliche Verteilung von Elementen mit einer Auflösung dargestellt, die von keinem Lichtmikroskop erreicht werden kann. – ***E*** X-ray microscopy – ***F*** microscopie aux rayons X – ***I*** microscopia a raggi X – ***S*** microscopía de rayos X

Lit.: [1] Hecht, Optik, New York: McGraw-Hill 1987. [2] Spektrum Wiss. **1991**, Nr. 4, 70.
allg.: Duke u. Michette (Hrsg.), Modern Microscopics, Techniques and Applications, New York: Plenum Press 1990 ▪ Michette u. Morrison (Hrsg.), X-Ray Microscopy III, Berlin: Springer 1991 ▪ Phys. Unserer Zeit **21**, 75 (1990) ▪ Sayre et al. (Hrsg.), X-Ray Microscopy II, Berlin: Springer 1988 ▪ Schmahl u. Rudolph (Hrsg.), X-Ray Microscopy, Berlin: Springer 1984 ▪ Spektrum Wiss. **1990**, Nr. 4, 18 ▪ Thieme (Hrsg.), X-Ray Microscopy and Spectromicroscopy, Berlin: Springer 1998.

Röntgenographie s. Radiographie.

Röntgenographische Dichte s. Röntgendichte.

Röntgen-Photoelektronenspektroskopie s. ESCA.

Röntgenröhren. Hochvak.-Dioden (s. Abb. 1) zur Erzeugung von *Röntgenstrahlung. Die aus einer Glühkathode ausgetretenen Elektronen werden durch eine hohe Spannung beschleunigt u. treten in das Anodenmaterial ein. Bis zu Elektronenenergien von einigen hundert keV werden nur wenige Prozent der kinet. Energie in Röntgenstrahlung konvertiert; der Hauptanteil wird in Wärme umgewandelt[1]. Damit das Anodenmaterial nicht schmilzt, sind moderne R. mit einer Drehanode ausgestattet.
Das emittierte Röntgenspektrum besteht aus der **Bremsstrahlung* u. der *charakterist. Strahlung* (Details s. Röntgenstrahlung). Die höchste erreichbare Photonenenergie ist durch die Beschleunigungsspannung zwischen Kathode u. Anode gegeben. Wie in Abb. 2 dargestellt, steigt mit zunehmender Beschleunigungsspannung die Gesamtintensität der Röntgenstrahlung; sie wird energiereicher („härter"). Wenn die Energie der Elektronen ausreicht, um im Anodenmaterial Übergänge aus den unteren Elektronenschalen anzuregen, treten im Röntgenspektrum zusätzliche Linien auf, die für das Anodenmaterial charakterist. sind (K_α, K_β).

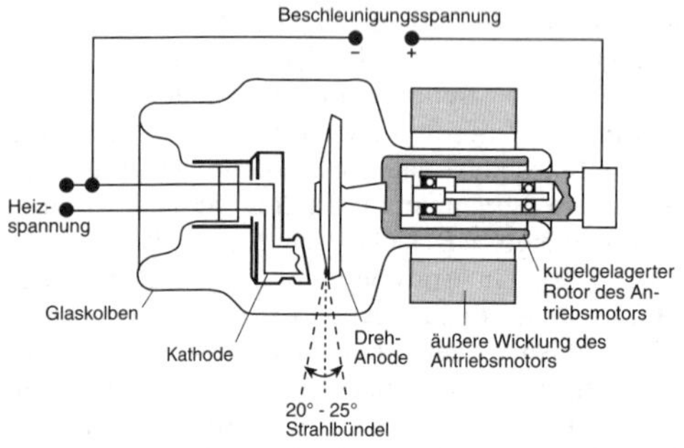

Abb. 1: Röntgenröhre mit Drehanode (bis zu 8500 Umdrehungen/min) u. schemat. dargestellter Spannungsversorgung.

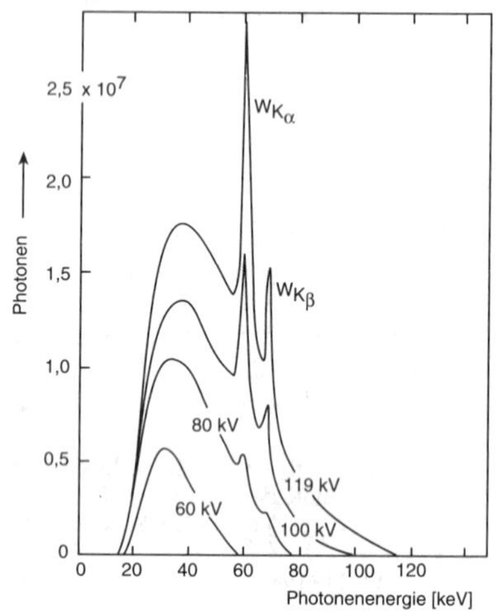

Abb. 2: Spektrum einer Röntgenröhre mit Wolfram-Anode für unterschiedliche Beschleunigungsspannungen U_B (*Lit.*[1]).

– ***E*** X-ray tube – ***F*** tube à rayons X – ***I*** tubi per raggi X – ***S*** tubo de rayos X

Lit.: [1] Reich (Hrsg.), Dosimetrie ionisierender Strahlung, bes. S. 146, Stuttgart: Teubner 1990.
allg.: Kohlrausch, Praktische Physik 2, S. 370, Stuttgart: Teubner 1996 ▪ Petzold u. Krieger, Strahlenphysik, Dosimetrie und Strahlenschutz, 2 Bd., Stuttgart: Teubner 1997, 1998.

Röntgenspektroskopie. Sammelbez. für alle spektroskop. Verf. mit *Röntgenstrahlung. Ebenso wie bei der opt. Spektroskopie unterteilt man daher in *Emissions-, Absorptions- u. *Fluoreszenzspektroskopie, die alle analyt. Nutzung, z.B. in den *Oberflächenanalysemethoden erfahren haben. Die Entwicklung der R. geht im wesentlichen zurück auf die Arbeiten von *Barkla, Moseley u. Karl M. *Siegbahn (1924 Nobelpreis für Physik). Wie bei anderen spektroskop. Verf. werden auch hier Strahlungsquellen, Monochromatoren, Probenräume, Detektoren u. Auswertegeräte verwendet.
Bei der *Röntgenemissionsspektroskopie* (s. Elektronenstrahl-Mikroanalyse, ESMA) bestrahlt man Festkörperoberflächen mit Elektronen u. mißt die emittierte *charakterist. Röntgenstrahlung* mit sog. Mikrosonden; die Meth. kann mit der auf dem gleichen *Anregungs-Prinzip beruhenden *Auger-Spektroskopie kombiniert werden. Die Emission der sog. charakterist. Röntgenstrahlung kann auch durch die Einwirkung von Ionenstrahlen induziert werden, z.B. von Protonen od. Alphateilchen. Bei dieser sog. PIXE [*E* *p*roton (projectile, particle) *i*nduced *X*-ray *e*mission] erfolgt eine Ionisation innerer Schalen. Da die Strahlung bei PIXE nicht tief eindringt, kann man die Meth. als prakt. zerstörungsfreie Oberflächenanalyse von Spurenelementen einsetzen; erfaßbar sind mit Halbleiterdetektor alle Elemente mit $Z>11$.
In der *Röntgenabsorptionsspektroskopie* nutzt man – im Gegensatz zur opt. Absorptionsspektroskopie, bei

der Valenzelektronen von Mol. angeregt werden – die Anregung der sog. Rumpfelektronen der einzelnen *Atome* im Molekül. Röntgenspektren sind daher keine *Banden*-, sondern *Linien*spektren. Eine spezielle Variante ist die sog. EXAFS (*E* *e*xtended *X*-ray *a*bsorption *f*ine *s*tructure), die auf dem *Photoeffekt beruht, der beim Zusammenstoß eines in einer bestimmten Schale (meist der K-Schale) gebundenen Elektrons mit einem Röntgenphoton ausreichender Energie auftritt. Das von der Absorptionskante (der K-Schale) ausgehende Spektrum zeigt eine sinusförmige Feinstruktur, die durch Interferenzen zwischen den auslaufenden u. den von Nachbaratomen zurückgestreuten Wellen des beim Zusammenstoß entstandenen *Photoelektrons zustandekommt u. aus der man Rückschlüsse auf die chem. Umgebung des betreffenden Atoms ziehen kann. Mit EXAFS-Analyse können Elemente mit $Z > 19$ (Kalium) untersucht werden; Näheres s. *Lit.*[1]. Eine ergänzende Meth. ist die sog. XANES (*E X*-ray *a*bsorption *n*ear *e*dge *s*tructure; s. *Lit.*[2]).
Fluoreszenzerscheinungen der durch kurzwellige (harte) Röntgenstrahlung angeregten Atome bilden die Grundlage der **Röntgenfluoreszenzspektroskopie* u. der **energiedispersiven Röntgenspektroskopie* (EDAX). Schließlich rechnet man zur R. auch die auf der Erzeugung von *Photoelektronen (vgl. Photoeffekt) beruhende *Röntgen-Photoelektronen-Spektroskopie* (XPES, XPS, s. ESCA), nicht dagegen die *Röntgenstrukturanalyse.
Röntgenlinienspektren entstehen dadurch, daß beim Beschuß des Anodenmaterials mit den Elektronen eines Kathodenstrahls aus der innersten Schale (K-Schale, s. Abb. 1 u. vgl. Konversionselektronen) ein Elektron herausgerissen wird, wodurch infolge des Überganges von Elektronen aus höheren Schalen in die K-Schale das sog. K-Spektrum (*K-Serie* mit den Linien K_α, K_β usw., je nachdem, ob der Übergang aus der L-, M- usw. Schale erfolgt) entsteht. Bei höherer Auflösung betrachtet besteht die K_α-Strahlung aus mehreren Komponenten, die durch die Feinstruktur (aufgrund des *Bahndrehimpulses der Elektronen) hervorgerufen werden: $K_{\alpha 1}$, $K_{\alpha 2}$ usw. (s. a. *Lit.*[3]). K-Strahlung entsteht ferner bei *Kernreaktionen infolge K-Einfangs. Das L-Spektrum ist die Folge des Elektronenüberganges von höheren Schalen in die L-Schale, das M-Spektrum entsteht entsprechend. Die Röntgenspektren aller Elemente enthalten die sehr kurzwelligen K-Linien; bei den Elementen mit den Ordnungszahlen 30 u. mehr entstehen auch die längerwelligen L-Linien, u. die Elemente mit den Ordnungszahlen 66 u. darüber geben neben den K- u. L-Linien auch noch längstwellige M-Linien usw., s. Abb. 2 u. 3, in denen jeweils die Wellenlänge (in pm) als Funktion der *Ordnungszahl Z (Kernladungszahl) dargestellt ist.

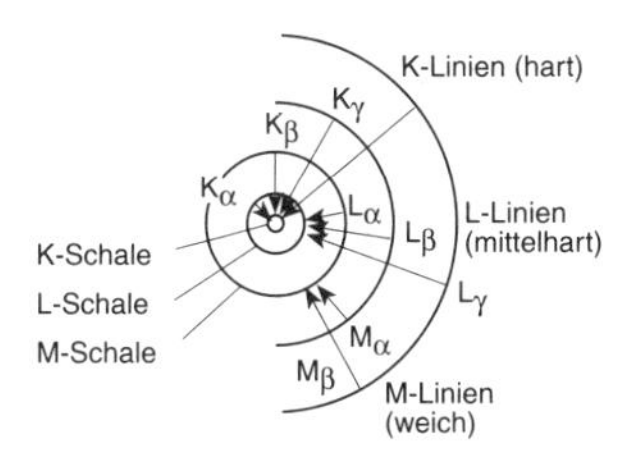

Abb. 1: Übergänge der charakterist. Röntgenstrahlung.

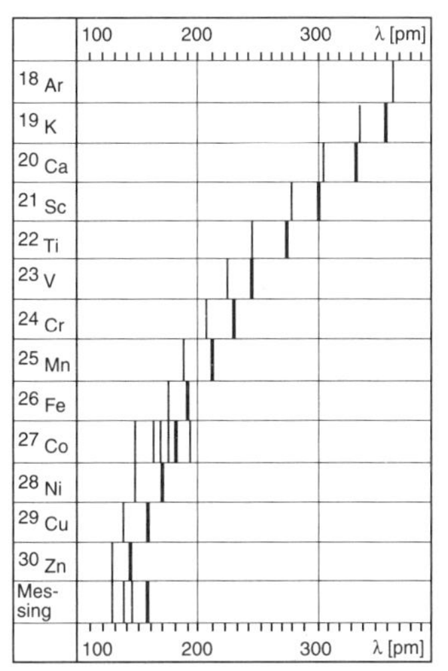

Abb. 2: K-Serie einiger Elemente.

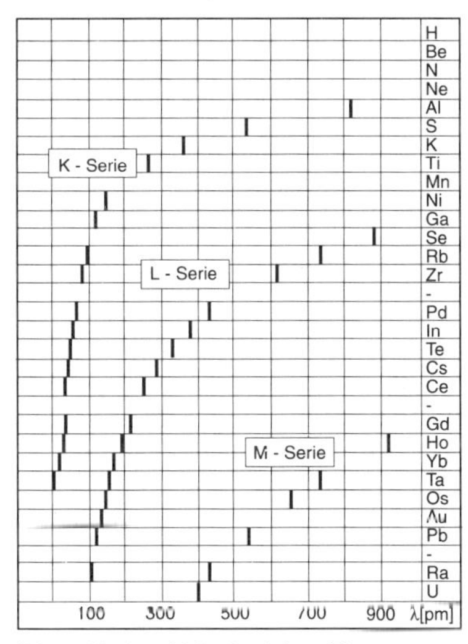

Abb. 3: K-, L u. M-Serie einiger Elemente.

Der für die korrekte Interpretation des *Periodensystems u. des *Atombaus wichtige Zusammenhang zwischen Ordnungszahl u. Wellenlänge wurde 1913 von *Moseley erkannt u. in eine formelmäßige Beziehung gebracht, s. Moseleysches Gesetz. Da für die Entstehung der Röntgenspektren die inneren Elektronenschalen maßgebend sind, die *chemische Bindung jedoch auf die äußeren Elektronenschalen beschränkt ist, erhält man hier im allg. die Spektren der einzelnen an einer Verb. beteiligten Elemente nebeneinander u. nicht das Spektrum der Verbindungen. Dennoch machen sich, bes. bei Elementen mit niedrigen Ordnungszahlen, Verschiebungen der K-Linien in Verb. bemerkbar, z. B. in Sauerstoff-, Schwefel-, Silicium- u. Phosphor-Verbindungen. Im Spektrum von Leg. liegen die Linien der Komponenten nebeneinander vor, vgl. Messing in Abb. 2. Stellt man Anoden aus Verb.

her, so kann man auch die Röntgenlinien von gewöhnlich gasf. Elementen (z. B. Chlor, Sauerstoff usw.) erhalten. – ***E*** X-ray spectroscopy – ***F*** spectroscopie à rayons X – ***I*** spettroscopia dei raggi X – ***S*** espectroscopia de rayos X

Lit.: [1] Kohlrausch, Praktische Physik 2, S. 717, Stuttgart: Teubner 1996. [2] Bianconi et al., EXAFS and Near Edge Structures; Berlin: Springer 1983 ▪ Hodgson et al., EXAFS and Near Structures, Berlin: Springer 1984. [3] Källne, X-Ray Spectra and X-Ray Spectroscopy, S. 1366, in Lerner u. Trigg (Hrsg.), Encyclopedia of Physics, Weinheim: VCH Verlagsges. 1991.
allg.: Analyt.-Taschenb. **1**, 269–286; **2**, 181–185; **4**, 159–179, 259–286 ▪ Angew. Chem. **93**, 1059–1068 (1981) ▪ Bonelle u. Mande, Advances in X-Ray Spectroscopy, Oxford: Pergamon 1982 ▪ Goldstein et al., Scanning Electron Microscopy and X-Ray Microanalysis, New York: Plenum 1981 ▪ Int. J. Environm. Anal. Chem. **15**, 89–106 (1983); **16**, 95–130 (1983) ▪ Jenkins, X-Ray Analysis, in Encyclopedia of Physical Science and Technology, Vol. 17, S. 691–708, New York: Academic Press 1992 ▪ Johansson, Particle Induced X-Ray Emission and its Analytical Applications, Amsterdam: North-Holland 1981 ▪ Kirk-Othmer (3.) **24**, 678–708; **S**, 49 ff. ▪ Knapp u. Georgopoulos, Analytical Methods, High Melting Metals (Crystals 7), Berlin: Springer 1982 ▪ *Kolthoff-Elving 8/1 ▪ Labo **15**, 527–539 (1984) ▪ Leyden, in Kuwana, Physical Methods in Modern Chemical Analysis, Bd. 3, New York: Academic Press 1983 ▪ Morgan, X-Ray Microanalysis in Electron Microscopy for Biologists, Oxford: University Press 1985 ▪ Phys. Unserer Zeit **26**, 88, 189 (1995) ▪ Russ, Fundamentals of Energy Dispersive X-Ray Analysis, London: Butterworth 1984 ▪ Spektrum Wiss. 1996, Nr. 9, 88 ▪ Teo, EXAFS, Basic Principles and Data Analysis, Berlin: Springer 1985 ▪ Teo u. Joy, EXAFS Spectroscopy, New York: Plenum 1981 ▪ Thieme (Hrsg.), X-Ray Microscopy and Spectromicroscopy, Berlin: Springer 1998 ▪ Ullmann **2/1**, 363–379; (4.) **5**, 501–518 ▪ Van Grieken u. LaBrecque, in Lawrence, Trace Analysis, Bd. 4, New York: Academic Press 1985 ▪ s. a. Elektronenspektroskopie, Oberflächenchemie, Röntgenstrahlung, Spektroskopie.

Röntgenstrahlung. Von W. C. *Röntgen 1895 aufgefundene u. „X-Strahlen" genannte, kurzwellige elektromagnet. Wellenstrahlung. Die R. schließt einerseits an die kurzwellige *Ultraviolettstrahlung (Vak.-UV) an u. reicht andererseits im kurzwelligen Bereich bis zur γ-Strahlung (s. Gammastrahlen); zur Einteilung in Wellenlängen u. Energie s. die Tabelle.

Tab.: Einteilung der Röntgenstrahlung.

Bez.	Wellenlänge	Energie
Röntgen-UV	100 nm–250 pm	12,4 eV–5 keV
überweiche R.	250–60 pm	5–20,6 keV
weiche R.	60–20 pm	20,6–62 keV
mittelharte R.	20–10 pm	62–124 keV
harte R.	10–5 pm	124–248 keV
überharte R.	<5 pm	>248 keV

Die R. besteht aus einem *Kontinuum* (weiße R.), das als sog. **Bremsstrahlung* entsteht, wenn ein Elektron (seltener andere geladene Teilchen) aufgrund seiner hohen Energie zwischen die inneren Elektronen u. den Atomkern gelangt u. dort durch das starke elektr. Feld abgelenkt wird. Diese Ablenkung ist mit der Emission von elektromagnet. Strahlung verbunden (s. a. Synchrotronstrahlung); die hierfür notwendige Energie wird durch die Verringerung der kinet. Energie des Elektrons (Abbremsung) aufgebracht. Die Bremsstrahlung ist um so intensiver, je stärker das Kernfeld, d. h. je höher die *Ordnungszahl Z (Kernladungszahl) ist. Als Bremsstrahlungsquelle im Labor fungiert z. B. ^{241}Am zusammen mit Targets aus Ag, Ba, Cu, Mo, Rb, Tb. Dem Kontinuum überlagern sich die Linien der charakterist. *Eigenstrahlung*, die ähnlich zustande kommen wie die der *Röntgenfluoreszenzspektroskopie; man vgl. a. die Erläuterungen zur Entstehung der K_α-Strahlung u. die Abb. bei Röntgenspektroskopie. Die Energie der Linien hängt von der chem. Natur der getroffenen Anode (Antikathode) ab. R. wird heute techn. durch *Röntgenröhren erzeugt. Die Entwicklung von *Röntgenlasern ist Gegenstand laufender Forschungsprojekte.

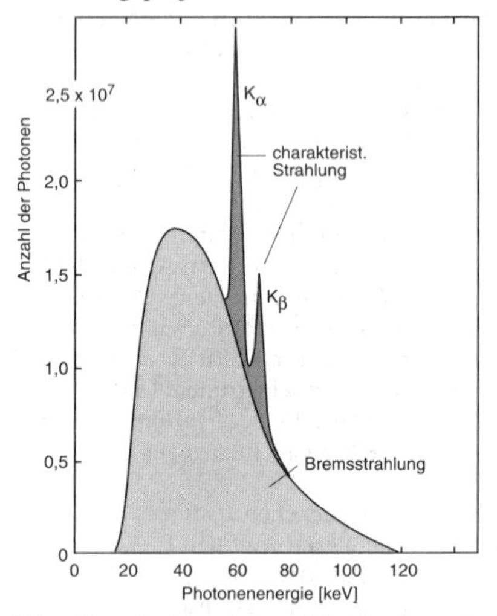

Abb.: Typ. Spektrum einer Röntgenröhre, bestehend aus Bremsstrahlung u. charakterist. Strahlung.

Für spektroskop. Aufgaben benötigt man *monochromatische Strahlung. Diese kann man durch Beugung der R. an gebogenen Quarzlamellen erzielen (Fokussierung) od. indem man die R. durch Filterfolien treten läßt; Bedingung ist hierbei, daß das Anodenmetall eine um 1 höhere Kernladungszahl Z als das Material des Filters besitzt. Mit zunehmender Anodenspannung steigt auch die Durchdringungsfähigkeit (Härte, Frequenz) der Röntgenstrahlung. In der Röntgendiagnostik nutzt man den Bereich 5 bis ca. 250 kV, in der Materialprüfung (*Radiographie) 10^2–10^6 kV (in Röntgenblitzen). Extraterrestr. R. wird von speziell gebauten Satelliten, z. B. ROSAT, untersucht u. katalogisiert [1].

R. erzeugt Fluoreszenz; sie ist eine stark *ionisierende Strahlung u. durchdringt feste Materie in ähnlicher Weise wie *Gammastrahlen. Aufgrund ihrer Wellennatur zeigt R. *Reflexion, *Beugung, *Interferenz u. *Polarisation, worauf verschiedene Anw.-Techniken aufgebaut sind. R. läßt sich mit *Faseroptiken aus Bornitrid od. bes. konstruierten Wellenleitern leiten [2]. Die Streufähigkeit der chem. Elemente u. ihrer Ionen ist sehr unterschiedlich; sie ist eine Funktion von Elektronenkonfiguration u. Kernladungszahl. Der Nachw. von R. kann mit photograph. Filmen od. Photoplatten vorgenommen werden, auch mit Zählrohren, Szintillationszählern, qual. auch auf Röntgenleuchtschirmen mit Phosphoreszenz-*Leuchtstoffen wie Bariumtetracyanoplatinat u. Zinksulfid. Aufgrund ihrer auch im Körpergewebe entfalteten Ionisationswirkung schädigt R. den Organismus in unterschiedlicher Weise, wobei proliferierendes Gewebe (auch Krebszellen) stärker beeinträchtigt wird. Daher sind beim Umgang mit R. umfangreiche *Strahlenschutz-Maßnahmen zu beachten, s. Verordnung über den Schutz vor Schäden durch Röntgenstrahlung (*Röntgenverordnung* 1987, *Lit.*[3]).

Verw.: In der Technik zur zerstörungsfreien *Werkstoffprüfung durch *Röntgenographie* (s. Radiographie), in der Werkstoffkunde in zahlreichen analyt. Verf. (*Röntgenanalyse, s.a. die hier benachbarten Stichwörter), im Laboratorium zur *Kristallstrukturanalyse (*Röntgenstrukturanalyse), in der Medizin (zur Strahlenbelastung s. Strahlenbiologie) zur Durchleuchtung u. Röntgenphotographie als Mittel der *Röntgendiagnostik*, wobei ggf. *Röntgenkontrastmittel zur Sichtbarmachung von Organen u./od. Leitungssyst. hinzugezogen werden sowie zu Schichtaufnahmen in der Computer-Tomographie, ferner zur *Strahlentherapie von wuchernden Geweben an der Oberfläche (mit ultraweichen R., sog. *Grenzstrahlen*) od. in tieferen Schichten. In manchen Ländern ist R. auch zur Konservierung von Lebensmitteln, Gewürzen u. Pharma-Produkten zugelassen. Seit man mit der *Synchrotron-Strahlung eine Quelle für weiche R. hoher Intensität zur Verfügung hat, sind für diese Strahlenart zahlreiche Anw.-Möglichkeiten erschlossen worden, z.B. in der röntgenmikroskop. Untersuchung biolog. Makromol., zur röntgenlithograph. Herst. mikroelektron. u. mikromechan. Strukturen, zur Untersuchung von kosm. Ereignissen, zu Strukturuntersuchung an Polymeren usw.; bzgl. Röntgenspiegeln aus Keramik s. *Lit.*[4] u. zur Röntgenlichtleitung s. *Lit.*[5]. – ***E*** X-rays – ***F*** rayons X – ***I*** raggi X – ***S*** rayos X

Lit.: [1]Phys. Unserer Zeit **21**, 258 (1990); **22**, 55 (1991); Phys. Bl. **46**, 137, 441 (1990); **47**, 29 (1991). [2]Chem. Labor Betr. **31**, 398 (1980); Spektrum Wiss. **1991**, Nr. 8, 18. [3]Röntgenverordnung ZH 1/480, Bonn: BM Arb. Sozial. 1987. [4]Phys. Bl. **51**, 157 (1995). [5]Phys. Bl. **52**, 1134 (1996); Spektrum Wiss., 1997, Nr. 4, 25.

allg.: Feder et al., Examining the Submicron World, New York: Plenum 1986 ▪ Griffin u. Vincent, X- and Gamma Ray Sources and Applications, Amsterdam: North Holland 1986 ▪ Hosoya et al., X-Ray Instrumentation for the Photon Factory, Dordrecht: Reidel 1986 ▪ Kirk-Othmer (3.) **24**, 678–708; (4.) **19**, 236; **20**, 830, 893 ▪ Krieger, Strahlenphysik, Dosimetrie u. Strahlenschutz, Stuttgart: Teubner 1998 ▪ Michette, Optical Systems for Soft X-Rays, New York: Plenum 1986 ▪ Nefedov, X-Ray Photoelectron Spectroscopy (XPS) of Solid Surfaces, New York: Plenum 1987 ▪ Phys. Bl. **51**, 1073 (1995) ▪ Schmahl u. Rudolph, X-Ray Microscopy, Berlin: Springer 1984 ▪ Spektrum Wiss. **1980**, Nr. 4, 20–33; **1981**, Nr. 7, 38–50; **1983**, Nr. 3, 54–65; **1986**, Nr. 2, 15–20f. ▪ s.a. Kristallstrukturanalyse, physikalische Analyse, Radiographie, Strahlung.

Röntgenstreuung. Ablenkung der Ausbreitungsrichtung eines Röntgenquants durch Wechselwirkung mit den Elektronen von Atomhüllen. Prinzipiell wird unterschieden:

a) *Rayleigh-Streuung* (auch klass. Streuung genannt), bei der Atome weder in einen anderen Zustand übergehen noch ionisiert werden; d.h. die Energie des Röntgenquants u. somit die Wellenlänge der *Röntgenstrahlung ändern sich nicht. Die Rayleigh-Streuung spielt oberhalb von 100 keV keine Rolle mehr.

b) *Compton-Streuung* (s. Compton-Effekt), bei der ein Teil der Energie des Röntgenquants auf das freigesetzte Elektron übergeht, wodurch sich die Wellenlänge der Röntgenstrahlung vergrößert.

Bei der Schwächung eines Röntgenstrahls beim Durchgang durch Materie sind ferner der *Photoeffekt u. die *Paarbildung ($\gamma \rightarrow e^+ + e^-$; e^+ = Positron e^- = Elektron, Ruhemasse jedes Teilchens 511 keV) zu berücksichtigen. Der Wechselwirkungsquerschnitt der einzelnen Prozesse hängt von der Photonenenergie E, der *Ordnungszahl Z sowie der Massenzahl A des durchstrahlten Materials ab (s. Tab.).

Tab.: Abhängigkeit des Wechselwirkungsquerschnittes von der Energie des Röntgenquants E u. der Massenzahl A sowie der Ordnungszahl Z des durchstrahlten Materials.

Prozeß	σ (E)	σ (Z, A)
Photoeffekt (τ)	$\sim \frac{1}{E^3}$	$\sim \frac{Z^4}{A}$
Compton-Streuung (σ)	$(\sigma) \sim \frac{1}{\sqrt{E}}$	$\frac{Z}{A}$
Rayleigh-Streuung	$\sim \frac{1}{E^2}$	$\sim \frac{Z^{2,5}}{A}$
Paarbildung (κ) (falls E > 1022 keV)	lg E	$\frac{Z^2}{A}$

Die Abb. zeigt, in Abhängigkeit von der Ordnungszahl, in welchen Energiebereichen der Röntgenquanten Photoeffekt (τ), Compton-Streuung (σ) bzw. Paarbildung (κ) dominieren; s.a. Röntgenstrukturanalyse u. Röntgenkleinwinkelstreuung. Aufgrund neuer Satelliten ist man in der Lage, R. an interstellarem Staub zu beobachten[2].

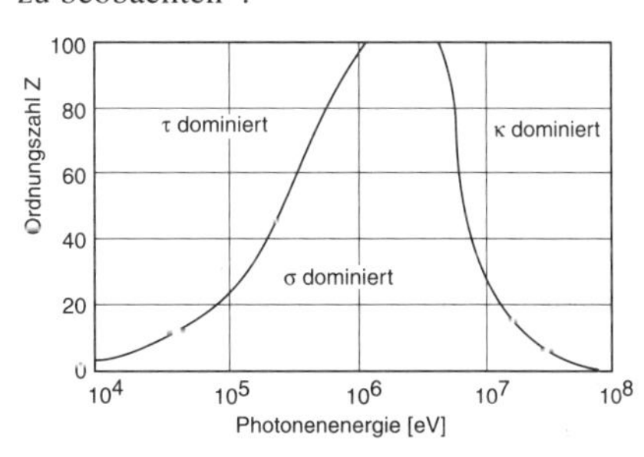

Abb.: Energie- u. Ordnungszahlbereiche, in denen Photoeffekt (τ), Compton-Streuung (σ) bzw. Paarbildung (κ) die Röntgenschwächung bestimmen (nach *Lit.*[1]).

– ***E*** X-ray scattering – ***F*** diffusion de rayons X – ***I*** dispersione dei raggi X – ***S*** dispersión de rayos X

Lit.: [1]Krieger u. Petzold, Strahlenphysik, Dosimetrie u. Strahlenschutz (2.), Bd. 2, Stuttgart: Teubner 1997. [2]Phys. Bl. **50**, 564 (1994).

allg.: Musiol et al., Kern- u. Elementarteilchenphysik (2.), Frankfurt: Harri Deutsch 1995.

Röntgenstrukturanalyse. Zur Untersuchung der Krist.- u. Mol.-*Struktur krist. Substanzen (*Kristallstrukturanalyse) ist die R. – man unterscheidet Einkristall- u. *Pulvermethoden – die am häufigsten verwendete Methode. Die Grundlagen sind die gleichen wie bei Beugungsexperimenten an Krist. mit Neutronen od. Elektronen; s. Kristallstrukturanalyse. Die immense Bedeutung der Meth. für die Strukturaufklärung, die heute bisweilen schon als Routinemeth. betrachtet wird, wurde durch die Verleihung von mehreren *Nobelpreisen gewürdigt. Der bislang letzte dieser Reihe wurde 1988 an J. *Deisenhofer, R. *Huber u. H. *Michel für die Aufklärung der Struktur des photosynthet. Reaktionszentrums des Purpurbakteriums [1] („M_R" 145 000 Dalton!) vergeben. Die Strukturbestimmung immer größerer Mol. ist für das Verständnis biolog. Vorgänge von großer Bedeutung. In den letzten Jahren ist die Anzahl der publizierten Strukturen biolog. Makromol. regelrecht explodiert [2]. Von 1100 Datensätzen 1993 ist die Zahl der in der globalen Proteindatenbank [3] abgelegten Datensätze 1997 auf 6500 gestiegen. Die dort gespeicherten Mol.-Struktuen können über das Internet abgesucht werden. Auch alle anderen heute publizierten R. werden in der Regel in Datenbanken hinterlegt [4]. Daneben spielt auch die Strukturbestimmung von Festkörpern für die Erklärung von bestimmten Materialeigenschaften (z. B. Supraleitfähigkeit) u. die Bestimmung der Elektronendichteverteilung [5] in Mol. eine große Rolle. Ferner können *Packungseffekte* studiert werden. Unter dieser Sammelbez. versteht man schwache intermol. Wechselwirkungen in Molekülkrist., welche zu einer Verzerrung der Mol. (im Vgl. zur Geometrie in der Gasphase bzw. in Lsg.) führen. Neue Entwicklungen auf vielen Gebieten, z. B. auf dem apparativen Sektor, in der Theorie u. bei der Krist. der Substanzen, sind für die erzielten Ergebnisse Voraussetzung. So steht z. B. mit der *Synchrotron-Strahlung eine Quelle für weiche Röntgenstrahlung hoher Intensität zur Verfügung. Rasche Datensammlung ermöglicht der Einsatz *ortsempfindlicher Detektoren*. Für Einkristallmeth. verwendet man Flächenzähler vom Typ „Image plate" bzw. *CCD. Im ersten Fall erzeugen die gebeugten Röntgenstrahlen ein latentes Bild auf einer ebenen Platte. Anschließend wird diese mit einem Laser abgetastet. Die dadurch stimulierte Fluoreszenz wird dann über ein opt. Syst. quant. bestimmt. Während beim herkömmlichen *Vierkreis-Diffraktometer* nacheinander jeweils die Intensität eines einzelnen Reflexes ermittelt wird, enthält nun jedes Bild die Information von vielen Reflexen. Die Situation bei der Aufnahme eines Bildes entspricht im wesentlichen der einer Oszillationsaufnahme (s. Kristallstrukturanalyse), wobei statt eines gebogenen Films ein ebener Detektor eingesetzt wird. Vorteile bringt diese Technik auch bei der Behandlung von Zwillingsproblemen (s. Zwillinge). Bei sehr schneller Datensammlung kann man sogar Vorgänge im Krist. z. B. enzymat. Reaktionen untersuchen. Einen weiteren außerordentlichen Fortschritt würde die Entwicklung eines hochauflösenden Röntgenmikroskops [6] (s. Röntgenmikroskopie) bedeuten, mit dem auch nichtkrist. Material untersucht werden könnte. – ***E*** X-ray structure analysis (determination) – ***F*** analyse de structure aux rayons X – ***I*** analisi strutturale a raggi X – ***S*** análisis estructural con rayos X

Lit.: [1] Angew. Chem. **101**, 849–892 (1989). [2] Chem. Unserer Zeit **32**, 22–33 (1998). [3] Proteindatenbank (PDB), Brookhaven, USA (http://www.pdb.bnl.gov). [4] Cambridge Structural Database (CSD), Cambridge, England (http://www.ccdc.cam.ac.uk) bzw. für anogan. Substanzen: ICSD, Fachinformationszentrum Karlsruhe, D-76344 Eggenstein-Leopoldshafen. [5] Chimia **41**, 104–116 (1987). [6] Nachr. Chem. Tech. Lab. **38**, 714–722 (1990).
allg.: Nachr. Chem. Tech. Lab. **36**, 506–516 (1988); **37**, 906–911 (1989) ▪ Schwarzenbach, Crystallography, New York: Wiley 1997 ▪ Woolfson, An Introduction to X-Ray Crystallography, Cambridge: Univ. Press 1997 – *Zeitschriften:* Crystallography Reviews, London: Gordon and Breach ▪ Journal of X-Ray Science and Technology, San Diego: Academic Press.

Roesky, Herbert Walter (geb. 1935), Prof. für Anorgan. Chemie, Univ. Göttingen. *Arbeitsgebiete:* Fluorchemie, metallorgan. Chemie, homogene Katalyse, Chemie der Hauptgruppenelemente, Chemie des Aluminiums, metallhaltige Heterocyclen u. Cluster. Seit 1969 erhielt er zahlreiche Ehrungen, Ehrendoktorwürden u. Ehrenprofessuren verliehen, u. a. 1986 den Französischen Alexander-von-Humboldt-Preis u. 1987 den Leibniz-Preis sowie 1997 die Carus-Medaille der Leopoldina.

Lit.: Kürschner (16.), S. 3021 ▪ The International Who's Who (17.), S. 1281.

Roeßler s. Porzellan.

Röstaroma s. Rösten (1.).

Rösten. 1. *Lebensmittelchemie:* Bez. für ein sowohl in der Lebensmitteltechnologie als auch im privaten Haushalt etabliertes Erhitzungsverf., das auf Grund direkter Kontaktwärme, auf Grund von Wärmestrahlung od. auf Grund von Konvektionswärme zur Bildung charakterist. Farb- u. Aromakomponenten („Röstaroma") führt. Bes. Bedeutung hat das R. für die Herst. von *Brot, *Kaffee, *Kakao, *Popcorn, *Malz u. *Zwieback. Speziell zum Einfluß der Röstbedingungen auf die Aromaintensität von Kakaobohnen s. *Lit.* [1]. Ausschlaggebend für das Röstaroma ist neben den Röstbedingungen in bes. Maße der Gehalt der zu röstenden Lebensmittel an sog. Aromavorstufen (Precursor) [2]. Das R. führt generell zu einer Feuchtigkeitsabnahme im Lebensmittel (vgl. *Lit.* [3]) u. in speziellen Fällen (z. B. *Popcorn) zu einer erheblichen Vol.-Zunahme. Die Bildung von Röstaromastoffen (Pyrazine, Pyrroline, aliphat. u. cycl. Dicarbonyl-Verb., Thiole; s. Tab.) geht v. a. auf die *Maillard-Reaktion zurück.

Tab.: Röstaromastoffe in verschiedenen Lebensmitteln.

Aromastoff	Lebensmittel
2-Furylmethanthiol	Kaffee
Kahweofuran	Kaffee
2-Methyl- u. 2,5-Dimethylpyrazin	Erdnüsse
2-Isopropyl-3-methoxypyrazin	Kartoffel(-chips)
5-Acetyl-3,4-dihydro-2*H*-pyrrol	Popcorn, Weißbrot
*2,4-Decadienal	Popcorn
*Maltol	Malz
2-Ethyl-3-methylpyrazin	Roggenbrotkruste

*Melanoidine u. Röstdextrine (Röstprodukte aus angesäuerter verkleisterter Stärke, die dem Brot eine glänzende Kruste verleihen) sind als späte Maillard-Produkte für die dunkle Farbe von gerösteten Lebensmitteln verantwortlich. Beim R. können aus *Saccharose u. *Prolin, aber auch aus Schwefel-haltigen Aminosäuren Röstbitterstoffe gebildet werden, die für

Fehltöne im Malz, in Erdnüssen u. in *Schokolade verantwortlich sind. Zur Bildung tox. Stoffe unter drast. Röstbedingungen (z.B. heterocycl. aromat. Amine = „HAA") s. Maillard-Reaktion; s. a. Kaffee.
2. *Textiltechnologie:* Das „R." von Lein für die Flachs- od. von Hanf für die Bastfaser-Gewinnung ist kein derartiger Röst-, sondern ein mikrobieller Zersetzungsvorgang.
3. In der *Metallurgie bezeichnet man als R. einen Aufbereitungsprozeß von Erzen od. Konzentraten, bei dem durch Erhitzen in Röstöfen (*Drehrohröfen, Etagenöfen, Wirbelschichtröstöfen) unter Luftzutritt Metallsulfide, -arsenide u. -antimonide oxidiert werden. Die dabei entstehenden flüchtigen Sauerstoff-Verb. des Schwefels, Arsens u. Antimons gehen in das Röstgas über (*oxidierendes Rösten*); aus Edelmetall-Verb. entstehen dabei die reinen Metalle u. aus den übrigen Bestandteilen die Oxide. Durch Regelung der Luftzufuhr u. der Temp. kann die Röstung so geführt werden, daß aus den sulfid. Bestandteilen des Aufgabegutes weitgehend Sulfate entstehen, die gut wasserlösl. sind (*sulfatisierendes Rösten*). Beim R. brauchen sulfid. Erze meist nur an einer Stelle entzündet werden; durch die exotherme Oxid. wird so viel Wärme frei, daß die Verbrennung der Metallsulfide von selbst weiterschreitet, z. B. beim *Pyrit nach der Gleichung:

$$4\,FeS_2 + 11\,O_2 \rightarrow 2\,Fe_2O_3 + 8\,SO_2\,(\Delta H = -1720\text{ kJ}).$$

Die Temp. würde hierbei ohne Kühlmaßnahmen auf ca. 1800 °C steigen; das freigesetzte SO_2 wird zu Schwefel od. Schwefelsäure verarbeitet. Daneben kennt man auch noch das *Röstreaktionsverf.*, wobei Metalloxid u. -sulfid in einem Arbeitsgang durch oxidierendes Schmelzen in das Rohmetall überführt werden. Beim reduzierenden R. *(Röstreduktionsverf.)* dient Kohlenstoff als Zuschlag; man kann das R. auch direkt in der Kohlenmonoxid-Atmosphäre vornehmen. Auch das *Calcinieren wird gelegentlich als R. bezeichnet. Je nachdem, ob das Endprodukt pulverförmig od. stückig ist, spricht man von *Pulver-R.* bzw. *Sinter-Rösten.* Beim sog. *Tot-R.* werden sulfid. Erze bis zur nahezu vollständigen Entschwefelung abgeröstet. Beim *Röstschmelzen* wird das R. im Schmelzfluß durchgeführt, wobei Luft durch die Beschickung gepreßt wird. Beim *Schwebe(röst)schmelzverfahren wird der Prozeß im Gegenstromprinzip in der Gasphase vorgenommen. *Abbrände* wie die *Kiesabbrände mit einem entsprechenden Gehalt an Nichteisen-Metallen (Cu, Zn, Pb, Co, Ag, Au, Cd, Tl) werden durch Zugabe von etwa 10–12 Teilen Kochsalz u. Erhitzen auf 550–600 °C der *chlorierenden Röstung* unterworfen. Hierbei gehen die Nichteisen-Metalle u. der restliche Schwefel in lösl. u./od. flüchtige Verb. über, die als Metalle od. Salze gewonnen werden, während das als Oxid zurückbleibende Eisen verhüttet wird. Die Entwicklung der Erzröstung wird Müller von Reichenstein zugeschrieben, der dadurch den Goldertrag der siebenbürg. Erzgruben verdoppelte. – ***E*** 1. roasting, torrefying, 2. steeping, 3. roasting – ***F*** 1. torréfier, griller, 2. rouir, 3. griller – ***I*** 1. arrostimento, tostatura, torrefazione, 2. macerazione, 3. arrostimento – ***S*** 1. torrefacción, 2. enriado, 3. calcinación

Lit.: [1] Food Control **7**, 117–120 (1996). [2] International Scientific Colloquium on Coffee, 10th, 279–292 (1982). [3] Ind. Aliment. **35**, 945–950 (1996).
allg. *(zu 1.):* Angew. Chem. **102**, 597–626 (1990) ▪ Belitz-Grosch (4.), S. 324, 325 ▪ Chem. Unserer Zeit **24**, 82–89 (1990) ▪ Parliment, McGorrin (Hrsg.), Thermal Generation of Aromas, Washington: Am. Chem. Soc. 1989 ▪ Z. Lebensm. Unters. Forsch. **190**, 9–13, 14–16 (1990); **191**, 116–118 (1990). – *(zu 2.):* Routte, Lexikon für Textilveredlung, Bd. 2, S. 1816 f., Dülmen: Laumann 1995. – *(zu 3.):* Ullmann (5.) **A 7**, 481 ff. (Kupfer); **A 3**, 116 (Blei) ▪ Winnacker-Küchler (4.) **4**, 21 ff., 439 ff. (Blei).

Rötel. Unter R. (*Rotocker*, *Roter* **Bolus*, *Eisenrot*, *Nürnberger* od. *Neapelrot*) versteht man stark mit *Ton verunreinigtes, daher weiches Eisen(III)-oxid (*Hämatit), das seit dem Altertum mit Wasser, Kalk od. Mörtel vermischt zu Anstrichen u. auch in der Kunstmalerei, zum Polieren von Edelmetallen (*Poliment*), zu Rotstiften etc. verwendet wird. – ***E*** red chalk – ***I*** creta rossa, ocra rossa – ***S*** ocre rojo

Lit.: s. Eisenoxid-Pigmente.

Roferon®-A (Rp). Injektionslsg. u. Trockensubstanz zur Injektion mit Interferon α-2a gegen Haarzellen-Leukämie, Kaposi-Sarkom bei AIDS. ***B.:*** Novartis.

ROG. 1. Abk. für *E* *R*eactive *O*rganic *G*ases, s. NMHC. – 2. Abk. für Raumordnungsgesetz, das z. B. im *Genehmigungsverfahren eine Rolle spielt.

Rogen s. Fische.

Rogensteine s. Oolithe.

Roggen. Bes. in Mittel- u. Osteuropa angebautes Brot-*Getreide (*Secale cereale*, Poaceae), an letzter Stelle in der Anbaufläche u. Produktion der Weltgetreidearten stehend. Urheimat ist vermutlich im Kaukasusgebiet, von wo es wohl als Verunreinigung des Weizens etwa um 1000 v. Chr. als „sek. Kulturpflanze" nach Europa gelangt ist. R. unterscheidet sich vom *Weizen durch einen höheren Keimöl-Gehalt, aber geringeren Gehalt an Stärke (s. die Abb. dort) u. B-Vitaminen sowie durch das Fehlen von *Kleber. Dessen Aufgabe bei der Brot-Herst. übernehmen Glykoproteine u. die zu 6–8% im R.-Mehl enthaltenen Pentosane, deren Wasser-unlösl. Anteil stark quellfähig ist. Eine Verfälschung von Weizen- durch R.-Mehl ist am Gehalt an *Graminin*, einem Polyfructosan, zu erkennen. Bei den Reserveproteinen des R. unterscheidet man *Secalin* u. *Secalinin*, die den *Prolaminen u. *Glutelinen entsprechen. In der Samenschale sind 5-Alkylresorcine enthalten, die beim Verfüttern an Tiere Appetitlosigkeit u. Hauterkrankungen hervorrufen. Auch beim R. muß auf den Befall mit *Ergot geachtet werden. Eine Kreuzung aus Weizen u. R. wird *Triticale* genannt. Mit ihr will man höhere Frostresistenz als beim Weizen, höhere Krankheitsresistenz u. höheren Eiweiß-Gehalt der Körner erreichen. – ***E*** rye – ***F*** seigle – ***I*** segale – ***S*** centeno

Lit.: Franke, Nutzpflanzenkunde (6.), S. 86 f., Stuttgart: Thieme 1997 ▪ s. a. Getreide. – *[HS 1002 00]*

Rohafloc®. Acrylpolymere in fester Form, wäss. Lsg. od. Organosol als Flockungshilfs- u. Retentionsmittel. ***B.:*** Röhm.

Rohagit®. Acrylpolymere in fester Form, wäss. Lsg. od. Dispersion als Dispergier-, Schlicht-, Appretur- u. Verdickungsmittel. ***B.:*** Röhm.

Rohbenzin s. Naphtha.

Rohbenzol. a) Unreines *Benzol, – b) eine Sorte *Leichtöl.

Rohdichte s. Schüttdichte.

Roheisen. Eisen mit hohen Gehalten an C, Si, Mn, P u. S, das hauptsächlich zur Erzeugung von *Stahl verwendet wird. Die Herst. von R. erfolgt im *Hochofen durch Reaktion der Beschickung (Gemisch aus Erz, Zuschlägen u. Koks) mit der eingeblasenen hoch erhitzten Luft (ca. 1200 °C), wobei ein Teil des Sauerstoffs stark exotherm mit dem Koks zu CO reagiert. Der in der Luft enthaltene Stickstoff dient als Wärmeträger für tiefere Lagen der Beschickung. Durch die nachgeschalteten Verf. der Stahlmetallurgie werden die Gehalte an unerwünschten Begleitelementen wie C, P u. S erheblich abgesenkt. – ***E*** pig iron – ***F*** fonte brute – ***I*** ferro grezzo, ghisa grezza – ***S*** hierro bruto, arrabio

Lit.: Gmelin-Durrer, Metallurgie des Eisens, Bd. 3 a/3 b u. 4 a/4 b, Berlin: Springer 1978. – *[HS 7201 10, 7201 20, 7201 50]*

Rohfaser. Bez. für den *Ballaststoff-Anteil pflanzlicher Lebensmittel, der nach Säure- u. Laugenbehandlung durch eine spezielle Aufschlußmeth. als aschefreier *Rückstand verbleibt. R. ist damit eine ausschließlich analyt. definierte Meßgröße u. macht nur einen Bruchteil des *Ballaststoff-Gehaltes aus.

Analytik: Der R.-Gehalt läßt sich nach Scharrer u. Kürschner bestimmen [1]. Die Gesamt-*Ballaststoffe sind durch eine enzymat.-gravimetr. *Methode nach § 35 LMBG (00.00-18) zugänglich. – ***E*** crude fiber [fibre] – ***F*** fibre brute – ***I*** fibra grezza – ***S*** fibra cruda

Lit.: [1] Ernährungsforschung **35**, 117–121 (1990).

allg.: AID, Auswertungs- u. Informationsdienst für Ernährung, Landwirtschaft u. Forsten (Hrsg.), Ballaststoffe in der Ernährung, Bonn 1996 ▪ Kasper, Ernährungsmedizin u. Diätetik (8.), München: Urban u. Schwarzenberg 1996 ▪ Matissek, Lebensmittelanalytik (2.), Berlin: Springer 1992.

Rohfrucht. R. ist die Sammelbez. für unvermälzte Getreidearten (*Gerste, *Weizen, *Mais), die als Ausgangsstoffe der Bierherst. neben Gerstenmalz, in Anteilen von 15–50% eingemaischt werden. R. besitzt nur geringe Enzymaktivität, so daß ihr Einsatz die Verw. mikrobieller Enzympräp. (α-*Amylase, *Proteinase) erforderlich macht. Die Verw. von *Mais als R. ist nach EG-Recht statthaft, widerspricht aber dem § 9 Biersteuergesetz [1] u. den §§ 16 bis 22 der Durchführungs-Bestimmung [2] (s.a. § 1 Bier VO [3] u. Reinheitsgebot).

Analytik: Zum Nachw. von R.-Proteinen im *Bier existiert eine immunolog. *Methode nach § 35 LMBG (L 36.00-1). Mais- u. Reiszusätze können über weitere immunchem. Meth. [4] u. über *HPLC [5] erkannt werden. – ***E*** unmalted grain, raw grain – ***F*** grain cru – ***I*** frutto grezzo, grano crudo – ***S*** grano crudo

Lit.: [1] Biersteuergesetz vom 15. 4. 1986 (BGBl. I, S. 527). [2] Durchführungsbestimmungen zum Biersteuergesetz vom 15. 5. 1952 in der Fassung vom 28. 11. 80 (BGBl. I, S. 2196). [3] Bier-VO vom 2. 7. 1990 in der Fassung vom 7. 12. 1994 (BGBl. I, S. 3743). [4] Brauwissenschaft **41**, 319–323 (1988). [5] Lebensmittelchemie **44**, 106 (1990).

allg.: Belitz-Grosch (4.), S. 807 ▪ Koch, Getränkebeurteilung, S. 365–394, Stuttgart: Ulmer 1986 ▪ Narziß, Abriß der Bierbrauerei (4.), S. 99–101, 144–147, Stuttgart: Enke 1980 ▪ Narziß, Die Bierbrauerei (6.), Bd. 2, S. 9–17, 181–186, Stuttgart: Enke 1985.

Rohitukin.

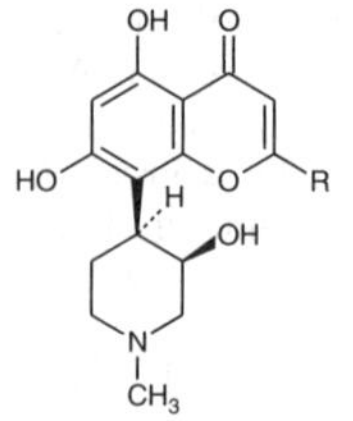

(relative Konfiguration)

R = CH_3 : Rohitukin
R = 2-Chlorphenyl : Flavopiridol

$C_{16}H_{19}NO_5$, M_R 305,33, Schmp. 218 °C u. 227–232 °C, $[\alpha]_D^{20}$ +44,3° (CH_3OH). Piperidin-Alkaloid aus Blättern u. Stengeln von *Amoora rohituka* u. der Rinde von *Dysoxylum binectariferum* (Meliaceae). R. zeigt entzündungshemmende u. immunmodulator. Wirkung. Die synthet. Substanz *Flavopiridol* ist ein nanomolarer Tyrosin-Kinase-Antagonist u. wird klin. gegen Brust-, Prostata- u. Lungencarcinome entwickelt (HMR).

Den gleichen Namen R. trägt ein Triterpen aus *Aphanamixis polystacha* [1]. – ***E*** = ***F*** = ***I*** rohitukine – ***S*** rohituquina

Lit.: [1] J. Chem. Soc., Chem. Commun. **1976**, 906; Phytochemistry **29**, 215 (1990).

allg.: ACS Symp. Ser. **534**, 331 (1993) (Review) ▪ Tetrahedron **44**, 2081 (1988). – *[CAS 71294-60-5 (R.); 146426-40-6 (Flavopiridol)]*

Rohkautschuk. Sammelbez. für *Kautschuke vor ihrer *Vulkanisation. In dieser unvulkanisierten Form finden allerdings nur kleine Kautschuk-Mengen direkten Einsatz. So wird z. B. *Naturkautschuk für Crepe-Schuhsohlen sowie Naturkautschuk u. diverse *Synthesekautschuke als Lsg.-Klebstoffe verwendet. Ein weiterer Teil des R. wird durch polymeranaloge Umwandlungen isomerisiert bzw. derivatisiert (z. B. Naturkautschuk zu *Cyclokautschuk od. *Chlorkautschuk). Der große Rest des R. wird vor seiner eigentlichen Verw. vulkanisiert. – ***E*** crude rubber, raw (natural) rubber – ***I*** caucciù grezzo – ***S*** caucho enbruto

Rohkost. 1. Allg. Bez. für ohne Hitze zubereitete pflanzliche Lebensmittel.

2. Spezielle Kostform, die sich durch einen hohen Anteil an ohne Hitze zubereiteten pflanzlichen Lebensmitteln (*Obst, *Gemüse, *Getreide) auszeichnet u. Mineralstoff- u. Vitamin-reich, aber arm an *Kochsalz, Fett u. Eiweiß ist. Die R. (Frischkost) kann Teil anderer Kostformen (Vollwertkost, Schnitzer Intensivkost) sein. Strenge R. erscheint unter ernährungsphysiolog. Aspekten bedenklich (*Eisen-, *Iod-, *Vitamin B_{12}-Mangel), aber als Teil ausgewogener Kostformen sinnvoll. – ***E*** raw (uncooked) food – ***F*** 1. crudités – ***I*** alimentazione a base di vegetali crudi – ***S*** 1. frutas y verduras crudas

Lit.: Dtsch. Ges. für Ernährung (Hrsg.), Alternative Kostformen, Frankfurt: DGE 1988 ▪ Muermann, Lexikon Ernährung, S. 265, Hamburg: Behr 1993.

Rohm and Haas. Kurzbez. für das [1917 aus der 1909 gegr. amerikan. Niederlassung der dtsch. *Röhm (u. Haas) hervorgegangene] Unternehmen Rohm and Haas Comp., Philadelphia, PA 19106-2399. *Daten* (1997): 11 592 Beschäftigte, 4 Mrd. $ Umsatz. *Produktion:* Polymethacrylate, Polyacrylate, Vinyl-Acrylate u. a. Kunststoffe, Chemikalien für die Mikroelektronik, Textil-, Papier-, Farb- u. Lack-, Bau- u.

Klebstoff-Ind., Herbizide, Fungizide, Insektizide u. Biozide (Isothiazolone), Kunststoff- u. Öl-Additive, Ionenaustauscher, Tenside. *Vertretung in der BRD:* Rohm and Haas Deutschland GmbH, 60489 Frankfurt.

Rohner. Kurzbez. für die 1906 gegr. Rohner AG, CH-4133 Pratteln, ein 100%iges Tochterunternehmen der Dynamit Nobel AG. *Daten* (1995): 300 Beschäftigte, 90 Mio. SFR Umsatz. *Produktion:* Feinchemikalien, Textilfarbstoffe, Diazotypie- u. graph. Chemikalien, Lohnchemie u. Kundensynthese.

Rohöl s. Erdöl, Ölsande u. Ölschiefer.

Rohrbachs Lösung. Wäss. Lsg. von *Bariumtetraiodomercurat(II) als *Schwerflüssigkeit.

T+ 

Rohre. Zum Transport von Gasen, Flüssigkeiten od. Feststoffen, ggf. auch als *Reaktionsapparate od. – meist gebündelt – in Wärmeaustauschern eingesetzte dünnwandige Hohlkörper, die aus Stahl, Gußeisen, Nichteisenmetallen, Glas, Keramik, Graphit od. Kunststoffen u. a. Materialien bestehen können. R. aus Stahl od. anderen Metallen werden entweder durch Walzen, Strangpressen od. Kaltziehen von sog. R.-Luppen (dickwandige kurze R.-Stücke) nahtlos hergestellt od. durch Verschweißen von Blechen erhalten. R. aus Gußeisen werden in Formen mit Kern gegossen. Beton-R. entstehen durch Schleuderguß, Glas-R. in speziellen Ziehmaschinen. Die Wahl des Werkstoffs u. die R.-Dimensionen richten sich nach Betriebsdruck u. -temp., nach den korrosiven Eigenschaften des beförderten Stoffes u. den Strömungsverhältnissen (s. Reynolds-Zahl). R. können auch emailliert, gummiert od. mit Kunststoff u. a. Materialien ausgekleidet werden. Das Verbinden von R.-Leitungen kann man entweder starr u. unlösbar durch Verschweißen, Löten od. Kleben vornehmen od. mit Hilfe geeigneter R.-Verb., die als Flansch-, Muffen- u. Schraubverb. (auch mit *Schläuchen) od. als Kupplung ggf. rasch lösbar ausgelegt sein können. Typ. Armaturen in R.-Leitungen sind Pumpen, Hähne, Klappen, Schieber, Dehnungsausgleicher, Durchflußmesser u. Ventile zur Druckregulierung. R.-Leitungen werden bezüglich ihres Inhalts nach DIN 2403: 1984-03 mit farbigen Schildern, deren spitzes Ende in Fließrichtung zeigt, gekennzeichnet; *Beisp.:* grün (Wasser), rot (Wasserdampf), blau (Luft), gelb (andere Gase), orange (Säuren), violett (Laugen), grau (Vak.). R.-Leitungen, die große Entfernungen überbrücken, nennt man **Pipelines*, R. mit kleinem Durchmesser meist bevorzugt *Röhren*, mit sehr kleinem Durchmesser **Kapillaren*. – ***E*** pipes, tubes – ***F*** tuyaux – ***I*** tubi – ***S*** tubos

Lit.: ACHEMA-Jahrb. **1994**, Bd. 3, 2378, 2379, 2380 ▪ Book of ASTM Standards, Bd. 01.01: Steel-Piping, Tubing, and Fittings, u. Bd. 08.04: Plastic Pipe and Building Products, Philadelphia: ASTM (jährlich) ▪ Carlowitz, Kunststoffrohr-Tabellen, München: Hanser 1982 ▪ DIN-Katalog, Sachgruppen 2660–2730, 2780–3015, Berlin: Beuth (jährlich) ▪ Kirk-Othmer (3.) **17**, 929–957 ▪ McKetta **24**, 70–78 ▪ Ullmann (5.) **B 4**, 530 ▪ Zoebl u. Kruschik, Strömung durch Rohre u. Ventile, Tabellen u. Berechnungsverfahren zur Dimensionierung von Rohrleitungssystemen, Wien: Springer 1982 ▪ s. a. Scientific and Technical Books and Serials in Print, New York: Bowker (jährlich).

Rohrer, Heinrich (geb. 1933), Dr. sc. nat., IBM, Rüschlikon bei Zürich. *Arbeitsgebiete:* Therm. u. elektr. Transport-Eigenschaften, Supraleitung, krit. Phänomene, Raster-Tunnelmikroskopie; Nobelpreis für Physik 1986 (zusammen mit G. Binnig u. E. Ruska).

Lit.: Lexikon der Naturwissenschaftler, S. 350 ▪ Naturwiss. Rundsch. **39**, 550–553 (1986) ▪ The International Who's Who (17.), S. 1283.

Rohröfen. *Öfen mit einer aus Keramik gefertigten rohrförmigen Heizzone, in der Temp. bis 1300 °C erreicht werden können. R. werden häufig zum Aufheizen von Quarzglasrohren bei der *Blitzpyrolyse od. bei der *AOX-Bestimmung eingesetzt. – ***E*** tube furnaces – ***F*** fours à tube – ***S*** hornos tubulares

Lit.: ACHEMA-Jahrb. **1991**, 2183.01.02.

Rohrreinigungsmittel. Überwiegend stark alkal. Präp., die Rohr-Verstopfungen aus organ. Materialien – wie Haare, Fett, Nahrungsmittel-Reste, Seifen-Ablagerungen u. dgl. – hydrolyt. abbauen u. dadurch beseitigen. Zusätze von Al- od. Zn-Pulver führen zur Bildung von H_2-Gas mit Sprudel-Effekt u. dadurch zu mechan. Reinigungs-Wirkung. R. werden in Pulver- u. flüssiger Form angeboten. Letztere können Hypochlorit enthalten.
Saure R. werden hauptsächlich gegen Kalk-Ablagerungen eingesetzt, sie dürfen *keinesfalls zusammen* mit alkal. R. verwendet werden. In der Technik werden Rohrleitungen meist mechan. gereinigt, z. B. mit Druckwasser. In *Pipelines werden sog. *Reinigungsmolche* verwendet, die vom strömenden Medium durch die Rohrleitung transportiert werden. – ***E*** drain cleaners, tube cleaning agents – ***F*** produits à nettoyer les tuyaux – ***I*** detergenti per tubi – ***S*** productos limpiatubos

Lit.: Ullmann (5.) **A 7**, 146.

Rohrschneider-Konstanten s. Gaschromatographie.

Rohrzucker s. Saccharose.

Rohschlamm. Bez. für *Klärschlamm aus mechan. u. biolog. Anlagen (s. mechanische Abwasserbehandlung, biologische Abwasserbehandlung), der in nicht stabilisiertem Zustand (s. Klärschlamm-Aufbereitung) aus Absetzbecken od. Nachklärbecken abgezogen wird. Bei der üblichen Betriebsweise fallen pro Einwohner in kommunalen Kläranlagen rund 1 L R. mit ca. 5% Feststoffgehalt (Trockensubstanz) an. – ***E*** raw sludge – ***F*** boues brutes – ***I*** fango residuato e grezzo della chiarificazione – ***S*** lodos brutos

Lit.: Abwassertechnische Vereinigung (Hrsg.), ATV-Handbuch Klärschlamm (4.), S. 14–18, 79–90, Berlin: Ernst 1996 ▪ Pfeiffer, Verfahrensvarianten der biologischen Stabilisierung u. Entseuchung von Klärschlamm, S. 1–13, München: Promotionsschrift TU München 1989.

Rohstahl. Roherzeugnis der Eisenmetallurgie. *Flüssiger R.* findet Verw. zur Herst. von Blockguß, *Strangguß u. Stahlguß, *fester R.* in Form von Rohbrammen u. -blöcken wird durch Walzen od. Schmieden in sog. *Halbzeug weiterverarbeitet; s. a. Eisen u. Stahl. – ***E*** crude (raw) steel – ***F*** acier brut (en lingots) – ***I*** acciaio grezzo – ***S*** acero bruto – *[HS 7206 10]*

Rohstoffe. Bez. für Grundstoffe pflanzlicher, tier. od. mineral. Herkunft, die zur Weiterbearbeitung od. -verarbeitung bestimmt sind. Häufig wird am Gewinnungsort eine Aufbereitung od. Zurichtung vorgenommen. Bei manchen Erzen ist eine physikal. (Flotation, Sedimentation) od. chem. (Laugung) Aufbereitung zur R.-Gewinnung notwendig. Zurichtungen dienen z. B. dazu, die Ware haltbar, transportierbar od. besser marktfähig zu machen, etwa durch Trocknen, Pressen, Räuchern, Auspressen, Extrahieren, Ausschmelzen, Zerkleinern, Klassieren u. Flotieren. *R. im engeren Sinne* sind z. B. Erdöl, Stein- u. Braunkohle, Luft, Wasser, Salze, Gesteine, Mineralien u. Erze, die nachwachsenden R. Holz, Getreide, Früchte, Algen etc. sowie neuerdings auch *Recycling-R. wie Abfall u. Klärschlämme z. B. für die *Kompost-, Dünger- (s. Düngemittel) u. *Biogas-Produktion. Daneben werden häufig als *R. im weiteren Sinne* Erzeugnisse verstanden, die bereits Halbfabrikate sind, jedoch als Ausgangsstoffe für die Herst. anderer Erzeugnisse dienen, z. B. Holzschliff, Zellstoff, Lumpen u. Altpapier bei der Papierherst., der Aluminiumblock od. das Kunststoffgranulat bei der Folienherst. In der Chemie unterscheidet man (z. T. in wechselnder Abgrenzung) die R.-Bestandteile Ausgangsstoff (= techn. R.), Reaktionspartner (= Wertstoff), Nebenbestandteile u. Verunreinigungen (= nicht nutzbare Nebenbestandteile). Der Einsatz von Pflanzen u. a. erneuerbaren R.[1–4] liefert z. Z. ca. 10% der Grundstoffe der Chem. Industrie[5].

Vorräte: Bei der Abschätzung der Verfügbarkeit von R. unterscheidet man *Reserven* u. *Ressourcen*. Von sicheren Reserven sind die *Lagerstätten bekannt u. unter heutigen Bedingungen abbaubar, von vermuteten Reserven werden solche Lagerstätten als wahrscheinlich angenommen. Ressourcen sind R. in vermuteten Lagerstätten, die unter heutigen Bedingungen nicht abbaubar sind. Durch bessere techn. Verf. u. günstigere wirtschaftliche Bedingungen lassen sich auch geringwertige Ressourcen (arme Gesteine, schwer zugängliche R.-Quellen) für die R.-Gewinnung nutzen, z. B. früher als Abraum aufgehaldete Erze od. das noch vor wenigen Jahren unzugängliche Nordsee-Öl. Von daher – wie auch durch Exploration – schiebt sich die Reichweite („Lebensdauer“) einiger R. weiter hinaus (Tab. 1). Die Lebensdauer der vorhandenen Reserven wird zudem durch *Recycling erhöht (s. Tab. 2, oft als Unterschied zwischen Bergwerksproduktion u. Verbrauch erkennbar), wobei allerdings ein Teil der R. in der Praxis bisher nicht im Kreislauf zu führen ist, sehr lange in Fertigprodukten verbleibt od. aus dem Kreislauf ausgeschleust wird. Ein Problem der Nutzung geringwertiger Reserven sowie des zunehmenden Recycling-Grades (Erfassungsgrad der Altmaterialien) ist der pro R.-Einheit steigende Energieaufwand. Nach derzeit wissenschaftlichen Erkenntnissen ist auf absehbare Zeit bei keinem bedeutenden R. eine Verknappung durch Lagerstättenerschöpfung zu befürchten[8] (s. Tab. 1). Problemat. ist hingegen die polit., techn. u. wirtschaftliche Sicherung des Zugangs sowie die Umweltsituation (z. B. Gewässer-, Luft- u. Bodenbelastung durch Schwermetalle, *Treibhauseffekt). Seit einigen Jahren gibt es nicht nur beim Erdöl, sondern auch bei den Nichteisenmetallen weltweit sogar Überkapazitäten, worunter v. a. R.-liefernde Länder zu leiden haben. R.-*Kartelle wie OPEC u. das Internat.

Tab. 1: Rohstoff-Reserven.

Rohstoff	ungefähre Reichweite der Reserven (in Jahren, beginnend im angezeigten Jahr) A 1972	B 1972	C 1980	D 1980	E 1987/88	1996/97
Aluminium	100	31	306	62		
Blei	26	21	31	22	80	90
Chrom	420	95	260	68	250	350
Eisen	240	93	188	63	260	300
Erdgas	38	22	67	37	60	75
Erdöl	31	20	39	26	42	45
Gold	11	9			29	
Kohle	2300[F]	111	239	70	160[G]	180[G]
Braunkohle						220
Kupfer	36	21	57	33	90	90
Mangan	97	46	220	63	250	250
Nickel	150	53	77	40	160	160
Platinmetalle	130	47	100	41		
Quecksilber	13	13	25	24	35	35
Silber	16	13	20	16	50	
Wolfram	40	28	45	28		
Zink	23	18	27	20	40	45
Zinn	17	15	50	35	120	120

A = Reichweite der Reserven bei gleichbleibendem Verbrauch (= statist. Lebensdauer) 1972[6],
B = Reichweite der Reserven bei ansteigendem Verbrauch (= dynam. Lebensdauer) 1972, Details s. *Lit.*[6],
C = statist. Lebensdauer 1980[7],
D = dynam. Lebensdauer 1980[7],
E = statist. Lebensdauer 1987/88[8],
F = einschließlich Ressourcen[6],
G = nur Steinkohle[8].

Tab. 2: Globale Rohstoff-Produktion u. -Verbrauch 1988 [8].

Rohstoff	Produktion aus Bergwerks-R. [Mio. t/a]	Verbrauch [Mio. t/a]	Produktion 1995 aus Bergwerks-R. [Mio. t/a]
Aluminium	18,4	24	20,2
Blei	3,4	5,8	2,8
Erdgas	2012[A,B]		2255 (1996)
Erdöl	3112[B]		3383 (1996)
Kupfer	8,8	10,6	
Nickel	0,85	0,88	
Silber	0,014	0,02	0,013 (1994)
Steinkohle	3546[B]		3610
Zink	7,1	7,2	6,8
Zinn	0,204	0,241	0,189

A = Mrd. m^3, B = Verbrauch ungefähr gleich groß, Abweichungen durch Bevorratung.

Zinnabkommen haben erheblich an Einfluß verloren, da die neuen Produzenten nicht beitreten. Eine Aufstellung der wichtigsten Erzeugerländer findet man bei den als Einzelstichwörter behandelten Metallen, Mineralien u. Energiequellen. Produktionsziffern für R. weisen die statist. Jahrbücher von OECD, UNO, FAO u. die des Statist. Bundesamtes aus, für Metalle s. a. *Lit.*[9] u. die *Metallstatistik. – ***E*** resources, raw materials – ***F*** ressources, matières premières – ***I*** materie prime – ***S*** materias primas

Lit.: [1] Nachr. Chem. Tech. Lab. **36**, 388 ff. (1988). [2] OECD Environment Committee (Hrsg.), Renewable Natural Resources. Economic Incentives for Improved Management, Paris: OECD

1989. [3]Chem. Labor Betr. **37**, 100–103 (1986). [4]Spektrum Wiss. **1986**, Nr. 9, 90–97. [5]Quadbeck-Seeger, in Eierdanz (Hrsg.), Perspektiven nachwachsender Rohstoffe, Weinheim: VCH Verlagsges. 1996. [6]Meadows, Die Grenzen des Wachstums – Bericht des Club of Rome zur Lage der Menschheit, S. 46–50, Stuttgart: DVA 1972. [7]Barney (Hrsg.), Global 2000 – Bericht an den Präsidenten, Frankfurt: Zweitausendeins 1980, zitiert nach Bossel, Umweltwissen, S. 106, Berlin: Springer 1990. [8]Fochler-Hauke (Begründer), Der Fischer Weltalmanach 1991, S. 890–918, 1998, S. 1070–1138, Frankfurt: Fischer Taschenbuch Verl. 1990 u. 1997. [9]Mineral Yearbook, Washington: Government Printing Office (jährlich).
allg.: Bundesministerium für Ernährung, Landwirtschaft u. Forsten, Nachwachsende Rohstoffe, Bonn: Köllen 1997 ▪ Carraher u. Sperling, Renewable-Resource Materials, New York: Plenum 1986 ▪ Chem.-Ing.-Tech. **61**, 124–135 (1989) ▪ Kirk-Othmer (4.) **5**, 902–911 ▪ BMFT (Hrsg.), Nachwachsende Rohstoffe (2 Bd.), Bonn: BMFT 1987 ▪ Rudawsky, Mineral Economics, Amsterdam: Elsevier 1986 ▪ Spektrum Wiss. **1986**, Nr. 8, 36–47 ▪ Ullmann (5.) **A 4**, 99–105. – *Zeitschriften u. Serien:* In Situ, New York: Dekker (seit 1977) ▪ Natural Resources Forum, Dordrecht: Reidel (seit 1976) ▪ Physics and Chemistry of Minerals, Berlin: Springer (seit 1977) ▪ s. a. Geochemie, Lagerstätten, Recycling.

Rohypnol® (Rp). Filmtabl. u. Ampullen (Btm) mit *Flunitrazepam gegen Schlafstörungen u. zur Narkoseeinleitung. ***B.:*** Hoffmann-La Roche.

Roland. Kurzbez. für die 1923 gegr. Firma Roland Arzneimittel GmbH, 22145 Hamburg, die zur Pharmasparte der ALTANA Industrie-, Aktien- u. Anlagen AG, Bad Homburg, gehört.

Rolipram (Rp).

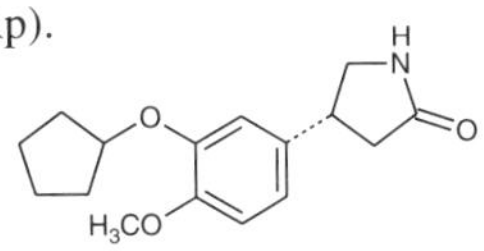

Internat. Freiname für den *Tranquilizer (*R*)-4-[3-(Cyclopentyloxy)-4-methoxyphenyl]-2-pyrrolidinon, $C_{16}H_{21}NO_3$, M_R 275,35, 132 °C, $[\alpha]_D^{24}$ −31,0° (c 0,5/CH_3OH), log P 2,06 (pH 7,4, 22 °C), LD_{50} (Ratte, intragastral) 900–1300 mg/kg. S. wurde 1975/80 von Schering patentiert. Seine tranquilisierende Wirkung beruht auf der Inhibition der Phosphodiesterase vom Typ IV; daneben hat es entzündungshemmende Eigenschaften bei entzündlichen Prozessen im ZNS gezeigt u. wird deshalb für eine Anw. bei *Multipler Sklerose entwickelt. – ***E*** = ***F*** = ***I*** = ***S*** rolipram
Lit.: Angew. Chem., Int. Ed. Engl. **31**, 870 f. (1992) ▪ J. Med. Chem. **36**, 3274 ff. (1993) ▪ Martindale (31.), S. 333 ▪ Merck-Index (12.), Nr. 8410 ▪ Nature Medicine **1**, 244 ff. (1995). – *[CAS 85416-75-7 (R); 85416-73-5 (S); 85416-74-6 (±)]*

Rolitetracyclin (Rp).

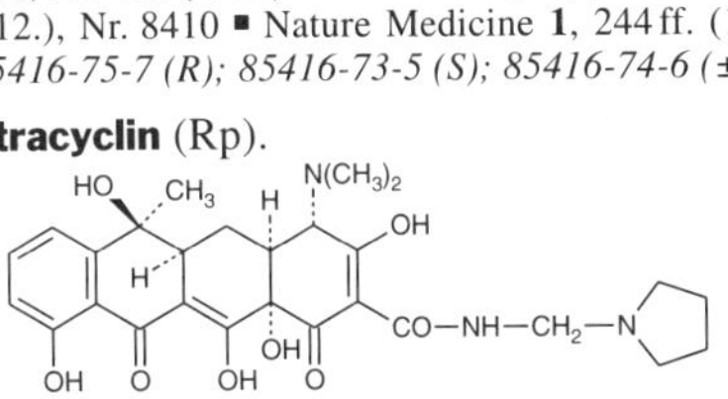

Internat. Freiname für das *Antibiotikum *N*-(1-Pyrrolidinylmethyl)-tetracyclin, $C_{27}H_{33}N_3O_8$, M_R 527,56, blaßgelbe Nadeln, Zers. bei 162–165 °C, $[\alpha]_D^{20}$ −183° (CH_3OH), pK_a 7,4; leicht lösl. in Wasser u. Alkohol, lösl. in verd. Säuren u. Alkalien (amphoter), Lagerung: vor Licht u. Luft geschützt; vgl. a. Tetracycline. Verwendet wird auch R.-Nitrat-Sesquihydrat, LD_{50} (Ratte i.v.) 91 mg/kg. R. wurde 1963 von Bristol Myers Squibb patentiert. – ***E*** rolitetracycline – ***F*** rolitétracycline – ***I*** = ***S*** rolitetraciclina
Lit.: Beilstein E V **20/1**, 264 ▪ Hager (5.) **9**, 530 f. ▪ Martindale (31.), S. 272. – *[HS 2941 30; CAS 751-97-3 (R.); 26657-13-6 (Nitrat Sesquihydrat)]*

Rollerflaschen-Kultur. *Kultur in Rollerflaschen. Diese Kulturgefäße werden mit 2–4 Umdrehungen/min liegend um ihre Längsachse rotiert, so daß ein optimaler Gasaustausch gewährleistet ist. Die R.-K. wird zur Kultivierung von Viren u. tier. Zellen verwendet, die Einschichtzellkulturen (Monolayerkulturen) bilden. Durch die rotierende Bewegung kann hier fast die gesamte innere Oberfläche der Rollerflaschen zur *Adhäsion der Zellen verwendet werden. Die Oberfläche kann noch durch den Einbau von Glasrohren, Polyester-Spiralen u. Platten vergrößert werden. – ***E*** rolling bottle culture, roller bottle culture – ***F*** culture en bouteilles tournantes – ***I*** colture a bottiglie rotanti – ***S*** cultivos en botellas rotantes
Lit.: J. Biotechnol. **52**, 289 (1997) ▪ J. Immunol. Methods **182**, 73 (1995) ▪ Präve (4.), S. 185.

Rolling circle s. Replikation.

Rolliniastatin s. Annonine.

Rollschwefel s. Schwefel.

Romanechit (Psilomelan). $(Ba,H_2O)_2Mn_5O_{10}$; zu den *Braunsteinen gehörendes, bläulich-schwarzes, graues od. schwarzes, undurchsichtiges, rhomb. Mineral, Kristallklasse 222-D_2. *Tunnelstruktur*[1–4] ähnlich der von *Hollandit, s. die Abb.; in den Hohlräumen, die einen angenähert rechteckigen Querschnitt aus 2×3 über gemeinsame Kanten verknüpften $[MnO_6]$-Oktaedern haben, finden die Ba^{2+}-Kationen, die Wassermol. u. a. Kationen Platz.

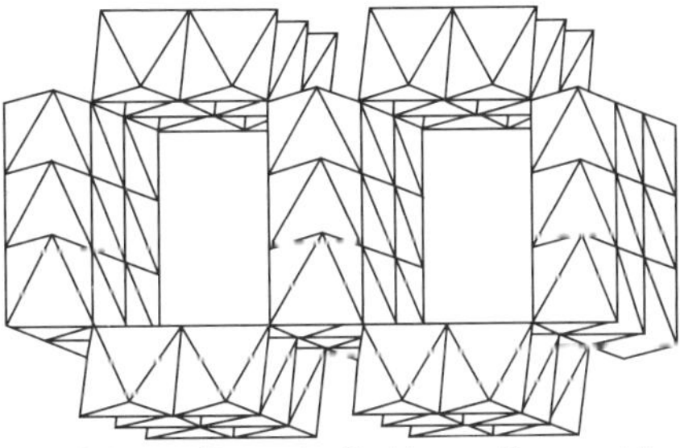

Abb.: Schemat. Darst. der Struktur von Romanechit; nach *Lit.*[1], S. 1207.

R. ist als *Schwarzer *Glaskopf* radialstrahlig, ferner stalaktit., nierig-krustig, auch pulverig od. erdig; „Manganmulm" ist teilw. röntgenamorph. H. 5–5,5, z. T. jedoch erheblich niedriger; D. 4,4–4,7, Bruch uneben, spröde. Strich braunschwarz od. schwarz. Glasartiger bis halbmetall. Glanz, auch matt od. samtartig. Beim Erhitzen wandelt sich R. unter Wasserabgabe in Hollandit um[3].
Vork.: Verbreitet; in hydrothermalen Manganerz-Gängen, z. B. Ilfeld/Harz. Als Oxidationsprodukt Mangan-haltiger Mineralien u. Komponente von Mangan-*Dendriten. Wirtschaftlich bedeutend als Bestandteil von marinen Manganerz-Lagerstätten, z. B. Tschiaturi/Kaukasus. In *Manganknollen. R. ist wichtiger Bestandteil der Hartmanganerze des Bergbaus,

die bis zu 50 Gew.-% Mn enthalten. – ***E*** romanechite – ***F*** romanéchite – ***I*** psilomelano – ***S*** psilomelana, silomelana

Lit.: [1] Am. Mineral. **64**, 1199–1218 (1979). [2] Science **203**, 456 ff. (1979). [3] Chem. Erde **44**, 227–244 (1985). [4] Am. Mineral. **73**, 1155–1161 (1988).
allg.: Lapis **14**, Nr. 1, 6–9 (1989) („Steckbrief") ▪ Varentsov u. Grasselly (Hrsg.), Geology and Geochemistry of Manganese, Vol. 1, S. 71–74, Stuttgart: Schweizerbart 1980 ▪ s. a. Braunsteine. – *[HS 2602 00, 2820 10; CAS 12424-16-7]*

Romankalk. Ältere, auf die Verw. durch die Römer hinweisende Bez. für heute als *hydraul.* od. *hochhydraul.* zu bezeichnenden Silicat-reichen *Kalk*, der unterhalb der Sintergrenze gebrannt u. im Baugewerbe (Mörtel, Putz) verwendet wird. R. zerfällt beim Löschen nicht mehr; er kommt daher nur gemahlen in den Handel. Mit Wasser angerührt, erhärtet er schon in 15–30 min so stark, daß er schnell verarbeitet werden muß. Als Rohstoffe für R. verwendet man *Kalkmergel mit weniger als 75% $CaCO_3$, wobei die untere Grenze bei 55–60% $CaCO_3$ liegen soll. – ***E*** roman cement – ***F*** ciment romain – ***I*** = ***S*** cemento romano

Lit.: Hollemann-Wiberg (101.), S. 1146 ff. ▪ Winnacker-Küchler (3.) **2**, 239.

Romilat®. Marke von Henkel für einen Riechstoff auf der Basis von 2,2-Dimethylpropionsäure-3-methyl-3-butenylester,

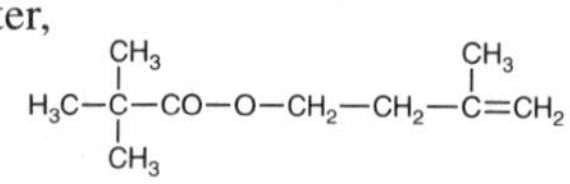

$$H_3C-C(CH_3)_2-CO-O-CH_2-CH_2-C(CH_3)=CH_2$$

$C_{10}H_{18}O_2$, M_R 170,25; Geruch frisch-krautig mit fruchtig-blumiger Note.

ROMP. Abk. für Ring-Opening-Metathesis-Polymerization, s. Metathese.

RON. Engl. Abk. für *R*esearch (od. *R*oad) *O*ctane *N*umber, vgl. Octan-Zahl.

Ronacoat®. Sortiment von neg. arbeitenden Schichten zur Herst. von vorsensibilisierten Offset-Druckplatten auf Photopolymer-Basis (Dimethylmaleinimid-Syst.); zeichnen sich bes. aus durch hohe Druckauflage, hohe Lichtempfindlichkeit, sehr gute Lagerhaltbarkeit, einfache Applikation u. als rein wäss. Entwickler. ***B.:*** Rohner.

Rondeaus Reagenz s. $Pr(fod)_3$.

Ro-Neet®. Bodenherbizid (s. Herbizide) der ICI auf der Basis von *Cycloat, Emulsionskonzentrat zur Bekämpfung von einjährigen Ungräsern (Ackerfuchsschwanz, Einjährige Rispe, Windhalm) in Zucker- u. Futterrüben-Kulturen. ***B.:*** ICI.

Rongalit®. Red.-Mittel auf der Basis von Sulfinsäure-Derivaten. R. C als das Natrium-Salz der *Hydroxymethansulfinsäure („Formaldehyd-Sulfoxylat", $HO-CH_2-SO_2Na$) u. R. FD flüssig [Nitrilotrimethansulfinsäure-Trinatriumsalz, $N(CH_2-SO_2Na)_3$] werden für den Weiß- u. Bunt-*Ätzdruck auf ätzbaren Cellulosefaser-Färbungen sowie für den Direktdruck mit *Küpenfarbstoffen verwendet. R. FD flüssig u. R. ST flüssig auch für den Pigment-Ätzdruck. R. DP u. R. flüssig für Weiß- u. Buntätz-*Reservedrucke auf Polyester-Färbungen, R. PH-A zusammen mit R. 2PH-B flüssig für den Zweiphasendruck mit Küpenfarbstoffen auf Cellulosefasern. ***B.:*** BASF.

Ronilan®. *Fungizid auf Basis *Vinclozolin zur Bekämpfung von *Botrytis* u. *Sclerotinia*, *Monilinia* u. *Sclerotium cepivorum*. Zur Erweiterung des Wirkungsspektrums Fertigformulierungen mit Carbendazim (= Konker®) u. Thiophanate-Methyl (= Konker® R). ***B.:*** BASF.

Rooibos-Tee (Massai-Tee). Aus der Leguminosen-Art *Aspalathus linearis* hergestellter *Tee, der bevorzugt in Südafrika getrunken wird.

Lit.: Int. J. Food Sci. Nutr. **25**, 339–343, 344–349 (1990).

Rootspumpen s. Pumpen.

Ropinirol (Rp).

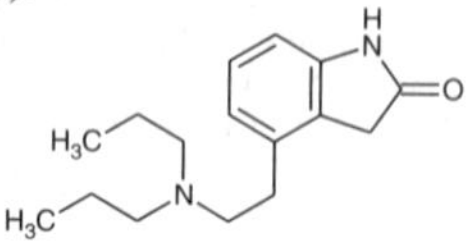

Internat. Freiname für ein Mittel gegen die *Parkinsonsche Krankheit, 4-[2-(Dipropylamino)ethyl]-1,3-dihydro-2*H*-indol-2-on, $C_{16}H_{24}N_2O$, M_R 260,38, Schmp. 241–243 °C. R. ist ein Dopamin-D_2-Rezeptor-antagonist. Es wurde 1984 von SmithKline Beecham (Requip®) patentiert. – ***E*** ropinirole – ***F*** ropinirol – ***I*** ropinirolo – ***S*** ropinirola

Lit.: J. Het. Chem. **32**, 875 ff. (1995) ▪ Lancet **336**, 316 ff. (1990) ▪ Martindale (31.), S. 1167 ▪ Merck-Index (12.), Nr. 8416. – *[CAS 91374-21-9 (R.); 91374-20-8 (R. · HCl)]*

Ropivacain (Rp).

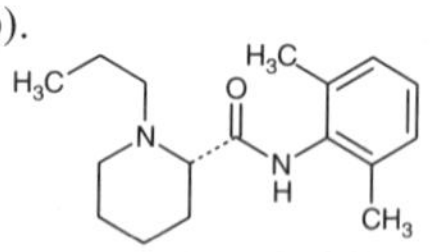

Internat. Freiname für das *Lokalanästhetikum (–)-(*S*)-*N*-(2,6-Dimethylphenyl)-1-propyl-2-piperidincarboxamid, $C_{17}H_{26}N_2O$, M_R 274,41, Schmp. 144–146 °C, $[\alpha]_D^{25}$ –82,0° (c 2/CH_3OH); pK_a 8,1, log P 0,95 (pH 7,4); krampfauslösende Dosis (Hund, intravasal) 4,9 mg/kg. Verwendet wird auch das Hydrochlorid-Monohydrat, Schmp. 269,5–270,6 °C, $[\alpha]_D^{20}$ –7,28° (c2/H_2O). R. zeichnet sich durch langanhaltende Wirkung aus. Es wurde 1985 von Apothekernes patentiert u. ist von Astra (Naropin®) im Handel. – ***E*** ropivacaine – ***F*** ropivaca(ne – ***I*** = ***S*** ropivacaina

Lit.: Chirality **7**, 272–277 (1995) ▪ Br. J. Anaesth. **76**, 300–307 (1996) ▪ J. Chromatogr. B **668**, 91–98 (1995) (HPLC) ▪ Martindale (31.), S. 1340 ▪ Merck-Index (12.), Nr. 8417. – *[HS 2933 39; CAS 84057-95-4 (R.); 98717-15-8 (Hydrochlorid); 132112-35-7 (Hydrochlorid-Monohydrat)]*

Roquefortine. Neurotox. *Mykotoxine vom *Indol-Alkaloid-Typ aus vielen Schimmelpilzen der Gattung

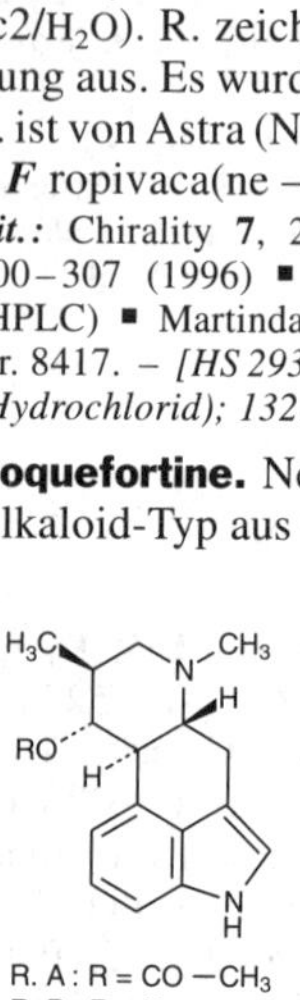

R. A : R = CO – CH_3
R. B : R = H

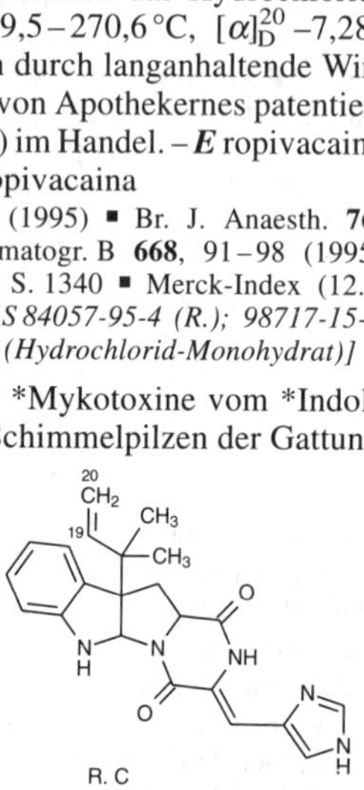

R. C
R. D : 3,12-Dihydro

Penicillium, z. B. *P. roqueforti*, *P. cyclopium*, *P. commune*. Die R. sind im Blauschimmel des *Roquefort-Käses* enthalten, aber auch in Baumwollsamen u. Bier gefunden worden. R. können im Tierversuch Aborte verursachen; Hauptalkaloid ist R. C. – ***E*** = ***F*** roquefortines – ***I*** roquefortine – ***S*** roquefortinas

Tab.: Daten zu den Roquefortinen A–D.

Roquefortin	Summenformel	M_R	Schmp. [°C]	CAS
A	$C_{18}H_{22}N_2O_2$	298,38	182 (Zers.)	58800-19-4
B	$C_{16}H_{20}N_2O$	256,35	222–225	58800-20-7
C	$C_{22}H_{23}N_5O_2$	389,46	195–200	58735-64-1
D	$C_{22}H_{25}N_5O_2$	391,47	153–154	58735-66-3

Lit.: Agric. Biol. Chem. **43**, 2035 (1979); **44**, 1929 (1980) ▪ Cole u. Cox, Handbook of Toxic Fungal Metabolites, S. 549, 557, New York: Academic Press 1981 ▪ Dev. Food Sci. **8**, 463 (1984) ▪ Experientia **37**, 472 (1981) ▪ J. Chem. Soc. Chem. Commun. **1979**, 225; **1982**, 652 (Biosynth.) ▪ J. Chem. Soc. Perkin Trans. 1 **1985**, 941 ▪ J. Nat. Prod. **57**, 983 (1994) ▪ Mycologia **81**, 837–861 (1989).

Roquésit s. Indium.

Roridine. Gruppe von antibiot. u. cytostat. wirksamen, hochgiftigen *Mykotoxinen der Trichothecen-Gruppe, die einen das *Trichothecen-Gerüst überbrückenden makrocycl. Ring acetogeninen Ursprungs enthalten. R. sind makrocycl. Ether-Diester, während die Triester zu den *Verrucarinen gehören. R.-Produzenten sind Pilze der Gattungen *Myrothecium*, *Stachybotrys*, *Dendrodochium*, *Cryptomela* u. *Cylindrocarpon*. R. sind Vorstufen der sehr ähnlichen Baccharinoide. Ursprünglich wurden R. als Antitumor-Verb. isoliert, für eine Anw. sind sie jedoch zu toxisch. Die LD_{50} (i.v.) für Mäuse liegt bei 1 mg/kg. R. C ist ident. mit Trichodermol (s. Trichothecene), R. E mit Satratoxin D u. R. H mit Verrucarin H. – ***E*** roridins – ***F*** roridines – ***I*** roridine – ***S*** roridinas

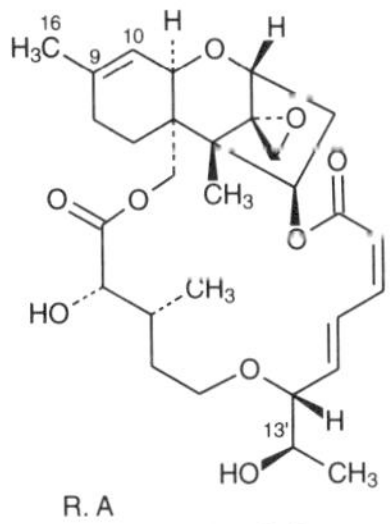

R. A
13'-Epimer: Iso-R. A

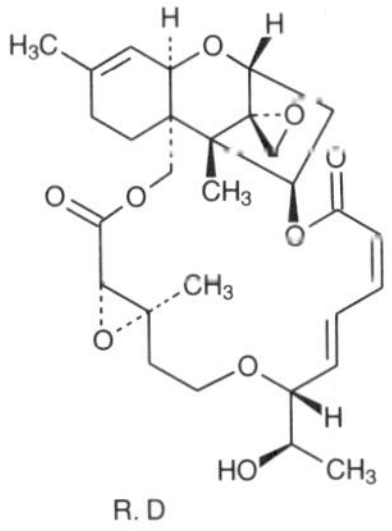

R. D

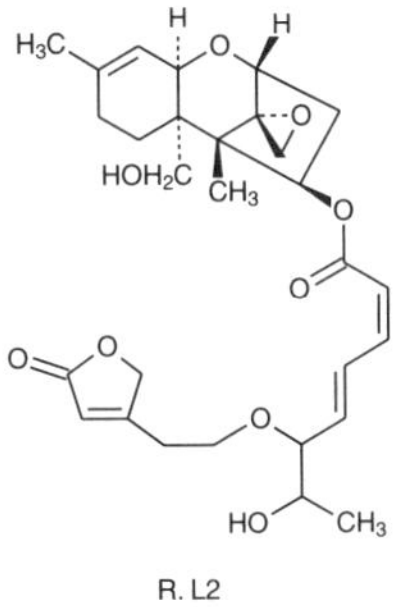

R. L2

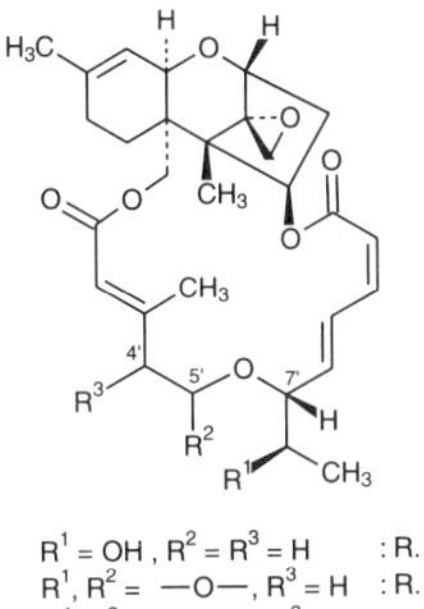

R^1 = OH, R^2 = R^3 = H : R. E
R^1, R^2 = —O—, R^3 = H : R. H
R^1, R^2 = —O—, R^3 = OH : R. J

Tab.: Daten von Roridinen.

Roridin	Summenformel	M_R	Schmp. [°C]	CAS
R. A	$C_{29}H_{40}O_9$	532,63	198–204	14729-29-4
Iso-R. A	$C_{29}H_{40}O_9$	532,63	183–185	84773-08-0
R. D	$C_{29}H_{38}O_9$	530,62	232–235	14682-29-2
R. E	$C_{29}H_{38}O_8$	514,62	183–184	16891-85-3
R. H	$C_{29}H_{36}O_8$	512,60	>325	29953-50-2
R. J	$C_{29}H_{36}O_9$	528,60	281–285	74072-83-6
R. L2	$C_{29}H_{38}O_9$	530,62	93–98	85124-22-7

Lit.: Betina (Hrsg.), Mycotoxins, Kapitel 10, Amsterdam: Elsevier 1984 ▪ Cole u. Cox, Handbook of Toxic Fungal Metabolites, S. 230, New York: Academic Press 1981 ▪ J. Med. Chem. **27**, 239 (1984) ▪ J. Nat. Prod. **45**, 440 (1982) ▪ Turner **2**, 228–238 ▪ Zechmeister **31**, 63–117; **47**, 153–219 ▪ s. a. Satratoxine.

Rosamine. Gruppenbez. für *Xanthen-Farbstoffe, die aus 3-(Alkylamino)phenolen u. aromat. Aldehyden durch Kondensation u. Dehydrierung zugänglich sind u. im Gegensatz zu *Fluorescein u. *Rhodaminen keine 2′-Carboxy-Gruppe am Phenyl-Ring enthalten. – ***E*** = ***F*** rosamines – ***I*** rosamine – ***S*** rosaminas

Rosanilin [(4-Amino-3-methylphenyl)bis(4-aminophenyl)methanol]. $C_{20}H_{21}N_3O$, M_R 319,41, Schmp. 186 °C (Zers.). R. wird fälschlicherweise oft mit Fuchsin gleichgesetzt; Näheres s. dort u. bei Triarylmethan-Farbstoffe (mit Formelbild). – ***E*** = ***F*** rosaniline – ***I*** = ***S*** rosanilina

Lit.: Beilstein E III **13**, 2078 ▪ Hager (5.) **1**, 541 ▪ Ullmann (5.) **A24**, 569. – *[HS 2925 20]*

Rosasit. $(Cu,Zn)_2[(OH)_2/CO_3]$; meist bläuliche od. grünliche, auch himmelblaue warzige od. traubige Krusten mit faseriger od. sphärolith. (*Sphärolithe) Struktur. R. krist. monoklin, Kristallklasse 2/m – C_{2h} (*Lit.*[1]); Struktur s. *Lit.*[2]. H. 4,5, D. 4,0–4,2.

Vork.: Als sek. Mineral in den *Oxidationszonen von Zn-Cu-Pb-Lagerstätten, z. B. Arizona/USA, Mexiko, Japan u. Rosas-Mine/Sardinien (Name!). – ***E*** = ***F*** = ***I*** rosasite – ***S*** rosasita

Lit.: [1] Powder Diffraction **1**, 56 f. (1986). [2] Can. Mineral. **19**, 315–324 (1981).

allg.: Roberts, Campbell u. Rapp, Encyclopedia of Minerals (2.), S. 737 f., New York: Van Nostrand Reinhold 1990. – *[CAS 12199-19-8]*

Roscoe, Sir Henry Enfield (1833–1915), Prof. für Chemie, Univ. Manchester. *Arbeitsgebiete:* Einfluß des Lichts auf Chlorknallgas-Reaktion, quant. Photochemie (s. Bunsen-Roscoesches Gesetz), Spektralanalyse, erste Herst. von Vanadium.

Lit.: Lexikon der Naturwissenschafler, S. 352 ▪ Kraft, S. 74 ▪ Pötsch, S. 368 f. ▪ Strube et al., S. 127.

Roscoelith s. Muscovit.

Rose, Gustav (1798–1873), Bruder von Heinrich *Rose, Prof. für Mineralogie, Berlin. *Arbeitsgebiete:* Zusammensetzung der Meteoriten, Isomorphismus, Kristallographie, Begründung der Systematik der Mineralien.

Lit.: Chem. Unserer Zeit **17**, A 33 (1983) ▪ Lexikon der Naturwissenschaftler, S. 352 ▪ Krafft, S. 246 ▪ Pötsch, S. 369.

Rose, Heinrich (1795–1864), Bruder von Gustav *Rose, Prof. für Pharmazie u. Chemie, Berlin. *Arbeitsgebiete:* Grundlegende Arbeiten über analyt. u. mineralog. Chemie, Untersuchungen an Titan, Entdecker des Niobs.

Lit.: Chem. Unserer Zeit **17**, A 33 (1983) ▪ Krafft, S. 47 ▪ Lexikon der Naturwissenschaftler, S. 352 ▪ Neufeldt, S. 3 ▪ Pötsch, S. 369 ▪ Strube et al., S. 76, 78.

Roseki s. Pyrophyllit.

Rosella (Javajute). *Bastfasern [nach DIN 60001-4: 1991-08 Kurzz. JS] aus Stengeln von *Hibiscus sabdariffa* var. *altissima* (Malvengewächs), die zu Säcken u. Seilen verarbeitet werden. Die Blütenknospen der kurzstengeligen *Hibiscus-Varietät werden zu Marmelade u. Sirup verarbeitet u. medizin. genutzt. Eine verwandte *Faserpflanze liefert *Kenaf. – ***E*** roselle – ***F*** jute deJava, roselle – ***I*** iuta giavanese – ***S*** rosella, acedera colorada – *[HS 5303 10]*

Rosen. Strauchartige, meist stachelbewehrte Pflanzen der Familie Rosaceae (Rosengewächse) mit mehr als 200 Arten, wildwachsend u. kultiviert, rot-, gelb- od. weißblühend. Die *Blütenfarbstoffe der roten R. sind hauptsächlich *Anthocyane (*Cyanin), die der gelben *Flavon-Glykoside (*Quercetin u. *Kaempferol), ggf. zusammen mit *Carotinoiden. Eine geschätzte Eigenschaft der R. ist ihr Duft, der im *Rosenöl in konz. Form vorliegt; eine stark verd., ebenfalls parfümist. verwendete Form ist das *Rosenwasser. Im allg. duften rote R. stärker als gelbe od. weiße, u. von den roten wiederum die rosafarbenen. Vielseitig genutzt werden die Scheinfrüchte der wildwachsenden R., die *Hagebutten. – ***E*** = ***F*** roses – ***I*** rose – ***S*** rosas

Lit.: Franke, Nutzpflanzenkunde (6.), Stuttgart: Thieme 1997 ▪ s.a. Rosenöl. – *[HS 0602 40, 0603 10]*

Rosenfarbstoffe. Das große Farbspektrum der Blüten u. Früchte von Rosen wird durch *Carotinoide (gelbe Farben) u. *Anthocyane (rote Farben) hervorgerufen. Der großen strukturellen Vielfalt bei Carotinoiden steht dabei eine geringe bei Anthocyanen gegenüber. – ***E*** rose colours – ***F*** pigments de couleurs de rose – ***I*** coloranti di rosa – ***S*** colores rosas

Lit.: Angew. Chem. **103**, 671–689 (1991).

Rosenfuran [Rosefuran, 3-Methyl-2-(3-methyl-2-butenyl)furan].

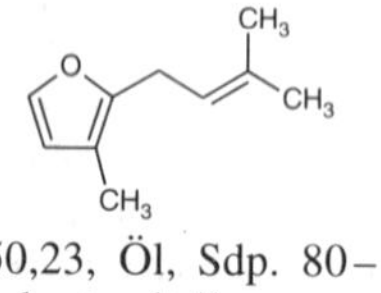

CH_3 O CH_3 CH_3

$C_{10}H_{14}O$, M_R 150,23, Öl, Sdp. 80–83 °C (2,7 kPa). Wichtiger Nebenbestandteil u. geruchsbestimmende Komponente des bulgar. *Rosenöls. Mehrere Synth. wurden beschrieben[1]. – ***E*** rose furan – ***F*** furane des roses – ***I*** furano di rose – ***S*** furano de las rosas

Lit.: [1] Agric. Biol. Chem. **53**, 3091 f. (1989); J. Chem. Soc., Chem. Commun. **1997**, 1083; Tetrahedron **53**, 3497–3512 (1997).

allg.: Beilstein EV **17/1**, 515 ▪ J. Org. Chem. **33**, 1277 (1968) ▪ s.a. Rosenöl. – *[CAS 15186-51-3]*

Rosenholzöl (Brasilian. Rosenholzöl, Bois-de-rose-Öl, nicht zu verwechseln mit *Linalool). Hellgelbes Öl, n_D^{20} 1,462–1,468, D_{20}^{20} 0,872–0,887, das aus dem wohlriechenden Holz des im Amazonasgebiet heim. Baumes *Aniba rosaeodora* var. *amazonica* (Lauraceae) durch Wasserdampfdest. mit 0,7–1,2% Ausbeute gewonnen wird.

Zusammensetzung: *Linalool (bis 85%), *Terpineol, *p-Methylacetophenon, Sesquiterpene.

Verw.: Früher zur Parfümierung von Seifen, heute durch synthet. Linalool ersetzt. – ***E*** rosewood oil – ***F*** essence de bois de rose – ***I*** olio essenziale del legno di rosa – ***S*** esencia de palo de rosa

Lit.: Roth u. Kormann, S. 256 ▪ Ullmann (5.) **A 11**, 156, 239. – *[HS 3301 29]*

Rosenkohl s. Kohl.

Rosenmund, Karl Wilhelm (1884–1965), Prof. für Organ. u. Pharmazeut. Chemie, Univ. Kiel. *Arbeitsgebiete:* Arzneimittelsynth., Synth. von krampflösenden Präp., Lactonen, Wurmmitteln, katalyt. Dehydrierung, Bestimmung der Iod-Zahl in Fetten u. Ölen, präparative Methoden.

Lit.: Pötsch, S. 370 ▪ Strube et al., S. 133.

Rosenmund-Reaktion. Nach *Rosenmund benannte Reaktionen:

1. Synth. von aromat. Arsonsäuren durch Erhitzen äquimolarer Mengen von Alkaliarsenit mit Arylhalogeniden in wäss. alkohol. Lsg. (*Arsonylierung*; s. Abb. a).

2. Synth. von aromat. Nitrilen aus Arylhalogeniden u. CuCN durch Erhitzen auf 250 °C (*Rosenmund-von-Braun-Synth.*; s. Abb. b).

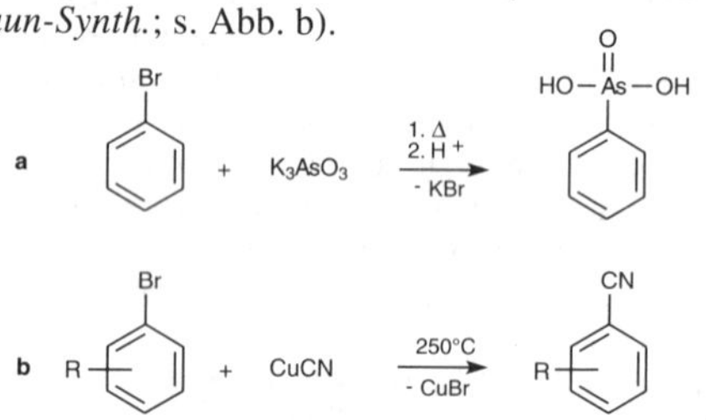

a: Br-Benzol + K_3AsO_3 → (1. Δ, 2. H^+; − KBr) Benzolarsonsäure (HO–As(=O)–OH)

b: R-Brombenzol + CuCN → (250°C; − CuBr) R-Benzonitril (CN)

– ***E*** Rosenmund reaction – ***F*** réaction de Rosenmund – ***I*** reazione di Rosenmund – ***S*** reacción de Rosenmund

Lit. (zu 1. u. 2.): Hassner-Stumer, S. 324 ▪ Krauch u. Kunz, Reaktionen der organischen Chemie, 6. Aufl., S. 132, 143, Heidelberg: Hüthig 1997. – *(zu 1.):* Adv. Organomet. Chem. **4**, 148–242 (1966) ▪ Org. React. **2**, 431 f. (1944). – *(zu 2.):* Chem. Rev. **42**, 207 ff. (1948); **87**, 779 (1987) ▪ Houben-Weyl **8**, 298 ff.; **E 5**, 1460 f. ▪ March (4.), S. 660.

Rosenmund-Saytsev-Reduktion. Bei diesem schon 1872 von Saytsev (Saizew, Saytzeff) angewandten Verf. werden *Säurechloride durch katalyt. Hydrierung (Katalysator: Pd auf $BaSO_4$) zu Aldehyden reduziert. Die Weiterred. zum Alkohol wird durch selektives Vergiften des Katalysators (mit Thiophen, Chinolin, Thioharnstoff) verhindert. – ***E*** Rosenmund-Saytsev reduction – ***F*** réduction de Rosenmund-Saytsev – ***I*** riduzione di Rosenmund-Saytsev – ***S*** reducción de Rosenmund-Saytsev

Lit.: Chem. Rev. **52**, 245 (1952) ▪ Hassner-Stumer, S. 325 ▪ Krauch u. Kunz, Reaktionen der organischen Chemie, 6. Aufl., S. 612, Heidelberg: Hüthig 1997 ▪ Laue-Plagens, S. 274 ▪ March (4.), S. 446 ▪ Org. React. **4**, 362–377 (1948) ▪ Synthesis **1976**, 767 f.

Rosen-, -Absolue-Öl. In der Parfüm- u. Aromen-Ind. werden zwei unterschiedliche Produkte verwendet, die aus Rosenblüten gewonnen werden.

1. ***Rosenöl:*** Hellgelbes, viskoses Öl mit einem warmen, blumig-rosigen Duft mit würzigen u. honigartigen Nuancen u. einem bitteren, nur in hoher Verdünnung angenehmen Geschmack.
Herst.: Durch Wasserdampfdest. aus den Blütenblättern der Rosenarten *Rosa damascena* (Bulgarien, Türkei) u. *Rosa centifolia* (Marokko).
Zusammensetzung[1]***:*** Hauptinhaltsstoffe sind (–)-**Citronellol* (um 40%); **Geraniol* (um 15%) u. *Nerol* (s. Geraniol) (um 7%). Im Gegensatz zum Rosenabsolue (s. u.) enthält das R.-Öl kaum *2-Phenylethanol (ca. 2%). Zum typ. Geruch des R.-Öls tragen eine ganze Anzahl von Komponenten bei, die z. T. nur als Spuren vorhanden sind, darunter z. B. **Rosenoxid* u. *β-*Damascenon*.
2. ***Rosenabsolue:*** Rötlich-braune Flüssigkeit mit einem haftfesten, süß-balsam. Rosenduft.
Herst.: Durch Extraktion von Blüten der Rosenart *Rosa centifolia* (Südfrankreich: „rose de mai"; Marokko) mit Lösemitteln.
Zusammensetzung[1]***:*** Hauptbestandteil des flüchtigen Anteils ist mit ca. 70% *2-Phenylethanol.*
Verw.: Wegen der arbeitsaufwendigen Gewinnung u. der geringen Ausbeute gehören R.-Öl u. R.-Absolue mit zu den kostbarsten Parfümrohstoffen. Die jährlich erzeugte Menge dürfte nur bei etwa 10 t liegen. Die natürlichen Rosenprodukte werden daher nur in sehr geringen Mengen eingesetzt, z. B. in teuren Parfümölen od. auch für Aromatisierungen, z. B. von Süß- u. Backwaren. – ***E*** rose oil/absolue – ***F*** essence, absolu de rose – ***I*** olio essenziale di rose – ***S*** esencia de rosa

Lit.: [1] Perfum. Flavor. **1** (1), 5; (6), 34 (1976); **3** (2), 47 (1978); **4** (2), 56 (1979); **16** (3), 43, 64 (1991); **17** (1), 55 (1992).
allg.: Bauer, S. 173 ▪ Gildemeister **5**, 239 ▪ ISO 9842 (1991) ▪ Ohloff, S. 152–156 ▪ Roth u. Kormann, S. 173 f., 256. – *[HS 3301 29; CAS 8007-01-0]*

Rosenoxid [4-Methyl-2-(2-methyl-1-propenyl)tetrahydropyran].

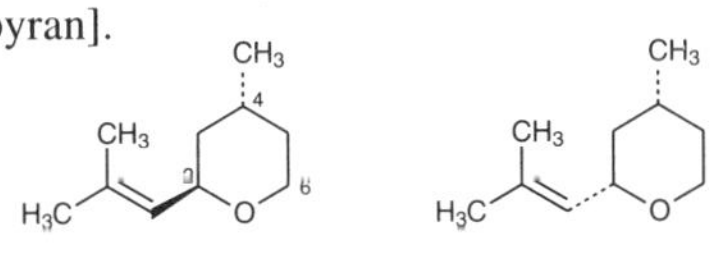

(2*R*,4*R*) (–) (2*S*,4*R*) (–)

$C_{10}H_{18}O$, M_R 154,25, Öl. Monoterpen mit Tetrahydropyran-Struktur, das in zwei C-2-epimeren Konfigurationen in der Natur im *Rosen- u. *Geraniumöl sowie im Abwehrsekret bestimmter Käfer[1] (Cerambycidae) vorkommt: (2*R*,4*R*)(–)-R., Sdp. 70–71 °C, $[\alpha]_D$ –41,5° (unverd.). (2*S*,4*R*)(–)-R., Sdp. 75–76 °C (12 hPa), $[\alpha]_D$ –18,0° (unverd.).
Synth.: *Photooxidation von Citronellol liefert ein 1:1-Gemisch von *cis*- u. *trans*-Rosenoxid.
Verw.: R. wird für Parfüms mit Rosen- u. Geranienduft verwendet. – ***E*** rose oxide – ***F*** oxyde de roses – ***I*** ossido di rose – ***S*** óxido de rosas

Lit.: [1] Habermehl, Gifttiere u. ihre Waffen (5. Aufl.), S. 64, Berlin: Springer 1994.
allg.: Angew. Chem. **94**, 862 f. (1982) ▪ Beilstein E V **17/1**, 256 ▪ DE (Anmeldung) 19, 645, 922 vom 14. 5. 1998, *Erf.*: Pickenhagen et al. (Herst.) ▪ Janistyn **2**, 238 f. ▪ Justus Liebigs Ann. Chem. **1986**, 99–113 ▪ Sax (8.), RNV 000 ▪ Tetrahedron **48**, 7363 (1992) (Synth.) ▪ Ullmann (5.) **A 11**, 204. – *[HS 2932 99; CAS 16409-43-1 (R.); 5258-10-6 ((2R,4R)(–)-R.); 3033-23-6 ((2S,4R)(–)-R.)]*

Rosenquarz s. Quarz.

Rosenwasser. Nebenprodukt der Wasserdampf-Dest. von Rosenblättern zur Gewinnung von *Rosenöl; aus der wäss. Phase wird das *Rosenwasseröl* durch Extraktion gewonnen u. hieraus das R. durch Verdünnen hergestellt.
Verw.: Zur *Aromatisierung z. B. in der Konditorei für Feingebäck u. bei der Likör-Herstellung. – ***E*** rose water – ***F*** eau de rose – ***I*** acqua di rose – ***S*** agua de rosas

Lit.: Ullmann (4.) 278 f.; (5.) **A 11**, 239.

Roseophilin.

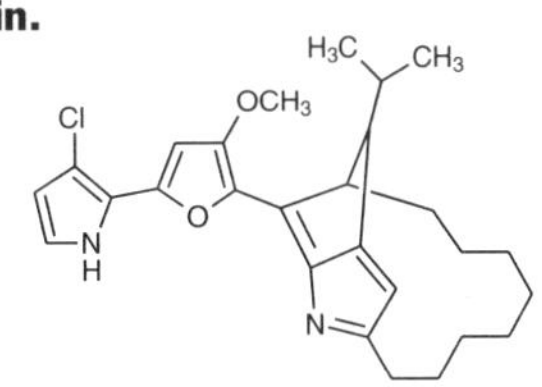

$C_{27}H_{33}ClN_2O_2$, M_R 453,02, dunkelrotes Pulver. Antineoplast. wirksames Antibiotikum aus dem Actinomyceten *Streptomyces griseoviridis*. R. besitzt eine neuartige Struktur aus Pyrrol- u. Furan-Ringen mit einer verzweigten langkettigen Alkan-Brücke. Ein anderer *Pyrrol-Farbstoff mit drei Pyrrol-Einheiten, jedoch ohne Furan-System u. Chlor-Atom ist *Prodigiosin. – ***E*** roseophilin – ***F*** roséophiline – ***I*** roseofilina – ***S*** roseofilín

Lit.: J. Am. Chem. Soc. **119**, 2944 (1997); **120**, 2817 (1998) ▪ Tetrahedron Lett. **33**, 2701 (1992). – *[HS 2941 90; CAS 142386-38-7]*

Roseosalze (latein.: roseus = rosig, rosa). Veraltete Bez. für *Cobaltammine mit dem Pentaamminaquacobalt(2+)-Ion. – ***E*** reseo salts

Roseotoxine. Tremorgene *Mykotoxine aus *Trichothecium roseum* (auf verdorbenen Erdnüssen). *R. B* ($C_{30}H_{49}N_5O_7$, M_R 591,75, Schmp. 200–202 °C) ist ein cycl. Hexadepsipeptid der *Destruxin-Gruppe ([1]-*trans*-3-Methyl-destruxin A). *R. S* ($C_{23}H_{39}N_3O_8$, M_R 485,58) ist ein cycl. Pentadepsipeptid. R. B wirkt stark cytotox. u. insektizid. Die LD_{50} bei Küken (oral) liegt bei 12,5 mg/kg.

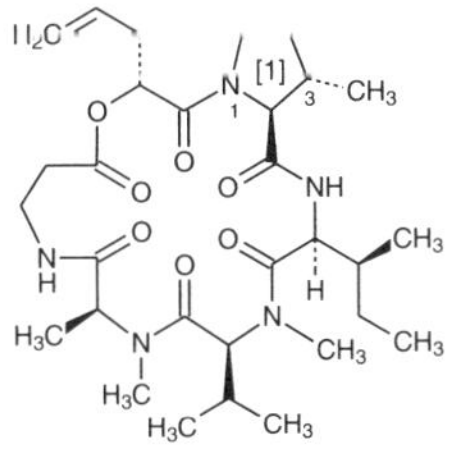

R. B 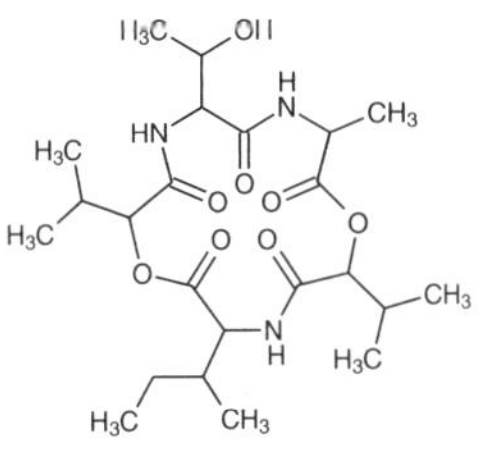 R. S

– ***E*** roseotoxins – ***F*** roséotoxines – ***I*** roseotossine – ***S*** roseotoxinas

Lit.: Fresenius Z. Anal. Chem. **330**, 152 (1988) ▪ J. Am. Chem. Soc. **106**, 2388–2400 (1984) ▪ J. Antibiot. **41**, 1868–1872 (1988) ▪ Wein-Wiss. **42**, 111–119 (1987). – *[CAS 55466-29-0 (R. B); 109267-08-5 (R. S)]*

Roses Metall. 1. Von Valentin Rose im 18. Jh. entwickelte *Schmelzlegierungen mit 35–50% Bi, 28–35% Pb u. 22–30% Sn mit Schmp. zwischen 79 u.

98 °C, vgl. Schmelzlegierung, die für *Schmelzsicherungen u. *Heizbäder Verw. finden.
2. Ehemalige Handelsbez. für Werkzeugstähle des Herst. Schmidt & Clemens, Kaiserau. – ***E*** Roses metal – ***F*** métal de Darcet – ***I*** metallo di Rose – ***S*** metal Rose

Rose-Tiegel s. Tiegel.

Rosé-Wein. Nach § 7 Absatz 1 der Wein-VO [1] darf die Bez. R.-W. bei Qualitätswein b. A. nur für einen ausschließlich aus hellgekeltertem *Most von Rotweintrauben hergestellten *Wein verwendet werden. R.-W., der aus *Weintrauben gewonnen ist, die von einer einzigen Rebsorte stammen u. nur in einem *b*estimmten *A*nbaugebiet (b. A.) geerntet werden, darf als *Weißherbst* bezeichnet werden. Weißherbst muß immer ein Qualitätswein od. ein Prädikatswein sein. Die Bez. *Rotling* darf nur für einen Wein von blaß- bis hellroter Farbe verwendet werden, der durch Verschnitt von Weißweintrauben mit Rotweintrauben (auch gemaischt) hergestellt ist. Für einen Qualitätswein b. A. darf nach § 7 Absatz 3 der Wein-VO [1] statt der Bez. Rotling die Bez. *Schillerwein* gebraucht werden, wenn die zur Herst. verwendeten Trauben ausschließlich in dem bestimmten Anbaugebiet Württemberg geerntet wurden. – ***E*** = ***F*** rosé – ***I*** rosé, rosato, rosatello – ***S*** rosado
Lit.: [1] Wein-VO vom 4. 8. 1983 in der Fassung vom 24. 8. 1990 (BGBl. I, S. 1834).
allg.: Belitz-Grosch (4.), S. 825 ▪ Würdig u. Woller, Chemie des Weines, Stuttgart: Ulmer 1989 ▪ Zipfel, C 403 *3*, 18, 19; C 404 *7*, 9–12. – *[HS 2204 21, 2204 29]*

Rosiersalz s. Zinnchloride.

Rosin. Engl. Bez. für *Kolophonium.

Rosinen. Werden Weintrauben nach der Lese an der Luft getrocknet, so erhält man je nach Rebsorte (z. B. Thompson Traube, *Vitis vinifera*) Trockenfrüchte, die als *Rosinen* (*Zibeben*), *Sultaninen* od. *Korinthen* bezeichnet werden. Während die dunkelfarbigen R. Kerne enthalten, sind die hellen Sultaninen kernlos. Die kleinen schwarzen Korinthen sind ebenfalls meist kernlos. Zur Zusammensetzung s. Tab. 1 u. 2.

Tab. 1: Zusammensetzung von Rosinen (Angaben in %).

Wasser	24,2
Eiweiß	2,2
Fett	0,5
verwertbare Kohlenhydrate	64,2
Ballaststoffe	7,0
Mineralstoffe u. Vitamine (vgl. Tab. 2)	1,9

Tab. 2: Vitamine u. Mineralstoffe in Rosinen (Angaben in mg/100 g).

Vitamin C	1,00
Carotinoide	0,03
Vitamin B_1	0,12
Vitamin B_2	0,06
Vitamin B_6	0,11
Niacin	0,50
Calcium	31,00
Eisen	3,00
Kalium	630,00
Magnesium	65,00
Natrium	144,00

*physiologischer Brennwert: 278 kcal (1164 kJ).

Zusatzstoffe: Als Überzugsmittel sind acetylierte Mono- u. Diglyceride von Speisefettsäuren (E 472 a), nicht aber *Paraffin zugelassen. Das Zusammenkleben der verpackten R. soll hiermit unterbunden werden. Zur Konservierung von R., nicht aber von Korinthen, ist nach Anlage 4, Liste A u. B der Zusatzstoff-Zulassungs-VO [1] *Schwefeldioxid bis 1000 mg/kg zugelassen. Dies ist durch die Angabe „geschwefelt" kenntlich zu machen. Das Bleichen von R. (z. B. mit Soda) ist nicht zulässig.
Verw.: Der Handel unterscheidet je nach Traubensorte, Herkunftsland, Größe u. Behandlungsart unterschiedlichste Qualitätsstufen, die v. a. im Haushalt sowie in der Backwaren- u. Süßwaren-Ind. Verw. finden (z. B. R.-Brötchen). Zur Marktsituation u. Importzahlen von R. s. *Lit.* [2]. – ***E*** raisins – ***F*** raisins secs – ***I*** uva passa – ***S*** pasas de uvas
Lit.: [1] Zusatzstoff-Zulassungs-VO vom 22. 12. 1981 in der Fassung vom 8. 3. 1996 (BGBl. I, S. 460). [2] Gordian **97**, 24–26 (1997).
allg.: Teufel, Lebensmittel-Lexikon L–Z, S. 436–437, Hamburg: Behr 1993. – *[HS 0806 20]*

Roskydal®. Härtbare ungesätt. *Polyesterharze mit u. ohne Paraffin-Zusatz, die für Lacke, Grundierungen u. Spachtelmassen Verw. finden. Zur Härtung mit *Styrol kommen die Einwirkungen von UV-Strahlung in Ggw. eines Photoinitiators, von Elektronenstrahlung (bei ungesätt. Acrylatharzen) od. von Radikalen (aus Peroxiden mit Cobalt-Beschleunigern od. Aminen) in Frage. ***B.:*** Bayer.

Rosmarinöl. *Etherisches Öl aus Rosmarin (*Rosmarinus officinalis*, Lamiaceae, Lippenblütler), verschiedene Varietäten, deren Blätter 1–3% R. enthalten. Es wird aus Blüten u. Blättern durch Wasserdampfdest. gewonnen, vorwiegend in Spanien, Tunesien u. Frankreich, daneben in Marokko, Algerien, Jugoslawien, Griechenland sowie den USA. Farblose bis gelbgrüne Flüssigkeit mit herb-krautigem, manchmal Lavendel-artigem, leicht Campher-artigem, erfrischendem Geruch, deren Zusammensetzung je nach Herkunft stark schwankt. D. 0,894–0,920, n_D^{20} 1,464–1,476. R. enthält als Hauptbestandteile 16–50% *Cineol, ca. 20% *Campher u. ca. 20% α-Pinen, nordafrikan. Öle 10, 40 u. 10%. Der Gehalt an Verbenon (s. Verbenol) ist wichtig für den Geruch.
R. findet Verw. in der Parfümerie, in Raumsprays, Desinfektions- u. Geruchsverbesserungsmitteln sowie in medizin. Bädern u. Salben gegen Durchblutungsstörungen, Muskelschmerzen, Hypotonie usw., im Lebensmittelbereich zur Aromatisierung von Fleisch u. Saucen, Bestandteil von Würzmischungen. Als *Wilder Rosmarin* werden verschiedene Pflanzen bezeichnet, u. a. Gamander- u. Porst-Arten sowie die Rosmarinheide (*Andromeda polifolia*, Heidekrautgewächs), die aufgrund ihres Gehalts an *Andromedotoxin stark giftig ist. – ***E*** rosemary oil – ***F*** essence de rosmarin – ***I*** olio di rosmarino – ***S*** aceite de romero
Lit.: Bauer et al. (2.), S. 173 ▪ Braun (6.), S. 490 ff. ▪ Curr. Res. Med. Aromat. Plants **9**, 185–198 (1987) ▪ DAB **10** ▪ Gildemeister **7**, 2 ff. ▪ H & R Contact **45**, 3–7 ▪ Janistyn **2**, 73 f. ▪ Perfum. Flavor. **14** (2), 49 (1989); **16** (2) 59 (1991); **17** (6) 57 (1992); **20** (1), 47 (1995) ▪ Roth u. Kormann, S. 175, 257. – *[HS 3301 29; CAS 8000-25-7]*

Rosmarinsäure.

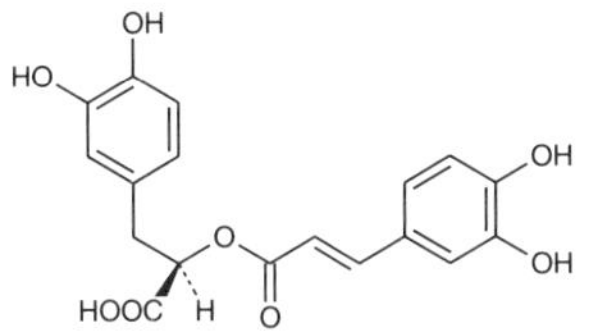

$C_{18}H_{16}O_8$, M_R 360,31, Krist., Schmp. (Dihydrat) 204 °C (Zers.), $[\alpha]_D^{20}$+145°. Inhaltsstoff von *Rosmarinus officinalis*, aber auch anderen Lamiaceen u. anderen Pflanzenfamilien. Kommt häufig zusammen mit *Chlorogensäure vor. R. hat entzündungshemmende Eigenschaften. – ***E*** rosmarinic acid – ***F*** acide rosmarinique – ***I*** acido rosmarinico – ***S*** ácido rosmarínico

Lit.: Agents Actions **19**, 376 (1986) ▪ Antiviral Chem. Chemother. **4**, 235 (1993) ▪ Beilstein E IV **10**, 2046 ▪ Can. J. Chem. **75**, 1783–1794 (1997) (Synth.) ▪ Planta **137**, 287 (1977); **147**, 163 (1979) ▪ Recl. Trav. Chim. Pays-Bas **110**, 199 (1991). – *[CAS 20283-92-5]*

Rosolsäure. Trivialname für das als Indikator verwendete *Aurin (*p*-Rosolsäure), wie auch für dessen mit *o*-Kresol hergestelltes Monomethyl-Derivat.

Rosoxacin (Rp).

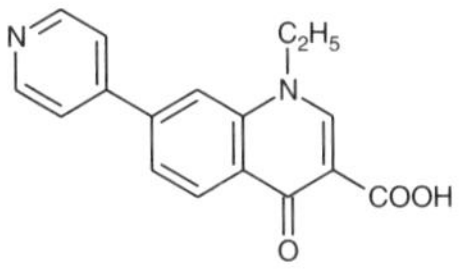

Internat. Freiname für das nur bei Gonorrhöe anwendbare *Antibiotikum (Gyrasehemmer) 1-Ethyl-1,4-dihydro-4-oxo-7-(4-pyridyl)-3-chinolincarbonsäure, $C_{17}H_{14}N_2O_3$, M_R 294,31, gelbe Krist., Schmp. 290 °C; λ_{max} (CH_3OH) 271, 318 nm ($A_{1cm}^{1\%}$ 154, 31,8), pK_a 8,1, lichtempfindlich. R. wurde 1972 u. 1973 von Sterling patentiert. – ***E*** rosoxacin – ***F*** rosoxacine – ***I*** = ***S*** rosoxacina

Lit.: ASP ▪ Hager (5.) **9**, 533 ff. ▪ Martindale (31.), S. 169 ▪ Ullmann (5.) **A 6**, 181 f. – *[HS 2933 40; CAS 40034-42-2]*

Roßkastanie s. Kastanien.

Ross-Miles-Test. Meth. zur Bestimmung des Schaumvermögens von *Tensiden.

Roßminze s. Pfefferminze.

Rost. 1. In seiner geläufigsten Bedeutung ist R. eine Bez. für die durch *Rosten, d. h. *Korrosion von *Eisen od. *Stahl an der Luft, in Wasser od. in wäss. Lsg. entstehenden Eisenoxide u. -hydroxide, die durch ihre charakterist. gelbrote bis -braune Färbung auffallen. *Frischer R.* ist sehr voluminös, hellgelb bis hellbraun gefärbt, wasserreich, arm an Fe_3O_4 u. leicht lösl. in 1-m HCl. *Alter R.* hat ein geringeres Vol., ist grau bis schwarz, wasserarm (beim Erhitzen auf 350–400 °C wasserfrei), reicher an stabilem Fe_3O_4 [dieses bildet schwarze Einschlüsse in Kriställchen von γ-FeO(OH)] u. schlecht lösl. in verd. Säuren. Innerhalb von 3–4 Monaten erhärtet der R. u. wird von kalten verd. Säuren kaum, von warmen verd. Säuren schwer angegriffen. Endglieder des Rostens sind stets FeO(OH) u. Fe_3O_4 (Magnetit). Beim Erwärmen in Salzsäure löst sich der R. allmählich unter Bildung von braunem Eisen(III)-chlorid auf. Um jedoch einen Säureangriff auf das Metall zu hemmen, setzt man *Sparbeizen zu. R.-Schichten sind zumeist porös u. schlecht haftend; sie schützen die Metalloberfläche nicht vor weiterem Angriff. Zur Bildung von R. (*Eisen-R.*) ist neben Luftsauerstoff als Oxid.-Mittel auch Wasser in flüssiger Form erforderlich. Da die Ausbildung eines Wasseradsorptionsfilms notwendig ist, entsteht R. erst oberhalb einer relativen Luftfeuchtigkeit von 70%. R. ist kein einheitliches Oxid. Im R. sind neben dem sich vorübergehend bildenden Eisen(II)-hydroxid rotbraunes Eisen(III)-oxidhydrat in zwei unterschiedlichen Kristallformen u. ein dunkler gefärbtes wasserhaltiges Oxid enthalten, s. a. Eisenhydroxide. Bei letzterem handelt es sich um hydratisierten Magnetit ($Fe_3O_4 \cdot xH_2O$), also ein Eisen(II)-Eisen(III)-oxidhydrat. Das techn. Eisen bildet in Berührung mit Wasser langsam weißgrünliches Eisen(II)-hydroxid u. Wasserstoff. Das gebildete Eisen(II)-hydroxid ist bei Anwesenheit von Luftsauerstoff nicht stabil u. wird rasch zu gelbem bis braunem Eisen(III)-hydroxid oxidiert. Bei Anwesenheit ausreichender Mengen an Sauerstoff entsteht die α-Form des Eisen(III)-oxidhydrats [α-FeO(OH)]; unter Sauerstoff-Mangel wird die Bildung von dunkelgrün bis schwarz gefärbtem Eisen(II)-Eisen(III)-hydrat als Zwischenstufe beobachtet.

Als *Fremd-R.* wird die Ablagerung von R. auf fremden Metalloberflächen bezeichnet. *Flug-R.* nennt man die beginnende Rost-Bildung auf Eisen u. Stahl an der Atmosphäre u. *Passungs-R.* den durch Reibkorrosion (örtlich durch Reibung ohne Wärme-Einwirkung stattfindende Korrosion) entstandenen Rost.

Zur Beseitigung des R. von Eisen- u. Stahlflächen dienen *Entrostungsmittel (s. a. Beizen) u. *Rostumwandler, der Verhütung der R.-Bildung dagegen *Rostschutz-Maßnahmen wie *Phosphatieren u. Behandlung mit *Korrosionsschutzmitteln. *Nicht* als R. bezeichnet man Oxid.-Schichten als Folgen des *Anlaufens u. *Anlassens sowie den *Zunder, s. a. Korrosion u. nichtrostende Stähle.

2. Im übertragenen Sinne ist *Weißer Rost* ein Korrosionsprodukt auf Zink, das in Ggw. von Wasser od. wäss. Lsg. auf Zink-Oberflächen entsteht, leicht entfernbar ist u. keine Schutzwirkung ausübt. – ***E*** rust – ***F*** rouille – ***I*** ruggine – ***S*** herrumbre, orín

Lit.: Nürnberger, Korrosion u. Korrosionsschutz im Bauwesen, Bd. 1, S. 22 ff., 215 ff., Wiesbaden: Bauverl. GmbH 1995 ▪ Shreir (Hrsg.), Corrosion (2.), S. 3-3 ff., London: Butterworths 1976.

Rosten. Eisen sowie unlegierte u. niedriglegierte Stähle sind im Kontakt mit Sauerstoff-haltigem Wasser chem. nicht beständig; das Wasser kann dabei auch als Kondensatfilm auf der Metalloberfläche vorliegen. Die zwischen dem Sauerstoff u. dem Eisen ablaufende Reaktion wird als R. bezeichnet. Die Endprodukte dieses Korrosionsprozesses, der als Umkehrung der Eisen-Metallurgie aufgefaßt werden kann u. mit einer entsprechenden Verminderung der inneren Energie verbunden ist, werden summar. als *Rost bezeichnet. Diese heterogenen Produkte sind porig u. haften nur unzureichend auf der Oberfläche, d. h. sie wirken nicht als Schutz gegen weiteres Rosten. Durch den Zusatz geeigneter Leg.-Elemente wie z. B. Cu entstehen aber *schwerrostende* (rostträge, wetterfeste) Stähle, da die entstehende Rostschicht wesentlich dichter ist u. fest haftet. Bei Zusätzen von >13% Cr zu Eisen bildet sich an der Oberfläche im Kontakt mit Sauerstoff eine sehr dünne, undurchlässige u. festhaftende Cr_2O_3-Schicht hoher Stabilität, die das Metall von der Umgebung trennt u. damit den Stahl *rostbeständig* (rostfrei, nichtrostend, korrosionsbeständig) macht, s. nichtrostende Stähle. – ***E*** rusting – ***F*** rouillage – ***I*** arrugginimento – ***S*** formación de herrumbre

Lit.: s. nichtrostende Stähle u. Rost.

Rostentfernungsmittel s. Entrostungsmittel, Sparbeizen, Rostumwandler.

Rostfreier Stahl s. Edelstahl, nichtrostende Stähle u. Stahl.

Rostlöser s. Entrostungsmittel.

Rostprimer s. Rostumwandler.

Rostschutz. Gebräuchl. Sammelbegriff für alle Verf. des *Korrosionsschutzes von metall. Werkstoffen, im besonderen verwendet für einen Schutz von Eisen-Werkstoffen, die die Tendenz zum *Rosten im Kontakt mit feuchter Atmosphäre zeigen, durch wirksames Trennen der Metalloberfläche von der aggressiven Umgebung. Die eingesetzte trennende Phase kann flüssig, fest od. gasf. sein, mit unterschiedlichen Kräften an der Oberfläche haften u. temporär od. langzeitig wirken. In der Regel setzt jede Art eines funktionsfähigen R. eine geeignete Vorbereitung der zu schützenden Oberfläche voraus, beispielsweise durch Entrosten, Entzundern, Reinigen u./od. Entfetten.
Durch *temporären* R. wird das Bauteil für die Dauer eines Transports, einer Lagerung, einer Verarbeitung od. eines Anlagenstillstands geschützt. Kennzeichen für einen temporären R. ist nicht nur dessen Schutzfunktion, sondern auch seine leichte Entfernbarkeit. Ein *langzeitiger* R. wird durch anorgan. od. organ. Überzüge (Beschichtungen) erreicht. Bei den *anorgan. Beschichtungsstoffen* dominieren die *Metallüberzüge bzw. -beschichtungen*, die je nach der Kombination Grundmetall/Schichtmetall kathod. (das Schichtmetall ist elektrochem. „edler" als der Grundwerkstoff; im Falle von Stahlbauteilen z. B. Cr) od. anod. wirksam sind (das Schichtmetall ist elektrochem. „unedler", hat also in einer aggressiven Umgebung eine anod. Schutzfunktion, d. h. wirkt als Opferanode; im Falle von Stahlbauteilen z. B. Zn, Mg). Hinsichtlich der Beschichtungsverf. wendet man in Abhängigkeit vom Einsatzzweck galvan. Meth., Schmelztauchverf. od. Spritz-, Schweiß- u. Walzplattieren an. Bei *anorgan.-nichtmetall. Beschichtungen* unterscheidet man zwischen Beschichtungen, die auf dem Grundwerkstoff aufwachsen (Oxid-, Phosphat-, Chromatüberzüge) u. solchen, die aufgebracht werden (z. B. Emails). Außerordentliche prakt. Bedeutung haben *organ. Beschichtungen* (Lacke, Anstrichsyst.), die durch Rollen, Streichen, Spritzen (Hochdruck od. elektrostat.) od. Tauchen aufgebracht werden, anschließend physikal. trocknen od. chem. härten u. dabei einen undurchlässigen, festhaftenden u. chem. resistenten Schutzfilm bilden. Aus Gründen des Umweltschutzes werden die dazu bislang vorwiegend verwendeten organ. Lsm. zunehmend durch Wasser ersetzt. Ein Sonderverf. ist das Eintauchen der zu schützenden, vorgewärmten Bauteile in ein Wirbelbett aus organ. Pulver; s. a. Korrosionsschutz u. Korrosionsschutzmittel. Die volkswirtschaftliche Auswirkung des R. in seiner allg. Bedeutung ist erheblich. Nach Schätzungen liegen die jährlichen Verluste durch Korrosion in der Größenordnung von 4% des Bruttosozialprodukts bzw. 4% des Umsatzes einzelner Industrien [1]. – ***E*** rust-proofing – ***F*** protection contre la rouille – ***I*** protezione contro la ruggine – ***S*** protección anticorrosiva (antioxidante, antiherrumbre)

Lit.: [1] Stainless Steel World **1996** (May), 25–29.
allg.: DIN 50902: 1994-07 ▪ Inst. für Korrosionsschutz Dresden (Hrsg.), Vorlesungen über Korrosion u. Korrosionsschutz von Werkstoffen, Teil II: Korrosionsschutz, S. 109 ff., Wuppertal: TAW-Verl. 1997.

Rostumwandler. Geläufige Bez. für solche Stoffe, die auf vorgereinigte, rostige Stellen gebracht werden u. dort den *Rost in unschädliche chem. Verb., meist Phosphate, umwandeln, die ihrerseits wieder eine Schutzschicht auf der Metalloberfläche bilden u. begrenzt gegen weiteres *Rosten schützen. Auf diese Schichten können dann organ. Beschichtungen aufgebracht werden. Die R. sind meist Gemische aus Phosphorsäure (zu möglichen chem. Umwandlungen s. Phosphatieren), Netzmitteln (Herabsetzung der Oberflächenspannung, um gründliches Eindringen der Phosphorsäure zu ermöglichen), Lsm. (Beseitigung von öligen u. fettigen Verunreinigungen), Sparbeizen, Beschleunigern u. a. Inhaltsstoffen; es sind auch Mittel auf der Basis von Tannin (s. Tannine) im Handel. R. finden auch Verw. in Kombination mit Grundiermitteln u. Füllstoffen (*Rostprimer*).
So einleuchtend die Theorie der Wirkung der R. ist, so schwierig ist die Übertragung in der prakt. Anw., weil es im allg. nicht möglich ist, die notwendigen Mengen u. Zusammensetzungen von R. mit dem vorhandenen Rost genau abzustimmen. Zuviel R. hinterläßt ein saures Medium, zuwenig R. unveränderten Rost u. damit den Ausgangspunkt für neues Rosten. Demgegenüber sind die R. zur chem. Entrostung problemlos in der Fertigung anwendbar, weil dort der Überschuß der einwirkenden Lsg. abgespült u. neutralisiert werden kann. – ***E*** rust converters – ***F*** stabilisateurs de rouille – ***I*** convertitore della ruggine – ***S*** convertidores de herrumbre

Lit.: s. Rost. – *[HS 3824 90]*

Rotalgen s. Algen u. Carrageen.

Rotamere s. Konformation, Rotation u. vgl. Isomerie.

Rotane. Von Ripoll u. Conia geprägte Bez. für Cyclopropan-Ringe enthaltende polycycl. *Spiro-Verbindungen. Der kleinste Vertreter dieser Verb.-Klasse [*3*]-Rotan (Tricyclopropyliden, C_9H_{12}, M_R 120,11, Schmp. 29–31 °C) ist therm. sehr stabil.

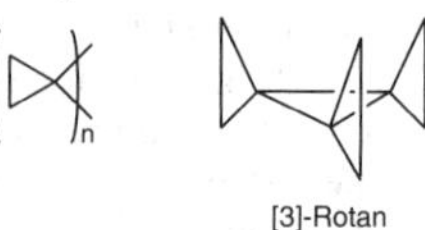

[3]-Rotan

– ***E*** = ***F*** rotanes – ***I*** rotani – ***S*** rotanos

Lit.: Angew. Chem. **85**, 349 f. (1973); **88**, 803 ff. (1976) ▪ s. a. Ringsysteme. – *[CAS 31561-59-8]*

Rotanilin s. Anilin.

Rotation (von latein.: rotare = drehen). 1. Als *optische R.* bezeichnet man bei opt. aktiven Stoffen die *Drehung* der Polarisationsebene des Lichtes um einen von der Stoffzusammensetzung abhängigen Winkel, s. optische Aktivität u. Rotationsdispersion.
2. Ebenfalls als *Drehung* od. R. bezeichnet man eine – mittels *Gruppentheorie mathemat. beschreibbare – *Symmetrieoperation, die, an einem Krist. ausgeführt, bei 180°, 120°, 90° od. 60° R. um die Drehachse deckungsgleiche Bilder entstehen läßt, was ein wichtiges Kennzeichen einiger *Kristallsysteme darstellt.
3. Bewegungsform einzelner Mol.; Zweiatomige u. lineare mehratomige Mol. haben 2 *Rotationsfreiheitsgrade*, gewinkelte drei- u. mehratomige haben 3 R.-Freiheitsgrade. Die R. ist quantisiert, d.h. die Aufnahme od. Abgabe von Rotationsenergie erfolgt in Form diskreter Energieportionen (s. Quanten). In Flüssigkeiten u. Festkörpern sind R. nur eingeschränkt möglich, vgl. plastische Kristalle.
4. Von *interner R.* in Mol. spricht man bei der Drehung von Atomgruppierungen um *Einfachbindungen, von der man heute weiß, daß sie aus ster. (s. sterische Hinderung) od. elektron. Gründen stark eingeschränkt sein kann. Fälle von Stereoisomerie, die durch Behinderung der Drehbarkeit um Einfachbindungen zustandekommen, bezeichnet man auch als *Rotationsisomerie*. Hierbei unterscheidet man zwei nicht scharf abzugrenzende Fälle, nämlich *Atropisomerie u. Konformationsisomerie, je nachdem, ob die Stereoisomeren faßbar od. nicht faßbar sind. Im zweiten Falle sind die *Rotationsisomeren* (*Rotameren*) – außer in bes. günstigen Fällen (*Lit.*[1]) – prakt. nicht isolierbar, weil die Energiebarriere für den Übergang ineinander sehr niedrig ist; Näheres s. bei Konformation. Zum Nachw. gehinderter R. um C–C-, C–N-, C–O- u.a. Einfachbindungen eignet sich die *NMR-Spektroskopie. Nicht nur von theoret. Interesse, sondern auch von Auswirkungen auf die Viskosität u.a. mechan. Eigenschaften ist die interne R. bei Polymeren, womit sich insbes. *Flory beschäftigt hat. – ***E*** = ***F*** rotation – ***I*** rotazione – ***S*** rotación

Lit.: [1] Chem. Unserer Zeit **17**, 21–30 (1983).
allg.: Lister et al., Internal Rotation and Inversion, London: Academic Press 1978.

Rotationsanregung. Anregung von einem od. mehreren Rotations-*Quanten eines Mol. durch *Absorption elektromagnet. Strahlung im Mikrowellen-, Millimeterwellen- od. im fernen Infrarotbereich (s. Rotationsspektren) od. durch Stöße mit Elektronen, Atomen od. Mol. (s. *Lit.*[1]); s.a. Rotation. – ***E*** rotational excitation – ***F*** excitation rotationnelle – ***I*** eccitazione rotazionale – ***S*** excitación rotacional

Lit.: [1] Annu. Rev. Phys. Chem. **27**, 225–260 (1976).

Rotationsdispersion. Als opt. R. (ORD) bezeichnet man die Abhängigkeit des opt. Drehvermögens eines opt. aktiven Stoffes (s. optische Aktivität) von der Wellenlänge des linear polarisierten Lichtstrahls. Bei nicht opt. aktiven Stoffen nimmt der Brechungsindex mit abnehmender Wellenlänge des Lichts stetig zu (*Dispersion). Für den Drehwinkel [α] eines opt. aktiven Stoffes bedeutet dies, daß er zu- od. abnehmen kann (s. Abb.). Diese sog. normale ORD wird im Bereich von Absorptionsbanden gestört. Man spricht vom sog. *Cotton-Effekt, den man als *positiv* definiert, wenn [α] beim Fortschreiten von längeren zu kürzeren Wellenlängen (λ) zuerst einen *Peak (Gipfel) u. *danach* ein trough (Tal) durchläuft (Abb. a); für *negative* Cotton-Effekte gilt das Umgekehrte (Abb. b). Ausführlichere Definitionen zu den erwähnten Begriffen s. *Lit.*[1].

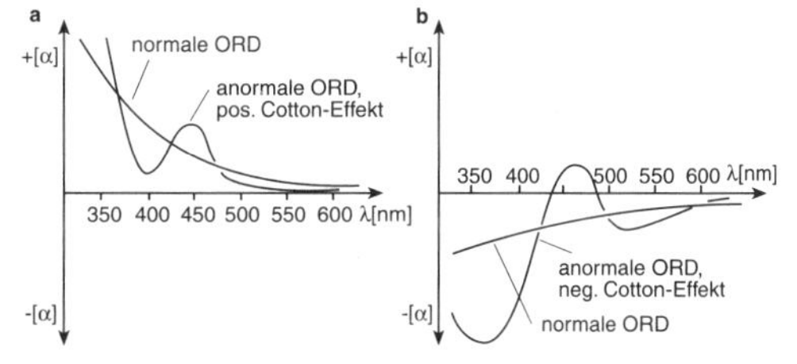

Abb.: ORD mit unterschiedlichen Cotton-Effekten.

Als eine der wichtigeren *chiropt. Meßmethoden* (vgl. Chiralität) hat die Messung der ORD seit den 50er Jahren zur Untersuchung der *Stereochemie von Naturstoffen große Bedeutung erlangt, wobei bes. die auf Ergebnissen von T. M. *Lowry aufbauenden Untersuchungen von *Djerassi u. *Snatzke bahnbrechend gewirkt haben. Im Handel sind automat. registrierende *Spektralpolarimeter*, mit denen der Wellenlängenbereich bis ins Ultraviolett durchmessen werden kann. Einige Geräte gestatten auch die Bestimmung des *Circulardichroismus. Zur Messung benutzt man dieselben Lsm. wie in der herkömmlichen Polarimetrie (s. optische Aktivität); in bestimmten Fällen kann die Verw. nemat. *Flüssiger Kristalle als Lsm. zweckmäßig sein (*Lit.*[2]). Die Aufnahme der ORD-Kurven einheitlicher Substanzen u. die Interpretation der Cotton-Effekte erlauben Aussagen über die Molekülgeometrie, d.h. die Festlegung relativer, ggf. auch abs. *Konfigurationen einzelner chiraler Zentren (s. Chiralität) u. der *Konformation der Molekeln. Dabei hat sich die zunächst empir. abgeleitete *Oktantenregel bewährt: Auch bei opt. isotropen Verb. kann man eine – allerdings erst unter dem Einfluß eines angelegten Magnetfeldes erzwungene – ORD beobachten, diese Erscheinung ist als *MORD bekannt geworden. – ***E*** optical rota[to]ry dispersion, ORD – ***F*** dispersion rotatoire optique, DRO – ***I*** dispersione rotatoria – ***S*** dispersión rotatoria óptica

Lit.: [1] Pure Appl. Chem. **59** (1987). [2] Angew. Chem. **89**, 830–832 (1977).
allg.: Analyt.-Taschenb. **1**, 217–244 ▪ Charney, The Molecular Basis of Optical Activity, New York: Wiley 1979 ▪ Chem. Unserer Zeit **15**, 78–87 (1981); **16**, 160–168 (1982) ▪ s.a. Chiralität, Circulardichroismus, Stereochemie.

Rotationsguß. Bez. eines Gießverf., das insbes. für die Fertigung von Weich-*PVC-Hohlkörpern Bedeutung erlangt hat. Dazu wird PVC-*Plastisol in eine Verarbeitungsform eingebracht. Diese wird dann so zur Rotation gebracht, daß sich das Plastisol gleichmäßig über die Wandungen der Form verteilt. Gleichzeitig wird die Form erhitzt, um das Plastisol zu gelatinieren. Danach wird die Form abgekühlt u. der entstandene Hohlkörper entnommen.

Daneben hat das R.-Verf. für die Herst. thermoplast. Artikel aus vor allem *Polyethylen, *Polypropylen, *Polyamiden, *Polycarbonaten u. *Poly(ethylenterephthalat) Bedeutung erlangt. Diese *Thermoplaste werden im Gegensatz zum PVC als Pulver eingesetzt. Die Wandstärke der entstehenden Hohlkörper wird durch die Füllmenge u. die Rotationsgeschw. der Form bestimmt. – ***E*** rotational casting, rotation(al) mo(u)lding – ***I*** stampaggio rotazionale – ***S*** fundición rotativa

Rotationsisomere s. Konformation u. Rotation.

Rotationskonstanten. Aus hochaufgelösten *Molekülspektren (z. B. *Rotationsspektren, *Rotationsschwingungsspektren od. Elektronenspektren) erhältliche Größen, die entweder in Wellenzahl-Einheiten (cm^{-1}) od. Frequenz-Einheiten (MHz) angegeben werden. Die R. sind den *Hauptträgheitsmomenten* umgekehrt proportional. Daher läßt sich aus ihnen die geometr. Struktur eines Mol. bestimmen, sofern genügend Daten vorhanden sind (im allg. ist *Isotopen-Substitution erforderlich). Asymmetr. Kreisel-Mol. wie H_2O haben 3 verschiedene Hauptträgheitsmomente u. damit 3 verschiedene Rotationskonstanten. Für den Schwingungs-*Grundzustand von H_2O haben die R. die Werte (in MHz) A_0 = 835 840, B_0 = 435 352 u. C_0 = 278 139. Die Abhängigkeit der R. vom jeweiligen Schwingungszustand wird näherungsweise durch die folgende Formel beschrieben:

$$B_v = B_e - \sum_i \alpha_i (v_i + d_i/2).$$

Analoges gilt für A_v u. C_v. In der Formel ist B_e eine *Gleichgewichts-Rotationskonstante*. Der Index i steht für eine bestimmte Schwingungsmode mit Entartungsgrad d_i (1 für alle Schwingungsmoden eines asymmetr. Kreisels). Mit v_i wird die *Schwingungsquantenzahl u. mit α_i die Rotationsschwingungs-Kopplungskonstante bezeichnet. Aus den Gleichgew.-R. lassen sich *Gleichgewichtsgeometrien bestimmen; s. a. Molekülspektren. – ***E*** rotational constants – ***F*** constantes rotationnelles – ***I*** costanti rotazionali – ***S*** constantes rotacionales

Lit.: *Landolt-Börnstein, Neue Serie, Bd. 6, Berlin: Springer 1974 ▪ s. a. IR-Spektroskopie, Mikrowellen-Spektroskopie u. Molekülspektren.

Rotationsquantenzahl(en). Quantenzahl(en) zur Charakterisierung des Rotationszustands eines Moleküls. Der mit der Mol.-*Rotation verknüpfte Drehimpuls ist quantisiert; seine R. wird mit *J* bezeichnet u. kann die Werte 0, 1, 2, ... usw. annehmen (s. a. Drehimpulsquantenzahl). Quantisierung liegt auch bezüglich einer raumfesten Achse vor; die zugehörige R. *M* hat den Wertebereich $-J \leq M \leq J$. Bei *symmetr. Kreisel*-Mol. gibt es noch eine weitere R., die mit *K* bezeichnet wird u. der Projektion des gesamten Rotations-Drehimpulses auf die Figurenachse des Kreisels zugeordnet ist. – ***E*** rotational quantum number(s) – ***F*** nombre quantique de rotation – ***I*** numero quantico rotazionale – ***S*** número cuántico de rotación

Lit.: s. Mikrowellen-Spektroskopie u. Molekülspektren.

Rotationsschwingungsspektrum. Bez. für *Molekülspektren, in denen die gleichzeitige Änderung des Rotations- u. des Schwingungszustands eines Mol. beobachtet wird. Die Abb. zeigt den relativ einfachen Fall eines zweiatomigen Mol. (CO). Die *Auswahlregeln $\Delta v = 1$ (in *Absorption) u. $\Delta J = \pm 1$ (v: Schwingungsquantenzahl, J: Rotationsquantenzahl) erklären das Aussehen des Spektrums.

Jede Absorptionslinie entspricht einem Übergang von einem Rotationszustand des Schwingungsgrundzustands in einen um $\Delta J = \pm 1$ geänderten Rotationszustand des angeregten Schwingungszustands. Übergänge mit $\Delta J = -1$ ergeben den sog. P-Zweig, solche mit $\Delta J = +1$ den R-Zweig des Spektrums. Die Frequenzen (in cm^{-1}) der einzelnen Übergänge lassen sich näherungsweise mit der Formel

$$\Delta E/hc = \nu_0 + [(B' - B'')\, m \pm 2B'']\,(m + 1)$$
mit m = 0, 1, 2, 3, ..., + u. ′ = R-Zweig, – u. ″ = P-Zweig

beschreiben, in der ν_0 die Frequenz des nicht beobachtbaren rotationslosen Schwingungsübergangs ist, B″ bzw. B′ die Rotationskonstante im Schwingungsausgangs- bzw. Schwingungsendzustand u. m eine Laufzahl sind (h = Plancksches Wirkungsquantum, c = *Lichtgeschwindigkeit). Für genauere Zwecke ist die Zentrifugaldehnung (s. Zentrifugaldehnungskonstante) zu berücksichtigen. R. treten im Wellenlängenbereich der *IR-Spektroskopie u. bei der *Raman-Spektroskopie auf u. werden bei der Aufnahme von Gasphasenspektren beobachtet. – ***E*** vibration-rotation

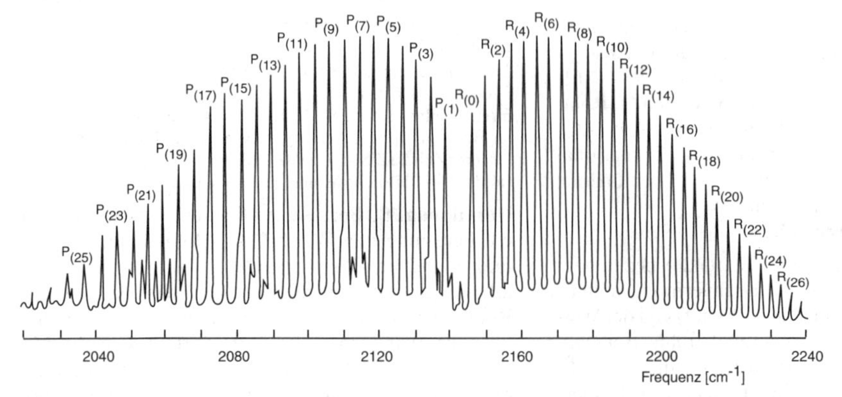

Abb.: Hochaufgelöstes Rotationsschwingungsspektrum des $^{12}C^{16}O$. Die Linien sind nach der Rotationsquantenzahl des Ausgangszustands (J″) benannt. Der P-Zweig ist durch die Überlagerung des $^{13}C^{16}O$-Spektrums gestört.

spectrum – ***F*** spectre de rotation-vibration – ***I*** spettro di rotazione-vibrazione – ***S*** espectro de rotación-vibración
Lit.: s. Schwingungsspektroskopie u. Spektroskopie

Rotationsspektren. Bez. für *Molekülspektren, die aus der Anregung der *Rotation von Mol. resultieren. R. werden beobachtet im Fernen Infrarot (s. IR-Spektroskopie) u. im Mikrowellenbereich (s. Mikrowellen-Spektroskopie), allerdings nur bei Mol. mit einem permanenten *Dipolmoment. R. sind also zu beobachten bei HCl, nicht aber bei Cl_2 od. H_2. Durch asymmetr. *Isotopen-Substitution resultiert aber ein kleines permanentes Dipolmoment, z. B. bei HD, wodurch sich – wenn auch nur schwache – R. messen lassen. Die Analyse von R. liefert *Rotationskonstanten (s. a. Molekülspektren), aus denen sich Information über die geometr. Struktur des Mol. erhalten läßt. Die Veränderung der R. beim Anlegen eines elektr. Feldes (*Stark-Effekt*) erlaubt die Bestimmung elektr. Dipolmomente. – ***E*** rotational spectra – ***F*** spectres de rotation – ***I*** spettri rotazionali – ***S*** espectros de rotación
Lit.: s. IR-Spektroskopie, Mikrowellen-Spektroskopie u. Molekülspektren.

Rotationsverdampfer. Ein bes. für den Laboratoriumsgebrauch entwickeltes Gerät zum schonenden *Eindampfen von Lsg. (Einstufen- od. Geradeausdest., s. Destillation, S. 914). Als Verdampfungselement dient ein Heizbad mit rotierender Blase, in der die Flüssigkeit durch die Drehbewegung als dünner Film auf den heißen Wandflächen verteilt wird u. leicht verdunsten kann (*Dünnschichtverdampfung). Die Verdampferleistung wird durch Heizbadtemp., Blasengröße, Destillationsdruck u. Rotationsgeschw. reguliert. Bei Vakuumdest. hängt der erreichbare Arbeitsdruck von der Vakuumfestigkeit des Kupplungsteiles ab. – ***E*** rotatory (film) evaporators – ***F*** évaporateurs rotatifs – ***I*** evaporatore rotativo – ***S*** evaporadores rotatorios
Lit.: ACHEMA-Jahrb. **1991**, 2729.10 ▪ Int. Lab. **15**, Nr. 5, 106–109 (1985) ▪ Organikum (20.), S. 45 f. ▪ s. a. Destillation.

Rotations-Viskosimeter s. Viskosimetrie.

Rotationswäscher. *Naßwäscher mit rotierenden Einbauten, je nach Bauart zur *Entstaubung (s. a. Naßabscheider) u. zur Beseitigung gasf. Abgasbestandteile geeignet. Beim R. wird die Waschflüssigkeit durch drehende Einbauten verdüst. Da die Energie zur Tropfen-Zerstäubung nicht aus dem Gasstrom entnommen wird, sind R. unanfällig gegen Gasdurchsatzschwankungen u. verursachen nur einen kleinen Druckverlust (unter 10 mbar). Beim Scheiben-R. (auch Rotationszerstäuber) wird das Waschmedium auf eine od. mehrere rotierende Scheiben gegeben. Beim Rotationssprühwäscher wird das Waschmedium über einen gelochten Sprühkegel zerstäubt. Im Kreuzschleier-R. sind zwei gegenläufig rotierende Achsen mit alternierend angebrachten, gerieften Scheiben parallel so über dem Waschmedium angebracht, daß die rotierenden Scheiben etwa zu einem Viertel in das Medium eintauchen. Sie erzeugen senkrechte Flüssigkeitsschleier, die der Abgasstrom horizontal quert. Rotationskolonnen haben rotierende Drehbänder, Spiralen, Zylinder od. Segmente als Einbauten. – ***E*** rotary scrubber

Lit.: Vauck u. Müller, Grundoperationen chem. Verfahrenstechnik (9.), S. 264, 746 ff., 819, Leipzig: Dtsch. Verl. für Grundstoffindustrie 1992 ▪ Vogl et al. (Hrsg.), Handbuch des Umweltschutzes (3.), Bd. 2, II-2.7.1, S. 22 ff., Landsberg: ecomed, Loseblatt-Sammlung, Stand 1997.

Rotaxane. Von G. Schill geprägte Bez. für eine mit den *Catenanen verwandte Gruppe sperriger organ. „Verb." aus jeweils zwei Molekülen. Diese sind miteinander nicht durch chem. Bindung verbunden, sondern mechan. nach Art eines auf eine Achse gesteckten u. durch zwei Splinte gesicherten Rades; *Beisp.:* Das hypothet. [2]-[1.1.1.12.12.12-Hexaphenyldodecan]-[cycloeicosan]-rotaxan.

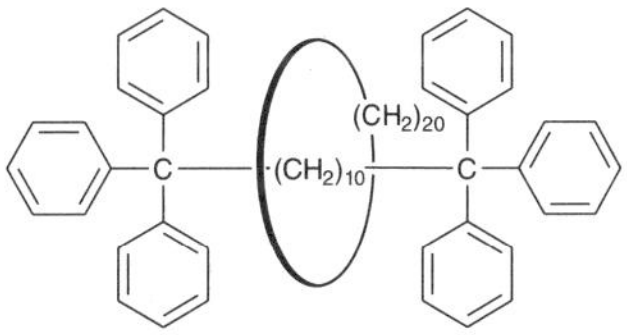

R. galten lange Zeit als exot., schwer zugängliche Verb., die nur theoret. interessant sind. Die verbesserten Herst.-Meth. u. die Erkenntnis, daß R. auch in biolog. Syst. – z. B. im Zusammenhang mit Geißelmotoren von Bakterien – eine Rolle spielen, haben sie zu interessanten Forschungsobjekten gemacht; s. a. supramolekulare Chemie. – ***E*** = ***F*** rotaxanes – ***I*** rotaxani – ***S*** rotaxanos
Lit.: Acc. Chem. Res. **23**, 319 (1990); **26**, 469 (1993) ▪ Angew. Chem. **106**, 389 (1994); **109**, 967 (1997) ▪ Chem. Rev. **87**, 795 (1987); **95**, 2725 (1995) ▪ March (4.), S. 91 ▪ Prog. Polym. Sci. **19**, 843 (1994) ▪ Pure Appl. Chem. **67**, 233 (1995) ▪ Schill, Catenanes, Rotaxanes and Knots, New York: Academic Press 1971 ▪ s. a. supramolekulare Chemie.

Rotbleierz s. Krokoit.

Rote Be(e)te s. Rote Rüben.

Rote Fetthenne s. Mauerpfeffer.

Roteisenerz, Roteisenstein s. Hämatit.

Rote Kohle s. Kohlensuboxid.

Rote Liste®. Die „R. L." ist das Verzeichnis der von den Mitgliedern des *Bundesverbandes der Pharmazeutischen Industrie, des Verbandes forschender Arzneimittelhersteller, des Bundesfachverbandes der Arzneimittel-Hersteller u. des Verbandes aktiver Pharmaunternehmen hergestellten Fertigarzneimittel. Das seit 1935 herausgegebene, seit 1974 jährlich erscheinende Werk – es wird Ärzten u. Apotheken unentgeltlich zugesandt – ist in 88 Stoff- bzw. Indikationsgruppen gegliedert u. enthält außerdem Angaben zu Zusammensetzung, Anw., Dosierung, Gegenanzeigen, Neben- u. Wechselwirkungen u. dgl. Die R. L. 1998 führt 9438 Präp.-Einträge von 509 pharmazeut. Unternehmen. 4603 Präp. sind verschreibungs-, 4376 apothekenpflichtig, 450 dürfen außerhalb von Apotheken vertrieben werden.

Rote Liste (-Arten). Liste von Pflanzen- u. Tierarten, die regional od. überregional durch Einwirkung des Menschen vom Aussterben bedroht od. im Bestand stark gefährdet sind.
Lit.: Jedicke, Die Roten Listen, Stuttgart: Ulmer 1997.

Rotenoide. Mit *Rotenon strukturell nahe verwandte Gruppe von Verb., die in Wurzeln u. Samen verschiedener, in trop. Gebieten heim. u. kultivierter *Derris-*, *Lonchocarpus-*, *Pachyrrhizus-* u. *Tephrosia*-Arten (Fabaceae, Schmetterlingsblütler) auftreten. Diese Pflanzen werden in trop. Ländern bereits seit Jh. zur Ungezieferbekämpfung, Bereitung von Pfeilgiften u. zur Betäubung von Fischen (um sie mit bloßer Hand fangen zu können) verwendet. Für die Wirkung verantwortliche Hauptinhaltsstoffe der getrockneten Wurzeln (vgl. Derris-Präparate) sind die abgebildeten Verbindungen. **Rotenon*, *Sumatrol* ($C_{23}H_{22}O_7$, M_R 410,42, Schmp. 196 °C) u. *Ellipton* ($C_{20}H_{16}O_6$, M_R 352,34, Schmp. 160 °C) sowie die Verb. *Deguelin*, *Tephrosin* u. *α-* u. *β-Toxicarol* (s. Tephrosin).

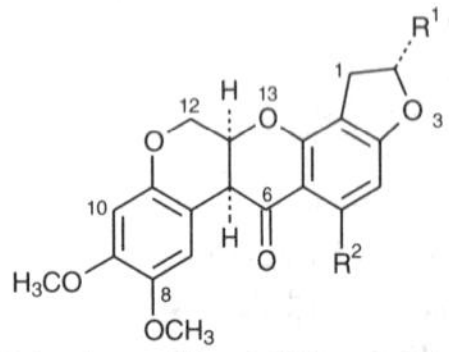

	R^1	R^2
Rotenon	$C(CH_3){=}CH_2$	H
Sumatrol	$C(CH_3){=}CH_2$	OH
Ellipton	H	H, 1,2-C=C

Die im allg. giftigen R. sind in organ. Lsm. löslich. Chem. sind die C_{20}- bzw. C_{23}-Verb. Chromanofurochromone (vgl. Furocumarine) bzw. Dichromanopyrone, die man sich von *Isoflavonen abgeleitet denken kann; zur Biosynth. s. *Lit.*[1]. Die Wirkung als Insektizid beruht auf einer Störung des Elektronentransportes in den Mitochondrien mit dadurch verursachter Hemmung des Citronensäure-Cyclus. – ***E*** rotenoids – ***F*** roténoïdes – ***I*** rotenoidi – ***S*** rotenoides

Lit.: [1] Nat. Prod. Rep. **1**, 3–19 (1984).
allg.: Beilstein EV **19/10**, 577, 642 ▪ J. Chem. Soc., Chem. Commun. **1988**, 1160f. ▪ Karrer, Nr. 1422–1434 ▪ Kirk-Othmer (4.) **14**, 531f. ▪ Sax (8.), S. 3000 ▪ Synthesis **1982**, 337–388 ▪ Tetrahedron **45**, 5895–5906 (1989) ▪ Ullmann (5.) **A 14**, 240f. ▪ Zechmeister **43**, 98–120 ▪ s.a. Rotenon. – *[CAS 82-10-0 (Sumatrol); 478-10-4 (Ellipton)]*

Rotenon (Derrin, Tubatoxin, Noxfish). $C_{23}H_{22}O_6$, M_R 394,41 (Formel s. Rotenoide). Krist., orthorhomb. Platten, Schmp. 165–166 °C (dimorph, auch 185–186 °C), $[\alpha]_D^{23}$ –177° ($CHCl_3$), in Wasser unlösl., in Alkohol, Benzol, Aceton gut, in Chloroform sehr gut löslich. R. ist ein insektizides u. fischtox. *Furocumarin-Derivat aus der Derriswurzel (*Derris elliptica*, Fabaceae) u. das wichtigste der *Rotenoide. R. findet Verw. als Insektizid mit Kontakt-, Atem- u. Fraßgiftwirkung in Kombination mit *Pyrethrum, *Piperonylbutoxid u. *Lindan im Pflanzenschutz (als *Synergist) gegen saugende u. beißende Insekten, Heu- u. Sauerwurm, Erdflöhe; im Haushalt; in Lagern gegen Fliegen u. Schädlinge aller Art; als Viehwaschmittel zur Dasselfliegenbekämpfung (Ektoparasitizid). Unter Licht- u. Lufteinfluß verfärben sich ursprünglich farblose R.-Lsg. gelb, orange, dann tiefrot u. dunkelbraun infolge Autoxidation. Bei der Zers. erfolgt u. a. Hydroxylierung an C-6a, dann 6a,12a-Dehydratisierung u. 12-Oxygenierung zu Dehydrorotenon u. Rotenonon.

Wirkung: R. greift in die Atmungskette ein, blockiert die mit der Red. von Cytochrom b gekoppelte Oxid. von $NADH_2$ u. unterbricht die mitochondriale Elektronentransportkette. R. ist nicht bienengefährlich, die LD_{50} beträgt 133 mg/kg (Ratte p.o.) bzw. 2,8 mg/kg (Maus i.p.). Der MAK-Wert von R. beträgt 5 mg/m³. R. unterliegt der Gefahrstoff-VO, die geschätzte LD_{50} (Mensch p.o.) beträgt 0,3–0,5 g/kg (bei Inhalation toxischer). – ***E*** = ***I*** rotenone – ***F*** roténone – ***S*** rotenona

Lit.: Beilstein EV **19/10**, 581 ▪ Dang. Prop. Ind. Mater. Rep. **9**, 74–81 (1989) ▪ Dtsch. Apoth. Ztg. **129**, 2107 (1989) ▪ Hayes, Handbook of Pesticide Toxicology, S. 599, New York: Academic Press 1991 ▪ J. Chem. Soc. Perkin Trans. 1 **1992**, 839, 851 (Biosynth.) ▪ J. Nat. Prod. **52**, 1363–1366 (1989) ▪ Merck-Index (12.), Nr. 8427 ▪ Pesticide Manual (9.), Nr. 10610 ▪ Sax (8.), RNZ000. – *[HS 2932 99; CAS 83-79-4]*

Roter Bolus s. Bolus u. Rötel.

Roter Glaskopf s. Hämatit.

Rote Riesen s. Sterne.

Roter Phosphor s. Phosphor.

Rote Rüben [Rote Be(e)te, Randen]. In Europa seit dem 13. Jh. verwendete, 2jährige Gemüsepflanze *Beta vulgaris* (Chenopodiaceae, Gänsefußgewächse), eine Kulturform der Runkelrübe. Je 100 g eßbare Anteile enthalten (in g): 86 Wasser, 1,5 Protein, 0,1 Fett u. 8,4 Kohlenhydrate (hauptsächlich Saccharose, dazu 2,5 Rohfaser). Bemerkenswert sind die hohen Gehalte an Oxalsäure (181 mg, in Blättern höher), Nitrat (200 mg) u. Natrium (>80 mg); der Nährwert beträgt 176 kJ (42 kcal). Die dunkelrote Farbe der R. R. beruht auf dem Gehalt an Betanin u. a. *Betalainen u. der typ. Geruch auf *Geosmin. Die fleischigen Wurzeln der R. R. werden gekocht zu Salat, Gemüse u. Suppe verarbeitet. Der Preßsaft darf zum Färben von Lebensmitteln verwendet werden. – ***E*** beet roots, red beets – ***F*** betteraves rouges – ***I*** barbabietola rossa – ***S*** remolachas

Lit.: Franke, Nutzpflanzenkunde (6.), S. 200f., Stuttgart: Thieme 1997. – *[HS 0706 90]*

Rotes Blutlaugensalz s. Blutlaugensalze.

Rote Tide. Aus dem Engl. abgeleitete Bez. für rötlich gefärbte *Algenblüten, manchmal auch generell für alle Arten von Algenblüten. Rötliche Algenblüten werden v. a. von Dinoflagellaten (= Dinophyceae), insbes. aus den Gattungen *Gonyaulax*[1] (= *Protogonyaulax*), *Gymnodinium*[2] (= *Ptychodiscus*), *Ceratium*[3], *Prorocentrum*[1,4,5] u. *Noctiluca*[6], seltener von anderen *Algen[5], verursacht. Die Rotfärbung der Dinoflagellaten geht bei den autotrophen Formen (s. Autotrophie) auf *β*-Carotin sowie *Peridinin u. a. Xanthophylle, bei den heterotrophen Dinoflagellaten auf mit der Nahrung aufgenommene *Carotinoide zurück[7]. R. T. wurden in allen Meeren, z. T. schon vor Jahrzehnten[8] od. Jh. beobachtet u. sind oft für Mensch u. Wasserbewohner toxisch[9]. – ***E*** red tide – ***F*** eau rouge – ***I*** fioritura rossa delle alghe – ***S*** aguas rojas, marea roja, proliferación de algas

Lit.: [1] Marine Biol. **103**, 365–371 (1989). [2] Taylor u. Seliger (Hrsg.), Toxic Dinoflagellate Blooms, S. 139–144, New York: Elsevier-North-Holland 1979. [3] Helgol. Wiss. Meeresunters. **36**, 393–426 (1983). [4] Taylor u. Seliger (Hrsg.), Toxic Dinoflagellate Blooms, S. 215–220, New York: Elsevier-North-Holland 1979. [5] Bull. Inst. R. Sci. Nat. Belg. Biol. **48** (13), 1 ff. (1972). [6] Meeresforsch. **32**, 77–91 (1988). [7] Br. Phycol. J. **25**, 157–168 (1990). [8] Neth. J. Sea Res. **25**, S. 101–122 (1990). [9] Van den Hoek et al., Algen (3.), S. 128, 187–216, Stuttgart: Thieme 1993.

Rotfüller s. Rotschlamm.

Rotgerberei s. Gerberei, S. 1506.

Rotglut. Farbe der *Glut im Temperaturbereich 525–950 °C.

Rotgold s. Gold-Legierungen.

Rotgültigerze. Histor. Bez. für die Silbererze *Proustit (Lichtes R.) u. *Pyrargyrit (Dunkles R.).

Rotguß. Veraltete Bez. für Mehrstoff-Zinn-*Bronzen (*Kupfer-Legierungen) mit 4–10% Sn, 2–7% Zn, max. 3% Pb u. max. 1% Ni, letzteres zur Kornfeinung u. Zähigkeitsverbesserung. R. ist eine Seewasser-beständige Gußwerkstoffgruppe, die zur Herst. von Bauteilen mit guten Gleiteigenschaften wie Armaturen, Gleitlager, Schleifringe u. Schneckenräder eingesetzt wird. Gegenüber DIN 1705: 1981-11 (Guß-Zinnbronze u. Rotguß) wurde das Leg.-Spektrum in DIN 17662: 1983-12 (CuSn-Leg.) erheblich eingeschränkt. – ***E*** red bronze – ***F*** bronze rouge – ***I*** ottone rosso – ***S*** bronce rojo

Lit.: Dtsch. Kupfer-Inst. (Hrsg.), Legierungen des Kupfers mit Zinn, Blei, Nickel u. anderen Metallen, Berlin: Dtsch. Kupfer-Institut 1965 ▪ Wieland-Buch, Kupferwerkstoffe, 5. Aufl., Ulm: Wieland-Werke AG 1986.

Roth. Kurzbez. für die 1879 gegr. Firma Carl Roth GmbH & Co., 76185 Karlsruhe. *Produktion:* Chemikalien u. Hilfsmittel für Labor u. Betrieb, Lsm., Naturstoffe, Vergleichssubstanzen für die Chromatographie, Szintillationspräp., gebrauchsfertige Reagenzien für die Gelelektrophorese u. für die DNA-Synth., Arbeitsschutzvorrichtungen für das Labor.

Roth Entsorger-Sets®. Komplettpackungen zur Aufnahme u. Beseitigung verschütteter Gefahrstoffe. Die Absorber sind teilw. mit Farbindikator ausgerüstet. Die Gebrauchsanweisungen sind in Deutsch, Englisch u. Französisch abgefaßt. Die Lagerfrist ist prakt. unbegrenzt. ***B.:*** Roth.

Rotholz s. Brasilin.

Roticlean® E. Marke von Roth für ein Entgiftungsmittel zur Entfernung giftiger Chemikalien von der Haut u. aus den Augen, zur Behandlung von Verätzungen durch Laugen, Säuren (Flußsäure) u. Phenolen; enthält bes. Polyethylene.

Roticleanisept®. Desinfizierende Handwaschlotion zur Füllung von Seifenspendern, pH-neutral; enthält quartäre Ammonium-Verb., Sequestrierungsmittel u. Glycerin. ***B.:*** Roth.

Rotiprotect®. Hautschutzcreme mit Siliconöl (s. Silicone), *Sorbit, essentiellen *Fettsäuren, *Allantoin u. D-*Milchsäure in hautfreundlicher Salbengrundlage, pH-Wert 3,5 u. 4. ***B.:*** Roth.

Rotipuran®. Marke von Roth für bes. gereinigte Purissimum-Qualitäten chem. Stoffe.

Rotisilon®-Spray. Siliconspray (s. Silicone) als Imprägniermittel für Leder u. Textilien, Gleit- u. Schmiermittel sowie als Konservierungsmittel, z. B. für Gummi, Kunststoffe, Chrom usw. Einsatz bis 350 °C. Das Treibmittel entspricht den Empfehlungen des EG-Rats. ***B.:*** Roth.

Rotisol®. Alkohol. Universal-Lsm. mit Ethanol (94 Vol.-%), Aceton (5 Vol.-%), Methylethylketon (1 Vol.-%) zum Extrahieren, als Fließ- u. Elutionsmittel in der Chromatographie, zum Entwässern in der Histologie, als Gerätedesinfektor, zum Umkrist. usw.; Schmp. <0 °C, Sdp. 56–80 °C, D. 0,79, leicht entzündlich, Gefahrenklasse III a, MAK-Wert 1000 ppm, WGK 0. ***B.:*** Roth.

Rotisorb®. Spezialabsorber für organ. Lsm., Mineralöl u. andere. ***B.:*** Roth.

Rotiszint®. Marke für ein Sortiment von Ready-to-use-Cocktails für die Flüssigkeits-Szintillationsmessung (s. Szintillatoren) von H-3, P-32, S-35 u. a. Radionukliden. ***B.:*** Roth.

Rotitainer®. Marke für Kleingefäße von 10 bis 30 L Inhalt. Hierzu wird auch die gesamte Abfülltechnologie mitgeliefert (z. B. Rotitainerpumpen zum Entleeren, Antistatikset, um elektrostat. Aufladungen zu vermeiden usw.) ***B.:*** Roth.

Rotitherm® H 250. Siliconöl (s. Silicone) für Heizbäder von Roth.

Rotkali s. Blutlaugensalze.

Rotkohl, Rotkraut s. Kohl.

Rotkupfererz s. Cuprit.

Rotliegendes s. Erdzeitalter.

Rotling s. Rosé-Wein.

Rotnatron s. Natriumhexacyanoferrate.

Rotnickelkies s. Nickelin.

Rotocker s. Rötel.

Rotöl s. Anilin.

ROTOSIL®. Undurchsichtiges Quarzgut für den chem. Anlagenbau. ***B.:*** Heraeus Quarzglas GmbH.

Rotsalz s. Natriumacetat.

Rotschlamm. Als *Bauxit-Aufschlußrückstand ein Abfallprodukt bei der Tonerde-Herst., das im wesentlichen aus kation. Begleitstoffen, Eisenoxid u. Kieselsäure besteht u. sehr feinteilig anfällt (s. Aluminium). Je nach Bauxit Herkunft hat getrockneter R. folgende Zusammensetzung: 8–12% Glühverlust, 15–18% Al_2O_3, 24–50% Fe_2O_3, 3–15% TiO_2, 5–20% SiO_2, 5–12% Na_2O u. 1–3% CaO sowie ein geringer Prozentsatz an Spurenelementen. R. fällt in Mengen von 0,5–1 t pro t Aluminiumoxid an.

Verw.: Zuschlagstoff (*Rotfüller*) im Straßenbau, Bodenverbesserungsmittel, Schlackenbildner bei der Stahl-Herst., Katalysator bei der Kohleverflüssigung, Lauta- u. Luxmasse zur Gasreinigung. In der BRD dürften jährlich ca. 1,5–2 Mio. t R. zwangsweise anfallen, die trotz der erwähnten Nutzungsmöglichkeiten größtenteils in Schlammbecken od. auf Halden gelagert werden müssen, denn das Problem der Nutzbarmachung od. schadlosen Beseitigung der überschüssigen Menge ist bisher nicht gelöst. – ***E*** red sludge, red mud waste – ***F*** boue rouge – ***I*** fango rosso – ***S*** lodo rojo

Lit.: Int. J. Environ. Anal. Chem. **25**, 269–274 (1986) ▪ Umschau **73**, 118–121 (1973) ▪ Winnacker-Küchler (4.) **4**, 244–252.

Rotspießglanz s. Kermesit.

Rotta. Kurzbez. für die 1884 gegr. Firma Rotta GmbH, 68006 Mannheim. *Produktion:* Textilhilfsmittel, Hotmelts, Tieftemperaturvermahlung.

Rotte s. Kompostierung.

Rottlerin (Mallotoxin).

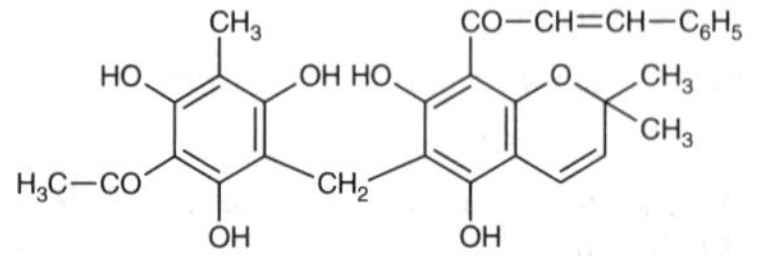

$C_{30}H_{28}O_8$, M_R 516,52. Blaßgelbe bis lachsfarbene Krist., Schmp. 205–207 °C, unlösl. in Wasser, lösl. in Alkohol, Ether, Benzol, Chloroform.
Vork.: Wichtigste u. giftigste Komponente von *Kamala. – ***E*** rottlerin – ***F*** rottlérine – ***I*** = ***S*** rottlerina
Lit.: Beilstein E V **18/5**, 695 ▪ Karrer, Nr. 1696 ▪ Merck-Index (12.), Nr. 8429 ▪ Sax (8.), DMU 600 ▪ Schweppe, S. 344 ▪ Synthesis **1994**, 255. – *[CAS 82-08-6]*

Rottombak s. Gelbtombak.

Rotulae. Latein.: Kügelchen, Scheibchen; pharmazeut. Bez. für Zucker-Plätzchen.

Rotundial [(*R*)-2-Formyl-3-methyl-2-cyclopenten-1-acetaldehyd].

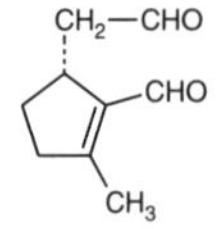

$C_9H_{12}O_2$, M_R 152,19, Öl, $[\alpha]_D^{25}$+39,3° ($CHCl_3$). Inhaltsstoff der Blätter von *Vitex rotundifolia* (Verbenaceae) mit starker *Repellent-Wirkung auf Insekten. – ***E*** = ***F*** = ***S*** rotundial – ***I*** rotundiale
Lit.: Biosci. Biotechnol. Biochem. **59**, 1979 (1995). – *[CAS 64274-27-7]*

Rotverschiebung s. Bathochrom.

Rotwein s. alkoholische Getränke u. Wein.

Rotzinkerz s. Zinkit.

Rouelle, Guillaume-François (1703–1770), Prof. für Chemie, Paris. *Arbeitsgebiete:* Pflanzeninhaltsstoffe, Herst. von „Salznaphtha" (C_2H_5Cl), Bildung von Salzen aus Säuren u. Basen, Unterscheidung von sauren, neutralen u. bas. Salzen, Darst. von Kaliumhydrogensulfat, führte als erster die Phlogiston-Theorie in Frankreich ein, kämpfte gegen die Abhängigkeit der Chemie von der Medizin.
Lit.: Krafft, S. 215 ▪ Pötsch, S. 371.

Rous, Francis Peyton (1879–1970), Prof. für Pathologie u. Virologie, Rockefeller Univ., New York. *Arbeitsgebiete:* Krebsforschung, Entdeckung eines Krebs-Virus (Rous-Sarkom); erhielt 1966 zusammen mit C. B. *Huggins den Nobelpreis für Physiologie od. Medizin.
Lit.: Lexikon der Naturwissenschaftler, S. 353 ▪ Naturwiss. Rundsch. **19**, 524 (1966).

Rous-Sarkom-Virus (Abk. RSV). *Retroviren, die bei Geflügel *Leukämie, Sarkome u. Adenocarcinome hervorrufen. Das RSV wurde 1911 von F. P. Rous isoliert. Das Virusgenom enthält das virale *src-Onkogen, das für die *Transformation der Wirtszellen verantwortlich ist. – ***E*** Rous sarcoma virus – ***F*** virus du sarcome de Rous – ***I*** virus del sarcoma di Rous, virus sarcoma di Rous – ***S*** virus del sarcoma de Rous
Lit.: J. Virol. **70**, 3922 (1996) ▪ Singer u. Berg, Gene u. Genome, S. 850 f., Heidelberg: Spektrum Akadem. Verl. 1992 ▪ Stryer 1996, S. 373 f.

Roussel s. Roussel-Uclaf.

Roussel-Uclaf. Kurzbez. für das 1920 gegr., seit 1961 als Roussel Uclaf S. A. (von *U*sines *C*himiques des *La*boratoires *F*rançais) firmierende französ. Unternehmen, das 1997 mit der *Hoechst Marion Roussel AG, 65926 Frankfurt am Main, zusammengeführt wurde. *Daten* (1996): 14 254 Beschäftigte, ca. 4,7 Mrd. DM Umsatz. *Produktion:* Human- u. Tierarzneimittel, pharmazeut. Wirkstoffe, Naturstoffe, Corticosteroide u. a. Steroidhormone, Vitamine, Alkaloide, Pflanzenschutzmittel, Parfums, medizin. Kosmetika, Diätetika.

Roussinsche Salze. *Nitrosyl-Komplexe des Eisens der Zusammensetzungen a) $M^I_2[Fe_2(NO)_4S_2]$ [rot; Tetranitrosyldi-μ-thiodiferrate(2–)] u. b) $M^I[Fe_4(NO)_7S_3]$ [schwarz; Heptanitrosyltri-μ_3-thiotetraferrate(1–)],

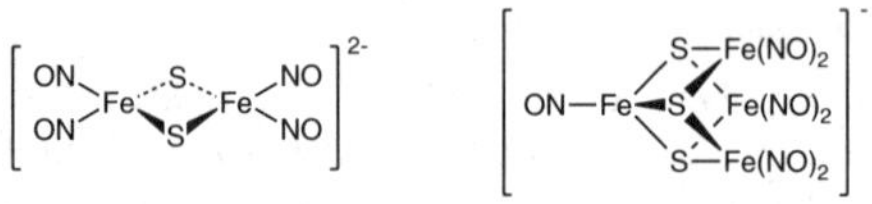

a b

in denen die NO-Mol. koordinativ an die Fe-Atome gebunden sind, die ihrerseits über S-Brücken miteinander verknüpft sind; sie entstehen bei Durchleiten von NO durch eine Suspension von FeS in verd. Alkalisulfid-Lösung. – ***E*** Roussin salts – ***F*** sels de Roussin – ***I*** sali di Roussin – ***S*** sales de Roussin

Rovamycin s. Spiramycin.

Rovings. Aus dem Engl. (roving = vorspinnen) entliehene Bez. für *Glasfaser-Stränge, die zu Geweben od. Kurzfasern verarbeitet od. mit UP- od. a. Reaktionsharzen getränkt als sog. *Prepregs* in *glasfaserverstärkten Kunststoffen eingesetzt werden. Es werden auch R. aus *Kohlenstoff-Fasern hergestellt. – ***E*** = ***S*** rovings – ***F*** stratifil de verre textile, rovings – ***I*** masse continue di fibre di vetro
Lit.: s. glasfaserverstärkte Kunststoffe.

Rovral®. Marke von Rhône-Poulenc für ein *Fungizid u. Saatgut-Behandlungsmittel auf der Basis von *Iprodion. R. UTB enthält zusätzlich Carbendazim.

ROW. Abk. für *R*hein. *O*lefin*w*erke GmbH, 50387 Wesseling, gegr. 1953 als gemeinsame Tochterges. der *BASF u. der Dtsch. Shell AG. *Daten* (1997): ca. 2400 Beschäftigte, 2,5 Mrd. DM Umsatz. *Produktion:* Butadien, Styrol, thermoplast. Kautschuk, Polyolefine, Epoxidharze.

Rowland, Frank Sherwood (geb. 1927), Prof. für Chemie, University of California, Department for Chemistry (seit 1964). *Arbeitsgebiet:* Atmosphärenchemie. Er erhielt für seine 1974 durchgeführten Arbeiten über die Bildung u. den Abbau des atmosphärischen Ozons u. den Nachw. der Bedrohung der Ozonschicht durch FCKW 1995 den Nobelpreis für Chemie zusammen mit M. J. *Molina u. P. J. *Crutzen.

Lit.: Lexikon der Naturwissenschaftler, S. 354 ▪ The International Who's Who (17.), S. 1296.

Roxatidinacetat (Rp).

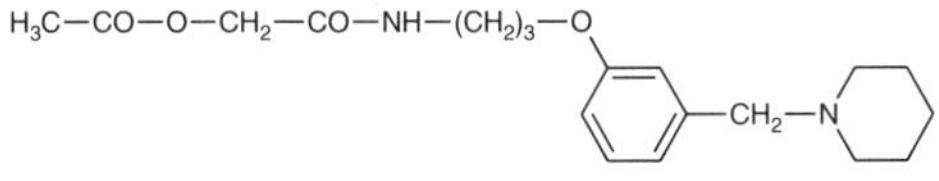

Internat. Freiname für das Ulcus-Therapeutikum (ein Histamin-H_2-Rezeptor-Antagonist) 2-Acetoxy-*N*-{3-[3-(piperidinomethyl)phenoxy]propyl}acetamid, $C_{19}H_{28}N_2O_4$, M_R 348,44, Schmp. 59–60 °C, LD_{50} (Maus oral) 1 g/kg. Verwendet wird meist das Hydrochlorid, Schmp. 147–151 °C; λ_{max} (C_2H_5OH) 277 nm ($A^{1\%}_{1cm}$ 60,5), pK_a 9,8. R. wurde 1981 von Teikoku Hormone patentiert u. ist von HMR (Roxit®) im Handel. – ***E*** roxatidine acetate – ***F*** acétate de roxatidine – ***I*** roxatidina acetato – ***S*** acetato de roxatidina

Lit.: ASP ▪ Hager (5.) **9**, 535 ff. ▪ Martindale (31.), S. 1240. – *[CAS 78628-28-1 (R.); 93793-83-0 (Hydrochlorid)]*

Roxion®. Insektizides Spritzmittel auf Basis *Dimethoate mit system. u. Kontaktwirkung gegen Schadinsekten u. Milben im Acker-, Gemüse-, Obst- u. Zierpflanzenbau. ***B.:*** Shell Agrar.

Roxit® (Rp). Retardkapseln mit *Roxatidinacetat-hydrochlorid gegen Magen- u. Zwölffingerdarm-Geschwüre. ***B.:*** HMR.

Roxithromycin.

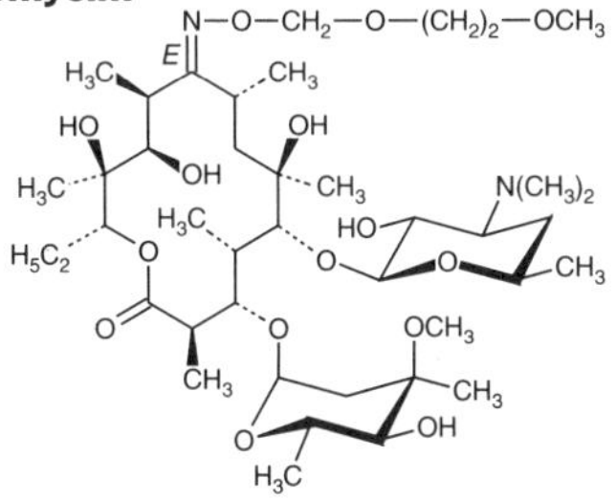

Internat. Freiname für das *Makrolid-Antibiotikum *Erythromycin-9-{(*E*)-*O*-[(2-methoxyethoxy)-methyl]oxim}, $C_{41}H_{76}N_2O_{15}$, M_R 837,06, Schmp. 110–125 °C, $[\alpha]^{25}_D$ –77,5° bis –79,5° (c 0,45/$CHCl_3$), pK_a 9,2 (konjugierte Säure). R. wurde 1981 u. 1982 von Roussel-Uclaf (Rulid®, HMR) patentiert. – ***E*** roxithromycin – ***F*** roxithromycine – ***I*** = ***S*** roxitromicina

Lit.: ASP ▪ Hager (5.) **9**, 537 f. ▪ Martindale (31.), S. 272 ▪ Ph. Eur. **1997** u. Komm. – *[HS 2941 50; CAS 80214-83-1]*

Royal Society of Chemistry (RSC). Die RSC mit Sitz in Burlington House, Piccadilly, London W1V 0BN ist 1980 aus dem Zusammenschluß der Society of Analytical Chemistry (SAC), der Faraday Society (FS), der Chemical Society (CS) u. des Royal Institute of Chemistry (RIC) hervorgegangen. Die Ges., die 1997 46 000 Mitglieder hatte, bezweckt die Förderung der Chemie zum Nutzen der Menschheit. Sie sucht dies zu erreichen durch: 1. Information der Mitglieder u. der Öffentlichkeit; – 2. Beratung staatlicher, polit. u. anderer Inst.; – 3. Verbesserung der Chemieausbildung an Schulen u. Hochschulen; – 4. Arbeitsvermittlung u. Berufsberatung; – 5. Förderung wissenschaftlicher Arbeit u. Ausbildung; – 6. Stipendien u. Forschungsprogramme; – 7. Auszeichnung herausragender Leistungen; – 8. Unterstützung von unverschuldet in Not geratenen Kolleginnen u. Kollegen; – 9. Kooperation mit ausländ. Organisationen. Bei der RSC ist auch das Sekretariat der *FECS beheimatet.
Neben 6 Abteilungen u. 70 Unterabteilungen, in die sich die RSC gliedert, unterhält sie einen Informationsservice, der Journale, Bücher, Zeitschriften u. Datenbanken auf allen wichtigen Gebieten der Chemie veröffentlicht. Die RSC ist Produzent der über STN (s. STN International) recherchierbaren Datenbanken ANABSTR (ANalytical ABSTRacts), CBNB (Chemical Business News Base), CEABA (Chemical Engineering And Biotechnology Abstracts), CJRSC (Chemical Journals of the RSC), CSNB (Chemical Safety News Base). INTERNET-Adresse: http://chemistry.rsc.org.

ROZ. Abk. für Research-*Octan-Zahl.

Rp. Abk. für latein.: recipe = nimm, die Invocatio („Anrufung") auf einem *Rezept.

RPC s. Flüssigkeitschromatographie.

RP-HPLC s. HPLC.

RP-IPC s. Ionenpaarchromatographie.

R-Plasmide (R-Faktoren, *R*esistenz-Faktoren). Natürlich vorkommende *Plasmide, durch deren Vorhandensein Bakterien Resistenz gegen Antibiotika (v. a. Penicilline, Tetracycline, Aminoglykoside, Chloramphenicol, Erythromycin, Sulfonamide) od. bestimmte Schwermetalle (z. B. Quecksilber) besitzen. R-P. kommen v. a. bei Enterobacteriaceen vor sowie Species von *Pseudomonas*, *Staphylococcus* od. *Vibrio*. Die Resistenz beruht auf inaktivierenden Enzymen (z. B. *Penicillinasen) od. einer veränderten Zellpermeabilität (Tetracycline). Die Mehrzahl der R-P. kann sehr schnell innerhalb einer Bakterienpopulation auf R-P.-freie Individuen übertragen werden, innerhalb der Enterobacteriaceen können sogar die Species-Grenzen überschritten werden (z. B. Übertragung zwischen *Escherichia coli* u. Shigellen). Diese übertragbaren R-P. bestehen aus Gen-Sequenzen, die für die Übertragung verantwortlich sind (RTF, von *E* resistance transfer factor) u. Genen, die für die Antibiotika-Resistenz codieren, wobei R-P. häufig Resistenzgene gegen mehrere Antibiotika tragen.
Das Auftreten von Mehrfachresistenzen sowie die leichte Übertragbarkeit auf R-P.-freie Zellen stellen ein Problem für die Chemotherapie dar, das eine intelligente Anw. vorhandener Antibiotika (z. B. unterschiedliche Substanzen für Humantherapie u. Veterinärbereich) sowie eine ständige Weiterentwicklung der vorhandenen Antibiotika-Palette erfordert. – ***E*** R plasmids – ***F*** plasmides R – ***I*** plasmidi R – ***S*** plásmidos R

Lit.: Knippers (7.), S. 211 ▪ Schlegel (7.), S. 513 f.

r.p.m. Abk. für engl.: *r*evolutions *p*er *m*inute = Umdrehungen pro Minute; 1 rpm = 1/60 *Hz = 0,104720 *rad/s.

RPR. Kurzbez. für die 1990 aus der Fusion der amerikan. Rorer Gruppe u. dem pharmazeut. Geschäftsbereich der französ. Rhône-Poulenc SA gegr. Rhône-Poulenc Rorer Inc. mit Sitz in Collegeville, PA 19426-0107, USA u. 92165 Antony Cedex, Frankreich. Heute ein Tochterunternehmen der Rhône-Poulenc S. A. *Daten* (1997, weltweit): 26000 Beschäftigte, 4,9 Mrd. $ Umsatz. *Produktion:* Entwicklung u. Produktion von Arzneimitteln u. a. gegen Erkrankungen der Atemwege, Allergien, Herz-Kreislauferkrankungen, Onkologie. *Beteiligungs- u. Tochterges.:* u. a. Centeon LLC, American Lecithin Company, Laboratoires Fisons SA, Theraplix. *Vertretung* in der BRD: Rhône-Poulenc Rorer Deutschland GmbH, 50792 Köln.

RQ. Abk. für *respiratorischer Quotient.

RRI. Abk. für Revised *Ring Index.

RRIM s. Polyurethane.

RRKM. Akronym aus den Namen von Oscar Knefler Rice (1903–1978), Herman Carl Ramsperger (1896–1932), Louis Stevenson Kassel (geb. 1905) u. R. A. *Marcus (geb. 1923; Nobelpreis 1992). Die RRKM-Theorie ist eine statist. Theorie unimolekularer Reaktionen; Näheres s. dort.

Lit.: s. unimolekulare Reaktionen.

rRNA. Abk. für ribosomale RNA, s. Ribonucleinsäuren, Ribosomen.

RR-Säure s. Naphtholsulfonsäuren (S. 2811, 3. Tab., Nr. 9).

RS. Kursives (*RS*)- zeigt racem. Stereozentrum an. Die relative *Konfiguration in *Racematen mit mehreren Stereozentren wird mit (*RS*)- u. (*SR*)-Symbolen bezeichnet; vgl. ent-, rac-, rel-. Gibt es nur ein Stereozentrum, so wird (±)- bevorzugt. Für annähernd racem. Zentren opt. aktiver Verb. wird auch ($\overline{RS}$)- verwendet.

RSA. Abk. für Rinder-*Serumalbumin.

R-Sätze. R-S. geben in standardisierter Form Hinweise auf bes. Gefahren von Stoffen u. Zubereitungen, die sich aus physikal.-chem. Eigenschaften (explosionsgefährlich; entzündlich etc.), tox. od. gentox. Eigenschaften (giftig; krebserzeugend etc.) od. deren Auswirkungen auf die Umwelt (giftig für Pflanzen; gefährlich für die Ozon-Schicht etc.) ergeben. R-S. sind Teil der erforderlichen Einstufung, bevor Stoffe u. Zubereitungen in den Verkehr gebracht werden od. mit ihnen umgegangen wird. Die Liste der R-S., deren mögliche Kombinationen u. deren Zuordnungskriterien sind im Anhang I der *Gefahrstoffverordnung aufgeführt. R-S. sind bei der *Kennzeichnung von gefährlichen Stoffen u. Zubereitungen, z. B. auf der Verpackung, im *Sicherheitsdatenblatt etc. anzugeben. *Beisp.:* R 11 (Leichtentzündlich), R 23/25 (Giftig beim Einatmen u. Verschlucken), R 54 (Giftig für Pflanzen). – ***E*** R phrases – ***F*** phrases R – ***I*** frasi R – ***S*** frases R

Lit.: Fahr u. Prager, Die Sachkundeprüfung nach der Chemikalien-Verbotsverordnung, Weinheim: VCH Verlagsges. 1995 ▪ Hauptverband der gewerblichen Berufsgenossenschaften (Hrsg.), BIA-Report „Gefahrstoffliste", Sankt Augustin 1998 ▪ Verordnung zum Schutz vor gefährlichen Stoffen (Gefahrstoffverordnung), Köln: Heymanns 1997.

R-Säure, R-Salz s. Naphtholsulfonsäuren (S. 2811, 1. Tab., Nr. 11).

RSC. Abk. für *Royal Society of Chemistry.

RSG. Abk. für *Reaktionsharz-Spritzguß.

RSK-Werte. Die RSK-W.[1] sind keine Rechtsnorm, sondern Beurteilungshilfen zur Bewertung der Echtheit von *Fruchtsäften. Die Buchstaben RSK stehen für *R*ichtwerte u. *S*chwankungsbreiten bestimmter *K*ennzahlen u. beziehen sich auf bestimmte Inhaltsstoffe von Fruchtsäften, die zur Beurteilung der Identität u. Reinheit herangezogen werden. Zur Beurteilung eines Fruchtsaftes muß stets das Gesamtbild der *Analyse sachverständig bewertet werden. Auf Grund von Einzelwerten ist die Authentizität eines Saftes nicht zu beurteilen[2]. Zur Möglichkeit der Kombination von RSK-W. mit anderen Analyseverf. s. *Lit.*[3].

Lit.: [1] Verband der dtsch. Fruchtsaftind. (Hrsg.), RSK-Werte, Die Gesamtdarstellung, Schönborn: Verl. Flüssiges Obst 1987. [2] Arbeitskreis lebensmittelchem. Sachverständiger (ALS), Stellungnahme betreffend RSK-Werte für Fruchtsäfte, Bundesgesundheitsblatt **31**, 398 (1988). [3] Z. Lebensm. Unters. Forsch. **191**, 259–264 (1990).
allg.: Koch, Getränkebeurteilung, S. 290–297, Stuttgart: Ulmer 1986.

RSP s. Schmelzen.

RSV. Abk. für *Rous-Sarkom-Virus.

RTF. Abk. für *E* resistance transfer factor, s. R-Plasmide.

RTK. 1. Abk. für radiationschem.-therm. Kracken, s. Strahlenchemie; – 2. s. rektifiziertes Traubenmostkonzentrat.

RTM. Abk. für Rastertunnelmikroskopie, s. Tunnelmikroskop.

RTV-Siliconkautschuke s. Silicone.

RTX. Abk. für *Resiniferatoxin.

Ru. Chem. Symbol für das Element *Ruthenium.

RU486 s. Progesteron u. Mifepriston.

Rubeanwasserstoff s. Dithiooxamid.

Rubefacientien. Von latein.: rubefacere = röten abgeleitete Bez. für – infolge *Hyperämie – hautrötende bzw. hautreizende Präp.; *Beisp.:* Terpentinöl, Nonivamid, Mauerpfeffer, Capsaicin u. a. *Reiz-auslösende Stoffe. – ***E*** rubefacients – ***F*** rubéfiants – ***I*** rubefacenti, farmaci rubefacenti – ***S*** rubefacientes

Rubellit s. Turmalin.

Ruber s. Quecksilber(II)-oxide bei Quecksilberoxide.

Ruberythrinsäure s. Krapp.

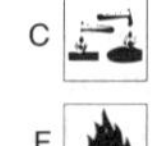

Rubidium (chem. Symbol Rb). Metall. Element, *Alkalimetall, Atomgew. 85,4678, Ordnungszahl 37. Natürliche Isotope (Häufigkeit in Klammern): 85 (72,165%), 87 (27,835%), wobei das Isotop 87 als β^--Strahler mit der HWZ $4{,}88 \cdot 10^{10}$ a zu den radioaktiven Rb-Isotopen gehört, vgl. a. Rubidium-Strontium-Datierung. Rb bildet außerdem künstliche Isotope zwischen ^{74}Rb u. ^{102}Rb mit HWZ zwischen 53 ms (^{100}Rb) u. 86,2 d (^{83}Rb). In Verb. nimmt Rb entsprechend seiner Stellung in der 1. Hauptgruppe des *Periodensystems die Oxid.-Stufe +1 an. Die Salze sind ähnlich wie die Kalium- od. Natriumsalze zumeist farblos u. wasserlöslich. Man kennt die Sauerstoff-Verb. Rb_2O, Rb_2O_2, Rb_2O_3 u. RbO_2 sowie das Ozonid RbO_3 (*Lit.*[1]). Rb ist ein wachsweiches *Leichtmetall, D. 1,522 (20 °C), D. 1,472 (39 °C),

Schmp. 39,0 °C, Sdp. 689 °C, H. 0,3 (Rb ist also noch weicher als Kalium u. Natrium). Reines Rb hat große Ähnlichkeit mit Kalium, reagiert aber noch heftiger als dieses. An frischen Schnittflächen ist Rb silberglänzend; es überzieht sich jedoch an offener Luft sofort mit einer grauen Oxidhaut, worauf nach wenigen Sekunden Selbstentzündung eintritt. Man muß daher Rb unter Petroleum od. Schutzgas aufbewahren. Die Flamme wird von Rb u. seinen Verb. rötlichviolett gefärbt. Wirft man Rb auf Wasser, so entsteht eine Metallkugel, die Wasser chem. zersetzt ($2Rb + 2H_2O \rightarrow 2RbOH + H_2$); der freiwerdende Wasserstoff brennt sofort. Mit zahlreichen Metallen bildet Rb Leg., z. B. $RbHg_6$.

Nachw.: Der Nachw. kann mit *Natriumtetraphenylborat erfolgen; Spuren im Serum od. im Blut können mit massenspektrometr. Meth. bestimmt werden (*Lit.*[2]).

Physiologie: Der *Mensch enthält ca. 1,4 g Rb, das jedoch nicht essentiell ist u. über dessen physiolog. Funktion wenig bekannt ist. Über den Einfluß von Rb-Salzen auf den tier. Organismus s. *Lit.*[3].

Vork.: Im statist. Mittel enthält jede Tonne der 16 km dicken Erdkruste 90 g Rb; Rb steht damit in der Häufigkeitsliste der Elemente zwischen Chrom u. Nickel. Obgleich R. häufiger als Blei, Brom, Cobalt, Zinn, Arsen u. viele andere Elemente vorkommt, wurde es doch erst ziemlich spät entdeckt, da es in vielen Erstarrungsgesteinen u. Sedimenten „verzettelt“ u. nur selten in größeren Mengen angereichert vorkommt. Ähnlich wie die Salze von Lithium, Kalium u. Cäsium werden auch die bei der Verwitterung der Urgesteine entstehenden, lösl. Rb-Salze von den tonigen Verwitterungsböden stark gebunden, so daß nur ein geringer Bruchteil davon mit den Flüssen ins Meer gelangen kann. Durchschnittlich findet man in Erstarrungsgesteinen etwa 0,03% (im *Lepidolith bis 3,5% Rb_2O), in den Tonsedimenten $6 \cdot 10^{-3}$%, im Meerwasser dagegen nur $2 \cdot 10^{-5}$% Rb. *Carnallit ($KCl \cdot MgCl_2 \cdot 6H_2O$) enthält oft 0,013% Rubidiumchlorid (RbCl); die mit den Kalidüngemitteln in den Boden gelangenden Rb-Salze werden von den Kalipflanzen (Zuckerrübe, Tabak) in nachweisbaren Mengen aufgenommen. Verhältnismäßig Rb-reich sind auch Pilze (bis 75 mg Rb je kg) u. Kreuzblütler. Spuren von Rb hat man spektralanalyt. auch in Sonnenflecken, Meteoriten u. Gewässern aller Art nachweisen können; viele Mineralwässer (z. B. von Dürkheim, Wildbad, Baden-Baden) enthalten ebenfalls geringe Mengen von Rb-Salzen.

Herst.: Ein wichtiges Ausgangsmaterial für die Rb-Salzgewinnung ist der afrikan. Lepidolith, aus dem bei der Verarbeitung ein aus K_2CO_3, Rb_2CO_3 u. Cs_2CO_3 bestehendes, als *Alkarb* bezeichnetes Gemisch erhalten wird. Die Abtrennung des Rb erfolgt durch fraktionierte Krist. der über die Chlorstannate hergestellten Alaune. Rb-Metall ist durch metallotherm. Red. des Chlorids, Hydroxids od. Carbonats mit Calcium, Lithium od. Magnesium erhältlich; in sehr reiner Form durch therm. Zers. des Azids od. Hydrids.

Verw.: Metall. Rb wird in der Halbleitertechnik, als Material für Photokathoden u. als *Getter in Vakuumröhren verwendet. Das Isotop ^{82}Rb (HWZ 76 s) findet als Radiotracer Verw. in der Positronen-Emissions-Tomographie (PET, s. *Lit.*[4]); zur Verw. der Rubidium-Verbindungen s. dort.

Geschichte: R. wurde zusammen mit *Cäsium 1860 von *Bunsen u. *Kirchhoff im Dürkheimer Mineralwasser mit Hilfe der Spektralanalyse entdeckt. Der Name R. wurde gewählt, weil dieses Metall 2 charakterist. dunkelrote (latein.: rubidus) Spektrallinien hat. Bunsen mußte 44 200 L von der Sole des Maxbrunnens in Dürkheim verarbeiten, um 9 g RbCl zu erhalten. – ***E*** = ***F*** rubidium – ***I*** = ***S*** rubidio

Lit.: [1] Angew. Chem. **97**, 48 f. (1985). [2] Townshend, Encyclopedia of Analytical Sciences, S. 4101–4105, London: Academic Press 1995. [3] Davie et al., in Seiler u. Sigel (Hrsg.), Handbook on Toxicity of Inorganic Compounds, S. 567–570, New York: Dekker 1988. [4] Appl. Radiat. Isot. **38**, 171 ff. (1987). *allg.:* Adv. Chem. Phys. **58**, 127–208 (1985) ▪ Angew. Chem. **91**, 613–625 (1979) ▪ Brauer (3.) **2**, 935–970 ▪ Gmelin, Syst.-Nr. 24, Rb, 1937 ▪ J. Phys. Chem. Ref. Data **16**, 7–59 (1987) ▪ Kirk-Othmer (4.) **21**, 591–600 ▪ Nucleic Acids Res. **8**, 1145 (1980) ▪ Ullmann (5.) **A 23**, 473–476 ▪ Winnacker-Küchler (4.) **4**, 4 f., 326–330, 339, 344 ▪ s. a. Alkalimetalle. – *[HS 2805 19; CAS 7440-17-7; G 4.3]*

Rubidium-Strontium-Datierung. Bez. für eine physikal. Meth. der *Altersbestimmung (vgl. a. Geochronologie), die auf der Messung des Zerfalls von *Rubidium-87 in *Strontium-87 beruht, der mit einer *Halbwertszeit von $4,88 \cdot 10^{10}$ a unter Abstrahlung von 0,275 MeV β^--Strahlung abläuft. In einem Rubidium-haltigen Mineral wird sich daher eine radiogene Menge Strontium-87 ansammeln, die proportional zum Alter des Minerals ist u. entsprechend bestimmt werden kann. – ***E*** rubidium-strontium dating – ***F*** datation par rubidium-strontium – ***I*** datazione con il metodo rubidio-stronzio, metodo del rubidio-stronzio 87 – ***S*** datación por rubidio-estroncio

Lit.: Faure u. Powell, Strontium Isotope Geology, New York: Springer 1972.

Rubidiumuhr s. Atomuhren.

Rubidium-Verbindungen. Die *Rubidium-Salze sind ähnlich wie die verwandten Kalium- od. Natrium-Salze zumeist farblos u. wasserlöslich. a) *Rubidiumchlorid*, RbCl, M_R 120,92, farblose Krist., D. 2,80, Schmp. 715 °C, Sdp. 1390 °C, Reagenz auf Perchlorsäure; wäss. RbCl-Lsg. wird für die Dichtegradienten Zentrifugation in der biolog. Forschung verwendet. – b) *Rubidiumnitrat*, $RbNO_3$, M_R 147,47, farblose, mit Kaliumnitrat isomorphe, leichtlösl. Krist., D. 3,11, Schmp. 316 °C. – c) *Rubidiumsulfat*, Rb_2SO_4, M_R 267,03, farblose, rhomb., mit Kaliumsulfat isomorphe Krist., bildet leicht Alaune, D. 3,61, Schmp. 1060 °C, Sdp. ca. 1700 °C. – d) *Rubidiumcarbonat*, Rb_2CO_3, M_R 230,94, Schmp. 837 °C (unter Druck), bei Normaldruck Zers. ab 740 °C.

R.-V. finden Verw. in Arzneimitteln[1], Festkörperlasern u. Leuchtstoffen, als Glaszusätze (Rb_2CO_3 z. B. für Glasfasern), Photokathoden für Nahes Infrarot u. zur Herst. von Dichtegradienten in der Ultrazentrifugentechnik. Rb-Silberiodid ($RbAg_4I_5$), ein sehr guter Ionenleiter, kann als elektrograph. Bildaufzeichnungsmaterial u. als Festelektrolyt in galvan. Elementen eingesetzt werden. – ***E*** rubidium compounds – ***F*** composés de rubidium – ***I*** composti di rubidio – ***S*** compuestos de rubidio

Lit.: [1] Corsini, Current Trends in Lithium and Rubidium, Lancaster: MTP 1984; Med. Actual. **24**, 733–741 (1988).
allg.: s. Rubidium. – *[CAS 7791-11-9 (a); 13126-12-0 (b); 7488-54-2 (c); 584-09-8 (d); G 8, teilweise]*

Rubidomycin. Veralteter Name für *Daunorubicin.

Rubijervin s. Solanum-Steroidalkaloide.

Rubin. Wertvolle Edelstein-Abart von *Korund, in der das *Aluminiumoxid durch Beimischung von etwa 0,1–0,7% Chromoxid (Cr_2O_3) bei den wertvollsten Formen tief durchsichtig karminrot bis „taubenblutrot" gefärbt ist (*Allochromasie). An weiteren Spurenelementen können Titan, Silicium, Eisen, Kupfer, Magnesium u. Zink zugegen sein. Durch Entmischung entstandene feinnadelige, orientiert eingelagerte *Rutil-Einschlüsse rufen einen zarten Schimmer (*Seide*) hervor; sind diese Nadeln sehr zahlreich vorhanden, so verursachen sie den *Asterismus der *Sternrubine*; zu weiteren Einschlüssen in R. s. *Lit.*[1] u. Eppler (*Lit.*). *Synthet. R.* werden nach *Verneuil-Verfahren, Flußmittel-Verf., Czochralski-Verf. (für bes. hochwertige R., z. B. für *Laser-Zwecke) u. mittels *Hydrothermalsynthese hergestellt; dazu u. zu den Erkennungsmerkmalen synthet. R. s. *Lit.*[1] u. Eppler (*Lit.*), zu den Verf. auch *Lit.*[2]. Manche R. zeigen im ultravioletten Licht orange- bis tiefrote *Fluoreszenz.
Vork. (s. *Lit.*[1]): Als prim. Mineral vorwiegend in *metamorphen Gesteinen [v. a. *Marmore, *Gneise u. Amphibolite (*Amphibole)] u. sek. in *Seifen in der Umgebung der prim. Vorkommen. *Beisp.:* Myanmar (Burma, z. B. Mogok[3] u. Mong Hsu[4]), Vietnam, Thailand[5], Kamputschea, Sri Lanka (Ceylon; nur aus Seifen), Pakistan (aus Marmoren), Indien (Mysore u. Orissa; aus Gneisen), Nepal[6,7], Afghanistan[8], Tadschikistan, China[9], Tansania[10], Kenia, Malawi u. Madagaskar. In Europa: Passo Campolungo/Schweiz, Prilep/Mazedonien u. Froland/Norwegen (in Gneisen). Der wohl größte R. der Welt wurde 1996 in Myanmar gefunden[11]; er wiegt 21450 Karat (gut 4 kg) u. mißt 12,7×17,8 cm. – ***E*** ruby – ***F*** rubis – ***I*** rubino – ***S*** rubí

Lit.: [1] Gemmologie (Z. Dtsch. Gemmol. Ges.) **44**, Nr. 4, 21–53 (1995). [2] Lapis **17**, Nr. 6, 13–23 (1992). [3] Lapis **18**, Nr. 7/8, 40–56 (1993). [4] Gems & Gemmology **31**, Nr. 1, 2–26 (1995). [5] GEO **1991**, Nr. 11, 14–38. [6] Gems & Gemmology **33**, 24–41 (1997). [7] Z. Dtsch. Gemmol. Ges. **42**, 69–89 (1993). [8] J. Gemmol. **24**, 256–267 (1994). [9] J. Gemmol. **24**, 467–473 (1995). [10] Gemmologie (Z. Dtsch. Gemmol. Ges.) **46**, Nr. 1, 29–43 (1997). [11] Lapis **21**, Nr. 6, 5 (1996).
allg.: Eppler, Praktische Gemmologie (5.), S. 72–88, Stuttgart: Rühle Diebner 1994 ▪ Schmetzer, Natürliche u. synthetische Rubine, Eigenschaften u. Bestimmung, Stuttgart: Schweizerbart 1986 ▪ s. a. Aluminiumoxide, Edelsteine u. Schmucksteine, Korund. – *[CAS 12174-49-1]*

Rubinblende s. Zinkblende.

Rubinglas s. Gold u. Glas.

Rubinglimmer s. Lepidokrokit.

Rubin-Laser. Dem Konzept von *Schawlow folgend (d. h. das Prinzip des *Masers in den opt. Wellenlängenbereich zu transferieren), gelang es *Maiman 1960, den ersten opt. Laser – einen R.-L. – d. h. einen *Festkörper-Laser, dessen aktives Material aus *Rubin besteht, zu realisieren. Hierzu werden in die Schmelze von hochreinem Al_2O_3 rund 0,05 Gewichtsprozente Cr_2O_3 gegeben; d. h. man erhält einen Krist., in dem ei-

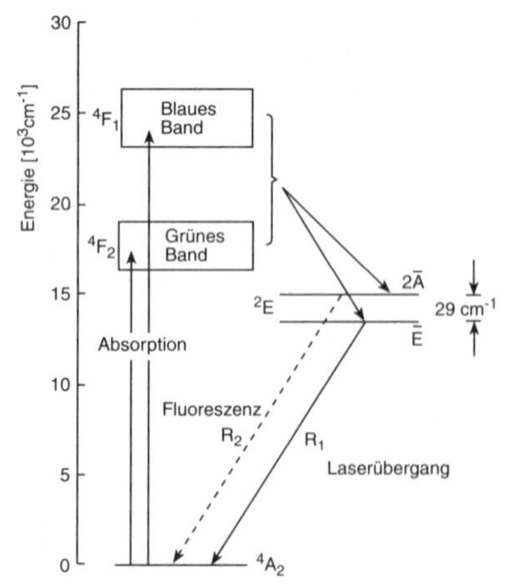

Abb. 1: Schema der Übergänge beim Rubin-Laser; die Aufspaltung des ^2E-Niveaus in die Zustände 2 Ā u. Ē ist vergrößert dargestellt.

nige Al^{3+}-Ionen durch Cr^{3+}-Ionen ersetzt sind (p Rubin).
Der R.-L. ist ein Drei-Niveau-*Laser (s. Abb. 1). Die Anregung der Cr^{3+}-Ionen erfolgt aus dem $^4A_2$-Grundzustand in die breiten Energiebänder $^4F_1$ u. $^4F_2$ durch Pumplicht im blauen (350–450 nm, Maximum: 400 nm) u. grünen (500–600 nm, Maximum: 550 nm) Spektralbereich. Die Lebensdauer der $^4F_1$- u. $^4F_2$-Zustände ist sehr kurz, die Ionen wechseln in das metastabile ^2E-Niveau, reichern sich dort an u. bauen so eine Besetzungsinversion auf. Die beiden Komponenten des ^2E-Niveaus 2 Ā u. Ē besitzen einen Abstand von 29 cm^{-1}. Laseremission tritt im allg. nur bei dem R_1-Übergang $\bar{E} \rightarrow {}^4A_2$ auf; Wellenlänge 694,3 nm ($\triangleq$ 14403 cm^{-1}).

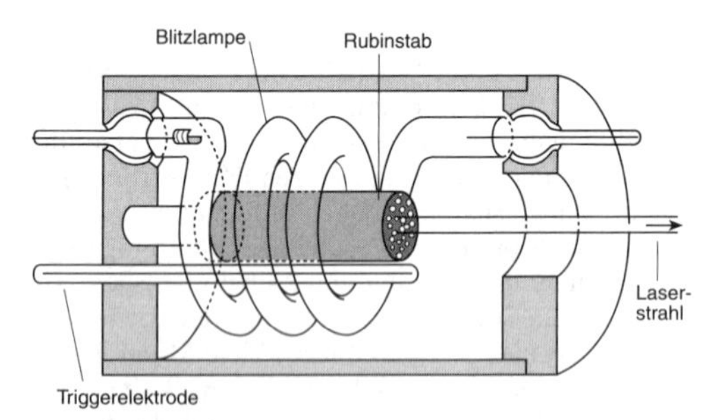

Abb. 2: Aufbau eines Rubin-Lasers.

Abb. 2 zeigt den typ. Aufbau eines Rubin-Lasers. Die Blitzlampe ist spiralförmig um den Laserkrist. gewendelt. Laser-Rubin-Krist. können mit hoher opt. Qualität hergestellt werden. Aus einem Rohkörper werden im allg. Stäbe von 30 cm Länge u. 2,5 cm Durchmesser geschnitten, deren Endflächen poliert werden (Ebenheit: ⅒ der Wellenlänge, Parallelität: ±4 Bogensekunden). Kommerziell erhältliche R.-L. haben Pulsdauern von 0,5 ms bis 30 ps u. Pulsenergien von einigen Joule (ein typ. Wert ist z. B. 30 J, 30 ns, also 1 GW Lichtleistung bei einer Repetitionsrate von 0,033 Hz). – ***E*** ruby laser – ***F*** laser à rubis – ***I*** laser di rubino – ***S*** láser de rubí

Lit.: Koechner, Solid-State Laser Engineering, Berlin: Springer 1996 ▪ Phys. Bl. **47**, 365, 411 (1991) ▪ Laser Focus World, The Buyers Guide, Kirchheim: Verlagsbüro Johann Bylek 1997.

Rubinrot s. Arsensulfide.

Rubin S s. Säurefuchsin.

Rubisco s. Ribulosebisphosphat-Carboxylase.

Rubisco-Activase s. Ribulosebisphosphat-Carboxylase.

Rub-out-Effekt. Fachsprachliche, nicht eindeutig gegen *Aufschwimmen, *Ausschwimmen u. *Flockung abzugrenzende Bez. für Entmischungserscheinungen in Anstrichen u. Lacken, die mehrere *Pigmente enthalten.

Lit.: Römpp Lexikon Lacke u. Druckfarben, S. 502.

Rubratoxin B. Von *Schimmelpilzen (*Penicillium rubrum, P. purpurogenum*) gebildetes polycycl. *Mykotoxin (R^1, R^2=O=; $C_{26}H_{30}O_{11}$, M_R 518,52, Schmp. 168–170 °C), das als Hauptkomponente neben *R. A* (R^1=H, R^2=OH; $C_{26}H_{32}O_{11}$, M_R 520,53) in verschimmelten Erdnüssen, Getreide, Sonnenblumenkernen u. a. auftritt. Mit verdorbenem Futter aufgenommenes R. kann bei Tieren Blutungen u. Störungen der Zellentwicklung von Leber, Milz u. Nieren auslösen.

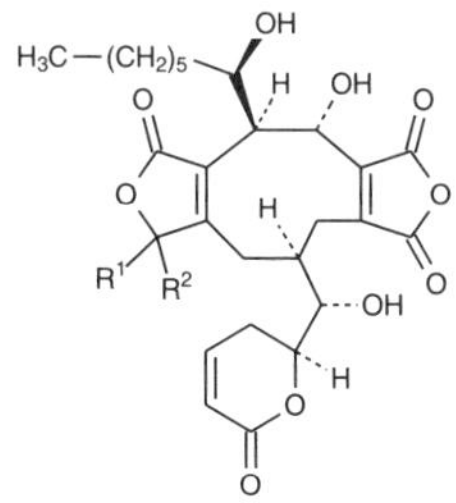

relative Konfiguration

– ***E*** rubratoxin B – ***F*** rubratoxine B – ***I*** rubratossina B – ***S*** rubratoxina B

Lit.: Beilstein EV **19/10**, 693 ▪ Exp. Mol. Pathol. **50**, 193 (1989) ▪ Food Chem. Toxicol. **26**, 459 (1988) ▪ Helv. Chim. Acta **64**, 2162, 2791 (1981) ▪ Mycotoxins **1974**, 193. – *[CAS 22467-31-8 (R. A); 21794-01-4 (R. B)]*

Rubredoxine. Zu den *Redoxinen (Redoxproteinen) gehörende Proteine (Nicht-Häm-*Eisen-Proteine) vorwiegend aus anaeroben Bakterien (**Clostridium* Arten u. a.), die im Gegensatz zu den *Ferredoxinen nur ein mit vier Cystein-Schwefel-Atomen koordiniertes Eisen-Atom enthalten u. als niedermol. Elektronentransport-Proteine fungieren. R. sind im oxidierten Zustand rot, in reduziertem farblos. Die Proteine sind bei einer Reihe von Organismen sequenziert u. bestehen aus 52–54 Aminosäuren, M_R 5500–6000. R. spielen vorwiegend bei Hydroxylierungsreaktionen eine Rolle, z. B. bei der Nitrat-Red. durch *Clostridium perfringens* [1]. R. aus dem anaeroben Bakterium *Pseudomonas oleovorans* [2] spielt eine Rolle bei der Metabolisierung mittel- u. langkettiger Alkane, die mit einer Oxid. an einem endständigen C-Atom beginnt. Dabei ist der erste Reaktionsschritt eine Hydroxylierung durch eine Alkan-1-Hydroxylase, an die durch die R. Elektronen abgegeben werden. Die erneute Red. der oxidierten R. wird von der R.-Reduktase vorgenommen. Der bei der Hydroxylierung entstandene prim. Alkohol wird durch andere Enzyme zum Aldehyd u. schließlich zur Fettsäure oxidiert. – ***E*** rubredoxins – ***F*** rubrédoxines – ***I*** rubredossine – ***S*** rubredoxinas

Lit.: [1] J. Biochem. (Tokyo) **106**, 336 (1989). [2] J. Mol. Biol. **212**, 135 (1990).
allg.: Arch. Biochem. Biophys. **318**, 80 (1995) ▪ Biochem. J. **271**, 839 (1990) ▪ J. Biochem. (Tokyo) **106**, 656 (1989) ▪ J. Biol. Chem. **264**, 5442 (1989) ▪ J. Inorg. Biochem. **65**, 53 (1997).

Rubren (5,6,11,12-Tetraphenylnaphthacen).

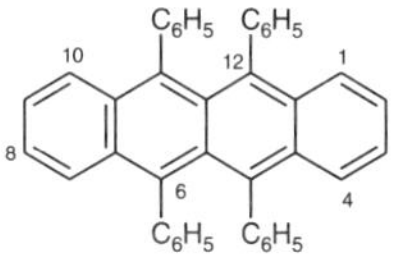

$C_{42}H_{28}$, M_R 532,69. Orangerote Krist., Schmp. 331 °C, gut lösl. in Benzol (gelbe Fluoreszenz), im Dunkeln u. im Licht bei Sauerstoff-Abschluß beständig. Bei Belichtung u. Luftzutritt entsteht unter Bindung von 1 O_2-Mol. ein gut kristallisierendes, farbloses 5,12-Epidioxid (Endoperoxid), das beim Erhitzen (bis 140 °C) den Sauerstoff weitgehend wieder abgibt. Um Dokumente vor unerwünschtem Photokopieren zu schützen, kann man sie mit verd. R.-Lsg. besprühen. R. dient als Reagenz für Chemilumineszenz-Untersuchungen. Name von latein. ruber = rot. – ***E=I*** rubrene – ***F*** rubrène – ***S*** rubreno

Lit.: Aldrichimica Acta, **16** (3), 59 (1983) ▪ Beilstein EIV **5**, 2968 ▪ Ullmann (5.) **A 15**, 550. – *[HS 2902 90; CAS 517-51-1]*

Rubrobrassicine s. Kohl.

Rubroflavin.

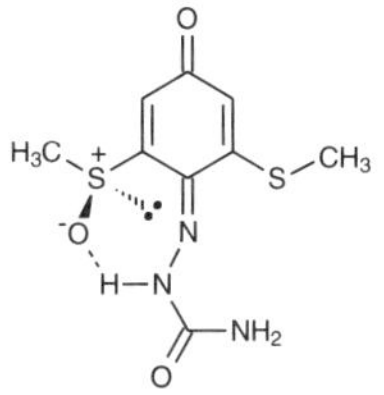

$C_9H_{11}N_3O_3S_2$, M_R 273,36, orangerote Krist., Schmp. 184–185 °C, $[\alpha]_D^{20}$ 2180° (CH_3OH). Chirales *p*-Chinon-monosemicarbazon mit chiraler Sulfoxid-Gruppe, das für die orange Farbe verletzter od. getrockneter Exemplare des amerikan. Bovistes *Calvatia rubro-flava* (Bauchpilze, Gasteromycetes) verantwortlich ist. Die spezif. opt. Drehung ist ungewöhnlich groß. R. verliert beim Erhitzen in einer interessanten Fragmentierungsreaktion Stickstoff u. Isocyansäure unter Bildung von 3,5-Bis(methylthio)-phenol-*S*-oxid. Im Pilz liegt R. ursprünglich in der farblosen *N,O*-Dihydro-(Leuko)-Form *Leukorubroflavin* vor. Eine enantioselektive Synth. wurde beschrieben (s. *Lit.*). Strukturverwandte Substanzen aus höheren Pilzen sind *Calvatsäure u. *Xanthodermin. – ***E*** rubroflavin – ***F*** rubroflavine – ***I=S*** rubroflavina

Lit.: Zechmeister **51**, 243–248.

Rubromycine. Rote, krist. *Chinon-Antibiotika aus Kulturflüssigkeit von *Streptomyces collinus* u. *S. antibioticus*, die sich in α-R. (*Collinomycin*), $C_{27}H_{20}O_{12}$, M_R 536,44, Schmp. 278–281 °C, β-R. (*Rubromycin*), $C_{27}H_{20}O_{12}$, M_R 536,44, Schmp. 225–227 °C u. γ-R.,

$C_{26}H_{18}O_{12}$, M_R 522,42, Schmp. 235 °C, trennen lassen. R. sind lösl. in Aceton, Chloroform, wenig lösl. in Ether u. Alkoholen, unlösl. in Wasser u. Petrolether. Neben Wirksamkeit gegen Kokken zeigen R. antifung. Aktivität sowie eine selektive Hemmung der *reversen Transcriptase aus HIV-1 [1].

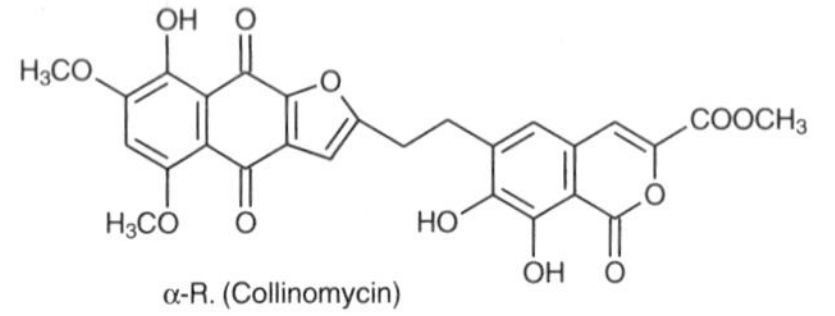

α-R. (Collinomycin)

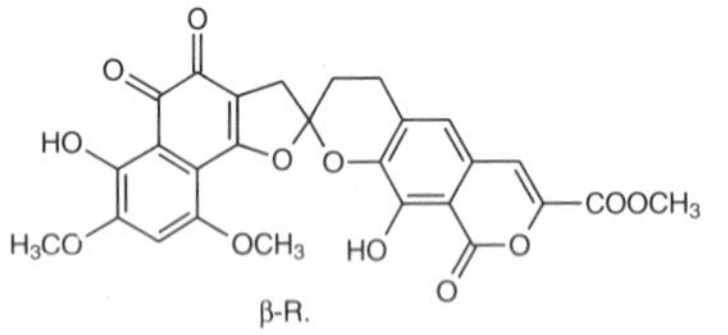

β-R.

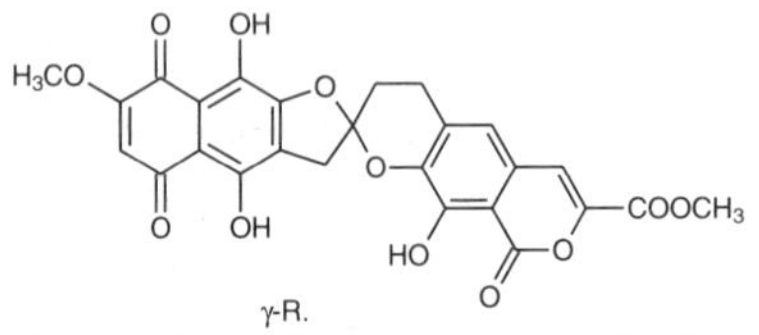

γ-R.

– ***E*** rubromycins – ***F*** rubromycines – ***I*** rubromicine – ***S*** rubromicinas

Lit.: [1] Mol. Pharmacol. **38**, 20 (1990).

allg.: Beilstein E V **19/8**, 331; **19/11**, 137, 138 ▪ J. Antibiot. **50**, 143 (1997). – *[HS 2941 90; CAS 27267-69-2 (α-R.); 27267-70-5 (β-R.); 27267-71-6 (γ-R.)]*

RUC. Kurzz. (nach DIN 55950: 1978-04) für *Chlorkautschuk.

Ruch, Ernst (geb. 1919), Prof. für Physik, FU Berlin. *Arbeitsgebiete:* Theoret. Chemie u. Physik, Quantenchemie, opt. Aktivität, Chiralität, Metallocene.

Lit.: Kürschner (16.), S. 3065 ▪ Nachr. Chem. Tech. Lab. **29**, 237 f. (1981).

Ruderalpflanzen. Vegetation von Ruderalstellen. Dies sind unter dauerndem menschlichen Einfluß stehende, ursprünglich od. zeitweise pflanzenarme, meist verhältnismäßig nährstoffreiche Standorte, denen gewöhnlich eine gare Bodenkrume od. echte Horizontbildung des Bodens fehlt. Der Untergrund zeichnet sich durch große Temp.- u. Feuchtigkeitsschwankungen aus. Eine typ. R. ist die *Brennessel, *Urtica dioica*, z. B. an Müllhalden, Abfallhaufen, auf Hofplätzen u. Trümmerstellen. – ***E*** ruderal plants – ***F*** plantes rudérales – ***I*** piante ruderali – ***S*** plantas ruderales

Lit.: Gisi, Bodenökologie (2.), Stuttgart: Thieme 1997 ▪ Sukopp u. Wittig, Stadtökologie, Stuttgart: Fischer 1993.

Rudolf Chemie. Kurzbez. für die 1922 gegr. Rudolf GmbH & Co. KG chem. Fabrik Warnsdorf; 1946 Neugründung in 82532 Geretsried. Herst. u. Vertrieb von Spezialhilfsmitteln für die Textil-, Papier-, Leder- u. Rauchwaren-Industrie.

Rudotel® (Rp). Tabl. mit dem *Tranquilizer *Medazepam. ***B.:*** OPW.

Rüben s. Rote Rüben, Möhren (Mohrrüben), Saccharose (Zuckerrüben) u. Raps (Rübenkohl, -reps).

Rübenzucker s. Saccharose.

Rüböl s. Rapsöl.

Rübsaat, Rübsamen, Rübsen s. Raps.

Rüchardt, Christoph J. (geb. 1929), Prof. für Organ. Chemie, Univ. Freiburg, Mitglied der Heidelberger Akademie der Wissenschaften. *Arbeitsgebiete:* Freie Radikale, aromat. Diazoniumsalze, organ. Peroxide u. Perester, Reaktionsmechanismen, Struktur u. Stabilität von Kohlenwasserstoffen, Thermochemie, stereoselektive Synthesen.

Lit.: Kürschner (16.), S. 3070 ▪ Nachr. Chem. Techn. Lab. **31**, 291 f. (1983) ▪ Wer ist wer (36.), S. 1192.

Rückbindung. Begriff aus der Theorie der *chemischen Bindung, der v. a. bei Koordinationsverb. (s. Koordinationslehre) Anw. findet. Z. B. erklärt man die bemerkenswerte Stabilität der Fe–C-Bindungen von Eisencarbonyl-Verb. wie $[Fe(CO)_4]^{2-}$ im Rahmen der qual. *MO-Theorie durch R., die durch Überlappung von d-Orbitalen des Eisen-Atoms mit den π-Orbitalen des CO-Mol. zustande kommt. Dabei wird die Metall-Kohlenstoff-Bindung gestärkt u. die Kohlenstoff-Sauerstoff-Bindung geschwächt. Experimentelle Hinweise auf das Auftreten von R. in Koordinationsverb. liefern die *IR-Spektroskopie, *NMR-Spektroskopie, *Photoelektronen-Spektroskopie, *Kristallstrukturanalyse u. a.; Näheres s. *Lit.* [1]. R. spielt auch in Verb. der Edelgase wie XeF_2 u. bei vielen Phosphor- u. Schwefelorgan. Verb. (z. B. Phosphoroxiden, *Yliden od. *Sulfonen) eine wichtige Rolle, s. z. B. *Lit.* [2]. – ***E*** back bonding, back donation – ***F*** liaison de coordination inverse – ***I*** legane di ritorno – ***S*** enlace de coordinación inverso

Lit.: [1] Huheey, Anorganische Chemie (2.), München: De Gruyter 1995. [2] Kutzelnigg, Einführung in die Theoretische Chemie (2.), Bd. 2, Weinheim: VCH Verlagsges. 1994.

Rückerinnerungsvermögen s. Schrumpffolien.

Rückfetter, Rückfettung s. Haarbehandlung, Hautpflegemittel.

Rückfluß. Im Gegensatz zur einfachen *Destillation werden beim Arbeiten mit siedenden Flüssigkeiten unter R. die aus dem Kolben aufsteigenden Dämpfe in einem senkrecht stehenden *R.-Kühler* (s. Kühler, Abb. a, c, e, f, g) vollständig kondensiert u. als *Rücklauf* (vgl. a. Destillation) in den Kolben zurückgeführt. R.-Operationen sind in der organ. Chemie sehr häufig, z. B. bei Extraktionen, bei Lösungsvorgängen od. Reaktionen in Lsm. bei erhöhter Temp. etc. Als R. od. Rücklauf wird auch jene Teilmenge Kondensat bezeichnet, die bei der *Rektifikation im Gegenstrom zu den aufsteigenden Dämpfen in die *Kolonne zurückgeführt wird. – ***E*** = ***F*** reflux – ***I*** riflusso – ***S*** reflujo

Rückgrat s. Desoxyribonucleinsäuren (S. 911), Proteine u. Ribonucleinsäuren.

Rückhaltebecken. Becken zur Regelung des Wasserabflusses (Ausgleichsbecken), das die Speicherung von *Abwasser ermöglicht, das über eine durchschnittliche Anfallmenge hinausgeht, z. B. für Regenwasser. Durch R. wird eine gleichmäßige Abwasserbehandlung gewährleistet bzw. eine Verweilzeitverkürzung bei der *biologischen Abwasserbehandlung vermieden. R., die der Vergleichmäßigung der

Abwasser-Beschaffenheit (Konzentrationsausgleich) dienen, werden als Homogenisierungs- od. Pufferbecken bezeichnet, R. für die Aufnahme von schädlichem Abwasser bei Unglücksfällen auch als Havariebecken. Dem Hochwasserschutz dienen Hochwasser-R. in u. an Oberflächengewässern. – ***E*** retardation basin, flood retention basin – ***F*** bassin de retenue de la crue – ***I*** bacino di raccolta – ***S*** depósito de retención

Lit.: Pöppinghaus et al. (Hrsg.), Abwassertechnologie (2.), S. 585 ff., Berlin: Springer 1994 ▪ Vischer u. Hager, Hochwasserrückhaltebecken, Zürich: Verl. der Fachvereine 1992.

Rückhaltevermögen s. Filter, S. 1356.

Rückkopplung s. Automation, Endprodukthemmung, oszillierende Reaktionen, Regelung u. Regulation.

Rücklauf s. Rückfluß u. Destillation.

Rücklaufschlamm. Bez. für den *Klärschlamm-Anteil, der aus *Nachklärbecken abgezogen u. in *Belebungsbecken zurückgeführt wird. – ***E*** return-sludge – ***F*** boues de retour – ***I*** fango di ritorno – ***S*** lodos de retorno

Lit.: Pöppinghaus et al. (Hrsg.), Abwassertechnologie (2.), S. 880, Berlin: Springer 1994.

Rückreaktion s. Reaktionen u. Reaktionsmechanismen.

Rücksprung-Verfahren s. Härteprüfung.

Rückstand. *Allg. Bez.* für den nach Durchführung eines Verfahrensschrittes zurückbleibenden stofflichen Rest, wie z. B. höher siedende Reste in Destillationsblasen, unlösl. Reste auf einem Filter od. unlösl. Bestandteile beim Aufschluß im Tiegel.

Im engeren, *lebensmittel- u. umweltrechtlichen Sinn* bezeichnet R. die Restmengen von Chemikalien u. Substanzen, die als Folge ihrer Anw. in Ernteprodukten u. Nahrungsmitteln od. in der Umwelt verbleiben. Zu diesen angewendeten Substanzen gehören die in der Erzeugung pflanzlicher Produkte (pflanzliche Nahrungsmittel, Baumwolle) eingesetzten *Pflanzenschutzmittel, die in der Produktion tier. Nahrungsmittel (Milch, Fleisch, Eier) u. Produkte (Wolle) verwendeten *Tierarzneimittel u. *Masthilfsmittel sowie die bei der Lagerung zum Schutz vor Schadorganismen eingesetzten Substanzen. Bei den verbleibenden Resten kann es sich um die originär eingesetzte Verb. od. auch um durch Abbaureaktionen entstandene Metaboliten handeln.

Deutlich von R. zu unterscheiden sind *Verunreinigungen u. *Kontaminationen. Diese gelangen unbeabsichtigt, aufgrund der allg. Gegebenheiten u. der herrschenden Situation in die Umwelt u./od. in Nahrungsmittel (z. B. Schwermetalle, chlorierte Kohlenwasserstoffe).

Um Verbraucher wirksam vor neg. Auswirkungen durch R. zu schützen, wurden vom Gesetzgeber auf europ. u. nat. Ebene VO erlassen, die die erlaubten Mengen von R. in Nahrungsmitteln u. Umwelt regeln. Die wichtigsten VO sind: EU-VO über Maximum Residue Limits[1] (MRL);

Rückstands-Höchstmengen-VO[2];

Lebensmittelgesetz[3].

Diese VO werden im Einzelfall durch weitere VO ergänzt (z. B. Fleisch-VO). Wichtigstes Instrument zur Umsetzung dieser VO durch die europ. u. nat. Behörden (in der BRD das *Bundesinstitut für gesundheitlichen Verbraucherschutz u. Veterinärmedizin, BgVV) ist die Festlegung von max. Rückstandsgrenzwerten (MRL, *M*aximum *R*esidue *L*imits). Auf Basis umfangreicher toxikolog. Untersuchungen wird für jeden Wirkstoff ein *ADI-Wert (*A*cceptable *D*aily *I*ntake) festgelegt. Dieser ist definiert als „die tägliche Aufnahme während des ganzen Lebens, die nach dem Stand allen verfügbaren Wissens kein erkennbares Risiko darstellt". Ausgehend von diesem Wert u. unter Einbeziehung eines Sicherheitsfaktors erfolgt die Festlegung von MRL für diesen Wirkstoff in all denjenigen Lebensmitteln, in denen er aufgrund seiner Anw. auftreten kann. Diese Grenzwerte dürfen dann per Gesetz nicht überschritten werden. Wirkstoffe, für die keine MRL festgelegt sind, dürfen in Europa nicht mehr in den Handel gebracht werden.

Die Kontrolle der Einhaltung dieser Grenzwerte erfolgt von staatlicher Seite durch die chem. Untersuchungsämter, von seiten der Lebensmittel-Ind. durch deren Qualitätskontrolle. Voraussetzung für die Kontrolle ist eine effektive Rückstandsanalytik. *Lit.*[4–6] informiert über die verwendeten Methoden.

Entgegen der allg. Auffassung, die Belastung der Lebensmittel nehme ständig zu, ist die Tendenz rückläufig, da die strengen Rückstandsverordnungen u. die strengen Kontrollen Wirkung zeigen. Ein Grund für die oben genannte irrige Annahme ist die kontinuierliche Verbesserung der Nachweisgrenzen in der Analytik. Dies führt dazu, daß heute extrem geringe Spuren von R. u. Verunreinigungen (im ppb- bis ppt-Bereich) nachweisbar sind. Einen Überblick über die Belastung von Lebensmitteln gibt *Lit.*[7]. – ***E*** residue – ***F*** résidu – ***I*** = ***S*** residuo

Lit.: [1]Council Regulation (EEC) Nr. 2377/90 (26. 6. 1990): Laying Down the Community Procedure for the Establishment of Maximum Residue Limits of Veterinary Medicinal Products in Foodstuffs of Animal Origin; Council Regulation (EEC) Nr. 7039/VI/95EN (22. 6. 1997): Referring to Council Directive (EEC) Nr. 91/414/EEC (15. 7. 1991): Concerning the Placing of Plant Production Products on the Market. [2]Rückstands-Höchstmengen-VO vom 1. 9. 1994, zuletzt geändert durch Gesetz vom 7. 3. 1996 (BGBl. I, S. 455). [3]Lebensmittel- u. Bedarfsgegenstände-Gesetz vom 15. 8. 1974 in der Fassung vom 20. 1. 1991 (BGBl. I, S. 121). [4]Thiers u. Frehse, Rückstandsanalytik von Pflanzenschutzmitteln, Stuttgart: Thieme 1986. [5]Rüssel, Rückstandsanalytik von Wirkstoffen in tierischen Produkten, Stuttgart: Thieme 1986. [6]Maier, Lebensmittel- u. Umweltanalytik, Darmstadt: Steinkopff 1990. [7]Bundesgesundheitsblatt **33**, 585–589 (1990); **34**, 21 ff. (1991).

allg.: DFG (Hrsg.), Methodensammlung zur Rückstandsanalytik von Pflanzenschutzmittel (Loseblatt-Sammlung, ständig ergänzt), Weinheim: Wiley-VCH ▪ DFG (Hrsg.), Senatskommission zur Prüfung von Rückständen in Lebensmitteln (fortlaufende Mitteilungen), Boppard: Boldt ▪ Fülgraff, Lebensmitteltoxikologie, Stuttgart: Ulmer 1989 ▪ Großklaus, Rückstände in von Tieren stammenden Lebensmitteln, Berlin: Parey 1989 ▪ Lindner, Toxikologie der Nahrungsmittel, Stuttgart: Thieme 1990.

Rückstoß-Atom s. heiße Atome.

Rückstoßchemie. Synonym für Chemie der *heißen Atome (*Rückstoßatome*).

Rückstoßelektron s. Compton-Effekt.

Rückstrahlung(svermögen) s. Reflexion(sspektroskopie).

Rücktitration. Bez. für die *Titration von nichtverbrauchter Titrationslsg., die im Überschuß (vorgelegte Menge) einer zu analysierenden Probe zugesetzt wurde; Beisp. s. bei Iodometrie. – ***E*** back titration – ***F*** titrage en retour – ***I*** titolazione di ritorno – ***S*** valoración por retroceso

Rüdorff, Walter Fritz (1909–1989), Prof. für Anorgan. Chemie, Univ. Tübingen. *Arbeitsgebiete:* Graphit- u. verwandte Einlagerungsverb., ternäre Oxide, Sulfide u. Selenide der Übergangselemente, Halogenide u. Oxidfluoride, Uran-Verb., Röntgenstrukturuntersuchungen.
Lit.: Kürschner (15.), S. 3845 ▪ Nachr. Chem. Tech. **17**, 333 (1969) ▪ Strube et al., S. 127.

Rühren. Bez. für das mechan. Bewegen von Stoffsyst., in denen flüssige Komponenten überwiegen. Der hierfür eingesetzte, meist rotierende Apparat wird *Rührer* genannt. Wesentliche Rühraufgaben sind das Vermischen (*Mischen), das Homogenisieren (Ausgleich von Konz.- u. Temp.-Unterschieden), die Intensivierung des Wärmeaustausches zwischen dem Rührgut u. der Wärmeübertragungsfläche (z. B. Behälterwand), das Suspendieren von Feststoffen, das Dispergieren von Gasen od. das Emulgieren ineinander nicht lösl. Flüssigkeiten. Das einfachste laboratoriumsmäßige Rührverf. ist das Umrühren mit dem Glasstab, das man z. B. anwendet, wenn man eine feste Substanz im Becherglas in einem Lsm. auflösen will. Durch das Umrühren wird die am Feststoff anhaftende gesätt. Lsg. mit ungesätt. Lsm. verdünnt, so daß die Auflösung beschleunigt wird. Die Wirksamkeit des Rührprozesses kann durch die Form des Rührers, die Geschw. seiner Bewegung u. die Form des Behälters beeinflußt werden. Im Laboratorium benutzt man zum R. meist unterschiedlich geformte Rührorgane aus Glas, z. B. solche mit beweglichen Flügeln (Zentrifugalrührer). Bes. beliebt sind Magnetrührsyst., in denen ein außerhalb des Reaktionsgefäßes rotierender (Hufeisen-)Magnet ein im Reaktionsgefäß befindliches, kunststoffbeschichtetes, eisernes Rührstäbchen in Drehbewegung versetzt. Die im Laboratorium benutzten Rührerformen sind mit den großtechn. Rührertypen, deren wichtigste Vertreter in der Abb. dargestellt sind, nur bedingt vergleichbar; die geometr. Abmessungen techn. Rührer können der DIN 28131: 1992-09 entnommen werden (s. a. Ullmann, *Lit.*).
Der Anw.-Bereich einzelner Rührertypen ist begrenzt; im niederviskosen Bereich werden vornehmlich schnellaufende Rührertypen wie Propeller-, Schrägblatt- od. Scheibenrührer od. auch Strahlmischer eingesetzt, während im hochviskosen Bereich Anker-, Schraubenspindel- od. Wendelrührer in Betracht kommen. Für das R. von Fluiden mittlerer Viskosität haben sich Impeller-, Kreuzbalken-, Gitter- od. Blattrührer bewährt. Als Werkstoffe für Behälter u. Rührer dienen je nach Verwendungszweck legierte od. unlegierte sowie mit einer Schutzschicht (z. B. aus Emaille od. Polymeren) versehene Stähle, andere Metalle (Cu-Leg.), u. U. auch Glas, Porzellan, Steinzeug. Als Antriebe werden elektr. od. hydraul. Motoren mit

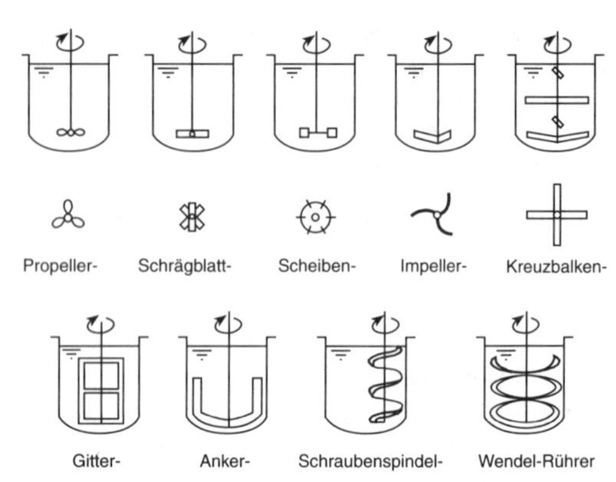

Abb.: Großtechn. verwendete Rührertypen.

variabler Drehzahl bevorzugt, die mit mechan. u./od. hydrostat. Getrieben verbunden sind u. nach Konstruktion u. Art der Befestigung in Anklemm-, Aufsatz- u. Einbaurührwerke eingeteilt werden können. Im Laboratorium benutzt man auch noch Druck- u. Sauglufantriebe. Die Arbeitsgefäße können offen für drucklosen Betrieb od. geschlossen für Druck- od. Vak.-Betrieb ausgelegt sein (*Rührautoklaven*). Die Abmessungen des das Mischgut enthaltenden Gefäßes müssen sorgfältig auf das Rührorgan u. die Rühraufgabe abgestimmt werden. Geeignete Rührgefäßeinbauten, Stromstörer genannt, können erhebliche Leistungssteigerungen beim R. bewirken. Über Besonderheiten beim R. *Nichtnewtonscher Flüssigkeiten s. Weissenberg-Effekt u. die Abb. bei Walker (*Lit.*). Durch R. unter Inertgas verhindert man das Entstehen explosiver Gasgemische, die durch *elektrostatische Aufladung des Rührguts, z. B. einer Kristallsuspension, gezündet werden könnten[1]; zu anderen Aspekten der *Arbeitssicherheit beim R. s. *Lit.*[2]. – ***E*** stirring, agitation – ***F*** remuer, agitation – ***I*** agitare – ***S*** revolver, agitación

Lit.: [1] J. Electrostatics **10**, 89–97 (1981); Chem. Ing. Tech. **55**, 419–428 (1983). [2] Chem. Tech. (Heidelberg) **13**, Nr. 11, 52–56 (1984); Merkblatt Schnellrührer (ZH 1/476), Köln: Heymanns Verl. 1983.
allg.: ACHEMA-Jahrb. **1994**, Bd. 3, 2401, 2402 ▪ Chem. Tech. **11**, 537–541 (1982); **14**, Nr. 7, 70–78 (1985) ▪ Kneule, Rühren, Frankfurt: DECHEMA 1986 ▪ Kurpiers, Wärmeübergang in Ein- u. Mehrphasenreaktoren mit ein- u. zweistufigen Rührern, Weinheim: Verl. Chemie 1985 ▪ Parfüm. Kosmet. **67**, 68–79 (1986) ▪ Spektrum Wiss. **1979**, Nr. 1, 78–82 ▪ Ullmann (5.) **A 9**, 146; **B 2**, 25-1, 25-3, 25-4 ▪ Wilke, Weber u. Fries, Rührtechnik, Verfahrenstechnische u. apparative Grundlagen, Heidelberg: Hüthig 1991 ▪ Winnacker-Küchler (4.) **1**, 108–113 ▪ weitere *Lit.* s. in Führer durch die technische Literatur, Hannover: Weidemanns Buchhandlung (jährlich) u. Scientific and Technical Books and Serials in Print, New York: Bowker (jährlich).

Rührwerksmühlen. Apparate zur Naßmahlung von in Flüssigkeiten suspendierten Feststoffen (*Suspensionen). R. bestehen aus einem horizontal od. vertikal angeordneten, meist zylindr. od. kon. Behälter, der zu etwa 80% mit Mahlkörpern (Kugeln) aus Glas, Metall od. abriebfesten keram. Stoffen (z. B. Aluminiumoxid) gefüllt ist. Ein Rührwerk mit geeigneten Rührelementen (perforierte Scheiben, Ringe, Flachstahlarme usw.) hält die Mahlkörperfüllung in intensiver Bewegung, während das flüssige Mahlgut durch den Mahlraum gepumpt wird. Die Mahlkörper werden meist von einem Sieb od. einem Spalt zurückgehalten.

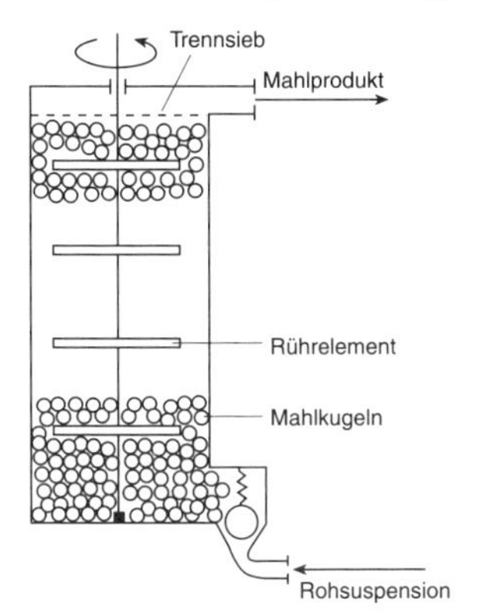

Abb.: Aufbau einer Rührwerksmühle.

R. haben in den letzten Jahren erheblich an Bedeutung gewonnen. Durch ihren Einsatz sind (produktabhängig) Mahlfeinheiten bis zu 2 μm zugänglich. R. werden bevorzugt bei der Herst. von Farben u. Lacken, in der Keramik-Ind., in der Schokoladenfabrikation u. zum Aufschluß von Zellenmaterial in der Biotechnologie eingesetzt. Seltener werden R. zur Trockenmahlung von Feststoffen verwendet. – ***E*** ball mills – ***F*** broyeur à boule(t)s – ***I*** mulini a sfere – ***S*** molino de bolas
Lit.: ACHEMA-Jahrb. **1994**, Bd. 3, 2141.13 ▪ Kirk-Othmer (3.) **17**, 876 ff. ▪ Ullmann (4.) **2**, 22; (5.) **B 2**, 5–37 f.

Rüping-Verfahren s. Holzschutzmittel.

Rütapal®. *Polyesterharze als Flüssigkeiten, Feststoffe, Preßmassen, imprägnierte Glasfaservliese, Lacke. ***B.:*** Bakelite AG.

Rütapox®. *Epoxidharze auf der Basis von Bisphenol A u. Bisphenol F für Verguß- u. Laminierharze, Lacke, Kleber, Papier- u. Textilveredelungsmittel. ***B.:*** Bakelite AG.

Rütapur®. Flüssige u. pastöse *Polyurethan (PUR)-Gießharze als Bindemittel; Gießharzsyst. für die Elektrotechnik u. Elektronik. ***B.:*** Bakelite AG.

RUTGERS. Kurzbez. für die Rütgers AG, 60326 Frankfurt, die 1849 von Julius Rütgers als Rütgerswerke gegr. wurde. *Tochter-* u. *Beteiligungsges.:* VFT AG (100%), WEYL GmbH (100%), Bakelite AG (100%), Isola AG (100%), HT Troplast AG (99,9%), RÜFAS Pagid AG (100%), RÜFAS Kunststofftechnik GmbH (100%), Teerbau GmbH (100%) u. Ruberoid AG (77,44%). *Daten* (1995): ca. 16000 Beschäftigte, 5,1 Mrd. DM Umsatz (Konzern). *Produktion:* Elektrodenbindemittel, Rußrohstoffe, Kohlenwasserstoff-Harze, organ. Basis-, Fein- u. Spezialchemikalien, Textilhilfsmittel, Holz- u. Feuerschutzmittel, Phenol- u. Epoxid-Harze, Basismaterial für Leiterplatten, Hochleistungsverbundwerkstoffe, Bodenbeläge, Kunststoffprofile, Reibbeläge, Formteile, Straßen- u. Spezialbau, Flachdach- u. Bauwerksabdichtungen.

Rütteldichte s. Schüttdichte.

Rütteltische s. Schüttelgeräte.

Ruff, Otto (1871–1939), Prof. für Anorgan. Chemie, TH Danzig u. Breslau. *Arbeitsgebiete:* Chemie des Fluors, Synth. von Metall- u. Nichtmetallfluoriden, Hochtemperaturchemie, Chlorsilane, Zuckerabbau.
Lit.: Pötsch, S. 371 ▪ Strube et al., S. 138, 164.

Ruff-Abbau. Bez. für die Oxid. von *Aldonsäuren mit Wasserstoffperoxid in Ggw. von $Fe(O–O–CH_3)_3$ zu der nächst niedrigen *Aldose. So entsteht z. B. aus D-*Gluconsäure D-*Arabinose (s. Abb.). Der R.-A. stellt gewissermaßen das Gegenstück zur *Kiliani-Synthese dar, bei der Aldosen zum nächst höheren Homologen aufgebaut werden; vgl. a. Wohl-Abbau.

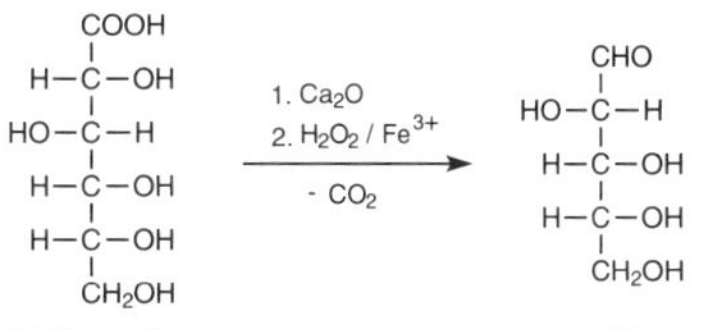

1. Ca_2O 2. H_2O_2 / Fe^{3+}, $- CO_2$

D-Gluconsäure → D-Arabinose

– ***E*** Ruff degradation – ***F*** dégradation de Ruff – ***I*** degradazione di Ruff – ***S*** degradación de Ruff
Lit.: Hassner-Stumer, S. 327 ▪ Krauch u. Kunz, Reaktionen der organischen Chemie, 6. Aufl., S. 665, Heidelberg: Hüthig 1997.

Rufoolivacine. Der Rotviolette Klumpfuß (*Cortinarius rufoolivaceus*, Basidiomycetes) enthält violette Dimere aus Torachryson-8-*O*-methylether u. einem 1,2- bzw. 1,4-Anthracenchinon, die R. genannt werden. Sie entstehen durch Luftoxid. aus gelbgrünen Vorstufen, die anstelle des Anthracenchinons eine Anthracen- bzw. Anthron-Einheit enthalten. Hauptfarbstoffe sind *R. A* {$C_{32}H_{28}O_9$, M_R 556,57, dunkelrotes amorphes Pulver, Schmp. 303–307 °C, $[\alpha]_D$ +320° (CH_3OH)} u. *R. B* {$C_{32}H_{28}O_9$}, M_R 556,57, rotes amorphes Pulver, Schmp. 260 °C, $[\alpha]_D$ +240° (CH_3OH)}.

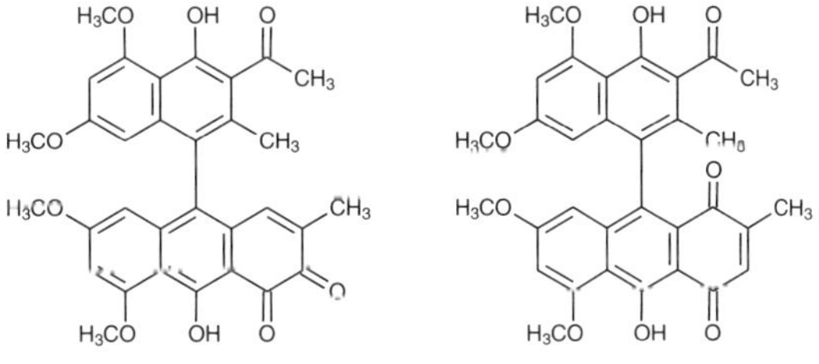

Rufoolivacin A Rufoolivacin B

– ***E*** rufoolivacins – ***F*** rufoolivacines – ***I*** rufoolivacine – ***S*** rufoolivacinas
Lit.: Zechmeister **51**, 168 ff.

Ruggli-Ziegler-Verdünnungsprinzip s. Ziegler-Verdünnungsprinzip.

Rugosin H s. Pyrrolnitrin.

Rugulosin.

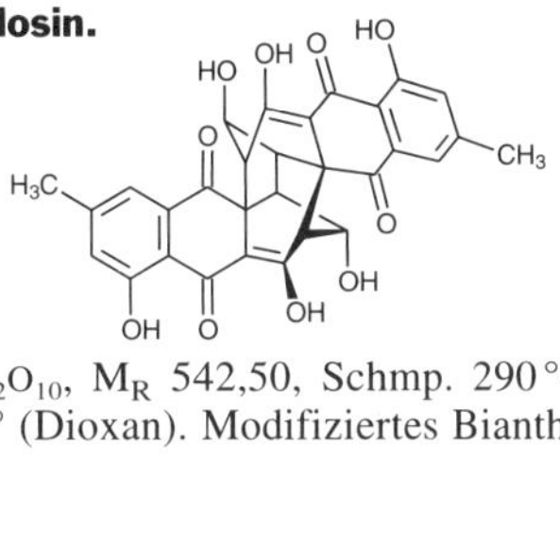

(+)-Form

$C_{30}H_{22}O_{10}$, M_R 542,50, Schmp. 290 °C (Zers.). $[\alpha]_D$ +466° (Dioxan). Modifiziertes Bianthrachinon u. hepatotox. *Mykotoxin, das von verschiedenen Schimmelpilzen, insbes. *Penicillium islandicum* [(–)-Form] u. *P. rugulosum* [(+)-Form], gebildet wird. Von *P. islandicum* sind außer R. 20 Bianthrachinone u. eine Reihe einfacher *Anthrachinone bekannt (z.B. Chrysophanol, *Emodin, *Islandicin, *Skyrin, Luteoskyrin). R. u. Luteoskyrin sind für die Symptome der in Asien häufig auftretenden Mykotoxikose „yellow rice disease" verantwortlich. Weitere R.-Produzenten sind *Endothia parasitica* (Verursacher des „Kastaniensterbens"), *Myrothecium verrucaria* u. Flechten (*Flechten-Farbstoffe). LD_{50} für (+)-R. (Ratte i.p.) 44 mg/kg, sowohl (+)- als auch (–)-R. wirken antibakteriell u. cytotoxisch. (+)-R. induziert in Mäusen Leberzirrhose u. -tumore. – ***E*** rugulosin – ***F*** rugulosine – ***I*** rugulosina – ***S*** rugulosín

Lit.: Betina (Hrsg.), Mycotoxins, Kap. 14, Amsterdam: Elsevier 1984 ▪ Cole u. Cox, Handbook of Toxic Fungal Metabolites, S. 696–702, New York: Academic Press 1981 ▪ Sax (8.), RRA 000 ▪ Tetrahedron Lett. **1978**, 3375 (Biosynth.). – *[CAS 23537-16-8 ((+)-R.); 21884-45-7 ((–)-R.)]*

Ruh(e)masse. Masse eines Teilchens im Ruhezustand. Nach der Relativitätstheorie wächst die Masse eines Teilchens mit seiner Geschwindigkeit. Ist m_0 die R. eines Teilchens (z.B. eines α-Teilchens), so ist die Masse m des gleichen, mit der Geschw. v bewegten Teilchens nach der Relativitätstheorie

$$m = m_0/\sqrt{1-(v^2/c^2)};$$

c = Lichtgeschwindigkeit. Das bedeutet, wenn v die Hälfte der Lichtgeschw. erreicht, wird die Masse des bewegten Teilchens um etwa 15% größer als die R. des gleichen Teilchens; bei $v = 3/4 \cdot c$ beträgt der „relativist. Massenzuwachs" bereits 50%: Ein Elektron mit einer Geschw. von 225 000 km/s hat eine um die Hälfte größere Masse als in Ruhe. Erreichte v die Lichtgeschw., so würde die Masse des bewegten Teilchens unendlich groß werden. Die R. wird heute nicht mehr als *Masse (in g) ausgedrückt, sondern als *Energie (in *Elektronenvolt) betrachtet. – ***E*** rest mass – ***F*** masse au repos – ***I*** massa di riposo – ***S*** masa en reposo

Ruhende Zellen s. Resting Cells.

Ruhepotential. Elektrodenpotential eines Metalls in einem Angriffsmittel ohne Einwirkung von äußeren Strömen, gemessen gegen eine unpolarisierbare Bezugselektrode (DIN 50900-2: 1984-01). – ***E*** rest potential – ***F*** potentiel résiduel – ***I*** potenziale residuo – ***S*** potencial residual

Ruheumsatz s. Grundumsatz.

Ruhr (althochdtsch.: ruor = rühren, heftig bewegen). Schwere Durchfallserkrankung (Dysenterie) infolge infektiöser Dickdarmentzündung. Nach Art der Erreger unterscheidet man die *Bakterien-R.* von der *Amöben-Ruhr.*
Die *Bakterien-R.* (Shigellose) wird durch das Gramneg. Stäbchen *Shigella dysenteriae* hervorgerufen, das nach oraler Aufnahme die Schleimhaut des Dickdarms befällt u. schädigt. Dies führt zu zunächst wäss., dann blutigen u. schmerzhaften Durchfällen. Die dadurch entstehende Wasserverarmung, die Blutverluste sowie die durch *Toxine hervorgerufenen Störungen des Zentralnervensyst. u. des Kreislaufs können unbehandelt zum Tode führen. Die Behandlung erfolgt mit *Antibiotika, z.B. *Tetracyclinen. Eine orale Schutzimpfung ist möglich u. gibt einen ca. 6 Monate langen Schutz.
Die *Amöben-R.* (Amöbiasis) entsteht durch den Einzeller *Entamoeba histolytica.* Ein Befall des Darms ohne Vordringen des Erregers in das Gewebe kann als Darmlumeninfektion jahrelang symptomlos bestehen. V. a. in trop. Ländern ist die Durchseuchung mit *Amöben hoch. Die Übertragung erfolgt durch orale Aufnahme von Amöbencysten, Dauerformen der Einzeller, die mit dem Stuhl ausgeschieden werden. Dringen die Amöben in die Schleimhaut des Dickdarms ein, führen sie durch enzymat. Gewebszerstörung zu Geschwüren. Die Folge sind blutige Durchfälle. Eine Verschleppung der Erreger mit dem Blut führt zu Absiedlungen mit Bildung von Abszessen (Amöbenabszesse) in anderen Organen, z.B. der Leber. Zur Behandlung werden *Amöbizide, z.B. *Metronidazol, eingesetzt. Für Verdachts-, Erkrankungs- u. Todesfälle an R. besteht Meldepflicht nach dem Bundesseuchengesetz. – ***E*** dysentery – ***F*** dysentérie – ***I*** dissenteria – ***S*** disentería

Lit.: Brandis et al., Lehrbuch der Medizinischen Mikrobiologie, S. 404–408, 651–654, Stuttgart: Fischer 1994.

Ruhrkohle. Kurzbez. für den 1968 gegr. Konzern Ruhrkohle AG (RAG), 45032 Essen. *Tochterges.:* u.a. Steag AG, *RÜTGERS AG, Ruhrkohle Bergbau AG. *Daten* (1997, Konzern): ca. 102000 Beschäftigte, ca. 25 Mrd. DM Umsatz. *Produktion:* Förderung, Vertrieb u. Handel mit Steinkohle, Bergbau, Energie, Chemie, Umwelt, Technologie.

RuhrOel. Kurzbez. für die 1937 gegr. Firma RuhrOel GmbH, 45896 Gelsenkirchen. VEBA OEL AG u. Petróles de Venezuela sind zu je 50% an der RuhrOel beteiligt.

RUI. Kurzz. (nach DIN 55950: 1978-04) für *Cyclokautschuke.

Rul. Kurzz. für *D-Ribulose.

Rulid® (Rp). Filmtabl. mit *Roxithromycin gegen bakterielle u. ähnliche Infektionen. ***B.:*** HMR.

Rum. Nach Artikel 1 Absatz 4 Buchstabe a) der VO (EWG) 1576/89 [1] ist R. die *Spirituose, die ausschließlich durch alkohol. Gärung u. Dest. von *Melasse od. *Sirup der Rohrzuckerherst. od. aus dem Saft des Zuckerrohres gewonnen wird. Das Erzeugnis darf auf höchstens 96% vol dest. sein u. muß in wahrnehmbarem Maße die organolept. Merkmale von R. aufweisen. Der Gehalt an flüchtigen Stoffen muß mind. 225 g/hL reiner Alkohol betragen. Weitere Erläuterungen u. Begriffsbestimmungen (z.B. R.-Verschnitt u.a.) s. *Lit.* [2]. § 100 Absatz 3 des Branntweinmonopolgesetzes [3] legt den Mindestalkohol-Gehalt von R. auf 38% vol fest. Nach Artikel 3 oben genannter VO gilt nach Ablauf einer Übergangsfrist ein Mindestalkohol-Gehalt von 37,5%. Zur gaschromatograph. Charakterisierung von R. s. *Lit.* [4,5]. Nach *Lit.* [6] ist die chem. Zusammensetzung von R. sehr komplex. Den Hauptteil der flüchtigen Komponenten machen Ester u. Carbonyl-Verb. aus. Ebenso enthalten sind flüchtige Aldehyde, niedrige Fettsäuren u. Phenole. Auch bisher noch nicht identifizierte Verb. sollten zum typ. R.-

Aroma beitragen können[6]. Zu chem. Vorgängen während der Alterung von R. s. *Lit.*[7]. Zur Sensorik u. zur Geschichte s. *Lit.*[8].
Produktionszahlen (BRD, 1997, Angabe als R. u. Taffia): 240435 hL. – ***E*** = ***I*** rum – ***F*** rhum – ***S*** ron

Lit.: [1] VO (EWG) Nr. 1576/89 des Rates zur Festlegung der allg. Regeln für die Begriffsbestimmung, Bez. u. Aufmachung von Spirituosen vom 29. 5. 1989, ABl. der der EG **32**, Nr. L 160/1 in der Fassung vom 22. 12. 1994 (ABl. EG Nr. L 366/1). [2] Begriffsbestimmung für Spirituosen, abgedruckt in Zipfel, C 419. [3] Gesetz über das Branntweinmonopol vom 8. 4. 1922 in der Fassung vom 9. 12. 1988 (BGBl. I, S. 2231, 2232). [4] J. Sci. Food Agric. **51**, 555–560 (1990). [5] Dtsch. Lebensm. Rundsch. **86**, 80–81 (1990). [6] Alimentaria **269**, 79–85 (1996). [7] Alimentaria **269**, 87–89 (1996). [8] Ferment **9**, 337–343 (1996).
allg.: Belitz-Grosch (4.), S. 842 ▪ Koch, Getränkebeurteilung, S. 254–259, Stuttgart: Ulmer 1986 ▪ Ullmann (4.) **8**, 131 ▪ Vollmer et al., Lebensmittelführer (2.), Bd. 2, S. 231–236, Stuttgart: Thieme 1995 ▪ Zipfel, C 415 *100*, 5, 7, C 419. – *[HS 2208 40]*

Runaway-Plasmid. *Plasmide mit temperaturabhängigen *Promotoren. R.-P. erlauben die Klonierung von *Genen, deren Produkte für den Wirtsorganismus tox. sind. Dazu werden die Zellen zunächst bei niederer Temp. kultiviert, um zu hohen Zell-Konz. zu gelangen. Dann wird die Temp. erhöht, so daß die Produktbildung einsetzt. Die Plasmid-DNA-Konz. steigt dabei exponentiell an. Die Wirtszellen werden durch die Überproduktion des tox. Genprodukts abgetötet. – ***E*** runaway plasmid – ***I*** runaway replication

Lit.: Winnacker, Gene u. Klone, S. 112, Weinheim: VCH Verlagsges. 1990.

Rundkolben. Bez. für im chem. Laboratorium verwendete, kugelförmige Kolben (Abb. s. dort) aus Glas, mit engem od. weitem, kurzem od. langem Hals od. auch 2, 3 od. 4 Hälsen (Zweihalskolben, Dreihalskolben usw.). Man verwendet R., wenn der Kolbeninhalt bis auf einen kleinen Rest eingedampft werden soll, ferner beim Arbeiten im Vak., da der Luftdruck flache Böden leichter eindrücken würde. – ***E*** round-bottomed flasks – ***F*** ballon à fond rond – ***I*** matraccio rotondo – ***S*** balón (matraz) de fondo redondo

Lit.: DIN 12348. 1972-06; 12347: 1987-12.

Rundschüttler. Gerät zur Kultivierung von *Schüttelkulturen. Der R. führt eine waagrecht kreisende Bewegung aus. – ***E*** rotational shaker, gyratory shaker – ***F*** agitateur giratoire – ***I*** vibratore rotazionale – ***S*** agitador rotacional

Lit.: Acta Med. Okayama **50**, 61 (1996) ▪ Präve (4.), S. 261 f.

Rundtanz. Der R. ist eine bei der Honigbiene (*Apis mellifica*) vorkommende Form der Kommunikation, die insofern mit einer Sprache zu vergleichen ist, als sie sich für die Informationsübertragung teilw. der Verw. von Zeichen (Symbolen) bedient. Mit ihrer Hilfe können die vom Blütenbesuch heimgekehrten Arbeiterinnen ihre Stockgenossinnen durch bestimmte, als „Tänze" bezeichnete Bewegungsfolgen über die Lage u. Entfernung einer Futterquelle informieren. Befindet sich die Futterquelle in der Nähe des Stockes (bis etwa 100 m), so laufen sie rasch u. etwa einen Kreis beschreibend (R.) auf der Wabe umher, machen dadurch andere Arbeiterinnen auf sich aufmerksam u. veranlassen sie zum Nachlaufen. Die eigentliche Information ist in dem der Heimkehrerin anhaftenden Blütenduft enthalten, den die Stockgenossinnen beim Nachlaufen mit den Fühlern wahrnehmen u. nach dem sie sich beim Ausfliegen richten können. Für weiter entfernte Futterquellen s. Schwänzeltanz. – ***E*** round dance – ***F*** ronde – ***I*** danza circolare – ***S*** danza circular

Lit.: Franck, Verhaltensbiologie (3.), Stuttgart: Thieme 1997 ▪ von Frisch, Aus dem Leben der Bienen (8.), Berlin: Springer 1969 ▪ Immelmann, Wörterbuch der Verhaltensforschung, Berlin: Parey 1982 ▪ Krebs u. Davies, Einführung in die Verhaltensökologie (3.), Berlin: Blackwell 1996.

Rundwürmer s. Nematoden u. Würmer.

Runge, Friedlieb Ferdinand (1795–1867), Prof. für Chemie, Breslau u. Chem. Fabrik, Oranienburg. *Arbeitsgebiete:* Techn. Auswertung des Steinkohlenteers, Entdeckung von Pyrrol u. der Fichtenspan-Reaktion, Isolierung von Anilin, Chinolin, Phenol, Thymol, Atropin u. Coffein, Synth. von Teerfarbstoffen; Begründer der Kapillaranalyse, einer Vorläuferin der *Papierchromatographie u. der *Tüpfelanalyse.

Lit.: Harsch u. Bussemas, Bilder, die sich selber malen, Köln: DuMont 1985 ▪ Lexikon der Naturwissenschaftler, S. 355 ▪ Neufeldt, S. 19/25 ▪ Pötsch, S. 372 f. ▪ Strube et al., S. 137 f.

Runzeln s. Kräuseln (1).

Rupe, Johannes (Hans) H. W. (1866–1951), Prof. für Organ. Chemie, Univ. Basel. *Arbeitsgebiete:* Terpene u. Campher, Ethinylcarbinol-Umlagerung (s. Meyer-Schuster-Umlagerung).

Rupe-Umlagerung s. Meyer-Schuster-Umlagerung.

Ruscha®. Alkal. *Dextrine zur Etikettierung von Dosen u. Gläsern mit Manteletiketten in der Konserven-Ind. u. zur Herst. von Spiralhülsen sowie Oberflächenkaschierung u. Überzugsarbeiten in der Packmittel-Industrie. ***B.:*** Henkel.

Ruscin, Ruscogenin s. Ruscus.

Ruscus. Im atlant. u. Mittelmeerraum bis Vorderasien heim. immergrüner Halbstrauch *Ruscus aculeatus* L. (Stechender Mäusedorn, Liliaceae) mit kleinen, länglichen, starren, in eine stechende Spitze auslaufenden Blättern. Der zuerst süß, dann widerlich u. scharf schmeckende Wurzelstock enthält als typ. Inhaltsstoffe die *Steroidsaponine *Ruscin* u. *Ruscosid* mit den Aglykonen *Ruscogenin* [(25*R*)-Spirost-5-en-1*β*,3*β*-diol, $C_{27}H_{42}O_4$, M_R 430,61, Schmp. 205–210 °C] u. *Neoruscogenin* [Spirosta-5,25(27)-dien-1*β*,3*β*-diol, $C_{27}H_{40}O_4$, M_R 428,60].

Ruscogenin

Die Wirkung von R.-Extrakt ist nicht sicher belegt. Er wird ähnlich wie Roß-*Kastanien-Präp. bei Krampfadern, Ulcus cruris u. Hämorrhoiden eingesetzt. R.-Zweige werden zu Trockensträußen verwendet. – ***E*** butcher's broom – ***F*** bois piquant, fragon épineux – ***I*** rusco, pungitopo – ***S*** acebo menor, brusco

Lit.: Bundesanzeiger 127/12.07.91 ▪ Hager (4.) **6b**, 200 ff. ▪ Wichtl (3.), S. 514 f. – *[HS 0604 99, 1302 19; CAS 472-11-7 (Ruscogenin); 17676-33-4 (Neoruscogenin)]*

Ruselsäure®. Kombination von Industrierußen mit *Silanen u. *Kieselsäuren. ***B.:*** Degussa.

Rush, Benjamin (1745–1813), erster amerikan. Chemieprof. (Philadelphia), Schüler von J. *Black. *Arbeitsgebiete:* Organisation des Chemieunterrichts.

Lit.: Farber, Great Chemists, S. 305–314, New York: Interscience 1961.

Ruska, Ernst August Friedrich (1906–1988), Bruder von H. *Ruska, Sohn von J. *Ruska, Prof. für Physik, TU u. FU, Fritz-Haber-Inst. der Max-Planck-Ges., Berlin. *Arbeitsgebiete:* Elektronenoptik, Entwicklung des Elektronenmikroskops hoher Auflösung mit schnellen Elektronen; für seine fundamentalen elektronenopt. Arbeiten u. die Konstruktion des ersten Elektronenmikroskops erhielt er 1986 den Physik-Nobelpreis (zusammen mit H. *Rohrer u. G. *Binnig).

Lit.: Kürschner (15.), S. 3869 ▪ Naturwiss. Rundsch. **39**, 509–512 (1986) ▪ Lexikon der Naturwissenschaftler, S. 356 ▪ Neufeldt, S. 177 ▪ Strube et al., S. 120.

Ruska, Helmut (1908–1973), Bruder von E. *Ruska, Sohn von J. *Ruska, Prof. für Biophysik u. Elektronenmikroskopie, Univ. Düsseldorf. *Arbeitsgebiete:* Elektronenmikroskopie in Medizin u. Biologie, Virusforschung, Mikromorphologie.

Lit.: Lexikon der Naturwissenschaftler, S. 356 ▪ Mitt. Max-Planck-Ges. **1973**, 351.

Ruska, Julius (1867–1949), Vater von E. u. H. *Ruska, Prof. für Geschichte der Medizin u. Naturwissenschaften, Berlin. *Arbeitsgebiete:* Alchimie des Mittelalters, altarab. alchimist. Schriften, Fachschriftsteller, Übersetzer.

Ruß (von althochdtsch.: ruos = dunkel-, schmutzfarben). Eine Erscheinungsform des *Kohlenstoffs, die sich bei unvollständiger Verbrennung bzw. therm. Spaltung von dampfförmigen Kohlenstoff-haltigen Substanzen bildet, in unerwünschter Weise z. B. bei der Verbrennung von Dieselkraftstoff in schlecht eingestellten Motoren od. als Schornsteinruß an Feuerstellen usw. Solche Produkte können ggf. nicht unerhebliche Anteile an carcinogenen polycycl. aromat. Kohlenwasserstoffen (*PAH) enthalten (vgl. MAK-Liste V d), die man schon früh für die Entstehung der sog. *Schornsteinfeger-* od. *Rußwarze* (seit 1755 als „Berufskrankheit“ erkannt!) verantwortlich gemacht hatte. Man sucht deshalb die Bildung derartiger Schadstoffe möglichst zu vermeiden.

Die großtechn. hergestellten *Industrieruße* stellen im Gegensatz zum Schornsteinruß eine Stoffgruppe mit genau spezifizierten physikal., chem. u. anwendungstechn. Eigenschaften dar. Je nach Anw. kommt R. in Pulver-förmiger od. granulierter Form in den Handel, gelegentlich auch in Form von *Ruß-Präparationen*, d. h. als flüssige, pastenförmige od. feste R.-Lsm.-Konzentrate, in denen der R. gleichmäßig dispergiert ist u. die staubfreies Arbeiten u. homogene Verteilung gewährleisten.

Leider verwendet man im Deutschen nur eine Bez. für sehr unterschiedliche Produkte, während in anderen Sprachen zwischen „Schornsteinruß“ u. „Dieselruß“ einerseits (*E* soot, *F* suie, *I* fuliggine) u. industriell hergestelltem R. andererseits (*E* carbon black, *F* noir de carbone, *I* nero fumo) genau unterschieden wird. Das führt häufig zu Verwechslungen u. Mißverständnissen, insbes. wenn über tox. Eigenschaften gesprochen wird. R. besteht aus annähernd kugelförmigen Primärteilchen von 5–500 nm Durchmesser, die meist zu in sich verzweigten kettenförmigen Aggregaten miteinander verwachsen sind. Das Ausmaß der Aggregation bezeichnet man als R.-„Struktur“. Die Primärteilchen der R. sind wie *Graphit aus Kohlenstoff-Sechsringschichten aufgebaut, die jedoch konzentr. um den Mittelpunkt des Teilchens angeordnet u. unregelmäßig gegeneinander verschoben sind („turbostrat.“ Struktur). Die durch Röntgenbeugung nachweisbaren Nahordnungsbereiche (Kristallite) haben meist eine Größe von 1,5–2 nm in der Schichtrichtung u. 1,2–1,5 nm senkrecht zur Schichtrichtung. Der Schichtabstand ist mit 0,35–0,4 nm etwas größer als im Graphit. Entscheidend für die Elastomere verstärkende Wirkung von R. ist die Störung des Graphit-Charakters der R.-Oberfläche. Nach „Graphitisierung“ von „aktivem“ R. (durch therm. Behandlung in inerter Atmosphäre bei 1800–2000 °C) verliert der R. seine verstärkenden Eigenschaften. Die – z. B. mit der *BET-Methode bestimmbare – spezif. Oberfläche der R. kann von ca. 10 bis 1000 m^2/g variiert werden. Ruße mit spezif. Oberflächen über 150 m^2/g weisen im allg. *Poren mit Durchmessern <1 nm auf. Das spezif. Gew. der industriell hergestellten R. liegt bei 1,8–1,86 g/cm^3. Das Schüttgew. geperlter R. für Kautschuk-Anw. liegt, in Abhängigkeit von der R.-Struktur u. der Perlgröße, zwischen 0,3 u. 0,6 g/cm^3.

Je nach Herstellungsweise u. Rohstoff enthält R. neben Kohlenstoff 0,3–1,3% H, 0,1–0,7% N, 0–0,7% S. Der Sauerstoff-Gehalt kann bei *Furnace- u. Thermalrußen 0–1,5% betragen, bei Gas- u. Channelrußen (*Kanalruß) bis 5% u. bei oxidativ nachbehandelten R. bis 15%. Der Sauerstoff liegt zum größten Teil in Form von sauren u. bas. Oberflächen-Oxiden vor. Fest adsorptiv an der Oberfläche gebunden sind meist geringe Mengen *kondensierter Aromaten*, die aus dem Rohstoff durch unvollständige Pyrolyse hervorgegangen sind u. z. B. durch mehrstündige Extraktion mit siedendem Toluol entfernt werden können; *Beisp.:* Fluoren, Phenanthren, Pyren, Fluoranthen, Coronen, Benzo[*a*]pyren, Benzo[*e*]pyren, Anthracen u. a. polycycl. aromat. Kohlenwasserstoffe. Diese PAH lassen sich unter physiolog. Bedingungen nicht extrahieren. Epidemiolog. Untersuchungen an Arbeitern in der amerikan. R.-Ind. ließen keine gesundheitlichen Beeinträchtigungen erkennen [1].

Ihre breite Anw. verdanken R. ihren hervorragenden Pigment-Eigenschaften (Unlöslichkeit in allen Lsm., Resistenz gegen die meisten Chemikalien, Lichtechtheit, hohe Farbtiefe u. Farbstärke) sowie insbes. ihrer Fähigkeit, als *Füllstoff Elastomere zu verstärken. Die nach den verschiedenen Verf. herstellbaren R.-Sorten unterscheiden sich z. T. beträchtlich in ihren physikal. u. anwendungstechn. Eigenschaften. Die R.-Klassifikation wurde von ASTM entwickelt: z. B. N-110 od. S-315; der Buchstabe gibt einen Hinweis auf die Vulkanisations-Geschw. (N: normal, S: slow), die erste Ziffer steht in Verbindung zur Teilchengröße (gemessen durch BET, CTAB- od. Iod-Adsorption od. mittels Elektronenmikroskopie). Die für die R.-Charakterisierung gleichfalls sehr wichtige R.-Struktur wird durch die DBP-Adsorption (für Dibutylphthalat) gemessen. Früher verwendete man Bez., in denen anwendungstechn. Eigenschaften, z. B. das Abriebs- od. Extrusionsverhalten, mit physikal.-chem. Kenngrößen kombiniert wurden.

Herst.: Die techn. Herst. von R. geschieht durch unvollständige Verbrennung u./od. therm. Spaltung von Kohlenwasserstoffen. Das wichtigste Verf. ist das *Furnaceruß-Verf.*, bei dem in einem geschlossenen Ofen Aromaten-reiche Öle durch Kracken in der Flamme bei 1350–1700 °C in R. umgesetzt werden. *Furnaceruße* im Oberflächenbereich von 20–150 m^2/g werden als Verstärkerruße verwendet; feinteiligere werden als Farbruße eingesetzt. Trotz seiner Flexibilität u. Wirtschaftlichkeit vermag das Furnaceruß-Verf. andere Verf. nicht vollständig zu verdrängen, da bestimmte Eigenschaften der Produkte an die verschiedenen Verf. gebunden sind. Sehr feinteilige R. (BET 150–170 m^2/g) werden z. T. noch nach modifizierten *Kanalruß-Verf.* hergestellt. Diese R. weisen stets größere Mengen an sauren Oberflächen-Oxiden auf. Andere Verf. sind: Das **Flammruß-Verf.*, bei dem durch unvollständige Verbrennung von hocharomat. Ölen grobteilige R. mit hoher Rußstruktur hergestellt werden. Beim **Spaltruß-Verf.* werden durch therm. Spaltung von Erdgas in auf 1000 °C vorgeheizten Kammern sehr grobteilige R. mit sehr niedriger Struktur erhalten. Das *Acetylenruß-Verf.* hat nur mehr sehr geringe Bedeutung. Näheres zur Herst. von R. s. bei Kirk-Othmer, Winnacker-Küchler, Ullmann (*Lit.*).

Verw.: >90% der hergestellten R. werden als Füllstoff für Elastomere verwendet. Hiervon verbraucht die Reifen-Ind. etwa ⅔, ca. ⅓ dient zur Herst. techn. Gummiartikel. Als Füllstoff verbessert R. die mechan. Eigenschaften des Kautschuks beträchtlich (z. B. Abriebwiderstand, Zerreißfestigkeit, Modul). Autoreifen enthalten ca. 30 bis 35% R. verschiedener Typen. Die restlichen knapp 10% verteilen sich gleichmäßig auf die Einsatzgebiete Druckfarben, Farben u. Lacke, Einfärben u. Stabilisieren von Kunststoffen. Eine bes. (vom Vol. nur unbedeutende) Rolle nehmen elektr. leitfähige R. ein. Spezielle Anw. findet R. in Trockenbatterien, Elektroden, in der Herst. von Sintermetallen u. Metallcarbiden, in Tonern für die Elektrophotographie. Weltweit wird die Kapazität zur Herst. von R. auf 6 bis 7 Mio. t beziffert, davon ca. 1,25 Mio. t in Westeuropa.

Geschichte: Vitruvius (30 v. Chr.) gibt eine eingehende Beschreibung der Flammruß-Herst.; Plinius erwähnt die Verw. von R. zu Tinten. Die mit R. geschriebenen ägypt. Hieroglyphen haben Jahrtausende überstanden. – ***E*** carbon black, soot – ***F*** noir de carbone, suie – ***I*** fuliggine – ***S*** negro de humo, hollín

Lit.: [1] Arch. Environ. Health **2**, 429 (1961).
allg.: Classification System for Carbon Blacks Used in Rubber Products (ASTM D 1765–90), Philadelphia: ASTM 1990 ▪ Encycl. Polym. Sci. Eng. **2**, 623–637 ▪ Kirk-Othmer (4.) **4**, 1037–1074 ▪ Ullmann (4.) **14**, 633–649; **18**, 593–598; (5.) **A5**, 140–163 ▪ Winnacker-Küchler (4.) **3**, 309–325. – *[HS 2803 00]*

Russel, Bertrand Arthur William (1872–1970), Prof. für Mathematik, Univ. Cambridge, England. Er entwickelte als Mathematiker zusammen mit A. N. Whitehead das erste geschlossene Syst. der mathemat. Logik; bekannt geworden auch als Sozialist u. Pazifist, der öfters in polit. Konflikten mit der Regierung stand.

Lit.: Lexikon der Naturwissenschaftler, S. 356.

Russell, Alexander Smith (1888–1972), Prof. für Anorgan. Chemie, Oxford. *Arbeitsgebiete:* Analyt. Chemie, Elektrochemie, Radiochemie, Isotope, Mitentdecker des Protactiniums, Entwicklung des sog. „radioaktiven Verschiebungssatzes“ (1913, zusammen mit K. *Fajans u. F. *Soddy).

Lit.: Neufeldt, S. 132 ▪ Strube et al., S. 156.

Russell-Saunders-Kopplung s. Magnetochemie u. Quantenzahlen.

Rußentferner. In Haushaltsöfen zur Rußentfernung [Rußschichten setzen die Wärmeübertragung herab (eine 2 mm dicke Rußschicht soll die Wärmeübertragung um etwa 25% vermindern können)] dienende Mittel, deren Wirkung auf einer Herabsetzung der Entzündungstemp. des *Rußes beruht. R. gelangen pulverförmig, granuliert, brikettiert, flüssig (häufig mit festen Anteilen) od. als Sprays in den Handel u. können z. B. Kochsalz, Zinkstaub, Ammoniumsalze, Kupfersulfat, Schwefel, organ. Substanzen u. dgl. enthalten. – ***E*** soot remover – ***F*** enleveur de suie – ***I*** eliminatore di fuliggine – ***S*** eliminador de hollín – *[HS 3823 90]*

Russupheline.

Russuphelin A Russuphelin D

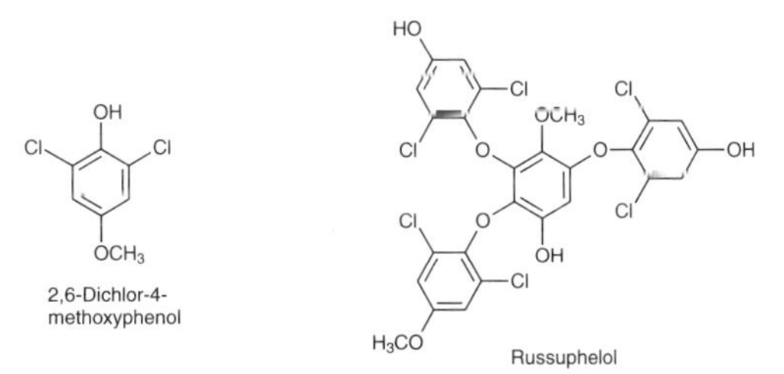
2,6-Dichlor-4-methoxyphenol

Russuphelol

Cytotox. polychlorierte Phenolether aus dem giftigen japan. Täubling *Russula subnigricans* (Basidiomycetes). Aus 1 kg Frischpilzen wurden 240 mg *R. A* ($C_{20}H_{14}Cl_4O_6$, M_R 492,14, Nadeln, Schmp. 293–294 °C) sowie 20 mg *R. D* ($C_{14}H_{11}Cl_3O_4$, M_R 349,60, Nadeln, Schmp. 136–138 °C) u. 125 mg *2,6-Dichlor-4-methoxyphenol* ($C_7H_6Cl_2O_2$, M_R 193,03) isoliert. Daneben kommen in geringeren Mengen Verb. mit veränderter Methyl-Substitution od. weniger *O*-Methyl-Gruppen vor, außerdem wurde ein Tetrameres (*Russuphelol*, $C_{26}H_{16}Cl_6O_8$, M_R 669,13) isoliert[1]. Die R. zeigen *in vitro* Cytotoxizität gegen P388-Leukämie-Zellen (IC_{50}: 1–15 µg/mL). – ***E*** russuphelins – ***F*** russuphéline – ***I*** russufeline – ***S*** russufelinas

Lit.: [1] Tetrahedron Lett. **36**, 5223 (1995).
allg.: Chem. Pharm. Bull. **40**, 3185 (1992); **41**, 1726 (1993) ▪ Synth. Commun. **27**, 107 (1997) (Synth.). – *[CAS 141794-49-2 (R. A); 155519-91-8 (R. D); 2423-72-5 (2,6-Dichlor-4-methoxyphenol); 167172-71-6 (Russuphelol)]*

Rußwarze s. Ruß.

Ruthenate. Bez. für die Salze der Rutheniumsäuren. Man unterscheidet R.(IV) mit dem Anion RuO_3^{2-}, R.(VI) mit dem Anion RuO_4^{2-}, R.(VII) mit dem Anion RuO_4^- u. R.(VIII) mit dem Anion RuO_5^{2-}. R. finden ebenso wie RuO_4 Verw. als Oxid.-Mittel für organ. Verb., s. Ruthenium u. Ruthenium-Verbindungen. – ***E*** ruthenates – ***F*** ruthénates – ***I*** rutenati – ***S*** rutenatos

Ruthenium (chem. Symbol Ru). Seltenstes u. leichtestes Element der Gruppe der *Platin-Metalle, Atomgew. 101,07, Ordnungszahl 44. Natürliche Isotope (Häufigkeit in Klammern): 96 (5,6%), 98 (1,8%), 99 (12,7%), 100 (12,6%), 101 (17,0%), 102 (31,6%), 104 (18,7%); ferner kennt man künstliche Isotope aller anderen Massenzahlen zwischen 91 u. 113, wobei von ^{93}Ru zwei isomere Kerne bekannt sind. Sie entstehen z. B. bei der Kernspaltung von Uran in Reaktoren u. zerfallen mit HWZ zwischen 1,5 s (^{111}Ru) u. 373 d (^{106}Ru). In Verb. nimmt Ru die Oxid.-Stufen 0 bis +8 an; die 3-wertigen Verb. sind am häufigsten. In seinem chem. Verhalten ähnelt Ru dem Platin-Metall *Osmium, das im *Periodensystem unter Ru steht, u. die *Ruthenate u. Perruthenate verhalten sich ähnlich wie die *Manganate u. *Permanganate. Ru ist ein mattgraues od. silberweißglänzendes, außerordentlich hartes u. gleichzeitig sehr sprödes, pulverisierbares Metall, D. 12,45, Schmp. 2310 °C, Sdp. 4150 °C, im elektr. Lichtbogen verdampfbar. Beim Erhitzen im Knallgasgebläse verbrennt es z. T. zu flüchtigem, giftigem Rutheniumtetroxid (RuO_4), wodurch seine Bearbeitung außerordentlich erschwert wird. Ru adsorbiert u. überträgt erhebliche Wasserstoff-Mengen; es kann z. B. die Ammoniak-Synth. u. die Oxid. von Alkohol zu Aldehyd u. Essigsäure katalysieren. Beim Erhitzen an der Luft schwärzt sich Ru (bei etwa 800 °C). Beim Glühen im Sauerstoff-Strom wird es in blauschwarzes Dioxid (RuO_2), im Halogen-Strom in flüchtige Trihalogenide übergeführt. Fluor, Chlor od. Alkalihydroxide in Mischung mit Oxid.-Mitteln greifen Ru in der Hitze an; dagegen widersteht Ru bei Abwesenheit von Luftsauerstoff sämtlichen Säuren. Neben den üblichen anorgan. Verb. bildet Ru zahlreiche Komplexverb. (s. Ruthenium-Verbindungen); zu den Risiken im Umgang mit Platin-Metallen s. dort. Zum Nachw. von Ru eignen sich *1,3-Diphenylthioharnstoff, *Dithiooxamid u. a. Reagenzien[1]; zur Spurenbestimmung im Meerwasser s. *Lit.*[2]. Durch Mößbauer-Spektroskopie läßt sich bes. ^{99}Ru nachweisen.

Vork.: Ru gehört zu den seltenen *Edelmetallen; sein Anteil an der obersten, 16 km dicken Erdkruste wird auf ca. 10^{-6}% geschätzt; damit ist Ru etwa doppelt so häufig wie Osmium. Ru tritt als Begleiter des *Platins in sehr geringen Mengen auf; daneben findet man es auch in dem sehr seltenen Mineral *Laurit. Fundstätten für Ru sind z. B. der Ural, Südafrika, Borneo u. Oregon (USA).

Herst.: Bei der Gewinnung der Platin-Metalle wird Ru durch Oxid. mit Chlor u. Dest. des leicht flüchtigen Ruthenium(VIII)-oxids, RuO_4, erhalten; zur Herst. von reinem Ru-Metall u. Ru-Verb. im Labor s. *Lit.*[3]. 1994 betrug der Jahresbedarf an Ru 10 t.

Verw.: Auf Kohle als Katalysator für Hydrierungen von Aromaten, Säuren u. Ketonen, Ru auf γ-Al_2O_3 od. auf Zeolithen zur Methanisierung, Ba_2LaRuO_6 zur Autoabgasentgiftung, RuO_2-beschichtete Titan-Anoden in der Chloralkali- u. a. Elektrolysen[4], in kleinem Umfang als härtesteigernder Bestandteil von Pt- u. Pd-Leg., z. B. in Federspitzen, zur Herst. galvan. Überzüge anstelle von Rhodium, für die Herst. von Lötkolben, Präzisions-Schichtwiderständen u. Temp.-Meßgeräten.

Geschichte: Ru wurde 1844 von dem russ. Chemiker K. K. Klaus (s. C. E. Claus) erstmals rein hergestellt, nachdem es bereits von Sniadecki (1808, Name: Vestium) u. Osann (1828, Name: Ruthenium, von latein.: ruthenia = Rußland) in unreiner Form isoliert worden war. – ***E*** ruthenium – ***F*** ruthénium – ***I*** = ***S*** rutenio

Lit.: [1] Fries-Getrost, S. 306–309. [2] Nature (London) **312**, 748 (1984); Townshend, Encyclopedia of Analytical Science, S. 4481–4487, London: Academic Press 1995. [3] Brauer (3.) **31**, 1746–1751. [4] J. Appl. Electrochem. **19**, 589–595 (1989).
allg.: Acc. Chem. Res. **14**, 16–21 (1987) ▪ Ber. Dtsch. Chem. Ges. **24**, 551–554 (1988) ▪ Chem. Rev. **85**, 1–40 (1985) ▪ Gmelin, Syst.-Nr. 63, Ruthenium 1939, Erg. Bd. 1970 ▪ Kirk-Othmer (4.) **19**, 347 ff. ▪ Metall (Berlin) **42**, 714 ff. (1988) ▪ Prog. Clin. Biochem. Med. **10**, 25–39, 111–149 (1989) ▪ Seddon u. Seddon, The Chemistry of Ruthenium, Amsterdam: Elsevier 1984 ▪ Ullmann (5.) **A 21**, 75 ff. ▪ Winnacker-Küchler (4.) **4**, 4 f., 543, 552 f., 558 f., 561 ▪ s. a. Platin-Metalle. – *[HS 711041, 711049; CAS 7440-18-8; G 7]*

Ruthenium(II)-Koordinationspolymere. Sammelbez. für *Koordinationspolymere, deren überwiegend aus Kohlenstoff, Wasserstoff u. Stickstoff aufgebaute u. meist aromat. Ligandstrukturen durch *Ruthenium(II)-Komplexe zu *Makromolekülen zusammengefügt sind. Bereits in den 50er Jahren wurden erste, noch wenig erfolgreiche Versuche durchgeführt, R.-K. wie **1** zu synthetisieren.

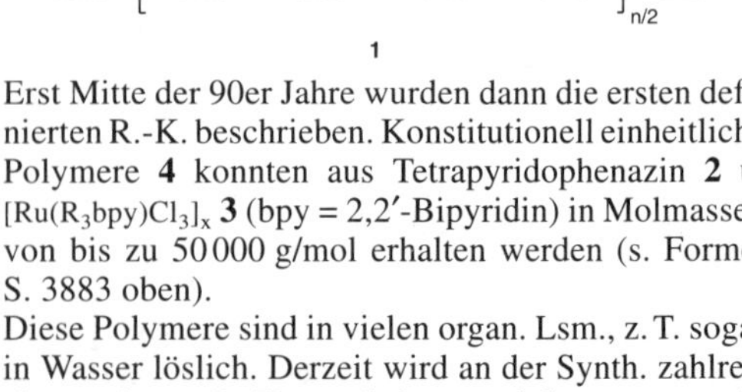

2 Cl⁻ 2 Cl⁻ n/2

1

Erst Mitte der 90er Jahre wurden dann die ersten definierten R.-K. beschrieben. Konstitutionell einheitliche Polymere **4** konnten aus Tetrapyridophenazin **2** u. $[Ru(R_3bpy)Cl_3]_x$ **3** (bpy = 2,2′-Bipyridin) in Molmassen von bis zu 50000 g/mol erhalten werden (s. Formel S. 3883 oben).

Diese Polymere sind in vielen organ. Lsm., z. T. sogar in Wasser löslich. Derzeit wird an der Synth. zahlreicher weiterer R.-K. gearbeitet u. viele, gegenwärtig noch eher als *Oligomere zu bezeichnende Verb. liegen bereits vor. Als Beisp. sei auf die stäbchenförmigen Oligomeren **5** verwiesen.

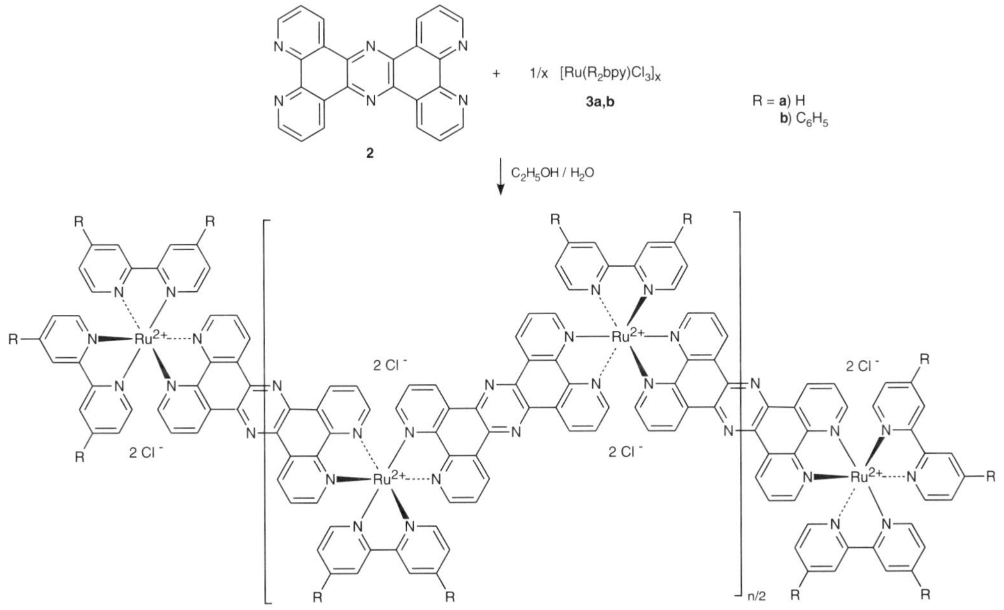

2 + 1/x $[Ru(R_2bpy)Cl_3]_x$ **3a,b** R = **a)** H **b)** C_6H_5

C_2H_5OH / H_2O

4a,b

5

X = O, $-(C\equiv C)_x-$, $-(C_6H_4R)_x-$, $-O-C_6H_4-O-$

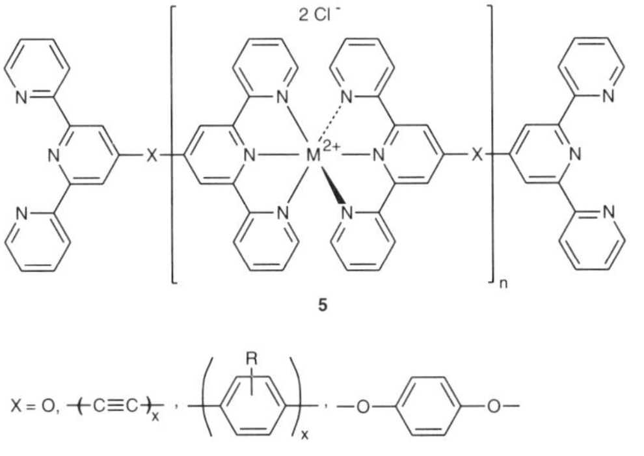

M = Fe, Ru, Os, Co

Neben den kettenförmigen R.-K. sind zahlreiche makromol. Ruthenium(II)-Komplexe beschrieben, die eine verzweigte od. dendrit. Konstitution aufweisen. Divergente wie auch konvergente Syntheserouten werden zu ihrer Herst. genutzt. Die rasante Entwicklung dieses Teilgebietes der Chemie mag durch die Tatsache belegt werden, daß zu Beginn der 90er Jahre der zehnkernige Komplex **6** das größte bekannte derartige Syst. war, wohingegen nur fünf Jahre später wohldefinierte dendrit. Komplexe mit 40 u. mehr Metallzentren keine Ausnahme mehr sind (s. Formel S. 3884 oben).

Alle R.-K. sind aufgrund ihrer speziellen Materialeigenschaften von herausragendem, zur Zeit aber noch vorwiegend akadem. Interesse. Die vielkernigen R.-K. bieten sich als Modell-Verb. zum Studium der komplexen Energie- u. Elektronentransfer-Prozesse in *Metall-organischen Verbindungen an. Weiterhin könnten sie aufgrund der in ihnen gegebenen Kombination spezieller elektron., elektrochem. u. magnet. Eigenschaften mit beträchtlicher therm., chem. u. photochem. Beständigkeit eine Schlüsselrolle für zukünftige Technologien, z. B. in der Energie-Erzeugung od. der Datenverarbeitung erlangen. – ***E*** ruthenium(II) coordination polymers – ***F*** polymères de koordination du ruthénium (II) – ***I*** polimeri di coordinazione di rutenio (II) – ***S*** polímeros de coordinación con rutenio (II)
Lit.: Acta Polymerica **49**, 201 (1998).

Rutheniumrot s. Ruthenium-Verbindungen.

Ruthenium-Verbindungen. Von den Verb. des *Rutheniums besitzen nur wenige eine Bedeutung. a) *Rutheniumdioxid*, RuO_2, M_R 133,07, blauschwarzes, säure- u. glühbeständiges Pulver, D. 6,97.
b) *Rutheniumtetroxid*, RuO_4, M_R 165,07, gelbe, rhomb. Nadeln, D. 3,29, Schmp. 26 °C, Sdp. 108 °C (Zers.). RuO_4 ist ebenso wie *Osmiumtetroxid bereits bei Zimmertemp. ziemlich flüchtig u. wie dieses schleimhautreizend u. sehr giftig. Mit organ. Verb. reagiert RuO_4 oft schon bei Raumtemp. explosiv. Es dient zur Oxid. von aromat. Verb., Alkenen (Spaltung zu Carbonyl-Verb.), Alkoholen (zu Aldehyden, Ketonen zu Säuren), Ethern zu Estern, Alkinen zu 1,2-Diketonen.
c) *Rutheniumtrichlorid*, $RuCl_3$, M_R 207,43, braunschwarze, zerfließende Krist., D. 3,11, unlösl. in Wasser; entsteht beim Erhitzen von Ru im Chlor-Strom. Das Monohydrat ist Ausgangsstufe für die meisten anderen Ru-Verbindungen.
Ru bildet zahlreiche *Komplexverb.* mit NO, CO, NH_3, CN^- usw. als Liganden, die z. T. auch mehrkernig sind, z. B. das sog. *Rutheniumrot* {$[Ru_3(O)_2(NH_3)_{14}]Cl_6 \cdot 4\,H_2O$, M_R 858,41, violette Krist., zur Anw. als Redoxindikator, histolog. Färbemittel u. zur Untersuchung von Textilfasern}. Einige der Ammin-Komplexe sind zur Bindung elementaren Stickstoffs befähigt. Von Ru-*Metallcarbonylen ausgehend sind auch *Cluster-Verbindungen bekannt geworden, darunter auch heteronucleare Cluster wie $[Ru_{12}H_2Cu_6Cl_2(CO)_{34}]^{2-}$ (s.

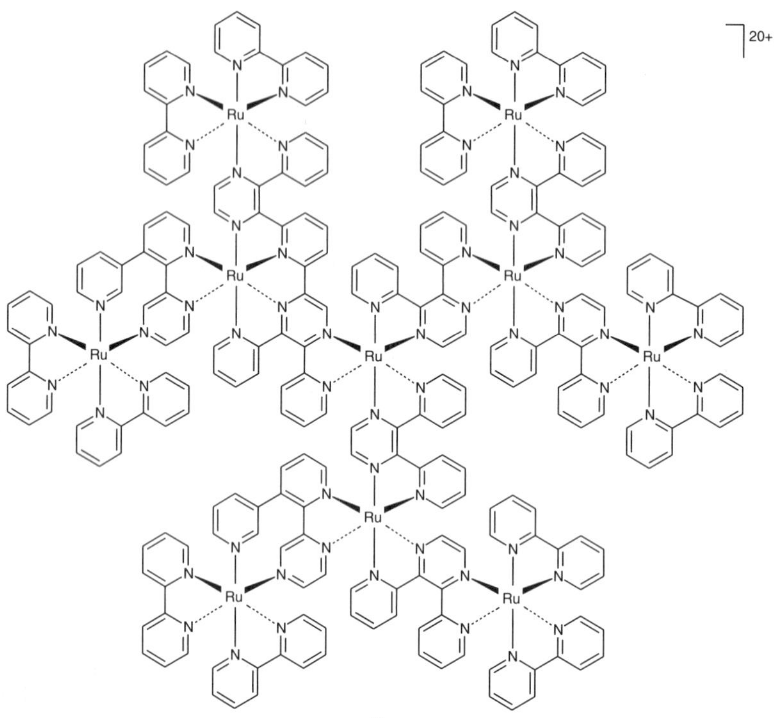

6

Lit.[2]). Ebenso wie Eisen u. Osmium bildet auch Ruthenium ein *Metallocen (*Ruthenocen*) u. Sandwich-Verbindungen. Einige Ru-Komplexe werden zur homogenen Katalyse eingesetzt[3], mit anderen untersucht man die photochem. Spaltung von Wasser (s. die bei Photolyse u. Photochemie zitierten Arbeiten sowie *Lit.*[4]).

Der von Grubbs entwickelte luftstabile Carben-Komplex **1** ist ein sehr aktiver Katalysator für die Olefin-Metathese, der viele funktionelle Gruppen toleriert u. sowohl in organ. Lsm. als auch in Wasser eingesetzt werden kann.

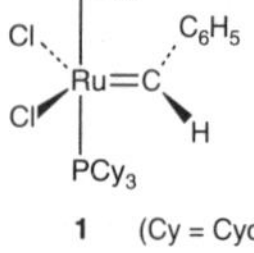

1 (Cy = Cyclohexyl)

– ***E*** ruthenium compounds – ***F*** composés de ruthénium – ***I*** composti di rutenio – ***S*** compuestos de rutenio

Lit.: [1] Mijs u. De Jonge (Hrsg.), Organic Syntheses by Oxidation with Metal Compounds, S. 445–467, New York: Plenum 1986; Platinum Met. Rev. **33**, 181–185 (1989); Angew. Chem. **109**, 303 ff. (1997). [2] Polyhedron **7**, 2441–2344 (1988). [3] Pure Appl. Chem. **61**, 1763–1770 (1989); Angew. Chem. **109**, 2213–2216 (1997). [4] Helv. Chim. Acta **69**, 1065–1084 (1986). J. Am. Chem. Soc. **118**, 100 (1996); Macromolecules **30**, 6430 (1997).

allg.: Adv. Organomet. Chem. **29**, 163–247 (1989) ▪ Angew. Chem. **97**, 347 f. (1985) ▪ Chem. Res. **14**, 31 ff. (1981) ▪ Helv. Chim. Acta **63**, 1675–1702 (1980) ▪ Houben-Weyl **13/9 a**, 525–612 ▪ J. Mol. Catal. **41**, 147–161 (1987) ▪ Kirk-Othmer (4.) **19**, 377–381 ▪ Knox, Organometallic Compounds of Ruthenium and Osmium, London: Chapman & Hall 1985 ▪ Platinum Met. Rev. **29**, 146–154 (1985) ▪ Pure Appl. Chem. **55**, 159–164 (1983); **59**, 173–180 (1987) ▪ Struct. Bonding (Berlin) **67**, 1–52 (1987) ▪ Synthetica **2**, 391 ff. ▪ Transition Met. Chem. **15**, 251–256 (1990) ▪ s. a. Ruthenium. – *[HS 2843 90; CAS 12036-10-1 (a); 20427-56-9 (b); 10049-08-8 (c)]*

Rutherford (Kurzz.: rd). Von Condon u. Curtiss (*Lit.*) vorgeschlagene u. nach Sir E. *Rutherford benannte, nicht mehr verwendete Einheit zur Angabe der Stärke beliebiger radioaktiver Präp.: 1 rd ist die Menge eines Stoffes, in dem pro Sekunde 10^6 radioaktive Zerfallsakte (1 MBq) stattfinden; 1 Ci (*Curie) = 37 000 rd = 37 GBq (*Becquerel); 1 rd = 0,027 mg Radium. – ***E*** = ***F*** = ***I*** = ***S*** rutherford

Lit.: J. Chem. Phys. **14**, 399 (1946).

Rutherford, Sir Ernest (Lord R. of Nelson, seit 1931; 1871–1937), Prof. für Physik, Cavendish Laboratory, Univ. Cambridge, England. *Arbeitsgebiete:* Begründung des nach N. *Bohr u. ihm benannten Atommodells, Entdeckung von Radium F (Polonium) u. Thorium-Emanation (Radon), radioaktive Zerfallsreihe (zusammen mit F. *Soddy), Streuung von α-Teilchen an Atomkernen (zusammen mit H. W. *Geiger), erste künstliche Kernreaktionen, Definition des Protons u. Voraussage des Neutrons; erhielt 1908 für seine Erklärung der Radioaktivität mit Hilfe der Zerfallstheorie den Nobelpreis für Chemie.

Lit.: Chem. Rundsch. **35**, Nr. 20, 3 (1982) ▪ Krafft, S. 302 f. ▪ Lexikon der Naturwissenschaftler, S. 357 ▪ Neufeldt, S. 104, 109 ▪ Pötsch, S. 373 ▪ Strube et al., S. 140 f., 153 f.

Rutherfordin (Uranylcarbonat). $(UO_2)CO_3$; dünne, stengelige, rhomb. Krist. od. feinstfaserige Massen, Kristallklasse mmm – D_{2h}; Struktur s. *Lit.*[1]. Weiß od. blaßgelb bis bernsteinfarbig, D. 5,7; radioaktiv.

Vork.: Shinkolobwe/Zaire, Tansania, Australien sowie mehrorts im Colorado-Plateau/USA. – ***E = F*** rutherfordine – ***I = S*** rutherfordina

Lit.: [1] Am. Mineral. **41**, 844–850 (1956).

allg.: Ramdohr-Strunz, S. 583 ▪ Roberts, Campbell u. Rapp, Encyclopedia of Minerals (2.), S. 746, New York: Van Nostrand Reinhold 1990. – *[CAS 12202-79-8]*

Rutherfordium (chem. Symbol Rf). Element der 4. Gruppe des *Periodensystems, Ordnungszahl 104.

Rutherford-Rückstreu-Spektroskopie s. Ionenstreu-Spektroskopie.

Rutil. TiO_2; wichtiges Titan-Mineral. Metall- bis *Diamant-artig glänzende blutrote, braunrote (latein.: rutilus = rötlich glänzend, Name!), seltener gelbliche, braune od. eisenschwarze (*Nigrin*), prismat. langgestreckte od. dicksäulige bis nadelfeine Krist., derbe Massen od. Körner, die meist mit etwas Eisen (Fe^{2+} u. Fe^{3+}), Niob (Nb-reich: *Ilmeno-R.*), Tantal (Ta-reich: *Strüverit*, Tantal-R.), SiO_2, Chrom [1] (dann schwarzgrün), Vanadium u. Aluminium [2] verunreinigt sind; der TiO_2-Gehalt wird dadurch auf 94–98% erniedrigt. R. in *Eklogit-Einschlüssen in *Kimberliten können bis 20,9% Nb_2O_5, bis 8,2% Cr_2O_3, bis 1,35% ZrO_2 u. bis 24000 ppm (g/t) OH^- (s. *Lit.* [3–6]) enthalten; OH-Gehalte von R. aus verschiedenen geolog. Vork. s. *Lit.* [7]. H. 6–6,5, D. 4,2–5,6 (mit Nb- u. Ta-Gehalten ansteigend), durchscheinend bis undurchsichtig, Strich gelblichbraun, Bruch muschelig bis uneben.

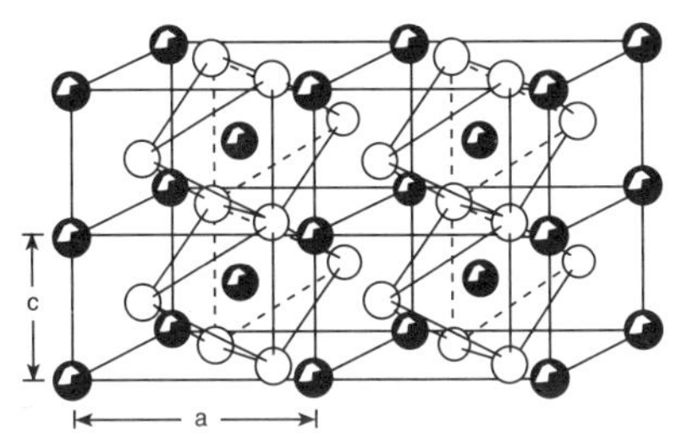

Abb.: Struktur von Rutil; nach Rumble, *Lit.*, S. L 48.

Zahlreiche *Zwillings-Bildungen; gitterartige Verwachsungen von R.-Nadeln unter Zwillings-Winkeln werden als *Sagenit* bezeichnet. R. krist. ditetragonal-dipyramidal, Kristallklasse 4/mmm D_{4h}, im sog. *R.-Gitter*, das er mit zahlreichen AB_2-Verb. wie z. B. SnO_2, PbO_2, SiO_2 (als *Stishovit), MnO_2 u. GeO_2 gemeinsam hat; $[TiO_6]$-Oktaeder sind über gemeinsame Kanten zu Ketten parallel der c-Achse (*Kristallsysteme) verbunden, s. die Abbildung. Zur Struktur u. Elektronendichte-Verteilung von R. s. *Lit.* [8–10]; bei hohen Drücken von etwa 10 GPa findet ein Phasenübergang zu R. mit *Columbit-Struktur statt [11].

Vork.: R. ist unter den 3 Titandioxid-Mineralien (R., *Anatas u. Brookit) die stabilste Modif. u. am weitesten verbreitet. Als akzessor. Gemengteil in *magmatischen u. *metamorphen Gesteinen, in alpinen Klüften (z. B. Österreich, Schweiz); in *Gabbro-*Pegmatiten, z. B. in Kragerø/Norwegen u. in Nelson in Virginia/USA (*Nelsonit). Wirtschaftlich wichtig sind nur die Vork. von R. als Geröll in *Seifen, aus denen er in Australien, Sierra Leone, Südafrika, den USA, Sri Lanka u. Indien gewonnen wird. R.-Nadeln finden sich oft als Einschlüsse in anderen Mineralien wie z. B. *Quarz (Rosenquarz, Bergkristall); sie sind dort ggf. für den in Edelsteinen, z. B. *Rubin u. *Saphir, geschätzten *Asterismus verantwortlich.

Verw.: Natürlicher R. zur Gewinnung von Titan-Metall (über $TiCl_4$). Im Rahmen der *Titandioxid-Pigment-Ind. künstlich hergestellter R. als hochwertiges Weißpigment (*Titanweiß*). Nach dem *Verneuil-Verfahren hergestellte synthet. R. wegen ihrer hohen *Refraktion u. *Dispersion als Diamant-Ersatz (*Titania* u. *Titania Night Stone*); s. a. Titandioxid. – ***E = F*** rutile – ***I = S*** rutilo

Lit.: [1] J. Am. Ceram. Soc. **73**, 3351–3355 (1990). [2] J. Am. Ceram. Soc. **72**, 2198 ff. (1989). [3] Can. Mineral. **25**, 251–264 (1987). [4] Am. Mineral. **75**, 775–780 (1990). [5] Science **255**, 1391–1397 (1992). [6] Am. Mineral. **80**, 448–453 (1995); **78**, 1181–1191 (1993). [7] Mineralogy and Petrology **45**, 1–9 (1990). [8] Can. Mineral. **17**, 77–85 (1979). [9] Z. Kristallogr. **161**, 1–5 (1982); **194**, 305–313 (1991). [10] Acta Crystallogr. Sect. B **43**, 251–257 (1987); B **47**, 462–468 (1992); B **48**, 591–598 (1992). [11] Eur. J. Mineral. **4**, 45–52 (1992).

allg.: Deer et al. (2.), S. 548–551 ▪ Harben u. Bates, Industrial Minerals, Geology and World Deposits, S. 282–294, London: Industrial Minerals Division of Metal Bulletin Plc 1990 ▪ Lapis **21**, Nr. 10, 9–13 (1996) („Steckbrief") ▪ Ramdohr-Strunz, S. 529 ff. ▪ Rumble, III (Hrsg.), Oxide Minerals (Short Course Notes, Vol. 3), S. L47–L51, L67 f., R6 f., EG4, EG36, Washington (D. C.): Mineralogical Society of America 1976 ▪ Ullmann (5.) **A 20**, 271–275; **A 27**, 99 f. ▪ s. a. Titandioxid. – *[CAS 1317-80-2]*

Rutin (3,3′,4′,5,7-Pentahydroxyflavon-3-*O*-rutinosid, Quercetin-3-*O*-rutinosid, C. I. 75730, Natural Yellow 10).

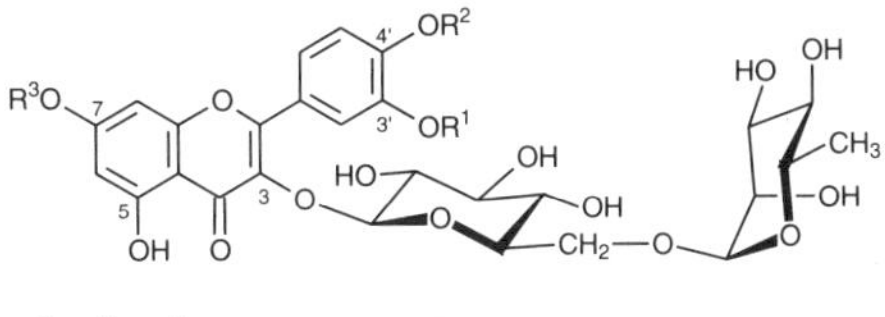

$R^1 = R^2 = R^3 = H$: Rutin
$R^1 = R^2 = H, R^3 = (CH_2)_2—OH$: Monoxerutin
$R^1 = R^2 = R^3 = (CH_2)_2—OH$: Troxerutin

$C_{27}H_{30}O_{16}$, M_R 610,51. Blaßgelbe bis grünliche Nadeln mit 3 Mol. Krist.-Wasser; wasserfreies R. wird braun bei 125 °C, plast. bei 195–197 °C, Zers. bei 214–215 °C. Wasserfreies R. hat die Eigenschaft einer schwachen Säure u. ist unlösl. in Chloroform, Ether u. Petrolether, wenig lösl. in siedendem Wasser u. Ethanol, lösl. in Alkalilaugen, Pyridin, Formamid. R. ist ein Glykosid des *Quercetins mit *Rutinose, das in vielen Pflanzenarten – häufig als Begleiter des Vitamins C – vorkommt, z. B. in *Citrus*-Arten, in gelben Stiefmütterchen, Forsythien-, Akazienarten, verschiedenen *Solanum*- u. *Nicotiana*-Arten, Kapern, Lindenblüten, Johanniskraut, Tee usw. Isoliert wurde R. 1842 von dem Nürnberger Apotheker Weiss aus der Gartenraute (*Ruta graveolens*), s. Rautenöl. Auch aus den Blättern des *Buchweizens u. der ostasiat. Färberpflanze Wei-Fa (japan. Pagodenbaum, *Sophora japonica*, Fabaceae, *Lit.* [1]), deren Blütenknospen, chines. „Gelbbeeren", 13–27% R. enthalten, kann es gewonnen werden.

R. wird, meist in Form der sauren Natriumsalze, pharmakolog. ähnlich wie Hesperidin (s. Hesperetin) gegen kapillare Blutungen u. alle mit gesteigerter Kapillarbrüchigkeit u. Membrandurchlässigkeit einhergehenden Zustände (aus diesen Gründen wurde R. früher oft als sog. *Antipermeabilitätsfaktor* od. als *Vitamin P* bezeichnet) eingesetzt – allerdings wurde in den USA 1970 die Zulassung für R. u. a. *Bioflavonoide* wegen Fehlens eines Wirkungs-Nachw. von der FDA zurückgezogen. Zur Behandlung von Venenerkrankungen u. Durchblutungsstörungen werden oft synthet. R.-Derivate wie *Troxerutin u. *Monoxerutin*[2] [7-*O*-(2-Hydroxyethyl)-R.] eingesetzt. – ***E*** rutin – ***F*** rutine – ***I*** = ***S*** rutina

Lit.: [1]Schweppe, S. 375. [2]Phytother. Res. **5**, 19–23 (1991); Pulvertaft et al., Hydroxyethylrutosides in Vascular Disease, London: Academic Press 1981; R. D. K. (4.), S. 913; Voelter u. Jung, *O*-(β-Hydroxyethyl)-rutoside (2 Bd.), Berlin: Springer 1978, 1983.
allg.: Beilstein E V **18/5**, 519 ▪ DAB **10** ▪ Eur. J. Biochem. **190**, 469 (1990) (Wirkung) ▪ Florey **12**, 623–681 ▪ Hager (5.) **4**, 85 f., 727 f., 1047 f.; **5**, 137 ff., 184 f. ▪ Karrer, Nr. 1536 ▪ Merck-Index (12.), Nr. 8456 ▪ Pharm. Biol. **4**, 412 ff. ▪ Sax (8.), RSU 000 ▪ s. a. Flavone. – *[HS 2938 10; CAS 153-18-4]*

Rutinose [6-*O*-(α-L-Rhamnopyranosyl)-D-glucose].

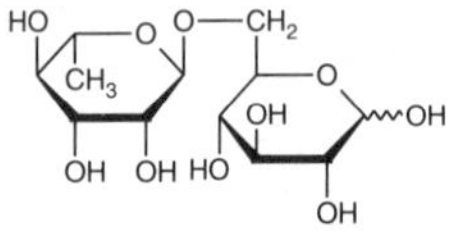

$C_{12}H_{22}O_{10}$, M_R 326,30. Stark hygroskop. Pulver, Schmp. 189–192 °C (Zers.), $[\alpha]_D^{10}$ +3,2 → –0,8° (H_2O); sehr leicht lösl. in Wasser, lösl. in Alkohol, unlösl. in Ether. Das mit verd. HCl in 1 Mol. L-Rhamnose u. 1 Mol. D-Glucose hydrolysierende *Disaccharid R. kommt im *Rutin u. Hesperidin (s. Hesperetin) glykosid. gebunden (als *Rutinosid*) vor; andere Anthocyanidin-Rutinoside verursachen die Farbe von Schwarzen *Johannisbeeren. – ***E*** = ***F*** rutinose – ***I*** rutinosio – ***S*** rutinosa

Lit.: Beilstein E V **17/6**, 269 ▪ Karrer, Nr. 639 ▪ Merck-Index (12.), Nr. 8456. – *[CAS 90-74-4]*

Ružička, (sprich französ.: „ruschitschka"), Leopold (1887–1976), Prof. für Organ. Chemie, Utrecht u. Zürich. *Arbeitsgebiete:* Isoprenoide, Polyterpene, Riechstoffe, ether. Öle, makrocycl. Verb., Sexualhormone, Ableitung der *Isopren-Regel; erhielt 1939 zusammen mit A. F. J. *Butenandt den Nobelpreis für Chemie.

Lit.: Annu. Rev. Biochem. **42**, 1–20 (1973) ▪ Lexikon der Naturwissenschaftler, S. 357 ▪ Neufeldt, S. 144, 174, 190 ▪ Pötsch, S. 374 ▪ Strube et al., S. 118, 174.

Ružička-Cyclisierung. Die Pyrolyse von Carbonsäuren in Ggw. von Thoriumdioxid führt zu *Ketonen*. Dicarbonsäuren gehen dabei in cycl. Ketone über, wobei diese Reaktion als R.-C. bezeichnet wird. Die Meth. liefert gute Ausbeuten für 6- u. 7-Ring-Ketone.

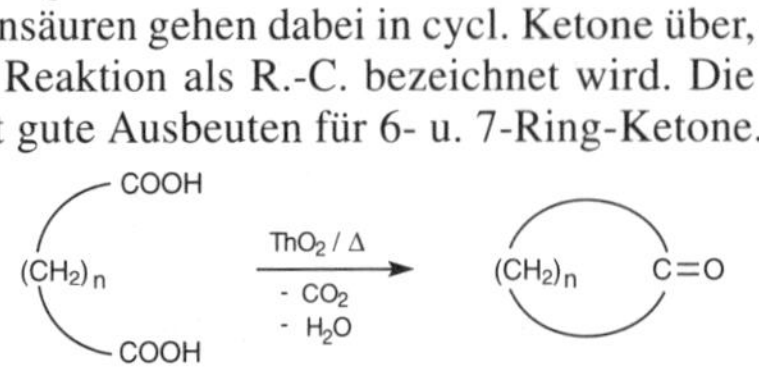

– ***E*** Ružička cyclization – ***F*** cyclisation de Ružička – ***I*** ciclizzazione di Ružička – ***S*** ciclación de Ružička

Lit.: Krauch u. Kunz, Reaktionen der organischen Chemie, 6. Aufl., S. 468, Heidelberg: Hüthig 1997 ▪ March (4.), S. 496 ▪ Patai, The Chemistry of Carboxylic Acids and Esters, S. 362–370, London: Wiley 1969.

RWE. Kurzbez. für die 1898 gegr. Rhein.-Westfäl. Elektrizitätswerke AG, 45128 Essen. Die Holding umfaßt sechs operativ selbständige Unternehmensbereiche: RWE Energie AG (Energieversorgung); Rheinbraun AG (Bergbau u. Rohstoffe), *RWE-DEA AG (Mineralöl u. Chemie), RWE Entsorgung AG (Abfall u. Recycling), Lahmeyer AG (Maschinen-, Anlagen-, Gerätebau), RWE Telliance AG (Telekommunikation), HOCHTIEF AG (Bau-Ind.). *Daten* (1996/97): 136 115 Beschäftigte, 72,1 Mrd. DM Umsatz.

RWE-DEA. Kurzbez. für die 1988 von *RWE übernommene Deutsche Texaco AG (ehem. Deutsche Erdöl-Aktienges., 1899 gegr.), 22204 Hamburg. Die Gruppe umfaßt drei Bereiche: DEA (Mineralölverarbeitung u. -verkauf), *CONDEA (Chemie), RWE-DEA (Aufschluß u. Gewinnung von Erdöl u. Erdgas). *Daten* (1996/97): 8890 Beschäftigte, 27,9 Mrd. DM Umsatz. *Beteiligungs- u. Tochterges.:* Deminex GmbH, Essen; Caltex Deutschland GmbH, DEA Mineralölverkauf, Deutschland, CONDEA Vista Company, Houston, CONDEA Augusta SpA (ehem. EniChem Augusta) Mailand, Calmes S. A., Metz u. a.

ρ-Wert s. ρ.

Ryania-Pulver s. Ryanodin.

Ryanodin [Ryanodol-3-(1*H*-pyrrol-2-carboxylat)].

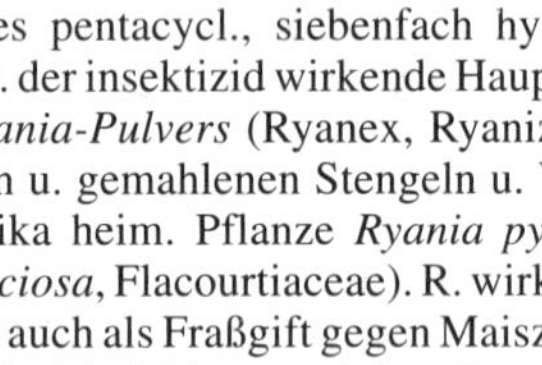

$C_{25}H_{35}NO_9$, M_R 493,54. Krist., Schmp. 219–220 °C (Zers.), $[\alpha]_D^{25}$ +26° (CH_3OH); lösl. in Wasser, Alkohol, Chloroform. R. ist ein Pyrrolcarbonsäureester des *Ryanodols*, eines pentacycl., siebenfach hydroxylierten Diterpens, u. der insektizid wirkende Hauptbestandteil des sog. *Ryania-Pulvers* (Ryanex, Ryanizid) aus den getrockneten u. gemahlenen Stengeln u. Wurzeln der in Südamerika heim. Pflanze *Ryania pyrifera* (synonym *R. speciosa*, Flacourtiaceae). R. wirkt sowohl als Kontakt- als auch als Fraßgift gegen Maiszünsler, Pfirsichmotte, Apfelwickler u. einige Baumwollschädlinge. R. ist stabiler gegen Licht- u. Lufteinwirkungen als andere natürliche Insektizide wie *Nicotin, *Rotenon, *Pyrethrum; LD_{50} (Ratte p.o.) 750 mg/kg. R. entkoppelt den ATP-ADP-Actomyosin-Cyclus in der Kontraktion der längsgestreiften Muskulatur. Dies erfolgt durch Bindung an den sog. R.-Rezeptor u. Blockade der Ca^{2+}-Freisetzung aus dem sarkoplasmat. Reticulum. R. ist Gegenstand biochem. Untersuchungen zur Auffindung insektizider Pflanzenschutzmittel mit neuem Wirkmechanismus[1]. Die Totalsynth. des Ryanodols durch Deslongchamps (1979) ist ein Meilenstein der Naturstoff-Synthese[2]. – ***E*** = ***F*** ryanodine – ***I*** = ***S*** rianodina

Lit.: [1]J. Med. Chem. **39**, 2331, 2339 (1996). [2]Can. J. Chem. **57**, 3348 (1979).
allg.: Beilstein E III/IV **22**, 226 ▪ Biochemistry **33**, 6074–6085 (1994) ▪ Can. J. Chem. **68**, 115–192 (1990) ▪ J. Bioenerg. Biomembr. **21**, 227–246 (1989) ▪ Karrer, Nr. 3705a ▪ Kirk-Othmer (4.) **14**, 533 ▪ Merck-Index (12.), Nr. 8459 ▪ Pestic. Biochem. Physiol. **48**, 145–152 (1994) ▪ Pesticide Manual (9.),

Nr. 10620 (1991) ▪ Sax (8.), Nr. RSZ000 ▪ Spec. Publ. R. Soc. Chem. **79** (Rec. Adv. Chem. Insect Control 2), 278–296 (1990) ▪ Trends Neurosci. **11**, 453–457 (1988) ▪ Ullmann (5.) **A 14**, 272f. – *[HS 2934 90; CAS 15662-33-6]*

Ryanodin-Rezeptor (RyR). Im Herz- u. Skelett-*Muskel vorkommender *Calcium-Freisetzungs-Kanal* (*E* calcium release channel, vgl. Ionenkanäle) des *sarkoplasmatischen Retikulums (SR), der *Ryanodin u. *cyclische ADP-Ribose spezif. bindet u. dadurch in offenem Zustand gehalten wird. Durch ihn werden in Folge eines Nervenimpulses, der durch *Dihydropyridin-Rezeptoren u. Calcium-Ionen (Herz) von der Plasmamembran übertragen wird, aus dem Membransyst. des SR Calcium-Ionen ins *Cytoplasma der Muskelzelle entlassen, wodurch im Weiteren eine Kontraktion der innerzellulären Muskelfaser (Myofibrille) ausgelöst wird. Aufgrund seiner elektronenmikroskop. Erscheinung wurde der RyR auch als *Fuß-Struktur* bezeichnet. Er ist ein Membran-Protein aus vier ident. Untereinheiten (M_R je ca. 560000). Die Typen RyR1 u. 2 kommen im Skelett- bzw. Herzmuskel vor, während der RyR3 in speziellen Muskeln u. auf dem *endoplasmatischen Retikulum einiger nichtmuskulärer Gewebe (z.B. Gehirn) auftritt. RyR1 u. 2 werden durch das *Immunophilin FKBP (s. FK506) gebunden u. stabilisiert; letzteres kann durch FK506 u. *Rapamycin von den Rezeptoren wieder dissoziiert werden. – ***E*** ryanodine receptor – ***F*** récepteur à ryanodine – ***I*** recettore rianodinico – ***S*** receptor de rianodina

Lit.: Am. J. Physiol. – Heart Circul. Physiol. **41**, H597–H605 (1997) ▪ Nature (London) **394**, 381–384 (1998) ▪ Physiol. Rev. **76**, 1027–1071 (1996); **77**, 699–729 (1997) ▪ Science **281**, 790f., 818–821 (1998).

Ryanodol s. Ryanodin.

Rydberg, Johannes Robert (1854–1919), Prof. für Physik, Univ. Lund. *Arbeitsgebiete:* Periodensyst., Emissionsspektren der Elemente, Wasserstoff-Spektrum, Ableitung der *Rydberg-Konstante (s. nachfolgende Stichwörter).

Lit.: Krafft, S. 317 ▪ Lexikon der Naturwissenschaftler, S. 357 ▪ Neufeldt, S. 88 ▪ Pötsch, S. 374 ▪ Strube et al., S. 134.

Rydberg-Atome. Nach *Rydberg benannte, zuerst 1965 im interstellaren Raum beobachtete Anregungszustände von Atomen, bei denen ein Elektron eine vom Atomkern weit entfernte Schale besetzt. R.-A. haben ungewöhnliche Eigenschaften. Sie sind sehr groß (mittlerer Durchmesser bis zu 10^{-5} m; dies entspricht der Größe von Bakterien) u. haben lange Lebensdauern von bis zu etwa 1 s; die Lebensdauer niedriger Anregungszustände liegt hingegen bei 10^{-8} s. Der energet. Abstand zwischen zwei benachbarten, durch die Hauptquantenzahl n (s. Atombau) beschriebenen Zuständen wird für großes n sehr klein. R.-A. können von verhältnismäßig schwachen elektr. Feldern stark polarisiert od. sogar ionisiert werden. Die Tab. gibt eine Übersicht über die Eigenschaften von Rydberg-Atomen.

R.-A. lassen sich im Laboratorium aus atomarem Wasserstoff, Alkali- u. Erdalkalimetall-Dämpfen in einer Hochvak.-Kammer durch *Anregung mit mehreren durchstimmbaren *Lasern erzeugen. Die Atome im sog. *Rydberg-Zustand* sind dann so energiereich u. da-

Tab.: Einige Eigenschaften ungestörter Rydberg-Atome [a)].

physikal. Größe	allg.	speziell für n = 30
mittlerer Radius	$r = n^2 a_0$	476
Bindungsenergie des äußersten Elektrons	$E_n = R/n^2$	0,015 eV
Übergangsenergie für Übergang $\Delta n = 1$	$\Delta E = 2\ R/n^3$	0,001 eV
Lebensdauer	$\tau \propto n^3$	0,00003 s

[a)] a_0: Bohrscher Radius (s. Atombau, S. 291), R: Rydberg-Konstante, eV: Elektronenvolt, n: Hauptquantenzahl (s. Atombau, S. 291)

her gegen weitere Energiezufuhr empfindlich, daß sie schon durch die Einwirkung von Lichtquanten ganz geringer Energie, z.B. der fernen *Infrarotstrahlung, ihr Elektron endgültig verlieren. Man kann diesen *Ionisations-Effekt in Detektoren für bes. energieschwache *Strahlung, z.B. in der Radioastronomie ausnutzen (*Lit.*[1]). – ***E*** Rydberg atoms – ***F*** atomes de Rydberg – ***I*** atomi di Rydberg – ***S*** átomos de Rydberg

Lit.: [1] Chem. Labor Betr. **31**, 236f. (1980).
allg.: Annu. Rev. Phys. Chem. **33**, 173–190 (1982) ▪ Briand, Atoms in Unusual Situations, New York: Plenum 1986 ▪ Haken u. Wolf, Atom- u. Quantenphysik, 6. Aufl., Berlin: Springer 1996 ▪ Phys. Rev. Lett. **55**, 382 (1982) ▪ Phys. Unserer Zeit **8**, 56 (1977) ▪ Spektrum Wiss. **1981**, Nr. 7, 88–103.

Rydberg-Konstante (Kurzz. R). Nach *Rydberg benannte, in den *Serien-Formeln der Atomspektren (s.a. Atombau) u. im *Moseleyschen Gesetz auftretende atomphysikal. Konstante, die die Beziehungen zwischen der Elementarladung *e*, der Elektronenruhemasse m_e, dem *Planckschen Wirkungsquantum *h*, der *Lichtgeschwindigkeit *c* u. der elektr. Feldkonstante ε_0 zusammenfaßt:

$$R_\infty = \frac{m_e e^4}{8\varepsilon_0^2 h^3 c} = 10973731{,}534 \pm 0{,}013\ \mathrm{m}^{-1}.$$

Dieser Wert gilt für einen ruhenden Atomkern. Berücksichtigt man die Mitbewegung des Atomkerns, so gilt z.B. für das Wasserstoff-Atom

$$R_H = R_\infty \frac{1}{1 + \frac{m_e}{m_p}},$$

wobei m_p die Ruhemasse des Protons ist. Entsprechend erhält man für *Deuterium $R_D = 10970741{,}9\ \mathrm{m}^{-1}$. – ***E*** Rydberg constant – ***F*** = ***S*** constante de Rydberg – ***I*** costante di Rydberg

Lit.: Duncan, Rydberg Series in Atoms and Molecules, New York: Academic Press 1971 ▪ Haken u. Wolf, Atom- u. Quantenphysik, 6. Aufl., Berlin: Springer 1996 ▪ s.a. Atombau u. Spektroskopie.

Rydberg-Photochemie s. Ultraviolettstrahlung.

Rydberg-Zustände s. Rydberg-Atome

Ryle, Sir Martin (1918–1984), Prof. für Astronomie, Univ. of Cambridge (UK) (bis 1959), Gründer u. Direktor des Mullard Radio Astronomy Observatory (bis 1957). *Arbeitsgebiete:* Entwicklung von Radioteleskopen zur genauen Lokalisierung schwacher Radiowellen mittels der Methode der Apertursynth., Unter-

suchung der Radiowellen im Sonnenlicht u. im Licht anderer Fixsterne. 1972 wurde er zum Astronomer Royal ernannt. 1974 erhielt er den Nobelpreis für Physik für seine bahnbrechenden Arbeiten in der Radioastrophysik zusammen mit A. *Hewish.
Lit.: Lexikon der Naturwissenschaftler, S. 357.

RyR. Abk. für *Ryanodin-Rezeptor.

Rytmonorm® (Rp). Injektionslsg., Filmtabl. u. Dragées mit *Propafenon-hydrochlorid gegen Herzrhythmusstörungen. ***B.:*** Knoll.

S

σ (sigma). 18. Buchstabe des *griechischen Alphabets. In der physikal. Chemie Symbol für die Grenzflächen-(Oberflächen-)Spannung, die Stefan-Boltzmann-Konstante (s. Stefan-Boltzmann-Gesetz), die Substituentenkonstante (σ-Wert) der *Hammett- u. *Taft-Gleichungen, für die Vol.-Konz. (s. Konzentration), den *Wirkungsquerschnitt (auch bei Kernreaktionen). In der Chemie verwendet man σ zur Kennzeichnung einer *Sigma-Bindung (durch σ-*Elektronen bewirkt), auch als Präfix in diesem Sinne bei Metall-organ. Verbindungen.

Σ (Sigma). Großschreibform von *σ. Symbol zur Charakterisierung elektron. Zustände linearer Mol. (Näheres s. Molekülspektren); z.B. trägt der elektron. Grundzustand des Sauerstoff-Mol. die Bez. $^3\Sigma_g^-$. In der Physik der *Elementarteilchen wird das Symbol für bestimmte *Baryonen verwendet (s. Tab. 2 bei Elementarteilchen, S. 1136).

Lit.: Chem. Unserer Zeit **19**, 197–208 (1985).

s. a) Kursives *s*- in chem. Verb.-Namen bedeutet **sec*- (sek., *sekundär) od. **sym*- (sym., symmetr.); *s-trans*- u. *s-cis*- war Stereobez. für drehbehinderte Einfachbindung (*E* *s*ingle bond); s. cis-, cisoid, trans-; heutige Bez.: (**E*)- u. (*Z)-. Das geklammerte kursive (*s*)- entspricht nach den *CIP-Regeln (*S*)- bei *Pseudoasymmetrie (s. r). – b) s vor biochem. Abk. für *E* *s*oluble = lösl.; *Beisp.:* sRNA (tRNA, s. Ribonucleinsäuren), sMDH (cytoplasmat. *Isoenzym der *Malat-Dehydrogenase). – c) Abk. für *E* solid = fest; *Beisp.:* $I_2(s)$ – festes Iod, V_m^s = Feststoff-Molvolumen. – d) Orbital-Bez. für Nebenquantenzahl $l = 0$; Abk. für *Spin-Quantenzahl des Elektrons (s. Atombau, S. 293), Symbol für strange-Quark (s. Elementarteilchen). – e) Index s heißt bei *sigmatropen Reaktionen: suprafacial. – f) Symbol für *Sekunde, die *Basiseinheit der Zeit. – g) Symbol für physikal. Größen; *Beisp.:* Kreisbogenlänge, Löslichkeit (*E* solubility), Sedimentationskonstante (s. Svedberg u. Ultrazentrifugen).

S. a) Chem. Symbol für *Schwefel (latein., engl.: sulfur), als *Lokant in chem. Namen kursiv zu setzen; *Beisp.:* *S,S'*-Diethyldithiocarbonat, Butanthial-*S*-oxid. – b) S steht in Notationen der *Aminosäuren u. *Nucleoside für *Serin (IUPAC/IUB-Regel 3AA-1) u. Thiouridin (s. Thiouracil; Regel N-3.2.1). – c) In Weichmacher- u. Polymer-Abk.: S = ...sebacat od. ...styrol (DIN 7728-1: 1978-04); *Beisp.:* DOS (Dioctylsebacat), PS (Polystyrol). – d) In der *Stereochemie: Kursives geklammertes (*S*)- für abs., (*S**)- für relative *Konfiguration, s. rel-. – e) Organ.-chem. *Reaktionsmechanismen: Abk. für *Substitution (S_E, S_N). – f) Quantenzahl-Symbol: Gesamtelektronen-*Spin u. *Strangeness; *Term-Symbol: *Singulett. – g) Symbol für *Siemens (Einheit des elektr. Leitwerts) u. *Svedberg (auch Sv; Einheit der Sedimentationskonstanten *s). – h) Symbol für physikal. Größen; *Beisp.:* *Entropie, Oberfläche (*E* surface), Strahlenbremsvermögen u. -quellintensität, Überlappungsintegral (s. chemische Bindung, S. 672). – i) *S-Sätze: Hinweise zur Sicherheit (*E* safety) im Umgang mit *Gefahrstoffen. – j) *Holzschutzmittel mit Prüfprädikat S: Eignung zum Streichen, Spritzen u. Tauchen.

Sa. Symbol für das chem. Element „Saturnium", s. Protactinium.

SA. Abk. für *Serumalbumin.

SAA s. Serum-Amyloid-Komponenten.

Saatgut. Als S. werden im Pflanzenbau Samen u. Früchte bezeichnet, die als generative Organe der Vermehrung einer bestimmten Pflanzenart od. -sorte dienen. Hierzu gehört auch das *Pflanzgut*, zu dem aus S. erzeugte Stecklinge od. Jungpflanzen gerechnet werden. Hochwertiges S. ist Voraussetzung für die quant. u. qual. Ertragsleistungen von Kulturarten. Bei der S.-Reinigung erfolgt die Trennung des S. von Saatunkräutern u. die Sortierung des S. in einheitliche Korngrößen. Die S.-Reinigung ist eine der Ursachen dafür, daß früher häufig auftretende Ackerwildkräuter selten werden. – ***E*** seed – ***F*** semences – ***I*** semente – ***S*** semillas, simientes

Saatgut-Behandlungsmittel (Beizmittel). Bez. für *Pflanzenschutzmittel, mit denen Pflanzen u. Saatgut zum Schutz vor pilzlichen Krankheitserregern u. tier. Schädlingen behandelt wird; s.a. Fungizide. – ***E*** seed protectants – ***F*** agents protecteurs des semences – ***I*** protettori delle sementi, disinfettanti delle sementi – ***S*** desinfectantes de semillas

Saatgutordnung, Saatgutverkehrsgesetz s. Sortenschutzgesetz.

Saatpolymerisation. Bez. für ein spezielles Verf. der *Emulsionspolymerisation, das insbes. bei der Herst. von Latices mit sehr enger Teilchengröße-Verteilung sowie von Latices aus mehr als einer Sorte von *Monomeren u. definierter Mikrostruktur innerhalb der einzelnen Latex-Teilchen angewandt wird. Zur Durchführung der S. legt man eine Dispersion aus in ihrer Größe sehr einheitlichen Latex-Teilchen – die sog. *Saat-Latex* – vor. Zu dieser läßt man unter Polymerisationsbedingungen langsam das zu polymerisierende Monomer, z.B. Methylmethacrylat, Styrol, Chloropren od. Vinylchlorid, zulaufen. Dieses diffundiert sofort sehr gleichmäßig in alle vorgelegten Saat-Latex-

Teilchen u. wird ausschließlich in diesen polymerisiert. Als Folge davon wachsen die vorgelegten Latex-Teilchen sehr gleichmäßig u. damit unter weitgehendem Erhalt ihrer anfänglich engen Größenverteilung an.
Gleichzeitig mit dem Monomer können dem Ansatz auch frischer Emulgator u. andere Hilfsmittel zugesetzt werden. Dabei ist jedoch darauf zu achten, daß die Emulgator-Konz. im Syst. nicht den krit. Wert überschreitet, oberhalb dessen es zur Latex-Teilchenneubildung kommt (zum Mechanismus der Teilchenbildung s. Emulsionspolymerisation). Anderenfalls führen die neu entstehenden, viel kleineren Latex-Teilchen zu einer starken Verbreiterung der Größenverteilung. Sind darüber hinaus das Polymer der vorgelegten Saat-Latex u. das während der S. neu entstehende Polymere chem. nicht ident., so entstehen Latex-Teilchen, die aus zwei unterschiedlichen Arten von Polymeren bestehen. Je nach Reaktionsführung, Wahl der Monomeren u. dem Ausmaß der Unverträglichkeit der Polymeren (z. B. A u. B) können die resultierenden Latex-Teilchen einen sehr unterschiedlichen inneren Aufbau besitzen. Neben dem sehr seltenen Fall der homogenen Teilchen kennt man z.B. Kern-Schale-, Halbkugel- od. Brombeer-Morphologien (s. Abb.).

Abb.: Idealisierte Querschnitte von Latex-Partikeln aus zwei unverträglichen Polymeren A u. B mit a) Kern-Schale-, b) Halbkugel- u. c) Brombeer-Morphologie. Es bedeuten: Schwarz = aufpolymerisiertes Polymer A; weiß = Polymer B des vorgelegten Saat-Latex.

– ***E*** seed polymerization – ***F*** polymérisation de germination – ***I*** polmerizzazione di germinazione – ***S*** polimerización de germinación

Lit.: Encycl. Polym. Sci. Eng. **13**, 548; **17**, 345 ▪ Houben-Weyl **E 20/2**, 811.

Sabadillsamen. Braunschwarze, länglich-lanzettliche, unregelmäßig kantige, 5 – 9 mm lange u. bis 2 mm dicke Samen von *Sabadilla officinalis* Schlecht. et. Cham. (syn. *Schoenocaulon officinale* Schlecht. et. Cham., Liliaceae), einem in Mexiko, Venezuela, Guatemala u. Kolumbien heim. Zwiebelgewächs, dessen Extrakte u. Pulver insektizide Eigenschaften haben. S. enthalten 2 – 4% eines als *Veratrin bezeichneten Alkaloid-Gemischs, das die zu den *Steroid-Alkaloiden gehörenden *Veratrum-Alkaloide Cevadin u. Veratridin (s. Veratrin) sowie Sabadillin, Sabadin, Sabadinin, Sabadill- u. Veratrumsäure enthält. Ein als *Sabadillessig* bekannter, essigsaurer Extrakt von S. war in früheren Zeiten als Hausmittel gegen Kopfläuse bekannt; daher auch der Name *Läusekraut* für Sabadill. S.-Extrakt wirkt in *Insektiziden gegen Hausfliegen, Viehläuse u. einige Pflanzenschädlinge sowohl als Fraß- wie auch als Kontaktgift. Die isolierten Inhaltsstoffe wirken stark reizend auf die Atmungsorgane; ein Zusatz zu *Niespulver ist in der BRD verboten. – ***E*** sabadilla (cevadilla) seeds – ***F*** semences de cévadille (sabadille) – ***I*** semi della sabadiglia – ***S*** semilla de cebadilla

Lit.: Giftliste ▪ Hager (4.) **6 b**, 321 – 324 ▪ Kirk-Othmer (3.) **13**, 427. – *[HS 1211 90; CAS 62-59-9 (Cevadin)]*

Sabatier, Paul (1854 – 1941), Prof. für Chemie, Univ. Toulouse. *Arbeitsgebiete:* Katalyse, Hydrierung von Kohlenstoff-Verb. mit Metallen (Eisen, Kupfer, Cobalt, Nickel); Nobelpreis für Chemie 1912 zusammen mit F. A. V. *Grignard.

Lit.: Lexikon der Naturwissenschaftler, S. 358 ▪ Neufeldt, S. 103 ▪ Pötsch, S. 375 ▪ Strube et al., S. 132 f.

Sabattier-Effekt s. Photographie (S. 3310).

Sabinen s. Thujan.

3-Sabinon s. Thujon.

Sabkha s. Evaporite.

Sab® simplex. Suspension mit *Simethicon, Kautabl. mit *Dimeticon, gegen Blähungen u. Völlegefühl. ***B.:*** Parke-Davis.

Sacchar... Von latein.: saccharum (griech.: sákcharon) = Zucker abgeleiteter Fremdwortstamm. Als antiker Ursprung der Zucker-Herst. gilt Indien; altind.: sárkarā = Kies, Kristallzucker.

Saccharasen s. Invertase.

Saccharate. Trivialname für die systemat. als *Glucarate* zu bezeichnenden Ester u. Salze der *Glucarsäure, bes. solche mit Erdalkalien, deren wichtigstes das *Calciumsaccharat ist. Nicht zu verwechseln mit den aus Zuckerlsg. (vgl. Saccharose) beim Versetzen mit Erdalkalioxiden od. -hydroxiden ausfallenden Verb. vom Typ des sog. *Zuckerkalks, die früher ebenfalls S. genannt wurden. – ***E*** = ***F*** saccharates – ***I*** saccarati – ***S*** sacaratos

Saccharide s. Kohlenhydrate u. Zucker...-Stichwörter.

Saccharimetrie. Bestimmung der Konz. von Zuckerlsg.; als Meßgeräte werden **Polarimeter* (*Saccharimeter*), bestimmte, auch Saccharometer genannte **Aräometer* (s. a. Oechsle Grade) u. *Zuckerrefraktometer* (vgl. Refraktion) verwendet. – ***E*** saccharimetry – ***F*** saccharimétrie – ***I*** saccarimetria – ***S*** sacarimetría

Lit.: s. Aräometer, optische Aktivität u. Refraktion.

Saccharin [1,2-Benzisothiazol-3(2*H*)-on-1,1-dioxid, 2-Sulfobenzoesäureimid, Benzosulfimid].

$C_7H_5NO_3S$, M_R 183,18. Farblose, sehr süß schmeckende Krist. mit schwach bitterem Nachgeschmack, D. 0,828, Schmp. 229 – 230 °C, schwerlösl. in kaltem Wasser, lösl. in siedendem Wasser mit saurer Reaktion u. in Alkohol, leicht lösl. in Alkalicarbonat-Lösung. S. hat die 550fache Süßkraft von *Saccharose; es schmeckt noch in einer Verdünnung von 1:200 000 süß. Wegen der besseren Löslichkeit wird S. meist als Na-Salz, $C_7H_4NNaO_3S \cdot 2H_2O$, M_R 205,16 (450mal süßer als Saccharose) verwendet; S. besitzt keinen physiolog. Brennwert.

Herst.: Aus *Toluol über *o*-Toluolsulfonsäureamid u. *Oxidation mit *Kaliumpermanganat zu 2-Sulfamoylbenzoesäure (*Remsen-Fahlberg-Verf.*, 1879) od. von Phthalsäureanhydrid ausgehend (*Maumee-Verf.*).
Rechtliche Beurteilung: Nach Anlage 7, Liste A, Nr. 1, der Zusatzstoff-Zulassungs-VO[1] sind 2-Sulfobenzoesäureimid sowie dessen Natrium-, Kalium- u. Calcium-Salze bei Kenntlichmachung als „S." für einige der in Liste B gleicher Anlage genannten Lebensmittel (z. B. brennwertverminderte Erfrischungsgetränke, *Kaugummi, Feinkostsalate) u. für *Kautabak zugelassen. Darüber hinaus ist S. nach § 8 der Diät-VO[2] für diätet. Lebensmittel zugelassen. Für diätet. Getränke besteht eine Mengenbegrenzung von 0,2 Gramm pro Liter. Nach Liste 9 der Zusatzstoff-Verkehrs-VO[3] darf S. höchstens mit je 10 mg/kg *o*- u. *p*-*Toluolsulfonamid bzw. 30 mg/kg *Selen verunreinigt sein. Änderungen in der Zulassungssituation des S. haben sich durch die seitens der EG umgesetzte Süßstoff-Richtlinie[4] u. durch die bereits an die Mitgliedsstaaten ergangene Zusatzstoff-Richtlinie[5] ergeben.
Analytik: Zum Nachw. von S. in Lebens- u. Futtermitteln stehen photometr.[6], dünnschichtchromatograph.[7], *HPLC-[8,9] u. ionenchromatograph.[10] Verf. zur Verfügung (s.a. Methoden nach § 35 LMBG L 57.22.02-1 u. L 57.22.99-2). S. wird auch techn. als Härtebildner für Dispersionsschichten in galvan. Nickelbädern eingesetzt. Zum Nachw. von S. in diesem Zusammenhang s. *Lit.*[11].
Toxikologie: S. unterliegt nur einer geringfügigen Metabolisierung u. wird zu 99% unverändert mit dem Urin ausgeschieden. Der vorläufige *ADI-Wert beträgt 0–5 mg/kg Körpergew./Tag. Als NOEL (Ratte) (s. ADI, Pflanzenschutzmittel) werden 500 mg/kg Körpergew./Tag angegeben[12]. Das Natrium-Salz des S. wirkt an der Ratte bei sehr hoher Dosierung (5% im Futter) über 2 Generationen hinweg als Blasencarcinogen od. zumindest als Tumorpromotor[13]. Das *Kation ist für diese Effekte entscheidend, denn das Kalium- u. Calcium-Salz zeigen diese Wirkung nicht[14]. Die carcinogene Wirkung, die nicht auf einem genotox. Mechanismus beruht[15,16], wurde nur an Ratten u. an keiner anderen Spezies beobachtet. Epidemiolog. Studien geben keine schlüssigen Hinweise auf eine carcinogene Wirkung am Menschen[17]. In den USA besitzt S. zwar keinen *GRAS-Status, ist aber seit 1987 unter entsprechenden Warnhinweisen wieder zugelassen. Zur Aufnahme von S. bei durchschnittlicher Ernährung s. *Lit.*[18]. Eine Zusammenfassung der Toxikologie gibt *Lit.*[17,19]. S. besitzt antikariogene Wirkung[20]. – ***E*** saccharin – ***F*** saccharine – ***I*** saccarina – ***S*** sacarina

Lit.: [1] Zusatzstoff-Zulassungs-VO vom 22. 12. 1981 in der Fassung vom 8. 3. 1996 (BGBl. I, S. 460). [2] VO über diätet. Lebensmittel vom 25. 8. 1988 in der Fassung vom 13. 6. 1990 (BGBl. I, S. 1065). [3] VO über den Verkehr mit Zusatzstoffen vom 10. 7. 1987 in der Fassung vom 13. 6. 1990 (BGBl. I, S. 1062). [4] Arbeitspapier der EG-Kommission, Dokument III/3813/90 vom April 1990. [5] Richtlinie (89/107/EWG) über Zusatzstoffe, die in Lebensmitteln verwendet werden dürfen vom 21. 12. 1988, ABl. der EG **32**, Nr. L 40, 27 (1989). [6] Nahrung **33**, 83 ff. (1989). [7] Nahrung **31**, 105–108 (1987). [8] J. Assoc. Off. Anal. Chem. **71**, 1210 ff. (1988). [9] Dtsch. Lebensm. Rundsch. **86**, 348–351 (1990). [10] J. Chromatogr. **463**, 463–468 (1989). [11] GIT Fachz. Lab. **1994**, Nr. 4, 298–303. [12] Food Add. Contam. **7**, 463–475 (1990). [13] Cancer Res. **49**, 3789–3794 (1989); Carcinogenesis **16**, 2743–2750 (1995). [14] Toxicol. in vitro **3**, 201–205 (1989). [15] Food Chem. Toxicol. **26**, 637–644 (1988). [16] Food Chem. Toxicol. **27**, 143–149 (1989). [17] Crit. Rev. Toxicol. **20**, 311–326 (1990); Food Chem. Toxicol. **32**, 207–213 (1994). [18] Z. Lebensm. Unters. Forsch. **186**, 11–15, 197–200 (1988). [19] IARC (Int. Agency Res. Cancer), IARC Monographs, Suppl. **7**, 334–338 (1987); Regulat. Toxicol. Pharmacol **15**, 253–270 (1992). [20] Z. Ernährungswiss. **27**, 155–169 (1988).
allg.: Belitz-Grosch (4.), S. 391 ▪ Classen et al., Toxikolog.-hygien. Beurteilung von Lebensmittelinhalts- u. Zusatzstoffen sowie bedenklicher Verunreinigungen, S. 157–159, Berlin: Parey 1987 ▪ Concon, Food Toxicology, S. 1283–1289, New York: Dekker 1988 ▪ Fülgraft, Lebensmitteltoxikologie, S. 100, Stuttgart: Ulmer 1989 ▪ Grenby (Hrsg.), Progress in Sweeteners, London: Elsevier 1989 ▪ Lindner, Toxikologie der Nahrungsmittel (4.), S. 189 f., Stuttgart: Thieme 1990 ▪ Merck-Index (12.), Nr. 8463 ▪ Ullmann (4.) **22**, 356; (5.) **A 9**, 242; **A 11**, 563 ▪ Vollmer et al., Lebensmittelführer (2.), Bd. 1, S. 68, 234 f., 238 f., Stuttgart: Thieme 1995. – *[HS 2925 11; CAS 81-07-2]*

Saccharometer s. Saccharimetrie.

Saccharomyces. Gattung der Familie Saccharomycetaceae (echte *Hefen). Die Zellen sind rund, ellipsoid od. zylindr. u. vermehren sich vegetativ durch multilaterale *Knospung.
Die Gattung S. verfügt über einen ausgeprägten Gärungsstoffwechsel u. kann im allg. verschiedene Zucker (z. B. Glucose, Maltose, Galactose) zu Ethanol vergären. Oligo- u. *Polysaccharide müssen in der Regel erst in niedermol. Zucker zerlegt werden.
Vork.: S.-Arten leben vorwiegend auf Früchten u. in Pflanzensäften u. sind nicht *pathogen (Risikogruppe 1 laut Anhang I B der Gentechnik-Sicherheits-VO).
Biotechnolog. Anw.: Zur Produktion von Nahrungs- u. Genußmitteln werden meistens Stämme von *S. cerevisiae* eingesetzt. *Reinkulturen obergäriger Stämme werden als Treibmittel (*Backhefe) bei der Weißbrotherst. benötigt u. finden Verw. bei der Ethanol-Produktion u. als Bierhefen. Die osmophile Hefe *S. rouxii* wird zur Herst. von Soja-Soße u. Soja-Paste (Miso, s. a. Sojabohnen) benutzt. Sie ist in Nahrungsmitteln mit hohem Zuckeranteil enthalten u. wird bei der Glycerin-Gärung eingesetzt. Andere *S. cerevisiae*-Stämme sind an der *Fermentation von Kakao beteiligt od. werden zur Gewinnung von *Xylit aus Xylulose verwendet. Auch *Biotransformationen [z. B. ein Schritt der techn. Synth. von (–)-*Ephedrin] können mit Hilfe von S.-Stämmen durchgeführt werden.
Gentechn. Anw.: Viele Stämme von *S. cerevisiae* enthalten ein *Plasmid von 2 µm Länge (sog. 2µ-*DNA). In dieses Plasmid können Fremdgene einkloniert u. in der Hefe exprimiert werden. Bei der gentechn. Herst. von *Eukaryonten-Proteinen hat *S. cerevisiae* oft **Escherichia coli* als Klonierungswirt abgelöst. Leistungsfähige Hefe-Stämme, die zur *Wein-, *Bier-, *Sake- u. *Ethanol-Herst. verwendet werden, können zur Vermeidung unerwünschter Kontaminationen mit dem sog. Killer-Faktor (s. a. Killer-Hefen) aus dem *Wildtyp geschützt werden. – ***E=F=I=S*** Saccharomyces

Lit.: Math. Biosci. **130**, 25 (1995) ▪ Präve (4.), S. 36 ff., 396 ff. ▪ SAAS Bull. Biochem. Biotechnol. **9**, 83 (1996) ▪ Schlegel (7.), S. 183 ff. ▪ Yeast **12**, 623 (1996).

Saccharose (β-D-Fructofuranosyl-α-D-glucopyranosid, Rohrzucker, Rübenzucker, Sucrose).

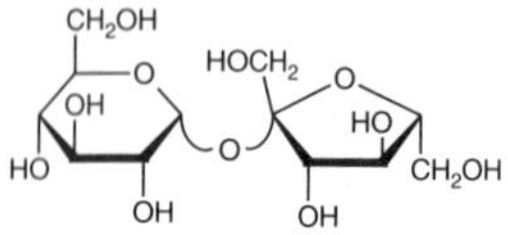

$C_{12}H_{22}O_{11}$, M_R 342,30, farblose Krist. (zeigen *Triboluimineszenz), Schmp. 185–186 °C (Zers. ab ca. 160 °C, Karamelisierung) od. Pulver, $[\alpha]_D^{20}$ +66,5°, D. 1,5879, Schüttdichte 0,930 (Kristallzucker) bzw. ca. 0,600 (Puderzucker) t/m³. S. ist leicht lösl. in Wasser (2,4 g/g bei 20 °C, 4,87 g/g bei 100 °C), Pyridin, Dimethylformamid u. -sulfoxid, wenig lösl. in Ethanol, unlösl. in Diethylether. Die wichtigste Eigenschaft der S. ist ihr süßer Geschmack (Bezugssubstanz bei Messung des Süßwertes S = 100, vgl. Süßstoffe), auf dem ihre große wirtschaftliche Bedeutung beruht. Bei 5 °C schmeckt Fructose süßer als S., bei höheren Temp. (>40 °C) ist es umgekehrt. Der intensivste Geschmack wird von S. bei 32–38 °C erreicht.
Name: s. Sacchar...
Vork.: In größeren Mengen im Zuckerrohr, der Zuckerrübe (s. u.) u. Zuckerpalmen (*Palmzucker); in kleinen Mengen in zahlreichen Pflanzen, z. B. Datteln, Zuckermais, Baumsäften (*Ahornsaft).
Quant. Analytik: Die opt. Rotation wäss. S.-Lsg. kann zur Bestimmung des S.-Gehaltes u. der Reinheit genutzt werden. Neben der Polarimetrie sind Refraktometrie u. moderne instrumentelle Meth. wie GC u. HPLC üblich.
Chem. Eigenschaften: Die Carbonyl-C-Atome der Glucose- u. der Fructose-Einheit sind an der glykosid. Bindung des S.-Mol. beteiligt. Daraus folgt: Es existieren keine anomeren Formen; *Mutarotation, *Osazon-Bildung u. die Red. Fehlingscher Lsg. finden nicht statt. Durch saure od. enzymat. Hydrolyse (s. Invertase) wird S. in Glucose u. Fructose gespalten (*Invertzucker). S. ist sehr säureempfindlich, weshalb bei der Zuckergewinnung in den Zuckerfabriken der pH-Wert streng kontrolliert werden muß. Die Hydrolyse beginnt bereits bei pH 8,5, in wäss. Lsg. ist S. bei pH 9,0 am stabilsten. Starke Alkalien überführen S. in Gemische organ. Säuren (überwiegend Milchsäure), Ketone u. cycl. Kondensationsprodukte. Der Mechanismus ist unklar, Hydrolyse zu Glucose u. Fructose tritt nicht ein. Die therm. Zers. von S. beginnt ab 160 °C zu komplexen Gemischen von nicht reduzierenden Trisacchariden (*Kestosen).
Verw.: *Als Nahrungsmittel (95,5%):* Mengenmäßig ist S. einer der bedeutendsten Lebensmittelzusatzstoffe. Ihr Hauptnutzen in Lebensmitteln ist der Geschmack, aber auch andere Eigenschaften wie Körper, Struktur, Feuchtigkeitsrückhaltevermögen (Backwaren bleiben länger frisch), Geschmacksverstärkung u. Konservierung sind bedeutsam. S. dient Hefe u. a. Backtriebmitteln (*Teiglockerungsmitteln) als Nahrung u. Treibgasquelle. Reduzierende Zucker, die bei der Hydrolyse von S. entstehen, gehen die Maillard-Reaktion zu *Melanoidinen ein. S. erhöht die Gelatinisierungstemp. von Stärke, so daß Gebäck besser aufgeht, also lockerer wird, die Schaum-Struktur von Biskuit-Teigen wird stabilisiert. Die Reaktion mit Milcheiweiß erzeugt den Karamel-Geschmack einiger Süßwaren. S. ist Fermentationssubstrat von Milchsäurebakterien in Buttermilch u. erniedrigt den Gefrierpunkt von Eiscreme. In den USA wird in den letzten Jahren vermehrt der sehr preiswert durch enzymat. Hydrolyse von Maisstärke gewonnene Isosirup (High Fructose Corn Syrup, HFCS) als S.-Ersatz verwendet (vgl. Fructose). In der Getränke-Ind. werden dort seit den 80er Jahren zur Süßung nur HFCS u. Süßstoffe statt S. eingesetzt.
Als Substrat für chem. Synth. (0,5%): S. bildet mit Fettsäuren Ester (Veresterungsrate 1 bis 8), die aufgrund ihrer variablen Lipophilie breite Anw. finden, S.-Monoester (SME) als nichtion. Tenside u. Emulgatoren sowie als Konservierungsmittel in Getränken, S.-Polyester (SPE, *Olestra®) werden als niedrigkalor. Fettersatz in USA verwendet, andere S.-Ester dienen zur Denaturierung von Alkohol, finden sich in Kunststoffen, Kosmetika, Schmierstoffen. S.-Acrylat-Derivate sind in Polymeren enthalten, die als Flockungsmittel, Wasserabsorbentien, Bioimplantate u. Arzneimittelhilfsstoffe dienen, enthalten. S.-Ether finden Verw. als Beschichtungsmittel u. zur Synth. von Polyurethanen sowie als Zusatz in Isolier-, Verpackungs- u. Holzersatzmaterialien. Durch Chlorierung erhält man *Sucralose. Auf enzymat. Wege erhält man aus S. nützliche Derivate: Aus S. u. Stärkehydrolysaten mit Cyclodextrin-Transferase die Süßstoffe Glucosyl- u. Maltooligosylsaccharose (in Japan gebräuchlich), od. auf ähnlichem Wege Fructosyloligosaccharide, ebenfalls Süßstoffe, die zwar weniger süß sind als S., jedoch weniger zahnschädigend, kalorienärmer u. mit pos. Wirkung auf die Darmflora. Zahlreiche S.-Derivate befinden sich jedoch noch in ökonom. Konkurrenz zu Produkten petrochem. Ursprungs.
Als Substrat in biotechnolog. Verf. findet S. Verw. in Form von *Melasse als Edukt für diverse organ. Verb., bes. Milchsäure, Glutaminsäure, Citronensäure, Glycerin, Herst. von Bäcker- u. Brauhefe u. Rum. Zur fermentativen Gewinnung von *Ethanol (hierbei fällt als Nebenprodukt Kohlendioxid an), *Dextran, Levan (ein Süßkraftverstärker) u. Alteran, einem Verdickungs- u. Füllmittel zur Herst. von kalorienreduzierten Speisen, *Palatinit® u. Zuckerersatz (nicht in der BRD).
In Arzneimitteln: Zur Geschmacksverbesserung, als Verdünnungs- u. Bindemittel, in Tablettenüberzügen, in Mitteln zur Wundheilung, vgl. Sucralfat.
S.-Gewinnung: Die kommerzielle Gewinnung der S. erfolgt durch Extraktion von Zuckerrohr od. Zuckerrüben.
1. *Gewinnung von Rübenzucker:* Zuckerrüben (*Beta vulgaris* spp. *vulgaris* var. *altissima* u. *saccharifera*) werden vorwiegend in Europa, von der Poebene bis Südschweden, angebaut u. sind die Feldfrüchte mit der höchsten Nährwertproduktion je Flächeneinheit, die Ackerfläche betrug 1997 6,1 Mio. ha, davon 0,515 Mio. ha in der BRD. Als optimale Pflanzenzahl gelten 65 000–80 000 Rüben je ha. Aufgrund des großen Blattanteils (wesentlich größer als bei der Futterrübe) ist die Assimilationsfläche je ha um ein Vielfaches größer als bei anderen Kulturpflanzen. Die Zuckerherst. erfolgt in der EU seit 1981 im Rahmen festgelegter Kontingente. Die Preise für die Grund- (A-

Quote) u. Höchstquote (B-Quote) werden im voraus festgelegt, darüber hinausgehende Erntemengen (C-Quote) werden als C-Zucker auf dem Weltmarkt (nicht in der EU) zum aktuellen Weltmarktpreis veräußert. In der BRD wurden 1995 4,75 Mio. t Zucker hergestellt u. 3,1 Mio. t verbraucht. Zuckerrüben haben einen S.-Gehalt von etwa 16–20%. Bei einem durchschnittlichen Rübenertrag von 45 t/ha erhält man 6 t S. pro ha. In der BRD ist eine nahezu vollständige Eigenversorgung mit Zucker gegeben. 3% des Weltmarktes an Pflanzenschutzmitteln gehen in den Rübenanbau. Die Rüben werden während der „Zuckerkampagne", diese liegt in den jeweiligen Haupterntezeiten, an die Zuckerfabriken geliefert. In der BRD ab etwa Mitte Sept. bis Ende Dez., in Großbritannien noch bis Ende Februar, auf der iber. Halbinsel erfolgt die Aussaat erst im Herbst u. die Ernte März/April. Rüben sind empfindlich u. der S.-Gehalt verringert sich durch enzymat. Abbau rasch, weshalb sie gleich nach der Ernte verarbeitet werden sollten. Über sog. Schwemmkanäle entlang Schmutzsammlern werden sie zur Waschanlage befördert, wo sie über verschiedene Waschvorrichtungen u. Siebe von anhaftendem Schmutz befreit u. mit unterschiedlichen Zerkleinerungssyst. zu sog. *Rübenschnitzeln* verarbeitet werden. Das Waschwasser enthält bereits zuviel S., um es ohne Klärung (zu hoher biolog. Sauerstoffbedarf) abzuleiten, weshalb es in Klärbecken vorbehandelt werden muß. Das teilw. Denaturieren der Zellwände kann durch Erwärmung der Schnitzel nach dem Schnitt je nach deren Unversehrtheit auf 50–70 °C erfolgen. Diese Erwärmung reduziert auch die mikrobiolog. Aktivität. Die Rübenschnitzel werden im Gegenstromprinzip mit Wasser (ca. 5–20% mehr als Rübeneinwaage) extrahiert, Verweilzeit in der Extraktionsanlage ca. 40–60 min. Mehr Wasser würde zwar S. vollständiger, aber auch andere Verunreinigungen besser extrahieren. Bei gesunden, ungefrorenen Rüben tritt die S. aus den Zellen in den Extrakt aus, die anderen Zellbestandteile bleiben weitgehend in den Zellen. Der Rohsaft enthält neben 13–15% S. auch Proteine, *Pektine, freie Aminosäuren (Glutamin), organ. Säuren u. anorgan. Salze, ist dunkelgrau trübe von Zellbestandteilen, sehr feinem Schmutz u. kolloidalen Verunreinigungen, insgesamt enthält er >70% Feststoffe. Die extrahierten Schnitzel (Wassergehalt 92%, S.-Gehalt 1%) werden bis auf einen Wassergehalt von 75% ausgepreßt. Rübenschnitzel lassen sich nur schwer auspressen, so daß hohe Energiekosten für deren Trocknung entstehen. Insgesamt gehen 2% des S.-Gehaltes der Zuckerrüben mit den ausgepreßten Schnitzeln verloren, die als Viehfutter Verw. finden. Das Preßwasser wird in die Extraktionsanlage zurückgespeist. Falls notwendig werden dann noch Desinfektionsmittel zugeführt. Der Rohsaft wird mit Kalkmilch od. gebranntem Kalk versetzt, 2–5% bezogen auf die eingesetzte Rübenschnitzelmenge. Diese Kalkung (Scheidung) bewirkt das Ausfällen von Ca-Salzen der enthaltenen organ. Säuren, von Pektinen u. Proteinen sowie die Umwandlung des Invertzuckers in organ. Säuren, die keine unlösl. Ca-Salze bilden. Dann erfolgt eine Senkung der OH-Ionen-Konz. mit Kohlendioxid. Calciumcarbonat wird hierbei ausgefällt (Carbonation od. Carbonatation). Der Dünnsaft wird filtriert u. ein zweites Mal mit Kohlendioxid behandelt (T=98 °C), wobei sich weniger Schlamm bildet als beim ersten Mal. Der sog. Scheideschlamm dient als Düngemittel. Der Extrakt wird beim Eindampfen zur Entfärbung mit Schwefeldioxid behandelt (Sulfitation, 150 ppm) u. vom ausgefällten Calciumsulfit abfiltriert. Der so erhaltene klare Zuckersaft (*Dünnsaft* von 10–15% S.) wird zu *Dicksaft* eingedampft. Die Dicksaftreinheit (gewöhnlich bei 93% S. u. 7% Nichtzucker) ist ein Qualitätsmerkmal für die Zuckerausbeute bei Zuckerrüben u. liefert die beste Aussage über den Anteil von Nichtzuckerstoffen. Der Dicksaft wird in Kochapparaten im Vak. bis zur Übersättigung weiter eingedampft u. mit S.-Krist. geimpft. Das Eindampfen erfolgt kontinuierlich. Das Kristall/Sirup-Gemisch (*Muttersirup*) wird zentrifugiert. Man erhält Rohrzucker, der gleich weiterverarbeitet werden kann u. *Grünsirup*, der in einem zweiten Kochapparat erneut zur Krist. gebracht wird. Dieser Rohrzucker ist weniger rein u. wird dem frischen Dicksaft zugeführt. Der zweite Grünsirup kann eventuell noch einmal aufkonzentriert u. ein noch schlechterer Zucker gewonnen werden. Der Sirup, der noch an den Rohrzuckerkrist. haftet, wird mit aufgesprühtem Wasser in Zentrifugen entfernt. Der Endsirup aus der dritten Stufe, aus dem durch Krist. kein Rohrzucker mehr gewonnen werden kann, heißt *Melasse. Die Entzuckerung von Melasse mit Ionenaustauscher-Harzen ist bei der Rübenzucker-Gewinnung üblich. Dort enthält die Melasse noch 50% S. u. nur 1–2% Invertzucker, die Zuckerrohr-Melassen enthalten dagegen 20–30% S. neben 15–20% Invertzucker, so daß die Gewinnung von S. hier zu teuer wird.

Bei der *Zuckerraffination* bzw. *-affination* wird der Rohrzucker mit wenig Wasser versetzt („gedeckt" 30%) u. zur „Kläre" gelöst, mit Aktivkohle (Carbonation), Kieselgur (Filtration) u./od. Entfärberharzen (früher Knochenkohle) gereinigt u. zu schneeweißer Raffinade verkocht.

Geschichte: Die Zuckerrübe hat die gleiche botan. Abstammung wie die Runkelrübe. Ihre Züchtung wurde nach der Entdeckung des S.-Gehalts in der Runkelrübe 1747 von Markgraf begonnen. Der erste Zucker wurde fabriktechn. von Achard aus der weißen schles. Runkelrübe gewonnen. Trotz einer vorübergehenden Konjunktur infolge der napoleon. Kontinentalsperre kam die Zuckerproduktion bald wieder zum Erliegen. Erst ab 1840 nahm die Gewinnung von Rübenzucker durch techn. Weiterentwicklungen (s.u.) u. züchter. Fortschritte erheblich zu.

2. *Gewinnung von Rohrzucker:* Zuckerrohr (*Saccharum officinarum*) wird in den Anbaugebieten ausgepreßt u. zu Rohrzucker verarbeitet. Nach der Ernte verliert es durch enzymat. Abbau schnell an S.-Gehalt, so daß die Verarbeitung schnell erfolgen muß (Anlieferzeiten möglichst <24 h). Die Weiterverarbeitung zu *Raffinaden kann weltweit ganzjährig stattfinden.

Die Ernte erfolgt per Hand (0,5 t/h) od. vollmaschinell (30 t/h). Wichtigste Produktionsschritte: Waschung (falls Zuckerrohr aus sumpfigen Anbaugebieten kommt, z.B. Hawaii, Louisiana); Häckseln u. Schreddern des Rohrs; Pressung der Fasern mit Walzen, hierbei wird zur besseren Ausbeute Wasser hinzugefügt;

Klärung der gesammelten Extrakte (11–16% S.); durch Erhitzen (98–100 °C, beendet Enzymaktivität), Zusatz von Kalkmilch in Zuckerlsg. (pH 7) u. Flockungsmitteln (üblicherweise Polyacrylamide) sog. Defekation; die Kontrolle des pH bei 7–11,5 ist sehr wichtig (s. chem. Eigenschaften von S.). Die Weiterverarbeitung zu Rohrzucker erfolgt wie für Rübenzucker beschrieben. Die Rohrzuckerfabriken erzeugen ihre Energie durch Verbrennung des Zuckerrohrstrohs, der *Bagasse, die nach der Extraktion noch 50% Wasser enthält. Der farbige Rohrzucker kann durch Sulfitation entfärbt werden, indem Schwefeldioxid in den Dünnsaft eingeleitet wird. Hierbei bleiben alle Nichtzucker-Bestandteile des Rohrzuckers erhalten, er wird nur reduktiv entfärbt. Dieser Zuckertyp ist der meistverwendete Rohrzucker der Welt, jedoch für industrielle Zwecke ungeeignet (Rückstände, Trübungen, reduzierende Zucker-Bestandteile). Raffinierten Rohrzucker erhält man wie bei Rübenzucker beschrieben. Neue Entwicklungen bei der Zuckergewinnung sind die energiesparende *Membranfiltration* zur Entfernung von Feststoffen außer S. aus den Zuckersäften u. Sirupen. Hierdurch kann direkt aus dem Zuckerrohrsaft ohne Sulfitation u. Bleichung Weißzucker gewonnen werden.

Geschichte: Zuckerrohr stammt wahrscheinlich aus Neuguinea u. kam im asiat.-pazif. Raum u. in Indien vor. Von dort gelangte es im 4. Jh. v. Chr. mit den Truppen Alexanders des Großen nach Mazedonien („Honig ohne Bienen"). Im 11. Jh. war Venedig das Zentrum des Handels u. der Raffinerie von Zucker. Columbus brachte das Zuckerrohr nach Amerika. Zucker war bis zum 18. Jh. sehr teuer. Die arbeitsaufwendige Gewinnung von Zucker ist im 17. u. 18. Jh. mit der Sklaverei verbunden, ab dem 18. Jh. kamen Dampfmaschinen zum Einsatz. Wichtigste Erfindung war 1813 die Vakuumdest. des Wassers; die Entfärbung mit Knochenkohle kam 1820 auf. 1852 wurde die Zentrifuge zur Trennung der Melasse von den Zuckerkrist. eingeführt u. zur Energieeinsparung kam 1846 ein Verdampfungssyst. hinzu. Die energieaufwendige Gewinnung des Zuckers führte zu starken Waldrodungen, Kuba wurde völlig abgeholzt. Als Ersatz für Holz wurde das ausgepreßte Zuckerrohr, die Bagasse, verbrannt u. war damit kein Abfall mehr. Prinzipielle analyt. Meth. wurden Mitte des 19. Jh. entwickelt.

3. *Gewinnung von Zucker ohne Zentrifugen:* In Süd- u. Mittelamerika, in Asien (bes. Indien u. Pakistan) wird Zucker durch Kochen des Zuckerrohrsaftes in offenen Kesseln gewonnen. Beginnt der Saft zu kristallisieren, wird er in Formen gegossen u. ausgehärtet. Es sind hell- bis dunkelbraune Kuchen, die noch alle Verunreinigungen aus dem Zuckerrohr enthalten.

Handelsformen: In krist. Form, auch zu Würfeln u. Hüten gepreßt, Farbe u. Geschmack sind abhängig von der Reinheit, u. als wäss. Lsg. (Flüssigzucker). Die farbigen Verunreinigungen in braunem Zucker sind flavonoide u. polyphenol. Verb. aus der Pflanze sowie herstellungsbedingte Zersetzungsprodukte der Saccharose.

Wirtschaftliche Bedeutung: Die Weltzuckerproduktion betrug im Jahre 1994 113,5 Mio. t, hiervon 35% Rüben- u. 65% Rohrzucker.

Zur gesundheitlichen Bedeutung s. Zucker. – ***E*** sucrose, saccharose – ***F*** saccharose, sucrose – ***I*** saccarosio – ***S*** sacarosa, sucrosa

Lit.: Baikow, Manufacture and Refining of Raw Cane Sugar, Amsterdam: Elsevier 1982 ▪ Bartens u. Mosolff (Hrsg.), Zuckerwirtschaft 1994/1995, S. 22–27, 86 f., Berlin: Bartens 1996 ▪ Beilstein E V **17/8**, 399 ▪ Blackburn, Sugar-Cane, Harlow: Longman 1984 ▪ Carbohydr. Res. **205**, 402 (1990) ▪ Chaballe, Elsevier's Sugar Dictionary. In 6 Languages, Amsterdam: Elsevier 1984 ▪ Chen, Cane Sugar Handbook, New York: Wiley 1985 ▪ Hoffmann et al., Zucker u. Zuckerwaren, Hamburg: Parey 1985 ▪ Hugot, Handbook of Cane Sugar Engineering, Amsterdam: Elsevier 1986 ▪ Imfeld, Zucker, Zürich: Unionsverl. 1983 ▪ Kirk-Othmer (4.) **23**, 1–87 ▪ Schäufele, Schädlinge u. Krankheiten der Zuckerrübe, Gelsenkirchen: Mann 1982 ▪ Ullmann (5.) **A 4**, 65 f.; **A 5**, 83 ▪ Vukov, Physics and Chemistry of Sugar-Beet in Sugar Manufacture, Amsterdam: Elsevier 1977 ▪ Winnacker-Küchler (3.) **3**, 630–648; (4.) **5**, 678–696 ▪ Zechmeister **55**, 114–184 ▪ Zuckerindustrie **115**, 555–565 (1990). – *[HS 1701 11, 1701 12, 1701 99; CAS 57-50-1]*

Saccharosepolyester s. Zuckerester.

Saccharsäure. Synonym für D-*Glucarsäure.

Saccharum. Latein. Bez. für *Zucker, z. B. S. album = *Saccharose, S. amylaceum = Stärkezucker (Glucose), S. officinarum = Saccharose, S. Lactis = Milchzucker (*Lactose), S. Malti = Malzzucker (*Maltose), S. Saturni = Bleizucker [*Blei(II)-acetat], S. Uvae = Traubenzucker (*Glucose).

Sacharow (Sacharov), Andrej Dmitrijewitsch (1921–1989), Prof. für Atomphysik, Lebedew-Inst., Moskau. *Arbeitsgebiete:* Beteiligung an der Entwicklung der ersten sowjet. Wasserstoff-Bombe, Fusionsplasmen, Gravitationstheorie u. Kosmologie. Er war einer der bekanntesten Bürgerrechtler u. Systemkritiker der ehem. UdSSR u. erhielt 1975 den Friedensnobelpreis.

Lit.: Lexikon der Naturwissenschaftler, S. 358.

Sachkundige Personen. Sachkundig auf dem Gebiet Arbeitssicherheit sind Personen, die aufgrund ihrer fachlichen Ausbildung u. Erfahrung ausreichende Kenntnisse im Umgang mit Stoffen u. auf dem Gebiet der Unfallverhütung haben. Im Unterschied zur Fachkunde erfordert die Sachkunde ergänzend zur Berufsausbildung den Erwerb einer Zusatzqualifikation. Sachkundige haben die Aufgabe, bestimmte Einrichtungen, techn. Geräte u. Arbeitsmittel auf Einhaltung der Schutzvorschriften zu prüfen. Bes. Bedeutung erlangt dies auch für den Umgang mit Stoffen, die ein herausragendes Gefährdungspotential aufweisen (z. B. sehr giftige u. giftige Stoffe) u. wenn spezielle Vorgaben im Gesetzes-, Verordnungs- u. Regelwerk hierzu existieren (z. B. *Chemikalienverbotsverordnung). Die s. P. müssen mit den einschlägigen staatlichen Schutzvorschriften (Arbeitsschutz, Verkehrsrecht), Unfallverhütungsvorschriften sowie Richtlinien u. anerkannten Regeln der Technik (z. B. staatliche techn. Regeln, BG-Merkblätter, DIN-Normen) so vertraut sein, daß sie die erforderlichen Schutzmaßnahmen bzw. den arbeitssicheren Zustand der zu prüfenden Einrichtung insbes. beim Umgang mit den Stoffen beurteilen können. In einigen Fällen wird der Nachw. der Sachkunde durch die Teilnahme an einem speziellen

Lehrgang erbracht (z. B. Sachkunde nach Chemikalienverbotsverordnung, Umgang mit Asbest-haltigen Gefahrstoffen, Umgang mit Begasungsmitteln). – *E* knowledgeable persons – *I* persone competenti – *S* persona cualificada, persona competente

Sachse-Mohr-Theorie. Von H. Sachse (*Lit.*[1]) bereits 1890 für *Cyclohexan postulierte, von E. Mohr (1873–1926) 1918 am Beisp. des Decalins wieder aufgegriffene u. von W. *Hückel an *cis*- u. *trans*-Decalin experimentell begründete Vorstellung vom nicht-ebenen Bau alicycl. Verb., s. Konformation; zur Geschichte der S.-M.-T. s. *Lit.*[2]. – *E* Sachse-Mohr theory – *F* théorie de Sachse et Mohr – *I* teoria di Sachse e Mohr – *S* teoría de Sachse-Mohr

Lit.: [1] Ber. Dtsch. Chem. Ges. **23**, 1363 (1890). [2] Chem. Ztg. **97**, 573–582 (1973).

Sachsse, Hans (1906–1992), Prof. Dr. Dr. h.c. für Physikal. Chemie, Univ. Mainz. *Arbeitsgebiete:* Techn. Chemie, Reaktionskinetik, Herst. von Acetylen durch unvollständige Verbrennung, Naturphilosophie.

Lit.: Kürschner (16.), S. 3100 ▪ Nachr. Chem. Tech. Lab. **35**, 396 (1987) ▪ Strube et al., S. 245 f.

Sachtleben. Kurzbez. für die 1878 gegr. Firma Sachtleben Chemie GmbH, 47198 Duisburg, eine 100%ige Tochterges. der *Dynamit Nobel AG, Troisdorf. *Daten* (1996): 1400 Beschäftigte, 555 Mio. DM Umsatz. *Produktion:* Schwefelsäure, Oleum, flüssiges SO_2, Weißpigmente auf Titandioxid-, Zinksulfid- u. Bariumsulfat-Basis, Barium-Verb., z. B. Bariumhydroxid auf Schwerspat-Basis, u. Feinchemikalien, Flockungsmittel auf Aluminiumchlorid-Basis u. a. Wasserchemikalien, Dünnsäure-Recycling.

Sachverständige Personen. S. P. haben aufgrund ihrer fachlichen Ausbildung u. Erfahrung bes. Kenntnisse in dem jeweiligen Prüfgebiet. Das Tätigwerden umfaßt die Prüfung u. gutachtliche Beurteilung von Einrichtungen u. Verfahren. Erforderlich ist das Vertrautsein mit den einschlägigen staatlichen Arbeitsschutzvorschriften, Unfallverhütungsvorschriften, Richtlinien u. allg. anerkannten Regeln der Technik (z. B. DIN-Normen, VDE-Bestimmungen). Für bestimmte Prüfungen wird die Durchführung durch spezielle, ermächtigte Sachverständige verlangt. Im *Gerätesicherheitsgesetz (GSG) wird für überwachungsbedürftige Anlagen festgelegt, daß die erforderlichen Prüfungen von amtlichen od. amtlich für diesen Zweck anerkannten Sachverständigen vorgenommen werden. Daneben können weitere Sachverständige durch Rechtsverordnungen bezeichnet werden, z. B. Angehörige der Bundesanstalt für Materialforschung u. -prüfung (BAM) od. der Physikal.-Techn. Bundesanstalt (PTB). Auch Beschäftigte des Herstellers od. Betreibers der Anlage (Eigenüberwachung) können für bestimmte Prüfungen, z. B. von Anlagen für brennbare Flüssigkeiten, Explosionsschutzanlagen, anerkannt werden, wenn sie bestimmte Bedingungen erfüllen: Der Sachverständige muß qualifiziert sein. Es muß vertraglich sichergestellt sein, daß der Sachverständige bei der Vornahme der Prüfung unabhängig ist, d. h. er darf nicht von Weisungen seines Arbeitgebers abhängig sein. Dem Sachverständigen müssen die notwendigen Prüfeinrichtungen zur Verfügung stehen. – *E* expert – *I* persone esperte – *S* perito

Sackmann, Erich (geb. 1934), Prof. für Biophysik, TU München. *Arbeitsgebiete:* Physik biolog. Materie u. Flüssigkrist., Selbstorganisation künstlicher u. biolog. Membranen, Biorheologie u. -mechanik (Struktur, Dynamik u. Viskoelastizität des Zellcytoskeletts).

Lit.: Kürschner (16.), S. 3101 ▪ Wer ist wer (36.), S. 1204.

Sackpapier. Naßfeste, geleimte *Papier-Sorte, die beim Feuchtwerden nicht an Festigkeit verlieren soll u. wasserundurchlässig ist, meist aus ungebleichter Sulfatcellulose hergestellt. – *E* bag paper – *F* papier pour sacs – *I* carta da sacco – *S* papel para sacos

Sadebaumöl. Farbloses bis gelbliches, unangenehm riechendes, giftiges u. als Abortivum wirkendes ether. Öl, das aus Blättern u. Zweigspitzen vom Sadebaum od. Stinkwacholder (*Juniperus sabina*, Cupressaceae) in Frankreich, Jugoslawien, der ehem. UdSSR, den USA usw., in einer Ausbeute von 2–4% gewonnen wird; D. 0,907–0,93, lösl. in 0,5 u. mehr Vol. 90%igen Alkohols. S. enthält 20% (+)-Sabinen, 40% (+)-Sabinylacetat, kleinere Mengen von α-Pinen, Myrcen, Limonen, Cymol, *cis*- u. *trans*-Thujone, Sabinol, Terpineole u. Carvacrol. Die Zweige enthalten neben Gerbstoffen Savinin u. *Podophyllotoxin. – *E* savin oil – *F* essence de sabine – *I* essenza di sabina – *S* esencia de sabina

Lit.: Gildemeister **1**, 204; **3b**, 213; **4**, 292 f. ▪ Hager (5.) **5**, 341–344, 584 ▪ Planta Med. **1980**, Suppl. 22–28. – *[HS 3301 29]*

Sadtler. Kurzbez. für die zu *Bio-Rad gehörende Sadtler Division, Philadelphia, PA 19104-2596 (USA), die Sammlungen von IR-, FT-IR, UV-, NMR-, Raman-, Fluoreszenz- u. a. Spektren veröffentlicht u. Software liefert.

SAE. Abk. für Society of Automotive Engineers mit Sitz in 400 Commenwealth Drive, Warrendale, Pennsylvania, USA. Die 1905 gegr. SAE mit 75 000 Mitgliedern aus 97 Ländern befaßt sich mit der Technologie u. *Normung von Land-, Wasser-, Luft u. Raumfahrzeugen (z. B. *SAE-Viskositätsklassen bei Schmierstoffen). Die SAE hat auch gemeinsam mit dem American Steel Institute (AISI) eine Klassifikation für legierte Konstruktionsstähle herausgegeben u. ist Hersteller der über STN (s. STN International) zugänglichen Datenbanken 1MOBILITY u. 2MOBILITY. – INTERNET-Adresse: http://www.sae.org.

Lit.: Kirk-Othmer (4.) **22**, 808–826.

Säbelkolben (Sichelkolben). Bez. für *Kolben mit direkt angeschmolzener, krummsäbelartiger Glasvorlage zur Dest. von rasch erstarrenden Substanzen. Das Säbelrohr faßt etwa die Hälfte des Kolbeninhalts; erstarrtes Destillat kann man aus dem Säbel ausschmelzen.

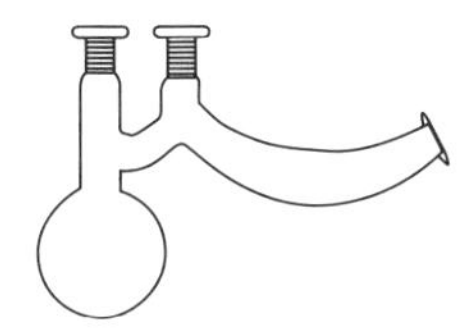

Abb.: Säbelkolben.

– *E* sabre flasks, sickle flasks – *F* flacon en forme de faucille – *I* matraccio a sciabola – *S* matraz de chorizo

Saedler, Heinz (geb. 1941), Prof. für Biochemie, Univ. Köln; Direktor am MPI für Züchtungsforschung, Köln. *Arbeitsgebiete:* Struktur u. Funktion von Transposons Höherer Pflanzen, mol. Analyse der Blütenentwicklung des Löwenmäulchens, Genregulation des Anthocyan-Stoffwechsels, Umwelteinflüsse auf Genexpression transgener Pflanzen.
Lit.: Kürschner (16.), S. 3102.

Sägemehl s. Holzmehl.

Sämischleder. Weiches, helles, geschmeidiges, waschbares Leder, das aus verschiedenen Häuten u. Fellen durch Einreiben von fetten *Tranen (s. Degras), durch Anw. von Fettalkohol-Derivaten od. Paraffinsulfochloriden (s. Immergan®) erhalten wird. Die sog. *Neusämischgerbung* als Kombination von Formaldehyd- u. Sämischgerbung gibt widerstandsfähigeres S. in kürzerer Zeit.
Verw.: Zu Handschuhen, Taschen, Fensterledern, Trachtenhosen, Reithoseneinsätzen u. dgl. – *E* chamois leather – *F* chamois – *I* pelle scamosciata – *S* piel de gamuza
Lit.: Herfeld (Hrsg.), Bibliothek des Leders, Bd. 10, S. 29, 42, 286f., Frankfurt: Umschau 1982 ▪ Ullmann (4.) **16**, 115, 121. – *[HS 4108 00]*

Saenger, Wolfram (geb. 1939), Prof. für Kristallographie, FU Berlin. *Arbeitsgebiete:* Strukturaufklärung von Proteinen u. Nucleinsäuren mit kristallograph. Meth., Struktur-Funktions-Beziehungen, Wasserstoff-Brückenbindungen, Einschlußkomplexe von Cyclodextrinen u. Amylasen, Polyether-Komplexe.
Lit.: Kürschner (16.), S. 3103 ▪ Wer ist wer (36.), S. 1205.

Sättigung s. gesättigt, Lösung, Koordinationslehre, relative Luftfeuchtigkeit u. Übersättigung.

Sättigungsspektroskopie. Technik der hochauflösenden, *Doppler-freien Laser-Spektroskopie. Bei der Einstrahlung höherer Laserintensitäten I_L ist die Fluoreszenzintensität I_F einer Probe nicht mehr proportional zu I_L, sondern steigt geringer an (s. Abb. 1):

$$I_F = \alpha \cdot \frac{I_L}{\sqrt{1 + I_L / I_{sat}}}$$

(α ist eine Proportionalitätsgröße, I_{sat} die sog. Sättigungsintensität, die durch die Einsteinkoeff. des beteiligten Übergangs bestimmt ist). In ähnlicher Weise nimmt der Absorptionskoeff. der Probe ab.

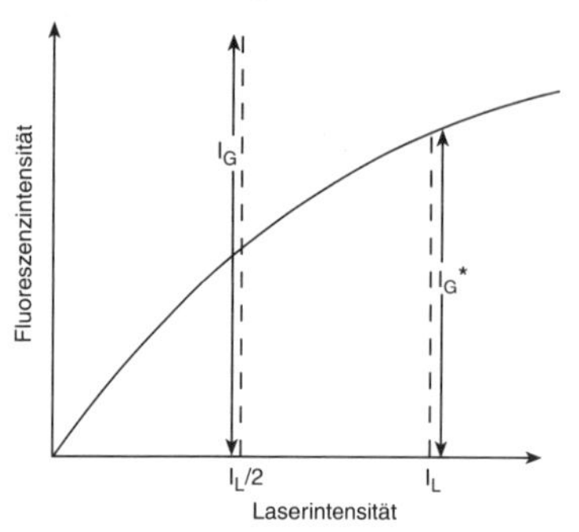

Abb. 1: Sättigung der Fluoreszenzintensität (Details s. Text).

Für die S. wird als Lichtquelle ein schmalbandiger *Laser eingesetzt, der in die Geschw.-Verteilung der Probe Löcher brennt (s. spektrales Lochbrennen), d. h. diese selektiv bei der Geschw. v_L vermindert. Indem der Laserstrahl in zwei Teilstrahlen aufgespalten wird, die dann in entgegengesetzter Richtung die Probe durchlaufen, werden zwei Löcher bei v_L u. $-v_L$ symmetr. zur Geschw. $v = 0$ gebrannt, wobei auf jede Geschw.-Klasse von Atomen die Intensität $I_L/2$ wirkt. Die Gesamt-*Fluoreszenz ist somit $I_G = 2 \cdot I_F(I_L/2)$, s. Abb. 1.
Mit Durchstimmen der Laserlichtfrequenz wird die Situation $v_L = -v_L = 0$ erreicht, d. h. beide Teilstrahlen regen nun die Geschw.-Klasse $v = 0$ an; die Gesamtfluoreszenz ergibt sich nun zu $I_G^* = I_F(I_L)$ u. ist verglichen mit der oben beschriebenen Sättigungsformel geringer. Diese Abnahme der Fluoreszenz wird als *Lamb-Dip* bezeichnet; ihre Frequenz entspricht der Absorptionsfrequenz eines ruhenden Atoms ($v = 0$) u. ihre Breite ist durch die Breite des eingebrannten Lochs (s. spektrales Lochbrennen) gegeben.
Da die Größe des Lamb-Dips im allg. nur wenige Prozent des Fluoreszenzsignals ist, werden meist eine Meth. der *Modulationsspektroskopie u. ein *Lock-In-Verstärker eingesetzt. Eine bes. empfindliche Meth. ist die der *intermodulierten Fluoreszenz,* bei der die Intensität des einen Teilstrahls mit der Frequenz f_1 u. die des zweiten Teilstrahls mit f_2 moduliert werden (s. Abb. 2).

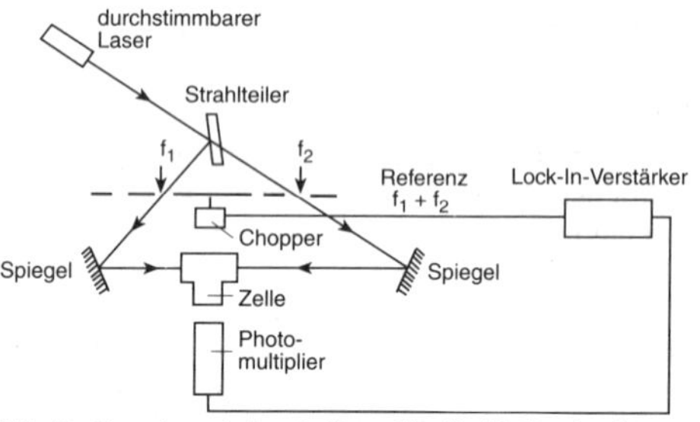

Abb. 2: Experimenteller Aufbau für die Meth. der intermodulierten Fluoreszenz.

Da die detektierte Fluoreszenz nur dann mit der Frequenz $f_3 = f_1 + f_2$ moduliert ist, wenn beide Teilstrahlen auf dieselbe Klasse von Atomen einwirken (z. B. die mit der Geschw. $v = 0$), erhält man ein Doppler-freies Spektrum des Übergangs. Zur S. verwandt ist die *Polarisationsspektroskopie. – *E* saturation spectroscopy – *F* spectroscopie de saturation – *I* spettroscopia di saturazione – *S* espectroscopia de saturación
Lit.: Demtröder, Laserspectroscopy, Berlin: Springer 1996 ▪ Hollas, High Resolution Molecular Spectroscopy, London: Butterworth 1982.

Säuberungs-Rezeptoren s. Lipoproteine, Makrophagen.

Säuerlinge. S. sind natürliche *Mineralwässer, deren Gehalt an natürlichem *Kohlendioxid 250 mg/L überschreitet u. die keine willkürliche Veränderung erfahren haben. Säuerlinge, die unter natürlichem Kohlensäure-Druck aus einer Quelle hervorsprudeln, dürfen auch als *Sprudel* bezeichnet werden; s. a. Mineralwasser. – *E* acidulous mineral waters – *F* eaux minérales acidulées – *I* acqua minerale acidula – *S* aguas minerales acídulas

Säulenchromatographie. Bez. für diejenigen Meth. der *Chromatographie, bei denen die *stationäre Phase in senkrecht stehende Glasrohre eingefüllt ist. Spielarten der S. sind die *Adsorptions-, *Verteilungs-, *Ionenaustausch-, *Gel-, *Flüssigkeits- u. die Trocken-Säulen-Chromatographie, im übertragenen Sinne auch die *Gaschromatographie. Während die klass. Meth. der S. mit offenen Syst. arbeiten, erfordern Gaschromatographie u. die *HPLC, die heute die gebräuchlichste säulenchromatograph. Meth. ist, ein geschlossenes System. – *E* column chromatography – *F* chromatographie sur colonne – *I* cromatografia su colonna – *S* cromatografía en columna

Lit.: Eppert, Flüssigchromatographie, Wiesbaden: Vieweg 1997 ▪ Katz, High Performance Liquid Chromatography, Chichester: Wiley 1996 ▪ Lindsay, Einführung in die HPLC, Wiesbaden: Vieweg 1996 ▪ MacMaster, HPLC, Weinheim: VCH Verlagsges. 1994.

Säureabbau, biologischer. Durch Milchsäurebakterien in gegorenem *Wein hervorgerufener Abbau von *Äpfelsäure zu *Kohlendioxid u. *Milchsäure. Ein geringer Teil der Äpfelsäure kann auch durch Weineigene *Hefen zu *Ethanol u. Kohlendioxid vergoren werden. Zum S. mittels immobilisierter Bakterien s. *Lit.*[1]. – *E* acid biological degradation – *F* dégradation biologique d'acide – *I* degradazione biologica degli acidi – *S* degradación biológica de ácido

Lit.: [1]Chem. Mikrobiol. Technol. Lebensm. **12**, 119–126 (1989).
allg.: BIOforum **17**, 3–8 (1994) ▪ Würdig u. Woller, Chemie des Weines, S. 222–228, Stuttgart: Ulmer 1989.

Säureamide s. Amide.

Säureanhydride. Formal durch Wasserentzug aus Säuren entstehende Verb.; aus anorgan. Sauerstoff-Säuren gehen so die *Oxide hervor, vgl. Anhydride. Formal könnte man die *Ketene als S. von Carbonsäuren betrachten, doch versteht man in der organ. Chemie unter S. das *Dehydratisierungsprodukt* aus *zwei* Carboxy-Verbindungen. Es sind sowohl symmetr. als auch gemischte Anhydride möglich.
Nach IUPAC-Regel R-5.7.7.1 werden symmetr. S. benannt, indem an den Namen der Säure das Suffix *-anhydrid* angehängt wird; z.B. ist Essigsäureanhydrid das S. der Essigsäure u. Butansäureanhydrid das S. der Butansäure[1].
Die S. niederer aliphat. Carbonsäuren bis C_{12} sind stechend riechende, Haut u. Schleimhäute reizende Flüssigkeiten, ihre Sdp. liegen höher u. die Schmp. meist niedriger als die der entsprechenden Säuren; die S. der höheren u. der aromat. Carbonsäuren sind feste, krist. Stoffe.
Herst.: 1. Durch Wasserentzug aus *Carbonsäuren; eine Ausnahme stellt Ameisensäure dar, die in Kohlenmonoxid übergeht. Wenn die Wasserabspaltung aus *Dicarbonsäuren erfolgt, bilden sich – vorausgesetzt die reagierenden Carboxy-Gruppen stehen günstig zueinander (vgl. Blanc-Regel) – auch *cycl. Anhydride* (z.B. *Maleinsäureanhydrid od. *Phthalsäureanhydrid). Die *Dehydratisierung geschieht entweder mit Wasser-entziehenden Mitteln, wie z.B. P_2O_5, od. durch Erhitzen, was oft im Falle der cycl. Anhydride günstig ist. – 2. Durch Umsetzen von Säurechloriden mit Alkalisalzen von Carbonsäuren. – 3. Durch Umanhydridisierung von Carbonsäuren mit Acetanhydrid od. mit Keten.

$$\text{1. } 2\,R\!-\!C(=O)\!-\!OH \xrightarrow[-H_2O]{P_2O_5 \text{ od. } \Delta}$$
$$\text{2. } R\!-\!C(=O)\!-\!Cl \xrightarrow[-NaCl]{+(R\!-\!COO)^-\,Na^+}$$
$$\text{3. } 2\,R\!-\!C(=O)\!-\!OH \xrightarrow[-2\,H_3C\!-\!COOH]{+(H_3C\!-\!CO)_2O}$$
$$\longrightarrow R\!-\!C(=O)\!-\!O\!-\!C(=O)\!-\!R$$

Die S. werden durch Wasser leichter als die Ester od. andere Carbonsäure-Derivate (Ausnahme: Carbonsäurehalogenide) hydrolysiert. Mit Alkoholen reagieren die S. unter Ester-Bildung, worauf z.B. die Verw. von Acetanhydrid als Acetylierungsmittel beruht. Die Reaktion mit Ammoniak liefert im allg. Amide. Phthalsäureanhydrid liefert beim Erhitzen mit NH_3 *Phthalimid. Bei Nitrierungen u. Sulfurierungen sind die S. als Lsm. wegen ihres Wasserbindevermögens von Vorteil. *Gemischte S.* (z.B. mit Chlorameisensäure) spielen z.B. eine Rolle in der *Peptid-Synthese. „Gemischte Anhydride" aus Carbonsäuren u. Halogenwasserstoffsäuren sind die *Säurehalogenide, S. aus Persäuren die *Diacylperoxide. Säureimide (s. Imide) sind analog den S. aufgebaut.
Verw.: Als Ausgangsstoffe zur Herst. der entsprechenden Säure-Derivate, als Lsm., zur Dehydratisierung. – *E* acid anhydrides – *F* anhydrides d'acides – *I* anidridi degli acidi – *S* anhídridos de ácido

Lit.: [1]IUPAC, Nomenklatur der Organischen Chemie, S. 149, Weinheim: VCH Verlagsges. 1997.
allg.: Houben-Weyl **E 5**, 633–652 ▪ Katritzky et al. **5**, 182ff. ▪ Patai, The Synthesis of Carboxylic Acids, Esters and their Derivates, S. 171, Chichester: Wiley 1991 ▪ Patai, The Chemistry of Acid Derivatives, S. 437, Chichester: Wiley 1979 ▪ Ullmann (5.) **A 1**, 65–78.

Säureazide. Bez. für (formal) gemischte Säureanhydride von Carbonsäuren u. Stickstoffwasserstoffsäure (HN_3); vgl. Azide. Die S. sind flüchtige, explosive, z.T. schön kristallisierende Stoffe, die bei der Einwirkung von freier Salpetriger Säure auf *Säurehydrazide (s. Abb. a) od. aus den Säurechloriden durch Umsetzung mit Natriumazid (s. Abb. b) entstehen.

$$\text{a } R\!-\!C(=O)\!-\!NH\!-\!NH_2 \xrightarrow{+NaNO_2/H^+}$$
$$\text{b } R\!-\!C(=O)\!-\!Cl \xrightarrow[-NaCl]{+NaN_3}$$
$$\longrightarrow R\!-\!C(=O)\!-\!\overset{-}{N}\!-\!\overset{+}{N}\!\equiv\!N \longleftrightarrow R\!-\!C(=O)\!-\!N\!=\!\overset{+}{N}\!=\!N^-$$

Bei therm. u. photolyt. Zers. lagern sich S. nach Abspaltung von Stickstoff in *Isocyanate um, wobei bei Lichteinwirkung Carbonyl-*Nitrene als *reaktive Zwischenstufen angenommen werden (vgl. Curtius-Umlagerung). S. spielen als Aktivatoren der Carboxy-Gruppe in der *Peptid-Synthese eine Rolle. – *E* acyl

azides – ***F*** azides d'acyles – ***I*** azidi degli acidi – ***S*** azidas de ácidos, azidas de acilos
Lit.: Houben-Weyl **E 5**, 1202–1208 ▪ Patai, The Chemistry of the Azido Group, S. 503–554, London: Wiley 1971 ▪ Scriven, Azides and Nitrenes, Orlando: Academic Press 1984 ▪ s. a. Azide u. Curtius-Umlagerung.

Säure-Base-Begriff. Die Begriffe „Säuren" u. „Basen" haben im Laufe der Entwicklung der Chemie mehrmals tiefgreifende Wandlungen erfahren. Die Bez. „*Säure*" wird bereits seit vielen Jh. verwendet; sie wurde zuerst auf saure Pflanzensäfte angewendet. Die wichtigsten *Mineralsäuren sind etwa seit 1200 bekannt; etwa bis zum 17. Jh. wurden die Säuren allein durch ihren sauren Geschmack, ihre Wasserlöslichkeit u. ihr hohes Auflösungsvermögen charakterisiert. Den chem. Begriff „Säure" u. „Base" findet man erstmals bei Otto *Tachenius (1666). Eine klare phänomenolog. Definition des Begriffes Säure stammt von R. *Boyle: Demnach ist eine Säure ein Stoff, der mit Kreide aufbraust, aus Schwefelleber Schwefel ausfällt, gewisse Pflanzenfarbstoffe rötet u. durch eine *Base neutralisiert wird, wodurch alle diese Eigenschaften aufgehoben werden. Eine Säure ist demnach eine *Antibase* u. eine Base ist eine *Antisäure* (diese Bez. sollen allerdings von *Bjerrum stammen). Die Klärung des S.-B.-B. wurde zunächst aufgrund der Mol.-Struktur versucht. *Lémery äußerte die Ansicht, die kleinsten Teilchen von sauren Stoffen hätten eine spitze Gestalt u. die Basen hätten poröse Molekeln. Die Neutralisation bestehe dann in dem Eindringen der Spitzen in die Poren. Demnach sollte eine bes. Gestalt od. „Struktur" der Mol. die Eigenschaft „sauer" bewirken. Auch Sir H. *Davy hatte 1814 den Gedanken geäußert, wonach eine bestimmte Anordnung der Mol. saure Eigenschaft bedinge. *Lavoisier glaubte, den Sauerstoff als das saure Prinzip ansprechen zu können, *Liebig wies dagegen dem Wasserstoff diese Rolle zu, allerdings nur dem Wasserstoff, der durch Metalle ersetzt werden kann. Nach Begründung der Ionentheorie durch *Arrhenius (Näheres s. unter elektrolytische Dissoziation) wurde das Wasserstoff-Ion (der Name *Proton hierfür stammt von Sir E. *Rutherford) als der alleinige Träger der Eigenschaft „*sauer*" u. analog das Hydroxid-Ion als der alleinige Träger der Eigenschaft „*bas.*" bezeichnet. 1909 führte *Sørensen den Begriff des *pH ein. In den zwanziger Jahren setzte dann unabhängig voneinander durch *Lowry in Cambridge u. *Brønsted (Brönsted) in Kopenhagen die moderne Entwicklung des S.-B.-B. ein, der sich zunächst ausschließlich mit dem Syst. Wasser beschäftigte, von Brønsted anschließend aber auf Säure-Base-Reaktionen in *nichtwäßrigen Lösemitteln erweitert wurde.
Nach Brønsted u. Lowry sind Säuren Verb., die Protonen abgeben können (*Protonendonatoren*), u. Basen Verb., die Protonen aufnehmen können (*Protonenakzeptoren*). Die Definition von Säuren u. Basen läßt sich somit auf folgendes Gleichgew. reduzieren:

$$\text{Säure} \rightleftharpoons \text{Base} + \text{Proton}.$$

Man nennt eine Säure u. eine Base, die sich nur in der Anzahl der Protonen unterscheiden, *ein korrespondierendes Säure-Base-Paar*. Das Gesamtsyst. bezeichnet man als *protolyt. Syst.*, Säuren u. Basen auch als *Protolyte*. Die Säure-Base-Reaktion kann allgemein formuliert werden:

$$\text{Säure1} + \text{Base2} \rightarrow \text{Base1} + \text{Säure2}.$$

Die gleich bezifferten Teilchen stellen dabei die korrespondierenden Säure-Base-Paare dar. Mit dieser Gleichung lassen sich auch Neutralisationen beschreiben. Bei der sauren Reaktion in wäss. Lsg. fungiert Wasser als Protonenakzeptor:

$$HCl + H_2O \rightarrow Cl^- + H_3O^+$$

Entsprechend wirkt bei der bas. Reaktion Wasser als Protonendonator:

$$H_2O + NH_3 \rightarrow OH^- + NH_4^+$$

Brønsted-Säuren od. -Basen können neutral, kation. od. anion. sein. *Beisp.* für Säuren sind: HCl, NH_4^+, HCO_3^-; für Basen: NH_3, $H_2N{-}NH_3^+$, ClO_4^-.
Die korrespondierenden Säure-Base-Paare lassen sich in eine Reihe analog der Spannungsreihe bei Redoxsyst. einordnen. Ausschlaggebend für die Stellung innerhalb der Reihe ist der *pK-Wert der Säure. Eine Protonenabgabe kann nur von einem höherstehenden an ein tieferstehendes Syst. mit größerem pK-Wert erfolgen. Durch Veränderung der Konz. der Säure-Base-Partner läßt sich die Acidität u. Basizität eines Stoffes u. damit seine Stellung in der Reihe willkürlich ändern. Die saure od. bas. Wirkung einer Substanz ist also keine gegebene Stoffeigenschaft, sondern abhängig vom Reaktionspartner u. den Konzentrationen.
In wäss. Syst. dissoziieren starke Säuren HX u. starke Basen B vollständig zu H_3O^++X^- bzw. HB^++OH^-, so daß in diesem Lsm. H_3O^+ die stärkste Säure u. OH^- die stärkste Base darstellen. Man bezeichnet dieses Phänomen als nivellierenden Effekt des Wassers.
Die Brønstedsche Säuren- u. Basendefinition beschränkt sich nicht auf wäss. Syst., sondern kann auf jedes Lsm.-freie od. mit anderen Protonen-haltigen Lsm. (z. B. NH_3, H_2SO_4) arbeitende Syst. bezogen werden.
Von G. N. *Lewis wurde ein umfassenderes Säure-Base-Konzept entwickelt, das unabhängig vom Proton ist. Nach seiner Definition sind Säuren *Elektronenpaarakzeptoren*, d. h. Verb., die ein Elektronenpaar in die Valenzschale einer ihrer Atome aufnehmen können. Dies beinhaltet nicht nur Brønsted-Säuren, sondern auch Metall-Kationen, Metall-Atome, Komplexe mit ungesätt. Valenz (z. B. $SnCl_4$) u. Neutralmolekeln mit Elektronenmangel wie AlR_3, BX_3. Lewis-Basen sind *Elektronenpaardonatoren*, die ein einsames Elektronenpaar besitzen, also Anionen u. Neutralmol. mit einem freien Elektronenpaar, z. B. R_3N, CO. Sie leiten sich von einer begrenzten Anzahl an Nichtmetallelementen ab: C, N, P, As, O, S, Se, F, Cl, Br, I. In diesem Zusammenhang bezeichnet man insbes. als *Protonensäuren* Verb., die als Lewis-Addukte bei der Reaktion einer Lewis-Säure mit einer Lewis-Base entstehen u. Säuren im Sinne von Brønsted sind. Die eigentliche Lewis-Säure ist hierbei das Proton. Protonensäuren können unterteilt werden in *Oxosäuren*, bei denen das Proton an Sauerstoff gebunden ist (allg. H-O-X, z. B. H_2SO_4, H_3PO_4), u. binäre Säuren, deren Proton direkt mit dem Zentralatom verbunden ist (allg. H-X, z. B. HCl, HF).

Dieses Konzept schließt nicht nur die bisher behandelten Säure-Base-Reaktionen ein, sondern auch Umsetzungen, bei denen keine Ionen entstehen od. übertragen werden. So zählen hier zu den Säure-Base-Reaktionen Fällungsreaktionen u. Komplexbildungsreaktionen, z. B.

$$2\,NH_3 + Ag^+ \rightarrow [Ag(NH_3)_2]^+$$

$$2\,L + SnCl_4 \rightarrow SnCl_4L_2$$

(L ist dabei eine Lewis-Base), u. die Bildung von Addukten:

$$R_3N + BF_3 \rightarrow R_3N{\rightarrow}BF_3$$

Im Gegensatz zur klass. Säure-Base-Theorie, in der das Proton mit einem Basenmol. koordiniert ist, können hier unterschiedliche Koordinationszahlen (s. Koordinationslehre) auftreten. So bindet z. B. bei der Reaktion von Cu^{2+} u. NH_3 die Säure Cu^{2+} vier Ammoniak-Mol., ebenso kann der Sauerstoff des OH^- als Brücke zwischen zwei Metall-Kationen fungieren. Die bei der Reaktion entstehenden Bindungen können sowohl kovalenter als auch ion. Natur sein. So sind beispielsweise Erdalkali-Komplexe weitestgehend ion. Natur, während das Carbamat aus der Reaktion von NH_3 u. CO_2 hauptsächlich kovalenten Charakter haben wird. Verallgemeinert man das Konzept, so können chem. Reaktionen auf zwei Typen reduziert werden: Säure-Base-Reaktionen, bei denen sich die Koordinationszahl eines Mol. ändert, u. Redox-Reaktionen, die mit einer Änderung der Wertigkeit der beteiligten Mol. verbunden sind.

1963 veröffentlichte Pearson ein Konzept (sog. HSAB-Konzept, von *E* Hard and Soft Acids and Bases), anhand dessen Lewis-Addukte ähnlich den Brønsted-Säuren u. -Basen in eine Stabilitätsreihe eingeordnet werden konnten. Es beruht auf einer von Komplexchemikern vorgenommenen Einteilung von Metallionen u. Liganden. Die Metallionen der Klasse der harten Säuren umfassen Kationen der Alkali- u. Erdalkalimetalle u. der leichten Übergangsmetalle in höheren Oxid.-Stufen, sowie das Wasserstoff-Ion H^+. Liganden, die die Tendenz haben, sich bevorzugt mit diesen Metall-Kationen zu verbinden, zählen hier zur Klasse der harten Basen. Darunter fallen v. a. Liganden, deren Zentralatome N, O od. F sind. Die Klasse der weichen Säuren beinhaltet Metallionen der schweren Übergangsmetalle sowie Ionen in niedrigen Oxid.-Stufen. Liganden der Klasse der weichen Basen haben als Zentralatome z. B. S, P, As; Näheres s. HSAB-Prinzip. – ***E*** acid-base concept – ***F*** théorie des acides et des bases – ***I*** teoria acido-base – ***S*** concepto de ácido y base, teoría ácido-base

Lit.: Chem. Unserer Zeit **16**, 103–110 (1982) ▪ Cotton et al., Grundlagen der Anorganischen Chemie, Weinheim: VCH Verlagsges. 1990 ▪ Finston u. Rychtman, A New View of Current Acid-Base Theory, New York: Wiley 1982 ▪ Hand u. Bewitt, Acid/Base Chemistry, New York: Collier Macmillan 1985 ▪ Huheey, Anorganische Chemie (2.), Berlin: de Gruyter 1995 ▪ Jensen, The Lewis Acid-Base Concepts: An Overview, New York: Wiley 1980 ▪ Moeller, Inorganic Chemistry, A Modern Introduction, New York: Wiley 1982 ▪ Pearson, Hard and Soft Acids and Bases, Stroudsburg: Dowden, Hutchinson & Ross 1973 ▪ Tanabe et al., New Solid Acids and Bases, Amsterdam: Elsevier 1989 ▪ s. a. Säuren, Basen u. pH.

Säure-Base-Katalyse. Viele organ. Reaktionen verlaufen nur dann befriedigend schnell, wenn *Säuren od. *Basen als *Katalysatoren anwesend sind. So sind Reaktionen von Carbonyl-Verb. (*Aldehyde u. *Ketone), die nach dem Additions-Eliminierungs-Mechanismus verlaufen, von der S.-B.-K. beeinflußbar. Die Addition von Wasser (*Hydratisierung*) an Carbonyl-Verb., die zur Bildung von Carbonyl-Hydraten führt, ist ein gutes Beisp., um den Effekt zu verdeutlichen:

Basen-Katalyse:

$$>C{=}O \xrightleftharpoons{+\,OH^-} {}^-O{-}C({<}){-}OH \xrightleftharpoons{+\,H_2O} HO{-}C({<}){-}OH$$

Säure-Katalyse:

$$>C{=}O \xrightleftharpoons{+\,H^+} >C{=}\overset{+}{O}{-}H \xrightleftharpoons{+\,H_2O} HO{-}C({<}){-}\overset{+}{O}H_2 \xrightleftharpoons{-\,H^+} HO{-}C({<}){-}OH$$

Im gleichen Sinne sind die *Acetalisierung, die Bildung von *Enaminen, *Hydrazonen, *Oximen usw. Säure-Base-katalysiert. Die Veresterung von Carbonsäuren unterliegt der allg. Säure-Katalyse (s. bei Ester). – ***E*** acid-base catalysis – ***F*** catalyse acide-base – ***I*** catalisi acido-base – ***S*** catálisis ácido-base

Lit.: Carey-Sundberg, S. 216 ▪ March (4.), S. 248 ff.

Säure-Basen-Gleichgewicht (Säure-Basen-Haushalt). Bez. für das Säure-Base-Verhältnis im tier. Organismus, dessen Konstanthaltung innerhalb enger Grenzen unerläßlich ist, da sonst erhebliche Funktionsstörungen z. B. des Ionen-Antagonismus, der Sauerstoff-Transportfunktion des Blutes, der Zellmembran-Durchlässigkeit im Gewebe, der Eigenschaften der Enzyme usw. eintreten können, vgl. a. Alkalose. Der *pH-Wert des menschlichen *Blutes liegt bei etwa 7,38. Die natürliche Einhaltung des S.-B.-G. erfolgt durch *Pufferung* (s. Puffer), wobei die sog. Carbonat-, Phosphat- u. Eiweiß-Puffer hier bes. Bedeutung haben. An der *Regulation des S.-B.-G., das in engem Zusammenhang mit dem allg. *Elektrolyt-Haushalt* steht, sind die *Atmung (*Lunge) u. der *Harn (*Nieren) beteiligt; die Einstellung des Gleichgew. im Blut wird durch die *Carboanhydrase gesteuert. – ***E*** acid-base balance – ***F*** équilibre acido-basique – ***I*** equilibrio acido-base – ***S*** equilibrio ácido-base

Lit.: Gamble, Acid-Base Physiology, Baltimore: Johns Hopkins University Press 1982 ▪ Heisler, Acid-Base Regulation in Animals, Amsterdam: Elsevier 1986 ▪ Jones, Blood Gases and Acid-Base Physiology, Stuttgart: Thieme 1980 ▪ Kildeberg, Quantitative Acid-Base Physiology, Tokyo: Igaku-Shoin 1981 ▪ Lang et al., Wasser- u. Elektrolythaushalt, Basel: Karger 1984 ▪ Rahn u. Prakash, Acid-Base Regulation and Body Temperature, Dordrecht: Nijhoff 1985 ▪ Schley, Störungen des Wasser-, Elektrolyt- u. Säure-Basenhaushaltes, Berlin: Springer 1981 ▪ Seybold u. Gessler, Säure-Basen-Haushalt u. Blutgase, Berlin: Springer 1981 ▪ Willatts, Lecture Notes on Fluid and Electrolyte Balance, Oxford: Blackwell 1982 ▪ s. a. Blut.

Säure-Base-Titration. Von der IUPAC auf dem Gebiet der *Maßanalyse statt *Neutralisationstitration* vorgeschlagene Bez. als Oberbegriff von *Acidimetrie u. *Alkalimetrie: S.-B.-T. ist eine *Titration, bei der der Transport von Protonen von einem der Reaktionspartner zum anderen in einer Lsg. erfolgt. Bei ionisierenden Lsm. ist die Grundreaktion die Proton(is)ierung u. Deproton(is)ierung der Lsm.-Moleküle. – ***E*** acid-base titration – ***F*** titrage acide-base – ***I*** titolazione acido-base – ***S*** valoración ácido-base

Lit.: Otto, Analytische Chemie, S. 60 ff., Weinheim: VCH Verlagsges. 1995 ▪ Schwedt, Analytische Chemie, S. 85, 133, Stuttgart: Thieme 1995.

Säurebau s. Säureschutz.

Säurebildner s. Säuren.

Säurebromide s. Säurehalogenide.

Säurechloride. In der *organ. Chemie* präparativ wichtige Gruppe von *Säurehalogeniden der Zusammensetzung R–CO–Cl (R = Alkyl, Aryl, Gruppenname: *Acylchloride*), z. B. *Acetylchlorid, *Benzoylchlorid, *3,5-Dinitrobenzoylchlorid. Die aliphat. S. sind bis zu einer Kettenlänge von etwa 16 flüssig, die höheren S. sind fest. S. erhält man z. B. aus Carbonsäuren u. Thionylchlorid, Phosphortrichlorid od. Phosphorpentachlorid (s. Abb. a).

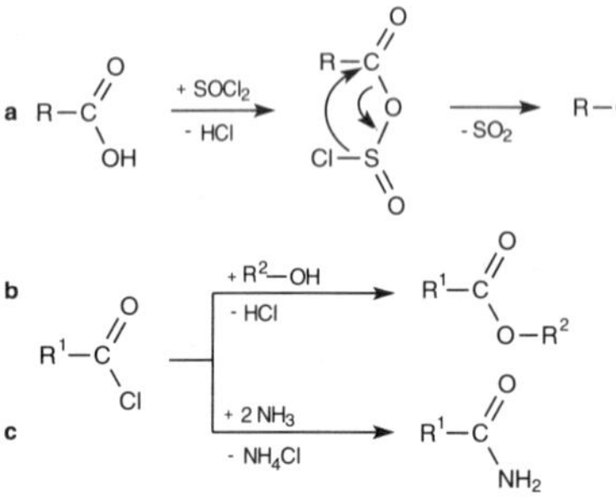

Abb.: Synth. (a) u. Reaktionsverhalten (b u. c) von Säurechloriden.

Die S. sind sehr reaktionsfähige Stoffe. Sie werden von Wasser mehr od. weniger schnell zerlegt, bilden mit Alkoholen (s. Abb. b) od. Alkoholaten Ester (Nachw.- u. Bestimmungs-Meth. für Alkohole: *Einhorn-Reaktion u. *Schotten-Baumann-Reaktion), mit Ammoniak (s. Abb. c) u. Aminen Säureamide, u. bei katalyt. Red. gehen sie in Aldehyde (*Rosenmund-Saytsev-Reduktion) bzw. Alkohole über. In Ggw. von Lewis-Säuren reagieren sie mit Aromaten zu Ketonen (...*phenon, s. Friedel-Crafts-Reaktion). Bei der Gasphasen-Pyrolyse entstehen *Ketene. Über *anorgan. S.* s. Säurehalogenide. – ***E*** acid chlorides, acyl chlorides – ***F*** chlorures d'acides, chlorures d'acyles – ***I*** cloruri degli acidi – ***S*** cloruros de ácidos, cloruros de acilo

Lit.: Katritzky et al. **5**, 7 f. ▪ s. a. Säurehalogenide.

Säureexponent s. pK-Wert.

Säurefarbstoffe (anion. Farbstoffe). Bez. für vorwiegend in der *Textilfärbung eingesetzte wasserlösl. synthet. *Farbstoffe, die bes. auf tier. Fasern (v. a. Wolle), aber auch auf Casein- u. Polyamid-Fasern aus saurem od. (selten) neutralem Bade direkt aufziehen. Säurezusatz beschleunigt, Salzzusatz verzögert das *Aufziehen. Die Färbung der Wolle mit S. beruht auf einer Salzbildung zwischen den bas. Gruppen des Wolleiweißes (z. B. NH_2-Gruppen; Wolle ist reich an *Arginin!) u. den sauren Gruppen der S. (SO_3H-Gruppe, COOH-Gruppe u. dgl.); daneben können sich aber noch andere Gruppen (Hydroxy-, Azo-, Aldehyd-Gruppen usw.) sowie Adsorptionsvorgänge usw. beteiligen. Als Säuren benutzt man bei der Färbung verd. Schwefelsäure, Essigsäure, Ameisensäure, Weinsäure od. Natriumhydrogensulfat, als Salzzusatz Natriumsulfat. Hinsichtlich ihrer Konstitution gehören die S. folgenden z. T. in Einzelstichwörtern behandelten Gruppen an: Azo-, Triarylmethan-, Anthrachinon-, Nitro-, Pyrazolon-, Chinolin-, Naphthol- u. Azin-Farbstoffe; hiervon sind die drei erstgenannten die wichtigsten, vgl. die Abb. typ. Vertreter aus der Reihe der Triarylmethan-Farbstoffe bei Patentblau-Farbstoffe. – ***E*** acid dyes – ***F*** colorants acides – ***I*** coloranti acidi – ***S*** colorantes ácidos

Lit.: Kirk-Othmer (4.) **3**, 835 ▪ Ullmann (5.) **A9**, 75, 78, 107; **A18**, 657; **A26**, 420 ▪ Zollinger, Color Chemistry, 2. Aufl., S. 137 ff., Weinheim: VCH Verlagsges. 1991.

Säurefehler s. Glaselektrode.

Säurefeste Kitte s. Säurekitte.

Säurefluoride s. Säurehalogenide.

Säurefuchsin (Fuchsin S, Anilinrot, Rubin S, C. I. 42685, Acid Violet 19). Dinatrium-Salz der Fuchsin-3′,3″,5-trisulfonsäure, $C_{20}H_{19}N_3Na_2O_9S_3$, M_R 587,55, Formel vgl. Abb. von Fuchsin bei Triarylmethan-Farbstoffe mit Sulfonat-Gruppen ($-SO_3^-$) in 3′-, 3″- u. 5-Stellung u. 2 Na^+-Ionen. S. bildet metall. glänzende Körner od. Pulver, in Wasser mit rotvioletter Farbe leicht lösl., in Alkohol fast unlösl.; NaOH-Zusatz wirkt entfärbend. S. wird durch Sulfonieren von *Fuchsin erhalten. Das wenig wasch- u. lichtechte, früher zum Färben von Wolle u. Seide verwendete S. dient als Reagenz auf Aldehyde, zur Bakterienfärbung in der Mikroskopie, zur Herst. von Tuschen u. Tinten, als Indikator (Umschlag von purpur nach farblos bei pH 12–14). – ***E*** acid fuchsine – ***F*** fuchsine acide – ***I*** fucsina acida – ***S*** fucsina ácida

Lit.: Beilstein EV **14**, 2827 ▪ Ullmann (5.) **A14**, 130. – *[HS 3204 12; CAS 3244-88-0]*

Säuregelb. Trivialname sowohl für *Tartrazin als auch für *Echtgelb u. *Tropäolin OO (S. D).

Säurehärtende Harze. Bez. für unter dem Einfluß von (starken) Säuren aushärtende *Harze, z. B. Phenoplaste (s. Phenol-Harze).

Säurehärtende Lacke (SH-Lacke). Früher auch *kalthärtende Lacke* genannte *Zweikomponenten-Lack*-Syst. mit anorgan. u./od. organ. Säuren, meist *p*-Toluolsulfonsäure, als *Härter. Als Bindemittel der in organ. Lsm. od. wäss. Syst. vorliegenden s. L. fungieren meist *Harnstoff-Harze, ggf. plastifiziert mit *Alkydharzen. Die durch die H^+-Ionen der Säuren induzierte Vernetzungsreaktion erfolgt bei Raumtemp. (*Kalthärten) u. kann durch Temp.-Erhöhung u./od. IR-Trocknung beschleunigt werden. Durch Kombination von Alkydharz-modif. Harnstoff-Harzen mit plastifizierter Nitrocellulose lassen sich *Einkomponenten-Lacke* mit Monobutylphosphorsäure als Härter formulieren, mit Lagerstabilität bis zu einem Jahr.
Wegen der Abspaltung von Formaldehyd während der Filmbildung u. in der mehrere Wochen dauernden Nachhärtung werden s. L. als Möbellack sowie im Innenbereich nicht mehr verwendet. – ***E*** acid hardening varnishes – ***I*** vernici indurenti a freddo – ***S*** lacas endurecible por ácido

Lit.: Römpp Lexikon Lacke u. Druckfarben, S. 505.

Säurehalogenide. Sammelbez. für Halogen-Verb., die aus anorgan. Oxosäuren od. aus organ. Carbon-, Thiocarbon-, Sulfon- u. a. Säuren hervorgehen, wenn eine od. mehrere OH-Gruppen durch Halogen-Atome ersetzt werden; beispielsweise haben die S. der Carbonsäuren die allg. Formel R–CO–Hal. Die systemat. Benennung der organ. S. erfolgt nach IUPAC-Regel C-481 bzw. R-5.7.6[1] durch Anhängen der Bez. Halogenid an den Namen des *Acyl...-Restes (z. B. *Benzoylchlorid) od. durch Vorausstellen von z. B. Chlorcarbonyl... für –CO–Cl. Man unterscheidet *Säurefluoride*, *-chloride*, *-bromide* u. *-iodide*, wobei innerhalb der organ. S. die Gruppe der *Säurechloride (*Acylchloride*) die präparativ weitaus wichtigste Verbindungsklasse darstellt. Die S. haben gewöhnlich einen tieferen Sdp. als die ihnen entsprechenden Säuren, sind meist recht reaktionsfähig (s. a. Säurechloride) u. werden durch Wasser mehr od. minder rasch zersetzt. – ***E*** acid halides, acyl halides – ***F*** halogénures d'acides – ***I*** alogenuri degli acidi – ***S*** halogenuros de ácidos

Tab.: Wichtige anorgan. Säurechloride.

Säure Formel Name	Säurehalogenid Formel Name	Gefahrensymbol	MAK
HNO_2 Salpetrige Säure	O=N–Cl *Nitrosylchlorid	C, T	–
H_3PO_3 Phosphorige Säure	PCl_3 Phosphortrichlorid (s. Phosphorchloride)	C	0,5 mL/m^3; 3 mg/m^3
H_3PO_4 Phosphorsäure	$POCl_3$ *Phosphoroxidchlorid	C	0,2 mL/m^3; 1 mg/m^3
H_2SO_3 Schweflige Säure	$SOCl_2$ *Thionylchlorid	C	–
H_2SO_4 Schwefelsäure	SO_2Cl_2 *Sulfurylchlorid	C	–
H_2CrO_4 Chromsäure	CrO_2Cl_2 *Chromylchlorid (*Chromoxychlorid*)	O, C	krebserzeugend Gruppe III B
H_2CO_3 Kohlensäure	$COCl_2$ *Phosgen (*Carbonylchlorid*)	T	0,1 mL/m^3; 0,4 mg/m^3

Lit.: [1] IUPAC, Nomenklatur in der Organischen Chemie, S. 147, Weinheim: VCH Verlagsges. 1997.
allg.: Houben-Weyl **E 5**, 587–615 ▪ Katritzky et al. **5**, 1 ff. ▪ Patai, The Chemistry of the Acyl Halides, London: Wiley 1972 ▪ Winnacker-Küchler (4.) **6**, 239 f.

Säureharz s. Säureteer.

Säurehydrazide. Gruppe von organ. Verb. der allg. Formel R–CO–NH–NH_2, die durch Erhitzen der Hydrazin-Salze von Carbonsäuren od. durch Einwirkung von Hydrazin auf Säurechloride bzw. Ester herstellbar sind; Näheres s. bei Hydrazide.

$$R{-}CO_2^- \; [H_3N{-}NH_2]^+ \xrightarrow[-H_2O]{\Delta} R{-}C(=O){-}NH{-}NH_2 \xleftarrow{-HCl} R{-}C(=O){-}Cl + H_2N{-}NH_2$$

– ***E*** acid hydrazides, acyl hydrazides – ***F*** hydrazides d'acides – ***I*** idrazidi degli acici, acilidrazidi – ***S*** hidrazidas de ácidos

Lit.: Houben-Weyl **E 5**, 1154 ff. ▪ s. a. Hydrazide u. Hydrazin.

Säureimide s. Imide.

Säureiodide s. Säurehalogenide.

Säurekitte. Bez. für Säure-beständige *Kitte u. *Dichtungsmassen, die im *Säurebau* (vgl. Säureschutz) zum Verlegen u. Verfugen Silicat-keram. u. Kohlenstoff-keram. Steine, Platten u. Formteile dienen, die als Schutzbeläge auf Böden, in Rinnen, Kanälen, Behältern usw. diese gegen den Angriff von Säuren (Ausnahme: Flußsäure) schützen. Gegen Lsm., Öle u. Fette verhalten sie sich inert, gegen Alkalien sind sie nicht widerstandsfähig. Ihre therm. Einsatzmöglichkeit reicht bis fast 1000 °C. Üblicherweise bestehen die S. aus zwei Komponenten: Aus Kittmehl, das einen Härter enthält, u. aus einer darauf abgestimmten Wasserglas-Lösung. Neben älteren, *Fluorosilicate als Härter enthaltenden S. werden auch halogenfrei härtende S. verarbeitet, die sich durch geringere Porosität, gute Haftfestigkeit an Platten u. Stahl auszeichnen u. Blei u. Chromnickelstahl nicht angreifen. Im Oberflächenschutz sind auch Kunstharzkitte auf Phenol-, Furan-, Polyester- u. Epoxid-Basis im Einsatz, wenn außer saurer auch alkal. Beanspruchung vorliegt od. wenn spülfeste Verfugung benötigt wird. Diese organ. Kitte haben naturgemäß niedrigere therm. Beständigkeit, dafür aber eine breitere chem. Widerstandsfähigkeit. – ***E*** acid-proof putties – ***F*** ciments résistants aux acides – ***I*** stucchi antiacidi – ***S*** cementos antiácidos

Lit.: Ullmann (4.) **14**, 265 ff.

Säurekonstante s. pK-Wert.

Säuremantel der Haut s. Haut.

Säuren. a) *Lewis-Säure*, s. dort.
b) *Brønsted-S. (Brønsted-S.):* Chem. Verb., die in der Lage sind, Protonen an andere Mol. od. Ionen abzugeben (*Protonendonatoren*). Dieser Vorgang, auch *elektrolytische Dissoziation genannt, läuft aber nur dann ab, wenn ein geeigneter *Protonenakzeptor* (*Base) zugegen ist, z. B. Wasser:

$$HX + H_2O \rightleftharpoons H_3O^+ + X^-,$$

mit X^- = beliebiges S.-Anion. Das dabei gebildete Oxonium-Ion, H_3O^+, existiert in nicht allzu konz. Lsg. als Trihydrat, $H_9O_4^+$. Das Anion der S. (*Acidität) ist eine Base (hier X^-) u. konkurriert mit dem Lsm. um das S.-Proton. Die Stärke einer S. in wäss. Lsg. ergibt sich aus der Gleichgewichtskonstanten K_S (= K_a) dieser Reaktion (s. Massenwirkungsgesetz).

Tab.: Einteilung der Säuren nach ihrer Stärke.

Säuretyp	Säurekonstante K_S [mol/L]	$pK_S = -\lg K_S$
sehr stark	>55,34	<−1,74
stark	55,34 bis $3{,}16 \cdot 10^{-5}$	−1,74 bis 4,5
schwach	$3{,}16 \cdot 10^{-5}$ bis $3{,}16 \cdot 10^{-10}$	4,5 bis 9,5
sehr schwach	$3{,}16 \cdot 10^{-10}$ bis $1{,}82 \cdot 10^{-16}$	9,5 bis 15,74
extrem schwach	$<1{,}82 \cdot 10^{-16}$	>15,74

Eine S. bildet zusammen mit dem um ein Proton ärmeren Anion ein *korrespondierendes S./Base-Paar* (oft auch konjugiertes S.-/Base-Paar genannt). Dabei korrespondiert mit einer sehr starken S. stets eine extrem schwache Base, mit einer starken S. eine sehr schwache Base u. mit einer schwachen S. eine schwache Base. Die Summe aus pK_S u. pK_B (K_B = Basenkonstante, $pK_B = -\lg K_B$) ergibt für ein beliebiges korrespondierendes S./Base-Paar in wäss. Lsg. bei 25 °C den Wert 14 (*Ionenprodukt des Wassers). Ist eine S. stärker als das protonierte Wasser-Mol., H_3O^+ (pK_S = −1,74), so liegt das Dissoziationsgleichgew. auf der rechten Seite. Die Konz. der H_3O^+-Ionen einer in Wasser gelösten S. bestimmt den sauren Charakter (*Acidität) u. wird durch Angabe des *pH-Wertes quantifiziert. Farbstoffe, die selbst S. od. Basen sind u. deren saure Form sich von der bas. Form in der Farbe deutlich unterscheidet, können wegen ihrer vom pH-Wert der Lsg. abhängigen Farbe als S./Base-*Indikatoren verwendet werden.

In Erweiterung der „chem. Theorie der Elektrolyte" von *Arrhenius auf *nichtwäßrige Lösemittel liegen z. B. in flüssigem Ammoniak analoge Verhältnisse vor: Das NH_4^+-Ion entspricht dem H_3O^+-Ion u. eine Lsg. von Ammoniumchlorid in NH_3 löst unedle Metalle ebenso wie wäss. Salzsäure:

$$Mg + 2\,NH_4Cl + 4\,NH_3 \rightarrow [Mg(NH_3)_6]^{2+} + 2\,Cl^- + H_2.$$

Da Ammoniak leichter als Wasser Protonen aufnimmt, zeigt z. B. die in Wasser schwache Essigsäure in Ammoniak prakt. vollständige Dissoziation u. verhält sich somit wie eine starke Säure. Die Neigung von Ammoniak zur Protonenabgabe unter Bildung des NH_2^--Ions (Amid-Ion) ist dagegen gering. Daher werden starke Basen wie $[C{\equiv}C]^{2-}$ od. $C_5H_5^-$ in Ammoniak (im Gegensatz zur wäss. Lsg.) nicht protoniert u. können in Ammoniak als Lsm. mit geeigneten Reaktionspartnern umgesetzt werden.

Im Vgl. zu wäss. Lsg. sehr starker S. liegt die Acidität einiger nichtwäss. Syst., z. B. wasserfreier Schwefelsäure, wesentlich höher. 1930 konnte L. P. *Hammett auch den „supersauren" Bereich (s. Supersäuren) durch spektroskop. Bestimmung des Konzentrationsverhältnisses von protonierter u. nicht protonierter Form überaus schwacher Indikatorbasen quant. erfassen.

Enthält eine S. mehr als ein dissoziierbares Wasserstoff-Atom, so erfolgt die Dissoziation stufenweise, z. B. bei der Schwefelsäure nach

$$H_2SO_4 \xrightarrow[-H^+]{} HSO_4^{2+} \xrightarrow[-H^+]{} SO_4^{2-}.$$

S., die im Mol. nur ein einziges durch Metalle ersetzbares H-Atom besitzen, nennt man einwertig; *Beisp.:* HNO_3, HCl, HBr, HF, H_3C–COOH. Falls 2 H-Atome im Säure-Mol. gegen Metall ausgetauscht werden können, liegt eine zweiwertige S. vor; *Beisp.:* H_2SO_4, H_2CO_3, H_2SO_3, Oxalsäure, Phthalsäure. Phosphorsäure (H_3PO_4) ist ebenso wie Citronensäure dreiwertig, da sich in ihren Mol. 3 dissoziierbare H-Atome befinden. In der älteren Lit. findet man statt ein-, zwei-, dreiwertig häufig die Bez. *ein-*, *zwei-*, *dreibasig* (nicht *einbasisch*, vgl. Basizität).

Die S. der anorgan. Chemie („*anorgan. S.*") sind in reinem, ungelöstem, undissoziiertem Zustand häufig Flüssigkeiten (z. B. *Mineralsäuren* wie Schwefelsäure od. Salpetersäure). Dagegen überwiegt unter den sehr viel zahlreicheren „*organ. S.*" (z. B. Carbonsäuren wie Fettsäuren ab C_{10}, Oxo-, Thiocarbonsäuren) der feste Aggregatzustand; *Beisp.:* Oxalsäure, Weinsäure, Citronensäure u. a. Fruchtsäuren, Benzoesäure, Salicylsäure, Phthalsäure, Pikrinsäure, Stearinsäure. Bei den organ. S. nimmt innerhalb homologer Reihen der Dissoziationsgrad in der Regel mit steigender Molmasse ab: Stearinsäure (M_R 284) ist eine viel schwächere S. als etwa Essigsäure (M_R 60). Der saure Charakter der organ. S. ist z. B. auf die Atomgruppierungen COOH (Carbonsäuren), OH (Phenole), SO_3H (Sulfonsäuren) u. dgl. zurückzuführen; sog. acide Kohlenwasserstoffe zeigen meist sehr schwache Acidität; Cyclopentadiene mit Akzeptorsubstituenten sind jedoch starke (z. B. Nitrocyclopentadien, $pK_a = 3{,}3$) od. sehr starke Säuren. So ist 1,2,3-Tricyanocyclopentadien stärker als Perchlorsäure ($pK_a = -7{,}8$) u. Pentacyanocyclopentadienid konnte bislang nicht protoniert werden, der pK_a-Wert der korrespondierenden S. $HC_5(CN)_5$ wird auf <−11 geschätzt [1].

Außer in anorgan. u. organ. S. sowie in den sich aufgrund der modernen Formulierung des Säure-Base-Begriffs (Näheres u. zur geschichtlichen Ableitung des S.-Begriffs s. dort) ergebenden Formen werden je nach Bedarf noch eine Reihe weiterer, auf unterschiedlichen Gesichtspunkten beruhenden Einteilungen der S. verwendet: So unterscheidet man z. B. zwischen oxidierenden (z. B. Salpetersäure) u. nichtoxidierenden (z. B. Salzsäure) S., zwischen leichtflüchtigen (z. B. Salzsäure) u. schwerflüchtigen (z. B. Phosphorsäure) S.; S., die außer Wasserstoff nur ein Element enthalten, bezeichnet man als *Wasserstoff-S.* (z. B. Chlorwasserstoffsäure = Salzsäure), solche, die auch Sauerstoff enthalten, als *Sauerstoff- od. Oxosäuren*. Zu den sog. *Säurebildnern* gehören Oxide od. Elemente (vorwiegend Nichtmetalle), die mit Wasser unter Bildung von S. reagieren; die Oxide von Nb, Ta u. V nannte man früher *Saure Erden* od. *Erdsäuren*. Nach der Zusammensetzung unterscheidet man ferner Bez. wie Thio-, Hetero- u. Isopoly-S., nach dem Hydratisierungsgrad Bez. wie Meso-, Meta-, Ortho-, Pyro-S., nach dem Oxid.-Zustand Hypo-, Per- od. …ige Säure. Die Benennung der anorgan. Oxo-S. erfolgt nach den IUPAC-Regeln I-9 u. die der organ. S. nach den IUPAC-Regeln C-401 bis C-464 (Carbonsäuren), C-541 (Thiocarbonsäuren) u. C-641 bis C-661 (Sulfon-, Sulfinsäuren) u. den neuen Regeln R-5.7 von 1993.

c) Einer von Usanovich gegebenen u. wenig verbreiteten Definition von S. u. Basen zufolge lassen sich nicht nur Protonendonatoren (Brønstedt-S.) u. Elektronenpaarakzeptoren (Lewis-S.), sondern auch Oxid.-Mittel als S. auffassen. *S. nach Usanovich* sind chem. Verb., die mit Basen reagieren, Kationen abgeben od. Anionen bzw. Elektronen aufnehmen. – ***E*** acids – ***F*** acides – ***I*** acidi – ***S*** ácidos

Lit.: [1] Adv. Organomet. Chem. **21**, 19 f. (1982); Aust. J. Chem. **43**, 983 f. (1990).
allg.: Holleman-Wiberg (101.), S. 232 ff. ▪ Houben-Weyl **E 5/1,2** ▪ Imelik et al., Catalysis by Acids and Bases, Amsterdam: Elsevier 1985 ▪ Kirk-Othmer (4.) **5**, 147–206 (Carboxylic Acids) ▪ Klapötke u. Tornieporth-Oetting, Nichtmetallchemie, S. 157 ff., Weinheim: VCH Verlagsges. 1994 ▪ Merkblatt: Entleeren von anorganischen Säuren u. Laugen aus Eisenbahnkesselwagen (ZH 1/218), Heidelberg: BG Chem. Ind. 1997 ▪ s. a. Acidität, pH, Protonen, Saurer Regen.

Säurenitrile s. Nitrile.

Säureregulator s. Säurungsmittel.

Säurereste. Bez. für die neg. geladenen Atome od. Atomgruppen, die bei *Säuren nach Abgabe der *Protonen an eine Base (z. B. Lsm.-Mol.) zurückbleiben u. die unter dem Einfluß des elektr. Stromes als **Anionen* zur Anode wandern; *Beisp.:* Cl^-, SO_4^{2-}, PO_4^{3-}, HCO_3^-. Diese Anionen treten auch bei der *elektrolytischen Dissoziation der Salze auf. In der organ. Chemie wird oft nicht der nach Abspaltung der aciden Wasserstoff-Atome verbleibende Mol.-Rest (z. B. der *Acetoxy-Rest $-O-CO-CH_3$ im Falle der Essigsäure, allg. Bez. *Acyloxy...*), sondern die nach Abspaltung einer OH-Gruppe verbleibende Atomgruppierung als S. bezeichnet (z. B. der *Acetyl...-Rest $-CO-CH_3$; korrektere allg. Bez.: **Acyl...*-Reste; Aminosäure-Reste s. Proteine). – ***E*** acid radicals – ***F*** restes acides – ***I*** resti acidi – ***S*** restos ácidos

Säureschutz. Bez. für Maßnahmen zur Verhütung von Schäden an Apparaten, Behältern, Gebäuden u. baulichen Anlageteilen, die durch Kontakt mit Säuren entstehen könnten. Derartige Maßnahmen bestehen in der Wahl geeigneter Werk- u. Baustoffe (*Säurebau*), in der Verw. von **Säurekitten* u. Säuremörteln zum nachträglichen Aufbringen von **Schutzschichten* u. in der säurefesten *Auskleidung* von Behältern, Rohrleitungen etc.; s. a. Korrosions(schutzmittel). – ***E*** acid protection – ***F*** protection antiacide – ***I*** protezione antiacida – ***S*** protección antiácida

Lit.: Falcke u. Lorentz, Handbook of Acid-Proof Construction, Weinheim: Verl. Chemie 1985 ▪ Sheppard Jr., Corrosion and Chemical Resistant Masonry Materials Handbook, Park Ridge: Noyes 1986 ▪ Winnacker-Küchler (4.) **1**, 452–483.

Säurestärke s. Acidität.

Säureteer (Säureharz). Bez. für flüssige bis pastöse Rückstände, die bei der unter Anw. von Schwefelsäure vorgenommenen Herst. von *Weißölen* aus Rohöl bzw. beim *Recycling von Altöl für *Motorenöle anfallen. – ***E*** acidic tar, acid sludge – ***F*** goudron de bove cambouis, bove acide – ***I*** fango acido, melme acide – ***S*** alquitrán ácido

Lit.: Ullmann (4.) **6**, 541 ▪ Winnacker-Küchler (3.) **2**, 35 f.; **3**, 331.

Säureviolett s. Triarylmethan-Farbstoffe.

Säurewecker. Definierte Starterkulturen (Milchsäurebakterien), die zur Herst. milchsaurer Produkte verwendet werden. Die S. werden von speziellen Laboratorien gezüchtet u. können von Molkereien bezogen u. fortgeführt werden (Betriebskulturen); s. a. Butter u. Milch. – ***E*** = ***I*** starter – ***F*** levain – ***S*** cultivo, fermento

Lit.: Kielwein, Leitfaden der Milchkunde u. Milchhygiene (3.), Berlin: Parey 1994 ▪ Zipfel, C 277 *1*, 17.

Säurezahl (Abk. SZ). Die SZ dient zur Bestimmung des Gehalts an *freien organ. Säuren* in *Fetten und Ölen u. in Lsm. bzw. Weichmachern: Die SZ gibt die Anzahl der mg KOH an, die zur Neutralisation von 1 g der Probe verbraucht wird. Die ähnlich definierte *Neutralisationszahl (NZ), die nicht nur die organ. Säuren, sondern den *Gesamtsäuregehalt* erfaßt, dient zu dessen Bestimmung in Mineralfetten u. -ölen. – ***E*** acid number – ***F*** indice d'acide – ***I*** indice di acidità – ***S*** índice de ácido

Lit.: DIN 53169: 1991-03, 53402: 1990-09.

Säurezünder s. Zündmittel.

Säurungsmittel. Die in Anlage 2, Liste 6 der Zusatzstoff-Verkehrs-VO [1] genannten *Zusatzstoffe wie *Essig-, *Wein-, *Milch- u. *Citronensäure, aber auch Phosphate, Carbonate u. *Gluconsäure-5-lacton gelten als S. u. *Säureregulatoren* im Sinne des Lebensmittelrechtes. Nach Anhang 1 der Richtlinie 89/107/EWG [2] sind sowohl S. als auch Säureregulatoren Zusatzstoffe, die in Lebensmitteln verwendet werden dürfen. Sie werden Lebensmitteln hauptsächlich aus geschmacklichen Gründen u. weniger wegen ihrer konservierenden Eigenschaften zugesetzt. Roggenmehl wird mit saurer Teigführung unter Zusatz oben genannter S. verbacken (*Sauerteig). Zur Abgrenzung zwischen S. u. Säureregulatoren, die den pH-Wert eines Lebensmittels stabilisieren ohne ihn zu verändern (Puffersyst.) s. *Lit.* [3]. Zur Säurung von *Most u. *Wein s. *Lit.* [4]. Zur Untersuchung von S. s. a. Methoden nach § 35 LMBG L 52.04-1 u. 2. – ***E*** acids, acidifying agents – ***F*** acides, acidifiants – ***I*** agente acidificante – ***S*** ácidos, acidificantes

Lit.: [1] Zusatzstoff-Verkehrs-VO vom 10. 7. 1984 in der Fassung vom 14. 12. 1993 (BGBl. I, S. 2092). [2] Richtlinie (89/107/EWG) des Rates der EG über Zusatzstoffe, die in Lebensmitteln verwendet werden dürfen, ABl. der EG **32**, Nr. L 40, 27 (1989). [3] Bundesgesundheitsblatt **31**, 393 (1988). [4] Würdig u. Woller, Chemie des Weines, S. 147–150, Stuttgart: Ulmer 1989.
allg.: Belitz-Grosch (4.), S. 650 ▪ Food Technol. **44**, 76–83 (1990) ▪ Lebensmittel-Chem. Ges. (Hrsg.), Genuß-Säuren u. ihre Salze, Hamburg: Behr 1989 ▪ Lindner, Toxikologie der Nahrungsmittel (4.), S. 186 f., Stuttgart: Thieme 1990 ▪ Schwedt, Chemie u. Analytik der Lebensmittelzusatzstoffe, S. 186–192, Stuttgart: Thieme 1986 ▪ Vollmer et al., Lebensmittelführer (2.), Bd. 1, S. 54 f., 197, Stuttgart: Thieme 1995.

SAE-Viskositätsklassen. Von der *SAE in Gemeinschaft mit der American Society for Testing and Materials (ASTM) aufgestellte u. in der BRD als DIN-Norm 51511 übernommene u. laufend fortgeschriebene Einteilung von *Motorenölen u. Kfz-Getriebeölen in Viskositätsklassen. Die dynam. bzw. kinemat. Viskosität wird für die Viskositätsklassen 5 W, 10 W u. 20 W bei −18 °C u. 100 °C, für die Klassen 20, 30, 40 u. 50 nur bei 100 °C spezifiziert. Die Viskositätsmessungen bei −18 °C erfolgen nach DIN 51377 u. bei 100 °C nach DIN 51550. Sog. Einbereichsöle entsprechen aufgrund ihres Viskositäts-Temp.-Verhaltens den Werten einer

SAE-Klasse; Mehrbereichsöle überdecken wegen der heute üblichen Viskositätsindex-Verbesserer mehrere SAE-Viskositätsklassen. *Beisp.:* Ein SAE 10 W-30-Öl zeigt bei –18 °C die Viskosität eines 10 W-Öles u. bei 100 °C die Zähflüssigkeit eines SAE 30-Öles. Die Klassifikation nach der Viskosität beurteilt nur das Fließverhalten u. sagt nichts über den vollen Gebrauchswert eines Öles aus. Steigende Anforderungen u. stetige Verbesserungen der Motorenöle machen neben der Viskositätsklassifikation eine Unterteilung nach dem Leistungsgrad notwendig (sog. API-Klassifikation). – ***E*** SAE viscosity classes – ***F*** classes de viscosité de la SAE – ***I*** classe di viscosità SAE – ***S*** clases de viscosidad de la SAE

Lit.: Kirk-Othmer (4.) **15**, 472 ff.

Safacid®. Gesätt. *Fettsäuren wie Palmitin-, Stearin-, Arachin- u. Behensäure. S. UDF Fettsäuren (ungesätt.) auf *Fischöl-Basis. ***B.:*** Krahn.

Saffian. Feines, aus Kleinasien stammendes Ziegenleder, das nach *Sumach-Gerbung gefärbt u. zwischen Preßwalzen gefurcht wurde. – ***E*** morocco [leather], saffian – ***F*** maroquin – ***I*** cuoio marocchino – ***S*** cabra cordobán, marroquín

Lit.: Herfeld (Hrsg.), Bibliothek des Leders, Bd. 10, S. 35, 291 f., Frankfurt: Umschau 1982. – *[HS 4106 20]*

Saffil®. Marke der ICI für Hochtemp.-beständige anorgan. Fasern auf der Basis von Aluminium- od. Zirconiumoxid (s. Zirconiumdioxid) zur Hochtemp.-Isolierung, als Absorber- u. Katalysatorträger u. als hitze- u. säurebeständiges Filtermaterial. ***B.:*** ICI.

Safflor s. Saflor.

Safflorit. $CoAs_2$ bzw. $(Co,Fe)As_2$, Zinn- bis grauweißes, metall. glänzendes, an Luft bald dunkelgrau anlaufendes, rhomb. Erzmineral, Kristallklasse mmm-D_{2h}; Struktur s. *Lit.*[1]; dimorph (*Polymorphie) mit dem monoklinen *Clinosafflorit.* Meist sehr kleine, zu quirlförmigen Drillingen vereinigte Krist.; oft auch *derb od. in radialstrahligen u. faserigen Aggregaten; spröde, H. 4,5–5,5, D. 6,9–7,3, Strich grauschwarz. Nach der Formel 28,23% Co; chem. Analysen ergeben ca. 4–16% Fe. Beim Zerschlagen von S. tritt Arsen-Geruch auf.

Vork.: Oft zusammen mit *Rammelsbergit in Co-Ni-Ag-Gängen, z. B. Schneeberg u. andernorts im Erzgebirge, ferner in Bieber/Hessen, Burgillos/Spanien, Bou Azzer/Marokko u. Ontario/Kanada. – ***E*** = ***F*** = ***I*** safflorite – ***S*** safflorita

Lit.: [1] Bull. Soc. Fr. Mineral. Cristallogr. **89**, 213 ff. (1966). *allg.:* Am. Mineral. **48**, 271–299 (1963) ▪ Anthony et al., Handbook of Mineralogy, Vol. I, S. 457, Tucson (Arizona): Mineral Data Publishing 1990 ▪ Ramdohr, Die Erzmineralien u. ihre Verwachsungen, S. 905–909, Berlin: Akademie Verl. 1975 ▪ Schröcke-Weiner, S. 264 f. – *[CAS 12044-43-8]*

Saflor (Safflor, Färberdistel). In Ägypten u. Vorderasien heim. Korbblütler (Asteraceae; *Carthamus tinctorius*), dessen gelbe bis orangerote Blütenblätter den roten Farbstoff *Carthamin sowie den früher wichtigen Farblack Saflorgelb u. dessen Samen das *Safloröl liefern. – ***E*** safflower – ***F*** carthame – ***I*** cartamo, zafferano falso – ***S*** cártamo

Lit.: Franke, Nutzpflanzenkunde (6.), S. 178, 461, Stuttgart: Thieme 1997 ▪ s. a. Safloröl. – *[HS 1207 60, 1512 11, 1512 19]*

Saflorol (Färberdistelöl). Aus den Samen der Färberdistel (Saflor, *Carthamus tinctorius*, Compositae) gewonnenes trocknendes Öl, D_{25}^{25} 0,9211–0,9215, n_D^{25} 1,472–1,475, VZ 188–194, IZ 140–150, SZ 1,0–9,7, Rhodan-Zahl 83–86. S. enthält 76–79% Linolsäure, 10–20% *Ölsäure, 0,1% *Linolensäure, 7% *Palmitinsäure u. 3% *Stearinsäure als Glyceride sowie 0,2% *Arachinsäure u. *Vitamin E (ca. 310 mg/L S.). Neuzüchtungen von Saflor sind reich an Ölsäure (>60%). Wegen seines außerordentlich hohen Gehalts an ungesätt. Fettsäuren findet S. Verw. in diätet. Lebensmitteln wie Margarine, Speisefetten u. -ölen, in Kosmetika, in der Pharmazie für dermatolog. Präp. u. Arzneimittel zur Herabsetzung des Cholesterin-Spiegels bei Arteriosklerose. Auch als Rohmaterial für Lacke u. Firnisse hat es Bedeutung erlangt. – ***E*** safflower oil – ***F*** huile de safre – ***I*** olio di zafferano falso, olio di cartamo – ***S*** aceite de alazor (cártamo)

Lit.: Belitz-Grosch (4.), S. 162, 589, 591 ▪ Hager (5.) **2**, 903 ▪ Janistyn **1**, 805 ▪ Kirk-Othmer (3.) **9**, 804 ▪ Schuster, Ölpflanzen in Europa, S. 63 ff., Frankfurt/M.: DLG 1992 ▪ s. a. Fette u. Öle. – *[HS 1512 11, 1512 19]*

Saflor-Rot s. Carthamin.

Safocor®. Korrosionsschutzöl (*Korrosionsschutzmittel). ***B.:*** Merck.

Saframycine.

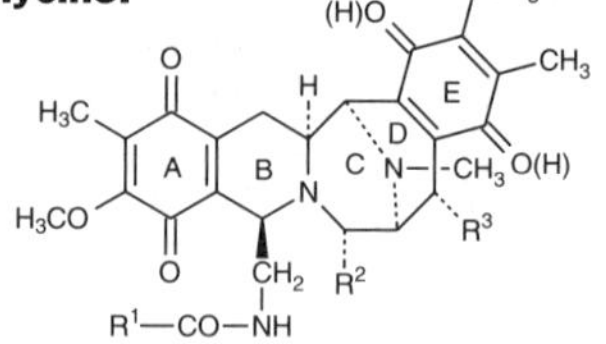

R^1	R^2	R^3	Ring E	
$CO—CH_3$	CN	H	Chinon	S.A
$CO—CH_3$	H	H	Chinon	S.B
$CO—CH_3$	H	=O	Hydrochinon	S.D
$CO—CH_3$	OH	H	Chinon	S.S
$CH(NH_2)—CH_3(S)$	CN	H	Chinon	S.Y_3
$CH(NH_2)—CH_3(S)$	OH	OCH_3	Hydrochinon	S.MX 1

Tab.: Daten zu den wichtigsten Saframycinen.

Saframycine	Summenformel	M_R	Schmp. [°C]	CAS
S.A	$C_{29}H_{30}N_4O_8$	562,58	122–126	66082-27-7
S.B	$C_{28}H_{31}N_3O_8$	537,57	108–109	66082-28-8
S.D	$C_{28}H_{31}N_3O_9$	553,57	150–154	66082-30-2
S.S	$C_{28}H_{31}N_3O_9$	553,57	107–115	75425-66-0
S.Y_3	$C_{29}H_{33}N_5O_7$	563,61	143–146	98205-62-0
S.MX 1	$C_{29}H_{38}N_4O_9$	586,64	Öl	113036-78-5

Antibiotika-Komplex aus Kulturen von *Streptomyces lavendulae* mit Wirkung gegen Gram-pos. Keime, Pilze u. Hefen. Bisher sind 22 Verb. bekannt. S. verfügen über antineoplast. Eigenschaften. Es sind orangegelbe, krist. Verbindungen.

Die wichtigsten S. sind in der Tab. zusammengefaßt. – ***E*** saframycins – ***F*** saframycines – ***I*** saframicine – ***S*** saframicina

Lit.: *Biosynth.:* J. Antibiot. (Tokyo) **35**, 915 (1982). – *Synth.:* Chem. Pharm. Bull. **38**, 821 (1990) ▪ J. Am. Chem. Soc. **112**, 3712 f. (1990) ▪ Tetrahedron **46**, 7711–7728 (1990); **47**, 5643–5666 (1991). – *[HS 2941 90]*

Safran (von arab. zafaran = Gelbsein). Getrocknete, aromat. riechende Blütennarben der in Südeuropa verbreiteten S.-Pflanze (*Crocus sativus*, Iridaceae), die den gelben Farbstoff *Crocin u. den Bitterstoff *Picrocrocin* (*Safranbitter*, s. Safranal), ein Glucosid des Dehydrocitrals, enthalten u. als Gewürz in der Küche, in der Teigwaren- u. Essenzen-Ind., zum Gelbfärben von Likören, Backwerk, Zuckerwerk, Tinten, Parfüms, Haarwässern u. dgl. verwendet werden. Um 1 kg S. zu erhalten, werden 100000–200000 Blüten benötigt, deren Narben mit der Hand entfernt werden müssen, was den hohen Preis (u. die häufigen Verfälschungen) erklärt. Hauptproduzenten sind Spanien, Griechenland, Italien, Frankreich u. die ehem. UdSSR. Die Vermehrung erfolgt nur vegetativ über Tochterknollen. – ***E*** saffron – ***F*** safran – ***I*** croco, zafferano – ***S*** azafrán

Lit.: Franke, Nutzpflanzenkunde (6.), S. 372, Stuttgart: Thieme 1997. – *[HS 0910 20]*

Safranal (2,6,6-Trimethyl-1,3-cyclohexa-dien-1-carbaldehyd).

Safranal Picrocrocin β-Isophoron

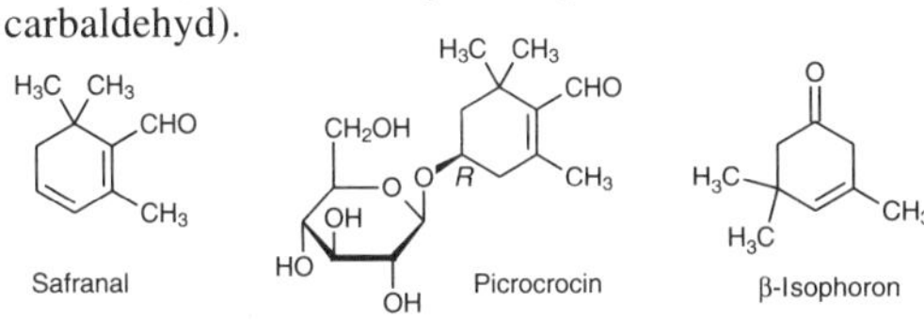

$C_{10}H_{14}O$, M_R 150,22, Sdp. 72 °C (4 hPa). Monocycl. Monoterpen-Aldehyd. S. ist der Geruchsstoff des *Safrans u. entsteht aus dem bitteren Safranglucosid *Picrocrocin* ($C_{16}H_{26}O_7$, M_R 330,38).

Weitere Aromastoffe des Safrans sind der isomere 2,6,6-Trimethyl-1,4-cyclohexadien-1-carbaldehyd sowie *Isophoron (3,5,5-Trimethyl-2-cyclohexen-1-on) u. dessen Isomer 3,5,5-Trimethyl-3-cyclohexen-1-on (*β*-Isophoron).

S. wirkt als Androtermon, d. h. als das männliche Geschlecht bestimmende Substanz, der Grünalge *Chlamydomonas eugametus*. S. kommt im Safranöl (*Crocus sativus*, Iridaceae)[1] vor u. wird z. B. aus *Citral[2] hergestellt. – ***E*** = ***F*** = ***S*** safranal – ***I*** safranale

Lit.: [1] J. Agric. Food Chem. **45**, 459 (1997); Phytochemistry **10**, 2755 (1971). [2] Tetrahedron Lett. **1974**, 3175.

allg.: Chem. Pharm. Bull. **29**, 105 (1981) ▪ Karrer, Nr. 415 ▪ Merck-Index (12.), Nr. 8467. – *[HS 2912 29; CAS 116-26-7 (S.); 138-55-6 (Picrocrocin); 471-01-2 (β-Isophoron)]*

Safranine. Gruppe von *Phenazin-Farbstoffen, insbes. 2- u./od. 8-methylierte 5-Aryl-3,7-diaminophenazinium-Salze; den Grundkörper 3,7-Diamino-5-phenylphenaziniumchlorid bezeichnet man als *Phenosafranin*.

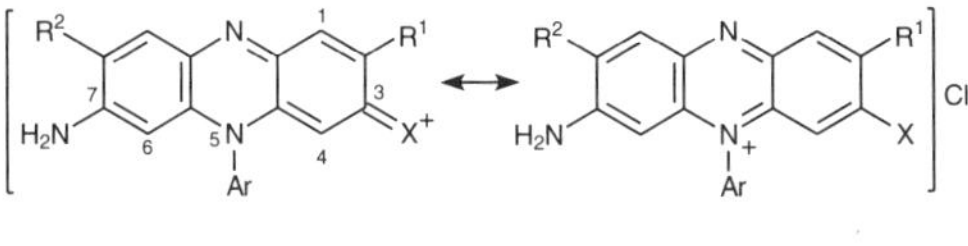

X	R^1	R^2	Ar	
NH_2	H	H	C_6H_5	**1**
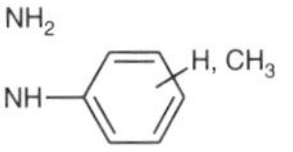 NH–C_6H_4–(H, CH_3)	H, CH_3	H, CH_3	C_6H_5 u. C_6H_5–CH_3	**2**
NH–CH_3	CH_3	CH_3	C_6H_5	**3**
$N(CH_3)_2$	H	CH_3	C_6H_5	**4**
NH_2	CH_3	CH_3	C_6H_5	**5**

Tab.: Daten zu ausgewählten Safraninen.

Name	Summenformel	M_R	CAS
Phenosafranin (**1**)	$C_{18}H_{15}ClN_4$	322,80	81-93-6
Mauvein (**2**)	Gemische		6373-22-4
Rhodulinrot G (**3**)	$C_{21}H_{21}ClN_4$	364,88	10130-52-6
Rhodulinviolett (**4**)	$C_{21}H_{21}ClN_4$	364,88	16508-73-9
Safranin T (**5**)	$C_{20}H_{19}ClN_4$	350,85	477-73-6

Der bekannteste Vertreter, das *Safranin T* (rotbraunes, giftiges Pulver, das sich in Wasser mit roter, in Alkohol mit gelbroter Fluoreszenz löst), wird aus 2 mol *o*-Toluidin u. 1 mol Anilin mit 2 mol Salzsäure u. 1 mol Natriumnitrit hergestellt.

Verw.: In der Leder- u. Papierfärberei, in der Mikroskopie u. als Redoxindikator (s. Redoxsysteme). – ***E*** = ***F*** safranines – ***I*** safranine – ***S*** safraninas

Lit.: Beilstein E III/IV **25**, 3050 ▪ Hager (5.) **1**, 579 ▪ Kirk-Othmer (4.) **3**, 813 ▪ Ullmann (5.) **A 3**, 216–220 ▪ Zollinger, Color Chemistry, 2. Aufl., S. 68, Weinheim: VCH Verlagsges. 1991. – *[HS 2933 90]*

Safrol [4-Allyl-1,2-methylendioxybenzol, 5-(2-Propenyl)-1,3-benzodioxol].

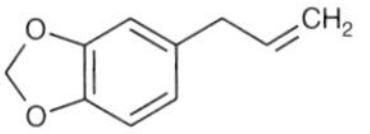

$C_{10}H_{10}O_2$, M_R 162,19, farblose bis leicht gelbliche Flüssigkeit, Sdp. 232–234 °C, Schmp. 11 °C, unlösl. in Wasser, leicht lösl. in Alkohol, mischbar mit Chloroform u. Ether. S. riecht herb-frisch, ähnlich wie *Sassafrasöl, dessen Hauptbestandteil (ca. 90%) es bildet. S. kommt in größeren Mengen auch im Campheröl vor, in kleineren Mengen neben *Myristicin in Sternanis, Lorbeeröl, Fenchel u. in Muskatnüssen. S. wirkt im Tierversuch carcinogen[1], deshalb darf es zur Herst. von Lebensmittelaromen nicht u. in Parfümerie u. Kosmetik nur in Mengen bis 100 mg/kg, in Zahn- u. Mundpflegemitteln bis 50 mg/kg verwendet werden, in Produkten für Kinder darf es gar nicht enthalten sein; LD_{50} (Ratte p.o.) 1950–2350 mg/kg.

Verw.: Zur Herst. von *Piperonal, *Isosafrol, *Piperonylbutoxid u. Herniarin sowie von *Prostaglandinen. In der Parfüm-Ind., zum Denaturieren von Fetten für die Seifenherstellung. – ***E*** safrole – ***F*** safrol – ***I*** safrolo – ***S*** safrola

Lit.: [1] Food Cosmet. Toxicol. **28**, 537 (1990); Mutat. Res. **241**, 37–48 (1990).

allg.: Beilstein E III/IV **19**, 275 ▪ Bioact. Mol. **2**, 139–159 (1987) ▪ Gildemeister **3d**, 449–456 ▪ IARC Monogr. **10**, 231–244 ▪ Karrer, Nr. 240 ▪ Martindale (30.), S. 1410 ▪ Nature (London) **337**, 285 (1989) ▪ Sax (8.), SAD 000. – *[HS 2932 94; CAS 94-59-7]*

Sagenit s. Rutil.

Sago. Aus dem Mark der ostind. S.-Palme (*Metroxylon sagu* Rottb.) gewonnene Speisestärke (Sagostärke, Palmmehl), die durch Auskneten u. Auswaschen aus den frisch gefällten Stämmen, von denen einer bis zu 100 kg Stärke enthalten kann, abgetrennt wird. Durch Anfeuchten, Sieben u. Rollen sowie anschließendes Verkleistern der Oberfläche in gefetteten Pfannen wird daraus der handelsübliche *Perl-S.* hergestellt. Aus *Maniok-Stärke (*Tapioka*) wird der sog. *echte S.* ge-

wonnen, während man aus Kartoffelstärke den *Kartoffel-S.* erhält. S. dient hauptsächlich als Suppeneinlage u. zur Dickung von Süßspeisen.
Über die genaue Zusammensetzung des Marks der S.-Palme gibt *Lit.*[1] Auskunft. Nach Anlage 4, Liste B, Nr. 166 der Zusatzstoff-Zulassungs-VO[2] darf S. mit bis zu 50 mg/kg Schwefeldioxid konserviert werden. Die Anforderungen an die Beschaffenheit von S. sind der Richtlinie für *Stärke u. bestimmte Stärkeerzeugnisse[3] zu entnehmen. Zur Identifikation von S.-Stärke s. *Lit.*[4]; s. a. Stärke u. Maniok. – ***E*** sago – ***F*** sagou – ***I*** sagù, sago – ***S*** sagó

Lit.: [1] J. Sci. Food. Agric. **37**, 352–358 (1986). [2] Zusatzstoff-Zulassungs-VO vom 22. 12. 1981 in der Fassung vom 8. 3. 1996 (BGBl. I, S. 460). [3] Richtlinie für Stärke u. bestimmte Stärkeerzeugnisse vom 1. 6. 1976, abgedruckt in Zipfel, C 303. [4] Gassner, Mikroskopische Untersuchung pflanzlicher Lebensmittel (5.), S. 84 f., Stuttgart: Fischer 1989.
allg.: Herrmann, Exotische Lebensmittel (2.), S. 85, 97, Berlin: Springer 1987 ▪ Ullmann (4.) **22**, 189 ▪ Zipfel, C 303 B III, 2. – *[HS 1903 00]*

Sagrotan®. *Desinfektionsmittel mit Benzalkoniumchlorid u. Ethanol od. 1- u. 2-Propanol zur Körperhygiene u. Materialdesinfektion. ***B.:*** Reckitt.

Sahm, Hermann (geb. 1942), Prof. für Biotechnologie, Univ. Düsseldorf. Direktor am Inst. für Biotechnologie, Forschungszentrum Jülich. *Arbeitsgebiete:* Mikrobieller Methanol-Stoffwechsel, Ethanol-Gewinnung mit Bakterien, anaerobe mikrobielle Abwasserreinigung, mikrobielle Aminosäure-Herstellung.

Lit.: Kürschner (16.), S. 3105.

Sahne (Rahm, Schmand, Obers). Fettreiche Schicht, die sich beim Stehen der *Milch an ihrer Oberfläche ansammelt u. zur Herst. von *Butter od. zum direkten Genuß dient. Bei dem früher üblichen Aufrahmen in Satten (Schöpfrahm) blieb etwa noch 1% Fett in der Magermilch, beim heute üblichen Zentrifugieren wird die Magermilch bis auf etwa 0,03% entfettet. S. enthält durchschnittlich 64% Wasser, 2,2% Eiweiß, 30,4% Fett, 2,9% Kohlenhydrate, 0,4% Mineralstoffe. S. kann homogenisiert od. sterilisiert sein. Qual. Aspekte zu UHT-Sahne werden in *Lit.*[1] diskutiert. Der Gesetzgeber unterscheidet nach Anlage 1, V der VO über Milcherzeugnisse[2] *Kaffee-S.* (Trink-S., S., Rahm), die mind. 10% Fett enthalten muß, u. *Schlag-S.* (Schlagrahm), die mind. 30% Fett enthält u. mit Milcheiweißerzeugnissen angereichert werden darf. Schlag-S. muß durch Aufschäumen mit Luft (im Haushalt) od. *Kohlendioxid bzw. Distickstoffmonoxid (s. Anlage 2 Nr. 7, *Lit.*[2]) schlagfähig sein. Für Distickstoffmonoxid besteht über das Zutatenverzeichnis hinaus keine Kennzeichnungspflicht. Der Zusatz von *Natriumphosphat u. *Carrageen zu bestimmten S.-Erzeugnissen ist ebenfalls zulässig. *S.-Pulver* (Kaffeeweißer) ist ein *Milchpulver mit einem Fettgehalt von ≥42,0%.
Saure S. (S.-Sauermilch) ist kein S.-Erzeugnis, sondern ein Sauermilch-Erzeugnis mit mind. 10% Fett, das aus Milch unter Verw. von Milchsäurebakterien hergestellt wurde. *Crème fraîche* (Küchen-S.) muß mind. 30% Fett enthalten u. kann unter Zusatz von bis zu 15% *Saccharose wie saure S. hergestellt werden (Anlage 1, I Nr. 9).
Analytik: Das Verhältnis nachweisbarer Lactulose zum Anteil nichtdenaturierter Molkenproteine (β-Lactoglobulin) wird als Überhitzungsindikator fettreicher Milchprodukte wie S. diskutiert[3].
Verzehrszahlen (BRD, 1992): 564300 t≙7,0 kg pro Kopf; s. a. Sauermilch-(Erzeugnisse). – ***E*** cream – ***F*** crème – ***I*** panna – ***S*** nata, crema

Lit.: [1] Bull. Int. Dairy Fed. **315**, 25–34 (1996). [2] Milcherzeugnis-VO vom 15. 7. 1970 in der Fassung vom 3. 02. 1997 (BGBl. I, S. 144). [3] Food Chem. **56**, 429–432 (1996).
allg.: Belitz-Grosch (4.), S. 474 ▪ Spreer, Technologie der Milchverarbeitung, S. 236, 242, 464 ff., Hamburg: Behr 1995 ▪ Ullmann (4.) **16**, 714 ff.; **A 8**, 243 ▪ Zipfel, C 273 a *1*, 24 ff. – *[HS 0401 30, 0402]*

Sahnepulver s. Sahne.

SAIB. Abk. für Saccharoseacetatisobutyrat, s. Zuckerester.

Saigern s. Seigern.

Saint-Gobain. Kurzbez. für das weltweit operierende französ. Großunternehmen Compagnie de Saint-Gobain S. A., F-92400 Courbevoie, das auf eine 1665 gegr. gleichnamige Firma zurückgeht. Zu den dtsch. *Tochter-* u. *Beteiligungsges.* gehören insbes.: VEGLA Vereinigte Glaswerke GmbH, Aachen, Grünzweig + Hartmann AG, Ludwigshafen, Halbergerhütte GmbH, Saarbrücken, Sekurit Saint-Gobain Torgau GmbH, Torgau, OBERLAND GLAS AG, Bad Wurzach. *Daten* (1997): 108 000 Beschäftigte, 107 Mrd. F Umsatz. *Produktion:* Flachglas, Dämmstoffe, Baumaterialien, Rohrleitungsguß, Hochglas, Ind.-Keramik u. Schleifmittel. *Vertretung in der BRD:* Cie de Saint-Gobain Zweigniederlassung Deutschland, Aachen.

Saizew-Regel s. Saytzeff-Regel.

Sake (Reiswein, Sakhi, Saké, Samschu). Alkohol. Nationalgetränk in Japan mit 4–15% Alkohol, das meist warm getrunken wird. S. wird durch Vergärung von *Reis mit dem Schimmelpilz *Aspergillus oryzae* hergestellt, durch den die Reisstärke verzuckert wird. Der zunächst während einer 18tägigen Gärung bei 10–35 °C entstehende, hefereiche *Moto* (enthält 3–10% Alkohol, unvergorenen Zucker u. 0,5–0,8% Säure, hauptsächlich Milchsäure) wird einem Gemenge von gedämpftem Reis u. Wasser zugesetzt u. dieses bei 10–15 °C etwa 2–3 Wochen vergoren, ggf. unter Zusatz von *Saccharomyces*-Arten. Nach mehrmonatiger Lagerung erhält man den fertigen S., dessen Herst. in Japan schon über 2000 Jahre bekannt ist. Ein Vgl. verschiedenster Reissorten hinsichtlich ihrer Eignung zur S.-Herst. ist *Lit.*[1] zu entnehmen.

Tab.: Inhaltsstoffe von Sake.

Gesamtzucker (als Glucose)	4,20 g/100 mL
direkt vergärbarer Zucker (als Glucose)	3,46 g/100 mL
gesamte organ. Säuren	115,2 mg/100 mL
Glutaminsäure	20,2 mg/100 mL
Gesamt-Stickstoff	72,6 mg/100 mL
Formol-Stickstoff	28,8 mg/100 mL
Alkohol	bis 15,0 Vol.-%

Der zur S.-Herst. verwendete Schimmelpilz *Aspergillus oryzae* bildet unter bes. Bedingungen die *Mykotoxine Maltoryzin u. *Kojisäure[2] od. auch Vitamin C[3].

Zur Ethylcarbamat-Belastung s. Urethan; s. a. alkoholische Getränke. Eine neue Meth. zur sensor. Bewertung von S. ist *Lit.*[4] zu entnehmen. – ***E*** = ***F*** = ***S*** sake – ***I*** sakè, vino di riso

Lit.: [1] Seibutsu-kogaku Kaishi **74**, 97–103, 245–254 (1996). [2] Lindner, Toxikologie der Nahrungsmittel (4.), S. 129 f., Stuttgart: Thieme 1990. [3] Seibutsu-kogaku Kaishi **74**, 1–6 (1996). [4] Seibutsu-kogaku Kaishi **74**, 17–21 (1996).
allg.: Belitz-Grosch (4.), S. 837 ▪ Herrmann, Exotische Lebensmittel (2.), S. 129 ff., Berlin: Springer 1987 ▪ Ullmann (4.) **24**, 414 ▪ Würdig u. Woller, Chemie des Weines, S. 767, Stuttgart: Ulmer 1989. – *[HS 2206 00]*

Sakhi s. Sake.

Sakmann, Bert (geb. 1942), Prof. für Biochemie, MPI für medizin. Forschung, Heidelberg (seit 1989). *Arbeitsgebiete:* Zellphysiologie, biophysikal. Chemie, insbes. Ionenkanäle. Er erhielt zusammen mit E. *Neher für die Entwicklung der patch-clamp-Meth. zur Messung der äußerst schwachen Ionenkanal-Ströme 1991 den Nobelpreis für Physiologie od. Medizin.

Lit.: Lexikon der Naturwissenschaftler, S. 359.

Sakurai-Reaktion. *Silicium-organische Verbindungen zeigen oft eine ungewöhnliche Reaktivität in der organ. Synthese. So addieren sich Allylsilane im Gegensatz zu anderen Metall-organ. Verb. unter Lewis-Säure-Katalyse an α,β-ungesätt. Carbonyl-Verb. unter Bildung von δ,ε-ungesätt. Aldehyden od. Ketonen (s. Abb. a). Diese, als S.-R. bezeichnete 1,4-Addition, ist bes. wertvoll in ihrer intramol. Variante zum Aufbau von polycycl. Ringsyst. (s. Abb. b).

Abb.: Sakurai-Reaktion: a) intermol. u. b) intramol. Variante.

– ***E*** Sakurai reaction – ***F*** réaction de Sakurai – ***I*** reazione di Sakurai – ***S*** reacción de Sakurai

Lit.: Chem. Rev. **93**, 2207 (1993) ▪ Hassner-Stumer, S. 330 ▪ Krause, Metallorganische Chemie, S. 124 f., Heidelberg: Spektrum 1996 ▪ Laue-Plagens, S. 276 ▪ Org. React. **37**, 57 (1989) ▪ Pure Appl. Chem. **54**, 1 (1982) ▪ Synthesis **1988**, 263 ▪ s. a. Silicium-organische Verbindungen.

Sal. Latein. Bez. für Salz; *Beisp.:* S. marinum = Seesalz, Meersalz; S. Carolinum (factitium) = (künstliches) Karlsbader Salz; S. microcosmicum s. Salzperlen.

Sala, Angelus (1576–1637), italien.-dtsch. Arzt u. Chemiker. Zählte zu den bedeutendsten Alchemisten jener Zeit, obwohl er viele alchemist. Irrtümer widerlegte, so z. B. die Lehre vom Stein der Weisen. *Arbeitsgebiete:* Mitbegründer der Lehre von der Erhaltung des Stoffs u. der chem. Elemente, Einführung von Silbernitrat u. künstlichen Eisen-Säuerlingen in die Medizin, alkohol. Gärung.

Lit.: Pötsch, S. 376 ▪ Strube et al., S. 48 f.

Salacetamid.

Internat. Freiname für das auch fiebersenkend wirkende *Analgetikum *N*-Acetylsalicylamid, $C_9H_9NO_3$, M_R 179,17, Schmp. 140–142 °C, λ_{max} (CH_3OH) 243, 307 nm ($A^{1\%}_{1cm}$ 710, 229), pK_a 7,8. – ***E*** = ***I*** salacetamide – ***F*** salacétamide – ***S*** salacetamida

Lit.: Hager (5.) **9**, 546 f. ▪ Martindale (31.), S. 93. – *[HS 2924 29; CAS 487-48-9]*

Salam, Abdus (1926–1996), Prof. für Theoret. Physik. Chemie, Univ. London, Gründer u. Direktor des Internat. Zentrums für Theoret. Physik, Triest (Italien), Mitglied des Club of Rome. *Arbeitsgebiete:* Physik der Elementarteilchen. 1979 erhielt er zusammen mit L. Sheldon u. Steven Weinberg den Nobelpreis für Physik für seine Mitwirkung an der Theorie der Vereinigung schwacher u. elektromagnet. Wechselwirkung zwischen Elementarteilchen sowie die Voraussage von schwacher neutraler Strömung. S. wurden zahlreiche Ehrendoktorwürden verliehen.

Lit.: Lexikon der Naturwissenschaftler, S. 359 ▪ Martin, Verzeichnis der Nobelpreisträger 1901–1987, S. 76 f., München: K. G. Saur 1988.

Salamander-Alkaloide. Gruppe von *Steroid-Alkaloiden aus dem giftigen Hautsekret von Salamander-Arten (Feuersalamander, Alpensalamander), deren Ring A durch eine eingefügte NH-Gruppe zum Siebenring erweitert u. meist mit einer Epoxy-Gruppe überbrückt ist. Die wichtigsten Alkaloide sind in der Tab., S. 3908, zusammengefaßt.

Samandarin (**1**) Samandaron (**2**) Samandenon (**3**) Samandinin (**4**) Samandaridin (**5**) Samanin (**6**)

Im Samanin fehlt die $1\alpha,4\alpha$-Epoxy-Brücke. Samandarin bewirkt Atemhemmung, Hypertension, Herz-Arrhythmien u. Hämolyse roter Blutkörperchen u. ist ein starkes Lokalanästhetikum, jedoch für eine medizin. Anw. zu tox., LD_{50} (Maus s.c.) 1,2 mg/kg.
Biosynth.: Aus Cholesterin u. Glutamin.

Tab.: Daten zu ausgewählten Salamander-Alkaloiden.

	Summen-formel	M_R	Schmp. [°C]	CAS
1	$C_{19}H_{31}NO_2$	305,46	187–188	467-51-6
2	$C_{19}H_{29}NO_2$	303,44	190	467-52-7
3	$C_{22}H_{33}NO_2$	343,51	189–191	6400-81-3
4	$C_{24}H_{39}NO_3$	389,58	170	24206-15-3
5	$C_{21}H_{31}NO_3$	345,48	287–288	6384-73-2
6	$C_{19}H_{33}NO$	291,48	197	22614-24-0

Die – bes. dem Schutz gegen Mikroorganismen dienende – Giftigkeit der Salamander ist schon seit langem bekannt. Die Färbung des Feuersalamanders ist auf Riboflavin- u. Pteridin-Derivate zurückzuführen. Im kaliforn. Salamander *Taricha torosa* ist das stark giftige *Tetrodotoxin enthalten. – ***E*** salamander alkaloids – ***F*** alcaloïdes des salamandres – ***I*** alcaloidi delle salamandre – ***S*** alcaloides de la salamadras

Lit.: Alkaloids (London) **6**, 272–284 (1976) ▪ Habermehl, Gift-Tiere u. ihre Waffen (5.), S. 125–143, Berlin: Springer 1994 ▪ Hager **6b**, 220f. ▪ Manske **9**, 427–440; **43**, 185–288 ▪ Pharm. Unserer Zeit **15**, 97–106 (1986) ▪ Zechmeister **41**, 206–340 ▪ s.a. Amphibiengifte u. Toxine. – *[HS 3002 90]*

Salat s. Lattich.

Salazosulfapyridin s. Sulfasalazin.

Salband s. Gänge.

Salbei. Die Blätter des in den Mittelmeerländern heim., in ganz Europa u. den USA kultivierten Edlen od. Garten-S. (*Salvia officinalis* L., Labiatae, Lamiaceae) finden Verw. in Gewürzen u. Arzneimitteln; echter S. wird gelegentlich durch griech. S. verfälscht. Die würzig-bitter u. adstringierend schmeckenden, infolge ihres Gehalts an *Salbeiöl aromat. balsamig riechenden Blätter nimmt man als Gewürz für Fleisch-, Fisch-, Eier- u. Käsegerichte, Ragouts u. Soßen. Arzneilich gebraucht man S. gegen Katarrhe als Spül- u. Gurgelmittel u. als *Antihidrotikum. In Mexiko wird *Salvia divinorum* Epling & Jativa als Rauschmittel verwendet; für die halluzinogene Wirkung verantwortlich ist *Salvinorin A* (Divinorin A; $C_{23}H_{28}O_8$, M_R 432,47, Schmp. 242–244 °C), ein Diterpen vom *Clerodan-Typ[1].

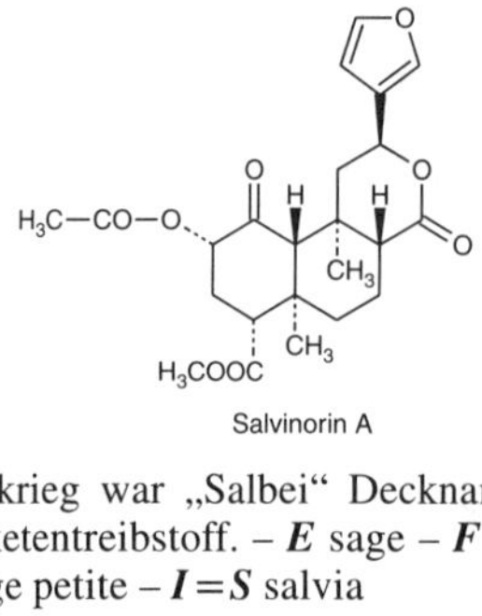

Salvinorin A

Im 2. Weltkrieg war „Salbei“ Deckname für einen dtsch. *Raketentreibstoff. – ***E*** sage – ***F*** sauge, herbe sacrée, sauge petite – ***I***=***S*** salvia

Lit.: [1] J. Org. Chem. **49**, 4716–4720 (1984); Chem. Lett. **1990**, 2015–2018.
allg.: DAB **1997** u. Komm. ▪ s. Salbeiöl. – *[HS 1211 90; CAS 83729-01-5 (Salvinorin A)]*

Salbeiöle. Als Salbeiöle bezeichnete Produkte werden aus zwei unterschiedlichen Salbei-Arten gewonnen (s. aber a. Muskatellersalbei-Öl).

1. ***Dalmatin. (offizinelles) S.:*** Farbloses bis grünlichgelbes Öl mit einem charakterist., starken, frischen, krautig-camphrigen, warm-würzigen Geruch u. einem scharfen, bitteren Geschmack.
Herst.: Durch Wasserdampfdest. aus dem Kraut des offizinellen Salbeis, *Salvia officinalis.*
Zusammensetzung[1]***:*** Hauptbestandteile u. wesentliche geruchsgebende Inhaltsstoffe sind *1,8-*Cineol* mit 6–13%, **Campher* mit 3–9% sowie *α*- u. *β-*Thujon* mit 8–43 bzw. 3–9% (vgl. Thujaöl).
Verw.: Zur Parfümherst. für frische, krautig-würzige Kompositionen, v.a. in Herrennoten, zum Aromatisieren von Likören u. Bittern; wegen der Toxizität von Thujon ist die Dosierung jedoch begrenzt. Laut Aromenverordnung der BRD dürfen Bitterspirituosen nur 35 ppm Thujon enthalten u. andere Getränke u. Lebensmittel nur 0,5 ppm. Verw. in der Medizin z.B. in Mund- u. Rachentherapeutika.
2. ***Span. S.:*** Leicht gelbliches Öl mit einem frischen, camphrigen, Eucalyptus-artigen Geruch.
Herst.: Durch Wasserdampfdest. aus dem Kraut des Span. Salbeis, *Salvia lavandulifolia.*
Zusammensetzung[2]***:*** Hauptkomponenten u. geruchsbestimmende Inhaltsstoffe sind *1,8-Cineol* (ca. 20%) u. *Campher* (ca. 30%). Im Gegensatz zum dalmatin. enthält das span. S. kein Thujon.
Verw.: Zur Parfümherst., vorwiegend für techn. Parfümierungen mit frischer Note; in Badeölen u. pharmazeut. Präparaten wie Rhinologica. Im Vgl. zum dalmatin. S. ist das span. S. von relativ geringer Bedeutung. – ***E*** sage oils – ***F*** essence de sauge – ***I*** oli essenziali di salvia – ***S*** esencia de salvia

Lit.: [1] Perfum. Flavor. **16** (4), 51 (1991); **19** (6), 61 (1994). [2] Perfum. Flavor. **15** (1), 62 (1990); **19** (2), 70 (1994).
allg.: Bauer et al. (2.), S. 174f. ▪ Braun-Frohne (6.), S. 503–506 ▪ Gildemeister **7**, 106, 117 ▪ ISO 3526 (1991), 9909 ▪ Ullmann (5.) **A 11**, 240. – *[HS 3301 29; CAS 8022-56-8]*

Salben. Zu den ältesten *Kosmetika u. *Arzneiformen zählen die S. (latein.: *Unguenta). S. sind *Gele von plast. Verformbarkeit, die zur lokalen medikamentösen od. kosmet. Anw. auf der gesunden, verletzten od. kranken *Haut od. Schleimhaut der Körperöffnungen bestimmt sind, d.h. streichfähige Zubereitungen zur Anw. durch Auftragen od. Einreiben. Als **Cremes* bezeichnet man S. bes. weicher Konsistenz, die größere Mengen an Wasser enthalten; als **Pasten* solche S., in denen pulverförmige Bestandteile – meist in größerer Menge – suspendiert sind; als S. im engeren Sinne bezeichnet man wasserfreie Zubereitungen. Nach Anw.-Ort, Funktion u. Wirkungsweise unterscheidet man Augen-S., Nasen-S., Deck-S., Kühl-S., Resorptions-S., Penetrations-S., *Hautschutzsalben etc., s.a. Hautpflegemittel u. Dermatika. Falls zur Bereitung einer S. od. Salbengrundlage (zur Zusammensetzung s. dort) Schmelzen erforderlich ist, werden die Bestandteile durch vorsichtiges Erwärmen verflüssigt; die Schmelze wird bis zum Erkalten gerührt u. mit den nicht zu schmelzenden Stoffen gemischt. Bei Arzneimitteln können die Wirkstoffe in der Salbengrundlage gelöst, als Pulver dispergiert od. als Lsg. emulgiert sein. Außer der homogenen Verteilung der Wirkstoffe ist für die Qualität der S. auch ihr rheolog. Verhalten

(s. Rheologie) wichtig. Bei den Suspensions-S. ist auf einheitliche Korngröße des Pulvers zu achten, um das Wachsen größerer Krist. auf Kosten der kleineren (*Ostwald-Reifung) auszuschließen. Wasserreiche Cremes auf der Basis von *Hydrogelen od. O/W-*Emulsionen benötigen Konservierungsmittel, um keimfrei zu bleiben. Daneben dürfen S. auch Stabilisatoren u. Antioxidantien enthalten. Die Aufbewahrung der S. sollte in dicht verschlossenen Behältern, kühl u. lichtgeschützt erfolgen. – ***E*** ointments – ***F*** onguents, pommades – ***I*** unguenti – ***S*** ungüentos, pomadas

Lit.: Fiedler, Lexikon der Hilfsstoffe für Pharmazie, Kosmetik u. angrenzende Gebiete, Aulendorf: Cantor 1996 ▪ Hager (4.) **7a**, 246–249, 536–560 ▪ Janistyn **1**, 10–19; **3**, 806f. ▪ Ph. Eur. **1997** u. Komm. (Halbfeste Zubereitungen zur kutanen Anwendung) ▪ Pharm. Ztg. **141**, 3849–3857 (1996) ▪ Pharm. Unserer Zeit **8**, 179–188 (1979); **10**, 129–144 (1981) ▪ Sucker et al., Pharmazeutische Technologie, Stuttgart: Thieme 1991.

Salbengrundlage. Als S. bezeichnet man die zur Herst. von *Salben, *Pasten u. *Cremes benötigten Salbengrundstoffe (*Basen*, in der Kosmetik auch *Fonds* genannt). Sie sollen als Carrier od. Vehikel die *Penetration u. *Resorption der Wirkstoffe fördern. Die als S. verwendeten *Gele lassen sich nach ihrer chem. Zusammensetzung einteilen in: 1. Kohlenwasserstoff-Gele (z.B. *Vaseline, Plastibase); – 2. Lipogele: a) Wachse (z.B. Bienenwachs, Walrat, Wollwachs), b) Fette (z.B. Schweineschmalz, gehärtetes Erdnußöl, halbsynthet. Fette); – 3. Hydrogele: a) anorgan. (z.B. *Aerosil®, *Bentonite), b) organ. (z.B. Stärke, Traganth); – 4. Polyethylenglykol-Gele; – 5. Silicongele (Siliconöle, verfestigt mit Aerosil od. Calciumstearat). S. können Hilfsstoffe wie Emulgatoren, Antioxidantien, Konservierungsstoffe, Feuchthaltemittel u.a. enthalten u. werden vielfach auch so gebrauchsfertig von der Ind. geliefert. – ***E*** ointment base – ***F*** bases d'onguents (pommades) – ***I*** basi d'unguento – ***S*** bases de ungüentos (pomadas).

Lit.: s. Salben.

Salbostatin.

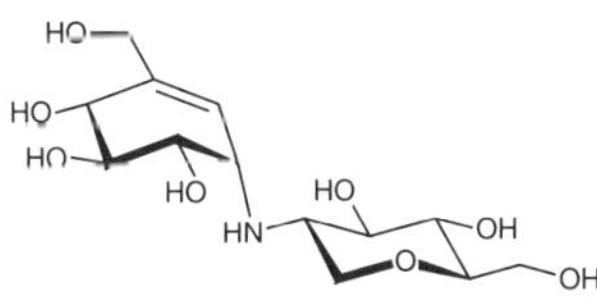

$C_{13}H_{23}NO_8$, M_R 321,33, amorph, $[\alpha]_D^{20}$ +115° (H_2O). S. ist ein bas., nicht reduzierendes Pseudodisaccharid mit Saccharase-, Trehalase- u. Maltase-hemmender Wirkung. Als Glykosidase-Hemmer ist es von Interesse zur Therapie des Diabetes mellitus, vgl. Acarbose. S. wird auch als Pflanzenschutzmittel geprüft. – ***E*** salbostatin – ***F*** salbostatine – ***I = S*** salbostatina

Lit.: Angew. Chem. **106**, 1936f. (1994); Int. Ed. Engl. **33**, 1844 (1994) ▪ Bioorg. Med. Chem. Lett. **5**, 487ff. (1995) ▪ Chem. Eur. J. **1**, 634ff. (1995) (Synth.). – *[CAS 128826-89-1]*

Salbulair® (Rp). Tabl., Dosieraerosol, Ampullen u. Infusionskonzentrat mit dem *Broncholytikum (β-Sympathomimetikum) *Salbutamol-sulfat. ***B.:*** Asta Medica, 3M Medica.

Salbutamol (Rp).

Internat. Freiname für das die β_2-*Rezeptoren stimulierende *Broncholytikum (±)-2-(*tert*-Butylamino)-1-[4-hydroxy-3-(hydroxymethyl)phenyl]-ethanol, $C_{13}H_{21}NO_3$, M_R 239,31, krist. Pulver, Schmp. 151 °C (auch 157–158 °C angegeben), λ_{max} (CH_3OH) 227, 278 nm ($A_{1cm}^{1\%}$ 289, 68), pK_b 4,9 (sek. Ammonium), pK_a 10,4 (phenol. OH); lösl. in den meisten organ. Lsm., Lagerung: vor Licht geschützt. Verwendet wird meist das Sulfat. S. wurde 1968 u. 1972 von Allen u. Hanburys (Sultanol®, Glaxo Wellcome) patentiert u. ist als Generikum im Handel. – ***E = F = S*** salbutamol – ***I*** salbutamolo

Lit.: ASP ▪ Florey **10**, 665–689 ▪ Hager (5.) **9**, 548–552 ▪ Martindale (31.), S. 1590ff. ▪ Ph. Eur. **1997** u. Komm. – *[HS 2922 50; CAS 18559-94-9 (S. allg.); 35763-26-9 (Racemat); 51022-70-9 (Sulfat)]*

Salcomin.

Abk. von *Sal*icylaldehyd-*Co*balt-Ethylendia*min*, $C_{16}H_{14}CoN_2O_2$, M_R 325,21, eine von Paul Pfeiffer 1933 synthetisierte Cobalt-Komplex-Verb., die bei 20 °C bis zu 4,9 Gew.-% Sauerstoff (z.B. aus der Luft) labil an sich binden u. bei Erwärmung auf 50–60 °C wieder abgeben kann. Gegen Ende des 2. Weltkrieges fand S. auf alliierter Seite zur Sauerstoff-Gewinnung Verwendung. S. findet vielfache Verw. in der präparativen organ. Chemie, s. Paquette (*Lit.*). – ***E = F*** salcomine – ***I = S*** salcomina

Lit.: Paquette **6**, 4423 ▪ Ullmann (4.) **20**, 394; (5.) **A 16**, 318 ▪ White, Organometallic Compounds of Co, Rh, Ir, S. 38, London: Chapman & Hall Ltd. 1985. – *[CAS 14167-18-1]*

Saléeit. $Mg[UO_2/PO_4]_2 \cdot 10\,H_2O$, zur *Autunit-Reihe gehörendes, stroh- bis grünlich gelbes, radioaktives Mineral; tafelige, monoklin pseudotetragonale Krist. u. dünntafelige u. schuppige Aggregate. Kristallklasse 2/m–C_{2h}, Struktur s. *Lit.*[1,2]; zum Entwässerungsverhalten s. *Lit.*[3]. H. 2,5, D. 3,21–3,27; leuchtend gelbgrüne Fluoreszenz im UV-Licht.

Vork.: Großschloppen/Fichtelgebirge, Schneeberg/Sachsen (Arsen-haltig), Frankreich, Portugal; Koongarra/Australien[2] u. Zaire. – ***E = F = I*** saléeite – ***S*** saléeita

Lit.: [1] Z. Kristallogr. **177**, 247–253 (1986). [2] Am. Mineral. **82**, 888–899 (1997). [3] Bull. Mineral. **103**, 630ff. (1980).
allg.: Nriagu u. Moore (Hrsg.), Phosphate Minerals, S. 101, Berlin: Springer 1984. – *[HS 2612 10; CAS 12199-25-6]*

Salep (von arab. = Fuchshoden). Getrocknete Schleim- u. Stärke-haltige Knollen von Orchideen (Tochterknollen, die die Pflanze im nächsten Jahr zum Blühen bringt). Der gepulverte S. dient als Verdickungsmittel u. Emulgator in pharmazeut. Präparaten. – ***E = F = I = S*** salep

Lit.: Hager (4.) **6a**, 326ff. ▪ Janistyn **1**, 807. – *[HS 0714 90]*

Salicil (2,2′-Dihydroxybenzil).

$C_{14}H_{10}O_4$, M_R 242,22. Gelbe Nadeln, Schmp. 154–155 °C, in Wasser kaum, in Alkohol u. Benzol lösl., fand Verw. als Antiseptikum u. Konservierungsmittel. – ***E*** salicil – ***F*** = ***I*** salicile – ***S*** salicilo

Lit.: Beilstein E IV **8**, 3212 ▪ Hager (4.) **6 b**, 225. – *[CAS 85-26-7]*

Salicin s. Salicylalkohol.

Salicyl... In IUPAC-Regel C-201.4 zugelassene Kurzbez. für 2-Hydroxybenzyl...:

CAS-Bez.: [(2-Hydroxyphenyl)methyl]... – ***E*** = ***F*** salicyl... – ***I*** = ***S*** salicil...

Salicylaldehyd (2-Hydroxybenzaldehyd).

$C_7H_6O_2$, M_R 122,13. Klare, farblose od. gelbliche, ölige, angenehm bittermandelartig riechende, brennend schmeckende, hautreizende Flüssigkeit, D. 1,167, Schmp. -7 °C, Sdp. 196–197 °C, in Wasser wenig lösl., mit Alkohol u. Ether mischbar, WGK 2; LD_{50} (Ratte oral) 520 mg/kg. S. ist mit Wasserdampf flüchtig, in wäss. Ammoniak lösl., bildet intensiv gelbe Alkalisalze (Chelat-Bildung), färbt die Haut tiefgelb, kommt in ether. Ölen (bes. der *Spierstaude u. a. *Spiraea*-Arten) vor.

Herst.: Durch Erhitzen von Phenol mit Chloroform in wäss. Alkalien (*Reimer-Tiemann-Reaktion), durch elektrolyt. Red. von Salicylsäure usw.

Verw.: In der Parfümerie, zur *Cumarin-Synth., in der analyt. Chemie zur Ni/Co-Trennung, zum Nachw. der Keton-Ranzigkeit u. von Fuselöl, als Zwischenprodukt in der Farbstoff- u. Arzneimittel-Industrie. – ***E*** salicylaldehyde – ***F*** aldéhyde salicylique – ***I*** aldeide salicilica – ***S*** aldehído salicílico

Lit.: Beilstein E IV **8**, 176 ▪ Kirk-Othmer (3.) **13**, 70–79; (4.) **13**, 1030 ▪ Merck-Index (12.), Nr. 8478 ▪ Ullmann (4.) **8**, 349; **9**, 637; (5.) **A 9**, 240; **A 11**, 209. – *[HS 2912 49; CAS 90-02-8; G 6.1]*

Salicylaldoxim (2-Hydroxybenzaldoxim).

$C_7H_7NO_2$, M_R 137,14. Farblose Prismen, Schmp. 57 °C, leicht lösl. in Alkohol, Aceton, Ether, verd. HCl, schwerlösl., in kaltem, leichter lösl. in heißem Wasser. S. bildet mit vielen Metallen farbige, schwerlösl. Chelate od. intensiv gefärbte Lsg. u. wird zum Nachw. von Cu, Fe, Bi, Cd, Ni, Zn, U, V, zur Bestimmung von Cu, Pd u. Pb sowie zur kolorimetr. Bestimmung von Fe(III) verwendet. – ***E*** = ***F*** salicylaldoxime – ***I*** salicilaldossima – ***S*** salicilaldoxima

Lit.: Beilstein E IV **8**, 203 ▪ Fries-Getrost, S. 72, 140, 218, 287 ▪ Merck-Index (12.), Nr. 8479. – *[HS 2928 00; CAS 94-67-7]*

Salicylalkohol (Saligenin, 2-Hydroxybenzylalkohol). $C_7H_8O_2$, M_R 124,14, Nadeln (aus Wasser) od. Tafeln (aus Ether) von brennendem Geschmack, Schmp. 86 °C, subl. bei 100 °C; kommt in der Natur in Form von Glykosiden vor, s. Tabelle.

Die wäss. Lsg. des Glykosids Salicin schmeckt bitter. Salicin wird durch Emulsin u. a. Glucosidasen enzymat. in Glucose u. S. gespalten. S. gibt mit Eisen(III)-chlorid Blaufärbung.

Salicylalkohol

als Glykoside z.B.

$R^1 = R^2 = R^3 = H$: Salicin
$R^1 = CO{-}CH_3$, $R^2 = R^3 = H$: Fragilin
$R^1 = CO{-}C_6H_5$, $R^2 = R^3 = H$: Populin
$R^1 = R^2 = H$, $R^3 = CO{-}C_6H_5$: Tremuloidin
$R^1 = H$, $R^2 = CO{-}C_6H_5$, $R^3 = H$: Chaenomeloidin

Tab.: Glykoside von Salicylalkohol.

Verb.	Summenformel	M_R	Schmp. (Sdp.) [°C]	opt. Aktivität	Vork.	CAS
Salicin (Saligenin-2-*O*-β-glucosid. Salicosid)	$C_{13}H_{18}O_7$	286,28	Nadeln od. rhomb. Krist. 205–207 (240, Zers.)	$[\alpha]_D^{20}$ −62,56° (H_2O)	*Salix* spp., *Populus* spp.	138-52-3
Fragilin (6′-*O*-Acetyl-salicin)	$C_{15}H_{20}O_8$	328,32	Nadeln 177–179	$[\alpha]_D^{15}$ −38,7° (H_2O)	*Salix fragilis*	19764-02-4
Populin (6′-*O*-Benzoyl-salicin)	$C_{20}H_{22}O_8$	390,39	180	$[\alpha]_D$ −2° (Pyridin)	*Salix* spp., *Populus* spp.	99-17-2
Tremuloidin (2′-*O*-Benzoyl-salicin)	$C_{20}H_{22}O_8$	390,39	Nadeln 207–208	$[\alpha]_D^{25}$ +17,1° (Pyridin)	*Populus tremuloides*, *Salix* spp.	529-66-8
Chaenomeloidin (3′-*O*-Benzoyl-salicin)	$C_{20}H_{22}O_8$	390,39			*Salix chaenomeloides*	138101-84-5

Wirkung: Schon im Altertum war die antipyret. Wirkung von Weiden- u. Pappelrinde bekannt, die auf die genannten Inhaltsstoffe zurückzuführen ist. S. dient zur Behandlung von akutem Gelenkrheumatismus u. Gicht sowie zur Synth. von Anionenaustauscherharzen. – ***E*** salicyl alcohol – ***F*** alcool salicylique – ***I*** alcool salicilico – ***S*** alcohol salicílico

Lit.: Beilstein E IV **6**, 5896 ▪ Biosci. Biotechnol. Biochem. **57**, 1185 ff. (1993) (enzymat. Synth.) ▪ Hager (5.) **9**, 552 f. ▪ Karrer, Nr. 256, 257, 6669 ▪ Luckner (3.), S. 400 ▪ Phytochemistry **31**, 2909 f. (1992); **33**, 161–164 (1993) ▪ Science **229**, 649 ff. (1985). – *[HS 2907 30; CAS 90-01-7]*

Salicylamid (2-Hydroxybenzamid). $C_7H_7NO_2$, M_R 137,13. Internat. Freiname für das *Amid der Salicylsäure, Formel s. dort. Weißes bis gelbliches, bitter schmeckendes, krist. Pulver, D. 1,175, Schmp. 142 °C, Sdp. 182 °C (1,9 kPa); λ_{max} (CH_3OH) 235, 303 nm ($A^{1\%}_{1cm}$ 532, 288), pK_a 8,2; lösl. in siedendem Wasser, Alkalilauge, Ether, Alkohol, Aceton. S. wird in *Antipyretika, *Analgetika u. *Antirheumatika eingesetzt, im üblichen Dosierungsbereich (300–600 mg) ist aber keine Wirksamkeit nachweisbar. – ***E*** = ***F*** salicylamide – ***I*** salicilamide – ***S*** salicilamida

Lit.: ASP ▪ Beilstein E IV **10**, 169 ▪ Florey **13**, 521–551 ▪ Hager (5.) **9**, 552 ff. ▪ Kirk-Othmer **17**, 735 ▪ Martindale (31.), S. 94. – *[HS 2924 29; CAS 65-45-2]*

Salicylamid-*O*-essigsäure [(2-Carbamoylphenoxy)-essigsäure].

$C_9H_9NO_4$, M_R 195,17, Schmp. 221 °C. Die Substanz wirkt schmerzlindernd, entzündungshemmend u. fiebersenkend. Verwendet wird das Natrium-Salz, Schmp. 212–215 °C. – ***E*** salicylamide *O*-acetic acid – ***F*** acide salicylamide-*O*-acétique – ***I*** salicilamide del acido-*O*-acetico – ***S*** salicilamida del ácido *O*-acético

Lit.: Martindale (31.), S. 93. – *[HS 2924 29; CAS 25395-22-6 (S.); 3785-32-8 (Natriumsalz)]*

Salicylate. Bez. für Ester u. Salze der Salicylsäure, s. Salicylsäureester.

Salicyloyl... In IUPAC-Regel C-411.1 zugelassene Kurzbez. für 2-Hydroxybenzoyl...:

– ***E*** = ***F*** salicyloyl... – ***I*** = ***S*** saliciloil...

Salicylsäure (2-Hydroxybenzoesäure, Spirsäure).

$C_7H_6O_3$, M_R 138,12, feine, geruchlose, kratzend süßsäuerlich schmeckende Krist. von unangenehmem Nachgeschmack[1], die sich bei Lichteinwirkung verfärben, Schmp. 157–159 °C, Sdp. 211 °C (2,7 kPa), subl. bei 76 °C, wasserdampfflüchtig. Beim raschen Erhitzen kommt es zur Decarboxylierung. S. ist schwer lösl. in kaltem, leichter lösl. in heißem Wasser, leicht lösl. in Ethanol, Ether, Aceton; pH-Wert der gesätt. wäss. Lsg.: 2,4. Mit Eisen(III)-Salzen gibt S. eine starke, kolorimetr. ausnutzbare Rotfärbung, ebenso bei der sog. Vitali-Morin-Reaktion (s. Vitali-Reaktion).

Physiologie: S. wirkt antifung. u. antibakteriell, verhindert die alkohol. Gärung des Zuckers, das Sauerwerden der Milch, die Essigsäure-Bildung in alkohol. Getränken u. wurde deshalb früher zur Lebensmittelkonservierung genutzt. S. beeinflußt bei Pflanzen das Wachstum von Blüten, Knospen u. Wurzeln (Phytohormon-Wirkung) u. hält, dem Wasser zugegeben, Schnittblumen länger frisch. Als *Keratolytikum löst S. die unversehrte Haut (Hornhaut) langsam u. schmerzlos auf. S. u. viele ihrer Derivate hemmen die *Prostaglandin-Synth., worauf ihre Wirkung als Analgetika, Antiphlogistika, Antipyretika u. Antirheumatika beruht.

Vork.: In freiem Zustand kommt S. in allen Teilen der *Spierstaude, in Sennesblättern u. Kamillenblüten vor, ferner in vielen ether. Ölen als *Salicylsäureester, Ester u. Glykoside der S. in Baumrinden, z. B. Gaultheriaöl (s. Salicylsäureester). In Pflanzen wirkt S. oft als Abwehrsubstanz u. Pflanzenhormon[1]. Zum Vork. von S. u. ihren Derivaten in Pflanzen s. *Lit.*[2], in Lebensmitteln s. *Lit.*[3].

Toxikologie: LD_{50} (Maus p.o.) 184 mg/kg.

Verw.: Als Zwischenprodukt für pharmazeut. Produkte, z. B. für *Acetylsalicylsäure, in Streupulver, Salben, Antiseptika, zur Konservierung von Tinte, Leim, Gerbstoffen, bei der Herst. von Pflegemitteln, Kosmetika, Riechstoffen, Sonnenschutzmitteln, Gießereihilfsmitteln, Vulkanisationsverzögerern u. Textilhilfsmitteln, als Zwischenprodukt für Farbstoffe, in der Kosmetik als desodorierender, antisept. Schweißpuderzusatz.

Geschichte: Schon *Hippokrates von Kos empfahl Pappeln- u. Weidenrinden gegen rheumat. Schmerzen. S. wurde 1838 von Piria aus Salicin (s. Salicylalkohol) erstmals hergestellt, 1840 wiesen Löwig u. Weidmann die Säure in der Spierstaude nach, u. 1874 erfolgte die in ihren Grundzügen auch heute noch übliche Synth. aus Phenol u. Kohlendioxid durch *Kolbe. Der Name ist von latein.: salix = Weide hergeleitet, doch enthält die Weidenrinde nicht S., sondern Salicylalkohol-Derivate. – ***E*** salicylic acid – ***F*** acide salicylique – ***I*** acido salicilico – ***S*** ácido salicílico

Lit.: [1] Plant Physiol. **99**, 799 (1992); **104**, 1109 (1994). [2] TNO-Liste (6.) Suppl. 5, S. 291; Gildemeister **3d**, 561, 572. [3] Ernähr. Umsch. **34**, 287–296 (1987); **37**, 108–112 (1990).

allg.: Anal. Profiles Drug Subst. Excipients **23**, 421–470 (1994) ▪ Arzneimittelchemie I, 189 ff., 390 ff. ▪ Beilstein E IV **10**, 125 ▪ Dtsch. Apoth. Ztg. **136**, 469 f. (1996) ▪ Florey **23**, 421 (1994) ▪ Hager (5.) **5**, 184 f.; **9**, 555 f. ▪ Karrer, Nr. 885 ▪ Pharm. Unserer Zeit **22**, 275–285 (1993) ▪ Pol. J. Chem. **67**, 1251 (1993) (Synth. von S.-Glykosiden) ▪ Sax (8.), Nr. SA1 000 ▪ Spektrum Wiss. **1991**, Nr. 3, 118–126 ▪ Ullmann (5.) **A2**, 272; **A3**, 36; **A23**, 477, 480, 482 ▪ Vane et al., Aspirin and Other Salicylates, London: Chapman & Hall 1992 ▪ Winnacker-Küchler (4.) **6**, 187 ▪ s. a. Acetylsalicylsäure. – *[HS 2918 21; CAS 69-72-7]*

Salicylsäureester. Ester der *Salicylsäure. Bes. Bedeutung haben: a) *Salicylsäuremethylester* (Methylsalicylat, R = CH_3, „künstliches Wintergrünöl“ „Gaultheriaöl“), $C_8H_8O_3$, M_R 152,14; gelbliche, ölige, charakterist. riechende Flüssigkeit, $D_4^{18,5}$ 1,851, Schmp.

–8,6 °C, Sdp. 223,3 °C, wenig lösl. in Wasser, leicht lösl. in Alkohol, Eisessig u. Ether sowie in fetten u. ether. Ölen. Der Ester kommt im *Wintergrünöl vor (96-99%). Er entsteht dort aus seinem Primverosid *Gaultherin* (Monotropitosid, $C_{19}H_{26}O_{12}$, M_R 446,39, Krist., Schmp. 180 °C). Er ist auch im Birkenrindenöl, Tuberosenöl, Rautenöl u. Nelkenöl enthalten; er wird techn. durch Kochen von Salicylsäure u. Methanol mit Schwefelsäure hergestellt.

Verw.: In Parfümerie u. Kosmetik, gegen Frostbeulen, Stechfliegen u. chron. Gelenkrheumatismus, zur Aromatisierung von Zahnpasten, in der Mikroskopie als Aufhellungsmittel, als Textilschutzmittel u. als Stabilisator für Butadien.

b) *Salicylsäureisopentylester* [Isoamylsalicylat, R = $(CH_2)_2$–$CH(CH_3)_2$], $C_{12}H_{16}O_3$, M_R 208,25; orchideenartig riechende Flüssigkeit, D. 1,048, Sdp. 274–278 °C, unlösl. in Wasser, mischbar mit Ethanol, Ether, Chloroform.

c) *Salicylsäureisobutylester* [Isobutylsalicylat, R = CH_2–$CH(CH_3)_2$], $C_{11}H_{14}O_3$, M_R 194,22; kleeartig riechende Flüssigkeit, D. 1,065, Schmp. +6 °C, Sdp. 262 °C, unlösl. in Wasser u. Glycerin, lösl. in Ethanol u. Mineralölen.

d) *Salicylsäurephenylester* (Phenylsalicylat, R = C_6H_5), $C_{13}H_{10}O_3$, M_R 214,21; krist. Pulver, mit schwach aromat. Geruch, D. 1,26, Schmp. 41–43 °C, Sdp. 173 °C (16 hPa), lösl. in Ethanol, Ether, Benzol, Chloroform, sehr wenig lösl. in Wasser. Der Phenylester wirkt antisept. u. antirheumat. sowie als Lichtschutzfaktor für die Haut u. als Stabilisator in Kunststoffen.

e) *Salicylsäurebenzylester* (Benzylsalicylat, R = CH_2–C_6H_5), $C_{14}H_{12}O_3$, M_R 228,25; viskose, angenehm riechende Flüssigkeit, D. 1,175, Schmp. 24 °C, Sdp. 211 °C (27 hPa), wenig lösl. in Wasser, leicht lösl. in Alkohol u. Ether; aus dem ether. Öl der Garten-*Nelke isolierbar, wird als Stabilisator für Parfüms u. in Sonnenschutzmitteln eingesetzt. – ***E*** salicylic acid esters, salicylates – ***F*** esters de l'acide salicylique, salicylates – ***I*** esteri dell'acido salicilico, salicilati – ***S*** ésteres del ácido salicílico, salicilatos

Lit.: s. Salicylsäure. – *[HS 2918 23; CAS 119-36-8 (a); 87-20-7 (b); 23408-05-1 (c); 118-55-8 (d); 118-58-1 (e)]*

Salidiuretika s. Saluretika.

Saligenin s. Salicylalkohol.

Salinität („Salzigkeit"). Bez. für den Salz-Gehalt natürlicher Wässer, z. B. des *Meerwassers, angegeben als Summe des Gehalts gelöster Anionen u. Kationen, s. Evaporite, Salz. – ***E*** salinity – ***F*** salinité – ***I*** salinità – ***S*** salinidad

Salinomycin.

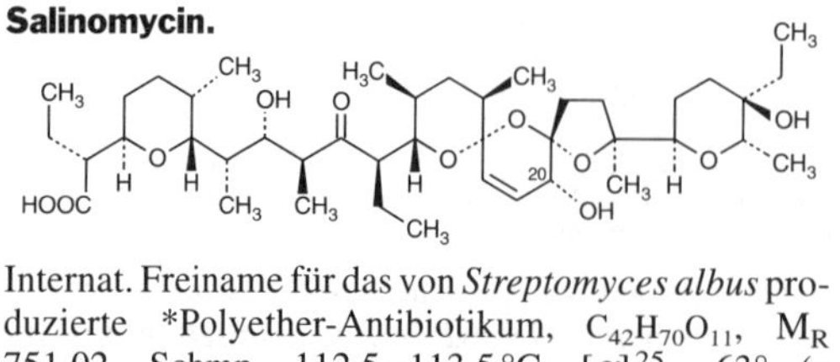

Internat. Freiname für das von *Streptomyces albus* produzierte *Polyether-Antibiotikum, $C_{42}H_{70}O_{11}$, M_R 751,02, Schmp. 112,5–113,5 °C, $[\alpha]_D^{25}$ –63° (c 1/C_2H_5OH); λ_{max} (C_2H_5OH/H_2O 2:1) 284 nm ($A_{1cm}^{1\%}$ 1,67), pK_a 6,4, LD_{50} (Maus i.p.) 18, (Maus oral) 50 mg/kg. Verwendet wird meist das Natriumsalz, Schmp. 140–142 °C, $[\alpha]_D^{25}$ –37° (c 1/C_2H_5OH). S. wurde 1972 von Kaken Chem. patentiert u. findet Verw. als *Kokzidiostatikum u. *Protozoen-Mittel. Die Totalsynth. wurde beschrieben [1]. – ***E*** salinomycin – ***F*** salinomycine – ***I*** = ***S*** salinomicina

Lit.: [1] J. Chem. Soc. Perkin Trans. 1 **1998**, 9–40; Spec. Publ. R. Soc. Chem. **198**, 42–60 (1997).

allg.: Antimicrob. Agents Chemother. **36**, 492 (1992) (Wirkung) ▪ Beilstein E V **19/12**, 552 ▪ Hager (5.) **9**, 559 ff. ▪ Martindale (31.), S. 629. – *[HS 2941 90; CAS 53003-10-4 (S.); 55721-31-8 (Natriumsalz)]*

Salmeterol (Rp).

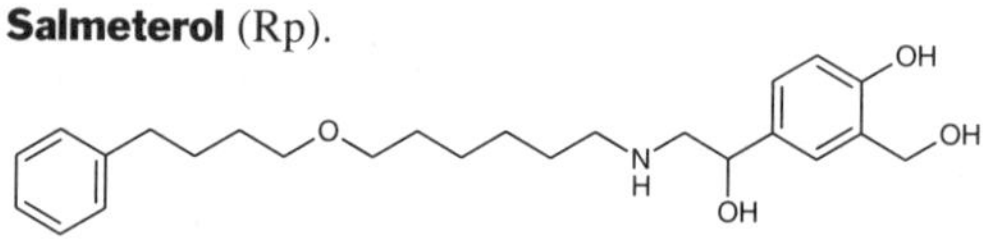

Internat. Freiname für das *Spasmolytikum (±)-4-Hydroxy-α^1-{[6-(4-phenylbutoxy)hexylamino]methyl}-1,3-benzoldimethanol, $C_{25}H_{37}NO_4$, M_R 415,57, Schmp. 75,5–76,5 °C, Schmp. des Xinafoats (= 1-Hydroxy-2-naphthoat, $C_{36}H_{45}NO_7$, M_R 603,00) 137–138 °C; log P 2,0 (pH 7,4). S. ist ein β_2-Antagonist. Es wurde 1984/91 von Glaxo patentiert u. ist von Cascan/Cascapharm u. Glaxo-Wellcome (aeromax®, Serevent®) als *Antiasthmatikum im Handel. – ***E*** = ***S*** salmeterol – ***F*** salmétérol – ***I*** salmeterolo

Lit.: Ann. Pharmacother. **27**, 1478–1487 (1993) ▪ Hager (5.) **9**, 561 ff. ▪ Martindale (31.), S. 1592 ▪ Merck-Index (12.), Nr. 8489 ▪ Tetrahedron Lett. **35**, 9375 ff. (1994). – *[HS 2922 50; CAS 89365-50-4 (S.); 94749-08-3 (S.-Xinafoat)]*

Salmiak. Von latein.: sal ammoniacum abgeleitete histor. Bez. für *Ammoniumchlorid. *Salmiakgeist* s. Ammoniak, *Salmiakstein* s. Ammoniumchlorid. – ***E*** salmiac, sal ammoniac – ***F*** salmiac, chlorure d'ammonium – ***I*** salmiaco, sale ammonico – ***S*** cloruro amónico

Salmin. Ein *Protamin, das in den Spermien des Lachses in Verb. mit Nucleinsäuren als stark bas. Verb. (M_R 6000–7000, lösl. in Dinatriumphosphat-Puffer) enthalten ist. – ***E*** = ***F*** salmine – ***I*** = ***S*** salmina

Lit.: s. Protamine. – *[CAS 9014-82-8]*

Salmonellen. Gattung Gram-neg. beweglicher Stäbchenbakterien aus der Familie der Enterobacteriaceae (s. a. Bakterien). Zu den S. gehören u. a. die Erreger von *Typhus (*Salmonella typhi*) u. Paratyphus (*S. paratyphi A, B, C*) sowie von Darmentzündungen (Enteritiden) u. von Tierkrankheiten. Heute sind ca. 2000 verschiedene Typen bekannt, die sich in ihrer *Antigen-Struktur unterscheiden (*Serotypen*). Die Serotypen sind in einer Antigen-Tab., dem *Kauffmann-White-Schema*, aufgelistet. Enteritis-erregende S. bilden ein *Enterotoxin, ähnlich dem der *Cholera-Bakterien. Im Wasser sind S. wochenlang lebensfähig, auch Kühlschranktemp. u. Einfrieren können sie in Nahrungsmitteln überstehen. So kann die Infektion durch verdorbene Nahrungsmittel zu bakteriellen Lebensmittelvergiftungen führen. S.-bedingte Krankheiten (Salmonellosen) sind meldepflichtig im Sinne des Bundesseuchengesetzes. – ***E*** salmonella – ***F*** salmonelles – ***I*** salmonelle – ***S*** salmonelas

Lit.: Brandis et al, Lehrbuch der Medizinischen Mikrobiologie, S. 390–404, Stuttgart: Fischer 1994.

Salmosyst®. Zweistufen-Anreicherungssyst. für die Salmonellen-Diagnostik. ***B.:*** Merck.

Salofalk® (Rp). Klistiere, Tabl. u. Suppositorien mit *Mesalazin gegen Dickdarm-Geschwüre, Morbus Crohn. ***B.:*** Falk.

Salomonssiegel (Weißwurz). Gattung krautiger Liliaceen-Gewächse mit schwarzen Beeren, die in schattigen Laubwäldern häufig sind; in Nordeuropa durch *Polygonatum multiflorum* (L.) ALL. u. *P. odoratum* (Mill.) Druce (syn. *P. officinale*) vertreten. S. enthält – entgegen früheren Angaben u. im Gegensatz zum verwandten Maiglöckchen – keine *Herzglykoside, aber *Saponine. Ernsthafte Vergiftungen durch S. sind nicht belegt, ebensowenig die volksmedizin. Anw. zur Blutzuckersenkung u. Wundbehandlung. – ***E*** Solomon's seal – ***F*** sceau de Salomon – ***I*** sigillo di Salomone – ***S*** sello de salomón

Lit.: Frohne u. Pfänder, Giftpflanzen, S. 251 f., Stuttgart: Wiss. Verlagsges. 1997.

Salpeter. Histor. Trivialnamen für techn. wichtige Salze der *Salpetersäure, d.h. für anorgan. Nitrate; *Beisp.:* Ammonsalpeter (*Ammoniumnitrat), *Chilesalpeter od. Natronsalpeter (s. Natriumnitrat), *Kalisalpeter, Kalksalpeter, Norgesalpeter od. Mauersalpeter (s. Calciumnitrat). Mit S. bezeichnete man im Altertum den ostind. u. ägypt. Kalisalpeter, der sich nach den Regenzeiten auf kalireichen Böden in Form kleiner Krist. absetzte; der Name (von latein.: sal petrae = Felsensalz) weist auf dieses Vork. hin. – ***E*** saltpeter (USA), saltpetre (GB) – ***F*** salpêtre – ***I*** salnitro – ***S*** nitrato, nitro, salitre

Lit.: Krätz, Historische chemische u. physikalische Versuche, S. 241–250, Köln: Deubner 1979 ▪ Prinzler, Pyrobolia. Von griechischem Feuer, Schießpulver u. Salpeter, Leipzig: Grundstoffind. 1981.

Salpetersäure. HNO_3, M_R 63,02. In wasserfreier Form farblose, an feuchter Luft rauchende Flüssigkeit, D. 1,504 (25 °C), Schmp. –41,6 °C, Sdp. 83,4 °C, Monohydrat Schmp. –37 °C, Trihydrat Schmp. –18 °C. Am Licht od. beim Sieden erfolgt teilweise Zers. unter Bildung von Stickstoffdioxid ($4\,HNO_3 \rightarrow 4\,NO_2 + 2\,H_2O + O_2$), das sich in HNO_3 zur in Abhängigkeit von der Konz. gelb bis rot gefärbten *rauchenden S.* löst, die an der Luft rotbraune Dämpfe entwickelt u. mind. 90% HNO_3 enthält, D. etwa 1,48–1,50. S. ist mit Wasser in jedem Verhältnis mischbar u. bildet ein 69,2% HNO_3 enthaltendes azeotropes Gemisch, *konz. S.* genannt, D. 1,41, Sdp. 121,8 °C. Die Zusammenhänge zwischen Konz., D. u. Sdp. von S. verschiedenen Gehalts gibt die Tab. wieder.

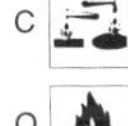

Tab.: Zusammenhang zwischen Konz., D. u. Sdp. bei Salpetersäure (20 °C, 101 kPa).

D.	Gew.-% HNO_3	Sdp. [°C]
0,998	0,0	100,0
1,054	10,0	102,2
1,115	20,0	104,4
1,180	30,0	107,3
1,246	40,0	110,8
1,310	50,0	114,7
1,367	60,0	118,2
1,413	70,0	119,3
1,452	80,0	112,1
1,483	90,0	96,0
1,513	100,0	83,4

S. ist die beständigste u. wichtigste Sauerstoff-Säure des Stickstoffs, der hier die Oxid.-Stufe +5 hat. HNO_3 bildet Salze (*Nitrate) u. Ester (*Salpetersäureester). In den Salzen liegt ein dreistrahlig-symmetr. planares Ion der allg. Formulierung a vor (nur eine der drei mesomeren Grenzformeln ist gezeigt; die N,O-Abstände sind gleich lang mit 121,8 pm, alle O,N,O-Winkel betragen 120°). Die Säure liegt in der planaren Struktur b vor, die unterschiedlich lange N,O-Abstände u. unterschiedliche O,N,O-Winkel aufweist.

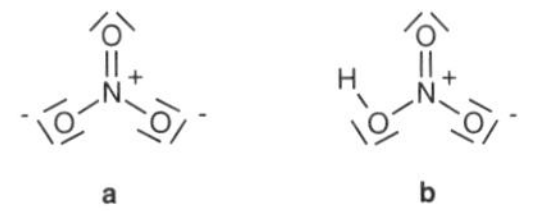

a b

Es sind auch Salze der allg. Formel $M^I_3NO_4$ bekannt, die aus Alkalinitrat u. Alkalioxid zugänglich sind

$$NaNO_3 + Na_2O \xrightarrow{340\,°C} Na_3NO_4$$

u. NO_4^{3-}-Tetraeder mit N,O-Abständen von 139 pm enthalten. Diese sind in wäss. Lsg. ebenso wie die entsprechende „Orthosalpetersäure" (H_3NO_4) nicht beständig u. zerfallen hydrolyt. in die normalen Nitrate.

S. ist eine der stärksten Mineralsäuren, die in verd. wäss. Lsg. nahezu vollständig dissoziiert ist. S. ist ein starkes Oxidans, so daß alle Stoffe, deren Oxid.-Potential negativer als +0,96 V ist, unter Entwicklung von NO_2 gelöst werden, z.B. Kupfer, Silber, Quecksilber, aber nicht Gold u. Platin. S. entwickelt also mit Metallen (außer mit Mg, Zn in stark verd. Zustand) nicht Wasserstoff wie z.B. Salzsäure u. Schwefelsäure, sondern braunes Stickstoffdioxid-Gas. Zur Trennung von Silber u. Gold kann man daher eine 50%ige HNO_3 („*Scheidewasser*") verwenden. Noch stärker oxidierend wirkt ein Gemisch von konz. S. u. konz. Salzsäure, das auch Gold auflöst u. **Königswasser* genannt wird. Eine Reihe von unedlen Metallen wie Aluminium, Chrom u. Eisen werden von konz. S. jedoch nicht angegriffen, was mit *Passivierung* (s. Passivität) erklärt wird. S. oxidiert Phosphor u. Schwefel zu Phosphor bzw. Schwefelsäure u. reagiert heftig mit leicht oxidierbaren organ. Verb. wie Ethanol, Terpentin, Holzkohle, Holzwolle, organ. Abfällen (Brandgefahr) usw., ggf. auch mit Ionenaustauschern [1]. Zahlreiche organ., insbes. aromat. Verb. tauschen bei der Reaktion mit S. bzw. mit **Nitriersäure* (Gemisch aus HNO_3 u. Schwefelsäure, *Mischsäure*) Nitro-Gruppen gegen Wasserstoff aus u. bilden *Nitro-Verbindungen (vgl. Nitrierung) od. *Salpetersäureester (Nitrate). Die aromat. Nitro-Verb. sind vielfach gelb gefärbt (z.B. *Pikrinsäure).

Physiologie: S. verursacht auf der Haut u. auf Wolle dauerhafte Gelbfärbungen (**Xanthoprotein-Reaktion*). Die Säure wirkt stark ätzend auf Haut, Augen u. Schleimhäute u. verursacht schlecht heilende Wunden; MAK-Wert 5 mg/m³. Einatmen der Dämpfe u. der üblicherweise darin gelösten sehr tox. *nitrosen Gase führt zu Bronchialkatarrh, Lungenentzündung u. Verätzung der Lungenbläschen; Methämoglobin-Bildung ist möglich. Die eingenommene Säure verätzt die Verdauungsorgane, stört schon in starker Verdünnung die Verdauungstätigkeit u. schädigt die Zähne; zur Therapie s. *Lit.*[2].

Nachw.: S. erkennt man u. a. daran, daß sie Kupfer unter Entwicklung brauner Dämpfe zu blauem Kupfernitrat auflöst u. einen Wollfaden gelb färbt. Salpetersäure u. Nitrate in wäss. Lsg. geben eine tiefblaue Färbung, wenn man sie mit einer Lsg. von Diphenylamin in konz. Schwefelsäure zusammenbringt (Vorsicht). Diese sehr empfindliche Reaktion wird allerdings nicht nur beim Nitrat-Ion, sondern auch bei vielen anderen Oxid.-Mitteln beobachtet. Charakterist., aber weniger empfindlich ist die sog. *Ringreaktion.* Man vermischt die auf HNO_3 bzw. Nitrate zu prüfende Lsg. mit einer kalt hergestellten Eisen(II)-sulfat-Lsg. u. unterschichtet diese Mischung vorsichtig mit konz. Schwefelsäure, wobei sich im pos. Falle die Berührungsfläche beider Flüssigkeiten braun färbt [Bildung von $Fe(NO)SO_4$]. Zur quant. Bestimmung kann *Nitron verwendet werden, vgl. a. Nitrate u. *Lit.*[3]. S.-Dämpfe lassen sich mit Prüfröhrchen, z. B. durch eine Reaktion mit Bromphenolblau (Farbumschlag nach gelb) halbquant. bestimmen, u. für nitrose Gase kommen ähnliche Farb-Reaktionen in Frage.

Herst.: Die techn. Herst. von HNO_3 erfolgte bis zum 1. Weltkrieg aus *Chilesalpeter u. Schwefelsäure, wenn auch in Ländern mit billiger elektr. Energie zeitweilig Verf. zur Stickstoffoxid-Gewinnung aus N_2 u. O_2 im Lichtbogen (*Birkeland-Eyde-* u. ä. Verf.) konkurrierten. Für die S.-Gewinnung wird jedoch seit der großtechn. Synth. von Ammoniak (*Haber-Bosch-Verfahren) vorwiegend dessen Oxid. mit Luftsauerstoff bei 800–900 °C an Platin- od. Platin/Rhodium-Katalysatoren bei Atmosphären-, Mittel- od. Hochdruck genutzt, wobei sich Stickstoffmonoxid bildet (*Ostwald-Verf.*). Das NO wird mit Luftsauerstoff zu Stickstoffdioxid oxidiert u. dieses bei erhöhtem Druck in Wasser absorbiert, was 50–68%ige S. ergibt, die destillativ mit Schwefelsäure od. $Mg(NO_3)_2$-Lsg. auf 98–100% HNO_3 konzentriert werden kann. Ca. 32% der NH_3-Weltproduktion dienen der S.-Gewinnung. Es sind aber auch Verf. in Gebrauch, die aus verd. S. mit Hilfe von Distickstofftetroxid u. Sauerstoff unter Druck direkt *hoch*konz. S. (*Hoko-Säure*) mit 98–99% HNO_3 liefern. Verbrauchte S. wird heute meist wiederaufbereitet, s. das Beisp. bei *Lit.*[4].

Verw.: S. gehört zu den wichtigsten anorgan. Schwerchemikalien. Man verwendet HNO_3 konz., hochkonz., verd. od. als *Nitriersäure in großem Umfang zur Herst. von Düngemitteln, bes. nach dem (modifizierten) *Odda-Verfahren; zur Einführung der NO_2-Gruppe (*Nitrierung) bei der Herst. von Explosivstoffen (Glycerintrinitrat, Cellulosenitrat, Trinitrotoluol), Collodium, Lacken, Kunstleder, Farbstoffen u. deren Zwischenprodukten wie Aminen, Toluoldiisocyanat, Pharmazeutika, Nitraten aller Art u. Hydroxylamin (durch elektrolyt. Red.); als Oxid.-Mittel z. B. bei der Herst. von Cyclohexanon, Oxalsäure (aus Kohlenhydraten) u. Phosphorsäure (aus Phosphor), in der chem. Analyse, als Ätzmittel für Zink-Platten u. zum Ansäuern von Silber-Bädern im graph. Gewerbe, zum Ätzen nichtrostender Stähle, in der Metallurgie (*Scheidewasser*), als *nichtwäßriges Lösemittel usw. Im 2. Weltkrieg diente HNO_3 auf dtsch. Seite als *Raketentreibstoff. In den USA wurden 1992 7,3 Mio. t, in Europa ca. 18–19 Mio. t HNO_3 produziert, wovon mehr als 80% die Hersteller selbst verbrauchten.

Geschichte: S. hat man schon um 1300 in Italien durch Erhitzen eines Gemisches aus Salpeter, Alaun u. Kupfervitriol hergestellt; die beiden letztgenannten Stoffe lieferten beim Erhitzen etwas Schwefelsäure, die den Salpeter zersetzte. Im späteren Mittelalter wurde (nach *Glauber) HNO_3 aus Schwefelsäure u. Salpeter gewonnen. *Lavoisier u. *Priestley stellten 1784–1786 die Formel der Salpetersäure auf. – ***E*** nitric acid – ***F*** acide nitrique – ***I*** acido nitrico – ***S*** ácido nítrico

Lit.: [1] Chem. Eng. (N. Y.) **1980**, 271–274. [2] Braun-Dönhardt, S. 335 f.; Merkblatt Salpetersäure, Stickstoffoxide (ZH 1/214), Heidelberg: BG Chemie 1985. [3] Fries-Getrost, S. 267–272; Townshend, Encyclopedia of Analytical Science, S. 3331 f., London: Academic Press 1995. [4] Chem. Ind. (Düsseldorf) **36**, 32–35 (1984).

allg.: Brauer (3.) **1**, 477 ff. ▪ Büchner et al., S. 55–68 ▪ Catal. Today **4**, 205–218 (1989) ▪ Chem. Rev. **80**, 21–39 (1980) ▪ Chem. Ztg. **104**, 349 ff., 353–358 (1980) ▪ Gmelin, Syst.-Nr. 4, N, 1936, S. 942–1037 ▪ Hommel, Nr. 175, 176 ▪ Keleti, Nitric Acid and Fertilizer Nitrates, New York: Dekker 1985 ▪ Kirk-Othmer (4.) **17**, 80–107 ▪ Pure Appl. Chem. **58**, 1147–1152 (1985) ▪ Ullmann (5.) **A 17**, 293–371 ▪ Werkst. Korros. **37**, 57–69 (1986) ▪ Winnacker-Küchler (4.) **2**, 148–172, 356–361. – *[HS 2808 00; CAS 7697-37-2; G 8]*

Salpetersäureester. Oft als *Nitrate der jeweiligen Alkohol-Komponente, bei *Zuckeralkoholen u. a. *Polyolen oft auch als *O*-Nitro-Verb. benannte Ester der *Salpetersäure (allg. Formel $R–O–NO_2$ mit R = Alkyl-Rest), die durch *Nitrierung von Alkoholen herstellbar sind; *Beisp.: Salpetersäuremethylester* (Methylnitrat) $H_3C–ONO_2$, CH_3NO_3, M_R 77,04. Bewegliche, flüchtige Flüssigkeit, D. 1,2075 (20 °C), Sdp. 64,6 °C, Verpuffungstemp. 150 °C, hat zusammen mit 25% Methanol als *Raketentreibstoff (Myrol) Verw. gefunden. *Salpetersäurepentylester* (Amylnitrat) wird Dieselkraftstoffen zur Erhöhung der *Cetanzahl zugesetzt (*Zündbeschleuniger*). Die niederen Alkylnitrate sind auch bei Luftabschluß brennfähig u. explosiv. Die S. mehrwertiger Alkohole werden häufig mit *Nitro... bezeichnet, z. B. Nitroglycerin (statt *Glycerintrinitrat), Nitroglykol, Nitromannit, Nitrocellulose. Einige als *Lackrohstoffe, *Explosivstoffe u./od. als Cardiaka zur Behandlung von Angina pectoris u. Herzinfarkt (s. Herz) eingesetzte S. sind in Einzelstichwörtern unter dem Namen der Alkohol-Komponente behandelt; *Beisp.:* *Mannit(ol)hexanitrat, *Cellulosenitrat, *Isosorbiddinitrat, *Ethylen- u. *Diethylenglykoldinitrat usw. – ***E*** nitric acid esters, organic nitrates – ***F*** esters de l'acide nitrique – ***I*** estere dell' acido nitrico – ***S*** esteres del ácido nítrico

E F

Lit.: Dtsch. Ärztebl. **82**, 3421–3432 (1985) ▪ Arzneimittelchemie II, 39 f. ▪ Becker et al., Nitrate in der Herztherapie, Darmstadt: Steinkopff 1985 ▪ Diehm u. Mörl, Indikation zur Behandlung mit Nitraten, Erlangen: Perimed 1985 ▪ Grobecker, Nitrat-Workshop Rottach-Egern, Mannheim: Boehringer-Mannheim 1986 ▪ Hauptverband der gewerblichen Berufsgenossenschaften, Herstellung von Nitroglycerin- u. Nitratsprengstoffen (VBG-Vorschrift 55 f.), Zubereitungen aus Salpetersäureestern für Arzneimittel (VBG-Vorschrift 59), Köln: Heymanns 1996 ▪ Hommel, Nr. 245, 313, 712 ▪ Kirk-Othmer

(4.) **5**, 239 ff.; **10**, 1–125 ▪ Kaltenbach, Nitrattherapie: Standortbestimmung 1989, Darmstadt: Steinkopff 1989 ▪ Maseri u. Rittinghausen, New Nitrate Delivery Systems and Formulations, Darmstadt: Steinkopff 1985 ▪ Needleman, Organic Nitrates (Hdb. Exp. Pharm. 40), Berlin: Springer 1975 ▪ Nitroglycerin od. Nitroglykol (Berufsgenoss. Grundsätze G 5), Stuttgart: Gentner 1981 ▪ Prog. Drug Metab. **10**, 207–336 (1987) ▪ Rietbrock et al., Nitrattherapie heute, Braunschweig: Vieweg 1986 ▪ Rudolph u. Schrey, Nitrate II. Wirkung auf Herz u. Kreislauf, München: Urban & Schwarzenberg 1980 ▪ Synthesis **1977**, 484 f.; **1978**, 452 f. ▪ Winnacker-Küchler (4.) **7**, 172 f., 359–367. – *[HS 2920 90, 3912 20; CAS 598-58-3 (Methylnitrat)]*

Salpetrige Säure. HNO_2, M_R 47,02. Freie S. S. ist in reinem Zustand nicht bekannt, sondern nur in verd., kalter, wäss. Lsg. erhältlich. HNO_2 zerfällt beim Erwärmen (bei Anwesenheit von Sand, Glassplittern u. dgl. auch schon in der Kälte) in Salpetersäure, Wasser u. Stickstoffmonoxid: $3\,HNO_2 \rightarrow HNO_3 + 2\,NO + H_2O$. S. S. ist eine mittelstarke, einbasige Säure, die stark oxidierend u. auch reduzierend wirken kann u. in 2 tautomeren Formen vorkommt, von denen sich die *Nitrite u. 2 Gruppen isomerer organ. Derivate, die *Nitro-Verbindungen (R–NO_2) u. die *Salpetrigsäureester (R–O–NO) ableiten; gleiche Bindungsverhältnisse liegen auch bei Komplexen der Struktur *Nitro... (s. Abb. a) bzw. *Nitrito... (s. Abb. b) vor. Die Form HO–N=O kann außerdem als *cis*- od. *trans*-Form (s. Abb. b) existieren.

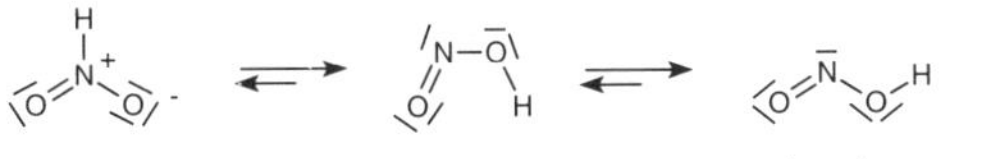

a   *cis*-**b**   *trans*-**b**

Organ. Amine werden durch HNO_2 diazotiert, daher spielt S. S. (bzw. Natriumnitrit) bei Farbstoff-Synth. eine wichtige Rolle.

Nachw.: Iodkaliumstärke-Papier wird durch die mit Schwefelsäure angesäuerte Nitrit-Lsg. sofort gebläut (*Iodstärke-Reaktion); beim Kochen mit überschüssiger Ammoniumchlorid-Lsg. werden Nitrite in schwach saurer Lsg. unter Stickstoff-Entwicklung zersetzt: $NO_2^- + NH_4^+ \rightarrow N_2 + 2\,H_2O$; HNO_2 kann mit Permanganat in schwefelsaurer Lsg. titriert werden, s. a. Nitrite. – ***E*** nitrous acid – ***F*** acide nitreux – ***I*** acido nitroso – ***S*** ácido nitroso

Lit.: Gmelin, Syst.-Nr. 4, N, 1936, S. 883–942 ▪ Holleman-Wiberg (101.), S. 714–719 ▪ Ullmann (5.) **A 17**, 331 f. ▪ s. a. Nitrite u. Salpetrigsäureester. – *[HS 2811 19; CAS 7782-77-6; G 8]*

Salpetrigsäureester. Bez. für Ester der *Salpetrigen Säure (allg. Formel R–O–N=O, nicht zu verwechseln mit *Nitro-Verbindungen). Als Synonym ist die Bez. *Nitrit der jeweiligen Alkohol-Komponente gebräuchlich; *Beisp.:* *3-Methylbutylnitrit.

Verw.: Zu *Nitrosierungen, ggf. auch auf photochem. Wege (*Barton-Reaktion), als Cardiaka gegen Angina pectoris. 3-Methylbutylnitrit wird als Schnüffelstoff mißbraucht [1]. – ***E*** nitrous acid esters, organic nitrites – ***F*** esters de l'acide nitreux – ***I*** estere dell' acido nitroso – ***S*** esteres del ácido nitroso

Lit.: [1] Dtsch. Ärztebl. **78**, 2025–2030 (1981).
allg.: Helv. Chim. Acta **67**, 906–915 953–958 (1984) ▪ Hommel, Nr. 271, 695 ▪ Houben-Weyl **4/1 a**, 828–872; **6/2**, 334–362. – *[HS 2920 90]*

Salsalat.

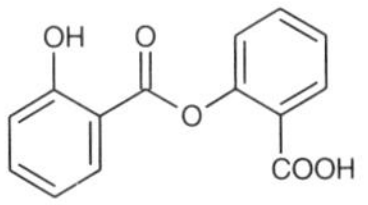

Internat. Freiname für *O*-Salicyloylsalicylsäure („Disalicylsäure"), $C_{14}H_{10}O_5$, M_R 258,22, Krist., Schmp. 148–149 °C; λ_{max} (CH_3OH) 235, 308 nm ($A^{1\%}_{1cm}$ 587, 190), pK_{a1} 3,5, pK_{a2} 9,8, in Wasser nicht, in Ethanol u. Ether löslich. S., ein *Analgetikum u. *Antipyretikum, wurde 1909 von Boehringer Mannheim patentiert. – ***E*** = ***F*** salsalate – ***I*** = ***S*** salsalato

Lit.: ASP ▪ Hager (5.) **9**, 564 ▪ Martindale (31.), S. 94. – *[HS 2918 23; CAS 552-94-3]*

Salsola (Salzkraut) s. Kalium (Physiologie).

Salsolidin s. Anhalonium-Alkaloide.

Saltatorische Erregungsleitung s. Neuron.

Saluretika (Salidiuretika, Natriuretika). Bez. für Substanzen, die eine vermehrte Salz- u. dadurch vermehrte Harnausscheidung bewirken u. so als *Diuretika eingesetzt werden. Hierzu gehören *Hydrothiazide, *Thiazide, *Furosemid, *Etacrynsäure u. a. – ***E*** saluretics – ***F*** salurétiques – ***I*** saluretici – ***S*** saluréticos

Lit.: Loew et al., Diuretika, Stuttgart: Thieme 1990 ▪ s. a. Diuretika.

Salvage receptors s. Signalpeptide.

Salvarsan®. Marke von Hoechst für eine um 1908 von Bertheim synthetisierte Arsen-organ. Verb.; Formel s. Arsphenamin. Das cycl. Trimer des Grundkörpers, Arsenobenzol (s. Arseno...) ist auf dem 200-DM-Schein neben dem Porträt von Paul *Ehrlich abgebildet, der 1909 die Heilwirkung des S. („Präparat 606") bei Infektion mit Erregern der *Syphilis erkannte, u. mit dieser Indikation befand sich S. seit 1910 mehrere Jahrzehnte auf dem Arzneimittelmarkt, ehe es durch Mittel wie *Neoarsphenamin u. a. *Arsen-Präparate u. durch *Antibiotika abgelöst wurde.

Lit.: Beilstein E II **16**, 563 ▪ Hoechst Heute **65**, 24–28 (1976); **85**, 20–27 (1983) ▪ Naturwiss. Rundsch. **34**, 361–379 (1981).

Salvinorin A s. Salbei.

Salz (von einem indogerman. Wort stammend, sprachlich verwandt sind außerdem *Halo..., *Sole, Sülze, Sauce). Der Begriff S. wird umgangssprachlich für *Tafel-* od. *Speise-S.* (*Kochsalz), fachsprachlich für *Natriumchlorid (Stein-S., Siede-S.) verwendet; allg. für die Gesamtheit der in S.-Gesteinen (s. Evaporite) u. Wasser, z. B. in *Meerwasser, enthaltenen *Salze. In diesem Sinn spricht man von *S.-haltigen* Böden [1], von *S.-toleranten* Pflanzen [2], von *S.-haltiger Luft* [3], von Salzseen (s. dort), vom S.-Gehalt (Salinität, s. dort), von S.-Stöcken, *Meerwasserentsalzung usw.; zur Bedeutung des Begriffs „Sal" (philosoph. S. der Alchimisten) s. chemische Elemente (Geschichte). – ***E*** salt – ***F*** sel – ***I*** sale – ***S*** sal

Lit.: [1] Bresler et al., Saline and Sodic Soils, Berlin: Springer 1982; Sci. News **126**, 298 (1984). [2] Staples u. Toenniessen, Salinity Tolerance in Plants, New York: Wiley 1984; Pasternak u. San Pietro, Biosalinity in Action, Dordrecht: Nijhoff 1985; Karsten, Ökophysiologische Untersuchungen zur Salinitäts- u. Temperaturtoleranz arktischer Grünalgen unter besonderer Berücksichtigung des *β*-Dimethylsulfoniumpropionat-Stoff-

wechsels, Diss. Univ. Bremen 1990. [3]Endeavour **30**, 82–86 (1971).
allg.: s. Natriumchlorid, Kalisalze, Evaporite. – *[HS 2501 00]*

Salzbäder s. Heizbäder, Salzschmelzen.

Salzbrücke. Um die an den Grenzflächen zwischen Elektrolyt-Lsg. auftretenden *Diffusionspotentiale bei der Messung der *EMK möglichst weitgehend außer acht lassen zu können, benutzt man sog. S., auch *Stromschlüssel* genannt. Diese werden zwischen die zwei Elektrolyt-Lsg. geschaltet u. bestehen meist aus gesätt. Lsg. von Salzen (z. B. KCl, NH_4NO_3), die sich dadurch auszeichnen, daß die Ionen, in die die Salze dissoziieren, etwa gleichgroße Ionenbeweglichkeiten aufweisen. Dadurch treten an den beiden Enden einer S. betragsmäßig etwa gleichgroße Diffusionspotentiale auf, die sich gegenseitig kompensieren (s. Hendersonsche-Gleichung). Die Abgrenzung der einzelnen Elektrolyt-Lsg. voneinander erfolgt mit Hilfe von z. B. Diaphragmen od. Membranen. – ***E*** salt bridge – ***F*** pout de sol – ***I*** ponte salino – ***S*** puente salino

Salze. Bez. für heteropolare Verb., an deren Kristallgitter mind. *eine* von Wasserstoff-Ionen (*Protonen) verschiedene Kationen-Art u. mind. *eine* von Hydroxid-Ionen verschiedene Anionen-Art beteiligt sind. S. sind aber – auch wenn sie Wasserstoff- od. Hydroxid-Ionen enthalten – keine *Säuren od. *Basen im klass. Sinn (vgl. hierzu auch Säure-Base-Begriff). Anorgan. S. (*Metall-S.*) entstehen aus den Elementen od. bei der Reaktion von Metallen, Metalloxiden, -hydroxiden od. -carbonaten mit Säuren od. Säureanhydriden sowie bei der Reaktion von Metallsalzen untereinander od. durch Redoxreaktion von Metallsalzen mit Elementen; *Beisp.:*

$$2\,Al + 3\,Cl_2 \rightarrow 2\,AlCl_3$$
$$Fe + 2\,HCl \rightarrow FeCl_2 + H_2$$
$$MgO + H_2SO_4 \rightarrow MgSO_4 + H_2O$$
$$Al(OH)_3 + 3\,HBr \rightarrow AlBr_3 + 3\,H_2O$$
$$CaCO_3 + 2\,HNO_3 \rightarrow Ca(NO_3)_2 + H_2O + CO_2$$
$$2\,NaOH + CO_2 \rightarrow Na_2CO_3 + H_2O$$
$$HgCl_2 + Cu \rightarrow Hg + CuCl_2$$
$$2\,NaI + Br_2 \rightarrow 2\,NaBr + I_2.$$

Als *reziproke S.-Paare* bezeichnet man solche S.-Paare, die durch doppelte Umsetzung unter Bildung von zwei anderen S. reagieren, bei denen die Ionen gegenüber den Ausgangs-S. vertauscht sind; *Beisp.:*

$$NaNO_3 + KCl \rightleftharpoons NaCl + KNO_3.$$

Hier bildet sich bevorzugt NaCl (höhere *Gitterenergie). An die Stelle der Metall-Ionen können auch Ammonium-Ionen (NH_4^+) od. die analogen organ. Ammonium-Verb. mit quartären Stickstoff-Atomen, Carbokationen, Sulfonium-, Phosphonium-, Diazonium- u. a. *Onium-Verbindungen sowie Metall-organ. Komplex-Kationen wie Ferricinium (s. Ferrocen) treten. Als Anionen können in S. auch organ. *Säurereste, z. B. von Carbonsäuren, Fettsäuren u. Sulfonsäuren, od. Phenolat-Reste fungieren; *Beisp.:* *Seifen, *Metallseifen. Sehr elektrophile Kationen bilden nur mit bes. schwach koordinierenden Anionen stabile S., z. B. $[Hg(CO)_2][Sb_2F_{11}]_2$ (s. *Lit.*[1]).
Organ. Verb., die im gleichen Mol. pos. u. neg. geladene funktionelle Gruppen besitzen, können sog. *innere S.* bilden; *Beisp.:* *Betaine, *Sydnone u. a. *Zwitterionen. Eine Gruppe von S., die bes. in der Pharmakologie u. der Farbstoffchemie eine Rolle spielen, sind Addukte aus Säuren an Amine, Alkaloide u. a. bas. Verb.; *Beisp.:* *Hydrohalogenide.
S. sind, in Abhängigkeit von der Eigenfarbe der in ihnen vorhandenen Ionen-Art (s. Ionen), farblos od. farbig; über Eigenschaften u. Verw. geschmolzener S. s. Salzschmelzen. Bei der Auflösung von S. in Wasser dissoziieren sie als *Elektrolyte in Kationen u. Anionen (vgl. elektrolytische Dissoziation); *Beisp.:* Natriumnitrat ($NaNO_3$) zerfällt in Wasser in pos. geladene Na-Ionen u. in neg. geladene Nitrat-Ionen (*Säurerest-Ionen).
Man unterscheidet bei den S. zwischen neutralen (normalen), sauren u. bas. Salzen. Bei den *neutralen* S. sind alle ionisierbaren Wasserstoff-Atome der Säure (von der sich das S. herleitet) durch andere *Kationen bzw. alle OH-Gruppen der Base (von der sich das S. herleitet) durch andere *Anionen ersetzt. Ein großer Teil der normalen S. reagiert in wäss. Lsg. neutral; S. können aber auch alkal. (z. B. Trinatriumphosphat, Soda, Pottasche, Kaliumcyanid) od. sauer reagieren [z. B. Eisen(III)-chlorid, Eisen(II)-sulfat, Kupfersulfat usw.], s. hierzu die sog. *S.-Hydrolyse* unter Hydrolyse, vgl. a. Säure-Base-Begriff. Bei den *sauren S.* sind nicht alle in wäss. Lsg. ionisierbaren H-Atome der Säure durch Metall-Ionen ersetzt; *Beisp.:* Natriumhydrogencarbonat ($NaHCO_3$) od. Natriumdihydrogenphosphat (NaH_2PO_4). Saure S. reagieren mit Lackmus häufig (aber durchaus nicht immer) sauer; $NaHCO_3$ u. Na_2HPO_4 reagieren nahezu neutral (vgl. die Tab. bei pH). Bei den *bas. S.* sind nicht alle in wäss. Lsg. als OH-Ionen abspaltbaren Hydroxid-Gruppen der S.-bildenden Basen durch Säurereste ersetzt; *Beisp.:* Bas. Zinknitrat $[Zn(OH)NO_3]$, bas. Aluminiumacetat $[Al(OH)(O{-}CO{-}CH_3)_2]$ u. a. *Hydroxid-S.* (früher: Hydroxy-S.). Zu den bas. S. zählen auch die Oxid-S. (früher: Oxy-S.), die sowohl Säure-Anionen als auch oxid. Sauerstoff enthalten; *Beisp.:* BiOCl od. $SbO(NO_3)$. Daneben gibt es bas. S. mit nichtstöchiometr. Zusammensetzung; *Beisp.:* Patina. Viele S. binden Kristallwasser (s. Hydrate) in stöchiometr. Mengenverhältnissen.
Die bisher behandelten *einfachen S.* entstehen, wenn eine Säure durch nur eine Base (od. umgekehrt) neutralisiert wird; *gemischte S.* dagegen bilden sich, wenn eine mehrwertige Base durch mind. zwei verschiedene Säuren neutralisiert wird; *Beisp.:* Chlorkalk [Ca(OCl)Cl]. Ein *Beisp.* für den umgekehrten Fall (Neutralisation einer mehrwertigen Säure durch mind. zwei verschiedene Basen) ist Magnesiumammoniumphosphat ($MgNH_4PO_4$). Mit den gemischten S. verwandt sind die **Doppelsalze* vom Typ des Alauns $[KAl(SO_4)_2]$ od. Carnallits ($MgCl_2 \cdot KCl$). Eine sehr große Gruppe von S. bilden die *Komplex-S.*, s. Koordinationslehre. Für die Benennung der S. [Suffixe *...at, *...id (früher *...ür) u. *...it] gelten die Regeln der anorgan. *Nomenklatur, s. a. Ewens-Bassett- u. Stock-System. S. gehören zu den wichtigsten Rohstoffen für die chem. Ind.; *Beisp.:* Natriumchlorid, Kali-S., Phosphate, Chilesalpeter, Borax etc. (s. a. Evaporite). – ***E*** salts – ***F*** sels – ***I*** sali – ***S*** sales

Lit.: [1] Angew. Chem. **109**, 2506–2530 (1997).
allg.: Adv. Inorg. Chem. Radiochem. **29**, 143–168 (1985) ▪ Encycl. Polym. Sci. Eng. **4**, 405–408 ▪ Franzosini, Thermodynamic and Transport Properties of Organic Salts (IUPAC Chem. Data Series 28), Oxford: Pergamon 1980 ▪ Holldorf (Hrsg.), Beiträge zur physikalischen Chemie u. zur Verarbeitungstechnologie anorganischer Salze, Leipzig: Dtsch. Verl. für die Grundstoffind. 1989 ▪ Kanwischer u. Tamme, Thermoanalytische Untersuchungen ausgewählter Salzhydratsysteme (DFVLR-Forschungsber. 84-03), Köln: DFVLR 1984 ▪ Radke u. Ronneburger, Salze u. salzhaltige Lösungen (UBA Mat. 2/78), Berlin: E. Schmidt 1978.

Salzeffekte. 1. Bez. für die auch *Salzfehler* genannte Erscheinung, daß die Ionen eines starken *Elektrolyten den *Dissoziationsgrad* eines in der Lsg. vorhandenen schwachen Elektrolyten erhöhen, vorausgesetzt, daß die Ionen des ersteren verschieden von denjenigen sind, die der schwache Elektrolyt bildet. Die Löslichkeit von Nichtelektrolyten wird dagegen durch zugesetzte Salze herabgesetzt (oft auch *linearer S.* genannt wegen des linearen Zusammenhangs mit der *Ionenstärke). Bes. in der organ. Chemie macht man von dieser aussalzenden Wirkung (vgl. Aussalzen) der Elektrolyte auf nicht dissoziierende Substanzen häufig Gebrauch. Dieser Effekt hängt mit dem Bestreben der Ionen zusammen, die Mol. des Lsm. durch *Solvatation zu binden. Von Bedeutung ist der Salzfehler z. B. in der *Maßanalyse u. bei *pH-Bestimmungen mit Hilfe von Säure-Base-Indikatoren, wo er bei höheren Salzkonz. zu einer Beeinträchtigung der Indikatorfarben führt, bei Konz. <0,2 n aber gewöhnlich vernachlässigt werden kann.
2. Von S. spricht man auch bei Reaktionen zwischen Ionen in Lsg., da deren Geschw. stark von der *Ionenstärke des Mediums abhängig sind. Je nachdem, ob eine Reaktion durch die Anwesenheit von Fremdelektrolyten beschleunigt od. verzögert wird, spricht man von *pos.* od. *neg.* S. (*kinet. Elektrolyteffekt*). Als *prim.* S. bezeichnet man den Einfluß der Konz. des Fremdelektrolyten auf die Aktivitätskoeff. der reagierenden Partner, als *sek. S.* den auf die Geschw. der Reaktion, an der die Ionen eines schwachen Elektrolyten teilnehmen; *Beisp.:* Steigerung der Inversionsgeschw. der Saccharose in verd. Essigsäure durch Zusatz von Kaliumchlorid. – ***E*** salt effects – ***F*** effets de sel – ***I*** effetti di sale – ***S*** efectos salinos

Lit. (zu 1): Koryta, Dvorak u. Kavan, Principles of Electrochemistry, 2. Aufl., Chichester: Wiley 1993 ▪ Rieger, Electrochemistry, 2. Aufl., New York: Chapman & Hall. – *(zu 2.):* Connors, Chemical Kinetics, New York: VCH Verlagsges. 1990 ▪ Logan, Grundlagen d. chemischen Kinetik, Weinheim: Wiley-VCH 1997.

Salzen s. Konservierung (4.), Kochsalz, Speisesalz, Pökeln.

Salzersatzmittel s. Kochsalz-Ersatzmittel.

Salzfehler s. Salzeffekte.

Salzgesteine s. Evaporite.

Salzig s. Geschmack.

Salzisomerie s. Koordinationslehre.

Salzkraut s. Kalium.

Salzpaar s. Salze u. Wettersprengstoffe.

Salzperlen. Als einfach ausführbare *Vorprobe der *qualitativen Analyse ist die Herst. einer Phosphorsalz- u./od. Boraxperle ähnlich wie die *Lötrohranalyse eine seit Jh. praktizierte Methode. Wenn man *Phosphorsalz* (Natrium-ammoniumhydrogenphosphat, Sal microcosmicum des Mittelalters), $Na(NH_4)HPO_4 \cdot 4\,H_2O$, M_R 209,09, in der Bunsenbrennerflamme an einem Magnesiastäbchen od. einem Platin-Draht schmilzt, so entweicht Ammoniak, u. es entsteht eine farblose „Perle" von geschmolzenem Natriummetaphosphat. Eine ähnliche Perle erhält man auch beim Schmelzen von *Borax* ($Na_2B_4O_7 \cdot 10\,H_2O$); hierbei entweicht das Kristallwasser. Die glasklaren S. werden angefeuchtet, in die zu untersuchende, pulverisierte Probe getaucht u. das Gemenge in der *oxidierenden* od. *reduzierenden Flamme* des Bunsenbrenners

Tab.: Nachw. von Metallen mit der Salzperle.

Oxid.-Flamme		Red. Flamme		Färbung
heiß	kalt	heiß	kalt	
Phosphorsalz				
			Ag, Pb, Bi, Cd, Sb, Zn, Ni, Sn	grau bis farblos
Fe, Ni, Ce, U, V, Ti, Cu	Fe, Ag, Ni, Mo, U, V	Fe, Ti		gelb
Ni, Fe, Cu, Sn, Mo	Ni, Fe, Cu, Sn, V	(Nb mit Fe), Mo, Nb, Pd	Cu (W, Ti, Nb mit Fe), Pd	braun bis rot
Cr, Mo, Cu	Cr, U	Cr, U, Fe, V	Cr, U, Mo, V	grün
Co	Co, Cu	Co, Nb	Co, W, Nb	blau
Mn	Mn	Ni	Ti, Ni	violett
		Pd	Pd	schwarz
Borax				
Ti	Sb, Mo, Ti, W	Ni, Cu, Mn	Ni, Sb, Mn	grau bis farblos
Sb, Cr, Fe, Mo, W, U, V	U	Sb, Ti, W	Ti	gelb
	Ni	Mo, V	Cu, Mo, W	braun bis rot
Cu	Cr, Fe, V	Cr, Fe, U	Cr, Fe, U, V	grün
Co	Co, Cu	Co	Co	blau
Mo, Ni	Mn			violett

erneut geschmolzen. Die Metallsalze – meist werden *Oxide untersucht – lösen sich in den S. etwa nach den Gleichungen

$$NaPO_3 + CuO \rightarrow NaCuPO_4 \text{ bzw.}$$
$$Na_2B_4O_7 + CuO \rightarrow Cu(BO_2)_2 + 2\,NaBO_2.$$

Es entstehen gemischte Salze mit charakterist. Färbungen (s. die Tab. auf S. 3917), was zum Nachw. der Metalle dienen kann. Die S.-Farben sind meist in der kalten S. anders als in der heißen u. ebenso nach der Behandlung in der oxidierenden anders als in der reduzierenden Flamme des Brenners. Es sei darauf hingewiesen, daß in der *Lit.* auch andere Darst. der S.-Farben zu finden sind [1]. – ***E*** salt beads – ***F*** perles aux sels – ***I*** perle saline – ***S*** perlas de sales

Lit.: [1] Ramdohr-Strunz, S. 198 ff.
allg.: Mikrochim. Acta **1961**, 390 f. ▪ Z. Anorg. Allg. Chem. **323**, 149–159 (1963) ▪ s. a. Mikroanalyse u. qualitative Analyse.

Salzpflanzen s. Halophyten.

Salzsäure (Chlorwasserstoffsäure). Unter dem Begriff S. versteht man die wäss. Lsg. von *Chlorwasserstoff. 1 L Wasser löst bei 0 °C 825 g (= 525 L) HCl-Gas; eine bei 20 °C HCl-gesätt. Lsg. ist 40,4%ig, u. ihre D. beträgt 1,200. Die Zusammenhänge zwischen D. (mit dem *Aräometer meßbar) u. Konz. der S. bei 20 °C sind der Tab. zu entnehmen.

Xi C

Tab.: Beziehungen zwischen der D., dem Massenanteil w u. der Massenkonz. β von Salzsäure bei 20 °C.

D. [kg/L]	w(HCl) [%]	β(HCl) [g/L]
1,050	10,5	110
1,075	15,5	166
1,100	20,4	224
1,110	22,3	248
1,120	24,3	272
1,130	26,2	296
1,140	28,2	321
1,150	30,1	347
1,160	32,1	373
1,170	34,2	400
1,180	36,2	428
1,190	38,3	456
1,195	39,1	
1,200	40,4	485

Wie ein Vgl. zeigt, besteht bei S. zwischen D. u. dem prozentualen Gehalt an HCl in etwa der zufällige Zusammenhang: $w = 200\% \cdot (D. - 1)$. Reine S. ist vollkommen flüchtig, d. h. sie verdampft beim Erhitzen ohne Rückstand. Erhitzt man S., die mehr als 20% reines HCl enthält, so verdampft zunächst mehr HCl als Wasser, bis schließlich eine Lsg. aus ca. 20% Chlorwasserstoff u. 80% Wasser zurückbleibt, die konstant bei 110 °C siedet (genaue Zusammensetzung des *Azeotrops bei 1013 hPa: 20,17% HCl). Wird umgekehrt eine verd. S. erhitzt, so verdampft zunächst relativ mehr Wasser, bis sich wieder die ca. 20%ige Säure gebildet hat. S. im Konz.-Bereich zwischen 10 u. 25% muß mit dem Gefahrensymbol „Reizend" gekennzeichnet werden. Heute übliche Handelsformen von S. sind *konz. S.* mit etwa 30% HCl u. S. mit 36–38% HCl, die früher auch als *Rauchende S.* bezeichnet wurde; *verd. S.* ist gewöhnlich etwa 7%ig (D. 1,035, 2n HCl). Chem. reine S. (konz. od. verd.) ist eine farblose, wasserklare Flüssigkeit, die an offener Luft um so mehr raucht (Bildung feinster S.-Tröpfchen aus HCl-Gas u. Luftfeuchtigkeit, s. a. Chlorwasserstoff) u. um so stechender riecht, je konzentrierter sie ist. Die als sog. *techn. reine S.* im Handel erhältliche Säure enthält als Verunreinigung hauptsächlich Eisen(III)-chlorid [in Form des Hexachloroferrat(III)-Ions] u. ist daher oft leicht gelb gefärbt. Salzsäure ist eine sehr starke Mineralsäure. Sie leitet den Strom sehr gut u. ist in verd. Zustand fast vollständig dissoziiert, vgl. dagegen Chlorwasserstoff. S. löst unedle Metalle unter Bildung von *Chloriden u. Wasserstoff, in Ggw. von Sauerstoff auch Ta, Ge, Cu u. Hg; *Beisp.:* $Mg + 2\,HCl \rightarrow MgCl_2 + H_2$. Bei der Einwirkung auf Metalloxide entstehen Chloride u. Wasser; *Beisp.:* $CuO + 2\,HCl \rightarrow CuCl_2 + H_2O$. Carbonate geben mit S. unter Aufbrausen Chloride, Wasser u. Kohlendioxid; *Beisp.:* $CaCO_3 + 2\,HCl \rightarrow CaCl_2 + H_2O + CO_2$. Eisen wird durch S. u. S.-Dämpfe leicht zum Rosten gebracht. In der Salzsäure-Fabrikation u. -Verarbeitung herrschen daher Kunststoffe als Werkstoffe od. als Auskleidungsmaterial vor; brauchbar sind auch Gußeisen mit hohem Si-Gehalt, Nickel-Molybdän-Stähle, Tantal u. mit Hartgummi ausgekleidetes Eisen u. Graphit.

Physiologie: Stark verd. (0,1- bis 0,5%ige) S. findet sich im *Magensaft (pH 0,9–2,3) des Menschen u. der Höheren Tiere; diese unterstützt die Eiweiß-verdauenden Enzyme (Pepsin) u. hemmt schädliches Bakterienwachstum. Bei Störungen der Magensäure-Produktion (neben S. kann hier auch Milchsäure beteiligt sein) entsteht oft ein brennendes Gefühl in Rachen u. Speiseröhre (*Sodbrennen), dem man durch Wassertrinken od. Einnehmen von säurebindenden od. -neutralisierenden Stoffen wie Magnesiumoxid u. a. *Antacida, Adsorbentien od. Ionenaustauschern begegnen kann. Einatmung von S.-Dämpfen führt zu Lungenentzündungen, schließlich werden die feinen Lungenbläschen angeätzt, so daß Blut in die sonst luftgefüllten Lungenhohlräume eintritt. S.-Dämpfe schädigen auch die Zähne. Wird höher konz. S. versehentlich getrunken, so entstehen sehr schmerzhafte Verätzungen in Rachen, Speiseröhre u. Magen, später beobachtet man Heiserkeit, Atemnot, Herzschwäche u. Ohnmachtsanfälle. Die Vergiftung kann tödlich enden; MAK-Wert 7 mg HCl/m^3. Gegenmittel: Eingeben von Milch, Eiweißwasser, Magnesiumoxid (neutralisiert), Auspumpen des Magens. Auf der Haut ruft S. Hautrötung, Blasen u. brennende Schmerzen hervor. S., die auf die Haut gekommen ist, muß mit viel Wasser abgespült, anschließend mit verd. Natriumhydrogencarbonat-Lsg., Soda-Lsg. u. dgl. behandelt werden; Näheres s. *Lit.*[1]. Gewebe (z. B. Baumwollstoffe), die mit S. in Berührung kommen, werden nach einiger Zeit, oft erst nach Wochen, brüchig; Flecke sollten möglichst rasch mit verd. wäss. Ammoniak-Lsg. ausgewaschen werden. Kleinlebewesen sind gegen S. u. a. Säuren meist sehr empfindlich. Die TA Luft (1986) beschränkt die zulässige Konz. von HCl in der Atmosphäre im jährlichen Durchschnitt auf 0,1 mg/m^3 u. kurzzeitig auf 0,2 mg/m^3.

Nachw.: S. gibt auch in starker Verdünnung mit Silbernitrat-Lsg. einen weißen Niederschlag von Silberchlorid ($AgNO_3 + HCl \rightarrow AgCl + HNO_3$), der sich in Ammoniakwasser, aber auch in konz. HCl klar auflöst. Beim Erwärmen von (konz.) S. mit Braunstein entsteht Chlorgas. Die genaue Bestimmung des Gehalts einer S. erfolgt durch Titration mit Natronlauge (s. Acidimetrie u. Maßanalyse) od. durch Dichtebestimmung mit dem Aräometer. Eine photometr. Bestimmung von S. u. *Chloriden ist mit dem Quecksilbersalz der Chloranilsäure möglich[2]. *Prüfröhrchen enthalten Bromphenolblau, das mit S. zu einem gelben Produkt reagiert. Die S. im Magensaft läßt sich mit *Günzburgs Reagenz bestimmen.
Herst.: Die weitaus größte Menge HCl fällt als Nebenprodukt bei der Chlorierung organ. Verb. in Form von Chlorwasserstoff an u. wird vielfach in Oxychlorierungs- od. Hydrochlorierungs-Prozessen vom Produzenten selbst weiter verarbeitet od. – wenn der techn. Anfall von HCl den Bedarf überschreitet – der Rückgewinnung von Chlor zugeführt (s. dort). Chem. reine S. wird durch Absorption von Chlorwasserstoff (aus Chlor u. Wasserstoff) in Wasser hergestellt. Dagegen haben die Herst. von S. nach dem *Hargreaves-Verfahren od. durch Umsetzung von NaCl mit Schwefelsäure (mit Natriumsulfat als Nebenprodukt) geringe Bedeutung. Zunehmend werden S. u. Chlorwasserstoff aus *Chlorkohlenwasserstoff-Rückständen zurückgewonnen; durch Verbrennung auf See wurden Anfang der 80er Jahre in der BRD noch ca. 90000 t jährlich entsorgt[3]. Die Produktion von Chlorwasserstoff u. S. (gerechnet als 100% HCl) betrug im Jahre 1987 in der BRD 987000 t, in den USA 2,5 Mio. t (1993: 5,5 Mio. t).
Verw.: Als starke anorgan. Säure spielt S. in der chem. Ind. u. in anderen Ind.-Zweigen eine vielfältige Rolle. Aus der Vielzahl der Anw. sind als Beisp. zu nennen: Aufschluß von Rohphosphat u.a. Erzen, Säurebehandlung von Erdöl- u. Erdgasquellen, Metallbearbeitung durch Beizen, Ätzen u. Löten (Auflösung störender Oxid-Schichten), Galvanik, Kesselsteinbeseitigung u. Regeneration von Ionenaustauschern, Herst. von Chlordioxid u. Bildung lösl. Salze mit Alkaloiden, Anilin u. dgl. sowie Neutralisation von alkal. Abfallstoffen u. anderes. Weiterhin findet S. Verw. bei der Holzverzuckerung u. Glucose-Gewinnung, zur Auflösung von Knochensubstanz bei der Knochenleimgewinnung, bei Farbstoff-Synth., als Zusatz zu Fällbädern in der Chemiefaser-Ind., zum Entkälken u. Pickeln in der Gerberei, zum Aufschließen tier. u. pflanzlicher Eiweiße u. zur Herst. von Kräuterextrakten, die nach Neutralisation mit Natronlauge als Würze für Suppen u. dgl. verwendet werden. In der chem. Analytik dient S. zur Auflösung von Proben, zur Ausfällung von Metallen der Salzsäure-Gruppe, zur Alkalimetrie usw.
Geschichte: Schon die ersten Alchimisten dürften S. gekannt haben. In der 1. Hälfte des 15. Jh. beschrieb *Valentinus die Herst. von S. aus Steinsalz u. Eisenvitriol, später *Glauber aus NaCl u. H_2SO_4. Von *Lavoisier stammt der Name „acide muriatique" (von latein.: muria = Salzlake), der sich im Namen „muriat. Quellen" für NaCl-haltige Quellen (s. Mineralwasser) u. in der amerikan. Bez. „muriatic acid" erhalten hat. Gasf. Chlorwasserstoff wurde erstmals 1772 von *Priestley hergestellt. – ***E*** hydrochloric acid – ***F*** acide chlorhydrique – ***I*** acido cloridrico, acido idroclorico, acido muriatico – ***S*** ácido clorhídrico

Lit.: [1] Braun-Dönhardt, S. 335 f. [2] Fries-Getrost, S. 110–113. [3] Chem. Ind. (Düsseldorf) **37**, 421–423, 481–485 (1985).
allg.: Büchner et al., S. 164–168 ▪ Gmelin, Syst.-Nr. 6, Cl, 1927, S. 84–183; Erg. Bd. A, 1968, S. 49–54; Erg. Bd. B 1, 1968, S. 40–42, 215–268 ▪ Hommel, Nr. 177 ▪ Kirk-Othmer (4.) **13**, 894–925 ▪ Snell-Ettre **14**, 354–376, 389–402 ▪ Ullmann (5.) **A 13**, 283–296 ▪ Winnacker-Küchler (4.) **2**, 466–471 ▪ s. a. Chlorwasserstoff. – *[HS 2806 10; CAS 7647-01-0; G 8]*

Salzschmelzen. Als S. od. *Elektrolytschmelzen* bezeichnet man Schmelzen, in denen anorgan. *Salze (Elektrolyte) in ihre Ionen dissoziiert sind. Man unterscheidet S., die aus einer, u. solche, die aus mehreren Komponenten bestehen. In der Technik finden S. Verw. als *Wärmeübertragungsmittel, z.B. in *Heizbädern (*Salzbäder*) u. in *Wärmeaustauschern, neuerdings auch als *Wärmespeicher* (z.B. mit $KF \cdot 4H_2O$, Schmp. 18,5 °C), zum Abdecken u. Reinigen geschmolzener Metalle (*Entzunderung, Verhinderung des Luftzutritts u. Auflösung oxid. Verunreinigungen) od. in der Wärmebehandlung von metall. Werkstücken (insbes. beim *Anlassen u. der *Härtung von Stahl u. beim Nitridieren; Zusammensetzung: Erdalkalinitrate, -nitrite, -carbonate, -chloride), zur galvanotechn. Beschichtung von hochschmelzenden Werkstoffen, in Batterien.
Während früher S. als Reaktionsmedien prakt. nur in der analyt. Chemie beim *Aufschluß schwerlösl. Substanzen Verw. fanden, werden heute in der präparativen Chemie u. auch in der Technik Prozesse oft in S. durchgeführt, z.B. bei der elektrometallurg. Gewinnung von techn. wichtigen Elementen (*Beisp.:* Schmelzflußelektrolyse zur Herst. von Al); zur Verwendbarkeit von S. als Reaktionsmedien für präparative Zwecke s. *Lit.*[1]. S. sind oft das einzige (*nichtwäßrige) *Lösemittel, in dem eine bestimmte Synth. erfolgen od. eine bestimmte Spezies {z.B. das Decamethylferricinium-Dikation $[(C_5Me_5)_2Fe]^{2+}$, s. *Lit.*[2]} mittels elektrochem. Meth. untersucht werden kann. Das Lösungsverhalten von S. gegenüber Gasen ist nicht leicht zu verstehen[3]. Von manchen Autoren wird das Vol. der Fehlstellen in der S. als sog. „Soft Volume" diskutiert, womit die Zunahme der Löslichkeit von Gasen mit steigender Temp. erklärt werden kann. Die hohe therm. Beständigkeit, der geringe Dampfdruck, die gute elektr. Leitfähigkeit, die niedrige Viskosität u. der außerordentlich breite Flüssigkeitsbereich erlauben das Arbeiten bei sehr hohen Temperaturen. Die hohe Wärmeleitfähigkeit der S. ermöglicht die bequeme Abführung der auftretenden Reaktionswärme. Mehr über Gleichgew.- u. Transporteigenschaften niedrigschmelzender Salze findet man in *Lit.*[4].
Es werden drei Reaktionstypen in S. unterschieden, die allerdings in der Praxis nicht immer scharf zu trennen sind: 1. Reaktionen, bei denen S. lediglich als Lsm. für die umzusetzenden Verb. dienen od. bei denen die Nebenprodukte chem. od. elektrochem. wieder in die Ausgangsverb. übergeführt werden können. Diese Art

der Reaktionsführung kann zu kontinuierlichen Kreisprozessen herangezogen werden; *Beisp.:* Durchführung von Hydrierungsreaktionen mit salzartigen Hydriden in einer LiCl/KCl-Schmelze: $4LiH + SiCl_4 \rightarrow SiH_4 + 4LiCl$. Das gebildete LiCl wird in der gleichen S. durch Elektrolyse wieder in Lithium u. Chlor gespalten u. das Lithium an der mit Wasserstoff umspülten Kathode wieder zu Lithiumhydrid umgesetzt. Ähnlich verläuft die Synth. von Metall-Methyl-Verb. aus Metallchloriden u. Methylchlorid mit Metallen als Halogen-Akzeptoren, die durch elektrolyt. Regenerierung zurückgewonnen werden. – 2. Reaktionen, bei denen die S. als Katalysator wirkt; *Beisp.:* Hydrocrack-Katalysator, Katalysator für die Oxid. von SO_2 zu SO_3 bei der *Schwefelsäure-Herst. u. für die Chlorierung von Ethan[5]. – 3. Reaktionen, an denen die S. selbst beteiligt ist u. zumindest eine ihrer Komponenten verbraucht wird, ohne daß eine einfache Möglichkeit zur Regenerierung gegeben ist.

Beim Arbeiten mit S. darf die Korrosionsneigung gegenüber metall. Werkstoffen nicht außer acht gelassen werden. – ***E*** molten salts, fused salts – ***F*** sels fondus – ***I*** sali fusi – ***S*** sales fundidas

Lit.: [1] Angew. Chem. **77**, 241–258 (1965); J. Am. Chem. Soc. **112**, 4595 (1990). [2] Coord. Chem. Rev. **114**, 6 (1992). [3] Pure Appl. Chem. **58**, 1547–1552 (1986). [4] Angew. Chem. **92**, 612–625 (1980); Pure Appl. Chem. **55**, 505–514 (1983); Groß, Transporteigenschaften des Systems 1-Ethyl-3-methylimidazoliumchlorid/$AlCl_3$ in Lösungsmitteln verschiedener Klassen im Bereich hoher Verdünnung bis zur reinen Salzschmelze, Diss., Univ. Regensburg 1993. [5] Erdoel, Kohle, Erdgas, Petrochem. **38**, 302–310 (1985).
allg.: Emons u. Voigt, Zur Chemie geschmolzener Salze, Berlin: Akademie-Verl. 1982 ▪ Emons et al., Salzhydratschmelzen, Berlin: Akademie-Verl. 1986 ▪ Horlbeck u. Emons, Spektroskopische Methoden zur Charakterisierung geschmolzener Salze, Berlin: Akademie-Verl. 1985 ▪ Kirk-Othmer (4.) **3**, 1025; **16**, 269 f.; **21**, 92 ▪ Lovering, Molten Salt Technology, New York: Plenum 1982 ▪ Lovering u. Gale, Molten Salt Techniques, New York: Plenum (seit 1983) ▪ Mamantov u. Marassi (Hrsg.), Molten Salt Chemistry (NATO ASI Series C, No. 202), Dordrecht: Reidel 1987 ▪ Tomkins, Gases in Molten Salts (Solub. Data Series), Oxford: Pergamon 1987 ▪ Winnacker-Küchler (4.) **4**, 681 f.

Salzseen. Stehende Binnengewässer mit hohem Salzgehalt, die auf Dauer Wasser enthalten (permanente Gewässer) od. zeitweilig trockenfallen (temporäre Gewässer). Voraussetzung zur Bildung von S. ist ein arides Klima (s. Aridität), das die Aufkonzentrierung der im (Süß-)Wasser vorhandenen Salze bewirkt. Man unterscheidet *kontinentale* (= terrestr.) u. *ozean. S.* (= kontinental-marginale = marine).

Die *kontinentalen S.* sind meist abflußlose Endbereiche von (period.) Fließgewässern. Diese S. ändern je nach Niederschlägen u. Sedimentation ihren Umriß u. ihr Profil u. liegen z. B. als Salzpfannen oft langfristig trocken. *Ozean. S.* sind weitgehend abgetrennte Meeresbereiche (z. B. Lagunen), in denen verdunstendes Meerwasser durch nachströmendes ergänzt wird. Mit steigender Aufkonz. kommt es zur Ausfällung der im Meerwasser gelösten Salze in der Reihenfolge der Löslichkeit (s. halmyrogen). Dabei können mächtige, als *Evaporite bezeichnete Salzlager, wie die Zechstein-Salzlager in Nord- u. Mitteldeutschland, entstehen[1,2]. Die chem. Zusammensetzung der kontinentalen S. ist wesentlich heterogener als die der ozean. u. hängt von den Gesteinen des Wassereinzugsgebietes ab. So finden sich auch S., in denen z. B. Magnesiumsulfat (Bitterseen), Natrium- u. Calciumsulfat (Sulfatseen), alkal. Carbonate (Natron-, Sodaseen), Borax, seltener Nitrate u. Ammonium-Salze anteilsmäßig bedeutsam sind.

Ökologie: Mit zunehmendem Salzgehalt wird die Tier- u. Pflanzenwelt ärmer (s. a. Halophyten). In vielen S. sind salztolerierende od. salzliebende *Algen verbreitet u. bilden die Grundlagen eigenartiger *Nahrungsketten. Zur Versalzung von Fließgewässern u. zum sog. Halobien-Index s. *Lit.*[3]. – ***E*** salt lakes – ***F*** lacs salés – ***I*** laghi salati – ***S*** lagos salados

Lit.: [1] PdN Chem. **35**, 14–21 (1986). [2] Braitsch, Entstehung u. Stoffbestand der Salzlagerstätten, Berlin: Springer 1962. [3] Uhlmann, Hydrobiologie (3.), S. 97 f., Stuttgart: Fischer 1988.
allg.: Füchtbauer (Hrsg.), Sedimente u. Sedimentgesteine (4.), S. 435–493, Stuttgart: Schweizerbart 1988 ▪ Read u. Watson, Introduction to Geology (2.), Bd. 1, Principles, S. 188–193, London: Macmillan 1982 ▪ Zeil, Brinkmanns Abriß der Geologie (14.), Bd. 1, S. 52 f., Stuttgart: Enke 1990.

Salzsole s. Sole.

Salzstock s. Evaporite.

Salzwasser s. Meerwasser u. Meerwasserentsalzung.

SAM. Abk. für *S-Adenosylmethionin.

Samandaridin, Samandarin, Samandaron, Samandenon, Samandinin, Samanin s. Salamander-Alkaloide.

Samarium (chem. Symbol Sm). Metall. Element aus der Gruppe der *Seltenerdmetalle (Lanthanoide); Ordnungszahl 62, Atomgew. 150,36. Natürliche Isotope (Häufigkeit in Klammern): 144 (3,1%), 147 (15,0%), 148 (11,3%), 149 (13,8%), 150 (7,4%), 152 (26,7%), 154 (22,7%); die Isotope 147 u. 148 sind schwach radioaktiv (α-Strahler) mit den HWZ $1,06 \cdot 10^{11}$ bzw. $7 \cdot 10^{15}$ a. Daneben kennt man künstliche Isotope aller anderen Massenzahlen zwischen 131 u. 160 außer 132 (je zwei Isomere sind bekannt für ^{139}Sm, ^{141}Sm, ^{143}Sm) mit HWZ zwischen 1,2 s (^{131}Sm) u. $1,03 \cdot 10^9$ a (^{146}Sm). Metall. Sm tritt in 2 Modif. auf: Unterhalb 917 °C krist. es rhomboedr., D. 7,536, oberhalb 917 °C kub. raumzentriert, D. 7,536, Schmp. 1074 °C, Sdp. 1804 °C. Oberhalb 790–800 °C geht die magnet. Struktur von Sm verloren. Sm-Metall weist eine silbergraue Farbe an frischen Schnittflächen auf, die jedoch an der Luft unter Bildung von Hydroxiden bzw. Carbonaten anlaufen u. dadurch das Metall vor weiterem Angriff schützen. Wie alle *Seltenerdmetalle kann Sm bei der Red. seiner Verb. in pyrophorer Form auftreten. Es löst sich leicht in verd. Mineralsäuren; in seinen farbigen Verb. (s. Samarium-Verbindungen) ist es zwei- u. dreiwertig.

Vork.: Sm kommt als Bestandteil der *Ceriterden im *Allanit, *Bastnäsit u. *Monazit sowie manchmal in höherem Gehalt in komplexen Seltenerderzen wie z. B. *Samarskit u. *Euxenit vor. Die geolog. Häufigkeit liegt bei etwa $6 \cdot 10^{-4}$% (vergleichbar mit Brom u. etwas höher als bei Gadolinium).

Herst.: Die Herst. von Sm erfolgt im Anschluß an eine Anreicherung (vgl. Seltenerdmetalle) überwiegend nach den Verf. der metallotherm. Red. des Oxids durch

z. B. Lanthan-Metall. Die erzielbaren Reinheitsgrade liegen bei 99,80–99,95%.
Verw.: Seit man Seltenerdmetall-Cobalt-Leg. mit hoher magnet. *Anisotropie u. Koerzitivfeldstärke herstellen kann, wird Sm in steigenden Mengen für die Herst. von Dauermagnet-Leg. auf der Basis von $SmCo_5$ u. Sm_2Co_{17} verwendet, vgl. magnetische Werkstoffe u. die dort zitierten Arbeiten sowie *Lit.*[1]. Sm wird weiter verwendet zum Dotieren von Krist. in der Laser- u. Maser-Technik, als Neutronenabsorber in Kernreaktoren (Sm besitzt einen großen Einfangsquerschnitt von ca. 5800 barn für therm. Neutronen u. wirkt daher auch als Reaktorgift), als Bestandteil des Cer-Mischmetalls sowie in infrarotabsorbierendem Glas. Das Oxid eignet sich als Katalysator für die Dehydrierung u. Dehydratisierung von Ethanol; eine Reihe von Sm-Verb. sind wirksam als Sensibilisatoren für durch infrarotes Licht anregbare Phosphore.
Geschichte: Sm wurde 1879 von Lecoq de *Boisbaudran im *Samarskit entdeckt; die erste Reinherst. gelang 1901 durch Demarçay (1852–1904, Entdecker des *Europiums). – ***E*** = ***F*** samarium – ***I*** = ***S*** samario
Lit.: [1] Ullmann (5.) **A 7**, 297 f.; **A 16**, 18–23; Winnacker-Küchler (4.) **2**, 704 f.; **4**, 605 f.
allg.: Brauer (3.) **2**, 1070 f. ▪ J. Chem. Educ. **1968**, 684 f., 689–692 ▪ Kirk-Othmer (4.) **14**, 1091 ff., 1112 ▪ s. a. Lanthanoide u. Seltenerdmetalle. – *[HS 2805 30; CAS 7440-19-9]*

Samarium-Verbindungen. Die Herst. der S.-V. erfolgt im allg. durch fraktionierte Fällung bzw. Krist. od. – für hohe Reinheitsgrade – mittels Ionenaustausch- bzw. Extraktionsverfahren. In wäss. Lsg. liegen Samarium-Ionen stabil in der Oxid.-Stufe +3 (gelb) vor: *Samariumoxid* (Sm_2O_3, a), M_R 348,72, gelbliches Pulver, D. 8,347, unlösl. in Wasser, lösl. in Säuren; *Samariumchlorid* ($SmCl_3$, b), M_R 256,72, gelbliche Krist., D. 4,46, Schmp. 678 °C, lösl. in Wasser u. Ethanol; *Samariumnitrat* [$Sm(NO_3)_3 \cdot 6H_2O$, c], M_R 444,46, gelbliche Krist., D. 2,375, Schmp. 78–79 °C, lösl. in Wasser. Sm zählt jedoch neben Eu u. Yb zu den wenigen Lanthanoiden, die in der Oxid.-Stufe +2 (violett) eine ganze Reihe Metall-organ. Komplexe bilden, wie z. B. das tiefgrüne, sublimierbare Decamethylsamarocen {[η^5-$C_5(CH_3)_5]_2Sm$, d} mit gewinkelter Struktur[1].
Verw.: Für infrarotabsorbierende Gläser, als Katalysator bei der Dehydratisierung u. Dehydrierung von Ethanol, als Aktivatoren in Leuchtstoffen. – ***E*** samarium compounds – ***F*** composés du samarium – ***I*** composti di samario – ***S*** compuestos de samario
Lit.: [1] Polyhedron **6**, 803–835 (1987).
allg.: s. Samarium. – *[CAS 12060-58-1 (a); 10361-82-7 (b); 13759-83-6 (c); 90866-66-3 (d)]*

Samaron®-Fixierer HT. Wasserlösl. Fixierbeschleuniger auf Basis eines Alkylaryl-ethoxylat-Gemisches für das Bedrucken von CTA- u. PE-Fasern sowie deren Mischungen nach dem HT-Dämpf- oder Thermosol-Verf. bei 160–180 °C. ***B.:*** DyStar.

Samarskit. Noch nicht vollständig erforschtes u. charakterisiertes, radioaktives, zu den Niob-Tantal-Oxiden gehörendes, sprödes, tiefschwarzes, halbmetall. pechglänzendes Mineral mit stark schwankender chem. Zusammensetzung[1] u. unterschiedlichen Formel-Angaben. Heute wahrscheinlichste Formel nach *Lit.*[2] (Kristallchemie von S.): $A^{3+}B^{5+}O_4$, mit *A* = Ca, Ti, Fe^{2+}, Fe^{3+}, Y, SEE (Seltenerd-Elemente), U u. Th u. untergeordnet Na, Mg, Al, K, Mn, Zr, Sn, W u. Pb; *B* = Nb, Ta, Ti; z. B. für *Samarskit-(Y)*: $(Y,Fe^{3+},Fe^{2+},U,Ce)(Nb,Ta)O_4$. Nach *Lit.*[3]: $A_3B_5O_{16}$ für S. mit teilw. geordneter Atomverteilung. S. krist. unterhalb von ca. 950 °C rhomb., oberhalb davon monoklin; zur *Polymorphie von S. s. *Lit.*[3], zur Struktur *Lit.*[2–5]. S. ist meist infolge von Gitter-Zerstörung durch Selbstbestrahlung infolge seiner Uran-Gehalte röntgenamorph (fachsprachlich: *metamikt*), s. dazu *Lit.*[4,5]. H. 5–6, D. 5,5–6,2; Strich dunkelrotbraun. In konz. Schwefelsäure löslich.
Vork.: In Granit-*Pegmatiten, z. B. in Süd-Norwegen, Schweden, Miass/Ural, Brasilien u. den USA (u. a. Petaca/New Mexico). Als *Schwermineral z. B. in den Sanden des Kaspischen u. des Schwarzen Meeres. – ***E*** = ***F*** = ***I*** samarskite – ***S*** samarskita
Lit.: [1] Nor. Geol. Tidsskr. **50**, 357–373 (1970). [2] Am. Mineral. **78**, 419–424 (1993). [3] Am. Mineral. **70**, 856–866 (1985). [4] Am. Mineral. **68**, 459–465 (1983). [5] Phys. Chem. Miner. **15**, 113–124 (1987).
allg.: Ramdohr-Strunz, S. 542 ▪ Rösler, Lehrbuch der Mineralogie, 5. Aufl., Leipzig: Grundstoffind. 1991. – *[CAS 1317-81-3]*

Samba s. Abachi.

Sambal Oelek s. Paprika.

Sambucin s. Keracyanin.

Sambunigrin s. cyanogene Glykoside.

Samen. 1. Bei vielen *Pflanzen (*S.-Pflanzen*) aus der sog. S.-Anlage nach Befruchtung u. unter Einfluß von *Fruchtreifungshormonen* (z. B. Ethylen, Pflanzenwuchsstoffe) entstehende Fortpflanzungsform, die im allg. – s. die Abb. bei Getreide – aus schützender S.-Schale, dem Nährgewebe (Endosperm bzw. Perisperm) u. dem *Keim (Embryo) besteht. Nach *Keimung entwickelt sich der S. zur Pflanze, falls nicht *Keimhemmungsmittel dies behindern od. die *Keimfähigkeit aus anderen Gründen eingeschränkt ist. Wegen der im Nährgewebe vorhandenen **Reservestoffe* sind viele S. wertvolle Rohstoffe für die Ernährung (*Getreide, *Nüsse, *Früchte, *Obst, *Gewürze etc.) u. als Lieferanten für techn. *Fette u. Öle. Andere S. werden wegen ihrer pharmakolog. wirksamen Inhaltsstoffe arzneilich genutzt, s. Semen u. Fructus. Dem Schutz des *Saatguts* vor mikrobiellem Verderb u. tier. Schädlingen u. dem *Vorratsschutz dienen die Behandlung mit Beizmitteln u. a. Maßnahmen. – 2. S. im zoolog. Sinne s. Sperma. – ***E*** seeds – ***F*** semence – ***I*** seme – ***S*** semillas
Lit.: Franke, Nutzpflanzenkunde (6.), S. 8 ff., Stuttgart: Thieme 1997 ▪ Wehner u. Gehring, Zoologie (23.), Stuttgart: Thieme 1995 ▪ s. a. Keimung.

Samenöl s. Fette und Öle, Ölpflanzen.

Sammelkristallisation s. Kristallisation u. vgl. Ostwald-Reifung.

Sammelprobe. Bez. für eine *Probe, die durch Vereinigung von Einzelproben des gleichen Prüfgutes entsteht. Eine S. wird als *Durchschnittsprobe* gewertet, wenn die Einzelproben nach einem Plan entnommen wurden, der es wahrscheinlich macht, daß die S. der zu prüfenden Menge in bezug auf Zusammensetzung u. Eigenschaften möglichst nahe kommt, vgl. a. Probenahme. – ***E*** collective test specimen – ***F*** échantillon global – ***I*** provino collettivo – ***S*** muestra colectiva (global)

Sammet, Rolf (1920–1997), Prof. (Dr. rer. nat.) für Chemie, Frankfurt, Aufsichtsrat-Vorsitzender der Hoechst AG. *Arbeitsgebiete:* Anorgan. Chemie, Metalle, Chemiefasern, Reform des Chemie-Studiums.

Lit.: Chem. Ztg. **104**, 74 (1980) ▪ Hoechst Heute **75**, 10–13 (1980) ▪ Kürschner (16.), S. 3111 ▪ Nachr. Chem. Techn. Lab. **45**, Nr. 2, 229 (1997).

Sammler s. Akkumulatoren bzw. Flotation.

Sammlersystem s. Kanalisation.

Samos. Qualitätslikörwein (Alkohol-Gehalt 15–17% vol) aus gleichnamigem Weinbaugebiet, dessen Gärung durch Zusatz von Alkohol abgebrochen wird u. der daher vollsüß schmeckt. S. wird bevorzugt aus Muskatellertrauben hergestellt. Die durchschnittliche Zusammensetzung (Angaben in g/L): Alkohol: 152, Extrakt: 119, *Zucker: 82, *Glycerin: 7,5, titrierbare Säure: 6,8. – ***E*** = ***F*** = ***S*** samos – ***I*** vino liquoroso samoano, vino di Samo

Lit.: Würdig u. Woller, Chemie des Weines, S. 727, Stuttgart: Ulmer 1989 ▪ Zipfel, C 403 *1*, 133. – *[HS 2204 21, 2204 29]*

SAMP [(*S*)-1-Amino-2-methoxymethyl-pyrrolidin, Enders Reagenz].

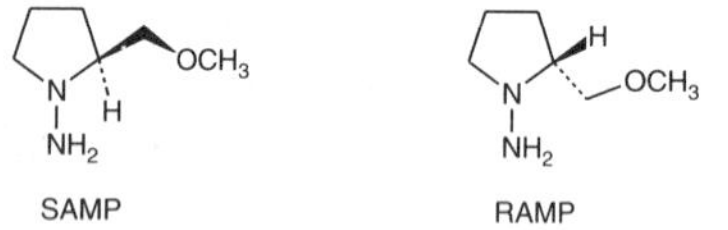

SAMP RAMP

Ebenso wie RAMP von Enders aus der Aminosäure Prolin entwickelte Reagenzien, die zur enantioselektiven Alkylierung von Ketonen eingesetzt werden können; eine Übersicht über die vielfältigen Verwendungsmöglichkeiten gibt *Lit.*[1].

$C_6H_{14}N_2O$, M_R 130,19. (a) SAMP: D. 0,978, Sdp. 186–187 °C, $[\alpha]_D^{20}$ –82 ± 2° (in Substanz); – (b) RAMP [(*R*)-1-Amino-2-methoxymethyl-pyrrolidin]: D. 0,978, Sdp. 186–187 °C, $[\alpha]_D^{20}$ +82 ± 2° (in Substanz). – ***E*** SAMP

Lit.: [1] Paquette **1**, 178.

allg.: Beilstein E V **21**, 1, 89 ▪ Org. Synth. **65**, 173 (1987) ▪ s. a. enantioselektive Synthese. – *[CAS 59983-39-0 (SAMP); 72748-99-3 (RAMP)]*

Samt. Ein textiles Gewebe mit Kurzflor (ca. 2 mm), bei dem man je nach Herst.-Verf. zwischen *Kettsamt* od. *Velours* u. *Schußsamt* od. *Velvet* bzw. *Cordsamt* unterscheidet. Gewebe mit Langflor (>2 mm) nennt man *Plüsch*. – ***E*** velvet – ***F*** velours – ***I*** velluto – ***S*** terciopelo

Lit.: Rouette, Lexikon für Textilveredlung, Bd. 3, S. 1834 f., Dülmen: Laumann Verl. 1995. – *[HS 5801..]*

Samuelsson, Bengt Ingemar (geb. 1934), Prof. für Medizin, Biochemie, Karolinska Inst., Stockholm. *Arbeitsgebiete:* Mediatoren, Prostaglandine, Thromboxane, Leukotriene. Er entdeckte 1975 die Thromboxane, Substanzen, die den Prostaglandinen verwandt sind u. die bei der Blutgerinnung eine wichtige Rolle spielen. 1979 entdeckte er die Leukotrine; für diese Arbeiten erhielt er 1982 zusammen mit S. K. *Bergström u. J. R. *Vane den Nobelpreis für Physiologie od. Medizin.

Lit.: Lexikon der Naturwissenschaftler, S. 359 ▪ Neufeldt, S. 299, 313 ▪ Pötsch, S. 376 ▪ The International Who's Who (17.), S. 1320.

SAN. Kurzz. (nach DIN, ASTM) für *Styrol-Acrylnitril-Copolymere.

Sanasepton® (Rp). Granulat mit *Erythromycinethylsuccinat, Gel mit Erythromycin-Base gegen Infektionen. ***B.:*** Pharbita.

Sanasthmax® (Rp). Dosier-Aerosol mit *Beclometason-17,21-dipropionat gegen Bronchialasthma in niedrigerer Dosierung (*Sanasthmyl*)®. ***B.:*** Glaxo Wellcome.

Sanaven®. Creme u. Gel mit Mucopolysaccharidpolysulfat u. *Phenylephrin-Hydrochlorid, Tabl. mit Trockenextrakt aus Roßkastaniensamen gegen Venenleiden. ***B.:*** Luitpold.

Sancure®. Wäss. *Polyurethan-Dispersionen (einkomponentig), die als Beschichtungssyst. im Holz-, Leder-, Kunststoffbereich etc. eingesetzt werden können. ***B.:*** BFGoodrich Chemical GmbH.

Sand. *Korngrößen-Bez. für *klastische Gesteine, die lockere Anhäufungen (Locker-*Sedimente) von abgerundeten od. eckigen, überwiegend 0,06–2 mm großen Körnchen darstellen. Hauptbestandteil in den meisten S. ist *Quarz; als weitere Komponenten können *Feldspäte, *Tonminerale, *Schwermineralien, Silt (*Siltsteine) u. Gesteinsbruchstücke hinzukommen; Eisenhydroxide u. -oxide verursachen gelbliche bis bräunliche od. rötliche Färbungen. S. findet man in Flußtälern, in Moränenlandschaften (z. B. Norddeutschland, Alpenvorland), am Meeresstrand (Seesand, Dünensand), auf Meeresböden u. in Wüstengebieten. In den Porenräumen zwischen den Körnchen findet sich vielfach Grundwasser, Erdöl (*Öl-S.*) u. dgl. u. feste *Konkretionen. Viele S. enthalten *Fossilien. Nachträgliche Verfestigung (*Diagenese*) der S. läßt die *Sandsteine entstehen. Zu den sog. *granulometr. Eigenschaften* der S. wie Korngröße, Kornoberfläche, Kornform, Korn-*Gefüge u. Porosität s. Koensler (*Lit.*); Korngrößeneinteilung der S. nach Udden u. Wentworth u. nach DIN 4022: 1982-05 s. die Tab. bei klastische Gesteine; neue europ. Normen für Gesteinskörnungen sind entworfen od. in Vorbereitung (DIN EN 932 u. DIN EN 933; vgl. *Lit.*[1]).

Verw., Vork.: Aufgrund ihres mineralog. Aufbaus werden unterschieden: Quarz-S., Arkose-S. (ca. 20% Feldspäte), Quarz-Feldspat-Kaolin-S. (z. B. Hirschau-Schnaittenbach/Oberpfalz) u. Tonmineral- u. Schwermineral-S. (z. B. *Rutil-S.); die *Kleb-S.* (Verw. für feuerfeste Massen u. Mörtel) bei Eisenberg im Pfälzer Bergland enthalten 10–15% *Kaolinit u. 4–5% *Illit; ihre Verw. als Formsand in Gießereien ist seit der Einführung sog. *synthet. S.* (aufbereitete S., denen *Bentonit zugesetzt wird) zurückgegangen. *Lava-S.* (Koblenz-Neuwieder Becken) finden Verw. als Baustoff, **Pegmatit-S.* (Nordost-Bayern) in der Keramik.

Die *Quarz-S.* (mind. 85% Quarz) werden nach ihrer Verw. unterteilt in *Bau-S.* u. *Industrie-Sande*. Bau-S.

(in Flußtälern u. Moränen-Landschaften) werden verwendet als *Betonzuschlag-S., Mörtel-S., Putz-S., Schütt-S., Frostschutz-S.*, zur Herst. von *Kalksandsteinen u. als Streu- u. Bremssand. Die Verw. von Quarz-S. zum Sandstrahlen ist wegen der Gefahr der Bildung von *Silicose erzeugendem Quarzstaub nur noch unter bestimmten Bedingungen erlaubt. Zu den Ind.-S. (>98% Quarz) gehören *Glas-S., Schleif-S., Email-S., Öl-S., Form-S.* (für die Metallgießerei) u. *Filtersande.* Glas-S. (Fe_2O_3 außer bei grünem Flaschenglas <0,025%) als wichtigste Rohstoffe für die Glasherst. finden sich z.B. in Helmstedt, Haltern/Westfalen, Frechen bei Köln, Hirschau-Schnaittenbach, Sachsen-Anhalt (Walbeck-Weferlingen) u. in der Lausitz (Hohenbocka, Hosenau) sowie bei Melk u. Linz in Österreich. 95% der dtsch. S.- u. Kies-Förderung verbraucht die Bau-Ind.; zu Vork. u. Verw. von S. in der BRD s. *Lit.*[2,3].
1995 wurden in der BRD 449,5 Mio. t S. u. 7,577 Mio. t Ind.-S. gewonnen[4]. Schon bei der Planung u. während des späteren in Tagebauen erfolgenden Abbaus von S.-Vork. müssen Gesichtspunkte des Umweltschutzes sowie die spätere Rekultivierung bzw. Renaturierung als Erholungs- od. Naturschutzgebiet berücksichtigt werden; s. dazu *Lit.*[5]. – ***E*** sand – ***F*** sable – ***I*** sabbia – ***S*** arena

Lit.: [1]Erzmetall **50**, 340–344 (1997). [2]BGR Hannover, Mineralische Rohstoffe – Bausteine für die Wirtschaft, S. 6 f., 40, 47 ff., Hannover: Bundesanstalt für Geowissenschaften u. Rohstoffe (BGR) 1995. [3]Geol. Jahrb. Reihe D **1986**, Nr. 82, 320–335. [4]Erzmetall **50**, 714–720 (1997). [5]Erzmetall **50**, 707–713 (1997).
allg.: Koensler, Sand u. Kies, Stuttgart: Enke 1989 ▪ Pohl, Lagerstättenlehre (4.), S. 290 f., Stuttgart: Schweizerbart 1992 ▪ Siever, Sand, Heidelberg: Spektrum 1989 ▪ s. a. Sandsteine.

Sandarak (Sandarac). Hellgelbes Koniferen-Harz, das aus einem Gemisch von terpenoiden Harzsäuren, v. a. Pimar- (80%), Callitrol- (10%) u. Sandaricinsäure (10%), besteht. S. wird aus der Rinde der in Nordafrika heim. Sandarak-Zypresse [*Tetraclinis articulata* (*Callitris quadrivalvis*)], gewonnen. Schmp. 135–140 °C, lösl. in vielen organ. Lsm. u. Terpentinöl. S. dient zur Herst. von Speziallacken, Polituren, Kitten, Zahnzement u. als Ersatz von *Schellack. – ***E*** sandarac – ***F*** sandaraque – ***I*** sandracca – ***S*** resina (goma) sandáraca

Lit.: Merck-Index (12.), Nr. 8503. – *[HS 1301 90]*

Sandbäder. *Heizbäder mit feinkörnigem *Sand als *Wärmeübertragungsmittel, die Verw. finden, wenn der Inhalt eines Kolbens möglichst gleichmäßig erhitzt werden soll u. Wasser od. andere Flüssigkeiten aus Sicherheits- od. Temp.-Gründen nicht verwendet werden können. – ***E*** sand baths – ***F*** bains de sable – ***I*** bagni di sabbia – ***S*** baños de arena

Sandblatt s. Tabak.

Sanddorn. Orangerote Früchte (eigentlich Nüsse) von *Hippophaë rhamnoides* (Sanddornstrauch; zweihäusig, Windbestäubung, Bewohner der Sanddünen, Meeresküsten u. alpinen Flußschotter Eurasiens), die wegen ihres hohen Vitamin C-Gehaltes (0,12–1,4%; 100–200 mg in 100 g eßbarem Anteil) als Rohstoffe für Fruchtsäfte, Marmeladen u. diätet. Lebensmittel geschätzt sind. *S.-Öl* ist ein fettes Öl aus den Früchten; ölige, orangerote Flüssigkeit enthält die Glyceride von Öl-, Linol- u. Palmitinsäure, Vitamin E, Carotin u. Carotinoide. S. soll zum Schutz u. zur Heilung der Röntgen- od. Radium-geschädigten Haut u. dgl. verwendbar sein. – ***E*** sea buckthorn – ***F*** argoussier – ***I*** olivello spinoso – ***S*** espino amarillo (falso)

Lit.: Franke, Nutzpflanzenkunde (6.), S. 304 f., Stuttgart: Thieme 1997. – *[HS 0810 90]*

Sandelholz (Santalholz). Außen schwarzbraunes, innen blutrotes Holz des in Ostasien u. Afrika verbreiteten Schmetterlingsblütlers *Pterocarpus santalinus.* Der färbende Bestandteil des S. (*Flavone) wurde früher zum Färben von Tuchen u. Leder (Juchten) verwendet.
Gleichfalls als S. bezeichnet man das wohlriechende Holz von *Santalum album* (Santalaceae, Sandelholzgewächse), das aufgrund seines Gehalts an *Sandelholzöl von Termiten u. Ameisen gemieden wird u. deswegen schon im Altertum bauliche, schnitzer. u. kult. Verw. (als Räucherwerk, heute als Räucherstäbchen) fand, inzwischen aber infolge Raubbaus selten geworden ist. – ***E*** sandalwood – ***F*** bois de santal – ***I*** legno di sandalo – ***S*** madera de sándalo

Lit.: s. Sandelholzöl. – *[HS 1211 90]*

Sandelholzöl. Ether. Öl aus dem Holz der ostind. Holzart *Santalum album* (Santalaceae), D_{20}^{20} 0,968–0,983, n_D^{20} 1,5030–1,5080. Farbloses bis hellgelbes, leicht viskoses Öl von typ. holzig-süßen, animal.-balsam., sehr haftfestem Geruch u. strengem, harzigem Geschmack, ungiftig, lösl. in Ethanol, unlösl. in Wasser. Hauptbestandteile des Öls sind zu >90% α- u. β-*Santalol, zu weiteren Inhaltsstoffen s. *Lit.*[1]. S. wird durch Wasserdampfdest. des zerkleinerten Holzes in einer Ausbeute von 4–6,5% gewonnen. Die ind. Jahresproduktion beträgt ca. 100–200 t. Da die Sandelholzbäume mehrere Jahrzehnte wachsen müssen, bis sich die Holz- u. Ölgewinnung lohnt u. die Dest. mit viel Aufwand verbunden ist, sind die auf dem Markt zur Verfügung stehenden Ölmengen begrenzt u. entsprechend teuer. In den Nachbarstaaten werden kleinere Mengen erzeugt. Ähnliche ether. Öle erhält man auch aus den Hölzern von *Amyris balsamifera* (Amyrisöl, westind. S.) u. a. Rutaceae-Arten; diese sind aber parfümist. weniger wertvoll.
Verw.: S. ist ein klass. Parfümbestandteil mit breiter Anwendung. Wegen seines hohen Preises wird es nur noch in teuren Parfüms verwendet. Der weitaus größte Teil des Bedarfs an Sandelholzduftstoffen wird heute durch preisgünstigere synthet. Verb. gedeckt.
Geschichte: S. gehört zu den ältesten Parfümrohstoffen u. ist nachweislich seit mindestens 4000 a im Gebrauch. – ***E*** sandalwood oil – ***F*** essence de santal – ***I*** essenzo di sandalo – ***S*** esencia de sándalo

Lit.: [1]Justus Liebigs Ann. Chem. **1990**, 119 ff.
allg.: Gildemeister **4**, 556 ▪ Hager (5.) **6**, 601 ▪ Ohloff, S. 172 ff. – *[HS 3301 29]*

Sandelice®. Marke von Henkel für einen sandelholzartig duftenden Riechstoff auf der Basis von 2-Methyl-4-(2,2,3-trimethylcyclopent-3-enyl)but-2-en-1-ol, $C_{13}H_{22}O$, M_R 194,32.

Sandfang. Beckenförmige Anlage zur Entsandung von *Abwasser bei der *mechanischen Abwasserbehandlung. S. werden in *Kläranlagen meist vor od.

nach der ersten Pumpstufe (hinter dem *Rechen) angeordnet. Die Größe des S.-Beckens ist so gewählt, daß die Fließgeschw. so weit herabgesetzt wird, daß möglichst nur Sandkörner mit einer Korngröße über 0,2 mm sedimentieren, während organ. Feststoffe (s. POM), die zu *Fäulnis u. Geruchsentwicklung führen können, weitgehend in *Suspension bleiben (vgl. Schwebstoffe). Bei belüftetem S. wird nicht nur der aerobe biolog. Abbau im Vorklärbecken unterstützt, vielmehr läßt sich die für die Sand-Abscheidung maßgebliche Fließgeschw. als resultierende aus der wassermengenabhängigen Längsströmung u. der durch veränderliche Luftmengen zu steuernden Querströmung einstellen. – ***E*** grit chamber, sand trap – ***F*** bassin de dessablement, dessableur – ***I*** dissabbiatore – ***S*** desarenador, cámara (colector) de arena

Lit.: Abwassertechn. Vereinigung (Hrsg.), ATV-Handbuch Mechan. Abwasserreinigung (4.), S. 95–114, Berlin: Ernst 1997 ▪ Pöppinghaus et al. (Hrsg.), Abwassertechnologie (2.), S. 876f., Berlin: Springer 1994.

Sandimmun® (Rp). Kapseln, Infusions-Konzentrat u. Lsg. mit *Ciclosporin (vgl. Cyclosporine) als Immunsuppressivum (s. Immunsuppression) bei Transplantationen, z.B. bei Transplantat-Wirt-Reaktion (sog. Graft-versus-Host-Krankheit), bei Uveitis u.a. ***B.:*** Novartis.

Sandmeyer, Traugott (1854–1922), Industriechemiker bei Geigy, Basel. *Arbeitsgebiete:* Diazoniumsalze, Thiophen, Primulin, Triphenylmethan-Farbstoffe, Isatin- u. Indigo-Synth.; zahlreiche Reaktionen der organ. Chemie sind nach ihm benannt, s.a. nachfolgendes Stichwort.

Lit.: Neufeldt, S. 77 ▪ Pötsch, S. 376f. ▪ Strube et al., S. 113, 137, 179.

Sandmeyer-Reaktion. Von *Sandmeyer 1884 aufgefundene, über *Diazonium-Verbindungen verlaufende Austauschreaktion, mit der sich die Amino-Gruppe aromat. Amine durch Halogen-Atome, Pseudohalogen-Atome usw. ersetzen läßt. Als Katalysator kommen bei der eigentlichen S.-R. Kupfer(I)-chlorid od. -bromid, bei der von *Gattermann eingeführten Variante Kupfer-Pulver mit HCl od. HBr zur Anwendung. Die S.-R. verläuft sehr wahrscheinlich über Aryl-*Radikale, d.h. daß zunächst das Diazonium-Salz reduziert u. Cu(I) zu Cu(II) oxidiert wird. Abschließend abstrahiert das Radikal ein Halogen-Atom unter gleichzeitiger Red. des Cu(II)-Salzes zum Cu(I)-Salz, das damit den eigentlichen Katalysator darstellt:

$$[R\text{-}C_6H_4\text{-}N{\equiv}N]^+ X^- \xrightarrow[-\,CuX_2,\ -\,N_2]{+\,CuX} R\text{-}C_6H_4^{\bullet} \xrightarrow[-\,CuX]{CuX_2} R\text{-}C_6H_4\text{-}X$$

X = Cl, Br

Während die Einführung von Iod ohne den Kupfer-organ. Katalysator gelingt, da das Syst. I^-/I_2 selbst einen geeigneten Katalysator darstellt, ist die Einführung von Fluor mit Hilfe der S.-R. schlecht od. nicht möglich. Hier bietet sich die verwandte *Schiemann-Reaktion an. – ***E*** Sandmeyer reaction – ***F*** réaction de Sandmeyer – ***I*** reazione di Sandmeyer – ***S*** reacción de Sandmeyer

Lit.: Angew. Chem. **65**, 155–158 (1953) ▪ Chem. Rev. **40**, 251–277 (1947); **88**, 765ff. (1988) ▪ Hassner-Stumer, S. 322 ▪ Houben-Weyl **5/4**, 438f.; **10/3**, 113f.; **E 19 a**, 318ff., 358f. ▪ Krauch u. Kunz, Reaktionen der Organischen Chemie, 6. Aufl., S. 275, Heidelberg: Hüthig 1997 ▪ Laue-Plagens, S. 278 ▪ March (4.), S. 723 ▪ Synthesis **1988**, 923–937 ▪ s.a. Diazonium-Verbindungen.

Sandoplast®. Farbstoffe für die *Polystyrol-, *Polymethacrylat-, *Polycarbonat- u. *Polyester-Massefärbung. ***B.:*** Clariant.

Sandostatin® (Rp). Injektionslsg. mit *Octreotid-acetat gegen endokrin aktive Tumoren des Gastrointestinal-Trakts. ***B.:*** Novartis.

Sandoz. Kurzbez. für das 1886 gegr. schweizer. Chemieunternehmen Sandoz AG, CH-4002 Basel, fusionierte 1996 mit dem Chemiekonzern Ciba-Geigy unter dem Namen *Novartis.

Sandpapier. Mit Glasstaub, Sand- od. Quarzkörnern beschichtetes Papier zum Abschleifen von Hölzern in der Tischlerei, s. Schleifmittel. – ***E*** sand paper – ***F*** papier de verre, papier sablé – ***I*** carta vetrata – ***S*** papel de lija – *[HS 6805 20]*

Sandrosen s. Gips.

Sandseife. Seife mit eingearbeiteten Mineralpulvern unterschiedlicher Körnung aus Quarz, Bimsstein, vulkan. Asche, Feldspat, Marmor usw. unter Zusatz von Wasserglas u. Soda, um Zusammenhalt u. Reinigungswirkung zu verbessern.

Verw.: Zum Reinigen stark verschmutzter Hände, weiche S. auch als Scheuermittel für Fliesen, Spülbecken, Geschirr, Badewannen usw. – ***E*** sand soap – ***F*** savon sablé – ***I*** sapone di sabbia – ***S*** jabón de arena, asperón

Lit.: s. Seifen. – *[HS 3401 11, 3401 19, 3401 20]*

Sandsteine. Sehr formenreiche, zu den Psammiten gehörende klast. *Sedimentgesteine, die durch Kompaktion u. „Verkittung“ (*Diagenese*) von *Sand mit natürlichen, fachsprachlich als Zement bezeichneten Bindemitteln aus Kieselsäure (v.a. *Quarz, aber auch *Chalcedon u. *Opal), *Tonminerale, *Calcit (u.a. bei *Kalksandsteinen) od. rot, bräunlich od. gelblich färbenden Eisenoxiden (*Hämatit) u. -hydroxiden entstanden sind. S., die nur teilw. zementiert sind u. somit einen Teil ihrer prim. *Porosität u. *Permeabilität behalten haben, können Gas, Luft, *Erdöl od. Grundwasser aufnehmen u. speichern. Die Sandkörner bestehen zumeist aus Quarz (>95% bei Quarzarenit), daneben kommen auch Körner von *Glimmern, Tonmineralen, *Glaukonit, *Feldspäten, *Schwermineralien sowie Gesteinsbruchstücke u. *Fossilien vor; zwischen ihnen befindet sich ein mehr od. weniger großer Anteil an feinkörniger Matrix.

Zur *Klassifikation* der S. s. Füchtbauer (*Lit.*) u. Tucker (*Lit.*); häufig angewendet wird die von Folk[1] vorgenommene, in der Abb. gezeigte Einteilung der S. mit weniger als 15% Matrix nach den Anteilen der am Aufbau beteiligten Hauptkomponenten; S. mit >15% Matrix werden danach als **Grauwacke* bezeichnet. Details zu wichtigen *Merkmalen zur Beschreibung u. Untersuchung* der S. wie z.B. Korngröße, Korngestalt, Kornrundung, Kornoberfläche (rauh bis glatt), Sortierung (Streuung der Korngrößen-Verteilung), Strukturen (Schichtung, Rippelmarken usw.; vgl. Gefüge), Porosität u. Permeabilität s. Füchtbauer (*Lit.*) u. Tucker

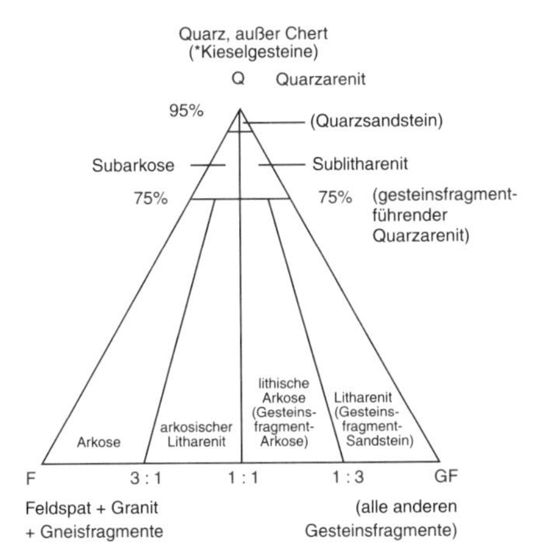

Abb.: Klassifikation der Sandsteine mit <15% Matrix; nach Folk [1] in Adams et al., *Lit.*, S. 24.

(*Lit.*). S. haben sich seit dem Präkambrium (*Erdzeitalter) ständig gebildet; in Süd- u. Mitteldeutschland haben die S. der Buntsandstein- [2] u. Keuperzeit bes. bautechn. Bedeutung erlangt; weitere Verw. finden S. u. a. zur Herst. von Säuretanks in Stahlwerken u. zerkleinert als Sand. – ***E*** sandstones – ***F*** grès – ***I*** pietre arenarie – ***S*** arenisca

Lit.: [1] Folk, Petrology of Sedimentary Rocks, Austin: Hemphill 1974. [2] Naturwissenschaften **69**, 311–325 (1982); **71**, 69–78 (1984).
allg.: Adams, MacKenzie u. Guilford, Atlas der Sedimentgesteine in Dünnschliffen, S. 18–29, Stuttgart: Enke 1986 ▪ Füchtbauer (Hrsg.), Sedimente u. Sedimentgesteine (Sediment-Petrologie, Tl. 2) (4.), S. 96–184, Stuttgart: Schweizerbart 1988 ▪ Harben u. Bates, Industrial Minerals. Geology and World Deposits, S. 238–245, London: Industrial Minerals Division Metal Bulletin Plc 1990 ▪ Pettijohn, Potter u. Siever, Sand and Sandstone (2.), New York: Springer 1987 ▪ Prothero u. Schwab, Sedimentary Geology, S. 78–101, New York: Freeman 1996 ▪ Tucker, Einführung in die Sedimentpetrologie, S. 10–80, Stuttgart: Enke 1985 ▪ s. a. Sedimentgesteine, Sand.

Sandstrahlen. Verf. der mechan. Oberflächenreinigung von Natursteinen u. rostigen Stahlbauteilen, zum Aufrauhen etc., wobei *Quarz-*Sand von 0,5–1,5 mm Durchmesser mit Hilfe von Druckluftgebläsen (0,7 MPa) auf die zu reinigenden Flächen geschleudert wird, s. a. Strahlmittel. – ***E*** sand-blasting – ***F*** sabler, décaper (nettoyer) au sable – ***I*** sabbiatura – ***S*** arenado, chorreado con arena
Lit.: s. Strahlmittel.

Sandwich (das S.). Von John Montagu 4. Earl of Sandwich (1718–1792) „erfundene" Speiseform: Zwei Brotscheiben, zwischen denen sich Wurst, Käse, Eier u. dgl. befinden.
In Naturwissenschaft u. Technik begegnen einem S.-Merkmale bei *Membranen, im *Radioimmunoassay, bei der Bestimmung von Enzymaktivitäten [1], in der *Halbleiter- u. *Supraleitungs-Theorie, bei *Verbundwerkstoffen, in der Komplexchemie (s. Sandwich-Verbindungen) usw. – ***E*** = ***F*** = ***I*** = ***S*** sandwich
Lit.: [1] Z. Lebensm. Unters. Forsch. **178**, 93–96 (1984).

Sandwich-Spritzgießen. Bez. eines speziellen Spritzgieß-Verf., bei dem zwei *Polymer-Schmelzen durch getrennte Spritzeinheiten nacheinander in eine Form gespritzt werden. Dabei bläht die als zweites eingespritzte Schmelze die erste auf u. preßt sie gegen die Wandungen der Form. Das Verf. wird insbes. zum Einbringen von Schaumstoffen in eine feste Außenhaut u. zum Ummanteln billiger Kunststoffe durch teure eingesetzt. – ***E*** sandwich injection mo(u)lding – ***I*** stampaggio a iniezione a sandwich – ***S*** moldeo Sandwich, moldeo por inyección de Sandwich

Sandwich-Verbindungen. Anschauliche, von *Sandwich abgeleitete Bez. für solche *Pi-Komplexe (d. h. Koordinationsverb., s. Koordinationslehre) zwischen *Übergangsmetallen u. aliphat. ungesätt. od. aromat. Verb., deren Mol. eine *Sandwich-Struktur* aufweisen. Diese sind den Durchdringungskomplexen (s. Koordinationslehre) ähnlich; ältester u. bestuntersuchter Vertreter der S.-V. ist das *Ferrocen (s. a. Abb. bei Metallocene). Seither sind nicht nur eine Vielzahl von einkernigen Verb. der Übergangsmetalle, einer Reihe von Lanthanoiden, Actinoiden u. Hauptgruppenelementen mit *Cyclopentadienyl-, Benzol- od. anderen aromat. Syst. hergestellt worden (s. Abb.), sondern auch zwei-, drei- u. mehrkernige Verb., die bildhaft als Tripel-, Tetra-, Penta-, Hexadecker-S.-V. bezeichnet werden [1].

Abb.: Beisp. für Sandwich-Verbindungen.
a) Bis(cyclooctatetraen)-Komplexe der Metalle M = Th, Pa, U, Np, Pu [2];
b) Bis(1,3,5-tri-*tert*-butylbenzol)gadolinium [3];
c) Bis(pentamethylcyclopentadienyl)silicium [4];
d) (η^5-1-Ethyl-2,3,4,5-tetramethylcyclopentadienyl)(η^5-pentaphospholyl)eisen u. -(η^5-pentarsolyl)eisen [5].

Andererseits kennt man inzwischen auch sog. *Halb-S.-V.*, in denen das Metall-Atom nur auf der einen Seite von einem Ringsyst. flankiert, auf der anderen jedoch konventionell mit Liganden verbunden ist; Näheres zu den Metall-organ. S.-V., deren Nomenklatur (vgl. Koordinationslehre) durch die Regeln I-10.9 der anorgan. Chemie u. D-2.5 der organ. Chemie festgelegt wird, s. bei Aromaten-Übergangsmetall-Komplexe, Cyclopentadienyl u. Metallocene. Metall-freie organ. Makrocyclen mit Sandwich-Struktur [6] sind von theoret. Interesse für biochem. Elektronentransfer-Reaktionen. – ***E*** sandwich compounds – ***F*** composés sandwich – ***I*** composti a sandwich – ***S*** compuestos sandwich

Lit.: [1] Adv. Organomet. Chem. **35**, 187–210 (1993). [2] Salzer u. Elschenbroich, Organometallchemie (3.), S. 424 f., Stuttgart: Teubner 1990. [3] J. Organomet. Chem. **511**, 1–17 (1996). [4] Jutzi, in Togni u. Halterman (Hrsg.), Metallocenes, Weinheim: Wiley-VCH 1998. [5] Angew. Chem. **102**, 1137–1155 (1990). [6] Angew. Chem. **96**, 602 f. (1984).
allg.: Acc. Chem. Res. **13**, 213 ff. (1980) ▪ Adv. Organomet. Chem. **23**, 1–94 (1984); **40**, 117–170 (1996) ▪ Angew. Chem. **89**, 1–10 (1977); **94**, 338–351 (1982); **95**, 932–954 (1983); **97**, 292–307, 924–939 (1985) ▪ Chem. Rev. **86**, 957–982 (1986) ▪ Chem. Ztg. **108**, 239–251 (1984) ▪ Struct. Bonding (Berlin) **39**, 1–41 (1980); **50**, 1–55 (1982) ▪ Vibr. Spectra Struct. **11**, 107–167 (1982).

Sandwicolidin s. Rauwolfia-Alkaloide.

Sanfte Chemie. Begriff aus der Politik, der ungefährliche chem. Verf. u. Produkte bezeichnen soll. Fälschlicherweise wird s. C. mit „natürlicher" Chemie u. den *Naturstoffen gleichgesetzt u. in Gegensatz gesetzt zu der „unnatürlichen", „synthet.", „*anthropogenen" od. „industriellen" Chemie u. „künstlichen" od. „anthropogenen" Stoffen. Insbes. wird auch die sog. „Chlor-Chemie" als „harte" u. damit anscheinend gefährliche Chemie der s. C. gegenübergestellt. Kritikpunkte an der Chlor-Chemie sind zum einen die Gefährlichkeit einiger Chlor-Verb. (s. Dioxine), zum anderen waren Wirkungen bei den Unfällen in *Seveso 1976 u. *Schweizerhalle 1986 ganz od. z. T. auf Chlor-Verb. zurückzuführen. Allerdings ist diese pauschale Kritik nicht gerechtfertigt, da Chlor-Verb. einer Vielzahl von Verb.-Klassen angehören. Erwartungsgemäß unterscheiden sich ihre physiolog. Wirkungen – z. T. sogar innerhalb einer Klasse – erheblich. Eine pauschale Verurteilung von Chlor-Verb. od. anderen Stoffgruppen mit gefährlichen Vertretern (z. B. der Proteine, s. Toxine, Gifte u. Toxikologie) würde viele harmlose u. nützliche Stoffe betreffen. In der Natur sind gefährliche *Naturstoffe weit verbreitet (s. z. B. Chlormethane). Viele *biogene Naturstoffe werden als *Toxine, *Antibiotika, *Allelopathika erzeugt, um andere Organismen einschließlich des Menschens zu schädigen. Im Gegensatz dazu werden in der (dtsch.) chem. Ind. keine Stoffe hergestellt, die den Menschen schädigen sollen.
Auch die s. C. im Sinne milder Reaktionsbedingungen führt nicht unbedingt zu ungefährlichen Stoffen. So können unter normalen Lebensbedingungen – d. h. bei Körpertemp., unter Normaldruck u. in Ggw. natürlicher Katalysatoren (s. Enzyme) – Proteine wie das Botulinustoxin (s. Botulismus) gebildet werden, die giftiger sind als z. B. *2,3,7,8-Tetrachlordibenzo[1,4]dioxin, das giftigste *Dioxin. – ***E*** soft chemistry – ***F*** chimique douce – ***I*** chimica innocua – ***S*** química suave

Lit.: Blum, Umweltschutz u. Chemie mit Chlor, Köln: Deutscher Inst. Verl. 1996 ▪ Die Zeit, Natürlichkeit der Chemie, 06. 12. 1991 ▪ Eilingsfeld, Der sanfte Wahn, Mannheim: Südwestdtsch. Verlagsanstalt 1989 ▪ Nachr. Chem. Tech. Lab. **38**, 250 f., 262 f. (1990) ▪ Wasser Luft Boden, **1989**, Nr. 1–2, 10 f. ▪ Internet-Adresse: http://www.ping.be/~ping5859/; http://C3.org/

Sanger, Frederick (geb. 1918), Prof. für Biochemie, Univ. Cambridge, England, Medical Research Council Laboratory of Molecular Biology (bis 1983). *Arbeitsgebiete:* Biochemie, Stoffwechsel, Strukturaufklärung von Eiweißkörpern, Konstitutionsermittlung des Insulins (1958 Nobelpreis für Chemie), wofür er grundlegende Methoden, wie z. B. die Markierung mit Dinitrofluorbenzol (Sangers Reagenz) einführte, Gene, Entwicklung der Sequenzanalyse von Nucleinsäuren (1980 zweiter Nobelpreis für Chemie, zusammen mit P. Berg u. F. W. *Gilbert).

Lit.: Chem. Labor Betr. **32**, 3–8 (1981) ▪ Lexikon der Naturwissenschaftler, S. 359 f. ▪ Nobel Lectures Chemistry, 1942–1962, S. 541–557, Amsterdam: Elsevier 1964 ▪ Neufeldt, S. 247, 308 ▪ Pötsch, S. 377 ▪ The International Who's Who (17.), S. 1323.

Sangers Reagenz s. 1-Fluor-2,4-dinitrobenzol.

Sangodiff®. Färbefolien u. Objektträger zur manuellen Färbung von Blutausstrichen. ***B.:*** Merck.

Sangoquant®. Reagenzien für die automat. Blutkörperchen-Zählung. ***B.:*** Merck.

Sanguinarin (Pseudochelerythrin).

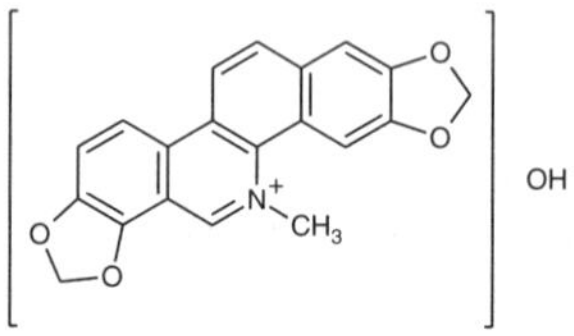

Das S.-Kation wurde als Hydroxid ($C_{20}H_{15}NO_5$, M_R 349,42, Krist., Schmp. 210–211 °C) u. als Chlorid ($C_{20}H_{14}ClNO_4$, M_R 367,79, orange Nadeln, Schmp. 277–280 °C) aus einer Vielzahl von Papaveraceen, Rutaceen u. Fumariaceen isoliert.
Wirkung: S. hat antimikrobielle u. entzündungshemmende Eigenschaften u. hemmt die Bildung von Zahnbelag [1]. Es wird daher in Zahncremes u. Mundwässern verwendet, allerdings wirkt S. auch cytotox. durch Einschub in die DNA u. Entkopplung der oxidativen Phosphorylierung. S. wird mit der Entstehung von Glaukomen in Verb. gebracht (LD_{50} Maus 19,4 mg/kg); vgl. auch Berberin, Isochinolin- u. Protopin-Alkaloide. – ***E*** = ***F*** sanguinarine – ***I*** = ***S*** sanguinarina

Lit.: [1] J. Clin. Periodontol. **17**, 223–227 (1990).
allg.: Beilstein E III/IV **27**, 6876 ▪ Chem. Lett. **1986**, 739 ▪ Hager (5.) **3**, 1054 ▪ Helv. Chim. Acta **66**, 473 (1983) (Biosynth.) ▪ Merck-Index (12.), Nr. 8504. – *[HS 2939 90; CAS 2447-54-3]*

Sanidin s. Feldspäte.

Sanitärpapier s. Papier.

Sanitärreiniger. Sammelbez. für *Reiniger, die im Sanitärbereich, insbes. in Toiletten u. deren Nebenräumen, Ablagerungen von Kalk- u. Urinsteinen beseitigen sollen (*WC-Reiniger, Toilettenreiniger*). Die stärker reinigend wirkenden *sauren S.* enthalten z. B. HCl, H_3PO_4, $NaHSO_4$, H_2N-SO_3H, HCOOH, *Citronensäure u. a. organ. Säuren, ggf. a. sprudeln machendes $NaHCO_3$, während die stärker bleichend u. desinfizierend wirksamen *alkal. S.* v. a. Natrium- od. Calciumhypochlorit bzw. Chlorkalk enthalten; Parfümierung u. *Tensid-Zusätze sind üblich. Es sei bes. darauf hingewiesen, daß beide Typen von S. *niemals zusammen* angewandt werden dürfen, da sonst Chlorgas entsteht – eine Vielzahl von Vergiftungen geht auf die Nichtbeachtung dieser Anordnung zurück [1]. – ***E*** toilet cleaners – ***F*** nettoyeurs pour installations sanitaires – ***I*** pulitori sanitari – ***S*** productos de limpieza para instalaciones sanitarias

Lit.: [1] Dtsch. Med. Wochenschr. **109**, 1874 (1984).
allg.: Ullmann (5.) **A 7**, 144 f. ▪ Vollmer u. Franz, Chemie in Haus und Garten, Stuttgart: Thieme 1994 ▪ s. a. Haushaltschemikalien, Reiniger. – *[HS 3402 20, 3402 90]*

Sanitizer. Dem Engl. entlehnte Bez. für *Desinfektionsmittel enthaltende *Reiniger für den Hygienebereich in Haushalt, Lebensmittelbetrieb u. Krankenhaus, vgl. dagegen Sanitärreiniger. – ***E*** sanitizer – ***F*** nettoyeurs avec désinfectants – ***I*** prodotto disinfettante, prodotto sterilizzante – ***S*** productos de limpieza con desinfectantes

Sankey-Diagramme. Von dem irischen Ingenieur Sankey (1853–1921) entwickelte bildliche Darst. von Energie- u. Stoff-*Kreisläufen in *offenen* (lebenden) **Systemen* (Fließgleichgew., *stationärer Zustand, vgl. die Abb. 3 bei Wasser). – ***E*** Sankey diagram – ***F*** diagramme de Sankey – ***I*** diagrammi di Sankey – ***S*** diagrama de Sankey

Sanofi. Kurzbez. für die 1973 gegr. französ. Firma Sanofi, F-75008 Paris, eine Holdingges. des Mineralölkonzerns Elf (51%) für zahlreiche *Tochter-* u. *Beteiligungsges.* (z. B. Y. Rocher, Institut Pasteur, Nina Ricci, Entremont). *Daten* (1995): 36 000 Beschäftigte, 36 Mrd. F Umsatz. *Produktion:* Pharmazeut. Wirkstoffe, human- u. veterinärmedizin. Präp., Gesundheitspflegemittel, Kosmetika, Lebensmittel. Tochterges. in der BRD: Sanofi GmbH, Augustenstr. 10, 80333 München.

SANOFI Winthrop GmbH. 80333 München, eine 100%ige Tochterges. der Sanofi GmbH, München.

Sanopinwern®. Lsg. mit Eucalyptus- u. Kiefernnadelöl zur Inhalation bei Erkältungskrankheiten. ***B.:*** Pharma Wernigerode.

Sanoxit®. Gel mit *Benzoylperoxid, Kombipackung Gel u. Lsg.: Lsg. mit *Clindamycin-dihydrogenphosphat gegen *Akne. ***B.:*** Basotherm.

Sansaöl. Durch *Extraktion der Oliven-Preßrückstände (sansa) der Jungfernölherst. erhält man Sansaöl. *Olivenöl wird z. T. mit S. verfälscht. Zum Nachw. s. Olivenöl. – ***E*** sansa oil – ***F*** huile de sansa – ***I*** olio di sansa – ***S*** aceite de sansa

Lit.: Fat Sci. Technol. **93**, 494 (1991) ▪ Riv. Ital. Sostanze Grasse **62**, 337–344 (1985); **63**, 33–35 (1986).

Sansibarkopal s. Kopale.

Santal s. Isoflavone.

Santalene.

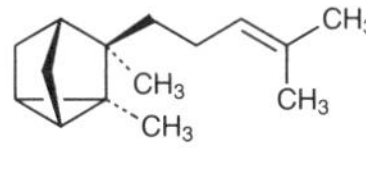

(-)-α-Santalen

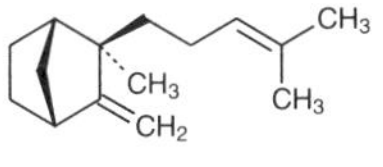

(-)-β-Santalen

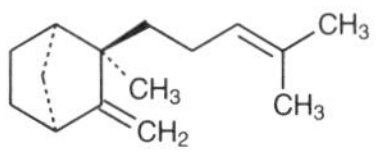

(+)-*epi*-β-Santalen

$C_{15}H_{24}$, M_R 204,36. Das geruchsschwache (–)-α-S. {Öl, Sdp. 252 °C (100,1 kPa), $[\alpha]_D$ –15°}, (–)-β-S. mit Zedernholznote {Öl, Sdp. 125–127 °C (1,2 kPa), $[\alpha]_D^{20}$ –107,8° ($CHCl_3$)} u. die Spurenkomponente (+)-*epi-β*-S. {Öl, Sdp. 94–115 °C (3–7 hPa), $[\alpha]_D^{27}$ +26,4° ($CHCl_3$)} sind Bestandteile des ostind. *Sandelholzöles; vgl. a. Santalole. – ***E*** santalenes – ***I*** santaleni – ***S*** santalenos

Lit.: Karrer, Nr. 1910 ▪ Ohloff, S. 172 ff. – *Synth.:* Chem. Lett. **1995**, 95 ▪ J. Org. Chem. **43**, 2282 (1978) (α-S.); **56**, 1434 (1991) (β-S.) ▪ Justus Liebigs Ann. Chem. **1994**, 601 ▪ Synth. Commun. **22**, 3159 ff. (1992) ▪ Tetrahedron: Asymmetry **1**, 537 (1990). – *[HS 2902 19; CAS 512-61-8 (α-S.); 511-59-1 (β-S.); 25532-78-9 (epi-β-S.)]*

Santalholz s. Sandelholz.

Santalole.

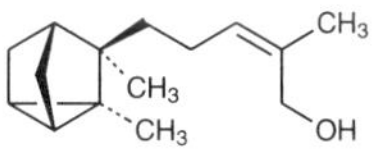

(+)-(*Z*)-α-Santalol

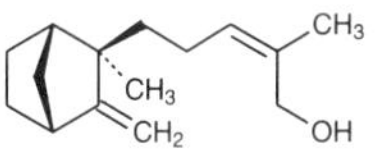

(-)-(*Z*)-β-Santalol

Das geruchsschwächere (+)-(*Z*)-α-S. {$C_{15}H_{24}O$, M_R 220,35, Öl, Sdp. 166–167 °C (1,86 kPa), $[\alpha]_D^{23}$+17,5° ($CHCl_3$)} u. das (–)-(*Z*)-β-S. {Öl, Sdp. 177–178 °C (2,26 kPa), $[\alpha]_D^{21}$ –113° ($CHCl_3$)} stellen mit ca. 70–90% Anteil die mol. Basis des kostbaren, ostind. *Sandelholzöls (*Santalum album*) u. prägen seinen schweren holzartigen Charakter. Dem (–)-β-S. wird eine urinartig-animal. Tonalität zugeschrieben, die allerdings nur 60% der Menschen wahrnehmen können. Beide Alkohole werden von den kräftig riechenden Aldehyden, den Santalalen (als *E*/*Z*-Gemische), begleitet. Die Sandelholznote wird auch von Analoga der S. hervorgerufen. Durch Photooxid. von *Santalenen erhält man Photosantalole mit ausgeprägtem Sandelholzaroma. – ***E*** = ***F*** santalols – ***I*** santaloli – ***S*** santaloles

Lit.: Beilstein E IV **6**, 3519, 3521 ▪ Karrer, Nr. 1911 ▪ Merck-Index (12.), Nr. 8505 f. ▪ Sax (7.), S. 2614. – *Synth.:* Arch. Pharm. **330**, 112 (1997) ▪ J. Org. Chem. **56**, 1434–1439 (1991) ▪ Justus Liebigs Anm. Chem. **1990**, 537; **1994**, 601 ▪ Tetrahedron: Asymmetry **1**, 537–540 (1990). – *[HS 2906 19; CAS 115-71-9 (α-S.); 77-42-9 (β-S.)]*

Santax® S. Kapseln mit Trockenhefe aus *Saccharomyces boulardii* gegen Diarrhoe. ***B.:*** Asche.

Santen s. Fichten- u. Kiefernnadelöle.

Santicizer®. Umfangreiches Sortiment von *Weichmachern für Kunststoffe, Lackrohstoffe, Dichtungsmassen u. dgl. auf der Basis von Octyl-diphenylphosphat, Isodecyl-diphenylphosphat, Benzyl-butylphthalat, Polyadipaten usw. ***B.:*** Monsanto.

Santocure®. Vulkanisationsbeschleuniger auf Basis 1-*tert*-Butyl- bzw. 1-Cyclohexyl-2-benzothiazolsulfenamid u. 2-(Morpholinothio)-benzothiazol. ***B.:*** Monsanto.

Santoflex®. *Antioxidantien u. Antiozonantien für synthet. u. natürliche Kautschuke auf Basis 6-Ethoxy-1,2-dihydro-2,2,4-trimethylchinolin, *N*-Isopropyl-*N'*-phenyl- bzw. *N*-(1,3-Dimethylbutyl)-*N'*-phenyl-*p*-phenylendiamin, *N,N'*-Bis(1,4-dimethylpentyl)-*p*-phenylendiamin u. deren Gemische. ***B.:*** Monsanto.

Santogard®. *N*-(Cyclohexylthio)-phthalimid als Vulkanisationsverzögerer von Monsanto.

Santolinenon s. Menthon.

Santolink® XI 100. Poly-ungesätt. Alkoxyloligomeres mit Doppelfunktion als Initiator für freie, radikal. Polymerisation bei niedrigen Temp. u. als hochflexibler multifunktionaler Vernetzer für Acrylate, Alkydharze, Polyester usw. ***B.:*** Monsanto.

Santolite®. Marke von Monsanto für flüssige Harze auf Basis Benzolsulfonamid-Formaldehyd-Polymere für Lacke, als Lsm. für Celluloseacetat u. -nitrat. ***B.:*** Aldrich; Monsanto.

Santonin [(11*S*)-3-Oxo-1,4-eudesmadien-12.6α-olid].

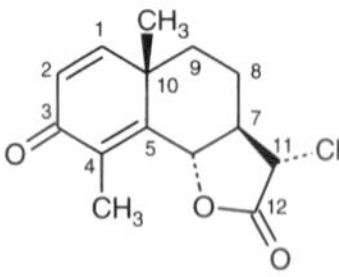

(α-)Santonin

$C_{15}H_{18}O_3$, M_R 246,31; farblose, am Licht gelb werdende, giftige, bitter schmeckende Krist., Schmp. 174–176 °C, $[\alpha]_D^{18}$ –173° (C_2H_5OH). S. ist wenig lösl. in Wasser, sehr gut lösl. in Chloroform u. heißem Alkohol. Das *Sesquiterpen S. kommt zusammen mit *Artemisin in dem in Turkestan beheimateten **Zitwer*, im heim. Strandbeifuß (*Artemisia maritima*, Asteraceae, s. a. Beifuß) zu ca. 1,5% im Kraut u. a. *Artemisia*-Arten vor. S. ist zu interessanten Photo-Umlagerungen (z. B. Photosantoninsäure-Umlagerung) fähig. Die diversen Gerüstumlagerungen wurden v. a. von *Barton et al. untersucht.

Verw.: Früher wurde S. als Anthelmintikum gegen Askariden verwendet; wegen schwerer Nebenwirkungen (Erkrankungen der Sehnerven, wobei es zu Violett-später Gelbsehen kommt, Krämpfe, Durchfall) ist diese Verw. heute nicht mehr vertretbar. – ***E*** santonin – ***F*** santonine – ***I*** = ***S*** santonina

Lit.: Ap Simon **2**, 315–324 ▪ Beilstein E V **17/11**, 314; **18/3**, 304 ▪ Braun-Frohne (6.), S. 80 ff. ▪ Hager (5.) **3**, 1056; **9**, 568 ▪ J. Org. Chem. **43**, 1086 (1978) ▪ Karrer, Nr. 1903, 1904, 1906 ▪ Merck-Index (12.), Nr. 8509 ▪ Pharm. Unserer Zeit **15**, 157 f. (1986) ▪ R. D. K. (4.), S. 918 ▪ Sax (8.), Nr. SAU 500 ▪ Zechmeister **38**, 134 ff. – *Synth.:* Chem. Pharm. Bull. **42**, 1160 (1994). – *[HS 2932 29; CAS 481-06-1]*

Santorinerde. Weicherdige vulkan. Ablagerung mit Kalk u. Ton von den griech. Inseln Santorin u. Therasia, wird als Zusatzmaterial bei der Herst. von hydraul. Mörtel verwendet. – ***E*** Santorin earth – ***F*** terre de Santorin – ***I*** terra Santorino – ***S*** tierra de Santorin – *[HS 2530 90]*

SAP s. Serum-Amyloid-Komponenten u. Pentraxine.

Saphir (Sapphir). Meist tiefblau gefärbte, durchsichtige bis durchscheinende Edelstein-Abart von *Korund, mit etwa 0,005–1,1% Eisen, das als Fe^{2+} zusammen mit dem ebenfalls – oft allerdings in Form feinfaseriger, durch Entmischung entstandener *Rutil-Einschlüsse – vorhandenen dreiwertigen Titan (bis zu 0,2%) die blaue Farbe verursacht. Fe^{3+} kann gelbe bis grüne, Vanadium violette u. Chrom rosa (z. B. in S. aus Nepal) Färbungen hervorrufen; zu den Farbursachen in S. s. a. *Lit.*[1,2]. Blaue S. werden auch künstlich[3] aus *Aluminiumoxid mit Beimengungen von Eisen- u. Titanoxiden nach dem *Verneuil-Verfahren u. a. Verf.[3] hergestellt. Manche weißliche, graublaue u. milchigtrübe S. aus Sri Lanka (sog. *Geuda-Steine*[4]) u. Australien können durch Erhitzen (Brennen) auf Temp. von 1550–1600 °C leuchtend blau u. durchsichtig werden[5]. *Asterismus zeigende S. nennt man *Stern-S.*; dazu u. zu den zahlreichen Einschlüssen in S. s. Eppler (*Lit.*) u. *Lit.*[3].

Vork.: Die S. werden v. a. aus *Seifen-Lagerstätten u. aus Verwitterungs-Rückständen von S.-haltigen *Basalten[6] gewonnen. Einige *Hauptförderländer* sind Myanmar (Burma)[7], Nord-Vietnam, Thailand, Kamputschea, Sri Lanka (Ceylon), Kaschmir/Indien, Nepal, VR China u. Australien; ein neues Vork. tiefblauer S. wurde in Madagaskar entdeckt[8]. Zur Charakterisierung von S. aus bestimmten Vork. mit Hilfe von *fluiden Einschlüssen s. *Lit.*[9]. Einer der größten S. von 2302 Karat (ca. 460 g) wurde zu einer Skulptur geschnitten, die den Kopf von Abraham Lincoln darstellt. – ***E*** sapphire – ***F*** saphir – ***I*** zaffiro – ***S*** zafiro

Lit.: [1] Angew. Chem. **90**, 95–103 (1978). [2] Neues Jahrb. Mineral. Monatsh. **1981**, 59–68. [3] Gemmologie (Z. Dtsch. Gemmol. Ges.) **44**, 41–53 (1995). [4] Z. Dtsch. Gemmol. Ges. **42**, 115–121 (1993). [5] Z. Dtsch. Gemmol. Ges. **37**, 57–68 (1988). [6] Gems Gemol. **30**, 253–262 (1994). [7] J. Gemmol. **24**, 551–561 (1995). [8] J. Gemmol. **25**, 177–184, 185–209 (1996). [9] Gemmologie (Z. Dtsch. Gemmol. Ges.) **45**, 47–54 (1996).
allg.: Eppler, Praktische Gemmologie (5.), S. 88–118, Stuttgart: Rühle-Diebener 1994 ▪ Gemmologie (Z. Dtsch. Gemmol. Ges.) **44**, 21–53 (1995) ▪ s. a. Aluminiumoxid, Edelsteine u. Schmucksteine, Korund. – *[HS 7103 91; CAS 1317-82-4]*

Sapo. Latein. Bez. für *Seife, z. B. S. kalinus = Kaliseife, S. kalinu venalis = Schmierseife, S. medicatus = medizin. Seife, S. oleaceus = Ölseife, S. stearinicus = Stearinseife, S. terebinthinatus = Terpentinseife, S. viridis = grüne Seife, Schmierseife. Sapo... drückt auch als Bestandteil von Benennungen eine Beziehung zu Seife aus; *Beisp.:* *Saponin, Sapotoxin.

Sapogenat® T. Tributylphenolpolyglykolether als chem. Rohstoff sowie als Netzmittel in Pflanzenschutzformulierungen. ***B.:*** Clariant.

Sapogenine. Gruppenbez. für die Aglykone der *Steroid-Saponine od. *Triterpen-Saponine, s. a. Steroid-Sapogenine. – ***E*** sapogenins – ***F*** sapogénines – ***I*** sapogenine – ***S*** sapogeninas

Saponin (von *Sapo). Unter handelsüblichem S. versteht man im allg. die aus *Saponinen bestehenden Inhaltsstoffe der *Seifenwurzel u. der *Panamarinde (s. Quillajasaponine). Dieses S. stellt ein weißes, scharf schmeckendes u. unangenehm riechendes, in Wasser leicht lösl. Pulver dar, dessen wäss. Lsg. beim Schütteln stark schäumt u. das daher als Schaumbildner in Feuerlöschern, Detergens in der Textil-Ind. u. für Feinwaschmittel sowie als Emulgator für Fette u. Öle gebraucht werden kann; s. a. Saponine. – ***E*** saponin – ***F*** saponine – ***I*** = ***S*** saponina – *[HS 2938 90]*

Saponine. Bez. für eine Gruppe von zumeist pflanzlichen *Glykosiden, die in Wasser kolloidale, seifenartige Lsg. bilden. Die S. werden nach der Art ihrer Aglykone, der Sapogenine, in *Steroidsaponine u. *Triterpen-Saponine unterteilt. Zu den wenigen tier. S. gehören die *Stachelhäuter-Saponine, z. B. die *Holothurine der Seegurken. – ***E*** saponins – ***F*** saponines – ***I*** saponine – ***S*** saponinas

Lit.: Dtsch. Apoth. Ztg. **136**, 89 (1996) ▪ Hostettmann u. Marston, Saponins, Cambridge: Univ. Press 1995 ▪ Zechmeister **30**, 461–606; **46**, 1–76; **74**, 1–196.

Saponit (Seifenstein z. T.). Zu den *Smektiten gehörendes, quellfähiges, monoklines *Tonmineral (Kristallklasse 2-C_s), in dem die Oktaeder-Schichten in der Struktur [1] fast ausschließlich von Mg-, Fe^{2+}- u. Fe^{3+}-Ionen besetzt sind. Eine neg. Ladung von x≤0,6 pro $O_{10}(OH)_2$ in den Tetraederschichten wird durch Kationen zwischen den Schichtpaketen ausgeglichen; Synth. von S. in Ggw. verschiedener Zwischenschicht-Kationen s. *Lit.* [2]. Es existiert eine vollständige *Mischkristall-Reihe zwischen S., Endglied-Formel $Mg_3[(Si_{4-x}Al_x)O_{10}/(OH)_2]E_x^+$ u. *Eisen-S.* (Fe^{2+} statt Mg); für x=0,33 kann z. B. E_x^+=$Na^{0,33+}$ sein; Formel-Beisp. für S. s. Bailey (*Lit.*). S. bildet grüne, graue, gelbliche od. weiße, körnig-tafelige, schuppige, erdige, dichte u. auch faserige Massen, die matt glänzen u. sich fettig anfühlen; H. 1,5, D. 2–3. Durch Einbau von Säulen aus *Polyoxo-Kationen*, z. B. Al_{13}^{7+} {über Polyhydroxo-Kationen $[Al_{13}O_4(OH)_{24}(H_2O)_{12}]^{7+}$} (sog. *pillared S.*) entstehen interlamellare Poren, so daß katalyt. Reaktionen auch in den Hohlräumen zwischen den Schichten ablaufen können; s. dazu *Lit.* [3].
Vork.: In jungen Meeres-*Sedimenten u. darunterliegenden Ozeanboden-Basalten. Als hauptsächliches Umwandlungs- u. Verwitterungsprodukt u. a. in kontinentalen Basalten (z. B. Maroldsweisach/Bayern) u. Serpentiniten (s. Serpentin). In Böden arider Klimagebiete in der Umgebung von Salzseen od. Salzpfannen. – ***E***=***F***=***I*** saponite – ***S*** saponita

Lit.: [1] Clays Clay Miner. **35**, 353–362 (1987). [2] Clays Clay Miner. **42**, 18–22 (1994). [3] Clays Clay Miner. **42**, 518–525 (1994).
allg.: Bailey (Hrsg.), Hydrous Phyllosilicates (Reviews in Mineralogy, Vol. 19), S. 546–551, Washington (D. C.): Mineral. Soc. Am. 1988 ▪ Jasmund u. Lagaly (Hrsg.), Tonminerale u. Tone, S. 48, 370f., 449–456, Darmstadt: Steinkopff 1993 ▪ s. a. Tone, Tonminerale. – *[CAS 1319-41-1]*

Saposine s. Sphingolipide.

Sappanholz s. Brasilin.

Sapphirin. $(Mg,Fe^{2+},Fe^{3+}Al)_8[(Al,Si)_6O_{20}]$, meist blaues od. grünes, auch graues od. blaßrotes, uneben brechendes, glasglänzendes, zu den Ino-*Silicaten gehörendes Mineral, das u. a. als monokliner *Sapphirin-2 M* (Kristallklasse 2/m-C_{2h}) u. trikliner *Sapphirin-1 Tc* (s. *Lit.* [1]; Kristallklasse $\bar{1}$-C_i) vorkommt. Komplizierte Kristallstruktur [1–4]; zur *Polytypie von S. s. *Lit.* [5], zu Ordnung/Unordnung bei der Al-Si-Verteilung in S. s. *Lit.* [6]. Meist als plattige Körner od. körnige Aggregate; H. 7,5, D. 3,54–3,58. Chem. Analysen von Ca- u. B-haltigem S. s. *Lit.* [7]; zur Stabilität s. *Lit.* [8].
Vork.: Überwiegend in hochgradig *metamorphen Gesteinen, bes. *Granuliten, z. B. Waldheim/Sachsen, Indien, Uganda, Kola-Halbinsel/Rußland, Norwegen u. Grönland. – ***E*** sapphirine – ***F*** saphirine – ***I*** saffirina – ***S*** zafirina

Lit.: [1] Z. Kristallogr. **151**, 91–100 (1980). [2] Acta Crystallogr. Sect. B **44**, 373–377 (1988). [3] Phys. Chem. Miner. **16**, 343–351 (1989). [4] Contrib. Mineral. Petrol. **68**, 357–368 (1979). [5] Phys. Chem. Miner. **15**, 548–558 (1988). [6] Am. Mineral. **77**, 8–18 (1992). [7] Eur. J. Mineral. **4**, 475–485 (1992). [8] Contrib. Mineral. Petrol. **103**, 211–225 (1988).
allg.: Anthony et al., Handbook of Mineralogy, Vol. II, Tl. 2, S. 708, Tucson (Arizona): Mineral Data Publishing 1995 ▪ Deer et al. (2.), S. 216–220 ▪ Ramdohr-Strunz, S. 731. – *[CAS 1302-94-9]*

Saprobie (Saprobität). Intensität des *biologischen Abbaus [1]; Maß für die Verfügbarkeit organ. u. anorgan. Nährstoffe in Gewässern, für die *Biomasse u. den Umsatz heterotropher Organismen (s. Heterotrophie). Beim Abbau organ. Substanzen kommt es gleichzeitig zur Neubildung von Biomasse. Im S.-Syst. werden je nach Abbauintensität u. Vork. von Indikatororganismen (*Saprobien) oft 4 Saprobitäten (= 7 S.-Bereiche, -Grade) unterschieden, Oligo-S. (geringe S.), β-Meso-S., α-Meso-S. u. Poly-S. (hohe S.), denen *Saprobienindices zwischen 1 bis 4 zugeordnet werden. Von Katharobität spricht man bei Reinwasser u. Trinkwasser, Limnosaprobität bei Oberflächen- u. Grundwasser, von Eusaprobität bei Abwasser (in dem mikrobieller Abbau stattfindet) sowie von Transsaprobität, wenn die Abwasserinhaltsstoffe aufgrund ihrer Toxizität nicht biolog. abgebaut werden [2]. Gegensatz: Trophie, s. ...troph. – ***E*** saprobity – ***F*** saprobie – ***I*** saprobia – ***S*** saprobidad

Lit.: [1] DIN 4049-2, S. 16: 1990-04. [2] Beitr. Gewässerforsch. Bundesanstalt Wassergüte Wasser Abwasser **26**, 1–175 (1983).

Saprobien (Saprobier). Indikatororganismen, welche die *Saprobie eines Fließgewässers anzeigen [1]. Ursprünglich war S. die Bez. für Bewohner von Wasser mit Fäulnis-fähigen Stoffen, im engeren Sinne für die mikrobiellen Bewohner faulender Substrate (s. Saprobionten). Bei niedrigen, mittleren od. hohen Konz. an organ. Substrat spricht man von Oligo-, Meso- od. Poly-Saprobie. Bewohner von Gewässern mit extrem niedrigen Gehalt an Fäulnis-fähigen Stoffen sind die *Katharobien, Bewohner von extrem belasteten Gewässern, von *Abwässern od. von *Faulschlämmen sind die Saprobionten bzw. Lymabionten (s. Lymabios). Die Gesamtheit der sessilen (festsitzenden) u. vagilen (beweglichen) substratbewohnenden S. (Benthon) [2] werden zur *Gewässergütebestimmung herangezogen; s. a. Saprobiensystem u. Saprobienindex. – ***E*** saprobics – ***F*** saprobes, saprobiotiques – ***I*** saprobici – ***S*** saprobios, saprobióticos

Lit.: [1] DIN 4049-2: 1990-04. [2] DIN 38410-1: 1987-12.
allg.: Berger et al., Bestimmung u. Ökologie der Mikrosaprobien nach DIN 38410, Stuttgart: Fischer 1997 ▪ Nagel, Bestimmungschlüssel der Saprobien, Stuttgart: Fischer 1989.

Saprobienindex (Mehrzahl: Saprobienindices). Ein für Fließgewässer mit Hilfe des *Saprobiensystems zu ermittelnder Wert zwischen 1 bis 4, der diese Gewässer anhand von *Bioindikatoren hinsichtlich der Wirkung ihrer Inhaltsstoffe charakterisiert. Dabei wird die Zusammensetzung aquat. *Biozönosen erfaßt u. bewertet [1] (älteres Syst. s. Gewässergütebestimmung). Es werden 7 Saprobiebereiche (s. Saprobie) unterschieden, denen S. von 1 bis 4 zugeordnet sind (Tab. 1, S. 3930). Die ausgewählten *Bioindikatoren (*Saprobien) können nur unter bestimmten Bedingungen existieren, sie haben nur eine begrenzte *ökologische Potenz (saprobielle Valenz). Die Optimumskurve wird annäherungsweise durch die Verteilung von 20 Punkten auf 7 Saprobiestufen beschrieben (Tab. 2, S. 3930).

Tab. 1: Gütegliederung der Fließgewässer; nach *Lit.*[2].

Güteklasse	Grad der organ. Belastung	Saprobität (Saprobiebereich)	chem. Parameter*			
			Saprobienindex	BSB_5 [mg/L]	NH_4-N [mg/L]	O_2-Minima [mg/L]
I	unbelastet bis sehr gering belastet	oligosaprob	1,0–<1,5	1	höchstens Spuren	>8
I–II	gering belastet	oligosaprob bis β-mesosaprob.	1,5–<1,8	1–2	um 0,1	>8
II	mäßig belastet	β-mesosaprob	1,8–<2,3	2–6	<0,3	>6
II–III	kritisch belastet	β-mesosaprob bis α-mesosaprob	2,3–<2,7	5–10	<1	>4
III	stark verschmutzt	α-mesosaprob	2,7–<3,2	7–13	0,5 bis mehrere mg/L	>2
III–IV	sehr stark verschmutzt	α-mesosaprob bis polysaprob	3,2–<3,5	10–20	mehrere mg/L	<2
IV	übermäßig verschmutzt	polysaprob	3,5–<4,0	>15	mehrere mg/L	<2

* Die chem. Daten geben lediglich Anhaltswerte für häufig anzutreffende Konzentrationen.

Tab. 2: Einteilung der Saprobiebereiche.

Elmis latreillei (ein Käfer)

1	1,5	2	2,5	3	3,5	4	Saprobiestufen
16	4						20-Punkte-Verteilung

s = (16×1 + 4×1,5): 20 = 1,1 — Saprobiewert

G = 16
(Standardabweichung zwischen 0,0 u. <0,2)

Chironomus thummi-Gruppe (Zuckmücken)

1	1,5	2	2,5	3	3,5	4	Saprobiestufen
		1	2	6	10	1	20-Punkte-Verteilung

s = (1×2 + 2×2,5 + 6×3 + 10×3,5 + 1×4) : 20 = 3,2 — Saprobiewert

G = 4
(Standardabweichung zwischen <0,4 u. <0,6)

Daraus wird sowohl der Saprobiewert s der Organismen-*Art als auch (aus der Standardabweichung der Saprobiewert-Berechnung) das Indikationsgew. G mit Werten zwischen 0 u. 16 abgeleitet (nach *Lit.*[2]).
Das Indikationsgew. betont die Aussagekraft stenopotenter Indikatoren (s. ökologische Potenz). Anstelle der genauen Individuenzahlen wird die geschätzte *Abundanz verwendet u. 7-stufig skaliert (Abundanz-Ziffer A):

1 – Einzelfund
2 – wenige Individuen
3 – wenige bis mittlere Vork.
4 – mittlere Vork.
5 – mittlere bis viele Vork.
6 – viele Vork.
7 – Massenvorkommen.

Berücksichtigt werden alle identifizierbaren Stadien einer Art, also z. B. Larven, Puppen u. ausgewachsene Tiere. Unberücksichtigt bleiben hingegen Eier, tote Tiere od. leere Schalen. Der Saprobienindex S wird berechnet nach[1]:

$$S = \frac{\sum_{i=1}^{n} s_i \times A_i \times G_i}{\sum_{i=1}^{n} A_i \times G_i}$$

(i = laufende Nummer der Organismen-Art; n = Anzahl der Arten; s_i = Saprobiewerte des i-ten Taxons; Standardabweichung/Streuungsmaß u. a., s. *Lit.*[1]). Die Saprobiewerte u. Indikationsgew. der einzelnen *Arten sind aus dem verbindlichen Anhang A der DIN[1] zu entnehmen. Die Organismen-Arten sind nach ihrer Größe in zwei Gruppen (auf 2 Listen in der DIN) eingeteilt, nämlich Makro- u. Mikroorganismen. Für diese 2 Gruppen werden getrennte S. errechnet. Soll ein einheitlicher S. angegeben werden, so errechnet sich dieser aus den Einzelwerten aller Organismen (nicht aus dem Mittelwert der Einzel-Indices). Bei der Ermittlung der S. bleibt das *Plankton – als *Bioindikator der Verhältnisse oberhalb der Untersuchungsstelle – sowie photoautothrophe (photosynthet.) Organismen wie *Pflanzen od. *Cyanobakterien (Blaualgen) unberücksichtigt. Für stehende Gewässer werden bes. Indices vorgeschlagen[2]. – ***E*** saprobic index – ***F*** indice saprobiotique – ***I*** indice saprobicr – ***S*** índice saprobiótico

Lit.: [1] DIN 38410-2, Bestimmung des Saprobienindex: 1990-10. [2] Z. Wasser Abwasser-Forsch. **23**, 141–152 (1990).
allg.: Gunkel (Hrsg.), Bioindikation in aquatischen Ökosystemen, Jena: Fischer 1992 ▪ Habeck-Tropfke u. Habeck-Tropfke, Abwasserbiologie (2.), S. 196–214, Düsseldorf: Werner 1992 ▪ Natur u. Landschaft (Stuttgart) **67**, 544–547 (1992).

Saprobiensystem. Zusammenstellung der *Saprobien unter Angabe ihrer Indikatoreigenschaften für bestimmte *Saprobie-Bereiche[1], empir. Einteilung der Saprobien[2]. Das S. dient zur Bestimmung des *Saprobienindex u. ist damit die Grundlage für die ökolog. *Gewässergütebestimmung von Fließgewässern. Das S. eignet sich nicht immer gut für sehr schnell od. sehr langsam fließende Gewässer u. kann nicht zum Nachw. von Intoxikationen verwendet werden. Für stehende Gewässer werden bes. Indices vorgeschlagen. Das S. wird meist mit Saprobiesyst. gleichgesetzt, das nicht nur das Vork. der Saprobien, sondern auch die Abbau-Intensität berücksichtigt[2]. – *E* saprobic system, saprobe system – *F* système de saprobes – *I* sistema saprobico – *S* sistema de saprobios

Lit.: [1] DIN 38410-2, Bestimmung des Saprobienindex: 1990-10. [2] DIN 4049-2: 1990-04.

allg.: Länderarbeitsgemeinschaft Wasser (Hrsg.), Gewässergüteatlas der Bundesrepublik Deutschland – Biolog. Gewässergütekarte 1995, S. 10–17, Berlin: Kultur-Buch-Verl. 1996 ▪ Z. Wasser Abwasser-Forsch. **23**, 141–152 (1990).

Saprobionten. Von griech.: sapros = Fäulnis u. bios = Leben hergeleitete Bez. für Organismen, die Wasser od. andere Standorte mit *Fäulnis-fähigen Stoffen bewohnen, z. B. organ. belastetes *Abwasser, *Gülle, *Fäkalien u. *Faulschlämme (s. a. Lymabios); s. a. Saprophyten u. Saprobien. – *E* saprobionts – *F* saprobies, saprobiontes – *I* saprobionti – *S* saprobios, saprobiontes

Lit.: Arch. Hydrobiol., Beih. Ergeb. Limnolog. **9**, 1–245 (1977) ▪ DIN 4049-2: 1990-04 ▪ Int. Rev. Gesamten Hydrobiol. **52**, 145–162 (1967).

Sapropel(ite) s. Faulschlamm u. Kannelkohle.

Saprophyten. Bez. für eine Vielzahl von Mikroorganismen (Bakterien u. Pilze) u. einige Pflanzen, die tote organ. Materie als Nährstoffe verwenden. Die chemoorgano-heterotrophen Mikroorganismen leben im Boden u. Wasser u. sind für Abbaureaktionen (Fäulnis- u. Verwesungsvorgänge) im biolog. Stoffkreislauf verantwortlich. – *E* = *F* saprophytes – *I* saprofiti – *S* saprofitas

Saprotroph (saprophag, saprovor). Bez. für eine Form von *Heterotrophie, nämlich für die Ernährung von faulender toter od. verwesender Biomasse, z. B. von Exkrementen (Koprophagie s. Koprophagen), Exkreten, Leichen (Nekrotrophie) od. *Detritus (Detritivorie). Im engeren Sinn wird S. nur für die Ernährung von pflanzlichem Bestandsabfall (s. Bestand) verwendet (Phytosaprotrophie); s. a. Saprobionten. – *E* saprotrophic – *F* saprotrophe – *I* = *S* saprotrofo

Lit.: Bick, Grundzüge der Ökologie (3.), S. 16, Stuttgart: Fischer 1998.

Saprovor s. saprotroph.

Saptil®. Waschpaste für die gezielte Vorbehandlung an Kragen u. Manschetten, auch als vollwertiges Waschmittel im Handwaschbecken. *B.:* Henkel.

Sapur®. Pulver- u. Schaumreiniger für Teppichböden u. Polster. *B.:* Henkel, Thompson Siegel.

Saquayamycine. Chinoide Antibiotika vom *Isotetracenon-Typ, die bei saurer Hydrolyse *Aquayamycin liefern.

Tab.: Daten zu den Saquayamycinen A–D.

	Summenformel	M_R	Schmp. [°C]	$[\alpha]_D^{24}$ ($CHCl_3$)	CAS
S.A	$C_{43}H_{48}O_{16}$	820,84	149–152 (Zers.)	+77°	99260-65-8
S.B	$C_{43}H_{48}O_{16}$	820,84	164–166 (Zers.)	+96°	99260-67-0
S.C	$C_{43}H_{52}O_{16}$	824,87	142–143 (Zers.)	−53°	99260-70-5
S.D	$C_{43}H_{50}O_{16}$	822,86	152–155 (Zers.)	+10°	99260-71-6

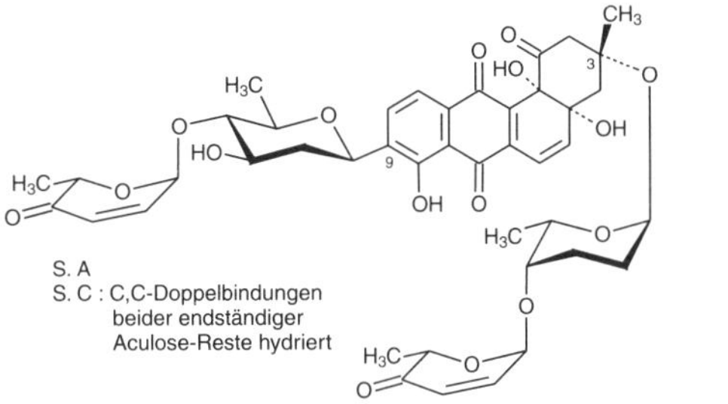

S. A
S. C : C,C-Doppelbindungen beider endständiger Aculose-Reste hydriert

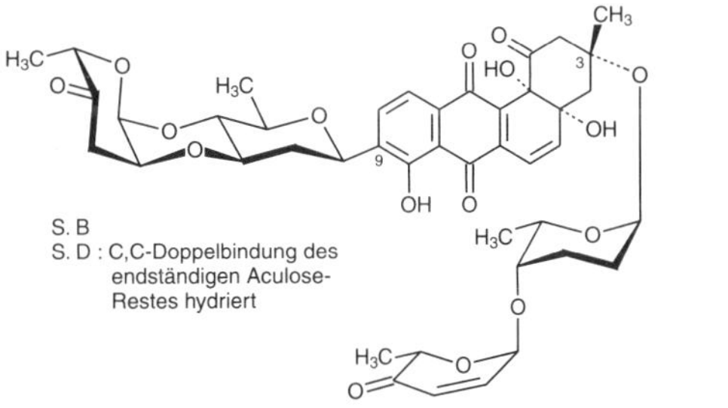

S. B
S. D : C,C-Doppelbindung des endständigen Aculose-Restes hydriert

Es handelt sich um orange, mikrokrist. Verb., die in Chloroform lösl. u. in Wasser unlösl. sind. Sie wurden aus Streptomyceten-Kulturen isoliert (z. B. *Streptomyces nodosus*) u. besitzen Aktivität gegen Gram-pos. Bakterien u. P 388 Leukämiezellen. – *E* saquayamycins – *F* saquayamycines – *I* saquaiamicine – *S* sacuayamicinas

Lit.: J. Antibiotics (Tokyo) **38**, 1171 (1985); **41**, 1913 (1988); **43**, 830 (1990); **49**, 487 (1996). – *[HS 2941 90]*

Saquinavir (Rp).

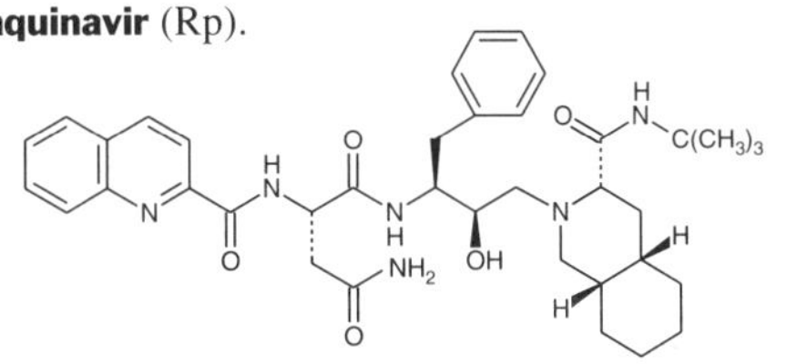

Internat. Freiname für das *Virostatikum N_1-{(1*S*,2*R*)-1-Benzyl-3-[(3*S*)-3α-(*tert*-butylcarbamoyl)-(4aβ,8aβ)-octahydro-2(1*H*)-isochinolinyl]-2-hydroxypropyl}-N^2-(chinolin-2-carboxamido)-L-aspartamid, $C_{38}H_{50}N_6O_5$, M_R 670,85, $[\alpha]_D^{20}$ −55,9° (c 0,5/CH_3OH). S. ist ein *Peptidomimetikum, das die HIV-Protease inhibiert. Es wurde 1991/93 von Hoffmann-La Roche patentiert u. ist als des *Mesilat ($C_{39}H_{54}N_6O_8S$, M_R 767,05) von Roche (Invirase®) zur Behandlung von *AIDS im Handel. – *E* = *F* = *I* = *S* saquinavir

Lit.: Drugs **52**, 93–112 (1996) ▪ J. Org. Chem. **59**, 3656 ff. (1994) ▪ Martindale (31.), S. 660 ▪ Merck-Index (12.), Nr. 8516. – *[CAS 127779-20-8 (S.); 149845-06-7 (S.-Mesilat)]*

Sar s. Sarkosin.

Saragossasäuren (Squalestatine, Zaragonsäuren). Äußerst wirksame kompetitive Inhibitoren der Squalen-Synthase (SQS) u. somit der Cholesterin-Biosynthese. Die unterschiedlichen Bez. sind auf die zeitgleiche Entdeckung der Naturstoffklasse aus verschiedenen Ascomyceten-Stämmen (z. B. *Phoma* sp., *Setosphaeria khartoumensis*) durch drei Forschergruppen zurückzuführen. Alle S. weisen ein 4,6,7-

Trihydroxy-2,8-dioxabicyclo[3.2.1]octan-3,4,5-tricarbonsäure-Gerüst auf, das als lipophile Seitenkette eine Acyl-Gruppe am 6-O-Atom u. eine Alkyl-Einheit am 1-C-Atom trägt, z. B. *S. A*:

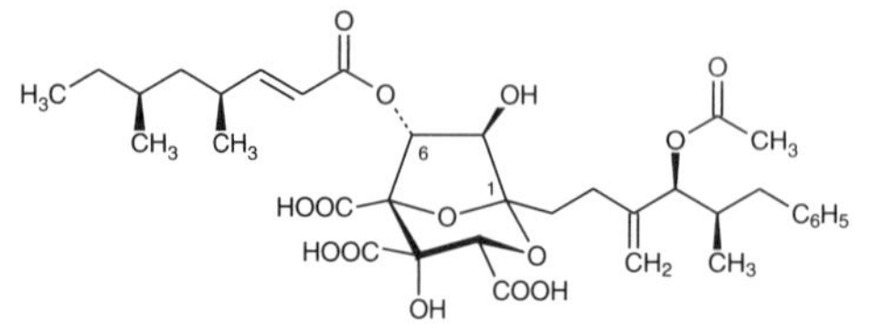

S. A

(= Squalestatin 1) $C_{35}H_{46}O_{14}$, M_R 690,72, $[\alpha]_D^{25}$ +37° (CH_3OH), IC_{50} (Ratten-Squalensynthase) 15 nmol/L. Als Hemmstoffe der Farnesyl-Protein-Transferase sind S. potentielle Cytostatika. S. sind Ziel zahlreicher Totalsynthesen[1]. – ***E*** zaragozic acids – ***F*** acides zaragoziques – ***I*** acidi zaragozici – ***S*** ácidos zaragózoicos

Lit.: [1] Angew. Chem. **106**, 2306, 2309, 2312 (1994); **107**, 849 (1995); **109**, 1243 (1997); J. Org. Chem. **61**, 9115–9134 (1996); Synlett **1997**, 451.
allg.: J. Antibiot. (Tokyo) **51**, 428 (1998) ▪ Nat. Prod. Rep. **11**, 279 (1994) ▪ Prog. Med. Chem. **33**, 331 (1996) ▪ Tetrahedron Lett. **39**, 3337 (1998). – *[CAS 142564-96-4 (S. A)]*

Saralasin (Rp). Internat. Freiname für den *Angiotensin-II-Antagonisten Sar-Arg-Val-Tyr-Val-His-Pro-Ala (1-Sarkosin-5-L-valin-8-L-alanin-angiotensin II), $C_{42}H_{65}N_{13}O_{10}$, M_R 912,07. S. kann zur Diagnose des *Renin-abhängigen Bluthochdrucks verwendet werden. – ***E*** saralasin – ***F*** saralasine – ***I*** = ***S*** saralasina

Lit.: Hager (5.) **9**, 568 ff. ▪ Kirk-Othmer (3.) **4**, 893 ▪ Martindale (31.), S. 943. – *[HS 2933 29; CAS 34273-10-4]*

Saran®. Folien für die Nahrungsmittelverpackung. ***B.:*** Dow.

Saran-Faser. US-amerikan. Bez. für Fasern aus *Polymeren, die in ihren Ketten mehr als 80% Vinylidenchlorid-Einheiten enthalten. Bestehen die Polymere hingegen aus mehr als 85% Vinylchlorid-Einheiten, so werden sie „Vinyon" genannt. Nach ISO werden Fasern aus Polymeren mit mehr als 50% Vinylchlorid- od. Vinylidenchlorid-Einheiten als Chlorofasern bezeichnet. – ***E*** Saran fibre – ***I*** fibre saran – ***S*** fibra saran

α-Sarcin. Pilzliches *Toxin aus *Aspergillus giganteus* mit *Ribonuclease-Aktivität, das als Ribosomen-inaktivierendes Protein (s. Ribosomen) die *eukaryo(n)tische Protein-Biosynth. (s. Translation) hemmt, indem es die Phosphodiester-Bindung an der 3′-Seite des Guanosin-Rests 4325 der 28-S-rRNA der Ribosomen spaltet. Verw. zur Entwicklung von *Immuntoxinen[1]. – ***E*** α-sarcin – ***F*** α-sarcine – ***I*** = ***S*** α-sarcina

Lit.: [1] Eur. J. Biochem. **196**, 203–209 (1991).
allg.: J. Biol. Chem. **265**, 2216–2222 (1990) ▪ Trends Biochem. Sci. **9**, 14–17 (1984). – *[HS 3002 90; CAS 86243-64-3]*

Sarcinaxanthin [(2*R*,2′*R*,6*R*,6′*R*)-2,2′-Bis((*E*)-4-hydroxyprenyl)-18,6:18′,6′-*diretro-β,β*-carotin].

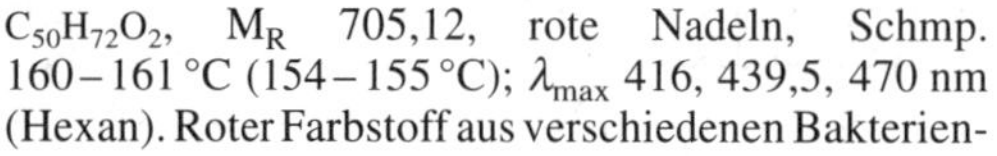

$C_{50}H_{72}O_2$, M_R 705,12, rote Nadeln, Schmp. 160–161 °C (154–155 °C); λ_{max} 416, 439,5, 470 nm (Hexan). Roter Farbstoff aus verschiedenen Bakterien-Arten (*Carotinoid), u. a. *Sarcina lutea, Flavobakterium dehydrogenans, Cellulomonas biazotea*. S. kommt häufig in glykosid. Bindung vor. – ***E*** sarcinaxanthin – ***F*** sarcinaxanthine – ***I*** = ***S*** sarcinaxantina

Lit.: Helv. Chim. Acta **80**, 804 (1997) ▪ J. Biol. Chem. **256**, 11 607 (1981) (Biosynth.) ▪ Tetrahedron **46**, 475 (1990) (Synth.). – *[CAS 11031-47-3]*

Sarcodictyine.

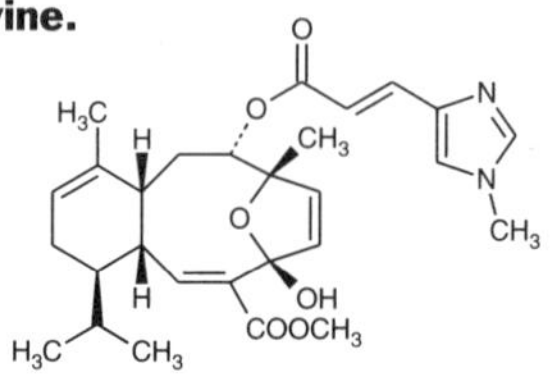

Sarcodictyin A

Cytotox. Inhaltsstoffe (S. A bis F) aus der Mittelmeer-Koralle *Sarcodictyon roseum* u. aus *Eleutherobia aurea*, z. B. *S. A*: $C_{28}H_{36}N_2O_6$, M_R 496,60, Pulver, Schmp. 219–222 °C, $[\alpha]_D^{20}$ –15,2° (c 1/CH_3OH). Die S. sind strukturverwandt mit dem noch stärker wirksamen Eleutherobin.
Die S. wirken ebenso durch Mikrotubuli-Stabilisierung wie *Taxol, *Discodermolid od. die *Epothilone. – ***E*** sarcodictyins – ***F*** sarcodictyines – ***I*** sarcodictiine – ***S*** sarcodictyinas

Lit.: Angew. Chem., Int. Ed. **37**, 789 (1998) ▪ Angew. Chem. **110**, 1487 ff. (1998) (Synth., Wirkung) ▪ Chem. Eng. News 24. 11. **1997**, 64 ff. (Review) ▪ Helv. Chim. Acta **71**, 964 (1988) ▪ J. Am. Chem. Soc. **119**, 11 353 (1997) (Synth.) ▪ J. Nat. Prod. **59**, 873 (1996) (Isolierung). – *[CAS 113540-81-1 (S. A)]*

Sarcosin s. Sarkosin.

Sardellen (Synonym: Anchovis). *Engraulis encrasicholus* (L.), Knochenfisch (Engrauliden), Familie der Clupeidae.
Vork.: Atlantik, von Norwegen bis Nordwest-Afrika, Mittelmeer, Schwarzes Meer.
Verw.: S. gelangen entweder gesalzen[1] bzw. als Halbkonserve in den Handel od. werden zu S.-Erzeugnissen (*S.-Butter, S.-Paste*) verarbeitet. Die Anforderungen an die Kennzeichnung u. Beschaffenheit von S. u. S.-Erzeugnissen sind den Leitsätzen[2], Abschnitt C u. D, u. einem ALS-Beschluß[3] zu entnehmen. Qual. Veränderungen in geschmacklicher, mikrobiolog. u. chem. Hinsicht sind nach *Lit.*[4] in tiefgekühlten S. innerhalb von ca. 1/2 Jahr kaum nachweisbar u. beeinflussen nicht die Genießbarkeit des Produktes. Veränderungen im Gehalt an 10 biogenen Aminen von in Öl gelagerten S. werden in *Lit.*[5] untersucht. Demnach steigt bes. der Gehalt an Histamin, Tyramin u. β-Phenylethylamin auch bei niedrigen Temp. an. Zu mikrobiolog. Veränderungen in gesalzenen S. s. *Lit.*[6]. Produktion (BRD, 1996): 642 t. – ***E*** anchovies – ***F*** anchois – ***I*** alici, acciughe – ***S*** anchoas

Lit.: [1] J. Food Sci. **52**, 919–921 (1987). [2] Leitsätze für Fische, Krusten-, Schalen- u. Weichtiere sowie Erzeugnisse daraus in der Fassung vom 14. 5. 1982, abgedruckt in Zipfel, C 251. [3] Bundesgesundheitsblatt **31**, 397 (1988). [4] Int. J. Food Sci. & Technol. **31**, 527–531 (1996). [5] J. Agric. Food Chem. **45**, 1385–1389 (1997). [6] J. Korean Soc. Food Sci. Nutr. **25**, 885–891 (1996).
allg.: Zipfel, C 251 II C u. D. – *[HS 0302 69, 0303 79, 0305 59, 0305 69]*

Sarder s. Sardonyx.

Sardinen. *Sardina pilchardus* (W.), bis 25 cm langer Seefisch (Knochenfisch/Clupeidae).
Vork.: Atlantik, vor der iber. Halbinsel u. Nordwest-Afrika.
Verw.: Kleinere Exemplare werden als *Öl-S.* bezeichnet, größere als *Pilchard.* S.-Erzeugnisse[1] sind *Öl-S.*, *gesalzene S.*, *S.-Paste* u. *geräucherte Sardinen*[2]. S. können auch zu *Surimi verarbeitet werden[3]. Darüber hinaus sind S. eine für die Lebensmittel-Ind. wichtige Protein-Quelle[4]. Zur mikrobiolog.-hygien. Situation bei S.-Konserven s. *Lit.*[5]. *Histamin-Kontaminationen treten in S.-Erzeugnissen selten auf[6]. – ***E*** = ***F*** sardines – ***I*** sardine, sarde, sardelle – ***S*** sardinas

Lit.: [1] Leitsätze für Fische, Krusten-, Schalen- u. Weichtiere u. Erzeugnisse daraus vom 14. 5. 1982, abgedruckt in Zipfel, C 251, Kapitel L. Nr. 4c. [2] Z. Lebensm. Unters. Forsch. **189**, 317–321 (1989). [3] Int. J. Food Sci. Technol. **23**, 607–623 (1988). [4] J. Sci. Food Agric. **38**, 263–269 (1987). [5] J. Food Prot. **49**, 428–435 (1986); **51**, 979–981 (1988). [6] J. Food Prot. **49**, 904–908 (1986).
allg.: Ullmann (4.) **11**, 458, 518; (5.) **A 10**, 236, 255 ▪ Zipfel, C 250 Vorb. 20, C 251, II L 4. – *[HS 0302 61, 0303 71, 1604 13, 1604 20]*

Sardonyx. Zu den *Achaten gezählter *Chalcedon, der in der Antike sehr beliebt war u. nach damaliger Auffassung die schwarzweiße Bänderung des *Onyx mit dem Rot des (antiken) *Sarders* (rotbraune Varietät des Chalcedons) vereinigte. Heute bezeichnet man mit S. (meist künstlich gefärbte) braun-weiß od. braunrot-weiß gebänderte Achate, die wegen ihrer relativ dicken Lagen zum Gemmenschnitt geeignet sind. – ***E*** = ***F*** sardonyx – ***I*** sardonica, sardonice – ***S*** sardónica

Lit.: Lüschen, Die Namen der Steine (2.), S. 311 f., Thun: Ott 1979 ▪ Rykart, Quarz-Monographie (2.), S. 405 f., Thun: Ott 1995. – *[HS 7103 99]*

Sarett-Oxidation. Von Sarett eingeführte schonende Oxid. von prim. (R^2=H) bzw. sek. Alkoholen zu Aldehyden bzw. Ketonen mittels eines Chromoxid-Pyridin-Komplex. Dabei trägt man zunächst festes Chrom(VI)-oxid in wasserfreies Pyridin ein u. fügt dann bei 20 °C unter Rühren die zu oxidierende Substanz, in Pyridin gelöst, langsam hinzu. Die Verb. [$CrO_3 \cdot 2C_5H_5N$] wird auch *Collins Reagenz* genannt.

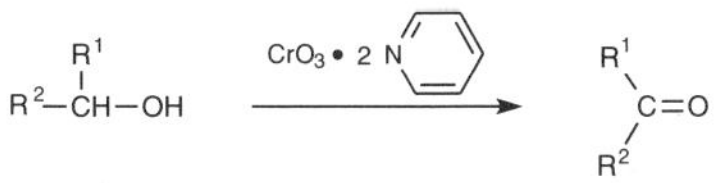

$$R^1R^2CH{-}OH \xrightarrow{CrO_3 \cdot 2\,C_5H_5N} R^1R^2C{=}O$$

– ***E*** Sarett oxidation – ***F*** oxydation de Sarett – ***I*** ossidazione di Sarett – ***S*** oxidación de Sarett

Lit.: Hassner-Stumer, S. 333 ▪ Trost-Fleming **7**, 256.

Sarin. Deckname für einen zu den *Nervengasen* zählenden *Kampfstoff, 1939 in Deutschland entwickelt u. im 2. Weltkrieg hergestellt, jedoch nicht angewendet. T+

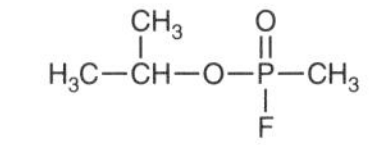

$$H_3C{-}CH(CH_3){-}O{-}P(=O)(F){-}CH_3$$

Chem. Zusammensetzung: Methylfluorophosphonsäureisopropylester, $C_4H_{10}FO_2P$, M_R 140,09, farblose bis gelbbraune, fast geruchlose Flüssigkeit, D. 1,089 (bei 25 °C), Schmp. –56 °C, Sdp. 147 °C, mit Wasser beliebig mischbar, gut Lipoid-löslich.

S. kann außer durch Einatmen wegen seiner guten Lipoid-Löslichkeit auch über Hautkontakt aufgenommen werden. Es wirkt irreversibel hemmend auf die *Acetylcholin-Esterase u. führt dadurch zu Atemlähmung u. Herzstillstand. Als *Antidote wirken *Oxim-Präp. zusammen mit *Atropin. Gegenüber dem bereits 1936 entwickelten *Tabun wirkt S. etwa vierfach toxischer (beim Einatmen), hat eine höhere therm. Stabilität u. eine bei Normaltemp. etwa 20fache Flüchtigkeit. Zusammen mit dem 1944 entwickelten *Soman war für diese *Kampfstoffe der Gruppen-Name „*Trilone*" in Deutschland in Gebrauch.
Das S. (US-Code *GB*) hat auch heute noch aktuelle Bedeutung. Es ist aus auf dem Markt relativ leicht erhältlichen Chemikalien mit verhältnismäßig einfacher Technologie herstellbar, z. B. nach folgendem Reaktionsschema:

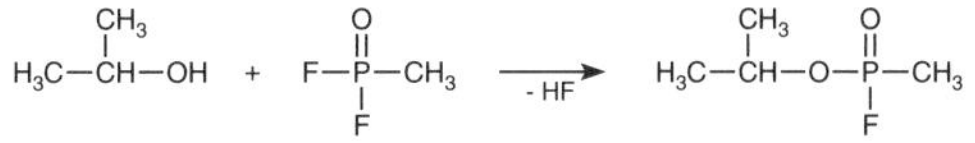

$$H_3C{-}CH(CH_3){-}OH + F{-}P(=O)(F){-}CH_3 \xrightarrow[-HF]{} H_3C{-}CH(CH_3){-}O{-}P(=O)(F){-}CH_3$$

Eine internat. Kontrolle ist daher äußerst schwierig. Es gilt als wahrscheinlich, daß auch kleinere Staaten, z. B. der Irak, im Besitz von S.-Waffen sind. Weltweites Aufsehen erregten 1995 kriminelle Giftgas-Anschläge in Tokioter U-Bahnen durch Mitglieder einer Sekte mit im Labormaßstab hergestelltem S., wobei mind. 6 Menschen starben u. über 3900 verletzt wurden.
S. kann auch als *binärer Kampfstoff verwendet werden: Bei Zumischung geeigneter Reaktionsbeschleuniger zu den getrennten Komponenten bildet sich beim Vermischen, z. B. in Granaten nach dem Abschuß, nach oben genannten Schema innerhalb 10 s ein Gemisch mit ca. 70% Sarin. – ***E*** = ***F*** = ***S*** sarin – ***I*** sarina

Lit.: Kirk-Othmer (4.) **5**, 799 ff. ▪ Klimmek et al., Chemische Gifte u. Kampfstoffe, S. 68–83, Stuttgart: Hippokrates 1983 ▪ Nachr. Chem. Tech. Lab. **37**, Nr. 3, 255 ff. (1989) ▪ s. a. Kampfstoffe. – *[CAS 107-44-8]*

Sarkin s. Hypoxanthin.

Sarkolemm(a) s. sarkoplasmatisches Retikulum.

Sarkome s. Krebs.

Sarkomere. 2–3 µm lange, sich wiederholende Struktureinheiten der *Muskel-Fibrille (Myofibrille), die aus parallel gelagerten dicken (s. Myosin) u. dünnen (s. Actin) Filamenten zusammengesetzt sind. – ***E*** sarcomeres – ***F*** sarcomères – ***I*** sarcomeri rarcoplasmatico – ***S*** sarcómeros

Sarkomycin A [(*R*)-2-Methylen-3-oxocyclopentancarbonsäure].

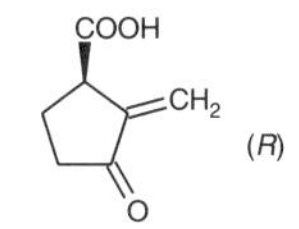

COOH, CH_2, O (*R*)

$C_7H_8O_3$, M_R 140,14, Öl, lösl. in Wasser, schlecht lösl. in Hexan, $[\alpha]_D^{15}$ –32,5° (c 1/CH_3OH). S. wurde aus Kulturen von *Streptomyces erythrochromogenes* isoliert. Es zeigte in klin. Prüfungen Wirkung gegen solide Tumoren. – ***E*** sarkomycin A – ***F*** sarcomycine A – ***I*** = ***S*** sarcomicina A

Lit.: Beilstein EIV **10**, 2663 ▪ Merck Index (12.), Nr. 8521 ▪ Pure Appl. Chem. **58**, 781 (1986) ▪ Sax (8.), SJS 500 ▪ Synthesis **1997**, 356 ▪ Tetrahedron **45**, 7023 (1989). – *[HS 2941 90; CAS 489-21-4]*

Sarkophag. Von griech.: sarx, Gen. sarkos = Fleisch u. phagos = Fresser hergeleitete Bez. für fleischfressende Tiere (Sarkophagen), die selbst erlegte Beute (Carnivoren, s. Carnivorie) od. Leichen (*Nekrophagen) verzehren. Gelegentlich wird Sarkophagie als Synonym zu Carnivorie (im engeren Sinn) aufgefaßt. – ***E*** sarcophagous – ***F*** sarcophages – ***I*** sarcofago – ***S*** sarcófagos

Lit.: Schaefer u. Tischler, Ökologie (2.), S. 236, Stuttgart: Fischer 1983.

Sarkoplasma s. sarkoplasmatisches Retikulum.

Sarkoplasmatisches Retikulum (von griech.: sarx = Fleisch, Abk.: SR). Das spezialisierte *endoplasmatische Retikulum der *Muskel-Zellen. Im abgeschlossenen Membransyst. des SR, das einerseits den *Myofibrillen* (innerzellulären Muskelfasern), andererseits den *transversalen Tubuli* [T-Tubuli, Einstülpungen der hier auch *Sarkolemm(a)* genannten Plasmamembran] anliegt, ist im Ruhezustand des Muskels eine um ca. 1000fach höhere Konz. an Calcium-Ionen als im *Cytoplasma (hier auch *Sarkoplasma* genannt) anzutreffen. Diese wird durch ein durch *Adenosin-5′-triphosphat angetriebenes membranständiges Transportprotein (*Calcium-Pumpe*, *Ca^{2+}-ATPase*) hergestellt u. aufrechterhalten. An der Innenseite der Membran des SR wird Ca^{2+} von *Calsequestrin gebunden. Bei eintreffendem Nervenreiz fällt das elektr. Membran-Potential der T-Tubuli ab (Depolarisierung), u. im SR öffnen sich spezielle *Ionenkanäle für Calcium-Ionen (*Ryanodin-Rezeptoren) u. gestatten den Ausstrom dieser Ionen ins Cytoplasma. Der Anstieg des cytoplasmat. Calcium-Ionenspiegels dient als Signal zur Kontraktion der Myofibrille. – ***E*** sarcoplasmic reticulum – ***F*** réticulum sarcoplasmique – ***I*** reticolo sarcoplasmatico – ***S*** retículo sarcoplásmico

Lit.: Cardiovasc. Res. **38**, 589–604 (1998) ▪ J. Vasc. Res. **34**, 325–343 (1997) ▪ Rev. Physiol. Biochem. Pharmacol. **122**, 69–147 (1993).

Sarkosin [Sarcosin, *N*-Methylglycin, (Methylamino)-essigsäure; Kurzz. Sar od. MeGly].

$$H_3C–NH–CH_2–COOH$$

$C_3H_7NO_2$, M_R 89,09. Farblose, süßlich schmeckende, säulenförmige Krist., Schmp. 212–213 °C (Zers.), leichtlösl. in Wasser, wenig lösl. in Alkohol, unlösl. in Ether. Sar ist ein Bestandteil der Säugetier-*Muskeln u. auch in den Säurehydrolysaten des Erdnußproteins, in Hummern, Krabben, Rentiermoos, *Actinomycinen, *Cyclosporinen enthalten.

Die Aminosäure Sar spielt im Organismus als Abbauprodukt des *Kreatins u. Zwischenprodukt beim Abbau des *Cholins zum *Glycin eine Rolle. Die Umsetzung des Sar zum Glycin erfolgt unter Bildung von Formaldehyd (katalysiert durch *Sarkosin-Dehydrogenase*, EC 1.5.99.1, od. *Sarkosin-Oxidase*, EC 1.5.3.1), der ggf. auf (6*S*)-5,6,7,8-*Tetrahydrofolsäure übertragen werden kann.

Anw.: Das techn. aus Formaldehyd, Natriumcyanid u. Methylamin zugängliche Sar findet Anw. in Form der *Sarkosinate* (z. B. Natrium-, Kalium-, Ammonium- od. Triethanolamin-Salze) u. der *N*-Acyl-Derivate [allg. Formel: $R–CO–N(CH_3)–CH_2–COOH$, wobei R–CO einen Fettsäure-Rest bedeutet, z. B. Lauroyl, Stearoyl, Oleoyl] als *Reiniger, Netz- u. Dispergiermittel, Korrosionsinhibitoren in Erdöl, Pharmazeutika u. Kosmetika, zur Herst. von gärungsverhindernden, schäumenden Zahnpasten u. zur Stabilisierung von Diazo-Verb. in der Farbstoff-Industrie. Sar wurde durch von *Liebig aus dem Kreatin der Fleischbrühe gewonnen, daher Name von griech.: sarx = Fleisch. – ***E***=***F*** sarcosine – ***I***=***S*** sarcosina

Lit.: Beilstein EIV **4**, 2363 f. ▪ Ullmann (5.) **A 25**, 763 f. (Sarkosinate). – *[HS 2922 49; CAS 107-97-1]*

Sarkosinate s. Sarkosin.

Saroten® (Rp). Dragées, Ampullen u. Retardkapseln mit *Amitriptylin-hydrochlorid gegen Depressionen. ***B.:*** Bayer Pharma Deutschland.

Sarpagin (Raupin, Sarpagan-10,17-diol).

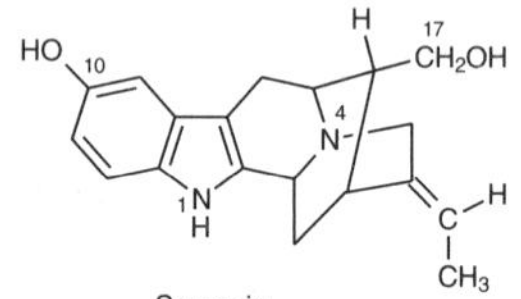

Sarpagin

$C_{19}H_{22}N_2O_2$, M_R 310,38; Nadeln, Schmp. 320 °C (Zers.), $[\alpha]_D^{20}$ +54° (Pyridin), lösl. in siedendem Ethanol, unlösl. in Chloroform; das Hydrochlorid ($C_{19}H_{23}ClN_2O_2$, M_R 346,86) zersetzt sich >220 °C. Dieses *Rauwolfia-Alkaloid (*Indol-Alkaloid) ist ein typ. Beisp. für die Gruppe der Sarpagan-Alkaloide (ca. 50 natürliche Vertreter bekannt). Der Sarpagan-Typ ist der biogenet. Vorläufer der Ajmalan-Gruppe (s. Ajmalin). S. wirkt blutdrucksenkend u. als Adrenalin-Antagonist. Wichtige Derivate sind: *N^1-Methylsarpagin* ($C_{20}H_{24}N_2O_2$, M_R 324,42), *N^4,O^{17}*-Dimethylsarpiginium (*Lochneram*, $C_{21}H_{27}N_2O_2^+$, M_R 339,46) u. *O^{10}*-Methylsarpigin (*Lochnerin*, $C_{20}H_{24}N_2O_2$, M_R 324,42, Schmp. 202,5–203,5 °C, stark blutzuckersenkend). – ***E***=***F*** sarpagine – ***I***=***S*** sarpagina

Lit.: Hager (5.) **6**, 361 f., 366 f., 817 ▪ Pharm. Biol. (3.) **2**, 182 f. ▪ R. D. K. (4.), S. 919 ▪ Zechmeister **43**, 267–346 ▪ s. a. Rauwolfia-Alkaloide. – *[HS 2939 90; CAS 482-68-8 (S.); 17801-05-7 (N^1-Methyl-S.); 6901-26-4 (Lochneram); 522-47-4 (Lochnerin)]*

Sarsaparillosid s. Steroidsaponine.

Sarsasapogenin s. Steroidsapogenine.

Sartorius. Kurzbez. für die 1927 gegr., internat. agierende Sartorius AG, 37075 Göttingen. *Daten* (1997): ca. 2000 Beschäftigte, 318,3 Mio. DM Umsatz. *Arbeitsbereiche:* Laborwaagen, Ind.-Waagen, Edelmetall- u. Edelsteinwaagen, Gleitlagertechnik, Farbmischwaagen, Feuchtemeßgeräte, Separationstechnologie für Labor, Getränke-Ind. u. Pharma/Biotech Service.

Sasil®. Synthet. *Zeolith 4 A als Phosphat-Ersatzstoff in Waschmitteln. S. wird aus Wasserglas u. Tonerde über einen hydrothermalen Prozeß hergestellt. Es entsteht ein Natrium-Alumosilicat, aufgebaut aus SiO_4^{4-}- u. AlO_4^{5-}-Tetraedern, die zu Kuboktaedern (den sog.

β- od. Sodalithkäfigen) aggregiert sind. Durch die Verknüpfung der Käfige über Doppel-Vierringe bildet sich eine Struktur aus, die über ein dreidimensionales Porensyst. mit einem Durchmesser von ca. 400 pm verfügt. Die idealisierte Formel lautet $Na_{12}[(AlO_2)_{12}(SiO_2)_{12}] \cdot 27\,H_2O$, tatsächlich kann das Si/Al-Verhältnis in den Grenzen von 0,7 bis 1,2 schwanken. Sämtliche Alkalimetall-Kationen lassen sich gegen andere ein- u. zweiwertige Kationen austauschen. Darauf beruht der Wasser-enthärtende Effekt von Zeolith A beim Waschen. Durch die Variation des Kations kann der Porendurchmesser zwischen 300 pm (Zeolith K-A = Zeolith 3 A) u. 500 pm (Zeolith CaA = Zeolith 5 A) verändert werden. Weitere Verw.-Möglichkeiten: Als Molekularsieb, Trocknungsmittel u. bei der Leder-Weißgerbung (s. Coratyl®). ***B.:*** Henkel.

Lit.: Detergency: Theory and Technology 1987, S. 371, New York: Dekker 1987 ▪ Phosphat-Substitut SASIL, Düsseldorf: Henkel 1984.

Sassafrasöl. Ether. Öl aus den Wurzeln des im atlant. Nordamerika heim. Fenchelholzbaumes *Sassafras albidum* (Lauraceae), gelbliche bis rötliche Flüssigkeit, n_D^{20} 1,527 – 1,310, charakterist. Geruch nach *Safrol.
Herst.: Wasserdampfdest. der Wurzelrinde von *S. albidum*. Das aus dem Holz von *Ocotea pretiosa* (*O. cymbarium*) gewonnene Öl bezeichnet man als brasilian. S. od. Ocotea-Öl. Brasilien erzeugt ca. 400 t/a.
Zusammensetzung: 80 – 90% *Safrol, α-*Pinen u. *Phellandren ca. 10%, D-*Campher ca. 7%.
Verw.: Gewinnung von Safrol. Wegen der cancerogenen Wirkung von Safrol nicht mehr zu Parfümzwecken. Als Diuretikum noch in einigen konfektionierten Teemischungen. – ***E*** sassafras oil, ocotea oil – ***F*** essence de sassafras – ***I*** essenza di sassafrasso – ***S*** esencia de sasafrás

Lit.: Bauer et al. (2.), S. 176 ▪ Braun-Frohne (6.), S. 512 ▪ Gildemeister **5**, 99, 112, 125 – 129 ▪ Hager (5.) **6**, 610 ▪ Ullmann (5.) **A 11**, 240. – *[HS 3301 29]*

Sassolin (*Borsäure). H_3BO_3, auch: $B(OH)_3$. Zu den Monoboraten mit planaren $[B(O,OH)_3]$-Dreiecken in der Struktur (s. Grew u. Anovitz, *Lit.*) gehörendes Mineral. Weiße, graue od. braune, vollkommen spaltbare, perlmuttartig glänzende, trikline tafelige od. nadelige Krist., Plättchen, Überzüge od. Anflüge, Kristallklasse $\bar{1}$-C_i. H. 1, D. 1,45; S. fühlt sich fettig an u. schmeckt säuerlich.
Vork.: Als Sublimationsprodukt aus *Fumarolen (z. B. Insel Vulcano/Italien, Halbinsel Kamtschatka/Rußland). Als Absatz aus heißen Quellen bei Sasso/Toskana (Name!), aus *Soffionen bei Volterra u. Massa Marittima/Toskana. Gelöst in vielen Thermen, z. B. Aachen, Wiesbaden. S. wird lokal als Bor-Rohstoff verwendet. – ***E = F = I*** sassolite – ***S*** sassolita

Lit.: Grew u. Anovitz (Hrsg.), Boron (Reviews in Mineralogy, Vol. 33), Washington (D. C.): Mineralogical Society of America 1996 ▪ Ramdohr-Strunz, S. 549 ▪ Schröcke-Weiner, S. 479 f. – *[CAS 14635-83-7]*

Satelliten-Chromosomen s. Chromosomen.

Satelliten-DNA s. Desoxyribonucleinsäuren (S. 913).

Satelliten-RNA s. Viren.

Satinage. Das Glätten von (befeuchteten) *Papieren mit Hilfe von wechselweise angeordneten Papier- u. Metallwalzen in sog. *Satinier-Kalandern*, um die Oberflächenbeschaffenheit der Papiere u. damit Bedruckbarkeit u. Glanz zu verbessern. – ***E*** glazing – ***F*** glaçage, lustrage – ***I*** satinatura, lucidatura – ***S*** satinado

Satintone®. Marke der Engelhard Corp. für eine Typenreihe von calciniertem, Kristallwasser-freiem *Kaolin. Einsatzbereiche: Füllstoff für Anstrichmittel zur Reduzierung des Weißpigment-Anteils, zur Verstärkung techn. Kunststoffe, Gummi u. Kabel-Isolierungen. ***B.:*** Chemie-Mineralien AG & Co. KG.

Sativan (Sativin).

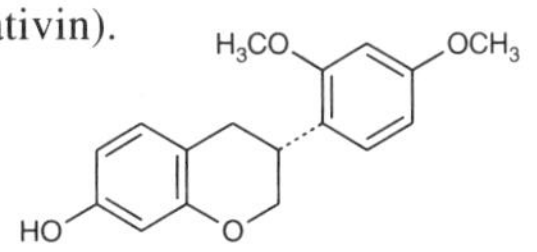

$C_{17}H_{18}O_4$, M_R 286,33, Krist., Schmp. 128 °C, $[\alpha]_D$ –15° (CH_3OH). Ein in Luzernenblättern gebildetes *Phytoalexin mit Isoflavan-Gerüst. – ***E*** sativan – ***F*** sativane – ***I*** sativano – ***S*** sativana

Lit.: Phytochemistry **17**, 1423 (1978); **18**, 1711 (1979) ▪ Zechmeister **43**, 1 f. – *[CAS 41743-86-6]*

Sativen.

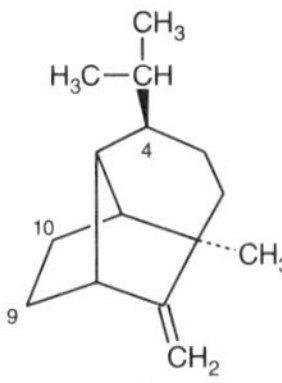

(-)-S.

$C_{15}H_{24}$, M_R 204,36; Öl, lösl. in Chloroform. (–)-S., $[\alpha]_D^{20}$ –186° ($CHCl_3$), u. *cis*-Sativen-9,10-diol ($C_{15}H_{24}O_2$, M_R 236,35) kommen in *Helminthosporium sativum* vor, einem pflanzenpathogenen Pilz. (+)-S. u. das 4-Epimer Copacamphen sind semisynth. aus Copaborneol zugänglich. (+)-S. ist auch im Terpentinöl verschiedener *Abies*-(Tannen-)Arten enthalten. Sativendiol ist ein pflanzlicher Wachstumspromotor. – ***E = I*** sativene – ***F*** sativène – ***S*** sativeno

Lit.: *Synth.:* Chem. Lett. **1994**, 1415 ▪ Tetrahedron **42**, 3277 (1986) ▪ Tetrahedron Lett. **29**, 5973 (1988). – *Biosynth.:* Pure Appl. Chem. **41**, 219 (1975). – *[CAS 6813-05-4 (S.); 55556-01-9 (cis-Sativen-9,10-diol); 3650-28-0 ((+)-S.); 16641-59-1 (Copacamphen)]*

Sativin s. Sativan.

Satratoxine. Gruppe von makrocycl. *Trichothecenen, die von *Stachybotrys atra* (neuerer Name *S. chartarum*) gebildet werden u. für Vergiftungen bei Tieren verantwortlich sind. Strukturell stehen sie den *Roridinen u. *Verrucarinen nahe, die ebenfalls von *S. chartarum*, einem v. a. auf Cellulose-haltigen Materialien vorkommenden Pilz, gebildet werden.

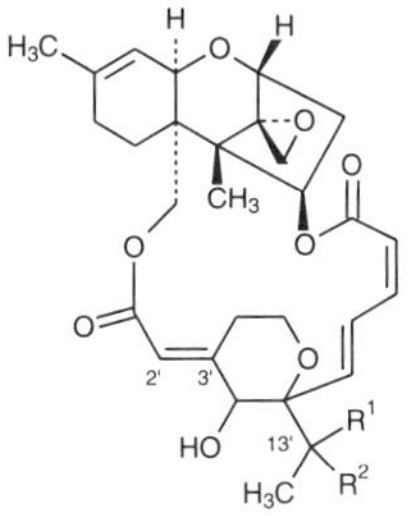

	R^1	R^2	
S. F :	=O		2',3'-Epoxid
S. G :	H	OH	2',3'-Epoxid
S. H :	H	OH	

Tab.: Daten von Satratoxinen.

Toxin	Summenformel	M_R	Schmp. [°C]	CAS
S. F	$C_{29}H_{34}O_{10}$	542,58	140–143	73513-01-6
S. G	$C_{29}H_{36}O_{10}$	544,60	167–170	53126-63-9
S. H	$C_{29}H_{36}O_9$	528,60	162–166	53126-64-0

Die sog. Stachybotryotoxicose tritt bes. in der Ukraine, Ungarn u. anderen osteurop. Ländern auf. Die Symptome bei Pferden, Schweinen, Rindern u. Geflügel sind Hautnekrosen, innere Blutungen, Schockzustände, Magenschleimhautreizungen, verminderte Leukocytenzahl u. nervöse Zustände. Bei schweren Vergiftungen verenden die Tiere in 1–3 d. Bei Landarbeitern, die mit infiziertem Heu u. Stroh umgehen, können ebenfalls Vergiftungssymptome wie Haut- u. Schleimhautreizungen, Husten, Nasenbluten, Fieber etc. auftreten. Wie alle Trichothecene hemmen die S. die eukaryont. Protein-Biosynthese. – ***E*** satratoxins – ***F*** satratoxines – ***I*** satratossine – ***S*** satratoxinas

Lit.: Appl. Environ. Microbiol. **51**, 915 (1986) ▪ Cole u. Cox, Handbook of Toxic Fungal Metabolites, S. 227, New York: Academic Press 1981.

Satsumas. Die am frühesten reife *Mandarinen-Art (*Citrus unshiu*, in der japan. Provinz Satsuma gezüchtet), kernarm od. kernlos.

Lit.: Franke, Nutzpflanzenkunde (6.), S. 291 f., Stuttgart: Thieme 1997. – *[HS 0805 20]*

Sattdampf s. Dampf.

Sattelseifen (Lederseifen). Ältere Bez. für Seifen-Zubereitungen mit einigen % Bienen- od. Carnaubawachs zur Pflege von Lederwaren, insbes. Sattelzeug. – ***E*** saddle soaps – ***F*** savon pour cuir – ***I*** saponi per sella, saponi per cuoio – ***S*** jabón para cuero

Lit.: Kirk-Othmer (3.) **21**, 179 ▪ s. a. Seifen.

Saturn s. Planeten.

Saturnismus s. Pigmentierung.

Saturnium s. Protactinium.

Saturnrot s. Orangemennige.

Saubinin s. Nivalenol.

Saubohnen s. Puffbohnen.

Sauce béarnaise (Béarner Soße). Sauce aus aufgeschlagenem Eigelb, Butter, *Schalotten, Essig, Wein u. feinen Kräutern (z. B. Kerbel). Verw. als Beilage zu gegrilltem Fleisch od. Fisch. – ***E*** = ***F*** sauce béarnaise – ***I*** salsa bearnese – ***S*** salsa bearnesa – *[HS 2103 90]*

Sauconit s. Smektite.

Saudin, Saudinolid.

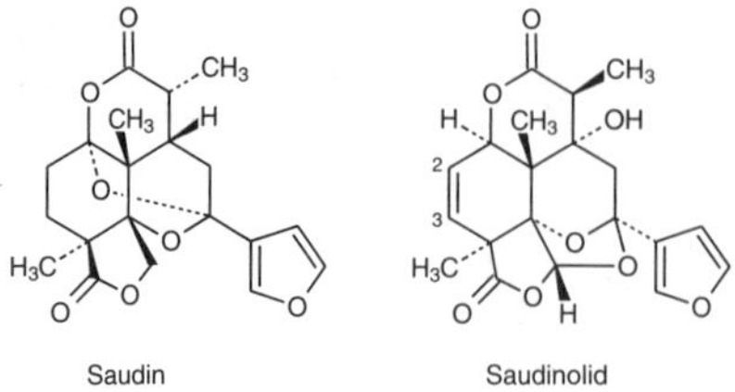

Saudin Saudinolid

Tab.: Daten von Saudin u. Derivaten.

	Summenformel	M_R	Schmp. [°C]	$[\alpha]_D$ ($CHCl_3$)	CAS
Saudin	$C_{20}H_{22}O_7$	374,39	202–203	−12°	94978-16-2
Saudinolid	$C_{20}H_{20}O_8$	388,37	231–235	+98°	173107-73-8
2,3-Dihydrosaudinolid	$C_{20}H_{22}O_8$	390,39	262–264	+73°	

Aus der in Saudi-Arabien beheimateten Euphorbie *Cluytia richardiana* isolierte Diterpene, die biosynthet. durch Spaltung eines Labdan-Vorläufers zwischen C-6 u. C-7 gebildet werden. Bisher bekannt sind Saudin, Saudinolid u. 2,3-Dihydrosaudinolid. Saudin ist in 0,06% Ausbeute aus *C. richardiana* isoliert worden u. wirkt im Tierversuch hypoglykämisch. – ***E*** saudin, saudinolide – ***F*** saudine, saudinolide – ***I*** saudina, saudinolide – ***S*** saudina, saudinolida

Lit.: J. Nat. Prod. **59**, 224 (1996) ▪ J. Org. Chem. **50**, 916 (1985) ▪ Tetrahedron Lett. **29**, 3627 (1988).

Sauer s. saure Reaktion, Säuren u. Geschmack.

Sauer, Jürgen (geb. 1931), Prof. für Organ. Chemie, Univ. Regensburg. *Arbeitsgebiete:* Cycloadditionen, Cycloreversionen, Valenzisomerisierungen, sigmatrope Reaktionen, reaktive Zwischenstufen, oberflächenaktive Verb., Mizellen, Vesikel-Filme, Reaktionen in Mizellen, photochem. ausgelöste Umlagerungen.

Lit.: Kürschner (16.), S. 3123 ▪ Wer ist wer (36.), S. 1212.

Sauerampfer. Verbreitete krautige Pflanze mit zahlreichen Unterarten (*Rumex acetosa* L., syn. *R. rugosus*, Polygonaceae, Knöterichgewächse), deren Verzehr wegen ihres relativ hohen Gehalts an saurem *Kaliumoxalat u. freier *Oxalsäure bei Mensch u. Weidevieh zu Vergiftungen führen kann. Daneben enthält S. Tannin, Vitamin C, Quercitrin, in den Wurzeln auch Chrysophansäure, Emodin u. Rhein.

Verw.: S. wird in der Volksheilkunde als Blutreinigungsmittel u. Stomachikum, äußerlich gegen Hautleiden verwendet. Junge Triebe nutzt man zum Würzen von Salaten u. Suppen. – ***E*** (garden) sorrel – ***F*** oseille – ***I*** romice – ***S*** acedera

Lit.: Franke, Nutzpflanzenkunde (6.), Stuttgart: Thieme 1997 ▪ Giftliste ▪ Hager (4.) **6 b**, 195 f. – *[HS 0709 90]*

Sauerdauerwelle s. Haarbehandlung.

Sauergase. Bez. für H_2S-reiche Erdgase, s. Schwefel(wasserstoff).

Sauergräser s. Gräser.

Sauerklee (*Oxalis acetosella* L., Oxalidaceae). Ebensowenig wie *Bitterklee ein *Klee-Gewächs. S. enthält viel *Kaliumoxalate; zu den Untersuchungen von *Schildknecht über seine *Nyktinastene s. *Lit.*[1]. – ***E*** wood sorrel – ***F*** oxalide, oseille de bûcheron – ***I*** acetosella – ***S*** acederilla

Lit.: [1] Chem. Ztg. **107**, 233–236 (1983).
allg.: Franke, Nutzpflanzenkunde (6.), Stuttgart: Thieme 1997 ▪ Hager (4.) **6 a**, 352. – *[HS 0709 90]*

Sauerkleesalz s. Kaliumoxalate.

Sauerkraut. Nach der Richtlinie für die Herst., Beurteilung u. Kennzeichnung von S.[1] handelt es sich um ein Erzeugnis, das aus annähernd gleichmäßig in Streifen geschnittenem Weißkohl (*Brassica oleracea* var.) unter Zusatz von *Kochsalz ausschließlich durch natürliche Gärungsvorgänge (Milchsäure-Gärung) hergestellt wird.

Herst.: Weißkohlstreifen werden unter Zusatz von *Kochsalz (gesätt. Salzlake), *Gewürzen, *Zucker, *Ascorbinsäure u. ggf. *Wein (*Weinsauerkraut*) unter Druck so in Bottiche eingelagert, daß das gesamte Kraut mit Lake bedeckt ist. Die Bottiche werden für die Zeit der Milchsäure-Gärung (je nach Säuregrad 5 Tage bis 8 Wochen) hermet. verschlossen. Anschließend gelangt S. entweder lose od. pasteurisiert als Konserve in den Handel. Eine Zusammenfassung der Technologie gibt *Lit.*[2].

Verw.: S. kann roh od. gekocht verzehrt werden. Ein Teil der bei der Herst. anfallenden Lake gelangt als *S.-Saft* in den Handel. S.-Saft enthält alle Bestandteile des S. u. ist nach Leitsätzen für Gemüsesaft u. Gemüsetrunk[3] zu beurteilen.

Zusammensetzung: 100 g S. enthalten Wasser 90,7 g, Eiweiß 1,5 g, Fett 0,3 g, *Ballaststoffe 2,2 g, *Eisen 0,6 mg, *Nährwert 66 kJ. Zur analyt. Charakterisierung s. die Tab., einen Überblick gibt *Lit.*[4].

Tab.: Analyt. Charakterisierung von Sauerkraut[5].

pH		3,89	(3,71–4,21)
Gesamtsäure	(g/kg)	11,3	(8,3–16,2)
Essigsäure	(g/kg)	3,1	(1,5–4,8)
Kochsalz	(g/kg)	11,3	(6,0–18,3)
Zucker	(g/kg)	18,8	(4,5–38,4)
Vitamin C	(mg/kg)	256	(36–338)
Stickstoff	(g/kg)	1,81	(1,09–2,36)
Formolwert		60	(45–77)
Kochsalz-freier Refraktometerwert × 10		67,2	(36–80)

Zu Veränderungen im Aminosäure-Spektrum während der Reifung s. *Lit.*[5]. Zur Bildung von Ascorbigen in S. s. *Lit.*[6,7] u. Ascorbinsäure.

Ernährungsphysiologie: Auf Grund seiner hohen Gehalte an *Vitamin C, *Cholin u. *Milchsäure gilt S. als ernährungsphysiolog. hochwertiges Lebensmittel. Über die Bildung von alkylierenden Substanzen im S. berichtet *Lit.*[8].

Analytik: Zum Nachw. von *Chlorid, Vitamin C Gesamtsäure u. flüchtigen Säuren in S. s. Meth. nach § 35 LMBG L 26.04-1 bis L 26.04-5.

Produktion (BRD, 1997): 111 404 t. – ***E*** sauerkraut – ***F*** choucroute – ***I*** crauti, cavoli acidi – ***S*** col fermentada, choucroute

Lit.: [1] Richtlinie für die Herst., Beurteilung u. Kennzeichnung von Sauerkraut, Bund für Lebensmittelrecht u. Lebensmittelkunde, Heft 107, Hamburg: Behr 1985. [2] Krämer, Lebensmittelmikrobiologie, S. 216–218, Stuttgart: Ulmer 1997. [3] Leitsätze für Gemüsesaft u. Gemüsetrunk vom 14. 5. 1982, abgedruckt in Zipfel, C 320. [4] Ind. Obst – Gemüseverwert. **73**, 454–463 (1988). [5] Dtsch. Lebensm. Rundsch. **83**, 319–324 (1987). [6] Helv. Chim. Acta **49**, 989–991 (1966). [7] J. Agric. Food Chem. **37**, 1297–1302 (1989). [8] Food Chem. Toxicol. **26**, 215–225 (1988).

allg.: Belitz-Grosch (4.), S. 719, 720 ▪ Koch, Getränkebeurteilung, S. 332–334, Stuttgart: Ulmer 1986 ▪ Mitt. Geb. Lebensmittelunters. Hyg. **83**, 20–29 (1992) ▪ Schobinger, Frucht- u. Gemüsesäfte (2.), S. 273, Stuttgart: Ulmer 1987 ▪ Ullmann (4.) **12**, 248 ▪ Zipfel, C 318 VI, C 319. – *[HS 2004 90, 2005 30]*

Sauermilch(-Erzeugnisse). Nach Anlage 1 Nr. I der Milch-Erzeugnis-VO[1] ist S. (*Trink-S.*) ein Erzeugnis, das unter Verw. mesophiler Milchsäurebakterien aus *Milch, ohne Anreicherung mit Milcheiweißerzeugnissen, hergestellt wird u. mind. 3,5% Fett enthält. *Dickgelegte S.* (Dickmilch) entsteht durch Dicklegen aus Sauermilch. Für diesen Vorgang ist die von bestimmten Bakterienstämmen (*Streptococcus cremonis*) gebildete *Milchsäure, die aus Calciumcaseinat *Casein ausfällt, welches koaguliert, verantwortlich. Weitere S.-Erzeugnisse sind *fettarme S.*, *entrahmte S.*, *saure Sahne* u. *Crème fraîche*. Die Begriffsbestimmungen u. Anforderungen an die Beschaffenheit dieser Erzeugnisse sind der Anlage 1 der Milch-Erzeugnis-VO[1] zu entnehmen. Zum Gehalt an *biogenen Aminen s. *Lit.*[2]. Einen Überblick über S.-Erzeugnisse u. fermentierte Milchprodukte gibt *Lit.*[3].

Produktion (BRD, 1997, Angabe als Buttermilch, Sauermilch, Sauerrahm, Kefir usw., fermentierte od. gesäuerte Milch od. Rahm, auch mit Früchten od. Kakao – flüssig): 583 676 t. – ***E*** curdled milk – ***F*** lait caillé – ***I*** latte acido – ***S*** leche agria (cuajada)

Lit.: [1] VO über Milcherzeugnisse vom 15. 7. 1970 in der Fassung vom 3. 2. 1997 (BGBl. I, S. 144). [2] Mitt. Geb. Lebensmittelunters. Hyg. **81**, 82–105 (1990). [3] Food Technol. **43** (1), 92–99 (1989).

allg.: Belitz-Grosch (4.), S. 471, 473 ▪ Kallweit, Qualität tierischer Nahrungsmittel, S. 248, Stuttgart: Ulmer 1988 ▪ Spreer, Technologie der Milchverarbeitung, S. 409, 432–433, Hamburg: Behr 1995 ▪ Weber, Mikrobiologie der Lebensmittel, Hamburg: Behr 1996 ▪ Zipfel, A 273 a, C 273 a *1*, 1–16. – *[HS 0403 90]*

Sauermolke s. Molke.

Sauerorangen s. Pomeranzen.

Sauerstoff (chem. Symbol O, von latein.: Oxygenium). Element der 6. Hauptgruppe (16. Gruppe) des *Periodensystems, Atomgew. 15,9994±0,0003, Ordnungszahl 8. Natürliche Isotope (Häufigkeit in Klammern) 16 (99,762%), 17 (0,038%), 18 (0,200%), ferner kennt man noch künstliche Isotope zwischen ^{13}O u. ^{24}O, von denen jedoch nur die Isotope 14 u. 15 mit HWZ von 70,6 s bzw. 122,2 s ausreichend langlebig für evtl. medizin.-diagnost. Verw. sind. Das Verhältnis der natürlichen Isotope kann je nach den terrestr. Vork. erheblich variieren: ^{16}O von 99,7771–99,7539%, ^{17}O von 0,0407–0,035%, ^{18}O von 0,2084–0,1879%, d.h. das mittlere Atomgew. schwankt zwischen 15,9990 u. 16,000. In Verb. hat S. meist die Oxid.-Zahl –2, seltener –1 (s. Peroxide), –½ (O_2^-, s. Hyperoxid), –⅓ (O_3^-, s. Ozonide) u. nur in Verb. mit Fluor od. gegenüber äußerst starken Oxid.-Mitteln tritt S. in den Oxid.-Stufen 0 bis +2 auf: HOF (0), O_2PtF_6 (+1/2), O_2F_2 (+1) u. OF_2 (+2) (s. Sauerstoff-Fluoride). Die O-Atome haben in der äußeren Elektronenschale 6 gebundene Elektronen, die sich unter Aufnahme von 2 weiteren Elektronen leicht zur Edelgasschale (8er-Schale) ergänzen u. dadurch in das Oxid-Dianion übergehen (Näheres s. unter Atombau u. Periodensystem).

Reiner S. ist ein farbloses, geruch- u. geschmackloses Gas, das aus O_2-Mol. (= *mol. S.*) besteht, Gasdichte 1,42908 g/L (bei 0 °C u. Normaldruck); S. ist also 1,1mal so schwer wie Luft. Bei –182,97 °C kondensiert O_2 zu einer hellblauen Flüssigkeit, D. 1,1411; diese erstarrt bei –218,93 °C zu einer hellblauen, hexagonal kristallisierenden Masse, D. 1,426 (bei –252 °C). S. hat eine Inversionstemp. von 767 °C, eine krit. Temp. von –118,57 °C, einen krit. Druck von 5,043 MPa u. eine krit. D. von 0,4361. In je 100 mL Wasser lösen sich bei 0 °C 4,91, bei 20 °C 3,11 u. bei 100 °C 1,7 mL O_2; geschmolzenes Silber löst das Zehnfache seines Vol. an S. auf. Neben der zweiatomigen tritt unter natürlichen Bedingungen auch eine dreiatomige Form des S., das **Ozon* (O_3), auf. Der sehr reaktionsfähige *atomare S.* bildet sich aus O_2 bei einer *Glimmentladung od. aus Ozon durch Photolyse, z. B. in der Erdatmosphäre [1].

Im Grundzustand liegt das S.-Mol. anders als die meisten Mol. in einem paramagnet. Triplett-Zustand mit zwei ungepaarten Elektronen (*einsame Elektronen) vor; da die den S. normalerweise begleitenden Gase diamagnet. sind, läßt sich der O_2-Gehalt durch einfache Messung der magnet. Eigenschaften des Gases bestimmen. Durch Energieübertragungsprozesse od. direkte photochem. Einwirkung kann man O_2 in *Singulett-Sauerstoff überführen, der mit hellroter Leuchterscheinung in den Triplett-Grundzustand zurückkehrt; ein Vorführexperiment dazu findet sich in *Lit.*[2]. O_2 dimerisiert wahrscheinlich zwischen –160 u. –196 °C zu instabilen $(O_2)_2$-Aggregaten mit einer Dissoziationsenergie von 0,54 kJ/mol. Wie bereits erwähnt, ist O_2 ein Biradikal (s. Radikale), womit nicht nur sein Paramagnetismus sondern auch seine dehydrierende Wirkung in radikal., über Peroxid-Radikale ($R{-}O{-}O^{\cdot}$) u. a. *Sauerstoff-Radikale ablaufenden Autoxidationen erklärt werden können. Die Reaktionen des Singulett-O_2 mit organ. Verb. geht im allg. unter prim. Bildung von *Hydroperoxiden u. *Peroxiden vonstatten, wobei dank der Enophil- u. Dienophil-Eigenschaften des O_2-Mol. auch cycl. Peroxide (*Epidioxide) u. *Epoxide entstehen können; Näheres s. bei Oxygenierung, Epoxidierung, Photooxidation.

Die Reaktion des S.-Mol. mit paramagnet. Metallionen führt vielfach zu Komplexen mit reversibel koordinativ gebundenem O_2, z. B. mit Platin-Metallen, Platin- u. Cobalt-organ. Verb. (z. B. *Salcomin), mit Eisen(II)-, Kupfer(II)-, Mangan(II)- u. a. Übergangsmetall-Komplexen, wie sie ähnlich auch bei enzymat. S.-Übertragungsreaktionen als Zwischenprodukte auftreten [3]. Das freie od. koordinativ gebundene O_2-Mol. heißt systemat. *Disauerstoff* od. *Dioxygen*. Der bekannteste Komplex dieser Art ist das für den S.-Transport im Blut lebensnotwendige *Hämoglobin (*Hämocyanin bei Niederen Tieren).

Mol. S. ist ein außerordentlich reaktionsfähiges Gas, das mit vielen Stoffen (z. B. Kohlenstoff, Wasserstoff, organ. Verb., Schwefel, Phosphor, Magnesium, Eisenpulver usw.) unter Licht- u. Wärmeentwicklung u. unter Bildung von *Oxiden reagiert; die unter Feuererscheinung verlaufenden *Oxidationen werden auch als *Verbrennungen bezeichnet. In reinem O_2-Gas verlaufen Oxid. viel rascher u. intensiver als in Luft, in der O_2 mit etwa der 4fachen Menge Stickstoff verdünnt ist; diese Verdünnung bewirkt, daß die meisten Verbrennungsvorgänge auf der Erde beherrschbar bleiben. Während zur Einleitung von unter *Flammen-Erscheinungen ablaufenden Verbrennungen eine meist erheblich über der gewöhnlichen Temp. liegende *Zündtemperatur erreicht werden muß (vgl. Selbstentzündung), verlaufen Oxid. bei gewöhnlicher Temp. meist langsam, ohne Feuererscheinung u. mit kaum merklicher Wärmeentwicklung, z. B. *Atmung, *Fäulnis, Vermodern des Holzes, Essigsäure-Gärung des Alkohols, *Rosten des Eisens usw. (vgl. auch Autoxidation).

Physiologie: Für die überwältigende Mehrzahl der Organismen ist S. für die Aufrechterhaltung der energieliefernden Umsetzungen (s. Stoffwechsel), z. B. die Atmung, lebensnotwendig. Nur wenige Bakterienarten (*Anaerobier) gedeihen ganz ohne freien S.; sie können durch größere Luft-S.-Mengen sogar abgetötet werden, s. a. Pasteur-Effekt. Der erwachsene Mensch verbraucht täglich etwa 900 g S. aus der Luft. Zusätzlich müssen 225 g in chem. gebundener Form mit der Nahrung aufgenommen werden (Wasserbedarf kommt noch hinzu). Im Durchschnitt verbrauchen die menschliche Leber 66, Skelettmuskeln 64, das Gehirn 46, das Herz 23 u. die Nieren 18 mL O_2 pro Minute. Der Mensch kann S.-arme Gemische mit 8–9 Vol.-% O_2 (gewöhnliche Luft enthält durchschnittlich 20,95 Vol.-% od. 23,1 Gew.-% O_2) gerade noch ohne Schaden in seiner *Lunge verwerten. Jedoch verursacht die Einatmung von Gasgemischen mit nur 7% O_2 nach einiger Zeit Cyanose u. Bewußtlosigkeit, u. ein Anteil von nur 3% O_2 führt mit Sicherheit zur Erstickung. Das Gehirn ist bes. S.-bedürftig u. bei über 50jährigen ist S.-Mangel (*Hypoxie*) sehr gefährlich. Andererseits kann O_2 bis zu einer Konz. von 60% im Gemisch mit einem inerten Gas (z. B. Helium) unbedenklich inhaliert werden. Über längere Zeit in höherer Konz. eingeatmet, wirkt S. tox., wobei entscheidend für die Wirkung der Partialdruck des S. ist, nicht die Konz. als solche: 100% O_2 kann bei einem Unterdruck von 0,5 bar ohne Schaden inhaliert werden. Für die zellschädigende Wirkung des S. wird hauptsächlich die Bildung von freien Radikalen, insbes. des *Hyperoxid-Radikals $O_2^{\cdot -}$ (Superoxid) verantwortlich gemacht [4]. Dieses, das als Quelle für *Wasserstoffperoxid u. Hydroxid-Radikale gilt, wird normalerweise durch *Superoxid-Dismutasen (älterer Name: Erythrocuprein) desaktiviert, die in allen S.-metabolisierenden Zellen anzutreffen sind. Den erwähnten hochreaktiven Spezies wird u. a. auch eine wichtige Rolle beim *Altern des Menschen zugeschrieben; zur O_2-Aufnahme- u. -Abgabefähigkeit des *Blutes s. Bohr-Effekt. Eine Verbesserung der S.-Aufnahme bei alten Menschen soll durch die sog. *S.-Mehrschritt-Immunstimulation* nach von *Ardenne möglich sein [5]. Da O_2 wegen der Geruchlosigkeit zu schweren Unfällen, z. B. beim Schweißen u. Schneiden, führen kann, wird die *Gasodorierung empfohlen. Allg. sind beim Arbeiten mit S. die Unfallverhütungsvorschriften der Berufsgenossenschaften der chem. u. der Eisen- u. Stahl-Ind. zu beachten [6].

Nachw.: Größere Konz. von S. erkennt man qual. am Aufflammen eines glimmenden Spans. Diese Reaktion erfolgt bei Konz. >28%, bei geringerem S.-Gehalt erlischt der Span. In der *Gasanalyse verwendet man alkal. Pyrogallol-Lsg. zur O_2-Absorption od. auch Lsg., die einen oxidierbaren Stoff (z. B. Alkalisulfide, Polysulfide, Antimonsulfid-Lsg.) u. einen S.-Überträger (z. B. Anthrachinon-2-sulfonsäure-Natriumsalz, 2-Aminoanthrachinon, Brenzcatechin, Hydrochinon u. dgl.) enthalten. Zur Bestimmung niedriger S.-Konz. in Gasen kann man auch saure Lsg. von $CrCl_2$ verwenden, die ebenfalls Sauerstoff binden:

$$4\,CrCl_2 + 4\,HCl + O_2 \rightarrow 4\,CrCl_3 + 2\,H_2O.$$

Für Routinemessungen der O_2-Konz. in Gasen u. Flüssigkeiten (z. B. Wasser, insbes. in *Abwässern zur Bestimmung des *Sauerstoff-Bedarfs, s. BSB) sind eine Vielzahl von Geräten u. Verf. entwickelt worden, die z. B. auf der elektrochem. O_2-Messung nach Tödt u. auf dem sog. *Clark-Effekt* mit polarisierten Membranelektroden beruhen[7]. Einen Überblick über Wirkungsweise u. Aufbau von Geräten zur S.-Bestimmung auf magnetochem. od. galvan. Weg od. mit Zirkonoxid- od. Brennstoffzellen s. *Lit.*[8], über Sensoren zur Messung des S.-Gehalts von Verbrennungsabgasen u. a. Gasen (Lambda-Sonde) s. *Lit.*[9]. Zahlreiche chem. Verf. arbeiten auf kolorimetr. Basis: In Prüfröhrchen werden aus O_2 u. Pyrogallol gebildetes CO mit I_2O_5 zu CO_2 u. Iod (Braunfärbung) od. mit $TiCl_3$ zu $TiCl_4$ (schwarz → grau) umgesetzt (s. a. Elementaranalyse). In vielen techn. Gasen (Synthesegas, Schutzgasen etc.) ist S. störend, daher wird er mit spezif. Katalysatoren, z. B. Cu-Verb., Chrom (*Oxisorb®), Palladium usw. entfernt.

Vork.: S. ist das häufigste Element unseres Lebensraumes (Lufthülle, Wasserhülle u. die obersten 16 km der festen Erdkruste, vgl. Geochemie); sein Gew.-Anteil in der obersten Erdkruste wird dabei auf 48,9% geschätzt. Bedenkt man noch, daß die O-Atome einen bes. großen Durchmesser haben, so ergibt sich, daß rund 90% des verfügbaren Raumes der Erstarrungsgesteine (Granit usw., s. magmatische Gesteine), die zudem über 90% der obersten 16 km der Erdrinde ausmachen, mit S. erfüllt sind. Da der S. v. a. auf die äußeren, oberflächennahen Bereiche unserer Erde beschränkt ist, reduziert sich sein Gew.-Anteil am ganzen Erdball auf etwa 29%. Reines Wasser enthält 88,81 Gew.-% S. chem. gebunden; dazu kommen die kleineren Mengen des im Wasser gelösten Sauerstoffs. In den Gesteinen, z. B. Quarz (SiO_2), Feldspat, Glimmer, Kalk ($CaCO_3$), Silicate, oxid. Erze, Phosphate, Kristallwasser-haltige Verb., ist etwa tausendmal mehr S. chem. gebunden als in allen Ozeanen. Die Erdatmosphäre enthält durchschnittlich 20,95 Vol.-% (23,1 Gew.-%, gesamt ca. 10^{15} t) S.; infolge mannigfacher Ausgleichsbewegungen schwankt der O_2-Gehalt in der freien Luft um 0,1%; bis in 90 km Höhe ist der prozentuale O_2-Anteil kaum verändert. In Höhen ab 100 km über der Erdoberfläche sind die S.- u. Stickstoff-Mol. zunehmend durch den Ultraviolett-Anteil des Sonnenlichts in Atome gespalten. Der Luft-S. befindet sich in einem dynam. Gleichgew.: Bei der *Atmung u. Gesteinsverwitterung wird S. verbraucht, während bei *Assimilation (bei der *Hill-Reaktion der *Photosynthese) u. bei Spaltung des Wasserdampfes in den oberen Luftschichten (in einer Höhe von ca. 70–80 km) sowie von CO_2 (in etwa 115 km Höhe) durch den Ultraviolettanteil des Sonnenlichtes S. entsteht; diese Quelle ist jedoch bedeutungslos im Vgl. zur Photosynthese (vgl. das Baum-Beisp. dort, S. 3319). Der wichtigste S.-Verbraucher der Natur sind die Meere mit den darin stattfindenden Oxid.-Prozessen (Atmung der Meeresorganismen, Oxid. von organ. Material usw.). Der zweitwichtigste Faktor im S.-Kreislauf ist der *Boden. Auf 124 Mio. km^2 Oberfläche (ohne Gletschergebiete u. Wüsten) durchströmen jährlich $1{,}7 \cdot 10^{11}$ t S. die oberen Bodenhorizonte. Die Organismen in den Böden erzeugen jährlich $1{,}3 \cdot 10^{11}$ t CO_2, wozu $1{,}5 \cdot 10^{11}$ t O_2 verbraucht werden. Bei der Photosynth. werden jährlich ca. $2{,}7 \cdot 10^{11}$ t O_2 freigesetzt. Waldflächen produzieren 2–3mal so viel S. wie landwirtschaftliche Grünflächen. Näheres zum S.-*Kreislauf, mit teilw. etwas abweichenden Daten s. *Lit.*[10], u. zur Evolution des ird. S.-Budgets u. der Entwicklung der Erdatmosphäre s. *Lit.*[11].

In chem. gebundener Form tritt S. in der unbelebten Natur in Oxiden, Hydroxiden u. den Salzen der Oxosäuren in Erscheinung, in der Organismenwelt in Alkoholen, Ethern, Aldehyden, Ketonen, Carbonsäuren u. Estern, Peroxiden, Epoxiden u. *Sauerstoff-Heterocyclen. Alle natürlichen Polymeren, Kautschuk ausgenommen, enthalten S.: Nucleinsäuren, Polysaccharide, Proteine, Lignin u. a., vgl. die Zusammensetzung des *Menschen mit 65% Sauerstoff. Mit Hilfe der Spektralanalyse konnte S. auch auf der Sonne u. in der Mars-Atmosphäre nachgewiesen werden.

Herst.: In der chem. Großind. wird O_2 vorwiegend aus *flüssiger Luft durch fraktionierte Dest. u. Kondensation gewonnen; dabei sind Hoch-, Mittel- u. Niederdruck-Verf. üblich. Der anfallende Stickstoff wird zur Herst. von Kalkstickstoff u. Ammoniak verwendet. Es werden heute Luftzerlegungs-Apparaturen gebaut, die bei einer ununterbrochenen Laufzeit von über einem Jahr stündlich 30000 m^3 O_2 erzeugen. S. kommt in Stahlflaschen (Bomben), z. B. mit 200 bar Druck (Anstrichfarbe blau, Rechtsgewinde), od. auch verflüssigt (Temp. ca. −180 °C) in wärmeisolierenden Behältern (Tankfahrzeuge) in den Handel; Großverbraucher werden auch über Pipelines beliefert.

Kleinere Mengen von O_2 (u. Wasserstoff) werden durch Elektrolyse von Wasser gewonnen (*Zdansky-Lonza-Verfahren). Im Laboratorium kann man S. (in kleinen Mengen) durch Erhitzen eines Gemisches aus Kaliumchlorat (Vorsicht!) u. etwa 10% Braunstein herstellen: Das Kaliumchlorat zerfällt bei 150 °C in Kaliumchlorid u. O_2, der Braunstein wirkt als Katalysator. Weitere Laboratoriums-Verf. sind: Elektrolyse verd. Laugen, Erhitzen von Bariumperoxid, Quecksilberoxid, Kaliumnitrat od. -permanganat, Zers. von Wasserstoffperoxid durch Zusatz von Braunstein, Kaliumpermanganat od. Platinmohr; s. a. *Lit.*[12].

Häufig genügt für techn. Prozesse (als *Ind.-Gas*) ca. 60–80%iger S., der durch Anreicherung von O_2 in der Luft erhalten wird, z. B. mit Zeolithen[13] od. Kohlenstoff-Molekularsieben [s. zu beiden Verf. Sengewein (*Lit.*)]. Als O_2-Lieferanten in Raum- od. Unterwasserkapseln sind Hyperoxide, insbes. KO_2, geeignet (*Lit.*[14]).

Verw.: S. wird in Verbrennungs- u. Oxid.-Prozessen vielfach vorteilhaft anstelle von Luft eingesetzt. In der Metallurgie u. Metallbearbeitung verwendet man S. u. a. bei der Herst. von *Eisen u. *Stahl zur Anreicherung des Windes bei Schachtöfen, beim S.-Aufblasverf. (LD-Verf.) zur Gewinnung von Thomasstahl, ferner zur Verhüttung sulfid. Kupfer-, Zink- u. Bleierze sowie zum *autogenen Schweißen u. Schneiden. In der chem. Ind. dient O_2 zur Herst. von *Schwefel u. *Schwefelsäure, zur katalyt. Oxid. von *Ammoniak bei der Herst. von *Salpetersäure, zur *Kohlevergasung, Gewinnung von *Synthesegas, Olefin-Oxid. (*Ethylenoxid) usw. S. wird außerdem benötigt zum Schmelzen in der *Glas-Ind., von Quarzglas u. Quarzgut (S.-Wasserstoff-Gebläseflamme) u. zur Herst. von künstlichen Rubinen u. Saphiren. Wegen des geringeren Abgasvol. bietet die Verw. von S. Vorteile beim Claus-Verf. (s. Schwefel, Herst.). Flüssiger S. wird zu Sprengzwecken (Oxyliquit) u. als Raketentreibstoff (Lox) verwendet. Bei der Oxid. von Kohlenwasserstoffen zur Herst. von Alkoholen, Ketonen, Aldehyden u. Carbonsäuren usw. werden intermediär häufig Peroxide gebildet. In enzymat. Prozessen wird O_2 durch *Oxygenasen als Hydroxy-Gruppe in organ. Verb. eingebaut. O_2 wird als *Singulett-Sauerstoff in Photooxid. für selektive Synth. verwendet, in der Biochemie u. Biologie in Form seiner stabilen Isotope als *Tracer (*Lit.*[15]). Weitere Anw. findet S. zum Bleichen, in der Medizin, Zement-Ind., in der Meßtechnik, für *Brennstoffzellen, in der Halbleiterfertigung, für die *biologische Abwasserbehandlung, zur Verbrennung von Abfällen bei hoher Temp., zu Fermentationen, Desodorierungen etc.

Geschichte: S. wurde durch *Scheele 1771/72 beim Erhitzen von Silber- u. Quecksilbercarbonat, Quecksilberoxid, Kalium- u. Magnesiumnitrat entdeckt u. 1777 in der „Chem. Abhandlung von der Luft u. dem Feuer" ausführlich beschrieben. Unabhängig davon stellte auch *Priestley S. durch Erhitzen von Quecksilberoxid mit durch eine Linse gebündelte Sonnenstrahlen 1774 dar. Scheele bezeichnete den S. als *Feuerluft*, Priestley nannte ihn im Anklang an die damals herrschende *Phlogiston-Theorie *dephlogistierte Luft*. *Lavoisier soll ihm den latein. Namen Oxygenium (Säurebildner) gegeben haben, weil er annahm, daß S. in allen Säuren enthalten u. für deren charakterist. Eigenschaften verantwortlich sei. Scheele u. Priestley waren Anhänger der Phlogiston-Theorie; eine richtige Deutung der Verbrennungsvorgänge wurde erst durch Lavoisier gegeben (s. a. *Lit.*[16]). Die Isotope ^{17}O u. ^{18}O wurden von *Giauque entdeckt. – ***E*** oxygen – ***F*** oxygène – ***I*** ossigeno – ***S*** oxígeno

Lit.: [1] Acc. Chem. Res. **15**, 110–116 (1982). [2] Roesky u. Möckel, Chemische Kabinettstücke, S. 168 ff., Weinheim: VCH Verlagsges. 1994. [3] Progr. Inorg. Chem. **35**, 219–327 (1987); Compr. Coord. Chem. **6**, 317–410, 681–711 (1987); Fox u. Karlin, Active Oxygen in Biochemistry, London: Chapman & Hall 1995; Funabiki (Hrsg.), Oxygenase and Model Systems, Dordrecht: Kluwer 1997. [4] Angew. Chem. **98**, 1061–1075 (1986); Annu. Rev. Microbiol. **38**, 27–48 (1984). [5] Ardenne, Sauerstoff-Mehrschritt-Therapie, Stuttgart: Thieme 1987. [6] Merkblatt, Wann wird Sauerstoff eine Lebensgefahr? (ZH 1/383), Hannover: Nordwestl. Eisen- u. Stahl-BG 1995; Sicherheitsregeln für die Odorierung von Sauerstoff zum Schweißen u. Schneiden (ZH 1/521), St. Augustin: HV gewerbl. BG 1974; Sauerstoff (mit Durchführungsregeln u. Erläuterungen vom Jan. 1997) (VBG 62), St. Augustin: HV gewerbl. BG 1997. [7] Townshend, Encyclopedia of Analytical Science, S. 3668–3679, London: Academic Press 1995. [8] Elektrochemische Sauerstoffmessung in der Metallurgie (Stahleisen-Berichte), Düsseldorf: Stahleisen 1985; Härterei Tech. Mitt. **44**, 270–277 (1989). [9] Chem. Tech. (Heidelberg) **16**, Nr. 2, 28–35 (1987). [10] Hutzinger **1 A**, 1–16, 87–104. [11] Folienserie des Fonds der Chemischen Industrie, Serie 22 (Umweltbereich Luft), S. 8 ff., Frankfurt: FCI 1995. [12] Brauer (3.) **1**, 347–350. [13] Kirk-Othmer (4.) **17**, 926. [14] Toxicol. Environ. Chem. **10**, 133–155 (1985). [15] Naturwissenschaften **72**, 449–455 (1985). [16] Krätz, Faszination Chemie – 7000 Jahre Kulturgeschichte der Stoffe u. Prozesse, S. 62 ff., München: Callwey 1990.

allg.: Bannister u. Bannister, The Biology and Chemistry of Active Oxygen, Amsterdam: Elsevier 1984 ▪ Elstner, Der Sauerstoff: Biochemie, Biologie, Medizin, Mannheim: BI Wiss. Verl. 1990 ▪ Encycl. Gaz, S. 1079–1119 ▪ Favier, The Place of Oxygen-Free Radicals in HIV Infections, Shannon: Elsevier 1994 ▪ Flammability and Sensitivity of Materials in Oxygen-Enriched Atmospheres (STP 812, 910, 986), Philadelphia: ASTM 1983, 1986, 1988 ▪ Flemming (Hrsg.), Drugs and the Delivery of Oxygen to Tissue, Boca Raton: CRC Press 1990 ▪ Fodor, Sauerstoff-Therapie, Stuttgart: Hippokrates 1987 ▪ Gmelin, Syst.-Nr. 3, Sauerstoff, 1943–1969 ▪ Hommel, Nr. 178 ▪ Houben-Weyl **4/1 a**, 69–168 ▪ Kirby, The Anomeric Effect and Related Stereoelectronic Effects of Oxygen, Berlin: Springer 1983 ▪ Linzen, Invertebrate Oxygen Carriers, Berlin: Springer 1986 ▪ Methods Enzymol. **186** (1990) ▪ Oxygen Transport to Tissue (mehrbändig), New York: Plenum (seit 1973) ▪ Seiler u. Sigel (Hrsg.), Handbook on Toxicity of Inorganic Compounds, S. 505–515, New York: Dekker 1988 ▪ Sengewein, Das Sauerstoff-Belebungsverfahren – Abwasserreinigung mit reinem Sauerstoff, St. Augustin: Academia 1989 ▪ Snell-Ettre **16**, 514–537 ▪ Sychev et al., Thermodynamic Properties of Oxygen, Berlin: Springer 1987 ▪ Wakeham u. de Reuck, International Thermodynamic Tables of the Fluid State, Bd. 9, Oxygen, Oxford: Blackwell 1987 ▪ weitere *Lit.* s.: Führer durch die technische Literatur, Hannover: Weidemanns Buchhandlung (jährlich) u. Scientific and Technical Books and Serials in Print, New York: Bowker (jährlich). – *[HS 2804 40; CAS 7782-44-7; G 2]*

Sauerstoff-Aufblasverfahren. *L*inz-*D*onawitz-Verf. (LD-Verf.) od. davon abgeleitetes Stahlgewinnungsverf., s. Stahl.

Sauerstoff-Bedarf. Bez. für die Sauerstoff-Menge in mg/L, welche innerhalb einer bestimmten Zeit bzw. unter bestimmten Bedingungen in einem Abwasser od. Schlamm[1] aufgezehrt wird (Sauerstoff-Verbrauchsrate); s. a. BSB, CSB. – ***E*** oxygen demand – ***F*** demande en oxygène – ***I*** fabbisogno di ossigeno – ***S*** demanda de oxígeno

Lit.: [1] DIN 38414-6: 1986-04.

Sauerstoffbilanz s. Explosivstoffe.

Sauerstoffbleiche s. Waschmittel u. Cellulose.

Sauerstoff-Durchblasverfahren s. OBM-Verfahren u. Stahl.

Sauerstoff-Fluoride. a) *Sauerstoffdifluorid* (Difluoroxid), OF_2, M_R 54,00. Farbloses, sehr giftiges Gas, Schmp. –223,8 °C, Sdp. –145,3 °C; entsteht beim Einleiten von Fluor in Natrium- bzw. Kaliumhydroxid-Lösung. OF_2 ist ein sehr starkes Oxid.-Mittel; im Gemisch mit Wasserdampf explodiert es bei Zündung:

$$OF_2 + H_2O \rightarrow O_2 + 2\,HF.$$

Beim Erhitzen auf 200–250 °C od. Belichten zerfällt es in Fluor u. Sauerstoff.
b) *Disauerstoffdifluorid* (Difluordioxid, Fluorperoxid), O_2F_2, M_R 70,00, Schmp. –163,5 °C; zerfällt oberhalb –100 °C rasch in Sauerstoff u. Fluor. Es ist ein starkes Oxid.- u. Fluorierungsmittel, das im Gemisch mit Alkoholen od. Kohlenwasserstoffen schon bei tiefen Temp. explodiert. Mit O_2F_2 kann man Plutonium u. a. Actinoide als flüchtige Hexafluoride aus Abfällen der Kerntechnik bei niedriger Temp. gewinnen, wobei das Umhüllungs- bzw. Behältermaterial nicht angegriffen wird[1]. Mit Fluorid-Akzeptoren wie BF_3, PF_5 od. AsF_5 reagiert O_2F_2 unter Bildung von Dioxygenyl-Kationen u. Fluor:

$$O_2F_2 + SbF_5 \rightarrow O_2^+[SbF_6]^- + \tfrac{1}{2}F_2.$$

Die Struktur von O_2F_2 entspricht der von H_2O_2, der Torsionswinkel der beiden OF-Hälften um die O,O-Achse beträgt 87,5°, der O,O-Abstand ist mit 121,7 pm wesentlich kürzer als in H_2O_2 (147,5 pm) u. liegt nahe am O,O-Abstand im O_2-Mol. (120,7 pm). Der Doppelbindungscharakter kommt in folgenden mesomeren Grenzformeln zum Ausdruck:

$$F\!-\!O^+\!=\!O\ \ F^- \longleftrightarrow F\!-\!O\!-\!O\!-\!F \longleftrightarrow F^-\ \ O\!=\!O^+\!-\!F$$

Zur chem. Kinetik der Bildung von S. aus F-Atomen u. Sauerstoff u. über das Gleichgew. zwischen O_2F (Disauerstoffmonofluorid, Fluorperoxyl, dimerisiert bei tiefer Temp. zu O_4F_2), O_2F_2 u. O_2 s. *Lit.*[2]; über Strukturen u. Bindungsverhältnisse der S. s. *Lit.*[3]. Als weitere S. wurden bisher nur O_3F_2 (Ozonfluorid, M_R 86,00, Schmp. –190 °C) u. das rotbraune O_4F_2 (M_R 101,99, Schmp. –191 °C, zersetzt sich >–185 °C) ausreichend charakterisiert. – ***E*** oxygen fluorides – ***F*** fluorures d'oxygène – ***I*** fluoruri d'ossigeno – ***S*** fluoruros de oxígeno

Lit.: [1]US P. 649626 (11. 10. 1985), US Dept. of Energy, Erf.: Asprey u. Eller. [2]J. Fluorine Chem. **46**, 357–366 (1990); J. Phys. Chem. **92**, 7232–7241 (1988). [3]Inorg. Chem. **27**, 232–235 (1988); J. Chem. Phys. **86**, 4518–4522 (1987).
allg.: Allemagny, Les fluorures d'oxygène, Paris: Gauthier-Villards 1969 ▪ Brauer (3.) **1**, 176–179 ▪ Gmelin, Syst. Nr. 5, F, Erg. Bd. 1959, S. 222–232; Suppl. Vol. 4, 1986, S. 1–161 ▪ Hommel, Nr. 179 ▪ Kirk-Othmer (3.) **10**, 773–778 ▪ Ullmann (5.) **A 11**, 339 f. – *[CAS 7783-41-7 (a); 7783-44-0 (b); G 2]*

Sauerstoff-Frischen. Technologie zur Stahlerzeugung unter Anw. von Sauerstoff-Blasverf., s. Stahl.

Sauerstoff-Heterocyclen. Sammelbez. für solche *heterocyclischen Verbindungen, die Sauerstoff-Atome als Ringglieder enthalten, z. B. Furan, Pyran, Oxiran, Epoxide, Chroman, Xanthen, Dioxan, Morpholin, Oxazin, Tetraoxan etc., aber auch *Kronenether u. verwandte Verb.; die systemat. Benennung der nicht mit Trivialnamen belegten S.-H. erfolgt nach IUPAC-Regel B-2.11 mit *Oxa... – ***E*** oxygen heterocycles – ***F*** hétérocyles avec oxygène – ***I*** eterocicli d'ossigeno – ***S*** heterociclos con oxígeno

Sauerstoff-Index. Kurzz. *LOI. Der S.-I. ist ein Maß für die Entzünd- u. Brennbarkeit von organ. Substanzen. Er ist definiert als Grenzwert des Vol.-Bruchs von Sauerstoff in einer Sauerstoff/Stickstoff-Mischung, bei dem die betreffenden Substanzen nach dem Entzünden von selbst weiterbrennen:

$$LOI = \frac{V_{O_2}}{V_{O_2} + V_{N_2}}$$

Zu LOI-Werten von wichtigen *Kunststoffen s. *Lit.*[1]. Zur Bestimmung des S.-I. s. *Lit.*[2]. Flammwidrige Substanzen haben LOI-Werte >0,225, selbstverlöschende solche >0,27. – ***E*** limiting oxygen index – ***F*** indice d'oxygène – ***I*** indice d'ossigeno – ***S*** índice de oxígeno

Lit.: [1]Elias (5.) **2**, 369 ff. [2]Batzer **2**, 362 f.

Sauerstoff-Radikale. Bez. für *Radikale vom Typ $O_2^{\cdot-}$ (*Hyperoxid), ·OH (*Hydroxyl), ·OR, ·O–OH, ·O–O–OH u. ·O–O–R (R = organ. Rest), die bei ihrer Rekombination ggf. *Singulett-Sauerstoff erzeugen, z. B. $2\,{}^{\cdot}O\!-\!OH \rightarrow H_2O_2 + {}^1O_2$. Zur *in vivo*-Messung der Aktivität von S.-R. s. *Lit.*[1]. Die 1956 von Eugen *Müller entdeckten *Aroxyle* sind mit raumfüllenden organ. Resten substituierte, univalent dehydrierte Phenole, z. B. das 2,4,6-Tri-*tert*-butylphenoxyl, s. Phenoxyl. – ***E*** oxygen radicals – ***F*** radicaux d'oxygène – ***I*** radicali d'ossigeno – ***S*** radicales de oxígeno

Lit.: [1]Townshend, Encyclopedia of Analytical Science, S. 3679–3688, London: Academic Press 1995.

Sauerstoff-Säuren s. Oxosäuren.

Sauerstoff-Zehrung. Bez. für den Sauerstoff-Verbrauch in Gewässern (z. B. für die mikrobielle *Selbstreinigung od. als Folge der *Eutrophierung), Schlämmen u. Sedimenten; oft synonym zu *Sauerstoff-Bedarf verwendet. In Seen od. Flüssen kann S.-Z. Fische u. a. Tiere, die auf einen hohen Sauerstoff-Gehalt angewiesen sind, ersticken; man spricht dann vom Umkippen des Gewässers. Zur Einteilung von Gewässern nach S.-Z. u. Sauerstoff-Produktion s. *Lit.*[1]. – ***E*** oxygen consumption, oxygen deficit – ***F*** consommation d'oxygène – ***I*** consumazione d'ossigeno – ***S*** consumo de oxígeno

Lit.: [1]Uhlmann, Hydrobiologie (3.), S. 141 ff., Stuttgart: Fischer 1988.

Sauerteig. Als ältestes *Teiglockerungsmittel für die *Brot-Herst. ist S. ein in *Gärung befindlicher *Teig, dessen Mikroorganismen (Hefen u. Milchsäurebakterien) durch Bildung von Gasen (*Kohlendioxid, *Methan, *Stickstoff), *Milch- u. *Essigsäure für die notwendige Lockerung insbes. von Roggenbrotteig sorgen. S. wird auch als Trockenprodukt hergestellt (Verkehrsbez.: S., getrocknet[1]) od. als S.-haltiges Fertigmehl in den Handel gebracht. Bei solchen Produkten hat sich die Revitalisierung der Mikroflora teilw. als problemat. erwiesen[2]. Einen umfassenden Überblick zum S. gibt *Lit.*[3]. – ***E*** leaven – ***F*** levain – ***I*** lievito – ***S*** masa ácida

Lit.: [1]Getreide Mehl Brot **43**, 15–18 (1989); **44**, 274–278 (1990). [2]Lebensm. Wiss. Technol. **22**, 145–149 (1989). [3]Spicher u. Stephan, Handbuch Sauerteig. Biologie, Biochemie, Technologie (4.), Hamburg: Behr 1993.
allg.: Belitz-Grosch (4.), S. 651 f. ▪ Doose, Rustikale Sauerteigbrote, Stuttgart: Mathaes 1985 ▪ Getreide Mehl Brot **45**, 238–240 (1991) ▪ Ullmann (4.) **8**, 706, 713 ▪ Verband der dtsch. Brot- u. Backwarenind. e. V. (Hrsg.), Sauerteig-Grundlage für gute Markenbrotqualität, Bonn 1990 ▪ Vollmer et al., Lebensmittelführer (2.), Bd. 1, S. 180 f., Stuttgart: Thieme 1995 ▪ Zipfel, C 305 Vorbemerkung 47. – *Organisation:* Internat. Verband der Brotindustrie, In den Diken 33, 40472 Düsseldorf.

Saugball s. Pipetierhilfen.

Saugflaschen. Starkwandige, kon. Glasflaschen mit seitlichem Ansatzrohr, das an eine Saugpumpe (in der Regel eine Wasserstrahlpumpe) angeschlossen wird, zum Filtrieren unter vermindertem Druck, s. Abb. g u. h bei Filter. – *E* filtering flasks – *F* essoreuses, bouteilles (fioles) à filtrer – *I* alambicchi per filtraggio – *S* frascos de filtración

Lit.: DIN 12476: 1983-06.

Saugpapier s. Papier.

Saugwürmer s. Parasiten u. Trematoden.

Saumbiotop s. Ökoton.

Saure... s. Hydrogen..., primär u. Salze; man beachte auch folgende Stichwörter. Einzelne saure Salze finden sich bei Bez. für Säure-Anionen (z. B. *Phosphate, *Sulfate) od. bei Salz-Bez. (z. B. *Natriumhydrogencarbonat).

Saure Erden s. Erdmetalle u. Oxide.

Saure Farbstoffe s. Farbstoffe u. Säurefarbstoffe.

Saure Gurken (Salzgurken, Dillgurken). Grüne, unreife Gurken können unter Verw. von Kochsalz u. Gewürzen durch *Milchsäure-Gärung begrenzt haltbar gemacht werden. Neben Milchsäure entstehen dabei CO_2, flüchtige Säuren, Ethanol u. Aromastoffe. An der Milchsäure-Bildung sind homo- u. heterofermentative Milchsäurebakterien (*Pediococcus cerevisiae*, *Leuconostoc mesenteroides*, *Lactobacillus plantarum*) u. *Hefen beteiligt, wobei die Hefen die Salzlake als dicke *Kahmhaut bedecken. Da sie die gebildete Milchsäure abbauen, müssen sie ständig entfernt werden. Neben der Spontansäuerung werden heute zunehmend *Starter-Kulturen eingesetzt, um Fehlgärungen durch Kontaminanten (z. B. *Fusarium, Alternaria, Penicillium* od. *Enterobacter*) zu vermeiden. – *E* pickled cucumbers – *F* cornichons au vinaigre – *I* cetriolini salati – *S* pepinillos en vinagre

Lit.: Contact Dermatitis **32**, 173 (1995) ▪ Int. J. Cancer Suppl. **10**, 7 (1997) ▪ Kunz, Grundriß der Lebensmittel-Mikrobiologie, S. 306 ff., Hamburg: Behr 1988 ▪ Präve (4.), S. 484 f.

Saure Phosphatase s. Phosphatasen.

Saure Reaktion. Bez., die ausdrückt, daß der *pH-Wert einer wäss. Lsg. <7 ist (bei 25 °C). Solche Lsg. röten Lackmus u. entfärben Phenolphthalein. Sie enthalten mehr *Protonen (H^+ bzw. H_3O^+) als Hydroxid-Ionen (OH^-). S. R. beobachtet man bei *Säuren, sauren *Salzen u. auch bei *Neutralsalzen, die aus einer schwachen Base u. einer starken Säure zusammengesetzt sind u. in Wasser hydrolysieren (s. Hydrolyse). In vielen Teilen der Welt sind Gewässer u. Böden einer *Versauerung* z. T. durch *Sauren Regen ausgesetzt. Das Gegenteil der s. R. ist die *alkalische Reaktion. – *E* acid reaction – *F* réaction acide – *I* reazione acida – *S* reacción ácida

Saurer Regen. *Niederschlag aus der *Atmosphäre, dessen pH-Wert niedriger als derjenige ist, der sich in reinem Wasser im Gleichgew. mit dem Kohlendioxid der Luft einstellen würde, der also unter pH 5,6 liegt. Zum s. R. werden heute nicht nur flüssige, sondern manchmal auch gasf. u. partikuläre (trockene) *Depositionen gerechnet. Hauptbestandteile von s. R. sind Säuren u. saure Salze, die sich aus Schwefel- u. Stickstoffoxiden (sowie NH_x) gebildet haben u. mit dem Regen ausgewaschen werden bzw. sich als trockene Niederschläge, z. B. aus *Aerosolen, absetzen. Saure Niederschläge u. ihre schädlichen Auswirkungen auf Pflanzen werden schon seit über 100 Jahren in der Nähe von *Emissionsquellen beobachtet (z. B. im Harz in der Nähe von Erz-Röstereien od. in London; vgl. saurer Smog). Im Erzgebirge, in der Nachbarschaft von Braunkohlenkraftwerken ohne *Entschwefelung, u. in Nordamerika [1] wurden weite Landstriche durch s. R. entwaldet.

Wirkungen: S. R. verursacht Schäden an Bauwerken u. steinernen Kulturdenkmälern, er beschleunigt die Korrosion metall. Gegenstände u. stört das ökolog. Gleichgew. infolge Versauerung von Gewässern u. Böden mit geringer Pufferkapazität. Diese Versauerung kann z. B. die Bioverfügbarkeit von Aluminium- u. Schwermetall-Ionen erhöhen od. Kalium-Salze u. a. Nährstoffe auswaschen. In der Folge wird z. B. die *Symbiose der Bäume mit ihren Mykorrhiza-*Pilzen gestört od. es kommt durch direkte Säureeinwirkung auf Blätter zu *Chlorosen u. Nekrosen. Daher werden auch die sog. neuartigen *Waldschäden mit s. R. in Zusammenhang gebracht. An Standorten mit versauertem Boden konnte vielfach durch Waldkalkung Besserung erzielt werden. Oft war eine Zufuhr ausgewaschener Nährstoffe, insbes. von Magnesium-Salzen notwendig. Nach Ansicht einiger Wissenschaftler ist die weiträumige Verfrachtung von Schwefeldioxid u. a. darauf zurückzuführen, daß mit verbesserter Entstaubung der Abgase die Pufferkapazität der alkal. reagierenden Flugaschen in der Abluft fehlt [2]. Obwohl man durch s. R. auch einen erheblichen Eintrag von Schwefel-Verb. in die Umwelt erwartet, reichen die in ihm enthaltenen Schwefel-Verb. nicht aus, um z. B. auf Feldern in Norddeutschland Schwefel-Mangelerscheinungen zu vermeiden.

Maßnahmen: Die EU hat bereits 1980 Grenz- u. Leitwerte für *Schwefeldioxid-Immissionen [3] u. 1985 für *Stickstoffoxid-Immissionen [4] festgelegt, die in der 22. VO zum *Bundes-Immissionsschutzgesetz [5] umgesetzt sind u. z. B. bei Überschreitung der *Immissionsgrenzwerte die Aufstellung von *Luftreinhalteplänen u. a. Maßnahmen vorsieht.

Die Einführung von Entschwefelungs- u. *Entstickungs-Maßnahmen in Kraftwerken u. des *Dreiwege-Katalysators für Kraftfahrzeuge (vgl. Kraftfahrzeugabgase) haben in Verbindung mit vielen anderen Maßnahmen (s. Entschwefelung, Großfeuerungsanlagen-Verordnung, Kleinfeuerungsanlagen-Verordnung u. Schwefel-Gehaltsverordnung) in der BRD sowohl zu einem Rückgang der *Emissionen als auch der *Immissionen an säurebildenden Verb. geführt. Zur Bestimmung der freien Acidität im Regen s. *Lit.* [6]. – *E* acid depositions, acid rain – *F* pluie acide – *I* pioggia acida – *S* lluvia ácida

Lit.: [1] Ellis, Environments at Risk, S. 187–197, Berlin: Springer 1989. [2] Naturwissenschaften **71**, 147 f. (1984). [3] Richtlinie 80/779/EWG des Rates der EG über Grenzwerte u. Leitwerte der Luftqualität für Schwefeldioxid u. Schwebestaub vom 15.07.1980, ABl. EG Nr. L 229, S. 30 (1980). [4] Richtlinie

85/203/EWG des Rates der EG über Luftqualitätsnormen für Stickstoffdioxid vom 07.03.1985, ABl. EG Nr. L 87, S. 1 (1985). [5]VO über Immissionswerte vom 26.10.93 (BGBl. I, S. 1819), geändert durch VO vom 27.05.1994 (BGBl. I, S. 1095). [6]VDI-Richtlinie 3870-11: 1996-12.
allg.: Binkley et al., Acidic Deposition and Forest Soils, Berlin: Springer 1989 ▪ Brauer (Hrsg.), Handbuch des Umweltschutzes u. der Umweltschutztechnik, Bd. 1, Emissionen u. ihre Wirkungen, S. 145–151, Berlin: Springer 1996 ▪ Environ. Pollut. **95**, 357–362 (1997); **96**, 19–27 (1997) ▪ Global Environ. Change **6**, 375–394 (1996) ▪ J. Appl. Ecol. **33**, 1329–1344 (1996) ▪ Lyr et al. (Hrsg.), Physiologie u. Ökologie der Gehölze, S. 58–99, 307–317, Jena: Fischer 1992 ▪ Reuss u. Johnson, Acid Deposition and the Acidification of Soils and Waters, Berlin: Springer 1986.

Saurer Smog (London-Smog, Winter-Smog). Ein mit *Schwefeldioxid bzw. daraus gebildeten Säuren sowie Ruß u. a. *Schwebstaub beladener Nebel, der sich bei naßkaltem Wetter, also bes. im Winter, bildet. Im Gegensatz zum *Photosmog verstärkt sich s. S. über Nacht, da durch die nächtliche Abkühlung die Luftfeuchtigkeit steigt. Der in London erstmals in großem Ausmaß beobachtete s. S. ging auf Emissionen aus der Verbrennung Schwefel-reicher Brennstoffe, bes. auf Kohleverbrennung in Haushalten, zurück. Einzelnen Smogepisoden werden Tausende von Opfern zugeschrieben [1].
Zur Bekämpfung von s. S. wurde durch das *Bundes-Immissionsschutzgesetz u. die ihm nachgeordneten VO die *Entschwefelung von Feuerungsanlagen (s. Kleinfeuerungsanlagen- u. Großfeuerungsanlagen-Verordnung) vorgeschrieben sowie der Schwefel-Gehalt von leichtem Heizöl in der *Schwefelgehaltsverordnung limitiert. Die *Smogverordnungen der Länder regeln u.a. Fahrverbote. Letztmalig kam es 1986/87 in den alten Bundesländern (Berlin) zu Wintersmog, 1993/1994 in den neuen Bundesländern. – ***E*** London-type smog
Lit.: [1]Reichl, Taschenatlas der Toxikologie, S. 128 f., Stuttgart: Thieme 1997; Spelsberg, Rauchplage (Zur Geschichte der Luftverschmutzung), S. 41–43, Köln: Volksblatt Verl. 1988.
allg.: Umweltbundesamt (Hrsg.), Daten zur Umwelt 1997, S. 150–154, Berlin: E. Schmidt 1997.

Saure Sahne s. Sahne u. Sauermilch(Erzeugnisse).

Saure Salze s. Salze.

Saures fibrilläres Glia-Protein (Abk.: GFAP von engl. *g*lial *f*ibrillary *a*cidic *p*rotein). Fasern-bildendes Protein (*Skleroprotein; M_R 50000) aus den Astrocyten (bestimmte Gliazellen, Begleitzellen der Nervenzellen mit langen Fortsätzen) des Zentralnervensyst. u. manchen Schwann-Zellen (weiterer Typ von Gliazellen, umgibt die peripheren Nerven). Im Gehirn gilt das GFAP als Astrocyten-spezif. Marker u. dient zur Unterscheidung von anderen Gliazellen. Das GFAP gehört zu den *Vimentin-ähnlichen Proteinen der *intermediären Filamente, mit denen es copolymerisiert, u. trägt somit zur Ausbildung u. Stabilität des *Cytoskeletts der Gliazellen bei. *In vitro* aggregiert GFAP spontan zu Homopolymeren. – ***E*** glial fibrillary acidic protein – ***F*** protéine gliofibrillaire acide – ***I*** proteina fibrillare acida della glia – ***S*** proteína gliofibrillar ácida
Lit.: Brain Pathol. **4**, 221–275 (1994) ▪ EMBO J. **14**, 1590 (1995) ▪ Neurosci. Lett. **209**, 29 (1996).

Sauser (Federweißer, Bitzler, Suser). Milchig trüber gärender Trauben-*Most. Der S. darf nicht mit Jungwein verwechselt werden, dessen Zweckbestimmung es ist, zu *Wein zu werden, während S. zum unmittelbaren Genuß bestimmt ist. Der S. schmeckt süß u. nach frischer Hefe. – ***E*** fermenting new wine – ***F*** vin nouveau – ***I*** mosto torbido in fermentazione – ***S*** vinomosto, chicha cruda
Lit.: Belitz-Grosch (4.), S. 827 ▪ Zipfel, C 403 *1* u. *9*. – *[HS 2204 30]*

Saussure, Nicolas Théodore de (1767–1845), Prof. für Mineralogie u. Geologie, Genf. *Arbeitsgebiete:* Assimilation, Gärung, Stärkeverzuckerung, Stoffbilanzen der Photosynth. u. der Pflanzenatmung, Begründer der Mineraltheorie der Pflanzenernäherung.
Lit.: Krafft, S. 304 ▪ Lexikon der Naturwissenschaftler, S. 360 ▪ Pötsch, S. 378 ▪ Strube et al., S. 100, 129.

Saussureamine.

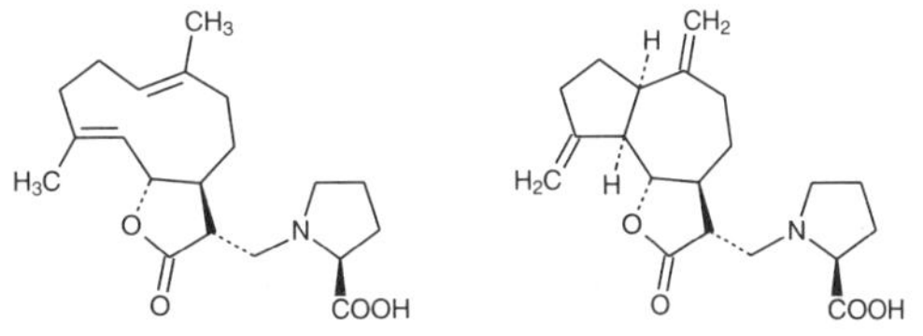

Saussureamin A

Saussureamin B
(S. C : L-Asn statt L-Pro)

Die S. A–E sind Inhaltsstoffe der getrockneten chines. *Saussurea*-Wurzel (*Saussurea costus*, syn. *S. lappa*), die in der chines. u. japan. Volksmedizin traditionell bei Magenbeschwerden verwendet wird. *S. A*, $C_{20}H_{29}NO_4$, M_R 347,45, Schmp. 115–117 °C, $[\alpha]_D$ +36,7° (CH_3OH), entspricht dem Michael-Addukt von Costunolid u. Prolin; die S. B u. C repräsentieren Aminosäure-Konjugate des Prolins u. des Asparagins mit dem entsprechenden α,β-ungesätt. Dehydrocostuslacton. S. A zeigt im Tierversuch einen ausgeprägten Schutzeffekt gegen streßinduzierte Magengeschwüre. – ***E*** saussureamines – ***I*** saussureammine – ***S*** saussureaminas
Lit.: Chem. Pharm. Bull. **33**, 1285 (1985); **40**, 2239 (1992); **41**, 214 (1993). – *[CAS 148245-82-3 (S. A); 126209-82-3 (S. B); 148245-83-4 (S. C)]*

Saussurit(isierung) s. Epidot.

Saxit®. Fliesenkleber auf Basis Acrylat-Styrrol-Copolymer. ***B.:*** Henkel.

Saxitoxin (Mytilotoxin, Gonyaulax-Toxin, PSP, STX). $C_{10}H_{17}N_7O_4$, M_R 299,29, Abb. s. Gonyautoxin. Feststoff, als Dihydrochlorid krist., $[\alpha]_D$ +130°, sehr gut lösl. in Wasser u. Methanol, wenig lösl. in Ethanol u. Eisessig, unlösl. in lipophilen Lösemitteln. S. ist in saurer Lsg. relativ stabil, in alkal. Lsg. zersetzt es sich rasch. Es ist ein Perhydropurin-Derivat u. ein sehr starkes *Neurotoxin (LD_{50} Maus i.p. 10, p.o. 263 u. i.v. 3,4 µg/kg) aus den Dinoflagellaten (einzelligen Algen) *Alexandrium* (früher *Gonyaulax*) *catenella* u. *A. tamarense*, wird aber auch in der Süßwasseralge *Aphanizomenon flos-aquae* gefunden [1]. Der eigentliche Produzent des Toxins ist das marine Bakterium *Moraxella* sp., welches z.B. aus *A. tamarense* isoliert werden konnte [2]. S. gelangt unter Umständen über die Nahrungskette in den Menschen: es kann in Speisemuscheln – bes. im Sommer, vgl. Gonyautoxine u. Brevetoxine –, angereichert werden, z. B. in den nordamerikan. *Saxidomus*-Arten u. den europ. Austern (*Ostrea edulis*) sowie Miesmuscheln (*Mytilus edulis*, *M. californianus*). Zu den Vergiftungserscheinungen s. PSP. S. blockiert wie auch *Tetrodotoxin Na^+-Ionenkanäle. S. wie auch *Tetrodotoxin werden biosynthet. aus Arginin, Methionin u. Acetat gebildet[3]. Zuerst entsteht *Neosaxitoxin* (Abb. s. Gonyautoxin), $C_{10}H_{17}N_7O_5$, M_R 315,29. – ***E*** saxitoxin – ***F*** saxitoxine – ***I*** saxitossina – ***S*** saxitoxina

Lit.: [1] Agric. Biol. Chem. **52**, 1075 (1988); J. Am. Chem. Soc. **97**, 1238, 6008 (1975); Scheuer I, **1**, 1; **4**, 10, 78; Zechmeister **45**, 235; Chem. Rev. **93**, 1685 (1993). [2] Mar. Ecol. Prog. Ser. **61**, 203 (1990). [3] J. Am. Chem. Soc. **106**, 6433 (1984); J. Chem. Soc., Chem. Commun. **1989**, 1421.
allg.: Beilstein EIII/IV **26**, 4028. – *Pharmakologie:* Ann. N. Y. Acad. Sci. **479**, 52, 68, 96, 385, 402 (1986) ▪ Naturwiss. Rundsch. **42**, 113 (1989) ▪ Naturwissenschaften **73**, 459–470 (1986) ▪ Sax (8.), Nr. SBA500, SBA600 ▪ Toxicon **16**, 595 (1978) ▪ Toxicon Suppl. **3**, 211 (1983). – *Synth.:* J. Am. Chem. Soc. **106**, 5594 (1984) ▪ Pure Appl. Chem. **58**, 257 (1986). – *[CAS 35523-89-8 (S.); 64296-20-4 (Neo-S.)]*

Saybolt-Farbzahl s. Farbzahl.

Sayboltkolben. Früher genormter Destillierkolben zur Bestimmung des Siedeverlaufs von Dieselkraftstoffen u. dgl.; Inhalt 250 mL, Halsdurchmesser 15 mm, Rohrdurchmesser 4 mm.

– ***E*** Saybolt distilling flask – ***F*** matras de Saybolt – ***I*** alambicco di Saybolt – ***S*** matraz de Saybolt

Saybolt-Sekunden, Saybolt-Viskosimeter s. Viskosimetrie.

Saytsev-Reduktion s. Rosenmund-Saytsev-Reduktion.

Saytzeff (Zajcev), Aleksandr Michajlovic (1841–1910), Prof. für Chemie, Univ. Kazan. *Arbeitsgebiete:* Organ. Schwefel-Verb. u. deren Reaktionen, 1866 Entdeckung der Sulfoxide, aliphat. Alkohole. Sein Name ist in einigen Namensreaktionen, die auf seine Untersuchungen zurückgehen, enthalten.

Lit.: Pötsch, S. 464.

Saytzeff-Regel (Saizew-Regel). Die S.-R. besagt, daß bei der Bildung von Olefinen durch Dehydratisierung von sek. u. tert. aliphat. Alkoholen od. durch Dehydrohalogenierung von sek. u. tert. Alkylhalogeniden dasjenige Alken bevorzugt gebildet wird, das den höchsten Alkyl-Substitutionsgrad aufweist, in der Abb. mit A bezeichnet, gegenüber dem Alken mit dem geringsten Alkyl-Substitutionsgrad (*Hofmann-Regel*), in der Abb. mit B bezeichnet.

$$H_3C{-}CH_2{-}C(CH_3)(Br){-}CH_3 \xrightarrow[-\,HBr]{Base} \underset{A\ (70\%)}{(H_3C)(H)C{=}C(CH_3)(CH_3)} + \underset{B\ (30\%)}{(H_3C)(H_3C{-}CH_2)C{=}CH_2}$$

Abb.: Eliminierung nach Saytsev (A) bzw. Hofmann (B).

Eine Begründung für die S.-R. ist, daß das höher substituierte Alken thermodynam. stabiler ist u. daß aufgrund des günstigeren *Übergangszustandes seine Bildung schneller erfolgt (vgl. a. die Ausführungen bei Eliminierung u. Hofmann-Eliminierung). – ***E*** Saytsev rule – ***F*** règle de Saytsev (Saytzeff) – ***I*** regola di Saytzeff – ***S*** regla de Saytsev

Lit.: Brückner, Reaktionsmechanismen, S. 121, Heidelberg: Spektrum 1996 ▪ s. a. Eliminierung.

sb. Symbol der veralteten Einheit *Stilb.

Sb. Chem. Symbol für das Element *Antimon.

SB. Kurzz. (nach ASTM) für *Styrol-Butadien-Copolymere.

SBR. Kurzz. (nach ASTM) für *Styrol-Butadien-Kautschuke.

SBS. Kurzz. für Styrol/Butadien/Styrol-Triblockcopolymere.

sc. Abk. für *synclinal* (s. Konformation u. Ferrocen), für *subcutan* (= unter der Haut, s. c.) u. für latein.: *scilicet* = nämlich, das heißt (auch: *scil.*; deutsch: d. h.).

Sc. Chem. Symbol für das Element *Scandium.

Scabies s. Milben.

Scale up. Aus dem Engl. (scale up = vergrößern, erweitern) übernommene Bez. für die in der chem. Verf.-Entwicklung praktizierte *Maßstabsvergrößerung* der Herstellverfahren. Ausgangspunkt ist dabei häufig eine *Laborapparatur*, Ziel der Bau einer techn. *Produktionsanlage*. Im allg. ist hierfür als Zwischenstufe der Betrieb einer *Versuchsanlage* geeigneter Größe (pilot plant, s. Verfahrenstechnik) erforderlich. Der max. mögliche Vergrößerungsfaktor (d. h. das Größenverhältnis Produktions-/Pilotanlage) hängt dabei von der Art des Verf. ab: Bei Verf. mit schwer maßstabsvergrößerbaren Teilschritten können Faktoren um 10 schon problemat. sein; Verf. mit guter Vergrößerbarkeit lassen manchmal Vergrößerungsfaktoren von 10^3 bis 10^4 zu. Um beim S. möglichst große Vergrößerungsfaktoren zu erreichen, wird in letzter Zeit zunehmend die „Mini-plant"-Technik angewendet. Hierbei wird das gesamte techn. Verf. im Technikumsmaßstab abgebildet u. über einen längeren Zeitraum kontinuierlich betrieben. – ***E*** scale up – ***F*** changement d'échelle – ***I*** ingrandire in scale – ***S*** ampliar

Lit.: Ullmann (5.) **B 1**, 3–12 ▪ Zlokarnik, Dimensional Analysis and Scale-up in Chemical Engineering, Berlin, Heidelberg: Springer 1991.

Scammonin s. Jalape u. Ipomoea-Harz.

Scan s. Sweep.

Scandicain®. Ampullen mit *Mepivacain zur Lumbalanästhesie, zur Leitungs- u. Lokalanästhesie in der Zahnheilkunde auch mit *Epinephrin-hydrogentartrat. ***B.:*** Astra Chemicals.

Scandium (chem. Symbol Sc). Leichtmetall aus der 3. Gruppe des *Periodensystems, Ordnungszahl 21, Atomgew. 44,955910. In der Natur kommt Sc nur in Form des Isotops 45 vor (*anisotopes Element), man kennt jedoch künstliche Sc-Isotope zwischen 40 u. 52 mit HWZ zwischen 0,182 s u. 83,8 d. In seinen Verb. tritt Sc fast ausschließlich in der Oxid.-Stufe +3 auf.

Während Verb. des Typs ScX_2 (X = H, I) od. ScO metall. Leiter sind u. am besten als $Sc^{3+}[(X^-)_2e^-]$ formuliert werden (also Sc in der Oxid.-Stufe +3 enthalten), konnte mit der abgebildeten Sandwich-Verb. die erste mol. Verb. des zweiwertigen S. vorgestellt werden [1]; zur Koordinationschemie s. *Lit.* [2].

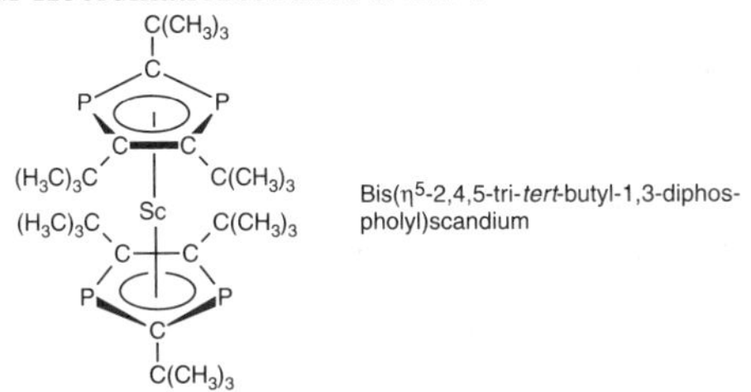

Bis(η^5-2,4,5-tri-*tert*-butyl-1,3-diphospholyl)scandium

Das silberweiße Metall, D. 2,989, Schmp. 1541 °C, Sdp. 2836 °C, liegt unterhalb 1335 °C in einer hexagonalen, bei höheren Temp. in einer regulären kub.-raumzentrierten Modif. vor; an der Luft erhält es allmählich einen gelblichen od. blaßrosa Farbton. In feinverteilter Form hergestelltes Sc kann *pyrophore Eigenschaften haben; von verd. Mineralsäuren u. Wasser wird es angegriffen. In seinen chem. Eigenschaften unterscheidet sich Sc sowohl von Aluminium als auch von Yttrium u. den *Lanthanoiden, wird aber gleichwohl im allg. zu den *Seltenerdmetallen gezählt.

Nachw.: Die Bestimmung kann mit Alizarinsulfonsäure, Oxin, Morin, Chinalizarin, *N*-Phenyl-1-naphthylamin („PAN"), PAR etc. vorgenommen werden [3]; Spuren werden durch Massenspektrometrie od. Atomemissions-Spektrometrie bestimmt.

Vork.: Der Anteil von Sc an der obersten, 16 km dicken Erdkruste wird auf ca. 21 ppm geschätzt. Sc ist dennoch häufiger als B, Pb od. Li; es ist relativ gleichmäßig verteilt u. tritt nur selten in abbauwürdiger Konz. auf. Auch in den typ. Mineralen der Seltenen Erden kommt Sc nur in sehr geringen Mengen vor; Sc-reiche Minerale sind der in Skandinavien u. Madagaskar vorkommende *Thortveitit u. *Kolbeckit. Weiterhin findet sich Sc in Wolfram-, Zinn- u. Uranerzen. Aus Uranerzen wird es im Rahmen der Uran-Gewinnung als Nebenprodukt techn. gewonnen. Sc ist auch in den Spektren vieler Sterne nachgewiesen worden.

Herst.: Man elektrolysiert geschmolzenes $ScCl_3$, dem man zur Senkung des Schmp. LiCl u. KCl (eutekt. Gemisch, s. Eutektikum) beimischt. Auch metallotherm. Red.-Verf. zur Sc-Gewinnung sind bekannt. Die Rein-Herst. von S.-Verb. erfolgt mit Hilfe von Extraktionsverfahren. Aufgrund der zu den übrigen Seltenerdmetallen bestehenden, teilw. beachtlichen Unterschiede im Löslichkeitsverhalten führen auch fraktionierte Fällungen bzw. Krist. zur Reinigung.

Verw.: S. besitzt z. Z. keine techn. Bedeutung. Nach *Lit.* [4] hat man S. als Tracer zur Beobachtung des Wanderungsverhaltens von Seesand benutzt. Weitere Einsatzmöglichkeiten bestehen als Zusatz in Ti-, Ni- sowie Mg-Ta-Leg., als Wirtsgitter für Europium- u. Terbium-aktivierte *Leuchtstoffe, in der Elektrokeramik sowie aufgrund der Katalysator-Eigenschaft. Wegen der geringen D. u. des hohen Schmp. ist es evtl. als Werkstoff in der Raumfahrttechnik interessant.

Geschichte: S. wurde 1879 von *Nilson im schwed. *Gadolinit u. *Euxenit entdeckt u. nach dem Vork. (latein.: Scandia = Skandinavien) als S. bezeichnet. Schon im Jahre 1871 hatte *Mendelejew die Existenz eines Elements prophezeit, das er *Eka-Bor* nannte, weil es im Periodensyst. unter Bor eine Lücke ausfüllen sollte (vgl. Eka-). Die vorausgesagten Eigenschaften (Atomgew., D., Zusammensetzung u. Löslichkeitsverhalten der Salze) stimmten mit den tatsächlich gefundenen weitgehend überein. – ***E*** = ***F*** scandium – ***I*** scandio – ***S*** escandio

Lit.: [1] J. Chem. Soc. Chem. Commun. **1998**, 797 ff. [2] Coord. Chem. Rev. **164**, 183–188 (1997). [3] Fries-Getrost, S. 310–313; Townshend, Encyclopedia of Analytical Science, S. 4551–4555, London: Academic Press 1995. [4] Naturwiss. Rundsch. **28**, 221 (1975).

allg.: Brauer (3.) **2**, 1066 ff. ▪ Gmelin, Syst.-Nr. 39, Seltene Erden, 1938, 1973 ff. ▪ Horovitz et al., Scandium, London: Academic Press 1975 ▪ J. Phys. Chem. Ref. Data **4**, 263–352 (1975); **9**, 473–511 (1980) ▪ Seiler u. Sigel (Hrsg.), Handbook on Toxicity of Inorganic Compounds, S. 577–580, New York: Dekker 1988 ▪ Snell-Ettre **17**, 560 ff. ▪ s. a. Seltenerdmetalle. – *[HS 2805 30; CAS 7440-20-2]*

Scandium-Verbindungen. a) *Scandiumoxid*, Sc_2O_3, M_R 137,91, weißes, lockeres Pulver, D. 3,864, Schmp. 2485 ± 20 °C, unlösl. in Wasser, lösl. in heißen od. konz. Säuren, dient als Ausgangsmaterial für andere S.-Verbindungen. – b) *Scandiumchlorid*, $ScCl_3$, M_R 151,314, farblose Krist., D. 2,39, Schmp. 968 °C, Sdp. 1342 °C, ab ca. 800 °C Subl. im Vak., leicht lösl. in Wasser mit saurer Reaktion. – c) *Scandiumnitrat*, $Sc(NO_3)_3$, M_R 230,971, farblose zerfließende Krist., Schmp. 150 °C, leicht lösl. in Wasser u. Alkohol. – d) *Scandiumsulfat*, $Sc_2(SO_4)_3$, M_R 378,103, farblose Krist., D. 2,579, sehr gut lösl. in Wasser. – ***E*** scandium compounds – ***F*** composés de scandium – ***I*** composti di scandio – ***S*** compuestos de escandio

Lit.: s. Scandium. – *[HS 2846 90; CAS 12060-08-1 (a); 10361-84-9 (b); 13465-60-6 (c); 13465-61-7 (d)]*

SCAS-Test. Abk. von *E* *s*emi-*c*ontinuous *a*ctivated *s*ludge test (semikontinuierlicher *Belebtschlamm-Test), ein Testverf. zur Bestimmung der *biologischen Abbaubarkeit organ. Substanzen. – ***E*** semi-continuous activated sludge test

Lit.: OECD Guideline Nr. 302 A ▪ EU-Richtlinie 88/302 EWG.

Scatter factor s. Hepatocyten-Wachstumsfaktor.

Scavenger receptors s. Lipoproteine, Makrophagen.

SCE (*S*ister *C*hromatid *e*xchange, Schwesterchromatid-Austausch). Mit Hilfe des SCE-Assays lassen sich morpholog. Veränderungen der *Chromosomen-Struktur mit cytogenet.-mikroskop. Meth. *in vitro* erfassen. Als Zellkulturen werden meist CHO- od. V-79-Zellen (Zellinien, die vom chines. Hamster stammen) verwendet. Mit Hilfe des SCE-Assays läßt sich die Potenz eines Stoffes erkennen, mit od. ohne metabol. Aktivierung (S-9-Mix) Makroläsionen an Chromosomen (z. B. Chromosomenmutationen) zu induzieren u. damit klastogene Wirkung zu entfalten. Als Positivkontrolle werden häufig Ethylmethansulfonat od. **N*-Nitrosodimethylamin (bei metabol. Aktivierung) verwendet. Der SCE-Assay stellt in der beschriebenen Art u. Weise eine Ersatzmeth. zum Tierversuch dar. Bei bestimmten Krankheiten (Bloom-Syndrom) ist die

SCE-Rate erhöht. Untersuchungen zur Empfindlichkeit verschiedener Meth., mit denen ein *DNA-Schaden erkannt werden kann, sind *Lit.*[1] zu entnehmen. ***Methodik:*** Zellinien werden der Testchemikalie ausgesetzt u. anschließend für 2 Zellcyclen in Bromdesoxyuridin-haltigem Medium kultiviert. Nach Zusatz seines Spindelgiftes (z. B. *Colchicin) akkumulieren die Zellen in einem Metaphase-ähnlichen Stadium (c-metaphase, s. Mitose), werden geerntet u. die Chromosomen differentiell gefärbt [meist Fluoreszenz- u. Giemsa(FPG)-Färbung][2]. Die Durchführung des SCE-Assays sollte nach OECD- bzw. EG-Guidelines erfolgen[3]. – ***E*** sister chromatid exchange – ***I*** scambio di cromatidi fratelli – ***S*** intercambio de cromátidas hermanas

Lit.: [1] Carcinogenesis **8**, 1077–1083 (1987). [2] Z. Ges. Umw. Mutationsforsch. **4** (3/4), 14 ff. (1990). [3] Z. Ges. Umw. Mutationsforsch. **3** (1), 18–21 (1989).
allg.: Lodish et al., Molekulare Zellbiologie (2.), S. 186 ff., 367 ff., Berlin: de Gruyter 1996 ▪ Singer u. Berg, Gene and Genome, S. 105 ff., Heidelberg: Spektrum Akadem. Verl. 1992.

Scenedesmus. Gattung von unbeweglichen Grünalgen (s. Algen) mit mehr als 100 Arten. Durch ihre photolithotrophe Ernährungsweise (s. Lithotrophie) sind S.-Arten zur Züchtung in Abwasserkulturen geeignet u. wurden wegen ihres hohen Protein-Gehaltes (>50% des Trockengew.) als Eiweißquelle (*Single Cell Protein) für Ernährungszwecke untersucht, zumal damit gleichzeitig eine *Abwasserbehandlung verbunden werden kann. Allerdings steht dieser Verw. oft die Speicherung von Schadstoffen (Carcinogene u. Schwermetalle) im Wege. – ***E*** = ***F*** = ***S*** scenedesmus – ***I*** scenedesmo

Lit.: Chem. Biol. Interact. **97**, 131 (1995) ▪ Ecotoxicol. Environ. Saf. **31**, 205 (1995) ▪ Int. J. Environ. Anal. Chem. **14**, 161 (1983) ▪ Präve (4.), S. 764 ff. ▪ Toxicol. Environ. Chem. **7**, 47 (1983); **9**, 109 (1984).

SCEP. Abk. für *S*elf-*C*onsistent *E*lectron *P*airs-Theorie. Meth. der *ab initio-*Quantenchemie zur Beschreibung von Effekten der *Elektronenkorrelation.
Lit.: s. ab initio u. Quantenchemie.

SCF. Abk. für *Stammzellenfaktor.

SCF-Verfahren (von *E* *s*elf-*c*onsistent-*f*ield). Derzeit am häufigsten verwendetes Verf. der *Quantenchemie, das sowohl als *ab initio als auch als *semiempirisches Verfahren zur Anw. kommt; s. a. Hartree-Fock-Verfahren. – ***E*** SCF method – ***F*** méthode ScF – ***I*** metodo SCF – ***S*** método ScF

SCG. Abk. für *Schweizerische Chemische Gesellschaft.

Schaben. Stammesgeschichtlich sehr ursprüngliche, mit typ. beißend-kauenden Mundwerkzeugen u. typ. Laufbeinen versehene *Insekten der Ordnung Blattodea, die weltweit verbreitet sind. In Mitteleuropa findet man v. a. die *Dtsch.* od. *Haus-S.* (*Blattella germanica*), eine 10–15 mm lange, gelblichbraune S., die wegen ihrer Haftläppchen u. Haftpolster an den Füßen bes. gut an glatten Flächen emporlaufen u. daher in alle Stockwerke eines Gebäudes gelangen kann. Daneben findet sich noch häufig die dunkelbraune *Oriental.* od. *Küchen-S.* (*Kakerlak*, *Blatta orientalis*), die eine Länge von 20–27 mm erreicht. Die S. sind Allesfresser u. lieben, v. a. Formen der Tropen, Dunkelheit u. Wärme. Da sie sowohl an Abfällen u. Unrat als auch an Lebensmitteln fressen, sind sie nicht nur Vorratsschädlinge, sondern auch potentielle Überträger von Krankheitserregern, wie z. B. *Salmonellen, Darm- u. Eiterbakterien, Wurmeiern etc., die sie teils mit den Verdauungsprodukten ausscheiden u. teils an der Körperoberfläche weitertransportieren. Von S. befallen werden bes. Gaststätten u. Küchenbetriebe, Lebensmittelgeschäfte u. -fabriken sowie Bäckereien, aber auch Krankenhäuser, Sanatorien, Heime, Kasernen u. Wohnungen. Vor der Ablage des Eipakets (= Oothek) erweitern die Weibchen durch eine „Dispersionsunruhe" ihren Aktionsradius, so daß hierdurch den dann schlüpfenden Larven (unvollkommene Verwandlung) neue Lebensräume zur Eroberung offenstehen. Der Bekämpfung der S. dienen z. B. Carbamate, Dichlorvos u. a. *Insektizide, auch Borsäure u. ein *Juvenilhormon-Analoges (Hydropren) haben sich als wirksam erwiesen. Bei Maßnahmen gegen S. sollte auch die Kenntnis der spezif. *Pheromone von Nutzen sein. Aus 75 000 Weibchen der *Amerikan. S.* (*Periplaneta americana*) wurden 0,2 mg des *Sexuallockstoffs isoliert: **Periplanon A* u. *Periplanon B*. Im Gegensatz zu den komplizierten tricycl. Verb. der Amerikan. S. sind die Pheromone aus Dtsch. S. einfacher gebaut: (3*S*,11*S*)-*3,11-Dimethyl-2-nonacosanon* (1), $C_{31}H_{62}O$, M_R 450,83, u. sein 29-Hydroxy-Derivat (3*S*,11*S*)-*29-Hydroxy-3,11-dimethyl-2-nonacosanon* (2), $C_{31}H_{62}O_2$, M_R 466,83.

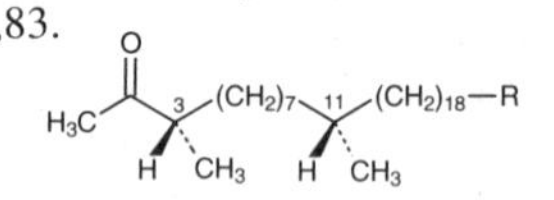

R = H : (3*S*,11*S*)-3,11-Dimethyl-2-nonacosanon (**1**)
R = OH : (3*S*,11*S*)-29-Hydroxy-3,11-dimethyl-2-nonacosanon (**2**)

– ***E*** cockroaches – ***F*** blattes, cafards – ***I*** blatte, scarafaggi – ***S*** cucarachas

Lit.: Jacob u. Renner, Biologie u. Ökologie der Insekten (2.), Stuttgart: Fischer 1988 ▪ Pradl, Blaberus giganteus – Schaben, Stuttgart: Fischer 1971 ▪ Weber, Grundriß der Insektenkunde, Stuttgart: Fischer 1974. – *[CAS 69274-90-4 (1); 60789-53-9 (2)]*

Schablonen s. Formelschablonen.

Schacht. Kurzbez. für die 1863 gegr. Firma F. Schacht GmbH & Co. KG, Chem. Fabrik, 38106 Braunschweig. *Produktion:* Pflanzenschutz- u. Schädlingsbekämpfungsmittel; u. a. Baumwachs, Kompostierungsmittel, Raupenleimring, Vergrämungsmittel.

Schachtelhalme. Der auf feuchten Äckern u. Wiesen, an Wegrändern u. Bahndämmen wachsende Acker-S. (*Equisetum arvense* L., Equisetaceae) treibt im Frühjahr 10–20 cm lange, rotbraune bis strohgelbe, Chlorophyll-freie, unverzweigte Sprosse, die an der Spitze Sporenbehälter tragen. Die 10–80 cm langen grünen, gefurchten Sprosse der sterilen Sommerform mit an den Knoten quirlig angeordneten Seitenästen werden aufgrund ihres hohen Gehalts an Kieselsäure (6–8%, davon ca. 10% Wasser-lösl.) sowie der darin enthaltenen *Flavone (*Kaempferol u. *Quercetin als Glykoside) arzneilich verwendet; das Vork. von Saponinen ist nicht gesichert. Weitere Inhaltsstoffe sind u. a. **Dimethylsulfon* u. *Equisetolsäure* [Triacontansäure,

$HOOC-(CH_2)_{28}-COOH$, $C_{30}H_{58}O_4$, M_R 482,79]. Der *Sumpf-S.* (*E. palustre* L.), dessen sporentragende u. sterile Sprosse gleichgestaltet sind, enthält das Krämpfe u. Atemlähmungen hervorrufende, makrocycl. Spermidin-Alkaloid *Palustrin* {$C_{17}H_{31}N_3O_2$, M_R 309,45, Schmp. 188–190 °C (Zers.), $[\alpha]_D^{18}$ +15,8° (H_2O)}. Näheres zu den S.-Alkaloiden findet man in den Aufsätzen aus dem Arbeitskreis von Eugster (*Lit.* [1]).

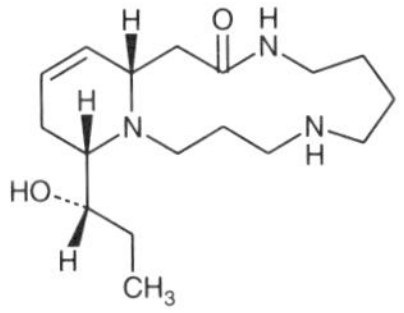

Palustrin

Verw.: S. werden verschiedene Wirkungen zugeschrieben, wovon nur die diuret. gesichert erscheint. Den Namen *Zinnkraut* erhielt die Pflanze, da man sie früher zur Reinigung von Zinn-Geschirr benutzte: Der getrocknete S. hat wegen seines Kieselsäure-Gehalts eine schonende Scheuerwirkung. S. wurde auch zum Färben in Grüntönen verwendet. Im alternativen biolog. Pflanzenschutz wird S.-Sud gegen Mehltau empfohlen, doch ist er bei Rosenmehltau unwirksam. Da der Acker-S. ebenso wie der Sumpf-S. im allg. als typ. Unkraut betrachtet wird, bekämpft man ihn mit Herbiziden auf der Basis von *Bromacil, *2,4-D, *MCPA u. a. *Phenoxycarbonsäure-Derivaten. – ***E*** horsetails – ***F*** petite prèle – ***I*** equiseto – ***S*** cola de caballo, equiseto menor

Lit.: [1] Helv. Chim. Acta **61**, 885–935 (1978); Heterocycles **4**, 51–105 (1976).
allg.: Bundesanzeiger 173/18. 09. 86 ▪ DAB **1997** u. Komm. ▪ Dtsch. Apoth. Ztg. **127**, 2049–2056 (1987) ▪ Hager (5.) **5**, 64–72 ▪ Köhler, Verbreitung, Biologie u. Bekämpfung des Sumpfschachtelhalmes, Berlin: Parey 1971 ▪ Wichtl (3.), S. 203–207. – *[HS 1211 90; CAS 6708-53-8 (Equisetolsäure); 22324-44-3 (Palustrin)]*

Schachtwasser s. Grubenwasser.

Schadeinheit s. Abwasserabgabengesetz.

Schadensanzeige-Verordnung. Landesrechtliche VO, die Meldepflichten von Anlagenbetreibern gegenüber der Überwachungsbehörde regelt. S. V. gelten für Anlagen, die nach § 52 *Bundes-Immissionsschutzgesetz behördlich überwacht werden, z. B. durch Umweltämter. Die S.-V. von NRW definiert als anzeigepflichtige Tatsachen *Störfälle u. Ereignisse nach *Störfall-Verordnung sowie erhebliche Schadensereignisse. Mit letzterem gemeint ist jede Störung des bestimmungsgemäßen Betriebs der Anlage, durch die außerhalb der Anlage Menschen gesundheitlich beeinträchtigt, zahlreiche Personen erheblich belästigt od. bedeutende Teile der Umwelt geschädigt worden sind od. ein Sachschaden in Höhe von voraussichtlich mehr als 1 Mio. DM innerhalb der Anlage od. 0,2 Mio. DM außerhalb der Anlage entstanden ist.

Lit.: Ordnungsbehördliche VO über die unverzügliche Anzeige von umweltrelevanten Ereignissen beim Betrieb von zu überwachenden Anlagen im Zuständigkeitsbereich der Staatlichen Umweltämter (Umwelt-Schadensanzeige-VO NRW) vom 21. 2. 1995 (GV.NW. S. 196).

Schadow, Ernst (geb. 1942), Mitglied des Vorstands der *Hoechst AG, Prof. für Techn. Chemie der TH Darmstadt. *Arbeitsgebiete:* Biochemie, Katalyse, Reaktionstechnik, Prozeßtechnologie.

Schadstoff. Nach § 325 Strafgesetzbuch sind S. in bedeutendem Umfang in die Luft freigesetzte „Stoffe, die geeignet sind 1. die Gesundheit eines anderen, Tiere, Pflanzen od. andere Sachen von bedeutendem Wert zu schädigen od. – 2. nachhaltig ein Gewässer, die Luft od. den Boden zu verunreinigen od. sonst nachteilig zu verändern."
S. werden z. B. in *Smogverordnungen (Kohlenmonoxid, Schwefeldioxid u. NO_x), im Abwasserabgabengesetz [1] (s. dortige Tab.), in der *Klärschlammverordnung [„organ.-persistente S.": *PCB u. PCDD/PCDF (s. Dioxine)], in der *Altölverordnung u. in der Schadstoff-Höchstmengenverordnung [2] (6 PCB u. *Quecksilber) genannt.
Umgangssprachlich wird S. unzulässigerweise mit *Chemikalie, *Umweltchemikalie, *Gefahrstoff u. *Xenobiotikum gleichgesetzt; dabei wird Schaden gelegentlich mit Gefährlichkeit (= Potential, einen Schaden zu verursachen) verwechselt. Die korrekte Anw. des Begriffs S. setzt die Kausalitätskette Stoff, betroffenes Syst. u. Schaden voraus. So sind z. B. viele Spurenelemente in hoher Dosis schädlich, in niedriger hingegen lebensnotwendig. Gleiches gilt für die „eutrophierenden S." Phosphor u. Stickstoff (nach *Abwasserabgabengesetz), die als Phosphat bzw. Nitrat/Ammonium Lebensgrundlage der Wasserorganismen sind. – ***E*** noxious substance – ***F*** substance nocive – ***S*** substancia nociva

Lit.: [1] Gesetz über Abgaben für das Einleiten von Abwasser in Gewässer (Abwasserabgabengesetz – AbwAG) vom 13. 09. 1976 (BGBl. I, S. 2721), zuletzt geändert am 21. 03. 1997 (BGBl. I, S. 566). [2] VO über Höchstmengen an Schadstoffen in Lebensmitteln (SHmV) vom 23. 03. 1988 (BGBl. I, S. 422), zuletzt geändert am 03. 03. 1997 (BGBl. I, S. 430).
allg.: Korte (3.), S. 88 ▪ Vogl et al. (Hrsg.), Handbuch des Umweltschutzes, Bd. 6, Tl. VI-1, Schadstoffatlas Osteuropa, S. 1–337, Landsberg: ecomed 1994.

Schadstoffarm. Bez. für Rohstoffe, Produkte, *Abfälle, *Abgase, *Abwasser u. a. mit relativ geringem Gehalt an *Schadstoffen. S. Produkte dürfen, wenn sie bestimmten Kriterien genügen, mit einem *Umweltzeichen gekennzeichnet werden. – ***E*** poor in noxious substances – ***F*** pauvre en substances nocives – ***S*** pobre en substancias nocivas

Lit.: Kloepfer, Umweltrecht, S. 695 f., München: Beck 1989.

Schadstoffarmes Auto. Umgangssprachliche Bez. (meist) für Kraftfahrzeuge mit geringem Schadstoffausstoß. Die genaue Definition für s. A. ergibt sich aus dem Anhang zu § 40c Absatz 1 *Bundes-Immissionsschutzgesetz (weitere Vorschriften s. Aufzählung in *Lit.* [1]). Die *Schadstoff-*Emissionen von Kraftfahrzeugen lassen sich durch fahrzeugtechn. Verbesserungen sowie Verbesserung der Kraftstoffe senken (s. Kraftfahrzeugabgase, zur Verbesserung der Kraftstoffe s. a. Entschwefelung u. Schwefel-Gehaltsverordnung). Selten wird mit s. A. ein Kraftfahrzeug gemeint, das materialmäßig wenig Schadstoffe enthält u. z. B. nach seiner Nutzung leicht zu entsorgen ist. – ***E***

low-emission vehicle – *F* automobil peu polluant – *I* auto al verde, vettura ecologica – *S* automóviles poco contaminantes

Lit.: [1] Brauer (Hrsg.), Handbuch des Umweltschutzes u. der Umweltschutztechnik, Bd. 1, Emissionen u. ihre Wirkungen, S. 171, Berlin: Springer 1996.
allg.: Bundesverband Junger Unternehmer (BJU) u. Ingenieurgemeinschaft für techn. Umweltschutz (INTECUS; Hrsg.), BJU-Umweltschutz-Berater, Kap. 4.5.1.2, Köln: Dtsch. Wirtschaftsdienst (Loseblattsammlung) 1997 ▪ VDI-Ber. **1099** (Beiträge der Fahrzeugtechnik zur Verbrauchssenkung) (1993); **1110** (Luftreinhaltung im Strukturwandel von Energie u. Verkehr) (1994); **1228** (Emissionen des Straßenverkehrs – Immissionen in Ballungsgebieten) (1995) ▪ Vogl et al. (Hrsg.), Handbuch des Umweltschutzes (3.), Bd. 2, II-2.2.1, II-2.7.4, S. 48–52, II-2/Anl. 1, Landsberg: ecomed (Loseblattsammlung), Stand 1997.

Schadstoff-Freisetzungs- und Transportregister s. PRTR.

Schädlingsbekämpfung. Bekämpfung pflanzlicher u. tier. Organismen, die dem Menschen, seinen Nutztieren, Kulturpflanzen (s. Pflanzenschutz) u. allg. seiner Wirtschaft Schaden zufügen können; s. a. Schädlingsbekämpfungsmittel. – *E* pest control – *F* lutte contre les parasites, traitement antiparasitaire – *I* lotta antiparassitaria – *S* lucha antiparasitaria

Lit.: s. Pflanzenschutz, Pflanzenschutzmittel.

Schädlingsbekämpfungsmittel. Im Sinne der *Gefahrstoffverordnung Zubereitungen, die „1. Pflanzenschutzmittel im Sinne des Pflanzenschutzmittelgesetzes sind od. 2. dazu bestimmt sind, Schädlinge u. Schadorganismen – außer Schadorganismen im Sinne des Pflanzenschutzgesetzes – od. lästige Organismen unschädlich zu machen, zu vernichten od. ihrer Einwirkung vorzubeugen".
Die *Pflanzenschutzmittel bilden somit nur einen Teilbereich innerhalb der auch als Pestizide bezeichneten Schädlingsbekämpfungsmittel. Zu den unter 2. genannten Präp. gehören u. a. Mittel gegen Hygieneschädlinge wie Fliegen, Bremsen, Mücken, Schaben, Wanzen od. Flöhe, die Krankheiten auf Mensch u. Tier übertragen können, gegen Vorratsschädlinge (ausgenommen Mittel zum Schutz von Pflanzenerzeugnissen nach § 2 Pflanzenschutzgesetz) wie z. B. Ratten, Mäuse, Käfer, Schaben od. Motten, sowie zum Schutz von verarbeitetem Holz (s. Holzschutzmittel) u. sonstigen Materialien. – *E* pesticides – *F* [produits] pesticides – *I* antiparassitari – *S* pesticidas, plaguicidas

Lit.: s. Pflanzenschutzmittel. – *[HS 3808 10, 3808 20, 3808 30]*

Schäfer, Clemens (1878–1968), Prof. für Physik, Breslau u. Köln. *Arbeitsgebiete:* Theoret. Physik, Beugungserscheinungen, Infrarotspektrum, Schallstrahldruck, Gläser, Metalle, Molekülbau, Kristallstruktur, Verfasser mehrerer Lehrbücher.

Lit.: Lexikon der Naturwissenschaftler, S. 361.

Schäfer, Fritz Peter (geb. 1931), Prof. für Biochemie, Univ. Göttingen u. Marburg, Direktor des MPI für Biophysikal. Chemie, Göttingen. *Arbeitsgebiete:* Laser-Farbstoffe u. Farbstofflaser, Photochemie mit Lasern, Laserphysik.

Lit.: Kürschner (16.), S. 3136 ▪ Wer ist wer (36.), S. 1218.

Schäfer, Hans-J. (geb. 1937), Prof. für Organ. Chemie, Univ. Münster. *Arbeitsgebiete:* Organ. Elektrosynth.: C,C-Verknüpfungen u. Funktionsgruppenumwandlungen, regioselektive Oxid. von C,H-Bindungen in Fettsäuren u. Steroiden; Naturstoffsynth.: Synth. von Sesquiterpenlactonen u. Morphin-Derivaten.

Lit.: Kürschner (16.), S. 3138.

Schäffersäuren s. Naphtholsulfonsäuren (S. 2811, 1. Tab.).

Schaeffler-Diagramm. Ursprünglich von A. L. Schaeffler [1] empir. aufgestelltes u. zwischenzeitlich von C. J. u. W. T. de Long [2] ergänztes Schaubild, mit dem das zu erwartende Gefüge geschweißter Verbindungen aus legiertem *Stahl in Abhängigkeit von den gewichteten Leg.-Anteilen an Austenit-stabilisierenden (wie Mn, Ni, C, N) u. Ferrit-stabilisierenden Elementen (wie Cr, Si, Mo, Ti, Ta, Nb) vorausbestimmt werden kann. Je nach Zusammensetzung kann es dabei zu folgenden Gefügeausbildungen kommen: Einphasige Gefüge wie *Austenit, *Ferrit od. *Martensit, Zweiphasengefüge wie Austenit + Ferrit (Duplexgefüge), Austenit + Martensit, Ferrit + Martensit od. das Mehrphasengefüge Austenit + Ferrit + Martensit. Durch das entstehende Gefüge werden die Eigenschaften der Schweißverbindungen entscheidend beeinflußt. Da das S.-D. den realen Werkstoffzustand wiedergibt u. nicht den Gleichgewichtszustand, kommt ihm in der Fertigungs- u. Werkstofftechnik erhebliche Bedeutung zu. – *E* Schaeffler diagram – *F* diagramme de Schaeffler – *I* diagramma di Schaeffler – *S* diagrama de Schaeffler

Lit.: [1] Met. Prog. **56**, 680 ff. (1949). [2] Weld. J. (Supplement) (London) **52**, 281 ff. (1973).
allg.: Folkhard, Welding Metallurgy of Stainless Steels, S. 88 ff., New York: Springer 1984 ▪ Metals Handbook (9.), Vol. 6, S. 322, 808, Metals Park, Ohio: Am. Soc. Metals 1983.

Schäumbares Polystyrol (EPS). Als EPS werden im allg. alle schäumbaren (expandierbaren) Homo- u. *Copolymere des *Styrols (insbes. Copolymere mit Acrylnitril) zusammengefaßt. *Lit.*[1] unterteilt EPS in *Partikelschaumstoffe, extrudierte Schaumstoffe u. *Integralschaumstoffe. Sie werden meist aus vorgefertigtem Polystyrol unter Verw. von Treibmitteln hergestellt (zur Herst. des Styropors s. Polystyrol). Als Treibmittel finden niedrig siedende Kohlenwasserstoffe od. Halogenwasserstoffe bzw. (bei Integralschaumstoffen) sich unter Gasentwicklung zersetzende Chemikalien wie z. B. Azo-Verb. Verwendung. EPS werden z. B. als Materialien zur Wärme- u. Schall-Isolierung u. in Verpackungen, zur Herst. von Werbe-, Sport- u. Spielzeug-Artikeln, in gemahlener Form als Bodenlockerungsmittel verwendet [1]. Als Integralschaumstoffe werden EPS zur Herst. von Möbelteilen od. Gehäuse auf dem Phono- u. Fernsehsektor einge-

Tab.: EPS-Verbrauch in Westeuropa 1989 u. 1994

Anwendungsgebiet	Anteil [%]	
	1989	1994
Bauwesen	65	70
Verpackung	32	28
sonstige	3	2

setzt. Der weltweite EPS-Verbrauch erreichte 1994 ein Vol. von ca. 1,8 Mio. t (*Lit.*[2]), s.a. die Tabelle. – ***E*** foamable polystyrene – ***F*** polystyrène expansible – ***I*** polistirene espansibile – ***S*** poliestireno espumable (expandible)

Lit.: [1] Ullmann (4.) **20**, 425 ff. [2] Kunststoffe **85**, 1545 (1995). *allg.:* s. a. Polystyrol.

Schäumen. Bez. für die – oft unerwünschte u. daher mit *Entschäumern od. *Schaumverhütungsmitteln unterdrückte – Bildung gasgefüllter Bläschen (*Schaum) in siedenden u./od. *grenzflächenaktive Stoffe enthaltenden Flüssigkeiten. Mitunter werden Schäume auch durch gasf. Zers.-Produkte gelöster Verb. (*Beisp.:* Azo-, Peroxid-Verb. usw.) hervorgerufen, z. B. bei der Erzeugung von *Schaumstoffen, insbes. von *Schaumkunststoffen, unter Einsatz von Blähmitteln. Das Aufblähen fester Stoffe unter Hitze-Einwirkung nennt man bevorzugt *Intumeszenz. – ***E*** foaming – ***F*** écumage, moussage – ***I*** spumeggiare – ***S*** espumación

Lit.: s. Schaum (...) u. Entschäumer.

Schäumer s. Flotation u. Schaumbildner.

Schafgarbenöl. Dunkelblaues, ether. Öl aus den Blüten u. Blättern der Gemeinen Schafgarbe (*Achillea millefolium*, Asteraceae), die 1,8-Cineol u. a. Terpene, Flavone, verschiedene Betaine, Gerbstoffe u. Chamazulen sowie Bitterstoffe enthält.

Verw.: Als Amarum mit spasmolyt., karminativen u. chologogen Wirkungen. Die Pflanzendroge ist Bestandteil von Teemischungen. Hautwirkung: Sensibilisierung ist bei äußerem Kontakt mit der Frischpflanze möglich. Die Moschusschafgarbe (*A. erba-rotta*) hat eine vergleichbare Zusammensetzung; sie ist ihrer Aromastoffe wegen in *Chartreuse enthalten. – ***E*** milfoil oil, yarrow oil – ***F*** huile de millefeuille – ***I*** olio essenziale di millefoglie – ***S*** esencia de milenrama

Lit.: Braun-Frohne (6.), S. 18 ▪ Gildemeister **7**, 641 ff. ▪ Pharm. Biol. (2.) **3**, 288 f.; (3.) **2**, 76 ▪ Roth u. Konnann, S. 260. – *[HS 3301 29; CAS 8022-07-9]*

Schalenblende s. Wurtzit u. Zinkblende.

Schalenmodell s. Kernmodelle.

Schalenobst s. Obst.

Schall. Im allg. Sprachgebrauch bezeichnet man als S. die vom menschlichen Gehörorgan u. seinen *Rezeptoren als *Reize wahrnehmbaren *Schwingungen, die etwa im Frequenzbereich von 20–16000 Hz liegen. Schwingungen mit Frequenzen <20 Hz rechnet man zum *Infra-S.*, solche mit Frequenzen >16000 Hz zum **Ultraschall*; Schwingungen mit extrem hohen Frequenzen (>10^9 Hz) bezeichnet man als **Hyperschall*. Der S. kann sich in jedem elast. Medium als S.-Welle ausbreiten. S.-Wellen können *Interferenz zeigen u. *Reflexion erfahren. Die S.-Geschw. hängt von den elast. Eigenschaften, der evtl. *Anisotropie von Krist., der Dichte, der Temp. des Mediums u. – meist nur geringfügig – von der Frequenz ab, vgl. a. Phononen. Aufgrund von S.-Ereignissen treten z. B. *Sonolumineszenz u. auch chem. Effekte auf (*Sono-* od. *Akustochemie*, s. Ultraschallchemie). S. kann auch bei chem. Reaktionen entstehen u. wird in der *Pyrotechnik zum Bau von Pfeiftreibsätzen ausgenutzt. Hierbei handelt es sich um oszillierend abbrennende Gemische aus Kaliumperchlorat u. organ. Verb. wie Natriumsalicylat u. Kaliumbenzoat od. Kaliumchlorat u. Gallussäure, die mit Frequenzen um 3–4 kHz schwingen[1]. Weitere Berührungspunkte zwischen S. (*Akustik* = Lehre vom S., von griech.: akuein = hören) u. Chemie ergeben sich bei akust. Phänomenen wie der S.-Emission bei Stoffdeformationen (*Lit.*[2], vgl. a. Zinngeschrei bei Zinn), bei der Synth. von akustoopt. aktiven Stoffen[3], bei speziellen *Meßmeth.* wie der *photoakustischen Spektroskopie, der akust. *Holographie, der S.-Emissionsanalyse zur Werkstoffprüfung usw.[4], insbes. aber im Chemiebetrieb bei *Lärmbelastung* u. *-minderung*, z. B. durch Anw. von *Schalldämmstoffen. S.-Intensitäten können auch durch sog. *Anti-S.* gemindert werden. Hierbei werden über ein Mikrofon die S.-Schwingungen gemessen; über einen Verstärker wird ein Lautsprecher so angesteuert, daß die von ihm emittierten S.-Wellen gegenüber den ursprünglichen um 180° phasenverschoben sind. Durch neg. *Interferenz löschen sich die S.-Wellen gegenseitig aus[5]. Durch die Anregung von S.-Wellen kann zusätzliche Reibung, sog. Nanotribologie, hervorgerufen werden[6]. Die Berechnung der S.-Wege im Ohr, insbes. in der Ohrmuschel, wird in *Lit.*[7] beschrieben. – ***E*** sound – ***F*** son – ***I*** suono – ***S*** sonido

Lit.: [1] Spektrum Wiss. **1991**, Nr. 5, 8. [2] Annu. Rev. Mater. Sci. **7**, 179 (1977). [3] FB NRW 2983 (1980). [4] Pompe u. Morgner, Zur Anwendung der akustischen Emissionsanalyse in der Festkörperphysik, Berlin: Akademie Verl. 1981. [5] Phys. Unserer Zeit **20**, 180 (1989); **22**, 7 (1991). [6] Spektrum Wiss. **1996**, Nr. 12, 80. [7] Spektrum Wiss. **1997**, Nr. 4, 23.
allg.: Dechema-Monogr. **86**, 717–724 (1980) ▪ Die Schallemissionsanalyse, Köln: TÜV Rheinland 1979 ▪ Eisenmenger u. Kaplyanskii, Nonequilibrium Phonons in Nonmetallic Crystals, Amsterdam: North-Holland 1986 ▪ Encycl. Polym. Sci. Technol. **51**, 598–621 ▪ Kohlrausch, Praktische Physik 2, S. 217 ff., Stuttgart: Teubner 1996 ▪ Ullmann (4.) **3**, 71–82; **6**, 627–682 ▪ Winnacker-Küchler (3.) **7**, 653 f., 686; (4.) **1**, 699 f., 703.

Schalldämmstoffe. Sammelbez. für zur Schalldämmung (vgl. Schall) u. zum *Lärmschutz* geeignete *Baustoffe. Die in Gasen (Luft) verwendeten *Schallschluckstoffe* wie Glaswolle, Mineralfasern (Stein-, Gesteins-, Basaltwolle), Schlackenfasern, Kieselgur, Perlite, Vermiculite u. a. porige Stoffe, Teppiche, Filzplatten bewirken eine Schallabsorption. Bei festen Körpern verwendet man als sog. *Körperschalldämmstoffe* Mehrfachtrennwände, poröse Zwischenschichten, Gummipuffer usw. Als *Antidröhnmassen* od. *Entdröhnungsmittel* werden z. B. aufgeklebte Pappen, Beschichtungen, Anstriche u. a. bezeichnet. Die S. spielen eine große Rolle in der *Lärmbekämpfung* beim *Umweltschutz sowie in der Raumakustik. – ***E*** soundproofing materials – ***F*** isolants phoniques – ***I*** materiali insonorizzanti – ***S*** materiales para insonorización

Lit.: Kirk-Othmer (4.) **14**, 603–626 ▪ Scholz, Baustoffkenntnis, 13. Aufl., Düsseldorf: Werner 1995 ▪ Schulz, Schallschutz-Wärmeschutz-Feuchteschutz-Brandschutz im Innenausbau, 6. Aufl., Stuttgart: dva 1996 ▪ Ullmann (4.) **3**, 77–82 ▪ s. a. Schall. – *[HS 6806 10, 6808 00, 7019 90]*

Schalldruckpegel. Bez. für eine durch ein Schallereignis hervorgerufene Änderung des Luftdrucks, s. dB. – ***E*** sound pressure level

Lit.: Römpp Lexikon Umwelt, S. 538f. (Pegel) u. S. 625 (Schalldruck).

Schallplattenmassen. Die früher üblichen sog. *Normalspielplatten* (78 Umdrehungen/min) bestanden aus *Schellack mit Streckmitteln u. Füllstoffen u. waren bruchempfindlich, während die im Preßguß verarbeiteten unzerbrechlichen *Langspielplatten* (LP) im allg. aus Copolymerisaten mit 85–95% PVC u. 5–15% PVAC bestehen, die üblicherweise mit sehr fein verteiltem *Ruß schwarz gefärbt werden, was auch eine bessere Erkennung von Fehlern der Oberfläche ermöglicht. Der *elektrostatischen Aufladung, die Staubanziehung u. Erzeugung von Nebengeräuschen beim Abspielen zur Folge hat, kann man durch geringe Zusätze (ca. 1%) von *Antistatika begegnen. Streck- u. Füllstoffe werden bei den modernen S. nicht mehr verwendet, dagegen setzt man als Wärmestabilisatoren kleine Mengen *Metall-organischer Verbindungen zu, die die Hitzebeständigkeit von S. um das 10fache u. mehr erhöhen können. Die LP sind heute weitgehend abgelöst durch die sog. *CD-Platten* (Compact Disks) mit ihren durch Laser abtastbaren digitalen Codierungen; diese bestehen meist aus *Polycarbonaten. – ***E*** [phonograph] record compositions – ***F*** masses pour disques [de phonographe] – ***I*** masse discografiche – ***S*** masas para discos [de fonógrafos]

Lit.: Encycl. Polym. Sci. Eng. **11**, 676f.; **S**, 560 ▪ Kirk-Othmer (3.) **19**, 915–922. – *[HS 1301 10, 3904 30]*

Schallquanten s. Phononen.

Schally, Andrew Victor (geb. 1926), Prof. für Medizin, New Orleans (USA). *Arbeitsgebiete:* Endokrinologie, Onkologie, Peptidchemie, Isolierung von *Releasing-Hormonen aus dem Hypothalamus; hierfür Nobelpreis 1977 für Physiologie od. Medizin (zusammen mit R. C. L. *Guillemin u. R. *Yalow).

Lit.: Lexikon der Naturwissenschaftler, S. 361 ▪ Neufeldt, S. 299 ▪ Pötsch, S. 378 ▪ The International Who's Who (17.), S. 1335.

Schalotten (Eschlauch, Askalonzwiebel). Haupt- u. Nebenzwiebel von *Allium cepa* L. var. *ascalonicum*. Meist kleiner als Küchenzwiebel u. zu Büscheln gehäuft. Das Hauptflavonoid der S. ist das Spiraeosid (s. Quercetin). S. werden wegen ihres pikanten Geschmackes als feine Gewürzzwiebel zum Einlegen von Gurken verwendet; s. a. Zwiebel. – ***E*** shallots – ***F*** échalotes – ***I*** scalogni – ***S*** escalonias, chalotes – *[HS 0703 10]*

Schalsteine s. Spilite.

Schalteröle s. Isolieröle.

Schalungsmittel s. Entschalungsmittel.

Schamotte. Aus dem Italien. abgeleitete Bez. für gebrannten, gemahlenen u. klassierten feuerfesten *Ton (auch *Kaolin), aus dem nach Beimengung von rohem, plast. Ton (Bindeton) die *Schamottesteine* (S.-Ziegel) bei ca. 1450 °C gebrannt werden. Diese werden wie ähnliche andere *keramische Werkstoffe als feuerfeste Baustoffe z. B. zum Auskleiden von Feuerungen, Hochöfen, Winderhitzern usw. verwendet. S. wird auch als Zuschlag u. Magerungsmittel (für leichtere Trocknung von Ziegeltonen) in keram. Massen, v. a. für grobkeram. Produkte, eingesetzt; s. a. Feuerfestmaterialien. – ***E*** = ***F*** chamotte – ***I*** chamotte, argilla refrattaria – ***S*** chamota

Lit.: Jasmund u. Lagaly (Hrsg.), Tonminerale u. Tone, S. 272, 289, Darmstadt: Steinkopff 1993 ▪ Winnacker-Küchler (4.) **3**, S. 179ff., 205f. ▪ s. a. Feuerfestmaterialien, Keramik. – *[HS 2508 70]*

Schaper u. Brümmer. Kurzbez. für die Arzneimittelfirma Schaper u. Brümmer, 38259 Salzgitter.

Schappe s. Seide.

Schardinger-Dextrine s. Cyclodextrine.

Schardinger-Enzym, -Reaktion s. Xanthin-Oxidase.

Scharf, Hans-Dieter (geb. 1930), Prof. für Organ. Chemie, RWTH Aachen. *Arbeitsgebiete:* Chirale Induktionen bei Photoreaktion, solarchem. Photonenspeicher; synthet. Arbeiten: Insekten-Pheromone u. Antibiotika, Halogenvinylcarbonate.

Lit.: Kürschner (16.), S. 3153 ▪ Wer ist wer (36.), S. 1224.

Scharf, Joachim-Hermann (geb. 1921), Prof. (emeritiert) für Anatomie, Histologie, Embryologie, Histochemie, Univ. Halle, Direktor Ephemeridum der Dtsch. Akademie der Naturforscher, Leopoldina; Hrsg.: Acta histochemical. *Arbeitsgebiete:* Histochemie u. physikal. Chemie der Gewebe, speziell Nerven, endokrine Drüsen, Knochen, Thermodynamik der Embryonalentwicklung.

Lit.: Kürschner (16.), S. 3153f.

Scharfstoffe. Sammelbez. für chem. sehr unterschiedliche Stoffe, die die in Haut u. Schleimhäuten vorhandenen Thermo- u./od. Schmerz-*Rezeptoren reizen, worauf es direkt od. indirekt zu erhöhter *Speichel- u. *Magensaft-Sekretion, verstärkter Peristaltik, Wärmeempfindung u. *Hyperämie in der Haut kommen kann. Da diese Wirkungen nicht nur geschmacklich erwünscht, sondern teilw. auch therapeut. nutzbar sind, kommen S. bzw. die S.-haltigen Pflanzen sowohl in Speisen als auch als *Reizstoffe in der Therapie zur Anw.; z. B. bei Rheumatismus u. Lumbago, als Stomachika u. Carminativa u. in der *Reizkörper-Therapie. Typ. S. bzw. S.-Pflanzen sind: *Capsaicin aus Paprika, *Piperin aus Pfeffer, *Gingerol u. *Zingeron aus Ingwer, *Myristicin aus Muskat, *Allicin aus Knoblauch, *Chalciporon aus dem Pfeffer-Röhrling (*Suillus piperatus*), *Velleral aus Milchlings-(*Lactarius*)Arten, Isothiocyanate (*Senföle) aus Senf, Meerrettich, Kresse etc. – ***E*** pungent (hot) flavors – ***F*** substances irritantes – ***I*** spezie piccanti – ***S*** especias picantes

Scharlachläuse s. Schildläuse.

Schattenpflanzen s. Skiophyten.

Schaukelvektoren s. Shuttle-Vektoren.

Schaum. Als kolloidchem. Syst. sind *Schäume* (von Wo. *Ostwald „Spumoide", von latein.: spuma = Schaum genannt) Gebilde aus gasgefüllten, kugel- od. polyederförmigen Zellen, welche durch flüssige, halbflüssige, hochviskose od. feste Zellstege begrenzt werden. Ist die Vol.-Konz. des Gases bei homodisperser Verteilung kleiner als 74%, so sind die Gasblasen wegen der oberflächenverkleinernden Wirkung der *Grenzflächenspannung kugelförmig. Oberhalb der

Grenze der dichtesten Kugelpackung werden die Blasen zu polyedr. *Lamellen* deformiert, die von ca. 4–600 nm dünnen Häutchen begrenzt werden. Die Zellstege, verbunden über sog. Knotenpunkte, bilden ein zusammenhängendes Gerüst. Zwischen den Zellstegen spannen sich die Schaumlamellen (*geschlossenzelliger S.*). Werden die Schaumlamellen zerstört od. fließen sie am Ende der Schaumbildung in die Zellstege zurück, erhält man einen *offenzelligen Schaum.* S. sind thermodynam. instabil, da durch Verkleinerung der Oberfläche Oberflächenenergie (s. Oberflächenspannung) gewonnen werden kann. Die Stabilität u. damit die Existenz eines S. ist somit davon abhängig, wieweit es gelingt, seine Selbstzerstörung zu verhindern. S. können durch Verfestigung der aufbauenden Substanz fixiert werden (*Schaumkunststoffe, *Schaumstoffe). S. aus niedrigviskosen Flüssigkeiten werden temporär durch oberflächenaktive Substanzen (*Tenside, *Schaumstabilisatoren) stabilisiert. Solche *Tensidschäume* haben aufgrund ihrer großen inneren Oberfläche ein starkes Adsorptionsvermögen, welches bei Reinigungs- u. Waschvorgängen, bei der Flotation u. der Desinfektion ausgenutzt wird. Eine Rolle bei der S.-Stabilität spielt auch der *Marangoni-Effekt.

Zur Erzeugung von S. (*Schäumen*) wird Gas in geeignete Flüssigkeiten eingeblasen, od. man erreicht S.-Bildung durch heftiges Schlagen, Schütteln, Verspritzen od. Rühren der Flüssigkeit in der betreffenden Gasatmosphäre, vorausgesetzt, daß die Flüssigkeiten geeignete Tenside od. andere *grenzflächenaktive Stoffe (sog. **Schaumbildner*) enthalten, die außer Grenzflächenaktivität auch ein gewisses Filmbildungsvermögen besitzen. In anderen Fällen (z. B. *Polyurethan-Verschäumung) beruht die S.-Bildung auf chem. Reaktionen, die unter Gasentwicklung ablaufen, vgl. a. Blähmittel u. Schaumkunststoffe. Das *Schaumvermögen* ist das Verhältnis des S.-Vol. der Probe zum S.-Vol. einer zum Vgl. verwendeten Natriumoleat-Lsg. nach 1 min Stehen; die Messung bei Tensiden erfolgt nach DIN 53902-1: 1981-03 u. -2: 1977-12. Das *Schaumvol.* hängt u. a. ab vom Flüssigkeits-Vol., den mechan. Bedingungen u. der Temp., unter denen das Gas eingearbeitet wird. Das Aufschäummaximum u. die S.-Beständigkeit schaumbildender Substanzen spielen in der Technik z. B. bei der Herst. von Schaumstoffen eine große Rolle; zur Ermittlung der entsprechenden Daten dienen speziell entwickelte Geräte.

In vielen Fällen ist die Bildung von S. ein erwünschter Vorgang – man denke an die bekannten Anw. im Haushalt; *Beisp.:* Brotteig, Schlagsahne, Speiseeis, Baiser, Bier, Schaumbad, Haarshampoo, Rasierschaum, medizin. Tampons u. Zahnpasta. In der Technik findet S. seine augenfälligste Ausprägung in *Schaumstoffen*, seien sie aus Kunststoffen, Elastomeren, Metallen, Beton, Kohlenstoff od. anderen Materialien. Daneben ist S. von Bedeutung bei der *Flotation u. verwandten Trennverf. der Erzaufbereitung (Schaum-Sink- od. *Sink-Schwimm-Aufbereitung u. sog. Schaumfraktionierung) u. für *Feuerlöschmittel. Die Rolle des S. beim Waschvorgang (Schmutzträgervermögen) ist umstritten; S.-Bildung u. Reinigungswirkung gehen bei Waschmitteln jedenfalls nicht parallel. S. kann auch durchaus unerwünscht sein, z. B. auf Gewässern, wo er früher als Folge ungenügenden biolog. Abbaus der Waschmitteltenside auftrat. Bei vielen techn. Prozessen, bes. solchen, die Substanzen biolog. Ursprungs verarbeiten (z. B. Eiweißstoffe, *Saponine in der Zucker-Ind.) tritt S. als störende Nebenerscheinung auf. Hier ist es notwendig, den S. mit Hilfe mechan. wirkender Geräte zu zerstören od. aber sog. *Schaumverhütungsmittel od. *Entschäumer zuzusetzen, da unter Umständen das Schäumen den ganzen Prozeß in Frage stellen kann. In der Waschmittel-Terminologie hat sich der Begriff des „gebremsten Schaums" eingebürgert. Feste S. sind Syst., bei denen ein Gas in einem Feststoff dispergiert ist; *Beisp.:* *Kork, *Holz, *Vermiculite, *Bimsstein, *Porenbeton. – ***E*** foam – ***F*** mousse – ***I*** schiuma – ***S*** espuma

Lit.: Kirk-Othmer (4.) **11**, 783–805 ▪ Ullmann (5.) **A11**, 465–490 ▪ s. a. Entschäumer, Seifen.

Schaum, Gustav (1908–1994), Sohn von K. *Schaum, Prof. (emeritiert) für Photochemie, Univ. Bonn, Vorstandsvorsitzender u. Aufsichtsratsvorsitzender (i. R.) der Agfa-Gevaert AG, Leverkusen. *Arbeitsgebiete:* Photograph. Prozesse, Kristallographie der Silberhalogenide, Entwicklung von Teilchenstrahlung, Farbphotographie, Silbersalz-Diffusionskopierverfahren.

Lit.: Kürschner (16.), S. 3160.

Schaum, Karl (1872–1947), Vater von G. *Schaum, Prof. für Physikal. Chemie, Univ. Gießen. *Arbeitsgebiete:* Bestimmung der Teilchengröße von Silbersolen u. a. kolloidchem. Arbeiten.

Schauma®. Dachmarke für ein Sortiment von Haarshampoos, Kur- u. Pflegespülungen. ***B.:*** Schwarzkopf & Henkel Cosmetics.

Schaumbäder. Im Handel befindliche S. sind flüssige, klare od. Perlmutt-glänzende, mehr od. weniger viskose od. auch pastöse *Badezusätze, mit denen neben der Reinigungswirkung eine lebhafte, entspannende u. erfrischende Schaumbildung erzielt werden soll. Den wichtigsten Bestandteil bilden Gemische anionaktiver *Tenside mit Zusätzen von hautpflegenden *Amphotensiden u./od. *nichtionischen Tensiden, rückfettenden Substanzen, *Schaumstabilisatoren, *Riechstoffen u. ggf. *Farbstoffen u. *Konservierungsmitteln. Auch medizin. wirksame *Hautpflegemittel können S. zugesetzt werden. In ähnlicher Zusammensetzung u. Funktion sind auch die sog. *Duschbäder* beliebt u. haben mengenmäßig die S. inzwischen überholt. 1996 betrug das Umsatzvol. zu Endverbraucherpreisen für Bade- u. Duschzusätze in der BRD ca. 1080 Mio. DM, wobei >60% auf Duschbäder entfielen (*Lit.*[1]). – ***E*** foam baths – ***F*** bains de mousse – ***I*** bagni di schiuma – ***S*** baños de espuma

Lit.: [1] IKW Tätigkeitsbericht 1996/97, Frankfurt: Industrieverband Körperpflege u. Waschmittel 1997.
allg.: Umbach (Hrsg.), Kosmetik, 2. Aufl., S. 106f., 113–116, Stuttgart: Thieme 1995 ▪ Vollmer u. Franz, Chemie in Bad u. Küche, S. 31–34, Thieme 1991 ▪ s. a. Hautpflegemittel u. Kosmetik. – *[HS 330730]*

Schaumbekämpfungsmittel s. Entschäumer u. Schaumverhütungsmittel.

Schaumbeton. Bez. für einen *Leichtbeton mit poriger Struktur, im Unterschied zu *Porenbeton hergestellt durch Zugabe von *Schaumbildnern zum flüssigen *Beton in geeigneten (schaumschlagenden) Zwangsmischern od. durch Einmischen von vorgefertigtem *Schaum in die flüssige Betonmasse. S. kann auch direkt an der Baustelle hergestellt bzw. als Transportbeton angeliefert u. verarbeitet werden. Die Eigenschaften von S. sind ähnlich denen von Porenbeton, s. dort. – ***E*** foamed concrete, aeroconcrete – ***F*** béton mousse (écumeux) – ***I*** calcestruzzo poroso – ***S*** hormigón esponjoso (celular)

Lit.: Scholz, Baustoffkenntnis, 13. Aufl., Düsseldorf: Werner 1995 ▪ Wesche, Baustoffe, Bd. 2: Beton, 2. Aufl., S. 337f., Wiesbaden: Bauverl. 1981.

Schaumbildner (Schäumer, Schaummittel). Bez. für *grenzflächenaktive Stoffe, die ein gewisses Filmbildungsvermögen haben u. so die Erzeugung von *Schaum in Flüssigkeiten fördern. Typ. S. in wäss. Lsg. sind ionogene *Tenside, *Saponine u. manche Eiweißstoffe, vgl. a. Flotation u. Feuerlöschmittel. – ***E*** foam-forming agents, foamers – ***F*** moussants – ***I*** formatore di schiuma – ***S*** espumantes

Lit.: s. Schaum.

Schaumbremsen, Schaumdämpfer s. Schaumverhütungsmittel.

Schaumfestiger s. Haarbehandlung.

Schaumglas. Bez. für einen erstarrten *Glas-*Schaum mit luftdicht geschlossenen Zellen, die mit Gas gefüllt sind. Als *Blähmittel bei der Herst. dienen Koks, Magnesiumcarbonat u. Calciumcarbonat. S. hat eine geringe Dichte, ist undurchlässig für Dämpfe u. Gase, säurefest, chem. beständig u. kann gesägt, genagelt u. geschliffen werden. S. ist einer der wirksamsten *Wärmedämmstoffe, da die ursprünglich mit heißen Gasen gefüllten Bläschen nach der Abkühlung unter Unterdruck stehen, so daß die Wärmeleitung noch geringer ist als bei Luftblasen. Wegen der mechan. empfindlichen Oberfläche muß diese durch Asphaltanstriche od. andere Überzüge geschützt werden. Als S. natürlichen Ursprungs lassen sich *Glastuffe* als vulkan. Auswürfe auffassen. – ***E*** foamed glass – ***F*** verre mousse (cellulaire) – ***I*** vetro espanso – ***S*** vidrio esponjoso

Lit.: Pfänder, Schott-Glaslexikon, S. 149f., München: mvg Moderne Verl. GmbH 1989 ▪ Winnacker-Küchler (4.) **3**, 155. – *[HS 7016 90]*

Schaumgummi. Im Gegensatz zu *Moosgummi u. *Schwammgummi ohne *Treibmittel hergestellter, vulkanisierter *Latex-*Schaum auf der Basis von natürlichem od. synthet. *Kautschuk, der aufgrund seiner Zellstruktur große Weichheit, Elastizität, geringes Gew. u. gutes Wärmeisoliervermögen aufweist. Die Ausgangslatices werden mit Schwefel, Vulkanisationsbeschleunigern, *Alterungsschutzmitteln, usw. sowie mit Seife u. einem Koagulationsmittel (z. B. Natriumfluorosilicat) versetzt, mechan. in Rührwerken aufgeschäumt, in Formen gegossen u. in heißem Wasserdampf vulkanisiert. Anschließend werden die Teile ausgewaschen (Entfernung der Seife usw.) u. in Spezialöfen getrocknet.

Verw.: Als Polstermaterial in der Möbel- u. Auto-Ind., zur Herst. von Einlegesohlen, für Teppichunterlagen, Verpackungen usw. – ***E*** latex foam rubber – ***F*** caoutchouc cellulaire – ***I*** gommapiuma – ***S*** caucho celular

Lit.: Kirk-Othmer (3.) **11**, 94 ▪ Ullmann (4.) **13**, 677.

Schauminhibitoren s. Schaumverhütungsmittel.

Schaumkalk (Aphrit). Bez. für schaumartig ausgebildete poröse *Kalke, die einst *Oolithe enthielten; nach deren Herauslösung blieben die Feinporen erhalten. S. sind überwiegend cremefarben bis weiß u. kommen z. B. in Niedersachsen (Elm) u. Sachsen-Anhalt (Baumaterial am Naumburger Dom) vor. – ***E*** slate spar, aphrite – ***F*** aphrite – ***I*** spato d'ardesia, afrite – ***S*** afrita

Lit.: Lüschen, Die Namen der Steine (2.), S. 312, Thun: Ott 1979 ▪ Müller, Gesteinskunde (3.), S. 131, 133, Ulm: Ebner 1991.

Schaumkohlenstoff. Bez. für durch Verkokung von geschäumten Kunstharzen, z. B. *Phenol-Formaldehyd- u. *Furan-Harzen, erhältliche hochporöse Kohlenstoff-Werkstoffe mit Rohdichten $<0,1$ g/cm^3.

Eigenschaften: Geringe Wärmeleitfähigkeit (0,08 W/mK) bei hoher Temp.-Beständigkeit (an Luft bis ca. 300 °C, unter Inertgas od. Vak. bis >3000 °C); gute Korrosionsbeständigkeit.

Verw.: Selbsttragendes Wärmeisoliermaterial z. B. in Sinteröfen, Katalysatorträger, Filtermaterial für korrosive Stoffe, poröses Elektrodenmaterial z. B. in Brennstoffzellen u. a. Manche *Flammschutzmittel bilden unter Flammeneinwirkung eine Dämmschicht aus S. (*Intumeszenz). – ***E*** foamed carbon – ***F*** carbone mousse – ***I*** carbone espanso – ***S*** carbono espumoso (esponjoso)

Lit.: Ullmann (4.) **14**, 617f.; (5.) **A 5**, 121.

Schaumkunststoffe. Bez. für die aus *Polymeren hergestellten Schaumstoffe, s. dort zu allg. Eigenschaften u. zur Charakterisierung. Zur Herst. von S. eignen sich z. B. *Polystyrol (PS) u. *Styrol-Copolymere, *PVC hart u. weich, *Polycarbonate, *Polyolefine, *Polyurethane (PUR), *Polyisocyanurate, *Polycarbodiimide, Polymethacrylimide (s. Polyacrylimide), *Polyamide, *ABS, *Phenol- u. *Harnstoff-Harze (*UF-Schäume). Die größte techn. Bedeutung besitzen z. Z. die PUR-S., gefolgt von den PS-S. (EPS, von expandierbares PS, s. schäumbares Polystyrol).

Die Schaumstruktur entsteht aufgrund chem. Reaktionen, z. B. bei PUR-S., bei Zugabe von *Blähmitteln, die sich bei bestimmter Temp. während der Verarbeitung unter Gas-Bildung (N_2, CO_2) zersetzen, od. bei Zusatz von flüchtigen Lsm. während der *Polymerisation. Die *Verschäumung* erfolgt entweder beim Verlassen des Extrusionswerkzeugs, d. h. im Anschluß an das *Extrudieren od. *Spritzgießen, od. in offenen Formen. Bei PUR-S. hat heute die *RIM-Technik (einschließlich RRIM, s. Polyurethane) breiteste Anw. gefunden. *Schaumstabilisatoren verhindern das Zusammenfallen des *Schaums vor der Härtung. Die Aushärtung erfolgt unter den für das jeweilige Polymere charakterist. Bedingungen; vgl. a. die betreffenden Einzelstichwörter.

S. haben wegen ihrer ausgezeichneten Eigenschaften – geringe D., gute Verarbeitbarkeit durch Sägen od. Schneiden, gute Wärme- u. Schallisolierung – auf den verschiedensten Gebieten der Technik u. Wirtschaft eine große Bedeutung erlangt. So werden z. B. *Hartschaumstoffe zunehmend im Bauwesen verwandt, als

Polstermaterial etc. in der Möbel- u. Fahrzeug-Ind., für Kühlmöbel-Isolierungen, als Beläge von Sportplätzen u. in der Landwirtschaft, als Kultursubstrat für die Pflanzenaufzucht u. zur Neulandgewinnung (vgl. die 1962 von H. Baumann eingeführte *Plastoponik). Die Verw. von harten wie auch weichen, elast. S. als Verpackungsmaterial ist allg. bekannt; glasfaserverstärkte S. aus *Polypropylen, Polystyrol u. Polyamid finden spezif. Anwendungen. Dank ihrer offenzelligen *Poren-Struktur eignen sich manche S. zum Aufsaugen von flüssigen Schadstoffen, aber auch zur Wundbehandlung u. als Tampons (s. Polyester). Die Herst. von sog. *Integralschaumstoffen od. *Struktur-S.* (S. mit fester Außenhaut u. zelligem Kern) mit Hilfe der *Formverschäumung* gewinnt zunehmend an Bedeutung, speziell für die Polster-Industrie. – ***E*** foamed plastics, cellular plastics – ***F*** plastiques alvéolaires (cellulaires) – ***I*** plastiche espanse – ***S*** plásticos celulares

Lit.: Khemani, Polymeric Foams, ACS Symp. Ser. **669**, Washington: ACS 1997 ▪ Shutov, Integral/Structural Polymer Foams, Springer: Berlin 1986 ▪ Wendle, Structural Foam, New York: Dekker 1985 ▪ s. a. Integralschaumstoffe.

Schaumlöschmittel s. Feuerlöschmittel.

Schaummetalle. Durch techn. Verf. (Gasentwicklung in der Schmelze u. dgl.) porös gemachtes Metall, z. B. Schaumaluminium. Wesentliche Vorteile: Geringe spezif. Masse bei vergleichsweise hoher Festigkeit. – ***E*** foam metals, porous metals – ***I*** metalli porosi – ***S*** metales espumantes

Schaummittel s. Schaumbildner.

Schaum-Schwimmverfahren s. Flotation u. vgl. Sink-Schwimm-Aufbereitung.

Schaumseparator. Bez. für eine mechan. Vorrichtung zur *Schaum-Bekämpfung z. B. bei biotechnolog. Prozessen. Durch Scherbeanspruchung der Schaumlamellen wird eine Zentrifugalkraft hervorgerufen, die zu einer teilw. Phasentrennung führt. Dabei wird die Flüssigkeit an die Reaktorwand geschleudert, u. die Gasphase strömt z. B. über ein Zentralrohr aus dem Schaumseparator. – ***E*** foam separator – ***F*** separateur de mousses – ***I*** separatore di schiuma – ***S*** separador de espuma

Schaumstabilisatoren. 1. Bez. für Stoffe, die grenzflächenaktiven Stoffen in kleinen Mengen zugesetzt werden, um einem zu raschen *Schaum-Zerfall entgegenzuwirken („Schaumbooster"). S. vom Typ der *Fettsäurealkanolamide finden z. B. Verw. in manuellen Geschirrspülmitteln, Schaumbädern u. Haarshampoos.

2. Bez. für Stoffe, die Kunststoffschäume, z. B. auf Basis von Polyurethanen, bis zur endgültigen Aushärtung des Schaumgerüsts zu *Schaumkunststoffen stabilisieren. Für diesen Zweck finden insbes. mit Polyalkylenglykol modifizierte *Polysiloxane Verwendung. – ***E*** foam stabilizers – ***F*** stabilisateurs de mousse – ***I*** stabilizzatori di schiuma – ***S*** estabilizadores de espuma

Lit.: Prud'homme u. Khan (Hrsg.), Foams: Theory, Measurements, and Applications, New York: Dekker 1996.

Schaumstoffe. Bez. (nach DIN 7726: 1982-05) für *Werkstoffe mit über ihre ganze Masse verteilten offenen u./od. geschlossenen Zellen u. einer Rohdichte, die niedriger ist als die der Gerüstsubstanz. Als Gerüstsubstanz können sowohl organ. *Polymere (s. die Beisp. bei *Schaumkunststoffen) als auch anorgan. Materialien (*Schaumbeton, *Schaumglas) fungieren. DIN 7726 klassifiziert die S. in *Hartschaumstoffe, *halbharte Schaumstoffe, *Weichschaumstoffe, elast. S. u. weichelast. S. in Abhängigkeit ihres Verformungswiderstandes bei Druckbelastung. Elast. S. sind solche, die bei Druckverformung nach DIN 53580 bis zu 50% ihrer Dicke keine bleibende Verformung von mehr als 2% ihres Ausgangs-Vol. aufweisen.

Weitere Einteilungen der S. erfolgen u. a. nach der Gerüstsubstanz (Polyurethan-S., Polystyrol-S., Polyvinylchlorid-S. etc.), der Werkstoff-Klasse der Gerüstsubstanzen (elastomere S., thermoelast. S., thermoplast. S. etc.), der Art, Größe u. Form der S.-Zellen (offenzellige S., geschlossenzellige S., gemischtzellige S.; grob- u. feinzellige S.; Kugel-S., Waben-S.; doppelschichtige = echte S. u. einschichtige = unechte S.), nach der D. (leichte S.: <100 kg/m^3; schwere S.: >100 kg/m^3) od. der D.-Verteilung (Struktur- od. *Integralschaumstoffe). S., die durch Einarbeitung von Hohlkügelchen in eine Werkstoff-Matrix entstanden, werden als syntaktive S. bezeichnet.

Wichtige Kriterien zur Beurteilung von S. sind Druck-, Scher- u. Biegeverhalten, Zug- u. Reißfestigkeit, Dampfdurchlässigkeit u. Alterungsbeständigkeit, die z. T. nach DIN-Vorschriften (DIN 53421, 53585) bestimmt werden. Zu generellen Aspekten der Schaum-Bildung u. Zellstrukturen s. Schaum. Zu Herst., Eigenschaften, Anw. u. Lit. der S. s. Schaumkunststoffe u. einzelne Schaumstoffe. – ***E*** foams – ***F*** mousses – ***I*** espansi, resine espanse – ***S*** espumas

Lit.: Batzer **3**, 285.

Schaumverhütungsmittel (Antischaummittel, Schauminhibitoren, Schaumdämpfer, Schaumbremsen). Bez. für Substanzen, die schäumenden Flüssigkeiten zugesetzt werden, um deren Schaumbildung zu reduzieren od. zu verhindern. Die S. sind entweder *grenzflächenaktive Stoffe, die die *Schaumbildner aus der Grenzfläche verdrängen, ohne selbst *Schaum zu erzeugen, od. aber Produkte, die die Oberflächenspannung des Wassers erhöhen, wie z. B. natürliche Fette u. Öle od. Fettalkohole. Der Einsatz von S. ist sowohl im Haushalt (maschinelle Geschirrspülmittel, Waschmittel) als auch in der Ind. (Herst. von Papier, Zucker etc.) unumgänglich. In schaumarmen *Waschmitteln u. *Reinigern wird das starke Schaumvermögen der darin enthaltenen *Aniontenside in der Regel durch die Verw. langkettiger Seifen, z. B. Natriumbehenat, herabgesetzt; inzwischen haben hier *Entschäumer auf Silicon-Basis an Bedeutung gewonnen. Im Bereich der maschinellen Flaschenreinigung wurden bis vor wenigen Jahren bevorzugt Polyethylen/propylenglykolether (*Pluronic®-Marken) als S. eingesetzt. Aufgrund ihrer unzureichenden *biologischen Abbaubarkeit wurden sie inzwischen durch Mischether od. sog. endgruppenverschlossene (meist veretherte) Alkylpolyethylenglykolether ersetzt. – ***E*** anti-foaming agents – ***F*** antimousses – ***I*** inibitori di schiuma – ***S*** antiespumantes

Lit.: Garrett (Hrsg.), Defoaming: Theory and Industrial Applications, New York: Dekker 1992 ▪ s. a. Schaum u. Entschäumer.

Schaumwein. Nach Anhang I der VO(EWG) 822/87 über die gemeinsame Marktorganisation für Wein [1] ist S. ein Erzeugnis, das durch 1. u. 2. alkohol. Gärung aus frischen Weintrauben od. Traubenmost sowie aus Tafelwein od. Qualitätswein hergestellt werden kann. S. muß einen auf gelöstes *Kohlendioxid zurückzuführenden Überdruck von mind. 3 bar auf der Flasche haben. Das Kohlendioxid muß der alkohol. Gärung entstammen. Daneben darf das Erzeugnis mit der Verkehrsbez. „*S. mit zugesetzter *Kohlensäure*" Kohlendioxid enthalten, das zugesetzt wurde. „*S.-ähnliche*" Getränke werden im Gegensatz zu S. nicht aus *Weintrauben, sondern aus weinähnlichen Getränken bzw. deren Rohstoffen (z. B. Erdbeeren, Äpfel) hergestellt. ***Herst.:*** Nach erfolgter alkohol. Gärung wird ein *Wein od. Verschnitt (coupage) durch Zusatz von entsprechenden Mengen *Zucker u. Reinzuchthefe einer zweiten alkohol. Gärung unterzogen, die zu einem Überdruck an Kohlendioxid u. dem gewünschten Endalkohol-Gehalt führt. Die überschüssige Hefe wird entfernt (Degorgieren) u. der „vin brut" je nach gewünschter Geschmacksrichtung mit „Likör" dosiert (Dosage). Neben der beschriebenen Flaschengärung („méthode champenoise") ist heute die Großraumgärung weit verbreitet. Einen Überblick zur Technologie gibt *Lit.*[2]. Der Einfluß von Weinsorte u. Reifegrad auf die Schaumeigenschaft von S. wird in *Lit.*[3] untersucht. Meth. zur Kohlendioxid-Bestimmung in S. vergleicht *Lit.*[4].
Produktionszahlen (BRD, 1997): 298 Mio. L; s. a. alkoholische Getränke. – ***E*** sparkling wine – ***F*** vin champagnisé – ***I*** spumante, vino spumante – ***S*** vino espumoso

Lit.: [1] VO(EWG) 822/87 des Rates über die gemeinsame Marktorganisation für Wein vom 16. 3. 1987 in der Fassung vom 14. 5. 1990 (ABl. der EG **33**, Nr. L 132/9). [2] Würdig u. Woller, Chemie des Weines, S. 701–723, Stuttgart: Ulmer 1989. [3] J. Agric Food Chem. **44**, 3826–3829 (1996). [4] Aliment. Equipos y Tecnol. **15**, 123–127 (1996).
allg.: Baltes, Lebensmittelchemie (4.), Berlin: Springer 1995 ▪ Belitz-Grosch (4.), S. 836 f. ▪ Koch, Getränkebeurteilung, S. 174–204, Stuttgart: Ulmer 1986 ▪ Troost u. Hanshofer, Sekt, Schaum- u. Perlwein, Stuttgart: Ulmer 1980 ▪ Ullmann (4.) **24**, 385, 405 ▪ Vollmer et al., Lebensmittelführer (2.), Bd. 2, S. 222 f., Stuttgart: Thieme 1995 ▪ Zipfel, A 402 c, e, f, g; C 403. – *[HS 2204 10, 2206 00]*

Schaumzellen s. Makrophagen.

Schawlow, Arthur Leonard (geb. 1921), Prof. für Physik, Stanford Univ., Kalifornien (USA). *Arbeitsgebiete:* Nichtlineare Optik, Entwicklung des Laser-Prinzips, Laserfluoreszenz u. -spektroskopie, Hyperfeinstruktur-Untersuchung, Molekülpolarisation. Nobelpreis für Physik 1981 (zusammen mit N. Bloembergen u. Kai Manne *Siegbahn).

Lit.: Lexikon der Naturwissenschaftler, S. 361 f. ▪ The International Who's Who (17.), S. 1336.

Scheelbleierz s. Stolzit.

Scheele, Carl Wilhelm (1742–1786), Apotheker u. Privatgelehrter in Uppsala u. Köping (Schweden). *Arbeitsgebiete:* Entdeckung von Sauerstoff unabhängig von J. *Priestley, Stickstoff („verdorbene Luft"), Chlor, Bariumoxid, Pflanzeneiweiß, Pyrogallol, Glycerin, Oxal-, Milch-, Apfel-, Wein- u. Citronensäure, Blausäure, Fluß-, Molybdän-, Wolfram- u. Arsensäure, Arsenwasserstoff, Adsorption von Gasen durch Holzkohle, katalyt. Veresterung organ. Säuren durch Mineralsäuren, Sterilisation des Essigs durch Aufkochen in geschlossenen Gefäßen.

Lit.: Cassebaum, Carl Wilhelm Scheele, Leipzig: Teubner 1982 ▪ Chem. Labor Betr. **37**, 216–222 (1986) ▪ Chem. Rundsch. **34**, Nr. 20, 9 (1981) ▪ Krafft, S. 304 f. ▪ Lexikon der Naturwissenschaftler, S. 362 ▪ Naturwissenschaften **67**, 1–6 (1980) ▪ Pötsch, S. 378 f. ▪ Strube et al., S. 56 ff.

Scheeles Grün s. Kupferarsenate.

Scheelit (Scheelspat, Schwerstein, Tungstein). $CaWO_4$, wichtigstes *Wolfram-Erz neben *Wolframit. Fettglänzende, farblose, grauweiße, gelbliche od. bräunliche, durchscheinende, angenähert Oktaederförmige od. tafelige, tetragonal-bipyramidale Krist. von *Calciumwolframat sowie Körner od. derbe Massen; Kristallklasse 4/m-C_{4h}. Die Struktur [1] enthält inselartige $[WO_4]$-Tetraeder u. oktaedr. von Sauerstoff koordinierte Ca^{2+}-Ionen; in diesem Strukturtyp kristallisieren auch die Wolframate u. Molybdate von Strontium, Barium u. Blei. H. 4–4,5, D. 5,9–6,1, spröde, Bruch muschelig, vor dem Lötrohr schwer schmelzbar. Aufgrund weitgehender *Mischkristall-Bildung mit dem isostrukturellen *Powellit* $CaMoO_4$ (*Lit.*[2,3]) enthält S. im allg. etwas Molybdän (bis zu 24% MoO_3 beim *Molybdoscheelit*), des weiteren geringe Mengen an Seltenen Erden (SE), Niob, Tantal, Fluor u. Chlor. SE^{3+}- u. $[MoO_4]^{2-}$-Zentren sind für die starke Photolumineszenz von S. verantwortlich [4]; die starke blauweiße bis gelbliche *Fluoreszenz* bei Bestrahlung mit UV-Licht macht man sich bei der *Prospektion auf S. zunutze. ***Vork.:*** In *Skarn-Lagerstätten, z. B. westliche USA, Shizhuyuan/VR China [5] (derzeit größtes S.-Vork.); China ist mit Abstand führendes Förderland für Wolfram-Erze. Pneumatolyt. (*Lagerstätten) in Cinovec/Böhmen. In schichtparallelen, meist durch *Metamorphose überprägten Lagerstätten, z. B. Mittersill/Hohe Tauern, Lanersbach/Tirol u. Sangdong/Südkorea. Auf alpinen Klüften in Österreich u. der Schweiz. *Name* (1821) nach C. W. *Scheele. – ***E = F = I*** scheelite – ***S*** scheelita

Lit.: [1] Acta Crystallogr. **18**, 88–97 (1965). [2] Chem. Erde **46**, 321–328 (1987). [3] Am. Mineral. **73**, 1145–1154 (1988). [4] Chem. Erde **51**, 275–289 (1991). [5] Erzmetall **40**, 371–376 (1987).
allg.: Lapis **10**, Nr. 9, 8–11, 21–30 (1985) („Steckbrief") ▪ Pohl, Lagerstättenlehre (4.), S. 143–149, Stuttgart: Schweizerbart 1992 ▪ Ramdohr-Strunz, S. 619 f. ▪ s. a. Wolfram. – *[HS 2611 00; CAS 14913-80-5]*

Scheelspat s. Scheelit.

Scheiberöl s. Ricinusöl (Verw.).

Scheiblers Reagenz s. 12-Wolframatophosphorsäure.

Scheidefähigkeit s. Filter.

Scheidegut s. Scheiden.

Scheidekunde, Scheidekunst. Alte dtsch. Bez. für *Chemie, vgl. Scheiden.

Scheidemünzen. Bez. für die heute im Geldverkehr üblichen Münzen, deren Metallwert niedriger als der Nennwert liegt. Für S. besteht Annahmezwang. Münzen, deren Metallwert zumindest dem Nennwert entspricht, werden dagegen als *Kurantmünzen bezeichnet. Hinsichtlich der für S. verwendeten Werkstoffe s. Münzmetalle (Tab.). – ***E*** change, small coins – ***I*** monete spicciole – ***S*** billetes

Scheiden. Immer noch gebräuchliche Bez. für verfahrenstechn. *Trennen. In der Metallurgie ursprüngliche Bez. für das Abtrennen der *Erze von Gangart mittels z. B. Hammer od. Fäustel auf sog. „Scheideklötzen", später für die Gold-Silber-Scheidung. Hiervon stammen auch die Bez. „Scheidewasser" für Salpetersäure u. der mittelalterliche Name „Scheidekunst" für Chemie. In modernen Betrieben (vgl. Degussa) werden alle Edelmetall-haltigen schmelzbaren Reststoffe (sog. Scheidegut) sowie Gekrätze, Katalysatoren, Schmuck etc. aufgearbeitet. Auch eine Reihe von Aufbereitungsverf. wird als S. bezeichnet, z. B. Magnetscheiden u. das S. in der Zucker-Herst. (s. Saccharose). – ***E*** separating – ***F*** séparer, coupeller – ***I*** separazione – ***S*** separación, copelado

Scheidetrichter (Schütteltrichter). Kon.-kugelige od. zylindr. Glasgefäße mit eingeschliffenem Glasstöpsel u. Glashahn, die in der Chemie zum Ausschütteln gebraucht werden (Abb. s. dort). Die ersten S. wurden um 1854 hergestellt [1]. – ***E*** separating funnel – ***F*** entonnoir à décantation – ***I*** imbuto separatore – ***S*** embudo de decantación

Lit.: [1] J. Chem. Educ. **34**, 528 ff. (1957).
allg.: DIN 12450: 1974-06; 12451: 1977-05.

Scheidewasser s. Salpetersäure.

Scheiner s. Photographie.

Schell, Jozef Stephaan (geb. 1935), Prof. für Mol. Biologie, MPI für Züchtungsforschung, Köln. *Arbeitsgebiete:* Entdeckung des Gen-Transfers bei Pflanzen, Pflanzenzüchtung.

Lit.: Kürschner (16.), S. 3170 ■ Wer ist wer (36.), S. 1231.

Schellack. S. ist das einzige natürliche *Harz tier. Ursprungs mit kommerzieller Bedeutung. S. wird gewonnen aus Lac, dem Sekret der weiblichen Lackschildläuse (*Kerria lacca*, früher *Laccifer lacca*, Familie Coccideae). Diese 0,5–0,6 mm langen parasit. *Insekten – von den mehr als 60 bekannten Unterarten haben nur 3–4 eine wirtschaftliche Bedeutung – leben in riesigen Kolonien (Lac ist abgeleitet von dem Hindhi-Wort Lakh für 100 000) auf Bäumen u. Sträuchern im südasiat. Raum (Indien, Burma, Südchina). Zu den wichtigsten Wirtspflanzen u. Erzeuger-Regionen s. *Lit.* [1].

Die Lackschildläuse sondern ihr hauptsächlich dem Schutz ihrer Brut dienendes Sekret in dicken Schichten um die Zweige der Wirtspflanzen ab, von denen es zweimal jährlich durch Abkratzen od. Abschneiden der umkrusteten Zweige als sog. *Stocklack* geerntet wird. Der Stocklack wird in Körnerlackfabriken zerkleinert u. in Holzbestandteile u. Harz aufgetrennt, das zur Entfernung eines wasserlösl. Farbstoffs (*Laccainsäure) mit einer schwachen wäss. Base gewaschen u. luftgetrocknet wird. Es resultiert ein durch einen wasserunlösl. Farbstoff (*Erythrolaccain*) gelb bis orange gefärbtes, als *Körnerlack* bezeichnetes Produkt.

Daraus wird nach unterschiedlichen Meth. (s. *Lit.* [1]) der eigentliche S. als wachshaltiges od. -freies Harz isoliert. Dessen Farbtönungen werden durch variierende Anteile nicht abgetrennter Farbstoffe bestimmt; seine Eigenschaften sind abhängig sowohl von der Provenienz des Körnerlacks als auch von den zu seiner Aufbereitung benutzten Verfahren.

Der nach einem Schmelzfiltrationsverf., bei dem aufgeschmolzener Körnerlack zur Abtrennung von Begleitstoffen filtriert wird, hergestellte S. (Handelsnamen: Lemon, TN, Ivory, Orange, Honey) hat noch den natürlichen Wachsanteil von ca. 4–6%. Farbveränderungen treten bei diesem Verf. nicht auf.

Gebleichter S. fällt bei der Einwirkung von Chlorbleichlauge (*Natriumhypochlorit) auf Körnerlack als weißes Pulver an; er wird wachshaltig od. -frei angeboten.

Aus Körnerlack durch Lsm.-Extraktion unter (partieller) Entfärbung mit Aktivkohle gewonnener wachsfreier S., der beim Trocknen in Form dünner Blättchen anfällt, wird als *Blätterschellack* (*E* dewaxed orange shellac) gehandelt.

S. ist ein hartes, zähes Harz mit einer durchschnittlichen Molmasse von ca. 1000 g/mol. Seine Hauptbestandteile sind Hydroxycarbonsäuren, die z. T. ungesätt. sind, Aldehyd-Gruppen enthalten u. in Ester- od. Lacton-Form vorliegen. Hauptkomponenten sind *Aleuritinsäure* (9,10,16-Trihydroxypalmitinsäure, $C_{16}H_{32}O_5$, M_R 304,42, Schmp. 202 °C, I) mit bis zu ca. 32 Gew.-% u. *Shellolsäure* ($C_{15}H_{20}O_6$, M_R 296,33, Schmp. 204–207 °C, II).

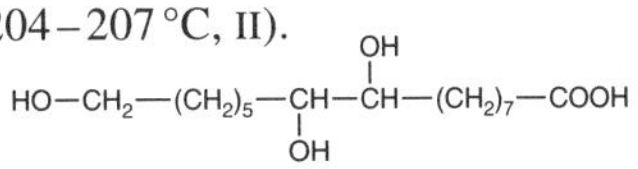

$HO{-}CH_2{-}(CH_2)_5{-}CH(OH){-}CH(OH){-}(CH_2)_7{-}COOH$

I

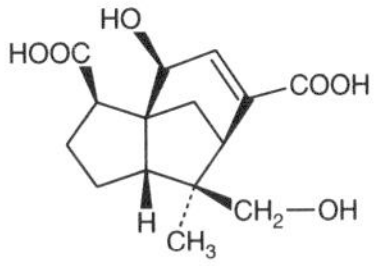

II

Eigenschaften: S. ist gut lösl. in Alkoholen, organ. Säuren u. wäss. Laugen, weniger in Estern u. Ketonen u. unlösl. in Kohlenwasserstoffen. Handelsübliche Blätter-S. haben folgende Werte (Angaben in Klammern gelten für gebleichten S.): Hydroxylzahl 250–280, SZ 65–80 (80–95), VZ 190–230 (220–280), IZ 14–18 (4–14), Schmp. im Bereich von ca. 65–85 °C. Über die große Anzahl seiner funktionellen Gruppen ist S. leicht härtbar u. chem. breit modifizierbar. S. besitzt eine hohe Filmbildungs-Tendenz. S.-Filme zeichnen sich aus durch hohen Glanz sowie gute Haftung auf unterschiedlichen Substraten, durch Oberflächenhärte, Abriebfestigkeit u. UV-Beständigkeit, durch günstige elektr. Eigenschaften u. durch gute Verträglichkeiten mit anderen Harzen, Polymeren u. Additiven. Ungebleichter S. ist als toxikolog. u. physiolog. unbedenklich eingestuft (gebleichter S. wegen seines Gehalts an organ. gebundenem Chlor nur bedingt) u. auch für Anw. im Pharmazie-, Kosmetik- u. Lebensmittel-Bereich zugelassen.

Verw.: In der Pharmazie u. a. zum Beschichten Magensaft-resistenter Tabl., Kapseln u. Wirkstoffe sowie

zum Coaten von Vitaminen; in der Lebensmittel-Ind. u. angrenzenden Bereichen zur Beschichtung von Dragees, Kaugummi, Konfekt, Citrusfrüchten u. Äpfeln, als Bindemittel für Eierfarben u. Lebensmittel-Stempelfarben sowie zur Mikroverkapselung von Aromen; zur Controlled-Release-Beschichtung von Saatgut, Insektiziden, Pestiziden u. ä.; in der Kosmetik in Haarsprays, Haarfestigern, Shampoos u. Nagellacken; zur Herst. von Klebstoffen, Isolierlacken, Fußbodenpflegemitteln, Möbelpolituren, Druckfarben, Tinten, Tuschen, Holz- u. Papierlacken (das Wort Lack ist abgeleitet von Lac), Hutsteifen u. Lederappreturen; in der Elektro-Ind. zur Herst. von Isolierstoffen u. Sockelkitten.
Aus seinem früher wichtigsten Anw.-Gebiet, der Herst. von Schallplatten, ist S. durch Polymere auf rein synth. Basis verdrängt worden.
Die aus S. isolierbare *Aleuritinsäure* wird zur Synth. von Ambrettolid, Zibeton u. anderen makrocycl. Verb. eingesetzt u. ist auch zur Synth. von Pheromonen, Prostaglandinen u. ä. Verb. geeignet.
Das aus Lac durch Lsm.-Extraktion zugängliche *Schellackwachs* – ein sehr hartes u. hochglänzendes Produkt mit Myricylalkohol, Melissinsäure u. a. Wachsalkoholen u. -säuren bzw. deren Estern als wesentlichen Bestandteilen – wird als Additiv zu Lippenstift-Formulierungen, als Beschichtungsmittel im Lebensmittelsektor u. als Verdickungsmittel für Backwaren verwendet.
Die bei der Gewinnung des Körnerlacks anfallende Laccainsäure (Naturrot 25) wurde früher als Textilfarbstoff, heute in Japan als natürlicher Farbstoff in Lebensmitteln u. kosmet. Produkten eingesetzt. – ***E*** shellac – ***F*** gomme lac – ***I*** gomma lacca – ***S*** goma laca
Lit.: [1] Seifen Öle Fette Wachse **116**, 221–224 (1990); SÖFW J. **120**, 3 (1994).
allg.: Encycl. Polym. Sci. Eng. **14**, 450–452 ▪ Encycl. Polym. Sci. Technol. **12**, 419–440. – *[HS 1301 10; CAS 9000-59-3 (S.); 17941-34-3 (Aleuritinsäure); 4448-95-7 (Schellolsäure)]*

Schellackwachs s. Schellack.

Schellbach-Bürette. Eine genormte *Bürette, deren Rückwand aus Milchglas mit einem etwa 1 mm breiten, farbigen Längsstreifen (Schellbach-Streifen) besteht. Oberhalb des Flüssigkeitsmeniskus erscheint der in einer Spitze zulaufende Schellbach-Streifen schmal, unterhalb desselben breit; die scheinbare Berührungsstelle der beiden Pfeilspitzen markiert den *Meniskus u. erlaubt so die genaue Ablesung des Flüssigkeits-Standes; s. a. Büretten. – ***E*** Schellbach burette – ***F*** burette de Schellbach – ***I*** buretta di Schellbach – ***S*** bureta de Schellbach

Schellenmetall. Umgangssprachliche Bez. für nicht genormte Cu-Sn-Leg. (*Zinnbronze*) mit 15–20% Sn zur Herst. kleinerer Klangkörper wie Schellen u. Glocken. – ***E*** bell bronze – ***I*** metallo di campanelli e sonagli

Scheller-Reaktion s. Bart-Reaktion.

Schenck, Gerhard (1904–1993), Prof. für Pharmazeut. Chemie, FU Berlin. *Arbeitsgebiete:* Enzymat. u. nichtenzymat. Oxid. von Pflanzeninhaltsstoffen, Autoxid., Bitterstoffe, Lactucarium (s. Lattich).
Lit.: Kürschner (16.), S. 3173.

Schenck, Günther Otto (geb. 1913), Prof. für Organ. Chemie, Univ. Göttingen, Bonn u. MPI Kohlenforschung, Mülheim. *Arbeitsgebiete:* Photochemie, -biochemie u. -biologie, Entwicklung photochem. Arbeitsmeth., Chemie des Singulett-Sauerstoffs, Sensibilisation, vergleichende Strahlenchemie, Cycloadditionsreaktionen, Peroxide, Terpene, Steroide, UV-Entkeimung von Trinkwasser, Umweltschutz u. -hygiene.
Lit.: EPA Newsletter **1983**, Nr. 19, 92–96 ▪ Kürschner (16.), S. 3173 ▪ Nachr. Chem. Tech. **21**, 209 f. (1973) ▪ Wer ist wer (36.), S. 1233.

Schenck, Hermann (geb. 1900), Prof. für Eisenhüttenwesen, TH Aachen. *Arbeitsgebiete:* Erzverhüttung, Eisenmetallurgie, allg. Hüttenwesen.
Lit.: Kürschner (16.), S. 3173.

Schenck-Reaktion. Die Reaktionen von *Singulett-Sauerstoff mit Alkenen lassen sich grob in 3 Reaktionstypen einteilen (s. Abb. 1): a) Mit 1,3-Dienen erfolgt [4+2]-Cycloaddition zu 1,4-*Epidioxiden (Endoperoxiden) [1–3], – b) mit elektronenreichen Alkenen, Enolethern od. *Enaminen bilden sich 1,2-*Dioxetane [1] u. – c) mit Alkenen, die einen allyl. Wasserstoff besitzen, erhält man Allylhydroperoxide.

Abb. 1: Reaktionen von Singulett-Sauerstoff mit Alkenen.

Diese als S.-R. od. Schenck-En-Reaktion bezeichnete Synth. von *Hydroperoxiden besitzt in mechanist. Hinsicht große Ähnlichkeit mit der *En-Synthese u. die so gebildeten Hydroperoxide können als wertvolle Synthesebausteine in Allylalkohole, α-Hydroxyalkyloxirane od. funktionalisierte α,β-ungesätt. Carbonyl-Verb. umgewandelt werden (s. Abb. 2). In neuester Zeit wird auch über stereoselektive *Photooxidationen im Sinne der S.-R. berichtet.

Abb. 2: Umwandlungen von Allylhydroperoxiden.

– ***E*** Schenck reaction – ***F*** réaction de Schenck – ***I*** reazione di Schenck – ***S*** reacción de Schenck
Lit.: [1] Tetrahedron **47**, 1343 (1991). [2] Ando, Organic Peroxides, S. 255, Chichester: Wiley 1992. [3] Acc. Chem. Res. **29**, 275 (1996).

allg.: Adv. Photochem. **6**, 1 ff. (1968) ▪ Angew. Chem. **108**, 519 (1996) ▪ Chem. Rev. **93**, 1307 (1993).

Schenckscher Phosphor s. Phosphor.

Scherben s. Keramik, keramische Werkstoffe.

Scherbenkobalt (Fliegenstein). Bez. für als Mineral vorkommende giftige, gewöhnlich dichte, derb schalige bis *Glaskopf-artige, auch knollige od. nierig-traubige, undurchsichtige, spröde, nach kurzer Zeit schwarz anlaufende Ausbildungsformen von mehr od. weniger reinem *Arsen; mit lagenförmigem Aufbau u. häufigen dünnen Zwischenlagen von *Dyskrasit.
Vork.: Auf Silber- u. Cobalt-führenden Erzgängen, z. B. St. Andreasberg/Harz, Wittichen/Schwarzwald (beide histor.), Schneeberg/Sachsen, Příbram/Böhmen. – ***E*** native arsenic – ***F*** arsenic natif – ***I*** arsenico nativo – ***S*** arsénico nativo
Lit.: Gmelin, Syst.-Nr. 17, As, 1952, S. 70 f. ▪ Ramdohr-Strunz, S. 401.

Scherebenen. Ebenen in *Kristallgittern, entlang denen Anionenfehlstellen eliminiert werden, wodurch eine dichtere Packung der Kationen ermöglicht wird. S. gehören wie die Antiphasengrenzen zur Klasse der *Stapelfehler.
Ein wichtiges Hilfsmittel, durch das nichtstöchiometr. Anionendefizite in Übergangsmetalloxiden strukturell erklärt werden können, ist der sog. *kristallograph. Shear*, der Punktdefekte im Krist. eliminiert, wodurch sich Ordnungsphasen ausbilden. Dieser Mechanismus wurde erstmals von Wadsley eingeführt, um die Strukturen der homologen Serien z. B. der Oxide des Wolframs, Molybdäns, Titans u. Vanadiums, M_nO_{3n-1}, zu beschreiben.

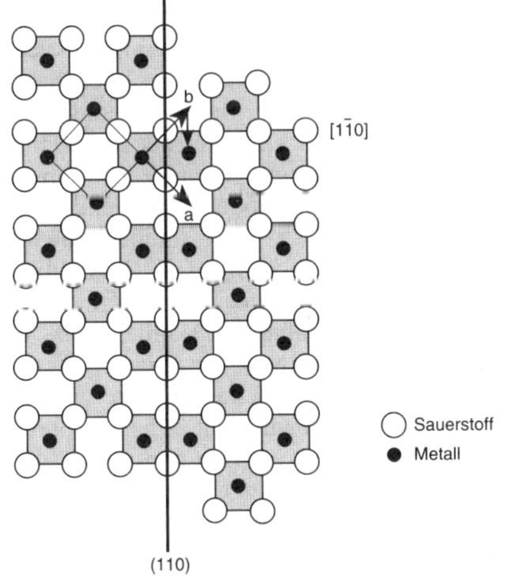

Abb. 1: Scherung entlang der (110)-Ebene; Antiphasengrenze als Spezialfall einer Scherebene in der ReO_3-Struktur: (110)½[1$\bar{1}$0].

Das Prinzip des Mechanismus läßt sich anhand der ReO_3-Struktur erklären (s. Abb. 1). Versetzt man die Struktur im Krist. um einen Vektor ½[1$\bar{1}$0] entlang der (110)-Ebene (= S.), so erhält man eine Antiphasengrenze als Spezialfall einer Scherebene. Durch diesen kristallograph. Shear bleibt die Zusammensetzung des Krist. erhalten, d. h. es werden keine Anionenfehl-

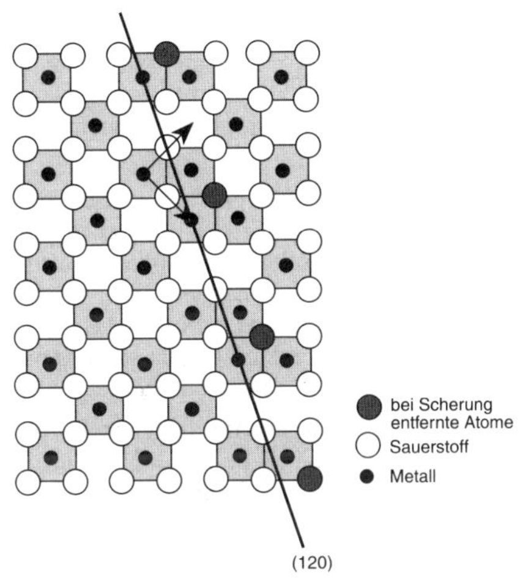

Abb. 2: Scherung entlang der (120)-Ebene: (120)½[1$\bar{1}$0].

stellen eliminiert. Dies ändert sich jedoch, wenn man die Scheroperation entlang der (120)-Ebene der ReO_3-Struktur ausführt. Dazu müssen entlang der (120)-Ebene Sauerstoff-Atome eliminiert werden (s. die ausgefüllten großen Kreise in Abb. 2). Der geordnete Einbau vieler solcher S. in das Gitter des WO_3 hat ein Anionendefizit, also eine Änderung der Zusammensetzung zur Folge. Z. B. bildet WO_3 im Bereich WO_3–$WO_{2,93}$ Verb. mit der allg. Formel W_nO_{3n-1} aus, bei denen vorwiegend {120}-S. ausgebildet werden, während {130}-S. in den Oxiden W_nO_{3n-2} (n = 20, 24, 25, 40) im Bereich zwischen $WO_{2,93}$–$WO_{2,87}$ in der Struktur gefunden werden. Man bezeichnet diese Verb. deshalb auch als *kristallograph. Shear-Phasen.* Zur Charakterisierung des kristallograph. Shears gibt man die S. u. nachgestellt den Schervektor an, z. B. (120)½[1$\bar{1}$0] für eine Scherung entlang der (120)-Ebene um den Vektor ½[1$\bar{1}$0].
Treten S. orthogonal zueinander auf, so bilden sich *Blockstrukturen.* Die Ableitung der Struktur von H–Nb_2O_5 aus der ReO_3-Struktur erfolgt durch kristallograph. Shear entlang der (20$\bar{9}$)- u. der (60$\bar{1}$)-Scherebene. Eine einzelne kristallograph. S. od. eine zufällige Anordnung solcher S., die Wadsley-Defekte genannt werden, sind die Ursachen für nichtstöchiometr. Zusammensetzungen einzelner Verbindungen. – ***E*** shear plane – ***F*** plans de cisaillement – ***I*** plano di taglio – ***S*** plano de cizallamiento
Lit.: Bergmann u. Schäfer, Lehrbuch der Experimentalphysik, Bd. 6, Festkörper, Berlin: de Gruyter 1992 ▪ Hyde u. Andersson, Inorganic Crystal Structures, New York: John Wiley and Sons 1989 ▪ Rao u. Gopalakrishnan, New Directions in Solid State Chemistry, 2. Aufl., Cambridge: University Press 1997.

Scherentzähung s. Strukturviskosität.

Scherenverbindungen s. Chelate.

Scherer, Otto Josef (geb. 1933), Prof. für Anorgan. Chemie, Univ. Kaiserlautern. *Arbeitsgebiete:* Liganden-Eigenschaften niederkoordinierter Phosphazene sowie koordinative Stabilisierung Substituenten-freier Phosphor- u. Arsen-Liganden.
Lit.: Kürschner (16.), S. 3179 ▪ Wer ist wer (36.), S. 1235.

Schergefälle. Selten gebrauchtes, nicht DIN-konformes Synonym für *Schergeschw.*, s. Newtonsche u. Nichtnewtonsche Flüssigkeiten.

Schergeschwindigkeit s. Newtonsche u. Nichtnewtonsche Flüssigkeiten.

Schering. Kurzbez. für die 1871 gegr. Firma Schering AG, 13342 Berlin. Zu den zahlreichen Tochter- u. Beteiligungsges. gehören: *Asche, Germapharm GmbH, *AgrEvo GmbH (40%), Scherax. *Daten* (1995) der S.-Gruppe: ca. 18000 Beschäftigte, ca. 5 Mrd. DM Umsatz. *Geschäftsbereiche:* Pharmazeut. Erzeugnisse (Hormon-Präp., Röntgenkontrastmittel, Therapeutika u. a.).

Schering, Ernst (1824–1889), Apotheker in Berlin. Begründer der chem. Fabrik *Schering u. Mitbegründer der Deutschen Chemischen Gesellschaft.
Lit.: Pötsch, S. 380.

Scheriproct® (Rp). Salbe u. Suppositorien gegen Hämorrhoiden, enthält *Prednisolon-hexanoat u. *Cinchocain-hydrochlorid. ***B.:*** Schering.

Schermodul (Schubmodul, Gleitmodul). Ideal-elast. (Hookesche) Körper verformen sich unter der Einwirkung einer Kraft um einen bestimmten, von der Dauer der Krafteinwirkung unabhängigen Betrag. Die Verformung kann eine Dehnung, *Scherung, Kompression od. auch eine Kombination dieser Verformungsarten sein. Im ersten Fall bewirkt eine senkrecht zur Querschnittsfläche angelegte Zugspannung σ eine Dehnung ε, u. es gilt nach dem *Hookeschen Gesetz:

$$\sigma = E\,\varepsilon.$$

Die Proportionalitätskonstante E wird Elastizitätsmodul genannt, ihr Kehrwert D = 1/E Zugnachgiebigkeit. Im zweiten Fall, in dem der Körper tangential geschert wird, sind auf analoge Weise Scherspannung σ' u. Verformung γ über den S. G miteinander verknüpft:

$$\sigma' = G\,\gamma.$$

Der Kehrwert des S. J = 1/G ist die sog. Schernachgiebigkeit. Die dritte „einfache" Deformation eines Körpers ist die Kompression. Bei allseitiger Kompression sind Druck p u. Kompression κ durch den *Kompressionsmodul* K (*E* bulk modul) verbunden:

$$p = K\,\kappa.$$

Der Kehrwert des Kompressionsmoduls heißt Kompressionsnachgiebigkeit od. *Kompressibilität. Neben diesen drei einfachen kennt man eine Reihe weiterer Deformationen, deren Beschreibung jedoch komplexer ist. – ***E*** modulus of rigidity, rigidity (shear) modulus – ***I*** modulo di scorrimento – ***S*** módulo de cizallamiento
Lit.: Elias (5.) **1**, 892, 918 ▪ Tieke, S. 247, 305.

Scherrer, Paul (1890–1969), Prof. für Experimentelle Physik, ETH Zürich. *Arbeitsgebiete:* Kernphysik, Physik der Röntgenstrahlen, Kristallstrukturanalyse, Debye-Scherrer-Diagramme für Strukturuntersuchungen mittels Röntgenstrahlen, Quantentheorie.
Lit.: Lexikon der Naturwissenschaftler, S. 363 ▪ Pötsch, S. 380f.

Scherspannung s. Schermodul.

Scheruhn. Kurzbez. für die Firma Scheruhn Ind.-Mineralien GmbH & Co., 95030 Hof. *Produktion:* Füll- u. Verstärkungsstoffe für sämtliche industrielle Verwendungszwecke.

Scherung. Verformungsvorgang im *Kristall, bei dem es zum spiegelbildlichen Umklappen von Kristallbereichen entlang einer Gitterebene kommt. Die dabei erreichten Verformungen sind zwar sehr gering, dennoch hat die S. für temp.-abhängige Strukturänderungen im Festkörper erhebliche Bedeutung (s. Martensit); daneben ist sie verantwortlich für die Bildung von *Zwillingen. – ***E*** shearing (process) – ***S*** cizallamiento

Scherverzähung. Synonym für *Dilatanz.

Scherviskosität s. Newtonsche Flüssigkeiten.

Scherzartikel s. Spielwaren sowie Niespulver, Pharaoschlangen u. Stinkbomben.

Scheuerfestigkeit. Bez. für die Beständigkeit von Textilien gegen mechan. Beanspruchung durch Scheuern. Der Grad der S. bestimmt neben Reißfestigkeit u. Elastizität den Gebrauchswert von Textilien. Die S. von *Chemiefasern ist wesentlich größer als die der *Naturfasern. Von den letztgenannten ist *Baumwolle am scheuerfestesten (Schafwolle erreicht nur 60%), Polyesterfasern sind 5- bis 8mal, Polyamidfasern 10- bis 15mal so scheuerfest wie Baumwolle. Zur S.-Prüfung s. DIN 53863-1: 1960-12; -2: 1979-02; -3: 1997: 07 u. -4: 1992-11. – ***E*** wear resistance, abrasion resistance – ***F*** resistance à l'abrasion – ***I*** resistenza allo sfregamento – ***S*** resistencia al rozamiento
Lit.: Encycl. Polym. Sci. Eng. **1**, 1–35 ▪ Kirk-Othmer (4.) **22**, 822ff. ▪ Mahall, Qualitätsbeurteilung von Textilien, S. 68, 71, 80, Berlin: Schiele & Schön 1990.

Scheuermittel. Pulverförmige, flüssige od. pastöse *Reiniger mit hohem Gehalt an wasserunlösl. Abrasivkomponenten wie feingemahlenem Quarzmehl, Marmormehl, zuweilen auch Kreide, Feldspat u. Bimsstein. Zur Schonung der zu behandelnden Flächen muß der Abrasivstoff eine sehr feine u. einheitliche Körnung besitzen. Zur Verbesserung des Reinigungsvermögens enthalten die meisten S. Tenside, Phosphate, Soda u. ggf. auch bleichende, desinfizierende od. desodorierende Wirkstoffe. S. sind geeignet zum Reinigen von Holz, Metall, Steingut, Emaille u. Stein in Haushalt u. Gewerbe. Die im Handel befindlichen pulverförmigen S. enthalten 85–95% feingemahlenes Quarzmehl (Korngröße >0,15 mm), 0–5% Alkalien bzw. Polyphosphate, 0–7% Tenside, 0–1% organ. Chlor- od. Sauerstoff-abspaltende Desinfektions- u. Bleichkomponenten u. gelegentlich auch Duft- u. Farbstoffe. Ein pulverförmiges S. kann z. B. hergestellt werden aus 4% Alkylbenzolsulfonat, 2,5% Triphosphat od. Diphosphat od./u. Trinatriumphosphat, 0,4% Natriumdichlorisocyanurat, Rest Quarzmehl. Flüssige S. des Handels enthalten als Abrasivstoff meist Marmormehl, das wegen seiner geringen Härte auch auf mechan. empfindlichen Oberflächen, z. B. Fliesen, Glas u. Emaille keine Kratzspuren hinterläßt. Die meisten S. reagieren schwach alkalisch. Für Scheuerzwecke in der Küche dienen auch Scheuerschwämme u. Kissen aus Stahl od. Kunststoff, z. T. mit Tensiden imprägniert. – ***E*** scouring agents – ***F*** produits d'écurage – ***I*** abrasivo – ***S*** agentes de fregado
Lit.: s. Reiniger. – *[HS 340540]*

Schichtchromatographie. Selten verwendetes Synonym für die präparative *Dünnschichtchromatographie für Trennungen von bis zu 100 g Ausgangsmaterial.

Schicht-Einschlußgitter s. Einschlußverbindungen.

Schichtenpolymere s. Flächenpolymere.

Schichtgesteine s. Sedimentgesteine.

Schichtkäse s. Quark.

Schichtpreßstoffe. Auch als *Schichtstoffe* bezeichnete *Verbundwerkstoffe (z. B. Hartpapier, Hartgewebe, Preßholz), die durch schichtweisen Aufbau von mit Kunstharzen (Phenoplasten, Harnstoff-Formaldehyd-Harzen, Melamin-Harzen) bestrichenen od. getränkten Papier- od. Gewebebahnen od. Glasfasermatten (*Kunstharzfilme) u. durch Anw. von Druck u. Wärme als Platten, Rundstäbe, Rohre, Lang- u. Konstruktionsformteile hergestellt werden. – ***E*** (moulded) laminates – ***F*** stratifiés – ***I*** laminati plastici – ***S*** materiales en hojas, laminados

Lit.: DIN-EN 60893/VDE 0318-1 u. -2: 1996-03 ▪ Encycl. Polym. Sci. Eng. **8**, 617–646 ▪ Kirk-Othmer (4.) **14**, 1074–1091 ▪ Ullmann (4.) **15**, 326 f.; (5.) **A 20**, 720 f. ▪ s. a. Laminate.

Schichtsilicate (für Waschmittel). Bez. für polymere krist. Natriumdisilicate, die als multifunktionelle *Builder alternativ zu Pentanatriumtriphosphat u./od. in Ergänzung zu *Zeolith-Builder-Syst. in *Waschmittel-Formulierungen eingesetzt werden. S. binden als *Ionenaustauscher die Härtebildner des Wassers (Ca- u. Mg-Ionen) u. fungieren als Alkaliträger, Puffer u. *Korrosionsschutzmittel. S. zeichnen sich durch ein hohes Feuchtigkeitsaufnahmevermögen aus u. zeigen eine gute Verträglichkeit mit Bleichmitteln, bes. *Natriumpercarbonat. Beim Einsatz von S. in *Kompaktwaschmitteln wird deren Herst. durch ihr Adsorptionsvermögen für *nichtionische Tenside erleichtert. Techn. angewendet wird bes. δ-Natriumdisilicat, $Na_2Si_2O_5$, das durch Hochtemp.-Krist. (600–700 °C, hydrothermal: mind. 235 °C) von amorphem Natriumsilicat zugänglich ist (SKS-6®). In seiner Kristallstruktur ähnelt es dem Mineral Natrosilit (β-$Na_2Si_2O_5$), das thermodynam. stabiler ist u. in der Wasserenthärtung eine langsamere Austauschkinetik zeigt.

Auch synthet. S. der Formel $Na_2Si_{14}O_{29} \cdot 9-11\,H_2O$, die in Zusammensetzung u. Struktur dem Mineral Magadiit (s. Kieselgesteine) gleichen, zeigen gute Builder- u. Textilweichmachereigenschaften. Kanemit, $NaHSi_2O_5 \cdot 3\,H_2O$, ist wegen seines niedrigeren pH-Wertes in wäss. Lsg. für empfindlichere Textilien geeignet.

Zu den S. allg. s. Silicate u. Phyllosilicate. – ***E*** layered silicates

Lit.: Showell (Hrsg.), Powdered Detergents, S. 55–62, New York: Dekker 1998 ▪ Tenside Surf. Det. **32**, 476–481 (1995); **33**, 385–392 (1996); **34**, 425–429 (1997).

Schichtstoffe s. Schichtpreßstoffe, Laminate.

Schichtstrukturen. In manchen *Kristallstrukturen sind die Wechselwirkungen zwischen den Bausteinen nicht in allen Dimensionen vergleichbar, sondern innerhalb einer Ebene (Schicht) größer als zwischen den Ebenen. Die unterschiedliche Wechselwirkung zeigt sich in unterschiedlichen Atomabständen u. führt zu einer meist blätterigen Spaltbarkeit. Bekannte Beisp. für Verb. mit S. sind *Graphit, *Montmorillonit u. *Glimmer. Die gleitfähigen Schichten, die entweder eben, wie in Graphit, od. gewellt, wie in *Phyllosilicaten, sind, können leicht parallel gegeneinander verschoben werden. Deshalb lassen sich z. B. Graphit u. *Molybdändisulfid als *Schmierstoffe einsetzen. Manche Substanzen mit S. können durch *Interkalation *Einschlußverbindungen bilden. – ***E*** layered structures – ***F*** structures en couches – ***I*** strutture a strati – ***S*** estructuras en capas

Lit.: Angew. Chem. **92**, 1015–1035 (1980) ▪ Dresselhaus, Intercalation in Layered Materials, New York: Plenum 1987 ▪ Mitchell, Pillared Layered Structures, London: Chapman & Hall 1990.

Schichtung s. Gefüge u. Sedimente.

Schiebefestmittel. *Appreturen auf der Basis von Kunststoffen, Naturharzen od. kolloidaler Kieselsäure, die bei Geweben u. Gewirken das Verschieben von Schuß- u. Kettfäden gegeneinander verhindern sollen, s. a. Maschenfestmittel. – ***E*** nonslip agents – ***F*** agents anti-éraillants (antiglissants) – ***I*** agenti antislittanti – ***S*** agentes antideslizantes

Lit.: Autorenkollektiv, Appretur, S. 343, Leipzig: Fachbuchverl. 1990 ▪ Rouette, Lexikon für Textilveredlung, Bd. 3, S. 1885, Dülmen: Laumann Verl. 1995 ▪ s. a. Textilveredlung.

Schiedsprobe. Bez. für eine Einzel- od. *Sammelprobe (vgl. a. Probe), die, vollständig od. geteilt, Schiedsuntersuchungen dient. Die *Probenahme muß an dem Ort erfolgen, an dem die Verantwortung für das Erzeugnis vom Lieferanten auf den Abnehmer übergeht. Die S. wird in einer für alle erforderlichen Untersuchungen ausreichenden Menge entnommen u. in Anwesenheit der betroffenen Partner in 3 Teilproben geteilt. – ***E*** umpire test specimen – ***F*** échantillon d'arbitrage – ***I*** provino arbitrale – ***S*** muestra arbitral

Lit.: Heinrichs u. Herrmann, Praktikum der Analytischen Geochemie, S. 71, Berlin: Springer 1990.

Schief, windschief, synschief s. gauche u. Konformation.

Schiefer (Lei, Ley). Bez. für durch sehr deutliche flächenhafte u./od. lineare Parallel-*Gefüge (*Schieferung*) mit bes. ausgeprägter, ebener Spaltbarkeit ausgezeichnete Gesteine, die beim Anschlagen in mm- bis cm-dicke Platten, Schuppen od. stengelige Bruchstücke (z. B. Griffel-S.) zerfallen. Der Großteil der S. enthält als Hauptmineralien Silicate (z. B. *Chlorit-S.). Zu den *metamorphen Gesteinen gehören die sog. *krist. S.* (**Glimmer-S.*, auch *Gneise u. *Phyllite), die schwach metamorphen **Tonschiefer* u. die Knötchen von *Andalusit od. *Cordierit enthaltenden *Frucht-Schiefer*. Zu den *Sedimentgesteinen rechnen **Kieselschiefer*, *Schwarz-S.* (***E*** black shale; mit 1–10 Gew.-% organ. gebundenem Kohlenstoff) u. *bituminöse S.* (*Ölschiefer). *Fossilien findet man z. B. im sog. *Posidonien-S.* (Muscheln), im *Bundenbacher S.* (im Hunsrück) u. im *Solnhofener S.* (kein S., sondern ein *Plattenkalk!). S. (Ton-S.) finden Verw. als *Dach- u. Platten-S.* (für Fenstersimse, Tisch- u. Fußboden-Platten, Treppenstufen) sowie als *Schiefermehl*; früher auch für *Schiefertafeln. Europ. *Normen* für S. für Dachbedeckungen u. Außenwandbekleidungen sind in Vorbereitung (DIN EN 12326-1) od. liegen als Entwurf vor (DIN EN 12326-2), vgl. *Lit.*[1]. – ***E***

schist, slate, shale – *F* schiste, ardoise – *I* scisto – *S* esquisto

Lit.: [1] Erzmetall **50**, 340–344 (1997).
allg.: Potter et al., Sedimentology of Shale, Berlin: Springer 1984 ▪ Wimmenauer, Petrographie der magmatischen u. metamorphen Gesteine, S. 243, Stuttgart: Enke 1985 ▪ Wirtschaftsvereinigung Bergbau e. V. (Bonn) (Hrsg.), Das Bergbau-Handbuch, S. 286f., Essen: Glückauf 1994 ▪ s. a. Sedimente, metamorphe Gesteine. – *[HS 2514 00]*

Schieferöl s. Ölschiefer.

Schieferölsulfonate s. Bituminosulfonate.

Schieferschwarz (Erdschwarz, Ölschwarz, Mineralschwarz). Dunkler schiefriger *Tonstein mit bis zu 30% Kohlenstoff, jedoch von geringer Färbekraft. S. wird verschiedentlich (z. B. Thüringen, Bayern) bergmänn. gewonnen u. nach Naßmahlung u. Schlämmen zum Färben von Zement, Kunststeinen, zu Ölanstrichen, zur Herst. von Signierstiften u. dgl. verwendet. – *E* slate black – *F* craie noire – *I* nero ardesia – *S* negro de pizarra

Schiefertafeln. Die vom frühesten Schulunterricht her bekannten *Schiefer-* od. *Schultafeln* bestehen schon lange nicht mehr aus *Schiefer, sondern wie auch die *Wandtafeln* aus Holz od. a. Werkstoffen mit einem beidseitigen Überzug von Wand-, Schul- od. Schiefertafel-Lack. Solche Lacke, die typischerweise mit Ruß, Ultramarin u. Schmirgel angerieben werden, bilden matte, glatte Filme, auf denen man mit *Schulkreide od. Stiften gut schreiben u. das Geschriebene mit dem (feuchten) Schwamm fleckfrei wieder abwischen kann. – *E* slate – *F* ardoise – *I* lavagne – *S* pizarra – *[HS 9610 00]*

Schieferteer. Dunkle, *Braunkohlenteer-ähnliche Flüssigkeit, D. 0,757–1,0, Paraffin-Gehalt 5–15%, Schwefel-Gehalt 1,5–2,5%, in Schwefelkohlenstoff lösl., entsteht beim Schwelen von *Ölschiefern; der Rückstand ist das *Schieferteerpech*, s. Pech. – *E* shale tar – *F* goudron de schiste – *I* catrame scistosa – *S* alquitrán de esquisto – *[HS 2706 00]*

Schieferton s. Tonstein.

Schiemann, Günther (1899–1967), Prof. für Organ. Chemie u. Techn. Chemie, Univ. Istanbul, TU Hannover. *Arbeitsgebiete:* Harnsäure, organ. Fluor-Verb., Hochpolymere, Harze, Farbstoffe, Cellulosenitrat, Ölveredlung, Alkydharze, Wirbelschicht, Verfahrenstechnik.

Lit.: Neufeldt, S. 161 ▪ Pötsch, S. 381.

Schiemann-Reaktion. Beste Reaktion zur Einführung von Fluor in aromat. Verbindungen. Dazu wird ein Diazonium-tetrafluoroborat od. -hexafluorophosphat durch Diazotierung eines aromat. prim. Amins hergestellt u. anschließend trocken erhitzt.

$$[R\text{-}C_6H_4\text{-}N{\equiv}N]^+ \; BF_4^- \xrightarrow[-BF_3,\; -N_2]{\Delta} R\text{-}C_6H_4\text{-}F$$

Der Mechanismus der S.-R. ist von der verwandten *Sandmeyer-Reaktion verschieden, da hier keine Aryl-Radikale, sondern im Sinne einer S_N1-Reaktion *Carbenium-Ionen (*Phenyl-Kationen*) als Zwischenstufen auftreten. – *E* Schiemann reaction – *F* réaction de Schiemann – *I* reazione di Schiemann – *S* reacción de Schiemann

Lit.: Krauch u. Kunz, Reaktionen der Organischen Chemie, 6. Aufl., S. 437, Heidelberg: Hüthig 1997 ▪ Laue-Plagens, S. 280 ▪ March (4.), S. 671 ▪ Org. React. **5**, 193–228 (1949) ▪ Patai, The Chemistry of Halides, Pseudo-Halides and Azides, S. 1022–1066, Chichester: Wiley 1995.

Schierling. Sammelbez. für verschiedenartige, allesamt starke *Pflanzengifte enthaltende Doldengewächse (Apiaceae). 1. *Echter* od. *Gefleckter S.* (*Conium maculatum*, 0,8–1,8 m hoch), in Europa, Nordafrika u. Asien heim., enthält neben Flavon-Glykosiden v. a. zentrallähmendes *Coniin. Typ. ist der starke Geruch nach Mäusen. Vork. v. a. auf nährstoffreichen Böden, z. B. Schuttplätzen (*Ruderalpflanzen) u. an Wegrändern. – 2. *Wasser-S.* od. *Giftwüterich* (*Cicuta virosa*), in Nord- u. Mitteleuropa, Nord- u. Ostasien heim., enthält das zentral wirkende Krampfgift *Cicutoxin, einen Bitterstoff u. a. *Polyine. Die bes. giftige Wurzel wird leicht mit den ähnlich riechenden von Sellerie, Pastinak u. Petersilie verwechselt. – 3. *Garten-S.* od. *Hundspetersilie* (*Aethusa cynapium*), ein petersilienähnliches, in Europa, Kleinasien u. Nordamerika heim. Garten- u. Feldunkraut, enthält dem Coniin in Struktur u. Wirkung ähnliche Alkaloide. – *E* hemlock – *F* cigue – *I = S* cicuta

Lit.: Frohne u. Pfänder, Giftpflanzen (4.), Stuttgart: Wissenschaftliche Verlagsges. 1997.

Schießbaumwolle (Schießwolle). S. ist ein *Cellulosenitrat mit einem durchschnittlichen Stickstoff-Gehalt zwischen 13,0 u. 13,4%, D. 1,67. S. ist faserig, gelblich gefärbt, geruch- u. geschmacklos, lösl. in Methanol, Aceton, Eisessig u. Estern, unlösl. in Wasser u. Ether/Alkohol-Gemisch (2:1). S. ist in trockener Form schlag- u. reibungsempfindlich u. kann durch elektr. Funken od. Flammen leicht zur Explosion gebracht werden. Sie kommt daher mit einem Wassergehalt von 15–25% in den Handel u. wird allg. in gelatinierter Form, selten für sich allein, meist in Mischung mit Glycerintrinitrat, Trinitrotoluol u. dgl. als *Schießpulver bzw. *Schießstoff verwendet. – *E* guncotton – *F* fulmicoton – *I* fulmicotone – *S* algodón pólvora (fulminante)

Lit.: Kirk-Othmer (4.) **10**, 26–30 ▪ Köhler u. Meyer, Explosivstoffe, 8. Aufl., Weinheim: VCH Verlagsges. 1995 ▪ Ullmann (4.) **17**, 343–354; **21**, 659f.; (5.) **A 5**, 421–435; **A 22**, 188f. ▪ Winnacker-Küchler (4.), 365f. – *[HS 3912 20]*

Schießmittel s. Schießstoffe.

Schießpulver. Volkstümlich oft einfach *Pulver* genannte *Schießstoffe für konventionelle militär. u. zivile Feuerwaffen, die im Gegensatz zu dem früher verwendeten *Schwarzpulver heute aus den sog. *rauchlosen* od. *rauchschwachen* Pulvern bestehen. Der histor. vom *Schwarzpulver stammende Begriff S. wird heute meist durch die Bez. *Treibladungspulver* ersetzt. Nach der Zusammensetzung unterteilt man in:

1. *Einbasige S.* (*Cellulosenitrat-Pulver*): Mischungen von 80% *Schießbaumwolle u. 20% *Collodiumwolle, die mit Alkohol-Ether-Gemischen als Lsm. gelatiniert (evtl. Stabilisatorzusatz) u. nach Formen in Strangpressen u. Trocknen mit alkohol. Lsg. von Centralit, Dibutylphthalat, Campher, Dinitrotoluol od. a. phlegmatisiert werden (s. Phlegmatisierung).

2. *Zweibasige S.:* Mischungen von *Diethylenglykoldinitrat bzw. Glycerintrinitrat u. Cellulosenitrat, die

man auf geheizten Walzwerken gelatiniert, wobei das Wasser bis auf ca. 1% verdampft, u. anschließend maschinell formt (vgl. POL-Pulver).
3. *Dreibasige S.:* Mischungen von Di- od. Triethylenglykoldinitrat u. Cellulosenitrat, denen *Nitroguanidin als 3. Komponente zugesetzt wird; diese Pulver haben einen niedrigen Energiegehalt bei großem Gasvolumen. Nach der geometr. Form unterscheidet man *Röhren-* (lange Röhren), *Röhrchen-* (kurz geschnittene Röhren), *Plättchen-*, *Streifen-*, *Kugel-*, *Würfel-*, *Ring-* u. *Nudel-Pulver* (kurz geschnittene Stäbchen), *T-* u. *Y-Pulver.* In Kanonen verwendet man hauptsächlich Röhrenpulver, in Steilfeuergeschützen Plättchen- u. Röhrenpulver, in Handfeuerwaffen hauptsächlich feinkörnige Pulver, in Jagdwaffen *Jagdpulver. – ***E*** gunpowder – ***F*** poudre – ***I*** polvere da sparo – ***S*** pólvora

Lit.: Kirk-Othmer (4.) **10**, 69 f., 93–103 ▪ Köhler u. Meyer, Explosivstoffe, 8. Aufl., Weinheim: VCH 1995 ▪ Ullmann (4.) **21**, 682–693; (5.) **A 22**, 187–190 ▪ Winnacker-Küchler (4.) **7**, 398–400 ▪ s. a. Sprengstoffe. – *[HS 3601 00]*

Schießrohre s. Einschmelzrohre.

Schießstoffe. Bei diesen relativ langsam abbrennenden *Explosivstoffen (*Schwarzpulver, *Schießpulver) wirken die entwickelten Gase mehr schiebend als zertrümmernd, weshalb S. in der Hauptsache als Treibsätze (*Treibladungspulver*) für *Munition sowie in der *Pyrotechnik verwendet werden. Unter *Schießmitteln* versteht man die S. enthaltenden Patronen, Kartuschen, Raketen usw. – ***E*** low explosives – ***F*** explosifs lents – ***I*** sostanze da sparo – ***S*** explosivos lentos

Lit.: s. Schießpulver.

Schießwolle s. Schießbaumwolle.

Schiff, Hugo (1834–1915), Prof. für Chemie, Univ. Turin u. Florenz. *Arbeitsgebiete:* *Schiffsche Basen, Aldehyd-Nachw. (*Schiffs Reagenz), Tannine, Coniin, Biuret-Reaktion, Borsäureester, Aminosäuren, Azotometrie; Mitbegründer der 'Gazetta Chimica Italiana'.

Lit.: Lexikon der Naturwissenschaftler, S. 364 ▪ Pötsch, S. 381.

Schiffchen. Kleine langgestreckte Behälter aus Porzellan (seltener aus Quarz od. Platin), die glasiert od. unglasiert hergestellt werden. Man benutzt S., um Substanzen in einem Gasstrom erhitzen zu können, z. B. zur *Elementaranalyse, od. zum Wägen (Wäge-S.). – ***E*** boats – ***F*** nacelle – ***I*** navetta – ***S*** navecilla

Schiffsanstriche. Anstriche auf den Außenseiten der ins *Meerwasser bzw. Süßwasser eintauchenden Schiffsteile. Anstrichstoffe für die Decksaufbauten werden traditionsgemäß nicht als S. bezeichnet. Die *Unterwasseranstriche* müssen der Korrosionsgefährdung durch das salzhaltige Wasser entgegenwirken u. den unerwünschten, die Reibung steigernden (geschwindigkeitshemmenden) Bewuchs durch Algen, Muscheln u. a. Organismen (*Fouling) vermindern od. ausschalten. Im wesentlichen werden für S. folgende Bindemittel eingesetzt:
1. Anstrich (**Shop-Primer*): Bindemittel aus *Polyvinylbutyral in Kombination mit Phenol-Harz, Phosphorsäure u. sog. Zinktetraoxychromat, evtl. mit einem Epoxidharz u. entsprechendem Härter verstärkt, Epoxidharz-Fettsäure-Ester od. Epoxidharz u. Härter-Kombinationen.
2. Anstrich (**Korrosionsschutz-Grundierung*): Epoxidharz u. Härter-Kombinationen mit Steinkohlenteer od. Lsm.-frei; weitere Bindemittel sind Chlorkautschuk, chloriertes Polypropylen, Vinylharze, Asphaltteerpech-Verkochungen u. PVC-Mischpolymerisate.
3. Anstrich: Spezielle **Antifoulingfarben*.
Als *Pigmente* für Grundierungen u./od. Decklacke werden Bleimennige, Zinkchromat, Zn-Staub, Al-Pulver, Pb-Staub, Zink- u. Eisenoxid eingesetzt, für Decklacke auch Titandioxid u. Buntpigmente. Die Lsm. sind vorzugsweise aliphat. u. aromat. Kohlenwasserstoffe sowie Glykole, Glykolether, Ester u. Ketone. – ***E*** ship paints, marine coatings – ***F*** peintures pour navires – ***I*** pitture navali – ***S*** pinturas para barcos

Lit.: Encycl. Polym. Sci. Eng. **3**, 656 f.; **S**, 116 f. ▪ Gatz (Hrsg.), Lexikon der Anstrichtechnik, 6. Aufl., Bd. 2, München: Callwey 1996 ▪ Kirk-Othmer (4.) **6**, 746–760 ▪ Römpp Lexikon Lacke u. Druckfarben, S. 512 ▪ Ullmann (4.) **15**, 714 f.; (5.) **A 18**, 522–526 ▪ s. a. Anstrichstoffe u. Korrosion.

Schiffsche-Base-Koordinationspolymere.

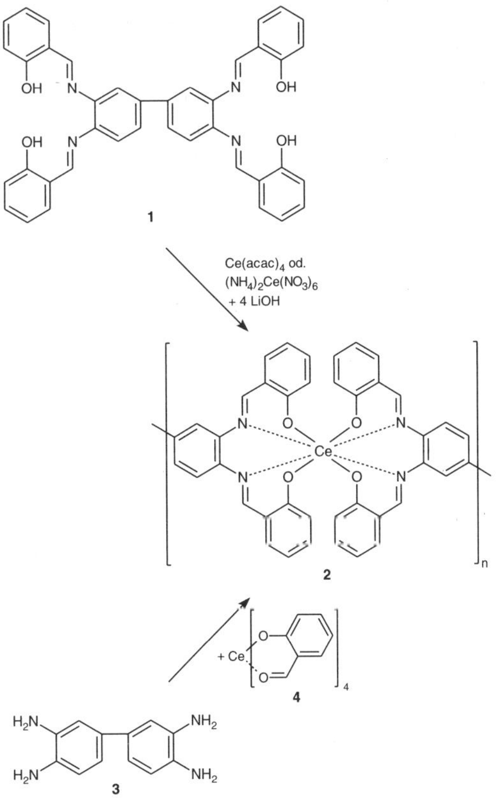

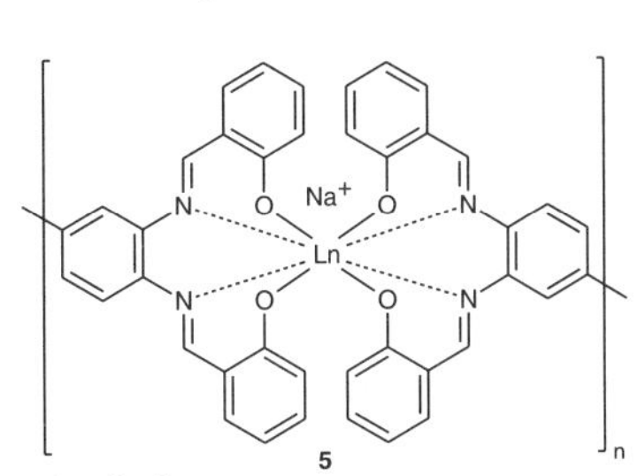

1

$Ce(acac)_4$ od. $(NH_4)_2Ce(NO_3)_6$ + 4 LiOH

2

4

3

5

Ln = Eu, Y

Bez. für *Koordinationspolymere wie z.B. (2) u. (5), deren aus Kohlenstoff, Wasserstoff, Stickstoff u. Sauerstoff bestehende Ligandmonomere [z.B. (1)] über Schiffsche-Base-Komplexe zu wohldefinierten *Makromolekülen verkettet sind. S.-B.-K. mit Molmassen von bis zu 30000 g/mol wurden erstmals im Jahre 1994 beschrieben. Bald darauf wurde ihre strukturelle Vielfalt durch die Verw. weiterer Ligandmonomerer u.a. Übergangsmetalle (z.B. Lanthanoide) deutlich erweitert.
Alle S.-B.-K. weisen eine ausgezeichnete therm. Stabilität u. hohe *Glasübergangstemperaturen auf. Zusätzlich sind viele S.-B.-K. wie z.B. (5) *Polyelektrolyte u. zeigen daher in polaren Lsm. bes. Lösungseigenschaften. Schließlich werden S.-B.-K. gegenwärtig v.a. aufgrund ihrer photochem. u. photophysikal. Eigenschaften intensiv untersucht. – ***E*** Schiff-base coordination polymers – ***I*** polimeri di coordinazione di base di Schiff – ***S*** polimeros de coordinación con la base de Schiff

Lit.: Acta Polymerica **49**, 201 (1998) ▪ Angew. Chem. **108**, 1712 (1996).

Schiffsche Basen. Zu Ehren *Schiffs geprägte Bez. für gut kristallisierende, beständige Kondensationsprodukte aus Aldehyden u.a. Carbonyl-Verb. u. prim. Aminen; die Bildung von S. B. kann deshalb auch zum Nachw. der Carbonyl-Gruppe benutzt werden.

$$R^1R^2C{=}O + H_2N{-}R^3 \xrightarrow{-H_2O} R^1R^2C{=}N{-}R^3$$

Ein ebenso geläufiger Name für derartige Kondensationsprodukte ist **Azomethine*, im Fall von $R^3=C_6H_5$ auch *Anile*, bzw. N-substituierte *Imine. Viele S.B. können durch Säuren wieder in ihre Komponenten gespalten werden. In der Natur spielen S. B. nicht nur im Sehprozeß (*Rhodopsin als S. B.), sondern auch im Stoffwechsel der Aminosäuren – diese bilden S. B. mit *Pyridoxal-5-phosphat – eine wichtige Rolle. Auch beim Metabolismus von Carbonyl-Verb. treten S. B. manchmal im aktiven Zentrum eines Enzyms intermediär auf, z.B. in Bindung an die ε-Amino-Gruppe von Lysin. – ***E*** Schiff bases – ***F*** = ***S*** bases de Schiff – ***I*** basi di Schiff

Lit.: Houben-Weyl **E 14 b**, 222–281 ▪ Krauch u. Kunz, Reaktionen der Organischen Chemie, 6. Aufl., S. 53, Heidelberg: Hüthig 1997 ▪ s.a. Azomethine u. Imine.

Schiffsche Basen-Polymere s. Polyazomethine.

Schiffs Reagenz (Fuchsin/Schweflige Säure). Von *Schiff eingeführtes Nachweismittel für Aldehyde. Man löst *Fuchsin in dest. Wasser u. entfärbt nach Zugabe von HCl mit Natriumsulfit (Bildung von Schwefeldioxid). Diese farblose Lsg. wird bei Aldehyd-Zusatz blaurot; über den Mechanismus der Reaktion s. *Lit.*[1]. S. R. wird auch bei der *Feulgen-Färbung u. zum histochem. Polysaccharid-Nachw. verwendet. – ***E*** Schiff reagent – ***F*** réactif de Schiff – ***I*** reattivo di Schiff – ***S*** reactivo de Schiff

Lit.: [1] Anal. Chem. **32**, 1307–1311 (1960).
allg.: Int. Rev. Cytol. **10**, 1–100 (1960) ▪ Ullmann (5.) **A 24**, 569.

Schilddrüse (latein.: Glandula thyreoidea). 20–60 g schwere innersekretor. Drüse, die im Hals unterhalb des Kehlkopfs liegt u. schmetterlingsförmig mit zwei Lappen die Luftröhre umgibt. Die Zellen des S.-Gewebes sind als bläschenförmige Follikel u. Gänge angeordnet. In das Lumen der Follikel geben die umgebenden Zellen die an ein Protein (Thyreoglobulin) gebundenen S.-Hormone **Thyroxin* u. **3,3′,5-Triiod-L-thyronin* ab, die so gespeichert u. bei Bedarf an die reichlich vorhandenen Blutgefäße abgegeben werden. Daneben finden sich über die gesamte S. verteilt die parafollikulären C-Zellen, die das *Calcitonin (Thyreocalcitonin) bilden. Zur Synth. der S.-Hormone wird mit der Nahrung als Iodid resorbiertes anorgan. *Iod aus dem Blut in die Follikelzellen aufgenommen (*Iodination*) u. zu elementarem Iod oxidiert. Dieses wird dann zur Iodierung der Aminosäure Tyrosin des Thyreoglobulins verwendet (*Iodisation*). Je zwei Mol. des so entstandenen Diiodtyrosins werden zu einem Mol. **L-Thyroxin* (T4, s. Thyroid-Hormone) gekoppelt. Durch enzymat. Monodeiodierung od. durch Kopplung von Monoiod- u. Diiodtyrosin entsteht *Triiodthyronin* (T3, s. Thyroid-Hormone). Die Speicherung im S.-Follikel erfolgt zum größten Teil als T4. Nach enzymat. Abspaltung werden die Hormone ins Blut abgegeben, wo sie vorwiegend an das *Thyroxin-bindende-Globulin* (TBG) gekoppelt vorliegen. Aktiv sind allerdings nur die freien Hormone. Dabei ist T3 sehr viel wirksamer als T4, das in Leber u. Nieren zu 30% zu T3 deiodiert wird.
Die *Thyroid-Hormone steigern den *Grundumsatz u. wirken auf den Stoffwechsel von Kohlenhydraten, Lipiden u. Proteinen. Die wachstumsfördernde Wirkung ist eine wesentliche Voraussetzung für eine ungestörte kindliche Entwicklung. Die Regulation der S.-Aktivität erfolgt über das Zentralnervensystem. Das Thyreotropin-Releasinghormon (TRH, Thyreoliberin) aus dem *Hypothalamus führt zur Ausschüttung von Threoidea-stimulierendem Hormon (TSH, Thyreotropin) aus dem Vorderlappen der *Hypophyse, das seinerseits die S. anregt. Die Hormonkonz. von T3 u. T4 im Blut wirkt hemmend auf die Freisetzung von TRH (neg. Rückkopplung). Störungen der S.-Funktion können auf allen Ebenen des Hormonstoffwechsels, meist aber als Veränderungen der S. selbst, auftreten u. führen zu Unterfunktion (**Hypothyreose*) od. Überfunktion (**Hyperthyreose*). Eine Vergrößerung der S., die bei verschiedenen Funktionsstörungen auftritt, v.a. aber als ausgleichende Gewebsvermehrung bei Iod-Mangel, äußert sich als Kropf (Struma). Der Diagnostik von S.-Erkrankungen dienen u.a. die Bestimmung von T3 u. T4, TBG, TSH mit Radio- od. Enzymimmunoassay, Sonographie u. S.-*Szintigraphie. – ***E*** thyroid gland – ***F*** glande thyroïde – ***I*** ghiandola tiroide – ***S*** glándula tiroides

Lit.: Ekholm et al., Control of the Thyroid Gland: Regulation of its Normal Function and Growth, New York: New York Acad. Sci. 1990 ▪ Schmidt u. Thews, Physiologie des Menschen, Heidelberg: Springer 1997.

Schildknecht, Hermann (1922–1996), Prof. für Organ. Chemie, Univ. Heidelberg. *Arbeitsgebiete:* Chem. Ökologie von Pflanzen u. Tieren, insbes. Abwehrstoffe höher organisierter Pflanzen u. Insekten (u.a. Carabiden, Bombardier- u. Schwimmkäfer), Diplopoden, Spinnen, Ökonomie der Schmarotzerpflanzen, Säuge-

tiere (Musteliden, Reh- u. Rotwild) u. Weißfische, Turgorine, Meteoritenchemie, Strahlenchemie, Zonenschmelzen, Kolonnenkrist., Elektronenbrenzen.
Lit.: Chem.-Ztg. **106**, 309 (1982) ▪ Kürschner (16.), S. 3196 ▪ Nachr. Chem. Tech. **20**, 349f. (1972) ▪ Nachr. Chem. Tech. Lab. **44**, Nr. 9, 919 (1996).

Schildläuse (Scharlachläuse, Kokzinen). Zu den Gleichflüglern (*Homoptera*) gehörende pflanzensaugende *Insekten mit kurzem Rüssel u. langen Stechborsten. Einige Arten wie Nopal-S. u. Ilex-S. produzieren wertvolle rote Farbstoffe (*Cochenille, *Karmin, *Kermes), andere sind wichtige Lieferanten bestimmter *Wachse u. von *Schellack (Wachs-S., Lack-S.). Viele S. sind ökonom. bedeutende Pflanzenschädlinge. Bei den Weibchen einiger Arten wurden *Pheromone identifiziert. Hierbei handelt es sich um Ester offenkettiger Monoterpenalkohole. – ***E*** scales, scale insects, coccids – ***I*** cocciniglie, scoglie – ***S*** coccídeas, cochenilla

Schildpatt. Hornartige, dünne, biegsame, halbdurchsichtige Platten, der gelb-dunkel gemusterten Rückenschilder von Seeschildkröten, die in trop. u. subtrop. Meeren heim. sind. S. besteht aus *Keratinen u. wurde – als Schildkröten noch ihres Fleisches u. a. Verwertungsmöglichkeiten wegen (z. B. Schildkrötenöl) rücksichtslos gejagt wurden – zur Herst. von Kämmen, Haarnadeln, Fächern u. dgl. verwendet. Heute läßt sich S. leicht durch Kunststoffe ersetzen. – ***E*** tortoise shell – ***F*** écaille – ***I*** tartaruga – ***S*** carey, concha de tortuga – *[HS 0507 90, 9601 90]*

Schildvulkane s. Vulkane.

Schillerphasen. Bez. für anisotrope wäss. Lsg. von nichtion. *Tensiden, die in verd. Zustand lamellare Phasen mit Abständen zwischen den Tensidlamellen in der Größenordnung des sichtbaren Lichts ausbilden u. deshalb Interferenzphänomene zeigen.
Lit.: Kosswig u. Stache (Hrsg.), Die Tenside, S. 68f., München: Hanser 1993.

Schillerwein s. Rosé-Wein.

Schill & Seilacher. 71032 Böblingen, gegr. 1877. *Produktion:* Leder-, Textil-, Chemiefaser-, Papierhilfsmittel.

Schimmel s. Schimmelpilze.

Schimmelpilze. Umgangssprachliche Bez. (oft auch nur „Schimmel") für oberflächlich wachsende Pilz-Mycelien. Zu den S. gehören saprophyt. (*Saprophyten) lebende Pilze verschiedener systemat. Gruppen. Sie wachsen meist auf festen, seltener auf flüssigen Substraten, die sie mit einem Belag überziehen. Dieser sog. Schimmel repräsentiert die Vermehrungsphase (Fruktifikationsphase) u. besteht aus Luftmycel mit den für die jeweilige Art typ. Konidienträgern. Zu beobachten sind Gießkannenschimmel (*Aspergillus*, Ascomyceten), Pinselschimmel (*Penicillium*, Ascomyceten) od. Köpfchenschimmel (*Mucor*, Zygomyceten). Sie sind oft mit einer charakterist. Farbe verbunden.
Als Saprophyten ernähren sich S. *chemoorganoheterotroph.* Sie siedeln auf einer Vielzahl von Substraten wie Brot u. a. Lebensmitteln, Textilien, Leder, Holz, Seilereierzeugnissen, Farben, Leim, Gummi, Papier. Da viele S. trockene u. sehr trockene Substrate bevorzugen, können sie auch noch auf sehr trockenen Materialien wachsen u. diese schädigen od. zerstören. Einige S. sind pathogen. Je nach Lokalisation u. dem pathogenen Vermögen der Erreger verursachen S. Tiefe od. Syst.-Mykosen (Lunge, v. a. *Aspergillus fumigatus*). Dermatomykosen, Aspergillosen u. *Mucor*-Mykosen treten als opportunist. Pilzinfektionen v. a. bei immungeschwächten Organismen auf. S.-Sporen verursachen Allergien. Lebensmittelvergiftungen können auch durch Sekundärstoffwechselprodukte von S., die sog. *Mykotoxine, verursacht werden. Zu den gefürchtetsten Mykotoxinen gehören die *Aflatoxine, die von dem auf Brot, Nüssen u. Obst häufig anzutreffenden *A. flavus* gebildet werden. Zur Schimmelpilzbekämpfung im Hygiene- u. Lebensmittel-Sektor dienen *Antimykotika, *Desinfektions- u. *Konservierungsmittel, im techn. Bereich *Fungizide.
Biotechnolog. Bedeutung: S. sind wichtige Produzenten von biotechnolog. hergestellten Produkten wie insbes. organ. Säuren, Antibiotika u. Enzymen. S. sind beteiligt an vielen Reifungsprozessen in der Lebensmitteltechnologie (z. B. Käse), an der Vorbehandlung landwirtschaftlicher Erzeugnisse sowie am biolog. Abbau von Abfallprodukten. – ***E*** molds (USA), moulds (GB) – ***F*** moisissures – ***I*** aspergilli, muffa – ***S*** mohos
Lit.: Angew. Chem. **96**, 462 (1984) ▪ Brock, Biology of Microorganisms (8.), S. 774, Upper Saddle River: Prentice Hall 1997 ▪ Chem. Unserer Zeit **17**, 146 (1983) ▪ Kayser et al., Medizinische Mikrobiologie (9.), S. 375, Stuttgart: Thieme 1998 ▪ Reiß, Schimmelpilze, Berlin: Springer 1986 ▪ Schlegel (7.), S. 169 ▪ Weber, Allgemeine Mykologie, Jena: Fischer 1993.

Schindewolf, Ulrich (geb. 1927), Prof. für Physikal. Chemie u. Elektrochemie, Univ. Karlsruhe. *Arbeitsgebiete:* Solvatisierte Elektronen in wäss. u. nichtwäss. Flüssigkeiten sowie in Salzschmelzen, Nichtmetall-Metall-Übergang, Thermodynamik von Elektrolyten in flüssigem Ammoniak, Schwefel-Ammoniak- u. Metall-Ammoniak-Lsg., Isotopentrennung (Deuterium, Tritium, Li^6/Li^7 Isotope).
Lit.: Kürschner (16.), S. 3203 ▪ Wer ist wer (36.), S. 1244.

Schinus-Früchte s. Pfeffer.

Schirrmacher, Volker (geb. 1943), Prof. für Immunologie, Univ. Heidelberg, Dtsch. Krebsforschungszentrum, Heidelberg. *Arbeitsgebiete:* Zelluläre Immunreaktionen gegen Tumore, experimentelle Metastasenforschung, Tumorzell-Adhäsion u. Invasion, Immuntherapie u. Tumor-Vaccineforschung.
Lit.: Kürschner (16.), S. 3203 ▪ Wer ist wer (36.), S. 1246.

Schistosomiasis (Bilharziose). Durch Saugwürmer (*Trematoden) der Gattung *Schistosoma* hervorgerufene Gruppe von Infektionserkrankungen. Die Verbreitung der Erkrankungen beschränkt sich auf die Tropen u. Subtropen, da die für die Verbreitung notwendigen Zwischenwirte der Würmer, eine bestimmte Schneckengattung, nur in warmen Gewässern vorkommt. Durch Schaffung neuer Ausbreitungsgebiete für die Zwischenwirte durch Bewässerungsprojekte u. Dammbauten nimmt die Zahl der Infizierten (gegenwärtig 200 Mio.) zu. Wurmlarven (Zerkarien), die sich in den Schnecken entwickelt haben, werden ins Wasser abgegeben u. können die Haut eines Wirts, der mit Zerkarien-haltigem Wasser in Berührung kommt, aktiv durchdringen. Die sich weiterentwickelnden Würmer wandern in die Venen der Blase bzw. des Darms u. produzieren nach Erreichen der Geschlechtsreife Eier. Die Krankheitssymptome werden durch die Gewebsreaktion auf die Eiablage verursacht. Die *Urogenital-S.* (*S. haematobium*) führt zu Blasenentzündung, blutigem Urin u. aufsteigend zu Nierenentzündungen; die *Darm-S.* (*S. mansoni* u. a.) zu Darmentzündung mit Geschwüren u. Blutungen. Die Einschwemmung von Eiern mit dem Blutstrom in andere Organe (Leber, Milz, Lunge, Gehirn) führt dort zu entsprechenden Entzündungen. Die Behandlung erfolgt mit *Anthelmintika, in erster Linie *Praziquantel. Zur Vorbeugung bekämpft man auch die Schnecken mit *Molluskiziden. – ***E*** bilharziosis, schistosomiasis – ***F*** schistosomiase, bilharziose – ***I*** schistosomiasi, bilarziosi – ***S*** bilharziosis

Lit.: Brandis et al., Lehrbuch der Medizinischen Mikrobiologie, S. 667–670, Stuttgart: Fischer 1994 ▪ Dönges, Parasitologie, Stuttgart: Thieme 1988.

Schiwa. Kurzbez. für die 1948 gegr. Arzneimittelfirma Schiwa GmbH, 49219 Glandorf, eine 100%ige Tochterges. der *Fresenius AG.

Schizomyceten (Spaltpilze). Histor., heute nicht mehr gebräuchliche Bez. für *Bakterien. Sie wurde von der Beobachtung abgeleitet, daß sich diese Organismen ungeschlechtlich durch Querteilung vermehren (schizogen = durch Spaltung entstanden). – ***E*** schizomycetes – ***F*** schizomycètes – ***I*** schizomiceti – ***S*** esquizomicetos

Schizontozid s. Protozoen.

Schizostatin.

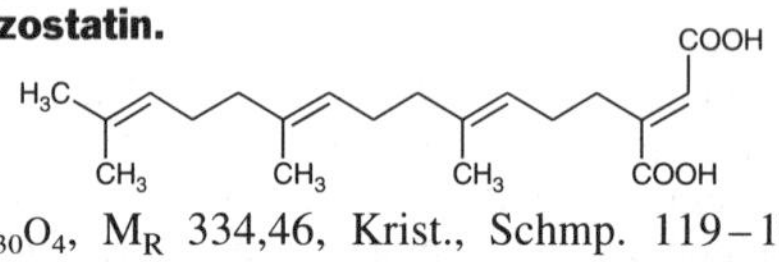

$C_{20}H_{30}O_4$, M_R 334,46, Krist., Schmp. 119–122 °C; *Squalen-Synthase-Inhibitor aus dem Basidiomyceten *Schizophyllum commune*. – ***E*** schizostatin – ***F*** schizostatine – ***I*** schizostatina – ***S*** esquizostatina

Lit.: J. Antibiotics **49**, 624 (1996) (Synth.) ▪ Tetrahedron Lett. **36**, 6301 (1995) (Isolierung). – *[CAS 163564-55-4]*

Schlack, Paul (1897–1987), Prof. für Makromol. Chemie, TH Stuttgart, Hoechst AG. *Arbeitsgebiete:* Entwicklung des Perlons (1937/38), Polyamide, Polyurethane, Epoxidharze, Acrylnitril, Polyester, Thiohydantoin-Abbau.

Lit.: Kürschner (15.), S. 4021 ▪ Lexikon der Naturwissenschaftler, S. 365 ▪ Pötsch, S. 381 f.

Schlacke. 1. Gemisch von Metalloxiden, -sulfiden, -chloriden, -fluoriden u. a., das bei der Metallerzeugung od. Erzverhüttung im Schmelzfluß entsteht. S. bildet sich beim Schmelzprozeß u. den dabei auftretenden Reaktionen aus der Gangart (s. Erz) u. den Zuschlägen (Kalkstein, Sand, arme Erze) u. schwimmt aufgrund geringerer Dichte auf der metall. Phase. Die S. sollte einen engen Schmelzbereich u. geringes Lösungsvermögen für die erzeugten Metalle u. Leg. haben. Im Rahmen der Schmelzmetallurgie kommen der S. wichtige Aufgaben zu, z. B. Schutz der Schmelze vor der sie umgebenden Atmosphäre sowie vor deren Entphosphorung u. Entschwefelung. Aufschwimmende Bestandteile, die nicht schmelzflüssig vorliegen, werden als *Krätze* bezeichnet. Man unterscheidet bas. S. (CaO, MgO, MnO) u. saure S. (SiO_2, P_4O_{10}). Zum Schutz der Schmelze muß die Ofenauskleidung gleichfalls bas. od. sauer sein. S. findet Verw. als *Baustoff (Splitt, Schotter für den Straßenbau), als Isolierstoff (*Hüttenbims, Schlackenwolle, *Schlackenfasern), als Düngemittel (*Hüttenkalk) od. als Ersatz für *Streusalz. Mit S. wird auch der vorwiegend oxid. Belag auf Schweißnähten bezeichnet, der als Folge des Kontaktes von schmelzflüssigem Metall mit Luft entsteht. Bei der Verw. umhüllter Schweißelektroden trägt auch die Hülle zur Bildung von S. bei. S. auf Schweißnähten kann zu erwünschten metallurg. Wechselwirkungen mit der Schweißnaht führen u. schützt diese vor weiterem Kontakt mit der Umgebung.

2. Rückstände beim Verfeuern fossiler Brennstoffe (*Asche). S. dieser Art enthält im allg. unverbrannte Anteile sowie Beimengungen, die die weitere Verw. beeinträchtigen können, wie z. B. Schwermetall-Verbindungen.

3. Vulkan. Auswurfprodukt od. Teil eines erstarrten *Lava-Stroms, das im allg. unregelmäßig, blasig u. porös ist. – ***E*** 1. slag, 2. ashes, 3. volcanic scoriae – ***F*** 1. scorie, laitier, 2., 3. scorie – ***I*** scoria – ***S*** 1., 2. escoria, 3. escoria volcánica

Lit.: Gmelin-Durrer, Die Metallurgie des Eisens, Berlin: Springer 1978.

Schlackenfasern. Bez. für *Mineralfasern, die durch Zerstäuben der aus dem *Hochofen fließenden, heißen *Schlacke (*Hochofenschlacke*) mittels Preßluft od. durch Zerblasen bzw. Abschleudern von umgeschmolzener Schlacke als *Schlacken-* od. *Hüttenwolle* hergestellt werden. S. sind geruchlos, unbrennbar, unempfindlich gegen Feuchtigkeit u. viele Chemikalien u. wirken wärme-, elektrizitäts- u. schallisolierend. Das Raumgew. von S. liegt zwischen 2,3 u. 2,7 g/cm^3, die Zusammensetzung entspricht der *Hochofenschlacke. Man verwendet sie u. a. zur Wärme- u. Schallisolierung von Wänden, Böden u. Dächern, zur Herst. von Platten (Ersatz für Asbest), Matten (zur Isolierung von Kesseln u. Kesselwagen), Matratzen, Formstücken u. Schalen, als Isolierstoff für elektr. Apparaturen usw. Es sei darauf hingewiesen, daß „künstliche Mineralfasern" mit Durchmessern <1 µm als potentiell carcinogen erachtet werden (MAK-Liste III B). – ***E*** slag fibers – ***F*** fibres de laitier – ***I*** fibre di scorie – ***S*** fibras de escoria

Lit.: Ullmann (4.) **10**, 383 f.; **11**, 364 f.; (5.) **A 11**, 20 ff. – *[HS 6806 10]*

Schlämmen s. Aufschlämmen.

Schlämmkreide. Durch Aufschlämmen von Kreide (*Kalke) erhaltenes feines, weißes, recht reines Kalkpulver.

Schläuche. Bez. für flexible, biegsame *Rohre aus Natur- od. Synth.-*Kautschuk od. Kunststoffen, ggf. verstärkt mit Faser- od. Gewebeeinlagen, zum Transport von Flüssigkeiten od. Gasen sowie als Luft-S. für *Reifen. Die Biegsamkeit von *Metall-S.* beruht auf einer bes. Profilierung der Wandsegmente. Format,

Wandstärke u. Material sind abgestimmt auf die vielfältige Verw. u. die unterschiedlichen zu transportierenden Medien. – *E* hoses – *F* tuyaux flexibles – *I* tubi flessibili – *S* tubos flexibles – *[HS 3917.., 4009.., 5909 00, 8307..]*

Schlaf. Die zeitweilige Ausschaltung des Bewußtseins u. der Skelettmuskeltätigkeit bei Fortdauer von Atmung u. a. unwillkürlichen Abläufen. Der S. ist ein komplizierter Prozeß, der sich elektrophysiolog. als mehrfache Aufeinanderfolge zweier S.-Phasen mit unterschiedlicher Aktivität der Hirnströme zu erkennen gibt: Der Tiefschlaf (*orthodoxer S.*, 75% der S.-Zeit) dient der Regeneration des Gesamtorganismus u. der ihn period. unterbrechende Traumschlaf (*paradoxer S.* od. REM-S., von engl.: *r*apid *e*ye *m*ovement) der Regeneration des *Gehirns. Über die neurophysiolog. Vorgänge, die dem S.-Wach-Verhalten zugrunde liegen, ist bisher wenig bekannt. Das aufsteigende retikuläre aktivierende Syst. u. zwei Kerngebiete in der Brücke (s. Gehirn) sind für die Steuerung verantwortlich. *Serotonin ist für den orthodoxen, *Noradrenalin für den paradoxen S. unentbehrlich. Außerdem wurden S.-fördernde Peptide isoliert; s. a. Schlafmittel. – *E* sleep – *F* sommeil – *I* sonno – *S* sueño

Lit.: Mann u. Röschke, Schlaf u. Schlafstörungen, München: C. H. Beck 1988 ▪ Pharm. Ztg. **37**, 2951–2987 (1994).

Schlafkrankheit (afrikan. Trypanosomiasis). Durch Einzeller (*Protozoen) der Gattung *Trypanosoma* hervorgerufene Infektionskrankheit, die im trop. Afrika vorkommt. Die *Trypanosomen, zwei Unterarten der Spezies *T. brucei*, werden durch verschiedene Arten der Tsetse-Fliege übertragen. Nach dem Stich verbreiten sich die Erreger mit dem Blutstrom u. führen zu Fieber u. Lymphknotenschwellungen. Je nach Unterart gelangen sie nach unterschiedlicher Latenzzeit durch die Blut-Liquor-Schranke in das Zentralnervensyst. (ZNS). Dadurch entstehen Entzündungen der Hirnhäute u. des Hirngewebes mit Kopfschmerzen, Schlafstörungen u. Apathie. Die Krankheit dauert 9 Monate bis mehrere Jahre u. endet unbehandelt immer tödlich. Zur Behandlung wird *Suramin-Natrium od. *Pentamidin eingesetzt, bei ZNS-Befall *Arsen-Präparate wie Melarsoprol. – *E* sleeping sickness, trypanosomiasis – *F* trypanosomiase, maladie du sommeil – *I* malattia del sonno, trianosomiasi africana – *S* tripanosomiasis

Lit.: Brandis et al., Lehrbuch der Medizinischen Mikrobiologie, S. 648–650, Stuttgart: Fischer 1994 ▪ Dönges, Parasitologie (2.), Stuttgart: Thieme 1988.

Schlafmittel. Allg. versteht man unter S. (= Hypnotika, eine Untergruppe der *Narkotika) solche Pharmaka, die künstlich Schlaf herbeiführen. Man unterscheidet dabei nach ihrer Wirkung *Einschlafmittel* mit 3–4stündiger Wirkungsdauer (z. B. *Brotizolam), *Durchschlafmittel* mit 6–8stündiger Wirkungszeit (z. B. *Lormetazepam) u. *Dauerschlafmittel*, deren Wirkung sich über 8–10 h erstreckt (z. B. *Flunitrazepam), aber häufig mit Benommenheit, Schwindel u. a. posthypnot. Erscheinungen verbunden ist. Nach der chem. Zusammensetzung kann man die S. einteilen in Bromureide, Barbiturate, Piperidindione, Chinazolinone u. Benzodiazepine; letztere werden z. Z. am häufigsten als S. verwendet. Auch einige Antihistaminika vom Colamin-Typ werden als S. eingesetzt.
Die Wirkungsweise der S. ist nur teilw. erforscht. Von *Barbituraten u. *1,4-Benzodiazepinen weiß man, daß sie – auf unterschiedliche Weise – die Erregbarkeit von Nervenzellen durch Angriff an Chlorid-Kanälen herabsetzen. Außer Benzodiazepinen wirken alle genannten S. narkot., d. h. sie dämpfen mit steigender Dosierung das gesamte Zentralnervensyst.; daher auch die mißbräuchliche Verw. der Barbiturate als Suizidgifte. Bei Dauergebrauch beobachtet man psych. Abhängigkeit (*Sucht, *Arzneimittelsucht) von Schlafmitteln. Zum dünnschichtchromatograph. Nachw. von S.-Spuren im Harn s. *Lit.*[1]. – *E* soporifics – *F* soporifiques, somnifères – *I* sonniferi, soporiferi – *S* soporíficos, somníferos

Lit.: [1] Kontakte (Merck) **1974**, Nr. 3, 17–24.
allg.: Inoue, Endogeneous Sleep Factors, Champaign/Il.: Balogle Scientific Books 1990 ▪ Kuhlen, Zur Geschichte der Schmerz-, Schlaf- u. Betäubungsmittel in Mittelalter u. früher Neuzeit, Stuttgart: Dtsch. Apotheker-Verl. 1983 ▪ Leutner, Schlaf, Schlafstörungen, Schlafmittel, Stuttgart: WVG 1993 ▪ Pharm. Ztg. **135**, 301–306 (1990) ▪ Ullmann (5.) **A 13**, 533–561. – *Serie:* Sleep Research (Hrsg.: Koella), Basel: Karger (seit 1973) ▪ s. a. Psychopharmaka u. Tranquilizer.

Schlafmohn s. Mohn.

Schlag, Eward William (geb. 1932), Prof. für Physikal. Chemie, Inst. für Physik u. Theoret. Chemie, TU München. *Arbeitsgebiete:* Multiphotonen-Ionisationsmassenspektrometrie, hochauflösende Sub-Doppler-Molekülspektroskopie u. Dynamik, Spektroskopie u. Kinetik von Mol.-Ionen, Dynamik photoangeregter Zustände u. van der Waal's Mol., Experimente mit Synchrotron-Strahlung bei Mol.-Ionen, Anregung innerer Schalen.

Lit.: Kürschner (16.), S. 3210 ▪ Wer ist wer (36.), S. 1246.

Schlagempfindlichkeit s. Explosivstoffe.

Schlagende Wetter s. Schlagwetter.

Schlagfigur. Bez. für aus feinen Spaltrissen bestehende Figuren, die entstehen, wenn man auf eine Kristallfläche einen spitzen Gegenstand, z. B. eine Nadel, aufsetzt u. dieser einen Schlag versetzt. Die S. auf der Würfelfläche von Steinsalz bildet einen vierstrahligen Stern. Bei Glimmer entsteht ein sechsstrahliger Stern, allerdings nur bei punktförmiger Belastung; mit einem stumpfen Körper erhält man als *Druckfigur* einen dreistrahligen Stern. – *E* impact figure – *F* touche-figure – *I* figura di battuta – *S* figura de impacto

Schlaghärte s. Härteprüfung.

Schlagsahne s. Sahne.

Schlagwetter (Schlagende Wetter). Gefährliche *Explosionen, die in Steinkohlen-Bergwerken (bes. bei Gaskohlen u. Fettkohlen) eintreten, wenn die Luft 5,0–15 Vol.-% *Methan (*Grubengas*) enthält, das Gemisch durch ein offenes Feuer, Funken u. dgl. entzündet wird u. explosionsartig zu Kohlendioxid u. Wasserdampf verbrennt. Methan-Gehalte außerhalb der Explosionsgrenzen können die Gefährlichkeit von Kohlenstaub (s. Staubexplosionen) erhöhen.
Vorsorgemaßnahmen: Gründliche Ventilation, Anlage von Staubsperren, elektr. Licht (früher war die *Da-

vysche Sicherheitslampe üblich), Explosions-geschützte Maschinen; für Sprengungen unter Tage müssen S.-sichere Sprengstoffe (sog. *Wettersprengstoffe) verwendet werden. – ***E*** firedamp – ***F*** coup de grisou – ***I*** grisù, gas infiammabile di miniera – ***S*** explosión de grisú

Schlagzähigkeit. Die S. ist allg. ein Maß für den Widerstand eines Materials gegen Bruch, wenn es durch einen Schlag od. Aufprall belastet wird. Sie wird als zum Bruch erforderliche Energie pro Fläche gemessen u. dient als eine der vielen Kenngrößen für die Festigkeit eines Materials unter Gebrauchsbedingungen. Zahlreiche Meth. zu ihrer Bestimmung sind im Einsatz. So schlägt beim sog. Izod-Test ein Pendel gegen eine eingekerbte, einseitig eingespannte Probe. Beim Charpy-Test wird die Probe dagegen beidseitig fixiert u. in der Mitte mit einem Pendel geschlagen. Andere Meth. nutzen den Aufprall einer Kugel aus festgelegter Höhe od. basieren auf Zugversuchen mit sehr hohen Geschwindigkeiten. Die durch derartige Prüfungen bestimmte S. hängt stark von den experimentellen Bedingungen ab. Eine Normung jedes dieser Verf. ist daher unerläßlich. Beispielsweise ist die Spannungskonz. an der Riß-Spitze eines eingekerbten Probestückes um so größer, je kleiner der Radius der Kerbe ist. Entsprechend nimmt die gemessene S. des Probekörpers mit dem Rißradius ab. Weiterhin ist die S. stark Temp.-abhängig. Weit unterhalb ihrer *Glasübergangstemperatur sind alle Polymere spröde. Mit zunehmender Temp. nimmt die Beweglichkeit ihrer Kettensegmente zu. Auftretende Spannungen können folglich immer besser durch Bildung von Scherbändern od. Pseudobrüchen (s. Crazes) ausgeglichen werden. Bes. stark steigt die S. in der Nähe der Glasübergangstemp. des Polymeren an. Die z. T. enorm hohen S. mehrphasiger Syst. (z. B. faserverstärkte Kunststoffe od. *Kautschuk-modifizierte *Thermoplaste) sind dagegen das Ergebnis eines komplizierten Zusammenspiels verschiedener Faktoren. – ***E*** impact strength – ***I*** resistenza all' urto

Lit.: Elias (5.) **1**, 976 ff.; **2**, 422, 594.

Schlamm. Ein aus Flüssigkeit u. feinen Feststoff-Teilchen bestehendes Syst. (abgesetzte *Suspension, *Sediment), das in der Natur v. a. aus Wasser, tonreichen *Gesteinen, Lehm, Mergel, Ton, Feinsand od. ähnlichen Mineralstoffen gebildet wird, z. B. aus *Kaolinit, *Montmorillonit, *Illit u. *Glaukonit. S. ist häufig reich an organ. Stoffen (s. a. Schlick). In der Natur entsteht S. v. a. durch Ablagerung von Schwebstoffen (s. a. POM u. Detritus) auf dem Grund von Gewässern; dabei werden z. B. im Süsswasser Dy (Torf-S., saurer Humus), Sapropel (*Faulschlamm, reich an Schwefelwasserstoff u. Eisensulfid) u. Gyttja (See-S., geringer organ. Anteil) unterschieden [1]. S. bedeckt als Schlick, Diatomeen- (s. Algen u. Kieselgur), Globigerinen- u. Radiolarien-S. weite Bereiche des Meeresbodens; nach der Verfestigung (Diagenese) entstehen aus S. typ. Sediment-*Gesteine [2].

In der *Balneologie nutzt man die *Peloide zu S.-Bädern. In der Technik tritt der S.-Zustand häufig bei physikal.-chem. Verf. auf, z. B. Bohr-, *Papier-, Feststoff-S. beim Transport durch Pipelines, insbes. aber *Klärschlamm. Ein wesentlicher Bestandteil der bei der *Abwasserbehandlung anfallenden *Belebt-, Fäkal-, *Klär- u. *Faulschlämme sind *Bakterien u. a. Mikroorganismen. Der Entsorgung dieser S. dienen vielfältige Verf. wie Sedimentation, Zentrifugieren (s. Dekanter), Pressen (*Filter-Pressen, *Siebbandpressen), *Kompostierung, *Faulung, Erhitzen od. Zugabe von *Flockungsmitteln od. *Polyelektrolyten zur *Schlammentwässerung [3], ähnliche Verf. werden auch in der chem. Technik zur S.-Behandlung eingesetzt [4]. Zur S.-Probenahme u. S.-Analyse s. *Lit.* [5]. – ***E*** sludge – ***F*** boue – ***I*** fango – ***S*** barro, lodo, fango

Lit.: [1] DIN 4049-2: 1990-04; Scheffer u. Schachtschabel, Lehrbuch der Bodenkunde (13.), S. 432 f., Stuttgart: Enke 1992. [2] Brinkmann, Abriß der Geologie (14.), Bd. 1, S. 58–113, Stuttgart: Enke 1990. [3] Pöppinghaus et al. (Hrsg.), Abwassertechnologie (2.), S. 879–953, Berlin: Springer 1994. [4] Ullmann (5.) **B 8**, 674–682. [5] DIN 38 414 (mehrere Teile; laufende Aktualisierung).

allg.: Abwassertechnische Vereinigung (Hrsg.), ATV-Handbuch Klärschlamm (4.), Berlin: Ernst 1996 ▪ Füchtbauer (Hrsg.), Sedimente u. Sedimentgesteine (4.), Stuttgart: Schweizerbart 1988 ▪ GVC, VDI-Gesellschaft Verfahrenstechnik u. Ingenieurwesen (Hrsg.), Verfahrenstechnik der Abwasser- u. Schlammbehandlung, Düsseldorf: VDI 1996 ▪ Korrespondenz Abwasser **44**, 1694–1883 (1997) (mehrere Artikel).

Schlammentwässerung. Verf. im Zuge der *Klärschlamm-Aufbereitung od. der Verfestigung von *Schlamm anderer Herkunft; im Falle des ersteren ist eine vorherige *Schlammkonditionierung notwendig. Bis auf Schlämme mit leicht absetzbaren Feststoffanteilen ist eine Sedimentation (s. a. Dortmundbrunnen) für eine abschließende od. nachfolgende Schlammbehandlung nicht ausreichend. Maschinelle S. über Zentrifugen (z. B. *Dekanter) od. Siebe (z. B. Filterpresse od. *Siebbandpresse) verwandelt die Schlammsuspension in einen stichfesten Zustand (Entwässerung auf ca. 30–50% Trockensubstanz). – ***E*** sludge dewatering – ***F*** déshydratation – ***I*** prosciugamento dei fanghi – ***S*** deshidratación de los lodos

Lit.: Abwassertechnische Vereinigung (Hrsg.), ATV-Handbuch Klärschlamm (4.), S. 259–404, Berlin: Ernst 1996 ▪ Pöppinghaus et al. (Hrsg.), Abwassertechnologie (2.), S. 927–942, Berlin: Springer 1994 ▪ Ullmann (5.) **B 8**, 675 f.

Schlamm-Index (Schlammvolumen-Index, I_{SV}). Vol., das 1 g *Schlamm-Trockensubstanz (vor der Trocknung) nach 30 min Absetzzeit einnimmt. Kommt es bei hohem Trockensubstanzgehalt des *Schlammes nicht zum Absetzen, wird auf weniger als 250 mL/L Schlammvol. verdünnt (= Vergleichsschlammvol., VSV). Wird, wie im Ausland üblich, der S.-I. unter langsamem Rühren im Standzylinder bestimmt, spricht man vom Rühr-Schlammvolumen. Je höher der S.-I., desto schlechter sind das Absetz- u. Eindickverhalten des Schlammes. Bei einem S.-I. von mehr als 150 mL/g Trockensubstanz spricht man von *Blähschlamm. – ***E*** sludge index

Lit.: Abwassertechnische Vereinigung (Hrsg.), ATV-Handbuch Biologische und weitergehende Abwasserreinigung (4.), S. 318–325, Berlin: Ernst 1997 ▪ DIN 38414-10: 1981-09.

Schlammkonditionierung. Aufbereitungsschritt von *Klärschlamm vor seiner Entwässerung (s. Klärschlammaufbereitung u. Schlammentwässerung) zur Lockerung der Bindung des Schlammwassers an den

Tab.: Wichtige Verf. zur Klärschlammkonditionierung, nach Lit.[1].

chem. Verf.	Kalk Eisensalze Aluminiumsalze Polyelektrolyte Mischungen
mechan. Verf.	Asche Kohle
therm. Verf.	Gefrieren Porteous-Verf. Naßverbrennung mitteltherm. Behandlung
sonstige Verf.	Schlammwaschung Ultraschall

Schlammfeststoff („Entstabilisierung"). Die wichtigsten Verf. (s. Tab.) sind die chem. S. mit Fällungs- u./od. Flockungsmitteln, wobei die Abstoßung zwischen den Schlammfeststoffen (geladene Bakterienzellwände) herabgesetzt wird, u. die mechan. S., wo Kohle od. Asche als Filterhilfsmittel eingesetzt werden. Einige Verf. wie das Porteous-Verf. (Erhitzen auf ca. 200 °C), Gefrierverf. u. Ultraschall-Behandlung sollen die Zellwände der Mikroorganismen aufsprengen, so daß das Zellwasser über Pressen od. Zentrifugen entfernt werden kann. – ***E*** conditioning (seasoning) of sludge – ***F*** amélioration (conditionnement) des boues – ***I*** condizionamento (condizionatura) dei fanghi – ***S*** acondicionamiento de los lodos

Lit.: [1] Abwassertechnische Vereinigung (Hrsg.), ATV-Handbuch Klärschlamm (4.), S. 270–290, Berlin: Ernst 1996. *allg.:* Ullmann (5.) **B 8**, 677 f.

Schlammstabilisierung. Bez. für die Behandlung von *Klärschlämmen durch oxidative, aerobe od. anaerobe Verf. (s. Klärschlammaufbereitung) bis zu einem ablagerungsfähigen Endprodukt. Häufig angewandt wird die sog. anaerobe Stabilisierung (Faulung). Der wichtigste Schritt zur chem./physikal. S. ist die alkal. od. therm. *Schlammkonditionierung. Zu den oxidativen Verf. zur S. gehört die *Naßoxidation, die bei hohem *CSB energieautark abläuft. – ***E*** stabilization of sludge – ***F*** stabilisation des boues – ***I*** stabilizzazione dei fanghi – ***S*** estabilización de los lodos

Lit.: Abwassertechnische Vereinigung (Hrsg.), ATV-Handbuch Klärschlamm (4.), S. 137–245, Berlin: Ernst 1996 ▪ Mudrack u. Kunst, Biologie der Abwasserreinigung (3.), S. 149–164, Stuttgart: Fischer 1991.

Schlammvolumen s. Schlamm-Index.

Schlangengifte (Ophiotoxine, von griech.: ophis = Schlange). Von den etwa 2700 Schlangenarten sind ca. 20% im engeren Sinne Giftschlangen. Sie kommen außer auf den Polkappen in allen Erdteilen vor u. verteilen sich auf die folgenden Schlangenfamilien: Viperidae (Vipern od. Ottern) inklusive der einheim. Kreuzotter (*Vipera berus*) mit der Unterfamilie Crotalinae (Grubenottern), zu denen die amerikan. Klapperschlangen u. die südamerikan. Lanzenottern gehören (einige Autoren betrachten sie als eigene Familie Crotalidae); Atractaspididae (Erdvipern); Elapidae (Giftnattern) mit der Unterfamilie Elapinae, zu denen Kobras, Mambas, Kraits u. Korallenschlangen gehören, u. den Unterfamilien Hydrophiinae (Ruderschwanz-Seeschlangen) u. Laticaudinae (Plattschwanz-Seeschlangen); Colubridae (Nattern), von denen nur einige Baumschlangen (Trugnattern) giftig sind.

Das Gift wird in einer Giftdrüse produziert u. meist beim Biß durch Furchen- od. Röhrenzähne in den Gegner injiziert (bei Verteidigungsbissen oft keine Giftapplikation!). S. gehören zu den biolog. wirksamsten Naturprodukten. S. sind komplexe Gemische aus Proteinen u. Polypeptiden (ca. 90% des getrockneten Rohgiftes). Daneben kommen Spurenelemente (Zn, Ca, Al), Nucleotide, Aminosäuren, freie u. phosphorylierte Zucker sowie Lipide vor. Die Zusammensetzung der Gifte zeigt innerhalb der verschiedenen Familien u. Gattungen gewisse Gemeinsamkeiten, doch ist sie artspezifisch. Selbst einzelne Individuen u. Populationen einer Art weisen manchmal ein unterschiedliches Giftsekret auf. Frisch geschlüpfte Schlangen sind bereits mit einem vollständigen Giftvorrat ausgestattet.

Funktionen der S. sind der Beutefang, die Verdauung (beginnende Verdauung bereits außerhalb des Magens) u. die Verteidigung. S. führen insbes. bei Kleinsäugern, der bevorzugten Schlangenbeute, schnell zur Lähmung der Muskulatur od. zu Herz-Kreislauf-Versagen. Das S. ist in frischem Zustand eine wäss., viskose, farblose bis gelbliche, klare od. milchig-trübe Flüssigkeit mit 50–90% Wassergehalt (pH 5,5–7,0). Die Proteine der S. lassen sich in zwei Gruppen einteilen (außerdem kommen noch Proteine mit bisher unbekannter Wirkung vor): Tox. Polypeptide ohne enzymat. Eigenschaften besitzen oft eine spezif. Wirkung auf Zellmembranen od. nervöse Strukturen. Einige sind Enzyminhibitoren, andere besitzen synergist. Eigenschaften. Als zweite Gruppe finden sich Enzyme, bei denen es sich meist um Hydrolasen u. Aminosäure-Oxidasen handelt. Manche besitzen auch tox. Eigenschaften, wie die Phospholipase A_2. Die Vergiftungssymptomatik durch S. ergibt sich aus der Kombination von tox. u. enzymat. Reaktionen.

Bei den Toxinen sind die Neurotoxine sehr wichtige Bestandteile der S., da sie zur Lähmung der Beute führen. Sie greifen das periphere Nervensystem an. α-*Bungarotoxin bindet sich z.B. irreversibel an Acetylcholin-Rezeptoren der motor. Endplatten. Die häufig irreversible Bindung von S.-Toxinen an Rezeptoren macht diese Proteine zu guten Hilfsmitteln für Neurophysiologen. Daneben gibt es Cardiotoxine, die die Muskulatur schädigen (insbes. bei Elapiden).

Die Enzym-Zusammensetzung der S. kann sehr vielfältig sein. Dabei handelt es sich ausschließlich um abbauende Enzyme. Hyaluronidasen zersetzen die Zellbindesubstanz Hyaluronsäure u. erleichtern so die Durchdringung des Gewebes. Wichtig sind Carbonsäureester-spaltende Enzyme wie Acetylcholin-Esterasen (nur in Elapiden) u. Phospholipase A_2 (Hämolysin, Myolysin u. Neurotoxin). Verdauungsfördernde Peptidasen u. Proteasen finden sich in hoher Konz. insbes. in Vipergiften. So kommen beispielsweise Thrombin-ähnliche Gerinnungsenzyme vor (Coagulin, Anticoagulin). Einige dieser Enzyme werden zur Behandlung von Thrombosen eingesetzt. Hämorrhagine, bei denen es sich ebenfalls um hochspezif. Proteasen handelt, zersetzen die Basalmembran u.

sind daher für die charakterist. Blutungen u. Gewebszerstörungen bei Schlangenbissen verantwortlich. Kininogenasen führen zu einer Freisetzung von Bradykinin, welches einen raschen Blutdruckabfall bewirkt. Schließlich besitzen gelbe Schlangengifte die stärkste bekannte L-Aminosäure-Oxidase (gelbe Färbung von Flavinnucleotiden des Enzyms), die keine tox. Wirkung besitzt. Alle Proteinkomponenten wirken antigen.
Die Mengen des beim Biß injizierten Giftes schwanken sehr stark in Abhängigkeit vom physiolog. Zustand des Individuums. Dosen von ca. 10 mg (Cottonmouth), 0,55 mg (Kreuzotter), 0,4 mg (Brillenschlange) bis zu 0,01 mg (einige Seeschlangen) pro kg Körpergew. können tödlich sein. Bei den Bißwirkungen kann man grob zwischen nervenschädigenden u. gewebszerstörenden Effekten unterscheiden. Bisse durch Elapiden u. Hydrophiiden zeigen kaum lokale Symptome, dagegen gibt es starke neurotox. Wirkungen: Angst, Atemnot, Lähmung der quergestreiften Muskulatur (schwankender Gang, unkoordiniertes Sprechen, Lidptose, Atemlähmung, Koma, Tod durch Ersticken). Bei Heilung bleiben keine Schäden zurück. Bisse durch Crotaliden (außer Klapperschlangen) u. Viperiden sind dagegen durch ausgeprägte lokale Symptome gekennzeichnet: Anhaltende, brennende Schmerzen, fortschreitende Ödeme im Bereich der Bißstelle u. abdominelle Blutungen sowie aus den Schleimhäuten führen zu Blutdruckabfall, Tachykardie u. schließlich Herz- u. Kreislaufversagen. Spätfolgen durch Gewebsnekrosen bis zum Verlust von Gliedmaßen sind relativ häufig. Klapperschlangenbisse sind durch mehr tox. als lokale Symptome gekennzeichnet. Als Erste-Hilfe-Maßnahmen bei Schlangenbissen ist das Ruhigstellen u. eventuelles Bandagieren der betroffenen Gliedmaßen zu empfehlen. Wichtig ist sofortige medizin. Versorgung. Die Mortalitätsrate bei Schlangenbissen liegt je nach Art zwischen 2 u. 20% (bei europ. Arten gegen 0%); s.a. Bungarotoxin, Crotoxin, Kobratoxine. – ***E*** snake venoms – ***F*** venins de serpents – ***I*** veleni di serpente – ***S*** venenos de serpientes

Lit.: Chem. Ind. (London) **1995**, 914ff. ▪ Habermehl, Gift-Tiere u. ihre Waffen, 5. Auf., S. 145–202, Berlin: Springer 1994 ▪ Harding u. Welch, Venomous Snakes of the World, Oxford: Pergamon 1980 ▪ J. Toxicol., Toxin Rev. **9**, 225 (1990) ▪ Lee, Snake Venoms, New York: Springer 1979 ▪ Mebs, Gifttiere, S. 184–247, Stuttgart: Wissenschaftliche Verlagsges. 1992 ▪ Naturwiss. Rundsch. **44**, 1 (1991) ▪ Pharmacol. Ther. **29**, 353–405 (1985); **30**, 91–113 (1985); **31**, 1–55 (1986); **34**, 403–451 (1987); **36**, 1–40 (1988) ▪ Pharm. Unserer Zeit **17**, 10–22 (1988) ▪ Shier u. Mebs, Handbook of Toxicology, New York: Dekker 1990 ▪ Stocker, Medical Use of Snake Venom Proteins, Boca Raton: CRC Press 1990 ▪ Tu, Handbook of Natural Toxins, Vol. 5, New York: Dekker 1991 ▪ Tu, Rattlesnake Venoms, New York: Dekker 1982.

Schlangenkühler s. Kühler.

Schlangenstern s. Echinodermata.

Schlangenwurzel s. Rauwolfia-Alkaloide.

Schlankheitsmittel (Abmagerungsmittel). Gegen Übergew. (s. Fettsucht) werden Präp. verwendet, die häufig *Abführmittel (*Laxantien) u. *Appetitzügler (Anorexine) enthalten, nicht selten aber wegen des Gehalts an letzteren ein gewisses *Sucht-Potential aufweisen. Neben diesen als Arzneimittel aufzufassenden Präp. sind nährwertarme Nahrungsmittel im Handel, die z. T. aus vom Organismus kaum verwertbaren Füllstoffen bestehen, die durch Quellung im Magen das Hungergefühl beseitigen (meist Alginsäure od. Alginate, Methylcellulose od. Celluloseglykolat) u. anstelle von Zucker *Süßstoffe enthalten, s.a. Appetitzügler u. diätetische Lebensmittel. – ***E*** slimming preparations – ***F*** remèdes d'amaigrissement – ***I*** prodotti dimagranti – ***S*** productos para adelgazar

Lit.: Dtsch. Apoth. Ztg. **124**, 2539–2545 (1984) ▪ s.a. Appetitzügler u. Fettsucht.

Schlauch s. Schläuche.

Schlauchfilter s. Tuchfilter.

Schlauchklemmen s. Quetschhähne.

Schlauchpilze s. Speisepilze.

Schlauchpumpen. Bez. für – ursprünglich für den Laboratoriumsgebrauch konstruierte – *rotierende Verdränger-*Pumpen*. Die im Schlauch befindliche Flüssigkeit wird durch eine wandernde Quetschbewegung in Bewegung gesetzt; üblich sind Ausführungen in Halbkreisform. Förderleistungen liegen zwischen 1 mL/h u. 100 m^3/h je nach Ausführung. – ***E*** peristaltic pumps – ***F*** pompes péristaltiques – ***I*** pompe peristaltiche – ***S*** bombas peristálticas

Lit.: ACHEMA-Jahrb. **1991**, 2306.04.

Schlaufenreaktor. Reaktortyp in der Biotechnologie, der in der Regel mit einem inneren u. einem äußeren Umlauf als *Airlift-Fermenter arbeitet (s.a. Bioreaktor). S. wurden in unterschiedlicher Bauart für die großtechn. Produktion von *Single Cell Protein (SCP) auf der Rohstoffbasis von Alkanen od. Methanol entwickelt. Mit Arbeitsvol. von mehr als 2000 m^3 gehören sie zu den größten in der Ind. eingesetzten Reaktoren, die unter sept. Bedingungen arbeiten. Der größte S. wurde von der *ICI zur Herst. von SCP entwickelt u. wird nach Einstellung der in den industrialisierten Ländern unwirtschaftlichen SCP-Produktion zur Herst. von Poly-3-hydroxybuttersäure (Biopol®) eingesetzt.
S. werden außerdem aufgrund der geringen Scherbelastungen zur Kultivierung von Zellkulturen verwendet. – ***E*** loop reactor – ***F*** réacteur en boucle – ***I*** reattore ad anello – ***S*** columna de burbujas con circulación en bucles

Lit.: Präve et al. (4.), S. 363 ▪ Römpp Lexikon Biotechnologie, S. 384f. (ICI-Proteinprozeß), S. 695 (Schlaufenreaktor für SCP-Gewinnung).

Schlegel, Hans Günter (geb. 1924), Prof. für Mikrobiologie, Univ. Göttingen. *Arbeitsgebiete:* Mikrobiologie, Stoffwechsel der Bakterien, Photosynth., Knallgasbakterien, Schwermetallresistenz, Klonierung u. DNA-Sequenzierung der chromosomalen u. plasmidlokalisierten Gene für Hydrogenasen u. die Enzyme des Calvin-Cyclus sowie für die Gene der Resistenz gegen Nickel (Efflux-Syst.).

Lit.: Kürschner (16.), S. 3213 ▪ Wer ist wer (36.), S. 1247.

Schlehdorn s. Schlehen.

Schlehen. Blaue, kugelige, bereifte Beerenfrüchte des an Waldrändern, in Gebüschen u. Hecken vorkommenden Schlehdorns od. Schwarzdorns (*Prunus spi-*

nosa L., Rosaceae), die erst nach dem ersten Frost genießbar sind. Sie enthalten Gerbstoffe, Vitamin C, organ. Säuren u. Zucker, haben einen herben, säuerlichen, adstringierenden Geschmack u. werden zu Saft, Likören usw. verwendet. Die früher als die Blätter erscheinenden weißen Blüten enthalten *Kämpferol* (s. Flavone) u. in Spuren ein Blausäureglykosid (*Amygdalin).

Verw.: Sie werden getrocknet als Tee zum Schweißtreiben verwendet u. sind wegen ihrer harntreibenden u. schwach abführenden Wirkung häufig Bestandteile von Blutreinigungs- u. Abführtees. – ***E*** sloes – ***F*** prunelles – ***I*** susine selvatiche, prugnole – ***S*** endrinas, ciruelas silvestres

Lit.: Franke, Nutzpflanzenkunde, Stuttgart: Thieme 1997 ▪ Hager (4.) **6a**, 952 ff. – *[HS 0809 40]*

Schleicher & Schuell. Kurzbez. für die 1862 gegr. Firma Schleicher & Schuell GmbH, 37582 Dassel. *Produktion:* Spezialpapiere, Erzeugnisse für die Filtration, Molekularbiologie, Chromatographie u. Elektrophorese.

Schleier s. Photographie.

Schleifen s. Honen, Läppen, Polieren, Schleifmittel.

Schleifmittel. Harte Pulver verschiedener Feinheitsgrade, mit derartigen Pulvern beschichtete Papiere (*Schleifpapier, Schmirgelpapier*) od. daraus geformte Körper (*Schleifscheiben, -bohrer, *Abziehsteine* u. dgl.) zur Reinigung u. Glättung (*Polieren) der Oberfläche von Metallen, Glas, Steinen, keram. Erzeugnissen, Kunststoffen u. dgl. Verwendet werden z. B. *Diamant, *Granat, *Bimsstein, *Tripel, *Siliciumcarbid, *Schmirgel, *Korund u. a. *Aluminiumoxide, *Kieselgur, Sand (Schleifsande, s. a. Sandpapier), *Gips, *Borcarbid, *Boride, *Carbide, *Nitride, Ceroxid (Spezialschleifmittel für opt. Gläser, s. Cer-Verbindungen). Die wichtigsten S. sind Aluminiumoxid u. *Siliciumcarbid. Stoffe mit höheren Schmp. schleifen im allg. Stoffe mit niedrigeren Schmelzpunkten. Bindemittel für S. zur Herst. von Schleifsteinen können Spezialgläser (sog. Fritten), Leg., Phenol Formaldehyd-Harze, Gummi od. Schellack sein. ***E*** abrasives – ***F*** abrasifs – ***I*** abrasivi – ***S*** abrasivos

Lit.: Encycl. Polym. Sci. Eng. **1**, 36–41 ▪ Kirk-Othmer (4.) **1**, 17–37 ▪ Ullmann (4.) **20**, 449–455; (5.) **A 1**, 1–16.

Schleimbekämpfungsmittel. V. a. in der Papier-Ind. gebräuchliche, bakterizid u. fungizid wirkende *Konservierungsmittel zur Verhinderung der *Schleim-Bildung durch Mikroorganismen. Als S. eignen sich hier oxidierend bzw. reduzierend wirkende Mittel (Cl_2, Hypochlorit, Chlorite, ClO_2, H_2O_2, Natriumhydrogensulfit), Metall-organ. Verb. (von Hg, Sn, Cu), Halogenphenole, organ. Brom- u. Schwefel-Verb., Glutardialdehyd u. a. – ***E*** slimicides – ***F*** mucilagicides – ***I*** mezzo di lotta contro la mucillaggine, mucillaggicidi – ***S*** mucilagicidas

Lit.: Encycl. Polym. Sci. Eng. **2**, 212; **10**, 758 ▪ Kirk-Othmer (4.) **18**, 28, 41 ▪ s. a. Schleime.

Schleimdrogen s. Schleime.

Schleime. Bez. für *Gele meist natürlichen – pflanzlichen, tier. od. mikrobiellen – Ursprungs, die im allg. aus (Hetero)-*Polysacchariden aufgebaut sind. Sie sind im Gegensatz zu Gummen (s. Gummi) nicht klebrig. Man unterscheidet saure u. neutrale Schleime. Typ. Beisp. für einen sauren Pflanzen-S. ist der S. der *Eibischwurzel. Er enthält L-Rhamnose, D-Galactose, D-Galacturonsäure u. D-Glucuronsäure im molaren Verhältnis von ungefähr 3:2:3:3. S. wirken bei äußerer Anw. antiphlogist. bei Furunkeln, Geschwüren u. Entzündungen des Rachenraums. Innerlich werden sie als Laxans, Antidiarrhoikum u. zur Behandlung von Magen-Darm-Entzündungen verwendet; als Arzneiform nennt man die dickflüssigen Dispersionen (z. B. von Stärke in Wasser) *Mucilagines* (latein. = schleimige Säfte). Weitere S.-Drogen sind *Isländisches Moos, Spitzwegerichblätter-Kraut, *Flohsamen, Malvenblüten, *Huflattich-Blätter u. -Blüten, *Leinsamen, *Bockshornklee-Samen, Johannisbrot, *Salep-Knollen u. *Quitten-Samen. Zu den Pflanzen-S. zählen auch *Agar-Agar, *Carrageen, *Alginate (*Phycokolloide*), die aufgrund ihres *Quellungs-Verhaltens in diätet. Lebensmitteln u. als Verdickungsmittel Anw. finden. Die von speziellen Zellen der *S.-Häute* sezernierten Körper-S. (*Mucine) enthalten *Mucopolysaccharide, Mucoproteine u. *Lysozyme. Sie schützen den Körper vor diversen *Reizstoffen u. wirken als Schmiermittel. Eine ähnliche Funktion übernehmen die S. bei Nacktschnecken (s. Schnecken). Auch manche Mikroorganismen sondern S. ab, z. B. die *S.-Pilze* (*Myxomyceten*, s. Pilze) u. einige Bakterienstämme, was sich in techn. Prozessen oft störend bemerkbar macht (z. B. „Froschlaichbakterium"). Gegen derartige S. können *Schleimbekämpfungsmittel eingesetzt werden. – ***E*** slimes, mucilages, muci – ***F*** mucus, mucilages – ***I*** bave, muchi, mucillagine – ***S*** mucílagos

Lit.: Br. Med. Bull. **34/1** (1978) ▪ Essays Biochem. **20** (1985) ▪ Elstein et al., Mucus in Health and Disease (2 Bd.), New York: Plenum 1977, 1982 ▪ Goldschmidt Inform. **1984**, Nr. 3, 16–26 ▪ Janistyn **1**, 821 f. ▪ Pharm. Biol. (3.) **2**, 280–285; **4**, 320.

Schleimharze s. natürliche Harze.

Schleimpilze s. Pilze u. Schleime.

Schleimpolysaccharide s. Exopolysaccharide.

Schleimsäure [(2*R*,3*S*,4*R*,5*S*)-2,3,4,5-Tetrahydroxyadipinsäure, Galactarsäure, Mucinsäure].

```
      COOH
       |
   H—C—OH
       |
  HO—C—H
       |
  HO—C—H
       |
   H—C—OH
       |
      COOH
```

$C_6H_{10}O_8$, M_R 210,14; farblose Krist., Schmp. 220–225 °C, schwer lösl. in kaltem, lösl. in siedendem Wasser u. in Alkalien, unlösl. in Alkohol u. Ether. Die zu *Glucarsäure epimere S. entsteht bei der Oxid. von Galactose. Trockene Dest. (*Brenzen*) von S. ergibt *2-Furancarbonsäure. – ***E*** mucic acid – ***F*** acide mucique – ***I*** acido mucico – ***S*** ácido múcico

Lit.: Beilstein E IV **3**, 1292 ▪ J. Chem. Educ. **53**, 256 (1976) ▪ Merck-Index (12.) Nr. 4349. – *[HS 2918 19; CAS 526-99-8]*

Schleimstoffe. Produkte schleimabsondernder Zellen od. Zellkomplexe bei Tieren u. Mensch, nur mit Einschränkungen auch bei Pflanzen. Bei Tieren liegen entsprechende Drüsenkomplexe v. a. in der Epidermis,

z. B. bei wasserlebenden Plattwürmern, Ringelwürmern, Weichtieren, Amphibien u. Fischen, aber auch im Darm- u. Atemtrakt u. in den Geschlechtsgängen (v. a. bei Wirbeltieren). Die Synth. der meist Kohlenhydrat-reichen S. erfolgt im Golgi-Apparat der einzelnen Schleimzelle. – ***E*** mucilaginous substances – ***F*** substances mucilagineuses – ***I*** mucillagini – ***S*** substancias mucilaginosas

Lit.: Eckert, Tierphysiologie (2.), Stuttgart: Thieme 1993 ▪ Schmidt u. Thews, Physiologie des Menschen (27.), Berlin: Springer 1997.

Schlempe. Flüssiger Rückstand aus der Vergärung Zucker- od. Kohlenhydrat-haltiger Rohstoffe u. Rückstände (*Kartoffeln, *Mais, *Gerste, *Roggen, *Obst, *Melasse od. dgl.) auf Ethanol; sie enthalten die unvergärbaren Bestandteile des eingemaischten Rohmaterials u. Rückstände der Hefezellen. Auf je 100 kg vergorenes Getreide fallen ca. 500 L S. mit 5–7% Trockenrückstand (pH 3,6–4,0); der Trockenrückstand besteht etwa zur Hälfte aus lösl., zur Hälfte aus unlösl. Bestandteilen. Eine getrocknete Gesamt-S. aus einem vergorenen Gemisch von 85% Roggen u. 15% Roggenmalz enthält z. B. 11% Wasser, 29% Eiweiß, 3% Fett, 8% Rohfaser, 6% Mineralsalze, 43% Stickstoff-freie Extrakte, *Vitamine, Wuchsstoffe u. dgl. S. entsteht auch bei anderen Fermentationsprozessen, z. B. bei der *Holzverzuckerung (*S.-Zucker*), bei der *Citronensäure-Herst. od. der Butanol-Aceton-Gärung. Die bei der alkohol. Gärung anfallende S. wird in Europa in den Brennereien meist noch am Tage der Gewinnung (später Zersetzungserscheinungen) als Kraftfutter an Rinder, Geflügel u. dgl. verfüttert, seltener in Verdampfern konzentriert. In den USA verarbeitet man dagegen S. zu trockenen, lagerfähigen, transportablen Festprodukten. Verwendbar ist S. auch in Nährböden für *Streptomyces griseus* (erzeugt *Streptomycin) u. *Ashbya gossypii* (erzeugt Riboflavin- u. Vitamin B_{12}-reichen Futterzusatz). – ***E*** distiller's wash – ***F*** résidus de distillation, marc – ***I*** residui della distillazione – ***S*** residuos de destilación

Lit.: Ullmann (5.) **A 11**, 511–521. – *[HS 2303 30]*

Schlenk, Wilhelm (1879–1943), Prof. für Organ. Chemie, Berlin u. Tübingen. *Arbeitsgebiete:* Organometall-Verb., freie Radikale, 3-wertiger Kohlenstoff, Stereochemie (s. a. die nachfolgenden Stichwörter).

Lit.: Pötsch, S. 382 ▪ Strube et al., S. 137.

Schlenk, Wilhelm (geb. 1907), Dr.-Ing. BASF. *Arbeitsgebiete:* Einschlußverb. des Harnstoffs, Konstitution der Grignard-Verb., Zusammensetzung des Spermaliquors usw., Racemattrennung.

Lit.: Kürschner (16.), S. 3217 ▪ Stube et al., S. 136.

Schlenk-Gleichgewicht s. Grignard-Verbindungen.

Schlenkrohre. In der *Schlenk-Technik verwendete, rund abgeschmolzene Glasrohre mit Normschliff u. seitlich angebrachten *Kegel- od. Teflonhähnen, die zum Aufbewahren u. Transport von Oxid.- u. Feuchtigkeits-empfindlichen Substanzen dienen. – ***E*** schlenk tube – ***I*** tubi di Schlenk – ***S*** tubos Schlenk

Schlenkscher Kohlenwasserstoff. Als S. K. werden sowohl das *Radikal Tris-(4-biphenylyl)-methyl (s. Abb. a) als auch das Biradikal (s. Radikale) 4,4′-Biphenyldiylbis(diphenylmethyl) (s. Abb. b) bezeichnet, das mit dem *Tschitschibabinschen Kohlenwasserstoff isomer ist.

$(C_6H_5{-}C_6H_4)_3C^\bullet$ a $(H_5C_6)_2\dot{C}{-}C_6H_4{-}C_6H_4{-}\dot{C}(C_6H_5)_2$ b

– ***E*** Schlenk('s) hydrocarbon – ***F*** hydrocarbure de Schlenk – ***I*** idrocarburo di Schlenk – ***S*** hidrocarburo de Schlenk

Schlenk-Technik. Nach Prof. Wilhelm *Schlenk (1879–1943) benannte allg. Arbeitstechnik zur Handhabung von Organometall-Verb. unter *Inertgasen, wie Stickstoff od. Argon. Diese Meth. eignet sich für alle Arten von luft- u. feuchtigkeitsempfindlichen Substanzen, ebenso für einen gefahrlosen Umgang mit giftigen, leicht flüchtigen Substanzen. Sämtliche Glasgeräte sind mit seitlich angesetzten Glashähnen versehen, die einen Anschluß an eine Inertgas- u. Vakuumanlage erlauben. Vor Gebrauch werden die Reaktionsgefäße in einem Ofen od. mit einem Heißluftgebläse ausgeheizt, mehrmals an einer Vakuumpumpe evakuiert u. mit einem Inertgas belüftet. Sämtliche Manipulationen an den Reaktionsgefäßen werden unter einem Inertgas-Gegenstrom ausgeführt. – ***E*** schlenk techniques – ***I*** tecnica di Schlenk – ***S*** técnica Schlenk

Lit.: Ber. Dtsch. Chem. Ges. **46**, 2843–2854 (1913) ▪ Herrmann-Brauer **1**, 16–28.

Schleppmittel. Bez. für die einem Gemisch zugesetzten, im allg. *inerten Stoffe, die dazu dienen, eine Komponente des Gemischs anzureichern, ohne mit dieser eine feste Bindung einzugehen. S. im Sinne von **Carriern* od. *Vektoren* können Gase, Flüssigkeiten (*Beisp.:* Azeotrop- od. Extraktiv-Dest.) od. Festkörper sein (*Beisp.:* Adsorptionsprozesse). Flüssige Carrier werden u. a. auch als Färbebeschleuniger in der Textilfärberei eingesetzt, gasf. z. B. in der *Gaschromatographie u. in der Trägergas-*Sublimation. – ***E*** carrier – ***F*** entraîneur – ***I*** agente rimorchiatore – ***S*** medio de arrastre

Lit.: Kirk-Othmer (3.) **8**, 151–158; **9**, 712; **12**, 276 ▪ Ullmann (5.) **A 9**, 80.

Schlesinger, Hermann Irving (1882–1960), Prof. für Anorgan. Chemie, Univ. Chicago. *Arbeitsgebiete:* Anorgan. u. organ. Bor-Verb., Borane, Lithiumbor- u. -aluminiumhydrid, Natriumborhydrid.

Lit.: Nachr. Chem. Tech. **4**, 270 (1956) ▪ Neufeldt, S. 209, 220 ▪ Strube et al., S. 195.

Schlesingers Reagenz. Aufschwemmung von 10 g Zinkacetat in 100 mL 96%igem Alkohol zum Nachw. von *Urobilin im Harn (grünliche Fluoreszenz). – ***E*** Schlesinger's reagent – ***F*** réactif de Schlesinger – ***I*** reattivo di Schlesinger – ***S*** reactivo de Schlesinger

Schleuderdruckmethode s. Gasdichte.

Schleuderguß (Kurzz.: GZ). Bez. aus der *Gießerei-Technik für ein Gießverf., bei dem man die metall. Dauerform in schnelle Umdrehung versetzt, so daß das Gießmetall (z. B. Bronze, Rotguß, Sondermessing, Spezialleg.) durch die Zentrifugalkraft in die Form gedrückt wird. Die Schmelze legt sich gleichmäßig (gasfrei, ohne *Lunker u. Schlackeneinschlüsse) an die Innenwand der *Kokille u. bildet nach der Erstarrung Hohlkörper (Rohre, Büchsen, Ringe u. dgl.). S. hat dichteres Gefüge u. damit meist höhere Festigkeit u. Zähigkeit als normaler Guß. Man wendet den S. nicht nur bei Metallen, sondern auch bei Beton u. Thermoplasten an. Eine interessante Anw. von S. ist die Herst. von Rohren aus hochlegiertem *Stahl für Öfen der Petrochemie (Reformer, Cracker). Hierbei können durchaus unterschiedliche Leg. im Verbund miteinander (Verbundguß) vergossen werden. – ***E*** centrifugal casting – ***F*** coulée centrifuge – ***I*** colata centrifuga – ***S*** colada (fundición) centrifugada

Lit.: s. Gießerei.

Schleyer, Paul von Ragué (geb. 1930), Prof. für Organ. Chemie, Univ. Erlangen-Nürnberg. *Arbeitsgebiete:* Strukturchemie, überbrückte Ringsyst., Adamantan, nichtklass. Ionen, Umlagerungen, Wasserstoff-Brückenbindungen, Konformationsanalyse, Quanten- u. Computer-Chemie, Metall-organ. Chemie (komplexe Anionen u. Kationen).

Lit.: Kürschner (16.), S. 3219 ▪ Pötsch, S. 382 ▪ Wer ist wer (36.), S. 1250.

Schlichte (Schlichtemittel). Die Kettgarne der verschiedenen Textilfasern werden vor dem Verweben mit einer S. versehen (**Schlichten*). Die S.-Grundstoffe sind native Stärke, modifizierte Stärken, Natrium-Carboxymethylcellulose, Polyvinylalkohol, Polyacrylate, Galactomannane (Guar- u. Johannisbrotkernmehl), für spezielle Anw. auch wasserdispergierbare Polyester, Vinylacetat-Copolymere, Leim, Gelatine u. Eiweißstoffe. Zusätzlich können die S. noch Fette, Wachse, sulfierten Talg od. sulfiertes Öl enthalten. Da S. nicht auf der Faser verbleiben, sondern ausgewaschen werden (*Entschlichtung), sollen sie biolog. abbaubar sein. – ***E*** sizing agents – ***F*** produits d'encollage – ***I*** bozzima, agente d'imbozzimatura – ***S*** productos de encolado

Lit.: s. Schlichten. – *[HS 3809 10]*

Schlichte® Marken. Schlichtemittel für Cellulose- u. Synthesefasern, Fasermischungen u. Filamente. ***B.;*** BASF.

Schlichten. Bez. für die Behandlung von Garnen vor dem Verweben mit Lsg., Schmelzen, Dispersionen od. Emulsionen von Schlichtemitteln, die Glätte, Geschlossenheit, Geschmeidigkeit u. Festigkeit verleihen, so daß die Verarbeitung auf dem Webstuhl verbessert wird. Nach dem *Weben wird das Schlichtemittel in den meisten Fällen wieder entfernt (*Entschlichtung). – ***E*** sizing – ***F*** encollage – ***I*** imbozzimatura – ***S*** encolado

Lit.: Encycl. Polym. Sci. Eng. **16**, 682–710 ▪ Rouette, Lexikon für Textilveredlung, Bd. 3, S. 1890–1900, Dülmen: Laumann Verl. 1995 ▪ Ullmann (4.) **23**, 12–19; (5.) **A 26**, 244–253.

Schlick (von niederdtsch. sliken = gleiten). Schlammartiges Gewässer-*Sediment (Auflagerungsboden[1]), das reich an organ. Substanz ist. S. besteht aus Ton, Schluff u. Feinsanden mit Korngrößen bis 0,2 mm. S. ist normalerweise durch organ. Substanz u. *Pyrit blauschwarz gefärbt (Blau-S.). Grünfärbung geht auf Glaukonite zurück. Rotfärbung beruht auf Eisenhydroxiden, z. B. durch eingeschwemmten Laterit od. auf Rückständen der Schalen von Meeresbewohnern, die in der Tiefsee gelöst wurden. Der S. ist oft Lebensraum einer reichen *Biozönose, des Pelobios, u. bildet fruchtbare Böden, z. B. in Überschwemmungsgebieten von Flüssen, in *Watt u. Marsch. – ***E*** mud – ***F*** vase, limon épais – ***I*** fango – ***S*** cieno, lodo, barro

Lit.: [1] Römpp Lexikon Umwelt, S. 129 f. (Bodenhorizont). *allg.:* Zeil, Brinkmanns Abriß der Geologie (14.), S. 94–113, Stuttgart: Enke 1990.

Schlicker s. Keramik.

Schlieren. 1. Wenn sich Flüssigkeiten od. Gase langsam vermischen od. wenn sie lokal erwärmt werden, bilden sich im ansonsten homogenen Syst. *Dichte-Unterschiede (*Dichtegradienten*) aus, die als *S.*, d. h. als Unterschiede im *Brechungsindex* (s. Refraktion) sichtbar werden. Auf dem Prinzip der S.-Bildung basieren auch die Sedimentations-Messungen mit der *Ultrazentrifuge (*S.-Meth.*), u. die sog. *S.-Optik* nutzt zusätzlich *Lichtstreuungs-Effekte aus.

2. Als S. bezeichnet man auch opt. Glasfehler, die durch örtlich begrenzte Unterschiede im Brechungsvermögen od. in der Farbe des Glases unter bestimmten Bedingungen sichtbar werden. Man unterscheidet kurze, dünne Faser-S., lange, scharfe Faden-S., knollenförmige Knoten-S. u. lange, breite Band-Schlieren.

3. In Schaumkunststoffen versteht man unter S. eine Schicht im Schaumstoff, deren Zellen sich in ihrer Größe, Struktur, Orientierung usw. von den übrigen Zellen erheblich unterscheiden. – ***E*** streaks, reams, schlieren – ***F*** pailles, stries – ***I*** strie, striature – ***S*** 1. regiones de diferente índice de refracción, 2. defectos ópticos

Lit. *(zu 1.):* Encycl. Polym. Sci. Eng. **5**, 50 ▪ Kirk-Othmer (4.) **17**, 278 f. – *(zu 2.):* Winnacker-Küchler (4.) **3**, 128 f.

Schlierenmethode s. Ultrazentrifugen.

Schliffe. 1. Allg. Bez. für die Teile der Oberfläche von Gegenständen, die durch *Schleifen* (s. Schleifmittel) od. **Polieren* bearbeitet worden sind.

2. Gläserne Laboratoriumsgeräte wurden früher durch durchbohrte Gummi- od. Korkstopfen miteinander verbunden, heute durch geeignete S.-Paare. Dies sind lösbare, z. B. kon. Verbindungen, die aus *Hülse* (*E* female joint) u. *Kern* (*E* male joint) bestehen u. mit ineinander passenden S.-Flächen versehen sind. Man unterscheidet Kegel-S., Kugel-S. (für bewegliche Apparatur-Verbindungen), Zylinder-S. (z. B. bei KPG-Rührern) u. Plan-S. (z. B. bei *Exsikkatoren, Deckeln von Glasreaktoren usw.), vgl. Abb. a–d.

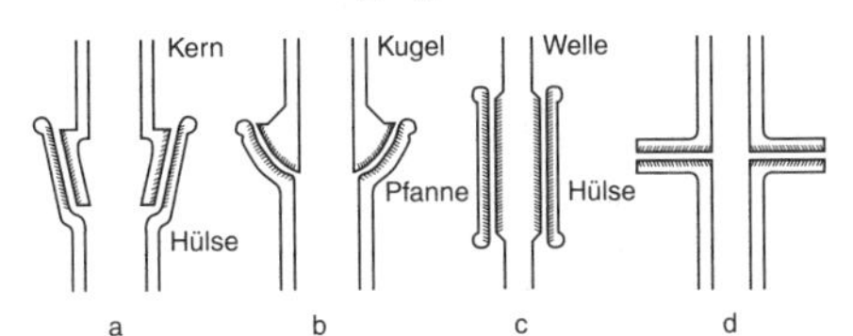

Abb.: Kegelschliff (a), Kugelschliff (b), Zylinderschliff (c), Planschliff (d).

Die S.-Formen sind heute im allg. genormt, bei Kegel-S. als sog. *Norm-S.* (Abk. NS) mit Angabe des größten Durchmessers u. der Länge der S.-Zone in mm; *Beisp.:*

NS 14,5/23, NS 29/32. Normschliffteile, z. B. Hülsen u. Kerne, sind bei gleicher Nenngröße beliebig austauschbar. Sie finden Verw. bei Kolben, Flaschen, Kühlern, Kolonnen, Meßkolben u. -zylindern, Hähnen, Büretten u. a. Laboratoriumsgeräten; nähere Einzelheiten s. im DIN-Katalog, Sachgruppe 0433. Die verschiedenen S. werden mit geeigneten *S.-Klemmen* zusammengehalten, Kegel-S. z. B. auch über Glashäckchen mit Federn od. Gummiringen. Im chem. Laboratorium wird heute überwiegend mit *S.-Apparaturen* gearbeitet. Dennoch gibt es Fälle, in denen sich die Verw. von S. nicht empfiehlt, z. B. beim Arbeiten mit *Diazomethan, das ggf. an den rauhen S.-Oberflächen explosionsartig zerfallen kann. Auch bereitet die Reinigung von S. z. B. in der *Dekontamination gewisse Schwierigkeiten. Starke Laugen greifen Glas oberflächlich an, so daß sich die S. möglicherweise nicht wieder trennen lassen. Um das Dichten u. Gleiten der S.-Paare zu verbessern sowie ein Festsetzen zu verhindern, werden die Oberflächen mit *Schliff-Fett behandelt. Für Kegel-S. kommen auch PTFE-Manschetten als Dicht- u. Gleitmittel in Frage. Das Lockern festsitzender S.-Paare kann mechan. durch Klopfen, durch vorsichtiges Erwärmen, durch die Einwirkung von *S.-Lsm.* od. durch Kombination dieser Mittel versucht werden. Bei S.-Lösern handelt es sich um gut spreitende Lsm.-Gemische, die oft Netzmittel enthalten, welche zwischen die Glasflächen kriechen. – ***E*** ground joints – ***F*** joints rodés – ***I*** affilature, molature, levigature – ***S*** juntas (uniones) esmeriladas

Schliff-Fett (Hahnfett). Dichtungs- u. Schmiermittel für *Schliffe auf der Basis von Siliconfetten, Vaseline, *PCTFE- od. *PTFE-Zubereitungen u. dgl., die häufig für spezielle Aufgaben entwickelt worden sind u. z. B. Lsm.-fest, Vak.- u. dampfdicht, beständig gegen Oxid.-Mittel usw. sind; *Beisp.:* *Ramsay-Fett, *Kapsenberg-Schmiere, Kel-F®, Apiezon®-Fett. – ***E*** joint grease – ***F*** graisse pour joints – ***I*** grasso per rubinetti – ***S*** grasa para esmerilados (juntas)

Schlifflöser s. Schliffe.

Schlippesches Salz s. Natrium(tetra)thioantimonat(V).

Schlitzstrahler. Bez. für eine in die Gruppe der *Volumenbelüfter einzuordnende *Zweistoffdüse (Luft, Wasser) zur Belüftung von *Abwasser im Zuge der *biologischen Abwasserbehandlung. – ***E*** slotted nozzle – ***F*** buse fendue (à encoches) – ***I*** radiatore a fessura – ***S*** tobera ranurada

Lit.: Chem. Ing. Tech. **54**, 939 ff. (1982) ▪ Rehm-Reed **2**, 538 ff.

Schlüpfhormon s. Insektenhormone.

Schlüsselblumen s. Primeln.

Schlüsselreiz. Unter einem S. versteht man einen Außenreiz (od. eine Reizkombination), der (die) bei Tieren ein bestimmtes Verhalten in Gang setzen od. aufrechterhalten kann. Der Name ist wissenschaftsgeschichtlich im Zusammenhang mit der Filterung zu verstehen: Man sah in den Außenreizen gleichsam „Schlüssel", die als „Türschlösser" wirkende Filter „aufschließen" (Auslösemechanismus). S. können olfaktor., opt., akust. u./od. taktile Reize sein. – ***E*** key stimulus – ***F*** stimulus clé – ***I*** stimolo chiave – ***S*** estímolo clave

Lit.: Franck, Verhaltensbiologie (3.), Stuttgart: Thieme 1997 ▪ Immelmann, Wörterbuch der Verhaltensforschung, Berlin: Parey 1982 ▪ Krebs u. Davies, Einführung in die Verhaltensökologie (3.), Berlin: Blackwell 1996.

Schlüssel-Schloß-Theorie s. Enzyme (S. 1177).

Schlüsseltechnologie. Technologien von zentraler Bedeutung. Zu den S. gehören z. B. die Informationstechnik, Biologie u. Biotechnologie, Materialforschung, Laserforschung, Energieforschung, Verkehr- u. Luftfahrtforschung, Mikrosystemtechnik, Multimedia, Umweltforschung sowie Membran- u. Katalyseforschung. – ***E*** key technology – ***I*** tecnologia chiave – ***S*** tecnologías claves

Schluff s. Siltsteine.

Schlußgesellschaft s. Klimax.

Schlußleiste s. tight junction.

Schmähl, Dietrich (1925–1990), Prof. für Onkologie, Dtsch. Krebsforschungszentrum, Heidelberg. *Arbeitsgebiete:* Krebsforschung, Carcinogene, Luftverunreinigung, Tumor-Wirt-Beziehungen, Krebs-Chemotherapie, Cytostatika.

Lit.: Kürschner (16.), S. 3228, 4268 ▪ Lexikon der Naturwissenschaftler, S. 365.

Schmälzmittel. S. werden als *Schmälzöle, Reißöle, Spicköle* vor dem Reiß- od. Spinnprozeß auf das Fasergut gebracht, um den Fasern Glätte, Geschmeidigkeit u. beim Verstrecken u. Verspinnen einen besseren Zusammenhalt zu geben sowie die Walkeigenschaften zu verbessern. Es handelt sich um auswaschbare Präparationen aus (modifizierten) Ölen u. Fetten, Emulgatoren, grenzflächenaktiven Stoffen (Alkylsulfate, Amine, Onium-Verb. usw.). – ***E*** oversprays – ***F*** produits d'ensimage – ***I*** ingrassatori – ***S*** productos de ensimaje (ensainado)

Lit.: Rouette, Lexikon für Textilveredlung, Bd. 3, S. 1902 f., Dülmen: Laumann-Verl. 1995 ▪ Ullmann (4.) **23**, 5, 10 f.; (5.) **A 26**, 240–244. – *[HS 3403 11, 3403 91]*

Schmalz. Sammelbez. für streichfähige tier. Fette etwas körniger Konsistenz, insbes. für Schweine-S., *Butter-S. u. Gänse-Schmalz. S. darf nach den Leitsätzen für Speisefette u. Speiseöle[1] (Abschnitt I C, Nr. 2) nur in den Handel gelangen, wenn die Tierart, von der das S. stammt, angegeben ist.

Das *Schweine-S.* besteht aus reinem Schweinefett (Wassergehalt höchstens 0,5%). Das aus dem Fettgewebe des Schweins, v. a. Bauchwandfett (Flomen, *Schmer), Gekrösefett u. Netz- od. Bauchfett, durch Ausschmelzen gewonnene S. ist ein weißes, haltbares, leicht streichbares Fett von schwachem, angenehmem Geruch: *Physiologischer Brennwert 38 kJ (9,15 kcal), Schmp. 36–42 °C. *Grieben-S.* ist Schweine-S. mit Grieben u. wird aus frischem Rückenspeck mit od. ohne *Gewürze hergestellt. Als Handelsformen kennt man *Neutral-S.* (höchste Qualität, SZ <0,8), *Liesen-S.* (SZ <1,0) u. *Dampf-S.* (SZ <1,5). *Gänse-S.* wird aus dem Fettgewebe von Gänsen hergestellt u. zur Konsistenzverbesserung häufig mit Schweine-S. gemischt (Kennzeichnungspflicht). *But-*

ter-S. ist das reine, von Wasser u. Eiweiß befreite, durch Auslassen von *Butter erhaltene Milchfett. Die Aufbewahrung soll in kühlen, luftigen, dunklen Räumen erfolgen; im Sonnenlicht wird es leicht ranzig, doch ist es wesentlich haltbarer als Butter. Zur Zusammensetzung von Gänse- u. Schweine-S. s. *Lit.*[1]. Der Cholesterin-Gehalt in handelsüblichem S. wurde nach *Lit.*[2] zwischen 15–50 mg/100 g bestimmt. Den Hauptbericht der DLG-Qualitätsprüfung u.a. zu Schmalz gibt *Lit.*[3] wieder. Zum Einfluß des Raffinierens auf die physikochem. Eigenschaften u. die Fettsäure-Zusammensetzung von S. s. *Lit.*[4].

Tab.: Iod- u. Verseifungs-Zahlen von Schweine- u. Gänseschmalz.

	IZ	VZ
Schweineschmalz	58 (46–66)	197 (193–200)
Gänseschmalz	73 (59–81)	195 (191–198)

Verw.: Haushalt, Margarine-Ind., Seifenherst., Schmiermittelherst., früher als Salbengrundlage.
Analytik: Zur klass. Analyse von S. s. *Lit.*[5]. Eine moderne Meth. zur Triglycerid-Bestimmung in S. mittels APCI-MS beschreibt *Lit.*[6].
Produktionszahlen (BRD, 1997, Angaben als Butter-S.): 31052 t. – ***E*** fat, grease, lard – ***F*** graisse [fondue], saindoux – ***I*** strutto – ***S*** grasa derretida, manteca
Lit.: [1]Leitsätze für Speisefette u. Speiseöle vom 9.6.1987 (BAnz. Nr. 140a), abgedruckt in Zipfel, C 296. [2]Food Sci. (Taiwan) **23**, 367–376 (1996). [3]Fleischwirtschaft **76**, 995–1000 (1996). [4]Ind. Aliment. **36**, 134–138 (1997). [5]Grau, Fleisch- u. Fleischerzeugnisse (2.), S. 262–268, Berlin: Parey 1969. [6]Lipids **31**, 919–935 (1996).
allg.: Belitz-Grosch (4.), S. 582, 583 ▪ Pardun, Analyse der Nahrungsfette, S. 278–283, Berlin: Parey 1976 ▪ Ullmann (4.) **11**, 458–467; (5.) **A 10**, 176, 215, 234 ▪ Zipfel, C 296 II u. Anlage. – *Organisationen:* Bundesverband der Deutschen Talg- u. Schmalzindustrie e.V., 53113 Bonn ▪ Union Européenne des Fondeurs et Fabricants de Corps Gras Animaux, 10-A, Rue de la Paix, F-75002 Paris. – *[HS 150100; CAS 61789-99-9]*

Schmalzler. *Schnupftabak aus schwarzem Brasiltabak mit Paraffinzusatz; s.a. Tabak.

Schmalzried, Hermann (geb. 1932), Prof. für Physikal. Chemie, Univ. Hannover. *Arbeitsgebiete:* Festkörper Reaktionen, -Thermodynamik, Elektrochemie.
Lit.: Kürschner (16.), S. 3231 ▪ Wer ist wer (36.), S. 1256.

Schmalzstearin s. Solarstearin.

Schmand s. Sahne.

Schmarotzer s. Parasiten.

Schmelzanomalie s. Schmelzpunkt.

Schmelzbadspritzen s. Metallspritzverfahren.

Schmelzbasalt. Geschmolzener u. in Formen gegossener *Basalt, D. 2,84, Schmp. 1200–1450 °C. S. findet Verw. als Auskleidungen für Trichter, Bunker, Silos, Behälter u. dgl. für Kohle, Koks, Erz, Kalk u. ähnliche Materialien. – ***E*** cast basalt – ***F*** basalte fondu – ***I*** basalto fuso – ***S*** basalto fundido
Lit.: s. Basalte. – *[HS 681599]*

Schmelzbeschichtungen. Unter Verw. von *Heißschmelzmassen („Hotmelts") u. *Schmelzmassen hergestellte *Beschichtungen (Überzüge) u./od. *Imprägnierungen mit Schutzwirkung gegenüber Wasser- od. Wasserdampfdurchgang, z.T. auch gegen Fett-Einwirkung, für den Verpackungssektor; *Beisp.:* Milchkartons. – ***E*** [hot]melt coatings – ***F*** couchage par matières fondues – ***I*** strati di fusione – ***S*** revestimiento con materiales fundidos. ***B.:*** BASF.

Schmelzbruch. In den Schmelzen hochmol. *Polymeren sind die einzelnen *Makromoleküle aufgrund der gegenseitigen Durchdringung ihrer Ketten temporär physikal. vernetzt (Verhakungsnetzwerk). Beim Fließen solcher Schmelzen unter hohen Schubspannungen u. hohen Schergeschw., wie dies z.B. während der Verarbeitung der Fall ist, kann es zu krit. Turbulenzen in der Schmelze kommen. Diese haben zur Folge, daß die Randschicht des fließenden Polymers von der Wandung des Verarbeitungs-Werkzeuges abreißt u. die Oberfläche der Schmelze rauh wird:

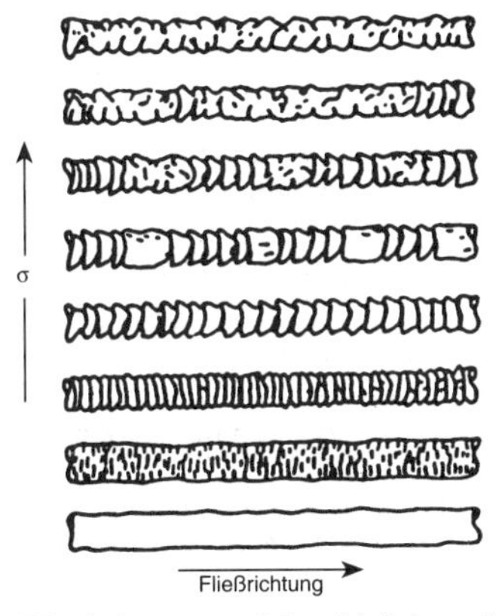

Abb.: Auftreten von Schmelzbrüchen mit von unten nach oben zunehmenden Schubspannungen σ beim Extrudieren bzw. Schmelzspinnen von Thermoplasten.

Beim Abkühlen solcher Schmelzen, d.h. nach ihrem Austritt aus den Düsen, werden diese Rauhigkeiten eingefroren u. die Oberflächen derartiger Extrudate erscheinen „aufgebrochen". Daher wird dieses Phänomen als „S." bezeichnet. – ***E*** melt break – ***I*** rottura di fusione – ***S*** rotura por fusion
Lit.: Elias (5.) **1**, 906; **2**, 389.

Schmelzdiagramm s. die Abb. bei Eutektikum u. Phasen.

Schmelzelastizität. Die in einer *Polymer-Schmelze vorliegenden, knäuelförmigen *Makromoleküle durchdringen einander u. sind oberhalb einer krit. Molmasse, der sog. Entanglement-Molmasse, aufgrund dieser gegenseitigen Verschlaufung temporär physikal. vernetzt (Verhakungsnetzwerk). Daher können ihre Kettensegmente bei nicht zu starken u. nicht zu lange andauernden Deformationen, wie sie z.B. während des Verarbeitungsprozesses in Spinn- od. Spritzdüsen gegeben sind, nicht od. nur unvollständig voneinander abgleiten. Die Polymer-Knäuel erreichen daher während der gesamten Zeit in der Düse ihre bevorzugte *Makrokonformationen des ungestörten Knäuels nicht zurück u. bleiben deformiert. Es bleibt damit in der Schmelze eine Normalspannung erhalten. Sobald die senkrecht zur Fließrichtung gestauchten

Polymer-Knäuel dann aber die Düse verlassen, führt diese Normalspannung dazu, daß die Knäuel sofort wieder durch Ausdehnung in ihre thermodynam. günstige Form zurückkehren. Für den Betrachter äußert sich dies darin, daß sich der Schmelzstrang hinter der Düse senkrecht zur Fließrichtung aufweitet. Der Durchmesser des letztlich erhaltenen Polymer-Stranges ist daher größer als der Durchmesser der Düse:

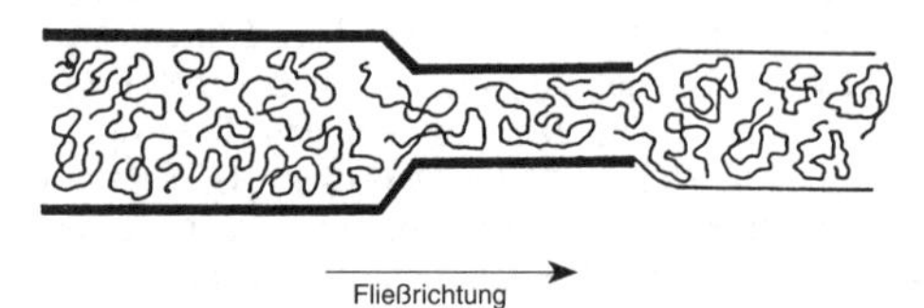

Abb.: Barus-Effekt = Strangaufweitung beim Extrudieren von Schmelzen durch Düsen.

Das Phänomen ist in der Technik unter Namen wie Barus- od. *Memory-Effekt (bei Schmelzen), Weissenberg-Effekt (bei Lsg.), *Strangaufweitung* (beim Extrudieren) od. Schwellverhalten (beim Hohlkörperblasen) bekannt. – ***E*** melt elasticity – ***I*** elasticità di fusione – ***S*** elasticidad de la masa fundida

Lit.: Elias (5.) **2**, 387.

Schmelzelektrolyse (Schmelzflußelektrolyse). Bez. für ein Verf. der *Elektrolyse, bei dem *Salzschmelzen eingesetzt werden u. das v. a. zur Gewinnung von Metallen (Aluminium) dient. – ***E*** fused salt electrolysis – ***F*** électrolyse ignée – ***I*** elettrolisi di sali fusi – ***S*** electrolisis de sales fundidas

Lit.: Hamann u. Vielstich, Elektrochemie, 4. Aufl., Weinheim: Wiley-VCH 1997 ▪ Spektrum Wiss. **1986**, Nr. 10, 162–165 ▪ Winnacker-Küchler (4.) **4**, 309–314, 332–335.

Schmelzen. Bez. für den Übergang eines Stoffes vom festen in den flüssigen *Aggregatzustand durch Zufuhr von therm. Energie (der umgekehrte Vorgang ist das *Erstarren* od. *Gefrieren*), wobei infolge zunehmender kinet. Energie der Teilchen deren Schwingungsamplitude so groß wird, daß die Gitterstruktur zusammenbricht. Im Gegensatz zu der Fernordnung von Teilchen innerhalb des *Kristallgitters fester Stoffe (von den amorphen, glasartigen sei hier ebensowenig wie von erweichenden statt schmelzenden Kunststoffen die Rede, vgl. dazu Glaszustand u. Schmelzpunkt) u. der ungeordneten Verteilung in Gasen liegt in einer S. eine Nahordnung vor[1], die sich durch statist. Angaben charakterisieren läßt[2]. Weitere physikal.-chem. Fragen im Zusammenhang mit dem S. werden bei *Schmelzpunkt, *Thermometrie u. *Umwandlungswärmen behandelt, u. man vgl. a. die hier wie dort benachbarten Stichwörter.

S. ist ein aus Natur, Haushalt u. Technik geläufiges Phänomen; *Beisp.:* Schnee u. Eis, Lavafluß, Speiseeis, Bleißgießen, Hochofen, Salzperlen, Schmelzelektrolyse. In der Technik, z. B. bei der Pulvermetallurgie, verzichtet man bewußt auf das S. u. begnügt sich mit dem *Sintern. Ebenso wie die *Umkristallisation kann auch das *Um-S.* zur *Reinigung von Stoffen, bes. von Metallen, Leg. u. Stählen, angewendet werden (s. a. normales Erstarren), wobei man sich z. B. der Elektronenstrahltechnik, der Lichtbogen od. der Plasmastrahlen bedienen kann. Hierfür u. für andere Zwecke eignen sich z. T. auch *Salzschmelzen. Eine bekannte Reinigungsmeth. ist das **Zonenschmelzen*[2], eine weniger bekannte die sog. *Schmelzkristallisation*[3]. Mit Hilfe des sog. *Reaktions.-* od. des *Vak.-S.* erreicht man in der Metallurgie z. B. die Entfernung von Verunreinigungen, die Anreicherung bestimmter Metalle, die Entschwefelung z. B. von Roheisen od. die Red. von Metall-Verb. zu Metallen. Um Fehler in Metallschmelzen (*Beisp.:* Bären od. *Ofensauen) od. Gußstücken (z. B. *Lunker) zu vermeiden, bedient man sich in der *Gießerei-Technik bestimmter *Schmelzbehandlungsmittel.* Bes. Techniken muß man anwenden, wenn man metall. Werkstoffe aus der Schmelze durch *Abschrecken in den glasartigen Zustand bringen will (Metglas, s. amorphe Metalle); zur RSP-Technik (von *E rapid solidification processing*) s. *Lit.*[4,5]. Ungewöhnliches Verhalten zeigen Schmelzen im Zustand der Schwerelosigkeit[6]. Andere Besonderheiten zeigen manche Schmelzen beim *Erstarren: *Unterkühlung, *Spratzen od. akust. Phänomene[7], d. h. *Ultraschall-*Emissionen. – ***E*** melting, fusion – ***F*** fusion – ***I*** fusione – ***S*** fusión

Lit.: [1] Angew. Chem. **77**, 614–618 (1965). [2] Schildknecht, Zonenschmelzen, Weinheim: Verl. Chemie 1964. [3] Chem. Ind. (Düsseldorf) **38**, 34–37 (1986). [4] Flinn, Rapid Solidification Technology..., Park Ridge: Noyes 1985. [5] Kear et al., Rapidly Solidified Amorphous and Crystalline Alloys bzw. Metastable Materials (2 Bd.), Amsterdam: Elsevier 1982, 1984. [6] Naturwissenschaften **73**, 376–399 (1986). [7] Nature (London) **325**, 40 (1987).

allg.: Borgstedt, Material Behavior and Physical Chemistry in Liquid Metal Systems, New York: Plenum 1982 ▪ Chimia **38**, 34–45, 65–75 (1984) ▪ Dealy, Rheometers for Molton Plastics, New York: Van Nostrand Reinhold 1982 ▪ Ellcott, Eutectic Soldification and Processing: Crystalline and Glassy Alloys, London: Butterworth 1983 ▪ Janeschitz-Kriegl, Polymer Melt Rheology and Flow Birefringence (Polymers 6), Berlin: Springer 1983 ▪ Kalia u. Vaskishta, Melting, Localization, and Chaos, Amsterdam: North-Holland 1982 ▪ Naturwissenschaften **69**, 472–478 (1982) ▪ Newton et al., Thermodynamics of Minerals and Melts, Berlin: Springer 1981 ▪ Nývlt et al., The Kinetics of Industrial Crystallization, Amsterdam: Elsevier 1985 ▪ Ogino, Catalysis and Surface Properties of Liquid Metals and Alloys, New York: Dekker 1987 ▪ Pahl, Praktische Rheologie der Kunststoffschmelzen u. Lösungen, Düsseldorf: VDI 1983 ▪ Pure Appl. Chem. **52**, 457–463 (1980) ▪ Sahm et al., Science and Technology of the Undercooled Melt, Dordrecht: Nijhoff 1986 ▪ Ubbelohde, The Molten State of Matter: Melting and Crystal Structure, London: Wiley 1978 ▪ Wunderlich, Crystal Melting (Macromol. Phys. 3), New York: Academic Press 1980.

Schmelzenthalpie s. Schmelzpunkt u. Schmelzwärme.

Schmelzflußelektrolyse s. Schmelzelektrolyse.

Schmelzindex. Nach DIN 53735: 1983-01 ein Maß für die *Schmelzviskosität* von *Thermoplasten. Der S. gibt die Menge Material an, die in 10 min unter der Wirkung einer festgelegten Kraft durch eine genormte Düse extrudiert wird (MFI). Je kleiner der S., um so größer die M_R u. damit in der Regel die mechan. Festigkeit. – ***E*** melt flow index – ***F*** indice de fluidité (fusion) – ***I*** indice di fusione – ***S*** índice de fluidez (fusión)

Lit.: Encycl. Polym. Sci. Technol. **8**, 587–619 ▪ Elias (5.) **2**, 381 ff. ▪ Melt Flow Indices for Thermoplastics and Elastomers (Report PB 81-869620), Springfield: NTIS 1981.

Schmelzkäse. Nach § 1, Absatz 4 der Käse-VO[1] wird S. aus *Käse durch Schmelzen unter Anw. von Wärme, auch unter Verw. von *Schmelzsalzen* (*Richtsalzen*) hergestellt. Erzeugnisse aus *Käse od. S., die unter Zusatz von Milcherzeugnissen od. beigegebener Lebensmittel hergestellt werden, sind als *S.-Erzeugnisse* zu bezeichnen. Die Mindesttrockenmasse der einzelnen S.-Arten (streichfähig, schnittfest, aus Hartkäse hergestellt) u. die Fettgehaltsstufen sind der Anlage 2 der Käse-VO[1] zu entnehmen.
Herst.: Der feingemahlene, aus *Käsen verschiedener Sorten, Reifungsgrade u. unterschiedlichem Fettgehalt gemischte Rohkäse wird mit *Schmelzsalzen* homogenisiert, in Vakuumkesseln geschmolzen, maschinell abgefüllt u. verpackt. Einen Überblick zur Technologie gibt *Lit.*[2].
Als *Schmelzsalze* sind nach Anlage 3, Nr. 3 der Käse-VO[1] die Natrium- u. Kalium-Salze der *Ascorbinsäure, die Natrium- u. Calcium-Salze der *Milch- u. *Citronensäure (jeweils bis 4%) sowie Salze der Ortho-, *Di- u. *Polyphosphorsäure (bis 2%) zugelassen. Als *Kochsalz-Ersatzmittel darf *Kaliumchlorid u. als Dickungsmittel die unter 3 f) genannten Erzeugnisse verwendet werden. Aufgabe der Schmelzsalze ist es, das im Käse vorhandene Calcium zu komplexieren u. das *Casein in einer kolloidal gelösten Form als *Emulsion in Wasser zu stabilisieren[3]. Analog wird *Kochkäse* aus *Quark hergestellt, wobei außer den Schmelzsalzen noch bis 2% $NaHCO_3$ u. $CaCO_3$ zugesetzt werden dürfen (s. a. Quark).
Analytik: Zur Untersuchung von S. (Fettgehalt, Trockenmasse, Chlorid, Keimzahl, Staphylokokken) sind die *Methoden nach § 35 LMBG L 03.42-1 bis L 03.42-5 anzuwenden. Zur Bestimmung u. dem Gehalt an *biogenen Aminen s. *Lit.*[4]. Zur Bestimmung von Festigkeit u. Streichfähigkeit (zwei qualitätsrelevanten Parametern) s. *Lit.*[5]. Produktionszahlen (BRD, 1997): 154003 t. – ***E*** cheese spread, soft cheese – ***F*** fromage fondu – ***I*** formaggio fondente – ***S*** queso fundido (sin corteza)
Lit.: [1] Käse-VO vom 14. 4. 1986 in der Fassung vom 3. 2. 1997 (BGBl. I, S. 144). [2] Berger et al., Die Schmelzkäseherstellung (JOHA Leitfaden), Ladenburg: Benckiser-Knapsack 1989; Vollmer et al., Lebensmittelführer (2.), Bd. 1, S. 55 f., Stuttgart: Thieme 1995. [3] Fachgruppe Lebensmittelchemie in der *GdCh (Hrsg.), Phosphate, Hamburg: Behr 1983. [4] Mitt. Geb. Lebensmittelunters. Hyg. **81**, 82–105 (1990). [5] Z. Lebensm. Unters. Forsch. **194**, 531–535 (1992).
allg.: Baltes, Lebensmittelchemie (4.), Berlin: Springer 1995 ▪ Belitz-Grosch (4.), S. 405 ▪ Spreer, Technologie der Milchverarbeitung, S. 385–398, Hamburg: Behr 1995 ▪ Ullmann (5.) **A 6**, 168; **A 11**, 577 ▪ Vollmer et al., Lebensmittelführer (2.), Bd. 2, S. 91 f., Stuttgart: Thieme 1995 ▪ Zipfel, C 277. – *[HS 0406 30]*

Schmelzkegel s. Segerkegel.

Schmelzkitte s. Kitte.

Schmelzklebstoffe. Bei Raumtemp. feste, Wasser- u. Lsm.-freie *Klebstoffe, die auf die zu verklebenden Teile aus der Schmelze aufgetragen werden u. nach dem Zusammenfügen beim Abkühlen unter Verfestigung physikal. abbinden (*Heiß-* od. *Warmklebstoffe*, vgl. a. Heißsiegelklebstoffe). Rohstoffbasis der S. sind u. a. die Polymere *E/EA, *E/VA, *PA, *PES, *PIB od. *PVB, die vielfach zusammen mit Natur- od. Synth.-Harzen u./od. Paraffinen bzw. Mikrowachsen eingesetzt werden. Nachteil der S. ist, daß die Temp.-Beständigkeit der mit ihnen hergestellten Verbunde nach oben durch ihren Schmelzbereich limitiert ist. Diesem Nachteil versucht man durch Entwicklung nachvernetzender S. zu begegnen.
Verw.: Zum Kleben u. Kaschieren in der Möbel-, Schuh-, Elektro- u. Verpackungs-Ind. u. zum Binden von Büchern. – ***E*** hot melt adhesives – ***F*** colle à fusion – ***I*** adesivi di fusione – ***S*** adhesivos termofusibles
Lit.: Bateman, Hot Melt Adhesives, Park Ridge: Noyes 1978 ▪ Elias (5.) **2**, 704 ff. ▪ Jordan, Schmelzklebstoffe (3 Bd.), München: Hinterwaldner 1985–1987 ▪ Ullmann (4.) **14**, 236 ff.; (5.) **A 1**, 233–235.

Schmelzkristallisation s. Schmelzen.

Schmelzkühlung s. Ablationskühlung.

Schmelzlacke s. Schmelzmassen.

Schmelzlegierungen. Leg. aus Mehrstoffsyst. der Elemente Bi, Cd, In, Pb u. Sn, die aufgrund einer (annähernd) eutekt. Zusammensetzung einen extrem niedrigen Schmp. haben, in der Regel <100 °C. S. werden entweder als *Lote zur Verb. metall. Bauteile od. mit der Funktion therm. Sicherungen (*Schmelzsicherungen*) verwendet. – ***E*** fusible (low melting) alloys – ***F*** alliages fusibles – ***I*** leghe di fusione – ***S*** aleaciones fusibles
Lit.: ASTM B 774-95 ▪ Ullmann (5.) **A 15**, 246 (Pb).

Schmelzmagnesia s. Magnesiumoxid.

Schmelzmassen (Heiß- od. Schmelztauchmassen). Aus Filmbildnern wie Naturharzen, abgewandelten Natur- u. Kunstharzen, Kunststoffen mit od. ohne Zusatz von Weichmachern, Bindemitteln usw. bestehende, schmelzbare, thermoplast. Massen (*Heißschmelzmassen; s. a. Schmelzbeschichtung, Schmelztauchen), mit denen man durch verschiedene Auftragsverf. wie Tauchen, Gießen, Spritzen od. Walzen, Korrosions-verhindernde *Schutzhäute (Schmelzlacke) auf den verschiedensten Werkstoffen erzeugen kann. Die S. dienen entweder als Dauerschutzmittel gegen *Korrosion bei Rohren, Erdleitungen, Kabeln, Beton-Bauteilen für Kläranlagen, Schwimmbecken, Brücken, Holz u. a. Materialien od. als vorübergehender Schutz für Metallteile während Lagerung, Transport u. Verarbeitung, von denen sie nach Erfüllung ihrer Funktion als Schutzhäute wieder abgezogen werden können. – ***E*** hot dip coatings – ***F*** masse (matière) fondue, laque fusible – ***I*** masse fuse – ***S*** lacas de fusión

Schmelzmullit s. Mullit.

Schmelzphosphate. Ebenso wie *Glühphosphate* od. *Sinterphosphate* wenig aussagekräftige Bez. für verschiedene *kondensierte Phosphate u./od. *Polyphosphate v. a. des Ca u. Na, für die auch noch Namen wie Grahamsche, Kurrolsche u. Maddrellsche Salze gebräuchlich sind; selbst Phosphatdüngemittel wie *Thomasmehl werden als S.- od. Glühphosphate bezeichnet. – ***E*** fused phosphates – ***F*** phosphates fondus – ***I*** fosfati fusi – ***S*** fosfatos fundidos
Lit.: s. kondensierte Phosphate u. Polyphosphate.

Schmelzpigmente s. keramische Pigmente.

Schmelzpolykondensation. Bez. für eine *Polykondensation, die in der Schmelze durchgeführt wird.
Lit.: s. Polykondensation.

Schmelzpunkt (Abk. Schmp., Fp. od. *F.*, von *Fusionspunkt* abgeleitet). Bez. für diejenige Temp., bei der die flüssige u. die feste Phase eines Stoffes bei normalerweise 1013 hPa Druck im thermodynam. Gleichgew. stehen. Im Sinne dieser Definition ist der S. ident. mit dem *Gefrierpunkt* bzw. dem **Erstarrungspunkt*, sofern man im letzten Falle vom Auftreten von *Unterkühlungs-Erscheinungen absieht. Tatsächlich verwendet man die Bez. S. in der Praxis jedoch meist nur für den Übergangspunkt vom festen in den flüssigen Zustand, nicht jedoch für die damit ident. Temp., bei der der Übergang in umgekehrter Richtung erfolgt. Am S. geht somit ein Stoff vom geordneten festen in den ungeordneten flüssigen Zustand über (*Schmelzen), d. h. die mit steigender Temp. zunehmende Amplitude der Schwingungen der Teilchen wird hier so groß, daß das Gittergefüge zerstört wird. Die dabei aufgenommene Wärmemenge bezeichnet man als *Schmelzwärme* od. *Schmelzenthalpie* (vgl. Umwandlungswärme, Enthalpie u. die Beisp. mit Abb. bei Thermometrie). Die Schmelzenthalpie unterscheidet sich von der beim *Erstarren abgegebenen Erstarrungswärme lediglich im Vorzeichen u. ist druck- u. temperaturabhängig. Dies gilt auch für den S., dessen Druckabhängigkeit durch die *Clausius-Clapeyronsche Gleichung wiedergegeben wird. Gewöhnlich steigt der S. bei Druckzunahme an, jedoch existieren Ausnahmen, wo der S. mit steigendem Druck *sinkt*; *Beisp.:* Wasser. Dieses zeigt auch – ebenso wie Si, Ga, Ge, Bi, Wood-Metall – eine weitere *Schmelzanomalie*: Es hat oberhalb seines S. eine höhere D. als im festen Zustand, dehnt sich also beim Erstarren aus.
Bei vielen reinen Stoffen lassen sich (ebenso wie die *Siedepunkte) die S. mit großer Genauigkeit bestimmen, da hier während der Wärmezufuhr die Temp. über ein bestimmtes Zeitintervall konstant bleibt (*Haltepunkt*, s. die Abb. bei Thermometrie). Wenn sich Substanzen beim Schmelzen chem. verändern, so spricht man nicht von S., sondern von *Zersetzungspunkt.* Bei den amorphen, glasartigen Stoffen gibt es keinen bestimmten S., da hier *Kristallgitter fehlen. Man kann solche Stoffe als Flüssigkeiten mit großer innerer Reibung auffassen: Mit wachsender Temp. nimmt diese stetig ab, daher gibt es hier nur ein breiteres *Schmelzintervall*, in dem der amorphe Körper allmählich weich u. flüssig wird; *Beisp.:* Glas, Harze. Hier wie bei makromol. Stoffen spricht man demzufolge statt von S. von *Erweichungspunkt bzw. – für den Übergang Schmelze→*Glaszustand – von Glas(umwandlungs)temp. od. *Glasübergangstemperatur. Verwandte Erscheinungen beobachtet man im Schmelzverhalten von Fetten, Salben, Cremes od. Suppositorienmassen; in solchen Fällen zieht man zur Charakterisierung den *Erstarrungspunkt, den sog. Steig-S. (s. Schmelzpunktbestimmung) u. den *Tropfpunkt heran [1]. *Flüssige Kristalle zeigen ebenfalls ein anderes Verhalten: Sie schmelzen zu einer trüben Flüssigkeit, die erst am sog. *Klärpunkt* klar durchsichtig wird. Es sind auch Substanzen bekannt, die aufgrund mol. Umwandlungen erst *sintern, dann wieder fest werden u. bei noch höherer Temp. erneut schmelzen. Bei manchen Substanzen erfolgt der Phasenübergang vom festen unter Umgehung des flüssigen Zustandes direkt in den gasf.: *Sublimation. Bei α-*Schwefeltrioxid liegt der S. über dem Siedepunkt. Da der S. eines reinen Stoffes für diesen charakterist. ist, kann er mit zu dessen *Identifizierung dienen, s. unten, Näheres zur S.-Bestimmung s. im folgenden Stichwort.
Im allg. liegen die S. der anorgan. Salze sehr viel höher als diejenigen der organ. Verb., während bei den Elementen die S. in allen Temp.-Bereichen zu finden sind: Von –272,2 °C (Helium unter 2,6 MPa Druck) bis über +3550 °C (Kohlenstoff). Weitere *Beisp.* (S. in °C in Klammern): Natriumnitrat (307), wasserfreies Natriumsulfat (884), wasserhaltiges Natriumsulfat (32,38), Weißer Phosphor (44,1), Silber (960,5), Kupfer (1083), Eisen (1535), Wasser (0), Ethanol (–114,5), Benzol (5,5), Essigsäure (16,6), Benzoesäure (122,4), Phenol (43), 2,4,6-Trinitrophenol (Pikrinsäure, 122–123), Anilin (–6,3, das Hydrochlorid bei 198 u. das Pikrat bei 181); während Harnsäure nicht unzersetzt schmelzbar ist, schmilzt 1-Methylharnsäure bei 400 °C. Niedrigschmelzende Metalle sind: Hg (–38,87), Cs (28,5), Ga (29,78), Rb (38,7), K (63,65), Na (97,8), In (156,61), Li (181), Sn (231,89), Bi (271,3), Tl (303,5), Cd (321), Pb (327), Zn (419,5), Sb (630,5), Mg (651), Al (660,24). Als eutekt. Gemische (s. unten) zeichnen sich manche *Schmelzlegierungen mit S. <100 °C aus. Die Gase haben einen sehr niedrigen S.; so schmilzt z. B. Wasserstoff bei –262 °C, Stickstoff bei –210 °C, Schwefeldioxid bei –75,7 °C. Den bisher höchsten S. bei Metallen hat man bei Wolfram (3422 °C), den überhaupt höchsten beim Hafniumcarbid (4160 °C) festgestellt. Bestimmte organ. Verb. dienen aufgrund ihrer scharfen u. reproduzierbaren S. als Eichsubstanzen in Apparaturen zur *Schmelzpunktbestimmung, u. natürlich sind auch die *Temperaturskalen selbst durch S. (Fixpunkte) abgesichert. Eine Reihe von Metalloxiden sind von der IUPAC als Standards vorgeschlagen worden [2]. In der Technik verwendet man gelegentlich – wenn andere Meth. impraktikabel sind – Substanzen mit definiertem S. zur *Temperaturmessung, z. B. *Segerkegel.
Da bei Gemischen aus zwei od. mehr Substanzen der S. meist niedriger liegt als der der reinen Komponenten (vgl. a. Eutektikum u. Raoultsche Gesetze), kann man diese *S.-Erniedrigung* – die als *Gefrierpunktserniedrigung* zur *Molmassenbestimmung (*Kryoskopie*) dient – zur Reinheitsbestimmung u. *Identifizierung ausnutzen (z. B. für *Konstitutions-Beweise): Hat ein Stoff A einen bestimmten S., ein unbekannter Stoff X den gleichen od. einen ähnlichen S., ein Gemisch aus etwa gleichen Teilen der beiden Substanzen dagegen einen deutlich tieferen S., so sind A u. X chem. verschieden; schmilzt dagegen das Gemisch ebenfalls bei der Temp. wie A, so sind A u. X chem. identisch. Diese Bestimmung des sog. *Misch-S.* ist eine häufig angewandte Laboratoriumsmethode. Die graph. Darst. der Abhängigkeit des S. von der Zusammensetzung eines Stoffgemisches bezeichnet man als *Schmelzdiagramm*; *Beisp.* für solche *Zustandsdiagramme (ge-

nauer: *Phasendiagramme*) findet man bei *Eutektikum u. bei *Phasen (mit Liquidus- u. Soliduskurven). Als *kongruenten S.* bezeichnet man den S. einer Verb., die in der Schmelze in zwei Komponenten zerfällt, wenn die feste u. die flüssige Phase die gleiche Gleichgew.-Zusammensetzung haben. Ein *inkongruenter S.* liegt im Falle eines Zweikomponentensyst. vor, das eine Verb. bildet, die bereits unterhalb ihres S. wieder in die beiden Komponenten dissoziiert, u. zwar handelt es sich um diejenige Temp., bei der die feste Form der Verb. mit der aus den beiden Komponenten bestehenden Schmelze sowie mit einer der festen Komponenten od. mit der festen Form einer anderen aus den beiden Komponenten gebildeten Verb. im Gleichgew. steht. Syst. mit inkongruent schmelzenden Verb. bilden ein sog. *Peritektikum. Kühlt man umgekehrt eine peritekt. Schmelze ab, dann lösen sich die zuerst ausgeschiedenen Krist. bei weiterer Temp.-Absenkung in der Schmelze zunächst wieder auf. – ***E*** melting point – ***F*** point de fusion – ***I*** punto di fusione – ***S*** punto de fusión

Lit.: [1] DAB **9**, 123–128; Hager **1**, 61–83. [2] Pure Appl. Chem. **54**, 681–688 (1982).
allg.: Brauer (3.) **1**, 124 ▪ Helv. Chim. Acta **67**, 1972–1988 (1984) ▪ *Landolt-Börnstein NS **4/5 a** ▪ Pure Appl. Chem. **57**, 1407–1426 (1985) ▪ Snell-Hilton **2**, 511–516.

Schmelzpunktbestimmung. Allg. die Messung des *Schmelzpunkts einheitlicher Stoffe bzw. der Schmelzintervalle (s.a. Erweichungspunkt) amorpher Stoffe, Gläser, Harze, Kunststoffe etc. Die S. hochschmelzender Stoffe (z.B. mit Pyrometern, s.a. Temperaturmessung) od. bei Temp. <–100 °C ist nicht so einfach durchführbar[1] wie die S. niedrigschmelzender Stoffe, auf die sich die folgenden Erörterungen beschränken. Im Laboratorium erfolgt die S. insbes. der organ. Verb. meist in einseitig (bei sublimierenden Substanzen beidseitig) zugeschmolzenen Kapillaren (Glasröhrchen mit ca. 1 mm lichter Weite u. 0,1–0,2 mm Wanddicke), in die die feingepulverte Substanz bis zu einer Schichthöhe von 2–3 mm eingefüllt wird. Die Probe wird unter ständiger Beobachtung – möglichst mittels Mikroskop od. Lupe – in einem Heizbad od. -block mit Thermometer mit einer bestimmten Geschw. aufgeheizt. Die Temp. des *Schmelzens* der Probe nach evtl. vorhergehendem *Sintern wird am Thermometer abgelesen, wobei ggf. eine sog. *Fadenkorrektur* berücksichtigt werden muß – bei heutigen geeichten Thermometern ist dies oft nicht mehr nötig bzw. wird durch Eichen umgangen. Als Schmelztemp. sollte im thermodynam. Sinne diejenige Temp. gelten, bei der – auch bei längerer Beobachtungszeit – die bereits erstarrten Krist. innerhalb der Schmelze weder wachsen noch schrumpfen. Welche Temp. als die „wirkliche" Schmelztemp. zu betrachten ist, wird jedoch recht unterschiedlich beurteilt[2].

Häufig verwendete Anordnungen sind die Apparaturen nach *Thiele* (s. Abb. 1), die heute jedoch weitgehend durch *Heiztisch*-Apparaturen nach *Kofler* (s. Abb. 2), Tottoli od. Culatti u.a. Anordnungen[3] verdrängt sind. Als Wärmeüberträger diente früher konz. Schwefelsäure, heute werden Siliconöle bzw. Kupfer- od. Aluminium-Blöcke eingesetzt. Die *Koflersche Heizbank ist bes. zur Schnellbestimmung geeignet. Bei der Bestimmung im Heizblock bzw. Heiztisch ist ein Thermometer in einer seitlichen Bohrung der Heizplatte angebracht, das mit Hilfe geeigneter Testsubstanzen geeicht wird. Eichsubstanzen z.B. nach Reichert sind (in Klammern die jeweiligen Schmelztemp. in °C): 2-Naphthylethylether (35), Azobenzol (68), Benzil (95), Acetanilid (115), Phenacetin (134,5), Benzanilid (163), Dicyandiamid (210) u. Saccharin (228). Zur Bestimmung des *Misch-Schmp.* (vgl. Schmelzpunkt) bringt man gleiche Mengen der beiden Substanzen auf einem Objektträger mit Hilfe des Deckgläschens in innige Berührung. Bei Fetten, Salben u. dgl. bestimmt man den *Steig-Schmp.* als diejenige Temp., bei der die Probe, die sich in einer beiderseits offenen, in ein Wasserbad eingehängten Kapillare befindet, im Glasröhrchen zu steigen beginnt[4]. Moderne Apparaturen bedienen sich der Differenzthermoanalyse (s. Differentialthermoanalyse) u. zur Temp.-Messung z.B. eines Thermoelementes, das direkt in die Substanzprobe eingeführt werden kann, wodurch Temp.-Differenzen zwischen Heizvorrichtung (Bad, Block) u. Probe entfallen. Dadurch erübrigt sich die Eichung des Thermometers, u. die Aufheizung kann fast beliebig schnell erfolgen. Das elektr. Signal des Thermoelementes wird auf einem Schreiber gegen die Zeitachse aufgetragen. Während des Schmelzvorgangs bleibt bei reinen Stoffen die Temp. vorübergehend konstant, weil die zugeführte Wärmemenge vollständig zur Phasenumwandlung verbraucht wird (Abb. s. bei Thermometrie). Erst danach steigt die Temp. weiter, so daß die Temp.-Kurve eine Unstetigkeit aufweist, aus der der Schmp. abgelesen werden kann. Man erhält so sehr genaue Schmelzkurven, aus denen sich Phasenumwandlungen 1. Art, z.B. auch Kristallumwandlungen, direkt erkennen lassen.

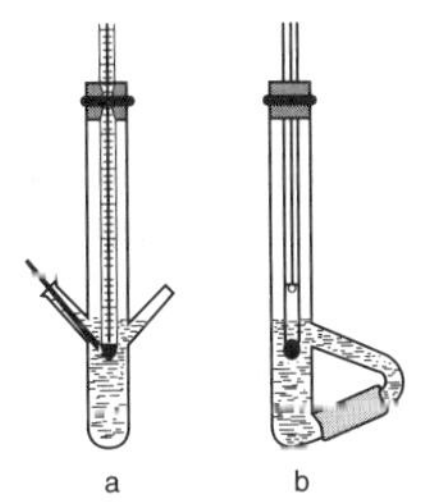

Abb. 1: Einfache Schwefelsäure-Schmelzpunktapparatur nach *Thiele* mit Substanzprobe; (a) von vorne, (b) von der Seite gesehen (nach *Lit.*[5]).

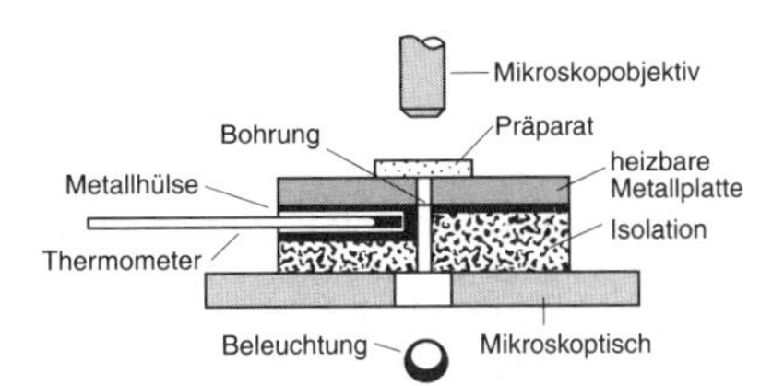

Abb. 2: Prinzip eines Heiztisches nach *Kofler* (Präparat = Objektträger + Probe + Deckglas; nach *Lit.*[6]).

– ***E*** melting point determination – ***F*** détermination du point de fusion – ***I*** determinazione del punto di fusione – ***S*** determinación del punto de fusión

Lit.: [1] Helv. Chim. Acta **67**, 1972–1988 (1984). [2] Chem. Labor Betr. **29**, 85 f., 456 ff. (1978); **30**, 48, 106–110, 200, 235 f. (1979); **31**, 95 (1980). [3] Hager **1**, 61–83. [4] DAB **9**, 123–128. [5] Gattermann, Wieland u. Meyer, Die Praxis des organischen Chemikers, Tl. 1, S. 132, Berlin: de Gruyter 1972. [6] Ein Baukastensystem zur Bestimmung thermischer Kennzahlen, Greifensee: Mettler 1971.

Schmelzsalze s. Schmelzkäse.

Schmelzschweißen s. Schweißverfahren.

Schmelzsicherungen. In automat. Feuer-(Wärme-) Meldern, zum Schutz elektr. Leitungen od. empfindlicher Apparaturen in den Stromkreis eingebaute Stromunterbrecher, die aus einem kurzen Stück Draht einer *Schmelzlegierung (dem sog. *Schmelzleiter*) bestehen, der bei bestimmten Grenzstromstärken od. – bei Feuermeldern – bestimmten Grenztemp. durchschmilzt, was den Stromkreis unterbricht u. ggf. *Sprinkleranlagen in Betrieb setzt. – ***E*** fusible cutouts – ***F=S*** fusibles – ***I*** fusibili, valvole fusibili – *[HS 8535 10, 8536 10]*

Schmelzspinnen s. Spinnen.

Schmelzsteine (schmelzgegossene Steine, Vitrokerame). Aus elektr. geschmolzenen Rohstoffen in Formen gegossene Steine als feuerfeste Auskleidung von Glaswannen, z. B. Quarzgut-, Zirkonkorund-, Korund- u. Chrommagnesiasteine. – ***E*** melt stones – ***F*** pierres fondues dipyre – ***I*** pietre di fusione – ***S*** piedras fundidas

Lit.: Winnacker-Küchler (4.) **3**, 210.

Schmelztauchen. Auch als *Metallschmelzbehandlung* bezeichnete Herst. von Metallüberzügen auf anderen Metallen, bes. auf Eisen u. Stahl, durch Eintauchen des mit einem *Flußmittel, z. B. $ZnCl_2$ u. NH_4Cl, vorbehandelten Werkstücks in die Schmelze des Überzugsmetalls. Diese bildet nach dem Herausnehmen eine rasch erstarrende, zusammenhängende Metallschicht auf der Oberfläche der Teile. Der Überzug ist mit dem Grundwerkstoff durch Leg.-Bildung fest verwachsen. Die gebräuchlichsten Verf. des S. sind das *Sendzimir-Verfahren u. die sog. Feuerverzinkung (s. a. Verzinken), Feueraluminierung u. Feuerverzinnung (s. a. Verzinnen). – ***E*** hot dip metal coating – ***F*** revêtement par immersion à chaud – ***I*** rivestimento metallico tramite immersione a caldo – ***S*** recubrimiento por inmersión en caliente

Lit.: Ullmann (5.) **A 25**, 171 ff. ▪ Winnacker-Küchler (4.) **4**, 683–684.

Schmelztauchmassen s. Schmelzmassen.

Schmelztuff s. Ignimbrit.

Schmelzviskosität s. Schmelzindex.

Schmelzwärme (Schmelzenthalpie). Wärmemenge, die am jeweiligen *Schmelzpunkt zum Übergang vom festen in den flüssigen Zustand benötigt wird; s. a. Umwandlungswärme. – ***E*** heat of fusion – ***F*** chaleur de fusion – ***I*** calore latente di fusione – ***S*** calor de fusión

Schmer (Flomen, Liesen). Bauchwandfett von Schweinen, wird meist zu *Schmalz verarbeitet.

Lit.: Prändl, Fleisch, S. 228, 231, Stuttgart: Ulmer 1988. – *[HS 0209 00]*

Schmerfluß s. Seborrhöe.

Schmerzmittel. Schmerz ist ein häufiges Krankheitssymptom, hat Warnfunktion u. wird als unangenehm empfunden. Schmerzempfindlich sind Haut, Schleimhaut u. viele Körperorgane u. -gewebe. Man unterscheidet *somat.* von *viszeralem* (Eingeweide-) Schmerz; ersterer wird nochmals unterteilt in *Oberflächen-* u. *Tiefenschmerz.* Schmerzrezeptoren (*Nozizeptoren) nehmen den Reiz auf u. bestimmte Nervenfasern leiten ihn über das Rückenmark zum Gehirn. Bei Gewebeverletzungen werden Schmerzstoffe frei (Wasserstoff-Ionen, *Histamin, *Acetylcholin, *Kinine, *Prostaglandine), für die Weiterleitung ist die *Substanz P wichtig. *Endorphine können im Zentralnervensyst. (ZNS) die Reizweiterleitung erschweren (schmerzhemmendes Syst.).

Zur Schmerzbekämpfung bieten sich folgende medikamentöse Ansatzpunkte: 1. Hypnoanalgetika (*Opiate) stimulieren schmerzhemmende Endorphin-Rezeptoren. – 2. Leitungs-*Anästhetika unterbrechen die Weiterleitung des Reizes vom Ursprungsort zum ZNS. – 3. Oberflächen-*Anästhetika u. nicht-opioide *Analgetika hemmen die Schmerzentstehung – erstere durch Reizleitungsunterbrechung, letztere indem sie die Bildung von Prostaglandinen, die Schmerzstoffe sind, unterdrücken. – ***E*** anodynes, analgesics, pain relievers – ***F*** analgésiques – ***I*** calmanti, analgesici, anodini, sedativi – ***S*** anodinos, analgésicos

Lit.: Diener u. Maier, Das Schmerz Therapie Buch, München: Urban & Schwarzenberg 1997 ▪ Dtsch. Apoth. Ztg. **127**, 2747–2757 (1987) ▪ Lewis, Über den Schmerz, Basel: Brunnen-Verl. 1995 ▪ Waldvogel, Analgetika, Antinozizeptiva, Adjuvanzien, Berlin: Springer 1996 ▪ s. a. Analgetika. – *Serie:* Advances in Pain Research and Therapy, New York: Raven Press.

Schmid, Gerhard (1901–1981), Prof. für Physikal. Chemie u. Kolloidchemie, TH Stuttgart, Univ. Köln. *Arbeitsgebiete:* Chem. Wirkung des Ultraschalls, Membranpermeabilität, Elektrochemie der Stickstoff-Sauerstoff-Verbindungen.

Lit.: Kürschner (12.), S. 2799 ▪ Nachmansohn, S. 303, 337 ▪ Neufeldt, S. 101.

Schmidbaur, Hubert (geb. 1934), Prof. für Anorgan. u. Analyt. Chemie, TU München. *Arbeitsgebiete:* Chemie des Siliciums, des Phosphors u. des Golds, π-Komplexe der p-Block-Elemente, analyt. Chemie, Strukturchemie u. Spektroskopie anorgan. u. Metall-organ. Verbindungen.

Lit.: Kürschner (16.), S. 3242 ▪ Nachr. Chem. Tech. Lab. **30**, 308 f. (1982) ▪ Wer ist wer (36.), S. 1258.

Schmidt, G. C. s. Radioaktivität.

Schmidt, Gerhard M. J. (1919–1971), Prof. für Kristallographie, Weizmann Inst., Rehovoth (Israel). *Arbeitsgebiete:* Röntgenstrukturanalyse, organ. Festkörperchemie, Zwei-Phasen-Reaktionen, Topochemie, Photochemie, heterogene Katalyse, asymmetr. Synthese.

Lit.: Nachr. Chem. Tech. **19**, 435 f. (1971).

Schmidt, Max (geb. 1925), Prof. für Anorgan. Chemie, Univ. Würzburg, Marburg. *Arbeitsgebiete:* Hydride u. Komplexhydride, Reinherst. von Thioschwefelsäure, Polythionsäuren, Cycloschwefel, Selen, Phosphor, Bor, Metall-organ. Verbindungen.

Lit.: Kürschner (16.), S. 3259 ▪ Nachr. Chem. Tech. **20**, 414 (1972) ▪ Neufeldt, S. 254, 276 ▪ Wer ist wer (36.), S. 1265.

Schmidt, Richard R. (geb. 1935), Prof. für Organ. Chemie, Univ. Stuttgart u. Konstanz. *Arbeitsgebiete:* Organ. Chemie u. synthet. zelluläre Chemie: Cycloadditionen, Carbanionen, Kohlenhydrate – insbes. Synth. komplexer Glykokonjugate u. Membrankomponenten.
Lit.: Kürschner (15.), S. 4082.

Schmidt, Robert Emanuel (1864–1938), Chemiker, Bayer AG, Wuppertal-Elberfeld. *Arbeitsgebiete:* Anthrachinon-Farbstoffe (*Bohn-Schmidt-Reaktion), Alizarincyanine, Chinizarin, Benzoyl-Farbstoffe, Algol-Farbstoffe usw.
Lit.: Pötsch, S. 383 ▪ Strube et al., S. 134 f.

Schmidt-Reaktion. Von K. F. Schmidt beschriebene Reaktion, bei der Carbonyl-Verb. mit Stickstoffwasserstoffsäure in Ggw. starker Mineralsäuren zu Stickstoff-Verb. umgelagert werden. Aus Carbonsäuren entstehen Amine (s. Abb. a), aus Aldehyden Nitrile u. aus Ketonen Säureamide (s. Abb. b). Die S.-R. besitzt Ähnlichkeiten mit der *Curtius- u. *Beckmann-Umlagerung.

a: HN_3 $\xrightarrow[-H_2O]{+R^1\text{–COOH}/H^+}$ $R^1(HO)C{=}N\text{–}\overset{+}{N}{\equiv}N$ $\xrightarrow{-N_2}$ $HO\text{–}\overset{+}{C}{=}N\text{–}R^1$ $\xrightarrow{-H^+,\ +H_2O}$ $R^1\text{–NH–COOH}$ (Carbamidsäure) $\xrightarrow{-CO_2}$ $R^1\text{–NH}_2$

b: HN_3 $\xrightarrow[-H_2O]{+R^2\text{–CO–}R^3/H^+}$ $R^2(R^3)C{=}N\text{–}\overset{+}{N}{\equiv}N$ $\xrightarrow{-N_2}$ $R^3\text{–}\overset{+}{C}{=}N\text{–}R^2$ $\xrightarrow{-H^+,\ +H_2O}$ $R^3\text{–C(=O)–NH–}R^2$

Bei Aryl-alkyl-ketonen wandert im allg. der Aryl-Rest; cycl. Ketone ergeben *Lactame. – ***E*** Schmidt('s) reaction – ***F*** réaction de Schmidt – ***I*** reazione di Schmidt – ***S*** reacción de Schmidt
Lit.: Hassner-Stumer, S. 334 ▪ Krauch u. Kunz, Reaktionen der Organischen Chemie, 6. Aufl., S. 190, Heidelberg: Hüthig 1997 ▪ Laue-Plagens, S. 282 ▪ March (4.), S. 1093 ▪ Org. React. **3**, 307 (1946) ▪ Patai, The Chemistry of the Azido Group, S. 405, London: Wiley 1971 ▪ Russ. Chem. Rev. **47**, 1084–1094 (1978) ▪ Tetrahedron **36**, 1279–1300 (1980); **37**, 1283 (1981) ▪ Trost-Fleming **6**, 817 f.

Schmidtsche Doppelbindungsregel. Eine Doppelbindung in einer Kohlenstoff-Kette übt einen verstärkenden Einfluß auf die benachbarte, dagegen einen schwächenden auf die darauffolgende Einfachbindung aus. Bei Pyrolysen findet die Spaltung dieser schwächeren Bindung unter gleichzeitiger Verschiebung der Doppelbindung statt. – ***E*** Schmidt('s) double bond rule – ***F*** règle de la double liaison de Schmidt – ***I*** regola di doppio legame di Schmidt – ***S*** regla del doble enlace de Schmidt

Schmidt-Thomé, Josef (geb. 1909), Prof. für Biochemie, Univ. Tübingen u. Frankfurt, Hoechst AG (i. R.). *Arbeitsgebiete:* Steroide Keimdrüsenhormone, Cholesterin, Saponinhämolyse, Antibiotika, Blutersatzmittel.
Lit.: Kürschner (16.), S. 3270 ▪ Wer ist wer (36.), S. 1270.

Schmiedbarer Guß s. Temperguß.

Schmiedeeisen. Veralteter Begriff für verformbare (schmiedbare) Eisen-Leg. mit einem C-Anteil bis 2,06%. Diese Werkstoffe werden heute als *Stahl bezeichnet. – ***E*** wrought iron, forging steel – ***F*** fer de forge – ***I*** ferro battuto, ferro fucinato – ***S*** hierro forjable (maleable)

Schmieden. Wichtiges Verf. der *Metallbearbeitung zur *Warmverformung* metall. Werkstoffe wie z. B. Eisen, Aluminium, Magnesium, Leg. usw., bei dem der vorgewärmte Werkstoff durch *Stauchung* zwischen Schlag- u. Preßflächen verformt wird. Vom *manuellen* S. mit Hammer u. Amboß unterscheidet man das *Freiform-* u. das *Gesenkschmieden.* – ***E*** forging – ***F*** forgeage – ***I*** fucinatura – ***S*** forjado
Lit.: Spektrum Wiss. **1981**, Nr. 10, 32–41 ▪ Winnacker-Küchler (4.) **4**, 170.

Schmierfette. Zu den *Schmierstoffen zählende, feste bis halbflüssige Dispersionen eines Verdickungsmittels in einem flüssigen Schmiermittel (*Schmieröl); andere Zusatzstoffe zur Erzielung bes. Eigenschaften können eingearbeitet werden. S. sind kolloide *Nichtnewtonsche Flüssigkeiten. Bei ihrer Herst. werden die Verdickungsmittel (meist *Metallseifen, daneben aber auch organ. u. anorgan. Verdickungsmittel, wie z. B. Arylharnstoff, Kieselgel, Ton, Bentonit) in einem Schmieröl dispergiert. S. erhält man auch durch Verkochen von einer Mischung aus *Schmierölen mit Tran, Talg, Fettsäuren u. Verseifungsmitteln (z. B. Natronlauge, Kalk, Lithiumhydroxid) in einem einzigen Arbeitsgang. Die entstehende *Seife (Natrium-, Calcium- od. Lithium-Seife) ist dann im Schmieröl fein verteilt u. versteift das Öl zu einer pastösen Masse. Ein Getriebefett kann z. B. durch Erhitzen von 2,5% Talg, 0,5% festem Natriumhydroxid u. 97% Zylinderöl erhalten werden. Bei den *synthet.* S. werden als Dispersionsmittel (Grundöle) bevorzugt Diester, Polyester, Komplexester u. Siliconöl verwendet. Werden in diesem Falle als Verdickungsmittel Metallseifen zugemischt, so spricht man von *seifenverdicktem* bzw. *halbsynthet.* S.; bei Verw. von organ. od. anorgan. Verdickungsmitteln spricht man von *nichtseifenverdicktem* bzw. *vollsynthet.* Schmierfett. Schmierfähigkeit besitzen auch die sog. *Mineralfette* wie Vaseline u. ä. Kohlenwasserstoff-Gemische. Die *Konsistenz wird mittels Penetrometern (s. Penetration) gemessen. Die Konsistenzeinteilung der S. erfolgt nach NLGI-Klassen (NLGI: *N*ational *L*ubrication *G*rease *I*nstitute). – ***E*** lubricating greases – ***F*** graisse lubrifiante – ***I*** grassi lubrificanti – ***S*** grasa lubricante

Schmiermittel s. Schmierstoffe.

Schmieröle. Die sog. Mineral(schmier)öle werden in der Regel aus *Erdöl durch Dest. u./od. Raffination hergestellt. Die Herst. durch Schwelen von Schieferöl, Verkoken von Steinkohle, Dest. unter Luftabschluß von Braunkohle sowie Hydrieren von Stein- od. Braunkohle ist ebenfalls möglich. Zu einem geringen Anteil werden Schmieröle auch aus Rohstoffen pflanzlichen (z. B. aus *Jojoba, Raps) od. tier. (z. B. *Klauenöl) Ursprungs hergestellt. Infolge der veränderten umweltgesetzlichen Regelungen gewinnen seit einigen Jahren die S. auf pflanzlicher Basis, insbes. auf Rapsöl-Basis, wegen ihrer besseren biolog. Abbaubarkeit gegenüber den Mineralölen an Bedeutung. Gemische aus Mineralölen u. fetten Ölen (z.B. Walrat-, Knochen-, Klauen-, Woll-, Rüböl) heißen *Compoundöle*. Die *synthet. Öle* werden in Kohlenwasserstoff-Öle, die auch halogenierte Kohlenwasserstoff-Öle umfassen, u. Nichtkohlenwasserstoff-Öle eingeteilt. Zu letzterer Gruppe gehören *Polyalkylenglykole, u.a. *Polyether-Öle, Esteröle, v.a. Diesteröle, *Phosphorsäureester u. *Silicon-Öle. Synthet. Öle werden v.a. bei extremen Betriebsbedingungen verwendet. Handelsübliche Siliconöle können z.B. im Temp.-Bereich von –60 bis +250 °C eingesetzt werden. Die Viskositätseinteilung der *Motorenöle erfolgt nach *SAE-Viskositätsklassen, die der Ind.-S. nach ISO-Viskositätsklassen. Bes. niedrig viskose S. werden als **Spindelöle* bezeichnet. Durch Schwefelsäure-*Raffination hergestellte helle Öle, die in der pharmazeut. u. kosmet. Ind. verwendet werden, werden *Weißöle* (s. Schmierstoffe) genannt [1]. – ***E*** lubricating oils – ***F*** huiles lubrifiantes (de graissage) – ***I*** oli lubrificanti – ***S*** aceites lubricantes

Lit.: [1] Erdöl, Kohle, Erdgas, Petrochem. **39**, 408–414 (1986). – *[HS 2710 00]*

Schmierseifen s. Seifen.

Schmierstoffe (Schmiermittel). Sammelbez. für solche Stoffe, die die Reibung u. Beanspruchung sich gegen- od. aufeinander bewegender Maschinenteile vermindern. Sie verringern dadurch Energieverbrauch u. Materialverschleiß u. wirken ferner als Kühlmittel. S. kommen in allen drei Aggregatzuständen zur Anw., doch werden im wesentlichen flüssige S. (**Schmieröle*), halbflüssige od. feste Dispersionen (**Schmierfette*) u. die schuppenförmigen *Fest-S.* eingesetzt. Schmieröle u. Schmierfette werden häufig als *organ. S.* den *anorgan. Fest-S.* gegenübergestellt. Nach *Lit.* [1] werden zu den S. auch solche Mittel gezählt, die Kraft- od. Wärmeübertragung mit Schmierwirkung verbinden. Z.T. als Einzelstichwörter behandelte Beisp. für *Kraftfahrzeug-S., Ind.-S.* u. *Ind.-Sonder-S.* sind Motorenöle, Getriebeöle, Turbinenöle, Wälzlagerfette, Gleitlagerfette, Hydraulikflüssigkeiten, Pumpenöle, Wärmeübertragungsöle, Isolieröle, Schneidöle, Zylinderöle etc. Mit den in der *Metallbearbeitung verwendeten *Kühl-S.* können Gefährdungen am Arbeitsplatz verbunden sein, vgl. Techn. Regeln für Gefahrstoffe TRGS 901 (04/1997), laufende Nr. 72, Tl. 1. Weiter unterscheidet man *Neu-S.* als S. im Anlieferungszustand, d.h. unbenutzt u. gebrauchsfertig, *S. in Betrieb* als in Verw. befindliche, noch brauchbare S. (z.B. Öl im Umlauf einer Turbine od. im Ringschmierlager, Fett im Wälzlager), u. *Alt-S.* als gebrauchte, für den ursprünglichen Zweck nicht mehr brauchbare Schmierstoffe. Flüssige Alt-S. (*Altöle) können in vielen Fällen wiederaufgearbeitet werden; beim *Recycling können sich allerdings (eingeschleppte) *PCB od. *PAH anreichern (zur Bestimmung s. *Lit.* [2,3]). Für den beim Aufarbeiten od. bei der Weißöl-Herst. anfallenden *Säureteer gibt es noch keine Verwendung.

Übrigens bedürfen nicht nur Gleit- u. Wälzlagerungen in Apparaten u. Maschinen der Schmierung, sondern auch die im Kontakt gegeneinander bewegten Teile in Wirbeltieren. Beim Menschen übernehmen diese Funktion die Körper-*Schleime, in den Gelenken insbes. die *Synovialflüssigkeit.

Von guten S. erwartet man, daß sie frei von Säuren sind (s. Neutralisationszahl, NZ) u. auch bei längerem Gebrauch keine Säuren absondern (also keine Korrosion der von ihnen berührten Maschinenteile bewirken), an gleitenden Flächen gut haften, schwerflüchtig sind, an der Luft nicht verharzen u. sich bei den auftretenden Temp. nicht entzünden (hoher *Flammpunkt). Eine wesentliche Kenngröße der Schmieröle ist ihre *Viskosität: Für Schmierstellen, die stark schwankenden Temp. ausgesetzt sind, müssen Öle mit möglichst flacher Viskositäts-Temp.-Kurve verwendet werden (10° Temp.-Erhöhung senken die Viskosität auf die Hälfte bis auf ein Drittel); mit zunehmendem Druck steigt die Viskosität (50 MPa verdoppeln bis verdreifachen die Viskosität). Die Verbesserung der rheolog. Eigenschaften (s. Rheologie) u.a. Gebrauchseigenschaften kann durch *Additive erfolgen. Der *Stockpunkt als S.-Kenngröße ist heute durch den *Pourpoint abgelöst worden; über Mindestanforderungen für S. bei den verschiedenen Verw.-Zwecken, die Ermittlung des Bedarfs u. Verbrauchs, die Prüfbestimmungen s. *Lit.* [4].

Zur Qualitätsverbesserung werden den Schmierölen u. den anderen S. in geringen Mengen eine Reihe von meist Öl-lösl. Chemikalien zugefügt, die nach Menge u. Zusammensetzung genau auf die Art des Grundöles abgestimmt sein müssen. Zu diesen, im allg. als Einzelstichwörter behandelten *Additiven gehören: Alterungsschutzmittel, Antioxidantien u. Korrosionsschutzmittel (Inhibitoren), Netzmittel u. Dispergiermittel, Höchst- u. Hochdruck-Zusätze (sog. EP-Zusätze, von *E* extreme pressure; im allg. Schwefel-, Chlor- od. Phosphor-Verb.), Stockpunkt-Erniedriger, Verbesserer des Viskositätsindex (viskose langkettige Polymere), Schaumverhütungsmittel, sog. Schmierfähigkeitsverbesserer (v.a. tier. u. pflanzliche Fette, Öle u. Fettsäuren) u. Verschleißminderer (z.B. Phosphor- u. Thiophosphorsäureester sowie Polyester). Einige Öladditive vereinigen mehrere Funktionen in sich, z.B. die sog. HD-Zusätze (von *E* heavy duty) in S. für Verbrennungsmotoren (*HD-Öle*); zum mol. Wirkungsmechanismus der Additive s. *Lit.* [5,6]. Typ. Zusammensetzungen von Schmierölen (in Gew.-%): 0,1–1% Stockpunkterniedriger, 0,5–1% Viskositätsverbesserer, 0,4–2% Alterungsschutzmittel, 2–10% Detergentien, 5–10% Schmierfähigkeitsverbesserer, 0,0002–0,07% Schaumverhütungsmittel, 0,1–1% Korrosionsschutzmittel, Rest: Grundöl; weitere Details zum Aufbau von S. s. *Lit.* [7].

Schmieröle: s. dort.

Schmierfette: s. dort.

Fest-S.: Nach *Lit.* [8] beruht die Schmierwirksamkeit stark vereinfachend u. verallgemeinert darauf, daß die Fest-S. während der Reibung auf der beanspruchten Oberfläche angelagert werden u./od. diese so verändern, daß kein Verschweißen der aufeinandergleitenden Oberflächen eintritt. Je nach Art des Feststoffes u. der Reibungsbedingungen bildet sich durch die Anlagerung eine physikal. od. bei hohen Temp. chem. gebundene schmierwirksame Trennschicht zwischen den Gleitpartnern aus. Da zu den Fest-S. Substanzen der verschiedensten Art zählen, lassen sie sich nur schwer in ein Schema einordnen. Das folgende Klassifikationsschema, das auf der chem. u. physikal. Struktur dieser Substanzen beruht, ist aus *Lit.*[8] entnommen:

1. *Anorgan. feste S.:* a) Mit Schichtgitterstruktur: Graphit, Molybdändisulfid; – b) andere anorgan. Verb.: Bortrioxid, Bleimonoxid, bas. Bleicarbonat, Mennige, Gläser; – c) chem. Oberflächenschichten: Phosphat- (s. Phosphatieren), Oxid-, Sulfid-, Chlorid- u. Oxalat-Schichten.
2. *Metall-organ. u. organ. feste S.:* a) Kunststoffe (Trocken-S.): Polytetrafluorethylen; – b) Wachse, Fette, Seifen, Salze von Fettsäuren; – c) EP-Additive. Diese werden zu den Fest-S. gerechnet, da sie nur dann wirken, wenn sie mit der Metalloberfläche chem. reagiert haben. Die hierbei gebildeten Produkte sind mit den Oberflächen innig verbunden u. tragen somit in gleicher Weise wie Festschmierstoffe zur Verminderung der Reibung bei. – ***E*** lubricants – ***F*** lubrifiants – ***I*** lubrificanti – ***S*** lubri[fi]cantes

Lit.: [1]Winnacker-Küchler (4.) **5**, 147–151. [2]DGMK Forschungsber. **1985**, 387. [3]IARC Special Publ. **29**, 155–162 (1979). [4]DIN-Taschenbuch **20**, Mineralöl- u. Brennstoffnormen, Berlin: Beuth. [5]Z. Chem. **24**, 425–435 (1984). [6]Chem. Tech. **31**, 411–415 (1979). [7]Chem. Unserer Zeit **12**, 56–62 (1978). [8]Chem. Ztg. **89**, 339–349 (1965).

Schmierung. Teilgebiet der *Tribologie. S. bedeutet, die Reibung u. den *Verschleiß bei tribolog. Kontakten durch *Schmierstoffe als Zwischenstoffe senken. Die Folge ist eine Verminderung der Energieverluste. Je nach Ausbildung des Schmierfilms wird zwischen Voll-S. (lückenloser Schmierfilm zwischen den Gleitpartnern, hydrodynam. u. hydrostat. Schmierung) u. Teil- od. Mangel-S. (teils Schmierfilm, teils Festkörperkontakt) unterschieden. Während bei *Voll-S.* bis auf die Möglichkeit der Oberflächenzerrüttung kein Verschleiß auftritt, ist die *Teil- od. Mangel-S.* immer mit Verschleiß verbunden, wenngleich meist auch in wirtschaftlich vertretbarem Ausmaß. Die verwendeten Schmierstoffe werden an die Einsatzbedingungen angepaßt. *Schmieröle werden meist in gut abgedichteten geschlossenen Syst. (Schmierkreislauf, Gehäuse), *Schmierfette bei weniger gut abgedichteten Maschinenelementen (Wälzlager, Gleitlager, offene Getriebe, Führungen) u. Festschmierstoffe (s. Schmierstoffe) in Fällen mit starker Beanspruchung, bei denen Schmieröle u. Schmierfette nicht mehr ausreichen, eingesetzt (hohe Temp., hohe Belastung, niedrige Relativgeschw., Strahlenbelastung, Vak., Raumfahrt, Kerntechnik). – ***E*** lubrication – ***F*** lubrification – ***I*** lubrificazione – ***S*** lubrificación

Schminke. Im weiteren Sinne Bez. für alle Präp., die auf der Bühne, in der Manege u. in der dekorativen Kosmetik zur künstlichen Färbung von Haut, Lippen, Wimpern u. Augenbrauen dienen. Im engeren Sinne der *Make-ups versteht man unter S. Pigment-haltige Puder, Cremes od. Fonds zur Tönung der Haut; *Beisp.: Rouge* (meist als *Puder od. Fettstift), *Lidschatten* (s. Augenkosmetika). Da S. für längere Zeit auf der *Haut verbleiben, dürfen nur bestimmte *kosmet. Färbemittel* zur Pigmentierung eingesetzt werden (s. Kosmetika). – ***E*** make up – ***F*** maquillage – ***I*** trucco – ***S*** maquillaje

Lit.: Janistyn (2.) **3**, 835–897 ▪ Kirk-Othmer (4.) **7**, 599 ff. ▪ s. a. Kosmetik. – *[HS 3304. .]*

Schminkpuder s. Puder.

Schmirgel. Mittel- bis feinkörniges dunkles Gestein aus Korundkörnern (Al_2O_3, s. a. Aluminiumoxide) mit *Magnetit (Fe_3O_4) u. a. Mineralien. – ***E*** emery – ***F*** émeri[l] – ***I*** smeriglio – ***S*** esmeril

Schmirgelpapier s. Schleifmittel.

Schmitt, Rudolf (1830–1898), Prof. für Chemie, TH Dresden. *Arbeitsgebiete:* Carboxylierungen, z. B. Kolbe-Schmitt-Reaktion (s. Kolbe-Synthesen), Ameisensäure, Bernsteinsäure u. a. Fruchtsäuren, Phenole, Chinon-Derivate, Fluor-Substitutionsprodukte.

Lit.: Neufeldt, S. 50 ▪ Pötsch, S. 384.

Schmitz, Rudolf (geb. 1918), Prof. (emeritiert) für Geschichte der Pharmazie, Univ. Marburg. *Arbeitsgebiete:* Geschichte der Pharmazie, der Chemie u. der Botanik.

Lit.: Kürschner (16.), S. 3282.

Schmucksteine s. Edelsteine u. Schmucksteine.

Schmutz. Bez. für Verunreinigungen, die als fester *Pigment-S.* (z. B. Asche, Mineralien, Farbpigmente) od. – ggf. erst bei erhöhter Temp. – *flüssiger S.* (z. B. Öl, Fett, Teer) an Textilien od. harte Oberflächen gebunden sind. S. wird auch „Materie am falschen Ort" genannt. Der Erfolg von Waschen u. Reinigen hängt in hohem Maße von der S.-Art u. der Wechselwirkung S.–Substrat ab. Aus diesem Grund wurde ein breites Spektrum von Test-S. u. Testgeweben entwickelt. Zur S.-abweisenden Ausrüstung s. Soil-Release-Ausrüstung.

Lit.: Cutler u. Kissa (Hrsg.), Detergency – Theory and Technology, New York: Dekker 1987.

Schmutzträger s. Waschmittel.

Schmutzwasser. Laut § 2 *Abwasserabgabengesetz gelten „durch häuslichen, gewerblichen, landwirtschaftlichen od. sonstigen Gebrauch in seinen Eigenschaften veränderte u. das bei Trockenwetter damit abfließende Wasser" als S.; selbiges gilt für „die aus Anlagen zum Behandeln, Lagern u. Ablagern von Abfällen austretenden u. gesammelten Flüssigkeiten". Um *Abwasser handelt es sich, wenn z. B. kommunales S. mit verschmutztem Niederschlagswasser gemeinsam abgeleitet wird. Zu den Schmutzstoffen in S. s. *Lit.*[1]. – ***E*** sewage – ***F*** eau polluée – ***I*** acque di scarico – ***S*** agua contaminada (sucia)

Lit.: [1]Abwassertechnische Vereinigung (Hrsg.), ATV-Handbuch Biologische und weitergehende Abwasserreinigung (4.), S. 5–7, Berlin: Ernst 1997.
allg.: Pöppinghaus et al. (Hrsg.), Abwassertechnologie (2.), S. 25–226, Berlin: Springer 1994.

Schnecken. 1. Die S. bilden die ca. 85 000 Arten umfassende *Mollusken-Klasse der Gastropoda (Bauchfüßer) mit Abmessungen zwischen 1 mm u. 60 cm. Die zu Lande, im Süß- u. Meerwasser lebenden S. können getrenntgeschlechtlich od. Zwitter sein; ihr Blutfarbstoff ist ein *Hämocyanin. Die meisten S. sind Pflanzenfresser, doch kommen manche als Räuber u. Para-

siten vor; das Verdauungssekret enthält neben vielen anderen Enzymen Chitinasen. Der die Eingeweide umhüllende Mantel scheidet Calciumcarbonat in Form von Aragonit ab, der zusammen mit *Conchagenen das S.-Gehäuse aufbaut. Bei den sog. *Nackt-S.* ist die Kalkschale vollkommen zurückgebildet. Zum Schutz vor dem Austrocknen sondern die S. einen *Schleim ab, der Calciumcarbonat u. -phosphat, ggf. auch Phosphat-haltige Polysaccharide enthält. Unter den S., bes. unter den Meeresbewohnern, gibt es einige giftige Arten (s. Mollusken), u. nicht wenige sind Lästlinge, Pflanzen- od. Vorratsschädlinge od. Zwischenwirte für Krankheitserreger (*Beisp.:* *Schistosomiasis). Als *S.-Bekämpfungsmittel* (s. Molluskizide) werden unter der oft mit dem Firmennamen verbundenen Bez. „Schneckenkorn“ od. „Schneckentod“ Köder auf der Basis von Metaldehyd od. Mercaptodimethur eingesetzt. Sehr wirksam sind auch „Bierfallen“ (mit verd. Bier halbgefüllte, eingegrabene Einmachgläser). Zu den „Nützlingen“ gehören die *Purpur-S.* (*Murex, Purpura*) u. die *Weinberg-S.* (*Helix pomatia*), eine beliebte Delikatesse; 100 g ihres Fleisches enthalten 82 g Wasser, 15 g Eiweiß, 1 g Fett, 2 g Kohlenhydrate sowie auffällig viel Mg (250 mg); vorhandenes *Lektin wird beim Erhitzen zerstört. Die Schalen der Kauri-S. dienten in Teilen der Südsee u. Afrikas als Zahlungsmittel.
2. Von der gewundenen Form des S.-Gehäuses abgeleitet bezeichnet man als S. auch einen Bauteil von Extrudern, s. die Abb. bei Extrudieren. – ***E*** snails, slugs – ***F*** escargots – ***I*** chiocciole, lumache – ***S*** caracoles

Lit. (zu 1.): Bogon, Landschnecken, Augsburg: Natur-Verl. 1990 ▪ Godan, Schadschnecken u. ihre Bekämpfung, Stuttgart: Ulmer 1979 ▪ Kaestner, Lehrbuch der speziellen Zoologie (5.), Bd. I, 3. Teil, Stuttgart: Fischer 1993 ▪ Luther u. Fiedler, Die Unterwasserfauna der Mittelmeerküsten, Hamburg: Parey 1961 ▪ s. a. Mollusken, Molluskizide.

Schneckenkorn, Schneckentod s. Schnecken u. Molluskizide.

Schneckenpumpen. Pumpen mit an schrägliegender Welle senkrecht angebrachtem, spiralförmig endlosem Förderblatt [schon im Altertum bekannt (Archimedes)], die durch Drehung in einem speziell geformten Trog Flüssigkeiten, insbes. feststoffhaltige (z. B. Abwässer), fördern. Vorteile sind die Unempfindlichkeit gegenüber wechselnden Wasserständen, gleicher Wirkungsgrad über große Förderbereiche, keine Verstopfungsgefahr. Nachteilig ist die begrenzte Förderhöhe (max. 6 m). – ***E*** screw pumps – ***F*** pompes helicoïdales – ***I*** pompe elicoidali – ***S*** bombas helicoidales

Schnee. 1. Fester atmosphär. *Niederschlag aus meist typ. geformten *Schneekrist.*, s. a. Eis u. Wasser.
2. Als *künstlichen* S. für Dekorationszwecke verwendet man geschäumte Kunststoffe, Schwerspatpulver, kolloidale Kieselsäure usw.
3. Ein Deckwort für *Cocain. – ***E*** snow – ***F*** neige – ***I*** neve – ***S*** nieve

Lit. (zu 1.): Int. J. Environ. Anal. Chem. **16**, 95–130 (1983) ▪ Gletscherkommission der Schweizerischen Akademie der Naturwissenschaften, Gletscher, Schnee u. Eis: Das Lexikon zu Glaziologie, Schnee- u. Lawinenforschung in der Schweiz, Luzern: Verl. Schweizer Lexikon Mengis u. Ziehr 1993 ▪ s. a. Eis, Niederschlag, Regen, Wasser.

Schneeball. Gattung von Sträuchern u. kleinen Bäumen der Caprifoliaceae, von denen in Europa v. a. *Viburnum opulus* L., der gemeine S., u. *V. lantana* L., der wollige S., vorkommen u. als Zierpflanzen kultiviert werden. Die roten bzw. rot-schwarzen Beeren gelten als giftverdächtig, wofür es aber keine Belege gibt. Vielmehr werden Früchte anderer S.-Arten zu Gelee verarbeitet, z. B. auch die des kanad. S. (*V. prunifolium* L.), dessen Rindenextrakt als uteruswirksames Spasmolytikum verwendet wird. – ***E*** snowball, guelderrose (*V. opulus*); black haw (*V. prunifolium*) – ***F*** viorne, obier – ***I*** viburno – ***S*** barbabejo, morrionera, vitilaina

Lit.: DAB **6** Ergänzungsbuch u. Komm. ▪ Frohne u. Pfänder, Giftpflanzen, S. 132 ff., Stuttgart: Wiss. Verlagsges. 1997 ▪ Wichtl (3.), S. 616 ff. – *[HS 0602 20; 0602 90]*

Schneeglöckchen s. Galanthamin.

Schneiden. In der *Metallbearbeitung u. Kunststofftechnologie Bez. für das spanende od. spanlose Trennen von Werkstücken; *Beisp.:* *Autogenes Schneiden, S. mittels Schneid-Leg. u. Hartmetallen, Plasmabrennern, Lasern, Lichtbogen, bei Kunststoffen auch mit Hochdruck-Wasserstrahlen. – ***E*** cutting – ***F*** coupage, tranchage – ***I*** taglio – ***S*** corte

Lit.: Ullmann (5.) **A 28**, 203 ▪ Winnacker-Küchler (4.) **4**, 614 f., 627 ff.

Schneider, Gerhard M. (geb. 1932), Prof. für Physikal. Chemie, Ruhr-Univ. Bochum. *Arbeitsgebiete:* Physikal. Chemie bei hohen Drücken: Thermodynam. Untersuchungen an fluiden Mischungen, Flüssigkrist., orientierungsfehlgeordneten Phasen etc., Drucksprungsrelaxationsexperimente zur Kinetik der Phasenbildung, DTA- u. DSC-Messungen, Grundlagenuntersuchungen zur Fluidextraktion (SFE) u. Fluidchromatographie (SFC).

Lit.: Kürschner (16.), S. 3295 ▪ Wer ist wer (36.), S. 1279.

Schneider, Wilhelm (geb. 1910), Prof. für Dermatologie, Tübingen. *Arbeitsgebiete:* Gewebedermatosen, Fett- u. Säuremantel der Haut, Hautschäden durch Seifen, Waschmittel, Mineralöle, Kontaktinsektizide.

Lit.: Kürschner (16.), S. 3306 ▪ Wer ist wer (36.), S. 1283.

Schneiderkreide. An den Kanten zugeschärfte Tonplättchen zum Maß- u. Musterzeichnen auf Stoffen. S. besteht meist aus Ton, *Speckstein od. *Talk; bei farbigen Kreiden wird ein Pigment zugefügt. – ***E*** French chalk – ***F*** craie tailleur – ***I*** gessetto da sarto – ***S*** jaboncillo de sastre

Schneidmühlen s. Mühlen.

Schneidöle. Bez. für den *Bohrölen ähnliche *Schmierstoffe, die ein Verschweißen bei spanender Bearbeitung der Metalle verhindern sollen. Man unterscheidet mit Wasser nicht mischbare, emulgierbare u. wasserlösl. Schneidöle. Während erstere meist aus Mineralölen guter Schmierfähigkeit mit diversen *Additiven (Fettsäuren, Estern, Metallseifen, S-, Cl- u. P-Verb.) bestehen, sind letztere mineralölfreie wäss. Lsg. von Polyalkylenglykolen, Seifen natürlicher od. synthet. Fettsäuren, nichtionogenen oberflächenaktiven Substanzen, Mono-, Di- od. Triethanolamin u. organ. Korrosionsschutzmitteln. Da bei der *Metallbearbeitung z. T. sehr hohe Temp. auftreten, ist eine *Pyrolyse von S.-Bestandteilen nicht auszuschließen, wobei

Carcinogene entstehen können (MAK-Liste, Abschnitte V d u. V e). – *E* cutting oils – *F* huiles de coupe – *I* oli di tagio – *S* aceites de corte

Lit.: Kirk-Othmer (4.) **15**, 504 f. ▪ Ullmann (4.) **20**, 618–621; (5.) **A 15**, 480 ff. – *[HS 2710 00, 3403 19]*

Schnellarbeitsstahl (Schnellstahl, Schnelldrehstahl). Gruppe von Stählen, die sich durch große Härte u. Verschleißfestigkeit auszeichnen u. daher zur Herst. von Schneidwerkzeugen für Drehbänke u. a. Maschinen in der *Metallbearbeitung verwendet werden. Sie enthalten als Leg.-Bestandteile 10–20% Cr, W, Mo, V, z. T. als Carbide, u. können nach Verf. der *Pulvermetallurgie hergestellt werden. – *E* high speed steel – *F* acier à coupe rapide – *I* acciaio rapido – *S* acero rápido

Lit.: s. Stahl.

Schnellbinder. Unzweckmäßige, weil mißverständliche Bez. für *Erstarrungsbeschleuniger. Im allg. Sprachgebrauch wird der Begriff S. auch angewendet für schnell erstarrende *Zemente (Erstarrungsbeginn <1 h). – *E* fast binder – *F* liant rapide – *I* leganti rapidi, cemento a presa rapida – *S* aglutinante rápido

Lit.: Härig, Technologie der Baustoffe, 9. Aufl., S. 96, Karlsruhe: Müller 1990.

Schnelldrehstahl s. Schnellarbeitsstahl.

Schnelle Brüter s. Brutreaktoren u. Kernreaktoren.

Schnelle Flüssigkeitschromatographie s. HPLC.

Schnelle Reaktionen. Viele chem. Reaktionen laufen so schnell ab, daß man ihre Reaktionsgeschw. mit üblichen stationären Verf. nicht mehr messen kann, da die Zeitauflösung z. B. durch die Mischvorgänge zweier Komponenten begrenzt ist. Selbst mit speziellen Mischtechniken, die auf ein 1923 von Hartridge u. Roughton entwickeltes Strömungsverf. (*E* stopped flow method) zurückgreifen, lassen sich nur Reaktionen mit Halbwertszeiten bis hinunter zu etwa einigen hundert Mikrosekunden (10^{-6} s) untersuchen. Viele chem. Elementarschritte komplexer Reaktionen laufen jedoch auf viel kürzeren Zeitskalen ab, die nur mit Sprung (schlagartige Veränderung der makroskop. physikal. Parameter wie Temp., Druck od. elektr. Feldstärke) od. Pulsverf. (direkte energet. Anregung der Reaktanden mit kurzen Pulsen) erreichbar sind. Die entsprechenden Techniken der Relaxationsmeth. u. der Blitzlichtphotolyse wurden in den fünfziger Jahren von den späteren Nobelpreisträgern *Eigen bzw. *Norrish u. B. G. *Porter entwickelt u. auf die Untersuchung der Kinetik u. des Mechanismus s. R. bis in den Bereich einiger Mikrosekunden angewandt. Das Vordringen in immer kürzere Zeitbereiche wurde in der Folge im wesentlichen durch die Entwicklung gepulster Laser bestimmt. Ihr Einsatz in der Blitzlichtphotolyse gestattete bereits Mitte der siebziger Jahre, den Ablauf chem. Elementarreaktionen, wie z. B. der geminalen Rekombination von Atomen im Lsm.-Käfig, der Bildung von Radikalpaaren nach Ladungstransferreaktionen od. der Photoisomerisierung von Diphenylpolyenen, mit einer Zeitauflösung von 10^{-8}–10^{-11} s zu verfolgen. Die Zeitauflösung konnte seitdem kontinuierlich gesteigert werden, so daß man heute die Dynamik chem. Elementarprozesse bis in den Bereich von 10^{-14} s mittels *Pump-Probe-Verf.* untersuchen kann. Bei dieser Technik werden die Mol. mit einem sog. Pumppuls zunächst angeregt u. anschließend mit einem (od. mehreren) zeitlich verzögerten Probepuls spektroskopiert. Aufgrund der kurzen Pulsdauer u. der damit verbundenen hohen Pulsleistung sowie der Möglichkeit kohärenter Anregung spielt die nichtlineare Spektroskopie zur Diagnostik ultraschneller Prozesse eine zentrale Rolle. Die für chem. Reaktionen relevante Zeitskala der Bewegung der Kerne unter dem Einfluß der chem. Kräfte ist damit für lichtinduzierbare Prozesse direkt experimentell zugänglich. Bei dieser Spektroskopie im Femtosekundenzeitbereich (10^{-15} s) steht damit nicht mehr die Untersuchung von Kinetik u. Mechanismus einer Reaktion im Vordergrund, sondern die Aufklärung ihrer detaillierten Dynamik wie z. B. Energieumverteilung im Mol. vor der Reaktion, Energietransfer an die Umgebung, Kopplung an die Bewegung von Mol. der Lsm.-Umgebung, intramol. Ladungstransferprozesse, strukturelle Relaxationsvorgänge, Knüpfen u. Brechen von Bindungen. – *E* fast reactions – *F* réactions rapides – *I* reazioni veloci – *S* reacciones rápidas

Lit.: Bensasson, Land u. Truscott, Flash Photolysis and Pulse Radiolysis, Oxford: Pergamon 1983 ▪ Fleming, Chemical Applications of Ultrafast Spectroscopy, Oxford: University Press 1986 ▪ Manz u. Wöste (Hrsg.), Femtosecond Chemistry (Bd. 1 u. 2), Weinheim: VCH Verlagsges. 1995 ▪ Picosecond Phenomena I–III/Ultrashort Phenomena IV–X, Springer Series in Chemical Physics, Heidelberg: Springer 1978–1996 ▪ Strehlow, Rapid Reactions in Solution, Weinheim: VCH Verlagsges. 1992.

Schnellfixiersalz U3. *Ammoniumthiosulfat zur Herst. von photograph. Fixierbädern, s. a. Photographie.

Schnellinformationsdienste. Bez. für Publikationsmedien, die v. a. der Information, weniger der *Dokumentation dienen u. die den eiligen Leser auf neue Veröffentlichungen (hier: der *chemischen Literatur) hinweisen sollen. In der Ausführlichkeit der Berichterstattung sind die S. sehr unterschiedlich. Einige liefern nur Zeitschrift-Inhaltsverzeichnisse od. bibliograph. Angaben (s. Bibliographien): *Current Contents®, Ekspress Informatsiya (Express-Information). Andere gruppieren ihr Material nach Sachgebieten od. erschließen es durch maschinell erstellte Register: *Chemical Titles. Eine dritte Gruppe (*Schnellreferate*) nimmt bereits *Referateorgan-Charakter an: *Current Abstracts of Chemistry and Index Chemicus, *ChemInform. Daneben gibt es *Standardprofildienste*, die aus Datenbasen erzeugt werden, wie z. B. CA Selects (s. Chemical Abstracts), ferner Spezialinformationen unter Verw. der Datenbasen von *Chemical Abstracts Services od. von *DECHEMA, *BIOSIS, *ISI u. a. sowie S. auf *SDI-Basis. – *E* alerting services, current awareness services – *F* services d'information rapide – *I* servizi d'informazione rapidi – *S* sevicios de información permanente

Schnellstahl s. Schnellarbeitsstahl.

Schnering, Hans Georg von (geb. 1931), Prof. für Anorgan. Chemie, Univ. Münster, Stuttgart; Direktor am MPI für Festkörperforschung, Stuttgart. Mithrsg. der Zeitschrift Kristallographie. *Arbeitsgebiete:* Anorgan.

Strukturchemie, Festkörperchemie, Chemie u. Strukturchemie von Verb. der unedlen Metalle mit den Elementen der 4., 5. u. 6. Hauptgruppe, Strukturchemie von Verb. mit Metall-Metall-Bindungen, Reaktionen von festen Verb. mit Polyanionen, Hochtemp.-Supraleiter, Valenz-Elektronendichten.
Lit.: Kürschner (16.), S. 3309 ▪ Wer ist wer (36.), S. 1285.

Schnittlauch. Röhrenförmige Blätter von *Allium schoenoprasum* (Liliaceae, Zwiebelgewächse), die feingeschnitten zu Salaten, Eierspeisen, Quark u.a. Gerichten als Würze verwendet werden. S. enthält z.T. dieselben Disulfide wie die *Zwiebel, außerdem relativ viel Vitamin A u. C (bis zu 70 mg/100 g). – ***E*** chives – ***F*** cive, civette – ***I*** erba cipollina – ***S*** cebollino
Lit.: Franke, Nutzpflanzenkunde (6.), S. 390f., Stuttgart: Thieme 1997. – *[HS 0703 90]*

Schnüffelstoffe. Bez. für als Rauschmittel (s. Rauschgift) mißbrauchte Gase od. leichtflüchtige, als Verdünnungsmittel für Farben, Klebstoffe, Haarsprays, Desodorantien usw. benötigte organ. *Lösemittel (*Beisp.:* Hexan, Aceton, Trichlorethylen, Toluol, Essigsäureester, Salpetrigsäureester etc.), deren Inhalation (*Schnüffeln*) kurzdauernde Rauschzustände erzeugen kann. Das Schnüffeln, das bes. unter Jugendlichen verbreitet ist, kann zu psych. Abhängigkeit (*Sucht), Benommenheit bis Bewußtlosigkeit u. phys. Hilflosigkeit führen. Nach längerem Gebrauch von S. treten ZNS-, Leber- u. Knochenmarksschädigungen auf, ferner sind Todesfälle durch Ersticken, Herzversagen u. Kehlkopfkrampf bekannt geworden. – ***E*** sniffing agents – ***F*** substances inhalatoires – ***I*** agenti da fiuto – ***S*** substancias para esnifar
Lit.: Altenkirch, Schnüffelsucht u. Schnüffelneuropathie, Berlin: Springer 1982 ▪ O'Connor, Glue Sniffing and Volatile Substance Abuse, Aldershot: Glower 1984 ▪ s. a. Rauschgift, Sucht.

Schnupfen (Rhinitis). Oberflächliche Entzündung der Nasenschleimhaut. Der *akute S.* wird v.a. durch Rhinoviren, aber auch andere *Viren hervorgerufen u. verläuft mit od. ohne Fieber unter allg. Krankheitsgefühl mit zunächst seröser, dann schleimig u. eitriger Sekretion aus der Nase. Die Schwellung der Nasenschleimhaut behindert die Nasenatmung u. beeinträchtigt das Riechvermögen. Als eine akute Rhinitis beginnen oft auch andere Infektionskrankheiten wie Masern, *Grippe u. *Keuchhusten. Ein *chron. S.* entsteht durch die chron. Einwirkung von chem. od. physikal. Noxen od. Entzündungen. Der *Heuschnupfen* (Rhinitis allergica) ist ein rein seröser S. auf allerg. Grundlage (s.a. Allergie). Die Behandlung des S. beschränkt sich auf die Linderung der Symptome mit Kamilledampfbädern, vasokontriktor. Nasentropfen u.ä., bei allerg. S. werden *Antihistaminika eingesetzt. – ***E*** cold, nasal catarrh – ***F*** refroidissement, catarrhe nasal – ***I*** raffreddore comune, rinite – ***S*** resfriado, catarro nasal

Schnupfpulver. Pulver, die ähnlich wie *Schnupftabak geschnupft werden, jedoch statt Tabak z.B. Roßkastanie, Zichorie, Rübe, Veilchenwurzel, Gewürznelken, Zimt, Menthol u. dgl. enthalten. – ***E*** snuffable powder – ***F*** poudre inhalatoire – ***I*** polvere da fiuto – ***S*** polvo para inhalar
Lit.: Ullmann (4.) **22**, 377; (5.) **A 27**, 132.

Schnupftabak. Aus *Tabak gewonnenes Pulver, das durch *Schnupfen*, d.h. saugendes Aufziehen auf die Nasenschleimhaut, genossen wird. Die Wirkung des S. ist hauptsächlich auf das *Nicotin zurückzuführen. Zur Herst. werden zerkleinerte, gesoßte (mit Kochsalz-Lsg. angefeuchtete) Tabakblätter nachfermentiert, wobei sich das spezif. Aroma entwickelt. Anschließend wird getrocknet, gemahlen, gesiebt u. mit Salz-Lsg., Glycerin od. Paraffinöl wieder gefeuchtet. Der Wassergehalt des fertigen S. liegt bei 25–30%. *Schmalzler* stellt man aus brasilian. Tabaken (Mangotes) her. – ***E*** snuff – ***F*** tabac à priser – ***I*** tabacco da fiuto – ***S*** rapé
Lit.: Ullmann (4.) **22**, 377; (5.) **A 27**, 132. – *[HS 2403 99]*

Schock. Ein rasch einsetzendes u. fortschreitendes Kreislaufversagen, das zu Störungen der Mikrozirkulation des Organismus führt. Die dadurch entstehende Minderdurchblutung der Gewebe ruft Organschäden hervor, die zum Tode führen können. Je nach Ursache unterscheidet man verschiedene Formen des S., z.B. den *hämorrhag. S.* durch Blutverlust, den *anaphylakt. S.* durch *Allergie (*Anaphylaxie), den *hypoglykäm. S.* durch Blutzuckermangel (s.a. Hypoglykämie), den *kardiogenen S.* durch Herzversagen u. den *sept. S.* durch bakterielle *Toxine (s.a. Sepsis). – ***E*** shock – ***F*** choc – ***I*** shock, choc – ***S*** choque, shock

Schockmetamorphose s. Impact u. Meteoriten.

Schockwellen s. Stoßwellen.

Schöllkopf, Ulrich (geb. 1927), Prof. für Organ. Chemie, Univ. Göttingen, Mitglied in der Akademie der Wissenschaften zu Göttingen seit 1976. *Arbeitsgebiete:* Mechanist. Untersuchungen zur Wittig-Umlagerung, Synth. mit Lithium-organ. Verb., Synth. von Heterocyclen über metallierte Isocyanide, asymmetr. Synth. von α-Aminosäuren nach dem Bislactimether-Verf., Mithrsg. der Zeitschrift Justus Liebigs Ann. Chem. seit 1968.
Lit.: Kürschner (16.), S. 3317 ▪ Wer ist wer (36.), S. 1288.

Schöllkopf-Säure (4-Hydroxy-1,5-naphthalindisulfonsäure) s. Naphtholsulfonsäuren.

Schöllkraut. Gelb blühende, weit verbreitete, auf Schuttplätzen, Wegen usw. vorkommende Pflanze (*Chelidonium majus* L., Papaveraceae), die einen dunkelgelben bis orangefarbenen Milchsaft enthält, der früher gegen *Warzen verwendet wurde. Als Wirkstoffe wurden ca. 20 Alkaloide gefunden, darunter *Chelidonin, *Berberin, Protopin u. der Acetylcholinesterase-Hemmstoff *Sanguinarin. Das getrocknete Kraut u. die Wurzeln sowie eine Tinktur aus der frischen Pflanze werden als *Cholagoga in der Leber- u. Gallentherapie verwendet sowie als schwache *Spasmolytika. – ***E*** great celandine – ***F*** chélidoine – ***I*** celidonia – ***S*** celidonia mayor, golondrinera
Lit.: Bundesanzeiger 90/15.05.85 ▪ DAB **1997** u. Komm. ▪ Giftliste ▪ Hager (5.) **4**, 835–848 ▪ Wichtl (3.), S. 147ff. – *[HS 1211 90]*

Schönbein, Christian Friedrich (1799–1868), Prof. für Chemie, Univ. Basel. *Arbeitsgebiete:* Entdeckung von Nitrocellulose, Kollodium, Ozon, Passivität der Metalle, langsame Oxidationsprozesse, Leuchten des Phosphors, elektr. Erscheinungen bei Gewittern, Begründung der Geochemie u. Mitbegründer der Kapillaranalyse (mit F. F. *Runge).

Lit.: Chem. Labor Betr. **37**, 396f. (1986) ▪ Krätz, Historische chemische u. physikalische Versuche, S. 185–193, Köln: Aulis 1979 ▪ Krafft, S. 239 ▪ Lexikon der Naturwissenschaftler, S. 367 ▪ Neufeldt, S. 26, 32 ▪ Pötsch, S. 384 ▪ Strube et al., S. 182.

Schönberg, Alexander (1892–1985), Prof. für Organ. Chemie, Kairo, TU Berlin. *Arbeitsgebiete:* Aliphat. Diazo-Verb., synthet. Estrogene, Thioketone, Thioacetale, organ. Sulfide, Furocumarine u. -chromone, präparative Photochemie, Photo- u. Thermochromie.

Lit.: Egypt. J. Chem. **20**, 423ff. (1977) ▪ EPA Newsletter **26**, 1–11 (1986) ▪ Nachr. Chem. Tech. **15**, 397 (1967).

Schönberger, Helmut (geb. 1924), Prof. für Pharmazeut. Chemie, Univ. Regensburg, Sprecher des Sonderforschungsbereichs 234 – Wirkstoffsynth. u. -prüfung an hormonabhängigen Tumoren. *Arbeitsgebiete:* Synth. u. Testung von Antitumor-Verb. (Antihormone, hormonrezeptoraffine Platin-Komplexe) mit einer Wirkung von Mamma-, Prostata- u. Ovarialcarcinom.

Lit.: Kürschner (15.), S. 4158.

Schönberg-Reaktion. Nach *Schönberg benannte photochem. Cycloaddition (Hetero-*Diels-Alder-Reaktion) von Olefinen an *o*-Chinone unter Bildung von 1,4-Dioxin-Derivaten, ggf. neben Spirooxetanen.

– ***E*** Schönberg reaction – ***F*** réaction de Schönberg – ***I*** reazione di Schönberg – ***S*** reacción de Schönberg

Lit.: Fortschr. Chem. Forsch. **13**, 251–306 (1969) ▪ Krauch u. Kunz, Reaktionen der Organischen Chemie, 6. Aufl., S. 564, Heidelberg: Hüthig 1997 ▪ s. a. Chinone u. Diels-Alder-Reaktion.

Schönen (Schönung). 1. In der Textil-Ind. versteht man unter S. eine zur *Avivage gerechnete, farbverbessernde Nachbehandlung mit lebhaften, meist weniger echten Farbstoffen.

2. Bei der *Wein-Herst. kennt man die *Kohleschönung*, die *Blauschönung* u. die *Tannin-Schönung* zur Beseitigung verschiedener Fehler, z. B. der Weintrübungen. Außer Wein schönt (klärt) man auch andere *Getränke.

3. Bei Gemüse, Früchten u. Obst wendet man ggf. S. durch Besprühen od. Eintauchen in verd. Mineralsalz-Lsg. an, um ihnen wieder ein frischeres Aussehen zu verleihen („Phyto-Kosmetik"). – ***E*** brightening – ***F*** 1. embellir, 2. clarifier – ***I*** 1. ravvivatura, 2. miglioramento, 3. abbellimento – ***S*** 1. embellecimiento, 2. clarificado

Schönflies, Arthur Moritz (1853–1928), Prof. für Mathematik, Göttingen, Königsberg, Frankfurt. *Arbeitsgebiete:* Kristallographie, Symmetrieoperationen an Krist., Ableitung der 230 Raumgruppen, Einführung der nach ihm benannten Symbole (s. folgendes Stichwort) für die 32 Kristallklassen (vgl. Kristallsysteme).

Lit.: Lexikon der Naturwissenschaftler, S. 366f. ▪ Neufeldt, S. 37.

Schönflies-System. Die Menge aller *Symmetrieoperationen* eines Körpers – in der Chemie werden v. a. Mol. in ihrer *Gleichgewichtsgeometrie u. Krist. betrachtet – legt dessen Symmetriegruppe (s. Gruppentheorie) fest. Unter Symmetrieoperationen versteht man Operationen, die das Aussehen des Körpers nicht verändern. Die dazugehörigen Symmetrieelemente sind Achsen, Ebenen od. Punkte, an denen die Operationen ausgeführt werden. Werden als Symmetrieoperationen die Identität, Drehungen, Spiegelungen, die Inversion u. Drehspiegelungen benutzt, so werden die Symmetriegruppen nach Schönflies benannt. Werden an Stelle von Drehspiegelungen Drehinversionen durchgeführt, erfolgt die Klassifizierung nach dem *Hermann-Mauguinschen-Syst.* (s. Kristallgeometrie). Beide Syst. werden in jeweils unterschiedlichen Bereichen bevorzugt. Während das internat. Syst. v. a. in der Kristallographie benutzt wird, findet das S.-S. in der Molekülspektroskopie Anwendung. In der Abb. ist dargestellt, wie man aus dem Satz von Symmetrieoperationen das Schönflies-Symbol der zugehörigen Punktgruppe erhält. Wasser mit den Symmetrieoperationen Identität (I), zweizählige Drehachse (C_2), zwei zur Drehachse vertikale Spiegelebenen (σ_v, σ'_v) gehört demnach zur Punktgruppe C_{2v}. Im Hermann-Mauguinschen-Syst. werden die Drehachsen durch eine Ziffer, Spiegelebenen durch ein m, senkrecht zur Hauptachse liegende Spiegelebenen durch /m u. die Inversion durch einen Querstrich gekennzeichnet. Dem Schönflies-Symbol C_{2v} entspricht also das Hermann-Mauguinsche-Symbol 2 m m. – ***E*** Schoenflies system – ***F*** système de Schoenflies – ***I*** sistema di Schönflies – ***S*** sistema de Schoenflies

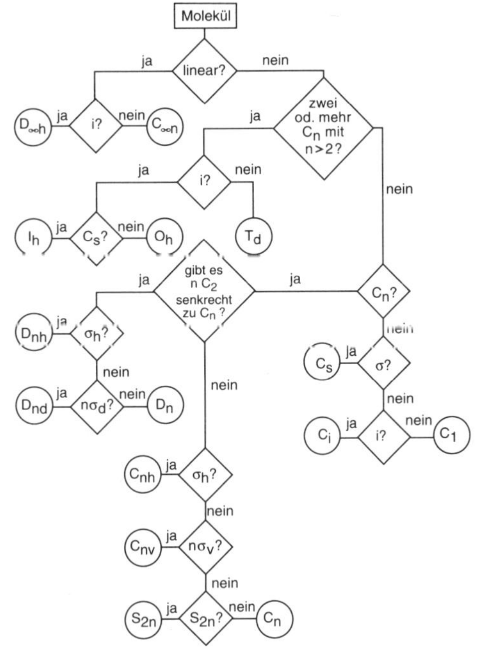

Abb.: Bestimmung der Punktgruppe eines Mol. nach dem Schönflies-System. Es bedeuten: i: Inversion, C_n: n-zählige Drehachse, σ: Spiegelebene (h = horizontal zu C_n, v = vertikal zu C_n), S_{2n}: Drehspiegelachse.

Lit.: Atkins, Physikalische Chemie (2.), Weinheim: VCH Verlagsges. 1996 ▪ Cotton, Chemical Applications of Group Theory (3.), New York: Wiley 1990 ▪ Steinborn, Symmetrie u. Struktur in der Chemie, Weinheim: VCH Verlagsges. 1993.

Schönhöfer, Fritz (1892–1965), Bayer AG, Wuppertal-Elberfeld. *Arbeitsgebiete:* Malariamittel, Entwicklung von Plasmochin (mit F. Wingler u. W. *Schulemann), Atebrin u. a. chemotherapeut. Präparaten.
Lit.: Neufeldt, S. 147.

Schöniger-Bestimmung. Aufschlußmeth. für organ. Substanzen durch Verbrennen in der „Sauerstoff-Flasche". Diese besteht meist aus einem Erlenmeyerkolben, an dessen Schliffstopfen ein Platin-Drahtnetz angebracht ist. Die zu analysierende Substanz wird in aschefreies Filterpapier eingeschlagen, am Drahtnetz befestigt, angezündet u. in dem mit Sauerstoff gefüllten Erlenmeyerkolben verbrannt. Zur Absorption der Verbrennungsgase wird der Aufschlußkolben vorher mit geeigneter Absorptionslsg. beschickt.
Anw.: Hauptsächlich zur Bestimmung von Halogenen u. Schwefel, aber auch von anderen Elementen (Metalle u. Metalloide) in organ. Verbindungen. – ***E*** Schöniger method – ***F*** méthode de Schöniger – ***I*** metodo di Schöninger – ***S*** método de Schöniger
Lit.: DIN 51400-3: 1978-02 ▪ Ehrenberger, Quantitative organische Elementanalyse, Weinheim: VCH Verlagsges. 1991.

Schönit (Pikromerit, Picromerit). $K_2Mg[SO_4]_2 \cdot 6\,H_2O$ od. $K_2SO_4 \cdot MgSO_4 \cdot 6\,H_2O$, Salzmineral. Weiße od. gefärbte, meist derbe Massen; auch kurzprismat., frisch farblos durchsichtige, monokline Krist., Kristallklasse $2/m\text{-}C_{2h}$; Struktur s. *Lit.*[1]. Vollkommen spaltbar, H. 2,5, D. 2,02, leicht in Wasser löslich.
Vork., Verw.: In norddtsch. Kalisalz-Lagerstätten (Staßfurt) neben *Kainit. S. wird neben *Leonit zur Gewinnung von Kaliumsulfat u. Kalimagnesia verwendet. – ***E*** picromerite, schoenite – ***F*** picromérite – ***I*** picromerite – ***S*** picromerita
Lit.: [1] Mineral. Petrogr. Acta **16**, 5–11 (1970).
allg.: Ramdohr-Strunz, S. 610 ▪ Roberts, Campbell u. Rapp, Encyclopedia of Minerals (2.), S. 676, New York: Van Nostrand Reinhold 1990 ▪ Winnacker-Küchler (4.) **2,** 281, 326. – *[CAS 15491-86-8]*

Schönung s. Schönen.

Schöpf, Clemens (1899–1970), Prof. für Organ. Chemie, TU Darmstadt. *Arbeitsgebiete:* Naturstoffe, Morphin u. a. Alkaloide, Flechtenstoffe, Salamandergifte, Pteridine, Synth. unter physiolog. Bedingungen, Alkaloid-Synth., Robinson-Schöpf-Reaktion.
Lit.: Chem. Ber. **112,** 1 ff. (1979) ▪ Neufeldt, S. 178 ▪ Pötsch, S. 385.

Schörl s. Turmalin.

Schokolade. Nach Nr. 1.16 der Anlage zur Kakao-VO[1] ist S. ein aus Kakaokernen, -masse od. -pulver u. *Saccharose mit od. ohne Zusatz von *Kakaobutter hergestelltes Erzeugnis, das folgende Mindestgehalte aufweisen muß:

Kakaotrockenmasse: 35%
entölte Kakaotrockenmasse: 14%
Kakobutter: 14%.

S. gehört zu den *Süßwaren.
Rechtliche Beurteilung: Die Begriffsbestimmung der Erzeugnisse *Haushalts-S., Milch-S., Haushaltsmilch-S., weiße S., gefüllte S., Sahne-S., Magermilch-S., S.-Streusel* u. *Gianduja* sind der Anlage der Kakao-VO[1] zu entnehmen. Der Zusatz von *Lecithin u. Ammonium-Salzen der Phosphatidsäuren sowie von Aromastoffen (z. B. *Vanillin) ist nach § 5 u. § 6 der Kakao-VO zulässig.
Halbbittere S. muß mind. 50% Gesamtkakaotrockenmasse u. 18% Kakaobutter enthalten. *Weiße S.* enthält Kakaobutter, *Saccharose, *Milch u. eventuell Milchfett od. *Butter, aber kein Kakaopulver. Die Beurteilung von S.-Pudding erfolgt nach den entsprechenden Leitsätzen (s. *Lit.*[2] u. Puddingpulver).
Herst.: Kakaomasse, Kristallzucker u. Kakaobutter werden zunächst im sog. Melangeur unter Wärmezufuhr gemischt u. anschließend in mehrstufigen Walzwerken gewalzt. Die bei 20 °C trockene u. pulverförmige, gewalzte S.-Masse läßt man in Wärmekammern bei 45–50 °C ca. 24 h ausreifen, wobei sie eine teigartige Konsistenz erhält (rheolog. ist S. ein *Cassonscher Stoff). Für feine S. erzielt man bes. Glattheit u. schmelzenden, zarten Charakter der S.-Masse durch *Conchieren. Danach wird die Masse zur Einleitung der Krist. bei ca. 30 °C temperiert, in vorgewärmte Formen (z. B. Tafelformen) gefüllt, nach Entlüften auf sog. Klopfbahnen abgekühlt u. bei ca. 10 °C entformt. Zur bes. Bedeutung der Kristallform der Kakaobutter u. Meth. zu ihrer Optimierung s. *Lit.*[3]. Zu modernen Entwicklungen fett- u. zuckerreduzierter S.-Erzeugnisse s. *Lit.*[4,5].
Ernährungsphysiologie: Der Nährwert von S. ist beachtlich: 100 g enthalten durchschnittlich 6 g Eiweiß, 23 g Fett, 62 g Kohlenhydrate, 2 g Natriumchlorid, 4 g Wasser u. 1,9 g *Rohfaser sowie geringe Mengen Vitamin A; der *physiologische Brennwert liegt zwischen 2240 u. 2410 kJ (535 u. 575 kcal) pro 100 g. Der S. wird nachgesagt, daß das mit ihrem Genuß verbundene „Lustgefühl" auf ihren Gehalt an 2-*Phenylethylamin zurückgehe. *Purin-Gehalte:* dunkle S. 0,4–0,8%, helle S. 0,2–0,4%, davon ca. 85% *Theobromin u. 15% *Coffein.
Analytik: Zum Nachw. von Fremdprotein (z. B. Soja) sowie zur Bestimmung der qualitätsbestimmenden Parameter (Trockenmasse, Gesamtfett, *Zucker, *Lactose) stehen die *Methoden nach § 35 LMBG L 44.00-1 bis L 44.00-6 zur Verfügung. Verfälschungen der Kakaobutter mit anderen Fetten sind durch eine Triglycerid-Analyse zu erkennen[6]. *Lecithin in S. läßt sich nach *Lit.*[7] bestimmen. Zur Berechnung des Milchfett-Anteils s. *Lit.*[8]. Über Aromafehler bei der S.-Herst. (Rauchgeschmack), die auf niedermol. *Phenole zurückzuführen sind[9], u. über das Auftreten von 3,5-Octadien-2-onen, die einen Alterungsgeschmack hervorrufen, berichtet *Lit.*[10]. Zu Fett- u. Zuckerreif der S. s. *Lit.*[11].
Geschichte: Die erste S. (zur Ableitung des Namens s. Kakao) im heutigen Sinne wurde 1819 von Cailler hergestellt, die erste Milch-S. (mit Kondensmilch) 1875 von Peter. Die **Pralinen* wurden von dem Küchenmeister des französ. Marschalls du Plessis-Praslin erfunden, der sie zu dessen Ehre Pralinés nannte.
Produktionszahlen (BRD, 1997, Angabe als S.-Erzeugnisse, u. a. in Form von Stangen, Tafeln u. Riegeln, ohne Pralinen): 590 582 t; s. a. Kakao. – ***E*** = ***S*** chocolate – ***F*** chocolat – ***I*** cioccolata

Lit.: [1] VO über Kakao u. Kakaoerzeugnisse vom 30.6.1975 in der Fassung vom 27.04.1993 (BGBl. I, S. 512, 526). [2] Leitsätze für Puddingpulver u. verwandte Erzeugnisse vom 14.07.1972 (Bundesanzeiger Nr. 107), abgedruckt in Zipfel, C 359. [3] Beckelt (Hrsg.), Industrial Chocolate Manufacture and Use, Glasgow: Blackie 1994. [4] Candy Ind. **161**, 36 (1996). [5] INFORM **8**, 152 f., 156–162 (1997). [6] Zucker Süßwaren Wirtsch. **41**, 202–206 (1988). [7] Food Add. Contam. **3**, 277–288 (1986). [8] Fat Sci. Technol. **92**, 275–281 (1990). [9] Zucker Süßwaren Wirtsch. **40**, 40–43 (1987). [10] Dtsch. Lebensm. Rundsch. **86**, 311 ff. (1990). [11] Food Technology **51**, 28 (1997).
allg.: Belitz-Grosch (4.), S. 869–879 ▪ Bundesverband der dtsch. Süßwarenind. (Hrsg.), Süßwarentaschenbuch 1995, Hamburg: Behr 1996 ▪ Kleinert-Zollinger, Handbuch der Kakaoverarbeitung u. Schokoladenherstellung, Hamburg: Behr 1996 ▪ Richtlinie des Rates der EG für zur Ernährung bestimmte Kakao- u. Schokoladenerzeugnisse, ABl. der EG Nr. 32, Nr. L 142/02 vom 25.5.1989 ▪ Ullmann (4.) **20**, 673; (5.) **A 7**, 23–37 ▪ Vollmer et al., Lebensmittelführer (2.), Bd. 1, S. 240–251, Stuttgart: Thieme 1995 ▪ World of Ingredients **1997**, Nr. 2, 21 f., 24 f. ▪ Zipfel, C 370. – *Organisationen:* Bundesverband der dtsch. Süßwarenind., Schumannstr. 4–6, 53113 Bonn ▪ Informationszentrum Schokolade, Lindenstr. 32, 53757 St. Augustin. – *[HS 1806]*

Scholler-Tornesch-Verfahren s. Holzverzuckerung.

Scholl-Reaktion s. Perylen.

Scholtissek, Christoph (geb. 1929), Prof. für Biochemie u. Virologie, Univ. Gießen, MPI für Virusforschung, Tübingen (1959–64). *Arbeitsgebiete:* Biochemie u. mol. Genetik der Ribonucleinsäuren, Genetik u. mol. Epidemiologie der Influenzaviren.
Lit.: Kürschner (16.), S. 3330 ▪ Wer ist wer (36.), S. 1293.

Scholzit. $CaZn[PO_4]_2 \cdot 2\,H_2O$, Mineral; dicktafelige, linealförmige, farblose bis weiße, glasglänzende, rhomb. Krist., Kristallklasse mmm-D_{2h}. Zur komplizierten, Stapelfehlordnungen (*Kristallbaufehler) aufweisenden Struktur von S. u. dem mit ihm dimorphen (*Polymorphie) monoklinen *Para-S.* [1] s. *Lit.* [2]. H. 3–3,5, D. 3,11–3,13.
Vork.: In Hagendorf/Bayern (histor.; hier mit Para-S.), in Böhmen, in South Dakota/USA u. Australien. S. bildet sich auch beim *Phosphatieren. – ***E*** = ***F*** = ***I*** scholzite – ***S*** scholzita
Lit.: [1] Am. Mineral. **66**, 843–851 (1981). [2] Z. Kristallogr. **198**, 239–255 (1992); **212**, 197–202 (1997).
allg.: Nriagu u. Moore (Hrsg.), Phosphate Minerals, S. 104 f., Berlin: Springer 1984. – *[CAS 15669-04-2]*

Schoop, Max Ulrich (1870–1956), Chemiker, Physiker (Werke für Metallisierung, Zürich) u. Erfinder eines nach ihm benannten *Metallspritzverfahrens (Schoopieren) u. a. elektrochem. Verfahren.

Schopper, Herwig Franz (geb. 1924), Prof. (emeritiert) für Kernphysik u. Physik, Univ. u. Kernforschungszentrum Karlsruhe (bis 1973), Univ. Hamburg, Generaldirektor des Europ. Zentrums für Kernforschung CERN, Genf (bis 1988). *Arbeitsgebiete:* Optik, Festkörperphysik, Kernphysik, Elementarteilchenphysik, Beschleunigertechnologie. Zusammenhang zwischen Wissenschaft u. Ethik. S. wies die Paritätsverletzung bei Materie u. Antimaterie nach u. ist Erfinder des Hadronkalorimeters zum Nachw. hochenerget. Teilchen.
Lit.: Kürschner (16.), S. 3337.

Schorle. Nach § 16, Absatz 2 der Wein-VO [1] darf als S. nur das weinhaltige Getränk bezeichnet werden, das durch Vermischen von *Wein, *Perlwein od. Perlwein mit zugesetzter Kohlensäure mit Kohlensäure-haltigem Wasser hergestellt wird. S. muß einen Weinanteil von mind. 50% aufweisen. – ***E*** mixed drink of wine and soda water – ***F*** vin et eau de Seltz – ***I*** vino bianco con acqua minerale – ***S*** vino mezclado con sifón (agua mineral)
Lit.: [1] Wein-VO vom 4.8.1983 in der Fassung vom 24.8.1990 (BGBl. I, S. 1834).
allg.: Würdig u. Woller, Chemie des Weines, S. 742, Stuttgart: Ulmer 1989 ▪ Zipfel, C 403 *31*, 25; C 407 *IV*, 7.

Schorlemmer, Carl Ludwig (1834–1892), Prof. für Organ. Chemie, Manchester. *Arbeitsgebiete:* Thermodynam. Daten über anorgan. Säuren u. Kohlenwasserstoffe, fand u. a. das Gesetz über die Abhängigkeit des Sdp. von der Anzahl der C-Atome im Mol., Chlorierung, Herst. von 1-Propanol, Sozioökonomie u. Geschichte der Chemie.
Lit.: Bittrich et al., Carl Schlorlemmer, Leipzig: Grundstoffind. 1984 ▪ Chem. Unserer Zeit **14**, A 27, 29 (1980) ▪ Heinig, Carl Schorlemmer, Leipzig: Teubner 1986 ▪ Lexikon der Naturwissenschaftler, S. 367 ▪ Pötsch, S. 386 ▪ Strube et al., S. 85, 96 f. ▪ Z. Chem. **24**, 313–325 (1984). – *[HS 2206 00]*

Schorlomit s. Granate.

Schott. Kurzbez. für die Schott-Gruppe, 55122 Mainz. Schott Glas ist ein Unternehmen der Carl-Zeiss-Stiftung (s. Zeiss), das 1952 als Nachfolger der von F. O. *Schott 1884 gegr. Jenaer Glaswerke Schott & Genossen, Jena, neu gegr. wurde. Die Schott-Gruppe hat weltweit 80 Unternehmen u. 55 Produktionsstandorte. *Daten* (1997, weltweit): ca. 16000 Beschäftigte, 2,8 Mrd. DM Umsatz. *Produktion:* Glas, Spezialgläser u. Glaskeramiken, Komponenten aus Spezialgläsern u. Glaskeramiken für Spitzentechnologien, oberflächenveredelte Flachgläser, Apparate, Gläser in Problemlösungen, Gebrauchsglas.

Schott, Friedrich Otto (1851–1935), Chemiker u. Industrieller. *Arbeitsgebiete:* Entwicklung u. Herst. neuer Glassorten für chem. u. opt. Zwecke, Begründer des Spezialglaswerkes Jenaer Glaswerke *Schott & Genossen (zusammen mit E. *Abbe u. C. *Zeiss).
Lit.: Krafft, S. 5 ▪ Lexikon der Naturwissenschaftler, S. 367 ▪ Pötsch, S. 386.

Schotte s. Molke.

Schotten-Baumann-Reaktion. Überführung von Alkoholen, Phenolen, Aminen, Aminosäuren usw. in Acyl-Derivate mit Hilfe von Säurechloriden in Ggw. von verd. Alkali-Laugen.

$$R^1{-}C({=}O){-}Cl \; + \; R^2{-}OH \xrightarrow[-\,NaCl,\; -\,H_2O]{+\,NaOH} R^1{-}C({=}O){-}OR^2$$

Dazu wird die zu acylierende Substanz in 10%iger Natronlauge mit dem Säurechlorid (z. B. *Benzoylchlorid, *3,5-Dinitrobenzoylchlorid, *4-Nitrobenzoylchlorid) geschüttelt, bis dieses verbraucht ist. Man arbeitet mit einem großen Überschuß an Lauge u. Säurechlorid; glatter verläuft die Reaktion in Ggw. von Pyridin (s. Einhorn-Reaktion). Die S.-B.-R. spielt bes. in der qual. organ. Analyse der Alkohole eine Rolle, weil deren 3,5-Dinitrobenzoate schwerlösl. u. leicht zu reinigen sind u. charakterist., in Tab. nachschlagbare Schmp. haben. – *E* Schotten-Baumann reaction – *F* réaction de Schotten et Baumann – *I* reazione di Schotten-Baumann – *S* reacción de Schotten-Baumann

Lit.: Krauch u. Kunz, Reaktionen der Organischen Chemie, 6. Aufl., S. 22, Heidelberg: Hüthig 1997.

Schotter s. Baustoffe u. Kies.

Schottky, Walter (1886–1976), Prof. für Physik, Univ. Rostock, Siemens AG, Berlin. *Arbeitsgebiete:* Festkörper, Kristallbaufehler (*Schottky-Defekt*, s. die Abb. bei Zwischengitterplätze), Elektronenemission aus Glühkathoden, Theorie der Gasentladungen, Halbleiter.

Lit.: Festkörperprobleme **26**, 1 ff. (1986) ▪ Lexikon der Naturwissenschaftler, S. 368 ▪ Strube et al., S. 142 f.

Schottky-Defekt s. Kristallbaufehler u. Zwischengitterplätze.

Schottky-Diode s. Halbleiter.

Schrader, Gerhard (1903–1990), Chemiker, Bayer AG, Wuppertal. *Arbeitsgebiete:* Phosphorsäureester, system. wirkende Insektizide auf der Grundlage von organ. Phosphor- u. Fluor-Verb., E 605, Parathion, OMPA, Kampfstoffe (Sarin, Tabun).

Lit.: Pötsch, S. 387.

Schrägagar-Röhrchen. Röhrchen zur Kultivierung von *Mikroorganismen. In ihnen erstarrt der Nähragar fast über die gesamte Länge des schräggelegten Röhrchens. Mit Zellstoff-Stopfen verschlossene S. dienen typischerweise zur Aufbewahrung von Mikroorganismen-Kulturen. Die Mikroorganismen werden dazu mit der Impfnadel in einem Schlängelstrich auf den *Agar aufgebracht u. kulturspezif. über 24 h bis etliche Tage inkubiert. Die Lagerung erfolgt dann meist bei Temp. von 4 bis 8 °C, wobei zur Reduzierung der Verdunstung der Stopfen mit Paraffin od. ähnlichem Material abgedichtet werden kann. – *E* agar slant tube – *F* tube d'agar incliné – *I* agar tubetto inclinato – *S* tubo de agar inclinado

Lit.: Isaac u. Jennings, Kultur von Mikroorganismen, Heidelberg: Spektrum Akadem. Verl. 1996.

Schrägbeziehung s. Periodensystem.

Schraubenversetzung. Eindimensionale Abweichungen des realen *Kristallgitters vom idealen Gitter. S. gehören zur Defektgruppe der *Linienfehler* u. sind dadurch gekennzeichnet, daß sich Gitterebenen wendelartig um eine *Versetzungslinie schrauben (s. a. Stufenversetzungen).

Topolog. kann man sich die Entstehung einer Versetzung folgendermaßen erklären: Der Krist. wird entlang einer Fläche ein Stück weit eingeschnitten, dann werden die beiden Kristallteile um einen Vektor **b** gegeneinander verschoben u. anschließend wieder miteinander verbunden. Dabei wird, falls **b** Translationsvektor des Gitters ist, in der Schnittebene die ursprüngliche Gitterstruktur wiederhergestellt. Fehlende od. überzählige Atome werden gegebenenfalls in der Schnittebene eingefügt od. entfernt. Nur entlang der Versetzungslinie, wo der Schnitt im Krist. endet, bleibt ein stark gestörter Gitterbereich zurück. Ist **b** parallel zur Versetzungslinie, spricht man von einer reinen Schraubenversetzung. Abb. I zeigt eine S., die durch teilw. Abscheren (s. Scherung) eines Krist. entlang der Gleitebene um **b** entstand.

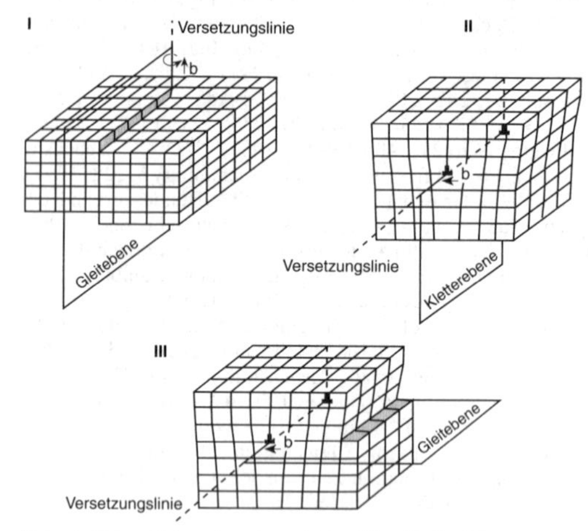

Abb.: I: Reine Schraubenversetzung; II u. III: Stufenversetzungen.

Ist **b** senkrecht zur Versetzungslinie, spricht man von einer **Stufenversetzung*. Abb. II zeigt eine Stufenversetzung, die durch Entfernen der Atome einer halben Netzebene (Kletterebene) erzeugt wurde u. Abb. III eine Stufenversetzung, erzeugt durch teilw. Abscheren eines Kristallviertels entlang der Gleitebene um **b**. – *E* screw dislocation – *F* dislocation hélicoïdale – *I* dislocazione a vite – *S* dislocación helicoidal

Lit.: Bergmann u. Schäfer, Lehrbuch der Experimentalphysik, Bd. 6, Festkörper, Berlin: de Gruyter 1992.

Schrauth, Walter (1881–1939), Prof. für Chemie, Dehydag, Rodleben. *Arbeitsgebiete:* Lignin, Adipinsäure, Weichmacher, Spermöl, Entdeckung der Fettalkoholsulfate als wertvolle Tenside (zusammen mit H. Bertsch), Entwicklung eines Verf. zur katalyt. Hochdruckhydrierung von Fettsäureestern u. Fettsäuren zu Fettalkoholen (zusammen mit O. Schenk u. K. Stickdorn.

Lit.: Deutsche Hydrierwerke (Dehydag), Schriften des Werksarchivs 12 der Henkel KGaA, Düsseldorf 1981 ▪ Neufeldt, S. 166 ▪ Pötsch, S. 387.

Schreckfarben s. Signal u. Sicherheitsfarben.

Schreibblei s. Reißblei.

Schreibersit s. Meteoriten.

Schreibkreide s. Schulkreide.

Schreibpapier s. Papier.

Schrieffer, John Robert (geb. 1931), Prof. für Physik, Univ. of California, Santa Barbara. *Arbeitsgebiete:* Quantenmechanik, Supraleitung (BCS-Theorie); hierfür 1972 Nobelpreis für Physik (zusammen mit L. N. *Cooper u. J. *Bardeen).

Lit.: Naturwiss. Rundsch. **25**, 494 (1972) ▪ Lexikon der Naturwissenschaftler, S. 368 ▪ Neufeldt, S. 253 ▪ Strube et al., S. 200 ▪ The International Who's Who (17.), S. 1345.

Schrifterz s. Sylvanit.

Schriftgranit s. Mikroklin.

Schrifttellur s. Sylvanit.

Schröder, Joachim (geb. 1940), Prof. für Biochemie, Univ. Freiburg. *Arbeitsgebiete:* Mol. Pflanzen-Bakterien, Interaktionen (Tumore, Ti-Plasmide); Identifizierung u. mol. Analyse von Pflanzen-Genen (Schädlings-Resistenzen, Phytoalexine, Cytochrom P450-Enzyme, sek. Pflanzenstoffe).
Lit.: Kürschner (16.), S. 3358.

Schröder-Grillo-Verfahren s. Schwefeldioxid.

Schroeder u. Stadelmann. Kurzbez. für die Farbwerke Schroeder u. Stadelmann GmbH, 56112 Lahnstein, eine 100%ige Tochterges. von *Hoechst. *Produktion:* Farbmittelpräparation.

Schrödinger, Erwin (1887–1961), Prof. für Theoret. Physik, Zürich, Berlin, Oxford, Graz u. Dublin. *Arbeitsgebiete:* Mitbegründung der Wellenmechanik (**Schrödinger-Gleichung*), Atomphysik, Quantentheorie u. theoret. Biologie; 1933 Nobelpreis für Physik (zusammen mit P. A. M. *Dirac).
Lit.: Buchheim, Die Schrödingersche Wellenmechanik als Beitrag zum quantenphysikalischen Naturverständnis, Leipzig: Barth 1980 ▪ Hoffmann, Erwin Schrödinger, Leipzig: Teubner 1984 ▪ Kilmister u. Schrödinger, Centenary Celebration of a Polymath, Cambridge: Univ. Press 1987 ▪ Krafft, S. 308 ▪ Lexikon der Naturwissenschaftler, S. 368 ▪ Mehra u. Rechenberg, Erwin Schrödinger and the Rise of Wave Mechanics (2 Tl.), Berlin: Springer 1987 ▪ Nachmansohn, S. 281 f. ▪ Neufeldt, S. 154 ▪ Strube et al., S. 118, 151, 157.

Schrödinger-Gleichung. Von E. *Schrödinger 1926 aufgestellte fundamentale Gleichung der *Quantenmechanik (s. a. Wellenmechanik). Die *zeitabhängige* S.-G. ist eine Bewegungsgleichung, die mit Hilfe der *Wellenfunktion Ψ die zeitliche Entwicklung eines quantenmechan. Syst. (z. B. ein *Atom od. *Molekül) beschreibt:

$$\mathrm{i}\,\hbar\,\partial\Psi/\partial t = \hat{H}\Psi.$$

Hierbei sind i die Einheit der imaginären Zahl, $\hbar$ das durch 2π geteilte *Plancksche Wirkungsquantum, t die Zeit u. $\hat{H}$ der *Hamilton-Operator. Wenn letzterer nicht von der Zeit abhängt, hat die zeitabhängige S.-G. die stationäre Lösung der Form

$$\psi(\mathbf{r},t) = \psi(\mathbf{r})\cdot e^{-\mathrm{i}Et/\hbar}.$$

Hierbei ist E ein konstanter Energie-Eigenwert (s. Eigenwertproblem). Die nur noch von den Ortskoordinaten (u. eventuell den *Spin-Koordinaten) der Teilchen (pauschal zusammengefaßt zur Variablen **r**) abhängige Wellenfunktion $\psi(\mathbf{r})$ ist Eigenfunktion der *zeitunabhängigen* S.-G.:

$$\hat{H}\psi(\mathbf{r}) = E\,\psi(\mathbf{r}).$$

Die S.-G. ist grundlegend für die Theorie des *Atombaus u. die elektron. Struktur von Molekülen. Für komplexere Syst. ist sie nicht mehr analyt. lösbar. Die Gewinnung näherungsweiser Lösungen bei chem. Problemen ist Aufgabe der *Quantenchemie. – ***E*** Schroedinger equation – ***F*** équation de Schroedinger – ***I*** equazione di Schrödinger – ***S*** ecuación de Schrödinger

Schrot. 1. Umgangssprachliche Bez. für körnige Produkte, z. B. sehr grob gemahlene Getreidekörner, Raps etc. – 2. *Flintenschrot* (*Munition) besteht aus einer *Blei-Legierung mit Sb u. As, das stark härtend wirkt. Eine S.-Leg. für 2–4 mm Korndurchmesser enthält 2 bis 3,8% Sb u. 1,2–1,7% As, Rest Pb. – ***E*** 1. grist, coarse meal, 2. small shot – ***F*** 1. gruau, mouture, 2. grains – ***I*** cruschello, tritello, rottura – ***S*** 1. grano triturado, 2. perdigones – *[HS 1104.., 930629]*

Schrotblei s. Hartschrot.

Schrotschußklonierung s. Shotgun-Klonierung.

Schrott. Sammelbegriff für Produktionsabfälle u. nicht mehr verwendungsfähige u. ausgediente Verbrauchs- u. Industriegüter aus Metall, vornehmlich aus *Stahl. Z. T. kann S. direkt in einer Recyclinghütte verarbeitet werden. In vielen Fällen ist jedoch ein direkter Einsatz in Hochöfen, Stahlwerken od. Gießereien nicht möglich. S., der in Stahlwerken eingesetzt werden soll, muß weitgehend frei von Fremdstoffen (meist organ. Natur) sein u. möglichst niedrige Gehalte an Eisen-Begleitelementen (z. B. Kupfer, Zinn) aufweisen. Die Aufarbeitung von S. erfolgt in der Regel über eine Kombination von Shredder-, Magnetscheider-, Windsicht- u. Schwimm-Sink-Verfahren. In Shredderanlagen wird eine mechan. Zerlegung des Materials vorgenommen. Windsichter trennen das zerkleinerte Material in Leicht- u. Schwergutfraktionen. In der Schwergutfraktion sammeln sich unter anderem die Metalle, von denen sich die Eisenmetalle durch Magnetscheidung abtrennen lassen. Zur weiteren Separierung der Nichteisenmetalle eignen sich naßmechan. Aufbereitungsmethoden. Mittels der Schwimm-Sink-Technik lassen sich die Leichtmetalle (Aluminium, Magnesium) u. Schwermetalle (Kupfer, Messing, Bronze, Zink, Blei) der Schwerfraktion nach ihrem spezif. Gew. trennen u. einer Verhüttung zuführen. Dort erfolgt eine Weiterverarbeitung über pyro-, elektro- u. hydrometallurg. Verf. zu verkaufsfähigen Endprodukten. – ***E*** scrap material – ***F*** ferraille, mitraille – ***I*** rottami metallici – ***S*** chatarra
Lit.: Tiltmann, Recycling betrieblicher Abfälle, Teil 4/4.2.2.2, Kissing: WEKA, Loseblatt-Ausgabe.

Schrumpfen. Allg. Bez. für die Kontraktion von Stoffen in bezug auf Länge od. Vol., z. B. von Textilien (hier auch *Krumpfen* genannt, s. Krumpffrei-Ausrüstung), Folien (s. Schrumpffolien), Schaumstoffen, metall. Bauteilen (s. Kaltschrumpfen) usw. – ***E*** contraction, shrinkage – ***F*** retrait, rétrécissement – ***I*** restringimento, ritiramento, contrazione – ***S*** contracción

Schrumpffolien. Kalt gereckte (s. Recken), thermoplast. Kunststoff-*Folien z. B. auf der Basis von *PETP, *PE, *PVC, die sich bei Wärmebehandlung wieder auf ihren Urzustand zusammenziehen. Dieses **Schrumpfen* wird z. B. bei Verpackungsfolien ausgenutzt, die dem zu verpackenden Gegenstand nach Abkühlung fest aufliegen, z. B. in Form von Schrumpfschläuchen. Das Bestreben der Kunststoff-Mol., zu ihrer ursprünglichen spannungsfreien Anordnung zurückzukehren, nennt man *Rückerinnerungsvermögen* od. *elast. Formgedächtnis.* – ***E*** shrink films – ***F*** feuilles rétractables – ***I*** pellicole retraiabili – ***S*** láminas contraíbles
Lit.: Encycl. Polym. Sci. Eng. **7**, 81 f., 124 ▪ Ullmann (4.) **15**, 361.

Schrumpffrei-Ausrüstung s. Krumpffrei-Ausrüstung.

Schubmodul s. Schermodul.

Schubspannung s. Nichtnewtonsche Flüssigkeiten.

Schuchardt. Kurzbez. für die 1866 gegr. Firma Dr. Theodor Schuchardt u. Co., 85662 Hohenbrunn, eine 100%ige Tochterges. von *Merck. *Produktion:* Labor- u. Feinchemikalien für Forschung u. Industrie.

Schügerl, Karl Wilhelm (geb. 1927), Prof. für Techn. Chemie, Univ. Hannover. *Arbeitsgebiete:* Biotechnologie (Bioreaktionstechnik, Bioverfahrenstechnik u. Bioprozeßtechnik) sowie Stofftrennung u. -reinigung (Extraktion, Membranverf., Flotation), Hydrometallurgie.
Lit.: Kürschner (15.), S. 4216 ▪ Wer ist wer (36.), S. 1308.

Schülke & Mayr. Kurzbez. für die 1889 gegr. Firma Schülke & Mayr GmbH & Co. KG, 22840 Norderstedt, eine Tochterges. von Reckitt & Coleman plc. *Daten* (1995): ca. 550 Beschäftigte, 160 Mio. DM Umsatz. *Produktion:* Desinfektions- u. Konservierungsmittel, Körperpflegemittel (Kodan®, Terralin®, Desderman®).

Schüßler s. Mineralstoffe.

Schüttdichte. Bei porösen, faserigen, körnigen od. grobstückigen Stoffen (*Schüttgütern) ist die S. der Quotient aus der Masse u. dem eingenommenen Vol., das Zwischenräume u., falls zusätzlich vorhanden, auch Hohlräume (z. B. *Poren) einschließt. Bei der sog. *Rohdichte* wird nur das Vol. der Hohlräume bei der *Dichte-Berechnung berücksichtigt (vgl. DIN 1306: 1984-6); zur Bestimmung der S. von *Pulvern s. DIN ISO 697: 1984-01. Man bestimmt die S., indem man den betreffenden Stoff in einen Meßkasten, Meßbecher od. Meßzylinder schüttet u. das Gew. feststellt; *Beisp.* (in $kg \cdot dm^{-3}$): Steinkohle 1,1, Koks 0,5, Eichenholz 0,4, Sägemehl lose 0,15 (eingerüttelt 0,25), Gartenerde 1,7, Baugips 1,25, Kalk in Stücken 1,0, Kalk pulverisiert 1,0, Sand u. Kies 1,8, Steinschotter scharfkantig 1,8, Steinschotter abgerundet 1,9, Steinsalz gemahlen 1,2, Zement in Pulverform 1,2, Thomasmehl 2,2, frisch gefallener Schnee 0,08–0,19, Getreide 0,75, Rüben 0,75, Zucker 0,75. Definitionsgemäß nannte man das Gew. von 1 m^3 der Schüttgüter früher das **Schüttgewicht.* Höher als die S. (deren Reziprokes das *Schüttvolumen ist) liegen die sog. *Rütteldichte* u. erst recht die sog. *Stampfdichte,* vgl. Stampfvolumen. – ***E*** bulk density – ***F*** masse volumique – ***I*** peso specifico in mucchio – ***S*** densidad a granel, masa volúmica aparente

Schüttekrankheit. Das z. T. massenhafte Abfallen von Pflaumen, bedingt durch die Larven der Pflaumensägewespen (*Hoplocampa* sp., Familie Tenthredinidae, Echte Blattwespen; Insecta). Die Eier werden in den Kelchzipfeln der Blüten abgelegt, die Larven fressen am Fruchtknoten u. bohren 3–5 weitere Früchte an. Die Früchte fallen daraufhin mit dem Stiel ab.
Lit.: Jacobs u. Renner, Biologie u. Ökologie der Insekten (2.), Stuttgart: Fischer 1988.

Schüttelgeräte. Auch als *Rütteltische* bezeichnete Laborgeräte zur intensiven Durchmischung von Flüssigkeiten, in unterschiedlichen Gefäßen. S. können dabei je nach Bedarf verschiedene Schüttelbewegungen ausführen, man unterscheidet rotierende, hin- u. herbewegende, wippende u. taumelnde Schütteltische. Taumelnde u. wippende S. sind dabei bes. für die Züchtung von *Zellkulturen geeignet. Sie sind mit elektron. regelbaren Antrieben u. Zeitschaltuhren versehen. – ***E*** shaking apparatus – ***F*** appareils agitateurs – ***I*** vibratori, tavole di vibrazione – ***S*** agitadores
Lit.: ACHEMA-Jahrb. **1991**, 2467, 2404, 2405.

Schüttelkolben. Der S. ist ein Glasgefäß zur Kultivierung von *Mikroorganismen u. pflanzlichen *Zellkulturen in flüssigem Medium. Verschlossen wird der S. in der Regel mit Zellstoff-Stopfen. Zur besseren Versorgung mit Luft kann der S. mit seitlichen Eindellungen (Schikanen) versehen werden. Er dient zur Züchtung von Zellmassen im kleineren Maßstab von meist 100 mL bis 5 L Gefäßvolumina. – ***E*** shake flask – ***F*** erlenmeyer d'agitation – ***I*** matraccio di Erlenmeyer – ***S*** erlenmeyer de agitación
Lit.: Isaac u. Jennings, Kultur von Mikroorganismen, Heidelberg: Spektrum Akadem. Verl. 1996.

Schüttelkultur. Meth. zur Anzucht von Mikroorganismen sowie pflanzlichen u. teilw. auch tier. *Zellkulturen im kleinen Maßstab. Dazu wird der mit *Nährlösung befüllte *Schüttelkolben mit einer geringen Anzahl von Mikroorganismen od. Zellmaterial beimpft, meist auf *Rundschüttlern befestigt u. bei den kulturspezif. Wachstumstemp. inkubiert. Durch das Schütteln wird ein schnelleres Wachstum der Zellen aufgrund des gesteigerten Sauerstoff- u. Kohlendioxid-Austausches ermöglicht. Zur Kultivierung von tier. Zellen sind sehr schonende Schüttelbedingungen erforderlich. – ***E*** shake flask culture – ***F*** culture agitée – ***I*** coltura in agitazione – ***S*** cultivo por agitación
Lit.: Isaac u. Jennings, Kultur von Mikroorganismen, Heidelberg: Spektrum Akadem. Verl. 1996.

Schütteltrichter s. Scheidetrichter.

Schüttgewicht. Bez. für das Gew. eines bestimmten Vol. von in vorgeschriebener Weise geschütteten pulverförmigen Stoffen (*Schüttgütern), im allg. das 1 m^3 Schüttgut entsprechende Gew.; s. Schüttdichte. – ***E*** bulk density – ***F*** densité apparente (en vrac) – ***I*** densità apparente – ***S*** densidad aparente (a granel)

Schüttgüter. Bez. für pulverförmige Stoffe mit *Korngrößen von ca. 1 µm–10 mm, die ggf. zur Verbesserung der Fließfähigkeit sog. *Rieselhilfen benötigen. Das Verdichten (*Stückigmachen) von S. nennt man *Kompaktieren. – ***E*** bulk goods – ***F*** produits en vrac – ***I*** materiali sfusi – ***S*** productos a granel
Lit.: Winnacker-Küchler (4.) **1**, 118–138.

Schüttvolumen. Bez. für den reziproken Wert der *Schüttdichte als Rauminhalt (z. B. in L), der von einer bestimmten Masse (z. B. 1 kg) eines pulverigen od. körnigen Stoffes eingenommen wird. Die Bestimmung kann im Meßzylinder erfolgen, vgl. a. Stampfvolumen. – ***E*** bulk volume – ***F*** volume apparent – ***I*** volume detritico, volume del materiale sfuso – ***S*** volumen aparente

Schuhcreme s. Schuhpflegemittel.

Schuhpflegemittel. Farblose od. mit Farbstoffen gefärbte Pasten u. Flüssigkeiten, die nach Auftragen auf Schuhwerk aus glattem Leder durch Polieren des entstandenen Wachsfilmes einen hohen, wetterbeständigen Glanz hervorrufen u. gleichzeitig konservierend wirken. Man unterscheidet zwischen *Ölwaren* u. Waren auf wäss. Basis, den sog. *Emulsionswaren*. Zu den Ölwaren gehören die *Schuhcremes*. Diese bestehen aus einem Gemisch von Wachsen, z. B. Montanwachs-Derivaten, Mikrowachsen, Ceresin, Carnauba-, Candelillawachs, Stearin, synthet. Wachsen, Paraffinen u. Lsm.-Gemischen, z. B. Testbenzin, Terpentinöl etc. Die Ölware besitzt eine salbenartige, gut verteilbare Konsistenz u. wird meist in Dosen abgefüllt. Ware auf wäss. Basis wird als pastöse Emulsion in Tuben od. als Flüssigkeit in Flaschen angeboten. In beiden Fällen werden die Wachse mit Hilfe von Emulgatoren im Wasser gleichmäßig verteilt. Lsm. werden nur z. T. mitverwendet. Produkte dieser Art dienen der Pflege feiner, ungedeckter Leder, sog. Anilinleder. Man kennt auch *Selbstglanzpflegemittel, die frei von Lsm. sind u. bei denen nach dem Auftrag des Mittels die Polierarbeit entfällt. Zur Pflege von Rauh- od. Veloursledern verwendet man meist Sprays, die farblose od. gefärbte Pflegesubstanzen in feinst verteilter Form gleichmäßig auf das Leder aufbringen. Als Pflegesubstanzen werden Hydrophobiermittel auf Silicon-Basis od. Fluor-Chemikalien, gelöst od. dispergiert in organ. Lsm. u. mit Treibgasen versetzt in Aerosol-Dosen abgefüllt. – ***E*** shoe care products – ***F*** produits pour l'entretien des chaussures – ***I*** lucido per scarpe – ***S*** productos para el cuidado del calzado

Lit.: Kirk-Othmer (4.) **19**, 450 ▪ Ullmann (4.) **20**, 689–696; (5.) **A 23**, 575–581 ▪ Vollmer u. Franz, Chemie in Haus u. Garten, Stuttgart: Thieme 1994 ▪ s. a. Leder. – *[HS 3405 10]*

Schulemann, Werner (1888–1975), Prof. für Pharmakologie, Univ. Bonn. *Arbeitsgebiete:* Pharmakologie, Chemotherapie insbes. der Malaria, Arzneistoffsynth., organ. Quecksilber-Verb., Vitalfärbung mit sauren Azofarbstoffen, Entwicklung des Plasmochins (mit F. *Schönhöfer u. F. Wingler).

Lit.: Neufeldt, S. 147.

Schulkreide (Tafelkreide, Schreibkreide). Die S. besteht aus Gips mit geringen Mengen eines Bindemittels, z. B. Stärke, Tylose, Celluloseglykolat u. dgl.; die farbigen Kreiden enthalten außerdem noch organ. u. anorgan. Pigmente. Früher wurde S. aus natürlichen Kreide-Vork. durch Zerschneiden der „Kreide-Felsen" z. B. der Insel Rügen od. der Champagne gewonnen (s. Kalke). – ***E*** blackboard chalk – ***F*** craie – ***I*** gessetto – ***S*** tiza

Lit.: Ullmann (4.) **8**, 603; (5.) **A 9**, 45 f. – *[HS 9609 90]*

Schulp s. Sepia-Schalen.

Schultafeln s. Schiefertafeln.

Schulte-Frohlinde, Dietrich (geb. 1924), Prof. für Physik, Chemie, Univ. Bochum, MPI Strahlenchemie, Mülheim/Ruhr. *Arbeitsgebiete:* Photo- u. Strahlenchemie u. -biologie, Radikale, solvatisierte Elektronen, *cis-trans*-Isomerie, Photo- u. Strahlenchemie von Biopolymeren.

Lit.: Kürschner (16.), S. 3390.

Schultenit. $PbH[AsO_4]$, Mineral, farblose, wasserklare, tafelige, glas- bis diamantartig glänzende, monokline Krist., Kristallklasse $2/m\text{-}C_{2h}$, unterhalb 313 K (Phasenübergang von der paraelektr. Hochtemp.-Phase zu einer ferroelektr. Tieftemp.-Phase [1]) $m\text{-}C_2$; Struktur s. *Lit.*[1,2], Struktur u. Synth. s. *Lit.*[3]. H. 2,5, D. 5,94; chem. Analysen s. *Lit.*[4].

T

Vork.: Im Schwarzwald, in Tsumeb/Namibia u. Washington/USA. Synthet. hergestelltes Bleiarsenat (M_R 347,13) ist ein weißes, in Wasser unlösl., giftiges u. carcinogenes Pulver (s. MAK-Liste, Abschnitt III A1). – ***E*** = ***I*** schultenite – ***F*** schulténite – ***S*** schultenita

Lit.: [1] Mineral. Mag. **58**, 629–634 (1994). [2] J. Cryst. Spectr. Res. **21**, 589–593 (1991). [3] Tschermaks Mineral. Petrogr. Mitt. **35**, 157–166 (1986). [4] Mineral. Mag. **49**, 65–69 (1985). *allg.:* Gmelin, Syst.-Nr. **47**, Pb, Tl. C 3, 1970, S. 891–894 ▪ Kirk-Othmer (3.) **13**, 420 ▪ Roberts, Campbell u. Rapp, Encyclopedia of Minerals (2.), S. 771, New York: Van Nostrand Reinhold 1990. – *[CAS 14758-11-3]*

Schulz, Georg E. (geb. 1939), Prof. für Biochemie, Univ. Freiburg. *Arbeitsgebiete:* Röntgenstrukturanalyse von Protein-Krist., Theorie der Protein-Struktur, Enzym-Präparation u. Krist., Umkonstruktion von Proteinen durch gezielte Mutagenese, differentielle Diagnose der Liganden-Bindung an Proteinen, Katalysemechanismen von Enzymen, Immuntherapie.

Lit.: Kürschner (16.), S. 3397 ▪ Wer ist wer (36.), S. 1318.

Schulz, Günter Victor (geb. 1905), Prof. Dr. h. c. mult. für Physikal. Chemie, Univ. Mainz. *Arbeitsgebiete:* Physikal. Chemie makromol. Syst., Kinetik, Thermodynamik, Reaktionsmechanismen.

Lit.: Ber. Bunsenges. **74**, 957 f. (1970) ▪ Kürschner (16.), S. 3398 ▪ Nachr. Chem. Tech. **18**, 403 (1970) ▪ Wer ist wer (36.), S. 1318.

Schulz, Rolf Christian (geb. 1920), Prof. für Organ. u. Makromol. Chemie, TH Darmstadt, seit 1974 Univ. Mainz. *Arbeitsgebiete:* Radikal., anion. u. kation. Polymerisation von Vinyl-Verb. u. Heterocyclen, Copolymere, chem. Modifizierung von Polymeren, Polyelektrolyte, opt. aktive Polymere.

Lit.: Kürschner (16.), S. 3401 f.

Schulz-Blaschke-Gleichung. Die sog. Grenzviskositätszahl (Staudinger-Index $[\eta]$, s. Viskositätszahl) ist gemäß der Mark-Houwink-Beziehung

$$[\eta] = K M^a$$

mit der mittleren Molmasse M eines *Polymers korreliert u. daher eine wichtige Größe zur Charakterisierung makromol. Stoffe. Die Bestimmung von $[\eta]$ erfolgt über die Messung von Durchlaufzeiten t unterschiedlich konz. Lsg. des zu analysierenden Polymers durch z. B. eine Kapillare. Aus diesen Durchlaufzeiten t der einzelnen Lsg. u. der Durchlaufzeit t_0 des reinen Lsm. wird zunächst für jede Lsg. die spezif. Viskosität $\eta_{sp} = (t - t_0)/t_0$ berechnet. Mit Hilfe dieser Werte von η_{sp} kann man anschließend $[\eta]$ auf unterschiedliche Weise bestimmen. Nach dem von Schulz u. Blaschke entwickelten Verf. werden die spezif. Viskositäten in ihrer „reduzierten" Form, d. h. nach Division durch die jeweilige Konz. c, gemäß der Gleichung

$$\eta_{sp}/c = [\eta] + K_{SB} [\eta] \eta_{sp}$$

als Funktion von η_{sp} in einem Diagramm aufgetragen. Die einzelnen Punkte werden durch eine Ausgleichsgerade verbunden u. diese auf $\eta_{sp} = 0$ extrapoliert. Der so bestimmte y-Achsenabschnitt entspricht der Grenzviskositätszahl $[\eta]$, die Steigung der Geraden dem Produkt aus K_{SB} u. [η]. Bei bekannten Mark-Houwink-Parametern K u. a (s. oben), die aus Tabellenwerken od. durch Eichmessungen mit Standard-Polymeren bekannter Molmasse zu erhalten sind, kann aus der so erhaltenen Grenzviskositätszahl dann die Molmasse des untersuchten Polymers berechnet werden. Darüber hinaus ist die Konstante K_{SB} ein Maß für die Art u. Stärke der Wechselwirkungen zwischen gelöstem Polymer u. verwendetem Lösemittel. Eine Auswertung von Viskositätsmessungen nach der S.-B.-G. ist v. a. dann angezeigt, wenn die üblicherweise für die Bestimmung von [η] betrachtete Abhängigkeit der reduzierten spezif. Viskosität η_{sp}/c von der Polymer-Konz. c nur über einen kleinen Konz.-Bereich linear verläuft u. somit eine Auswertung nach z. B. Huggins od. Arrhenius zu unsichere Resultate liefert. – ***E*** Schulz-Blaschke equation – ***I*** equazione di Schulz-Blaschke – ***S*** ecuacíon de Schulz-Blaschke

Lit.: Elias (5.) **1**, 96 ▪ Lechner et al., S. 257.

Schulze, J. H. s. Photographie.

Schulze-Hardy-Regel s. Kolloidchemie (S. 2211).

Schulzesches Mazerationsgemisch. Mischung aus 15 Tl. 17%iger HNO_3 u. 1 Tl. $KClO_3$ zur Zers. verholzter Gewebe zwecks besserer mikroskop. Beobachtung.

Schumacher. Umwelt- u. Trenntechnik GmbH, 74555 Crailsheim, gegr. 1829. Herst. u. Vertrieb von porösen Werkstoffen aus Keramik, reinem Kohlenstoff, geformter Aktivkohle u. Polyethylen für Filtration, Belüftung u. Klärtechnik.

Schumann, Herbert (geb. 1935), Prof. für Anorgan. Chemie, TU Berlin. *Arbeitsgebiete:* Synth. u. Strukturaufklärung Metall-organ. Verb., Organolanthanoide, reinste Metallorganyle für die Mikroelektronik, Sonderkeramik.

Lit.: Kürschner (16.), S. 3414.

Schumann-UV s. Ultraviolettstrahlung.

Schuppen. 1. In der Botanik werden flächenhaft ausgebildete Haare, S.-artige Niederblattformen (z. B. Knospen-S.) od. die reduzierten Blütenstände der Samenzapfen bei Nadelhölzern als S. bezeichnet.
2. In der Zoologie sind S. die bei vielen Tierarten vorkommenden *Hautanhangsgebilde*, die im allg. aus *Keratin, bei Insekten aus *Chitin u. bei Haifischen u. Rochen aus Zahnmaterial (s. Zähne) bestehen. Der Glanz von Fisch-S. (*Fischsilber) beruht auf Guanin-Derivaten.
3. Teile der Hornschicht der *Haut, die im Rahmen der ständigen Erneuerung der Hautschichten abgestoßen werden. Am behaarten Kopf sind die S. infolge ihrer Verklebung durch Talg u. Schweiß zu größeren Aggregaten bes. gut sichtbar. Einer kosmet. störenden Schuppung der Kopfhaut wird mit einer *Haarbehandlung mit Antischuppenmitteln entgegengewirkt, die Selendisulfid, Metallsalze des Pyrithions, Schieferöle u. Mikrobizide enthalten. Eine vermehrte Schuppung im Rahmen verschiedener Hauterkrankungen (z. B. dem seborrho. Ekzem) kann mit Glucocorticosteroiden behandelt werden. – ***E*** scale (Haut), dandruff (Kopf) – ***F*** squames (Haut), pellicules (Kopf) – ***I*** scoglie, squame, forfore – ***S*** escamas (Haut), caspa (Kopf)

Lit.: Strasburger, Lehrbuch der Botanik (34.), Stuttgart: Fischer 1998 ▪ Wehner u. Gehring, Zoologie (23.), Stuttgart: Thieme 1995.

Schuppenflechte s. Psoriasis.

Schurwolle. *Wolle, die durch Scheren lebender Schafe erhalten wird. Hingegen stammt die sog. Gerberwolle od. Hautwolle von den Fellen toter Tiere; s. a. DIN 60004: 1974-11. – ***E*** virgin wool, shorn wool – ***F*** lain de tonte, laine vierge – ***I*** lana di tosa – ***S*** lana esquilada (virgen)

Lit.: Rouette, Lexikon für Textilveredlung, Bd. 3, S. 1931, Dülmen: Laumann Verl. 1995. – *[HS 5101 11, 5101 29]*

Schuster, Hans-Uwe (1930–1994), Prof. für Anorgan. Chemie, Univ. Kiel u. Köln. *Arbeitsgebiete:* Anorgan. Festkörperchemie: Struktur, magnet., elektr., opt. Verhalten; intermetall. Verbindungen.

Lit.: Kürschner (16.), S. 3419.

Schuster, Peter (geb. 1941), Prof. für Theoret. Chemie, Univ. Wien. *Arbeitsgebiete:* Mol.-Berechnungen, Theorie der chem. Reaktionen, mol. Evolution, nichtlineare Dynamik.

Lit.: Kürschner (16.), S. 3420.

Schusterpech. Ein *Pech, das aus unterschiedlichen Anteilen *Harzpech, *Holzpech, *Holzteer u. a. Dest.-Rückständen von Kolophonium u. Terpentin sowie aus Wachsen zusammengesetzt war u. zum Konservieren der zum Vernähen des Leders verwendeten Garne diente. – ***E*** cobbler's wax – ***F*** cire grasse, poix de cordonnier – ***I*** pece da calzolaio – ***S*** cerote, pez de zapateros

Lit.: s. Pech. – *[HS 3807 00]*

Schuttgelb s. Emodin.

Schutzanode s. kathodischer Korrosionsschutz.

Schutzbrillen. In vielen Arbeitsbereichen u. bei zahlreichen Tätigkeiten ist trotz aller techn. Schutzmaßnahmen an Maschinen u. Anlagen sowie der Anw. sicherer Arbeitsverf. mit schädigenden äußeren Einflüssen auf das menschliche Auge zu rechnen. Nach Art der Schädigung unterscheidet man zwischen mechan. (z. B. durch Splitter), opt. (z. B. durch UV-Strahlung, Laserstrahlen), chem. (z. B. durch Laugen) u. therm. Schädigungen (z. B. durch Strahlungswärme, Kälte). Wenn mit Augenverletzungen durch wegfliegende Teile, Verspritzen von Flüssigkeit od. gefährlicher Strahlung zu rechnen ist, sind geeignete S. zu tragen. Beim Arbeiten mit bes. Gefahren für die Augen verwendet man spezielle Augenschutzgeräte wie z. B. Korbschutzbrillen, die den Augenraum dicht u. allseitig umschließen, od. Vollgesichtsschutz. S. für Schweißer sind mit Filtergläsern bestückt. – ***E*** safety glasses – ***F*** lunettes de sûreté – ***I*** occhiali di protezione – ***S*** gafas de seguridad

Lit.: DIN EN 166 (1995) „Persönliche Augenschutz-Spezifikationen" ▪ ZH1/703 Regeln für den Einsatz von Augen- u. Gesichtsschutz des Hauptverbandes der gewerblichen Berufsgenossenschaften, 1995 ▪ ZH1/119 Richtlinien für Laboratorien, Köln: Heymanns 1998.

Schutzgase. S. sind Gase od. Gas-Gemische, die als *inerte schützende Atmosphäre od. als Reaktionspartner in der Verfahrenstechnik, Chemie, Metallurgie, Lebensmittel- u. Elektro-Ind. usw. verwendet werden u.

zur Verbesserung der Produktionsverf., zur Vermeidung von unerwünschten chem. Reaktionen (Autoxid.), von Explosionen od. zur Vergütung des Produkts eingesetzt werden. Im chem. Laboratorium kann man sich einer mit *Inertgas gefüllten *Glove Box bedienen, um Sauerstoff u./od. Wasserdampf von empfindlichen Stoffen, z. B. Metall-organ. Verb., fernzuhalten. Beim Lichtbogen-Schweißen (s. a. Schweißverfahren) werden S. zur Vermeidung unerwünschter Reaktionen des Schmelzbades mit der Luft u. eines zu starken Abbrandes der Leg.-Elemente als Mantel um den Lichtbogen zwischen Elektrode u. Werkstück verwendet; *Beisp.:* MAG-, MIG-, WIG-Schweißen (s. Schweißverfahren). Als S. werden je nach dem Anw.-Zweck u. a. verwendet: Edelgase (bes. Argon, Helium), Kohlendioxid, Stickstoff, Stickstoff-Wasserstoff-Gemische, Verbrennungsprodukte von Kohlenwasserstoffen, Schwefelhexafluorid u. a. Inertgasen. – ***E*** shield gases – ***F*** gaz de protection – ***I*** gas inerti – ***S*** gases protectores

Lit.: s. Schweißverfahren u. Schweißen.

Schutzgruppen. Sammelbez. für solche organ. Reste, mit denen bestimmte *funktionelle Gruppen eines mehrere aktive Zentren enthaltenden Mol. vorübergehend gegen den Angriff von Reagenzien geschützt werden können, so daß Reaktionen wie Oxid., Red., Substitution u. Kondensation nur an den *gewünschten* (ungeschützten) Stellen stattfinden. Die durch S. nur vorübergehend reaktionsunfähig gemachten funktionellen Gruppen nennt man auch *latent* [1]. Die S. sollen unter milden Bedingungen *selektiv* einzuführen sein. Sie müssen für die Dauer des Schutzes unter allen Bedingungen der durchzuführenden Reaktionen u. Reinigungsoperationen stabil sein; Racemisierungen u. Epimerisierungen müssen unterdrückt werden. S. sollen wieder unter milden Bedingungen *selektiv* u. mit hoher Ausbeute abspaltbar sein. Die Entwicklungen in der Chemie der Kohlenhydrate u. Peptide haben wesentlich zur Entwicklung der S.-Technik beigetragen, die von dort die gesamte organ. Synth., bes. die Totalsynth. komplexer Naturstoffe, stimuliert hat.

Bes. zahlreiche S. sind für die Amino- od. Carboxy-Gruppen von *Aminosäuren* entwickelt worden, die mit möglichst großen Ausbeuten ausschließlich mit ihren ungeschützten funktionellen Gruppen miteinander zu *Peptiden reagieren sollen; Näheres zu dieser speziellen Aufgabe – insbes. im Zusammenhang mit der automatisierten *Festphasen- od. *Merrifield-Technik – s. a. bei Peptid-Synthese u. den dort zitierten Quellen. – ***E*** protective groups – ***F*** groupes protecteurs – ***I*** gruppi protettori – ***S*** grupos protectores

Lit.: [1] Chem. Unserer Zeit **12**, 123–133 (1978). [2] J. Org. Chem. **42**, 3761 (1977); **48**, 3667 (1983). [3] J. Org. Chem. **42**, 3772 (1977). [4] J. Am. Chem. Soc. **94**, 6190 (1972). [5] Furniss et al., Vogel's Textbook of Practical Organic Chemistry, 5. Aufl., S. 642 f., Longman House-Burnt Mill-Halow: Longman Scientific & Technical 1989. [6] J. Am. Chem. Soc. **100**, 1616 (1978). [7] Synthesis **1978**, 63.

allg.: Angew. Chem. **88**, 283–294 (1976); **108**, 2193 (1996) ▪ Contemp. Org. Synth. **2**, 315 (1995); **3**, 397 (1996); **4**, 452 (1997) ▪ Greene, Protective Groups in Organic Synthesis, 2. Aufl., New York: Wiley 1991 ▪ Kocienski, Protecting Groups, Stuttgart: Thieme 1994 ▪ Trost-Fleming **6**, S. 631 ff. ▪ s. a. Peptid-Synthese.

Tab.: Schutzgruppen für Hydroxy- u. Carbonyl-Gruppen (für Amino- u. Carboxy-Gruppen s. Peptid-Synthese).

funktionelle Gruppe	Schutzgruppen-Reagenzien	geschützte funktionelle Gruppe	Meth. zur Entfernung der Schutzgruppe	*Lit.*
R–OH Alkohole	H_3C–I / $(CH_3)_2SO_4$ CH_2N_2	R–OCH_3 *Methylether*	$(H_3C)_3Si$–Cl/ H_3C–OH	2
	3,4-Dihydro-2H-pyran	*Tetrahydropyran-2-yl-ether*	H_3C–OH/ HCl	3
	H_3C–C(CH_3)$_2$–Si(CH_3)$_2$–Cl / H–CO–N$(CH_3)_2$/ Katalysator: Imidazol	H–O–Si(CH_3)$_2$–C(CH_3)$_2$–CH_3 *tert*-Butyldimethylsilylether	$[H_3C(CH_2)_3]_4N^+ F^-$/THF	4
Zucker	$(H_3C-CO)_2O$, $ZnCl_2$	acetylierte Zucker	H_3C–OH/ H_3C–ONa	5
HO–C–C–OH Diole	H_3C–CO–CH_3 / H^+-Katalyse a)	2,2-Dimethyl-1,3-dioxolan *1,3-Dioxolane* (*Acetonide, cycl. *Acetale)	H_3C–COOH/ H_2O	5
R^1–CO–R^2 Aldehyde Ketone	HO–CH_2–CH_2–OH/ H^+-Katalyse a)	2-R^1-2-R^2-1,3-dioxolan *1,3-Dioxolane* (s. o.)	$HClO_4$/ H_2O	6
	HO–CH_2–CH_2–CH_2–OH/ H^+-Katalyse a)	2-R^1-2-R^2-1,3-dioxan *1,3-Dioxane*	SiO_2 /H_2SO_4	7

a) s.a. Acetalisierung

Schutzhäute. Metallwaren aller Art können durch Auftrag mit der Spritzpistole od. durch Eintauchen in Kunststoff-Lsg. od. *Schmelzmassen u. Trocknen- bzw. Abkühlenlassen S. (*Schutzlacke*, *Abziehlacke*, **Folienlacke*) erhalten, die gegen *Korrosion durch Regen, Spritz- u. Seewasser u. z.T. auch gegen mechan. Einwirkungen schützen. Vor dem Gebrauch der betreffenden Metallwaren ritzt man die feste, elast. S. an u. zieht sie in Streifen ab. S. anderer Zusammensetzung werden auch durch Waschprozesse entfernt. S. wurden im 2. Weltkrieg erstmals von der Firma Jenson and Nicholson unter der Bez. Liquid Envelope hergestellt (s. *Lit.*). – ***E*** protective coatings – ***F*** revêtements de protection – ***I*** rivestimenti protettivi – ***S*** revestimientos protectores

Lit.: Kirk-Othmer (3.) **6**, 433.

Schutzimpfung s. Immunisierung.

Schutzkleidung. S. ist eine *persönliche Schutzausrüstung in Form von Kleidungsstücken u./od. Zubehör, das abnehmbar od. fest angebracht ist. Sie dient der Abwehr od. Minderung von Gefahren (Gefahren durch physikal., mechan., chem., biolog. Einwirkungen od. Gefahren der Elektrizität) für die Sicherheit u. Gesundheit einer Person. Je nach Einsatzgebiet u. Schutzziel kann S. gegen eine od. mehrere Gefahren den gesamten Körper od. nur Körperbereiche schützen. Sie schützt aktiv durch Barrierewirkung od. durch Isolierung des Trägers von gefährlichen Einwirkungen od. passiv durch ihre Signalwirkung vor Gefährdungen durch den Fahrzeug-Verkehr od. durch eng anliegende Konfektion vor dem Verfangen in beweglichen Teilen von Maschinen. Isolierende Schutzanzüge können eine erhebliche thermophysiolog. Belastung für den Träger darstellen. Daher sind sie für länger dauernde Arbeiten nicht geeignet. – ***E*** protective clothing – ***F*** vêtements de protection – ***I*** indumenti protettivi, vestiti protettivi – ***S*** vestimenta protectora

Lit.: Achte Verordnung zum Gerätesicherheitsgesetz – Leitfaden für die Kategorisierung von persönlichen Schutzausrüstungen (PSA) der Kommission der Europäischen Gemeinschaft – Bek. des BMA vom 27.02.1996 – IIIb2 – 35019 ▪ DIN EN 340, Schutzkleidung – Allgemeine Anforderungen (1993) ▪ Regeln für den Einsatz von Schutzkleidung, ZH 1/700 des Hauptverbandes der gewerblichen Berufsgenossenschaften.

Schutzkolloide s. Kolloidchemie (S. 2211) u. Emulgatoren (S. 1149).

Schutzkulturen. S. sind Kulturen gesundheitlich unbedenklicher Mikroorganismen, die Lebensmitteln mit dem Ziel zugesetzt werden, das Wachstum pathogener od. anderweitig unerwünschter Mikroorganismen zu verhindern [1].

Die Hemmung der unerwünschten Flora kann zum einen auf die Bildung bestimmter Hemmstoffe wie *Bacteriocine zurückzuführen sein. Aber auch die schnelle Bildung von Milchsäure, Essigsäure od. anderen organ. Säuren u. die Bildung unspezif. Hemmstoffe wie Wasserstoffperoxid tragen zum Schutz des Lebensmittels gegenüber Verderbniserregern bei. S. sollten Lebensmittelvergifter dabei mind. so wirkungsvoll unterdrücken wie Verderbniserreger. Sie können während des Herstellungsprozesses der Lebensmittel od. aber dem fertigen Lebensmittel zugesetzt werden; auch in Form typ. *Starter-Kulturen in Milchprodukten od. bei der Herst. von Sauergemüse werden S. regelmäßig verwendet. Dabei werden vorwiegend Milchsäurebakterien (aus den Gattungen: *Lactobacillus*, *Lactococcus*, *Leuconostoc* u. *Streptococcus*) eingesetzt. S. Bacteriocin-bildender Stämme geben allerdings nur einen gewissen *Sicherheitspuffer* gegenüber Gram-pos. Bakterien. Einen Ersatz für mangelnde Hygienemaßnahmen während Herst., Verpackung u. Lagerung od. einen Ersatz für *Konservierungsmittel im eigentlichen Sinne, wie beispielsweise *Sorbinsäure, stellen S. nicht dar. Problemat. ist häufig die Steuerung der Bildung ausreichender Bacteriocin-Konz., die Instabilität einiger Bacteriocine, das stark beschränkte Wirkungsspektrum u. das Auftreten Bacteriocin-resistenter Stämme [1,2].

S. sind nach § 11 Absatz (1) LMBG [3] zwar *Zusatzstoffe u. unterliegen damit dem Zusatzstoffverbot, können aber nach § 11 Absatz (3) LMBG, wenn dem nicht spezielle Verbote entgegenstehen, als Mikroorganismenkulturen einem Lebensmittel zugesetzt werden. – ***E*** protective cultures – ***I*** colture di protezione – ***S*** cultivos de conservación

Lit.: [1] Lücke, Einsatzmöglichkeiten von Schutzkulturen, in Dehne u. Bögl, Die biologische Konservierung von Lebensmitteln. Ein Statusbericht, SozEp-Heft 4 des BGA, 16–33 (1992). [2] Dehne u. Bögl, Die biologische Konservierung von Lebensmitteln, SozEp-Heft 4 des BGA (1992). [3] Gesetz über den Verkehr mit Lebensmitteln, Tabakerzeugnissen, kosmetischen Mitteln u. sonstigen Bedarfsgegenständen vom 8.7.1993, in der Fassung vom 25.11.1994 (BGBl. I, S. 3538).
allg.: Lück u. Jager, Chemische Lebensmittelkonservierung, S. 262, Berlin: Springer 1995 ▪ NATO ASI Ser. **H 98**, 86ff. (1996) ▪ Vuyst-Vandamme, Bacteriocins of Lactic Acid Bacteria, Liverpool: Blackie Academic Professional 1994.

Schutzlacke s. Schutzhäute u. Folienlacke.

Schutzschichten. Bez. für meist spontan, z.B. durch Oxid., Korrosion u. dgl. entstandene, das darunter befindliche Material jedoch gegen weitere Angriffe schützende Schichten. Demgegenüber werden die aus diversen Reaktionsprodukten bestehenden *Deckschichten im allg. absichtlich aufgebracht, z.B. durch *Chromatieren od. *Phosphatieren. – ***E*** protective layers – ***F*** couches de protection – ***I*** strati protettivi – ***S*** capas protectoras

Schutzschuhe. S. sind eine *persönliche Schutzausrüstung zum Schutz der Zehenbereiche des Fußes. Sie müssen mit Schutz-Zehenkappen ausgerüstet sein, deren Schutzwirkung gegen mechan. Einwirkungen mit einer Prüfenergie von 100 J geprüft wird. Sie müssen über rutschhemmende Eigenschaften verfügen, so daß sie zur Verhütung von Stürzen durch Ausgleiten beitragen. S. werden, abhängig von ihrem Obermaterial, in zwei Klassen unterteilt: Klasse I: Schuhe aus Leder od. anderen wasserdampfdurchlässigen Materialien u. – Klasse II: Vollständig geformte od. vulkanisierte Gummi- od. Polymer-Schuhe.

Die Formen von S. erstrecken sich vom niedrigen Halbschuh bis hin zum oberschenkelhohen Stiefel. Je nach Einsatzbereich können S. zusätzlich mit durchtrittsicheren u./od. kraftstoffbeständigen bzw. Kälte- od. Hitze-isolierenden Laufsohlen ausgerüstet sein.

Weitere Konstruktionsmerkmale können hohes Energieaufnahmevermögen im Fersenbereich u./od antistat. Eigenschaften sein. Zur Unterscheidung von Sicherheitsschuhen u. Berufsschuhen werden S. mit P gekennzeichnet. – *E* protective footwear – *F* chaussures de protection – *I* scarpe di protezione – *S* calzados protectores

Lit.: Achte Verordnung zum Gerätesicherheitsgesetz – Leitfaden für die Kategorisierung von persönlichen Schutzausrüstungen (PSA) der Kommission der Europäischen Gemeinschaft – Bek. des BMA vom 27.02.1996 – IIIb2 – 35019 ▪ DIN EN 346, Tl. 1 u. 2, Schutzschuhe für den gewerblichen Gebrauch; DIN 4843, Tl. 100, Schutzschuhe – Rutschhemmung – Sicherheitstechnische Anforderungen, Prüfung ▪ Regeln für den Einsatz von Fußschutz, ZH 1/702 des Hauptverbandes der gewerblichen Berufsgenossenschaften.

SchwabEX®. Mittel zur Schädlingsbekämpfung in Räumen [gebrauchsfertige Sprühmittel, Spraydosen, Selbstvernebler, Lacke, Ködertabl., Köderpasten (-gel)] auf der Basis von Organophosphaten, Pyrethroiden u.a. *B.:* Frowein GmbH & Co.

Schwache Wechselwirkung s. Elementarteilchen.

Schwachgas. Unspezif. Bez. für *Generatorgas niedrigen *Heizwerts.

Schwachlichtpflanzen s. Skiophyten.

Schwämme. 1. In der *Botanik* z.T. volkstümliche Bez. für größere Fruchtkörper von Ständerpilzen (u.a. Baumschwamm; z.B. bayr. Schwammerlsuppe = Pilzsuppe).

2. In der *Zoologie*: Einfach organisierte, festsitzende od. stockbildende, meist meeresbewohnende Wassertiere (Porifera, Spongia), deren Körper ein ausgedehntes Hohlraumsyst. darstellt, das von Kalk- u. Kieselnadeln od. Hornfasern gestützt wird (*Kalk-, Kiesel-* od. *Horn-S.*). Manche der ca. 5000 S.-Arten enthalten überraschenderweise sehr kompliziert gebaute organ. Verb.; *Beisp.:* Sesquiterpene, Steroide, Sesterterpene, Carotinoide, Chlor- od. Brom-Verb., Oxime u. Isocyanide. Nicht wenige Verb. sind pharmakolog. aktiv, z.B. cytostat., vasodilator. od. hypotensiv. S. sind in der Lage, Iod (bis 14 g/kg Trockensubstanz) u. Phosphor zu speichern. Auch Biolumineszenz tritt bei manchen S. auf. Fossile S. spielen eine wichtige Rolle in marin entstandenen Gesteinsformationen. Die altbekannten Bade-S. bestehen aus den weichen, gelblichen, elast. Fasergerüsten der bes. im Mittelmeer in 10–15 m Tiefe verbreiteten Hornschwammarten *Euspongia officinalis*, *Spongia usitatissima* u. *Hippospongia equina*. Die gallertigen Tiere werden im Sommer durch Taucher od. mit langen Stangen heraufgeholt, mit Holzhämmern geschlagen, mit Meerwasser ausgewaschen, mit 2%iger Salzsäure behandelt (löst Kalk-Teilchen heraus) u. mit Lsg. von Wasserstoffperoxid od. Kaliumpermanganat gebleicht. Zuletzt wäscht man die übrigbleibenden Gerüste aus *Spongin nochmals aus u. trocknet sie in der Sonne. Als „pflanzliche S." könnte man *Luffa ansehen. Heute wird der Bedarf an S. meist durch synthet. hergestellte S. gedeckt. Weitgehend offenporige *Kunst-S.* erhält man durch Aufschäumen von Polyvinylalkohol (PVAL) u. Acetalisierung mit Formaldehyd zu Polyvinylformal od. aus *Viskose; hierbei wird *Cellulosexanthogenat mit Zusätzen (z.B. Ammoniumsulfat od. gasentwickelnden organ. Verb.) vermischt u. in verschlossenen Formen „gebacken", wobei Blasen entstehen u. die *Cellulose aus der Viskose zurückgebildet wird. Diese *Viskose-S.* sind in trockenem Zustand hart; beim Eintauchen in Wasser quellen sie um 40–50% ihres Vol. auf. Zu weiteren Bedeutungen des Wortes „S." vgl. Schwamm. – *E* sponges – *F* éponges – *I* spugne – *S* esponjas

Lit.: Siewing, Lehrbuch der Zoologie, Bd. 2, Stuttgart: Fischer 1985 ▪ Wehner u. Gehring, Zoologie (23.), Stuttgart: Thieme 1995.

Schwänzeltanz. Während der *Rundtanz der Honigbiene die Informationen einer nach Nahrungsquellen Ausschau haltenden Kundschafterin für den Nahbereich des Bienenstockes an die ihr nachfolgenden Stockgenossinnen darstellt, wird bei weiter entfernt gelegenen Futterquellen (über 100 m bis mehrere km) die Information durch die als S. bezeichneten Bewegungen übermittelt. Dabei vollbringen die Tiere erstaunliche Transpositionsleistungen, indem sie die Lage der Nahrungsstelle in Bezug zur Sonnenrichtung unter Zuhilfenahme der Schwerkraft anzeigen: Die S.-Richtung im Verhältnis zur Senkrechten auf der Wabe (Sonne oben) gibt den Winkel der Futterquelle links od. rechts zur Sonne an. Die Häufigkeit bzw. Intensität des Schwänzelns je Zeiteinheit signalisiert die Entfernung zur Futterquelle. Gleichzeitig werden, akust. durch Vibrationslaute bzw. olfaktor., Informationen über die Art u. die Ergiebigkeit der Nahrung mitgeteilt. Selbst Anflug-Erschwernisse wie Seitenwind od. Umwege werden im S. codiert als energet. Aufwands-Information weitergegeben. – *E* waggle dance – *F* pavane – *I* danza per scuotimento – *S* danza de meneo rapido

Lit.: Franck, Verhaltensbiologie (3.), Stuttgart: Thieme 1997 ▪ von Frisch, Aus dem Leben der Bienen (8.), Berlin: Springer 1969 ▪ Immelmann, Wörterbuch der Verhaltensforschung, Berlin: Parey 1982 ▪ Krebs u. Davies, Einführung in die Verhaltensökologie (3.), Berlin: Blackwell 1996.

Schwärmer s. pyrotechnische Erzeugnisse.

Schwärzen. Die chem. Behandlung von Kupfer, Zink u.a. Metallen mit wäss. Salz-Lsg., um auf der Oberfläche eine dunkle Umwandlungsschicht zu erzeugen; s.a. Brünieren. – *E* black finishing – *F* noircir – *I* annerimento – *S* ennegrecer

Schwärzung(skurve) s. Photographie.

Schwamm. 1. Bes. im oberdtsch. Sprachraum Synonym für *Pilz; – 2. im Holzschutz unspezif. Bez. für holzschädigende Kleinpilze (*Beisp.:* Hausschwamm); – 3. s. Schwämme; – 4. Bez. für die Form, in der Metalle nach Red. ihrer Erze mit gasf. Red.-Mitteln (*Beisp.:* *Eisen-S.) od. nach therm. Zers. ihrer Salze (*Beisp.:* *Platin-S.) vorliegen. – *E* 1., 2. fungus, 3. sponge – *F* 1., 2. champignon, 3., 4. éponge – *I* 1., 2. fungo, 3., 4. spugna – *S* 1., 2. hongo, 3., 4. esponja

Schwammgummi. Aus *Kautschuk unter Verw. von Treibmitteln hergestelltes poröses Gummi-Erzeugnis, dessen *Poren im Gegensatz zu denen von *Schaumgummi u. *Moosgummi untereinander in Verbindung stehen (offene Zellen). – *E* sponge rubber – *F* caoutchouc-mousse, caoutchouc spongieux – *I* gommapiuma – *S* caucho esponjoso

Lit.: Ullmann (4.) **13**, 693 f.

Schwammspinner. Der S. (*Lymantria dispar*) gehört zur Schmetterlings-Familie der Trägspinner, Schadspinner bzw. Wollspinner (Lymantriidae). Die im Frühjahr schlüpfenden behaarten Raupen bleiben zunächst gesellig. Die langen Haare sind für eine Verfrachtung durch Wind sehr günstig: Entfernungen bis zu 21 km sind nachgewiesen worden. Die Raupen fressen v. a. nachts an verschiedenen Laubbäumen. Bei fehlenden natürlichen Feinden, wie z. B. nach der Einschleppung nach Nordamerika 1869, kann S.-Befall zu großen Schäden in Obstbaum- u. Eichenbeständen führen. Das Weibchen ist sehr flugträge u. legt nur zur Eiablage kurze Strecken zurück. Zur Paarung lockt es das Männchen, nachweislich noch aus 3,8 km Entfernung, mit dem *Disparlur benannten Lockstoff aus Duftdrüsen des Hinterleibes an. Diese Lockwirkung ist bei jungfräulichen Weibchen am stärksten. Das an Baumrinden abgelegte u. mit brauner Afterwolle (Behaarung des Hinterleibes) bedeckte Ei-Gelege (namengebend, da wie ein großer Schwamm aussehend) überwintert. – ***I*** liniantria – ***S*** araña esponjosa

Lit.: Brauns, Taschenbuch der Waldinsekten (4.), Stuttgart: Fischer 1991 ▪ Jacobs u. Renner, Biologie u. Ökologie der Insekten (2.), Stuttgart: Fischer 1988.

Schwangerschaftshormone. Sammelbez. für *Hormone, die während der Schwangerschaft in erhöhten Konz. auftreten wie *Chorio(n)gonadotrop(h)in, *Gestagene u. *Placentalactogen. – ***E*** pregnancy hormones – ***F*** hormones de grossesse, hormones gravidiques – ***I*** ormoni della gravidanza – ***S*** hormonas del embarazo

Schwangerschaftstest. Mit einfachen Mitteln durchführbare Tests auf das evtl. Vorliegen einer Schwangerschaft, heute immunchem. Meth. zum Nachw. des *Chorio(n)gonadotrop(h)ins im Harn. – ***E*** pregnancy test – ***F*** test de grossesse – ***I*** test di gravidanza, prova di gravidanza – ***S*** prueba del embarazo

Lit.: Pharm. Ztg. **134**, 872 (1990).

Schwannomin s. Talin.

Schwann-Zellen s. Myelin.

Schwartz, Melvin (geb. 1932), Prof. für Physik, Palo Alto (Kalifornien). *Arbeitsgebiete:* Kernphysik, Elementarteilchen, Methodenentwicklung. S. wies 1976 erstmals das Pionium nach u. erhielt 1988 zusammen mit L. M. Lederman u. J. *Steinberger den Nobelpreis für Physik für die Entwicklung der Neutrinostrahlmeth. sowie den Nachw. des My-Neutrinos (1962).

Lit.: Lexikon der Naturwissenschaftler, S. 370 ▪ Who's Who in America (51.), S. 3875.

Schwarz (Berthold) s. Schwarzpulver.

Schwarz, Helmut (geb. 1943), Prof. für Organ. Chemie, TU Berlin. *Arbeitsgebiete:* Gasphasenchemie, Aktivierung von C,H/C,C-Bindungen, Katalyse, interstellare Chemie.

Lit.: Kürschner (16.), S. 3433 ▪ Wer ist wer (36.), S. 1330.

Schwarzblech. Im offenen Feuer od. im Kasten geglühtes *Blech aus unlegiertem Stahl. Die Reaktion mit dem Sauerstoff aus der Umgebung führt zur Bildung festhaftender dünner Oxidschichten mit einer gewissen Schutzwirkung u. dunklem Aussehen des Halbzeugs. – ***E*** black iron plate – ***F*** fer noir de substitution – ***I*** lamiera nera, lamierino – ***S*** chapa negra

Schwarzdorn s. Schlehen.

Schwarzenbach, Gerold Karl (1904–1978), Prof. für Anorgan. Chemie, ETH Zürich. *Arbeitsgebiete:* Ionengleichgew., Säuren u. Basen in nichtwäss. Medium, Koordinationschemie, Metallkomplexe, Chelate, Komplexometrie.

Lit.: Neufeldt, S. 216 ▪ Pötsch, S. 390 ▪ Strube et al., S. 177, 180.

Schwarze Raucher s. Lagerstätten.

Schwarzer Körper. Idealkörper der Physik, der Strahlungsenergie jeder Wellenlänge vollkommen absorbiert u. nach der *Planckschen Strahlungsformel u. dem *Stefan-Boltzmann-Gesetz Wärmestrahlung emittiert. Der S. K. dient als Standard bei allen *Strahlungs-Messungen. Realisiert wird der S. K. durch eine kleine Öffnung in einem strahlungsundurchlässigen Hohlkörper mit homogener Temp. (Details s. *Lit.*[1]); in der Praxis wird heute anstelle des S. K. oft *Synchrotronstrahlung eingesetzt. Zum Emissionsspektrum eines S. K. s. Plancksche Strahlungsformel. – ***E*** black body – ***F*** corps noir – ***I*** corpo nero – ***S*** cuerpo negro

Lit.: [1] Kohlrausch, Praktische Physik 1, S. 151, Stuttgart: Teubner 1996.

allg.: Sala, Radiant Properties of Materials, Tables of Radiant Values for Black Bodies and Real Materials, Amsterdam: Elsevier 1986 ▪ s. a. Strahlung.

Schwarzes Loch. In der Astronomie wird als S. L. ein Körper bezeichnet, der unter seiner eigenen Gravitationskraft so stark kollabiert ist, daß die Fluchtgeschw. gleich der Lichtgeschw. ist, d. h. der Körper ist mit einer Hüllfläche, dem sog. *Ereignishorizont*, umgeben, innerhalb derer das Gravitationsfeld so stark ist, daß weder Materie noch elektromagnet. Strahlung entweichen können.

S. L. werden im Rahmen der allg. *Relativitätstheorie untersucht. Demnach entstehen sie aus massereichen *Sternen, die von der großen Eisen-Masse in ihrem Inneren zum Kollabieren gebracht werden. Gemäß der Quantentheorie sind S. L. nicht wirklich „schwarz", sondern strahlen mit einer gewissen Temperatur[1].

In jüngster Zeit gelang der fast sichere Beweis, daß sich im Zentrum unserer Milchstraße ein S. L. befindet[2]. In einem Raumbereich mit einem Durchmesser von weniger als 0,01 Parsec (Parsec ist eine astronom. Längeneinheit; 1 Parsec $= 3{,}0856776 \cdot 10^{16}$ m $\approx 3{,}263$ Lichtjahre; 0,01 Parsec entsprechen also ungefähr der Größe unseres Planetensyst.) sind etwa $2{,}61 \cdot 10^6$ Sonnenmassen zusammengeballt. – ***E*** black hole – ***F*** trou noir – ***I*** buco nero – ***S*** aguejero negro

Lit.: [1] Phys. Unserer Zeit **28**, 22 (1997). [2] Phys. Bl. **52**, 1102 (1996); Nature (London) **383**, 415 (1996).

allg.: Unsöld u. Barschek, Der neue Kosmos (5.), Berlin: Springer 1991.

Schwarzhaupt. Kurzbez. für die 1914 gegr. Arzneimittel-Firma Kommanditges. Schwarzhaupt GmbH & Co., 50677 Köln, mit den *Tochterges.* Chemipharm u. Mediaplan. *Produktion*: Geriatrika, Tonika, Diagnostika.

Schwarzheide s. BASF Schwarzheide.

Schwarzkernguß s. Temperguß.

Schwarzkopf. Kurzbez. für die 1898 gegr. Firma Hans Schwarzkopf GmbH & Co. KG, 22763 Hamburg, eine 100%ige Tochterges. von Henkel. *Unternehmen:* Wolff & Sohn, Clynol GmbH u. a. *Daten* (1997): 1100 Beschäftigte, 454 Mio. DM Umsatz. *Produktion:* Haar- u. Körperpflegemittel, Parfümerie- u. Kosmetikerzeugnisse.

Schwarzlauge. Abfallflüssigkeit des alkal. Holzaufschlusses in Natron- u. Sulfat-*Zellstoff-Fabriken, enthält Alkali-Lignin.

Schwarzlicht-Lampen s. Ultraviolettstrahlung.

Schwarz-Neghishi-Reaktion. Bez. für die Hydrozirconierung von Alkenen u. Alkinen (*Hydrometallierung*, s. a. Metall-organische Reaktionen) mit Chlorobis(η^5-cyclopentadienyl)hydrozircon (*Schwarz-Reagenz*; s. Zirconium-organische Verbindungen). Das prim., stabile Additionsprodukt wird in der Regel nicht isoliert, sondern direkt weiter umgesetzt. Mit oxidierenden Elektrophilen erfolgt Spaltung der Metall-Kohlenstoff-Bindung, wobei Alkylhalogenide od. Alkohole erhalten werden (s. Abb. a).

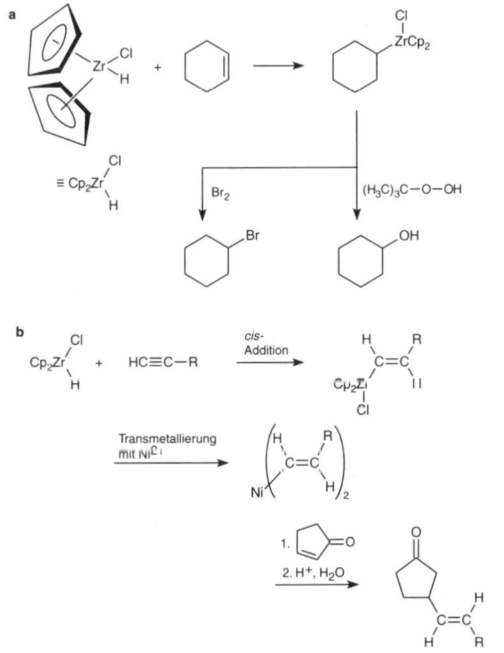

Abb.: Hydrozirconierung nach Schwarz-Neghishi: a) Synth. von Alkylhalogeniden u. Alkoholen; b) Michael-Addition.

Ihre Hauptanw. hat die Hydrozirconierung nach Transmetallierung mit Nickel(II)-Salzen in der *Michael-Addition mit α,β-ungesätt. Carbonyl-Verb. (s. Abb. b). – ***E*** Schwarz-Neghishi reaction – ***F*** reáction de Schwarz-Neghishi – ***I*** reazione di Schwarz-Neghishi – ***S*** reacción de Schwarz-Neghishi

Lit.: Angew. Chem. **88**, 402 (1976) ▪ Hassner-Stumer, S. 339 ▪ Hegedus, Organische Synthese mit Übergangsmetallen, S. 71 f., Weinheim: VCH Verlagsges. 1995 ▪ s. a. Metall-organische Chemie u. Zirconium-organische Verbindungen.

Schwarz Pharma. Kurzbez. für den 1946 gegr. internat. agierenden Konzern Schwarz Pharma AG, 40789 Monheim. 1995 wurde die in der BRD als unabhängige Tochterges. operierende Schwarz Pharma Deutschland GmbH, 40789 Monheim, gegründet. *Daten* (1997, Daten der GmbH in Klammern): 3060 (562) Beschäftigte, 1,27 Mrd. (357,8 Mio.) DM Umsatz. *Produktion:* Arzneimittel für Herz-Kreislauferkrankungen (Nidrel®, Isoket®, Dynacil®, Tensobon®), Gastroenterologie (Rifun®, Levsin®), Urologie (Viridal®, Transulose®), Fettstoffwechsel (Liprevil®), Analgetika, Spezialitäten. *Beteiligungs- u. Tochterges.:* U. a. Isis Pharma-Gruppe, Zwickau; SELOC AG, Schweiz u. Frankreich; Melusin Arzneimittelges., Türkei; Schwarz Pharma-Gruppe, USA; SIFA Ltd., Irland.

Schwarzpigmente s. Pigmente.

Schwarzpulver. Schiefergraue bis blauschwarze, gekörnte Gemische aus etwa 75% Kalisalpeter, 15% Kohle-Pulver u. 10% Schwefel; D. 1,1–1,2. Schütt-D. 0,91–0,98. Der Kalisalpeter wirkt als Sauerstoff-reiches Oxidationsmittel. Zur histor. Herst. über „Mauersalpeter" s. Calciumnitrat. $NaNO_3$ (Natronsalpeter) ist zwar Sauerstoff-reicher u. billiger, aber ziemlich hygroskop. u. wird nur zur Herst. von *Sprengsalpeter verwendet. Der Schwefel soll chem. rein sein (gemahlener Stangenschwefel, nicht Säure-haltige Schwefelblumen), er erleichtert die Entzündung u. beschleunigt die Verbrennung des Pulvers. Als Kohle verwendet man durch Erhitzen auf 300–400 °C gewonnene *Holzkohle von Faulbaum, Erle, Linde, Buche od. Pappel. Die Bestandteile werden in Kugelmühlen zerkleinert, in Holztrommeln gemischt, mit 5–10% Wasser angefeuchtet (zur Verminderung der Entzündungsgefahr) u. im Kollergang fein zermahlen, verdichtet u. gemischt. Hierauf preßt man den Pulversatz zu Kuchen u. körnt diese, wobei die Korngrößen je nach Verw.-Zweck von 8 mm (**Sprengpulver*) über 2 mm (*Böllerpulver*), 0,2–0,7 mm (*Zündschnurpulver*) bis zu 0,15–0,43 mm Durchmesser (feines **Jagdpulver*) variieren können. Feuerwerkspulver wird meist ungekörnt als sog. Mehlpulver verwendet. Das gekörnte Pulver hat den Vorteil, rascher abzubrennen u. weniger zu stäuben.

Verw.: Für *pyrotechnische Erzeugnisse, zu Zündschnüren, Jagdmunition, für Sprengungen in Steinbrüchen u. dgl.

Geschichte: S. ist das älteste Schieß- u. Sprengmittel, das in China seit 1200 bekannt ist u. in Europa als Erfindung des legendären Mönchs *Berthold Schwarz* gilt. Hier wurde es seit dem 14. Jh. verwendet, bis es etwa seit 1865 im militär. Bereich durch rauchschwache Pulver (s. Schießpulver) u. a. *Explosivstoffe (s. a. Sprengstoffe) zum großen Teil ersetzt wurde. – ***E*** black powder – ***F*** poudre noir – ***I*** polvere nera – ***S*** pólvora negra

Lit.: Kirk-Othmer (4.) **10**, 108–114 ▪ Köhler u. Meyer, Explosivstoffe, 8. Aufl., Weinheim: VCH Verlagsges. 1995 ▪ Kramer, Berthold Schwarz – Chemie u. Waffentechnik des 15. Jh., Essen: Oldenbourg 1995 ▪ Ullmann (4.) **21**, 673 f.; (5.) **A 10**, 144 f. ▪ Winnacker-Küchler (4.) **7**, 395 f. ▪ s. a. Sprengstoffe. – *[HS 3601 00; G 1]*

Schwarz-Reagenz s. Schwarz-Neghishi-Reaktion u. Zirconium-organische Verbindungen.

Schwarzschild-Effekt s. Photographie.

Schwarz-Weiß-Gruppen s. Raumgruppen.

Schwarzwurz s. Beinwell.

Schwarzwurzeln s. Zichorien.

Schwazit s. Fahlerze.

Schwebebett s. Wirbelschicht u. Fließbett.

Schwebemethode s. Schwerflüssigkeiten.

Schwebe(röst)schmelzverfahren. Von der finn. Firma *Outokumpu Oy entwickeltes Verf., durch *Rösten der Erze – sowohl von armen Erzen als auch von Konzentraten – im Gasstrom auf wirtschaftliche Weise Nichteisen-Metalle wie Cu, Ni, Sn, Zn, Pb u. Ge zu gewinnen. Die auf ca. 0,5 mm Korngröße zermahlenen Erze werden dafür zusammen mit Zuschlägen von oben den Verbrennungsgasen (Luft u./od. Sauerstoff) entgegengeführt. Schwefeldioxid entweicht u. die Metalloxide fallen als Schmelze an. – ***E*** suspension (roast) melting – ***F*** fusion (par grillage) en suspension – ***I*** processo di fusione in sospensione – ***S*** fusión (por tostación) en suspensión

Lit.: s. Rösten (3.).

Schwebstaub (Schwebestaub). Übliche Sammelbez. für alle festen Partikel in der Außenluft, s. Staub u. Feinstaub. S. ist ein Teil des in der Luft befindlichen *Aerosol (zur Zusammensetzung s. *Lit.*[1]) u. wegen seiner gesundheitlichen Wirkungen[2] ein wichtiger Parameter zur Auslösung von *Smog-Alarm. Die EU nennt Grenzwerte[3], die in die 22. VO zum *Bundes-Immissionsschutzgesetz[4] eingegangen sind. Für S. beträgt der *Immissionsgrenzwert 150 μg/m³ als arithmet. Mittel u. 300 μg/m³ als 95-Prozent-Wert der Summenhäufigkeit (Perzentil) aller während des Jahres gemessenen Tagesmittelwerte. S. wird an ca. 450 Meßstationen in der BRD gemessen. Bundesweit lagen S.-*Immissions-Konz. 1995 großräumig nur noch bei 25–50 μg/m³, der Blei-Gehalt im S. bei 11 ng/m³, der Cadmium-Gehalt bei 1 ng/m³. Der natürliche S.-Gehalt der Luft wird mit ca. 20 μg/m³ angegeben[5]. Probenahme u. Analytik s. *Lit.*[3,6] – ***E*** suspended dust – ***F*** poussière en suspension – ***I*** polvere in sospensione, particelle in sospensione – ***S*** polvo en suspensión

Lit.: [1]Fortschr.-Ber. VDI, Reihe 15, **92** (Israel et al., Analyse der Herkunft u. Zusammensetzung der Schwebstoffimmissionen) (1992). [2]Reichl (Hrsg.), Taschenatlas der Toxikologie, S. 116f., Stuttgart: Thieme 1997; Brauer (Hrsg.), Handbuch des Umweltschutzes u. der Umweltschutztechnik, Bd. 1, Emissionen u. ihre Wirkungen, S. 141–144, Berlin: Springer 1996. [3]Richtlinie 80/779/EWG des Rates der Europ. Gemeinschaften über Grenzwerte u. Leitwerte der Luftqualität für Schwefeldioxid u. Schwebestaub vom 15.07.1980 (ABl. der EG Nr. L 229, S. 30), geändert durch Richtlinie 89/427/EWG vom 21.06.1989 (ABl. der EG Nr. L 201, S. 53). [4]22. VO zur Durchführung des Bundes-Immissionsschutzgesetzes (VO über Immissionswerte) vom 27.05.1994 (BGBl. I, S. 1095). [5]Umweltbundesamt (Hrsg.), Daten zur Umwelt 1997, S. 152ff., Berlin: E. Schmidt 1997. [6]Ullmann (5.) **B 7**, 458, 474–476; VDI **2463** (ganze Reihe, verschiedene Erscheinungsjahre).

Schwebstoffe (suspendierte Stoffe). Feststoffe im Wasser[1], die durch das Gleichgew. der Vertikalkräfte (Abtrieb/Auftrieb, Turbulenz) in Schwebe gehalten werden. Die S.-Konz. (nicht S.-Gehalt) ist der Quotient aus S.-Masse u. Wasservolumen. Als S.-Transport bezeichnet man die Masse der S., die in einer Zeiteinheit durch den gesamten Gewässerquerschnitt treibt, als S.-Fracht den für eine Zeitspanne summierten S.-Transport, als S.-Trieb die durch einen Querschnittstreifen von 1 m Breite treibende S.-Masse.

In Gewässern bestehen die S. zum Teil aus *Detritus. Zusammen mit dem *Plankton bilden sie das *Seston. Aufgrund ihrer großen polaren Oberflächen adsorbieren u. akkumulieren sie bes. *Schwermetalle[2]. Seit den 70er Jahren sind die Schwermetall-Belastungen der S. des Rheins um meist mehr als 90% zurückgegangen, in der Elbe ist erst nach 1989 ein Rückgang zu verzeichnen. Typischerweise wird ein Fünftel der S.-Masse von organgebundenem Kohlenstoff (TOC) eingenommen[3].

Recht: In Oberflächengewässern zur Trinkwassergewinnung[4] sowie in Fischgewässern[5] soll der S.-Gehalt 25 mg/L als Jahresmittelwert nicht überschreiten, in Muschelgewässern[6] darf er in dem von einer Einleitung betroffenen Bereich nicht mehr als 30% über dem von der Einleitung unbeeinflußten Gewässerbereich liegen.

Analytik: Die S. werden durch Glasfaserfiltration aus einer Wasserprobe abgetrennt, bei 105 °C getrocknet u. durch Wiegung bestimmt[7] od. analog nach Zentrifugation ermittelt. Zu S. in der Luft s. Schwebstaub. – ***E*** suspended load (matter) – ***F*** matières en suspension – ***I*** sostanze in sospensione – ***S*** materias en suspensión

Lit.: [1]DIN 4049-3: 1994-10. [2]Brauer (Hrsg.), Handbuch des Umweltschutzes u. der Umweltschutztechnik, Bd. 1, Emissionen u. ihre Wirkung, S. 331–334, Berlin: Springer 1996. [3]Chemosphere **24**, 695–717 (1992). [4]Richtlinie 775/440/EWG des Rates vom 16.06.1975 über die Qualitätsanforderungen an Oberflächenwasser für die Trinkwassergewinnung in den Mitgliedstaaten (ABl. der EG L 194 vom 25.07.1975, S. 44). [5]Richtlinie 78/659/EWG des Rates über die Qualität von Süßwasser, das schutz- u. verbesserungsbedürftig ist, um das Leben von Fischen zu erhalten (ABl. der EG L 222 vom 14.08.1978, S. 1). [6]Richtlinie 79/923/EWG des Rates vom 30.10.1979 über die Qualitätsanforderungen an Muschelgewässer (ABl. der EG L 281 vom 10.11.1979, S. 47). [7]EN 872: 1996-02.

allg.: Grombach et al., Handbuch der Wasserversorgungstechnik (2.), S. 40–43, München: Oldenbourg 1993.

Schwedenpunsch. Nach Artikel 51 der Begriffsbestimmungen für *Spirituosen[1] ist S. ein Likör, der unter Verw. von Arrak u. Gewürzen hergestellt wird. Mindestalkohol-Gehalt: 25% vol (s.a. Punsch). – ***E*** Swedish punch – ***F*** punch suédois – ***I*** ponce freddo – ***S*** ponche sueco

Lit.: [1]Begriffsbestimmungen für Spirituosen, abgedruckt in Zipfel, C 419. – *[HS 2208 90]*

Schwefel [latein.: sulfur od. sulp(h)ur, chem. Symbol S]. Nichtmetall. Element der 6. Hauptgruppe (16. Gruppe) des *Periodensystems, Ordnungszahl 16, Atomgew. 32,066. Isotope (Häufigkeit in Klammern): 32 (95,02%), 33 (0,75%), 34 (4,21%), 36 (0,02%); daneben kennt man noch eine Reihe künstlicher Isotope zwischen ^{29}S u. ^{44}S mit HWZ zwischen 0,188 s u. 87,2 d.

F

S. ist ein sehr schlechter Leiter für Wärme u. Elektrizität; beim Reiben mit einem Lederlappen wird er neg. aufgeladen. Unter dem Einfluß von *Stoßwellen wird er elektr. leitend; es wird angenommen, daß S. durch den enormen Druck für kurze Zeit metall. Eigenschaften gewinnt, die jedoch sofort wieder verloren gehen. Bei sehr tiefen Temp. wird metall. leitender S. sogar supraleitend.

Modif.: S. zeigt mehrere allotrope *Modifikationen, die in zwei Hauptgruppen eingeteilt werden: Es gibt verschiedene Mol.-Größen S_x u. es gibt verschiedene Anordnungen gleicher S_x-Mol. im krist. Zustand (z. B. S_8 als S_α, S_β u. S_γ). In Schmelzen liegen viele Formen S_x (mit x = 2 bis ca. 10^6) in kompliziertem Gleichgew. nebeneinander vor. Sie entsprechen formal den unverzweigten gesätt. Kohlenwasserstoffen mit ketten- (**catena*-S.) od. ringförmigem (*Cycloschwefel) Aufbau. Unter Normalbedingungen gehen sie schließlich alle in die bei gewöhnlicher Temp. einzig stabile Form, den gelben *Cycloocta-S.* (S_8), über, der kronenförmig als achtgliedriger Ring vorliegt. Neben dieser beständigen Modif. kennt man noch weitere cycl. Formen der Zusammensetzung S_6 (orangerot), S_7, S_9, S_{10}, S_{11}, S_{12} (blaßgelb), S_{13}, S_{15}, S_{18} (intensiv gelb) u. S_{20} (hellgelb). Auch S_x^{2+}-Kationen sind bekannt.

Cycloocta-S. liegt bei Raumtemp. in Gestalt von zitronengelben Brocken od. Stangen vor u. wird *rhomb.* od. *α-S.* genannt, D. 2,07. Je nach der Geschw. des Erhitzens geht α-S. zwischen 110 u. 119 °C unter teilw. Zers. der S_8-Mol. in eine hellgelbe dünnflüssige Schmelze über, die bei 114,5 °C wieder erstarrt, wobei häufig auch von einem *idealen* (112,8 °C) u. einem *natürlichen* (110,2 °C) Schmp. gesprochen wird. Die Mohssche Härte (s. Härte fester Körper) des α-S. beträgt etwa 2; er ist unlösl. in Wasser, nur wenig lösl. in den meisten organ. Lsm. u. gut lösl. in Schwefelkohlenstoff (bei 25 °C lösen sich in 100 g CS_2 etwa 30 g, in 100 g Benzol nur etwa 1,2 g α-S.).

Erwärmt man die gelbe, leicht bewegliche S.-Schmelze (sog. *λ-S.*) auf 159 °C (*Floor-Temperatur), so wird diese braun u. allmählich dickflüssig (infolge der Verschiebung des in der Schmelze vorliegenden Gleichgew. zwischen λ-S. u. dem langkettigen sog. *μ-S.*). Bei 200 °C ist die S.-Schmelze dunkelbraun u. etwa so zäh wie Harz (sie erreicht bei 243 °C max. Viskosität), oberhalb 250 °C nimmt die Zähflüssigkeit wieder ab, wobei die auftretende rote Farbe durch kurze S_n-Ketten (n < 5) bedingt ist. Bei 400 °C wird die Schmelze dünnflüssig, der Sdp. liegt bei 444,6 °C.

Läßt man in einem größeren Tiegel geschmolzenen S. an der Oberfläche erstarren, so bilden sich im Gefäß lange, monokline Kristallnadeln. Diese nadelförmige, fast farblose S_8-Modif. wird *monokliner* od. *β-S.* genannt, D. 1,96. Monokliner S. ist nur oberhalb 95,6 °C stabil, unterhalb 95,6 °C geht er wieder in rhomb. S. über (s. Abb.).

Bei langsamem Abkühlen der Schmelze entsteht der schwach gelbe perlmutterartige *γ-S.*, D. 2,4, der ebenfalls monoklin krist., jedoch mit anderen Gitterkonstanten als β-S.; γ-S. geht in Ggw. von Keimen des β- od. α-S. je nach der vorliegenden Temp. in eine dieser Modif. über.

Gießt man dünnflüssige S.-Schmelze in kaltes Wasser, so entstehen elast. Fäden u. Häute (*plast. S.*), die in Schwefelkohlenstoff nur teilw. lösl. sind – der Rückstand, der *elast. S.* (μ-S., amorpher S.), ist ein Poly-

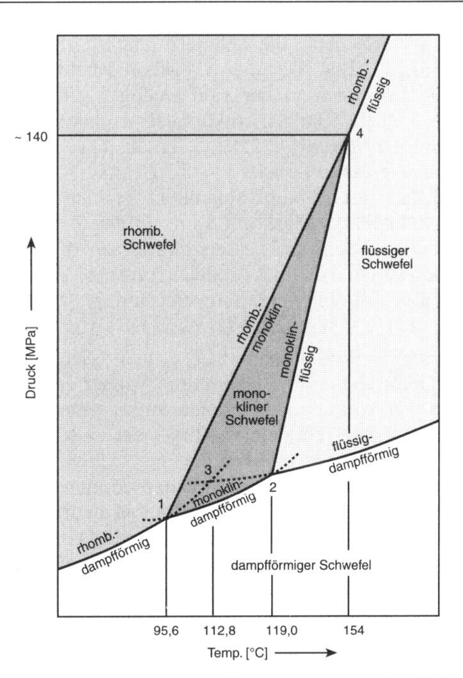

Abb.: Stark vereinfachtes *Zustandsdiagramm des Schwefels. In ihm entsprechen die einzelnen Felder den Existenzbereichen der vier wichtigsten Zustandsformen; längs der Begrenzungslinien sind je zwei u. in den Punkten 1, 2, 3 u. 4, den *Tripelpunkten, sind je drei Phasen des Schwefels miteinander im Gleichgewicht.

meres mit 2000–5000 S-Atomen in einer Kette (M_R ca. 60000–160000), der sich nach einigen Stunden von selbst wieder in gewöhnlichen spröden S. umwandelt.

Seit langem kennt man auch schon den *Cyclohexa-S.* (*ρ-S.*, *Engelscher S.* od. *Atenscher S.*). Diese Modif. des S. entsteht beim Eingießen von $Na_2S_2O_3$-Lsg. in konz. Salzsäure bei 0 °C; sie krist. hexagonal innerhalb kurzer Zeit aus dem Toluol-Extrakt der Reaktionslsg. u. ist mit 2,21 g/cm³ die dichteste aller S.-Modifikationen. Die Krist. sind ziemlich instabil u. gehen schon innerhalb weniger Stunden in ein Gemisch aus plast. u. rhomb. S. über. Die S_6-Ringe der Mol. haben Sesselform; der S–S-Bindungsabstand (206,8 pm) entspricht etwa demjenigen im S_8-Ring des rhomb. S. (Mittelwert 205 pm). Bei der Umwandlung der S_6-Ringe erfolgt Öffnung u. teilw. Spaltung, wodurch sich Ketten u. S_8-Ringe bilden können. Die Umwandlung der S_6- in S_8-Mol. über polymere Formen erfolgt nicht nur im festen Zustand, sondern auch in Lsg. – bes. rasch in Ggw. geringer Spuren von Schwefeldioxid od. Schwefelwasserstoff od. unter Lichteinwirkung. S_6 ist therm. nicht über 60 °C belastbar; es existiert kein scharfer Schmp. od. Zers.-Punkt. *Cyclododeca-S.*, eine bei Raumtemp. u. am Licht monatelang beständige S.-Modif., bildet sich aus Sulfanen u. Chlorsulfanen:

$$H_2S_x + Cl_2S_y \rightarrow 2\,HCl + S_{12} \quad (x + y = 12).$$

Bei Anw. des *Ziegler-Verdünnungsprinzips (Gemisch Schwefelkohlenstoff/Ether) erhält man S_{12} neben polymerem S. in Form schwach gelblicher, rechteckiger orthorhomb. Kristallstäbchen (aus Benzol),

Schmp. 148 °C (Zers.; die Schmelze erstarrt zu Cycloocta-S.), D. 2,04. Der therm. instabile, lichtempfindliche *Cyclodeca-S.*, der sich analog S_{12} bildet, wurde u. a. durch Röntgenstrukturanalyse charakterisiert. Eine *Hochdruckform* des S. erhält man, wenn man rhomb. S. unter Druck (2,5 – 8,3 GPa) auf 400 °C erhitzt u. dann rasch mit Luft abkühlt; D. zwischen 2,18 u. 2,19, hellgelb u. unlösl. in CS_2. *Kolloiden S.* erhält man, wenn man Schwefelwasserstoff langsam in kalte konz. Schwefeldioxid-Lsg. einleitet od. eine Natriumthiosulfat-Lsg. mit verd. Schwefelsäure zersetzt

$$Na_2S_2O_3 + H_2SO_4 \rightarrow Na_2SO_4 + S + H_2O + SO_2$$

bzw. wenn man eine alkohol. S.-Lsg. in Wasser gießt od. ein Gemisch von S., *Bentonit u. Wasser erhitzt. Durch Schutzkolloide (s. Kolloidchemie) kann man die Beständigkeit kolloider S.-Lsg. wesentlich erhöhen. In der Schmelze liegen die verschiedenen S.-Modif. nebeneinander vor, im S.-Dampf kommen neben >90% S_8, S_7 u. S_6 auch kleine Mengen an orangerotem S_5, rotem S_4, blauem S_3 u. violettem S_2 vor. Bei starkem Erhitzen zerfallen diese stufenweise; bei etwa 2000 °C besteht der S.-Dampf nur noch aus einfachen S.-Atomen. Ausführlichere Abhandlungen u. weiterführende Lit. über die *S.-Modif.* findet man in *Lit.*[1].

Chem. Eigenschaften: S. tritt in den Oxid.-Stufen –2 bis +6 auf, wobei die Oxid.-Stufen –2 u. +6 am häufigsten u. beständigsten sind. S. besitzt ähnliche chem. Eigenschaften wie das Homologe *Selen, mit dem S. z. B. heterocycl. Ringe bildet; dagegen besteht mit *Sauerstoff nur wenig Ähnlichkeit. An der Luft entzündet sich S. bei ca. 260 °C u. verbrennt mit schwach blauer Flamme zu stechend riechendem Schwefeldioxid u. bis zu 40% Schwefeltrioxid. Erhitzt man S. feinpulverisiert in stöchiometr. Verhältnissen mit Metall-Pulvern, so entstehen (meist unter starker Wärmeentwicklung u. Aufleuchten) Metallsulfide der Formel $M^{II}S$, z. B. Eisen-, Zink-, Kupfersulfid. Trockener, geschmolzener S. greift Stahl kaum an, da sich rasch eine dünne Schicht von schützendem Eisensulfid bildet; über Löslichkeit u. Diffusion von S. in Metallen u. Leg. s. *Lit.*[2]. Mit Silber verbindet sich S. leicht zu schwarzem Silbersulfid Ag_2S. S. vereinigt sich mit Wasserstoff zu Schwefelwasserstoff u. mit den Halogenen, Iod ausgenommen, zu Schwefelhalogeniden, wobei auch Verb. des Typs $X–S_n–X$ (mit X = H, Halogen) bekannt sind, die als *Sulfane bzw. Halogensulfane bezeichnet werden. Die Salze des Schwefelwasserstoffs heißen *Sulfide, die der höheren Sulfane H_2S_n (n > 2) *Polysulfide. Letztere bilden mit Übergangsmetallen interessante Komplexe; zu Verb. mit S,S-Doppelbindung s. *Lit.*[3]. Die sich von S. ableitenden *Oxosäuren sind unter *Schwefelsäuren zusammengestellt. Mit Stickstoff bildet S. eine Reihe von *Schwefel-Stickstoff-Verbindungen, u. in Komplexen kann S., als Zwei-, Vier- u. Sechs-Elektronendonor auftreten[4]. So enthält z. B. die dunkelgrüne heteronucleare Dreikernverb. $[(\mu\text{-}S_2)\{(\eta^5\text{-}C_5Me_5)Ru\}_2(\mu_3\text{-}S)(\mu\text{-}S)_2W(S)]$ ein terminales S^{2-}-Ion am Wolfram-Atom als Zwei-Elektronendonor, zwei verbrückende S^{2-}-Ionen als Vier-Elektronendonoren, ein dreifach verbrückendes S^{2-}-Ion als Sechs-Elektronendonor u. darüber hinaus eine Ru···S···S···Ru-Brücke. Von den *Schwefel-organischen Verbindungen* seien nur wenige Typen erwähnt: *Thiole (R–SH), Sulfide ($R–S_n–R$), *Sulfoxide (R–SO–R), *Sulfone ($R–SO_2–R$), *Thioketone u. *-aldehyde (z. B. R–CS–R), *Sulfensäuren (R–S–OH), *Sulfinsäuren (R–SO–OH) u. *Sulfonsäuren ($R–SO_2–OH$) sowie Ester anorgan. S-Säuren, *Thio- u. *Isothiocyanate (z. B. R–N=C=S), *Xanthogenate (R–O–CS–S–M), vgl. a. die Stichwörter mit Sulf... u. Thio... Als Ketten- bzw. Ringglied in *Schwefel-Heterocyclen wird S. durch das Präfix *Thia... charakterisiert. Die Einführung von S. in organ. Verb. (**Sulfurierung*) gelingt nur bei der Synth. von Sulfonsäuren u. deren Derivaten; zur Herst. von anderen organ. S.-Verb. müssen meist Umwege beschritten werden, z. B. mittels P_4S_{10}.

Physiologie: Auf der Haut bewirkt S.-Pulver erst nach längerer Zeit eine leichte Reizung; aus diesem Grund wird S. gelegentlich zur *Reizkörper-Therapie genutzt. Auch auf Niedere Tiere u. Pflanzen zeigt S. kaum Wirkung; er wirkt aber giftig, wenn er bei Berührung mit der lebenden Substanz in Schwefeldioxid od. Schwefelwasserstoff umgewandelt wird (Bekämpfung von Rebenmehltau mit elementarem S.). In feinster Verteilung wirkt S. am stärksten; so kann man z. B. mit *Netzschwefel Pilzkrankheiten u. Spinnmilben im Wein-, Obst- u. Gartenbau erfolgreich bekämpfen. Eingenommener S. passiert den Magen unverändert, wirkt jedoch etwas abführend. Reibt man bei Krätze 5%ige S.-Salbe (S.-Blumen) in die Haut ein, so entwickeln sich Spuren von Schwefelwasserstoff, welche die Krätzemilben abtöten. S.-Salben u. S.-Puder können bei Pilzflechten u. dgl. desinfizierende Wirkung zeigen. S. ist für die Pflanze ein in relativ großen Mengen benötigter Nährstoff, der durch die Wurzeln in Form von Sulfaten od., bes. in Ind.-Gegenden, in Form von SO_2 durch die Blätter aufgenommen wird. Ein Überangebot von *Schwefeldioxid u. seinen Folgeprodukten SO_3 u. H_2SO_4 führt zu erheblichen Schäden; es sei an *Sauren Regen u. *Waldschäden erinnert.

S. ist ein Bauelement der Aminosäuren Cystein u. Methionin u. der aus ihnen aufgebauten Eiweiße (z. B. als *Disulfid-Brücken). Er findet sich in *Coenzymen u. *Vitaminen wie Thiamin, Biotin u. Liposäure in pflanzlichen u. tier. Organismen, in letzteren auch als *Konjugate in den Körperflüssigkeiten, z. B. als *Schwefelsäureester. Organ. Sulfate sind z. B. die sauren *Mucopolysaccharide des tier. Körpers. Insgesamt enthält der menschliche Körper durchschnittlich 175 g S. (in Haaren z. B. bis 4%, in Muskeln durchschnittlich 1,1%, jeweils bezogen auf die Trockensubstanz); bes. S.-reich sind alle *Keratine enthaltenden Teile (Haare, Nägel, Hufe, Federn etc.). Bei der Verwesung (s. Fäulnis) wird S. in Form von Schwefelwasserstoff u. Thiolen frei. Eine wichtige Funktion erfüllt der S. in S.-haltigen *Eisen-Proteinen wie *Ferredoxin, *Rubredoxin, *Xanthin-Oxidase, *Nitrogenase u. a. Enzymen u. Coenzymen; wichtigstes *Beisp.:* *Coenzym A. Aufgrund ihrer olfaktor. Eigenschaften fallen viele S.-organ. Verb. auf; *Beisp.:* Stinktier u. a. Musteliden, Kater, aber auch Kaffee, Cassis, viele Früchte, Spargel, Fleischaroma[5].

Nachw.: Freien S. erkennt man leicht an seiner Farbe u. an der charakterist. blauen Flamme, die von stechendem Schwefeldioxid-Geruch begleitet wird. Vermutet man freien S. in Gemischen, so schüttelt man diese mit Schwefelkohlenstoff, filtriert u. läßt das Filtrat eintrocknen, worauf sich gelber S. ausscheidet, falls dieser im Gemisch vorhanden war. S. in Verb. weist man oft mit dem *Hepartest nach, bei organ. Verb. bes. durch Aufschluß mit metall. Na od. K, Versetzen der Aufschluß-Lsg. mit Essigsäure unter Zusatz von gelöstem Bleiacetat, wobei eine schwarze Fällung die Ggw. von S. anzeigt. Empfindlicher ist der Nachw., wenn man die alkal. Aufschluß-Lsg. mit einer wäss. Lsg. von *Nitroprussidnatrium versetzt, wobei eine auftretende Violettfärbung S. anzeigt. Quant. bestimmt man S. nach der Meth. von Schöniger (*Schöniger-Bestimmung, s. a. *Lit.*[6]), mit der *Carius-Methode, nach Wickbold, Grote-Krekeler u. a. (vgl. DIN 51400-1 bis 8: 1978-02 u. 1980-02); zur Bestimmung von S. in flüssigen Brennstoffen durch Röntgenfluoreszenz s. *Lit.*[7] u. in Kohle durch Protonen-Aktivierungsanalyse s. *Lit.*[8], zur S.-Analyse in Böden u. Wasser s. *Lit.*[9,10].

Vork.: S. gehört zu den häufigeren Elementen; sein Anteil an der obersten, 16 km dicken Erdkruste wird auf 0,048% geschätzt; damit steht S. in der Häufigkeitsliste der Elemente an 15. Stelle. S. kommt als Element (Lager in Sizilien, Polen, Irak, Louisiana, Texas, Mexiko) u. in Form von Sulfiden (z. B. Eisensulfide, Bleiglanz, Kupferkies, Zinkblende, Zinnober) od. Sulfaten (z. B. Gips, Anhydrit, Magnesium-, Barium-, Natriumsulfat) an vielen Punkten der Erde vor. Vulkan. Gase enthalten oft Schwefelwasserstoff u. Schwefeldioxid; beide Gase reagieren miteinander unter Bildung von dichten S.-Wolken:

$$SO_2 + 2\,H_2S \rightarrow 3\,S + 2\,H_2O.$$

Der plötzliche Austritt größerer Mengen solcher Gase aus Unterwasservulkanen kann katastrophale Folgen für Lebewesen haben. In Solfataren (s. Fumarolen) vorkommende *Schwefel-Bakterien können Schwefelsäure bilden, andere dagegen Sulfate zu S. od. H_2S reduzieren (sog. Sulfat-Atmer). Größere Mengen S. sind in fossilen Brennstoffen enthalten, im Erdgas (z. B. Alberta/Kanada, Lacq/Frankreich od. Norddeutschland) als H_2S, in Erdöl u. Kohle im allg. als S.-organ. Verbindungen. Zum natürlichen globalen S.-Kreislauf s. *Lit.*[11], in der auch Angaben über die geschätzten Reserven u. Ressourcen an S. zu finden sind.

Herst.: Die Gewinnung von S. aus natürlichen Vork. richtet sich nach den örtlichen Gegebenheiten. In Sizilien erfolgt der Abbau durch Ausschmelzen aus dem mit gediegenem S. durchsetzten Gestein, wobei die dafür erforderliche Wärme in etwas primitiver Form durch Verbrennen eines Teils des S. erzeugt wird. Kommt der S. tief unter einer dicken Schwimmsandschicht vor, wird er heute nach dem sog. *Frasch-Verf.* durch Ausschmelzen mit überhitztem Wasser-Dampf gewonnen, z. B. in den USA (1994: 2,09 Mio. t), Mexiko u. Irak sowie in Polen. An Stellen, an denen der S. sehr dicht unter der Erdoberfläche liegt, wird auch Tagebau betrieben. Aus sulfid. Erzen kann ebenfalls S. gewonnen werden, z. B. nach dem *Outokumpu-Verf.* durch Behandeln von *Pyrit unter Luftabschluß u. in reduzierender Atmosphäre, nach dem sog. *Orkla-Verf.* durch Schmelzen von Pyrit mit Koks, Kalkstein u. Quarz od. Granit od. durch Einwirkung von Chlor u. Chlorwasserstoff auf Pyrit. Auch Gips bzw. Anhydrit läßt sich prinzipiell zur S.-Gewinnung heranziehen, indem man durch Erhitzen mit Kohle Calciumsulfid herstellt ($CaSO_4 + 2\,C \rightarrow CaS + 2\,CO_2$), dieses durch Einwirkung von Kohlendioxid u. Wasser zu Kalk u. Schwefelwasserstoff umsetzt ($CaS + H_2O + CO_2 \rightarrow CaCO_3 + H_2S$), der nach dem **Claus-Verfahren* zu S. verarbeitet wird.

Den größten Teil des weltweit produzierten S. erhält man heute als *Rekuperations-S.* (*E* recovered sulfur) aus dem bei der *Entschwefelung von Erdgas u. Erdöl (sowie von Synth.- u. Koksofengas) anfallenden H_2S-haltigen sog. „Sauergas". Nach dem Claus-Verf. wird der extrahierte Schwefelwasserstoff (zu den verschiedenen Verf. s. Entschwefelung) mit der stöchiometr. Menge Luft in exothermer Reaktion zunächst zu 60–70% in S. umgewandelt:

$$H_2S + 1{,}5\,O_2 \rightarrow SO_2 + H_2O$$
$$2\,H_2S + SO_2 \rightarrow 3\,S + 2\,H_2O$$
$$\overline{3\,H_2S + 1{,}5\,O_2 \rightarrow 3\,S + 3\,H_2O;\ \Delta H = -664\ \mathrm{kJ/mol}}$$

Das Prozeßgas wird in einem Abhitzekessel abgekühlt; die Weiterführung der Reaktion erfolgt in einem Reaktor bei 300 °C an einem Cobalt-Molybdän-Katalysator bis zu einem Umsatz von 80–85%. Nach Kondensieren des gebildeten S. werden in einem zweiten u. evtl. dritten Reaktor in Ggw. hochaktiver Al_2O_3-Katalysatoren die Restmengen H_2S u. SO_2 miteinander umgesetzt, so daß man S.-Ausbeuten von insgesamt 96–98% erzielt. Beim COPE (*E* *C*laus *O*xygen-based *P*rocess *E*xpansion)-Prozeß wird durch Verw. von 80–100%igem Sauerstoff die Anlagenkapazität erhöht, so daß ca. 35% weniger zu reinigendes Abgas anfällt. Aus Gasen mit niedrigem H_2S-Gehalt, z. B. Koksofengas od. Claus-Endgas, ist S. nach dem *Stretford-Verfahren durch Oxid. in flüssiger Phase erhältlich; Näheres zur Technologie der S.-Gewinnung aus H_2S-haltigen Gasen s. *Lit.*[12]. Auch aus den SO_2-haltigen Röstgasen, die bei der Gewinnung von NE-Metallen aus sulfid. Erzen anfallen, läßt sich S. durch Red. mit Kohlenstoff od. Kohlenoxid gewinnen, ebenso aus SO_2-haltigen Abgasen von Feuerungsanlagen (s. Entschwefelung).

Weltweit wurden 1992 insgesamt 52,4 Mio. t S. produziert, davon 6,75 Mio. t nach dem Frasch-Verf., 2,63 Mio. t durch Tagebau, 9,54 Mio. t aus Pyriten, 7,11 Mio. t aus Röstgasen, 12,2 Mio. t durch Erdgas- u. 11,6 Mio. t durch Erdöl-Entschwefelung. Die Produktionskapazitäten in den wichtigsten Erzeugerländern betrugen 1993 in den USA 11,2 Mio. t, GUS 11,0 Mio. t, Kanada 9,9 Mio. t, China 5,5 Mio. t u. Japan 4,1 Mio. t. Die S.-Produktion stieg weltweit von 53,6 Mio. t 1984 auf 60,1 Mio. t 1989 u. sank bis 1995 auf 54,6 Mio. t. S. gelangt in Form von *Roll-* od. *Stangen-S.*, als *S.-Blume* (subl. S., *S.-Blüte*) od. *S.-Schnüre* sowie in Pillenform (Pellets), in Fäden, Spänen, Bändern u. Türmen, als *Faß-S.* usw. in den Handel. Heute setzt man in der chem. Ind. vielfach *Flüssig-S.* ein, der in Rohrleitungen handhabbar ist u. mittels Bahnkesselwagen od. in Tankschiffen transportiert wird.

Radioaktiver S. (veraltet: *Radio-S.*), ^{35}S, ein β-Strahler, HWZ 87,4 d, wird in Kernreaktoren durch Neutroneneinfang von S. erzeugt u. dient als *Tracer zur Untersuchung von Vorgängen bei der Vulkanisation, der Entschwefelung, beim Waschen u. im Eiweiß-Stoffwechsel.

Verw.: 85–90% der S.-Produktion werden für die Herst. von Schwefelsäure – hauptsächlich zur Düngemittel-Herst. – sowie von Sulfiten u. Hydrogensulfiten (z. B. von Calciumhydrogensulfit in der Cellulose-Ind.) eingesetzt. Anw. findet er ferner zur Vulkanisation von Kautschuk u. Hartgummi, zur Herst. von Kunststoffen, in der Viskose-Ind. (in Form von Schwefelkohlenstoff), für S.-haltige Kitte, in der Zündholz-Ind., zur Herst. von Schwarzpulver u. Feuerwerkskörpern, zur Herst. von Schwefelkohlenstoff, Ultramarin, S.-Farbstoffen, zum Ausschwefeln von Fässern, Konservengläsern usw., zur Bekämpfung von Spinnmilben u. Echtem Mehltau, als insektizides Räuchermittel (SO_2), in der Aluminium-Ind. (als Beimischung zum Formsand), als Bleichmittel für Wolle, Seide, Gelatine, Stroh (Wirkung von SO_2), zur Herst. vieler Chemikalien (u. a. bei der *Dehydrierung), zur Herst. von Salben od. Präp. gegen Krätze, Akne, Seborrhoe u. a. Hautkrankheiten in der Dermatologie u. Kosmetik, zur Herst. von S.-Bädern gegen Rheumatismus usw., in der Düngemittel-Ind. zur Herst. langsam lösl. Dünger (z. B. SCU, *E* sulfur-coated urea), im Straßenbau in Asphaltmischungen, in Säureschutz-Anstrichen für Beton u. zur Imprägnierung von Ziegeln, als Elektrode in Na/S-Zellen z. B. für den elektr. Antrieb von Fahrzeugen.

Geschichte: S. ist seit dem Altertum bekannt, schon bei Homer u. im Alten Testament findet man einige seiner Eigenschaften beschrieben (*Lit.*[13]). Im Mittelalter war „Sulfur“ als *Philosoph. S.* ein Synonym für die Eigenschaft der Brennfähigkeit. Die Bez. sulfur ist aus dem Sanskrit von shulbari (= Feind des Kupfers) herzuleiten, der dtsch. Name S. wahrscheinlich vom althochdtsch. sweual, swebal (zu sweban = einschlafen, s. *Lit.*[14]). – ***E*** sulfur (in GB auch: sulphur) – ***F*** soufre – ***I*** zolfo – ***S*** azufre

Lit.: [1] Chem. Unserer Zeit **30**, 226–234 (1996); Holleman-Wiberg (101.), S. 544–549. [2] Mem. Etud. Sci. Rev. Metall. **86**, 777 f. (1989); Struct. Bonding (Berlin) **39**, 83–114 (1980). [3] Chem. Rev. **82**, 333–358 (1982). [4] J. Chem. Soc., Chem. Commun. **1991**, 1226; Angew. Chem. **101**, 1645–1658 (1989) (Review). [5] Food Rev. Int. **1**, 121–129 (1985); Zechmeister **36**, 243–258. [6] Hager **1**, 223. [7] Int. Lab. **14**, 84–93 (1984). [8] Int. J. Environ. Anal. Chem. **16**, 295–303 (1984). [9] Int. J. Environ. Anal. Chem. **14**, 245–256 (1983). [10] Townshend, Encyclopedia of Analytical Science, S. 4824–4830, London: Academic Press 1995. [11] Folienserie des Fonds der Chemischen Industrie, Serie 22 (Umweltbereich Luft), S. 19 f., Frankfurt: FCI 1995. [12] Erdöl Erdgas Kohle **104**, 118–123 (1988); Linde Ber. Tech. Wiss. **64**, 14–25 (1990); Ullmann (5.) **A 12**, 262 ff. [13] Weeks u. Leicester, Discovery of the Elements, S. 51–66, Easton: J. Chem. Ed. 1968. [14] Lüschen, Die Namen der Steine, S. 316, Thun: Ott 1968.

allg.: Becker u. Patroescu, Reaktionen von organischen Schwefelverbindungen in der Atmosphäre, Wuppertal: Bergische Univ. 1996 ▪ Bernardi et al., Organic Sulfur Chemistry, Amsterdam: Elsevier 1985 ▪ Brauer (3.) **1**, 356–359 ▪ Büchner et al., S. 105–132 ▪ Gmelin, Syst.-Nr. 9, Schwefel, 1942–1963, Erg.-Bd. 1–3, 1978–1980, Suppl. Bd. 4 a/b, 1983 ▪ Hommel, Nr. 180 ▪ Houben-Weyl **4/1 a**, 319–428; **4/1 c**, 568–574; **9**, 1–915; **E 11/1+2** ▪ Huxtable, Biochemistry of Sulfur, New York: Plenum 1986 ▪ Jones, Heavy-Metal Detoxification Using Sulfur Compounds, New York: Harwood 1985 ▪ Kanwar u. Mudahar, Fertilizer Sulfur and Food Production, Dordrecht: Nijhoff-Junk 1986 ▪ Kirk-Othmer (4.) **23**, 232–266 ▪ *Landolt-Börnstein NS 3/76 ▪ Matsubara et al., Iron-Sulfur Protein Research, Berlin: Springer 1987 ▪ Saltzman u. Cooper, Biogenic Sulfur in the Environment, Washington: ACS 1989 ▪ Seiler u. Sigel (Hrsg.), Handbook on Toxicity of Inorganic Compounds, S. 639–660, New York: Dekker 1988 ▪ Sudworth u. Tilley, The Sodium Sulphur Battery, London: Chapman & Hall 1985 ▪ Ullmann (5.) **A 25**, 503–567 ▪ Vornokov et al., Reactions of Sulfur with Organic Compounds, New York: Plenum 1984 ▪ Winnacker-Küchler (4.) **2**, 1–91 ▪ World Sulphur and Sulphuric Acid Atlas and Plant List, London: Br. Sulphur 1989 ▪ Zechmeister **37**, 251–327 ▪ Zwanenburg u. Klunder, Perspectives in the Organic Chemistry of Sulfur, Amsterdam: Elsevier 1987 ▪ s. a. Führer durch die technische Literatur, Hannover: Weidemanns Buchhandlung (jährlich) u. Scientific and Technical Books and Serials in Print, New York: Bowker (jährlich). – *Zeitschriften* u. *Serien:* Phosphorus and Sulfur (seit 1989: Phosphorus, Sulfur and Silicon) and the Related Elements, New York: Gordon & Breach ▪ Sulfur Letters (Hrsg.: Senning), New York: Harwood (seit 1983) ▪ Sulfur Reports (Hrsg.: Senning), New York: Harwood (seit 1980). – *[HS 2503 00, 2802 00; CAS 7704-34-9; G 4.1]*

Schwefelammonium s. Ammoniumhydrogensulfid.

Schwefel-Bäder. In Form von *Badezusätzen im Handel befindliche Präp. gegen Rheuma, Gicht, Neuritiden, Psoriasis, Mykosen, Ekzeme usw. Die S.-B. enthalten kolloidalen Schwefel u./od. Kaliumpolysulfide, ggf. auch noch Zusätze wie Natriumhydrogencarbonat, Huminsäuren, Harnstoff u. ether. Öle. – ***E*** sulfur baths – ***F*** bains de soufre – ***I*** bagni sulfurei – ***S*** baños de azufre

Schwefelbakterien. Sammelbegriff für *Bakterien, die in der Lage sind, mit Hilfe reduzierter Schwefel-Verb., z. B. Schwefelwasserstoff, elementarem *Schwefel, Thiosulfat od. Sulfit, Energie u./od. Reduktionsäquivalente zu gewinnen. S. sind am natürlichen Schwefel-Kreislauf beteiligt. Sie lassen sich in vier große Gruppen einteilen: a) *Farblose, fädige S.* sind aerob, oxidieren Schwefelwasserstoff zur Energie-Gewinnung; – b) *farblose, einzellige Schwefel-oxidierende Bakterien,* s. Schwefel-oxidierende Bakterien; – c) *grüne S.* (Chlorobiaceae) gehören zu den Anaerobiern u. sind phototroph. Sie haben Bakteriochlorophylle u. Carotinoide als Photosynth.-Pigmente u. sind zur Schwefelwasserstoff-Oxid. befähigt; – d) *rote S.* (Purpurbakterien) sind phototroph u. anaerob; ihnen dienen reduzierte Schwefel-Verb. als Wasserstoff-Donatoren. Unter reduzierenden Kulturbedingungen können viele Arten mol. Wasserstoff als Elektronen-Donor verwenden. Rote S. leben in anaeroben u. Schwefel-haltigen Bereichen aller Arten von aquat. Lebensräumen wie feuchten, schlammigen Böden, Gräben, Teichen, Seen, Flüssen, Salzseen, Schwefelquellen, marinen Biotopen od. Faulschlamm. – ***E*** sulfur bacteria – ***F*** bactéries du soufre – ***I*** solfobatteri – ***S*** bacterias del azufre

Lit.: Annu. Rev. Mikrobiol. **39**, 195 (1985) ▪ Brock, Microbiology of Microorganisms (8.), S. 491, Upper Saddle River, USA: Prentice-Hall 1997 ▪ Postgate, The Sulfate-Reducing Bacteria, Cambridge: Univ. Press 1984 ▪ Römpp Lexikon Biotechnologie, S. 698 f.

Schwefelblüte, Schwefelblume s. Schwefel.

Schwefelchloride. Sammelbez. für Verb. des *Schwefels mit *Chlor. Die wichtigsten sind:

C 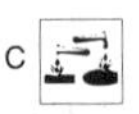

a) *Dischwefeldichlorid* (Chlorschwefel), S_2Cl_2, M_R 135,037, gelbrote, rauchende, ölige Flüssigkeit von durchdringendem, erstickendem Geruch, D. 1,678, Schmp. –76,1 °C, Sdp. 137,8 °C, deren Dämpfe stark schleimhautreizend wirken, die Atmung behindern u. die Augen zu Tränen reizen, MAK-Wert 6 mg/m³; lösl. in Alkohol, Ether, Benzol, CS_2, CCl_4, Ölen. S_2Cl_2 löst bei Raumtemp. bis zu 67% Schwefel u. wird durch Wasser langsam zu Schwefel, SO_2 u. HCl zersetzt; in sauren Lsg. bilden sich *Polythionsäuren.

Herst.: Einleiten von Chlor in geschmolzenen Schwefel u. anschließende Reinigung durch fraktionierte Destillation.

Verw.: Zur Kalt-Vulkanisation von Kautschuk, als *Sulfidierungs- u. *Chlorierungs-Mittel bei organ. Synth. (z.B. Herst. von *Schwefel-Farbstoffen u. Pflanzenschutzmitteln), zum Härten von Öl- u. Lackanstrichen, zur Herst. von *Faktissen.

b) *Schwefeldichlorid*, SCl_2, M_R 102,971, dunkelrote Flüssigkeit, D. 1,621 (15 °C), Schmp. –78 °C, Sdp. 59 °C (Zers.), entsteht langsam beim Mischen äquimolarer Mengen von S_2Cl_2 u. flüssigem Chlor.

c) *Schwefeltetrachlorid*, SCl_4, M_R 173,877, weißes Pulver, Schmp. –30 °C (Zers.).

S_2Cl_2 u. SCl_2 stellen die Anfangsglieder der homologen Reihe der *Chlorsulfane* (S_xCl_2) dar, die sich von den entsprechenden *Sulfanen durch Ersatz der H- durch Cl-Atome ableiten; x kann Werte zwischen 1 u. 100 annehmen (*Polysulfide). – ***E*** sulfur chlorides – ***F*** chlorures de soufre – ***I*** cloruri di zolfo – ***S*** cloruros de azufre

Lit.: Brauer (3.) **1**, 380–386 ▪ Chem. Ztg. **109**, 349f. (1985) ▪ Gmelin, Syst.-Nr. 9, S, Tl. B, 1963, S. 1780–1789, Erg. Bd. 2, 1978, S. 219–291 ▪ Hommel, Nr. 324 ▪ Kirk-Othmer (4.) **23**, 285–291 ▪ Ullmann (5.) **A 25**, 623–626 ▪ Winnacker-Küchler (4.) **2**, 86 ▪ Z. Chem. (Leipzig) **25**, 400 (1985). – *[HS 2812 10; CAS 10025-67-9 (a); 10545-99-0 (b); 13451-08-6 (c); G 8]*

Schwefeldiimide s. Schwefel-Stickstoff-Verbindungen.

Schwefeldioxid. SO_2, M_R 64,065. Farbloses, stechend riechendes Gas, Gasdichte 2,927 g/L (ca. 2,3mal schwerer als Luft), Schmp. –72,7 °C, Sdp. –10,02 °C, krit. Druck 7,911 MPa, krit. D. 0,524, krit. Temp. 157,6 °C. Da die krit. Temp. recht hoch liegt, ist SO_2 leicht (durch Kompression in Druckpumpen) zu einer farblosen, leichtbeweglichen Flüssigkeit (D. 1,434 bei –10 °C) kondensierbar; die Flüssigkeit entsteht auch, wenn man einen SO_2-Strom durch eine trockene U-Röhre leitet, die von einer Kältemischung (unter –10 °C) umgeben ist. Verflüssigtes, reines SO_2 leitet den Strom nicht, löst aber viele anorgan. Salze (bes. Iodide, Thiocyanate, Bromide, Chloride) u. wird auf diese Weise zu einem guten Elektrizitätsleiter. Ähnlich wie Wasser in Hydraten als Kristallwasser vorliegen kann, kann sich auch SO_2 mit gelösten Salzen zu wohldefinierten Solvaten vereinigen. Die Ähnlichkeit mit Wasser wird auch durch die verhältnismäßig hohe Dielektrizitätskonstante deutlich ($\varepsilon_{H_2O}=88$; $\varepsilon_{SO_2}=17{,}27$ bei –16,5 °C). Von den organ. Verb. sind die cycl. Kohlenwasserstoffe, ferner viele Alkohole, Aldehyde, Ketone, Ether, Säuren, Ester u. N-haltige Basen in flüssigem SO_2 gut lösl., worauf ältere Extraktionsverf. (*Edeleanu-Verfahren) basieren. Die Löslichkeit von SO_2 in Wasser unter der Bildung von *Schwefliger Säure beträgt 18,7 bzw. 10,4 Gew.-% (bei 0 °C bzw. 20 °C u. 101,3 kPa). Sehr leicht lösl. ist SO_2 auch in Alkohol; konz. Schwefelsäure löst das 58fache ihres Vol. an SO_2. Formal ist SO_2 das Anhydrid der Schwefligen Säure; daneben kennt man noch weitere *Schwefeloxide.

Gasf. SO_2 ist unbrennbar, kann jedoch (bes. unter dem Einfluß von Katalysatoren) zu *Schwefeltrioxid oxidiert werden. Mit Chlor vereinigt sich SO_2 zu *Sulfurylchlorid, mit Nitraten entstehen beim Erhitzen Sulfate u. Stickoxide, mit Bleidioxid bildet sich Bleisulfat. Beim Erhitzen mit Wasserstoff in glühenden Röhren wird SO_2 zu Schwefel od. H_2S reduziert. Leitet man SO_2 über glühende Kohlen, so entstehen u.a. Kohlendioxid u. Schwefel; ein Mg-Band brennt in reinem SO_2-Gas unter Bildung von MgO u. Schwefel weiter. Die Reaktion von SO_2 mit *Schwefelwasserstoff führt im *Claus-Verfahren* zu Schwefel (Näheres s. dort). Die Umsetzung mit Metall-organ. Verb. verläuft häufig unter SO_2-Insertion, z.B. in M–C-, M–H-, M=C- od. M=M-Bindungen; zu Übergangsmetall-SO_2-Komplexen s. *Lit.*[1]. Mit organ. Verb. reagiert SO_2 unter Addition, z.B. mit Carbonyl-Verb. u. Aminosäuren od. mit *o*-Chinonen unter Bildung von 1,3,2-Benzodioxathiol-2,2-dioxiden, in Ggw. von Katalysatoren unter Oxid., z.B. von Alkylaromaten zu Carbonsäuren, u. unter Substitution, z.B. in den großtechn. Prozessen der *Sulfoxidation u. der *Sulfochlorierung.

Physiologie: SO_2 ist stark tox. (MAK 5 mg/m³) u. ruft in Mischung mit Luft schon in einer Konz. von 0,03% Vergiftungserscheinungen (Hornhauttrübung, Atemnot, Entzündungen der Atmungsorgane) hervor; größere Mengen können tödlich wirken. Lsg. von SO_2 in Wasser (3:1000) verätzen die Magenwände; zu Maßnahmen in Vergiftungsfällen s. *Lit.*[2]. In abgeschlossenen Räumen wirken 2 Vol.-% SO_2 innerhalb 6 h insektentötend u. viele Mikroorganismen werden durch SO_2 in ihrem Wachstum gehemmt, weshalb man früher mit Schwefel-Räucherungen (16 g S je m³ Raum) Krankenzimmer desinfiziert u. Wohnungen von Wanzen befreit hat. Diese Wirkung macht man sich auch beim *Schwefeln* zunutze (s. bei Verw.). Giftig wirkt SO_2 auch auf Pflanzen, insbes. auf Nadelhölzer[3]; kleinere Mengen SO_2 können aber dennoch wachstumsfördernd wirken, da SO_2 zum Aufbau der Aminosäuren Methionin u. Cystein verwendet wird, ein Teil wird auch zu Sulfat oxidiert. Die Empfindlichkeit der Pflanzen ist von Art zu Art sehr unterschiedlich; bes. sensibel reagieren bestimmte *Moose u. *Flechten, weshalb man sie als *Bioindikatoren auf SO_2 benutzen kann.

Nachw.: In höheren Konz. ist SO_2 am stechenden Geruch kenntlich („Schwefel-Geruch", an dem man im Mittelalter den Teufel zu erkennen glaubte). Mit *Prüfröhrchen kann es im Bereich 0,5–5000 ppm nachgewiesen werden, z.B. mit der Reaktion:

$$2\,SO_2 + Na_2[HgCl_4] + 2\,H_2O \rightarrow 4\,HCl + Na_2[Hg(SO_3)_2];$$

die dabei freigesetzte Säure wird durch Methylrot (Orangefärbung) angezeigt. Ein mikrochem. Nachw. ist über die Red. von Cu^{2+} zu Cu^{+} im Syst. $KI/HgCl_2/CuSO_4$/Natriumacetat möglich. Daneben sind – bes. für Routineuntersuchungen u. für automatisierte

SO_2-Überwachungssyst. – auf kolorimetr., fluoreszenzspektrometr. od. elektrochem. Basis arbeitende Analysatoren auf dem Markt[4]. Auch enzymat. Bestimmungen sind möglich.

Vork.: SO_2 ist neben anderen Komponenten in Vulkangasen (*Fumarolen*) enthalten. So beträgt die tägliche Emission des San Cristobal-Vulkans in Nicaragua ca. 360 t, die der Vulkane Fuego (Guatemala), Telica u. Momotombo (Nicaragua) 20–50 t. Insgesamt beträgt die vulkan. SO_2-*Emission in Mittelamerika etwa 1300 t/d, u. für alle etwa 100 auf der Erde noch Rauchfahnen ablassenden Vulkane nimmt man einen Wert von 10–20 Mio. t/a an. Wesentlich höher sind die SO_2-Emissionen bei Vulkanausbrüchen. So lag der SO_2-Ausstoß des Ätna 1977 an ruhigen Tagen bei 1000, an eruptiven bei 5000 t/d u. der El Chichón in Mexiko soll an nur 3 Tagen des Ausbruchs (März/April 1982) 10–20 Mio. t Schwefel in die Atmosphäre geschleudert haben. Die daraus entstandene Schwefelsäure-Wolke umkreiste die Erde in 20–30 km Höhe[5]. S. wird auch aus verschiedenen anthropogenen Quellen freigesetzt, z.B. bei Verbrennung fossiler Brennstoffe, Schmelzen u. Rösten von Erz, Erdölraffination, Bleichprozessen (Lebensmittel, Zucker, Textilien, Stroh), Papier- u. Glas-Herst., Schwefeln von Behältern, Ausräuchern von Insekten usw. Der SO_2-Anteil in der Luft wird in erster Linie für Gebäude-Schäden verantwortlich gemacht; *Beisp.:* Kirchenfenster[6], Akropolis, Kölner Dom od. venezian. Kunstdenkmäler[7], wobei offenbar Rußpartikel aus Ölfeuerungen eine katalyt. Rolle bei der Zers. von Carbonat-haltigen Gesteinen spielen; zur Oxid. von SO_2 in der Atmosphäre s. *Lit.*[8]. SO_2 ist außerdem an der Bildung von photochem. *Smog beteiligt; s.a. Saurer Regen u. Saurer Smog. Der Beseitigung von SO_2 aus Abgasen kommt deshalb erhebliche Bedeutung zu, zahlreiche Verf. zur *Entschwefelung* sind daher entwickelt u. eingesetzt worden; Näheres s. dort. Seit Mitte der achtziger Jahre zeigt die SO_2-Belastung einen leichten Rückgang (BRD, alte Länder, von 25–75 $\mu g \cdot m^{-3}$ 1985 auf $<25\ \mu g \cdot m^{-3}$ 1992, in den neuen Ländern seit 1990 sinkende Belastung; USA 1980 25,7 Mio. t anthropogene SO_2-Emissionen, 1990 23,3 Mio. t).

Herst.: Die Gewinnung von reinem SO_2 erfolgt aus SO_2-haltigen Gasen, die durch Verbrennen von elementarem Schwefel od. durch *Rösten von *Pyrit, Pyrrhotit od. anderen sulfid. Erzen erhalten werden:

$$2\,FeS_2 + 5{,}5\,O_2 \xrightarrow{>800\,°C} Fe_2O_3 + 4\,SO_2/\Delta H = -1660\ kJ/mol.$$

Aus den Gasen mit 9–14 Vol.-% SO_2 wird das SO_2 durch Absorption, z.B. nach dem *Schröder-Grillo-Verf.*, mit kaltem Wasser (ggf. auch unter Druck) od. mit alkal. Lsg. [NaOH, $Ca(OH)_2$, Ammoniak, Na_2CO_3 od. Na-Citrat] abgetrennt u. anschließend mit Wasserdampf od. Säure ausgetrieben. Das mit aliphat. od. aromat. Aminen arbeitende *Sulfidin-Verf.* wird heute nicht mehr angewendet; in den USA benutzt man gelegentlich noch *N,N*-Dimethylanilin (DMA-Prozeß) od. Triethanolamin. Im *Kondensations-Verf.* wird SO_2 aus Röst- od. Schwefel-Verbrennungsgasen durch Druckerhöhung u. Abkühlung mit flüssigem Ammoniak in Gegenstromkühlern in flüssiger Form abgeschieden. S. kann man auch erhalten aus Schwefel u. 25%igem *Oleum ($2\,SO_3 + S \xrightarrow{110\,°C} 3\,SO_2$), durch Verbrennung von *Schwefelwasserstoff ($H_2S + \frac{3}{2}O_2 \rightarrow H_2O + SO_2$), durch therm. Spaltung von Sulfaten, z.B. Calciumsulfat im Gemisch mit Kohle bei ca. 1400 °C ($2\,CaSO_4 + C \rightarrow 2\,CaO + 2\,SO_2 + CO_2$) od. durch Red. von Schwefelsäure z.B. mit CO ($H_2SO_4 + CO \rightarrow SO_2 + H_2O + CO_2$). S. kommt in flüssiger Form in Stahlflaschen od. eisernen Kesselwagen in den Handel (trockenes SO_2 greift Eisen nicht an). Erhebliche SO_2-Mengen fallen bei den Entschwefelungsprozessen an, die aus Gründen des Umweltschutzes heute der Verbrennung fossiler Brennstoffe nachgeschaltet werden; dabei wird SO_2 meist direkt zu Gips weiterverarbeitet, s. Entschwefelung.

Verw.: Zur Herst. von Schwefelsäure u. vielen Salzen (Sulfiten, Hydrogensulfiten, Thiosulfaten, Dithioniten usw.), zur Fabrikation von Sulfitcellulose, zur Sulfoxid. u. Sulfochlorierung, verflüssigt als *nichtwäßriges Lösemittel, als Reduktionsmittel im Hüttenwesen, zur Abscheidung von Selen aus Selensalzen, in der Kälte-Ind. als Kühlmittel, als Desinfektions- u. Bleichmittel, zum Schwefeln von Fässern u. Konservengläsern, zur Qualitätsverbesserung von Lein-, Tung- u. Sojaöl, zur Entchlorung von Gebrauchswasser, zur Konservierung von Silofutter (2–3 kg flüssiges SO_2 auf 1 t Silogras), gegen Ungeziefer (Vergasungspatronen entwickeln in Gängen von Nagetieren beim Anzünden von Schwefel u. Salpeter viel SO_2), gegen Insekten u. Vorratsschädlinge. In der Nahrungsmittel-Ind. richtet sich die Verw. von SO_2 (z.B. zum Unterbinden von Gärungsvorgängen, im allg. zur Konservierung von Obst u. Gemüse) nach der Zusatzstoff-Zulassungs-VO vom 22. 12. 1981 (BGBl. I, S. 1633), in der Fassung von Januar 1996 (Anlage 4, Liste B), in der SO_2-Höchstmengen für einzelne Lebensmittel angegeben werden. Z.B. dürfen Rosinen geschwefelt werden (bis zu 1000 mg/kg), Korinthen dagegen nicht.

Geschichte: SO_2 wird schon in Homers Odyssee (XXII, 481, etwa 800 v. Chr.) als desinfizierendes Räuchermittel erwähnt; *Paracelsus erkannte bereits die bleichende Wirkung von SO_2 u. *Lavoisier wies nach, daß die Schweflige Säure mit Schwefelsäure verwandt ist, aber weniger Sauerstoff enthält. – ***E*** sulfur dioxide – ***F*** dioxyde de soufre – ***I*** anidride solforosa, diossido di zolfo – ***S*** dióxido de azufre

Lit.: [1] Angew. Chem. **99**, 101–112 (1987). [2] Braun-Dönhardt, S. 339. [3] Chem. Unserer Zeit **24**, 117–130 (1990). [4] VDI-Richtlinien 2462, 1–8, Berlin: Beuth 1985. [5] Spektrum Wiss. **1984**, Nr. 3, 68–81. [6] Spektrum Wiss. **1984**, Nr. 6, 30–43. [7] Chem. Unserer Zeit **16**, 89–93 (1982); Endeavour NS **9**, 117–122 (1985). [8] DECHEMA-Monogr. **104**, 99–113 (1986).

allg.: Büchner et al., S. 120 ff. ▪ Caspari, Die Umweltpolitik der Europäischen Gemeinschaft: eine Analyse am Beispiel der Luftreinhaltepolitik, Diss. Univ. Tübingen 1994 ▪ Encycl. Gaz, S. 1121–1129 ▪ Gmelin, Syst.-Nr. 9, S, Tl. A, 1942–1953, S. 286–320, Tl. B, 1953–1963, S. 181–323, 1088–1130, Erg. Bd. 3, 1980, S. 70–246 ▪ Hommel, Nr. 186 ▪ Legge (Hrsg.), Acidic Deposition: Sulfur and Nitrogen Oxides, Chelsea, Michigan: Lewis 1989 ▪ Recommended Health-Based Occupational Exposure Limits for Respiratory Irritants (WHO Tech. Rep. Series 707), Geneva: WHO 1984 ▪ Ullmann (5.) **A 25**, 569–612 ▪ Veerhoff, Roscher u. Brümmer, Ausmaß u. ökologische Gefahren der Versauerung von Böden unter Wald, Berlin: E. Schmidt 1996 ▪ Weitkamp, Ortsaufgelöste Fernmessung von Schadstoffimmissionen mit Lidar, Geesthacht:

GKSS-Forschungszentrum 1996 ▪ Winnacker-Küchler (4.) **2**, 16–35. – *[HS 2811 23; CAS 7446-09-5; G 2]*

Schwefeleisen s. Eisensulfide.

Schwefel-Farbstoffe. Bez. für hochmol. *Schwefel-haltige *Farbstoffe, die durch Zusammenschmelzen von z. B. Aminophenolen, Nitrophenolen, Diaminobenzolen, Diaminonaphthalinen, Dinitronaphthalinen usw. mit Schwefel od. Natriumpolysulfiden als wasserunlösl., amorphe, uneinheitliche hochmol. Gemische mit Thiazin- u. Thiazol-Ringen, Phenothiazinen, Disulfid-Ketten usw. erhalten werden. Bei den S.-F. unterscheidet man *Schwefel-Back-* u. *Schwefel-Kochfarbstoffe*, die entsprechend durch die sog. Back- bzw. Kochschmelze hergestellt werden; in den Handel kommen die S.-F. in Pigmentform, sowie als *Bunte-Salze u. Leukoschwefel-Farbstoffe. Bekannte, z. T. in Einzelstichwörtern behandelte S.-F. sind die Marken Hydron, Hydrosol, Immedial (s. Immedial®- u. Immedial-Licht-Farbstoffe), Indocarbon, Sulfanol, Sulfer, Sulphol etc.

Verw.: Zum Färben von Substraten (Gewebe, Garne, Maschenware) aus Baumwolle u. a. Cellulose-Fasern, z. B. Jeans. Die wasserunlösl. S.-F. werden durch Reduktionsmittel in Lsg. gebracht (z. B. mit Natriumsulfid) u. ziehen aus dieser Küpe auf die Faser auf. Durch Rückoxid. (mit Peroxiden, Perboraten etc.) werden die S.-F. auf der Faser fixiert[1]. Aus ökolog. Gründen (Schwermetall-Belastung des Abwassers mit Cr^{3+}) wird heute weitgehend auf die Oxid. mit Dichromat verzichtet. Da die Sulfid-haltigen S.-F. im sauren Medium giftigen Schwefelwasserstoff entwickeln, sind beim Arbeiten entsprechende Vorsichtsmaßnahmen geboten (pH ≥ 10, Körperschutz). Aus den toxikolog. u. ökolog. Gründen geht heute der Trend verstärkt zu Sulfid-armen S.-F. u. Sulfid-freien Reduktionsmitteln. Bei den Nuancen fehlen die lebhaften Töne ganz; dafür sind die gedeckten Töne v. a. blau, marine u. schwarz gut vertreten. Wegen ihrer günstigen Preise nehmen S.-F. in der Baumwollfärberei einen bedeutenden Platz ein. Heute beträgt der gewichtsmäßige Anteil der S.-F. in der Welt ca. 18%. Der wirtschaftlich bedeutsamste S. F. ist das Schwefelschwarz T (C. I. Sulphur Black 1).

Geschichte: Im Jahre 1873 erfanden Croissant u. Bretonnière den ersten „Schwefel-Farbstoff" (Cachou de Laval genannt), als sie Kleie, Sägemehl usw. mit Alkalisulfiden verschmolzen; dieser Farbstoff färbte die Baumwolle grünlich. Von größter Bedeutung wurde das 1893 von Vidal erstmals durch Erhitzen von *p*-Aminophenol mit Natriumsulfid hergestellte *Vidalschwarz*, dessen Struktur heute weitgehend aufgeklärt ist. Dieser sehr geschätzte Farbstoff steht am Beginn der Entwicklung einer großen Zahl von schwarzen, blauen, grünen, gelben, braunen S.-F. u. zwar hauptsächlich durch Cassella in den Jahren 1905–1910, vgl. *Lit.*[2]. – ***E*** sulfur colorants (dyestuffs) – ***F*** colorants au soufre – ***I*** coloranti allo zolfo – ***S*** colorantes sulfurosos (al azufre)

Lit.: [1] Chemiefasern – Text. Ind. **24/76**, 293–302 (1974). [2] Melliand Textilber. **54**, 1314–1327 (1973).
allg.: Kirk-Othmer (4.) **2**, 478; **8**, 546, 565, 674 ▪ Orten, in Venkataraman (Hrsg.), The Chemistry of Synthetic Dyes, Bd. 7, S. 1–33, New York: Academic Press 1974 ▪ Peter u. Rouette, Grundlagen der Textilveredlung, 13. Aufl., S. 148 f., 277, 508 f., Frankfurt/M.: Dtsch. Fachverl. 1989 ▪ Ullmann (5.) **A25**, 613, 621; **A26**, 521 ▪ Zollinger, Color Chemistry, 2. Aufl., S. 249 ff., Weinheim: VCH Verlagsges. 1991.

Schwefelfluoride. Sammelbez. für Verb. des *Schwefels mit Fluor: a) *Dischwefeldifluorid*, S_2F_2, M_R 102,129, farbloses Gas mit zwei isomeren Formen: Das nur im festen Zustand beständige Difluordisulfan, F–S–S–F (Schmp. –133 °C, Sdp. 15 °C), u. das beständige Thiothionylfluorid, $S{=}SF_2$ (Schmp. –164 °C, Sdp. ca. –10,6 °C).

b) *Schwefeltetrafluorid*, SF_4, M_R 108,06, sehr giftiges, farbloses Gas, D. 1,9190 (–73 °C), Schmp. –121 °C, Sdp. –38 °C. SF_4 reagiert mit Sauerstoff-Verb. unter Bildung von Fluoriden, eignet sich bes. zur Umwandlung von >C=O in >CF_2 u. wird deshalb in größerem Maßstab synthetisiert u. zur *Fluorierung verwendet.

c) *Schwefelhexafluorid*, SF_6, M_R 146,056, farbloses, geruchloses, unbrennbares, überraschend reaktionsträges Gas, D. 6,16 g/L (bei 20 °C), D. 1,88 (–51 °C), Schmp. –51 °C (bei 225 kPa), subl. bei –63,9 °C; krit. Temp. 45,55 °C, krit. Druck 3,76 MPa, krit. D. 0,737. SF_6 wird von Wasser, Wasserstoff, Alkalien u. Kupferoxid auch in der Hitze nicht angegriffen u. Natrium läßt sich im Gas unverändert schmelzen. SF_6 ist auch physiolog. indifferent (MAK-Wert 6000 mg/m³). Es findet Verw. als Dielektrikum in Hochspannungsanlagen u. elektr. Geräten, Transformatoren etc., als Schutzgas über Metallschmelzen u. dgl.

d) *Dischwefeldecafluorid*, S_2F_{10}, M_R 254,116, farblose, sehr giftige Flüssigkeit, D. 2,08 (25 °C), Schmp. –55 °C, Sdp. 28,7 °C, MAK 0,25 mg/m³. – ***E*** sulfur fluorides – ***F*** fluorures de soufre – ***I*** fluoruri di zolfo – ***S*** fluoruros de azufre

Lit.: Brauer (3.) **1**, 181–186 ▪ Braun-Dönhardt, S. 339 ▪ Encycl. Gaz, S. 841–845, 861–866 ▪ Gmelin, Syst.-Nr. 9, S, Tl. B, 1963, S. 1698–1724, Erg. Bd. 2, 1978, S. 3–218 ▪ Hommel, Nr. 465 ▪ J. Phys. Chem. Ref. Data **16**, 1–6 (1987) ▪ Kirk-Othmer (3.) **10**, 799–811 ▪ Maller u. Naidu, Advances in High Voltage Insulation and Arc Interruption in SF_6 and Vakuum, Oxford: Pergamon 1981 ▪ Merkblatt SF_6-Anlagen (ZH 1/244), Heidelberg: BG Chemie Ind. 1992 (10/92) ▪ Organ. React. **34**, 319–400 (1985) ▪ Ullmann (5.) **A 11**, 337 ff. ▪ Winnacker-Küchler (4.) **2**, 546. *[HS 2812 90; CAS 13709-35-8 (a, F-S-S-F); 16860-99-9 (a, S=SF₂); 7783-60-0 (b); 2551-62-4 (c); 5714-22-7 (d); G 2 (für SF₆)]*

Schwefel-Gehaltsverordnung. Dritte VO zur Durchführung des *Bundes-Immissionsschutzgesetzes (3. BImSchV), die den *Schwefel-Gehalt von leichtem Heizöl zur Verw. als Brennstoff u. von Dieselkraftstoff zum Betrieb von Dieselmotoren begrenzt[1]. Ab 1. 5. 1975 durfte ihr Höchstgehalt an Schwefel 0,55 Gew.-% betragen u. wurde stufenweise ab 1. 10. 1996 auf 0,05 Gew.-% gesenkt. Ausnahmen gelten für die Binnenschiffahrt (0,2 Gew.-%). Daneben existieren in Berlin[2] u. Thüringen[3] VO, die den Schwefel-Gehalt von Braunkohlen für Heizzwecke auf 1% begrenzen.

Lit.: [1] VO über Schwefel-Gehalt von leichtem Heizöl u. Dieselkraftstoff vom 15. 1. 1975 (BGBl. I, S. 264), zuletzt geändert durch VO vom 26. 9. 1994 (BGBl. I, S. 2640). [2] GVBl. S. 217 (1981). [3] GVBl. S. 108 (1993).
allg.: Storm (Hrsg.), Umweltrecht, München: Beck 1997.

Schwefel-Heterocyclen. Sammelbez. für *heterocyclische Verbindungen, die Schwefel-Atome als Ringglieder enthalten, z. B. Thiophen, Thiiran, Thianthren, Thioxanthen, Thiopyran, Isothiazol, Oxathiolan, Dithiophosphetane, Dithiolane, Thiete, Sulfame, Phenothiazine; die systemat. Benennungen der nicht mit Trivialnamen belegten S.-H. werden nach IUPAC-Regel B-2.11 mit *Thia... vorgenommen. Viele S.-H. zeichnen sich durch intensiven – häufig unangenehmen – Geruch aus, vgl. Fleischaroma u. Musteliden. – ***E*** sulfur heterocycles – ***F*** hétérocycles avec soufre – ***I*** eterocicli di zolfo – ***S*** heterociclos con azufre

Lit.: s. heterocyclische Verbindungen u. Schwefel.

Schwefelkalium s. Kaliumsulfide.

Schwefelkalkbrühe. Durch Erhitzen von Kalk mit Schwefel-Pulver in Wasser erhältliches Spritzmittel gegen Mehltau, Schorf, Schildläuse, Milben usw., ggf. mit Zusatz von Kupferkalk; s. a. Calciumpolysulfide. – ***E*** sulfide of lime solution – ***F*** solution de sulfure de chaux – ***I*** acqua solfocalcaria – ***S*** solución de sulfuro de cal

Schwefelkies s. Pyrit.

Schwefelkohlenstoff (Kohlenstoffdisulfid). CS_2, M_R 76,143. Farblose, leicht bewegliche, stark lichtbrechende Flüssigkeit, die in reinem Zustand angenehm aromat., gewöhnlich aber wegen Spuren von Verunreinigungen unangenehm riecht u. sich unter Lichteinwirkung gelb verfärbt; D. 1,261, Schmp. –111,6 °C, Sdp. 46,3 °C, FP. unter –20 °C. CS_2 entzündet sich bereits bei 102 °C (z. B. an heißen Dampfrohren u. dgl.; der niedrigste Wert für Lsm.) u. wird als äußerst feuergefährlich eingestuft. In den Grenzen 1–60 Vol.-% bildet CS_2 mit Luft explosive Gemische; er ist bei elektrostat. Aufladung leicht entzündlich. CS_2 ist gut lösl. in Alkohol, Ether, Benzol, Tetrachlormethan, Chloroform u. ether. Ölen, dagegen lösen sich in 1000 Tl. Wasser nur etwa 2 Tl. CS_2. S. ist ein ausgezeichnetes Lsm. für Phosphor, Schwefel, Selen, Brom, Iod, Fette, Harze, Kautschuk, Campher u. viele andere organ. Stoffe. Die CS_2-Dämpfe sind 2,67mal so schwer wie Luft u. verbrennen mit blauer Flamme zu Schwefeldioxid u. Kohlendioxid: $CS_2 + 3\,O_2 \rightarrow CO_2 + 2\,SO_2$; die Flamme ist so kühl, daß Papier kaum verkohlt. Durch Kaliumpermanganat wird CS_2 unter Abscheidung von Schwefel zersetzt; mit Wasserstoff gibt CS_2 bei höherer Temp. Schwefelwasserstoff, beim Erhitzen mit Metalloxiden entstehen Metallsulfide u. Kohlenoxid. Zur Aufbewahrung u. zum Transport von CS_2 eignen sich Behälter aus Glas, Eisen, Aluminium, Porzellan u. Teflon.

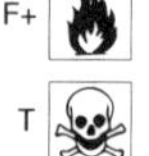

Physiologie: Auf das Nervensyst. wirkt CS_2 stark tox. (MAK 30 mg/m^3). Einatmen von CS_2 bewirkt zunächst flüchtige Stimmungsstörungen, fortgesetztes Einatmen kleiner CS_2-Mengen od. Aufnahme durch die Haut können zu chron. Vergiftungserscheinungen wie Lähmungen, Muskelschwund, Krämpfe, Sehstörungen u. Kopfschmerz führen. In schweren Fällen führt das Einatmen konz. CS_2-Dämpfe zum Tod (Lähmung des Zentralnervensyst.).

Nachw.: CS_2 gibt mit Diethylamin in Ggw. eines Kupfersalzes charakterist. gelbfarbiges Kupferdiethyldithiocarbamat, $Cu[S{-}CS{-}N(C_2H_5)_2]_2$, das man kolorimetr. bestimmen kann. Die Bildung dieses Derivats wird auch bei der Bestimmung von gasf. CS_2 mittels Prüfröhrchen ausgenutzt.

Herst.: Bei dem bis Mitte der 50er Jahre üblichen Retorten-Verf. leitet man Schwefel-Dämpfe in senkrechten, von außen beheizten Retorten über 800–1000 °C heiße, glühende Holzkohle ($C + 2\,S \rightarrow CS_2$), kondensiert den entweichenden CS_2-Dampf in Kühlapparaturen u. reinigt das Produkt durch Destillation. Ggf. können auch elektr. Öfen verwendet werden; Näheres zu den älteren Verf. s. *Lit.*[1]. Heute gewinnt man CS_2 hauptsächlich aus einem ca. 650 °C heißen Gemisch aus Methan (aus Erdgas) u. Schwefel-Dampf: $CH_4 + 4\,S \rightarrow CS_2 + 2\,H_2S$ (Katalysator: Silicagel) od. $CH_4 + 2\,S \rightarrow CS_2 + 2\,H_2$.

Verw.: Hauptverbraucher von CS_2 ist die Kunstseide- u. Zellstoff-Ind., die bei der Herst. von *Viskosefasern CS_2 zur Umwandlung von Natroncellulose in *Cellulosexanthogenat benötigt (*Xanthogenierung*); aus der Abluft von Viskosefabriken kann CS_2 durch das *Sulfosorbon®-Verfahren abgetrennt werden. Im Weinbau ist CS_2 seit 1997 wieder beschränkt zur Bekämpfung der Reblaus zugelassen. Als Extraktionsmittel für Fette, Öle, Harze usw. aus Preßrückständen od. Knochen sowie in der Schädlingsbekämpfung ist CS_2 wegen seiner Toxizität heute weitgehend durch andere Mittel ersetzt. CS_2 wird als Lsm. in der IR-Spektroskopie verwendet, als Reagenz auf sek. Amine, zum Vulkanisieren des Kautschuks, zur Herst. von Vulkanisationsbeschleunigern, Flotationsmitteln (s. Xanthogenate), Tetrachlormethan u. zur Synth. von *Schwefel-Heterocyclen u. a. *Schwefel-organischen Verbindungen[2].

Neben CS_2 bilden Kohlenstoff u. Schwefel noch zwei weitere, techn. unbedeutende Verb.: *Kohlenstoffmonosulfid* $(CS)_x$, M_R 44,08, rotes Pulver, D. 1,66, Zers. 200 °C u. – *Kohlenstoffsubsulfid*, C_3S_2, M_R 100,16, rote Flüssigkeit, D. 1,274, Schmp. –0,5 °C, Zers. 90 °C (Näheres s. *Lit.*[3]). CS_2 wurde 1796 von Lampadius erstmals hergestellt. – ***E*** carbon disulfide – ***F*** disulfuro de carbone – ***I*** disolfuro di carbonio – ***S*** disulfuro de carbono

Lit.: [1] Winnacker-Küchler (3.) **2**, 79 ff. [2] Synthesis **1984**, 797–824; Synthetica **1**, 440 ff. [3] Chem. Ztg. **101**, 137–141 (1977).

allg.: Beilstein E III **3**, 395 ▪ Beratergremium für Umweltrelevante Altstoffe (BUA) der Gesellschaft Deutscher Chemiker (Hrsg.), Schwefelkohlenstoff (Kohlenstoffdisulfid), Weinheim: VCH Verlagsges. 1992 ▪ Braun-Dönhardt, S. 339 f. ▪ Chem. Rev. **88**, 391–406 (1988) ▪ Chem. Soc. Rev. **11**, 57–74 (1982) ▪ Dtsch. Ärztebl. **82**, 2191–2196, 3274 (1985) ▪ Einwirkung von Schwefelkohlenstoff (ZH 1/600.6), Köln: Heymanns 1991 ▪ Gmelin, Syst.-Nr. 14, C, Tl. D 4, 1977, S. 31–197 ▪ Hommel, Nr. 181 ▪ Houben-Weyl **E 4**, 731–737 ▪ Kirk-Othmer (4.) **5**, 53–76 ▪ Ullmann (5.) **A 5**, 185–195 ▪ Winnacker-Küchler (4.) **2**, 86–91. – *[HS 2813 10; CAS 75-15-0; G 3]*

Schwefel-Leber s. Kaliumpolysulfide unter dem Stichwort Kaliumsulfide.

Schwefelmilch s. Calciumpolysulfide.

Schwefeln s. Schwefeldioxid.

Schwefelnatrium. Veralteter Name für *Natriumsulfid.

Schwefelnitride s. Schwefel-Stickstoff-Verbindungen.

Schwefel-organische Verbindungen. Organ. Verb. mit im Mol. eingebautem *Schwefel-Atom sind in der Natur weitverbreitet bzw. in einer großen Vielzahl hergestellt worden. Die wichtigsten Vertreter sind in diesem Werk in Einzelstichwörtern abgehandelt, so daß hier lediglich ein allg. Überblick gegeben werden soll (s. a. Abb.).
S.-o. V. findet man bei essentiellen *Aminosäuren, in Enzymen, in vielen Nahrungsmitteln, wie Knoblauch, Zwiebeln, Spargeln, Senf, Kaffee usw. Viele, bes. die S.-o. V. des zweiwertigen Schwefels, zeichnen sich durch einen widerwärtigen Geruch aus (s. Thiole); sie werden von einigen Tieren, z. B. dem Stinktier als Schutz gegen Feinde eingesetzt. Bis-(2-chlorethyl)sulfid wurde u. wird als chem. *Kampfstoff (Senfgas, S-Lost) verwendet. Schwefel ist auch in vielen *heterocyclischen Verbindungen als Ringatom enthalten, so z. B. bei den medizin. wichtigen *Penicillinen u. *Cephalosporinen. In der chem. Synth. werden S.-o. V. gerne eingesetzt, weil sie benachbarte *Carbanionen aber auch andere *reaktive Zwischenstufen (*Carbene, Carbokationen, Radikale*) zu stabilisieren vermögen. *Schwefel-Heterocyclen, die sich vom *Tetrathiafulvalen ableiten, bilden Komplexe, die als organ. Leiter interessant sind [1]. Die Vielzahl der S.-o. V. ist auch darauf zurückzuführen, daß der Schwefel in diesen Verb. die verschiedenartigsten Koordinationsmöglichkeiten u. Bindigkeiten einnimmt (s. Überblick in der Tab.),

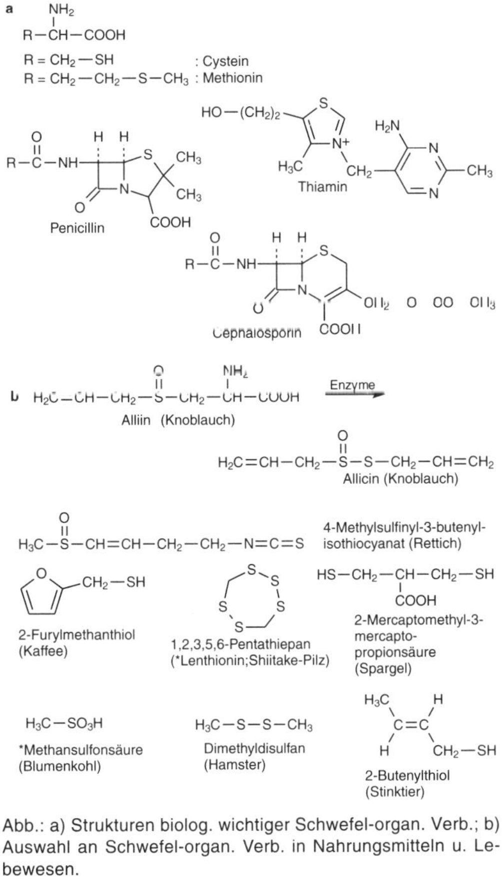

Abb.: a) Strukturen biolog. wichtiger Schwefel-organ. Verb.; b) Auswahl an Schwefel-organ. Verb. in Nahrungsmitteln u. Lebewesen.

Tab.: Überblick über Schwefel-organ. Verbindungen.

Bindigkeit (λ)	Koordination (σ)	Formel	IUPAC-Name [alternative(r) Name(n)]
2	2	R—SH	*Thiole (*Mercaptane*)
		R^1—S—R^2	*Sulfide (*Sulfane, Thioether*)
		R^1—$(S)_n$—R^2	Polysulfide n = 2 *Disulfide n = 3 Trisulfide usw. (*Polysulfane*)
		R—S—OH	Sulfensäuren
2	3	$[R^1$—$S^+(R^2)$—$R^3]$ X^-	Sulfonium-Salze
4	3	R—S(=O)—OH	*Sulfinsäuren
		R^1—S(=O)—R^2	*Sulfoxide
		R^1—S(=N—R^3)—R^2	Sulfimide (*Sulfilimine, Iminosulfurane, Sulfinimine, Sulfimine*)
6	3	$R^1R^2C=SO_2$	*Sulfene
6	4	R—S(=O)(=O)—OH	*Sulfonsäuren
		R^1—S(=O)(=O)—R^2	*Sulfone
		R^1—S(=O)(=N—R^3)—R^2	*Sulfoximide (*Sulfonimide*)

wobei Stabilitätsunterschiede von prakt. unbegrenzt stabil, z. B. *Polysulfone*, bis zu Lebensdauern von Bruchteilen von Sekunden, z. B. *Thioformaldehyd*, vorkommen. Die Nomenklatur der S.-o. V. wird durch die IUPAC-Regeln C-5.1 bis C-6.7 festgelegt, wobei allerdings bemerkt werden soll, daß in der Lit. z. T. noch widersprüchliche Meth. der Namensgebung existieren. So werden Verb. des Typs R^1–S(=NR^3)–R^2 nach IUPAC als Sulfimide, nach Chemical Abstracts als Sulfilimine u. in der Lit. oft noch als Iminosulfurane, Sulfinimine od. Sulfimine benannt; Näheres zu Herst., Reaktionen u. Eigenschaften einzelner S.-o. V. s. die einzelnen Stoffklassen. – ***E*** organosulfur compounds – ***F*** composés d'organosoufre – ***I*** composti organici di zolfo – ***S*** compuestos de organoazufre

Lit.: [1] Phosphorus Sulfor Silicon Relat. Elements **34**, 187–208 (1989).
allg.: Barton-Ollis **3**, 1–487 ▪ Contemp. Org. Synth. **1**, 191 (1994); **2**, 406 (1995); **3**, 499 (1996) ▪ Houben-Weyl **9**, 1–915; **E 11** (2 Bd.) ▪ Katritzky et al. **2**, 113 f., 705 f., 1030 f.; **3**, 329 f. ▪ Metzner u. Thuillier, Sulfur Reagents in Organic Synthesis, London: Academic Press 1994 ▪ Mikolajczyk, Drabowicz u. Kielbasinski, Chiral Sulfur Reagents, Boca Raton: CRC Press 1997 ▪ Oae, Organic Chemistry of Sulfur, New York: Plenum Press 1977 ▪ Page, Organosulfur Chemistry, Bd. 1 u. 2, London: Academic Press 1995 u. 1997 ▪ Patai, The Chemistry of the Sulphonium Group (2 Bd.), Chichester: Wiley 1981 ▪ Patai, The Chemistry of Sulphones and Sulphoxides, Chichester: Wiley 1988 ▪ Patai, The Chemistry of Sulphenic Acids and their Derivates, Chichester: Wiley 1990 ▪ Patai, The Chemistry of Sulphonic Acids, Esters and their Derivates, Chichester: Wiley 1991 ▪ Patai, The Chemistry of Sulphur Containing Func-

tional Groups, Chichester: Wiley 1993 ▪ Patai, The Synthesis of Sulphones, Sulphoxides and Cyclic Sulphides, Chichester: Wiley 1994 ▪ Whitham, Organosulfur Chemistry, Oxford: University Press 1995.

Schwefeloxide. Neben den techn. wichtigen S. *Schwefeldioxid u. *Schwefeltrioxid kennt man noch eine ganze Reihe von Schwefel-Sauerstoff-Verb. mit unterschiedlichem O:S-Verhältnis: *Schwefelmonoxid* [Schwefel(II)-oxid, SO], *Schwefeltetroxid* [Peroxoschwefel(VI)-oxid, SO_4], *Dischwefelmonoxid* (S_2O, liegt als gewinkeltes SSO vor) u. Dischwefeldioxid (S_2O_2) – instabile Reaktionszwischenprodukte –, *Dischwefeltrioxid* (S_2O_3), *Dischwefelheptoxid* [Peroxodischwefel(VI)-oxid, S_2O_7] u. *Cyclooctaschwefeloxid* u. ä. Produkte ($S_{5-10}O$). Die erwähnten, lediglich wissenschaftlich interessanten Verb. sind präparativ nicht einfach zugänglich u. teilw. recht unbeständig; sie können jedoch in Metallkomplexen stabilisiert werden. – ***E*** sulfur oxides – ***F*** oxydes de soufre – ***I*** ossidi di zolfo – ***S*** óxidos de azufre

Lit.: Angew. Chem. **92**, 313 f. (1980); **99**, 101–112 (1987) ▪ Brauer (3.) **1**, 387 ▪ Gmelin, Syst.-Nr. 9, S, Tl. 3, 1953, S. 167–178, Erg.-Bd. 3, 1980 ▪ Phosphorus and Sulphur **23**, 33–64 (1985) ▪ Sulfur Oxides, Washington: Nat. Acad. Press 1978. – *[HS 2811 23, 2811 29; CAS 13827-32-2 (SO); 12772-98-4 (SO_4); 20901-21-7 (S_2O); G 2 bzw. 8]*

Schwefeloxidhalogenide s. Sulfurylchlorid u. Thionylchlorid.

Schwefel-oxidierende Bakterien. Bakterien, die eine od. verschiedene reduzierte od. teilw. reduzierte anorgan. Schwefel-Verb. (z. B. Schwefelwasserstoff, elementarer Schwefel, Thiosulfat, Sulfit) zur Energiegewinnung oxidieren können. Der Energiegewinn erfolgt meist über die Atmungskette mit mol. Sauerstoff als Elektronen-Akzeptor. Nitrat-Atmung ist ebenfalls bei einigen Organismen nachgewiesen. Einige Arten sind obligat od. fakultativ chemolithoautotroph (CO_2-fixierend) od. chemolithoheterotroph (s. Chemolithotrophie). Viele S.-o. B. sind säuretolerant u. wachsen noch bei pH-Werten unter 1,0 (*Sulfolobus, Thiobacillus*). *Thiobacillus* spielt beim Leaching (*Bioleaching), der Metallgewinnung u. bei Korrosionsschäden eine große Rolle. – ***E*** sulfur oxidizing bacteria – ***F*** bactéries oxydantes du soufre – ***I*** batteri solfoossidanti – ***S*** bacterias oxidantes del azufre

Lit.: Brock, Biology of Microorganisms (8.), S. 661, Upper Saddle River, USA: Prentice Hall 1997 ▪ Römpp Lexikon Biotechnologie, S. 699 f. ▪ Schlegel (7.), S. 382.

Schwefelsäure. H_2SO_4, M_R 98,07. Die 100%ige H_2SO_4 – in der Technik auch häufig als *Monohydrat* (von *Schwefeltrioxid) bezeichnet – ist eine klare, farb- u. geruchlose, ölige, stark hygroskop. Flüssigkeit, D. 1,8356, Schmp. 10,37 °C. Erhitzt man 100%ige S. zum Sieden, so entweicht so lange mehr Schwefeltrioxid als H_2O bis man eine bei 338 °C siedende 98,48%ige Lsg. erhält. Zu der gleichen Säure-Konz. gelangt man, wenn man verd. Lsg. destilliert. Aus diesem Grunde kann man 100%ige S. nur durch Einleiten der berechneten Menge Schwefeltrioxid in die 98%ige wäss. Lsg. erhalten. Mit Wasser ist S. beliebig mischbar, jedoch darf man wegen der dabei auftretenden beträchtlichen Wärmeentwicklung (95,4 kJ/mol H_2SO_4 bei 25 °C) konz. Säure nur durch langsames Eingießen in Wasser unter Rühren verdünnen (Schutzbrille!); bei umgekehrter Zugabe kann sich das Gemisch lokal überhitzen (Gefahr von *Siedeverzug). Die Erhitzung ist auf die Bildung folgender Hydrate zurückzuführen: $H_2SO_4 \cdot H_2O$=*S.-Monohydrat* (techn. Bez. Dihydrat, Schmp. 8,59 °C); $H_2SO_4 \cdot 2H_2O$=*S.-Dihydrat* (Trihydrat, Schmp. –39,47 °C); $H_2SO_4 \cdot 3H_2O$=S.-Trihydrat (Tetrahydrat, Schmp. –36,39 °C); $H_2SO_4 \cdot 4H_2O$=*S.-Tetrahydrat* (Pentahydrat, Schmp. –28,27 °C); $H_2SO_4 \cdot 6H_2O$=*S.-Hexahydrat* (Heptahydrat, Schmp. –54 °C).

Die Angabe der Konz. von S. wird in Prozent H_2SO_4 od. nach der Dichte, früher nach *Baumé-Graden, vorgenommen (s. Tab. 1):

Tab. 1: Gebräuchliche Konz.-Angaben für Schwefelsäure.

% H_2SO_4	D. (15°C)	Baumé-Grad
1,02	1,0069	1
5,28	1,0357	5
10,77	1,0741	10
22,25	1,1600	20
28,28	1,2083	25
34,63	1,2609	30
48,10	1,3810	40
62,18	1,5263	50
69,65	1,6119	55
77,67	1,7059	60
88,65	1,8125	65
93,19	1,8354	66

Ausführlichere Angaben finden sich in *Lit.*[1] u. a. *Tabellenwerken; zum Sdp. von S. s. *Lit.*[2], zur Reinheitsprüfung s. *Lit.*[3].

100%ige S. löst Schwefeltrioxid (SO_3) unter Bildung von sog. *Oleum* od. *rauchender S.* (entweichendes SO_3 bildet mit Luftfeuchtigkeit 0,5–3 µm große S.-Tropfen.) Die verschiedenen Oleum-Sorten werden nach ihrem Gehalt an freiem SO_3 benannt; z. B. 60er Oleum ist eine Lsg. von 60% SO_3 in 100%iger Schwefelsäure. S. ist eine starke zweibasige Säure. Die 100%ige, reine Säure leitet den elektr. Strom nur in geringem Maß, da sie nur schwach dissoziiert ist: $2H_2SO_4 \rightleftharpoons H_3SO_4^+ + HSO_4^-$. Bei Verdünnung mit Wasser entstehen stärker leitende Gemische; dabei dissoziiert zunächst nur ein Proton ($H_2SO_4 + H_2O \rightarrow H_3O^+ + HSO_4^-$), bei stärkerer Verdünnung wird auch das zweite H^+-Ion abgespalten ($HSO_4^- + H_2O \rightarrow H_3O^+ + SO_4^{2-}$). Bei einer 10%igen Säure sind z. B. fast alle S.-Mol. in H^+ u. HSO_4^- dissoziiert, dagegen sind nur 1,3% der Mol. in H^+ u. SO_4^{2-} gespalten. Eine 30%ige S. hat die höchste spezif. Leitfähigkeit. Aufgrund ihrer zweistufigen Dissoziation bildet S. zwei Reihen von Salzen, die *Hydrogensulfate u. *Sulfate. Ähnlich wie die Salzsäure löst auch die verd. S. alle in der *Spannungsreihe oberhalb des Wasserstoffs stehenden Metalle unter Entwicklung von Wasserstoff-Gas, vorausgesetzt das Metall bildet kein unlösl. Sulfat wie z. B. Bariumsulfat; Blei widersteht verd. u. mäßig konz. S., weil sich ein unlösl. Überzug aus Bleisulfat bildet. Eisen ist gegen 93%ige S. infolge Passivierung (s. Passivität) ebenfalls beständig; deshalb kann man konz. S. in gußeisernen Gefäßen befördern u. aufbewahren. Die in der Spannungsreihe unterhalb des Wasserstoffs stehenden Metalle Cu, Hg u. Ag sowie Kohlenstoff, Schwefel u. einige andere Elemente entwickeln mit heißer, konz. S. keinen Wasserstoff, sondern Schwefeldioxid:

$$Cu + 2\,H_2SO_4 \rightarrow CuSO_4 + SO_2 + 2\,H_2O;$$

in diesen Fällen wirkt die S. oxidierend. Edelmetalle wie z. B. Au u. Pt werden jedoch nicht angegriffen. Infolge der Schwerflüchtigkeit u. Säurestärke kann man mit Hilfe von konz. S. andere, flüchtige Säuren aus ihren Salzen freisetzen, z. B. HCl-Gas aus Kochsalz. Mit Bariumchlorid-Lsg. gibt S. einen schwerlösl. Niederschlag von $BaSO_4$, dessen Bildung zum qual. Nachw. u. zur quant. Bestimmung ausgenutzt wird; weitere Nachweismeth. für Sulfate s. dort. Freie S. tritt in der Natur nur selten auf, z. B. in Solfataren u. im *Sauren Regen, nach Vulkanausbrüchen als Wolke in der Stratosphäre (s. Schwefeldioxid) od. in den obersten Wolkenschichten der Venus. Mit organ. Verb. reagiert H_2SO_4 unter Bildung von *Schwefelsäureestern (organ. Sulfaten), z. B. bei der *Sulfatierung von Alkoholen, Phenolen od. Alkenen. Auf viele organ. Substanzen wirkt S. jedoch aufgrund ihrer dehydratisierenden Eigenschaft nur verkohlend. So bläht sich z. B. eine konz. Zucker-Lsg. unter Einwirkung von konz. S. durch Bildung voluminösen Kohlenstoffs auf, u. Cellulose-haltige Kleidungsstücke werden unter Verkohlung angegriffen. Konz. S. ist wegen organ. Verunreinigungen (z. B. aus dem Verpackungsmaterial) häufig leicht braun gefärbt; über eine Bestimmungs-Meth. von organ. Kohlenstoff in S. s. *Lit.*[4].

Physiologie: S. wirkt zerstörend auf menschliche, tier. u. pflanzliche Gewebe (MAK-Wert 1 mg/m^3). Beim Umgang mit Oleum ist bes. Vorsicht nötig, denn Oleum wirkt noch wesentlich stärker wasserentziehend u. zerstörend. Auf der Haut verursacht Oleum ebenso wie S. heftig schmerzende u. schwer heilende Verbrennungen. Eingenommene konz. S. ruft starke Schmerzen u. lebensgefährliche Magenverätzungen hervor. Bei Vergiftungen sollte sofort ärztliche Hilfe zu Rate gezogen werden; eine mögliche Gegenmaßnahme ist bei innerlicher Vergiftung zunächst die Verabreichung von Milch, Öl od. Fett (salzfreie Butter), dann eines Breies aus 75 Tl. Magnesia (MgO) u. 500 Tl. Wasser zur Neutralisation ($MgO + H_2SO_4 \rightarrow MgSO_4 + H_2O$). S. auf der Haut, auf Papier, Kleidern usw. sollte rasch mit einem *trockenen* Lappen abgewischt u. dann mit viel Wasser behandelt werden. Letzte Säure-Reste kann man durch Nachspülen mit verd. Natriumhydrogencarbonat- od. Ammoniak-Lsg. neutralisieren; s. a. *Lit.*[5].

Herst.: Das zur S.-Produktion benötigte *Schwefeldioxid (SO_2) kann durch *Rösten sulfid. Erze, Verbrennen von elementarem Schwefel u. durch andere Verf. gewonnen werden (s. unter Schwefeldioxid); bei der Verw. von Elementarschwefel ist eine Reinigung des erzeugten SO_2-Gases nicht erforderlich. 1955 basierte die S.-Produktion in der BRD zu 77% auf Pyrit, 1990 nur noch zu 14% bei hauptsächlicher Verw. von Schwefel (40%). 32% der S. werden als Nebenprodukt bei der Metallgewinnung („Metallsäure") aus sulfid. Erzen (Zinkblende, Bleiglanz, Kupferkies) gewonnen. In den USA werden über 80% der S. aus Elementarschwefel erzeugt. Als weitere SO_2-Quelle kommen Metallsulfate in Betracht, z. B. wird bei dem mit der Zement-Herst. gekoppelten *Müller-Kühne-Verf.* Gips od. Anhydrit im Gemisch mit Ton, Sand, Kohle u. a. Zuschlägen therm. in Drehrohröfen gespalten: $2\,CaSO_4 + C \rightarrow 2\,CaO + 2\,SO_2 + CO_2$. Während „Gips-S." heute keine große Rolle spielt, gewinnt die therm. Spaltung von Eisensulfat, $FeSO_4 \cdot 7\,H_2O$ („Grünsalz"), das bei der *Titandioxid-Produktion u. bei der Metallbeizung anfällt, an Bedeutung.

Bei der Umwandlung von Schwefeldioxid in Schwefelsäure wird das *Kontakt-Verf.* angewendet, dem folgendes Gleichgew. zugrunde liegt:

$$SO_2 + \tfrac{1}{2}O_2 \xrightleftharpoons{\text{Katalysator}} SO_3 \;/\; \Delta H = -99\ \text{kJ/mol}.$$

Da die SO_3-Ausbeute der Quadratwurzel der O_2-Konz. proportional ist (*Massenwirkungsgesetz), wird zweckmäßigerweise mit einem Sauerstoff-Überschuß gearbeitet. Ein höherer SO_2-Umsatz wird auch durch Verminderung der Konz. des gebildeten SO_3 im Doppelkontakt-Verf. (s. unten) od. durch erhöhten Druck (500 kPa, Verf. nach Ugine-Kuhlmann) erreicht. Außerdem muß bei Temp. gearbeitet werden, die nicht wesentlich über der Betriebstemp. des Katalysators (420–440 °C) liegen. Als Katalysatoren (Vanadiumpentoxid) werden Salzschmelzen auf einem porösen Träger (Kieselgur od. Diatomeenerde) verwendet, in denen Vanadium(IV)-oxidsulfat ($VOSO_4$) u. Kaliumsulfat enthalten sind; der Wertigkeitswechsel zwischen V^{4+} u. V^{5+} gilt als entscheidender Schritt bei der Katalyse. Im *Einfachkontakt-Verf.* werden die Reaktionsgase durch 4 in einem Kontaktkessel befindliche Katalysatorbetten (fachsprachlich: *Horden*) geleitet, wobei sie nach jedem Durchgang abgekühlt werden müssen. Nach dem 4. Durchgang ist der max. mögliche SO_2-Umsatz von 98% erreicht. Das gebildete SO_3 wird auf 180–200 °C abgekühlt u. in einem Gegenstromwäscher od. einem Strahlwäscher von 98,5–99%iger S. absorbiert, wobei sich SO_3 zu S. umsetzt; mit Oleum erhält man ein Oleum höheren SO_3-Gehalts. Die Endgase werden durch Ammoniak-Wäsche, Wäsche mit $Na_2SO_3/NaHSO_3$-Lsg. (Wellmann-Lord-Verf.) u. a. Entschwefelungs-Verf. gereinigt.

Beim *Doppelkontakt-Verf.* wird nach der 3. Horde das gebildete SO_3 in einem Zwischenabsorber vollständig entfernt u. das noch 0,6–1,1 Vol.-% SO_2 enthaltende Reaktionsgas auf die 4. u. ggf. auf eine 5. Horde, den sog. Nachkontakt, geleitet. Man erreicht SO_2-Umsätze von 99,6–99,7%, u. die Endgase müssen nicht mehr gereinigt werden (s. Abb.).

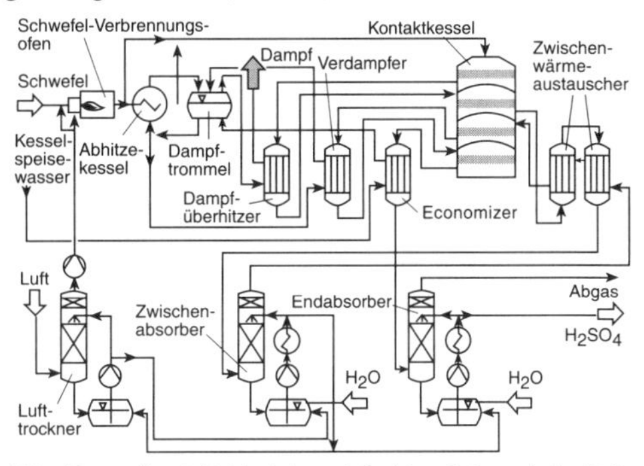

Abb.: Doppelkontakt-Verf. (vereinfachtes Schema) der Schwefelsäure-Gewinnung. Quelle für Schwefeldioxid ist hier elementarer Schwefel (s. *Lit.*[6]).

Die Erzeugung von S. aus Elementarschwefel verläuft in allen Reaktionsschritten exotherm. Pro Tonne 100%iger S. fällt im Gesamtprozeß eine Wärmemenge von ca. $5{,}4 \cdot 10^6$ kJ an, die größtenteils zur Erzeugung von Dampf genutzt wird. In Kokereien wird das Kontakt-Verf. als *Feuchtgaskatalyse-Verf.* angewendet. Hierbei wird Schwefelwasserstoff mit Luftüberschuß zu Schwefeldioxid u. Wasser nach der Gleichung $2H_2S + 3O_2 \rightarrow 2SO_2 + 2H_2O$ umgesetzt, u. das feuchte Schwefeldioxid katalyt. zu Schwefeltrioxid oxidiert. Wegen des hohen Wasseranteils läßt sich aber nur eine 75–78%ige S. herstellen. Diese kann bereits in den Kokereien mit Ammoniak, der bei der Koksofengasreinigung anfällt, zu Ammoniumsulfat verarbeitet werden; eine Modifizierung dieses Verf., das *Concat-Verf.*, führt durch Kondensation des im Verbrennungsgas enthaltenen Wasserdampfes zu 95–96%iger Schwefelsäure.
Die *Nitrose-Verf.* der naßkatalyt. Oxid. mit Nitrosylhydrogensulfat ($NOHSO_4$, Redoxpaar NO/NO_2) werden kaum noch angewandt. Gegenüber den Nachteilen der Nitrose-Verf., insbes. der geringeren Säurekonz. (78%), bieten die niedrigen Betriebstemp. gewisse Vorteile, z. B. bei der *Entschwefelung von Gasen mit niedriger SO_2-Konz., so daß eine Renaissance dieser Prozesse nicht auszuschließen ist, bes. da heute statt Blei geeignete Kunststoffe als Werkstoffe zur Verfügung stehen. Zum *Bleikammerprozeß*, der bis Anfang des 20. Jh. nahezu ausschließlich angewendet wurde, s. bei Geschichte.
Aufarbeitung von Abfallsäuren: Aus ökolog. Gründen werden in steigendem Maße gebrauchte S. aufgearbeitet, die bisher vielfach im Meer verklappt od. nach Neutralisation mit Kalk als Gips deponiert wurden. Bei geringem Verunreinigungsgrad läßt sich gebrauchte S. durch energieintensives Einengen regenerieren, ggf. nach oxidativer Entfernung von organ. Verunreinigungen mit Salpetersäure. Bei der zweistufigen Arbeitsweise erfolgt eine Vorkonzentrierung auf etwa 60–70% mittels Venturi-Aufstärkern, Tauchbrennern od. Umlaufverdampfern, gefolgt von der Hochkonzentrierung auf über 90%ige Säure im *Plinke-Verf.* mit indirekter Heizung, in *Drum-Konzentratoren* unter direkter Beheizung mit heißen Rauchgasen od. im *Bayer-Bertrams-Verf.* in Fallfilmverdampfern aus Quarz. Bei starker Verunreinigung der Abfallsäuren ist die therm. Spaltung erforderlich: Die vorkonz. verunreinigte S. wird durch direkte Beheizung mit Öl od. Gas auf ca. 1050 °C erhitzt. Bei dieser Temp. liegt das Gleichgew. zwischen SO_2 u. SO_3 weitgehend auf der Seite des SO_2, welches in der Kontaktanlage wieder zu konz. S. umgesetzt wird. Die Menge der zurückgewonnenen S. nimmt derzeit bereits einen beträchtlichen Anteil an der gesamten S.-Produktion ein.
Bei der S.-Erzeugung verwendete Werkstoffe sind Eisen, Gummi u. Blei, keram. Werkstoffe wie Quarz, Porzellan od. säurefeste Kunststeine u. Steinzeug, Polyethylen u. -propylen. Für Lagerung u. Versand von bis zu 70%iger wäss. S. verwendet man mit Blei od. Kunststoff ausgekleidete Gefäße, Eisen-Fässer u. Kesselwagen sowie Topfwagen aus Steinzeug, für höher konz. S. werden Kessel od. Tanks aus Eisen benutzt.

S. gelangt in verschiedenen Konz. in den Handel, z. B. als sog. *konz. S.* (98%ig) od. als **Akkumulatorensäure* (20–26%ig). Da der Einsatz von *Oleum* wegen des geringeren Anfalls an Abfallsäure gegenüber der Verw. von wäss. S.-Lsg. in vielen Fällen billiger ist, steigt der Oleum-Verbrauch. Von den Oleumsorten mit 20, 25, 30, 35 u. 65% freiem SO_3 sind bes. die mit 20 u. 65% wegen der günstig gelegenen Schmp. zum Versand geeignet.
S. ist eines der Grundprodukte der chem. Ind.; lange Zeit galten die Produktionsmengen als ein Indikator für den Leistungsstand der chem. Technik eines Landes. Da in jüngerer Zeit eine Reihe großtechn. Verf. so umgestellt worden sind, daß sie ohne S. auskommen, sinkt die Weltproduktion seit 1990 (s. Tab. 2). Gesamtproduktion 1960 ca. 50 Mio. t, 1985 149,3 Mio. t, 1990 156,8 Mio. t u. 1993 135,3 Mio. t, wovon jeweils der größte Teil für die Herst. von Düngemitteln (Phosphatdünger) verwendet wurde, z. B. wurden in den USA 1993 vom Gesamtverbrauch (38,24 Mio. t) 27,66 Mio. t zur Herst. von H_3PO_4 u. a. Düngemitteln eingesetzt.

Tab. 2: Produktion von Schwefelsäure [Mio. t].

	1950	1960	1970	1980	1989	1990	1993
USA	11,0	15,4	25,7	40,2	43,4	48,0	41,3
UdSSR	2,1	5,4	12,2	23,0	28,1	33,3	19,6
Westeuropa						22,7	17,0
BRD	1,4	3,2	4,4	3,9	3,7		
Großbritannien	1,8	2,7	3,4	3,4	2,2		
Frankreich	1,2	2,0	3,6	4,9	4,1		
Italien	1,3	2,1	3,4	2,8	2,2		
Belgien	0,9	1,4	1,9	2,1	2,0		
Asien						31,4	33,5
Ostasien	2,1	5,8	?	14,4	18,2		
Afrika						14,8	16,4
Australien	0,7	1,1	1,7	2,2	2,3		

Verw.: S. spielt eine vielfältige Rolle, so daß hier nur einige wesentliche Einsatzgebiete genannt werden können: Zum Aufschließen von Phosphaten u. zur Herst. von Ammoniumsulfat in der Düngemittel-Ind., zum Aufschluß von Titan-Mineralen für die Titandioxid-(Weißpigment-)Produktion, zur Herst. von Phosphor- u. Fluorwasserstoffsäure, in der organ. Synth. zum Sulfonieren, Sulfatieren (z. B. zur Herst. von Farbstoffen, Weichmachern, Tensiden usw.), als Bestandteil der Nitriersäure, zur Herst. von Peroxodischwefelsäure, für Fällbäder der Kunstseide-Ind., zur Herst. von Natriumsulfat (für die Glasfabrikation) u. a. Sulfate, als Akkumulatorensäure, als Trockenmittel z. B. für Gase od. (auf Träger aufgebracht) zur Beschickung von Exsikkatoren, zum Entharzen von Mineralölen in der Erdölraffination, als Bestandteil von Chromschwefelsäure, als *nichtwäßriges Lösemittel u. allg. als wichtige Säure im Laboratorium.
In der BRD verteilte sich der S.-Verbrauch 1990 wie folgt: Ca. 46% wurden in der organ.-chem. Ind. (bes. für die Herst. von Kunststoffen u. in der Petrochemie), ca. 18% bei der TiO_2-Herst., ca. 5% in der Phosphorsäure- u. Düngemittel-Ind. [die Nebenprodukte der Stahlproduktion (z. B. Thomasmehl) werden in der BRD als Phosphatdünger verwendet] u. ca. 30% in der

nichtchem. Ind., z. B. für Metallbeizen, Akkumulatoren etc. verwendet.
Geschichte: Im 16.–18. Jh. konnte Schwefeltrioxid (u. damit S.) nur durch therm. Zers. von *Vitriolen (Metallsulfaten) hergestellt werden (Nordhäuser-Verf., zur Herst. von Vitriolöl-S. s. *Lit.*[6]). 1746 wurde der Bleikammerprozeß von Roebuck u. Garbett in Birmingham erstmals techn. genutzt (*Engl. S.*). Dabei wurde ein SO_2-Luft-Gemisch mit Stickoxiden u. eingesprühtem Wasser bei 80 °C zu „Kammersäure" (70–80%ige S.) umgesetzt. 1827 führte Gay-Lussac die Wiedergewinnung der Stickoxide aus den Restgasen durch Umsetzung mit S. zu Nitroser Säure (Nitrose, s. Nitrosylschwefelsäure) ein, u. 1859 erfand Glover das Austreiben der Stickoxide aus der Nitrosen Säure durch die heißen Röstgase im sog. Gloverturm. Mit der Verw. der dabei gebildeten Gloversäure (80%ige S.) zur Absorption der Stickoxide im Gay-Lussac-Turm wurde die kontinuierliche Führung des Prozesses möglich. Bezüglich Einzelheiten sei auf die ältere *Lit.*[7] verwiesen. Der Bleikammerprozeß hatte im Laufe der Zeit zahlreiche Abwandlungen erfahren; so bildete sich beim Turmverf. „Turmsäure" (80%ige S.) aus emporsteigenden Röstgasen u. herabrieselnder Nitroser Säure. Ein Verf. zur gleichzeitigen Gewinnung 78%iger H_2SO_4 u. 60%iger HNO_3 war das Kachkaroff-Matignon-Verfahren. 1831 entdeckte Philips die grundlegende Reaktion des Kontaktverf.; die Grundlagen des techn. Verf. stammen von Winkler (um 1875), die großtechn. Einführung erfolgte durch *Knietsch. Seit 1964 werden die meisten S.-Anlagen nach dem *Bayer-Doppelkontakt-Verf.* gebaut od. darauf umgestellt. – ***E*** sulfuric acid – ***F*** acide sulfurique – ***I*** acido solforico – ***S*** ácido sulfúrico

Lit.: [1]Handbook **69**, F-6f; *Landolt-Börnstein NS IV/1b, 100f. [2]Chem. Labor Betr. **35**, 388f. (1984). [3]DAB **7**, 206ff. [4]Int. Lab. **1974**, Nr. 5, 47–52. [5]Braun-Dönhardt, S. 335f. [6]Chem. Unserer Zeit **16**, 149–159 (1982). [7]Winnacker-Küchler (1.) **2**, 37–47; Ullmann (1.) **10**, 222–263.
allg.: Büchner et al., S. 108–120 ▪ Gmelin, Syst.-Nr. 9, S, Tl. A, 1942, S. 286–484, Tl. B, 1960, S. 613–788 ▪ Hommel, Nr. 174, 183 ▪ Kirk-Othmer (4.) **23**, 363–408 ▪ Schrage, Dampfdrücke von H_2SO_4-SO_3-Gemischen, Düsseldorf: VDI-Verl. 1990 ▪ Ullmann (5.) **A 25**, 635–703 ▪ Winnacker-Küchler (4.) **2**, 35–75. – *[HS 2807 00; CAS 7664-93-9; G 8]*

Schwefelsäureanhydrid s. Schwefeltrioxid.

Schwefelsäurediethylester, -dimethylester s. Dimethylsulfat.

Schwefelsäureester. Sammelbez. für die organ. *Sulfate, die sich von *Schwefelsäure durch Ersatz eines od. beider Wasserstoff-Atome durch Alkyl-, Cycloalkyl- od. Aryl-Reste ableiten, formal also durch Veresterung von Alkoholen od. Phenolen mit H_2SO_4 entstehen. Die *sauren S.* (Monosulfate; *Beisp.:* Methylsulfat) haben die allg. Formel R–O–SO_3H. Durch Neutralisation dieser Verb. mit NaOH entstehen Stoffe vom Typ R–O–SO_3Na. Man erhält diese organ. Sulfate durch *Sulfatierung, sofern sie nicht körpereigene Stoffe sind; *Beisp.:* *Fettalkoholpolyglykolethersulfate, *Alkylsulfate, *Carrageen, *Chondroitinsulfate, *Heparin u. a. *Mucopolysaccharide, *Sulfatide. Die organ. S. werden durch spezif. Enzyme (*Sulfatasen) gespalten. Viele Stoffwechselprodukte, aber auch Fremdstoffe, werden als S. (*Konjugate) ausgeschieden, z. B. Estrogene u. a. Phenole im Harn. Einige Monoalkylsulfate sind ebenso wie die Diester *Dimethyl- u. *Diethylsulfat wichtige Alkylierungsreagenzien in der organ. Synth. u. besitzen auch ein carcinogenes u./od. mutagenes Potential. Von den organ. S. streng zu unterscheiden sind die *Sulfonate:

$R^1–O–S(=O)_2–O–R^2$ Sulfate

$R^1–S(=O)_2–O–R^2$ Sulfonate

$R^1 = CH_3$, $R^2 = H$: Methylsulfat
$R^1 = R^2 = CH_3$: Dimethylsulfat

Letztere enthalten eine Kohlenstoff-Schwefel-Bindung. – ***E*** sulfuric (acid) esters – ***F*** esters sulfuriques – ***I*** esteri solforici – ***S*** ésteres sulfúricos

Lit.: Environ. Health Crit. **48** (1985) ▪ Kirk-Othmer (3.) **22**, 233–254 ▪ Mulder et al., Sulfate Metabolism and Sulfate Conjugation, London: Taylor & Francis 1982 ▪ s. a. Schwefel-organische Verbindungen, Schwefelsäure u. Sulfate.

Schwefel-Säuren. Der *Schwefel bildet aufgrund seiner verschiedenen Oxid.-Stufen eine Reihe von *Oxosäuren, in denen der Sauerstoff zudem noch durch weiteren Schwefel ersetzt sein kann, sowie einige Peroxo-Säuren (s. Peroxo...).

Tab.: Sauerstoff-Säuren des Schwefels.

Oxid.-Stufe	Formel	Name	Salze
Typ H_2SO_n			
+1			
+2	H_2SO_2	*Sulfoxylsäure	*Sulfoxylate
+3			
+4	H_2SO_3	*Schweflige Säure	*Sulfite
+5			
+6	H_2SO_4	*Schwefelsäure	*Sulfate
	H_2SO_5	Peroxomonoschwefelsäure (*Carosche Säure)	*Peroxomonosulfate
Typ $H_2S_2O_n$			
+1	$H_2S_2O_2$	Thioschweflige Säure	Thiosulfite
+2	$H_2S_2O_3$	*Thioschwefelsäure	*Thiosulfate
+3	$H_2S_2O_4$	Dithionige Säure	*Dithionite
+4	$H_2S_2O_5$	*Dischweflige Säure	*Disulfite
+5	$H_2S_2O_6$	*Dithionsäure	*Dithionate
+6	$H_2S_2O_7$	*Dischwefelsäure	*Disulfate
	$H_2S_2O_8$	*Peroxodischwefelsäure	Peroxodisulfate

Von den in der Tab. aufgeführten Sauerstoff-Säuren des Schwefels sind nur die vier S.(VI)-S. u. die Thioschwefelsäure in reiner Form stabil, die übrigen kennt man lediglich in Form ihrer Salze od. in Lösung. Durch (formale) Insertion weiterer S-Atome in die S,S-Bindung von Thioschwefelsäure od. Dithionsäure erhält man die Reihe der Polysulfanmonosulfonsäuren, HS_nSO_3H, od. der *Polythionsäuren, $HO_3S–S_n–SO_3H$. Letztere sind bei tiefen Temp. beständig, die Stabilität nimmt jedoch mit wachsender Kettenlänge ab. Organ. substituierte S.-S. sind die Sulfensäuren (R–S–OH; Sulfenate), Sulfinsäuren (R–SO–OH; Sulfinate) u. Sulfonsäuren (R–SO_2–OH; Sulfonate). – ***E*** sulfur acids – ***F*** acides du soufre – ***I*** acidi di zolfo – ***S*** ácidos del azufre

Schwefelsaures... s. bei den Kationen der entsprechenden Sulfate; *Beisp.*: *Ammoniumsulfat statt Schwefelsaures Ammoniak.

Schwefel-Stickstoff-Verbindungen. Im engeren Sinne Bez. für nur aus Schwefel u. Stickstoff bestehende Verb. (sog. *Schwefelnitride*); zu den bahnbrechenden Arbeiten auf diesem Gebiet von *Becke-Goehring u. *Fluck s. *Lit.*[1]. Monomeres NS wurde als instabiles, reaktives Teilchen durch Einwirkung elektr. Entladung auf ein Schwefel-Stickstoff-Gemisch in der Gasphase erzeugt u. spektroskop. charakterisiert (S–N-Abstand 149,7 pm, das ist deutlich kürzer als der berechnete S,N-Doppelbindungsabstand von 154 pm; die S,N-Dissoziationsenergie beträgt 463 kJ/mol). Als Komplexligand ist NS stabil, z. B. im Chrom-Komplex $[(\eta^5\text{-}C_5H_5)Cr(CO)_2(NS)]$; eine Lit.-Übersicht gibt *Lit.*[2]. Das unbeständige, ringförmig gebaute *Dischwefeldinitrid*, S_2N_2, fällt in Form von farblosen, leicht zersetzlichen Krist. an, die mit Lewis-Säuren Addukte bilden. Die wichtigste Verb. dieser Reihe ist das *Tetraschwefeltetranitrid*, $(SN)_4$, M_R 184,28, orangegelbe Krist., D. 2,22, subl., Schmp. 178 °C, Sdp. 185 °C, explodiert bei weiterem Erhitzen. S_4N_4 ist lösl. in CS_2, unlösl. in Wasser u. wird bei längerem Kochen hydrolysiert.

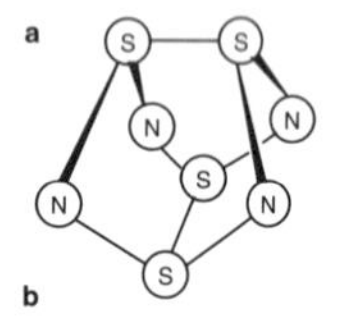

b

Abb. 1: a) Räumliche Struktur des S_4N_4-Käfigs, wobei sowohl schwache Bindungen als auch Bindungen mit Mehrfachbindungscharakter eingezeichnet sind. – b) Mesomere Grenzformeln von S_4N_4.

S_4N_4 entsteht bei der Reaktion von S_2Cl_2 mit NH_3 u. geht beim Überleiten über Silber-Wolle bei 200–300 °C in S_2N_2 über. Neben S_2N_2 u. S_4N_4 sind zahlreiche mono- u. bicycl. S.-S.-V. bekannt; den ion. Vertretern wird Aromatizität zugeschrieben. Die diamagnet. Krist. von S_2N_2 polymerisieren bei über 0 °C im festen Zustand in einer topochem. *Polymerisation. Zuerst entsteht dabei ein blauschwarzes, paramagnet. Produkt, das sich danach in eine goldschimmernde, diamagnet. Substanz umwandelt.

Abb. 2: Polymerisation von S_2N_2.

Das Kettenwachstum verläuft hier vermutlich über Biradikale. Das so zugängliche *Poly(schwefelnitrid)*, $(SN)_x$, ist eine beständige, krist. Substanz u. ist in H_2O u. organ. Lsm. unlöslich. $(SN)_x$ besteht aus hochorientierten Faserbündeln, verhält sich bezüglich seiner spezif. Wärmekapazität, magnet. Suszeptibilität u. elektr. Leitfähigkeit (10^3 S/cm bei 298 K, 10^6 S/cm bei $T<20$ K) wie ein Metall u. wird bei 0,26 K supraleitend[3]. Man hat $(SN)_x$ als eindimensionalen elektrischen Leiter bezeichnet (Näheres s. dort); trotz ermutigender Erfolge bei der Erhöhung der Leitfähigkeit (z. B. durch partielle Bromierung) blieben die erreichbaren Sprungtemp. für prakt. Anw. zu niedrig. Bei Schlageinwirkung explodiert $(SN)_x$, zersetzt sich an der Luft zu einem grauen Pulver u. bei längerem Erhitzen zu N_2 u. SO_2. Wegen dieser geringen Beständigkeit, seiner Unschmelzbarkeit u. Unlöslichkeit hat es bisher keine techn. Bedeutung erlangt. Als kurzlebige Zwischenstufe konnte auch NNS (N_2S) in Matrix isoliert u. untersucht werden[4]. Relativ stabil sind hingegen Oligoschwefeldinitride S_nN_2 (n = 11, 15, 16, 17, 19) sowie das explosive, orangefarbene, krist. Pentaschwefelhexanitrid, das sich oberhalb 130 °C therm. zersetzt. Zu den S.-S.-V. rechnet man auch die *Schwefeldiimide* der allg. Formel: R^1–N=S=N–R^2, nicht aber Isothiazole u. ähnliche Heterocyclen. – ***E*** sulfur-nitrogen compounds – ***F*** composés de soufre-azote – ***I*** composti di zolfo-azoto – ***S*** compuestos de azufre-nitrógeno

Lit.: [1] Adv. Inorgan. Chem. Radiochem. **22**, 239–302 (1979); Angew. Chem. **91**, 112–118 (1979). [2] Prog. Inorg. Chem. **40**, 445–502 (1992). [3] Chem. Rev. **79**, 1–15 (1979). [4] Chem. Rev. **85**, 341–365 (1985).
allg.: Brauer (3.) **1**, 403–410 ▪ Elias (5.) **1**, 991; **2**, 327 ▪ Gmelin, Syst.-Nr. 9, S, Tl. B, 1963, S. 1531–1554, Erg. Bd. 32, 1977, Sulfur-Nitrogen-Compounds (6 Bd.), 1985, 1987, 1990, 1991 ▪ Haiduc u. Sowerby, The Chemistry of Inorganic Homo- and Heterocycles, London: Academic Press 1987 ▪ Holleman-Wiberg (101.), S. 599–609 ▪ Kirk-Othmer (4.) **23**, 299 ▪ Mataka et al., Sulphur Nitrides in Organic Chemistry (Sulfur Rep. 4/1), New York: Harwood 1984 ▪ Odian (3.), S. 587 ▪ Pál et al., Organic Conductors and Semiconductors, Berlin: Springer 1977 ▪ Pure Appl. Chem. **52**, 1443–1458, 1565–1574 (1980) ▪ Top. Curr. Chem. **102**, 117–147 (1982) ▪ Z. Chem. **18**, 323–329 (1978) ▪ Z. Naturforsch. Teil B **31**, 610–683 (1976). – *[CAS 25474-92-4 (S_2N_2); 28950-34-7 (S_4N_4)]*

Schwefeltrioxid (Schwefelsäureanhydrid). SO_3, M_R 80,064. SO_3 existiert in drei Modif.: Die *γ*-Form (cycl. trimer) bildet farblose, durchscheinende, an der Luft stark rauchende, eisartige Massen, D. 1,995 (bei 15 °C), Schmp. 16,8 °C, Sdp. 44,45 °C. *γ*-SO_3 ist metastabil u. wandelt sich bei längerem Aufbewahren unterhalb 25 °C in polymeres *β*-SO_3 (farblose, seidenglänzende, verfilzte Nadeln, Schmp. 32,5 °C, Sdp. 44,45 °C) u. in polymeres *α*-SO_3 (farblose Nadeln, D. 1,97, Schmp. 62,2 °C; Zers. u. Subl. ab ca. 50 °C) um. Das im Handel erhältliche SO_3 ist meist ein Gemisch aus (viel) *β*-SO_3 u. (wenig) *α*-SO_3 mit einem Schmp. von ca. 40 °C od. eine rauchende Flüssigkeit, auf welche die Bez. *Oleum* (s. Schwefelsäure) zurückgeht. Sog. *stabiles* SO_3 enthält geringe Mengen an organ. od. anorgan. Substanzen, die die Umwandlung in die polymeren SO_3-Modif. hemmen, z. B. Thionylchlorid, Borsäure od. Oxalylchlorid. SO_3 ist stark hygroskop. (starke Erhitzung, Bildung von Schwefelsäure). Fällt ein Tropfen Wasser auf SO_3, so erfolgt eine explosionsartige Reaktion. Viele organ. Verb. werden durch SO_3 vollständig dehydratisiert, daher verkohlt z. B. Cellulose in Ggw. von SO_3.

Herst.: SO_3 entsteht aus SO_2 bei der Schwefelsäure-Fabrikation (Kontakt-Verf., s. Schwefelsäure) als Zwischenprodukt. Reines SO_3 wird aus Oleum durch sog. *Oleostripping*, z. B. durch Dest. u. Verflüssigung der

Dämpfe, gewonnen, wobei die Temp. von 27 °C nicht unterschritten werden darf, um ein Erstarren des SO_3 zu verhindern.

Verw.: Zur Herst. von *Chloroschwefelsäure, *Thionylchlorid, *Amidoschwefelsäure, *Dimethylsulfat, zur Sulfonierung organ. Verb., insbes. in der Waschmittel-Ind. (lineare Alkylbenzolsulfonate). Im Laboratorium verwendet man zu Sulfonierungen oft Addukte von SO_3 mit Dioxan, Pyridin od. Dimethylformamid. – ***E*** sulfur trioxide – ***F*** trioxyde de soufre – ***I*** triossido di zolfo – ***S*** trióxido de azufre

Lit.: Encycl. Gaz, S. 1139–1144 ▪ Gmelin, Syst.-Nr. 9, S, Tl. A, 1942–1953, S. 320–484, Tl. B, 1953, S. 323–367 ▪ Hommel, Nr. 184 ▪ Synthesis **1979**, 699f. ▪ VDI-Richtlinie 2462/7 (03/1985) ▪ s.a. Schwefelsäure. – *[HS 2811 29; CAS 7446-11-9; G 8]*

Schwefelvulkanisation s. Vulkanisation.

Schwefelwasserstoff (Hydrogensulfid). F T+ H_2S, M_R 34,082. Techn. wichtigste Wasserstoff-Verb. des Schwefels, der aufgrund seiner Neigung zur Ketten-Bildung auch noch andere Wasserstoff-Verb. zu bilden vermag (s. Sulfane). Farbloses, brennfähiges, stark giftiges Gas, auf das der spezif. Geruch fauler Eier zurückzuführen ist, Schmp. –85,53 °C, Sdp. –60,31 °C, Gasdichte 1,5392 g/L (0 °C). S. läßt sich leicht zu einer farblosen Flüssigkeit verdichten, D. 0,993 (am Sdp.), krit. Temp. 100,38 °C, krit. Druck 9 MPa, krit. D. 0,349. In den Grenzen 4,3–46 Vol.-% bildet H_2S mit Luft explosionsfähige Gemische; Zündtemp. ca. 260 °C. Flüssiger S. löst viele organ., aber nur wenige anorgan. Verb.; H_2S krist. kub.-flächenzentriert. In 1 L Alkohol lösen sich etwa 11–12 L H_2S-Gas, in 1 L Wasser bei 0 °C 4,65, bei 10 °C 3,44, bei 18 °C 2,75 u. bei 20 °C 2,61 L; die wäss. Lsg. wird auch als *S.-Wasser* bezeichnet. Wäss. S. ist eine sehr schwache, zweibasige Säure ($K_1 = 1{,}02 \cdot 10^{-7}$ mol · L^{-1}, $K_2 = 1{,}3 \cdot 10^{-13}$ mol · L^{-1}), die bei Raumtemp. in 0,1 n Lsg. nur zu 0,13% in die Ionen H^+ u. HS^- gespalten ist. Die Ionisierung der zweiten Stufe ($HS^- \rightarrow S^{2-} + H^+$) erreicht sehr viel geringere Werte. H_2S bildet demnach zwei Reihen von Salzen, die sauren *Hydrogensulfide (altertümlicher Name: *Sulfhydrate*) u. die *Sulfide, von denen sich durch S,S-Ketten-Bildung die *Polysulfide ableiten. Die Salz-Bildung wird bei der Verw. von H_2S in der qual. analyt. Chemie zur Abtrennung der Metalle der sog. Schwefelwasserstoff-Gruppe ausgenutzt (Näheres s. dort u. bei Trennungsgänge). Gasf. S. ist sehr reaktionsfähig: An der Luft verbrennt H_2S zu H_2O u. SO_2, bei mangelhafter Luftzufuhr bilden sich H_2O u. Schwefel; beim Erhitzen zerfällt H_2S in Wasserstoff u. Schwefel. Chlor u. Brom geben mit H_2S unter Schwefel-Abscheidung Chlor- bzw. Bromwasserstoff, mit Metallen bildet H_2S (bes. bei Anwesenheit von Feuchtigkeit u. Wärme) Metallsulfide (Korrosion). S. desaktiviert (vergiftet) viele techn. Katalysatoren, andererseits kann H_2S auch katalyt. Prozesse fördern, z. B. die Konvertierung von CO (*Lit.*[1]). Mit konz. Schwefelsäure entstehen Schwefel u. SO_2 ($H_2SO_4 + H_2S \rightarrow S + SO_2 + 2\,H_2O$), u. Oxid.-Mittel (z. B. Wasserstoffperoxid, Chlorate, Chromate) scheiden aus H_2S Schwefel ab. H_2S wirkt als starkes Red.-Mittel: Er reduziert Fe^{3+} zu Fe^{2+}, CrO_4^{2-} zu Cr^{3+}, MnO_4^- zu Mn^{2+} usw.

Physiologie: Für Organismen ist S. fast ebenso giftig wie Blausäure, MAK-Wert 15 mg/m^3. Ein Nachw. ist im Bereich von 0,5 ppm bis 7 Vol.-% mit Prüfröhrchen möglich. Die Geruchsschwelle liegt zwar sehr niedrig (0,025–0,1 ppm≈0,04–0,15 mg/m^3), doch tritt oberhalb 200 ppm Abstumpfung durch Lähmung des olfaktor. Syst. ein. Luft, die nur 0,035% H_2S enthält, wirkt bei längerer Einatmung lebensgefährlich, Luft mit mehreren Prozent H_2S ist innerhalb weniger Sekunden tödlich. So kamen in H_2S-haltigen Versitzgruben, die mit Reinigungsspiralen aufgerührt worden waren, außer dem eigentlichen Unfallopfer auch noch Erst-, Zweit- u. Dritthelfer ums Leben[2]. Eine Vergiftung mit kleineren Mengen S. führt zu Schwindel, taumelndem Gang, Atemnot u. nervösen Erregungszuständen. Unter dem Einfluß von S. wandelt sich *Hämoglobin in *Sulfhämoglobin* um (Addukt aus H_2S u. Hämoglobin). Das Blut färbt sich zunächst braun, bei stärkerer Einwirkung olivfarben, u. der Gasaustausch ist stark beeinträchtigt. Dabei kommt es zu einer direkten Lähmung des Atemzentrums im Gehirn, die einer Herzschädigung infolge der auftretenden Anoxämie vorangeht. Bei Vergiftungen sollte sofort ärztliche Hilfe zu Rate gezogen werden; notwendige Sofortmaßnahmen: Überführung in frische Luft, künstliche Beatmung, Analeptika; über Gefahren beim Umgang mit S. u. über den Nutzen sofortiger 4-(Dimethylamino)phenol-Applikation s. *Lit.*[2].

Nachw.: Man erkennt außerordentlich geringe Konz. an S. am Geruch. Ein feuchtes *Bleipapier erhält durch H_2S allmählich einen dunkelgrauen, metall. glänzenden Überzug von Bleisulfid. Silber-Leg. (z. B. Silber-Münzen) erhalten durch H_2S braune od. schwarze Flecken von Silbersulfid, die man mit Kaliumcyanid-Lsg. wieder beseitigen kann. Mit *Nitroprussidnatrium gibt S. in alkal. Lsg. eine intensiv violette Farbe. Quant. Bestimmungs-Meth. basieren auf der H_2S-Absorption in Cd- od. Zn-Acetat-Lsg., die über eine maßanalyt. (Iodometrie, Iodatometrie) od. über eine photometr. Bestimmung des von Sulfid u. **N,N*-Dimethyl-*p*-phenylendiamin in Ggw. von Fe^{3+} gebildeten Methylenblaus erfaßt wird. Daneben gibt es elektrochem. u. kolorimetr. Verf. insbes. zur Raumüberwachung; über die Anw. einer Sulfidionen-selektiven Elektrode für die kontinuierliche Messung von S. in Koksofengas s. *Lit.*[3], u. zur Analyse von S. in atmosphär. Luft bis in den Nanogramm-Bereich (10 ng/m^3) s. *Lit.*[4].

Vork.: H_2S entsteht bei der Zers. von Schwefel-haltigen Aminosäuren der Eiweißstoffe unter dem Einfluß von Fäulnis- u. bes. *Schwefelbakterien, z. B. in Sümpfen, stehenden Gewässern u. Kläranlagen. Er findet sich – in ggf. großen Mengen (s. Schwefel) – auch in Vulkangasen u. ist wichtiger Bestandteil von Schwefel-Quellen (Aachen, Tölz usw.). Erdgas aus Alberta (Kanada) enthält 50–90%, aus Norddeutschland 22% u. aus Lacq in Frankreich bis zu 16% H_2S (stammt vom Eiweiß früherer Lebewesen). Man nennt S.-reiche Erdgase *Sauer-* od. sogar *Supersauergase*[5].

Herst.: Man zersetzt im *Kippschen Apparat (od. in einem anderen Gasentwicklungsapparat) ein Metallsulfid mit einer Säure; man verwendet meist Eisen(II)-sulfid (FeS) u. Salzsäure:

$$FeS + 2\,HCl \rightarrow FeCl_2 + H_2S.$$

Um reinen H_2S zu erhalten, kann man auch ein Gemisch aus Schwefel-Dampf u. Wasserstoff-Gas durch 600 °C heiße Röhren leiten. In der Technik wird S. aus Erdgas u. Erdöl, Synthesegas, Koksofengas u. a. Gasen durch chem. od. physikal. Absorption gewonnen (s. Entschwefelung) u. meist unmittelbar weiter zu Schwefel verarbeitet, z. B. nach dem *Claus-Verfahren. Durch chem. Reaktion wird H_2S aus reinem Schwefel u. Wasserstoff in Ggw. von Cobalt-Molybdän-Oxid-Katalysatoren bei etwa 350 °C hergestellt. In den Handel gelangt S. in Gasflaschen mit rotem Anstrich, Links- u. Grobgewinde.

Verw.: Außer zur Schwefel-Gewinnung dient S. zur Herst. von Natriumhydrogensulfid, Natriumsulfid u. organ. Schwefel-Verb. wie Thiophenen u. Thiolen. S. wird u. a. auch verwendet bei der Herst. von Sulfat-Zellstoff nach dem *Kraft-Verf.* (s. Cellulose) u. bei der Oberflächenbehandlung von Metallen.

Geschichte: S. war schon im Altertum als „stinkende Schwefel-Luft" bekannt. H_2S wurde von *Libavius u. *Lémery erstmals bei der Zers. von Metallsulfiden beobachtet. Genauere Untersuchungen erfolgten durch *Scheele um 1777. *Berthollet zeigte 1796, daß H_2S als Sauerstoff-freie Säure aufzufassen ist. – ***E*** hydrogen sulfide – ***F*** sulfure d'hydrogène – ***I*** acido solfidrico – ***S*** sulfuro de hidrógeno

Lit.: [1] Angew. Chem. **94**, 647 (1982). [2] Marquardt u. Schäfer, Lehrbuch der Toxikologie, S. 564, Mannheim: BI Wissenschaftlicher Verl. 1994; Braun-Dönhardt, S. 340 f.; Dtsch. Ärztebl. **83**, 31 f., 1873 f. (1986). [3] Int. Lab. **13**, Nr. 7, 62 ff. (1983). [4] Int. J. Environ. Anal. Chem. **10**, 107–120 (1981); Townshend, Encyclopedia of Analytical Science, S. 4831 f., London: Academic Press 1995. [5] Erdöl Kohle, Erdgas, Petrochem. **39**, 310 (1986); **40**, 108 f. (1987).

allg.: Brauer (3.) **1**, 360–371 ▪ Einwirkung von Schwefelwasserstoff (ZH 1/600.11), Sankt Augustin: HV gewerbliche BG 1991 ▪ Encycl. Gaz, S. 933–940 ▪ Environ. Health Crit. **19** (1981) ▪ Fogg u. Young, Hydrogen Sulfide and Hydrogen Selenide (Solub. Data Series, Vol. 32), Oxford: Pergamon 1987 ▪ Gmelin, Syst.-Nr. 9, S, Tl. B, 1953, S. 1–133, Suppl. 4 (Sulfanes), 1983 ▪ Hommel, Nr. 185 ▪ Kirk-Othmer (4.) **23**, 275–284 ▪ Merkblatt (M 041) Schwefelwasserstoff (ZH 1/121), Heidelberg: BG Chem. Ind. 1990 ▪ Schwefelwasserstoff (BG-Grundsätze G 11), Stuttgart: Gentner 1993 ▪ Tuttle, H_2S Corrosion in Oil and Gas Production, Houston: Nat. Assoc. Corros. Eng. 1981 ▪ Ullmann (5.) **A 13**, 467–485. – *[HS 2811 19; CAS 7783-06-4; G 2]*

Schwefelwasserstoff-Gruppe. In der analyt. Chemie gebräuchliche Bez. für eine Gruppe von Metallen, die im Laufe des *Trennungsganges aus sauren Lsg. ihrer Salze mit Hilfe von *Schwefelwasserstoff in Form ihrer *Sulfide ausgefällt werden können. Diese sind charakterist. gefärbt: Arsensulfid (As_2S_3, gelb), Antimonsulfid (Sb_2S_3, orangerot), Zinnsulfid (SnS, braun), Quecksilbersulfid (HgS, schwarz), Bleisulfid (PbS, schwarz), Bismutsulfid (Bi_2S_3, braunschwarz), Kupfersulfid (CuS, schwarz) u. Cadmiumsulfid (CdS, gelb). – ***E*** hydrogen sulfide group – ***F*** groupement de métaux qui précipitent avec sulfure d'hydrogène – ***I*** gruppo di metalli che precipitano col solfuro d'idrogeno – ***S*** grupo de metales que precipitan con sulfuro de hidrógeno

Lit.: s. qualitative Analyse.

Schweflige Säure. H_2SO_3, M_R 82,08. Durch Lsg. von *Schwefeldioxid in Wasser entstehende Säure, die zu den *Oxosäuren des Schwefels (s. a. Schwefel-Säuren) gehört. Farblose, sauer reagierende u. reduzierend wirkende Flüssigkeit, die stechend nach SO_2 riecht. SO_2 ist zum größten Teil unverändert in Wasser gelöst (zur Löslichkeit s. Schwefeldioxid), nur wenige Prozente verbinden sich mit dem Wasser zu H_2SO_3: $SO_2 + H_2O \rightleftharpoons H_2SO_3$ ($K \ll 10^{-9}$ L/mol). Eine interessante Reaktion der S. S. ist die *Landoltsche Zeitreaktion. S. S. ist eine schwache, zweibasige Säure, die nicht in reinem Zustand hergestellt werden kann, da sie sich beim Eindampfen vollständig zersetzt. Dagegen sind ihre Salze (s. Sulfite u. Hydrogensulfite) stabil. Bes. die Salze des Natriums, in geringerem Maße auch die des Calciums, sind beim Holzaufschluß für die *Cellulose-Gewinnung von Bedeutung. Als Abfallprodukte entstehen Ligninsulfonate, deren Name irreführend ist, da es sich um *Schwefligsäureester* (organ. *Sulfite) handelt.

T 

Verw.: Als Bleichmittel, als Red.-Mittel z. B. in der analyt. Chemie; s. a. Schwefeldioxid. – ***E*** sulfurous acid – ***F*** acide sulfureux – ***I*** acido solforoso – ***S*** ácido sulfuroso

Lit.: Gmelin, Syst.-Nr. 9, S, Tl. B, 1960, S. 397–613 ▪ s. a. Schwefeldioxid u. Sulfite. – *[HS 2811 19; CAS 7782-99-2; G 8]*

Schwefligsäureester s. Sulfite.

Schweineschmalz s. Schmalz.

Schweinfurter Grün [Kupfer(II)-acetat-arsenit, C. I. Pigment Green 21, Pariser Grün, Mitisgrün, Uraniagrün, Papageigrün, Kaisergrün, Neugrün, Originalgrün, Moosgrün, Deckpapiergrün, Patentgrün]. $Cu(O{-}CO{-}CH_3)_2 \cdot 3\,Cu(AsO_2)_2$, M_R 1013,796. Intensiv grünes Kristallpulver, das beim Zusammengießen siedend heißer wäss. Lsg. von *Arseniger Säure u. *Kupfer(II)-acetat ausfällt. Gegen Licht u. Luft ist die Verb. sehr beständig, dagegen wird sie durch Säuren, Alkalien u. Schwefelwasserstoff zerstört. Wegen seiner hohen Giftigkeit verwendet man S. G. schon lange nicht mehr als Pflanzenschutzmittel od. als Anstrichfarbe.

T

Geschichte: S. G. wurde 1805 durch einen Edlen von Mitis in Wien erstmals hergestellt u. daher zunächst Mitisgrün genannt. Im Jahre 1814 erfolgte die erste techn. Gewinnung dieses Farbstoffs durch Sattler in Schweinfurt. – ***E*** Schweinfurt green – ***F*** vert de Schweinfurt – ***I*** acetatoarsenito di rame – ***S*** verde de Schweinfurt

Lit.: Chem. Unserer Zeit **30**, 23–31 (1996) ▪ Beilstein E III **2**, 189 ▪ Gmelin, Syst.-Nr. 60, Cu, Tl. B 1961, S. 962–967 ▪ Kirk-Othmer (3.) **7**, 102 ▪ Ullmann (5.) **A 7**, 583 ▪ Winnacker-Küchler (3.) **4**, 710. – *[HS 2942 00; CAS 12002-03-8; G 6.1]*

Schweiß. Absonderung der S.-Drüsen der *Haut. Unter diesen unterscheidet man die ekkrinen u. die apokrinen S.-Drüsen. Der menschliche Körper besitzt 2–3 Mio. der *ekkrinen S.-Drüsen*, deren Drüsenzellen ihren Inhalt in kleinen Bläschen durch die Zellmembran hindurch absondern. Ihre Dichte ist am größten an den Handflächen u. Fußsohlen (ca. 600/cm^2). Eine S.-Drüse besteht aus einem Epithelschlauch, dessen Endstück an der Grenze zum Unterhautgewebe verknäult ist u. dessen Ausführungsgang sich bis zur Hautoberfläche hinzieht (s. a. Abb. bei Haut). Die S.-Abgabe wird durch das vegetative Nervensyst. den aktu-

ellen Erfordernissen angepaßt, dabei werden die ekkrinen S.-Drüsen durch sympath. Nervenfasern mit Acetylcholin als Überträgerstoff innerviert. Sie dient v. a. der Wärmeregulation u. ist u. a. abhängig von Nahrungsaufnahme, körperlicher Anstrengung u. psych. Belastung. Max. können kurzfristig 2–4 L/h abgegeben werden. Der Wärmeentzug pro Liter verdunsteter Flüssigkeit beträgt 2428 kJ (580 kcal).
S. ist eine klare, geruch- u. farblose, salzig schmeckende Flüssigkeit mit einem pH-Wert von 4–6,8, wobei Männer-S. im allg. niedrigere pH-Werte als Frauen-S. aufweist. Die sauren Bestandteile tragen zum Säuremantel der Haut bei. Das spezif. Gew. beträgt 1,001–1,01, die Gefrierpunktserniedrigung 0,32–0,37. Der S. besteht zu 99% aus Wasser. Der Rückstand setzt sich aus anorgan. Verb. (hauptsächlich Kochsalz, Ammoniak, ferner Phosphate, Sulfate, Kalium-, Calcium- u. Magnesium-Salze) u. organ. Verb. (wie Harnstoff, Glucose, Brenztraubensäure, Cholesterin, Milchsäure, Urocaninsäure, Aminosäuren usw.) zusammen. Der Kochsalz-Gehalt des S. beträgt etwa 0,5% u. kann bis auf 0,03% abnehmen.
Apokrine S.-Drüsen (Duftdrüsen) gibt es nur in den Axelgruben, an den Brustwarzen u. im Anogenitalbereich. Die verzweigten Drüsen befinden sich in der Nachbarschaft von Haaren u. geben ihr alkal. Sekret, das reich an organ. Bestandteilen ist, in die Haarfollikel ab. Das Sekret der Duftdrüsen wird durch die Hautflora unter Geruchsbildung abgebaut u. trägt so zum S.-Geruch (s. a. Körpergeruch) bei.
Störungen der S.-Sekretion treten als Verstärkung (Hyperhidrose) od. Verminderung (Hypohidrose, Anhidrose) bei verschiedenen Erkrankungen auf. Künstlich kann die S.-Sekretion durch S.-treibende Mittel wie *Pilocarpin, die das Acetylcholin imitieren, angeregt u. durch Acetylcholin-Antagonisten wie *Atropin gehemmt werden. *Desodorantien sollen die Entwicklung abstoßender Körpergerüche verhindern, indem sie bakterielle Zers.-Prozesse im S. mit Bakteriziden unterbinden. – ***E*** sweat – ***F*** sueur – ***I*** sudore – ***S*** sudor

Lit.: Goldsmith, Biochemistry and Physiology of the Skin, Oxford: Univ. Press 1983 ▪ Braun-Falco, Plewig u. Wolff, Dermatologie u. Venerologie, Heidelberg: Springer 1996.

Schweißeisen s. Flußstahl.

Schweißen. Das techn. bedeutsamste Verf. der Untergruppe *Stoffverbinden* in der Hauptgruppe *Fügen* der *Fertigungsverfahren nach DIN 8580: 1985-07. S. ist das Vereinigen von Werkstoffen in der Schweißzone unter Anw. von Wärme u./od. Kraft mit od. ohne Schweißzusatzwerkstoff. Die zum S. erforderliche Energie wird dabei von außen zugeführt. Im Gegensatz zu den anderen Fügeverf. **Kleben* u. **Löten* wird beim S. durch örtliche Erwärmung der flüssige od. teigige Zustand des Grundwerkstoffs erreicht. Die durch S. hergestellten Verbindungen sind aufgrund ihrer Entstehung durch schmelzmetallurg. Mischprozesse unlösbar; zu einer Verfahrensunterteilung u. -beschreibung s. Schweißverfahren. S. ist stets mit einem erheblichen Eingriff in die Metallurgie u. damit in die Eigenschaften eines gefügten Syst. verbunden, bei Kunststoffen entsprechend mit Eingriffen in deren Struktur. So stellt sich als Folge des S. eine von den geschweißten Stoffen abweichende Zusammensetzung ein, des weiteren liegt nach dem S. eine erstarrte Schmelze vor u. schließlich treten erstarrungs- u. umwandlungsbedingte mechan. Eigenspannungen im Syst. auf. Vielfach ist eine Wärmebehandlung des geschweißten Bauteils erforderlich, um die nachteiligen Auswirkungen des S. zu mindern od. aufzuheben u. damit die Betriebssicherheit des Bauteils zu gewährleisten. Außerdem können beim S. Fehler in der Schweißnaht auftreten, die die Integrität der Verbindungen beeinträchtigen, z. B. Risse, Poren, Schlacke- u. Gaseinschlüsse. Vor dem Hintergrund der Sicherheitsanforderungen an geschweißte Bauteile kommt einer systemat. Qualitätssicherung unter Einbeziehung zerstörungsfreier Prüfverf. (z. B. Ultraschall-, Durchstrahlungs-, Oberflächenriß-, Härte- u. Gefügeabdruckprüfung) u. zerstörender Prüfverf. (z. B. begleitende Verf.-, Arbeits- sowie Beständigkeitsprüfungen an gleichartig geschweißten Teilen, mechan. Prüfung) daher außerordentliche Bedeutung zu. – ***E*** welding – ***F*** soudage, soudure – ***I*** saldare – ***S*** soldadura

Lit.: DIN 1910: 1983-07 ▪ Ruge, Handbuch der Schweißtechnik Bd. I/II, 3. Aufl., Berlin: Springer 1991 ▪ s. a. Schweißverfahren.

Schweißstahl. *Stahl, der durch Ausschmieden von *Luppen*, die in teigigem Zustand aus Roheisen gewonnen werden, hergestellt wird (histor. Verf.), s. Stahl. – ***E*** wrought iron (steel) – ***F*** massiaux, fer du paquet – ***I*** acciaio saldato – ***S*** acero soldable (pudelado)

Schweißtreibende Mittel s. Hidrotika u. Haut.

Schweißverfahren. Sammelbegriff für alle *Fertigungsverfahren zum *Schweißen von Werkstoffen. Die folgende Einteilung der Verf. orientiert sich an DIN 1910: 1983-07 u. erfolgt nach fünf verschiedenen Gesichtspunkten.
1. *Art des Energieträgers:* Im einzelnen kann die zum Schweißen erforderliche Energie zugeführt werden durch: Reibvorgang unter hohem Preßdruck (*Reibschweißen, Preßschweißen*), Verbrennung von Gasgemischen (*autogenes Schweißen* mit Acetylen/Sauerstoff), elektr. Lichtbogen (s. unten), Gasplasma (*Plasmaschweißen*), Strahlverf. (*Elektronenstrahl-* u. *Laserschweißen*), erhitztes Gas (*Warmgasschweißen* für Kunststoffe), elektr. Widerstand (*Widerstandsschweißen*).
2. *Art des Grundwerkstoffes:* Je nach der Art der zu verbindenden Grundwerkstoffe unterscheidet man *Metall-* u. *Kunststoffschweißen* mit ihren z. T. deutlich verschiedenen Verfahren.
3. *Zweck des Schweißens:* Beim *Verbindungsschweißen* werden zwei Bauteile miteinander verbunden; beim *Auftragsschweißen* wird die Oberfläche eines Bauteils durch schmelzflüssiges Aufbringen eines Auftragswerkstoffes beschichtet.
4. *Physikal. Ablauf:* Je nach dem Schweißprocedere werden *Schmelzschweißen* (Einbringen äußerer therm. Energie ohne nennenswerte äußere Krafteinwirkung, s. unten) u. Preßschweißen (Aufbringen mechan. Energie bis zum Erreichen eines teigigen Zustands, dann Zusammenpressen) mit ihren jeweils typ. Vorgängen unterschieden.

5. *Grad der Mechanisierung:* In Abhängigkeit vom Automatisierungsgrad unterteilt man in *manuelles Schweißen* od. *Handschweißen* (alle Arbeitsabläufe per Hand), *teilmechan. Schweißen* (der Vorschub des Schweißzusatzes erfolgt mechan.), *vollmechan. Schweißen* (nur das Werkstück wird noch manuell gehandhabt) u. *vollautomat. Schweißen* ohne jeden externen Eingriff. Aus wirtschaftlichen u. Qualitätsgründen wird – soweit möglich – ein hoher Grad der Mechanisierung angestrebt.
Die techn. bedeutsamsten Verf. gehören der Gruppe des Schmelzschweißens an. Man unterscheidet hierbei im einzelnen: Das *Gasschweißen* (autogenes Schweißen, noch weit verbreitet in handwerklichen Betrieben, allerdings nicht möglich zum Verschweißen von Metallen mit hoher Bindungsenergie der Oxide), das *Thermitschweißen* (die Schweißwärme ergibt sich aus der Reaktion von Aluminium- u. Eisenoxid-Pulver; bevorzugt angewendet zum Verschweißen dicker Querschnitte bei moderaten Qualitätsanforderungen), das *Elektroschlackeschweißen* (die leitfähige Schlacke dient aufgrund ihres hohen elektr. Widerstands als Wärmequelle; Verbinden dicker Querschnitte in Senkrechtposition), das *Laser-, Plasma-* u. *Elektronenstrahlschweißen* (Schweißverbindungen mit zumeist geringeren Abmessungen u. hohen Qualitätsanforderungen) u. das techn. dominierende *Lichtbogenschweißen.* Bei letzterem kennt man das Schweißen mit verdecktem Lichtbogen [beim Unterpulverschweißen (UP) brennt der Lichtbogen unter einer Pulverschicht mit Schutz- u. Zusatzfunktion; Verw. für breite Schweißspalte] u. mit offenem Lichtbogen. Zum Schweißen mit offenem Lichtbogen zählt das *Elektrodenhandschweißen* (E-Hand; die abschmelzende, umhüllte Elektrode wird von Hand geführt; sehr flexibles Verf.; die Umhüllung hat wie beim UP-Schweißen Zusatz- u. Schutzfunktion), das *Fülldrahtschweißen* (die abschmelzende rohrförmige Elektrode enthält nichtmetall. Stoffe mit Schutz- u. Leg.-Funktion) u. das *Schutzgasschweißen* [Wolfram-Inertgas-Schweißen (WIG) mit nicht abbrennender Wolfram-Elektrode; Metall-Inertgas-Schweißen (MIG) mit abbrennender Zusatzwerkstoffelektrode unter Ar- od. He-Schutzgasatmosphäre; Metall-Aktivgas-Schweißen (MAG) wie MIG, das allerdings mit CO_2- od. O_2-Zusätzen zum *Schutzgas zählt]. – ***E*** welding process – ***F*** procédés de soudure – ***I*** processi di saldatura – ***S*** procedimientos de soldadura

Lit.: Gräfen (Hrsg.), Lexikon der Werkstofftechnik, S. 917 ff., Düsseldorf: VDI-Verl. 1993 ▪ Ullmann (5.) **A 28**, 203 ff. ▪ Winnacker-Küchler (4.) **4**, 613 ff.

Schweißverhütende Mittel s. Antihidrotika.

Schweizer (M. E.) s. Schweizers Reagenz.

Schweizerhall. Kurzbez. für die 1890 gegr. Chem. Fabrik Schweizerhall (CFS), CH-4013 Basel, die im Handel mit Ind.-Chemikalien, Feinchemikalien, Düngemittel, Parfum u. a. tätig ist.

Schweizerhalle. Ortschaft in der Nähe von Basel, wo am 1. 11. 1986, wenige Minuten nach Mitternacht, ein Feuer in einer Lagerhalle der Sandoz AG, Werk Muttenz/Schweizerhalle, entdeckt u. in ca. 6 h gelöscht wurde. Als Brandursache wird beim Plastik-Schrumpfen zum Glühen gebrachtes *Berliner Blau vermutet, das längere Zeit ohne Rauch- u. Geruchsentwicklung glimmen kann [1]. In der betroffenen Lagerhalle befanden sich 90 Chemikalien (insgesamt 1350 t), darunter 20 verschiedene Pflanzenschutzmittel. Beim Löschen sind 10 000 – 15 000 m^3 Löschwasser in den Rhein gelangt, die schätzungsweise 13 – 40 t Chemikalien enthielten. Dort wurden ca. 220 t Aale sowie ein Teil der bodenbewohnenden Organismen vernichtet, was v. a. auf die Toxizität von *Endosulfan, Formothion u. Etrimfos sowie von Quecksilber-Verb. zurückzuführen war [2]. Obwohl kurz nach dem Unglück von einem weiträumigen Totalausfall der Fauna gesprochen worden war, wurden noch 1986 nahe der Einleitungsstelle intakte Fisch-Bestände gefunden. Bleibende Schäden waren im Rhein bereits 1987 nicht feststellbar [3]. Aufgrund des Brandes von S. wurden von der chem. Ind. Maßnahmen zum Schutz von Lagern u. Chemieanlagen gegen Feuer u. a. Gefahren verbessert, z. B. durch Schaffung zusätzlicher Löschwasser-Rückhaltebecken.

Lit.: [1] Regierungsrat des Kanton Basel-Landschaft (Hrsg.), Bericht des Regierungsrates an den Landrat zur Katastrophe Schweizerhalle am 1. 11. 1986, Liestal: Lüdin 1987. [2] Environ. Sci. Technol. **22**, 992 – 997 (1988). [3] Z. Wasser Abwasser Forsch. **21**, 31 – 35 (1988).
allg.: Eidgenöss. Anstalt für Wasserversorgung, Abwasserreinigung u. Gewässerschutz (Hrsg.), Verhalten der Chemikalien im Rhein, Biolog. Zustand u. Wiederbelebung des Rheins nach dem Brand in Schweizerhalle, Dübendorf: Selbstverl. 1987 ▪ Landesamt für Wasser u. Abfall NRW (Hrsg.), Brand bei Sandoz u. Folgen für den Rhein in NRW, Düsseldorf: Selbstverl. 1987 ▪ Sontheimer, Trinkwasser aus dem Rhein?, S. 1 – 8, St. Augustin: Academia 1991.

Schweizerische Chemische Gesellschaft (SCG). Die 1901 gegr. SCG hat sich 1992 mit dem Schweizer Chemiker Verband (SChV) zur Neuen Schweizer. Chem. Ges. (NSCG) zusammengeschlossen. Geschäftsführer der NSCG, die 1995 2500 Mitglieder hatte, ist Dr. R. Darms c/o Novartis, K 25.1.47, CH-4002 Basel. Die NSCG unterteilt sich in die vier Sektionen Chem. Forschung, Medizin. Chemie, Industrielle Chemie u. Analyt. Chemie. *Publikationen:* Chimia, Helvetica Chimica Acta. INTERNET-Adresse: http://sgich1.unifr.ch/nscs.

Schweizerische Gesellschaft für Chemische Industrie (SGCI). Die 1882 gegr. Ges. mit Sitz in Nordstrasse 15, CH-8035 Zürich, nimmt die Interessen der schweizer. chem. Ind. wahr, berät die Ind. u. Behörden in Fragen der Chemie u. erteilt Auskünfte. Die SGCI hatte 1993 767 Firmenmitglieder.

Schweizerischer Chemiker-Verband s. Schweizerische Chemische Gesellschaft.

Schweizers Reagenz. Nach ihrem Entdecker (Mathias Eduard Schweizer, 1818 – 1860, Prof. Chemie, Zürich) benannte wäss. Lsg. von Tetraamminkupfer(II)-hydroxid, $[Cu(NH_3)_4](OH)_2 \cdot 3H_2O$. S. R. kann durch Übergießen von Kupferspänen mit 20%iger Ammoniak-Lsg., der etwas Ammoniumchlorid beigemischt ist, u. anschließendes Einleiten von Luft od. durch Einwirken von wäss. Ammoniak-Lsg. auf (aus Cu-Salz-Lsg. alkal. gefälltes) $Cu(OH)_2$ hergestellt werden [s. a. Tetraamminkupfer(II)-Salze]. Das oft

Cuoxam genannte Reagenz stellt eine dunkelblaue Lsg. dar, in der sich Cellulose (z. B. Watte) zu einem zähen Gallert-artigen Brei von Tetraamminkupfer(II)-cellulose löst, aus dem sie durch Zusatz von viel Wasser od. verd. Säure wieder ausgeschieden werden kann; davon macht man bei der Herst. von *Kupferseide Gebrauch. – ***E*** Schweizer's reagent – ***F*** réactif de Schwei[t]zer – ***I*** reattivo di Schweizer – ***S*** reactivo de Schweizer

Lit.: s. Kupferseide u. Tetraamminkupfer(II)-Salze. – *[CAS 17500-49-1]*

Schwelen, Schwelgas s. Schwelung.

Schwelkoks s. Braunkohle u. Schwelung.

Schwellen s. Imbibition, Intumeszenz, Quellung.

Schwellenwert. Kleinster Wert einer Größe, der als Ursache für eine erkennbare Wirkung (= Reaktion) ausreicht (Wirkschwelle). Im Unterschied zu S. liegen polit. vorgegebene *Grenzwerte in der Regel weit unter den bekannten S. gesundheitsgefährdender Wirkungen; vgl. MAK u. ADI. In der 22. VO zum *Bundes-Immissionsschutzgesetz sind (polit.) *Ozon-Schwellenwerte festgelegt, die dem Schutz vor Gesundheitsgefahren als auch der Auslösung von Maßnahmen dienen. In der Biologie verwendet man anstelle von S. oft die Bez. Schwellenreiz.

Toxikologie: Man spricht von Schwellendosis bzw. -konz., wenn die Einwirkung schädlicher Stoffe od. Strahlung unterhalb einer bestimmten Dosis (Konz.) keine Schäden erwarten läßt. Der größte Konz.-Wert, bei dem keine erkennbare Wirkung auftritt, wird als NO(A)EL bzw. NO(A)EC [von *E No-Observed-(Adverse-)Effect Level* bzw. *Concentration*] bezeichnet. Es wird häufig angenommen, daß Gen-tox. *Carcinogene u. *Mutagene stets proportional zu ihrer Dosis bzw. Konz. (stochast.) Schäden verursachen u. damit für diese Substanzen bzw. Strahlungen keine S. existieren. Allerdings besitzen Lebewesen Reparaturmechanismen, die Wirkungen kleiner Dosen ausgleichen können, so daß auch nach solchen Einwirkungen Schäden erst oberhalb eines S. auftreten. Die niedrigste Konz., bei der noch erkennbare Wirkungen auftreten, ist die LOAEL bzw. LOAEC (von *E Lowest Observable Adverse Effect Level* bzw. *Concentration*)[1].

Ökotoxikologie: Dem NOAEL bzw. der NOAEC entspricht die *PNEC. Im Critical loads-/Critical level-Konzept[2] des (Genfer) UN/ECE-Übereinkommens über weiträumige grenzüberschreitende Luftverunreinigungen (LRTAP) entspricht der AOT (Abk. für *E Accumulated Exposure over a Threshold*; kumulierte Exposition oberhalb eines Basiswertes) einer Schwellendosis, die über eine Grundbelastung hinausgehend schadlos vertragen wird. Der AOT-Wert wird ermittelt, indem die stündlich gemessenen Konz. eines *Schadstoffes, die einen vorgewählten Basiswert während einer vorgegebenen Meßzeit (z. B. während der Vegetationsperiode) überschreiten, multipliziert mit der jeweiligen Überschreitungszeit, summiert werden. Damit wird die schädigende, chron. Wirkung von Überschreitungen des Basiswertes erfaßt, auch wenn im Mittel niedrigere Immissionskonz. vorherrschen. Beispielsweise wurde für Nutzpflanzen u. Waldbäume ein Basiswert von 40 ppb Ozon festgelegt. Nach dem derzeitigen Stand der wissenschaftlichen Erkenntnis vertragen Nutzpflanzen weitere 5300 ppb h, Waldbäume 10000 ppb h schädigungslos. – ***E*** threshold value – ***F*** valeur de seuil – ***I*** valore di soglia – ***S*** valor umbral

Lit.: [1] Quint et al. (Hrsg.), Environmental Impact of Chemicals, S. 16–32, Cambridge: Royal Soc. Chem. 1996. [2] Umweltbundesamt (Hrsg.), Daten zur Umwelt 1997, S. 187, 211–218, Berlin: E. Schmidt 1997.

Schwellverhalten s. Schmelzelastizität.

Schwelung (Schwelen, Schwelverf.). Unter *Schwelen* versteht man die *trockene Dest.* von natürlichen Brennstoffen unter Luftabschluß bei Temp. von 450–600 °C (Tieftemp.-Verkokung), bei der flüchtige Bestandteile aus dem Edukt entweichen. Man verschwelt hauptsächlich *Braunkohle, aber auch bituminöse *Steinkohlen, *Ölschiefer, *Holz od. *Torf. Im Gegensatz zur Mittel- u. Hochtemp.-Verkokung (*Pyrolyse, s. Koks u. Steinkohlenteer) stellt man bei der S. die Temp. so ein, daß möglichst viel *Schwelteer* u. *Schwelöle*, die als Ausgangsstoffe zur Gewinnung flüssiger Kohlenwasserstoffe dienen können, erhalten werden, dagegen wenig *Schwelgas* (Zusammensetzung etwa je 11–12% CO, H_2, CH_4, 3% Kohlenwasserstoffe, 18–20% CO_2 u. ca. 45% N_2) entsteht, das als Brenngas verwendet werden kann. Je nach der chem. u. physikal. Beschaffenheit der Ausgangsmaterialien fällt bei der S. ferner noch mehr od. weniger hochwertiger *Schwelkoks* als Rückstand an, der in der Technik u. a. als Red.-Mittel Verw. findet [ca. 25% Asche-Gehalt, 23 MJ/kg (5500 kcal/kg) Verbrennungswärme bei Braunkohlenschwelkoks]. Außerdem erhält man noch *Schwelwasser* (Zersetzungswasser) aus der Zers. der Schwelsubstanz, teils während des Schwelprozesses u. teils in den Dest.-Anlagen als Dampfkondensat. Es beträgt bei der Braunkohle-S. auf den Brikettdurchsatz bezogen ca. 15–20% u. enthält u. a. Phenole, die z. B. durch ein Dampfumlaufverf. od. das *Phenosolvan®-Verfahren daraus gewonnen werden können.

Die Braunkohlen-S. spielt bes. in den neuen Bundesländern noch eine Rolle. Die S. von Steinkohle hat geringe Bedeutung u. wird nur bei solchen Steinkohlearten angewendet, die sich zur Verkokung nicht eignen. Die S. von Ölschiefer könnte bei krit. Situationen auf dem Erdölmarkt an Bedeutung gewinnen. Torf als Ausgangsmaterial zur S. spielt in Gegenden mit größeren Torfmoor-Vork. eine gewisse Rolle, z. B. im Emsland, in Schleswig, Pommern u. Bayern. Torfkoks findet wegen seines geringen Asche- u. Schwefel-Gehalts Verw. zur Herst. von Aktivkohle u. in metallurg. Prozessen; über die S. von Holz s. Holzgas, -geist, -kohle. In neuerer Zeit wird die S. auch bei der Behandlung von Hausmüll angewendet. – ***E*** low-temperature carbonization – ***F*** carbonisation à basse temperature, distillation sèche – ***I*** distillazione a bassa temperatura – ***S*** carbonización a baja temperatura, destilación seca

Lit.: Chem.-Ztg. **108**, 355–365 (1984) ▪ Kirk-Othmer (3.) **6**, 284–306 ▪ McKetta **8**, 374–507; **9**, 1–84, 95–165 ▪ Ullmann (5.) **A 7**, 271 ▪ Winnacker-Küchler (4.) **5**, 330–339, 391–412, 482 ff. ▪ s. a. Kohle(veredlung), Koks, Braun- u. Steinkohle.

Schwelwasser s. Schwelung.

Schwemmsteine. Veraltete Bez. für Vollsteine aus *Leichtbeton, wobei als Zuschläge Naturbims, porige Lavaschlacke u. geschäumter *Hüttenbims (poröse *Hochofenschlacke) verwendet werden.

Schweratom-Effekte. Allg. Bez. für Änderungen im Verhalten von reagierenden Mol. unter dem Einfluß von schwereren Atomen, den diese aufgrund andersartiger Elektronenkonfigurationen, Durchmesser etc. ausüben. Auf S.-E. sind z.B. Änderungen in den photochem. od. therm. Reaktionsweisen od. den Spektren von organ. Mol. zurückzuführen, wenn man von Kohlenwasserstoff- zu Halogenkohlenwasserstoff-Lsm. übergeht. Ebenfalls von S.-E. spricht man in der *Kristallstrukturanalyse (s.a. Bijvoet-Methode), wenn man durch Einführung von Schweratomen wie Br, I, Hg, Os, Rb, Pt durch (isomorphe) *Substitution Molekeln „sichtbar" macht. – ***E*** heavy atom effects – ***F*** effets de l'atome lourd – ***I*** effetti dell'atomo pesante – ***S*** efectos del átomo pesado

Lit.: Acc. Chem. Res. **11**, 334ff. (1978) ▪ Annu. Rev. Phys. Chem. **7**, 403ff. (1956) ▪ Chem. Rev. **66**, 199–241 (1966).

Schweratom-Methode s. Kristallstrukturanalyse.

Schwerbenzin. Höhersiedende Fraktion von *Benzin, über deren Siedebereiche in der Lit. unterschiedliche Angaben gemacht werden, z.B. 100–150 °C, 150–180 °C, gelegentlich auch als *Testbenzin bezeichnet. – ***E*** heavy gasoline (USA), heavy petrol (GB) – ***F*** essence (benzine) lourde – ***I*** benzina pesante – ***S*** bencina pesada – *[HS 271000]*

Schwerbenzol s. Solvent Naphtha.

Schwerbeton. Nach DIN 1045: 1988-07 Bez. für *Beton mit einer Trockenrohdichte >2,8 kg/dm^3, der durch natürliche od. künstliche schwere Zuschlagstoffe wie Sand, Kies, Schotter od. dichte Hochofenschlacken, Klinkerbruch usw. erhalten wird. Mit bes. schweren Zuschlagstoffen wie Stahlschrott, Schwerspat u. dgl. erhält man *Schwerstbetone* für Spezialzwecke. – ***E*** heavy concrete – ***F*** béton lourd (compact) – ***I*** calcestruzzo pesante – ***S*** hormigón pesado

Schwerchemikalien. Fachsprachliche Bez. für (v.a. anorgan.) *Chemikalien, die in großem Umfang – als *Industriechemikalien – hergestellt werden u. von sog. techn. Reinheitsgrad sind. Zu ihnen gehören Säuren, Salze u. Laugen wie z.B. Schwefelsäure, Salpetersäure, Salzsäure, Chlor, Natriumsulfat, Ammoniak, Ammoniumsulfat, Natronlauge, Kalilauge, Ätzkalk usw. Diesen *Schwer-*, *Basis-* od. *Grundchemikalien* stellt man oft die bes. gereinigten *Feinchemikalien gegenüber. – ***E*** heavy chemicals – ***F*** produits chimiques minéraux (de base) – ***I*** prodotti chimici pesanti – ***S*** productos químicos básicos

Schwerer Wasserstoff s. Deuterium.

Schweres Wasser s. Deuteriumoxid.

Schwerflüssigkeiten (Schwereflüssigkeiten). Bez. für – meist giftige! – Flüssigkeiten bes. hoher *Dichte, die in der Mineralogie zur D.-Bestimmung unbekannter Schwermineralien (D. >2,89) herangezogen werden können (*Schwebemeth.*) u. auch zur Trennung von Mineral-Gemischen im Labor eingesetzt werden können. Zu Eigenschaften u. Zusammensetzungen s. Ney (*Lit.*).
Durch Verdünnen mit Wasser od. organ. Flüssigkeiten lassen sich S. herstellen, die alle D.-Bereiche bis ca. 4,3 abdecken. Die ungiftige, im pH-Bereich von 2–14 stabile Natriumpolywolframat-Lsg. (*Lit.*[1]) kann durch Zusatz von feinstteiligem Wolframcarbid bis auf eine D. von 4,6 gebracht werden. Sie kann sowohl zur Trennung von Mineralien[2] als auch in der Mikro-*Paläontologie[3,4] eingesetzt werden.
Die für die Erzaufbereitung mittels der *Sink-Schwimm-Aufbereitung benötigten S. sind aus Kosten- u. Arbeitssicherheitsgründen natürlich anders als die im Labor benutzten S. zusammengesetzt; lediglich Na-Polywolframat kann auch hier eingesetzt werden[1]. – ***E*** heavy liquids for mineral separation – ***F*** liquides lourds pour séparation de minéraux – ***I*** liquidi pesanti – ***S*** líquidos pesados para separación de minerales

Lit.: [1] DE. P. 3305517 C2 (1985), Berliner Industriebank AG; N.Z.J. Geol. Geophys. **30**, 317–320 (1987). [2] J. Sediment. Petrol. **57**, 765f. (1987). [3] J. Paleontol. **62**, 314ff. (1988). [4] J. Micropaleontol. **7**, 39f. (1988).
allg.: Boenigk, Schwermineralanalyse, S. 6–15, Stuttgart: Enke 1983 ▪ Ney, Gesteinsaufbereitung im Labor, S. 92–113, Stuttgart: Enke 1986 ▪ s.a. Sink-Schwimm-Aufbereitung u. Trennverfahren.

Schwerionen. Unter der nicht eindeutig definierten Bez. „S." versteht man meist ein- od. mehrfach pos. geladene *Ionen von „schweren" chem. Elementen mit Z (*Ordnungszahl) >24 (Chrom); Ionen von Elementen Z<24 nennt man dann *mittelschwere Ionen*. Es gibt aber auch Betrachtungsweisen, die als S. nur die durch *Strippen* höher bis maximal ionisierten, d.h. vieler od. aller Elektronen beraubten Atome, angesehen haben wollen, also z.B. $_{20}Ca^{15+}$ od. $_{92}U^{92+}$, aber auch $_{3}Li^{3+}$. Die Gewinnung von S. ist ein mehrstufiger Prozeß, an dessen Beginn die *Ionisation in einer Ionenquelle (vgl. Massenspektrometrie) steht u. der die Verw. von *Teilchenbeschleunigern erfordert. Die hochbeschleunigten S. läßt man dann mit einem Target kollidieren u. untersucht die Kombinations- u./od. Spaltprodukte. Die Untersuchungsthemen der S.-Forschung entstammen der Kern- u. Atomphysik: Studium von Einzelheiten des *Atombaus, von Kernmol. u. *Quasiatomen, *Kernspaltspuren, *Kernreaktionen zum Aufbau schwerer Isotope u. Elemente (*Beisp.:* „Synthese" von $^{267}_{109}Une$ aus $^{209}_{83}Bi$- u. $^{58}_{26}Fe$-Ionen), Festkörperphysik. S. sind auch in der *Sonnen-Atmosphäre u. in der *kosmischen Strahlung nachgewiesen worden. – ***E*** heavy ions – ***F*** ions lourds – ***I*** ioni pesanti – ***S*** iones pesados

Lit.: Acc. Chem. Res. **9**, 325–333 (1976) ▪ Bild Wiss. **17**, Nr. 12, 126–142 (1980) ▪ Chem. Labor Betr. **33**, 537f. (1982); **35**, 341f. (1984) ▪ Chem. Ztg. **110**, 233–249 (1986) ▪ Naturwissenschaften **67**, 265–273 (1980); **69**, 260–265 (1982) ▪ Umschau **22**, 716–720 (1982). – *Inst.:* Gesellschaft für Schwerionenforschung mbH, Darmstadt ▪ s.a. Ionen, Ionisation, Kernphysik.

Schwerkrone. Gruppe von *optischen Gläsern (*Kronglas) mit mittleren Brechzahlen n u. mittleren Beträgen der Abbeschen Zahl ν (z.B. SK 16 mit $n_{546}=1{,}62287$ u. $\nu_{546}=60{,}06$). Bei höheren Brechzahlen n u. niedrigeren Beträgen der Abbeschen Zahl ν (z.B. SSK mit $n_{546}=1{,}66151$ u. $\nu_{546}=50{,}69$) spricht man von *Schwerstkrone*. – ***E*** heavy crown glass – ***F***

crown lourd – *I* vetro crown pesante, crown pesante – *S* crown pesado

Lit.: s. Glas, optische Gläser.

Schwermetalle. Bez. für die umfangreichste Gruppe der *Metalle, die sich ihrer Dichte nach an die *Leichtmetalle anschließen. Als Grenze gilt D. 3,5–5. Neben den bekannten „schweren Metallen" zählen auch Zink, Quecksilber, Wolfram, die sog. *Buntmetalle u. die *Seltenerdmetalle zu den Schwermetallen. S. stellen einen großen Anteil der *Nichteisenmetalle dar, während die *Edelmetalle im allg. als gesonderte Gruppe betrachtet werden; zu den Definitionen s. *Lit.*[1]. Daten über Produktion u. Verbrauch von S. findet man in der *Metallstatistik.

Die meisten S. kommen in der Natur (Gesteine, Böden, Wasser, Pflanzen) nur in sehr geringen Konz. vor. Beim Übergang von der mineral. Sphäre in die belebte Natur sind im allg. *Methylierungs-Schritte u. *Metallothioneine am Transport beteiligt[2]. Einige S. sind als Spuren- od. Mikronährstoffe für den Stoffwechsel von Mikroorganismen, Pflanzen u. Tieren essentiell, so z. B. als Bestandteile von *Metallproteinen in Enzymen (*Spurenelemente). Andererseits entfalten zahlreiche S., nicht nur als elementarer *Staub, sondern bes. in Form der lösl. Salze schon in sehr geringen Konz. tox. Wirkungen; s. die in der Tab. wiedergegebene Klassifizierung:

Tab.: Klassifizierung von Schwermetallen (nach *Lit.*[3]).

	E_p	E_t	T_p	T_t
Blei			•	•
Cadmium			•	•
Chrom		•		
Cobalt		•		
Eisen	•	•		
Gold				
Kupfer	•	•	•	•
Mangan	•	•	•	
Molybdän	•	•		•
Nickel		•	•	
Platinmetalle			•	
Quecksilber			•	•
Selen		•		•
Silber			•	
Vanadium	•	•		
Zink	•	•	•	
Zinn		•		

E_p = essentiell für Pflanzen
E_t = essentiell für Tiere
T_p = tox. für Pflanzen
T_t = tox. für Tiere

Die wachstumshemmende od. abtötende Wirkung von S. auf Mikroorganismen (*Oligodynamie) wird bei verschiedenen Meth. der Trinkwasserentkeimung ausgenutzt. Manche Pflanzen wirken als S.-Indikatoren; es werden sogar sog. Metall-hyperakkumulierende Pflanzen beschrieben[2].

Die Quellen für die S.-Immissionen sind teils natürlichen Ursprungs (Vulkane, Verwitterung), teils anthropogen als Folge der Industrialisierung (Rauchgase, Fabrikabwässer, Sondermüll, Autoabgase). Schätzwerte über die globalen jährlichen *Emissionen einiger S. findet man in *Lit.*[4]; über die S.-Anreicherung in Böden durch Verwitterung, Immissionen u. Abfallstoffe u. die S.-Wirkungen im Boden s. *Lit.*[5].

Die S.-Analytik profitiert von den hochentwickelten Meth. der *Spurenanalyse. Oftmals muß – z. B. in der *Lebensmittelchemie – der Analyse auf S.-*Rückstände ein Anreicherungsschritt vorangehen, wobei Chelatbildner bes. hilfreich sind; zu den bei Wasser- u. Abwasser-Untersuchungen angewandten Verf. s. *Lit.*[6], über die umweltchem. Analyse u. Bewertung von Metall-kontaminierten Schlämmen s. *Lit.*[7] u. zur Bestimmung von S. in Lebensmittelfarbstoffen s. *Lit.*[8].

Die Entfernung von S. bereitet Schwierigkeiten. Die Maskierung von S.-Ionen mit Chelatbildnern, die einerseits als *Antidote bei S.-Vergiftungen eine wichtige Rolle spielen, führt auf der anderen Seite zu erheblichen Problemen in der Wasser-Reinigung, weil bereits abgelagerte S. remobilisiert werden können. Dieselben Bedenken gelten für die Verw. von Komplexbildnern wie NTA in Waschmitteln. Der Gesetzgeber hat die Grenzwerte für S. in Trinkwasser (in mg/L) wie folgt festgesetzt: As (0,01), Pb (0,04), Cd (0,005), Cr (0,05), Hg (0,001); der Richtwert für Zn beträgt 5,0 mg/L. Über die seit 1972 stark zurückgegangenen Metallfrachten im Rhein s. *Lit.*[9] u. zum S.-Gehalt handelsüblicher Lebensmittel in der BRD s. *Lit.*[10]. – ***E*** heavy metals – ***F*** métaux lourds – ***I*** metalli pesanti – ***S*** metales pesados

Lit.: [1] Winnacker-Küchler (4.) **4**, 1 f. [2] Chem. Unserer Zeit **23**, 193–199 (1989). [3] Merian (Hrsg.), Metalle in der Umwelt, Weinheim: Verl. Chemie 1984. [4] Nature (London) **333**, 132–139 (1988). [5] Naturwissenschaften **73**, 195–204 (1986). [6] Keckel u. Kumar, Kritische Bestandsaufnahme der bei Wasser- u. Abwasseruntersuchungen angewandten Meß- u. Analysenverfahren für die Schwermetalle As, Pb, Cd, Ni, Tl u. Zn, Düsseldorf: VDI 1985. [7] Chem. Ztg. **105**, 165–174 (1981); Leschker u. Loll (Hrsg.), ATV-Handbuch Klärschlamm (4.), S. 56, 518 f., Berlin: Ernst & Sohn 1996. [8] Pharm. Ind. **45**, 886–892 (1983). [9] Chem. Unserer Zeit **25**, 257–267, bes. 266 f. (1991). [10] Chem. Labor Betr. **33**, 20 ff. (1982).

allg.: Brück, Schwermetalle in Aueböden, Diss., Univ. Saarbrücken, 1995 ▪ Burghardt, Stabilität von Schwermetall-Humatkomplexen u. die Pflanzenverfügbarkeit der darin enthaltenen Schwermetalle, Diss., Univ. Göttingen, 1992 ▪ Fauth et al., Geochemischer Atlas BRD: Verteilung von Schwermetallen in Wässern u. Bachsedimenten, Stuttgart: Schweizerbart 1985 ▪ Foulkes, Biological Effects of Heavy Metals (2 Bd.), Boca Raton: CRC Press 1990 ▪ Friberg et al. (Hrsg.), Handbook on the Toxicology of Metals (2.), 2 Bd., Amsterdam: Elsevier 1986 ▪ Hutzinger **1 A**, 169–227 ▪ Jones, Heavy Metal Detoxification Using Sulfur Compounds, New York: Harwood 1985 ▪ Kissling, Theoretisches Modell zur Beurteilung der anthropogenen Schwermetall-Belastungen in Böden: Fallbeispiel: Oberrheinische Tiefebene, Diss., Univ. Heidelberg, 1992 ▪ Merian (Hrsg.), Metalle in der Umwelt, Weinheim: Verl. Chemie 1984 ▪ Mohr, Schwermetalle in Boden, Rebe u. Wein, Münster: Landwirtschaftsverl. 1985 ▪ Nriagu u. Davidson, Toxic Metals in the Atmosphere, New York: Wiley 1986 ▪ Peters, Separation of Heavy Metals and Other Trace Contaminants, New York: AIChE 1985 ▪ Recommended Health-based Limits in Occupational Exposure to Heavy Metals (Tech. Rep. Series 647), Geneva: WHO 1980 ▪ Schwermetalle in der Nahrung, Darmstadt: VDLUFA 1983 ▪ weitere *Lit.* s. in Führer durch die technische Literatur, Hannover: Weidemanns Buchhandlung (jährlich) u. Scientific and Technical Books and Serials in Print, New York: Bowker (jährlich). – Eine *Dokumentation* über S. in Pflanzen u. Tieren unterhält die Univ. Hohenheim, 70593 Stuttgart-Hohenheim.

Schwermetallpflanzen s. Metallophyten.

Schwermineralien. Bez. für *Mineralien mit einem spezif. Gew. >2,89 (D. von Bromoform); *Beisp.*: Rutil, Granat, Ilmenit, Magnetit, Zirkon. Gegensatz: Leichtmineralien. – ***E*** heavy minerals – ***F*** minéraux lourds – ***I*** minerali pesanti – ***S*** minerales pesados
Lit.: Boenigk, Schwermineralanalyse, Stuttgart: Enke 1983 ▪ Luepke, Stability of Heavy Minerals in Sediments, New York: Van Nostrand Reinhold 1984 ▪ Mange u. Maurer, Heavy Minerals in Colour, London: Chapman u. Hall 1991; dtsch.: Stuttgart: Enke 1991.

Schweröl. Unter der mehrdeutigen Bez. S. kann verstanden werden: 1. Bestimmte Rohölsorten höherer Dichte (s. Erdöl); – 2. eine hochsiedende, bei der fraktionierten Dest. von *Erdöl (S. 1198) u. *Steinkohlenteer gewonnene Kohlenwasserstoff-Fraktion; – 3. schweres *Heizöl. – ***E*** heavy oil – ***F*** huile lourde – ***I*** olio pesante – ***S*** aceite pesado – *[HS 2707 99, 2710 00]*

Schwerrostend s. nichtrostende Stähle.

Schwerspat s. Baryt.

Schwerstbeton s. Schwerbeton.

Schwerstein s. Scheelit.

Schwerstkrone s. Schwerkrone.

Schwerstoffe s. Sink-Schwimm-Aufbereitung.

Schwertbohnen s. Canavanin, Concanavalin A, Urease.

Schwertrübe s. Sink-Schwimm-Aufbereitung.

Schwerwasserreaktor s. Kernreaktoren.

Schwesterchromatid-Austausch s. SCE.

Schwielen s. Haut.

Schwimmaufbereitung s. Flotation u. Sink-Schwimm-Aufbereitung.

Schwimmbadpflegemittel. Sammelbez. für Chemikalien zur Aufbereitung u. Desinfektion von Schwimm- u. Badebeckenwasser sowie zur Reinigung u. Pflege von Schwimmbädern. Zur *Desinfektion (*Entkeimung) werden meist Produkte auf der Basis von Aktiv-Chlor verwendet, wie z. B. Chlor-Gas od. Gemische von *Chlor/Chlordioxid, wäss. Lsg. von *Hypochloriten od. *Chlorisocyanursäure-Präp.; Ozonisierung od. der Einsatz von Aktiv-Sauerstoff abspaltenden Mitteln (z. B. Peroxiden) reichen bei stark frequentierten öffentlichen Schwimmbädern allein nicht aus zur Einhaltung der vorgeschriebenen hygien. Bedingungen. Ein Gehalt an freiem Chlor im Beckenwasser von 0,3–0,6 mg/L ist notwendig.
Zur *Regulierung* des vorgeschriebenen pH-Wertes von 6,5–7,8 (Optimum bei 7,2–7,6) dienen Präp. auf der Basis von z. B. Na_2CO_3 zur pH-Erhöhung od. $NaHSO_4$ zur pH-Senkung.
Zur *Flockung* u. besseren Filtrierbarkeit von Schwebstoffen werden *Flockungsmittel auf der Basis von Al- od. Fe-Salzen verwendet.
Algenwachstum kann bekämpft werden durch Präp. mit algiziden Wirkstoffen, wie z. B. quartären Ammonium-Verbindungen.
Zur *Reinigung* der Schwimmbecken (Entfernung von Kalk-, Fett- u. Schmutzrändern) werden saure *Reiniger (Tensid-Zubereitungen mit Phosphorsäure) empfohlen. Bei öffentlichen Schwimmbädern mit entsprechend großem Publikumsverkehr unterliegen Aufbereitung des Beckenwassers u. Schwimmbadpflege bestimmten Vorschriften (z. B. DIN 19643: 1984-04) sowie der Überwachung durch die Gesundheitsämter; Dosierung der S. u. analyt. Überwachung erfolgen meist automat. u. kontinuierlich. Für den Bereich privater Swimming Pools sind eine Reihe einfach u. ungefährlich zu handhabender S. erhältlich. – ***E*** swimming pool treatment chemicals – ***F*** produits chimiques pour le traitement de piscines – ***I*** prodotti chimici per il trattamento dello stabilimento balneare – ***S*** productos químicos para el tratamiento de piscinas
Lit.: Kirk-Othmer (4.) **25**, 569–594 ▪ Ullmann (4.) **24**, 187, 195.

Schwimmbadreaktor s. Kernreaktoren.

Schwimmittel s. Flotation.

Schwimmpflanzen s. Hydrophyten.

Schwimmschlamm. Belebtschlamm, der in Absetzbecken u. Eindickern auf der Wasseroberfläche schwimmt. S. kann unter den gleichen Bedingungen wie *Blähschlamm (der im Wasserkörper verbleibt) gebildet werden; er kann auch bei der Belebtschlamm-Belüftung (s. aerobe Biologie) entstehen. Verliert der Überschußschlamm beim nachfolgenden Pumpen od. Überfließen in *Nachklär- od. *Absetzbecken nicht seine Gasbläschen, dann muß ermittels Besprühen u. a. arbeitsaufwendiger Maßnahmen zum Absinken gebracht werden. Schwimmt infolge von Belüftungsverf. u. Abwasserzusammensetzung der größte Teil des Schlammes sowieso oben auf, kann die *Flotation zur Schlamm-Abscheidung verwendet werden. – ***E*** floating sludge – ***F*** boues flottantes – ***I*** fanghi mobili – ***S*** lodos flotantes
Lit.: Abwassertechnische Vereinigung (Hrsg.), ATV-Handbuch Biologische u. weitergehende Abwasserreinigung (4.), S. 324 f., Berlin: Ernst 1997 ▪ Habeck-Tropfke u. Habeck-Tropfke, Abwasserbiologie (2.), S. 125 ff., Düsseldorf: Werner 1992 ▪ Ullmann (5.) **B 8**, 15 ff.

Schwimmseifen s. Hautpflegemittel, Seifen.

Schwimm-Sink-Aufbereitung s. Sink-Schwimm-Aufbereitung.

Schwimmstoff. Stoffe, die infolge ihrer geringen Dichte auf der Wasseroberfläche (s. mechanische Abwasserbehandlung) schwimmen. Der größte Teil von S. in kommunalen Kläranlagen sind die im Haushalt verwendeten Fette u. Öle. Gewerbemäßig verwendete Fette u. Öle müssen vor Einleiten in eine Kläranlage aus dem Abwasser entfernt werden (Indirekteinleiter-VO der Länder, vgl. Ölabscheider). – ***E*** floating matter – ***F*** matière flottante – ***I*** sostanze mobili – ***S*** materia flotante
Lit.: Abwassertechnische Vereinigung (Hrsg.), ATV-Handbuch Mechanische Abwasserreinigung (4.), S. 114–158, Berlin: Ernst 1997.

Schwinden. Darunter versteht man die Vol.-Verkleinerung von Werkstücken nach der Formgebung, z. B. bei Beton als Folge des Abbindens u. Erstarrens, bei Preßmassen u. Klebstoffen beim Härten, bei Schaumgummi nach der Vulkanisation, bei Sinterwerkstoffen durch das Sintern. Das Ausmaß des S. wird im allg. in Vol.-% angegeben; vgl. a. Schrumpfen. – ***E*** shrinkage – ***F*** contraction – ***I*** diminuzione – ***S*** contracción

Schwinger, Julian Seymour (1918–1994), Prof. für Physik, Harvard Univ. Cambridge (Massachusetts), USA. *Arbeitsgebiete:* Hohlleiter- u. elektromagnet. Theorie, Quanten-Elektrodynamik u. Feldtheorie, Quantenmechanik, Vielkörper-Syst.; 1965 Nobelpreis für Physik (zusammen mit R. P. *Feynman u. S.-J. *Tomonaga).
Lit.: Lexikon der Naturwissenschaftler, S. 371.

Schwingfestigkeit. Durch schwingende Beanspruchung (ein Lastwechsel entspricht dabei einer vollständigen Lastschwingung im Last-Zeit-Diagramm) zwischen einer oberen u. unteren mechan. Spannung im Prüflabor ermittelter *Bruchfestigkeitskennwert* von Werkstoffen. Je nachdem, ob oberer u. unterer Wert der mechan. Spannung gleiches od. entgegengesetztes Vorzeichen haben, spricht man von einer *Schwell-* od. *Wechselfestigkeit.* Für das Schwingverhalten von Werkstoffen kennzeichnend ist das Auftreten eines Bereichs, in dem die Bruchfestigkeit mit zunehmender Zahl an Lastwechseln abnimmt (*Zeitfestigkeit*). Zu niedrigen Lastwechselzahlen hin wird dieser Bereich begrenzt durch den Kennwert Zugfestigkeit (Bruchfestigkeit nach nur einem Lastanstieg). Wenn dagegen eine Lastwechselzahl von ca. 10^7 bruchfrei überstanden wird, befindet sich der Werkstoff in einem Bereich, dessen größter oberer Spannungswert als *Dauerfestigkeit* bezeichnet wird. Unter diesen Bedingungen wird – sofern nicht gleichzeitig eine chem. Wechselwirkung mit dem umgebenden Medium stattfindet – bei unveränderten Beanspruchungsbedingungen nicht mehr mit einem Bruch gerechnet. Das Diagramm der Bruchspannungen in Abhängigkeit von der ertragenen Lastspielzahl wird nach seinem Entdecker als *Wöhler-Schaubild* bezeichnet.
Im Prüflabor erfolgt die Ermittlung der S. von metall. Werkstoffen durch einachsige Beanspruchung [1], durch Umlaufbiegung od. durch Wechselbiegung; polymere Werkstoffe werden durch erzwungene Schwingung außerhalb des Resonanzbereichs [2] od. im Dauerknickversuch [3] geprüft. Bes. überwacht wird dabei die während der Prüfung erzeugte Wärme in der Probe [4]. Die S. ist geringer als der einsinnig ermittelte, entsprechende Werkstoffkennwert im Falle einer Auslegung für stat. Beanspruchung. Da in der Technik nichtstat. Beanspruchungen bei weitem überwiegen, kommt einer Bauteilauslegung auf der Grundlage der S. außerordentliche Bedeutung zu. So werden Bauteile durchaus auch für eine bestimmte Zahl von Lastwechseln, d. h. im Bereich der Zeitfestigkeit, ausgelegt. Eine Auslegung im Bereich niedriger Lastwechselzahlen erfolgt bei sog. Low-Cycle-Fatigue-Beanspruchung. Die Auswirkungen eines mehrachsigen *Spannungszustands sind bei der Bestimmung der S. prüf- u. rechentechn. nur schwer erfaßbar. Im Gegensatz zum unverzögert durchlaufenden Riß bei einsinniger Beanspruchung findet bei Schwingbeanspruchung eine stabile *Rißausbreitung* mit Rißwachstum bei jedem Lastwechsel statt, bis die Restfestigkeit des angerissenen Querschnitts durch die obere Spannung überschritten wird. Beim Überlagern einer chem. Beanspruchung werden die Bruchspannungswerte im gesamten Bereich der Lastwechselzahlen erniedrigt; eine Dauerfestigkeit tritt unter diesen Bedingungen nicht mehr auf. Eine veraltete Bez. für die S. ist *Ermüdungsfestigkeit.* Der Begriff *Korrosionsermüdung* (corrosion fatigue) – korrekt: *Schwingungsrißkorrosion* – ist bei kombiniert mechan.-korrosiver Beanspruchung noch gebräuchlich (s. a. Korrosion). – ***E*** fatigue strength, low cycle fatigue – ***F*** limite de fatigue – ***I*** resistenza a fatica, robustezza a fatica – ***S*** resistencia bajo cargas alternas

Lit.: [1] DIN 50100: 1978-02. [2] DIN 53513: 1990-03. [3] DIN 53522: 1979-01. [4] DIN 53533: 1988-07.
allg.: Gräfen (Hrsg.), Lexikon Werkstofftechnik, S. 149 ff., Düsseldorf: VDI-Verl. 1993 ▪ Siebel (Hrsg.), Handbuch der Werkstoffprüfung, 2. Aufl., Bd. 2, S. 201 ff., Berlin: Springer 1955.

Schwingquarz s. Quarz.

Schwingung (Oszillation, Vibration). In physikal. Syst. ein zeitlich period. Vorgang, in dem sich bewegliche Teilchen (Federn, Pendel, Saiten, Gas-Mol. beim Schall, Atome od. Ionen im *Kristallgitter, chem. gebundene Atome in Mol.) innerhalb bestimmter Grenzen hin- u. herbewegen od. elektr. u./od. magnet. Felder auf- u. abbauen. Die größte Entfernung (*Elongation*) aus der Ruhelage nennt man *Amplitude* od. S.-Weite, die Zeit T zwischen zwei aufeinanderfolgenden ident. S.-Zuständen die *S.-Dauer* u. deren Reziprokes, d. h. die Anzahl der S. in der Zeiteinheit, die **Frequenz* od. *S.-Zahl.* S. mit gleichbleibender Amplitude nennt man ungedämpft, solche mit abnehmender gedämpft. Die in Mol. gebundenen Atome od. die in Gittern vorliegenden Atome od. Ionen führen um ihre Gleichgewichtslagen S. aus, die im allg. Überlagerungen mehrerer *Normal-S.* darstellen. Ein zweiatomiges Mol. in der Gasphase hat nur 1 S.-Möglichkeit, d. h. 1 *S.-Freiheitsgrad*, u. Mol. mit n Atomen weisen 3 n – 5 bzw. 3 n – 6 S.-Freiheitsgrade auf (je nachdem, ob sie gestreckt sind od. nicht), die mit jeweils 1 R zur molaren *spezifischen Wärmekapazität beitragen (R = allg. *Gaskonstante). Die Werte 3 n – 5 bzw. 3 n – 6 bezeichnet man auch als die Zahlen der *Eigen-S.* der Moleküle. In Festkörpern ist die Zahl der möglichen S. reduziert auf 3 (in den 3 Raumkoordinaten); daher beläuft sich die Molwärme bei konstantem Vol. C_v auf 3 R/mol ≈ 25 J/K · mol (ca. 6 cal/K · mol, *Dulong-Petitsche Regel*, vgl. Atomwärme u. Molwärme). Für einfache Mol. lassen sich durch **ab initio*-Rechnungen die S.-Frequenzen u. *Kraftkonstanten berechnen. Die Mol.-S. sind die Ursache für das Auftreten von *Schwingungs- u. *Rotationsschwingungsspektren, vgl. IR-Spektroskopie u. Raman-Spektroskopie; auch durch Neutronenspektroskopie (s. Neutronenbeugung) od. Blitzlicht-Spektroskopie mit ultrakurzen Lichtblitzen (10^{-12} s) lassen sich S.-Zustände untersuchen. S.-Anregung kann in Mol. durch chem. Reaktionen, Stoßprozesse od. *Absorption elektromagnet. Strahlung erfolgen. Im allg. ist die Verweilzeit (Lebensdauer) in einem hoch angeregten S.-Niveau sehr kurz (~ 10^{-14} – 10^{-12} s). Durch S.-Relaxation wird Energie in andere Energieformen umgewandelt. Die Besetzung der unteren S.-Niveaus eines Mol. ist von der Temp. abhängig u. folgt einer *Boltzmann-Verteilung:

$$N(v) = N_0 \exp\left[-E_{vib}(v)/kT\right]$$

[N_0 = N_{gesamt}/kT u. N_{gesamt} = Gesamtzahl der Mol., N(v) = Zahl der Mol. im S.-Niveau v, k = Boltzmann-Konstante, E_{vib} = Schwingungsenergie]. – ***E*** = ***F*** vibration – ***I*** oscillazione – ***S*** vibración

Lit.: Thomson, Vibration, Mechanical, in Encyclopedia of Physical Science and Technology, Vol. 17, S. 321–340, New York: Academic Press 1992 ▪ s. a. Schwingungsspektren.

Schwingungsquantenzahlen (Vibrationsquantenzahlen). *Quantenzahlen, die zur Charakterisierung des Schwingungszustands eines Mol. verwendet werden. Z. B. beschreibt man einen bestimmten Schwingungszustand des H_2O-Mol. mit Hilfe der 3 Quantenzahlen v_1 (für die symmetr. Streckschwingung), v_2 (für die Winkelschwingung) u. v_3 (für die asymmetr. Streckschwingung); s. a. Molekülspektren. – ***E*** vibrational quantum numbers – ***F*** nombre quantiquevibrationel – ***I*** numeri quantici vibrazionali – ***S*** número cuántico vibracional

Schwingungsrißkorrosion s. Korrosion.

Schwingungsspektren. Mit der *IR- u. der *Raman-Spektroskopie beobachtbare Spektren, die durch *Anregung von *Schwingungen (durch Änderung der *Schwingungsquantenzahlen) von Mol. zustande kommen. Wenn zusätzlich Änderungen des *Rotations-Zustandes der Mol. eine Rolle spielen, resultieren **Rotationsschwingungsspektren*, die als Überlagerung von S. u. *Rotationsspektren anzusehen sind, s. a. Raman-Spektroskopie. Die S. liefern Information über die Mol.-*Symmetrie u. geometr. Struktur, *Kraftkonstanten u. damit indirekt über die Stärke von Bindungen, sowie über die Ladungsverteilungen (indirekt über gemessene Intensitäten). – ***E*** vibrational spectra – ***F*** spectres de vibration – ***I*** spettri di vibrazione – ***S*** espectros de vibración

Lit.: Atkinson, Time-Resolved Vibrational Spectroscopy, New York: Academic Press 1983 ▪ Fadini u. Schnepel, Schwingungs-Spektroskopie, Stuttgart: Thieme 1985 ▪ Ferraro, Vibrational Spectroscopy of High External Pressures, New York: Academic Press 1984 ▪ J. Phys. Chem. Ref. Data **13**, 945–1068 (1984) ▪ Laubereau u. Stockburger, Time-Resolved Vibrational Spectroscopy, Berlin: Springer 1985 ▪ Miller, Topics in Vibrational Spectroscopy, Oxford: Pergamon 1985 ▪ Top. Curr. Chem. **120**, 41–84 (1984) ▪ Weidlein et al., Schwingungsfrequenzen (2 Bd.), Stuttgart: Thieme 1981, 1986 ▪ Willis et al., Laboratory Methods in Vibrational Spectroscopy, New York: Wiley 1987 ▪ s. a. IR- u. Raman-Spektroskopie.

Schwingungsspektroskopie. Teilgebiet der *Spektroskopie, bei dem Energie zur Anregung von Mol.-*Schwingungen aufgenommen wird (*Absorption) od. Schwingungsenergie abgegeben wird (*Emission). Näheres s. IR-Spektroskopie, Raman-Spektroskopie u. Schwingungsspektren. – ***E*** vibrational spectroscopy – ***F*** spectroscopie vibrationnelle – ***I*** spettroscopia di vibratione – ***S*** espectroscopia vibrational

Schwingungstermenergie. Die Schwingungsenergie eines Mol. ist quantisiert, d. h. es liegen diskrete Energieniveaus für die einzelnen Schwingungszustände vor. Die S. gibt, üblicherweise vom Schwingungs-*Grundzustand aus gemessen, die Energie eines bestimmten Schwingungszustands an. – ***E*** vibrational term energy – ***F*** énergie du terme vibrationnel – ***S*** energía del término vibracional

Schwingungsverschleiß. Eine Verschleißart, die bei Festkörper-Festkörper-Kontakt mit oszillierender Gleit-, Wälz- od. Stoßbewegung kleiner Schwingbreite in Erscheinung tritt. Die dabei auftretende Reibbeanspruchung aktiviert die Kontaktflächen u. läßt Korrosionsprodukte (*Passungsrost) entstehen, die im weiteren Schadensablauf abrasiv wirken u. zum Verschleiß führen. S. entsteht vorwiegend in den Paßflächen form- u. kraftschlüssig (durch Reibung) verbundener Maschinenelemente, wie z. B. Preßsitzen, Keilverb. u. Kupplungen. Als synonyme Begriffe werden gelegentlich gebraucht: *Passungsrost, Paßflächenkorrosion, Preßrost, Reibkorrosion, Reibrost, Reiboxid., Schwingungsreibverschleiß, Spaltrost, Transportrost, Tribokorrosion, Tribooxidation. – ***E*** fretting corrosion, fretting damage, fretting fatigue, fretting wear, friction oxidation, tribocorrosion, wear oxidation – ***F*** oxydation par friction, tribocorrosion – ***I*** fatica da corrosione a secco – ***S*** oxidación por rozamiento, tribocorrosión

Schwingungszahl s. Schwingung u. Strahlung.

Schwöde s. Gerberei.

Schwödewolle s. Wolle.

Schwoerer, Markus Victor Heinrich (geb. 1937), Prof. für Experimetalphysik, Univ. Stuttgart u. Bayreuth (seit 1975). *Arbeitsgebiete:* Organ. Festkörper, Elektronenspin-Resonanz, Spektroskopie.

Lit.: Kürschner (16.), S. 3454 ▪ Wer ist wer (36.), S. 1337.

Schwyzer, Robert (geb. 1920), Prof. für Molekularbiologie, ETH Zürich, Vizedirektor der CIBA AG (1960–1963). *Arbeitsgebiete:* Eiweißchemie, Synth. u. Struktur von Peptidhormonen, Peptid-Antibiotika, Vitamine, Antivitamine, Angiotensin.

Lit.: Chem. Rundsch. **33**, Nr. 49, 16 (1980) ▪ Kürschner (16.), S. 3455 ▪ Pötsch, S. 391 ▪ The International Who's Who (17.), S. 1350.

SCI. Abk. für 1. *Science Citation Index® u. 2. *Societa Chimica Italiana.

SCID-Maus. Bez. für eine Maus-Mutante mit einem schweren kombinierten Immundefekt (*E* *s*evere *c*ombined *i*mmune *d*eficiency). Der SCID-M. fehlen sowohl funktionsfähige B- als auch T-*Lymphocyten (demgegenüber verfügt die sog. **Nacktmaus* noch über funktionsfähige B-Lymphocyten). Der Immundefekt beruht auf dem Fehlen des Enzyms Rekombinase, das die im Laufe der Embryonalentwicklung für die Reifung des Immunsyst. wichtigen Rekombinationen der Immunglobulin-Gene u. T-Zell-Rezeptor-Gene bewirkt. Damit fehlt das Vermögen, die Vielfalt von Antigenen spezif. zu erkennen. Die SCID-M. wird zur Untersuchung der Funktion der einzelnen Komponenten des Immunsyst. eingesetzt; z. B. kann mit transplantierten Stammzellen des Menschen in der SCID-M. ein intaktes humanes Immunsyst. aufgebaut werden. Das Krankheitsbild der SCID-M. ist auch beim Menschen bekannt. – ***E*** SCID mouse – ***F*** souris SCID – ***I*** topo SCID – ***S*** ratón SCID

Lit.: Hennig, Genetik, S. 715, Heidelberg: Springer 1995 ▪ Janeway u. Travers, Immunologie (2.), S. 210, Heidelberg: Spektrum Akadem. Verl. 1997.

Science Citation Index® (SCI). Von *Garfield 1961 begründeter u. seit 1964 vom *ISI alle 2 Monate aktualisierter *Zitierindex* für Publikationen in Naturwissenschaft, Technik u. Medizin. Der SCI ermöglicht es, über eine wichtige Quelle der *chemischen Literatur (Zeitschriftenartikel, Buch, Patent, Report u. a. *zitierte Quellen*) neuere Publikationen (*zitierende Quellen*) zu finden, die die frühere Quelle zitieren. So bietet dieses durch elektron. Datenverarbeitung erzeugte Register ergänzend zu anderen *Datenbanken spezif. Hilfen für die *Dokumentation. Der SCI u. der zugehörige *Permuterm Subject Index (PSI) sind auch als *CD-ROM u. als Datenbank SciSearch zugänglich.

Lit.: Chem. Labor Betr. **33**, 509 ff. (1982) ▪ Kirk-Othmer (3.) **13**, 295–298 ▪ Ullmann **B 1**, 12-10 f. ▪ Umschau **84**, 21–25, 263 (1984) ▪ s. a. chemische Literatur, Citation Index, Dokumentation.

Science of Synthesis. Kurzbez. für „Science of Synthesis, Houben-Weyl, Methods of Molecular Transformations", dem Nachfolgewerk des *Houben-Weyl, das ab dem Jahr 2000 im Verl. G. Thieme, Stuttgart, erscheinen wird. S., das herausgeber. betreut wird von D. Bellus, S. V. Ley, R. Noyori, M. Regitz, E. Schaumann, I. Shinkai, E. J. Thomas u. B. M. Trost, erscheint bis 2010 in 48 Bd. in engl. Sprache. Es bietet eine umfassende u. krit. Behandlung der synthet. organ. u. Metall-organ. Chemie auf Grundlage aller veröffentlichten u. zugänglichen Quellen von Anfang des 18. Jh. bis zum Zeitpunkt der Publikation. S. ist, ausgehend vom zu synthetisierenden Zielmol., nach einem log. hierarch. Syst. aufgebaut, so daß der synthet. arbeitende Chemiker leicht eine Lösung seines Problems findet. Das Resultat dieser Gliederung ist die Unterteilung in 6 Kategorien (Bd. 1–8: Organometallics; Bd. 9–17: Hetarenes; Bd. 18–24: Four and Three Carbon-Heteroatom Bonds; Bd. 25–33: Two Carbon-Heteroatom Bonds; Bd. 34–42: One Carbon-Heteroatom Bond; Bd. 43–48: All Carbon Functions), sowie Produkt-Klassen, Produkt-Unterklassen, Verf. u. Variationen. S. wird neben der gedruckten Version auch als Online-, Inhouse- u. CD-ROM-Version verfügbar sein. INTERNET-Adresse: http://www.science-of-synthesis.com

Scillarenin (3*β*,14-Dihydroxy-14*β*-bufa-4,20,22-trienolid).

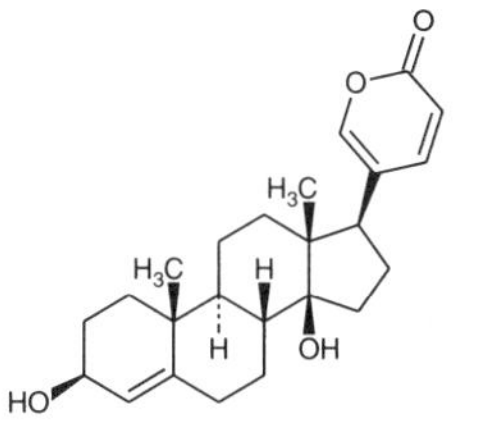

$C_{24}H_{32}O_4$, M_R 384,52, Schmp. 232–238 °C, $[\alpha]_D^{20}$ –16,8° (c 0,357/CH_3OH), λ_{max} 300 nm ($A_{1cm}^{1\%}$ 136), farblose Prismen, lösl. in Chloroform u. Methanol. S. ist das *Aglykon von *Proscillaridin u. kann aus der Weißen *Meerzwiebel isoliert werden. S. wirkt als *Herzglykosid vom *Bufadienolid-Typ. – ***E*** scillarenin – ***F*** scillarénine – ***I*** scillarenina – ***S*** escilarrenina

Lit.: Beilstein E V **18/3**, 586 ▪ Rimpler, Pharmazeutische Biologie II, Stuttgart: Thieme 1990. – *[CAS 465-22-5]*

Scillirosid.

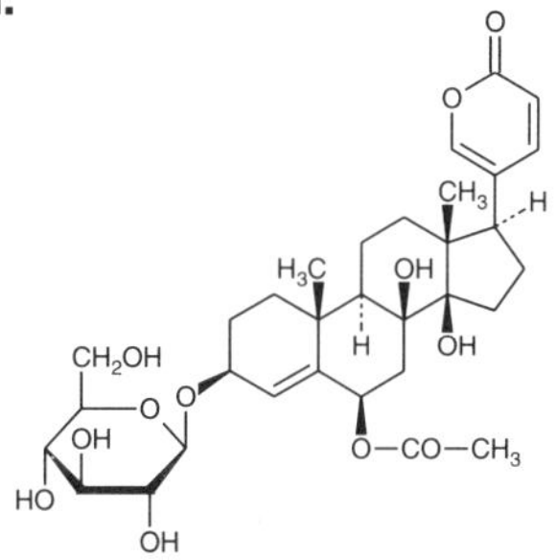

Common name für 6*β*-Acetoxy-3*β*-(*β*-D-glucopyranosyloxy)-8,14-dihydroxy-14*β*-bufa-4,20,22-trienolid, $C_{32}H_{44}O_{12}$, M_R 620,69, Schmp. 168–170 °C (Zers.), aktiver Bestandteil eines aus der Roten *Meerzwiebel gewonnenen Extraktes, der in Form von Ködermitteln zur Bekämpfung von Ratten angewendet wird. Menschen u. Haustiere sind nicht gefährdet, da Meerzwiebelpräp. starkes Erbrechen auslösen. Weil Nagetiere aus anatom. Gründen nicht erbrechen können, kann sich bei ihnen die tox. Wirkung voll entfalten. – ***E = F = I*** scilliroside – ***S*** escilirósido

Lit.: Beilstein E III/IV **18**, 3178 ▪ Farm ▪ Perkow ▪ Pesticide Manual. – *[HS 2938 90; CAS 507-60-8]*

Scintill... s. Szintill...-Stichwörter

Scintillone. Die durch Dinoflagellaten verursachte Oberflächen-*Lumineszenz bestimmter Meeresgebiete wird sowohl auf mol. Basis durch ein *Luciferin/*Luciferase-Syst. als auch durch intrazelluläre Teilchen, die sog. S., erzeugt. Aus dem Dinoflagellaten *Gonyaulax polyedra* wurden S. isoliert, die blitzartig Lumineszenz erzeugen, die durch Erniedrigung des pH-Wertes ausgelöst wird (Optimum bei pH 5,7). Max. Lichtintensität u. die Anzahl emittierter Photonen sind der Partikelzahl bis zu einem Verdünnungsgrad von 100000 direkt proportional. Die Lumineszenz-Partikel scheinen rhomboedr. Krist. mit Längsachsen um 0,3 µm (0,1–0,6 µm) zu bilden. – ***E*** scintillons – ***F*** scintillones – ***I*** scintilloni – ***S*** escintilonas

Lit.: Naturwiss. Rundsch. **25**, 476 (1972).

Scirpenole. Gruppe von *Mykotoxinen vom *Trichothecen-Typ. Grundstruktur ist 12,13-Epoxy-9-trichothecen (Scirpen). Folgende Positionen können hydroxyliert sein: C-3, C-4, C-7, C-8, C-15. Häufig sind die OH-Gruppen verestert, insbes. mit Essigsäure. S. sind Zwischenprodukte bei der Biosynth. der makrocycl. Trichothecene (veresterte OH-Gruppen an C-4 u. C-15) u. der Trichoverroide (s. Trichothecene).

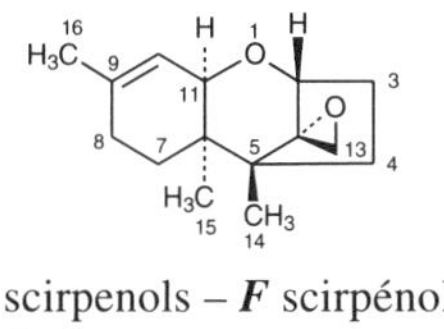

12,13-Epoxy-9-trichothecen (Scirpen)

– ***E*** scirpenols – ***F*** scirpénols – ***I*** scirpenoli – ***S*** escirpenoles

Lit.: Agric. Biol. Chem. **50**, 2667 (1986) ▪ Appl. Environ. Microbiol. **47**, 130 (1984); **50**, 1225 (1985) ▪ Betina (Hrsg.), Mycotoxins, Kap. 14, Amsterdam: Elsevier 1984 ▪ J. Agric. Food Chem. **32**, 1261 (1984); **34**, 98 (1986); **35**, 125, 137 (1987) ▪ J. Org. Chem. **47**, 1117 (1982); **52**, 4405 (1987); **54**,

4663 (1989); **55**, 4403 (1990) ▪ Sax (7.), S. 2633 ▪ Tetrahedron Lett. **28**, 2661 (1987).

s-cis- s. cis-.

Sclareol (8-Methoxy-8*H*-isothiazolo[5,4-*b*]indol).

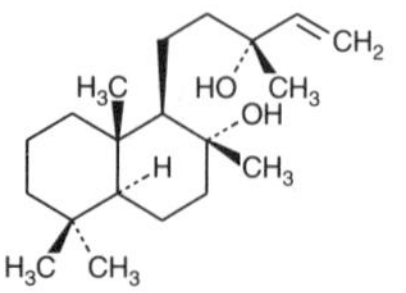

$C_{20}H_{36}O_2$, M_R 308,50, Schmp. 105–106 °C, $[\alpha]_D$ –6,3° (C_2H_5OH). Zu den *Labdanen gehörendes Diterpenoid aus *Salvia sclarea*, vgl. Muskatellersalbei-Öl. S. ist Parfüm-Rohstoff für Amber-Duftnoten. – ***E*** = ***F*** sclareol – ***I*** sclareolo – ***S*** esclareol

Lit.: Phytochemistry **19**, 71 (1981) ▪ s. a. Muskatellersalbei-Öl. – *[CAS 515-03-7]*

Sclero... s. Sklero...

Sclerotinit s. Macerale.

Scopafunginge s. Amycine.

Scopolamin [Hyoscin, *O*-(–)-Tropoylscopin, 6*β*,7*β*-Epoxy-3*α*-tropanyl-(*S*)-tropat].

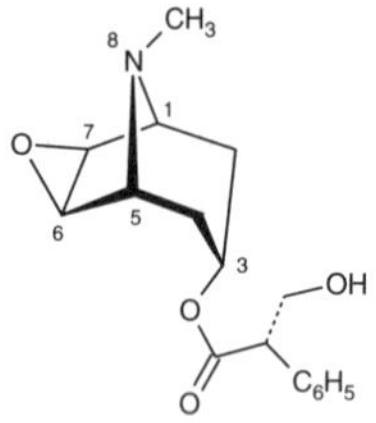

$C_{17}H_{21}NO_4$, M_R 303,36; viskoses Öl, als Monohydrat: Krist., Schmp. 59 °C, lösl. in heißem Wasser, Alkohol, Ether, Chloroform, Aceton; in alkal. Lsg. racemisiert Scopolamin zu *Atroscin* (Öl, als Monohydrat: Krist., Schmp. 56–57 °C, u. als Dihydrat: Schmp. 37–39 °C). S. kommt als (–)-Form (Hyoscin) in mehreren Solanaceen-Gattungen [z. B. *Atropa belladonna* (Tollkirsche), *Datura*-Arten (Stechapfel), *Duboisia*-Arten, *Hyoscyamus*-Arten (Bilsenkraut), *Mandragora officinalis* (Alraune) u. *Scopolia*-Arten (Tollkraut)] vor. Racem. S. (Atroscin) ist ein Naturstoff aus den Solanaceen *Datura innoxia*, *Hyoscyamus niger* u. *Scopolia carniolica*. S. wird in saurer u. alkal. Lsg. leicht hydrolysiert zu *Tropasäure u. *Scopin* (6*β*,7*β*-Epoxy-3*α*-tropanol), das sich zu Scopolin[1] (Oscin, 3*α*,7*α*-Epoxy-6*β*-tropanol, $C_8H_{13}NO_2$, M_R 155,20, farblose Prismen, Schmp. 108–109 °C, racem.) umlagert.

Wirkung: Ähnlich wie *Atropin als *Parasympathikolytikum, d. h. lähmend auf Magensaft- u. Schweißabsonderung, u. als Mydriatikum. Dagegen hat es auf das Zentralnervensyst. keinerlei erregende, sondern eine ausgesprochen lähmende Wirkung, weshalb es medizin. gegen *Reisekrankheit u. zur Herbeiführung von Narkosen (Dämmerschlaf) sowie zur Beruhigung von Geisteskranken Verw. findet. Als wesentlicher Inhaltsstoff von *Belladonna-Präparaten dient es ferner als Spasmolytikum, insbes. für den Magen-Darmtrakt u. die Atemwege. S. kann als *Geständnismittel mißbraucht werden; allerdings wirkt es auch als Delirantium (s. Halluzinogene). Im Mittelalter hat man hier u. da schwache Biersorten durch (S.-haltige) Bilsenkrautsamen „verstärkt"; daher wird eine etymolog. Beziehung zwischen der Bierstadt Pilsen u. Bilsenkraut vermutet.

Der S.-Gehalt in bestimmten Arzneipflanzen kann bei gleichzeitiger Senkung des Hyoscyamin-Gehalts mit gentechn. Mitteln erhöht werden. Wichtige S.-Derivate sind S.-*N*-oxid[2] [Genoscopolamin, $C_{17}H_{21}NO_5$, M_R 319,36, Schmp. 80 °C, Hydrochlorid: 125–130 °C (Zers.)], das ebenfalls in Solanaceen vorkommt, sowie *Norhyoscin*[3] (*N*-Demethyl-S., $C_{16}H_{19}NO_4$, M_R 289,33) aus *Datura suaveolens*. – ***E*** = ***F*** scopolamine – ***I*** scopolamina – ***S*** escopolamina

Lit.: [1] J. Chem. Soc., Perkin Trans. 1 **1992**, 787 (Synth.). [2] Merck-Index (12.), Nr. 8551. [3] Phytochemistry **11**, 3293 (1972).

allg.: Anal. Profiles Drug Subst. **19**, 477 (1990) ▪ Beilstein E III/IV **27**, 1790 ff.; E V **27/8**, 53 ▪ Braun-Dönhardt, S. 341 ▪ Drugs **29**, 189–207 (1985) ▪ Dtsch. Apoth. Ztg. **126**, 1930–1934 (1986) ▪ Hager (5.) **3**, 1073; **9**, 581 ▪ Manske **6**, 145–177 (Synth.) ▪ Martindale (30.), S. 425 ▪ Nat. Prod. Rep. **8**, 608 (1990); **10**, 203 f. (1991); **11**, 447 f. (1994) ▪ Ph. Eur. **1997**, S. 1611 ▪ Pharm. Biol. (3.) **2**, 167–172; **4**, 63–69. – *Biosynth.:* Planta Med. **56**, 339–352 (1990). – *Pharmakologie:* Sax (8.), HOT500, SBG000, SBG500, SBH500. – *[HS 2939 90; CAS 51-34-3 (S.); 138-12-5 ((±)-S.); 97-75-6 (S.-N-oxid); 4684-28-0 (Norhyoscin); 487-27-4 (Scopolin)]*

Scopoletin (Chrysatropasäure, Gelseminsäure, 6-Methoxyumbelliferon, Aesculetin-6-methylether, 7-Hydroxy-6-methoxycumarin).

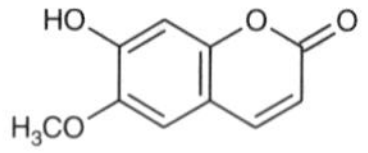

$C_{10}H_8O_4$, M_R 192,16; hygroskop. Nadeln, Schmp. 202–204 °C, lösl. in heißem Ethanol, Chloroform, Eisessig, wenig lösl. in Wasser, reduziert Fehlingsche Lsg. u. Tollens Reagenz; die ethanol. Lsg. von S. zeigt Fluoreszenz.

Vork.: Neben *Scopolamin frei od. als 7-*O*-*β*-Glucosid (*Scopolin*: $C_{16}H_{18}O_9$, M_R 354,31, Krist., Schmp. 217–219 °C), in Wurzeln von *Scopolia* u. *Atropa belladonna* (*Tollkirsche), ferner in *Convolvulus scammonia*, in Tabakpflanzen, Haferkeimlingen, Oleanderrinde, Gelsemiumwurzeln u. dgl. Zahlreiche weitere Glykoside sind bekannt, die Zuckerreste liegen teilw. acetyliert vor. S. wirkt als Pflanzenwuchshemmstoff u. ist ein Bestandteil der chines. Droge *Toki* aus *Angelica acutiloba*. – ***E*** scopoletin – ***F*** scopolétine – ***I*** scopoletina – ***S*** escopoletina

Lit.: Arch. Pharm. (Weinheim) **328**, 737 (1995) ▪ Beilstein E V **18/3**, 203 ▪ J. Biochem. Biophys. Methods **18**, 297–307 (1989) ▪ Karrer, Nr. 1328 ▪ R. D. K. (4.), S. 922. – *[HS 2932 29; CAS 92-61-5 (S.); 531-44-2 (Scopolin)]*

Scopolin. 1. s. Scopolamin. – 2. 7-*O*-*β*-D-Glucosid von *Scopoletin.

Scotch... Anlautender Wortbestandteil in durch Marken geschützten Handelsnamen von Produkten der 3 M Company; *Beisp.: Scotch*-Magnetbänder, -Klebebänder, *PTFE-Folien, *Scotchgard:* Imprägniermittel auf Fluor-Basis zur Schmutz-abweisenden Ausrüstung, Hydrophobierung u. Oleophobierung von Textilien, Leder u. Papier.

SCP s. Single Cell Protein.

SCR. 1. Kurzz. (nach ASTM) für elastomere *Copolymere aus *Styrol u. *Chloropren. – 2. Abk. für *E* *S*elective *C*atalytic *R*eduction, ein Verf. zur Beseitigung von *Stickstoffoxiden aus *Abgasen, s. Entstickung.

Scrambling. Aus dem Engl. (to scramble = verrühren, umherwerfen) übernommene Bez. für die Markierung von organ. Verb. durch *Austauschreaktionen, s. deuterierte, markierte, tritiierte Verbindungen u. Wasserstoff.

Scrapie s. Prionen.

Screening (von *E* to screen = aussieben). Bez. für das systemat. Durchmustern von Proben natürlichen od. synthet. Ursprungs mit geeigneten Testsyst. auf die Anwesenheit von nieder- od. hochmol. Stoffen mit bestimmten Eigenschaften. Insbes. in der industriellen Pharmaforschung, aber auch in der Landwirtschaft, der Lebensmitteltechnologie u. der synthet. Chemie ist das S. ein wichtiges Instrumentarium, um Zugang zu neuen od. verbesserten Produkten od. Produktionsverf. zu erhalten. Im Rahmen der strukturellen u. funktionellen Genom-Analyse hat das S. nach neuen Genen u. Gen-Produkten (Proteinen), die mit Krankheiten in Zusammenhang stehen, eine zunehmende Bedeutung für die industrielle Pharmaforschung gewonnen. Das S. nach DNA-Klonen in Gen-Banken gehört zum Methodenrepertoire des Molekulargenetikers.
In der klass. Biotechnologie bezeichnet der Begriff S. die gezielte Suche nach Stoffwechselprodukten von Mikroorganismen, wie Wirkstoffen (z. B. *Antibiotika, Enzym-Inhibitoren), Geschmacksverbesserern, organ. Säuren, Aromastoffen u. *Enzymen (z. B. für techn., lebensmitteltechn. u. medizin. Anw. sowie für Biotransformationsreaktionen in der Synthesechemie). Auch die Suche nach Mikroorganismen od. Mutanten von Mikroorganismen mit bes. Leistungen wird als S. bezeichnet. Über den Bereich der Pharma- u. Wirkstofforschung hinaus ist das S. insbes. in der Lebensmittelbiotechnologie (z. B. Suche nach verbesserten Starterkulturen für die Herst. von Nahrungsmitteln) u. in der Umweltbiotechnologie (z. B. Identifizierung von Mikroorganismen-Stämmen, die schwer abbaubare Verb. metabolisieren können) zu einem wichtigen Begriff geworden.
Erfolgskrit. für die in einem S. erzielten Ergebnisse sind die eingesetzten Auswahl- od. Testsysteme. Sie müssen selektiv u. möglichst eindeutig in ihrer Aussagekraft sein, einfach in der Handhabung, schnell in der Durchführung u. gut reproduzierbar. Im Zuge der stetig zunehmenden Testproben-Zahl, die sich z. B. im Wirkstoff-S. mittlerweile auf etliche hunderttausend pro Test u. Jahr beläuft (mit weiter steigender Tendenz) kommen der Automatisierung u. der Miniaturisierung wachsende Bedeutung zu. Damit wird das Spektrum der Fachdisziplinen, die beim S. zusammenwirken müssen, noch erweitert. – ***E*** = ***F*** = ***I*** = ***S*** screening

Scripset®. Copolymere aus *Styrol u. *Maleinsäureanhydrid mit Molmassen von 100000–350000. Anhydrid-Typen können mit Ammoniak bzw. Alkali in wasserlösl. Salze überführt werden (Scripsept 700, 500, 808). Scripsept 540 u. 550 sind Halbester, die durch Ammoniak ebenfalls wasserlösl. gemacht werden können. Anw. in der Papier-Ind., Textilausrüstung, gedruckte Schaltungen, Verdicker. ***B.:*** Monsanto.

Scriptosure®. Etiketten-Set zur Sicherheits-Kennzeichnung von Labor-Standflaschen. ***B.:*** Merck.

Scruffing-Präparate s. Hautpflegemittel.

SCU. Abk. für engl.: *s*ulfur-*c*oated *u*rea = mit *Schwefel umhüllter *Harnstoff, ein Depot-*Düngemittel.

scyllo-. In der Nomenklatur der *Inosite ist *scyllo*-Bez. für 1,3,5-*cis*/2,4,6-*trans*-ständige Heteroatome am Cyclohexan-Ring; *scyllo*-Inosit (Scyllit) wurde 1858 aus einer Haifisch-Gattung, die nach dem Meerungeheuer Scylla aus Homers Odyssee *Scyllium* hieß, erstmals isoliert, aber auch in anderen Fischen u. in vielen Pflanzen gefunden. – ***E*** = ***F*** scyllo- – ***I*** scillo- – ***S*** escilo-

Lit.: Beilstein E IV **6**, 7920 (*scyllo*-Inosit). – *[CAS 41546-32-1]*

SDI. Von *E* *S*elective *D*issemination of *I*nformation abgeleitete Abk. für einen Begriff aus der *Dokumentation, unter dem man eine laufende, gezielt auf die Bedürfnisse des Benutzers (*Benutzerprofil*) ausgerichtete Versorgung mit Fachinformationen versteht; manche Abbonnements bieten nur bibliograph. Angaben an, evtl. zusammen mit Schlagwörtern, andere vollständige Referate (*Referatedienste*). Die meist mit Hilfe der elektron. Datenverarbeitung auf die speziellen Informationsbedürfnisse einzelner Benutzer(gruppen) einstellbaren SDI-Dienste sind zu den sog. *Schnellinformationsdiensten zu rechnen.

SDMA s. Natriumaluminiumhydrid.

Sdp. Abk. für *Siedepunkt.

SDS s. Natriumdodecylsulfat.

SD-Sequenz. Abk. für *Shine-Dalgarno-Sequenz.

SDS-PAGE. Abk. für *Natriumdodecylsulfat (*E* sodium dodecyl sulfate)-Polyacrylamid-Gel-*Elektrophorese. SDS-P. wird insbes. zur *Molmassenbestimmung von *Proteinen u. deren Untereinheiten angewendet; in SDS-Lsg. dissoziieren die meisten oligomeren Proteine in ihre Untereinheiten. Die Trennwirkung beruht auf der *Assoziation der Polypeptid-Ketten mit SDS u. ihre stark neg. Aufladung durch die Sulfat-Gruppen. Dies hat zur Folge, daß die Ladung des nativen Proteins maskiert wird u. sich ein relativ konstantes Verhältnis von Ladung zu Masse ergibt. Die Polypeptid-Ketten zeigen daher ein einheitliches Wanderungsverhalten im elektr. Feld, so daß sie bei der Gelelektrophorese gemäß ihrer Molmasse aufgetrennt werden. Die Größe od. Molmasse wird durch Vgl. mit der elektrophoret. Mobilität von Proteinen bekannter Größe ermittelt.

Lit.: Holtzhauer, Methoden der Proteinanalytik, S. 359, Heidelberg: Springer 1996.

Se. Chem. Zeichen für das Element *Selen.

SE. 1. Wie ein Elementsymbol benutzte Abk. für 1. *Seltenerdmetalle (*E* rare-earth metal, RE); – 2. *Sekundärelektronen; – 3. engl.: size exclusion = (Molekül)-Größen-Ausschluß, eine Meth. der *Gelchromatographie; – 4. *Spinecho-Methode in der *NMR-

Spektroskopie. – 5. Nach DIN 60001-4: 1991-08 Kurzz. für Textilfasern aus Maulbeer-*Seide.

S_E. Abk. für elektrophile *Substitution, s. a. elektrophile Reaktionen.

Seaborg, Glenn Theodore (geb. 1912), Prof. für Chemie, Berkeley Univ., Californien (USA). *Arbeitsgebiete:* Kernreaktionen, Superactinoide, spaltbare Isotope, Mitentdecker von Plutonium, Americium, Berkelium, Californium u. Curium; Nobelpreis für Chemie 1951 zusammen mit E. M. *McMillan.

Lit.: Lexikon der Naturwissenschaftler, S. 371 ▪ Pötsch, S. 391 ▪ The International Who's Who (17.), S. 1354.

Seaborgium (chem. Symbol Sg). Element der 6. Gruppe des *Periodensystems, Ordnungszahl 106.

Sea-floor spreading s. Erde u. Plattentektonik.

Seal-Hilfsmittel. Fachbegriff für Chemikalien zur Förderung der Verdichtung (*E* sealing) anod. Oxidschichten auf Aluminium. – ***E*** sealing additives – ***F*** additifs pour compactation – ***I*** additivi di compressione – ***S*** aditivos de compactación

Lit.: Hübner u. Speiser, Die Praxis der anodischen Oxidation des Aluminiums, 4. Aufl., S. 359–393, Düsseldorf: Aluminium-Verl. 1988 ▪ Ullmann (5.) **A 1**, 516 ff.

Searle. Kurzbez. für die 1888 gegr. Monsanto-Tochter G. D. Searle & Co., P. O. Box 5110, Chicago, IL 60680, USA. *Daten* (1995): 8500 Beschäftigte, 1,7 Mrd. $ Umsatz. *Produktion:* Arzneimittel, Produkte der Biotechnologie.

Sebacate s. Sebacinsäureester.

Sebacinsäure (Decandisäure). $HOOC–(CH_2)_8–COOH$, $C_{10}H_{18}O_4$, M_R 202,24. Farblose, monoklin-prismat. Blättchen, D. 1,207, Schmp. 134,5 °C, Sdp. 294 °C (133 hPa), wenig lösl. in Wasser, leicht lösl. in Alkohol, Estern, Ketonen, Ether, WGK 1.

Herst.: Durch Erhitzen von *Ricinusöl od. *Ricinolsäure mit NaOH u. Luft (bevorzugtes Verf.), durch *Kolbe-Synthese aus Adipinsäuremonomethylester od. durch Oxid. von Cyclodecanol.

Verw.: Ausgangsmaterial für Alkyd- u. Polyesterharze, Schmiermittel, Fruchtaromen, Parfüme. Das Polyamid Nylon 6.10, das durch Reaktion von S. mit *1,6-Hexandiamin erhalten wird, hat keine große industrielle Bedeutung mehr. Die *Sebacinsäureester verschiedener Oxo- u. geradkettiger Alkohole sind wertvolle Weichmacher mit hoher Kältefestigkeit u. Migrationsbeständigkeit für spezielle Anwendungen. Name von latein.: sebaceus = talgig, fettig. – ***E*** sebacic acid – ***F*** acide sébacique – ***I*** acido sebacico – ***S*** ácido sebácico

Lit.: Beilstein EIV **2**, 2078 ▪ Kirk-Othmer (3.) **7**, 623 f.; (4.) **8**, 119 ▪ Merck-Index (12.), Nr. 8588 ▪ Ullmann (4.) **10**, 136 ff.; **24**, 363, 367, 378; (5.) **A 8**, 523 ff. ▪ Weissermel-Arpe (4.), S. 259 f. – *[HS 2917 13; CAS 111-20-6]*

Sebacinsäureester. Bez. für die Ester der *Sebacinsäure, $ROOC–(CH_2)_8–COOR$; in Klammern sind die Kurzz. nach DIN 7723: 1987-12 angegeben. a) *Sebacinsäuredibutylester* (Dibutylsebacat, DBS), $R=(CH_2)_3–CH_3$, $C_{18}H_{34}O_4$, M_R 314,47. Farblose Flüssigkeit, D. 0,935–0,945, Sdp. 180–190 °C (6 hPa), wird als Weichmacher für Celluloseacetopropionat- u. -acetobutyrat-Massen sowie für Nitrocellulose-Lacke verwendet. – b) *Sebacinsäure-bis(2-ethylhexylester)* („*Dioctylsebacat*", DOS), $R=CH_2–CH(C_2H_5)–(CH_2)_3–CH_3$, $C_{26}H_{50}O_4$, M_R 426,69. Klare farblose Flüssigkeit, D. 0,912–0,915, Sdp. 265–275 °C (16 hPa), WGK 1; Hauptanw.-Gebiet sind kältebeständige Polyvinylchlorid-Massen. – c) *Sebacinsäurediethylester* (Diethylsebacat), $R=C_2H_5$, $C_{14}H_{26}O_4$, M_R 258,35. Farblose Flüssigkeit, D. 0,965, Schmp. 5 °C, Sdp. ca. 307 °C (Zers.), wird als Fixateur in der Parfümerie, in Cremes, Lippenstiften u. als Lösungsvermittler verwendet. – d) *Sebacinsäuredimethylester* (Dimethylsebacat) $R=CH_3$, $C_{12}H_{22}O_4$, M_R 230,31. Farblose Krist., D. 0,988, Schmp. 25–28 °C, Sdp. 288 °C, Lsm. u. Weichmacher für Cellulosenitrat-Lacke u. Vinylesterharze. – ***E*** sebacic esters, sebacates – ***F*** esters de l'acide sébacique, sébacates – ***I*** esteri dell'acido sebacico, sebacati – ***S*** ésteres del ácido sebácico, sebacatos

Lit.: s. Sebacinsäure u. Weichmacher. – *[HS 2917 13; CAS 109-43-3 (a); 122-62-3 (b); 110-40-7 (c); 106-79-6 (d)]*

Seborrhoe (Schmerfluß). Abnorm gesteigerte Absonderung der Talgdrüsen (s. a. Sebum) der menschlichen *Haut. S. tritt u. a. im Rahmen von Hauterkrankungen, wie bestimmten Ekzemformen, auf. – ***E*** seborrhea – ***F*** séborrhée – ***I*** = ***S*** seborrea

Sebum. Latein. Bez. für *Talg, z. B. S. benzoatum = Benzoetalg, S. bovinum = Rindertalg, S. cervinum = Hirschtalg, S. ovile = Hammeltalg, S. salicylatum = Salicyltalg. Im bes. versteht man unter S. das von den **Talg-Drüsen* der *Haut unter α-*Melanotropin-Steuerung abgesonderte Sekret (vgl. Haut, S. 1700 u. Schuppen). Nach *Lit.*[1] enthält dieses S. 28% freie Fettsäuren (darunter ca. 25% Palmitinsäure, 29% Ölsäure, 9,4% Stearinsäure, 6,3% Myristinsäure, 7% ungesätt. C_{16}-Säure), 32% Triglyceride, 14% Wachse, ca. 2% freies Cholesterin, ca. 2% Cholesterinester, 5% Squalen, 8% andere Kohlenwasserstoffe, 9% Dihydroxycholesterin u. a. Steroide. Die S.-Sekretion läßt sich nach verschiedenen Meth. quant. erfassen, s. *Lit.*[2].

Lit.: [1] Riechst. Aromen **1963**, 223. [2] J. Soc. Cosmet. Chemists **24**, 331–353 (1973).
allg.: Hager (4.) **6 b**, 343–346; **7 b**, 170, 204 ▪ Wheatley, The Sebaceous Glands (Physiol. Pathophysiol. Skin 9), New York: Academic Press 1986.

sec. a) Abk. für engl.: second = *Sekunde (SI-Symbol: s). – b) Geschmacksbez. für *Schaumweine (französ.: sec = trocken, demi-sec = halbtrocken), daneben übliche engl. Bez.: dry.

sec-. Kursives *sec-* bezeichnet *sekundäre Alkyl-Reste; deutsch (veraltet): sek.-; Abk.: *s-* (*sec*-Butyl: *s*-C_4H_9, *s*-Bu, *s*Bu od. Bu^s). IUPAC-Regeln A-2.25, C-205.1, R-9.1.19b.3, R-9.1.26b.3: nur für unsubstituiertes *sec*-*Butoxy... u. *sec*-*Butyl... empfohlen.

Sec. Kurzz. für *Selenocystein.

SEC. Abk. für *E* size exclusion chromatography, vgl. Gelchromatographie.

Secale-Alkaloide s. Ergot-Alkaloide.

Secalin(in) s. Roggen.

Secalonsäuren s. Ergochrome.

Secalose s. Tetrasaccharide.

Secbutabarbital (Rp; BtMVV, Anlage III).

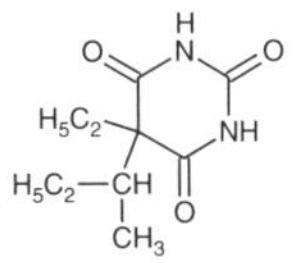

Internat. Freiname für (±)-5-*sec*-Butyl-5-ethylbarbitursäure (auch Butabarbital genannt), $C_{10}H_{16}N_2O_3$, M_R 212,24, weißes, geruchloses, krist. Pulver, Schmp. 165–168 °C; λ_{max} (Phosphatpuffer pH 10,3) 240 nm ($A^{1\%}_{1cm}$ 476), pK_{a1} 8,2, pK_{a2} 12,7; wenig lösl. in Wasser, lösl. in Ethanol, Ether, Chloroform u. wäss. Alkalien; Lagerung: vor Luft geschützt. Medizin. Verw. als Hypnotikum u. *Sedativum findet meist das Natrium-Salz. S. wurde 1932 von Lilly patentiert. – ***E*** = ***F*** = ***I*** = ***S*** secbutabarbital

Lit.: ASP ▪ Hager (5.) **9**, 585 f. ▪ Martindale (31.), S. 735. – *[HS 2933 51; CAS 125-40-6 (S.); 143-81-7 (Natriumsalz)]*

SE-Cellulose s. Cellulose-Ionenaustauscher.

Seco... a) Zum Stamm *halbsystematischer Namen gehöriges Präfix, das Öffnen eines Rings des Grundgerüsts anzeigt (latein.: seco = ich schneide). Zwei *Lokanten bezeichnen die Lage der formal durch *Hydrogenolyse gespalteten Einfach- od. seltener Doppelbindung. Diseco..., Triseco... usw. bedeutet Öffnen von 2, 3 usw. Ringen. Seco... findet Verw. für viele ringgeöffnete oligocycl. Naturstoffe, bes. *Steroide (*Beisp.:* s. Calciferole) u. höhere *Terpene (IUPAC-Regeln F-4.7, R-1.2.6.2, 3S-8), aber auch Alkaloide, *Carotinoide (Regel Carot-5.2) u. *Tetrapyrrole (Regel TP-6.2: 1,19-Seco-*corrin). – b) In Trivialnamen für Naturstoffe bezeichnet unbeziffertes Seco... ein Produkt einer meist biochem. Ringöffnungsreaktion; *Beisp.:* *Secologanin. – c) Der Freiname *Secobarbital kommt von *sec- („*as-sec*-Pentyl" = 1-Methylbutyl). – ***E*** = ***I*** = ***S*** seco... – ***F*** séco...

Secobarbital (Rp., BtMVV, Anlage III).

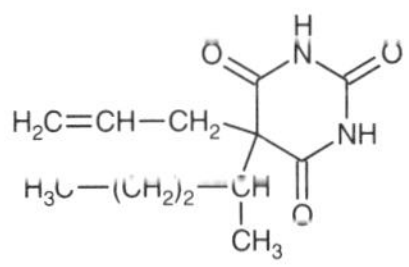

Internat. Freiname für das *Barbiturat u. Hypnotikum (±)-5-Allyl-5-(1-methylbutyl)-barbitursäure, $C_{12}H_{18}N_2O_3$, M_R 238,28, Schmp. 100 °C; (*R*)-Form: $[\alpha]^{22}_D$ +9,23° (c 2/C_2H_5OH); (*S*)-Form: $[\alpha]^{24}_D$ –8,55° (c 2,3/C_2H_5OH); λ_{max} (NaOH) 241 nm ($A^{1\%}_{1cm}$ 362), pK_{a1} 7,2, pK_{a2} 12,6; sehr schwer lösl. in Wasser, leicht lösl. in Ethanol u. Ether, Lagerung: luftdicht verschlossen. Verwendet wird meist das Natriumsalz. S. wurde 1934 von Eli Lilly patentiert. – ***E*** = ***I*** = ***S*** secobarbital – ***F*** sécobarbital

Lit.: ASP ▪ Florey **1**, 343–365 ▪ Hager (5.) **9**, 586–590 ▪ Martindale (31.), S. 733 ff. – *[HS 2933 51; CAS 76-73-3 (S.); 309-43-3 (Natriumsalz)]*

Secocholestatrienol, Secoergostatetraenol s. Calciferole.

Secoiridoide s. Secologanin.

Secologanin (Lonicerosid).

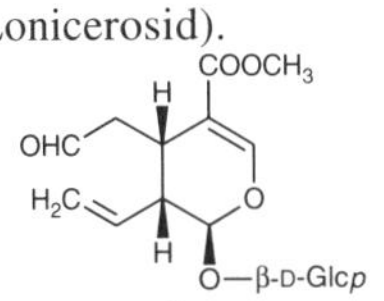

$C_{17}H_{24}O_{10}$, M_R 388,37; Öl, Schmp. des Tetraacetats 115–116 °C, $[\alpha]_D$ –96° (CH_3OH). Das Monoterpenglykosid S. ist die Stammverb. der Seco-*Iridoide u. ein *Schlüsselbaustein* in der Biosynth. der meisten *Indol-Alkaloide, der *China-Alkaloide, *Ipecacuanha- u. Pyrrolochinolin-Alkaloide sowie einfacher Monoterpen-Alkaloide. *In vivo* werden nahezu ein Viertel aller Alkaloide aus S. aufgebaut. Die Biosynth. von S. verläuft über *Loganin. – ***E*** secologanin – ***F*** sécologanine – ***I*** = ***S*** secologanina

Lit.: Beilstein E V **18/9**, 31 ▪ J. Nat. Prod. **43**, 649 (1980) ▪ Justus Liebigs Ann. Chem. **1990**, 253–260 ▪ Nat. Prod. Rep. **8**, 69–75 (1991) ▪ Phytochemistry **28**, 2971 (1989) (Biosynth.) ▪ Tetrahedron **44**, 7145–7153 (1988) ▪ Tetrahedron Lett. **29**, 3511 f. (1988) (Synth.). – *[HS 2938 90; CAS 19351-63-4]*

Second messenger (zweiter Bote). Bez. für eine intrazelluläre Botensubstanz, die nach Bindung eines extrazellulären Botenstoffs (*Neurotransmitter, *Hormon od. *Wachstumsfaktor – „erster Bote") an einen *Rezeptor der Zellmembran od. nach Aktivierung desselben durch Licht usw. eine Konz.-Änderung erfährt u. dadurch spezif. Reaktionen auslöst (z. B. Abbau von *Glykogen, Sekretion von Hormonen, Hyperpolarisierung der Zellmembran). Damit dient der s. m. der Weiterleitung eines externen chem./physikal. Signals innerhalb der *Zelle (vgl. Signaltransduktion). *Beisp.:* *Adenosin-3′,5′-monophosphat (cAMP), *Arachidonsäure, *Calcium-Ionen, *Diacylglycerine, Guanosin-3′,5′-monophosphat (s. Guanosinphosphate), D-*myo*-Inosit-1,4,5-trisphosphat (IP_3, s. Inositphosphate), *Jasmonsäure u. andere. Zur Funktion von cAMP u. IP_3 als s. m. bei der Geruchs-Rezeption s. *Lit.*[1]. – ***E*** second messenger – ***F*** deuxième messager – ***I*** secondo messagero – ***S*** segundo mensajero

Lit.: [1] J. Neurobiol. **30**, 37–48 (1996).
allg.: Bell et al., Lipid Second Messengers, New York: Plenum 1996 ▪ Stryer 1996, S. 359 f.

Secosteroide. Verb., die durch Ringspaltungen aus steroidalen Vorstufen hervorgegangen sind, werden als S. bezeichnet. Ein typ. Beisp. ist *Vitamin D. – ***E*** secosteroids – ***F*** sécostéroïdes – ***I*** secosteroidi – ***S*** seco[e]steroides

Secretin.

His–Ser–Asp–Gly–Thr–Phe–Thr–Ser–Glu–Leu–
Ser–Arg–Leu–Arg–Glu–Gly–Ala–Arg–Leu–Gln–
Arg–Leu–Leu–Gln–Gly–Leu–Val–NH_2

$C_{130}H_{220}N_{44}O_{40}$, M_R 3039,45. Das von Bayliss u. *Starling 1902 in Zwölffingerdarm-Extrakten entdeckte S., ein zu den gastrointestinalen *Hormonen gezähltes *Peptidhormon des oberen Teils des Dünndarms (Zwölffingerdarm, *Duodenum*), besteht aus 27 Aminosäure-Resten u. amidiertem Carboxy-Terminus. S. hat Sequenz-Ähnlichkeit mit dem Pankreas-Hormon *Glucagon, dem *gastrointestinal inhibitory peptide* u. dem *vasoaktiven intestinalen (Poly-)Peptid (VIP) (14, 11 bzw. 9 ident. Reste). S. regt die Gallengänge u. das *Pankreas (Bauchspeicheldrüse) zur Sekretion von

Wasser u. Hydrogencarbonat an, veranlaßt dieses aber auch – im Gegensatz zum Glucagon – zur Ausschüttung von *Insulin[1]. Im Magen bewirkt S. die Freisetzung von *Gastrin u. *Pepsin u. regt die Peristaltik an. Durch *Somatostatin wird die Freisetzung von S. inhibiert. Die *Rezeptoren des S. kooperieren bei der *Signaltransduktion mit *G-Proteinen[2]. Im Plasma befindliches S. wird nach ca. 3–4 min – wahrscheinlich durch die Niere – inaktiviert. S. wird aus sauren Schweinedarmextrakten gewonnen u. zur Gallenblasen- u. Pankreas-Funktionsprüfung verwendet. Seine Untersuchung gab den Anlaß zur Prägung des Begriffs „Hormone“. – ***E*** secretin – ***F*** sécrétine – ***I*** = ***S*** secretina

Lit.: [1] Acta Endocrinol. **126**, 9–41 (1992). [2] Gastroenterology **114**, 382–397 (1998). – *[HS 2937 99; CAS 1393-25-5]*

Secretogranine s. Granine.

SEC-Rezeptoren s. Serpine.

Securinega-Alkaloide. Gruppe von *Indolizidin-Alkaloiden aus den Blättern u. Wurzeln von *Securinega suffruticosa* u. a. *S.*-Arten (Euphorbiaceae), die in der chines.-russ. Ussuri-Region vorkommen: Wichtige Verb. sind *Securinin* u. *Allosecurinin* (2-*epi*-Securinin), die zusammen in *S. suffruticosa* vorkommen sowie ihre opt. Antipoden *Virosecurinin* u. *Viroallosecurinin* aus *S. virosa*, *Securinol A* u. *Securinol C* (14,15-Dihydro-14-hydroxy-2α-securinan-11-on):

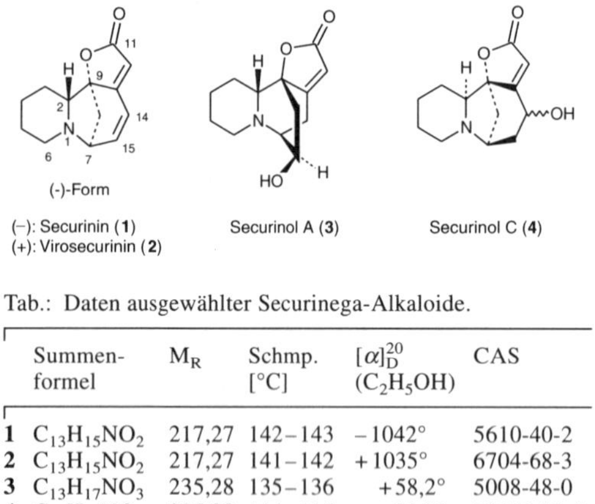

(-)-Form

(–): Securinin (**1**)
(+): Virosecurinin (**2**)

Securinol A (**3**)

Securinol C (**4**)

Tab.: Daten ausgewählter Securinega-Alkaloide.

	Summenformel	M_R	Schmp. [°C]	$[\alpha]_D^{20}$ (C_2H_5OH)	CAS
1	$C_{13}H_{15}NO_2$	217,27	142–143	–1042°	5610-40-2
2	$C_{13}H_{15}NO_2$	217,27	141–142	+1035°	6704-68-3
3	$C_{13}H_{17}NO_3$	235,28	135–136	+58,2°	5008-48-0
4	$C_{13}H_{17}NO_3$	235,28	114–115	–81,9°	30155-11-4

Das OH-Epimere von Securinol A wird als Securinol B bezeichnet. Securinin ist ein GABA-Antagonist. Es wirkt stimulierend auf das Zentralnervensystem mit *Strychnin-artiger Aktivität, jedoch geringer Toxizität. – ***E*** securinega alkaloids – ***F*** alcaloïdes de la sécurinega – ***I*** alcaloidi della securinega – ***S*** alcaloides de la securinega

Lit.: Acta Cryst. Sect. C **51**, 127 (1995) ▪ Brain Res. **330**, 135–140 (1985) ▪ J. Chem. Soc. Chem. Commun. **1975**, 144 (Biosynth.) ▪ J. Chem. Soc., Perkin Trans. 1 **1991**, 1863 ff. ▪ J. Heterocycl. Chem. **33**, 1437 (1996) (Synth.) ▪ J. Indian Chem. Soc. Sect. B: **29**, 801 ff. (1990) ▪ J. Nat. Prod. **47**, 677–681 (1984); **49**, 614–620 (1986) ▪ Tetrahedron **43**, 2915–2924 (1987). – *[HS 2939 90]*

Securon®. Organ. Komplexbildner zur Bindung mehrwertiger Metall-Ionen bei der Wasserenthärtung; einsetzbar beim Bleichen mit *Wasserstoffperoxid zur Senkung des Aschegehaltes bei Watte, beim Vorreinigen von graphitverschmutzter Wirkware bei der Stabilisation mit Wasserglas in der H_2O_2-Bleiche, zur Verhinderung von Silicat-Ablagerungen auf Maschinenteilen u. der Ware. ***B.:*** Henkel.

Sedacur® forte. Dragées mit Baldrianwurzel-, Hopfenzapfen- u. Melissenblätter-Trockenextrakt als Sedativum. ***B.:*** Schaper & Brümmer.

Sedalipid®. Filmtabl. mit dem *Lipidsenker Magnesium-pyridoxal-5′-phosphat-glutamat. ***B.:*** Steigerwald.

Sedamin s. Mauerpfeffer.

Sedanenolid s. Sellerieöl.

Sedariston®. Kapseln mit Extrakten aus *Johanniskraut u. Baldrianwurzel, Tropfen zusätzlich mit Melisse, als Adjuvans bei nervöser Unruhe u. Einschlafstörungen. ***B.:*** Steiner.

Sedativa. Von latein.: sedatio = Beruhigung abgeleitete Bez. für in der Natur vorkommende od. synthet. Verb., die entspannend u. beruhigend wirken *(Beruhigungsmittel)*; *Beisp.:* Inhaltsstoffe von *Hopfen, *Baldrian, Passionsblume, Rauwolfia (*Rauwolfia-Alkaloide), *Brom-Präparate, verschiedene Alkohole, *Barbiturate, *Carbamate, *Phenothiazine, *1,4-Benzodiazepine, Harnstoff-Derivate, Hydantoin-Derivate u. a. Die Zusammensetzung überschneidet sich oft mit derjenigen der *Tranquilizer u. a. *Psychopharmaka, *Schlafmittel, Hypnotika, *Analgetika u. *Narkotika. Die Reizbarkeit der Großhirnrinde ist unter dem Einfluß der S. etwas herabgesetzt, wobei – unter Erhaltung des Wachbewußtseins – ein Zustand der Gelassenheit u. Gleichgültigkeit eintritt. Ein S. soll schwächer wirken als ein *Schlafmittel*; vom Wirkungsmechanismus her gibt es meist keinen Unterschied zu diesen. Bei manchen S. ist die Gefahr der Gewöhnung (*Arzneimittelsucht, *Sucht) gegeben. – ***E*** sedatives – ***F*** sédatifs – ***I*** sedativi – ***S*** sedantes

Lit.: Dtsch. Apoth. Ztg. **136**, 2032 ff. (1996).

Sedimentation. Bez. für die Bewegung disperser Teilchen in einem Gas od. einer Flüssigkeit, normalerweise unter dem Einfluß von Schwer- od. Zentrifugalkraft aufgrund ihrer höheren Dichte. Auch magnet. od. elektrostat. Felder können S.-Prozesse bewirken. Molekulardisperse Teichen od. Kolloide sedimentieren normalerweise nicht, können aber in Kraftfeldern hoher Stärke abgetrennt werden. Durch den Zusatz von geeigneten Substanzen, z. B. Schutzkolloiden, *Absetzverhinderungsmitteln od. *Flockungsmitteln, die die Solvatation der Teilchen erhöhen od. abbauen, kann die S. verlangsamt bzw. verhindert od. beschleunigt werden. Diese Möglichkeiten werden techn. vielfach genutzt, um Feststoffe zu dispergieren od. abzutrennen, z. B. bei *Klären, *Zentrifugieren, *Flockung, *Sink-Schwimm-Aufbereitung, *Elutriation, Bestimmung von Korngrößen (vgl. Sedimentationsanalyse), *Blutsenkung, Trennung von Zellbestandteilen in der *Ultrazentrifuge usw. In stehenden od. ruhig fließenden Gewässern bilden sich aus dem *Detritus *Sedimente*, die oftmals aus Abwässern od. Luft adsorbierte, wasserunlösl. Schwermetall-Verb., polycycl. aromat.

Kohlenwasserstoffe od. Halogenkohlenwasserstoffe u. andere Schadstoffe enthalten, die ggf. mit anderen Chemikalien (Phosphate, Tenside) remobilisiert werden können.
Man unterscheidet beim S.- od. Absetzvorgang fester Teilchen in einer Flüssigkeit im allg. drei Phasen:
1. Absetzbewegung, bei der die Feststoffteilchen sich zunächst gegenseitig noch nicht beeinflussen. Die Absetzgeschw. v in dieser Phase ist gegeben durch das *Stokes-Gesetz:

$$v = \frac{2}{9\eta}(\rho_s - \rho_l)\,g\,r^2 ,$$

wobei ρ_s die D. der Teilchen, r der Radius der kugelförmigen Teilchen, η die Viskosität der Flüssigkeit, ρ_l die D. der Flüssigkeit u. g die vorliegende Beschleunigung, z.B. Erdbeschleunigung, bedeuten.
2. Zwischenzone, in der durch zunehmende Teilchenkonz. Wechselwirkungen zwischen den Partikeln auftreten.
3. Kompression, bei der die Feststoffteilchen zusammenhängende Schichten bilden.
Überläßt man bei konstanter Temp. u. völliger Erschütterungsfreiheit ein sedimentierendes Syst. sich selbst, so stellt sich allmählich das *S.-Gleichgew.* ein. In jeder Horizontalebene herrscht eine konstante D., die um so größer wird, je näher diese Ebene dem Boden des Gefäßes liegt. Die Zeit, nach der sich dieses S.-Gleichgew. einstellt, ist von der *S.-Geschw.* abhängig. Die S.-Geschw. ist wiederum stark von der Größe der Teilchen u. der Viskosität der Flüssigkeit abhängig (*Stokes-Gesetz). Kennt man die S.-Geschw. od. hat sich das S.-Gleichgew. eingestellt, so kann man die Teilchengröße od. die Molmasse berechnen, vgl. a. Sedimentationsanalyse u. die Molmasse-Bestimmung im Dichtegradienten der *Ultrazentrifuge. Für die S. von *Aerosolen, *Staub, *Schwebstoffen u.a. Teilchen in der Atmosphäre ist die Druckverteilung in der Atmosphäre maßgeblich, die den D.-Verlauf bestimmt u. die mit der **barometrischen Höhenformel* beschrieben wird:

$$\rho = \rho_0 \cdot e^{-M_R \cdot g \cdot (h-h_0)/RT},$$

mit g = Erdbeschleunigung, R = Gaskonstante, $h-h_0$ = Höhenunterschied, T = abs. Temp., ρ_0 = D. in der Höhe h_0, ρ = D. in der Höhe h u. M_R = mittlere molare Masse der Atmosphäre. Der der S. entgegengesetzte Vorgang ist das Aufsteigen von Teilchen geringerer D. als der des Dispersionsmittels. – ***E*** sedimentation – ***F*** sédimentation – ***I*** sedimentazione – ***S*** sedimentación

Lit.: Adv. Biochem. Eng. **24**, 119–171 (1982) ▪ Baker, Contaminants and Sediments (2Bd.), Ann Arbor: Ann Arbor Science 1980 ▪ Bernhardt, Particle Size Analysis: Classification and Sedimentation Methods, London: Chapman & Hall 1994 ▪ Boggs, Principles of Sedimentology and Stratigraphy, Englewood Cliffs: Prentice Hall 1995 ▪ Chem.-Ztg. **104**, 105–109 (1980); **105**, 157–164, 165–174 (1981); **109**, 415 ff. (1985) ▪ Hutzinger **2A**, 61–75 ▪ Int. J. Environ. Anal. Chem. **12**, 1–15 (1982) ▪ Kirk-Othmer (3.) **12**, 1–29; **20**, 559–575 ▪ McKetta **25**, 1–77 ▪ Moudgil u. Somasunaran, Flocculation Sedimentation and Consolidation, New York: AIChE 1986 ▪ Nachr. Chem. Tech. Lab. **31**, 880–888 (1983) ▪ Ullmann (5.) **B2**, 12-1 bis 12-61 ▪ Umschau **81**, 455–458 (1981) ▪ Winnacker-Küchler (4.) **1**, 48–50 ▪ s.a. Führer durch die technische Literatur, Hannover: Weidemanns Buchhandlung (jährlich) u. Scientific and Technical Books and Serials in Print, New York: Bowker (jährlich).

Sedimentationsanalyse. Verf. der *Granulometrie* zur Bestimmung der Teilchengröße disperser *Teilchen im Größenbereich von etwa 1–100 µm, das darauf beruht, daß man in einem geeigneten Dispersionsmittel eine gleichmäßige Aufschlämmung einer kleinen Menge des zu untersuchenden Pulvers herstellt u. diese dann sedimentieren (s. Sedimentation) läßt. Da nach dem **Stokes-Gesetz* ein eindeutiger Zusammenhang zwischen Größe u. Dichte der (kugelförmig gedachten) Teilchen u. ihrer Sinkgeschw. besteht, kann aus dem zeitlichen Verlauf der Sedimentation auf die prozentuale Verteilung der Korngrößen (über Bestimmungs-Meth. s. dort) geschlossen werden. – ***E*** sedimentation analysis – ***F*** analyse granulométrique par sédimentation – ***I*** analisi di sedimentazione – ***S*** análisis granulométrico por sedimentación

Lit.: Allen, Particle Size Measurement, London: Chapman & Hall 1981 ▪ Aufbereit. Tech. **25**, 415–422 (1984) ▪ DIN 66111: 1989-02; 66115: 1983-02; 66116-1: 1973-11 ▪ Ullmann (5.) **B2**: 2-20, 2-22 ▪ s.a. Sedimentation.

Sedimentationsbeschleuniger. Synonyme Bez. für Flockungshilfsmittel, s. Flockungsmittel.

Sedimentationskonstante s. Ultrazentrifuge.

Sedimente. Bez. für Lockergesteine, die aus der Zerstörung von *Gesteinen aller Art durch *Verwitterung hervorgehen. Die dabei entstandenen Gesteins- u./od. Mineral-Partikel werden durch Eis, Wasser, Wind [1] od. den Einfluß der Schwerkraft transportiert u. dort, wo die Transportkräfte nachlassen, abgelagert, z.B. in Flußtälern, Seen, Wüsten u. entlang der Küsten u.a. in Deltas [2], Lagunen u. Strandzonen. Marine Ablagerungsräume sind die flachen Schelf-Zonen, die Flachmeere u. die Tiefsee-Bereiche (mit Bildung von *Turbiditen); zu den Formen u. Mineral-Phasen von Eisen in Tiefsee-S. (pelag. S.) s. *Lit.* [3]. Massenbewegungen erfolgen u.a. als *Suspensionsströme* (Turbidit-Ströme), *Körnerströme*, *Trümmerströme* [4] (Muren, *E* debris flow) u. *Schlammströme*. Der Ablagerungs-Mechanismus hinterläßt in den S. spezielle S.-Strukturen od. -*Gefüge. Das charakterist. Merkmal der S., die *Schichtung*, entsteht infolge Änderung der Sedimentations-Bedingungen, die mit einem Wechsel der S.-Zusammensetzung u./od. der *Korngröße verbunden ist. Nur wenige mm starke Feinschichtung bezeichnet man als *Bänderung* (Lamination), z.B. bei *Tonen (Bändertone). *Bänke* (Schichtbänke) sind aus Schichten in steter Wiederholung aufgebaut. Weitere Beisp. für S.-Strukturen sind Bänderung (wenige mm starke Feinschichtung), Schrägschichtung, Strömungsrippeln, Sandwellen u. Sanddünen. Organismen hinterlassen *Lebensspuren* wie Freß- u. Wohnbauten, Kriechspuren u. Trittspuren (z.B. Saurierfährten). Der Großteil der Biomasse u. der chem. Aktivität in S. wird von S.-Bakterien (Prokaryota) produziert [5]. Weitere wichtige Merkmale der S. sind *Korngröße* (s. die Tab. bei klastische Gesteine), *Sortierung* (Maß für die Streuung der Korngrößen-Verteilung), *Packungsdichte* – von ihr hängen *Porosität u. *Permeabilität der S. ab – u. die Art der *Kornkontakte* (punktförmig od. verzahnt).
Einteilung: S., die aus mechan. abgelagerten Produkten der Verwitterung entstanden sind, heißen *klast.*

(*mechan.*) *S.* (s. klastische Gesteine); Beisp. sind *Sand, *Tone, *Kies. Das Material der *chem. S.* stammt aus der Abtragung bereits vorhandener Gesteine durch überwiegend chem. Verwitterung, wird in gelöster Form (auch kolloidal) transportiert u. am Sedimentationsort aus der Lsg. ausgefällt. Die Abscheidung kann rein *anorgan.* erfolgen od. unter Mitwirkung von Lebewesen (*chem.-biogen*); *Beisp.:* Kalkschlämme, *Kieselgur. *Organogene* (organ.) *S.* werden durch Anreicherung pflanzlichen od. tier. organ. Materials gebildet, z. B. *Torf, *Kohle, *Asphalt. Die von manchen Autoren zu den S. gerechneten *Rückstandsgesteine* (Residual-S.), z. B. *Boden, *Laterit, *Bauxit, sind keine S. im eigentlichen Sinne, da mit ihrer Bildung weder ein Abtransport noch eine Wiederablagerung verbunden ist. Durch *Diagenese* (Kompaktion, Entwässerung, *Rekristallisation usw.) entstehen aus den S. die *Sedimentgesteine. – ***E*** sediments – ***F*** sédiments – ***I*** sedimenti – ***S*** sedimentos

Lit.: [1] Pye, Aeolian Dust and Dust Deposits, London: Academic Press 1987. [2] Whateley u. Pickering (Hrsg.), Deltas, Oxford (U. K.): Blackwell 1989. [3] Phys. Chem. Miner. **24**, 281–293 (1997). [4] Annu. Rev. Earth Planet. Sci. **25**, 85–138 (1997). [5] Annu. Rev. Earth Planet. Sci. **25**, 403–434 (1997).
allg.: Allen, Sedimentary Structures (2.), Amsterdam: Elsevier 1986 ▪ Bjørlykke, Sedimentology and Petroleum Geology, Berlin: Springer 1989 ▪ Davis, Depositional Systems (2.), New York: Prentice Hall 1992 ▪ Friedman, Sanders u. Kopaska-Merkel, Principles of Sedimentary Deposits (Stratigraphy and Sedimentology), New York: Macmillan 1992 ▪ Füchtbauer (Hrsg.), Sedimente u. Sedimentgesteine (Sediment-Petrologie Tl. II) (4.), Stuttgart: Schweizerbart 1988 ▪ Galloway, Hobday u. David, Terrigenous Clastic Depositional Systems. Applications to Fossil Fuel and Groundwater Resources (2.), Berlin: Springer 1996 ▪ Larsen u. Chilingar, Diagenesis in Sediments and Sedimentary Rocks (2 Bd.), Amsterdam: Elsevier 1979, 1982 ▪ Reading (Hrsg.), Sedimentary Environments: Process, Facies and Stratigraphy (3.), Oxford (U. K.): Blackwell 1996 ▪ Rothe, Gesteine: Entstehung – Zerstörung – Umbildung, Darmstadt: Wissenschaftliche Buchges. 1994 ▪ Tucker, Einführung in die Sedimentpetrologie, Stuttgart: Enke 1985 ▪ s. a. Sedimentgesteine.

Sedimentgesteine (Ablagerungsgesteine, Schichtgesteine). Bez. für *Gesteine, die durch die Vorgänge der Diagenese, d. h. Kompaktion (verbunden mit Entwässerung), Ausfällung von zementierenden Mineralien aus Porenwässern u. *Rekristallisation, aus *Sedimenten entstanden sind. Die *Einteilung* der S. erfolgt analog zu der der Sedimente. Beisp. für *klast.* (mechan.) *S.* sind *Konglomerat, (sedimentäre) Breccie, *Sandsteine u. *Tonstein. *Chem.*, *rein anorgan.* abgeschiedene *S.* sind die *Evaporite (z. B. Steinsalz, Gips). Zu den *chem.-biogenen S.* gehören viele *Kalke, ein Teil der *Dolomite, ferner *Kieselgesteine, *Phosphorit u. sedimentäre *Erze. *Organ. S.* sind die *Kaustobiolithe mit den *Liptobiolithen.
Am Aufbau der S. sind zahlreiche Kristallwasser-haltige Mineralien beteiligt, z. B. Tonmineralien u. Zeolithe. Eisen ist in Gestalt des *Hämatits für die Rotfärbung von S. verantwortlich, z. B. bei Buntsandstein u. den sog. Rotsedimenten (*E* red beds). Gelbe u. rostig braune Farbtöne weisen auf Limonit (*Brauneisenerz) hin. Unvollständig zersetzte organ. Substanzen verursachen dunkelgraue od. schwarze Farben.
Die bei der Entstehung der S. herrschenden Umwelt- u. Ablagerungs-Bedingungen können aus der sog. **Fazies* abgelesen werden, zu der der petrograph. Aufbau (*Lithofazies*) u. ein ggf. vorhandener *Fossilien-Gehalt (*Biofazies*) gehören. Eines der wesentlichsten Merkmale der S. ist die Schichtung (s. Sedimente). Fossilien ermöglichen die Einordnung von S. u. Sedimenten in ein bestimmtes geolog. Syst. (z. B. Karbon, Jura); mit der Alterszuordnung der S. zu bestimmten geolog. Syst. (z. B. Karbon, Jura) befaßt sich die **Stratigraphie*. Das wissenschaftliche Studium der S. u. Sedimente u. der Prozesse, durch die sie entstanden sind, ist Aufgabe der *Sedimentologie* [1]. Ein aktuelles Forschungsgebiet ist hier die Analyse von Sedimentations-Becken [2,3].
S. u. Sedimente bedecken ca. 75% der Kontinente. Ca. 45–55% der S. sind Tongesteine, in der Bedeutung folgen Sandsteine u. Kalke. S. sind wichtige Träger u. Filter von Poren- u. Grundwasser; sie enthalten eine Vielzahl ökonom. wichtiger *Rohstoffe, z. B. Kohle, Erdöl, Erdgas, Kalisalze, Steinsalz, Baustoffe, Eisenerze, Manganerze, Gold [u. a. in *Seifen (2.)] u. Kupfererze (z. B. *Kupferschiefer). – ***E*** sedimentary rocks – ***F*** roches sédimentaires – ***I*** rocce sedimentarie – ***S*** rocas sedimentarias

Lit.: [1] Naturwissenschaften **61**, 461–467 (1974). [2] Allen u. Allen, Basin Analysis, Oxford: Blackwell 1990. [3] Einsele, Sedimentary Basins: Evolution, Facies and Sediment Budget, Berlin: Springer 1992.
allg.: Adams, MacKenzie u. Guilford, Atlas der Sedimentgesteine in Dünnschliffen, Stuttgart: Enke 1986 ▪ Allen, Principles of Physical Sedimentology, London: Allen u. Unwin 1985 ▪ Blatt, Sedimentary Petrology (2.), New York: Freeman 1992 ▪ Chamley, Sedimentology, Berlin: Springer 1990 ▪ Hsü, Physical Principles of Sedimentology, Berlin: Springer 1989 ▪ Prothero u. Schwab, Sedimentary Geology, An Introduction to Sedimentary Rocks and Stratigraphy, New York: Freeman 1996 ▪ Selley, Applied Sedimentology (3.), London: Academic Press 1988 ▪ Tucker, Methoden der Sedimentologie, Stuttgart: Enke 1996 ▪ Tucker, Sedimentary Rocks in the Field (2.), New York: Wiley 1996 ▪ Tucker, Sedimentary Petrology (2.), Oxford: Blackwell 1991 ▪ s. a. Sedimente, Stratigraphie.

Sedimentiergefäß s. Imhoff-Trichter.

Sedipur®-Marken. Hochmol., wasserlösl. anion., kation. sowie nichtion. Polymere. Flockungshilfsmittel zur industriellen u. kommunalen Wasser- u. Schlammbehandlung, Flockungshilfsmittel zum Klären von Waschwasser, Bergetrüben, sauren Zink- u. Kupfersulfat-Lsg. im Bergbau. ***B.:*** BASF.

Sedo... Wortanfang in Namen für *Sedativa u. für Inhaltsstoffe von *Sedum*-Arten (Fetthennengewächse); *Beisp.:* *Sedoheptulose. – ***E*** = ***I*** = ***S*** sedo... – ***F*** sédo...

Sedoheptulose (Volemulose, D-*altro*-2-Heptulose).

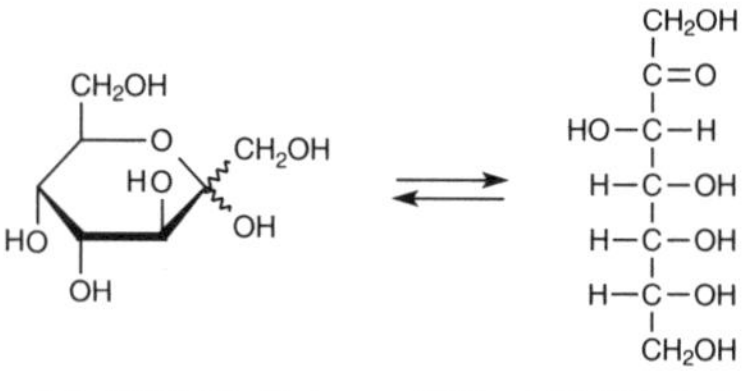

$C_7H_{14}O_7$, M_R 210,18, Schmp. 100–102 °C, $[\alpha]_D$ +2,5° (H_2O), leicht lösl. in Wasser, lösl. in Alkohol. S. kommt in vielen Pflanzen vor, hauptsächlich aber in *Sedum spectabile* (Crassulaceae). S. spielt als Intermediärprodukt (S.-7-phosphat) eine wichtige Rolle im Calvin-Cyclus der *Photosynthese. – ***E*** sedoheptulose – ***F*** sédoheptulose – ***I*** sedoeptulosio – ***S*** sedoheptulosa

Lit.: Beilstein EIII/IV **1**, 4446 ▪ Carbohydr. Res. **125**, 177 (1984) ▪ Chem. Pharm. Bull. **20**, 2723–2742 (1972) ▪ Karrer, Nr. 623. – *[CAS 3019-74-7]*

Sedotussin®. Suppositorien mit dem *Antitussivum *Pentoxyverin, Sirup u. Kapseln enthalten das Hydrochlorid, Tropfen, Filmtabl., *forte Kapseln* u. *light Saft* das Dihydrogencitrat, *S. plus* Kapseln enthalten zusätzlich *Chlorphenamin-hydrogenmaleat gegen allerg. Symptome. *S. muco* (Rp) Granulat, Kapseln u. Liquidum enthalten *Carbocistein als *Mucolytikum. ***B.:*** Rodleben, UCB, Vedim.

Sedovegan®. Kapseln mit *Johanniskraut-Trockenextrakt Adjuvans bei nervöser Unruhe u. Einschlafstörungen. *S. novo* enthält *Diphenhydramin-Hydrochlorid als Hypnotikum. ***B.:*** Wolff.

Seebach, Dieter (geb. 1937), Dr. rer. nat., Dr. h.c., Prof. für Organ. Chemie, Univ. Giessen, ETH Zürich. *Arbeitsgebiete:* Stabilisierte Carbanionen, Carbene u. Radikale, präparative Chemie, Nomenklatur der Stereochemie, Röntgenstruktur von Metall-organ. Reagenzien.

Lit.: Kürschner (16.), S. 3458.

Seebeck-Effekt. Ein 1821 von T. J. Seebeck entdeckter thermoelektr. Effekt, der dann auftritt, wenn in einem aus zwei verschiedenen Metallen u./od. Halbleitern bestehendem Stromkreis die Kontaktstelle zwischen zwei Leitern erwärmt wird. Dabei entsteht je nach Zusammensetzung u. Kombination der Leiter eine temperaturabhängige, elektromotor. Kraft durch die Temp.-Abhängigkeit der Kontaktspannung, die beim Schließen des Stromkreises einen elektr. Strom hervorruft. Der Effekt wird in *Thermoelementen zur Temp.-Messung benutzt. Der S.-E. ist die Umkehrung des *Peltier-Effektes; vgl. a. Thermoelektrizität. – ***E*** Seebeck effect – ***F*** effet Seebeck – ***I*** effetto Seebeck – ***S*** efecto Seebeck

Lit.: Brockhaus abc Physik, Leipzig: VEB F. A. Brockhaus Verl. 1973 ▪ Hellwege, Einführung in die Festkörperphysik, 3. Aufl., Berlin: Springer 1994.

Seeburg, Peter H. (geb. 1944), Prof. für Molekularbiologie, Univ. Heidelberg; Leiter des Labors für Mol. Neuroendokrinologie. *Arbeitsgebiete:* Mol. Biologie, Neuroendokrinologie, Neurobiologie, Erfinder von rekombinantem menschlichen Wachstumshormon (Somatotropin), Liganden-kontrollierte Ionenkanäle im zentralen Nervensyst., Gaba-Rezeptoren, Glutamat-Rezeptoren.

Lit.: Kürschner (16.), S. 3459.

Seefelder, Matthias (geb. 1920), Prof. für Organ. Chemie, Ehrenvorsitzender des Aufsichtsrats der BASF. *Arbeitsgebiete:* Alkine, Reaktionen mit Phosgen, Dispersionsfarbstoffe, Carbonsäuren, Anthrachinon-Synthese.

Lit.: Chem.-Ztg. **104**, 74f. (1980) ▪ Kürschner (16.), S. 3460 ▪ Nachr. Chem. Tech. **22**, 261f. (1974) ▪ Wer ist wer (36.), S. 1339.

Seegras. Getrocknete Blätter der an unseren Meeresküsten untergetaucht lebenden *Zostera marina* (Zosteraceae, Seegrasgewächse), Verw. als Pack- u. Polstermaterial.

Lit.: Strasburger, Lehrbuch der Botanik (34.), Stuttgart: Fischer 1998. – *[HS 1402 99]*

Seegurken s. Holothurine u. Echinodermata.

Seehunde (Phocinae). An das Leben im Wasser angepaßte Raubtiere (Carnivora, s. Carnivorie), die einen spindelförmigen Rumpf mit Flossen-ähnlichen Gliedmaßen aufweisen. S. haben keine äußeren Ohren. Die meisten S. bewohnen kalte Meere u. ernähren sich von Fisch, Gliederfüßlern u. Muscheln. S. suchen für Fortpflanzung u. Haarwechsel das Land od. Eisflächen auf, können sich dort aber nur „robbend“ fortbewegen. S. gehören als Unterfamilie zu den Hundsrobben (Phocidae); diese bilden mit den Ohrenrobben (Walrossen) u. Seelöwen die Raubtier-Unterordnung Robben (Pinnipedia). Zu den S. gehören der Gemeine Seehund (*Phoca vitulina*, in der Nordsee), die Ringelrobben (*Pusa*), die Bartrobbe (*Erignathus barbatus*), die Sattelrobbe (*Pagophilus groenlandicus*), die Bandrobbe (*Histriophoca fasciata*) u. die Kegelrobbe (*Halichoerus grypus*). Die stammesgeschichtliche (phylogenet.) Verwandtschaft zu anderen Raubtieren zeigt sich nicht nur in vielen Körpermerkmalen z. B. dem Gebiß u. Handknochen [1], sondern auch in der Empfindlichkeit gegen Parasiten bzw. Viren [2,3]. Zu Krankheiten u. Gefährdung s. Robbensterben.

Lit.: [1] Nature (London) **334**, 383f., 427f. (1988). [2] Nature (London) **335**, 403f. (1988). [3] Vet. Microbiol. **23**, 343–350 (1990).

allg.: Harcken, Der Seehund, Hamburg: Parey 1961 ▪ Mohr, Der Seehund, Neue Brehm-Bücherei, Wittenberg: Ziemsen 1955 ▪ Rheinheimer (Hrsg.), Meereskunde der Ostsee (2.), S. 196f., Berlin: Springer 1996 ▪ Wipper, Die ökologischen u. pathologischen Probleme beim europäischen Seehund (*Phoca vitulina* Linné 1758) an der niedersächsischen Nordseeküste, Doktorarbeit Universität München, 1974.

Seeigel-Metamorphose. Der Seeigel als Angehöriger der *Echinodermata (Stachelhäuter) wurde zum klass. Studienobjekt der Zoologie für eine im Tierreich einmalige Form der Verwandlung (Metamorphose) bei der Larvalentwicklung: Aus einer bilateralsymmetr. Larve wird eine radiarsymmetr. Adultform (fünfstrahlige Radiärsymmetrie = Pentamerie). Ausgangspunkt ist die Festheftung der Larve. Anschließend werden äußere Form u. innere Organisation durch Einschmelzungs- u. Wachstumsvorgänge zu einem fünfstrahligen erwachsenen Tier hin entwickelt bzw. verwandelt.

Lit.: Siewing, Lehrbuch der vergleichenden Entwicklungsgeschichte der Tiere, Hamburg: Parey 1969 ▪ Wehner u. Gehring, Zoologie (23.), Stuttgart: Thieme 1995 ▪ s. a. Echinodermata.

Seekrankheit s. Reisekrankheit.

Seekreide s. Kalke.

Seel, Friedrich Otto Heinrich (1915–1987), Prof. für Anorgan. Chemie, Univ. Saarbrücken. *Arbeitsgebiete:* Fluor, Stickstoff-Sauerstoff-Verb., Kernresonanz- u. Massenspektroskopie, Chemie in nicht-wäss. Lsm., Valenztheorie, Periodensyst., Atombau u. chem. Bindung; Autor des in zahlreichen Auflagen erschienenen Buches „Atombau u. chemische Bindung“.

Lit.: Kürschner (14.), S. 3939 ▪ Nachr. Chem. Tech. **11**, 376 (1963); **28**, 837 (1980).

Seel, Hans (1898–1961), Prof. für Pharmakologie u. Toxikologie, Univ. Berlin. *Arbeitsgebiete:* Ernährungstherapie, Balneologie, Pharmazie, Arzneipflanzen, Digitalisglykoside, Vitamine, Hormone, Phosphor-, Eisen- u. Iod-Stoffwechsel, Schädlingsbekämpfungsmittel.

Seelmann-Eggebert, Walter (1915–1988), Prof. für Radiochemie, Kernforschungszentrum, TU Karlsruhe. *Arbeitsgebiete:* Radioaktivität, Kernchemie, Kernphysik, Transurane.
Lit.: Kürschner (15.), S. 4331.

Seewasser s. Meerwasser.

SEFT. Akronym aus *E* spin echo Fourier transform, s. NMR-Spektroskopie.

Segerkegel (Schmelzkegel). Von Seger 1886 eingeführte, pyramidenförmige Kontrollkörper zum Anzeigen bestimmter Brennzustände beim Brand keram. Massen. Die Kegel werden aus verschiedenen Silicat-Gemischen geformt u. haben unterschiedliche in °C od. K. angegebene sog. *Kegelfallpunkte*. Zur Kontrolle des Temp.-Bereiches zwischen 605 °C u. 1980 °C stehen insgesamt 60 Kegel zur Verfügung. Die S. werden zusammen mit dem Einsatzgut im Ofen gebrannt. Da die Kegel auf leicht geneigter Unterlage aufgestellt werden, neigen sie sich beim Brand bei Erweichung nach einer Seite. Der Kegelfallpunkt ist dann erreicht, wenn die Kegelspitze die Brennunterlage berührt hat. Die Meth. wird auch zur Untersuchung des Erweichungsverhaltens keram. Massen verwendet. Dabei wird das Brenngut in Kegelform zusammen mit den S. im Ofen eingesetzt. Einzelheiten über die Meth. zur Bestimmung des Kegelfallpunktes nach Seger sind in DIN EN 933-12: 1995-04 Blatt 1 u. 2 enthalten. – ***E*** Seger cones – ***F*** cônes de Seger – ***I*** cono di Seger – ***S*** conos de Seger
Lit.: Radczewski, Die Rohstoffe der Keramik, Berlin: Springer 1986. – *[HS 3824 90]*

Seger-Porzellan s. Porzellan.

Segetalpflanzen. Von latein.: segetalis = Saat abgeleitete Bez. für Ackerunkräuter, s. Herbizide u. Pflanzenschutz.

Segmentpolymere. Bez. für *Blockpolymere, die aus einer größeren Anzahl von kurzen Blöcken aufgebaut sind. – ***E*** segment polymers – ***F*** polymères en segments – ***I*** polimeri a segmenti – ***S*** polímeros en segmentos
Lit.: Elias (5.) **1**, 33; **2**, 47.

Segrè, Emilio Gino (1905–1989), Prof. für Physik, Berkeley, Californien. *Arbeitsgebiete:* Kernwaffenentwicklung, von 1943–1946 Gruppenleiter im Atombomben-Forschungslabor von Los Alamos, Mitentdecker von Technetium, Astat, Plutonium-Isotopen u. dem Antiproton, langsame u. schnelle Neutronen, Uran-Spaltung, Raman-Effekt; Nobelpreis für Physik 1959 zusammen mit O. *Chamberlain für die Entdeckung des Antiprotons.
Lit.: Lexikon der Naturwissenschaftler, S. 372 ▪ Pötsch, S. 392.

Sehnen s. Bindegewebe.

Sehprozeß. Prozeß der Wahrnehmung visueller Reize. Dazu gehören die Beeinflussung des Lichteintritts durch den opt. Apparat des *Auges, die Umwandlung der Lichtreize (*Photonen) in nervale elektr. Aktivität (*Transduktion*) u. deren Verarbeitung im zentralen Nervensystem. Bei den Wirbeltieren, also auch dem Menschen, durchdringt das durch die blendenartige Pupille ins Auge einfallende Licht Hornhaut, Kammerwasser, Linse u. Glaskörper. Durch diesen opt. Apparat aus mehreren lichtbrechenden Oberflächen wird ein umgekehrtes verkleinertes Bild auf die Netzhaut (Retina, s. Abb. 1) geworfen.

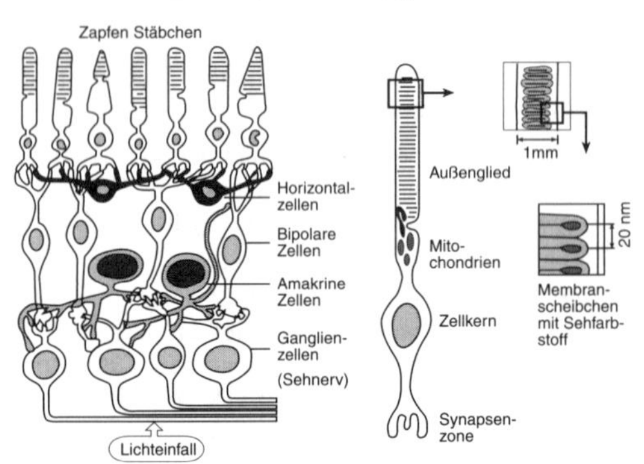

Abb. 1: Netzhaut (Retina): schematischer Aufbau (nach *Lit.*[1]).

Abb. 2: Stäbchen (nach *Lit.*[1]).

Die Netzhaut enthält die Sinneszellen für Licht (*Photorezeptoren*), die *Stäbchen* (s. Abb. 2) u. *Zapfen*. Die *Stäbchen* ermöglichen das schwarz-weiße Sehen bei schlechter Beleuchtung (skotop. Sehen), die *Zapfen* farbiges Sehen bei heller Beleuchtung (photop. Sehen). Auf der Netzhaut sind diese beiden Rezeptortypen unterschiedlich verteilt. Während sich an der Stelle des schärfsten Sehens, der Fovea centralis, ausschließlich Zapfen finden, sind die Stäbchen in der Peripherie der Netzhaut angeordnet. Die Photorezeptoren arbeiten nach dem Prinzip eines Photonen-Zählers. Dabei ist die Empfindlichkeit einer Sehzelle hoch genug, um einzelne Lichtquanten zu erkennen. Die Umwandlung von Lichtreizen zu elektr. Spannungssignalen (Transduktion, s. Abb. 3) wird über die Sehfarbstoffe, die in den Zapfen u. Stäbchen enthalten sind, vermittelt. In scheibchenförmigen Einfaltungen der Zellmembran der Stäbchen (Disks) befindet sich das **Rhodopsin*, das aus einem Protein-Anteil (Opsin) u. einem Aldehyd (11-*cis*-Retinal) besteht. Nach Belichtung startet Rhodopsin eine Kaskade von Enzymen. Die Lichtabsorption führt zu einer Konformationsänderung mit Umlagerung am C-Atom 11 des Aldehyds. Es entsteht zunächst Bathorhodopsin u. über Lumirhodopsin u. Metarhodopsin I das *Metarhodopsin II*. Dieses Mol. bindet vorübergehend an ein *G-Protein, das *Transducin*, das dabei mittels Austausch von GTP durch GDP (s. a. Guanosinphosphate) aktiviert werden kann, indem sich seine Untereinheit α-GTP abtrennt. Diese Untereinheit aktiviert ihrerseits die cGMP-Phosphodiesterase, ein Enzym, das cGMP durch *Hydrolyse abbaut.
Dabei kann die Aktivierung eines Rhodopsin-Mol. zur Hydrolyse von bis zu 10^6 Mol. cGMP führen. Infolge der Herabsetzung der intrazellulären cGMP-Konz. dis-

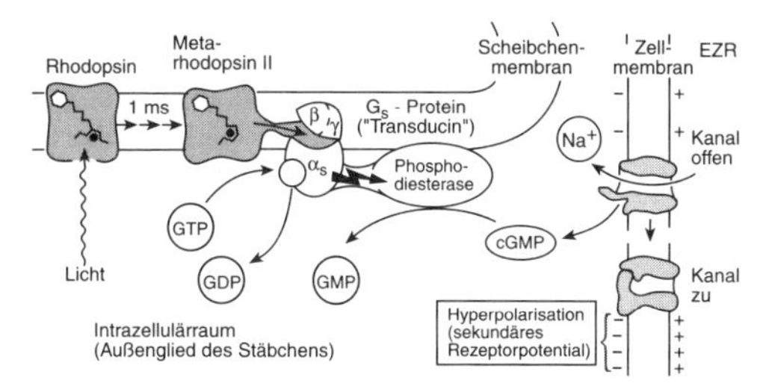

Abb. 3: Transduktionsprozeß in den Stäbchen (nach *Lit.*[1]).

soziiert cGMP von Kationenkanälen der Zellmembran ab, die es bis dahin offengehalten hatte. Durch den Schluß der Kanäle kommt es zu einer Erhöhung des Membranpotentials (s. Membranen, biologische) (Hyperpolarisation). Bei Dunkelheit ohne Lichtreiz fließt ein Ionenstrom durch die Membran (Dunkelstrom), der durch die Verringerung der Ionenleitfähigkeit abnimmt. Das Metarhodopsin II wird dann durch Phosphorylierung u. Anlagerung eines Proteins (*Arrestin) inaktiviert.
Die Lichtabsorption des Rhodopsins erstreckt sich über den gesamten sichtbaren Wellenlängenbereich, daher sind mit den Stäbchen verschiedene Wellenlängen (Farben) nicht zu unterscheiden. Die Zapfen hingegen sind in drei Typen mit unterschiedlichen Sehfarbstoffen (11-*cis*-Retinal mit verschiedenen Protein-Anteilen) vorhanden, die jeweils nur Licht eines engen Wellenlängenbereichs absorbieren. Mit den drei Zapfentypen, die jeder durch eine der drei Grundfarben grün, gelb u. blauviolett erregt werden, ist Farbensehen möglich.
Die Transduktionsmechanismen lassen aus dem Lichtreiz ein Rezeptorpotential in Form einer Hyperpolarisation entstehen, das in einem gewissen Bereich der Reizstärke proportional ist. Das Rezeptorpotential wird von den Sinneszellen auf weitere Neurone der Netzhaut weitergeleitet. Über die sog. bipolaren Zellen wird die Erregung auf die Ganglienzellen übertragen, die sie im Sehnerven ins Zentralnervensyst. weiterleiten. Jede dieser Ganglienzellen hat ein bestimmtes Netzhautareal, von dessen Photorezeptoren sie Impulse empfängt (rezeptives Feld). Die Fasern des Sehnerven enden an einem Kerngebiet im Zwischenhirn, dem Corpus geniculatum laterale des Thalamus, von wo sie als Sehstrahlung zur hinteren Großhirnrinde (Sehrinde) ziehen. Dort finden die integrativen Prozesse statt, die zur bewußten Wahrnehmung führen. Ein Teil der Fasern aus dem Sehnerven zieht zu Gebieten im Hirnstamm u. Mittelhirn, die an der Steuerung der Augenbewegungen beteiligt sind. – ***E*** process of vision – ***F*** processus de la vision – ***I*** processo della vista – ***S*** proceso de la visión

Lit.: [1] Silbernagl u. Despopoulos, Taschenatlas der Physiologie, Stuttgart: Thieme 1991.
allg.: Hubel, Auge u. Gehirn. Neurobiologie des Sehens, Heidelberg: Spektrum Verlagsges. 1989 ▪ Schmidt, Neuro- u. Sinnesphysiologie, Heidelberg: Springer 1995.

Sehpurpur s. Rhodopsin.

Seibt. Kurzbez. für den jährl. erscheinenden Seibt-Industriekatalog u. DIN-Bezugsquellenteil des Seibt Verl., 80804 München, Leopoldstr. 208. Bezugsquellennachw. von Seibt gibt es darüber hinaus für die Medizin. Technik, Oberflächentechnik, Umwelttechnik u. Verpackungstechnik.

Seide (Maulbeerseide, Kurzz.: SE nach DIN 60001: 1991-08). Unter S. versteht man die Fasern von den Kokons des Maulbeer-Seidenspinners (*Bombyx mori* L.). Die Rohseidenfaser bildet einen aus *Fibroin bestehenden Doppelfaden; er wird von *Sericin als Kittsubstanz umgeben u. verklebt. Beide Substanzen sind Proteine. Die Rohseidenfaser hat je nach Provenienz etwa folgende Zusammensetzung: 70–80% Fibroin, 19–28% Sericin, 0,5–1% Fett u. 0,5–1% Farbstoffe u. mineral. Bestandteile. Die S., häufig auch als *Naturseide* bezeichnet, ist also im Gegensatz zu den sog. *Kunstseiden eine Eiweiß-ähnliche Verb. (*Polyamid). Das Sericin macht die S. steif, rauh, hart u. glanzlos. Der Seidenspinner sezerniert ein Enzym (*Sericinase*), das Sericin auflöst, so daß der Falter aus dem Kokon schlüpfen kann. Auch durch Einwirkung Eiweiß-lösender Enzyme (z. B. Papain) löst sich das Sericin auf. Die Entfernung des Sericins von der Faser – genannt *Entbasten* – erfolgt im allg. durch kurzzeitiges Kochen mit 1–2%iger *Marseiller Seife*, einer Kernseife auf Olivenöl-Basis.
Bei der Beseitigung des Sericins verliert die S. im Durchschnitt 23% ihres Gew., wird aber viel geschmeidiger, glänzender u. elast. (Ausdehnung um 20% ihrer Länge möglich). Die anfallenden Bastseifenbäder werden als Egalisierungsmittel bei der Seidenfärberei verwendet, od. man gewinnt das darin enthaltene Sericin (*Seidenleim*) zur Verw. als Leimsubstanz od. als Ersatz für Agar-Agar zu mikroskop. Zwecken. Die entbastete (also von Sericin befreite, nur noch aus Fibroin bestehende) S. ist weiß, die basthaltige S. weiß bis gelb od. auch schwach rötlich, bläulich od. grünlich. Fibroin ist amphoter u. wird daher in Zinkchlorid-Lsg., Kupferoxidammoniak (*Schweizers Reagenz), Kali- u. Natronlauge aufgelöst u. bei Wasserzusatz wieder ausgeschieden. Mit kalter, konz. Salzsäure färbt sich die S. blau od. violett, von siedender Salzsäure wird sie aufgelöst, desgleichen in kalter, konz. Schwefelsäure. Beim Verbrennen entstehen schwarze, knollige Verbrennungsrückstände, die Verbrennungsgase riechen wie verbranntes Haar u. reagieren alkal. (Ammoniak aus Proteinstickstoff – S. als *Eiweißfaser). Kaltes u. lauwarmes Wasser schaden der S. nicht, dagegen verliert sie ähnlich wie Wolle beim Kochen Glanz u. Stärke. Zur Unterscheidung entbasteter u. basthaltiger S. u. von anderen Fasern bedient man sich bestimmter *Faserreagenzien (z. B. der *Pauly-Reaktion), die auf der zu untersuchenden Probe unterschiedliche Färbungen hervorrufen; ganz allg. ist S. mit organ. Farbstoffen gut einfärbbar. Ein Bleichen der S., heute hauptsächlich durch Wasserstoffperoxid-Bleiche, ist bei entbasteter S. kaum mehr nötig, da diese weitgehend weiß ist. Demgegenüber ist die sog. *Erschwerung* der S. – eine Gew.- u. Vol.-Steigerung neben einer gewissen Glanzerhöhung; **Beschwerung* ist etwas anderes! – auch heute noch ein gebräuchlicher Prozeß in der Seidenausrüstung. Sie beruht auf der chem. Reaktionsfähigkeit der S. mit Metallsalzen; wichtigstes Verf. ist die Reaktion mit Zinn-

tetrachlorid (*Pinke*), gefolgt von Dinatriumhydrogenphosphat u. Wasserglas. Eine Erschwerung mit natürlichen Gerbstoffen wird meist in Kombination mit *Blauholz bei schwarz einzufärbendem Material angewandt.
Entbastete S. hat eine D. von 1,25, die Feinheit beträgt 2,2–4,4 dtex. Die *Reißfestigkeit, 2,5 bis 5 cN/dtex, entspricht fast der von Synthesefasern. Durch Reibung läßt sich S. elektr. aufladen. Dabei entstehen auch freie CH-Radikale an der Polypeptid-Kette, die unter Stickstoff od. im Vak. monatelang beständig bleiben, durch Wasserdampf aber rasch zerstört werden. Als Ursache dieser Radikalbildung wird direkte Kettenspaltung od. örtliche Pyrolyse durch die Reibungswärme angenommen.
Gewinnung: Der ausgewachsene, graugelbe Seidenspinner (Nachtschmetterling) legt 200–800 Eier, aus denen nach ca. 10 Tagen 1–2 mm lange Räupchen schlüpfen, die sich von den Blättern des Weißen Maulbeerbaums (*Morus alba*) u. a. *Morus*-Arten wie *M. nigra* od. *M. bombycis* ernähren; eine andere *Morus*-Art, der Färbermaulbeerbaum, *M. tinctoria*, liefert den Gelbholzextrakt (s. Morin). Die Kulturform der Raupen ist weiß gegenüber der olivbraunen Wildform. Für die Aufzucht von 1500 Seidenspinnerraupen (Gew. der Eier 1 g) benötigt man Horden mit einer Fläche von 3 m^2 u. ca. 40 kg Maulbeerblätter. Nach ca. 35 d u. 4 Häutungen (Formelbild des Häutungshormons s. bei Juvenilhormone, das des Verpuppungshormons bei Ecdyson) beginnen sich die Raupen (Länge 4–7 cm) einzuspinnen. Sie pressen dabei aus einer Doppeldrüse am Kopf ein flüssiges Sekret aus, das an der Luft zu einem festen Faden erstarrt. Hierauf werden die Raupen in den Kokons durch trockene Hitze od. Wasserdampf abgetötet, da beim Ausschlüpfen des Schmetterlings der Faden beschädigt würde. Die Außenpartien des Kokons (Wirrfäden) geben *Flockseide*, die vom Kokon durch Abbürsten abgetragen werden. Von dem etwa 1000–3000 m langen Faden des Kokons läßt sich nur ein Teil unverklebt abhaspeln (*Grége-Fäden*). Der verklebte Rest wird einer *Degummierung* unterworfen, die dem Entbasten der Rohseide entspricht, u. auf sog. *Schappe-* od. *Florette-S.* verarbeitet. Die bei der Schappe-Spinnerei anfallenden Kurzfasern nennt man *Bour(r)ette*. Unter *Tussahseide* (Kurzz. ST nach DIN 60001-4: 1991-08) versteht man Fasern von den Kokons des wildlebenden chines., japan. u. ind. Tussahspinners (*Antheraea*-Arten), z. T. auch von *Actias selene* Hbn.
Verw.: Naturseide wird zu Krawatten, Kleidern, Wirkwaren usw. verarbeitet. In vielen Ländern ist sie jedoch gegenüber *Kunstseide u. a. *Chemiefasern stark in den Hintergrund getreten. Wichtige Seidenländer sind Italien, Südfrankreich, v. a. aber Korea, China u. Japan. *Seidenpulver* setzt man auch Lippenstiften (adsorbiert Farbstoffe), Hautcremes (gibt feine Mattierung, schont Säuremantel) u. Seifen zu.
Geschichte: Die Zucht der Raupen des Seidenspinners (sog. *Serikultur*) zum Zwecke der S.-Gewinnung ist in China schon seit mehr als 4000 a bekannt. Um 200 v. Chr. gelangten die bis dahin gehüteten Zuchtgeheimnisse nach Korea, später auch nach Japan, u. 552 n. Chr. brachten Mönche Eier des Seidenspinners in ausgehöhlten Wanderstäben nach Byzanz. Im Zusammenhang mit *Bombyx mori* sei noch erwähnt, daß an diesem erstmals die Rolle von Sexuallockstoffen der Insekten (s. Pheromone, hier: *Bombykol) untersucht wurde, u. auch bei der Aufklärung der *Insektenhormon-Funktionen war der Seidenspinner der Kronzeuge. – ***E*** (mulberry) silk – ***F*** soie – ***I*** seta – ***S*** seda

Lit.: Encycl. Polym. Sci. Eng. **15**, 309–317 ▪ Kirk-Othmer (4.) **22**, 155–163 ▪ Ullmann (4.) **21**, 201–208; (5.) **A 24**, 95–106. – *[HS 5002 00, 5004 00, 5006 00]*

Seidelbast (Kellerhals). Wegen seiner früh im Jahr erscheinenden rosa Blütchen angebauter kleiner Strauch Nordeuropas u. -asiens (*Daphne mezereum* L., Thymelaeaceae). Insbes. die scharf schmeckenden roten Beeren können zu Vergiftungen führen. Schon der Verzehr weniger Blüten od. Beeren hat bei Kindern u. bei Weidetieren zum Tode geführt. S. enthält Diterpenester, u. zwar in der Rinde *Daphnetoxin u. in den Früchten *Mezerein, die u. a. stark hautreizende, krampfauslösende u. cocarcinogene Wirkungen aufweisen. – ***E*** mezereon, spurge olive – ***F*** bois joli, bois gentil – ***I*** mezereo – ***S*** lauréola, adelfilla

Lit.: Chem. Pharm. Bull. **34**, 1540–1545 (1986) ▪ Frohne u. Pfänder, Giftpflanzen, S. 387–390, Stuttgart: Wiss. Verlagsges. 1997. – *[HS 0602 90]*

Seidenfibroin s. Fibroin.

Seidengrün s. Chrom-Pigmente.

Seidenleim s. Sericin.

Seidenpapier s. Papier.

Seidenpulver s. Seide.

Seidenraupen s. Seide.

Seifen (von latein.: sapo). 1. Gewöhnlich bezeichnet man mit S. die wasserlösl. Natrium- od. Kalium-Salze der gesätt. u. ungesätt. höheren *Fettsäuren, der *Harzsäuren des *Kolophoniums (gelbe Harzseifen) u. der *Naphthensäuren, die als feste od. halbfeste Gemische in der Hauptsache für Wasch- u. Reinigungszwecke verwendet werden. Salze der gleichen Säuren mit anderen Metallen, z. B. Calcium, Zink od. Barium, werden als *Metallseifen bezeichnet, die als Gleitmittel bei der Kunststoff-Herst. od. als *PVC-Stabilisatoren von Bedeutung sind. Man unterscheidet *harte S.* (Kern-, Natron-, Toilettenseifen) u. *weiche S.* (Schmier-, Kaliseifen). Hochgetrocknete Natrium-S. können auch zu S.-Flocken od. -Nadeln verarbeitet werden.
S. sind in weichem Wasser gut lösl. u. bilden oberhalb der krit. Micell-Konz. *Micellen, in hartem Wasser entstehen mit den Härtebildnern (Calcium- u. Magnesium-Ionen) schwerlösl. Salze. Beim Einsatz von S. als *Tenside in Formulierungen müssen daher auch *Builder u. Cotenside mit eingearbeitet werden. Die oberflächenaktiven Eigenschaften der S. werden durch die Länge des Fettsäure-Rests bestimmt u. sind im allg. weniger ausgeprägt als bei synthet. Tensiden. S. emulgieren in Wasser Fette u. Öle. Als Salze schwacher Säuren u. starker Basen reagieren sie in Wasser alkalisch. Mit Säuren entstehen dichte weiße Trübungen von nichtreinigender Fettsäure.
Herst.: Die klass. Herst.-Meth. der S. ist das sog. *Seifensieden*. Hierbei werden in der Hitze die in natürlichen Fetten od. Ölen (Talg, Schmalz, Knochenfett,

Palm-, Palmkern- od. Olivenöl, Kokosfett) enthaltenen *Triglyceride mit Natron- od. Kalilauge verseift, d. h. unter Bildung von *Glycerin u. den entsprechenden Salzen der Fettsäuren gespalten. Bei Einsatz von Natronlauge kann man den dabei erhältlichen zähen S.-Leim zu einer Leimseife erstarren lassen, die noch hohe Gehalte an Wasser u. Glycerin enthält. Durch portionsweises *Aussalzen mit Kochsalz erhält man aus dem *Seifenleim* den zähflüssigen *Seifenkern* als obere Phase; die damit im Gleichgew. befindliche Unterlauge ist im wesentlichen eine wäss. Lsg. aus Glycerin, Kochsalz u. überschüssiger Lauge. Auch die Rohseife enthält noch etwas Glycerin, Natronlauge u. Kochsalz, die durch Auskochen mit reichlich Wasser entfernt werden können. Aus der dabei entstehenden homogenen Phase wird die S. erneut ausgesalzen u. nach Zumischen von Riech- u. Farbstoffen sowie sog. Rückfettungsmitteln, ggf. auch Wirkstoffen, durch Extrusion, Scheiden des S.-Strangs, Formgebung u. Verpackung weiterverarbeitet bzw. konfektioniert. Bei Kaliseifen wird der S.-Leim nicht ausgesalzen, sondern nach Einrühren der gewünschten Zusätze z. B. sofort in Fässer gefüllt (*Faßseife*).

Großtechn. werden S. heute nach kontinuierlichen, hochautomatisierten Verf. produziert, wobei außer der alkal. Verseifung der Triglyceride („Neutralölverseifung") auch deren Spaltung mit Wasserdampf, die destillative Reinigung der freien Fettsäuren u. deren Neutralisation („Fettsäureverseifung") Anw. finden. Beim *De-Laval-Centripure-Prozeß* werden Fett od. Fettsäure u. Natronlauge in einem als Kolonne ausgebildeten Schlaufenreaktor mit innen laufender Förderschnecke in eine im Kreislauf geführte flüss. S.-Lsg. eingebracht, adäquat S.-Lsg. am Kopf der Kolonne abgezogen u. zur Aufarbeitung – im Fall der Neutralölverseifung – zwei Zentrifugalextraktoren zugeführt. Der *Meccaniche-Moderne-Prozeß* setzt für die Verseifung einen Vierkammer-Autoklaven ein. Beisp. für andere Verfahrenslösungen sind der *Ballestra-Prozeß* für die kontinuierliche Verseifung von *Fettsäuremethylestern, das *Mazzoni-Verf.* u. die *Konti-Verseifung* von *Weber & Seeländer, Typ KVN*. Eine typ. Kettenlängenverteilung der Fettsäuren in S. ist C_8 u. C_{10} je 0,5, C_{12} 7,3, C_{14} 5,0, C_{16} 24,6, C_{18} 5,6 u. C_{20} 56,5%.

S.-Typen: Toiletten-S. (Feinseifen): Wichtigster S.-Typ für die Körperreinigung, hergestellt aus hochwertigen Fetten (für gute Schäumeigenschaften sind 20–50% Kokosöl erforderlich, dazu kommen Rindertalg, Palmöl u. Olivenöl), mit einem Fettsäureanteil von mind. 80%. Weitere Inhaltsstoffe sind Rückfettungsmittel, wie Fettalkohole, Glycerin, Lanolin, Mandelöl od. Fettsäureethanolamide, kosmet. Farbstoffe, Titandioxid (für die Brillanz), Parfümöle, Antioxidantien u. Komplexbildner.

Spezielle S.-Typen:

Luxus-S. – enthalten bis zu 5% Parfümöle.

Creme-S., Baby-S. – enthalten bes. viel Rückfettungsmittel, letztere wenig Parfümöle u. zusätzlich pflanzliche Wirkstoffe, z. B. auf Basis Kamille od. Calendula.

Hautschutz-S. – enthalten wenig Parfümöle, viel Rückfettungsmittel, zusätzlich Proteine u. substantive Hautschutzstoffe zum Schutz gegen Berufsdermatosen.

Deo(dorant)-S. – enthalten Wirkstoffe, wie 3,4,4′-Trichlorcarbanilid (Trichocarban), die das für die Geruchsbildung aus Schweiß verantwortliche Bakterienwachstum hemmen.

Rasier-S. u. *-cremes* – Gemisch von Natrium- u. Kalium-S. mit einem Feuchthaltemittel (Glycerin) u. Parfümölen.

Abrasiv-S., Sand-S., Scheuer-S. – enthalten zur mechan. Entfernung von hartnäckigem Schmutz Abrasivstoffe, wie Bimssteinmehl, Sand od. Kunststoffmehl.

Medizin. S. – enthalten Desinfektionsmittel od. pharmazeut. Wirkstoffe.

Flüssig-S. – Kalium-S. mit einem Fettsäureanteil von 15–20% (überwiegend Kokosfettsäuren u. Ölsäure), vorzugsweise in S.-Dispensern verwendet.

Schmier-S. – Kalium-S. von streichfähiger Konsistenz.

Schwimm-S. – Dichte <1 $g\,cm^{-3}$, unter Einarbeitung von Luft hergestellt.

Transparent-S. – enthalten Zusätze, welche die Krist. verhindern (Glycerin, Ethanol, Zucker).

Marseiller S. – bes. fette S. aus Oliven- od. Baumwollsamenöl, die u. a. als Textil-S. verwendet werden.

Syndets: In Stückform (bars) konfektionierte, alkalifreie, pH-neutrale od. schwach sauer eingestellte Produkte für Hautreinigung u. -pflege. Hauptbestandteile sind synthet. Tenside, Builder, Weichmacher, Rückfettungsmittel, Füllstoffe, Parfümöle u. Farbstoffe. Flüssige Syndets enthalten zudem Verdicker, häufig auch Konservierungsstoffe u. Antioxidantien. *Combibars* od. Compounds sind Gemische aus Syndet- u. Alkaliseifen.

Physiologie: Beim Reinigen der *Haut mit S.-Lsg. wird die Hautatmung dadurch normalisiert, daß Pigmentschmutz, Hauttalgstauungen, Puder- u. Cremereste aus den Poren entfernt werden. Die S. greifen den Fettmantel der Haut an, während der Einfluß des S.-Alkalis auf den – auch schon beim Waschen mit reinem Wasser angegriffenen – Säuremantel der Haut bei reichlicher Nachspülung nach dem Waschen in 30 min ausgeglichen ist. Auch die Quellwirkung einer S.-Lsg. auf die Haut ist im gesunden Zustand ohne jegliche Bedeutung, kann aber im krankhaften Zustand zum Austrocknen u. zur Rißbildung führen. S. mit höheren Anteilen an kurzkettigen, gesätt. Fettsäuren können zu Hautreizungen führen; allerg. Hautreaktionen werden jedoch eher durch die verwendeten Parfumöle u. Zusatzstoffe als durch die eigentlichen S.-Bestandteile ausgelöst.

Umwelt-Aspekte: S. sind biolog. gut abbaubar. Dies läßt sich jedoch nur durch Einsatz aufwendiger Analytik (z. B. Umwandlung der zuvor angereicherten Natriumsalze der Fettsäuren in deren Methylester, deren gaschromatograph. Trennung u. *FID) verfolgen, da S. nicht *Methylenblau-aktiv sind. Wie in einer niederländ. Monitoring-Studie zu den fünf wichtigsten Waschmittel-Tensiden nachgewiesen wurde, werden S. in kommunalen Kläranlagen zu 99% eliminiert (Durchschnittswert aus 6 Kläranlagen). Die im gereinigten Abwasser gemessenen Konz. sind Grundlage für Expositionsberechnungen. Für S. liegt ein Life Cycle Inventory (*LCA) vor. Danach wurde der durchschnittliche Energieverbrauch zur Herst. in Europa 1995 mit 46–54 GJ pro t S. ermittelt.

Wirtschaftliche Bedeutung: Die Weltproduktion an S. betrug 1991 8,9 Mio. t (56% der Gesamttenside), wobei der Hauptanteil in Schwellen- od. Dritte-Welt-Ländern erzeugt wurde. Der Teilmarkt S./Syndets des Körperpflegemittelmarkts in der BRD belief sich 1997 auf

470 Mio. DM bei leicht rückläufiger Tendenz; Produkte zum Duschen u. Badezusätze haben bereits das 2½fache Volumen.

Geschichte: Der erste Lit.-Hinweis auf S. findet sich in sumer. Tontäfelchen (2500 v. Chr.). Schon damals verkochte man Pflanzenöle mit Pottasche; daneben benutzte man auch schäumende u. reinigende Pflanzenextrakte, z. B. der *Seifenwurzel (s. Saponine). Nach Plinius haben die Germanen u. Gallier bereits einfache S. hergestellt, während in der röm. Kaiserzeit S. noch nicht in Gebrauch waren. Fast 2 Jahrtausende wurde Pottasche (durch Auslaugen von Holzasche erhalten) mit gebranntem Kalk in Kalilauge überführt u. mit dieser das Fett (hauptsächlich *Rindertalg) zu S. verkocht, wobei man den Seifenleim mit Kochsalz aussalzte. Zur Zeit Karls des Großen gab es schon S.-Siedereien, in den Mittelmeergebieten waren bes. Savona, Venedig (15. Jh.) u. Marseille (17. Jh.) Sitz einer blühenden S.-Industrie. Der Aufstieg der S. vom Luxusartikel zum Konsumgut wurde durch den Aufschwung der Textil-Ind. begünstigt u. setzte mit der Erfindung der Leblanc-Soda (1820) u. der Einfuhr trop. Pflanzenfette (1850) ein.

2. In der Geologie u. Lagerstättenkunde Bez. für eine „lokale, mechan. Anreicherung von spezif. schwereren u. mechan. od. chem. bes. resistenten Mineralien, die durch einen *Verwitterungs- u./od. Transportprozeß selektiert werden" (s. Füchtbauer, *Lit.*, S. 584). Hauptbestandteil in den meisten S. ist jedoch, trotz seiner geringen D. von 2,65, wegen seiner großen Verbreitung u. Resistenz das Mineral *Quarz.

Nach ihrer Entstehung unterscheidet man *residuale S.* (Anreicherung durch Verwitterung unmittelbar über dem Ausgangsgestein od. den Ausbissen anstehender Erze, z. B. S. mit *Kassiterit, *Columbit, *Magnetit), *eluviale S.* (Entstehung an Berghängen; Anreicherung durch Transport u. Auswaschung von Lockerschutt-Massen), *fluviatile* od. *alluviale S.* (Anreicherung durch Flußwasser od. Regenfluten, z. B. S. von Gold, Platin, Kassiterit, *Zirkon u. a. Edelsteinen wie *Diamant, *Saphir, *Rubin, *Spinell, *Granat usw.), *marine S.* (z. B. Kassiterit-S. auf den Shelf-Zonen Malaysias); *Strand-S.* (oft weit über 100 km parallel der rezenten od. subrezenten Küstenlinie) u. *äol. S.* (Anreicherung durch Windausblasungen, z. B. in den Diamant-haltigen Dünenfeldern in Namibia). Fluviatile S. waren bereits im Altertum Grundlage der ersten Gold- u. Zinn-Gewinnung u. in der Vergangenheit mehrmals Ursache für einen Gold- od. Diamantenrausch. Die wichtigsten Wertminerale in Strand-S. sind Kassiterit (Südostasien), Diamanten (Namibia), Gold, *Ilmenit, Magnetit, *Monazit, *Rutil, *Xenotim u. Zirkon; weitere Beisp. sind die Ilmenit-Monazit-Rutil-S. von Travencore u. Quilon in Indien u. die Rutil-Zirkon-Ilmenit-S. von West- u. Ost-Australien. Infolge der Anreicherung von Ilmenit u./od. Magnetit weisen Strand-S. häufig eine schwarze Färbung auf (*E* black sands). Ein Beisp. für eine fossile, fast 2 Mrd. Jahre alte S. ist das Witwatersrand-Konglomerat in Südafrika, die wichtigste Gold-Lagerstätte der Erde.

Die S. werden meist im Tagebau mit Schwimmbaggern, in flacheren küstennahen Gewässern auch mit Eimerketten abgebaut. Fluviatile S. können mittels relativ einfacher Waschprozesse auch durch einzelne Personen od. kleine Gruppen ausgebeutet werden. – ***E*** 1. soaps, 2. placers – ***F*** 1. savons, 2. placers – ***I*** saponi, giacimenti – ***S*** 1. jabones, 2. placeres

Lit. *(zu 1.):* Cahn (Hrsg.), Proc. 3rd World Conf. Det.: Global Persp., Champaign, S. 82–87, IL/USA: AOCS Press 1994 ▪ Proc. 4th World Surf. Congr., Bd. 3, S. 81–86, Barcelona: C. E. D. 1996 ▪ SÖFW J. **120**, 763–769 (1994); **122**, 774 (1996) ▪ Spitz (Hrsg.), Soaps and Detergents: A Theoretical and Practical Review, Champaign, IL/USA: AOCS 1996 ▪ Tenside Surf. Det. **32**, 157–170 (1995) ▪ Ullmann (5.) **A 24**, 247–266. – *(zu 2.):* Evans, Erzlagerstättenkunde, 248–257, Stuttgart: Enke 1992 ▪ Füchtbauer (Hrsg.), Sedimente u. Sedimentgesteine (Sediment-Petrologie Tl. 2) (4.), 123 f., 584–588, Stuttgart: Schweizerbart 1988 ▪ MacDonald, Alluvial Mining – the Geology, Technology and Economics of Placers, London: Chapman and Hall 1983 ▪ Pohl, Lagerstättenlehre (4.), 73–76, 190 f., 220, 224, 226, Stuttgart: Schweizerbart 1992. – *[HS 3401 11, 3401 19, 3401 20]*

Seifenblasen. S. aller Art benutzt man in Experimenten u. Demonstrationen, z. B. zur Vorführung von Explosionen (O_2 u. brennbare Gase), Oberflächenspannung, Strömungsgeschw. von Gasen in engen Röhren, Gew. schwerer Gase (S. schweben auf CO_2), Interferenzbildern, Farben dünner Blättchen u. dergleichen. Bes. große S. erhält man aus Lsg. oberflächenaktiver Stoffe, denen wasserlösl. Polymere wie Polyethylenoxid u. *Polyvinylalkohol zugesetzt worden sind. Eine S. mit einem ursprünglichen Durchmesser von 50 cm, der nach 528 d noch immer 37,7 cm betrug, wurde aus einer Lsg. von 2 Tl. einer 2,5%igen Lsg. von Natriumdibromstearat in 50%igem Glycerin, 1 Tl. 5%iger Polyvinylalkohol-Lsg. (M_R ca. 14000) u. 3 Tl. Glycerin erhalten. Als Seifenkomponenten sind auch perfluorierte Kohlenwasserstoffe mit hydrophiler Endgruppe (z. B. Perfluoroctansulfonsäure, Perfluordecansäure) geeignet. – ***E*** soap bubbles – ***F*** bulles de savon – ***I*** bolle di sapone – ***S*** pompas de jabón

Lit.: GEO **1987**, Nr. 5, 58–76 ▪ s. a. Schaum, Seifen.

Seifenblasen-Strömungsmesser. Ein einfaches Strömungsmeßgerät zur Bestimmung des Vol. von Gasströmen, welches bes. bei Gaschromatographen eingesetzt wird (s. Abb.). Der S. besteht aus einem einfachen Glasrohr mit Volumeneinteilung u. einem Gummiball, in den ca. 2 mL Seifen-Lsg. eingefüllt werden. Dann wird der Gasfluß eingestellt u. die Seifen-Lsg. mit dem Gummiball über die Einströmöffnung des Gases hochgedrückt, bis sich eine Seifenblase bildet. Die gemessene Laufzeit für ein bestimmtes Vol. ergibt den Gasfluß.

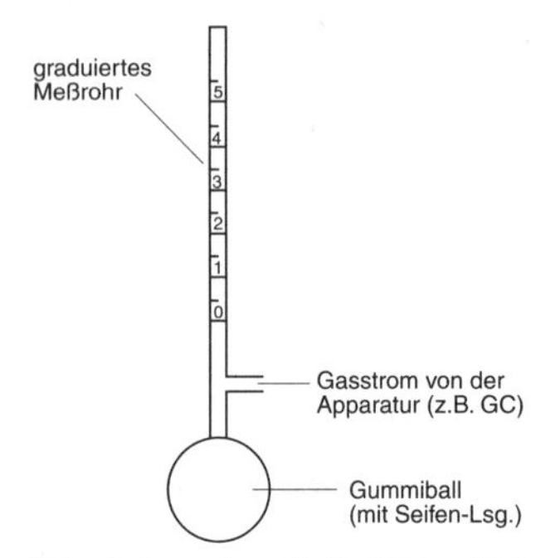

Abb.: Aufbau eines Seifenblasen-Strömungsmessers.

– ***E*** soap bubble flowmeter – ***I*** misuratore di corrente tramite bolle di sapone – ***S*** medidor de flujo por burbujeo en una solución de jaboñn

Seifengold s. Gold.

Seifenkraut s. Seifenwurzel.

Seifenrinde s. Panamarinde u. Quillajasaponin.

Seifenspiritus. Ein zu gleichen Teilen aus *Kaliseife u. *Ethanol bestehendes Mittel zur Fleckentfernung, das früher auch bei rheumat. u. neuralg. Schmerzen eingerieben sowie zur Hände- u. Instrumentendesinfektion benutzt wurde. – ***E*** soap spirit – ***F*** esprit de savon, liniment savonneux alcoolique – ***I*** spirito contenente sapone – ***S*** espíritu de jabón

Seifenstein. 1. Festes, brockenförmiges Natriumhydroxid (Ätznatron), das mit Soda verunreinigt ist u. zum Seifensieden od. Abbeizen von Ölfarben, Öllacken u. dgl. verwendet wird (*Sodastein*). – 2. Mineralog. versteht man unter S. *Saponit, gelegentlich aber auch *Speckstein. – ***E*** soapstone – ***F*** 1. soude caustique, 2. pierre de savon – ***I*** saponite – ***S*** 1. sosa cáustica, 2. saponita

Seifenwurzel. Wurzel des auch in Deutschland verbreiteten Seifenkrauts (*Saponaria officinalis* L., Caryophyllaceae), enthält 2–5% stark schäumende, kolloidale *Saponine u. dient als schleimlösendes u. auswurfförderndes Mittel bei *Bronchitis. S. wurde schon in alter Zeit zu Reinigungszwecken verwendet. – ***E*** soapwort root – ***F*** racines de saponaire officinale – ***I*** radice saponaria – ***S*** raíces de saponaria común

Lit.: Giftliste ▪ Hager (4.) **6 b**, 283–285 ▪ Wichtl (3.), S. 535 f. – *[HS 1211 90]*

Seigern (veraltet: Saigern). Auftreten eines durch Schwerkraft verursachten Entmischungsvorgangs in metall. Schmelzen mit mehreren Komponenten, in dessen Folge es zur Bildung von Zonen unterschiedlicher chem. Zusammensetzung (*Seigerungen) kommt. Lediglich im Rahmen der *Raffination wird das S. verfahrenstechn. zur Aufkonz. eingesetzt. In allen anderen Fällen stellt S. einen unerwünschten metallurg. Vorgang dar, durch den die Homogenität u. die Eigenschaften von Festkörpern beeinträchtigt werden können. – ***E*** segregate

Seigerungen (veraltet: Saigerungen). Bez. für Entmischungen beim Erstarren einer homogenen Schmelze aus mehreren Bestandteilen. S. führen zu örtlichen Unterschieden in der chem. Zusammensetzung (Konz.-Gradienten) u. damit auch zu örtlichen Unterschieden in den Eigenschaften. S. treten auf bei metall. Syst., deren Erstarrung in einem Temp.-Bereich erfolgt; reine Metalle u. eutekt. Syst. ohne Schmelzintervall seigern nicht. Man unterscheidet zwischen *makroskop.* (Block-S., Schwerkraft-S.) u. *mikroskop.* S. (Kristall-S., Gasblasen-S.).
Block-S. tritt bevorzugt beim Erstarren vergossener Stahlschmelzen auf. Dabei ergeben sich entsprechend dem Fortschritt der Erstarrung zwischen Blockrand u. Blockmitte Entmischungserscheinungen. So reichern sich im Kern, der am längsten schmelzflüssig bleibt, die Elemente mit bes. S.-Neigung an, z. B. P, S, C, O, N, u. zwar teilw. bis auf ein Mehrfaches des Gehalts am Blockrand. Ein stark geseigerter Block ist minderwertig, da das Fertigungsverhalten u. die Eigenschaften erheblich beeinträchtigt werden. Unberuhigter Stahl, bei dem es durch Bildung von CO beim Frischen (s. Siemens-Martin-Verfahren) zu starker Bewegung der Schmelze (Kochen) kommt, seigert stark. Beruhigter Stahl, bei dem der Sauerstoff durch Si- u. Al-Zusätze abgebunden u. das Kochen damit unterbunden wird, seigert deutlich weniger.
Kristall-S. sind Entmischungsvorgänge innerhalb einzelner Kristallite (Körner) des entstehenden Festkörpers infolge gestörter Diffusion. Der einzelne Kristallit weist dann in seinem Zentrum eine andere chem. Zusammensetzung auf als nahe der Korngrenze (inhomogene Krist., Zonenmischkrist.). Örtlich eng begrenzte Entmischungserscheinungen treten gleichfalls auf, wenn sich Gasblasen in der erstarrenden Schmelze bilden. Die an S.-Elementen reiche Restschmelze sammelt sich in den Gasblasen an u. erstarrt dort.
Eine Art makroskop. S. ist auch die *Schwerkraft-Seigerung.* Diese tritt bevorzugt bei Nichteisen-Metall-Schmelzen auf, wenn sich die erstarrenden Komponenten hinsichtlich ihrer Dichte deutlich unterscheiden. Bei langsamer Erstarrung sinken die spezif. schwereren Bestandteile nach unten. Durch geeignete Maßnahmen kann die Neigung zu S. beträchtlich vermindert werden, z. B. durch einen hohen Reinheitsgrad u. rasche Erstarrung. Einmal vorhandene S. lassen sich teilw. ausgleichen durch starke Umformung bei hohen Temp. od. in geringem Umfang auch durch Wärmebehandlung bei sehr hohen Temp. (Lösungsglühen, Homogenisierungsglühen). – ***E*** segregations, liquations – ***F*** ségrégations – ***I*** affinazione, segregazione, liquazione – ***S*** segregaciones

Lit.: Cahn et al., Physical Metallurgy, 3. Aufl., Bd. 1/2, Amsterdam: North-Holland Phys. Publ. 1983 ▪ Cottrell, An Introduction to Metallurgy. 2. Aufl., London: E. Arnold 1976 ▪ Haasen, Physical Metallurgy, Cambridge: Cambridge University Press 1978 ▪ Smallmann, Modern Physical Metallurgy, 4. Aufl., London: Butterworths 1985.

Seignettesalz s. Kaliumnatrium-(*R,R*)-tartrat.

Seismische Sprengstoffe s. Explosivstoffe, Sprengstoffe.

Seismonastie s. Nastien.

Seitenkette. Bez. für unverzweigte u. verzweigte offenkettige organ. *Reste (*Ketten), die an ein Ringsyst. od. an die nach Nomenklaturregeln festgelegte Hauptkette gebunden sind; als S. gelten meist auch Methyl-Gruppen. S.-tragende Atome heißen *Verzweigungen. *Beisp.:* *Steroide (Methyl-, Ethyl- u. verzweigte C_{5-10}-S.), *Porphyrine (Propionsäure-, Vinyl-, Methyl-S. u. a.), *Alkylbenzole (Alkyl-S.), Polyvinylacetate (Acetat-S.). – ***E*** side chain – ***F*** chaîne latérale – ***I*** catena laterale – ***S*** cadena lateral

Seitz, Gunther (geb. 1936), Prof. für Pharmazeut. Chemie, Univ. Hannover, Direktor des Inst. für Pharmazeut. Chemie, Univ. Marburg. *Arbeitsgebiete:* Synth., Reaktionsverhalten u. spektroskop. Charakterisierung potentieller Arzneistoffe u. Variation wirksamer Naturstoffe unterschiedlicher Stoffklassen: Heterocyclen-Synth. der inter- u. intramol. Diels-Alder-Cycloadditionen; neuartige delokalisierte Bindungssyst.

vom Typ der Oxo- u. Pseudooxokohlenstoffe; Pseudoazulene, Tropone u. nicht benzoide Aromaten.
Lit.: Kürschner (16.), S. 3481 ▪ Wer ist wer (36.), S. 1347.

sek. Abk. für *sekundär; veraltete Form von *sec-.

Sekisui. Kurzbez. für die 1947 gegr. Firma Sekisui Chemical Co. Ltd., Osaka 530-8565 (Japan). *Produktion:* Kunstharze, Erzeugnisse aus PVC, PE, PP, Weichmacher, Klebstoffe, Selbstklebeartikel, Pharmazeutika. *Vertretung* in der BRD: Sekisui Chemical GmbH, 40210 Düsseldorf.

Sekrete s. Sekretion.

Sekretion (latein.: secernere = absondern). Vorgang der Absonderung von Stoffen mit biolog. Bedeutung (Sekrete), meist durch Drüsen. Bei der äußeren od. *exokrinen S.* geben die Drüsen ihr Sekret über Ausführungsgänge nach außen ab, wie z. B. *Galle, *Magensaft, *Speichel etc. Davon unterscheidet man die innere od. *endokrine S.*, bei der die von den sog. endokrinen Drüsen produzierten Stoffe (Inkrete), in erster Linie *Hormone, in das Blut gelangen. Als *parakrine S.* bezeichnet man die Abgabe von Stoffen durch Zellen direkt in ihr Zielorgan ohne Umweg über das Blut. Im Gegensatz zu den Sekreten sind *Exkrete* Ausscheidungsprodukte wie *Harn u. *Kot. – ***E*** secretion – ***F*** sécrétion – ***I*** secrezione – ***S*** secreción

Sekretolytika. Bez. für Präp., die den Schleim im Atemtrakt verflüssigen, s. Expektorantien.

Sekretomotorika. Bez. für Präp., die den Abtransport des Schleims aus dem Atemtrakt fördern; s. Expektorantien.

Sekretorische Enzyme s. Ektoenzyme.

Sekundär (Abk.: sek.; von latein.: secundarius = von zweiter Art, zweitrangig). Wird in der chem. Terminologie (analog wie *primär), bes. in der Nomenklatur (Abk. *sec-*, seltener **s-*) sehr vielseitig verwendet. Im Sinne von „das Zweite" od. „Abkömmling" tritt „sekundär" auf z. B. in *Sekundärprodukt* (zweites, aus dem Primärprouktukt gebildetes Produkt), *sek. Lagerstätten* [s. Lagerstätten, Sedimentgesteine, Seifen (2.)], *Sekundäracetat* (s. Celluloseacetat), *Sekundärstruktur* (s. Proteine), **Sekundärelektronen*, *Sekundärionen-Massenspektrometrie*, *Sekundärstrahlung* (s. kosmische Strahlung), *Sekundärteilchen* (Aggregate aus Primärteilchen bei der Koagulation eines Sols), *Sekundärdispersionen* (s. Polymerdispersionen), *Sekundärweichmacher* (s. Weichmacher), *Sekundärbatterien, -elemente* (s. Akkumulatoren), *Sekundärliteratur* (s. Referateorgane u. chemische Literatur), *Sekundärmetall* (s. Altmetall u. Recycling), *Sekundärenergieträger* (s. Kernenergie) usw. Der Terminus *Sekundärreaktion* wird unterschiedlich verwendet, nämlich einmal als Synonym für eine sich aus der Primärreaktion ergebende „zweite" Reaktion, jedoch auch für eine Nebenreaktion (d. h. eine neben der Hauptreaktion mögliche Reaktion von geringerer Bedeutung).
In der organ. Chemie heißen Alkohole, Alkyl-Reste, Amine u. Amide *sekundär*, wenn am C- bzw. N-Atom zwei H-Atome durch organ. Reste (R^1 u. R^2) substituiert sind [allg. Formeln: R^1–CH(OH)–R^2, –CHR^1R^2, R^1–NH–R^2, R^1–CO–NH–R^2]; das gleiche gilt für *sek.* Kohlenstoff-, Stickstoff- u. a. Atome (R^1–*C*H_2–R^2, R^1–*N*H–R^2).
In der anorgan. Chemie wurden früher sek. Salze diejenigen Salze mehrbasiger Säuren genannt, in denen zwei Wasserstoff-Ionen der Säure durch andere Kationen besetzt sind; *Beisp.:* sek. Natriumphosphat (Na_2HPO_4).
In Biochemie u. *Naturstoff-Chemie versteht man unter *sek. *Metaboliten, sek. Pflanzen(inhalts)stoffen* (s. Pflanzen) u. allg. unter Produkte des *Sekundär-*Stoffwechsels* solche Stoffe wie Farbstoffe, Gifte, Riechstoffe, Abwehrstoffe, Halluzinogene, Fruchtsäuren, Antibiotika, Harze u. dgl., die meist in spezialisierten Zellen der Organismen gebildet werden, für diese aber – im Gegensatz zu *Reservestoffen – keine erkennbare od. lebensnotwendige Funktion haben. – ***E*** secondary – ***F*** secondaire – ***I*** secondario – ***S*** secundario

Sekundäracetat s. Celluloseacetat u. Primäracetat.

Sekundärelektronen. Bez. für *Elektronen, die beim Auftreffen einer *prim.* Strahlung – meist einer Elektronenstrahlung – auf einen Stoff aus dessen Oberfläche herausgelöst werden; s. die Abb. bei Elektronenspektroskopie. Das von der Art u. Energie der Primärstrahlung sowie vom bestrahlten Material abhängige Energiespektrum der S. wird analyt. bei *ESCA, *LEED, bei der *Gammastrahlen-, *Ionen-, Neutralisations-, *Auger- u. *Photoelektronen-Spektroskopie ausgenutzt (*S.-Spektroskopie*). Auf dem Auftreten von S. beruht auch das Wirkungsprinzip der Sekundärelektronenvervielfacher (*SEV, *Photomultiplier*). – ***E*** secondary electrons – ***F*** électrons secondaires – ***I*** elettroni secondari – ***S*** electrones secundarios
Lit.: s. Elektronenspektroskopie.

Sekundärionen-Massenspektrometrie (SIMS) s. Ionenstrahl-Mikroanalyse.

Sekundärmetabolismus s. Stoffwechsel.

Sekundärmetabolite. Bez. für niedermol. Stoffwechselprodukte, die auf Nebenwegen des allg. Stoffwechsels insbes. in Pflanzen u. Mikroorganismen gebildet werden. Ihre Funktion u. Bedeutung für den produzierenden Organismus sind v. a. bei mikrobiellen S. oft nicht genau bekannt u. haben einige Autoren dazu veranlaßt, sie als „Spielraum der phylogenet. Entwicklung" zu diskutieren. In einigen Fällen üben S. Abwehrfunktionen aus, absorbieren Licht bzw. UV-Strahlung u. schützen damit den produzierenden Organismus od. wirken regulierend bei der Differenzierung.
S. sind teilw. äußerst kompliziert u. komplex aufgebaute Verbindungen. Sie setzen sich nicht selten aus ungewöhnlichen Komponenten zusammen, die sich aus verschiedenen Wegen des Grund- od. Primärstoffwechsels ableiten (s. Abb., *Lit.*[1]). Zu ihrer Bildung sind meist nur einige spezielle Schritte zusätzlich zum normalen Stoffwechsel erforderlich.
Molekulargenet. Untersuchungen bei Mikroorganismen, insbes. bei *Streptomyceten, zeigen, daß die Biosynth.-Gene oft zusammenhängend (geclustert) auf dem *Chromosom od. auf *Plasmiden angeordnet sind

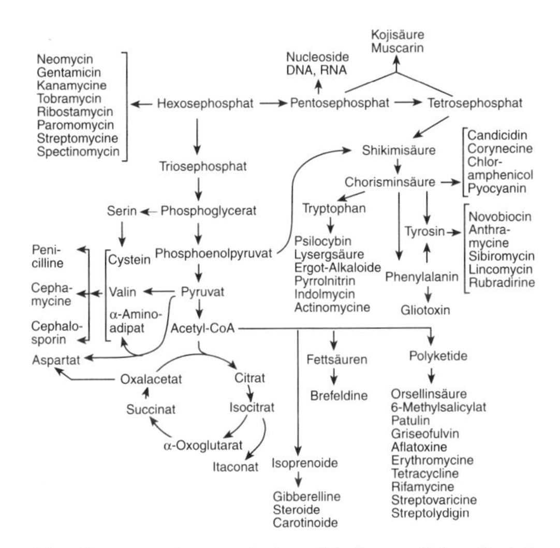

Abb.: Zusammenhang zwischen Primär- u. Sekundärstoffwechsel (nach Dellweg, *Lit.*).

u. z. B. bei *Polyketiden kassettenartig ausgetauscht werden können[2]. Die S.-Synth. ist häufig ein Teil des Differenzierungsprogramms der betreffenden Art u. findet meist nur während bestimmter Entwicklungsphasen statt. Bei Mikroorganismen werden S. häufig in der sog. *Idiophase gebildet, in der wenig od. kein Wachstum mehr stattfindet u. die auf die logarithm. Wachstumsphase (*log-Phase) folgt. Typ. Beisp. für S. sind Toxine, Pigmente, bei Pflanzen Alkaloide u. Terpene, bei Mikroorganismen Antibiotika u. Mykotoxine. – ***E*** secondary metabolites – ***F*** métabolites secondaires – ***I*** metaboliti secondari – ***S*** metabolitos secundarios

Lit.: [1] Dellweg, Biotechnologie, S. 141, Weinheim: VCH Verlagsges. 1987. [2] BioWorld **1997**, Nr. 5, 14; TIBTECH **14**, 335 (1996).
allg.: Präve et al. (4.), S. 141, 209, 663 ▪ Rehm-Reed (2.) **7**.

Sekundärneutralteilchen-Massenspektrometrie s. SNMS.

Sekundär-Rohstoff. Im Gegensatz zu ursprünglichen (prim.) Rohstoffen durch Aufarbeitung von Rückständen, Altstoffen od. *Abfällen bereitgestellter Rohstoff – ***E*** secondary raw material – ***I*** materia secondaria – ***S*** materia secundaria

Sekundärstoffwechsel s. Stoffwechsel.

Sekundärstruktur s. Proteine.

Sekundärtenside s. Cotenside.

Sekundär-Weichmacher s. Weichmacher.

Sekundasprit s. Ethanol (S. 1228).

Sekunde. a) *Basiseinheit der *Zeit im *SI u. im veralteten *CGS-System; Symbol: s (veraltete Abk.: Sek., sec). Daneben zulässig sind Minute (1 min = 60 s), Stunde (1 h = 60 min), Tag (1 d = 24 h) u. Jahr (1 a≈31 556 925,9747 s; bis 1967 gültige Definition der s vom 1. 1. 1900, 0 Uhr; Abnahme der Dauer des Jahres: 0,530 s pro Jh.). Heute definiert das SI die s als die „Dauer von 9 192 631 770 Schwingungen der Strahlung, die dem Übergang zwischen den beiden Hyperfeinniveaus des Grundzustands des Atoms ^{133}Cs entspricht". Schwankungen der Erdrotation lassen die von *Atomuhren exakt in s angezeigte Uhrzeit 24:00:00 vom Mitternachtspunkt abweichen u. werden halbjährlich ggf. durch Ausfall od. Einfügen einer Schaltsekunde ausgeglichen. Das *Meter wird heute über Lichtgeschwindigkeit c = 299 792 458 m/s (s. Fundamentalkonstanten) u. s definiert.
b) Einheit des ebenen Winkels im Grad-Minute-Sekunde-Syst. (Symbole: °, ′, ″; 1° = 60′ = 3600″), das neben der SI-Einheit Radian (Symbol: *rad) zulässig ist; $1\ rad = (360 \cdot 3600/2\pi)'' = 202\,264{,}806''$; $1'' = (\pi/648\,000)\ rad = 4{,}84813681\ \mu rad$. – ***E*** second – ***F*** seconde – ***I*** secondo – ***S*** segundo

Lit.: IUPAC, Größen, Einheiten u. Symbole in der Physikal. Chemie, §§ 3.2, 3.7, 7.2, Weinheim: VCH Verlagsges. 1996 (engl. Urtext: Oxford: Blackwell 1993).

Sekundenkleber s. Cyanacrylat-Klebstoffe.

Sekusept®. Produkte für die Desinfektion: *S.-Pulver* für Instrumente, Anästhesie-Zubehör, Endoskope u. Atemschutzmasken, enthält *Natriumperborat u. Tetraacetyl-ethylendiamin; – *S. forte:* Desinfektionsmittel zur manuellen Aufbereitung von chirurg. Instrumenten einschließlich flexibler Endoskope; – *S. extra neu:* Desinfektionsmittel zur manuellen Aufbereitung von chirurg. Instrumenten einschließlich flexibler Endoskope, enthält *Glutaraldehyd; – *S. plus:* Aldehyd- u. QAV-freies Instrumentendesinfektionsmittel zur manuellen Aufbereitung von Instrumenten auf Basis *Glucoprotamin®* (Marke von Henkel für L-Glutaminsäure-C_{12}-C_{14}-Alkylpropylendiamin-Umsetzungsprodukte) u. Phenoxyethanol. ***B.:*** Henkel-Ecolab.

Sela, Michael (geb. 1924), Prof. für Immunologie, Weizmann Inst. of Science, Rehovet, Israel, Präsident des Weizmann-Inst. (bis 1985), Präsident der Internat. Union of Immunological Societies (bis 1980). *Arbeitsgebiete:* Immunologie, Biochemie, Molekularbiologie.

Lit.: Annu. Rev. Immunol. **5**, 1–19 (1987) ▪ Kürschner (15.), S. 4354 ▪ The International Who's Who (17.), S. 1359.

Seladonit. Unterschiedlich grüner dioktaedr. *Glimmer mit der Endglied-Formel $KMgFe^{3+}[(OH)_2/Si_4O_{10}]$, aber mit der Möglichkeit des Einbaus von bis zu 0,2 Atomen Al od. Fe^{3+} pro Formeleinheit in den Tetraeder-Schichten; zur *Mischkristall-Bildung zwischen S. u. den neuen Endgliedern *Ferro-S.* $K_2Fe^{2+}_2Fe^{3+}_2[(OH)_4/Si_8O_{20}]$ u. *Ferroalumino-S.* $K_2Fe^{2+}_2Al_2[(OH)_4/Si_8O_{20}]$ s. *Lit.*[1]. Verschiedene Polytypen (*Polymorphie), am häufigsten *S.-1M* (Erklärung s. Glimmer); auch Wechsellagerungen mit *Smektiten. Zur Synth. u. therm. Stabilität von S. s. *Lit.*[2]. S. bildet winzige Schuppen od. dichte u. derbe bis feinerdige Massen, H. 1–2, D. 2,8–2,9.

Vork.: Bes. in *Basalten (auch des Ozeanbodens) als Spalten- u. Blasenfüllung od. als Umwandlungsprodukt; *Beisp.:* Fassatal/Südtirol, Schottland sowie Washington, Oregon u. Wyoming/USA u. mehrorts in Japan. In aktiven Geothermalsyst., z. B. Yellowstone Park/USA. Als Bestandteil der *Grünerde; S. wurde über Jh. als Pigment (*Veroneser Grün*) in Steinbrüchen bei Verona/Italien abgebaut. – ***E*** celadonite – ***F*** céladonite – *I* celadonite, seladonite, terra verde di Verona – *S* celedonita, celadonita

Lit.: [1] Am. Mineral. **82**, 503–511 (1997). [2] Am. Mineral. **49**, 1031–1083 (1964).
allg.: Anthony et al., Handbook of Mineralogy, Vol. II, Tl. 1, S. 121, Tucson (Arizona): Mineral Data Publishing 1995 ▪ Bailey (Hrsg.), Micas (Reviews in Mineralogy, Vol. 13), S. 545–572, Washington (D. C.): Mineral. Soc. Am. 1983 ▪ Mineral. Mag. **42**, 373–378 (1978). – *[HS 2525 10; CAS 71606-04-7]*

Seladon-Porzellan s. Porzellan (Geschichte).

Selagin s. Huperzin.

Selbana®-Typen. Mineralöl- u. fettfreie Spinnschmälzen für alle Textilfasern mit antistat. Eigenschaften. ***B.:*** Henkel.

SELB-Protein s. Selenocystein.

Selbstbeschleunigung s. Geleffekt.

Selbstbräunende Präparate s. Hautbräunung.

Selbstdiffusion s. Diffusion.

Selbstentzündung. Umgangssprachliche Bez. für die *Entzündung eines brennfähigen Stoffes *ohne* Einwirkung einer Zündquelle, d. h. ohne Fremdzündung durch Funken od. Flammen (dies wäre eine *Entflammung, vgl. Flammpunkt). Die zugehörige Temp. wird als *Zündtemperatur (*S.-Temp.*) bezeichnet. Sie hängt ab vom Druck, der Sauerstoff-Konz. u. ggf. katalyt. Einflüssen. Die Zündtemp. von Stoffen od. Stoffgemischen kann erreicht werden, wenn in diesen exotherme Reaktionen ablaufen, deren Reaktionswärme nicht nach außen abgeführt werden kann. So neigen bes. Gemische aus brennbarem Material u. starken Oxid.-Mitteln wie z. B. Salpetersäure, Nitrate, Chromate, Perchlorate, Chlorate, Peroxide usw. zur Selbstentzündung. Auch starke Sauerstoff-Adsorption an feinteiligen Oberflächen kann Oxid.-Reaktionen beschleunigen u. damit S. hervorrufen. Im allg. laufen bei der Entzündung Radikal-Kettenreaktionen ab, so daß man bei Ottomotor-Kraftstoffen, bei denen man die S. *Klopfen* u. *Klingeln* nennt (vgl. Octan-Zahl), *Antiklopfmittel zusetzt, um die S.-*Kettenreaktion zu unterbrechen. S. ist dagegen wesentlich für die Funktion von Dieselmotoren, bei denen keine Fremdzündung erfolgt. Spontane Entzündungen sind ferner bekannt von feucht eingebrachtem Heu, Öl-durchtränkten Lappen, Aktivkohle, Steinkohle [1], Phosphan, Zinkdiethyl, pyrophoren Metallen, Pyrit, Weißem Phosphor, Natriumhydrid an feuchter Luft, wasserfreiem Natriumsulfid u. vielen anderen Stoffen; in manchen Fällen kann man mit der Anw. von Schutzgasen die S.-Gefahr verringern.
Selbstentzündliche Stoffe werden mit dem *Gefahrensymbol für feuergefährliche Stoffe gekennzeichnet. Für den Transport müssen entsprechende Gefahrzettel für selbstentzündliche Stoffe verwendet werden (s. Gefahrensymbole). – *E* autoignition – *F* combustion spontanée – *I* autocombustione – *S* autoignición, combustión espontánea

Lit.: [1] Erdöl Kohle Erdgas Petrochem. **38**, 127 ff. (1985).
allg.: Adv. Chem. Phys. **64**, 203–304 (1986) ▪ Bowes, Self-Heating: Evaluating and Controlling the Hazards, Amsterdam: Elsevier 1984 ▪ Kirk-Othmer (3.) **4**, 290 ▪ Ullmann (4.) **5**, 799.

Selbstglanzpflegemittel. Bez. für v. a. als *Fußbodenpflegemittel eingesetzte wäss. *Selbstglanz-Emulsionen*, die nach bloßem Auftrocknen ohne Poliervorgang glänzende Filme hinterlassen. Sie bestehen im wesentlichen aus polymeren Filmbildnern, z. B. Acrylat- u. Styrolacrylat-Copolymeren in dispergierter Form, Hartwachsen, z. B. Montanwachs-Derivaten, Paraffinen, Polyethylenen, Mikrowachsen, Naturwachsen etc. in emulgierter Form sowie Verlauf- u. Netzmitteln. Zu den letzteren gehören Harz-Lsg., Fluortenside etc. Trägersubstanz ist Wasser, u. daher sind die Produkte nicht brennbar. Enthalten die S. außer den Emulgatoren weitere Tenside, z. B. waschaktive Substanzen, so können sie auch eine reinigende Wirkung besitzen. Selbstglanzmittel mit Reinigungswirkung können z. T. als Konzentrat zur Bildung einer strapazierfähigen Pflegeschicht u. mit Wasser verdünnt zur laufenden Reinigung u. Pflege benutzt werden (*Wischglanz-Mittel*). Die sog. *Selbstglanzwachse* werden als Grundkörper der Emulsionen auch in *Schuhpflegemitteln eingesetzt. – *E* self-glazing emulsions, dry-bright emulsions, self polishing wax emulsions – *F* produits d'entretien autopolissants – *I* lucidi – *S* emulsiones para autoabrillantado

Lit.: Ullmann (5.) **A 7**, 143 ▪ Vollmer u. Franz, Chemie in Haus u. Garten, Stuttgart: Thieme 1994 ▪ s. a. die Textstichwörter. – *[HS 3405 20]*

Selbsthaftung s. Autohäsion.

Selbstinduktionskoeffizient s. Induktivität.

Selbstinduktivität s. Induktivität.

Selbstinitiierende Polymerisationen (therm. initiierte Polymerisationen). Sammelbez. für meist radikal. *Polymerisationen, die ohne speziell zugesetzten *Initiator u. damit rein therm. starten. Auf den ersten Blick scheinen viele *Monomere beim Erhitzen eine spontane Polymerisation einzugehen. Allerdings sind meist Verunreinigungen der Monomere (z. B. Peroxide od. Hydroperoxide, entstanden durch die Reaktion mit Luftsauerstoff) für die beobachtete Polymerisation verantwortlich. Für Styrol konnte allerdings eine s. P. zweifelsfrei nachgewiesen werden. Der Kettenstart verläuft hier über die Bildung von Diels-Alder-Dimeren **2** aus zwei Styrol-Mol. **1**, der sich die Übertragung eines Wasserstoff-Atoms vom Dimeren **2** auf ein weiteres Styrol-Mol. **1** anschließt. Von den so erzeugten Radikalen **3** u. **4** geht die sich anschließende radikal. Polymerisation aus:

1 → 2 (H, H)
↓ + 1
4 (CH_3) + 3 (H)

Mit hoher Wahrscheinlichkeit löst auch Methylmethacrylat (MMA, **5**) eine s. P. aus. Der vermutete Initiierungsschritt besteht hier in der Bildung eines Biradikals **6** aus zwei Monomer-Mol. **5**, der ein Wasserstoff-Transfer von einer in der Lsg. vorhandenen Spezies folgt. So entsteht ein Monoradikal **7**, von dem aus die s. P. startet:

$$2\ H_2C{=}C(CH_3)COOCH_3\ (\mathbf{5}) \longrightarrow {\bullet}C(CH_3)(COOCH_3){-}CH_2{-}CH_2{-}C(CH_3)(COOCH_3){\bullet}\ (\mathbf{6})$$

$$\xrightarrow[-R\bullet]{+RH} HC(CH_3)(COOCH_3){-}CH_2{-}CH_2{-}C(CH_3)(COOCH_3){\bullet}\ (\mathbf{7})$$

Auch andere Monomere sollten prinzipiell eine s. P. eingehen können (z. B. Styrol-Derivate, 2-Vinylthiophen od. 2-Vinylfuran), ein abschließender Beweis hierfür steht allerdings noch aus.
Generell ist die Geschw. der s. P. sehr viel geringer als die einer durch stoffliche Initiatoren ausgelösten Polymerisation, aber dennoch keineswegs vernachlässigbar. Um die z. B. bei der Lagerung von Monomeren unerwünschte s. P. zu unterbinden, werden diesen Stabilisatoren (Inhibitoren) zugesetzt. – ***E*** self-initiated polymerization, purely thermally initiated polymerisation – ***F*** polymérisation autoinitiante – ***I*** polimerizzazione autoinizata – ***S*** polimerizaciones autoiniciadas, polimerizaciones iniciadas térmicamente
Lit.: Odian (3.), S. 230.

Selbstklebende Erzeugnisse. Die meist als *haftklebende Erzeugnisse* bezeichneten s. E. sind Bänder (*Klebebänder), Etiketten u. Folien aus *Polyvinylchlorid, *Polypropylen, *Celluloseacetat, *Polyester, Papier, Gewebe usw., die mit *Selbstklebemassen* (d. h. einem *Haftklebstoff) beschichtet sind. Die haftklebende Schicht ist bis zum Gebrauch bei Folien u. Etiketten durch eine abhäsive Gegenlage abgedeckt (klebefeindliches *Trennpapier*). S. E. kleben bereits nach Anw. von leichtem Druck auf den meisten Oberflächen; eine Aktivierung durch Anfeuchten od. Erwärmen ist nicht erforderlich. – ***E*** pressure sensitive articles – ***F*** produits auto-adhésifs (autocollants) – ***I*** prodotti autoadesivi – ***S*** productos autoadhesivos
Lit.: s. Haftklebstoffe u. Klebstoffe.

Selbstkondensation s. Kondensation.

Selbstkonsistentes Feld s. Hartree-Fock-Verfahren, MO-Theorie u. SCF-Verfahren.

Selbstorganisation. In der Chemie Bez. für die Erscheinung, daß aus den Komponenten eines Syst. durch nichtkovalente Kräfte (s. a. zwischenmolekulare Kräfte u. chemische Bindung) spontan definierte Strukturen entstehen. S. tritt z. B. in *flüssigen Kristallen, *Micellen, Filmen u. porösen Polymeren auf[1]. Sie ist ein fester Bestandteil der biolog. Welt u. das wohl wichtigste Prinzip bei der *chemischen Evolution. So falten sich z. B. Aminosäure-Ketten spontan zu *Enzymen mit wohldefinierter räumlicher Struktur od. organisieren sich *Lipide zu Doppelschichten in den Zellmembranen; s. a. Synergetik. – ***E*** self-organization – ***F*** auto-organisation – ***I*** autoorganizzazione – ***S*** autoorganización
Lit.: [1] Angew. Chem. **100**, 117–162 (1988); **103**, 1104–1118 (1991).
allg.: Dress et al., Selbstorganisation – Die Entstehung von Ordnung in Natur u. Gesellschaft, München: Piper 1986 ▪ Eigen, Stufen zum Leben, München: Piper 1987 ▪ Haken u. Wunderlin, Sie Selbststrukturierung der Materie. Synergetik in der unbelebten Welt, Braunschweig: Vieweg 1991 ▪ Haken, Erfolgsgeheimnisse der Natur – Synergetik: Die Lehre vom Zusammenwirken, Stuttgart: DVA 1986 ▪ Küppers, Ordnung aus dem Chaos. Prinzipien der Selbstorganisation u. Evolution des Lebens (3.), München: Piper 1991.

Selbstoxidierende Haarfarbstoffe s. Haarbehandlung.

Selbst-Peptide s. Peptide.

Selbstreinigung. Gesamtheit aller physikal., chem. u. biolog. Vorgänge, die zur Beseitigung von Verunreinigungen aus *Umwelt-Kompartimenten führen, z. B. aus Böden[1] u. Grundwasser[1]. Im engeren Sinn ist mit S. der Abbau organ. Stoffe in Gewässern[2] od. *Abwasser gemeint, der auf *biologischem Abbau, *Hydrolyse u. *Photoabbau beruht (s. a. Abbaukapazität der Umwelt).
Nach einer organ. Verunreinigung ist die S. an der Veränderung sowohl chem. Parameter als auch der Lebensgemeinschaften (*Biozönosen) zu erkennen (Abb.).

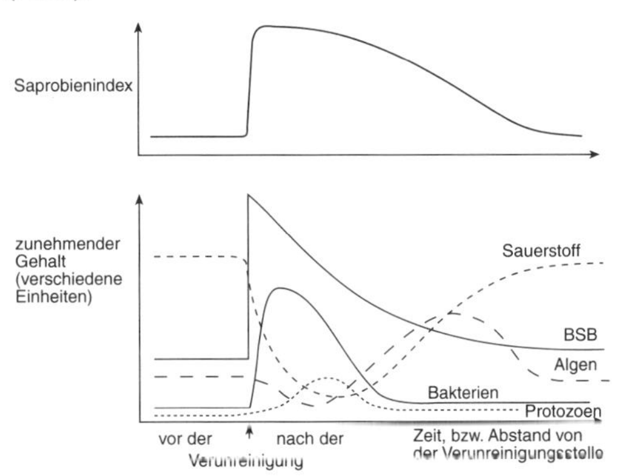

Abb.: Biolog. Selbstreinigung u. dabei auftretende Veränderungen wichtiger chem. u. biolog. Eigenschaften; nach Schubert, *Lit.*

Die S. läuft in mehreren Phasen, die in Fließgewässern auch räumlich unterscheidbar sind. Zuerst dominieren Bakterien u. Pilze, dann werden Protozoen (Einzeller wie z. B. Ciliaten = Wimpertierchen), *Algen, Rädertierchen, *Insekten-Larven u. a. bedeutsam. Die an der S. beteiligten Organismen werden sogar zur *Gewässergütebestimmung herangezogen u. liefern so Hinweise auf organ. Belastungen (s. a. Saprobienindex). Allerdings ist nicht einfach auf eine Belastungsursache zu schließen, da z. B. langsam fließende Tieflandgewässer aufgrund ihrer hohen biolog. *Produktivität natürlicherweise auch hohe Gehalte an organ. Stoffen aufweisen. Der biolog. S.-Prozeß wird in *Kläranlagen zur Abwasserbehandlung eingesetzt u. hinsichtlich Reinigungsleistung, bes. der Geschw., optimiert. – ***E*** self-purification – ***F*** auto-épuration – ***I*** autopurificazione – ***S*** autodepuración

Lit.: [1] Raphael, Umweltbiotechnologie, Berlin: Springer 1997. [2] Z. Umweltpolitik Umweltrecht **17**, 323–355 (1994).
allg.: Abwassertechnische Vereinigung (Hrsg.), ATV-Handbuch Biologische u. weitergehende Abwasserreinigung (4.), S. 11–15, Berlin: Ernst 1997 ▪ Schubert, Lehrbuch der Ökologie (2.), S. 358–361, Jena: Fischer 1986 ▪ Uhlmann, Hydrobiologie (3.), S. 72–98, Stuttgart: Fischer 1988.

Selbstretter. S. sind *Atemschutzgeräte für die Selbstrettung; auch als Fluchtgeräte bezeichnet. S. sollen den Benutzer während der Flucht aus Bereichen mit gesundheitsschädlicher, giftiger od. sonstiger nicht atembarer Umgebungsatmosphäre (z. B. Sauerstoff-Mangel) mit der benötigten gesundheitsunschädlichen Atemluft versorgen. Sie müssen frei tragbar, d. h. nicht ortsgebunden sein.
Je nach Wirkungsweise unterscheidet man zwischen von der Umgebungsatmosphäre abhängigen (Filtergeräte für Selbstrettung) u. unabhängigen (Isoliergeräte für Selbstrettung) Atemschutzgeräten für die Selbstrettung. – ***E*** respiratory protective devices for self-rescue – ***F*** appareils respiratoires de secours, de sauvetage – ***I*** respiratore di autosalvataggio – ***S*** máscaras respiratorias de socorro
Lit.: DIN EN 133 (Atemschutzgeräte-Einteilung) (1991) ▪ DIN EN 400 (Drucksauerstoffselbstretter) (1993) ▪ DIN EN 401 (Chemikalsauerstoffselbstretter) (1993) ▪ DIN EN 402 (Druckluftselbstretter mit Vollmaske od. Mundstückgarnitur) (1993) ▪ DIN EN 403 (Brandfluchthauben) (1993) ▪ DIN EN 404 (Filterselbstretter) (1993) ▪ DIN EN 1061 (Chloratselbstretter) (1996) ▪ DIN EN 1146 (Druckluftselbstretter mit Haube) (1997) ▪ E DIN 58647-7 (Atemschutzgeräte für Selbstrettung) (1995) ▪ Regeln für den Einsatz von Atemschutzgeräten, ZH1/701, Hauptverband der gewerblichen Berufsgenossenschaften, 1996 ▪ s. a. Preßluftatmer.

Selbstüberwachung (Eigenüberwachung). Wahrnehmung der regelmäßigen Überwachung von Produktions-, Abwasserbehandlungs- u. a. Anlagen od. Anlagenteilen bzw. deren Emissionen durch den Anlagenbetreiber (bzw. dessen Beauftragten) (im ursprünglichen Sinne: Anstelle von Behörden).
Die S. ist in verschiedenen Gesetzen u. a. Regelungen vorgesehen. Z. B. dürfen in *überwachungsbedürftigen Anlagen zum Betrieb gehörige anerkannte Sachverständige Überwachungsaufgaben nach Druckbehälter-VO wahrnehmen. S. ist meist – wegen der Zuständigkeit der Länder für die Überwachung – nach Landesrecht geregelt, z. B. nach Landesabfallgesetz (z. B. Nordrhein-Westfalen [1], § 25) u. Landeswassergesetz [2] (z. B. Nordrhein-Westfalen [3], § 50, 60, 60a, 61) auch in sog. S.-VO [4]. In Bayern ist in der Verwaltungsvorschrift zum Vollzug der VO über Anlagen zum Umgang mit wassergefährdenden Stoffen geregelt, daß Unternehmen, deren Standort nach *EG-Ökoauditverordnung registriert ist, Pflichten nach Ordnungsrecht wahrnehmen dürfen [5]. – ***E*** self-control – ***F*** auto-contrôle – ***I*** autocontrollo – ***S*** autocontrol
Lit.: [1] Abfallgesetz für das Land Nordrhein-Westfalen vom 21.06.1988 (GV. NW., S. 250), zuletzt geändert am 07.02.1995 (GV. NW., S. 134). [2] Zitzelsberger et al. (Hrsg.), Das neue Wasserrecht für die betriebliche Praxis, Tl. 07/2.2, Augsburg: WEKA, Loseblatt-Sammlung, seit 1981. [3] Wassergesetz für das Land Nordrhein-Westfalen vom 09.06.1989 (GV. NW., S. 384) in der Fassung vom 25.06.1995 (GV. NW., S. 926). [4] *Beisp.:* EigenkontrollVO vom 09.08.1989 (Baden-Württemberg), GBl. S. 391, berichtigt S. 487 (1989); Abwassereigenüberwachungsverordnung vom 09.12.1990 (Bayern), GVBl. S. 587 (1990); VO über Art u. Häufigkeit der Selbstüberwachung von Abwasserbehandlungsanlagen u. Abwassereinleitungen (Selbstüberwachungsverordnung – SüwV) vom 18.08.1989 (Nordrhein-Westfalen), GV. NW., S. 494 (1989); Abwassereigenkontrollverordnung (Hessen), Gesetz- u. Verordnungsblatt für das Land Hessen I vom 25.03.1993; Pöppinghaus et al. (Hrsg.), Abwassertechnologie (2.), S. 991 f., Berlin: Springer 1994; Landesverordnung über die Eigenüberwachung von Abwasserbehandlungsanlagen (EÜVOA) vom 30.03.1990 (Rheinland-Pfalz), GVBl. S. 87 (1990). [5] Umweltbrief **1997**, Nr. 4, S. 6 ff.

Selbstvernetzer s. Harzbildner.

Selbstverpflichtung. Freiwillige Übernahme von Pflichten od. Unterwerfung unter Regeln. Die dtsch. Ind. hat im Rahmen der Umweltpolitik seit den 70er-Jahren etwa 80 S. abgegeben. Dazu gehören Einschränkungen bei der Produktion od. Verw. von Stoffen, Verminderungen von Emissionen, die Durchführung von Stoffprüfungen, Rücknahme- u. Recyclingverpflichtungen, Kennzeichnungs-, Melde- u. Informationsvereinbarungen. Beispielsweise hat sich der VCI verpflichtet, daß die dtsch. Chem. Ind. ihre energiebedingten CO_2-Emissionen u. ihren spezif. Energieverbrauch bis zum Jahr 2005 im Vgl. zu 1990 um 30% senken wird [1]. S. sind eine Ausformung der Prinzipien von *Responsible Care®. Sie tragen zu einer rationalen Umweltpolitik bei [2] u. sind im Unterschied zu gesetzlichen Regelungen unbürokrat. u. flexibel. Im Gegenzug wird erwartet, daß die Politik auf administrative Maßnahmen verzichtet. Von der EU-Kommission wird z. Z. (1997) eine Richtlinie zu Voraussetzungen für den Einsatz u. Anforderungen an den Inhalt von S. erarbeitet. Die EG-Ökoauditverordnung regelt die freiwillige Teilnahme gewerblicher Unternehmen an einem Gemeinschaftssyst. für das Umweltmanagement u. die Umweltbetriebsprüfung. – ***E*** public (self) commitments – ***F*** engagement personnel – ***I*** obbligo volontario – ***S*** complomiso público
Lit.: [1] Rheinisch-Westfälisches Institut für Wirtschaftsforschung e. V. (RWI), CO_2-Monitoring der deutschen Industrie – ökologische und ökonomische Verifikation, Essen: RWI 1997. [2] Umwelt (UBA) **1997**, 89–92.
allg.: Ullmann (5.) **B 7**, 373–377 ▪ Umwelt Magazin 1997, Nr. 4, 34–39.

Selbstverstärkende Kunststoffe (Kurzz. SRP). Bez. für Kunststoffe, bei deren Verarbeitung über Orientierungsphänomene der Basis-*Makromoleküle Festigkeiten erreicht werden, die sonst nur über Einarbeiten von verstärkenden Fasern (s. Faserverstärkung) eingestellt werden können. S. K. sind *flüssigkristalline Polymere, z. B. flüssigkrist. Polyester. – ***E*** self-reinforcing plastics – ***F*** plastiques autorenforçant par soi-même – ***I*** plastiche autorrinforzanti – ***S*** plásticos autoreforzantes
Lit.: Batzer **3**, 212 f.

Selchen s. Räuchern.

Selectine. Klasse von *Zell-Adhäsionsmolekülen, die im Blut/Lymph- u. Gefäß-Syst. vorkommen. Diese Membran-Proteine enthalten *Domänen, die Ähnlichkeit zu *Lektinen, zum *epidermalen Wachstumsfaktor (EGF) u. zu Komplement-Regulator-Proteinen aufweisen. Man unterscheidet E-, L- u. P-S.; die Bindung der Zielstrukturen (*Glykoproteine u. *Proteoglykane) erfolgt an deren Sialyl-, Fucosyl- u. Sulfoglykosyl-haltigen Kohlenhydrat-Anteilen u. ist teilw. Calcium-Ionen-abhängig. Ein Beisp. ist der *Homing-Rezeptor der Lymphocyten (L-S., LAM 1, LECAM 1, LECCAM 1), der für deren Auswanderung aus den Blutgefäßen von Bedeutung ist. Speziell bewirken die S. ein Entlangrollen der Lymphocyten an der Gefäßwand [1]; im Anschluß daran kommt durch *Integrine eine feste Bindung zustande, der die Auswanderung folgt. S. initiieren auch intrazelluläre Signale u. regulieren Zell-Zell-Wechselwirkungen bei Monocyten, Lymphocyten, Thrombocyten u. Endothelzellen [2]. Zu S.-Inhibitoren, die bei Entzündungsprozessen u. gegen Tumor-Metastasierung angezeigt sein könnten, s. *Lit.* [3]. – ***E*** selectins – ***F*** sélectines – ***I*** selectine – ***S*** selectinas

Lit.: [1] Mol. Med. Today **3**, 214–222 (1997). [2] J. Leukocyte Biol. **63**, 1–14 (1998). [3] Nachr. Chem. Tech. Lab. **46**, 432–436 (1998).
allg.: Alberts et al., Molekularbiologie der Zelle, 3. Aufl., S. 592 f., 1143, Weinheim: VCH Verlagsges. 1995 ▪ Blood **88**, 3259–3287 (1996) ▪ Trends Biochem. Sci. **21**, 65–69, 160 (1996).

Selectipur®. Sortiment von Spezialchemikalien bes. Reinheit für die Elektronik (bes. zur Halbleiterherst.). ***B.:*** Merck.

Selectol® (Rp). Filmtabl. mit *Celiprolol-hydrochlorid gegen Bluthochdruck, koronare Herzerkrankungen. ***B.:*** Pharmacia & Upjohn.

Selectomycin® s. Spiramycin.

Selectride®. Marke von Aldrich für Lithium-, Natrium- u. Kaliumtri-2-butylborhydrid

$$\{[H_3C\text{–}CH_2\text{–}CH(CH_3)]_3BH\}^- M^+,$$

wobei M = Li, Na od. K; spezif. Red.-Mittel für die stereoselektive Red. von Ketonen zu Alkoholen.

Selegilin (Rp).

Internat. Freiname für das als MAO-Hemmer (s. Monoamin-Oxidase) wirkende *Antidepressivum u. Antiparkinsonmittel (*R*)-*N*,α-Dimethyl-*N*-(2-propinyl)-benzolethanamin, $C_{13}H_{17}N$, M_R 187,29, Öl, Sdp. 92–93 °C (1,07 kPa), n_D^{20} 1,5180, $[\alpha]_D^{20}$ –11,2° (unverd.). Verwendet wird meist das Hydrochlorid, Schmp. 141–142 °C, $[\alpha]_D^{25}$ –10,8° (c 6,48/H_2O), LD_{50} (Ratte i.v.) 81, (Ratte s.c.) 280 mg/kg. S. wurde 1965 u. 1986 von Chinoin patentiert u. ist als Generikum im Handel. – ***E*** selegiline – ***F*** sélégiline – ***I*** = ***S*** selegilina

Lit.: Hager (5.) **9**, 593 ff. ▪ Martindale (31.), S. 1167 f. – *[HS 2921 49; CAS 14611-51-9 (S.); 14611-52-0 (Hydrochlorid)]*

Selektion (von latein.: selectio = Auslese). Bez. für einen Prozeß, der den Organismen Vorteile verschafft, die am besten an die biot. u. abiot. Umweltfaktoren angepaßt sind. Charles Darwin (1809–1882) hat bei seiner S.-Theorie (1859) neben der **Mutation* u. **Rekombination* von *Genen u. der damit gegebenen *genet. Variabilität* artgleicher Individuen einen zweiten Evolutions-Faktor nachgewiesen: Die *natürliche Auslese* (= *S.*). Durch die S. werden im „Kampf ums Dasein" („struggle for life") jeweils die am besten angepaßten unter den genet. variablen Individuen überleben u. ihre Gene in die nächste Generation einbringen. Langfristig gesehen führt dieser Prozeß zur *Evolution. Erhöhte Fortpflanzungserfolge erzielen dabei jene Individuen, die z. B. die vorhandenen Nahrungsangebote besser nutzen, mit dem Lebensraum u. seinem Angebot an *ökologischen Nischen besser zurechtkommen, effizientere Brutpflege betreiben, höhere Resistenz gegen Parasiten u. Krankheiten zeigen usw. S. arbeitet zwar gerichtet, aber nicht planmäßig, sondern opportunistisch. Selektioniert wird die augenblickliche reproduktive Überlegenheit gegenüber vorhandenen Konkurrenten (Fitness-Maximierung). – ***E*** selection – ***F*** sélection – ***I*** selezione – ***S*** selección

Lit.: Futuyma, Evolutionsbiologie, Basel: Birkhäuser 1989 ▪ Wehner u. Gehring, Zoologie (23.), Stuttgart: Thieme 1995.

Selektionsmarker. *Gene, die unter bestimmten „selektiven" Bedingungen nur den Trägern dieser Gene ein Überleben erlauben. In der Regel handelt es sich bei S. um Resistenzgene gegenüber bestimmten Antibiotika. Sie haben in der Bakteriengenetik eine große Verbreitung gefunden, da sie z. B. bei Gentransfer-Experimenten mit Klonierungsvektoren anzeigen, ob eine bestimmte DNA-Sequenz erfolgreich eingeführt werden konnte. Dazu wird sowohl der S. als auch die Zielsequenz in den Klonierungsvektor eingebracht. – ***E*** selection markers – ***I*** marcatore di selezione – ***S*** marcador de selección

Lit.: Ibelgaufts, Gentechnologie von A bis Z, S. 436, 446, Weinheim: VCH Verlagsges. 1993.

Selektiv. In Chemie, Biochemie usw. versteht man unter „selektiv" die Fähigkeit bestimmter Substanzen od. Organismen, aus einer Anzahl gebotener Möglichkeiten zur Reaktion od. allg. Einwirkung *eine bevorzugt* auszuwählen. Beispielsweise spricht man von selektiv wirkenden Red.-Mitteln, wenn in einem mehrere Carbonyl-Gruppen enthaltenden Steroid *bevorzugt* (nicht *ausschließlich*: dies wäre *spezifisch!) eine bestimmte Gruppe reduziert wird, während die übrigen Carbonyl-Gruppen in weit geringerem Maße reagieren. Analog ist der Begriff *stereoselektive Reaktionen zu verstehen. Als *regioselektiv* bezeichnet man eine Reaktion, die bestimmte Regionen eines Mol. bevorzugt (Orientierung, Positions-, Stellungsselektivität). In gleichem Sinne bezeichnet man in der Analytik solche Reagenzien als s., mit denen man eine spezielle Komponente in Ggw. mehrerer anderer, durch die eine Störung der Identifizierung u. Bestimmung zu erwarten ist, nachweisen kann. *Selektivität* bildet allg. die Grundlage für alle Trennverf. aufgrund selektiver Löslichkeiten, Anreicherungen, Extraktions- u. Absorptionsprozesse u. dgl. Bei *Herbiziden spricht man z. B. von s. Wuchsstoffen (*Pflanzenwuchsstoffe), bei Arzneimitteln von s. wirkenden Chemotherapeutika u. von s. *Resistenz usw. Weiter begegnet einem Selektiv(ität) in Wortzusammensetzungen wie *enantioselektive Synthesen u. *diastereoselektive Reaktionen, Periselektivität von Cycloadditionen, chemoselektiv, isoselektiv, permselektive (von *Permeabilität) u. ionenselektive *Membranen, Selektivitätskoeffizienten von *ionenselektiven Elektroden, Selektivitätsklassen von *Lösemitteln usw; s. a. die Empfehlungen der IUPAC zur Verw. von „selektiv". – *E* selective – *F* sélectif – *I* selettivo – *S* selectivo

Lit.: Acc. Chem. Res. **9**, 345–351 (1976); **17**, 438 ff. (1984) ▪ Adv. Phys. Org. Chem. **14**, 69–132 (1977) ▪ Angew. Chem. **89**, 162–173, 847–857 (1977); **103**, 480–518 (1991) ▪ Bartmann u. Trost, Selectivity – A Goal for Synthetic Efficiency, Weinheim: Verl. Chemie 1984 ▪ Chem. Labor Betr. **35**, 536–543 (1984) ▪ Pure Appl. Chem. **55**, 553–556, 1356 (1983) ▪ s. a. Reaktionen.

Selektivität s. selektiv.

Selen (chem. Symbol Se). Halbmetall. Element der 16. Gruppe des *Periodensystems mit den natürlichen Isotopen (Häufigkeit in Klammern) 74 (0,9%), 76 (9,0%), 77 (7,6%), 78 (23,6%), 80 (49,7%), 82 (9,2%); außerdem kennt man eine Reihe künstlicher Isotope von ^{68}Se bis ^{91}Se mit HWZ zwischen 0,27 s u. 6,5 · 10^4 a (^{79}Se); Atomgew. 78,96, Ordnungszahl 34. Se steht im Periodensyst. unmittelbar unter dem *Schwefel u. tritt wie dieser in den Oxid.-Stufen –2, +2, +4 u. +6 auf; die Verb. mit 4-wertigem Se sind am häufigsten u. beständigsten. In einigen Verb. treten auch ungewöhnliche Oxid.-Stufen auf wie +½ im Kation Se_4^{2+} od. –1 im Dinatriumdiselenid, Na_2Se_2. Se kommt ähnlich wie der homologe Schwefel in mehreren allotropen Modif. vor:

1. *Rotes Se* entsteht als lockeres, amorphes, rotes Pulver (D. 4,26), wenn man Se-Dampf rasch abkühlt od. Selenige Säure mit Schwefliger Säure zu Se reduziert. Schreckt man geschmolzenes Se (etwa durch Eingießen in Wasser) plötzlich ab, so entsteht eine glasartige, amorphe, spröde, rotbraune bis bleigraue Masse, D. 4,28–4,36, Schmp. 60–80 °C, die auch *glasiges Se* genannt wird u. beim Zerreiben in ein rotes Pulver übergeht. Das glasige Se unterscheidet sich vom roten, pulverigen Se nur durch den Zerteilungsgrad. Pulverisiertes, (graues) glasiges Se wird bei –80 °C schwarzrot u. bei –195 °C rot.

2. *Monoklines, rotes Se:* Kristallisiert man das vorstehend genannte rote Se aus Schwefelkohlenstoff um, erhält man dunkelrote, monokline Krist. (Schmp. 144 °C), die sich beim Erwärmen auf >120 °C allmählich in graues metall. Se umwandeln. Genaugenommen entstehen sogar drei verschiedene monoklin-krist. Formen, die alle aus Se-Ringen nahezu ident. Geometrie bestehen u. sich lediglich im Achsenverhältnis u. in der Packung der Se_8-Ringe (beide roten Modif. bestehen aus Se_8-Ringen) unterscheiden: Das bei rascher Abscheidung u. tiefer Temp. vorwiegend erhältliche *α-Se* hat eine D. von 4,400, das bei langsamer Abscheidung u. erhöhter Temp. kristallisierende *β*-Se eine D. von 4,352 u. *γ-Se* eine D. von 4,33 g/cm³. Letzteres entsteht bei der Reaktion von CS_2 mit Dipiperidinotetraselenan, $Se_4(NC_5H_{10})_2$.

3. *Graues metall. Se* ist die bei gewöhnlicher Temp. stabile Form, die entsteht, wenn die anderen Se-Modif. auf über 72 °C erwärmt werden; Kristallform hexagonal, Farbe grauschwarz, D. 4,79, Schmp. 220,5 °C, in Schwefelkohlenstoff nahezu unlöslich. Graues S. besteht aus spiralig gewundenen Polymerketten, die innerhalb eines Einkrist. den gleichen Drehsinn zeigen. Die Schmelze ist braunrot, der Dampf ist braungelb, Sdp. 684,8 °C, u. besteht aus Se_6-Ringen; zu homocycl. Se-Mol. s. *Lit.*[1] u. über polycycl. Se-Sulfide s. *Lit.*[2]. Während die nichtmetall. roten Modif. des Se den Strom nicht leiten, zeigt metall. Se einen ausgeprägten inneren *Photoeffekt, d. h. obwohl es im Dunkeln ein sehr schlechter Elektrizitätsleiter ist, nimmt seine Leitfähigkeit bei Belichtung auf das etwa Tausendfache zu (infolge Lockerung bzw. Abspaltung von Elektronen); bei nachfolgender Verdunkelung sinkt die Leitfähigkeit auf den ursprünglichen Betrag. Se zählt zu den Störstellen-*Halbleitern mit selektiver Leitfähigkeit. Neben den hier aufgeführten Modif. des Se existieren noch zwei schwarze Formen.

Physiologie: Se u. seine Verb. wirken stark tox.; MAK-Wert für Se-Verb. 0,1 mg/m³ (berechnet als Se). Bei längerer Einwirkung von Se auf den Organismus (als Dampf od. Staub) können Entzündungen der Atmungs- u. Verdauungsorgane, Schleimhäute u. Außenhaut auftreten. Die Toxizität wird darauf zurückgeführt, daß Se den Schwefel in Proteinen verdrängen kann. Die Ausscheidung erfolgt als Selenat über den Niere u. Darm bzw. sowie Dimethylselenid (Knoblauch-Geruch) über die Lunge; Näheres zur Toxizität s. *Lit.*[3]. Andererseits ist Se ein essentielles Spurenelement für Höhere Tiere u. den Menschen; Se besitzt eine Schutzfunktion für Proteine vor Oxid., die durch die *Glutathion-*Peroxidase erfolgt[4], welche die Aminosäure *Selenocystein im aktiven zentrum enthält. Als Se-Mangelerscheinung gilt eine in einigen Gebieten Chinas verbreitete, *Keshan-Krankheit* genannte Herzmuskelschwäche[5]. S.-Mangel wird auch mit Rheumatismus u. Grauem Star in Verbindung gebracht; Selenite sollen die Wirkung von Vitamin E steigern sowie den Körper von Quecksilber u. Cadmium entgiften[6]. Sogar eine Schutzfunktion des Se vor Carcinogenen wird diskutiert[7]. Der menschliche Körper enthält ca. 10–15 mg S. u. erkrankt, wenn eine tägliche Nahrung mehr als 1 µg Se/g enthält; dagegen ist ein Mindestgehalt von 0,02 µg Se/g erforderlich, um Mangelerscheinungen vorzubeugen. Nach der Trinkwasser-VO dürfen höchstens 8 µg Se/L Wasser enthalten sein. Se wird im menschlichen Körper in der Leber, Milz, den Nieren u. dem Herzen gespeichert. Die äußeren Segmente der Netzhautstäbchen enthalten kleine Se-Mengen, die eine Rolle im *Sehprozeß spielen sollen. Diese Theorie stützt sich darauf, daß die Netzhaut von Tieren mit schwachem Sehvermögen (z. B. Meerschweinchen) sehr wenig Se enthält (ca. 0,001% des Trockengew.), während der Se-Gehalt bei außerordentlich gut sehenden Tieren (Reh u. Seeschwalbe) etwa 100mal so hoch ist. Wenn in der Tiernahrung mehr als 5–10 µg Se/g enthalten sind, treten Hemmung des Wachstums, Haarausfall, Erweichung der Hörner u. Hufe, bei Vögeln Federausfall ein. Andererseits hat sich Se als zur Aufzucht von Küken, Puten, Schweinen u. zur Vermeidung spezif. Erkrankungen bei Schafen als notwendig erwiesen, weshalb Na-Selenit u. Na-Selenat als Mischfutterzusätze od. zur Düngung von Weiden eingesetzt werden. Der natürliche Se-Gehalt tier. u. pflanzlicher Futtermittel ist oft unzureichend, zumal das Element nicht ausreichend freigesetzt wird. In geringen Mengen kommt Se in der Natur als *L-Selenomethionin*, ein Se-Analoges der Aminosäure *Methionin, vor. Se wurde in einigen bakteriellen Enzymen u. als Cofaktor für Oxidoreduktasen identifiziert; s. a. Selenophyten.

Nachw.: Mit Natriumphosphinat (*Thieles Reagenz*); zur Spurenbestimmung mittels Fluoreszenzanalyse eignen sich *3,3′,4,4′-Tetraaminobiphenyl, das mit Se(IV) eine *Piazselenol* genannte Verb. liefert, 2,3-Diaminonaphthalin, Methylenblau u. a. Verb. (vgl. *Lit.*[8]). Bestimmungen sind auch möglich mit der Atomabsorptionsspektroskopie, Neutronenaktivierungs- u. Isotopenverdünnungsanalyse; zu den Meth. zur Untersuchung von biolog. Proben s. *Lit.*[9].

Vork.: Se gehört zu den weniger häufigen Elementen; der Anteil an den obersten 16 km der festen Erdkruste wird auf nur $50 \cdot 10_{14}$ geschätzt; damit steht Se in der Häufigkeitsliste der Elemente in der Nähe von Quecksilber, Silber u. Ruthenium. Reine Se-Minerale kommen sehr selten vor; *Beisp.:* Berzelianit (Cu_2Se), *Tiemannit (HgSe), Naumannit (Ag_2Se). Dagegen trifft man Selenide häufig in kleinen Mengen mit den isomorphen Sulfiden (z. B. Kupferkies, Zinkblende, Eisensulfiden) vergesellschaftet; beim Abrösten dieser Sulfide reichert sich *Selendioxid (SeO_2 ist im Unterschied zu SO_2 fest) im Flugstaub an. Auch bei der Kohleverbrennung wird Se freigesetzt. Der Anodenschlamm der elektrolyt. Cu-Raffination u. Schlämme aus der Cyanid-Laugerei von Silber- u. Gold-Erzen stellen Hauptquellen für die Se-Gewinnung dar. Die Rückgewinnung von S. aus der photoleitenden Schicht gebrauchter S.-Trommeln (*Elektrophotographie) ist sehr effektiv mit annähernd 100 t/a.

Herst.: Aus dem Anodenschlamm der elektrolyt. Cu-Gewinnung durch Schmelzen mit Soda-Salpeter-Gemischen od. durch Rösten unter Zusatz von Soda bei etwa 500 °C, wobei man Natriumselenat u. Natriumselenit erhält. Diese werden in wäss. Lsg. mit SO_2 umgesetzt, wobei elementares Se ausfällt, das destillativ gereinigt wird. Beim Rösten sulfid. Erze (Pyrit enthält durchschnittlich 0,001–0,025% Se) entsteht neben viel SO_2 auch etwas Selendioxid, das als Flugstaub od. anschließend bei der Herst. der Schwefelsäure aus SO_2 aufgefangen u. in Selenige Säure (H_2SeO_3) übergeführt wird. Leitet man in diese Lsg. SO_2, so wird die Selenige Säure zu rotem Se-Pulver reduziert. Man erhält hochreines Se durch Bildung von H_2Se bei 650 °C u. anschließende Zers. bei 1000 °C; zur Herst. von Se u. Se-Verb. im Laboratorium s. *Lit.*[10]. Die Gewinnung von Se-Einkrist. von bis zu 1 cm Durchmesser u. 10 cm Länge ist unter Druck (500 MPa) möglich.

Verw.: Aufgrund der Halbleiter-Eigenschaften von amorphem u. polykrist. Se als photoleitende Schicht in der *Elektrophotographie (*Xerographie*), in Se-Gleichrichtern u. -photozellen, beim Radar, in Kolorimetern, Pyrometern, Photometern, photoelektr. Belichtungsmessern, zum Bau von Lasern, als Magnetverstärker, in Form von Verb. als Farbpigment (*Selenrubinglas*), zur Entfärbung in der Glas-Ind. u. zur Herst. von Pigmenten (Cadmiumrot u. -orange). Durch Se-Zusätze lassen sich die Verarbeitungs-Eigenschaften von Cu-Leg. u. Automatenstählen verbessern. Kleine Mengen von Se-Verb. werden auch Schmierstoffen zugesetzt, um Oxid. u. Zähwerden zu verhindern. In der chem. Ind. dient Se in Form von Verb. als Katalysator u. Vulkanisationsbeschleuniger; bei organ. Synth. (z. B. *Nicotinsäure, *Cortison usw.) verwendet man Se u. Selendioxid als Dehydrierungsmittel. In der analyt. Chemie spielt Se bes. in dem sog. *Se-Reaktionsgemisch* zur Kjeldahl-Stickstoff-Bestimmung nach Wieninger eine Rolle. Die Anw. von Se-Verb. in Pflanzenschutzmitteln ist in der BRD verboten, dagegen ist Se in Antischuppenmitteln als Selensulfid (SeS_2; bis 1%) erlaubt. Ca. 45% der Se-Produktion werden in der Elektrotechnik, 20% zur Herst. von Pigmenten, 8% in der chem. Ind. u. etwa 27% in der Keramik- u. Glas-Ind. sowie für andere industrielle Zwecke eingesetzt. Die wichtigsten Se-Produzenten sind die USA, Kanada u. Japan mit zusammen ca. 70% der Weltproduktion. Die Produktion in der westlichen Welt betrug 1995 ca. 2000 t.

Geschichte: Se wurde 1817 von *Berzelius im Kammerschlamm einer schwed. Schwefelsäure-Fabrik entdeckt u. nach griech.: selene = Mond als Selen bezeichnet, um die nahe Verwandtschaft mit dem bereits 1798 entdeckten Element *Tellur (von latein.: tellus = Erde) anzudeuten. – ***E*** selenium – ***F*** sélénium – ***I = S*** selenio

Lit.: [1] Klapötke u. Tornierporth-Oetting, Nichtmetallchemie, S. 148 ff., Weinheim: VCH Verlagsges. 1994. [2] Stendel u. Strauss, Selenium, Homocycles and Sulphur-Selenium Heterocycles, in Haiduc u. Sowerby (Hrsg.), The Chemistry of Inorganic Homo- and Heterocycles, London: Academic Press 1987. [3] Braun-Dönhardt, S. 343. [4] Chem. Unserer Zeit **21**, 44–49 (1987); Ernähr. Umsch. **33**, 116–120 (1986). [5] Adv. Nutrit. Res. **6**, 203–231 (1984). [6] Naturwiss. Rundsch. **38**, 108 (1985). [7] Toxicol. Environ. Chem. **12**, 1–30 (1986). [8] Fries-Getrost, S. 314–317. [9] Angew. Chem. **97**, 446 f. (1985); Townshend, Encyclopedia of Analytical Science, S. 4567–4583, London: Academic Press 1995. [10] Brauer (3.) **1**, 410–427.

allg.: Combs u. Combs, The Role of Selenium in Nutrition, New York: Academic Press 1986 ▪ Coutts et al., Copper Indium Diselenide for Photovoltaic Applications, Amsterdam: Elsevier 1986 ▪ Environ. Health Crit. **58** (1986) ▪ Erfahrungsheilkunde **37**, 479–484 (1988) ▪ Friberg et al. (Hrsg.), Handbook on the Toxicology of Metals (2.), Vol. II, S. 482–520, Amsterdam: Elsevier 1986 ▪ Gmelin, Syst.-Nr. 10, Se, Tl. A u. B, 1942–1983, mit Suppl. 1979–1984 ▪ Hommel, Nr. 974 ▪ Hutzinger **3 B**, 45–57 ▪ Houben-Weyl **4/1 a**, 323–434 ▪ Ihnat (Hrsg.), Occurence and Distribution of Selenium, Boca Raton: CRC 1989 ▪ Kirk-Othmer (4.) **21**, 686–717 ▪ Patai u. Rappoport, The Chemistry of Organic Selenium and Tellurium (2 Bd.), New York: Wiley 1986, 1987 ▪ Paulmier, Selenium Reagents and Intermediates in Organic Synthesis, Oxford: Pergamon 1986 ▪ Snell-Ettre **17**, 580–607 ▪ Ullmann (5.) **A 23**, 525–536 ▪ Wendel (Hrsg.), Selenium in Biology and Medicine, Berlin: Springer 1989 ▪ Winnacker-Küchler (4.) **3**, 454 f.; **4**, 495 ff. – *[HS 2804 90; CAS 7782-49-2; G 6.1]*

Selena... s. Selen-organische Verbindungen.

Selenate. Bez. für Salze der *Selensäure mit dem Anion SeO_4^{2-}.

Selendioxid. SeO_2, M_R 110,96. Glänzende, weiße, hygroskop., sublimierbare Nadeln, D. 3,95, subl. im Vak. ab 160 °C, unter Normaldruck bei 315 °C u. ergeben beim Erhitzen unter Druck bei 340 °C eine orangegelbe Schmelze; S. ist in Wasser unter Bildung von *Seleniger Säure sowie in Alkohol u. konz. Schwefelsäure leicht löslich. Im Gegensatz zu *Schwefeldioxid wird SeO_2 leicht durch reduzierend wirkende Stoffe (z. B. Staub) zu elementarem Se reduziert. SeO_2 ist ein starkes Gift, MAK-Wert 0,1 mg/m³

T

(auf Se berechnet). Eine SeO_2-Aufnahme kann auch durch die Haut erfolgen. Vorsichtsmaßnahmen müssen daher ergriffen werden: Staubschutzmaske, Gummihandschuhe, gute Absaugung u. Belüftung des Arbeitsplatzes.
Herst.: Durch Verbrennen von Se im Sauerstoff-Strom od. an der Luft.
Verw.: Als Oxid.-Mittel bei der *Kjeldahl-Methode u. bei organ. Synth., z. B. bei der *Riley-Oxid.* aktiver Methyl- od. Methylen-Gruppen zu Carbonyl-Gruppen. S. dient ferner als Additiv für Schmierstoffe, Aktivator für Leuchtstoffmassen, zur Herst. von Spezialgläsern sowie zur Herst. anderer Se-Verbindungen. Weitere Oxide des Se sind Selentrioxid (SeO_3), Selenmonoxid (SeO) als reaktives Zwischenprodukt in Flammen u. Diselenpentoxid (Se_2O_5). – ***E*** selenium dioxide – ***F*** dioxyde de sélénium – ***I*** diossido di selenio – ***S*** dióxido de selenio

Lit.: Brauer (3.) **1**, 319–421 ▪ Gmelin, Syst.-Nr. 10, Se, Tl. B, 1949, S. 25–43 ▪ Houben-Weyl **4/1 a**, 341–366 ▪ Kirk-Othmer (4.) **21**, 701 ▪ Synthetica **1**, 445–450 ▪ Ullmann (5.) **A 23**, 534 ▪ s. a. Selen. – *[HS 2811 29; CAS 7446-08-4; G 6.1]*

Selendisulfid. SeS_2, M_R 143,09. Rotes, amorphes Pulver, Schmp. ca. 100 °C, unlösl. in Wasser, lösl. in CS_2, riecht nach Knoblauch, lichtempfindlich. SeS_2 besteht aus achtgliedrigen Schwefel-Ringen, in denen etwa ⅓ der S-Atome durch Se-Atome ersetzt ist; es entsteht durch Einwirkung von H_2SeO_3 auf H_2S od. beim Schmelzen eines Gemisches aus Schwefel u. Selen. MAK-Wert 0,1 mg/m^3 (als Se berechnet). In Präp. zur Behandlung von *Schuppen darf SeS_2 in Konz. ≤1% enthalten sein. Außerdem dient es als Red.-Mittel in der Feuerwerkstechnik u. als Färbemittel in der Glasindustrie. – ***E*** selenium disulfide – ***F*** disulfure de sélénium – ***I*** disolfuro di selenio – ***S*** disulfuro de selenio

Lit.: Gmelin, Syst.-Nr. 10, Se, Tl. B, 1949, S. 170–176 ▪ Parfüm. Kosmet. **56**, 29 (1975) ▪ s. a. Selen. – *[HS 2813 90; CAS 7488-56-4; G 6.1]*

Selen-Enzyme s. Selenocystein.

Selenhalogenide. Durch Einwirkung von Halogenen od. Halogeniden auf elementares Selen erhältliche Verb., MAK-Wert 0,1 mg/m^3 (als Se berechnet). *Beisp.:* a) *Selenmonochlorid*, Se_2Cl_2, M_R 228,83, D. 2,77, Schmp. -85 °C, Sdp. 127 °C (Zers.). – b) *Selendichlorid*, $SeCl_2$, M_R 149,87, Dissoziationsprodukt von $SeCl_4$-Dampf. – c) *Selentetrabromid*, $SeBr_4$, M_R 398,58, gelbes Pulver, Schmp. der α-Form 123 °C (Zers.), die β-Form ist bis 50 °C metastabil. – d) *Selenhexafluorid*, SeF_6, M_R 192,95, farbloses Gas, Litergew. 3,25, Sdp. –34,8 °C, Schmp. –46,6 °C (Subl.). – ***E*** selenium halides – ***F*** halogénures de sélénium – ***I*** alogenuri di selenio – ***S*** halogenuros de selenio

Lit.: Adv. Inorg. Chem. Radiochem. **24**, 189–224 (1981) ▪ Gmelin, Syst.-Nr. 10, Se, Tl. B, 1949, S. 111–159 ▪ Holleman-Wiberg (101.), 620–623 ▪ Kirk-Othmer (4.) **21**, 700 f. ▪ Ullmann (5.) **A 23**, 534 ▪ s. a. Selen. – *[CAS 10025-68-0 (a); 14457-70-6 (b); 7789-65-3 (c); 7783-79-1 (d); G 6.1]*

Selenide. Gruppenbez. für die Salze des *Selenwasserstoffs; MAK-Wert 0,1 mg/m^3 (als Se berechnet). Man unterscheidet Hydrogenselenide M^IHSe (saure S.) von normalen S. ($M^{II}Se$, neutrale S.), deren Schwermetall-Verb. wie die entsprechenden *Sulfide mehr od. weniger stark gefärbt u. in Wasser, teilw. auch in Säuren unlösl. sind, vgl. a. Schwefelwasserstoff-Gruppe. Wie bei den Sulfiden kennt man auch bei den S. Polyselenide, Se_n^{2-} (n = 2–11), wobei im Unterschied zu den *Polysulfiden auch 3- u. 4-bindige Se-Atome auftreten.

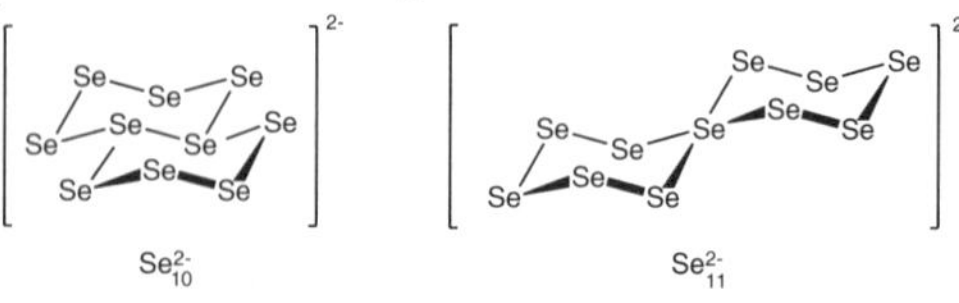

Se_{10}^{2-} Se_{11}^{2-}

*Indiumselenid u. S. des Galliums spielen in der Halbleitertechnologie eine Rolle, *Cadmiumselenid (carcinogenverdächtig, s. MAK-Liste III B) als Pigment (s. Cadmium-Pigmente). – ***E*** selenides – ***F*** séléniures – ***I*** seleniuri – ***S*** seleniuros

Lit.: Kirk-Othmer (4.) **21**, 697 ff. ▪ *Landolt-Börnstein NS 3/14 b 1, 2 ▪ Mills, Thermodynamic Data for Inorganic Sulphides, Selenides and Tellurides, London: Butterworth 1973 ▪ s. a. Selen u. Selenwasserstoff. – *[G 6.1]*

Selenige Säure. H_2SeO_3, M_R 128,97. Farblose, zerfließende, hexagonale Prismen, D. 3,00, Schmp. 70 °C (Zers.), die an der Luft unter Wasserabgabe zerfallen; MAK-Wert 0,1 mg/m^3 (als Se berechnet). Die Herst. erfolgt durch Behandlung von *Selendioxid mit Wasser od. durch Auflösen von Selen-Pulver in verd. Salpetersäure. H_2SeO_3 löst sich in Wasser mit saurer Reaktion; die Salze heißen **Selenite*. Hydrogenselenite gehen unter Abspaltung von Wasser leicht in Diselenite über. Das Diselenit-Anion $Se_2O_5^{2-}$ weist im Gegensatz zum Disulfit-Ion eine O-Brücke zwischen den Chalcogen-Atomen auf. Der Dissoziationsgrad von S. S. ist geringer als bei der Schwefligen Säure. Die S. S. dient als Reagenz für *Alkaloide. – ***E*** selenous acid – ***F*** acide sélénieux – ***I*** acido selenoso – ***S*** ácido selenioso

Lit.: Gmelin, Syst.-Nr. 10, Se, Tl. B, 1949, S. 44–72 ▪ Kirk-Othmer (4.) **21**, 701 ▪ Masson et al., Sulfites, Selenites and Tellurites (Solubility Data Series 26), Oxford: Pergamon 1986 ▪ s. a. Selen. – *[HS 2811 19; CAS 7783-00-8; G 8]*

Selenit s. Gips.

Selenite. Bez. für Salze der *Selenigen Säure mit dem Anion SeO_3^{2-}, die als Glanzbildner in der Galvanotechnik, zur Glas(ent)färbung u. als Futtermittelzusatz (nur *Natriumselenit) Verw. finden. – ***E*** selenites – ***F*** sélénites – ***I*** seleniti – ***S*** selenitos

Lit.: s. Selenige Säure. – *[G 6.1]*

Selenocystein (Kurzz. der L-Form: Sec).

$$HSe{-}CH_2{-}\underset{H}{\overset{NH_2}{C}}{-}COOH$$

$C_3H_7NO_2Se$, M_R 168,05. Analogon des *Cysteins, in dem das Schwefel-Atom durch Selen ersetzt ist. In der L-Form (Abb.) kommt es als Bestandteil von Proteinen vor u. besitzt katalyt. Funktion im aktiven Zentrum der Glutathion-Peroxidase aus Säugetieren (s. Glutathion), der Formiat-Dehydrogenase (EC 1.2.1.2) aus **Escherichia coli* u. der *Hydrogenase aus *Desulfovibrio baculatus* (*Selen-Enzyme*). Auch eine Iodthyronin-Desiodase aus Leber u. Niere enthält Sec [1]. Dieses kann – wie andere Aminosäuren auch – während der *Translation ins Protein eingebaut werden durch Übertragung aus einer Seleno-L-cysteyl-Transfer-*Ribonucleinsäure (Sec-tRNA^{Sec}), die das *opal*-Terminationscodon (UGA, s. genetischer Code) erkennt u. die *in vivo* aus einer L-Seryl-Transfer-Ribonucleinsäure (Ser-tRNA^{Sec}) entsteht. Zusätzlich muß auf der Messenger-RNA eine *Selenocystein-Insertionssequenz* vorhanden sein. Als spezif. Translationsfaktor wird das *SELB-Protein* benötigt (M_R 68000), das Sequenzhomologie zu *G-Proteinen aufweist. – ***E*** selenocysteine – ***F*** sélénocystéine – ***I*** selenocisteina – ***S*** selenocisteína

Lit.: [1] Thyroid **7**, 655–668 (1997).
allg.: Annu. Rev. Biochem. **65**, 83–100 (1996) ▪ Biol. Trace Elem. Res. **54**, 185–199 (1996) ▪ Trends Biochem. Sci. **21**, 203–208 (1996). – *[CAS 3614-08-2]*

Selenomethionin s. Selen u. Methionin.

Selenonsäuren s. Selen-organische Verbindungen.

Selenophyten. Pflanzen, die natürlicherweise auf Selen-reichen Böden vorkommen. Selen (zur physiolog. Bedeutung s. dort) vertritt Schwefel u. kann als Selenat od. Selenit von Pflanzen aufgenommen werden; u. U. hemmt es dabei die Aufnahme von Phosphat. Die aufgenommenen Selen-Verb. werden enzymat. über den Weg der *assimilatorischen Sulfat-Reduktion zu Selenid reduziert, das anstelle von Sulfid in Aminosäuren eingebaut wird. S. lagern die Selen-Verb. in der Vakuole ab, wohingegen bei Selen-empfindlichen Pflanzen (fehlerhafte) Proteine gebildet werden. Verschiedene Pflanzen können Selen-Verb. alkylieren u. diese an die Gasphase abgeben. Zu den S. gehören Mitglieder der Schmetterlingsblütler-Gattung *Tragant* (*Astragalus*), die in Einzelfällen über 1% Selen in der Trockenmasse enthalten. – ***E*** selenium plants – ***F*** sélénophytes – ***I*** selenofiti – ***S*** selenofitas

Lit.: Annu. Rev. Plant Physiol. **20**, 475–494 (1969) ▪ Schlee (2.), S. 210–214.

Selen-organische Verbindungen. T Ähnlich wie Schwefel vermag auch *Selen organ. Verb. zu bilden, die wie die organ. Sulfide u. Disulfide (*Selenide* u. *Diselenide*) kettenförmiger od. auch cycl. Art sein können. Bei den letzteren werden die systemat. Namen durch Voranstellen des Präfixes *Selena...* gebildet. Daneben gibt es auch Selen-Analoga der Thioalkohole (z. B. *Ethanselenol*), Sulfonsäuren (z. B. *Benzolselenonsäure*), Sulfone (z. B. *Diphenylselenon*), Thioaminosäuren (z. B. *Selenomethionin*, s. Selen, Physiologie), Thiophosphor- u. Thiophosphinsäuren usw. S.-o. V. besitzen eine ambiphile Reaktivität, d. h. sie können als *Nucleophile* od. *Elektrophile* reagieren, je nachdem, welcher Reaktionspartner angeboten wird (s. Abb. 1).

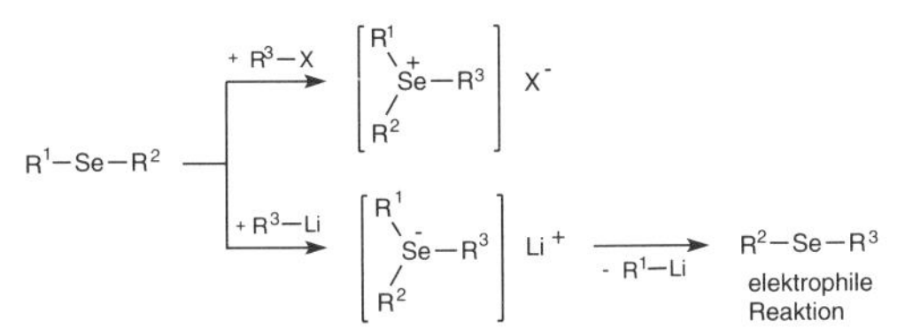

Abb. 1: Reaktionen Selen-organischer Verbindungen.

Selenide sind empfindlich gegen Sauerstoff u. werden leicht zu Selenoxiden oxidiert, die wiederum durch milde Eliminierung von Seleniger Säure in Alkene umgewandelt werden können [1]. *Diphenyldiselenid ist ein vielseitiges Phenylselenierungsreagenz u. durch Oxid. von *Semicarbazonen* mit *Selendioxid erhält man 1,2,3-*Selenadiazole*, deren Thermolyse in hohen Ausbeuten zu Alkinen, z. B. *Cyclooctin*, führt [2]; s. a. Patai (*Lit.*).

Abb. 2: Anw. von Selen-organischen Verbindungen in Eliminierungsreaktionen. a) *syn*-*Eliminierung; b) Cyclooctin-Synthese.

Der breiten Anw. S.-o. V. in der organ. Synth. steht allerdings die hohe Toxizität entgegen [3,4]; andererseits ist Selen ein wichtiges Spurenelement, dessen Mangel schwere Erkrankungen hervorruft (s. a. Selen). Eine potentiell wichtige Anw. von S.-o. V. als organ. Leiter bieten die Tetraselenafulvalene [5] (s. a. Tetrathiafulvalen). – ***E*** organoselenium compounds – ***F*** composés organosélèniques – ***I*** composti organici di selenio – ***S*** compuestos de organoselenio

Lit.: [1] Tetrahedron **36**, 2618–2619 (1980). [2] Tetrahedron **28**, 187–198 (1972). [3] Shamberger, Biochemistry of Selenium, New York: Plenum Press 1983. [4] Klayman u. Günther, Organic Selenium Compounds, their Chemistry and Biology, New York: Wiley 1973. [5] Tetrahedron **42**, 1209–1252 (1986).
allg.: Houben-Weyl **9**, 917–1209 ▪ Katritzky et al. **2**, 277 ff., 705 f.; **3**, 381 f. ▪ Kirk-Othmer (3.) **20**, 591 ff. ▪ Krief u. Hevesi, Organoselenium Chemistry I, S. 10–11 (Literaturübersicht von 1940–1988), Berlin: Springer 1988 ▪ Liebigs Ann./Recl. **1997**, 2189 ▪ Liotta, Organoselenium Chemistry, New York: Wiley 1987 ▪ Nachr. Chem. Tech. Lab. **26**, 209 f. (1978); **33**, 964 ff., 975 (1985) ▪ Patai, The Chemistry of Organic Selenium and Tellurium Compounds, 2 Bd., Chichester: Wiley 1986 ▪ s. a. Selen.

Selen-Reaktionsgemisch s. Selen (Verw.) u. Kjeldahl-Methode.

Selensäure. T H_2SeO_4, M_R 144,97. Farblose, hexagonale Prismen, D. 3,00, Schmp. 62 °C, Sdp. 260 °C, die mit Wasser Hydrate bilden (z. B. $H_2SeO_4 \cdot H_2O$, $H_2SeO_4 \cdot 4H_2O$); MAK-Wert 0,1 mg/m^3 (als Se berechnet). S. ist ähnlich wie *Schwefelsäure in verd. Lsg. stark dissoziiert; die konz. S. verkohlt organ. Substanzen, wirkt jedoch stärker oxidierend als Schwefelsäure u. ist sogar in der Lage, Gold zu oxidieren:

$$2\,Au + 2\,H_2SeO_4 \rightarrow Au_2(SeO_4) + H_2SeO_3 + H_2O.$$

Mit SeO_3 bilden sich $H_2Se_2O_7$ u. $H_2Se_3O_{10}$, mit H_2O_2 teilw. Peroxoselensäure $(HO)SeO_2(OOH)$, H_2SeO_5. Man erhält S. durch Einwirkung starker Oxid.-Mittel (Chlorsäure) auf *Selenige Säure. Die Salze der S. heißen *Selenate*. – ***E*** selenic acid – ***F*** acide sélénique – ***I*** acido selenico – ***S*** ácido selénico

Lit.: Gmelin, Syst.-Nr. 10, Se, Tl. B, 1949, S. 72–108 ▪ Hommel, Nr. 1001 ▪ Kirk-Othmer (4.) **21**, 701 ▪ s. a. Selen. – *[HS 2811 19; CAS 7783-08-6; G 8]*

Selenwasserstoff. H_2Se, M_R 80,98. Farbloses Gas, das etwas stechender als *Schwefelwasserstoff riecht u. noch giftiger ist, Gasdichte 3,6643 g/L (20 °C), Schmp. –65,73 °C, Sdp. –41,3 °C; krit. Temp. 138 °C, krit. Druck 8,92 MPa, MAK-Wert 0,2 mg/m³. In Wasser ist H_2Se etwas besser lösl. als Schwefelwasserstoff; die Lsg. reagiert stark sauer u. zersetzt sich an der Luft leicht unter Abscheidung von rotem Se. H_2Se läßt sich in flüssigem HF in Ggw. von SbF_5 zu $[H_3Se]^+[SbF_6]^-$ protonieren, welches oberhalb –60 °C in H_2, H_2Se, Se, HF u. SbF_5 zerfällt. Die Salze des S. heißen *Selenide. An der Luft verbrennt S. mit blauer Flamme unter Bildung eines weißen Rauches von *Selendioxid. H_2Se wird durch Einwirkung von Säuren auf Metallselenide hergestellt. – ***E*** hydrogen selenide – ***F*** séléniure d'hydrogène – ***I*** seleniuro d' idrogeno – ***S*** seleniuro de hidrógeno

Lit.: Brauer (3.) **1**, 412 ff. ▪ Encycl. Gaz, S. 941–946 ▪ Fogg u. Young, Hydrogen Sulfide and Hydrogen Selenide (Solubility Data Series), Oxford: Pergamon 1987 ▪ Gmelin, Syst.-Nr. 10, Se, Tl. B, 1949, S. 1–20 ▪ Hommel, Nr. 382 ▪ Kirk-Othmer (4.) **21**, 697 ff. ▪ Ullmann (5.) **A 23**, 534 ▪ s. a. Selen. – *[CAS 7783-07-5; G 2]*

Self Consistent Field. Begriff aus der *Quantenchemie; näheres s. Hartree-Fock-Verfahren.

Selin®. *Triolein, spezielles flüssiges Triglycerid mit geringer Verharzungsneigung zur Verw. in der Lebensmittel-Ind. für die Herst. von Trennölen u. Trennemulsionen. ***B.:*** Grünau.

Selinan. Synonym für (4*S*)-*Eudesman.

Selinene (Eudesmene).

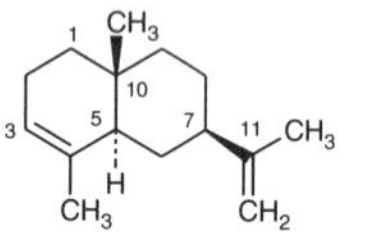

(-)-α-Selinen

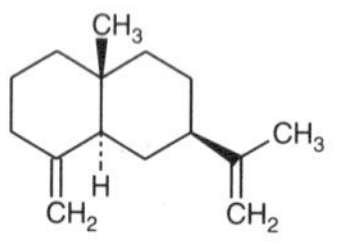

(+)-β-Selinen

α-S. (3,11-Eudesmadien), $C_{15}H_{24}$, M_R 204,36, Öl, Sdp. 268–272 °C, $[\alpha]_D^{20}$ –14,5° ($CHCl_3$), ist Bestandteil der ether. Öle vom Ind. Hanf (*Cannabis sativa*) u. des Hopfens (*Humulus lupulus*)[1]. *(+)-β-S.* [4(14),11-Eudesmadien], Öl, Sdp. 121–122 °C (8 hPa), $[\alpha]_D$ +61°, findet sich im *Sellerieöl u. ether. Ölen von Cypergräsern, das (–)-*β*-S.[1] dagegen in den ether. Ölen von *Libanotis transcaucasica* u. *Seseli indicum*. Die Gruppe der Eudesmadiene ist mit vielen weiteren Isomeren in ether. Ölen vertreten. Ein 4,7-Eudesmadien wurde aus der Rotalge *Laurencia nidifica* isoliert[2]. – ***E*** selinenes – ***F*** sélinènes – ***I*** selinene – ***S*** selinenos

Lit.: [1] Tetrahedron Lett. **23**, 3047 (1982). [2] J. Org. Chem. **43**, 1613 (1978).
allg.: Karrer, Nr. 1890. – *Synth.:* J. Nat. Prod. **57**, 1189 (1994) ▪ J. Org. Chem. **48**, 4380 (1983); **53**, 4124 (1988) ▪ Justus Liebigs Ann. Chem. **1992**, 139. – *[CAS 473-13-2 (α-S.); 17066-67-0 ((+)-β-S.)]*

Seliwanow-Reaktion. Erwärmt man *Hexosen (Ketosen) mit *Resorcin u. konz. Salzsäure, so entsteht eine Rotfärbung; diese stellt sich nach längerem Erwärmen auch bei Aldosen ein. Die Färbung kommt durch Kondensation des Resorcins mit *5-Hydroxymethylfurfural zustande, das aus den Hexosen durch Dehydratisierung entsteht. – ***E*** Selivanov reaction – ***F*** réaction de Selivanoff – ***I*** reazione di Selivanov – ***S*** reacción de Selivanov

Lit.: DAB **9**, 819; Komm. Bd. 3, 1726 ▪ Hager (4.) **1**, 572.

Sellerie (Eppich, Geilwurz). In Südeuropa heim., in ganz Europa, Westasien, Indien, Amerika u. Afrika angebaute, ein- od. zweijährige Gewürzpflanze (*Apium graveolens*, Apiaceae). Bereits im alten Ägypten, wohl für kult. Zwecke, genutzt. Kam im frühen Mittelalter aus Italien nach Deutschland. Der (od. die) S. wird in verschiedenen Anbauarten wegen der Knolle (Knollen-S.), der Blattstiele (Bleich-S.; Aufzucht unter Lichtabschluß, daher Chlorophyll-Mangel) od. der Blätter (Schnitt-S.) gewürzlich geschätzt. Das Kraut wird als Suppenbeigabe verwendet, die Früchte dienen zum Würzen von Konserven usw., aus den Knollen kann man Salate u. Gemüsespeisen zubereiten. *S.-Salz* ist ein Gemisch aus Kochsalz u. feinzerkleinerten getrockneten S.-Samen od. einem S.-Knollenauszug. Die S.-Knollen enthalten in 100 g eßbarem Anteil ca. 1,55 g Eiweiß, 0,3 g Fett, 2,3 g Kohlenhydrate u. 88,6 g Wasser; daneben kleine Mengen von Bitterstoff, Chlorogensäure, Kaffeesäure, Tyrosin, Cholin, Asparagin u. ether. Öl. Letzteres tritt vermehrt in den Blättern u. v. a. in den Samen auf (s. Sellerieöl) u. enthält die wesentlichen Geschmackstoffe. Die oft behauptete aphrodisierende Wirkung des S. könnte – wenn nicht bloß auf die Symbolträchtigkeit der Knollenformen – allenfalls auf diuresefördernde Bestandteile des ether. Öls zurückgehen. S.-Blätter enthalten außerdem *Apiin. S.-Pflanzen bilden bei Infektionen *Phytoalexine aus der Gruppe der *Furocumarine. Die Wurzeln von wildem S. können wegen des ähnlichen Geruchs leicht mit denen des Wasser-*Schierlings verwechselt werden. – ***E*** celery – ***F*** céleri – ***I*** sedano – ***S*** apio

Lit.: Franke, Nutzpflanzenkunde (6.), S. 202 f., Stuttgart: Thieme 1997. – *[HS 0706 90, 0709 40]*

Sellerieöl. Farbloses, charakterist. riechendes Öl, D. 0,865–0,895, SZ unter 4, Esterzahl über 30, in Wasser wenig lösl., in 10 Vol. 90%igen Ethanols vollständig löslich. Das aus den Samen des wildwachsenden *Selleries in 2–2,5% Ausbeute durch Wasserdampfdest. gewinnbare S. enthält ca. 60% *Limonen, 15–20% *α*- u. *β*-*Selinen, *α*-*Santalol. Wesentlich für den typ. organolept. Eindruck sind *3-Butylphthalid* [ca. 3%, $C_{12}H_{14}O_2$, M_R 190,24, Sdp. 177–178 °C (15 hPa)] u. *Sedanenolid* (ca. 5%, $C_{12}H_{16}O_2$, M_R 192,26).

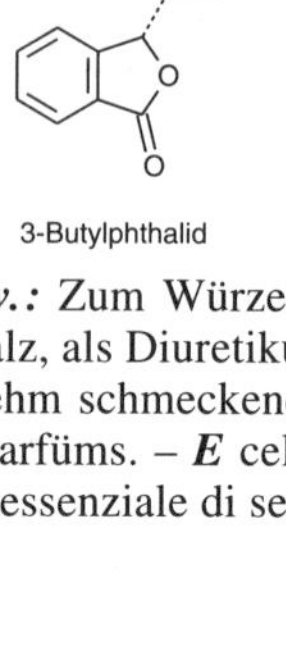

3-Butylphthalid

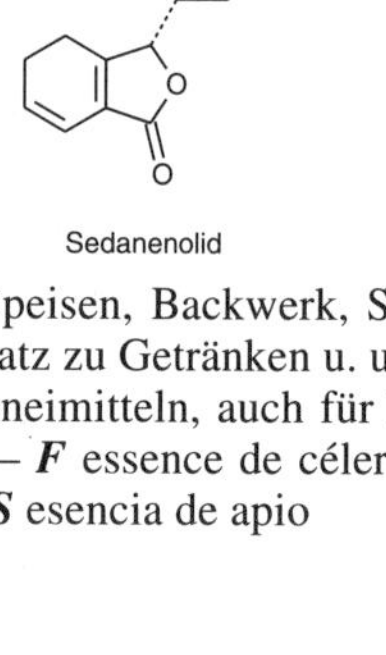

Sedanenolid

Verw.: Zum Würzen von Speisen, Backwerk, Selleriesalz, als Diuretikum, Zusatz zu Getränken u. unangenehm schmeckenden Arzneimitteln, auch für Herrenparfüms. – ***E*** celery oil – ***F*** essence de céleri – ***I*** olio essenziale di sedano – ***S*** esencia de apio

Lit.: Bauer et al. (2.), S. 144 ▪ Gildemeister **6**, 377 ▪ Perfum. Flavor. **14** (5), 52 (1989); **15** (5) 57 (1990); **20** (1), 52 (1995). – *[HS 3301 29; CAS 8015-90-5 (S.); 6066-49-5 (3-Butylphthalid); 62006-39-7 (Sedanenolid)]*

Selmi, Francesco (1817–1881), Prof. für Chemie, Univ. Turin u. Bologna. *Arbeitsgebiete:* Ptomaine u. Kolloide; Mitbegründer der Kolloidchemie.
Lit.: Lexikon der Naturwissenschaftler, S. 372 ▪ Pötsch, S. 393.

Seltene Erden (Seltenerden). Histor. begründeter Name für die Oxide der *Seltenerdmetalle, zur Definition s. dort; vgl. Erdmetalle. Manchmal werden auch die Seltenerdmetalle selbst in unzulässiger Verkürzung als S. E. bezeichnet. – ***E*** rare earths – ***F*** terres rares – ***I*** terre rare – ***S*** tierras raras
Lit.: s. Seltenerdmetalle.

Seltenerdmetalle (Metalle der Seltenen Erden, geläufige Abk.: SE od. RE von *E* rare earths). Sammelbez. für die in Einzelstichwörtern behandelten Elemente Scandium (Ordnungszahl 21), Yttrium (39) u. Lanthan (57) sowie die 14 auf das Lanthan folgenden Elemente Cer (58), Praseodym (59), Neodym (60), Promethium (61), Samarium (62), Europium (63), Gadolinium (64), Terbium (65), Dysprosium (66), Holmium (67), Erbium (68), Thulium (69), Ytterbium (70) u. Lutetium (71), die als *Lanthanoide (früher Lanthanide) bezeichnet werden. Die S. Sc, Y u. La befinden sich im *Periodensystem in der 3. Gruppe u. zählen zu den Übergangsmetallen; zur Einordnung der Elemente Ce bis Lu in das Periodensyst. s. Lanthanoide. Die seit Anfang des 19. Jh. gebräuchliche Bez. *Seltene Erden* ist insofern mißverständlich, als Cer, Yttrium u. Neodym häufiger sind als z. B. Blei, Molybdän od. Arsen. Thulium, das in der Erdkruste am geringsten verbreitete S., ist nicht so selten wie Gold od. Platin. Der Name *Erden* bezieht sich auf das oxid. Vork., z. B. zusammen mit Titan u. Niob.
Scandium zeigt zu den anderen S. deutliche Unterschiede, während die Eigenschaften der S. Yttrium u. Lanthan bis Lutetium in wäss. Lsg. sehr ähnlich sind, so daß es lange Zeit schwierig war, S. in hochreiner Form darzustellen. Der Grund für die geringen Unterschiede in den chem. Eigenschaften besteht darin, daß bei den Lanthanoiden die mit steigender Ordnungszahl hinzutretenden Elektronen in die 4f-Schale eingebaut werden (s. Atombau). Somit haben alle S. in ihren Verb. die ihrer Stellung im Periodensyst. entsprechende Oxid.-Stufe 3. Die bes. stabilen Konfigurationen von La^{3+} (nicht besetzte 4f-Schale), Gd^{3+} (halbbesetzte 4f-Schale) sowie Lu^{3+} (vollbesetzte 4f-Schale) ermöglichen, daß die dreiwertigen Kationen der benachbarten Elemente entweder durch Aufnahme eines Elektrons in die Oxid.-Stufe +2 (wie Samarium, Europium, Thulium, Ytterbium) od. durch Abgabe eines Elektrons (wie Cer, Praseodym, Terbium, Dysprosium) in die Oxid.-Stufe +4 übergehen können. Bei den Lanthanoiden ist dennoch eine gewisse Periodizität ihrer Eigenschaften zu beobachten, z. B. in der Farbe der 3-wertigen Ionen, den Dichten, Schmp. u. Sdp., s. Tab. bei Lanthanoide, die Abb. bei Atomvolumen u. die tabellierten Daten in *Lit.*[1]. Die Sonderstellung von Eu u. Yb, die vergleichsweise große Atomvolumina u. entsprechend niedrige D. u. Schmp. aufweisen, ist durch das Vorliegen von Eu^{2+}- u. Yb^{2+}-Ionen im metall. Zustand bedingt. Eu u. Yb stellen jeweils nur zwei Elektronen für das frei bewegliche „Elektronengas" des Metalls zur Verfügung u. besitzen dadurch gegenüber den Trikationen der benachbarten S. einen größeren Ionenradius. Andere Eigenschaften der S. verändern sich aperiodisch. So nehmen bei den Lanthanoiden die Ionenradien der Trikationen mit steigender *Ordnungszahl stetig ab, was auf die geringe abschirmende Wirkung eines 4f-Elektrons auf ein anderes 4f-Elektron zurückzuführen ist. Mit wachsender Ordnungszahl erhöht sich die Kernladung um je eine Elementarladung, die ebenfalls neu hinzukommenden 4f-Elektronen können diese nur zum Teil durch Abschirmung kompensieren, so daß die auf die Außenelektronen wirkende effektive Kernladung zu u. der Ionenradius abnimmt (s. Lanthanoiden-Kontraktion).
Die S. sind sehr reaktionsfähig, fein pulverisiert sogar oft pyrophor. S. glänzen an den frischen Schnittstellen silbrig, überziehen sich jedoch rasch mit einer Oxidschicht. In gepulvertem Zustand können sie viel Wasserstoff aufnehmen; insbes. Lanthan zeichnet sich hier aus, bes., wenn es mit Ni od. Co zu Verb. vom Typ $LaNi_5$ legiert ist. Auch in anderer Hinsicht zeigen die S. bemerkenswerte Eigenschaften: Charakterist. Absorptionsspektren mit sehr scharfen Linien, farbige SE^{3+}-Ionen, paramagnet. Momente (LS-Kopplung), Ferromagnetismus der schwereren S. bei tiefen Temp., große Neutroneneinfangquerschnitte bei einigen S. (die als Neutronenabsorber in *Kernreaktoren wirken können). Schwache Säuren bewirken eine schnelle Auflösung der Seltenerdmetalle. Leitet man Chlor über die erhitzten Metalle, so bilden sich unter Leuchterscheinungen Chloride. Die Sulfide der S. werden ähnlich wie Aluminiumsulfid von Wasser rasch zersetzt; sie sind daher nur auf trockenem Wege erhältlich. Die Halogenide, Nitrate u. Sulfate sind in Wasser gut lösl., die Fluoride, Hydroxide, Oxide, Carbonate u. Oxalate dagegen schwer. Auch Oxidsulfide, Nitride, Carbide, Silicide u. Boride werden auf trockenem Wege hergestellt. Die Halogenide können metallreiche *Cluster-Verbindungen bilden[2], u. S.-organ. Verb. sind inzwischen in großer Zahl bekannt, s. z. B. *Lit.*[3]. Dagegen kennt man wenige anorgan. Komplexverbindungen.
Physiologie: Allg. gelten die S. als nur wenig giftig. Früher bekannt gewordene Gesundheitsschäden beim Arbeiten mit S. führt man heute auf den Gehalt an radioaktiven Substanzen in den damals noch unreinen Präp. zurück. Im Tierversuch führen Injektionen mit S. zu Leberschäden, Krämpfen, erschwerter Atmung u. Abfall des Blutdrucks. Von Schleimhäuten werden S. kaum resorbiert. Die LD_{50}-Werte für Mäuse liegen bei 315–585 mg/kg intraperitoneal u. >2000–7650 mg/kg oral. Einige organ. Salze, bes. von Cer u. Neodym, haben sich als Antiemetika u. Thromboseprophylaktika bewährt[4], andere Verb. als Kontrastmittel in der Kernspintomographie.
Nachw.: Neben den klass. Verf. zur Bestimmung des Gesamtgehaltes an S. auf naßchem. Wege[5] wird die Einzelbestimmung in erster Linie mit Hilfe von Röntgenfluoreszenz, Atomabsorption, Aktivierungsanalyse, Spektralphotometrie, Emissionsspektrometrie,

Flammenspektroskopie, Lumineszenz-Verf., Massenspektrometrie u. Photoelektronen-Spektroskopie durchgeführt[6]; zur chromatograph. Trennung u. Bestimmung der S. s. *Lit.*[7].

Vork.: Der Anteil der S. an der festen Erdrinde wird auf 160 ppm geschätzt, wobei Cer mit 46 ppm als Vertreter der **Ceriterden* (*Leichte S.:* La bis Eu) u. Yttrium mit 28 ppm als Vertreter der **Yttererden* (*Schwere S.:* Gd bis Lu) dominieren. Abgesehen vom radioaktiven Promethium, welches in der Erdkruste nur in geringsten Spuren auftritt, sind Europium (0,5 ppm) u. Thulium (0,4 ppm) die seltensten der Seltenerdmetalle. In Übereinstimmung mit der *Harkins-Regel* (s. Geochemie) sind die S. mit geraden Ordnungszahlen häufiger als die mit ungeraden. Die Lanthanoide besitzen wesentlich größere Ionenradien (Ce 118 pm; Nd 115 pm, Yb 100 pm) als die gewöhnlich gesteinsbildenden Elemente (z. B. Al 57 pm; Cr 64 pm; Fe 67 pm); sie haben sich daher bei der Erstarrung des Magmas in den Restschmelzen (s. Lagerstätten) angereichert u. werden gemeinsam ausgeschieden. Während dieser Mineralisierungsprozesse fand die Trennung der S. in drei große Gruppen statt, nämlich Erze, in denen entweder die Ceriterden od. die Yttererden dominieren od. komplexe Erze, in denen beide Gruppen etwa gleich vorhanden sind. In der 1. Gruppe zählen *Monazit (in erster Linie Küstensande in Australien, Brasilien, Indien, Indonesien) u. *Bastnäsit (Burundi, Madagaskar, USA) zu den wirtschaftlich bedeutendsten Seltenerderzen. Yttrium u. die Schweren S. finden sich in *Xenotim u. in *Gadolinit als Vertreter der 2. Gruppe (Indonesien, Malaysia) sowie vergesellschaftet mit Uran, Niob, Tantal u. Titan u. zusammen mit den Ceriterden in komplexen Erzen der 3. Gruppe (*Euxenit u. das *Pyrochlor-Mineral Betafit). Scandium bildet unabhängig von den übrigen S. eigene Minerale (*Thortveitit). Die S. sind ausgesprochen lithophil (s. Geochemie); es sind mehr als 100 Seltenerdminerale bekannt. In dem Apatit-Konzentrat aus den ca. 10 Mrd. t Apatit umfassenden Lagern der Halbinsel Kola (Russland) sind ungefähr 10 kg S. pro t Konzentrat enthalten. S. können im Apatit als 3-wertige Ionen Calcium- od. Natrium-Ionen ersetzen. S. hat man auch auf der Sonne, auf Fixsternen u. in Steinmeteoriten feststellen können; bei der Erde sind sie wahrscheinlich auf die äußere, silicat. Gesteinshülle beschränkt; Näheres zur Verbreitung, Lagerstättenkunde u. Mineralogie der S. s. *Lit.*[8] u. zur Aufarbeitung von S. aus Erzen s. Ullmann, Kirk-Othmer (allg. Lit.). Aus 50 kg Monazit-Sand lassen sich etwa folgende Mengen S. erhalten (Angaben in kg): 11 Ce, 6 La, 5 Nd, 1,5 Pr, 0,5 Sm, 0,275 Gd, 0,225 Y, 0,1 Dy, 0,08 Er, 0,07 Tb, 0,06 Ho, 0,03 Yb, je 0,02 Eu u. Tm u. 0,002 Lu, dazu noch 2,5 Th. In nicht unerheblichen Mengen fallen S. im Abbrand von *Kernbrennstoffen an.

Herst.: Die Anreicherung der Erze erfolgt nach den Verf. der Erzaufbereitung durch Schweretrennung, magnet. u. elektrostat. Scheidung; nur in wenigen Fällen sind die Konz. so hoch, daß direkt mit dem chem. Aufschluß begonnen werden kann. Dieser erfolgt durch Behandeln mit NaOH in der Schmelze od. in wäss. Lsg. od. mit 85%iger Schwefelsäure bei 150–200 °C u. Überführung der gebildeten Sulfate in die Hydroxide. Mit Salzsäure erhält man daraus Wasser-haltige S.-Chloride. Durch reduzierende Chlorierung mit Koks u. Chlor können S.-Erze auch direkt in das für die Metall-Herst. erforderliche Wasser-freie S.-Chlorid überführt werden. Bei der Trennung der S. werden die Unterschiede in den Oxid.-Stufen von Cer (4-wertig) sowie Samarium u. Europium (2-wertig) ausgenutzt. Die klass. Verf. der fraktionierten Fällung u. Krist., die die geringen Unterschiede in der Löslichkeit (z. B. bestimmter Doppelsalze der Nitrate u. Sulfate) durch mehrfache Wiederholung der Trennoperation ausnutzen, sind heute durch moderne Verf. mit *Ionenaustauschern u. seit den 60er Jahren bevorzugt durch *Flüssig-Flüssig-Extraktion abgelöst worden, bei denen die unterschiedlichen Komplexbildungstendenzen mit EDTA (*Ethylendiamintetraessigsäure) u. ähnlichen Chelatliganden sowie mit diversen Phosphorsäureestern, Ketonen, Aminen u. Carbonsäuren ausgenutzt werden. Durch die neuen Verf. ist die Herst. reiner S. erheblich einfacher u. billiger geworden. Die Metalle der Ceriterden (mit Ausnahme von Samarium u. Europium), *Cer-Mischmetall u. Scandium werden in erster Linie durch Schmelzelektrolyse der Wasser-freien Chloride u. Fluoride erhalten, die Metalle der Yttererden u. Yttrium durch metallotherm. Red. mit Calcium, u. schließlich Samarium u. Europium durch Red. mit Lanthan od. Cer; zur Herst. u. zu den Eigenschaften der S.-Halogenide s. *Lit.*[2]. Im Jahre 1992 wurden weltweit 56059 t S.-Oxide produziert, davon 16000 in China, 20699 in den USA, 4000 in Australien, 2500 in Indien u. je 1100 in Malaysia sowie in Brasilien.

Verw.: Cer-Mischmetall wird eingesetzt zur Verbesserung der mechan. Eigenschaften legierter Stähle durch Verkugelung des Kohlenstoffs beim Sphäroguß, zur Desoxid. u. Entschwefelung sowie zur Bindung von Spurenelementen wie Arsen, Antimon, Blei, Bismut u. Zinn im Edelstahl, für Heizleiter-Leg. (Verbesserung der Zunderfestigkeit) sowie in Leg. mit Eisen zur Herst. von Zündsteinen, $LaNi_5$ eignet sich als Wasserstoff-Speicher. Leg. mit Cobalt vom Typ $SECo_5$, SE_2Co_{17} (SE = Samarium, Praseodym, Cer, Cer-Mischmetall) sowie $Nd_2Fe_{14}B$ finden Verw. für *magnetische Werkstoffe mit ausgezeichneten Permanentmagnet-Eigenschaften[9], u. mit Cupraten vom Typ $YBa_2Cu_3O_7$ werden in den neuen *Hochtemperatur-Supraleitern Sprungtemp. von >90 K erreicht (s. Supraleitung). Einzelne S. wie Yttrium werden für Super-Leg. verwendet, andere als Dotierungsmittel von Festkörpern für *Laser. Verb. von Cer, Praseodym u. Neodym werden zum Färben u. Entfärben von Gläsern eingesetzt, Lanthan zur Verbesserung der opt. Eigenschaften von Gläsern (Borat-Gläser mit hohem Brechungsindex für Mikroskope, Teleskope u. Kameraobjektive enthalten bis zu 40% La) sowie S.-Mischungen als Poliermittel. Gläser können mit Samariumchlorid gelbgrün, mit Praseodymchlorid grünlich u. mit Neodymchlorid rotviolett gefärbt werden. In der keram. Ind. können S. eingesetzt werden zur Stabilisierung von Zirconoxid sowie als keram. Pigmente, z. B. PrO_2 in $ZrSiO_4$ als Gelbpigment mit hoher therm. Stabilität. Kub. ZrO_2 wird durch 7% Y_2O_3 optimal stabilisiert u. besitzt opt. Eigenschaften, die dem Diamant sehr ähnlich sind. Seltene Erden finden Verw. in zahlreichen Katalysatoren, z. B. in Zeolithen als Krackkatalysatoren zur Erhöhung des Benzinanteils im Rohöl, evtl. als $LaCoO_3$ zur katalyt. Verbrennung von Autoabgasen. Eu, Ce, Tb u. Er dienen als Aktivatoren in S.-Oxiden, -Oxidsulfiden, -Vanadaten od. -Silicaten für Phosphore beim Farbfernsehen, für Leuchtstoffröhren u. Quecksilber-Hochdrucklampen. Eu, Sm, Gd u. Dy finden Verw. als Neutronenabsorber in der Kerntechnik. Koordinationsverb. von Eu, Pr, Ho u. a. S. werden als *Verschiebungsreagenzien für die NMR-Spektroskopie eingesetzt, s. $Eu(DPM)_3$ u. $Pr(DPM)_3$; Tetrakis(dipivaloylmethanato)cer, $Ce(DPM)_4$, hat sich als brauchbares Antiklopfmittel erwiesen. Aufgrund ihrer oft überraschenden magnet., magnetoopt., lumineszenzspektroskop. u. röntgenstreuenden Eigenschaften finden die S. Interesse als Komplexbildungspartner für biochem. Untersuchungen, für medizin. Anw. u. für die magnetoopt. Informationsspeicherung bis 20 $Mbit/cm^2$. Der Einsatz von S. gliedert sich in den USA etwa wie folgt auf: 40% für Katalysatoren, 37% in der Metallurgie, 20% in der Glas- u. Keramik-Ind. u. 3% für Phosphore, Magnete, Elektronik u. a. Zwecke. Zum Stand der Technik u. zu Einsatzmöglichkeiten von S. s. Ullmann u. Kirk-Othmer (allg. *Lit.*).

Geschichte: Die Entdeckungsgeschichte der S. geht bis zum Ende des 18. Jh. zurück. Pionierarbeiten stammen von *Berzelius, de *Boisbaudran, *Auer von Welsbach, de *Marignac, *Mosander u. *Cleve. Promethium wurde erst 1947 aus Spaltprodukten des Urans isoliert. – ***E*** rare-earth metals – ***F*** métaux des terres rares – ***I*** metalli delle terre rare – ***S*** metales de las tierras raras

Lit.: [1] Handbook **73**, 4-114–4-121. [2] Meyer, Morss, Synthesis of Lanthanide and Actinide Compounds, Dordrecht: Kluwer Academic Publishers 1991. [3] Adv. Organomet. Chem. **36**, 283–362 (1994). [4] Negwer (6.), S. 1336. [5] Fries-Getrost, S. 318. [6] Townshend, Encyclopedia of Analytical Science, S. 2494–2498, London: Academic Press 1995. [7] Chem. Labor Betr. **32**, 519–524 (1981). [8] Chem. Tech. (Leipzig) **35**, 630–632 (1983). [9] Ullmann (5.) **A 16**, 16–25, 50.
allg.: Brauer (3.) **2**, 1066–1116 ▪ Choppin et al., Actinide/Lanthanide Separations, Singapore: World Sci. Publ. Comp. 1986 ▪ Gmelin, Syst.-Nr. 39, Seltene Erden, 1938, Sc, Y, La-Lu, Tl. A 3–A 8, B 1–B 7, C 1–C 11b, D 1–D 3, 1973–1991 ▪ Henderson, Rare Earth Element Geochemistry, Amsterdam: Elsevier 1984 ▪ Jezowska-Trzebiatowska et al., Rare Earth Spectroscopy, Singapore: World Sci. Publ. 1985 ▪ Kirk-Othmer (4.) **14**, 1091–1115 ▪ Morill, Lanthanide Shift Reagents for Stereochemical Analysis, Weinheim: Verl. Chemie 1986 ▪ Ullmann (5.) **A 22**, 607–649 ▪ Villani, Rare Earth Technology, Park Ridge: Noyes 1980. – *Zeitschriften u. Serien:* Handbook on the Physics and Chemistry of the Rare Earths (Hrsg.: Gschneidner u. Eyring), Amsterdam: North-Holland (seit 1978, Bd. 20 1995) ▪ The Rare Earths in Modern Science and Technology (Hrsg.: McCarthy et al.), New York: Plenum (seit 1978). – *Dokumentations- u. Informationsstelle:* Rare Earth Information Center, Iowa State University, Ames, Iowa 50011-3020 (USA). – *[HS 2805 30]*

Selter(s)wasser s. Mineralwasser.

SEM. Abk. für a) 2-(Trimethyl*s*ilyl)*e*thoxy*m*ethyl..., eine Alkohol-*Schutzgruppe, – b) engl.: *s*canning *e*lectron *m*icroscope = Raster-*Elektronenmikroskop (REM) u. – c) engl.: *s*econdary *e*lectron *m*ultiplier = *Sekundärelektronen-Vervielfacher (SEV, s. a. Photomultiplier).

Semen. Latein. Fachausdruck der Apotheker u. Drogisten für offizinell genutzte getrocknete *Samen von Pflanzen, die ggf. in Einzelstichwörtern behandelt sind; *Beisp.:* S. Amygdali amarum = Bittere Mandeln, S. Arecae = Arekasamen, S. Arachidis = Erdnuß, S. Cucurbitae = Kürbissamen, S. Erucae = Weißer od. gelber Senfsamen, S. Foeni graeci = Bockshornkleesamen, S. Lini = Leinsamen, S. Psyllii = Flohsamen, S. Ricini = Rizinussamen, S. Sinapis = Schwarzer Senfsamen, s. a. Fructus u. Drogen.

Semenov (Semjonow), Nikolai Nikolaevich (1896–1986), Prof. für Physik. Chemie, Univ. Moskau. *Arbeitsgebiete:* Freie Radikale, Oxidationsprozesse, Kernreaktionen, Explosionswellen, chem. Kettenreaktionen, Kinetik, Elementarreaktionen; er erhielt für seine Untersuchungen auf dem Gebiet der Kinetik u. Reaktionsmechanismen von chem. Kettenreaktionen, die bei Verbrennungsprozessen ablaufen, 1956 den Nobelpreis für Chemie (zusammen mit C. N. *Hinshelwood).

Lit.: Lexikon der Naturwissenschaftler, S. 373 ▪ Neufeldt, S. 159 ▪ Pötsch, S. 393 ▪ Poggendorff **7b/7**, 4781–4789 ▪ Strube et al., S. 122, 191.

Semi... Von latein.: semi... = halb... abgeleiteter Wortteil in Fachwörtern u. chem. Stoffbez.; *Beisp.:* folgende Stichwörter; vgl. Hemi... – ***E = I = S*** semi... – ***F*** semi..., demi...

Semibullvalen (Tricyclo[3.3.0.0^{2,8}]octa-3,6-dien, 2a,2b,4a,4b-Tetrahydrocyclopropa[cd]pentalen).

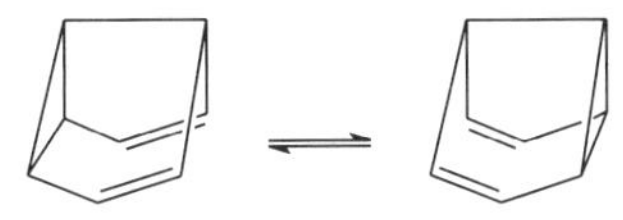

C_8H_8, M_R 104,15. S. gehört zu der Familie der C_nH_n-Kohlenwasserstoffe wie *Barrelen u. *Cyclooctatetraen; es bildet sich z. B. durch Photolyse aus diesen Verbindungen. Der Name S. wurde in Anlehnung an das *Bullvalen gewählt; ebenso wie dieses besitzt es **fluktuierende Bindungen*, unterliegt also einer degenerierten *Cope-Umlagerung, für die sich der Begriff *Topomerisierung eingebürgert hat. Selbst bei –110 °C beobachtet man für S. im NMR-Spektrum nur 3 statt 5 Signale, was auf eine extrem niedrige Energiebarriere für diese Cope-Umlagerung hinweist. – ***E = I*** semibullvalene – ***F*** semibullvalène – ***S*** semibulvaleno

Lit.: Chem. Rev. **72**, 181–202 (1972) ▪ March (4.), S. 1135 f. ▪ Synthesis **1975**, 347–357 ▪ Top. Curr. Chem. **119**, 58–62 (1984) ▪ s. a. Bullvalen u. Cope-Umlagerung. – *[CAS 6909-37-1]*

Semicarbazid (Hydrazincarboxamid, Carbamidsäurehydrazid).

a: $\overset{1}{H_2N}-\overset{2}{NH}-\overset{3}{CO}-\overset{4}{NH_2}$ b: $\overset{2}{H_2N}-\overset{1}{NH}-CO-\overset{N}{NH_2}$

Abb.: Stellungsbez. für S. nach IUPAC (a) u. CAS (Hydrazincarboxamid, b).

CH_5N_3O, M_R 75,07. Farblose, prismat. Krist., Schmp. 96 °C, leicht lösl. in Wasser u. Ethanol, unlösl. in Ether, Benzol. S. zerfällt in der Hitze in Hydrazin ($H_2N–NH_2$) u.

1,2-Hydrazindicarboxamid ($H_2N–CO–NH–NH–CO–NH_2$). Mit Säuren krist. S. z. B. zu *Semicarbazidhydrochlorid*, CH_6ClN_3O, M_R 111,54, farblose bis gelbliche Prismen, Schmp. 175–185 °C (Zers.), leicht lösl. in Wasser mit saurer Reaktion, unlösl. in Ether u. Alkohol. Mit Aldehyden u. Ketonen bilden S. u. das Hydrochlorid häufig gut krist., ziemlich schwerlösl. Semicarbazone:

$$R_2C{=}O + H_2N{-}NH{-}CO{-}NH_2 \xrightarrow[-H_2O]{} R_2C{=}N{-}NH{-}CO{-}NH_2$$

Man benutzt diese Reaktionen zum Nachw., zur Identifizierung u. zur Abscheidung von Aldehyden u. Ketonen. Vom Stammkörper S. leiten sich zahlreiche substituierte S. ab; zur Bennennung s. IUPAC-Regeln C-981 bis C-985.

Herst.: Aus Hydrazin-hydrochlorid u. Kaliumcyanat od. aus Hydrazinhydrat, Eisencarbonylen u. Kohlenmonoxid. Name von *Semi... u. *Carbazid, weil S. auf „halbem" Weg zwischen Carbamid (*Harnstoff) u. *Carbazid steht. S. kann als *Monoamin-Oxidase-Hemmer wirken. – ***E*** = ***F*** = ***I*** semicarbazide – ***S*** semicarbazida

Lit.: Beilstein E IV **3**, 177 ▪ Gmelin, Syst.-Nr. 14, C, Tl. D 1 1971, S., 459–466 ▪ Merck-Index (12.), Nr. 8588 ▪ Paquette **6**, 4440 ▪ Synthesis **1985**, 439 ▪ Ullmann (4.) **12**, 508; (5.) **A 13**, 189. – *[HS 2928 00; CAS 57-56-7 (S.); 563-41-7 (S.-HCl); G 6.1]*

Semicarbazone s. Semicarbazid.

Semichinone (Merichinone). Von *Michaelis geprägte Bez. für *merichinoide Verb.* mit *Radikal-Ionen. S. vom Typ des Benzosemichinons disproportionieren leicht zu einem Gemisch von Chinonen u. Hydrochinonen:

Chinon ⇌ (+ e⁻ / − e⁻) Semichinon ⇌ (+ 2 H⁺/ + e⁻ / − 2 H⁺/ − e⁻) Hydrochinon

Die Herst. von S. erfolgt durch vorsichtige Oxid. von Hydrochinonen od. Red. von Chinonen. S. treten z. B. als Zwischenstufen bei Redox-Reaktionen der Flavoenzyme (s. Flavin-Adenin-Dinucleotid) u. bei der *Huminsäure-Bildung auf. Auf die Verwandtschaft zu *Wurster Salzen sei hingewiesen. – ***E*** = ***F*** semiquinones – ***I*** semichinoni – ***S*** semiquinonas

Lit.: Angew. Chem. **66**, 658–677 (1954); **90**, 927–938 (1978) ▪ Patai, The Chemistry of Quinoid Compounds, S. 737–791, London: Wiley 1974 ▪ Top. Curr. Chem. **92**, 1–44 (1980); **108**, 71–107, 109–138 (1983) ▪ s. a. Chinone u. Hydrochinon.

Semicyclisch s. exocyclisch.

Semidin-Umlagerung. Eine Variante der *Benzidin-Umlagerung von Hydrazobenzol-Derivaten, die auftreten kann, sobald die 4- u./od. 4′-Stellungen im Hydrazobenzol besetzt sind. Dabei wandert nur ein Kern, u. es bilden sich die *o*- u./od. *p-Semidine* (substituierte Aminodiphenylamine).

R–C₆H₄–NH–NH–C₆H₅ ⟶ R–C₆H₄–NH–C₆H₄–NH₂ + R–C₆H₄–NH–C₆H₄(H₂N)

– ***E*** semidine rearrangement – ***F*** réarrangement de Semidin – ***I*** trasposizione semidinica – ***S*** transposición de Semidin

Lit.: s. Benzidin-Umlagerung.

Semiempirische Verfahren. Verf. der *Quantenchemie, die im Gegensatz zu *ab initio-Verf. entweder von experimentellen Daten zur Festlegung von Parametern Gebrauch machen od. diese an einfache ab initio-Rechnungen justieren. S. V. benötigen im allg. nur einen geringen Teil der Rechenzeit, die für ab initio-Rechnungen erforderlich ist, u. lassen sich daher auch auf große Mol. anwenden. Einige s. V. werden unter folgenden Einzelstichwörtern behandelt: AM1, CNDO, EHT, HMO-Theorie, INDO, MINDO, MNDO, PMO, PM3, PPP. – ***E*** semiempirical methods – ***F*** méthode semiempirique – ***I*** metodi semiempirici – ***S*** método semiempírico

Lit.: Clark, A Handbook of Computational Chemistry, New York: Wiley 1985 ▪ Klessinger, Elektronenstruktur organischer Moleküle, Weinheim: Verl. Chemie 1982 ▪ Kunz, Molecular Modelling für Anwender (2.), Stuttgart: Teubner 1997 ▪ Schmidtke, Quantenchemie (2.), Weinheim: VCH Verlagsges. 1994 ▪ Scholz u. Köhler, Quantenchemie, Bd. 3, Heidelberg: Hüthig 1981.

Semifusinit s. Macerale.

Semi-IPN s. interpenetrierende polymere Netzwerke.

Semiklassische Näherung. Näherungsverf. der *theoretischen Chemie, bei denen sowohl Elemente der klass. Physik als auch der *Quantenmechanik verwendet werden. Bei manchen Anw. wird z. B. die Bewegung der *Elektronen quantenmechan., die Bewegung der viel schwereren Atomkerne hingegen mittels klass. Mechanik beschrieben. – ***E*** semiclassical approximation – ***F*** approximation semiclassique – ***I*** approssimazione semiclassica – ***S*** aproximación semiclásica

Semikonservativ s. Replikation.

Semimikroanalyse s. Halbmikroanalyse.

Seminalplasmin s. Sperma.

Semiochemikalien (von griech.: semeion = Zeichen). Gelegentlich gebrauchter Oberbegriff für physiolog. *Signale od. *Reize übertragende sog. *Botenstoffe*; *Beisp.:* Allo-, Kairo- u. *Pheromone, *Allelopathika, Hormone. – ***E*** semiochemicals – ***F*** produits sémiochimiques – ***I*** prodotti semiochimici – ***S*** productos semioquímicos

Semipermeabilität s. Membranen, Permeabilität u. umgekehrte Osmose.

Semipolare Bindung. Grenzfall der *chemischen Bindung, der näherungsweise z. B. in Mol. mit XO-Bindungen wie Phosphanoxiden, Sulfoxiden od. Oxosäuren vorkommt. Beisp.: $H_3P^+–O^-$. Im allg. wird die s. P. durch *Rückbindung verstärkt, so daß häufig erheblicher *Doppelbindungs-Charakter vorliegt. Näheres s. *Lit.* – ***E*** semipolar bonding – ***F*** liaison semipolaire – ***S*** enlace semipolar

Lit.: Angew. Chem. **96**, 262–286 (1984) ▪ Kutzelnigg, Lehrbuch der Theoretischen Chemie (2.), Bd. 2, Weinheim: VCH Verlagsges. 1993.

Semisystematischer Name s. halbsystematischer Name.

Semitrivialname s. halbsystematischer Name.

Semmler, Friedrich Wilhelm (1860–1931), Prof. für Organ. Chemie, Berlin, TH Breslau. *Arbeitsgebiete:* Ether. Öle, Terpene. Mit seinem Namen sind einige Umlagerungsreaktionen in der Organ. Chemie verbunden (Semmlersche Umlagerung des Citrals zu Cyclocitral sowie Semmlersche Oxim-Umlagerung alicyclischer Ketoxime in aromat. Amine).
Lit.: Pötsch, S. 393.

Sempera® (Rp). Kapseln mit dem *Antimykotikum *Itraconazol ***B.:*** Janssen/Cilag.

Sempervirin (2,3,4,13-Tetrahydro-1*H*-benz[*g*]indolo[2,3-*a*]chinolizin-6-ium-Zwitterion).

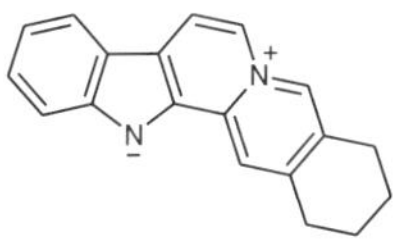

$C_{19}H_{16}N_2$, M_R 272,35; gelbbraune Blättchen, Schmp. 258–260 °C (andere Angabe: gelbe Nadeln, Schmp. 228 °C), lösl. in Ethanol, Chloroform. Indolo-chinolizidin-Alkaloid aus dem nordamerikan. Wilden Jasmin (*Gelsemium sempervirens*) u. *G. elegans* s.a. Gelsemin. S. wirkt antineoplast.[1]. – ***E*** = ***F*** sempervirine – ***I*** = ***S*** sempervirina
Lit.: [1] Oncology **43**, 198 (1986).
allg.: Beilstein E III/IV **23**, 1953 ▪ Monatsh. Chem. **127**, 1259 (1996) ▪ Synth. Commun. **26**, 4409 (1996) ▪ Tetrahedron **44**, 3195 (1988) (Synth.). – *[HS 2939 90; CAS 6882-99-1]*

Senarmontit. Sb_2O_3, durch *Verwitterung entstandenes Antimon-Mineral. Farblose, weiße od. graue, durchsichtige bis trübe, diamant- od. fettartig glänzende Oktaeder; derb, körnig od. als Krusten; H. 2, D. 5,5, Bruch muschelig, spröde. S. krist. kub., Kristallklasse m3m-O_h; Struktur s. *Lit.*[1].
Vork.: Přibram/Böhmen, Frankreich, Hamimat/Algerien. – ***E*** = ***I*** senarmontite – ***F*** sénarmontite – ***S*** senarmontita
Lit.: [1] Acta Crystallogr. Sect. B **31**, 2016 ff. (1975).
allg.: Ramdohr-Strunz, S. 510 ▪ Schröcke-Weiner, S. 388. – *[HS 2617 10; CAS 12412-52-1]*

Sencor®. Selektives *Herbizid auf Basis *Metribuzin gegen Unkräuter u. Ungräser in Kartoffel-, Tomaten-, Sojabohnen-, Luzerne-, Zuckerrohr-, Mais- u. Getreide-Kulturen. ***B.:*** Bayer.

Sencor® WG. Blatt- u. Bodenherbizid mit *Metribuzin in Form eines wasserdispergierbaren Granulats gegen zweikeimblättrige Unkräuter (ausgenommen Klettenlabkraut) u. einjähriges Rispengras in Spargel-Ertragsanlagen, Freiland-Tomaten-, Kartoffel- u. Luzerne-Kulturen. ***B.:*** ICI.

Sendzimir-Verfahren. Von T. Sendzimir 1935 entwickeltes, kontinuierliches Verf. zur Herst. von Zink-Überzügen auf Stahlbändern nach dem *Schmelztauch-Prozeß. Im Gegensatz zum üblichen Feuer-*Verzinken arbeitet das S.-V. ohne Flußmittel mit Zn, dem 0,2–0,3% Al zulegiert ist. Der Al-Zusatz bewirkt eine gute Verformbarkeit der Stahlbänder ohne Beschädigung der Zn-Schicht. – ***E*** Sendzimir process – ***F*** procédé Sendzimir – ***I*** processo Sendzimir – ***S*** procedimiento Sendzimir

Lit.: Dubbel, Taschenbuch für den Maschinenbau, 18. Aufl., Heidelberg: Springer 1995.

Senecio-Alkaloide s. Pyrrolizidin-Alkaloide.

Seneciosäure s. Methyl-2-butensäuren.

Senegawurzel. Wurzelstücke verschiedener *Polygala*-Arten, bes. *P. senega* L. (Polygalaceae), einer kleinen krautigen Pflanze Nordamerikas. S. enthält 6–12% *Triterpen-Saponine u. wird deshalb in *Expektorantien bei Bronchitis verwendet. – ***E*** seneca (snake) root – ***F*** racine de sénéga – ***I*** radice della poligala – ***S*** raíces de grenadillo
Lit.: Bundesanzeiger 50/13.03.86 u. 50/13.03.90 ▪ Wichtl (3.), S. 450 f.

Seneszenz (von latein.: senescere = altern, erschlaffen). Bez. für Alterserscheinungen bei tier. u. pflanzlichen Organismen, bei letzteren z.B. verbunden mit *Laubfärbung, Laubfall nach Einwirkung von *Welkstoffen u. Winterruhe. Dem Alterungsprozeß gemeinsam ist die Akkumulation schädlicher Substanzen, Gewebsveränderungen u. schrittweiser Verlust zahlreicher physiolog. Funktionen; s.a. Pflanzenphysiologie u. Pflanzenwuchsstoffe. – ***E*** senescence – ***F*** sénescence – ***I*** senescenza – ***S*** senescencia

Senf (Mostrich, Mostert, Speisesenf). S. ist eine verzehrsfertige Zubereitung, die auf der Grundlage von S.-Körnern (S.-Samen) hergestellt wird u. zum Würzen von Speisen dient.
Herst.: S. wird aus den Samen (geschält, nicht geschält, entölt, nicht entölt, s. Senföl) von *Brassica nigra* (schwarzer S.) od. *B. juncea* (*Sinapis alba*, weißer S.) unter Verw. von Wasser, *Essig u./od. organ. Säuren, Salz u. Gewürzen hergestellt, wobei die Samen feingemahlen u. mit Wasser gequollen werden (24 h). In sog. S.-Mühlen erfolgt die weitere Vermahlung, bis die gewünschten rheolog. Eigenschaften erzielt sind (1–4 h, <60 °C). Werden die Schalen der S.-Samen vor dem Abfüllen in Gläser od. Tuben entfernt, spricht man von *Dijon-Senf.* Als weitere geschmacksgebende Zutaten können Kräuter, *Meerrettich, *Tomaten, *Wein, Zuckerarten, mit *Süßstoffen gesüßter *Essig u. *Zuckeraustauschstoffe verwendet werden. Der Mindestfettgehalt von S. beträgt 1,6 g/100 g, die Mindesttrockenmasse 12 g/100 g. *Süßer S.* (*bayr. S.*) schmeckt deutlich süß u. enthält noch die Schalen der vermahlenen S.-Körner.
Zusammensetzung: Das S.-Korn enthält ca. 30% Senföl, das beim Entfetten der S.-Samen (teilw. mit überkrit. Kohlendioxid[1] u. nach enzymat. Vorbehandlung[2]) anfällt, sowie 28% Protein. Zur Charakterisierung der S.-Proteine s. *Lit.*[3]. Für den scharfen Geschmack des S. sind *Allylisothiocyanat (ca. 1%), das photometr. durch die *Methode nach § 35 LMBG L 52.06-4 bestimmt werden kann, u. 4-Hydroxybenzylisothiocyanat verantwortlich. Beide werden in einer durch das *Enzym *Myrosinase katalysierten Reaktion aus den *Glucosinolaten Sinigrin u. Sinalbin (s. Glucosinolate) gebildet u. sind auch für die strumigenen (kropferzeugenden) Eigenschaften des S. verantwortlich. Drei Glucosinolate wurden aus den Samen von *Brassica juncea* isoliert u. charakterisiert; als Hauptkomponente wurde 4-Hydroxybenzyl-glucosinolat (*Glucosinalbin) identifiziert[4]. Die Farbe des

S. stammt entweder aus der S.-Saat selbst od. aus dem *Curcuma-Gewürz. Der Zusatz von *Lebensmittelfarbstoffen zu S. ist unzulässig. Die Anlage 3, Liste A u. B der Zusatzstoff-Zulassungs-VO[5] erlaubt zwar die Verw. der *Konservierungsmittel *Sorbinsäure, *Benzoesäure u. der *4-Hydroxybenzoesäureester, doch ist die Verw. unüblich, da S. auf Grund des stark sauren pH-Wertes (Essig als Zutat) kaum verdirbt. S. kann nach einer Richtlinie des Bundes für Lebensmittelrecht u. Lebensmittelkunde e. V. (BLL) bzw. nach den europ. Beurteilungsmerkmalen für Speisesenf[6] beurteilt werden[7]. – ***E*** mustard – ***F*** moutarde – ***I*** senape, mostarda – ***S*** mostaza

Lit.: [1] Agric. Biol. Chem. **51**, 413–417 (1987). [2] Appl. Microbiol. Biotechnol. **29**, 39–43 (1988). [3] J. Agric. Food Chem. **36**, 1150–1155 (1988). [4] Phytochemistry **45**, 525 ff. (1997). [5] Zusatzstoff-Zulassungs-VO vom 22. 12. 1981 in der Fassung vom 8. 3. 1996 (BGBl. I, S. 460). [6] Richtlinie des BLL zur Beurteilung von Senf vom April 1981, abgedruckt in Zipfel, C 383. [7] Dtsch. Lebensm. Rundsch. **90**, 59–61 (1994).

allg.: Belitz-Grosch (4.), S. 884 ▪ Gassner, Mikroskopische Untersuchung pflanzlicher Lebensmittel (5.), S. 270–276, Stuttgart: Fischer 1989 ▪ Lindner, Toxikologie der Nahrungsmittel (4.), S. 24, 30, Stuttgart: Thieme 1990 ▪ Osteroth (Hrsg.), Taschenbuch für Lebensmittelchemiker, Bd. 2, S. 451–456, Berlin: Springer 1991 ▪ Ullmann (4.) **11**, 466 ▪ Vollmer et al., Lebensmittelführer (2.), Bd. 2, S. 145–148, Stuttgart: Thieme 1995. – *[HS 2103 30]*

Senfgas s. Bis(2-chlorethyl)sulfid u. Lost.

Senföl (Senfkörneröl). S. ist ein fettes Öl, IZ 103, VZ 175, das zu 30–35% im Samen des *Weißen* u. *Schwarzen Senfs* (in *Senfkörnern*) enthalten ist. Das aus diesen durch Pressen u. Extraktion gewonnene S. enthält Öl-, Linol-, Linolen- u. die gesundheitlich nicht unbedenkliche *Erucasäure (51,5%) (vgl. a. Rapsöl). ***Verw.:*** Als Brenn- u. Schmieröl, zur Herst. von Seifen, kosmet. u. pharmazeut. Präparaten. – ***E*** mustard seed oil – ***F*** essence de moutarde – ***I*** olio dei granelli di senape – ***S*** esencia de mostaza

Tab.: Struktur u. Daten von Senfölen.

Name	R	Summenformel	M_R	Sdp. [°C] [Schmp.]	optische Aktivität	CAS	Vork.
Allyl-S.	CH_2–CH=CH_2	C_4H_5NS	99,16	151 (Öl, scharfriechend) 44 (1,6 kPa) [–80]		57-06-7	Kohlarten (*Brassica* spp.) Meerrettich
Butyl-S.	$(CH_2)_3$–CH_3	C_5H_9NS	115,19	167 58–59 (1,2 kPa)		592-82-5	Kohlarten
3-Butenyl-S.	$(CH_2)_2$–CH=CH_2	C_5H_7NS	113,18	78,5 (3,5 kPa) 57,5–58,5 (1,5 kPa)		3386-97-8	Rapssamen (*Brassica napus*)
Erucin	$(CH_2)_4$–S–CH_3	$C_6H_{11}NS_2$	161,28	136 (1,6 kPa)		4430-36-8	Samen von *Eruca sativa*
Erysolin	$(CH_2)_4$–SO_2–CH_3	$C_6H_{11}NO_2S_2$	193,29	[60–60,5]		504-84-7	*Erysimum perovskianum*
Hirsutin	$(CH_2)_8$–SO–CH_3	$C_{10}H_{19}NOS_2$	233,39	122 (40 Pa)	$[\alpha]_D^{23}$ –47° (wäss. C_2H_5OH)	31456-68-5	Wurzeln von *Rorippa sylvestris*, Samen von *Arabis hirsuta* u. *Sibara virginica*
Isopropyl-S.	$CH(CH_3)_2$	C_4H_7NS	101,17 (67 Pa)	55–58		2253-73-8	Meerrettich (*Armoracia rusticana*, *A. lapathifolia*), *Lunaria* sp., *Sisymbrium* sp. u. *Patranjiva* sp.
β-Phenylethyl-S.	CH_2–CH_2–C_6H_5	C_9H_9NS	163,24	143–145 (1,6 kPa) 106 (0,3 kPa)		2257-09-2	Kreuzblütler
Sulforaphan	$(CH_2)_4$–SO–CH_3	$C_6H_{11}NOS_2$	177,28	130–135 (4 Pa)	$[\alpha]_D$ –79,3° ($CHCl_3$)	4478-93-7	Blätter von *Lepidum draba* u. *Brassica*-, *Eruca*- u. *Iberis*-Arten
Sulforaphen (Raphanin)	$(CH_2)_2$–CH=CH–SO–CH_3	$C_6H_9NOS_2$	175,26	Öl	$[\alpha]_D$ –108° ($CHCl_3$)	2404-46-8	Samen von Rettich u. Radieschen (*Raphanus sativus* var. *alba* bzw. *radicula*) u. Levkojen (*Matthiola bicornis*)

Lit.: Schormüller, S. 437 ▪ Ullmann (5.) **A 11**, 232. – *[HS 1514 10, 1514 90; CAS 8007-40-7]*

Senföle. Histor. bedingte Bez. für organ. *Isothiocyanate, R–N=C=S, bes. für solche, die als stechend riechende, geschmacksgebende Bestandteile der ether. Öle vorwiegend in Brassicaceae (Kreuzblütlern) vorkommen (s. Tab. S. 4054). Die S. liegen dort glykosid. gebunden als *Glucosinolate* (s. die Formeln dort) vor, aus denen sie – unter *Umlagerung – durch Thioglucosidasen (*Beisp.: Myrosinase*) freigesetzt werden.
S. haben neben ihrer ggf. erwünschten *Scharfstoff-Eigenschaften noch mikrobizide u. fungistat. Wirkungen. S. dienen den Pflanzen oft als Abwehrstoffe [1]. Lebensmitteltoxikolog. besitzen sie Relevanz, da sie allg. stark reizend u./od. giftig sind u. wie die Glucosinolate kropfbildende Eigenschaften besitzen. Einige S. wie Sulforaphan u. Sulforaphen aus Broccoli sollen vor Krebs schützen [2]. Sulforaphen wirkt antibiotisch.
Toxikologie: Allylsenföl ist stark schleimhautreizend, mutagen u. giftig, LD_{50} (Ratte p.o.) 108,5 mg/kg. Zur Synth. s. *Lit.* [3–6]. S. sind nicht zu verwechseln mit *Senföl. – ***E*** mustard oils, isothiocyanates (from plants) – ***I*** isotiocianati (vegetali) – ***S*** esencias de mostaza

Lit.: [1] ACS Symp. Ser. **380**, 155–181 (1988); Ann. Appl. Biol. **123**, 155–164 (1993); Pesticide Outlook **1997**, Nr. 4, 28–32; Plant Soil **129**, 277–281 (1990). [2] Proc. Natl. Acad. Sci. U. S. A. **89**, 2399–2403 (1992); **91**, 3147 (1994); J. Med. Chem. **37**, 170 (1994). [3] Org. Prep. Proced. Int. **26**, 555 ff. (1994). [4] Tetrahedron Lett. **26**, 1661–1664 (1985). [5] Tetrahedron Lett. **32**, 3503–3506 (1991). [6] Can. J. Chem. **64**, 940 ff. (1986).
allg.: Agric. Biol. Chem. **53**, 3361 f. (1989); **54**, 1587 (1990) ▪ Chem. Unserer Zeit **28**, 133 (1994) (Sulforaphan) ▪ Karrer, Nr. 2296–2329, 5385–5398 ▪ Nat. Prod. Rep. **10**, 327–384 (1993) ▪ Sax (8.), AGJ 250, ISP 000 (Toxikologie). – *[HS 3301 29]*

Senföl-Glucoside s. Glucosinolate.

Sengen. Eine Meth. der *Textilveredlung, worunter man die maschinelle Entfernung vorstehender Faserenden mit glühenden Kupfer-Platten od. brennenden Gasen versteht. – ***E*** singeing – ***F*** flamber, griller, gazer – ***I*** bruciatura, gasatura – ***S*** chamuscado, gaseado
Lit.: Rouette, Lexikon für Textilveredlung, Bd. 3, S. 1960 f. Dülmen: Laumann Verl. 1995

Senkwaagen s. Aräometer.

Senn. Kurzbez. für die Firma Senn Chemicals AG, CH-8157 Dielsdorf. Lieferant für Zucker, biolog. aktive Peptide, Aminosäure-, Ether- u. Ester-Derivate, BOC- sowie Z-Aminosäuren, Resins u. Linkers.

Senna s. Sennesblätter.

Sennert, Daniel (1572–1637), Prof. für Medizin, Wittenberg. *Arbeitsgebiete:* Iatrochemie, Aufstellung der Atomlehre aufgrund der Beobachtung des Sublimierens, Verdampfens, Auflösens usw. in Anlehnung an die in Platons Timaios entwickelte Atomtheorie. Sein Anliegen war die Synth. konträrer Schulmeinungen, so in der Arzneimittellehre (Paracelsius/Galen) u. der chem. Theorie (Demokrit/Aristoteles).
Lit.: Krafft, S. 313 f. ▪ Lexikon der Naturwissenschaftler, S. 373 ▪ Pötsch, S. 394 ▪ Strube et al., S. 51.

Sennesblätter. Getrocknete, paarig gefiederte Blättchen von *Cassia angustifolia* Vahl (Tinnevelly-Senna) od. *C. senna* L. (Synonym: *C. acutifolia, Senna alexandrina*, Alexandriner Senna), Caesalpiniaceae, bzw. einer Mischung von beiden. S. sind hellgrün, kurzgestielt, lanzettlich, schmecken anfangs süßlich, später bitter, kratzend. Infolge ihres Gehalts an *Sennosiden u. a. *Anthrachinon-Derivate bilden sie ein wichtiges *Abführmittel. *Sennesfrüchte* (Sennesschoten) enthalten dieselben Wirkstoffe. Die S. (Name von Sennar, einer sudanes. Stadt am Blauen Nil, der Heimat des Senna-Strauchs) wurden schon im 9. Jh. von arab. Ärzten in Europa eingeführt. – ***E*** senna leaves – ***F*** feuilles de séné – ***I*** foglie di sena – ***S*** hojas de sen
Lit.: Giftliste ▪ Hager (5.) **4**, 701–725 ▪ Ph. Eur. **1997** u. Komm. ▪ Wichtl (3.), S. 546–554. – *[HS 1211 90]*

Sennidine s. Rhein u. Sennoside.

Sennoside. Gruppe gelber homo- u. heterodimerer Anthronglykoside, deren Aglykone (*Sennidine*) sich von den Monomeren *Rhein u. Aloe-Emodin [1,8-Dihydroxy-3-(hydroxymethyl)anthrachinon] ableiten.

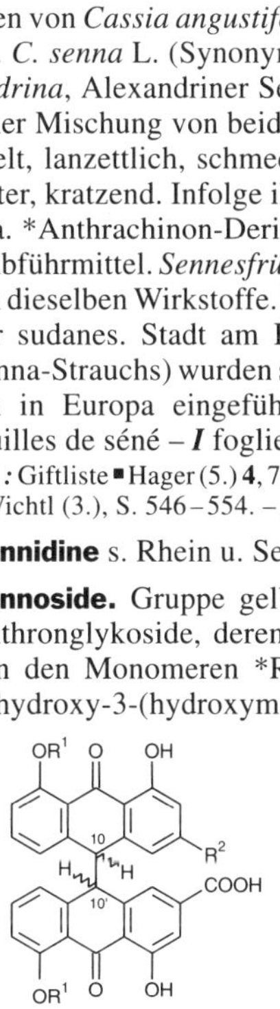

OR[1] O OH; 10; 10'; H; H; R^2; COOH; OR[1] O OH

Sennosid A, A' u. B
R^1 = β-D-Glc, R^2 = COOH
Sennosid C u. D
R^1 = β-D-Glc, R^2 = CH_2OH

Tab.: Daten von Sennosiden.

Sennoside	Summenformel	M_R	Stereochemie an 10,10′	Schmp. [°C] (Zers.)	$[\alpha]_D$	CAS
S. A	$C_{42}H_{38}O_{20}$	862,75	*R,R*	220–243 gelbe Blättchen	–164° (60% wäss. Aceton)	81-27-6
S. A′	$C_{42}H_{38}O_{20}$	862,75	*S,S*	162–176 gelbe Platten	–110° (70% wäss. Dioxan)	66575-30-2
S. B	$C_{42}H_{38}O_{20}$	862,75	*R,S*	209–212 hellgelbe Prismen	–100° (70% wäss. Aceton)	128-57-4
S. C	$C_{42}H_{40}O_{19}$	848,77	*R,R*	204–206 gelbe Tafeln	–123° (70% wäss. Aceton)	37271-16-2
S. D	$C_{42}H_{40}O_{19}$	848,77	*R,S*	210–220	+3,1° (H_2O)	37271-17-3

S. kommen in Blättern u. Früchten von *Cassia*-Arten (*C. senna, C. angustifolia*, Fabaceae) u. in Rhabarber-Wurzeln, z. T. als Oxalyl-Derivate (Sennosid E, F) vor. S. bilden sich zum großen Teil erst beim Trocknen der Sennesblätter aus den entsprechenden Anthronglykosiden. S. enthaltende Drogen werden bei akuter Obstipation therapeut. eingesetzt[1]. – ***E*** sennosides – ***F*** sénnosides – ***I*** senosidi – ***S*** senósidos

Lit.: [1] Steinegger-Hänsel, Lehrbuch der Pharmakognosie u. Phytopharmazie (4.), S. 427, Berlin: Springer 1988.
allg.: Braun-Frohne (6.), S. 121 ▪ Chem. Pharm. Bull. **30**, 1550 (1982) ▪ Dtsch. Apoth. Ztg. **131**, 171 (1991) ▪ Hager (5.) **9**, 597–605 ▪ Merck-Index (12.), Nr. 8600 ▪ Pharmacology, Suppl. **36**, 1 (1988); **47**, 1 (1993) ▪ Schweppe, S. 214 ▪ Zechmeister **7**, 258.

Senoxepin.

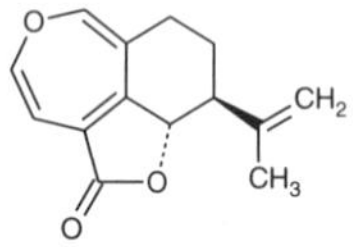

$C_{14}H_{14}O_3$, M_R 230,25; gelbes Öl, $[\alpha]_D$ –126,5° ($CHCl_3$). Das in *Senecio*-Arten vorkommende S. wurde als erstes natürliches Anti-Hückel-Oxepin-Derivat aufgefunden. – ***E*** senoxepin – ***F*** sénoxépine – ***I=S*** senoxepina

Lit.: Beilstein E V **19/4**, 412 ▪ Phytochemistry **16**, 965 (1977) ▪ Tetrahedron Lett. **30**, 1241–1244 (1989). – *[CAS 64197-44-0]*

Sensibilisation (von latein.: sensibilis = sinnlich wahrnehmbar). Unter S. od. *Sensibilisierung* versteht man im allgemeinsten Sinne alle Maßnahmen zur Steigerung einer *Empfindlichkeit (*Sensibilität*), z. B. in der *Kolloidchemie, *Photographie u. Medizin. Als S. bezeichnet man u. a. auch die Wärmebehandlung austenit. CrNi- u. CrNiMo-Stähle bei 500–800 °C, wodurch eine Anfälligkeit zu Kornzerfall hervorgerufen wird; diese S.-Prüfung wird mit Huey-Test u. Strauß-Test vorgenommen. In der Sprengstoff-Technik versteht man unter S. die Erhöhung der Empfindlichkeit von Explosivstoffen gegen mechan. Einwirkung (Schlag, Stoß usw.) durch Zusatz von scharfkantigen u. harten Substanzen; die gegensätzliche Maßnahme nennt man *Phlegmatisierung.

In der Medizin spricht man von S., wenn der Körper auf einmalige od. wiederholte Zufuhr (durch Injektion, Einreiben, Einatmen, orale Aufnahme) von artfremdem Eiweiß, Drogen, Pflanzenstoffen etc. mit Überempfindlichkeitsreaktionen antwortet (*Anaphylaxie), die durch *Antigen-Antikörper-Reaktionen im Organismus zustande kommen; typ., evtl. über *Leukotriene ablaufende Immunreaktionen (s. a. Immunologie) des *Allergie-Formenkreises sind *Asthma, bestimmte Arten von *Bronchitiden u. *Schnupfen, auf der *Haut Erytheme u. Ekzeme usw. Eine S. in diesem Sinne kann auch durch niedermol. Substanzen wie Lsm., Arznei-, Konservierungs- u. Schädlingsbekämpfungsmittel, Inhaltsstoffe von Parfüms u. Körperpflegemitteln etc. bewirkt werden, weshalb die Prüfung auf sensibilisierende Eigenschaften eine wichtige Aufgabe der Pharmakologie u. Toxikologie ist. Beispielsweise wurde für Stoffe wie Benzocain, *p*-Phenylendiamin, Captan, Mafenid, Glutardialdehyd eine Haut-S. nachgewiesen (vgl. a. die Liste sensibilisierender Stoffe in *Lit.*[1]), die im Rahmen von *Arbeitssicherheit, *Gewerbehygiene u. *Unfallverhütung (vgl. MAK) von Bedeutung sind. Der *Epikutantest* – eine Pflaster-Applikation evtl. allergisierender Faktoren auf der Haut – kann Hinweise auf mögliche S. geben. Bei bereits vorhandener S. (*Allergie), z. B. durch Nahrungsmittel, Kosmetika, Pollen, Sporen, bestimmten Staub, Tierhaare, Federn, Schuppen, Schimmelpilze, Milben etc., kann ggf. Abhilfe erreicht werden durch eine *Immunisierung mit dosierten Gaben der S.-Stoffe. (*Hypo-S.* od. **Desensibilisation*). Erfolge sind auch durch die *Reizkörper-Therapie möglich.

Bei der bisher erwähnten S. handelt es sich übrigens um eine solche, die nicht der Ggw. von Strahlung zur Auslösung bedarf. Anders bei den sog. *Photodermatitiden*, die bei vielen Menschen durch das Zusammenwirken von *Sensibilisatoren u. Licht od. UV-Strahlen in der *Haut zustande kommen; die Untersuchung derartiger Erscheinungen ist ein Arbeitsgebiet der *Photobiologie. Als *phototox.* od. *photoallergisiernde Verb.*, die ihre Wirkung (Erythem-Bildung, Sonnenbrand, Ekzeme, krankhafte, bleibende Verfärbungen, Narbenbildung) erst bei Belichtung entfalten, gehören z. B. Tetracyclin-Derivate, Sulfonamide[2] wie Sulfanilamid, Chlorpromazin, halogenierte Salicylanilide (Tetrachlor-, Tribromsalicylanilid u. a.) v. a. aber bestimmte *Furocumarine wie Bergapten u. Xanthotoxin, von denen ersteres als Bestandteil des Bergamotteöls in manchen Parfüms bekannt ist[3]. In der sog. **Photochemotherapie* finden *Furocumarine wie 8-Methoxypsoralen (Methoxsalen, *Xanthotoxin) gezielte Verw. zur Therapie der *Psoriasis u. der *Vitiligo. Diese Wirkung der Photo-S. ist eng verwandt mit dem *photodynamischen Effekt, zu dessen Zustandekommen oft die Ggw. von Sauerstoff zusätzlich nötig ist; Näheres s. dort u. bei Photooxidation. Wesentlich unklarer als in der *Photobiologie ist der Begriff S. in der *Strahlenbiologie definiert.

Bei der opt. *Photo-S.* in biochem. u. chem. Syst. geht die (chem.) Wirkung von den Mol. aus, die das eingestrahlte Licht absorbieren, den *(opt.)* **Sensibilisatoren* (S). Diese – nach Bowen Sensibilisatoren vom Typ II genannt – übertragen, ohne sich selbst dabei zu verändern, die aufgenommene Strahlungsenergie auf Mol. A, das die eingestrahlte Energie nicht selbst absorbiert: $^*S + A \rightarrow S + A^*$. Eine derartige **Energieübertragung* läßt sich auf zweierlei Weise deuten: Als ein zwischen Mol. verschiedener elektron. Zustände zu formulierender *physikal. Prozeß* od. als ein mehr *chem.* aufzufassender, über die Bildung labiler Zwischenprodukte (ggf. über Exciplexe, vgl. Excimere) verlaufender *Prozeß (Schenck-Mechanismus)*; Näheres s. unter Photochemie. Das nunmehr im Besitz der Anregungsenergie befindliche Mol. *A kann seinen Energieüberschuß als Fluoreszenz- od. Phosphoreszenz-Lichtquant (od. *sensibilisierte *Fluoreszenz* od. **Phosphoreszenz*) abstrahlen, od. es kann chem. Reaktion eingehen, zu denen es in elektron. nichtangeregtem Zustand nicht befähigt ist. Selbstverständlich kann der angeregte Sensibilisator *S seinerseits in chem. Reaktionen eintreten, z. B. mit andern S od. mit dem Substrat unter Addition, Dehydrierung etc. reagieren; S kann zerfallen od. durch vorhandene Verunreinigungen bzw. Produkte „gelöscht" werden (*E* quenching) usw. Bes. intensiv untersucht worden ist die opt. S. im Zusammenhang mit Sauerstoff, die *sensibilisierte *Photooxidation* (photosensibilisierte Oxid.). Nahm man früher (nach G. O. *Schenck) an, daß die Oxygenierung über einen biradikal. Komplex *($S–O_2$) verlaufe, der nach Addition an das Mol. A unter Bildung von AO_2 (*Hydroperoxide, *Peroxide) u. S zerfalle, so diskutiert man heute einen Energieübertragungsprozeß von *S auf O_2, der dabei in das eigentliche Oxygenierungsmittel Singulett-Sauerstoff übergeht; Näheres s. dort. Auf andere Weise wirken Sensibilisatoren (nach Bowen Sensibilisatoren vom Typ I), die im angeregten Triplett-Zustand Substrate radikal. zu dehydrieren vermögen u. dabei selbst in ein univalent hydriertes Monoradikal übergehen, z. B. Benzophenon bei der Reaktion mit 2-Propanol in Ggw. von O_2. Das so entstandene Radikal $(H_5C_6)_2C^{\cdot}–OH$ gibt im nächsten Schritt sein H-Atom an ein inzwischen gebildetes Radikal $O–O–CH(CH_3)_2$ ab u. kehrt als Benzophenon in den S.-Cyclus zurück (S. nach Art eines Relaismechanismus). Für photokatalyt. Prozesse solcher Art, die bei höheren Temp. meist als *Kettenreaktionen mit *Quantenausbeuten >1 ablaufen, ist heute der Begriff S. weniger gebräuchlich als der der *Photokatalyse*, u. statt von Sensibilisatoren spricht man dann hier u. bei der *Photopolymerisation meist von *(Photo-)Initiatoren*.

In der *Photographie dient die S. der Erzeugung od. Erhöhung der *Empfindlichkeit* photograph. Schichten, d. h. der Eigenschaft, bestimmte Strahlungsmengen zu registrieren, die durch den photograph. Verarbeitungsprozeß in entsprechende opt. Dichten umgesetzt werden. Man unterscheidet hier chem. (nichtopt.) u. spektrale (opt.) Sensibilisation. Durch die *chem.* S. bewirkt man die Ausbildung von *Kristallbaufehlern im Gitter der Silberhalogenid-Krist., wodurch die Lichtempfindlichkeit verstärkt wird. Techn. geht man so vor, daß man während der Emulsions-Herst. Red.-Mittel, Verb. mit labil gebundenem Schwefel (Thiosulfat u. Polythionate) u. Goldsalze (auch Selen-, Quecksilbersalze) zusetzt, wodurch Silber-Atom-Domänen, Sulfid-Ionen u. Gold-Ionen in die Krist. eingebaut werden. Bei der *spektralen S.* werden die AgBr-Gelatine-Emulsionen durch Adsorption von *Sensibilisierungsfarbstoffen*, d. h. Farbstoffen mit konjugierten Syst. mit endständigen O- u. N-Atomen wie z. B. *Erythrosin, *Cyanin-Farbstoffe u. *Merocyanine (*Polymethin-Farbstoffe) mit heterocycl. Ringen wie Thiohydantoin-, Rhodanin-, Pyrazolon-Resten u. dgl., in Spektralgebieten empfindlich gemacht, in denen sie ohne Farbstoffzusätze prakt. unempfindlich sind, nämlich im langwelligen sichtbaren u. ggf. auch im angrenzenden infraroten Gebiet. Platten u. Filme, die für den ganzen Spektralbereich außer Rot sensibilisiert sind, heißen *orthochromat.*, bei S. für das ganze Spektrum spricht man von *panchromat.* Emulsionen; Indocyaningrün sensibilisiert auch für Infrarot. Die Sensibilisierungsfarbstoffe wirken in geringen Konz. u. erfordern höchste Reinheitsgrade; die erste S. dieser Art wurde 1873 von H. W. Vogel beobachtet. Spektral verschiebende S.-Farbstoffe werden auch benötigt in der *Elektrophotographie: Zinkoxid wird z. B. durch Bengalrosa, Bromphenol- od. -thymolblau, Phthalocyanin-Farbstoffe sensibilisiert, so daß es an den belichteten Stellen Ladungsträger bilden kann. Nach DIN 16528: 1988-03 bedeutet S. im Tiefdruck das Lichtempfindlichmachen der Gelatine des Pigmentpapiers. – ***E*** sensitization – ***F*** sensibilisation – ***I*** sensibilità – ***S*** sensibilización

Lit.: [1] Chem. Labor Betr. **24**, 433–438, 499–504 (1973). [2] Angew. Chem. **92**, 647 ff. (1980). [3] Münch. Med. Wochenschr. **117**, 23–28 (1975).
allg.: Adv. Photochem. **13**, 329–487 (1986) ▪ Chem. Rev. **86**, 401–450 (1986) ▪ Chem. Unserer Zeit **17**, 85–95 (1983) ▪ Chem. Ztg. **106**, 275–287, 313–326 (1982); **109**, 215–219 (1985) ▪ Kessel, Methods in Porphyrin Photosensitization, New York: Plenum 1986 ▪ Kiefer, Strahlensensibilisierung hypoxischer Zellen... durch chemische Sensibilisatoren... (DFVLR-Ber. A 4598), Köln: DFVLR 1984 ▪ Kirk-Othmer (3.) **8**, 393–408 ▪ Kontakte (Merck) **1986**, Nr. 1, 24–35 ▪ Nachr. Chem. Tech. Lab. **33**, 582–588 (1985) ▪ Toxicol. Environ. Chem. Rev. **2**, 259–302 (1974/1979) ▪ Winnacker-Küchler (3.) **5**, 595, 612; (4.) **7**, 543, 552 f.

Sensibilisatoren. Allg. Bez. für Stoffe, die die *Empfindlichkeit (Sensibilität) eines Syst. (gegenüber anderen Agenzien) hervorrufen u./od. verstärken; *Beisp.:* *Photochemotherapie. Im Sinne der Photochemie Bez. für Substanzen, die nach verschiedenen Mechanismen Strahlungsenergie aufnehmen u. auf ein Reaktionssyst. übertragen, ohne dabei bleibende Veränderungen zu erfahren; zur Wirkungsweise s. Sensibilisation u. Photochemie. Zu den in der präparativen Photochemie gebrauchten S. (*Photo-S.*) gehören Ketone (Acetophenon, Benzophenon), Chinone (Anthrachinon, Durochinon), kondensierte Aromaten (Pyren, Anthracen) u. – z. B. zur Darst. von *Singulett-Sauerstoff – v. a. Farbstoffe (Eosin, Erythrosin, Bengalrosa, Porphyrine, Chlorophyll, Zinktetraphenylporphin) u. andere. Ein S. sollte eine möglichst hohe *Quantenausbeute der Triplett-Zustandsbildung im betrachteten Syst. aufweisen. Die Wahl des geeignetsten S. richtet sich auch nach dem Betrag seiner Triplett-Energie. In Gemischen von S. wirkt derjenige mit niedrigerer Triplett-Energie im allg. als *Löscher* (*E* quencher). In der *Photographie meint man, wenn man von S. spricht, meist die *spektralen* od. *opt. S.*, die auf Silberhalogenid-Körnern adsorbiert längerwelliges Licht in der Weise für die Entstehung des latenten Bildes nutzbar machen, daß sie die von ihnen absorbierte Lichtenergie auf die (im allg. zu kurzwellig – bis 490 nm – absorbierenden) Silberhalogenide übertragen. Als „spektral verschiebende" *Sensibilisierungsfarbstoffe* in diesem Sinne kommen v. a. *Polymethin-Farbstoffe mit den Untergruppen der *Cyanin-Farbstoffe u. *Merocyanine in Frage. Weniger gebräuchlich als *nicht-opt. S.* ist die Bez. *chem. S.* für Emulsions-Zusätze wie komplexe Goldsalze, labilen Schwefel enthaltende Verb. u. Red.-Mittel, die eine chem. *Sensibilisation durch Induzierung von Gitterfehlstellen in den Silberhalogenid-Krist. bewirken. Spektral verschiebende S. benötigt man auch in der *Elektrophotographie u. in *Photoeffekte ausnutzenden Vorrichtungen. In der *Strahlenchemie u. -biologie wird der S.-Begriff in unterschiedlichem Sinn gebraucht. – ***E*** sensitizers – ***F*** sensibilisateurs – ***I*** sensibilizzatori – ***S*** sensibilizadores

Lit.: s. Sensibilisation.

Sensibilisierend. *Gefährlichkeitsmerkmal für Stoffe u. Zubereitungen. Im Sinne des *Chemikaliengesetzes u. der ihm nachgeordneten *Gefahrstoffverordnung werden Stoffe u. Zubereitungen als s. eingestuft, wenn sie beim Einatmen od. Aufnahme über die Haut Überempfindlichkeitsreaktionen hervorrufen können, so daß bei künftiger Exposition gegenüber dem Stoff od. der Zubereitung charakterist. Störungen auftreten. S. Stoffe u. Zubereitungen werden mit den *R-Sätzen R42 od. R43 gekennzeichnet. In der Gefahrstoffliste sind s. Stoffe mit S versehen [1]. – ***E*** sensitizing

Lit.: [1] Hauptverband der gewerblichen Berufsgenossenschaften (Hrsg.), Gefahrstoffliste, Berlin: E. Schmidt Verl. (jährlich neu).

Sensibilisierung s. Sensibilisation u. Sensibilisatoren.

Sensibilität s. Sensibilisation.

Sensit® (Rp). Dragées mit dem Calcium-Antagonisten *Fendilin-hydrochlorid gegen koronare Herzerkrankungen. ***B.:*** Thiemann.

Sensitometrie s. Photographie.

Sen-so s. Krötengifte.

Sensoren (von latein.: sensus = Gefühl, Empfindung). Im allgemeinsten Sinne „Fühler" od. *Detektoren, z. B. für mechan. Kräfte (Druckfühler, Gleichgewichtsorgan bei Tieren), für Strahlung, Wärme (pyroelektr. Detektoren, Infrarotsensoren bei Schlangen), Schallwellen (das Sonar = *so*nic *n*avigation *a*nd *r*anging bei Fledermäusen), Bewegungen, Feuchtigkeit, pH od. Gase. Im physiolog. Bereich spricht man statt von S. von *Reiz-*Rezeptoren. Nach DIN 10950: 1981-10 sind „Sensoren" auch Prüfpersonen in der *Sensorik.

Als elektrochem. S. bezeichnet man *ionenselektive Elektroden, die bes. für die *Elektroanalyse entwickelt worden sind. Derartige S. messen keine Konz., sondern *Aktivitäten von *Ionen. In rascher Entwicklung begriffen sind die *Biosensoren, die insbes. Affinitäts-Beziehungen (Antigen/Antikörper, Enzym/Substrat) für die Diagnostik u. klin. Chemie ausnutzen. – ***E*** sensors, receptors – ***F*** capteurs, récepteurs – ***I*** sensori – ***S*** sensores, receptores

Lit.: Chem. Ing. Tech. **63**, A 244 (1991) ▪ Environ. Monitoring Assessm. **15**, 1 (1990) ▪ Evans, Potentiometry and Ion Selective Electrodes, New York: Wiley 1987 ▪ Hall, Biosensoren, Heidelberg: Springer 1995 ▪ Smyth u. Vos, Electrochemistry, Sensors and Analysis, Amsterdam: Elsevier 1986.

Sensorik (von latein. sensus = Gefühl, Empfindung). 1. Gesamtheit der im Rahmen von Sinneswahrnehmung ablaufenden physiolog. Prozesse (s. a. Sinnesphysiologie).

2. Bez. für die wissenschaftliche Disziplin, die sich mit der Bewertung von Lebensmitteln auf Grund von Sinneseindrücken befaßt. Die sensor. Beurteilung eines Lebensmittels erfolgt anhand der visuellen, olfaktor., gustator. u. hapt. Eindrücke.

Visuelle Eindrücke: Alle mit dem Auge wahrnehmbaren Merkmale (Farbe, Form, Struktur).

Olfaktor. Eindrücke: Alle beim Einziehen von Luft durch die Nase wahrnehmbaren Geruchseindrücke, die häufig in Anfangsgeruch (Kopfnote), Hauptgeruch (Mittelnote, Körper) u. Nachgeruch (Ausklang) differenziert werden können. Auch die erst beim Kauen freigesetzten flüchtigen Stoffe tragen zum olfaktor. Eindruck bei.

Gustator. Eindrücke: Alle mit Zunge, Mundhöhle u. Rachen wahrnehmbaren Merkmale, zu denen neben dem Geschmack u. dem Temp.-Empfinden auch chemästhet. Eindrücke (z. B. adstringierend) zu zählen sind. Die vier klass. Geschmackseindrücke süß, sauer, salzig u. bitter werden in der S. durch *Saccharose, *Citronen- od. *Weinsäure, *Natriumchlorid u. Chininhydrochlorid bzw. *Coffein beschrieben. Als fünfter Grundgeschmackseindruck wird *Umami diskutiert.

Hapt. Eindrücke: Alle Empfindungen der Zunge, der Mundhöhle u. des Rachens, an denen keine Geschmacksreize beteiligt sind u. die vornehmlich Gefüge u. Konsistenz betreffen.

Die Gesamtheit der hapt., gustator. u. olfaktor. Eindrücke wird als „*flavour*" bezeichnet (s. a. off-flavour).

Auditive Eindrücke: Mit den Ohren wahrnehmbare Geräusche, die beim Kauen bzw. Beißen entstehen.

Anw.: Die S. wird v. a. zur Beurteilung der Qualität von Lebensmitteln u. kosmet. Mitteln (z. B. *Parfüms) herangezogen u. ist ein wertvolles Hilfsmittel der Aromaforschung.

Prakt. Durchführung: Die sensor. Prüfung von Lebensmitteln u. kosmet. Mitteln sollte, um wissenschaftlich exakt zu sein, nur von ausgebildeten Prüfern (Sensorikern, Parfumeuren) in speziellen Räumen unter definierten Bedingungen mit codierten Proben durchgeführt werden. Zur Abstufung von sensor. Eindrücken stehen verschiedene Skalen (Nominalskala, Ordinalskala u. a.) [1] zur Verfügung. Neben den Unterschiedsprüfungen (paarweise Unterschiedsprüfung, Dreiecksprüfung, Duo-Trio-Test), bei denen die Frage nach sensor. feststellbaren Unterschieden beantwortet werden soll, sind beschreibende Prüfungen (Profilprüfung, Verdünnungsprüfung) u. bewertende Prüfungen (Klassifizierung, Rangordnung) weit verbreitet. Schwellenwertprüfungen dienen der Ermittlung der Reiz- od. Erkennungsschwelle (s. Micko-Destillation).

Zur sensor. Beurteilung einzelner Lebensmittel (*Wein, Fruchtwein, Sekt, *Spirituosen u. a.) sind von der dtsch. Landwirtschaftsges. (DLG) Schemata erarbeitet worden. Speziell für Wein existiert neben dem 20-Punkte-Schema der DLG ein Prüfschema der *OIV u. ein vorgegebener Prüfrahmen (Anlage 5, Nr. II der Wein VO [2]), nach dem Wein bei Antrag auf Erteilung einer amtlichen Prüfnummer zu beurteilen ist. Zur sensor. Prüfung spezieller Lebensmittel s. *Lit.* [1].

Neben der sensor. Beurteilung eines komplexen Lebensmittelaromas besteht die Möglichkeit, nach gaschromatograph. Trennung die einzelnen Aromastoffe beim Verlassen der Säule mit Hilfe eines „sniffing-port" abzuriechen u. ihren Beitrag zum Gesamtaroma anhand des parallel aufgezeichneten Chromatogramms, das eine Quantifizierung erlaubt, abzuschätzen (Schnüffel-Technik, sniffing-GC) [3]. Eine Verkostung der getrennten Aromastoffe ist mittels „micro-water-trap" möglich [3]. Eine Wichtung von Aromastoffen auf der Basis von Aromawerten (Quotient aus Konz. u. Geruchsschwellenwert) ist anhand der Verdünnungsfaktoren (FD-Faktoren), die sich aus der Aromaextrakt-Verdünnungsanalyse (AEVA) ergeben[4], möglich. Zur computergestützten sensor. Analytik s. *Lit.*[5]. – ***E*** sensory – ***F*** sensorique – ***I*** sensorica – ***S*** sensórica, funciones (procesos) sensoriales

Lit.: [1]Koch (Hrsg.), Getränkebeurteilung, S. 45–81, 152–166, 180–191, 215–224, 245–252, 275–286, 321–322, 371–377, Stuttgart: Ulmer 1986. [2]Wein-VO vom 4. 8. 1983 in der Fassung vom 24. 8. 1990 (BGBl. I, S. 1834). [3]Labor-Praxis **14**, 51–58 (1990). [4]Chem. Unserer Zeit **24**, 82–89 (1990). [5]Food Technol. **42**, 118–122, 128–136 (1988).
allg.: Bauer et al., Common Fragrance and Flavor Materials (2.), Weinheim: VCH Verlagsges. 1990 ▪ Brand et al. (Hrsg.), Chemical Senses, Vol. 1, Receptor Events and Transduction in Taste and Olfaction, Basel: Dekker 1989 ▪ Devos et al., Standardized Human Olfactory Thresholds, Oxford: University Press 1990 ▪ Fliedner u. Wilhelmi, Grundlagen u. Prüfverfahren der Lebensmittelsensorik, Hamburg: Behr 1993 ▪ Frede (Hrsg.), Taschenbuch für Lebensmittelchemiker u. -technologen, Bd. 1, S. 97–105, Berlin: Springer 1991 ▪ Getränkeindustrie **44**, 980 (1990); **49**, 244–252 (1995) ▪ Jellinek, Sensory Evaluation of Food, Theory and Practice, Weinheim: Verl. Chemie 1985 ▪ Martens et al. (Hrsg.), Flavour Science and Technology, Chichester: John Wiley and Sons 1987 ▪ *Methoden nach § 35 LMBG, L 00.90-1 bis -8, Berlin: Beuth ▪ Morten et al., Sensory Evaluation Techniques, Florida: CRC-Press 1991 ▪ Neumann u. Molnár, Sensorische Lebensmittelüberwachung, Leipzig: Fachbuch-Verl. 1991 ▪ Ney, Lebensmittelaromen, Hamburg: Behr 1987 ▪ Pigott et al. (Hrsg.), Distilled Beverage Flavour, Weinheim: VCH Verlagsges. 1989 ▪ Stute (Hrsg.), Lebensmittelqualität: Wissenschaft u. Technik, S. 232, Weinheim: VCH Verlagsges. 1989. – *Zeitschriften:* Journal of Sensory Studies.

SEP (Abk. für *E stimulated emission pumping*). Meth., um die therm. Besetzung eines Niveaus (Niveau 1 in Abb. 1) in ein anderes Niveau (Niveau 3) zu transferieren, wobei ein energet. höheres Niveau (Niveau 2) mit einem *Laser (Pumplaser P) bevölkert u. durch einen zweiten Laser (stimulierender od. Stokes-Laser S) aufgrund *stimulierter Emission* gezielt zugunsten von Niveau 3 entvölkert wird.

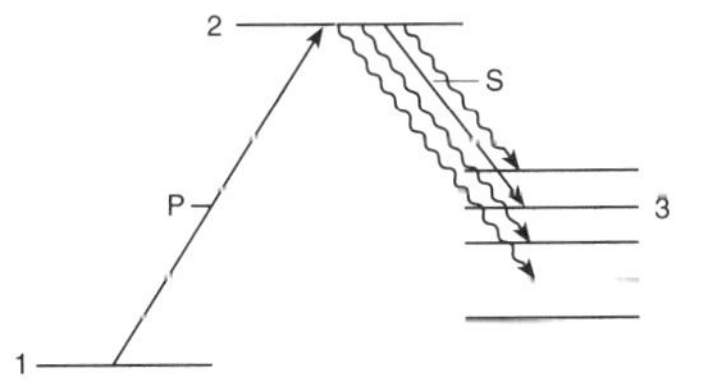

Abb. 1: Durch die Laser P u. S induzierte Übergänge. Während bei SEP noch spontane Emission in andere Niveaus stattfindet (dargestellt durch ⇝), wird bei STIRAP nur das Zielniveau 3 bevölkert.

In der Regel verwendet man gepulste Laser. Werden die Laserintensitäten größer als die Sättigungsintensität (s. Sättigungsspektroskopie u. spektrales Lochbrennen) u. die Frequenzbreiten gewählt, die hinreichend groß sind, um kohärente Prozesse in den Hintergrund treten zu lassen, so gleichen sich die Besetzungen der durch die Strahlung gekoppelten Niveaus während der Einwirkzeit der Laser an. Bei zeitgleichen Laserpulsen befinden sich in jedem der 3 Niveaus 33% der anfänglichen Besetzung von Niveau 1; d.h. die Transfereffizienz $1 \rightarrow 3$ ist $\leq 33\%$. Bei zeitversetzten Lasern werden 50% von $1 \rightarrow 2$ transferiert u. davon anschließend 50% nach 3, so daß die gesamte Transfereffizienz $1 \rightarrow 3$ $\leq 25\%$ beträgt.

Eine Steigerung dieser Effizienz bis auf 100% ist mit Hilfe der sog. *STIRAP-Meth.* (Abk. für *E stimulated Raman scattering involving adiabatic passage*) möglich. Hierbei läßt man den Laser S vor dem Laser P auf das Syst. einwirken u. wählt ein hinreichend langes Zeitintervall, in dem beide Laser gleichzeitig u. ohne Phasenfluktuation wirken (Abb. 2).

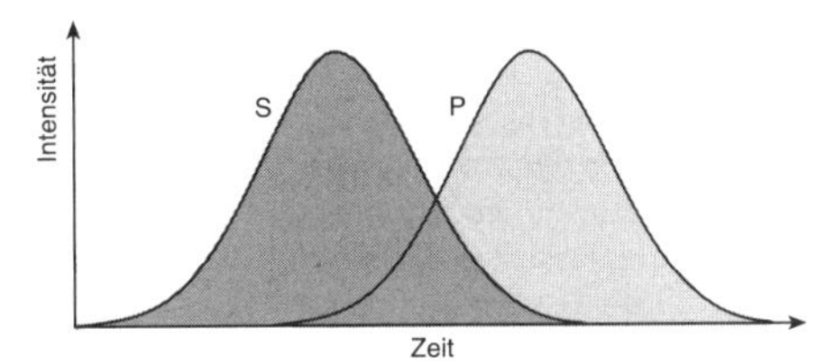

Abb. 2: Zeitfolge der Laser S u. P bei STIRAP.

Bei richtiger Abstimmung der Intensitäten u. des Zeitversatzes gelingt es, die Besetzung von 1 vollständig nach 3 zu transferieren, ohne eine Besetzung in 2 zu etablieren. Während bei SEP neben dem Niveau 3 durch spontane *Emission auch andere Niveaus besetzt werden, findet bei STIRAP keine spontane Emission statt, da die Niveaus 2 u. 3 über den Laser S bereits miteinander gekoppelt sind, bevor durch den Laser P das Niveau 2 bevölkert wird. Die STIRAP-Meth. kann mit gepulsten Lasern realisiert werden, aber auch mit kontinuierlichen, indem Atom- bzw. Mol.-Strahlen verwendet werden u. die notwendige Zeitverzögerung durch einen entsprechenden räumlichen Versatz der Laserstrahlen erreicht wird (Details s. *Lit.*[1]).

SEP u. STIRAP sind universelle Meth., d.h. nicht auf bestimmte Atome od. Mol. beschränkt. Einzige Voraussetzung ist das Vorhandensein passender Übergänge, die durch Laser angeregt werden können. SEP u. STIRAP werden z.B. eingesetzt, um aufgrund der Besetzung höherer Schwingungsniveaus von Mol. spektroskop. Informationen über diese Niveaus selbst zu erhalten, um daraus Molekülpotentiale bei größeren Kernabständen zu bestimmen od. um die Abhängigkeit der Wirkungsquerschnitte reaktiver Stöße von der internen Energie, hier der Schwingungsanregung, zu untersuchen (s.a. Laser-Chemie, Photochemie).

Lit.: [1]J. Chem. Phys. **92**, 5363–5376 (1990).
allg.: Annu. Rev. Phys. Chem. **37**, 493–523 (1986) ▪ J. Chem. Phys. **75**, 2056–2059 (1981).

Separanda (von latein.: separandum = Abzutrennendes). In der Terminologie der Apothekersprache Bez. für giftige Arzneimittel u. dgl., die abgesondert aufzubewahren sind.

Separieren. Allg. Bez. für Trennen, speziell für Trennen eines fluiden Stoffgemisches aus Komponenten verschiedener D. durch die Wirkung der Zentrifugalkraft, vgl. Zentrifugieren. – ***E*** separating – ***F*** séparer par centrifugation – ***I*** separazione – ***S*** separar por centrifugación

Sephacel®. Perlförmiger, quervernetzter *DEAE-Cellulose-Ionenaustauscher mit großen Poren (Ausschlußgrenze M_R 10^6) u. hoher Kapazität. ***B.:*** Pharmacia.

Sephacryl®. Durch dreidimensionale Vernetzung von linearen *Dextran-Ketten mit *N,N′*-Methylenbis(acrylamid) erhältliches hydrophiles, gelbildendes Material für die Gelfiltration in Wasser u. organ. Lsm.; die Größe der Poren ist vom Vernetzungsgrad abhängig. Es sind verschiedene S.-Typen für die Fraktionierung von Biomol. im Bereich von M_R 5000–8 000 000 erhältlich. Darüber hinaus können Partikel bis zu 400 nm Durchmesser chromatographiert werden. ***B.:*** Pharmacia.

Sephadex®. Marke der Pharmacia für ein dreidimensional vernetztes *Polysaccharid, das durch Quervernetzung der linearen Makromol. von *Dextran erhalten wird. S. ist indifferent gegenüber Kationen u. Anionen, enthält viele Hydroxy-Gruppen (daher hydrophil), quillt stark in Wasser od. Elektrolyt-Lsg. u. bildet ein Gel mit einer Vielzahl von Poren, deren Größe vom Vernetzungsgrad abhängt. Aus diesem Grunde eignet sich S. gut als Matrix für Ionenaustauscher, wobei als funktionelle Gruppen Diethylaminoethyl-(DEAE-Typen), Diethyl-2-hydroxypropylaminoethyl-(QAE-Typen), Carboxymethyl-(CM-Typen) u. Sulfopropyl-Gruppen (SP-Typen) eingeführt sind. Die Typenbez. A bzw. C stehen für Anionen- bzw. Kationenaustauscher. S.-Ionenaustauscher finden v.a. in der Biochemie zur Trennung u. Reinigung von Proteinen, Enzymen, Hormonen, Nucleinsäuren u. Nucleotiden, Kohlenhydraten u.a. Verw., wozu ein komplettes Gerätesyst. mit temperierbaren Säulen, Dosiereinrichtungen, Gradientenmischern etc. angeboten wird. Angaben über spezielle Arbeiten mit S. findet man in der von der Pharmacia herausgegebenen Lit.-Referenzliste (Literature References). Neben den auch in der *Ionenaustauschchromatographie verwendeten S.-Ionenaustauscher-Typen befinden sich S.-Typen für die *Gelchromatographie (z.B. die Typen der S. G-Reihe u. S. LH-20) sowie für die Adsorptions- u. Verteilungschromatographie (S. LH-20, LH-60 u. *Sephasorb) u. isoelektr. Fokussierung (S. IEF) im Handel.

Sephamatic®-System. Kombination von Trennapparatur u. Steuergerät für die Durchführung chromatograph. Verf. im Produktionsmaßstab, insbes. zur Gelfiltration u. Entsalzung. ***B.:*** Pharmacia.

Sepharose®. Perlförmige Materialien zur *Gelchromatographie in wäss. Lsg. auf Basis modifizierter *Agarose, deren Polysaccharid-Ketten zu einem dreidimensionalen Netzwerk verknüpft sind. Unter den S.-Typen, die wegen ihrer inerten Matrix für die Affinitätschromatographie eingesetzt werden, befinden sich sowohl aktivierte Typen zur einfachen Einführung individueller Liganden (z.B. Antikörper) als auch fertige Medien mit Spezifität für verschiedene Gruppen von Biomol. (z.B. Blaue S., Con A-S.). Quervernetzte S. (z.B. mit Dibrompropanol) findet als S. CL (cross linked) u. S. FF (fast flow) wegen der äußerst stabilen Matrices in der *Ionenaustauschchromatographie Verw.; hier sind Austauscher mit den gleichen funktionellen Gruppen wie für *Sephadex® erhältlich (QAE, DEAE, SP, CM). Als Matrix für die Gelfiltration sind S.-Typen weitgehend durch entsprechende *Sephacryl®-Typen ersetzbar. ***B.:*** Pharmacia.

Sephasorb®. Stark quervernetztes, hydroxypropyliertes *Sephadex®-Gel zur Trennung von Mol. bis M_R ~1000 aufgrund von aromat. Adsorptions- u. Verteilungsmechanismen. Wegen mittlerer Perldurchmesser von 17 μm (Ultrafine) wird S. im Mitteldruckbereich 0,5–5 MPa eingesetzt. ***B.:*** Pharmacia.

Sepiabraun s. Umbra.

Sepia-Schalen (Schulp). Weiße, leichte, poröse, länglich-eiförmige Rückenschalen des Tintenfischs. S.-S. bestehen aus *Conchagenen u. Calciumphosphat; sie werden 10–30 cm lang u. 6–10 cm breit. Man erhält sie von gefangenen Tintenfischen, vielfach werden auch die Schalen von abgestorbenen Tieren an die Küste geschwemmt u. eingesammelt.
Verw.: Als Poliermittel, zur Entfernung von Hornhaut, für Zahnpulver, für Stubenvögel zum Schnabelwetzen. – ***E*** cuttle-fish bone, sepia – ***F*** carapace de sépia – ***I*** ossi di seppia – ***S*** concha de sepia

Lit.: Kaestner, Lehrbuch der speziellen Zoologie (5.), Bd. I, 3. Teil, Stuttgart: Fischer 1993. – *[HS 0508 00]*

Sepiolith (Meerschaum). $Mg_4[(OH)_2/Si_6O_{15}] \cdot 2H_2O + 4H_2O$ od. $Mg_8H_6[(OH)_{10}/Si_{12}O_{30}] \cdot 6H_2O$, *Tonmineral mit Faserstruktur; weiße, gelbliche, graue od. rötliche, undurchsichtige, matte, feinerdige, derbe od. knollige feinfaserige Massen; unter dem Elektronenmikroskop sind nadelige rhomb. Krist. erkennbar. Kristallklasse mmm-D_{2h}; S. enthält als Phyllosilicat Schichten aus $[SiO_4]$-Tetraedern, die Struktur ist aber eher den *Amphibolen u. damit den Ino-*Silicaten ähnlich, da die Tetraeder-Schichten aus miteinander verknüpften Tetraeder-Dreierketten bestehen. H. 2–2,5, D. 2,0; S. schwimmt trotzdem wegen hoher Porosität auf Wasser. Er spaltet beim Erhitzen unter Schwärzung in mehreren Stufen Wasser ab. Ein Teil des Wassers ($4H_2O$) ist zeolith. (*Zeolithe) gebunden, wird leicht abgegeben u. kann durch organ. Kettenmol. ausgetauscht werden. S. kann in natürlichem Zustand bis zu 250% seines Gew. an Wasser aufnehmen; aus dieser Fähigkeit resultieren seine plast. Eigenschaften; er kann in Gelform in wäss. u. organ. Lsg. hergestellt werden [1]; zur Stabilität von S. s. *Lit.*[2]. S. ist in bergfeuchtem Zustand leicht zu bearbeiten, er erhärtet beim Trocknen. Mg kann z.T. durch Na, Fe^{2+} u. Fe^{3+} ersetzt werden, Al ist meist vorhanden.
Vork.: Wirtschaftlich wichtige S.-Vork. gibt es in Spanien (Provinz Madrid), bei Eskishehir/Türkei [3] (Grundlage der türk. Meerschaumpfeifen-Produktion), in Nevada/USA, China (Provinzen Hunan u. Jianxi), Japan u. Frankreich, s. dazu Clarke (*Lit.*).
Verw.[4]***:*** Zu Schmuck, Zigaretten- u. Zigarrenspitzen, Pfeifenköpfen. Wegen des großen Adsorptionsvermögens (spezif. Oberfläche etwa 300 m^2/g, *Lit.*[5]) u.a. in Zigarettenfiltern, als Adsorbens, Katzenstreu u. Filterstoff; Trägersubstanz für Katalysatoren u. Insektizide; für Bohrspülungen in Salz- u. Brackwasser; ferner in Polyester, Farben, Kosmetika, Reinigungsprodukten, Entfärbungs- u. Bleichmitteln (Erhöhung des Adsorptionsvermögens von S. durch saure Aktivierung [6] möglich); zur Entfernung von Pb^{2+} u. Zn^{2+} aus Ind.-Abwässern durch S. s. *Lit.*[7]. – ***E*** sepiolite – ***F*** sépiolite – ***I*** schiuma di mare, sepiolite – ***S*** sepiolita

Lit.: [1] Appl. Clay Sci. **3**, 165–176 (1988). [2] Clay Miner. **31**, 225–232 (1996). [3] Gems & Gemol. **31**, 42–51 (1995). [4] Clay Miner. **31**, 443–453 (1996). [5] Clay Miner. **25**, 99 (1990). [6] Clay

Miner. **29**, 361–367 (1994). [7]Appl. Clay Sci. **11**, 43–54 (1996).
allg.: Anthony et al., Handbook of Mineralogy, Vol. II, Tl. 2, S. 722, Tucson (Arizona): Mineral Data Publishing 1995 ▪ Clarke (Hrsg.), Industrial Clays, A Special Review, S. 7, 85, London: Industrial Minerals Division of Metal Bulletin Plc 1989 ▪ Jasmund u. Lagaly, Tonminerale u. Tone, S. 64 f., 203, 361 f., 467 ff., Darmstadt: Steinkopff 1993 ▪ Singer u. Galan, Palygorskite-Sepiolite, Amsterdam: Elsevier 1985. – *[HS 2530 90; CAS 15501-74-3]*

Seppelt, Konrad (geb. 1944), Prof. für Anorgan. u. Analyt. Chemie, FU Berlin. *Arbeitsgebiete:* Fluorchemie, Bismut-organ. Chemie, Nichtmetallchemie.
Lit.: Kürschner (16.), S. 3490 f.

Sepsis (griech.: sepsis = Fäulnis, Blutvergiftung). Infektionserkrankung, die durch die Aussaat von Krankheitserregern (Bakterien od. Pilzen) in die Blutbahn hervorgerufen wird. Meist geschieht die Aussaat von einem Herd (z. B. Wundinfektion, Nierenentzündung) aus u. wird durch Schwäche der körpereigenen Abwehr begünstigt. Eine S. geht u. a. mit hohem Fieber, Kreislaufstörungen, evtl. auch Leber- u. Milzschwellung einher u. ist dadurch oft akut lebensbedrohlich. Die Behandlung erfolgt mit entsprechender antimikrobieller Chemotherapie. – ***E*** sepsis – ***F*** septicémie – ***I*** sepsi – ***S*** sepsis, septicemia

Septacord®. Dragées mit racem. Kalium- u. Magnesiumhydrogenaspartat sowie standardisiertem Weißdornextrakt gegen Altersherz. ***B.:*** Müller Göppingen.

Septen s. Septum.

Septi... (latein.: septem = sieben). *Multiplikationspräfix für 7 ident. Ringsyst. in *Ringsequenzen. – ***E = F = I = S*** septi...

Septiphen. Ältere Kurzbez. für *Clorofen.

Septum (Plural: Septen; von latein.: saeptum = umzäunt, geschützt). 1. Fachsprachliche Bez. für eine *Scheidewand* zwischen Gefäßen, z. B. in tier., pflanzlichen od. mikrobiellen Organismen, vgl. Pilze u. die Abb. bei Zellen. – 2. Aus Elastomeren bestehende, mit Kanülen wiederholt durchstechbare Verschlüsse von Injektions- od. Infusionsflaschen nennt man ebenfalls S., desgleichen die Silicon-Gummischeiben im Einspritzblock für flüssige Probendosierung beim Gaschromatographen. – ***E = F*** septum – ***I*** setto – ***S*** septo
Lit.: Ullmann (5.) **B 2**, 10-1.

Sequa. Kurzbez. für die Sequa Chemicals Inc., Chester, SC, 29706-0070, ein Tochterunternehmen der Sequa Corp. *Produktion:* Chemikalien für die Papier-Ind. (Sunrez®, Squarez®, Suncryl®, Sequabond® u. a.).

Sequamycin s. Spiramycin.

Sequenator s. Edman-Abbau.

Sequenzanalyse. Biolog. Makromol. wie *Proteine u. *Nucleinsäuren sind Copolymerisate, d. h. aus verschiedenen Bausteinen in unterschiedlicher Reihung zusammengesetzt. Die S. hat die Aufgabe, diese Reihenfolge (*Sequenz*) zu ermitteln.
Protein-S.: Bei der Aufklärung der Aminosäure-Sequenz von *Proteinen geht man im allg. so vor, daß man das Polypeptid chem. od. mit Proteinasen spezif. spaltet u. die Bruchstücke separat analysiert, indem man sie beim Edman-Abbau (s. das Reaktionsschema dort) als Phenylthiohydantoin-(PTH-)Aminosäuren vom Amino-Ende her sequenziell abspaltet. Das log. Wiederaneinandersetzen der Bruchstücke ist jedoch nur möglich, wenn das ursprüngliche Protein durch chem. od. enzymat. Mittel verschiedener Spezifität an unterschiedlichen Stellen gespalten wurde, so daß durch Überlappung der gefundenen Kurzsequenzen auf die Gesamtsequenz geschlossen werden kann. Heute wird der Edman-Abbau weitgehend in automatisierten Arbeitsgängen durchgeführt. Meth. zum *C*-terminalen Abbau s. *Lit.*[1], zur Protein-S. mit Hilfe der Massenspektrometrie s. *Lit.*[2].
Mit gewissen Einschränkungen kann die Sequenz von Proteinen in Kenntnis des *genetischen Codes auch aus den zugehörigen Genen od. Messenger-*Ribonucleinsäuren abgelesen werden. Wegen des geringeren Zeitaufwands wird daher eine wachsende Zahl von Protein-Sequenzen über den Umweg der S. von Nucleinsäuren (*cDNA), wie folgt, aufgeklärt.
Nucleinsäure-S.: Etwas später als die S. der Proteine entwickelte sich die der Nucleinsäuren. *Desoxyribonucleinsäuren (DNA) werden für die S. zunächst mittels *Restriktionsendonucleasen in überlappende Bruchstücke zerlegt. Während *Maxam* u. **Gilbert* bei ihrer Meth. einen mit ^{32}P radioaktiv markierten DNA-Strang chem. spalten, indem sie darauf für die vier Basen spezif. Reagenzien einwirken lassen, baut **Sanger* bei seiner Meth. einen zu der zu untersuchenden Einzelstrang-DNA komplementären radioaktiv markierten Strang auf, wobei jeweils eines der vier benötigten Nucleosidtriphosphate zusätzlich als *Didesoxy-Derivat* vorhanden ist; mit diesen Hemmstoffen wird die Synth. Basen-spezif. abgebrochen. Bei beiden Meth. entstehen verschieden lange DNA-Stücke, die durch Gel-Elektrophorese getrennt u. mittels *Autoradiographie sichtbar gemacht werden. In einem Arbeitsgang kann man einen bis zu 500 Nucleotide umfassenden DNA-Strang sequenzieren. Für die S. von *Ribonucleinsäuren wurden ähnliche Verf. ausgearbeitet.
Genom-S.[3]***:*** In internat. Zusammenarbeit wurde u. a. die Sequenzierung des menschlichen Genoms [Gesamtheit der *Gene, ca. 3 Mrd. Basenpaare (BP)] in Angriff genommen[4] u. soll bis zum Jahr 2005 abgeschlossen sein. Die Genome etlicher einfacherer Organismen (darunter *Escherichia coli*[5] mit 4,6 Mio. BP u. Hefe[6] mit 12 Mio. BP) wurden bereits vollständig sequenziert. Dabei wird durch Verw. von Fluoreszenz- od. Lumineszenz- statt Radioaktiv-Markierung die Automatisierung ermöglicht u. zusätzlich durch Parallelisierung der Arbeitsvorgänge die Geschw. u. Ökonomie der S. erhöht.
Computer-Analyse der Sequenzdaten[7]***:*** Die veröffentlichten Protein- u. Nucleinsäure-Sequenzen werden in Datenbanken[8] gespeichert, z. B. EMBL[9], Genbank[10] u. DDBJ[11] (Nucleinsäuren) sowie PIR[12] u. SWISS-PROT[13] (Proteine). Die Menge der inzwischen vorhandenen u. weiterhin zu erwartenden Sequenzdaten macht neue Meth. zur Auswertung mit dem Computer („in silico") erforderlich[14]. Durch funktionelle

Analyse (z. B. Erkennung der Protein-codierenden Regionen der Nucleinsäuren) u. Suche nach ähnlichen Sequenzen können Informationen über neusequenzierte Makromol. gewonnen werden. – Zur S. von Kohlenhydraten s. *Lit.*[15]. – ***E*** sequence analysis – ***F*** analyse séquentielle – ***I*** analisi della sequenza – ***S*** análisis secuencial

Lit.: [1] Biospektrum **1**, Nr. 2, 18f. (1995). [2] Nature (London) **379**, 466–469 (1996). [3] FEBS Lett. **396**, 1–6 (1996). [4] Cooper, The Human Genome Project: Deciphering the Blueprint of Heredity, Sausalito: University Science Books 1994. [5] Science **277**, 1453–1474 (1997). [6] Science **274**, 546–567 (1996). [7] Mol. Biol. **32**, 88–104 (1998). [8] Biospektrum **3**, Nr. 2, 26–31 (1997). [9] http://www.ebi.ac.uk/ebi_docs/embl_db/ebi/topembl.html. [10] http://www.ncbi.nlm.nih.gov/Web/Search/index.html. [11] http://www.ddbj.nig.ac.jp/. [12] http://www-nbrf.georgetown.edu/pir/. [13] http://expasy.hcuge.ch/sprot/sprottop.html. [14] J. Biosci. **23**, 55–71 (1998); J. Comput. Biol. **5**, 173–196 (1998); Methods (Duluth) **14**, 160–178 (1998). [15] Curr. Opin. Biotechnol. **8**, 488–497 (1997); Methods Enzymol. **271**, 377–402 (1996).
allg.: Alphey, DNA Sequencing. From Experimental Methods to Bioinformatics, Berlin: Springer 1997 ▪ Ansorge et al., DNA Sequencing Strategies. Automated and Advanced Approaches, Chichester: Wiley 1996 ▪ Brown, DNA Sequencing: The Basics, Oxford: IRL Press 1994 ▪ Doolittle, Computer Methods for Macromolecular Sequence Analysis, San Diego: Academic Press 1996 ▪ Griffin u. Griffin, DNA Sequencing Protocols, Totowa: Humana 1993 ▪ Griffin u. Griffin, Computer Analysis of Sequence Data, 2 Bd., Totowa: Humana 1994 ▪ Imahori u. Sakiyama, Methods in Protein Sequence Analysis, New York: Plenum 1993 ▪ Kricka, Nonisotopic Probing, Blotting and Sequencing, San Diego: Academic Press 1995.

Sequenzcopolymere s. Sequenzpolymere.

Sequenzgel. Ultradünnes Gel (Dicke unter 0,5 mm) mit Polyacryl-Matrix, auf dem die Reaktionsprodukte bei der *Sequenzanalyse von *Nucleinsäuren ihrer Länge nach elektrophoret. aufgetrennt werden. Sie müssen dazu in vollständig denaturierter Form vorliegen, was durch Zusatz denaturierender Agenzien wie Harnstoff sichergestellt wird. – ***E*** sequencing gel – ***F*** gel de séquen(age – ***I*** gel di sequenziazzione, gel per l'analizzatore sequenziale degli acidi nucleici – ***S*** gel de secuenciación

Lit.: Nicholl, Gentechnische Methoden, S. 34, Heidelberg: Spektrum Akadem. Verl. 1995.

Sequenzpolymere (Sequenzcopolymere). Bez. für *Copolymere, in deren *Makromolekülen die verschiedenen Comonomer-Einheiten entlang den Ketten in einer streng definierten Abfolge (*Sequenz*) miteinander verknüpft sind, u. diese Abfolge in allen Makromol. der Polymerprobe die gleiche ist. S. spielen insbes. in Biopolymeren wie den *Proteinen u. *Nucleinsäuren eine herausragende Rolle. Im Falle der Proteine ist die genaue Abfolge der Aminosäure-Bausteine von zentraler Bedeutung dafür, daß ein Protein seine spezif. Funktion erfüllen kann. Im Falle der Nucleinsäuren besteht in der Abfolge der Bausteine sogar die genet. Information. Synthet. S. sind z.B. streng alternierende AB-Blockcopolymere u. einige durch lebende Polymerisation hergestellte Multiblock-Copolymere. – ***E*** sequential copolymers – ***F*** polymères séquentiels – ***I*** copolimeri sequenziali – ***S*** copolímeros secuenciales

Sequenzregeln. Von *C*ahn, *I*ngold u. *P*relog (*CIP-Regeln; s. a. *Lit.*[1]) aufgestellte Regeln der *Stereochemie zur Spezifikation der Geometrie u. Topographie von *Stereoisomeren, die 1982 von Prelog u. Helmchen[2] teilw. revidiert u. erweitert wurden; s. a. Chiralität u. Stereochemie. – ***E*** sequence rules – ***F*** ordres séquentielles – ***I*** regola di sequenza – ***S*** reglas de secuencia

Lit.: [1] Angew. Chem. **78**, 413 (1966). [2] Angew. Chem. **94**, 614–631 (1982).

Sequestrierung s. Maskierung.

Ser. Kurzz. für L-*Serin.

Serandit s. Pektolith.

Seratrodast (Rp).

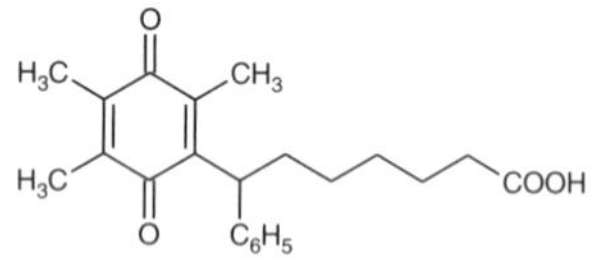

Internat. Freiname für das Antiallergikum (±)-7-Phenyl-7-(2,4,5-trimethyl-3,6-dioxo-1,4-cyclohexadien-1-yl)heptansäure, $C_{22}H_{26}O_4$, M_R 354,45, Schmp. 128–129 °C, LD_{50} (männliche Maus oral) 1620 mg/kg. S. ist ein Thomboxan-A_2-Rezeptor-Antagonist (vgl. Thromboxane). Es wurde 1986/93 von Takeda patentiert (Codename AA-2414) u. wird für die Anw. bei allerg. Asthma entwickelt. – ***E*** = ***I*** seratrodast – ***F*** sératrodast – ***S*** saratrodast

Lit.: Drugs Fut. **19**, 780 (1994); **21**, 859f. (1996) ▪ J. Med. Chem. **32**, 2214–2221 (1989); **35**, 2202–2209 (1992) ▪ Merck-Index (12.), Nr. 8603. – *[CAS 112665-43-7 (±); 103187-09-3 (R); 103196-89-0 (S)]*

Serendipity-Beeren s. Monellin.

Serenoa-ratiopharm®. Kapseln mit Sabal-Extrakt als Urologikum bei Prostataadenom Stadium I bis II. ***B.:*** ratiopharm.

Serevent® (Rp). Dosier-Aerosol u. Pulver zum Inhalieren (Diskus) mit dem β-Sympathomimetikum *Salmeterol-xinafoat gegen Asthma. ***B.:*** Glaxo Wellcome.

Sericin. Eiweißsubstanz aus dem Kokon des Seidenspinners, die den Rohseidenfaden (s. Seide) umgibt (Anteil 15–25%) u. die mit Seifenwasser u. dgl. entfernt wird. Die Hydrolyse mit Schwefelsäure liefert u. a. Alanin, Tyrosin, Glycin (17%), Serin (37%), Aspartat (26%) u. Leucin. S. läßt sich aus den Abwässern der Seiden-Ind. in Pulver-Form gewinnen. Es kann als Leimsubstanz (*Seidenleim*), in Bakteriennährböden anstelle von Agar, als Emulgator u. neuerdings auch zur Herst. von Seidenfilz verwendet werden. Name von griech.: sērikós = seiden. – ***E*** sericin – ***F*** séricine – ***I*** = ***S*** sericina

Lit.: s. Seide.

Sericinase s. Seide.

Sericit s. Muscovit.

Serien (latein.: series = Reihe, Kette, Aufeinanderfolge). a) Bez. für literar. Fortsetzungswerke (s. a. chemische Literatur); man unterscheidet *offene S.*, die period. od. unregelmäßig erscheinen (*Beisp.:* Annual Reviews in ..., Advances in ..., Progress in ..., Fortschritte der ...), u. *geschlossene S.*, die themat. u./od.

zeitlich eingegrenzt ein Fachgebiet vollständig abhandeln (*Beisp.:* *Handbücher, Fachenzyklopädien, Monographienreihen).
b) Bez. für Gruppen von Spektrallinien in Atomspektren, denen Elektronenübergänge auf jeweils ein Energieniveau entsprechen [s. Atombau (Abb. 4) u. Spektroskopie (Linienspektren)]. Linienspektren einfacher Atome, z. B. des Wasserstoff-Atoms, sind mit einfachen *Serienformeln zu berechnen. Jede Spektralserie hat eine obere Energiegrenze (*Seriengrenze*), zu der hin die Liniendichte stark zunimmt u. im Kontinuum endet. Die *Ionisationsenergie ist die zum Übergang vom *Grundzustand zur Seriengrenze nötige Energie. – ***E*** series (a, b), serials (a) – ***F*** (a, b) séries – ***I*** (a, b) serie – ***S*** (a, b) series
Lit.: s. chemische Literatur, Atombau u. Spektroskopie.

Serienformeln. Zur Beschreibung der *Serien in Atomspektren entwickelte Gleichungen, die für das Wasserstoff-Atom eine bes. einfache Form annehmen: $\tilde{\nu} = 1/\lambda = R_H \cdot (1/n^2 - 1/m^2)$ mit $\tilde{\nu}$ = Wellenzahl, λ = Wellenlänge, R_H = *Rydbergkonstante des Wasserstoffs, n = Hauptquantenzahl des Leuchtelektrons, m = ganzzahlige Laufzahl (1, 2, 3,...). Durch Einsetzen für n u. m ergeben sich die Werte der *Balmer-, Lyman-, Paschen-, Brackett- u. Pfund-Serie; s. a. Atombau (Abb. 4) u. Spektroskopie (Linienspektren). – ***E*** series formulas – ***F*** formules de série, lois de série – ***I*** formule di serie – ***S*** fórmulas de series
Lit.: Haken u. Wolf, Atom- u. Quantenphysik, 6. Aufl., Berlin: Springer 1996 ▪ s. a. Atombau u. Spektroskopie.

Seriengrenze s. Serien (b).

Serigraphie s. Siebdruck.

Serin (2-Amino-3-hydroxypropionsäure, Kurzz. der L-Form ist Ser od. S).

$$HO-CH_2-\overset{NH_2}{\underset{H}{C}}-COOH$$

$C_3H_7NO_3$, M_R 105,09. S. ist eine nichtessentielle, polare *Aminosäure, die in der Natur nur in L-Form vorkommt. Weißes, feinkrist. Pulver od. nadelförmige, süßlich schmeckende Krist., Schmp. 210–220 °C (Zers.), lösl. in Wasser, Mineralsäuren, unlösl. in Ethanol, Ether. Das Racemat, DL-Ser, bildet monoklinprismat. Blättchen, D. 1,537, Schmp. 146 °C (Zers.), subl. bei 150 °C (10 mPa).
Biochemie: In der Natur kommt Ser in fast allen Proteinen vor u. kann dort an *Wasserstoff-Brückenbindungen teilnehmen. Es spielt eine wichtige Rolle im aktiven Zentrum vieler Proteasen (s. Serin-Proteasen). Mit Phosphorsäure verestertes Ser (*Phosphoserin*) ist ebenfalls Bestandteil von Proteinen (*Beisp.:* *Phosvitin) u. Phospholipiden (*Kephaline); *Phosphorylierung von Ser-Resten in Proteinen ist ein wichtiges Regulationsprinzip *in vivo* (s. Protein-Kinasen). Im Organismus wird Ser aus D-Glycerat-3-phosphat (s. Phosphoglycerinsäuren) synthetisiert. Ser kann in *Sphingosin, Phosphatidylserine u. Phosphatidylethanolamine (s. Kephaline), Phosphatidylcholine (s. Lecithine), *Cholin u. *Acetylcholin umgewandelt werden u. an der Biosynth. von L-*Cystein, L-Cystathionin (mit L-*Homocystein), u. L-*Tryptophan teilnehmen. Bei seinem Abbau zu *Glycin überträgt Ser sein Kohlenstoff-Atom 3 auf *Tetrahydrofolsäure (katalysiert durch *Serin-Transhydroxymethylase*, EC 2.1.2.1) u. bringt es damit in den Ein-Kohlenstoff-Kreislauf ein. Unter der Wirkung von *L-Serin-Dehydratase*[1] (EC 4.2.1.13) wird Ser zu Pyruvat abgebaut u. ist damit eine *glucogene* Aminosäure (kann in D-Glucose umgewandelt werden).
Verw.: Ser in Aminosäuren-Infusionslsg., Ser u. DL-Ser zur biotechnolog. Herst. von L-Tryptophan, *Benserazid u. *Cycloserin. Die jährlich benötigten ca. 50 t Ser werden aus Eiweißhydrolysaten extrahiert od. fermentativ aus *Glycin gewonnen, DL-Ser auch synthet. aus *Glykolaldehyd. Ser wurde 1865 von Cramer aus dem *Sericin isoliert. – ***E*** serine – ***F*** sérine – ***I*** = ***S*** serina
Lit.: [1] Trends Biochem. Sci. **18**, 297–300 (1993).
allg.: Beilstein E IV **4**, 3118 ff. ▪ Karlson et al., Kurzes Lehrbuch der Biochemie, 14. Aufl., S. 186 f., Stuttgart: Thieme 1994. – *[HS 2922 50; CAS 6898-95-9]*

Serin-Carboxypeptidasen s. Carboxypeptidasen u. Serin-Proteasen.

L-Serin-Dehydratase s. Serin.

Serin-Esterasen s. Serin-Proteasen.

Serinkephaline s. Kephaline.

Serin-Proteasen (Serin-Peptidasen). Bez. für *Proteasen, die im aktiven Zentrum einen für die Katalyse essentiellen L-*Serin-Rest enthalten u. durch Substanzen, die diesen Rest modifizieren (z. B. *Diisopropylfluorophosphat), inaktiviert werden. *Beisp.:* *Chymotrypsin, *Elastase, *Granzyme[1], *Kallikrein, *Plasmin, *Trypsin, *Thrombin, *Subtilisin, verschiedene Faktoren der *Blutgerinnung u. des *Komplements sowie die *Serin- *Carboxypeptidasen* (EC 3.4.16) u. *Leucin-Aminopeptidase. S.-P. können auch spezif. durch bestimmte Proteine (Inhibitoren) gehemmt werden, von denen es mehrere Familien gibt, z. B. *Kürbis-Inhibitoren* (Polypeptide aus Kürbissamen, 27–33 Aminosäure-Reste, 3 Disulfid-Brücken)[2], *Kunitz-Inhibitoren* (170–200 Aminosäure-Reste, 3 Disulfid-Brücken, Prototyp. *Aprotinin) od. *Serpine. Der essentielle L-Serin-Rest in den meisten bekannten S.-P. ist Teil der *katalyt. Triade*, die aus 3 Aminosäure-Resten besteht, welche sich in der Raumstruktur nahe kommen. Ein L-Histidin-Rest übernimmt während der Katalyse das Proton der Hydroxy-Gruppe des L-Serins, die dadurch für den nucleophilen Angriff (vgl. nucleophile Reaktionen) auf die zu spaltende Peptid-Kette aktiviert wird, während ein L-Aspartat-Rest durch seine neg. Ladung auf den Übergangszustand stabilisierend wirkt.
Insoweit sich ein Serin-abhängiger Mechanismus bei Endopeptidasen (*Proteinasen) findet, spricht man auch von *Serin-Proteinasen* (EC 3.4.21). Darüber hinaus kennt man *Esterasen, die eine katalyt. Triade mit dem Serin-Rest enthalten (*Serin-Esterasen*, z. B. *Acetylcholin-Esterase). Andererseits wurden S.-P. entdeckt, bei denen keine katalyt. Triade beteiligt ist. So besitzt z. B. die *Leader-Peptidase* (EC 3.4.21.89) von **Escherichia coli*, ein Membran-gebundenes Protein (M_R 36 000), das *Signalpeptide vom Amino-

Ende sekretor. u. periplasmat. Proteine abspaltet, eine *katalyt. Dyade* aus Serin u. Lysin[3]. – ***E*** serine proteinases – ***F*** sérine-protéinases – ***I*** serina proteasi – ***S*** serina-proteinasas

Lit.: [1] J. Leukocyte Biol. **60**, 555 – 562 (1996). [2] Acta Biochim. Polon. **43**, 431 – 444 (1996). [3] Trends Biochem. Sci. **22**, 28 – 31 (1997).
allg.: J. Biol. Chem. **272**, 29 987 – 29 990 (1997) ▪ Protein Sci. **4**, 337 – 360 (1995); **6**, 501 – 523 (1997).

Serin-Proteinasen s. Serin-Proteasen.

Serin/Threonin-Kinasen s. Protein-Kinasen.

Serin/Threonin-Phosphatasen s. Protein-Phosphatasen.

Serin-Transhydroxymethylase s. Serin.

Sermion® (Rp). Trockensubstanz zur Injektion, Brausetabl. sowie Filmtabl. mit *Nicergolin zur Durchblutungsförderung. ***B.:*** Pharmacia & Upjohn.

Sermorelin (Rp).

H – Tyr(1)-Ala-Asp-Ala-Ile-Phe-Thr-Asn-Ser-Tyr-Arg-Lys-Val-Leu-Gly
H₂N – Arg(29)-Ser-Met-Ile-Asp-Gln-Leu-Leu-Lys-Arg-Ala-Ser-Leu-Gln

Internat. Freiname für ein als Diagnostikum bei Verdacht auf Wachstumshormonmangel (s. Somatotropin) verwendetes Peptid aus 29 Aminosäure-Einheiten, Human-Wachstumshormon-Releasing-Faktor-(1 – 29)-peptid-amid, $C_{149}H_{246}N_{44}O_{42}S$, M_R 3357,93, $[\alpha]_D^{20}$ –63,1° (c 1/Essigsäure 30%). S. ist ein Faktor, der die Sekretion von menschlichem Wachstumshormon stimuliert. Seine Produktion wurde 1987 vom Salk Institute patentiert u. ist von Serono (Geref®) im Handel. – ***E*** sermorelin – ***F*** sermoréline – ***I*** sermorelina – ***S*** sermorelín

Lit.: Dtsch. Apoth. Ztg. **138**, 2663 (1993) ▪ J. Med. Chem. **30**, 219 ff. (1987) ▪ Merck-Index (12.), Nr. 8605 ▪ Pept. Chem. **23**, 45 ff. (1985). – *[CAS 86168-78-7]*

Serochemie s. Serologie.

Serodiagnostik (Serumdiagnostik). Sammelbegriff für diagnost. Meth., die Veränderungen der normalen Zusammensetzung des *Serums in bezug auf spezif. *Antikörper erfassen. Bes. klin. Bedeutung hat die S. bei der Diagnose von Infektionskrankheiten u. der Blutgruppenbestimmung sowie bei gerichtsmedizin. Fragen. Als Meth. der S. kommen *Agglutination, Reaktionen des *Komplements, *Immunoassay, *Immunelektrophorese u. a. Verf. der *klinischen Chemie in Betracht. Beisp. für serodiagnost. Bestimmung: Nachw. von Antikörpern gegen HIV, s. AIDS, ferner gegen *Tuberkulose, *Toxoplasmose. – ***E*** serodiagnostics – ***F*** sérodiagnostic – ***I*** sierodiagnosi – ***S*** serodiagnóstico

Serologie. Von *Serum abgeleitete Bez. für die Forschungsdisziplin, die sich mit dem Aufbau u. den Eigenschaften des Blutserums beschäftigt, wobei insbes. die chem. Beschaffenheit u. chem. Vorgänge bei den Reaktionen des Serums von der *Serochemie* erfaßt werden (z. B. *Antigen-Antikörper-Reaktion, Reaktionen der *Blutgruppensubstanzen u. des *Komplements). – ***E*** serology – ***F*** sérologie – ***I*** sierologia – ***S*** serología

Serono. Kurzbez. für die Ares Serono Gruppe, Genf, die Medikamente herstellt. *Vertretung* in der BRD: Serono Pharma GmbH, 85716 Unterschleißheim.

Serotonin [3-(2-Aminoethyl)-indol-5-ol, 5-Hydroxytryptamin, davon die Abk.: 5-HT].

HO(5)-Indol(1 NH, 3)-CH₂—CH₂—NH₂

$C_{10}H_{12}N_2O$, M_R 176,21. S. ist als Hydrochlorid (M_R 212,67) beständig. Als solches bildet es hygroskop., lichtempfindliche Krist., Schmp. 167 – 168 °C, lösl. in Wasser; die wäss. Lsg. ist bei pH 2 – 6,4 stabil. S. zählt zu den *Catecholaminen u. zu den *biogenen Aminen. Als Indol-Derivat hat es strukturelle Beziehungen zu den *Indol-Alkaloiden u. einer Reihe von *Halluzinogenen wie z. B. Bufotenin, *Psilocybin u. *Lysergsäurediethylamid (LSD).

Vork.: S. ist im Tier- u. Pflanzenreich weit verbreitet, bes. reichlich in Ananas u. Bananen, im Gift der Brennessel, von Hohltieren u. auch im Hautdrüsensekret von Amphibien. Beim Menschen hauptsächlich (90%) in der Magen-Darm-Schleimhaut (enterochromaffine od. helle argentaffine Zellen), im Gehirn u. in *Thrombocyten, in denen es gespeichert wird u. aus denen es z. B. bei der Blutgerinnung entweicht, bei Nagetieren u. Rindern auch in *Mastzellen, aus denen es bei allerg. Reaktionen freigesetzt wird. Bei *Karzinoid* (Tumor der enterochromaffinen Zellen) wird S. in großen Mengen gebildet.

Biolog. Wirkungen: S. hat die Funktion eines *Neurotransmitters im zentralen u. peripheren Nervensyst. u. eines *Gewebshormons. Da es die glatte Muskulatur erregt, wirkt es blutdrucksteigernd, die Darmperistaltik anregend, Uterus- u. Gefäß-kontrahierend (vasokonstriktor.; v. a. in Lunge u. Niere); letztere Wirkung kann jedoch u. U. durch Stickstoffmonoxid (s. Stickstoffoxide) kompensiert werden, dessen Ausschüttung durch S. im Gefäß-Endothel stimuliert wird, so daß S. indirekt auch Gefäß-erweiternd (vasodilator.; v. a. in Skelettmuskulatur) wirken kann. Es sind 7 Typen von S.-*Rezeptoren[1] (*5-HT-Rezeptoren*) bekannt, von denen einige in Untertypen zerfallen. LSD [s. Lysergsäurediethylamid] u. *Reserpin hemmen die S.-Wirkung an den 5-HT_2-Rezeptoren. Durch Umwandlung von S. in *Melatonin wird die innere biolog. Uhr gesteuert (z. B. Schlaf-Wach-Rhythmus): Durch Hemmung der S.-Synth. mit 4-Chlorphenylalanin läßt sich Schlaflosigkeit erzeugen. Neben anderen Faktoren spielt S. auch eine Rolle im Regelkreis *Hunger/Sättigung[2], beim Alkoholkonsum, beim Auftreten von *Migräne[3], Übelkeit[4] u. Schmerz, bei Lernen[5] u. Gedächtnis, Angst u. Verteidigungsverhalten[6] sowie Cocain-Sucht[7]. Zu den Wirkungen des S. auf Herz u. Kreislauf s. *Lit.*[8], auf die Fortpflanzungsorgane s. *Lit.*[9].

Biochemie: S. entsteht aus L-*Tryptophan durch Hydroxylierung in 5-Stellung (durch *Tryptophan-5-Monooxygenase*, EC 1.14.16.4; 5,6,7,8-Tetrahydrobiopterin als Cofaktor, s. Pteridine) u. Decarboxylierung (Aromatische-L-Aminosäure-Decarboxylase, Dopa-Decarboxylase, EC 4.1.1.28, vgl. Dopamin). Normalerweise wird es im Organismus zu 5-Hydroxyindolacetaldehyd u. weiter zu 5-Hydroxyindolessigsäure abgebaut [katalysiert durch *Monoaminoxidase (MAO) bzw. *Aldehyd-Dehydrogenasen, z. B. EC 1.2.1.3]. Bei

Genuß von Alkohol wird der Abbau gestört, da der aus jenem entstehende Acetaldehyd die Aldehyd-Dehydrogenase hemmt u. dadurch den reduktiven Abbau des S. zu *5-Hydroxytryptophol* [3-(2-Hydroxyethyl)-indol-5-ol] begünstigt. Eine Störung des S.-Stoffwechsels im Gehirn wird nach einer Hypothese ursächlich mit Depressionen in Verbindung gebracht.
Verw.: Der therapeut. Verw. steht u. a. *Tachyphylaxie im Wege. *Rauwolfia-Alkaloide (z. B. Reserpin) vermehren die S.-Ausschüttung, u. MAO-Hemmer verhindern den Abbau, was man für die Therapie von Depressionen ausnutzt. *Selektive S.-Wiederaufnahme-Hemmer* wie Citalopram, *Fluoxetin, *Fluvoxamin, Paroxetin u. Sertralin verhindern die Wiederaufnahme des als Neurotransmitter ausgeschütteten S. durch den S.-Transporter u. werden ebenfalls als *Antidepressiva verwendet[10]. In Kulturen glatter Gefäßmuskelzellen wirkt S. als Wachstumsfaktor (Mitogen)[11]. – S. wurde erstmalig 1948 aus Blutserum isoliert. – ***E*** serotonin – ***F*** sérotonine – ***I*** = ***S*** serotonina

Lit.: [1] Neuropharmacology **36**, 419–428 (1997). [2] CNS Drugs **9**, 473–495 (1998). [3] Cephalalgia **17**, 3–14 (1997). [4] Expert Opin. Ther. Patents **6**, 471–481 (1996). [5] Prog. Neuro-Psychopharmacol. Biol. Psychiatry **21**, 273–296 (1997). [6] Neurosci. Biobehav. Rev. **21**, 791–799 (1997). [7] Nature (London) **393**, 118 f., 175–178 (1998). [8] Drug Discov. Today **2**, 294–300 (1997). [9] J. Endocrinol. **154**, 1–5 (1997). [10] CNS Drugs **7**, 452–467 (1997). [11] Am. J. Physiol. – Lung Cell. Mol. Physiol. **16**, L795–L806 (1997).
allg.: Baumgarten u. Göthert, Serotoninergic Neurons and 5-HT Receptors in the CNS, Berlin: Springer 1997 ▪ Brain Res. Rev. **23**, 145–195 (1997) ▪ Neurosci. Biobehav. Rev. **21**, 679–698 (1997). – *[HS 2933 90; CAS 50-67-9]*

Serotypen (Serovare). Klassifizierung von Organismen einer Spezies od. eines Genus aufgrund von immunolog. *Antigen-Antikörper-Reaktionen. S. können bestimmt werden insbes. von Bakterien, Protozoen od. Helminthen sowie Viren. Die zur Typisierung maßgeblichen Antikörper werden durch Immunisierung von Säugetieren mit den zur Standardisierung ausgewählten Organismen- bzw. Viren-Präparationen gewonnen. Auf diese Weise können z. B. 2000 unterschiedliche S. von pathogenen u. nichtpathogenen Salmonellen unterschieden werden, die taxonom. in nur 7 Untergruppen eingeordnet sind. – ***E*** serotypes – ***F*** sérotypes – ***I*** serotipi – ***S*** serotipos

Lit.: Kayser et al., Medizinische Mikrobiologie (9.), S. 280 ff., Stuttgart: Thieme 1998.

Seroxat® (Rp). Filmtabl. mit dem *Antidepressivum *Paroxetin-Hydrochlorid. ***B.:*** SmithKline Beecham.

Serpek-Verfahren s. Ammoniak.

Serpenten.

$C_{20}H_{20}O_2$, M_R 292,38, gelbes, amorphes Pulver, Schmp. 118 °C. Von *Streptomyces* sp. produzierte, instabile Polyencarbonsäure mit einem ortho-substituierten Benzol-Ring, der Seitenketten mit (*E*)- u. (*Z*)-Doppelbindungen aufweist. – ***E*** serpentene – ***F*** serpentène – ***I*** serpentino – ***S*** serpenteno

Lit.: Justus Liebigs Ann. Chem. **1993**, 433 ff. – *[CAS 149598-73-2]*

Serpentin. 1. $Mg_6[(OH)_8/Si_4O_{10}]$ od. $3\,MgO \cdot 2\,SiO_2 \cdot H_2O$. Dichte, mikrokrist., manchmal geäderte od. farbig geflammte, undurchsichtige Massen, bei denen grüne Farben überwiegen; daneben auch weiß, gelbbraun, rotbraun od. schwärzlich. H. 2,5–4, D. 2,5–2,7, Bruch muschelig od. splittrig; polierbar.
S. besteht aus wechselnden Mengen der Minerale *Antigorit* (Blätterserpentin), *Chrysotil* (Faserserpentin) u. *Lizardit*. Die S.-Minerale sind trioktaedr. wasserhaltige Phyllo-*Silicate mit Zweischicht-Strukturen (*1:1-Schichtstrukturen*) bestehend aus einer Schicht $[SiO_4]$-Tetraedern u. einer Oktaeder-Schicht, in der Magnesium vorherrschendes od. alleiniges Kation ist. Ein Teil des Mg kann durch Fe^{2+}, Ni^{2+} (bes. bei Lizardit), Mn^{2+} u. Al^{3+} ersetzt sein, ein Teil des Si in der Tetraeder-Schicht durch Al^{3+} u. Fe^{3+}. Zur thermodynam. Stabilität von Lizardit s. *Lit.*[1], von Antigorit *Lit.*[2], von S. *Lit.*[3]. Weitgehender Ersatz des Mg durch Ni führt zu Nickel-S. wie **Garnierit*. Lizardit bildet *Mischkristalle mit *Amesit* $(Mg_2Al)[(OH)_4/(Si,Al)O_5]$ (Struktur s. *Lit.*[4]). Alleiniger Ersatz von Mg durch Fe^{2+} u. Fe^{3+} leitet über zu **Greenalith*.
Struktur: Das in der Zweischicht-Struktur etwas zu große Mg^{2+} bewirkt eine geringe Aufweitung der Oktaeder-Schicht; die Gitterabstände zwischen Oktaeder- u. Tetraeder-Schicht passen nicht mehr genau aufeinander.

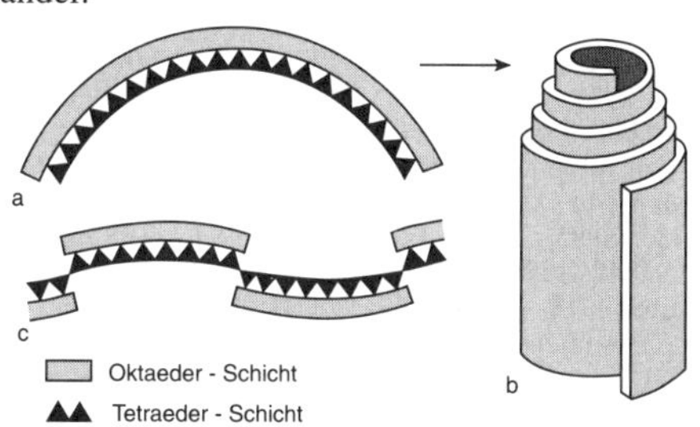

Abb.: Schemat. Darstellung der Struktur von Chrysotil (a, b) u. Antigorit (c); nach Matthes, *Lit.*, S. 147.

Das führt bei Chrysotil zu einer Krümmung u. zylindr. Einrollung (faserige Ausbildung!) der beiden Schichten, s. Abb. Teil a u. b; der zentrale Hohlraum in den Röllchen hat meist 70–80 Å Durchmesser. Zu sog. *polygonalem S.* s. *Lit.*[5,6]. Antigorit hat eine wellenartige (sog. *modulierte*) Struktur mit period. Umklappung der $[SiO_4]$-Tetraeder, s. Abb. Teil c u. *Lit.*[7]; zu Synth., Struktur u. Formeln von Antigorit s. *Lit.*[8]. Lizardit besitzt eine normale, ebene 1:1-Schichtstruktur[9]. Von Lizardit u. Chrysotil gibt es mehrere rhomb., monokline u. trigonale *Polytypen*[10] (s. Polymorphie), z. B. *Lizardit-1T* (1 = 1 Zweischicht-Verband pro Elementarzelle, T = trigonal; s. *Lit.*[11]), *Lizardit-2H* (hexagonal, s. *Lit.*[12]), *Clinochrysotil* (monoklin) u. *Orthochrysotil* (orthorhomb.). Chrysotil verliert beim Erhitzen zwischen 600 u. 720 °C sein strukturell gebundenes Wasser[13].
Vork.: In niedriggradig *metamorphen Gesteinen als häufiges Abbauprodukt von *Olivin, daneben auch von *Pyroxenen u. *Amphibolen. Die S.-Minerale, v. a. Lizardit u. Antigorit, sind Hauptbestandteile der

v. a. aus *Peridotiten durch Serpentinisierung entstandenen *Serpentinite*; diese in frischem Zustand grünlichschwarzen, feinkörnigen bis dichten, massigen od. schiefrigen Gesteine finden sich v. a. in Faltengebirgszügen, z. B. in den Alpen, Südosteuropa u. der Türkei; in Deutschland in Wurlitz u. Winklarn/Bayern u. Zöblitz/Sachsen. Serpentinite können wirtschaftlich wichtige *Chromit-Lagerstätten enthalten; ihre ursprünglich geringen Nickel-Gehalte können bei trop. *Verwitterung zu laterit. (*Laterit) Nickelerz-Lagerstätten mit Nickel-S. u. Nickel-*Chloriten angereichert werden, z. B. in Neukaledonien. Chrysotil bildet u. a. faserige Kluftfüllungen in Serpentiniten u. ist Hauptbestandteil von Chrysotil-*Asbest (S.-Asbest), der über 90% aller Asbest-Vork. ausmacht (z. B. Quebec/Kanada, Südafrika, Balangero/Italien).

Verw.: Serpentinit geschliffen u. poliert für Wandverkleidungen. Als „edler S." (z. B. Antigorit aus China, Korea, Kaschmir, Neuseeland; auch fälschlich als „*Jade" bezeichnet) für kunstgewerbliche Gegenstände, ferner zur Darst. von Magnesia u. Bittersalz. Wegen der Chrysotil-Gehalte ist angesichts der gesundheitsgefährdenden Eigenschaften von Asbest beim Umgang mit allen S.-Arten u. -Gesteinen bes. Vorsicht geboten, s. Asbest u. die dort zitierte *Lit.*; MAK-Liste III A1 u. IV.

2. Bez. für ein Rauwolfia-Alkaloid, $C_{21}H_{20}N_2O_3$, M_R 348,39. – ***E*** = ***F*** serpentine – ***I*** serpentino – ***S*** serpentina

Lit.: [1] Can. Mineral. **27**, 483–493 (1989). [2] Lithos **41**, 213–227 (1997). [3] Science **268**, 858–861 (1995). [4] Am. Mineral. **76**, 647–652 (1991). [5] Phys. Chem. Miner. **21**, 330–343 (1994). [6] Eur. J. Mineral. **9**, 539–546 (1997). [7] Am. Mineral. **78**, 75–84 (1993). [8] Am. Mineral. **82**, 760–764 (1997). [9] Neues Jahrb. Mineral. Monatsh. **1995**, 193–201. [10] Am. Mineral. **80**, 1104–1115 (1995). [11] Am. Mineral. **79**, 1194–1198 (1994); **81**, 1405–1412 (1996). [12] Am. Mineral. **82**, 931–935 (1997). [13] Am. Mineral. **79**, 43–50 (1994).

allg. *(zu 1.):* Anthony et al., Handbook of Mineralogy, Vol. II, Tl. 1, S. 20, 36, 144; Tl. 2, S. 477, Tucson (Arizona): Mineral Data Publishing 1995 ▪ Bailey (Hrsg.), Hydrous Phyllosilicates (Reviews in Mineralogy, Vol. 19), S. 91–167, 295–346, 688–692, Washington (D.C.): Mineralogical Society of America 1988 ▪ Deer et al. (2.), S. 344–352 ▪ Eppler, Praktische Gemmologie (5.), S. 314, 367 f., Stuttgart: Rühle-Diebener 1994 ▪ Matthes, Mineralogie (5.), S. 146 ff., Berlin: Springer 1996 ▪ O'Hanley, Serpentinites, Oxford (U. K.): Oxford University Press 1996 ▪ Ullmann (5.) **A 3**, 151–167 ▪ s. a. Asbest u. Asbestose. – *[HS 2516 90]*

Serpentinit s. Serpentin.

Serpentin-Pflanzen. Veraltete Bez. für Pflanzen, die auf *Serpentin trotz hoher Gehalte an Nickel, Chrom u. unter Umständen auch anderer Schwermetalle vorkommen (vgl. Metallophyten). Es gibt ca. 100 Arten von S.-P., davon gehört die Hälfte zur Gattung *Alyssum.* Weitere wichtige Arten finden sich in den Gattungen *Hybanthus*, *Homalium*, *Geissois* u. *Rinorea*. In Wurzeln der Rubiaceae *Psychotria douarrei*, die in Neukaledonien beheimatet ist, wurden ca. 100 g Nickel pro kg Trockenmasse gefunden, in der Asche der austral. *Hybanthus floribundus* bis 23% Nickel. – ***E*** serpentine plants – ***F*** plantes serpentines – ***I*** piante serpentine – ***S*** plantas serpentinas

Lit.: Bull. Soc. R. Bot. Belg. **99**, 271–329 (1966); **113**, 166–172 (1980) ▪ C. R. Acad. Sci. D **278**, 1727–1730 (1974) ▪ Roberts u. Proctor (Hrsg.), The Ecology of Areas with Serpentinized Rocks, Norwell: Kluwer 1991 ▪ Schlee (1.), S. 121 f.

Serpine. Aus *Ser*in-*P*roteinase-*In*hibitor abgeleitete Bez. für eine Familie natürlich vorkommender, homologer (sequenzverwandter) Proteine (M_R 45 000 – 70 000), von denen die meisten als Hemmstoffe für *Serin-Proteasen wirken. *Beisp.:* α_2-Antiplasmin, *Antithrombin III, α_1-*Antitrypsin, Plasminogen-Aktivator-Inhibitor Typ 1 [1], *Protease-Nexine. Aber auch Proteine anderer Funktion wie z. B. Angiotensinogen (s. Angiotensine), *Ovalbumin u. das Thyroxin-bindende Globulin (s. Thyroid-Hormone). S.-Enzym-Komplexe (engl. Abk.: SEC) werden durch Rezeptorvermittelte *Endocytose (durch *SEC-Rezeptoren*) aus dem Blut entfernt [2]. – ***E*** serpins – ***F*** sérpines – ***I*** serpine – ***S*** serpinas

Lit.: [1] Nature (London) **383**, 441 ff. (1996). [2] Pediatr. Res. **36**, 271–277 (1994).

allg.: Bioessays **15**, 461–467 (1993); **18**, 453–464 (1996) ▪ Biol. Chem. Hoppe-Seyler **377**, 1–17 (1996) ▪ Gettins et al., Serpins: Structure, Function and Biology, Berlin: Springer 1996 ▪ J. Biol. Chem. **269**, 15 957–15 960 (1994) ▪ Trends Biochem. Sci. **23**, 63–67 (1998).

Serrapeptase (Rp). Internat. Freiname für eine antiphlogist. wirkende *Protease aus dem Bakterium *Serratia*, einem Enterobakterium aus der Seidenraupe. – ***E*** = ***F*** serrapeptase – ***I*** serrapeptasi – ***S*** serrapeptasa

Lit.: Martindale (29.), S. 1047 f. – *[HS 3507 90; CAS 37312-62-2]*

Serratendiol s. Triterpene.

Serricornin [(4*S*,6*S*,7*S*)-7-Hydroxy-4,6-dimethyl-3-nonanon].

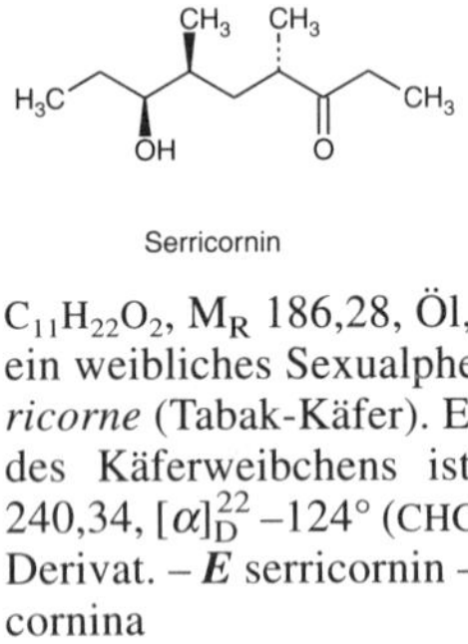

Serricornin 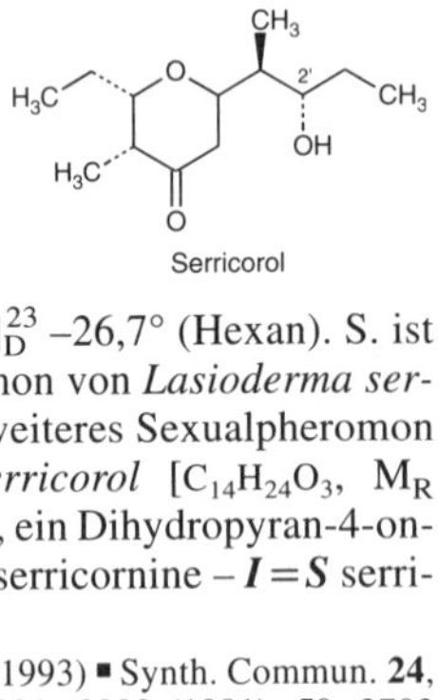 Serricorol

$C_{11}H_{22}O_2$, M_R 186,28, Öl, $[\alpha]_D^{23}$ –26,7° (Hexan). S. ist ein weibliches Sexualpheromon von *Lasioderma serricorne* (Tabak-Käfer). Ein weiteres Sexualpheromon des Käferweibchens ist *Serricorol* [$C_{14}H_{24}O_3$, M_R 240,34, $[\alpha]_D^{22}$ –124° ($CHCl_3$)], ein Dihydropyran-4-on-Derivat. – ***E*** serricornin – ***F*** serricornine – ***I*** = ***S*** serricornina

Lit.: Helv. Chim. Acta **76**, 1275 (1993) ▪ Synth. Commun. **24**, 233 (1994) ▪ Tetrahedron **47**, 2991–2998 (1991); **50**, 2703 (1994) ▪ Tetrahedron Asymmetry **4**, 1573 (1993). – *[CAS 72598-35-7 (S.); 86797-90-2 (Serricorol)]*

Serricorol s. Serricornin.

SERRS, SERS. Akronyme aus *E* Surface-Enhanced (Resonance) Raman Scattering, s. Raman-Spektroskopie u. Kolloidchemie.

Sertaconazol (Rp).

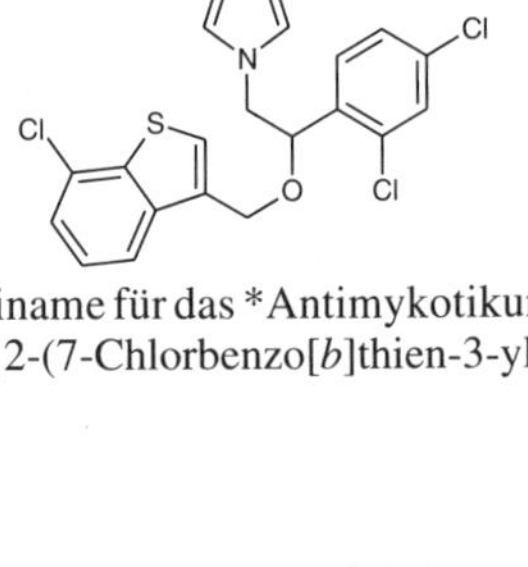

Internat. Freiname für das *Antimykotikum vom Azol-Typ (±)-1-{2-(7-Chlorbenzo[*b*]thien-3-ylmethoxy)-2-

(2,4-dichlorphenyl)ethyl}-1*H*-imidazol, $C_{20}H_{15}Cl_3N_2OS$, M_R 437,78, Schmp. 146–147 °C. S. wurde 1985/92 von Ferrer patentiert u. ist von Trommsdorff (Zalaïn® Creme) in Form des wasserunlösl. Nitrates ($C_{20}H_{16}Cl_3N_3O_4S$, M_R 500,78, Schmp. 158–160 °C) im Handel. – ***E*** = ***F*** sertaconazole – ***I*** sertaconazolo – ***S*** sertaconazol

Lit.: Arzneim.-Forsch. **42**, 691 ff. (1992) ▪ Eur. J. Med. Chem. (Chim. Ther.) **21**, 329 ff. (1986) ▪ Martindale (31.), S. 415 ▪ Merck-Index (12.), Nr. 8610. – *[CAS 99592-32-2 (S.); 99592-39-9 (Nitrat)]*

Sertindol (Rp).

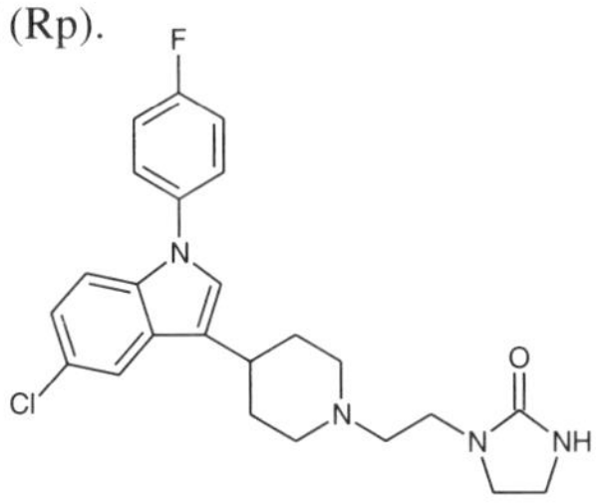

Internat. Freiname für das *Neuroleptikum 1-(2-{4-[5-Chlor-1-(4-fluorphenyl)-1*H*-indol-3-yl]-1-piperidinyl}ethyl)-2-imidazolidinon, $C_{24}H_{26}ClFN_4O$, M_R 440,95, Schmp. 154–155 °C od. 166 °C (andere Modif.), LD_{50} (Maus oral) 410 mg/kg. S. ist ein Serotonin-$5HT_{2A}$- u. (schwacher) Dopamin-D_2-Rezeptorantagonist. Es wurde 1986/87 von Lundbeck patentiert u. ist von Promonta Lundbeck (Serdolect®) im Handel. – ***E*** = ***F*** sertindole – ***I*** sertindolo – ***S*** sertindol

Lit.: J. Chromatogr. B **661**, 299–306 (1994) ▪ J. Med. Chem. **35**, 1092 ff. (1992) ▪ Merck-Index (12.), Nr. 8611 ▪ Psychopharmakotherapie **4**, 94–100 (1997). – *[CAS 106516-24-9]*

Sertralin (Rp).

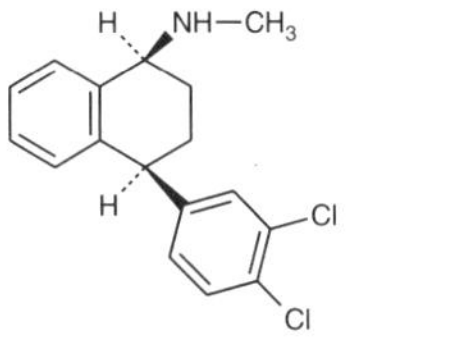

Internat. Freiname für das *Antidepressivum (1*S cis*) (+)-4-(3,4-Dichlorphenyl)-1,2,3,4-tetrahydro-*N*-methyl-1-naphthalinamin, $C_{17}H_{17}Cl_2N$, M_R 306,23. Verwendet wird das Hydrochlorid, $C_{17}H_{18}Cl_3N$, M_R 342,70, Schmp. 243–245 °C, $[\alpha]_D^{23}$ +37,9° (c 2/CH_3OH); LD_{50} (Maus oral) 500 mg/kg, (Ratte oral) 1500 mg/kg. S. ist ein Serotonin-Reuptake-Hemmer. Es wurde 1981/85 von Pfizer patentiert u. ist von Thomae (Gladem®) im Handel. – ***E*** = ***F*** sertraline – ***I*** = ***S*** sertralina

Lit.: Drugs **44**, 604–624 (1992) ▪ J. Chromatogr. B **665**, 138–141 (1994) ▪ J. Med. Chem. **27**, 1508–1515 (1984) ▪ Merck-Index (12.), Nr. 8612 ▪ Pharm. Ztg. **142**, 42 ff. (1997). – *[HS 292145; CAS 79617-96-2 (S.); 79559-97-0 (S.-Hydrochlorid)]*

Sertürner, Friedrich Wilhelm Adam (1783–1841), Apotheker in Paderborn, Einbeck u. Hameln. *Arbeitsgebiete:* Isolierung des Morphins aus Opium, Nachw. des bas. Alkaloid-Charakters, Theorie der Ether-Bildung.

Lit.: Krömeke, F. W. Sertürner, Der Entdecker des Morphiums, Berlin: Springer 1983 ▪ Lexikon der Naturwissenschaftler, S. 373 ▪ Neufeldt, S. 5 ▪ Pötsch, S. 394 f. ▪ Strube et al., S. 80, 138.

Serum (latein.: serum = Molke). Bestandteil des *Bluts (Blutserum); eine gelbliche wäss. Flüssigkeit, die nach Abtrennen der gerinnbaren Bestandteile des *Plasmas zurückbleibt od. durch Zentrifugieren geronnenen Bluts gewonnen werden kann. Menschliches S. enthält 8 g Trockensubstanz pro 100 g, davon 6,6 g Proteine sowie geringe Mengen von anderen Stickstoff-haltigen Substanzen wie Harnstoff, Aminosäuren, Harnsäure, Kreatin u. Kreatinin, den sog. *Reststickstoff.* Die wichtigsten anorgan. Ionen sind Na- (330 mg), K- (15 mg), Ca- (10 mg), Mg-Ionen (2,4 mg), Chlorid (360 mg), Hydrogencarbonat (165 mg), Phosphat (10 mg) u. Sulfat (5 mg). Zudem sind noch ca. 21 mg organ. Säuren, 72–90 mg Glucose, Enzyme, Lipide sowie verschiedene Stickstoff-freie Stoffwechselprodukte u. Vitamine enthalten. Der Gehalt an im S. gelösten Inhaltstoffen wird in der *klinischen Chemie gemessen u. mit ermittelten Referenzwerten verglichen. Abweichungen in Quantität u. Zusammensetzung der S.-Inhaltstoffe können auf bestimmte Krankheiten hinweisen. Da sich unter den S.-Proteinen auch die *Antikörper befinden, werden Seren, die durch natürliche od. künstliche *Immunisierung von Tieren od. von Menschen gewonnen werden u. einen hohen Gehalt an spezif. Antikörpern haben, als *Immun-S.* zur passiven Immunisierung (Impfung) od. zur *Serodiagnostik verwendet. – ***E*** serum – ***F*** sérum – ***I*** siero – ***S*** suero

Serumalbumin (SA). Bei der *Elektrophorese schnell wanderndes, durch *Elastase spaltbares *Serumprotein (M_R 69 000, vgl. Albumine), das 52–62% der gesamten Serumproteine darstellt u. auch in die Milch übertritt. Außer zur Osmoregulation (s. Osmose) dient es als Protein-Reserve u. wegen seines reversiblen Bindungsvermögens für lipophile Stoffe auch als Transportmittel, z. B. für *Bilirubin u. *Lysophosphatidsäuren. Wie die meisten sekretor. Proteine entsteht SA aus einem höhermol. Vorläufer (Proalbumin) bei proteolyt. Spaltung, z. B. durch *Furin. Beim Fötus übernimmt das α-*Fetoprotein die Funktion des SA. α_1-*Mikroglobulin bindet SA; durch *Acetylsalicylsäure wird SA acetyliert. Bei Diabetikern mit Nierenschädigung tritt SA auch im Harn auf (Albuminurie); zu seiner Bestimmung kann *Bromkresolpurpur od. *Bromkresolgrün verwendet werden[1]. Bei Verbrennungen kann die Zufuhr von humanem SA zur Aufrechterhaltung des *kolloidosmotischen Drucks notwendig werden[2]. SA wird meist aus Rinderserum gewonnen (*Rinder-SA*, RSA, *E*: bovine serum albumine, BSA); Verw. in der Biochemie als Standard bei Proteinbestimmungen u. als „inertes" Protein zum Beschichten von Testgefäßen, Separationsmitteln, Harzpartikeln[3] usw. zur Verhinderung unspezif. Analytprotein-Bindung an diesen Oberflächen. – ***E*** serum albumin – ***F*** serumalbumine – ***I*** sieroalbumina – ***S*** seroalbúmina

Lit.: [1] Clin. Chim. Acta **258**, 3–20 (1997). [2] Presse Méd. **26**, 474 ff. (1997). [3] Micron **28**, 189–195 (1997).
allg.: Nature (London) **358**, 209–215 (1992); **364**, 362 (1993) ▪ Peters Jr., All About Albumin. Biochemistry, Genetics, and Medical Applications, San Diego: Academic Press 1995.

Serum-Amyloid-Komponenten. Bez. für zu den *Akutphasen-Proteinen gerechnete Vorläufer-Proteine der *Amyloid-Proteine. So ist *Serum-Amyloid A* (SAA)[1] der Vorläufer, aus welchem durch proteolyt. Spaltung das bei sek. Amyloidose abgelagerte Amyloid-Protein AA entsteht u. ist ident. mit dem Protein-Anteil eines High-Density-*Lipoproteins. *Serum-Amyloid P* (SAP, s. a. Pentraxine)[2] ist die Vorstufe der bei prim. u. sek. Amyloidose in geringen Mengen gebildeten Amyloid-P-Komponente u. ist dem *C-reaktiven Protein ähnlich (ebenfalls ein Akutphasen-Protein). SAP bildet zusammen mit *Komplement C4b u. Protein S (s. Protein C) durch Bindung an das C4b-bindende Protein einen Protein-Komplex mit Membran-Affinität. – ***E*** serum amyloid – ***F*** composants d'amyloïde sérique – ***I*** componenti d'amiloide sierico – ***S*** componentes de amiloide sérico

Lit.: [1] Amyloid – Int. J. Exp. Clin. Invest. **1**, 119–137 (1994); Eur. J. Clin. Invest. **26**, 427–435 (1996). [2] Nature (London) **367**, 338–345 (1994).
allg.: Immunol. Today **15**, 81–88 (1994).

Serum-Cholinesterase (Rp). Injektionspräp. mit *Acetylcholin-Esterase zur Verw. bei verminderter Enzymaktivität, bei Überdosierung von Succinylcholinchlorid u. Vergiftungen mit Phosphorsäureestern. ***B.:*** Centeon Pharma.

Serumdiagnostik s. Serodiagnostik.

Serumfreies Kulturmedium. Um gut wachsende tier. *Zellkulturen zu erhalten, wird dem Kulturmedium *Serum zugesetzt. Tier. u. menschliche Seren sind komplex zusammengesetzt u. liefern den Zellen z. B. Hormone, Aminosäuren u. Anheftungsfaktoren. Inzwischen sind die wichtigen wachstumsfördernden Bestandteile der Seren bekannt u. können in Kulturmedien teilw. gezielt ersetzt werden. Da die Anforderungen der verschiedenen Zelltypen sehr unterschiedlich sind, muß die Zusammensetzung des Mediums jedoch für jede Zellinie neu ermittelt werden. Wachstumsstimulierende Substanzen, die die Seren ersetzen können, sind z. B. Insulin, Wachstumshormone, epidermaler Wachstumsfaktor, Interleukine, Prostaglandine, Hydrocortison, Transferrin. Für adhärente Zellen müssen die Kulturgefäße mit Anheftungsfaktoren wie Fibronectin beschichtet werden. – ***E*** serum-free culture medium – ***F*** milieu de culture exempt de sérum – ***I*** mezzo coltuale esente da siero – ***S*** medio de cultivo exento de suero

Lit.: Lindl, Zell- u. Gewebekultur (3.), Stuttgart: Fischer 1993 ▪ Morgan u. Darling, Kultur tierischer Zellen, S. 52, Heidelberg: Spektrum Akadem. Verl. 1994.

Serumglobuline s. Serumproteine.

Serumgonadotropin (internat. Freiname: Serumgonadotrophin). Bez. für ein aus dem Serum trächtiger Stuten gewonnenes – daher gelegentlich auch als *pregnant-mare serum gonadotropin* (PMSG), Stutengonadotropin od. eCG (von equine chorionic gonadotropin) bezeichnetes – *gonadotropes Hormon, das in der Placenta gebildet wird. Das S. ist ein *Glykoprotein, M_R 55000–60000, mit bekannter Aminosäure-Zusammensetzung u. einem Kohlenhydrat-Gehalt von 41–45%, der sich in 13% Hexosen, 17,6% Hexosamine, 10,8% Acylneuraminsäuren (Sialinsäure) u. a. aufteilt. Es hat die gleiche Wirkung wie das aus der Hypophyse stammende *Follitropin (FSH), d. h. es fördert geschlechtsunspezif. die Entwicklung der Keimzellen, ist aber im Aufbau dem *Lutropin näher verwandt. – ***E*** serum gonadotropin – ***F*** gonadotropine sérique – ***I*** gonadotropina serica – ***S*** gonadotropina sérica

Lit.: J. Vet. Med. Sci. **57**, 317–321 (1995). – *[HS 2937 10]*

Serumhepatitis s. Hepatitis.

Serumproteine. Sammelbez. für die im *Serum des Blutes enthaltenen Eiweiß-Stoffe (meist *Glykoproteine), die nach Abtrennung des Fibrinogens aus dem Plasma durch Agglutination zum *Fibrin verbleiben. Die S. unterscheiden sich von den *Plasmaproteinen im wesentlichen also durch das Fehlen des Fibrinogens u. einiger *Blutgerinnungs-Faktoren. Durch Elektrophorese lassen sich die S. in einzelne Fraktionen auftrennen, die durch anschließende *Immunelektrophorese noch weiter differenziert werden können. Dabei erhält man als erste, am schnellsten wandernde Fraktion das Transthyretin (s. Thyroid-Hormone), dann das *Serumalbumin, danach folgen die *Serumglobuline*, die sich in α_1-, α_2-, β- u. γ-*Globuline auftrennen lassen. Mit den einzelnen Globulin-Fraktionen wandern Lipoproteine (mit α_1 u. β), Metallproteine wie Caeruloplasmin (mit α_2) u. Transferrin (mit β), Properdin (mit γ), Cholinesterase (mit α_2) u. a. als Einzelstichwörter behandelte Proteine. Die γ-Fraktion (Gamma-Globuline) bilden hauptsächlich die *Immunglobuline. Die Serumglobuline erfüllen zahlreiche Funktionen wie Transport von Fetten u. Lipiden (z. B. *Retinol-bindendes Protein; Vitamin-D-bindendes Protein, s. Calciferole; Steroid-bindende Proteine, Transthyretin, *Lipoproteine), Eisen (*Transferrin), *Blutgerinnung, Inhibierung von bestimmten Enzymen (*Proteasen), Bindung von freiem Hämoglobin (*Haptoglobin), *Coenzym B_{12} (Transcobalamine) u. von *Insulin-artigen Wachstumsfaktoren; als *Antikörper u. *Komplement-Faktoren verleihen sie Immunität. Bei bestimmten patholog. Zuständen können *Paraproteine, *Akutphasen-Proteine u. *Tumormarker im Serum auftreten od. *Enzyme aus dem Gewebe hineingelangen, deren Bestimmung für die Diagnose herangezogen wird. Durch *Glykation (v. a. bei *Diabetes mellitus) veränderte S. können zu Nierenschädigung führen[1]. Zur Analyse der S. mit Kapillarelektrophorese s. *Lit.*[2]. – ***E*** serum proteins – ***F*** protéines sériques – ***I*** sieroproteine – ***S*** proteínas séricas

Lit.: [1] J. Am. Soc. Nephrol. **7**, 183–190 (1996). [2] J. Chromatogr. B **699**, 257–268 (1997).
allg.: Karlson et al., Kurzes Lehrbuch der Biochemie, 14. Aufl., S. 503 ff., Stuttgart: Thieme 1994.

Serum prothrombin conversion accelerator s. Proconvertin.

Serum spreading factor s. Vitronectin.

Serva s. Boehringer Ingelheim Bioproducts Partnership.

Servalyt®. Trägerampholyte für die *isoelektrische Fokussierung auf der Basis von *Polyaminen, substituiert mit Sulfonsäure- u. Carbonsäure-Derivaten unterschiedlicher Konzentration. ***B.:*** Serva.

Servil®. Synthet. Wachsester auf Basis von *Fettalkoholen u. *Fettsäuren. Zusatzstoff u. Walspermölsubstitut für Trenn- u. Oberflächen-Behandlungsmittel in der Lebensmittel-Industrie. ***B.:*** Grünau.

Sesamöl. Fettes Öl aus den Samen der vermutlich ältesten *Ölpflanze, der aus Afrika stammenden u. in den Tropen u. Subtropen kultivierten Sesampflanze (*Sesamum indicum*, Pedaliaceae), in denen es zu 50–55% enthalten ist. S. ist kalt gepreßt hellgelb, mild schmeckend, fast geruchfrei, warm gepreßt dagegen dunkler, scharf schmeckend. Die Qualität des Öls ist deutlich von der auf die Samen angewandten Rösttemp. u. -zeit abhängig [1].

Zusammensetzung: S. besteht hauptsächlich aus den *Glyceriden der *Öl- u. *Linolsäure. Genauere Angaben sind der Tab. u. den Leitsätzen [2] zu entnehmen. Hauptsterine des S. sind β-Sitosterin u. Spinasterin, wobei der Gesamtsterin-Gehalt bei ca. 600 mg/kg liegt [3]. Des weiteren enthält der unverseifbare Anteil (0,9–2,3%) erhebliche Mengen an *Tocopherolen, die neben dem *Sesamol* ($C_7H_6O_3$, M_R 138,2, Schmp. 65–66 °C, Sdp. 135–140 °C, farblose Krist.), das durch saure *Hydrolyse aus *Sesamolin* ($C_{20}H_{18}O_7$, M_R 370,36) gebildet wird (s. Abb.), die gute Lagerfähigkeit von S. bedingen. Die Anteile an Sesamol, das als *Antioxidans wirkt, u. an Sesamolin betragen 0,1–0,2%. Antioxidativ synergist. Wirkung entfalten beim Rösten gebildete *Melanoidine [4]. Nach *Lit.* [1] wurden 134 flüchtige Aroma-Komponenten aus S. isoliert, getrennt u. mittels MS identifiziert. Zu den Hauptkomponenten gehören u.a. 1-(5-Methyl-2-furanyl)-1-propanon, 3-Thiophencarbaldehyd, 2-Propyl-4-methylthiazol sowie Pyrrole u. Pyrazine.

Analytik: Sesamöl bildet mit *Furfural u. *Salzsäure in *Ethanol einen roten Farbstoff (Baudouin-Reaktion), der in einigen Ländern zur Identifikation von *Margarine, die S. enthalten muß, herangezogen werden kann. Als weitere Nachweismeth. stehen der *Bettendorf-Test u. der Kreis-Test (Farbreaktion mit 3% *Wasserstoffperoxid u. 75% *Schwefelsäure) zur Verfügung.

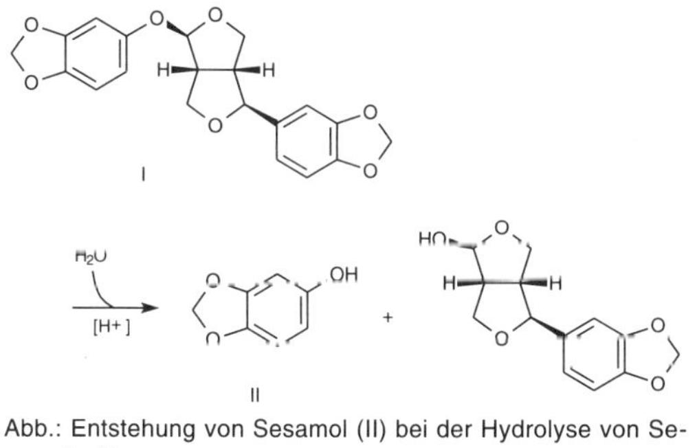

D. 0,922–0,923, Erstarrungspunkt –3 bis –6 °C, IZ 104–118, VZ 186–195. Neben den klass. Farbreaktionen ist S. anhand des Fettsäurespektrums zu identifizieren.

Verw.: S. dient als Speiseöl u. zur Margarine-Herst. Die gerösteten Samen des Sesams werden zu Backzwecken verwendet. Zerquetscht u. mit *Zucker versetzt sind sie als *Türkischer Honig bekannt, u. das aus den Samen gewonnene Mehl dient als Nahrungsmittel. In den Anbauländern werden die Blätter der Pflanze als Gemüse verzehrt. Die Preßrückstände enthalten bis zu 35% Proteine, die bes. reich an *Methionin sind, u. ein wertvolles Viehfutter liefern. Pharmazeut. werden die Samen für Pflaster bei Verbrennungen usw., ferner als Laxans u. *Diuretikum angewandt.

S. wirkt synergist. bei *Pyrethroiden, wobei für diese Wirkung v.a. das Sesamolin verantwortlich gemacht wird. Untersuchungen zur ernährungsphysiolog. Bedeutung von Sesamprotein sind *Lit.* [5] zu entnehmen. – ***E*** sesame oil – ***F*** huile de sésame – ***I*** olio di sesamo – ***S*** aceite de sésamo

Abb.: Entstehung von Sesamol (II) bei der Hydrolyse von Sesamolin (I).

Tab.: Fettsäurespektrum von Sesamöl (Angabe der Schwankungsbreite u. des häufigsten Durchschnittswertes in Gew.-% bezogen auf Gesamtfettsäuren).

Fettsäure	
C<14	<0,1
C 14:0	<0,5
C 16:0	7–12 (8,5)
C 16:1	<0,5
C 18:0	3,5–6 (4,5)
C 18:1	35–50 (42)
C 18:2	35–50 (44)
C 18:3	<1,0 (0,5)
C 20:0	<1,0 (0,5)
C 20:1	<0,5
C 22:0	<0,5

Lit.: [1] J. Sci. Food Agric. **75**, 19–26 (1997). [2] Leitsätze für Speisefette u. Speiseöle vom 09.06.1987 (Bundesanzeiger Nr. 140a) abgedruckt in Zipfel, C 296. [3] Fat Sci. Technol. **91**, 23–27 (1989). [4] Agric. Biol. Chem. **50**, 857–862 (1986). [5] J. Agric. Food Chem. **35**, 289–292 (1987); **36**, 269–275 (1988).
allg.: Belitz-Grosch (4.), S. 591, 602 ▪ Pardun, Analyse der Nahrungsfette, S. 30, 328 ff., Berlin: Parey 1976 ▪ Ullmann (5.) **A 10**, 227. – *[HS 1515 50; CAS 8008-74-0]*

Sesamol(in) s. Sesamöl.

Sesbanimide. Tox. Alkaloide aus den Samen von *Sesbania*-Arten (Fabaceae), die in Texas, Florida u. in Südafrika beheimatet sind.

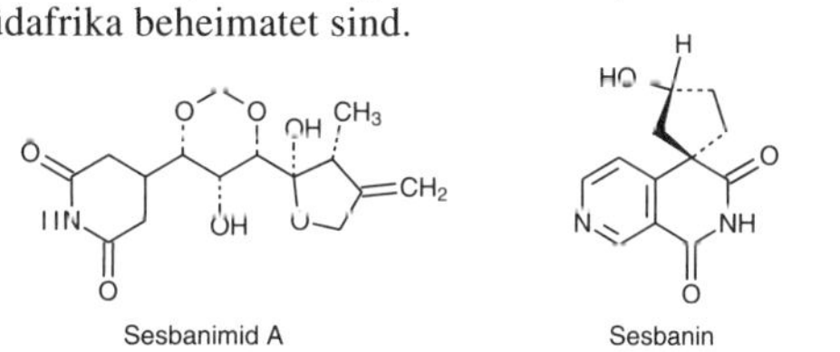

Sesbanimid A   Sesbanin

Man unterscheidet die Diastereomeren *S. A* {$C_{15}H_{21}NO_7$, M_R 327,33, Krist., Schmp. 158–159 °C, $[\alpha]_D^{20}$ +54,7° ($CHCl_3$) bzw. –3,8° (CH_3OH)} u. zwei Stereoisomere S. B_1 u. B_2. S. A ist das Hauptalkaloid, das die größere biolog. Aktivität besitzt. Es kommt auch in südafrikan. *Sesbania*-Arten vor. S. sind cytotox. u. wirken antileukäm. sowie allg. antineoplastisch. Deutlich weniger wirksam ist das in *Sesbania drummondii* enthaltene *Sesbanin* [1] {$C_{12}H_{12}N_2O_3$, M_R 232,24, Schmp. 240–243 °C, $[\alpha]_D^{23}$ +14,6° (CH_3OH)}. – ***E=F*** sesbanimides – ***I*** sesbanimmidi – ***S*** sesbanimidas

Lit.: [1] Tetrahedron **44**, 4351 (1988).
allg.: Atta-ur-Rahman (Hrsg.), Studies in Natural Products Chemistry, Bd. 1, S. 305–322, Amsterdam: Elsevier 1988 ▪ J. Antibiot. (Tokyo) **51**, 64 (1998) ▪ J. Chem. Soc., Chem. Commun. **1992**, 368 ▪ J. Org. Chem. **59**, 3055 ▪ Recl. Trav. Chim. Pays-Bas **108**, 393 f. (1989) ▪ Synth. Commun. **20**, 3575–3584

(1990) ▪ Tetrahedron Asymmetry **5**, 247 (1994). – *[HS 2939 90; CAS 85719-78-4 (S. A.); 70521-94-7 (Sesbanin)]*

Sesqui... Von IUPAC ignoriertes *Multiplikationspräfix für anderthalb, 1½ (latein.); *Beisp.:* folgende Stichwörter, Chromsesquioxid (Cr_2O_3), Cobaltdichlorid-sesquihydrat ($CoCl_2 \cdot 1{,}5\,H_2O$, s. a. Hydrate), *Silasesquioxane. – ***E*** = ***F*** = ***I*** = ***S*** sesqui...

Sesquifulvalene. Gebräuchliche Bez. für Pentahepta-*fulvalene, die eine gekreuzt-konjugierte Cyclopolyen-Struktur besitzen. Bei den S. sind demnach eine Cyclopentadien- u. eine Cycloheptatrien-Einheit miteinander verknüpft (s. Abb. bei Fulvalene). Obwohl theoret. Berechnungen für das unsubstituierte S. einen starken polaren Charakter gemäß der Beschreibung des Mol. als *Tropylium-cyclopentadienid vorhersagen, verhält es sich in seinen Reaktionen eher wie ein typ. Polyolefin, wie die hohe Polymerisationstendenz belegt. Substituierte S. sind dagegen stabiler. – ***E*** sesquifulvalenes – ***F*** sesquifulvalènes – ***I*** sesquifulvaleni – ***S*** sesquifulvalenos

Lit.: Houben-Weyl **5/2c**, 697 – 706 ▪ Pure Appl. Chem. **28**, 281 (1971).

Sesquiterpene. Gehören zu den *Isoprenoiden u. leiten sich biosynthet. von Farnesylpyrophosphat ab (vgl. Isopren-Regel u. Farnesol). Sie verfügen über C_{15}-Grundstrukturen, stehen also biogenet. zwischen den Mono- u. Diterpenen. Die Bez. S. gilt sowohl für die Kohlenwasserstoffe als auch für die von ihnen abgeleiteten Derivate (auch Sesquiterpenoide genannt). Die S. sind die variantenreichste Gruppe der Isoprenoide. Unter den acycl. Verb., den sog. *Farnesanen*, ist *Farnesol am weitesten verbreitet. Farnesane wirken als *Juvenilhormone u. *Pheromone. Durch enzymkatalysierte kation. Cyclisierungen entstehen aus dem linearen Grundkörper über 70 bisher bekannte Ringsyst., die bis zu elf Ringglieder besitzen (Humulane, s. Humulen). Weitere Ringsyst. sind z. B. Bisabolane (s. a. Bisabolene), Cadinane (s. a. Cadinen), *Germacrane, *Eudesmane, *Guajane, Caryophyllane (s. a. Caryophyllen) u. Pseudoguajane. Die überwiegende Mehrzahl der S. besitzt mono-, bi-, tri- u. tetracycl. Grundgerüste; *monocycl.:* Bisabolen, Curcumen, Zingiberen, Elemen, Germacron, Humulen, Secologanin; *bicycl.:* Cadinen, Eudesmol, Eremophilen, Santonin, Nootkaton u. a. mit Naphthalin-Gerüst, Guajol, Carotol, Daucol u. a. mit Azulen-Gerüst, ferner Caryophyllen, Betulenol, Velleral; *tricycl.:* Aromadendren, Cedren, Gurjunen, Maaliol, Longifolen, Caryophyllenalkohol, Patchoulialkohol; viele der erwähnten S. sind in eigenen Stichwörtern behandelt. Beisp. für *tetracycl.* S. sind die *Trichothecene. – ***E*** sesquiterpenes – ***F*** sesquiterpènes – ***I*** sesquiterpeni – ***S*** sesquiterpenos

Lit.: *Biosynth.:* Chem. Rev. **90**, 1089 (1990) ▪ Nat. Prod. Rep. **1**, 443 (1984); **2**, 513 (1985); **4**, 157 (1987); **5**, 247 (1988); **7**, 25, 387 (1990); **8**, 441 (1991); **12**, 507 (1995). – *Phytoalexine:* Nat. Prod. Rep. **8**, 367 (1991). – *Review:* ApSimon **10**, **11** (ganze Bd. zur Synth.) ▪ Atta-ur-Rahman (Hrsg.), Studies in Natural Products Chemistry, Bd. 17, S. 153 – 206, Amsterdam: Elsevier 1995 ▪ Nat. Prod. Rep. **1**, 105 (1984); **2**, 147 (1985); **3**, 273 (1986); **4**, 473 (1987); **5**, 497 (1988); **7**, 61, 515 (1990); **8**, 69 (1991); **9**, 217, 557 (1992); **10**, 311 (1993); **11**, 451 (1994); **12**, 303 (1995); **13**, 307 (1996); **15**, 73 – 92 (1998) ▪ Turner **1**, 219; **2**, 228 ▪ Zechmeister **64**, 1 – 210 ▪ s. a. Isoprenoide, Isopren-Regel u. Terpene.

Sesquiterpen-Lactone. Eine Untergruppe der *Sesquiterpene, die als gemeinsames Strukturmerkmal einen γ-Lacton-Ring aufweisen. S.-L. mit einem α-Methylen-γ-butyrolacton-Ring sind cytotox. u. wirken als Phytotoxine u. Allergene (s. Allergie), z. B. *Helenalin u. *Helenin. Die meisten S.-L. gehören zur Gruppe der Guajanolide, bei denen die Isopropyl-Gruppe zur Carbonsäure oxidiert u. mit einer OH-Gruppe am C-Atom 8 verestert ist (vgl. das Formelbild bei Guajan). Bisher sind ca. 60 cytotox. Lactone dieses Typs bekannt (z. B. Matricin, s. Proazulene). Die Guajanolide gehen durch Dehydratisierung in *Azulene über (*Chamazulen). Weitere wichtige S.-L. sind *Santonin u. *Picrotoxin. – ***E*** sesquiterpene lactones – ***F*** lactones sesquiterpéniques – ***I*** lattoni sesquiterpenici – ***S*** lactonas sesquiterpénicas

Lit.: Dtsch. Apoth. Ztg. **127**, 2511 – 2517 (1987) ▪ Heterocycles **28**, 529 – 545 (1989) ▪ Phytochemistry **26**, 3103 – 3115 (1987) ▪ Zechmeister **38**, 47 – 430.

Sesselform s. Cyclohexan u. Konformation.

Sessel-Wanne-Isomerie s. Konformation.

Sester... Von IUPAC ignoriertes *Multiplikationspräfix für zwei(und)einhalb, 2½ [latein.; entstanden aus semis (*Semi...) u. *Ter... = „halb drei“ mal]; *Sesterterpene stehen zwischen Di- u. Triterpenen. – ***E*** = ***F*** = ***I*** = ***S*** sester...

Sesterterpene. Kleine Gruppe von *Terpenoiden, die biosynthet. durch Kopf/Schwanz-Addition von 5 Isopren-Einheiten zum Geranylfarnesyl-pyrophosphat entstehen (vgl. Isopren-Regel). Zu den S. gehören z. B. die Luffarielline, *Manoalid, *Ophioboline, *Retigeransäure u. *Variabilin. – ***E*** sesterterpenes – ***F*** sesterterpènes – ***I*** sesterterpeni – ***S*** sesterterpenos

Lit.: Chem. Pharm. Bull. **44**, 690, 695 (1996) ▪ Nat. Prod. Rep. **9**, 481 (1992); **13**, 529 (1996) ▪ Zechmeister **33**, 28; **48**, 203 – 269 ▪ s. a. Isoprenoide, Terpene.

Seston. In Gewässern schwebende Lebewesen (Bioseston = *Plankton, Neuston u. *Pleuston) sowie die unbelebten *Schwebstoffe (Abioseston = *Tripton); s. a. Detritus. S. wird gelegentlich als natürlicher *Belebtschlamm wegen seines Beitrags zur natürlichen *Selbstreinigung der Gewässer bezeichnet. – ***E*** = ***F*** = ***I*** = ***S*** seston

Lit.: Uhlmann, Hydrobiologie (3.), S. 26 – 32, 61, Stuttgart: Fischer 1988.

SET. Abk. für *E* *single electron transfer.

SETAC. Abk. für *Society of Environmental Toxicology and Chemistry.

Setacure®. Acrylat-basierte Monomeren, Oligomeren, Präpolymeren für strahlungshärtende (UV, EBC) Systeme. ***B.:*** Akzo Resins bv.

Setalin®. Isophthalsäure-haltige *Alkydharze auf Basis von pflanzlichen Ölen für Druckfarben; Phenol-modifizierte Hartharze auf Basis von Kolophonium u. Kohlenwasserstoffharze für Druckfarben; Acrylatharz für Offsetdruckfarben; Speziellharze für Pigmentpasten u. Fliessverf. (Druckfarben); Wasser-basierte Acrylat-Dispersionen u. -Lsg. für Druckfarben u.

Überdrucklacke; Lsm.-basierte Acrylatharze für Druckfarben. ***B.:*** Akzo-Resins bv.

Setamol®-Marken. Dispergiermittel für Farbstoff-Dispersionen beim Färben von synthet. Fasern u. beim Färben von Cellulosefasern mit Küpenfarbstoffen. ***B.:*** BASF.

Sethoxydim.

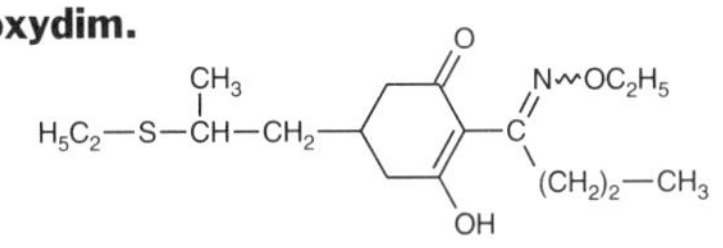

Common name für (±)-2-[1-(Ethoxyimino)butyl]-5-[2-(ethylthio)propyl]-3-hydroxy-2-cyclohexen-1-on, $C_{17}H_{29}NO_3S$, M_R 327,48, ölige Flüssigkeit, LD_{50} (Ratte oral) 2676 mg/kg (weiblich), 3125 mg/kg (männlich), von Nippon Soda Co. Ltd. 1983 in USA eingeführtes selektives Nachauflauf-*Herbizid gegen einjährige u. perennierende Ungräser (ausgenommen *Poa annua*) in breitblättrigen Kulturen. – ***E=I*** sethoxydim – ***F*** sethoxydime – ***S*** setoxidima

Lit.: Farm ▪ Perkow ▪ Pesticide Manual. – *[CAS 74051-80-2]*

Setilon KN®. *Fettalkohol-Kombination, nichtion. Knirschavivage für Cellulosefasern, Seide u. Synth.-Fasern. ***B.:*** Henkel.

Seuchen. Plötzlich auftretende, schwere ansteckende Infektionserkrankungen zahlreicher Menschen od. Tiere, ggf. auch Pflanzen (s.a. Pflanzenschutz). Beisp. sind Virusgrippe, *Cholera, *Pest, Maul- u. Klauenseuche. Nach Art der zeitlichen u. örtlichen Charakteristik des Auftretens von S. unterscheidet man *Epidemien* in einem begrenzten Raum für begrenzte Zeit, *Endemien* in einem begrenzten Raum für längere Zeit u. *Pandemien* mit allg. Ausbreitung ohne zeitliche u. räumliche Begrenzung. Maßnahmen zur Bekämpfung von S. regelt das Bundesseuchengesetz[1]. – ***E*** epidemics – ***F*** épidémie – ***I*** epidemie – ***S*** epidemia

Lit.: [1]BSeuchG vom 18.07.1961 (BGBl. I, S. 1012) in der Fassung vom 18.12.1979 (BGBl. I, S. 2262); letzte Änderung vom 23.04.1996 (BGBl. I, S. 622).

Severin. Protein (M_R 40000) aus dem Schleimpilz *Dictyostelium discoideum*, das in Anwesenheit von Calcium-Ionen F-*Actin am stumpfen (Plus-)Ende (*E barbed end*) bindet u. dessen Zertrennung (*E* severing) in kürzere Stücke bewirkt. Wie auch andere Actin-bindende Proteine, die die Actin-Polymerisation beeinflussen (z.B. *Gelsolin, *Villin), besitzt S. Aminosäure-Sequenzen mit Ähnlichkeit zu denjenigen, die in Actin selbst an der Wechselwirkung zwischen den Untereinheiten beteiligt sind. – ***E*** severin – ***F*** sévérine – ***I=S*** severina

Severin, Sergei (geb. 1901), Prof. für Biochemie, Univ. Moskau. *Arbeitsgebiete:* Biochemie, Enzymologie, insbes. oxidative Phosporylierung, Korrelation zwischen ATPase u. synthet. ATP auf den mitochondr. Faktor F_1. Zahlreiche Untersuchungen von Enzymen, die mit der Synth. u. Verwertung von Phosphor-Verb. in Zusammenhang stehen.

Lit.: Pötsch, S. 395.

Seveso. Ortschaft in Italien, ca. 30 km nördlich von Mailand gelegen. Am Ortsrand von S., im Nachbarort Meda, wurde am 10.07.1976 aus einem Reaktor der Firma ICMESA bei der Herst. von Trichlorphenol durch Überhitzung *2,3,7,8-Tetrachlordibenzo[1,4]dioxin freigesetzt, das v.a. südlich der Fabrik deponiert wurde. Tage nach dem Unfall starben dort Vögel u. Kleintiere. In der Fabrik wurde etwa 1 Woche weitergearbeitet, ohne daß Krankheitssymptome an Mitarbeitern erkennbar waren. Durch den Unfall selbst wurde niemand getötet. Ca. 220000 Menschen wurden in der Folge ärztlich untersucht u. dabei 193 (nach anderen Quellen[1] 187) Fälle von *Chlorakne festgestellt[2] (zu den aufgetretenen Dioxin-Gehalten s. z.B. *Lit.*[3], zu den sonstigen möglichen Folgen s. *Lit.*[4] u. Dioxine). 17 Tage[2] nach dem Unfall wurden 736 Menschen aus dem am stärksten betroffenen Ortsteil von S. evakuiert[1]. Die Häuser von 40 Familien wurden abgerissen u. der Schutt u. ein Teil der oberen Bodenschichten abgetragen u. deponiert. Der Inhalt des stillgelegten Reaktors wurde 1982 in Fässer abgefüllt u. – nach einer Irrfahrt durch Frankreich – 1983 in Basel verbrannt. Hoffmann-La Roche, zu der die Firma ICMESA gehörte, zahlte bisher mehr als 300 Mio. DM für Wiedergutmachung u. Entschädigung[1]. Nach Angaben des internat. wissenschaftlichen Beirates von S. waren 1986 mit Ausnahme von Chlorakne keine Gesundheitsschäden durch Dioxin in S. festgestellt worden. Alle Erkrankungen waren ausgeheilt. Auch 1996 sind keine Dioxin-bedingten Gesundheitsschäden festgestellt worden[5]. Die medizin. Überwachung wird im Hinblick auf etwaige Langzeitwirkungen fortgesetzt.

Lit.: [1]BDI/VCI (Hrsg.), Fakten zur Chemie-Diskussion 24, Dioxin, Heidelberg: Haefner 1984. [2]J. Am. Pollut. Contr. Assos. **39**, 1301–1308 (1989). [3]J. Toxicol. Environ. Health **30**, 261–271 (1990). [4]Kamrin u. Rodgers (Hrsg.), Dioxins in the Environment, S. 241–260, Washington: Hemisphere 1983. [5]EURO CHLOR **31** vom 25.07.1996.

allg.: Stuttgarter Zeitung vom 09.07.1996, Seveso Juli 1996.

Seveso-Gift. Umgangssprachliche Bez. für *2,3,7,8-Tetrachlordibenzo[1,4]dioxin, s. Dioxine u. Seveso.

Seveso-Richtlinie (EG-Störfall-Richtlinie). Die 1. S.-R., die Richtlinie des Rates 82/501/EWG vom 24.06.1982 über die Gefahren schwerer Unfälle bei bestimmten Industrietätigkeiten[1] wurde u.a. in Folge des *Störfalls in *Seveso erlassen u. durch die *Störfall Verordnung in dtsch. Recht umgesetzt. Die 1. S.-R. ist durch die Richtlinie 96/82/EWG des Rates vom 09.12.1996 zur Beherrschung der Gefahren bei schweren Unfällen mit gefährlichen Stoffen[2] (2. S.-R., auch S.-2-R. od. EU-S.-R.) am 03.02.1997 ersetzt worden. Die S.-R. schreiben umfangreiche Maßnahmen zur Vermeidung von Störfällen sowie zur Vorbereitung von Gegenmaßnahmen im Störfall vor. Die neue S.-R. gilt für Betriebe u. nicht nur für *genehmigungsbedürftige Anlagen nach *Bundes-Immissionsschutzgesetz. Sie fordert unter dem Stichwort Domino-Effekt auch eine Zusammenarbeit für benachbarte Betriebe.

Lit.: [1]ABl. EG Nr. L 230, S. 1 (1982), berichtigt Nr. L 289, S. 35 (1982), zuletzt geändert durch Richtlinie 91/692/EWG vom 23.12.1991, ABl. EG Nr. L 377, S. 48 (1991). [2]ABl. EG Nr. L 10, S. 13 (1997).

allg.: Papadakis u. Amendola (Hrsg.), Guidance on the Preparation of a Safety Report to Meet the Requirements of Council Directive 96/82/EC (Seveso II). Luxembourg: Office for Official Publications of the EC 1997 ▪ Ullmann (5.) **B7**, 338–342. – INTERNET: http://europa.eu.int/comm/sg/scadplus/leg/lvb/121215.htm

Sevofluran (Rp).

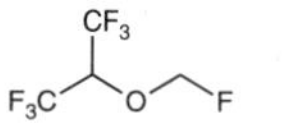

Internat. Freiname für das *Inhalationsnarkotikum 1,1,1,3,3,3-Hexafluor-2-(fluormethoxy)propan, $C_4H_3F_7O$, M_R 200,06, Sdp. 58,5 °C. S. wurde 1970/72 von Baxter patentiert u. ist von Abbott (Sevorane®) im Handel. – ***E*** sevoflurane – ***F*** sévoflurane – ***I*** = ***S*** sevoflurano

Lit.: Anaesthesiol. Reanimat. **22**, 15–20 (1997) ▪ Hager (5.) **9**, 605 f. ▪ Martindale (31.), S. 1263 ▪ Merck-Index (12.), Nr. 8621. – *[CAS 28523-86-6]*

Sexi... (latein.: sex = sechs). *Multiplikationspräfix für 6 ident. Ringsyst. in *Ringsequenzen. – ***E*** = ***F*** = ***I*** = ***S*** sexi...

Sextettformel. 1,3-Dipole lassen sich durch zwitterion. **Oktettformeln* darstellen. Durch Lokalisation von 2 π-Elektronen am mittleren Dipol-Atom entstehen Strukturen, die durch die S. repräsentiert werden u. für die Reaktivität der Dipole im Sinne einer *1,3-dipolaren Cycloaddition verantwortlich sind; z. B.:

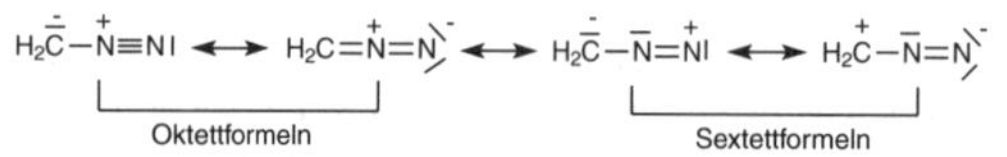

Oktettformeln — Sextettformeln

S. können auch für andere organ. Verb. formuliert werden, wobei es sich in der Regel, aufgrund des Elektronenmangels an dem betreffenden Atom, um sog. *reaktive Zwischenstufen handelt. – ***E*** sextett formula – ***F*** formule du sextet – ***I*** formula del sestetto – ***S*** fórmula del sexteto

Sexualhormon-bindendes Globulin s. Sexualhormone.

Sexualhormone (Geschlechtshormone, Keimdrüsenhormone). Sammelbez. für die in Einzelstichwörtern näher charakterisierten *Hormone, die die Geschlechtsfunktionen beeinflussen. Im allg. versteht man darunter die meist geschlechtsspezif. wirkenden *Androgene, die für den männlichen, u. die *Estrogene u. *Gestagene, die für den weiblichen Organismus zur Steuerung der Geschlechtsfunktionen notwendig sind. Zu den ersteren gehören *Testosteron u. Dihydrotestosteron, zu den letzteren *Estron, *Estriol u. *Estradiol als Estrogene sowie *Progesteron als Gestagen, bei Stuten z. B. *Equilenin u. Equilin als Estrogene. Chem. handelt es sich bei allen diesen S. um *Steroide. Im Blut werden sie durch Albumin u. das *Testosteron/Estradiol-bindende Globulin* (TEBG, auch: *Sexualhormon-bindendes Globulin*, SHBG, Androgen-bindendes Protein, ABP) transportiert [1].
Verw.: Die teils aus natürlichen Quellen stammenden, sogar aus Pflanzen isolierbaren Steroide, teils synthet. abgeleiteten S. u. analog wirkende S. auf anderer Basis werden gegen spezif. Hormon-Mangelerscheinungen, in *Antikonzeptionsmitteln, *Aphrodisiaka, *Anaphrodisiaka od. als *Anabolika verwendet. Während in der westlichen Welt die Behandlung mit S. noch relativ neu ist, wird aus dem alten China berichtet, daß man dort schon vor ca. 1000 Jahren S. aus Urin isolierte u. medikamentös verwandte. Die Verw. von synthet. S. (*Beisp.:* Diethylstilbestrol, DES) als anabole *Futtermittelzusatzstoffe für die Tiermast ist verboten. – ***E*** sex hormones – ***F*** hormones sexuelles – ***I*** ormoni sessuali – ***S*** hormonas sexuales

Lit.: [1] Sinnecker, Sexualhormon-bindendes Globulin, Stuttgart: Thieme 1993; Steroids **62**, 578–588 (1997).
allg.: Ciba Foundation, Non-Reproductive Action of Sex-Steroids, Chichester: Wiley 1995 ▪ Micevych u. Hammer Jr., Neurobiological Effects of Sex Steroid Hormones, Cambridge: Cambridge University Press 1995 ▪ Trends Endocrinol. Metab. **7**, 324–350 (1996).

Sexuallockstoffe. Sammelbez. für funktionell zu den *Pheromonen gerechnete niedermol., flüchtige Verb., mit denen männliche Tiere durch fortpflanzungsbereite weibliche Individuen angelockt werden. Chemie u. Funktion der S. sind v. a. bei *Insekten (s. Insektenlockstoffe) u. bei *Algen (s. Gamone) näher untersucht worden, weniger bei anderen Tiergattungen, obwohl selbst beim Menschen gewissen Steroiden u. niedermol. Fettsäuren S.-Charakter zukommen soll (vgl. Körpergeruch u. Schweiß). Zahlreiche weitere Gesichtspunkte sind – außer bei *Pheromone – berührt in den Stichwörtern *Lockstoffe, *Geruch, *Riechstoffe, *Parfümerie. – ***E*** sex attractants – ***F*** substances d'attraction sexuelle – ***I*** richiamo sessuali – ***S*** sustancias para atracción sexual

Seychellen.

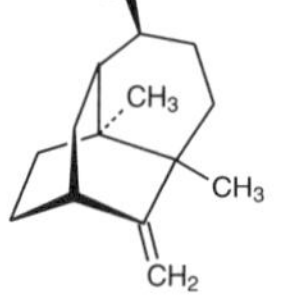

(-)-Seychellen

$C_{15}H_{24}$, M_R 204,36, Öl, Sdp. 70 °C (13,3 Pa), $[\alpha]_D^{20}$ –72° ($CHCl_3$). *Sesquiterpen aus dem *Patchouliöl, einem klass. Parfüm-Grundstoff, dessen interessante Struktur Anlaß zu zahlreichen synthet. Arbeiten war [1]. – ***E*** seychellène – ***F*** seychellène – ***I*** seicellene – ***S*** seicheleno

Lit.: [1] J. Org. Chem. **50**, 2668, 2676 (1985); J. Chem. Soc. Perkin Trans. 1 **1990**, 2109–2113; **1993**, 2813.
allg.: Recherches **19**, 85 (1974). – *[CAS 20085-93-2]*

Seyferth-Reagenzien s. Quecksilber-organische Verbindungen.

SFC. Abk. für engl.: *s*upercritical *f*luid *c*hromatography = überkrit. *Flüssigkeitschromatographie (*Fluid-Chromatographie; vgl. a. kritische Größen).

SFK. Kurzz. (nach DIN 7728-2: 1988-01) für mit synthet. Fasern verstärkte Kunststoffe.

Sg. Chem. Symbol für das Element Seaborgium, s. Periodensystem.

SGCI. Abk. für Schweizerische Gesellschaft für Chemische Industrie.

°SH s. Soxhlet-Henkel-Grade.

S_H. Abk. für eine *Homolyse involvierende *Substitution.

Shaddock s. Citrusfrüchte u. Grapefruit.

Shak(u)do. Für die Herst. von Ornamenten verwendete japan. Kupfer-Leg. mit 3,7–4,2% Gold u. 0,1–1,6% Silber.

Shampoos s. Haarbehandlung, Teppichpflegemittel, Autopflegemittel.

Shapiro-Reaktion. Bez. für eine Reaktion, bei der die Tosylhydrazone von Aldehyden od. Ketonen mit Lithiumalkylen umgesetzt werden. Als Primärprodukt entsteht eine Alkenyllithium-Verb., die unter den Reaktionsbedingungen zu einem Alken protoniert wird.

$$R^2-CH_2-C(R^1)=N-NH-SO_2-Ar \xrightarrow[-\ Ar-SO_2Li,\ -\ 2\ R^3-H,\ -\ N_2]{+\ 2\ R^3-Li} R^2-CH=C(R^1)Li \xrightarrow[-\ Li^+]{E^+} R^2-CH=C(R^1)E$$

Ar = 4-Methylphenyl ($-C_6H_4-CH_3$); 2,4,6-Triisopropylphenyl ($(H_3C)_2CH$, $(H_3C)_2CH$, $CH(CH_3)_2$); E = Elektrophil, z.B. H^+

Die Lithium-organ. Verb. läßt sich aber auch unter nicht-prot. Bedingungen erzeugen u. mit einer Reihe von Elektrophilen abfangen. Eng mit der S.-R. verwandt ist die *Bamford-Stevens-Reaktion. – ***E*** Shapiro reaction – ***F*** réaction de Shapiro – ***I*** reazione di Shapiro – ***S*** reacción de Shapiro

Lit.: Org. React. **39**, 1–83 (1990) ▪ s. a. Bamford-Stevens-Reaktion.

Sharp, Phillip Allen (geb. 1944), Prof. für Chemie u. Molekularbiologie, Direktor des Krebsforschungszentrums am Department of Biology des MIT (Cambridge, Mass.). Er erhielt 1993 zusammen mit R. J. *Roberts den Nobelpreis für Physiologie od. Medizin für die unabhängig von Roberts gemachte Entdeckung des mosaikartigen Aufbaus der Gene.

Lit.: Lexikon der Naturwissenschaftler, S. 374 ▪ The International Who's Who (17.), S. 1372.

Sharpless-Epoxidierung. Bez. für eine meist *stereoselektiv ablaufende *Epoxidierung bzw. *Hydroxylierung von *Alkenolen*, z. B. von Allylalkoholen wie 1,4-Pentadien-3-ol[1] mit Hydroperoxiden in Ggw. von Übergangsmetall-Katalysatoren; zur Epoxidierung von gewöhnlichen Alkenen s. Jacobsen-Epoxidierung.

$$R^1(R^2)C=C(R^3)CH_2-OH \xrightarrow{(H_3C)_3C-O-OH\ /\ Ti[OCH(CH_3)_2]_4\ /\ L-(+)-Weinsäureester} \text{Epoxid } (R^1, R^2, R^3, CH_2-OH)$$

ee: > 90%

Die S.-E. ist eine der effizientesten *stereoselektiven Synthesen u. besitzt Bedeutung in der Naturstoff-Synth. z. B. von Zuckern, da Diastereomeren- bzw. Enantiomeren-reine Epoxide in vielen Synth. eine Schlüsselrolle spielen. *tert*-Butylhydroperoxid wird oft in Ggw. von Vanadiumacetylacetonat od. Molybdänhexacarbonyl eingesetzt; als Reagenz mit der größten asymmetr. Induktion hat sich die Mischung aus Titantetra(isopropanolat)/Weinsäureester/Hydroperoxid erwiesen. Durch Modifizierung der Katalysator-Syst. u. der Reagenzien ist auch die stereoselektive Aminohydroxylierung zu den präparativ wertvollen 2-Aminoalkoholen möglich[2]. – ***E*** Sharpless epoxidation – ***F*** époxydation de Sharpless – ***I*** epossidazione di Sharpless – ***S*** epoxidación de Sharpless

Lit.: [1] Tetrahedron: Asymmetry **1993**, 1533. [2] Angew. Chem. **108**, 1406 (1996).
allg.: Chem. Rev. **94**, 2483 (1994) ▪ Hassner-Stumer, S. 343 ▪ Krauch u. Kunz, Reaktionen der Organischen Chemie, S. 311, Heidelberg: Hüthig 1997 ▪ Laue-Plagens, S. 285 ▪ Ojima, Catalytic Asymmetric Synthesis, S. 103 ff., Weinheim: VCH Verlagsges. 1993 ▪ Org. React. **48**, 1 ff. (1996) ▪ Synthesis **1987**, 89 f. ▪ Waldmann, Organic Synthesis Highlights, Bd. II, S. 3, Weinheim: VCH Verlagsges. 1995.

SHBG. Abk. für *S*exual*h*ormon-*b*indendes *G*lobulin, s. Sexualhormone.

SH2-Domäne, SH3-Domäne s. Src.

Sheets s. Gänge.

Sheldrick, George M. (geb. 1942), Prof. für Anorgan. Chemie, Univ. Göttingen. *Arbeitsgebiete:* Strukturchemie, Röntgenstrukturbestimmung von kleinen Mol. u. Makromol.; Computerprogramme. Er verfaßte bislang über 700 Veröffentlichungen u. erhielt zahlreiche Auszeichnungen.

Lit.: Kürschner (16.), S. 3496.

Shellolsäure s. Schellack.

Sherardisieren (Staubverzinken). Oberflächen-Veredelung von Stahl durch Aufbringen einer Zink-Schicht. Kleinteile wie Nägel, Schrauben usw. werden in einer mit 10–30% Zink-Pulver u. 70–90% Quarzsand gefüllten, verschlossenen, drehbaren Trommel 2–10 h bei 250 bis 400 °C gedreht. Dabei schlägt sich Zink auf der Oberfläche nieder u. reagiert teilw. mit dem Eisen. Sherardisierte Oberflächen sind rauh u. eignen sich bes. als Grundschicht für nachfolgende organ. Beschichtungen. Die Zink-Beschichtung bewirkt einen elektrochem. Schutz des Grundwerkstoffs. Die Haftfestigkeit der hergestellten Verzinkung ist beim S. geringer als beim *Schmelztauchen (Feuerverzinken). Das S. wurde von Osborn u. Cowper-Coles entwickelt u. um 1900 in die Praxis eingeführt. – ***E*** sherardizing – ***F*** shérardisation – ***I*** sherardizzazione – ***S*** sherardización

Lit.: Gräfen (Hrsg.), Lexikon der Werkstofftechnik, S. 930, Düsseldorf: VDI-Verl. 1993.

Shergottite s. Meteoriten.

Sherrington, Sir Charles Scott (1857–1952), Prof. für Pathologie, Univ. London, Prof. für Physiologie, Univ. Liverpool u. Oxford. *Arbeitsgebiete:* Reflexaktivitäten, Nervensysteme. 1932 erhielt er hierfür zusammen mit E. D. *Adrian den Nobelpreis für Physiologie od. Medizin.

Lit.: Lexikon der Naturwissenschaftler, S. 374.

Sherry (Jerez, Xeres). S. ist ein span. Likörwein, der vorwiegend aus Trauben der Rebsorten Palomino u. Pedro Ximénez im Anbaugebiet Albarizas (Provinz Càdiz) in fünf verschiedenen Arten hergestellt wird (Manzanilla, Fino, Amontillado, Oloroso u. Cream). Die Bez. S. ist nach VO (EWG) 4131/87[1] geschützt u. eng an die geograph. Herkunft gebunden. Erzeugnisse, die in der BRD nach den traditionellen Verf. der S.-Herst. bereitet werden, müssen als „weinhaltiger Aperitif" gekennzeichnet sein.

Herst.: Die speziellen S.-Weine werden in mehrjähriger Bearbeitung ausgebaut. Dabei bildet sich auf der

Oberfläche des Weines im nur zu dreiviertel gefüllten Faß eine Schicht echter Weinhefen (flor de vino), die für das arteigene Bukett des S. verantwortlich sind. Zur Steuerung des Reifeprozesses wird Weindestillat zugesetzt. Für das S.-Aroma sind v. a. *Acetale, *Aldehyde u. *Ketone verantwortlich[2]. Zu Veränderungen im Gehalt an phenol. Komponenten im Zusammenhang mit Bräunungserscheinungen während der biolog. Alterung von hellem S. s. *Lit.*[3]. Demnach scheint es, daß S. gegen starke Bräunung hauptsächlich auf Grund der Abnahme im Gehalt an Flavan-3-ol-Derivaten (*Catechin u. *Epicatechin) sowie *Vanillin- u. Ferulasäure geschützt ist. Dementsprechend sollte auch der Schutz vor Luft-Kontakt durch die an der Oberfläche des S. wachsenden Hefen einzuschätzen sein. Veränderungen im Gehalt an Stickstoff-Verb. wie *Harnstoff, *Ammonium-Verb. u. freien *Aminosäuren während der Lagerung von S. sind *Lit.*[4] zu entnehmen. Als Haupt-Stickstoff-Quelle für die eingesetzten Hefen wurde L-*Prolin identifiziert. Malt-*Whisky höchster Qualität wird in ausgedienten S.-Fässern gelagert.

Analytik: Die Authentizität von S.-Weinen läßt sich nach *Lit.*[5] beurteilen. Als Kriterium können die Gehalte an flüchtigen Verb., organ. Säuren u. *Spurenelementen herangezogen werden. Der Sulfat-Gehalt ist nach § 1 des Wein-Gesetzes[6] auf 2500 mg/L begrenzt. Für das „weinige" Aroma von S. sind chirale γ-Lactone (Soleron, Solerol) verantwortlich[7,8]. Zur Stereodifferenzierung dieser Aromastoffe s. *Lit.*[9]. – ***E*** = ***F*** = ***I*** sherry – ***S*** jerez

Lit.: [1] VO (EWG) 4131/87 vom 13.08.1991 (ABl. der EG, Nr. L 123/1). [2] J. Food Sci. **53**, 1900 f., 1904 (1988). [3] J. Agric Food Chem. **45**, 1647–1652 (1997). [4] Biotechnol. Bioeng. **53**, 156–162 (1997). [5] Z. Lebensm. Unters. Forsch. **188**, 324–329 (1989). [6] Wein Gesetz vom 27.08.1982 in der Fassung vom 29.05.1991 (BGBl. I, S. 1204). [7] Lebensmittelchemie **45**, 2–7 (1991). [8] J. High. Res. Chrom. **14**, 133 ff. (1991). [9] Z. Lebensm. Unters. Forsch. **195**, 540–544 (1992).

allg.: Belitz-Grosch (4.), S. 835 ▪ Würdig u. Woller, Chemie des Weines, S. 732, Stuttgart: Ulmer 1989 ▪ Zipfel, C 403 *1*, 125, 135; *22*, 4 a; C 404 *2*, 24. – *[HS 2204 21, 2204 29]*

Shift. Aus dem Engl. stammende Bez. für chem. Verschiebung, s. Verschiebungsreagenzien u. NMR-Spektroskopie.

Shiga-ähnliche Toxine s. Shiga-Toxin.

Shiga-Toxin (Shigella-Toxin). Tox. *Protein, das aus **Shigella dysenteriae*, dem Erreger der Bakterienruhr, bei Befall durch den Bakteriophagen H30 gebildet wird. S.-T. behindert in betroffenen *Zellen die Protein-Biosynth. (*Translation) durch Inaktivierung der *Ribosomen. Wie andere Ribosomen-inaktivierende Proteine (z. B. *Ricin) besteht S.-T. aus einer A-Kette (M_R 32 000), die für die enzymat. (EC 3.2.2.22) Inaktivierung der Ribosomen verantwortlich ist, u. einer B-Kette (M_R 7700), die die Aufnahme des Toxins in die Zielzelle bewirkt. Offenbar ebenfalls nach Befall durch *Phagen kann es in bestimmten Stämmen des normalerweise harmlosen Darmbakteriums **Escherichia coli* zur Bildung *Shiga-ähnlicher Toxine* (Verotoxine, *E* shiga-like toxins) kommen. – ***E*** shiga toxin – ***F*** toxine shiga – ***I*** shigatossina – ***S*** toxina shiga

Lit.: Physiol. Rev. **76**, 949–966 (1996).

Shigella. Gattung Gram-neg. Stäbchenbakterien aus der Familie der Enterobacteriaceae (s. a. Bakterien). Sie sind die Erreger der bakteriellen *Ruhr (Shigellose). Die S. werden in 4 Gruppen mit jeweils mehreren nach ihrer Antigen-Struktur unterschiedenen Typen (Serotypen) eingeteilt, die sich in Verbreitung u. Krankheitsverlauf unterscheiden. – ***E*** = ***F*** = ***S*** shigella – ***I*** Shigella

Lit.: Brandis et al., Lehrbuch der Medizinischen Mikrobiologie, S. 404–408, Stuttgart: Fischer 1994.

Shigella-Toxin s. Shiga-Toxin.

Shigellose s. Ruhr.

Shiitake s. Lenthionin u. Lentinan.

Shikalkin s. Shikonin.

Shikimisäure [(3*R*,4*S*,5*R*)-3,4,5-Trihydroxy-1-cyclohexen-1-carbonsäure].

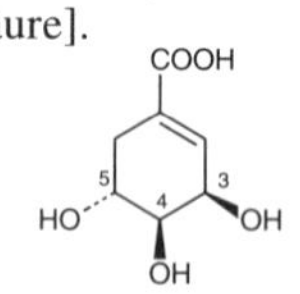

$C_7H_{10}O_5$, M_R 174,15; Nadeln, Schmp. 190 °C (subl.), $[\alpha]_D^{22}$ –157° (H_2O); pK_a 4,15 (14,1 °C), lösl. in Wasser (ca. 18%, bildet leicht übersätt. Lsg.), wenig lösl. in Ether u. Alkohol.

Vork.: Weit verbreitet in Pflanzen, bes. in Früchten von japan. *Sternanis (*Illicium anisatum*, syn. *I. religiosum*, japan.: shikimi-no-ki), Ginkgo-Blättern, Fichten- u. Kiefernadeln, jungen Stachelbeeren usw. Die auch synthet. zugängliche S. spielt in Höheren Pflanzen u. Mikroorganismen (Bakterien, Pilzen) eine Schlüsselrolle bei der Biosynth. aromat. Aminosäuren wie Phenylalanin, Tyrosin, Tryptophan u. davon abgeleiteten Alkaloiden sowie von 4-Aminobenzoesäure, Tetrahydrofolsäure, 4-Hydroxybenzoesäure, Ubichinon, Vitamin K u. Nicotinsäure, die auf dem sog. *S.-Weg* aufgebaut werden. Vom S.-Weg zweigt auch die Biosynth. der Gallussäure ab. Das Racemat von S. ist synthet. zugänglich. Das (3*S*,4*S*,5*R*)-Epimere kommt im Mammutbaum (*Sequoiadendron giganteum*) vor [Schmp. 181–183 °C, $[\alpha]_D^{20}$ –14° (CH_3OH)}. – ***E*** shikimic acid – ***F*** acide shikimique – ***I*** acido scichimico – ***S*** ácido shikímico

Lit.: Beilstein EIV **10**, 1946 ▪ Chem. Lett. **1996**, 987 ▪ Haslam, Shicimic Acid. Metabolism and Metabolites, New York: Wiley 1993 ▪ J. Carbohydr. Chem. **6**, 245–257 (1987) ▪ J. Chem. Soc., Perkin Trans. 1 **1997**, 1805 ▪ Karrer, Nr. 988 ▪ Nat. Prod. Rep. **6**, 263–290 (1989); **7**, 165–189 (1990) ▪ Phytochemistry **40**, 1705 (1995) ▪ Synthesis **1993**, 179–193 ▪ Tetrahedron **54**, 4697–4753 (1998) (Synth.-Review) ▪ Tetrahedron Asymmetry **8**, 1623 (1997) ▪ Tetrahedron Lett. **35**, 5505 (1994); **38**, 57 (1997) ▪ Zechmeister **69**, 157–240. – *[HS 2918 19; CAS 138-59-0]*

Shikonin [(*R*)-5,8-Dihydroxy-2-(1-hydroxy-4-methyl-3-pentenyl)-1,4-naphthochinon, C. I. 75 535].

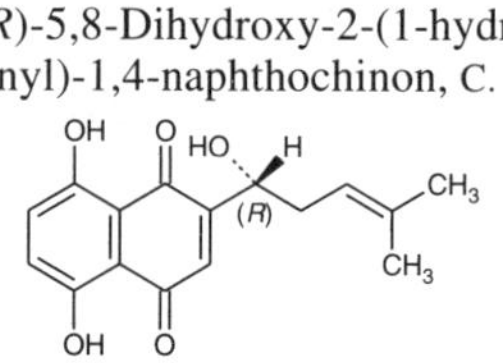

$C_{16}H_{16}O_5$, M_R 288,30, rotbraune Krist., Schmp. 143 °C, $[\alpha]_D^{20}$ +135° (Benzol). Farbstoff aus *Lithospermum*

erythrorhizon, *L. officinale* (Steinsamen) u. *Arnebia nobilis* mit Anti-Tumor-Aktivität. S. kommt in der Pflanze primär als 1′-*O*-Acetyl-S. vor [$C_{18}H_{18}O_6$, M_R 330,34, rotviolette Nadeln, Schmp. 85–86 °C (106–107 °C)]. Das Enantiomere von S., **Alkannin*, wird zur Behandlung von Magengeschwüren verwendet. Das Racemat wurde als *Shikalkin* bezeichnet. Der Farbstoff S. ist neben den *Vinca-Alkaloiden eine der wenigen Substanzen, deren Herst. in pflanzlichen Zellkulturen kommerzielle Bedeutung erlangt hat (die chem. Synth. ist sehr aufwendig). – ***E*** shikonin – ***F*** shikonine – ***I*** sciconina – ***S*** shiconina

Lit.: Angew. Chem. **110**, 864 ff. (1998); Int. Ed. **37**, 839 (1998) ▪ Beilstein E III **8**, 4088 ▪ Bull. Chem. Soc. Jpn. **60**, 205 (1987); **68**, 2917 (1995) ▪ Chem. Pharm. Bull. **29**, 116 (1981) ▪ J. Chem. Soc., Chem. Commun. **1983**, 987 ▪ Phytochemistry **38**, 83 (1995) ▪ Tetrahedron Lett. **38**, 7263 (1997). – *[CAS 517-89-5]*

Shine-Dalgarno-Sequenz (SD-Sequenz). Kanon. Sequenzmotiv (5′-AAGGAGGU-3′), das in der mRNA von Prokaryonten etwa 4 bis 15 Basenpaare flußabwärts vom *Start-Codon liegt (s. Translation) u. zur Bindung der *Ribosomen für die Protein-Synth. dient (mit flußabwärts wird die Richtung bezeichnet, in der das Protein synthetisiert wird; auf der RNA bedeutet dies in Richtung auf das 3′-Ende hin). – ***E*** Shine-Dalgarno sequence – ***F*** séquence de Shine-Dalgarno – ***I*** sequenza de Shine e Dalgarno – ***S*** sequencia de Shine y Dalgarno

Lit.: Brown, Moderne Genetik, S. 153, Heidelberg: Spektrum Akadem. Verl. 1993 ▪ Ibelgaufts, Gentechnologie von A bis Z, S. 438, Weinheim: VCH Verlagsges. 1993.

Shin Yo Yu s. Tannen(nadel)öle.

ShipShape®. Speziell entwickelter, umweltfreundlicher Polyesterharz-Entferner als Ersatz für Aceton u. Methylenchlorid bei der Entfernung von halbgehärtetem Polyester u. Epoxidharz. Geringe Verdunstungsrate, hoher FP., wassermischbar, biolog. abbaubar. ***B.:*** ISP.

Shirakawa-Technik s. Polyacetylene.

Shit. Deckname für *Haschisch amerikan. Ursprungs.

SH-Lacke s. säurehärtende Lacke.

Shockley, William (1910–1989), Prof. für Physik, übernahm 1945 die Leitung der Festkörperphysik bei den Bell Telephone Laboratories, New York; ab 1955 Präsident der Shockley Transistor Corporation, Kalifornien, USA, einer Tochterges. der Beckman Instruments, Inc.; ab 1963 Prof. an der Stanford Univ., Palo Alto (Kalifornien). *Arbeitsgebiete:* Energiebänder in festen Körpern, Ferromagnetismus; für seine Untersuchungen über die prakt.-techn. Verwendbarkeit des von J. *Bardeen u. W. H. *Brattain entdeckten Transistoreffekts erhielt er zusammen mit diesen 1956 den Nobelpreis für Physik.

Lit.: Lexikon der Naturwissenschaftler, S. 375.

Shoddy s. Reißwolle.

Shonkinit s. Nephelin.

SHOP. Abk. für *S*hell *H*igher *O*lefins *P*rocess, ein bei Shell entwickeltes Verf. zur Herst. von α-Olefinen mit einer geraden Zahl von C-Atomen u. Kettenlängen von C_8–C_{18} durch katalyt. *Oligomerisierung von Ethylen mit anschließender *Isomerisierung u. *Metathese.

Lit.: Cornils u. Herrmann, Applied Homogeneous Catalysis with Organometallic Compounds, Bd. 1: Applications, S. 251–256, Weinheim: VCH Verlagsges. 1996 ▪ Kirk-Othmer (3.) **16**, 491 f. ▪ Ullmann (5.) **A 10**, 285; **A 13**, 245; **A 18**, 231, 235; **A 19**, 549 ▪ Weissermel-Arpe (4.), S. 96 f. ▪ Winnacker-Küchler (4.) **5**, 209, 211.

Shop-Primer. Nach DIN 55945: 1996-09 Bez. für „Fertigungsbeschichtungen" zum zeitlich begrenzten *Korrosionsschutz von Stahlteilen während Transport, Lagerung u./od. Bearbeitung im Fertigungsbetrieb. S.-P. gehören zu den *Reaktionsprimern auf der Basis von z. B. Epoxidharz, Epoxidharzester, Polyvinylbutyral od. Alkydharz mit Zinkphosphat, Zink-Staub u./od. a. Pigmenten. S.-P. werden in sehr dünner Schicht (15–25 µm Filmstärke) aufgetragen. Eine Reihe von Anforderungen an S.-P. sind in DIN 55928-5: 1991-05 definiert. Bei *Schiffsanstrichen bilden S.-P. meist die erste Schicht der Grundbeschichtung. – ***E*** shop primer – ***F*** peinture primaire réactive, apprêt d'atelier, shop primer – ***I*** colore di fondo rafforzativo, spalmo rafforzativo – ***S*** fondo de taller, shop primer

Lit.: Gatz (Hrsg.), Lexikon der Anstrichtechnik, 10. Aufl., Bd. 1, München: Callwey 1994 ▪ Römpp Lexikon Lacke u. Druckfarben, S. 230.

Shore-Härte. Nach DIN 53505: 1987-06 entspricht die S.-H. bei der Prüfung von Elastomeren, Gummi u. Kautschuk dem Widerstand gegen das Eindringen eines Kegelstumpfes (A od. C) bzw. eines abgerundeten Kegels (D), der durch das Zusammendrücken einer Feder mit einer festgelegten Federcharakteristik gemessen u. in dimensionslosen Shore-A(C, D)-Härteeinheiten ausgedrückt wird. Bei der Prüfung von Stahl wird die *Shore-Rückprallhärte* in dem sog. *Skleroskop* gemessen, bei dem die Rückprallhöhe eines Fallhammers, der in einem senkrechten Rohr auf die Prüffläche fällt, bestimmt wird. Dabei handelt es sich eher um eine Elastizitätsprüfung, weshalb die Meßwerte mit denen der *Härteprüfung nach Brinell od. Vickers nur bedingt vergleichbar sind. – ***E*** shore hardness – ***F*** dureté Shore – ***I*** durezza Shore – ***S*** dureza Shore

Lit.: s. Härteprüfung.

Short-Term Exposure Limit s. STEL.

Short ton s. Avoirdupois.

Shotgun-Klonierung (Schrotschußklonierung). Subklonierungsstrategie zur DNA-Sequenzanalyse von DNA-Fragmenten. Mit der S.-K. kann z. B. das Genom eines Organismus mit Hilfe einer geeigneten *Restriktionsendonuclease in Bruchstücke zerlegt u. mit Hilfe eines geeigneten Klonierungsvektors in einem vermehrungsfähigen Wirtsorganismus als Genbank angelegt werden.

Bei einer durchschnittlichen Fragmentlänge von 20 kb reichen bei der S.-K. des *Escherichia-coli*-Genoms ca. 900 Klone als Genbank aus, um mit 99% Wahrscheinlichkeit das gesamte Genom in überlappenden Bruchstücken zu erfassen. Bei der Hefe mit einem Genom von 13 500 kb sind dies bereits 3100 Klone. – ***E*** shotgun cloning – ***F*** clonage shotgun – ***I*** clonazione shotgun – ***S*** clonación de perdigonada

Lit.: Watson et al., Rekombinierte DNA (2.), S. 89, Heidelberg: Spektrum Akadem. Verl. 1993.

Showdomycin [3-(β-D-Ribofuranosyl)-1*H*-pyrrol-2,5-dion].

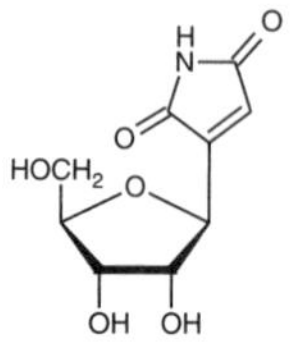

$C_9H_{11}NO_6$, M_R 229,19; Blättchen, Schmp. 160–161 °C, $[\alpha]_D^{22,5}$ +49,9° (H_2O), lösl. in Wasser, Ethanol, Aceton. S. ist in neutraler od. alkal. Lsg. instabil. Es ist ein Nucleosid-Antibiotikum aus *Streptomyces showdoensis* mit Antitumor-Eigenschaften. – ***E*** showdomycin – ***F*** showdomycine – ***I*** = ***S*** showdomicina

Lit.: J. Am. Chem. Soc. **112**, 891 f. (1990) ▪ J. Antibiot. **41**, 1711 (1988) ▪ J. Chem. Soc., Chem. Commun. **1984**, 1515, 1517 (Biosynth.) ▪ Synform **4**, 253 (1989) ▪ Tetrahedron Lett. **36**, 4089 (1995). – *[HS 2941 90; CAS 16755-07-0]*

Shoyu s. Sojabohnen.

Shubnikov-Gruppen s. Raumgruppen.

Shull, Clifford Glenwood (geb. 1915), Prof. für Physik, MIT (Cambridge, Mass.). *Arbeitsgebiete:* Magnet. Kristallographie, Meth. der polarisierten Neutronenstreuung, 1949 Nachw. der antiferromagnet. Ordnung im Manganoxid. 1994 erhielt er zusammen mit B. N. *Brockhouse für die Entwicklung von Neutronenbeugungstechniken u. Strukturuntersuchungen mit Hilfe der Neutronenspektroskopie den Nobelpreis für Physik.

Lit.: Lexikon der Naturwissenschaftler, S. 375 ▪ The International Who's Who (17.), S. 1385.

Shuttle-Vektoren (Schaukelvektoren, Pendelvektoren, binäre Vektoren). In der Gentechnologie verwendete Bez. für *Vektoren, die in verschiedenen Spezies vermehrt werden können, da sie verschiedene artspezif. Replikationsursprünge (*Origin) tragen. S.-V. werden benutzt, um DNA aus komplexen Organismen in einfach zu handhabenden Mikroorganismen wie *Escherichia coli* gezielt zu verändern u. das Ergebnis in der anderen Spezies direkt zu testen. – ***E*** shuttle vectors – ***F*** vecteurs navette – ***I*** vettore spoletta – ***S*** vectores transportadores

Lit.: Glick u. Pasternak, Molekulare Biotechnologie, Heidelberg: Spektrum Akadem. Verl. 1995 ▪ Watson et al., Rekombinierte DNA (2.), S. 219, Heidelberg: Spektrum Akadem. Verl. 1993.

Si. 1. Chem. Symbol für das Element *Silicium. – 2. In der Stereochemie selten benutztes Symbol für eine *Topizität.

Si 69®. Bis-(3-triethoxysilylpropyl)-tetrasulfan als Haftvermittler für *Kieselsäure-gefüllte Kautschuk-Mischungen. ***B.:*** Degussa.

Si 264®. Thiocyanatpropyltriethoxysilan als Haftvermittler für *Kieselsäure-gefüllte Kautschuk-Mischungen. ***B.:*** Degussa.

Si 266®. Bis-(3-triethoxysilylpropyl)-disulfan als Haftvermittler für *Kieselsäure-gefüllte Kautschuk-Mischungen. ***B.:*** Degussa.

SI. Kurzz. für a) Poly(dimethylsiloxane) u. a. *Silicone (IUPAC, ASTM u. DIN 7728: 1973-12); – b) engl.: *s*urface *i*onization = Oberflächenionisation (Meth. der *Massenspektrometrie); – c) französ.: *S*ystème *I*nternational d'Unités = Internat. Einheiten-System. Das SI baut auf dem *MKS-System auf u. ist seit 1960 weltweit eingeführt. Die 7 Grund- od. *Basiseinheiten des SI (s. Meter, Kilogramm, Sekunde, Ampere, Kelvin, Mol u. Candela), abgeleitete *Einheiten u. Vielfache im *Dezimalsystem sind in der BRD seit 1. 1. 1978 *gesetzliche Einheiten, alte unsystemat. Einheiten u. das *CGS-System dagegen unzulässig (*Ausnahmen:* Zeiteinheiten Minute, Stunde u. Tag; Winkeleinheiten *Grad, Minute u. *Sekunde; *Blutdruck-Einheit *mm Hg). Das SI ist weltweit anerkannt, sogar die alten unsystemat. anglo-amerikan. Einheiten sterben langsam aus. Auf internat. Absprache werden Basiseinheiten neu definiert (zuletzt *Meter u. *Sekunde) od. neue Einheiten abgeleitet; *Beisp.:* Becquerel, Gray, Sievert.

Lit. *(zu c):* IUPAC, Größen, Einheiten u. Symbole in der Physikal. Chemie, Weinheim: VCH Verlagsges. 1996 (engl. Urtext: Oxford: Blackwell 1993). – *Organisation:* Bureau International des Poids et Mesures (BIPM), Pavillon de Breteuil, F-92310 Sèvres.

Sial s. Erde.

Sialidasen s. Neuraminidasen.

Sialidosen s. Neuraminidasen.

Sialinsäuren (von griech.: sialon = Speichel). Von Blix (1957) geprägte, manchmal auch mit *Sialsäuren* übersetzte Bez. für Acylneuraminsäuren (Näheres s. dort) bzw. in der Einzahl speziell *N*-Acetylneuraminsäure. – ***E*** sialic acids – ***F*** acides sialiques – ***I*** acidi sialici – ***S*** ácidos siálicos

Sialomucine s. Mucine.

Sialsäuren s. Sialinsäuren.

Sialsima s. Erde.

Sialyltransferasen (EC 2.4.99). Eine Gruppe von zu den Transferasen gehörigen *Enzymen, die durch Verknüpfung mit Cytidin-5′-monophosphat (s. Cytidinphosphate) aktivierte Sialyl-Reste (*N*-Acetylneuramyl-Reste; vgl. Sialinsäuren u. *N*-Acylneuraminsäuren) auf *Glykoproteine od. *Glykolipide übertragen u. damit zu deren Biosynth. beitragen.

Vork.: Bei *Eukaryonten, v. a. im *Golgi-Apparat, aber auch in der äußeren Mitochondrien-Membran, im Zellkern u. in *Synapsen sowie als *Ektoenzyme, z. B. im *Sperma. – ***E*** sialyl transferases – ***F*** sialyl-transférases – ***I*** sialiltrasferasi – ***S*** sialil-transferasas

Lit.: J. Biochem. **120**, 1–13 (1996).

Siam-Benzoe s. Benzoeharz.

Siamyl... Kurzbez. für den 1,2-Dimethylpropyl-Rest $-CH(CH_3)-CH(CH_3)_2$, vom Trivialnamen *sec-Isoamyl...* abgeleitet. – ***E*** = ***F*** siamyl... – ***I*** = ***S*** siamil...

Siaresinolsäure (3β,19α-Dihydroxy-olean-12-en-28-säure, 19-Hydroxyoleanolsäure).

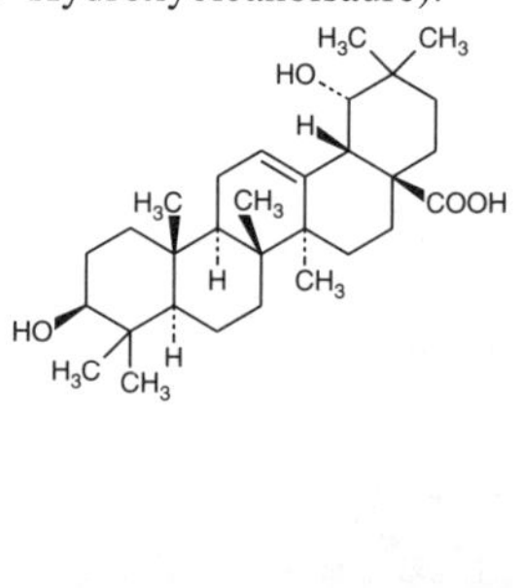

$C_{30}H_{48}O_4$, M_R 472,70. Im *Harz (Siam-Benzoe, s. Benzoeharz) von *Styrax benzoides*, einer südost-asiat. Styraxbaum-Art, vorkommende *Harzsäure. – ***E*** siaresinolic acid – ***F*** acide siarésinolique – ***I*** acido siaresinolico – ***S*** ácido siaresinólico

Lit.: Beilstein E II **10**, 304 f.; E IV **10**, 1834 f. ▪ Hager **6 b**, 617 f. – *[CAS 511-77-3]*

Siastatin B [(3*S*)-6β-Acetamido-4α,5α-dihydroxy-3α-piperidincarbonsäure].

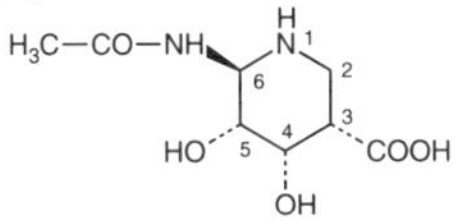

(3*S*, 4*S*, 5*R*, 6*S*)-Form

$C_8H_{14}N_2O_5$, M_R 218,21. Nadeln, Schmp. 137 °C (Zers.)., $[\alpha]_D^{25}$ +57,2° (H_2O). Neuraminidase-Inhibitor aus Kulturen von *Streptomyces verticillus* var. *quintum* u. aus *S. nobilis*. Ebenfalls in *S. nobilis* werden weitere Diastereomere von S. gebildet, die als Heparanase-Inhibitor wirken [1]. – ***E*** siastatin B – ***F*** siastatine B – ***I*** = ***S*** siastatina B

Lit.: [1] J. Antibiot. **49**, 54, 61 (1996).

allg.: Atta-ur-Rahman (Hrsg.) Studies in Natural Products Chemistry, Bd. 16, S. 75–121, Amsterdam: Elsevier 1995 ▪ Bull. Chem. Soc. Jpn. **65**, 978–986 (1992). – *[CAS 54795-58-3]*

Sibelium® (Rp). Kapseln mit *Flunarizin-Hydrochlorid gegen Durchblutungsstörungen. ***B.:*** Janssen/Cilag.

Sibrafiban (Ro 48-3657; Rp).

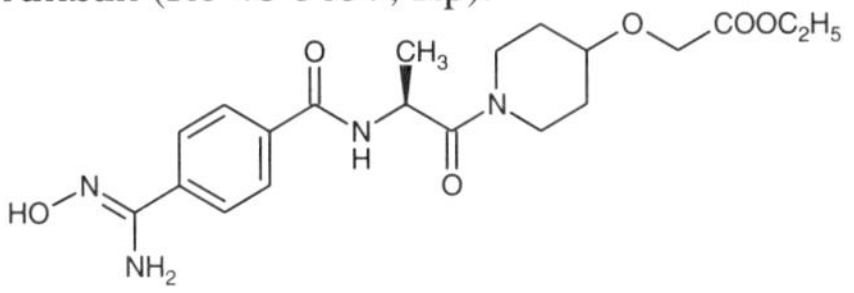

Internat. Freiname für einen der ersten oralen Glykoprotein-IIb/IIIa-Hemmer, (1-{*N*-[4-(Hydroxyamidino)benzoyl]-L-alanyl}-4-piperidyloxy)essigsäure-ethylester, $C_{20}H_{28}N_4O_6$, M_R 420,46, Schmp. 201–203 °C, $[\alpha]_D^{20}$ +75,3° (c 0,9/Essigsäure). S. wurde von Hoffmann-La Roche patentiert u. ist zur Zeit in Phase III der klin. Prüfung zur Thrombozyten-Aggregationshemmung nach einer Angioplastie od. bei instabiler Angina pectoris. – ***E*** = ***I*** sibrafiban – ***F*** sibrafibane – ***S*** sibrafibán

Lit.: J. Med. Chem. **39**, 3139–3147 (1996). – *[CAS 178740-39-1]*

Sibutol®. Fungizides Saatgut-Behandlungsmittel (s. Fungizide) auf der Basis von *Bitertanol u. *Fuberidazol gegen Brände u. Schneeschimmel an Weizen u. Roggen. ***B.:*** Bayer.

Sibutramin (Rp).

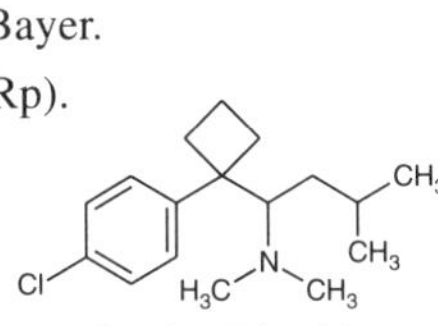

Internat. Freiname für das *Antidepressivum (±)-1-[1-(4-Chlorphenyl)cyclobutyl]-*N*,*N*,3-trimethyl-1-butanamin, $C_{17}H_{26}ClN$, M_R 279,85. Verwendet wird das Hydrochlorid-Monohydrat, Schmp. 193–195,5 °C. S. ist ein Inhibitor der Wiederaufnahme von Monoaminen (Adrenalin, Dopamin, Noradrenalin). Es wurde 1982/87/90 von Boots patentiert. – ***E*** = ***F*** sibutramine – ***I*** = ***S*** sibutramina

Lit.: Chem. Abstr. **98**, 71 544q (1982) ▪ Drugs Fut. **13**, 736 ff. (1988) ▪ Martindale (31.), S. 334 ▪ Merck-Index (12.), Nr. 8629. – *[CAS 106650-56-0 (S.); 84485-00-7 (S. · HCl); 125494-59-9 (S. · HCl · H₂O)]*

Sicacide®. Rieselfähiges Trockenmittel aus auf *Kieselgel aufgebrachter *Schwefelsäure mit Indikator (trocken: rotviolett; feucht: farblos). ***B.:*** Merck.

Sicapent®. Rieselfähiges Trockenmittel aus auf *Kieselgel aufgebrachtem Phosphorpentoxid (s. Phosphoroxide), mit od. ohne Indikator für die Feuchtigkeitsaufnahme (trocken: farblos; feucht: blau). ***B.:*** Merck.

Siccanin.

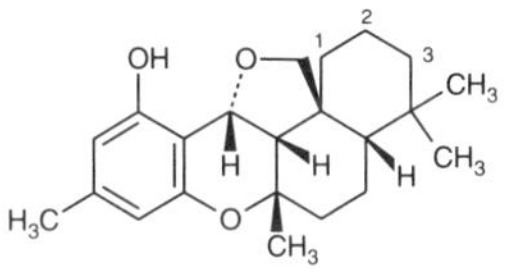

$C_{22}H_{30}O_3$, M_R 342,48, Schmp. 139–140 °C, blaßgelbe Krist., $[\alpha]_D$ –136° ($CHCl_3$), lösl. in organ. Lsm., LD_{50} (Ratte p.o.) >1000 mg/kg. Antifung. Metabolit aus Kulturen des phytopathogenen Pilzes *Helminthosporium siccans*. – ***E*** siccanin – ***F*** siccanine – ***I*** siccanina – ***S*** sicanina

Lit.: Beilstein E V **19/3**, 63 ▪ Bull. Chem. Soc. Jpn. **61**, 1991–1998 (1988) ▪ Chemoterapia **4**, 431 (1985) ▪ J. Am. Chem. Soc. **103**, 2434 (1981); **118**, 5146 (1996) ▪ Synthesis **1990**, 935 ff. – *[HS 2941 90; CAS 22733-60-4]*

Siccaprotect. Lsg. mit *Dexpanthenol u. *Polyvinylalkohol gegen Austrocknungseffekte am Auge. ***B.:*** Ursapharm.

Sichelklee s. Luzerne.

Sichelkolben s. Säbelkolben.

Sichel-Werke. Kurzbez. für die 1889 gegr. Firma Sichel-Werke GmbH, 30453 Hannover, eine 100%ige Tochterges. der *Henkel KGaA. *Produktion:* Klebstoffe u.a. chem. Erzeugnisse.

Sichelzellenanämie. Erbliche Störung der *Hämoglobin-Bildung (Hämoglobinopathie), die fast ausschließlich bei Schwarzen vorkommt. Dabei ist in Position 6 der β-Kette des Hämoglobins die Aminosäure Glutamin durch Valin ersetzt. Die das abnorme Hämoglobin (Sichelzellhämoglobin, Hb-S) enthaltenden *Erythrocyten nehmen bei niedrigem Sauerstoff-Gehalt eine sichelartige Form an (Sichelzellen). Dadurch verschlechtern sich die Fließeigenschaften des Blutes; Verklumpungen von Sichelzellen können kleine Blutgefäße verschließen, was zu Organschäden z.B. an Nieren, Lunge, Milz u.a. führt. Die veränderten Erythrocyten werden zudem abnorm schnell abgebaut (Hämolyse). Menschen, die nur ein *Allel der Sichelzellanlage tragen (heterozygote) sind meistens symptomfrei u. haben einen Hb-S-Anteil von 50% des Hämoglobins, während bei Homozygotie der Anteil des Hb-S 70–99% beträgt. Bei Trägern der Anlage für die S. verläuft die *Malaria tropica leichter, so daß die S. im Verbreitungsgebiet dieser Malariaform bes. häufig vorkommt. – ***E*** sickle-cell anemia – ***F*** drépanocytose, anémie à hematies falciformes – ***I*** anemia a cellule falciformi, anemia falciforme – ***S*** drepanocitosis, anemia de hematíes falciformes

Lit.: Begemann u. Rastetter, Klinische Hämatologie, Stuttgart: Thieme 1992.

Sicherheit. Abwesenheit von Gefahr bzw. *Risiko, von daher ein objektiv nicht erreichbarer Zustand. Subjektiv ist S. der Zustand, vor bestimmten Gefahren geschützt zu sein, im weiteren Sinne, keine Angst zu haben. Die individuelle S. betrifft die Gefährdung der individuellen u. sozialen Existenz des Einzelnen (Leben, Freiheit, Lebensstandard, Arbeitsplatz) sowie seiner Umwelt. In bezug auf den zu sichernden Bereich wird unterschieden z. B. *Anlagensicherheit, Anw.-S., Arbeits-S., Betriebs-S., Chemikalien-S. (s. Chemikaliengesetz), Produkt-S., Transport-S., Umwelt-S., Verkehrs-S. u. Versorgungs-S., in bezug auf die Gefahr z. B. Brand-S. u. Explosions-S. od. in bezug auf die zu schützenden Personen z. B. Kinder-S. od. Anwendersicherheit. – ***E*** security, safety – ***F*** sécurité – ***I*** sicurezza – ***S*** seguridad

Lit.: Adams (Hrsg.), Sicherheitsmanagement, Frankfurt: Frankfurter Allg. Zeitung 1990 ▪ Process Safety Environ. Protection **74**, 3–16 (1996); **75**, 152–156 (1997) ▪ Steinbach, Chem. Sicherheitstechnik, Weinheim: VCH Verlagsges. 1995 ▪ Ullmann (5.) **B 8**, 311–429, 431–496 ▪ VCI (Hrsg.), Sicherheit in der chem. Ind., Frankfurt: Selbstverl. 1993 ▪ VDI-Ber. **1300** (VDI-Ges. Werkstofftechnik, Müllverbrennungsanlagen u. Kraftwerke – Erhöhung der Anlagensicherheit durch Schadensanalyse) (1996).

Sicherheitsanalyse. Für Anlagen, die nach *Bundes-Immissionsschutzgesetz genehmigungsbedürftig sind u. in denen Stoffe nach Anhang II der *Störfall-Verordnung in bestimmten Mengen vorhanden sind od. entstehen können, ist eine S. zu erstellen (eine der sog. erweiterten Pflichten des Betreibers). Der Anlagenbetreiber weist mit einer S. nach, daß alle notwendigen Maßnahmen zur Vorsorge gegen einen *Störfall u. a. Ereignisse getroffen wurden u. gibt der Behörde eine Prüfmöglichkeit. Die S. untergliedert sich in 5 Teilbereiche[1]:

1. Anlagen- u. Verfahrensbeschreibung,
2. Darstellung der sicherheitstechn. bedeutsamen Anlagenteile u. der Gefahrenquellen,
3. Beschreibung der Stoffe, die in der Anlage vorhanden sein od. bei einer Störung entstehen können,
4. Darstellung getroffener Vorkehrungen,
5. Angaben über Störfallauswirkungen.

Die S. ist Bestandteil der Genehmigungsunterlagen; in der Regel holt die zuständige Behörde dazu ein Sachverständigengutachten ein. Die S. muß bei der zuständigen Behörde hinterlegt u. vom Betreiber bereitgehalten u. fortgeschrieben werden (s. a. Seveso-Richtlinie). – ***E*** safety analysis – ***F*** analyse sur la sécurité – ***I*** analisi di sicurezza – ***S*** análisis de seguridad

Lit.: [1] BGBl. I, S. 1782 (1993).
allg.: Pohle, Chem. Ind. – Umweltschutz, Arbeitsschutz, Anlagensicherheit, S. 269, Weinheim: VCH Verlagsges. 1991.

Sicherheitsaudit. Ein S. ist eine systemat. u. unabhängige Untersuchung, um festzustellen, ob die Sicherheits- u. Gesundheitsanforderungen am Arbeitsplatz u. die damit zusammenhängenden Maßnahmen im Unternehmen den Anforderungen entsprechen u. ob diese Maßnahmen wirkungsvoll verwirklicht u. geeignet sind, die Ziele zu erreichen. – ***E*** safety audit – ***I*** verifiche ispettive della sicurezza – ***S*** auditoría de seguridad

Sicherheitsdatenblatt. Das S. ist ein Formblatt, in dem sicherheitsrelevante Angaben zusammengefaßt sind. Ein S. muß beim Inverkehrbringen von gefährlichen Stoffen (s. Gefahrstoffe) u. Zubereitungen vom Hersteller, Einführer bzw. Inverkehrbringer dem Abnehmer kostenlos übermittelt werden. Ein S. muß nicht übermittelt werden für private Abnahme u. für *Schädlingsbekämpfungsmittel. Ein S. muß folgende Angaben enthalten:

Stoff/Zubereitungs- u. Firmenbezeichnung; Zusammensetzung, Angabe zu Bestandteilen; mögliche Gefahren; Erste-Hilfe-Maßnahmen; Maßnahmen zur Brandbekämpfung; Maßnahmen bei unbeabsichtigter Freisetzung; Handhabung u. Lagerung; Expositionsbegrenzung u. persönliche Schutzausrüstung; physikal. u. chem. Eigenschaften; Stabilität u. Reaktivität; Angaben zur Toxikologie; Angaben zur Ökologie; Hinweise zur Entsorgung; Angaben zum Transport; Vorschriften; sonstige Angaben. Die Erstellung von S. ist internat. gesetzlich geregelt. – ***E*** safety data sheet – ***F*** fiches techniques de sécurité – ***I*** foglio dei dati di sicurezza – ***S*** fichas técnicas (de datos) de seguridad

Lit.: EG-Richtlinie 91/155/EG vom 05. 03. 1991 ▪ OSHA Hazard Communication Standard, Federal Register, Bd. 48, 53 343, Washington: Superintendent of Documents U. S. Gouvernment Printing Office 1983 ▪ TRGS 220.

Sicherheitsfachkraft. Die Bestellung, die Anforderungen u. die Aufgaben von S. regelt das „Gesetz über Betriebsärzte, Sicherheitsingenieure u. andere Fachkräfte für *Arbeitssicherheit (Arbeitssicherheitsgesetz – ASIG)“. Danach hat der Arbeitgeber Fachkräfte für Arbeitssicherheit (Sicherheitsingenieure, -techniker, -meister), im folgenden „S.“, zu bestellen. Die S. ist mit Zustimmung des Betriebsrats zu bestellen u. abzuberufen. Die S. muß über die zur Erfüllung der ihr übertragenen Aufgaben erforderliche sicherheitstechn. Fachkunde verfügen. Sie hat die Aufgabe, den Arbeitgeber u. die übrigen im Betrieb für den Arbeitsschutz verantwortlichen Personen beim Arbeitsschutz u. bei der Unfallverhütung in allen Fragen der Arbeitssicherheit u. der menschengerechten Gestaltung der Arbeit zu unterstützen. Dies bezieht sich sowohl auf die Planung, Ausführung u. Unterhaltung von Betriebsanlagen u. von sozialen u. sanitären Einrichtungen, als auch auf die Beschaffung von techn. Arbeitsmitteln, die Einführung von Arbeitsverf. u. Arbeitsstoffen, die Auswahl u. Erprobung von Körperschutzmitteln, die Gestaltung der Arbeitsplätze, des Arbeitsablaufs, der Arbeitsumgebung sowie auf sonstige Fragen der Ergonomie. Darüber hinaus muß die S. Betriebsanlagen u. die techn. Arbeitsmittel v. a. vor der Inbetriebnahme u. Arbeitsverf. insbes. vor ihrer Einführung in sicherheitstechn. Hinsicht überprüfen. Des weiteren muß die S. die Durchführung des Arbeitsschutzes u. der Unfallverhütung im Betrieb beobachten. Dazu muß sie Arbeitsstätten in regelmäßigen Abständen begehen u. festgestellte Mängel dem Arbeitgeber od. der sonst für den Arbeitsschutz u. die Unfallverhütung verantwortlichen Person mitteilen. Darüber hinaus muß die S. Maßnahmen zur Beseitigung der Mängel vorschlagen u. auf deren Durchführung hinwirken. Die S. muß auf die Benutzung der Körperschutzmittel achten, Ursachen von Arbeitsunfällen untersuchen u. dem Arbeitgeber Maßnahmen zur Verhütung von Arbeitsunfällen vorschlagen. Zu den weiteren Aufgaben der S. gehört, darauf hinzuwirken, daß sich alle im Betrieb Beschäftigten den Anforderungen des Arbeitsschutzes u. der Unfallverhütung entsprechend verhalten. Dazu muß die S. sie über die Unfall- u. Gesundheitsgefahren, denen sie bei der Arbeit ausgesetzt sind belehren u. über die Einrichtungen u. Maßnahmen zur Abwendung dieser Gefahren belehren u. bei der Schulung der Sicherheitsbeauftragten mitwirken. Die S. ist bei der Anw. ihrer sicherheitstechn. Fachkunde weisungsfrei. – ***E*** staff qualified in occupational safety – ***I*** specialista di sicurezza – ***S*** personal especializado de seguridad

Sicherheitsfaktor. Faktor, der die Eintrittswahrscheinlichkeit eines unerwünschten *Risikos vermindert, anschaulich ein Sicherheitsabstand. In der Toxikologie werden S. zur Berechnung von *ADI-Werten verwendet, um die bei der Übertragung tierexperimenteller toxikolog. Ergebnisse auf den Menschen bestehenden Unsicherheiten in der Bewertung von Effekten zu kompensieren. In der Ökotoxikologie werden S. verwendet, um ein Risiko einer Schädigung von Organismen bei Umweltexpositionen gegenüber Stoffen zu minimieren od. auszuschließen. Gelegentlich werden S. in Betrachtung der stets gegebenen Unvollkommenheit der Erkenntnis auch als Unsicherheitsfaktor[1] (USF) bezeichnet. – ***E*** safety factor

Lit.: [1] Brauer (Hrsg.), Handbuch des Umweltschutzes u. der Umweltschutztechnik, Bd. 1, Emissionen u. ihre Wirkungen, S. 370–374, Berlin: Springer 1996.
allg.: Ullmann (5.) **B 7**, 283 f. ▪ WHO, Principles for the Toxicological Assessment of Pesticide Residues in Food, S. 76, International Programme on Chemical Safety (IPCS), Environmental Health Criteria 104, Genf: WHO 1990.

Sicherheitsfarben. Der Einsatz von S. soll Unfälle u. gesundheitliche Schäden verhüten helfen. S. sollen schnell u. unmißverständlich die Aufmerksamkeit auf gefährliche Gegenstände od. Vorgänge sowie auf Sicherheitsvorrichtungen u. Erste-Hilfe-Einrichtungen lenken u. zum erforderlichen Verhalten anhalten. Die Kombination der S. mit geometr. Formen u. Symbolen in *Sicherheitszeichen* hebt deren Auffälligkeit noch stärker hervor. Diesem Ziel dient auch die Verw. von Kontrastfarben. S. sind rot, gelb, grün u. blau mit folgender Bedeutung bzw. Anwendung: *Rot:* Halt! Verbot!, unmittelbare Gefahr, Verbotszeichen, Notbefehlseinrichtungen, Brandbekämpfung; *Gelb:* Warnung! Vorsicht!, Hinweise auf Gefahren; *Grün:* Gefahrlosigkeit, freier Weg, Rettung, Erste Hilfe; *Blau:* sicherheitstechn. Gebote, Hinweise; Verpflichtung zum Tragen persönlicher Schutzausrüstungen. Bei der Herst. von S. werden auch *Leuchtpigmente verwendet, die dann als phosphoreszierende od. fluoreszierende Leuchtfarben in den Handel kommen. *Signalfarben*, z. B. signalrot od. signalgelb, sind Kennfarben nach DIN 5381, die so ausgewählt wurden, daß sie auch bei ungünstigen Beleuchtungsverhältnissen gut voneinander unterschieden werden können. – ***E*** safety colors, warning colors – ***F*** couleurs de sécurité – ***I*** colori di sicurezza – ***S*** colores de seguridad

Lit.: DIN EN 471: 1994-08 ▪ DIN 5381: 1985-02 ▪ Merkblatt für Sicherheitszeichen, ZH 1/31, Köln: Heymanns 1989 ▪ Straßenverkehrs-Ordnung (StVO), §§ 39 bis 42 ▪ Unfallverhütungsvorschrift „Sicherheitskennzeichnung am Arbeitsplatz“ (VBG 125).

Sicherheitsfilme s. Photographie.

Sicherheitsglas. Einfache od. zusammengesetzte Scheiben aus Glas od. glasartig durchsichtigen, organ. Stoffen, die gegen Splitterverletzungen bei Bruch, Feuer od. gewaltsamen mechan. Beanspruchungen (Stoß, Einbruch, Schüsse) größere Sicherheit bieten als normale Gläser. Man erreicht dies durch folgende Maßnahmen:

1. *Vorgespanntes Glas* (Einscheiben-S.): Man erhitzt normal zugeschnittene Scheiben aus Spiegel- od. Tafelglas auf ca. 600 °C u. kühlt sie durch einen kalten Luftstrom plötzlich ab; hierdurch entstehen in der Oberfläche des Glases starke Druckspannungen u. im Inneren Zugspannungen, die eine bedeutende Steigerung der Biegefestigkeit, Unempfindlichkeit gegen rasche Temperaturschwankungen u. hohes Federungsvermögen bewirken. Bei stärkster Beanspruchung bricht das Glas in eine Vielzahl rundlicher, wenig scharfkantiger Krümel. Diese splitterfreien Gläser nennt man fälschlicherweise auch gehärtetes Glas od. *Hartglas*. Einscheiben-S. („Krümelglas“) benutzte man viele Jahre hindurch für Pkw-Windschutzscheiben, heute jedoch nur mehr für die Seitenscheiben. Neben der therm. Vorspannung gibt es auch noch eine chem., bei der durch Ionenaustausch (z. B. Na-Ionen gegen die größeren K-Ionen) im Oberflächenbereich des Glases eine lokale Druckspannung entsteht. Solche S. können – im Gegensatz zu den therm. vorgespannten – noch durch Schneiden bearbeitet werden.
2. Bei den *Mehrschichten-* od. *Verbundgläsern* werden 2 od. mehr Tafel- od. Spiegelglasscheiben mit einer Kunststoffolie zusammengeklebt; diese bindet die bei Stoß usw. entstehenden Glassplitter, so daß sie nicht umherfliegen können. Aus derartigen Verbund-S. bestehen heute die Pkw-Windschutz- u. Heckscheiben. Durch Anw. von mehreren Lagen starker Glassorten u. mehreren Zwischenschichten erhält man S., die sogar einem Maschinengewehrschuß standhalten können. Verbundgläser mit mindestens 3 Lagen u. mehr als 20 mm Dicke nennt man *Panzerglas*.
3. Beim *Drahtglas* sind mehr od. weniger starke Drahteinlagen in das Glas eingeschmolzen, die bei Zerstörung der Scheibe das Wegfliegen der Trümmerstücke verhindern u. gegen Feuer, Einbruch u. Splitterung weitgehend schützen. Drahtglas ist das billigste S., die Durchsichtigkeit ist jedoch wegen des Drahtes etwas eingeschränkt; dieses Glas gilt als feuerhemmend. S. werden u. a. in Fahrzeugen, Schulen, Krankenhäusern, Banken, Schaukästen, Museumsschränken, Juweliergeschäften usw. verwendet. – ***E*** safety glass – ***F*** verre de sécurité – ***I*** vetro di sicurezza – ***S*** vidrio de seguridad

Lit.: Kirk-Othmer (4.) **14**, 1059–1074 ▪ Ullmann (4.) **8**, 331; (5.) **A 12**, 426 f. ▪ Winnacker-Küchler (4.) **3**, 137 f. ▪ s. a. Glas. – *[HS 7008..]*

Sicherheitskennzeichnung. Unter S. versteht man allg. die Sicherheits- u. Gesundheitsschutzkennzeichnung am Arbeitsplatz. Von ihr zu unterscheiden sind 1. die Kennzeichnung beim Inverkehrbringen von Erzeugnissen od. Ausrüstungen,

– 2. die Kennzeichnung von gefährlichen Stoffen u. Zubereitungen nach der Gefahrstoffverordnung u. – 3. die Kennzeichnung zur Regelung des öffentlichen Eisenbahn-, Straßenbahn-, Straßen-, Binnenschiffs-, See- u. Luftverkehrs.
In der europ. Union gilt die Richtlinie 92/58/EWG des Rates über Mindestvorschriften für die Sicherheits- u./od. Gesundheitsschutzkennzeichnung am Arbeitsplatz. Sie wird in der BRD durch die *Unfallverhütungsvorschrift „Sicherheitskennzeichnung am Arbeitsplatz" (VBG 125) umgesetzt, in der alle Arten von Sicherheitskennzeichnungen am Arbeitsplatz geregelt sind.
Danach versteht man unter Sicherheits- u. Gesundheitsschutzkennzeichnung „eine Kennzeichnung, die – bezogen auf einen bestimmten Gegenstand, eine bestimmte Tätigkeit od. eine bestimmte Situation – jeweils mittels eines Sicherheitszeichens, einer Farbe, eines Leucht- od. Schallzeichens, eines Sprechzeichens od. eines Handzeichens eine Sicherheits- u. Gesundheitsschutzaussage (Sicherheitsaussage) ermöglicht". Nach § 4 muß eine Sicherheits- u. Gesundheitsschutzkennzeichnung vorgenommen werden, wenn, obwohl Maßnahmen zur Verhinderung von Risiken od. Gefahren ergriffen wurden, solche Risiken od. Gefahren trotz des Einsatzes techn. Schutzeinrichtungen u. arbeitsorganisator. Maßnahmen, Meth. od. Verf. bestehen bleiben. – ***E*** safety marking – ***I*** contrassegno di sicurezza – ***S*** etiqueta de seguridad

Lit.: Richtlinie 92/58/EWG des Rates über Mindestvorschriften für die Sicherheits- u./od. Gesundheitsschutzkennzeichnung am Arbeitsplatz vom 24. 6. 1992, veröffentlicht im Amtsblatt der Europäischen Gemeinschaft Nr. L 245/23 vom 26. 8. 1992 ▪ Unfallverhütungsvorschrift „Sicherheits- u. Gesundheitsschutzkennzeichnung am Arbeitsplatz" (VBG 125), April 1995, in der Fassung vom 1. 1. 1997.

Sicherheitslampe s. Davysche Sicherheitslampe.

Sicherheitsratschläge s. S-Sätze.

Sicherheitsschränke. S. dienen zur sicheren Aufbewahrung, Lagerung u. Bereitstellung brennbarer Flüssigkeiten u. leichtentzündlicher Feststoffe. S. gewährleisten, daß im Fall eines Brandes keine zusätzliche Gefährdung von den gelagerten Chemikalien ausgeht. Die Feuerwiderstandsfähigkeit dieser S. muß mind. 20 bis 90 min betragen, was in einem Brandkammertest nachgewiesen wird. Dabei werden die S. von außen auf 750 °C erhitzt, wobei die Temp. im Innern nicht mehr als um 180 K ansteigen darf. S. sind mit einer Arretierung versehen, die bei einer Umgebungstemp. von 50 °C durch einen Thermoschalter aufgehoben wird u. zum automat. Verschluß der Türen führt (Schließzeit höchstens 20 s). Die Zu- u. Abluftöffnung der S. sind mit selbstschließenden Flammensperren versehen. Am Boden der S. befindet sich eine Auffangwanne, deren Vol. mind. 10% des Inhalts aller gelagerten Gefäße betragen muß.
Auch Druckgasflaschen sind im Labor in separaten S. aufzubewahren (DIN 12925-2: 1988-05). – ***E*** safety cupboards – ***F*** armoires de sécurité – ***I*** armadi di sicurezza – ***S*** armarios de seguridad

Lit.: CLB, Chem. Labor Biotech. **48**, 101 ff. (1997) ▪ DIN 12925-1: 1998-04 ▪ Nachr. Chem. Tech. Lab. **43**, S39–S49 (1995).

Sicherheitszeichen s. Sicherheitsfarben.

Sicherheitszündhölzer s. Zündhölzer.

Sichtbares Licht s. Licht, Strahlung u. UV-Spektroskopie.

Sichten. Trennung eines körnigen Guts mittels eines Gasstroms in Klassen gleicher Endfallgeschw.; s. a. Windsichten u. Klassieren. – ***E*** sifting – ***F*** classement, triage – ***I*** cernita – ***S*** aventado, tamizado

Lit.: ACHEMA-Jahrb. **1994**, 2509.

Sick Building Syndrome. Bes. bei Beschäftigten in modernen Geschäfts- u. Verwaltungsgebäuden auftretende, meist unspezif. Erkrankung wie Kopfweh, Reizungen der Augen, der Atemwege u. der Haut, Müdigkeit, Erschöpfung u. Benommenheit. Die Innenräume dieser Gebäude sind in der Regel gut isoliert, zentral klimatisiert u. vollständig gegen das Außenklima abgeschirmt. Als Ursachen für das S. B. S. werden durch die Klimatechnik verbreitete Allergene u. Erreger (Pilz-Sporen, Bakterien, Viren), unvollständig entfernte *Innenraumbelastungen wie *Tabakrauch (s. a. Passivrauchen), ungenügende Luftfeuchtigkeit, Zugluft u. a. *Ökofaktoren, aber auch psycholog. Ursachen (vgl. Streß) diskutiert. – ***E*** sick building syndrome

Lit.: Bundesgesundheitsblatt **39**, 422–426 (1996) ▪ Gefahrstoffe – Reinhalt. Luft **57**, 357–362 (1997) ▪ Strubelt, Gifte in Natur und Umwelt, S. 94–97, Heidelberg: Spektrum Akadem. Verl. 1996.

Sickerwasser. 1. Beim Umweltschutz ist S. das im Untergrund versickernde Niederschlagswasser u. eingebrachtes Wasser (z. B. aus der *Klärschlamm-Ablagerung), das aus Halden, *Deponien od. *Altlasten freigesetzt wird. Dabei nimmt das S. lösl. Bestandteile [1] mit ins Grundwasser, was zu einer Grundwasser-Belastung führen kann (s. a. mikrobielle Laugung). Die S.-Behandlung erfolgt mittels chem., physikal. (mechan.) u. biolog. Verf., oft gemeinsam mit anderem *Abwasser.
2. In der Abwassertechnik ist S. gleichbedeutend mit Fremdwasser, das durch Undichtigkeiten in die *Kanalisation einfließt, sowie dem Wasser von künstlichen Grundabwasserabsenkungen, Drainagen u. Sickerleitungen [2].
3. Im Wasserbau ist S. das aus Stauanlagen durch den Untergrund, die Talflanken od. Absperrbauwerke dringende Wasser [3]. – ***E*** percolating (infiltration) water, seepage loss – ***F*** eau de drainage, eau d'infiltration – ***I*** acqua di infiltrazione – ***S*** agua de drenaje (infiltración)

Lit.: [1] Abwassertechnische Vereinigung (Hrsg.), ATV-Handbuch Mechanische Abwasserreinigung (4.), S. 56–58, Berlin: Ernst 1997. [2] Pöppinghaus et al. (Hrsg.), Abwassertechnologie (2.), S. 2, Berlin: Springer 1994. [3] DIN 4048: 1987-01.

Sico®-Pigmente. Vorwiegend Azo-Pigmente (s. Azofarbstoffe); für Einbrenn- u. lufttrocknende Lacke, für Buch-, Offset-, Flexo- u. Spezialtiefdruckfarben, zur Einfärbung von Kunststoffen. ***B.:*** BASF.

Sicocab®. Präparationen organ. u. anorgan. Pigmente in einem Celluloseacetobutyrat für Fahrzeug-Metallic-Lacke auf Basis Polyester/Celluloseacetobutyrat-Kombinationen u. für hochechte Holzbeizen. ***B.:*** BASF.

Sicocer® A. Dekorfarben; Farbkörper u. Flußmittel für *Glas u. *Fliesen; S. H Siebdrucköle u. Filmlacke. ***B.:*** BASF.

Sicocer® F. Keram. Farbkörper auf Basis von Metalloxiden verschiedener Strukturen; für Fliesen, Sanitär, Email. ***B.:*** BASF.

Sicodop®. Präparationen organ. u. anorgan. Pigmente in *DOP; zur Einfärbung von Weich-PVC. ***B.:*** BASF.

Sicoflush®-Marken. Organ. u. anorgan. Pigmente in mittelöligem Soja-*Alkydharz, langöligem Leinöl-Alkydharz sowie einem sehr breit verträglichen Bindemittel, für alle luft- u. ofentrocknenden Lacke, die mit Alkydharzen verträglich sind, für Malerlacke, Holzschutz-Syst. u. Nuancierpasten. ***B.:*** BASF.

Sicolen®. Präparationen organ. u. anorgan. Pigmente in *Polyethylen; zur Einfärbung von Polyethylen-Hohlkörpern, Spritzguß- u. Extrusionsartikeln. ***B.:*** BASF.

Sicomet®-Marken. Anion. Farbstoffe, kation. Farbstoffe, fettlösl. Farbstoffe, organ. Pigmente, anorgan. Pigmente, Pigment-Präparationen; Farbmittel zum Färben kosmet. Produkte. ***B.:*** BASF.

Sicomin®-Pigmente. Chromgelb- u. Molybdatorgane-Pigmente; auch in Kombination mit Blaupigmenten; für Lacke u. Anstrichmittel aller Art, zur Einfärbung von Kunststoffen u. für Flexo-, Verpackungstiefdruck- u. Spezialdruckfarben sowie Laminatpapierfärbungen. ***B.:*** BASF.

Sicopal®-Pigmente. Anorgan. Pigmente mit Spinellstruktur auf Basis verschiedener Metalloxide; für Ind.-Lacke mit hervorragenden Echtheiten sowie zur Einfärbung von Kunststoffen. ***B.:*** BASF.

Sicopos®. Präparationen organ. u. anorgan. Pigmente zur Einfärbung von *Polyethylenterephthalat. ***B.:*** BASF.

Sicopur®-Pigmente. Hochreine *Eisenoxide für Papierveredler u. Büroartikel. ***B.:*** BASF.

Sicor®-Pigmente. Mehrphasenkorrosionsschutz Pigmente für Korrosionsschutz-Systeme. ***B.:*** BASF.

Sicorin®-Pigmente. *Korrosionsschutz-Pigmente für Korrosionsschutz-Systeme. ***B.:*** BASF.

Sicostyren®. Präparationen organ. u. anorgan. Pigmente in *Polystyrol; zur Einfärbung von Polystyrol u. Styrol-Copolymeren. ***B.:*** BASF.

Sicotan®-Pigmente. Anorgan. Mischphasen-Pigmente mit *Rutil-Struktur auf Basis von *Titandioxid u. den Oxiden anderer Metalle; in Kombination mit organ. Pigmenten für leuchtende, hochdeckende Farbtöne mit hervorragenden Echtheiten in Lacken aller Art u. für Kunststoffe mit hohen Verarbeitungstemperaturen. ***B.:*** BASF.

Sicotrans®-Pigmente. Transparente anorgan. Pigmente, extrem feinteilig, für hochwertige Lack-Syst., bes. Metallics, u. zur Einfärbung von Kunststoffen. ***B.:*** BASF.

Sicoversal®. Präparationen organ. u. anorgan. Pigmente; zur Einfärbung nahezu aller thermoplast. Kunststoffe. ***B.:*** BASF.

Sicovinyl®. Hochkonz. Präparationen organ. u. anorgan. Pigmente in Weich-PVC für die Massefärbung von Weich-PVC. ***B.:*** BASF.

Sicovinyl® E. Präparationen organ. u. anorgan. Pigmente in Weich-PVC zur Einfärbung von Kabelummantelungen aus PVC. ***B.:*** BASF.

Sicovit®. Marke der BASF für Pulver-förmige Farbstoffe, Farblacke u. Eisenoxide zum Färben von Lebensmitteln.

SID s. Massenspektrometrie.

Sident®. Feinteilige *Kieselsäuren unterschiedlicher Abrasivität u. Verdickungswirkung zur Formulierung von Zahnpasten. ***B.:*** Degussa.

Sider... s. Sider(o)...

Sideramine. Eisen-Komplexe aus verschiedenen *Pilzen u. Actinomyceten, zu denen *Koprogen* ($C_{35}H_{53}FeN_6O_{13}$, M_R 821,68), die *Ferrichrome u. die *Ferrioxamine zählen; das 3-wertige Eisen ist in allen S. an 3 *Hydroxamsäure-Reste komplex gebunden.

Koprogen

Die als Stoffwechselprodukte der Mikroorganismen in die Kultursubstrate ausgeschiedenen, bes. von *Prelog untersuchten S. sind nicht nur Wachstumsfaktoren für die Organismen, sondern auch Antagonisten der *Sideromycine. Diese u. die S. wurden als Untergruppen der *Siderochrome klassifiziert. Heute ist für niedermol. biolog. Eisen-Transport-Verb. u. Eisen-freie Carrier wie Mykobactine nur noch die Bez. *Siderophore üblich. – ***E*** sideramines – ***F*** sidéramines – ***I*** sideramine – ***S*** sideraminas

Lit.: Arch. Microbiol. **121**, 43 (1979) ▪ Biochem. Biophys. Acta **500**, 27 (1977); **543**, 523 (1978) ▪ Merck-Index (12.), Nr. 2586 (Koprogen) ▪ s.a. Siderophore. – *[CAS 31418-71-0 (Koprogen)]*

Siderit [Eisenspat, Spateisenstein; vgl. Spate u. Sider(o)...]. $FeCO_3$, oft sattel- od. linsenförmig gekrümmte u. aus zahlreichen Subindividuen aufgebaute, vollkommen spaltbare, meist rhomboedr. Krist., Kristallklasse $\bar{3}m$-D_{3d}; Struktur [1] wie *Calcit. Auch als *derbe, spätige, grob- bis feinkörnige u. radialstrahlige kugelige Aggregate (*Sphärosiderit*, z.B. in *Basalten) u. als *Oolithe. S. ist meist erbsengelb bis gelblichbraun, auch grau; durch *Verwitterung wird er braun bis braunschwarz [Bildung von *Brauneisenerz, z.B. in *Oxidationszonen (Eiserner Hut)]. H. 4–4,5, D. 3,7–3,9, Glas- bis Perlmuttglanz; in heißer Salzsäure unter Aufbrausen löslich. Chem. Analysen zeigen geringe Ca-Gehalte, aber z.T. weitgehende *Mischkristall-Bildung (s. Reeder, *Lit.*) mit $MgCO_3$ (*Lit.* [2]) u. $MnCO_3$; Untersuchungen von S. mit *Mößbauer-Spektroskopie s. *Lit.* [3].

Vork.: V. a. in hydrothermalen Gängen, z. B. im Siegerland (hier mit 4–9% Mangan), in Lobenstein/Thüringen u. Příbram/Böhmen. In durch *Metasomatose gebildeten Verdrängungslagerstätten, z. B. Eisenerz/Steiermark u. Hüttenberg/Kärnten. Sedimentär (*Sedimente) in Toneisensteinen, u. a. in den Kohleneisensteinen im Ruhrgebiet u. in Wales, u. Toneisenstein-*Konkretionen; zum Einfluß von Mikroben (z. B. *Geobacter metallireducens*) auf die Sauerstoff-Isotopen-Zusammensetzung von S. in Sedimenten s. *Lit.*[4]. S. entsteht rezent unter Sauerstoff-Abschluß als gelförmig-amorphes Weißeisenerz in Süßwasserseen u. Torfmooren.

Verw.: Wirtschaftliche Bedeutung – reiner S. enthält 48,3% Fe bzw. 62,01% FeO – besitzt heute noch die Lagerstätte am Steir. Erzberg bei Leoben; der Bergbau auf S. im Siegerland wurde nach 1960 aufgelassen; s. a. Eisen. – ***E*** = ***I*** siderite – ***F*** sidérite – ***S*** siderita

Lit.: [1] Z. Kristallogr. **156**, 233–243 (1981). [2] Am. Mineral. **74**, 187–190 (1989). [3] Eur. J. Mineral. **4**, 521–526 (1992). [4] Geochim. Cosmochim. Acta **61**, 1705–1711 (1997).
allg.: Deer et al., S. 638 ff. ▪ Lapis **23**, Nr. 2, 7–11 (1998) („Steckbrief") ▪ Pohl, Lagerstättenlehre (4.), S. 89, 117 f., Stuttgart: Schweizerbart 1992 ▪ Ramdohr-Strunz, S. 569 f. ▪ Reeder (Hrsg.), Carbonates (Reviews in Mineralogy, Vol. 11), S. 1–16, 21, 62 f., 66–70, 81–86, Washington (D. C.): Mineral. Soc. Am. 1983. – *[HS 2601 11; CAS 14476-16-5]*

Siderite s. Meteoriten.

Sider(o)... Von griech.: sídēros = Eisen abgeleiteter Wortteil in chem. Stoffbez. u. Begriffen; *Beisp.:* folgende Stichwörter, *Hyposiderinämie. – ***E*** = ***I*** = ***S*** sider(o)... – ***F*** sidér(o)...

Siderochrome. Von *Sider(o)... abgeleitete Sammelbez. für Eisen-haltige Oligopeptide aus Mikroorganismen (insbes. Pilzen u. Bakterien), die Eisen zu transportieren vermögen u. daher heute bevorzugt *Siderophore (von *...phor) genannt werden. Die S. sind rötlichbraune, gut wasserlösl. Hydroxamatoeisen(III)-Komplexe od. Chelate mit Brenzcatechin-Derivaten, zu denen einerseits die wachstumsfördernden *Sideramine u. Entero-, Myko- u. a. ...bactine u. andererseits deren antibiot. wirkende Antagonisten, die *Sideromycine gehören. Die S. sind v. a. von *Prelog u. von Keller-Schierlein untersucht worden. Bei einigen Süßgräsern wurden ähnlich aufgebaute Eisen-Transport-Verb. entdeckt; bei Tieren übernehmen die sog. *Siderophiline den Eisen-Transport im Körper. Eisenfreies *Ferrioxamin B wird unter dem Freinamen *Deferoxamin gegen patholog. Eisen-Ablagerungen, Eisen-Vergiftungen u. bei β-Thalassämie eingesetzt; ähnliche Verb. werden auf Anw.-Möglichkeiten bei Actinoiden-Vergiftungen [bes. durch Pu(IV)] geprüft. – ***E*** siderochromes – ***F*** sidérochromes – ***I*** siderocromi – ***S*** siderocromos

Lit.: Annu. Rev. Plant Physiol. **37**, 187 (1986) ▪ Chem. Rev. **84**, 587 (1984) ▪ s. a. Siderophore, Eisen.

Siderolithe s. Meteoriten.

Sideromycine. Zu den *Siderochromen gehörende, Eisen-haltige *Antibiotika aus *Streptomyceten. Zu den bekanntesten S. zählen *Albomycine, Ferrimycine, *Daunorubicin u. Succinimycin. Von Ferrimycin (wirksam gegen Gram-pos. Bakterien) u. Albomycin (wirksam gegen Gram-pos. u. Gram-neg. Bakterien) ist bewiesen, daß sie mit den *Sideraminen um die Transportsyst. der Zellen konkurrieren. Bei Albomycin konnte gezeigt werden, daß der Hydroxamat-Ligand nicht in der Zelle akkumuliert wird, während der Nucleosid-Rest abgespalten wird u. nach bisherigen Daten vorwiegend auf die oxidative Phosphorylierung einwirkt. Die antibiot. Wirkung der S. kann durch Sideramine antagonisiert werden. Wegen der starken Resistenzentwicklung werden S. therapeut. nicht genutzt. – ***E*** sideromycins – ***F*** sidéromycines – ***I*** sideromicine – ***S*** sideromicinas

Lit.: Angew. Chem. **94**, 552 (1982) ▪ Helv. Chim. Acta **69**, 236 (1986).

Sideropenie (griech.: sideros = Eisen u. penia = Mangel). Eisen-Mangel, s. a. Hyposiderinämie.

Siderophil s. Geochemie.

Siderophilie s. Eisen-Präparate.

Siderophiline [von *Sider(o)...]. Gruppe von Nicht-häm-*Eisen-Proteinen (M_R ca. 80 000) aus tier. Organismen, die Eisen zu Leber, Milz u. dem roten Knochenmark transportieren u./od. durch ihre Eisen-maskierende Eigenschaft antimikrobiell wirken; *Beisp.:* *Conalbumin (in Vogelblut u. Eiklar), *Lactoferrin (in Milch), *Transferrin (in Wirbeltier-Blut). S. binden 2 Eisen(III)-Ionen u. 2 Carbonat-Ionen pro Molekül. – ***E*** siderophilins – ***F*** sidérophilines – ***I*** siderofiline – ***S*** siderofilinas

Siderophore. Niedermol., Fe(III)-bindende Substanzen, die eine hohe Affinität zu dreiwertigem Eisen haben u. zu dessen Transport u. Speicherung in Mikroorganismen dienen. Sie werden von aeroben u. fakultativ anaeroben Mikroorganismen unter Eisen-Mangel gebildet; die Biosynth. u. das membrangebundene Transportsyst. werden durch Eisen reguliert. Definitionsgemäß bezeichnet man mit S. die Fe(III)-freien Liganden (Phenolate, Hydroxamate, Oxazoline u. α-Hydroxycarboxylate). Durch S. gebundenes Fe(III) wird leicht ausgetauscht. Nach Red. zu Fe(II) zeigen die Eisen-Ionen nur noch eine geringe Affinität zu den S. Auf diesem Mechanismus dürfte zumindest bei den Fe(III)-Hydroxamaten nach enzymat. Red. die Austauschreaktion in der Zelle od. an der Zelloberfläche beruhen. Zuerst beschrieben wurde ein S. in Kulturen von *Mykobakterien (Mykobactin[1]), die erste Kristallstrukturanalyse wurde von Neilands 1952[2] vorgelegt. In der Zwischenzeit wurde eine Vielzahl von Verb. beschrieben, die je nach Struktur od. Funktion als *Siderochrome, *Sideramine od. *Sideromycine bezeichnet wurden, heute jedoch alle unter dem Begriff S. zusammengefaßt werden. – ***E*** siderophores – ***F*** sidérophores – ***I*** siderofori – ***S*** sideróforos

Lit.: [1] Nature (London) **163**, 365 (1949). [2] J. Am. Chem. Soc. **74**, 4846 (1952).
allg.: Eur. J. Biochem. **164**, 485 (1987) ▪ Microbiol. Rev. **51**, 509 (1987) ▪ Rehm-Reed (2.) **7**, 199–246 ▪ Vögtle, Supramolekulare Chemie, 2. Aufl., S. 111–139, Stuttgart: Teubner 1992.

Siderotrophie. Von griech.: sidéros = Eisen u. trophe = Ernährung hergeleitete Bez. für die Ernährung durch Oxid. von Eisen- sowie Mangan-Mineralien, wie sie sich bei *Eisenbakterien u. Manganbakterien findet. Letztere oxidieren neben Mangan(II)-Verb. [zu Mangan(IV)-Verb.] auch Eisen(II)-Verb., insbes. Humate, u. sind wahrscheinlich chemoorganotroph. In nährstoffarmen Seen sowie im Grundwasser u. sauren Grubenabwässern werden oxidativ Eisen- (u. Mangan-)hydroxide ausgefällt, was dem Gewässergrund eine typ. braune Färbung verleiht, die als Verockerung bezeichnet wird. Diese Gewässer nennt man auch siderotroph. – ***E*** siderotrophy – ***F*** sidérotrophie – ***I*** = ***S*** siderotrofia

Lit.: Gas Wasserfach-Wasser Abwasser **138**, 182–187 (1997) ▪ Uhlmann, Hydrobiologie (3.), S. 220–224, Stuttgart: Fischer 1988.

Sidgwick, Nevil Vincent (1874–1952), Prof. für Chemie, Univ. Oxford, England. *Arbeitsgebiete:* Mol.-Struktur, Dampfdruck, Tautomerie, Löslichkeit von Isomeren, Elektronentheorie der Valenz, chem. Bindung, Konstitution.

Lit.: Lexikon der Naturwissenschaftler, S. 375 ▪ Pötsch, S. 396 ▪ Strube et al., S. 159.

Sidol®. Sortiment von abrasiven Reinigern bestehend aus: Metallpolitur für *Buntmetalle; s. *Stahlglanz* mit Aluminiumoxid-Pulver, Backofen- u. Grillreiniger in Schaumform. ***B.:*** Henkel.

Siebanalyse. Bestimmung der *Korngröße durch *Sieben, s.a. Mesh.

Siebbandpresse. Maschine zur Entwässerung von konditioniertem *Klärschlamm. Die Konditionierung erfolgt mit organ. Flockungsmitteln. Die Presse besteht aus zwei kon. aufeinander zulaufenden endlosen Bändern, dem unten liegenden Siebband, durch das Wasser abläuft, u. dem oben liegenden Preßband. Sie liefert einen Dickschlamm mit 15–25% Feststoffgehalt. – ***E*** band screen press – ***F*** presse à tapis roulant – ***I*** pressa di decantazione a nastro – ***S*** prensa de tamiz de banda

Lit.: s. Schlammentwässerung.

Siebdruck (Rahmen-, Durchdruck). Ein *Druckverfahren zur Herst. meist farbiger Tapeten, Gläser, Metalle, Kunststoffolien, Plakate u. Kunstgraphiken in kleinen Aufl. (hier oft Serigraphie genannt) sowie im Textildruck zum Bedrucken von Geweben od. von anderen Materialien. Ein bes. Vorteil liegt auch in der hohen Druckfarbenschichtdicke (7–30 μm), womit sich Drucke mit hohen Licht- u. Wetterechtheiten herstellen lassen. Beim Druckvorgang wird die *Druckfarbe durch das siebförmige Gewebe der Druckform gepreßt u. auf das Substrat übertragen. Die Druckform des S. besteht aus einem Siebgewebe aus Textil- u. Kunststoff-Fäden u. einer Schablone, welche die nicht zu druckenden Bildstellen des Siebes abdeckt. Die Bildwiedergabe erfolgt durch die Druckfarbenübertragung durch die offenen Maschen der Druckform. Man unterscheidet zwischen Flach-, Zylinder-, Rund- u. Rotationssiebdruck, rakellosem Durchdruck sowie elektrostat. Durchdruck. – ***E*** screen printing – ***F*** sérigraphie – ***I*** serigrafia – ***S*** serigrafía

Lit.: Chem. Unserer Zeit **17**, 10–20 (1983) ▪ Leach u. Pierce, The Printing Ink Manual (5.), S. 58–62, 80, 599–603, London: Blue Print Chapman & Hall 1993 ▪ Stiebner, Handbuch der Drucktechnik (5.), S. 264–270, München: Bruckmann KG 1992.

Sieben. Verf. zum *Trennen von körnigen Haufwerken nach ihrer *Korngröße mit Hilfe von Flächen, die Sieböffnungen (Maschen) enthalten (*Siebe*), wobei neben den üblichen Trocken- auch einige Naß-Trennverf. gebräuchlich sind. Dabei bleiben die Teilchen mit größerem Durchmesser als die Maschen (vgl. Mesh) auf dem Sieb zurück (*Siebrückstand, Grobkorn*), während die feineren als sog. *Siebdurchgang* (*Feinkorn*) hindurchgehen. Manchmal werden diese Körnungsstufen auch als *Über-* bzw. *Unterkorn* bezeichnet. Je nach Aufgabenstellung werden Siebbeläge verschiedenster Ausführung eingesetzt, die ein *Klassieren des *Schüttgutes nach Körnungsstufen (**Granulometrie*) gestatten. Einige Ausführungsformen sind z.B. Siebroste, Spaltsiebe, Lochbleche u. Siebgewebe, die in Wurf-, Plan- u. Trommelsiebmaschinen eingebaut werden können; ein weithin bekannter Vertreter der Wurfsiebtypen ist der Mogensen Sizer. Einsatzgebiete für das S. sind die Grundstoff-Ind. für Erze, Steine u. Kohle. Weitere Anw. sind u.a. Feintrennungen von Schleifmitteln, Trennungen von Chemieprodukten u. von landwirtschaftlichen Erzeugnissen. – ***E*** sieving, screening – ***F*** criblage – ***I*** setacciatura – ***S*** tamizado, cribado

Lit.: ACHEMA-Jahrb. **1994**, 2513 ▪ Aufbereit. Tech. **25**, 415–422, 423ff. (1984) ▪ Chem. Tech. (Leipzig) **34**, 507–511 (1982) ▪ DIN-Katalog, Sachgruppe 4380, Berlin: Beuth (jährlich) ▪ Kirk-Othmer **18**, 321; (3.) **21**, 114f.; **S**, 851–857 ▪ Manual on Test Sieving Methods (STP 447 B), Philadelphia: ASTM 1985 ▪ Ullmann (5.) **B2**, 2–32 ▪ Winnacker-Küchler (3.) **7**, 91, 105f.; (4.) **1**, 53.

Siebröhren s. Pflanzen.

Siebzentrifugen s. Filter.

Siedeanalyse. Meth. zur Charakterisierung von flüssigen Gemischen, insbes. Mineralöl-Kohlenwasserstoffen, durch Bestimmung des *Siedeverlaufs.

Siede-Barometer s. Barometer.

Siedebereich s. Siedegrenzen.

Siedediagramme s. Siedepunktbestimmung u. Abb. 1 bei Destillation.

Siedeemulsionen s. Photographie.

Siedegrenzen (Siedeintervall, Siedebereich). Bez. für den Temp.-Bereich, in dem die Komponenten eines Gemisches verschiedener Flüssigkeiten sieden. Bei den meisten techn. Lsm. gibt man keine *Siedepunkte, sondern S. an, da oft keine völlige *chemische Reinheit vorliegt. – ***E*** boiling limits – ***F*** limites d'ébullition – ***I*** limiti di ebollizione – ***S*** límites de ebullición

Siedegrenzenbenzine s. Benzin.

Siedekapillare. Zur Vermeidung des *Siedeverzugs bei der Vakuumdest. verwendete, sehr dünne, biegsame *Kapillaren. Sie werden durch Ausziehen von Glasröhren in der Hitze hergestellt. S. tauchen in die zu destillierende Flüssigkeit ein. Ihre Spitze sollte den tiefsten Punkt des Destillationskolbens erreichen. Sie werden entweder als sog. Schliffkapillaren (müssen für jede Dest. erneut ausgezogen werden) od. als nachschiebbare, durch eine elast. Dichtung gehaltene S. verwendet (vor jeder Dest. wird das unterste Stück abgebrochen). Ihr oberes Ende trägt oft ein kurzes

Schlauchstück mit einem Schraubquetschhahn zur Regulierung der Luftzufuhr od. einen Luftballon mit Inertgasfüllung. Die Wirkung der S. beruht darauf, daß durch sie kleine Gasbläschen in die Destillationsflüssigkeit eintreten, die einen gleichmäßigen Siedevorgang aufrechterhalten u. derart einen Siedeverzug verhindern. – ***E*** boiling capillary – ***F*** capillaires à ébullition – ***I*** capillare di ebollizione – ***S*** capilares de ebullición

Lit.: Chem. Tech. (Leipzig) **37**, 289 ff. (1985).

Siedekurven s. Siedepunktbestimmung u. Abb. 1 bei Destillation.

Sieden (Kochen). Bez. für den Übergang eines Stoffes aus der flüssigen in die gasf. *Phase durch Aufnahme therm. Energie (**Verdampfungswärme* od. *Verdampfungsenthalpie*, vgl. a. Enthalpie). Beim *Siedepunkt ist der Druck des gesätt. *Dampfes gleich dem äußeren Druck. Der auf die *Oberfläche* beschränkte Austausch von Mol. zwischen flüssiger u. gasf. Phase wird als *Verdampfen (der umgekehrte Vorgang als *Kondensation des Dampfes) bezeichnet. Beim S. erfolgt demgegenüber der Austausch auch im *Inneren* der Flüssigkeit, d. h. es entstehen Dampfblasen, die zur Oberfläche steigen. Im Gegensatz zum Vorgang des *Schmelzens, bei dem wegen des geringen *Dampfdrucks von *Festkörpern der äußere Druck vernachlässigt werden kann, ist das S. in hohem Maße vom Druck abhängig, da Flüssigkeiten einen sehr unterschiedlichen Dampfdruck haben, der von strukturellen Faktoren (Mol.-Größe, -Bau, Wasserstoff-Brücken usw.) wie auch von physikal. Eigenschaften (*Kohäsion, *Dipolmoment usw.) beeinflußt wird; Näheres s. bei Siedepunkt. Da der Beginn des S. von dem Vorhandensein geringer Gasmengen (*Blasen) an den Grenzflächen fest/flüssig zwischen Gefäßwand u. Inhalt abhängig ist – diese wirken als **Keime* für die Dampf-Bildung – kann es bei sehr reinen Flüssigkeiten u. sauberen, glatten Gefäßwänden leicht zu einem sog. *Siedeverzug kommen, bei dem durch örtliche Überhitzung ein plötzliches, explosionsartiges S. einsetzen kann. Eine Flüssigkeit, die bis in den Bereich atomarer Dimensionen homogen wäre, müßte an allen Stellen gleichzeitig die Bildung von Blasen zeigen. Durch die Temp.-Bewegung der Mol. entstehen jedoch Dichteschwankungen, die die zufällige Bildung von Blasen an einzelnen Punkten zur Folge hat. Ist in der Flüssigkeit ein Fremdgas, z. B. Luft, gelöst, so wirken die Gasbläschen als Keime für die Bildung von Dampfblasen. Wasser, das lange Zeit gekocht wurde, od. durch Abpumpen luftfrei gemacht wurde, kann in einem gereinigten Glaskolben einen S.-Verzug bis 140 °C zeigen.

Der S.-Verzug wird in der *Blasenkammer zum Detektieren geladener Partikel eingesetzt. Bei chem. Experimenten sollte er jedoch aufgrund möglicher Explosionsgefahr vermieden werden. S.-Verzug-Situationen kann man bei Dest. od. beim S. unter *Rückfluß [umgangssprachlich: *Reflux(ier)en] durch die Benutzung von *Siedekapillaren od. S.-Steinchen begegnen. Der Vorgang des S., speziell von Gemischen, wird in der Ind. in großem Umfang zur Trennung verschiedener Flüssigkeiten durch *Destillation u. *Rektifikation ausgenutzt, spielt aber auch beim *Eindampfen (*Beisp.:* *Dünnschichtverdampfung, *Rotationsverdampfer), bei der Wärmeübertragung, z. B. in Reaktoren (S.-Wasserreaktoren), in Kältemaschinen etc., eine Rolle. Spezielle S.-Effekte treten als *Leidenfrostsches Phänomen in Erscheinung, u. selbst bei Feststoffen – im *Fließbett od. in der *Wirbelschicht – sind Aspekte typ. S.-Verhaltens zu beobachten. – ***E*** boiling – ***F*** ébullition – ***I*** ebollizione – ***S*** ebullición

Lit.: s. Siedepunkt.

Siedentopf, Henry Friedrich Wilhelm (1872–1940), Prof. für Physik, Univ. Jena, Leiter der mikroskop. Abteilung der Opt. Werke Zeiss in Jena. *Arbeitsgebiete:* Ultramikroskopie (zusammen mit R. A. *Zsigmondy), Mikrophotographie, Mikrokinematographie.

Siedepunkt [Siedetemp., Abk.: Sdp., oft auch Kp (Kochpunkt); Angaben in diesem Werk immer in °C]. Bez. für diejenige Temp., bei der die flüssige u. die gasf. Phase eines Stoffes im thermodynam. Gleichgew. stehen. Im Sinne dieser Definition ist der Sdp. ident. mit dem Kondensationspunkt (s. Kondensation) eines Gases, d. h. für den Übergang vom gasf. in den flüssigen Zustand, sofern man vom Kondensationsverzug absieht. Tatsächlich verwendet man die Bez. Sdp. in der Praxis jedoch meist nur für den Übergangspunkt vom flüssigen in den gasf. Zustand unter gegebenem Druck, nicht jedoch für die damit ident. Temp., bei der der Übergang in umgekehrter Richtung erfolgt. Während unterhalb des Sdp. die Temp. der Flüssigkeit bei entsprechender Wärmezufuhr stetig steigt, bleibt sie beim Sdp. trotz weiterer Beheizung so lange unverändert, bis die ganze Flüssigkeit verdampft ist. Die zugeführte Wärme wird also beim Sdp. nicht mehr zur Temp.-Steigerung, sondern nur noch zum *Verdampfen der Mol. od. Atome verwendet. Unter dem *normalen Sdp.* versteht man die Temp., bei der der Dampfdruck einer Flüssigkeit den Normdruck erreicht. Bei reinen Stoffen lassen sich die Sdp. (ebenso wie die *Schmelzpunkte) mit großer Genauigkeit bestimmen, da hier während der Zufuhr der Verdampfungswärme die Temp. über ein bestimmtes Zeitintervall konstant bleibt. Dennoch weichen Angaben von Sdp. in der Lit., wie z. B. auch in der untenstehenden Liste, häufig etwas voneinander ab. Dies beruht u. a. auf unterschiedlichen Druckverhältnissen u. Bestimmungs-Meth., vgl. Siedepunktbestimmung. Wenn sich Substanzen beim Sieden (od. auch beim Schmelzen) chem. verändern, so spricht man nicht von Sdp., sondern von *Zersetzungspunkt.* Der Sdp. ist stark abhängig vom Druck; quant. wird das Verhältnis von Sdp. zu Druck durch die *Clausius-Clapeyronsche Gleichung beschrieben. Da der Sdp. einer Substanz bei abnehmendem Druck sinkt, kann man Flüssigkeiten unter vermindertem Druck bei tieferen Temp. zum Sieden bringen; in solchen Fällen wird der bei der Messung des Sdp. herrschende Druck mit angegeben. Beispielsweise bedeutet die Sdp.-Angabe 319 °C/15, daß ein Stoff unter einem Druck von 15 Torr bei 319 °C siedet. Korrekt sollte der Druck – die Einheit *Torr soll seit 1978 nicht mehr benutzt werden – in *Pascal angegeben werden. Unter einem Druck von 1013 hPa (760 Torr) siedet Wasser bei genau 100 °C, bei 800 hPa (600 Torr) sinkt der Sdp. auf 93,5 °C, bei 667 hPa (500 Torr) auf 88,7 °C, bei 533 hPa (400 Torr) auf 83 °C, bei 333 hPa (250 Torr) auf 71,6 °C, bei 200 hPa (150 Torr) auf 60,2 °C, bei 67 hPa (50 Torr) auf 38,3 °C u. bei 13,3 hPa (10 Torr) sogar auf 11,3 °C. Zur Umrechnung der zu einem bestimmten (Unter)-Druck gehörenden Siedetemp. auf Normaldruck benutzt man *Tabellenwerke; Beisp. u. ein *Nomogramm findet man auch bei *Lit.*[1]. Die Druckabhängigkeit des Sdp. spielt z. B. nicht nur für die Dest. organ. Verb. eine Rolle, sondern auch bei der Höhenmessung, da der atmosphär. Druck mit zunehmender Höhe sinkt u. dementsprechend auch der Sdp. (je 300 m um etwa 1°).

Alle Elemente u. viele anorgan. u. organ. Verb. haben charakterist. Siedepunkte. Bei organ. Verb. steigt der Sdp. innerhalb homologer Reihen im allg. mit zunehmenden Molmassen an; z. B. erhöht sich der Sdp. von aliphat. Verb. mit jeder neu hinzutretenden CH_2-Gruppe im Durchschnitt um ca. 20 °C (*Koppsche S.-Regel*). Diese Regel gilt z. B. für Kohlenwasserstoffe von Decan (Sdp. 174 °C) an aufwärts; die Sdp. liegen für Undecan bei 196 °C, für Dodecan bei 216 °C, für Tridecan bei 235 °C u. für Tetradecan bei 254 °C. Von einer gewissen Grenze an (z. B. bei Paraffinen mit 70–80 C-Atomen in der Kette) übersteigen die zwischenmol. Anziehungskräfte die Energie der Hauptvalenzbindungen. Alle hochmol. Stoffe können nicht unzersetzt verdampft werden. Unter den isomeren offenkettigen aliphat. Verb. haben diejenigen mit unverzweigter Kette den höchsten Sdp., weil geradkettige Verb. wegen der größeren Berühungsoberfläche eine max. Wechselwirkung mit Nachbarmol. ausüben können. Lsg. haben höhere Sdp. als die entsprechenden reinen Flüssigkeiten bzw. das Lösemittel. Die *Sdp.-Erhöhung* kann, wenn die gelöste Komponente einen niedrigen *Dampfdruck hat, zur Molmassenbestimmung (s. dort das Verf. der *Ebullioskopie*) herangezogen werden, da die der *Dampfdruckerniedrigung* im Gültigkeitsbereich des *Raoultschen Gesetzes proportionale Sdp.-Erhöhung dem *Molenbruch (Stoffmengenanteil) proportional ist. Bei *Azeotropen kann der Sdp. allerdings höher als der höchste Sdp. od. niedriger als der niedrigste Sdp. der reinen Komponenten liegen. Bei Flüssigkeitsgemischen erhält man keinen scharfen Sdp.; sie sieden vielmehr innerhalb bestimmter *Siedegrenzen über einen größeren Temp.-Bereich, da beim Erwärmen zunächst die leichter flüchtigen Stoffe verdampfen u. infolgedessen der Sdp. langsam ansteigt. Solche Flüssigkeitsgemische werden in der Regel durch *Destillation getrennt. Einen Zusammenhang zwischen *molarer *Verdampfungswärme* (*Verdampfungsenthalpie*, s. Enthalpie) u. dem Sdp. stellt die *Pictet-Trouton-Regel her. Die Sdp. der bei gewöhnlicher Temp. u. normalem Luftdruck existenzfähigen Gase liegen meist sehr tief, die Sdp. üblicher Flüssigkeiten in einem mittleren Temp.-Bereich, während die Sdp. von festen Stoffen vielfach sehr hoch liegen. Beisp. für Sdp. bei Normaldruck (1013 hPa): Wasserstoff –252,5 °C, Stickstoff –195,8 °C, Schwefeldioxid –10 °C, Ethylchlorid +12,4 °C, Ether 34,6 °C, Schwefelkohlenstoff 46,3 °C, Aceton 56,5 °C, Brom 59 °C, Methanol 64,1 °C, Ethylacetat 77 °C, Ethanol 78,32 °C, Benzol 80,15 °C, Wasser 100 °C, Dioxan 101 °C, Pyridin 115–116 °C, Tetrachlorethylen 121 °C, Anilin 184–186 °C, Ethylenglykol 197 °C, Nitrobenzol 210–211 °C, Glycerin 290 °C, Anthracen 342 °C, Quecksilber 356 °C, Kalium 774 °C, Natrium 892 °C, Zink 907 °C, Kochsalz 1440 °C, Aluminium 2467 °C, Eisen ca. 3000 °C, Platin ca. 3800 °C, Tantal ca. 5430 °C (höchster Sdp.). Es sind auch seltene Fälle bekannt, in denen der Sdp. unterhalb des Schmelzpunktes liegt, z. B. bei einer Modif. des SO_3: Schmp. 62,3 °C, Sdp. 44,8 °C. Weitere Angaben über Sdp. findet man in zahlreichen Tabellen- u. *Nachschlagewerken, z. B. in *Lit.*[2]. – ***E*** boiling point – ***F*** point d'ébullition – ***I*** punto di ebollizione – ***S*** punto de ebullición

Lit.: [1] Int. Lab. **14**, 10–20 (1984). [2] Handbook **67**, D 1–33, D 186, C 42–553.
allg.: Erdoel, Kohle, Erdgas, Petrochem. **38**, 213–220 (1985) ▪ Kirk-Othmer (4.) **3**, 348 ▪ Knapp et al., Vapor-Liquid Equilibria... (Chem. Data Series 6), Frankfurt: DECHEMA 1982 ▪ Kohlrausch, Praktische Physik, Bd. 3, Stuttgart: Teubner 1996 ▪ *Landolt-Börnstein 2/2; 4/4b; NS 4/3 ▪ Mayinger, Strömung u. Wärmeübergang in Gas-Flüssigkeits-Gemischen, Wien: Springer 1982 ▪ Pure Appl. Chem. **57**, 1407–1426 (1985) ▪ Snell-Ettre **1**, 229–242 ▪ Spektrum Wiss. **1983**, Nr. 2, 128–133 ▪ Van Wijngaarden, The Mechanics and Physics of Bubbles in Liquids, Den Haag: Nijhoff 1982 ▪ Whalley, Boiling, Condensation, and Gas-Liquid Flow, Oxford: Clarendon 1987 ▪ Wichterle et al., Vapor-Liquid Equilibrium Data Bibliography (4 Bd.), Amsterdam: Elsevier 1979–1985.

Siedepunktbestimmung. Die einfachste Meth. der S. ist die direkte Temp.-Messung der siedenden Flüssigkeit; meistens erfolgt jedoch die S. bei der *Destillation einer Substanz. Genaue Bestimmungen sind mit *Ebulliometern* möglich, die v. a. zur Messung der *Sdp.-Erhöhung* bei der *Molmassenbestimmung verwendet werden. Eine weitere Meth. besteht in der Aufnahme eines Siedediagramms, in dem der *Siedeverlauf in Abhängigkeit von Druck u. Temp. dargestellt wird; für reine Komponenten läßt sich der Sdp. aus dem Knick der Kurve erkennen, der bei der Siedetemp. durch Aufnahme der latenten *Verdampfungswärme entsteht, da die Flüssigkeit hier ohne weitere Temp.-Erhöhung verdampft. Für die S. bei kleineren Substanzmengen gibt man die Flüssigkeit in ein Glührohrchen, in das eine Schmelzkapillare mit dem offenen Ende nach unten gestellt wird, befestigt dieses am Thermometer eines Schmp.-Apparates u. beobachtet die Temp., bei der eine regelmäßige Schnur von Dampfperlen austritt. Diese Meth. ist auch mit entsprechend miniaturisierten Röhrchen u. Kapillaren mit den meisten käuflichen Schmp.-Bestimmungsapparaten durchführbar. Da der *Siedepunkt im Gegensatz zum *Schmelzpunkt stark vom Druck abhängt, muß dieser immer mit angegeben werden. – ***E*** boiling point determination – ***F*** détermination du point d'ébullition – ***I*** determinazione del punto di ebollizione – ***S*** determinación del punto de ebullición

Lit.: s. Siedepunkt.

Siedepunktserhöhung s. Molmassenbestimmung (*Ebullioskopie*).

Siedesalz s. Natriumchlorid.

Siedesteinchen s. Siedeverzug.

Siedetemperatur s. Siedepunkt.

Siedeverlauf. Unter dem S. von flüssigen Gemischen versteht man die gegenseitige Abhängigkeit von Destillat- od. Kondensat-Menge u. Siedetemp., die in einem genormten Gerät unter festgelegten Betriebsbedingungen ermittelt u. durch eine Kurve od. Tab. wiedergegeben wird. Der S. gibt Hinweise auf Reinheit u. Zusammensetzung des untersuchten Stoffes. – ***E*** distillation range – ***F*** courbe d'ébullition – ***I*** decorso di ebollizione – ***S*** marcha (curso) de la destilación
Lit.: DIN 51751: 1996-02 ▪ s. a. Siedepunkt.

Siedeverzug. Bez. für die Erscheinung, daß staub- u. gasfreie Flüssigkeiten in reinen Gefäßen einige Grad über ihren *Siedepunkt hinaus erwärmt werden können, ohne daß es zum *Sieden kommt. Dieses Phänomen der *Überhitzung* findet eine Parallele in dem der *Unterkühlung. Das Sieden beim S. setzt plötzlich stoßweise ein, wenn z. B. das Siedegefäß erschüttert wird (die Temp. der überhitzen Flüssigkeit geht dabei wieder auf die Siedetemp. zurück). S. tritt auch auf, wenn Flüssigkeiten mit festem Bodensatz erhitzt werden od. wenn sich beim Eindampfen ein Bodensatz abscheidet, der den Wärmeübergang behindert. Zur Vermeidung des lästigen u. gefährlichen S. setzt man der Flüssigkeit vor dem Erhitzen *Siedesteinchen* zu, z. B. kleine poröse Ton- od. Bimssteinstückchen, die durch langsame Freisetzung von Luftbläschen den Siedevorgang stabilisieren, od. man verwendet eine **Siedekapillare*. – ***E*** delayed boiling – ***F*** retard à l'ébullition, surchauffe – ***I*** ritardo di ebollizione – ***S*** retraso en la ebullición

Siedewasserreaktor s. Kernreaktoren.

Siedlungsabfälle. Sammelbegriff für *Hausmüll, Sperrmüll, hausmüllähnliche Gewerbeabfälle, Garten- u. Parkabfälle, Marktabfälle, Straßenkehricht, Bauabfälle, Klärschlamm, Fäkalien, Fäkalschlamm, Rückstände aus Abwasseranlagen u. Wasserreinigungsschlämme. Zur Entsorgung von S. s. Hausmüllentsorgung. – ***E*** urban waste – ***F*** déchet d'habitat – ***I*** rifiuti residenziali – ***S*** desechos urbanos

Siegbahn, Kai Manne (geb. 1918), Sohn von Karl M. *Siegbahn, Prof. für Physik, Uppsala. *Arbeitsgebiete:* β-Strahlen, Entwicklung der Röntgen-Photoelektronenspektroskopie (XPS, ESCA). Nobelpreis für Physik 1981 (zusammen mit N. Bloembergen u. A.L. *Schawlow).
Lit.: Lexikon der Naturwissenschaftler, S. 375 ▪ Naturwiss. Rundsch. **34**, 529 f. (1981) ▪ Neufeldt, S. 257 ▪ Strube et al., S. 200 ▪ The International Who's Who (17.), S. 1387.

Siegbahn, Karl Manne Georg (1886–1978), Vater von Kai M. *Siegbahn, Prof. für Physik, Uppsala. *Arbeitsgebiete:* Kernphysik, Röntgenspektroskopie; Nobelpreis für Physik 1924.
Lit.: Neufeldt, S. 124 ▪ Lexikon der Naturwissenschaftler, S. 375 f. ▪ Poggendorff **7 b/7**, 4857 f. ▪ Strube et al., S. 200.

Siegelerde s. Bolus.

Siegellack. Ursprünglich aus Kolophonium, Schellack, Terpentin u. Zinnober bestehende Masse, die zum Versiegeln von Briefen, Dokumenten usw. benutzt wird, indem man sie erwärmt, auftropfen läßt u. mit einem Petschaft stempelt. Andere S. bestehen aus Fichtenharz, Pech, Ceresin, Cumaronharzen u. dgl., die mit Terpentin od. Terpentinöl (bzw. deren Ersatzprodukten) vermischt u. durch Zusatz von anorgan. *Pigmenten (Eisenrot, Mennige, Ruß, Knochenkohle, braune Erdfarben, Chromgelb, Berliner Blau u. dgl.) rot, schwarz, braun, gelb od. blau gefärbt werden. Einen guten, roten S. erhält man z. B. durch Zusammenschmelzen von 55 Tl. Schellack, 13 Tl. Zinnober, 30 Tl. Kreide, 20 Tl. Gips u. 73 Tl. Terpentin. Auch manche Kunstharze finden als S. Verwendung. – ***E*** sealing wax – ***F*** cire à cacheter – ***I*** ceralacca – ***S*** lacre de sellar
Lit.: Ullmann (3.) **9**, 575. – *[HS 3404 90]*

Siegenit s. Kobaltnickelkiese.

SI-Einheiten s. SI (c).

Siemens. a) Abgeleitete SI-Einheit des elektr. Leitwerts, s. elektrische Einheiten (Symbol: S), Kehrwert der Einheit *Ohm: $1\ S = 1\ \Omega^{-1} = 1\ A/V = 1\ m^{-2} kg^{-1} s^3 A^2$; veraltetes Kurzz. in der anglo-amerikan. Lit.: mho (rückwärts gelesenes „ohm").
b) Kurzbez. für den 1847 von W. von *Siemens als Siemens & Halske gegr. Elektro-Konzern Siemens AG, Wittelsbacher Platz 2, D-80312 München. *Daten* (1996/97): 386 000 Beschäftigte, davon ca. 60% in der BRD, 2,6 Mrd. DM Kapital, 106,9 Mrd. DM Umsatz; über Beteiligungs- u. Tochterges. in In- u. Ausland auch im Chemiesektor tätig [*Beisp.:* *Osram (100%), VAC (Vacuumschmelze, 100%), S.-Bereiche Halbleiter, Öffentliche Kommunikationsnetze]. – INTERNET-Adresse: http://www.siemens.de. – ***E*** siemens (a) – ***F*** = ***I*** = ***S*** siemens (a)

Siemens, Werner von (1816–1892), Forscher, Erfinder u. Industrieller, Bruder von Friedrich u. Wilhelm Siemens (*Siemens-Martin-Verfahren). *Arbeitsgebiete:* Verf. zur galvan. Versilberung u. Vergoldung, Zeigertelegraph, Elektromotoren u. Dynamomaschinen, elektr. Pyrometer, Kapillar-Elektrometer, Selen-Photometer Ozonisator, Mitbegründung der Physikal.-Techn. Reichsanstalt u. des Reichspatentamts. Gründete 1847 zusammen mit J. G. Halske eine Telegraphenbauanstalt, aus der später die *Siemens AG hervorging.
Lit.: Lexikon der Naturwissenschaftler, S. 376 ▪ Strube et al., S. 103 ff. ▪ Weimer, Kapitäne des Kapitals, S. 287 ff., Frankfurt: Suhrkamp 1995.

Siemens-Martin-Verfahren. In der Stahlmetallurgie ein Herdfrischverf. (*Herdfrischen), bei dem die Eisen-Begleitelemente C, Mn u. Si durch Sauerstoff oxidiert werden (**Frischen*). Der Vorgang des Frischens läuft nach Einblasen von Luft in die Eisen-Schmelze des Herdofens ab; für die Oxid. der genannten Elemente bei Ofentemp. von 1700 bis 1800 °C sind zum einen Luftsauerstoff, zum anderen Oxide des Beschickungsmaterials verantwortlich. Das bei der Verbrennung des im Schmelzbad enthaltenen Kohlenstoffs entstehende CO bringt Bad u. *Schlacke in Bewegung (*Kochen*). Hinsichtlich der Einsatzstoffe werden zwei Verf. unterschieden: Das *Roheisen-Erz-Verf.* arbeitet mit 75% flüssigem, Silicium-armem *Roheisen sowie mit 25% Eisenerz als Oxid.-Beschleuniger u. wird wegen der hohen Frischgeschw. bevorzugt zur Erzeugung von Stählen mit niedrigem Kohlenstoff-

Gehalt eingesetzt. Beim wichtigeren zweiten Verf., dem *Roheisen-Schrott-Verf.*, wird zu flüssigem Roheisen die dreifache Menge *Schrott (evtl. mit Erz-Zusatz) gegeben, um den Kohlenstoff-Gehalt zu verringern. Die Beheizung erfolgt mit Natur- od. Prozeßgasen über Brenner im Deckenraum. Auch hinsichtlich der Betriebsweise gibt es zwei Varianten: Bei *bas.* Fahrweise werden mit Magnesit- od. Dolomit ausgekleidete Öfen mit einem Fassungsvermögen von bis zu 300 t verwendet. Die beim Frischen entstehende Oxidreiche Schlacke hat eine wesentliche Funktion beim Abbinden des unerwünschten Elements P in Form von P_2O_5 sowie bei der Aufnahme des gleichfalls unerwünschten Schwefels aus der Schmelze. Bei der heute kaum noch angewendeten *sauren* Fahrweise ist der Ofen mit Silicatstein ausgekleidet. Da die Schlackenführung sauer ist, muß der Einsatz arm an P u. S sein, da beide Elemente im Gegensatz zum bas. Betrieb nicht von der Schlacke aufgenommen werden. Das S.-M.-V. ist heute von anderen Verf. der *Stahl-Herst. weitgehend verdrängt worden. – ***E*** Siemens-Martin process – ***F*** procédé Siemens-Martin – ***I*** processo di Siemens-Martin – ***S*** procedimiento Siemens-Martin

Lit.: Gmelin-Durrer, Metallurgie des Eisens, Bd. 1 a/1 b, 5 a/5 b u. 6 a/6 b, Berlin: Springer 1978.

Siena s. Terra di Siena.

Sies, Helmut (geb. 1942); Prof. für Physiolog. Chemie, Univ. Düsseldorf. *Arbeitsgebiete:* Biochem. Pharmakologie u. Toxikologie, Reaktionen des Sauerstoffes in der Biologie, Sauerstoff-Radikale, Zellschädigung, Schutzfaktoren: Antioxidative Vitamine (Tocopherol, Ascorbinsäure), Singulettsauerstoff (Carotinoide), Entgiftungsmechanismen.

Lit.: Kürschner (16.), S. 3511 ▪ Wer ist wer (36.), S. 1367.

Sievert (Symbol: Sv). SI-Einheit der Äquivalent-Energiedosis *ionisierender Strahlung in biolog. Gewebe (s. Strahlenbiologie), benannt nach dem schwed. Radiologen Rolf Maximilian Sievert (1896–1966)[1]. Das Sv löste am 1. 1. 1986 das *Rem ab: 1 Sv = 1 J/kg ≈ 100 rem; 1 rem ≈ 0,01 Sv. – ***E*** = ***F*** = ***I*** = ***S*** sievert

Lit.: [1] Poggendorff **7 b/7**, 4868–4871

SIF. 1. Kurzz. für *Fluorosilicate (*E si*licof*luoride) als *Holzschutzmittel, – 2. s. Bruchzähigkeit.

Sigabroxol®. Brausetabl., Saft, Tropfen u. Kapseln mit dem *Mucolytikum *Ambroxol-Hydrochlorid. ***B.:*** Kytta-Siegfried.

Sigacalm® (Rp). Tabl. mit dem *Tranquilizer *Oxazepam. ***B.:*** Kytta-Siegfried.

Sigacap® Cor (Rp). Tabl. mit dem *ACE-Hemmer *Captopril. ***B.:*** Kytta-Siegfried.

Sigadoxin® (Rp). Kapseln u. Tabs mit *Doxycyclinhyclat gegen Infektionen mit Tetracyclin-empfindlichen Erregern. ***B.:*** Kytta-Siegfried.

Sigafenac (Rp). Dragées, Retardtabl., Suppositorien, Gel u. Ampullen mit dem *Antirheumatikum *Diclofenac-Natrium. ***B.:*** Kytta-Siegfried.

Sigamuc® (Rp). Kapseln mit *Doxycyclin-hyclat u. *Ambroxol-hydrochlorid gegen Atemwegsinfektionen. ***B.:*** Kytta-Siegfried.

Sigaprim® (Rp). Tabl., Suspension u. Ampullen mit *Co-trimoxazol gegen Infektionen im Atem-, Magen-Darm- u. Urogenitaltrakt. ***B.:*** Kytta Siegfried.

Sigella®. Bohnerwachs, pastös u. flüssig, enthält Hartwachse, Mikrowachse, Paraffine u. Lsm. (Benzin, Kohlenwasserstoffe). ***B.:*** Henkel-Ecolab.

Sigma s. σ u. Σ (vor s) sowie folgende Stichwörter.

Sigma-Bindungen (σ-Bindungen). Bez. für solche *chemischen Bindungen, die mit Hilfe von σ-*Orbitalen beschrieben werden. Die Elektronen in den σ-Orbitalen nennt man *Sigma-Elektronen. Beisp.:* Die *Dreifachbindung im N_2-Mol. setzt sich aus einer S.-B. (2 Elektronen mit antiparallelen *Spins besetzen ein σ-Orbital) u. zwei äquivalenten π-Bindungen (4 Elektronen in 2 π-Orbitalen) zusammen; s. a. chemische Bindung, S. 673. *Einfachbindungen (z. B. C,C, C,H, C, Halogen-Einfachbindungen etc.) werden üblicherweise als lokalisierte S.-B. beschrieben. – ***E*** sigma bonds – ***F*** liaisons sigma – ***I*** legami sigma – ***S*** enlaces sigma

Lit.: s. chemische Bindung, MO-Theorie u. Quantenchemie.

Sigma Coatings. Kurzbez. für die Sigma Coatings Farben- u. Lackwerke GmbH, 44735 Bochum, Tochterges. der Petrofina, Brüssel. *Produktions- u. Vertriebsbereiche:* Schiffsfarben, Dispersions-Farben, Lacke, Putze für den Baubereich, Bautenschutzmittel, Korrosionsschutz, Dichtungsmassen u. Unterbodenschutz.

Sigma-Elektronen s. Sigma-Bindungen.

Sigma-Faktor (σ-Faktor). Bei Bakterien die für die Initiation der *Transkription essentielle Untereinheit der RNA-*Polymerase. Die aus vier Untereinheiten bestehende Polymerase ($\alpha_2\beta\beta'$) bildet zusammen mit dem S.-F., einem Polypeptid, das aktive Holoenzym ($\alpha_2\beta\beta'\sigma$, M_R ca. 480000). Dieser Komplex besitzt die Fähigkeit auf der *Desoxyribonucleinsäure (DNA) entlangzugleiten, *Promotoren auf dem codierenden Strang zu erkennen u. an diese zu binden. Nach Verknüpfen der ersten 10 Nucleotide der entstehenden mRNA dissoziiert der S. F. von der RNA-Polymerase ab. Die Elongation der mRNA läuft in 5′- 3′-Richtung mit dem Core-Enzym in einer Geschw. von ca. 40 Nucleotiden pro s weiter, bis ein Stop-Codon erreicht wird. Ein spezielles Protein, der *Terminations-Faktor Rho* (M_R ca. 55000) tritt mit der RNA-Polymerase in Wechselwirkung, was zur Freisetzung der mRNA führt. Untersuchungen in *Escherichia coli* u. *Bacillus subtilis* haben gezeigt, daß ein Bakterium nicht nur einen S.-F. hat. Für die Expression von Hitzeschockproteinen in *E. coli* od. die Initiation der Sporenbildung bei *B. subtilis* z. B. sind andere S.-F. maßgeblich. – ***E*** sigma factor – ***F*** facteur sigma – ***I*** fattori sigma – ***S*** factor sigma

Lit.: Methods Enzymol. **273**, 134–162; **274**, 43–57 (1996) ▪ Microbiol. Rev. **59**, 1–30 (1995) ▪ Mol. Microbiol. **28**, 1059–1066 (1998).

Sigma-Teilchen. Zu den *Baryonen gehörende *Elementarteilchen; bzgl. ihrer Eigenschaften u. ihres Aufbaus aus *Quarks s. Tab. 2 bei Elementarteilchen (S. 1136). – ***E*** sigma particles – ***F*** particules sigma – ***I*** particelle sigma – ***S*** partículas sigma

Sigmatrop (von *σ u. *...trop). Woodward u. Roald *Hoffmann (*Lit.*[1]) definieren als *s. Reaktion* der Ordnung [i, j] „die unkatalysierte, intramol. Wanderung einer von einem od. mehreren π-Elektronensyst. flankierten *Sigma-Bindung in eine Position, deren Endpunkte um i–1 u. j–1 Atome von den ursprünglichen Endpunkten entfernt sind" (vgl. die Abb.). Beisp. für monomol. als einstufige Prozesse verlaufende s. *Umlagerungen sind die *Claisen-, *Cope-, *Allyl-Umlagerungen etc. Aus den Gesetzmäßigkeiten der „Erhaltung der Orbitalsymmetrie" (*Woodward-Hoffmann-Regeln) lassen sich auch Vorstellungen über die *Stereochemie der s. Reaktionen gewinnen. Beispielsweise sind bei der s. [1,5]-Wanderung eines H-Atoms (s. Abb.) zwei topolog. unterschiedliche Wege denkbar, die als *suprafacialer* (von latein.: supra = oberhalb, über u. facies = Aussehen, Form, Fläche) od. *antarafacialer* Prozeß (von griech.: anti = gegen u. arada = Linie, Reihe; nach anderer Deutung aus Sanskrit: antara = der Andere) ablaufen können; im Beisp. würden suprafaciale s. Umlagerungen mit *Inversion, antarafaciale mit *Retention der Konfiguration verbunden sein ($R_1 = R_4$, $R_2 = R_3$). Näheres zur Stereochemie der s. Reaktionen s. *Lit.*[2].

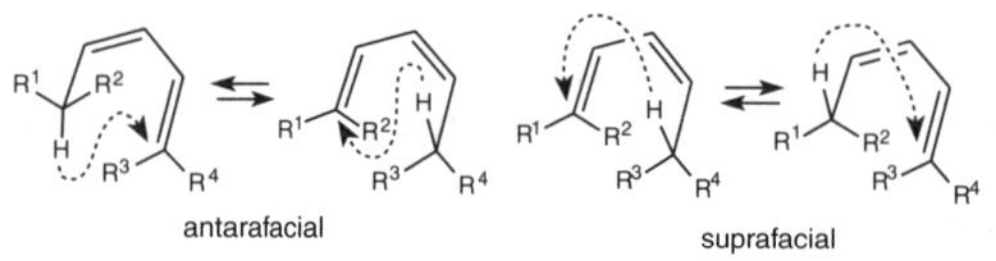

antarafacial suprafacial

Abb.: Suprafaciale u. antarafaciale sigmatrope [1,5]-Wanderung eines Wasserstoff-Atoms.

In kleineren u. mittleren Ringen sind antarafaciale s. Umlagerungen nicht möglich, ebensowenig bei [1,3]-Wanderungen, falls dabei das Kohlenstoff-Gerüst so stark deformiert werden müßte, daß das π-Elektronensyst. entkoppelt wird. Das ursprünglich nur für intramol. *pericyclische Reaktionen entwickelte Konzept wird heute in umfassenderem, auch intermol. u. sogar katalysierte Reaktionen einschließendem Sinn benutzt (*Lit.*[3]). – ***E*** sigmatropic – ***F*** sigmatrope – ***I*** = ***S*** sigmatropo

Lit.: [1] Angew. Chem. **81**, 797–869, bes. 843–853 (1969). [2] Angew. Chem. **86**, 825–855 (1974); **91**, 625–634 (1979). [3] Pure Appl. Chem. **55**, 1357 f. (1983).
allg.: Acc. Chem. Res. **13**, 142 ff., 218 ff. (1980) ▪ Angew. Chem. **96**, 565–573 (1984) ▪ Chem. Rev. **84**, 205–248 (1984); **86**, 885–902 (1986) ▪ Helv. Chim. Acta **64**, 787–812 (1981) ▪ Nachr. Chem. Tech. Lab. **28**, 15 f. (1980) ▪ s. a. pericyclische Reaktionen, Umlagerungen.

Signal. Von latein.: signum = das Zeichen abgeleiteter Begriff für verabredete od. durch Verordnung bestimmte Zeichen zur Information u. Nachrichtenübermittlung, die akust., opt. u. elektromagnet. Art, z. B. in der *Spektroskopie u. a. Verf. der *physikalischen Analyse, sein können. Von S. spricht man z. B. auch in der Nerven- u. *Sinnesphysiologie, wenn *Reize (S.) auf elektr. Wege, durch Botenstoffe (*Mediatoren) od. mittels geeigneter mol. „S.-Wandler" auf *Rezeptoren übertragen werden; *Beisp.:* *Sehprozeß, *Regulation, *Geruch. Als „S.-Stoffe", die der Kommunikation dienen, kann man Riechstoffe (*Parfüms), Pheromone („Ökomone") u. a. Semiochemikalien, Buntpigmente (Lock-, Warn- od. Schreckfarben = Signalfarben bei Tieren), aber auch *Sicherheitsfarben u. dgl. ansehen. – ***E*** = ***F*** signal – ***I*** segnale – ***S*** señal

Lit.: Encyclopedia of Physical Science and Technology, Vol. 15, S. 127–154, 155–182, 183–204, New York: Academic Press 1992 ▪ Kohlrausch, Praktische Physik 3, S. 59 ff., Stuttgart: Teubner 1996 ▪ Spektrum Wiss. **1985**, Nr. 12, 126–146.

Signal-Erkennungs-Partikel s. Proteine, Ribosomen, Signalpeptide.

Signalfarben s. Sicherheitsfarben u. Signal.

Signal-Hypothese s. Signalpeptide.

Signalmittel s. Leuchtsätze, Rauchpulver, pyrotechnische Erzeugnisse.

Signalpeptidasen s. Signalpeptide.

Signalpeptide (Signalsequenzen, Präsequenzen). Nach der inzwischen in vielen Fällen bestätigten *Signal-Hypothese* von Blobel werden Proteine u. Peptide, die von ihrem Syntheseort, dem *Cytoplasma, in bestimmte *Kompartimente transportiert od. in eine Membran eingefügt werden sollen, als Vorstufen (*Präproteine*, *Präpeptide) synthetisiert, welche Aminosäure-Sequenzen enthalten, die für den Bestimmungsort charakterist. sind – etwa wie die Adresse eines Briefes. Mit Hilfe dieser Signalsequenzen werden z. B. sekretor. Proteine ins *endoplasmatische Retikulum (ER) transportiert (bei Bakterien ins Periplasma) od. auch mitochondriale Proteine in die Matrix, innere Membran od. den Membranzwischenraum der *Mitochondrien importiert; bei *Chloroplasten zusätzlich in Thylakoiden-Membran u. -Lumen. Wieder andere Proteine sind für den Zellkern, bei Bakterien für die Plasmamembran, den periplasmat. Raum usw. bestimmt. Die S., die ca. 15–30 Aminosäure-Reste enthalten, oft am Amino-Ende des Präproteins lokalisiert sind u. dann auch **Leader-Sequenzen* (1.) heißen, werden von cytoplasmat. (z. B. *Signal-Erkennungs-Partikel*, signal recognition particle, Abk.: SRP – ein *Nucleoprotein) od. membranständigen (z. B. auf Mitochondrien) Rezeptoren erkannt u. die Präproteine im entfalteten Zustand durch die *Membran transportiert. Der Vorgang beginnt oft noch während der Synth. der Proteine am Ribosom. Auf der anderen Seite der Membran werden die S. meist durch spezif. *Proteasen (*Signalpeptidasen*[1]) entfernt, wodurch der Transport irreversibel wird. Proteine, die im ER verbleiben u. nicht sezerniert werden sollen, enthalten carboxy-terminale *Retentionssignale* u. werden von Bergungs-Rezeptoren (*salvage receptors*) erkannt. Erkennung u. Wirkung der S. erfolgen oft über Artgrenzen hinweg; im Einzelnen ist ihre Funktionsweise bislang nur unvollständig bekannt. – ***E*** signal peptids – ***F*** peptides signal – ***I*** peptidi segnale – ***S*** péptidos señal

Lit.: [1] Protein Sci. **6**, 1129–1138 (1997).
allg.: Cell **86**, 849–852 (1996).

Signalsequenzen s. endoplasmatisches Retikulum, Signalpeptide.

Signalstoffe s. Signal.

Signaltransduktion. Unter S. versteht man in der Zellbiologie die Weiterleitung eines chem. od. physikal. *Signals, das von außen an einer *Zelle eintrifft, durch die Zell-*Membran in die Zelle hinein u. die Umwandlung dieses Signals in einen intrazellulären Effekt (*Reiz-Antwort-Kopplung*, *E* stimulus-response coupling). Chem. Signale bestehen typischerweise in Konz.-Änderungen von Stoffen wie *Hormone, *Wachstumsfaktoren, *Neurotransmitter, *Cytokine, *Chemotaxis-Stoffe od. *Pheromone, aber auch *Antigene u. viele andere, sowie in Wechselwirkungen mit Nachbarzellen u. der *extrazellulären Matrix, während physikal. Signale z. B. in Form von Licht auftreten (*Phototransduktion*, vgl. a. Sehprozeß). Das Repertoire zellulärer Antworten umfaßt u. a. Stoffwechselreaktionen (z. B. Glykogen-Abbau), Aktivierung bestimmter Gene, Aktivierung der Zell-Vermehrung, *Apoptose, Sekretion von Hormonen, Enzymen, Antikörpern usw. (*stimulus-secretion coupling*), Kontraktion von Muskelzellen (*excitation-contraction coupling*), Weiterleitung eines Nerven-Signals, Chemotaxis, Zellwanderung, Umbau des *Cytoskeletts.

Durchtritt des Signals durch die Zellmembran: Bei *Steroiden, Secosteroiden (s. Calciferole), *Retinoiden u. *Thyroid-Hormonen nimmt man an, daß diese Signalstoffe durch die Zellmembran diffundieren u. im Zellkern von lösl. **Rezeptoren* gebunden werden. Letztere, ihrer chem. Natur nach *Proteine, werden dadurch als **Transkriptionsfaktoren* aktiviert, binden an spezif. Sequenzen der *Desoxyribonucleinsäuren (Responsiv-Elemente), woraufhin die *Transkription bestimmter Gene angeregt od. erschwert wird.

In den meisten Fällen bindet jedoch der Botenstoff an der Zell-Außenseite an ein Membran-durchspannendes Rezeptor-Protein, das daraufhin seine Konformation (räumliche Struktur) ändert u. ggf. auch dimerisiert, was sich auch seinen innerzellulären Bereichen mitteilen kann. Solcherart (od. durch physikal. Reiz) aktiviert, vermögen die unterschiedlichen Rezeptoren auf verschiedene Arten zu wirken, nämlich als *Ionenkanäle, als Rezeptor-Tyrosin-Kinasen (RTK, s. Protein-Kinasen) oder als Aktivatoren von *G-Proteinen, Protein-Kinasen wie *Jak, u. von weiteren Proteinen (Adapter-Proteine).

Spätere Ereignisse: Bei den sich anschließenden Mechanismen u. Wegen der S. bietet sich dem Betrachter ein breites Spektrum miteinander verflochtener u. kaskadenartig hintereinandergeschalteter Reaktionen, bei denen Membran-Effekte (Ionen-Ströme, Potentialänderungen), Protein-*Phosphorylierung (durch RTK od. *Protein-Kinasen A u. C, *Mitogen-aktivierte Protein-Kinasen), regulierbare Effektor-Enzyme (z. B. *Adenylat-Cyclase, Guanylat-Cyclase, *Phospholipasen, Cyclonucleotid-Phosphodiesterasen), Generierung bzw. Abbau von *second messengers durch diese (z. B. *cyclische Nucleotide, *Arachidonsäure u. ihre Abkömmlinge, *Inositphosphate, Calcium-Ionen), *Ras-Proteine, *Transkriptionsfaktoren (z. B. *cAMP-Rezeptor-Protein u. cAMP response element-binding protein, Abk.: CREB) usw. eine Rolle spielen. Signalketten, die an Wachstumsfaktoren gekoppelt sind, können bei Mutation von beteiligten Genen zu *Onkogenen aus der hormonalen Kontrolle geraten u. zu Krebs-Wachstum führen. – *E* signal transduction – *F* transduction signal – *I* trasduzione del segnale – *S* transducción señal

Lit.: Angew. Chem. **110**, 717–780 (1998) ▪ Annu. Rev. Immunol. **16**, 569–592 (1998) ▪ van Duijn u. Wiltink, Signal Transduction – Single Cell Techniques, Berlin: Springer 1998 ▪ Heldin u. Purton, Signal Transduction, London: Chapman & Hall 1996 ▪ Hidaka et al., Intracellular Signal Transduction, San Diego: Academic Press 1996 ▪ Krauss, Biochemie der Regulation u. Signaltransduktion, Weinheim: Wiley-VCH 1997 ▪ Pawson, Protein Modules in Signal Transduction, Berlin: Springer 1998 ▪ Science **278**, 2075–2080 (1997) ▪ Trends Biochem. Sci. **22**, 296 ff. ▪ Verma, Signal Transduction in Plant Growth and Development, Berlin: Springer 1996 ▪ Wirtz, Molecular Mechanisms of Signalling and Membrane Transport, Berlin: Springer 1997.

Signatur. In der Pharmazie versteht man unter S. die Aufschrift (latein.: signatura) auf den Arzneigefäßen, auf *Rezepten dagegen den Verwendungszweck od. die Gebrauchsanweisung. – *E*=*F* signature – *I* segnatura – *S* signatura

Signierfarbstoffe. Wasserlösl. saure *Farbstoffe zum vorübergehenden Signieren von Cellulosegarnen, um während der Verarbeitung Verwechselungen von Garnsorten u. Materialarten zu vermeiden. – *E* marking dyes – *F* colorants à marquer – *I* coloranti marcanti – *S* colorantes fugaces (para marcar)

Signiertuschen. Für grobe Gewebe wie Sackleinwand u. dgl. geeignete rußhaltige *Wäsche(zeichen)tinten.

Signotherm®. Temp.-Indikatoren für Labor u. Technik. ***B.:*** Merck.

Sikkative. Von latein. siccus = trocken abgeleitete Bez. für *Trockenstoffe, nach DIN-EN 971-1: 1996-09 meist in organ. Lsm. u. Bindemitteln lösl. Metallsalze organ. Säuren, welche oxidativ trocknenden Beschichtungen zugesetzt werden, um den Trockenprozeß zu beschleunigen. – *E* siccatives – *F* siccatifs – *I* siccativi – *S* secadores, secantes

Lit.: Römpp Lexikon Lacke u. Druckfarben, S. 583 ▪ Ullmann (4.) **14**, 279; **15**, 595; **23**, 421–424; (5.) **A 16**, 361 ff. – *[HS 3211 00]*

Sil(a)... Präfix nach IUPAC-Regel R-2: a) für Ersatz eines C-Atoms durch ein Si-Atom im *Hantzsch-Widman-System (vor Vokal: Sil...) u. in *Austauschnamen; *Beisp.:* Silin = Silabenzol, 1*H*-Silol = Silacyclopenta-2,4-dien, Dibenzo[*b*,*e*]silin = 9-Silaanthracen; – b) für die Einheit $-SiH_2-$ in Namen alternierender Heteroatom-Ketten u. -Ringe (*Beisp.:* *Silathiane, *Silazane u. *Siloxane). – *E* sil(a)... – *F*=*I*=*S* sila...

Silafluofen.

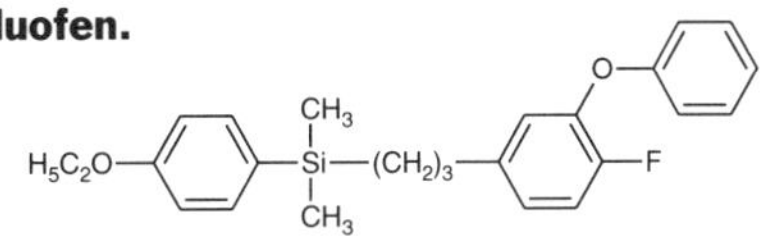

Common name für (4-Ethoxyphenyl)[3-(4-fluorphenoxyphenyl)propyl]dimethylsilan, $C_{25}H_{29}FO_2Si$, M_R 408,58, Flüssigkeit, zersetzt sich ohne Dest. bei ca. 170 °C, LD_{50} (Ratte oral) >5000 mg/kg, von AgrEvo in den 90er Jahren eingeführtes Breitspektrum-*Insektizid mit Fraß- u. Kontaktgiftwirkung. – *E*=*F*=*I* silafluofen – *S* silafluofén

Lit.: Perkow ▪ Pesticide Manual. – *[CAS 105024-66-6]*

Silage (Silofutter). Gärfutter, zu dessen Bereitung Kohlenhydrat-reiche Futterpflanzen wie gehäckselter *Mais od. Rübenblätter in großen, wasserdichten Silos festgestampft u. bei Abschluß von Luftsauerstoff einer Milchsäure-*Gärung überlassen werden. Die Milchsäure-Bakterien spalten einen Teil der *Kohlenhydrate in *Milchsäure, wobei die Temp. über 50 °C steigen kann. Die Milchsäure verhindert das Aufkommen fäulniserregender *Bakterien, sie wirkt ähnlich wie beim *Sauerkraut konservierend. Auch gedämpfte Kartoffeln, Rübenschnitzel u. feuchtes Futtergetreide lassen sich so *silieren*. Um die Entwicklung von *Fäulnis-Bakterien zu unterdrücken, kann man das Futter beim Einbringen in den Silo auch mit organ. Säuren od. a. sauren *Silierpräp.* bis zum pH-Wert 3–4 ansäuern; bei diesem Säuregrad sind fast nur noch Milchsäurebakterien existenzfähig. Der Milchsäure-Gehalt von S. soll mind. 1% betragen. Die S. spielt als *Futtermittel bes. in der Rinder- u. Schweinemast eine bedeutende Rolle, wo man Silofutter ganzjährig verfüttert, während es bei Weidevieh überwiegend im Winter eingesetzt wird. Zur Prüfung der S. auf *Nitrosamine s. *Lit.*[1]. – ***E*** silage – ***F*** ensilage – ***I*** foraggio insilato – ***S*** [en]silaje, forraje ensilado

Lit.: [1] IARC (Int. Agency Res. Cancer) Sci. Publ. **45**, 279–282 (1983).
allg.: McDonald, The Biochemistry of Silage, New York: Wiley 1981 ▪ Rehm, Industrielle Mikrobiologie, S. 588 f., Berlin: Springer 1980 ▪ Woolford, The Silage Fermentation, New York: Dekker 1984.

Silan s. Silane.

Silandiyl... Bez. für die verbrückende Atomgruppierung $-SiH_2-$ in *Multiplikativnamen u. *Substitutionsnamen (IUPAC-Regel D-6.12 u. R-2.5; CAS-Bez.: Silylen...). – ***E*** = ***F*** silanediyl... – ***I*** = ***S*** silandiil...

Silane. Nach IUPAC-Regel D-6.11, I-7.2 u. R-5.1.4 Gruppenbez. für verzweigte u. unverzweigte **Silicium*-*Wasserstoff-Verbindungen. Die ringförmigen Si–H-Verb. heißen *Cyclosilane*. Substitutionsprodukte der S. können entweder als Silyl...-Verb. (s. ...yl) od. als ...silan-Verb. bezeichnet werden; *Beisp.:* $H_3Si–NH_2$ (Silylamin od. Aminosilan), H_2SiCl_2 (Dichlorsilan). S.-Reste werden mit Silyl- (SiH_3–), Disilanyl- (Si_2H_5–) etc. gekennzeichnet. Durch Kohlenwasserstoff-Reste substituierte S. werden im allg. als Derivate der S. benannt u. sind hier unter *Silicium-organische Verbindungen abgehandelt; manche von diesen werden für *Hydrosilylierungen* gebraucht.

F+

Bei den S., die binäre Verb. der allg. Formel Si_nH_{2n+2} darstellen, handelt es sich um die Si-Analogen der *Alkane. Im Gegensatz zu den Kohlenwasserstoffen sind die S. sehr instabil; sie können nur unter Luftabschluß hergestellt werden, da sie sich bei Berührung mit Sauerstoff von selbst entzünden, mit heftigem Knall explodieren u. zu Siliciumdioxid u. Wasser verbrennen. Bei pH-Werten >7 werden sie durch Wasser unter Bildung von Kieselsäure u. Wasserstoff zersetzt. Die Zahl der herstellbaren S. ist sehr viel kleiner als die Zahl der bekannten Kohlenwasserstoffe. Der einfachste Vertreter der S. ist das *Silan* (Siliciumwasserstoff, Monosilan), SiH_4, M_R 32,117: Farbloses, unangenehm riechendes Gas, Gasdichte 1,44 g/L (0 °C), Schmp. –185 °C (Bildung *plastischer Kristalle), Sdp. –111,9 °C, krit. Temp. –3,5 °C, krit. Druck 4,72 MPa; eine zweckmäßige Synth. für SiH_4 macht Gebrauch von einer *Salzschmelze als Reaktionsmedium:

$$SiCl_4 + 4\,LiH \xrightarrow{\text{LiCl/KCl–Eutektikum}} SiH_4 + 4\,LiCl.$$

Das *Disilan*, $H_3Si–SiH_3$, M_R 62,219, D. 2,865 g/L, Schmp. –132,5 °C, Sdp. –14,5 °C stellt ebenfalls ein farbloses Gas dar, während *Trisilan*, Si_3H_8, M_R 92,32, D. 0,743 (bei 0 °C), Schmp. –117 °C, Sdp. 53 °C, u. *Tetrasilan*, Si_4H_{10}, M_R 122,421, D. 0,79 (bei 0 °C), Schmp. –84 °C, Sdp. 108 °C, ebenso wie Penta- u. Hexasilan farblose Flüssigkeiten sind. Die Herst. der S. als „Rohsilan"-Gemisch erfolgt durch saure Zers. von Magnesiumsilicid, Mg_2Si, unter Luftausschluß.

Ab n=4 (Tetrasilan) beobachtet man wie beim Butan auch bei den S. das Auftreten von *Konstitutionsisomerie. Ein höheres Glied in der homologen Reihe der S. ist das *Decasilan*, $Si_{10}H_{22}$, weiße Krist., lösl. in Ether, Benzol u. Cyclohexan. Außerdem kennt man noch sog. *Polysilylen* $(SiH_2)_\infty$ als hellbraunes, selbstentzündliches Pulver u. Polysilin $(SiH)_\infty$. Je nach dem gewählten Syntheseweg findet man auch Produkte der Formel $(SiH_n)_\infty$ mit $1 \leq n \leq 2$ sowie cycl. Oligo- u. Polysilane. Einen Überblick über das Gebiet der Silicium-Wasserstoff-Verb. gibt Horn[1]. Auch Si-Analoga des *Carbens (SiX_2, *Silylen*) sind bekannt, die ggf. zu Polysilylenen zusammentreten.

F Xi

Von den S. leiten sich eine Reihe von sehr hydrolyseempfindlichen Halogen-Substitutionsprodukten ab, die analog den *Alkylhalogeniden, z. B. den *Chlorkohlenwasserstoffen, aufgebaut sind. Von den *Chlorsilanen* stellt beispielsweise Monochlorsilan, SiH_3Cl, M_R 66,56, ein farbloses Gas dar, Schmp. –118 °C, Sdp. –30 °C, desgleichen auch *Dichlorsilan*, SiH_2Cl_2, M_R 101,01. Flüssig sind dagegen *Trichlorsilan* (Silicochloroform), $SiHCl_3$, M_R 135,45, D. 1,34, Schmp. –126 °C, Sdp. 33 °C, *Tetrachlorsilan* (Siliciumtetrachlorid), *Hexachlordisilan* (s. Siliciumchloride) u. die entsprechenden Fluorsilane. Auch ein Bromchlorfluoriodsilan konnte hergestellt werden. Zur Bromierung von S. ist $SnBr_4$ geeignet. Chlorsilane finden Verw. als Haftvermittler, zur Herst. von *Silylaminen* [*Beisp.:* $(H_3Si)_2NH$, $(H_3Si)_3N$] u. zur Einführung von Si in organ. Verb. (**Silylierung*). Die für die Herst. von *Siliconen techn. wichtigen *Organochlorsilane* werden unter *Methylchlorsilane u. *Silicium-organische Verbindungen abgehandelt. Die übrigen Derivate der S., die analog den entsprechenden Kohlenstoff-Verb. zu formulieren wären (z. B. Silanon, *Lit.*[2]), sind im allg. mit Ausnahme der *Silanole u. *Siloxane so instabil, daß von ihnen bisher allenfalls organ. substituierte Vertreter bekannt sind, wie z. B. Dimethylsilanon. Seit 1981 sind auch organ. Derivate mit Si,Si- bzw. Si,C-Doppelbindungen bekannt (Disilen, Silabenzol, Methylensilan). Allerdings sind die Stabilitäten nicht mit denen analoger Kohlenstoff-Verb. zu vergleichen; *Beisp.:* Si_6H_6/C_6H_6 (*Lit.*[3]). Einen Überblick über organ. Derivate mit polycycl. Si_n-Gerüst, z. B. das Tetrasilatetrahedran, Si_4R_4, od. das Octasilacuban, Si_8R_8 (R bezeichnet in beiden Fällen sperrige Substituenten), gibt *Lit.*[4]. Der erste Nachw. eines S. gelang 1857 F. Wöhler, als er Si-haltiges Aluminium in Salzsäure auflöste. Die Chemie der S. wurde v. a. von A. *Stock entscheidend gefördert. – ***E*** = ***F*** silanes – ***I*** silani – ***S*** silanos

Lit.: [1] Chem. Ztg. **110**, 131–150 (1986). [2] Phys. Chem. **88**, 2833–2840 (1984). [3] Angew. Chem. **98**, 634 f. (1986). [4] Adv. Organomet. Chem. **37**, 1–38 (1995).
allg.: Braker u. Mossman, Matheson Gas Data Book, S. 246–250, 632–635, Lyndhurst: Matheson 1980 ▪ Brauer (3.) **2**, 654–665 ▪ Gmelin, Syst.-Nr. 15, Si, 1959, Tl. B, S. 227–257, Suppl. B 1, 1982 ▪ Holleman-Wiberg (101.), S. 893–905 ▪ Hommel, Nr. 187, 638, 944 ▪ Kirk-Othmer (4.) **22**, 38–69 ▪ Ullmann (5.) **A 24**, 2 ff. ▪ Winnacker-Küchler (4.) **3**, 91, 417 ff. – *[HS 2850 00; CAS 7803-62-5 (SiH_4); 1590-87-0 (Si_2H_6); 7783-26-8 (Si_3H_8); 7783-29-1 (Si_4H_{10}); G 2]*

Silanole. Bez. für eine Gruppe von *Silicium-Verb., die Hydroxy-Gruppen am Si-Atom enthalten u. formal den *Alkoholen entsprechen; *Beisp.:* Silanol ($H_3Si{-}OH$), Silandiol [$H_2Si(OH)_2$], Silantriol [$HSi(OH)_3$], Silantetrol [$Si(OH)_4$, *Orthokieselsäure*, s. Kieselsäuren]. Die S. mit organ. Substituenten an Si werden hier als *Silicium-organische Verbindungen behandelt. Die S. entstehen als Zwischenprodukte bei der Hydrolyse von Halogensilanen (s. Silane) u. stellen – wie Alkohole für Ether – die Vorprodukte für die *Siloxane dar, in die sie durch Kondensation übergehen. Im Vgl. zu Alkoholen ist die Kondensationsneigung der S. sehr viel deutlicher ausgeprägt. – ***E*** = ***F*** = ***S*** silanols – ***I*** silanoli

Lit.: Holleman-Wiberg (101.), S. 951 f.

Silanthiole s. Silicium-Schwefel-Verbindungen.

Silasesquioxane (Silsesquioxane). Nach IUPAC-Regel D-6.6 systemat. Bez. für (polycycl.) Silicium-Sauerstoff-Verb. der allg. Formel $Si_{2n}H_{2n}O_{3n}$, die formal pro Silicium-Atom eineinhalb (*Sesqui...) Sauerstoff-Atome enthalten.

Silathiane. Nach IUPAC-Regel D-6.3, I-7.2.3.5/8 u. R-5.1.4 Gruppenbez. für *Silicium-Schwefel-Verbindungen mit alternierenden Si- u. S-Atomen der allg. Formel $H_3Si{-}(S{-}SiH_2)_n{-}S{-}SiH_3$; *Beisp.:* Trisilathian (n = 1). Cycl. S. der allg. Formel

werden *Cyclosilathiane* genannt; *Beisp.:* Cyclotrisilathian (n = 3). – ***E*** silathianes – ***F*** silathiannes – ***I*** silatiani – ***S*** silatianos

Silatrane. Unsystemat. Bez. für Derivate des 2,8,9-Trioxa-5-aza-1-silabicyclo[3.3.3]undecans, die eine große Breite von tox. Eigenschaften in Abhängigkeit vom Substituenten am *Silicium-Atom besitzen. Aryl-Derivate (R^1 = Aryl) besitzen eine LD_{50} von 0,1–10 mg · kg^{-1} u. sind doppelt so giftig wie Strychnin od. Blausäure. 4-Chlorphenyl-S. wird als Rattengift, das nicht giftige Ethoxy-S. als Haarwuchsmittel verwendet. S. können aus Trialkoxysilanen u. Triethanolamin hergestellt werden.

$$N(CH_2{-}CH_2{-}OH)_3 + R^1{-}Si(OR^2)_3 \xrightarrow{-3\,R^2{-}OH}$$

– ***E*** = ***F*** silatranes – ***I*** silatrani – ***S*** silatranos

Lit.: J. Organomet. Chem. **233**, 1–147 (1982) ▪ Patai, The Chemistry of Organic Silicon Compounds, S. 289 f., 737 ff., 1150 ff., Chichester: Wiley 1989 ▪ Pure Appl. Chem. **13**, 35 ff. (1966) ▪ Top. Curr. Chem. **84**, 77–135 (1979) ▪ Wilkinson-Stone-Abel **2**, 79, 166 f. ▪ s. a. Silicium-organische Verbindungen.

Silazane. Nach IUPAC-Regel D-6.4, I-7.2.3.5/8 u. R-5.1.4 Gruppenbez. für *Silicium-*Stickstoff-Verb. mit alternierenden Si- u. N-Atomen der allg. Formel $H_3Si{-}(NH{-}SiH_2)_n{-}NH{-}SiH_3$; *Beisp.:* Disilazan (n = 0). Cycl. S. der allg. Formel

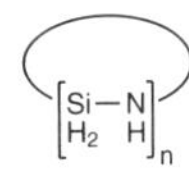

heißen *Cyclosilazane*; *Beisp.:* Cyclotrisilazan (n = 3). – ***E*** = ***F*** silazanes – ***I*** silazani – ***S*** silazanos

Silber (chem. Symbol Ag, von latein.: argentum). *Edelmetall aus der 11. Gruppe des *Periodensystems, Ordnungszahl 47, Atomgew. 107,8682. Natürliche Isotope (Häufigkeit in Klammern): 107 (51,839%) u. 109 (48,161%); daneben sind zahlreiche künstliche Ag-Isotope mit HWZ zwischen 0,22 s (^{124}Ag) u. 130 a (^{108m}Ag) bekannt. Ag tritt in den Oxid.-Stufen +1, +2 u. +3 auf, wobei die Ag(I)-Verb. am stabilsten sind. S. steht im Periodensyst. zwischen *Kupfer u. *Gold, mit denen es chem. u. physikal. verwandt ist. Die Salze des S. sind meist farblos, sofern nicht der Säure-Rest farbig ist (wie z. B. beim Silberchromat). Es sind auch eine Reihe von Koordinationsverb. bekannt, die häufig 2-fach koordiniert sind, z. B. $[Ag(NH_3)_2]^+$; es treten jedoch auch höhere Koordinationszahlen auf: $[AgI(PR_3)_2]$ (trigonal-planar), $[Ag(SCN)_4]^{3-}$ (tetraedr.), $[Ag(pyridin)_4]^{2+}$ (quadrat.-planar), $[AgF_4]^-$ (quadrat.-planar) u. $[AgF_6]^{3-}$ (oktaedr.). S. ist ein weißglänzendes, polierbares Edelmetall, D. 10,50 (Schwermetall), H. 2,7 (zwischen Kupfer u. Gold), Schmp. 961,93 °C, Sdp. 2187 °C (auch 2210 °C wird angegeben). S. besitzt von allen Metallen die höchste Leitfähigkeit für Wärme u. Elektrizität u. ist nach Gold das dehnbarste Metall. Man kann S. zu Blättchen von 2,7 µm Dicke hämmern u. zu Drähten (1 km wiegt nur 0,05 g) ausziehen. S. ist mit den meisten Metallen legierbar, wobei sich intermetall. Verb., im Falle des Goldes u. Palladiums Mischkrist. bilden. Mit Chrom, Mangan u. Nickel lassen sich dagegen nur in begrenztem Umfang Leg. herstellen, mit Eisen u. Cobalt gar nicht. An der Luft bleibt S. unverändert; offenbar überzieht es sich mit einer sehr dünnen, durchsichtigen Oxid-Schicht, die das Metall vor weiterem Angriff schützt. Halogene verbinden sich in atomarem od. mol. Zustand mit Silber. Unter Einwirkung von Schwefelwasserstoff tritt Schwärzung auf (Bildung von Silbersulfid, s. Silberputzmittel). Der unangenehme Geruch mancher S.-Waren soll auf die Adsorption von Schwefel-Verb. auf der S.-Oberfläche zurückgehen. In geschmolzenem Zustand löst Ag das Zehnfache seines Vol. an Sauerstoff, der beim Erstarren wieder freigesetzt wird, wodurch die Erscheinung des *Spratzens hervorgerufen wird; über Diffusion u. Löslichkeit von Sauerstoff in S. s. *Lit.*[1]. Wäss. Lsg. von Salzsäure od. anderen nicht-oxidierenden Säuren greifen S. nicht an, wohl aber oxidierende Säuren (Salpetersäure, warme konz. Schwefelsäure) u. Alkalicyanid-Lösungen. Viele S.-Verb. (insbes. solche mit Ag,N-

Bindungen sowie Acetylide, Carboxylate, Phenolate, Cyanate u. Fulminate) explodieren unerwartet[2].

Physiologie: Ag (MAK 0,01 mg/m³) wirkt (auch gebunden) stark antisept., da die in der Oxid-Schicht der Metalloberfläche enthaltenen Ag-Ionen in den Mikroorganismen eine blockierende Wirkung auf die Thiol-Enzyme ausüben. Ag-Ionen wirken auch stark fungizid u. bakterizid. Dünne, bakterientötende S.-Folien wurden deshalb als Wundverbandmaterial verwendet, desgleichen S.-Aerosole, S.-Lsg., S.-haltige Salben, Tabletten u. dgl. als *Antiseptika u. *Antimykotika. Auch Trinkwasser kann durch kleinste Mengen von kolloidem Ag keimfrei gemacht werden (*Silberung, vgl. Oligodynamie); die rechtlichen Bestimmungen für die Entkeimung mit S. sind in der *Trinkwasser-Aufbereitungs-VO enthalten, s. a. DIN 2000: 1973-11. Nach dem auf längere Zeiträume verteilten Einnehmen von Silbernitrat od. anderen S.-Präp. kann sich die ganze Körperhaut dauerhaft schwärzlich färben; diese Erscheinung bezeichnet man als *Argyrie* od. *Argyrose*. Das S.-Salz wird langsam vom Darm aufgenommen u. ins Blut abgegeben u. bes. an Licht-exponierten Hautstellen (aber auch in der Leber, den Nieren u. Blutgefäßen) zu schwarzem Silbersulfid umgewandelt. Diese Schwärzung läßt sich nicht mehr entfernen u. bleibt an den Ausscheidungsstellen lebenslänglich liegen, weil die Silbersulfid-Farbkörnchen tief in der Haut sitzen; Vergiftungserscheinungen werden nicht beobachtet. Auch die Hautoberfläche wird durch Silbernitrat-Lsg. nach einiger Zeit unter Ausscheidung von S., Silberoxid u. Silbersulfid geschwärzt. Ein Maximalgehalt von 4% $AgNO_3$ ist aber dennoch für kosmet. Mittel erlaubt. Das Ausscheiden von Ag aus dem tier. Organismus erfolgt durch den Kot. Die Rolle von S. im tier. Stoffwechsel ist noch weitgehend unbekannt, beruht aber wohl auf der Blockade von Enzymen. Manche – sog. *argyrophilen* – Proteine binden sich bevorzugt an Ag, werden also durch dieses geschwärzt (*Beisp.:* *Reticulin), wovon man in der Histochemie Gebrauch macht.

Nachw.: Eine qual. Prüfung auf kann mit Hilfe des in Wasser schwerlösl. Silberchlorids od. mit 1,2,3-Benzotriazol, Chromotropsäure, Dithizon, Nitroso-R-Salz, 8-Hydroxychinolin, Thionalid, 2-Mercaptobenzothiazol, Dimethylglyoxim u. a. Reagenzien erfolgen[3]. Goldschmiede prüfen S.-Waren in einfacher Weise mit dem sog. *Probierstein[4]. Quant. läßt sich Ag in seinen Salzen durch Titration mit Natriumchlorid-Lsg. (nach Gay-Lussac, Fajans), Ammoniumthiocyanat-Lsg. (nach Volhard), konduktometr., potentiometr., mit ionenselektiven Elektroden usw. bestimmen. Auch Reagenzpapiere, z. B. für die Bestimmung von Ag in photograph. Lsg., befinden sich im Handel (Bildung von Ag_2S). In der *Kunstwerkprüfung bedient man sich physikal. Bestimmungs-Meth. wie z. B. der Emissionsspektralanalyse u. der Atomabsorptionsspektroskopie; mit Hilfe von Neutronenaktivierungsanalyse u. Massenspektroskopie läßt sich nicht nur das Alter antiker S.-Münzen, sondern auch die Herkunft der entsprechenden Erze ermitteln[5].

Vork.: Ag gehört zu den seltenen Elementen; man schätzt seinen Anteil an der obersten, 16 km dicken Erdkruste auf nur 700 ppm; damit steht Ag in der Häufigkeitsliste der Elemente in der Nähe von Indium u. Quecksilber, ist aber häufiger als Gold, Platin u. Neon. In der Natur findet es sich vorwiegend als Silbersulfid in Gemeinschaft mit anderen Sulfiden, z. B. im Silberglanz (*Argentit), in den Rotgültigerzen (*Proustit u. *Pyrargyrit), als *Petzit, im Freibergit (s. Fahlerze) u. im Silberantimonglanz (*Miargyrit). Weitere S.-Erze sind *Dyskrasit, Naumannit, *Stromeyerit. Die Silberhalogenide (z. B. *Chlorargyrit) spielen techn. keine wichtige Rolle, auch das gelegentlich in feiner Verteilung gediegen vorkommende Ag (z. B. in Mansfeld, Freiberg, Sardinien, Bolivien, USA) tritt an Bedeutung hinter den sulfid. Erzen zurück. Man nimmt an, daß der Erdkern S.-frei ist. Die größten S.-Mengen dürften sich in der Sulfid-Oxidschale befinden; von hier aus gelangen Anteile mit dem Magma in den eigentlichen Gesteinsgürtel der Erde. Da man S.-akkumulierende Bakterien gefunden hat, vermutet man, daß diese eine Rolle bei der Lagerstätten-Bildung gespielt haben[6]. Im Meerwasser sind nur geringe, nicht wirtschaftlich nutzbare Mengen an Ag (1 ppt) vorhanden; s. jedoch *Lit.*[7].

Herst.: Da die eigentlichen S.-Erze selten sind, gewinnt man heute mehr als 50% des Ag als Nebenprodukt bei der Verhüttung von *Bleiglanz, der gewöhnlich 0,01–0,3% (gelegentlich sogar mehr als 1%) Ag enthält. Nur noch geringe Bedeutung hat das sog. *Pattinsonieren* (*Pattinson-Verfahren), das allerdings dann von Vorteil ist, wenn der Bleiglanz neben Ag größere Mengen Bismut enthält, das zusammen mit Ag aus dem Blei entfernt wird. Heute wendet man die sog. Zinkentsilberung [*Parkes(s)ieren*, *Parkes-Verfahren] an. Früher wurde Ag auch durch *Amalgam-Bildung gewonnen. Aus S.-Erzen gewinnt man Ag mit Natriumcyanid-Lsg. durch Cyanid-Laugerei (s. Cyanide u. Gold). Aus dem gelösten Cyanid-Komplex wird Silber durch Ausfällung mit Zinkstaub erhalten:

$$2\,Na[Ag(CN)_2] + Zn \rightarrow 2\,Ag + Na_2[Zn(CN)_4]$$

od. durch Verw. von *Ionenaustauschern[8].

Die Reinherst. von Ag erfolgt durch elektrolyt. Raffination: Man hängt das zu reinigende S. in Plattenform als Anode in eine Silbernitrat-Lsg. od. in stark verd. Salpetersäure, wobei sich Ag an der Kathode mit einem Reinheitsgrad von 99,9% niederschlägt. Nach einem Verf. der Duisburger Kupferhütte wird Sauerstoff-angereicherte Luft od. Sauerstoff in das geschmolzene Roh-S. eingeleitet, wobei die Verunreinigungen oxidiert u. als Schlacke abgezogen werden können; durch Raffination, bes. mit Hilfe des elektrolyt. Möbius-Verf., erhält man Ag mit einem Reinheitsgrad von 99,95 bis 99,98% (sog. *Elektrolytsilber*). Angesichts der allg. Rohstoffsituation – der S.-Verbrauch übersteigt die Primärproduktion beträchtlich (ca. 5000 t/a) – bemüht man sich um die Rückgewinnung (*Recycling) von Ag, z. B. aus gebrauchten Fixierbädern photograph. Betriebe (u. a. durch Red. mit Natriumdithionit, durch *umgekehrte Osmose, durch Elektrolyse od. elektrochem. Abscheidung durch andere Metalle sowie mit Ionenaustauschern; vgl. die Übersichten in *Lit.*[9]). Die Aufarbeitung von *Gekrätz u. anderen S.-haltigen Abfällen u. Altmetallen erfolgt durch sog.

*Scheiden (*Degussa); zur Herst. von Ag u. seinen Verb. im Laboratorium s. *Lit.*[10].
S. kommt in Form von Granalien, Pulver, Blechen, Netzen, Drähten, Bändern u. Krist. sowie als sog. S.-Barren u. S.-Wolle in den Handel. Handelsüblich sind in der BRD folgende Ag-Qualitäten: S., good delivery (ca. 99,9%), Fein-S. (99,97% od. 99,99%), Fein-S. chem. rein (99,995%) u. Fein-S. hochrein (99,999%). Der Gehalt wird oft noch mit Stempel als *Feingehalt (z.B. 800, s. Silber-Legierungen) angegeben. Die Bergwerksproduktion von Ag betrug im Jahre 1994 in der gesamten Welt ca. 13817 t, wobei Zentral- u. Südamerika (3168 t), die USA u. Kanada (4443 t), die GUS (1499 t) u. Ozeanien (1077 t) die Hauptproduzenten waren, in Europa wurden 1594 t Ag erzeugt; Ag-Recycling, v.a. aus photograph. Anw., ergab 1994 weltweit >4100 t Ag.
Verw.: Ag ist das meistgeförderte u. meistgebrauchte Edelmetall. Um seine Härte zu steigern, wird es in der Regel mit Kupfer legiert; die *Brinell-Härte kann hierdurch verdoppelt werden. Bei Münzen beträgt der Ag-Gehalt meist 40–90%, bei S.-Waren 80–92,5%. S. spielte von alters her als *Münzmetall eine wichtige Rolle (die ersten S.-Münzen wurden im Mittelmeergebiet vor etwa 2600 Jahren ausgegeben); heute sind nur noch wenige S.-Münzen im Umlauf. Fein-S. dient zum Bau chem. Apparaturen, zur Herst. von Anoden für galvan. Bäder, in der Elektro-Ind. zur Herst. von elektr. Kontakten, Elektroden u. in Form von AgCu-Leg. mit mind. 80% Ag zur Herst. von Schmuckwaren u. Bestecken. Weiterhin wird Ag verwendet in der *Photographie (als lichtempfindliche Schicht auf Photoplatten, Filmen u. Papieren, meist Silberbromid), zum *Versilbern u. *Plattieren, für Ag-Zn- u. Ag-Cd-Batterien, für Kondensatoren in der Hochfrequenztechnik, Spiegel, phototrope Gläser (s. Photochromie) u. für Dental-Leg. in der Zahnheilkunde (weiße Edelmetall-Leg. aus 60–70% Ag, 20–30% Pd, 10% Cu, Zn, Co, Ni u. dgl.), zur Herst. von S.-Leg., im organ.-chem. Laboratorium in Form von π-Komplexen zur Abtrennung u. Charakterisierung von ungesätt. Verb. sowie als Katalysator für zahlreiche organ. Synth. u. Umlagerungen, für Arzneimittel[11], zur Reizkörper-Therapie, zur Entkeimung, als Pigment für Zuckerwaren, Dragées u. in der Kosmetik etc. In den USA gliederte sich der S.-Verbrauch 1994 etwa wie folgt: Photo-Ind. 2109 t, Elektrotechnik 756 t, Schmuck 165 t, Münzen 255 t, S.-Geschirr u. -Gegenstände 293 t, Spiegel 44 t, Katalysatoren 124 t u.a.; insgesamt 4190 t.
Geschichte: Da S. in der Natur z.T. gediegen vorkommt, ist es frühzeitig bekannt gewesen (ca. 5000 v. Chr.). Bei Homer werden z.B. silberne Rüstungen erwähnt. Bes. Bedeutung hatten in der Antike die S.-Fundstätten in Kleinasien, Spanien u. Griechenland (Laurion in Attika; *Lit.*[12]). In Mitteleuropa begann man um 1000 n. Chr. im Elsaß, Lahn- u. Siegerland nach S. zu schürfen. Im frühen Mittelalter lieferten Sachsen (Freiberg), Böhmen, der Harz, Ungarn, Tirol u. die Steiermark bedeutende Mengen. Seit Anfang des 16. Jh. strömten erhebliche S.-Mengen aus Süd- u. Mittelamerika nach Europa. In neuerer Zeit hat die S.-Produktion der USA u. Mexikos den europ. S.-Bergbau beinahe zum Erliegen gebracht. Die mittelalterlichen Alchemisten haben S. wegen seines Glanzes der Mondgöttin (Luna) geweiht; als Symbol für Ag wurde lange Zeit ein Halbmond verwendet, s. die symbol. Darst. bei chemische Zeichensprache. Das Wort S., althochdtsch.: sil(a)bar, mittelhochdtsch.: silver, silber, ist wahrscheinlich aus einer nichtindogerman. Sprache entlehnt. Vom span. Namen: plata leitet sich derjenige des *Platins ab. – ***E*** silver – ***F*** argent – ***I*** argento – ***S*** plata

Lit.: [1] Z. Metallkd. **1962**, 321–324. [2] Chem. Ztg. **111**, 57–60 (1987). [3] Fries-Getrost, S. 319–324; Townshend, Encyclopedia of Analytical Science, S. 4671–4679, London: Academic Press 1995. [4] Endeavour NS **10**, 164ff. (1986). [5] GEO **1980**, Nr. 10, 112–128; Naturwissenschaften **65**, 273–284 (1978). [6] Nature (London) **296**, 642 (1982). [7] Burk, Gold, Silver, and Uranium from Seas and Oceans: the Emerging Technology, Los Angeles: Arbor Pub. 1989. [8] Salter et al. (Hrsg.), Proc. Int. Symp. Gold Metall., S. 379–393, New York: Pergamon 1987. [9] J. Imaging Technol. **14** (6), 160–166 (1988); Chem. Labor Betr. **32**, 43–48 (1981). [10] Brauer (3.) **2**, 993–1010. [11] Negwer (6.), S. 1337. [12] Spektrum Wiss. **1981**, Nr. 8, 92–105.
allg.: Braun-Dönhardt, S. 345 ▪ Friberg et al. (Hrsg.), Handbook on the Toxicology of Metals (2.), Vol. II, S. 521–531, Amsterdam: Elsevier 1986 ▪ Gmelin, Syst.-Nr. 61, Ag, 3 Tl., 1970–1975 ▪ Hutzinger **1 D**, 1–27 ▪ Ivosevic, Gold and Silver Handbook on Geology, Exploration..., Denver: Ivosevic 1984 ▪ Kirk-Othmer (4.) **22**, 163–179, 179–195 (S.-Verb.) ▪ Ramdohr-Strunz, S. 391 ff. ▪ Snell-Ettre **18**, 155–178 ▪ Synthetica **1**, 452f.; **2**, 394–399 ▪ Ullmann (5.) **A 24**, 107–163 ▪ Winnacker-Küchler (4.) **4**, 540–572 ▪ Wolf, Handbook of Strata-Bound and Stratiform Ore Deposits, Bd. 14, Amsterdam: Elsevier 1986. – *[HS 7106 10, 7106 91; CAS 7440-22-4]*

Silberacetat. $H_3C–COOAg$, $C_2H_3AgO_2$, M_R 166,92. Weiße od. grauweiße, hautreizende, glänzende Nadeln, D. 3,26, wenig lösl. in kaltem, leichter lösl. in heißem Wasser. S. entsteht beim Auflösen von Silbercarbonat in heißer Essigsäure od. durch Reaktion lösl. Acetate mit Silbernitrat. Verw. in der organ. Synth., z.B. für selektive Oxid. u. zur Abstraktion von Chlorid in Metall-Komplexen. – ***E*** silver acetate – ***F*** acétate d'argent – ***I*** acetato di argento – ***S*** acetato de plata
Lit.: Beilstein E IV **2**, 112 ▪ Gmelin, Syst.-Nr. 61, Ag, Tl. B 5, 1975, S. 121–148 ▪ Merck-Index (12.), Nr. 8648 ▪ Paquette, **6**, 4445. – *[HS 2843 29; CAS 563-63-3]*

Silberalaun s. Silbersulfat.

Silberamalgame. Feste Lsg. des Syst. Hg-Ag, ggf. mit Anteilen von Sn, Zn u. Cu. DIN 13904 spezifiziert eine Zusammensetzung von mind. 75% Ag, max. 29% Sn, max. 15% Cu, max. 2% Zn u. max. 3% Hg für hoch *Silber-haltiges *Amalgam. Leg. dieser Art werden aufgrund ihrer Verarbeitungs- u. Endeigenschaften in der Dentaltechnik zum Füllen von Zahnbohrungen (Kavitäten) verwendet. Die Metallpulver werden hierzu mit dem Hg-Anteil intensiv vermischt (trituriert) u. müssen innerhalb weniger Minuten verarbeitet (gestopft) werden. Belastbarkeit ist nach ca. 1 h gegeben, die Endhärte wird nach ca. 1 d erreicht. S. weisen hohe Härte, Druck- u. Verschleißfestigkeit sowie hohe Korrosionsbeständigkeit auf. Sie zeigen beim Aushärten ein kennzeichnendes Volumenveränderungs-Verhalten (Expansion), durch das fester Sitz in der Kavität gewährleistet wird. In jüngerer Zeit wurden S. entwickelt, in denen die weniger beständige γ_2-Phase (SnHg) durch Cu_5Sn_2 mit höherer Beständigkeit ersetzt

ist. Da die Möglichkeit einer gesundheitlichen Gefährdung durch langzeitig herausgelöstes Hg bislang nicht sicher ausgeschlossen werden konnte, ist eine ansteigende Tendenz zur Verw. von Alternativwerkstoffen (Polymere, Keramik) od. der sehr viel teureren Gold-Füllungen zu beobachten; vgl. a. Silber-Legierungen, Amalgame. – ***E*** silver amalgam – ***F*** amalgame d'argent – ***I*** amalgami d'argento – ***S*** amalgama de plata
Lit.: s. Silber-Legierungen. – *[HS 2843 90]*

Silberantimonglanz s. Miargyrit.

Silberbromid. AgBr, M_R 187,772. Weißes od. blaßgrünlichgelbes Pulver, D. 6,473, Schmp. 430 °C, Sdp. 1533 °C, färbt sich im Licht unter Brom-Entwicklung blaßgrauviolett. In Wasser ist S. schwerer lösl. als *Silberchlorid [Löslichkeitsprodukt: $K_L(AgBr) = 5 \cdot 10^{-13}$ $mol^2 \cdot L^{-2}$]. S. läßt sich leichter reduzieren u. zeigt größere Lichtempfindlichkeit als AgCl. In Mexiko kommt S. auch als Mineral (*Bromit* od. *Bromargyrit*) vor, es bildet kleine reguläre, olivgrüne od. gelbe Kristalle. S. findet Verw. in der *Photographie u. zur Herst. opt. Fenster. – ***E*** silver bromide – ***F*** bromure d'argent – ***I*** bromuro di argento – ***S*** bromuro de plata
Lit.: Gmelin, Syst.-Nr. 61, Ag, Tl. B 2, 1972, S. 1–171 ▪ Kirk-Othmer (4.) **22**, 180 ▪ Phys. Rev. Lett. **55**, 3002 (1985) ▪ Z. Chem. **25**, 450f. (1985) ▪ s. a. Photographie. – *[HS 2843 29; CAS 7785-23-1]*

Silberbronze. Umgangssprachliche Bez. für 1. heute nicht mehr genormte Kupfer-Leg. mit 2–6% Ag u. 0–1,5% Cd; – 2. für in Lsm. suspendiertes, als Metallanstrichmittel verwendetes Aluminium-Pulver; s. a. Bronzepigmente. – ***E*** silver bronze – ***F*** bronze d'argent – ***I*** bronzo di argento – ***S*** bronce de plata

Silbercarbonat. Ag_2CO_3, M_R 275,746. Hellgelbes Pulver, D. 6,077, bei 200 °C Zers., in Wasser prakt. unlösl. (100 g lösen 2 mg S.), leichter lösl. in Kaliumcarbonat-Lsg. (Doppelsalz-Bildung), Salpetersäure, Schwefelsäure u. Kaliumcyanid-Lösung. Mit S. imprägniertes Kieselgur (Celite®) wird als Oxid.-Mittel zur Synth. organ. Verb. beschrieben. – ***E*** silver carbonate – ***F*** carbonate d'argent – ***I*** carbonato di argento – ***S*** carbonato de plata
Lit.: Gmelin, Syst.-Nr. 61, Ag, Tl. B 3, 1973, S. 273–296 ▪ Kirk-Othmer (4.) **22**, 181 ▪ Mijs u. DeJonge (Hrsg.), Organic Synthesis by Oxidation with Metal Compounds, S. 503–567, New York: Plenum 1986 ▪ Ullmann (5.) **A 24**, 137 ▪ s. a. Silber. – *[HS 2843 29; CAS 534-16-7]*

Silberchlorid. AgCl, M_R 143,321. Das in der Natur als sog. *Hornsilber* (*Chlorargyrit) vorkommende AgCl bildet ein feines, weißes Pulver (mikroskop. Kristallwürfel), D. 5,56, Schmp. 455 °C (orangegelbe Flüssigkeit), Sdp. 1554 °C (Dämpfe sind z. T. polymerisiert), in reinem Wasser prakt. unlösl. [Löslichkeitsprodukt: $K_L(AgCl) = 1.7 \cdot 10^{-10}$ $mol^2 \cdot L^{-2}$; 1 L Wasser löst bei 25 °C nur 1,86 mg AgCl], lösl. in wäss. Ammoniak, Kaliumcyanid- u. Natriumthiosulfat-Lsg. unter Bildung von Komplexsalzen, z. B. $[Ag(NH_3)_2]Cl$ u. $K[Ag(CN)_2]$. Eine wäss. Aufschwemmung von S. gibt mit Zink fein verteiltes elementares Silber u. Zinkchlorid:

$$2\,AgCl + Zn \rightarrow 2\,Ag + ZnCl_2.$$

Bei längerer Belichtung färbt sich S. unter Abscheidung von fein verteiltem Silber u. Abspaltung von Chlor lila, blaßviolett u. zuletzt dunkelviolett. Bei kurzer Belichtung wird AgCl (ebenso wie AgBr) äußerlich noch nicht verändert. S. kann dann durch geeignete *Entwickler* leicht zu Silber reduziert werden, s. Photographie.
Herst.: Aus Silbernitrat-Lsg. mit Salzsäure od. Lsg. von Metallchloriden od. durch Einwirkung von Chlor auf Silberbromid, Silberiodid, Silbersulfid od. Silbernitrat.
Verw.: In der Photographie, für kristallphysikal. Messungen, in Form von Ca-dotierten Krist. als Teilchendetektoren, als *Bezugselektrode, zur Herst. antisept. Präp. sowie zur Erzeugung von Überzügen aus Silber. – ***E*** silver chloride – ***F*** chlorure d'argent – ***I*** cloruro di argento – ***S*** cloruro de plata
Lit.: Adv. Photochem. **13**, 329–426 (1986) ▪ Gmelin, Syst.-Nr. 61, Ag, Tl. B 1, 1972, S. 317–494 ▪ Kirk-Othmer (4.) **22**, 181 ▪ Woolley, Silver Chloride and Water Systems (Solub. Data Ser.), Oxford: Pergamon 1984 ▪ s. a. Photographie, Silber. – *[HS 2843 29; CAS 7783-90-6]*

Silbercyanid. AgCN, M_R 133,886. Weiße, geruch- u. geschmackfreie, giftige, luftbeständige, hexagonal-rhomboedr. Krist., D. 3,95, bei 320 °C Zers., die sich im Licht unter Silber-Ausscheidung allmählich bräunen. In Wasser ist S. prakt. unlöslich. AgCN entsteht, wenn man Lsg. von Silbernitrat mit Alkalicyanid-Lsg. reagieren läßt; bei weiterem Zusatz löst es sich jedoch unter Komplex-Bildung z. B. als *Kaliumdicyanoargentat wieder auf. Als Natriumdicyanoargentat wird Silber bei der Cyanid-Laugerei (s. Cyanide) gewonnen. S. findet Verw. zur galvan. Versilberung. – ***E*** silver cyanide – ***F*** cyanure d'argent – ***I*** cianuro di argento – ***S*** cianuro de plata
Lit.: Beilstein E IV **2**, 57 ▪ Gmelin, Syst.-Nr. 61, Ag, Tl. B 3, 1973, S. 297–330 ▪ Hommel, Nr. 975 ▪ Kirk-Othmer (4.) **22**, 182 ▪ Salomon, Silver Azide, Cyanide, Canamides, Cyanate, Selenocyanate, and Thiocyanate (Solub. Data Ser. 3), Oxford: Pergamon 1979 ▪ Ullmann (5.) **A 8**, 177 ▪ s. a. Silber. – *[HS 2843 29; CAS 506-64-9; G 6.1]*

T

Silberdiethyldithiocarbamat.

$(H_5C_2)_2N{-}C({=}S){-}S^-\ Ag^+$

$C_5H_{10}AgNS_2$, M_R 256,12. Grüngelbes bis schwach graugelbes Pulver, Schmp. 172–175 °C, unlösl. in Wasser, leicht lösl. in Pyridin, Chloroform. Empfindliches Reagenz zur Bestimmung von As- u. Sb-Spuren; Erfassungsbereich <15 µg As od. Sb. – ***E*** silver diethyldithiocarbamate – ***F*** diéthyldithiocarbamate d'argent – ***I*** dietilditiocarbamato di argento – ***S*** dietilditiocarbamato de plata
Lit.: Beilstein E IV **4**, 391 ▪ Fries-Getrost, S. 36f., 41–44 ▪ Kirk-Othmer (3.) **24**, 321 ▪ Microchem. J. **24**, 80 (1979) ▪ Pure Appl. Chem. **52**, 1939 (1980). – *[HS 2843 29; CAS 1470-61-7]*

Silberfärbung. Detektionsmeth. für elektrophoret. od. chromatograph. getrennte *Proteine u. a. Makromol. wie *Nucleinsäuren, die mit Silber-Ionen komplexieren u. dann als dunkle bis schwarze Banden zu erkennen sind. Inzwischen sind Färbelsg. kommerziell erhältlich. Sie erlauben eine Detektionsempfindlichkeit von 0,5 bis 20 ng Protein je Bande u. übertreffen damit die Coomassie®-Blau-Färbung um ein Vielfaches.

Durch sog. double staining mit aufeinanderfolgender Coomassie-Blau- u. S. kann die Farbintensität der Banden noch erhöht werden. – ***E*** silver staining – ***F*** coloration à l'argent – ***I*** colorazione all'argento – ***S*** tinción con plata

Silberfahlerz s. Fahlerze.

Silberfarbbleichverfahren s. Farbphotographie.

Silberfluoride. a) *Silberfluorid*, AgF, M_R 126,867: Krist.-blättrige Masse, D. 5,85, Schmp. 435 °C, bei 1159 °C Zers., in Wasser im Gegensatz zu den übrigen Silberhalogeniden sehr leicht lösl., krist. mit 1 od. 2 Mol. H_2O je Formeleinheit aus der wäss. Lsg., bildet mit überschüssiger Flußsäure Verb. der Formel AgF · HF od. AgF · 3HF u. eignet sich zum Austausch von Chlorid gegen Fluorid.
b) *Disilberfluorid*, Ag_2F, M_R 234,735: Bronzefarbene, elektr. leitfähige hexagonale Krist., D. 8,57, Zers. oberhalb 100 °C in Ag u. AgF, entsteht bei der Auflösung von Silber in einer konz. Lsg. von S. (a) in flüssigem HF od. elektrolyt. aus AgF an einer Ag-Kathode. Ag_2F krist. in einem Schichtengitter aus AgF mit eingelagerten Ag-Atomen.
c) *Silberdifluorid*, AgF_2, M_R 145,865: Tief dunkelbraunes, antiferromagnet., an Luft rauchendes, sehr giftiges Pulver, D. 4,58, Schmp. 690 °C, bei 700 °C Zers.; AgF_2 entsteht, wenn Fluor auf fein verteiltes Silber bei Raumtemp. od. unter leichter Erwärmung einwirkt. Von Wasser wird AgF_2 rasch unter Bildung von AgF u. Sauerstoff zerlegt. AgF_2 eignet sich sehr gut zur *Fluorierung organ. Substrate (insbes. zur *Perfluorierung*).
AgF_3 existiert nicht, wohl aber die Tetrafluoroargentate(III) $M[AgF_4]$ (M = Na, K, Rb, Cs) sowie Cs_2KAgF_6, mit oktaedr. koordiniertem $[AgF_6]^{3-}$-Ion. – ***E*** silver fluorides – ***F*** fluorures d'argent – ***I*** fluoruri di argento – ***S*** fluoruros de plata

Lit.: Angew. Chem. **99**, 1120–1135 (1987) ▪ Brauer (3.) **1**, 247 ff. ▪ Chem. Labor Betr. **18**, 546 f. (1967) ▪ Gmelin, Syst.-Nr. 61, Ag, Tl. B 1, 1971, S. 290–314 ▪ Kirk-Othmer (4.) **11**, 422–426; **22**, 182 ▪ Ullmann (5.) **A 24**, 136. – *[HS 2843 29; CAS 7775-41-9 (a); 1302-01-8 (b); 7783-95-1 (c)]*

Silberfulminat. Silbersalz der *Knallsäure mit der Formel AgONC (Anion: $^-O{-}N^+{\equiv}C^-$), M_R 149,89, das gelegentlich auch als AgCNO ($Ag^{+-}C{=}N \rightarrow O$) formuliert wird; vgl. die Gegenüberstellung bei Cyansäure. Weiße Nadeln, die noch viel leichter explodieren als Knallquecksilber (*Quecksilberfulminat); die Explosion kann schon bei Berührung mit einem Hornspatel od. beim Erwärmen auf 190 °C erfolgen. 1 L Wasser löst bei 30 °C 0,18 g des Salzes. S. wird auch als *Knallsilber* bezeichnet, obwohl man darunter nach *Berthollet auch dunkle Niederschläge (aus Ag_3N u. Ag_2NH?) versteht, die sich aus Lsg. von Silberoxid od. Silbersalzen in wäss. Ammoniak bei längerem Stehen abscheiden u. schon bei geringster Erschütterung des Gefäßes kräftig explodieren können. – ***E*** silver fulminate – ***F*** fulminate d'argent – ***I*** fulminato di argento – ***S*** fulminato de plata

Lit.: Beilstein EIV **1**, 3417 ▪ Chem. Ztg. **111**, 57–60 (1987) ▪ Gmelin, Syst.-Nr. 61, Ag, Tl. B 3, 1973, S. 340–343 ▪ Kirk-Othmer (4.) **22**, 182 ▪ Ullmann (5.) **A 24**, 138 ▪ s. a. Silber. – *[HS 2843 29; CAS 5610-59-3; G 1.1A]*

Silberglanz s. Argentit.

Silberhornerz s. Chlorargyrit.

Silberiodid. AgI, M_R 234,773. S. entsteht als hellgelber, mikrokrist. Niederschlag, D. 6,01, Schmp. 558 °C, Sdp. 1506 °C, aus Lsg. von Silbernitrat u. einem Iodid:

$$AgNO_3 + KI \rightarrow AgI + KNO_3.$$

AgI ist in Wasser noch weniger lösl. als *Silberchlorid od. *Silberbromid [Löslichkeitsprodukt: $K_L(AgI) = 8{,}5 \cdot 10^{-17}\ mol^2 \cdot L^{-2}$] u. löst sich in konz. Ammoniakwasser kaum mehr auf, wohl aber in Lsg. von Kaliumcyanid. Bei Belichtung färbt sich S., das die lichtempfindliche Komponente in der *Daguerreotypie darstellt, grünlichgrauschwarz. Durch Entwickler ist das belichtete S. wesentlich schwerer zu reduzieren als Silberchlorid u. Silberbromid.
S. kommt in drei verschiedenen Modif. vor: Oberhalb 146 °C krist. es kub.-raumzentriert im Kochsalz-Gitter (α-AgI), zwischen 146 °C u. 137 °C im hexagonalen Wurtzit-Gitter (β-AgI) u. unterhalb 137 °C im kub.-flächenzentrierten Zinkblende-Gitter (γ-AgI).
Verw.: Zur Photographie, neben Kohlensäureschnee zur Erzeugung von künstlichem *Regen u. zur Verhütung von Hagelschlag, ferner wegen der guten elektrolyt. Leitfähigkeit als fester Elektrolyt, z. B. in der Satellitentechnik. – ***E*** silver iodide – ***F*** iodure d'argent – ***I*** ioduro di argento – ***S*** yoduro de plata

Lit.: Adv. Photochem. **13**, 329–426 (1986) ▪ Brauer (3.) **2**, 995 f. ▪ Gmelin, Syst.-Nr. 61, Ag, Tl. B 2, 1972, S. 186–433 ▪ Kirk-Othmer (4.) **22**, 182 ▪ Klein, Environmental Impacts of Artificial Ice Nucleating Agents, New York: Academic Press 1978 ▪ s. a. Photographie u. Silber. – *[HS 2843 29; CAS 7783-96-2]*

Silberkupferglanz s. Stromeyerit.

Silber-Legierungen. Sammelbez. für Leg., die neben Silber bes. Cu, Pd, Zn, Ni, W, Mo u. Cd enthalten u. von denen die AgCu-Leg. für die Herst. von Schmuck, Bestecken u. Geräten bes. Bedeutung erlangt haben. Der Gehalt (*Feingehalt) an Ag wird bei S.-L. für Schmuck u. Bestecke in Tausendstel angegeben (*Stempel*), z. B. 800 (entsprechend 80% Ag), 825, 925 (*Sterlingsilber*) u. 958 (*Britanniasilber*). In früherer Zeit waren Feingehaltsangaben in *Lot* üblich: 1000/1000 od. Feinsilber hatte 16 Lot. Die sog. *Silberlote* (*Hartlote) enthalten 8–83% Ag u. wechselnde Mengen an Cu, Cd, Zn, gelegentlich noch P, Mn, Ni u. finden u. a. zum *Hartlöten von *Edelmetallen u. nichtrostenden Stählen u. als Zusatzstoffe bei der Stahl- u. NE-Metall-Verarbeitung Verwendung. *Silberbleilot* ist eine bei ca. 305 °C verarbeitbare Leg. aus 97% Pb u. bis zu 3% Ag (+ Cu + Cd). AgCd- u. AgInCd-Leg. finden Anw. in Steuer- od. Trimmstäben von Kernreaktoren, Ni-, W- od. Mo-haltige S.-L. in der Elektrotechnik, z. B. zur Herst. fertiger Schaltstücke, AgHg-Leg. (*Silberamalgame) bzw. AgSnHg-Leg. als Dentallegierungen. Außerdem werden Werkstoffe hergestellt, die in der Ag-Matrix Aluminiumoxid- od. Cadmiumoxid-Teilchen dispergiert enthalten u. sich durch bes. Härte sowie Hitzebeständigkeit auszeichnen, sowie Silber-Graphit-Werkstoffe, die pulvermetallurg. hergestellt werden. Sie können z. B. für elektr. Kontakte, Schutzschalter, Berstscheiben u. in chem. Apparaturen angewendet werden. – ***E*** silver alloys – ***F*** alliages d'argent – ***I*** leghe di argento – ***S*** aleaciones de plata

Lit.: Gainsford, Silberamalgam in der zahnärztlichen Praxis, Stuttgart: Thieme 1983 ▪ Gmelin, Syst.-Nr. 61, Ag, Tl. C. 1972 ▪ s. a. Silber. – *[HS 2843 90]*

Silberlote s. Silber-Legierungen.

Silbernitrat. $AgNO_3$, M_R 169,873. Farblose, durchsichtige, nicht hygroskop., rhomb. Krist., D. 4,352, Schmp. 212 °C, bei 440 °C Zers., dimorph mit Umwandlung in die hexagonal-rhomboedr. Form bei 159,8 °C. S. schmeckt bitter metall., wirkt stark ätzend u. antisept.; es wird durch organ. Stoffe (auch Staubteilchen) bes. im Licht unter Ausscheidung von fein verteiltem, schwarzem Silber reduziert, ist jedoch in Abwesenheit organ. Substanz *nicht* lichtempfindlich. S. ist in Wasser leicht, in Alkohol schwer lösl.; Explosionsgefahr bei der Krist. aus wäss. Ethanol-Lösung [1]. Gesätt. wäss. Lsg. enthalten je Kg H_2O bei 0 °C 548 g $AgNO_3$, bei 25 °C 710 g, bei 60 °C 815 g u. bei 100 °C 880 g. Auf glühender Kohle verpufft S. (Oxid.-Wirkung). Gießt man zu einer Eiweiß-Lsg. einige Tropfen S.-Lsg., so entsteht ein weißer Niederschlag von Silberalbuminat; dieser färbt sich am Licht grau, da adsorbiertes S. von der organ. Substanz allmählich zu fein verteiltem, schwarzem Silber reduziert wird. Eine ähnliche Schwärzung beobachtet man auch, wenn S. auf die menschliche Haut gelangt; Ag u. die freiwerdende Salpetersäure zerstören die Zellschichten an der Oberfläche, das tieferliegende Gewebe erleidet hierbei nur eine Reizung u. Adstringierung, wodurch die Heilung gefördert wird. Daher verwendet man Stäbchen von S. als sog. *Höllenstein* (Lapis infernalis) zur Beseitigung von Wucherungen. Bei innerlichen S.-Vergiftungen wendet man Magenspülungen mit 1%iger Kochsalz-Lsg. an [2].

Herst.: Durch Auflösen von metall. Silber in Salpetersäure (am besten in reiner O_2-Atmosphäre, damit NO wieder zu HNO_3 reagiert):

$$3\,Ag + 4\,HNO_3 \rightarrow 3\,AgNO_3 + 2\,H_2O + NO.$$

Verw.: Zur Herst. der meisten anderen Silber-Verb., für galvan. Versilberungen, in der Medizin zur sog. Credé-Prophylaxe bei Neugeborenen (Augentropfen mit 1%iger S.-Lsg.) gegen den evtl. zu Blindheit führenden Augentripper (Verw. von Benzylpenicillin-Lsg. hat sich wegen zunehmender Resistenz der *Gonorrhoe-Erreger nicht bewährt), als Mittel gegen Hautwucherungen (z. B. Warzen), in der analyt. Chemie als Reagenz für den Nachw. u. die Bestimmung von Halogeniden, Pseudohalogeniden (s. *Argentometrie* unter Fällungsanalyse) u. von Arsenwasserstoff (*Gutzeit-Test), ammoniakal. S.-Lsg. zur absorptiven Bestimmung von *Kohlenoxid nach *Berthelot-Thiele* (s. aber *Lit.* [3]). In der Säulenchromatographie kann S. auf Aluminiumoxid od. Kieselgel als sog. trockene Säule zur Ab- bzw. Auftrennung von Olefinen u. Aromaten benutzt werden. Wäss. S.-Lsg. eignen sich als Blumenfrischhaltemittel. S. wird als sog. *Höllenstein zur Fleckentfernung verwendet. – ***E*** silver nitrate – ***F*** nitrate d'argent – ***I*** nitrato di argento – ***S*** nitrato de plata

Lit.: [1] Chem. Int. **9**, Nr. 1, 3 (1987). [2] Braun-Dönhardt, S. 58. [3] Chem. Ztg. **111**, 57–60 (1987).
allg.: Gmelin, Syst.-Nr. 61, Ag, Tl. B 1, 1971, S. 186–285 ▪ Hommel, Nr. 315 ▪ Kirk-Othmer (4.) **22**, 182 f. ▪ Winnacker-Küchler (4.) **4**, 559 f. ▪ Z. Chem. **19**, 382 f. (1979) ▪ s. a. Silber. – *[HS 2843 21; CAS 7761-88-8; G 5.1]*

Silber-organische Verbindungen. Wenn man von den *Silber-Verb. mit Acetylaceton u. organ. Säuren absieht, sind nur wenige S.-o. V. mit einer Silber-Kohlenstoff-Bindung bekannt; diese liegen oft dimer, oligomer od. polymer vor: a) *Phenylsilber*, $(AgC_6H_5)_n$, das sich bereits bei Raumtemp. explosionsartig zersetzen kann.

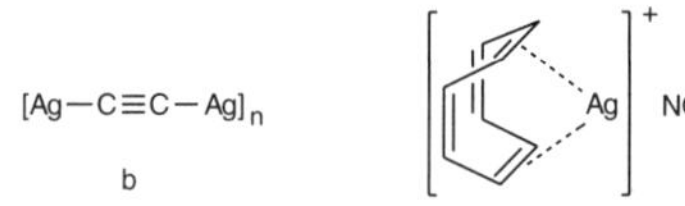

$[Ag{-}C{\equiv}C{-}Ag]_n$

b

NO_3^-

c

b) *Silberacetylid* $(Ag_2C_2)_n$, lichtempfindlich, explodiert beim Trocknen. c) *(1,3,5,7-Cyclooctatetraen)-silber(1+)-nitrat*, $C_8H_8AgNO_3$, M_R 274,0, schwach gelbe Krist., Schmp. 173 °C. Daneben konnten noch ion., ringförmige S.-o. V. mit Heteroatomen hergestellt werden, die eine gute Stabilität aufweisen. Fast alle S.-o. V. sind lichtempfindlich.

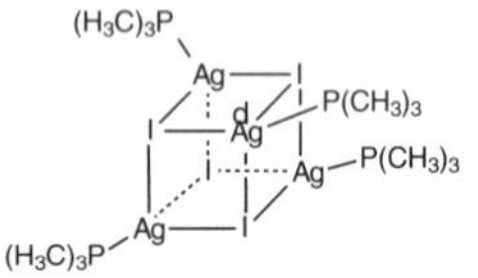

$(H_3C)_3P$ Ag I $P(CH_3)_3$ d $P(CH_3)_3$ $(H_3C)_3P$

d) *Tetra-μ^3-iodotetrakis(trimethylphosphin)tetrasilber*, $C_{12}H_{36}Ag_4I_4P_4$, M_R 1243,4, Schmp. 134–136 °C. – ***E*** organosilver compounds – ***F*** composés organoargentiques – ***I*** composti organici di argento – ***S*** compuestos de organoplata

Lit.: Chem. Rev. **73**, 163 f. (1973) ▪ Cross u. Mingos, Organometallic Compounds of Nickel, Palladium, Platinum, Copper, Silver and Gold, S. 1–8, London: Chapman & Hall 1985 ▪ Gmelin, Syst.-Nr. 61, Ag, Tl. B 5, S. 1–119 (1975) ▪ Houben-Weyl **13/1**, 763–777 ▪ J. Organomet. Chem. **44**, 209 ff. (1972); **158**, 413 ff. (1978) ▪ Wilkinson-Stone-Abel **2**, 709–763; **7**, 722–724; II **3**, 57 ff. – *[CAS 5274-48-6 (a); 7659-31-6 (b); 60447-72-5 (c); 12389-34-3 (d)]*

Silberoxide. *Silber(I)-oxid*, Ag_2O, M_R 231,74. Schweres, fast schwarzes, samtartiges Pulver, D. 7,143, zersetzt sich allmählich oberhalb 100 °C, ab 300 °C rasch unter Abscheidung von Silber, absorbiert an der Luft Kohlendioxid u. ist in Wasser sehr wenig löslich. Die Aufschwemmung von Ag_2O in Wasser reagiert bas., weil unter Bindung von Wasser etwas Silberhydroxid entsteht; mit diesen Aufschwemmungen tauscht man in der organ. Chemie Halogen-Atome gegen Hydroxy-Gruppen aus, z. B. bei der Hydrolyse von Ethyliodid (C_2H_5I) zu Ethanol. Durch Belichtung zersetzt sich Ag_2O schon bei Raumtemp., u. durch Wasserstoff wird Ag_2O leicht zu Silber reduziert; mit Wasserstoffperoxid setzt sich Ag_2O bei Raumtemp. zu Silber, Wasser u. Sauerstoff um. Ag_2O entsteht aus Silbernitrat u. Natronlauge od. Kalilauge.

Neben Ag_2O kennt man noch Ag_2O_3 sowie eine Reihe von weniger gut charakterisierten Oxiden der Zusammensetzung Ag_2O_x ($x > 1$), die z. T. als Kathodenmaterial in sog. Knopfzellen Verw. finden. Peroxodisulfat-Oxid. von Ag_2O in alkal. Medium bei 90 °C od. anod. Oxid. von Ag_2O ergibt „AgO", das besser als $Ag^IAg^{III}O_2$ formuliert wird u. bei organ. Synth. als sehr starkes Oxid.-Mittel Verw. findet. – ***E*** silver oxides – ***F*** oxydes d'argent – ***I*** ossidi di argento – ***S*** óxidos de plata

Lit.: Angew. Chem. **97**, 114f. (1985) ▪ Brauer (3.) **2**, 998f. ▪ Gmelin, Syst.-Nr. 61, Ag, Tl. B 1, 1971, S. 32–122 ▪ Kirk-Othmer (4.) **22**, 186 ▪ s.a. Silber. – *[HS 2843 29; CAS 20667-12-3 (Ag_2O); 11113-88-5 („AgO")]*

Silberphosphat. Ag_3PO_4, M_R 418,576. Gelbes, geruchloses Pulver, D. 6,37, Schmp. 849 °C, lösl. in verd. Säuren, das als gelblicher Niederschlag aus wäss. Lsg. von Orthophosphaten u. Silbernitrat entsteht; am Licht tritt allmählich Schwärzung ein. – ***E*** silver phosphate – ***F*** phosphate d'argent – ***I*** fosfato di argento – ***S*** fosfato de plata

Lit.: Gmelin, Syst.-Nr. 61, Ag, Tl. B 4, 1974, S. 7–27 ▪ Kirk-Othmer (4.) **22**, 184. – *[HS 2843 29; CAS 7784-09-0]*

Silberprobiersäure s. Probierstein.

Silberputzmittel. In Form von Lsg., Pasten, Seifen, Pulvern u. imprägnierten Tüchern in den Handel gelangende Putzmittel für Silber, die u.a. Borax, Ammoniak, Natriumthiosulfat, verd. Mineralsäuren od. Citronensäure u. Thioharnstoff enthalten können u. abgelagertes Silbersulfid als wasserlösl. Komplexe entfernen sollen. Andere S. erreichen diese Wirkung als Poliermittel mit sehr feinkörnigen Scheuermitteln – ein sehr einfaches S. ist z.B. Zigarrenasche. Auf elektrochem. Reaktionen beruht die Meth., Silbergegenstände in heißem Natriumchlorid- u./od. -hydrogencarbonat-haltigem Wasser in Kontakt mit Aluminium-Blech zu bringen. – ***E*** silver cleansing material – ***F*** produits pour le nettoyage de l'argent – ***I*** prodotto per lucidare l'argento – ***S*** productos para limpiar plata

Lit.: Ullmann (5.) **A 7**, 146 ▪ Vollmer u. Franz, Chemie in Haus u. Garten, Stuttgart: Thieme 1994. – *[HS 3405 90]*

Silbersalzabbau s. Hunsdiecker-Borodin- u. Simonini-Reaktion.

Silbersalz-Diffusionsverfahren s. Photographie.

Silberschwärze s. Argentit.

Silberspiegel s. Spiegel.

Silbersulfat. Ag_2SO_4, M_R 311,800. Kleine, weiße, rhomb. Krist., D. 5,45, Schmp. 652 °C, Sdp. 1085 °C (Zers.), in Wasser schwer, in verd. Schwefelsäure leichter lösl.; aus schwefelsaurer Lsg. krist. Silberhydrogensulfat $AgHSO_4$, aus einem Lösungsgemisch von Aluminiumsulfat u. Silbersulfat *Silberalaun* $AgAl(SO_4)_2 \cdot 12\,H_2O$ in Oktaederform. S. wird durch Zn, Cu, H_2, C od. CO zu Ag reduziert. Zur Herst. von S. löst man Silber-Pulver in konz. Schwefelsäure od. gießt zu konz. Silbernitrat-Lsg. eine wäss. Alkalisulfat-Lösung. – ***E*** silver sulfate – ***F*** sulfate d'argent – ***I*** solfato di argento – ***S*** sulfato de plata

Lit.: Gmelin, Syst.-Nr. 61, Ag, Tl. B 3, 1973, S. 69–110 ▪ Kirk-Othmer (4.) **22**, 184 ▪ s.a. Silber. – *[HS 2843 29; CAS 10294-26-5]*

Silbersulfid. Ag_2S, M_R 247,802. Schwarzes Pulver, D. 7,326, Schmp. 825 °C bei schnellem Erhitzen, Zers. ab 810 °C, rhomb., wandelt sich oberhalb 175 °C in die kub. Form um. S. ist die in Wasser am wenigsten lösl. Silber-Verb.; sie entsteht als schwarzer Niederschlag beim Einleiten von Schwefelwasserstoff in Silbersalz-Lsg., beim Erhitzen von pulverisierten Gemischen aus Silber u. Schwefel od. bei der Einwirkung von Schwefelwasserstoff auf metall. Silber (Nachdunkeln von Silbergeschirr) bzw. von Polysulfiden auf metall. Silber (*Hepartest). In der Natur tritt Ag_2S als *Argentit auf. Mit Hilfe von Salpetersäure od. durch vorsichtiges Erwärmen an der Luft kann S. zu Silbersulfat oxidiert, mit Wasserstoff zu metall. Silber u. Schwefelwasserstoff reduziert werden. Bei der Einwirkung von konz. Alkalisulfid-Lsg. auf S. entstehen rote, krist. Doppelsalze z.B. der Formel $Na_2S \cdot 3\,Ag_2S \cdot 2\,H_2O$. Zur Verw. von S. bei der histolog. Darst. von Nervenbahnen s. *Lit.* [1]. Sog. S.-Reifkeime sind an der Ausbildung des Latentbildkeims in der *Photographie beteiligt. – ***E*** silver sulfide – ***F*** sulfure d'argent – ***I*** solfuro di argento – ***S*** sulfuro de plata

Lit.: [1] Haug, Heavy Metals in the Brain (Adv. Anat. Embryol. Cell. Biol. 47/4), Berlin: Springer 1973.
allg.: Brauer (3.) **2**, 999f. ▪ Gmelin, Syst.-Nr. 61, Ag, Tl. B 3, 1973, S. 8–60 ▪ Kirk-Othmer (4.) **22**, 184 ▪ s.a. Silber. – *[HS 2843 29; CAS 21548-73-2]*

Silberthiosulfat. $Ag_2S_2O_3$, M_R 327,867. Farblose, in Wasser nahezu unlösl. Krist., die sich beim Zusammengeben äquimolarer Mengen von Silbernitrat u. Thiosulfat in wäss. Lsg. bilden. In überschüssigem Thiosulfat ist S. unter Bildung von Bis(thiosulfato)argentat(3–), $[Ag(S_2O_3)_2]^{3-}$ lösl.; darauf beruht der Fixierprozeß in der *Photographie. – ***E*** silver thiosulfate – ***F*** thiosulfate d'argent – ***I*** tiosolfato di argento – ***S*** tiosulfato de plata

Lit.: Gmelin, Syst.-Nr. 61, Ag, Tl. B 3, 1973, S. 110–131 ▪ Kirk-Othmer (4.) **22**, 185. – *[HS 2843 29; CAS 35566-31-5]*

Silberung. Bez. für die Einführung von *Silber-Spuren in wäss. Syst. mit dem Ziel, die oligodynam. Eigenschaften von Ag (s. Oligodynamie) zur Desinfektion u. Konservierung, im häufigsten Fall zur *Entkeimung von *Trinkwasser ausnutzen zu können. Techn. geht man im allg. so vor, daß man entweder kolloidale Dispersionen von metall. Silber mit einem aktivierenden Edelmetall (Au, Pd) auf Trägerstoffe aufbringt od. mit Hilfe eines schwachen elektr. Stroms aus in das Wasser eintauchenden Silber-Kathoden Ag-Ionen erzeugt (sog. *Elektrosilberung*, *Beisp.:* Cumasina®-Verf.). Geeignete kolloidale Ag-Lsg. können z.B. nach Katadyn® Ag^+ od. *Argentox®-Verfahren hergestellt werden. Die S. kann außer für die Trinkwasserentkeimung – allerdings sind bestimmte pathogene Keime wie Staphylokokken gegen Ag-Ionen resistent – auch zur algiziden Aufbereitung von Brauchwasser u. Badewasser, d.h. im Sinne von *Schwimmbadpflegemitteln eingesetzt werden. Zu theoret. Grundlagen der antimikrobiellen Wirkung von Silber-Ionen s. *Lit.* [1,2].
Rechtliche Regelungen: In der BRD sind nach der Trinkwasser-VO [3] „bei nicht systemat. Gebrauch" bis max. 0,08 mg Silber (E 174) je L Trinkwasser zugelassen, z.B. in Trinkwasserbehältern von Schiffen u. Campingwagen. Für Wein beträgt die max. Konzentration 0,1 mg/L. – ***E*** silver-ion sterilization – ***F*** stérilisation par ions d'argent – ***I*** argentatura – ***S*** esterilización por iones plata

Lit.: [1] Lück u. Jager, Antimicrobial Food Additives, S. 222ff., Berlin: Springer 1995. [2] Müller u. Weber, Mikrobiologie der Lebensmittel-Grundlagen, S. 341, 370, Hamburg: Behr 1996. [3] Trinkwasser-VO vom 5.12.1990 in der Fassung vom 26.2.1993 (BGBl. I, S. 278).
allg.: Kirk-Othmer (3.) **7**, 805f. ▪ Winnacker-Küchler (4.) **4**, 570.

Silcretes s. Kieselgesteine.

Sil® Das Fleckensalz. Waschadditiv als Waschkraftverstärker für Weißwäsche mit Soda, Percarbonat u. Bleichkraftverstärker zur Entfernung bleichbarer Verfleckungen. ***B.:*** Henkel.

Sildenafil (Rp).

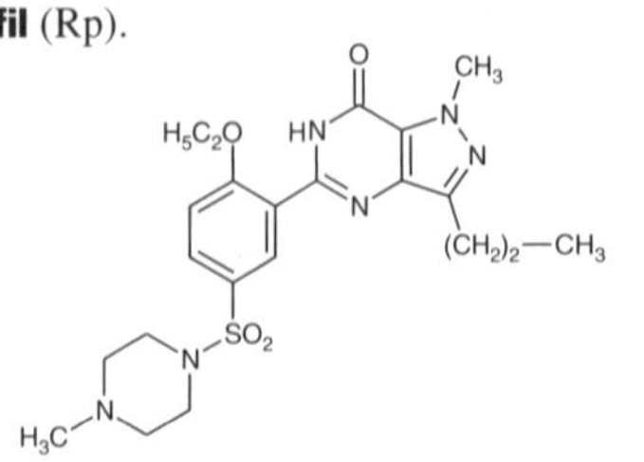

Internat. Freiname für den *Vasodilatator 1-[3-(4,7-Dihydro-1-methyl-7-oxo-3-propyl-1*H*-pyrazolo[4,3-*d*]pyrimidin-5-yl)-4-ethoxyphenylsulfonyl]-4-methylpiperazin, $C_{22}H_{30}N_6O_4S$, M_R 474,58, Schmp. 187–189 °C. S. ist ein spezif. Inhibitor der cGMP-Phosphodiesterase (Typ V). Es wurde 1992 von Pfizer patentiert u. ist als Viagra® zur Behandlung von Erektionsstörungen im Handel. – ***E*** = ***I*** = ***S*** sildenafil

Lit.: Br. J. Urol. **78**, 257–261 (1996); **79**, 958–963 (1997) ▪ Chem. Abstr. **116**, 255626q (1992) ▪ www.viagra.com. – *[CAS 139755-83-2]*

Sil® Der Fleckenlöser. Flüssiges Waschadditiv mit Pumpzerstäuber zum Entfernen vorwiegend fetthaltiger Verschmutzungen durch direktes Aufsprühen auf die Textilien vor dem Waschen; enthält Niotenside u. organ. Lsm.; *S. F. für Buntes u. Feines* enthält Wasserstoffperoxid, Tenside u. Duftstoffe. ***B.:*** Henkel.

Silefant®. Wortbildmarke als Dachmarke für alle fällbaren Kieselsäuren der *Degussa AG. Der Elefant als Bildmarke ist als SiO_2 lesbar: S = Rüssel, i = Auge u. Stoßzahn; O = Bauch; 2 = Schwanz. ***B.:*** Degussa.

Silektron®. Hydratisierte *Kieselsäure. ***B.:*** van Baerle.

Silene. Unkorrekte Klassenbez. für Derivate des Silaethylens; die Bez. war ursprünglich für das H_2Si-Diradikal u. dessen Derivate reserviert u. kann nach IUPAC zur Benennung von Verb. mit $=SiR^1R^2$-Strukturelement verwendet werden, z. B. *Silene* $R^1_2Si=CR^2_2$ od. *Disilene* $R^1_2=SiR^2_2$. S. der Zusammensetzung R_2Si werden zur Vermeidung von Mißverständnissen besser als *Silylene bezeichnet. – ***E*** silenes – ***F*** silènes – ***I*** sileni – ***S*** silenos

Silent mutation (stille Mutation). Engl. Bez. für eine *Mutation, die ohne sichtbare Auswirkung auf den *Phänotyp des Organismus bleibt. So verläuft der Austausch von zwei hydrophoben Aminosäuren (wie Isoleucin zu Valin; Mutation von AUU nach GUU) od. zwei sauren Aminosäuren (Asparaginsäure zu Glutaminsäure; Mutation von GAU nach GAA, s. genetischer Code) meist ohne signifikante Änderung der strukturellen u. funktionellen Eigenschaften eines Proteins. – ***E*** silent mutation – ***F*** mutation muette, mutation silencieuse – ***I*** mutazione silente – ***S*** mutación silenciosa

Lit.: Brock, Biology of Microorganisms (8.), S. 309, Upper Saddle River, USA: Prentice-Hall 1997 ▪ Hennig, Genetik, S. 509, Heidelberg: Springer 1995.

Silex s. Feuerstein.

Silex®. *Waschmittel für die professionelle Textilhygiene zur chemotherm. u. therm. Desinfektion der Wäsche. ***B.:*** Henkel-Ecolab.

Silfos®. *Hartlote mit 0–15% Silber, 80–92% Kupfer u. 5–8% Phosphor zum Löten von Kupfer, Kupfer-Verb., mit Flußmitteln auch für *Messing, *Bronze, *Rotguß. ***B.:*** Degussa.

Silibinin. Internat. Freiname für *Silybin.

Silibond®. Lichthärtender Haftvermittler für Reparaturen an Keramik-Zahnverblendungen. ***B.:*** Heraeus Kulzer GmbH.

Silicafasern s. Glasfasern.

Silicagel s. Kieselgele.

Silica-Sol s. Kieselsol.

Silicasteine (Dinas-Steine, Silikasteine). Feuerfeste *keramische Werkstoffe, die früher in großem Umfang beim Bau von Siemens-Martin-Öfen, Elektrostahlöfen, Kupfer-Schmelzöfen, heute nur mehr in Koksöfen u. Glasöfen verwendet werden.

Herst.: Man zerkleinert *Quarzit mit 94–96% SiO_2 zu Körnern, vermischt diese mit 1–2% Ätzkalk (als Kalkmilch) od. Eisenoxid u. 2% konz. Sulfitzellstoff-Ablauge zu einer einheitlichen Masse, die in Hohlformen geformt, getrocknet u. bei ca. 1380–1500 °C in Brennöfen gebrannt wird. Die S. erweichen erst bei 1700 °C, sind also hochfeuerfest. Zusammensetzung: 1,5–4% CaO, 0,5–2% Fe_2O_3, 0,3–2% Al_2O_3, 0,0–0,7% MgO od. Alkalien, Rest SiO_2. – ***E*** silica bricks – ***F*** briques de silice – ***I*** mattoni refrattari silicei – ***S*** ladrillos de sílice

Lit.: Ullmann (4.) **11**, 554 f.; (5.) **A 23**, 20 f. ▪ Winnacker-Küchler (4.) **3**, 208 ▪ s. a. Feuerfestmaterialien. – *[HS 6902 20]*

Silicate. Salze u. Ester (*Kieselsäureester) der Orthokieselsäure [$Si(OH)_4$, s. Kieselsäuren] u. deren Kondensationsprodukte. Die S. sind nicht nur die artenreichste Klasse der *Mineralien, sondern auch geolog. u. techn. außerordentlich wichtig. Über 80% der Erdkruste (*Erde) bestehen aus S.; Glas, Porzellan, Email, Tonwaren, Zement u. Wasserglas sind techn. wichtige, aus S. bestehende Produkte; Zeolithe u. Feldspäte sind Beisp. für techn. wichtige S.-Mineralien. Diese u. die Mehrzahl der nachstehend erwähnten S. sind in eigenen Stichwörtern abgehandelt. Die meisten S. sind durch verhältnismäßig hohe Härte, nichtmetall. Aussehen u. weißen bis farblosen Strich gekennzeichnet. Nach dem Dispersionsgrad können die S. in *grobdisperse* (Mineralien u. Gläser), *kolloide* (z. B. Tonmineralien) u. *molekulardisperse S.* (liegen z. B. in stark alkal. Lsg. vor) eingeteilt werden.

Die Chemie der S. (Silicatchemie) zeigt gegenüber der Chemie der Metalle, Salze, Säuren, Basen od. organ. Verb. einige Besonderheiten. Zunächst sind die S. (mit Ausnahme der reinen Alkali-S. mit einkernigen od. niedrig aggregierten S.-Anionen, z. B. *Wasserglas) in keinem anorgan. od. organ. Lsm. unzersetzt lösl., daher sind auch keine gelösten Ionen zu beobachten. Trotzdem darf man die Kristallgitter (*Kristallstrukturen) der S. in erster Annäherung als Ionengitter betrachten. Da sich die allermeisten S. weder unzersetzt

verdampfen noch auflösen lassen, müssen sie nach röntgenograph. u. mineralog. Verf. untersucht werden, in zunehmendem Maße auch durch Ramanspektroskopie [1], Atomemissionsspektroskopie u. a. Meth. der Elektronenspektroskopie. Die chem. Analyse ist nur nach vorangegangenem Aufschluß möglich, wird heute jedoch häufig mit der Meth. der Elektronenstrahl-Mikroanalyse durchgeführt.
Während von Schwefelsäure nur prim. u. sek., von Orthophosphorsäure nur prim., sek. u. tert. Salze bekannt sind, vermag eine Base eine größere Zahl von Kieselsäure-Äquivalenten zu binden. So gibt es z. B. ein $K_2Al_2O_4 \cdot SiO_2$ (Laboratoriumsprodukt), ein $K_2Al_2O_4 \cdot 2\,SiO_2$ (Kaliophilit), ein $K_2Al_2O_4 \cdot 4\,SiO_2$ (Leucit) u. ein $K_2Al_2O_4 \cdot 6\,SiO_2$ (Kalifeldspat). Man spricht in diesem Fall auch von verschiedenen Silicierungsstufen u. bezeichnet im Hinblick auf die wechselnden Kieselsäure-Gehalte (SiO_2 wird hier als Kieselsäure bzw. Kieselsäureanhydrid betrachtet) beispielsweise die *magmatischen Gesteine mit über 66% SiO_2 als saure *Gesteine, solche mit 52–66% SiO_2 als intermediäre, mit 45–52% SiO_2 als bas. u. mit weniger als 45% SiO_2 als ultrabas. Gesteine. Der besseren Übersichtlichkeit wegen formuliert man die S. häufig nicht wie die übrigen Salze, sondern man zerlegt sie formal in Oxide. So schreibt man z. B. für Beryll statt $Be_3Al_2[Si_6O_{18}]$ auch $3\,BeO \cdot Al_2O_3 \cdot 6\,SiO_2$ (in analoger Weise müßte man z. B. Calciumsulfat $= CaSO_4$ als Doppeloxid $CaO \cdot SO_3$ formulieren). Der Feinbau der S. wurde durch Röntgenstrukturanalyse u. hochauflösende Transmissions-Elektronenmikroskopie (*Elektronenmikroskop) weitgehend aufgeklärt; er ist oft überraschend einfach. Bekanntlich kommt der sehr unbeständigen Kieselsäure die in Abb. 1 a gezeigte Strukturformel zu.

OH — Si — HO, OH, OH (a)
97 pm H, O, 170 pm, 162 pm Si, ⁻O, O⁻, O⁻ (b)

Abb. 1: Struktur der Kieselsäure.

Das Si-Atom befindet sich hier (ähnlich wie das C-Atom beim Methan) im Zentrum eines regelmäßigen *Tetraeders*, an dessen Ecken die OH-Gruppen liegen (vgl. Abb. 1 a). Der Abstand Si–O beträgt ca. 162 pm u. variiert je nach Art u. Anzahl der Gegenionen von 154 pm–170 pm (Abb. 1 b zeigt die relevanten Abstände im $Na_3HSiO_4 \cdot 5\,H_2O$). Die Kantenlänge eines einzelnen Tetraeders beträgt somit ca. 265 pm. Bei den S. sind die Wasserstoffe der OH-Gruppen durch Metalle ersetzt; sehr oft treten aber infolge intermol. Wasserabspaltung (*Kondensation) zwischen je 2 Kieselsäure-Mol. in der bei *Kieselsäuren geschilderten Weise mehrere Einheiten zusammen, so daß 1 Sauerstoff-Atom 2 Kieselsäure-Mol. verknüpft u. so zum gemeinsamen Eckpunkt von 2 verschiedenen Tetraeder-Strukturen (s. Abb. 1 b) wird. Wiederholung dieses Vorgangs (*Polykondensation) führt zu den bekannten polymeren Strukturen (*Polykieselsäure-Derivate*). Obwohl die S. sehr unterschiedliche Strukturen haben können, liegt ihnen das folgende einfache Bauprinzip zugrunde: Jedes Si-Atom ist stets von 4 O-Atomen umgeben, u. nur durch Eckenverknüpfung dieser SiO_4-Einheiten entstehen die einzelnen S.-Klassen, bei denen man 6 Haupttypen (vgl. z. B. Liebau, *Lit.*) unterscheidet.
Die systemat. Schreibweise auch komplizierter S. sei nach *Lit.* [2] am *Beisp.* des *Glimmers Biotit $K(Mg,Fe^{II})_3[(OH)_2/(Al,Fe^{III})Si_3O_{10}]$ erläutert. Der gesamte Anionen-Verband steht in eckigen Klammern u. wird durch einen Vertikal-Strich getrennt in das komplexe Anion [rechtsstehend, hier $(Al,Fe^{III})Si_3O_{10}$] u. weitere Anionen [linksstehend, hier $(OH)_2$, oft auch F_2]. In runden Klammern, getrennt durch Komma, stehen die Ionen, die sich im Gitter diadoch (*Isomorphie) vertreten können, hier also Mg u. Fe^{II} bei den Kationen u. Al u. Fe^{III} im komplexen Anion.
Einteilung: 1. S. mit selbständigen, „diskreten" Anionen: a) *Nesosilicate (Insel-S.):* Dies sind Ortho-S. mit dem Anion $[SiO_4]^{4-}$; *Beisp.:* Phenakit $Be_2[SiO_4]$, Olivin $(Mg,Fe)_2[SiO_4]$, Zirkon $Zr[SiO_4]$, vgl. Abb. 2, Teil a.
b) *Sorosilicate (Gruppen-S.):* Hier sind die $[SiO_4]$-Tetraeder zu einer endlichen Gruppe verknüpft; dazu gehören u. a. die *Di-S.* mit dem Anion $[Si_2O_7]^{6-}$ u. eine Anzahl z. T. synthet. hergestellter *Tri-S.*; *Beisp.:* Thortveitit $Sc_2[Si_2O_7]$, Hemimorphit $Zn_4[(OH)_2/Si_2O_7] \cdot H_2O$; vgl. Abb. 2, Teil b.

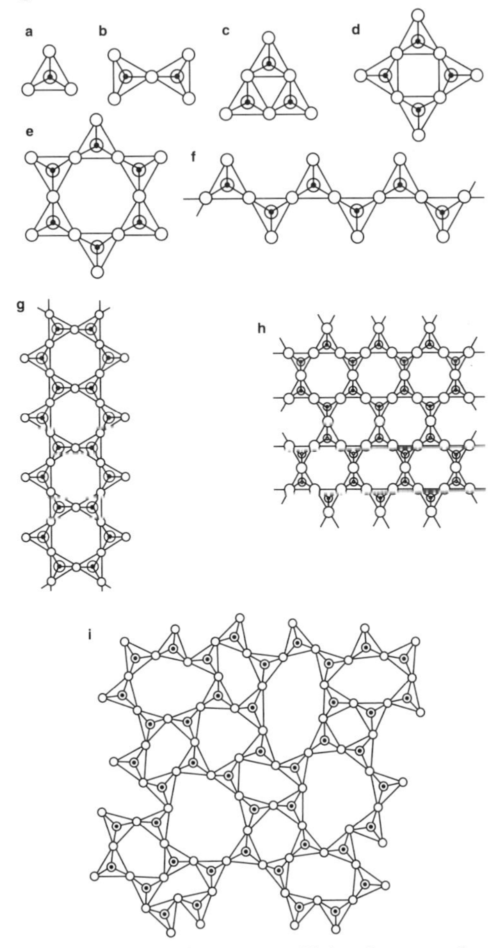

Abb. 2: Feinbau der Silicate; ● = Silicium-Atom, ○ = Sauerstoff-Atom bzw. OH-Gruppe, ⊙ = Sauerstoff-Atom ober- bzw. unterhalb eines Silicium-Atoms; Näheres s. im Text.

c) *Cyclosilicate (Ring-S.):* In diesen S. sind die $[SiO_4]$-Tetraeder zu Ringen angeordnet; *Beisp.:* Benitoit $BaTi[Si_3O_9]$ (Dreierringe aus SiO_4-Tetraedern; vgl. Abb. 2, Teil c); Axinit $Ca_2(Fe,Mg,Mn)Al_2[OH/BO_3/Si_4O_{12}]$ (Viererringe aus SiO_4-Tetraedern; vgl. Abb. 2, Teil d); Beryll $Be_3Al_2[Si_{16}O_{18}]$ (Sechsringe; vgl. Abb. 2, Teil e); Milarit u. Osumilith (Doppelringe aus je sechs SiO_4-Tetraedern). Es sind S. mit 24-Ringen (12 SiO_4-Einheiten) bekanntgeworden (s. Liebau, *Lit.*); Eudialyt enthält Ringe aus drei u. neun SiO_4-Einheiten.
2. *Ino-S.* (*Ketten-S.* u. *Band-S.*): In diesen S. sind die $[SiO_4]$-Tetraeder zu Ketten zusammengelagert, d. h. zu eindimensional unbegrenzten Gebilden, die prakt. Polymere des Anions $[SiO_3]^{2-}$ sind. Hierzu gehört die große Zahl der Meta-S.; *Beisp.:* der *Pyroxen Diopsid $CaMg[Si_2O_6]$; vgl. Abb. 2, Teil f. Durch die Vereinigung je zweier Ketten entstehen Doppelketten od. *Bänder* mit dem Anion $[Si_4O_{11}]^{6-}$; *Beisp.:* Amphibole, z. B. Tremolit $Ca_2Mg_5[(OH)_2/(Si_4O_{11})_2]$; vgl. Abb. 2, Teil g; auch S. mit Dreifach-, Vierfach- u. Fünffach-Ketten sind beschrieben worden (s. Liebau, *Lit.*).
3. **Phyllosilicate* (*Blatt-S., Schicht-S.*): In diesen S. sind die $[SiO_4]$-Tetraeder jeweils in einer Ebene miteinander verkettet; sie bilden also Schichtengitter (S. mit doppelt gekoppelten Anionen). Sie sind Polymere des Anions $[Si_4O_{10}]^{4-}$; *Beisp.:* Talk $Mg_3[(OH)_2/Si_4O_{10}]$, Kaolinit $Al_4[(OH)_8/Si_4O_{10}]$; vgl. Abb. 2, Teil h u. Abb. 3. Teilw. Ersatz von Si durch Al in den Tetraedern

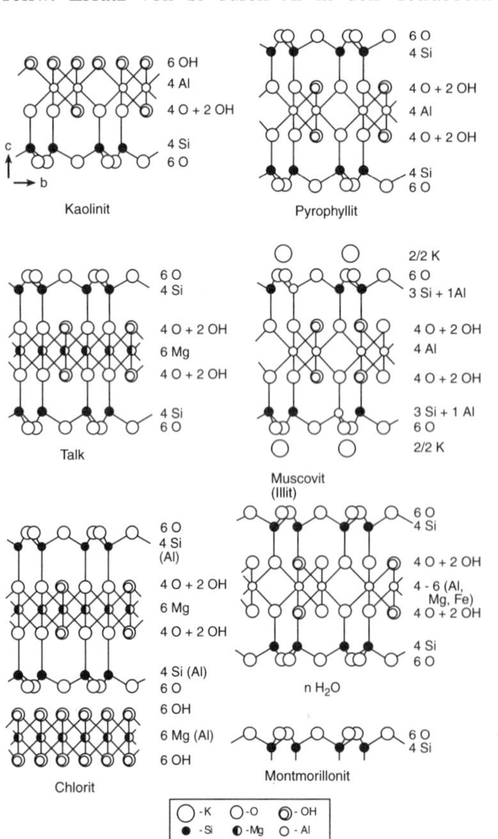

Abb. 3: Übersicht über die Kristallstrukturen der Phyllosilicate; nach Matthes, *Lit.*, S. 141.

führt zur Struktur der Glimmer, z. B. Muscovit $KAl_2[(OH)_2/AlSi_3O_{10}]$. Zur Elektronendichte in Tetraederschichten $[H_2Si_2O_5]_\infty$ s. *Lit.*[3]. Berichte über die angebliche Rolle von Schicht-S. bei der *chemischen Evolution (s. *Lit.*[4,5]) konnten bislang nicht bestätigt werden. Zum Einsatz von Phyllo-S. in Waschmitteln s. Schichtsilicate (für Waschmittel).
4. *Tecto-S.* (*Gerüstsilicate*): In diesen S. setzt sich die Verkettung der $[SiO_4]$-Tetraeder in allen drei Raumrichtungen fort (dreidimensionale Netzwerke); *Beisp.:* Feldspäte, u. a. Albit $Na[AlSi_3O_8]$, Feldspat-Vertreter u. Zeolithe; zur Dichte u. Geometrie der Gerüst-Strukturen s. *Lit.*[6]; zu strukturellen Phasen-Übergängen in Gerüstsilicaten s. *Lit.*[7]. Hier handelt es sich prakt. um Polymere von SiO_2, u. den Grenzfall der Tecto-S. bilden deshalb die SiO_2-Modif. Quarz, Tridymit u. Cristobalit. Die SiO_2-Mol. können aber auch niedermol. Gitter mit käfigartigen Hohlräumen bilden u. damit zur Clathrat-Bildung befähigt sein; *Beisp.:* *Melanophlogit u. die synthet. sog. Clathrasile u. Dodecasile (s. *Lit.*[8,9]). Ausnahmen von dem hier verwendeten Schema des Aufbaus der S. sind z. B. *Thaumasit, bei dem Si^{4+} oktaedr. von OH-Gruppen umgeben ist, u. *Neptunit, der Tetraeder-Ketten nicht nur in einer, sondern in 3 Richtungen des Raumes enthält. Zu den thermodynam. Eigenschaften von S.-Mineralien s. *Lit.*[10]; zur Elektronendichte-Verteilung u. Bindung in S. s. *Lit.*[11]; zu S.-Mineralien mit Si in Vierer- u. Sechser-Koordination s. *Lit.*[12].
Im Gegensatz zu diesen geordneten krist. Strukturen stehen die silicat. *Gläser – auch Quarz läßt sich in den Glaszustand überführen (*Quarzglas*, vgl. Abb. 2, Teil i) – wie Kali- u. Natron-*Wasserglas. Die häufig anzutreffende Schreibweise Na_2SiO_3 für *Natriumsilicat ist insofern irreführend, als es sich bei diesen *Metasilicaten* um polymere Strukturen $(Na_2SiO_3)_\infty$ handelt, insbes. um Ino-Silicate. In monomerer Form existieren nur Na_4SiO_4 (Na-Mono- od. -Ortho-S.) u. $Na_6Si_2O_7$ (Na-Disilicat, früher Na-Pyro-S.). Analoges gilt für die Kalium-S., während man sich bei *Calciumsilicat meist der Wollastonit-Formel $Ca_3[Si_3O_9]$ u. der C_3S- u. C_2S-Symbolik (*Klinker) bedient. Zu Struktur u. Eigenschaften silicat. Schmelzen s. *Lit.*[13]; zur Frage, ab wann sich eine silicat. Schmelze wie eine *Nicht-newtonsche Flüssigkeit verhält, s. *Lit.*[14]; zum Übergang silicat. Schmelzen in den Glaszustand s. *Lit.*[15,16]; zum Verhalten silicat. Schmelzen u. Gläser bei hohen Drücken s. *Lit.*[17]; zur Löslichkeit von Gasen (CO_2, H_2O, Cyanid) in geschmolzenen S. s. *Lit.*[18]. Zur chem. *Verwitterung von S.-Mineralien s. *Lit.*[19].
Bei den S. findet man interessante Wechselbeziehungen zwischen den Kristallstrukturen u. den physikal.-chem. Eigenschaften. So bilden die S. mit Bandstruktur vielfach faserige (z. B. Hornblende-Asbest) od. stengelige (z. B. Aktinolith) Kristalle. Verb. mit Blattstruktur lassen sich leicht in Blättchen spalten (z. B. Glimmer), während die S. mit Inselstrukturen eine deutliche Spaltbarkeit oft vermissen lassen. Die Quellfähigkeit mancher *Tonminerale mit Blattstruktur ist auf eine Wasseraufnahme zwischen den Silicium-Sauerstoff-Schichten zurückzuführen (z. B. bei Montmorilloniten; vgl. die dortige Abb.). Auch die anisotrope Kompressibilität von Schicht-S. liegt in dieser Struk-

tur begründet (s. *Lit.*[20]). Die katalyt. Eigenschaften solcher S. werden vielfach synthet. genutzt. Ihr vielseitiger Einsatz wird noch erweitert, wenn andere Elemente, insbes. Aluminium, einige sonst vom Silicium eingenommene Gitterstellen besetzen. Zu diesen *Alumosilicaten* (vgl. Aluminiumsilicate) gehören z. B. die Feldspäte u. die *Zeolithe; die Bedeutung der letzteren liegt bes. in ihren *Molekularsieb- u. *Ionenaustauscher-Eigenschaften begründet. Al- u. Ca-S. haben als Füllstoffe in der Lack-, Kautschuk-, Kunststoff- u. Papier-Ind., Mg-S. (Talk) als Absorber- u. Füllstoff in Kosmetik u. Pharmazie Bedeutung erlangt, Alkali-Aluminium-S. als Ersatz für Phosphate in Waschmitteln. Auch für das Abbinden von *Portlandzement spielen S. (vgl. Klinker) eine wichtige Rolle. Über Werkstoffe aus organ. modifizierten S. berichtet Schmidt (*Lit.*[21]). Da manche S. an ihren Oberflächen freie OH-Gruppen (analog den *Silanolen) besitzen, lassen sich dort reaktive Gruppen anbinden; man nutzt diese Eigenschaften in der *Festphasen-Technik zur *Immobilisierung. Niedermol. lösl. Modellverb. hierfür beschreibt *Lit.*[22]. – ***E*** = ***F*** silicates – ***I*** silicati – ***S*** silicatos

Lit.: [1] Z. Chem. **24**, 225 ff. (1984). [2] Winnacker-Küchler (4.) **3**, 42. [3] Phys. Chem. Miner. **21**, 401–406 (1994). [4] Angew. Chem. **93**, 843–854 (1981). [5] Angew. Chem. **98**, 654 (1986). [6] Am. Mineral. **75**, 1159–1169 (1990). [7] Am. Mineral. **81**, 1057–1079 (1996). [8] Nachr. Chem. Tech. Lab. **33**, 387–392 (1985). [9] Heaney, Prewitt u. Gibbs (Hrsg.), Silica (Reviews in Mineralogy, Vol. 29), S. 529–539, Washington (D. C.): Mineralogical Society of America 1994. [10] Am. Mineral. **68**, 541–553 (1983); **74**, 1023–1031 (1989). [11] Phys. Chem. Miner. **17**, 275–292 (1990). [12] Phys. Chem. Miner. **24**, 477–487 (1997). [13] Stebbins, McMillan u. Dingwell (Hrsg.), Structure, Dynamics and Properties of Silicate Melts (Reviews in Mineralogy, Vol. 32), Washinton (D. C.): Mineralogical Society of America 1995. [14] Phys. Chem. Miner. **16**, 508–516 (1989); **17**, 125–132 (1990). [15] Geochim. Cosmochim. Acta **53**, 1687–1692 (1989). [16] Eur. J. Mineral. **2**, 427–449 (1990). [17] Nature (London) **332**, 207 (1988). [18] Pure Appl. Chem. **58**, 1547–1552 (1986). [19] White u. Brantley (Hrsg.), Chemical Weathering Rates of Silicate Minerals (Reviews in Mineralogy, Vol. 31), Washinton (D. C.): Mineralogical Society of America 1995. [20] Spektrum Wiss. **1985**, Nr. 7, 76–84. [21] Umschau **85**, 346–349 (1985). [22] Angew. Chem. **104**, 600 f. (1992).

allg.: Anthony et al., Handbook of Mineralogy, Vol. II, Silicates, Tucson (Arizona): Mineral Data Publishing 1995 (2 Bd.) ▪ Babushkin, Matveyev u. Mchedlov-Petrossyan, Thermodynamics of Silicates, Berlin: Springer 1985 ▪ Deer et al., S. 3–529 ▪ Deer, Howie u. Zussman, Rock-Forming Minerals (2.) (mehrbändig), Harlow: Longman (seit 1978) ▪ Encycl. Polym. Sci. Technol. **12**, 441–463 ▪ Hinz, Silicat-Lexikon (2 Bd.), Berlin: Akademie Verl. 1985 ▪ Hollemann-Wiberg (101.), S. 918–950 ▪ Kirk-Othmer (4.) **22**, 1–30; **12**, 555–644; **5**, 599 ff. ▪ Köster, Die chem. Silikatanalyse, Berlin: Springer 1979 ▪ Levadie, Definitions for Asbestos and Other Health-Related Silicates (STP 834), Washington (D. C.): ASTM 1984 ▪ Liebau, Structural Chemistry of Silicates, Berlin: Springer 1985 ▪ Matthes, Mineralogie (5.), S. 109–171, Berlin: Springer 1996 ▪ Mysen, Structure and Properties of Silicate Melts, Amsterdam: Elsevier 1988 ▪ Petzold u. Hinz, Einführung in die Grundlagen der Silicatchemie, Stuttgart: Enke 1979 ▪ Potts, A Handbook of Silicate Rock Analysis, Glasgow: Blackie 1985 ▪ Ramdohr-Strunz, S. 148–152, 658–797 ▪ Schröcke-Weiner, S. 649–919 ▪ Ullmann (5.) **A 23**, 661–719 ▪ Webb, Silicate Melts, Berlin: Springer 1997 ▪ Wells, Structural Inorganic Chemistry (5.), S. 1009–1043, Oxford: Clarendon Press 1984 ▪ Winnacker-Küchler (3.) **2**, 343–408; (4.) **3**, 42–97 ▪ s. a. Führer durch die techn. Literatur, Hannover: Weidemanns Buchhandlung (jährlich) u. Scientific and Technical Books and Serials in Print, New York: Bowker (jährlich). – *Zeitschriften:* Silicates Industriels, Mons (Belgien): Belgian Ceramic Society (seit 1953) ▪ Silikattechnik, Berlin: Verl. Bauwesen (seit 1950). – *Inst.:* Fraunhofer-Institut für Silikatforschung, 97082 Würzburg ▪ Verband der Deutschen Feuerfest-Industrie e. V., 53113 Bonn.

Silicatfarben s. Wasserglas(farben).

Silicer®. Einkomponenten-Haftsilan für Reparaturen an Keramik-Zahnverblendungen. ***B.:*** Heraeus Kulzer GmbH.

Silicide. Bez. für die zu den *Hartstoffen zu rechnenden Verb. aus *Silicium u. einem Metall, unterteilbar in *S. der unedlen Metalle* (1. bis 3. Hauptgruppe) u. *S. der Übergangsmetalle.* Sie kristallisieren in definierten Strukturen u. haben metall. Aussehen. In ihrer Zusammensetzung weichen sie oft von den üblichen Wertigkeitsverhältnissen ab, stellen also *nichtstöchiometrische Verbindungen dar; *Beisp.:* Ca_2Si, CaSi, Ca_5Si_3, $CaSi_2$. Die S. weisen je nach dem Verhältnis der Komponenten Ionen-, Atom- od. Metallbindungsanteile auf u. werden meist als *intermetallische Verbindungen angesehen. S. der unedlen Metalle sind gegen Wasser u. oxidierende Substanzen empfindlich. Sie reagieren beim Erhitzen an der Luft heftig unter Oxidation. Calcium- u. Magnesium-S. bilden bei der Zers. mit Säuren neben Wasserstoff auch *Silane od. *Siloxane. Die Übergangsmetall-S. sind dagegen sehr beständig gegen Oxidation.

Herst.: Durch Verschmelzen von Silicium mit dem betreffenden Metall, durch *Pulvermetallurgie od. durch Red. von Siliciumdioxid mit einem genügenden Metallüberschuß, s. a. Ferrosilicium u. vgl. Silicomangan bei Mangan. Keine S. bilden Ag, Al, As, Au, Bi, Cd, Hg, Ru, Th, Sb u. Zn.

Verw.: Als Hochtemp.- u. keram. Werkstoffe, für Cermets u. Hartmetalle, als Halbleiter (vgl. Silicium), Ca-Si-Leg. als Desoxid.-Mittel bei der Herst. von beruhigten Stählen. Das extrem harte u. bis ca. 1700 °C beständige Molybdän-S. eignet sich als Heizleiterwerkstoff u. zur Herst. von höchstzunderfesten Schichten zur Oberflächenvergütung von Hochtemp.-Werkstoffen. – ***E*** silicides – ***F*** siliciures – ***I*** siliciuri – ***S*** siliciuros

Lit.: Brauer (3.) **2**, 968 ff., 2057 ff. ▪ Kirk-Othmer (4.) **21**, 1111–1122 ▪ Ullmann (5.) **A 23**, 741–748 ▪ Wells, Structural Inorganic Chemistry (5.), S. 987 ff., Oxford: Clarendon Press 1984 ▪ Winnacker-Küchler (4.) **4**, 224–229 ▪ s. a. Silicium.

Silicium (Silizium, chem. Symbol Si). Halbmetall. Element (s. Halbmetalle) der 4. Hauptgruppe des Periodensyst., Atomgew. 28,0855, Ordnungszahl 14, natürliche Isotope (Häufigkeit in Klammern) 28 (92,23%), 29 (4,67%) u. 30 (3,10%). Daneben kennt man künstliche Isotope mit HWZ zwischen 0,23 s u. ca. 105 a (^{32}Si). Der natürliche Gehalt an ^{29}Si ermöglicht ^{29}Si-NMR-spektroskop. Untersuchungen. Si tritt in seinen Verb. hauptsächlich 4-wertig, seltener auch 1-, 2- u. 3-wertig auf. Reines krist. Si bildet stark metall. glänzende, tief dunkelgraue bis schwarze, reguläre Oktaeder vom Diamant-Typ, D. 2,328, H. 7 (ritzt Glas, sehr spröde), Schmp. 1414 °C, Sdp. 2477 °C. Ein Strukturanaloges zum *Graphit vermag Si nicht aus-

zubilden. Beim Erstarren aus der Schmelze dehnt sich Si ähnlich wie Gallium, Bismut od. Wasser aus, sein linearer Ausdehnungskoeff. ist der kleinste, die Schmelzenthalpie dagegen mit 50 kJ/mol die höchste aller Metalle. Reinstes Si wäre ein Isolator (elektr. Leitfähigkeit 10^{-18} S/cm; Eigenleiter, s. Halbleiter), doch können schon kleinste Verunreinigungen (Konz. 100 ppm u. weniger) den spezif. elektr. Widerstand senken. Gezielt nimmt man deshalb die Einführung von Fremdatomen vor, um Si mit speziellen Halbleiter-Eigenschaften zu gewinnen; Näheres zu den *Dotierungs-Verf., die auch Gebrauch von Elementumwandlungen machen (NBH- u. NTD-Verf.), s. bei Halbleiter (S. 1664) u. Winnacker-Küchler (*Lit.*).
Krist. Si ist infolge Oberflächenpassivierung chem. sehr wenig reaktionsfähig, es ist in Wasser u. Säuren (auch Flußsäure) prakt. unlösl., wird dagegen schon von verd. Alkalilaugen zu *Silicaten gelöst:

$$Si + 2\,NaOH + H_2O \rightarrow Na_2SiO_3 + 2\,H_2.$$

Bei sehr großer Hitze (Weißglut) verbindet sich Si mit Sauerstoff, Stickstoff od. Wasserstoff. Bei mäßigem Erwärmen (z. B. 400 °C) bildet sich auf Si eine feste SiO_2-Schicht, die weiteren Luftzutritt verhindert. Es legiert sich mit Metallen u. bildet *Silicide od. *intermetallische Verbindungen. In geschmolzenem Aluminium ist Si gut lösl.; es kann aus diesem umkrist. werden. Die Verb. des Si sind farblos, sofern nicht farbige Ionen, Atome od. Atomgruppen in diese eingebaut sind.
Bei den Si-Verb. kennt man Verb. mit Koordinationszahlen von 1–8 am Si, wobei einfach u. zweifach koordiniertes Si nur in Matrix (z. B. monomeres SiO; monomeres SiO_2) od. in der Gasphase (z. B. $SiCl_2$) nachgewiesen werden konnten. Hypervalente Si-Verb. sind z. B. SiF_6^{2-} (*Fluorosilicate) u. Donorkomplexe mit Chelatliganden wie z. B. $H_2Si[2,6\text{-}C_6H_3(CH_2N(CH_3)_2)_2]_2$ mit achtfach koordiniertem Si des Typs $SiX_4 \cdot 4\,D$ (D = Donorligand). Bei der Koordinationszahl 4 steht das Si-Atom ähnlich wie der Kohlenstoff bei den C-Verb. im Mittelpunkt eines Tetraeders u. wie C vermag auch Si kettenförmige Wasserstoff-Verb. mit Si,Si-Bindungen mit einer den Alkanen analogen Summenformel Si_nH_{2n+2} zu bilden, die **Silane*, bei denen in Übereinstimmung mit den entsprechenden C,H-Verb. ebenfalls das Auftreten von Kettenisomerie zu beobachten ist; auch *Cyclosilane sind hergestellt worden. Diese Wasserstoff-Verb. des Si unterscheiden sich aber völlig in ihren Eigenschaften von den entsprechenden Alkanen durch ihre extreme Luft- u. Feuchtigkeitsempfindlichkeit. Daneben bildet Si offenkettige od. cycl. Verb. mit zahlreichen anderen Elementen, wie C, N, O, die als *Carbosilane (s. a. Silicium-organische Verbindungen), *Silazane, *Siloxane bezeichnet werden. Im Gegensatz zum C-Atom ist die Affinität des Si zum Sauerstoff wesentlich stärker ausgeprägt, u. die Si,O-Verb. zeigen eine außergewöhnlich starke Neigung zur Polymerisation (s. a. Silicone u. Silicate). Monomere Verb. mit stabilen Si,Si-Doppelbindungen lassen sich nur durch ster. Abschirmung der Doppelbindung herstellen, z. B. Tetramesityldisilen, ein Beisp. für die Koordinationszahl 3 (s. Abb.); Näheres zu Analogien zwischen C u. Si s. *Lit.*[1].

Si=Si

Physiologie: Elementares Si übt auf den tier. Organismus keine Wirkung aus. Als *Spurenelement wird es jedoch offenbar für die Ausbildung von *Knochen u. *Bindegewebe benötigt, bei der Calcifikation junger Knochen (*Mineralisation) in Wechselwirkung mit Calcium. Si-Mangel führt bei Höheren Tieren zu Wachstumsstörungen. Im lebenden Organismus kommt Si in Form von Silicaten, SiO_2 u. Kieselsäureestern vor. Lösl. Silicate im Überschuß können jedoch durch Störung der Phosphorylierungsprozesse zahlreiche Zellveränderungen hervorrufen, z. B. Hämolyse von Erythrocyten. Menschliche Haare enthalten 0,01–0,36%, Nagelsubstanz 0,17–0,54% Si. Der Erwachsene enthält in seinem Körper ca. 1,4 g Si; da er täglich ca. 5–30 mg Si ausscheidet, muß er entsprechende Mengen aufnehmen, was mit pflanzlicher Nahrung, die *per se* mehr Si enthält, kein Problem ist. Interessante Forschungsthemen sind die Untersuchung der physiolog. Wirkung von *Silicium-organischen Verbindungen im Organismus mit dem Ziel, bei Pharmaka durch Ersatz von C durch Si (sog. Sila-Pharmaka) spezif. Wirkungsänderungen vornehmen zu können[2].
Nachw.: Zum qual. Si-Nachw. erwärmt man die pulverisierte Untersuchungssubstanz in einem Bleitiegel (Porzellan würde angegriffen) mit wenig Ammoniumfluorid u. einigen Tropfen konz. Schwefelsäure. Es entsteht hierbei Fluorwasserstoff, der Siliciumdioxid u. Silicate unter Bildung von farblosem, gasf. Siliciumtetrafluorid (SiF_4) auflöst ($SiO_2 + 4\,HF \rightarrow SiF_4 + 2\,H_2O$). Man hält während des Erwärmens über die Tiegelöffnung (Tiegelwände nicht berühren) ein schwarzes mit Wasser befeuchtetes Filterpapier. Wenn sich dieses mit einer weißen Kruste von ausgeschiedener Kieselsäure überzieht, enthielt die Untersuchungssubstanz Si (in Verbindungsform), denn das flüchtige SiF_4 wird durch Wasser hydrolyt. in unlösl. Kieselsäure u. Flußsäure gespalten:

$$SiF_4 + 4\,H_2O \rightarrow H_4SiO_4 + 4\,HF.$$

Ein qual. Test ist auch mit Ammoniummolybdat möglich, das mit Kieselsäure einen gelben Komplex bildet. Daneben gibt es spektroskop. u. polarograph. Nachw.-Methoden.
Vork.: Der Anteil des Si an der Zusammensetzung der Erdkruste beträgt etwa 26,3%; damit ist Si nach Sauerstoff das auf der Erde am meisten verbreitete Element. Wenn man von Sauerstoff absieht, ist Si in der Erdkruste etwa ebenso häufig wie alle übrigen Elemente zusammengenommen. Si ist das wichtigste Element des Mineralreichs; es überrascht, daß man dieses Element in der Natur nahezu ausschließlich in anorgan. Mineralien, wie Ton, Sand u. Gesteinen u. nur spurenweise in pflanzlichen (bes. in Reis) od. tier. Organismen findet. Wichtige S.-Mineralien, die unter eigenen Stichwörtern abgehandelt werden, sind z. B.

Quarz, Orthoklas, Albit (s. Feldspäte), Anorthit (s. Feldspäte), Biotit (s. Glimmer), Muscovit, Lepidolith, Nephelin, Spodumen, Turmalin, Olivin, Augit (s. Pyroxene), Hornblende, Zeolithe, Epidot, Asbest, Meerschaum (s. Sepiolith), Talk usw., vgl. a. Silicate. Im interstellaren Raum wurden bisher nur SiO u. SiS nachgewiesen.

Herst.: Man erhält Si durch *Metallothermie, d.h. durch Red. des Dioxids (od. von Si-Halogeniden) mit Magnesium od. Aluminium. In der Technik reduziert man *Quarz od. *Quarzite mit Hilfe von Kohle in elektr. Lichtbogenöfen (carbotherm. Verf.); zur Gewinnung des techn. wichtigen *Ferrosiliciums setzt man dabei Fe-Schrott zu, für die Produktion von *Calciumsiliciden CaO u./od. CaC_2; Näheres zur Herst. von Si u. Si-Leg. s. bei Winnacker-Küchler (*Lit.*) u. *Lit.*[3]. Reinstes Si wird nach Red. von Chlorsilanen mittels H_2 u.a. durch *Zonenschmelzen od. verschiedene Verf. der *Einkristall-Züchtung erhalten, die Summe aller Verunreinigungen liegt dabei unter 10^{-7} Gew.-%.

Verw.: Als Desoxid.-Mittel, z.B. bei der Herst. von Kupfer-Leg., als Leg.-Bestandteil, hauptsächlich als sog. *Stahlveredler* in Form von *Ferrosilicium (Jahresproduktion ca. 3,4 Mio. t), *Calcium- u.a. *Siliciden, für *Siliciumcarbid u. verwandte Hartstoffe. Reinstes Si, das mit Al, Sb, As, bes. aber B od. P dotiert ist, findet Verw. in der Halbleitertechnik zur Herst. von *integrierten Schaltkreisen* (IC), heute bes. für die VLSI-(*v*ery *l*arge *s*cale *i*ntegration-)Bausteine. Wegen seiner Fähigkeit, Sonnenlicht in elektr. Strom umzuwandeln, werden photovolta. *Solarzellen aus mono- od. polykrist. Silicium-Scheiben hergestellt (s.a. Photoeffekte). Zunehmende Bedeutung erlangen auch *Siliciumcarbid- u. *Siliciumnitrid-Pulver für feinkeram. Erzeugnisse.

Geschichte: Elementares Si wurde von *Berzelius durch Red. von Siliciumtetrafluorid mit metall. Kalium erhalten. Berzelius erkannte auch, daß Si bei der Verbrennung in „Kieselerde" (Quarz u. dgl.) übergeht; er benannte S. daher mit dem dtsch. Wort Kiesel. Der latinisierte (latein.: silex = Kiesel) Name S. kam erst später auf. – ***E*** silicon – ***F*** silicium – ***I*** = ***S*** silicio

Lit.: [1] Top. Curr. Chem. **131**, 99–189 (1985). [2] Appl. Organomet. Chem. **6**, 113 ff. (1992). [3] Brauer (3.) **2**, 654.
allg.: Brauer (3.) **2**, 654–715 ▪ Gmelin, Syst.-Nr. 15, Si, Tl. A, B u. Erg.-Bd. 1958 ff. ▪ Holleman-Wiberg (101.), S. 876 ff. ▪ Hommel, Nr. 97 ▪ Kirk-Othmer (4.) **21**, 1084–1122 ▪ Pawlenko, The Organic Chemistry of Silicon, Berlin: de Gruyter 1986 ▪ Rochow, Silicon and Silicones, Berlin: Springer 1987 ▪ Top. Stereochem. **15**, 43–198 (1984) ▪ Ullmann (5.) **A 23**, 721–748 ▪ Williams, Silicon Biochemistry (Ciba Found. Symp. **121**), New York: Wiley 1986 ▪ Winnacker-Küchler (4.) **3**, 415–449; **4**, 200–213, 224–229. – *Zeitschriften u. Serien:* Reviews on Silicon, Germanium, Tin and Lead Compounds, Tel-Aviv: Freund (1972–1984/85) ▪ Main Group Metal Chemistry, London: Freund (seit 1985) ▪ Phosphorus, Sulfur, and Silicon and the Related Elements (ab 1976 unter dem Titel: Phosphorus and Sulfur and the Related Elements, seit 1989 unter dem angegebenen Titel), Amsterdam (u.a. Verlagsorte): Gordon and Breach ▪ s.a. Silicate u. Halbleiter. – *[HS 2804 61, 2804 69; CAS 7440-21-3; G 4.3]*

Siliciumcarbid. SiC, M_R 40,10. In reinstem Zustand farblose, hexagonale u. rhomboedr., meist blättrig ausgebildete Kristalltafeln, D. 3,217, Schmp. ca. 2700 °C (Zers. u. Subl.). Techn. SiC ist durch den Einbau von Fremdatomen in das Gitter meist glänzend grün bis blauschwarz gefärbt. In der Härte nähert sich SiC dem Diamant (H. 9,6) u. ritzt Stahl u. Rubin; es zeigt Halbleitereigenschaften. SiC existiert in verschiedenen Modif., von denen die sog. rhomboedr.-hexagonale Hochtemperaturform (α-SiC) die gewöhnliche Form darstellt. Die einzelnen Modif. unterscheiden sich in der Anordnung der SiC-Schichtebenen. SiC widersteht auch bei höheren Temp. den Angriffen von Chlor, Schwefel, Sauerstoff u. starken Säuren (es ist sogar unlösl. in einem Gemisch aus rauchender Salpetersäure u. Flußsäure), dagegen wird es beim Glühen mit Bleichromat oxidiert u. beim Erhitzen mit Ätzalkalien unter Luftzutritt in Silicat u. Carbonat umgewandelt:

$$SiC + 4\,KOH + 2\,O_2 \rightarrow K_2SiO_3 + K_2CO_3 + 2\,H_2O.$$

In der Natur findet man SiC in meteorit. u. vulkan. Gesteinen als *Moissanit.

Herst.: Reines SiC erhält man durch Pyrolyse von Alkylsilanen od. Halogensilanen, das techn. Produkt durch Erhitzen eines Gemisches aus Quarzsand u. Koks in elektr. Öfen auf ca. 2200–2400 °C:

$$SiO_2 + 3\,C \rightarrow SiC + 2\,CO.$$

Das sehr energieintensive Verf. wurde bes. von E. G. *Acheson (stellte 1891 erstmals SiC her) zur techn. Reife entwickelt u. wird in verschiedenen Varianten weltweit praktiziert. Die Weltproduktion betrug 1990 735 000 t.

Verw.: Als Schleif- u. Poliermittel, z.B. Carborundum® (ca. 35%), als Hartstoff, Desoxid.-Mittel u. Leg.-Bestandteil in der Metallurgie (ca. 45%) u. für Keramik-Anw. (20%). Bes. Anw. findet SiC in Heizstäben (Infrarotstrahler), Hochtemperaturtransistoren u. Überspannungsableitern. Durch *Epitaxie hergestelltes SiC eignet sich für Halbleiter u. als Material für Leuchtdioden (blaue *LED). – ***E*** silicon carbide – ***F*** carbure de silicium – ***I*** carburo di silicio – ***S*** carburo de silicio

Lit.: Fritz u. Matern, Carbosilanes, Berlin: Springer 1986 ▪ Gmelin, Syst.-Nr. 15, Si, Tl. B, 1959, S. 761–856, Erg.-Bd. D 2 u. 3, 1984, 1986 ▪ Kirk-Othmer (4.) **4**, 891–911 ▪ Ullmann (5.) **A 1**, 1–16; **A 6**, 50 f., 88 ff.; **A 7**, 383 f. ▪ Winnacker-Küchler (4.) **2**, 626–632; **3**, 169, 199 f., 205 ff. ▪ s.a. Carbide u. Silicium. *[HS 2849 20; CAS 409-21-2]*

Siliciumchloride (Chlorsilane). Xi

a) *Siliciumtetrachlorid* (Tetrachlorsilan), $SiCl_4$, M_R 169,90. Wasserhelle, farblose, leicht bewegliche, erstickend riechende, an der Luft rauchende Flüssigkeit, D. 1,483, Schmp. –68,8 °C, Sdp. 56,8 °C. Bei Rotglut wird $SiCl_4$ von Zink u. Silber zu Silicium reduziert. Bei Berührung mit Wasser od. Luftfeuchtigkeit tritt hydrolyt. Spaltung ein [$SiCl_4 + 4\,H_2O \rightarrow Si(OH)_4 + 4\,HCl$], die starke Nebelbildung verursacht; die Kieselsäure scheidet sich als SiO_2-Gel ab. $SiCl_4$ ist lösl. in Benzol, Ether, Chloroform u. Petrolether; mit Alkoholen bilden sich Kieselsäureester. Es greift in völlig trockenem Zustand Stahl nicht an u. kann daher in Stahlfässern u. Tanks transportiert werden.

Herst.: Man erhitzt ein Gemisch aus geglühter Kieselsäure u. Kohle im Chlor-Strom ($SiO_2 + 2\,C + 2\,Cl_2 \rightarrow SiCl_4 + 2\,CO$) od. chloriert Ferrosilicium in Ggw. von SiC bei 500–1000 °C.

Verw.: Zur Herst. von *Siliconen, *Silanen u. *Kieselsäureestern, für die Erzeugung künstlicher *Nebel, zur Gewinnung von SiO_2 (s. Kieselgele u. Aerosil®), von sehr reinem Si (durch therm. Spaltung in Ggw. von H_2) sowie zur Oberflächenbehandlung von Polymeren u. Metallen.

b) *Disiliciumhexachlorid* (Hexachlordisilan), Si_2Cl_6, M_R 268,89. Farblose, an der Luft rauchende Flüssigkeit, die von Wasser sehr leicht zersetzt wird u. bei über 350 °C in $SiCl_4$ u. Si übergeht, D. 1,5624 (15 °C), Schmp. –1 °C, Sdp. 144,5 °C.

Herst.: Man leitet $SiCl_4$ über geschmolzenes Silicium, od. man läßt Chlor auf eine Lsg. von Disiliciumhexaiodid (Si_2I_6) in Schwefelkohlenstoff einwirken.

Si bildet mit Cl weitere Chloride (*Perchlorsilane*), die jedoch wie Si_2Cl_6 keine größere techn. Bedeutung erlangt haben. Bekannt sind z. B. S. der Zusammensetzung Si_3Cl_8, Si_4Cl_{10}, Si_5Cl_{12}, Si_6Cl_{14}, $Si_{25}Cl_{52}$, cycl. S. wie Si_7Cl_{14} u. $Si_{10}Cl_{18}$, ferner das Carben-artige, monomol., gasf. Siliciumdichlorid ($SiCl_2$, Dichlorsilylen) u. sein Polymerisat, das feste, weiße $(SiCl_2)_x$; s. a. Silane. – ***E*** silicon chlorides – ***F*** chlorures de silicium – ***I*** cloruro di silicio – ***S*** cloruros de silicio

Lit.: Brauer (3.) **2**, 667–671 ▪ Gmelin, Syst.-Nr. 15, Si, Tl. B, 1959, S. 657–703 ▪ Hommel, Nr. 187 ▪ Kirk-Othmer (4.) **22**, 31–38 ▪ Ullmann (5.) **A 24**, 7–10 ▪ Winnacker-Küchler (4.) **3**, 77 f., 91–94, 418–421, 433 f. ▪ s. a. Silane. – *[HS 2812 10; CAS 10026-04-7 (a); 13465-77-5 (b); G 8]*

Siliciumdioxid. SiO_2, M_R 60,08. S. ist die häufigste anorgan. Verb. unseres Lebensraumes u. das wichtigste Oxid des Siliciums, das in verschiedenen, unter eigenen Stichwörtern abgehandelten Modif. als *Cristobalit, *Quarz u. *Tridymit auftritt, D. 2,19–2,66, Schmp. 1726±10 °C. SiO_2 ist unlösl. in Wasser u. Säuren, wird jedoch von Flußsäure unter Bildung von SiF_4 angegriffen. Amorphes SiO_2 wird von wäss. Alkalien gelöst. Die häufigste Erscheinungsform des SiO_2 ist der Quarz, dessen Abarten z. T. als *Edelsteine u. Schmucksteine Verw. finden, z. B. Bergkristall, Amethyst, Morion, Citrin, Chrysopras usw. Von den amorphen bzw. feinkrist. Varietäten des SiO_2 (Opale) haben Achat, Karneol, Jaspis, Onyx u. a. Bedeutung erlangt. Bes. Hochdruckmodif. des SiO_2 sind *Coesit u. *Stishovit. Zwar sind Quarz u. die Kieselsäuren als „polymer" zu betrachten (vgl. Silicate u. Kieselsäuren), doch gibt es auch (synthet.) kleinere $(SiO_2)_n$-Einheiten, z. B. sog. *Clathrasile* [$46\,SiO_2 \cdot (2+6)M$] u. *Dodecasile* [$136\,SiO_2 \cdot (16+8)M$], wobei M = „Gastmoleküle" (s. Einschlußverbindungen u. *Lit.*[1]) sind. Auch in lebenden Organismen ist SiO_2 anzutreffen, z. B. in Gräsern. Techn. wichtige Formen sind *Kieselerde, *Kieselgur, die *Kieselgele (Silicagele) u. die nach speziellen Verf., z. B. durch Flammenhydrolyse von $SiCl_4$ als pyrogene Kieselsäuren gewonnenen, durch bes. *Porosität ausgezeichneten SiO_2-Pulver. Diese finden umfangreiche Verw. bes. als Füllstoffe, Adsorbenzien, Rieselhilfsmittel u. dgl. Ein wichtiger Arbeitsgang bei der Herst. von integrierten Schaltkreisen ist das Aufbringen dünner SiO- u. SiO_2-Schichten auf der Halbleiter-Unterlage. Beim Umgang mit natürlichen krist. SiO_2-Stäuben ist ggf. auf *Silicose-Gefährdung zu achten, s. a. Quarz. – ***E*** silicon dioxide – ***F*** dioxyde de silicium – ***I*** biossido di silicio – ***S*** dióxido de silicio

Lit.: [1] Nachr. Chem. Tech. Lab. **33**, 387–392 (1985); Knorr, Untersuchungen zur Struktur u. zu strukturellen Phasenumwandlungen am Clathrasil-Dodecasil-3C, Diss., TU Berlin 1994.
allg.: Angew. Chem. **94**, 214 f. (1982) ▪ Fricke, Aerogels, Berlin: Springer 1986 ▪ Gmelin, Syst.-Nr. 15, Si, Tl. B, 1959, S. 269–582 ▪ Kirk-Othmer (4.) **21**, 977–1075 ▪ Nachr. Chem. Tech. Lab. **33**, 387–392 (1985) ▪ Ullmann (5.) **A 23**, 583–660 ▪ Winnacker-Küchler (4.) **3**, 75–90, 164 ff. ▪ s. a. Kieselgele, Quarz, Silicium u. Kieselsäuren. – *[HS 2811 22; CAS 7631-86-9]*

Siliciumeisen s. Ferrosilicium.

Siliciumfluoride. a) *Siliciumtetrafluorid* (Tetrafluorsilan), SiF_4, M_R 104,08. Farbloses, stechend riechendes, giftiges Gas, Gasdichte 4,69 g/L, subl. bei –90,3 °C, Schmp. unter Druck –95,0 °C, D. 1,66 g/L, bei –95,0 °C. SiF_4 greift trockenes Glas nicht an; bei Berührung mit Wasser erfolgt teilw. Hydrolyse zu *Fluorokieselsäure:

T C

$$SiF_4 + 2\,H_2O \rightleftharpoons SiO_2 + 4\,HF$$
$$3\,SiF_4 + 2\,H_2O \rightarrow SiO_2 + 2\,H_2SiF_6$$

Infolge dieser Reaktion kann reines SiF_4 nur über Quecksilber aufgefangen werden.

Herst.: SiF_4 entsteht als Nebenprodukt bei der Herst. von Fluorwasserstoff (s. dort) aus der im Flußspat enthaltenen Kieselsäure:

$$2\,CaF_2 + SiO_2 + 2\,H_2SO_4 \rightarrow SiF_4 + 2\,CaSO_4 + 2\,H_2O.$$

Aus Fluorokieselsäure od. deren Salzen ist SiF_4 durch Umsetzung mit Schwefelsäure u. Siliciumdioxid (SiO_2) erhältlich:

$$2\,Na_2SiF_6 + 2\,H_2SO_4 + SiO_2 \rightarrow 3\,SiF_4 + 2\,Na_2SO_4 + 2\,H_2O.$$

Verw.: Zur Gewinnung von feinst verteiltem SiO_2 u. zur Erhöhung der Beständigkeit von Beton (*Ocrat-Verfahren).

b) *Disiliciumhexafluorid* (Hexafluordisilan), Si_2F_6, M_R 170,16. Farbloses Gas, Schmp. –18,6 °C, Sdp. –19,1 °C (Subl.), wird in Wasser zersetzt.

Neben SiF_4 u. Si_2F_6 kennt man weitere *Perfluorsilane* der Zusammensetzung Si_3F_8, Si_4F_{10}, Si_5F_{12}, Si_6F_{14}, $Si_{10}F_{22}$ sowie das plast., farblose, an der Luft entzündliche $(SiF_2)_x$, das durch Einwirkung 20%iger Flußsäure auf ein Gemisch von verschiedenen *Silanen entsteht, wobei auch Monomeres gebildet wird. – ***E*** silicon fluorides – ***F*** fluorures de silicium – ***I*** fluoruri di silicio – ***S*** fluoruros de silicio

Lit.: Braker u. Mossman, Matheson Gas Data Book, S. 636–639, Lyndhurst: Matheson 1980 ▪ Brauer (3.) **1**, 227; **2**, 665 ff. ▪ Gmelin, Syst.-Nr. 15, Si, Tl. B, 1959, S. 614–635 ▪ Hommel, Nr. 977 ▪ J. Chem. Educ. **53**, 696 (1976) ▪ Kirk-Othmer (4.) **22**, 31–38 ▪ Ullmann (5.) **A 11**, 332 ff. ▪ Winnacker-Küchler (4.) **2**, 531–534. – *[HS 2812 90; CAS 7783-61-1 (a); 13830-68-7 (b); G 2]*

Siliciummonoxid. SiO, M_R 44,09. SiO tritt in verschiedenen Modif. auf, u. zwar in einer schwarzen, amorphen, glasartigen (SiO), in einer gelben, pulverförmigen ($Si + SiO_2$) u. in einer schwarzen, faserartigen (SiO)-Modifikation. Das Handelsprodukt ist eine braune bis schwarze, leicht oxidierbare Substanz, D. 2,13, die bei der Red. von Siliciumdioxid mit Kohlenstoff oberhalb 1500 °C als Gas entsteht, in einer Edelgas-Matrix als Monomer isoliert u. durch Kondensation in festem metastabilen Zustand erhalten werden

kann. S. oxidiert bereits bei 20 °C zu SiO_2 u. ist in feiner Verteilung pyrophor.
Verw.: Als Aufdampfsubstanz z.B. in Optik, Oberflächenveredelung, Schmuckwarenherst., Elektronik u. Elektronenmikroskopie sowie als Ausgangsmaterial für die Herst. von *Siliciumcarbid, *Siliciumnitrid, Si/O/N-Mischphasen u. Cermets. – ***E*** silicon monoxide – ***F*** monoxyde de silicium – ***I*** monossido di silicio – ***S*** monóxido de silicio

Lit.: Brauer (3.) **2**, 698 f. ▪ Gmelin, Syst.-Nr. 15, Si, Tl. B, 1959, S. 258–269. – *[HS 2811 29; CAS 10097-28-6]*

Siliciumnitrid. Si_3N_4, M_R 140,28. Grauweißes, amorphes Pulver, D. 3,44, H. 9, bei 1900 °C Zers. in Si u. N_2. S. ist unlösl. in Säuren mit Ausnahme von Flußsäure u. wird von alkal. Lsg. u. Schmelzen angegriffen. Si_3N_4 existiert in einer α- u. einer β-Modifikation. Es ist bis 1600 °C beständig, besitzt hohe Härte u. Wärmeleitfähigkeit sowie einen sehr kleinen therm. Ausdehnungskoeffizienten.
Herst.: Si_3N_4 wird durch Erhitzen von Si-Pulver auf 1250–1450 °C in einer Stickstoff-Atmosphäre od. durch carbotherm. Red. von Siliciumdiimid $[Si(NH)_2]_x$ erhalten. Die Verdichtung u. Sinterung des Pulvers zu fertigen Keramikteilen kann durch Heißpressen bei 14 MPa u. 1700 °C erreicht werden.
Verw.: Wegen seiner Temp.-Wechselbeständigkeit, Festigkeit u. Korrosionsbeständigkeit als Hartstoff für Gaseinleitungsrohre (z.B. für Chlor), Gießdüsen, Kokilleneinsätze, Pumpenteile, Schneidkeramik, für Turbinenbauteile sowie für tribolog. beanspruchte Bauteile in Pkw-Motoren. – ***E*** silicon nitride – ***F*** nitrure de silicium – ***I*** nitruro di silicio – ***S*** nitruro de silicio

Lit.: Büchner et al., S. 452 f. ▪ Gmelin, Syst.-Nr. 15, Si, Tl. B, 1959, S. 603–607 ▪ Kirk-Othmer (4.) **17**, 118–127 ▪ Ullmann (5.) **A 6**, 51 f. ▪ Winnacker-Küchler (4.) **3**, 199 f., 207. – *[HS 2850 00; CAS 12033-89-5]*

Silicium-organische Verbindungen. Im engeren Sinne Bez. für solche Verb., die direkte Silicium-Kohlenstoff-Bindungen enthalten. Entsprechend den IUPAC-Regeln D-6 werden auch Verb. einbezogen, in denen der Kohlenstoff über Sauerstoff-, Stickstoff- od. Schwefel-Atome an das Silicium geknüpft ist; *Beisp.:* $(H_3CO)_4Si$ (Tetramethoxysilan, Tetramethylorthosilicat), $(H_3C-CO-O)_4Si$ (Tetraacetoxysilan, Tetraacetylorthosilicat).
Die S.-o. V. im engeren Sinne lassen sich durch die allg. Formel R_nSiX_{4-n} darstellen mit R = aliphat., aromat. od. heterocycl. Reste, X = H (*Organosilane*), X = Cl (*Organochlorsilane*), X = OH (*Organosilanole*), X = Amino, Alkoxy, Acyloxy etc. Hierzu gehören auch durch organ. Reste substituierte Verb. mit alternierenden Si,O-Bindungen (*Siloxane), Si,N-Bindungen (*Silazane), Si,S-Bindungen (*Silathiane) u. Si,C-Bindungen (*Carbosilane). *Beisp.* für die Benennung von S.-o. V. enthält die Tabelle.
Als zusätzliche Benennungsmöglichkeiten stehen Austauschnamen [mit *Sila..., z.B. Silabenzol, C_5H_6Si], das *Hantzsch-Widman-System u. die Nomenklaturen für Koordinations- u. Metall-organ. Verb. zur Verfügung.
Die *Organosilane* R_nSiH_{4-n} sind um so stabiler, je weniger Si,H-Bindungen sie enthalten; *Tetramethylsilan (TMS, Sdp. 26,6 °C), Tetraphenylsilan (Schmp.

Tab.: Beisp. für die Benennung Silicium-organischer Verbindungen.

Dicyanodimethylsilan	$(H_3C)_2Si(CN)_2$
Bis(trimethylsilyl)diimin	$(H_3C)_3Si-N=N-Si(CH_3)_3$
Trichlorpropoxysilan	$Cl_3Si-O-CH_2-CH_2-CH_3$
N,O-Bis(trimethylsilyl)acetimidat	$H_3C-C(-O-Si(CH_3)_3)=N-Si(CH_3)_3$
Triphenylsilanol	$(H_5C_6)_3Si-OH$

236–237 °C), Hexamethyldisilan (Sdp. 113 °C) sind beständige, in Wasser unlösl., in organ. Lsm. lösl. Substanzen. Zu ihrer Herst. läßt man Grignard-Reagenzien (z.B. RMgI) in ether. Lsg. auf Siliciumtetrachlorid einwirken. Si,H-Bindungen enthaltende Organosilane können durch Red. der entsprechenden Organohalogensilane mit Lithiumaluminiumhydrid gewonnen werden. Die Si,H-Funktion läßt sich auch unter dem Einfluß von Katalysatoren (z.B. $[PtCl_6]^{2-}$) an Alkane od. Alkene addieren (Hydrosilylierung); dies eröffnet einen weiteren Zugang zu S.-o.-Verbindungen [1]. Die Organosilane haben techn. nur geringe Bedeutung erlangt; lediglich TMS hat seinen Platz in der NMR-Spektroskopie als Bezugssubstanz für die chem. Verschiebung (innerer Standard).
Von größerem Interesse sind die z.T. giftigen *Alkoxysilane* (*Kieselsäureester). Großtechn. Bedeutung kommt jedoch den *Organohalogensilanen* zu, die Ausgangsstoffe für Silicone, Hydrophobierungsmittel, Haftvermittler, Bautenschutzmittel etc. sind. Zur Synth. insbes. der *Methylchlorsilane sind diverse Wege beschritten worden, von denen sich die 1940 von *Rochow (*Lit.*) u. 1942 von R. Müller (*Lit.* [2]) entwickelte Direktsynth. aus Si u. Methylchlorid in Ggw. von Cu [*Müller-Rochow-Synth.*, s. Winnacker-Küchler (*Lit.*)] als am zweckmäßigsten erwiesen hat. Die S.-o. V. mit Si-Halogen-Bindungen sind sehr feuchtigkeitsempfindlich u. gehen bei Reaktion mit Wasser in die *Organosilanole* über, die Vorstufen der *Siloxane u. *Silicone, der techn. wichtigsten S.-o. V., sind. Die bei der Hydrolyse freiwerdenden Halogenwasserstoffe bedingen die Toxizität der Si-halogenierten S.-o. V. als Atemgifte.
Im chem. Laboratorium benutzt man spezielle S.-o. V. zur *Silylierung*, d.h. bes. zur Einfuhrung von *Schutzgruppen (*Trimethylsilyl*-Gruppen) für O-, S- u. N-Funktionen, nämlich **N,O*-Bis-(trimethylsilyl)-acetamid (BSA), *1,1,1,3,3,3-Hexamethyldisilazan (HMDS) u./od. *Iodtrimethylsilan, *Trimethylsilylazid od. -imidazol (TSIM), *N*-Methyl-*N*-(trimethylsilyl)-trifluoracetamid (MSTFA) u.a., vgl. Kirk-Othmer u. Lalonde [3]. Viele S.-o. V. werden als Reagenzien od. Zwischenstufen für organ. Synth. benutzt (s. Überblick, *Lit.* [4]), z.B. als Red.-Mittel, zur Herst. von Olefinen (s. Peterson-Reaktion), zur stereospezif. C,C-Verknüpfung; bes. vielseitig einsetzbar sind Silylenolether, Allyl- u. Vinylsilane. Mit polymeren S.-o. V., z.B. Poly(silaethen) u. Polysilastyrol (s. Polysilane), eröffnen sich interessante Anw. (Elias, *Lit.*). Von eher wissenschaftlichem Interesse sind dagegen S.-o. V., die sperrige Substituenten enthalten, wie Silaethylene mit Si,C-Doppelbindung [5], Iminosilane mit Si,N-Doppelbindung [6] u. Disilene mit Si,Si-Doppelbindung [7]. Auch

Silabenzol (C_5H_6Si) u. 1,4-Disilabenzol, sowie Metallkomplexe mit Metall,Si-Mehrfachbindungen[8] sind bekannt. Extrem sperrige Silyl-Gruppen wie $-Si[Si(CH_3)_3]_3$ od. $-Si[C(CH_3)_3]_3$ dienen ihrerseits dazu, ungewöhnliche Mol. kinet. zu stabilisieren, wie z. B. das Tetrasilatetrahedran-Derivat Si_4R_4 {R = $-Si[C(CH_3)_3]_3$}. Das Tetrasilabutadien[9] ist die erste Verb. mit konjugierten Si,Si-Doppelbindungen. Die Verlängerung der Si,Si-Doppel- u. die Verkürzung der Si,Si-Einfachbindung weisen auf einen Konjugationseffekt hin, sind jedoch weniger stark ausgeprägt als beim Butadien selbst. Deutlicher ist die Verschiebung der längstwelligen UV/VIS-Absorption um ca. 100 nm zu höherer Wellenlänge im Vgl. zu Tetraanyldisilenen.

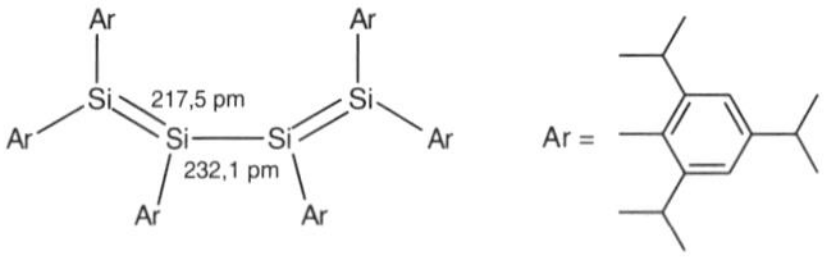

Ar Ar Si 217,5 pm Si Ar Si Si Ar 232,1 pm Ar Ar Ar =

Einige S.-o. V. haben aufgrund ihrer biochem. Wirkung Interesse geweckt[10,11]. Es zeigten sich z. T. stark abweichende Wirkungen von Sila-Pharmaka im Vgl. zu ihren Kohlenstoff-Homologen. Sila-Riechstoffe, in denen ein C- durch ein Si-Atom ersetzt wurde, zeigen ein verändertes Geruchsspektrum[12]. Fortschritte auf dem Gebiet der S.-o. V. referiert die Zeitschrift J. Organomet. Chem. in jährlichen Zusammenfassungen. – ***E*** organosilicon compounds – ***F*** composés organosiliciques – ***I*** composti organici di silicio – ***S*** compuestos organosilícicos

Lit.: [1]Marciniec, Comprehensive Handbook on Hydrosilylation, Oxford: Pergamon Press 1992. [2]Z. Chem. **24**, 41–51 (1984); **25**, 309–318, 421–427 (1985). [3]Synthesis **1985**, 817–845. [4]Chem. Unserer Zeit **18**, 46–53 (1984). [5]Adv. Organomet. Chem. **39**, 71–158 (1996). [6]Adv. Organomet. Chem. **39**, 159–192 (1996). [7]Adv. Organomet. Chem. **39**, 232–273 (1996). [8]Synlett **1995**, 687–699. [9]Angew. Chem. **109**, 2612 f. (1997). [10]Rettenmayr, Pharmakokinetische u. pharmakodynamische Untersuchungen von Hexahydro-Sila-Difenidol u. analogen Verbindungen, Diss. Univ. Frankfurt, 1990. [11]Adv. Organomet. Chem. **18**, 275–300 (1980). [12]Nachr. Chem. Tech. Lab. **23**, 717–721 (1984).
allg.: Acc. Chem. Res. **15**, 283 ff. (1982) ▪ Adv. Chem. Ser. **224** (1990) ▪ Adv. Organomet. Chem. **38**, 1–58 (1995) ▪ Auner u. Weis (Hrsg.), Organosilicon Chemistry III, From Molecules to Materials, Weinheim: Wiley-VCH 1997 ▪ Chem. Rev. **95**, 1161–1588 (1995) ▪ Chem. Unserer Zeit **14**, 197–207 (1980) ▪ Colvin, Silicon in Organic Synthesis, London: Butterworth 1981 ▪ Elias u. Vohwinkel, Neue polymere Werkstoffe..., S. 362 f., München: Hanser 1983 ▪ Endeavour **NS 10**, 191–197 (1986) ▪ Fritz u. Matern, Carbosilanes, Berlin: Springer 1986 ▪ Gmelin, Syst.-Nr. 15, Si, Tl. C, 1958 ▪ Houben-Weyl **13/5**; **6/2**, 71–170 ▪ Kirk-Othmer (4.) **22**, 38 ff. ▪ Nachr. Chem. Tech. Lab. **34**, 778–781 (1986) ▪ Pure Appl. Chem. **56**, 163–173 (1984); **58**, 95–104 (1986) ▪ Rochow, Silicon and Silicones, Berlin: Springer 1987 ▪ Sakurai, Organosilicon and Bioorganosilicon Chemistry, Chichester: Horwood 1985 ▪ Ullmann (5.) **A 24**, 21–56 ▪ Walton, Organometallic Compounds of Silicon, London: Chapman & Hall 1985 ▪ Winnacker-Küchler (4.) **6**, 816–837 ▪ Z. Chem. **25**, 309–318, 421–427 (1985) ▪ s. a. Silane, Silicium, Silicone.

Silicium-Sauerstoff-Verbindungen s. Kieselgele u. -säuren, Quarz, Silicate, Siliciummonoxid u. -dioxid, Siloxane, Silicone.

Silicium-Schwefel-Verbindungen. Kleine Gruppe von Verb., deren einfachste Vertreter Siliciummono-, SiS u. -disulfid, SiS_2, sind. Das farblose SiS_2 wird durch Zusammenschmelzen der Elemente bei 1000 °C od. aus SiO_2 u. Al_2S_3 bei 1100 °C hergestellt u. krist. in einer Faserstruktur aus kantenverknüpften SiS_4-Tetraedern. Beim Erhitzen von SiS_2 mit Si auf 850 °C entsteht SiS als gasf. Monomer, das sich zu einem roten, glasartigen Polymer, $(SiS)_x$, kondensieren läßt. Bekannt sind auch Silanthiol (H_3SiSH), offenkettige u. cycl. *Silathiane sowie Schwefel-haltige *Silicium-organische Verbindungen. – ***E*** silicon-sulfur compounds – ***F*** composés silicium-soufre – ***I*** composti solfosilicici, composti di silicio-zolfo – ***S*** compuestos silicio-azufre

Lit.: Chem.-Ztg. **109**, 1 ff., 409–414 (1985); **110**, 18 ff. (1986).

Silicium-Stickstoff-Verbindungen s. Silane (Silylamine), Silazane, Siliciumnitrid u. Silicium-organische Verbindungen.

Silicium-Tenside. Bez. für *Tenside, die sich strukturell vorwiegend von Polydimethylsiloxanen ableiten, in denen eine od. mehrere Methyl-Gruppen durch lipophile od. hydrophile ion. od. nichtion. Gruppen ersetzt sind. Je nach Aufbau können S.-T. sowohl in wäss. als auch organ. Syst. grenzflächenaktive Eigenschaften aufweisen. Sie eignen sich z. B. als *Schaumstabilisatoren in Waschflotten u. Kunststoffen, *Netzmittel, *Antistatika od. *Emulgatoren. – ***E*** silicone surfactants – ***F*** derivés tensio-actifs de silicium – ***I*** tensioattivi al silicio – ***S*** tensioactivos de silicio

Lit.: Manuf. Chem. **1990**, 20 ▪ Seifen Öle Fette Wachse **116**, 392 (1990) ▪ Tenside Surf. Deterg. **26**, 312 (1989); **27**, 154, 324, 366 (1990); **28**, 306 (1991); **30**, 158 (1993); **31**, 115, 344 (1994); **33**, 374 (1996); **34**, 186 (1997).

Siliciumtetrachlorid s. Siliciumchloride.

Siliciumtetrafluorid s. Siliciumfluoride.

Siliciumwasserstoffe s. Silane.

Silicoater®. Verf. zum Herstellen eines Metall-Kunststoff-Verbundes in der Zahntechnik. ***B.:*** Heraeus Kulzer GmbH.

Silicochloroform. Veralteter Name für Trichlorsilan (s. Silane).

Silicofluoride. Veralteter Name für die systemat. als *Hexafluorosilicate* zu bezeichnenden, hier unter *Fluorosilicate u. *Fluate behandelten Salze der *Fluorokieselsäure.

Silicogene Stäube s. Silicose.

Silicomangan s. Mangan (Verw.).

Silicone. Von dem amerikan. Chemiker F. S. Kipping eingeführte Bez. für eine umfangreiche Gruppe von synthet. polymeren Verb., in denen Silicium-Atome über Sauerstoff-Atome ketten- u./od. netzartig verknüpft u. die restlichen Valenzen des Siliciums durch Kohlenwasserstoff-Reste (meist Methyl-, seltener Ethyl-, Propyl-, Phenyl-Gruppen u. a.) abgesätt. sind. Einfache linear-polymere S. sind nach dem Schema $(R_2SiO)_x$ aufgebaut. Die Bez. „S." wurde aus *Silic*ium u. *...*on* gebildet, da R_2SiO als Baueinheit einem Keton der allg. Formel $R_2C{=}O$ entspricht. Diese Analogie beschränkt sich jedoch auf die Summenformel, da eine Si,O-Doppelbindung im Gegensatz zur C,O-Doppelbindung nicht stabil ist. Systemat. werden die S. als *Polyorganosiloxane* bezeichnet; diese Namensbildung basiert auf der Benennung der Si–O–Si-Bindung als *Siloxan-Bindung u. hat sich in der wissenschaftlichen Lit. eingebürgert. Ein Polymer der allg. Formel

$$H_3C-Si(CH_3)_2-O-[Si(CH_3)_2-O]_n-Si(CH_3)_2-CH_3$$

wird als Poly(dimethylsiloxan) bezeichnet, kann aber nach den IUPAC-Regeln zur Benennung linearer organ. Polymerer auch Poly[oxy(dimethylsilylen)], nach den Regeln für anorgan. Makromol. (*Lit.*[1]) *catena*-Poly[(dimethylsilicium)-μ-oxo] genannt werden; der internat. Freiname der Verb. ist *Dimeticon.

Die S. nehmen eine Zwischenstellung zwischen anorgan. u. organ. Verb., insbes. zwischen *Silicaten u. organ. Polymeren ein. Die Zusammensetzung der Siloxan-Einheit ergibt sich unter Berücksichtigung der Tatsache, daß jedes O-Atom als Brückenglied zwischen je zwei Si-Atomen liegt, zu $R_nSiO_{(4-n)/2}$ (n = 0, 1, 2 od. 3). Die Anzahl der an ein Si-Zentralatom gebundenen Sauerstoff-Atome bestimmt die Funktionalität der betreffenden Siloxan-Baueinheit. Diese Einheiten sind also mono-, di-, tri- od. tetrafunktionell, wofür sich die symbol. Schreibweisen M, D, T u. Q eingeführt haben: $[M]=R_3SiO_{1/2}$, $[D]=R_2SiO_{2/2}$, $[T]=RSiO_{3/2}$ u. $[Q]=SiO_{4/2}$. Die große Vielfalt der Verb.-Typen, die in der Siliconchemie anzutreffen ist, gründet sich darauf, daß verschiedene Siloxan-Einheiten im Mol. miteinander kombiniert werden können. In Anlehnung an die Systematik organ. Polymere kann man nach Noll die folgenden Gruppen unterscheiden:

(a) *Lineare Polysiloxane:* Diese entsprechen dem Bautyp $[MD_nM]$ od. $R_3SiO[R_2SiO]_nSiR_3$, s. das Formelbild ($R=CH_3$).

(b) *Verzweigte Polysiloxane:* Diese enthalten als verzweigende Bausteine trifunktionelle od. tetrafunktionelle Siloxan-Einheiten; Bautyp $[M_nD_mT_l]$. Die Verzweigungsstelle ist entweder in eine Kette od. einen Ring eingebaut.

(c) *Cycl. Polysiloxane:* Diese sind ringförmig aus difunktionellen Siloxan-Einheiten aufgebaut, Bautyp $[D_n]$.

(d) *Vernetzte Polymere:* In dieser Gruppe sind ketten- od. ringförmige Mol. mit Hilfe von T- u. Q-Einheiten zu zwei- od. dreidimensionalen Netzwerken verknüpft. Für den Aufbau hochmol. S. sind Kettenbildung u. Vernetzung die dominierenden Prinzipien.

Innerhalb jeder Polymeren-Gruppe läßt sich eine weitere Gliederung je nach der Art der am Silicium-Atom gebundenen Substituenten vornehmen. Das Siloxan-Gerüst kann mit verschiedenartigen Kohlenwasserstoff-Resten beladen sein, es kann außerdem Silicium-funktionelle od. organofunktionelle Gruppen od. beide zugleich enthalten. Dementsprechend ist eine Unterteilung der Polymeren-Gruppen in *nichtfunktionelle* u. in *Silicium- od. organofunktionelle Polysiloxane* zweckmäßig. Die S. können je nach Kettenlänge, Verzweigungsgrad u. Substituenten niedrig- bis hochviskos od. fest sein. Sie sind wärmebeständig, hydrophob u. gelten in der Regel als physiolog. verträglich (nicht gesundheitsschädlich, vgl. die Untersuchung an Fischen, *Lit.*[2]), weshalb sie in den gewerblichen Hautschutz, in die kosmet. Hautpflege u. plast. Chirurgie Eingang gefunden haben[3]. Niedrigviskose lineare S. wie das Dimeticon (s. oben) werden gegen Meteorismus u. *Flatulenz sowie bei der Endoskopie eingesetzt.

Nachw.: Es sind physikal. Analysenverf. einsetzbar[4], z. B. die IR-Spektroskopie u. die Pyrolyse-Gaschromatographie. Die Molmassenverteilung ist mittels Gel-Permeations-Chromatographie bestimmbar[5].

Herst.: Als Ausgangsstoffe dienen v. a. *Methylchlorsilane, die unter Verw. von Cu als Katalysator bei der Umsetzung von staubfein gemahlenem Si mit Methylchlorid bei ca. 300 °C in Fließbett-Reaktoren gebildet werden (*Müller-Rochow-Synth.*). Das Gemisch von Methylchlorsilanen wird durch fraktionierte Dest. in die einzelnen Bestandteile zerlegt (vgl. Abb. auf S. 4109). Prinzipiell gleichartig verläuft die Synth. der *Chlorphenylsilane* (Phenylchlorsilane) aus Si u. Chlorbenzol in Ggw. von Cu od. Ag. Neuere Verf. (ca. 30 000 t/a) nutzen auch die bei der Müller-Rochow-Synth. als Nebenprodukt anfallenden Disilane des Typs $(CH_3)_mCl_{(3-m)}Si-Si(CH_3)_nCl_{(3-n)}$ (m, n = 1, 2), welche durch Umsetzung mit Grignard-Verb. od. auf anderen Wegen in S.-Vorstufen übergeführt werden, z. B.:

$H_2C=CH(CH_3)_2Si-O-Si(CH_3)_2CH=CH_2$ + Butadien → (Diels-Alder-Reaktion) Bis(cyclohexenyl)-Verb. → (Pd/C, $-4\,H_2$) $H_3C-Si(C_6H_5)(CH_3)-O-Si(C_6H_5)(CH_3)-CH_3$

Durch Hydrolyse der Organochlorsilane bilden sich *Silanole, welche – bes. bei erhöhter Temp. u. in Ggw. von Katalysatoren direkt durch *Polykondensation (**A**) od. nach Überführung in Cyclosiloxane durch anion. bzw. kation. initiierte *Ringöffnungspolymerisation (**B**) – zu dem gewünschten Endprodukt polymerisiert werden:

R_2SiCl_2 → (**A**, H_2O) $[-Si(R)_2-O-]_n$; Cyclotrisiloxan u./od. Cyclotetrasiloxan → (**B**, anion. od. kation. Initiatoren) $[-Si(R)_2-O-]_n$

R = Alkyl, Aryl

Am häufigsten wird dabei die von Alkalimetalloxiden od. -hydroxiden initiierte anion. Polymerisation der cycl. Tri- od. Tetrameren genutzt. Sie läßt sich unter geeigneten Bedingungen als lebende Polymerisation (s. lebende Polymere) führen u. eröffnet so den Zugang zu S. mit sehr geringer *Polydispersität u. zu S.-*Blockcopolymeren.

Eine sehr vielseitige Meth. zur Modifizierung des Substitutionsmusters von S. ist die Hydrosilylierung. So erlaubt die Reaktion von Poly(methylhydrosiloxan) **1** mit Vinyl-Verb. **2** die Einführung unterschiedlichster Seitenketten. Auf diese Weise sind z. B. das ferroelektr. flüssigkrist. Polysiloxan **3a** od. Carbazol-haltige Polymere **3b** zugänglich, von denen einige smekt.-thermotrope Mesophasen ausbilden (s. flüssige Kristalle):

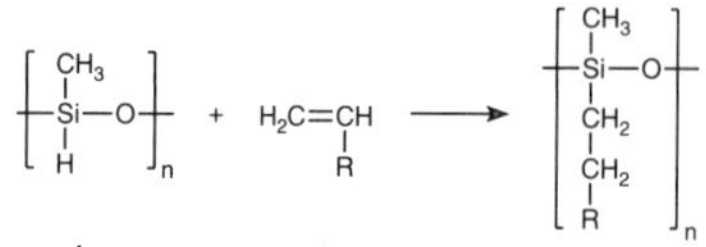

Eine modifizierte Hydrosilylierungs-Strategie führt weiterhin zu flüssigkrist. S. wie z.B. **3c**, die stark Temp.-abhängige elektro-opt. Schaltzeiten zeigen:

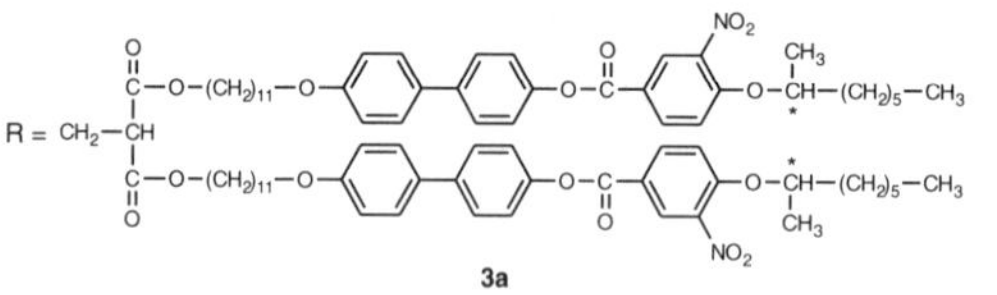

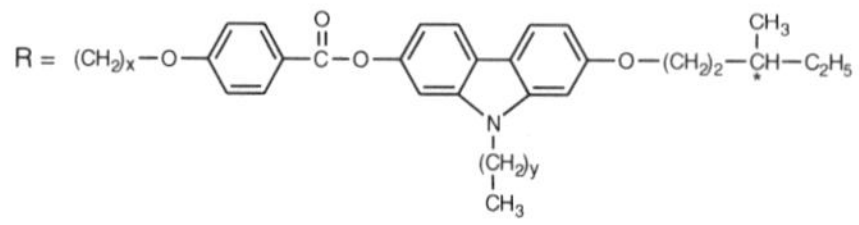

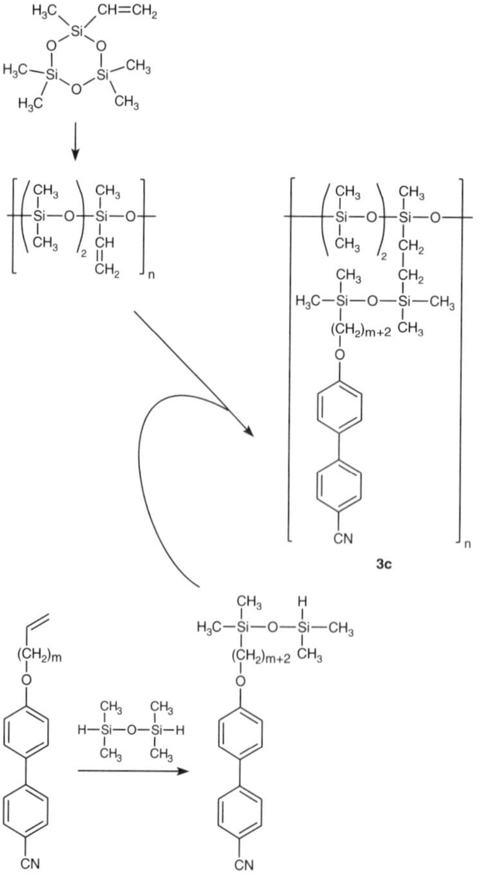

Für die Herst. spezieller S. finden neben der Addition von *Silanen od. Siloxanen mit Si,H-Bindungen an ungesätt. Kohlenwasserstoffe (Hydrosilylierung) auch die Substitution von Chlor-Atomen durch Grignard-Reagenzien od. a. Metallorganylen sowie die Substitution von Si-gebundenen H-Atomen techn. Anwendung.

Nach ihren Anwendungsgebieten lassen sich die S. in Öle, Harze u. Kautschuke einteilen.

Siliconöle: Lineare Polydimethylsiloxane der oben dargestellten allg. Struktur, die zu Emulsionen, Antischaummitteln, Pasten, Fetten u. dgl. verarbeitet werden; auch Poly(methylphenylsiloxane) kommen zum Einsatz. Die S.-Öle stellen gewöhnlich klare, farblose, neutrale, geruchsfreie, hydrophobe Flüssigkeiten dar mit M_R 1000–150 000, D. 0,94–0,97 u. Viskositäten zwischen 10 u. 1 000 000 mPa · s (nur wenig Temp.-abhängig). Sie sind an der Luft dauerwärmebeständig bis ca. 180 °C, haben Stockpunkte von –80 °C bis –40 °C, Sdp. >200 °C u. sind lösl. in Benzol, Toluol u. aliphat., auch chlorierten Kohlenwasserstoffen. Die S.-Öle sind wenig beständig gegen starke anorgan. Säuren u. Basen, jedoch gegen Salze, einige Oxid.-Mittel u. Seifen, sind gasdurchlässig, wasserabweisend u. gute Isolatoren für elektr. Strom.

Verw. (s. a. die folgenden Stichwörter): Schaumdämpfungsmittel, Hydrauliköl, Formtrennmittel, zum Hydrophobieren von Glas (z. B. in der Pharmazie), Keramik, Textilien, Leder usw., als Gleitmittel für die Kunststoffverarbeitung, Schmiermittel in Kunststoffgetrieben, Poliermittelzusatz für Autolacke, Leder u. Möbel, als Druckfarbenzusatz, zur Verhütung des Ausschwimmens von Pigmenten in pigmentierten Lacken, als Manometerflüssigkeit, Bestandteil von Metallputzmitteln, Sammler bei Flotationsprozessen. S.-Öle spielen ferner eine wichtige Rolle als Dielektrika (z. B. in Transformatoren), als Diffusionspumpenöle, Heizflüssigkeit u. Dämpfungsmittel. In Medizin u. Kosmetik dienen S.-Öle als Bestandteil von Hautschutzsalben, Salbengrundlagen, zur Frisurstabilisierung, als Fixateur für Duftstoffe u. Bestandteil von Zahnpasten (zur Verw. von S. in der Kosmetik s. *Lit.*[6]). Mit Polyalkylenoxiden modifizierte S.-Öle eignen sich als Porengrößenregler (Stabilisatoren) bei der Herst. von PUR-Schäumen. Durch Einarbeiten geringer Mengen anorgan. Konsistenzregler erhält man *Siliconpasten* (enthalten z.B. hochdisperse Kieselsäuren) od. *Siliconfette* (enthalten im allg. Metallseifen). S.-Pasten finden als Schutz- u. Dichtungspasten für empfindliche Metall- u. Apparateteile Verw., S.-Fette als Schmiermittel bei tiefen, hohen bzw. stark schwankenden Temp., solche auf der Basis von Polymethylphenylsiloxanen beispielsweise im Bereich von –70 °C bis +230 °C.

Siliconharze: Die gewöhnlich in der Technik verwendeten S.-Harze sind mehr od. minder vernetzte Polymethyl- od. Polymethylphenylsiloxane, deren Elastizität u. Wärmebeständigkeit mit dem Gehalt an Phenyl-Gruppen steigt; reine Methyl-S.-Harze sind relativ spröde u. mäßig wärmebeständig. Die Dauerwärmebeständigkeit ist hoch (180–200 °C), die günstigen dielektr. Werte sind bis 300 °C weitgehend temperaturunabhängig. Ein Methylphenyl-S.-Harz kann

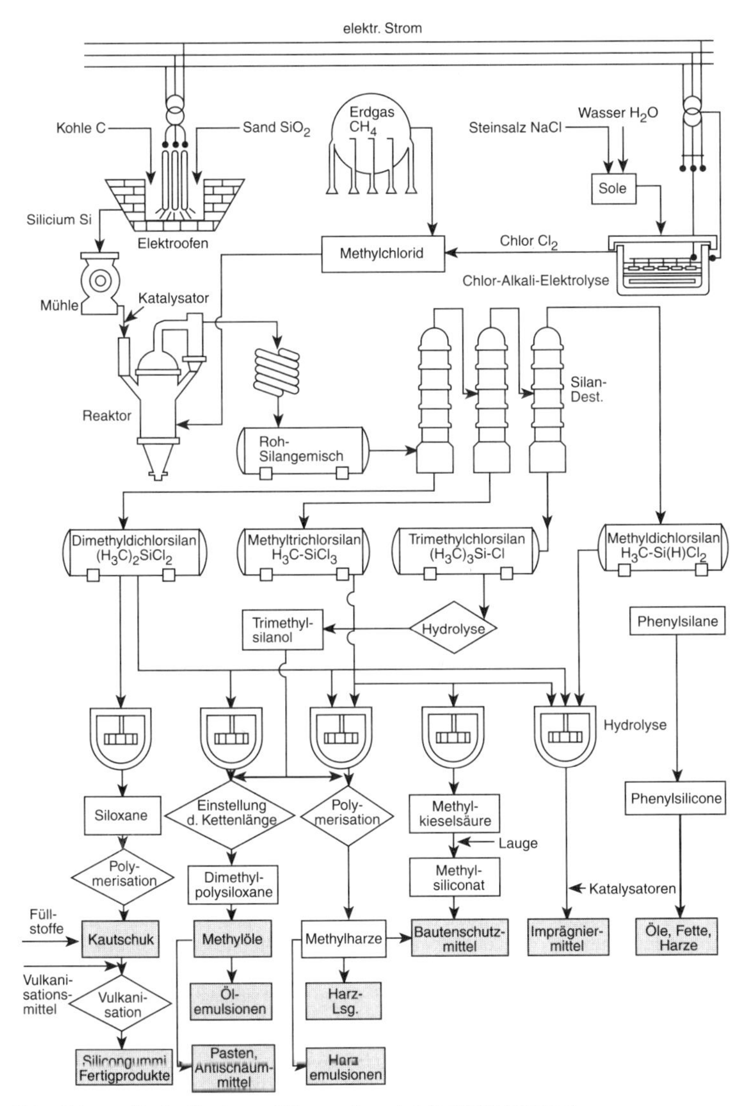

Abb.: Schema für die Herst. von Siliconen (speziell der Methylsilicone).

10000 h, ein Epoxid- od. Alkydharz dagegen nur wenige h bei 200 °C beansprucht werden. Die S.-Harze gelangen gewöhnlich in vorkondensierter Form in den Handel. Werden sie zu Lacken verarbeitet, löst man sie in organ. Lsm.; z. T. werden sie auch mit organ. Harzen, z. B. Alkyd- u. Polyesterharzen, kombiniert. Als *S.-Kombinationsharze* bezeichnet man auch Copolymerisate aus niedermol., hydroxyfunktionellen S. mit Polyestern, Alkyd- u. Acrylharzen, die zu sog. *Siliconemail*, einer dekorativen, hitzebeständigen Beschichtung für Küchengeräte etc. verarbeitet werden. Zur Erzeugung von Preßmassen u. Laminaten werden S.-Harze mit geeigneten Füllstoffen wie Glasfasern, Quarzmehl, Glimmer usw., ggf. auch Farbpigmenten abgemischt. Teurere Füllstoffe wie pyrogene Kieselsäure (s. Siliciumdioxid), *Kieselgur od. entwässertes *Kieselgel mit großer Oberfläche verbessern die mechan. Eigenschaften der S.-Harze u. S.-Kautschuke (s. unten). Da S.-Harze generell mit Hilfe von Kondensationskatalysatoren u. bei erhöhter Temp. kondensiert (gehärtet) werden müssen, kann man sie den Einbrennharzen zuordnen. Bei Temp. zwischen 250 °C u. 600 °C zersetzt sich das S.-Harz unter Bildung von Kieselsäure; diese gibt ggf. mit den beigemischten Pigmenten (Zn, Al) einen beständigen, korrosionsschützenden Oberflächenfilm, z. B. zum Rostschutz bei Auspuffrohren. Mit gelösten od. pulverförmigen S.-Harzen od. *Siliconaten* wie Natriummethylsiliconat $[H_3C\text{–}Si(OH)_2ONa]$ werden Mauern wasserabweisend gemacht, ohne deren Poren zu verstopfen u. die Atmung zu behindern. Mit letzterem entsteht bei Einwirkung von Säuren (atmosphär. Kohlensäure genügt) ein vernetztes S. (u. Natriumcarbonat).

Siliconkautschuke: Diese sind in den gummielast. Zustand überführbare Massen, welche als Grundpolymere Polydiorganosiloxane enthalten, die *Vernetzungs-Reaktionen zugängliche Gruppen aufweisen. Als solche kommen vorwiegend H-Atome, OH- u. Vinyl-Gruppen in Frage, die sich an den Kettenenden befinden, aber auch in die Kette eingebaut sein können. In dieses Syst. sind Füllstoffe als Verstärker eingearbeitet, deren Art u. Menge das mechan. u. chem. Verhalten der Vulkanisate deutlich beeinflussen. Sie können durch anorgan. Pigmente gefärbt werden. Man unterscheidet zwischen *heiß-* u. *kaltvulkanisierenden* S.-Kautschuken (*E* high/room temperature vulcanizing = HTV/RTV). Die *HTV*-S.-Kautschuke stellen meist plast. verformbare, eben noch fließfähige Materialien dar, welche hochdisperse Kieselsäure sowie als Vernetzungskatalysatoren organ. Peroxide enthalten u. nach Vulkanisation bei Temp. >100 °C wärmebeständige, zwischen –100 °C u. +250 °C elast. *Siliconelastomere* (S.-Gummi) ergeben, die z. B. als Dichtungs-, Dämpfungs-, Elektroisoliermaterialien, Kabelummantelungen u. dgl. verwendet werden. Ein anderer Vernetzungsmechanismus besteht in einer meist durch Edelmetall-Verb. katalysierten Addition von SiH-Gruppen an Si-gebundene Vinyl-Gruppen, die beide in die Polymerketten bzw. an deren Ende eingebaut sind. Seit 1980 hat sich eine Flüssigkautschuk-Technologie (*LSR* = *Liquid Silicone Rubber*) etabliert, bei der zwei flüssige S.-Kautschuk-Komponenten über Additionsvernetzung in Spritzgießautomaten vulkanisiert werden. Bei den *kalthärtenden* od. *RTV*-S.-Kautschukmassen lassen sich Ein- u. Zweikomponentensyst. unterscheiden. Die erste Gruppe (RTV-1) polymerisiert langsam bei 20 °C unter dem Einfluß von Luftfeuchtigkeit, wobei die Vernetzung durch Kondensation von SiOH-Gruppen unter Bildung von Si,O-Bindungen erfolgt. Die SiOH-Gruppen werden durch Hydrolyse von SiX-Gruppen einer intermediär aus einem Polymer mit endständigen OH-Gruppen u. einem sog. Vernetzer $R–SiX_3$ (X = $–O–CO–CH_3$, –NHR) entstehenden Spezies gebildet. Bei Zweikomponentenkautschuken (RTV-2) werden als Vernetzer z. B. Gemische aus *Kieselsäureestern (z. B. Ethylsilicat) u. Zinn-organ. Verb. verwendet, wobei als Vernetzungsreaktion die Bildung einer Si–O–Si-Brücke aus ≡Si–OR u. ≡Si–OH durch Alkohol-Abspaltung erfolgt.

Verw. (für HTV- u./od. RTV-S.-Kautschuke): In der Bau-Ind. als Fugendichtungsmassen, zur Herst. von Abform- u. Vergußmassen u. als Beschichtungsmassen für Gewebe. Bes. bewährt sind hier S. mit Acetoxy-Endgruppen, die nach der Verarbeitung unter Abgabe von Essigsäure hydrolysieren u. anschließend unter Kondensation vernetzen. S.-Elastomerschläuche finden in der chem. Ind. u. Medizin (z. B. bei der Bluttransfusion), im Flugzeug- u. Raketenbau etc. Verwendung. Durch den Einbau von Kohlenstoff elektr. leitfähig gemachte S.-Elastomere werden in Prozeßrechnern, Hochfrequenzgeräten u. für Heizelemente, die Wasserkontakt haben, eingesetzt. Eine Spezial-Anw. ist das *Plastination* genannte *Präparations-Verf. von anatom.-zoolog. Objekten, wobei das Wasser in den Zellen durch S.-Kautschuk verdrängt wird, der anschließend aushärtet[7]. Für die verschiedenen S.-Kautschuktypen werden nach DIN ISO 1629: 1992-03 (die z. T. abweichenden Kurzz. nach ASTM D 1418 sind zum Vgl. kursiv angefügt) folgende Kurzz. verwendet: MQ (Methyl-S.-Kautschuk), MFQ (MQ mit Fluor-Gruppen, *FMQ*), MPQ (MQ mit Phenyl-Gruppen, *PMQ*), MVQ (MQ mit Vinyl-Gruppen, *VMQ*), MPVQ (MQ mit Phenyl- u. Vinyl-Gruppen, *PVMQ*). Der früher hergestellte *Nitril-S.-Kautschuk* (Abk. NSR) enthielt Cyano-Gruppen, besitzt aber heute keine techn. Bedeutung mehr.

Fluorsilicone: Temp.- u. oxidationsbeständige S., bei denen die Methyl- durch Fluoralkyl-Gruppen ersetzt sind. Die Fluor-S. haben hohe Oxid.- u. Chemikalien-Beständigkeit, sind unlösl. in Wasser, Kohlenwasserstoffen u. Chlorkohlenwasserstoffen, beständig zwischen –60 °C u. +290 °C, in Form von Ölen, Fetten, Pasten u. dgl. erhältlich. Sie finden Verw. als Schmiermittel für extreme Temp., Entschäumer, Kompressorenöle, Hydrauliköle, Dämpfungsmedien usw. Die Weltproduktion an S. ist in ständiger Zunahme begriffen. Sie stieg zwischen 1974 u. 1986 von 130000 t/a auf 430000 t/a. 1992 wurden >600000 t S. produziert, davon entfielen ca. 65% der S.-Erzeugung auf S.-Elastomere (RTV, HTV, LSR), 25% auf S.-Öle u. -Fette sowie 10% auf S.-Harze u. Spezialprodukte. Neuere Entwicklungen auf dem S.-Sektor betreffen den Einsatz neuer Monomerer mit organofunktionellen Gruppen (Chlor-Aromaten, Estern, Epoxiden, Vinyl-, Allyl-, Amino-, Carboxy- od. Alkoxy-Gruppen), die Einbeziehung von *Silazanen, Boraten, *Carboranen, von Silanen mit leicht hydrolysierbaren Gruppen (Alkoxy) für Haftvermittler, von Sulfonsäure-Gruppen für S.-Tenside usw. Gießharze lassen sich durch radikal. Pfropfcopolymerisation von S. mit Styrol, Acrylnitril, Vinylacetat u. a. Olefinen herstellen. Über weitere techn. Einsatzmöglichkeiten der S. vgl. die folgenden Stichwörter. Zur Geschichte der S. u. der beiden Erfinder der Direktsynth. von Organochlorsilanen s. R. Müller (*Lit.*[8]) u. *Rochow (*Lit.*[9]), vgl. a. Winnacker-Küchler (*Lit.*). – ***E*** = ***F*** silicones – ***I*** siliconi – ***S*** siliconas

Lit.: [1] Pure Appl. Chem. **57**, 149–168 (1995). [2] Toxicol. Environ. Chem. **13**, 265–285 (1987). [3] Chem. Unserer Zeit **31**, 311 (1997). [4] Plaste Kautsch. **26**, 630 ff. (1979). [5] Int. Lab. **13**, Nr. 5, 10–24 (1983). [6] Parfüm. Kosmet. **67**, 232–239, 326–336, 384–389 (1986); **68**, 195–203 (1987). [7] Nachr. Chem. Tech. Lab. **32**, 887 (1984). [8] Z. Chem. **24**, 41–51 (1984); **25**, 309–318, 421–427 (1985). [9] Rochow, Silicon and Silicones, Berlin: Springer 1987.

allg.: Brinker et al., Polydimethylsiloxane in der Lebens- u. Genußmittelindustrie, München: Dow Corning 1981 ▪ Büchner et al., S. 289–306 ▪ Chem. Unserer Zeit **21**, 121–127 (1987); **23**, 86–99 (1989) ▪ DAB **9**, 158 ff. ▪ Elias u. Vohwinkel, Neue polymere Werkstoffe..., S. 151 ff., 355–363, München: Hanser 1983 ▪ Gmelin, Syst.-Nr. 15, Si, Tl. C, 1958, S. 242–305, 409–486 ▪ Kirk-Othmer (4.) **22**, 82–142 ▪ Smith, Analysis of Silicones, New York: Wiley 1975 ▪ Ullmann (5.) **A 24**, 57–93 ▪ Winnacker-Küchler (4.) **6**, 816–852; **7**, 136 f. ▪ s. a. Silicium-organische Verbindungen. – *[HS 391000]*

Siliconelastomere s. Siliconkautschuke bei Silicone.

Siliconemail s. Siliconharze bei Silicone.

Siliconentschäumer. Ölige, pastöse od. wäss. emulgierte Silicon-Präp. (gewöhnlich Polydimethylsiloxane), die bereits in sehr geringen Mengen (1 ppm) wirken u. als Schaumverhütungs-(Antischaum-)mittel in der Textilveredlungs-, Kunststoff-, Lack-, Papier-, Seifen-, Nahrungsmittel- u. Mineralöl-Ind. verwendet werden. – *E* silicone defoamers – *F* antimousses de silicone – *I* siliconi antischiuma – *S* antiespumantes de silicona

Lit.: s. Silicone, Schaumverhütungsmittel.

Siliconfette s. Siliconöle bei Silicone.

Silicongummi s. Siliconkautschuke bei Silicone.

Siliconharze s. Silicone.

Silicon-Imprägniermittel. Gemische verschiedener Polysiloxane mit kondensationsfähigen Gruppen (*Siliconharze*, s. Silicone), die stark wasserabweisend machen, ohne die Atmungsfähigkeit des zu schützenden Materials zu beeinträchtigen. Sie dienen zum Hydrophobieren (*Siliconisierung*) von Textilien, Leder, Papieren, Folien u. anorgan. Materialien wie z. B. Glas, Ziegel, Mörtel, Putz, Beton usw. – *E* silicone impregnating agents – *F* agents d'imprégnation de silicone – *I* impregnanti di silicone – *S* agentes impregnantes de silicona

Lit.: Goldschmidt Inform. **1984**, Nr. 4, 41–56 ▪ s. a. Silicone.

Siliconkautschuke s. Silicone.

Siliconöle s. Silicone.

Siliconpasten s. Siliconöle bei Silicone.

Silicose (Quarzstaublunge). Staublungenerkrankung (*Pneumokoniose), die durch die Einwirkung von meist berufsbedingt eingeatmeten Kieselsäure-haltigen Stäuben zustandekommt. Stäube von *Quarz, *Cristobalit, *Tridymit, die Siliciumdioxid enthalten, in Korngrößen kleiner als 5 µm, wirken als *silicogene Stäube* (MAK 0,15 mg/m^3). Sie erzeugen in den Lungenbläschen eine entzündliche Reaktion, die zur Bindegewebsneubildung u. Vernarbung führt. Durch den damit einhergehenden Elastizitätsverlust des Lungengewebes wird die Atemtätigkeit beeinträchtigt, was zu Störungen der Ventilation sowie über die Widerstandserhöhung im Lungenkreislauf in fortgeschrittenem Stadium zur Schädigung der rechten Herzkammer führt. Symptome sind zunächst Reizhusten mit Auswurf, später zunehmende Atemnot. Komplizierend kann eine *Tuberkulose hinzutreten (Silicotuberkulose), die bei Quarzstaub-exponierten Personen wesentlich häufiger auftritt als in der übrigen Bevölkerung. Gefährdete Berufe sind u.a. Bergleute, Steinmetze, Sandstrahler, Gießereiarbeiter sowie Porzellan- u. Glasarbeiter. Die S. zählt zu den als melde- u. entschädigungspflichtigen Berufskrankheiten (Nr. 4401 u. 4402 der Berufskrankheiten-VO). Eine spezif. Behandlung der S. gibt es nicht, zur Hemmung der entzündlichen Bindegewebsneubildung werden u. a. Glucocorticoide u. Cytostatika eingesetzt. – *E* = *S* silicosis – *F* silicose – *I* silicosi

Lit.: Gross et al., Die Innere Medizin, S. 434 f., Stuttgart: Schattauer 1996 ▪ Thurlbeck, Pathology of the Lung, Stuttgart: Thieme 1995.

Silicothermie. Bez. für die techn. Red. von Metalloxiden mit Si od. entsprechenden *Siliciden z. B. zur Herst. von Magnesium u. Kohlenstoff-armem Ferromangan, Ferrochrom, Ferromolybdän. – *E* silicothermic process – *F* silicothermie – *I* = *S* silicotermia

Lit.: Kirk-Othmer (4.) **15**, 635–638 ▪ Winnacker-Küchler (4.) **4**, 314 f.

Silierungsmittel (Silierhilfsmittel). Bez. für *Agrochemikalien, die bei der Herst. von *Silage eingesetzt werden, um die Milchsäuregärung zu beschleunigen bzw. ein Nachgären zu verhindern; die meistverwendeten S. sind *Ameisen- u. *Propionsäure. – *E* silage additive – *F* additifs d'ensilage – *I* additivi per l'insilamento – *S* aditivos de ensilaje

Lit.: Kirk-Othmer (4.) **11**, 957 ▪ Ullmann (5.) **A 12**, 27.

Siligen®-Marken. Weichmachungs-, Glättungsmittel u. Siliconelastomere; Additive zur Verbesserung der Vernähbarkeit, Scheuer- u. Einreißfestigkeit. ***B.:*** BASF.

Silikoftal®. *Silicon-modifizierte *Polyesterharze als Einbrennlacke zur Herst. von Chemikalien-beständigen, hitzefesten u. elektroisolierenden Lacken. ***B.:*** Goldschmidt.

Silinfarben®. Streichfertige, reine Silicat-Farbe für innen u. außen. ***B.:*** van Baerle & Co. Silinwerk.

Silio®. Gefällte Calcium- u. Magnesiumsilicate. ***B.:*** van Baerle.

Silirit®. Spezialwasserglas als Bindemittel für silicat. Mörtel; Erstarrungsbeschleuniger für Beton. ***B.:*** Henkel.

Silistor®. Charisma® Silistor® ist ein Sortiment zur Reparatur von Keramik- u. Composite-Zahnverblendungen. ***B.:*** Heraeus Kulzer GmbH.

Silith®. Metasilicate (5er, 9er; Anzahl der Silicat-Gruppen), anhydrisch. ***B.:*** van Baerle.

Silkonit®. *Silicon-freier Entschäumer auf Basis Partialester mit aliphat. Kohlenwasserstoffen für den Einsatz in Textil- u. Lederbehandlungsflotten. ***B.:*** Henkel.

Sill s. Gänge u. Abb. 1 bei magmatische Gesteine.

Sillenit s. Bismutoxide u. Wismutocker.

Sillescu, Hans (geb. 1936), Prof. für Physik. Chemie, Univ. Mainz. *Arbeitsgebiete:* Chemie u. Physik der Polymeren.

Lit.: Kürschner (16.), S. 3516 ▪ Wer ist wer (36.), S. 1359.

Sillimanit. $Al_2[O/SiO_4]$ bzw. $Al_2O_3 \cdot SiO_2$; mit *Andalusit u. *Kyanit trimorphes, zu den Neso-*Silicaten gehörendes Al_2SiO_5-Mineral. Stengelige, feinstrahlige, oft zu krummschaligen Massen verwachsene, nur selten rundum ausgebildete rhomb. Krist.; faserige Abarten werden auch als *Fibrolith* bezeichnet. Kristallklasse mmm-D_{2h}; in der Struktur (*Lit.*[1,2], bei hohen Drucken: *Lit.*[3]) sind die Al^{3+}-Ionen je zur Hälfte oktaedr. u. tetraedr. von O^{2-}-Ionen koordiniert: $Al^{[6]}Al^{[4]}[O/SiO_4]$. S. ist farblos bis weiß, auch gelb, braun, graugrün u. bläulichgrün, vollkommen spaltbar u. in Säuren unlösl.; H. 7,5, D. 3,23–3,27. Zur Stabilität u. zur Umwandlung in Kyanit u. Andalusit s. *Lit.*[4]; Gehalte an Spurenelementen (Cr, V, Fe^{3+}, Ti u. Mg) s. *Lit.*[5], zu Wassergehalten in S. s. *Lit.*[6], Untersuchung von S. mit *Raman-Spektroskopie s. *Lit.*[7].

Vork.: In hochgradig *metamorphen Gesteinen, z. B. in S.-*Cordierit-*Gneisen im Bayer. Wald, in Hornfelsen (*Felse) in Irland u. in *Granuliten, z. B. in Sachsen, Böhmen u. Enderby Land/Antarktis.

Verw.: Zur *Thermobarometrie metamorpher Gesteine u. als Rohstoff für *Feuerfestmaterialien (s. a. keramische Werkstoffe), gewonnen v. a. aus Vork. in Indien u. Südafrika. S. geht dabei beim Brennen oberhalb 1530–1600 °C in *Mullit u. *Cristobalit über. – ***E*** = ***F*** = ***I*** sillimanite – ***S*** silimanita

Lit.: [1] Z. Kristallogr. **118**, 127–148 (1963). [2] Am. Mineral. **64**, 573–586 (1979). [3] Phys. Chem. Miner. **25**, 39–47 (1997). [4] Am. Mineral. **78**, 298–315 (1993). [5] Lithos **3**, 261–268 (1970). [6] Am. Mineral. **74**, 812–817 (1989). [7] Phys. Chem. Miner. **18**, 126–130 (1991).
allg.: Deer et al. (2.), S. 50 ff. ▪ Harben u. Bates, Industrial Minerals, Geology and World Deposits, S. 246–251, London: Industrial Minerals Division of Metal Bulletin Plc 1990 ▪ Kerrick, The Al_2SiO_5 Polymorphs (Reviews in Mineralogy, Vol. 22), Washington (D. C.): Mineralogical Society of America 1990 ▪ Schröcke-Weiner, S. 689 f. – *[HS 2508 50; CAS 12141-45-6]*

Silly putty. Ideal-viskoses u. ideal-elast. Verhalten stellen zwei Grenzfälle des mechan. Verhaltens kondensierter Materie dar. Nach einem rheolog. Axiom weist nämlich jeder Körper sowohl viskose als auch elast. Verhaltensanteile auf. Dieses Phänomen ist bei makromol. Stoffen bes. ausgeprägt. Ein hier wiederum extremes Beisp. ist der sog. „silly putty". Dabei handelt es sich um ein mit *Füllstoffen versehenes *Silicon-Elastomer. Ein Klumpen dieses Materials zeigt bei länger andauernder Belastung typ. viskoses Verhalten. So zerfließt er z. B. allmählich unter seinem eigenen Gewicht. Eine Kugel aus diesem Material springt dagegen beim Aufprall auf eine feste Unterlage wie ein Gummiball. Bei nur kurzer Krafteinwirkung zeigt s. p. damit ein typ. Elastomer-Verhalten. Schließlich bricht eine Platte aus s. p. bei einer raschen Knickbewegung spröde durch. Ein ähnliches – wenn auch bei weitem nicht so ausgeprägtes – Verhalten findet man auch bei vielen anderen Polymeren. Es läßt sich gut mit Hilfe des Modells des Verhakungsnetzwerkes erklären. Danach sind die Polymerketten bei hinreichend hohen Molmassen (d. h. oberhalb der sog. Entanglement-Molmasse) stark ineinander verschlauft u. bilden somit ein temporäres physikal. Netzwerk. Dieses verhindert Platzwechselvorgänge von Ketten u. Kettensegmenten bei einer nur kurzen Belastung (Aufprall, Knick). Das Material verhält sich elastisch. Bei länger andauernden Belastungen können die Ketten jedoch voneinander abgleiten u. Verhakungen sich lösen („entschlaufen"): Das Material fließt. – ***E*** = ***I*** silly putty – ***F*** pâte farfelue

Siloc®. Verf. zum Herstellen eines Metall-Kunststoff-Verbundes in der Zahntechnik. ***B.:*** Heraeus Kulzer GmbH.

Silofutter s. Silage.

Silol s. Sila....

Silomat®. Hustenmittel (Ampullen, Dragées, Tropfen u. Saft) mit *Clobutinol-hydrochlorid. ***B.:*** Thomae.

Silopren®. Sortiment von HTV-, LSR- u. RTV-Siliconkautschuk-Typen u. -Verarbeitungshilfsmitteln. ***B.:*** Bayer.

Siloxane. Nach IUPAC-Regel D-6.2 systemat. Bez. für Sauerstoff-Verb. des Siliciums der allg. Formel $H_3Si–[O–SiH_2]_n–O–SiH_3$ (n = 0: *Di-S.*, n = 1: *Tri-S.* usw.). Die Wasserstoff-Atome können durch organ. Reste od. Halogen-Atome ersetzt sein; *Beisp.:* $(H_3CO)_3Si–O–SiH_2–O–SiCl_3$ (1,1,1-Trichlor-5,5,5-trimethoxytrisiloxan). Die Polymerisationsprodukte dieser Organosiloxane sind die sog. *Silicone (*Polyorganosiloxane*). Cycl. S. heißen *Cyclosiloxane*; *Beisp.:*

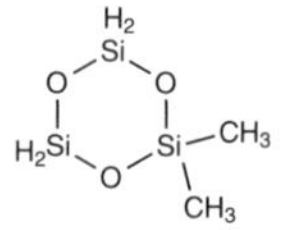

(2,2-Dimethylcyclotrisiloxan, $C_2H_{10}O_3Si_3$, M_R 166,36). S. bilden sich aus den entsprechenden *Silanolen durch Kondensation; bei der Hydrolyse der Chlorsilane (s. Methylchlorsilane u. Silane) entstehen die S. im allg. direkt.
Das formal dem Dimethylether entsprechende *Disiloxan* (a), $H_3Si–O–SiH_3$, ist ein farbloses, geruchloses Gas (Schmp. –144 °C, Sdp. –15,2 °C), das aus Bromsilan u. Wasser entsteht u. unter Sauerstoff-Ausschluß bei Raumtemp. stabil ist; es ist techn. ebenso wie andere unsubstituierte S. ohne Bedeutung. *Hexamethyldisiloxan* (b), $(H_3C)_3Si–O–Si(CH_3)_3$, $C_6H_{18}OSi_2$, M_R 162,38, ist eine farblose Flüssigkeit, Schmp. –67 °C, Sdp. 99,5 °C, die bei der Hydrolyse von *1,1,1,3,3,3-Hexamethyldisilazan gebildet wird u. als Standard in der NMR-Spektroskopie nützlich ist; bei der Herst. der *Silicone dient die Verb. (abgekürzt durch das Symbol [M_2]) zur Begrenzung des Polymerisationsgrades. Ansonsten sind die niedermol. organ. substituierten S. mit Ausnahme der cycl. Vertreter, die als Vorstufen für Silicone eingesetzt werden, techn. bedeutungslos. – ***E*** = ***F*** siloxanes – ***I*** silossani – ***S*** siloxanos

Lit.: Gmelin, Syst.-Nr. 15, Si, Tl. B, 1959, S. 582–601, Tl. C, 1958, S. 242–305, Suppl. B 1, 1982 ▪ Kirk-Othmer (4.) **22**, 101 ff. ▪ Ullmann (4.) **21**, 501 ff. ▪ Winnacker-Küchler (4.) **6**, 830–834 ▪ s. a. Silane, Silicium, Silicone. – *[CAS 13597-73-4 (a); 107-46-0 (b)]*

Siloxen. Ungünstig gewählter Trivialname (kein Zusammenhang mit *Siloxanen) für ein von *Kautsky entdecktes Polymeres der allg. Formel $(Si_6O_3H_6)_n$, das als feste, gelbe bis gelbgrüne, selbstentzündliche Substanz bei der Einwirkung von sehr verd. alkohol. Salzsäure auf Calciumsilicid entsteht. S. ist in allen Lsm. unlösl., von Wasser wird es leicht zersetzt. Im S. sind polymere Schichten aus Si–H- u. Si–OH-Einheiten, die ein zweidimensionales Netz aus Si_6-Sechsringen in Sesselkonformation bilden, in geringem Umfang durch Si–O–Si-Brücken verbunden. Diese entstehen durch Kondensation benachbarter Si–OH-Gruppen unter Wasseraustritt. Wasser reagiert mit Si–H zu H_2 u. Si–OH, welches zu weiterer Kondensation Anlaß gibt. Die H-Atome des S. lassen sich schrittweise durch Br ersetzen; man erhält so z. B. das gelbe $Si_6O_3H_2Br_4$. Bei der Einwirkung von Wasser auf die Halogen- u. Säure-Verb. des S. entstehen gelbe bis schwarze Oxysiloxene, die den Substitutionsstufen der Ausgangsverb. entsprechen. Die Schichtstruktur bleibt bei vielen S.-Reaktionen erhalten. Viele S. zeigen starke Chemilumineszenz. – ***E*** siloxene – ***F*** siloxène – ***I*** silossene – ***S*** siloxeno

Lit.: Gmelin, Syst.-Nr. 15, Si, Tl. B, 1959, S. 591–597 ▪ Holleman-Wiberg (101.), S. 901. – *[CAS 27233-73-4]*

Siloxy... Bez. für die Atomgruppierung $–O–SiH_3$ (IUPAC-Regel D-6.82); CAS-Bez.: Silyloxy... (neue

Regel R-2.5; auch: Silanyloxy...). – ***E = F*** siloxy... – ***I*** silossi... – ***S*** siloxi...

Silsesquioxane s. Silasesquioxane.

Silte s. Siltsteine.

Silthiane. Veraltete Bez. für *Silathiane.

Siltsteine. S. u. *Silte* (*Schluffe*) sind klast. *Sedimentgesteine bzw. *Sedimente (*klastische Gesteine) mit Korngrößen zwischen 0,0625 (1/16) u. 0,0039 (1/256) mm bzw. in der BRD nach DIN 4022: 1982-05 zwischen 0,063 u. 0,002 mm (63–2 μm), vgl. Tab. 1 u. 2 bei klastische Gesteine (S. 2166f.); neue europ. Normen für Gesteinskörnungen sind in Vorbereitung od. entworfen (DIN EN 932, 933; vgl. *Lit.*[1]). *Grobsilte* (z. B. *Löß) bestehen überwiegend aus im allg. eckigen *Quarz-Körnern, *Feinsilte* überwiegend aus *Tonmineralen; weitere wesentliche Gemengteile sind *Feldspäte u. *Glimmer. S. neigen zu blaßgelben, gelben, orangebraunen, grauen od. grünlichen Farbtönen. Sie sind meist feingeschichtet. Ton-Siltsteine (*E* mudrocks) bilden etwa $^3/_4$ der Gesamtmenge aller klast. Gesteine[2]. – ***E*** siltstones – ***F*** pierres silteuses – ***I*** siltiti – ***S*** limolita

Lit.: [1]Erzmetall **50**, 340–344 (1997). [2]Sedimentology **23**, 857–866 (1976).

allg.: Adams, MacKenzie u. Guilford, Atlas der Sedimentgesteine in Dünnschliffen, S. 30f., Stuttgart: Enke 1986 ▪ Füchtbauer (Hrsg.), Sedimente u. Sedimentgesteine (Sediment-Petrologie Tl. 2) (4.), S. 228–231, Stuttgart: Schweizerbart 1988 ▪ Weaver, Clays, Muds and Shales, Amsterdam: Elsevier 1989 ▪ s. a. Sedimente, Sedimentgesteine.

Silur s. Erdzeitalter.

Silvacur®. *Fungizid auf der Basis von *Tebuconazole. ***B.:*** Firma.

Silybin (Silibinin, Silymarin I).

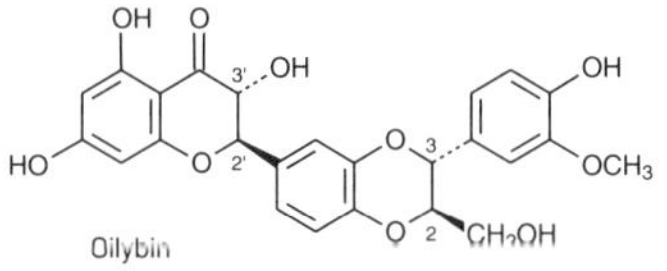

Silybin

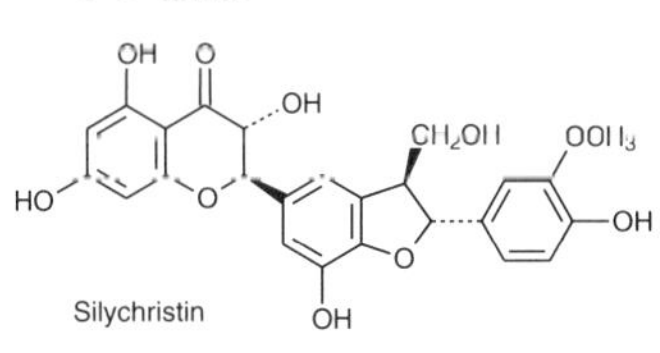

Silychristin

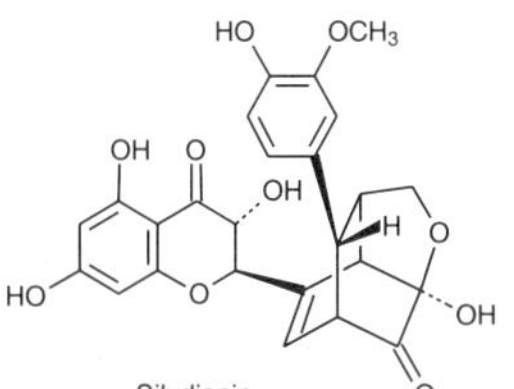

Silydianin

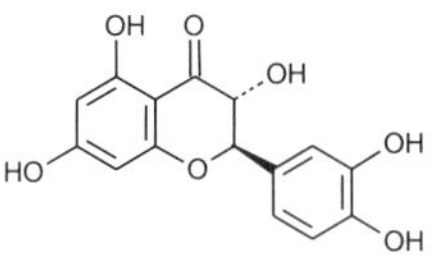

Taxifolin

$C_{25}H_{22}O_{10}$, M_R 482,44, Krist., Schmp. 167 °C (Monohydrat), bei 180 °C Zers., $[\alpha]_D^{22}$ +11° (Aceton), lösl. in Aceton, Essigester, Methanol, wenig lösl. in Chloroform. Flavanolignan (s. Lignane) aus den Früchten der Mariendistel (*Silybum marianum*, Asteraceae) mit hepatoprotektiver Wirkung. Weitere Inhaltsstoffe der Mariendistel sind: *Silychristin* (Silymarin II), $C_{25}H_{22}O_{10}$, M_R 482,44, Krist. · H_2O, Schmp. 174–176 °C, $[\alpha]_D^{23}$ +81,4° (Pyridin) u. *Silydianin*, $C_{25}H_{22}O_{10}$, M_R 482,44, Schmp. 191 °C, $[\alpha]_D^{24}$ +175° (Aceton). Als Partialstrukturen liegen in diesen Verb. das Pentahydroxyflavanon *Taxifolin*, $C_{15}H_{12}O_7$, M_R 304,26, u. Coniferylalkohol (s. Coniferin) vor.

Verw.: Zur Therapie von Lebererkrankungen, als Antidot bei Knollenblätterpilz-Vergiftungen (s. Amanitine) sowie in der Therapie von Hirnödemen. Silychristin hemmt Peroxidase (aus Meerrettich) u. Lipoxygenase[1] u. ist ebenso wie Silydianin ein Pflanzenwachstumsregulator. Die Verb. wirken als Radikalfänger stabilisierend u. schützend auf die Leberzellen u. verhindern die Oxid. der Membranlipide. – ***E*** silybin – ***F*** silybine – ***I = S*** silibina

Lit.: [1]Experientia **35**, 1548–1552 (1979).

allg.: Apoth. Ztg. **1990**, Nr. 44, 2 ▪ Beilstein EV **19/10**, 690 ▪ Chem. Ber. **108**, 790–802, 1482–1501 (1975) ▪ Chem. Pharm. Bull. **33**, 1419–1423 (1985) (Synth.) ▪ Hager (5.) **9**, 615ff.; 620ff. ▪ Hepatology **6**, 362 (1980) ▪ J. Chem. Soc., Chem. Commun. **1988**, 749ff. (Synth.) ▪ Martindale (29.), S. 1613 ▪ Nat. Prod. Rep. **12**, 183–205 (1995) ▪ Negwer (6.), Nr. 7244 ▪ Stud. Org. Chem. **11**, 461–474 (1982) ▪ Z. Naturforsch. Teil C **29**, 82f. (1974) (Biosynth.). – *[HS 2932 90; CAS 22888-70-6 (S.); 33889-69-9 (Silychristin); 29782-68-1 (Silydianin); 480-18-2 (Taxifolin)]*

Silychristin, Silydianin s. Silybin.

Silyl... Bez. für die Atomgruppierung $-SiH_3$ (IUPAC-Regeln D-3.43, D-4.14, D-6.1 u. I-7.2.3.4; neue Regel R-2.5 läßt auch Silanyl... zu); s. a. Silane. – ***E = F*** silyl... – ***I = S*** silil...

Silylamine s. Silane.

Silylen... s. Silandiyl...

Silylene. Bez. für eine Klasse meist instabiler Verb. mit zweibindigem Si, z. B. das H_2Si:-Diradikal u. dessen substituierte Derivate. Inzwischen kennt man auch stabile S. wie das von R. West beschriebene heterocycl. S. (s. Abb.), das bis zum Schmp. von 220 °C stabil ist. Da sich das gesätt. Derivat mit C,C-Einfachbindung bereits ab 25 °C zersetzt, geht man bei dieser Verb. von einer aromat. Stabilisierung durch ein Sextett von π-Elektronen aus. – ***E*** silylene

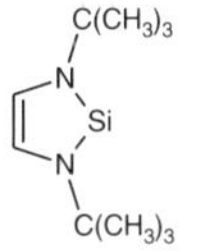

Lit.: Pure Appl. Chem. **68**, 785–788 (1996).

Silylierung. Bez. für die Einführung von (meist organ. substituierten) *Silyl...-Gruppen in organ. Verb., wofür eine Reihe von Reagenzien zur Verfügung stehen, s. Silicium-organische Verbindungen u. Trimethylsilyl.... – ***E = F*** silylation – ***I*** sililazione – ***S*** sililación

Silyloxy... s. Siloxy...

Silylthio... Aus *Silyl... u. *Thio... gebildete Bez. für die Atomgruppierung $-S-SiH_3$. IUPAC-Regeln R empfehlen jetzt Silylsulfanyl..., lassen Silylthio... (CAS) u. Silanylsulfanyl... (Beilstein) aber auch zu. – ***E = F*** silylthio... – ***I = S*** sililtio...

Simacoll®. Aus *Magnesiumoxid u. synthet., hydrophober *Kieselsäure bestehendes *Korrosionsschutzmittel für ölgefeuerte Großkesselanlagen, das außerdem im Rauchgas ggf. vorhandene Schwefelsäure neutralisiert. ***B.:*** Degussa.

Simagel®. Tabl. mit dem *Antacidum Almasilat. ***B.:*** Philopharm.

Simazin.

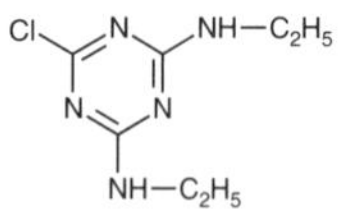

Common name für 6-Chlor-N^2,N^4-diethyl-1,3,5-triazin-2,4-diamin, $C_7H_{12}ClN_5$, M_R 201,65, Schmp. 225–227 °C (Zers.), LD_{50} (Ratte oral) >5000 mg/kg, von Geigy (jetzt Novartis) 1956 eingeführtes selektives Vorauflauf-*Herbizid gegen Ungräser u. Unkräuter in tiefwurzelnden Kulturen sowie auf Nichtkulturland. Eines der Haupteinsatzgebiete ist der Maisbau. Die Maispflanze kann S. in das herbizid inaktive 6-Hydroxy-Analoge umwandeln. In den USA wird S. auch gegen Algen u. Pflanzen in wirtschaftlich genutzten Teichen eingesetzt. – ***E*** = ***F*** simazine – ***I*** = ***S*** simazina

Lit.: Beilstein E III/IV **26**, 1208 ▪ Farm ▪ Perkow ▪ Pesticide Manual. – *[HS 2933 69; CAS 122-34-9]*

Simethicon. Kurzbez. für mit Siliciumdioxid aktiviertes *Dimeticon als *Carminativum. – ***E*** simethicone – ***F*** siméthicone – ***I*** simeticone – ***S*** simeticona

Lit.: Hager (5.) **9**, 622 f. ▪ Martindale (31.), S. 1241. – *[CAS 8050-81-5]*

Simian-Virus 40 s. Affenvirus 40.

Similia-Prinzip s. Homöopathie.

Simmerring®. Radial-Wellendichtringe (Lippendichtungen mit zylindr. Haftteil) aus *NBR, MVQ (s. MQ), *SBR, *EPDM, *PTFE, Acrylat- u. Fluor-Kautschuken. ***B.:*** Freudenberg.

Simmondsia-Wachs s. Jojoba.

Simmons-Smith-Reaktion. Stereospezif. Synth. von *Cyclopropanen durch Behandlung von Olefinen mit Methyleniodid u. z. B. einer Kupfer-Zink-Leg. nach dem allg. Schema:

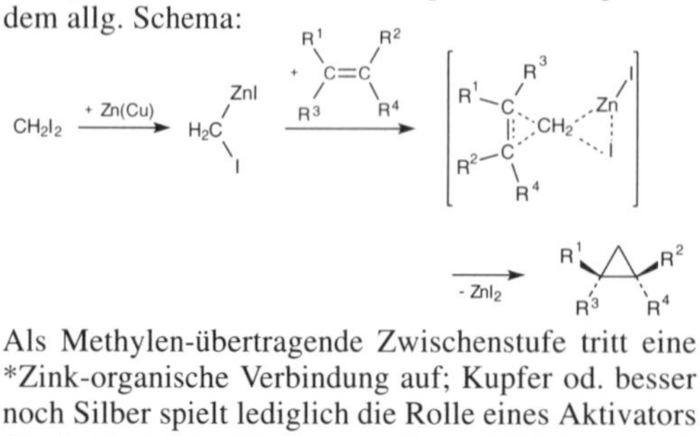

Als Methylen-übertragende Zwischenstufe tritt eine *Zink-organische Verbindung auf; Kupfer od. besser noch Silber spielt lediglich die Rolle eines Aktivators für die Zink-Oberfläche. Anstelle von Zink kann auch unter deutlicher Verbesserung der Stereoselektivität Samarium in der S.-S.-R. eingesetzt werden (s. Lanthanoide-organische Verbindungen). Die S.-S.-R. ist daher eine *carbonoide* Reaktion, d. h. freie *Carbene treten nicht auf. Die Bildung der Cyclopropane wird als Einstufenprozeß ohne das Auftreten weiterer Zwischenstufen formuliert. Über stereoselektive Varianten wird berichtet[1,2]. – ***E*** Simmons-Smith reaction – ***F*** réaction de Simmons-Smith – ***I*** reazione di Simmons-Smith – ***S*** reacción de Simmons-Smith

Lit.: [1] Nachr. Chem. Tech. Lab. **43**, 435 (1995). [2] Synlett **1995**, 1197.

allg.: Chem. Rev. **93**, 2117 (1993) ▪ Hassner-Stumer, S. 348 ▪ Houben-Weyl **4/3**, 115 ff.; **13/2 a**, 838 ff.; **E 19 b**, 195–211 ▪ J. Org. Chem. **56**, 3255 (1991) ▪ Krauch u. Kunz, Reaktionen der Organischen Chemie, 6. Aufl., S. 255, Heidelberg: Hüthig 1997 ▪ Laue-Plagens, S. 288 ▪ March (4.), S. 870 ▪ Org. React. **20**, 1–131 (1973) ▪ Patai, The Chemistry of the Cyclopropyl Group, Bd. 1, S. 307–373, Chichester: Wiley 1987 ▪ Trost-Fleming **4**, 968 ▪ s. a. Carbene u. Zink-organische Verbindungen.

Simmrock, Karl Hans (geb. 1930), Prof. für Techn. Chemie, Univ. Dortmund. *Arbeitsgebiete:* Statistik u. mathemat. Modellierung chem. Prozesse, chem. Verfahrensentwicklung, elektrochem. Verf. mit Ionenaustauscher-Membranen, kooperierende Expertensyst. zur Verfahrenssynthese.

Lit.: Kürschner (16.), S. 3518 ▪ Wer ist wer (36.), S. 1360.

Simon, Arndt (geb. 1940), Prof. für Anorgan. Chemie, Univ. Münster, Direktor des Max-Planck-Inst. für Festkörperforschung, Stuttgart. *Arbeitsgebiete:* Metallreiche Verb., Metallcluster, kondensierte Cluster, Alkalimetall-Suboxide, Strukturchemie intermetall. Phasen, Supraleitung.

Lit.: Kürschner (16.), S. 3518 ▪ Nachr. Chem. Tech. Lab. **35**, 1279 (1987) ▪ Wer ist wer (36.), S. 1360.

Simon, Arthur (1893–1962), Prof. für Anorgan. Chemie, Anorgan. Technologie, TH Dresden. *Arbeitsgebiete:* Qual. u. quant. Analyse, Katalyse, Raman-Effekt, Berliner Blau, Auflösung von Silber in Kaliumcyanid, Alterung der Gele, Struktur von H_2O_2, Phosphoriger Säure u. Phosphinsäure, Kunststoffe, Magnetophonbänder.

Lit.: Z. Anorg. Allg. Chem. **319**, 120–125 (1962).

Simon, Helmut (geb. 1927), Prof. für Chemie an der Landwirtschaftlichen u. Chem. Fakultät der TU München. *Arbeitsgebiete:* Isotopentechnik; mechanist. Studien am Syst. Kohlenhydrat/Amin; neuartige Redoxenzyme (Mechanismen, Aufbau, physiolog. Rolle), insbes. von anaeroben Orgnismen. Anw. von Biokatalysatoren für selektive Stoffumwandlungen. Elektroenzymologie.

Lit.: Kürschner (16.), S. 3519 ▪ Wer ist wer (36.), S. 1361.

Simon, Wilhelm (geb. 1929), Prof. für Analyt. Chemie, ETH Zürich. *Arbeitsgebiete:* Analyt. Chemie, Strukturaufklärung mittels Spektroskopie, Trennmeth., chem. Sensoren/Biosensoren u. klin. Einsatz, Ionophore.

Lit.: Kürschner (16.), S. 3521.

Simonini-Reaktion. Von Simonini 1892 erstmals beschriebene Herst. aliphat. Ester durch Decarboxylierung der Silbersalze von Carbonsäuren mit Iod, die im Verhältnis 2:1 in inerten Lösemitteln reagieren.

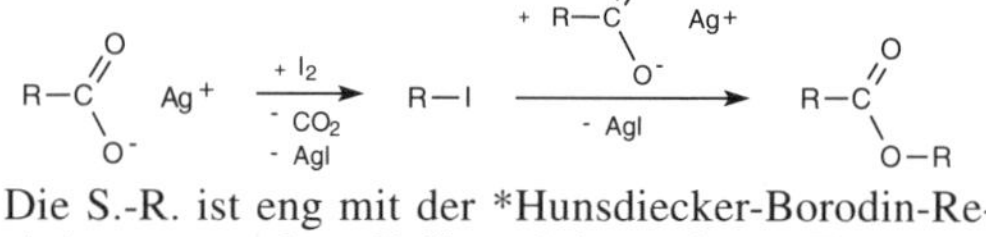

Die S.-R. ist eng mit der *Hunsdiecker-Borodin-Reaktion verwandt. – ***E*** Simonini reaction – ***F*** réaction de Simonini – *I* reazione di Simonini – *S* reacción de Simonini

Lit.: Krauch u. Kunz, Reaktionen der Organischen Chemie, 6. Aufl., S. 619, Heidelberg: Hüthig 1997 ▪ March (4.), S. 730 ▪ s. a. Hunsdiecker-Borodin-Reaktion u. Radikale.

Simons-Prozeß s. Fluorierung.

Simplotan® (Rp). Filmtabl. mit *Tinidazol gegen Infektionen mit Trichomonaden, Amöben u. Anaerobiern. *B.:* Pfizer.

SIMS. Abk. für Sekundärionen-Massenspektrometrie, eine hier unter *Ionenstrahl-Mikroanalyse (ISMA) näher beschriebene Meth. zur Oberflächenanalyse.

Simulations-Test. Bez. für ein Abbautestverf., das mit standardisierten Meth. ein bestimmtes Umweltmilieu, wie die biolog. Stufe von *Kläranlagen, abdeckt. In Labormodellen wird unter praxisnahen Betriebsbedingungen u. kontinuierlicher Dosierung der zu prüfenden Substanz zusammen mit hohen Mengen an leicht abbaubaren Verb. („synthet." Abwasser) der Abbauprozeß simuliert, wie er mit hoher Bakteriendichte im *Belebungsbecken einer kommunalen Kläranlage abläuft. Ein Beisp. ist der *Coupled-Units-Test.

Simultanfällung. Verf. der *chemischen Abwasserbehandlung zur *Ausfällung unerwünschter Abwasserbestandteile durch Dosierung von Fällmittel vor od. in das *Belebungsbecken. Als Fällungsmittel werden z. B. Aluminiumsulfat u. Eisenchloride u. -sulfate (s. Grünsalz) zur Ausfällung von Phosphaten zugesetzt, die zusammen mit dem Überschußschlamm der *Klärschlamm-Aufbereitung zugeführt werden. Zur simultanen Abscheidung von SO_2 u. NO_x aus *Rauchgasen s. Entschwefelung. – *E* simultaneous precipitation – *F* précipitation simultanée – *I* precipitazione simultanea – *S* precipitación simultánea

Lit.: Abwassertechnische Vereinigung (Hrsg.), ATV-Handbuch Biologische u. weitergehende Abwasserreinigung (4.), S. 317 f., 459–466, Berlin: Ernst 1997.

Simultanfärbung s. Mikroskopie.

Simultanreaktionen. Bez. für zwei od. mehrere verschiedene *Reaktionen, die zwischen gleichen Ausgangsstoffen gleichzeitig verlaufen od. vom gleichen Ausgangsstoff in verschiedene Richtungen führen können. Hierbei gilt das sog. „Koexistenzprinzip", das besagt, daß gleichzeitig verlaufende Reaktionen sich gegenseitig nicht beeinflussen. Die einzige Möglichkeit einer Beeinflussung ist die, daß die Reaktanten sich die Ausgangsstoffe gegenseitig streitig machen (*Abfang-*, *Konkurrenz-*, *Kompetitiv-Reaktion*). Je nach der Form, in der solche S. miteinander verflochten sind, kann man die folgenden Hauptfälle unterscheiden: einander entgegengerichtete Reaktionen (*Hinreaktion* u. *Rückreaktion*) u. *Parallelreaktionen* (s. a. Elementarreaktionen). Die Summe aus S. u. *Sukzessivreaktionen (Folgereaktionen, vgl. a. Stufenreaktionen) bildet die Bruttoreaktion; s. a. Kinetik u. Reaktionsmechanismen. – *E* simultaneous reactions – *F* réactions simultanées – *I* reazioni simultane – *S* reacciones simultáneas

Lit.: s. Kinetik u. Reaktionen.

Simvastatin (Rp).

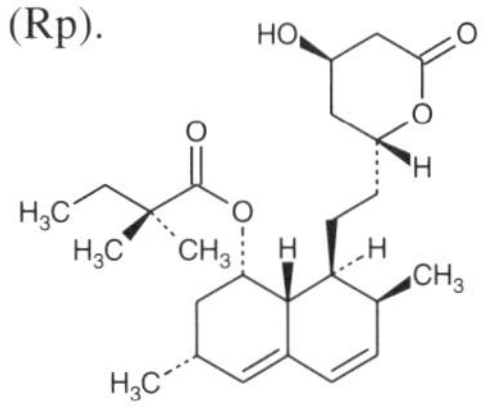

Internat. Freiname für den *Lipidsenker ($\beta R,\delta R,1S$)-8β-(2,2-Dimethylbutyryloxy)-1,2,6,7,8,8aα-hexahydro-β,δ-dihydroxy-2α,6β-dimethyl-1α-naphthalinheptansäure-δ-lacton, $C_{25}H_{38}O_5$, M_R 418,57. Die Substanz wird wie *Lovastatin partialsynthet. aus einem Fermentationsprodukt des Bodenpilzes *Aspergillus terreus* gewonnen; das Hydroxyhexahydronaphthalin-Syst. wird hier jedoch mit 2,2-Dimethylbuttersäure verestert (für Lovastatin mit 2-Methylbuttersäure). Der Wirkungsmechanismus ist in beiden Fällen gleich. Das Prodrug wird nach der Resorption im Magen-Darm-Trakt durch Spaltung des Lacton-Rings in das β,δ-Dihydroxysäure-Derivat zur biolog. aktiven Form. Diese hemmt ein Schlüsselenzym der Cholesterin-Biosynth., die HMG-CoA-Reduktase (s. Mevalonsäure). Die Wirkung von S. ist etwas stärker als die von Lovastatin, weshalb S. niedriger dosiert werden kann. – *E* simvastatin – *F* simvastatine – *I* = *S* simvastatina

Lit.: Arzneimitteltherapie **8**, 199–202 (1990) ▪ Dtsch. Apoth. Ztg. **130**, 1653 (1990); **131**, 714 f. (1991) ▪ Martindale, S. 1203 ▪ Neue Arzneimittel **35** (8/9), 65 f. (1990). – *[CAS 79902-63-9]*

SIN. 1. Kurzz. für Simultan-Interpenetrierende Netzwerke, s. polymere Netzwerke u. interpenetrierende polymere Netzwerke. – 2. Kurzz. für Semi-Interpenetrierende Netzwerke, s. polymere Netzwerke u. interpenetrierende polymere Netzwerke.

Sinalbin s. Glucosinolate.

Sinalexin.

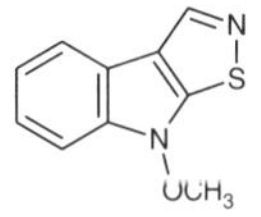

$C_{10}H_8N_2OS$, M_R 204,26, amorpher Feststoff. S. ist ein *Phytoalexin aus dem Weißen Senf (*Sinapis alba*), das unter Elicitierung durch *Destruxin B, den phytopathogenen Pilz *Alternaria brassicae* od. infolge abiot. Stresses gebildet wird. – *E* sinalexin – *F* sinalexine – *I* sinalexina – *S* sinalexín

Lit.: Phytochemistry **46**, 833 (1997).

Sinapin.

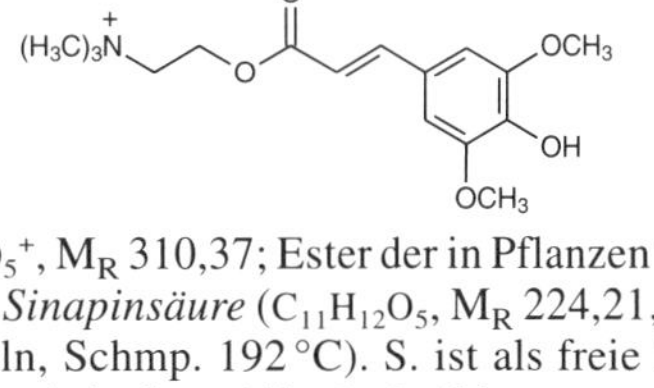

$C_{16}H_{24}NO_5^+$, M_R 310,37; Ester der in Pflanzen weit verbreiteten *Sinapinsäure* ($C_{11}H_{12}O_5$, M_R 224,21, Prismen od. Nadeln, Schmp. 192 °C). S. ist als freie Base unbeständig, jedoch stabil als Iodid, $C_{16}H_{24}INO_5$, M_R 437,27, Schmp. 185–186 °C u. Hydrogensulfat, $C_{16}H_{25}NO_9S$, M_R 407,44, Schmp. 126–127 °C (Dihydrat), 186–188 °C (wasserfrei). S. ist in Weißem u. in Schwarzem Senf (*Brassica nigra*), als Thiocyanat im Rapsschrot sowie als Iodid in der chines. Droge „Ting

Li“ (*Draba nemorosa*) enthalten; Sinalbin ist das S.-Salz von Glucosinalbin, s. Glucosinolate. Bei pH 6,2–8,4 Farbumschlag von farblos nach gelb. – ***E*** = ***F*** sinapine – ***I*** = ***S*** sinapina

Lit.: Dev. Food Proteins **2**, 109–132 (1983) (Review) ▪ Karrer, Nr. 962, 2468 ▪ Phytochemistry **24**, 407–410 (1985) ▪ Zechmeister **35**, 89 ff. – *[CAS 18696-26-9 (S.-Kation); 5655-06-1 (S.-Iodid); 6509-38-2 (S.-Hydrogensulfat); 530-59-6 (Sinapinsäure)]*

Sinapinsäure s. Sinapin.

Sinapylalkohol [4-(3-Hydroxy-1-propenyl)-2,6-dimethoxyphenol, Syringenin].

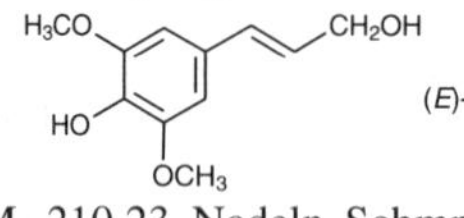

H_3CO ... CH_2OH, HO, OCH_3 (*E*)-Form

$C_{11}H_{14}O_4$, M_R 210,23, Nadeln, Schmp. 63–65 °C, prinzipieller Baustein des *Lignins von Angiospermen. Das phenol. *β*-D-Glucopyranosid *Syringin*, $C_{17}H_{24}O_9$, M_R 372,37, Schmp. 191–192 °C, $[\alpha]_D$ –18° (H_2O), ist weit verbreitet u.a. in *Syringa vulgaris*, *Ligustrum* spp., *Jasminum* spp., *Phillyrea latifolia*, *Forsythia suspensa*, *Fraxinus* spp. Das (Z)-Isomere kommt in der Rinde von *Fagus grandifolia* vor; es wird nicht in Lignin eingebaut. – ***E*** sinapyl alcohol – ***F*** alcool sinapylique – ***I*** alcool sinaplico – ***S*** alcohol sinapílico

Lit.: Holzforschung **40**, 273–280 (1986) ▪ J. Agric. Food Chem. **40**, 1108 (1992) ▪ Luckner (3.), S. 392 ▪ Nat. Prod. Rep. **12**, 101–133 (1995) ▪ Synthesis **1994**, 369 (Synth.). – *[CAS 20675-96-1 (E); 104330-63-4 (Z); 118-34-3 (Syringin)]*

Sina-Salz. Kochsalzersatz mit Kaliumchlorid, -adipat, -glutamat, -tartrat, -inosinat u. -guanylat für natriumarme Diät bei Hypertonie usw. ***B.:*** Nordmark.

Sincalid s. Cholecystokinin.

SINDO. Von K. Jug u. Mitarbeitern entwickeltes semiempir. *Molekülorbital-Verf.[1,2], das hinsichtlich seiner Näherungen auf der Stufe von *INDO steht. Die derzeit gebräuchliche Variante *SINDO1* wurde für die Elemente der ersten drei Perioden (außer Edelgase) sowie für die Übergangsmetalle Scandium bis Zink parametrisiert. Von der Güte der Ergebnisse her ist SINDO1 mit dem etwas aufwendigeren *MNDO-Verfahren vergleichbar; bei Verb. mit Elementen der 2. Langperiode ist es diesem z. Zt. oft überlegen[3,4], da es explizit d-*Orbitale verwendet; s.a. semiempirische Verfahren.

Lit.: [1] J. Am. Chem. Soc. **95**, 7575 (1973). [2] Theor. Chim. Acta **57**, 95–106 (1980). [3] Int. J. Quantum Chem. **32**, 265–277 (1987). [4] J. Comput. Chem. **8**, 1004–1015, 1040–1050 (1987); **9**, 40–50, 51–62 (1988).

Sinensale.

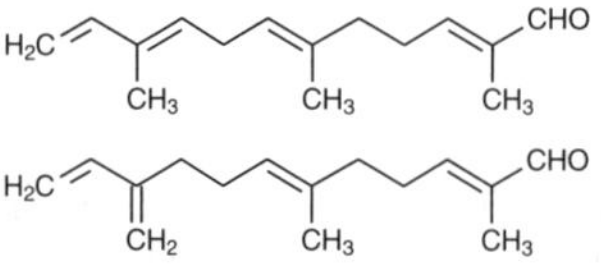

α-Sinensal

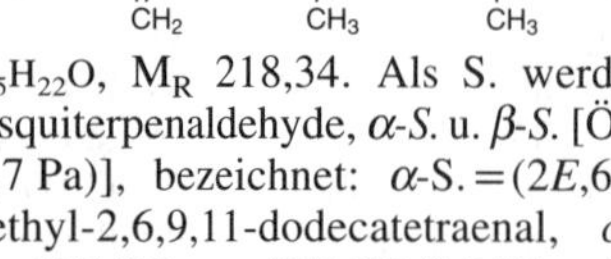

trans-β-Sinensal

$C_{15}H_{22}O$, M_R 218,34. Als S. werden zwei isomere Sesquiterpenaldehyde, *α-S.* u. *β-S.* [Öle, Sdp. 92–95 °C (6,7 Pa)], bezeichnet: *α*-S. = (2*E*,6*E*,9*E*)-2,6,10-Trimethyl-2,6,9,11-dodecatetraenal, *cis*- u. *trans*-*β*-S. = (2*E*,6*Z*)- u. (2*E*,6*E*)-2,6-Dimethyl-10-methylen-2,6,11-dodecatrienal. S. sind Geruchs- u. Geschmacksstoffe aus kaltgepreßtem Orangenschalenöl (*Citrus sinensis*), *Pomeranzen u. Tangerinen. Mandarinenöl besitzt den höchsten Gehalt an *α*-S. (0,2%). Die Geruchsschwelle für S. ist sehr niedrig: 0,5 ppb. – ***E*** = ***F*** sinensals – ***I*** sinensali – ***S*** sinensales

Lit.: Bull. Chem. Soc. Jpn. **61**, 4051 (1988) ▪ Justus Liebigs Ann. Chem. **1976**, 1626 ▪ Karrer, Nr. 5766 ▪ Ohloff, S. 132 f. – *[CAS 17909-77-2 (α-S.); 17909-87-4 (cis-β-S.); 3779-62-2 (trans-β-S.)]*

Singaporekopal s. Manilakopal.

Single Cell Protein (Abk. SCP). Bez. für biotechnolog. gewonnene Proteine aus Mikroorganismen (also Einzellern; daher auch *Einzellerprotein*), d. h. aus *Algen, *Bakterien, Hefen u.a. *Pilzen. Der Begriff SCP wurde 1966 am Massachusetts Institute of Technology (*MIT) geprägt u. wird heute für mikrobielle Protein-haltige Biomasse benutzt, die als Nahrungsmittel od. Futterzusatz verwendet wird u. neben dem Zellprotein (je nach Organismus u. Verf. 40 bis 75% der Trockensubstanz) meist das gesamte Zellmaterial enthält. Spezielle Aufarbeitungsverf. können die Produktqualität durch Abreicherung von Stoffen wie Nucleinsäuren noch verbessern. Mit der Erzeugung von SCP waren u. sind Erwartungen auf eine signifikante Verbesserung der Versorgung der Weltbevölkerung mit Protein-haltigen Nahrungsmitteln verbunden, die unabhängig von Faktoren wie Klima, Vegetationsperioden usw. gewonnen werden können. SCP steht in Konkurrenz zu natürlichen Protein-Quellen wie Soja- od. Fischmehl. Da die Herstellkosten für SCP durch die Rohstoffe entscheidend beeinflußt werden, wurden in der Vergangenheit eine Reihe von Substraten untersucht: Alkane (*Candida tropicalis*); – Methanol (*Methylophilus methylotrophus*; großtechn. Verf. der ICI im 2300 m^3 *Schlaufenreaktor zur Jahresproduktion von ca. 60000 t Pruteen®, zugelassen zur Tierernährung); – Methan (insbes. Mischkulturen mit *Methylococcus capsulatus* als Hauptkomponente); – Cellulose (wegen nötiger Trennung von anderen Holzbestandteilen wie Lignin u. Hemicellulose unwirtschaftlich); – Kohlenhydrate (*Fusarium graminearum*; Produkt als *Mycoprotein* mit einem Nucleinsäure-Gehalt <2% der Trockenmasse für die menschliche Ernährung zugelassen); – Pentose-haltige Sulfit-Ablaugen (Pulpe aus der Papier-Herst.; mit *Candida utilis*). Größere Anlagen zur Herst. von SCP, das als Futtermittel eingesetzt wird, werden derzeit nur in der GUS betrieben. Protein-Präp. aus Algen (z.B. *Dunaliella, Spirulina*), die zu diesem Zweck unter nicht sterilen Bedingungen kultiviert werden können, sind als Spezialitäten im Handel u. werden in der Kosmetik u. der Ernährung eingesetzt. – ***E*** single cell protein – ***F*** protéine de [microorganismes] unicellulaires – ***I*** proteina unicellulare – ***S*** proteína de [microorganismos] unicellulares

Lit.: Rehm-Reed (2.) **9**, 167 ▪ Römpp Lexikon Biotechnologie, S. 228 ff.

Single electron transfer (Einelektronen-Übertrag, Einelektronen-Übertragung, Abk. SET). Seit 1975 von Kornblum[1] entwickeltes Konzept, wonach viele nichtradikal. Reaktionen unter bestimmten Bedingungen von radikal. Konkurrenzreaktionen begleitet sind, wenn die Übertragung eines Elektrons von einem Reaktionspartner zum anderen möglich ist. Voraussetzung ist, daß der Elektronenakzeptor nicht vollbesetzte Orbitale niedriger Energie zur Verfügung stellt. Die Nitro-Gruppe erfüllt idealerweise diese Voraussetzung. *Reaktive Zwischenstufen sind Radikal-Anionen (s. Radikal-Ionen) od. freie *Radikale. Die ersten synthet. wichtigen Beisp. wurden bei der *nucleophilen Substitution von *p*-Nitrobenzylhalogeniden mit dem Anion von 2-Nitropropan gefunden. Die Reaktion verläuft als Radikal-Kettenreaktion (s. a. radikalische Reaktionen).

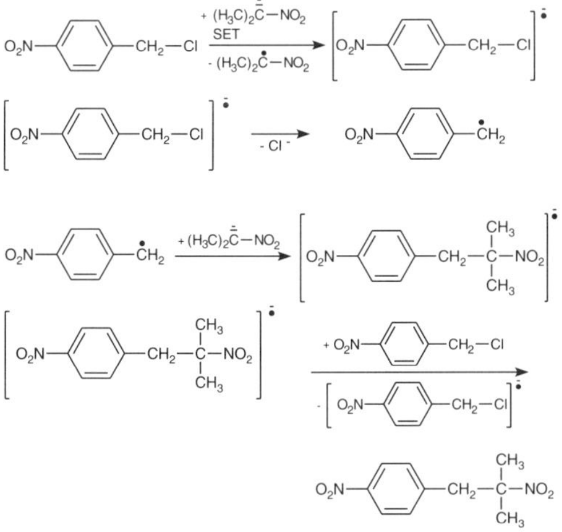

Abb.: Nucleophile Substitution nach dem SET-Mechanismus: Radikal-Kettenreaktion.

Größere Bedeutung haben Substitutionen unter Beteiligung von SET-Schritten bei nucleophilen aromat. Substitutionen nach dem $S_{RN}1$-Mechanismus [2]. Dabei werden Arylhalogenide mit Anionen in Lsm. wie flüssigem Ammoniak, DMSO, THF umgesetzt. Die Bez. $S_{RN}1$ wurde deshalb gewählt, weil in Analogie zur S_N1-Reaktion die Bildung des Arylradikals der geschwindigkeitsbestimmende Schritt ist (s. Abb. bei radikalische Reaktionen; dort sind auch weitere Reaktionen aufgelistet, bei denen SET-Mechanismen als Konkurrenzreaktionen diskutiert werden). – ***E*** single electron transfer – ***F*** transfert d'électron unique – ***I*** transporto singolo di elletroni – ***S*** transferencia de electrón único

Lit.: [1] Angew. Chem. **87**, 797 (1975). [2] Acc. Chem. Res. **11**, 413 (1982).
allg.: Acc. Chem. Res. **28**, 313 (1995) ▪ Houben-Weyl **E 19 a**, 49 ff. ▪ March (4.), S. 307, 648 ▪ Pure Appl. Chem. **67**, 127 f., 141 f. (1995) ▪ Res. Chem. Intermed. **22**, 145 (1996) ▪ Rossi u. de Rossi, Aromatic Substitution by the $S_{RN}1$-Mechanism, ACS Monograph 178, Washington: ACS 1983 ▪ Top. Curr. Chem. **177**, 1 f., 125 f. (1996).

Single Photon ECT s. Tomographie.

Single Pore®. Spezielles Kapillardiaphragma für elektrochem. Referenzelektroden; wird in Verbindung mit pH-Glaselektrode als pH-Einstabmeßkette insbes. bei Laboranw. eingesetzt. ***B.:*** Hamilton.

Single-Sweep-Polarographie s. Polarographie.

Singlett s. Singulett.

Singulett (Singlett, von latein.: singulus = je einer, einzeln, einzig). Begriff aus der *Spektroskopie, mit dem man eine einzelne, d. h. nicht in eine Feinstruktur aufspaltbare Spektrallinie bezeichnet. Von einem S.-Syst., in dem die *Terme *einfach* sind, spricht man bei Atomen, Ionen od. Kernen mit einer geraden Zahl von Bausteinen, wenn die *Multiplizität $(2S+1)=1$ ist. Dies ist der Fall, wenn die *Quantenzahl S des gesamten *Elektronenspins = 0 ist, d. h. wenn sich die **Spins* von je 2 Elektronen gegenseitig kompensieren. Beispielsweise gehört der Energieterm des Helium-Atoms im *Grundzustand einem S.-Syst. an: Die beiden Elektronen befinden sich in der gleichen Schale mit ident. Bahndrehimpuls, aber mit antiparallelen Spins (bildlich durch ↑↓ dargestellt); anders ausgedrückt: Helium im Grundzustand befindet sich im *Singulettzustand*. Anders jedoch als in diesem sog. Para-Helium sind im Ortho-Helium die Spins der beiden Elektronen gleichgerichtet (**Triplett-Zustand*, bildlich durch ↑↑ dargestellt); nach der *Hundschen Regel müssen die Elektronen daher verschiedene Energiezustände besetzen; Näheres, auch zum analogen Fall des Wasserstoffs u. zum entgegengesetzten des Deuteriums s. Ortho-Para-Isomerie. Im Grundzustand liegen die meisten Atome u. Mol. im S.-Zustand vor, bei photochem. *Anregung wird von diesen Mol. zunächst ein angeregter S.-Zustand erreicht, aus dem durch *Spinumkehr* der Triplettzustand entsteht (s. Lumineszenz u. Photochemie). Bekannte Ausnahmen sind *Sauerstoff (s. das folgende Stichwort) u. *Methylen (CH_2), die beide im Grundzustand als energieärmere Triplett-Mol., im angeregten Zustand als energiereichere S.-Mol. vorliegen. Die Kennzeichnung von Atomen od. Mol. im S.-Zustand nimmt man mit einer links hochgestellten 1 vor; *Beisp.:* $^1O_2$, vgl. Term. Analog wird der mit der Multiplizität 3 $(S=1)$ verbundene Triplettzustand als $^3O_2$ notiert. – ***E*** singlet – ***F*** singulet – ***I*** singoletto – ***S*** singulete

Lit.: s. Atombau, Elektronen, Photochemie.

Singulett-Sauerstoff. Im Gegensatz zu den meisten Mol. liegt *Sauerstoff im *Grundzustand (d. h. elektron. nicht angeregt) als sog. *Triplett-Mol. vor mit parallel gerichteten *Spins zweier (ungepaarter) π^*-Elektronen; symbolhafte Darst.: $^3O_2$; zur Begriffsableitung s. Singulett. Im *Triplettzustand* ist O_2 biradikal. u. paramagnetisch. Elektron. angeregter Sauerstoff kann dagegen *Singulettzustände* mit antiparallel gerichteten Spins der beiden Elektronen einnehmen. Diese energiereichen u. bes. reaktionsfähigen Spezies, die z. B. im Sonnenlicht bei Anwesenheit bestimmter Farbstoffe aus $^3O_2$ entstehen, bezeichnet man als S.-Sauerstoff; symbolhafte Darst.: $^1O_2$. Dieser existiert in mehreren elektron. Zuständen (s. Abb. auf S. 4118) u. wurde bereits in den 30er Jahren von *Kautsky postuliert.
Wenn keine geeigneten chem. Reaktionspartner zur Verfügung stehen, geht $^1O_2$ unter Aussendung von *Chemilumineszenz-Licht in den Triplettgrundzustand ($^3\Sigma_g^-$) über; die Lebensdauer in Lsg. liegt bei 10^{-6} bis 10^{-3} s, in der Gasphase bei 45 min ($^1\Delta_g$) bzw. 7 s ($^1\Sigma_g^+$). In Ggw. von „Löschsubstanzen" (*Quencher*) wie *β*-Carotin wird S.-S. sehr schnell desaktiviert. Der

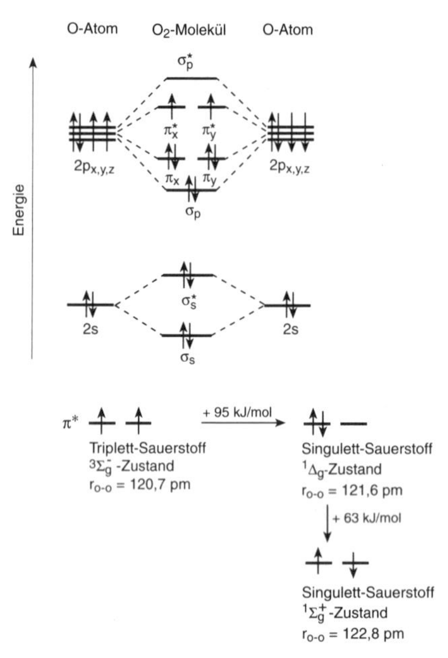

Abb.: Elektronenkonfiguration von O_2 im Grundzustand u. in zwei angeregten Singulett-Zuständen.

Nachw. von $^1O_2$ in chem. u. biolog. Syst. ist selbst im Picomol-Bereich noch möglich[1].

Herst.: Zur Erzeugung von $^1O_2$ stehen heute mehrere Meth. zur Verfügung: *Photochem.* durch direkte Anregung mit He/Ne-Lasern od. mit Mikrowellen, durch Zers. von CO_2 mit Mikrowellen, durch Photolyse von *Ozon ($O_3 \rightarrow {}^1O_2 + O$; auf dieser Reaktion beruht der Beitrag des S.-S. als *Luftverunreinigung bei der Entstehung von *Smog), insbes. aber durch *Sensibilisation, d.h. durch *Energieübertragung von einem angeregten *Sensibilisator auf $^3O_2$; Näheres u. *Lit.* s. bei Photochemie. *Chem.* läßt sich $^1O_2$ aus alkal. Wasserstoffperoxid-Lsg. u. Chlor erzeugen:

$$NaOCl + H_2O_2 \rightarrow NaCl + H_2O + {}^1O_2$$

(vgl. die Beschreibung in *Lit.*[2]), durch Reaktion von Trialkylphosphiten od. Dialkylethern mit Ozon u. anschließender Spaltung der Ozon-Addukte, durch Zers. von Kaliumperchromat (K_3CrO_8), von Phthaloylperoxid od. Peroxyacetylnitrat u.ä. Mol. mit präformierter O,O-Bindung. Über die Bildung von $^1O_2$ in biolog. Syst. s. *Lit.*[3]; zu den tox. Eigenschaften s. *Lit.*[4].

Verw.: Photochem. od. therm. hergestellter S.-S. dient wegen der *Oxygenierung ungesätt. Substrate zur Synth. von Hydroperoxiden, Peroxiden u. 1,2-Dioxetanen, die im allg. auf anderen Wegen gar nicht od. nur in nicht stereoselektiv verlaufenden Reaktionen erhältlich sind. Eine ausführliche Darst. von elektron. Zuständen, Herst., Nachw. u. Verw.-Möglichkeiten des S.-S. sowie eine Diskussion des mit $^1O_2$ verbundenen *photodynamischen Effektes, der auch für *Porphyrie-Erkrankungen verantwortlich gemacht wird, findet man in *Lit.*[5]. Ob $^1O_2$ u. O_2^- (**Hyperoxid-Ion*) ineinander übergehen können, ist noch nicht geklärt; zu ihrer analyt. Unterscheidung s. *Lit.*[6]. – ***E*** singlet oxygen – ***F*** oxygène à l'état singulet – ***I*** ossigeno singoletto – ***S*** oxígeno en estado singulete

Lit.: [1]Biochem. Biophys. Res. Commun. **123**, 869 (1984). [2]Roesky u. Möckel, Chemische Kabinettstücke, S. 168 ff., Weinheim: VCH Verlagsges. 1994. [3]Chem. Biol. Interact. **70**, 1–28 (1989). [4]J. Photochem. Photobiol. B **4**, 335–442 (1990). [5]Chem. Unserer Zeit **8**, 10–16 (1974). [6]Helv. Chim. Acta **66**, 722–733 (1983).
allg.: Friemer, Singlet O_2 (4 Bd.), Boca Raton: CRC Press 1985 ▪ J. Phys. Chem. Ref. Data **10**, 809–999 (1981) ▪ Stud. Org. Chem. (Amsterdam) **33**, 3–11 (1988) ▪ Tetrahedron **41**, 2037–2235 (1985).

Sinhalit. $MgAl[BO_4]$ od. $2MgO \cdot Al_2O_3 \cdot B_2O_3$; 1952 erkannte, *derb u. als gerundete Körner vorkommende Edelstein-Art, rhomb. Insel-Borat mit *Olivin-Struktur[1,2]; chem. Analysen s. *Lit.*[2,3]; Kristallklasse mmm-D_{2h}. In seinen Eigenschaften dem Olivin ähnlich; Farbe je nach Eisen-Gehalt (bis ca. 2,5% FeO) von klar durchsichtig hell gelblichbraun über gold- od. grünlichbraun bis schwärzlich; H. 6,5–7, D. 3,47–3,50; deutlicher *Pleochroismus.

Vork.: Bes. in *Skarnen u. *Gneisen. *Beisp.:* Johnsburg/New York/USA, Bancroft/Ontario/Kanada, in Tansania u. Tayozhnoye/Sibirien; in Edelstein-Qualität auf Sri Lanka[3] (Ceylon; Sanskrit: sinhala=Ceylon, Name!). – ***E*** = ***F*** = ***I*** sinhalite – ***S*** sinhalita

Lit.: [1]Mineral. Mag. **35**, 196–199 (1965). [2]Eur. J. Mineral. **6**, 313–321 (1994). [3]Z. Dtsch. Gemmol. Ges. **34**, 13–19 (1985).
allg.: Eppler, Praktische Gemmologie (5.), Stuttgart: Rühle-Diebener 1994 ▪ Grew u. Anovitz (Hrsg.), Boron (Reviews in Mineralogy, Vol. 33), S. 23, 133, Washington (D. C.): Mineralogical Society of America 1996 ▪ Mineral. Mag. **29**, 841–849 (1952). – *[HS 7103 10; CAS 12228-18-1]*

Sinigrin s. Glucosinolate.

Sinkscheidung s. Sink-Schwimm-Aufbereitung.

Sink-Schwimm-Aufbereitung (SS-, Schwimm-Sink-Aufbereitung, Schwerflüssigkeitsaufbereitung, Sinkscheidung). Allg. *Aufbereitungs-Verf. zum *Trennen von Mineralien od. Mineral-Gemengen verschiedener Dichte. Mittels Wasser-Feststoff-Suspensionen (*Schwertrüben*) mit bestimmten Dichten (Trübedichte) trennt man in *Schwimmgut* u. *Sinkgut*; Minerale, die dieselbe D. wie die Schwerflüssigkeit haben, bleiben in Schwebe. Zur Herst. der Schwertrüben geeignete Schwerstoffe sind z.B. Ferrosilicium, Sand, Quarzit, Na-Polywolframat, Schwerspat, Pyrit, Magnetit, Bleiglanz u. dergleichen. Die für die großtechn. Erzaufbereitung verwendeten Schwertrüben – hauptsächlich mit Ferrosilicium als Schwerstoff – müssen während des *Trennverfahrens ständig in Bewegung gehalten werden, da die Feststoffe der *Sedimentation unterliegen. Durch entsprechende Auswahl der D., Korngröße u. -form des Schwerstoffs läßt sich die Stabilität der Schwertrüben erhöhen. Als bes. geeignet hat sich verdüstes FeSi mit einem Si-Gehalt von 15% erwiesen, da es bei genügend hoher D. noch gut magnetisierbar für die Wiedergewinnung durch Magnetscheidung ist; bei niedrigerem Si-Gehalt nimmt die Korrosionsbeständigkeit erheblich ab. Die S.-S.-A. wird bei *Erzen, *Kohlen, *Kalisalzen etc. sowohl zur Herst. von Fertigkonzentraten als auch zur Vorabscheidung z.B. vor der *Flotation eingesetzt. Als Trennapparate kommen der *Hydrozyklon, der Dyna-Whirlpool-Separator u. dessen Weiterentwicklung, der Tri-Flo-Separator, zum Einsatz (s. *Lit.*[1–3]). Durch

Kombination dieser Meth. mit geeigneten Verf. zur Trennung Beschwerstoff-Erz (z. B. mit magnet. Verf., s. *Lit.*[1]) kann heute die S.-S.-A. auch im Feinkorn-Bereich von 2–0,1 mm Korngröße angewendet werden. Im Laboratoriums- u. Amateurbereich benutzt man zum Trennen von *Mineralien u. gleichzeitig zu deren D.-Bestimmung (*Schwebe-Meth.*) anstelle der wäss. Suspensionen sog. *Schwerflüssigkeiten. Für die Technik sind aber derartige Flüssigkeiten zu teuer u. im allg., mit Ausnahme des Na-Polywolframats, auch gesundheitsschädlich, so daß sie nur sehr vereinzelt zur techn. Anw. gelangen. Ein der S.-S.-A. verwandtes Verf. ist die *Elutriation, ein mehr der Flotation nahestehendes Verf., die sog. *Schaumfraktionierung*. – ***E*** heavy medium separation, sink-float-process – ***F*** flottation gravimétrique – ***I*** pratica sedimentologica coi liquidi pesanti – ***S*** flotación gravimétrica

Lit.: [1] Erzmetall **39**, 232–239 (1986). [2] Erzmetall **35**, 294–299 (1982). [3] Aufbereit. Tech. **1983**, Nr. 12, 704–709.
allg.: Boenigk, Schwermineralanalyse, Stuttgart: Enke 1983 ▪ Brauer (3.) **1**, 119–122 ▪ Burt, Gravity Concentration Technology, Amsterdam: Elsevier 1984 ▪ Erzmetall **30**, 295–300 (1977) ▪ Ullmann (5.) **B 2**, 14-4, 22-1 ▪ Winnacker-Küchler (4.) **4**, 50–54 ▪ s. a. Aufbereitung, Flotation.

Sinkstoffe. Ungelöst u. feinteilig in einer Wasserprobe enthaltene Feststoffe wie Tonmineralien, Schluff, Humus-Substanzen u. in Kläranlagen auch Belebtschlamm, die aus einer Wasserprobe sedimentieren. S., die sich unter definierten Bedingungen absetzen, werden als absetzbare Stoffe bezeichnet. – ***E*** settling load, sediments

Lit.: DIN 38409-9: 1980-07.

Sinn, Hansjörg (geb. 1929), Prof. für Techn. u. Makromol. Chemie, Univ. Hamburg, 1978–1984 parteiloser Senator für Wissenschaft u. Forschung in Hamburg, Gründung der Techn. Universität, Hamburg-Harburg. *Arbeitsgebiete:* Ziegler-Natta-Katalyse, Living polymeres, Alumoxane, Keramik, Wirbelschicht-Pyrolyse.

Lit.: Kürschner (16.), S. 3524 ▪ Wer ist wer (36.), S. 1363.

Sinnesphysiologie. Teilgebiet der *Physiologie, das sich mit Struktur u. Funktion der Sinnesorgane sowie dem Prozeß der Reizaufnahme, -weiterleitung u. -verarbeitung im Zentralnervensyst. befaßt. Beim Menschen werden über die Sinnesorgane eine große Anzahl von Umwelt-Informationen (10^9 bit/s) aufgenommen, von denen der größte Teil unbewußt od. gar nicht verarbeitet wird u. ein kleiner Teil (10^1–10^2 bit/s) zum Bewußtsein gelangt. Dabei treffen Umweltreize in verschiedenen Energieformen auf den Körper, für die es spezielle **Rezeptoren* (**Sensoren*) gibt. Solche Rezeptoren sind *Sinneszellen*, die entweder über die Körperoberfläche u. im Gewebe verteilt sind od. zu einem Sinnesorgan zusammengefaßt sind. Jede Sinneszelle hat eine für sie spezif. Energieform, die für sie den *adäquaten Reiz* darstellt. Der adäquate Reiz wird von einer Sinneszelle in nervale elektr. Impulse umgewandelt (*Transduktion*). Solche elektr. Impulse entstehen zunächst als intensitätsabhängige Schwankungen des Membranpotentials der Sinneszelle (*Generator-*, *Rezeptor-*, *Sensorpotential*), die ab Erreichen eines Schwellenwerts als Aktionspotentiale weitergeleitet werden (*Transformation*). Die Aktionspotentiale aus den Sinneszellen werden dann auf für das jeweilige Sinnessyst. spezif. Weise zentral weiterverarbeitet, was zu den unterschiedlichen sensor. Eindrücken (*Modalitäten*) wie Licht, Schall, Druck, Schmerz etc. mit ihren verschiedenen *Qualitäten* (Stärke, Frequenz etc.) führt. Die meßtechn. Untersuchung der Verarbeitung von Sinnesreizen bis zu ihrer Integration im Zentralnervensyst. ist Gegenstand der *objektiven S.*, die Entstehung von Sinneseindrücken, Empfindungen u. schließlich der Wahrnehmung sind Gegenstand der *subjektiven Sinnesphysiologie*. – ***E*** sensory physiology – ***F*** physiologie sensorielle – ***I*** fisiologia sensoriale – ***S*** fisiología sensorial

Lit.: Schmidt, Neuro- u. Sinnesphysiologie, Heidelberg: Springer 1995 ▪ Schmidt u. Thews, Physiologie des Menschen, Heidelberg: Springer 1997.

Sinnpflanze s. Mimosen.

Sinophenin® (Rp). Filmtabl., Ampullen u. Tropfen mit dem *Neuroleptikum *Promazin-Hydrochlorid. ***B.:*** Rodleben.

Sinquan® (Rp). Kapseln mit dem *Antidepressivum *Doxepin-Hydrochlorid. ***B.:*** Pfizer.

Sinter. Bez. für mineral. Ablagerungen aus fließenden Gewässern (oft aus Thermalwässern), s. Kalke (S. 2067, Kalksinter) u. Kieselsinter (*Kieselgesteine). – ***E*** sinters – ***F*** tufs calcaires – ***I*** concrezione, sedimento – ***S*** sinters, sedimentos

Sinterbronzen. Unter S. versteht man pulvermetallurg. (s. Pulvermetallurgie) hergestellte *Bronzen. S. werden meist über das Schüttsinter-Verf. verarbeitet. Hierbei wird das Metallpulver in eine Form geschüttet u. verbleibt mit unverpreßter Schüttdichte beim *Sintern. Dadurch entstehen hochporöse Formteile. Häufige Anw. finden S. als Werkstoffe für Lager u. Filterelemente. – ***E*** sintered bronzes – ***F*** bronzes frittés – ***I*** bronzi sinterizzati – ***S*** bronces sinterizados

Sintereisen. Bez. für Materialien, die aus un- od. niedriglegierten (Cu < 1%) Eisen-Pulvern auf dem Weg der *Pulvermetallurgie erzeugt werden. Die S. werden aufgrund ihrer weich-magnet. Eigenschaften als Massenkerne von Spulen eingesetzt; weitere Anw.-Gebiete s. Sintermetalle. – ***E*** sintered iron – ***F*** fer fritté – ***I*** ferro sinterizzato – ***S*** hierro sinterizado

Sinterglas. Durch *Sintern von Glaskörnern od. Glaspulver erhaltene zusammenhängende Massen, die je nach Herst.-Prozeß entweder noch offene *Poren enthalten u. daher zu *Fritten u. a. Glasfiltergeräten (s. Filter) verwendet werden od. aber als gasdichtes S. mit geschlossenen Poren in der Elektro-Ind. z. B. zum Einschmelzen von Metalldurchführungen u. als Halterungen in Entladungsröhren benutzt werden. Im Unterschied zu S. ist *Glaskeramik durch nachträgliche Wärmebehandlung teilw. krist. *Glas, während *Oxidkeramik durch Sintern Silicat-freier Oxide erhalten wird u. in ihrem polykrist. Aufbau den Produkten der *Pulvermetallurgie nahesteht („Sinterkeramik"). – ***E*** sintered glass – ***F*** verre fritté – ***I*** vetro sinterizzato – ***S*** vidrio fritado (sinterizado)

Lit.: Pfänder, Schott-Glaslexikon, S. 116 f., München: mvg Moderne Verlags GmbH 1980 ▪ s. a. Glas.

Sinterhartmetalle s. Hartmetalle.

Sinterkorund s. Aluminiumoxide.

Sinterlegierungen s. Pulvermetallurgie u. Sintermetalle.

Sintermagnesia s. Magnesiumoxid.

Sintermetalle. Bez. für Metalle u. Leg. (Sinterleg.), die durch *Sintern von Metallpulvern erhalten werden (*Pulvermetallurgie). Wesentliches Merkmal der S. ist die Abhängigkeit ihrer Eigenschaften von der Dichte; dadurch finden sie auf den verschiedensten Gebieten Verw., z. B. *Sintereisen, Sinterstahl u. *Sinterbronzen als Gleit- u. Wälzlager, Zahnräder, Filter, Schalldämpfer u. Maschinenteile, Sintereisen als *Lagerwerkstoffe (porös, mit Öl getränkt, wartungsfrei, Ölgehalt 19–27%) u. legierte u. unlegierte Sinterstähle als Werkstücke. Durch Sinter- od. *Pulvermetallurgie lassen sich auch sog. **Pseudolegierungen* herstellen. Dazu gehören z. B. die sog. *Schwitzkühl-Leg.*,die in der Raumfahrttechnik Verw. finden; bei diesen kühlt sich der therm. beanspruchte Werkstoff durch Verdampfen des Silbers ab (*Ablationskühlung). Leg. von Wolfram mit Nickel u. Kupfer, die Dichten bis über 18 g/cm^3 erreichen, finden vielfache techn. Anwendung. – ***E*** sintered metals – ***F*** métaux frittés – ***I*** metalli sinterizzati – ***S*** metales sinterizados

Lit.: s. Pulvermetallurgie u. Sintern.

Sintermetallurgie. Gelegentlich anstelle von *Pulvermetallurgie gebrauchte Bez. für die Verarbeitung von Metallpulvern durch *Sintern u. die Herst. von *Sintermetall-Produkten. – ***E*** sinter metallurgy – ***F*** métallurgie des poudres – ***I*** metallurgia delle polveri – ***S*** metalurgia de polvos

Lit.: s. Pulvermetallurgie u. Sintern.

Sintermullit s. Mullit.

Sintern. Wichtiger Verfahrensschritt in der *Pulvermetallurgie: Die aus Metallpulvern nach verschiedenen Verfestigungsverf. hergestellten Preßlinge haben zunächst eine nur geringe Festigkeit u. werden zur Verfestigung einer Wärmebehandlung bei ca. 2/3 bis 3/4 der abs. Schmelztemp. unterzogen. Diesen Prozeß bezeichnet man als *Sinterung*. Wegen der Oxid.-Empfindlichkeit der meisten Sinterwerkstoffe muß unter einer Schutzgas-Atmosphäre od. unter Vak. (Entfernung von Zwischengitter-Verunreinigungen) gesintert werden. Im Verlauf der Wärmebehandlung finden beim Preßling tiefgreifende Veränderungen im Gefüge u. ggf. auch in der Leg.-Form statt. Unter Schrumpfen nimmt die D. zu u. die *Porosität entsprechend ab. Phänomenolog. lassen sich 3 Stadien des S. unterscheiden:

1. Wachstum der Teilchenkontakte durch Bildung sog. Sinterbrücken. Die ursprünglichen Teilchen sind noch sichtbar u. es tritt nur eine geringe Schwindung ein.
2. Ausbildung eines zusammenhängenden Porenskeletts. Die ursprünglichen Teilchen verlieren ihre Identität, es erfolgt Schwindung u. die Ausbildung neuer Korngrenzen.
3. Porenrundung u. -eliminierung mit weiterer Schwindung. Verbleibender Porenraum wird zunehmend von außen unzugänglich (geschlossene Poren).

Im Grenzfall erfolgt vollständige Verdichtung. Die Schrumpfung bzw. die Dichtezunahme der Preßlinge beim Sintern hängt von der Art des Werkstoffes, der Korngrößenverteilung des Ausgangspulvers, der Preßlingsdichte u. den Reaktionsbedingungen (Sintertemp., Sinterzeit, Sinter-Atmosphäre) ab. Preßlinge aus feinen Pulvern, die schwach verpreßt werden, schrumpfen stärker als solche, die aus groben Pulvern unter hohen Preßkräften hergestellt werden. Je höher die Sintertemp. u. je länger die Sinterzeit, um so dichter wird der Sinterkörper. Die folgende Tab. zeigt übliche Sintertemp. einiger pulvermetallurg. Produkte.

Tab.: Sintertemp. einiger Pulver-metallurg. Produkte.

Werkstoff	Temp. [°C]
Al-Leg.	590–620
Bronze	740–780
Messing	890–910
Eisen, niedriglegierte Stähle mit Cu/Ni/Mo	1120–1200
höherlegierte Stähle mit Cr, Cr/Ni	1200–1280
Dauermagnete (Al/Ni/Co)	1200–1350
Mo u. Mo-Leg.	1600–1700
Wolfram	2000–2500

Wie erschmolzene Werkstoffe können auch Sinterwerkstoffe durch eine Nachbearbeitung in ihren Eigenschaften verbessert werden, z. B. durch spanende od. spanlose Formgebung, Tränkverf. u. Oberflächenbehandlungen. Am wichtigsten ist das sog. Kalibrieren, das bei 90% aller Sinterformteile auf Eisen-Basis angewandt wird. Der gesinterte Formkörper wird hierbei in einem Werkzeug kalt nachgepreßt. Für das techn. S. sind je nach Werkstoff verschiedenartige Ofentypen in Gebrauch. Früher wurden v. a. hochschmelzende Metalle zwischen zwei gekühlten Elektroden unter Wasserstoff mit sehr hohen Strömen im direkten Stromdurchgang auf die erforderliche Temp. gebracht. Dieses Direktsinterverf. wird heute nur noch bei Tantal angewendet. Ansonsten wird heute die Sinterung indirekt in Hochtemp.-Glockenöfen mit Wolfram-Heizleitern Molybdän-Strahlenschutzblechen durchgeführt. Für die Sinterung von Eisen- u. Stahlteilen sind wegen der hohen Stückzahlen nur sehr leistungsfähige Durchlauföfen verschiedenster Bauart im Gebrauch, bei denen das Sintergut auf warmfesten Unterlagen durch den Ofenkanal geschoben wird. Pulvermetallurg. hergestellte Sinterwerkstoffe lassen sich hinsichtlich ihres Verwendungszweckes wie folgt einteilen:

1. Poröse Werkstoffe (selbstschmierende Lager, Filter, Elektroden);
2. hochschmelzende Metalle (Halbzeug aller Art);
3. Kontaktwerkstoffe (Elektrotechnik; Anw. in Relais u. Schaltern);
4. Sinterstähle;
5. magnet. Werkstoffe;
6. Reibwerkstoffe (Bremsen, Kupplungen);
7. Metallkohlen (für die Stromzuführung in elektr. Motoren);
8. Metall-Metalloxid-Verbundwerkstoffe (*Cermets).

S. a. Kompaktieren, Pulvermetallurgie. – ***E*** sintering – ***F*** frittage – ***I*** sinterizzazione – ***S*** sinterizado

Lit.: DECHEMA-Monogr. **102**, 513–541 (1986) ▪ German, Liquid Phase Sintering, New York: Plenum 1986 ▪ Kirk-Othmer (3.) **19**, 28–62; **21**, 94 f. ▪ Ullmann (5.) **A 22**, 105 ff.; **A 24**, 194 ff. ▪ Winnacker-Küchler (4.) **3**, 177–181; **4**, 573–612.

Sinterphosphate s. Schmelzphosphate.

Sinterung s. Sintern.

Sinterware s. keramische Werkstoffe.

Sinterwerkstoffe s. Sintern.

Sinuforton®. Saft, Lsg. u. Kapseln mit Primelwurzel-Extrakt als *Mucolytikum. ***B.:*** Sanofi Winthrop.

Sinupret®. Dragées u. Tropfen mit Enzianwurzel-, Primelblüten-, Holunderblüten-, Sauerampferkraut- u. Eisenkraut-Extrakt gegen Entzündungen der Atemwege. ***B.:*** Bionorica.

Siodop®. Chemikalien für die Flüssig-*Dotierung. ***B.:*** Merck.

Sioetch®. Ätzmischung für die Flüssig-*Dotierung. ***B.:*** Merck.

Siofor® (Rp). Filmtabl. mit dem *Antidiabetikum *Metformin-Hydrochlorid. ***B.:*** Berlin-Chemie.

SiO_2–Y s. Quarz.

Siozwo®. Nasensalbe mit dem α-*Sympath(ik)omimetikum *Naphazolin-Hydrochlorid u. Pfefferminzöl gegen Entzündungen der Nasenschleimhaut. ***B.:*** Febena.

Sipernat®. Hochdisperse *Kieselsäuren als Trägersubstanzen, Rieselhilfen für Pulver u. Antiblockingmittel für PE- u. PP-Folien; Futter-Zusatzmittel zur Verbesserung von Mischfuttermitteln durch Anreicherung mit Wirkstoffen. ***B.:*** Degussa.

Sipiol®. Trennmittel für *Elastomere unterschiedlicher chem. Basis. ***B.:*** Henkel.

Sippel, Albrecht Erhard (geb. 1942), Prof. für Genetik, Univ. Freiburg, Köln, Heidelberg. *Arbeitsgebiete:* Mol. Mechanismen der Genexpression u. der Zelldifferenzierung, Struktur u. Funktion des Chromatins u. der regulator. Schaltelemente im Erbmaterial höherer Zellen, Regulation der Transkription u. der Replikation von spezif. Genregionen während der Differenzierung von Zellen im blutbildenden Syst. von Wirbeltieren.

Lit.: Kürschner (16.), S. 3525.

SIR. Kurzz. (nach ASTM) für elastomere *Copolymere aus *Styrol u. *Isopren.

Siral®. Hochreine *Aluminiumsilicate für katalyt. u. a. Spezialanwendungen. ***B.:*** Condea.

Siralox®. Hochreine *Aluminiumsilicate für katalyt. u. a. Spezialanwendungen. ***B.:*** Condea.

Siran (Rp). Pulver u. Brausetabl. mit *Acetylcystein als Mucolytikum im Hals-Nasen-Ohren-Bereich. ***B.:*** Temmler Pharma.

Sirdalud® (Rp). Tabl. mit *Tizanidin-hydrochlorid gegen neurogene Muskelspasmen. ***B.:*** Sanofi Winthrop.

Sirenin [(1*R*)-7*exo*-((*E*)-5-Hydroxy-4-methyl-3-pentenyl)-7*endo*-methyl-2-norcaren-3-methanol].

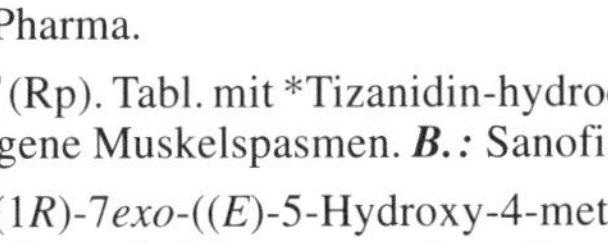

$C_{15}H_{24}O_2$, M_R 236,35, blaßgelbes Öl, $[\alpha]_D^{22}$ –45° ($CHCl_3$). Das *Sesquiterpen S. dient der Alge *Allomyces* als *Pheromon; weibliche Gameten scheiden S. als Sperma-Lockstoff ab, vgl. a. Gamone. – ***E*** sirenin – ***F*** sirénine – ***I*** = ***S*** sirenina

Lit.: Zechmeister **30**, 61. – *Synth.:* J. Org. Chem. **53**, 4877 (1988) ▪ Tetrahedron **44**, 4713–4720 (1988) ▪ Tetrahedron Lett. **36**, 8745 (1995). – *[CAS 19888-27-8]*

Sirial®. Lederfettungsmittel auf der Basis von synthet. Rohstoffen (überwiegend Paraffinsulfonate), z. T. unter Zusatz von Emulgatoren. ***B.:*** Henkel.

Sirius®-Farbstoffe. Die S.- u. S.-licht-Farbstoffe sind substantive Farbstoffe mit guter Lichtechtheit für Textilfärberei u. -druck. ***B.:*** Bayer.

Sirohäm s. Häm.

Sirolimus s. Rapamycin.

Siros® (Rp). Kapseln mit dem *Antimykotikum *Itraconazol. ***B.:*** Janssen-Cilag.

Sirtal® (Rp). Tabl. mit *Carbamazepin gegen epilept. Anfälle. ***B.:*** Sanofi Winthrop.

Sirup (über latein.: sirupus von arab. scharab = Trank). Unter S. als Lebensmittel versteht man im allg. eingedickten Zuckerrübensaft; im Handel sind auch eingedickter *Ahornsaft u. Produkte aus Maisstärke-Hydrolysat.

Von wirtschaftlicher Bedeutung sind *Glucose-Sirup, hydrierter Glucose-S., Maltose-S. u. Glucose/Fructose-Sirup. Zur Herst. u. Verw. s. Glucose-Sirup. Fruchtsirupe werden durch Eindicken u. durch Zusatz von Zucker aus Fruchtsäften hergestellt[1]. Für den Verderb sind fast ausschließlich osmophile Hefen verantwortlich. Zur Viskositätsmessung von S. nach Zusatz wasserlösl. Polymere s. *Lit.*[2].

Rechtliche Beurteilung: Der Gesetzgeber definiert Glucose-S. nach Anlage 1, Nr. 7 der Zuckerarten-VO[3] als gereinigte wäss. Lsg. von zur Ernährung geeigneten, aus *Stärke gewonnenen Sacchariden. Trockenmasse mind. 70%, Dextrose-Äquivalente mind. 20, Sulfat-Asche höchstens 1%; s. a. Sirupus u. Glucose-Sirup. – ***E*** syrup – ***F*** mélasse, sirop – ***I*** sciroppo – ***S*** melaza, jarabe

Lit.: [1] Krämer, Lebensmittelmikrobiologie, S. 171, Stuttgart: Ulmer 1997. [2] Food Technol. **51**, 49–52 (1997). [3] Zuckerarten-VO vom 8. 3. 1976 in der Fassung vom 24. 4. 1993 (BGBl. I, S. 512).

allg.: AID, Auswertungs- u. Informationsdienst für Landwirtschaft u. Forsten (Hrsg.), Zucker, Sirup, Honig, Zuckeraustauschstoffe, Süßstoffe, S. 15–16, Bonn: AID 1989 ▪ Hoffmann, Zucker- u. Zuckerwaren, S. 81, Berlin: Parey 1985 ▪ Zipfel, C 355 *1*, 23. – *[HS 1702 30, 1702 40, 1702 60]*

Sirupus (Mehrzahl: Sirupi). Latein. Bez. für eine *Arzneiform, nämlich dickflüssige, wäss. (*Sirup) od. alkohol. Lsg. süß schmeckender Mono- u. Disaccharide in hoher Konz., die Arzneimittel od. Pflanzenauszüge enthalten können. Es bedeuten in der Apothekersprache: S. Althaeae = Eibischsirup, S. Aurantii = Pomeranzen(schalen)sirup, S. Ipecacuanhae = Brechwurzelsirup, S. Liquiritiae = Süßholzsirup, S. Rhamni cathartici = Kreuzdornbeersirup, S. simplex = Zuckersirup, S. Thymi compositus = Thymianhustensaft.

SIS. Kurzz. für Styrol/Isopren/Styrol-Triblockcopolymere.

Sisal. Gelbliche, sehr feste, biegsame Blattfasern (Kurzz. SI nach DIN 60001-4: 1991-08) aus den bis 2 m langen Blättern der in Zentralamerika heim. u. auch in Ostafrika, Indonesien u. den Philippinen angebauten Sisalagave (*Agave sisalana*). S. enthält durchschnittlich 65,8% Cellulose, 10% Wasser, 12% Hemicellulose, 0,8% Pektin, 9,9% Lignin u. 0,3% Fette u. Wachse. Die *Hartfasern (trotz der Bez. „Sisalhanf" keine *Hanf-Fasern!) werden z.B. zu Schiffstauen, Seilen, Bürsten usw. verwendet. Mit Benzol, Toluol od. Tetrachlormethan kann man aus je 1000 kg Sisalabfällen 30–40 kg *Sisalwachs* (D. 1,01, VZ 56–58) herauslösen, das ähnlich wie *Carnaubawachs verwendet wird. Wie auch andere Agavenarten – eine davon liefert z.B. *Henequen – enthält die S.-Pflanze Hexogenin, das zur Synth. von Steroidhormonen dienen kann. – ***E*** = ***F*** = ***I*** sisal – ***S*** cáñamo de sisal

Lit.: Brücher, Tropische Nutzpflanzen, S. 218 ff., Berlin: Springer 1977 ▪ Kirk-Othmer (4.) **10**, 739. – *[HS 5304 10, 5304 90]*

Sisare® (Rp). Weiße Tabl. mit *Estradiol-17-valerat, blaue Tabl. zusätzlich mit *Medroxyprogesteron-acetat gegen klimakter. Beschwerden. ***B.:*** Nourypharma.

SISAS. Abk. für die italien. Firma Società Italiana Serie Acetica Sintetica SpA, I-20122 Milano, die organ. Zwischenprodukte, Rohstoffe für Harze, Polymere u. Weichmacher, Weichmacher u. Lsm. herstellt. *Vertretung* in der BRD: SISAS GmbH, 80086 München.

Sisomicin (Sisomycin, Rickamicin).

$C_{19}H_{37}N_5O_7$, M_R 447,53, Krist., Schmp. 198–201 °C, $[\alpha]_D^{26}$ +189° (H_2O). *Aminoglykosid-Antibiotikum aus Kulturen von *Micromonospora inyoensis* mit breitspektraler Aktivität bes. gegen Pseudomonaden, auch gegen Mykoplasmen. Bei therapeut. Anw. kann es zu Nieren- u. Gehörschädigungen kommen (Oto- u. Nephrotoxizität); s.a. Gentamicin, Streptomycin. – ***E*** sisomicin – ***F*** sisomicine – ***I*** = ***S*** sisomicina

Lit.: Drugs **27**, 548–578 (1984) ▪ J. Int. Med. Res. **9**, 168–176 (1981) ▪ Rev. Infect. Dis. **2**, 182–195 (1980) ▪ Sax (8.), SDY 750. – *[HS 2941 90; CAS 32385-11-8]*

Sista®. Dichtungsmassen für die sichere u. dauerhafte Abdichtung von Fugen, Rissen u. Schadstellen im Innen- u. Außenbereich, gebrauchsfertige *Polyurethan-Schäume zum Befestigen von Türfuttern u. Fenstern, zum Dämmen, Füllen u. Isolieren. ***B.:*** Henkel.

Sister Chromatid Exchange s. SCE.

Sita®. Kapseln mit Extrakt aus Sägepalmenfrüchten gegen Miktionsbeschwerden bei benigner Prostatahyperplasie, Stadium I bis II. ***B.:*** Hoyer.

Site-directed Mutagenese s. Oligonucleotid-gerichtete Mutagenese.

Sitophilur [(4*R*,5*S*)-5-Hydroxy-4-methyl-3-heptanon].

$C_8H_{16}O_2$, M_R 144,21, Sdp. 80–82 °C (0,8 kPa), $[\alpha]_D^{20}$ –26,7° (c 1,5/Diethylether). Aggregations-*Pheromon von Reis- u. Maiskäfern der Gattung *Sitophilus*. Die (4*R*,5*R*)-Form ist mit <0,5% eine Nebenkomponente. – ***E*** = ***F*** sitophilure – ***I*** sitofilure – ***S*** sitofiluro

Lit.: Angew. Chem., Int. Ed. **27**, 581 (1988) ▪ Justus Liebigs Ann. Chem. **1988**, 899 ▪ Tetrahedron: Asymmetry **7**, 3479 (1996) ▪ Tetrahedron Lett. **33**, 5567 (1992). – *[CAS 71699-35-9]*

Sitren®. Reaktives Methylpolysiloxan-Emulsionen (s. Silicone), teils Phenol-Harz-verträglich, für alle Mineralfaser-Dämmstoffe u. Perlite zwecks Red. der Wasseraufnahme. ***B.:*** Goldschmidt.

SK. Seit 1998 Kurzbez. für den weltweit operierenden Konzern Sunkyong Co., Ltd., Seoul, 150-101, Korea. Zu den Konzernbereichen gehören Energie, Chemie u. Umwelt, Telekommunikation, Finanzen u. Versicherungen, Ingenieurwesen u. Konstruktion, Logistik. *Produktion* (Energie, Chemie u. Umwelt): Schmiermittel, Gas, Petrochemie, Spezialitäten, neue Werkstoffe, alternative Energie, Umwelt-Service, Pharmazeutika. *Vertretung* in der BRD: SK Global Deutschland GmbH, 60528 Frankfurt.

Skabies. S., auch Scabies od. *Krätze*, ist eine Hauterkrankung des Menschen, die durch die zu den Spinnentieren (Arachnida) gehörende Krätzmilbe (*Sarcoptes scabiei*) verursacht wird. Diese an Säugern parasitierende *Milben-Art kann mit ihren kurzen Cheliceren die mehrschichtige Wirtsepidermis der Haut nicht durchdringen. Sie lebt deshalb in selbst gegrabenen Hautgängen von Epidermiszellen u. Lymphflüssigkeit. Erzeuger der *Hunderäude* ist *Sarcoptes canis*.

Lit.: Mehlhorn u. Piekarski, Grundriß der Parasitenkunde (4.), Stuttgart: Fischer 1995 ▪ Wehner u. Gehring, Zoologie (23.), Stuttgart: Thieme 1995.

Skala s. Skale.

Skalare. Bez. für in Technik u. Physik verwendete, durch einen einzigen Zahlenwert charakterisierte, *richtungsunabhängige* Größen, wie z.B. Dichte, spezif. Wärme, Dampfdruck, Temp., Löslichkeit u. dgl. S. lassen sich addieren (z.B. –7° + 10° = 3°), subtrahieren usw. Gegensatz: *Vektoren. – ***E*** scalars – ***F*** scalaires – ***I*** scalari – ***S*** escalares

Skale. Normgerechte Bez. für die früher *Skala* genannte, z.B. auf Meßinstrumenten angebrachte, in Strichen u. Zahlen ausgedrückte Maßeinteilung zur Ablesung der Meßergebnisse. – ***E*** scale – ***F*** échelle – ***I*** scala – ***S*** escala

Lit.: DIN 1319-2: 1996-02.

Skalenoeder s. Kristallmorphologie.

Skammoniaharz, Skammonium s. Ipomoea-Harz.

Skapolith. Gruppenbez. für zu den Gerüst-*Silicaten gehörende Natron-Kalk-Tonerde-Silicate der allg. Formel $(Ca,Na)_4[(Al,Si)_6Si_6O_{24}](Cl,CO_3,SO_4)$, bestehend aus 2 *Mischkristall-Reihen [1]: Eine zwischen dem Na-Endglied *Marialith*, $Na_4[Al_3Si_9O_{24}]Cl$ (Ma), u. dem intermediären *Mizzonit*, $NaCa_3[Al_5Si_7O_{24}]CO_3$, u. eine zwischen Mizzonit u. den Ca-Endgliedern *Mejonit*, $Ca_4[Al_6Si_6O_{24}]CO_3$ (Me), u. *Sulfat-Mejonit*, $Ca_4[Al_6Si_6O_{24}]SO_4$; in dem Nomenklatur-Vorschlag in *Lit.* [2] wird der synonym mit S. gebrauchte Name *Wernerit* verworfen. S. können als Beimengungen noch Fe, Sr, Ba, K u. H (als H^+, OH^- od. H_2O) enthalten. S. krist. tetragonal-dipyramidal, Kristallklasse 4/m-C_{4h}; zur komplizierten Struktur s. *Lit.* [1,3,4], zur Struktur bei hohen Drücken *Lit.* [5], zur therm. Ausdehnung u. Struktur *Lit.* [6].

Eigenschaften: S. bildet tetragonale, säulenförmige, längsgestreifte prismat. Krist. u. grobkörnige, stengelige, strahlige, auch dichte Aggregate mit muscheligem, sprödem Bruch u. ist farblos od. weiß mit glasiger Beschaffenheit; geolog. ältere S. sind oft trüb porzellanartig u. grau, grünlich, oft auch rot gefärbt. H. 5–6, D. 2,5–2,8.

Vork.: In durch *Metasomatose umgewandelten Gesteinen, z. B. in S.-*Hornblende-Felsen von Bamble/Norwegen. Am Vesuv u. in *Tuffen im Gebiet des Laacher Sees/Eifel. In Gesteinen der Regional-*Metamorphose (z. B. S.-*Gneise, *Granulite) kann S. wertvolle Hinweise auf die Zusammensetzung u. Aktivitäten von an der Metamorphose beteiligten fluiden Phasen [CO_2 (*Lit.* [7]), Cl, SO_3, H_2O] geben [8] od. für die *Thermobarometrie benutzt werden [9]. Zum möglichen Vork. von S. auf dem Mars s. *Lit.* [10]. Klar gelbe S. von Edelstein-Qualität werden in Myanmar (Burma; hier auch rosa u. dunkelblaue bis violette S.), Madagaskar, Brasilien u. Tansania (hier mit *Asterismus als *Stern-S.*) gefunden. – ***E*** = ***F*** = ***I*** scapolite – ***S*** escapolita

Lit.: [1] Am. Mineral. **73**, 119–134 (1988). [2] Mineral. Mag. **51**, 176 (1987). [3] Am. Mineral. **61**, 864–877 (1976). [4] Am. Mineral. **81**, 169–180 (1996). [5] Eur. J. Mineral. **2**, 195–202 (1990). [6] Am. Mineral. **79**, 878–884 (1994). [7] Contrib. Mineral. Petrol. **108**, 219–240 (1991). [8] Am. Mineral. **74**, 721–737 (1989). [9] Am. Mineral. **79**, 478–484 (1994). [10] J. Geophys. Res. **95**, 14481–14495 (1990).

allg.: Anthony et al., Handbook of Mineralogy, Vol. II, Tl. 2, S. 518 (Marialith), 530 (Mejonit), Tucson (Arizona): Mineral Data Publishing 1995 ▪ Deer et al. (2.), S. 507–514 ▪ Eppler, Praktische Gemmologie (5.), S. 424–427, Stuttgart: Rühle-Diebener 1994 ▪ Schröcke-Weiner, S. 903–907.

Skarn. Schwed. Bergmannsausdruck für *Kalksilicatgesteine, die aus *Kalken u. *Dolomiten im Kontaktbereich zu *magmatischen Gesteinen (z. B. *Granite, *Diorite, *Monzonit; auch *Gabbros) durch *Kontaktmetamorphose od. Kontaktmetasomatose od. durch Stoffaustausch mit silicat. Nebengestein entstanden sind.

S. sind im allg. grob- od. großkörnig u. verschieden gefärbt; nadelige u. faserige Mineralien bilden strahlige u. sperrige Aggregate. Charakterist., in Einzelstichwörtern behandelte *Mineralien* in *Kalk-S.* sind u. a.: Granat (Grossular-Andradit), Pyroxene (Diopsid-Hedenbergit), Wollastonit, Amphibole (Tremolit-Aktinolith), Vesuvian, Epidot, Dolomit u. Calcit. *Dolomit-* od. *Magnesia-S.* enthalten u. a. zusätzlich Forsterit, Phlogopit, Humit u. Spinell.

Verw.: An Erzmineralien reiche S. werden als *Lagerstätten abgebaut, z. B. *Eisen-S.* mit *Magnetit- u. Magnetit-*Hämatit-Erzen (z. B. Schweden, Magnitnaja Gora/Ural, Sarbai/Kasachstan, Insel Elba), *Kupfer-S.* (z. B. Copper Canyon/Nevada/USA), *Wolfram-S.* mit *Scheelit u. *Wolframit (z. B. King Island/Tasmanien, Salau/Arriège/Frankreich, Sangdong/Korea, Pine Peak/Californien; in den westlichen USA zeitweise als *Tactite* bezeichnet) u. *Blei-Zink-S.* mit *Bleiglanz, *Zinkblende u. a. Sulfiden (z. B. Santa Rita/Mexiko). Manche S. liefern auch Ind.-Minerale wie Wollastonit, *Graphit, *Magnesit, *Talk u. *Fluorit. – ***E*** skarn, scarn – ***F*** = ***I*** = ***S*** skarn

Lit.: Econ. Geol. **75** (Anniversary Vol.), 317–391 (1981) ▪ Econ. Geol. **77**, Nr. 4 (1982) ▪ Evans, Erzlagerstättenkunde, S. 160–170, Stuttgart: Enke 1992 ▪ Pohl, Lagerstättenlehre (4.), S. 23 ff., 147, 154, Stuttgart: Schweizerbart 1992.

Skatol (3-Methylindol).

C_9H_9N, M_R 131,17. Nur in äußerster Verdünnung angenehm, sonst sehr unangenehm fäkal. riechende, weiße bis bräunliche Schuppen, Schmp. 95 °C, Sdp. 265–266 °C, lösl. in heißem Wasser, Ethanol, Benzol, Chloroform, Ether, gibt mit Kaliumferrocyanid u. Schwefelsäure eine violette Farbe. S. entsteht aus *Tryptophan bei der Fäulnis von Eiweißstoffen od. bei der Kalischmelze von Eiweißen, findet sich in Mist, Steinkohlenteer, Runkelrüben, Fäkalien u. (zu 0,1%) im Sekret der Zibetkatze u. ist aus Propionaldehyd-phenylhydrazon synthetisierbar. Man verwendet S. (spurenweise) in der Parfümerie. Name von griech.: skatos = Kot. – ***E*** skatole – ***F*** scatol[e] – ***I*** scatolo, 3-metilindolo – ***S*** escatol

Lit.: Beilstein E V **20/7**, 69 ▪ Kirk-Othmer (4.) **14**, 171 ▪ Ullmann (4.) **13**, 207; (5.) **A 14**, 167. – *[HS 2933 90; CAS 83-34-1]*

Skatophagen s. Koprophagen.

SKE. Abk. für *Steinkohleneinheit.

Skelettformel s. Strukturformel.

Skelettproteine s. Skleroproteine.

Skid® (Rp). Filmtabl. mit dem *Antibiotikum *Minocyclin-Hydrochlorid gegen schwere Formen der Akne vulgaris u. Infektionen der Atemwege, des HNO-Bereiches, des Urogenitaltraktes sowie des Magen-Darm-Traktes. *S. Gel E* gegen Akne enthält *Erythromycin. ***B.:*** Lichtenstein.

Skimm(et)in s. Umbelliferon.

Skinoren® (Rp). Creme gegen Akne mit *Azelainsäure. ***B.:*** Schering.

Skinpreg-Verfahren s. Holz-Kunststoff-Kombinationen.

Skiophyten (Schattenpflanzen, Schwachlichtpflanzen). Charakterist. Pflanzen (s. a. Charakterart) schattiger Standorte, z. B. als Unterwuchs in Wäldern od. als Bewohner in Schluchten. S. weisen vielfältige Anpassungen (*Adaptationen) an die Lichtverhältnisse ihres Standortes auf. Die Lichtstärke, bei der die *Photosynthese mit max. Rate abläuft (*Lichtsättigung), als auch die Lichtstärke, bei der die photosynthet. Kohlendioxid-Aufnahme der atmungsbedingten Kohlendioxid-Abgabe entspricht (Licht-Kompensationspunkt), liegen im Vgl. zu den *Heliophyten (Starklichtpflanzen) sehr tief (bei ca. 1% des vollen Tageslichts). Im Unterschied zu Heliophyten weisen S. meist dünne, großflächige Blätter auf, die nur wenig gegen Wasser-Abgabe geschützt sind u. daher im Sonnenlicht bzw. in trockener Luft schnell welken. Zudem tritt vielfach im vollen Tageslicht eine typ. Photosynth.-Hemmung auf. – ***E*** sciophytes, shade plants – ***F*** sciaphytes – ***I*** piante ombrofite – ***S*** esciófilas

Lit.: Eber, Über das Lichtklima in Wäldern bei Göttingen u. sein Einfluß auf die Bodenvegetation, Göttingen: Goltze 1972 ▪ Ellenberg, Zeigerwerte der Gefäßpflanzen Mitteleuropas, Göttingen: Goltze 1974.

Skiwachse (Schi-Wachse). S. dienen zur Behandlung der Laufflächen von Skiern. Ihre Zusammensetzung richtet sich nach Anw., Beschaffenheit des Schnees u. des Skigeländes. Man unterscheidet *Grundwachse*, die heiß in die Bretter eingebügelt werden, *Gleitwachse* zum Glätten der Lauffläche u. *Steigwachse* für vereisten od. nassen Schnee. S. sind Gemische unterschiedlicher Zusammensetzung aus Harzen, Wachsen, Fetten u. Ölen, die zusammengeschmolzen werden, z. B. Montanwachs, Paraffin, Ozokerit, Wollfett, Kolophonium, Carnaubawachs, Leinölfirnis, Mineralöl, Holzteer, Talk usw. Polyethylenwachs, Graphit u. Metallpulver können in Gleitwachsen ebenfalls enthalten sein. – ***E*** ski-waxes – ***F*** cires pour les skis – ***I*** scioline – ***S*** ceras para los esquíes – *[HS 3404 90, 3405 90]*

Sklerikol. Organismen (Sklerikole), die in einem harten Substrat wohnen, z. B. in selbst erbohrten Wohnröhren (Bohrschwamm *Cliona*, Wurm *Polydora ciliata*, Muschel *Pholas*) od. in Kapillarräumen von Gestein. Die Lebensgemeinschaft s. Organismen heißt Endolithion. Endolith. Flechten, die Kalkfelsen bewohnen, scheiden Säuren aus. Gelegentlich werden auch in Holz bohrende Tiere als S. bezeichnet, z. B. die Bohrmuschel *Teredo* u. die Bohrassel *Limnoria*. S. Organismen können zur *Korrosion u. „Verwitterung" von Materialien beitragen, z. B. von Rohrleitungen u. Gebäuden [1]. Dies gilt auch für Mikroorganismen in Biofilmen auf prakt. allen techn. genutzten Materialien [2]. – ***E*** sclericolous – ***F*** sclériicolique – ***I*** sclerocolo – ***S*** sclericólico

Lit.: [1] Schwedt, Taschenatlas der Umweltchemie, S. 158, Stuttgart: Thieme 1996; Schubert (Hrsg.), Lehrbuch der Ökologie (2.), S. 422 f., Jena: Fischer 1986. [2] Brauer (Hrsg.), Handbuch des Umweltschutzes u. der Umwelttechnik, Bd. 1, Emissionen u. ihre Wirkungen, S. 749–778, Berlin: Springer 1996.

Skler(o)... (von griech.: sklērós = trocken, dürr, spröde, hart). Fremdwortbestandteil, der Härte od. Verhärtung anzeigt; *Beisp.:* *Arteriosklerose, *Multiple Sklerose, Sklerenchym (verholztes Gewebe), *Sklerikol, folgende Stichwörter. Die Silbe Skler(o)... findet sich auch oft in Handelsnamen von Präp., die zur Prophylaxe u. Therapie der Arteriosklerose dienen sollen. – ***E*** = ***I*** scler(o)... – ***F*** sclér[o]... – ***S*** escler[o]...

Skleroproteine (Gerüst-, Skelett-, Strukturproteine). Von *skler(o)... abgeleitete Bez. für eine Gruppe von *Proteinen, die im Organismus Stützfunktionen ausüben. Die S. sind im Gegensatz zu den *globulären Proteinen in Wasser unlösl. u. haben Faserstruktur, weswegen sie auch gelegentlich als *fibrilläre*, *Linear-* od. *Faserproteine* bezeichnet werden. Zu den S. gehören die *Keratine der Haare, Nägel, Federn u. der Wolle sowie das Seiden-*Fibroin, außerdem die *Collagene von Stütz- u. Bindegewebe, Haut, Knochen u. Knorpel u. die ebenfalls im Bindegewebe vorkommenden *Elastine. Die *Conchagene der Muschelschalen sind aus *Chitin u. Protein aufgebaut. – ***E*** scleroproteins – ***F*** scléroprotéines – ***I*** scleroproteine – ***S*** escleroproteínas

Sklerotien (Singular: Sklerotium). S. sind Überdauerungsformen von Pilzen, die im Boden od. in pflanzlichem Material mehrere Jahre überleben können. Je nach Größe unterscheidet man Mikrosklerotien (z. B. bei *Penicillium sclerotigenum*, *P. sclerotiorum*, *Aspergillus sclerotiorum* u. *Verticillium*-Arten), die kleiner als 1 mm sind u. S. wie die von *Claviceps purpurea* (*Ergot), die bis zu 4 cm lang werden können. *Mykotoxin-Produzenten bilden häufig S., z. B. *Aspergillus flavus*, *A. niger*, *A. ochraceus* ebenso wie phytopathogene Pilze, z. B. *Botrytis*-, *Rhizoctonia*-, *Sclerotium*- u. *Sclerotinia*-Arten. S. sind häufig durch tox. Metabolite vor Insektenfraß geschützt (*Ergot-Alkaloide, *Aflatoxine, *Aflatrem), u. dunkle Pigmente (*Ergochrome) schützen vor UV-Strahlung. S. bestehen aus dichtgepackten, dickwandigen Hyphenzellen. Sie sind meist resistent gegen Hitze, Austrocknung u. Verletzungen u. enthalten Reservestoffe (Fette). – ***E*** = ***I*** sclerotia – ***S*** esclerotia

Lit.: Can. J. Bot. **60**, 525 (1982) ▪ Mycologia **71**, 415 (1979) ▪ Trans. Br. Mycol. Soc. **83**, 299 (1984) ▪ Webster, Pilze, eine Einführung, S. 56, 59 ff., Heidelberg: Springer 1983.

Sklodowska s. Marie Curie.

Sklodowskit. $(H_3O)Mg[UO_2/SiO_4]_2 \cdot 4\,H_2O$.; zu den Uranylsilicaten gehörendes, fahlgelbes bis zitronengelbes, radioaktives, monoklines Mineral, Kristallklasse 2/m-C_{2h}, Struktur s. *Lit.* [1,2]. Nadelige bis prismat., durchscheinende, vollkommen spaltbare kleine Krist., häufig radialstrahlig angeordnet; filzige Aggregate, faserige Krusten, derbe Massen. H. 2–3, D. 3,64. Der nadelige Krist. od. strahlige Aggregate u. Krusten bildende, blaßgrüne bis smaragdgrüne, trikline *Cuprosklodowskit* enthält Cu statt Mg.

Vork.: Als sek. Uranmineral in vielen Uran-Lagerstätten, z. B. mehrorts in Zaire [3] (hier auch Cupro-S.) u. in den westlichen USA, in Alaska u. Australien. – ***E*** = ***F*** = ***I*** sklodowskite – ***S*** sklodowskita

Lit.: [1] Cryst. Struct. Commun. **6**, 617–621 (1977). [2] Am. Mineral. **66**, 610–625 (1981). [3] Mineral. Rec. **20**, 265–288 (1989).

allg.: Anthony et al., Handbook of Mineralogy, Vol. II, Tl. 2, S. 735 (S.); Tl. 1, S. 170 (Cupro-S.), Tucson (Arizona): Mineral Data Publishing 1995 ▪ Ramdohr-Strunz, S. 687. – *[HS 2612 10; CAS 61180-61-8]*

Skolezit s. Natrolith.

...skop, ...skopie. Von griech.: skopós = Späher, Beobachter u. skopiá = Spähen, Beobachtung abgeleitete

Fremdwortendung für Geräte u. Verf. zur wissenschaftlichen Beobachtung; *Beisp.:* *Mikroskopie, *Spektroskopie, *Spinthariskop, Stroboskop. – ***E*** ...scope, ...scopy – ***F*** ...scope – ***I*** ...scopio, ...scopia – ***S*** ...scopio, ...scopía

Skorbut (Scharbock). Vitaminmangel-Erkrankung (Avitaminose), die durch Mangel an *Ascorbinsäure (Vitamin C) hervorgerufen wird. Störungen im Aufbau des Bindegewebes führen zu Brüchigkeit der Blutgefäße mit Blutungen, Zahnfleischentzündung mit Zahnverlust u. verzögerter Wundheilung. Unbehandelt führt die Krankheit zum Tode. Bei Kindern kommen Störungen der Knochenentwicklung, die zu erhöhter Brüchigkeit führen, hinzu (*Möller-Barlowsche Krankheit*). Die Behandlung erfolgt durch Zufuhr des fehlenden Vitamins. Der S. ist seit vielen Jh. bekannt u. stellte in Notzeiten des Mittelalters eine der Haupttodesursachen dar. Bes. unter Seefahrern verursachte die Krankheit etwa bis zur Mitte des 18. Jh. große Verluste, bis der Genuß von Zitrusfrüchten u. Sauerkraut vorgeschrieben wurde. In den zwanziger Jahren dieses Jh. gelang die Isolierung des Antiskorbutfaktors; s.a. Ascorbinsäure. – ***E*** scurvy – ***F*** scorbut – ***I*** scorbuto – ***S*** escorbuto

Lit.: Isler et al., Vitamine II, Stuttgart: Thieme 1988.

Skorodit. $FeAsO_4 \cdot 2H_2O$; Mineral. Lauchgrüne, schwarz- bis blaugrüne od. bräunlich-graue, glas- bis harzartig glänzende kleine rhomb. Krist., stengelige od. faserige Aggregate mit traubiger Oberfläche, körnige od. erdige Massen; als Überzüge. Kristallklasse mmm-D_{2h}; Struktur s. *Lit.*[1]. H. 3,5–4, D. 3,1–3,3, Strich grünlichweiß, Bruch splitterig; beim Anschlagen mit dem Hammer Knoblauchgeruch (griech.: skorodon = Knoblauch, Name!). Zur Stabilität u. Löslichkeit von S. im Zusammenhang mit der Entfernung von Arsen aus Lsg., die bei der Gewinnung von Metallen, u.a. Gold, anfallen, s. *Lit.*[2]; zur Bildung von S. bei Auslaugungsversuchen an As-haltigen Flugstäuben s. *Lit.*[3].

Vork.: Als Oxidationsprodukt von Eisen-Arsen-Mineralien, z.B. in Sachsen, Cornwall, USA u. Tsumeb/Namibia – ***E*** = ***F*** = ***I*** scorodite – ***S*** escorodita

Lit.: [1] Acta Crystallogr. Sect. B **31**, 322f. (1975); B **32**, 2891f. (1976). [2] Am. Mineral. **73**, 850–854 (1988). [3] Appl. Geochem **9**, 337–350 (1994).

allg.: Ramdohr-Strunz, S. 641 ▪ Schröcke-Weiner, S. 633. – *[CAS 20909-44-8]*

Skorpiongifte. Gifte unterschiedlicher Wirksamkeit – je nach Herkunft der Skorpione. Die für den Menschen gefährlichen Skorpione gehören vorwiegend zu amerikan. u. afrikan. Arten. Die Gifte sind Polypeptide aus ca. 60 Aminosäuren mit vorwiegend neurotox. Aktivität, vgl. Schlangengifte. Biogene Amine wurden nicht isoliert. Der zunächst bei dem Stich eines Skorpions auftretende, heftige Schmerz wird durch *Serotonin-Freisetzung verursacht u. klingt nach einiger Zeit wieder ab, während die S. Langzeitschäden wie Sprach- u. Sehstörungen hinterlassen können. – ***E*** scorpion venoms – ***F*** venins de scorpions – ***I*** veleni di scorpioni – ***S*** venenos de escorpiones

Lit.: Habermehl, Gift-Tiere u. ihre Waffen (5.), S. 29–37, Berlin: Springer 1994 ▪ Mebs, Gifttiere, S. 132–137, Stuttgart: Wissenschaftliche Verlagsges. 1992 ▪ Polis, The Biology of Scorpions, S. 415–444, Stanford: Stanford University Press 1990 ▪ Proc. Natl. Acad. Sci USA **92**, 6404 (1995) ▪ Tu, Handbook of Natural Toxins, Vol. 2, S. 530–790, New York: Dekker 1984.

Skraup, Zdenko Hans (1850–1910), Prof. für Chemie in Wien u. Graz. *Arbeitsgebiete:* Synth. von Chinolin, China-Alkaloide, Malein- u. Fumarsäure, Entdeckung der Cellobiose bei der Cellulose-Hydrolyse.

Lit.: Lexikon der Naturwissenschaftler, S. 377 ▪ Neufeldt, S. 71 ▪ Pötsch, S. 358.

Skraupsche Synthese. Von *Skraup entwickelte Synth. von *Chinolin u. seinen Derivaten, z.B. *1,10-Phenanthrolin, durch Umsetzung von in 2-Stellung unsubstituierten aromat. Aminen mit Glycerin u. einem Oxid.-Mittel (z.B. Nitrobenzol, Arsenpentoxid, Fe_2O_3, Pikrinsäure) in konz. Schwefelsäure. Dabei lagert sich das Anilin an das aus Glycerin durch Wasserabspaltung entstandene Acrolein zu einem *β*-Anilino-propionaldehyd an, der unter den Reaktionsbedingungen im Sinne einer elektrophilen Aromaten-Substitution zu einem Dihydrochinolin cyclisiert, das durch das Oxid.-Mittel zum Chinolin-Derivat dehydriert wird.

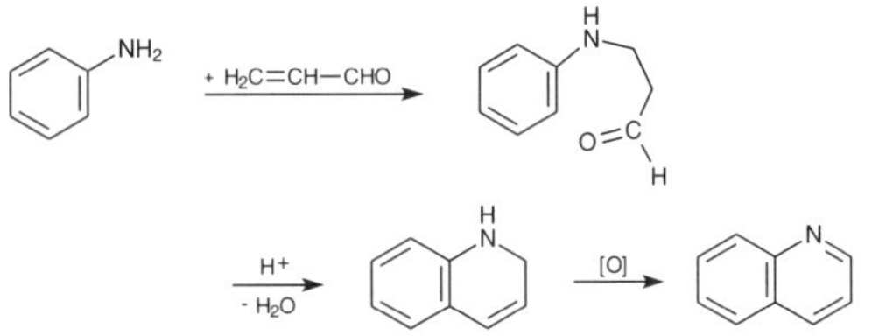

– ***E*** Skraup synthesis – ***F*** synthèse de Skraup – ***I*** sintesi di Skraup – ***S*** síntesis de Skraup

Lit.: Hassner-Stumer, S. 350 ▪ Krauch u. Kunz, Reaktionen der Organischen Chemie, 6. Aufl., S. 220, Heidelberg: Hüthig 1997 ▪ Laue-Plagens, S. 291 ▪ Org. React. **7**, 59–98 (1953).

Skrupel s. Apothekergewicht; engl.: scruple, s. ounce (b).

Skutterudit (Smaltin, Speiskobalt). $CoAs_{2-3}$; kub. Erzmineral, Kristallklasse m3-T_h, Struktur s. *Lit.*[1]. Häufig vergesellschaftet mit *Nickel-S.*(*Chloanthit*) $(Ni,Co)As_{2-3}$, mit dem S. *Mischkristalle $(Co,Ni)As_{2-3}$ bildet; zur Mischkrist.-Bildung zwischen den Endgliedern $CoAs_x$–$NiAs_x$–$FeAs_x$ (x = 1,9–3,3) s. *Lit.*[2]; chem. Analysen[2] von S. u. Ni-S. zeigen oft einen Arsen-Unterschuß. S. bildet zinnweiße od. lichtstahlgraue bis dunkelgraue, oft rötlich (Ni-S.: grünlich) angelaufene, metallglänzende, kub. Krist. od. körnige bis dichte Aggregate; Ni-S. auch „gestrickt"; H. 5,5–6, D. 6,4–6,6, Bruch uneben, spröde, Strich grauschwarz. S. gibt beim Anschlagen Arsen-Geruch (Knoblauch!); lösl. in Salpetersäure mit rötlicher Farbe. S. u. Ni-S. sind verbreitete, lokal wirtschaftlich wichtige Cobalt- u. Nickel-Erze vorwiegend hydrothermaler Herkunft.

Vork.: Schneeberg/Sachsen (hier auch Ni-S.), Richelsdorf/Hessen, Wittichen/Schwarzwald, Bou Azzer/Marokko, Ontario/Kanada, Skutterud/Norwegen (Name!). In der dtsch. Lit. werden Ni-S. u. *Rammelsbergit gelegentlich als *Weißnickelkiese* zusammengefaßt. – ***E*** = ***F*** skutterudite – ***I*** skutterudite, smaltite, smaltina – ***S*** skutterudita

Lit.: [1] Acta Crystallogr., Sect. B **27**, 2288f. (1971). [2] Beitr. Mineral. Petrogr. **11**, 323–333 (1964).

allg.: Anthony et al., Handbook of Mineralogy, Vol. I, S. 480 (S.), 351 (Ni-S.), Tucson (Arizona): Mineral Data Publishing 1990 ▪ Lapis **15**, Nr. 12, 8–11 (1990); **11**, Nr. 9, 6–9 (1986) („Steckbriefe" S. u. Ni-S.) ▪ Ramdohr, Die Erzmineralien u. ihre Verwachsungen, S. 940–946, Berlin: Akademie Verl. 1975 (erzmikroskop. Beschreibung) ▪ Schröcke-Weiner, S. 278 ff. – *[HS 2605 00; CAS 12006-41-6]*

SKW. Kurzbez. für die Firma SKW Trostberg AG, 83308 Trostberg, 1908 als Bayer. Stickstoffwerke AG gegr. u. 1939 Zusammenschluß zur Süddeutschen Kalkstickstoffwerke AG. Seit 1978 Firmierung unter SKW Trostberg AG mit der Hauptverwaltung in Trostberg. Weltweit über 40 Produktions- u. Vertriebsstützpunkte. 50,16% sind im Besitz der VIAG. *Daten* (1994, in Klammern Konzern): 1973 (6927) Beschäftigte, 630 (2258) Mio. DM Umsatz. *Produktion: Naturstoffe:* Natürliche Extrakte u. Wirkstoff-Konzentrate für Nahrungsmittel u. Getränke, Pharma u. Kosmetik, Aromen u. Gewürze. *Bauchemie:* Bauchem. Produkte u. Syst. für den Hoch-, Tief- u. Ingenieurbau, Instandsetzung u. Schutz, Ausbau, Sportböden sowie für die Erdölbohrtechnik; Oberflächenschutz. *Chemie:* Chem. Vor- u. Zwischenprodukte; Produkte für die Landwirtschaft u. für den Umweltschutz, Produkte für die Stahl- u. Gußeisen-Veredelung.

Skydrol®. Flammhemmende Hydraulik-Flüssigkeiten auf der Basis von *Phosphorsäureestern zur Verw. in der Luftfahrt. ***B.:*** Monsanto.

Skyprene®. *Polychloropren-Kautschuk zur Herst. von Kabelmänteln u. techn. Gummiartikeln. ***B.:*** Krahn.

Skyrin (Endothianin, 2,2′,4,4′,5,5′-Hexahydroxy-7,7′-dimethyl-1,1′-bianthrachinon).

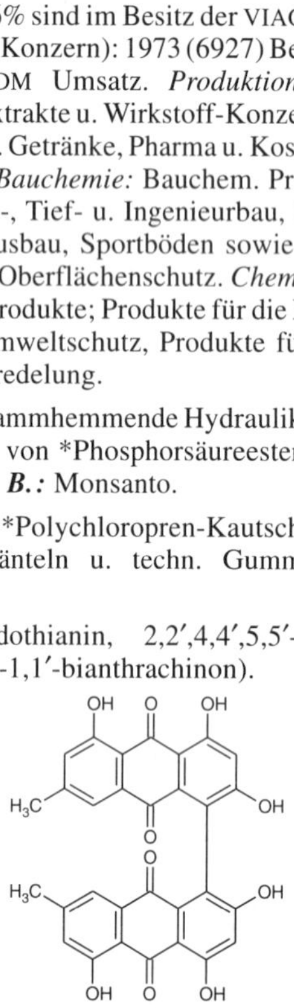

$C_{30}H_{18}O_{10}$, M_R 538,47, orangerote Krist., Schmp. >380 °C. Dimeres Anthrachinon aus *Penicillium islandicum* u. a. *Penicillium*-Arten sowie Ascomyceten, das aus zwei Mol. *Emodin besteht. Solche Anthrachinon-Dimere sind typ. Inhaltsstoffe dieser Pilze, kommen aber auch in Fruchtkörpern von *Cortinarius-* u. *Dermocybe*-Arten sowie Flechten vor. Man findet auch dimere *Chrysophansäure, dimeres *Islandicin u. a. dimere symmetr. Anthrachinone, aber auch gemischte Dimere [1], vgl. a. Flavomannine, Phlegmacine u. Rufoolivacine. Biosynthet. werden S. u. Analoge durch 4,4′-Kupplung der entsprechenden Monomere gebildet (radikal. Prozeß), die wiederum Octaketide sind. – ***E*** skyrin – ***F*** skyrine – ***I*** skyrina – ***S*** esquirina

Lit.: [1] Turner **1**, 165 ff.

allg.: Chem.-Biol. Interactions **62**, 179 (1987) ▪ Tetrahedron Lett. **1973**, 2125 (Biosynth.) ▪ Thomson, Naturally Occurring Quinones, Bd. 3, S. 425, London: Chapman Hall 1987. – *[CAS 602-06-2]*

SLAC. Abk. für *S*tanford *L*inear *A*ccelerator *C*enter, s. a. Teilchenbeschleuniger. Am SLAC wurde 1987 der erste Linear-Collider in Betrieb genommen, bei dem *Elektronen u. *Positronen in einem 3 km langen Linearbeschleuniger beschleunigt werden u. dann bei einer Gesamtenergie von 100 GeV (s. Elektronenvolt) zum Frontalzusammenstoß gebracht werden. Der Linear-Collider sollte v. a. zum Studium der Eigenschaften von Z^0-Teilchen (s. Elementarteilchen) verwendet werden; auf diesem Gebiet ist inzwischen *LEP in Genf überlegen. Am SLAC wurden gegen Ende der sechziger Jahre die ersten stichhaltigen Beweise für die Existenz von *Quarks gefunden.

Lit.: Close et al., Spurensuche im Teilchenzoo, Heidelberg: Spektrum Wiss. Verlagsges. 1989 ▪ Spektrum Wiss. **1989**, Nr. 12, 104–111.

Slaframin [(1*S*,6*S*,8a*S*)-6-Amino-1-indolizidinylacetat].

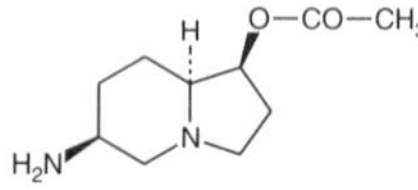

$C_{10}H_{18}N_2O_2$, M_R 198,27, $[\alpha]_D$ –15,9° (C_2H_5OH), Schmp. (des *N*-Acetyl-Derivats) 140–142 °C. Giftiges *Indolizidin-Alkaloid aus dem phytopathogenen Pilz *Rhizoctonia leguminicola*. S. ist ein starkes *Parasympath(ik)omimetikum. In Weidetieren verursacht S. übermäßige Speichelabsonderung: „Schlabberkrankheit". S. wird metabol. aktiviert („Giftung"). – ***E*** = ***F*** slaframine – ***I*** slaframina – ***S*** eslaframina

Lit.: Alkaloids: Chem. Biol. Perspect. **5**, 1 (1987) ▪ Beilstein E V **22/11**, 384 ▪ Biochemistry **18**, 3658, 3663 (1979) (Biosynth.) ▪ Manske **28**, 269. – *Synth.:* J. Chem. Soc., Perkin Trans. 1 **1997**, 2179 ▪ Tetrahedron Lett. **34**, 6607 (1993); **36**, 6957 (1995). – *[HS 2939 90; CAS 20084-93-9]*

Slater, John Clarke (1900–1976), Prof. für Physik, Harvard Univ. u. MIT. *Arbeitsgebiete:* Strahlungstheorie, Mikrowellen, Atom-, Mol.- u. Festkörperbau, Quantentheorie der chem. Bindung (Slater-Orbitale) u. der Valenz.

Lit.: Angew. Chem. **89**, 89–94 (1977) ▪ Lexikon der Naturwissenschaftler, S. 377.

Slater-Determinante. Approximative *Wellenfunktion für ein Mehrelektronenatom od. -molekül. Eine S.-D. ist ein antisymmetrisiertes Produkt (s. a. Antisymmetrieforderung u. Pauli-Prinzip) aus *Spinorbitalen, die ihrerseits Produkte aus *Orbitalen (Einelektronenwellenfunktionen, die von den Ortskoordinaten eines Elektrons abhängen) u. Spin-Funktionen (s. Spin) sind. – ***E*** Slater determinant – ***F*** déterminant de Slater – ***I*** determinante di Slater – ***S*** determinante de Slater

Lit.: s. ab initio u. Quantenchemie.

Slater-Funktionen. Von J. C. *Slater eingeführte, auch als *Slater-type-orbitals* (abgekürzt STO) bezeichnete Funktionen, die für quantenchem. Rechnungen an Atomen u. Mol. verwendet werden. – ***E*** Slater functions – ***F*** fonctions de Slater – ***I*** funzioni di Slater – ***S*** funciones de Slater

Slatersche Regeln. Semiempir. Regeln zur Bestimmung effektiver Kernladungszahlen Z_{eff} (s. a. Atombau, S. 294) in Mehrelektronenatomen. Die effektive

Kernladungszahl ist die Differenz aus Kernladungszahl Z u. Abschirmkonstante σ: $Z_{eff} = Z - \sigma$. Zur Berechnung von σ werden die Elektronen eines Atoms zunächst in die folgenden Gruppen eingeteilt: (1 s), (2 s, 2 p), (3 s, 3 p), (3 d), (4 s, 4 p), (4 d), (4 f), (5 s, 5 p), usw. Die zu verschiedenen Gruppen zählenden Elektronen schirmen die Kernladung auf unterschiedliche Weise ab. Für die Abschirmkonstante eines Elektrons in einem gegebenen Orbital mit Hauptquantenzahl n u. Bahndrehimpulsquantenzahl (od. Nebenquantenzahl) l gilt nach den S. R.:

1. Elektronen, die sich in der obigen Einteilung rechts von der betrachteten Gruppe befinden, tragen nichts zu der Abschirmkonstante bei.
2. Elektronen innerhalb der gleichen Gruppe erhöhen die Abschirmkonstante um jeweils einen Betrag von 0,35, 1 s-Elektronen nur um 0,30.
3. Elektronen in der Gruppe n – 1 schirmen um je 0,85 ab.
4. Elektronen mit n – 2 od. niedriger schirmen um je 1,00 (vollständige Abschirmung) ab.
5. Alle Elektronen in Gruppen links von (nd) od. (nf) tragen mit einem Beitrag von 1,00 zur Abschirmkonstante bei.

Die Regeln 3 u. 4 sind entsprechend zu modifizieren, wenn das betrachtete Elektron einer (nd)- od. (nf)-Gruppe angehört. *Beisp.:* Ein Elektron in einem 3d-Orbital des Zink-Atoms mit Z = 30 [*Elektronenkonfiguration: $(1s)^2$, $(2s, 2p)^8$, $(3s, 3p)^8$, $(3d)^{10}$, $(4s)^2$] hat die Abschirmkonstante $\sigma = (18 \cdot 1{,}00) + (9 \cdot 0{,}35) = 21{,}15$; Z_{eff} hat demnach den Wert 30 – 21,15 = 8,85. Werte für nach den S. R. berechnete effektive Kernladungszahlen für die leichten Atome bis Ar findet man bei *Atombau, S. 294. Für schwerere Atome wird auch die Hauptquantenzahl n durch eine effektive Hauptquantenzahl n_{eff} ersetzt; die Differenz $n - n_{eff}$ wird *Quantendefekt genannt. – ***E*** Slater rules – ***F*** règles de Slater – ***I*** regole di Slater – ***S*** reglas de Slater

Lit.: Huheey, Anorganische Chemie, 2. Aufl., Berlin: de Gruyter 1995 ▪ Kutzelnigg, Einführung in die Theoretische Chemie, Bd. 1, Weinheim: VCH Verlagsges. 1992.

Slater-type-orbitals s. Slater-Funktionen.

Slibowitz (Slivovic, Slivowitz). Ursprünglich jugoslaw. Pflaumenbrand. Die Bez. kann nach VO (EWG) 1576/89 [1] u. dem Artikel 20, Nr. 4 der Begriffsbestimmungen für Spirituosen [2] auch für inländ. Pflaumenbrände, die den allg. Anforderungen für Obstbrände (s. Obstbranntwein) entsprechen, verwendet werden. Mindestalkohol-Gehalt: 37,5% vol.

Analytik: Das Spektrum an flüchtigen *Fettsäuren im S. ist *Lit.* [3] zu entnehmen. Zum Nachw. von Ethylcarbamat in S. s. *Lit.* [4], die Gehalte im S. schwanken zwischen 80 u. 7700 (Mittelwert 1600) µg/kg, so daß S. zu den höher belasteten Spirituosen zu zählen ist (s. Urethan); s.a. alkoholische Getränke u. Obstbranntwein.

Lit.: [1] VO (EWG) 1576/89 zur Festlegung der allg. Regeln für die Begriffsbestimmungen, Bez. u. Aufmachung von Spirituosen vom 29.5.1989 (ABl. der EG **32**, Nr. L 160/1). [2] Begriffsbestimmungen für Spirituosen, abgedruckt in Zipfel, C 419. [3] Dtsch. Lebensm. Rundsch. **85**, 247–251 (1989). [4] Labor Praxis **11**, 306–310 (1987). – *[HS 2208 90]*

Slow Reacting Substance of Anaphylaxis s. Leukotriene.

SL/RN-Verfahren. Nach den Firmen Stelco, Lurgi, Republic Steel Co. u. National Lead benanntes Verf. zur Direktred. von Eisenerzen, das auf den früheren *R-N-Prozeß* der letztgenannten Unternehmen zurückgeht. Beide Verf. arbeiten mit Drehrohröfen u. Temp. um 1050 °C u. erzeugen *Eisen-Schwamm.* Als fester Brennstoff u. Red.-Mittel dient vornehmlich Koks unter Zusatz von Kalk od. Dolomit, wobei alle Kohlensorten, auch solche mit Schwefel-Gehalt bis zu 7%, verwendet werden können; über verwandte Verf. s. Eisen. – ***E*** SL/RN process – ***F*** procédé SL/RN – ***I*** processo SL/RN – ***S*** procedimiento SL/RN

Lit.: Winnacker-Küchler (3.) **6**, 409 f.; (4.) **4**, 127 ff.

van Slyke, Donald Dexter (1883–1971), Prof. für Biochemie, Rockefeller-Inst., New York. *Arbeitsgebiete:* Klin. Chemie, Sauerstoff-Transport, Bestimmung von Blutgasen u. von Aminosäuren im Blut (*van-Slyke-Methode), Gewebeuntersuchungen, Säure-Basen-Gleichgewicht.

Lit.: Poggendorff **7 b/7**, 4944–4948.

Van-Slyke-Methode. Von van Slyke 1910 entwickeltes Verf. zur quant. Bestimmung von prim. Amino-Gruppen in aliphat. Aminen u. Aminosäuren. Das bei Aminosäuren nicht immer zuverlässige u. bei Prolin u. Hydroxyprolin gänzlich versagende Verf. beruht auf der Reaktion von NH_2-Gruppen mit Salpetriger Säure u. volumetr. Messung des entwickelten N_2. – ***E*** van Slyke method – ***F*** méthode de van Slyke – ***I*** metodo di Van Slyke – ***S*** método de van Slyke

Lit.: Houben-Weyl **2**, 674, 689 ▪ Kirk-Othmer **2**, 173 f.; (3.) **2**, 393 ▪ Ullmann (5.) **A 2**, 65; **A 17**, 466.

Sm. Chem. Symbol für das Element *Samarium.

SMA. Kurzz. (nach ASTM) für *Copolymere aus *Styrol u. *Maleinsäureanhydrid.

Smad-Proteine, SMAD-Proteine, Smads, s. transformierender Wachstumsfaktor β.

Smalte. Blaues Cobalt(II)-Kaliumsilicat-Glas mit 2–7% CoO, das durch Pulverisieren einer erkalteten Schmelze von Cobaltoxid (od. abgerösteten Cobalterzen), Quarzsand u. Pottasche hergestellt wird. S. wird von Alkalien u. kalten Säuren nicht angegriffen u. ist gegen höhere Temp. ziemlich unempfindlich, schmilzt aber in der Glühhitze. S. dient als anorgan. Pigment zum Blaufärben von Glasflüssen in der Keramik-, Glas- u. Emaille-Ind. u. wurde schon von den Römern u. Ägyptern hergestellt. Name von italien. smaltatura = Schmelz, Glasur. – ***E*** = ***F*** smalt – ***I*** smaltino, azzurro di cobalto, blu di Sassonia – ***S*** vidrio con óxido de cobalto, esmaltes coloreados transparentes

Lit.: Kirk-Othmer (3.) **17**, 825 ▪ Ullmann (5.) **A 7**, 282 ▪ Winnacker-Küchler (4.) **2**, 522 ▪ s. a. Pigmente.

Smaltin s. Skutterudit.

Smaragd. Als Edelstein geschätzte Abart von *Beryll, die aufgrund eines Gehaltes von etwa 0,1–0,3% Cr_2O_3 tiefgrün (smaragdgrün) gefärbt u. durchsichtig bis durchscheinend ist. Als *Einschlüsse* treten Dreiphasen-Einschlüsse (*fluide Einschlüsse) u. Mineralien, z. B. *Pyrit u. Biotit (*Glimmer) auf, s. dazu *Lit.* [1]. Die sog. *Trapiche-S.* aus Kolumbien sind Parallelverwachsungen von 6 prismenförmigen S.-Krist. um einen zentralen S.-Kristall.

Vork. [1]***:*** Überwiegend in *metamorphen Gesteinen, bes. in Biotit-*Schiefern. *Beisp.:* Habachtal in Salz-

burg/Österreich[2], Tokowaja/Ural, Tansania, Sambia, Nigeria, West-Australien, Indien, Mingora/Pakistan u. Bahia/Brasilien. Die berühmtesten Vork. sind Muzo u. Chivor in Kolumbien[3,4]; im Altertum wurden S. bei Assuan in Ägypten gewonnen. Der *größte S.* der Erde, der sog. Salbentopf mit 2680 Karat (ca. 540 g) befindet sich im Kunsthistor. Museum in Wien.
Synth.: Nach dem Flußmittel-Verf.[1] u. durch *Hydrothermalsynthese[1]. Beisp.[1] sind die S. von Chatham (San Francisco), Lechleitner (Innsbruck), Gilson (Paris), Linde (USA), Lens (Frankreich; „Lennix"), Biron (Australien) u. aus Novosibirsk in Rußland („Novo"). – ***E*** emerald – ***F*** émeraude – ***I*** smeraldo – ***S*** esmeralda
Lit.: [1]Gemmologie (Z. Dtsch. Gemmol. Ges.) **44**, 62–89 (1995). [2]Lapis **10**, Nr. 2, 13–34 (1985). [3]Lapis **9**, Nr. 4, 13–23 (1984). [4]Z. Dtsch. Gemmol. Ges. **38**, 155–160 (1989).
allg.: Eppler, Praktische Gemmologie (5.), S. 154–190, Stuttgart: Rühle-Diebener 1994 ▪ extraLapis No. **1**, Smaragd, München: C. Weise 1991 ▪ s. a. Beryll, Edelsteine u. Schmucksteine. – *[HS 7103 91]*

Smaragdgrün. In unspezif. Weise benutztes Synonym für das *Chrom-Pigment Chromoxidhydratgrün, für Brillantgrün (s. Triarylmethan-Farbstoffe) u. gelegentlich auch für *Schweinfurter Grün. – ***E*** emerald green – ***F*** vert émeraude – ***I*** verde smeraldo – ***S*** verde esmeralda

Smekal, Adolf Gustav (1895–1959), Prof. für Experimentelle Physik, Univ. Graz. *Arbeitsgebiete:* Atom- u. Kernphysik, Quantentheorie, Röntgenspektren, Festkörperphysik, Störstellen in Krist., Gläsern usw., Raman-Effekt.
Lit.: Kraft, S. 288 ▪ Lexikon der Naturwissenschaftler, S. 377 ▪ Neufeldt, S. 162 ▪ Pötsch, S. 398.

Smekal-Raman-Effekt s. Raman-Spektroskopie.

Smektische Phase s. flüssige Kristalle.

Smektite (Smectite). Bez. für zu den *Phyllosilicaten gehörende, stets sehr feinkörnige (Krist. meist <2 μm), überwiegend als lamellenförmige, moosartige od. kugelförmige Aggregate vorkommende Dreischicht-*Tonminerale (*2:1-Schichtsilicate*), in denen eine zentrale Schicht aus oktaedr. koordinierten Kationen sandwichartig von 2 Schichten aus $[(Si,Al)O_4]$-Tetraedern umgeben ist, s. die Abb. bei Montmorillonite. In der Oktaederschicht finden zahlreiche Substitutionen statt[1]; sie kann neben meist überwiegendem Al^{3+} (*Montmorillonit*), Mg^{2+} (**Saponit*) od. Fe^{3+} (**Nontronit*) noch Kationen wie Zn^{2+} (*Sauconit*), Ni^{2+} (*Nickel-S.*) u. Li^{+} (**Hectorit*) enthalten; in der Tetraederschicht kann Si z.T. durch Al^{3+} (bei *Beidellit*, s. Montmorillonite) u. auch Fe^{3+} (bei *Nontronit*) ersetzt sein. Aus diesen Substitutionen resultiert ein *Ungleichgew. in der Ladungsbilanz*, das durch *austauschbare Kationen*, gewöhnlich Natrium-, Calcium- u. Kalium-, auch Magnesium-Ionen, zwischen den Schichtpaketen ausgeglichen wird; Formelbeisp. s. Montmorillonite, Hectorit, Nontronit u. Saponit.
Die wichtigsten *dioktaedr.* (vgl. Glimmer) S. sind Montmorillonit, Beidellit u. Nontronit; *trioktaedr.* S. sind Saponit, Hectorit u. Sauconit. Die S. sind *quellfähig*, d.h. sie können in den Zwischenschichten anorgan. u. organ. Kationen u. Mol. sowie Flüssigkeiten u. gasf. Substanzen aufnehmen. Bei Behandlung mit Ethylenglykol vergrößert sich der Basisabstand zwischen den Schichtpaketen auf 17 Å; zum Quellverhalten verschiedener S. beim Erhitzen s. *Lit.*[2]. Bei den als selektive Katalysatoren eingesetzten „Pillared Clays" bzw. *Pillared S.* werden durch Säulen aus Polyoxokationen (z.B. Polyoxoaluminium-Ionen Al_{13}^{7+}, *Lit.*[3]) die Silicat-Schichten auf 7–10 Å, bei Ce/Al- u. La/Al-pillared *Bentoniten sogar auf 24,8–25,7 Å (*Lit.*[4]) auseinandergehalten, so daß wie bei den *Zeolithen katalyt. Reaktionen auch in den Hohlräumen zwischen den Schichten ablaufen können. S. können durch Verwitterung von *Glimmern od. auch als Neubildung entstehen; sie sind oft Bestandteile von *Wechsellagerungs-Mineralen, v.a. *Illit/Smektit[5–7]. Zu Vork. u. Verw. der S. s. die Einzelstichwörter u. Bentonite. – ***E*** = ***F*** smectites – ***I*** smectiti, montmorilloniti – ***S*** esmectitas
Lit.: [1]Clay Miner. **29**, 319–326 (1994). [2]Clays Clay Miner. **44**, 783–790 (1996). [3]Clays Clay Miner. **42**, 518–525 (1994). [4]Appl. Clay Sci. **11**, 155–162 (1996). [5]Clays Clay Miner. **44**, 77–87 (1996). [6]Geochim. Cosmochim. Acta **60**, 439–453 (1996). [7]Am. Mineral. **82**, 379–391 (1997).
allg.: Bailey (Hrsg.), Hydrous Phyllosilicates (Reviews in Mineralogy, Vol. 19), S. 497–559, Washington (D. C.): Mineralogical Society of America 1988 ▪ Clarke (Hrsg.), Industrial Clays, A Special Review, S. 55–84, London: Industrial Minerals Division of Metal Bulletin Plc 1989 ▪ Jasmund u. Lagaly (Hrsg.), Tonminerale u. Tone, Darmstadt: Steinkopff 1993 (zahlreiche Zitate des Stichworts u. Lit.-Angaben) ▪ s. a. Ton, Tonminerale, Bentonite.

Smilagenin s. Steroid-Sapogenine.

Smiles-Umlagerung. Von S. Smiles (1877–1953)[1] 1931 aufgefundene, als intramol. *nucleophile, aromat. Substitution aufzufassende Aryl-Wanderung bei substituierten Arylethern, -sulfiden, -sulfoxiden, -sulfonen u. Estern, die beim Erwärmen in alkal. Lsg. eintritt.

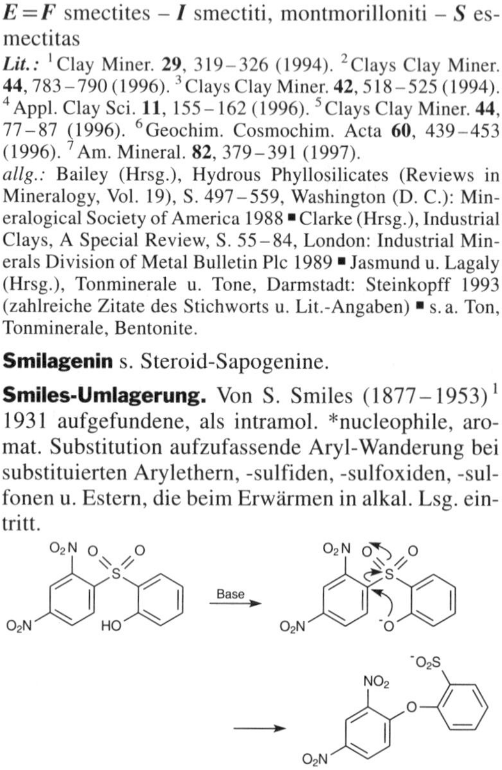

Der aromat. Ring, der substituiert wird, ist fast immer durch Nitro-Gruppen in 2- u./od. 4-Stellung zur austretenden Gruppe aktiviert. – ***E*** Smiles rearrangement – ***F*** réarrangement de Smiles – ***I*** trasposizione di Smiles – ***S*** transposición de Smiles
Lit.: [1]Poggendorff **7b/7**, 4951.
allg.: Chem. Rev. **49**, 263–273 (1951) ▪ Hassner-Stumer, S. 351 ▪ Krauch u. Kunz, Reaktionen der Organischen Chemie, 6. Aufl., S. 144, Heidelberg: Hüthig 1997 ▪ March (4.), S. 675 ▪ Org. React. **18**, 99–215 (1970) ▪ Russ. Chem. Rev. **64**, 133 (1995).

Smirgel s. Korund.

Smith, Hamilton Othanel (geb. 1931), Prof. für Mikrobiologie, Johns Hopkins Univ., Baltimore (USA). *Arbeitsgebiete:* Enzyme, mol. Genetik, Endonucleasen, Nachw. der Restriktionsenzyme; hierfür 1978 Nobelpreis für Medizin od. Physiologie (zusammen mit W. *Arber u. D. *Nathans).

Lit.: Lexikon der Naturwissenschaftler, S. 378 ▪ Neufeldt, S. 270 ▪ Pötsch, S. 399 ▪ The International Who's Who (17.), S. 1408.

Smith, J. Lawrence (1818–1883), Prof. für Chemie, Louisville (USA). *Arbeitsgebiete:* Mineralogie, Samarskit u. Yttererden, analyt. Chemie, Aufschlußmeth. für Erze, Meteoriten.
Lit.: Neufeldt, S. 222 ▪ Pötsch, S. 399.

Smith, Lee Irvin (1891–1973), Prof. für Organ. Chemie, Univ. Minneapolis. *Arbeitsgebiete:* Reaktionsmechanismen, Chinone, Methylbenzole, Nitrocyclopropane, Vitamin E u. verwandte Verbindungen.
Lit.: Poggendorff **7 b/7**, 4976–4979 ▪ Strube et al., S. 171.

Smith, Michael (geb. 1932), Prof. für Biochemie, Univ. of British Columbia, Vancouver. *Arbeitsgebiete:* „Protein Design", Herbeiführung gezielter Mutationen. Er erhielt 1993 zusammen mit K. B. *Mullis den Nobelpreis für Chemie für die gezielte Veränderung genet. Materials durch Einschleusung künstlich synthetisierter Erbinformationen in eine Zelle.
Lit.: Lexikon der Naturwissenschaftler, S. 378 ▪ The International Who's Who (17.), S. 1409.

Smithsonit (Zinkspat). $ZnCO_3$; mit *Calcit isotypes, trigonales Mineral, Kristallklasse $\bar{3}m$-D_{3d}, Struktur s. *Lit.*[1]. Glas- od. perlmuttglänzende, durchscheinende od. trübe, meist rhomboedr., oft gerundete, z. T. reisförmig ausgebildete, farblose od. verschieden, u. a. rosa (*Cobalt-S.*) gefärbte Krist. od. derbe, kugelige, nierige, zellige, körnige, strahlige od. schalig gebänderte Massen od. Krusten. H. 4–4,5, D. 4,0–4,3, vollkommen spaltbar. Nach der Formel 64,9 Gew.-% ZnO, aber oft durch Mn (*Mischkristalle mit *Rhodochrosit), Fe (Mischkrist. mit *Siderit), Cd, Mg, Ca, Cu u. Pb sowie durch Sand, Ton od. *Brauneisenerz verunreinigt. S. hat lokal wirtschaftliche Bedeutung als Bestandteil von *Galmei.
Vork.: Als Umwandlungsprodukt Zn-haltiger Sulfide, v. a. von *Zinkblende; z. B. in Oberschlesien, Bleiberg/Kärnten, Lavrion/Griechenland, mehrorts in den USA u. in großer Vielfalt in Tsumeb/Namibia. – ***E*** = ***F*** = ***I*** smithsonite – ***S*** smithsonita
Lit.: [1] Z. Kristallogr. **156**, 233–243 (1981).
allg.: Chang, Howie u. Zussman, Rock-Forming Minerals (2.), Vol. 5 B, Non-silicates, S. 178–185, Harlow (England): Longman 1996 ▪ Lapis **9**, Nr. 7/8, 8–11, 52 f. (1984) (Tsumeb-Heft, mit „Steckbrief") ▪ Ramdohr-Strunz, S. 571 f. – *[HS 2608 00; CAS 14476-25-6]*

Smog (von *E* smoke = Rauch u. fog = Nebel). S. bezeichnet starke Anreicherungen von Luftverunreinigungen in Ballungsgebieten. S. kann entstehen, wenn die in der Luft enthaltenen Verunreinigungen aufgrund austauscharmer Wetterlagen (*Inversionswetterlagen*) nicht mehr in die höheren Luftschichten entweichen können[1]. S. kann zu Beeinträchtigungen der Atmung, zur Reizung der Schleimhäute od. zu Kreislaufstörungen führen. Je nach Jahreszeit u. Art der emittierten Stoffe kann es zu unterschiedlichen S.-Typen kommen: Hohe Konz. von Schwefeldioxid u. *Schwebstaub führen hauptsächlich im Winter zum *sauren Smog, während *Photooxidantien wie *Ozon im Sommer v. a. den *Photosmog bilden. – ***E*** = ***F*** = ***I*** = ***S*** smog
Lit.: [1] Fortschr.-Ber. VDI, Reihe 15, **122** (Steisslinger, Einfluß von Temperaturinversionen auf Konzentration u. Verteilung von Luftverunreinigungen) (1994).
allg.: Fonds der chem. Ind., Umweltbereich Luft (2.), Frankfurt: VCI 1995.

Smog-Alarm. In den Smog-VO der Bundesländer festgelegte Alarm-Pläne, die bei Smog-Gefahr bestimmte

Tab.: Smog-Alarmplan.

Alarmstufe	Vorwarnstufe	1. Alarmstufe	2. Alarmstufe
Situation	Gefährdung der Gesundheit noch nicht wahrscheinlich	Gesundheitsgefahren, bes. bei Risikogruppen, nicht mehr auszuschließen	erhöhtes Gesundheitsrisiko
Alarmauslösekonz. für:			
Schwefeldioxid (SO_2) 3-Stunden-Mittelwert	0,60 mg/m³ od.	1,20 mg/m³ od.	1,80 mg/m³ od.
Stickstoffdioxid (NO_2) 3-Stunden-Mittelwert	0,60 mg/m³ od.	1,00 mg/m³ od.	1,40 mg/m³ od.
Kohlenmonoxid (CO) 3-Stunden-Mittelwert	30 mg/m³ od.	45 mg/m³ od.	60 mg/m³ od.
Summenwert: $SO_2 + 2 \times$ *Schwebstaub* 24-Stunden-Mittelwert	1,10 mg/m³	1,40 mg/m³	1,70 mg/m³
Zeitumschaltfaktor:		Die 1. u. 2. Alarmstufe werden auch dann ausgelöst, wenn die Bedingungen für die Auslösung der vorhergehenden Stufe länger als 72 h anhalten.	
Maßnahmen zur Verringerung der Schadstoffemission	Vorbereitung von Maßnahmen. Jeder hat sich so zu verhalten, daß Luftschadstoffe nicht mehr als nach den Umständen unvermeidbar hervorgerufen werden[a]	Verbot des privaten Kraftfahrzeugverkehrs in bestimmten Sperrbezirken, Betriebsbeschränkung für bestimmte Ind.-Betriebe, Feuerungsanlagen der Ind. müssen auf Schwefel-arme Brennstoffe umstellen, bei der 2. Alarmstufe werden zusätzlich bestimmte Industrieanlagen stillgelegt[b]	

[a] in einigen Bundesländern weitergehende Regelung
[b] unterschiedliche Ausnahmeregelungen in den Bundesländern

Gegenmaßnahmen vorsehen. S.-A. wird ausgelöst, wenn eine definierte austauscharme Wetterlage vorhanden ist, die voraussichtlich länger als 24 h anhält u. die Alarmauslösekonz. für bestimmte Schadstoffe an einer bestimmten Anzahl von Meßstellen im Smoggebiet überschritten ist. Die Auslösekriterien u. Maßnahmen im Detail zeigt die Tab. S. 4129; s. a. Smog. – ***E*** smog alert – ***F*** alerte au smog – ***I*** allarme di smog – ***S*** alerta de smog

Smog-Verordnung. Aufgrund des *Bundes-Immissionsschutzgesetzes haben Bundesländer bes. gefährdete Gebiete als Smoggebiete[1] ausgewiesen u. für diese Gebiete S.-V. mit *Smog-Alarm-Plänen erlassen, die bei Smog-Gefahr bestimmte Gegenmaßnahmen (z. B. Umstellung auf Schwefel-armes Heizöl, Verkehrsbeschränkungen) vorsehen. Da aufgrund der Maßnahmen v. a. zur *Entschwefelung u. *Entstaubung in der BRD nicht mehr mit *saurem Smog gerechnet werden muß, haben die meisten Bundesländer ihre S.-V. aufgehoben.

Lit.: [1] Römpp Lexikon Umwelt, S. 651 ff.
allg.: Chemie Report **98/4**, 18 ▪ Ullmann (5.) **B 7**, 459.

Smoked Sheet s. Naturkautschuk.

SMON. Abk. für *s*ubakute *m*yelo-*o*pt. *N*europathie, s. 8-Chinolinol u. Clioquinol.

SMOW. Abk. für *E s*tandard *m*ean *o*cean *w*ater, eine als *Meerwasser definierte Zusammensetzung.

SMR. Kurzz. für nach Reinheitsgrad genormten, malays. Naturkautschuk (*E s*tandardized *M*alaysian *r*ubber).

SMS. Kurzz. (nach DIN 7728-1: 1988-01) für *Copolymere aus *Styrol u. *α-Methylstyrol.

Smythe-Faktor s. Atomgewicht.

Smythit. $(Fe,Ni)_9S_{11}$, auch Fe_9S_{11} u. $Fe_{13}S_{16}$. Dem *Pyrrhotin in seinen Eigenschaften sehr ähnliches, trigonales, tafelige sechsseitige Krist. bildendes, hinsichtlich seiner thermodynam. Stabilität diskutiertes[1,2] Eisensulfid-Mineral, Kristallklasse $\bar{3}m$-D_{3d}; Struktur s. *Lit.*[3]; D. 4,3, undurchsichtig, schwarz, Strich dunkelgrau, ferromagnetisch. Chem. Analysen zeigen 0,4–7,5% Nickel.

Vork.: Überwiegend als bei niedrigen Temp. (<100 °C) entstandenes Umwandlungsprodukt von Pyrrhotin, *Siderit, Greigit, Fe_3S_4, u. *Mackinawit (*Lit.*[1,2]) in den USA (Indiana, Montana), Kanada (Ontario), der Ukraine (Halbinsel Kerch) u. Japan. – ***E*** = ***F*** smythite – ***I*** smithite – ***S*** smythita

Lit.: [1] Geochim. Cosmochim. Acta **60**, 3581–3591 (1996). [2] Eur. J. Mineral. **6**, 265–278 (1994). [3] Am. Mineral. **42**, 309–333 (1957).
allg.: Am. Mineral. **57**, 1571–1577 (1972) ▪ Anthony et al., Handbook of Mineralogy, Vol. I, S. 482, Tucson (Arizona): Mineral Data Publishing 1990. – *[CAS 12509-55-6]*

Sn. Chem. Elementsymbol für *Zinn (spätlatein.: *stan*n*um).

SN. 1. Abk. für National-Ges. in franz., italien. u. span. Firmennamen (Société Nationale, Società Nazionale, Sociedad Nacional); *Beisp.:* SNEA (*Elf Aquitaine), *SNIA-BPD.
2. Nach DIN 60001-4: 1991-08 Kurzz. für Fasern aus *Sunn.

S_N. Abk. für *nucleophile Substitution.

Snamprogetti SpA (von *S*ocietà *N*azionale *A*zienda *M*etanodotti). San Donato Milanese, I-20097 Milano (Italien), eine 100%ige Tochterges. der ENI. Das Unternehmen arbeitet im Ingenieurwesen u. der techn. Forschung. Der Tätigkeitsbereich umfaßt Erdölraffinerie; Erdgas, Pipelines u. Infrastrukturen, Chemie, Petrochemie, Düngemittel u. Offshore-Anlagen.

SNAP, SNARE s. Exocytose.

Snatzke, Günther (1928–1992), Prof. für Chemie, Lehrstuhl für Strukturchemie, Ruhr-Univ. Bochum. *Arbeitsgebiete:* Steroide, Alkaloide, Anti-Crotica, Circulardichroismus nieder- u. hochmol. Verb., direkt u. in Ggw. von Übergangsmetallkomplexen.

Lit.: Kürschner (16.), S. 3534.

SNC-Meteoriten s. Meteoriten.

SNCR. Abk. für *E S*elective *N*on *C*atalytic *R*eduction, ein Verf. zur Beseitigung von *Stickstoffoxiden aus *Abgasen, s. Entstickung. – ***E*** selective non catalytic reduction

Lit.: Fortschr.-Ber. VDI, Reihe 15, **109** (1993); **118** (1994); **124** (1994).

SNEA s. Elf Aquitaine.

Snell, George Davis (1903–1996), Prof. für Genetik u. Immunologie, Forschungsleiter des Jackson Laboratory Bar Harbor, Maine (USA). *Arbeitsgebiete:* Gewebetransplantation, Histokompatibilitätsantigene; 1980 Nobelpreis für Physiologie od. Medizin (zusammen mit J. P. G. *Dausset u. B. Benacerraf).

Lit.: Lexikon der Naturwissenschaftler, S. 378 f. ▪ Umschau **80**, 741 f. (1980).

Snell-Ettre, Snell-Hilton. Kurzbez. für das von F. D. Snell, C. L. Hilton (Bd. 1–7) u. L. S. Ettre (Bd. 8–20) herausgegebene, 1966–1975 im Verl. Wiley-Interscience erschienene Hdb. „Encyclopedia of Industrial Chemical Analysis". Bd. 1–3 behandeln die analyt. Methodik, Bd. 4 ff. die Analyse der einzelnen Substanzen u. Stoffgruppen.

Snell-Hilton s. Snell-Ettre.

Snelliussches Brechungsgesetz s. Refraktion u. Reflexion.

SNG. Abk. für *s*ubstitute (od.: *s*ynthetic) *n*atural *g*as, s. Kohlevergasung, Methan u. Reichgas.

Snia-BPD. Kurzbez. für den 1983 gegr. Konzern *S*ocietà *N*azionale *I*ndustria *A*pplicazioni Viscosa S. p. A., I-20121 Milano; zu den *Tochter-* u. *Beteiligungsges.* gehört u. a. Caffaro. *Produktion:* Wehr- u. Raumfahrttechnik, Chemiefasern auf PA-, PES- u. PAN-Basis, Cellulose, Phthalsäureanhydrid, Caprolactam, aromat. Grundchemikalien, Biotechnologie, Textilien. *Vertretung* in der BRD: Dtsch. Snia Vertriebs GmbH, 42103 Wuppertal.

Sniadecki s. Ruthenium.

SNMS (Abk. für *S*ekundär*n*eutralteilchen-*M*assen*s*pektrometrie). Eine Meth. zur Oberflächen- u. Tiefenprofilanalyse, wobei die durch Ionenbeschuß (s. Sputtering) aus der Oberfläche ausgelösten neutralen Teilchen durch Elektronenstoß (nach-)ionisiert u. dann in einem Massenspektrometer analysiert werden. Der

Vorteil dieser Meth. ist, daß der Ionisationsprozeß im Gegensatz zur *SIMS weit entfernt von der zu untersuchenden Oberfläche stattfindet. Ionisation u. Sputterprozeß sind also entkoppelt. Während die Quantifizierung der SIMS-Signale aufgrund des sog. Matrixeffektes (die Ionisierungswahrscheinlichkeit hängt stark von der chem. Umgebung an der zu untersuchenden Oberfläche selbst ab) erschwert wird, geben die SNMS-Intensitäten im Zerstäubungsgleichgew. die Zusammensetzung der zerstäubten Schicht quant. wieder. Eine bes. hohe Nachweisempfindlichkeit (bis herab zu einigen ppb) erhält man, wenn für die Nachionisation ein heißes Elektronengas verwendet wird, wie es in Form der Elektronenkomponente eines speziellen HF-Niederdruckplasmas zur Verfügung steht. Gleichzeitig können die Edelgas-Ionen dieses Plasmas dann für den lateral homogenen u. niederenerget. Beschuß (einige 10 eV) der Probe verwendet werden. Mit dieser Anordnung läßt sich bei Sputtertiefenprofilmessungen eine extrem hohe Tiefenauflösung bis herab zu wenigen Atomlagen erreichen.
Eine extrem effiziente Ausnutzung des zerstäubten Materials bietet die resonante Photoionisation mittels eines gepulsten Laserstrahls. Diese Technik eignet sich insbes. zur hochauflösenden, abbildenden SNMS, in welcher der Primär-Ionenstrahl über die zu untersuchende Oberfläche gerastert wird u. die freigesetzten Neutralteilchen als Funktion der Strahlposition registriert werden. In Verb. mit feinfokussierten Ionenstrahlen, z. B. aus einer Flüssigmetall-Ionenquelle, lassen sich hierbei laterale Auflösungen bis herab zu ≈ 100 nm erzielen.

Lit.: Glass Sci. Technol. **70**, 340–353 (1997) ■ Oechsner, Thin Film and Depth Profile Analysis, New York: Springer 1984 ■ Wucher, Trends and New Applications of Thin Films, Zürich: Trans Tech Publications 1998.

***sn*-Nomenklatur** s. Phospholipide.

SNPE. Kurzbez. für die Société Nationale des Poudres et Explosifs, 75181 Paris Cedex 04, die zu 99% im Besitz des französ. Staates ist. *Daten* (1997): 5228 Beschäftigte, ca. 4,9 Mrd. FF Umsatz. *Produktion:* Pyrotechnik, Explosivstoffe, Treibstoffe, Nitrocellulose, Zwischenprodukte u. Agrochemie, Peptide, Kosmetik, Pharmazeutika. *Vertretung* in der BRD: SNPE Deutschland, 65929 Frankfurt am Main.

SNR. Abk. für Schneller Natrium-gekühlter Brutreaktor, s. Kernreaktoren.

S_N-Reaktionen. Bez. für Reaktionen, die nach dem *nucleophilen Substitutions-Mechanismus ablaufen. Entsprechend werden elektrophile od. radikalische *Substitutionen als S_E- bzw. S_R-Reaktionen gekennzeichnet. – ***E*** S_N reactions – ***F*** réactions S_N – ***I*** reazioni S_N – ***S*** reacciones S_N

snRNA s. Ribonucleinsäuren.

Soab AB. Abk. für die 1824 gegr. Svenska Oljeslageri AB, Box 55, S-43121 Mölndal (Schweden), die seit 1979 zum AB Wilh. Becker Konzern gehört. *Daten* (1995): ca. 70 Mitarbeiter, ca. 175 Mio. SEK Umsatz. *Produktion:* Alkyd- u. Polyester-Bindemittel, Dispersions-Bindemittel auf Vinylacetat-Basis für Farben u. Lacke.

Sobelin® (Rp). Kapseln u. Granulat mit *Clindamycin-Hydrochlorid, Ampullen u. Vaginalcreme mit Clindamycin-2-phosphat gegen Infektionen mit Strepto-, Pneumo- u. Staphylokokken. ***B.:*** Pharmacia & Upjohn.

Sobrero, Ascanio (1812–1888), Prof. für Chemie, Turin. *Arbeitsgebiete:* Sprengstoffe, erste Synth. des Nitroglycerins (1847).

Lit.: Lexikon der Naturwissenschaftler, S. 379 ■ Pötsch, S. 399 f. ■ Strube et al., S. 119.

Socal®. Gefälltes Calciumcarbonat zur Herst. von Streichfarben in der Papier-Ind., als funktionaler Füllstoff für Dispersions- u. Druckfarben, für Kunststoffe u. Kautschuk, sowie in der Nahrungsmittel- u. Pharma-Industrie. ***B.:*** Solvay Alkali GmbH.

Societa Chimica Italiana (SCI). Die SCI ist die 1909 gegr. nat. italien. chem. Ges. mit Sitz in Viale Liegi 48 c, 00198 Rom. Die Ges. hatte 1997 6000 Mitglieder. *Publikationen:* Gazetta Chimica Italiana, Annali di Chimica, La Chimica e l'Industria, Il Farmaco. INTERNET-Adresse: http://sci.chim.uniroma3.it/index.htm.

Société Française de Chimie. Die Ges. ist die 1984 durch Zusammenschluß der 1906 gegr. Société Chimique de France (Nachfolgeorganisation der Société Chimique de Paris, 1857–1906) mit der 1908 gegr. Société de Chimie Physique (10 rue Vauquelin, F-75 231 Paris) entstandene nat. französ. *chemische Gesellschaft mit Sitz in 250 rue St. Jacques, F-75 005 Paris. *Zeitschriften:* Bulletin de la Société Chimique de France (seit 1858), L'Actualité Chimique (seit 1973), Journal de Chimie Physique, Journal of Chemical Research, Analusis (seit 1972). INTERNET-Adresse: http://www.sfc.fr.

Society of Automotive Engineers s. SAE.

Society of Environmental Toxicology and Chemistry (SETAC). Eine unabhängige u. gemeinnützige Ges. mit Sitz in 1010 North 12th Avenue, Pensacola, FL 32501-3370 USA. SETAC, die 1979 gegr. wurde u. 5000 Mitglieder hat (1998), bietet ein Forum für Inst. u. Personen auf den Gebieten Studium von globalen Umweltproblemen, Erhaltung natürlicher Ressourcen, Umwelterziehung sowie Umweltforschung. Die Ges. ist dem Interessenausgleich zwischen Wissenschaft, Wirtschaft u. Politik verpflichtet. 1989 wurde SETAC-Europe mit Sitz in Avenue E. Mounier, 1200 B-Brüssel gegründet. Die Gründung von SETAC-Asia/Pacific erfolgt in Kürze. *Publikationen:* Environmental Toxicology and Chemistry (monatlich), SETAC Europe News. INTERNET-Adresse: http://www.setac.org.

SOD. Abk. für *Superoxid-Dismutase.

Soda s. Natriumcarbonat.

Sodalith. $Na_8[Al_6Si_6O_{24}]Cl_2$ bzw. $3\,Na_2O \cdot 3\,Al_2O_3 \cdot 6\,SiO_2 \cdot 2\,NaCl$; farbloses, weißes, aschgraues bis schwarzes, blaues od. rosafarbiges (*Hackmannit*), zu den *Feldspat-Vertretern gehörendes, mit *Hauyn, *Nosean u. Lasurit (*Lapislazuli) isotypes, kub. Mineral, Kristallklasse $\bar{4}3m$-T_d. In der Struktur[1,2] umschließen vier- u. sechszählige Ringe aus je 2 bzw. 3 $[SiO_4]^{4-}$- u. $[AlO_4]^{5-}$-Tetraedern käfigartig (*S.-Käfig*) große, die

Form eines Kubo-Oktaeders aufweisende Hohlräume, s. Abb.; das Zentrum jedes Käfigs ist bei S. von $[Na_4Cl]^{3+}$-Clustern (*Cluster-Verbindungen) besetzt. Bei einem Druck von 7,3 GPa wandelt sich die S.-Struktur in eine amorphe Phase um[3].

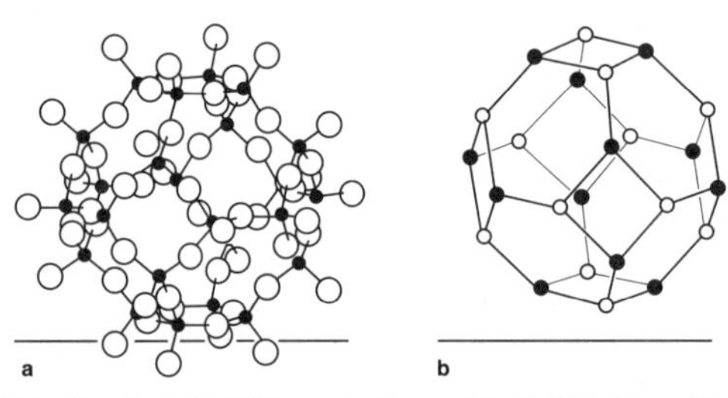

Abb.: Der Sodalith-Käfig; nach Strunz, *Lit.*, S. 66 (a) bzw. Seel et al., *Lit.*[2], S. 69 (b).

Es sind eine Vielzahl von *Materialien mit S.-Struktur* bekannt, deren allg. Formel $M_8[T_{12}O_{24}]X_2$ lautet; M = Na^+, Ca^{2+}, Sr^{2+} usw.; $T = Si^{4+}$, Al^{3+}, Be^{2+}, B^{3+}, Ga^{3+} u. Ge^{4+}; X = Cl, OH, SO_4, S, CrO_4, MoO_4, WO_4; *Beisp.*: *Ultramarin; $Na_8[Al_6Si_6O_{24}](OH)_2$ (*Lit.*[4]); $Na_6[Al_6Si_6O_{24}] \cdot 8H_2O$ (*Hydro-S.*) u. $[Si_{12}O_{24}] \cdot C_3H_6O_3$ (*Lit.*[5]). Bes. Interesse gefunden haben *Aluminat-S.*[6] wegen ferroelektr. Eigenschaften, z. B. bei $Sr_8[Al_{12}O_{24}](CrO_4)_2$ (*Lit.*[7]), u. wegen ihrer *Überstrukturen u. Phasenübergänge, z. B. bei $Ca_8[Al_{12}O_{24}](CrO_4)_2$ (*Lit.*[8,9]). Der S.-Käfig ist auch Baustein in der Struktur vieler *Zeolithe.

Eigenschaften: S. bildet durchsichtige bis undurchsichtige, glas- bis fettglänzende kub. Krist., eingesprengte Körner od. körnige Aggregate; H. 5–6, D. 2,27–2,33, vollkommene Spaltbarkeit; bes. Hackmannit zeigt orange Fluoreszenz im UV-Licht. Zu den Ursachen der blauen Farbe von S. (u. a. SO^{3-}- od. O^--Farbzentren) s. *Lit.*[10].

Vork.: Vorwiegend in Gesteinen der *Nephelinsyenit-Familie, z. B. in Süd-Norwegen, Grönland, Siebenbürgen, den USA u. Kanada.

Verw.: Aus derben, kräftig blauen S.-Massen, die z. B. in Ontario/Kanada, Indien, Brasilien u. Namibia abgebaut werden, werden Gebrauchs- u. Ziergegenstände (Ascher, Schalen, Steinkugeln usw.) sowie Steinketten hergestellt. – ***E*** = ***F*** = ***I*** sodalite – ***S*** sodalita

Lit.: [1] Acta Crystallogr. Sect. B **40**, 6–13 (1984). [2] Chem. Unserer Zeit **8**, 65–71 (1974). [3] Z. Kristallogr. **211**, 158–162 (1996). [4] Acta Crystallogr. Sect. C **43**, 1 ff. (1987). [5] Z. Kristallogr. **209**, 517–523 (1994). [6] Z. Kristallogr. **199**, 75–89 (1992). [7] Ferroelectrics **56**, 49–52 (1984). [8] Am. Mineral. **81**, 1375–1379 (1996). [9] Mineral. Mag. **60**, 617–622 (1996). [10] Z. Dtsch. Gemmol. Ges. **39**, 159–163 (1990).
allg.: Anthony et al., Handbook of Mineralogy, Vol. II, Tl. 2, S. 738, Tucson (Arizona): Mineral Data Publishing 1995 ▪ Deer et al., S. 496–502 ▪ Eppler, Praktische Gemmologie (5.), S. 427 f., Stuttgart: Rühle-Diebener 1994 ▪ Ramdohr-Strunz, S. 785 f. ▪ Strunz, Mineralogische Tabellen (4.), Leipzig: Akad. Verlagsges. Geest u. Portig 1966. – *[CAS 1302-90-5]*

Sodastein s. Seifenstein (1.).

Sodawasser s. Mineralwasser.

Sodbrennen. Brennende Empfindung in der Speiseröhre, die durch zurückfließenden sauren *Magensaft entsteht. S. kommt z. B. bei mangelhafter Funktion des muskulären oberen Magenverschlusses vor, was auf Dauer zur Entzündung der Speiseröhrenschleimhaut (*Refluxösophagitis*) führt. Die Behandlung richtet sich nach der Ursache des S., symptomat. helfen *Antacida. – ***E*** heartburn, pyrosis – ***F*** pyrosis, aigreurs d'estomac – ***I*** bruciare di stomaco, pirosi – ***S*** pirosis, ardor epigástrico (de estómago)

Soddy, Frederick (1877–1956), Prof. für Physikal. Chemie, Glasgow, Aberdeen, Oxford. *Arbeitsgebiete:* Natürliche Radioaktivität von Thorium, Zerfall des Radiums in Radon u. Helium, Zerfallstheorien, α-, β- u. γ-Strahlen, Verschiebungssatz (zusammen mit K. *Fajans), Entwicklung des Isotopie-Begriffs, Mitentdecker des Protactiniums; Nobelpreis für Chemie 1921.

Lit.: Chem. Unserer Zeit **33**, 216 (1982) ▪ Kauffman, Frederick Soddy (1877–1956), Dordrecht: Reidel 1986 ▪ Krafft, S. 302 f. ▪ Lexikon der Naturwissenschaftler, S. 379 ▪ Neufeldt, S. 109, 130, 132 ▪ Pötsch, S. 400 ▪ Strube et al., S. 117, 120, 140 f.

Soddyit. $(UO_2)_2[SiO_4] \cdot 2H_2O$; zu den Uranylsilicaten[1] gehörendes, radioaktives, rhomb. Mineral, Kristallklasse mmm-D_{2h}, Struktur s. *Lit.*[1–3]. Bypiramidale bis prismat., bernsteingelbe bis kanariengelbe Krist., grünlichgelbe faserige Massen, auch *derb u. erdig. H. 3,5, D. 4,6–4,7.

Vork.: Mehrorts in der Provinz Shaba/Zaire[4] u. in den westlichen USA. – ***E*** = ***F*** = ***I*** soddyite – ***S*** soddyita

Lit.: [1] Am. Mineral. **66**, 610–625 (1981). [2] Kristallografiya **35**, 1563 f. (1990). [3] Acta Crystallogr., Sect. C **48**, 1–4 (1992). [4] Mineral. Rec. **20**, 265–288 (1989).
allg.: Anthony et al., Handbook of Mineralogy, Vol. II, Tl. 2, S. 739, Tucson (Arizona): Mineral Data Publishing 1995. – *[HS 2612 10; CAS 12196-99-5]*

Sodusec®. Ätznatron (s. Natriumhydroxid) in U-Form zur Trocknung von Gasen, z. B. Luft, Sauerstoff, Wasserstoff, Stickstoff, Ammoniak, Propan, Butan, Edelgasen. ***B.:*** Solvay Alkali GmbH.

Söderberg-Elektroden (nach dem Schweden C. W. Söderberg 1876–1955 benannt). Während man in der Elektrochemie gewöhnlich fertiggebrannte, geformte Kohlen als *Elektroden einsetzt, werden in der Aluminium-, Silicium- u. Calciumcarbid-Ind. vielfach in den Ofen hineinragende Rohre plast. Anodenmassen aus Petrolkoks, Anthrazit u. Teer dem Abbrand entsprechend kontinuierlich entgegengeführt; die Ofenhitze brennt die Masse zur elektr. leitenden *Graphit-Struktur. – ***E*** Söderberg electrodes – ***F*** électrodes de Söderberg – ***I*** elettrodi di Söderberg – ***S*** electrodos de Söderberg

Lit.: Kirk-Othmer (4.) **2**, 195; **4**, 883 ▪ Ullmann (5.) **A 1**, 465 ff.; **A 4**, 538 f. ▪ Winnacker-Küchler (3.) **6**, 198; (4.) **4**, 271–282 ▪ s. a. Graphit.

Söhngeit s. Gallium.

Sørensen (Sörensen), Søren Peter Lauritz (1868–1939), Prof. für Chemie, Kopenhagen. *Arbeitsgebiete:* Wasserstoffionen-Konz. u. ihre Messung, Einführung des Begriffs „pH-Wert", Säure-Base-Begriff, Enzyme, Biochemie.

Lit.: Lexikon der Naturwissenschaftler, S. 380 ▪ Neufeldt, S. 120 ▪ Pötsch, S. 401 ▪ Poggendorff **7 b/8**, 5015 f.

Sövit s. Karbonatit.

Soffionen. Bez. von italien.: sóffio = Hauch, Atem, für ca. 200 °C heiße Bor-haltige Aushauchungen (*Exhalationen*, vgl. Fumarolen) aus Erdspalten in der Toskana. Dabei entströmen heiße Wasserdämpfe, aus denen Borsäure, H_3BO_3, als weiße Schüppchen des Minerals *Sassolin abgesetzt wird. In Larderello wird die Erdwärme zur Energiegewinnung ausgenutzt. Die Wasserdämpfe verdichten sich hier in Landsenken zu einer Flüssigkeit, die neben Schwefel-Verb. u. Ammoniak etwa 0,4% Borsäure enthält u. techn. zur *Borsäure-Gewinnung ausgebeutet wird. – ***E*** = ***F*** soffions – ***I*** soffioni – ***S*** soffiones
Lit.: s. Bor u. Fumarolen.

Sofix®. Wischpflegemittel für Fußböden auf Seifenbasis bzw. auf Basis einer wäss. Dispersion von Kunststoffen, Wachsen u. Tensiden. ***B.:*** Henkel, Thompson Siegel.

Sofortbildphotographie s. Farbphotographie, Photographie u. Polaroid®.

Sofra-Tüll® (Rp). Gittertüll, imprägniert mit *Framycetin (*Neomycin B) enthaltender Salbenemulsion zur Abdeckung infizierter u. infektionsgefährdeter Wunden. ***B.:*** Albert-Roussel.

Software. Begriff aus der Datenverarbeitung; Bez. für die auf Computern verwendeten Daten u. Programme; der Begriff *Hardware umschreibt die Bauelemente bzw. Funktionseinheiten, die für den Betrieb eines Computers notwendig sind. – ***E*** software – ***F*** logiciel – ***I*** software, componenti di programmazione – ***S*** software, logical, soporte lógico

Sohio-Verfahren. Von der Sohio entwickelte Verf. zur Herst. von Acrolein bzw. Acrylnitril durch Umsetzen von Propen mit Luft u. Wasserdampf (450 °C, 1,6 s Verweilzeit, Bismut-Phosphormolybdat auf SiO_2 als Katalysator) bzw. Ammoniak (Ammonoxid. bei 400–500 °C, 0,03–0,2 MPa, $Bi_2O_3 \cdot MoO_3$ od. Antimon-Uranoxide, Gemische von Antimon- u. Mangan-, Kupfer- od. Thoriumoxiden als Katalysatoren). – ***E*** Sohio processes – ***F*** procédés Sohio – ***I*** processo di Sohio – ***S*** procedimientos Sohio
Lit.: Kirk-Othmer (3.) **1**, 417 ff. ▪ Ullmann (5.) **A 1**, 153 f., 178 f. ▪ Winnacker-Küchler (4.) **6**, 71, 701 ▪ s.a. Acrolein u. Acrylnitril.

Sohlenkleber. Zum Verkleben von Schuhsohlen verwendete *Klebstoffe auf der Basis von *Neoprenen®, Phenol-Cumaron-, Pentaerythrit- u.a. Kunstharzen, Butadien-Acrylnitril-*Copolymeren, Polyurethanen etc. – ***E*** shoe cementing agents – ***F*** colles pour semelles – ***I*** adesivo per suole – ***S*** pegamentos para suelas

Sohlenleder. Dickes, hartes, festes, nur wenig biegsames, mit pflanzlichen Gerbstoffen gegerbtes Leder für Lang- u. Halbsohlen schweren Schuhwerks (u. Absatzaufbau). – ***E*** sole leather – ***F*** cuir pour les semelles – ***I*** cuoio per suole – ***S*** cuero para suelas
Lit.: Ullmann (4.) **16**, 115; (5.) **A 15**, 272 f. – *[HS 4104 31]*

Soil-Release-Ausrüstung (von *E* soil = Verunreinigung, Schmutz u. release = Ablösung, Freisetzung). Ausrüstung von Textilien mit Substanzen, die die Ablagerung von *Schmutz verhindern od. dessen Auswaschbarkeit erleichtern. Präp. zur S.-R.-A. enthalten z.B. perfluorierte Fettsäuren, auch in Form ihrer Aluminium- u. Zirconiumsalze, organ. Silicate, Silicone, Polyacrylsäureester mit perfluorierter Alkohol-Komponente od. mit perfluoriertem Acyl- od. Sulfonyl-Rest gekoppelte, polymerisierbare Verbindungen. Auch *Antistatika können enthalten sein. Die *schmutzabweisende Ausrüstung* (S.-R.-A.) wird oft als eine *Pflegeleicht-Ausrüstung eingestuft. – ***E*** soil release finish – ***F*** apprêt intachable (antisalissant, antisouillure) – ***I*** finissaggio antisporco – ***S*** acabado antisuciedad (antimanchas)
Lit.: s. Textilveredlung.

Soil-Release-Polymere. Bez. für *Celluloseether od. lineare, hydrophile *Poly(ethylenterephthalat)-Poly(oxyethylenterephthalat)-Blockcopolymere (PET-POET-Polymere), die als Waschmittelinhaltsstoffe im Unterschied zur herkömmlichen prim. *Soil-Release-Ausrüstung Textilien mit niedrig polaren Oberflächen aus z. B. Polyester *während* des Waschcyclus schmutzabweisende Eigenschaften verleihen. Durch zusätzliche Sulfonat-Gruppen werden PET-POET-Polymere wasserlöslich. – ***E*** soil release polymers
Lit.: Showell (Hrsg.), Powderd Detergents, S. 205–239, New York: Dekker 1998.

Sojabohnen. Erbsenartige, gelb, grün od. schwarz gefärbte Früchte der Leguminose *Glycine max* (synonym *Soja hispida*; Fabaceae, Hülsenfrüchtler), die seit Jahrtausenden in China kultiviert wird u. wegen ihres hohen Fett- u. Eiweißgehalts in Ostasien seit alters her ein wichtiges Nahrungsmittel bildet. Getrocknete S. enthalten pro 100 g im Durchschnitt 33,7 g Proteine, 18,1 g Fette, davon 10,7 g ungesätt. Fettsäuren, 6,3 g Kohlenhydrate, 22 g Ballaststoffe u. 8,5 g Wasser, ferner die Vitamine A, B_1, B_2, B_6 u. E, Nicotinsäure, Pantothensäure sowie K, Ca, Mg, Fe u. P. Der bittere Geschmack von S. soll auf 1-Penten-3-on zurückgehen, das durch das Enzym *Lipoxygenase beim Einweichen der S. in Wasser freigesetzt wird. Durch Kurzzeiterhitzen läßt sich das Enzym inaktivieren. Weiter enthalten S. *Stachyose, *Saponine u. *Phytoalexine (z. B. Glyceollin). Aus den zerschroteten S. erhält man durch Pressen u./od. Extraktion mit Benzin-Kohlenwasserstoffen *Sojaöl, während der Rückstand (*Sojaschrot*) zur Gewinnung von *Sojalecithin* (s. Lecithine u. Sojaöl) u. Sojaprotein dient od. direkt als Eiweißreiches Kraftfutter Verw. findet. V. a. das *Sojaprotein* hat als Eiweiß-Austauschstoff größere Bedeutung auch für die menschliche Ernährung erlangt, wenn auch der Methionin-Gehalt zu gering ist: Es dient als Zusatz zu Suppen, Suppeneinlagen, Süßwaren, Back- u. Teigwaren, zur Gewinnung von Glutamat, zur Herst. von *Suppenwürze durch Hydrolyse usw. Bes. in Ostasien werden eine Vielzahl von Speisen aus S. gewonnen, die milch-, creme- od. quarkartige Konsistenz besitzen u. zu ihrer Herst. z. T. Fermentationsschritte benötigen; *Beisp.:* Sojamilch, Tofu, Sufu, Miso, Tempeh, Natto, Yuba. Auch die *Sojasauce* (Shoyu) entsteht auf enzymat. Wege unter Verw. von *Aspergillus oryzae* u. a. *Schimmelpilz-Kulturen mit anschließender 6–12monatiger Milchsäure-Gärung. Das typ. Aroma geht v. a. auf Phenole, Pyrazine, Alkylhydroxyfuranone, Nucleotide, Amine (Sojaamine) u. freie Aminosäuren zurück. Bei Behandlung der Sojasauce mit Nitrit können allerdings Mutagene entstehen. Nach Auflösen in Alkalien kann S.-Protein zu Fäden versponnen werden, die durch Aromatisierung kaubare, fleischähnliche Produkte liefern, sog. „künstliches Fleisch" od. TVP = textured vegetable proteins. Industrielle Verw. findet Sojaprotein in Papierleimen, Emulsionsfarben, zum Stabilisieren von Feuerlöschschaum usw. Die Weltproduktion an S. betrug 1994 ca. 137 Mio. t, davon entfielen auf Mittel- u. Nordamerika 70 Mio. t, Asien 22 Mio. t, Südamerika 38 Mio. t, Osteuropa u. ehem. UdSSR 1 Mio. t. – ***E*** soybeans – ***F*** fèves de soya – ***I*** soia – ***S*** habas de soja

Lit.: Franke, Nutzpflanzenkunde (6.), S. 142 ff., 158 f., Stuttgart: Thieme 1997 ▪ s. a. Fette u. Öle, Proteine. – *[HS 1201 00]*

Sojafettsäuren s. Sojaöl.

Sojaöl. S. ist ein gelbliches bis braungelbes, fettes, halbtrocknendes Öl, das durch Pressen u./od. Extraktion mit Kohlenwasserstoffen (z. B. *Hexan) aus *Sojabohnen (*Glycine max*), od. Sojaschrot gewonnen wird. Ölgehalt der Sojabohnen: 17–22%.

Zusammensetzung: Zum Fettsäure-Spektrum nach *Lit.*[1] s. die Tabelle.

Tab.: Fettsäure-Spektrum von Sojaöl; nach *Lit.*[1]: Angabe der Schwankungsbreite u. des häufigsten Durchschnittswertes in Gew.-% der Gesamtfettsäuren.

C<14	<0,1
C 14:0	<0,5
C 16:0	7,0–14 10
C 16:1	<0,5
C 18:0	1,4–4,5 4,0
C 18:1	19–30 21
C 18:2	44–62 56
C 18:3	4–11 8
C 20:0	<1,0 0,5
C 20:1	<1,0 0,5
C 22:0	<0,5

55–65% der Gesamtfettsäuren des S. sind mehrfach ungesätt. *Fettsäuren. Der Sterin-Gehalt von S. beträgt durchschnittlich 0,37% (davon *Cholesterin 0,3–0,5%)[2]. Neben Cholesterin finden sich in S. v.a. Ergost-5-en-3β-ol, Campesterin u. Sitosterin[3]. Durch *Raffination läßt sich der Sterin-Gehalt um ca. 30% senken. Darüber hinaus enthält S. freie Fettsäuren, *Lecithin u. bis zu 0,8% *Tocopherol. *Lit.*[4] beschreibt Herst. u. Anw. von natürlichem *Vitamin E-Öl aus S. mit einem Vitamin E-Gehalt von >60%. Zur Belastung mit *PAH s. *Lit.*[5].

Herst.: Zur Ölgewinnung aus Sojabohnen s. die Abbildung.

S. durchläuft, wie die meisten Öle, die zu Ernährungszwecken bearbeitet werden, die einzelnen Schritte der *Raffination, wobei der Entlecithinierung (Anreicherung der Phospholipide nach Wasserzusatz an der Grenzschicht u. Abtrennung in Separatoren) bes. Bedeutung zur Herst. von *Sojalecithin* zukommt. Sojalecithin ist als *Emulgator für Lebensmittel zugelassen. Einen Überblick zur Technologie gibt *Lit.*[6].

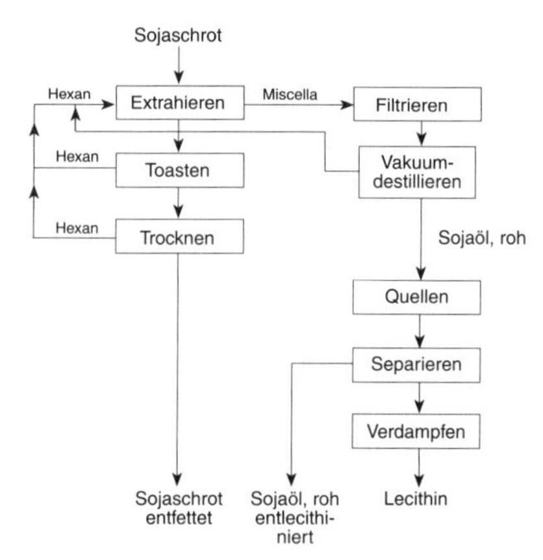

Abb.: Ölgewinnung aus Sojabohnen; Miscella = Lsg. von Öl in Hexan.

Verw.: Als Speiseöl, auch im Verschnitt mit *Olivenöl, zur Herst. von *Margarine, *Süßwaren, *Seife, als *Standöl für trocknende Öle in Lacken, Ölfarben, Linoleum, Druckfarben, zu Alkydharzen, Polyamiden u. Weichmachern (sog. *epoxidiertes Sojaöl* = ESO). Die Verw. als Rohstoff für Fettsäuren (*Sojafettsäuren*) wird durch den Zwangsanfall von *Glycerin behindert. S. steht mengenmäßig an der Spitze der Weltproduktion pflanzlicher Öle für Ernährungszwecke. Die Möglichkeit des alternativen Einsatzes zu *BHT u. *BHA als *Antioxidans wird diskutiert.

Analytik: D. 0,916–0,922, Schmp. –15 bis –8 °C, FP. 282 °C, VZ 188–195, IZ 120–136, SZ 0,3–3,0, unverseifbarer Anteil 0,5–1,5%. Zum Nachw. von ESO, das durch Migration aus Kunststoffverpackungen in Lebensmittel gelangen kann, s. *Lit.*[7]. Über die Zusammensetzung des Aromas von S. u. Veränderungen während der Lagerung gibt *Lit.*[8] Auskunft. Für die als Härtungs- u. *Reversionsgeschmack bekannten Aromafehler des S. sind (*E*)-6-Nonenal u. 3-Methylnonan-2,4-dion verantwortlich. Eine Unterscheidung zwischen S. u. *Sonnenblumenöl ist anhand des Tocopherol-Spektrums möglich[9].

Weltproduktion (1997/98): 20,5 Mio. t; davon in den USA 8,6 Mio. t u. in Brasilien 4,3 Mio. t. – ***E*** soja oil, soybean oil – ***F*** huile de soja – ***I*** olio di soia – ***S*** aceite de soja

Lit.: [1] Leitsätze für Speisefette u. Speiseöle in der Fassung vom 9. 6. 1987 (Bundesanzeiger Nr. 140 a), abgedruckt in Zipfel, C 296. [2] Fat Sci. Technol. **89**, 27–30 (1987). [3] Fat Sci. Technol. **91**, 23–27 (1989). [4] Food Sci. (Taiwan) **23**, 377–383 (1996). [5] Fat Sci. Technol. **90**, 76–81 (1988). [6] Cereal Foods World **34**, 268–272 (1989). [7] J. Assoc. Off Anal. Chem. **71**, 1183–1186 (1988). [8] J. Am. Oil Chem. Soc. **64**, 749–753 (1987). [9] Fat Sci. Technol. **93**, 519–526 (1991).

allg.: Belitz-Grosch (4.), S. 188, 213, 590, 592 ▪ Pardun, Analyse der Nahrungsfette, S. 272, 328–330, Berlin: Parey 1976 ▪ Ullmann (4.) **11**, 511; (5.) **A 9**, 56, 541, 543; **A 10**, 176, 230, 255; **A 11**, 499 ▪ Wirths, Lebensmittel in ernährungsphysiologischer Bedeutung (3.), S. 106–112, Paderborn: Schöningh 1985 ▪ Zipfel, C 296 II B u. Anlage. – *[HS 1507 10, 1507 90; CAS 8001-22-7 (S.); 8013-07-8 (epoxidiertes S.)]*

Sojasterine s. Sojaöl.

Sokalan® CP-Marken. Copolymere Polycarbonsäuren u. Natrium-Salze; Additive für Phosphat-reduzierte u. Phosphat-freie Waschmittel zur Verhinderung der Inkrustrierung u. Vergrauung des Waschguts u. zur Steigerung der Primärwaschwirkung; Dispergiermittel für Feststoffe, z. B. als Belagsverhinderer für die Wasserbehandlung. ***B.:*** BASF.

Sokalan® DCS. *Dicarbonsäure-Gemisch für die Wasch- u. Reinigungsmittel-Ind. u. die chem. u. techn. Industrie. ***B.:*** BASF.

Sokalan® HP-Marken. Polymere Additive für Wasch- u. Reinigungsmittel. ***B.:*** BASF.

Sokalan® PA-Marken. *Polyacrylsäure u. Natrium-Salze; Additive für Phosphat-reduzierte u. Phosphat-freie Wasch- u. Reinigungsmittel, Dispergiermittel für Feststoffe, z. B. als Belagsverhinderer für die Wasserbehandlung. ***B.:*** BASF.

Sol. Bez. für eine kolloidale Lsg., in der ein fester od. flüssiger Stoff in feinster Verteilung in einem festen, flüssigen od. gasf. Medium dispergiert ist. Bei gasf. Dispersionsmedien spricht man von *Aerosolen*, bei festen von *Vitreosolen*, bei flüssigen von *Lyosolen*. Lyosole unterteilt man weiter in *Organosole* u. *Hydrosole* (*Beisp.:* *Kieselsol), je nachdem, ob es sich um eine Suspension in organ. od. wäss. Phase handelt. Durch *Koagulation* (Flockung, Ausflockung) geht ein S. in ein *Gel über, wobei es ggf. zu *Koazervations*-Erscheinungen kommen kann, vgl. a. Kolloidchemie. – ***E*** = ***F*** = ***I*** = ***S*** sol

Solacongestidin s. Solanum-Steroidalkaloide.

Soladulcidin, Soladunalinidin s. Solanum-Steroidalkaloide.

Solafloridin s. Solanum-Steroidalkaloide.

Solamarin s. Solanum-Steroidalkaloidglykoside.

Solan®. Augentropfen mit *Retinol-palmitat gegen Ermüdungserscheinungen des Auges. ***B.:*** Winzer.

Solana®. Entfettungsmittel für Leder u. Pelze mit *Tensiden u. Kohlenwasserstoffen. ***B.:*** Henkel.

Solanaceen. Botan. Bez. für die Pflanzenfamilie der Nachtschattengewächse mit ca. 2300 Arten, zur Unterklasse Lamiidae gehörig. Zu den S. gehören an bekannten Nutzpflanzen Paprika, Cayennepfeffer, Kartoffeln, Tomaten u. Tabak, an Arznei- u. Giftpflanzen Bilsenkraut, Stechapfel u. Tollkirsche.

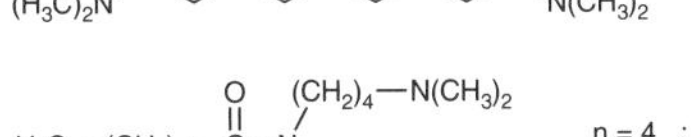

Solamin (1)

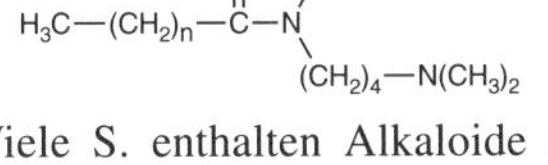

n = 4 : Solacaproin (2)
n = 14 : Solapalmitin (3)

Viele S. enthalten Alkaloide sehr unterschiedlicher Konstitution. Während in den *Solanum*-Arten wie Kartoffel, Tomate, Aubergine etc. im wesentlichen *Solanum-Steroidalkaloide u. deren Glykoside gebildet werden, enthalten andere zu den S. gehörende Pflanzen recht unterschiedliche Alkaloide. *Beisp.:* Scopolamin aus *Scopolia carniolica* (Tollkraut), *Atropin aus *Atropa belladonna* (Tollkirsche), *Hyoscyamin aus *Hyoscyamus niger* (Bilsenkraut) u. *Datura stramonium* (Stechapfel), *Capsaicin aus *Capsicum*-Arten (Paprika), *Nicotin aus *Nicotiana tabacum* od. *N. rustica* (Tabak), *Solacaproin* ($C_{18}H_{39}N_3O$, M_R 313,53, **2**) aus *Cyphomandra betacea, Solamin* [$C_{12}H_{29}N_3$, M_R 215,38, farbloses Öl, Sdp. 80–90 °C (1,33 kPa), **1**] aus *Solanum carolinense* u. *Cyphomandra betacea, Solapalmitin* ($C_{28}H_{59}N_3O$, M_R 453,79, **3**) usw., vgl. auch Tropan- u. Tabak-Alkaloide. – ***E*** solanaceae – ***F*** solanacées – ***I*** solanacee – ***S*** solanáceas

Lit.: Chem. Ztg. **98**, 10–23 (1974) ▪ Ciba Found. Symp. **154**, 99–111 (1990) ▪ Frohne u. Jensen, Systematik des Pflanzenreiches (2.), S. 253–268, Stuttgart: Fischer 1992 ▪ Hegi, Illustrierte Flora von Mitteleuropa, Bd. 5-3, Tl. 4, Berlin: Blackwell 1964 ▪ Ullmann (5.) **A 1**, 360 ff., 399. – *[HS 070960, 071010, 071290, 2401...; CAS 35771-90-5 (1); 17232-87-0 (2); 17232-85-8 (3)]*

Solanaceen-Alkaloide s. Solanaceen.

Solanidane s. Solanum-Steroidalkaloide.

Solanidin s. Solanum-Steroidalkaloide.

Solanin s. Solanum-Steroidalkaloidglykoside.

Solanocapsin s. Solanum-Steroidalkaloide.

Solanum-Steroidalkaloide. Untergruppe der *Steroidalkaloide. Chem.-strukturell besitzen alle S.-S. das vollständige, unveränderte C_{27}-Kohlenstoff-Gerüst des Cholestans (Abb. s. bei Steroide), jedoch mit unterschiedlichen heterocycl. Ringsystemen. Man unterscheidet im wesentlichen 5 Strukturtypen: *Solanidane* (z. B. Solanidin), *Spirosolane* (z. B. Solasodin), *22,26-Epiminocholestane* (z. B. Solacongestidin), *22,26-Epimino-16,23-epoxycholestane* (z. B. Solanocapsin) u. *3-Aminospirostane* (z. B. Jurubidin). Bisher sind ca. 100 solcher Verb. aus mehr als 350 Pflanzenarten hauptsächlich der *Solanaceen (v. a. *Solanum*- u. *Lycopersicon*-Arten), gelegentlich aber auch der Liliaceen isoliert u. strukturell aufgeklärt worden (s. Tab., S. 4136). S.-S. kommen in Pflanzen nur selten als freie Alkaloide vor, sondern fast durchweg in Form ihrer Glykoside (*Solanum-Steroidalkaloidglykoside). Es handelt sich somit meist um Aglykone (Genine), die durch saure od. enzymat. Hydrolyse der Glykoside gewonnen werden. Das Alkaloid-Spektrum der Wurzeln unterscheidet sich häufig von jenem der oberird. Pflanzenteile u. zeigt in der Regel eine größere Vielfalt.

Solanidane: Die Solanidan-Alkaloide sind tert. Basen mit dem heterocycl. Indolizidin-Ringsystem. Sie unterscheiden sich in den meisten Fällen durch An- od. Abwesenheit einer Δ^5-Doppelbindung u. die Zahl u. Stellung von Hydroxy-Gruppen.

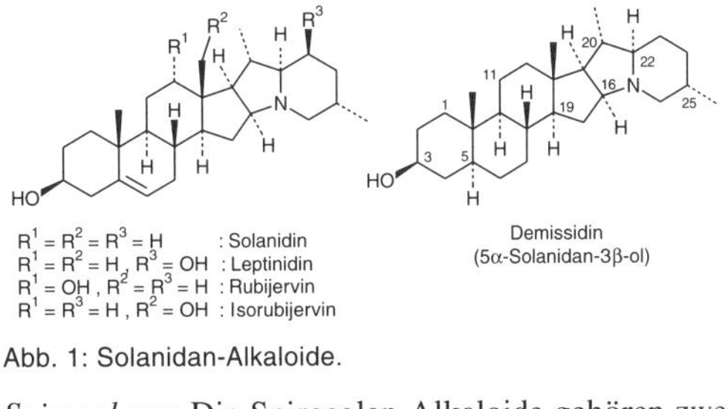

$R^1 = R^2 = R^3 = H$: Solanidin
$R^1 = R^2 = H$, $R^3 = OH$: Leptinidin
$R^1 = OH$, $R^2 = R^3 = H$: Rubijervin
$R^1 = R^3 = H$, $R^2 = OH$: Isorubijervin

Demissidin (5α-Solanidan-3β-ol)

Abb. 1: Solanidan-Alkaloide.

Spirosolane: Die Spirosolan-Alkaloide gehören zwei Reihen an, die sich hinsichtlich ihrer Stereochemie an

Tab.: Daten u. Vork. von Solanum-Steroidalkaloiden.

Steroidalkaloid	Summen-formel	M_R	Schmp. [°C]	$[\alpha]_D$	Vork.	CAS
Solanidane						
Solanidin	$C_{27}H_{43}NO$	397,64	219	−27° ($CHCl_3$)	(a)	80-78-4
Demissidin	$C_{27}H_{45}NO$	399,66	219−220	+28° (CH_3OH)	(b)	474-08-8
Leptinidin	$C_{27}H_{43}NO_2$	413,64	247−248	−24° ($CHCl_3$)	(c)	24884-17-1
Rubijervin	$C_{27}H_{43}NO_2$	413,64	240−242	+19° (C_2H_5OH)	(d)	79-58-3
Isorubijervin	$C_{27}H_{43}NO_2$	413,64	241−244	+9,2° (C_2H_5OH)	(d)	468-45-1
Spirosolane						
Solasodin	$C_{27}H_{43}NO_2$	413,64	200−201	−108° ($CHCl_3$)	(e)	126-17-0
N-Hydroxysolasodin	$C_{27}H_{43}NO_3$	429,64	206−209	−119,5° ($CHCl_3$)	(f)	142182-57-8
Soladulcidin	$C_{27}H_{45}NO_2$	415,66	209−211	−50° ($CHCl_3$)	(g)	511-98-8
Tomatidenol	$C_{27}H_{43}NO_2$	413,64	235−238	−39° ($CHCl_3$)	(h)	546-40-7
Tomatidin	$C_{27}H_{45}NO_2$	415,66	210−212	+5° ($CHCl_3$)	(i)	77-59-8
Soladunalinidin	$C_{27}H_{46}N_2O$	414,68	145−153	+1,3° ($CHCl_3$)	(k)	66934-59-6
22,26-Epiminocholestane						
Solacongestidin	$C_{27}H_{45}NO$	399,66	169−174	+35,6° ($CHCl_3$)	(l)	984-82-7
Solafloridin	$C_{27}H_{45}NO_2$	415,66	172−175	+123° ($CHCl_3$)	(m)	2385-18-4
Verazin	$C_{27}H_{43}NO$	397,64	176−178	−91° ($CHCl_3$)	(d)	14320-81-1
Etiolin	$C_{27}H_{43}NO_2$	413,64	153−155	−92° (C_2H_5OH)	(n)	29271-49-6
22,26-Epimino-16,23-epoxycholestane						
Solanocapsin	$C_{27}H_{46}N_2O_2$	430,67	213−215	+24,9° (CH_3OH)	(o)	639-86-1
3-Desamino-3*β*-hydroxysolanocapsin	$C_{27}H_{45}NO_3$	431,66	204	+20,1° ($CHCl_3$)	(p)	35865-62-4
Pimpifolidin	$C_{27}H_{45}NO_3$	431,66	200−203	−1,9° (Pyridin)	(q)	138665-46-0
22-Isopimpifolidin	$C_{27}H_{45}NO_3$	431,66	200−204	−13,6° (Pyridin)	(q)	152322-51-5
3-Aminospirostane						
Jurubidin	$C_{27}H_{45}NO_2$	415,66	182−186	−78,7° ($CHCl_3$)	(r)	6084-44-2
Isojurubidin	$C_{27}H_{45}NO_2$	415,66	185−187	−63° ($CHCl_3$)	(s)	32562-75-7

(a) *Solanum tuberosum* u. zahlreiche weitere *S.*-Arten, *Cestrum elegans* (*C. purpureum*, Solanaceen), *Veratrum album*, *Fritillaria camtschatcaensis*, *Rhinopetalum bucharicum* u. *R. stenantherum* (Liliaceen); (b) *S. demissum* u. weitere *S.*-Arten, *Lycopersicon pimpinellifolium*; (c) *S. chacoense*; (d) *V. album* u. weitere *V.*-Arten; (e) *S. nigrum*, *S. dulcamara*, *S. melongena*, *S. laciniatum*, *S. aviculare*, *S. marginatum*, *S. khasianum* u. zahlreiche weitere *S.*-Arten, *C. elegans* u. *Cyphomandra betacea* (Solanaceen) sowie *V. album* (Liliaceen); (f) *S. robustum* (Wurzeln); (g) *S. dulcamara* u. weitere *S.*-Arten, *L. pimpinellifolium*; (h) *S. tuberosum*, *S. dulcamara* u. zahlreiche weitere *S.*-Arten, *L. pimpinellifolium* u. *F. camtschatcaensis*; (i) *L. esculentum*, *S. demissum* u. zahlreiche weitere *L.*- u. *S.*-Arten; (k) *S. dunalianum*; (l) *S. congestiflorum*; (m) *S. congestiflorum*, *S. umbellatum* u. *S. verbascifolium*; (n) *V. grandiflorum* u. weitere *V.*-Arten, *S. havanense*, *S. spirale* u. weitere *S.*-Arten; (o) *S. pseudocapsicum* u. einige weitere *S.*-Arten; (p) *S. aculeatum* (Wurzeln); (q) *L. pimpinellifolium* (Wurzeln); (r) *S. paniculatum* u. *S. torvum* (Wurzeln); (s) *S. paniculatum* (Wurzeln).

C-22 u. C-25 unterscheiden [(22*R*,25*R*)-Reihe wie bei *Solasodin* u. (22*S*,25*S*)-Reihe wie bei *Tomatidenol*]. Zu 3β-Aminospirosolanen u. *N-Hydroxysolasodin* s. *Lit.*[1].

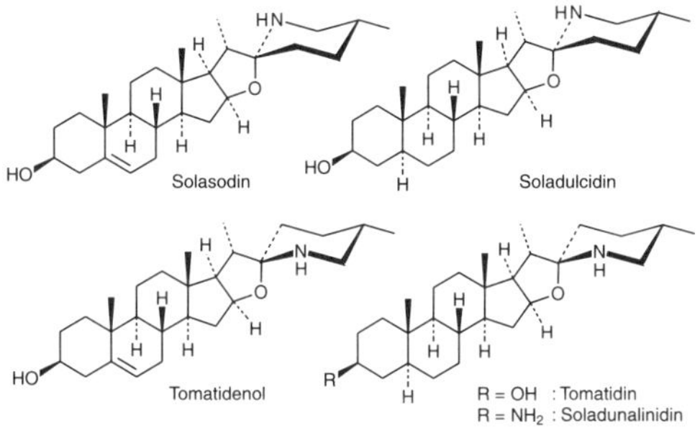

Abb. 2: Spirosolan-Alkaloide.

22,26-Epiminocholestane (16,28-Secosolanidane): Die S.-S. dieses Typs lassen sich zwei Hauptgruppen zuordnen, die sich wiederum in der Stereochemie an C-25 unterscheiden (Solacongestidin: 25*R*, Verazin: 25*S*). Die epimeren 16β-Hydroxy-Verb. cyclisieren spontan u. stereospezif. zu den entsprechenden Spirosolanen, was bei den epimeren 16α-Verb. aus ster. Gründen nicht möglich ist:

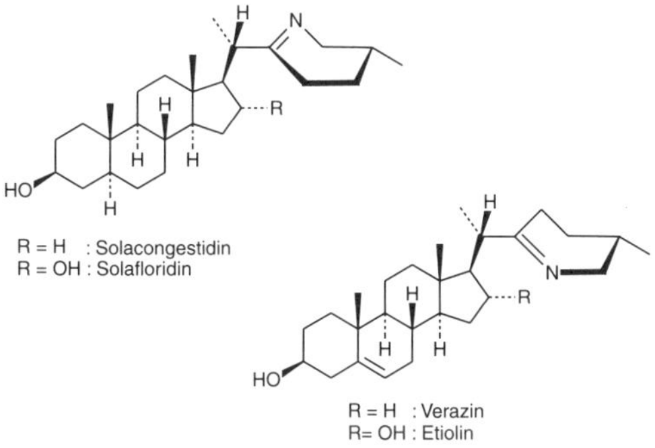

Abb. 3: 22,26-Epiminocholestan-Alkaloide.

22,26-Epimino-16,23-epoxycholestane (16,23-Epoxy-16,28-secosolanidane, s. Abb. 4): S.-S. dieser Grundstruktur wurden bisher nur aus wenigen *Solanum-* u. *Lycopersicon* Arten isoliert. Ein bereits seit 1929 bekannter Vertreter ist *Solanocapsin*. Es tritt ausschließlich als freies Alkaloid auf. In *3-Desamino-3β-hydroxysolanocapsin* ist die 3β-Amino-Gruppe durch eine 3β-Hydroxy-Gruppe ersetzt. Zwei 16,23,25-Isomere dieser Verb. sind *Pimpifolidin* (Solanocardinol) u. *22-Isopimpifolidin* (Isosolanocardinol, zusätzlich mit 22β-*H*)[2].

3-Aminospirostane (s. Abb. 5): *Jurubidin* ist ident. mit 3-Desoxyneotigogenin-3β-amin (s. a. Steroidsapogenine). Es entsteht bei Hydrolyse des aus Wurzeln von *Solanum paniculatum* u. *S. torvum* isolierten Jurubin [(25*S*)-3β-Amino-26-(β-D-glucopyranosyloxy)-5α-furostan-22α-ol] (s. Solanum-Steroidalkaloidglykoside). Das entsprechende (25*R*)-Stereoisomer von Jurubidin (*Isojurubidin*) u. 6α- od. 9-hydroxylierte Verb. wurden im gleichen Pflanzenmaterial gefunden.

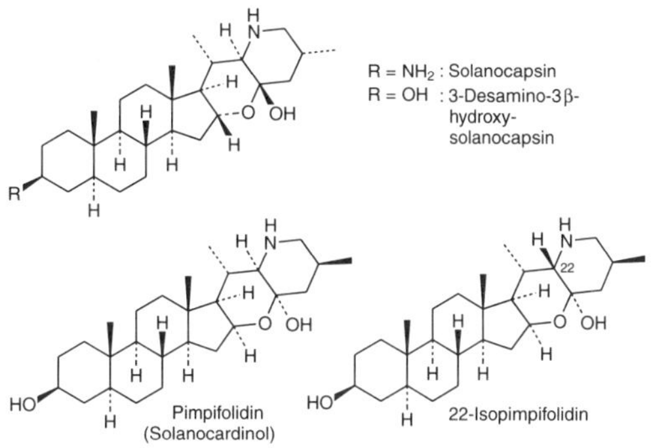

Abb. 4: 22,26-Epimino-16,23-epoxycholestan-Alkaloide.

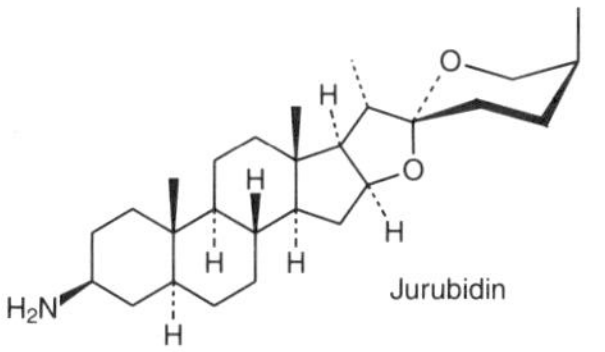

Abb. 5: 3-Aminospirostan-Alkaloide.

Biosynth.: Sie erfolgt analog der Biosynth. der Steroidsapogenine u. oftmals mit dieser gekoppelt über *Cycloartenol, *Cholesterin u. (25*R*)- od. (25*S*)-26-Aminocholest-5-en-3β-ol (Steroidalkaloide) od. (25*R*)- od. (25*S*)-Cholest-5-en-3β,26-diol (Steroidsapogenine). Näheres s. *Lit.*[3]. Steroidsapogenine durchweg gleicher Konfiguration an C-25 kommen in der Regel gemeinsam mit den S.-S. in Pflanzen vor. Zur Synth. s. *Lit.*[4].

Verw.: Solasodin u. Tomatidenol zur kommerziellen Synth. hormonal wirksamer Steroide. Solasodin wurde in industriellem Maßstab aus *Solanum laciniatum* (z. B. Neuseeland, Australien, Mexiko, ehem. UdSSR), *S. marginatum* (Ecuador) u. *S. khasianum* (Indien) gewonnen[5]. Zur Toxizität u. pharmakolog. Wirksamkeit einiger S.-S., u. a. antifung. u. bakterizide Eigenschaften (Solasodin: kardioton. u. antiphlogist. Wirkung) s. *Lit.*[6] u. *Solanum-Steroidalkaloidglykoside. – ***E*** solanum steroid alkaloids – ***F*** alcaloïdes stéroïdes du solanum – ***I*** alcaloidi steroidei delle solanacee – ***S*** alcaloides solano-esteroides

Lit.: [1] Phytochemistry **31**, 1837 ff. (1992); **42**, 543 (1996). [2] Phytochemistry **35**, 813 ff. (1994). [3] Mothes, Schütte u. Luckner (Hrsg.), Biochemistry of Alkaloids, S. 363–384, Weinheim: Verl. Chemie 1985. [4] Manske **10**, 1–192; **19**, 81–192. [5] Adv. Agron. **30**, 207–245 (1978). [6] D'Arcy (Hrsg.), Solanaceae, Biology and Systematic, S. 201–222, New York: Columbia Univ. Press 1986.
allg.: Chem. Pharm. Bull. **38**, 827 ff. (1990) ▪ Hager (5.) **3**, 1091–1095; **5**, 725 f.; **6**, 734–750 ▪ J. Nat. Prod. **59**, 283 (1996) ▪ Manske **3**, 247–312; **7**, 343–361; **10**, 1–192; **19**, 81–192 ▪ Sax (8.), Nr. POJ 000, SKQ 500–SKS 100 ▪ Ullmann (5.) **A 1**, 399 f. – *[HS 2939 90]*

Solanum-Steroidalkaloidglykoside. *Solanum-Steroidalkaloide kommen in Pflanzen überwiegend als Glykoside vor, die eine Untergruppe der *Steroid-Saponine darstellen. Ihre in der Regel verzweigtkettig aufgebauten Kohlenhydrat-Komponenten bestehen mehrheitlich aus 3–4 *Monosacchariden (Tri- u. Tetrasaccharide).

Tab.: Daten u. Vork. von Solanum-Steroidalkaloidglykosiden.

Glykosid	Summenformel	M_R	Schmp. [°C]	$[\alpha]_D$	Vork.	CAS
Tetraoside						
Tomatin (3-*O*-*β*-Lycotetraosyltomatidin)	$C_{50}H_{83}NO_{21}$	1034,20	263–267 (Zers.)	–19° (Pyridin)	(a)	17406-45-0
Demissin (3-*O*-*β*-Lycotetraosyldemissidin)	$C_{50}H_{83}NO_{20}$	1018,20	305–308 (Zers.)	–20° (Pyridin)	(b)	6077-69-6
Commersonin (3-*O*-*β*-Commertetraosyldemissidin)	$C_{51}H_{85}NO_{21}$	1048,23	230–232 (Zers.)	–17° (Pyridin)	(c)	60776-42-3
Trioside						
Solanin (3-*O*-*β*-Solatriosylsolanidin)	$C_{45}H_{73}NO_{15}$	868,07	286 (Zers.)	–59° (Pyridin)	(d)	20562-02-1
Chaconin (3-*O*-*β*-Chacotriosylsolanidin)	$C_{45}H_{73}NO_{14}$	852,07	243 (Zers.)	–85° (Pyridin)	(d)	20562-03-2
Leptin I (3-*O*-*β*-Chacotriosyl-23-*O*-acetylleptinidin)	$C_{47}H_{75}NO_{16}$	910,11	230 (Vak.)	–85° (Pyridin)	(e)	101030-83-5
Leptinin I (3-*O*-*β*-Chacotriosylleptinidin)	$C_{45}H_{73}NO_{15}$	868,07	>230 (Zers.)	–90° (Pyridin)	(e)	101009-59-0
Leptinin II (3-*O*-*β*-Solatriosylleptinidin)	$C_{45}H_{73}NO_{16}$	884,07	ca. 255 (Zers.)	–62° (Pyridin)	(e)	100994-57-8
Solasonin (3-*O*-*β*-Solatriosylsolasodin)	$C_{45}H_{73}NO_{16}$	884,07	300–301 (Zers.)	–74° (CH_3OH)	(f)	19121-58-5
Solamargin (3-*O*-*β*-Chacotriosylsolasodin)	$C_{45}H_{73}NO_{15}$	868,07	301 (Zers.)	–105° (CH_3OH)	(f)	20311-51-7
α-Solamarin (3-*O*-*β*-Solatriosyltomatidenol)	$C_{45}H_{73}NO_{16}$	884,07	278–281 (Zers.)	–45° (Pyridin)	(g)	20318-30-3
β-Solamarin (3-*O*-*β*-Chacotriosyltomatidenol)	$C_{45}H_{73}NO_{15}$	868,07	275–277 (Zers.)	–85,6° (Pyridin)	(g)	3671-38-3
Furostanolglykoside						
Jurubin	$C_{33}H_{57}NO_8$	595,82	212–214	–30,9° (Pyridin)	(h)	14256-61-2

(a) *Lycopersicon esculentum, L. pimpinellifolium, Solanum demissum* sowie zahlreiche weitere *L.*- u. *S.*-Arten; (b) *S. demissum, L. pimpinellifolium mut.* u. einige weitere *S.*-Arten; (c) *S. commersonii* u. *S. chacoense*; (d) *S. tuberosum* u. zahlreiche weitere *S.*-Arten; (e) *S. chacoense*; (f) *S. sodomeum* u. zahlreiche weitere *S.*-Arten; (g) *S. dulcamara* u. *S. tuberosum* var. Kennebec; (h) *S. paniculatum* u. *S. torvum* (Wurzeln).

Tetraoside: Zwei wichtige Tetraosen sind *β*-Lycotetraose (aus 2 Mol. *D-Glucose sowie je 1 Mol D-*Galactose u. *D-Xylose) sowie *β*-Commertetraose, das analoge Tetrasaccharid des *Commersonins*, in dem die endständige D-Xylose der *β*-Lycotetraose durch D-Glucose ersetzt ist.

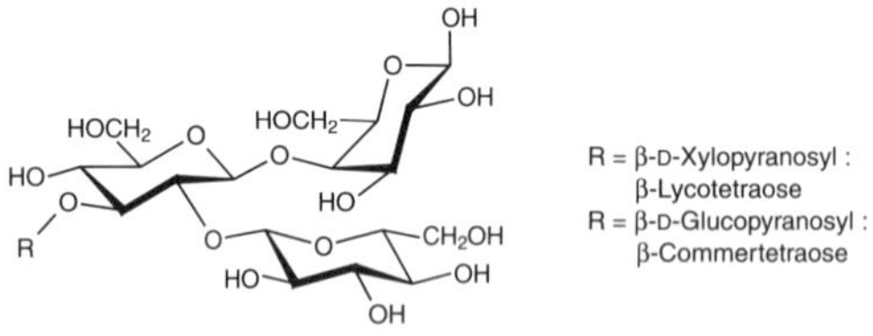

R = β-D-Xylopyranosyl : β-Lycotetraose
R = β-D-Glucopyranosyl : β-Commertetraose

Abb. 1: Solanum-Steroidalkaloidglykosid-Tetrasaccharide.

Trioside: Die Triosen *β*-Solatriose u. *β*-Chacotriose sind die Glykosid-Komponenten zahlreicher S.-S. u. somit innerhalb der Solanaceen-Gattung *Solanum* weit verbreitet. Sie sind aus je 1 Mol. D-Galactose, *D-Glucose u. L-*Rhamnose (*β*-Solatriose) bzw. 1 Mol. D-Glucose u. 2 Mol. L-Rhamnose (*β*-Chacotriose) aufgebaut. Das Steroidsaponin Dioscin ist gleichfalls ein *β*-Chacotriosid.

Furostanolglykoside: Jurubin [(25*S*)-3*β*-Amino-26-(*β*-D-glucopyranosyloxy)-5*α*-furostan-22*α*-ol] ist das einzige strukturell aufgeklärte S.-S. dieser Gruppe. Es handelt sich hier um das erste isolierte Furostanolglykosid überhaupt. Enzymat. od. saure Hydrolyse des Glucosids liefert nach spontaner u. stereospezif. Cyclisierung Jurubidin (s. Solanum-Steroidalkaloide). Über die Verteilung der Alkaloidglykoside v. a. in der Kartoffelpflanze liegen detaillierte Untersuchungen vor. Am Alkaloid-reichsten erwiesen sich dem Licht ausgesetzte Keime (1,9–17,7 g/kg Frischgew.) u. Blüten (2,1–5,0 g/kg Frischgew.). In Kartoffelknollen,

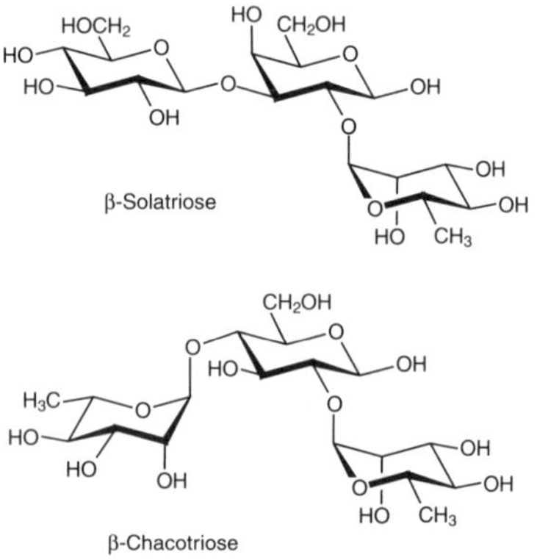

β-Solatriose

β-Chacotriose

Abb. 2: *β*-Solatriose u. *β*-Chacotriose.

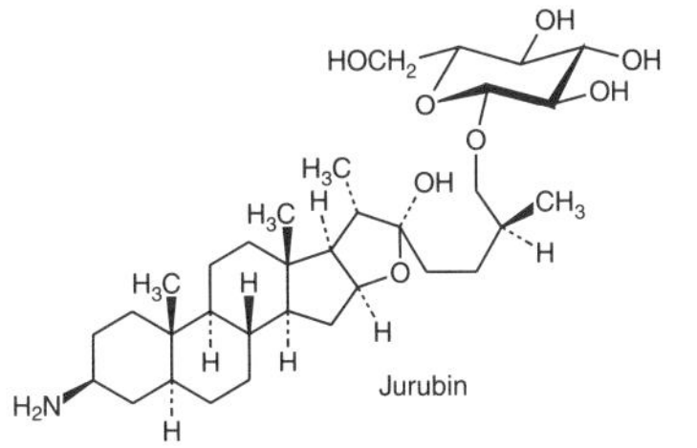

Jurubin

die für den Verzehr vorgesehen sind, darf der S.-S.-Gehalt den Wert von 60 mg/kg Frischgew. nicht überschreiten [1]. Solanin gibt mit einer 1%igen Lsg. von Paraformaldehyd in 90%iger Phosphorsäure eine stahlblaue Färbung.

Biolog. Wirkung: Zur akuten Toxizität einiger S.-S., v.a. der Kartoffel, liegen Untersuchungen vor, z.B. nach oraler Verabreichung von *α-Solanin*, LD_{50} (Ratte) 590 mg/kg, u. von *Tomatin*, LD_{50} (Ratte) 900 mg/kg. Bei parenteraler Applikation an Ratten lagen die LD_{50}-Werte für *α*-Solanin bei 84,0 mg/kg u. für *α-Chaconin* bei 67,0 mg/kg [1,2]. Die meisten S.-S. besitzen antimikrobielle u. hämolyt. Aktivität. Das *Cholesterin-Bindungsvermögen von Tomatin (schwerlösl. 1:1-Komplex) ist vergleichbar mit jenem von Digitonin, so daß diese Eigenschaft zur Isolierung u. analyt. Bestimmung von Cholesterin u. weiteren 3*β*-Hydroxy-*Sterinen od. von Tomatin genutzt werden kann. Für *Solanin* u. *Demissin* wurde eine Cholinesterase-inhibierende Wirksamkeit festgestellt u. für das erstgenannte Alkaloid cytostat. Aktivität gegen *Aszites*-Tumorzellen der Maus. Der normale Solanin-Gehalt von 0,002–0,01% der Kartoffelknollen ist unschädlich, doch sind bereits Konz. von 0,02% nicht unbedenklich. Eine *Lebensmittelvergiftung durch S.-S. äußert sich in einem galligen, kratzenden Geschmack u. Brennen im Hals, ferner in Magenbeschwerden, Darmentzündungen, Gliederschmerzen, Übelkeit, Erbrechen, Nierenreizungen bzw. -entzündungen, Hämolyse (Auflösung von roten Blutkörperchen), Störungen der Kreislauf- u. Atemtätigkeit, Schädigungen des Zentralnervensyst. (erst Krämpfe, dann Lähmung). Solche Vergiftungsgefahren bestehen hauptsächlich beim Genuß von unreifen, grünen od. von alten, auskeimenden Kartoffeln, bei denen der S.-S.-Gehalt bisweilen auf 0,05% ansteigen kann. Der Anstieg des S.-S.-Gehalts in keimenden Kartoffeln soll sich durch *Keimhemmungsmittel verhindern lassen. *β-Solamarin* zeigte eine hohe *in vitro*-Aktivität gegen Sarcoma 180-Zellen in Mäusen [3]. Große Beachtung fanden Befunde, daß durch den Pilz *Phytophthora infestans* (Kraut- u. Knollenfäule) infizierte Kartoffeln teratogene Eigenschaften besitzen sollen, was mit durch die Infektion verursachten qual. od. quant. Veränderungen des S.-S.-Spektrums in Beziehung gebracht wird [4]. Die Solanum-Steroidalkaloide Solanidin, Demissidin u. Tomatidin erwiesen sich jedoch als inaktiv. Andererseits zeigte Solasodin eine schwache Teratogenität. Die Leptine, Demissin u. Tomatin besitzen eine starke fraßabschreckende Wirkung gegenüber dem Kartoffelkäfer *Leptinotarsa decemlineata*, wodurch die Käferresistenz der diese Alkaloide enthaltenden Wildkartoffeln u. -tomaten bedingt ist [2].

Biosynth.: Zur Biosynth. der Aglykone s. Solanum-Steroidalkaloide. Deren Glykoside werden durch stufenweise enzymat. Glykosylierung gebildet [5].

Verw.: Solasonin u. Solamargin werden als Ausgangsmaterial zur industriellen Herst. von hormonal wirksamen Steroiden verwendet [6]. – ***E*** solanum steroid alkaloid glycosides – ***F*** glucosides alcaloïdes stéroïdes du solanum – ***I*** glicosidi alcaloidi steroidei delle solanacee – ***S*** glicósidos de los alcaloides solanoesteroides

Lit.: [1] Risk (Hrsg.), Poisonous Plant Contamination of Edible Plants, S. 117–156, Boca Raton: CRC Press 1990. [2] D'Arcy (Hrsg.), Solanaceae, Biology and Systematics, S. 201–222, New York: Columbia Press 1986; Manske **43**, 1–118. [3] Manske **25**, 1–355. [4] Recent Adv. Phytochem. **9**, 139 (1975); J. Agric. Food Chem. **26**, 566 (1978); Pelletier **4**, 389–425. [5] Mothes, Schütte u. Luckner (Hrsg.), Biochemistry of Alkaloids, S. 363–384, Weinheim: Verl. Chemie 1985. [6] Adv. Agron. **30**, 207–245 (1978).

allg.: Manske **3**, 247–312; **4**, 389; **7**, 343–361; **10**, 1–192; **19**, 81–192 ▪ Phytochemistry **42**, 543 (1996) ▪ Ullmann (5.) A **23**, 490–498 ▪ Zechmeister **74**, 1–196. – *[HS 2938 90]*

Solarisation s. Photographie.

Solarkonstante s. Sonnenenergie.

Solaröl. Veraltete Bez. für ein bei der Dest. von Braunkohlenteer anfallendes Mittelöl vom Siedebereich 140–255 °C.

Solarstearin (Schmalzstearin). Fester, fetter Rückstand, der verbleibt, wenn man aus Schweineschmalz bei 10–15 °C das sog. Schmalzöl (Specköl) auspreßt. – *[HS 1503 00]*

Solarwind s. Sonne.

Solarzellen. Halbleiterbauelement, das einen *pn-Übergang enthält, in dem Sonnenlicht direkt in elektr. Energie umgewandelt wird, s. Photoelement; s.a. Halbleiter, Photoeffekte. – ***E*** solar cells – ***F*** cellules solaires – ***I*** cellule solari – ***S*** células solares

Solasodin s. Solanum-Steroidalkaloide.

Solasonin s. Solanum-Steroidalkaloidglykoside.

Solbrol®. *4-Hydroxybenzoesäureester, Konservierungsmittel für Pharmazeutika, Kosmetika, Nahrungs- u. Genußmittel. Einzelne Typen: S. M (Methyl-), S. A (Ethyl-), S. P (Propylester). ***B.:*** Bayer.

Solcoseryl®. Dental-Adhäsivpaste mit getrocknetem eiweißfreiem Dialysekonzentrat aus dem Blut des Kalbes u. *Polidocanol (M_R ca. 600) gegen schmerzhafte Entzündungen der Mundschleimhaut. ***B.:*** Oral B.

Solcosplen®. Dragées mit getrocknetem, eiweißfreiem Ultrafiltrat aus frischer Kälbermilz gegen klimakter. Beschwerden. ***B.:*** Strathmann.

Sole. Bez. für eine Natriumchlorid- od. Steinsalz-Lsg., die z.B. durch Einleiten von Wasser in Steinsalz-Lager erhalten u. durch Pipelines über weite Entfernungen gepumpt werden kann, in der *Balneologie auch für *Mineralwasser, das als *Natur-S.* gewonnen od. durch Zusatz von Natriumchlorid u.a. Salzen zu Tafelwasser verarbeitet wird. Früher leitete man die S., um sie zu konzentrieren, über sog. *Gradierwerke, die auch heute noch vielen Heilbädern ihre bes. Atmosphäre verleihen. Aus bestimmten S. werden eine Reihe von anorgan. Chemikalien gewonnen, z. B. Br_2 u. I_2 durch Oxid. von Bromid- u. Iodid-reichen Salzlsg. mit Cl_2 u. Ausblasen der freien Halogene mit Wasserdampf od. durch Fällung von Li_2CO_3 aus der im Sonnenlicht aufkonzentrierten S. der Silver Peak Marsh in Nevada (ca. 7600 t/a), von $NaHCO_3$ durch CO_2-Zusatz zur S. des Searles Lake in Kalifornien od. von K_2SO_4 u. Na_2SO_4 aus dem Great Salt Lake bei Ogden in Utah. – ***E*** brine – ***F*** saumure – ***I*** salamoia, acqua salsa, acqua salina – ***S*** salmuera

Lit.: Kirk-Othmer (3.) **5**, 375–393.

Soledum®. Balsam u. Filmkapseln mit *Cineol, Saft u. Tropfen mit Thymianfluidextrakt gegen Husten, Nasentropfen mit Kamillenöl gegen trockene Nasenschleimhaut. ***B.:*** Cassella-med.

Solef®. *Polyvinylidenfluorid (Suspensionspolymerisat) für die Herst. von Formteilen u. die Papierbeschichtung von Oberflächen. ***B.:*** Monsanto.

Solegal® W konz. Alkylphenylpolyglykolether als *Emulgator für den Textildruck. ***B.:*** Clariant.

Solenopsine.

$H_3C—(CH_2)_n$ ... CH_3 (n = 10,12 etc.)

trans-Solenopsine *cis*-Solenopsine

Bestandteile des Gifts von Feuerameisen der Gattung *Solenopsis*, z. B. *S. invicta*. Komplexe Gemische von 2-Methyl-6-alkylpiperidinen. Im Gegensatz zu den *Monomorinen kommen sowohl *cis*- als auch *trans*-Isomere in der Natur vor. Letztere sind (2*R*,6*R*)-konfiguriert, während bei den *cis*-Alkaloiden (2*R*,6*S*)-Konfiguration vorliegt. – ***E*** solenopsines – ***F*** solénopsine – ***I*** solenopsine – ***S*** solenopsinas

Lit.: Naturwissenschaften **83**, 222 (1996) ▪ Org. Prep. Proced. Int. **28**, 501–543 (1996) (Review) ▪ Recl. Trav. Chim. Pays-Bas **114**, 153 ff. (1995) ▪ Tetrahedron **50**, 8465–8478 (1994) ▪ Tetrahedron Lett. **34**, 2911 (1993). – *[CAS 28720-60-7 (trans-S. A); 35285-24-6 (cis-S. A)]*

Solexol-Verfahren. Raffinations-Verf. für *Fette u. Öle durch selektive Extraktion mit flüssigem Propan. Es hat sich bes. für die Fraktionierung von Fischölen u. Fischleberölen bewährt. – ***E*** Solexol process – ***F*** procédé Solexol – ***I*** processo Solexol – ***S*** procedimiento Solexol

Lit.: Kirk-Othmer (4.) **10**, 125 ▪ Ullmann (5.) **A 10**, 202, 207.

Solfataren s. Fumarolen.

Solfloc®. Eisen(III)-Chlorid zur Wasserreinigung über Fällung/Flockung, z. B. zur Behandlung kommunaler Abwässer. ***B.:*** Solvay Alkali GmbH.

Sol-Gel-Prozeß. Bez. eines Verf., bei dem aus zunächst lösl. Verb. über die Zwischenstufe eines Gels schließlich keram. Massen od. Gläser erhalten werden. So kann man z. B. zur Herst. eines Natriumborsilicat-Glases von einer flüssigen Mischung aus Natriumalkoholaten, Borsäureestern u. Kieselsäureestern ausgehen. Die gemeinsame Hydrolyse dieser drei Komponenten führt zu den entsprechenden Hydroxy-Verb. NaOH, $B(OH)_3$ u. $Si(OH)_4$. Aus diesen wiederum bildet sich im anschließenden Kondensationsschritt durch Wasserabspaltung ein Gel der Zusammensetzung $[Na_2O \cdot B_2O_3 \cdot SiO_2] \cdot H_2O$, das beim abschließenden „Brennen" in das Glas $Na_2O \cdot B_2O_3 \cdot SiO_2$ übergeht. Ein Vorteil des S.-G.-P. besteht darin, daß im Gegensatz zu den klass. keram. Prozessen hier weit homogenere Keramiken mit niedrigen Gehalten an *Lunkern erhalten werden. Auch gute keram. Überzüge können durch den S.-G.-P. erzeugt werden: Wird eine alkohol. Lsg. hydrolysierbarer Alkoholate mehrwertiger Metall-Ionen (M z. B. Ti, Si od. Al) auf eine Oberfläche aufgetragen, so bildet sich in Ggw. von Feuchtigkeit bereits während des Verdunstens des Lsm. bei tiefen Temp. ein Metallhydroxid-Netzwerk aus. Dieses enthält zahlreiche MOH-Gruppen u. ist daher hydrophil u. antistatisch. Bei Erhöhung der Temp. reagieren die MOH-Gruppen dann unter Wasserabspaltung zu Metalloxid-Gruppierungen u. die Oberflächen werden hart u. kratzfest. Die beim S.-G.-P. zu erzielenden Ausbeuten an keram. Masse u. deren Eigenschaften hängen entscheidend von der Struktur der eingesetzten Ausgangsmaterialien u. des zwischenzeitig entstehenden Gels ab. Neben Alkoholaten u. Estern anorgan. Säuren werden in letzter Zeit in zunehmendem Maße auch *Polymere für S.-G.-P. genutzt. Dabei hat sich gezeigt, daß gewöhnliche lineare Polymere nur geringe Ausbeuten an Keramik ergeben, da beim Brennen große Mengen niedermol. Abbauprodukte (*Oligomere) entstehen u. abdampfen. *Cyclo-, *Leiter- od. Käfigpolymere ergeben dagegen gute keram. Ausbeuten, da hier die Bildung niedermol. Abbau-Produkte den wenig wahrscheinlichen gleichzeitigen Bruch mind. zweier Bindungen im gleichen Mol. erfordert. Die besten Ausbeuten werden bislang mit verzweigten od. vernetzten Polymeren erzielt, doch ist hier noch intensive Forschung zur Optimierung der Verf. u. Eigenschaften der erhaltenen Keramiken erforderlich. Dabei gilt insbes. den organ.-anorgan. Hybridpolymeren wie z. B. den Polysilanen, Polysilazanen u. Polyphosphazenen große Aufmerksamkeit. – ***E=F*** sol-gel process – ***I*** processo sol-gel – ***S*** proceso sol-gel

Lit.: Elias (5.) **2**, 318, 403 ▪ Odian, S. 181, 185.

Solidazol® P-Farbstoffe. *Reaktivfarbstoffe für Textildruck u. -färbung von Cellulosefasern. ***B.:*** DyStar.

Solidblau s. Induline.

Solidegal®. *Egalisiermittel für *Küpenfarbstoffe von Hoechst. ***B.:*** Clariant.

Solidensation. Bez. für den bei der *Sublimation involvierten Vorgang der direkten Überführung eines Stoffes vom gasf. in den festen *Aggregatzustand durch Änderung der Temp. u./od. des Druckes, vgl. a. Kondensation. – ***E=F*** solidensation – ***I*** solidenzzazione – ***S*** solidensación

Solidogen®. Nachbehandlungsmittel zur Verbesserung der Naßechtheit von Färbungen auf Textilien u. Papier. ***B.:*** Clariant.

Soliduskurve. In *Phasendiagrammen* von Zweikomponentensyst. mit Mischkristallbildung zeigt die S. die Temp.-abhängige Zusammensetzung der Krist. an, die im Gleichgew. mit der Schmelze stehen, deren Zusammensetzung der *Liquiduskurve* folgt, vgl. die Abb. bei Phasen. – ***E*** solidus curve – ***F*** courbe solidus – ***I*** curva di solidus – ***S*** curva solidus

Solinox®-Verfahren. Zur Entfernung von Schwefeldioxid u. NO_x aus Rauchgasen mit Tetraethylenglykoldimethylether u. *Zeolithen arbeitendes Verf. von Linde.

Solitäre Defekte. Einzelner od. isolierter Defekt in einem Syst. ohne Wechselwirkung mit anderen Defekten.

Solitaire®. Zahnfarbener Polyglas-Werkstoff mit Fluorid-Ionen für Füllungen im Seitenzahnbereich. ***B.:*** Heraeus Kulzer GmbH & Co. KG.

Soliton. Wellenpaket, das keine Dispersion zeigt, d. h. das sich unter Beibehaltung seiner Form ausbreitet. S. können sich z. B. in Wasser, in Festkörpern, in Glasfasern od. längs einer Kette von gekoppelten Schwerependeln ausbreiten. Zu ihrer Beschreibung ist eine Wellengleichung nötig, die eine geeignete Nichtlinearität enthält, z. B. die Sinus-Gordon Gleichung

$$\left(\frac{1\partial^2}{c^2\partial t^2}-\frac{\partial^2}{\partial x^2}\right)\varphi(x,t)+\frac{m^3}{g}\sin\left[\frac{g}{m}\varphi(x,t)\right]=0.$$

In organ. Kettenmol., bes. in *Polyacetylen-Ketten, werden S. zur Beschreibung von Defekten bzw. von Anregungen des Elektronensyst. herangezogen. – ***E = F*** soliton – ***I*** solitone, pacco di onde senza dispersione – ***S*** solitón

Lit.: Chem. Unserer Zeit **20**, 33–43, 53–62 (1986) ■ Darazin, Solitons, Cambridge: University Press 1989 ■ Naturwissenschaften **70**, 550–556 (1983) ■ Phys. Bl. **35**, 441 (1979) ■ Phys. Unserer Zeit **10**, 166 (1979); **14**, 87 (1983) ■ Solid State Surf. Sci. **63**, 85 (1985) ■ Spektrum Wiss. **1979**, Nr. 4, 62–78.

Solkane®. Chlorfluorkohlenwasserstoffe (HFCKW) u. Fluorkohlenwasserstoffe zur Anw. als Kälte- u. Treibmittel für Schaumkunststoffe. ***B.:*** Solvay Fluor u. Derivate GmbH.

Sollwert s. Regelung.

Solnhofener Platten s. Plattenkalke.

Solonetz, Solontschak s. Boden.

Solosin® (Rp). Tropfen, Filmtabl. u. Ampullen mit *Theophyllin gegen Asthma, Emphysem, Herzinsuffizienz. ***B.:*** HMR.

Soltriol s. Calciferole.

Solubilisat s. Solubilisation.

Solubilisation (Solubilisierung). Löslichmachen eines in einer bestimmten Flüssigkeit unlösl. Stoffes durch Zusatz von *Lösungsvermittlern. In der Praxis – bes. in Pharmazie u. Kosmetik – ist die Überführung wenig wasserlösl. Substanzen in wäss. Lsg. ohne Veränderung ihrer chem. Struktur von bes. Bedeutung. Diese Art von *Lösungsvermittlung* kann mit Hilfe sog. *hydrotroper Stoffe* (z. B. ein- u. mehrwertige Alkohole, Ester, Ether, nichtion. Tenside, Alkali- od. Erdalkalimetallsalze bestimmter organ. Säuren, Amide u. andere Stickstoff-haltige Verb., s. a. Hydrotropie) erfolgen. Unter S. im engeren Sinne versteht man die Lösungsvermittlung mit Hilfe von *Assoziationskolloiden* (vgl. Assoziation u. Kolloidchemie), wobei die *Solvatation durch *grenzflächenaktive Stoffe eine Rolle spielen kann. Die Verw. von amphiphilen, oberflächenaktiven Stoffen (*Tenside) zur S. beruht darauf, daß diese Verb. in Lsg. Mol.-Assoziate, sog. *Micellen, ausbilden u. die sonst schwerlösl. Mol. durch Anlagerung od. Einlagerung (s. die Abb. bei Tenside) in micellare Lsg. überführen. Derartige *Solubilisate* werden auch Mikro-*Emulsionen genannt. Von Solubilisierung, bevorzugt aber von *Mobilisierung* od. – unter bes. Umständen – von **Remobilisierung* spricht man, wenn unlösl. Stoffe in Lsg. überführt werden; *Beisp.:* Schwermetalle aus der Nahrung während der Verdauung [1], Schwermetalle aus Flußsedimenten od. Klärschlämmen durch Einwirkung von Tensiden etc. – ***E*** solubilization – ***F*** solubilisation – ***I*** solubilizzazione – ***S*** solubilización

Lit.: [1] Toxicol. Environ. Chem. **13**, 85–93 (1985).
allg.: Angew. Chem. **97**, 449–460 (1985) ■ Birdi, Handbook of Surface and Colloid Chemistry, Boca Raton: CRC Press 1997 ■ Dörfler, Grenzflächen- u. Kolloidchemie, Weinheim: VCH Verlagsges. 1994 ■ James, Solubility and Related Properties, New York: Dekker 1986 ■ Shinoda u. Friberg, Solubilization, Emulsions and Temperature, New York: Wiley 1986 ■ s. a. Hydrotropie, Kolloidchemie.

Solubor® DF. Hochkonzentrierter, wasserlösl. Bor-Dünger (s. Düngemittel) zum Vorbeugen u. Beheben von Bor-Mangel in landwirtschaftlichen Kulturen sowie im Wein-, Obst- u. Feldgemüsebau. ***B.:*** BASF.

Solu-Decortin®-H (Rp). Ampullen mit *Prednisolon-21-hemisuccinat-Natriumsalz gegen Schockzustände verschiedener Genese. ***B.:*** Merck.

Solugastril®. Gel u. Tabl. mit Aluminiumhydroxid-Gel u. Calciumcarbonat gegen Magenübersäuerung. ***B.:*** Heumann.

Solupen®-D (Rp). Nasentropfen mit *Synephrin-tartrat, *Naphazolin-Hydrochlorid u. *Dexamethason-21-dihydrogenphosphat-Dinatriumsalz gegen allerg.-entzündliche Rhinopathien. ***B.:*** Winzer.

Solusoft®-Marken. Modifiziertes *Polysiloxan für die permanente, weichmachende Textilausrüstung. ***B.:*** Clariant.

Solutio. Latein. Bez. für Lösung. Gewöhnlich wird Solutio mit Sol. abgekürzt. In der Apothekerfachsprache heißt z. B. die physiolog. *Kochsalz-Lsg. Sol. Natrii chlorati physiologica, die Fowlersche Lsg. Sol. arsenicalis Fowleri, die Borsäure-Lsg. Sol. Acidi borici.

Solutol® HS 15. Polyethylen-660-Hydroxystearat als nichtion. Lösungsvermittler für Injektionslösungen. ***B.:*** BASF.

Solvatation [von latein.: solvere = (auf)lösen]. Bez. für die Anlagerung von *Lösemittel-Mol. an gelöste Teilchen, u. zwar sowohl an Neutralteilchen (Mol., Atome) als auch an Ionen, Radikale u. Elektronen (vgl. solvatisierte Elektronen). Die dabei entstehenden „Komplexe“ aus Lsm. u. (solvatisierten) Teilchen heißen *Solvate*, u. die Anzahl der von einem Teilchen „gebundenen“ Lsm.-Mol. bezeichnet man bei *nichtwäßrigen Lösemitteln als *S.-Zahl* od. „Koordinationszahl in erster Sphäre“. Bei Wasser als Lsm. spricht man statt von S. von Hydratation (Näheres s. dort), entsprechend von *Hydraten u. *Hydratationszahl.* Die Stabilität der Solvate ist abhängig von der Teilchengröße des gelösten Stoffes [je kleiner, desto besser solvatisiert: (kleine) Kationen stärker als (große) Anio-

nen], von dem bei der S. freiwerdenden Energiebetrag (die S.-Energie muß größer als die *Gitterenergie des gelösten Stoffes sein) u. von den *zwischenmolekularen Kräften, die zwischen Lsm. u. Gelöstem eine Rolle spielen: *Van-der-Waals-Kräfte (z. B. im Inneren von *Micellen), *Wasserstoff-Brückenbindungen u. elektrostat. Wechselwirkung zwischen *Dipolen u. höheren Multipolen; zum Einfluß der *Dielektrizitätskonstante s. Nernst-Thomson-Regel.
Zur Untersuchung der S. sind je nach Syst. EPR-Spektroskopie, NMR-Spektroskopie, opt. Spektroskopie (*Solvatochromie), elektrolyt. Leitfähigkeit u. a. physikal. Meth. geeignet. Auch theoret. Untersuchungen (z. B. *Molekulardynamik u. *Monte-Carlo-Methode) tragen zum Verständnis der S. bei. Es zeigt sich, daß die Solvathülle nicht starr ist, sondern in gewisser Weise „flüssig" – bei Aqua-Komplexen im Lsm. Wasser läßt sich der Austausch der H_2O-Mol. auch direkt NMR-spektroskop. nachweisen. Die S. spielt eine Rolle bei prakt. allen Reaktionen in *Lösung, insbes. von Elektrolyten, bei *Salzeffekten, bei *Käfig-Effekten, bei der *Flotation u. bei Stabilisierung bzw. *Flockung von lyophilen Kolloiden, vgl. a. Hofmeistersche Reihen u. Schulze-Hardy-Regel (s. Kolloidchemie). Umgekehrt dokumentiert sich die Stabilität von Solvaten gerade dadurch, daß Teilchen, die ihrer *Solvathülle* beraubt, d. h. *nackt, werden, bes. reaktiv sind. – ***E*** solvation – ***F*** solvatation – ***I*** solvatazione – ***S*** solvatación

Lit.: Burger, Solvation, Ionic and Complex Formation Reactions in Non-Aqueous Solvents, Amsterdam: Elsevier 1983 ▪ Chem. Unserer Zeit **15**, 139–148 (1981) ▪ Compreh. Treat. Electrochem. **5** (1982) ▪ Dogonadze et al., The Chemical Physics of Solvation (3 Bd.), Amsterdam: Elsevier (seit 1985) ▪ Fortschr. Chem. Forsch. **17**, 129–134, 163–166 (1983) ▪ Käiväräinen, Solvent-Dependent Flexibility of Proteins and Principles of their Function, Dordrecht: Reidel 1983 ▪ Marcus, Ion Solvation, New York: Wiley 1985 ▪ Progr. Inorg. Chem. **33**, 353–392 (1985) ▪ Prog. Phys. Org. Chem. **13**, 485–630 (1981) ▪ Pure Appl. Chem. **53**, 1277–1459 (1981); **54**, 2285–2296, 2317–2326 (1982); **57**, 1015–1102 (1985); **58**, 1153–1161 (1986) ▪ Topics Curr. Chem. **128**, 1–36 (1985) ▪ Top. Stereochem. **13**, 263–332 (1982).

Solvate s. Solvatation.

Solvatisierte Elektronen. In flüssigen Syst. umgeben sich *Elektronen, die z. B. elektrochem. od. strahlenchem. Prozessen entstammen, mit einer Solvathülle, s. Solvatation. Einige neuere Untersuchungen sprechen dafür, daß s. E. eher als solvatisierte Anionen-Komplexe zu betrachten sind, wobei die Anionen-Komplexe aus einem Elektron u. wenigen Lsm.-Mol. (manchmal nur einem) gebildet werden [1]. Als symbol. Schreibweise für s. E. hat sich allg. e^-_{solv} eingebürgert, mit den Sonderfällen e^-_{am} für s. E. in flüssigem Ammoniak (treten z. B. bei der *Birch-Reduktion [2] u. allg. bei Lsg. von Alkalimetallen in NH_3 auf) u. e^-_{aq} für s. E. in wäss. Syst., wie sie z. B. bei der *Radiolyse des Wassers nach

$$H_2O \rightsquigarrow H_2O^+ + e^-_{aq}$$

entstehen. Diese mit einer Lebensdauer von ca. 1 ms ziemlich kurzlebigen *hydratisierten Elektronen* reagieren stark reduzierend u. stellen nach

$$e^-_{aq} + H^+_{aq} \rightleftharpoons H_{aq}$$

die „bas. Form" der H-Atome dar. S. E. absorbieren je nach Lsm. Licht im Bereich 600–800 nm u. erscheinen daher blau; eine Nachweismöglichkeit bei strahlenchem. Reaktionen ist mit der *Pulsradiolyse gegeben. Im eingefronenen Zustand (in der *Matrix) bzw. im *Glaszustand [3] lassen sich s. E. einfacher untersuchen. – ***E*** solvated electrons – ***F*** électrons solvatés – ***I*** elettroni solvati – ***S*** electrones solvatados

Lit.: [1] J. Phys. Chem. **95**, 6149 (1991). [2] Nat. Prod. Rep. **3**, 35 ff. (1986). [3] Acc. Chem. Res. **14**, 138 ff. (1981); Prog. React. Kinet. **9**, 93–194 (1978).
allg.: Adv. Inorg. Chem. Radiochem. **25**, 135–185 (1982) ▪ Chem. Rev. **80**, 1–20 (1980) ▪ s. a. Hydratation, Solvatation, Strahlenchemie.

Solvatisierung s. Solvatation.

Solvatochromie. Bez. aus der Spektroskopie für die Abhängigkeit der Bandenlage u. -intensität eines *Chromophors vom gewählten *Lösemittel. So löst sich z. B. der Farbstoff 1,3,4-Trimethylphenazin-2-ol in Eisessig dunkelrot, in Alkohol rot, in Benzol gelb u. in Essigsäureethylester hellgelb, u. Iod löst sich je nach Lsm. mit brauner, roter od. violetter Farbe. Zur phänomenolog. Beschreibung der Absorptionsverschiebung benutzt man die Ausdrücke *bathochrom u. *hypsochrom. Als wesentlich für das Auftreten von S. gelten Dipol-Dipol-Wechselwirkungen bei der *Solvatation der absorbierenden Mol. u. die Möglichkeiten zur Ausbildung von *charge-transfer-Komplexen. Eine der S. verwandte Erscheinung ist die *Metachromasie. – ***E*** solvatochromism – ***F*** solvatochromie – ***I*** solvatocromia – ***S*** solvatocromía

Lit.: Angew. Chem. **81**, 195–206 (1969) ▪ J. Prakt. Chem. **322**, 305 (1980) ▪ Ullmann (5.) **A 9**, 90, 94 ▪ Z. Chem. **25**, 268 f., 385–392 (1985) ▪ s. a. Solvatation, Spektroskopie u. UV-Spektroskopie.

Solvay. Kurzbez. für die 1863 von E. *Solvay gegr. Firma Solvay & Cie S. A., eine belg., internat. tätige Gruppe der chem. u. pharmazeut. Ind. (33, rue du Prince Albert, B-1050 Bruxelles). *Umsatz* (1997): 15,1 Mrd. DM, 34 445 Mitarbeiter in über 40 Ländern (01. 01. 1998). *Tochter- u. Beteiligungsges.* sind u. a.: Solvay Deutschland GmbH mit Alkor Deco Vertriebs GmbH, Alkor Draka Handel GmbH, Alkor Folien GmbH, Alkor GmbH Kunststoffe, Duphar Arzneimittel GmbH, Kali-Chemie AG, Solvay Alkali GmbH, Solvay Arzneimittel GmbH, Solvay Automotive GmbH, Solvay Barium Strontium GmbH, Solvay Fluor u. Derivate GmbH, Solvay Interox GmbH, Solvay Kunststoffe GmbH, Solvay Pharmaceuticals GmbH, Solvay Salz GmbH. *Unternehmensbereiche u. Produktion:* Chemie (u. a. Soda, Chlor, Natronlauge, Allylprodukte, Salz, Barium- u. Strontium-Verb., Fluor-Chemikalien, Wasserstoffperoxid, Persalze); Kunststoffe (u. a. PVC, HDPE, PP, PA, PVDC, PVDF); Verarbeitung (u. a. Kunststoff-Folien für Ind., Auto, Bau, Deko; Rohrsyst. für Gas, Wasser, Syst. u. Module für Kfz-Ind.); Pharma (Arzneimittel u. a. für die Therapiegebiete Kardiologie, Gastroenterologie, Gynäkologie u. Psychiatrie, OTC-Präp.). *Vertretung* in der BRD: Solvay Deutschland GmbH, Hans-Böckeler-Allee, 30173 Hannover.

Solvay, Ernest (1838–1922), Chemiker u. Industrieller in Brüssel. *Arbeitsgebiete:* Verf. zur großtechn. Gewinnung von Soda aus Kochsalz, Ammoniak u. Kohlenstoffdioxid, Gründung der Solvay-Werke.

Lit.: Lexikon der Naturwissenschaftler, S. 379 ▪ Neufeldt, S. 52 ▪ Pötsch, S. 400 ▪ Strube et al., S. 113.

Solvay-Verfahren s. Natriumcarbonat.

Solvenon® DPM. Gemisch isomerer Dipropylenglykolmonomethylether. Anw. u.a. als Lsm. in Haushaltsreinigern u. Lackabbeizern; zur Herst. von Druckfarben; Filmbildehilfsmittel für wäss. Polymer-Dispersionen, u.a. in der Lack- u. Anstrichmittel-Industrie. ***B.:*** BASF.

Solvenon® IPP. Gemisch von 1-Isopropoxy-2-propanol u. 2-Isopropoxy-1-propanol. Lsm. für Harze u. Farbstoffe; Hilfslsm. für wasserverdünnbare Lacke; Reinigungsmittel z.B. für Druckplatten. ***B.:*** BASF.

Solvenon® PP. Isomerengemisch aus 1-Phenoxy-2-propanol u. 2-Phenoxy-1-propanol. Lsm. in speziellen Lacken, z.B. kathod. abscheidbaren Elektro-Tauchlacken; Bestandteil von Reinigungsmitteln. ***B.:*** BASF.

Solvens. Synonym für *Lösemittel.

Solvent Naphtha (Schwerbenzol, Lösungsbenzol). Bei der Fraktionierung von *Leichtöl aus der Teer-Dest. erhaltenes techn. Benzol, das bis zu 60% polymerisierbare Verb. enthalten kann (hauptsächlich Inden, Cumaron, Dicyclopentadien u. Methylstyrole) u. als Lsm. gebraucht werden kann. Nach DIN 51633: 1986-11 soll S. N. einen Siedebereich von 150–195 °C haben, wobei mind. 90% der Destillatmenge bei 180 °C übergehen sollen, D. mind. 0,860, FP. 21 °C. – ***E*** solvent naphtha – ***F*** solvant naphta – ***I*** nafta solvente – ***S*** solventnaphta, nafta disolvente – *[HS 2707 50]*

Solvesso® 200. C_{10}–C_{13}-Aromatengemisch hoher Lösekraft. Verw. als Lsm. für Harze, Pflanzenschutz-Formulierungen u. Mineralöl-Additive. ***B.:*** Deutsche EXXON CHEMICAL GmbH.

Solvic. Kurzbez. für die Firma Solvic, S. A. pour l'Industrie de Matières Plastiques, 33, rue du Prince Albert, B-1050 Bruxelles. *Produktion:* PVC u. PVC-Copolymerisate.

Solvic®. Polyvinylchlorid (PVC)-Homo- u. Copolymerisate; Emulsions-, Suspensions- u. Mikrosuspensionstypen für das Kalandrieren, die Extrusion, das Spritzgießen, Streichen, Gießen u. Beschichten von Folien, Profilen, Rohren, Hohlkörpern, Spritzgußteilen, Kabeln, Kunstleder, Bodenbelägen, Planen u. Unterbodenschutz. ***B.:*** Solvay Kunststoffe GmbH.

Solvolyse. Von latein.: solvere = lösen u. *lyo... abgeleitete Bez. für die chem. Reaktion einer gelösten Substanz mit dem Solvens (ggf. auch einem *nichtwäßrigen Lösemittel) im Sinne einer doppelten Umsetzung nach dem Schema:

$$AB + CD \rightleftharpoons AC + DB$$

Beisp.: $PCl_5 + 4\,H_2O \rightarrow H_3PO_4 + 5\,HCl$.
Spezialfälle der S. sind neben der vorstehenden *Hydrolyse die *Alkoholyse, *Ammonolyse, Aminolyse, Hydrazinolyse u. verwandte Reaktionen. Zahlreiche Substitutionen, Fragmentierungen u. nucleophile Reaktionen können als S. aufgefaßt werden, bei denen Lsm.-Mol. als Nucleophile wirken. – ***E*** solvolysis – ***F*** solvolyse – ***I*** solvolisi – ***S*** solvolisis

Lit.: Angew. Chem. **92**, 169–176 (1980) ▪ Org. Photochem. **6**, 327–415 (1983) ▪ Progr. Phys. Org. Chem. **15**, 149–196 (1985) ▪ Pure Appl. Chem. **56**, 1797–1808 (1984) ▪ Tetrahedron **38**, 3195–3243 (1982).

Solvoteben s. Tb I 698.

Soman. Deckname für einen zu den *Nervengasen* zählenden *Kampfstoff, 1944 in Deutschland entwickelt, im 2. Weltkrieg nicht angewendet (US-Code GD). T+

$$H_3C{-}C(CH_3)_2{-}CH(CH_3){-}O{-}P(=O)(F){-}CH_3$$

Methylfluorophosphonsäure-1,2,2-trimethylpropylester, $C_7H_{16}FO_2P$, M_R 182,18, farblose bis gelbbraune Flüssigkeit, D. 1,022 (bei 25 °C), Schmp. –80 °C, Sdp. 167 °C, in Wasser nur wenig lösl., gut Lipoid-lösl., etwas giftiger, jedoch weniger stabil als Sarin, zur Wirkungsweise s. dort. – ***E*** = ***F*** = ***I*** = ***S*** soman

Lit.: s. Sarin, Kampfstoffe. – *[HS 2931 00; CAS 96-64-0]*

Somat®. Produkte für Haushalt-Geschirrspülmaschinen: S.-Reiniger sind nichtschäumende Pulver u. Flüssigkeiten auf Basis von Alkalitriphosphat, Alkalisilicat u. Alkalicarbonat, die außerdem Aktivchlor- od. Aktivsauerstoff-Träger u. *Tenside enthalten. S.-Klarspüler ist eine Flüssigkeit mit nichtion. Tensiden u. einer organ. Säure. S.-Maschinenpfleger ist eine Flüssigkeit mit Tensiden, Alkoholen u. einer organ. Säure. S.-Spezialsalz ist blau eingefärbtes Natriumchlorid/Siedesalz zur Regenerierung des Ionenaustauschers. ***B.:*** Henkel.

Somatocrinin, Somatokinin s. Somatotropin.

Somatolactin. Bei Teleostei (höheren Knochenfischen) vorkommendes *Peptidhormon der *Hypophyse, das nach der Aminosäure-Sequenz mit *Somatotropin u. *Prolactin verwandt ist. – ***E*** somatolactin – ***F*** somatolactine – ***I*** somatolattina – ***S*** somatolactina

Lit.: Int. Rev. Cytol. **169**, 1–24 (1996).

Somatoliberin s. Somatotropin.

Somatomammotropin s. Placentalactogen.

Somatomedine s. Insulin-artige Wachstumsfaktoren.

Somatorelin s. Somatotropin.

Somatostatin.

Ala-Gly-Cys-Lys-Asn-Phe-Phe-Trp-Lys-Thr-Phe-Thr-Ser-Cys (Disulfidbrücke Cys–Cys)

$C_{76}H_{104}N_{18}O_{19}S_2$, M_R 1673,90. Im Jahre 1973 von *Guillemin (Nobelpreis 1977) aus 500000 Schafs-Hypothalami in Milligramm-Mengen isoliertes *Hormon, das die Freisetzung des *Somatotropins hemmt u. daher auch SRIF bzw. GHRIH (von *E* somatotropin bzw. growth hormone release-inhibiting factor bzw. hormone) heißt.
Das auch durch *Peptid-Synthese od. *Gentechnologie zugängliche S. hemmt die durch *Barbiturate, L-*Dopa, L-*Arginin od. *Insulin induzierte Sekretion des Somatotropins sowie des *Thyrotropins u. ist ein *Neurotransmitter im Zentralnervensystem. Das auch im Gastrointestinaltrakt u. den δ-Zellen des *Pankreas gebildete S. hemmt die Ausschüttung von Insulin u. *Glucagon im Pankreas, die Säureproduktion im *Magen sowie die Sekretion vieler an der Verdauung beteiligter Hormone (z. B. *Gastrin, *Secretin, *Motilin,

*Neurotensin, *Cholecystokinin). Daher finden S. u. seine Analoga therapeut. Anw. bei Ulcus-Blutungen u. Darmfisteln; weitere Anw. bei Überproduktion von Somatotropin (Akromegalie); gegen Krebswachstum befinden sie sich versuchsweise im Einsatz [1]. Die verschiedenen biolog. Effekte des S. werden durch *Rezeptoren (5 Typen bekannt) vermittelt, die funktionell an *G-Proteine gekoppelt sind [2]. – ***E*** somatostatin – ***F*** somatostatine – ***I*** = ***S*** somatostatina

Lit.: [1] Expert Opin. Ther. Patents **8**, 855–870 (1998); Proc. Soc. Exp. Biol. Med. **217**, 143–152 (1998). [2] Trends Endocrinol. Metab. **8**, 398–405 (1997).
allg.: Trends Pharmacol. Sci. **18**, 87–95 (1997). – *[HS 2937 10; CAS 51110-01-1]*

Somatotropes Hormon s. Somatotropin.

Somatotropin [Somatotrophin, somatotrop(h)es Hormon, STH, GH, von: *E* growth *h*ormone]. Im *Hypophysen-Vorderlappen gebildetes, tierartspezif. *Hormon, das für den Wachstumsprozeß verantwortlich ist: Fehlen des S. (z. B. nach Hypophysektomie) bewirkt Wachstumsstillstand (*Zwergwuchs*), Überproduktion dagegen *Akromegalie*. Das auch *HGH* (hypophyseal od. human growth hormone) genannte *Wachstumshormon* des Menschen ist ein einzelnes Polypeptid, M_R ca. 21 500, aus 191 Aminosäuren mit 2 *Disulfid-Brücken. Menschliches S. ist in seiner Zusammensetzung eng verwandt mit *Placentalactogen sowie mit *Prolactin. Die Hypophyse des Menschen enthält 3,7–6 mg S., das in Mengen von 1–4 mg/d produziert wird; Blutspiegel >3 ng/mL. Die S.-Ausschüttung ist erhöht unter dem Einfluß von Maßnahmen, die mit dem Abbau des Blutzucker-Spiegels einhergehen, also z. B. Einwirkungen von *Insulin, *Tolbutamid, L-*Dopa, *Barbituraten u. auch von Streß. S.-Mangel kann eine Ursache für *Diabetes sein.

Biolog. Wirkung: S. bewirkt in Leber u. Niere die Ausschüttung von *Insulin-artigen Wachstumsfaktoren, die für einen Großteil der Wirkungen des S. verantwortlich sind. Gehemmt wird die S.-Sekretion durch *Somatostatin, stimuliert wird sie durch das *Releasing-Hormon *Somatoliberin* (SRF od. SRH bzw. GH-RF od. GH-RH, von: somatotropin bzw. growth hormone-releasing factor od. hormone, auch: *Somatorelin*, *Somatocrinin* od. *Somatokinin*) aus dem *Hypothalamus. GH-RF mit 37, 44 bzw. 40 Aminosäure-Resten wurden erstmals aus zwei Pankreas-Tumoren isoliert; für die biolog. Aktivität sind die 29 aminoterminalen Aminosäure-Reste ausreichend. Zur Gen-Regulation des GH-RF u. seines Rezeptors s. *Lit.* [1]. Der Rezeptor des S. signalisiert über den *Jak/*STAT-Weg [2].

Anw.: Durch Fehlen od. Unterproduktion von S. bei Kindern bewirkter Zwergwuchs kann durch Zufuhr menschlichen Wachstumshormons reguliert werden, das in den USA inzwischen gentechn. hergestellt wird als Protropin® (Genentech) u. – mit einem unterschiedlichen Aminosäure-Rest – Humatrope® (Eli Lilly). Weitere medizin. Anw. für S. könnten sich bei Verbrennungen, Alterserscheinungen, Osteoporose, Herz-Kreislauf-Erkrankungen u. Fettleibigkeit ergeben. Zu entsprechender Verw. untersucht man auch Verb. mit S.-freisetzender Wirkung (*Sekretagogen* des S.), darunter einige synthet. Hexa- u. Heptapeptide (*S.-freisetzende Peptide*, *E:* growth hormone-releasing peptides, GHRP) [3].

Lebensmittelchem. Bedeutung: Der Zusatz von gentechn. hergestelltem *b*ovine *s*omato*t*ropin (BST) od. *re*combinant *b*ovine *g*rowth *h*ormone (rbGH) zum Futter von Rindern mit dem Ziel, die Milchleistung (bis 40%) u. den Fleischansatz zu steigern, ist nach Ansicht der *FDA mit keinem Risiko für den Konsumenten verbunden u. ist daher in den USA zulässig. Diese Meinung hat zu handelspolit. Differenzen mit der Europ. Gemeinschaft geführt, die die Verw. von S. in der Tierhaltung verboten hat. Ausschlaggebend ist die Tatsache, daß BST nach Applikation in die Milch gelangt u. unter bestimmten Voraussetzungen Veränderungen in der Zusammensetzung der *Milch hervorrufen kann, wobei dieser Punkt sehr kontrovers diskutiert wird. Wirkung am Menschen scheint BST nicht zu entfalten.

Analytik: Der Nachw. von BST in Blut u. Milch ist immunolog. (ELISA) möglich [4]. Zur Strukturaufklärung s. *Lit.* [5]. – ***E*** somatotropin – ***F*** somatotropine – ***I*** = ***S*** somatotropina

Lit.: [1] Endocrine J. **44**, 765–774 (1997). [2] Eur. J. Biochem. **255**, 1–11 (1998); Physiol. Rev. **76**, 1089–1107 (1996). [3] Eur. J. Endocrinol. **136**, 445–460 (1997); Frontiers Neuroendocrinol. **19**, 47–72 (1998). [4] J. Agric. Food Chem. **38**, 1358–1362 (1990); Ztg. Ernährungswiss. **29**, 154–161 (1990). [5] Anal. Chem. **61**, 642–650 (1989).
allg.: Adashi u. Thorner, The Somatotrophic Axis and the Reproductive Process in Health and Disease, Berlin: Springer 1995 ▪ Annu. Rev. Physiol. **58**, 187–207 (1996) ▪ Bercu u. Walker, Growth Hormone Secretagogues, Berlin: Springer 1996 ▪ Endocrine **7**, 267–279 (1997) ▪ Endocrine Rev. **17**, 423–517 (1996) ▪ Gene **211**, 11–18 (1998) ▪ Physiol. Rev. **78**, 745–761 (1998). – *[HS 2937 10; CAS 9002-72-6]*

Sommelet-Hauser-Umlagerung s. Sommelet-Umlagerung.

Sommelet-Reaktion. Von M. M. G. Sommelet (1877–1952, s. *Lit.* [1]) aufgefundene Aldehyd-Synth. durch Reaktion von Benzylhalogeniden (meist Iodiden) mit Hexamethylentetramin in wäss. Alkoholen. Intermediär entsteht ein Benzylamin, das mit dem freigesetzten Formaldehyd zu einem Imin reagiert; letzteres u. weiteres Benzylamin reagieren miteinander unter Wasserstoff-Transfer, wobei das letztlich gebildete Imin zum Aldehyd hydrolysiert wird.

$$Ar-CH_2-X \xrightarrow[-\,HCHO]{+\,(CH_2)_6N_4\ /\ R-OH\ /\ H_2O} Ar-CH_2-NH_2 \xrightarrow[-\,H_2O]{+\,HCHO}$$

$$Ar-CH_2-N=CH_2 \xrightarrow[-\,Ar-CH_2-NH-CH_3]{+\,Ar-CH_2-NH_2} Ar-CH=NH \xrightarrow[-\,NH_3]{+\,H_2O} Ar-CHO$$

– ***E*** Sommelet reaction – ***F*** réaction de Sommelet – ***I*** reazione di Sommelet – ***S*** reacción de Sommelet

Lit.: [1] Poggendorff **7 b/8**, 5021.
allg.: Hassner-Stumer, S. 353 ▪ Houben-Weyl **7/1**, 194 ▪ Krauch u. Kunz, Reaktionen der Organischen Chemie, 6. Aufl., S. 50, Heidelberg: Hüthig 1997 ▪ March (4.), S. 1194 ▪ Org. React. **8**, 197–217 (1954) ▪ Trost-Fleming **7**, 666.

Sommelet-Umlagerung. Von Sommelet 1937 beobachtete, über *N*-*Ylide ablaufende Umwandlung von Benzyltrialkylammonium-Verb. in *o*-substituierte Benzyldialkylamine mit Hilfe von Basen, z. B. Natriumamid (*Sommelet-Hauser-Umlagerung*). In manchen Fällen steht die *Stevens-Umlagerung mit der S.-

U. in Konkurrenz, wobei letztere bei tiefen Temp. begünstigt ist. Die Umlagerung ist ein Beisp. für die sog. [2,3]-sigmatropen *Umlagerungen, wie sie bes. bei *N*- u. *S*-Yliden mit Allyl-Resten bzw. Allylethern beobachtet werden; s. a. Allyl-Umlagerung.

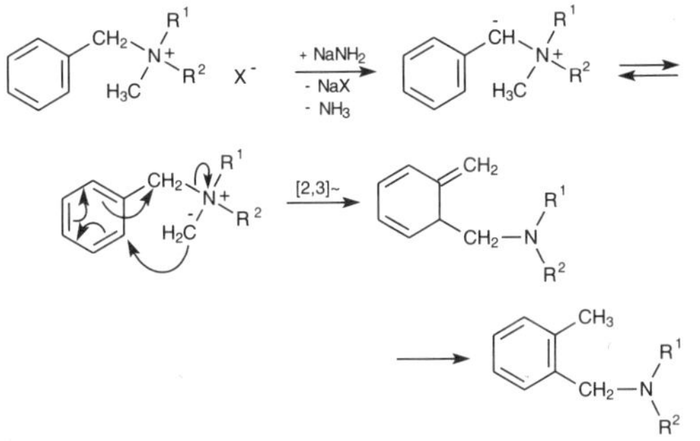

– ***E*** Sommelet rearrangement – ***F*** réarrangement de Sommelet – ***I*** trasposizione di Sommelet – ***S*** transposición de Sommelet

Lit.: Hassner-Stumer, S. 354 ▪ Houben-Weyl **11/1**, 907–910 ▪ Krauch u. Kunz, Reaktionen der Organischen Chemie, 6. Aufl., S. 660, Heidelberg: Hüthig 1997 ▪ March (4.), S. 673 ▪ Org. React. **18**, 403–464 (1970) ▪ Patai, The Chemistry of the Amino Group, S. 617 ff., London: Wiley 1968 ▪ Trost-Fleming **3**, 965 ▪ s. a. Umlagerungen.

Sommerfeld, Arnold (1868–1951), Prof. für Mathematik, Theoret. Physik, München. *Arbeitsgebiete:* Quantentheorie, Atombau (Bohr-Sommerfeld-Modell), Feinstruktur der Spektrallinien, Röntgenstrahlen, Ausbreitung der Wellen in Telegraphie u. Akustik, Metallelektronen usw.

Lit.: Krafft, S. 316 ff. ▪ Lexikon der Naturwissenschaftler, S. 379 ▪ Nachmansohn, S. 124, 129, 148 ▪ Neufeldt, S. 136, 140, 163 ▪ Strube et al., S. 155.

Sommerfeld-Konstante s. Fundamentalkonstanten.

Sommersmog s. Photosmog.

Sommersprossenmittel. Gegen die verstärkt im Frühjahr u. Sommer meist im Gesicht, aber auch an anderen, unbedeckten Körperstellen auftretenden kleinen, rundlichen, gelbbraunen *Sommersprossen* (Epheliden), deren *Pigmentierung durch erhöhte Konz. von *Melaninen in der Haut hervorgerufen wird, wurden seit alters her Oxid.-Mittel wie Natriumperborat, Magnesiumperoxid u. H_2O_2 angewendet. Weitere S. sind Bismutsubnitrat u. – wegen ihrer Toxizität in modernen Kosmetika nicht mehr eingesetzte – Quecksilber-Präp. wie $Hg(NH_2)Cl$ (*weißes *Präzipitat*) od. *Mercuröl* [aus gleichen Tl. $BiO(NO_3)$, $Hg(NH_2)Cl$, Glycerin u. Pflanzenöl]. Die Quecksilber- u. Bismut-Salze inaktivieren wahrscheinlich verschiedene Hautenzyme (Tyrosinase, Dopaoxidase), die normalerweise Melanin-bildend wirken (s. Tyrosin, Dopa, Melanine). Die Polymerisation von 1,2-Chinonen u. dgl. zu dunklen Melaninen findet nur in alkal. Umgebung statt, deshalb können auch saure Lsg. (verd. Milch-, Essig-, Citronensäure u. dgl.) zur *Depigmentierung nützlich sein. Als S. sind eine Reihe spezieller, meist Bleichmittel (z. B. *4-Methoxyphenol) enthaltender *Hautpflegemittel im Handel. – ***E*** freckle removers – ***F*** produits contre les taches de rousseur – ***I*** agenti antilentiggini – ***S*** productos antipecas

Lit.: Janistyn (2.) **3**, 646–650 ▪ Vollmer u. Franz, Chemie in Bad u. Küche, S. 59 f., Stuttgart: Thieme 1991 ▪ s. a. Haut, Melanine, Pigmentierung. – *[HS 3304 99]*

Sonar s. Sensoren.

Sonderabfall. Eine bundeseinheitliche, rechtlich verbindliche Definition des Begriffs S. (in der Umgangssprache auch als *Sondermüll* bezeichnet) gibt es nicht. Daher wird der S.-Begriff in unterschiedlicher Weise verwendet u. kann folgende Abfallkategorien beinhalten: 1. Bes. überwachungsbedürftige Abfälle; – 2. von der Hausmüllentsorgung ausgeschlossene Abfälle; – 3. nachweispflichtige Abfälle.

1. Bes. überwachungsbedürftige Abfälle: Dies sind *Abfälle aus gewerblichen od. sonstigen wirtschaftlichen Unternehmen od. öffentlichen Einrichtungen, die nach Art, Beschaffenheit od. Menge *in bes. Maße* gesundheits-, luft- od. wassergefährdend, explosibel od. brennbar sind od. Erreger übertragbarer Krankheiten enthalten od. hervorbringen können u. an die wegen ihrer potentiellen Umweltgefährlichkeit nach § 41 des *Kreislaufwirtschafts- und Abfallgesetzes (KrW-/AbfG) bes. Anforderungen (vornehmlich an die Überwachung dieser Abfälle) gestellt werden. Diese Anforderungen betreffen u. a.: Die Möglichkeit der Bundesländer, für diese Abfälle Andienungs- u. Überlassungspflichten festzulegen (s. Anschluß- und Benutzungszwang), – die Pflicht der Erzeuger solcher Abfälle zur Erstellung von *Abfallwirtschaftskonzepten u. *Abfallbilanzen, – die Erfordernis einer abfallrechtlichen Transportgenehmigung beim Transport dieser Abfälle (s. Abfalltransport), – die Anzeige- u. Nachw.-Pflicht über den Verbleib dieser Abfälle (s. Nachweisverordnung), – die Pflicht für Betreiber von Anlagen, in denen regelmäßig solche Abfälle anfallen, einen Betriebsbeauftragten für Abfall (s. Abfallbeauftragter) zu bestellen. Diese Anforderungen gelten im Gegensatz zu den entsprechenden Regelungen des früheren *Abfallgesetzes unabhängig davon, ob bes. überwachungsbedürftige Abfälle verwertet od. beseitigt werden. Um welche Abfallarten es sich bei bes. überwachungsbedürftigen Abfällen im einzelnen handelt, ist in der Bestimmungsverordnung bes. überwachungsbedürftige Abfälle festgelegt (s. Abfallbestimmungsverordnungen). Im internat. Recht werden diese Abfälle meist als gefährliche Abfälle bezeichnet (s. EG-Richtlinie über gefährliche Abfälle).

2. Ausgeschlossene Abfälle (Ausschlußabfälle): Hierunter versteht man Abfälle vorwiegend aus gewerblichen Betrieben, die die entsorgungspflichtigen Körperschaften von der Entsorgungspflicht ausgeschlossen haben, weil sie nicht mit dem *Hausmüll zusammen entsorgt werden können (z. B. Bauabfälle, *Altreifen od. Produktionsabfälle) od. die Entsorgungssicherheit durch andere Entsorgungsträger od. Dritte gewährleistet ist (§ 15 Abs. 3 KrW-/AbfG). Für diese Abfälle hat der Besitzer seinen Entsorgungsanspruch verloren u. ist selbst zur Entsorgung verpflichtet; allerdings besteht in einigen Bundesländern eine – noch auf Basis des früheren Abfallgesetzes basierende – Überlassungspflicht dieser Abfälle an zentrale landesoffizielle Einrichtungen.

3. Nachweispflichtige Abfälle: Dies sind Abfälle, die nach den §§ 42, 43, 45 u. 46 KrW-/AbfG der Nachweispflicht unterliegen (s. a. Nachweisverordnung). Hierzu zählen neben den bes. überwachungsbedürftigen Abfällen auch solche, die erst auf Anordnung der Behörde nachweispflichtig gemacht werden. – ***E*** hazardous waste – ***F*** déchet nocif – ***I*** rifiuti pericolosi – ***S*** desechos nocivos

Lit.: Von Lersner u. Wendenburg, Recht der Abfallbeseitigung, Kz. 0103, Rdnr. 44, Berlin: E. Schmidt, Loseblatt-Ausgabe.

Sonderabfalldeponie s. Deponie.

Sonderabfallentsorgung. Oberbegriff für Maßnahmen der Verwertung u. Beseitigung von *Sonderabfällen. Während die Wahl des Verwertungsverf. (z. B. destillative Aufarbeitung von Lsm.-Gemischen, Rückgewinnung von Katalysatorbestandteilen) von den spezif. Abfalleigenschaften im jeweiligen Einzelfall abhängt, handelt es sich bei den Beseitigungsverf. meist um Standardverf., die sich für eine größere Bandbreite von Sonderabfällen eignen. Es sind dies Verf. der therm. *Abfallbehandlung, insbes. die *Sonderabfallverbrennung, Verf. der *chemisch-physikalischen Behandlung sowie letztlich die Ablagerung von ggf. mit einem der genannten Verf. vorbehandelten Abfälle auf oberird. Sonderabfalldeponien (s. Deponie, Deponierung) od. in *Untertage-Deponien.

Die techn. Anforderungen an die S., insbes. die Anforderungen an Errichtung u. Betrieb von *Abfallentsorgungsanlagen sowie die Festlegung von Entsorgungswegen für bes. überwachungsbedürftige Abfälle (s. Sonderabfall), werden durch die *TA Abfall vorgegeben. Die S. unterliegt einer im Vgl. zur Entsorgung von nicht bes. überwachungsbedürftigen Abfällen (z. B. *Hausmüll) verschärften abfallrechtlichen Überwachung (s. Nachweisverordnung, Entsorgungsnachweis, Begleitschein).

Darüber hinaus können Sonderabfälle unterschiedlichen Bestimmungen in den einzelnen Bundesländern unterliegen, z. B. Andienungspflichten an zentrale Landesges. (s. Anschluß- und Benutzungszwang), da der Vollzug abfallrechtlicher Regelungen Sache eines jeden Bundeslandes ist. – ***E*** hazardous waste disposal – ***F*** dépollution de déchet spécial – ***I*** smaltimento e trattamento dei rifiuti pericolosi – ***S*** evacuación de desechos nocivos

Lit.: Müller u. Schmitt-Gleser, Handbuch der Abfallentsorgung, Tl. III-1, Landsberg: ecomed, Loseblatt-Sammlung.

Sonderabfallverbrennung (Sondermüllverbrennung). Die S. stellt das derzeit wichtigste u. universellste Verf. der therm. Behandlung von *Sonderabfällen dar. Sie dient der Entsorgung fester, insbes. aber flüssiger u. pastöser *Abfälle, die wegen der in ihnen enthaltenen organ. Schadstoffe weder abgelagert, noch einer *chemisch-physikalischen Behandlung zugeführt werden können. Ziel der S. ist wie bei der *Hausmüllverbrennung die therm.-oxidative Zerstörung organ. Schadstoffe, die Aufkonzentrierung u. ggf. Immobilisierung anorgan. Schadstoffe, die Reduzierung von Menge u. Vol. der Sonderabfälle sowie die Nutzung der bei der S. freiwerdenden Energie. Sonderabfälle, insbes. produktions- u. anwendungsspezif. Rückstände aus Ind. u. Gewerbe, weisen gegenüber Hausmüll eine breitere Variation an Schadstoffen u. deren Konz. sowie in der Regel einen höheren Heizwert auf; darüber hinaus können sie in unterschiedlichen Aggregatzuständen auftreten. Für den Betrieb einer S.-Anlage erschwerend kommt hinzu, daß sich die Abfallpalette, Stoffzusammensetzung u. Konsistenz der Sonderabfälle üblicherweise kurzfristig ändern. Dies erfordert eine hohe Flexibilität sowohl der Lagerung u. des Feuerungssyst. als auch der zugehörigen Abgasreinigungseinrichtungen.

Abfallannahme u. -lagerung: Wegen der vielfältigen Stoffzusammensetzung von Sonderabfällen ist die genaue Kenntnis der spezif. Eigenschaften eines jeden Einzelabfalls, z. B. Konsistenz, Schadstoffgehalt, Heizwert u. Mischbarkeit mit anderen Stoffen, wichtig. Anhand dieser Angaben wird ermittelt, ob u. unter welchen Bedingungen eine S. möglich ist. Die Anlieferung, Zwischenlagerung u. Aufgabe der Abfälle in die Feuerung richtet sich nach der Konsistenz der Abfälle. Sonderabfälle werden in der Regel in Spezialbehältern wie Containern, Tankfahrzeugen od. Bahnkesselwagen angeliefert. Schüttfähige u. nicht pumpbare pastöse Abfälle gelangen, ggf. über einen Tiefbunker als Zwischenlager, mittels Krananlagen od. anderer Aufzugsvorrichtungen in den Aufgabetrichter der Beschickungsanlagen. Fässer u. Gebinde können über einen Faßaufzug unmittelbar in die Verbrennung aufgegeben werden. Flüssige u. pastöse Abfälle werden bevorzugt über Brenner, Düsen od. Lanzen kontinuierlich aufgegeben. Die Zuführung erfolgt bei pumpbaren pastösen Abfällen aus Spezialbehältern mittels Kolbenpumpen, flüssige Abfälle werden entweder direkt aus Tankwagen od. Flüssigkeitscontainern der Feuerung zugeführt od. zunächst in Tanklagern zwischengelagert u. per Rohrleitung in die Feuerung gebracht.

Verbrennung: Für die S. kommt als Feuerungssyst. vorwiegend die Kombination von Drehrohrofen u. Nachbrennkammer zum Einsatz (s. Abb. auf S. 4147). Der Vorteil dieses Syst. gegenüber anderen Ofentypen ist insbes. seine universelle Anwendbarkeit, die sowohl die Verbrennung von festen u. pastösen Abfällen, als auch von Flüssigkeiten zuläßt. Die festen u. pastösen Stoffe werden mittels verschiedener Beschickungsvorrichtungen direkt dem Drehrohr zugeführt, während die Verbrennung der flüssigen Abfälle entweder im Drehrohr od. in der nachgeschalteten Nachbrennkammer durchgeführt wird. Der Drehrohrofen ist ein zylindr., rotierender Ofen, dessen Längsachse zur Waagerechten schwach geneigt ist (1–3°). Er besteht im wesentlichen aus einem mit feuerfestem Material (z. B. Schamotte) ausgekleidetem Stahlblechmantel (Länge: 8–12 m, Durchmesser: 1–5 m) u. der Antriebs- u. Lagerkonstruktion. Einlaufseitig wird der Verbrennungsraum durch eine ausgemauerte Stirnwand abgeschlossen, an der die Beschickungsvorrichtungen für die Abfälle (Einlaufschurre, Brenner, Düsen, Lanzen) sowie die Verbrennungsluftzuführungen angebracht sind. Der Auslauf des Drehrohrs mündet in die Nachbrennkammer. Durch die Ofenrotation wird das Brenngut gemischt u. zum tiefergelegenen Ende des Drehrohres befördert. Dabei wird es immer wieder von neuem mit der heißen Ausmauerung in Kontakt gebracht, so daß neben festen auch pastöse u. flüssige od. wäss. Abfälle weitgehend

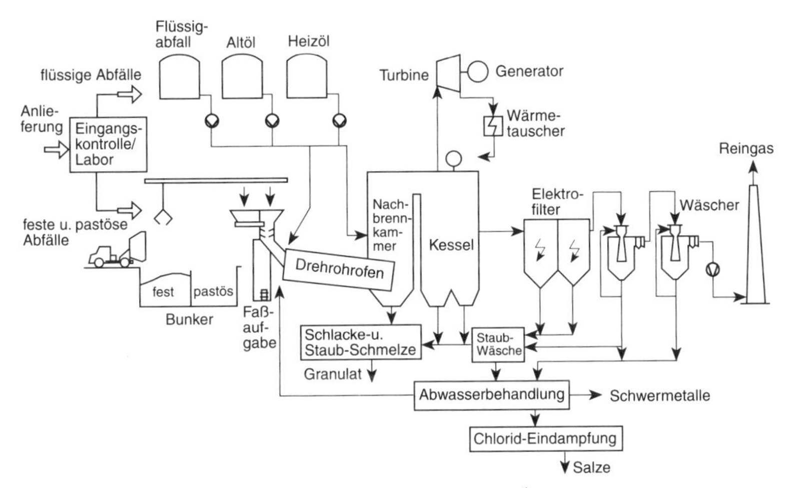

Abb.: Schema einer Sonderabfallverbrennungsanlage, nach *Lit.*[1].

problemlos verbrannt werden können. Die für den Ausbrand der Abfälle erforderliche Verweilzeit ist u. a. sowohl von der Drehrohrlänge als auch von der Ofendrehzahl abhängig u. beträgt ca. 30–90 Minuten. Die Verbrennungstemp. liegt üblicherweise zwischen 900 u. 1200 °C (Hochtemperaturverbrennung). Der Verbrennungsrückstand (Schlacke) fällt abhängig von der Abfallzusammensetzung u. der Feuerraumtemp. trocken od. schmelzflüssig an u. wird am Ende des Drehrohrs über einen wassergefüllten Entschlacker abgezogen. Die Abgase aus dem Drehrohr gelangen in die Nachbrennkammer, wo restliche organ. Bestandteile bei Temp. >1000 °C mit Hilfe einer Zusatzfeuerung mit Abfall- od. Primärbrennstoffen zerstört werden. Nach Passieren der Nachbrennkammer werden die Rauchgase in einem Kessel (Abhitzekessel) auf ca. 250–300 °C abgekühlt, wobei sie ihre Wärme an das Kesselspeisewasser zur Dampferzeugung abgeben. Der erzeugte Dampf kann entweder als Prozeßdampf (z. B. innerhalb eines Industrieverbundes) od. zur Strom- u. Fernwärmeerzeugung eingesetzt werden.

Emissionen u. Rauchgasreinigung: Die bei der S. entstehenden Abgase u. deren Schadstoffe sind denen von Hausmüllverbrennungsanlagen vergleichbar (s. Abfallverbrennung). Aufgrund der größeren Streubreite der Einsatzstoffe im Vgl. zur Hausmüllverbrennung ist bei Sonderabfallverbrennungsanlagen jedoch mit höheren Schadstoffspitzen im Rohgas zu rechnen, auf die die Abgasreinigungsaggregate ausgerichtet sein müssen. Zu Rauchgasreinigungsmaßnahmen s. Abfallverbrennung.

Rückstände aus der S.: Es entstehen grundsätzlich die gleichen Rückstände wie bei der Hausmüllverbrennung: Schlacke, Kesselasche, Filterstäube u. Reaktionsprodukte aus der Rauchgasreinigung. Bei der S. liegt der spezif. Schlackeanfall mit 130–200 kg/t Abfall deutlich niedriger als bei der Hausmüllverbrennung. Die geringere Schlackemenge u. ebenso die geringeren Mengen an Kesselasche u. Filterstäuben im Vgl. zur Hausmüllverbrennung sind darauf zurückzuführen, daß bei der S. neben Feststoffen auch Flüssigabfälle mit geringen Aschegehalten verbrannt werden. Die Mengen an Reaktionsprodukten aus der Rauchgasreinigung können bei der S. wegen der höheren Schadstoffkonz. im Rohgas deutlich höher als bei der Hausmüllverbrennung sein. – ***E*** incineration of hazardous wastes – ***F*** incinération de déchets spéciaux – ***I*** incenerimento dei rifiuti pericolosi – ***S*** incineración de desechos nocivos

Lit.: [1] Schneider, in Keller (Hrsg.), Abfallwirtschaft u. Recycling, S. 154–162, Essen: Vulkan 1992.
allg.: Birn u. Jung, Abfallbeseitigungsrecht für die betriebliche Praxis, Lfg. 5/94, 18/303, Augsburg: WEKA, Loseblatt-Ausgabe ▪ Der Rat von Sachverständigen für Umweltfragen, Abfallwirtschaft, Ziff. 1893–1901, Stuttgart: Metzler-Poeschel 1990 ▪ Müll-Handbuch, Kz. 8143, Berlin: E. Schmidt, Loseblatt-Sammlung.

Sondermessing. CuZn-Leg. (s. Messing) mit weiteren Leg.-Elementen wie z. B. Sn, Mn u. Al. S. zeichnet sich gegenüber den CuZn-Leg. durch eine erhöhte Korrosionsbeständigkeit in Meer- u. Brackwasser aus. Die Leg. Cu78Zn20Al2 u. Cu71Zn28Sn1 finden als Werkstoffe für Kondensator- u. Wärmeaustauschrohre Verwendung. – ***E*** special (high-tensile) brass – ***F*** laiton spécial (à haute résistance) – ***I*** ottone speciale (ad alta resistenza) – ***S*** latón especial (de alta resistencia)

Lit.: s. Kupfer-Legierungen, Messing.

Sondermetalle. Nach *Lit.*[1] kann man unter S. alle Metalle außer den Gebrauchs- (Fe, Ni, Cu, Pb, Zn, Cd, Sn, Hg, Al, Mg, Ca, Na, K) u. *Edelmetallen verstehen. *Lit.*[2] u. a. zählen dagegen nur Ti, Zr, Hf, Nb, Ta, V, Cr, Mo, W, Be zu den Sondermetallen. – ***E*** special metals – ***F*** métaux spéciaux – ***I*** metalli speciali – ***S*** metales especiales

Lit.: [1] Kieffer et al., Sondermetalle, Wien: Springer 1971. [2] Winnacker-Küchler (4.) **4**, 502 f.

Sondermüll s. Sonderabfall.

Sondermüllverbrennung s. Sonderabfallverbrennung.

Sondheimer, Franz (1926–1981), Prof. für Organ. Chemie, Univ. Mexiko City, Rehovoth, Cambridge, London. *Arbeitsgebiete:* Acetylene, Annulene, Polyene, Vitamin A, Riechstoffe, Steroide, Terpene, Alkaloide usw.

Lit.: Pötsch, S. 400 f.

Sonne. Der *Stern S. ist der Zentralkörper des *S.-Syst.*, dem (mind.) 9 *Planeten mit mind. 54 Begleitern (Monden), ferner *Planetoiden, *Kometen u. *Meteoriten angehören. Von der Gesamtmasse des S.-Syst. vereinigt die S. 99,87% auf sich. Ihr Durchmesser beträgt mit 1,39196 Mio. km das 109fache des Erddurchmessers, ihr Vol. das $1{,}3 \cdot 10^6$fache des Erdvol. u. ihre Masse mit $1{,}989 \cdot 10^{30}$ kg das $3{,}33 \cdot 10^5$fache der Erdmasse. Die mittlere D. der S. ist zwar nur mit 1,41 g/cm³ anzusetzen (0,26faches der Erd-D.), doch variiert die D. nach Schätzungen zwischen 89 g/cm³ im S.-Kern u. ca. 10^{-8} g/cm³ am S.-Rand. Die Temp. nimmt vom S.-Zentrum (Druck ca. $2 \cdot 10^{16}$ Pa) mit ca. $1{,}1 \cdot 10^7$ K zum Rand hin (Druck 6 hPa) auf 5400 K ab, steigt dann aber in der Chromosphäre wieder bis auf $3 \cdot 10^5$ K u. in der Korona auf über 10^6 K an. Man unterscheidet astrophysikal. 5 *Solarschichten*, d. h. Bereiche der inneren u. äußeren S. (s. a. Tab.).

Tab.: Physikal. Daten (gemittelt) der einzelnen Sonnenschichten (R = Sonnenradius).

Zone	Dicke [km]	Temp. [K]	D. [g/cm³]
Kern	174 000 (=0,25 R)	$11 \cdot 10^6$	89
Zwischenzone	417 600 (=0,6 R)	$4 \cdot 10^6$	10
Konvektionszone	104 400 (=0,15 R)	$0{,}25 \cdot 10^6$	$5 \cdot 10^{-3}$
Photosphäre	500 ($7 \cdot 10^{-4}$ R)	5400	$2 \cdot 10^{-7}$

1. Im *S.-Innern* (*Kern-* u. *Strahlungs- bzw. Zwischenzone*) wird durch kernphysikal. Prozesse Energie erzeugt, die ausschließlich durch Strahlung an die nächste Schicht abgegeben wird.
2. Die *Konvektionszone* ist ein Gürtel um das S.-Innere. Von hier aus erfolgt die Energieübertragung nach außen durch strömende heiße Gase.
3. Von der relativ dünnen *Photosphäre* geht prakt. alle Strahlung aus, die von der S. abgegeben wird. Die Temp. variiert von 7000 K im Innern der Photosphäre bis zu 4300 K an ihrem äußeren Rand. Die spektrale Zusammensetzung der S.-Strahlung stimmt sehr gut mit der eines schwarzen Strahlers mit einer Temp. von 5780 K überein (s. Plancksche Strahlungsformel). Den Abschluß bildet der direkt beobachtbare S.-Rand im Abstand von ca. 696 000 km vom S.-Mittelpunkt.
4. Die *Chromosphäre* ist ca. 6000 km dick, rötlich-leuchtend u. nur bei S.-Finsternis sichtbar.
5. Die *Korona* ist ein Strahlenkranz von 4 S.-Durchmessern Querschnitt, der ca. 2,7 Mio. km weit in den Raum hinausreicht u. den man ebenfalls nur bei S.-Finsternis sehen kann.

Der direkten astrophysikal. Beobachtung sind nur die drei äußersten Schichten zugänglich, wozu heute auch bemannte u. unbemannte Laboratorien im Weltraum eingesetzt werden. Aus spektroskop. Untersuchungen (auch des S.-Windes, s. unten) kennt man heute die chem. Zusammensetzung der S. relativ gut: Ca. 73% der S. bestehen aus H, 25% aus He u. 2% aus schwereren Kernen.

Die von der S. emittierte Strahlung reicht von Röntgen- über UV- u. IR- bis zur Radiowellenstrahlung. Längstwellige Anteile werden für bestimmte Störungen der Lebensfunktionen verantwortlich gemacht, die bei bes. starken S.-Eruptionen beobachtet werden. Die kürzerwelligen Anteile der S.-Strahlung, die vornehmlich der Korona u. der Chromosphäre entstammen, resultieren aus der fast vollständigen Ionisation der Atome, die bei Temp. von $3 \cdot 10^4$ bis $1 \cdot 10^8$ K eintritt; es sind Spektrallinien beobachtet worden, die darauf schließen lassen, daß in solaren Eruptionen (*Protuberanzen*, *E* flares) z. B. Calcium-Atome 15 ihrer 20 Hüllenelektronen u. Eisen-Atome 26 ihrer 27 Elektronen verloren haben. Seit *Fraunhofer sind im S.-Spektrum weit mehr als 20 000 Linien entdeckt worden, die nur z. T. zugeordnet werden konnten. Daneben emittiert die S. noch einen in seiner Intensität mit der S.-Aktivität (*S.-Flecken*, Aktivitätsmaxima alle 11,2 a) variierenden Strom von Elementarteilchen, den man als *S.-Wind* bezeichnet. Dieser Teilchenstrom besteht hauptsächlich aus Photonen (γ), Neutrinos (ν), Protonen (p), Elektronen (e^-), Positronen (e^+), α-Teilchen u. schwereren Ionen. Seine Spuren lassen sich auf der Erde, im *Mondgestein u. auch in den Helmen von Astronauten nachweisen. Zusammenfassend bezeichnet man die Primärstrahlung mit der daraus infolge von *Stoßprozessen entstehenden Sekundärstrahlung u. die Strahlung aus dem intergalakt. Raum als *kosmische Strahlung. Seinen Ausgang nimmt der S.-Wind im Energieerzeugungsprozeß der Sonne. In dem dort herrschenden *Plasma laufen mehrere *Kernreaktionen, u. a. auch *Kernfusion, nebeneinander ab, die mit der Freisetzung erheblicher Energiemengen (s. Sonnenenergie) verbunden sind, die aus dem *Massendefekt resultieren. *Bethe u. C. F. von *Weizsäcker nahmen Ende der 30er Jahre an, daß der Hauptbeitrag bei der Energieerzeugung durch den Kohlenstoff-Cyclus (CN-Cyclus, *Bethe-Weizsäcker-Cyclus*) geliefert würde:

$$
\begin{aligned}
&{}^{12}_{6}C + {}^{1}_{1}H^+ \rightarrow {}^{13}_{7}N^+ + \gamma \\
&{}^{13}_{7}N^+ \rightarrow {}^{13}_{6}C + e^+ + \nu \\
&{}^{13}_{6}C + {}^{1}_{1}H^+ \rightarrow {}^{14}_{7}N^+ + \gamma \\
&{}^{14}_{7}N^+ + {}^{1}_{1}H^+ \rightarrow {}^{15}_{8}O^{2+} + \gamma \\
&{}^{15}_{8}O^{2+} \rightarrow {}^{15}_{7}N^+ + e^+ + \nu \\
&{}^{15}_{7}N^+ + {}^{1}_{1}H^+ \rightarrow {}^{4}_{2}He^{2+} + {}^{12}_{6}C \\
\hline
&4\,{}^{1}_{1}H^+ \rightarrow {}^{4}_{2}He^{2+} + 2\,e^+ + 2\,\nu + 3\,\gamma
\end{aligned}
$$

Heute weiß man, daß von wesentlich größerer Bedeutung die sog. *Proton-Proton-Reaktion* ist, die bei erheblich niedrigeren Temp. ablaufen kann:

$$
\begin{aligned}
&{}^{1}_{1}H^+ + {}^{1}_{1}H^+ \rightarrow {}^{2}_{1}H^+ + e^+ + \nu \\
&{}^{2}_{1}H^+ + {}^{1}_{1}H^+ \rightarrow {}^{3}_{2}He^{2+} + \gamma \\
&{}^{3}_{2}He^{2+} + {}^{3}_{2}He^{2+} \rightarrow {}^{4}_{2}He^{2+} + {}^{1}_{1}H^+ + {}^{1}_{1}H^+ \\
\hline
&4\,{}^{1}_{1}H^+ \rightarrow {}^{4}_{2}He^{2+} + 2\,e^+ + 2\,\nu + 2\,\gamma + 26{,}7\ \mathrm{MeV}
\end{aligned}
$$

Man hat versucht, die bei den beiden Prozessen freiwerdenden u. die Erde erreichenden *Neutrinos nachzuweisen, u. zwar durch die Kernreaktionen ${}^{37}_{17}Cl(\nu,e^-){}^{37}_{18}Ar$ bzw. ${}^{71}_{31}Ga(\nu,e^-){}^{71}_{32}Ge$, wofür man unterird. Anlagen mit Tanks für 400 m³ Tetrachlorethylen bzw. 30 t Gallium benötigt [1]. Mit dem neuen Super-Kamiokande-Detektor in Japan (einem in 1000 m Tiefe im Gestein liegenden, mit reinstem Wasser gefüllten Tank von ca. 40 m Durchmesser u. 40 m Höhe, in dem durch 11 146 *Photomultiplier *Cerenkov-Strahlung nachgewiesen wird) wurden zwischen April 1996 u. Januar

1998 rund 5000 relevante Ereignisse registriert. Die Auswertung ergab den schon aus früheren Experimenten bekannten Defizit an Myon-Neutrinos aus der Einfallsrichtung „von unten", d. h. wenn die Neutrinos auf dem Weg zum Detektor die Erde durchqueren müssen, verglichen zu der Einfallsrichtung „von oben". Erklärt werden die Beobachtungen mit dem Modell, daß die Myon-Neutrinos auf dem Weg zum Detektor ihre Identität ändern, d. h. oszillieren [2]. Ferner werden diese Beobachtungen als indirekter Nachw. der Masse von Neutrinos gesehen [3]. Im September 1994 erreichte die Raumsonde Ulysses die Südpolregion der S. u. übermittelte Daten über das Magnetfeld u. den Teilchenstrom der Sonne [4]. Zur Ausnutzung der auf die Erde einfallenden Energie der S. s. Sonnenenergie. – ***E*** sun – ***F*** soleil – ***I*** sole – ***S*** sol

Lit.: [1] Phys. Bl. **53**, 193 (1997). [2] Phys. Bl. **54**, 587 (1998). [3] Spektrum Wiss. **1998**, Nr. 8, 14. [4] Phys. Unserer Zeit **25**, 283 (1994); Spektrum Wiss. **1996**, Nr. 10, 48.
allg.: Caudell u. Hill, Sun, in Lerner u. Hill (Hrsg.), Encyclopedia of Physics, Weinheim: VCH Verlagsges. 1991 ▪ Chalkins, The Role of Solar Ultraviolet Radiation in Marine Ecosystems, New York: Plenum 1982 ▪ Chandra, Photoelectrochemical Cells, New York: Gordon & Breach 1985 ▪ Crannel, Solar Physics, in Encyclopedia of Physical Science and Technology, Vol. 15, S. 335–344, New York: Academic Press 1987 ▪ Grüter et al., Solar Radiation Data from Satellite Images, Dordrecht: Reidel 1986 ▪ Hutzinger **2 B**, 1–17, 19–41, 43–72 ▪ Iqbal, An Introduction to Solar Radiation, New York: Academic Press 1983 ▪ McVeigh, Sun Power, Oxford: Pergamon 1983 ▪ Palz, Atlas über die Sonnenstrahlung in Europa (Report EUR 6577), Dortmund: Größchen-Verl. 1979 ▪ Smart u. Shea, Solar Radiation, Vol. 18, S. 393–430, in Encyclopedia of Applied Physics, Weinheim: VCH Verlagsges. 1997 ▪ Spektrum Wiss. **1986**, Nr. 10, 138–146, Nr. 11, 100–107; **1990**, Nr. 4, 66 ▪ Sturrock, Physics of the Sun (3 Bd.), Dordrecht: Reidel 1985 ▪ Suess, Chemistry of the Solar System, New York: Wiley 1987 ▪ Ullmann (4.) **21**, 575–612. – *Organisation:* American Solar Energy Assoc., 110 West 34. Street, New York: N. Y. 10001.

Sonnenblumenöl. Hellgelbes bis dunkles, *trocknendes, fettes Öl aus den Samen der in der ehem. UdSSR u. Osteuropa, auf dem Balkan, in China u. Indien häufig angebauten Sonnenblume (*Helianthus annuus*, Korbblütler), in denen es zu 22–35% enthalten ist. Infolge seines hohen Gehaltes an *Linolsäure erstarrt es an der Luft in dünner Schicht nach 2–3 Wochen.

Zusammensetzung: Vitamin E 22 mg, *physiologischer Brennwert 3700 kJ/100 g. Der Gesamtsterin-Gehalt beträgt ca. 0,4%, wobei der *Cholesterin-Anteil bei 0,3% des Gesamtsterin-Gehaltes liegt [2]. Die Hauptsterine sind Sitosterin, Campesterin sowie *Stigmasterin u. Δ^5-Avenasterin [3,4]. Der Anteil an unverseifbaren Bestandteilen beträgt 0,3–1,2%. S. ist ein ernährungsphysiolog. wertvolles Öl (bes. Ölsäure-reiche Varietäten), dessen Tendenz zu oxidativen Veränderungen im Verhältnis zum Anteil an ungesätt. *Fettsäuren gering ist [5].

Verw.: Hauptsächlich als Speiseöl u. zur Margarineherst., auch in Lacken, Farben u. zu Seifen, die durch Verseifung gewonnenen *S.-Fettsäuren* (als Gemisch) für Schmierstoffe u. dgl. Die aus Mexiko u. dem Süden der USA stammende, mit *Topinambur verwandte Sonnenblume wurde im 16. Jh. nach Europa eingeführt u. ist heute eine der wichtigsten *Ölpflanzen der Erde. Bei Befall der Sonnenblumenkerne durch Schimmelpilze kann *Rubratoxin B, ein *Mykotoxin gebildet werden.

Analytik: D. 0,92–0,93, VZ 188–194, IZ 125–144, Schmp. –16 bis –18 °C. Der Nachw. von S. in *Safloröl (Samenöl der Färberdistel) ist, da beide Öle ähnliche Fettsäure- u. *Tocopherol-Spektren besitzen, nur über das Sterin-Muster möglich [6]. Der Verschnitt von Sojaöl u. S. ist anhand des Tocopherol-Spektrums nachweisbar [7]. Zum Nachw. einer oxidativen Veränderung s. *Lit.* [8]. Zur Belastung mit *PAH s. *Lit.* [9]. Zur Bestimmung von Sterinen in S. mittels Kapillar-GC-MS s. *Lit.* [10]. Eine Meth. zur quant. Bestimmung von *Phospholipiden in S. ist *Lit.* [11] zu entnehmen.

Tab.: Fettsäure-Spektrum von Sonnenblumenöl; nach *Lit.* [1]; Angabe der Schwankungsbreiten u. des häufigsten Durchschnittswertes in Gew.-% der Gesamtfettsäuren.

C < 14	< 0,4
C 14 : 0	< 0,5
C 16 : 0	3–10 (6,5)
C 16 : 1	< 1,0
C 18 : 0	1–10 (5)
C 18 : 1	14–65 (24)
C 18 : 2	20–75 (63)
C 18 : 3	< 0,7
C 20 : 0	< 1,5
C 20 : 1	< 0,5

Weltproduktion (1997/98): 9,6 Mio. t, davon 2,8 Mio. t in der EU. – ***E*** sunflower oil – ***F*** huile de tournesol – ***I*** olio di girasole – ***S*** aceite de girasol

Lit.: [1] Leitsätze für Speisefette u. Speiseöle in der Fassung vom 9. 6. 1987 (Bundesanzeiger Nr. 140 a), abgedruckt in Zipfel, C 296. [2] Fat Sci. Technol. **89**, 27–30 (1987). [3] Fat Sci. Technol. **91**, 23–27 (1989). [4] Lebensmittelchemie **42**, 60 f. (1988). [5] Fat Sci. Technol. **92**, 121–126 (1990). [6] Fat Sci. Technol. **89**, 381–388 (1987). [7] Fat Sci. Technol. **93**, 519–529 (1991). [8] Fat Sci. Technol. **91**, 80 ff. (1989). [9] Fat Sci. Technol. **90**, 76–81 (1988). [10] Chromatographia **44**, 37–42 (1997). [11] J. Am. Oil Chem. Soc. **74**, 511–514 (1997).
allg.: Belitz-Grosch (4.), S. 160, 206, 589, 602 ▪ Merck-Index (12.), Nr. 9175 ▪ Pardun, Analyse der Nahrungsfette, S. 267–270, 328 ff., Berlin: Parey 1976 ▪ Ullmann (4.) **11**, 508; (5.) **A 9**, 56–60; **A 10**, 76, 226 ▪ Zipfel, C 296 II B u. Anlage. – *[HS 1512 11, 1512 19; CAS 8001-21-6]*

Sonnenbrand s. Hautbräunung, Sonnenschutzmittel.

Sonnenbrillen s. Sonnenschutzgläser.

Sonnenenergie. Die gesamte, von der *Sonne emittierte Leistung beträgt $3{,}72 \cdot 10^{26}$ W; davon werden auf die *Erde $1{,}7 \cdot 10^{17}$ W eingestrahlt; die Leistung ist um rund vier Größenordnungen höher als der derzeitige weltweite Energieverbrauch von ~ 10^{13} W. Die Lichtintensität, die von der Sonne auf die äußere Atmosphäre (20 km Höhe) senkrecht einfällt, beträgt 1,373 kW/m² u. wird als *Solarkonstante* bezeichnet. Die spektrale Verteilung der Sonnenstrahlung entspricht der eines schwarzen Strahlers mit einer Temp. von 5780 K (s. Plancksche Strahlungsformel). Beim Durchgang durch die Atmosphäre werden die einzelnen Spektralbereiche unterschiedlich geschwächt: Außerhalb der Atmosphäre verteilt sich die Intensität zu 42% auf den IR-Bereich, zu 49% auf das sichtbare Spektralgebiet u. zu 9% auf den UV-Bereich; auf der Erdoberfläche beträgt die Zusammensetzung 53,5% IR-Strahlung, 45% sichtbares Licht u. 1,5% UV-Strahlung.

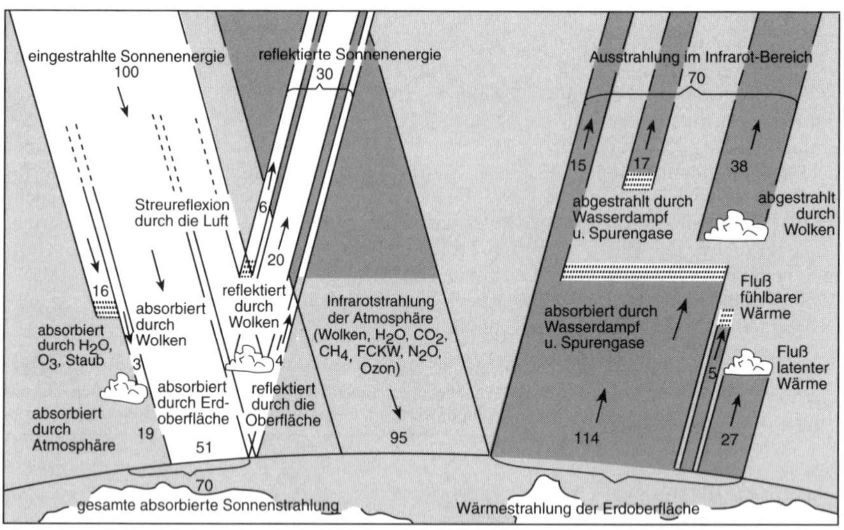

Abb.: Strahlungshaushalt des Syst. Erde/Atmosphäre. Verteilung der einfallenden Sonnenstrahlung auf Erdatmosphäre u. Erdboden. Bezugsgröße (Wert 100) ist die am Außenrand der Atmosphäre einfallende Sonnenstrahlung (nach *Lit.*[1]).

Wie die Abb. zeigt, werden 51% der eingestrahlten S. von der Erdoberfläche u. 19% von der Erdatmosphäre absorbiert. Die aufgenommene Energie führt zu einer Aufheizung u. somit zu erhöhter Emission im IR-Bereich, die mit der eingestrahlten S. im Gleichgew. steht. Spurengase wie CO_2 u. Methan absorbieren die IR-Strahlung u. könnten, wenn sie sich in größeren Mengen in der Atmosphäre anreichern, das Gleichgew. verschieben u. eine Erhöhung der Erdoberflächentemp. herbeiführen.
Die Sonneneinstrahlung in Mitteleuropa beträgt im Jahresmittel rund 1000 kW · h/m^2, wobei im Sommer bei klarem Wetter Intensitäten bis 800 W/m^2 von der Direktstrahlung u. 100 W/m^2 von der Streustrahlung erreicht werden (vgl. im Winter: 165 W/m^2 Direktstrahlung u. 100 W/m^2 Streustrahlung). Am Vormittag u. Mittag (10–14 h) erreichen die Erde im Sommer 66% u. im Winter 75% der gesamten Energie (Verschiebung durch die Sommerzeit nicht berücksichtigt). Die Ausnutzung der S. auf biolog. Wege spielt eine untergeordnete Rolle (durch pflanzenzüchter. Maßnahmen kann die *Photosynthese-Aktivität geringfügig gesteigert werden). Aussichtsreich erscheinen dagegen Versuche zur S.-Ausnutzung auf photochem. od. photoelektr. Wege, z. B. durch *Photolyse von Wasser zu H_2 u. O_2. Wenn auch der Wirkungsgrad der verschiedenen Photolysesyst. noch unbefriedigend ist, sind mehrere Konzepte einer Energiewirtschaft auf Wasserstoff-Basis vorgelegt worden[2]. Ein anderer Weg zur Nutzung der S. durch *Energie-Direktumwandlung ist der Einsatz leistungsfähiger *Photoelemente (*Photovolta. Zellen, Sonnenbatterien, Solar-* od. *Sonnenzellen*[3]) unter Ausnutzung des inneren photoelektr. Effekts (s. Photoeffekte) bei Si-, CdS- od. GaAs-Kristallen. Bei der Entwicklung neuer Technologien zur S.-Ausnutzung in Solarzellen profitiert man auch von den Erfahrungen in der Raumfahrt. Seit Mai 1991 wurde die Ausnutzung der S. im Rahmen des „1000 Dächer"-Programms von der Bundesregierung unterstützt u. auf seine prakt. Verw. u. Wirtschaftlichkeit untersucht. Auch am Einsatz von S. für den Straßenverkehr wird an vielen Stellen gearbeitet[4]. Im Sept. 1996 wurde das solartherm. Kraftwerk „Solar Two" in der Mojave-Wüste in Betrieb genommen. Knapp 2000 Spiegel bündeln das Sonnenlicht u. erhitzen eine Salz-Lsg. auf 560 °C. Mit einer Turbine wird eine elektr. Leistung von max. 10 MW erzeugt[5]. Über die Zerstörung von chem. Giftstoffen u. Abfällen, bei der Sonnenstrahlung über einen Spiegel in einer Reaktionskammer mit Rhodium-Katalysatoren konzentriert wird, wird in *Lit.*[6] berichtet. – ***E*** solar energy – ***F*** énergie solaire – ***I*** energia solare – ***S*** energía solar

Lit.: [1] Enquete Kommission „Vorsorge zum Schutz der Erdatmosphäre" des Deutschen Bundestages (Hrsg.), Schutz der Erde, Bonn: Economica Verl. 1991. [2] Phys. Bl. **45**, 264 (1989). [3] Phys. Unserer Zeit **27**, 69 (1996). [4] Phys. Unserer Zeit **25**, 19 (1995). [5] Phys. Unserer Zeit **27**, 277 (1996). [6] Phys. Unserer Zeit **20**, A 61 (1989); Sci. Am. **1989**, Nr. 6, 59.
allg.: Dostrovsky, Tenne u. Yoger, Solar Energy, Vol. 18, S. 363–392, in Encyclopedia of Applied Physics, Weinheim: VCH Verlagsges. 1997 ▪ Faiman, Solar Energy. Engineering, S. 361–372 u. Szokolay, Solar Energy in Buildings, S. 345–360, in Encyclopedia of Physical Science and Technology, Vol. 15, New York: Academic Press 1992 ▪ Goetzberger u. Wittwer, Sonnenenergie, Thermische Nutzung, Stuttgart: Teubner 1989 ▪ Goetzberger, Voß u. Knobloch, Sonnenenergie: Photovoltaik, Physik u. Technologie der Solarzelle, Stuttgart: Teubner 1997 ▪ s. a. Sonne.

Sonnenhut. Die Gattung S. umfaßt nordamerikan. Stauden, von denen einige schon seit langem zur unterstützenden Behandlung von Infekten (innerlich) u. Wunden (äußerlich) verwendet werden. Bei der Art *Echinacea angustifolia* DC. konnte keine Wirkung belegt werden; Preßsäfte u. Extrakte aus Kraut u. Wurzel von *E. purpurea* (L.), Moench u. *E. pallida* (Nutt.) Nutt. dagegen werden pos. beurteilt[1]. An – teilweise recht schwach ausgeprägten – Wirkqualitäten wurden gefunden: Hemmung bakterieller *Hyaluronidasen; unspezif. Immunstimulation, wofür hydrophile Polysaccharide (u. a. 4-*O*-Methylglucurono-arabino-xylan) verantwortlich gemacht werden; antivirale Aktivität, die auf dem Gehalt an Kaffeesäure-Derivaten, z. B. *Cynarin u. *Echinacosid, beruhen dürfte. Von den Alkylamiden langkettiger Polyen(in)säuren, z. B. *2E,4E,8Z,10Z-Dodecatetraensäure-isobutylamid* (s. Formelbild; $C_{16}H_{25}NO$, M_R 247,38), wurde gezeigt, daß sie durch Hemmung von Cyclooxygenase-1 u. 5-Lipoxygenase antiphlogist. wirken[2].

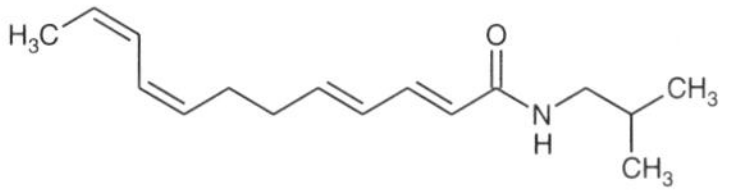

– ***E*** cone flower, black sampson – ***F*** rudbeckie – ***I*** rudbeckia – ***S*** equinácea

Lit.: [1] Bundesanzeiger 43/02.03.89 u. 162/29.08 92. [2] Planta Med. **60**, 37–40 (1994).
allg.: Bauer u. Wagner, Echinacea, Stuttgart: Wiss. Verlagsges. 1990 ▪ Hager (5.) **5**, 1–34 ▪ Pharm. Ztg. **141**, 4282–4286 (1996) ▪ Wichtl (3.), S. 191–198. – *[HS 1211 90]*

Sonnenlichtgeschmack. Durch die photooxidative Umwandlung der *Aminosäure *Methionin zu *Methional hervorgerufener Aromafehler (*off-flavour) der *Milch. Neben diesem Aromafehler führt die Bestrahlung mit Sonnenlicht bei Milch zu Verlusten an *Riboflavin, das bei der Entstehung des S. als Sensibilisator wirkt, u. an *Vitamin C[1]. Die Vitamin-Verluste betragen je nach Beleuchtungsstärke (700–2300 Lux) u. Bestrahlungsdauer 15–40%[2]. Als geeignete Präventivmaßnahme wird die Abfüllung von Milch in braune Glasflaschen angeregt[2]. Ähnliche Effekte werden für Joghurt beschrieben[3]; s. a. Milch u. Methional. – ***E*** sunlight flavour – ***F*** goût de soleil – ***I*** gusto causato del sole – ***S*** sabor debido a la luz solar

Lit.: [1] J. Food Prot. **43**, 314–320 (1980). [2] Dtsch. Molk. Ztg. **110**, 1006–1009 (1989). [3] Mitt. Geb. Lebensmittelunters. Hyg. **80**, 77–86 (1989).
allg.: Belitz-Grosch (4.), S. 308.

Sonnenpflanzen s. Heliophyten.

Sonnenscheins Reagenz s. 12-Molybdatophosphorsäure.

Sonnenschutzgläser. Spezielle Gruppe von meist als Doppelscheiben ausgelegten Gläsern, die zum Schutz vor der Wärmestrahlung der Sonne dienen (*Wärmeschutzgläser*). Bei den sog. *Absorptionsgläsern* wird ein Teil der eingefallenen Sonnenstrahlung durch Absorption von dem in der Masse grau od. grünlich eingefärbten Glas aufgenommen u. in Wärme umgewandelt. Durch Konvektion u. langwellige Abstrahlung wird der aufgenommene Energieanteil an die Außenluft u. den Innenraum abgegeben. Der Wirkungsgrad derartiger S. hängt stark von Temp. u. Strömungsgeschw. der Außen- u. Innenluft ab. Bei den *Reflexionsgläsern*, die durch Aufdampfen durchsichtiger Metallbeläge (z. B. Gold) auf zugeschnittene Glasscheiben in Vak.-Anlagen hergestellt werden, wird die Sonnenstrahlung teils reflektiert, teils absorbiert u. teils durchgelassen, wenn auch unter Veränderung des Farbeindrucks; in den Innenraum gelangt nur relativ wenig langwellige Strahlung. Die Entwicklung farbneutraler S. (*Interferenz-Gläser*) gelang durch Aufbringen von Metalloxid-Belägen, die die Sonnenstrahlung nach dem Prinzip der Interferenz an dünnen Schichten reflektieren, wobei die Sonnenstrahlen in Teilstrahlen zerlegt werden, die so zur Interferenz gebracht werden, daß sich die Intensität des reflektierten Strahles erhöht u. dadurch entsprechend weniger Energie durchgelassen wird. Zu den S. gehören auch die sog. *phototropen Gläser*, die je nach Intensität des einfallenden Lichtes dunkler werden u. deren Wirkungsweise auf der reversiblen Spaltung von Silberhalogeniden in Silber u. Halogen beruht, s. Photochromie u. Glas (S. 1544). Die Wirkung der S. läßt sich auch durch sog. *Sonnenschutzfolien* erzielen, bei denen es sich um Polyester-Trägerfolien mit einem hauchdünnen Aluminium-Überzug handelt. Die S. finden bes. im Hochbau als Fenstergläser, im Automobilbau, in *Sonnenbrillen* usw. Verwendung. – ***E*** antisun glasses, solar glasses – ***F*** verres antisolaires, (réfléchissants) – ***I*** vetri antisolari, vetri affumicati – ***S*** vidrios antisolares

Lit.: Pfänder, Schott-Glaslexikon, S. 60–64, 132 ff., München: mvg Moderne Verlags GmbH 1980 ▪ Ullmann (4.) **12**, 359 f. ▪ Winnacker-Küchler (4.) **3**, 139 ▪ s. a. Glas.

Sonnenschutzmittel. Bez. für diejenigen *Lichtschutzmittel, die für den Schutz der menschlichen *Haut gegenüber schädigenden Einflüssen der direkten u. indirekten Strahlung der *Sonne im Gebrauch sind. Die für die – aus mod. Gründen oft erwünschte – *Hautbräunung verantwortliche *Ultraviolettstrahlung der Sonne unterteilt man in die Abschnitte UV-C (Wellenlängen 200–280 nm), UV-B (280–315 nm) u. UV-A (315–400 nm). Die Intensität der wirksamen Strahlung ist von geograph., klimat. (Schnee-Reflexion) u. a. Faktoren abhängig u. natürlich auch von evtl. *Luftverunreinigungen. Der kürzestwellige Anteil (UV-C) tritt am Erdboden kaum in Erscheinung, da diese Strahlung in der Atmosphäre durch das dort vorhandene *Ozon vollständig absorbiert wird. Zur Schädigung der schützenden Ozon-Hülle durch z. B. FCKW s. dort u. bei Ozon-Loch, Ozon-Schicht. Die *Pigmentierung normaler Haut unter dem Einfluß der Sonnenstrahlung, d. h. die Bildung von *Melaninen, wird durch UV-B u. UV-A unterschiedlich bewirkt. Bestrahlung mit UV-A-Strahlen („langwelligem UV“) hat die Dunkelung der in der Epidermis bereits vorhandenen Melanin-Körper zur Folge, ohne daß schädigende Einflüsse zu erkennen sind. Anders bei dem sog. „kurzwelligen UV“ (UV-B). Dieses bewirkt die Entstehung von sog. Spätpigment durch Neubildung von Melanin-Körnern. Ehe jedoch das (schützende) Pigment gebildet ist, unterliegt die Haut der Einwirkung der ungefilterten Strahlung, die – je nach Expositionsdauer – zur Bildung von Hautrötungen (*Erythemen*), Hautentzündungen (*Sonnenbrand*) u. gar Brandblasen führen kann. Die mit derartigen Hautläsionen verbundenen Belastungen des Organismus (z. B. *Histamin-Ausschüttung etc.) können Kopfschmerzen, Mattigkeit, Fieber sowie Herz- u. Kreislaufstörungen (*Sonnenstich*) zur Folge haben. Die Schmerzhaftigkeit des Sonnenbrands wird mit der Bildung von *Prostaglandinen in Verb. gebracht, die aus der durch UV-Bestrahlung freigesetzten *Arachidonsäure entstehen. Die auf die Haut gebrachten S. haben die Aufgabe, die sonnenbranderzeugenden Strahlungsanteile zurückzuhalten u. die hautbräunenden Lichtwellen unverändert passieren zu lassen. Als *UV-Absorber od. *Lichtfilter, die also die UV-Strahlung – im allg. durch sog. *strahlungslose *Desaktivierung* (s. Photochemie) – in unschädliche Wärme umwandeln, kommen in erster Linie Benzophenon-Derivate, Hydroxynaphthochinone, Phenylbenzoxazole u. -benzimidazole, Digalloyltrioleat, Aminobenzoesäureester, Salicylsäureester, alicycl. Dienone, Zimtsäureester, Benzalazin etc. in Frage. Aromat. Harnstoff-Derivate sind ebenso wie bestimmte Sulfonamide, Cumarin-Derivate, Phenylglyoxylsäure-Derivate u. a. als S. vorgeschlagen worden, obwohl im Einzelfall geprüft werden muß, ob nicht durch diese Stoffe *Sensibilisation gegenüber Sonnenlicht eintritt od. *Allergien auftreten. S. auf natürlicher Basis sind Nerz-, Avocado-, Mandel-, Sesam-, Erdnuß-, Oliven-, Saflor-, Kokos- u. a. Öle. Ein körpereigenes S. ist die *Urocansäure.

Die S. des Handels werden als Sonnen-Öl, -Milch (Emulsion), -Creme, -Gelee, -Lotion, -Sprayöl u. -Sprayemulsion angeboten. Ihre Wirksamkeit, die sich vorwiegend gegen UV-B richten soll, ist von der Art des verwendeten Lichtfilters u. von dessen Konz. abhängig. Zur Beurteilung hat man sog. *Licht-* od. *Sonnenschutzfaktoren* festgelegt, die dem Benutzer die Auswahl eines seinem Hauttyp entsprechenden S. erleichtern sollen: S. mit Faktor 2–3 sind für sonnengewöhnte u. weniger empfindliche Haut, mit Faktor 4 für normal empfindliche u. solche mit Faktor 5–6 für empfindliche Haut geeignet. Zum Schutz gegen sehr starke Sonnenstrahlung (z. B. im Hochgebirge mit Schnee-Reflexion) werden S. mit Faktor 10–12 u. höher angeboten (sog. „sun-blocker“). Manchen S. werden zusätzlich Mittel wie *Dihydroxyaceton, *Carotin od. Walnuß-Schalenextrakte hinzugefügt, die eine künstliche *Hautbräunung hervorrufen. Um die optimal benötigte Konz. der Lichtfiltersubstanzen in S. zu bestimmen u. um deren Gesamtwirkung zu testen, bedient man sich sowohl physikal. als auch biolog. Meth. durch Erprobung auf der menschlichen Haut. – ***E*** sunscreen products, sun protection products – ***F*** produits antisolaires – ***I*** prodotto antisolare – ***S*** productos antisolares

Lit.: Janistyn (2.) **3**, 708–745; (3.) **1**, 569–572, 853 f. ▪ Kirk-Othmer (4.) **7**, 398 f. ▪ Ullmann (4.) **12**, 564 f.; (5.) **A 24**, 231–239 ▪ Umbach (Hrsg.), Kosmetik, 2. Aufl., S. 231–239, Stuttgart: Thieme 1995 ▪ Vollmer u. Franz, Chemie in Bad u. Küche, S. 47–56, Stuttgart: Thieme 1991. – *[HS 3304. .]*

Sonnenstein s. Oligoklas.

Sonnenstich s. Sonnenschutzmittel.

Sonnensystem. Das durch *Gravitation zusammengehaltene Syst. besteht aus der *Sonne im Mittelpunkt, die rund 99,87% der gesamten Masse des Syst. darstellt, u. die sie umlaufenden *Planeten, *Planetoide, *Monde, *Kometen, *Meteoriten sowie interplanetar. Materie. – ***E*** solar system – ***F*** système solaire – ***I*** sistema solare – ***S*** sistema solar

Sonnentau. Als typ. Kieselpflanze (s. Kalkpflanzen) auf Torfmooren u. in Sümpfen vorkommende *carnivore Pflanze (*Drosera rotundifolia* L. u. a. Arten, Droseraceae), die mittels ihrer auf Berührungs- u. chem. Reize mit Bewegungen (s. Nastien) reagierenden Drüsenhaare kleinere Insekten umschließt u. sie durch klebrige, proteolyt. Enzyme enthaltende Drüsensekrete verdaut. Das Kraut des S. enthält Plumbagin, Droseron (3,5-Dihydroxy-2-methyl-1,4-naphthochinon) u. a. *Hydroxy-1,4-naphthochinone sowie Flavon-Derivate, Benzoesäure u. a. organ. Säuren. Es wird gegen Asthma, Keuch- u. Reizhusten verwendet. – ***E*** sundew – ***F*** drosère – ***I*** = ***S*** drosera

Lit.: Bundesanzeiger 228/05. 12. 84 ▪ Hager (4.) **4**, 723–729 ▪ Wichtl (3.), S. 188 ff. ▪ Z. Phytother. **14**, 50–54 (1993). – *[HS 1211 90]*

Sonnenwind s. Sonne.

Sonochemie. Von latein.: sonus = Laut, Ton abgeleitetes Synonym für *Ultraschallchemie (*Akustochemie*).

Sonographie s. Ultraschall.

Sonolumineszenz. Bez. für eine spezif. Art der *Lumineszenz u. zwar für das Leuchten von Flüssigkeiten unter der Einwirkung von intensiven Schallwellen. Bei diesem akusto-opt. Phänomen muß die Intensität des Schalles so groß sein, daß sich in der Flüssigkeit durch Kavitation (Bildung von Gasbläschen in Flüssigkeiten, in denen z. B. in turbulenter Strömung lokal Bereiche mit starkem Unterdruck auftreten) instabile Hohlräume bilden. S. wird durch einzelne, sehr schwache Lichtblitze verursacht, die beim Zusammenbrechen der Kavitationsblasen entstehen u. nur etwa 10^{-8} s lang andauern. Das Ausmaß der S. ist von der Zusammensetzung der in den Flüssigkeiten gelösten Gase stark abhängig. – ***E*** = ***F*** sonoluminescence – ***I*** sonoluminescenza – ***S*** sonoluminiscencia

Lit.: Margulis, Audiochemical Reactions and Sonoluminescence (russ.), Moskva: Khimiya 1986.

Sonolyse s. Ultraschallchemie.

Soor. Rasenartige, weißliche, abwischbare Beläge auf Schleimhäuten z. B. in Mund, Rachen od. Speiseröhre, die auf eine Besiedlung durch den Hefepilz *Candida albicans* (Candida-*Mykose) zurückzuführen sind. – ***E*** thrush patches – ***F*** muguet, stomatite crémeuse – ***I*** mughetto – ***S*** estomatomicosis

Sophoricol s. Genistein.

Sophorin. Bez. für drei verschiedene Substanzen: 1. *Rutin, – 2. *Cytisin u. – 3. *N*-(1-Chinolizidinylmethyl)glutaramidsäure-butylester, $C_{19}H_{34}N_2O_3$, M_R 338,49, Krist., Schmp. 59–60 °C, $[\alpha]_D^{23}$ –19° (Ethanol).

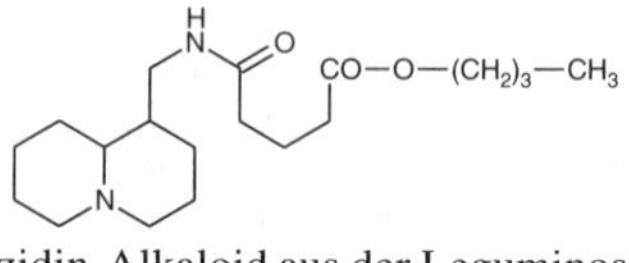

*Chinolizidin-Alkaloid aus der Leguminose (Schmetterlingsblütler) *Sophora alopecuroides*. Die Struktur von S. wurde aufgrund biogenet. Zusammenhänge hergeleitet, die Konfiguration der Stereozentren ist ungeklärt. S. ist wahrscheinlich ein Vorläufer von *Matrin u. *Spartein. – ***E*** 1. sophorin, 2., 3. sophorine – ***F*** 1.–3. sophorine – ***I*** = ***S*** 1.–3. soforina

Lit. *(zu 3.):* Chem. Nat. Compd. (UdSSR) **15**, 364, 413 (1979); **17**, 439 (1981). – *[HS 2938 10, 2939 90; CAS 81037-26-5 (3.)]*

Sophthal POS®. Augen-Tropfen u. -Bad mit *Salicylsäure gegen Reizzustände des Auges u. Konjunktivitis. ***B.:*** Ursapharm.

Sorangicine. Makrocycl. Lacton-Antibiotika aus *Sorangium cellulosum* (Myxobakterien).

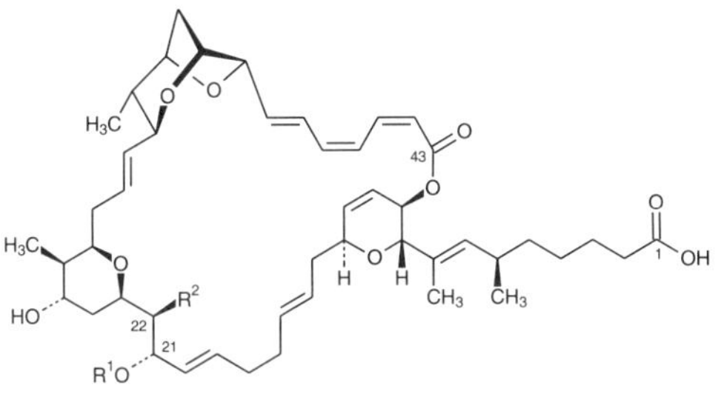

$R^1 = H$, $R^2 = OH$: Sorangicin A (**1**)
$R^1 = R^2 = H$: Sorangicin B (**2**)
R^1 = β-D-Glucopyranosyl, R^2 = OH : Sorangiosid A (**3**)
R^1 = β-D-Glucopyranosyl, R^2 = H : Sorangiosid B (**4**)

Tab.: Daten der Sorangicine.

Nr.	Summenformel	M_R	Schmp. [°C]	$[\alpha]_D^{22}$ (CH_3OH)	CAS
1	$C_{47}H_{66}O_{11}$	807,03	105–107	+60,9°	100415-25-6
2	$C_{47}H_{66}O_{10}$	791,03	–	+49,1°	107745-54-0
3	$C_{53}H_{76}O_{16}$	969,18	–	+42,0°	111727-66-3
4	$C_{53}H_{76}O_{15}$	953,18	–	+ 5,1°	111749-38-3

Bisher wurden ca. 15 strukturverwandte Verb., die S., ihre 21-*O*-Glucoside (Sorangioside) sowie die Sorangiolide A, B beschrieben. Die Hauptkomponenten sind in der Tab. genannt. Auffällig ist das bicycl. Ether-Syst., das bisher nur vom *Palytoxin her bekannt war. Die Biosynth. erfolgt über ein lineares Polyketid aus 20 Acetat-Resten u. einer Malonyl-CoA-Startereinheit (C-1 bis C-3) sowie vier Methyl-Gruppen aus Methionin. S. A u. S. B wirken bakterizid gegen Gram-pos. u. -neg. Keime mit minimalen Hemmkonz. im Bereich 4–100 ng/mL bzw. 3–30 µg/mL. Auch *in vivo* wird eine gute Wirkung u. bis 0,3 g/kg Maus keine akute Toxizität beobachtet. Die 21-*O*-Glucoside sind inaktiv, von den zahlreichen semisynthet. Derivaten übertreffen einige die Wirkung der Stammverbindung. S. A inhibiert sehr effizient den Initiationsschritt bei bakteriellen RNS-Polymerasen, die Polymerase II aus Weizenkeimen ist dagegen nicht sensitiv. Erstaunlicherweise sind nicht nur Wirkhöhe u. Hemmspektrum dem Rifamycin (s. Rifampicin) sehr ähnlich, sondern es besteht auch Kreuzresistenz. – ***E*** sorangicins – ***F*** sorangicines – ***I*** = ***S*** sorangicina

Lit.: J. Antibiotics (Tokio) **40**, 7 (1987) ▪ Justus Liebigs Ann. Chem. **1989**, 111–119, 213–222; 309; **1990**, 975–988; **1993**, 293 ▪ Tetrahedron Lett. **26**, 6031 (1985). – *[HS 2941 90]*

Soraphene.

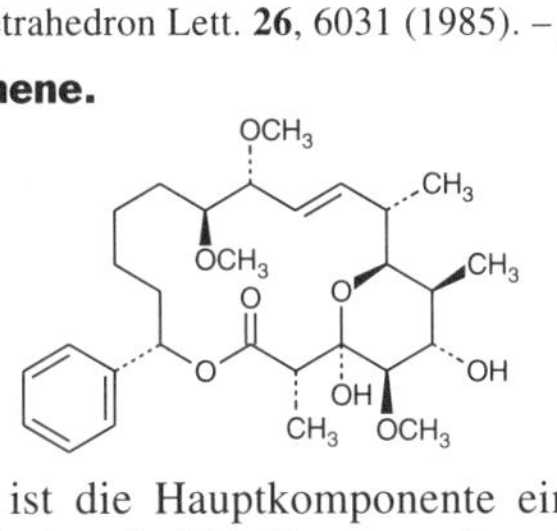

S. $A_{1\alpha}$

S. $A_{1\alpha}$ ist die Hauptkomponente einer Gruppe von Macrolacton-Antibiotika aus dem Myxobakterium *Sorangium cellulosum* mit $C_{29}H_{44}O_8$, M_R 520,66, Schmp. 101 °C. S. $A_{1\alpha}$ besitzt antifung. Aktivität (spezif. u. selektiver Inhibitor der Acetyl-CoA-Carboxylase in Pilzen). – ***E*** soraphens – ***F*** soraphènes – ***I*** sorafeni – ***S*** sorafenos

Lit.: Höfle u. Reichenbach, in Sekundärmetabolismus bei Mikroorganismen, S. 61–78, Tübingen: Attempto 1995 ▪ Höfle u. Reichenbach, in GBF, Wissenschaftlicher Ergebnisbericht 1994, S. 5–20, Braunschweig-Stöckheim: Döring Druck 1995 ▪ Liebigs Ann./Recueil **1997**, 245–252. – *[CAS 122547-72-2 (S. $A_{1\alpha}$)]*

Sorbate. 1. Bez. für Salze u. Ester der *Sorbinsäure, die wie diese als *Konservierungsmittel verwendet werden. – 2. Bez. für sorbierte Substanzen, s. Sorption. – ***E*** = ***F*** sorbates – ***I*** sorbati – ***S*** sorbatos

Sorbens, Sorbentien s. Sorption.

Sorbide. Verb., die durch intramol. Dehydratisierung von *D-Sorbit hergestellt werden.

Sorbimacrogol s. Polysorbate.

Sorbin s. Sorbose.

Sorbinöl s. Sorbinsäure.

Sorbinsäure [(*E*,*E*)-2,4-Hexadiensäure].

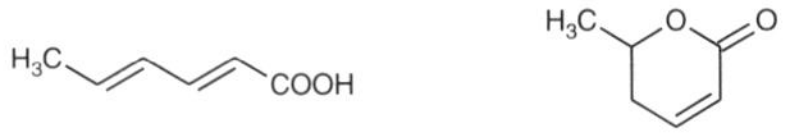

Sorbinsäure   Parasorbinsäure

$C_6H_8O_2$, M_R 112,12. Farblose Nadeln, Schmp. 134 °C, Sdp. 228 °C (Zers.), sehr wenig lösl. in kaltem, lösl. in heißem Wasser, Alkoholen, Eisessig, Aceton, Toluol, addiert leicht Halogene. Natriumsorbat ist im Gegensatz zu Kalium- u. Calciumsorbat extrem Oxid.-empfindlich u. wird deshalb nicht industriell hergestellt.

Vork.: In Vogelbeeren (*Ebereschen, *Sorbus aucuparia*, Name!) als Lacton-Tautomer, sog. *Parasorbinsäure* (Sorbinöl, 5-Hydroxy-2-hexensäurelacton, 2-Hexen-5-olid, 5,6-Dihydro-6-methyl-2*H*-pyran-2-on), $C_6H_8O_2$, M_R 112,12, ölige Flüssigkeit von süßlich-aromat. Geruch, D. 1,079, Sdp. 104–105 °C (19 mbar), lösl. in Wasser, sehr leicht lösl. in Alkohol, Ether; die neutrale wäss. Lsg. wird beim Lagern allmählich sauer. Die S. wurde 1859 von A. W. Hofmann erstmals aus dem Sorbinöl dargestellt; sie kommt ferner chem. gebunden im Fett einiger Blattlausarten (Aphiden) u. im Wein vor.

Rechtliche Beurteilung: Nach § 3 u. Anlage 3, Liste A u. B der Zusatzstoff-Zulassungs-VO [1] ist S. (E 200) u. ihre Kalium- (E 202) u. Calcium-Salze (E 203) bei Kenntlichmachung als „Sorbinsäure“, für die in Liste B genannten Lebensmittel bei Beachtung der Höchstmengen zugelassen. Die Anforderungen an die Reinheit u. Beschaffenheit sind der Anlage 2, Liste 2 der Zusatzstoff-Verkehrs-VO [2] zu entnehmen. Weitere rechtliche Regelungen zur Verw. der S. sind in der Tab. zusammengefaßt.

Herst.: In Ggw. von Salzen zweiwertiger Metall-Ionen (z. B. Zn) setzen sich *Keten u. *2-Butenal bei 30–60 °C in inertem Lsm. zu einem polymeren Ester der 3-Hydroxy-4-hexensäure um, der durch Erhitzen od. Alkali-Behandlung in S. überführt werden kann. Weitere Herst.-Meth. s. Ullmann (*Lit.*).

Verw.: Die Wirkung der S., die an das undissoziierte Mol. gebunden ist, richtet sich v. a. gegen mikrobielle

Tab.: Rechtliche Regelungen zur Verw. der Sorbinsäure.

VO	Zulassung von Sorbinsäure
– Diät-VO[3], Anlage 1 Liste A	Süßstofflsg., brennwertverminderte Konfitüre, Margarine, Schnittbrot
– VO zur Ausführung des Wein-Gesetzes[4], Artikel 7 u. 14	weinähnliche u. Schaumwein-ähnliche Getränke (bis 200 mg/L)
– VO (EWG) 822/87 über die gemeinsame Marktorganisation für Wein[5], Anhang VI, Nr. 3 h	Wein (bis 200 mg/L)
– Kosmetik-VO[6], § 3 a u. Anlage 6, Nr. 4	kosmet. Mittel (bis 0,6%)
– Futtermittel-VO[7]	Futtermittel allg.
– Fleisch-VO, Anlage 1, Nr. 14 (nur Kaliumsorbat)	zur Behandlung der Oberfläche von Rohwürsten u. Rohschinken bis 1500 mg/kg

*Enzyme, deren *Thiol-Gruppen mit den Doppelbindungen der S. kovalente Bindungen eingehen können, die zur Inaktivierung der Enzyme führen. Außerdem greift S. in den *Citronensäure-Cyclus ein u. schädigt die Wand u. Membran von Mikrobenzellen.
S. wird zur *Konservierung von Lebensmitteln, kosmet. Mitteln, Futtermitteln u. pharmazeut. Präp. verwendet[8]. Der S.-Zusatz zu Fleischwaren erlaubt eine Verminderung an *Nitritpökelsalz[9]. Die Anw.-Konz. liegen im allg. zwischen 0,05 u. 0,2%.
Toxikologie: S. wird im menschlichen Organismus analog der *Fettsäuren durch β-Oxid. abgebaut. Der LD_{50}-Wert (Ratte) liegt mit 10 g/kg Körpergew. sehr hoch. Die WHO hat den *ADI-Wert von S. auf 0–25 mg/kg Körpergew. festgelegt. S. ist in den meisten Ländern als *Lebensmittelzusatzstoff zugelassen u. besitzt in den USA *GRAS-Status. Länger gelagertes Natriumsorbat zeigt in einigen *in vitro*-Testsyst. (z. B. *SCE-Assay) schwache Aktivität, die auf Oxid.-Produkte zurückzuführen ist[10]. Einer aktuellen Zusammenfassung zu Folge ist S. weder akut, noch subakut, noch chron. tox. u. zeigt weder mutagene noch carcinogene Effekte[11]. Über sehr seltene pseudoallerg. Reaktionen nach S.-Exposition wird berichtet[12].
Analytik: Der Nachw. von S. gelingt über *HPLC nach den *Methoden nach § 35 LMBG 00.00-9 u. 00.00-10. Daneben existieren weitere HPLC-Verf.[13,14], die auch den Nachw. anderer *Konservierungsmittel erlauben. DC-Meth. mit anschließender Derivatisierung u. densitometr. Auswertung sind beschrieben[15]. Zum Nachw. in kosmet. Mitteln s. *Lit.*[16]. Einen Überblick zur Analytik gibt *Lit.*[17]. – ***E*** sorbic acid – ***F*** acide sorbique – ***I*** acido sorbico – ***S*** ácido sórbico

Lit.: [1] Zusatzstoff-Zulassungs-VO vom 22. 12. 1981 in der Fassung vom 8. 3. 1996 (BGBl. I, S. 460). [2] Zusatzstoff-Verkehrs-VO vom 10. 7. 1984 in der Fassung vom 14. 12. 1993 (BGBl. I, S. 2092). [3] VO über diätet. Lebensmittel vom 25. 3. 1988 in der Fassung vom 13. 6. 1990 (BGBl. I, S. 1065). [4] VO zur Ausführung des Wein-Gesetzes vom 16. 7. 1932 in der Fassung vom 22. 12. 1981 (BGBl. I, S. 1625, 1675). [5] VO (EWG) 822/87 über die gemeinsame Markt-Organisation für Wein vom 16. 3. 1987 in der Fassung vom 17. 3. 1997 (ABl. der EG, Nr. L 83/5). [6] Futtermittel-VO vom 8. 4. 1981 in der Fassung vom 15. 6. 1989 (BGBl. I, S. 1096). [7] Kosmetik-VO vom 19. 5. 1985 in der Fassung vom 25. 3. 1991 (BGBl. I, S. 802). [8] Food Add. Contam. **7**, 711–715 (1990). [9] Fleischwirtschaft **64**, 727–733 (1984). [10] Food Chem. Toxicol. **28**, 397–401 (1990). [11] Food Add. Contam. **7**, 671–676 (1990). [12] Contact Dermatitis **19**, 225–226 (1988). [13] Dtsch. Lebensm. Rundsch. **86**, 348–351 (1990). [14] Mitt. Klosterneuburg **38**, 10–16 (1988). [15] Dtsch. Lebensm. Rundsch. **83**, 315–319 (1987); **84**, 144–146 (1988). [16] Z. Lebensm. Unters. Forsch. **188**, 75 (1989). [17] Analyt.-Taschenb. **7**, 433–462.
allg.: Classen et al., Toxikolog. hygien. Beurteilung von Lebensmittelinhalts- u. Zusatzstoffen sowie bedenklicher Verunreinigungen, S. 96–97, Berlin: Parey 1987 ▪ Concon, Food Toxicology, S. 1308–1309, New York: Dekker 1988 ▪ Dtsch. Apoth. Ztg. **128**, 510–516 (1988) ▪ Food Add. Contam. **7**, 677–683, 685–694 (1990) ▪ Lindner, Toxikologie der Nahrungsmittel (4.), S. 184–185, Stuttgart: Thieme 1990 ▪ Lück u. Jager, Chemische Lebensmittelkonservierung, S. 158–174, Berlin: Springer 1995 ▪ Merck-Index (12.), Nr. 8869 ▪ Ullmann (4.) **21**, 613–617; (5.) **A 4**, 386; **A 9**, 244; **A 11**, 563, 565, 567 ▪ Zipfel, C 305, C 403 *8*, 30, 37. – *[HS 2916 19; CAS 110-44-1 (S.); 10048-32-5 (Para-S.)]*

D-Sorbit (D-Glucit).

```
     CH2OH
     |
  H—C—OH
     |
 HO—C—H
     |
  H—C—OH
     |
  H—C—OH
     |
     CH2OH
```

$C_6H_{14}O_6$, M_R 182,17. Farblose, mäßig hygroskop., opt. aktive Nadeln {$[\alpha]_D^{20}$ –2° (H_2O)} mit süßem Geschmack (relative Süßkraft ca. 50% von *Saccharose), D. 1,489, Schmp. 110–112 °C (wasserfrei), 75 °C (kristallwasserhaltig, auch 95 °C angegeben), Sdp. 295 °C (4,7 mbar), sehr leicht lösl. in Wasser, wenig lösl. in kaltem Alkohol, lösl. in Pyridin, Methanol, Essigsäure, Phenol. Der nach IUPAC/IUB als D-*Glucitol* bezeichnete D-S. ist ein zu den *Hexiten gehörender 6-wertiger Alkohol (*Zuckeralkohol), der intramol. relativ leicht ein od. zwei Mol. Wasser abspaltet u. cycl. Ether bildet (s. Sorbitane). S. findet sich bes. häufig (ca. 10%) in den Früchten der *Eberesche (Vogelbeerbaum, *Sorbus aucuparia*) u. hat von dieser seinen Namen erhalten. Bes. S.-reich ist auch der *Weißdorn (*Crataegus oxyacantha* L.). In kleineren Mengen findet sich S. auch in Äpfeln, Aprikosen, Birnen, Kirschen, Mispeln, Pflaumen usw. Erste techn. Herst. durch elektrolyt. Red. von Glucose, heute durch katalyt. Hydrierung von Glucose. Die chem. Verwandtschaft von S. zu Glycerin u. den Glykolen einerseits u. zu den Kohlenhydraten andererseits ist maßgebend für seine vielseitige Verwendung. Abgesehen von wenigen Ausnahmen kommt dabei die handelsübliche 70%ige wäss. Lsg. zum Einsatz (D_{20}^{20} 1,2879, n_D^{25} 1,4583). S. wird oral wie auch parenteral aufgenommen vom menschlichen Organismus verwertet; physiolog. Brennwert: 17 kJ (4 kcal) pro g. Dabei werden 98% des oral zugeführten S. in Glykogen umgewandelt. In der Leber wird S. durch das Enzym S.-Dehydrogenase zu D-Fructose dehydriert, die in den Stoffwechsel einbezogen wird. Diese Reaktion wird auch zur enzymat. Analyse benutzt. Durch Mundbakterien wird S. prakt. nicht angegriffen u. deshalb auch nicht in Säuren umgewandelt, welche die Entstehung von *Karies fördern würden. Da S. auch prakt. unvergärbar ist, ruft er bei Magenempfindlichkeit kein Sodbrennen hervor. Nicht nur bei Ratten, sondern auch

beim Menschen findet bei fortgesetzter S.-Zufuhr eine gesteigerte enterale Synth. von Vitamin B_1 statt. In größeren Mengen wirkt S. leicht abführend.
Verw.: Lebensmittel-Ind., diätet. Lebensmittel, z. B. *Zuckeraustauschstoffe (vgl. a. Süßstoffe) für Diabetiker, kosmet. u. pharmazeut. Ind., Arzneimittel, Herst. von *Vitamin C über die mikrobiolog. Oxid. von S. zu *Sorbose sowie techn. Anw. in der Papier-, Leder-, Textil-Ind., Leim- u. Gelatine-Herst., weiterhin als Rohstoff zu Synth. von Polyethern, Tensiden, Lacken u. Firnissen. Zu Reinheitsprüfungen u. Nachw. (z. B. mit *Luffscher Lösung) s. *Lit.*[1]. – ***E*** = ***F*** = ***S*** sorbitol – ***I*** sorbitolo, sorbite

Lit.: [1] DAB **10**.
allg.: Beilstein E IV **1**, 2839 ▪ Dang. Prop. Ind. Mater. Rep. **8**, 73–77 (1988) ▪ Food Sci. Technol. **17**, 165–183 (1986) ▪ Hager (4.) **6b**, 467–476; **7b**, 453–457, 568–570 ▪ Janistyn **1**, 856 f. ▪ Karrer, Nr. 153 ▪ Merck-Index (12.), Nr. 8873 ▪ Pharm. Ind. **49**, 495–503 (1987) ▪ Teratologic Evaluation of FDA 71-31 (Sorbitol) in Rabbits (Report PB 267 193), Springfield: NTIS 1974 ▪ Brimacombe, The Carbohydrates, Bd. 1 A, S. 479, New York: Academic Press 1972 ▪ Ullmann (5.) **A 5**, 90; **A 24**, 222; **A 25**, 418. – *[HS 2905 44; CAS 50-70-4]*

s-Orbitale. Bez. für *Atomorbitale (atomare Einelektronenwellenfunktionen) zur *Bahndrehimpuls-*Quantenzahl l=0; sie haben kugelsymmetr. Form u. hängen nur von der Radialkoordinate (Abstand zwischen Elektron u. Atomkern) ab; s. a. Atombau, S. 284. – ***E*** s-orbitals – ***F*** orbitaux s – ***I*** orbitali s – ***S*** orbitales s

Sorbitane (Monoanhydrosorbite). $C_6H_{12}O_5$, M_R 164,16. Sammelbez. für 4-wertige Alkohole, die durch Entzug von 1 Mol Wasser aus *Sorbit entstehen. Der 1,5-Anhydro-D-sorbit (*Polygalit*, farblose Prismen od. Nadeln, Schmp. 142 °C, hygroskop., lösl. in Wasser) entsteht durch intramol. Ringschluß beim Erhitzen von Sorbit mit konz. Schwefelsäure auf 140 °C. Durch Veresterung mit *Fettsäuren werden die als Tenside bekannte *Sorbitanester erhalten. – ***E*** sorbitans – ***F*** sorbitanes – ***I*** sorbitani – ***S*** sorbitanos

Lit.: Beilstein E III/IV **17**, 2640 ▪ Seifen Öle Fette Wachse **117**, 3 (1991) ▪ Ullmann (5.) **A 25**, 792.

Sorbitanester. Mono-, Di- u. Triester der *Sorbitane mit Fettsäuren, deren Einzelbez., auch als internat. Freinamen zugelassen sind, z. B. Sorbitanmono-(di, tri)laurat, -oleat, -palmitat, -stearat.

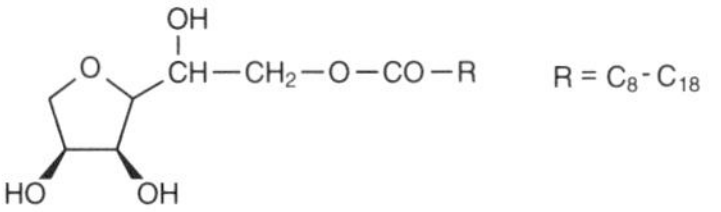

OH, CH–CH2–O–CO–R, R = C8-C18, HO, OH

Als Sorbitansesquioleat bezeichnet man die Mischung des Mono- u. Diesters der Ölsäure mit Sorbitan. S. werden durch Umsetzung von Sorbitan mit Fettsäuren erhalten u. sind v. a. als bes. umweltverträgliche *nichtionische Tenside für die Kosmetik u. die Nahrungsmittel-Ind. von Bedeutung. Die ethoxylierten S. werden als *Polysorbate bezeichnet. – ***E*** sorbitan esters – ***F*** esters de sorbitane – ***I*** esteri sorbitanici – ***S*** ésteres de sorbitano

Lit.: J. Am. Oil. Chem. Soc. **66**, 1581 (1989) ▪ Tenside Surf. Deterg. **27**, 350 (1990).

Sorbose (*xylo*-2-Hexulose, Sorbin, Sorbinose).

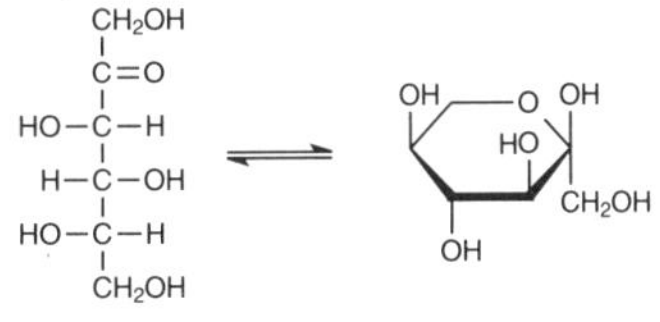

L-Form   α-L-Pyranose-Form

$C_6H_{12}O_6$, M_R 180,16, L-Form: orthorhomb. Krist., Schmp. 165 °C, D. 1,612 $[\alpha]_D^{20}$ –43,2° (H_2O), in Wasser sehr leicht, in Ethanol wenig, in Ether unlöslich. Die Keto(hexo)se S. wird in der L-Form vom Bakterium *Acetobacter xylinum* aus *Sorbit gebildet. S. liegt in der α-L- u. β-L-Pyranose- sowie -Furanose-Form vor. Eine 4 molare wäss. Lsg. enthält bei 31 °C: 93% α-Pyranose, 2% β-Pyranose, 4% α-Furanose, 1% β-Furanose u. 0,3% offenkettige Sorbose. S. reduziert Fehlingsche Lsg. u. ist unvergärbar.
Verw.: Als Zwischenprodukt bei der Synth. von Ascorbinsäure (Beschreibung des Verf. s. dort). Derivate von S. können als Wachstumsregulatoren für Pflanzen u. als Herbizide eingesetzt werden. Die D-Form ist synthet. zugänglich. – ***E*** = ***F*** sorbose – ***I*** sorbosio – ***S*** sorbosa

Lit.: Adv. Carbohydr. Chem. **7**, 99 (1952); **26**, 197 (1971) ▪ Adv. Carbohydr. Chem. Biochem. **44**, 15 (1984) ▪ Beilstein E IV **1**, 4411 ▪ Chem. Ztg. **103**, 232 (1979) ▪ Karrer, Nr. 619 ▪ Kirk-Othmer (4.) **10**, 369 ▪ Ullmann (5.) **A 5**, 81. – *[HS 1702 90, 2940 00; CAS 3615-56-3 (D-S.); 87-79-6 (L-S.)]*

Sordarin.

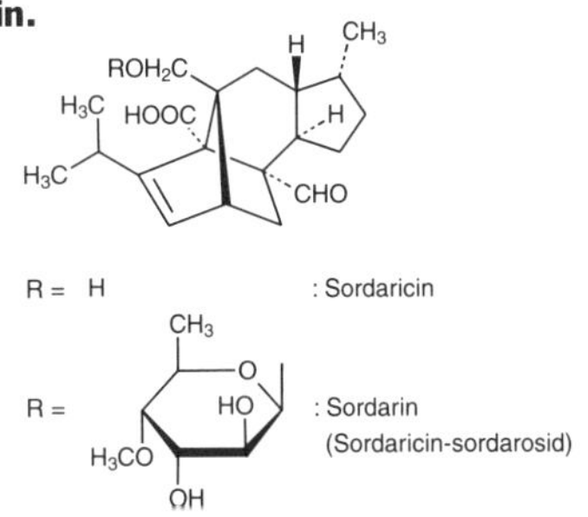

R = H : Sordaricin

R = [Zuckerrest] : Sordarin (Sordaricin-sordarosid)

$C_{27}H_{40}O_8$, M_R 492,61, Öl, $[\alpha]_D$ –45,2° (CH_3OH), mäßig gut lösl. in Methanol, kaum lösl. in Wasser. Diterpen-Glykosid aus *Sordaria araneosa* (Ascomyceten). Das Aglycon heißt *Sordaricin* ($C_{20}H_{28}O_4$, M_R 332,44, Krist., Schmp. 188–190 °C). S. u. Sordaricin wirken gegen phytopathogene Pilze. – ***E*** sordarin – ***F*** sordarine – ***I*** = ***S*** sordarina

Lit.: J. Am. Chem. Soc. **95**, 7917 (1973) ▪ J. Org. Chem. **56**, 3595–3601, 5718–5721 (1991). – *[HS 2938 90; CAS 11076-17-8 (S.); 51493-69-7 (Sordaricin)]*

Sordidin [(1*S*)-1-Ethyl-3*exo*,5,7*exo*-trimethyl-2,8-dioxabicyclo[3.2.1]octan].

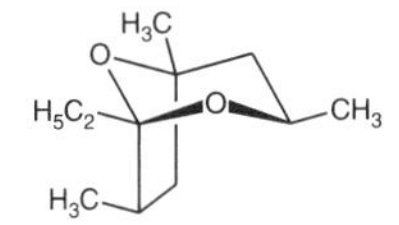

$C_{11}H_{20}O_2$, M_R 184,28, Öl. Aggregationspheromon der Männchen des Bananenkäfers *Cosmopolites sordidus*. – ***E*** sordidin – ***F*** sordidine – ***I*** sordidina – ***S*** sordidín

Lit.: Liebigs Ann./Recl. **1997**, 1075 ▪ Synth. Commun. **26**, 3923 (1996) ▪ Tetrahedron Lett. **36**, 1043 (1995). – *[CAS 162490-88-2]*

Sorelzement (Magnesiazement). Unter S. versteht man sog. *Magnesitbinder*, den man durch Verrühren von gebranntem *Magnesit (MgO) mit einer konz. $MgCl_2$-Lsg. (D. 1,26) erhält. Nach einiger Zeit erstarrt das Gemisch zu einer festen, marmorharten, weißen Masse, die bei Lagerung an der Luft nach 4 Wochen eine Zugfestigkeit von 200–600 N/cm^2 erreicht. Bei der unter erheblichen Wärmeentwicklung verlaufenden Reaktion bildet sich Magnesiumoxidchlorid der Zusammensetzung $3\,MgO \cdot MgCl_2 \cdot 11\,H_2O$. S. ist nicht wasserbeständig u. eignet sich daher nur zur Verarbeitung in Innenräumen, z. B. im Gemisch mit inerten Füllstoffen u. Pigmenten als Fußbodenbelag. Fußbodenplatten aus einem Gemisch von Sägemehl u. S. (nach Verpressung bei etwa 400 bar) sind als *Steinholz* (Xylolith) bekannt geworden – die ersten wurden bereits 1895 hergestellt. Die Erfindung des S. erfolgte 1867 durch den französ. Ingenieur Sorel. S. kann auch als Kitt für Metall u. Glas, als Material für Mühl- u. Schleifsteine sowie zur Abdichtung von Schächten in Salzbergwerken verwendet werden. – ***E*** Sorel cement, magnesium oxychloride cement – ***F*** ciment à la magnésie – ***I*** cemento Sorel, cemento magnesiaco, albolite – ***S*** cemento Sorel, cemento de oxicloruro de magnesio

Lit.: Härig, Technologie der Baustoffe, 9. Aufl., S. 130f., Karlsruhe: Müller 1990 ▪ Ullmann (4.) **16**, 344, 351; (5.) **A 15**, 604, 615 ▪ Winnacker-Küchler (4.) **2**, 327.

Sorghum (Milokorn, Mohrenhirse). Zu den *Getreiden zählende, in Afrika heim. u. dort als Breifrucht wichtige *Hirse-Art (*Sorghum bicolor*, Poaceae), die man heute in Afrika, Asien u. in größerem Umfang auch in den USA kultiviert. S.-Körner enthalten im Durchschnitt 11% Wasser, 70% Stärke, 11% Protein, 3,2% Fett, Mineralstoffe sowie geringe Mengen an Glucose, Gerbstoffen u. Wachs; die Zusammensetzung ist ähnlich der von *Mais, auch bezüglich des Vitamin-Gehalts. Das in den Schalen der S.-Körner enthaltene Wachs hat eine ähnliche Beschaffenheit wie *Carnaubawachs. Die in den USA kultivierte S.-Art *Milo* wird speziell auf Stärke verarbeitet, die der Maisstärke sehr ähnlich ist u. wie diese Verw. findet. Das gemahlene Korn wird in der *Fermentations-Ind. verwendet. Außerdem dient S. als Futtermittelzusatz, dessen Gehalt an Tannin (s. Tannine) allerdings die Futtermittel-Qualität mindern kann. Eine andere S.-Art, die Zuckerhirse (*Sorghum saccharatum*), deren Stengel ca. 12% *Saccharose enthält, hatte früher in den USA Bedeutung für die Zuckergewinnung, wird aber heute hauptsächlich auf *S.-Sirup* verarbeitet. S. ist verwandt mit dem Zuckerrohr. Ebenso wie dieses u. der Mais zählen die S.- u. a. Hirsearten zu den sog. *C_4-Pflanzen. Junge frische S.-Pflanzen enthalten das *cyanogene Glykosid *Dhurrin*, das für Vergiftungen nicht nur bei Weidevieh verantwortlich ist, sondern auch beim Menschen, der das heute beliebte Keimgemüse aus S. verzehrt – die Keime haben einen bes. hohen Gehalt an Dhurrin. In Südafrika wird auch Bier aus S. gebraut. – ***E*** sorghum (millet) – ***F*** grand milet – ***I*** sorgo, saggina – ***S*** sorgo, alcandía

Lit.: Franke, Nutzpflanzenkunde (6.), S. 104 f., 125 f., Stuttgart: Thieme 1997. – *[HS 1007 00]*

Soricin s. Ricinolsäure.

Sorivudin (Rp).

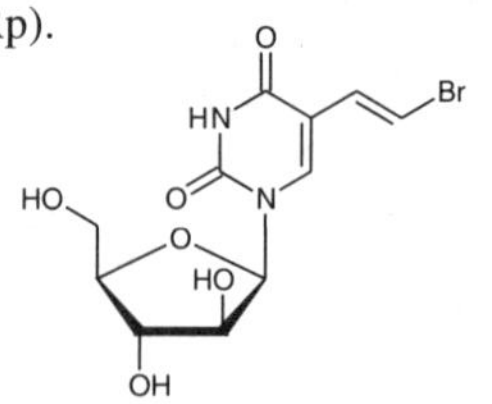

Internat. Freiname für das *Virostatikum 5-((*E*)-2-Bromvinyl)-*arabino*-uridin, $C_{11}H_{13}BrN_2O_6$, M_R 349,14, Schmp. 182 °C od. 195–200 °C (Zers.; andere Modifikation); $[\alpha]_D^{25}$ +0,5° (1 N NaOH), LD_{50} (Maus, i.p./oral) 3300/>10 000 mg/kg. S. wurde 1981/83 von Yamassa Shoyu patentiert. – ***E*** = ***F*** sorivudine – ***I*** = ***S*** sorivudina

Lit.: Drugs Today **29**, 555 ff. (1993) ▪ J. Chromatogr. **568**, 385 ff. (1991) ▪ Merck-Index (12.), Nr. 8875 ▪ Tetrahedron Lett. **31**, 5633 ff. (1990). – *[CAS 77181-69-2]*

Sormodren® (Rp). Antiparkinsonmittel (Tabl.) mit *Bornaprin-hydrochlorid. ***B.:*** Knoll Deutschland.

Soromin® Marken. Präparationsmittel u. a. für die Synthesefaser-Ind.; Hilfsmittel für die Primärspinnerei bei der Faserherstellung. ***B.:*** BASF-Italia.

Sorosilicate s. Silicate.

Sorption (von latein.: sorbere = schlucken). Sammelbez. für alle Vorgänge, bei denen ein Stoff durch einen anderen mit ihm in Berührung stehenden Stoff selektiv aufgenommen wird, *Beisp.:* *Absorption, *Adsorption, *Chemisorption u. Physisorption, Persorption, *Resorption, *Desorption, s. a. Kapillarkondensation. Man verwendet den Terminus S. immer dann, wenn im speziellen Fall die Natur des individuellen Prozesses unbekannt ist. Bei S.-Vorgängen spielt die *Thermodynamik des Syst. eine Rolle, z. B. für die Aufstellung von Wasserdampf-S.-*Isobaren u. -*Isothermen. Die sorbierte Substanz wird als *Sorbat*, die sorbierende als *Sorbens* od. *S.-Mittel* bezeichnet, in der *Chromatographie oft auch als *stationäre Phase*. In der Vak.-Technik sind S.-Mittel Stoffe, die der Bindung von Gasen dienen; geschieht dies auf chem. Weise, spricht man von *Gettern. Die S. spielt eine bes. Rolle bei Materialien mit *Poren-Struktur; *Beisp.:* Holz, Keramik, Baustoffe, Zeolithe, Katalysatoren, aber auch Leder, Haut usw. – ***E*** = ***F*** sorption – ***I*** sorbimento – ***S*** sorción

Lit.: Adv. Catal. **34**, 1–80 (1986) ▪ Adv. Polym. Sci. **64**, 93–142 (1985) ▪ Analyt.-Taschenb. **6**, 125–168 ▪ Bare u. Somorjai, Surface Chemistry, in Encyclopedia of Physical Science and Technology, Vol. 16, S. 337–390, New York: Academic Press 1992 ▪ Chem. Ind. **37**, 349–353 (1985) ▪ Chem.-Ztg. **106**, 337–341 (1982) ▪ DIN 28400-1: 1990-05 ▪ Encycl. Polym. Sci. Eng. **1**, 577–594 ▪ Encycl. Polym. Sci. Technol. **12**, 679–699 ▪ Int. J. Environ. Anal. Chem. **25**, 81–103 (1986) ▪ Kreuzer u. Gortel, Physisorption Kinetics, Berlin: Springer 1986 ▪ Pure Appl. Chem. **57**, 603–619 (1985) ▪ Tolk et al., Desorption Induced by Electron Transitions, Berlin: Springer 1983.

Sorptionskoeffizient (Bodensorptionskoeff., K_d). Verteilungskoeff. eines Stoffs im Zweiphasensyst. Boden (Feststoff) u. Wasser. Als Gleichgewichtskonstante ist der S. definiert als Quotient der Konz. am Feststoff (Adsorbens; C_F) u. der Konz. im Wasser (C_W):

$$K_d = C_F/C_W.$$

Lipophile Stoffe werden vorzugsweise durch die organ. Substanz von Boden u. Sediment adsorbiert, daher bezieht man K_d auf den Anteil an organ. Substanzen im Boden (K_{om} von *E* organic matter) od. häufiger auf den organ. Kohlenstoff-Gehalt (K_{oc} von *E* organic carbon). Näherungsweise gilt (w_{oc} = organ. Kohlenstoff-Gehalt des Bodens; liegt typischerweise bei 20 g/kg = 2% [1]):

$$K_{oc} = K_d/w_{oc} = 1{,}72 \times K_{om}.$$

Der S. kann für *Umweltchemikalien aus verschiedenen Mol.-Parametern berechnet werden (s. QSAR), z. B. aus dem Verhalten des Stoffs bei der RP-*HPLC, der Wasserlöslichkeit, dem Octanol-Wasser-Verteilungskoeff. *P_{ow} od. topolog. Indices [2]; vgl. Bioakkumulation.

Für Stoffe mit einer Wasserlöslichkeit von >0,1 mg/L kann die *Adsorption an Boden u. Sedimente über die Adsorptionsisothermen nach Freundlich u. Langmuir berechnet werden [2,3]. Der S. ist nützlich zur Beurteilung des Umweltverhaltens von Stoffen, insbes. hinsichtlich ihrer Mobilität u. Anreicherung im Boden (Geoakkumulation). – ***E*** (soil) absorption coefficient – ***F*** coefficient de sorption – ***I*** fattore di assorbimento (del suolo) – ***S*** coeficiente de absorción (sorción)

Lit.: [1] Chemosphere **24**, 695–717 (1992). [2] Chemosphere **34**, 2525–2551 (1997). [3] Römpp Lexikon Umwelt, S. 298 f.
allg.: ECETOC (Hrsg.), Technical Report 50, Estimating Environmental Concentrations of Chemicals Using Fate and Exposure Models, S. 8 ff., Brüssel: ECETOC 1992 ▪ Klöpffer, Verhalten u. Abbau von Umweltchemikalien, S. 30 ff., Landsberg: ecomed 1996 ▪ Korte (3.), S. 37 f.

Sortenordnung s. Sortenschutzgesetz.

Sortenschutzgesetz. Das S. schützt ähnlich dem Patentrecht die züchter. Leistung des Pflanzenzüchters vor der Ausnutzung durch andere. Ist der Sortenschutz für eine Pflanzenart erteilt, dann hat der Sortenschutzinhaber das alleinige Recht, Saatgut der geschützten Sorte gewerbsmäßig zu erzeugen u. zu vertreiben. Er hat dabei jedoch die Regelungen des *Saatgutverkehrsgesetzes* zu beachten, das das gewerbsmäßige Vertreiben u. Inverkehrbringen von Saatgut aus dem landwirtschaftlichen u. gärtner. Bereich festlegt u. zum Schutz des Saatgutverbrauchers dienen sowie die Versorgung der Landwirtschaft u. des Gartenbaus mit hochwertigem Saatgut sicherstellen soll. Die wesentlichen Teile des Saatgutverkehrsgesetzes sind die *Saatgutordnung* (u. a. Regelung, welche Pflanzenarten u. -gattungen unter das Saatgutverkehrsgesetz fallen) u. die *Sortenordnung* (Regelung der Zulassung von Sorten).

Voraussetzung für die Gewährung des Sortenschutzes für eine Sorte ist, daß sie neu ist, d. h. daß sie sich in mind. einem wesentlichen Merkmal von jeder anderen Sorte unterscheidet, hinreichend homogen u. beständig ist u. durch eine eintragungsfähige Sortenbez. ausgewiesen ist. Der Sortenschutz ist unabhängig vom landeskulturellen Wert der Neuzüchtung. Als Sorten werden neben Zuchtsorten auch Klone, Linien, Stämme u. Hybridpflanzen geschützt. Das europ. Patentrecht war (anders als das US-Patentrecht) ursprünglich nicht dazu gedacht, neue Pflanzensorten zu schützen u. schließt in der Mustervorschrift für europ. Patentabkommen (EPC) Artikel 53 Pflanzensorten u. biolog. Produktionsverf. zur Schaffung neuer Sorten ausdrücklich aus. Die Anw. gentechn. Meth. in der Pflanzenzüchtung (Pflanzenbiotechnologie) hat inzwischen aber dazu geführt, daß das *Europäische Patentamt (EPA) bereit ist, Patente zum Schutz *transgener Pflanzen* (nicht Sorten) zu erteilen.

Lit.: Europäische Föderation Biotechnologie, Arbeitsgruppe für die öffentliche Akzeptanz der Biotechnologie, Leben patentieren, Informationsschrift 1 (Juni 1993) ▪ Kuhnhardt, Sorten- u. Saatgutrecht, Frankfurt: Strohe 1986 ▪ Saatgutverkehrsgesetz in der Fassung vom 20. 08. 1985 (BGBl. I, S. 1633) ▪ Sortenschutzgesetz in der Fassung vom 11. 12. 1985 (BGBl. I, S. 2170).

Sortieren s. Trennverfahren.

Sostril® (Rp). Film-, Brausetabl. u. Ampullen mit *Ranitidin-hydrochlorid gegen Ulcus. ***B.:*** Cascan.

Sotahexal® (Rp). Tabl. mit dem *Antiarrhythmikum *Sotalol-Hydrochlorid. ***B.:*** Hexal.

Sotalex® (Rp). Ampullen u. Tabl. mit *Sotalol-hydrochlorid gegen Herzrhythmusstörungen u. *Hypertonie. ***B.:*** Bristol Myers Squibb.

Sotalol (Rp).

$H_3C{-}SO_2{-}NH{-}C_6H_4{-}CH(OH){-}CH_2{-}NH{-}CH(CH_3)_2$

Internat. Freiname für den β-Rezeptoren-Blocker (±)-4′-[1-Hydroxy-2-(isopropylamino)ethyl]-methansulfonanilid, $C_{12}H_{20}N_2O_3S$, M_R 272,36; λ_{max} ($CHCl_3$) 242,2, 275,2 nm, pK_b 5,7. Verwendet wird meist das Hydrochlorid, Schmp. 206,5–207 °C; λ_{max} (CH_3OH) 232, 274 nm ($A^{1\%}_{1cm}$ 472, 18), LD_{50} (Maus oral) 2600, (Maus i.p.) 670 mg/kg. S. ist als Generikum im Handel. – ***E*** = ***F*** = ***S*** sotalol – ***I*** sotalolo

Lit.: ASP ▪ Florey **21**, 501–533 ▪ Hager (5.) **9**, 637–640 ▪ Martindale (31.), S. 945. – *[HS 2935 00; CAS 3930-20-9 (S.); 959-24-0 (Hydrochlorid)]*

Sotolon [3-Hydroxy-4,5-dimethyl-2(5*H*)-furanon].

(*R*) Form

$C_6H_8O_3$, M_R 128,13, Öl, (*R*)-Form: $[\alpha]^{24}_D$ –6,5° (c 1/Diethylether), Sdp. 88 °C (66,5 Pa). Sehr wichtige Aromakomponente von frischem Zuckerrohr, Sherry, edelsüßen Weinen, Tabak. S. wurde als Racemat sowie in seiner (*R*)-Form nachgewiesen. – ***E*** = ***F*** = ***I*** sotolone – ***S*** sotolona

Lit.: Chem. Eur. J. **4**, 311 (1998) ▪ J. Agric. Chem. **44**, 1851 (1996) ▪ Tetrahedron Lett. **33**, 5625 (1992). – *[CAS 28664-35-9 (allg.); 87068-70-0 ((R)-Form); 87021-36-1 (Racemat)]*

Source Index s. CASSI.

Southern Blotting s. Blotting.

Sovel® (Rp). Filmtabl. zur Substitutionstherapie mit dem *Estrogen *Norethisteron-acetat. ***B.:*** Novartis.

Soventol®. Gel mit *Bamipin, Filmtabl. mit Ribonucleinsäure-Natriumsalz; *S. HC* Creme mit *Hydrocortison-acetat, gegen juckende Dermatosen, Insektenstiche, Sonnenbrand, Quallenverbrennungen, Kälteschäden, Heuschnupfen. ***B.:*** Knoll Deutschland.

Sovermol®. *Polyole mit verschiedenen Funktionen im *Polyurethan- u. Polyester-Bereich sowie Isocyanate. ***B.:*** Henkel.

Soxhlet, Franz von (1848–1926), Prof. für Agrikulturchemie, München. *Arbeitsgebiete:* Ernährungslehre, Milchsterilisation, Konstruktion des Soxhlet-Extraktionsapparates; s. a. nachfolgende Stichwörter.

Soxhlet-Extraktion. Festflüssig-*Extraktion unter kontinuierlichem *Rückfluß, die in einem Soxhlet-Extraktor (s. DIN 12602: 1977-05) durchgeführt wird. Hierbei wird das Extraktionsmittel (Lsm.) im Destillationskolben zum Sieden erhitzt, steigt als Dampf auf, wird am Kühler kondensiert, tropft in die Extraktionshülse aus Filterpappe, die das zu extrahierende Material enthält, u. fließt period. durch Heberwirkung als Extrakt in den Kolben zurück. Die extrahierten Stoffe reichern sich im Kolben an, während das Extraktionsmittel erneut verdampft, kondensiert u. die zu extrahierende Substanz weiter auslaugt.

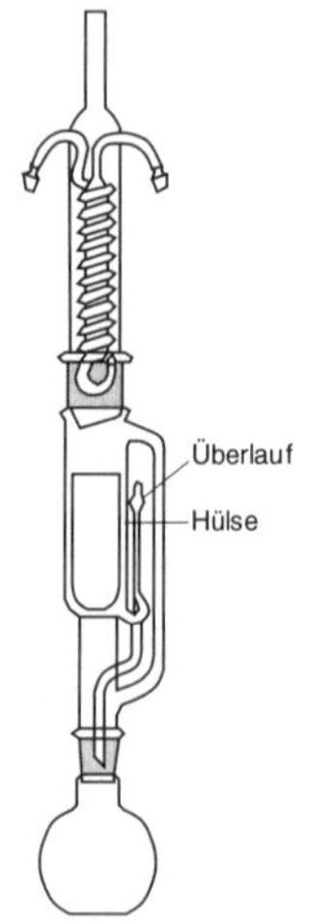

Abb.: Soxhlet-Extraktionsapparatur.

– ***E*** Soxhlet extraction – ***F*** extraction par Soxhlet – ***I*** estrazione Soxhlet – ***S*** extracción por Soxhlet

Lit.: ACHEMA-Jahrb. **1991**, 1480.

Soxhlet-Henkel-Grade (°SH). Säuregrad von *Milch, definiert als Verbrauch an mL 0,25 N Natronlauge für je 100 mL Milch. Frische Milch hat 6–7 °SH. Die Milch wird gegen *Phenolphthalein bis zur schwachen Rötung titriert. Der Säuregrad in °SH wird nach der Gleichung

$$\text{Säuregrad} = a \cdot \frac{100}{b}$$

a = verbrauchte Menge Natronlauge in mL; b = Probenvol. in mL berechnet.

Das Verf. hat als Meth. 01.00-7 Eingang in die amtliche Sammlung von Untersuchungsverf. nach § 35 LMBG gefunden. – ***E*** Soxhlet-Henkel degrees – ***F*** degrés Soxhlet-Henkel – ***I*** gradi Soxhlet-Henkel – ***S*** grados Soxhlet-Henkel

SOZ. Abk. für Straßen-*Octan-Zahl, Näheres s. dort.

Sozialsekrete. Stoffe, die für die Beziehungen zwischen Artgenossen, zuweilen auch zwischen Wirt u. Schmarotzer, bei Tieren von Bedeutung sind (s. a. Pheromone).

Sozoiodolsäure.

Kurzbez. für 3,5-Diiod-4-hydroxybenzolsulfonsäure, $C_6H_4I_2O_4S$, M_R 425,95 (als Trihydrat weiße Nadeln, Schmp. 120 °C, Zers. 190 °C, leicht lösl. in Wasser, Alkohol, Ether, Glycerin), die in Form von Natrium- u. Kalium-Salzen als Desinfektionsmittel u. Antiseptikum Verw. findet. Das Quecksilber(II)-Salz wurde früher als Antisyphilitikum eingesetzt. – ***E*** sozoiodolic acid – ***F*** acide sozoiodolique – ***I*** acido sozoiodolico – ***S*** ácido sozoyodólico

Lit.: Beilstein EIV **11**, 599 ▪ Hager (5.) **9**, 640 ▪ Martindale (31.), S. 1146. – *[HS 2908 90; CAS 554-71-2 (S.); 6160-10-7 (Trihydrat)]*

sp. Abk. für synperiplanar (s. cisoid u. Konformation), für „species" (= Spezies) in biolog. Bez. unbestimmter Arten (Plural: spp.) u. für *spezifisch bei Bez. von physikal. Größen.

SP. a) Abk. für engl.: saturated polyesters = gesätt. *Polyester (Kurzz. nach DIN 7728-1: 1988-01). – b) Abk. für *Substanz P. – c) Stereobez. *SP-* in der *Koordinationslehre bedeutet engl.: square planar = quadrat. planare Anordnung der Liganden (IUPAC-Regel I-10.5.2).

Spacer (*E* spacer = Abstandhalter). 1. Bez. für DNA-Abschnitte, die je zwei ident. Genregionen (Tandemsequenzen) voneinander trennen.
2. Eine kurze Kohlenstoff-Kette zwischen einem Liganden u. einem polymeren Träger. Das Syst. Träger/S./Ligand wird z. B. genutzt in der *Affinitätschromatographie u. bei der *Immobilisierung von Enzymen. Der S. trägt dazu bei, die Zugänglichkeit des Liganden zu verbessern. – ***E*** spacer – ***F*** espaceur – ***I*** spaziatore – ***S*** espaciador

Spachtel s. Spachtelmassen, Spatel.

Spachtelmassen. Nach DIN 55945: 1996-09 Bez. für hochgefüllte u. pigmentierte Beschichtungsstoffe, vorwiegend zum Füllen von Poren u. Ausgleichen von Unebenheiten von Untergründen. Die S. können zieh-, streich- od. spritzbar eingestellt sein; die getrocknete od. gehärtete S.-Schicht muß schleifbar sein. Man unterscheidet nach
– Auftragsverf. (z. B. Ziehspachtel, Streichspachtel, Spritzspachtel)
– Bindemittel (z. B. Kunstharzspachtel, Dispersionsspachtel, hydraulischer Spachtel) od.
– Anwendungszweck (z. B. Holzspachtel, Metallspachtel, Karosseriespachtel, Wandspachtel, Fassadenspachtel, Reparaturspachtel usw.).
Als Bindemittel werden je nach Anwendungszweck z. B. Polyesterharze, Epoxidharze, Nitrocellulose, Leinöl (ggf. unter Zusatz von *Trockenstoffen) verwendet. Die Kurzform „*Spachtel*" wird auch für die

Spachtelwerkzeuge (Spachtelmesser etc.) verwendet. – ***E*** filler, primer – ***F*** mastics – ***I*** stucco – ***S*** emplastes, aparejos

Lit.: Gatz (Hrsg.), Lexikon der Anstrichtechnik, 10. Aufl., Bd. 1, München: Callwey 1994 ▪ Römpp Lexikon Lacke u. Druckfarben, S. 531 ▪ Ullmann (4.) **15**, 631 ff. – *[HS 3214 10]*

Späte s. Spate.

Spätzle. Unregelmäßig geformte *Teigwaren, die mit od. ohne Eizusatz hergestellt werden u. regional unterschiedliche Bedeutung haben; s. Teigwaren. – *[HS 1902 11, 1902 19]*

Spaghetti. Stäbchenförmige, meist 23 cm lange *Teigwaren (Durchmesser 1,3 bis 1,6 mm), die bes. zu italien. Speisen gereicht werden. Über die Kontamination von S. mit dem *Fusarium*-Mykotoxin Desoxynivalenol berichtet *Lit.*[1]; s. a. Teigwaren. Zur *Maillard-Reaktion während der S.-Produktion s. *Lit.*[2]. – ***E*** = ***F*** = ***I*** spaghetti – ***S*** espagueti

Lit.: [1] J. Cereal Sci. **8**, 189–202 (1988). [2] Lebensm. Wiss. Technol. **29**, 626–631 (1996). – *[HS 1902 11, 1902 19]*

Spagluminsäure (Rp).

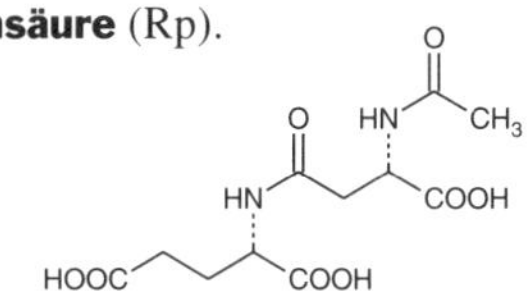

Internat. Freiname für das antiallerg. wirkende Dipeptid *N*-(*N*-Acetyl-L-*β*-aspartyl)-L-glutaminsäure, $C_{11}H_{16}N_2O_8$, M_R 304,25, Substanz extrem hygroskop., Schmp. 115–116 °C, $[\alpha]_D^{24}$ –37,5° (c 2/H_2O). S. ist von Ciba Vision (Naaxia®) im Handel. – ***E*** spaglumic acid – ***F*** acide spaglumique – ***I*** acido spaglumico – ***S*** ácido espaglúmico

Lit.: ASP ▪ Hager (5.), **9**, 640 f. ▪ Martindale (29.), S. 1580. – *[HS 2924 10; CAS 4910-46-7]*

Spagyrische Arzneimittel. Bez. für Arzneipräp. der Alchemisten z. Z. von Paracelsus.

Lit.: Kremers u. Urdang, History of Pharmacy, S. 54, Philadelphia: Lippincott 1951.

Spallation. Von *E* spall = Splitter. Materie- bzw. Gewebeabtrag, bei dem das Material nicht in seiner Gesamtheit verdampft wird, sondern bei dem durch plötzliche starke Aufheizung mechan. Streß hervorgerufen wird, der dann zum Auswurf von größeren Materiekonglomeraten führt. Für diese Aufheizung eingesetzt werden z. B. gepulste, intensitive Laser- od. Teilchenstrahlen. Ferner Bez. für solche *Kernreaktionen, die durch hochenerget. Teilchen, z. B. aus *Teilchenbeschleunigern, ausgelöst werden. Es findet bei diesen – auch *Vielfachzerlegung* genannten – Prozessen eine Aufsplitterung des Atomkerns statt, wobei eine wesentlich größere Anzahl von Protonen u. Neutronen als bei gewöhnlichen Kernspaltungen frei wird. – ***E*** = ***F*** spallation – ***I*** spallazione – ***S*** espalación

Lit.: s. a. Kernreaktionen.

Spalt®. Analgetikum u. Antipyretikum: *S. ASS:* Tabl. mit *Acetylsalicylsäure; *S. für die Nacht:* Tabl. mit *Paracetamol; *S. A + P:* Tabl. mit beiden Wirkstoffen; *S. plus:* zusätzlich mit *Coffein; *S. Gel:* mit *Felbinac. ***B.:*** Much.

Spaltbarkeit. 1. In der *Kristallographie:* Das *Bruchverhalten von *Kristallen ist oft dadurch gekennzeichnet, daß bei mechan. Einwirkung bestimmte regelmäßige Flächen od. Stücke od. Körper (*Spaltkörper*) mit glatten, ebenen Grenzflächen entstehen; man sagt daher: Die Krist. (bzw. Mineralien) sind spaltbar. Diese S. macht sich vielfach auch beim Erhitzen od. Abkühlen bemerkbar; auch hier zerfällt der Krist. oft in ebenflächige Bruchstücke. Die S. ist durch die Struktur des betreffenden Minerals od. Krist. bestimmt; die verschiedenen Spaltflächen eines Krist. verlaufen vielfach parallel od. senkrecht zu den Symmetrieebenen od. -achsen des Kristalls. Die S. weist bei den verschiedenen Mineralien bzw. Krist. große Unterschiede auf; man unterscheidet höchst vollkommene (z. B. Glimmer), vollkommene (z. B. *Feldspäte), gute, deutliche u. undeutliche Spaltbarkeit. Spaltflächen können sich unter bestimmten Winkeln, den sog. *Spaltwinkeln*, schneiden (z. B. *Orthoklas 90°, *Amphibole 124°). Gut spaltbare Krist. kann man fast beliebig oft in beliebig dünne, ebene Bruchstücke spalten; so erhält man z. B. beim Zerreiben von Kalkspat (s. Calcit) u. anderen *Spaten (Name!) Spaltplättchen von etwa 5 µm Dicke, beim Marienglas (*Gips) solche von 3 µm u. beim Glimmer sogar Spaltplättchen von nur 0,1 µm Dicke. Bei der Untersuchung von 835 bekannten Mineralien fand man, daß von den kub. (regulären) Krist. bzw. Mineralien nur etwa ⅓, von den nicht-kub. Krist. bzw. Mineralien dagegen ⅔ bis ¾ eine deutlich sichtbare S. zeigen.

2. In der *Kerntechnik* versteht man unter S. die Eigenschaft eines Nuklids (*Spaltstoffes*), durch eine *Kernreaktion gespalten zu werden.

3. Deutliche Unterschiede in der S. findet man auch bei *Hölzern*, s. Holz. – ***E*** 1., 3. cleavage, 2. fissility – ***F*** 1. scissilité, 2. fissilité – ***I*** 1. sfaldatura, 2. carattere fissile, 3. spaccabilità – ***S*** 1. escindibilidad, 2. fisionabilidad

Lit. *(zu 1.):* Lapis **3**, Nr. 11, 7, 13 (1978) ▪ Min.-Mag. **6**, 374–378, 466 ff. (1982) ▪ Ramdohr-Strunz, S. 222 ff. ▪ s. a. Kristalle.

Spalten s. Spaltung u. Kernspaltung bei Kernreaktionen.

Spaltgase s. Kracken.

Spaltkorrosion. Eine örtlich verstärkte *Korrosion in Spalten, die als *Berührungskorrosion auftreten kann. – ***E*** crevice corrosion – ***F*** corrosion en fissures – ***I*** corrosione nella fessura – ***S*** corrosión en fisuras

Lit.: DIN 50900:1 1982-04 ▪ Ullmann (4.) **15**, 18 ff.

Spaltleder s. Gerberei.

Spaltöffnungen s. Poren.

Spaltpilze s. Schizomyceten.

Spaltprodukte s. Fissium.

Spaltreaktor s. Kernreaktoren.

Spaltrohr®-Kolonnen. Mikro- u. Halbmikrokolonnen für die schonende Dest. mit bes. geringem Kolonnendifferenzdruck, bes. geeignet für die therm. empfindlichen Produkte im Feinvacuumbereich. ***B.:*** Fischer Labor- und Verfahrenstechnik GmbH.

Spaltruß (Thermalruß). Durch therm. Zers. niedriger Kohlenwasserstoffe (*Erdgas, *Methan, *Acetylen) bei hohen Temp., in Abwesenheit von Sauerstoff erhältliche Ruße. Zur Herst. von S. wird das zu spaltende Gas durch ein auf etwa 1400 °C aufgeheiztes Gitterwerk aus feuerfesten Steinen geleitet, wobei es in Kohlenstoff u. Wasserstoff gespalten wird. Der erzeugte Ruß ist relativ hell, wenig aktiv u. hat einen Kohlenstoff-Gehalt von 98–100%; Teilchengröße ca. 500 nm. Die aus Acetylen erzeugten *Acetylenruße* (Leitfähigkeitsruße) werden in Trockenbatterien eingesetzt. – ***E*** thermal black – ***F*** noir de fumée de craquage – ***I*** nero di gas, nerofumo termico – ***S*** negro de humo térmico

Lit.: Winnacker-Küchler (4.) **3**, 320 f. – *[HS 2803 00]*

Spaltspuren-Methode s. Kernspaltspuren.

Spaltstoff s. Kernbrennstoffe u. Kernreaktoren.

Spaltung (Spalten). Allg. Bez. für die Zerlegung eines Ganzen in mehrere Teile, wofür sich aus Naturwissenschaft u. Technik auch in diesem Werk zahlreiche Beisp. finden, s. unten u. die vorstehenden Stichwörter. Man denke auch an die vielen auf *...lyse, ...lytisch* (s. Lyo...) endenden Begriffe. Man spricht von S. bei *Atomkernen* (Kernspaltung, s. Kernreaktionen, Radionuklide u. Spallation), bei *Leder* (Spaltleder, s. a. Gerberei), bei *Krist.* (s. Spaltbarkeit, 1.), bei *Racematen* (s. Racemattrennung), bei *Suspensionen* (s. Ausflockung), bei *Emulsionen* (*Demulgatoren), bei *Fetten* (*Fett-Spaltung) u. bes. bei *chem. Bindungen*, die unter dem Einfluß von mechan. Kräften (s. Mechanochemie), von Wärme (s. Pyrolyse u. Kracken), elektromagnet. Strahlung (s. Photolyse u. Radiolyse), elektr. Strom (s. Elektrolyse), von Radikalen, Ionen od. Enzymen gespalten werden. Einzelne Reaktionstypen werden *Eliminierung, *Fragmentierung, oxidative S., Hydramin-S., McLafferty-S. (s. Norrish-Reaktionen) u. dgl. genannt; auch Wortbildungen mit *Retro...* werden benutzt. In grammatikal. anfechtbarer Weise findet man manchmal „Spalten" intransitiv (d.h. im Sinne von „Zerfallen") gebraucht; *Beisp.:* „Spontanspaltung" von Radionukliden (z.B. bei den radioaktiven Zerfallsreihen) od. von instabilen Radikalen etc. – ***E*** cleavage, fission, scission – ***F*** dédoublement, fission – ***I*** fissione, scissione – ***S*** desdoblamiento, fisión

Span®. Marke von ICI Americas, Inc. für nichtion., lipophile *Tenside, die zu 100% biolog. abbaubar sind. Chem. handelt es sich um *Sorbitanester mit Laurin-, Palmitin-, Stearin- u. Ölsäure. Ihren niedrigen HLB-Werten (2–8, s. HLB-System) entsprechend sind sie in Wasser unlösl. bis dispergierbar, lösen sich dagegen in den meisten organ. Lsm. u. in den üblichen kosmet. Ölen. Verw. als typ. W/O-Emulgatoren. ***B.:*** Aldrich.

Spandex-Fasern. Ein großer Teil der heute produzierten *Elastomer-Fasern wird aus vulkanisierten *Kautschuken gefertigt. Daneben haben die sog. S.-F. enorme Bedeutung erlangt. Diese bestehen aus *Blockcopolymeren, die durch die Reaktion von Diisocyanaten mit linearen, Hydroxy-Gruppen-terminierten *Oligomeren („Makroglykole", s. Polyether-Polyole u. Prepolymere) u. Kettenverlängerern (Diamine od. Glykole) hergestellt werden (s. Schema unten).
Die so erhaltenen thermoplast. Elastomere werden anschließend durch Schmelz- od. Lösungsspinnen verarbeitet. In den resultierenden S.-F. wirken die „harten" *Polyurethan-Segmente als physikal. Vernetzungsbereiche für die weiche Matrix aus Polyether-Segmenten. S.-F. weisen etwa die gleiche Reißdehnung u. die gleiche Reißfestigkeit wie Gummifäden auf, haben aber etwa doppelt so hohe Elastizitätsmoduln u. ein höheres Feuchteaufnahme- u. Wasserrückhalte-Vermögen. Sie werden allerdings in der Regel nicht in reiner Form, sondern in Kombination mit anderen Fasern eingesetzt. – ***E*** = ***F*** Spandex fibre – ***I*** fibre di spandex – ***S*** fibras spandex

Lit.: Domininghaus, (5.), S. 1161 ff. ■ Elias (5.) **2**, 511, 537 ■ Uhlig, Polyurethan-Taschenbuch, S. 120 ff., München: Hanser 1998.

Spanische Fliege. Die S. F. ist keine Fliege, sondern eine Käferart aus der Familie der Ölkäfer (Meloidae), die weltweit mit über 2700 Arten, in Europa davon mit etwa 140 Arten vertreten ist. Die metall. grüne S. F. (*Lytta vesicatoria*) wurde früher im getrockneten Zustand (v. a. die Flügeldecken) zum Herstellen *Cantharidin-haltiger Extrakte für medizin. Zwecke (z.B.

1. Herst. des Polyethers:

Tetrahydrofuran (Ring mit O) $\xrightarrow[\text{kation. Polymerisation}]{H^+}$ HO—$(CH_2)_4$—O—$(CH_2)_4$—O∿∿$(CH_2)_4$—O—$(CH_2)_4$—OH

2. Herst. des Präpolymeren:

O=C=N—R—N=C=O + HO—$(CH_2)_4$—O∿∿$(CH_2)_4$—OH + O=C=N—R—N=C=O

↓

O=C=N—R-NH-C(=O)—O—$(CH_2)_4$—O∿∿$(CH_2)_4$—O—C(=O)—NH—R—N=C=O

3. Kettenverlängerung:

··· + Präpolymer + H_2N—$(CH_2)_2$—NH_2 + Präpolymer + H_2N—$(CH_2)_2$—NH_2···

↓

Polyether ∿∿O—C(=O)—NH—R-NH—C(=O)—NH—$(CH_2)_2$—NH—C(=O)—NH—R—NH—C(=O)—O∿∿ Polyether ∿∿O—C(=O)—NH—R—NH∿∿

blasenziehende Pflaster) benutzt, nicht selten auch für Giftmorde (im Altertum auch als Exekutionsmittel). Etwa 0,03 g des Giftes sind für den Menschen tödlich, während es Igeln, Fledermäusen, Hühnern, Schwalben u. Fröschen nicht schadet. Nur die S. F.-Männchen können das Hämolymphgift synthetisieren. Die Weibchen erhalten „ihr" Cantharidin von den Männchen während der Paarung aus Ektadenien (= Anhangsdrüsen am ektodermalen Anteil der Geschlechtswege).

Lit.: Jacobs u. Renner, Biologie u. Ökologie der Insekten (2.), Stuttgart: Fischer 1988 ▪ Teuscher u. Lindequist, Biogene Gifte (2.), Stuttgart: Fischer 1994.

Spanischer Hopfen s. Origanum.

Spanischer Pfeffer s. Paprika.

Spanisches Ölsyndrom s. Ölsyndrom, spanisches.

Spannbeton (vorgespannter Beton). Bez. für einen *Stahlbeton, bei dem ein künstlich hervorgerufener u. dauernd erhaltener Spannungszustand dem aus der Gesamtbelastung entstehenden natürlichen Spannungszustand so entgegenwirkt, daß keine od. nur gerine Zugspannungen auftreten. – ***E*** pre-stressed concrete – ***F*** béton précontraint – ***I*** calcestruzzo precompresso – ***S*** hormigón pretensado

Lit.: Scholz, Baustoffkenntnis, 12. Aufl., S. 327 f., Düsseldorf: Werner 1991 ▪ s. a. Beton.

Spannungs-abhängige Ionenkanäle s. Ionenkanäle.

Spannungsarmglühen. Wärmebehandlung[1] bevorzugt von metall. Werkstoffen, mit der durch Fertigungsprozesse (Schweißen, Kaltverformen) hervorgerufene innere Spannungen (Eigenspannungen) auf ein techn. vertretbares Maß vermindert werden. Die *Festigkeit von Werkstoffen nimmt in der Regel mit wachsender Temp. ab, d. h. zur bleibenden Verformung von Werkstoffen ist mit ansteigender Temp. eine zunehmend geringere Spannung erforderlich. Auf das S. bezogen bedeutet dies, daß jeder Temp. ein oberer, Temp.-spezif. Grenzwert noch verbleibender Eigenspannungen entspricht u. daß dieser Grenzwert mit ansteigender Glühtemp. geringer wird. Der früher gebräuchliche Begriff *Spannungsfreiglühen* hat diesen Tatbestand nicht berücksichtigt, Spannungsfreiheit wird erst durch ein Rekristallisationsglühen bei höheren Temp. erreicht. Die Reduzierung der inneren Spannungen erfolgt durch eine therm. aktivierte Umlagerung von *Versetzungen, die im Lichtmikroskop nicht nachgewiesen werden kann. Man verwendet für diesen Effekt auch den Begriff der *Kristallerholung* als Vorstufe der *Rekristallisation. Bei Bauteilen mit betriebsbedingtem Gefährdungspotential (z. B. Druckgeräte) ist das S. im Anschluß an Fertigungsvorgänge zwingend vorgeschrieben[2]. – ***E*** stress relief annealing – ***F*** recuit de détente – ***I*** ricottura da coazioni termiche, ricottura di distensione – ***S*** recocido de atenuación de tensiones

Lit.: [1] DIN EN 10052: 1994-01. [2] AD-Merkbl. HP 7/1 (Juli 1989).
allg.: Gräfen (Hrsg.), Lexikon Werkstofftechnik, S. 949, Düsseldorf: VDI-Verl. 1993.

Spannungs-Dehnungs-Diagramme. Der sog. Zugversuch ist eine der häufigsten Meth. zur Feststellung der mechan. Eigenschaften von *Kunststoffen. Dazu wird ein Prüfling (z. B. Normstab, Film od. Faserbündel) der Länge L_0 u. der Querschnittsfläche A_0 in eine Zugmaschine eingespannt u. mit konstanter Geschw. gedehnt. Die hierzu erforderliche Kraft F wird als Funktion der jeweiligen Länge L des Prüflings registriert. Die in jeder Phase des Experiments festgestellte nominelle Zugspannung $\sigma = F/A_0$ wird anschließend im S.-D.-D. gegen die jeweilige Dehnung $\varepsilon = (L - L_0)/L_0$ aufgetragen (Abb. 1).

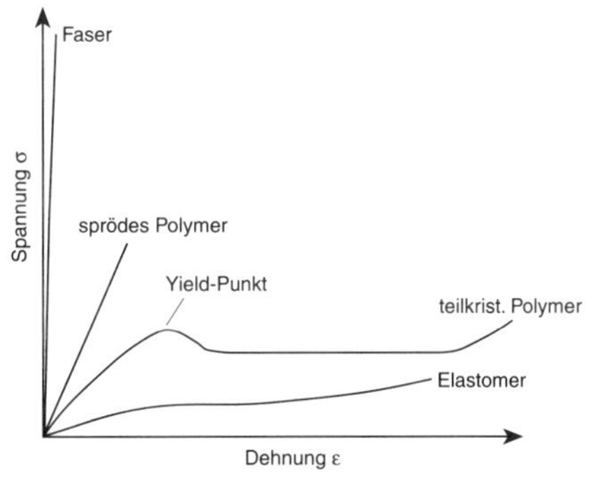

Abb. 1: Spannungs-Dehnungs-Diagramme verschiedener Polymertypen.

Im so erhaltenen Diagramm liefert die Anfangsneigung der $\sigma = f(\varepsilon)$-Kurve, d. h. die Steigung bei nur geringen Dehnungen, gemäß $\sigma = E\varepsilon$ den sog. Elastizitätsmodul E. Im weiteren Verlauf des Experimentes können die Kurven dann einen sehr unterschiedlichen Verlauf nehmen. *Spröde* Polymere wie das *Polystyrol reißen im dann folgenden Maximum der $\sigma = f(\varepsilon)$-Kurve. Der höchste Punkt ergibt hier die Werte für die Reißfestigkeit σ_B u. die Reißdehnung ε_B. Bei *zähen* Polymeren wie dem *Polycarbonat od. teilkrist. Polymeren wie dem *Polyethylen schließt sich diesem ersten Maximum jedoch am sog. Yield-Punkt ein Spannungsabfall an. Das durchlaufene Maximum wird durch die obere Streckgrenze σ_S u. die obere Fließgrenze ε_S charakterisiert. Jenseits dieser oberen Fließgrenze ε_S nimmt die Verformung immer weiter zu, die Zugspannung bleibt allerdings konstant od. nimmt sogar ab. Daher spricht man hier auch von „Spannungsweichmachung". Da diese durch die Spannungsweichmachung bedingte, leichte Verstreckbarkeit von Polymeren ohne die sonst für eine starke Verstreckung erforderliche Erwärmung gelingt, wird sie auch „kalter Fluß" genannt. Schließlich beobachtet man nach dem Durchlaufen der unteren Streckspannung σ_L bei der unteren Fließgrenze ε_L einen Wiederanstieg der Spannung, bis die Bruchgrenze mit der Reißfestigkeit σ_B u. der Reißdehnung ε_B erreicht wird. Das hier beschriebene Verhalten wird v. a. bei teilkrist. Polymeren gefunden (s. Polymerkristalle), deren amorphe Anteile eine *Glasübergangstemperatur unterhalb der Meßtemp. des S.-D.-D. haben. Makroskop. äußert sich das beschriebene Verhalten darin, daß sich der Prüfling bei nur geringen anfänglichen Spannungen reversibel dehnt. Erhöht man die Spannung nun weiter, so beobachtet man am Yield-Punkt eine Einschnürung (Halsbildung) des Prüflings, die man auch als Teleskop-Effekt bezeichnet (Abb. 2).

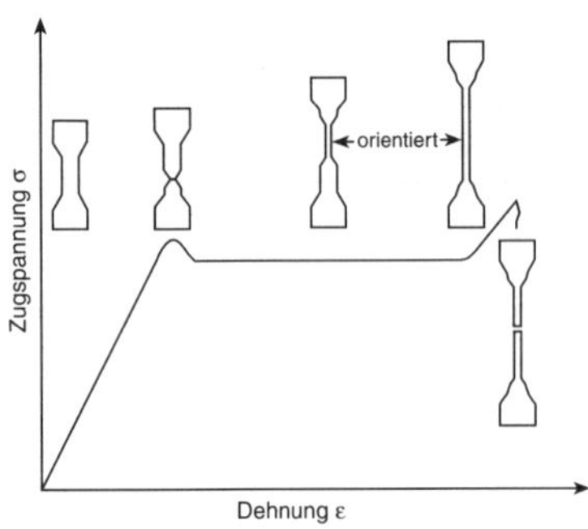

Abb. 2: Schemat. Darst. des Spannungs-Dehnungs-Verhaltens eines teilkrist. Polymeren u. entsprechende Änderungen der Probendimensionen.

Bei weiterer Dehnung wächst die Länge des Halses. Diesen Teleskop-Effekt beobachtet man, weil in den teilkrist. Bereichen des Materials eine Umorientierung der Kettensegmente einsetzt, deren vermuteter Mechanismus in der Abb. 3 skizziert ist.

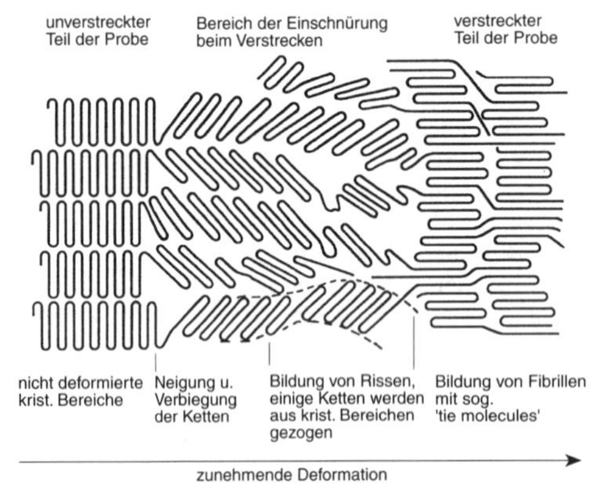

Abb. 3: Vorgeschlagener Mechanismus der Umorientierung kristalliner Bereiche während der Kaltverstreckung.

Die Kaltverstreckung führt dazu, daß die Polymerketten parallel zur Zug- bzw. Verstreckungsrichtung orientiert werden. Ist schließlich der Prüfling vollständig verstreckt, steigt die Spannung erneut an u. es kommt schließlich zum Bruch der Probe, der auf Kettenriß u. dem Abgleiten benachbarter Ketten voneinander zurückzuführen ist.

Das beschriebene Verhalten ist stark von der Art des Polymeren u. der Temp. abhängig. Bei völlig amorphen Polymeren oberhalb ihrer Glasübergangstemp. u. bei teilkrist. Polymeren oberhalb der Schmelztemp. der krist. Domänen ist kein Yield-Punkt mehr feststellbar. Die Polymere sind weich u. verhalten sich kautschukartig wie ein Elastomer (vgl. Abb. 1). Andererseits sind Polymere bei Temp. unterhalb ihrer Glasübergangstemp. spröde. Hier ist keine Spannungsweichmachung zu beobachten u. der Prüfling bricht bereits bei geringer Dehnung.

Auf der Basis dieser Verhaltensmuster können Kunststoffe gut nach ihrem Spannungs-Dehnungs-Verhalten klassifiziert werden. Eine große Anfangssteigung im S.-D.-D. (d.h. hoher Elastizitätsmodul E) kennzeichnet einen „harten“ Kunststoff (z.B. Polystyrol), eine kleine (niedriger E-Modul) einen „weichen“ (z.B. Polytetrafluorethylen). Polymere ohne Fließgrenze (Yield-Punkt) nehmen beim Verformen keine Energie auf u. brechen daher leicht. Folglich sind sie spröde. Polystyrol ist demnach bei 20 °C ein hart-spröder Kunststoff. Zähe („duktile“) Kunststoffe sind dagegen durch große Bereiche des kalten Flusses u. größere Reißdehnungen gekennzeichnet. Polycarbonat ist demnach ein hart-zäher Kunststoff, Polytetrafluorethylen dagegen ein weich-zäher.

Für eine quant. Diskussion eines S.-D.-D. ist schließlich zu beachten, daß sich die Querschnittsfläche eines Elastomers beim Verstrecken von A_0 auf kleinere Werte von A verjüngt. Die auf die ursprüngliche Querschnittsfläche A_0 bezogenen Zugspannungen $\sigma = F/A_0$ sind daher nur nominell u. die wahren Zugspannungen wegen der Verjüngung des Prüflings größer. Die „wahren“ S.-D.-D. von Elastomeren sind daher gegenüber den nominellen verschoben, sehen diesen aber sehr ähnlich. Deshalb u. wegen der schwierigen Bestimmung des jeweils korrekten Wertes von A wird in der Praxis mit nominellen S.-D.-D. gearbeitet. – ***E*** stress-strain diagram – ***F*** diagrammes de tension-extension – ***I*** diagramma degli sforzi e di deformazione – ***S*** diagramas tension-extensión

Lit.: Elias (5.) **1**, 954; **2**, 414 ▪ Lechner et al., S. 356 ▪ Tieke, S. 296.

Spannungsdoppelbrechung. Bez. für das Auftreten von künstlich erzeugter *Doppelbrechung* (s. Refraktion, S. 3760) bei an sich isotropen Körpern. S. beruht auf der Entstehung innerer Spannungen im Prüfkörper u. kann durch Einwirkung mechan. Kräfte wie Zug u. Druck od. auch durch rasches Abkühlen (z.B. bei erhitzten Glaskörpern) hervorgerufen werden. Die S. läßt sich mit Hilfe von polarisiertem Licht sichtbar machen. Prakt. Anw. findet sie in der *Spannungsoptik*, einer Untersuchungs-Meth., die sich damit befaßt, mit Hilfe transparenter, verkleinerter Kunststoffmodelle die in mechan. Bauteilen (Zahnräder, Bolzen, Brückenträger) bei Belastung auftretenden Spannungen zu messen. – ***E*** stress birefringence – ***F*** biréfringence sous tension – ***I*** rifrazione doppia di tensione – ***S*** birrefringencia bajo tensión

Lit.: Hecht, Optik, New York: McGraw-Hill 1987 ▪ Spektrum Wiss. **1983**, Nr. 8, 123.

Spannungsfreiglühen s. Spannungsarmglühen.

Spannungsintensitätsfaktor s. Bruchzähigkeit.

Spannungsoptik s. Spannungsdoppelbrechung.

Spannungsreihe. Ordnungskriterium für die *chemischen Elemente nach zunehmendem elektr. Potential; die bekannteste S. ist die sog. *elektrochem. S.*, die auf *Volta (1794) zurückgeht u. in der die chem. Elemente nach der Größe ihres *Normalpotentials angeordnet sind. Die S. ist nach J. W. *Ritter (1801) der quant. Ausdruck dafür, daß unedle Metalle die edlen aus ihren Lsg. ausscheiden; dieser Satz gilt auch für Wasserstoff, der z.B. durch Zink in Freiheit gesetzt wird u. andererseits unter geeigneten experimentellen Bedingungen (z.B. Ggw. von Katalysatoren) edlere Metalle, z.B. Kupfer, aus ihren Lsg. ausfällt. *Beisp.:* Ein Nagel od. ein Blech aus Eisen, die in eine Lsg. von Kupfersulfat eintauchen, haben sich nach wenigen Minuten mit einer Kupfer-Schicht überzogen (*Zementation) nach der Gleichung: $CuSO_4 + Fe \rightarrow Cu + FeSO_4$ od. einfacher: $Cu^{2+} + Fe \rightarrow Cu + Fe^{2+}$. Taucht man dagegen einen Kupfer-Blechstreifen in eine Lsg. von Eisen(II)-sulfat, so wird das Kupfer-Blech nicht etwa mit Eisen überzogen, sondern bleibt unverändert; der Versuch läßt sich also nicht umkehren. Unedle Metalle (Eisen, Zink) haben das Bestreben, in Lsg. zu gehen, sich also in Ionen umzuwandeln, während edle Metalle (Kupfer, Silber, Gold usw.) die elementare Form bevorzugen u. leicht vom Ionen- in den elektr. neutralen Metall-Zustand überführt werden können. Unedle Metalle treten daher in der Natur fast ausnahmslos in Form von Verb. auf, während *Edelmetalle vorwiegend gediegen vorkommen.

Einen Zusammenhang zwischen dem Lösungsdruck von Metallen u. ihren *Redoxpotentialen stellte die *Nernstsche Gleichung her. Als Bezugsgröße (Nullpunkt) für die S. der Normalpotentiale E^0 dient das Potential einer *Normalwasserstoffelektrode* (s. Gaselektroden) mit der Wasserstoff-Ionen-*Aktivität 1 mol/L u. einem Gasdruck von 100 kPa bei 25 °C. Kombiniert man nun diese Normalwasserstoff-Elektrode als Halbelement (s. Halbzellen) mit einer Metall-Elektrode, die in eine Lsg. ihres Metallsalzes mit einer Ionenaktivität von 1 mol/L eintaucht (2. Halbelement), so wird für jedes Metall bzw. Nichtmetall eine charakterist. Spannung in Volt gemessen, nämlich das Normalpotential. Es werden also nur die Unterschiede zwischen Potentialen gemessen u. angegeben. In der *elektrochem. S.* (Normal-S.) lassen sich dann die Metalle u. die im Gleichgew. stehenden Ionen zusammen mit dem zugehörigen Normalpotential (in Volt) wie folgt ordnen:

Halbreaktion		E^0 [V]
$e^- + Li^+$	$\rightleftarrows Li$	–3,045
$e^- + K^+$	$\rightleftarrows K$	–2,925
$2e^- + Ba^{2+}$	$\rightleftarrows Ba$	–2,906
$2e^- + Ca^{2+}$	$\rightleftarrows Ca$	–2,866
$e^- + Na^+$	$\rightleftarrows Na$	2,714
$2e^- + Mg^{2+}$	$\rightleftarrows Mg$	–2,363
$3e^- + Al^{3+}$	$\rightleftarrows Al$	1,662
$2e^- + 2H_2O$	$\rightleftarrows H_2 + 2OH^-$	–0,82806
$2e^- + Zn^{2+}$	$\rightleftarrows Zn$	–0,7628
$3e^- + Cr^{3+}$	$\rightleftarrows Cr$	–0,744
$2e^- + Fe^{2+}$	$\rightleftarrows Fe$	–0,4402
$2e^- + Cd^{2+}$	$\rightleftarrows Cd$	–0,4029
$2e^- + Ni^{2+}$	$\rightleftarrows Ni$	–0,250
$2e^- + Sn^{2+}$	$\rightleftarrows Sn$	–0,136
$2e^- + Pb^{2+}$	$\rightleftarrows Pb$	–0,126
$2e^- + 2H^+$	$\rightleftarrows H_2$	0
$2e^- + Cu^{2+}$	$\rightleftarrows Cu$	+0,337
$e^- + Cu^+$	$\rightleftarrows Cu$	+0,521
$e^- + Fe^{3+}$	$\rightleftarrows Fe^{2+}$	+0,771
$e^- + Ag^+$	$\rightleftarrows Ag$	+0,7991
$2e^- + Pt^{2+}$	$\rightleftarrows Pt$	+1,20
$4e^- + 4H^+ + O_2$	$\rightleftarrows 2H_2O$	+1,229
$e^- + Au^+$	$\rightleftarrows Au$	+1,50

Die Metalle mit dem höchsten neg. Normalpotential sind am unedelsten; sie reagieren rasch u. heftig mit Wasser u. gehen unter Oxid. in den Ionen-Zustand über, wirken also als starke Reduktionsmittel (*Beisp.:* *Metallothermie). Weiter wirkt sich die Stellung der Metalle in der S. bei der *Korrosion (*Rosten, *Lokalelement-Bildung, *nichtrostende Stähle; s.a. Redoxsysteme) aus, bestimmt aber nicht allein das Korrosions-Verhalten, da beim Normalpotential (Gleichgew.) kein Massenverlust auftritt. Von entscheidender Bedeutung für Korrosionsprozesse sind die sich einstellenden Korrosionspotentiale, d.h. aus dem Gleichgew. in anod. Richtung verschobene Potentiale, die maßgeblich durch die kathod. Teilreaktion bestimmt werden. Die Differenz zweier Normalpotentiale gibt die Spannung (*elektromotorische Kraft) des betreffenden *galvanischen Elements an. Das Daniell-Element (s. Abb. bei galvanische Elemente), das eine Kombination aus einer in 1-molare Kupfersulfat-Lsg. tauchenden Kupfer- u. einer in 1-molare Zinksulfat-Lsg. tauchenden Zink-Elektrode darstellt, liefert demnach eine Spannung von +0,34 –(–0,76) = +1,10 Volt. Ersetzt man z.B. den Zink-Stab u. die Zinksulfat-Lsg. durch einen Silber-Stab u. eine 1-molare Silbernitrat-Lsg., so erhält man zwischen dem Silber- u. dem Kupfer-Stab eine Spannung von 0,46 V; der Strom fließt diesmal vom Kupfer zum Silber, also in umgekehrter Richtung, weil Kupfer seine Elektronen an das edlere Silber abgibt u. dieses zur Ausscheidung bringt. In der S. der nach zunehmendem (neg.) Potential geordneten elektroneg. Elemente verdrängt umgekehrt jedes *Nichtmetall der Reihe S, I, Br, Cl, F im elementaren Zustand die voranstehenden aus ihren Verb. (*Beisp.:* $Cl_2 + H_2S \rightarrow 2HCl + S$).

Die Definition der elektrochem. S. wurde deshalb von der IEC weiter gefaßt u. lautet: „Die S. ist eine Tab., in der die Normalpotentiale der spezif. elektrochem. Reaktionen in einer Reihe angeordnet sind"; vgl.a. Redoxpotential. Bei der *elektrochem. S.* der Nichtmetalle ist zu beachten, daß hier die Ionen die reduzierte Stufe bilden; sie lautet:

Halbreaktion	E^0[V]
$2e^- + S_{fest} \rightleftharpoons S^{2-}$	–0,51
$2e^- + I_{2,fest} \rightleftharpoons 2I^-$	+0,5355
$2e^- + Br_{2,flüssig} \rightleftharpoons 2Br^-$	+1,0652
$2e^- + Cl_{2,gasf.} \rightleftharpoons 2Cl^-$	+1,3595
$2e^- + F_{2,gasf.} \rightleftharpoons 2F^-$	+2,87

Dic *Chlorknallgas-Kette liefert demnach bei 25 °C u. 101,3 kPa eine Spannung von 1,36 Volt.

Der enge Zusammenhang zwischen den zu ein u. demselben Metall gehörenden Werten der hier aufgeführten Normalpotentiale u. den beim Stichwort Redoxpotentiale angegebenen Werten kommt in einer 1900 von Luther aufgefundenen Beziehung zum Ausdruck, die sich aus der Gegenüberstellung der max. Arbeiten der einzelnen Prozesse ergibt. Sie lautet: $(m-n)E_{m,n} = m \cdot E_m - n \cdot E_n$. Im Falle des Kupfers gilt: $m = 2$, $n = 1$, $E_m = +0{,}34$ V, $E_n = +0{,}52$ V. Es ergibt sich somit: $E_{Cu^{2+}/Cu} = 2(+0{,}34\text{ V}) - 1(+0{,}52\text{ V}) = 0{,}16$ V, also ein Wert, der dem in der Tab. Redoxpotentiale (+0,153 V, s. dort) ziemlich genau entspricht. Zusätzliche u.z.T. genauere Werte für die elektrochem. S. der Elemente u. Ionen, bei denen man von *Ionenumladung* spricht, finden sich in *Lit.*[1,2].

Weitere S. sind aufgestellt worden für thermoelektr. Effekte (*thermoelektr. S.*, s. Thermoelektrizität), für reibungselektr. Erscheinungen (*reibungselektr. S.*, s. Triboelektrizität) u. für *Kontaktspannungen (Berührungsspannung), d.h. die Potentialdifferenzen, die auftreten, wenn sich zwei verschiedene Metalle berühren (*elektr. S., Voltasche S.*). – ***E*** electromotive series – ***F*** série électrochimique – ***I*** serie elettrochimica, serie dei potenziali standard – ***S*** serie de tensiones, serie electromotriz

Lit.: [1]Winnacker-Küchler (4.) **4**, 15. [2]Handbook **66**, D 151/158.
allg.: Gräfen (Hrsg.), Lexikon Werkstofftechnik, S. 951 ff., Düsseldorf: VDI-Verl. 1993 ▪ s. Elektrochemie.

Spannungsrelaxation s. Relaxation.

Spannungsrißbildung. Wenn Metalle od. *Kunststoffe durch gleichzeitiges Einwirken von Chemikalien u. mechan. Kräften in ihrer Struktur geschädigt werden, spricht man von *Spannungsriß-Korrosion. Bei Kunststoffen beobachtet man in diesen Fällen häufig die Bildung von (Pseudo-)Rissen auf der Material-Oberfläche. Man spricht daher auch von Spannungskorrosions-Rißbildung od. – da chem. Reaktionen eine meist untergeordnete Rolle spielen – von Spannungsrißbildung. Diese ist vor allem bei Behältern, Rohren u. Kabeln zu beobachten, die unter Zug mit chem. Agenzien (z.B. oberflächenaktiven Stoffen, Lsm. od. aggressiven Chemikalien) in Berührung kommen. Wann die S. einsetzt u. welches Ausmaß sie annimmt, richtet sich entscheidend nach der Stärke der Wechselwirkungen zwischen dem Polymer u. dem einwirkenden Agens sowie der Größe der Spannung bzw. Deformation. Wie stark die S. auch von der Vorbehandlung des Kunststoffes abhängt, kann z.B. mit *PMMA-Flaschen gezeigt werden. Trockene PMMA-Behälter können ohne Schädigung mit z.B. Alkohol gefüllt werden. War der Behälter zuvor jedoch längere Zeit in Kontakt mit Wasser (z.B. in der Geschirrspülmaschine), wobei er bis zu 2% seines Gewichtes an Wasser aufnimmt, so setzt mit dem Einfüllen von Alkohol die S. ein. Der Behälter wird trüb u. kann eventuell sogar zerbrechen. Ursache hierfür ist, daß der Alkohol das aufgenommene Wasser sukzessive wieder aus dem PMMA herauslöst. Hierdurch baut sich eine Spannung im Material auf, die durch die S. ausgeglichen wird.
Die Anfälligkeit von Kunststoffen gegen S. sinkt mit steigender Molmasse der Polymeren, bei deren Vernetzung u. bei Zugabe von *Weichmachern. Letztere erhöhen die Kettenbeweglichkeit u. begünstigen so die rißfreie Relaxation der Spannungsenergie. Aus dem gleichen Grund kann oberhalb der *Glasübergangstemperatur eines Polymers keine S. mehr auftreten. – ***E*** = ***F*** stress cracking, stress-crack formation – ***I*** formazione di cricche per tensione – ***S*** formación de fisuras por tensión

Lit.: Elias (5.) **1**, 977.

Spannungsriß-Korrosion. Bez. für eine spezielle Art der *Korrosion, die ausschließlich unter Zugbeanspruchung u. gleichzeitiger Einwirkung eines spezif. Angriffsmittels eintritt u. zu meist verästelter Rißbildung mit der Folge verformungsarmer Trennungen führt. Höhe der Zugspannungen, der Temp. u. der Konz. sowie der pH-Werte haben einen wesentlichen Einfluß. S.-K. auslösende Zugspannung kann durch äußere, rein stat. od. zusätzlich überlagerte niederfrequente Belastung auftreten od. als Eigenspannung im Werkstoff vorliegen. Je nach Rißverlauf unterscheidet man in Metallen trans- u. interkrist. S.-K., also Korrosion durch die Kristallite des Gefüges hindurch bzw. entlang der Korngrenzen, u. je nach auslösendem Mechanismus spricht man von anod. od. Wasserstoff-induzierter S.-Korrosion. Bei Chemiewerkstoffen spricht man dann von S.-K., wenn chem. Reaktionen maßgeblich an Rißbildungsvorgängen beteiligt sind. – ***E*** stress corrosion cracking – ***F*** corrosion sous tension – ***I*** formazione di cricche per corrosione sotto sforzo – ***S*** corrosión por tensofisuración

Lit.: DIN 50900-01: 1982-04 ▪ DIN 50922: 1985-10 ▪ Verein Dtsch. Ingenieure (Hrsg.), VDI 3822 Bl. 3: Schadensanalyse, Schäden durch Korrosion in wäßrigen Medien, Düsseldorf: VDI-Verl. 1990.

Spannungstheorie s. Baeyer-Spannung, Konformation, Pitzer-Spannung u. Ringspannung.

Spannungsweichmachung s. Spannungs-Dehnungs-Diagramme.

Spannungszustand. Kenngröße für die örtliche od. integrale mechan. Beanspruchung eines Bauteils. Die Spannung ist definiert als Kraft je Flächeneinheit (Dimension N/mm^2) u. gestattet damit den quant. Vgl. unterschiedlich großer Bauteile. Der jeweils vorliegende, gemessene od. berechnete S. wird im Rahmen der Auslegung von Bauteilen in Relation gesetzt zu dimensionsgleichen, unter Standardbedingungen im Labor gemessenen Festigkeitskennwerten des vorhandenen od. vorgesehenen Bauteilwerkstoffs [1]. Zur Gewährleistung hinreichender Betriebssicherheit muß die mechan. Beanspruchung einen entsprechenden Sicherheitsabstand zu den vorhandenen Festigkeitskennwerten aufweisen.
In der Praxis liegt zumeist ein mehrachsiger S. mit Komponenten in allen drei Raumrichtungen vor. Eine derartige Beanspruchung ist im Labor nur schwierig zu realisieren u. hinsichtlich ihrer Auswirkungen auf das Bauteilverhalten zu prüfen. Aus diesem Grunde hat es bereits frühzeitig Ansätze gegeben, durch Festigkeitshypothesen (z.B. nach von Mises, Hencky) den mehrachsigen S. über die Berechnung einer *Vergleichsspannung* auf den einachsigen zurückzuführen, u. damit eine Übertragbarkeit der einachsig im Labor gemessenen Festigkeitskennwerte auf die mehrachsige Bauteilbeanspruchung zu ermöglichen.
Die klass. Bauteilauslegung geht sowohl bei der Betrachtung des gesamten beanspruchten Querschnitts als auch bei der Berücksichtigung des Einflusses örtlicher Kerben (Kerbspannungslehre nach Neuber) von einem homogenen, defektfreien Material aus (*Kontinuumsmechanik*). Fragen der Zähigkeit werden dabei nur über empir. begründete Mindestanforderungen an das Bauteilverhalten berücksichtigt. Dagegen hat sich in der zweiten Hälfte dieses Jh. bei hochbeanspruchten Bauteilen die Annahme von fehlerbehafteten (inhomogenen) Materialien durchgesetzt [2]. Prinzipiell wird zwar auch in diesem Fall ein Beanspruchungszustand (Spannungsintensitätsfaktor), wie er in einem belasteten Bauteil in der Nähe einer Inhomogenität vorliegt, wieder verglichen mit einem im Labor ermittel-

ten Werkstoffkennwert (Bruchzähigkeit). Abweichend vom klass. Vorgehen wird allerdings über letzteren die Zähigkeit quant. in die Auslegung einbezogen. Die Auslegungsphilosophie hat sich damit von der Kontinuumsmechanik zu einer Defektbewertung gewandelt. Von erheblicher Bedeutung für das Praxisverhalten von Bauteilen ist schließlich die Zeitabhängigkeit des Spannungszustands [3]. Werkstoffe reagieren auf einen zeitlich veränderten S. mit deutlich niedrigeren Festigkeiten im Vgl. zur stat. Beanspruchung (s. a. Schwingfestigkeit). Sowohl prüftechn. als auch rechner. wirft dabei die Ermittlung der Auswirkung eines zeitlich veränderlichen, mehrachsigen S. erhebliche Probleme auf. – ***E*** stress state – ***F*** degré de tension – ***I*** grado di tensione – ***S*** grado de tensión

Lit.: [1] Stevens, Statics and Strength of Materials, New Jersey: Prentice Hall 1979. [2] Schwalbe, Bruchmechanik metallischer Werkstoffe, München: Hanser 1980. [3] Schlimmer, Zeitabhängiges mechanisches Werkstoffverhalten, Berlin: Springer 1984.

Spanplatten s. Holzspanplatten.

Sparbeizen. Bez. für Metall-*Beizen auf Säure-Basis (meist Salzsäure, Schwefelsäure), die einen *Inhibitor (Sparbeiz-Zusatz) enthalten. Nicht inhibierte Säuren greifen das unter den zu entfernenden Belägen befindliche reine Metall an, wodurch dieses geschädigt u. der Säure-Verbrauch gesteigert wird. Um diese Nachteile zu vermeiden, werden der Säure geeignete Inhibitoren zugesetzt, z. B. anorgan. Metallsalze, die das Grundmetall weitgehend schützen, aber die Auflösung der zu entfernenden Oberflächenschichten (Oxide, Zunder, Kesselstein) zulassen, also als *Korrosionsschutzmittel wirken. Modernere S. enthalten an Stelle von Metallchloriden organ. Verb., z. B. Dialkylthioharnstoffe, Sulfoxide, 2-Mercaptobenzothiazol, Trithione, 2-Propin-1-ol, 2-Butin-1,4-diol, Hexamethylentetramin, Thioamide od. hochmol. organ. Kolloide wie Kleie, Leim, Gelatine, Kastanienstärke, Pflanzenharze u. Celluloseether. Die Kolloide sind als *Sol gelöst u. schlagen sich auf dem blanken Metall als *Gel nieder, wodurch sie weitere Säure-Angriffe verhindern. Durch Mischung verschiedener S.-Zusätze lassen sich oft erhöhte Wirkungen erzielen. S. werden insbes. in der Oberflächentechnik (z. B. Feuerverzinkung, *Galvanotechnik) zur Entfernung von *Rost u. Walzzunder eingesetzt. Als *Entrostungsmittel ist auch Phosphorsäure geeignet. Um erneuter, rascher Korrosion zu begegnen, werden die mit S. gereinigten Metallstücke zunächst mit Wasser, dann mit Soda-Lsg. zur Neutralisation der Säure-Reste u. zuletzt wieder mit Wasser gespült. – ***E*** inhibitor-containing pickling solutions – ***F*** inhibiteur de décapage – ***I*** decappaggio economico – ***S*** decapado económico, inhibidor de decapado

Lit.: Winnacker-Küchler (4.) **4**, 657 ▪ s. a. Korrosion, Metallreinigung.

Sparfloxacin (Rp).

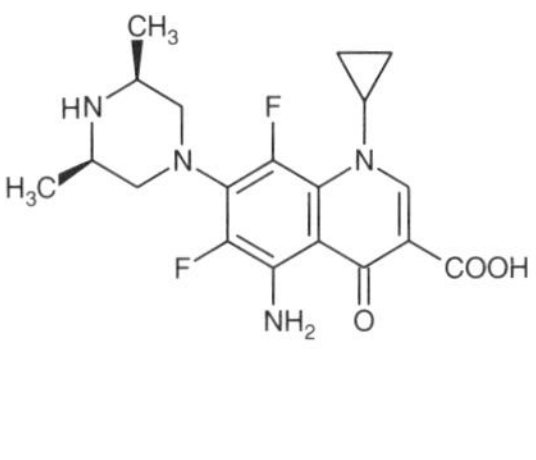

Internat. Freiname für das *Antibiotikum vom Chinolon-Typ 5-Amino-1-cyclopropyl-7-(*cis*-3,5-dimethyl-1-piperazinyl)-6,8-difluor-1,4-dihydro-4-oxo-3-chinolincarbonsäure, $C_{19}H_{22}F_2N_4O_3$, M_R 392,41, Schmp. 266–269 °C (Zers.), pK_{a1} 6,25, pK_{a2} 9,30; LD_{50} (Ratte, i.p.) >2000 mg/kg. S. ist ein *Gyrasehemmer. Es wurde 1987/89 von Dainippon patentiert u. ist von Rhône-Poulenc Rorer (Zagan®) im Handel. – ***E*** sparfloxacin – ***F*** sparfloxacine – ***I*** sparfloxacina – ***S*** esparfloxacín

Lit.: Hager (5.) **9**, 641–645 ▪ J. Chromatogr. **579**, 285 ff. (1992) ▪ J. Med. Chem. **33**, 1645 ff. (1990) ▪ Merck-Index (12.), Nr. 8884. – *[CAS 110871-86-8]*

Spargel. Der in Europa, Nordafrika u. Vorderasien heim. S. (*Asparagus officinalis*, Liliaceae) ist eine mehrjährige, eingeschlechtig zweihäusige Pflanze, deren männliche Individuen ertragreicher sind. Aus den Wurzelstöcken treiben fleischige, grünliche, beim Wachsen in einem sandigen Erdwall gelblich-weiße (weil Chlorophyll-freie) Stengelsprossen, die manchmal verholzt sein können. Am Licht verfärben sich die Spitzen durch Chlorophyll- od. Pigment-Bildung grünlich od. bläulich (Anthocyan). Die Ernte der Sprossen, die als Gemüse, Salat u. für Suppen hoch geschätzt sind, erfolgt im Mai u. Juni durch Stechen. Je 100 g eßbare S.-Substanz enthalten im Durchschnitt 93,6 g Wasser, 1,9 g Proteine, 0,2 g Fett, 2 g Kohlenhydrate (davon 1,5 g Faserstoffe), außerdem die Vitamine A, B_1, B_2, B_6, C, E, Nicotinsäure, Pantothensäure u. Folsäure sowie Äpfelsäure, Citronensäure, Oxalsäure, K, Ca, Mg, P, S, F u. Cl; der Nährwert beträgt 88 kJ (21 kcal). S. enthält außerdem größere Mengen an *Asparagin. Die harntreibende Wirkung des S. ist wahrscheinlich auf seinen Gehalt an *Saponin u. den relativ hohen K-Gehalt zurückzuführen. Die Nachahmung der typ. Geschmacks- u. Aromastoffe ist auf der Basis von Dimethylsulfid od. Methylmethioninsulfoniumsalzen versucht worden. Für den Aromastoff 1,2-Dithiolan-4-carbonsäure (*Asparagussäure*, $C_4H_6O_2S_2$, M_R 150,21) ist Cystein eine Vorstufe. S.-Hauptanbaugebiete in der BRD sind Niedersachsen, die Oberrhein, Tiefebene, Mittelfranken u. der Niederrhein; Importe kommen aus den Niederlanden, Belgien u. Frankreich. – ***E*** asparagus – ***F*** asperge – ***I*** asparago – ***S*** espárrago

Lit.: Franke, Nutzpflanzenkunde (6.), S. 208 f., Stuttgart: Thieme 1997. – *[HS 0709 20; CAS 2224-02-4 (Asparagussäure)]*

Sparit s. Kalke.

Sparoxomycine s. Sparsomycin.

Sparsomycin (Sparsogenin).

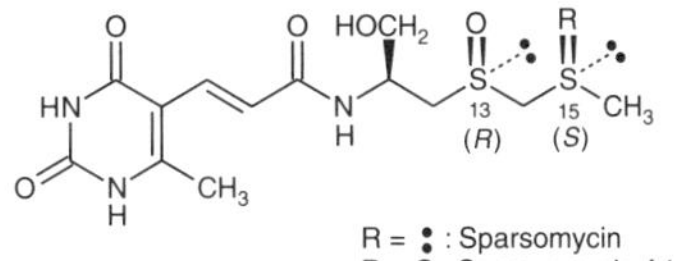

R = : : Sparsomycin
R = O : Sparoxomycin A1

$C_{13}H_{19}N_3O_5S_2$, M_R 361,43, Schmp. 208–209 °C (Zers.), $[\alpha]_D^{25}$ +69° (H_2O). Pyrimidin-Derivat aus *Streptomyces sparsogenes* u. *S. cuspidosporus*. S. ist aktiv gegen Gram-neg. Bakterien [1], Pilze u. Viren. S. zeigt anti-

neoplast. Eigenschaften, weshalb S. u. synthet. Analoga als Zusatzstoffe in der Tumortherapie geprüft wurden. S. verstärkt die Aktivität von *Cisplatin u. vermindert damit dessen Toxizität[2]. Die synergist. Wirkung von S. ist auf dessen Fähigkeit, die Protein-Biosynth. zu hemmen, zurückzuführen (Anlagerung an das Peptidyltransferase-Zentrum der ribosomalen 50S-Untereinheit)[3].
S. ist nicht zu verwechseln mit dem Nucleosid-Antibiotikum *Tubercidin*[4]

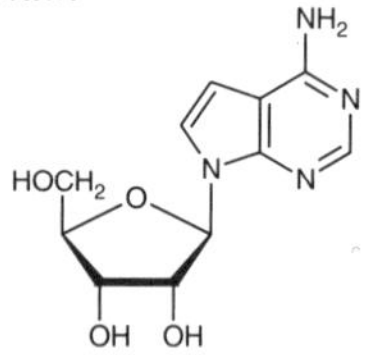

[$C_{11}H_{14}N_4O_4$, M_R 266,26, Schmp. 247 °C (Zers.)], das ebenfalls Antitumor-Eigenschaften besitzt u. früher als *Sparsomycin A* bezeichnet wurde.
Die beiden S[15]-epimeren Oxide heißen *Sparoxomycin A1* [(15*S*)-Form]: $C_{13}H_{19}N_3O_6S_2$, M_R 377,44, Pulver, Schmp. 169–173 °C (Zers.), $[\alpha]_D^{28}$ –47,8° (H_2O) u. *Sparoxomycin A2* [(15*R*)-Form]: Pulver, Schmp. 170–174 °C (Zers.), $[\alpha]_D^{28}$ +3,6° (H_2O)[5]. – ***E*** sparsomycin – ***F*** sparsomycine – ***I*** sparsomicina – ***S*** esparsomicina

Lit.: [1]Antibiotics (New York) **5**, 264–271 (1979). [2]Cancer Lett. **46**, 153–157 (1989). [3]Anticancer Res. **9**, 923–927, 1835–1840 (1989); J. Med. Chem. **32**, 2002–2015 (1989). [4]J. Antibiotics **41**, 1048 (1988); **42**, 1711 (1988); Sax (8.), TNY 500; Tetrahedron Lett. **28**, 5107 (1987). [5]J. Antibiotics **49**, 65, 1096 (1996).
allg.: Biochem. Biophys. Res. Commun. **166**, 673–680 (1990) ▪ Eur. J. Med. Chem. **24**, 503–510 (1989) ▪ J. Am. Chem. Soc. **114**, 5946 (1992) (Biosynth.) ▪ J. Med. Chem. **32**, 2002 (1989) ▪ J. Org. Chem. **50**, 1264 (1985) ▪ Prog. Med. Chem. **23**, 219–268 (1986) ▪ Sax (8.), SKX 000 ▪ Tetrahedron Lett. **35**, 7497 (1994) (Biosynth.). – *[HS 2941 90; CAS 1404-64-4 (S.); 69-33-0 (Tubercidin); 174390-01-3 (Sparoxomycin A1); 174390-02-4 (Sparoxomycin A2)]*

Spartein (7aα,14aβ-Dodecahydro-7α,14α-methano-2*H*,6*H*-dipyrido[1,2-a:1′,2′-e][1,5]diazocin).

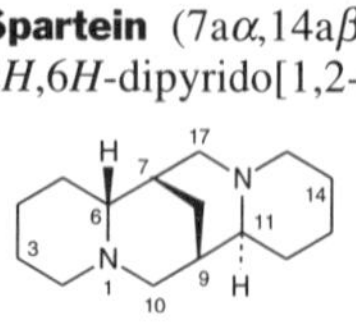

(-)-Spartein 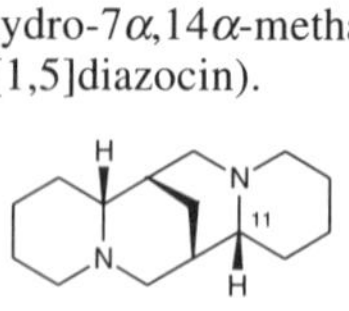 11β-Spartein (Genistein)

$C_{15}H_{26}N_2$, M_R 234,37. Viskoses, bitter schmeckendes, Anilin-artig riechendes Öl, D. 1,020, Sdp. 181 °C (2,4 kPa), n_D^{19} 1,5289, $[\alpha]_D$ –17° (C_2H_5OH), wenig lösl. in Wasser, lösl. in Ethanol, Chloroform, Ether, mit Wasserdampf flüchtig. S. ist ein tetracycl. *Chinolizidin-Alkaloid, das für den bitteren Geschmack der *Lupinen verantwortlich ist. S. kommt in zahlreichen Fabaceen-Gattungen (z.B. *Lupinus*, *Cytisus*), in der Berberidaceen-Gattung *Leontice* u. auch im Besenginster (*Cytisus scoparius*, syn. *Sarothamnus scoparius*, Fabaceae) vor, aus dem es 1851 von Stenhouse isoliert wurde. S. wirkt in kleinen Dosen erregend auf die glatte Muskulatur, in größeren Dosen lähmend, LD_{50} (Ratte p.o.) 960 mg/kg (ähnlich *Coniin); es verstärkt die Koronardurchblutung, hemmt die Reizleitung u. kann daher gegen Arrhythmien eingesetzt werden. Das Monosulfat findet therapeut. Verw. bei Herzkrankheiten, Venenleiden, in der Geburtshilfe u. Anästhesie (Actospar®, Depasan®, Spartocin®, Synastrin®, Tocosamin®). S. wird auch als chiraler Katalysator verwendet. Das enantiomere (+)-S.: *Pachycarpin* [Sdp. 173–174 °C (1,1 kPa), $[\alpha]_D$ +17,1° (Ethanol)] ist ebenfalls in verschiedenen Leguminosen enthalten u. hochtox. [LD_{50} (Maus i.v.) 26 mg/kg]. Auch racem. (±)-S. kommt in der Natur vor. Epimere von S. sind *11β-Spartein* [α-Isospartein, Genistein, Schmp. 110–115 °C, $[\alpha]_D$ –56° (CH_3OH)] u. *6α-S.* [β-Isospartein, (–)Spartalupin, Schmp. 32 °C, $[\alpha]_D$ –15,4° (CH_3OH)]. Racem. S. kommt ebenfalls natürlich vor. Das auch in Lupinen vorkommende *Lupanin* ist ein S. mit Lactam-Gruppierung (s. Lupinen-Alkaloide). – ***E*** sparteine – ***F*** spartéine – ***I*** sparteina – ***S*** esparteína

Lit.: Beilstein E V **23/5**, 497 ff. ▪ Hager (5.) **3**, 1096 f. ▪ Manske **47**, 1–115 ▪ Merck-Index (12.), Nr. 8887, 4395 (Genistein) ▪ Pharm. Unserer Zeit **15**, 172–176 (1986) ▪ Phytochemistry **27**, 3715 (1988); **29**, 1297 (1990) (Lupanin) ▪ Xenobiotica **16**, 465 (1986). – *Biosynth.:* J. Chem. Soc., Chem. Commun. **1984**, 1477. – *Synth.:* Chem. Pharm. Bull. **35**, 4990 (1987) ▪ J. Chem. Soc., Perkin Trans. 1 **1990**, 2593. – *Toxikologie:* Sax (8.), LIQ 800, PAB 250, SKX 500, SKX 750, s.a. Lupinen-Alkaloide u. Chinolizidin-Alkaloide. – *[HS 2939 90; CAS 90-39-1 (S.); 4985-24-4 ((±)-S.); 492-08-0 ((+)-S.); 446-95-7 (11β-S.); 24915-04-6 (6α-S.); 492-06-8 ((+)-6α-S.)]*

Spasmex® (Rp). Tabl., Ampullen u. Suppositorien mit dem Spasmolytikum *Trospiumchlorid gegen Spasmen der glatten Muskulatur im Magen-Darm-Bereich. ***B.:*** Pfleger.

Spasm(o)... (griech.: spasmós = Zuckung, Krampf). Teil von Handelsnamen für *Spasmolytika, die gegen Krampfzustände in Magen-Darm-Trakt, Gallen-, Harnwegen u. Unterleibsorganen, bei Föhn- u. Reisekrankheit, Migräne, Bronchitis, Keuchhusten, Asthma, Krampfadern, Angina pectoris, zur Narkosevorbereitung usw. Verw. finden. – ***E*** = ***F*** = ***I*** spasm(o)... – ***S*** espasm(o)...

Spasmolysine. *Peptide mit 49 (S. I) bzw. 50 (S. II) Aminosäure-Resten, die in Froschhaut (*Xenopus laevis*) vorkommen, Sequenzhomologie zum Peptid pS2 aus menschlichem Magensaft u. einer Brustkrebs-Zellinie sowie zum pankreat. spasmolyt. Polypeptid (PSP) aus Schweine-Pankreas aufweisen u. wie diese das Kleeblatt-Motiv (vgl. Kleeblatt-Proteine) enthalten. Da letzteres auf die erwähnte Brustkrebs-Zellinie als *Wachstumsfaktor wirkt, wird eine solche Aktivität auch für die S. vermutet. – ***E*** spasmolysins – ***F*** spasmolysines – ***I*** spasmolisine – ***S*** espasmolisinas

Spasmolytika. Von *Spasm(o)... u. *Lyo... abgeleitete Bez. für krampflösende Mittel, d.h. Verb., die zu einer Erschlaffung der Organe mit glatter Muskulatur führen u. die daher bei Spasmen (Koliken) des Respirations-, Verdauungs- u. Ausscheidungstrakts eingesetzt werden (Antispasmodika). Nach ihrer Wirkungsweise lassen sich die S. in 2 Gruppen unterteilen: 1. *myotrope Stoffe* mit direktem Angriff auf die glatten Muskelfasern der Gefäße, des Herzmuskels, der Bronchien, des Magen-Darm-Trakts, der Gallen- u. Harnwege u. des Uterus (Prototyp: *Papaverin), u. – 2. *neurotrope Stoffe*, die die Reizübermittlung durch reversible Verdrängung von *Acetylcholin u. Besetzen der Rezeptor-Stellen hemmen, wobei nicht nur die Nervenenden des Parasympathikus, sondern auch periphere Enden des Sympathikus blockiert werden, soweit diese cholinerge Reizleitung haben; Prototyp: *Atropin (s. Neurochemie, Parasympath(ik)olytika u. Sympath(ik)olytika). Eine strenge Trennung der beiden Gruppen ist nicht immer möglich, da manche Stoffe beide Wirkungen gleichzeitig aufweisen. Zu den gebräuchlichsten S. gehören neben Derivaten der schon genannten S. *Papaverin u. *Atropin z. B. Derivate der Benzilsäure u. der Diphenylessigsäure u. Khellin. Stoffe mit direkter gefäßmuskelerschlaffender Wirkung wie Ester der salpetrigen u. der Salpetersäure werden nicht als S. bezeichnet, s. a. Vasodilatatoren. *Muskelrelaxantien führen zur Entspannung von Skelettmuskulatur. – ***E*** spasmolytics – ***F*** spasmolytiques – ***I*** spasmolitici – ***S*** espasmolíticos

Lit.: Auterhoff, Knabe u. Höltje, Lehrbuch der Pharmazeutischen Chemie, S. 518–524, Stuttgart: Wissenschaftliche Verlagsges. 1994 ▪ Ehrhart-Ruschig, Bd. 2, S. 43 ff. ▪ Kleemann, Lindner u. Engel, Arzneimittel, S. 923 ff., Weinheim: VCH Verlagsges. 1987.

Spasuret®. Filmtabl. mit *Flavoxat-hydrochlorid gegen Spasmen im Urogenitaltrakt. ***B.:*** Sanofi Winthrop.

Spate (Plural, seltener: Späte). Alter bergmänn. Name für leicht spaltbare Erze u. Mineralien; *Beisp.:* Kalkspat (*Calcit), Eisenspat od. Spateisenstein (*Siderit), Manganspat (*Rhodochrosit), Flußspat (*Fluorit), Schwerspat (*Baryt) u. die *Feldspäte (Feldspate). – ***E*** spars – ***F*** spaths – ***I*** spati – ***S*** espatos

Spateisenstein s. Siderit.

Spatel. Schmaler, flacher Stab aus Metall, Holz, Kunststoff od. Glas, mit dem man im Laboratorium kleine Substanzmengen aufnehmen kann (eine „S.-Spitze"); in breiter Form – hier oft auch *Spachtel* genannt – zum Auftragen, Glätten od. Abkratzen von Anstrichmitteln, Gips, Mörtel, Spachtelmassen etc. verwandt. – ***E*** spatula – ***F*** spatule – ***I*** spatola – ***S*** espátula

Lit.: ACHEMA-Jahrb. **1991**, 2536.

SPCA s. Proconvertin

SPE s. Olestra®.

Speciation s. Spurenanalyse.

Specköl s. Solarstearin.

Speckstein. Dichte, massige, undurchsichtig grünlichbraune, aber auch rötlich u. gelblich sowie silbrigweiß u. speckigweiß gefärbte, häufig auch geaderte u. gefleckte Abart von *Talk, die man z. B. bei Göpfersgrün im Fichtelgebirge, in Brasilien, Indien u. China findet. H. 1, D. 2,7. Chem. Analysen s. *Lit.*[1]; S. kann Spuren von Fe, Al u. Ca enthalten. S. ist mit dem Messer schnitzbar u. auf der Drehbank bearbeitbar; er fühlt sich fettig (Name!) bzw. auch seifig („*Seifenstein*"; auch Bez. für *Saponit) an.

Verw.: Gebrannt für Gas- u. Karbidbrenner, unter Zusatz bestimmter Tone für die Herst. von Schaltern u. keram. Isolatoren mit hoher Durchschlagsfestigkeit sowie für Futtereinlagen u. Mahlkörper für Kugelmühlen. *Ungebrannter S.* schon seit der Antike zur Herst. von Kunst- u. Gebrauchsgegenständen, ferner als Schneiderkreide, feingemahlen als Rohstoff für Puder u. Tabletten, als Füllstoff in Kabelvergußmassen, Steinholzerzeugnissen, Papier- u. Gummiwaren sowie als Giftstoffträger für Schädlingsbekämpfungsmittel. Als *Topfstein* zum Bau von elektr. Heizapparaten u. Öfen. In der Technik wird oft begrifflich nicht zwischen Talk, S. u. *Steatit* unterschieden, obwohl die Bez. Steatit häufig auf Brennprodukte des S. beschränkt wird, die durch Mahlen, Formen mit Fluß- u. Plastifiziermitteln u. Brennen bei 1400 °C erhalten werden. – ***E*** soapstone – ***F*** pierre de lard – ***I*** steatite, bardite, pietra saponaria, pietra da sarto – ***S*** esteatita, jaboncillo

Lit.: [1] Ber. Dtsch. Keram. Ges. **62**, 82–86 (1985).
allg.: Eppler, Praktische Gemmologie (5.), S. 429, Stuttgart: Rühle-Diebener 1994 ▪ Wirtschaftsvereinigung Bergbau e. V. (Bonn) (Hrsg.), Das Bergbau-Handbuch (5.), S. 285, Essen: Verl. Glückauf 1994 ▪ s. a. Talk. – *[HS 2526 10, 2526 20]*

Specpure®. Hochreine Chemikalien für die Analytik, die Reinheitsspezifikation liegt im allg. bei 99,99%+ gesamtmetall. Verunreinigungen, die im Alfa-Katalog aufgelistet sind. ***B.:*** Johnson Matthey GmbH.

SPECT s. Tomographie.

Spectinomycin (Actinospectacin).

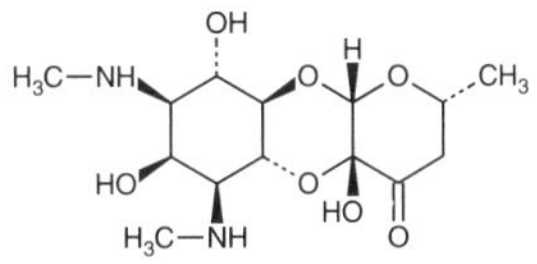

Von *Streptomyces spectabilis* u. *S. flavopersicus* gebildetes Antibiotikum (substituiertes Pyranobenzodioxinon, $C_{14}H_{24}N_2O_7$, M_R 332,35, Schmp. 184–194 °C). S. wird zu den *Aminoglykosid-Antibiotika gerechnet, es enthält einen Aminocyclit-Rest, aber keinen Aminozucker u. hemmt wie die Aminoglykoside die Protein-Synth. an den *Ribosomen. S. ist wirksam v. a. gegen Gram-neg. Erreger u. wird in der Humantherapie gegen Penicillin-resistente Gonokokken eingesetzt. – ***E*** spectinomycin – ***F*** spectinomycine – ***I*** spettinomicina – ***S*** espectinomicina

Lit.: Beilstein E V **18/2**, 489 ▪ Curr. Microbiol. **21**, 261 (1990) ▪ J. Am. Chem. Soc. **98**, 3025 (1976) ▪ J. Antibiot. **28**, 136, 240 (1975); **32** (Suppl.), 573 (1979); **37**, 1513, 1519, 1525 (1984). – *[HS 2941 90; CAS 1695-77-8]*

Spectrin. Im Membranskelett (s. Cytoskelett, Membranen) von *Erythrocyten (genauer: in Geisterzellen, s. Hämolyse, daher Name von *F* spectre = Gespenst) entdecktes *Protein, das ausgedehnte faserige Netzwerke ausbildet. S. besteht aus α- u. β-Ketten (Bande 1, M_R 260 000 bzw. Bande 2, M_R 225 000; andere Angaben: M_R 240 000 bzw. 220 000), die aus etlichen sich wiederholenden, 106 Aminosäure-Reste langen Bereichen bestehen, welche zu dreifachen α-Helices gefaltet sind. Diese *S.-Wiederholungseinheiten* (*E* spectrin repeats) finden sich auch bei α-*Actinin, *Dystrophin u. Utrophin. Je 2 α- u. β-Ketten lagern sich zum 200 nm langen Tetramer zusammen. Diese sind über *Actin u. *Bande 4.1 sowie *Ankyrin u. *Bande 3 an der Membran befestigt. Die S.-Actin-Verbindung kommt mit Hilfe des Proteins *Adducin zustande. Die Aufgabe des S. besteht darin, zusammen mit den anderen Komponenten des Membranskeletts die Form der Erythrocytenmembran zu stabilisieren u.

ihr Elastizität zu verleihen; erblich bedingter Mangel an S. führt zur hereditären Sphärozytose (Kugelzellen-Anämie). In Gehirn- u. Darmepithelzellen wird eine entsprechende Funktion von dem ähnlichen *Fodrin bzw. dem *TW-240/260-Protein* übernommen. – ***E*** spectrin – ***F*** spectrine – ***I*** spettrina – ***S*** espectrina

Lit.: Bioessays **19**, 811–817 (1997) ▪ Protein Profile **2**, 703–800 (1995).

Spectroflux®. *Borat-Aufschlußmittel (Lithiumtetraborat u. -metaborat, Natriummetaborat) zum Schmelzaufschluß u. zur Probenvorbereitung für die physikal. u. chem. Analyse, die im Alfa-Katalog aufgelistet sind. ***B.:*** Johnson Matthey GmbH.

Spectromelt®. Schmelz-Aufschlußmittel für die Röntgen-Fluoreszenzanalyse. ***B.:*** Merck.

Spectroquant®. Fertigtests für die photometr. Analytik. ***B.:*** Merck.

Spectrosolv®. Aufschlußmittel für den Naß-Aufschluß von Merck.

Specularit s. Hämatit.

Speculum-Metall. Veraltete Bez. für US-amerikan. Leg. mit 66–69% Cu u. 31–34% Sn (annähernde Zusammensetzung Cu_3Sn), verwendet zur Herst. von *Spiegeln u. Reflektoren. Diese Leg. neigen nicht zum Anlaufen u. sind hochglanzpolierbar. – ***E*** speculum metal – ***F*** métal pour miroirs – ***I*** metallo per specchi – ***S*** metal especular, estañocobreado

Lit.: Woldmann u. Gibbons (Hrsg.), Engineering Alloys, 5. Aufl., New York: Van Nostrand Reinhold 1973.

Spee®. Vollwaschmittel, auch als *Megaperls, für die gesamte Wäsche; enthält anion. u. nichtion. *Tenside, Polycarboxylate, opt. Aufheller, Perborat als Bleichmittel außer in Colorwaschmittel. ***B.:*** Henkel.

Speed. In der Drogenszene Deckname für *Amphetamin od. *Methamphetamin.

Speerkies s. Markasit.

Speichel. Wäss. Sekret, das von den drei paarigen S.-Drüsen (Ohrspeicheldrüse, Unterkieferdrüse u. Unterzungendrüse) sowie von kleinen Drüsen der Mundhöhle gebildet wird. Durchschnittlich werden 1–2 L S. pro Tag gebildet. Er besteht zu 99,5% aus Wasser u. enthält u. a. Kalium, Natrium, Calcium, Chlorid, Phosphat u. Bicarbonat sowie die Enzyme *Lysozym, S.-*Amylase u. *Aprotinin, zudem *Mucine u. Immunglobuline. Sein pH-Wert liegt in Ruhe bei 5,5–6,0 u. steigt nach Stimulation auf 7,8 an. Der S. trägt durch enzymat. Aufspaltung von Stärke zur *Verdauung bei. Er ist wichtig für die mechan. Reinigung u. Schutz von Mundschleimhaut u. Zähnen u. ist Lsm. für Geschmacksstoffe. Die Regulation der S.-Sekretion erfolgt durch das vegetative Nervensystem. Störungen der S.-Sekretion äußern sich als Unter- od. Überfunktion (Oligosialie bzw. Sialorrhoe). Durch Veränderung der Menge u. Zusammensetzung des S. können sich in den Ausführungsgängen der S.-Drüsen Konkremente, sog. S.-Steine (Sialolithen) bilden. – ***E*** = ***I*** = ***S*** saliva – ***F*** salive

Lit.: Annu. Rev. Physiol. **48**, 75–88 (1986) ▪ Schmidt u. Thews, Physiologie des Menschen, Heidelberg: Springer 1997.

Speicherstoffe s. Reservestoffe.

Speiköl s. Spik(lavendel)öl.

Speiseeis. Nach § 1 der VO über Speiseeis [1] ist S. eine durch Gefrieren in einen starren od. halbfesten Zustand gebrachte Zubereitung, die mit od. ohne *Eier, aus *Zucker(-arten) od. *Honig u. *Milch hergestellt wird. Auch die Verarbeitung von Obsterzeugnissen ist möglich. Ferner werden *Kaffee, *Kakao, *Schokolade, *Vanille, Nüsse u. *Pistazien zur S.-Herst. verwendet. Die Begriffsbestimmungen für die Erzeugnisse *Cremeeis*, *Fruchteis*, *Rahmeis*, *Milch-S.*, *Eiskrem* u. *Kunst-S.* sind dem § 1 der Speiseeis-VO [1] zu entnehmen. *Halberzeugnisse für S.* sind Erzeugnisse, die nicht zum unmittelbaren Genuß bestimmt sind, sondern zu S. weiterverarbeitet werden sollen. Als *Verdickungsmittel sind zur Herst. von S. u.a. Carageen, *Alginate u. *Tragant zugelassen (§ 2a Speiseeis-VO [1]). Die Konsistenz von S. läßt sich auch durch Einschlagen von Luft („Aufschlag") entscheidend verbessern. Dies ist mit einer Vol.-Zunahme von bis zu 70% verbunden. *Softeis* ist S., das direkt am Verkaufsort in Eismaschinen hergestellt u. im plast. Zustand (Temp. ≧ –5 °C) verkauft wird. S. ist zu den *Süßwaren zu rechnen. Ein Überblick zur Herst. von S. ist *Lit.* [2] zu entnehmen. Künftige Entwicklungen sowie neue Technologien in der S.-Produktion werden in *Lit.* [3] diskutiert, dabei geht es u. a. um alternative *Süßstoffe sowie neue Fett- u. Protein-Systeme. Einige in Zusammenhang mit dem Einsatz von *Kohlenhydraten als *Fettersatzstoffe in S. stehende Aspekte sind *Lit.* [4] zu entnehmen, wobei bes. der Einsatz des *Maltodextrins C Pur 01906, eines 2–5 Dextrose-Äquivalents (DE)-Maltodextrins aus Kartoffel-*Stärke diskutiert wird. Die Verw. von Cyclamat u. *Saccharin als Zuckerersatzstoff in S. ist in *Lit.* [5] dargestellt.

Analytik: Silber-Präp., die als antimikrobiell wirksame Stoffe über das Trinkwasser ins S. gelangen od. diesem direkt bei der Herst. (ungesetzlicherweise) zugesetzt werden, können nach *Lit.* [6] quantifiziert werden.

Der ebenfalls verbotene Zusatz von Diethylenglykolmonoethylether (DEGME) ist gaschromatogr. nachweisbar [7]. Zum Nachw. einer mikrobiellen Belastung von S. sind die *Methoden nach § 35 LMBG L 42.00-1 bis L 42.00-12 heranzuziehen. Die Zusatzstoff-Zulassungs-VO [8] gilt *nicht* für Speiseeis.

Produktionzahlen (BRD, 1990): 238 300 t im Wert von 1,899 Mrd. DM. Einen umfassenden Überblick über den weltweiten S.-Markt gibt *Lit.* [9]. Demnach betrug der Jahresumsatz an S. im Jahr 1995 42,5 Milliarden US-Dollar. – ***E*** ice cream – ***F*** glace, crème glacée – ***I*** gelato – ***S*** helado, mantecado

Lit.: [1] VO über Speiseeis vom 15. 7. 1933 in der Fassung vom 24. 4. 1995 (BGBl. I, S. 543). [2] Confect. Prod. **62**, 12–13 (1996). [3] Eur. Dairy Mag. **1**, 6–10 (1997). [4] Confect. Prod. **62**, 14 (1996). [5] Aliment. Equipos y Tecnol. **16**, 97–99 (1997). [6] Lebensmittelchem. Gerichtl. Chem. **42**, 50 (1988). [7] GIT Fachz. Lab. Suppl. **1986**, Nr. 3, 13–17. [8] Zusatzstoff-Zulassungs-VO vom 22.12.1981 in der Fassung vom 8. 3. 1996 (BGBl. I, S. 460). [9] Food Ingr. Analysis Int. **19**, 15–16, 18–19 (1997).

allg.: Belitz-Grosch (4.), S. 487 ▪ Bundesverb. der dtsch. Süßwaren-Ind. (Hrsg.), Süßwarentaschenbuch 1989, Hamburg: Behr 1995 ▪ Timm et al., Speiseeis, Berlin: Parey 1985 ▪ Ullmann (4.) **16**, 723; (5.) **A 11**, 538, 569, 570 ▪ Wirths, Lebensmittel in ernährungsphysiolog. Bedeutung (3.), S. 143–145, Paderborn: Schöningh 1985 ▪ Zipfel, C 100 *17*, 157; C 120 *2*, 112; *6*, 50. – *Organisation:* Bundesverband der dtsch. Süßwaren-Industrie, Schumannstr. 4–6, 53113 Bonn. – *[HS 2105 00]*

Speisefette, Speiseöle s. Fette und Öle.

Speisefettsäuren s. Fettsäuren, Fette und Öle.

Speisepilze. Gruppe von höheren *Pilzen, die – abgesehen von einigen *Schlauchpilzen* (Ascomycetes wie Morchel, Lorchel u. Trüffel) – aus der Klasse der *Ständerpilze* (Basidiomycetes) stammen. Diese Hutpilze werden nach der Gestalt ihrer Fruchtkörper wie folgt unterschieden (Beisp. in Klammern): *Leistenpilze* u. *Porlinge* (Pfifferlinge, Austernseitlinge), *Lamellenpilze* (Champignon, Echter Reizker, Hallimasch, Perlpilz, Stockschwämmchen, Speisetäubling, Shiitake-Pilz), *Röhrenpilze* (Steinpilz, Butterpilz, Maronenröhrling, Birkenpilz, Rotkappe); s. a. die Tab. 1. Die mit * gekennzeichneten Pilze dürfen nur mit Einschränkungen in Verkehr gebracht werden.

Tab. 1: Auswahl wichtiger Speisepilze nach den Leitsätzen für Pilze u. Pilzerzeugnisse[1].

Verkehrsbez.	Botan. Bez.	Gruppe; Herkunft	Bemerkungen
Austernseitling (Austernpilz)	*Pleurotus ostreatus* (Jacq.: Fr.) Kummer s. l., im weiteren Sinne verwandte Arten eingeschlossen	B; Z/W	
Birkenpilz*	*Leccinum scabrum* (Bull.: Fr.) S. F. Gray	R; W	* Hut fest (vorzugsweise nicht größer als 8 cm Durchmesser)
Brätling*	*Lactarius volemus* (Fr.) Fr.	B; W	* nur frisch, nicht konserviert, nicht getrocknet
Burgundertrüffel	*Tuber unicatum*	T; W	
Butterpilz	*Suillus luteus* (L.) S. F. Gray	R; W	
Chinesisches Stockschwämmchen (Nameko)	*Pholiota nameko* (T. Ito) S. Ito et Imai	B; Z	
Elfenbeinröhrling	*Suillus placidus* (Bon.) Sing.	R; W	
Erdritterling	*Tricholoma terreum* (Schaeff.: Fr.) Kumm.	B; W	
Flockenstieliger Hexenröhrling*	*Boletus erythropus* (Fr.: Fr.) Kromth.	R; W	* roh giftig
Frauentäubling	*Russula cyanoxantha* (Schaeff.) Fr.	B; W	
Goldröhrling	*Suillus grevillei* (Klotzch: Fr.) Sing.	R; W	
Grauer Ritterling	*Tricholoma portentosum* (Fr.) Quel.	B; W	
Grünling	*Tricholoma auratum* (Paul.: Fr.) Gillet und *Tricholoma flavovirens* (Pers.: Fr.) Lundell		
Hallimasch*	*Armillaria mellea* (Vahl: Fr) Kummer	B; W	* nur Hüte mit 1 cm Stiel, roh giftig, wird auf dem Frischmarkt nicht verkauft
Kaiserling*	*Amanita caesarea* (Scorp.: Fr.) Pers.	B; W	* roh giftig
Kalahari-Trüffel	*Terfezia pfeilii* Hennings	T; W	
Kulturchampignon[3]	*Agaricus bisporus* (Lge.) Imbach	B; Z	
Löwentrüffel	*Terfezia leonis* Tul.	T; W	
Maipilz	*Calocybe gambosa* (Fr.) Sing.	B; W	
Maronenröhrling	*Xerocomus badius* (Fr.) Kühn. ex Gilb	R; W	
Morchel (Speisemorchel)	*Morchella esculenta* Pers. s. l.	S; W	
Spitzmorchel	*Morchella conica* Pers. s. l.	S; W	
Hohe Morchel	*Morchella elata* Fr.	S; W	
Nelkenschwindling* (Wiesenschwindling)	*Marasmius oreades* (Bolt: Fr.) Fr.	B; W	* nur Hüte
Perigordtrüffel	*Tuber melanosporum* Vitt.	T; W	
Piemont-Trüffel Weiße Piemont-Trüffel	*Tuber magnatum* Pico Vitt.	T; W	
Perlpilz*	*Amanita rubescens* (Pers.: Fr.)	B; W	* roh giftig
Pfifferling	*Cantharellus cibarius* Fr.	S; W	
Reizker	*Lactarius deliciosus* (L.) S. F. Gray s. l.	B; W	
Rotfußröhrling	*Xerocomus chrysenteron* (Bull.) Quél.	R; W	
Rotkappe	*Leccinum versipelle* (Fr.) Snell s. l., im weiteren Sinne verwandte Arten eingeschlossen	R; W	
Safranpilz	*Macrolepiota rhacodes* (Vitt.)	B; W	* nur Hüte
Parasol* (Riesenschirmpilz)	*Macrolepiota procera* (Scop.: Fr.) Sing	B; W	* nur Hüte

Tab. 1: (Fortsetzung)

Verkehrsbez.	Botan. Bez.	Gruppe; Herkunft	Bemerkungen
Samtfußrübling	*Flammulina velutipes* (Curt.: Fr.) Sing	B; W/Z	
Sandröhrling*	*Suillus variegatus* (Sw.: Fr.) O. Kuntze	R; W	* Hut fest (vorzugsweise nicht größer als 6 cm Durchmesser)
Schafchampignon	*Agaricus ovinus* (Schaeff.)	B; W	
Schafporling	*Albatrellus ovinus* (Schaeff.) Kotl & Pouz.	S; W	
Shiitake	*Lentinus edodes* s. l. (Berk.) Sing.	B; Z	
Sommertrüffel	*Tuber aestivum* Vitt.	T; W	
Speisetäubling	*Russula vesca* Fr.	B; W	
Steinpilz	*Boletus edulis* Bull.: Fr. s. l. im weiteren Sinne alle Steinpilzarten	R; W	
Waldchampignon	*Agaricus silvaticus* Schaeff.	B; W	
Weiße Trüffel	*Choiromyces maeandriformis* Vitt.	T; W	
White Fungus* (Silberrohr)	*Tremella fuciformis*	S; W/Z	* nur zum Trocknen
Wiesenchampignon	*Agaricus campestris* L.	B; W	
Wintertrüffel	*Tuber brumale* Vitt.	T; W	
Ziegenlippe	*Xerocomus subtomentosus* (L.) Quél.	R; W	

B = Blätterpilz, R = Röhrenpilz, T = Trüffelpilz, S = sonstige Pilze, Z = Zuchtpilz, W = Wildpilz, bei beiden Herkünften = Z/W bzw. W/Z; als Herkunft wird die Quelle der Ware – Zuchtpilz (Z) od. Wildpilz (W) – verstanden.

Die Anforderungen an die Herst. u. Beschaffenheit von unverarbeiteten S. (z. B. höchstens 0,5% Sandanteil) u. Pilzerzeugnissen (Pilzkonserven, getrocknete Pilze, Essigpilze, milchsauer vergorene Pilze, eingesalzene Pilze, tiefgefrorene Pilze, Pilzextrakte) sind *Lit.*[1] zu entnehmen. Einen Überblick zu Qualitätskriterien für S. sowie zu qual. Veränderungen in der Nachernteperiode gibt *Lit.*[2]. Ebenso werden Möglichkeiten der Konservierung von S. (u. a. Vakuumkühlung, Behandlung mit antimikrobiellen Substanzen, Bestrahlung) diskutiert.

Ernährungsphysiologie: Der Eiweißgehalt der S. wird oft überschätzt (nur 1/3 des Stickstoffs ist in Form von Eiweiß vorhanden), die Verdaulichkeit des Pilzeiweißes beträgt 60–70%. Angaben zum *physiologischen Brennwert schwanken zwischen 84 u. 155 kJ (20–37 kcal) pro 100 g. An Mineralstoffen sind bes. Kalium- u. Phosphor-Verb. zu erwähnen. Bemerkenswert ist gelegentlich der Gehalt an *Trehalose, *Mannit u. an *Vitamin B u. D.

Genauere Angaben sind Tab. 2 u. bezüglich Fettsäure-Spektrum *Lit.*[3] zu entnehmen.

Tab. 2: Zusammensetzung einiger wichtiger Speisepilze.

Mittelwerte (in 100 g eßbarem Anteil)	Wasser g	Eiweiß g	Fett g	Mineralstoffe g	Eisen mg
Birkenpilz	88,5	2,5	0,6	1,1	1,6
Butterpilz	91,1	1,7	0,4	0,6	1,3
Champignon	90,8	2,8	0,2	1,0	
Hallimasch	89,0	1,6	0,7	1,0	0,9
Morchel	90,0	1,7	0,3	1,0	1,2
Pfifferling	91,5	1,5	0,5	0,8	
Reizker	89,9	1,9	0,7	0,6	
Rotkappe	92,3	1,4	0,8	0,7	
Steinpilz	88,6	2,8	0,4	0,8	
Trüffel	75,5	5,6	0,5	1,9	3,5

Toxikologie: Einige S. enthalten Stoffe mit erheblichem toxikolog. Potential. Der Frühjahrslorchel (*Gyromitra esculenta*) enthält *Gyromitrin, das sowohl akut als auch chron. tox. ist[4]. Auch der Konsum von mangelhaft erhitzten Kahlen Kremplingen (*Paxillus involutus*) führt zu akuten Vergiftungen. Der Champignon (*Agaricus bisporus*) enthält 0,1–0,6 g/kg *Agaritin, das nach metabol. Aktivierung ein carcinogenes Potential zu haben scheint[4–6]. Bei käuflicher Ware konnte jedoch keine mutagene Wirkung nachgewiesen werden[7]. Vielmehr scheinen die pos. Befunde im *Ames-Test die Folge von Artefaktbildungen zu sein[8]. Die Anreicherung von Schwermetallen (*Blei, *Cadmium, *Quecksilber) durch spezielle Schwermetall-bindende *Proteine[9,10] hat dazu geführt, daß von seiten des damaligen *BGA Verzehrsempfehlungen für Wildpilze[11] (pro Woche nicht mehr als 200–250 g = 1 bis 2 Pilzmahlzeiten) ausgesprochen wurden. Zur Anreicherung von ^{137}Cs in S. s. Maronenröhrling u. *Lit.*[12]. Biogene Amine wurden in unterschiedlich behandelten S. nur in geringen, als unbedenklich einzustufenden Mengen nachgewiesen[13]. Einen Überblick über Morphologie, Taxonomie, Züchtung u. Anbau von S. gibt *Lit.*[14]. Auf bes. Schutzbestimmungen des Bundesnaturschutzgesetzes u. der Bundesartenschutz-VO sei hingewiesen. Produktion (BRD): Pilze u. Trüffeln, frisch (1995) 297 t, Pilze u. Trüffeln ohne Essig zubereitet od. haltbar gemacht (1997): a. Zuchtpilzkonserven 5625 t, b. andere Pilze u. Trüffeln 5964 t. – ***E*** edible mushrooms – ***F*** champignons comestibles – ***I*** funghi commestibili – ***S*** sets (hongos) comestibles

Lit.: [1] Leitsätze für Pilze u. Pilzerzeugnisse, abgedruckt in Zipfel, C 325. [2] Aliment. Equipos y Tecnol. **16**, 39–44, 69–73 (1997). [3] Lebensm. Wiss. Technol. **20**, 133–136 (1987); Z. Lebensm. Unters. Forsch. **196**, 224–227 (1993). [4] Lindner, Toxikologie der Nahrungsmittel (4.), S. 74–79, Stuttgart: Thieme 1990. [5] Lebensmittelchemie **44**, 133–139 (1990). [6] Food Add. Contam. **7**, 649–656 (1990). [7] Food Chem. Toxicol. **28**, 607–611 (1990). [8] Food Chem. Toxicol. **29**, 159–166 (1991). [9] Mitt. Geb. Lebensmittelunters. Hyg. **80**, 490–518 (1989). [10] Chem. Unserer Zeit **23**, 193–199 (1989). [11] Bundesgesundheitsblatt **28**, 247 (1985). [12] J. Agric. Food Chem. **37**, 568 f. (1989). [13] Food Chem. **58**, 233–236 (1997). [14] CRC Crit. Rev. Food Sci. Nutr. **26**, 157–223 (1987).

allg.: Bon, Pareys Buch der Pilze, Berlin: Parey 1988 ▪ Chandra, Elsevier's Dictionary of Edible Mushrooms, Amsterdam: Elsevier 1989 ▪ Hauser, Pilze, Die wichtigsten Speise- u. Giftpilze, München: BLV Verlagsges. 1989 ▪ Mauch, Unsere Pilze, Bern: Hallwag 1989 ▪ Roth et al., Giftpilze – Pilzgifte, Landsberg: ecomed 1990 ▪ Singer u. Harris, Mushrooms and Truffles, Königstein: Koeltz Scientific Book 1987 ▪ Wuest et al. (Hrsg.), Cultivating Edible Fungi, Amsterdam: Elsevier 1987 ▪ Zipfel, C 325. – *Organisation:* Zentralstelle für Pilzforschung u. Pilzverwertung, Breslauer Straße 3, 68753 Waghäusel.

Speisesalz. Das zur Verw. in Speisen bestimmte *Natriumchlorid (Speise-, Tafelsalz, *Kochsalz) darf nach Anlage 2 der Zusatzstoff-Zulassungs-VO[1] bis zu 10 g/kg kolloide Kieselsäure od. 20 mg/kg Calcium-, Kalium- od. Natrium-Hexacyanoferrate(II) zuzüglich 60 mg/kg Natriumcarbonat als *Rieselhilfen enthalten.
Zur Herst. von iodiertem S. darf Natrium- od. Kaliumiodat bis 25 mg *Iod/kg einschließlich des natürlichen Gehaltes zugesetzt werden (Anlage 2 der Zusatzstoff-Zulassungs-VO[1]). Der Mindest-Iod-Gehalt beträgt nach § 5a Absatz 2 der Zusatzstoff-Verkehrs-VO[2] 15 mg/kg.
Zu fleischhygien. u. ernährungsphysiolog. Aspekten von Kochsalz, wie u.a. Kochsalz im Stoffwechsel, Kochsalz in Lebensmitteln, Toxikologie von Kochsalz, Salzgehalt u. sensor. Eigenschaften von Lebensmitteln, Kochsalz u. Blutdruck, Möglichkeiten der Reduzierung von Kochsalz s. *Lit.*[3]. – ***E*** table salt – ***F*** sel de table – ***I*** sale da tavola – ***S*** sal de mesa

Lit.: [1] Zusatzstoff-Zulassungs-VO vom 22.12.1981 in der Fassung vom 08.03.1996 (BGBl. I, S. 460). [2] Zusatzstoff-Verkehrs-VO vom 10.07.1984 in der Fassung von 14.12.1993 (BGBl. I, S. 2092). [3] Fleischwirtschaft **76**, 1014–1018, 1045 (1996).
allg.: AID, Auswertungs- u. Informationsdienst für Ernährung, Landwirtschaft u. Forsten (Hrsg.), Salz in Unserer Ernährung, Nr. 2017, Bonn: AID 1990 ▪ Ullmann (5.) **A 11**, 571, 574 ▪ Zipfel, C 20 *10*, 5; C 300. – *[HS 2501 00; CAS 7647-14-5]*

Speisewasser. Fachsprachliche Bez. für zur Dampf- u./od. Wärmeerzeugung benötigtes *Wasser, an das bestimmte Anforderungen hinsichtlich pH u. Abwesenheit von Salzen (s. Härte des Wassers) u. Gasen zu stellen sind, auch Kessel-S. genannt. – ***E*** feed water – ***F*** eau d'alimentation, eau des chaudières – ***I*** acqua d'alimentazione – ***S*** agua de alimentación de calderas
Lit.: Ullmann (5.) **B 3**, 2–18; **A 14**, 445.

Speiskobalt s. Skutterudit.

Spektralanalyse. Die S. od. *spektrochem. Analyse* ist ein Teilgebiet der *physikalischen Analyse. Ihre Aufgabe innerhalb der Analytik ist die Untersuchung fester, flüssiger od. gasf. Stoffe auf ihre qual. od. quant. Zusammensetzung durch Erzeugung, Beobachtung u. Ausmessung der Spektren der untersuchten Stoffe mit Hilfe geeigneter Spektralapparate. Von der Zielsetzung her ist die S. angewandte Spektroskopie, weshalb man Näheres dort findet. Früher wurde der Begriff ausschließlich auf den Nachw. u. die Bestimmung von Elementen beschränkt. – ***E*** spectrochemical analysis, spectrum analysis – ***F*** analyse spectrochimique – ***I*** analisi spettrale – ***S*** análisis espectral
Lit.: s. Spektroskopie.

Spektrale Sensibilisation s. Photographie.

Spektrales Lochbrennen. Veränderung der *Boltzmannschen Geschw.-Verteilung in einem Gas durch Absorption von monochromat. Strahlung. Hat das eingestrahlte Licht, z. B. von einem schmalbandigen *Laser, eine geringere spektrale Breite als die *Doppler-Breite des Gases bei der Temp. T, so wird das Licht vorrangig nur von Partikeln einer Geschw.-Klasse v_L absorbiert. Wenn ν_0 die Absorptionsfrequenz eines ruhenden Atoms ist, so berechnet sich v_L aus der *Doppler-Verschiebung zu

$$v_L = \frac{\nu_L - \nu_0}{\nu_0} \cdot c$$

(ν_L = Frequenz des anregenden Lichtes, c = Lichtgeschw.).

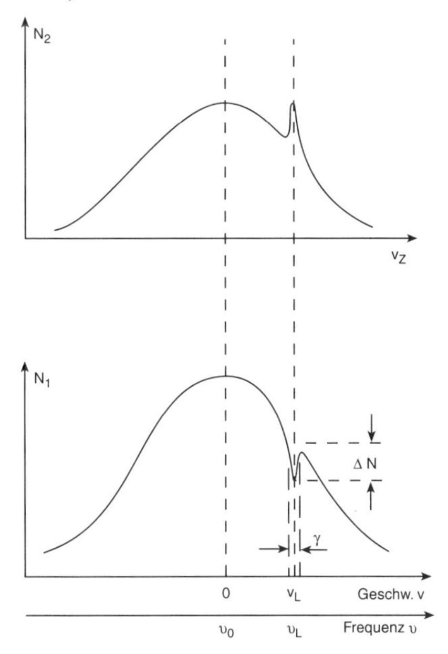

Abb.: Spektrales Lochbrennen: Boltzmann-Verteilungen des Grundzustandes (N_1) u. des angeregten Zustandes (N_2) nach Einwirkung von Licht der Frequenz ν_l.

Wie in der Abb. dargestellt, wird die Besetzung N_1 des Grundzustandes selektiv bei der Geschw. v_l reduziert, gewissermaßen ein Loch in sie gebrannt, u. die Besetzung N_2 des angeregten Zustandes bei dieser Geschw. zusätzlich erhöht.
Die Tiefe des eingebrannten Loches ergibt sich zu

$$\Delta N = N_1 \cdot \frac{1}{1 + I_{sat} / (2 \cdot I_L)}$$

u. die Breite zu

$$\gamma = \Delta\nu \cdot \sqrt{1 + 2 I_L / I_{sat}}$$

wobei I_L die Laserintensität, I_{sat} die Sättigungsintensität (bestimmt durch die Einsteinkoeff. des Übergangs, s. a. Sättigungsspektroskopie) u. $\Delta\nu$ die *natürliche Linienbreite des Übergangs sind.
S. L. tritt nur bei *inhomogen verbreiterten* Linien auf, etwa einem Ensemble von Atomen, deren Absorptionsprofile unterschiedliche Zentralfrequenzen haben, z.B. hervorgerufen durch den *Doppler-Effekt od. inhomogene Felder in einem Festkörper. Wird

Licht geringer od. mittlerer Intensität eingestrahlt, so absorbieren nur die Partikel, deren Zentralfrequenz in unmittelbarer Nähe zur Lichtfrequenz ist. Bei sehr hohen Lichtintensitäten, z. B. bei gepulsten Lasern, wächst die Breite γ des Loches an, d. h. es werden schließlich alle Atome angeregt.
Die Abstimmung der Frequenz ν_L des Lasers ermöglicht eine Verschiebung des eingebrannten Lochs relativ zum gesamten Linienprofil u. wird für spektroskop. Techniken, z. B. der *Sättigungsspektroskopie, eingesetzt. – ***E*** spectral hole burning – ***F*** brûlage spectral des trous – ***I*** bruciatura spettrale di perforazione – ***S*** quemada espectral de los agujeros
Lit.: s. Sättigungsspektroskopie.

Spektrallampen s. Lampen.

Spektralphotometer, -metrie s. Spektroskopie u. Photometrie.

Spektralpolarimeter s. Rotationsdispersion.

Spektren s. Spektroskopie.

Spektrochemische Analyse s. Spektralanalyse.

Spektrochemische Reihe s. Übergangsmetalle.

Spektrofluorimetrie s. Fluoreszenzspektroskopie.

Spektrograph(ie) s. Spektroskopie.

Spektrolith s. Labrador(it).

Spektrometer, -metrie s. Spektroskopie.

Spektrophotometer, -metrie s. Spektroskopie.

Spektroskop s. Spektroskopie.

Spektroskopie. Von latein.: spectrum = Bild, Erscheinung, Vorstellung u. *…skop abgeleitete Bez. für die Lehre von Erzeugung, Beobachtung, Registrierung, Ausmessung u. Deutung von Spektren. Im allgemeinsten Sinne ist der Begriff *Spektrum* eine Bez. für jede Anordnung von Dingen od. Eigenschaften nach ihrer Größe, doch verwendet man den Begriff in der Regel nur für die Darst. von *Strahlungen jeder Form, wie z. B. von Licht, Tönen, Photonen od. geladenen od. neutralen Teilchen u. anderen Elementarteilchen, in Abhängigkeit von deren Wellenlänge, Schwingungsfrequenz, Energie, Masse, elektr. Ladung od. anderen charakterist. Größen.

λ	Strahlung	absorbiert durch	ν [Hz]	$\bar{\nu}$ [cm⁻¹]
10mm				1
	Mikrowellen	Rotation der Mol., Elektronen-Spin-Umorientierung, Inversionsschwingungen	10^{11}	
1 mm				10
	(Fernes)		10^{12}	
100 µm				100
	Infrarot	Schwingungen der Atomrümpfe u. Gruppen gegeneinander, Valenz- u. Deformationsschwingungen	10^{13}	
10µm			10^{14}	1000
1µm	(Nahes)			10^4
	Sichtbares Licht	Anregung der Valenzelektronen, Dissoziation, Ionisation	10^{15}	
100 nm	Ultraviolett		10^{16}	10^5
10 nm	(Weiche)	Rumpfelektronen	10^{17}	10^6
1 nm	Röntgenstrahlung		10^{18}	10^7
100 pm	(Mittlere)			10^8

Abb. 1: Spektrum der elektromagnet. Strahlung; λ = Wellenlänge, ν = Frequenz, $\bar{\nu}$ = Wellenzahl.

Abb. 1 (s. a. Abb. bei Anregung) gibt einen Ausschnitt aus dem sog. *elektromagnet. Spektrum* wieder, in dem in logarithm. Skale Wellenlängen (λ), die in der S. bevorzugten *Wellenzahlen ($\bar{\nu}$) u. Frequenzen (ν) der elektromagnet. Wellen den physikal. Effekten im mol. Bereich gegenübergestellt sind; Näheres zu den physikal., chem. u. biolog. Wirkungen der einzelnen Strahlungsarten s. bei den Einzelstichwörtern.
An das Gebiet der *Mikrowellen schließt sich zu längeren Wellenlängen hin das Gebiet der Radiowellen an (NMR-S.), an das der Röntgenstrahlen (*Röntgenstrahlung) nach kürzeren Wellenlängen hin das der *Gammastrahlen u. im Anschluß daran das der *kosmischen Strahlung. Wie aus Abb. 1 u. der ausführlicheren Tab. bei Strahlung ersichtlich, umfaßt das von Infrarotstrahlung u. Ultraviolettstrahlung flankierte „sichtbare *Licht“ nur einen sehr engen Wellenlängenbereich (vgl. Abb. 2, hier nach steigender Wellenlänge angeordnet), für den das menschliche Auge empfindlich ist. Die verschiedenen Wellenlängen dieses Bereiches entsprechen verschiedenen Farbempfindungen. Die Reihenfolge der in Emission zu beobachtenden *Farben (in nm) ist: Violett (380–430), Blau (bis ca. 490), Grün (bis ca. 550), Gelb (bis ca. 580), Orange (bis ca. 630), Rot (bis ca. 780).

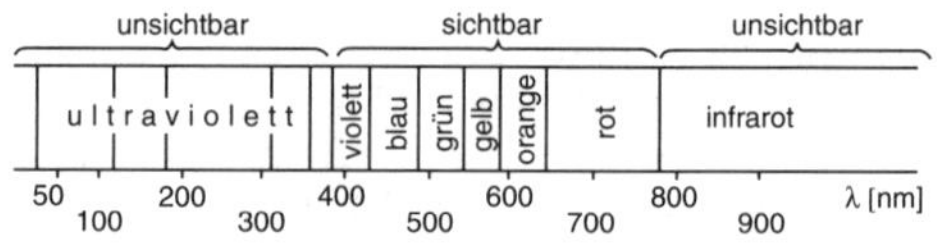

Abb. 2: Spektrum des sichtbaren Lichts.

S. ist die Bez. für die Lehre, die sich mit der Charakterisierung von Atomen, Mol., Ionen od. anderen energieaufnehmenden Syst. durch Registrierung u. Auswertung ihrer Spektren befaßt. Die wesentlichen Arbeitsgebiete sind die Konstitutionsermittlung, der Nachw. von Individuen u. die Bestimmung der Eigenschaften der Atome bzw. Mol., wobei die Deutung der Spektren u. ihrer Hyperfeinstruktur mit den Mitteln der *Quantenmechanik u. allg. der theoret. Chemie Einblicke in die Struktur der Materie erlaubt. Die „angewandte S.“ als Teilgebiet der physikal. Analyse bezeichnet man allg. als *spektrochem. Analyse* (*Spektralanalyse*). Für das Verständnis spektroskop. Erscheinungen ist nicht nur die Kenntnis der Gesetzmäßigkeiten von Anregung, Absorption, Emission, Lumineszenz, Relaxation u. Resonanz unerläßlich, sondern auch die der Konz.-Abhängigkeit des Lichtstroms (vgl. Lambert-Beersches Gesetz); zur Nomenklatur in der S. s. *Lit.*[1].
Die S. liefert Informationen entweder über einen Strahlung emittierenden Körper (Strahler) od. über ein durchstrahltes Medium (Probe) od. durch Sekundäremission über ein bestrahltes Medium (Probe). Anordnungen zur spektroskop. Untersuchung (z. B. Spektralphotometer) bestehen im allg. aus den Komponenten Lichtquelle (Strahlungsquelle), dispersives Element (z. B. Monochromator), Probe, Empfänger (Detektor) u. Anzeigeinstrument – man vgl. die Abb. bei IR-, UV- u. Raman- sowie bei Massenspektrometrie. Als *Strahlungsquellen* kommen für das UV- u. sichtbare Gebiet Gasentladungs-Lampen mit H_2, D_2, Xe, in

bes. Fällen auch mit Na od. Hg u. Hohlkathodenlampen in Frage, für das sichtbare Gebiet Glühlampen u. Halogenlampen u. für das IR-Gebiet Nernst-Stifte. Im UV- u. Röntgen-Bereich wird *Synchrotron-Strahlung eingesetzt. Aufgrund der wesentlich höheren spektralen Strahlungsdichte werden in der Forschung für die S. fast nur noch *Laser verwendet. Der gesamte sichtbare Spektralbereich kann heute lückenlos durch abstimmbare Laser abgedeckt werden. Für den IR-Bereich u. den roten sichtbaren Spektralbereich bieten sich *Dioden-Laser an. Nach ihrer Emissionscharakteristik unterscheidet man Kontinuumstrahler (Glüh-, Bogenlampen, Sonne) u. Linienstrahler (Na-, Hg-Lampen, Hohlkathodenlampen, Laser). Elektromagnet. Strahlung kann mit einem sog. *Spektralapparat* in ein Spektrum zerlegt werden; je nachdem, ob diese Zerlegung durch Dispersion (z.B. im Falle von weißem Glühlicht durch ein Prisma), durch Interferenz od. durch Beugung (z.B. durch ein Strichgitter) erfolgt, spricht man von *Dispersions-*, *Interferenz-* od. von *Beugungsspektren.* Geeignet sind hierfür Prismen aus Glas (durchlässig bis 350 nm), Quarz (durchlässig bis 185 nm), Flußspat, Steinsalz (durchlässig für Infrarot bis 15 μm), Kaliumbromid (durchlässig für Infrarot bis 25 μm), Sylvin od. Thalliumbromidiodid. Beugungsgitter dienen dem gleichen Zweck, u. für Routineuntersuchungen bei wenigen, bestimmten Wellenlängen in der Kolorimetrie u. Photometrie genügt oft die Selektion mittels Lichtfiltern. Opt. Geräte, die aus einem breiten Spektrum einzelne Linien aussondern, nennt man auch **Monochromatoren* u. die von ihnen gelieferte Strahlung *monochromatische Strahlung. Bei der Absorptions-S. passiert diese anschließend den *Probenraum* (Küvetten für flüssige od. gasf. Stoffe, Preßlinge für feste Lsg.). Bei der Emissions-S. ist die Probe häufig mit der Strahlungsquelle ident., sei es, daß die Probe selbst strahlt (Primärstrahlung), od. die Probe emittiert Sekundärstrahlung unter der Einwirkung einer Primärstrahlung. Als *Empfänger* diente in der Frühzeit der S. nur das menschliche Auge, das auch als Spektrometer eine erstaunlich hohe Auflösung hat. Der Normalbürger kann leicht Wellenlängenunterschiede von $\Delta\lambda = 5$ nm unterscheiden, während geübte Spektroskopiker $\Delta\lambda = 1-2$ nm erreichen, dies entspricht einer Auflösung von $\lambda/\Delta\lambda = 300-600$. Beim Handspektroskop (geradsichtiger Spektralapparat zum Anpeilen einer Lichtquelle, s. Abb. 3) wird durch Verw. von verschiedenen lichtbrechenden Prismen aus Kronglas u. Flintglas die Ablenkung des ersten Prismas durch diejenige des zweiten gerade aufgehoben, so daß nur noch eine Zerlegung des nunmehr geradeauslaufenden Lichts zu beobachten ist.

Zuverlässigere u. v. a. rascher verfügbare Werte liefern Photoelemente, Photozellen, Photowiderstände, Thermoelemente, Zählrohre etc., je nach zu messender Strahlenart; für die S. im UV- u. im sichtbaren Bereich haben sich heute Sekundärelektronen-Vervielfacher (SEV, *Photomultiplier) als Strahlungsdetektoren durchgesetzt, im roten sowie sichtbaren Bereich auch *CCD-Detektoren. Vor der Entwicklung elektron. Empfänger mußte man Skalen mit dem Auge ablesen od. Linienabstände auf z.B. Photoplatten für quant. Aussagen ausmessen. Mit der Fortentwicklung der

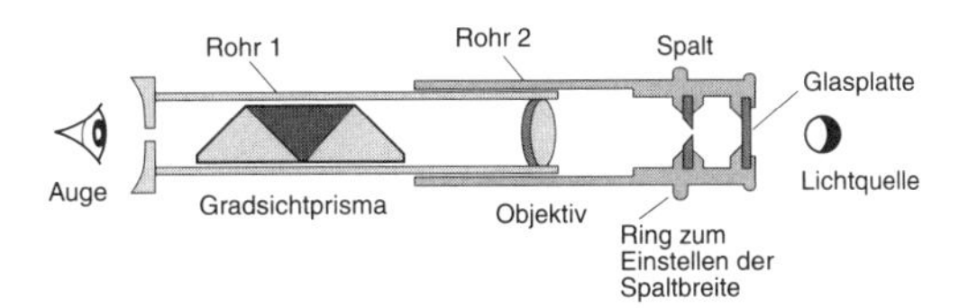

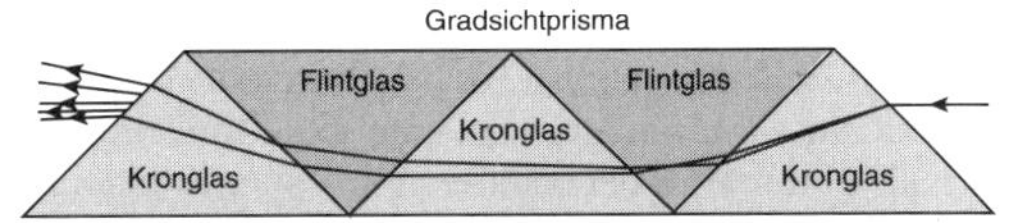

Abb. 3: Aufbau eines Handspektroskops (Taschen-Prismen-Spektrometers); durch eine Verschiebung der Rohre 1 u. 2 gegeneinander wird der Spalt scharf eingestellt.

qual. S. zur quant. *Spektrometrie* u. der Einführung elektron. Hilfsmittel zum Messen u. zur Regelung wurden quant. Aussagen über die Konz. der beobachteten Atome, Mol., Ionen u.a. energieaufnehmender Syst. leichter möglich gemacht. Die heute allg. verwendeten *Spektralphotometer* sind Kombinationen aus Spektralapparat u. Photometer, wie aus dem in Abb. 4 wiedergegebenen Prinzip zu erkennen ist. Bei neueren Spektrometern, mit denen die Transmission od. Fluoreszenz einer Probe untersucht wird, wird nach dem dispersiven Element (Gitter, Prisma) eine CCD-Zelle verwendet, mit der das gesamte Spektrum simultan aufgezeichnet wird. Ein Schwenken od. Drehen des dispersiven Elementes entfällt (Bez. OSA für Opt. Spektral-Analysator, s. Monochromator).

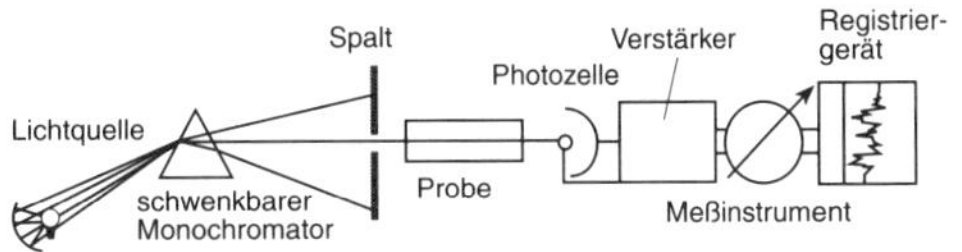

Abb. 4: Prinzip des Spektralphotometers.

Diese Geräte ermöglichen neben der Aufnahme der Absorptionsspektren auch Intensitätsmessungen. Details zum Aufbau u. zur Wirkungsweise von Spektrometern u. zur Durchführung der Messungen findet man unten, bei Photometrie u. den einzelnen spektroskop. Meth., in denen im allg. auch auf Konz.-Verhältnisse, erforderliche Lsm. u. deren Reinheitskriterien („spektroskop. rein"), auf Eichsubstanzen etc. eingegangen wird. Viele Spektralphotometer sind heute mit Mikroprozessoren u. Computern ausgerüstet, die die Signale weiter verarbeiten; *Beisp.: *Fourier-Transformation* u. die *Derivativ-S.*, bei der statt des normalen Spektrums dessen erste od. eine höhere Ableitung (*E* derivative) aufgezeichnet wird, wodurch überlappende Banden aufgelöst werden können.

Mit *Auflösung* bzw. *Auflösungsvermögen* A eines Spektrometers bezeichnet man das Verhältnis $\lambda/\Delta\lambda$ der Wellenlänge λ zu der Wellenlängendifferenz $\Delta\lambda$, bei der zwei Linien noch als getrennt wahrgenommen werden. Für die opt. S. gilt:

a) *Prisma:* $A = \frac{dn}{d\lambda} \cdot g$; $\frac{dn}{d\lambda}$ = Dispersion des Prismenmaterials, g = Schenkellänge; typ. Wert: $A \approx 10^4$.

b) *Gittermonochromator:* A = ñ · m; m = Ordnung, in der das Gitter betrieben wird, ñ = Anzahl der Gitter-

striche; typ. Wert: $A = 10^4 - 10^5$.
c) *Fourier-Spektrometer:* $A = \frac{dn}{d\lambda} \cdot g$; $\frac{dn}{d\lambda} = dx$ = Fahrstrecke; dx bis 1 m; somit $A = 10^6$.
d) *Interferometer:* $A = F^*$; F^* = Finesse (Details s. Etalon); typ. Wert: $A > 10^6$.
e) *Laser:* A wie bei Interferometer, zusätzlich aktive Wellenlängenstabilisierung; typ. Werte: $A = 5 \cdot 10^8$ (kommerzielle Laser), $A = 10^{14}$ (Laborgeräte).
Für die Aussage, wie groß $\Delta\lambda$ sein muß, um zwei Linien als getrennt zu beobachten, gibt es unterschiedliche Kriterien (s. Abb. 5). Wenn der Linienabstand $D\lambda = \lambda_1 - \lambda_2$ deutlich größer als die volle Halbwertsbreite $\Delta\lambda$ (FWHM von *E full width half maximum*) ist, werden die Linien als eindeutig aufgelöst wahrgenommen (s. Abb. 5 a). Das Rayleigh-Kriterium besagt, daß $D\lambda \geq \Delta\lambda$ sein muß, damit sich zwischen den Linienpositionen λ_1 u. λ_2 noch ein Minimum ergibt (s. Abb. 5 b), während nach dem Sparrow-Kriterium (s. Abb. 5 c) auch bei der Ausbildung eines konstanten Plateaus noch von aufgelösten Linien gesprochen wird. Im letzten Fall können die Linienpositionen λ_1 u. λ_2 sowie die Intensitäten I_1 u. I_2 erst nach einer Entfaltungsrechnung bestimmt werden. Sofern man die Linienform u. die Halbwertsbreite kennt, kann man auch bei nicht aufgelösten Spektren durch eine solche Rechnung λ_1, λ_2, I_1 u. I_2 ermitteln (s. Abb. 5 d).

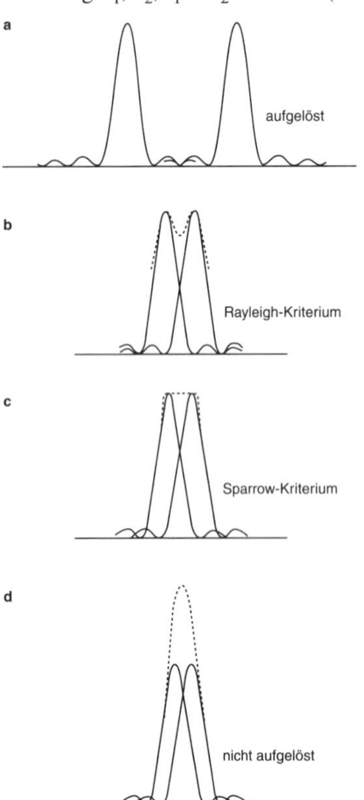

Abb. 5: Kriterien für das Auflösungsvermögen von Spektrometern: Überlappung von Linien (*Lit.*[2]).

Für die beobachtbare Auflösung sind neben dem Auflösungsvermögen des Instrumentes auch das Meßprinzip u. Verbreiterungseffekte der Probe ausschlaggebend. Die wichtigsten Verbreiterungseffekte sind der *Doppler-Effekt, die Stoßverbreiterung (Lebensdauer der angeregten Niveaus wird aufgrund von Stößen reduziert), die Flugzeitverbreiterung (wird ein Mol.-Strahl senkrecht mit einem Laserstrahl gekreuzt, so halten sich die im Mol.-Strahl fliegenden Teilchen nur kurzzeitig in dem anregenden Laserlicht auf; Linienbreite ergibt sich als Fourier-Transformierte der Intensitäts-Zeit-Funktion), die Sättigungsverbreiterung (s. Sättigungsspektroskopie u. spektrales Lochbrennen) u. die *natürliche Linienbreite (endliche Lebensdauer des beteiligten Niveaus).
Neben der Intensitätseichung ist bei einem Spektrometer bes. die Wellenlängeneichung von entscheidender Bedeutung. Nachdem die Längeneinheit heute durch die Lichtgeschw. definiert ist, hat man im sichtbaren Spektralbereich einige Mol.-Linien (Hyperfeinstruktur-Komponenten von I_2) als sek. Standard ausgemessen. Für die Zukunft ist angestrebt, Techniken wie opt. *Ramsey-Resonanzen in Kombination mit Laserkühlung in Atomstrahlen bzw. durch Laser gekühlte Ionen in Fallen (*Paul-Falle) einzusetzen, um sehr schmale Linienbreiten zu beobachten u. so opt. Wellenlängennormale zu realisieren[3]. Allg. benutzt man Eichspektren, wie z. B. in der opt. S. im Wellenlängenbereich 800–500 nm den Iod-Atlas[4].

Erläuterung einiger Begriffe der S.:
1. Nach der Art der Erzeugung u. Beobachtung des Spektrums unterscheidet man:
a) *Emissionsspektren* (von *Emission): Darunter versteht man die Spektren selbstleuchtender bzw. zum Leuchten angeregter Stoffe. Emissionsspektren entstehen z. B. als *Funken-*, *Bogen-*, *Flammen-* od. *ICP-Spektren*; Näheres s. bei Emissionsspektroskopie. Werden Mol. od. Atome opt. angeregt, so emittieren sie die vorher aufgenommene Energie wieder u. zwar hauptsächlich in Form von Lumineszenz, d. h. als Fluoreszenz u. Phosphoreszenz. Emissionsspektren werden auch bei der *Röntgenfluoreszenzspektroskopie u. bei der energiedispersiven Röntgen-S. (EDAX) erzeugt u. ausgewertet. Weitere Emissionsprozesse s. unter 7.
b) *Absorptionsspektren:* Da nach dem *Kirchhoffschen Gesetz ein Körper diejenige Strahlungsart absorbiert, die er bei Anregung emittiert, können Spektren auch durch Absorption beobachtet werden: Aus einem kontinuierlichen Spektrum absorbiert ein in den Strahlengang gebrachter gelöster od. gasf. Stoff die für ihn charakterist. Wellenlängen; das resultierende Spektrum wird gemessen. Die *Fraunhoferschen Linien* im Sonnenspektrum (s. Abb. 6) sind ein *Beisp.* für ein *Absorptionslinienspektrum.*

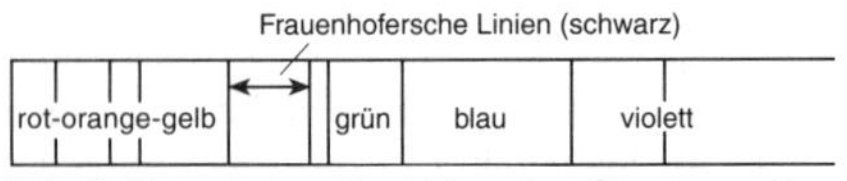

Abb. 6: Fraunhofersche Linien des Sonnenspektrums u. des Spektrums der Fixsterne.

Sie werden durch die Elemente der äußeren Gashülle der Sonne hervorgerufen; diese absorbieren aus dem weißen, von der Oberfläche der *Sonne ausgestrahlten Sonnenlicht die von ihnen selbst emittierten Wel-

lenlängen. Das Sonnenspektrum ist also das Absorptionsspektrum der in der Sonnenatmosphäre (Chromosphäre) enthaltenen gasf. Elemente. Die Absorptions-S. ist heute das wichtigste Routineverf. der Spektralanalyse in der anorgan. (*Atomabsorptionsspektroskopie u. *Kolorimetrie) u. der organ. Chemie (IR- u. UV-S.). Ein spezielles Verf. der Absorptions-S. ist die Bestimmung des natürlichen od. des durch ein von außen angelegtes Magnetfeld erzwungenen Circulardichroismus bzw. MCD. Mit diesen theoret. u. method. eng verwandt sind die Rotationsdispersion u. MORD. Auf der Absorption von Radiowellen bzw. Mikrowellen beruhen die *NMR- bzw. die *EPR-Spektroskopie.
c) *Anregungsspektren:* Diese entsprechen einem Absorptionsspektrum. Sie werden gemessen, indem z. B. der Strahl eines abstimmbaren Lasers durch die Probe geleitet wird u. in Abhängigkeit von der Laserwellenlänge die Intensität der Fluoreszenz od. die Erwärmung der Probe (*photoakustische Spektroskopie) bzw. die Änderung der elektr. Leitfähigkeit (*opto-galvanische Spektroskopie) beobachtet wird.
d) *Streuspektren:* Hier registriert man die bei der Streuung an Teilchen in charakterist. Weise veränderte Strahlung. Durch die Verw. von Lasern wurden nicht nur in der *Raman-S.* mit ihren Varianten SERS u. CARS große Fortschritte erzielt, sondern auch in der Lichtstreuung, wobei man durch genaue Intensitätsmessungen Fluktuationen beobachten kann, die auf Bewegungen innerhalb von Mol. (z. B. bei Polymeren), auch durch die Brownsche Molekularbewegung, schließen lassen. Diese *quasielast.* od. *dynam. Lichtstreuung* bzw. *Intensitäts-Fluktuations-S.* (IFS) od. *Photon-Korrelations-S.* genannte Streu-S. finden u. a. Anw. bei der Bestimmung von Diffusionskoeff., der Untersuchung von kugelförmigen Makromol. od. der Taxis von Mikroorganismen.
e) *Reflexionsspektren:* Solche erhält man z. B. von Dünnschichtchromatogrammen od. von Pulvern, wenn man diese mit Licht bestrahlt; das eingestrahlte Licht wird z. T. absorbiert u. z. T. nach mehrfacher Streuung als diffuse Reflexion wieder ausgestrahlt u. dann spektral zerlegt, s. Reflexionsspektroskopie u. vgl. Ionenstreu-Spektroskopie.
2. Nach der Form des Spektrums u. damit nach der Art des Strahlung emittierenden od. absorbierenden Syst. unterscheidet man:
a) *Kontinuierliche Spektren* (meist Schwarz-Körper-Strahlung, s. schwarzer Körper, Plancksche Strahlungsformel): Feste od. glühendflüssige Körper (z. B. Metallschmelzen) emittieren bei starkem Erhitzen, wie auch Gase unter bestimmten Anregungsbedingungen, ein kontinuierliches Spektrum, vgl. Abb. 2. Ein solches Spektrum erhält man z. B. vom Sonnenlicht, vom Lichtbogen einer Bogenlampe, vom Glühdraht einer elektr. Glühlampe, vom leuchtenden Auerglühstrumpf, von Gasentladungs-Lampen wie z. B. Xenonhochdrucklampen od. als Bremsstrahlung sowie *Synchrotron-Strahlung.
b) *Linienspektren* od. *Atomspektren:* Das von freien Atomen emittierte od. absorbierte Licht ergibt Spektren, die durch scharf abgegrenzte Linien charakterisiert sind (*Atom-S.*). Ein Beisp. ist das in Abb. 7 wiedergegebene Spektrum des Wasserstoffs im sichtbaren Bereich (Balmer-Serie); weitere Linien liegen im UV- u. IR-Bereich, s. Atombau u. vgl. Serien (b.).

rot grün violett ultraviolett
Hα Hβ Hγ

Abb. 7: Balmer-Serie des Wasserstoff-Spektrums.

Solche einfachen Linienspektren findet man auch bei den Alkalimetallen (Na, K, Li); ein sehr kompliziertes Linienspektrum hat z. B. das Eisen, bei dem mehrere hundert Spektrallinien zu unterscheiden sind. Die in den *Serienformeln auftretende Rydbergkonstante R kann aus den Linienspektren der verschiedenen Atome abgeleitet werden. Genaue Analysen der Atomspektren führten *Sommerfeld zur Formulierung der (nach ihm benannten) *Feinstrukturkonstante* α, die ein Maß für die Stärke der Wechselwirkung zwischen elektromagnet. Strahlung u. geladenen Elementarteilchen ist. Die exakteste Bestimmung von α gelang mit dem durch von Klitzing (Nobelpreis der Physik 1985) gefundenen *Quanten-Hall-Effekt. Einen experimentellen Beweis für den aus der *Quantenelektrodynamik abgeleiteten **Lamb-Shift* in Spektren von Wasserstoff u. Wasserstoff-ähnlichen Elementen wurde durch *Laserspektroskopie erhalten.
c) *Bandenspektren* od. *Mol.-Spektren:* Diese werden an Mol. beobachtet (**Molekülspektroskopie*). Sie bestehen zwar wie die Linienspektren aus einzelnen Linien, aber diese sind stets so dicht gehäuft, daß sie aus vielen Einzellinien zusammengesetzte Gruppen, die sog. „Banden“ bilden, deren Einzellinien an einem Ende („Bandenkopf“, Konvergenzstelle) sehr gedrängt liegen, so daß dieser Bereich auf einer Photoplatte schwarz od. nahezu schwarz erscheint, vgl. Abb. 8.

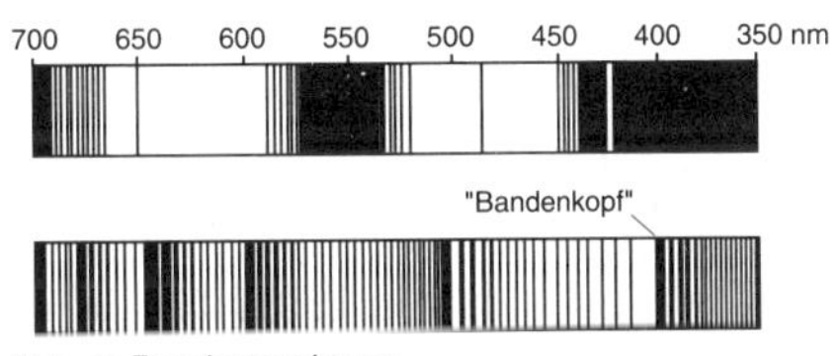

Abb. 8: Bandenspektrum.

Linienspektren u. Bandenspektren entstehen durch „Quantensprünge“ (Änderung der *Quantenzahl) von *Leuchtelektronen (Valenzelektronen) in den äußersten Elektronenschalen der Atome bzw. Mol. bzw. bei Mol. durch eine Änderung ihres Schwingungs-Rotationszustandes. Iod-Dampf gibt bei niedriger Temp. ein charakterist. Bandenspektrum, weil hier noch die I_2-Mol. überwiegen. Bei höherer Temp. werden die Mol. in einzelne Iod-Atome gespalten, u. infolgedessen geht das Bandenspektrum in ein Linienspektrum über. Die innere Energie eines Mol., die die Struktur der Spektren bestimmt, setzt sich aus der Energie des Elektronenzustandes E_{El}, der Energie der Kernschwingungen E_{Vibr} u. der Rotationsenergie E_{Rot} zusammen:

$$E_{gesamt} = E_{El} + E_{Rot} + E_{Vibr}.$$

Alle drei Energieformen können durch die Absorption von Strahlung in einen energiereicheren Zustand übergehen. Bei alleiniger Änderung der Rotationszustände der Mol. erhält man Linien der reinen *Rotationsspek-*

tren (im langwelligen Infrarot u. im Mikrowellenbereich), bei Änderung der Schwingungszustände Linien der *Schwingungsspektren* (im Infrarot). Da sich jedoch mit der (wesentlich größeren) Schwingungsenergie gleichzeitig meist auch der Rotationszustand ändert, erhält man im allg. nicht reine Schwingungs-, sondern *Rotationsschwingungsspektren*, die im Nahen Infrarot liegen, vgl. a. Abb. 1 u. IR-Spektroskopie (Abb. 4 dort). Bei Änderung der gegenüber der Rotations- u. der Schwingungsenergie meist großen Elektronenenergie ändern sich Rotations- u. Schwingungszustand der Mol. meist mit. Das *Elektronen-* od. *Elektronenbandenspektrum* liegt im sichtbaren u. ultravioletten Spektralbereich u. besteht wie das Rotationsschwingungsspektrum aus einer dichten, als „Bande" erkennbaren Folge von Einzellinien, vgl. die Abb. bei UV-Spektroskopie. Hochaufgelöste UV-Spektren können auf der breiten Bande des Elektronenübergangs noch eine Schwingungsfeinstruktur zeigen.

3. Nach dem Frequenzbereich (vgl. Abb. 1) unterscheidet man: Radiowellen-(NMR-)S., Mikrowellen-(Hochfrequenz-)S., IR-S., UV-S. (im allg. zusammen mit der S. des Sichtbaren als UV-VIS- od. UVIS-S. behandelt), Röntgen-S., Gammastrahlen-Spektroskopie.

4. Eine Einteilung der spektroskop. Meth. ist auch nach den ausgenutzten physikal. Prinzipien, insbes. Relaxation u. Resonanz (s. a. die Einzelstichwörter) möglich:

Auf dem *Zeeman-Effekt beruhen EPR-, NMR- u. NQR-S., auf dem *Stark-Effekt die Mikrowellen-S., auf dem Mößbauer-Effekt (s. Mößbauer-Spektroskopie) die Gammastrahlenresonanz-S., Doppelresonanz-Effekte nutzt man in der ODMR-S. u. beim ENDOR. Mit Änderungen des Dipolmoments bzw. der Polarisierbarkeit sind IR- bzw. Raman-S. verbunden. Durch UV-S. erhält man Auskunft über den Grundzustand eines Mol., durch Fluoreszenz- u. Phosphoreszenz-S. über den Anregungszustand. Zur Beschreibung der Zustände – ob Singulett od. Triplett – wurden bes. *Term-Symbole entwickelt. Von der Emission von Elektronen (verbunden mit Ionisation) machen die Photoelektronen-S. u.a. Meth. der Elektronen-Spektroskopie (s. die Abb. dort) Gebrauch. Auf der Energie-Direktumwandlung von Licht in Schall beruht die *photoakustische Spektroskopie, chiropt. Meth. (ORD, CD) nutzen Polarisationseffekte, ggf. zusammen mit dem Faraday-Effekt (MCD u. MORD).

5. Nach der Art der *Anregung kann man unterscheiden: Bogen-(Lichtbogen-), Flammen-, Funken-Spektren (vgl. oben 1 a), Gasentladungs-, Laser-, Röntgen-, Elektronen(strahl)-, Gamma- u. a. Spektren, doch sind derartige Bez. wegen der Verwechslungsmöglichkeit von Ursache u. Wirkung nicht eindeutig.

6. Nach dem Aggregatzustand der untersuchten Substanz unterscheidet man Festkörper-, Flüssigkeits- u. Gas-Spektren. Erstere werden v. a. bei den zahlreichen Meth. der *Oberflächenchemie erhalten.

7. Mit der Bez. „S." werden neben den erwähnten Meth., die auf der Wechselwirkung Strahlung ↔ Materie beruhen, auch solche Verf. belegt, die auf der Wechselwirkung Teilchen ↔ Materie aufbauen u. eine spektrale Abhängigkeit von charakterist. atomaren od. mol. Größen der Untersuchungssubstanz erkennen lassen. Hier ist zu denken an folgende Fälle:

a) Die Probe absorbiert elektromagnet. Strahlung u. emittiert Partikel (bes. *Sekundärelektronen): Auger-S., Photoelektronen-S., Röntgen-Photoelektronen-S. (XPS, IEE, s. ESCA u. Elektronenspektroskopie), S. mit ionisierender Strahlung (z. B. Gammastrahlen), Photoionen-Spektroskopie.

b) Die Probe wird von Partikeln (bes. Elektronen) getroffen u. emittiert Strahlung: Auger-S., Elektronenstrahl-Mikroanalyse (ESMA), energiedispersive Röntgen-S. (EDAX) u. Röntgen-S. mit Protonen (PIXE).

c) Die Probe reagiert auf den Beschuß durch Teilchen (Elektronen- od. Ionenstrahlen) mit der Emission von Ionen od. Sekundärelektronen: Massen-S. u. ICR-S., Ionenstrahl-Mikroanalyse od. Sekundärionen-Massenspektrometrie (ISMA od. SIMS), LEED, Ionenstreu-S. (ISS od. LEIS mit den verwandten Meth. Rutherford Back Scattering = RBS od. HEIS), Ionen-Neutralisations-S., ICR-S. u. a.

Verw.: Da das Spektrum eines Stoffes eine seiner *konstitutiven Eigenschaften darstellt, ist die S. (spektrochem. Analyse) in Forschung, Analytik u. Ind. ein unentbehrliches Hilfsmittel zur Untersuchung stofflicher Zusammensetzungen. Deshalb werden nicht nur alle oben erwähnten spektroskop. Verf. als Einzelstichwörter – ggf. unter ihren Abk. – ausführlich behandelt, sondern auch bei den Untersuchungs-Gegenständen u. -Themen wie Metallurgie, Petrochemie, Geochemie, Pharmazie, klin. Chemie, Lebensmittelchemie, Umweltschutz (s. a. LIDAR) u. Werkstoffprüfung wird im allg. auf die jeweils geeigneten spektroskop. Meth. eingegangen. Auch die „chem. Analyse" außerordentlich ferner, leuchtender Gestirne wie der Sonne od. der Fixsterne ist nur mit Hilfe der Spektralanalyse durchführbar. Eine Reihe von Elementen wurde mit Hilfe der S. entdeckt, so z. B. Helium u. andere Edelgase, Rubidium, Cäsium, Indium, Thallium. Wesentliche Anstöße für das Verständnis des Atombaus u. der Struktur der Mol. (Nobelvortrag von *Herzberg) sind von der S. ausgegangen, u. letztlich geht auch die Entwicklung der Quantentheorie auf die S. zurück. Im organ.-chem. Laboratorium dient die S. nicht nur zur Charakterisierung u. Reinheitsprüfung von Substanzen, sondern auch zur Aufklärung von *Reaktionsmechanismen. So liefert z. B. in der sog. *Reaktions-S.* das Auftreten sog. isosbest. Punkte od. die Aufnahme von Abklingdauern von reaktiven Zwischenstufen (z. B. bei *schnellen Reaktionen mit Hilfe der *Blitzlicht-Photolyse, der Pulsradiolyse od. der *Pikosekunden-Spektroskopie u. Subpikosekunden-S.) wichtige Hinweise auf die Abfolge der Reaktionen. Informationen über zwischenmol. Kräfte kann man aus Frequenzverschiebungen von Banden erhalten, die auf Schweratom-Effekten, Solvatochromie, unterschiedlichen Ligandenfeldstärken u. dgl. beruhen können. Neuere Arbeiten umfassen die S. einzelner Quantenzustände von Atomen u. Ionen in Fallen[5], Farbstoff-Mol. in Flüssigkeiten[6] sowie Ionen in Festkörpern[7]. Die Kombination der opt. S. mit magnet. Resonanz-Verf. erlaubt den Nachw. einzelner Spins[8]. Mit Hilfe von Lasern können Mol. an Grenzflächen spektroskop. nachgewiesen werden[9].

Geschichte: Das Phänomen des Regenbogens ist selbstverständlich schon in der Vorzeit bekannt gewesen, wenn auch die Deutung als Zerlegung des Sonnenlichts durch Beugung erst in der Neuzeit erfolgte. Bereits vor Sir I. *Newton, der um 1666 den Begriff „Spektrum" eingeführt haben dürfte, kannte man die Ablenkung der Sonnenstrahlung durch Glasprismen. *Marggraf nutzte schon 1758 die *Flammenfärbung zur Unterscheidung von Natrium- u. Kalium-Verb., 1814 entdeckte *Fraunhofer die nach ihm benannten Linien im Sonnenspektrum, u. *Bunsen u. *Kirchhoff entwickelten nicht nur die ersten brauchbaren Spektroskope, sondern leiteten auch wichtige Gesetzmäßigkeiten von Absorption u. Emission ab. Schon vorher hatten Bouguer, Lambert u. Beer ihre Vorstellungen über die Intensitätsschwächung des Lichtes beim Durchgang durch Materie formuliert (*Lambert-Beersches Gesetz). – ***E*** spectroscopy – ***F*** spectroscopie – ***I*** spettroscopia – ***S*** espectroscopia

Lit.: [1] IUPAC, Größen, Einheiten u. Symbole in der Physikalischen Chemie, Weinheim: VCH Verlagsges. 1996. [2] Hecht, Optik, New York: McGraw-Hill 1987. [3] Laser u. Optoelektr. **23** (2), 57–66 (1991). [4] Gerstenkorn u. Luc, Atlas du spectre d'absorption de la molecule d'iode 14800–20000 cm^{-1}, Paris: Ed. du Centre National de la Recherche Scientifique 1978. [5] Phys. Rev. A **36**, 428 (1987). [6] Chem. Phys. Lett. **174**, 453 (1990). [7] Europhys. Lett. **6**, 499 (1988). [8] Phys. Bl. **50**, 58 (1994). [9] Phys. Unserer Zeit **27**, 273 (1996).

allg.: Adv. Polymer Sci. **48**, 125–159 (1982) ▪ Agranovich u. Hochstrasser, Spectroscopy and Excitation Dynamics of Condensed Molecular Systems, Amsterdam: North-Holland 1983 ▪ Andrews (Hrsg.), Perspectives in Modern Chemical Spectroscopy, Berlin: Springer 1990 ▪ Bayley u. Dale, Spectroscopy and the Dynamics of Molecular Biological Systems, New York: Academic Press 1985 ▪ Bell, Spectroscopy in Biochemistry (2 Bd.), Boca Raton: CRC Press 1981 ▪ Berry u. Vaughan, Chemical Bonding: Spectroscopy in Mineral Chemistry, London: Chapman & Hall 1985 ▪ Blass u. Halsey, Deconvolution of Absorption Spectra, New York: Academic Press 1981 ▪ Book of ASTM Standards, Bd. 14.01: Molecular and Mass Spectroscopy, Chromatography..., Philadelphia: ASTM (jährlich) ▪ Boumans, Inductively Coupled Plasma Emission Spectroscopy (2 Bd.), New York: Wiley 1987 ▪ Brown, An Introduction to Spectroscopy for Biochemists, London: Academic Press 1980 ▪ Campbell u. Dwek, Spectroscopy in the Life Sciences, Reading: Addison-Wesley 1984 ▪ Clarke, Triplet State ODMR Spectroscopy, New York: Wiley 1982 ▪ Clerc u. Pretsch, Structural Analysis of Organic Compounds by Combined Application of Spectroscopic Methods, Amsterdam: Elsevier 1981 ▪ Coffey et al., Molecular Diffusion and Spectra, New York: Wiley 1984 ▪ Corney, Atomic and Laser Spectroscopy, Oxford: Clarendon Press 1987 ▪ Delgass et al., Spectroscopy in Heterogeneous Catalysis, New York: Academic Press 1982 ▪ Denney, A Dictionary of Spectroscopy, London: Macmillan 1982 ▪ DIN 32635: 1984-06 ▪ Donecker, Experimentelle Technik der Festkörperspektroskopie, Berlin: Akademie-Verl. 1985 ▪ Douglas u. Hollingsworth, Symmetry in Bonding and Spectra, New York: Academic Press 1985 ▪ Ebsworth et al., Structural Methods in Inorganic Chemistry, Oxford: Blackwell 1986 ▪ Eisenthal, Applications of Picosecond Spectroscopy to Chemistry, Dordrecht: Reidel 1984 ▪ Fleming, Chemical Applications of Ultrafast Spectroscopy, Oxford: University Press 1986 ▪ Gauglitz, Praktische Spektroskopie, Tübingen: Attempto 1983 ▪ Hagenstein et al., Funktionelle Gruppen. Chemische u. spektrometrische Eigenschaften, Frankfurt: Diesterweg/Salle 1982 ▪ Haykin, Nonlinear Methods of Spectral Analysis, Berlin: Springer 1983 ▪ Hein, Spektrometrische u. chromatographische Methoden in der Umweltanalytik, Würzburg: Vogel 1984 ▪ Hesse et al., Spektroskopische Methoden in der organischen Chemie (5.), Stuttgart: Thieme 1995 ▪ Hirota, High Resolution Spectroscopy in Transient Molecules, Berlin: Springer 1985 ▪ Hollas, High Resolution Spectroscopy, London: Butterworth 1982 ▪ Hollas, Modern Spectroscopy, New York: Wiley 1986 ▪ Kirk-Othmer (4.) **2**, 756 ▪ Klöpfer, Introduction to Polymer Spectroscopy, Berlin: Springer 1984 ▪ Kniseley, Analytical Spectroscopy, Oxford: Pergamon 1985 ▪ *Kolthoff-Elving **1/7**, 10 (1981, 1983) ▪ Kompa u. Wanner, Laser Applications in Chemistry, New York: Plenum 1984 ▪ Laser Spectroscopy (Springer Series Optical Sci. 7, 21, 30, 40, 49), Berlin: Springer 1977–1991 ▪ Letokhov, Laser Analytical Spectrochemistry, Bristol: Hilger 1986 ▪ Lin et al., Multiphoton Spectroscopy of Molecules, New York: Academic Press 1984 ▪ Lyon, Analytical Spectroscopy, Amsterdam: Elsevier 1984 ▪ Marczenko, Separation and Spectrophotometric Determination of Elements, Chichester: Horwood 1986 ▪ Martellucci u. Chester, Analytical Laser Spectroscopy, New York: Plenum 1985 ▪ Michl u. Thulstrup, Spectroscopy with Polarized Light, Weinheim: VCH Verlagsges. 1995 ▪ Naturwissenschaften **73**, 165–179 (1986) ▪ New Techniques in Optical and Infrared Spectroscopy, Cambridge: University Press 1985 ▪ Oglivic, The Vibronal and Rotational Spectroscopy of Diatomic Molecules, San Diego: Academic Press 1998 ▪ Radziemski et al., Laser Spectroscopy and Its Applications, New York: Dekker 1986 ▪ Rao u. Mathews, Molecular Spectroscopy: Modern Research (3 Bd.), New York: Academic Press 1972, 1976, 1985 ▪ Robinson, Handbook of Spectroscopy (3 Bd.), Boca Raton: CRC Press 1974, 1981 ▪ Rousseau, Structural and Resonance Techniques in Biological Research, New York: Academic Press 1984 ▪ Spectral Estimation, New York: IEEE 1982 ▪ Spektrum Wiss. **1984**, Nr. 4, 74–83 ▪ Stark u. Martini, Absorptionsspektroskopische Messungen auf Raketen u. Satelliten zur Bestimmung atmosphärischer Gaskonstituenten, Berlin: Akademie-Verl. 1987 ▪ Steger, Progress in Polymer Spectroscopy, Leipzig: Teubner 1986 ▪ Svanberg, Atomic and Molecular Spectroscopy, Berlin: Springer 1991 ▪ Ueba u. Yamada, Spectroscopic Studies of Adsorbates on Solid Surfaces, Amsterdam: North-Holland 1985 ▪ Vanasse, Spectrometric Techniques (4 Bd.), New York: Academic Press 1977–1985 ▪ Yen, Laser Spectroscopy of Solids, Berlin: Springer 1986. – *Zeitschriften u. Serien:* Advances in Laser Spectroscopy, New York: Wiley (seit 1982) ▪ Advances in Multi-Photon Processes and Spectroscopy, Singapore: World Sci. Publ. (seit 1984) ▪ Analyt.-Taschenb. (s. Vorwort) ▪ Journal of Crystallographic and Spectroscopic Research, New York: Plenum (seit 1971) ▪ Progress in Analytical Atomic Spectroscopy, Oxford: Pergamon 1978–1985 ▪ Progress in Analytical Spectroscopy, Oxford: Pergamon (seit 1986). – *Spektrensammlungen u. Dokumentation:* Data Bases in Molecular Spectroscopy (CODATA Bull. 40), Oxford: Pergamon 1981 ▪ Handbook of Proton-NMR Spectra and Data (10 Bd. u. Index), New York: Academic Press 1985, 1986 ▪ Parsons et al., An Atlas of Spectral Interferences in ICP Spectroscopy, New York: Plenum 1980 ▪ Pretsch et al., Tabellen zur Strukturaufklärung organischer Verbindungen mit spektroskopischen Methoden, Berlin: Springer 1981 ▪ Verma, Spectroscopic References to Polyatomic Molecules, New York: Plenum 1980 ▪ Winge et al., Inductively Coupled Plasma-Atomic Emission Spectroscopy – An Atlas of Spectral Information, Amsterdam: Elsevier 1985. – Zahlreiche Spektrensammlungen erscheinen bei den Verl. Heyden-Sadtler (London) u. Aldrich (Milwaukee).

Spekularit s. Hämatit.

Spekulatiusgewürz. Mischung aus *Kardamomen, Muskatblüte, *Nelken u. *Zimt. – *[HS 091091]*

Speleanden. Von *Lehn geprägte, von griech.: spelaion = Höhle abgeleitete Bez. für makrocycl. *Wirtsmol.*, die Gastmol. unter Bildung von *Speleaten* einschließen können. – ***E*** = ***F*** speleands – ***I*** speleandi – ***S*** espeleandos

Lit.: Helv. Chim. Acta **65**, 1894–1897 (1982) ▪ s. a. Kronenverbindungen.

Sperabilline. Bas. Peptid-Antibiotika mit breitem antibakteriellen Wirkungsspektrum aus Kulturen von *Pseudomonas* sp. u. *Flexibacter* sp., z. B. *Sperabillin C* {(TAN 749 C): $C_{15}H_{27}N_5O_3$, M_R 325,41, Pulver, $[\alpha]_D^{24}$ −11° (H_2O)} od. *TAN 1057A*, {$C_{13}H_{25}N_9O_3$, M_R 355,40, Pulver, $[\alpha]_D^{22}$ −39,1° (H_2O) (als Dihydrochlorid)}. *TAN 1057B* {$[\alpha]_D^{22}$ +72,6° (H_2O)} ist das 5-Epimer.

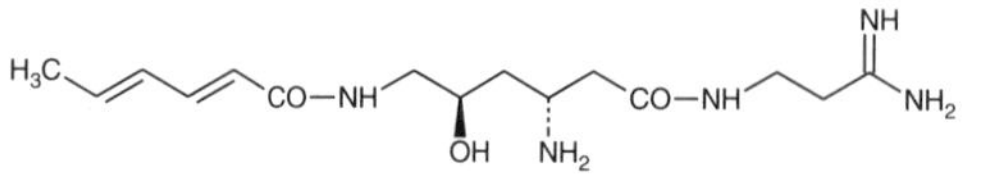

S. C

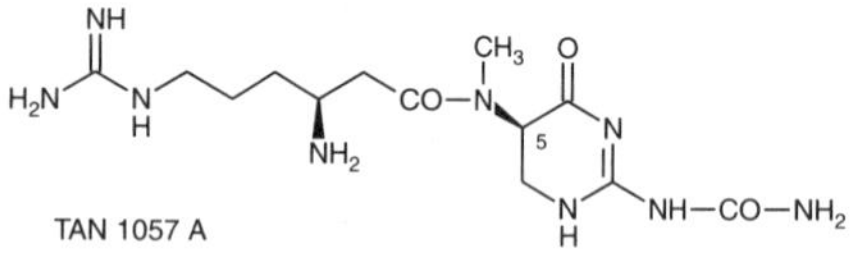

TAN 1057 A

– ***E*** sperabillins – ***F*** spérabillines – ***I*** sperabilline – ***S*** esperabilinas

Lit.: Bull. Chem. Soc. Jpn. **66**, 863 (1993) ▪ Eur. J. Org. Chem. **1998**, 777–783 (Synth. TAN 1057 A/B) ▪ J. Antibiotics **45**, 10 (1992); **46**, 606 (1993) ▪ Tetrahedron **49**, 13 (1993). – *[CAS 111337-84-9 (S. C); 128126-44-3 (TAN 1057A); 128126-45-4 (TAN 1057B)]*

Spergualin {(*S*)-*N*-[4-(3-Aminopropylamino)butyl]-2-((*S*)-7-guanidino-3-hydroxyheptanoyl)-2-hydroxyacetamid}.

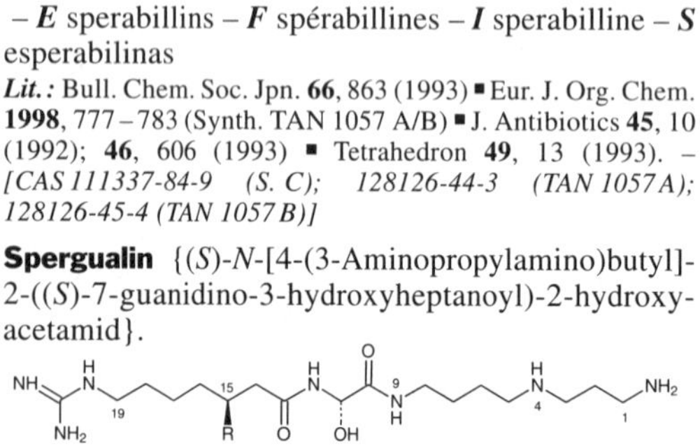

R = OH : Spergualin
R = H : 15-Desoxyspergualin

$C_{17}H_{37}N_7O_4$, M_R 403,52, $[\alpha]_D^{24}$ −11° (H_2O). Antibiot. wirksame Verb. aus *Bacillus laterosporus*, die eine starke Antitumor- u. immunsuppressive Wirkung besitzt. Ausgangsmaterial für die therapeut. eingesetzte Verb. 15-Desoxyspergualin. – ***E*** spergualin – ***F*** spergualine – ***I*** spergualina – ***S*** espergualín

Lit.: Biomed. Pharmacother. **41**, 227 (1987) ▪ J. Antibiot. (Tokyo) **38**, 283, 886 (1985); **39**, 1461 (1986) ▪ Transplant. Proc. **26**, 3224 (1994). – *[CAS 80902-43-8]*

Sperma (griech. = Samen). Samenflüssigkeit des Mannes (allg.: der männlichen Tiere), die bei der Ejakulation in Mengen von ca. 2–5 mL (enthaltend 40 Mio. *Spermien* od. *Spermatozoen*; s. Konzeption) freigesetzt wird. Die milchig-trübe, leicht opaleszierende Suspension von Spermatozoen im Samenplasma (*Seminalplasma*) besteht aus den Sekreten von *Hoden* (Testes, männliche *Keimdrüsen, Orte der *Spermato-* od. *Spermiogenese*, d. h. der Bildung der Spermatozoen), *Nebenhoden* (Epididymides, Speicherorte für die Spermatozoen), *Samenleiter* (Ductus deferentes), *Samenblasen* (Vesiculae seminales, D-Fructose-Sekretion), *Vorsteherdrüse* (Prostata, milchiges Sekret), *Cowperschen* u. *Littréschen Drüsen* (Glandulae bulbourethrales bzw. urethrales, Schleimdrüsen). Sie hat eine D. von 1,03 g/cm³ u. einen pH-Wert von 7,2; Wassergehalt etwa 92%. Die Trockensubstanz besteht zu 90% aus organ. Stoffen, darunter Harnstoff, Harnsäure, D-Fructose, *myo*-Inosit, Citronensäure, Lipide, Proteine, Hyaluronidase, Neuraminidasen, Acylneuraminsäuren, Prostaglandine, Phosphatasen, Sialyltransferasen, Spermin, Spermidin u. a. Diamine, Aminosäuren (bes. L-Arginin), Glutathion, Kreatin. Charakterist. ist der Gehalt an sauren Phosphatasen u. D-Fructose, an Aminen (Geruch) u. an *Seminalplasmin*, einem antibiot. wirkenden Protein. – ***E*** sperm – ***F*** sperme – ***I*** sperma – ***S*** esperma

Lit.: Nieschlag u. Behre, Andrology, S. 61–78, Heidelberg: Springer 1997.

Spermacet(i)wachs s. Spermöl u. Walrat.

Spermidin [*N*-(3-Aminopropyl)-1,4-butandiamin].

$H_2N{-}(CH_2)_3{-}NH{-}(CH_2)_4{-}NH_2$

$C_7H_{19}N_3$, M_R 145,25, Öl, Sdp. 128–130 °C (1,9 kPa), als Trihydrochlorid: Krist., Schmp. 256–258 °C, lösl. in Wasser, Ethanol. Biogenes Polyamin, das biogenet. aus Putrescin (s. 1,4-Butandiamin) gebildet wird u. selbst der Vorläufer von *Spermin ist. S. wurde zuerst im menschlichen *Sperma entdeckt, ist jedoch in der gesamten Natur weit verbreitet. Im Sperma ist S. an die Phosphat-Gruppen der Nucleinsäuren gebunden. S. ist für das Zellwachstum erforderlich. S. ist auch Bestandteil makrocycl. Spermidin-Alkaloide [1], von Lunarin, Inandenin u. verwandten Strukturen. – ***E*** = ***F*** spermidine – ***I*** spermidina – ***S*** espermidina

Lit.: [1] Chirality **9**, 523 (1997).
allg.: Beilstein E IV **4**, 1300 ▪ Differentiation **19**, 1–20 (1981) ▪ Dowling, Polyamines in the Gastrointestinal Tract, Dordrecht: Kluwer 1992 ▪ Helv. Chim. Acta **69**, 1012–1016 (1986); **71**, 1708 (1988) ▪ Karrer, Nr. 3168 f. ▪ Manske **50**, 219–257 (Review) ▪ Merck-Index (12.), Nr. 8893 ▪ Morris u. Marton, Polyamines in Biology and Medicine, New York: Dekker 1981 ▪ Recent Adv. Phytochem. **23**, 329 (1989) ▪ Tetrahedron Lett. **39**, 257 (1998) (S.-Alkaloide). – *[HS 2921 29; CAS 124-20-9]*

Spermien s. Sperma u. Konzeption.

Spermin [*N*,*N′*-Bis-(3-aminopropyl)-1,4-butandiamin, Gerontin, Musculamin, Neuridin].

$H_2N{-}(CH_2)_3{-}NH{-}(CH_2)_4{-}NH{-}(CH_2)_3{-}NH_2$

$C_{10}H_{26}N_4$, M_R 202,34, hygroskop. Krist., Schmp. 55–60 °C, Sdp. 141–142 °C (66,5 Pa), leicht lösl. in Wasser, Ethanol. Das biogene Amin S. kommt wie *Spermidin als Phosphat im menschlichen Samen u. a. Zellen vor u. ähnelt Spermidin hinsichtlich des Vork. u. der Eigenschaften. Weiter ist es als Bestandteil von Ribosomen u. der DNA bekannt. S. war einer der ersten Naturstoffe überhaupt, die physikochem. charakterisiert wurden (Krist. von S.-Phosphat aus Sperma) [1]. Die Strukturaufklärung erfolgte erst 250 Jahre später 1927. – ***E*** = ***F*** spermine – ***I*** spermina – ***S*** espermina

Lit.: [1] R. Soc. London Philosoph. Trans. **12**, 1048 (1678).
allg.: Beilstein E IV **4**, 1301 ▪ Manske **50**, 219–257 (S.-Alkaloide) ▪ Merck-Index (12.), Nr. 8894 ▪ s. a. Spermidin. – *[HS 2921 29; CAS 71-44-3]*

Spermöl [Walratöl, Spermacet(i)öl]. Blaßgelbes, niedrigviskoses Öl, wird beim Abpressen von *Walrat [Spermacet(i)wachs] erhalten. S. besteht zu ca. 75% aus Wachsestern (Ester von Laurin-, Öl-, Myristin- u. Palmitinsäure mit Cetyl-, Oleyl-, Stearylalkohol) u. zu 25% aus Glyceriden der genannten Fettsäuren; D. 0,875–0,884, VZ 120–147, IZ 80–84, SZ 13,2, Schmp. unter 0 °C. Es ist unlösl. in Wasser, kaltem Alkohol, lösl. in Ether, Chloroform, Benzol.

Verw.: Als Hochdruck-Schmiermittel in Lampen, zur Stahlhärtung u. Seifenproduktion, als Ausgangsmaterial zur Herst. von Stearinsäure, Ölsäure, Oleylalkohol, Stearylalkohol usw.; hydriertes S. kann anstelle von Walrat verwendet werden. Durch *Sulfidierung von S. erhält man Schmierstoff-Additive. Aus Gründen des Artenschutzes haben viele Länder den *Sperm-* od. *Pottwal-*Fang eingestellt u. sind auf andere Rohstoffe übergegangen. Ein vielversprechender Ersatz ist das ähnlich zusammengesetzte *Jojoba-Öl. – ***E*** sperm oil – ***F*** huile de spermacéti – ***I*** olio di spermaceti, olio essenziale del bianco di balena – ***S*** aceite de espermaceti

Lit.: Janistyn **1**, 862f. ▪ Ullmann (5.) **A 10**, 236f., 239, 241. – *[HS 1504 30]*

Sperranstrichmittel s. Bautenschutzmittel.

Sperrholz. Allg. Bez. für verschiedene Plattenarten aus meist ungerader Anzahl (mind. 3 bis 15) aufeinander geleimter dünner Holzschichten, wobei die Faserrichtung benachbarter Lagen meist um 90° gegeneinander versetzt ist. Die Verleimung erfolgt vorzugsweise mit Kunstharz-Klebstoffen unter Druck u. erhöhter Temp., wobei Werkstoffe hoher Festigkeit entstehen. Besteht die Mittellage aus Massivholz von z. B. 10 mm Stärke, spricht man von *Tischlerplatte.* S.-Typen, Aufbau u. Anforderungen für die verschiedenen Anw. sind in zahlreichen Normen spezifiziert, vgl. *Lit.*[1]. S. findet vielfältige Verw. z. B. zum Bau von Hallen, Dächern, Fahrzeugen, Booten, Möbeln etc. – ***E*** plywood – ***F*** contreplaqué – ***I*** legno compensato, pannello compensato – ***S*** madera contrachapeada

Lit.: [1] DIN Sachgruppe 6301, DIN-Katalog, Berlin: Beuth jährlich.

allg.: Holzlexikon, 3. Aufl., Bd. 2, S. 317ff., Stuttgart: DRW-Verl. 1988 ▪ Kirk-Othmer (3.) **14**, 5ff. ▪ Sellers, Plywood and Adhesive Technology, New York: Dekker 1985 ▪ Ullmann (4.) **12**, 711–714; (5.) **A 1**, 250f. – *[HS 4412..]*

Sperrschicht. In allg. Bedeutung eine Schicht, die den Transport od. die Ausbreitung von etwas be- bzw. verhindert, z. B. S. aus schlecht wärmeleitendem Material zur therm. Isolation, S. aus brandhemmendem Material gegen die Ausbreitung von Bränden, S. aus Wasser-undurchlässigem Material zur Verhinderung von Wasserdampfdiffusion in therm. Isolationen (sog. Dampfsperre).

Im engeren Sinne bezeichnet man mit S. die an Ladungsträgern verarmte Zone in einem *pn Übergang od. in manchen Metall-Halbleiter Kontakten (*Halbleiter), die den Stromfluß in Sperrichtung weitgehend unterbindet. – ***E*** depletion region – ***F*** couche isolante (d'arrêt, de barrage) – ***I*** regione di svuotamento, strato di sbarramento – ***S*** capa de barrera

Sperry, Roger Wolcott (1913–1994), Prof. für Neurobiologie, Chicago, Caltech/Pasadena (USA). *Arbeitsgebiete:* Neurophysiologie, -psychologie u. -biologie, Bau u. Funktion des Gehirns, Lokalisation der Funktionen in den Hemisphären, Chemospezifitätshypothese, Nobelpreis für Physiologie od. Medizin 1981 (zusammen mit D. H. *Hubel u. T. N. *Wiesel).

Lit.: Lexikon der Naturwissenschaftler, S. 381 ▪ Naturwissenschaften **69**, 101–106 (1982).

Sperrylith. $PtAs_2$; neben gediegen *Platin wirtschaftlich wichtigstes der zur Zeit über 95 (96 in *Lit.*[1]) bekannten Platin-Gruppenminerale (*PGM*). Stark zinnweiß metallglänzendes, nicht anlaufendes, sprödes, kub. Mineral; Kristallklasse (m3-T_h) u. Struktur[2] wie *Pyrit; S. bildet *Mischkristalle mit *Geversit* $Pt(Sb,Bi)_2$. Eingewachsen od. lose als meist kleine, rundum ausgebildete, überwiegend würfelige od. kubooktaedr. Krist. od. gerundete Körner. H. 6–7, D. 10,6, Strich schwarz; in Säuren unlöslich. S. kann (in Gew.-%) bis max. 22,79% Ir, 2,47% Os, 4,0% Pd, 11,6% Rh u. 4,5% Ru sowie etwas Eisen enthalten (*Lit.*[1]).

Vork.: Als wichtiges Platin-Erz in Nickelmagnetkies-Lagerstätten (*Pentlandit), z. B. in Sudbury/Kanada, Noril'sk-Talnakh/Nordsibirien (Bergwerksproduktion 1994: 15 t Pt, v. a. aus S.; s. *Lit.*[3]) u. Bushveld/Südafrika, sowie in *Chromit-Vork., die an Dunite u. Pyroxenite (*Peridotite) gebunden sind, z. B. Ural/Rußland, Rustenburg/Bushveld, Great Dyke/Simbabwe. Seltener auch in *Seifen, z. B. in North Carolina/USA. – ***E*** = ***F*** = ***I*** sperrylite – ***S*** sperrylita

Lit.: [1] Mineral. Petrol. **60**, 185–229 (1997) (Review PGM). [2] Can. Mineral. **17**, 117–123 (1979). [3] Erzmetall **49**, 191–195 (1996).

allg.: Anthony et al., Handbook of Mineralogy, Vol. I, S. 487, Tucson (Arizona): Mineral Data Publishing 1990 ▪ Lapis **15**, Nr. 11, 7–10 (1990) („Steckbrief") ▪ Ramdohr-Strunz, S. 459 ▪ Schröcke-Weiner, S. 253f. – *[HS 2616 90; CAS 12255-87-7]*

Spersadexolin® (Rp). Augentropfen mit *Dexamethason-21-dihydrogenphosphat, Dinatriumsalz, *Chloramphenicol, *Tetryzolin-Hydrochlorid gegen Entzündungen des Auges. ***B.:*** CIBA Vision.

Spersallerg®. Augentropfen mit *Antazolin- u. *Tetryzolin-Hydrochlorid gegen allerg. u. entzündliche Erkrankungen der Augenbindehaut. ***B.:*** CIBA Vision.

Spessartin (Manganton-*Granat). $Mn_3Al_2[Si_3O_{12}]$ bzw. $3\,MnO \cdot Al_2O_3 \cdot 3\,SiO_2$; geblich orange bis tief dunkelorangerot, braun od. schwarz gefärbter, durchsichtiger bis undurchsichtiger Granat; bildet überwiegend *Mischkristalle mit Almandin (50–96% S.-Anteil; oft mit nennenswerten Anteilen an Grossular; s. Granate), seltener auch mit *Pyrop (z. B. am Kunene-Fluß/Namibia[1]). S. kann als weitere Elemente u. a. V, Ti, Fe^{3+} u. bis 2% Y_2O_3 enthalten. H. 7–7,5, D. 4,09–4,15.

Vork.: In *Pegmatiten, z. B. Iveland/Norwegen, Ramona/Californien, Gilgit/Pakistan, Haibach bei Aschaffenburg/Spessart (Name!); in *Rhyolith in Ely/Nevada/USA; in *metamorphen Gesteinen u. *Skarnen, z. B. in Brasilien, Indien u. in den *Wetzschiefern der Ardennen; S. von Edelstein-Qualität in Kunene/Namibia, Madagaskar, Kenia, Sri Lanka, Myanmar (Burma), Pakistan, Indien u. Brasilien. – ***E*** spessartine – ***F*** spessartite – ***I*** spessartina, spessartite – ***S*** espesartita

Lit.: [1] Z. Dtsch. Gemmol. Ges. **43**, 39–47 (1994).

allg.: Deer, Howie u. Zussman, Rock-Forming Minerals (2.), Vol. 1 A, Orthosilicates, S. 590–602, London: Longman 1982 ▪ Eppler, Praktische Gemmologie (5.), S. 218ff., Stuttgart: Rühle-Diebener 1994 ▪ extraLapis Nr. **9** (Granat), 40–43 (1995) ▪ s. a. Granate. – *[HS 2513 20; CAS 12252-51-6]*

Spessartit s. Lamprophyre.

Spezialitäten. Ältere Bez. für Fertigarzneimittel, s. Arzneimittel.

Spezies (von latein.: species = Anblick, Gestalt, Begriff, Anschein). In der *Biologie* versteht man unter S.

eine Organismenart od. -gattung, in der *Chemie* eine Atom- od. Molekelart, bes. dann, wenn die Konstitutionen der reagierenden Stoffe noch nicht bekannt sind. Beispielsweise spricht man von radikal. od. ion. S. als *Zwischenstufen zusammengesetzter Reaktionen. In der *Pharmazie* verstand man unter Species Teegemische, z. B. species nervinae = Beruhigungstee. – ***E*** species – ***F*** espèce – ***I*** speci – ***S*** especie

Spezifisch. In Chemie, Biochemie usw. versteht man unter „s." die Fähigkeit von Substanzen, Organismen usw., aus einer Anzahl gebotener Reaktions- od. allg. Einwirkungs-Möglichkeiten *nur eine ganz bestimmte* wahrzunehmen. Wenn beispielsweise ein Red.-Mittel an einem mehrere Carbonyl-Gruppen enthaltenden Steroid *ausschließlich* die Oxo-Gruppe an C-3 reduziert, spricht man von einem s. wirkenden Red.-Mittel (vgl. dagegen selektiv). Diese Positions(Stellungs-) Spezifität, der man z. B. auch bei aromat. Substitutionsreaktionen begegnet, bezeichnet man als *Regiospezifität* (regiospezif. Reaktionen). In Analogie zu „s." definiert man *stereospezifische Reaktionen, vgl. dagegen stereoselektive Reaktionen. S. Reaktionen sind also solche *Reaktionen, die für ganz bestimmte Elemente, Verb., Ionen, Atomgruppierungen od. auch Organismen(gruppen) charakterist. sind. *Beisp.:* Die Bildung eines blauen Niederschlags von Berliner Blau beim Zusammengießen von Lsg. aus Eisen(III)-Salzen u. Kaliumferrocyanid ist eine s. Reaktion, denn die Kaliumferrocyanid-Lsg. gibt nur mit Eisen(III)-Ionen u. mit keinen anderen Metall-Ionen sofort einen blauen Niederschlag. Hingegen ist die Bildung eines schwarzen Niederschlags von Eisensulfid beim Einleiten von Schwefelwasserstoff in eine (alkal. gemachte) Eisensalz-Lsg. unspezif., denn schwarze Sulfid-Niederschläge entstehen z. B. auch, wenn man Schwefelwasserstoff in Lsg. von Kupfer-, Blei-, Nickel-Salzen u. dgl. einleitet. Weiter kann man bei der *Affinitätschromatographie od. bei Immunreaktionen von spezif. Prozessen sprechen, dagegen ist die Anw. der Bez. ionenspezif. Elektroden ungerechtfertigt – es gibt nur *ionen*selektive* Elektroden. *Spezifität* in diesem Sinne spielt v. a. in der Analyse, der *Chemotherapie, der *Serodiagnostik u. bei Enzymen eine wichtige Rolle.
Eine eigene Bedeutung hat „s." in Verb. mit den Bez. extensiver physikal. *Größen: s. Größe = Größe geteilt durch Masse; *Beisp.:* s. Vol. = Vol./Masse (z. B. s. Gasvol. bei *Explosivstoffen), *spezifische Wärmekapazität = Wärmemenge/Masse, s. Oberfläche = Oberfläche/Masse, s. Drehung (*optische Aktivität) etc. Abweichend versteht man unter der s. Masse (früher s. Gewicht od. a. Wichte) die *Dichte (= Masse/Vol.-Einheit). – ***E*** specific – ***F*** spécifique – ***I*** specifico – ***S*** específico

Spezifische Absorption. Die s. A. ($A^{1\%}_{1cm}$) einer gelösten Substanz ist die Absorption einer Lsg. der Konz. $c = 10\ g \cdot L^{-1}$, in einer Schichtdicke von 1 cm u. bei einer bestimmten Wellenlänge gemessen. Dabei gilt:

$$A^{1\%}_{1\,cm} = \frac{10\,\varepsilon}{M_R}$$

(ε: molarer Absorptionskoeff.). Diese Größe wird vom dtsch. u. europ. Arzneibuch verwendet, obwohl sie im Gegensatz zu anderen spezif. Größen auf die Konz. statt auf die Masse bezogen ist u. % verwendet, ohne dimensionslos zu sein. – ***E*** specific absorbance – ***F*** absorption spécifique – ***I*** assorbimento specifico – ***S*** absorción específica

Lit.: Ph. Eur. **1997** u. Komm.

Spezifische Drehung s. optische Aktivität.

Spezifische Wärmekapazität (Symbol c). Bez. für diejenige Wärmemenge dQ_m, die man einem Gramm eines beliebigen, einheitlichen Stoffes zuführen muß, um seine Temp. um ΔT zu erhöhen: $c = dQ_m/\Delta T$. Die s. W. ist gleich dem Quotienten aus der *Wärmekapazität* dQ/dT u. der Masse m u. wird in $J\,K^{-1}\,g^{-1}$ angegeben. Man muß zwischen der s. W. bei konstantem Druck (c_p) u. der bei konstantem Vol. (c_v) unterscheiden, wobei (bei idealen Gasen) $c_p - c_v = R/M$ (R = *Gaskonstante u. M = *Molmasse, M_R). Im allg. bevorzugt man die molare Wärmekapazität C, d. h. die *Molwärme (Näheres, bes. zur Zusammensetzung der s. W. u. den Beiträgen von *Translation, *Rotation u. *Schwingungen bei Gasen s. Molwärme) u. die *Atomwärme. Ein bei idealen Gasen charakterist. Wert ist der Quotient $c_p/c_v = C_p/C_v = \gamma$ (früher κ). Er ergibt sich aus der Anzahl der Freiheitsgrade f zu: $\gamma = (f+2)/f$ u. ist somit bei einatomigen Gasen ca. 1,67, bei zweiatomigen ca. 1,40 u. bei mehratomigen ca. 1,33. Die Kenntnis der durch *Kalorimetrie ermittelbaren s. W. ist in der Technik bei allen wärmetechn. Berechnungen (Verbrennungsvorgänge, Wärme- od. Kältetransport etc.) unerläßlich. Im folgenden sind die s. W. einiger Elemente u. Verb. in $J\,K^{-1}\,g^{-1}$ (bei 20 °C) angegeben; weitere u. z. T. genauere Werte findet man in *Tabellenwerken (z. B. in *Lit.*[1]): Aluminium 0,888, Beryllium 1,892, Blei 0,129, Bor 1,047, Chrom 0,440, Eisen 0,452 (Kohlenstoff-Stähle 0,463 – 0,523), Gold 0,129, Kohlenstoff 0,708 (Graphit) u. 0,502 (Diamant), Kupfer 0,382, Lithium 3,545, Magnesium 1,017, Natrium 1,221, Platin 0,133, Quecksilber 0,138, Schwefel 0,704 (rhomb.), Silber 0,234, Silicium 0,703, Wolfram 0,134, Zink 0,387, Zinn 0,226 – auffällig sind die großen s. W. von Be, Na, Mg u. bes. Li; Quarzglas 0,729, Na_2CO_3 1,042, KCl 0,682, NH_4Cl 1,591, MgO 0,923, Al_2O_3 0,754, ZnO 0,494, Benzol 1,675, Methanol 2,512, Ethanol 2,428, Holzkohle 1,160, Erdöl 1,884, Luft 1,005, Stickstoff 1,034, Ammoniak 2,160, Wasser (bei 14,5 °C) 4,187. Die s. W. erreichen in verschiedenen Temp.-Bereichen beim gleichen Stoff unterschiedliche Werte, so hat z. B. Eisen bei –200 °C die s. W. 0,134, bei –100 °C 0,356, bei 0 °C 0,440, bei 20 °C 0,452, bei 100 °C 0,486, bei 200 °C 0,532, bei 300 °C 0,582 u. bei 500 °C 0,678. – ***E*** specific heat (capacity) – ***F*** chaleur spécifique, capacité calorifique spécifique – ***I*** calore specifico, capacità termica specifica – ***S*** calor específico, capacidad calorífica específica

Lit.: [1] Handbook **75**, 4-123, 5-4 bis 47, 6-1 bis 2, 6-140 bis 148, 2-158, 15-43 bis 49.
allg.: Encycl. Polym. Sci. Eng. **4**, 459 ff. ▪ Kohlrausch, Praktische Physik 3, Stuttgart: Teubner 1996 ▪ s. a. Thermodynamik.

Spezifität s. spezifisch.

Sphär(o)... Von griech.: sphaira = Kugel, Ball abgeleitetes Fremdwortteil; Beisp. s. folgende Stichwörter.

– *E* spher(o)..., sphaer(o)... – *F* sphéro... – *I* sfero... – *S* esfero...

Sphäro-Guß®. Um 1948 entwickeltes *Gußeisen mit Kugelgraphit zur Verw. im Fahrzeug-, Flugzeug- u. Landmaschinenbau, in Hüttenwerken, Elektro-Ind. usw. Zur Herst. werden kleine Mengen von Mg (als Vorleg., $MgNi_2$ od. Mg_2Si od. als Mg-Metall in Druckgefäßen) in Gußeisenschmelzen (z.B. mit ca. 3,5% C u. ca. 2,5% Si) gelöst, worauf sich der *Graphit beim Erstarren nicht mehr lamellar, sondern in Kugelform *(Kugelgraphit, sphärolith. Graphit)* abscheidet. ***B.:*** Inco

Sphärokobaltit s. Cobalt(II)-carbonat.

Sphärokolloide s. Kolloidchemie, S. 2210.

Sphärokristalle s. Sphärolithe.

Sphärolithe. Von *Sphäro... u. *Litho... abgeleitete Bez. für aus *Sphärokrist.* (kugelförmige, radialsymmetr. aus Kristallfasern aufgebaute Kristallite) od. anderen kugelförmigen Gebilden bestehende krist. Bereiche, die für die mechan. Eigenschaften von Makromol. (Stärke, Kunststoffe), Gußeisen (mit sphärolith. *Graphit, s. Sphäro-Guß) u.a. Feststoffen von Bedeutung sind. S. finden sich in der Natur z.B. in *Obsidianen u. *Pechsteinen. – *E* spherolites – *F* sphérolites – *I* sferoliti – *S* esferolitas

Lit.: Angew. Chem. **86**, 283–291 (1974) ▪ Chem. Unserer Zeit **10**, 106–113 (1976) ▪ Lapis **3**, Nr. 10 (1978) (Beilage „Lapis-Lexikon").

Sphäroplasten. Auch als L-Formen bezeichnete kugelförmige Gebilde [s. Sphär(o)... u. Plast...], die nach Schädigung der Bakterien-Zellwand in iso- od. hyperton. Lsg. entstehen. Ein gut bekanntes Beisp. sind die L-Formen, die nach Behandlung von wachsenden Bakterien mit *Penicillin durch Hemmung der Quervernetzung der Polysaccharid-Ketten des *Mureins entstehen. Durch ungeregeltes Längen- u. Dickenwachstum kommt es zu S., denen im Gegensatz zu zellwandfreien *Protoplasten* (s. Protoplastenfusion) noch Teile der Zellwand anhaften. – *E* spheroplasts – *F* sphéroplastes – *I* sferoplasti – *S* esferoplastos

Lit.: Brock, Biology of Microorganisms (8.), S. 74, Upper Saddle River, USA: Prentice-Hall 1997.

Sphäroproteine s. globuläre Proteine.

Sphärosiderit s. Siderit.

Sphalerit s. Zinkblende.

S-Phase s. Replikation.

Sphen s. Titanit.

Sphenoide s. Kristallmorphologie.

Spheranden. Von *Cram geprägte u. von *Sphäro... abgeleitete Bez. für kugelförmige *Wirtsmol.*, die Ionen als Gastmol. einschließen können. – *E* spherands – *F* sphérands – *I* sferandi – *S* esferandos

Sphingenin s. Sphingosin.

Sphingo... Von Tudichum geprägte u. von dem Fabelwesen Sphinx abgeleitete Vorsilbe, die auf das Rätselhafte anspielt, das die Stoffe umgibt, die *Sphingosin gebunden enthalten, s. die folgenden Stichwörter. – *E* = *F* sphingo... – *I* sfingo... – *S* esfingo...

Sphingolipide. Gruppenbez. für solche *Lipide, die *Sphingosin [(4*E*)-Sphingenin] als Alkohol-Komponente statt des bei echten *Fetten u. Ölen vorliegenden Glycerins enthalten. Man kennt die Kohlenhydrat-haltigen *Glykosphingolipide* (Glykosphingoside, Oberbegriff: *Glykolipide) wie *Cerebroside, *Ganglioside u. *Sulfatide sowie die Phosphor-haltigen *Sphingophospholipide* (zu den *Phospholipiden gehörig), z.B. die *Sphingomyeline u. die Inosit-Sphingophospholipide. Weder Kohlenhydrat noch Phosphor enthalten die *Ceramide (*N*-Acylsphingosine), die den beiden genannten Gruppen als Bausteine gemeinsam sind. Die S. werden im *Golgi-Apparat synthetisiert u. sind bes. reichlich in der *Hirnsubstanz u. im *Myelin des Nervengewebes vorhanden, wo sie – wie auch in anderen Körperzellen – wichtige Funktionen im Aufbau von *Membranen u. bei der *Signaltransduktion, z.B. bei der *Apoptose, erfüllen. Bestimmte Glykosphingolipide werden in Tumoren stärker produziert u. können daher als *Tumor-Antigene dienen [1].

Störungen des S.-Stoffwechsels sind im allg. mit der Kumulierung eines spezif. S. im Körper verbunden. Derartige *Sphingolipidosen* [2] sind vererbbar u. auf Defekte bestimmter, in den *Lysosomen gespeicherter Enzyme od. Aktivator-Proteine (der *Saposine*) zurückzuführen. – *E* sphingolipids – *F* sphingolipides – *I* sfingolipidi – *S* esfingolípidos

Lit.: [1] Chem. Biol. **4**, 97–104 (1997). [2] Brain Pathol. **8**, 79–100 (1998).

allg.: FASEB J. **10**, 1388–1397 (1996); **11**, 34–38, 45–50 (1997) ▪ FEBS Lett. **410**, 34–38 (1997) ▪ Hannun, Sphingolipid-Mediated Signal Transduction, Berlin: Springer 1997 ▪ Prog. Lipid Res. **36**, 153–195 (1997) ▪ Stryer 1996, S. 726ff.

Sphingolipidosen s. Sphingolipide.

Sphingomyeline.

Ceramid-Rest

$(CH_3)_3N^+–CH_2–CH_2–O–P(=O)(O^-)–O–{}^1CH_2–{}^2CH(NH–CO–R)–{}^3CH(OH)–{}^4CH=CH–CH_2–(CH_2)_{11}–CH_3$

Cholinphosphat-Rest

Fettsäure-Rest

Sphingosin-Rest

Gruppe von *Phospholipiden, die je ein Mol. *Sphingosin [(4*E*)-Sphingenin], Cholinphosphat u. Fettsäure enthalten (Abb.) u. in ihrer Struktur den Phosphatidylcholinen (s. Lecithine) ähneln. Die S. finden sich v.a. im *Myelin des Zentralnervensyst., können aber auch in vielen anderen Organen festgestellt werden. Bei der Niemann-Pickschen Krankheit (*Sphingomyelinose*) ist der S.-Gehalt der Leber u. Milz abnorm vermehrt. Als Fettsäuren, die an Sphingosin Amid-artig gebunden sind (diese Amide nennt man auch *Ceramide), kommen v.a. Stearinsäure (bes. in der grauen Hirnsubstanz), Tetracosan-, Palmitin-, 15-Tetracosen- u. verwandte Säuren vor. Die S. sind farblose, etwas hygroskop. Pulver, die in Wasser, Ether u. Aceton nicht, in Pyridin wenig u. in siedendem Alkohol, Chloroform u. Essigsäure gut lösl. sind.

Biosynth. u. Abbau: Sphingosin leitet sich biosynthet. von Palmitinsäure u. L-Serin her u. wird mit Hilfe verschiedener Acyl-*Coenzyme A u. des *Enzyms *Sphin-*

gosin-Acyltransferase (EC 2.3.1.24) zu Ceramiden acyliert. Unter dem Einfluß von *Sphingosin-Cholin-Phosphotransferase* (EC 2.7.8.10) übernimmt dieses die Cholinphosphat-Gruppe von Cytidin-5′-diphosphocholin (CDP-Cholin, vgl. Cytidinphosphate). Abbau durch *S.-Phosphodiesterase* (EC 3.1.4.12, fehlt bei Sphingomyelinose), die Cholinphosphat freisetzt u. weiter durch *Acylsphingosin-Desacylase* (EC 3.5.1.23), die das entstandene Ceramid in die entsprechende Fettsäure u. Sphingosin spaltet. Die Hydrolyse von S. spielt jedoch darüber hinaus eine wichtige Rolle für das Zellschicksal. So dienen die Ceramide als *second messengers für *Tumornekrose-Faktor u. *Interleukin 1[1] u. vermitteln dabei Signale für Zellwachstum, *Differenzierung, Streß-Abwehr u. *Apoptose[2], während Sphingosin-1-phosphat die Apoptose unterdrücken kann[3]. – ***E*** sphingomyelins – ***F*** sphingomyélines – ***I*** sfingomieline – ***S*** esfingomielinas

Lit.: [1]Cell **77**, 325–328 (1994). [2]Semin. Cell Develop. Biol. **8**, 311–322 (1997). [3]Nature (London) **381**, 800–803 (1996). *allg.:* Stryer 1996, S. 281 f., 726 ▪ Trends Biochem. Sci. **21**, 468–471 (1996).

Sphingomyelinosen s. Sphingomyeline.

Sphingomyelin-Phosphodiesterase s. Sphingomyeline.

Sphingophospholipide s. Sphingolipide.

Sphingosin [(2*S*,3*R*,4*E*)-2-Amino-4-octadecen-1,3-diol, D-(+)-*erythro-trans*-4-sphingenin].

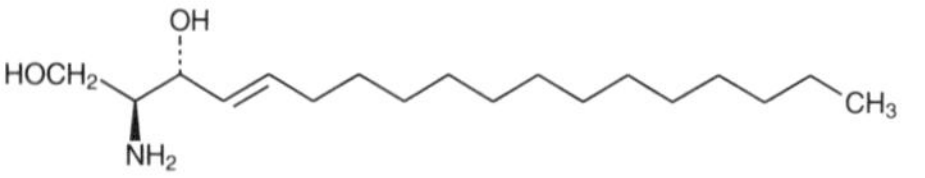

$C_{18}H_{37}NO_2$, M_R 299,50, Krist., Schmp. 79–81 °C (80–84 °C), (Racemat: Schmp. 65–68 °C), kommt in der Natur nicht frei vor, ist jedoch wichtiger Bestandteil von *Cerebrosiden, *Gangliosiden u. *Sphingomyelinen. Fettsäureamide, u. a. *N*-Octadecanoyl-S. (a) {$C_{36}H_{71}NO_3$, M_R 565,96, Schmp. 97–98 °C (91–93 °C), $[\alpha]_D^{25}$ −3,1° ($CHCl_3$)}; *N*-Eicosanoyl-S. (b) ($C_{38}H_{75}NO_3$, M_R 594,02); *N*-(*Z*)-13-Docosenoyl-S. (c) ($C_{40}H_{77}NO_3$, M_R 620,06) kommen im Blut u. in Hirnlipiden vor. Das 1-*O*-Glucosyl-S. [*Glucopsychosin* (d), $C_{24}H_{47}NO_7$, M_R 461,64] tritt als Metabolit des S. bei der Gaucher-Krankheit auf. Das gesätt. L-(−)-*threo*-2-Amino-1,3-octadecandiol (Konfiguration 2*S*,3*S*) (e) [$C_{18}H_{39}NO_2$, M_R 301,51, Schmp. 108 °C, $[\alpha]_D^{28}$−14,1° ($CHCl_3$)] ist in Cerebrosiden u. in pflanzlichem Gewebe verbreitet, ebenso D-*ribo*-2-Amino-1,3,4-octadecantriol (Konfiguration 2*S*,3*S*,4*R*) (f) [*Phytosphingosin*, 4-Hydroxysphinganin, $C_{18}H_{39}NO_3$, M_R 317,51]. Zur Synth. s. *Lit.*[1].

Biosynth.: Kondensation von L-Serin mit Palmitoyl-CoA u. Decarboxylierung → 2-Amino-3-oxo-4-octadecenol → Sphinganin → Sphingosin. – ***E*** = ***F*** sphingosine – ***I*** sfingosina – ***S*** esfingosina

Lit.: [1]Angew. Chem. **98**, 722 f. (1986); Carbohydr. Res. **174**, 169–179 (1988); Chem. Eur. J. **1**, 382 (1995); J. Chem. Soc., Chem. Commun. **1991**, 820 f.; J. Org. Chem. **59**, 7944 ff. (1994); Justus Liebigs Ann. Chem. **1995**, 755–764; **1996**, 2079; Kontakte (Merck Darmstadt) **1992**, 11–28; Synthesis **1995**, 868; Synlett **1990**, 665 f.; Tetrahedron **47**, 2835–2842 (1991); Tetrahedron Lett. **35**, 9573 ff. (1994); Spec. Publ.-Royal Soc. Chem. **180**, 93–118 (1996); Tetrahedron: Asymmetry **8**, 3237 (1997).
allg.: Beilstein E IV **4**, 1894 ▪ J. Lipid Res. **35**, 2305–2311 (1994). – *[HS 2922 19; CAS 123-78-4 (S.); 2733-29-1 ((±)-S.); 2304-81-6 (a); 7344-02-7 (b); 54135-66-9 (c); 15639-50-6 (e); 554-62-1 (f)]*

Sphingosin-Acyltransferase s. Sphingomyeline.

Sphingosin-Cholinphosphotransferase s. Sphingomyeline.

Sphygmomanometer (griech.: sphygmos = Puls). *Blutdruck-Meßgerät.

SPI s. NMR-Spektroskopie.

Spicköle s. Schmälzmittel.

Spiegel. Von latein.: speculum = Abbild abgeleitetes, in verschiedenem Sinne gebrauchtes Wort.

1. Bez. für glatte Flächen, von denen der größte Teil des auffallenden Lichtes durch *Spiegelung* reflektiert wird (*Reflexion). Hierbei kann eine *Polarisation des reflektierten Lichtes erfolgen, weshalb sich Blendungseffekte mit Hilfe von Polarisationsbrillen oft ausschalten lassen. *Glasspiegel* (Silberspiegel) werden durch Aufbringen dünner Silber-Schichten auf die Oberfläche von geeignetem *Glas hergestellt: Mit Hilfe eines Reduktionsmittels (Glucose, Fructose, Galactose) wird aus einer ammoniakal. Silbernitrat-Lsg. eine gleichmäßige Schicht von metall. Silber auf die vorher sorgfältig gereinigte Glasoberfläche abgeschieden, heute überwiegend im sog. Silber-Spritzverf., früher im sog. Schaukelverfahren. Dem *Versilbern folgt meist noch das *Verkupfern. Die aufgebrachten, sehr empfindlichen Metallschichten werden anschließend durch die sog. *Spiegellackierung* mit Speziallacken gegen Beschädigung geschützt. Für Spezialzwecke wird statt Silber Aluminium (*Aluminiumspiegel*) durch *Aufdampfen im Hochvak. auf die Glasoberflächen aufgebracht. Vor Einführung der chem. Versilberung durch J. von *Liebig (1856) verwendete man als S.-Metall Quecksilber in *Amalgam-Form (sog. *Spiegelamalgam*, bestehend aus ca. 77% Hg u. 23% Sn). Mit Hilfe moderner Spiegelbelegbänder lassen sich S. mit Kantenlängen von ca. 3×4,5 m kontinuierlich herstellen. In Haushalt u. Automobil-Ind. finden auch Kunststoffe als Trägermaterialien Verw. (*Kunststoffmetallisierung u. -galvanisierung). Auch Spiegelfolien lassen sich aus Kunststoffen herstellen.

Trägerfreie *Metallspiegel* erhält man durch *Polieren von Metalloberflächen, wobei diese zum Schutz gegen Korrosion ggf. noch mit farblosen Lacküberzügen geschützt werden.

Moderne Teleskopspiegel bestehen aus Leg. von 70% Cu u. 30% Sn. Die galvan. Spiegelleg. des Tin Research Inst. enthält 55% Cu u. 45% Sn; sie sind härter als Ni u. bewahren ihr Lichtreflexionsvermögen besser als Ag.

Die Metall-S. (S.-Bronzen) stellen die älteste Gruppe von S. dar. Beispielsweise ist das sog. *Speculum-Metall* eine harte, zähe Leg. aus 65–67% Cu, bis 5% Ni, Rest Sn, gibt poliert schönen Glanz u. erreicht etwa 70% der Lichtreflexion von Silber (leicht verstärkte Rotreflexion, die warmen Schimmer gibt). Ein S. der

Römer bestand aus einer Leg. von 64% Cu, 19% Sn u. 17% Pb, ein altägypt. S. aus 85% Cu, 14% Sn, 1% Fe, ein altgriech. S. aus 68% Cu u. 32% Sn.
Durch therm. od. photochem. Zers. von Verb. auch anderer Metalle erhält man oft sehr feine Überzüge, die ebenfalls als „S." bezeichnet werden. Beispielsweise entsteht beim *Marsh-Test zum Nachw. von *Arsenik der sog. Arsen-S.; im gleichen Sinne spricht man auch von einem Antimon-, Quecksilber-S. usw.
2. Das Wort „S." wird auch häufig im Sinne von „Niveau" u. Konz. verwendet, z. B. in Wasser-, Blutalkohol-, Glucose-, Cholesterin-S. usw. – ***E*** 1. mirror, 2. level – ***F*** 1. miroir, 2. niveau – ***I*** specchio – ***S*** 1. espejo, 2. nivel

Lit.: Kirk-Othmer (4.) **22**, 176, 192; **23**, 1074 ▪ Ullmann (4.) **21**, 633–636; (5.) **A 16**, 641–647 ▪ Winnacker-Küchler (4.) **3**, 138. – *[HS 7009.., 8306 30, 9001 90, 9002 90]*

Spiegelamalgam s. Spiegel.

Spiegelbildisomere s. optische Aktivität u. Enantiomerie.

Spiegelbrenner. Elektr. beheiztes Gerät, bei dem die Wärmestrahlung eines zylindr., senkrechten Heizkörpers durch einen Hohlspiegel aus Aluminiumblech unmittelbar in den Raum oberhalb des Brenners reflektiert wird u. dort einen Hitzekegel bildet, der dem des Bunsenbrenners nach Form u. Temp. ähnlich ist. Der Heizdraht des Heizkörpers besteht aus einer hitzebeständigen, langlebigen Spezialleg. u. ist zusammen mit dem Heizleiterträger von einem chemikalienbeständigen Quarzglasmantel umgeben u. daher unempfindlich gegen überkochende Flüssigkeiten. – ***E*** mirror burner – ***F*** brûleur de miroir – ***I*** bruciatore a specchio – ***S*** soplete de espejo

Spiegeleisen (Spiegelroheisen). Bez. für Eisen-Sorten mit einem Gehalt von 4,5–5,5% C, 6–30% Mn, 1–2% Si, <0,3% P u. <0,04% S. Sie besitzen rein weiße Farbe, erstarren mit großblättrigem Gefüge u. zeigen an ihren Bruchstellen große, glänzende, weiße, spiegelnde Kristallflächen, woraus sich ihr Name erklärt; s. a. Ferromangan u. Mangan. – ***E*** digiste, specular pig iron – ***F*** fonte spiegel (spéculaire) – ***I*** ghisa specolare, ferro specolare – ***S*** hierro especular

Lit.: Winnacker-Küchler (4.) **4**, 125 ▪ s. a. Roheisen.

Spiegelglas s. Glas, S. 1541.

Spiegelkerne s. Isobare.

Spiegelung s. Chiralität, Kristallgeometrie u. Reflexion.

Spielwaren. Aus naheliegenden Gründen dürfen S. (insbes. für Kinder) keine gesundheitsgefährdenden od. gar gefährlichen Stoffe enthalten od. beim Gebrauch freisetzen. Zu denken ist hier an Schwermetalle, Farbmittel, evtl. Träger- u. Hilfsstoffe für Kunststoffe u. dgl., die z. B. in Schreib- u. Farbstiften, Fingermalfarben, Knetmassen, beschichtetem od. massegefärbtem Spielzeug etc. enthalten sein könnten. Gesetzliche Grundlage sind entsprechende Länder-Bestimmungen, die europ. Norm „Sicherheit von Spielzeug" (DIN EN 71-(1–3): 1984-07, 71-4: 1989-11, 71-5: 1993-07) sowie die VO vom 28. 2. 1984 (BGBl. I, S. 376) u. ihre Novellierungen über Einschränkungen u. Verbote für bestimmte Stoffe in *S.* u. *Scherzartikeln.* Auch die letztgenannten (z. B. *Niespulver, *Pharaoschlangen, *Stinkbomben) dürfen keine gesundheitsschädigenden Stoffe enthalten bzw. entwickeln. – ***E*** toys – ***F*** jouets – ***I*** giocattoli – ***S*** juguetes

Spierstaude (Spierstrauch, Mädesüß, Sumpf-Spiräe, Wiesengeißbart). In feuchten Wiesen u. Wäldern Europas u. Nordasiens heim., auch in Nordamerika vorkommende, bis 1,5 m hohe Staude [*Filipendula ulmaria* (L.) Maxim., syn. *Spiraea ulmaria*, Rosaceae] mit großen weißen Blütendolden u. gelappten bis gezähnten Blättern. Die Blüten enthalten außer Flavonoiden u. Phenolglykosiden ein ether. Öl mit ca. 75% Salicylaldehyd sowie Methylsalicylat, Flavanole u. Gerbstoffe. Vom Vork. in der S. leiten sich auch die Namen *Spirsäure* für *Salicylsäure u. **Aspirin*® als Marke für *Acetylsalicylsäure ab. S.-Blüten werden für diaphoret. (schweißtreibende) Tees verwendet. – ***E*** meadowsweet – ***F*** spirée – ***I*** olmaria – ***S*** espirea

Lit.: Hager (5.) **5**, 147–156 ▪ Pharm. Biol. **4**, 423–425 ▪ Wichtl (3.), S. 565 ff. – *[HS 1211 90]*

Spies Hecker GmbH. Kurzbez. für die 1882 gegr. Firma Spies, Hecker GmbH, 50968 Köln, seit 1976 eine 100%ige Tochterges. von *Hoechst. *Produktion:* Autoreparatur- u. Ind.-Lacke (Permacron®, Percotex®, Permakyd®, Permaloid®, Permanal®, Priomat®, Raderal®).

Spiess. Kurzbez. für die 1861 gegr. Firma C. F. Spiess & Sohn GmbH & Co., Chem. Fabrik, 67271 Kleinkarlbach. *Tochterges.:* Spiess-Urania Pflanzenschutz GmbH, 97199 Ochsenfurt (zusammen mit *Norddeutsche Affinerie 50:50). *Produktion:* Schädlingsbekämpfungs- u. Pflanzenschutzmittel, Thioglykolsäure u. Derivate, Spezialdünger.

Spiess, Hans Wolfgang (geb. 1942), Prof. für Physik. Chemie, Makromol. Chemie, Univ. Mainz, Münster, Bayreuth, Direktor des MPI für Polymer-Forschung, Mainz. *Arbeitsgebiete:* Magnet. Resonanz-Spektroskopie, Struktur u. Dynamik, synthet. Polymere, flüssigkrist. Polymere.

Lit.: Kürschner (16.), S. 3565 ▪ Wer ist wer (36.), S. 1376.

Spießglanze s. Antimon.

Spik(lavendel)öl (Spiköl). Aus den Blütenständen des Großen Speik, einer in Spanien heim., in Südfrankreich u. Mitteleuropa kultivierten Lavendelvarietät (*Lavandula latifolia*, *L. spica*, Lamiaceae) durch Wasserdampfdest. in Ausbeuten von ca. 0,9% gewonnene farblose bis schwach gelbliche Flüssigkeit von lavendel- u. eucalyptusartigem Geruch, D. 0,900–0,920, unlösl. in Wasser, lösl. in Alkohol. S. besteht aus *Linalool (35–50%), 1,8-*Cineol (20–30%), *Borneol, *Campher (5–15%) u. Estern (1,8–3,3%). Haupterzeugerland ist Spanien mit ca. 150–200 t/a.

Verw.: Ähnlich wie das verwandte *Lavandinöl als Ersatz für echtes *Lavendelöl. Zur Parfümherst. für Seifenparfüms u. krautig-frische Kompositionen (z. B. Herrennoten). – ***E*** spike (lavender) oil – ***F*** huile de grande lavande – ***I*** essenza di spigo (lavanda) – ***S*** esencia de aspic (espliego)

Lit.: Bauer et al. (2.) S. 161 ▪ Ohloff, S. 142 ff. ▪ Hager (5.) **5**, 639 ▪ Perfum. Flavor. **20** (3.), 23 (1995). – *[HS 3301 23; CAS 8016-78-2]*

Spilite. Grünliche, mittel- bis dunkelgraue, auch violett- bis rotbraune, *Diabas- bis *Basalt-artige, hinsichtlich ihrer Entstehung (überwiegend submarin) kontrovers diskutierte Erguß- u. *Ganggesteine mit Albit (*Feldspäte) u. *Chlorit anstelle von Plagioklas (Feldspäte) u. Augit (*Pyroxene) als Hauptgemengteilen; S. sind daneben oft reich an sek. Ca-haltigen Mineralien wie *Epidot u. Calcit. Spilit. *pyroklastische Gesteine sind die *Schalsteine* des Lahn-Dill-Gebietes in Hessen.
Vork.: In *Ophiolith-Serien. Als Ozeanboden-Bestandteil (s. *Lit.*[1]) im Bereich mittelozean. Rücken (*Erde). Im Lahn-Dill-Gebiet u. andernorts im Rhein. Schiefergebirge, in Böhmen u. in den Alpen. – ***E=F*** spilites – ***I*** spiliti – ***S*** espilitas
Lit.: [1] Fortschr. Mineral. **66**, 129–146 (1988).
allg.: Amstutz (Hrsg.), Spilites and Spilitic Rocks, Berlin: Springer 1974 ▪ Matthes, Mineralogie (5.), S. 428 f., Berlin: Springer 1996 ▪ Wimmenauer, Petrographie der magmat. u. metamorphen Gesteine, S. 209–213, Stuttgart: Enke 1985.

Spin [von engl.: spin = (sich) drehen]. Bez. für eine innere Eigenschaft der *Elementarteilchen, die kein Analogon in der klass. Physik besitzt u. die man sich am ehesten als Drehimpuls einer Eigenrotation veranschaulichen kann; *Beisp.:* Elektronen-S. od. *Kernspin. Die *Spinquantenzahl* ist ein ganzzahliges Vielfaches von ½ od. gleich Null; für ein Elektron (Symbol: s) hat die den Wert ½. Wie alle quantenmech. Drehimpulse unterliegt der S. der *Raumquantisierung*; bezüglich einer raumfesten Achse hat z. B. der Elektronen-S. 2 s + 1 Einstellmöglichkeiten. Die Raumquantisierung des Elektronen-S. (2 Einstellmöglichkeiten; Quantenzahlen $m_s = \pm½$) wird experimentell durch den *Stern-Gerlach-Versuch* (s. Atomstrahlen) demonstriert.
Teilchen mit halbzahligem S. (z. B. *Elektronen, *Baryonen, *Quarks u. a.) werden als **Fermionen* bezeichnet u. unterliegen der *Fermi-Dirac-Statistik, solche mit ganzzahligem S. (z. B. *Photonen, *Mesonen u. a.) heißen **Bosonen* u. gehorchen der *Bose-Einstein-Statistik. Im Atomkern addieren sich die S. der *Nukleonen zu einem Gesamt-S. (I: Symbol für die Kernspinquantenzahl, s. Kernspin) I = 0, ½, 1, ³⁄₂... – alle Isotope, deren Massenzahl nicht durch 4 teilbar ist, haben einen S. u. damit ein *magnet. Kernmoment*, solche mit I ≥ 1 auch ein Kernquadrupolmoment. Die S. zweier voneinander nicht unabhängiger Teilchen (z. B. Elektronen in der Atomhülle) können parallel od. antiparallel gerichtet sein, vgl. die bildliche Darst. bei Photochemie. Im ersten Fall resultiert eine *Gesamtspinquantenzahl* S = 1 mit der *Multiplizität 2 S + 1 = 3 (Triplett); im letzteren Fall ist S = 0 mit der Multiplizität 1 (Singulett, meist der energieärmere Zustand). Beim Übergang eines Elektrons vom Grund- in den Anregungszustand ändern sich außer unter bes. Umständen seine S.-Orientierung u. damit die Multiplizität *nicht;* man spricht in diesem Fall von einem S.-erlaubten Übergang, d. h. es gilt das *„S.- od. Multiplizitäts-Verbot"*. Damit soll gesagt sein, daß im allg. nur Singulett-Singulett- od. Triplett-Triplett-Übergänge erlaubt sind. Dennoch kann – vermittelt durch *Spin-Bahn-Kopplung – unter bestimmten Umständen auch eine *S.-Umkehr* (S.-Umklappen) beobachtet werden; *Beisp.:* Ortho-Para-Isomerie, in der Photochemie beim Intersystem Crossing vom Singulett- in den Triplett-Zustand, durch Relaxation usw., s. a. Kernisomerie.
Experimentell am leichtesten zugänglich ist der S. des Elektrons, da er in der Hülle des Atoms die Wechselwirkung der Elektronen untereinander bestimmt u. aufgrund der S.-Bahn-Wechselwirkung die Ursache für die Feinstruktur der Spektren bildet, vgl. Hyperfeinstruktur. Elektronen-S. treten überall da in Erscheinung, wo Elektronen ungepaart sind (*einsame Elektronen), z. B. in Radikalen, in Carbenen, im Sauerstoff u. in anderen *Paramagnetika. Aus der Wechselwirkung von Elektronen-S. mit Magnetfeldern resultiert auch eine *Polarisation der Elektronen (*S.-Polarisation*, vgl. CIDEP u. CIDNP). Das Vorhandensein von Elektronen-S. u. Kern-S. bildet die Grundlage der EPR-(Elektronen*spin*resonanz-)Spektroskopie u. der NMR-(Kern*spin*resonanz-)Spektroskopie, denn als elektr. geladene rotierende Teilchen erzeugen Elektronen u. Kerne (Protonen) Magnetfelder (s. magnetisches Moment u. Zeeman-Effekt), die über Resonanz-Absorption gemessen werden können. Zur Geschichte des S.-Konzepts s. *Lit.*[1] – ***E=F=I=S*** spin
Lit.: [1] Fierz u. Weißkopf, Theoretical Physics in the 20th Century, New York: Wiley 1960; Phys. Bl. **21**, 445–453 (1965); Hermann, Lexikon Geschichte der Physik A–Z, Köln: Deubner 1972.
allg.: McWeeny, Spins in Chemistry, London: Academic Press 1970.

Spinacen s. Squalen.

Spinat. Gemüse aus den Blättern von *Spinacia oleracea* (Chenopodiaceae), das gekocht als Blatt-S. od. als Brei der durchgemahlenen Blätter genossen wird. Je 100 g frischer S. enthalten durchschnittlich 91,6 g Wasser, 2,5 g Eiweiß, 0,3 g Fett, 0,55 g Kohlenhydrate (dazu 2,58 g Faserstoffe), an Mineralstoffen 1,51 g Na, 662 mg K, 106 mg Ca, 62 mg Mg, 3,1 mg Fe, 51 mg P, 27 mg S u. 65 mg Cl. Unter den Vitaminen ist der relativ hohe Gehalt an den Vitaminen A, B u. C (52,0 mg) hervorzuheben; enthalten sind außerdem 90 mg Äpfelsäure, 80 mg Citronensäure sowie je nach Alter 0,44–1,6 g *Oxalsäure, deren Anwesenheit die Verw. als Säuglings- u. Kleinkindernahrung problemat. erscheinen läßt. Darüber hinaus wurde der Fe-Gehalt früher irrtümlich um das Zehnfache zu hoch (!) angegeben. S. besitzt die Fähigkeit, Nitrate zu speichern, die durch enzymat. Einwirkung nicht nur bei Lagerung od. beim Wiederaufwärmen zubereiteter u. aufbewahrter S.-Mahlzeiten, sondern auch im *Speichel zu *Nitriten reduziert werden können. Diese ihrerseits können im sauren Milieu des *Magensafts ggf. carcinogene *Nitrosamine bilden. Aus diesen Gründen ist S. als Säuglingsnahrung unzweckmäßig. Außerdem enthält S. relativ große Mengen *Histamin. – ***E*** spinach – ***F*** épinard[s] – ***I*** spinaci – ***S*** espinaca
Lit.: Franke, Nutzpflanzenkunde (6.), S. 223 ff., Stuttgart: Thieme 1997. – *[HS 0709 70, 0710 30]*

Spin-Bahn-Kopplung. Kopplung zwischen *Spin u. *Bahndrehimpuls von *Elementarteilchen, z. B. von *Elektronen in einem Atom od. *Nukleonen im Atomkern. In Atomen nimmt die Stärke der S.-B.-K. mit steigender Kernladungszahl zu. Z. B. wird der elektron. *Grundzustand der Halogen-Atome durch S.-B.-K. aufgespalten in die Unterniveaus $^2P_{3/2}$ u. $^2P_{1/2}$ (sog. Feinstrukturaufspaltung), wobei das letztere Unterniveau energet. höher liegt. Die Energiedifferenz zwischen den Unterniveaus beträgt (in eV) 0,050, 0,109, 0,457 u. 0,943 für die Halogen-Atome F, Cl, Br u. I. In bestimmten Mol. mit offenschaliger *Elektronenstruktur (z. B. Mol. mit linearer *Gleichgewichtsgeometrie) führt S.-B.-K. ebenfalls zu einer Aufspaltung der Energieniveaus. – ***E*** spin-orbit coupling – ***F*** couplage spin-orbite – ***I*** accoppiamento spin-orbita – ***S*** acoplamiento espín-órbita

Lit.: Kutzelnigg, Einführung in die Theoretische Chemie (3.), Bd. 1, Weinheim: Verl. Chemie 1992 ▪ Richards et al., Spin-orbit Coupling in Molecules, Oxford: Univ. Press 1981 ▪ Zülicke, Quantenchemie, Bd. 2, Berlin: VEB Dtsch. Verl. der Wissenschaften 1985.

Spindel s. Aräometer.

Spindelapparat s. Mitose.

Spindelbaum,- strauch s. Pfaffenhütchen.

Spindelgifte s. Mitosehemmer.

Spindelöle. Kaum noch verwendete Bez. für Mineralöle der kinemat. Viskosität von etwa 10–90 mm^2/s bei 20 °C, *Schmieröle für schnellaufende, leicht belastete Maschinenteile.

Spindichte. Differenz der *Elektronendichten von *Elektronen mit unterschiedlicher Spineinstellung (α- bzw. β-Spin). Die S. an Atomkernen spielen eine wichtige Rolle für die *EPR-Spektroskopie, da sie proportional zu den sog. *isotropen Hyperfeinkopplungs-Konstanten* sind. – ***E*** spin density – ***F*** densité des spins – ***I*** densità di spin – ***S*** densidad de los espines

Lit.: s. EPR-Spektroskopie.

Spindrehimpuls. Beitrag zum gesamten Drehimpuls, der vom *Spin herrührt.

Spinecho-Methode. Ein Spezialverf. der *NMR-Spektroskopie.

Spinell (Magnesiumaluminat). $MgAl_2O_4$ od. $MgO \cdot Al_2O_3$; farblose od. farbige, glasglänzende, durchsichtige bis fast undurchsichtige oktaedr. Krist. od. Körner, z. T. als *Zwillinge mit einer Oktaederfläche als Verwachsungsebene (*S.-Gesetz*). S. krist. kub., Kristallklasse m3m-O_h, Struktur s. Spinelle u. *Lit.*[1,2]; Kristallchemie von S. bei hohen Drucken s. *Lit.*[3]; Ordnungs-Unordnungs-Zustände in der Kationenverteilung in S. s. *Lit.*[4–7]; thermodynam. Eigenschaften von S. s. *Lit.*[8]. Die mannigfachen Farben von S. werden durch Spurenelemente verursacht[9]: Rot, rosa durch Cr^{3+}; blau, violett durch Fe^{2+}; dunkelblau durch Fe^{2+} + Co^{2+} u. grün durch Fe^{3+}. S. wird synthet. in mannigfachen Farbgebungen nach dem *Verneuil-Verfahren hergestellt[10]. *Emeralda* ist ein gelbgrüner synthet. Spinell.

Verw.: Als Material für Oxidkeramiken. Schön gefärbte, auch synthet. hergestellte S. (z. B. die roten Rubin-S.) als Edelsteine, s. *Lit.*[10,11] u. Eppler (*Lit.*).

Vork.: Bes. in durch *Kontaktmetamorphose umgewandelten *Kalken u. *Dolomiten, z. B. in Sri Lanka u. Myanmar (Burma). Eisen- u. Chrom-haltiger S. in *Peridotiten. Als Schwermineral in Verwitterungs-Rückständen, Flußsanden u. *Seifen. Aus letzteren werden die Edelstein-S. fast ausschließlich gewonnen. Förderländer sind[10]: Myanmar, Vietnam, Thailand, Sri Lanka, Pakistan, Afghanistan, Tadschikistan, Kenia, Tansania, Südafrika u. Brasilien. – ***E*** spinel – ***F*** spinelle – ***I*** spinello – ***S*** espinela

Lit.: [1] Am. Mineral. **76**, 1455–1458 (1991). [2] Geochem. Int. **24**, 124–130 (1987). [3] Phys. Chem. Miner. **13**, 215–220 (1986). [4] Am. Mineral. **77**, 44–52 (1992). [5] Pure Appl. Geophys. **141**, 415–444 (1993). [6] Mineral. Petrol. **59**, 91–99 (1997). [7] Am. Mineral. **82**, 1125–1132 (1997). [8] Am. Mineral. **80**, 285–296 (1995). [9] Neues Jahrb. Mineral. Abhandl. **160**, 159–180 (1989). [10] Gemmologie (Z. Dtsch. Gemmol. Ges.) **44**, 54–61 (1995). [11] Aufschluß **41**, 13–25 (1990).

allg.: Deer et al. (2.), S. 558–568 ▪ Eppler, Praktische Gemmologie (5.), S. 135–146, Stuttgart: Rühle-Diebener 1994 ▪ Schröcke-Weiner, S. 355–358 ▪ s. a. Spinelle. – *[HS 7103 10; CAS 1302-67-6]*

Spinelle. Chem. sehr mannigfaltige Gruppe von Mineralien u. synthet. hergestellten Materialien mit der allg. Formel $[A_xB_{2-x}]O_4$ mit *A* = zweiwertiges Metall (z. B. Mg, Fe^{2+}, Zn, Mn, Co, Ni, Cu, Cd), *B* = drei- od. vierwertiges Metall (z. B. Al, Fe^{3+}, V, Cr, Ti) u. x = 0–1 (Inversionsparameter). *Lit.*[1] gibt 149 oxid. u. 80 sulfid. (AB_2S_4, *Thio-S.*, s. Kobaltnickelkiese) Endglieder verschiedener S.-Mischungsreihen an. In der S.-Struktur[2] besetzen mind. 2 verschiedene Arten von Kationen A u. B 2 verschiedene Arten von Gitterplätzen, nämlich pro Elementarzelle (*Kristallgeometrie) 8 tetraedr. koordinierte Punktlagen A u. 16 oktaedr. koordinierte Punktlagen B. Bei den *normalen S.* (Inversionsparameter x = 0) befinden sich alle 16 B-Atome auf den oktaedr. Gitterplätzen, bei den *inversen S.* (x = 1) sind je 8 B-Atome u. 8 A-Atome oktaedr. koordiniert. Aufgrund gewisser Freiheitsgrade weisen die Kationen-Verteilungen in S.[3] oft Ordnungs-/Unordnungs-Zustände auf[4], z. B. in Fe_3O_4-$MgAl_2O_4$-$MgFe_2O_4$-$FeAl_2O_4$-S. (*Lit.*[5,6]); s. a. *Lit.*[7] (Realbau von S.). Zur Struktur u. Kationenverteilung in $MgCr_2O_4$, $ZnCr_2O_4$, *Magnetit Fe_3O_4 u. $ZnAl_2O_4$ s. *Lit.*[8]; Untersuchungen von Oxiden wie MCr_2O_4 (M = Mg, Mn, Fe, Co, Ni, Cu, Zn) mit *IR-Spektroskopie u. *Raman-Spektroskopie s. *Lit.*[9]. Die 3 Hauptgruppen der oxid. S. sind (in Klammern Lit. zu Struktur u. Kationenverteilungen): Die *Aluminat-S.*, mit *Spinell, Hercynit ($FeAl_2O_4$, schwarz, *Lit.*[10]), Gahnit ($ZnAl_2O_4$, Zink-S., H. 8, dunkelgrün bis schwarz; *Lit.*[8]), Pleonast [$(Mg,Fe)(Al,Fe)_2O_4$; z. B. $Mg_{0,4}Fe_{0,6}O_4$ (*Lit.*[11]), schwarz, undurchsichtig, H. 8], Picotit [Chromspinell, (Fe,Mg) $(Al,Cr,Fe^{3+})_2O_4$; schwarz, in dünnen Splittern grün durchscheinend] u. Nickelaluminat-S. (*Lit.*[12]); die *Ferrit-S.*, mit Magnetit, Titanomagnetit ($Fe_{3-x}Ti_xO_4$, *Lit.*[13,14], Magnesioferrit ($MgFe_2O_4$, *Lit.*[15]), Jakobsit (Manganferrit, $MnFe_2O_4$), Trevorit ($NiFe_2O_4$), Franklinit [$(Zn,Mn)(Fe,Mn)_2O_4$, eisenschwarz, H. 5,5–6, D. 5,0–5,2, magnet.]; vgl. a. Ferrite; die *Chromit-S.*, mit *Chromit u. Magnesio-Chromit ($MgCr_2O_4$, *Lit.*[8]). Zu den magnet. Eigenschaften von Magnetit-Spinell-Mischkrist. s. *Lit.*[16]. Von den geolog. bedeutsamen S. sind Chromit u. Ulvöspinell (Ulvit, $Fe_2^{2}TiO_4$) Normal-S.; strukturell zu den inversen S. gehören u. a. Magnetit u. die im oberen Erdmantel (*Erde) auftretenden Hochdruck-Formen von *Olivin, nämlich Wadsleyit u. Ringwoodit. Ein Vanadium-S. ist der *Coulsonit* (Fe_2VO_4), ebenfalls S. sind z. B. Pigmente wie *Cobaltblau u. -grün. Zwischen normalen u. inversen S. sind viele Übergangsformen möglich u. künstlich durch Sintern, *Hydrothermalsynthese od. (für Schmucksteine) *Verneuil-Verfahren darstellbar; sie sind bes. wegen ihrer magnet. Eigenschaften interessant, die auf der Wechselwirkung paramagnet. Ionen im inversen Kristallgitter beruhen. Derartige S. finden daher als *magnetische Werkstoffe Verw. (s. a. Ferrite) sowie als Material für *Halbleiter.

Vork.: In den meisten *magmatischen u. *metamorphen Gesteinen sowie als abgerollte Körner od. Krist. in *Sanden u. *Seifen. Titanomagnetite sind die wichtigsten Träger der natürlichen remanenten Magnetisierung in Gesteinen; zur petrolog. (*Petrographie) Bedeutung von S. s. Lindsley (*Lit.*); s. a. Chromit, Magnetit, Spinell. – ***E*** spinels – ***F*** spinelles – ***I*** spinelli – ***S*** espinelas

Lit.: [1] Phys. Chem. Miner. **4**, 317–339 (1979). [2] Am. Mineral. **68**, 181–194 (1983). [3] Mineral. Mag. **60**, 355–368 (1996). [4] Phys. Chem. Miner. **20**, 228–241 (1996). [5] Am. Mineral. **74**, 339–351, 1000–1015 (1989). [6] Mineral. Mag. **60**, 603–616 (1996). [7] Fortschr. Mineral. **61**, 153–167 (1983). [8] Phys. Chem. Miner. **20**, 541–555 (1994). [9] J. Solid State Chem. **90**, 54–60 (1991). [10] Eur. J. Mineral. **6**, 39–51 (1994). [11] Neues Jahrb. Mineral. Monatsh. **1995**, 173–184. [12] Phys. Chem. Miner. **18**, 302–319 (1991). [13] Am. Mineral. **69**, 754–770 (1984). [14] Eur. J. Mineral. **7**, 1361–1372 (1995). [15] Am. Mineral. **77**, 725–740 (1992). [16] Am. Mineral. **80**, 213–221 (1995); **81**, 375–384 (1996); **82**, 131–142 (1997).

allg.: Deer et al. (2.), S. 558–568 ▪ Lindsley (Hrsg.), Oxide Minerals: Petrologic and Magnetic Significance (Reviews in Mineralogy, Vol. 25), Washington (D. C.): Mineralogical Society of America 1991 ▪ Ramdohr-Strunz, S. 142 f., 501–507 ▪ Schröcke-Weiner, S. 354–381 ▪ Ullmann (5.) **A 20**, 308–311.

Spinfallen s. Radikal-Fänger.

Spin-Gitter-Relaxation s. Relaxation u. NMR-Spektroskopie.

Spingläser. Vom (ungeordneten) Glaszustand abgeleitete Bez. für ungeordnete magnet. Syst., deren *magnetische Momente unterhalb der S.-Übergangstemp. „eingefroren" sind. – ***E*** spin glasses – ***F*** vidres de spin – ***I*** vetri di spin – ***S*** vidrios de espín

Lit.: Chowdhury, Spin Glasses and Other Frustrated Systems, Singapore: World Scientific Publishers 1986 ▪ van Hemmen u. Morgenstern, Heidelberg Colloquium on Spin Glasses, Berlin: Springer 1983 ▪ *Landolt-Börnstein NS 3/15 a ▪ Mezard et al., Spin Glass Theory and Beyond, Singapore: World Scientific Publishers 1986.

Spin-Immunoassay s. Immunoassay.

Spin label s. Spinmarkierung.

Spinmarkierung. Die *Markierung (kovalente Verknüpfung) von Proteinen, Cofaktoren, Nucleinsäuren, Membranen, Polymeren, Oberflächen u. dgl. mit solchen Verb., die ein *einsames Elektron besitzen u. deswegen paramagnet. sind. Solcherart markierte Verb. eignen sich als *Spin-Sonden* (*E* spin labels) für die Beobachtung der mol. Umgebung des *Spins mittels *EPR-Spektroskopie u. erlauben Aussagen über die Beweglichkeit des Labels u. seine Beeinflussung durch benachbarte Dipole. Unter der Voraussetzung, daß die *Reportergruppe* nicht zu Artefakten im betrachteten Syst. führt („der gute Reporter erzeugt keine Nachrichten, sondern überbringt sie"), können die Beobachtungen zur Aufklärung biochem. Struktur-Wirkungs-Beziehungen verwendet werden. Als Spin-Sonden werden meist *Nitroxyl-Radikale herangezogen, z. B. Abkömmlinge des Di-*tert*-butylnitroxyls, die aufgrund ihrer Mol.-Struktur bes. langlebig sind. Verw. auch im Spin-*Immunoassay. – ***E*** spin label(l)ing – ***F*** marquage par spin – ***I*** marcatura tramite spin – ***S*** marcado por espín

Lit.: Kocherginsky u. Swartz, Nitroxide Spin Labels. Reactions in Biology and Chemistry, Boca Raton: CRC Press 1995 ▪ Science **263**, 490–493 (1994) ▪ Trends Biochem. Sci. **17**, 448–452 (1992) ▪ Volodarsky et al., Synthetic Chemistry of Stable Nitroxides, Boca Raton: CRC Press 1994.

Spinmultiplizität s. Hundsche Regeln.

Spinnband. Darunter versteht man ein verziehbares Faserband, das unter Wahrung der Parallellage der auf unterschiedliche od. gleiche Länge gerissenen od. geschnittenen Fasern eines Kabels (ein grobes *Endlosgarn*, s. Filament) entstanden ist (vgl. DIN 60001-2: 1990-10). – ***E*** top – ***F*** mèche de filature – ***I*** nastro filato – ***S*** mecha de hilatura

Spinnen. 1. In der *Biologie* Familienbez. für die Araneiden, mit über 20000 Arten zu den *Spinnentieren* (Arachniden, nicht zu den *Insekten!) gehörende *Gliederfüßer* (*Arthropoden), zu welchen z. B. auch die Skorpione u. die *Milben mit Zecken u. Spinnmilben zählen. Sie besitzen 4 Beinpaare, 2 Kiefer (Cheliceren) u. 2 Kiefertaster (Pedipalpen) sowie 1–4 Paar Einzelaugen. In die Klaue der Kiefer mündet eine schlauchförmige Giftdrüse, die Kiefertaster tragen beim Männchen im Endglied das Begattungsorgan, u. auf der Unterseite des Hinterleibes befinden sich an dessen Anfang die Atmungsorgane (Röhren- od. Fächertracheen), an dessen Ende die Spinnwarzen mit den Spinndrüsen. Die S. leben räuber. von Insekten u. a. Kleintieren, die sie mit ihrem Gift (s. Spinnengifte) lähmen u. dann aussaugen (extraintestinale Verdauung). Die von manchen S. als Fangnetze gebauten *Spinnweben* bestehen aus seidenartigen Klebfäden, in deren Fangleim u. a. Kaliumnitrat u. Kaliumdihydrogenphosphat sowie Pyrrolidon gefunden wurden. Die Spinnennetze sind häufig sehr symmetr. Gebilde. Am Verlust dieser Symmetrie läßt sich z. B. der Einfluß von *Halluzinogenen testen, denen S. ausgesetzt werden – dieser Versuch läßt sich auch zur Analyse von Rauschmitteln verwerten. Obwohl die meisten S. harmlos od. gar nützlich sind, werden sie vom Menschen in einer gewissen Angsthaltung nicht selten verfolgt, speziell im häuslichen Bereich; lediglich bei Milben ist dies mit *Akariziden od. Mitiziden gerechtfertigt.

2. In der *Textil-Ind.* versteht man unter S. die Herst. von *Garnen durch Verdrillen von *Spinnband, wirren *Fasern od. *Haaren od. – bei *Chemiefasern – der Fäden, die man nach Pressen der ggf. pigmenthaltigen (s. Spinnfärbung) Spinnflüssigkeit durch Spinndüsen erhält. Im letzteren Falle unterscheidet man prinzipiell 3 Spinnverf.: Das *Schmelz-S.* (Abb.), bei dem die aus den geheizten Düsen austretende Schmelze in einem luftdurchströmten Kanal zu Fasern erstarrt, z. B. *Polyamide wie *Nylon, Perlon etc., das *Naß-S.*, bei

dem die Spinnlsg. in ein Fällbad gedüst wird, z.B. *Cellulose-Fasern wie *Viskosefasern u. *Kupferseide etc., u. das *Trocken-S.*, bei dem das gelöste Material in einen geheizten Schacht gepreßt wird, in dem das Lsm. verdampft, wie bei Acetatseide (s. Kunstseiden) u. *Polyacrylnitril-Fasern. Bes. Techniken muß man anwenden bei der *Spinntexturierung* (vgl. Texturierung) u. bei der Herst. von *Bikomponentenfasern.

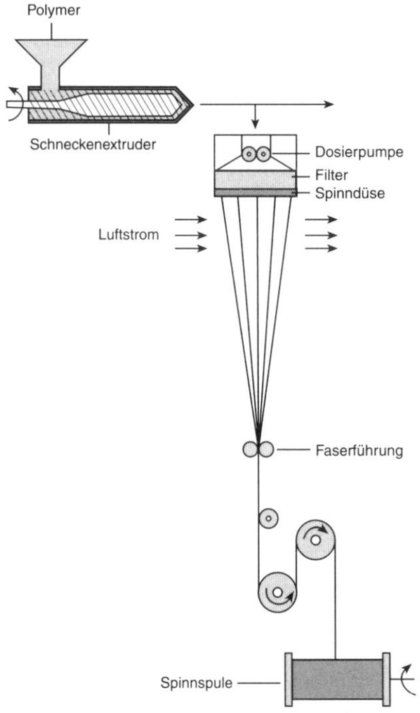

Abb.: Prinzip des Schmelzspinn-Verfahrens.

3. In der *Dest.-Technik* bezeichnet man als „S." die an Spinnenbeine erinnernden Bestandteile von Labor-Destillationsapparaturen, bei denen mehrere Vorlagen gleichzeitig unter Vak. stehen u. durch Drehung gewechselt werden können, vgl. Abb. 2 bei Destillation (S. 915). – ***E*** 1. spiders, 2. spinning, 3. cows, pigs – ***F*** 1. araignées, 2. filage – ***I*** 1. araneidi, ragni, 2. filatura – ***S*** 1. arañas, 2. hilatura

Lit. *(zu 1.):* s. Spinnengifte. – *(zu 2.):* ACHEMA-Jahrb. **1991**, 2544 ▪ s. a. Chemie- u. Textilfasern. – *(zu 3.):* Organikum (20.) ▪ s. a. Destillation.

Spinnengifte. Die räuber. lebenden *Spinnen beißen mit den eine Giftdrüse enthaltenden Cheliceren in ihre Beute. Die Gifte enthalten Peptide u. Proteine (die auch für den Menschen giftig sein können) u. niedermol. (Acyl)polyamine mit ungewöhnlicher Struktur: An eine Polyamin-Kette sind an einem od. beiden Enden ein bis drei Amino- od. aromat. Carbonsäuren peptid. gebunden [z.B. Joro-Spinnen-Toxine (JSTX), *Argiopinine, *Argiotoxine, Clavamin, Nephila-Toxine (NPTX)]. Diese wirken ebenso wie einige Peptide, z.B. das aus 42 Aminosäuren bestehende Robustoxin der austral. Trichternetzspinne *Atrax robustus* od. das *α-Latrotoxin der schwarzen Witwe (*Latrodectus* sp.) od. SNX aus *Segestria*-Arten, neurotoxisch. Daneben gibt es auch Nekrosen hervorrufende Nekrotoxine aus *Loxosceles*-Arten (Sphingomyelinase D), die in Afrika u. Amerika (brown recluse spider) auftreten. Schließlich finden sich in den Giften noch niedermol. Neurotransmitter wie Serotonin, Histamin, 5-Hydroxytryptamin u. andere. Das Gift der Tunnelnetzspinne enthält D-Serin [1]. Vergleichsweise wenige Arten sind für Menschen gefährlich, da die Cheliceren die Haut oft nicht durchdringen können. Folgenschwere Bisse erfolgen eher durch unscheinbare kleine Spinnen wie die schwarze Witwe. Weitere gefährliche Gattungen sind *Atrax*, *Loxosceles*, *Phoneutria* (Bananenspinne) u. *Harpactirella*. Bisse führen oft zu starken Schmerzen, sind aber auch bei den giftigsten Arten bei richtiger Behandlung selten tödlich. – ***E*** spider venoms – ***F*** venins d'araignées – ***I*** veleni del ragno – ***S*** venenos de los arácnidos

Lit.: [1] Science **266**, 1066 (1994).
allg.: Angew. Chem. **109**, 325–337 (1997) (Review) ▪ Biochemistry **34**, 8341 (1995) (SNX) ▪ Chem. Lett. **1993**, 929 (Nephilatoxin) ▪ Chem. Pharm. Bull. **44**, 972 (1996) (Joramin, Spidamin) ▪ Curr. Biol. **3**, 481 ff. (1993) ▪ Dtsch. Apoth. Ztg. **133**, 708 (1993) ▪ Habermehl, Gifttiere u. ihre Waffen (5.), S. 38–54, Berlin: Springer 1994 ▪ Helv. Chim. Acta **75**, 1909–1924 (1992) ▪ Heterocycles **47**, 171 (1998) (NPTX-643) ▪ J. Chem. Ecol. **19**, 2411–2451 (1993) ▪ J. Toxicol., Toxin Rev. **10**, 131–167 (1991) ▪ Mebs, Gifttiere, S. 137–151, Stuttgart: Wissenschaftliche Verlagsges. 1992 ▪ Nentwig, Ecophysiology of Spiders, Berlin: Springer 1987 ▪ Nutting, Mammalian Diseases and Arachnides, Boca Raton: CRC Press 1984 ▪ Pharmac. Ther. **42**, 115 (1989) ▪ Tetrahedron **49**, 11 155–11 168 (1993); **51**, 10687–10698 (1995) ▪ Tetrahedron Lett. **36**, 9393 (Argiotoxin); 9397 (1995) (JSTX-3) ▪ Tu, Handbook of Natural Toxins, Bd. 2, New York: Dekker 1984.

Spinnfärbung (Massefärbung, Düsenfärbung). Bei der Herst. von Chemiefasern werden – meist in Form von *Masterbatches – der Spinnlsg. bzw. -schmelze Pigment- od. lösl. Farbstoffe beigegeben, die bei der Ausfällung in der Faser verbleiben u. dadurch den üblichen Färbeprozeß (*Textilfärbung) ersetzen. Anwendbar für alle Chemiefasern, von bes. Bedeutung jedoch für Acryl- u. Polypropylenfasern. – ***E*** mass dyeing – ***F*** coloration dans la masse – ***I*** colorazione di filatura – ***S*** tintura en la masa de hilatura

Lit.: Rouette, Lexikon für Textilveredlung, Bd. 3, S. 2033 f., Dülmen: Laumann Verl. 1995 ▪ Winnacker-Küchler (4.) **6**, 625.

Spinnfaser. Bez. für eine auf chem.-techn. Wege nach verschiedenen Verf. erzeugte Faser begrenzter Länge (im Gegensatz zu *Filamenten), die meist als *Flocke anfällt u. nach einem der mechan. Spinnverf. zu Spinnfasergarn od. *Spinnband versponnen od. zu Filzen, Vliesstoffen, Watte, Füll- u. Isoliermaterial od.ä. Erzeugnissen verarbeitet wird. Früher nannte man die S. *Stapelfasern* (von *Stapel). – ***E*** staple fiber – ***F*** fibre textile coupée – ***I*** fibra tessile – ***S*** fibra de hilatura cortada

Lit.: DIN 60000: 1969-01 ▪ Rouette, Lexikon für Textilveredlung, Bd. 3, S. 2034, Dülmen: Laumann Verl. 1995. – *[HS 5503.., 5504.., 5506, 550700]*

Spinning-Drop-Tensiometer. Gerät zur Messung extrem niedriger Werte der *Grenzflächenspannung (bis $10^{-5}-10^{-6}$ mN m^{-1}). In einer z.B. mit einer *Tensid-Lsg. gefüllten Kammer dreht sich hochtourig eine an beiden Enden offene Glaskapillare, in deren Mitte ein Tropfen einer spezif. leichteren Flüssigkeit eingebracht wird. Der Tropfen stabilisiert sich in der Rotationsachse der Kapillare u. bildet infolge der Zentrifugalkraft, die der Grenzflächenkraft entgegenwirkt, eine zylindr. Form aus. Aus dem opt. ausgemessenen Zylinderdurchmesser läßt sich bei bekannter Dichtedifferenz, Drehzahl u. Temp. die Grenzflächenspannung errechnen.

Lit.: Dörfler, Grenzflächen- u. Kolloidchemie, S. 32–34, Weinheim: VCH Verlagsges. 1994.

Spinnkabel. Veraltete Bez. für Kabel, vgl. Filament u. Spinnband.

Spinnmilben s. Milben u. Spinnen.

Spinnpapier s. Papier, S. 3113.

Spinntexturierung s. Texturierung.

Spinnvliese s. Vliesstoffe.

Spinnweben s. Spinnen.

Spin-only-Formel s. Magnetochemie.

Spinorbital. Begriff aus der *Quantenchemie. Ein S. ist ein Produkt aus einer räumlichen Einelektronenwellenfunktion (*Orbital) u. einer Spinfunktion; s. a. Slater-Determinante u. Spin. – ***E*** spin orbital – ***F*** orbitale avec spin – ***I*** spin-orbitale – ***S*** orbital con espín, espín-orbital

Spinosad, Spinosan s. Spinosyne.

Spinosyne (Lepicidine).

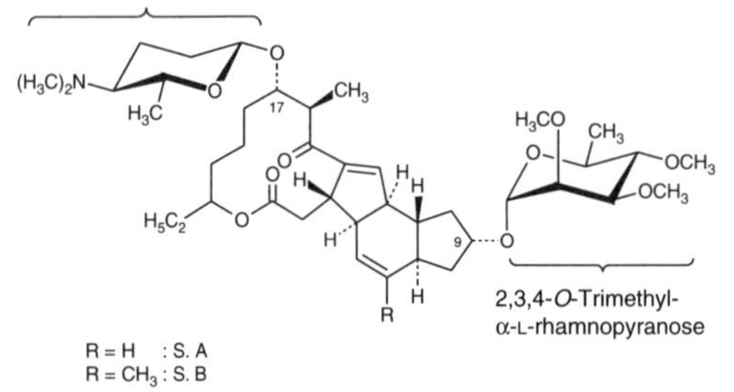

R = H : S. A
R = CH_3 : S. B

S. sind tetracycl. Makrolid-Antibiotika, die als Mischung mehrerer strukturell sehr ähnlicher Komponenten durch Fermentation von *Saccharopolyspora spinosa* gebildet werden. Das insektizide Handelsprodukt Spinosad® (Spinosan®, Tracer®) der Dow Elanco besteht zu 85% aus dem Hauptmetaboliten *S. A* {= Lepicidin A; $C_{41}H_{65}NO_{10}$, M_R 731,97, $[\alpha]_D^{20}$ –135,3 °C (C_2H_5OH)} u. zu ca. 15% aus *S. B* {= Lepicidin D; $C_{42}H_{67}NO_{10}$, M_R 745,99, $[\alpha]_D^{20}$ –156,7° (C_2H_5OH)}. Spinosad wird v. a. gegen Lepidopteren (Schmetterlinge) eingesetzt. – ***E*** spinosyn – ***F*** spinosynes – ***I*** spinosina – ***S*** espinosín

Lit.: ACS Symp. Ser. **504**, 214–225 (1992) ▪ Eur. Chem. News **1996** (Juni), 10–16 ▪ Fed. Regist. **62** (38), 8626–8632 (26.02.1997) ▪ Gene **146**, 39–45 (1994) ▪ J. Am. Chem. Soc. **114**, 2260 (1992); **115**, 4497 (1993); **120**, 2543–2552, 2553–2562 (1998) (Totalsynth. S.A) ▪ Tetrahedron Lett. **32**, 4839 (1991). – *[HS 2941 90; CAS 139404-49-2 (S. A); 131929-63-0 (S. B); 168316-95-8 (Spinosad)]*

Spinpolarisation s. Polarisation (4 u. 5).

Spinquantenzahl s. Atombau, Kernspin u. Spin.

Spin-Relaxation s. Relaxation u. NMR-Spektroskopie.

Spin-Sonden s. Nitroxyl-Radikale u. Spinmarkierung.

Spin-Spin-Kopplungskonstante. V. a. für die *NMR-Spektroskopie wichtiger physikal. Parameter, der die Stärke der Kopplung zwischen den *Spins zweier Atomkerne in einem Mol. beschreibt. Aus der Größe der S.-S.-K. läßt sich Information über die geometr. u. elektron. Struktur eines Mol. erhalten; die Messung ihrer Temp.-Abhängigkeit gibt auch Aufschluß über dynam. Prozesse. – ***E*** spin-spin coupling constant – ***F*** constante de couplage spin-spin – ***I*** costante di accoppiamento spin-spin – ***S*** constante de acoplamiento espín-espín

Lit.: s. NMR-Spektroskopie.

Spinthariskop. Von griech.: spinther = Funke u. *...skop abgeleitete Bez. für ein Gerät, bei dem man in völliger Dunkelheit durch eine Vergrößerungslinse auf einem Schirm aus *Sidotblende* (s. Zinksulfid) sehr viele rasch aufeinanderfolgende, kleine Lichtblitze beobachtet (*Szintillationen*).

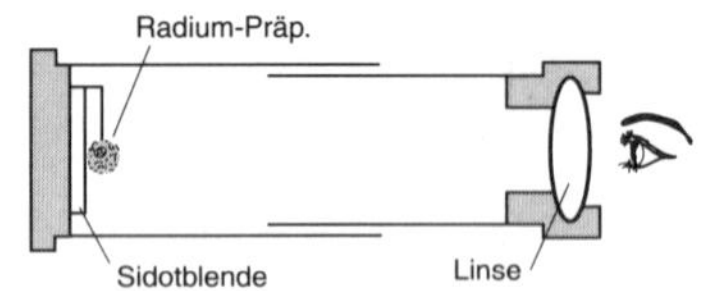

Abb.: Aufbau eines Spinthariskops.

Jeder einzelne Lichtblitz wird durch den Aufprall eines α-Teilchens (s. Radioaktivität), das von einem benachbarten Radium-Präp. emittiert wurde, auf das *Szintillator-Material der Sidotblende hervorgerufen. Mit dem S. kann man die Reichweite der α-Teilchen bei verschiedenen radioaktiven Präp. bestimmen: Man mißt hier einfach die Entfernung, in welcher die Sidotblende durch das Radium-Präp. eben noch zum Szintillieren angeregt wird, s. a. Szintillationszähler. – ***E*** = ***F*** spinthariscope – ***I*** spintariscopo – ***S*** espintariscopio

Lit.: s. Radioaktivität, Szintillationszähler.

Spin-Traps s. Radikal-Fänger.

Spin-Umkehr, Spin-Verbot s. Spin.

Spionkopit s. Covellin.

Spiraeosid s. Quercetin.

Spiramycin (Foromacidin, Selectomycin®, Sequamycin, Rovamycin). Von *Streptomyces ambofaciens* gebildetes *Makrolid-Antibiotikum, das nach seiner Struktur *Erythromycin u. *Carbomycin ähnelt. S. ist ein Gemisch dreier Komponenten, S. I, II u. III (= S. A, B u. C), eine farblose, amorphe Base, wenig lösl. in Wasser, lösl. in den meisten organ. Lsm. u. bei hoher bakteriostat. Aktivität wirksam gegen Gram-pos. Bakterien u. Rickettsien; S. findet u. a. gegen Gonorrhoe u. Toxoplasmose Anwendung.

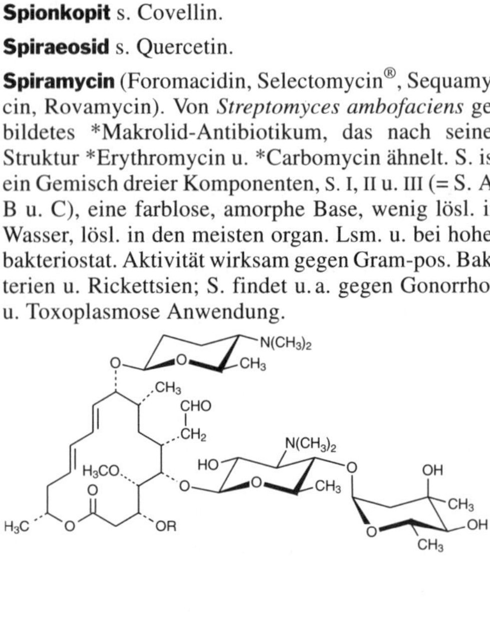

Tab.: Komponenten des Spiramycins.

	R	Summenformel	M_R	Schmp. [°C]	CAS
S. I	H	$C_{43}H_{74}N_2O_{14}$	843,08	134–137	24916-50-5
S. II	$COCH_3$	$C_{45}H_{76}N_2O_{15}$	885,12	130–133	24916-51-6
S. III	$COCH_2CH_3$	$C_{46}H_{78}N_2O_{15}$	899,15	128–131	24916-52-7

– ***E*** spiramycin – ***F*** spiramycine – ***I*** spiramicina – ***S*** espiramicina

Lit.: J. Antimicrob. Chemother. **22**, Suppl. B, 1–213 (1988) ▪ J. Org. Chem. **39**, 2474 (1974) ▪ Pathol. Biol. **37**, 553 (1989). – *[HS 2941 90; CAS 8025-81-8]*

Spirane s. Spiro-Verbindungen.

Spirapril (Rp).

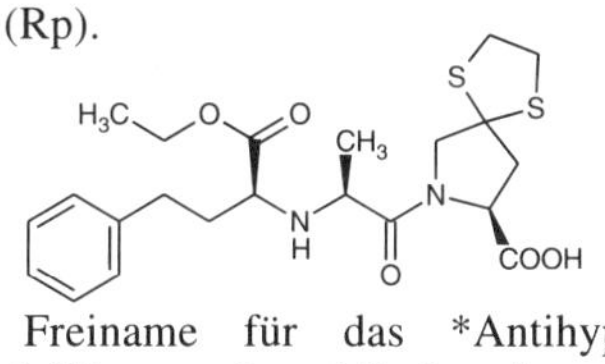

Internat. Freiname für das *Antihypertonikum 1-[*N*-((*S*)-1-Ethoxycarbonyl-3-phenylpropyl)-L-alanyl]-4,4-(ethylendithio)-L-prolin, $C_{22}H_{30}N_2O_5S_2$, M_R 466,62, log P –1,10 (pH 7,4). Hydrochlorid: Schmp. 192–194 °C (Zers.), $[\alpha]_D^{26}$–11,2° (c 0,4/C_2H_5OH). S. ist ein *ACE-Hemmer; der Ester S. wird im Körper zur freien Dicarbonsäure Spiraprilat, der Wirkform, hydrolysiert. S. wurde 1984 von Schering patentiert u. ist von Asta Medica AWD (Quadropril®) im Handel. – ***E*** = ***F*** = ***I*** spirapril – ***S*** espirapil

Lit.: Drugs **49**, 750–766 (1995) ▪ J. Med. Chem. **32**, 1600–1606 (1989) ▪ Martindale (31.), S. 946 ▪ Merck-Index (12.), Nr. 8905. – *[CAS 83647-97-6 (S.); 94841-17-5 (S.-Hydrochlorid); 83602-05-5 (Spiraprilat)]*

Spirillen s. Bakterien.

Spirit-Carbon-Verfahren s. Umdruckverfahren.

Spirituosa medicata s. Spiritus.

Spirituosen. *Alkoholische Getränke, in denen aus vergorenen, zuckerhaltigen Stoffen od. in Zucker umgewandelten u. vergorenen Stoffen durch Brennverf. (Dest.) gewonnenes *Ethanol als wertbestimmender Anteil enthalten ist. Der Höchst-Ethanol-Gehalt für alle S. (ausgenommen Obstbranntweine, Original-Rum sowie bittere u. Kräuterliköre) beträgt 55% vol. Marken mit der Nachsilbe „-brand" (auch wenn sie in der Schreibweise „-brandt", „-brant" od. „-brannt" erscheinen) sind ausdrücklich dem Weinbrand, Kornbranntwein sowie den Stein- u. Beerenobst-Branntweinen vorbehalten.

Branntweine sind extraktfreie od. extraktarme S. mit od. ohne Zusatz von Geschmacksstoffen. Häufig wird die Bez. ungenau für sämtliche S. verwendet, ursprünglich nur für die durch Dest. von Wein erhaltenen Flüssigkeiten. In der Gesetzgebung (z. B. Branntweinmonopol) u. oft auch im allg. Sprachgebrauch bezeichnet man als Branntwein alle alkoholreichen Flüssigkeiten u. hat für die auf Trinkstärke herabgesetzten Erzeugnisse den Begriff *Trinkbranntwein* geschaffen. Branntweine, deren Ethanol-Gehalt die gesetzlich festgesetzte Mindestgrenze von 38% übersteigt, darf als „Doppel" od. „doppelt" bezeichnet werden (z. B. Doppelkümmel). In der BRD unterliegen Herst. u. Handel von Branntwein behördlicher Aufsicht. Die Herst. des Branntweins beruht auf der *Destillation Ethanol-reicher Flüssigkeiten. Entweder werden bereits vergorene Getränke (Wein, Bier) od. Zuckerlsg., wie Fruchtsäfte, Melasse usw., nach vorhergehender Gärung verarbeitet; man kann aber auch von Stärke- u. Inulin-haltigen Stoffen (Getreide, Kartoffeln, Topinambur) ausgehen, die nach vorherigem Dämpfen (zur Verkleisterung der Stärke) durch Malz (Grünmalz, Darrmalz; s. Bier), durch Kochen mit verd. Säure od. nach dem *Amyloverf.* durch Verw. von Schimmelpilz-Amylasen verzuckert u. hierauf mit Hefe vergoren werden. Auch aus *Sulfitablaugen u. a. Cellulose-Aufschlüssen läßt sich Alkohol gewinnen, doch dienen diese u. a. Rohstoffe mehr der Herst. techn. Ethanols (*Laugenbranntwein, Sulfitsprit*). Nach der Art des jeweiligen Ausgangsmaterials richtet sich die Weiterbehandlung des Destillats. Während bei den sog. *Edelbranntweinen* (Weinbrand, Cognac, Rum, Arrak, Whisky, Enzian, Wacholder- u. Obstbranntweine) die neben dem Ethanol entstehenden Produkte (Ester, höhere Alkohole, Aldehyde, Carbonsäuren, Acetale usw.) wegen ihres angenehmen aromat. Geschmacks im Destillat ganz od. teilw. verbleiben, müssen bei den aus Kartoffeln u. ähnlichen Rohstoffen erhaltenen Erzeugnissen die Nebenprodukte, v. a. die sog. *Fuselöle, entfernt werden. Durch säulenchromatograph. Untersuchungen konnten in den verschiedenen Branntweinen eine Vielzahl von Aromastoffen identifiziert werden, von denen einige charakterist. für bestimmte Branntweinsorten sind. Die gewöhnlichen Trinkbranntweine werden auch *Schnäpse* genannt, doch ist „Schnaps" auch eine volkstümliche Sammelbez. für Branntwein allg. sowie speziell für einfachen Kornbranntwein. Diese werden meist lediglich auf kaltem Wege durch Mischen von *Primasprit* (s. Ethanol) mit Wasser u. evtl. mit gewissen, als *Würze* bezeichneten Geschmacksstoffen (z. B. Anis, Fenchel, Kümmel, Wacholder) hergestellt. Sie müssen mind. 32% vol Ethanol enthalten. *Getreidebranntweine* (auch *Korn* od. *Kornbrand* genannt) dürfen ausschließlich aus Roggen, Weizen, Buchweizen, Hafer od. Gerste im Maischverf. u. nicht im Würzverf. gewonnen werden. Zu den Kornbranntweinen gehört auch der ursprünglich aus Schottland stammende *Whisky (mind. 43% vol Ethanol) sowie der originär in Rußland hergestellte *Wodka mit 40–60% vol Ethanol. Zu *Obstbranntweinen* s. dort; wird von Kernobst od. deren Säften ausgegangen, so spricht man von *Kernobstbranntweinen*. Aus bestimmten Steinobst- od. Beerensorten (jedoch nicht Verschnitte von aus Steinobst erzeugten Produkten mit solchen von Beerenobst) gewonnene Erzeugnisse dürfen auch als „*-wasser*" (z. B. Kirschwasser, Zwetschgenwasser) bezeichnet werden. Erzeugnisse, die aus unvergorenen Beerenfrüchten, Aprikosen u. Pfirsichen unter Zusatz von Alkohol destilliert sind, dürfen als „*-geist*" (z. B. Himbeergeist, Pfirsichgeist) in den Verkehr gebracht werden. *Weinbrand* (mind. 38% vol Ethanol) darf ausschließlich aus Wein hergestellt sein. Die Bez. *Cognac* darf nur für solchen Weinbrand verwendet werden, der aus Trauben hergestellt wurde, die in den im französ. Gesetz genau bestimmten Gebieten der Départements Charente-Maritime, Charente, Dordogne u. Deux Sèvres geerntet wurden. Zu *Rum* s. dort. Ausgangsprodukte für *Arrak* bilden Reis od. der Saft von Blütenkolben der Kokospalme. Die Herst. von *Absinth ist in der BRD (u. a. europ. Ländern) gesetzlich verboten. – ***E*** spirits – ***I*** alcolici – ***S*** bebidas alcohólicas o espirituosas

Lit.: AID-Verbraucherdienst **38**, 145–155 (1993) ▪ Dittrich (Hrsg.), Mikrobiologie der Lebensmittel: Getränke, S. 261–275, Hamburg: Behr 1993 ▪ Frede (Hrsg.), Handbuch für Lebensmittelchemiker u. -technologen, Bd. 1, S. 385–394, Berlin: Springer 1991 ▪ Versuchs- u. Lehranstalt für Spirituosenfabrikation (Hrsg.), Spirituousen-Jahrbuch 1994 (45. Jahrgang), Berlin: Eigenverl. 1994. – *Organisationen:* Bundesverband der dt. Spirituosen-Industrie e. V., Bonn. – *[HS 2208 20 bis 2208 90]*

Spiritus (latein.: Atem, Geist). Umgangssprachlich versteht man unter S. den Brennspiritus, d. h. vergälltes *Ethanol, während das DAB **6** darunter 90%iges Ethanol verstand. In der Apotheker-Sprache bezeichnet man als *Spirituosa medicata* solche Lsg. von Arzneimitteln (*Tinkturen), die als wesentlichen Bestandteil Ethanol enthalten; man erhält sie zumeist durch Auflösen, Mischen od. Dest.; *Beisp.*: S. aethereus = Etherspiritus = Hoffmannstropfen, S. Camphoratus = Campherspiritus, S. denaturatus = Brennspiritus. – ***E*** spirit – ***F*** esprit, alcool – ***I*** spirito – ***S*** espíritu, alcohol

Lit.: Hager (4.) **7 a**, 201. – *[HS 2207 20]*

Spiro... (von griech.: speīra = Windung, Schlinge, Schleife). Präfix in systemat. Namen für *Spiro-Verbindungen. – ***E*** = ***F*** = ***I*** spiro... – ***S*** espiro...

Spirobi... Präfix zur Verschmelzung zweier ident. oligocycl. Ringsyst. an einem gemeinsamen Spiro-Atom (IUPAC-Regeln A-41.5 u. B-10.2); *Beisp.:* 1,1'-Spirobiinden. – ***E*** = ***F*** = ***I*** spirobi... – ***S*** espirobi...

Spirochäten (griech.: speira = Windung u. chaite = Haar). Familie von schraubenähnlich gewundenen langgestreckten Gram-neg. *Bakterien, die in stehenden Gewässern u. z. T. im Verdauungstrakt von Tieren vorkommen. Sie werden in 5 Gattungen eingeteilt: *Spirochaeta, Cristispora, Treponema, Borrelia* u. *Leptospira*, von denen die letzten drei medizin. Bedeutung haben. So findet sich unter den Treponemen der Erreger der *Syphilis (*Treponema pallidum*) u. unter den durch Zecken bzw. Läuse übertragenen Borrelien die Erreger der Lyme-Krankheit. Leptospiren verursachen fieberhafte Erkrankungen (Leptospirosen) mit *Ikterus, Leber- u. Nierenschädigung, die von Tieren auf Menschen übertragen werden. – ***E*** spirochetes – ***F*** spirochètes – ***I*** spirocheti – ***S*** espiroquetas

Lit.: Brandis et al., Lehrbuch der Medizinischen Mikrobiologie, S. 581–597, Stuttgart: Fischer 1994.

Spirometer (Respirometer). Gerät zur Bestimmung der Atemvol. u. der in der Ein- bzw. Ausatemluft enthaltenen Atemgase. Aus den Meßgrößen können Lungenfunktionsparameter sowie Sauerstoff-Aufnahme u. Kohlendioxid-Abgabe, u. damit der Energieumsatz errechnet werden. Das Gerät besteht aus einem mit Wasser gefüllten Behälter, in den eine Glocke gestülpt ist, die auf diese Weise einen abgeschlossenen Gasraum enthält. Dieser Gasraum ist durch einen Auslaß mit den Atemwegen der Testperson verbunden u. verkleinert bzw. vergrößert sich entsprechend den ein- bzw. ausgeatmeten Luftvolumina.

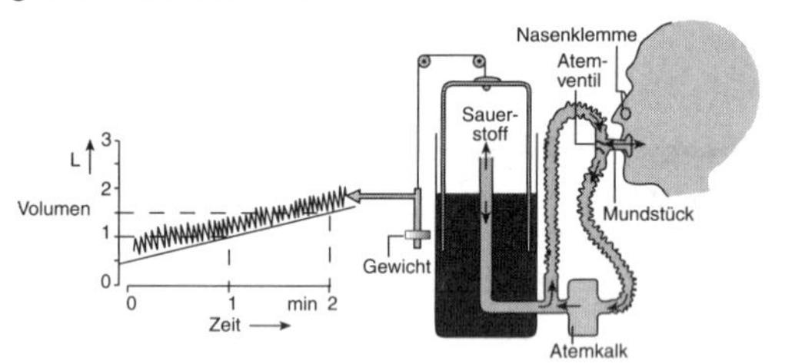

Abb.: Spirometer (nach *Lit.*[1]).

Dementsprechend senkt u. hebt sich die Glocke im Wasserbehälter, u. ein daran angeschlossener Schreiber zeichnet die Atemvol. auf. Ist die Glocke mit reinem Sauerstoff gefüllt u. wird die Ausatemluft durch einen mit Kohlendioxid-absorbierenden Filter geleitet, läßt sich aus der allmählichen Senkung der Glocke der Sauerstoff-Verbrauch errechen. Bei den sog. offenen Syst. sind die Wege von Ein- u. Ausatemluft getrennt, wobei Frischluft eingeatmet wird u. die Vol. u. Gaskonz. der Ausatemluft mit Gasuhr u. Gasanalysegerät gemessen werden. – ***E*** spirometer – ***F*** spiromètre – ***I*** spirometro – ***S*** espirómetro

Lit.: [1] Schmidt u. Thews, Physiologie des Menschen, Heidelberg: Springer 1997.

allg.: Ulmer et al., Die Lungenfunktion, Stuttgart: Thieme 1991.

Spironolacton. Internat. Freiname für 7α-Acetylthio-17β-hydroxy-3-oxo-17α-pregn-4-en-21-carbonsäure-γ-lacton.

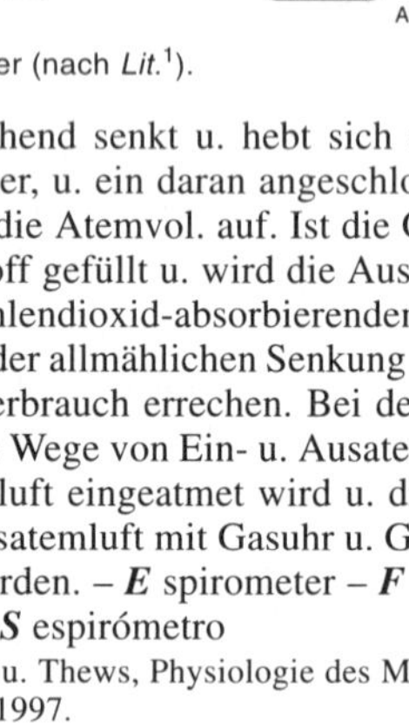

$C_{24}H_{32}O_4S$, M_R 416,59. Krist., Schmp. 134–135 °C u. 201–202 °C (Zers.), $[\alpha]_D^{20}$ –33,5° ($CHCl_3$), in den meisten organ. Lsm. löslich. S. läßt sich aus Sitosterin gewinnen; es ist als *Aldosteron-Antagonist ein starkes *Diuretikum (z. B. Aldace®, Xenalon®). – ***E*** = ***F*** spironolactone – ***I*** spironolattone – ***S*** espironolactona

Lit.: Beilstein E V **18/3**, 494 ▪ Curr. Clin. Pract. Ser. **35**, 22–64, 232–239 (1986) ▪ Dtsch. Ärztebl. **83**, 2858 (1986) ▪ Florey **4**, 431–451 ▪ Hager (5.) **1**, 738; **9**, 650 ff. ▪ IARC Monogr. **24**, 259–273 (1980) ▪ J. Ann. Coll. Toxicol. **7**, 45–69 (1988) ▪ Merck-Index (12.), Nr. 8917 ▪ Müller, Regulation of Aldosterone Biosynthesis, Berlin: Springer 1988 ▪ Sax (8.), AFJ 500 ▪ Ullmann (5.) **A 4**, 238; **A 9**, 34; **A 13**, 102, 141–144. – *[HS 2932 29; CAS 52-01-7]*

Spiropent® (Rp). Tabl., Saft u. Tropfen mit *Clenbuterol-hydrochlorid gegen Bronchialasthma, chron. u. Emphysem-Bronchitis. ***B.:*** Thomae.

Spiropolymere. Bez. für *Polymere der schematisierten Struktur I, die in ihren Hauptketten Spiro-Strukturen u. damit Kettenatome enthalten, die gleichzeitig zwei Ringen angehören:

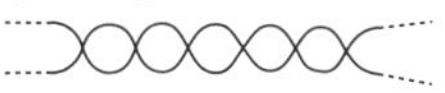

I

Das erste organ. S., hergestellt durch *Polykondensation von *Pentaerythrit mit 1,4-Cyclohexandion, ist das *Polyspiroketal* II:

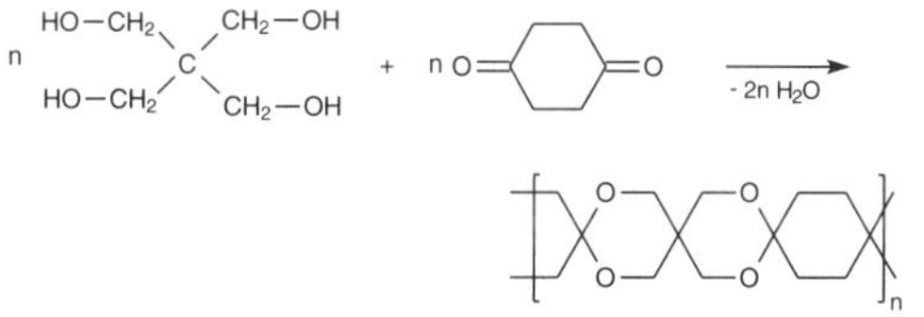

n $C(CH_2-OH)_4$ + n O=C₆H₈=O $\xrightarrow{-2n\,H_2O}$

II

Inzwischen sind nicht nur zahlreiche synthet., organ., sondern auch viele anorgan. S. bekannt, z. B. das beim Erhitzen von Palladiumchlorid resultierende S. III:

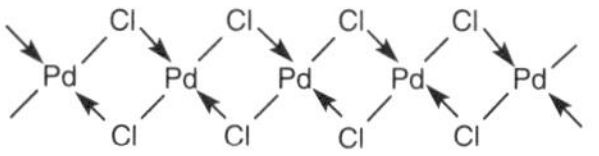

III

S. sind äußerst steife, unschmelzbare u. schwerlösl. Polymere. Zukünftige Einsatzmöglichkeiten für sie werden in Bereichen gesehen, für die hohe chem. u. mechan. Stabilitäten gefordert werden. Zur Verw. von monomeren Spiro-Verb. (Spiromonomere) für *Ringöffnungspolymerisationen s. *Lit.*[1]. – ***E*** spiro polymer – ***F*** spiropolymère – ***I*** spiropolimeri – ***S*** espiropolímero

Lit.: [1] Odian, S. 579f.
allg.: Encycl. Polym. Sci. Eng. **3**, 220–245 ▪ Houben-Weyl **E 20/1**, 584.

Spirosolane s. Solanum-Steroidalkaloide.

Spirostan. Bez. der gesätt. hexacycl. *Spiro-Verbindung (22*R*)-16*β*,22:22,26-Diepoxy-*cholestan, $C_{27}H_{44}O_2$, M_R 400,64, Stammverb. vieler *Saponine u.a. pflanzlicher *Steroide (IUPAC-Regel 3S-3.3); *Beisp.:* s. Digitonin, Diosgenin u. Hecogenin. Der Name S. legt 9 der 11 Stereozentren fest; nur 5*α*- od. 5*β*- u. (25*R*)- od. (25*S*)- darf in S.-Namen nie fehlen. – ***E*** spirostan(e) ***F*** spirostane – ***I*** spirostano – ***S*** espirostano

Spiro-Verbindungen (Spirane). Von von *Baeyer 1900 geprägte u. von *Spiro... abgeleitete Bez. für Verb. „brezelartiger" Struktur, in denen 1 Kohlenstoff-Atom (*Spiroatom*) zwei Ringen gemeinsam angehört. Die Namen der S.-V. werden nach den IUPAC-Regeln A-41 bis 43 u. B-10 bis 11 bzw. R-2.4.3[1] durch Voransetzen des Präfixes Spiro... vor den Namen des acycl. Kohlenwasserstoffs mit gleicher C-Zahl gebildet, wobei die durch eckige Klammern eingeschlossenen u. durch Punkt(e) getrennten Ziffern die Zahl der jeweiligen Ringglieder mit Ausnahme des zentralen Spiroatoms angeben; *Beisp.:* Spiro[4.5]dec-2-en (s. Abb. a). Die Bezifferung beginnt im kleineren Ring an dem dem Spiroatom benachbarten C-Atom. Nach den gleichen Prinzipien werden auch S.-V. mit Heteroatomen benannt. Die Vorsilbe Spiro... ist ein bei alphabet. Sortierung zu berücksichtigender Bestandteil des Stammnamens. Di-, Tri-, Tetra-S.-V. enthalten analog 2, 3 od. 4 Spiroatome; *Beisp.:* 2-Hydroxy-5-azoniadispiro[4.1.5.1]tridecan-10-on (s. Abb. b).

a 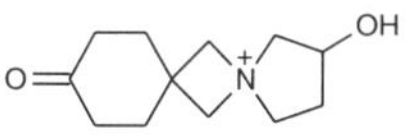 b

Dieses Verf. gilt für S.-V. mit monocycl. Partialgerüsten. Bei polycycl. Gerüsten behalten diese ihren Namen bei; *Beisp.:* Spiro[cyclohexan-1,2′-naphthalin] u. *Griseofulvin, ein Spiro[benzofuran-2,1′-cyclohexan]-Derivat.
Die zweidimensionale Darst. der Formelbilder läßt die bes. Stereochemie der S.-V. nicht erkennen; prinzipiell stehen die Ringe wegen der sp^3-Hybridisierung des zentralen Spiroatoms senkrecht aufeinander. Der Aufbau der S.-V. bedingt zusätzliche Isomeriemöglichkeiten (s. Chiralität), die sich ggf. auch im Auftreten *optischer Aktivität äußern können. Für S.-V. wird oft eine sog. *Spirokonjugation* diskutiert[2]. Als polycycl. S.-V. lassen sich die *Rotane auffassen, u. *Orthocarbonate wie z. B. Ethylenorthocarbonat kann man als Tetraoxa-S.-V. ansehen. In der Natur treten Spiro-Strukturen z. B. bei Terpenen, Sesquiterpenen, Alkaloiden, Steroiden (z. B. *Spirostan-Derivate), Antibiotika (z. B. Griseofulvin) auf. Synthet. sind S.-V. durch eine Vielzahl von Reaktionen zugänglich, z. B. durch intramol. Dehydrohalogenierung u. durch radikal. od. säurekatalysierte Cyclisierung, vgl. die Übersicht in *Lit.*[3]. Auch photochem. od. Metall-organ. katalysierte Cycloadditionen können zu S.-V. führen, die *Acetalisierung von Ketonen auch zu S.-V. mit 1,3-Dioxolan-Struktur. Weitere S.-V. leiten sich von Pentaerythrit durch Kondensation mit Ketonen ab; aus 1,4-Cyclohexandionen sind auf diese Weise auch polymere S.-V. zugänglich. – ***E*** spiro compounds – ***F*** composés spiranniques – ***I*** spiro-composti – ***S*** compuestos espiránicos

Lit.: [1] IUPAC, Nomenklatur der Organischen Chemie, S. 61, Weinheim: Wiley-VCH 1997. [2] Angew. Chem. **90**, 591–601 (1978). [3] Synthesis **1974**, 383–419; **1976**, 425–444; **1978**, 77–126.
allg.: Nachr. Chem. Tech. Lab. **29**, 370–373 (1981) ▪ Top. Curr. Chem. **137**, 1–17 (1987) ▪ Weissberger **36**, 371–422.

Spirsäure s. Spierstaude, Salicylsäure u. Aspirin®.

Spirulina. Zur Biomassegewinnung durch Photosynth. geeignete Blaualgen (z. B. *Spirulina platensis, S. gigantea* u. *S. maxima*), die auch als Nahrungsmittel dienen können u. deshalb kultiviert werden. – ***E*** = ***F*** = ***I*** spirulina – ***S*** espirulina

Lit.: Franke, Nutzpflanzenkunde (6.), S. 132f., Stuttgart: Thieme 1997. – *[HS 1212 20]*

Spissus. Latein. Wort für dick, dickflüssig.

Spitzwegerich. In Europa u. Asien verbreitetes Kraut der Plantaginaceae, *Plantago lanceolata* L. S. enthält u. a. 2–3% Iridoidglykoside (z. B. *Aucubin), Flavonoide, Gerbstoffe u. 2–7% Schleime; die reizlindernde Wirkung bei Katarrhen der Luftwege u. bei Entzündungen geht v. a. auf die beiden letztgenannten Inhaltsstoffgruppen zurück. – ***E*** weedy plantain, ribwort – ***F*** plantain – ***I*** piantaggine – ***S*** blanten menor, blanten lanceolado

Lit.: Bundesanzeiger 223/30. 11. 85 ▪ Dtsch. Apoth. Ztg. **138**, 2987–2992 (1998) ▪ Wichtl (3.), S. 443–446.

Spleißen (Splicing). *In vivo*-Spalten u. Neuverknüpfen von sequenzverschiedenen *Nucleinsäuren. Die häufigste Form ist das RNA-S. in *Eukaryonten u. Archaebakterien, bei dem *Introns entfernt u. *Exons verknüpft werden. Dies ist in *Prokaryonten nicht bekannt, allerdings wird auch die Thymidylat-Synthase-mRNA des *Escherichia coli befallenden T4-*Phagen gespleißt. Für diese Art des RNA-processing (*Prozessierung) wurden in verschiedenen Syst. drei Spleiß-Mechanismen gefunden:

1. *Intron-S. in Kern-Strukturgenen*: Die Introns haben kurze *Consensus-Sequenzen zur Erkennung u. werden an beiden Enden herausgeschnitten. Die Exons werden verknüpft u. das Intron wird als Lassostruktur (*lariat*) freigesetzt u. dann linearisiert. Das S. ist *ATP-abhängig u. benötigt snRNP (*E* small nuclear ribonucleoprotein), also kurze Kern-RNA, die mit Proteinen verbunden sind [1]. Das S. geschieht im Kern nach Polyadenylierung der RNA.

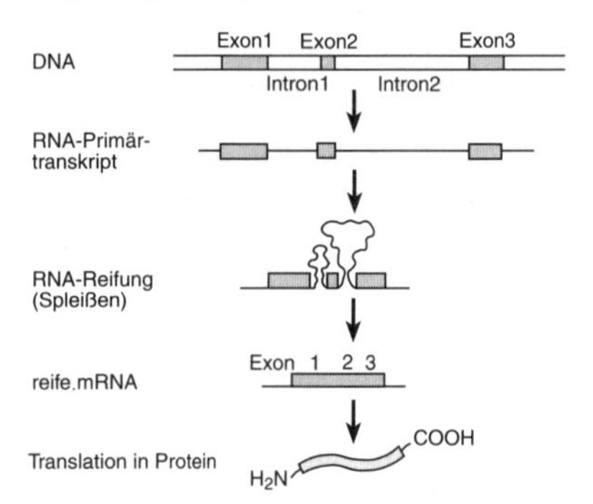

Abb.: Spleißen eines eukaryont. RNA-Primärtranskripts.

2. *Intron-S. in *Hefe-*tRNA*: 40 von 400 Hefe-tRNA enthalten ein Intron, jeweils in einer Base Abstand vom Anticodon. Das S. ist abhängig von den Rückfaltungen des Mol. über Basenpaarungen in der Intronsequenz, nicht von Consensus-Sequenzen. Die Reaktion erfordert mehrere Enzyme u. es entstehen als Zwischenprodukte ungewöhnliche Exonenden: Ein cycl. 2′,3′-Phosphat am 3′-Exon-Ende u. eine 5′-OH-Gruppe am 5′-Exon-Ende. Diese Intermediate werden auch beim S. von Säugetier-tRNA gefunden.

„*self-splicing*" findet statt beim Entfernen des Introns der ribosomalen 26S-RNA (als Teil des 35S-RNA-Vorläufers) des Ciliaten *Tetrahymena thermophila.* Die Reaktion ist ebenfalls abhängig von der Sekundärstruktur des Introns.

Introns in mitochondrialen Genen der *Pilze werden eingeteilt in Klasse I (strukturelle Ähnlichkeit mit dem *Tetrahymena*-rRNA-Intron) u. Klasse II (Ähnlichkeiten mit den Introns der Kernstrukturgene). In beiden Klassen gibt es Beisp. für *in vitro* self-splicing u. für S. über z. T. Intron-codierte Maturasen.

3. *Alternatives S.*: Bezeichnet die wahlweise Entfernung einzelner Introns od. ganzer Intron-Exon-Intron-Komplexe, so daß aus einem Gen verschiedene mRNA-Formen u. Proteine entstehen können. Beisp. sind *Immunglobulin-mRNA, die mRNA der späten Gene der *Adenoviren u. die mRNA des *Troponin T (α- u. β-Form) des Rattenmuskels.

S. wird auch bei DNA beobachtet u. führt dort zu *Deletionen, z. B. bei Kombination der variablen u. konstanten Segmente der Immunglobulin-Gene.

2. Zu einer anderen Bedeutung des Begriffes S. s. Fibrillieren. – ***E*** splicing – ***F*** épissage – ***I*** splicing, maturazione dell'RNA, taglio e ricucitura dell'RNA – ***S*** engarce, empalme

Lit.: [1] Nature (London) **349**, 494 (1991).
allg.: Lewin, Gene. Lehrbuch der molekularen Genetik, Weinheim: VCH Verlagsges. 1988 ▪ Watson et al., Rekombinierte DNA (2.), S. 411, Heidelberg: Spektrum Akadem. Verl. 1993.

Spleißosom s. Nucleoproteine.

Splicing s. Spleißen.

Splint-Holz s. Holz.

Split-Synthese (Split-Meth.). Bei der *kombinatorischen Synthese großer Bibliotheken niedermol. Verb. mit Hilfe der *Festphasen-Technik bereitet der Reaktionsunterschied der eingesetzten Reaktanden Probleme, da dadurch einige Produkte nur in geringen Ausbeuten od. gar nicht gebildet werden. Abhilfe schafft hier die von Furká eingeführte S.-S., mit der in eleganter Weise eine äquimolare Mischung von Substanzen erhalten wird. Das Prinzip der S.-S. od. „Split and Pool"-Meth. zeigt die Abbildung.

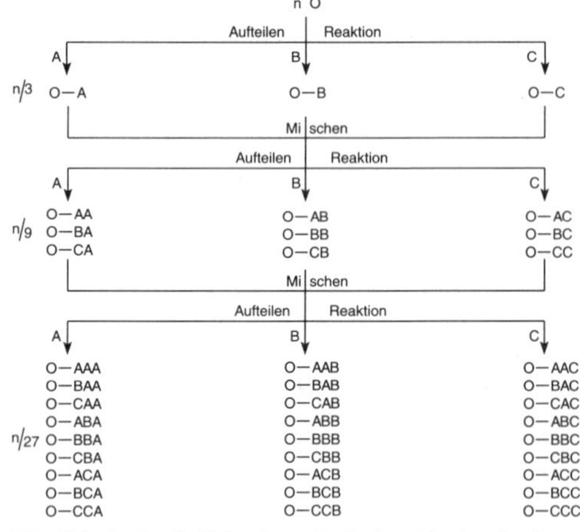

Abb.: Prinzip der Split-Synthese in der kombinator. Synthese.

Eine Anzahl n kleiner Kunststoffkügelchen ○ mit poröser Oberfläche u. inneren Kanälen, die reaktive funktionelle Gruppen wie $-NH_2$, –OH, –COOH usw. sowohl an der Oberfläche als auch im Inneren besitzen, wird in drei gleiche Teile (n/3) geteilt. Jeder dieser Teile wird mit drei verschiedenen Reagenzien A, B, C umgesetzt. Die Produkte ○-A, ○-B, ○-C werden vermischt, erneut in drei gleiche Teile geteilt (n/9) u. wiederum einzeln mit A, B u. C umgesetzt. Es resultieren bereits 9 definierte Produkte. Da sich immer nur *ein* Reaktand im Reaktionsgefäß befindet, kann die Reaktion so lange geführt werden, bis mit allen trägergebundenen Reaktionspartnern vollständiger Umsatz eintritt. Der Cyclus kann beliebig oft wiederholt werden, wobei am Ende auf jedem Kunststoffkügelchen eine definierte Verb. in vielfacher Kopie vorhanden ist.

In nur 60 Reaktionscyclen lassen sich so z. B. alle 8000 aus den 20 natürlichen Aminosäuren aufgebauten Tripeptide synthetisieren. – ***E*** split synthesis – ***F*** synthèse split – ***I*** sintesi split – ***S*** síntesis split

Lit.: Nature (London) **354**, 82, 84 (1991) ▪ s. a. kombinatorische Synthese.

Splitt. Künstlich zerkleinerte Natursteine (Granit, Kalk, Basalt u. dgl.) od. Ziegelabfall von durchschnittlich 20–30 mm (Grobsplitt) od. 15–20 mm (Feinsplitt) Durchmesser. – ***E*** grit – ***F*** gravillon – ***I*** pietrisco, graniglia – ***S*** gravilla

SPME. Abk. für solid-phase microextraction, s. Festphasenmikroextraktion.

Spodium s. Knochenkohle.

Spodumen. $LiAl[Si_2O_6]$; zu den *Pyroxenen gehörendes Mineral, Struktur s. *Lit.*[1]. Von den 3 bekannten Modif. des S. (darunter tetragonaler β-S. u. hexagonaler γ-S.) kommt nur der monokline α-S. in der Natur vor. Meist getrübte, farblose, aschgraue (griech: spoudumenos = aschefarbig), gelbe od. grünliche, grobe, spätige od. breitstrahlige Aggregate; z. T. bis mehrere Meter große prismat. bis tafelige Kristalle. Hydrothermal umgelagerte, als Edelsteine verwendete S. sind glasklar, farblos, als *Hiddenit* grün (Cr^{3+} + wenig Fe^{3+}) od. gelb, als *Kunzit* rosa bis violettrosa (geringe Mn-Gehalte[2]), beide mit kräftigem *Pleochroismus. H. 6,5–7, D. 3,03–3,23. Bei hydrothermaler Zersetzung od. *Verwitterung von S. entsteht u. a. Eukryptit (*Lithiumaluminiumsilicat). Chem. Analysen (theoret. 8,0 Gew.-% Li_2O) s. Deer, Howie u. Zussman (*Lit.*); S. enthält meist etwas Fe, Na u. K u. bis 0,8% H_2O.

Vork.: V. a. in Lithium-reichen Granit-*Pegmatiten, z. B. Varuträsk/Schweden, South Dakota/USA (Etta Mine; bis 90 t schwere Krist.!). Kunzit in Pala/Kalifornien, Madagaskar, Brasilien (Urupuca Mine) u. Nuristan/Afghanistan; Hiddenit in North Carolina/USA, Minas Gerais/Brasilien, Madagaskar u. Afghanistan. Wirtschaftlich wichtig sind die Vork. von Kings Mountain Belt in North Carolina/USA, Tanco in Manitoba/Kanada, Bikita/Simbabwe, Katanga/Zaire u. Greenbushes/Australien.

Verw.: Wichtigstes Lithium-Mineral, Ausgangsmaterial für die Gewinnung von Lithium-Salzen – ***E*** = ***I*** spodumene – ***F*** spodumène – ***S*** espodumena

Lit.: [1] Am. Mineral. **58**, 594–618 (1973); **60**, 919–923 (1975). [2] Angew. Chem. **90**, 95–103 (1978).

allg.: Anthony et al., Handbook of Mineralogy, Vol. II, Tl. 2, S. 747, Tucson (Arizona): Mineral Data Publishing 1995 ▪ Deer et al., S. 201 f. ▪ Deer, Howie u. Zussman, Rock-Forming Minerals (2.), Vol. 2 A, Single-Chain Silicates, S. 527–544, London: Longman 1978 ▪ Eppler, Praktische Gemmologie (5.), S. 306–310, Stuttgart: Rühle-Diebener 1994 ▪ Kirk-Othmer (3.) **14**, 449 f. ▪ Lapis **18**, Nr. 7/8, 8–11 (1993) („Steckbrief"). – *[HS 2617 90; CAS 1302-37-0]*

Spondylonal®. Kapseln mit DL-α-*Tocopherol-acetat, *Thiamin-nitrat, *Pyridoxin-Hydrochlorid u. *Cyanocobalamin gegen Wirbelsäulen-Syndrom. ***B.:*** Brenner-Efeka.

Spondyvit®. Kapseln mit D-α-*Tocopherol-acetat gegen Vitamin E-Mangelzustände. ***B.:*** Brenner-Efeka.

Spongia s. Schwämme.

Spongin. Elast. *Skleroprotein aus *Schwämmen, enthält 15,76% Glycin, 8% L-Serin, 5,75% L-Arginin, 5,15% L-Lysin, 2,2% L-Valin, 1,5% L-Cystin usw., ferner 0,41% Brom (als Dibrom-L-tyrosin), 0,5–1,5% Iod (zumeist als Mono- u. Diiod-L-tyrosin). In die Protein-Matrix sind mikroskop. kleine Kieselsäure- u. Kalkkrist. eingelagert. Name von latein.: spongia = Schwamm. – ***E*** spongin – ***F*** spongine – ***I*** spongina – ***S*** espongina

Spongiose (frühere Bez. auch Eisenschwamm, Graphitisierung). Nach DIN 50900-1: 1982-04 der „selektive Angriff auf Gußeisen bei mangelhafter Schutzschicht-Bildung unter Auflösung des Ferrits (s. α-Eisen) u. *Perlits. Dabei bleibt häufig die ursprüngliche Gestalt des Werkstücks erhalten". Hervorgerufen wird die S. infolge der Ausbildung galvan. Mikroelemente zwischen dem edleren Graphit (s. Spannungsreihe) u. der unedleren ferrit.-perlit. metall. Matrix bevorzugt in Sauerstoff-armen Angriffsmitteln. – ***E*** spongiosis, graphite corrosion – ***F*** spongiosité – ***I*** corrosione grafitica – ***S*** corrosión grafítica

Lit.: Verein Dtsch. Ingenieure (Hrsg.), VDI 3822 Bl. 3: Schadensanalyse. Schäden durch Korrosion in wäßrigen Medien, Düsseldorf: VDI-Verl. 1990.

Spongipyrane s. Spongistatine.

Spongistatine (Spongipyrane, Altohyrtine). Gruppe makrocycl. Polyether-Lacton-Antibiotika, die von Meeresschwämmen der Gattungen *Spongia, Cinachyra, Hyrtios* u. *Spirastrella* gebildet werden. Die S. sind antibakteriell u. antifung. aktiv; v. a. aber bilden sie eine neue Klasse mariner Naturstoffe mit sehr potenter Antitumoraktivität gegen mehrere humane Krebszellinien im subnanomolaren Bereich, z. B. die Hauptverb. *S. 1* (Altohyrtin A): $C_{63}H_{95}ClO_{21}$, M_R 1223,88, amorphes Pulver, Schmp. 161 °C (Na-Salz); $[\alpha]_D^{22}$ +26,2° (Na-Salz in CH_3OH). Die S. werden präklin. als Cytostatika entwickelt. Die S. (bzw. Altohyrtine) unterscheiden sich oft nur in einem Stereozentrum.

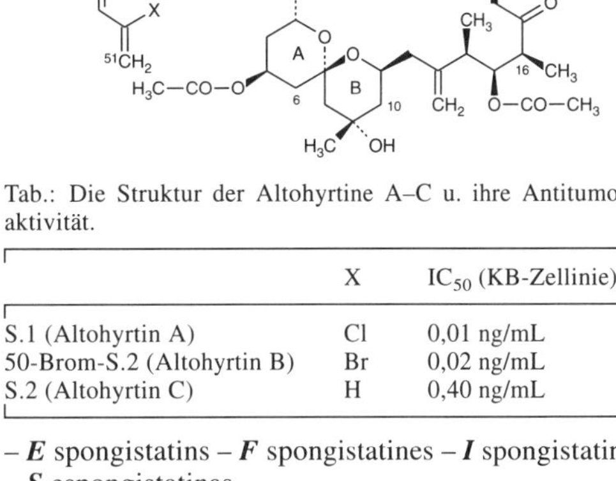

Tab.: Die Struktur der Altohyrtine A–C u. ihre Antitumoraktivität.

	X	IC_{50} (KB-Zellinie)
S.1 (Altohyrtin A)	Cl	0,01 ng/mL
50-Brom-S.2 (Altohyrtin B)	Br	0,02 ng/mL
S.2 (Altohyrtin C)	H	0,40 ng/mL

– ***E*** spongistatins – ***F*** spongistatines – ***I*** spongistatine – ***S*** espongistatinas

Lit.: *abs. Konfiguration:* Angew. Chem. **110**, 198–206 (1998) ▪ Tetrahedron Lett. **35**, 1243 (1994). – *Synth.:* Angew. Chem. **109**, 2951, 2954, 2957 (1997); Int. Ed. **37**, 187–192 (1998) (S. 1) ▪ Nachr. Chem. Tech. Lab. **46**, 170 (1998) ▪ Tetrahedron Lett. **38**, 5727, 8241, 8667, 8671, 8675 (1997). – *Isolierung/Wirkung:* Chem. Pharm. Bull. **41**, 989 (1993) ▪ J. Chem. Soc., Chem. Commun. **1993**, 1166, 1805; **1994**, 1605 ▪ Nat. Prod. Lett. **3**, 239 (1993). – *[CAS 149715-96-8 (S. 1); 151717-16-7 (S. 2); 151656-54-1 (Altohyrtin B)]*

Spontanmutation. *Mutation, die unter normalen Wachstums- u. Umweltbedingungen auftritt u. nicht durch erkennbare Einwirkung von *Mutagenen ausgelöst wird. S. kommen in der Regel selten vor, bei Bakterien sind es 1–10 Mutationen/10^{10} Bakterien pro Generation [1].

Scheinbare S. sind das Ergebnis von Umweltmutagenen (UV-Strahlung, natürliche γ-Strahlung, Hitze) od. von endogenen Mutagenen (Stoffwechselprodukte wie z. B. Peroxide). *Wirkliche* S. entstehen durch Fehler in der DNA-Replikation od. -Reparatur od. auch durch chem. Veränderungen wie Desaminierung von Basen od. Depurinierung (seltener Depyrimidinierung) von Nucleotiden.

Bei *Escherichia coli* sind sog. *hot spots* in der DNA bekannt, die durch Methylierung der Base Cytosin u. anschließende Desaminierung zu Thymin in bes. Weise zur S. neigen, da Thymin nicht mehr mit Guanin, sondern mit Adenin paart. – ***E*** spontaneous mutation – ***F*** mutation spontanée – ***I*** mutazione spontanea – ***S*** mutación espontánea

Lit.: [1] Knippers (7.), S. 231.

allg.: Brock, Biology of Microorganisms (8.), S. 308, Upper Saddle River, USA: Prentice-Hall 1997 ▪ Hennig, Genetik, S. 458, Heidelberg: Springer 1995 ▪ Knippers (7.), S. 230 ff., 235 f., 241 f.

Spontanspaltung s. Radioaktivität u. Zerfall.

Sporen (von griech.: spóros = Saat, Keim, Same). Sammelbez. für Keimzellen von *Algen, *Pilzen, *Flechten u. *Prokaryonten (*Bakterien) sowie einzellige Vermehrungs- u. Verbreitungszellen von Pflanzen wie Moosen u. Farnen. S. dienen allg. der Vermehrung, Verbreitung u., insbes. bei Bakterien, der Überdauerung widriger Lebensbedingungen wie z. B. Nährstoff-Knappheit. Die Dauerformen der Bakterien werden nach ihrer Bildungsweise als Exo- u. *Endosporen bezeichnet. Während Endosporen bei Prokaryonten weit verbreitet sind, werden Exosporen, die durch Knospung aus einem Ende der Mutterzelle entstehen, nur von wenigen Bakterien gebildet, wie z. B. dem Methan-verwertenden *Methylosinus trichosporium.* Exo- u. Endosporen sind gegenüber physikal. Einflüssen (z. B. Strahlung, Hitze) u. Chemikalien (z. B. Desinfektionsmittel) erheblich resistenter als die vegetativen Zellen. Endosporen von *Bacillus*-Arten können bis zu 500–1000 Jahre keimfähig bleiben. Eine bes. Stellung nehmen die Sporen von *Actinomyceten ein. Sie sind z. T. beweglich u. gegenüber Hitze genauso empfindlich wie das vegetative Mycel. Bei den eukaryont. Algen u. Pilzen muß je nach Entstehungsprozeß zwischen *Mitosporen* u. *Meiosporen* unterschieden werden. *Mitosporen* können bei der *Mitose entstehen. Bei endogener Abschnürung (Endosporen) werden die Sporen oft in bes. Behältern (*Mitosporangien*) gebildet. Bei exogener Abschnürung entstehen die Exosporen als sog. *Konidiosporen.* Die Endosporen von im Wasser lebenden Arten sind oft durch Geißeln od. Wimpern beweglich (Zoosporen od. Planosporen). Endo- wie auch die Exosporen von landbewohnenden Organismen sind von einer derben Zellwand umgeben, die sie z. B. vor Austrocknung schützt. Auch *Meiosporen* dienen der Vermehrung u. Verbreitung. Sie werden in der Regel im Inneren bes. Behälter (*Meiosporangien*) gebildet u. sind bei Wasserbewohnern begeißelt. Sie lassen sich gut von Mitosporen unterscheiden, wenn sie in sog. Tetraden zusammenbleiben u. so ihre Herkunft als Produkt einer *Meiose dokumentieren. Bei Ascomyceten erfolgt im Anschluß an die Meiose oft noch eine mitot. Teilung, so daß die Behälter, die sog. Asci, acht S. enthalten. Die Wände der Meiosporen bestehen bei Moosen, Farnen u. Samenpflanzen hauptsächlich aus Sporopolleninen, die aufgrund ihres Carotinoid-Gehaltes als UV-Schutz dienen.

Die Verbreitung von S. erfolgt durch Wind, Wasser u. Tiere. Sie wird oft durch Schleuderbewegungen unterstützt. S. (z. B. von Speisepilzen) können durch *Sensibilisierung* Allergien hervorrufen. Mit der Untersuchung von S. in fossilen Materialien beschäftigt sich die Palynologie (s. a. Pollen). – ***E*** = ***F*** spores – ***I*** spore – ***S*** esporas

Lit.: Lehrbücher der Mikrobiologie u. Botanik.

Sporentierchen s. Protozoen.

Sporinit s. Macerale.

Sporogelit s. Aluminiumhydroxide.

Sporopollenine s. Pollen.

Sporozoen s. Protozoen.

Sporternährung. Spezielle Kostform, die auf die bes. Ernährungserfordernisse des Sportlers unter Berücksichtigung der Sportart (Kraftsport, Ausdauersport) eingeht. Die Ernährung des Hochleistungssportlers richtet sich v. a. nach dem aktuellen Trainingszustand, so daß eine spezielle Vorwettkampf-, Wettkampf- u. Regenerationskost ausgearbeitet werden kann.

Die Nährstoffzufuhr (in % der Energiezufuhr) sollte sich wie in der Tab. gezeigt verteilen.

Bei Sportarten mit hohem Flüssigkeitsverlust ist der *Mineralstoff-Ausgleich von größter Bedeutung, wobei die Wirkung sog. „isoton. Sportlergetränke" kontrovers diskutiert wird [1,2]. Zur gezielten Supplementierung von *Spurenelementen u. *Vitaminen, deren Bedarf beim Sportler bis zum 5-fachen des Normalbedarfes gesteigert sein kann, u. den Auswirkungen

Tab.: Nährstoffzufuhr (in % der Energiezufuhr) von Sporternährung.

	Ausdauersportler	Kraftsportler	Normalbürger [1]	Ist-Situation
Kohlenhydrate	55–60	45–55	55–60	35
Eiweiß	10–15	15–20	10–15	15
Fett	25–30	30	25–30	40
Alkohol	–	–	–	10

[1] Nach den Empfehlungen der dtsch. Gesellschaft für Ernährung

auf die Leistungsfähigkeit des Sportlers s. *Lit.*[3,4]. Fragen einer alternativen (z. B. vegetar.) S. werden in *Lit.*[5] diskutiert. Lebensmittel, die als S. in Verkehr gebracht werden, sind keine diätet. Lebensmittel[6,7]. Dies soll sich aber im Rahmen der geplanten EG-Richtlinie zu diätet. Lebensmitteln ändern. Die Mitte der 90er Jahre populär gewordenen „Energy Drinks" (hochangereichert mit *Coffein, *Taurin u. anderen mehr od. minder leistungsfördernden Substanzen) sind *nicht* zur S. zu zählen. – ***E*** sport food – ***F*** diète sportive – ***I*** alimentazione dello sportivo – ***S*** alimentación para deportistas, dieta deportiva

Lit.: [1] Lebensmittelkontrolleur **5**, Nr. 4, 14–15 (1990). [2] Erfrischungsgetränk-Mineralwasser-Ztg. **22**, 706–708, 762–765 (1989). [3] Z. Onkol. **21**, 170–175 (1989). [4] Fat Sci. Technol. **92**, 331–334 (1990). [5] Lebensmittelkontrolleur **5**, Nr. 3, 36–37 (1990). [6] Dtsch. Lebensm. Rundsch. **86**, 227–229, 294–297 (1990). [7] Bundesgesundheitsblatt **31**, 392 (1988).
allg.: AID-Verbraucherdienst **35**, Nr. 3, 47–55 (1990); **36**, 139–143 (1991) ▪ Akt. Ernähr.-Med. **15**, 272–274 (1990); **16**, 61–67, 73–74, 84–88 (1991) ▪ Coleman, Richtige Ernährung für alle Ausdauersportler, München: BLV-Verlagsges. 1989 ▪ Diätverband (Hrsg.), Sportlernahrung aus ernährungswissenschaftlicher u. sportmedizinischer Sicht, Schriftreihe Diätverband H. 78, Bad Homburg: Diätverband 1991 ▪ Flüss. Obst **57**, 764–768 (1990) ▪ Getränkeindustrie **44**, 810–815 (1990) ▪ Hamm u. Geiß, Handbuch Sportler-Ernährung, Hamburg: Behr's 1990 ▪ Ketz (Hrsg.), Grundriß der Ernährungslehre, Darmstadt: Steinkopff 1990 ▪ Landessportbund Rheinland-Pfalz u. Institut für Sporternährung, Bad Nauheim (Hrsg.), Essen u. Trinken im Sport, Mainz 1989 ▪ Lebensmittelchemie **45**, 20–22 (1991).

Sporulation. Bez. für die Bildung von *Sporen bei *Pflanzen, *Pilzen u. einigen *Bakterien. – ***E*** sporulation – ***I*** sporulazione, sporificazione – ***S*** esporulación

Spratzen. Umgangssprachliche Bez. für den Ausbruch gelöster Gase bei der Erstarrung von Metallschmelzen unter Verspritzen feinster Metalltröpfchen. Die so erstarrten Gußwerkstoffe sind porös. Am bekanntesten ist das S. des *Silbers. Im geschmolzenen Zustand kann Silber etwa das Zehnfache seines Vol. an Sauerstoff aufnehmen. Beim Erstarren wird der Sauerstoff wieder unter heftigem S. abgegeben. S. wird auch bei Platin, Natrium-, Kalium- u. Silbervanadat (Sauerstoff-Abgabe), Reinkupfer (Abgabe von aufgenommenem Wasserstoff, Kohlenoxid, Schwefeldioxid) u. dgl. beobachtet. Das S. kann durch Zulegieren geeigneter Elemente unterbunden werden. Der gleiche Vorgang tritt auch beim Erstarren Gas-reicher Lava ein, daher auch der Begriff *Spratzlava.* Im übertragenen Sinne spricht man von S. auch bei den verwandten Erscheinungen der *Kathodenzerstäubung u. der *Ionenstrahl-Mikroanalyse. – ***E*** sputter, splash – ***F*** jaillissement du métal en fusion – ***I*** sprazzo, deposizione per spruzzamento – ***S*** chisporroteo

Sprays. Vom engl.: spray = sprühen, zerstäuben übernommene Bez., unter der man nicht nur den Sprühnebel (*der* Spray, das *Aerosol) versteht, sondern umgangssprachlich auch den Behälter (*Sprühdose*, Spraydose) u./od. den Inhalt (*das* Spray). Im Fachjargon der einschlägigen Ind. benutzt man den wissenschaftlichen Begriff **Aerosol* als Synonym für Spray u. Sprühdose. Im folgenden werden S. als Sprühvorrichtungen mit einer Füllung aus flüssigen, breiartigen od. Pulverförmigen Stoffen verstanden, die unter dem Druck eines Treibmittels stehen (*Druckgas-, Aerosolpackungen*). Die Behälter sind mit Ventilen sehr unterschiedlicher Bauart ausgestattet, die die Entnahme des Inhalts als Nebel, Rauch, Schaum, Pulver, Paste od. Flüssigkeitsstrahl ermöglichen. Die Wirkungsweise der S. ist aus der Abb. 1 zu erkennen.

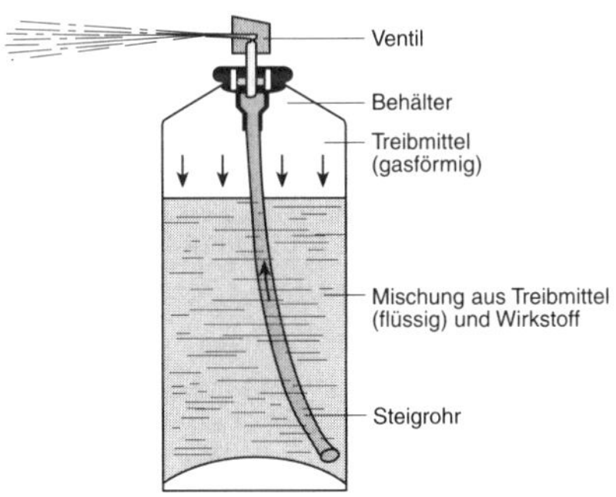

Abb. 1: Schema einer Spraydose.

Die Wirkstofflsg. – also das zu versprühende Produkt – ist mit flüssigem Treibmittel vermischt. Über diesem Gemisch befindet sich gasf. Treibmittel, das einen gleichmäßigen Druck nach allen Seiten ausübt, also auch auf den Flüssigkeitsspiegel der Wirkstoff-Treibmittel-Mischung. Drückt man auf den Knopf, öffnet sich das Ventil. Das Wirkstoff-Treibmittel-Gemisch wird vom gasf. Treibmittel durch das Steigrohr nach oben gedrückt u. verläßt die Dose durch das Ventil. Das der Wirkstofflsg. beigemischte Treibmittel verdampft sofort. Dabei verstäubt die Wirkstofflsg. zu feinstem Nebel (*Atomisierung*) od. bildet feinblasigen Schaum. Auf die Technologie der S.-Herst., auf Probleme der Verträglichkeiten der Wirkstoffe mit den Treibmitteln etc. kann hier nicht eingegangen werden. Zur Bestimmung der Teilchengröße – eines der wichtigsten Parameter bei S. – bedient man sich speziell entwickelter Geräte bzw. der Holographie, der Lichtstreuung, radioaktiven Markierung usw. Herst., Prüfung u. Lagerung von S.-Dosen unterliegen bestimmten Vorschriften u. Verordnungen (Techn. Regeln Druckgase u. Druckbehälter). Über neue Entwicklungen, Rechtslagen, Marktbewegungen etc. informiert die dreisprachige Zeitschrift „Aerosol Spray Report" (Heidelberg: Hüthig).

Als Druckgasbehälter kommen vor allem zylindr. Gefäße aus Metall (Aluminium, Weißblech, <1000 mL), geschütztem bzw. nicht-splitterndem Glas od. Kunststoff (<220 mL) bzw. splitterndem Glas od. Kunststoff (<150 mL) in Frage, bei deren Auswahl Druck- u. Bruchfestigkeit, Korrosionsbeständigkeit, leichte Füllbarkeit, ggf. Sterilisierbarkeit usw., aber auch ästhet. Gesichtspunkte, Handlichkeit, Bedruckbarkeit etc. eine Rolle spielen. Der max. zulässige Betriebsdruck von S.-Dosen aus Metall bei 50 °C ist 12 bar u. das max. Füllvol. bei dieser Temp. ca. 90% des Gesamtvolumens. Für Glas- u. Kunststoffdosen gelten niedrigere, von der Behältergröße u. dem Treibmittel (ob verflüssigtes, verdichtetes od. gelöstes Gas) abhängige Werte für den Betriebsdruck. Den größten

Marktanteil haben Dosen aus Weißblech, gefolgt von Aluminium u. Glas (s. Abb. 2). Die aus Korrosionsschutzgründen oft innen lackierten Metalldosen sind ein- od. zwei-, meist aber dreiteilig zylindr., kon. od. anders geformt. Die vornehmlich für *Parfüms hergestellten Glasflacons lassen sich in großer Typenvielfalt herstellen; sie werden häufig aus Sicherheitsgründen mit durchsichtigem Kunststoff überzogen. Kunststoffe als S.-Behälter müssen Chemikalien- u. Sterilisationstemp.-beständig, gasdicht, schlagfest u. gegen Innendrücke über 12 bar stabil sein; prinzipiell für S.-Zwecke geeignet sind Polyacetale u. Polyamide. Der innere Aufbau der S.-Dosen u. die Ventilkonstruktion sind je nach Verw.-Zweck u. physikal. Beschaffenheit des Inhalts – z. B. ob als Zwei- od. als Dreiphasensyst. – sehr variantenreich.

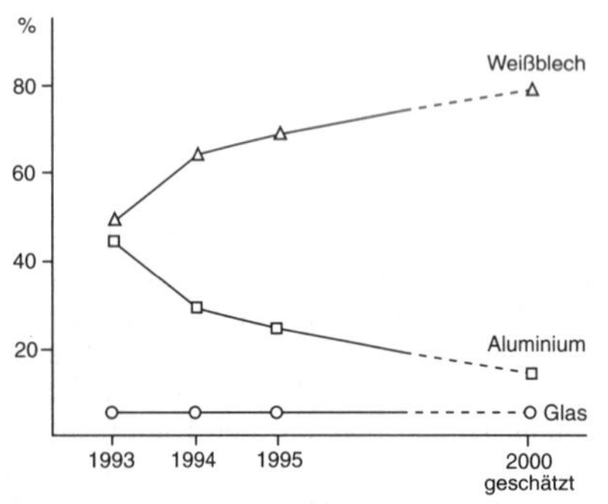

Abb. 2: Marktanteile Spraydosen in Europa [1].

Als *Treibmittel* kommen verflüssigte od. komprimierte Gase in Betracht. Auch hier richtet sich die Wahl nach dem zu versprühenden Produkt u. dem Einsatzgebiet. Bei der Verw. von *komprimierten Gasen* wie Stickstoff, Kohlendioxid od. Distickstoffoxid, die im allg. im flüssigen S.-Inhalt unlösl. sind, sinkt der Gebrauchsdruck mit jeder Ventilbetätigung. Derartige Treibmittel bieten sich v. a. bei Produkten auf wäss. Basis an u. bei solchen, die keiner bes. feinen Vernebelung bedürfen, z. B. Zahnpasten, Handcremes, Sonnenschutzmittel, Fruchtsaft- u. Gewürzkonzentrate, Schlagsahne (hier ist nur N_2O, auch zusammen mit CO_2, erlaubt), pharmazeut. S. (hier ist dagegen N_2O wegen Narkotisierungsgefahr ungeeignet, vgl. Lachgas), Reinigungs-, Schmier- u. Poliermittel-Sprays. Im Wirkstoff lösl. od. selbst als Lsm. wirkende *verflüssigte Gase* (vgl. Flüssiggase) als Treibmittel bieten den Vorteil gleichbleibenden Arbeitsdrucks u. gleichmäßiger Verteilung, denn an der Luft verdampft das Treibmittel schlagartig u. nimmt dabei ein mehrhundertfaches Vol. ein, wodurch der (feste od. flüssige) Wirkstoff viel feiner verteilt wird. Ein bei kosmet. S. oft unerwünschter Abkühlungseffekt bei der Verw. verflüssigter Gase läßt sich durch Wahl geeigneter Mischungsverhältnisse teilw. mildern.

Die als Treibmittel bes. geeigneten *FCKW (Fluorchlorkohlenwasserstoffe, besser Chlorfluorkohlenstoffe) sind heute weitestgehend ersetzt worden, seit ihre schädliche Wirkung auf die *Ozon-Schicht erkannt wurde (s. Ozon-Loch). Als Ersatz dienen überwiegend Gemische von Propan u. Butan, z. T. auch mit Dimethylether, die allerdings im Unterschied zu den FCKW brennbar sind. Zunehmende Bedeutung für die umweltbewußte Verbraucherschaft gewinnen die Treibgas-freien mechan. zu bedienenden *Pumpzerstäuber* (Pumpsprays).

Verw.: S. zeichnen sich aus durch leichte Handhabung, bequeme Dosierbarkeit, gleichmäßigen Auftrag, hygien. Anw. im persönlichen Bereich, gleichbleibende Wirksamkeit des gegen die Außenatmosphäre abgeschlossenen Inhalts etc. Sie haben sich daher als Applikationsform in Haushalt, Gewerbe u. Ind. in wenigen Jahren so weit eingebürgert, daß kaum noch Wirkstoffgruppen denkbar sind, die nicht als S. applizierbar sind.

Geschichte: Die Geschichte der Sprühdose begann bereits in der 2. Hälfte des 19. Jh., als die ersten Patente für ein Zerstäubungsventil (1862) u. ein verflüssigtes Treibgas (1889) erteilt wurden. In Norwegen wurde 1927 eine S.-ähnliche Vorrichtung patentiert. Der eigentliche Vorläufer der heutigen S. wurde während des 2. Weltkrieges in den USA entwickelt. Es handelte sich dabei um einen schweren Stahlbehälter, der ein Insektizid für die Moskitobekämpfung beim Dschungelkrieg im pazif. Raum enthielt. 1947 wurden in den USA die ersten größeren Serien von S. abgefüllt. Seither hat sich die Aerosol-Ind. in nahezu allen Ländern der Welt stark entwickelt.

Wirtschaft: Die Produktion von Spraydosen betrug 1996 in Europa 4,162 u. in den USA 3,211 Mrd. Einheiten [2], in der BRD wurden 755 Mio. Einheiten produziert [3]. Die Verteilung der BRD-Produktion auf die wichtigsten S.-Typen zeigt die Tabelle:

Tab.: Spray-Produktion 1996 (BRD) nach *Lit.* [3].

Spray-Type	Mio. Einheiten	Anteil in %
Haarsprays	329	43,3
Desodorantien (Körpersprays)	132	17,5
Andere kosmet. Sprays	33	4,4
Haushalts-Sprays (Insektizide, Leder- u. Schuhpflegemittel, Raumlufterfrischer, Wäschestärken/Bügelsprays, Teppichreiniger)	66	8,7
Autopflegemittel	51	6,7
Pharmazeut.-medizin. Präparate	42	5,6
Lacke u. Farben	33	4,4
Sonstige Spray-Produkte	71	9,4
Summe	755	100,0

– ***E*** aerosols, sprays – ***F*** sprays, pulvérisateurs, aérosols – ***I*** sprays, spruzzatori – ***S*** sprays, nebulizadores, pulverizadores, aerosoles

Lit.: [1] Aerosol Spray Report **36**, Nr. 3, 10 ff. (1997). [2] Aerosol Spray Report **36**, Nr. 9, 80 f. (1997). [3] Aerosol Spray Report **36**, Nr. 6, 34 ff. (1997).
allg.: Kirk-Othmer (4.) **1**, 670–685; **22**, 670–691 ▪ Ullmann (4.) **2**, 254–259; **7**, 114–118; (5.) **A 12**, 581–583 ▪ s. a. Aerosole. – *Zeitschriften* u. *Organisationen* s. Aerosole. – *[HS 3305 30, 3307 20, 3405 10, 7612 90]*

Spreading factor s. Hyaluronidasen.

Spreitan®. Mineralölhaltige u. -freie Spulöle zur Verbesserung der Laufeigenschaften von Garnen. ***B.:*** Henkel.

Spreitmittel s. Spreitung.

Spreitung. Bez. für die Eigenschaft eines unlösl. festen od. flüssigen Stoffes (z. B. eines niedrigviskosen Öls od. einer Lsg. von *Tensiden), sich an der Grenzfläche zweier Phasen in Form einer monomol. Schicht anzureichern. Ein Maß für die S. ist der Spreitungskoeff., der z. B. für *Entschäumer u. *Schaumverhütungsmittel bes. hohe Werte annimmt. – ***E*** **=** ***I*** spreading – ***F*** étalement – ***S*** esparcimiento

Lit.: Dörfler, Grenzflächen- u. Kolloidchemie, Weinheim: VCH Verlagsges. 1994 ▪ s. a. Tenside, grenzflächenaktive Stoffe.

Sprenggelatine. Eine gelatinöse, elast., feuchtigkeitsunempfindliche Masse mit fast ausgeglichener Sauerstoff-Bilanz, die einen der stärksten gewerblichen *Sprengstoffe darstellt.

Herst.: Die Herst. von S. erfolgt aus 92–94% Glycerintrinitrat u. 6–8% Collodiumwolle (*Cellulosenitrat mit etwa 12% Stickstoff) durch Erwärmen auf 40–50 °C. Bei teilw. Ersatz von Glycerintrinitrat, durch Ethylenglykoldinitrat (25–30%) kann die Gelatinierung bei 20 °C erfolgen; diese S. ist ungefrierbar. Durch Mischung von 20–80 Tl. S. mit 80–20 Tl. chem. wirksamen Zumischpulver (Mehl, Holzmehl, Salpeter-Arten) erhält man *Gelatinedynamite*. Diese sind allerdings heute nahezu völlig verdrängt worden durch die weniger empfindlichen gelatinösen Ammoniumnitrat-Sprengstoffe (z. B. Ammon-Gelite 1,2,3®), die zudem ein größeres Schwadenvol. besitzen. Die von *Nobel 1875 erstmals hergestellte S. wurde meist in Form der *Dynamite verwendet, z. B. seismograph. u. im Bergbau. – ***E*** blasting gelatine – ***F*** gélatine détonante (explosive) – ***I*** gelatina esplosiva – ***S*** gelatina explosiva

Lit.: Köhler u. Meyer, Explosivstoffe, 8. Aufl., Weinheim: VCH Verlagsges. 1995 ▪ s. a. Explosivstoffe, Sprengstoffe. – *[HS 3602 00]*

Sprengkapseln. S. dienen zur sicheren Zündung von Sprengstoffladungen. Sie bestehen aus gezogenen Hülsen von Kupfer od. Aluminium, in die ein *Initialsprengstoff u. eine Sekundärladung von *Tetryl, *Pentaerythrittetranitrat od. *Hexogen eingepreßt werden. S. werden nach ihrer Zündfähigkeit in 10 Typen unterteilt, von denen heute fast nur noch Nr. 8 (0,3 g Primär- u. 0,8 g Sekundärladung) für gewerbliche Zwecke Verw. findet. Die empfindlichen S. sind selbstverständlich gegen Stoß, Reibung, Schlag u. Funken zu schützen, sie unterliegen dem Sprengstoffgesetz u. den weiteren einschlägigen Bestimmungen (s. explosionsfähige Stoffe, Explosivstoffe, Sprengstoffe). Die S. od. gleichwertige *Zündmittel sind bei allen *Sprengstoffen mit Ausnahme von *Schwarzpulver u. Sprengluftgemischen (diese explodieren bereits bei Flammenzündung) nötig. Die ersten S. wurden 1867 von *Nobel eingeführt; s. a. Initialsprengstoffe u. Explosivstoffe. – ***E*** detonators, blasting caps – ***F*** capsules détonantes (fulminantes) – ***I*** detonatori – ***S*** detonadores, cápsulas detonantes

Lit.: DIN 20163: 1994-11 ▪ Köhler u. Meyer, Explosivstoffe, 8. Aufl., Weinheim: VCH Verlagsges. 1995 ▪ Ullmann (4.) **21**, 681 f.; (5.) **A 10**, 155 f. ▪ Winnacker-Küchler (4.) **7**, 396 f. ▪ s. a. Sprengstoffe. – *[HS 3603 00; G 1b]*

Sprengkraft s. Explosivstoffe.

Sprengladungen s. Hohlladungen u. vgl. die benachbarten Stichwörter.

Sprengmittel. Nach DIN 20163: 1994-11 Bez. für *Sprengstoffe, *Zündmittel u. Sprengzubehör, welche zur Ausführung einer Sprengung erforderlich sind. Im abgewandelten Sinne spricht man in der pharmazeut. Ind. von *Tablettensprengmitteln. – ***E*** blasting agents – ***F*** explosifs, matières explosives – ***I*** esplosivi, composizioni innescanti – ***S*** [agentes] explosivos

Lit.: Köhler u. Meyer, Explosivstoffe, 8. Aufl., Weinheim: VCH Verlagsges. 1995 ▪ s. a. Sprengstoffe.

Sprengnietung. Meth. zur Verb. von Metallteilen unter Verw. von *Sprengnieten*, d. h. Nieten, in deren Schaft sich eine kleine Sprengladung befindet. Der Sprengniet wird in das Bohrloch eingeführt u. auf der Kopfseite auf ca. 150 °C erwärmt, wodurch die Sprengladung zur Explosion gebracht u. das freie Ende des Nietschaftes aufgeweitet wird, so daß eine genietete Verb. entsteht. S. wird eingesetzt, wenn die Rückseite der Nietverb. nicht mit einem Werkzeug erreichbar ist. – ***E*** blast riveting – ***F*** rivetage explosif – ***I*** chiodatura esplosiva, rivettino esplosivo – ***S*** remachado explosivo

Sprengöl. Sammelbez. für flüssige *Sprengstoffe auf der Basis von Glycerintrinitrat, Ethylen- u. Diethylenglykoldinitrat u. verwandten Salpetersäureestern. – ***E*** blasting oil – ***F*** huile explosive – ***I*** olio esplosivo – ***S*** aceite explosivo

Lit.: Köhler u. Meyer, Explosivstoffe, 8. Aufl., Weinheim: VCH Verlagsges. 1995. – *[HS 3602 00]*

Sprengplattierung s. Explosionsplattierung.

Sprengpulver. Bez. für gekörntes *Schwarzpulver, das zum Sprengen verwendet wird. Das Pulver ist oberflächlich meist mit Graphit poliert, wodurch die stat. Aufladung beim Schütten vermieden u. die Rieselfähigkeit verbessert wird. S. wird zum Lossprengen von größeren Bausteinen aus Kalk- u. Granit-Steinbrüchen, zur Gewinnung von Dachschiefer u. dgl. verwendet, denn es wirkt nicht so stark zerschmetternd wie manche Dynamite, sondern mehr schiebend, so daß man größere Quader lossprengen kann. – ***E*** blasting powder – ***F*** poudre de mine – ***I*** polvere esplosiva – ***S*** pólvora explosiva (de mina)

Lit.: Köhler u. Meyer, Explosivstoffe, 8. Aufl., Weinheim: VCH Verlagsges. 1995. – *[HS 3601 00]*

Sprengsalpeter. Bez. für ein *Schwarzpulver mit Natriumnitrat (Natronsalpeter) anstelle von Kalisalpeter. Da Natriumnitrat hygroskop. ist, wird S. nicht körnig, sondern in Form von Preßlingen (30×50×5 mm, *Kunkeln*) verwendet, so daß weniger Luftfeuchtigkeit angezogen wird. Anstelle von Holzkohle verwendet man in S. auch billigere Kohlensorten od. Pech. S. werden in trockenen Steinsalz- od. Salpeterbergwerken (Chilesalpeter) häufig verwendet; s. a. Schwarzpulver, Sprengpulver. – ***E*** blasting salpetre – ***F*** poudre comprimée au nitrate de soude – ***I*** salnitro esplosivo – ***S*** salitre explosivo

Lit.: Köhler u. Meyer, Explosivstoffe, 8. Aufl., Weinheim: VCH Verlagsges. 1995. – *[HS 3601 00]*

Sprengschlämme. Wasserhaltige *Sprengstoffe von schlammiger, gel- od. breiartiger Konsistenz, die pumpfähig sind. Sie enthalten neben lösl. u. unlösl. *Explosivstoffen vielfach noch andere brennbare Stoffe (Glykol, Zucker, Mineralöl, Kohlenstaub, Schwefel u. als *Booster* wirkendes Aluminium-Pulver) sowie Quellmittel (Agar-Agar, Stärke, Guar od. Polyacrylamid) u. haben den Vorteil, ziemlich unempfindlich gegen Wärme u. mechan. Einwirkung zu sein u. das Bohrloch ganz zu füllen. Weitere Fortschritte wurden durch die Entwicklung der modernen *Emulsions-Sprengstoffe erzielt. – ***E*** blasting slurries – ***F*** boues explosives – ***I*** fanghi esplosivi – ***S*** lodos explosivos

Lit.: DIN 20163: 1994-11 ▪ Köhler u. Meyer, Explosivstoffe, 8. Aufl., Weinheim: VCH Verlagsges. 1995 ▪ Ullmann (4.) **21**, 679f.; (5.) **A 10**, 166f. ▪ Winnacker-Küchler (4.) **7**, 394f. – *[HS 3602 00]*

Sprengschnüre s. Zündmittel.

Sprengschweißen s. Explosionsschweißen.

Sprengstoffe. Diese gehören zusammen mit den *Initialsprengstoffen, Treib- u. *Schießstoffen (*Schwarzpulver u. *Schießpulver od. *Treibladungspulver*), Zündstoffen (s. Zündmittel) u. pyrotechn. Sätzen (s. Pyrotechnik) zu den *Explosivstoffen. Sie werden für gewerbliche Zwecke in *Sprengmitteln od. für Jagd- u. militär. Zwecke in *Munition eingesetzt. Für den jeweiligen Verw.-Zweck ist ausschlaggebend, ob der Explosivstoff mehr schiebend wirkt (als *Schießstoff* bzw. Treibladungspulver) od. mehr zertrümmernd (S. im engeren Sinne); näheres zur Definition u. Ermittlung der sprengtechn. Eigenschaften s. Explosivstoffe, vgl. a. Detonation.

Als S. werden im allg. einzelne Explosivstoffe bzw. deren Gemische verwendet, z. B. durch *Nitrierung erhältliche *Salpetersäureester (*Glycerintrinitrat, *Mannitolhexanitrat), *Nitro-Verbindungen (*2,4,6-Trinitrotoluol, TNT), Nitramine (*Hexogen), *Nitrosamine, Ammoniumpikrat. Auch explosionsfähige Gemenge verschiedener Substanzen kommen zum Einsatz, z. B. *Schwarzpulver, *Dynamit, Ammonsalpeter-S., *Chlorat-Sprengstoffe, Flüssig-Luft-S. (*Oxyliquit), Treibstoff-Luft-S. (Fuel Air Explosives = FAE), Kohlenwasserstoff-Stickstoffdioxid-S. (*Panclastit). Die früher viel verwendete *Pikrinsäure ist wegen ihrer Gefährlichkeit durch TNT ersetzt worden. Das von Alfred *Nobel als erster fester S. entwickelte u. früher so wichtige Dynamit ist heute in den *Gesteins-*, aber auch in den *Wettersprengstoffen weitgehend durch andere S. ersetzt worden, meist auf der Basis von Ammoniumnitrat (*Beisp.:* *ANC-Sprengstoffe).

Die Anforderungen an S. für gewerbliche u. militär. Zwecke sind so unterschiedlich, daß zivile S. militär. nicht verwendet werden können. Die *Sensibilität* gewerblich verwendeter S. darf aus Sicherheitsgründen nicht zu hoch sein. Unempfindlichkeit gegen Stoß, Reibung u. Wärme sowie Lagerbeständigkeit erreicht man durch *Phlegmatisierung (z. B. mit Centraliten), Änderung der Mischungsverhältnisse, spezif. Formgebung (s. die Gesichtspunkte bei Schießpulver), ggf. auch durch *Verstärker-Zusatz (*E* booster).

Kleinere Sprengladungen werden aus pulverigen S.-Gemischen gepreßt, größere gegossen; *plastische Sprengstoffe*, d. h. knetbare Mischungen hochbrisanter S. werden mit Hilfe von Plastifizierungsmitteln (Vaseline, Kunststoffe, Wachse) hergestellt u. z. B. als sog. *Plastikbomben* verwendet. Unter letzteren versteht man aber auch in Plastikbeutel abgefüllte S., die meist zu kriminellen Zwecken Verw. finden. Eine wichtige Kenngröße für S. ist die *Ladedichte*, d. h. das Verhältnis von S.-Gewicht zum Vol. des Explosionsraumes, da hiervon Arbeitsvermögen, Brisanz u. Detonationsgeschw. abhängen. Bes. Anforderungen werden an *seismische S.* – das sind S. zur Erzeugung eines Druckstoßes bei seism. Messungen – gestellt; sie müssen auch unter hohen hydrostat. Drücken noch voll detonieren.

Die S.-Analytik ist ein wichtiges Arbeitsgebiet der *Forensischen Chemie, wobei HPLC, Gas- u. Dünnschichtchromatographie die dominierenden Meth. sind. Zur Identifizierung von S. hat sich die bei der Herst. vorgenommene *Markierung mit Leuchtstoffen od. Ferriten bewährt. Herst. u. Handhabung von S. werden durch das *Sprengstoffgesetz* in der Neufassung vom 17. April 1986 (BGBl. I, S. 578) geregelt. Beim Umgang mit S. sind die Unfallverhütungsvorschriften Sprengarbeiten (VBG 46) sowie Explosivstoffe u. Gegenstände mit Explosivstoff (mit den zugehörigen Einzelvorschriften für die Herst., VBG 55a–l) zu beachten.

Nach der GefstoffV sind S. mit dem Gefahrensymbol „Explosionsgefährlich" zu kennzeichnen. E – ***E*** explosives – ***F*** explosifs, matières explosives – ***I*** esplosivi – ***S*** explosivos

Lit.: DIN 20163: 1994-11 ▪ Kirk-Othmer (4.) **10**, 1–68 ▪ Köhler u. Meyer, Explosivstoffe, 8. Aufl., Weinheim: VCH Verlagsges. 1995 ▪ Ullmann (4.) **21**, 637–697; (5.) **A 10**, 143–172 ▪ Winnacker-Küchler (4.) **7**, 346–403 ▪ s. a. Explosivstoffe u. a. Textstichwörter.

Springheuschrecken s. Heuschrecken.

Sprinkleranlagen. Im *Brandschutz versteht man unter S. automat. arbeitende Berieselungsanlagen als Feuerlöschsyst. für Lagerhallen, Kaufhäuser, Bürohäuser, Theaterräume, Fahrgastschiffe usw. Die S. bestehen aus Druckwasserleitungen, die in die Deckenschalung von feuergefährdeten Räumen in geeigneten Abständen eingebaut u. mit Brausen versehen sind. Die Öffnungen der Brausen sind mit Weichlot verschlossen, das bei ca. 70 °C schmilzt (*Schmelzsicherung) u. dann das Löschwasser austreten läßt, so daß sofort nach dem Entstehen eines Brandes das Löschen selbsttätig beginnt. Andere S. sind mit opt. od. therm. Sensoren gekoppelt. Aus Statistiken geht hervor, daß 96,2% aller Brände durch S. selbsttätig gelöscht werden u. nur Wassermangel od. Explosionsschäden die Ursache eines Versagens bilden. Andererseits kann das Fehlen von S. im Brandfall enorme Primär- u. Sekundärschäden zur Folge haben (*Beisp.:* Rheinverschmutzung infolge Großbrand in Baseler Chemiewerk 1986). – ***E*** (automatic) sprinklers – ***F*** arroseurs – ***I*** impianto antincendio a Sprinkler – ***S*** rociadores automáticos contra incendios

Lit.: s. Arbeitssicherheit, Brandschutz, Feuerlöschmittel.

Sprit. Von *Spiritus abgeleitete umgangssprachliche Bez., die außer bei den Handelsformen für *Ethanol auch in anderen Zusammenhängen anzutreffen ist,

z. B. als Bez. für *Benzin, als Brennsprit, Essigsprit für 3fachen *Essig.
Im lebensmittelchem. Sinn handelt es sich bei S. um hochreines, von der Branntweinmonopolverwaltung geliefertes u. zur Herst. von Trinkbranntwein geeignetes Ethanol. S. erhält man durch fraktionierte Dest. unter Abtrennung von Vor- u. Nachlauf aus Spiritus. *Feinfiltrierter S.* ist zusätzlich über Kohle filtriert, *extra feiner S.* noch weiter aufgereinigt. – ***E*** spirit, alcohol, petrol – ***F*** alcool, essence – ***I*** spirito, etanolo, benzina – ***S*** alcohol, gasolina

Lit.: Alkohol-Ind. **109**, 232–233 (1996) ▪ Market Res. Eur. **28**, 1–22 (1996) ▪ Ullmann (5.) **A 19**, 247; **A 24**, 551 ▪ Zipfel, C 419 Vorb. 17. – *[HS 2207 10]*

Spritblau s. Anilinblau.

Spritessig s. Essig.

Spritlacke (Spirituslacke). Umgangssprachliche Bez. für *Lacke mit alkohol. Lösemitteln.

Spritzflaschen. Laborgeräte der hier abgebildeten Art aus Glas bestehen aus einem Langhalsstehkolben mit doppelt durchbohrtem Gummistopfen od. Normschliff, einem langen, abwärts gebogenen Spritz- u. einem kurzen, aufwärts gerichteten Blasröhrchen. Der durch das Einblasen von Luft in die S. entstandene Überdruck bewirkt den Austritt eines Flüssigkeitsstrahls durch das Spritzrohr. Dieses Prinzip wurde bereits im 1. Jh. nach Christus von dem griech. Mechaniker u. Mathematiker Heron von Alexandria als sog. Heronsball beschrieben u. findet noch heute bei Parfümzerstäubern u. S. seine Anwendung. S. fassen 250–2000 mL u. dienen gewöhnlich zum bequemen Einfüllen von dest. Wasser od. anderen Flüssigkeiten in Probiergläser, Bechergläser u. dgl.; auch zum Auswaschen beim Filtrieren u. dgl. verwendbar. S. aus Kunststoff enthalten nur das Steigrohr; der nötige Überdruck entsteht durch Zusammenpressen der flexiblen Flasche.

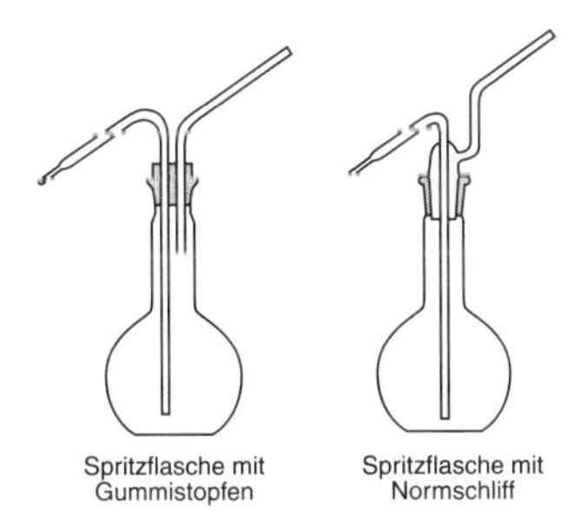

Abb.: Spritzflaschen.

– ***E*** wash[ing] bottles – ***F*** pissettes, fioles à jet – ***I*** flacconi spruzzatori, bombole spruzzatrici – ***S*** frascos lavadores

Spritzgießen. Bez. für die Verarbeitung von hauptsächlich Kunststoffen. Nach DIN 16700: 1967-09 bedeutet S. „das Umformen der Formmasse derart, daß die in einem Massezylinder für *mehr als einen* Spritzgießvorgang enthaltene Masse unter Wärmeeinwirkung plast. erweicht u. unter Druck durch eine Düse in den Hohlraum eines vorher geschlossenen Werkzeuges einfließt" (s. dagegen Spritzpressen). Das Verf. wird hauptsächlich bei nichthärtbaren Formmassen angewendet, die im Werkzeug durch Abkühlen erstarren. Der *Spritzguß* ist ein sehr wirtschaftliches modernes Verf. zur Herst. spanlos geformter Gegenstände u. eignet sich bes. für die automatisierte Massenfertigung. Im prakt. Betrieb erwärmt man die thermoplast. Formmassen (Pulver, Körner, Würfel, Pasten u. a.) bis zur Verflüssigung (bis 180 °C) u. spritzt sie dann unter hohem Druck (bis 140 MPa) in geschlossene, zweiteilige, d. h. aus *Gesenk* (früher Matrize) u. *Kern* (früher Patrize) bestehende, stählerne, wassergekühlte Hohlformen (s. schemat. Abb.), wo sie abkühlen u. erstarren. Es gibt Kolben- u. Schneckenspritzgußmaschinen (vgl. Extrudieren). Während Kolbenmaschinen u. die leistungsfähigeren Kolbenmaschinen mit Schneckenvorplastifizierung im Kunststoffbereich nur noch in Sonderfällen benutzt werden, sind heute für die Herst. kompakter Formteile prakt. nur noch Schubschneckenmaschinen im Einsatz. Als *Formmassen (*Spritzgußmassen*) werden Polystyrol, Polyamide, Polyurethane, Celluloseether u. -ester, Polyethylen, Polymethacrylsäureester u. a. Thermoplaste, im Werkzeug aushärtende Duroplaste bzw. vulkanisierende Elastomere aus Kautschuk od. Siliconkautschuk u. teilw. auch Schaumkunststoffe (vgl. RIM) eingesetzt. Mit einer einzigen Hohlform kann man bis zu 1 Mio. *Spritzgußteile* (z. B. Radiogehäuse, Tassen, Becher, Bestecke, Schüsseln, Spielzeuge, Schalter u. dgl.) herstellen. Ein Nacharbeiten ist nur in manchen Fällen erforderlich. Bei PVC, das beim Spritzen HCl-Spuren abgeben kann, reichen Formen aus Säure-beständigem Stahl für ca. 300000 Spritzungen. Bei der Gießerei von schweren, dickwandigen Teilen spricht man von *Intrusion* od. Fließgießverfahren. Einen kurzen Überblick über die Technik des S. u. ihre Geschichte in der Kunststoffverarbeitung findet man in *Lit.*[1].

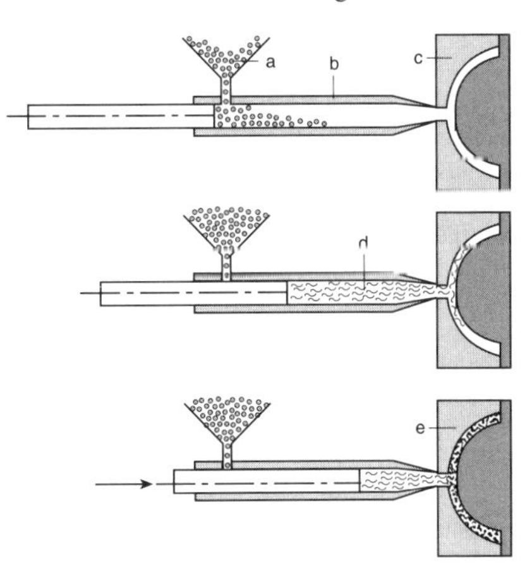

Abb.: Schemat. Darst. des Spritzgußverf.: a = feste Spritzgußmasse, b = Heizmantel der Spritzgußmaschine, c = leere Form, d = geschmolzene Spritzgußmasse, e = Form mit dem erstarrten Spritzgußstück.

Das S. findet auch in der Pulvermetallurgie, bei der Herst. von keram. Werkstoffen u. Porzellan Anwendung. – ***E*** injection mo[u]lding – ***F*** moulage par injection – ***I*** stampaggio iniezione – ***S*** moldeo por inyección

Lit.: [1] Kunststoffe **75**, Nr. 4, V–XIV (1985).
allg.: ACHEMA-Jahrb. **1988**, 2752, 2753 ▪ Kirk-Othmer (3.) **18**, 195 ff. ▪ Encycl. Polym. Sci. Eng. **8**, 102–138 (1985) ▪ Menges et al., Lernprogramm Spritzgießen, München: Hanser 1980 ▪ Spritzgießmaschinen (VBG 7 ac), Köln: Heymanns 1980 ▪ Ullmann (5.) **A 21**, 515 ff.; **A 22**, 118 ▪ VDI-Gesellschaft Kunststofftechnik, Spritzgießen 2000 – Technik im Wandel, Düsseldorf: VDI-Verl. 1996 ▪ Winnacker-Küchler (4.) **6**, 449, 466–469, 596.

Spritzguß s. Spritzgießen.

Spritzmetallisieren s. Metallspritzverfahren u. Kunststoff-Metallisierung.

Spritzmittel. Im Pflanzenschutz u. in der Schädlingsbekämpfung Bez. für solche Mittel, die durch Versprühen od. Verspritzen ihrer wäss. Lsg. mit Hilfe trag- od. fahrbarer Geräte ausgebracht werden. – ***E*** spray agent – ***F*** agents de pulvérisation – ***I*** sostanze spruzzabili – ***S*** agentes de pulverización

Spritzplattieren s. Flammspritzen.

Spritzpressen (Transferpressen, veraltete Bez.: Preßspritzen). Nach DIN 16700: 1967-09 bedeutet S. das „Formen der *Formmasse derart, daß die in einer Druckkammer für *einen* Spritzpreßvorgang enthaltene Masse unter Wärmeeinwirkung plast. erweicht u. unter dem Druck des Stempels durch einen od. mehrere Kanäle in den Hohlraum eines vorher geschlossenen Werkzeuges gepreßt wird" (vgl. dagegen Spritzgießen). Das Verf. wird hauptsächlich bei härtbaren Formmassen angewandt, die im Werkzeug durch chem. Umwandlung (*Vernetzung) erstarren. – ***E*** transfer mo[u]lding – ***F*** moulage par transfert – ***I*** stampaggio a trasferimento – ***S*** moldeo por transferencia
Lit.: Encycl. Polym. Sci. Eng. **4**, 79–108 (1985) ▪ s. a. Spritzgießen.

Sprödigkeit. Unter S. versteht man die Eigenschaft von Festkörpern, unter Beanspruchung zu zerbrechen anstatt plast. od. elast. *Deformation zu erleiden (s. Plastizität, Elastizität). Das *Bruchverhalten ist von der *Härte fester Körper abhängig – spröde sind im allg. Stoffe mit einer Ritzhärte >6 nach der Mohsschen Härteskala. Elast. bzw. plast. Körper werden spröde, wenn man sie unter den *S.-Punkt* abkühlt; *Beisp.:* Ein kurzzeitig in flüssige Luft getauchter Gummischlauch. S. zeigen viele Mineralien u. keram. Werkstoffe, einige intermetall. Verb., metall. Carbide u. dgl. Manche Werkstoffe können auch auf Einwirkung von chem. Agenzien od. physikal. Prozessen mit *Versprödung reagieren, z. B. beim Beizen, durch Wärmebehandlung od. durch Einwirkung von Wasserstoff. Die Technologie spröder Werkstoffe wird als *Thraustik bezeichnet. – ***E*** brittleness – ***F*** fragilité – ***I*** fragilità – ***S*** fragilidad
Lit.: Briant u. Banerji, Embrittlement of Engineering Alloys, New York: Academic Press 1983 ▪ Encycl. Polym. Sci. Eng. **9**, 451–462 ▪ Ullmann (4.) **22**, 51.

Sproßpilze s. Hefen.

Sprossung s. Knospung.

S-100-Protein. Zuerst aus Gehirn isoliertes, aber auch in Skelettmuskel u. v. a. im Herz vorkommendes *Protein (M_R 21 000, Dimer der Zusammensetzung α_2, $\alpha\beta$ od. β_2, wobei α u. β einander ähnliche Untereinheiten mit 93 bzw. 91 Aminosäure-Resten sind). Das S-100-P. ist reich an den sauren *Aminosäuren L-Asparaginsäure u. L-Glutaminsäure u. bindet Calcium-Ionen schwach, Zink-Ionen dagegen sehr fest. Die Funktion des S-100-P. ist noch nicht zur Genüge bekannt. Eine Reihe Sequenz-verwandter Proteine sind bekannt geworden, unter ihnen z. B. *Calbindin D_{9K}, das allerdings nicht dimerisiert u. Calpactin-I-leichte Kette (vgl. Annexine); sie bilden die S-100-Subfamilie der *EF-Hand-Proteine. Die Funktionen der meisten dieser Proteine sind unbekannt, wahrscheinlich nehmen sie aber an der Regulation von Zellcyclus, -wachstum u. -differenzierung teil. – ***E*** S-100 protein – ***F*** protéine S-100 – ***I*** proteina S-100 – ***S*** proteína S-100
Lit.: Trends Biochem. Sci. **21**, 134–140 (1996).

Sprottenöl s. Fischöle.

Sprudel. 1. Umgangssprachliche Bez. für *Mineral- u. *Tafelwasser.
2. Nach § 8 Absatz 5 der Mineral- u. Tafelwasser-VO [1] darf die Bez. für *Säuerlinge verwendet werden, die aus einer natürlichen od. künstlichen Quelle im wesentlichen unter natürlichem Kohlensäuredruck hervorsprudeln. Auch *Mineralwasser, das unter Kohlendioxid-Zusatz (mind. 250 mg/L) abgefüllt wurde, darf als S. bezeichnet werden; s. a. Mineralwasser. – ***E*** mineral (soda) water – ***F*** eau gazeuse – ***I*** acqua minerale (gassata), soda – ***S*** soda, agua mineral
Lit.: [1] Mineral- u. Tafelwasser-VO vom 1. 8. 1984 in der Fassung vom 27. 4. 1993 (BGBl. I, S. 512, 527).
allg.: Ullmann (4.) **12**, 229 ▪ Zipfel, C 435 *8*, 12. – *[HS 2201 10, 2201 90]*

Sprühdosen s. Sprays.

Sprühextraktion s. Teppichpflegemittel.

Sprühkleber. In Form von *Sprays angebotene *Klebstoffe.

Sprühkolonnen s. Destillation.

Sprühneutralisation. Verf. zur Herst. von trockenen *Aniontensid-Pulvern. Hierbei werden die bei der *Sulfierung anfallenden rohen *Sulfonsäuren od. Schwefelsäurehalbester gleichzeitig mit Alkalilauge neutralisiert u. einer *Sprühtrocknung unterworfen. – ***E*** spray neutralization – ***F*** neutralisation par pulvérisation – ***I*** neutralizzazione sprizzante – ***S*** neutralización por pulverización

Sprühreagenzien. Als *Sprays in der *Dünnschicht- u. *Papierchromatographie gebräuchliche Reagenz-lsg. zur Sichtbarmachung von Chromatogrammen. – ***E*** spray reagent – ***F*** réactifs à pulvériser – ***I*** reattivi spray – ***S*** reactivos de pulverización, reactivos a pulverizar

Sprühtrocknung. Verf. zur Herst. von pulverförmigen *Waschmitteln. Der erste Schritt des Verf. ist die Herst. einer wäss. Aufschlämmung („Slurry") der therm. stabilen Waschmittel-Inhaltsstoffe, die sich unter den Bedingungen der S. weder verflüchtigen noch zersetzen (z. B. *Tenside, *Builder, *Stellmittel). Anschließend wird der Slurry über Pumpen in den Sprühturm befördert u. über im Kopf des Turms befindliche Düsen versprüht (s. Abb. S. 4201).
Aufsteigende Luft mit einer Temp. von 250 bis 350 °C trocknet den Slurry u. verdampft das anhaftende Was-

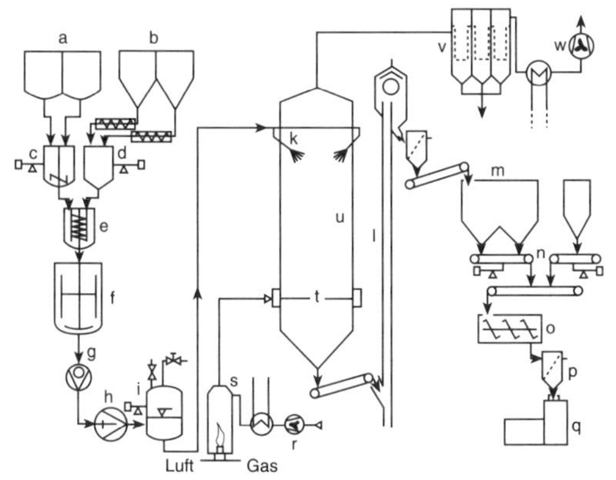

Abb.: Flußdiagramm des Sprühtrocknungsprozesses für Waschmittel (Gegenstrom Hochdruck-Düsenzerstäubung); a) Lagertanks für flüssige Einsatzstoffe, b) Lagersilos für feste Einsatzstoffe, c) Wägekessel für Flüssigkeiten, d) Wägekessel für Feststoffe, e) Mischkessel, f) Zwischentank, g) Kompressor, h) Hochdruckpumpe, i) Belüftungskessel, k) Sprühdüsen, l) Airlift, m) Lagerbunker, n) Förderbänder, o) Pulvermischer, p) Sieb, q) Verpackungsanlage, r) Lufteingangsgebläse, s) Brenner, t) Ringkanal, u) Sprühturm, v) Tuchfilter, w) Abluftgebläse.

ser, so daß die Waschmittel-Bestandteile am Auslaß des Turms (Temp. 80–120 °C) als feine Pulver erhalten werden. Diesen können bei Bedarf weitere Temp.-labile Bestandteile, wie z. B. Bleichmittel od. Duftstoffe, zugemischt werden. Bei der S. ist zu beachten, daß hohe Temp. u. hohe Durchsatzgeschw. zu *Pluming u. *Staubexplosionen führen können. In der modernen Waschmittelherst. wird die S. zugunsten von Misch- u. Extrusionstechnologien immer mehr zurückgedrängt. – ***E*** spray drying – ***F*** séchage par pulvérisation – ***I*** essiccazione sprizzante – ***S*** secado por pulverización

Lit.: Jakobi u. Löhr, Detergents and Textile Washing, S. 128 ff., Weinheim: VCH Verlagsges. 1987 ▪ Showell (Hrsg.), Powdered Detergents, New York: Dekker 1998.

Sprungschicht. Horizontaler Umweltbereich (global: Kugelschale), Schicht, an der sich chem. od. physikal. Eigenschaften sehr stark ändern. Bezüglich einer vertikalen Temp.-Änderung in einem See spricht man von *Thermokline* u. bezeichnet die Schicht, die warmes Oberflächen- (Epilimnion) von kaltem Tiefenwasser (Hypolimnion) trennt, also *Metalimnion*[1]. Die S. von chem. Parametern bezeichnet man allg. als *Chemokline*[2] od. speziell nach dem betroffenen Stoff, z. B. Nitrat als *Nitrakline*[3]. S. in der *Atmosphäre sind die *Inversions-Schichten od. Pausen[4]. – ***E*** discontinuity layer – ***F*** couche de discontinuité – ***I*** strato discontinuo – ***S*** capa de discontinuidad

Lit.: [1]Römpp Lexikon Umwelt, S. 642 f. (Seenschichtung). [2]Uhlmann, Hydrobiologie (3.), S. 43–49, Stuttgart: G. Fischer 1988. [3]Limnol. Oceanogr. **34**, 493–513 (1989). [4]Fonds der chem. Ind., Umweltbereich Luft (2.), S. 6 ff., Frankfurt: VCI 1995.

Sprungtemperatur s. Hochtemperatur-Supraleiter u. Supraleitung.

Spülmittel s. Bohrspülmittel, Geschirrspülmittel u. Waschmittel.

Spürmittel s. Forensische Chemie u. Tracer.

Spulöle. Öle od. Öl-in-Wasser-Emulsionen (evtl. durch *Tenside stabilisiert) zum Spulfähigmachen von Garnen. Die S. bewirken eine Erhöhung von Geschmeidigkeit u. Gleitfähigkeit vor Spul- u. Wirkprozessen. – ***E*** coning [spooling] oils – ***F*** huile de bobinage – ***I*** oli di bobina – ***S*** aceite de bobinado

Lit.: Rouette, Lexikon für Textilveredlung, Bd. 3, 2054 f., Dülmen: Laumann-Verl. 1995 ▪ Ullmann (4.) **23**, 6, 11 f.; (5.) **A 26**, 242 f. – *[HS 2710 00, 3403 11]*

Spulwürmer s. Nematoden u. Würmer.

Spumoide s. Schaum.

Spuren. 1. s. Spurenanalyse, Spurenelemente, Konzentration u. Nachweisgrenze; – 2. s. Kernspaltspuren.

Spurenanalyse. Sammelbez. für die analyt. Meth., durch die Mikromengen einer Substanz in Makromengen von anderem Material erfaßt werden. Im angelsächs. Schrifttum wird oft nicht zwischen der S. u. der *Mikroanalyse unterschieden. Unter „Spuren" versteht man im allg. Gehalte unter 0,01% (100 ppm); dieser Bereich läßt sich aufgrund der Fortschritte in der analyt. Technologie unterteilen in die Bereiche (Angaben in *ppm): *Spuren* (10^2–10^{-4}), *Mikrospuren* (10^{-4}–10^{-7}), *Nanospuren* (10^{-7}–10^{-10}) u. *Pikospuren* (10^{-10}–10^{-13}), wobei 100 ppm als obere Grenze genommen wird; vgl. *Lit.*[1], wo auch die Bez. *Ultra-S.* eingeführt wird für Meth., bei denen Gehalte ≤100 ppm in Substanzmengen von ≤10^{-4} g (s. Ultramikroanalyse) bestimmt werden. Bei noch niedrigeren Erfassungsbereichen (10^{-6} bis 10^{-9} g) spricht man manchmal von *Submikroanalyse* od. *Nanogramm-Methoden*. Für derartige Bestimmungen kommen nur Meth. der *physikalischen Analyse in Frage wie elektrochem. Meth., Photometrie u. Fluorimetrie, spektrochem. Analyse im weitesten Sinne, Aktivierungsanalyse, Massenspektrometrie auch zusammen mit Isotopenverdünnungsanalyse angewandte Radiochemie, katalyt. Nachw.-Reaktionen. Die enzymat. Analyse u. bes. biolog. Meth. – bei *Pheromonen gelingt z. B. der Nachw. selbst von Einzelmolekülen! – sind ebenfalls sehr empfindliche Verf. der Spurenanalyse.

Bei der S. unterscheidet man zwischen Direkt- u. Verbundverfahren. Beim *Direktverf.* werden chem. Elemente in ihrer „natürlichen Umgebung" bestimmt, z. B. durch Atomabsorptionsspektroskopie, Emissionsspektroskopie, Elementmassenspektrometrie (bes. mit *ICP), Röntgenfluoreszenzspektroskopie. Schwierigkeiten ergeben sich, wenn keine geeigneten *Standards mit gleicher Matrix-Zusammensetzung od. gar „zertifizierte Standards"[2] für die Kalibrierung vorhanden sind. Bes. für die organ. S. werden analyt. Meth. eingesetzt, welche Syst. mit unterschiedlichen Meßprinzipien kombinieren (*Kopplungstechniken). Zur Durchführung solcher *Verbundverf.* sind Aufschluß, Trennverf. u. Anreicherung notwendig, bevor eine *quantitative Analyse der isolierten Bestandteile durchgeführt werden kann. Dabei werden chromatograph. Meth. wie Gaschromatographie (GC), Supercritical Fluid Chromatographie (SFC) u. High Performance Liquid Chromatographie (HPLC) mit spektroskop. Meth. wie Massenspektrometrie (MS), Fourier Transform Infrarot (FT-IR) u. Atomemissions- bzw. -absorptionsspektroskopie (AES, AAS) gekoppelt. Der

Vorteil dieser gekoppelten Meth. liegt in der effektiven Abtrennung der Matrix u. in der erhöhten Nachweisstärke. Bei der Probenvorbereitung schleichen sich leicht systemat. Fehler ein, die nicht durch *Fehlerrechnung (s. a. Statistik) behoben werden können. Man denke an das Einschleppen von Verunreinigungen durch die Reagenzien (s. a. chemische Reinheit), durch Staub u. Aerosole aus der Luft (s. a. Reinraumtechnik) u. Geräte; die Gefäßwände können durch Adsorptions- u. Desorptionsvorgänge Ergebnisse verfälschen.

Verw.: Zum Nachw. von *Spurenelementen in Biologie, Medizin u. Chemie, Lebensmittelchemie, Metallurgie, Kernchemie, bei der Erzprospektion, im Umweltschutz, Kriminalistik usw. In der Toxikologie u. a. Arbeitsgebieten ist man oft zusätzlich daran interessiert, über den Wertigkeits-, allg. über den Bindungszustand der nachgewiesenen Elemente etwas aussagen zu können (sog. *Speciation*), denn beispielsweise ist Cr^{6+} giftiger als Cr^{3+}, Hg^{2+} giftiger als Hg^{+}, As^{3+} giftiger als As^{5+}. Angesichts verschärfter Umweltschutz-Gesetze u. -VO (Höchstmengen-, Trinkwasser-, Großfeuerungsanlagen-VO, TA Luft, Abfallbeseitigungsgesetz u. dgl.) nimmt heute die S. einen bedeutenden Platz ein bei der Untersuchung von Abwasser, Luftverunreinigungen durch die von der Ind. verursachten Immissionen, von Verunreinigungen (z. B. der Nahrungsmittel) durch Schwermetalle wie Hg, Pb, Cd etc. sowie bei weiteren Problemen der ökolog. Chemie wie z. B. der *Rückstands-Analytik von Pflanzenschutzmitteln, von *PCB im Klärschlamm, von *PAH in Autoabgasen, von polychlorierten Kohlenwasserstoffen im Flugstaub aus Müllverbrennungsanlagen, von *Nitriten od. *Chlorkohlenwasserstoffen im Trinkwasser, von Schwermetallen in Phytopharmaka. Die für das jeweilige Problem geeigneten Analysen-Meth. werden unter den erwähnten Begriffen sowie unter den einzelnen Verb. u. Verb.-Klassen behandelt. Derartige Messungen werden vielfach von mobilen Stationen durchgeführt, um bes. auch zeitliche Schwankungen in der Zusammensetzung der untersuchten Materie beobachten zu können. Weitere Anw.-Gebiete der S. sind die Forens. Chemie u. die Kunstwerkprüfung. – ***E*** trace analysis – ***F*** analyse des traces – ***I*** analisi di tracce – ***S*** análisis de trazas

Lit.: [1] Pure Appl. Chem. **54**, 43–47 (1979). [2] Chem. Labor Betr. **38**, 46–51 (1987).
allg.: Analyt.-Taschenb. **6**, 125–168, 237–280 ■ Lobinski u. Marczenko, Spectrochemical Trace Analysis for Metals and Metalloids, Amsterdam: Elsevier 1996 ■ Prichard, Trace Analysis, Cambridge: Royal Society of Chemistry 1996 ■ Sigrist, Air Monitoring by Spectroscopic Techniques, New York: Wiley 1994 ■ Vandecasteele u. Block, Modern Methods for Trace Element Determination, Chichester: Wiley 1995.

Spurenanreicherung s. Trennen.

Spurenelemente. Bez. für eine Reihe von *chemischen Elementen, die der menschliche, tier. u. pflanzliche Organismus nur in „Spuren" (vgl. Spurenanalyse) enthält, die aber oftmals lebenswichtige Aufgaben erfüllen. Die vorgeschlagene Größenordnung für lebensnotwendige *Mineralstoffe hinsichtlich ihrer Zuordnung zur Gruppe der S. liegt bei Werten unter 50 mg/kg bezüglich der Konz. im Organismus u. in der Nahrung. Demgegenüber liegt der Körperbestand an den zu den Mengenelementen (Makroelemente) zu zählenden Mineralstoffen Ca, P, K, Cl, Na u. Mg mit teilw. über 1 g/kg deutlich darüber. Die Konz. für essentielle S. im menschlichen Organismus liegt zwischen 0,02–60 mg/kg, für nichtessentielle S. zwischen 0,0004–4,6 mg/kg. Die Tageszufuhr an S. bewegt sich in Abhängigkeit von der Nahrung etwa zwischen 0,002–33 mg. Über die Verteilung im Körper liegen ebenfalls Werte vor. Ihre Wirkung entfalten die S. nur in ion. gelöster od. komplexgebundener Form.

Eine Einteilung der S. kann wie folgt geschehen:
- Elemente, deren Notwendigkeit für den Menschen erwiesen ist u. deren Mangel zur Manifestation klin. Symptome führt (essentielle S.): Eisen, Kupfer, Zink, Chrom, Selen, Lithium, Cobalt, Molybdän, Iod, Silicium, Fluor, Mangan.
- Elemente, deren Funktion für den Menschen noch nicht genügend gesichert ist: Zinn, Nickel, Vanadium, Arsen.
- Elemente, die in größeren Mengen beim Menschen tox. wirken: Cadmium, Molybdän, Blei, Quecksilber, Arsen, Bor, Zinn.

Im Rahmen dieser Einteilung, die wie das Beisp. Molybdän zeigt, fließend ist, ist zu bedenken, daß auch essentielle S. in höheren Konz. tox. sein können (Cobalt) u. daß bisher als tox. eingestufte S. später in geringer Konz. als essentiell erkannt werden können. Klass. Beisp. ist das *Selen, das bis 1957 ausschließlich als tox. S. betrachtet wurde, von dem heute aber bekannt ist, daß es in den *Enzymen *Glutathion-Peroxidase, Iod-Thyronin-Deiodase u. Phospholipid-Hydroperoxid-Glutathion-Peroxidase als *Selenocystein eine entscheidende Rolle in der Entgiftung von membranschädigenden Hydroperoxiden (s. Ranzigkeit) spielt [1], u. darüber hinaus immunmodulator.[2], antimutagene u. anticarcinogene Wirkung [3] besitzt. Einen Überblick zur Physiologie u. Toxikologie des Selens gibt *Lit.*[4].

Neben dem oben genannten Kriterium „Essentialität" ist auch eine Einteilung der S. nach Funktionalität möglich:
- hormonelle Funktion (Iod)
- katalyt. Funktion (z. B. Cobalt, Eisen, Molybdän, Selen, Zink)
- strukturelle Funktion (Fluor, Silicium)
- S. mit anderen Funktionen (Eisen, Selen).

Die Mehrfachnennungen verdeutlichen, daß S. mehrere Funktionen haben können.

Einen umfassenden Überblick zur Einteilung u. zur Physiologie u. Toxikologie der einzelnen S. gibt *Lit.*[5].

Physiologie: In Tab. 1 u. 2 auf S. 4203 sind die Funktion der einzelnen S. sowie deren Mangelsymptomatik zusammengefaßt.

Kenntnisse zur Größenordnung einer wünschenswerten Aufnahme mit der Nahrung sowie zum Gehalt vieler Lebensmittel an S. sind noch unsicher u. die diesbezüglichen Angaben schwanken unter Berücksichtigung der unterschiedlichen Resorptionsraten in weiten Grenzen. Empfehlungen zur optimalen Versorgung des Menschen mit S. (u. *Vitaminen) werden sowohl von

Tab. 1.: Funktion u. Nahrungsquellen der Spurenelemente.

Element	ausgewählte Funktionen	ausgewählte Nahrungsquellen
As	essentiell für das Wachstum von Hühnern, Ratten u. Ziegen	Fisch
Co	Baustein von Vitamin B_{12}	Hülsenfrüchte, Nüsse, Wurzelgemüse
Cr	Steigerung der Wirksamkeit von Insulin (damit Bedeutung für die Glucose-Verwertung)	Fleisch, Vollkornerzeugnisse, Honig, Bierhefe
Cu	Bestandteil oxidierender Enzyme, Elastin-Vernetzung	Hülsenfrüchte, Leber, Nüsse
F	Kariesverhütung durch Enzymhemmung, Bestandteil von Knochen- u. Zahnsubstanz	Fleisch, Eier, Obst, Gemüse
Fe	O_2- u. Elektronen-Transport als Bestandteil der Farbstoffe Hämoglobin u. Myoglobin Bestandteil von Enzymen (Peroxidase, Katalase, Hydroxylasen, Flavin-Enzyme)	Fleisch, Herz, Niere, Leber, Vollkornerzeugnisse, Gemüse, Hülsenfrüchte
I	Bestandteil der Schilddrüsenhormone Thyroxin u. Triiodthyronin	Seefische, Eier, Milch
Li	Phosphatase im Metabolismus von Inositol(di)phosphat ist Li-sensitiv	
Mn	Metabolismus der Mucopolysaccharide, Bestandteil der Pyruvat-Carboxylase, aktiviert verschiedene Enzyme wie Arginase, Aminopeptidase, alkal. Phosphatase, Steigerung der Verwertbarkeit von Vitamin B_1	Getreideprodukte, Spinat, Beerenfrüchte, Hülsenfrüchte
Mo	Enzymaktivierung	Hülsenfrüchte, Getreideprodukte, Blattgemüse, Leber, Nieren, Milchprodukte
Ni	Wechselwirkung mit Eisen-Resorption, Aktivierung von einigen Metall-Enzymen, Verstärkung der Insulin-Wirkung	Hülsenfrüchte, Käse, Fisch, Getreideprodukte
Se	antioxidative Funktion durch Se-haltige Gluthation-Peroxidase, Bestandteil der Typ-I-Iod-Thyronin-Deiodase u. Phospholipid-Hydroperoxid-Glutathion-Peroxidase	Muskelfleisch, Getreideprodukte, Fisch
Si	Wachstumsförderung, Komponente von Knorpel, Bindegewebe u. Haut, essentielle Rolle im Mucopolysaccharid-Stoffwechsel	Getreideprodukte
Sn	Gastrin	
V	Hemmung der Cholesterin-Synth., Bedeutung für den Mineralisierungsprozeß im Knochen- u. Zahngewebe	pflanzliche Öle mit hohem Gehalt an mehrfach ungesätt. Fettsäuren
Zn	Bestandteil zahlreicher Enzyme im Energiestoffwechsel, Enzymaktivierung, Transkription	Leber, Rindfleisch, Haferflocken, Erbsen, Linsen

Tab. 2: Symptome eines Spurenelement-Mangels.

As	Wachstumsverringerung, neg. Beeinflussung der Reproduktion, Herztod in 3. Generation bei Ziegen
Co	Anämie, Vitamin-B_{12}-Mangel, Störung der Nucleinsäure-Synth.
Cr	Diabetes, erhöhte Serumlipide
Cu	Blockierung der Oxid. (Atmung), Anämie, Veränderung bei der Verknöcherung
F	Wachstumsverringerung, Karies, Osteoporose
Fe	Anämie, Wachstumsverringerung, Hämolyse
I	Kropf, Kretinismus
Li	kardiovaskuläre Erkrankungen (nicht gesichert)
Mn	Knochendeformation, Anämie, verringertes Wachstum
Mo	Störung der Fettsäure-Bildung aus Kohlenhydraten, Wachstumsverringerung
Ni	Wachstumsverringerung
Se	Lipid-Peroxid., endem. Kardiomyopathie, Hämolyse
Si	Wachstumsverringerung, Knochendeformation
Sn	Wachstumsstörungen, Ausbleiben der Sekretion von Verdauungsenzymen
V	Wachstumsverringerung, Lipidmetabolismus, Fertilitätsstörungen
Zn	starke Wachstumsstörungen, geschlechtliche Unreife, Hautläsionen, graue Haare

der National Academy of Science[6], als auch von der dtsch. Ges. für Ernährung[7] (s. RDA) herausgegeben.

Die Zufuhr von S. erfolgt größtenteils über die Nahrung, wobei als limitierende Faktoren sowohl der Gehalt im Nahrungsmittel als auch die Resorptionsrate betrachtet werden müssen, die die Bioverfügbarkeit[8] bestimmt. Resorptionsorte sind sowohl Magen als auch Darm, wobei spezielle *Liganden (z.B. *intrinsic factor für Cobalt, Transmanganin für Mangan) für die Resorption essentiell sind. An der Aufrechterhaltung eines S.-Gleichgew. im menschlichen Körper (Homöostase) sind v.a. *Metallothioneine beteiligt, die die Bindungs- u. Transportformen der zweiwertigen Spurenmetalle darstellen. Zum Einfluß von Cadmium auf die S.-Homöostase siehe *Lit.*[9]. Da für bestimmte Personen, z.B. Menschen mit Resorptionsstörungen, wie sie nach Magenresektionen (Billroth I u. II) für Cobalt beschrieben sind, od. für Leistungssportler (s. Sporternährung), eine optimale Versorgung nicht immer gegeben ist, kann mit S.-Präp. eine Supplementierung (Nahrungsergänzung) erfolgen. Dies ist häufig für Eisen, Zink u. Mangan notwendig, deren Resorption durch Komplexierung mit *Phytinsäure drast. beeinflußt werden kann. Zur Versorgung von Vegetariern mit S. s. *Lit.*[10]. Der nationalen Verzehrstudie zufolge besteht nur bei Calcium u. Eisen (v.a. für Frauen) bei durchschnittlicher Ernährung die Gefahr eines

Mangels[11]. Eine gesundheitliche Bewertung der tox. S. erfolgt in *Lit.*[12]. Über Anreicherungs- u. Schutzmechanismen von Pflanzen gegenüber S. berichtet *Lit.*[13].
Analytik: Für die Feststellung des Versorgungsstandes mit einigen S. hat sich die Konzentrationsbestimmung in den Haaren als brauchbare Meth. erwiesen. Die Meth. der Wahl zur Analyse von S. sind die *Neutronenaktivierungsanalyse (NAA), die Atomabsorptionsspektralphotometrie (*AAS) u. die induktiv gekoppelte Plasmaspektroskopie (*ICP)[14]. – ***E*** trace elements – ***F*** oligoéléments – ***I*** elementi in tracce – ***S*** oligoelementos

Lit.: [1] Chem. Unserer Zeit **21**, 44–49 (1987). [2] Ärztl. Prax. **42**, (7.) 12–14 (1990). [3] Cancer Res. **50**, 1206–1211 (1990). [4] Rev. Env. Contam. Toxicol. **115**, 125–150 (1990). [5] Pfannhauser, Essentielle Spurenelemente in der Nahrung, Berlin: Springer 1988. [6] National Research Council, Recommended Dietary Allowances (10.), Washington: National Academy of Science Press 1989. [7] Dtsch. Gesellschaft für Ernährung e. V. (Hrsg.), Empfehlungen für die Nährstoffzufuhr, Frankfurt: Umschau 1991. [8] Z. Ernährungswiss. **28**, 130–141 (1989). [9] Toxicol. Lett. **54**, 77–81 (1990). [10] Bundesgesundheitsblatt **33**, 564–572 (1990). [11] Projektträgerschaft Forschung im Dienste der Gesundheit in der DLR (Hrsg.), Materialien zur Gesundheitsforschung, Bd. 18, Die Nationale Verzehrstudie (3.), Bonn: Verl. für neue Wissenschaft 1991. [12] Mitt. Geb. Lebensmittelunters. Hyg. **80**, 490–518 (1989). [13] Chem. Unserer Zeit **23**, 193–199 (1989). [14] Anal. Chem. **60**, 2500–2504 (1988).
allg.: Belitz-Grosch (4.), S. 378, 380–384, 423 ▪ Bendich u. Chandra (Hrsg.), Annals of the New York Academy of Science, Vol. 587, Micronutrients and Immune Functions, S. 110–180, New York: Academy of Science 1990 ▪ Forth et al. (6.) ▪ Ketz, Grundriß der Ernährungslehre, S. 184, 266–285, Jena: Fischer 1990 ▪ Merian (Hrsg.), Metals and their Compounds in the Environment, Weinheim: VCH Verlagsges. 1991 ▪ Pietrzik (Hrsg.), Modern Lifestyles lower Energy Intake and Micronutrient Status, Berlin: Springer 1991 ▪ Renner (Hrsg.), Micronutrients in Milk and Milk-based Food Products, New York: Elsevier 1989 ▪ Ullmann (4.) **6**, 95; **10**, 206, 224; (5.) **A 11**, 504 ▪ Welzl, Biochemie der Ernährung, S. 240–243, Berlin: de Gruyter 1985 ▪ Wolfram, Kirchgeßner (Hrsg.), Spurenelemente u. Ernährung, Stuttgart: Wissenschaftliche Verlagsges. 1990 ▪ Zipfel, C 100 2, 57, 58. – *Zeitschriften u. Serien:* Journal of Micronutrient Analysis, Barking: Elsevier Appl. Sci. Publ. (seit 1985) ▪ Trace Element Analytical Chemistry, Berlin: de Gruyter (seit 1980) ▪ Vitamine, Mineralstoffe, Spurenelemente, Stuttgart: Hippokrates (seit 1987).

Spurenmetalle s. Spurenelemente u. Metalle.

Spurfolgestoffe s. Pheromone.

Spurrit. $Ca_5[CO_3/(SiO_4)_2]$; farbloses bis graues od. lavendelgraues, durchscheinendes, glasglänzendes, monoklines Mineral, Kristallklasse 2/m-C_{2h}, Struktur s. *Lit.*[1]; gewöhnlich massiv, körnig; H. 5, D. 3,01; grüne Kathodo-*Lumineszenz.
Vork.: Durch Hochtemp.-*Kontaktmetamorphose gebildet in *Marmoren u. Kalksilicat-*Felsen, z.B. in Scawt Hill bei Larne in Nordirland (Kontakt von Kreide-Kalk mit *Dolerit), Crestmore/Kalifornien u. Hatrurim/Israel. – ***E*** = ***F*** = ***I*** spurrite – ***S*** espurrita

Lit.: [1] Acta Crystallogr. **13**, 451–458 (1960).
allg.: Anthony et al., Handbook of Mineralogy, Vol. II, Tl. 2, S. 748, Tucson (Arizona): Mineral Data Publishing 1995 ▪ Deer et al., S. 82 ▪ Ramdohr-Strunz, S. 683. – *[CAS 12011-57-3]*

Spurstein s. Kupfer.

Sputnik s. Raketentreibstoffe.

Sputofluol®. Hilfsmittel für die Tuberkulose-Diagnostik in der Mikroskopie u. Mikrobiologie. ***B.:*** Merck.

Sputtering (von *E* sputter = sprudeln, spritzen). Zerstäubung einer Festkörperoberfläche durch Beschuß mit energiereichen Ionen (z.B. O^+ od. Ar^+) od. Neutralteilchen (FAB, *f*ast *a*tom beam *b*ombardement); E_{kin} = 0,1 ... 20 keV. Beim S.-Prozeß wird die kinet. Energie des Primärteilchens durch Stöße auf die Atome des Festkörpers verteilt. Erreicht ein Ausläufer der hierdurch erzeugten Stoßkaskade die Oberfläche u. wird dabei auf ein Oberflächenatom genügend Energie übertragen, um die Oberflächenbindungsenergie zu überwinden, kann dieses als freies Teilchen den Festkörper verlassen. Es kommt zur Emission von einzelnen Atomen, Ionen, aber auch von Mol. u. Clustern. Die Zerstäubungsausbeute Y (Anzahl der pro einfallendem Teilchen emittierten Atome) hängt von Beschußenergie, -winkel u. Art der Primärteilchen u. der Zusammensetzung des Targetmaterials ab. Für senkrechten Beschuß mit 20 keV Ar^+ erhält man z.B. Y = 1–2.
Anw.: Zur Reinigung von Festkörperoberflächen, zum Ätzen von Strukturen (z.B. reaktives Sputtern), zur Modifizierung der Stöchiometrie an der Oberfläche eines Festkörpers (z.B. durch preferential S.) od. zur Analyse der Zusammensetzung einer Festkörperoberfläche (s. SIMS, SNMS). S. wird auch zur Herst. *dünner Schichten verwendet, insbes. wenn das Schichtmaterial therm. nicht verdampfbar ist. Allg. sorgt die Tatsache, daß die gesputterten Teilchen eine höhere Energie besitzen, für andere Schichteigenschaften im Vgl. zu aufgedampften Schichten. – ***E*** = ***I*** sputtering – ***F*** pulvérisation, sputtering – ***S*** pulverización, sputtering

Lit.: Kohlrausch, Praktische Physik 2, Stuttgart: Teubner 1996.

Sputum (latein.: spuere = spucken). Auswurf, durch Husten ausgeworfenes Bronchialsekret. Die klin.-chem., mikrobiolog. u. cytolog. Untersuchung des S. auf Abweichungen von seinem normalen Gehalt an Zellen, Mikroorganismen, Staub- u. Rauchpartikeln dient der Diagnostik von Lungenerkrankungen. – ***E*** sputum – ***F*** expectoration, crachats – ***I*** sputo – ***S*** esputo

S-PVC. Kurzz. für *S*uspensions-*P*oly*v*inyl*c*hlorid, d.h. für nach dem Verf. der *Suspensionspolymerisation hergestelltes *Polyvinylchlorid.

SP-Zahl s. P-Zahl.

SQID s. SQUID.

sq in. Abk. für engl.: square *inch = Quadratzoll.

Squalamin.

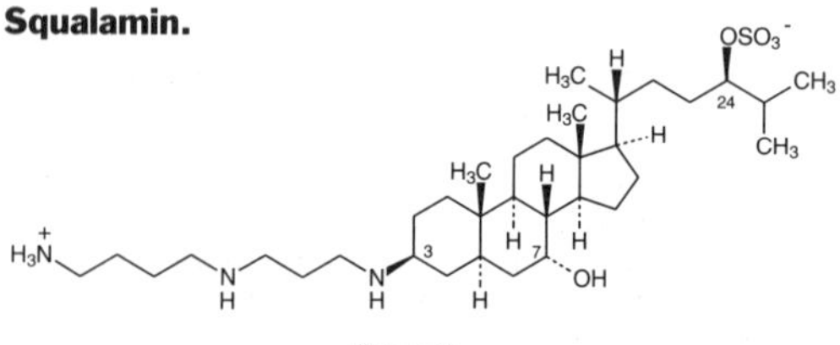

Squalamin

Im Breitbandantibiotikum S. ($C_{34}H_{65}N_3O_5S$, M_R 627,97) aus dem Dornhai *Squalus acanthias* ist ein Steroid-Gerüst mit *Spermidin verknüpft. Die Verb. ist u.a. aktiv gegen *Candida albicans*, Gram-neg. u. Gram-pos. Bakterien u. induziert die osmot. Lyse von Protozoen. S. wird als neue antibakterielle Leitstruktur synthet. bearbeitet[1]. S. wirkt als Angiogenese-Hemmer bei Hirntumoren (Hemmung der Endothelzell-Proliferation) u. befindet sich in klin. Prüfung. Bisher wurden ca. 20 verwandte Aminosterine aus Haien isoliert. – ***E*** = ***F*** squalamine – ***I*** squalammina – ***S*** esqualamina

Lit.: [1] Steroids **61**, 565–571 (1996).
allg.: Chem. Ind. (London) **1993**, 136 ▪ J. Am. Chem. Soc. **118**, 8975 (1996) ▪ Proc. Natl. Acad. Sci. USA **90**, 1354–1358 (1993) ▪ Science **259**, 1125 (1993). – *Synth.:* J. Org. Chem. **60**, 5121–5126 (1995) ▪ Tetrahedron Lett. **35**, 8103 (1994); **36**, 5139ff. (1995). – *[HS 2941 90; CAS 148717-90-2]*

Squalan (2,6,10,15,19,23-Hexamethyltetracosan, Dodecahydrosqualen, Perhydrosqualen).

$C_{30}H_{62}$, M_R 422,83. Farbloses, geschmack- u. geruchloses Öl, D. 0,8115, Schmp. –38 °C, Sdp. 350 °C, FP. 218 °C, stabil gegen Luft u. Sauerstoff, lösl. in Ether, Kohlenwasserstoffen, Chloroform, mischbar mit pflanzlichen u. mineral. Ölen, kaum lösl. in Alkoholen u. Aceton. Herst. durch vollständige Hydrierung von *Squalen od. von Haifischleberöl. S. wird als Schmiermittel, Transformatorenöl, Salbengrundlage, zu pharmazeut. Präp., als Träger in der Gaschromatographie verwendet. – ***E*** = ***F*** squalane – ***I*** squalano – ***S*** escualano

Lit.: Beilstein E IV **1**, 593 ▪ Hager (5.) **2**, 886, 903 ▪ Merck-Index (12.), Nr. 8923. – *[HS 2901 10; CAS 111-01-3]*

Squalen [(*all-E*)-2,6,10,15,19,23-Hexamethyl-2,6,10,14,18,22-tetracosahexaen, Spinacen].

$C_{30}H_{50}$, M_R 410,73, farbloses Öl, Schmp. ca. –5 °C, Sdp. 284–285 °C (3,3 kPa), an der Luft wird S. zähflüssig durch Oxid., D_4^{20} 0,8584, n_D^{20} 1,4965, IZ 360–380, unlösl. in Wasser, wenig lösl. in Ethanol, Eisessig, lösl. in lipophilen Lösemitteln.

Vork.: In großen Mengen in Haifischleber, in geringeren Mengen in pflanzlichen Ölen, z. B. Oliven-, Weizenkeim- u. Erdnußöl, sowie Hefe u. tier. Gewebe.

Das Triterpen S. besteht aus 6 Isopren-Einheiten, wird aus aktiviertem Acetat (*Acetyl-CoA) über Mevalonsäure gebildet u. ist Zwischenprodukt der Biosynth. aller cycl. Triterpenoide u. somit auch der *Steroide. Seine enzymat. Cyclisierung zu *Lanosterin bzw. *Cycloartenol erfordert mol. Sauerstoff u. verläuft über (3*S*)-Squalen-2,3-epoxid.

Verw.: Das techn. aus Haifischleberöl gewinnbare S. wird hauptsächlich zur Synth. von *Squalan benutzt. – ***E*** = ***I*** squalene – ***F*** squalène – ***S*** escualeno

Lit.: Annu. Rev. Biochem. **14**, 555–585 (1982) ▪ Beilstein E IV **1**, 1146 ▪ Chem. Soc. Rev. **20**, 129–147 (1991) ▪ Dtsch. Apoth. Ztg. **131**, 606f. (1991) ▪ J. Chem. Ecol. **15**, 629 (1989) ▪ Karrer, Nr. 34 ▪ Merck Index (12.), Nr. 8924 ▪ Nat. Prod. Rep. **2**, 525–560 (1985) ▪ Phytochemistry **27**, 628 (1988) (Biosynth.) ▪ Stryer 1996, S. 729–732. – *[HS 2901 29; CAS 111-02-4]*

Squalestatine s. Saragossasäuren.

Squibb. Kurzbez. für die 1887 gegr. Bristol-Myers Squibb Company, New York, NY 10019 (USA) mit 16,7 Mrd. $ Umsatz (1997, weltweit). *Produktion:* Pharmazeut. Präp., Kosmetika, Lebensmittelzusätze. *Vertretung* in der BRD: Bristol-Myers Squibb GmbH, 80636 München.

SQUID (SQID). Abk. für *s*uperconducting *qu*antum *i*nterference *d*evice. Das SQUID dient zur genauen Messung von Magnetfeldern, auch von extrem schwachen. Es besteht aus einem dünnen, supraleitenden Ring (s. Supraleitung), der z. B. auf einen Quarzstab aufgedampft ist. Dieser Ring enthält eine Schwachstelle (weak link), die entweder aus einem Josephson-Kontakt (*Josephson-Effekt) od. einer mechan. Einschnürung bestehen kann. Bringt man ein SQUID in ein z. B. zeitlich zunehmendes Magnetfeld $\vec{B}$, so wird in dem Ring unterhalb der Sprungtemp. ein supraleitender Strom erzeugt (s. Supraleitung), der das $\vec{B}$-Feld im Inneren abschirmt. Steigt die Stromdichte an der Schwachstelle über den krit. Wert j_c, so erfolgt dort ein Übergang in den normalleitenden Zustand u. es kann ein Flußquant h/2e (*Supraleitung) in den Ring eindringen. Danach ist der ganze Ring wieder supraleitend, bis mit weiter wachsendem $\vec{B}$-Feld j_c wieder erreicht wird usw. Man braucht also nur die Übergänge von supraleitenden in den normalleitenden Zustand an der Schwachstelle zu registrieren u. kann dann die zugehörige $\vec{B}$-Feld-Änderung in Einheiten von h/2e bestimmen. Das SQUID findet wegen seiner hohen Empfindlichkeit nicht nur in der Technik, sondern auch in der Medizin Anwendung.

Lit.: Buckel, Supraleitung, 4. Aufl., Weinheim: VCH Verlagsges. 1990 ▪ Dtsch. Ärztebl. **82**, 1164 (1985) ▪ Umschau **85**, 55 (1985).

sr s. rad.

Sr. Chem. Symbol für das Element *Strontium.

SR. 1. Kurzz. für synthet. Kautschuk (*E* *s*ynthetic *r*ubber), s. Synthesekautschuke. – 2. Abk. für *sarkoplasmatisches Retikulum.

S_R. Abk. für eine über *Radikale verlaufende *Substitution.

Src (Src-Tyrosin-Kinase). Als Produkt eines *Onkogens entdeckte Protein-Tyrosin-Kinase (s. Protein-Kinasen), die an der intrazellulären Weiterleitung von Signalen beteiligt ist, die von *Wachstumsfaktoren od. *Zell-Adhäsionsmolekülen ausgehen.

Für die *Signaltransduktion durch Src sind die *Src-Homologie-*Domänen* 2 u. 3 (SH2 bzw. SH3) von Bedeutung, die auch bei anderen Proteinen ähnlicher Funktion gefunden werden. Die *SH2-Domäne* wird aus ca. 100 Aminosäure-Resten gebildet u. fungiert als spezif. Erkennungsregion für bestimmte Phosphotyrosin-haltige Proteine. Die Funktion der *SH3-Domäne* (ca. 60 Aminosäure-Reste) ist weniger gut bekannt, wird aber bei der Erkennung Prolin-reicher Proteine vermutet. – ***E*** = ***F*** = ***I*** = ***S*** Src

Lit.: Annu. Rev. Cell Develop. Biol. **13**, 513–609 (1997) ▪ Biochim. Biophys. Acta **1287**, 121–149 (1996) ▪ Cell. Signalling **9**, 385–401 (1997) ▪ Nature (London) **385**, 582–585, 595–609, 650–653 (1997) ▪ Trends Biochem. Sci. **23**, 179–184 (1998).

src-Gen (v-src-Gen, von *E* *v*iral *sarc*oma gene). Eines der vier Gene des Rous-Sarkom-Virus, das für die

*Transformation der Wirtszelle benötigt wird. Das v-src-G. bewirkt die Synth. eines Sarkom-erzeugenden Proteins mit Tyrosin-Kinase-Aktivität (s. Protein-Kinasen) in der Wirtszelle. Das entsprechende Gen der Wirtszelle wird als c-src-Gen (s. src-Onkogen) bezeichnet. – ***E*** src gene – ***F*** gène src – ***I*** gene src – ***S*** gen src

Lit.: Kemp u. Alewood (Hrsg.), Peptides and Protein Phosphorylation, S. 85, Boca Raton, Florida: CRC Press 1989 ▪ Lodish et al., Molekulare Zellbiologie (2.), Berlin: de Gruyter 1996 ▪ Watson et al., Rekombinierte DNA (2.), S. 317 f., Heidelberg: Spektrum 1993.

Src-Homologie-Domäne s. Src.

src-Onkogen (c-src-Gen, von *E c*ellular *sarc*oma gene). Zelluläres Gegenstück des viralen *src-Gens aus der Familie der *Onkogene. Das Genprodukt ist eine an die Zellmembran gebundene Tyrosin-Kinase (s. Protein-Kinasen) mit M_R 60 000, die auch als *Rezeptor für verschiedene *Hormone dient. – ***E*** src oncogene – ***F*** oncogène src – ***I*** oncogene src – ***S*** oncogén src

Lit.: Annu. Rev. Cell. Biol. **3**, 31–56 (1987) ▪ Lodish et al., Molekulare Zellbiologie (2.), Berlin: de Gruyter 1996 ▪ Watson et al., Rekombinierte DNA (2.), S. 317 f., Heidelberg: Spektrum 1993.

SRF s. Somatotropin.

SRIF s. Somatostatin.

S_{RN}. Abk. für eine über nucleophile *Radikale verlaufende *Substitution.

sRNA. Abk. von *E s*oluble *r*ibo*n*ucleic *a*cid (veraltet für tRNA), s. Ribonucleinsäuren.

SRP. 1. Kurzz. (nach ASTM 1600-94a) für mit *Kautschuk verstärkte *Polystyrole (*E s*tyrene-*r*ubber-*p*lastics). – 2. Kurzz. für *selbstverstärkende Kunststoffe. – 3. Abk. für *s*ignal *r*ecognition *p*article, s. Proteine, Ribosomen, Signalpeptide.

SRS-A s. Leukotriene.

S-Sätze. S-S. sind standardisierte Sicherheitsratschläge u. geben Hinweise auf notwendige Vorsichtsmaßnahmen bei der gebräuchlichen Handhabung u. Verw. gefährlicher Stoffe (s. Gefahrstoffe) u. Zubereitungen. Die Liste der S-S., deren mögliche Kombinationen u. deren Zuordnungskriterien sind im Anhang I der *Gefahrstoffverordnung aufgeführt. S-S. sind bei der *Kennzeichnung von gefährlichen Stoffen u. Zubereitungen, z. B. auf der Verpackung, im *Sicherheitsdatenblatt etc. anzugeben. *Beisp.:* S 1 (Unter Verschluß aufbewahren), S 7/8 (Behälter trocken u. dicht geschlossen halten), S 24 (Berührung mit der Haut vermeiden). – ***E*** S phrases – ***F*** phrases S – ***I*** fasi S – ***S*** frases S

Lit.: BIA-Report „Gefahrstoffliste", Hrsg.: Hauptverband der gewerblichen Berufsgenossenschaften, Sankt Augustin ▪ Verordnung zum Schutz vor gefährlichen Stoffen (Gefahrstoffverordnung), Köln: Heymanns 1997.

S-Säure s. Naphtholsulfonsäuren.

SSFLC-Display s. LCD.

SS-Säure s. Naphtholsulfonsäuren.

SSS-Regel. „SSS" bedeutet „*S*iedehitze, *S*trahlung, *S*eitenkette" u. besagt, daß *Alkylbenzole mit *Halogenen bei höherer Temp. u. Bestrahlung *regioselektiv unter *Substitution am α-C-Atom der *Seitenkette reagieren; vgl. KKK-Regel.

St. Symbol für „Saturnium" (1954 vorgeschlagene, abgelehnte Bez. für *Protactinium) u. für die veraltete Einheit *Stokes.

ST. Nach DIN 60001-4: 1991-08 Kurzz. für Tussahseide (s. Seide).

Staab, Heinz A. (geb. 1926), Prof. für Organ. Chemie, Dr. rer. nat., Dr. med., Dr. phil. h.c., Direktor der Abteilung Organ. Chemie des MPI für medizin. Forschung (seit 1974), Präsident der GDCh. (1983–84), Präsident der MPG (1984–90). *Arbeitsgebiete:* Präparative u. physikal. organ. Chemie, Erfindung der Carbonyldiimidazol- u. Azolid-Reaktionen, Cyclophane, intramol. Charge-Transfer- u. Excimeren-Wechselwirkungen, Synth. des Kekulens (1. Vertreter der Cycloarene), Cycloarylene, Benzoannulene, Elektronen-Übertragung bei Porphyrin/Chinon-Syst., Modellsyst. photosynthet. Reaktionen, „Protonenschwämme".

Lit.: Kürschner (16.), S. 3577 ▪ Pötsch, S. 403 f. ▪ Wer ist wer (36.), S. 1380.

Stabal®. Langzeitstabile Gasgemische mit reaktiven Komponenten (z. B. Schwefeldioxid, Stickstoffoxid, Kohlenmonoxid, Kohlendioxid u. Propan in Stickstoff od. Propan bzw. Methan in synthet. Luft) als Prüfgas-Gemische für die Meßtechnik. ***B.:*** Messer Griesheim.

Stabbrandbomben. Stabförmige, im 2. Weltkrieg millionenfach abgeworfene Brandbomben (s. Brandwaffen) mit einer Füllung aus Aluminiumgrieß u. Eisenoxid in einer dickwandigen Leichtmetallhülse aus einer ebenfalls brennbaren *Magnesium-Legierung. S. waren schon wegen der Knallgas-Entwicklung (H_2 aus $Mg+H_2O$; O_2 aus Luft) mit Wasser nicht löschbar, außerdem brannte der Brandstoff auch unter Wasser weiter. – ***E*** incendiary bombs, magnesium bombs – ***F*** bombes incendiaires – ***I*** bombe incendiarie ad asta – ***S*** bombas incendiarias (de magnesio)

Lit.: Kirk-Othmer (4.) **5**, 804 ff. – *[HS 3906 90]*

Stabicryl®. Polyacryl-Dispersionen für die Appretur u. Beschichtung von Textilien. ***B.:*** Henkel.

Stabifix®. Nachbehandlungsmittel für substantive u. reaktive Färbungen zur Erhöhung der Nassechtheiten; kation. Kunstharz. ***B.:*** Henkel.

Stabiform®. E/VA-Dispersionen für die Appretur u. Beschichtung von Textilien. ***B.:*** Henkel.

Stabilisal S flüssig. Stabilisierungsmittel auf der Basis von Natriumpolysulfid (s. Natriumsulfide) gegen unerwünschte Oxid.-Einflüsse beim Färben mit Schwefel-Farbstoffen. ***B.:*** DyStar.

Stabilisatoren. Allg. Bez. für Vorrichtungen od. Hilfsmittel, mit denen die *Stabilität physikal.-techn. Syst. erhöht wird. In der Chemie versteht man unter S. in unsystemat. Weise eine Vielzahl unterschiedlich zusammengesetzter u. unterschiedlich wirkender Stoffe, die unbeständigen Materialien zugesetzt werden, um deren chem. Veränderung (z. B. Zers., Oxid. etc.) od. physikal.-chem. Zustandsänderungen (z. B. Koagulation, Absetzen usw.) zu verhindern. Die so definierten

S. sind ebenso wie ihre Einsatzgebiete überwiegend in eigenen Stichwörtern behandelt:
– *Alterungsschutzmittel sind stabilisierende Zusätze, z. B. in Kautschuk, Kunststoffen od. Mineralölen; hierzu gehören *Antioxidantien u. *Antiozonantien, – *Lichtschutzmittel u. *UV-Absorber.
– *Metallseifen dienen in Kunststoffen überwiegend der Erhöhung der therm. Stabilität (z. B. als *PVC-Stabilisatoren*).

Zur Stabilisierung leicht zersetzlicher Peroxo-Verb., z. B. zum *Bleichen in Waschmitteln, dienen *Ethylendiamintetraessigsäure od. *Magnesiumsilicat. Polymerisations-*Inhibitoren stabilisieren reaktive Monomere gegen vorzeitige Polymerisation, überwiegend als *Radikal-Fänger wirkend. Gegen mikrobielle Zers. werden *Konservierungsmittel eingesetzt; in Lebensmitteln, Kosmetika u. Pharmazeutika gelten diese als *Zusatzstoffe u. unterliegen bestimmten Zulassungs- u. Deklarationsregeln. Instabile kolloide Syst. wie *Dispersionen, *Emulsionen, *Suspensionen, *Schäume u. dgl. werden stabilisiert mittels *Absetzverhinderungsmitteln, Dispergierhilfsmitteln, *Emulgatoren, *Schaumstabilisatoren. Von den vielfältigen Einsatzgebieten für S. seien außer den bereits genannten weitere beispielhaft aufgeführt: Anstrichmittel u. Lacke, Textilhilfsmittel, Schmiermittel, Photographie, Explosivstoffe (S. zur *Phlegmatisierung), Böden (*Bodenstabilisatoren). – ***E*** stabilizers – ***F*** stabilisateurs – ***I*** stabilizzatori – ***S*** estabilizadores

Lit.: Encycl. Polym. Sci. Eng. **1**, 585 f.; **2**, 73–99; **3**, 24–27, 182–184, 744 f.; **6**, 314, 419 f., 503 f.; **7**, 236 f.; **11**, 664 f.; **12**, 245, 550; **13**, 516 f., 798–800; **15**, 539–583; **17**, 515 f.; **S**, 123 f. ▪ Kirk-Othmer (3.) **23**, 615–627; (4.) **11**, 827–830; **12**, 1071–1091 ▪ Ullmann (4.) **15**, 253–267; (5.) **A 20**, 459–479 ▪ s. a. die Textstichwörter.

Stabilisierungsenergie s. Resonanz (1.).

Stabilität. Im physikal. Sinne versteht man unter der S. eines Syst. dessen Bestreben, nach einer Störung der Gleichgew.-Lage wieder in den ursprünglichen Zustand zurückzukehren (vgl. Relaxation). Auf dieser Eigenschaft der Mol. beruhen die verschiedenen Verf. der Molekülspektroskopie. S.-Betrachtungen spielen natürlich auch in der Chemie eine herausragende Rolle, vgl. z. B. chemische Gleichgewichte.

Zustände, die „beliebig lange" unverändert bestehen können, bezeichnet man als *stabil* od. – unter bestimmten Bedingungen – als **stationäre Zustände*. Man vgl. dagegen *labil* u. *metastabile Zustände*. Als *unstabile* (nichtstabile, instabile) *Zustände* bezeichnet man solche, bei denen eine kontinuierliche Umwandlung in Zustände mit geringerem freiem Energiegehalt (od. höherer Entropie) stattfindet; *Beisp.:* Substanzen od. Substanzgemische, in denen bei konstanter Temp. u. konstantem Druck meßbare Reaktionen stattfinden, Isotherme Gasausdehnung, Diffusion in Lsg. von konz. in weniger konz. Bereiche, Temp.-Abfluß von heißeren Körpern zur kühleren Umgebung. Des weiteren ist hier auch an freie Radikale, Elementarteilchen, radioaktive Stoffe, Aktivstoffe, Ionen, „angeregte" Mol. zu denken. Unter *quasistabilen Zuständen* versteht man unstabile Zustände, bei denen gleichzeitig eine Hin- wie auch eine Rück-Reaktion stattfinden kann, da beide Zustände gleiche freie Energie haben. *Pseudostabile Zustände* sind unstabile Zustände, die äußerlich im Gleichgew. mit sich od. ihrer Umgebung zu sein scheinen, bei denen aber dennoch sehr langsame, kaum merkliche Umwandlungen in Zustände mit geringerem Gehalt an freier Energie stattfinden. *Beisp.:* Lyophobe Kolloide, die langsam koagulieren, fein verteilte Feststoffe, die sich langsam zu größeren Teilchen mit kleinerer Gesamtoberfläche vereinigen, die äußerst langsame Bildung von H_2O in Gemischen aus H_2 u. O_2 bei Zimmertemp., die langsame Entmagnetisierung von magnetisiertem Stahl. Derartige Zustände sind häufig thermolabil. Zu solchen scheinbar stabilen Gleichgew.-Zuständen zählt man die **metastabilen Zustände*. Die S. von chem. Syst. läßt sich z. B. durch *Katalysatoren u. *Stabilisatoren beeinflussen. Mit letzteren erhält man ein *stabilisiertes* (kein stabiles!) Syst., das mit dem Wegfall des Stabilisators zusammenbricht. – ***E*** stability – ***F*** stabilité – ***I*** stabilità – ***S*** estabilidad

Lit.: Connors, Binding Constants, Measurement of Molecular Complex Stability, New York: Wiley 1987 ▪ Critical Stability Constants (mehrbändig), New York: Plenum (seit 1974) ▪ Nicolis u. Baras, Chemical Instabilities, Dordrecht: Reidel 1984 ▪ Pure Appl. Chem. **54**, 2675–2758 (1982) ▪ s. a. chemische Gleichgewichte, Thermodynamik.

Stabilol®. Stabilisatoren für die Peroxid-Bleiche im Diskontinue-, Semikontinue- u. Vollkontinue-Verfahren. ***B.:*** Henkel.

Stabitex®. Vernetzer für die Knitterarmausrüstung von Cellulosefasern, Basis methylolierte Harnstoff- bzw. Melamin-Derivate. ***B.:*** Henkel.

Stachelbeeren. Zum Beerenobst gehörende, weiße, gelbe, grüne od. rote, z. T. behaarte Früchte von *Ribes uva-crispa* (Saxifragaceae), seit dem 15. Jh. in Kultur genommen. 100 g eßbare Substanz enthalten 87,3 g Wasser, 7,1 g Kohlenhydrate, dazu 2,95 g Faserstoffe, 0,8 g Proteine, 0,2 g Fette, bis zu 2 g Äpfelsäure (in unreifen S. auch Glyoxylsäure), 35 mg Vitamin C, außerdem u. a. Kalium, Calcium, Phosphor u. Schwefel. Nährwert 163 kJ (39 kcal).

Verw.: Als Kompott od. frisch, als Konserven, Konfitüren, Wein, Süßmost. Das Aroma der *Kiwi („Chines. S.") ist dem der S. ähnlich. – ***E*** goos berries – ***F*** groseilles – ***I*** uva spina – ***S*** uva espina (de San Pedro)

Lit.: Franke, Nutzpflanzenkunde (6.), S. 263 f., Stuttgart: Thieme 1997. – *[HS 2008 99]*

Stachelhäuter s. Echinodermata.

Stachelhäuter-Gifte. Unter den Stachelhäutern (*Echinodermata) können bei einzelnen Arten der Seeigel u. der Seesterne die gestielten Greiforgane (Pedicellarien) als Giftwaffen ausgebildet sein. In ostasiat. Gewässern ist der Seeigel *Toxopneustes pileolus* bes. gefürchtet. Andere Seeigel-Arten besitzen auch giftige Stacheln (z. B. *Diadema setosum*). Die chem. Natur der Gifte ist noch weitgehend unbekannt. Die von Seegurken bei Beunruhigung aus der Kloake ausgestoßenen Cuvierschen Schläuche werden im Wasser zu klebrigen Fäden u. können zusätzlich Giftstoffe abgeben, z. B. das Holothurin; s. dazu auch Stachelhäuter-Saponine. – ***E*** echinoderma venoms – ***F*** venins échinodermes – ***I*** veleni degli echinodermi – ***S*** venenos de equinodermos

Lit.: Mebs, Gifttiere, Stuttgart: Wissenschaftliche Verlagsges. 1992 ▪ Teuscher u. Lindequist, Biogene Gifte (2.), Stuttgart: Fischer 1994.

Stachelhäuter-Saponine (*Echinodermata*-Saponine). Asteroide (Seesterne) u. Holothuroide (Seegurken) sezernieren Saponine zur Selbstverteidigung. Die S.-S. sind für die generelle Giftigkeit dieser Tiere verantwortlich, sie wirken cytotox., hämolyt., ichthyotox. u. mikrobizid. In Seeigeln u. Haarsternen wurden bisher keine S.-S. nachgewiesen. Während Seesterne nur Steroid-Saponine enthalten, kommen in Seegurken nur Triterpen-Saponine, die *Holothurine, vor. Die sog. *Asterosaponine* tragen in 3-Stellung eine Sulfat-Gruppe, z. B. *Thornasterosid A* aus der Dornenkrone (*Acanthaster planci*). Saponine wie *Sepositosid A* ($C_{45}H_{69}NaO_{18}$, M_R 921,01, amorph) sind typ. für die Seestern-Art *Echinaster*. Einen ausführlichen Überblick über die verschiedenen S.-S. liefert *Lit.*[1].

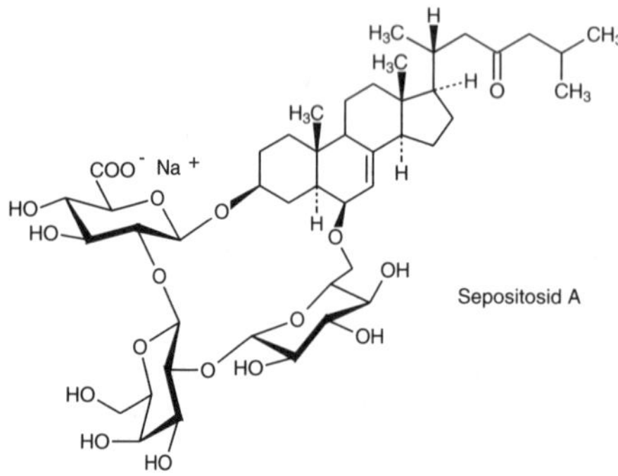

Sepositosid A

– ***E*** echinodermata saponins, starfish saponins – ***F*** saponines des échinodermes – ***I*** saponine degli echinodermi – ***S*** saponinas de los equinodermos

Lit.: [1] Hostettmann (Hrsg.), Biologically Active Natural Products, S. 153–165, Oxford: Clarendon Press 1987.
allg.: de Couet et al., Gefährliche Meerestiere, Hamburg: Jahr 1981 ▪ Gazz. Chim. Ital. **126**, 667 (1996) ▪ J. Chem. Soc., Perkin Trans. 1 **1981**, 1855 ▪ J. Nat. Prod. **53**, 1000, 1225 (1990); **54**, 1254 (1991) ▪ Justus Liebigs Ann. Chem. **1991**, 595 ▪ Zechmeister **62**, 75–340. – *[HS 2938 90; CAS 79154-52-2 (Sepositosid A)]*

Stachellattich s. Lattich.

Stachydrin s. Prolin.

Stachyose (Gal*p*α1-6Gal*p*α1-6Glc*p*α1-2βFru*f*, Lupeose, Cicerose).

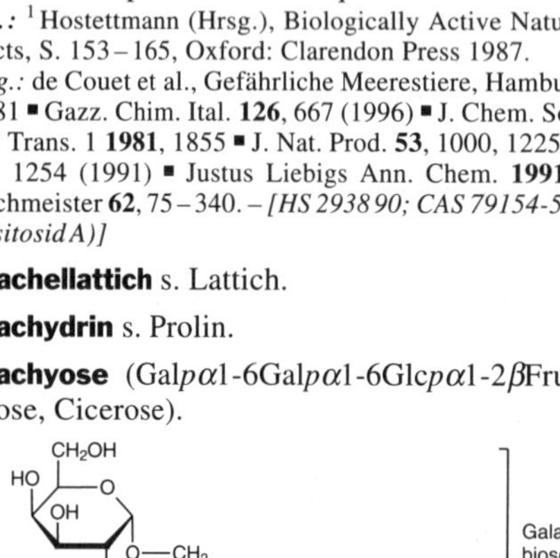

Galactobiose

Saccharose

Raffinose

$C_{24}H_{42}O_{21}$, M_R 666,58. Tetrasaccharid, schwach süß schmeckende Krist.-Tafeln, Schmp. 167–170 °C, $[\alpha]_D^{20}$ +148° (H_2O), wasserlösl., reduziert Fehlingsche Lsg. nicht u. liefert bei Hydrolyse 2 Mol. D-Galactose, 1 Mol. D-Glucose u. 1 Mol. D-Fructose. S. kommt reichlich in den Wurzelknollen von *Stachys tuberifera* = *Stachys affinis* (Knollenziest, Japan. *Ziest), u. a. Lippenblütlern, in Leguminosen, z. B. Sojabohnen u. a. vor. – ***E*** = ***F*** stachyose – ***I*** stachiosio – ***S*** estaquiosa

Lit.: Acta Crystallogr. Ser. **C 43**, 806 (1987) ▪ Beilstein E V **17/8**, 405 ▪ Carbohydr. Res. **210**, 89 (1991) ▪ J. Am. Chem. Soc. **97**, 6264 (1975) ▪ Karrer, Nr. 672. – *[HS 2940 00; CAS 470-55-3]*

Stada. Kurzbez. für das 1895 gegr. Unternehmen STADA Arzneimittel AG (früher: Standardpräparate Dtsch. Apotheken), 61118 Bad Vilbel. *Daten* (1997): 783 Beschäftigte, 403,7 Mio. DM Umsatz. *Produktion u. Tätigkeiten:* Forschung, Entwicklung u. Herst. von Stada-Präp. (Stada ist Wortbestandteil der Marken), Qualitätskontrolle, Logistik u. Vertrieb für ca. 21 000 Apotheken u. ca. 120 Pharmagroßhändler.

Stadtgas (Ferngas). Im Gegensatz zum *Erdgas künstlich erzeugtes, brennbares *Industriegas* (*Brenngas), das zur öffentlichen Gasversorgung von Haushalt, Gewerbe u. Ind. verwendet wird (*Heizgas). Nachdem heute Erdgas das bevorzugte Brenngas für Haushalt u. Ind. ist, hat die Stadt- u. Ferngaserzeugung nur noch untergeordnete Bedeutung. Die ältere Bez. *Leuchtgas* stammt von der früheren Verw. für Beleuchtungszwecke – die ersten Gaslaternen brannten schon 1808 in London, 1816 in Paris, 1826 in Berlin, u. bereits 1823 wurden in England 52 Städte mit Gas beleuchtet! S. umfaßt neben Steinkohlen-, Braunkohlen-, Wassergas u. Spaltgasen aus flüssigen od. gasf. Kohlenwasserstoffen sowie deren Gemischen v. a. Kokereigas; durchschnittlicher *Heizwert H_u (s. Brennstoffe) 16 MJ/m^3. S. enthält je nach Rohstoff als Hauptbestandteile 40–67% Wasserstoff, 20–30% Methan, etwa 5–10% Stickstoff, 2% Kohlendioxid, bis zu 6% Kohlenmonoxid sowie ca. 2% höhere Kohlenwasserstoffe. Kohlenmonoxid wird bei Gehalten >6% durch *Konvertierung weitgehend beseitigt. Mit Luft ist S. in den Grenzen 4–30 Vol.-% explosionsfähig, u. die Zündtemp. beträgt ca. 560 °C; zu weiteren Spezifikationen für S. vgl. a. Winnacker-Küchler (*Lit.*). Geruchsträger des Eigengeruchs sind Thiole u. Senföle; eine *Gasodorierung ist deshalb im Gegensatz zum Erdgas im allg. nicht notwendig.

Herst.: Überwiegend aus *Steinkohle durch Entgasung (Kokerei, s. Koks) od. aus festen Brennstoffen (Torf, Braunkohle, Steinkohle, Koks, vgl. Kohlevergasung) durch Vergasung mit einem Gemisch aus Sauerstoff od. Luft u. Wasserdampf bei einem Druck von 1,5–3,0 MPa u. Temp. unterhalb des Asche-Schmp., aus flüssigen Brennstoffen (Rohöl, Heizöl, Rückstandsöle) durch partielle Oxid. u. Spaltung mit Sauerstoff od. Sauerstoff-angereicherter Luft in Ggw. von Wasserdampf bei Temp. von 1200–1500 °C u. Drücken von 0,5–5,0 MPa mit nachfolgender Heißcarburierung mit Leichtbenzin, aus gasf. Brennstoffen (Erdgas, Flüssiggas, Reichgas, Raffineriegas) durch katalyt. Spaltung mit Wasserdampf bei Temp. zwischen 650–900 °C u. Drücken bis zu 4,0 MPa. S. muß nach der Herst. noch bestimmten *Gasreinigungs-Verf. unterworfen werden, die z. B. mit spezif. *Gasreinigungsmassen* (*Lamingsche, *Lauta-Masse, Lux-Masse) erfolgen kann (Winnacker-Küchler, *Lit.*). Angesichts der unterschiedlichen Zusammensetzung (u. damit der *Brennwerte) sind in Haushalten die verschiedenen Stadt- u. Ferngase nicht ohne weiteres gegeneinander austauschbar. Richtlinien für die S.-Beschaffenheit werden vom DVGW (s. *Lit.*) herausgegeben. Seit den 70er Jahren hat sich in den alten Bundesländern nicht nur beim Gasgesamtaufkommen, sondern auch im anteiligen Verhältnis der einzelnen Gasarten ein erheblicher Wandel vollzogen, wie die folgenden Zahlen (1984/1974/1965, umgerechnet auf 35 MJ/m^3, in Mrd. m^3) zeigen: Erdgas 54,1/43,6/3,0; Kokereigas 4,9/8,5/11,3; Gase aus Mineralöl-Produkten 9,2/10,3/6,9; Hochofengase 4,9/7,9/7,2; sonstige Gase 0,8/0,55/1,9. – ***E*** town gas – ***F*** gaz de ville – ***I*** gas industriale, gas di città – ***S*** gas de ciudad

Lit.: Barty-King, New Flame, Tavistock: Graphmitre 1985 ▪ Kirk-Othmer (3.) **11**, 410–446 ▪ Ullmann (5.) **A 12**, 174 ff. ▪ Winnacker-Küchler (4.) **5**, 33–47, 323–330 ▪ weitere *Lit.* s. in Führer durch die technische Literatur, Hannover: Weidemanns Buchhandlung (jährlich). – *Organisationen:* Berufsgenossenschaft der Gas- u. Wasserwerke, 40225 Düsseldorf ▪ Bundesverband der deutschen Gas- u. Wasserwirtschaft, 53123 Bonn ▪ Deutscher Verein des Gas- u. Wasserfaches (DVGW), 65205 Wiesbaden ▪ Engler-Bunte-Institut, 76128 Karlsruhe ▪ Gaswärme-Institut Essen, 45356 Essen ▪ Bundesvereinigung der Firmen im Gas- u. Wasserfach, 50968 Köln ▪ Union Internationale de l'Industrie du Gaz, 62, rue de Courcelles, F-75008 Paris. – *[HS 2705 00]*

Stäbchenförmige Makromoleküle. Bez. für *Makromoleküle, die aufgrund ihrer chem. Konstitution die Gestalt von Stäbchen besitzen. Beisp. sind das *Poly(*p*-phenylen) I, das *Polypropellan II u. *Koordinationspolymere wie III:

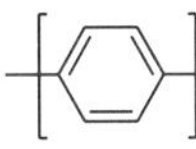

I 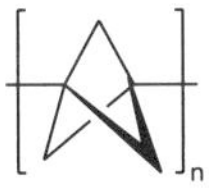 II

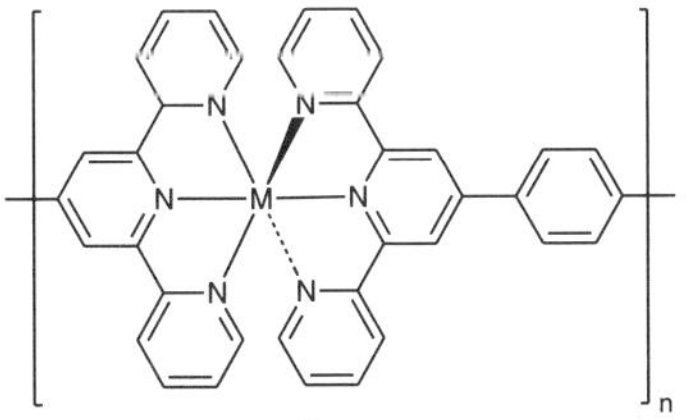

III

Da diese Makromol. aufgrund ihrer Starrheit beim Übergang vom Festkörper in die Lsg. od. Schmelze kaum Konformations-Entropie gewinnen, weisen sie in der Regel äußerst geringe Löslichkeiten u. Schmp. oberhalb der Zersetzungstemp. auf. Um sie dennoch lösl. u. schmelzbar zu erhalten, können flexible (z. B. Alkyl- od. Alkoxy-)Seitenketten angeheftet werden. Diese stören das ansonsten ideale Packungsverhalten der s. M. im Festkörper u. wirken wie chem. an die Polymeren gebundene Lsm.-Mol., indem sie einen hinreichenden Entropiegewinn beim Übergang vom Festkörper in die Lsg. od. Schmelze sicherstellen. Die so „solubilisierten" s. M. zeigen dann aufgrund ihrer starken Formanisotropie (großes Länge-zu-Querschnitt-Verhältnis) vielfach ausgeprägt thermotrop- u./od. lyotrop-flüssigkrist. Verhalten (s. flüssige Kristalle). Neben diesen „intrins.", d. h. aufgrund ihrer chem. Struktur stäbchenförmigen Polymeren können auch einige weitere Polymere aufgrund z. B. ihrer helicalen Konformation (z. B. DNA), aufgrund intra- u./od. intermol. Wasserstoff-Brücken (z. B. *Cellulose) od. wegen ihrer räumlich sehr anspruchsvollen Seitengruppen (z. B. Dendrit-substituierte *Polystyrole) trotz einer prinzipiell flexiblen, d. h. zur Knäuelbildung neigenden Hauptkette Stäbchengestalt annehmen. – ***E*** rigid-rod polymers, rodlike polymers – ***F*** macromolécules en forme de barreaux – ***I*** macromolecule a bastoncello – ***S*** macromoléculas en forma de varilla

Stärke. $(C_6H_{10}O_5)_n$, $[\alpha]_D$ +200° ± 20° (H_2O), native S.-Körner sind farblos, der Durchmesser beträgt 1–150 µm je nach Herkunft, z. B. Reisstärke 3–9 µm u. Kartoffelstärke 15–100 µm. Unzerkleinerte S.-Körner sind unlösl. in kaltem Wasser (<5 °C) u. Ethanol. In heißem Wasser quillt S. irreversibel unter *Verkleisterung* auf, an die sich eine *Gelbildung* anschließt. Die erforderlichen Temp. für diese Verkleisterungen liegen, abhängig von der Herkunft der Stärke, bei 60–70 °C. Diese Fähigkeit der S., Gele od. Pasten zu bilden, ist die Grundlage für die meisten S.-Anwendungen. Chemikalien wie Natriumsulfat, Saccharose u. D-Glucose erhöhen die Gelbildungs-Temp., während Natriumnitrat, Natriumhydroxid u. Harnstoff sie erniedrigen. Zerkleinerte S.-Körner verkleistern leichter u. sind chem. reaktiver. Underivatisierte S.-Körner sind empfindlich, so daß abgekühlte S.-Gele ihre Viskosität durch mechan. Einflüsse leicht verlieren. In einer Stärke-Lsg. lagern sich die ungeordneten S.-Mol. unter geeigneten Bedingungen zu geordneten krist. Strukturen zusammen, die sich schließlich aus der Lsg. abscheiden (*Retrogradation*). Sie bestehen in der Regel nur aus *Amylose eines Polymerisationsgrades von 50 bis 80 (kürzere u. längere Ketten sind wasserlösl.). Industriell kann man so Amylose von *Amylopektin trennen.

Chem. Zusammensetzung u. Aufbau: S. gehört ebenso wie *Glykogen od. *Cellulose zu den *Homoglykanen*. S. besteht aus 3 verschiedenen D-Glucopyranose-Polymeren, der *Amylose*, dem *Amylopektin* u. einer sog. Zwischenfraktion, die auch als anormales Amylopektin bezeichnet wird, sowie Wasser (ca. 20%, je nach Sorte u. Lagerungsbedingungen), kleineren Mengen Eiweiß, Fetten u. esterartig gebundener Phosphorsäure. Der Gehalt der S. an diesen Bestandteilen schwankt je nach Sorte. Höhere Pflanzen enthalten 0–40% Amylose bezogen auf die Trockensubstanz. Die Zwischenfraktion steht strukturell zwischen der Amylose u. dem Amylopektin. Bei analyt. Bestimmungen der S. wird die Zwischenfraktion meist dem Amylopektin zugerechnet.

Amylose besteht aus überwiegend linear α-1,4-glykosid. verknüpfter D-Glucose, M_R 10^5–10^6. Als Diffusionsamylose bezeichnet man den Teil der Amylose, der in Wasser bei Temp. <100 °C lösl. ist. Bei Temp. von

Tab.: Eigenschaften der Stärken bestimmter Stammpflanzen.

Stärke	Amylose-Gehalt [%]	Wasser-Gehalt [%]	Verkleisterungs-Temp. [°C]
Kartoffelstärke	17–22	17–18	58–60
Maisstärke	0–42	10–15	63–70
Reisstärke	12	12	72
Weizenstärke	16–18	12	50

60–70 °C erhält man Diffusionsamylose, die frei ist von Amylopektin. S. mit mehr als 70% Amylose wird als Hochamylose-S. bezeichnet, z.B. Markerbsen-S. (70% Amylose) u. Amylomais-S. (>50% Amylose). Der Wasser- u. Amylose-Gehalt von S. wird durch NIR-Spektroskopie (s. IR-Spektroskopie) bestimmt. Die Ketten bilden Doppelhelices.

Amylopektin enthält neben den für Amylose beschriebenen α-1,4-Verknüpfungen auch in einer Menge von 4–6% α-1,6-Bindungen (Abb. 1). Der durchschnittliche Abstand zwischen den Verzweigungsstellen beträgt etwa 12 bis 17 Glucose-Einheiten. Die Molmasse von M_R 10^7–10^8 entspricht ca. 10^5 Glucose-Einheiten, womit Amylopektin zu den größten Biopolymeren gehört. Die Verzweigungen sind derart über das Mol. verteilt, daß sich eine Büschelstruktur mit relativ kurzen Seitenketten entwickelt (s. Abb. 2). Zwei dieser Seitenketten bilden jeweils eine Doppelhelix. Durch die vielen Verzweigungsstellen ist Amylopektin in Wasser relativ gut lösl. u. wird enzymat. besser abgebaut. Mit steigendem Amylopektin-Gehalt nimmt die Kristallinität eines Stärkekorns zu u. die Verkleisterungsenergien steigen an. S., die ausschließlich Amylopektin enthalten (von bestimmten Mais- u. Kartoffelsorten), nennt man Wachsvarietäten. Das Aussehen der Stärkekörner ist typ. für die jeweilige Stammpflanze (s. Abb. 3). Amylose liefert Komplexe, in denen organ. od. andere Mol. in der Helixstruktur eingelagert werden; mit Iod bildet sie den blau gefärbten Iod-Stärke-Komplex, dessen Absorptionsmaximum von der Kettenlänge der Amylose abhängig ist. Amylopektin bildet einen rötlich braunen Komplex mit Iod. Amylose kann von Amylopektin durch Zusatz von *n*-Butanol zu einer heißen S.-Dispersion abgetrennt werden: Beim Abkühlen fällt der Amylose-*n*-Butanol-Komplex aus.

S. ist ein *Reservekohlenhydrat*, das von vielen Pflanzen in Form von 1–200 µm großen S.-Körnern in verschiedenen Pflanzenteilen gespeichert wird, z.B. in Knollen od. Wurzeln [*Kartoffeln, *Maranta (Arrowroot), *Maniok (Tapioka), *Batate], in *Getreide-Samen (*Weizen, *Mais, *Roggen, *Reis, *Gerste, *Hirse, Hafer, *Sorghum), in Früchten (*Kastanien, Eicheln, *Erbsen, *Bohnen u.a. Hülsenfrüchte, *Bananen) sowie im Mark (Sagopalme). Der S.-Gehalt ist sehr unterschiedlich (Angaben zum S.-Gehalt der Stammpflanzen s. Pflanzen-Stichwörter). Die S. von Getreide (s. die Abb. dort) befindet sich zusammen mit dem *Kleber in den Zellen des Mehlkörpers eingeschlossen.

Analytik: Die quant. Analyse der S. u. ihrer Abbauprodukte bedient sich der *Endgruppenbestimmung u. der *enzymatischen Analyse, die qual. der *Iodstärke-

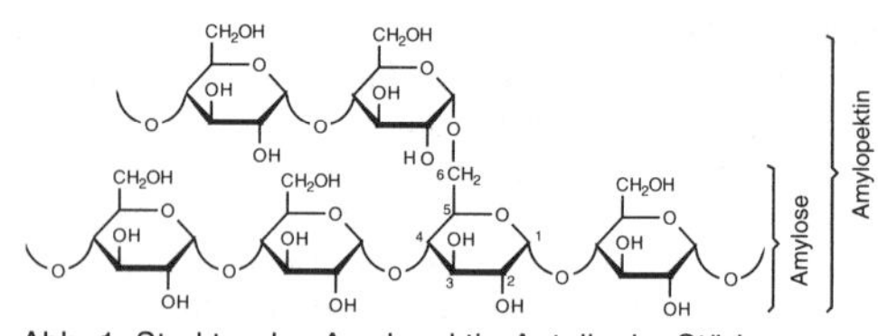

Abb. 1: Struktur des Amylopektin-Anteils der Stärke.

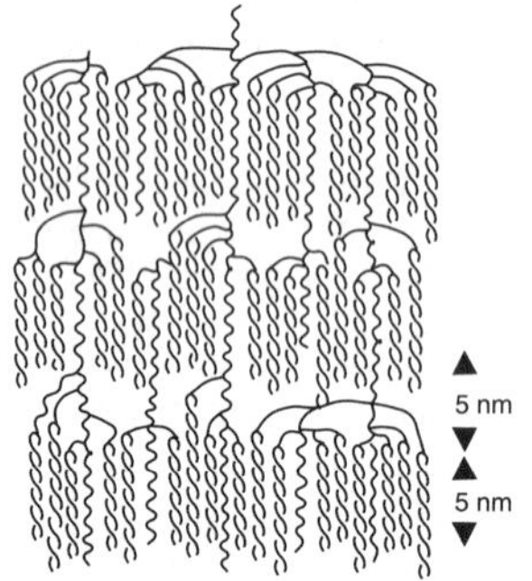

Abb. 2: Büschelstruktur von Amylopektin [1].

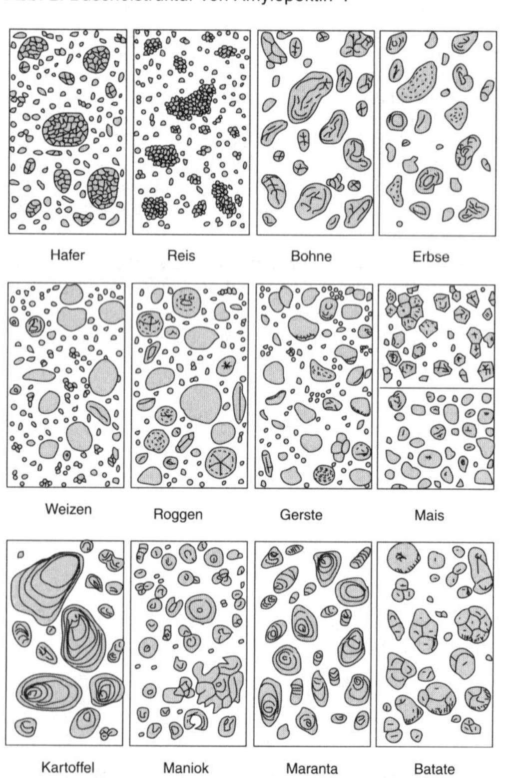

Abb. 3: Stärkekörner von verschiedenen Pflanzen (200fach vergrößert).

Reaktion od. der *Periodsäure-Schiff-Reaktion. Eine Meth. zur Bestimmung des Verhältnisses von Amylose u. Amylopektin in S. wird in *Lit.* [2] vorgestellt. Vielfach kann man die Herkunft der S.-Körner schon aus ihrer Gestalt u. Größe unter dem Mikroskop erkennen (s. Abb. 3). Die kleinsten S.-Körner sind 1–2 µm groß (Kornrade), die größten erreichen einen Durchmesser von nahezu 200 µm (0,2 mm) u. sind mit dem bloßen

Auge als kleine, weiße Pünktchen zu erkennen, z. B. Kartoffel-S. 20–180 µm, Roggen-S. 40–55 µm, Weizen-S. 25–45 µm, Mais-S. 15–25 µm, Reis-S. 2–10 µm. Wie die Röntgenuntersuchung gezeigt hat, besitzen S.-Körner krist. Struktur; sie bilden doppelbrechende Sphärokrist. (s. Sphärolithe) mit radial gestellten, feinen Krist.-Nadeln.

S.-Stoffwechsel: S. entsteht in den grünen Pflanzenteilen (*Chloroplasten) durch enzymat. gesteuerte Polytransglucosidierung aus der bei der *Photosynthese gebildeten D-Glucose unter Wasserabspaltung durch spezif. Enzyme. Die bes. in den Speicherorganen der Pflanzen befindlichen Leukoplasten (s. Plastide) speichern als sog. *Amyloplasten* die Reservestärke in Form von Stärkekörnern. Damit hat die Pflanze die Möglichkeit, die als Energievorrat wertvolle *Glucose ohne größere Veränderungen am Mol. in eine unlösl. u. damit osmot. unwirksame Form zu überführen, aus der sie sich jederzeit wieder mobilisieren läßt. Die Schichtung in den S.-Körnern kommt dadurch zustande, daß Bereiche geringerer u. höherer Dichte einander abwechseln.

Die Mobilisierung der Reservestärke erfolgt in der Regel auf hydrolyt. Wege. Die wirksamen Enzyme heißen *Amylasen, von denen je nach Spaltstelle im S.-Mol. die α- bzw. β-Amylasen unterschieden werden. Ein anderer S.-Abbauweg ist die *Phosphorolyse. Dabei greifen die *Phosphorylasen die S.-Mol. unter Abspaltung von Glucose u. Anlagerung von organ. Phosphat vom nichtreduzierenden Ende her an. Das prim. gebildete *α-D-Glucose-1-phosphat kann direkt in *Glucose-6-phosphat umgewandelt werden u. in dieser Form in die Glykolyse eintreten[3].

Herst.: Die Gewinnung von S. aus pflanzlichen Rohstoffen erfolgt in der BRD vorzugsweise aus *Mehl von Mais, Kartoffeln, Weizen, Reis u. Maniok (Tapioka), wobei die S.-Körner nach Abtrennung des *Klebers mechan. auf nassem Wege aus dem Zellverband herausgelöst werden; weltweit ist Mais die bedeutendste S.-Stammpflanze (65% der hergestellten S.). Näheres zur Technologie der S.-Herst. aus Kartoffeln u. Getreidesorten s. *Lit.*[4].

1991 wurden in Europa insgesamt 6,2 Mio. t S. erzeugt, davon 3,8 Mio. t Mais-S. (62%), 1,2 Mio. t Kartoffel-S. (19%) u. 1,2 Mio. t Weizen-Stärke[5].

Verw.: Als verdauliches Kohlenhydrat ist S. das wichtigste Nahrungsmittel für den Menschen. In der Lebensmittel-Ind. in natürlicher u. chem. modifizierter Form (s. a. Stärke-Derivate), als Bestandteil von Getreideprodukten, als Verdickungs- u. Bindemittel, prinzipiell überall dort, wo Wasser gebunden u. eine bestimmte Struktur in Nahrungsmittel gebracht werden soll. S. dient gekocht u. getrocknet als Basis von Instant-Lebensmitteln, Tapetenkleister, Füllmittel in Papier (durchschnittlicher S.-Gehalt von Papier ca. 18,5 kg/t), als Schlichte u. zur Appretur von Textilien. Hydrolyse der S. mit α-Amylase od. Glucoamylase erzeugt D-Glucose bzw. unter Isomerisierung D-Fructose (Stärkesirup, Isosirup), s. a. Saccharose. S. wird als nachwachsender Rohstoff zur Ethanol-Gewinnung genutzt, als Hilfsstoff in galen. Zubereitungen u. zum mol. Einschluß von Arzneimittel-Wirkstoffen, um sie verträglicher zu machen. S. bildet zahlreiche Stärke-Derivate, einen Überblick über die aus S. zugänglichen Produkte findet man dort. Auch modifizierte S. (u. a. mechan. beschädigte S., extrudierte S., Dextrine, Quell-S., S.-Ester) wird mehr u. mehr in der Ind. genutzt. Unkonventionelle Meth. der Modifizierung von S. wie u. a. Bestrahlung von S. mit Neutronen-, Röntgen- od. γ-Strahlen, Verw. von UV-VIS-Strahlung, Modifizierung von S. durch Einfrieren, IR-Strahlung od. Mikrowellen sind in *Lit.*[6] zusammengestellt.

Entwicklungen zu neuen S.-Arten für Lebensmittel werden in *Lit.*[7] diskutiert. Zu *Fettersatzstoffen auf S.-Grundlage s. *Lit.*[8]. – ***E*** starch – ***F*** amidon – ***I*** amido – ***S*** almidón

Lit.: [1] Die Stärke **43**, 375 (1993). [2] Starch/Stärke **48**, 338–344 (1996). [3] Nultsch, Allgemeine Botanik (10.), S. 324 f., Stuttgart: Thieme 1996. [4] Kirk-Othmer (4.) **22**, 705–708; Ullmann (5.) **A 25**, 8–11; Tscheuschner, Grundzüge der Lebensmitteltechnik, S. 363–373, Hamburg: Behr 1996; Winnacker-Küchler (3.) **3**, 589, 627; (4.) **5**, 658–678; **7**, 468 f. [5] Daten zur Stärkeindustrie, Fachverband der Stärkeindustrie e. V. (1993). [6] Adv. Carbohydr. Chem. Biochem. **51**, 243–318 (1995). [7] Cereal Foods World **41**, 796, 798 (1996). [8] Asia & Middle East Food Trade **13**, 20, 22 (1996).

allg.: Belitz-Grosch (4.), S. 282–285, 292 f., 631, 637, 662 ▪ Dtsch. Apoth. Ztg. **137**, 770–778 (1997) ▪ Food Ingr. Anal. Int. **18**, 30 f., 34 ff. (1996) ▪ Galliard, Starch: Properties and Potential, New York: Wiley 1987 ▪ Johnson, Industrial Starch Technology, Park Ridge: Noyes 1979 ▪ Kirk-Othmer (4.) **22**, 699–719 ▪ Klingler, Grundlagen der Getreidetechnologie, S. 128–131, 224 f., Hamburg: Behr 1995 ▪ Radley, Examination and Analysis of Starch and Starch Products. Industrial Uses of Starch and Its Derivatives, Starch Production Technology (3 Bd.), Barking: Applied Sci. Publ. 1976 ▪ Ruttloff, Industrielle Enzyme, S. 577 ff., 600 ff., Hamburg: Behr 1994 ▪ Ullmann (5.) **A 4**, 102; **A 25**, 1–21 ▪ Whistler et al., Starch, New York: Academic Press 1984 ▪ Wurzburg, Properties and Uses for Modified Starches, Boca Raton: CRC Press 1986. – *Zeitschrift:* Die Stärke/Starch, Weinheim: Wiley-VCH (seit 1950). – *[HS 1108 11 bis 1108 14, 1108 19]*

Stärkeacetate s. Stärkeester.

Stärkecarboxymethylether s. Stärkeether.

Stärkecitrate s. Stärkeester.

Stärke-Derivate. Derivatisierungen der Stärke verfolgen unterschiedliche Ziele: U. a. eine Erniedrigung ihrer Verkleisterungs-Temp., eine Erhöhung ihrer Lsg.-Stabilität od. eine Beeinflussung anderer (Lsg.-) Eigenschaften über die Variation des polaren Charakters der Polysaccharide. Modifizierungen können durchgeführt werden über eine Veränderung des Amylose/Amylopektin-Verhältnisses, eine Vorverkleisterung, einen partiellen hydrolyt. Abbau od. eine chem. Derivatisierung der Stärken.

Eine Variation des Verhältnisses der beiden Polysaccharid-Komponenten der Stärke ist sowohl über pflanzenzüchter. Maßnahmen, über die z. B. Amylopektin-reiche Maisstärken zugänglich gemacht wurden, als auch über fraktionierende Fällungsverf. möglich[1].

Über Vorverkleisterungsverf., bei denen Stärke-Suspensionen, etwa die bei der Isolierung der Stärken anfallende Stärkemilch, aufgekocht u. über Walzentrockner getrocknet werden, sind in kaltem Wasser quellende Produkte erhältlich. Unter kontrollierten Bedingungen läßt sich Stärke säurehydrolyt., alkal./oxidativ od. auf rein therm. Wege in Derivate umwandeln, die mit Wasser auch bei höheren Konz. niedrigviskose

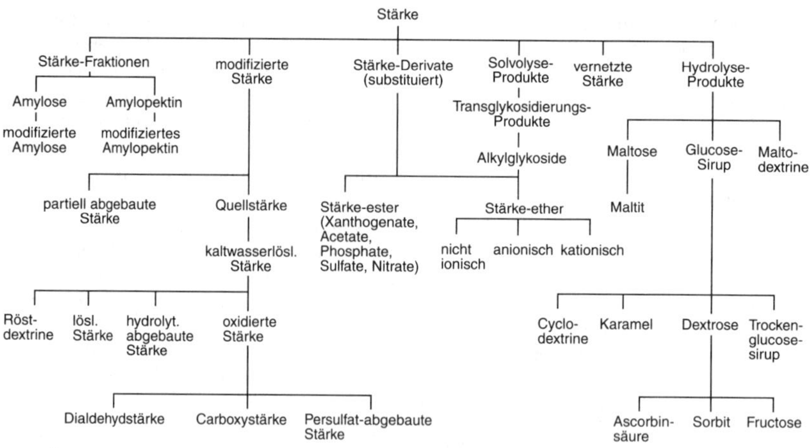

Abb.: Übersicht über aus Stärke zugängliche Produkte.

Lsg. ergeben. Entsprechende Verf. werden großtechn. zur Herst. von sog. dünnkochenden Stärken durchgeführt. Für den säurehydrolyt. u. den alkal./oxidativ (Oxid.-Mittel: Natriumhypochlorit) Abbau wird die Stärke in Wasser suspendiert. Therm. Verf. (Dextrinierung) gehen von trockener Stärke aus. Sie erfordern entweder hohe Temp. od. den Einsatz von Säuren als Katalysatoren.

Vielfältige Möglichkeiten zur Modifizierung von Stärken bietet ihre Derivatisierung durch Umsetzung mit mono-, bi- od. polyfunktionellen Reagenzien bzw. Oxid.-Mitteln in weitgehend polymeranalog verlaufenden Reaktionen. Diese basieren im wesentlichen auf Umwandlungen der Hydroxy-Gruppen der Polyglucane durch Veretherung od. Veresterung sowie auf radikal. initiierten Pfropf-Copolymerisations-Reaktionen der Polysaccharide mit ungesätt. Monomeren unter Erhalt von S.-D. der allg. Formel

[Strukturformel: R^3O, OR^1, OR^2, n]

Daneben stellt die selektive Oxid. der Stärke einen weiteren bedeutenden Weg zu S.-D. dar. Die in vielen Fällen angestrebte Erniedrigung der Verkleisterungs-Temp. u. die Inhibierung von Retrogradationsprozessen werden meistens schon bei sehr niedrigen Modifizierungsgraden der Stärken erreicht, insbes. dann, wenn sie mit physikal. Verf., z. B. der Vorverkleisterung, kombiniert werden.

Die Eigenschaften der bei chem. Reaktionen anfallenden S.-D. sind abhängig von Art u. Anzahl der in die Polysaccharide eingeführten Substituenten u. deren Verteilung in den einzelnen Anhydroglucose-Einheiten bzw. entlang der Polymerketten, natürlich aber auch von ihrem *Polymerisationsgrad, ihrer *Polydispersität u. der Provenienz der als Substrate eingesetzten Stärken. Die Beschreibung von Meth. zur Modifizierung von Stärke nimmt sowohl in der allg. Lit. als auch in der Patent-Lit. einen breiten Raum ein.

Einen Überblick über die aus Stärke generell zugänglichen Produkte gibt die Abb.[2]. In der Übersicht nicht enthalten sind u. a. *Pfropfcopolymere der Stärke, z. B. Stärke/Acrylamid/Acrylsäure-Pfropfcopolymere, die über äußerst hohe Wasser-Absorptionskapazitäten verfügen u. als *Super slurper großes Interesse gefunden haben. Wichtige polymere S.-D. werden in eigenen Stichwörtern behandelt. Dazu gehören *Stärkeether mit *Hydroxyethylstärken, *Hydroxypropylstärken u. *kationische Stärken als einzelne Vertreter, *Stärkeester (u. a. *Stärkenitrate) u. die *oxidierten Stärken. Oxidierte Stärken sind prinzipiell auch die *Dialdehydstärken*, die bei der Behandlung von Stärken mit selektiv wirkenden Oxid.-Mitteln (z. B. Periodsäure) anfallen u. für die die Gruppierung

[Strukturformel: CH_2OH, O, H, H, —O, OHC, CHO, O—]

charakterist. ist. Dialdehydstärken reagieren mit anderen H-aciden Polymeren unter Vernetzung u. können zur Herst. unlösl. Filme aus wasserlösl. Polymeren eingesetzt werden, u. a. auch zur Wasserfestausrüstung von Papier. Weiter-Oxid. der Dialdehydstärken führt zu *Dicarboxystärken* mit Einheiten des Typs

[Strukturformel: CH_2OH, O, H, O—, H, HOOC, COOH]

als komplexierenden Gruppen. Auf das breite Eigenschaftsspektrum u. die darauf basierenden sehr vielseitigen Anw.-Möglichkeiten der S.-D. wird an dieser Stelle nicht eingegangen; s. *Lit.* bei den einzelnen Stärke-Typen. – ***E*** starch derivatives – ***F*** dérivés de l'amidon – ***I*** derivati dell'amido – ***S*** derivados del almidón

Lit.: [1] Houben-Weyl **14/2**, 900. [2] Schriftenr. Fonds Chem. Ind. **1986**, H. 25, 5.

Stärkeester. Sammelbez. für *Stärke-Derivate der allg. Formel

[Strukturformel: RO, OR, OR, n]

I R = H, $—SO_3Na$
II R = H, $—PO(ONa)_2$
III R = H, —C(S)—SNa
IV R = H, $—CO—CH_3$
V R = H, $—CO—CH_2—C(OH)(COOH)—CH_2—COOH$

die aus der Veresterung von *Stärken mit organ. u./od. anorgan. Säuren hervorgehen.
Als anorgan. S. haben insbes. die *Stärkenitrate ($R=NO_2$), *-phosphate* u. *-xanthogenate* sowie *-acetate* Bedeutung erlangt. *Stärkesulfate* (I) haben als wasserlösl. Substitute für das natürliche Antikoagulans *Heparin vorübergehend Interesse gefunden. *Stärkephosphate* werden durch Veresterung von Stärke in wäss. Suspension mit Natriummetaphosphat hergestellt. Es resultieren Mono- (II) u. (vernetzte) Diester der Stärke. V. a. die Diester werden als Verdickungsmittel im Lebensmittelbereich eingesetzt, da sie schon bei sehr niedrigen Veresterungsgraden nicht retrogradierende wäss. Lsg. bilden. *Stärkexanthogenate* (III) aus der Umesterung von Stärke mit Schwefelkohlenstoff in Ggw. von Alkalien werden in der Papier-Ind. u. bei der Herst. von *Elastomeren eingesetzt.
Durch Acylierung von Stärken mit organ. Säurechloriden od. -anhydriden ist eine Vielzahl von organ. S. zugänglich, von denen aber nur die *Stärkeacetate* (IV) u. daneben die *Stärkecitrate* (V) techn. Bedeutung erlangt haben. Unter den *Stärkeacetaten* haben insbes. die partiell veresterten Produkte zur Herst. von Filmen u. Folien Verw. gefunden. Triacetylierte Produkte, insbes. die des *Amylose*-Anteils der Stärke, entsprechen in ihren Eigenschaften *Celluloseacetaten. *Stärkecitrate* bilden mit Wasser Lsg. von hoher Tau- u. Scherstabilität. – ***E*** starch esters – ***F*** esters de l'amidon – ***I*** esteri amidacei – ***S*** ésteres del almidón
Lit.: Houben-Weyl **E 20/3**, 2151–2160 ▪ Ullmann (4.) **22**, 195. – *[HS 3505 10]*

Stärkeether. Sammelbez. für *Stärke-Derivate der allg. Formel

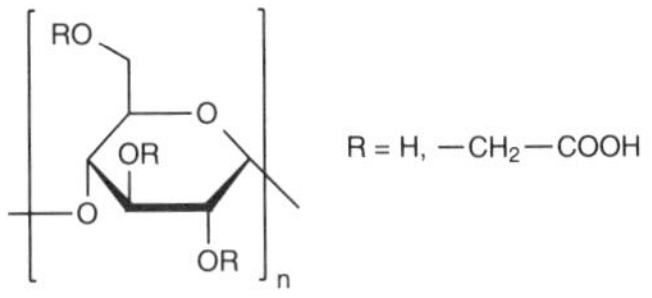

I

mit R = H, Alkyl, Aralkyl. S. können durch ähnliche Reaktionen, wie sie bei *Cellulose-Derivaten beschrieben sind, hergestellt werden. Die wichtigsten S. sind neben den *Stärkecarboxymethylethern* (I) die in eigenen Stichwörtern behandelten Hydroxyethylstärken, Hydroxypropylstärken u. kationische Stärken; zu Eigenschaften u. Anw. dieser S. s. dort. – ***E*** starch ethers – ***F*** éthers de l'amidon – ***I*** eteri amidacei – ***S*** éteres del almidón
Lit.: Houben-Weyl **E 20/2**, 2138–2151 ▪ Ullmann (4.) **22**, 196 ff. – *[HS 3505 10]*

Stärkegel-Elektrophorese s. Elektrophorese.

Stärkegranulose s. Amylopektin.

Stärkegummi s. Dextrine.

Stärkekleister s. Stärke u. Kleister.

Stärkenitrate (Nitrostärken). Schwach gelbliche Pulver, D. 1,1, die ähnlich wie *Cellulosenitrat hergestellt werden. S. entstehen aus *Stärke bei der Einwirkung von einem Gemisch aus konz. Schwefelsäure u. konz. Salpetersäure als hochpolymere, verzweigtkettige Produkte (Salpetersäureester der Stärke) mit einem Stickstoff-Gehalt von bis zu 13%. Verpuffungspunkt 183–185 °C, Detonationsgeschw. 4970 m/s, Bleiblockausbauchung 356 mL, Schlagempfindlichkeit (2-kg-Fallhammer) 56 cm. Das erste S. wurde schon 1833 von Braconnot in Nancy hergestellt u. *Xyloidin* genannt. S. wurden in Maisstärke-reichen Ländern wie den USA hergestellt u. als Zusatz für *Sprengstoffe (in Sprengschlämmen) verwendet. Wirtschaftliche Bedeutung erlangt haben nur S. mit einem Veresterungsgrad von ca. 2,75. – ***E*** starch nitrates – ***F*** nitrates d'amidon, nitroamidons – ***I*** nitrati di amido, nitroamidi – ***S*** nitratos de almidón, nitroalmidones
Lit.: Encycl. Polym. Sci. Technol. **12**, 835 ▪ Houben-Weyl **E 20/3**, 2161 ▪ Ullmann (3.) **16**, 75; (4.) **21**, 660; **22**, 195. – *[CAS 9056-38-6]*

Stärkephosphate s. Stärkeester.

Stärke-Sirup s. Stärke, Saccharose u. Glucose-Sirup.

Stärkexanthogenate s. Stärkeester.

Stärkungsmittel s. Roborantien.

Stäubemittel. Im Pflanzenschutz u. in der Schädlingsbekämpfung Bez. für meist maschinell mit trag- od. fahrbaren Geräten in Staub-Form ausgebrachte Mittel.

Stahl. Schmiedbares *Eisen mit einem Kohlenstoff-Gehalt von weniger als 2,1% u. wichtigste Form des techn. Eisens, in die ca. 90% des in der Welt erzeugten Roheisens überführt werden. Ca. 1000 S.-Sorten werden hergestellt. S. ist warm u. kalt spanlos u. spanend formbar. Die allg. technolog. Eigenschaften sind gekennzeichnet durch große Vielseitigkeit, wobei das Umwandlungsverhalten der unterschiedlichen S.-Typen mit einer geeigneten Leg.-Technik über eine Vielzahl von Wärmebehandlungen eine Anpassung an die jeweils gestellten Anforderungen erlaubt. Von bes. Bedeutung sind die mechan. Eigenschaften (Festigkeit, Zähigkeit, Härte), das Verschleißverhalten u. die Korrosionsbeständigkeit. Grundlage der S.-Eisen-Technologie ist die Kenntnis des Eisen-Kohlenstoff-Phasendiagramms u. die darauf basierenden grundlegenden Zusammenhänge, s. Eisen-Kohlenstoff-System.
Das im *Hochofen-Prozeß gewonnene *Roheisen, z. B. S.-Eisen (3,5–4% C, bis 1% Si, 2–3,5% Mn, bis 0,1% P, bis 0,005% S), ist aufgrund der hohen Gehalte an Kohlenstoff, Phosphor u. Schwefel sehr spröde u. wird deshalb nur zu einem geringen Teil zu mechan. wenig beanspruchten Gegenständen wie z. B. Herdplatten vergossen. Durch Umschmelzen in Kupolöfen kann der Reinheitsgrad von Roheisen verbessert u. durch geeignete Zusätze die Zusammensetzung innerhalb bestimmter Grenzen festgelegt werden. Das dabei entstehende *Gußeisen enthält 2–4% C u. kann weder kalt noch warm umgeformt werden.
Die Umwandlung von Roheisen zu S. erfolgt im wesentlichen durch das sog. *Sauerstoff-Frischen* nach dem Sauerstoff-Blasverf. sowie dem Elektrostahlverf. (ca. 80% bzw. 20% der S.-Erzeugung in der BRD), während sowohl die älteren *Bessemer- u. *Thomas-Verfahren, als auch das *Siemens-Martin-Verfahren inzwischen kaum noch Bedeutung haben. Bei dem von Dürrer u. Hellbrügge 1948 entwickelten u. von den

*V*ereinigten *Ö*sterreich. *E*isen- u. *St*ahlwerken (VOEST) in Linz großtechn. durchgeführten *Sauerstoff-Aufblasverf.* (*L*inz-*D*onawitz-Verf., *LD-Verfahren) wird im Konverter durch ein senkrecht aufgehängtes Düsenrohr (Sauerstoff-Lanze) aus unterschiedlichen Höhen u. mit wechselnden Mengen Sauerstoff (98,5%ig) auf das Metallbad geblasen. Durch die Verbrennung der Roheisen-Begleiter Kohlenstoff, Silicium u. Mangan erfolgt eine Temp.-Zunahme des Metallbades von ca. 1150 auf 1650 °C. *Schrott wird zu Kühlzwecken zugesetzt, Kalk wird zur Bildung einer reaktionsfähigen *Schlacke zugegeben, die Phosphor u. den nur teilw. oxidativ entfernten Schwefel aufnimmt. Der Anteil der Schlacke, die auf der Schmelze schwimmt u. leicht vom Metall getrennt werden kann, beträgt ca. 10–15%. Der Blasvorgang dauert rund 20 min. Die Ausbringung beträgt bis zu 500 t/h, Konvertergrößen bis 400 t sind möglich. Phosphor-reichere Roheisen-Sorten werden im sog. **LDAC-Verfahren* (nach *L*inz-*D*onawitz-ARBED-*C*entre National) verarbeitet. Der Unterschied zum LD-Verf. besteht darin, daß in einem zweiten Blasvorgang nach vorher erfolgtem Schlackenabguß Staubkalk auf das Metallbad zusammen mit Sauerstoff aufgeblasen wird. Die Erstschlacke entfernt den größten Teil des Phosphors, die Zweitschlacke bewirkt die Feinentphosphorierung. Eine Abwandlung der Sauerstoff-Aufblasverf. stellen die *Sauerstoff-Durchblasverf.* dar (*OBM-Verfahren sowie LWS-Verf., nach *L*oire-*W*endel-*S*prunch), bei denen der Sauerstoff durch 5 bis 15 Düsen im Boden des Konverters eingeblasen wird. Die Sauerstoff-Lanze entfällt, dadurch ergeben sich einfachere Anlagen. Kürzere Blaszeiten bei gleichzeitig besserer Baddurchmischung u. weniger Eisen-Verlusten sind möglich. Auch kombinierte Verf. kommen zum Einsatz. (TBM-Verf., nach *T*hyssen-*B*las-*M*etallurgie sowie LBE-Verf., nach *L*ance-*B*ubbling-*E*quilibrium). Beim **Elektrostahl-Verf.* wird kein od. nur eine kleine Menge Roheisen verarbeitet. Der S. wird bei diesem Verf. überwiegend aus Schrott u. Eisenschwamm in elektr. Lichtbogen- od. Induktionsöfen erschmolzen. Im Lichtbogenofen bildet das geschmolzene Metall die eine u. der darüber befindliche Kohle-Stab die andere Elektrode. Bei Stromdurchgang entsteht zwischen beiden ein elektr. Lichtbogen als Wärmequelle. Daneben werden Induktions- u. Widerstandsöfen eingesetzt. Der S., der nach dem Erschmelzen aus dem Konverter bzw. Schmelzgefäß in eine sog. S.-Pfanne abgestochen wird, enthält noch 0,02–0,07% Sauerstoff, der meistens abgebunden u./od. entfernt werden muß, damit beim Erstarren in der *Kokille keine Gasblasen von CO entstehen können; man erhält durch die Desoxid. sog. **beruhigten Stahl.* Als *Desoxidationsmittel u. gleichzeitiges Leg.-Mittel werden z.B. Mn, Si, Al, Ti, Zr u. V verwendet, wobei die Leg.-Zusätze (*Stahlveredler) in Form ihrer Ferroleg. (*Ferromangan, *Ferroniob, *Ferrovanadin u.a.) der Schmelze erst nach einem ggf. vorangegangenen Frischvorgang zugesetzt werden; bei diesem würden die Leg.-Metalle oxidiert werden. Die Herabsetzung des Sauerstoff-Gehalts kann aber auch durch eine Vak.-Entgasung (*Vak.-Metallurgie*) erfolgen, wobei gleichzeitig die Entfernung von gelöstem Kohlenstoff (CVD, *E* carbon *v*acuum *d*eoxidized) u. Wasserstoff möglich ist. Die Desorption von Wasserstoff ist wichtig, weil dieser eine *Versprödung des S. bewirkt. Naturgemäß spielt die S.-Analytik eine wichtige Rolle in der Produktionsüberwachung u. Produktkontrolle.

Der so vorbehandelte S. wird aus der S.-Pfanne in diskontinuierlicher (*Blockguß*) od., mit zunehmender Bedeutung, in kontinuierlicher Arbeitsweise (*Strangguß*) in *Kokillen vergossen, wobei die Gießtemp. ca. 30–70 °C über der Erstarrungstemp. von S. liegt. Wird S. in flüssigem Zustand in Formen gegossen, so spricht man von *S.-Guß* (Abk. GS). Die feuerfesten Formen können aus Sand, gebrannter Schamotte, Rohton, Graphit u. dgl. hergestellt sein; nach dem Gießen müssen oberflächliche Unebenheiten beseitigt werden. Der größte Teil von S. wird auf mechan. Wege durch Walzen zu Profil- u. Flacherzeugnissen weiterverarbeitet; ein wesentlich geringerer Teil wird geschmiedet. Neben dem nach den genannten Verf. erzeugten **Flußstahl*, der aus flüssigem Roheisen gewonnen wird, kannte man früher noch den *Schweiß-S.*, der z.B. nach dem *Puddel-Verf.* aus festem Roheisen hergestellt wurde. Bei diesem um 1784 von Corts entwickelten Verf. wurde das Kohlenstoff-reiche Roheisen in Flammöfen (Puddelöfen) mit Steinkohlefeuerung u. Eisenoxid-reichen Wandauskleidungen bis nahe an dem Schmp. erwärmt u. durch Umrühren mit Stangen der Einwirkung von Sauerstoff u. Wandauskleidung ausgesetzt. Aus den erstarrten Massen drückte man nachher die Schlacke heraus u. rollte das Eisen zu rundlichen Körpern (*Luppen*), die unter dem Dampfhammer zu Blöcken zusammengeschweißt wurden.

Als unlegiert bezeichnet man einen S., wenn sein Gehalt an Eisen-Begleitern folgende Anteile nicht übersteigt: 0,5% Si; 0,8% Mn; 0,1% Al od. Ti; 0,25% Cu; 0,06% S; 0,09% P. Um die mechan., physikal. u. chem. Eigenschaften von S. zu verbessern bzw. zu verändern, werden Metalle wie z.B. Cr, Ni, Co, W, Mo, Mn, Al, V, Ti, Ta, Nb, Seltenerdmetalle, Si, B, Cu sowie ggf. N, P u. S einzeln od. zu mehreren zulegiert (Näheres s. Ferro-Legierungen, nichtrostende Stähle, Automatenstähle, Chrom-, Mangan-, Borstähle, Edelstahl, Legierung). Prozesse wie *Härtung u. Vergütung (s. Vergüten) von Stahl, *Beizen, *Brünieren, *Phosphatieren, *Anlassen, *Aufkohlung, *Nitrieren schließen sich an. S.-Formteile lassen sich heute auch auf dem Wege der Pulvermetallurgie durch Sintern herstellen.

Während sich bei der Erzeugung von S. weltweit keine wesentlichen Veränderungen ergeben haben, sind auf der Verf.-Seite Verschiebungen eingetreten. Die alten Frisch-Verf. (in der BRD wurden das letzte Thomas-Stahlwerk 1975 u. das letzte Siemens-Martin-Stahlwerk 1982 stillgelegt) wurden weitgehend durch das LD-Verf. u.ä. ersetzt, während der Anteil der Lichtbogen-Verf. auf ca. 25% gestiegen ist. Weltweit halten die Sauerstoff-Blasverf. die führende Position mit noch zunehmender Tendenz. Neben der S.-Erzeugung aus Roheisen u. Schrott hat das Umschmelzen von Eisen-Schwamm aus den Direktred.-Verf. eine gewisse Bedeutung erlangt. Statist. Angaben zur Roh-S.-Erzeugung findet man in der *Metallstatistik.

Geschichte: Der erste Schweiß-S. (Schmiedeeisen) wurde mit dem Rennfeuer seit etwa 1200 v. Chr. hergestellt; die Entkohlung des Eisens erfolgte dann seit dem 14. Jh. im Frischfeuer u. von 1784 an nach dem Puddel-Verfahren. 1855 folgten die Bessemer-, 1864 das Siemens-Martin- u. 1877 das Thomas-Verfahren. – ***E*** steel – ***F*** acier – ***I*** acciaio – ***S*** acero

Lit.: Metals Handbook (9.), Vol. 1: Irons and Steels, Metals Park: American Society for Metals 1978 ▪ Pickering (Hrsg.), Materials Science and Technology, Vol. 7: Constitution and Properties of Steel, Weinheim: VCH Verlagsges. 1992. – *[HS 7206.., 7229..; CAS 12597-69-2]*

Stahl, Egon (1924–1986), Prof. für Pharmakognosie u. Analyt. Phytochemie, Saarbrücken. *Arbeitsgebiete:* Pharmazie, Pharmakognosie, Phytochemie, Entwicklung der Dünnschichtchromatographie, Naturstoffe, chem. Rassen bei Arzneipflanzen, Destraktion, Thermofraktographie.

Lit.: Kürschner (14.), S. 4079 f. ▪ Neufeldt, S. 202 ▪ Pharm. Unserer Zeit **15**, 187 (1986).

Stahl, Georg Ernst (1660–1734), Prof. für Medizin u. Chemie, Jena, Halle. *Arbeitsgebiete:* Entwicklung der *Phlogiston-Theorie, Einteilung der Nebengruppenelemente nach der Leichtigkeit ihrer Dephlogistonierung (Oxid.), Pottasche, Soda. Er erkannte als erster, daß bei chem. Reaktionen die Veränderung eines Stoffes stets mit der Veränderung eines zweiten Stoffes verbunden ist.

Lit.: Chem.-Ztg. **108**, 219–222 (1984) ▪ Krafft, S. 318 ff. ▪ Lexikon der Naturwissenschaftler, S. 381 f. ▪ Lichtbogen **24**, Nr. 3, 4–8 (1975) ▪ Pötsch, S. 404 f. ▪ Strube, Georg Ernst Stahl, Leipzig: Teubner 1984 ▪ Strube et al., S. 54 f.

Stahlbeton (Eisenbeton). *Verbundwerkstoff aus *Beton u. *Betonstahl*, wobei letzterer dem Beton zur Bewehrung in Form von gitterähnlichen Geflechten aus Stahlstäben, sog. *Moniereisen*, eingefügt wird; bei Verw. von vorgespannten Stahl-Einlagen spricht man von *Spannbeton. Der Beton nimmt bei S. vorwiegend die Druck- u. der Stahl die Zugkräfte auf; beide haben denselben therm. Ausdehnungskoeffizienten. *Eisenbeton* wurde um 1870 von dem Gärtner Monier erfunden, der Drahtnetze mit Beton ummauerte u. auf diese Weise haltbare Pflanzenbehälter herstellte. – ***E*** steel concrete – ***F*** béton armé – ***I*** calcestruzzo armato, cemento armato – ***S*** hormigón armado

Lit.: Scholz, Baustoffkenntnis, 13. Aufl., Düsseldorf: Werner 1995 ▪ s. a. Beton.

Stahlblau s. Berliner Blau.

Stahlerzeugnisse. Sammelbez. für Stahlprodukte, die im Rahmen der Herst. von Anlagen od. Bauteilen vor ihrer Verw. überwiegend noch mittels *Fertigungsverfahren wie Trennen, Fügen od. Verformen verarbeitet werden müssen. Erzeugnisse bzw. Erzeugnisgruppen sind dabei Blech, Band, Flachstahl, Stabstahl, Formstahl (Profile), Betonstahl u. Walzdraht sowie weiterhin Rohre u. Schmiedestücke. – ***E*** steel products, semifinished products – ***F*** produit mi-ouvré – ***I*** prodotti d'acciaio, semilavorato – ***S*** semiproducto

Lit.: Verein Dtsch. Eisenhüttenleute (Hrsg.), Jahrbuch Stahl, Düsseldorf: Verl. Stahleisen (jährlich).

Stahlfasern s. Stahlwolle.

Stahlflaschen s. Bomben.

Stahlguß s. Stahl.

Stahlquellen s. Eisensäuerlinge.

Stahlveredler. Sammelbez. für die zur Herst. von *Stahl u. *Edelstahl zugesetzten Leg.-Elemente. Der Zusatz erfolgt im allg. in Form von *Ferro-Legierungen. – ***E*** steel addition agents – ***F*** additifs pour l'acier – ***I*** agenti affinanti d'acciaio, agenti di addizione d'acciaio – ***S*** aditivos para el acero

Lit.: Winnacker-Küchler (4.) **4**, 198–234 ▪ s. a. Stahl.

Stahlwässer s. Mineralwasser.

Stahlwolle. Gekräuselte *Stahlfasern*, die je nach Verwendungszweck in mehreren Feinheitsgraden gehandelt werden. Sie dienen zum Mattschleifen von polierten u. lackierten Flächen von Messing, Kupfer u. Zinn, zum Reinigen von Aluminium- u. Kupfer-Gegenständen, zum Schleifen von mattierten Flächen u. Grundierungen, zum Entfernen alter Anstriche u. zum Abziehen von Parkett. Stahlfasern selbst dienen zur *Faserverstärkung, als Einlage (Stahlcord) in Gürtelreifen, u. auch die Einarbeitung kleiner Anteile von Stahlfasern in Textilien zur Ableitung stat. Elektrizität wurde vorgeschlagen. – ***E*** steel wool – ***F*** laine d'acier – ***I*** lana d'acciaio – ***S*** lana de acero, virutas de hierro

Lit.: s. Stahl. – *[HS 7323 10]*

Stalagmiten s. Stalaktiten.

Stalagmometer (von griech.: stalagma = Tropfen). Gerät zur Bestimmung der *Oberflächenspannung von Flüssigkeiten gegen die Grenzfläche Luft auf volumetr. Basis. Man läßt hierbei gleiche Vol. verschiedener Flüssigkeiten bei konstanter Temp. durch Kapillaren von gleichbleibender Weite tropfenweise ausfließen u. zählt die Anzahl der gebildeten Tropfen. Es wird nun das Vol. eines einzelnen Tropfens als Maß für die Größe der Oberflächenspannung ermittelt. – ***E*** stalagmometer – ***F*** stalagmomètre – ***I*** stalagmometro – ***S*** estalagmómetro

Stalaktiten. Von griech.: stalaktos = tropfend abgeleitete Bez. für Tropfsteine aus Calcit od. *Aragonit. S. sind von der Decke einer Höhle nach unten wachsende, *hängende* Tropfstein-Gebilde, die bei der CO_2-Entgasung kalkhaltigen Wassers entstehen; *Stalagmiten* sind dagegen von unten nach oben sich aufbauende, *stehende* Tropfstein-Gebilde. – ***E*** = ***F*** stalactites – ***I*** stalattiti – ***S*** estalactitas

Lit.: Press u. Siever, Allgemeine Geologie, S. 267, 580, Heidelberg: Spektrum 1995.

Stallimycin (Distamycin).

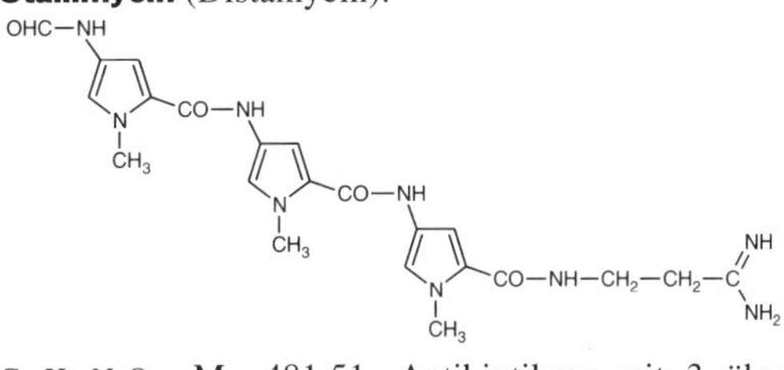

$C_{22}H_{27}N_9O_4$, M_R 481,51. Antibiotikum mit 3 über Carboxamido-Gruppen verbundenen Pyrrol-Ringen im Mol., das aus Kulturen von *Streptomyces distallicus* gewonnen wird, Schmp. 154–156 °C; als Hydrochlorid, $C_{22}H_{28}ClN_9O_4$, M_R 517,98, Schmp. 184–187 °C,

λ_{max} (C_2H_5OH) 237, 303 nm ($A^{1\%}_{1cm}$ 579, 714), LD_{50} (Maus i.v.) 75, (Maus i.p.) 500 mg/kg. S. wurde 1958 von Farmaceutici Italia patentiert. S. wirkt antiviral u. cytostatisch. – ***E*** stallimycin – ***F*** stallimycine – ***I*** stallimicina – ***S*** estalimicina

Lit.: Corcoran u. Hahn, Antibiotics, Bd. 3, S. 79–100, Berlin: Springer 1975 ▪ J. Org. Chem. **46**, 3492 (1981) ▪ Martindale (29.), S. 700. – *[HS 2941 90; CAS 636-47-5 (S.); 6576-51-8 (S.-HCl)]*

Stamm. 1. In der *Mikrobiologie:* Kleinste systemat. Unterteilung in der *Mikrobiologie, wobei sich die verschiedenen S. einer Art (*Spezies) physiolog. u. morpholog. nur geringfügig unterscheiden. Die Kennzeichnung erfolgt mit einer S.-Nummer zusätzlich zum Artnamen. – 2. In der *Tierzucht:* Kleinste zuchtfähige Einheit. – ***E*** strain – ***F*** souche – ***I*** ceppo – ***S*** cepa

Stammentwicklung (Stammoptimierung). In der industriellen *Mikrobiologie Bez. für die Verbesserung der Produktionsstämme mittels chem., physikal. od. gezielter (molekularbiolog.) Meth., *Mutation u. entsprechender *Selektion sowie der häufig parallel ausgerichteten Optimierung des Fermentationsverf. (z. B. Nährmedien, pH-Führung, Temp., Dauer, Sauerstoff-Eintrag). Ziele sind u. a. eine Ausbeute-Optimierung des gewünschten Produktes, die Reduzierung von Nebenkomponenten od. die Verbesserung der Fermentationseigenschaften. Die überwiegende Zahl der industriell verwendeten Mikroorganismenstämme sind Mutanten eines Wildstammes od. *Wildtyps. – ***E*** strain improvement, strain development – ***F*** développement de souche – ***I*** sviluppo del ceppo – ***S*** desarrollo de la cepa

Lit.: Präve et al. (4.), S. 8, 46 f., 628.

Stammhaltung. Bez. für die Konservierung u. Lagerung von Mikroorganismen-*Stämmen, z. B. in *Stammsammlungen. Man unterscheidet: a) Konservierung durch Überschichtung mit inerten Flüssigkeiten (z. B. *Paraffin), – b) Konservierung durch Trocknung u. – c) Konservierung durch Temperaturabsenkung. Für wertvolle Hochleistungsstämme, die mitunter leicht ihre Leistungsfähigkeit durch Überalterung, Rückmutation u. a. Degenerationen verlieren, sind z. T. spezielle Maßnahmen notwendig. – ***E*** strain storage – ***F*** maintien de souche – ***I*** stoccaggio dei ceppi – ***S*** almacenamiento de cepas

Lit.: Präve et al. (4.) ▪ Schlegel (7.).

Stammhydride. Allg. Bez. der organ.-chem. Nomenklatur (IUPAC-Regel R-0.2.1.1 u. R-2) für Verb., die CAS treffender „Mol.-Gerüst-Stammverb." nennt (*E* molecular-skeleton parent compounds): „S." enthalten keine *Hydrid-Ionen, sondern meist pos. polarisierte u. teilw. keine H-Atome (*Beisp.:* *Fullerene, *Schwefel-Stickstoff-Verbindungen u. a. anorgan. Mol.). S. haben (halb)systemat. od. triviale *Stammnamen, dürfen nur H-Atome, aber nicht *funktionelle Gruppen tragen od. „funktionelle Stammverb." sein (z. B. *Amin, *Hydroperoxid, anorgan. Säure); *Beisp.: n*-*Alkane, *Heteroatom-*Ketten, carbo- u. heterocycl. *Ringsysteme, *Naturstoff-S. (*Alkaloide, *Carotinoide, *Steroide, *Terpene u. a.). – ***E*** parent hydrides – ***F*** hydrures fondamentaux – ***I*** idruri radicali – ***S*** hidruros fundamentales

Stammisolierung. In der Mikrobiologie Bez. für die Herst. einer *Reinkultur eines *Mikroorganismus (*Stammes). – ***E*** strain isolation – ***F*** isolation de souche – ***I*** isolazione dei ceppi – ***S*** aislamiento de cepas

Stammkulturensammlung s. Stammsammlung.

Stammlösung. Als S. werden Lsg. von Stoffen (häufig wäss. Mineralsalzlsg.) bezeichnet, die in definierten hohen Konz. (10fach, 100fach etc.) angesetzt werden u. vor Gebrauch nur noch verd. werden müssen. Auch lassen sich mehrere Stoffe in einer S. zusammenfassen. S. werden häufig in der Molekularbiologie, Mikrobiologie, Biochemie u. Analytik benutzt. – ***E*** stock solution – ***F*** solution-mère – ***I*** soluzione standard – ***S*** solución madre

Stammname (Namensstamm). Name des *Stammhydrids, der außer der Wortwurzel auch gerüstverändernde *Präfixe enthalten kann (*Beisp.:* s. Aza..., Benzo..., Bicyclo..., Cyclo..., Homo..., Methano..., Nor..., Seco..., Spiro...). Aus S. bildet man in der organ.-chem. *Nomenklatur Verb.-Namen z. B. durch vorgesetzte Präfixe (zur *Hydrierung von ungesätt. Ringsyst. u. *Substitution von H-Atomen) u. angehängte *Suffixe [z. B. für *Dehydrierung (*...en, *...in), ranghöchste *funktionelle Gruppen, Ladungen u. *Radikale]. S. u. Suffixe bilden den *Registerstammnamen* (*E* *index heading parent) in invertierten chem. Namenregistern (s. Präfixe), dem funktions- u. gerüstverändernde Derivat-Bez. folgen können (sog. *Postsuffixe*, s. Suffixe). – ***E*** parent name – ***F*** nom fondamental – ***I*** nome radicale – ***S*** nombre fundamental

Stammoptimierung s. Stammentwicklung.

Stammsammlung (Stammkulturensammlung, Kulturensammlung). Sammlung von vermehrungsfähigen *Organismen (möglichst in *Reinkulturen), insbes. *Mikroorganismen, u. *Zellen sowie *Plasmiden u. a. Nucleinsäure-Sequenzen für wissenschaftliche u. industrielle Zwecke, aber auch zur Stammhinterlegung bei *Patenten. Internat. S. sind z. B. die *DSM (*D*eutsche *S*ammlung von *M*ikroorganismen u. Zellkulturen), *ATCC (*A*merican *T*ype *C*ulture *C*ollection), CBS (**C*entraal*b*ureau voor *S*chimmelcultures), CCTM (*C*entre de *C*ollection de *T*ype *M*icrobien, Université de Lausanne, Schweiz), JCM (*J*apan *C*ollection of *M*icroorganisms, Saitama, Japan) u. NCTC (*N*ational *C*ollection of *T*ype *C*ultures, London, U. K.). Laut *Budapester Vertrag hat jeder Zugang zu den internat. S., der mit Mikroorganismen u. Zellen umgehen darf. Die eingelagerten Kulturen werden gegen Entgelt an kommerzielle u. nicht-kommerzielle Einrichtungen abgegeben. Kataloge der erhältlichen Organismen können von den jeweiligen S. angefordert werden od. finden sich im Internet. – ***E*** culture collection – ***F*** collection de cultures – ***I*** collezione di colture – ***S*** colección de cultivos

Lit.: Rehm-Reed (2.) **12**, 281–298.

Stammwürze s. Bier u. Würze.

Stammzellenfaktor (SCF, steel factor, Mastzellen-Wachstumsfaktor). Zu den *hämatopoetischen Wachstumsfaktoren u. den *Kolonie-stimulierenden Faktoren (CSF) gehörendes *Glykoprotein (M_R des Monomers 28 000 – 30 000, bildet Dimere), das u. a. von Stromazellen des Knochenmarks, von Leberzellen, T-*Lymphocyten u. Fibroblasten wahrscheinlich als Transmembran-Protein gebildet wird u. durch proteolyt. Spaltung an der Zelloberfläche freigesetzt werden kann. Der SCF fördert das Wachstum blutbildender Vorläuferzellen, von Mastzellen, von Vorläuferzellen der Keimzellen u. von Pigmentzellen (Melanocyten); er verstärkt weiterhin die stimulierenden Wirkungen etlicher anderer *Cytokine wie *Interleukin 3, 6 u. 7, G-, M- u. GM-CSF sowie *Erythropoietin auf das Wachstum der jeweiligen Zielzellen (verschiedene Blutzellen). Der *Rezeptor für den SCF ist c-Kit, das zelluläre Homolog des *Onkogen-Produkts v-Kit des Katzensarkom-Virus, besitzt Tyrosin-Kinase-Aktivität (s. Protein-Kinasen) u. ist mit den Rezeptoren des *Plättchen-entstammenden Wachstumsfaktors u. des M-CSF verwandt. – ***E*** stem cell factor – ***F*** facteur des cellules souches – ***I*** fattore delle cellule staminali – ***S*** factor de las células tronco

Lit.: Blood **90**, 1345 – 1364 (1997) ▪ Acta Haematol. **95**, 257 – 262 (1996).

Stampfdichte s. Stampfvolumen.

Stampfvolumen. Als S. bezeichnet man das Vol. der festgesetzten Menge eines Stoffes nach dem Stampfen unter standardisierten Bedingungen im *Stampfvolumeter*. Das S. von Pigmenten, Füllstoffen, Verschnittmitteln etc. hängt von D., Teilchenform u. -größe ab. Die *Stampfdichte* ist der Quotient aus Masse u. S. des Stoffes; sie ist naturgemäß viel höher als die **Schüttdichte*. – ***E*** tamped volume – ***F*** volume par compactation – ***I*** volume pestato – ***S*** volumen por compactación

Lit.: DIN 55943: 1993-11.

Standalloy®. Leg. aus Silber/Zinn/Kupfer mit 71% bzw. 68% Ag für die *Amalgam-Herst. in der Zahnmedizin. ***B.:*** Degussa.

Standard. Das *International Vocabulary of Basic and General Terms in Metrology* (VIM)[1] definiert einen Meß-S. als einen Stoff, ein Instrument, ein Referenz-Material od. ein Syst. zum Definieren, Realisieren, Konservieren od. Reproduzieren eines od. mehrerer Werte einer Meßgröße, wobei der S. als Referenz dient. Ein prim. S. hat die allg. anerkannte höchste metrolog. Genauigkeit, u. seine Meßgröße wird ohne Bezug auf einen anderen S. derselben Meßgröße akzeptiert. Die weltweite Standardisierung durch internat. Organisationen wie *CEN, *ISO, *IUPAC, *IUPAP u. a. hat den Sinn, Barrieren im globalen Handel zu eliminieren durch Beseitigung von Schwierigkeiten, die sich durch unterschiedliche techn. Regeln, wissenschaftliche Begriffe, unterschiedliche Sprachen sowie Regeln u. Gesetze in verschiedenen Ländern ergeben. Weiterhin definiert das VIM als *Referenz-Material* (RM) einen Stoff (od. eine Substanz), dessen Eigenschaften ausreichend homogen u. so genau festgelegt sind, daß er zum *Kalibrieren von Geräten, zur Bewertung von Meth. od. zur Zuordnung von Meßgrößen zu Stoffen verwendet werden kann. *Zertifizierte Referenz-Materialien* (ZRM) sind mit einem Zertifikat ausgestattet, das belegt, daß die angegebenen Meßwerte durch ein auf Basiseinheiten zurückführbares genaues Verf. bestimmt wurden u. daß die Unsicherheit jedes Meßwertes in einem festgelegten Vertrauensbereich bekannt ist. ZRM werden von internat. Organisationen wie BCR (Community Bureau of Reference, EC), *BAM, *NIST u. a. hergestellt. Die internat. Datenbank COMAR (Laboratoire National d'Essais, France 1990) enthält 4300 ZRM, die in 8 Anw.-Gebiete eingeteilt sind: Eisen- u. Nichteisen-RM, anorgan. u. organ. RM, RM für physikal. u. techn. Eigenschaften, RM für Lebensqualität, biolog. u. klin. RM u. RM für die Industrie.

RM werden zum Kalibrieren von Geräten, zur Kontrolle von Meth. u. in der physikal. Chemie eingesetzt. Bei der Kontrolle von Meth. kann der S. zur Probe zugegeben werden (*interne S.-Meth.*), od. der S. u. die Probe werden parallel u. zur gleichen Zeit durch dieselbe Meth. analysiert (*externe S.-Meth.*). Einsatzgebiete für interne S. in der Analytik sind die Feststellung der Reproduzierbarkeit von Injektionen u. Injektions-Probenvol., von Instabilitäten von Detektionssyst., das Erkennen von Pipettenfehlern u. Verdampfungsverlusten von Proben, Kontrolle der Extraktions-Effizienz u. des Verlustes der Analyten durch Adsorption. – ***E*** = ***F*** = ***I*** standard – ***S*** estándar, patrón

Lit.: [1] ISO The International Vocabulary of Basic and General Terms in Metrology (First Edition 1984, Last Revision 1993), Genéve: International Organisation for Standardisation.
allg.: Analyt.-Taschenb. **9**, 15 ▪ BCR Reference Material, Institute for Reference Materials and Measurements (IRMM), B-2440 Geel, Belgien, 1997/1998 ▪ Promochem, Wesel, Internet: http://www.prochem.com (Bezugsquelle für Referenzmaterialien) ▪ Townshend, Encyclopedia of Analytical Science, Bd. 8, S. 4430 – 4435, 4767 – 4792, San Diego: Academic Press 1995.

Standardbildungsenthalpie s. Bildungswärme.

Standardisierung. Das Aufstellen von *Standards für die gleichartige Bez., Kennzeichnung, Handhabung, Ausführung von Produkten u. Leistungen; s. a. Normung. – ***E*** = ***F*** standardisation – ***I*** standardizzazione, unificazione – ***S*** estandarización

Lit.: s. Standard.

Standardkunststoffe. Alternative Bez. für *Massenkunststoffe.

Standard Oil. Im Namen einiger Mineralöl-Unternehmen noch erhaltener Name des ehem. weltgrößten Erdöl-Konzerns. Im Jahre 1863 gründeten der Kaufmann John D. Rockefeller u. der Fabrikarbeiter Samuel Andrews eine Erdölraffinerie in Cleveland (Ohio), aus der 1870 durch Fusionen die S. O. Company of Ohio hervorging. Der durch weitere Firmenaufkäufe 1882 entstandene S. O. Trust wurde aufgrund der Antitrust-Gesetzgebung zerschlagen, 1892 unter der Dachges. S. O. Company (New Jersey) zusammengefaßt u. 1911 erneut durch Gerichtsurteil in 34 Unternehmen aufgesplittert, die voneinander unabhängig sein sollten. Die meisten Firmen fügten nach der Trennung dem Namen S. O. den Namen des Staates an, in dem sie hauptsächlich ihre Geschäfte tätigten. Die wichtigsten, aus dem ehem. S. O.-Imperium hervorgegangenen Firmen sind heute: *S. O. Company of New Jersey*, die als Firmennamen die phonet. geschriebene Abk. für S. O. (*Esso*) wählte u. seit 1972 als Exxon Corporation firmiert,

S. O. Company of New York (Socony), die heute als Mobil Oil firmiert, *S. O. Company of California* (Socal, Chevron), *S. O. Company of Indiana* (Amoco) u. *S. O. Company of Ohio* (Sohio, von BP übernommen).

Standardpotential s. Normalpotential.

Standard-PS s. Polystyrol.

Standardreaktionsenthalpie s. Bildungswärme.

Stand der Technik. Niveaukennzeichnung für den technolog. Entwicklungsstand von Anlagen. Wie auch bei den *allgemein anerkannten Regeln der Technik ist der S. d. T. zu einem unbestimmten Rechtsbegriff geworden, der Einzug in die Umweltschutz-Rechtsprechung gefunden hat (vgl. Stand der Wissenschaft u. Technik). Im *Bundes-Immissionsschutzgesetz gilt der S. d. T. als Entwicklungsstand fortschrittlicher Verf., Einrichtungen od. Betriebsweisen, der die prakt. Eignung als Maßnahme zur Begrenzung von *Emissionen gesichert erscheinen läßt. Bei der Bestimmung des S. d. T. sind insbes. Verf., Einrichtungen od. Betriebsweisen heranzuziehen, die mit Erfolg im Betrieb erprobt worden sind. In den übrigen nachfolgenden Gesetzen mit Umweltschutz-Bezug wurde der S. d. T. nicht neu definiert; der Begriff Emission wurde auf entsprechende Medien bezogen. Im *Wasserhaushaltsgesetz wird unter „Anforderungen an das Einleiten von Abwasser" eine Abwasserbehandlung nach dem S. d. T. vorgeschrieben, der über Verwaltungsvorschriften der technolog. Entwicklung entsprechend fort- u. festgeschrieben wird. Der rechtliche Maßstab für Erlaubtes u. Gebotenes wird an die Front der techn. Entwicklung verlegt. Auf eine allg. Anerkennung in Kreisen der techn. Praktiker u. die prakt. Bewährung kommt es nicht an. Beim S. d. T. wird aber noch darauf abgestellt, was techn. notwendig, geeignet, angemessen u. vermeidbar ist. § 3 *Gefahrstoffverordnung definiert als S. d. T. den „Entwicklungsstand fortschrittlicher Verf., Einrichtungen od. Betriebsweisen, der die prakt. Eignung einer Maßnahme zum Schutz der Gesundheit der Beschäftigten gesichert erscheinen läßt... Gleiches gilt für den Stand der Arbeitsmedizin u. Hygiene".
In der *EG-Ökoauditverordnung wird gefordert, daß die Umweltauswirkungen der Produktion auf einen solchen Umfang vermindert werden, wie er sich mit der wirtschaftlich vertretbaren Anw. der besten verfügbaren Technik (EVABAT von *E* Economically Viable Application of Best Available Technology) ergibt. Dem S. d. T. entsprechen sinngemäß die nach der IPPC-Richtlinie (von *E* Integrated Pollution Prevention and Control = IVU, Integrierte Vermeidung u. Verminderung von Umweltverschmutzung) zu entwickelnden besten verfügbaren Technologien (BAT von *E* Best Available Techniques). Dieses BAT ist weitreichender als das EVABAT der EG-Ökoaudit-VO. Es schließt Anlagen u. Apparate wie auch das Managementsyst. ein. – ***E*** state of the technics – ***F*** état de la technique – ***I*** stato della tecnica – ***S*** estado de la técnica

Lit.: Beck (Hrsg.), Umweltrecht für Nichtjuristen (2.), S. 178 f., Würzburg: Vogel 1996 ▪ Chem. Ing. Tech. **62**, A 424 f. (1990) ▪ Schendel et al. (Hrsg.), Umwelt u. Betrieb, Tl. 201, S. 1–60, Tl. 360, S. 1–5, Berlin: E. Schmidt (Loseblattsammlung, Stand 1997) ▪ Staub Reinhalt. Luft **49**, 214 (1989).

Stand der Wissenschaft und Technik. Wie *allgemein anerkannte Regeln der Technik u. *Stand der Technik ein unbestimmter Rechtsbegriff, der im Gegensatz zu den beiden vorweg genannten nicht im Umweltschutz-Recht, sondern im Atom-Recht[1] (§ 7 Absatz 2 AtG) Einzug gefunden hat. Mit der Bezugnahme auch auf den Stand der Wissenschaft übt der Gesetzgeber einen noch stärkeren Zwang dahin aus, daß die rechtliche Regelung mit der wissenschaftlichen u. techn. Entwicklung Schritt hält. Es muß diejenige Vorsorge gegen Schäden getroffen werden, die nach den neuesten wissenschaftlichen Erkenntnissen für erforderlich gehalten wird. Läßt sie sich techn. noch nicht verwirklichen, darf die Genehmigung nicht erteilt werden; die erforderliche Vorsorge wird mithin nicht durch das techn. gegenwärtig machbare begrenzt. – ***E*** state of the science and technics – ***F*** état de la science et de la technique – ***I*** stato della scienza e della tecnica – ***S*** estado de la ciencia y la técnica

Lit.: [1] Atomgesetz in der Fassung der Bekanntmachung vom 15.07.1985 [BGBl. I, S. 1565 (1985)], zuletzt geändert durch Gesetz vom 12.09.1996 [BGBl. I, S. 1354 (1996)].

Standöle. Techn. Bez. für solche *trocknenden Öle, die durch Hitzeeinwirkung eingedickt, d.h. vorpolymerisiert wurden (**Dicköle*, insbes. aus Holz-, Lein- u. Sojaöl). – ***E*** stand oils, tung oils – ***F*** standolie – ***I*** oli di tung, oli di legno della Cina – ***S*** standoil, aceite secante espesado

Lit.: s. trocknende Öle.

Stangyl® (Rp). Ampullen, Tabl. od. Tropfen mit *Trimipramin-mesilat od. -hydrogenmaleat gegen Depressionen u. Angstzustände. ***B.:*** Rhône-Poulenc Rorer.

Stanley, Wendell Meredith (1904–1971), Prof. für Biochemie u. Molekularbiologie, Univ. Berkeley (California). *Arbeitsgebiete:* Isolierung des Tabakmosaik-Virus, Enzyme u. Virusproteine in krist. Form, Steroide, Chaulmoograöl; Nobelpreis für Chemie 1946 (zusammen mit J. H. *Northrop u. J. B. *Sumner).

Lit.: Lexikon der Naturwissenschaftler, S. 382 ▪ Neufeldt, S. 191 ▪ Pötsch, S. 405 ▪ Poggendorff **7b/8**, 5093–5097 ▪ Strube et al., S. 191.

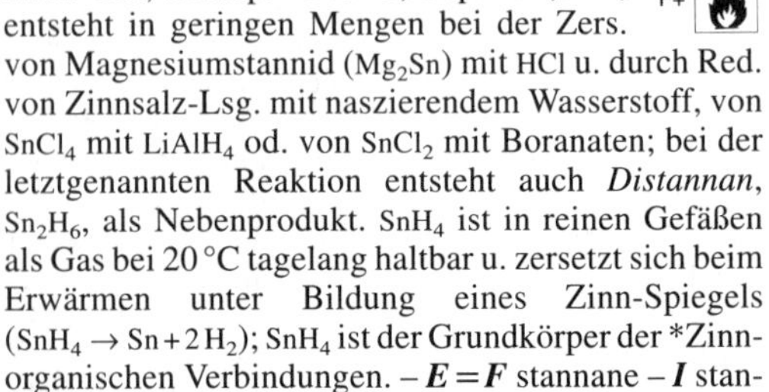

Stannan (Zinnwasserstoff, Zinnhydrid). SnH_4, M_R 122,72. Giftiges, farbloses, brennbares Gas, Schmp. –146 °C, Sdp. –52,5 °C, entsteht in geringen Mengen bei der Zers. von Magnesiumstannid (Mg_2Sn) mit HCl u. durch Red. von Zinnsalz-Lsg. mit naszierendem Wasserstoff, von $SnCl_4$ mit $LiAlH_4$ od. von $SnCl_2$ mit Boranaten; bei der letztgenannten Reaktion entsteht auch *Distannan*, Sn_2H_6, als Nebenprodukt. SnH_4 ist in reinen Gefäßen als Gas bei 20 °C tagelang haltbar u. zersetzt sich beim Erwärmen unter Bildung eines Zinn-Spiegels ($SnH_4 \rightarrow Sn + 2H_2$); SnH_4 ist der Grundkörper der *Zinnorganischen Verbindungen. – ***E*** = ***F*** stannane – ***I*** stannano, tetraidruro di stagno – ***S*** estannano

Lit.: Brauer (3.) **2**, 751 f. ▪ Young u. Fogg, Ammonia, ..., Germane and Stannane (Solub. Data Ser. 21), Oxford: Pergamon 1985 ▪ s. a. Zinn. – *[CAS 2406-52-2; G 6.1]*

Stannate. Bez. für die Salze $M^I_2[Sn(OH)_6]$, die das +4-wertige Anion der hypothet., in freiem Zustand nicht erhältlichen Zinnsäure $H_2[Sn(OH)_6]$, in den Meta-S.(IV) tritt als Anion SnO_3^{2-} auf. *Beisp.:* *Kaliumhexahydroxostannat $\{K_2[Sn(OH)_6]\}$, Natriumhexahydroxostannat $\{Na_2[Sn(OH)_6]$, zur galvan. od. stromlosen Verzinnung, als *Präpariersalz* in der Textil-Ind., als Flammschutzmittel$\}$, Calciumhexahydroxostannat $\{Ca[Sn(OH)_6]\}$, Strontiumhexahydroxostannat $\{Sr[Sn(OH)_6]\}$, Bleistannat ($PbSnO_3 \cdot 2H_2O$, zu pyrotechn. Artikeln u. als gelbe Malerfarbe im Mittelalter – „Gelb der Alten Meister“), Kupferstannat ($CuSnO_3 \cdot 3H_2O$, zum Galvanisieren von Bronze), Zinkstannat ($ZnSnO_3 \cdot 4H_2O$). Die früher als *Stannite* bezeichneten S.(II) mit 2-wertigem Zinn im Anion der allg. Formel $M^I[Sn(OH)_3]$ bzw. $M^{II}[Sn(OH)_4]$ wie z. B. $Na[Sn(OH)_3]$ entstehen, wenn man lösl. Zinn(II)-Salze mit einem Laugenüberschuß behandelt; der anfänglich entstehende $Sn(OH)_2$-Niederschlag wird hierbei unter S.(II)-Bildung wieder aufgelöst. Die S.(II) wirken stark reduzierend (z. B. auf Bi- od. Cu-Hydroxid) u. werden dabei zu S.(IV) oxidiert. Beim Erhitzen disproportionieren S.(II)-Lsg. in feinverteiltes, dunkles Zinn-Pulver u. S.(IV). Derivate der S. sind die *Hexachlorostannate*, s. Zinnchloride. – ***E*** = ***F*** stannates – ***I*** stannati – ***S*** estannatos

Lit.: Angew. Chem. **80**, 475 f. (1978) ▪ Brauer (3.) **3**, 1758 f., 1771 ▪ J. Fire Retard. Chem. **7**, 9–14 (1980) ▪ Kirk-Othmer (4.) **24**, 128 ▪ s. a. Zinn. – *[HS 2841 90; G. 8 teilweise]*

Stanni... Veraltetes Präfix in Namen von Verb., die 4-wertiges Zinn enthalten.

Stannin s. Stannit.

Stannit (Zinnkies, Stannin). Cu_2FeSnS_4; tetragonal-skalenoedr., metallglänzendes Erzmineral, Kristallklasse $\bar{4}2m$-D_{2d}, mit einer dem *Kupferkies ähnlichen Struktur. Meist derb u. eingesprengt in feinkörnigen bis dichten Aggregaten; stahlgrau mit olivgrünem Stich, Strich schwarz. Verwachsungen mit anderen Sulfiden sowie Entmischungen von *Zinkblende u. Kupferkies aus S. sind verbreitet. Nach der Formel 29,58% Cu, 12,99% Fe, 27,6% Sn u. 29,82% S; S. enthält bis 2% Indium u. verbreitet etwas Zink. Zur *Mischkristall-Bildung von S. mit *Kesterit*, Cu_2ZnSnS_4, s. *Lit.*[1]. Ein früher als (kub.) *Isostannit* beschriebenes Mineral ist ein Glied der Mischkristallreihe *Kesterit–Ferrokesterit* $[Cu_2(Fe,Zn)SnS_4]$.

Vork.: Überwiegend als Begleiter des *Kassiterits, z. B. in Zinnwald/Erzgebirge, Cornwall/England, Bolivien u. New Brunswick/Kanada.

Verw.: S. spielt als Zinnerz nur eine untergeordnete Rolle, wird dagegen stellenweise auf Kupfer u. Silber verhüttet. – ***E*** = ***F*** = ***I*** stannite – ***S*** estannito

Lit.: [1] Can. Mineral. **11**, 535–541 (1972); **27**, 689–697 (1989). *allg.:* Anthony et al., Handbook of Mineralogy, Vol. I, S. 490, Tucson (Arizona): Mineral Data Publishing 1990 ▪ Ramdohr, Die Erzmineralien u. ihre Verwachsungen, Berlin: Akademie Verl. 1975 (erzmikroskop. Beschreibung) ▪ Rahmdohr-Strunz, S. 432 f. ▪ Schröcke-Weiner, S. 165–168 ▪ s. a. Zinn. – *[HS 2609 00; CAS 12019-29-3]*

Stannite s. Stannate.

Stanno... Veraltetes Präfix in Namen von Verb., die 2-wertiges Zinn enthalten.

Stannyl... Bez. für die Atomgruppierung $-SnH_3$ in systemat. Namen von Metall-organ. Verbindungen. Auch substituierte Derivate werden als S.-Verb. bezeichnet, z. B. (Trimethylstannyl)lithium. – ***E*** = ***F*** stannyl... – ***I*** stannil... – ***S*** estannil...

Stanolon. Frühere Kurzbez. für *Androstanolon.

Stanozolol (Rp).

Internat. Freiname für das *Anabolikum u. *Androgen 17-α-Methyl-5α-androst-2-eno[3,2-*c*]pyrazol-17β-ol, $C_{21}H_{32}N_2O$, M_R 328,48; 2 Formen: Nadeln: Schmp. ~235 °C, Prismen: Schmp. ~155 °C, $[\alpha]_D^{20}$ +35,7° (c 1/$CHCl_3$); λ_{max} (CH_3OH) 223 nm ($A_{1cm}^{1\%}$ 144); in Wasser nicht, in Dimethylformamid löslich. Lagerung: vor Licht u. Luft geschützt. S. wurde 1962 von Sterling Drug patentiert. – ***E*** = ***F*** stanozolol – ***I*** stanozololo – ***S*** estanozolol

Lit.: ASP ▪ Hager (5.) **9**, 655 ff. ▪ Martindale (31.), S. 1506. – *[HS 2937 99; CAS 10418-03-8]*

St. Antonius-Feuer s. Ergot, Ergot-Alkaloide.

Stapel. Textiltechn. Bez. für die (durchschnittliche) Faserlänge von *Textilfasern. Der Begriff stammt von den Haarlocken des Schafes, hier definiert er die Formation der Haare des Wollvlieses. Proben von Naturfasern zeigen sehr ungleiche S.-Längen, Chemiefasern sind dagegen wegen des Schnittvorganges meist gleich lang. Die Länge der Baumwolle wird heute noch in ⅛ inch angegeben. *S.-Diagramm* nennt man die Aufzeichnung der Faserlängenverteilung in einer Probe. – ***E*** staple length – ***F*** longueur moyenne de fibre – ***I*** lunghezza delle fibre artificiali – ***S*** longitud de corte de la fibra cortada

Lit.: Koch u. Satlow (Hrsg.), Großes Textil-Lexikon, Bd. 2, S. 414, Stuttgart: Deutsche Verlagsanstalt 1966.

Stapelfasern. Alte, von *Stapel abgeleitete Bez. für *Spinnfasern.

Stapelfehler. Grenzflächen zwischen zwei ident. Kristallgittern können so ausgebildet werden, daß beide Krist. verschieden orientiert sind; man spricht dann von einer **Korngrenze*. Sind die Krist. gleich orientiert u. nur entlang der Schnittebene um einen Vektor **u** ≠ Gittervektor gegeneinander verschoben, so spricht man von einem *Stapelfehler*. Eine wichtige Rolle spielen S. in der Stapelung von dichtgepackten Gitterebenen, z. B. {111}-Ebenen in fcc- od. {0002}-Ebenen in hcp-Gittern. Die Abb. zeigt Fehler in der regulären (Abb. a) ABC...-Stapelung im fcc-Gitter.

Abb.: Entstehung von Stapelfehlern in einem fcc-Gitter.

Der sog. *intrins. S.* entsteht durch Verschieben um **u** = ($^a/_6$) [$\bar{1}2\bar{1}$], wodurch in der Stapelung die A- zur B-, die B- zur C- u. die C- zur A-Ebene wird (Abb. b). Der *extrins. S.* entsteht durch Verschieben einer A-Ebene um ($^a/_6$) [$\bar{1}2\bar{1}$] u. aller darüberliegenden Ebenen um ($^a/_3$) [$\bar{1}2\bar{1}$] bzw. durch Einfügen einer zusätzlichen B-Ebene (Abb. c). Eine weitere Art des S. sind Zwillingskorngrenzen, bei denen der Krist. an einer {111}-

Ebene gespiegelt wird (Abb. d). Zur Klasse der S. gehören auch die *Antiphasengrenzen* u. die kristallograph. **Scherebenen*. – ***E*** stacking fault – ***F*** défaut d'empilement – ***I*** difetto di impilamento – ***S*** defecto de apilamiento

Lit.: Bergmann u. Schäfer, Lehrbuch der Experimentalphysik, Bd. 6, Festkörper, Berlin: de Gruyter 1992.

Staphylex® (Rp). Kapseln u. Trockensubstanz zur Injektion mit *Flucloxacillin-Natrium-Monohydrat (der Trockensaft enthält das Magnesiumsalz) gegen Kokken-Infektionen. ***B.:*** SmithKline Beecham.

Staphylococcin 1580 s. Epidermin.

Staphyloferrin A [N^2,N^5-Bis-(3,4-dicarboxy-3-hydroxy-butyryl)-D-ornithin].

$HOOC-CH_2-C(COOH)(OH)-CH_2-C(=O)-NH-CH(COOH)-(CH_2)_3-NH-C(=O)-CH_2-C(COOH)(OH)-CH_2-COOH$

$C_{17}H_{24}N_2O_{14}$, M_R 480,38. Verb. aus *Staphylococcus hyicus*, die sich strukturell u. wohl auch biosynthet. von D-*Ornithin u. *Citronensäure herleitet u. als sog. **Siderophor* zur Bildung von Eisen(III)-Chelaten befähigt ist. Das Chelat wird von den Organismen aufgenommen; die Biosynth. von S. A wird durch Eisen-Ionen gehemmt. – ***E*** staphyloferrin A – ***F*** staphyloferrine A – ***I*** stafiloferrina A – ***S*** estafiloferrina A – *[CAS 127689-48-9]*

Staphylokokken (griech.: staphyle = Weintraube u. kokkos = Beere). Gattung Gram-pos. traubenähnlich zusammengelagerter Kugelbakterien (s. a. Bakterien). Von den sehr zahlreichen Arten hat *Staphylococcus aureus* die größte pathogene u. damit medizin. Bedeutung. *S. aureus*-Stämme kommen bei Tieren u. Menschen vor u. sind die Erreger von abszedierenden Entzündungen (Furunkel u. Karbunkel der Haut, Abszesse in tiefen Geweben od. Körperhöhlen) sowie von Herzentzündungen u. *Sepsis. Durch die Fähigkeit zur relativ raschen Bildung von Antibiotikaresistenzen gehören sie zu den bedeutenden Erregern von Krankenhausinfektionen (*Hospitalismus). Bestimmte *S. aureus*-Stämme sind zur Bildung von *Toxinen fähig, wie des *Exfoliativtoxins*, das zur Ablösung der oberen Hautschichten führt (Staphylococcal Skalded Skin Syndrome) od. des *Enterotoxins*, das eine hochakute Gastroenteritis, meist als *Lebensmittelvergiftung, auslöst. – ***E*** staphylococci – ***F*** staphylocoques – ***I*** stafilococchi – ***S*** estafilococos

Lit.: Brandis et al., Lehrbuch der Medizinischen Mikrobiologie, S. 350–360, Stuttgart: Fischer 1994.

Star. Umgangssprachliche Bez. für verschiedene Erkrankungen des *Auges. Mit dem *grünen S.* ist die Erhöhung des Augeninnendrucks (Glaukom) gemeint, der *graue S.* ist die *Linsen-Trübung (Katarakt) u. der *schwarze S.* bezeichnet die Blindheit. – ***E*** cataract, glaucoma – ***F*** cataracte, glaucome – ***I*** cateratta – ***S*** catarata, glaucoma

Starburst-Polymere s. dendritische Polymere u. Sternpolymere.

Stark, Johannes (1874–1957), Prof. für Physik, Aachen, Greifswald, Berlin. *Arbeitsgebiete:* Elektr. Gasentladungen, Lichtquanten, Doppler-Effekt an Kanalstrahlen, Aufspaltung der Spektrallinien im elektr. Feld (s. Stark-Effekt); hierfür 1919 Nobelpreis für Physik.

Lit.: Krafft, S. 220 ▪ Lexikon der Naturwissenschaftler, S. 382 ▪ Nachmansohn, S. 89, 145, 393 ▪ Neufeldt, S. 132 ▪ Strube et al., S. 154 f.

Stark-Effekt. Von *Stark 1913 an den Spektrallinien des Wasserstoffs entdeckte Erscheinung, daß die Linien eines Spektrums in mehrere Einzelkomponenten aufspalten, wenn die emittierenden (od. absorbierenden) Atome unter dem Einfluß eines elektr. Feldes stehen; analog entsteht im Magnetfeld der *Zeeman-Effekt. Mit Hilfe des S.-E. lassen sich z. B. *Dipolmomente messen, da der S.-E. auch unter dem Einfluß der elektr. Felder von Nachbaratomen, z. B. im Krist. od. im Ligandenfeld, zustande kommt. Die Energiedifferenz zwischen den durch das elektr. Feld aufgespaltenen Linien läßt sich durch *Mikrowellen-Spektroskopie bestimmen. – ***E*** Stark effect – ***F*** effet de Stark – ***I*** effetto Stark – ***S*** efecto de Stark

Lit.: Cohen-Tannoudji, Diu u. Laloë, Quantum Mechanics, New York: John Wiley 1977 ▪ Gräff, Der Starkeffekt zweiatomiger Moleküle, Wiesbaden: Steiner 1978.

Starke Wechselwirkung s. Elementarteilchen, Kernkräfte, Hadronen u. Quantenchromodynamik.

Starkgase. *Brenngase mit oberen Heizwerten zwischen 14 u. 21 MJ/m³ (3300–5000 kcal/m³); *Beisp.:* *Stadtgas, Ferngas, Spaltgas, vgl. Reichgas. – *[HS 2705 00]*

Starklichtpflanzen s. Heliophyten.

Starling, Ernest Henry (1866–1927), Prof. für Physiologie, Univ. London. *Arbeitsgebiete:* Entdeckung des Sekretins, Endokrinologie (prägte 1905 die Bez. „Hormon"), Lymphe, Verdauungsvorgänge, Kreislauf.

Lit.: Lexikon der Naturwissenschaftler, S. 382 ▪ Neufeldt, S. 112 ▪ Pötsch, S. 405 f. ▪ Strube et al., S. 173.

Starlinger, Peter (geb. 1931), Prof. für Genetik u. Strahlenbiologie, Univ. Köln. *Arbeitsgebiete:* Molekulargenetik, transponierbare DNA-Elemente bei Bakterien u. Pflanzen.

Lit.: Kürschner (16.), S. 3594 ▪ Wer ist wer (36.), S. 1387.

Start-Codon (Initiations-, Initiator-Codon). Im *genetischen Code Bez. für die Tripletts (*Codon) AUG, GUG u. UUG in der *mRNA, an denen die Protein-Synth. am *Ribosom initiiert wird; s. a. genetischer Code. – ***E*** start codon – ***F*** codon initiateur – ***I*** codone di inizio – ***S*** codón iniciador

Starter. 1. Bez. für *Initiatoren (z. B. für Polymerisationsreaktionen); – 2. s. Starterkulturen.

Starter-Kulturen. Als S.-K. bezeichnet man gezielt vermehrte u. entsprechend konditionierte *Stämme von *Mikroorganismen, die in der Bio-, Lebensmittel- u. Futtermitteltechnologie z. B. für die Herst. von Käse, Fleischwaren (Salami, Schinken etc.), Joghurt, alkohol. Getränken u. dgl., aber auch zur Bildung von *Silage eingesetzt werden, um die *Fermentation in eine gewünschte Richtung zu lenken. Bei S.-K. handelt es sich um Rein- od. Mischkulturen, die im Hinblick auf bestimmte Stoffwechselleistungen selektiert wurden. – ***E*** starter cultures – ***F*** cultures d'ensemencement – ***I*** colture starter – ***S*** cultivos iniciadores

Lit.: Präve et al. (4.), S. 532 ff., 922 ▪ Schlegel (7.), S. 303 f.

Startreaktion. Synonym für *Initiation.

Stas®. *S. Erkältungssalbe* zum Einreiben mit Eucalyptus- u. Latschenkiefernöl, auch mit zusätzlichem Campher; *S. akut Hustenlöser* Brausetabl., Tropfen u. Saft mit Acetylcystein; *S. Hustenlöser* Tabl., Saft, Tropfen u. Kapseln mit *Ambroxol-hydrochlorid; *S. Hustenstiller* Saft u. Tropfen mit *Clobutinol-Hydrochlorid; *S. JHP* Tropfen mit Minzöl u. Levomenol [s. (–)-α-Bisabolol]; *S. Nasenspray u. -tropfen* mit *Xylometazolin-Hydrochlorid; Gurgellsg. mit *Hexetidin; Halstabl. mit *Cetylpyridiniumchlorid u. *Dequaliniumchlorid. ***B.:*** Stada.

Stas, Jean-Servais (1813–1891), Prof. für Chemie, Brüssel, Präsident der Kommission für Maße u. Gewichte. *Arbeitsgebiete:* Bestimmung der Atomgew. von Silber, Kohlenstoff, Halogenen, Toxikologie, Alkaloide (s. Stas-Otto-Trennungsgang).

Lit.: Lexikon der Naturwissenschaftler, S. 382 ▪ Pötsch, S. 406 ▪ Strube et al., S. 138.

...stase (von griech.: stásis = Stand, Zustand, Stillstand, Widerstand). Fachwortendung für Abbruch, Unterbrechung od. stabiles *Gleichgewicht von Zuständen, Vorgängen usw. (vgl. ...statikum); *Beisp.:* Bakteriostase, *Hämostase, *Homöostase. – ***E*** ...stasis – ***F*** ...stase – ***I*** ...stasi – ***S*** ...stasa

Stas-Otto-Trennungsgang. Von J.-S. *Stas entwickelte u. von Friedrich Julius Otto (1809–1870) verbesserte Meth. zur Isolierung u. zum Nachw. von Alkaloiden aus Giftopfern. Der in der *Forensischen Chemie auch heute noch angewandte *Trennungsgang beruht auf der Ether-Extraktion von wäss. Lsg. unterschiedlichen pH-Wertes; der Isolierung müssen anschließend Identifizierungs-Reaktionen folgen. – ***E*** Stas-Otto separation process – ***F*** procédé de séparation Stas-Otto – ***I*** processo di separazione di Stas-Otto – ***S*** procedimiento de separación Stas-Otto

Lit.: Auterhoff u. Kovar, Identifizierung von Arzneistoffen, Stas-Otto-Gang, ..., 6. Aufl., Stuttgart: Wiss. Verlagsges. 1997 ▪ Chem. Unserer Zeit **19**, 125–136 (1985) ▪ Ebel u. Roth (Hrsg.), Lexikon der Pharmazie, S. 608, Stuttgart: Thieme 1988 ▪ s. a. Forensische Chemie u. Toxikologie.

Staßfurter Abraumsalze, Kalisalze s. Abraumsalze.

Staßfurtit s. Boracit.

Stastny, Fritz s. Polystyrole.

-stat- s. statistische Copolymere.

STAT. Von *E s*ignal *t*ransducer and *a*ctivator of *t*ranscription abgeleitete Kurzbez. für eine Familie von *Proteinen (M_R 84000–113000), die innerhalb der Zelle an der Weiterleitung von Signalen von *Cytokinen beteiligt sind. Die STAT-Proteine werden von Janus-Kinasen (s. Jak) phosphoryliert, dimerisieren daraufhin, gelangen vom Cytoplasma in den Zellkern u. wirken dort als *Transkriptionsfaktoren, indem sie spezif. an bestimmte Bereiche der *Desoxyribonucleinsäure (DNA) binden u. die Gene aktivieren, die als Antwort auf das Cytokin-Signal abgelesen werden sollen. Von verschiedenen Cytokinen werden (indirekt über spezif. *Rezeptoren u. Jaks) jeweils bestimmte STAT aktiviert, die wiederum spezif. an jeweils bestimmte DNA-Elemente binden; daraus erklärt sich zum Teil die Spezifität der Cytokin-Wirkungen. – ***E=F=I=S*** STAT

Lit.: Annu. Rev. Immunol. **16**, 293–322 (1998) ▪ Curr. Opin Immunol. **10**, 271–278 (1998) ▪ Eur. J. Biochem. **248**, 615–633 (1997).

Statexan® K 1. Natriumalkansulfonat als Antistatikum für PS, PVC u. ABS, hauptsächlich für den Inneneinsatz. ***B.:*** Bayer.

Stathmin (Onkoprotein 18, Op 18). Im *Cytoplasma vorkommendes Phosphoprotein (M_R 17000–18000) des Gehirns, das in zahlreichen (mind. 14) Unterformen mit unterschiedlicher *Phosphorylierung auftritt [1]. Die Phosphorylierung des S. hat regulator. Bedeutung u. wird von mehreren Signalwegen kontrolliert. S. ist seinerseits wahrscheinlich ein wichtiger Regulator der Dynamik der *Mikrotubuli. – ***E*** stathmin – ***F*** stathmine – ***I*** statmina – ***S*** estathima

Lit.: [1] Electrophoresis **19**, 867–876 (1998).
allg.: Curr. Biol. **8**, R212ff. (1998).

...statikum (Plural: ...statika; griech.: statikós = stillstehend, zum Stillstand bringend). Wortendung für chem. Stoffklassen, die etwas aufhalten, hemmen od. eindämmen (vgl. ...stase); *Beisp.:* *Bakteriostatika, *Cytostatika, Fungistatika, Hämostatika, *Kokzidiostatika, *Tuberkulostatika, *Virostatika. Dagegen bezeichnet die Endung *...zid abtötende Stoffe. *Antistatika sind antielektro*stat.* (gegen *elektrostatische Aufladung) wirkende Stoffe. – ***E*** ...static – ***F*** ...statique – ***I*** ...statico – ***S*** ...[e]stático

...statin. Empfohlene Endung für *Hypothalamus-Hormone, die die Freisetzung von Hormonen der *Hypophyse hemmen (vgl. ...stase, ...statikum), also den *Releasing-Hormonen (s. ...liberin) entgegenwirken; *Beisp.:* *Somatostatin. Diese *Hemmstoffe nennt man *Statine* od. auch *E* release-inhibiting factors. – ***E=F*** ...statin – ***I*** ...statino – ***S*** ...statina

Lit.: IUBMB, Biochemical Nomenclature, 2. Aufl., S. 82f., London: Portland Press 1992.

Statin [(3*S*,4*S*)-4-Amino-3-hydroxy-6-methylheptansäure, AHMHA].

$C_8H_{17}NO_3$, M_R 175,23, Schmp. 201–203 °C (Zers.), $[\alpha]_D^{15}$ –20° (H_2O). Aminosäure in dem aus Kulturen verschiedener Streptomyceten-Arten isolierten Pentapeptid *Pepstatin A [1], einem Hemmstoff der Protease *Pepsin, u.a. Pepstatinen. S. u. seine Derivate besitzen große Bedeutung für die Synth. pseudopeptid. Protease-Inhibitoren, z.B. *Renin-Inhibitoren (für die Therapie von Bluthochdruck) u. HIV-Protease-Inhibitoren (zur *AIDS-Therapie). – ***E=F*** statine – ***I*** statina – ***S*** estatina

Lit.: [1] Merck-Index (12.), Nr. 8956.
allg.: Angew. Chem. (Int. Ed.) **34**, 1219 (1995) ▪ J. Org. Chem. **55**, 3947 (1990); **58**, 1997 (1993); **60**, 6248 (1995); **61**, 5210 (1996); **62**, 2292 (1997) ▪ Synthesis **1990**, 457f. ▪ Tetrahedron **53**, 5593 (1997) ▪ Tetrahedron: Asymmetry **2**, 111f. (1991) ▪ Tetrahedron Lett. **31**, 7329, 7359 (1990); **32**, 401 (1991); **35**, 9371 (1994). – *[CAS 49642-07-1]*

Stationäre Phase. 1. Sammelbez. für die in den verschiedenen Ausführungsformen der *Chromatogra-

phie u. bei der *Gegenstromverteilung unter Bez. wie Sorptionsmittel, Sorbens, Adsorptionsmittel, Adsorbens, unbewegliche Phase, Trennschicht, Trenn-Flüssigkeit verwendeten festen od. flüssigen Substanzen, die eine Trennung des vorgelegten Substanzgemisches durch unterschiedliche Adsorption, Löslichkeit od. Verteilungskoeff. bewirken; die wandernde Phase nennt man *mobile Phase.
2. s. lag-Phase. – ***E*** stationary phase – ***F*** phase stationnaire – ***I*** fase stazionaria – ***S*** fase estacionaria
Lit. *(zu 1):* Pharm. Biol. **4**, 34 ff. ▪ Pure Appl. Chem. **58**, 1291 – 1306 (1986) ▪ Kontakte (Merck) **1986**, Nr. 1, 3 – 22 ▪ s. a. Chromatographie.

Stationärer Zustand. Bei einem abgeschlossenen physikal., z. B. *thermodynamischen System spricht man von einem s. Z. od. von *Stationarität*, wenn im Beobachtungszeitraum die Bestimmungsgrößen konstant sind; *Beisp.:* Die Konz. von *Radikalen in einer Lsg. ist konstant, wenn ebenso viele Radikale durch Weiterreaktion „verschwinden" wie neue gebildet werden; ähnlich verhält es sich beim photo-s. Z. mit angeregten Mol. (*Photochemie). Im *chemischen Gleichgewicht (s. Z.), das durch das *Massenwirkungsgesetz beschrieben wird, befindet sich die Gibbssche *Freie Energie in einem Minimum. Die Wiederherst. eines solchen s. Z. nach vorausgegangener Störung des Gleichgew. bezeichnet man als *Relaxation. Ein sich langsam ändernder s. Z. wird *quasi-s. Z.* genannt. Bei *irreversiblen Prozessen, bei der *Osmose, bei biolog. Gleichgew.-Reaktionen wie in der *Ökologie, beim Stoffwechsel lebender Zellen od. bei der *Homöostase, beim Wasserhaushalt der Erde (s. das *Sankey-Diagramm* bei Wasser), beim Strömungsreaktor im Labor handelt es sich um offene thermodynam. Syst., die sich zwar ebenfalls als s. Z. (*Fließgleichgew.*), aber nicht als chem. Gleichgew. beschreiben lassen. – ***E*** stationary state, steady state – ***F*** état stationnaire – ***I*** stato stazionario – ***S*** estado estacionario
Lit.: s. chemische Gleichgewichte, Kinetik, Reaktionen, Thermodynamik.

Stationarität s. stationärer Zustand.

Statische Elektrizität s. elektrostatische Aufladung.

Statische Mischer. Aus geeigneten Einbauten bestehende Apparate zum kontinuierlichen Homogenisieren von Flüssigkeiten in Rohrleitungen, die keine bewegten mechan. Teile enthalten. Das Mischgut wird durch die aufgeprägte Druckdifferenz durch den s. M. transportiert. Die Mischwirkung kann, v. a. bei niedrigviskosen Stoffen, z. B. auf Turbulenzen beruhen, die durch die Zuführung einer der Flüssigkomponenten durch einen Injektor od. über eine *Venturidüse in die Rohrleitung entstehen. Die bei zäheren Flüssigkeiten eingesetzten s. M. sind Rohrleitungseinbauten, deren Wirkung bei laminarer Strömung auf wiederholter Teilung u. Zusammenführung des inhomogenen Flüssigkeitsstromes beruht, wodurch Konz.-Unterschiede bzw. Inhomogenitäten minimiert werden. Bei turbulenter Strömung wirken diese Einbauten durch Intensivierung der Turbulenz.
Übliche s. M.-Typen sind z. B. aufeinanderfolgende, verdrillte Blechelemente (Kenics-Mischer, s. Abb.) od. Platten mit Schrägbohrungen (z. B. Ross ISG-Mischelemente) u. Metallgewebepackungen (z. B. Sulzer SMV-Mischer). Vorteile der s. M. gegenüber dynam. Mischapparaten sind die im Regelfall geringen Investitions-, Betriebs- u. Instandhaltungskosten. Der Einsatz von s. M. begünstigt den Wärmeaustausch u. bewirkt ein enges Verweilzeitspektrum.

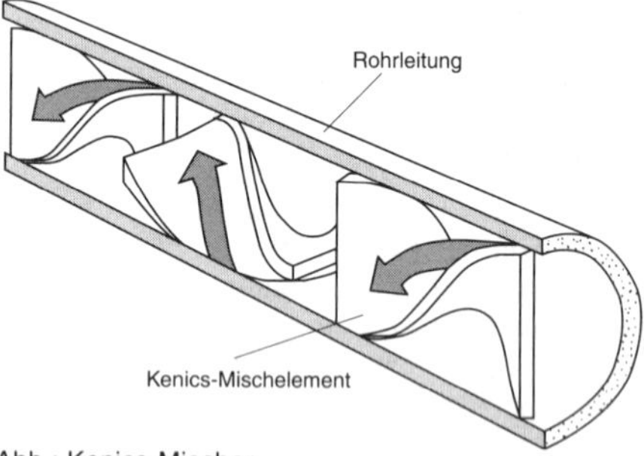

Abb.: Kenics-Mischer.

– ***E*** static mixers – ***F*** mélangeurs (mixeurs) statiques – ***I*** mescolatore statico – ***S*** mezcladores estáticos
Lit.: ACHEMA-Jahrb. **1994**, 2116.15 ▪ Kneule, Rühren, S. 41 – 47, 91, Frankfurt a. M.: Dtsch. Ges. für chem. Apparatewesen, Chem. Technik u. Biotechnologie e. V. 1986 ▪ Ullmann (5.) **B 2**, 25-12, 26-4; **B 4**, 568 ff. ▪ Wilke, Weber u. Fries, Rührtechnik, S. 77, 79, Heidelberg: Hüthig 1988.

Statistik (von latein.: status = Zustand). Bez. für ein Teilgebiet der *Mathematik, das das *Gesetz der „großen Zahl"* zur Grundlage hat, welches besagt, daß sich bei einer großen Zahl von Meßwerten die Gesamtheit der durch Häufigkeitsverteilung gefundenen Mittelwerte gegenüber den Streuwerten so stark durchsetzt, daß der Zufall weitgehend ausgeschaltet wird. Man unterscheidet gemeinhin zwei „Arten" von Statistik. – 1. Die *analyt.* od. *mathemat. S.* leitet aus *Stichproben Aussagen über die den Stichproben zugrunde liegenden Wahrscheinlichkeitsverteilungen her (einige der mathemat. Ausdrücke sind bei *Messen aufgeführt). Dabei werden die Kenngrößen der Verteilungen geschätzt (*Schätztheorie*) od. Entscheidungen zwischen verschiedenen Hypothesen bezüglich der Verteilungen od. deren Kenngrößen herbeigeführt (*Testtheorie*). Wichtige Anw. ergeben sich auf dem Gebiet der Einflußgrößenrechnung (Varianzanalyse, *Regressionsanalyse usw.), der Versuchsplanung (vgl. Hansch-Analyse u. QSAR) u. der Analytik (*Fehlerrechnung). Den Meth. der mathemat. S. liegt die Wahrscheinlichkeitsrechnung (vgl. Stochastik) zugrunde. – 2. Die *deskriptive* od. *beschreibende S.*, die sich mit der Sammlung, Aufbereitung u. Darst. empir. Zahlenmaterials meist in Form von Listen od. graph. Darst. (*Statistiken*) befaßt, fragt nicht nach der Ursache erkennbarer Datenstrukturen; *Beisp.:* Marktübersichten, Produktions- u. Verbrauchsdaten. – ***E*** statistics – ***F*** statistique – ***I*** statistica – ***S*** estadística
Lit.: Anderson, Statistics for Analytical Chemists, New York: Van Nostrand Reinhold 1984 ▪ Bayne u. Rubin, Practical Experimetal Design and Optimization Methods for Chemists, Weinheim: Verl. Chemie 1986 ▪ Bolton, Pharmaceutical Statistics, New York: Dekker 1984 ▪ Doerffel, Statistik in der Analytischen Chemie, Leipzig: Grundstoffind. 1987 ▪ Fraser, Statistics, Foundations, S. 767 – 778; Banks u. Fienberg, Statistics,

Multivariate, S. 779–822; Hill, Statistics, Robustness, in Encyclopedia of Physical Science and Technology, Vol. 15, New York: Academic Press 1992 ▪ Kirk-Othmer (4.) **7**, 1056 ▪ Kowalski, Chemometrics, Mathematics and Statistics in Chemistry, Dordrecht: Reidel 1984 ▪ MacNeill u. Umphrey, Biostatistics (Adv. Statist. 5), Dordrecht: Reidel 1986 ▪ Miller u. Miller, Satistics for Analytical Chemistry, Chichester: Horwood 1984 ▪ Shorter, Correlation Analysis of Organic Reactivity, Chichester: Research Study Press 1982 ▪ Ullmann (4.) **1**, 293–360 ▪ Winnacker-Küchler (3.) **7**, 516–531.

Statistische Copolymere. *Copolymere, bei denen der Einbau der Comonomeren (s. Monomere) in das bei der *Copolymerisation resultierende *Makromolekül statist., d. h. in der Reihenfolge rein zufällig, erfolgt. Die aus 2 Monomeren A u. B anfallenden s. C. haben z. B. den Aufbau:

...AABABBAAABBBAB...

S. C. entstehen insbes. dann, wenn die wachsenden Kettenenden keines der zur Auswahl stehenden Monomeren aus z. B. elektron., ster. od. Reaktivitäts-Gründen bevorzugen (s. a. Q-e-Schema).
In der Nomenklatur werden die s. C. durch das Infix *stat* charakterisiert, das beim Polymer-Namen zwischen die Bez. der Monomer-Einheiten gesetzt wird; *Beisp.:* Poly(styrol-stat-butadien) für s. C. aus Styrol u. Butadien. Bei einer bes. Form der statist. Anordnung (*Bernoullian-Statistik*) wird anstelle der Silbe *stat* als Infix *ran* verwendet. In diesem Falle spricht man von *Random-Copolymeren*; *Beisp.:* Poly(ethylen-ran-vinylacetat). – ***E*** statistic copolymers – ***F*** copolymères statistiques – ***I*** copolimeri statistici – ***S*** copolímeros estadísticos

Lit.: Elias (5.) **1**, 512 ▪ Encycl. Polym. Sci. Eng. **10**, 193 ff. ▪ Houben-Weyl **E 20/1**, 161 ff. ▪ Odian, S. 452 f.

Statistische Mechanik. Teilgebiet der Physik u. Physikal. Chemie, das makroskop. Eigenschaften der Materie auf atomare u. mol. Gesetzmäßigkeiten zurückführt. Damit statist. Meth. sinnvoll anwendbar sind, muß das betrachtete Syst. aus einer sehr großen Anzahl von Teilchen bestehen. Man unterscheidet zwischen *klass. Statistik* u. *Quantenstatistik*, je nachdem, ob die Gesetze der klass. *Mechanik od. der *Quantenmechanik Anw. finden. In der *Quantenstatistik* unterscheidet man zwischen *Bose-Einstein-Statistik* (für Teilchen mit ganzzahligen *Spin; s. Bosonen) u. *Fermi-Dirac-Statistik* (für Teilchen mit halbzahligen Spin; s. Fermionen).
Die s. M. wurde zunächst auf im therm. Gleichgew. befindliche Situationen angewandt, wobei *Boltzmann, J. W. *Gibbs, *Planck u. A. *Einstein zu den Pionieren zählen. Sie ermöglicht die Berechnung thermodynam. Größen wie der *Freien Energie, *Entropie od. *spezifischen Wärmekapazität durch Mittelwertbildung aus den Energieniveaus u. Wechselwirkungspotentialen von Atomen u. Molekülen. Hierbei spielt die von Planck eingeführte *Zustandssumme eine wichtige Rolle. In jüngerer Zeit wird die s. M. verstärkt auf Nichtgleichgewichtssituationen angewandt. – ***E*** statistical mechanics – ***F*** mécanique statistique – ***I*** meccanica statistica – ***S*** mecánica estadística

Lit.: Atkins, The Second Law, New York: Freeman 1984 ▪ Chandler, Introduction to Modern Statistical Mechanics, New York: Oxford University Press 1987 ▪ Friedman, A Course in Statistical Mechanics, Englewood Cliffs: Prentice-Hall 1985 ▪ Kittel u. Kroemer, Physik der Wärme, 4. Aufl., München: Oldenbourg 1993 ▪ Kubo et al., Statistical Physics II: Nonequilibrium Statistical Mechanics, New York: Springer 1985 ▪ Ma, Statistical Mechanics, Philadelphia: World Scientific 1985.

Statistisches Fadenelement. Ein zur Beschreibung der Knäuel-Eigenschaften von Makromolekülen (s. dort) benutzter Begriff, der heute allerdings vorwiegend durch den des **Fadenendenabstands* ersetzt wird. – ***E*** statistical linear element – ***F*** élément linéaire statistique – ***I*** elemento lineare statistico – ***S*** elemento lineal estadístico

Stative. Geräte aus Metall od. Kunststoff (seltener aus Holz), die im Laboratorium zum Aufbau von Apparaten verwendet werden (s. Abb. a–g). Die gewöhnlichen S. bestehen aus einem 70–150 cm hohen u. 1–2 cm dicken Stab, der in einer ebenen Platte (Abb. a) od. in einem Dreifußgestell (Abb. b) eingeschraubt ist. Zur Befestigung von Glasapparaten wie Kolben, Reagenzgläsern etc. an Labor-S. verwendet man im allg. Muffen (d) u. Klemmen (e). Für Filtriertrichter u. *Scheidetrichter werden Ringe der Bauart (f) eingesetzt. Dickere Glasrohre, Chromatographie-Säulen, *Kolonnen, *Kühler spannt man in größere Kühlerklammern (Abb. g), die ebenfalls mit Hilfe von Muffen am Stativstab befestigt werden. Auch bewegliche, zu handlicher Größe zusammenschiebbare od. fest montierte, im allg. dreibeinige Ständer für Kameras, Scheinwerfer, Fernrohre u. dgl., werden S. genannt.

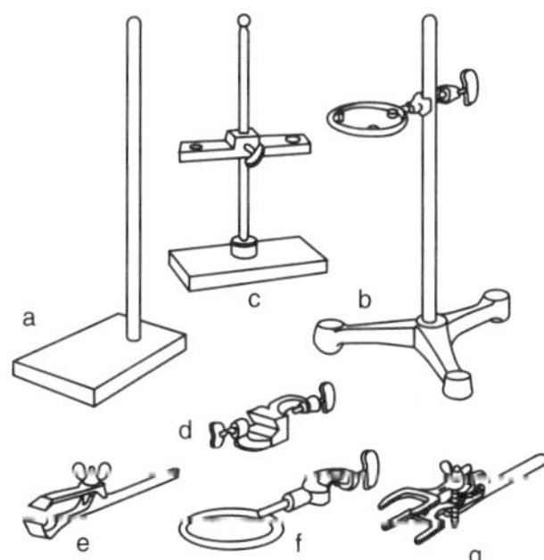

Abb.: Stative.

– ***E*** stands – ***F*** statifs – ***I*** stativi – ***S*** soportes

Lit.: ACHEMA-Jahrb. **1991**, 2566 ▪ DIN 12892: 1977-03; 12893: 1976-12; 12894: 1997-06; 12895-1: 1977-02.

Statolithen s. Otolithen.

Statuenbronze. *Kupfer-Legierung (Mehrstoffbronze) mit 1,4–10% Sn, 0–10% Zn u. 0–6% Pb sowie geringen Zusätzen von P u. Ni. Verw. für die Herst. von Statuen. – *[HS 7403 22]*

Statuenporzellan s. Porzellan.

Status nascendi s. in statu nascendi.

Staub. Disperse Verteilung fester Stoffe in Gasen, entstanden durch mechan. Prozesse od. durch Aufwirbelung [1]; Korngröße der Feststoffe unter 200 μm. S.-Partikel kleiner als 10 μm bezeichnet man als *Feinstaub. S. gehört zusammen mit *Rauch u. *Nebel zu den *Aerosolen. *Schwebstaub enthält neben S. auch Rauch.

Herkunft: Als anthropogene *Emissionsquellen für den in der BRD emittierten S. (1994 ca. 754 kt) werden der Schüttgutumschlag (26%), Kraftwerke (23%), Ind.-Prozesse (17%), Haushalte (7%) u.a. angegeben. S. entsteht bei vielen techn. Operationen, wie z.B. Mahlen, Sieben, Trocknen, Granulieren, Fördern, Abfüllen von festen Materialien usw. u. bei der Verbrennung fester Brennstoffe. Gewaltige S.-Emissionen in die Atmosphäre, z.T. auch in höhergelegene Luftschichten, kommen durch die Tätigkeit der Vulkane zustande.
Verteilung: Die Ausbreitung von S. erfolgt mit den Luftbewegungen, kleinräumig durch Diffusion. Transport u. Ablagerung des S. werden weitgehend durch das Verhalten von Partikeln in strömenden Gasen bestimmt. Bestimmende Größen sind u.a. die Dichte u. der aerodynam. Durchmesser der Teilchen (d_{ae}). Ein nennenswertes Sedimentieren ist erst bei Teilchen >10 µm möglich. Die Sinkgeschw. eines kugelförmigen Teilchens von 10 µm Durchmesser u. der D. 1 g/cm^3 in ruhender Luft ist etwa 3 mm/s (s.a. Staubniederschlag).
Toxikologie: Die Wirkung von S. hängt u.a. von seinem Ablagerungsort im Atemtrakt (u. damit wesentlich von der Partikel-Größe) u. von seiner Zusammensetzung ab. Atmet der Mensch S. ein, werden Teilchen oberhalb von 10 µm überwiegend von den Schleimhäuten der oberen Luftwege abgefangen, Feinstaub gelangt in die Bronchien. Teilchen unterhalb von 5 µm dringen bis in die Lungenbläschen (Alveolen) vor (s. die Abb. bei einatembare Aerosole). Zigaretten-Rauch enthält giftige, krebserzeugende Stoffe, die prakt. im gesamten Atemtrakt Krebs verursachen können. *Fibrogene Stäube hingegen werden v.a. in den Lungenbläschen deponiert u. können Staublungenkrankheiten (*Pneumokoniosen) wie *Asbestose u. *Silicose verursachen.
Recht: Als Grenzwert (S.-Gehalt) für S. am Arbeitsplatz ist eine Fein-S.-Konz. von 6 mg/m^3 festgesetzt. Dieser Wert soll die Beeinträchtigung der Funktion der Atmungsorgane infolge einer allg. S.-Wirkung verhindern. Er sagt nichts aus über eine mögliche Gesundheitsgefährdung, wenn es sich um S. handelt, der aufgrund seiner chem. Eigenschaften mutagene, krebserzeugende od. andere tox. od. allergisierende Wirkung hat. Z.B. gilt für künstliche Mineralfasern ein TRK-Wert von z.Z. 500000 Fasern/m^3. Die Faser-S. sind in der TRGS 905 eingestuft, die TRGS 521 (Tl. 1, anorgan. Faser-S.) regelt den Gesundheitsschutz beim Umgang mit Faser-S. mit Ausnahme von *Asbest (TRGS 519)[2]. S.-Emissionen werden durch die *TA Luft reglementiert (s. Staubemission). – ***E*** dust – ***F*** poussière – ***I*** polvere – ***S*** polvo

Lit.: [1] DFG (Hrsg.), MAK- u. BAT-Werte-Liste 1997, S. 144, Weinheim: Wiley-VCH Verlagsges. 1997. [2] Gefahrstoffe – Reinhalt. Luft **57**, 263–267 (1997).
allg.: Gefahrstoffe – Reinhalt. Luft **57**, 349–354 (1997) ▪ Fortschr.-Ber. VDI, Reihe 15, **162** (Stützle, Niedertemperaturbehandlung von Filterstäuben zur Verringerung des Austrags von polychlorierten Dibenzodioxinen u. Dibenzofuranen aus Abfallverbrennungsanlagen) (1996); **172** (Wirtsch u. Leidinger, Elektr. unterstützte Partikelabscheidung an Schlauchfiltern) (1997) ▪ Kalmbach u. Schmölling, Techn. Anleitung zur Reinhaltung der Luft (3.), Berlin: E. Schmidt 1990 ▪ Ullmann (5.) **B 7**, 434f., 449f., 500–507, 526–535 ▪ VDI-Ber. **1272** (Komm. Reinhaltung der Luft im VDI u. DIN, Sichere Handhabung brennbarer Stäube) (1996) ▪ VDI-Richtlinie 3679, Blatt 1, Naßabscheider für partikelförmige Stoffe (1997-10).

Staubabscheidung s. Entstaubung, Naßabscheider.

Staubabsetzkammer (Kammerabscheider). Histor. wichtige Einrichtung zur *Abluftreinigung, heute lediglich zur Vorabscheidung von Grobstaub verwendet; s. Entstaubung.

Lit.: Vauck u. Müller, Grundoperationen chemischer Verfahrenstechnik (9.), S. 258f., Leipzig: Dtsch. Verl. für Grundstoffindustrie 1992.

Staubemission. Die *TA Luft setzt Grenzwerte für staubförmige Emissionen fest; einen Auszug gibt die Tab. wieder (s.a. Staub; emittierte Staubmengen s. Emissionsquellen, Tab. 2).

Tab.: Grenzwerte der TA-Luft für staubförmige Emissionen.

	Gefährdungs-Klasse	Massenstrom [g · h^{-1}]	Grenzwert [mg · m^3]	
Gesamtstaub		>500	50	
		≤500	150	
anorgan. Stoffe	I	≥1	0,2	(Cd, Hg, Tl)
	II	≥5	1	(As, Co, Ni, Se, Te)
	III	≥25	5	(Sb, Pb, Cr, CN, F, Cu, Mn, Pt, Pd, Rh, V, Sn)
krebserzeugende Stoffe	I	≥0,5	0,1	(z.B. Asbest, Be)
	II	≥5	1	(z.B. As, Ni-Verb.)
	III	≥25	5	(z.B. Benzol, Holzstaub, Acrylnitril, Vinylchlorid)

Bei mehreren Stoffen darf deren Summe den Grenzwert nicht überschreiten.

– ***E*** dust emission – ***F*** émission de poussières – ***I*** emissione di polvere – ***S*** emisión de polvo

Lit.: Kalmbach u. Schmölling, Techn. Anleitung zur Reinhaltung der Luft (3.), Berlin: E. Schmidt 1990.

Staubexplosionen. Schnelle exotherme Oxid. feinteiliger Feststoffe (Staub, Korngröße <500 µm) in der Gasphase. Sie können auftreten, wenn brennbarer, aufgewirbelter Staub in geeigneter Konz. (innerhalb der Explosionsgrenzen) im Gemisch mit einem gasförmigen Oxid.-Mittel (meist dem Sauerstoff der Luft, „Staub/Luft-Gemisch") vorliegt u. mit einer Zündquelle ausreichender Energie in Berührung kommt. Die Reaktion breitet sich unter Flammenerscheinung rasch selbständig, d.h. ohne weitere Energiezufuhr von außen, durch das Gemisch aus u. heizt die umgebende Atmosphäre sehr schnell auf, was in geschlossenen Behältern od. Räumen zu erheblichen Drucksteigerungen führt.
Zu den explosionsfähigen Stäuben gehören im bes. Stäube von organ. Materialien wie Holz, Nahrungs- u. Futtermitteln, Kohle u. Kunststoffen, aber auch von einer Reihe anorgan. Stäube (z.B. Leichtmetallen oder Schwefel).
Staub/Luft-Gemische haben in ihrem Reaktionsverhalten Ähnlichkeit mit Gemischen aus brennbaren Gasen/Dämpfen u. Luft; jedoch sind zu ihrer Entzündung im allg. höhere Zündenergien erforderlich. Der Reak-

tionsablauf hängt stark von physikal. Parametern wie Korngröße, Korngrößenverteilung u. Feuchtigkeit des jeweiligen Staubes ab.
Die Druckwelle einer Explosion kann abgelagerten brennbaren Staub aufwirbeln u. so ein neues Staub/Luft-Gemisch erzeugen, das dann durch die nachfolgende Flammenfront entzündet werden kann. Diese sog. „Sekundärexplosionen" haben häufig schwerwiegendere Auswirkungen als die einleitende primäre Explosion. Die Möglichkeit der Ausbildung von Sekundärexplosionen ist auch ein Grund dafür, daß Staubexplosionen mitunter zu größeren Zerstörungen führen als Gas/Dampf-Explosionen.
Schutzmaßnahmen: Die mit S. verbundenen Gefahren werden durch drei Faktoren bestimmt:
- das Auftreten staubexplosionsfähiger Gemische
- das Auftreten von Zündquellen
- die Möglichkeit schädlicher Auswirkungen.

Es ist Ziel des Staub-Explosionsschutzes, durch Verringerung od. Beseitigung eines od. mehrerer Faktoren die Gefährdung möglichst klein zu halten. Den genannten Faktoren entsprechend, lassen sich die Schutzmaßnahmen in drei Gruppen gliedern (Richtlinie 94/9/EG, DIN EN 1127-1, EX-RL, *Lit.*).
Durch Maßnahmen der ersten Gruppe soll das Auftreten explosionsfähiger Staub/Luft-Gemische verhindert werden. Nicht zuletzt um ein Bilden explosionsfähiger Staub/Luft-Gemische in der Umgebung staubführender Apparaturen zu vermeiden, sind möglichst geschlossene Apparaturen zu verwenden. In gleiche Richtung zielt auch eine Grundforderung des Staubexplosionsschutzes, nämlich unvermeidbare Staubablagerungen in Betriebsräumen durch regelmäßiges Reinigen zu beseitigen (Reinigungsplan). Derartige Staubablagerungen können im Falle des Aufwirbelns, z. B. durch einen Luftstoß, zu den gefährlichen „Sekundärexplosionen" od. „Raumexplosionen" führen. Ein sicheres Begrenzen der Staubkonz. („Konz. außerhalb der Explosionsgrenzen") ist wegen der Inhomogenität von Staub/Luft-Gemischen, insbes. durch die Möglichkeiten des Sedimentierens u. des Aufwirbelns von Stäuben nur bedingt möglich u. kann nur in Einzelfällen als Schutzmaßnahme dienen. Eine weitere Möglichkeit explosionsfähige Staub/Luft-Gemische in Apparaturen zu vermeiden besteht darin, den zweiten Reaktionspartner (Sauerstoff) durch Zugabe gasförmiger Inertstoffe (z. B. Stickstoff) soweit zu ersetzen (Unterschreiten der Sauerstoff-Grenzkonz.), daß keine Explosion mehr möglich ist (Inertisierung). Die zweite Gruppe der Explosionsschutzmaßnahmen stellt das Vermeiden wirksamer Zündquellen dar. Hierbei werden die staubexplosionsgefährdeten Bereiche nach der Wahrscheinlichkeit des Auftretens explosionsfähiger Gemische in Zonen eingeteilt („Zone 10" u. „Zone 11" bzw. nach künftigem europ. Recht „Zone 20", „Zone 21" u. „Zone 22"). Diese Einteilung bestimmt den Umfang der Schutzmaßnahmen gegen Zündquellen unter Berücksichtigung ihrer Wirksamkeit.
Während die beiden erstgenannten Gruppen Maßnahmen des „Vorbeugenden Explosionsschutzes" darstellen, mit denen das Auftreten von Explosionen vermieden wird, begrenzen die Maßnahmen der dritten Gruppe, des sog. „Konstruktiven Explosionsschutzes", die Explosionsauswirkungen auf ein annehmbares Maß. Diese Maßnahmen beinhalten als Grundlage eine explosionsfeste Bauweise für den zu erwartenden Explosionsdruck (z. B. max. Explosionsüberdruck) in Verbindung mit Explosionsentkopplung. Die in Apparaturen auftretenden Explosionsdrücke können durch die Schutzmaßnahmen „Explosionsdruckentlastung" u. „Explosionsunterdrückung" auf ein besser beherrschbares Maß reduziert werden (reduzierter Explosionsüberdruck). Auf diese Weise können Apparaturen in vielen Fällen so fest gebaut werden, daß sie Explosionen in ihrem Innern unbeschädigt od. zumindest ohne Schadenwirkung nach außen überstehen können. – ***E*** dust explosions – ***F*** coup de poussière – ***I*** esplosioni di polvere – ***S*** explosión de polvo

Lit.: Bartknecht, Explosionsschutz, Berlin: Springer 1993 ▪ Beck u. Jeske, Dokumentation Staubexplosionen. Analyse u. Einzelfalldarstellungen (BIA-Reports 4/82, 2/87 u. 11/97), Sankt Augustin: HV Gewerbliche BG ▪ Beck, Glienke, Möhlmann, Brenn- u. Explosionskenngrößen von Stäuben, BIA-Report 12/97 ▪ Beck, Glienke, Möhlmann, Combustion and Explosion Characteristics of Dusts, BIA-Report 13/97 ▪ Druckentlastung von Staubexplosionen (Pressure Venting of Dust Explosions/Decharge de la pression des explosions du poussière (VDI Richtlinie 3673), Berlin: Beuth 1995 ▪ Eckhoff, Dust Explosions in the Process Industry, Oxford: Butterworth-Heinemann 1991 ▪ EN 1127-1, Explosionsfähige Atmosphären, Explosionsschutz, Tl. 1: Grundlagen u. Methodik, Berlin: Beuth 10/1997 ▪ Explosionsschutz-Richtlinien (EX-RL) der Berufsgenossenschaft der chemischen Industrie, Sandhausen: Werbedruck Winter 1998 ▪ Richtlinie 94/9/EG des Europäischen Parlaments zur Angleichung der Rechtsvorschriften der Mitgliedstaaten für Geräte u. Schutzsysteme zur bestimmungsgemäßen Verwendung in explosionsgefährdeten Bereichen (ATEX 100a) ▪ Sichere Handhabung brennbarer Stäube (VDI-Ber. 701, 975, 1272), Düsseldorf: VDI 1989, 1992, 1996 ▪ Staubbrände u. Staubexplosionen (VDI Richtlinie 2263, mit Folgeblättern 1 bis 4), Berlin: Beuth 1990, 1992, 1996.

Staubfließverfahren s. Wirbelschicht-Verfahren.

Staubimmission s. Schwebstaub.

Staublunge s. Asbestose, fibrogener Staub, Pneumokoniosen u. Silicose.

Staubniederschlag. *Schwebstaub-Partikel, die in einer bestimmten Zeit aus der Atmosphäre auf eine horizontale Fläche in Erdbodennähe fallen. Ähnlich werden die Begriffe partikelförmiger Niederschlag u. trockene *Deposition verwendet. Der S. wird bes. durch die Schwerkraft bewirkt. Die Teilchengröße der im S. erfaßbaren Partikel hängt stark von den jeweiligen orograph. u. meteorolog. Bedingungen ab. Zur Messung des S. werden Haftflächen u. Auffanggefäße benutzt[1]. Die Ablagerungen von S. tragen zur Belastung von *Ökosystemen u. zum Eintrag von *Schadstoffen in die *Nahrungskette bei (S. in dtsch. Städten s. *Lit.*[2]). Die direkten Wirkungen von S. auf den Menschen werden nach der *TA Luft als „belästigend" eingestuft (s. a. Staub). – ***E*** dust precipitation – ***F*** sédiment de poussières – ***I*** precipitazione di polvere – ***S*** deposición de polvo

Lit.: [1]VDI **2119/1** (6/72); **2119/2E** (11/94); **2119/2** (9/96); **2119/4** (6/72); **2119/4E** (11/91). [2]Brauer (Hrsg.), Handbuch des Umweltschutzes u. der Umweltschutztechnik, Bd. 1, Emissionen u. ihre Wirkungen, S. 130–134, Berlin: Springer 1996.

Stauböle. Zum Binden u. Aufnehmen von *Staub (*Entstaubung) verwendete, meist wäss. Ölemulsionen od. Gemische aus Ölen u. Seifen, daneben auch Paraffinöl. Die S. dringen tief in Parkett u. Böden ein u. trocknen schwer aus. Sie werden auch als *Haftöle in *Kehrpulvern eingesetzt. – ***E*** dust oils – ***F*** huiles antipoussière – ***I*** oli per polvere – ***S*** aceites antipolvo

Staubverzinken s. Sherardisieren.

Stauchapparat nach Kast s. Explosivstoffe.

Stauchkräuselung s. Texturierung.

Stauchung s. Schmieden.

Staudenmajoran s. Origanum.

Staudinger, Hermann (1881–1965), Prof. für Chemie, Karlsruhe, Zürich, Freiburg. *Arbeitsgebiete:* Ketene, Oxalylchlorid, Ozonisierung, Autoxid., aliphat. Diazo-Verb., Explosionen, Pyrethrin, synthet. Pfeffer- u. Kaffeearomen, Arbeiten über Makromol. (prägte diesen Begriff) u. organ. Kolloide, Kunststoffe, Cellulose, Stärke, Glykogen, Kautschuk, polymere Isoprene, Polystyrol; Nobelpreis für Chemie 1953.

Lit.: Chem. Labor Betr. **32**, 107 f. (1981) ▪ Chem. Unserer Zeit **13**, 43–50 (1979) ▪ Chem.-Ztg. **106**, 13–18 (1982) ▪ Krafft, S. 320 ▪ Lexikon der Naturwissenschaftler, S. 382 ▪ Nachr. Chem. Tech. Lab. **32**, 974–976 (1984) ▪ Nachmansohn, S. 232 f. ▪ Naturwissenschaften **67**, 477–483 (1980) ▪ Neufeldt, S. 114, 123, 141, 169 ▪ Pötsch, S. 406 ▪ Strube et al., S. 167, 169, 182 f.

Staudinger-Index s. Viskosität.

Staudinger-Reaktion. Die von *Staudinger entdeckte Reaktion von organ. Aziden mit *Phosphanen führt unter Stickstoff-Abspaltung zu Phosphanimiden (*Iminophosphoranen*). Diese können, in einer der *Wittig-Reaktion analogen Umsetzung, mit Carbonyl-Verb. zu Iminen (*Azomethine, Schiffsche Basen*) umgesetzt werden. Durch Hydrolyse erhält man so unter relativ milden Bedingungen aus Aziden Amine.

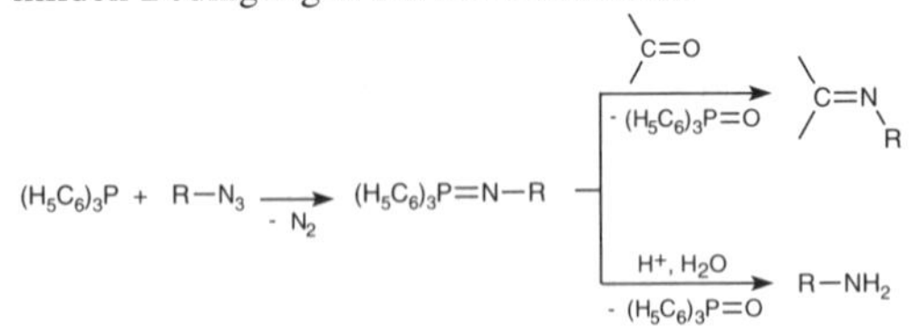

$$(H_5C_6)_3P + R{-}N_3 \xrightarrow{-N_2} (H_5C_6)_3P{=}N{-}R$$

$$(H_5C_6)_3P{=}N{-}R \xrightarrow[-(H_5C_6)_3P=O]{>C=O} >C{=}N{-}R$$

$$(H_5C_6)_3P{=}N{-}R \xrightarrow[-(H_5C_6)_3P=O]{H^+,\ H_2O} R{-}NH_2$$

– ***E*** Staudinger reaction – ***F*** réaction de Staudinger – ***S*** reacción de Staudinger

Lit.: Hassner-Stumer, S. 359 ▪ Houben-Weyl **E 2**, 96; **E 15**, 872 ▪ Krauch u. Kunz, Reaktionen der Organischen Chemie, S. 556, Heidelberg: Hüthig 1997.

Stauff, Joachim (geb. 1911), Prof. für Physikal. Biochemie u. Kolloidchemie, Univ. Frankfurt. *Arbeitsgebiete:* Emulsionen, Grenzflächenspannung, Assoziationskolloide, Thermodynamik kolloider Syst., Chemilumineszenz, Kinetik, Protein-Denaturierung, Nucleinsäuren.

Lit.: Kürschner (16.), S. 3597 ▪ Wer ist wer (36.), S. 1388.

Staufferfette. Schmierfette u. Dichtungsmittel auf der Basis von *Calciumstearat. – *[HS 3403 19]*

Staurodorm® Neu (Rp). Schlaftabl. mit *Flurazepam. ***B.:*** Dolorgiet.

Staurolith. Verschiedene Formel-Angaben, z. B. $(Fe^{2+},Mg,Zn)_2(Al,Fe^{3+},Ti)_9O_6[(Si,Al)O_4]_4(O,OH)_2$. Rötlich- bis schwärzlichbraunes od. schwarzes, meist undurchsichtiges, glasglänzendes od. mattes, zu den Nesosilicaten (s. Silicate) gehörendes, monoklines (Kristallklasse 2/m-C_{2h}), nur bei völlig ungeordneter Verteilung von Aluminium u. Kationen-Leerstellen auf bestimmte Gitterplätze in der Struktur orthorhomb.[1]. Mineral. komplizierte Struktur, s. *Lit.*[2–4], *Lit.*[5] (weitgehend geordneter S.) u. *Lit.*[6] (Oxid., Entwässerung). Zur Kristallchemie u. Kationenverteilung in S. s. z. B. *Lit.*[1,4,7,8].

Kurz- u. langprismat. Krist.; charakterist. Durchkreuzungs-*Zwillinge, fast rechtwinklig u. unter Winkeln von 60° (griech.: stauros = Kreuz u. lithos = Stein). H. 7–7,5, D. 3,7–3,8, Bruch uneben, muschelig, spröde; zur Synth. von S. s. *Lit.*[9]; Untersuchung von S. mit *Mößbauer-Spektroskopie s. *Lit.*[10]; Eisen-Gehalte s. *Lit.*[11]. Zum H- bzw. Hydroxy-Gehalt von S. s. *Lit.*[12–14], zu Gehalten an Fe, Mn, Zn u. Ti *Lit.*[15], zu Titan-Gehalten u. zur Farbe *Lit.*[16], zu Lithium-Gehalten *Lit.*[17,18]; eine Cobalt-reiche Abart wird als *Lusakit*[19] bezeichnet.

Vork.: Überwiegend in mittelgradig *metamorphen Gesteinen; *Beisp.:* In Glimmerschiefern (*Glimmer) in den Alpen, in der Bretagne/Frankreich u. auf der Kola-Halbinsel/Rußland; in *Gneisen, z. B. bei Aschaffenburg/Spessart u. in Gorob/Namibia. Als *Schwermineral in Sanden.

Verw.: Klare Krist. als Edelsteine. Durchkreuzungszwillinge werden in manchen Gegenden Amerikas als Amulette getragen. – ***E***=***F***=***I*** staurolite – ***S*** estaurolita

Lit.: [1] Can. Mineral. **31**, 583–595 (1993). [2] Am. Mineral. **53**, 1139–1155 (1968). [3] Acta Crystallogr. Sect. B **46**, 292–301 (1990). [4] Can. Mineral. **31**, 551–582 (1993). [5] Can. Mineral. **34**, 1051–1057 (1996). [6] Can. Mineral. **32**, 477–489 (1994). [7] Am. Mineral. **71**, 1142–1159 (1986); **76**, 1910–1919 (1991). [8] Can. Mineral. **31**, 597–616 (1993). [9] Eur. J. Mineral. **7**, 931–947, 1373–1380 (1995). [10] Am. Mineral. **76**, 27–41 (1991). [11] Am. Mineral. **74**, 610–619 (1991). [12] Am. Mineral. **71**, 1135–1141 (1986). [13] J. Solid State Chem. **73**, 362–380 (1988). [14] Can. Mineral. **32**, 491–495 (1994). [15] Am. Mineral. **78**, 477–485 (1993). [16] Am. Mineral. **69**, 541–545 (1984). [17] Contrib. Mineral. Petrol. **94**, 496–506 (1986). [18] Am. Mineral. **76**, 42–48 (1991). [19] Am. Mineral. **71**, 1466–1472 (1986).
allg.: Deer et al. (2.), S. 67–72 ▪ Deer, Howie u. Zussman, Rock-Forming Minerals (2.), Vol. 1 A, Orthosilicates, S. 816–866, London: Longman 1982 ▪ Lapis **10**, Nr. 2, 8–11 (1985) („Steckbrief"). – *[CAS 12182-56-8]*

Staurosporin.

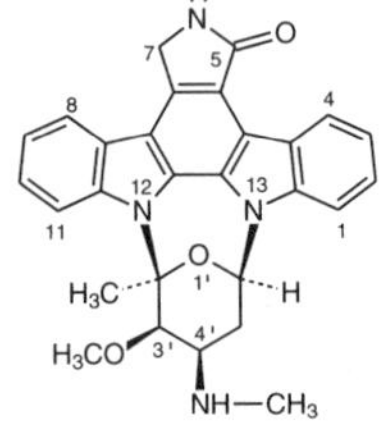

$C_{28}H_{26}N_4O_3$, M_R 466,54, blaßgelbe Blättchen, Schmp. 270 °C (Zers.), $[\alpha]_D^{20}$ +35°. Das *Indol-Alkaloid S. wird von *Streptomyces staurosporeus* u. a. *Streptomyces*-Arten gebildet u. ist auch synthet. zugänglich. Es wirkt stark blutdrucksenkend, ist ein Antimykotikum u. hemmt die Blutgerinnung. S. ist darüber hinaus ein potenter, aber unspezif. Inhibitor von Protein-Kinasen u. zeigt aufgrund dieser Eigenschaft Antitumorwirkung, inhibiert die Kontraktion der glatten Muskulatur, blockiert den Zellcyclus u. besitzt neurotroph. Aktivität. Auf der Suche nach spezifischeren Proteinkinase-Inhibitoren sind zahlreiche Derivate des S. synthetisiert od. isoliert worden, die für die Krebstherapie geprüft werden. – ***E*** = ***F*** staurosporine – ***I*** staurosporina – ***S*** estaurosporina

Lit.: FEBS Lett. **293**, 169 ff. (1991) ▪ Heterocycles **21**, 309 (1984) ▪ Int. J. Cancer **43**, 851–856 (1989) ▪ J. Am. Chem. Soc. **117**, 552 f. (1995); **118**, 2825–2842, 10656 ff. (1996); **119**, 9652 (1997) (Synth). ▪ J. Antibiot. **45**, 195, 1428 (1992); **48**, 535–548 (1995) (Isolierung); **49**, 380–385, 519–526 (1996) ▪ J. Biol. Chem. **263**, 6215–6219 (1988); **266**, 15771–15781 (1991) ▪ J. Nat. Prod. **51**, 884–899 (1988) ▪ J. Org. Chem. **52**, 1177–1189 (1987); **57**, 6327 (1992) ▪ J. Pharmacol. Exp. Therap. **255**, 1218 ff. (1990) ▪ Mol. Pharmacol. **37**, 482–488 (1990) ▪ Synthesis **1995**, 1511–1516 (Synth.) ▪ Tetrahedron **47**, 3565 (1991) ▪ Tetrahedron Lett. **35**, 1251 (1994) (abs. Konfiguration); **37**, 7335 (1996). – *[HS 2939 90; CAS 62996-74-1; 125035-83-8]*

Stavudin (Rp).

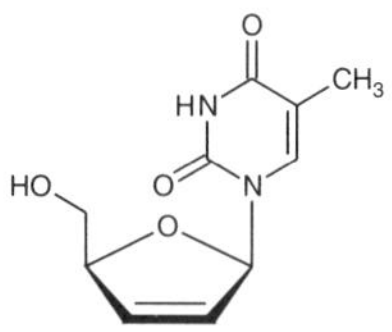

Internat. Freiname für das *Virostatikum 2′,3′-Didehydro-3′-desoxythymidin, $C_{10}H_{12}N_2O_4$, M_R 224,22, Schmp. 165–166 °C od. 174 °C, $[\alpha]_D^{20}$ –46,1° (c 0,7/Wasser), log P –0,81. S. wurde 1989/92 von Bristol-Myers patentiert u. ist von Bristol-Myers Squibb (Zerit®) zur Behandlung von HIV-Infektionen im Handel. – ***E*** = ***F*** stavudine – ***I*** stavudina – ***S*** estavudina

Lit.: Drugs **51**, 846–864 (1996) ▪ J. Am. Chem. Soc. **115**, 5365–5371 (1993) ▪ J. Org. Chem. **54**, 2217–2225 (1989) ▪ Merck-Index (12.), Nr. 8958. – *[CAS 3056-17-5]*

Steamcracker s. Kracken.

Stearamid s. Stearinsäureamid.

Stearate. Bez. für Salze u. Ester der *Stearinsäure. Die Ester sind Bestandteile der *Fette und Öle, während die Salze (*Stearinseifen*) vorwiegend in ihrer Eigenschaft als *Seifen u. *Metallseifen von Bedeutung sind. – ***E*** stearates – ***F*** stéarates – ***I*** stearati – ***S*** estearatos

Lit.: Ullmann (5.) **A 10**, 245–276 ▪ s. a. Seifen, Metallseifen.

Stearin. Weißes bis schwach gelbliches, wasserunlösl. Gemisch aus *Stearinsäure u. *Palmitinsäure, das man erhält, wenn man das bei der Fettspaltung entstehende Fettsäure-Gemisch durch Auspressen, *Extraktion, *Umnetzung od. Dest. von der flüssigen Ölsäure befreit u. durch Wasserdampfdest. reinigt. S. dient als Kerzenwachs, zur Herst. von *Metallseifen, *Emulgatoren, wird in Hydrophobiermitteln verwendet u. in kosmet. Präp. sowie in der Seifen-, Gummi-, Schmierfett-, Leder- u. Textil-Ind. eingesetzt. Als *Stearine* werden auch die *Glycerinmono-, -di- u. -tristearate (Mono-, Di- u. *Tristearin) bezeichnet. Unter *Acetostearinen* sind schließlich gemischte Glyceride mit wechselnden Anteilen von Stearin- u. Essigsäure zu verstehen, die in der Nahrungsmittel-Ind. eingesetzt werden können. – ***E*** stearin – ***F*** stéarine – ***I*** stearina – ***S*** estearina

Lit.: s. Fette und Öle. – *[HS 1519 11]*

Stearinöl s. Ölsäure.

Stearinpech. Letzter Rückstand bei der Dest. von Fettsäuren; zähe, beim Erkalten hart werdende, schwarze Masse, die u. a. Neutralfett, freie Fettsäuren, Hydroxyfettsäuren, Ketone, Kohlenwasserstoffe, Asphaltene, Fettalkohole, Kupfer- u. Eisenseifen enthält. S. wird u. a. zur Herst. von Lacken u. Dachpappe verwendet u. kann als Ersatz für Leinölfirnis für dunkle Farben dienen. – ***E*** stearin pitch – ***F*** poix de stéarine – ***I*** pece della stearina – ***S*** brea de estearina – *[HS 1522 00]*

Stearinsäure (Octadecansäure). $H_3C–(CH_2)_{16}–COOH$, $C_{18}H_{36}O_2$, M_R 284,47. Weißer, fettiger Feststoff geruchlos od. schwach talgartig riechend, D. 0,845, Schmp. 69–71 °C, Sdp. 376 °C bzw. 232 °C (10 mbar). In Wasser fast unlösl., lösl. in heißem Alkohol, Ether, Chloroform, Tetrachlormethan u. Schwefelkohlenstoff. S. kommt in großen Mengen in Form von Glyceriden in festen od. halbfesten tier. u. pflanzlichen *Fetten und Ölen vor u. wird aus diesen durch Fettspaltung gewonnen.

Verw.: Zur Herst. von Stearaten (*Metallseifen), Kerzen, Schallplatten, Modellmassen, Salbengrundlagen, Appreturen, Schmierfetten, Waschmitteln, Trennmitteln etc. – ***E*** stearic acid – ***F*** acide stéarique – ***I*** acido stearico – ***S*** ácido esteárico

Lit.: Beilstein E IV **2**, 1206 ▪ Ullmann (5.) **A 10**, 245–276 ▪ s. a. Fettsäuren. – *[HS 1519 11, 2915 70; CAS 57-11-4]*

Stearinsäureamid (Octadecansäureamid, Stearamid). $H_3C–(CH_2)_{16}–CO–NH_2$, $C_{18}H_{37}NO$, M_R 283,50. Farblose Krist., Schmp. 109 °C, Sdp. 250 °C (16 mbar), unlösl. in Wasser, lösl. in Alkohol, Ether, entsteht beim Erhitzen von Ammoniumstearat, techn. durch Umsetzung von Stearinsäure mit Ammoniak bei ca. 180 °C.

Verw.: Zur *Hydrophobierung in der Textil-Ind., als Dispergator, Emulgator od. Lösungsvermittler z. B. für Pigmente u. Farbstoffe sowie als Trennmittel bei der Herst. von Kunststoffartikeln. ***E*** stearic acid amide – ***F*** amide de l'acide stéarique – ***I*** stearammide – ***S*** amida del ácido esteárico

Lit.: Beilstein E IV **2**, 1240. – *[HS 2924 10; CAS 124-26-5]*

Stearinsäurebutylester s. Butylstearat.

Stearinsäurechlorid (Octadecansäurechlorid, Stearoylchlorid). $H_3C–(CH_2)_{16}–CO–Cl$, $C_{18}H_{35}ClO$, M_R 302,92. Farblose Krist., Schmp. 23 °C, Sdp. 215 °C (20 mbar), leicht lösl. in Ether, wird durch Wasser u. Alkohole zersetzt. S. wird als Alkylierungsmittel z. B. bei der Herst. von *Kationtensiden verwendet. – ***E*** stearoyl chloride – ***F*** chlorure de stéaroïle – ***I*** cloruro di stearoile – ***S*** cloruro de estearoilo

Lit.: Beilstein E IV **2**, 1240. – *[HS 2915 70; CAS 112-76-5]*

Stearinsäureester. Farb- u. geruchlose Flüssigkeit od. niedrigschmelzende Krist., die in polaren Lsm. nicht, in organ. Lsm. gut lösl. sind. Die organ. Stearate finden Verw. zur Herst. von Emulgatoren, Stabilisatoren, Schmiermitteln etc. – ***E*** stearates – ***F*** stéarates – ***I*** stearati – ***S*** estearatos

Lit.: s. Stearinsäure. – *[HS 2915 70]*

Stearinseifen s. Stearate.

γ-Stearolacton (4-Octadecanolid, 4-Tetradecyl-γ-butyrolacton).

$C_{18}H_{34}O_2$, M_R 282,47. S. wird durch Isomerisierung von Ölsäure in Ggw. von Perchlorsäure bei 90 °C gewonnen. – ***E*** stearolactone – ***F*** stéarolactone – ***I*** stearolattone – ***S*** estearolactona
Lit.: Henkel Referate **25**, 5 (1990).

Stearon. $H_{35}C_{17}$–CO–$C_{17}H_{35}$, $C_{35}H_{70}O$, M_R 506,94. *Fettketon, erhältlich durch Pyrolyse von Calciumstearat unter Abspaltung von Kohlendioxid. – ***E*** = ***I*** stearone – ***F*** stéarone – ***S*** estearona – *[HS 2914 19; CAS 504-53-0]*

Stearoyl... Für den unveränderten Rest –CO–$(CH_2)_{16}$–CH_3 nach IUPAC-Regel C-404.1, Lip-1.6 u. R-9.1.28a.3 zugelassene Bez. [Beilstein: Octadecanoyl...; CAS: (1-Oxooctadecyl)...]. – ***E*** stearoyl... – ***F*** stéaroyl... – ***I*** stearoil... – ***S*** estearoil...

Stearoylchlorid s. Stearinsäurechlorid.

***O*-Stearoylvelutinal.**

R = —CO—$(CH_2)_{16}$—CH_3 : *O*-Stearoylvelutinal
R = H : Velutinal

$C_{33}H_{56}O_4$, M_R 516,80, instabiles Öl, $[\alpha]_D$ +55° (Hexan). Schlüsselverb. in der Biosynth. verschiedener *Sesquiterpene aus Höheren Pilzen der Gattungen *Lactarius* (Milchlinge) u. *Russula* (Täublinge), z. B. *Lactarius vellereus* (Brennender Milchling) od. *L. necator* (Tannenreizker). Das sehr Hydrolyse-empfindliche S. läßt sich unter schonenden Aufarbeitungsbedingungen (Extraktion der frischen Pilze mit Hexan unterhalb 0 °C) gewinnen. Es zersetzt sich zu einer Vielzahl von Verb., deren Zusammensetzung von den Aufarbeitungsbedingungen abhängt. *O*-S. u. andere Fettsäureester des Velutinals bilden ein chem. Abwehrsystem der Pilze gegen Mikroben u. Freßfeinde. Folgeprodukte vom Lactaran- u. Isolactaran-Typ, die auch aus den Fruchtkörpern isoliert werden, sind z. B. die *Scharfstoffe *Velleral u. *Isovelleral, Blennine, Lactarorufine u. a. Die kurzzeitig gebildeten Dialdehyde sind mikrobizid wirksam. Die Biosynth. von S. ist vergleichbar mit der von *Azulenen aus *Lactarius*-Arten, die zuerst als Proazulene in Gestalt farbloser Fettsäureester gebildet werden. S. wird begleitet von *O-(6-Oxostearoyl)velutinal*, $C_{33}H_{54}O_5$, M_R 530,78, Öl, $[\alpha]_D$ +54,8°. – ***E*** *O*-stearoylvelutinal – ***F*** *O*-stéaroïlvelutinal – ***I*** *O*-stearoilvelutinale – ***S*** *O*-estearoilvelutinal
Lit.: J. Chem. Ecol. **10**, 1439 (1983) ▪ J. Nat. Prod. **48**, 279 (1985) ▪ J. Org. Chem. **50**, 950 (1985); **57**, 5979 (1992) ▪ Tetrahedron **37**, 2199–2248 (1981); **49**, 1489 (1993) ▪ Tetrahedron Lett. **23**, 1907, 4623 (1982); **24**, 1415, 4631 (1983); **32**, 2541 (1991). – *[CAS 86562-14-3 (O-S.); 86533-37-1 ((O-(6-Oxostearoyl)-velutinal); 83481-29-2 (Velutinal)]*

Stearyl... Veraltete Bez. des Octadecyl-Restes –$(CH_2)_{17}$–CH_3, die oft auch fälschlich für *Stearoyl... verwendet wurde. – ***E*** stearyl... – ***F*** stéaryl... – ***I*** stearil... – ***S*** estearil...

Stearylalkohol s. 1-Octadecanol.

Stearylamin s. 1-Octadecanamin.

Stearylisocyanat s. Octadecylisocyanat.

Steatit s. Speckstein.

Stechapfel. Eine einjährige, in warmen u. gemäßigten Zonen heim., krautige Pflanze von ca. 120 cm Höhe, die weiß blüht u. dazu stachelige Fruchtkapseln mit schwarzen Samen trägt (*Datura stramonium*, Solanaceae = Nachtschattengewächse). Blätter u. Samen enthalten *Solanaceen-Alkaloide, insbes. *Hyoscyamin u. *Scopolamin neben etwas *Atropin; früher bezeichnete man das Gemisch der ersteren als *Daturin*. S. soll in der Lage sein, aus seiner Umgebung bevorzugt Cadmium anzureichern.
Verw.: In der Medizin innerlich als Hypnotikum u. *Spasmolytikum, bes. bei Krampfhusten, Asthma etc. Früher wurden S.-Blätter mit einer wäss. Lsg. von Kaliumcarbonat, -chlorat u. -nitrat befeuchtet, getrocknet u. zu sog. Asthmazigaretten/-Zigarren bzw. Räuchermitteln verarbeitet. – ***E*** thorn apple – ***F*** stramoine, pomme épineuse – ***I*** stramonio – ***S*** estramonio
Lit.: Frohne u. Pfänder, Giftpflanzen (4.), Stuttgart: Wissenschaftliche Verlagsges. 1997 ▪ Teuscher u. Lindequist, Biogene Gifte (2.), Stuttgart: Fischer 1994. – *[HS 1211 90]*

Stechmücken s. Insekten.

Stechpalme. Immergrüner Strauch Nord- u. Westeuropas mit dornig gezähnten Blättern, der häufig in Hecken od. als Zierstrauch angepflanzt wird (*Ilex aquifolium* L., Aquifoliaceae). Seine roten Beeren werden oft von Kindern probiert, was zu zahlreichen Anfragen bei Vergiftungszentren führt. Nur in ca. 7% der Beratungsfälle traten Leibschmerzen, Durchfall od. Erbrechen auf. Die Früchte enthalten keine *cyanogenen Glykoside, auch kein Coffein wie die südamerikan. S.-Art *Ilex paraguariensis* (s. Mate); nachgewiesen wurde ein hämolyt. Saponin. – ***E*** holly – ***F*** houx – ***I*** agrifoglio, leccio spinoso – ***S*** acebo
Lit.: Frohne u. Pfänder, Giftpflanzen (4.), S. 62 f., Stuttgart: Wiss. Verlagsges. 1997.

Steel factor s. Stammzellenfaktor.

Steenbock, Harry (1886–1967), Prof. für Biochemie, Univ. Wisconsin, Madison. *Arbeitsgebiete:* Fettlösl. Vitamine, insbes. Vitamin A u. D.
Lit.: Lexikon der Naturwissenschaftler, S. 383 ▪ Poggendorff **7 b/8**, 5110 ff. ▪ Strube et al., S. 171 f.

Stefan-Boltzmann-Gesetz. Von J. Stefan (1835–1893) u. *Boltzmann 1884 abgeleitete Gesetzmäßigkeit, die der Wärmestrahlung des idealen *Schwarzen Körpers zugrunde liegt. Dieser auf seinen Innenwänden berußte Hohlraumkörper vermag zugeführte Wärme vollständig zu absorbieren. Die durch eine sehr kleine Öffnung in Form von Wärmestrahlung wieder abgegebene Strahlungsenergie S ist der 4. Potenz der abs. Temp. T proportional: $S = \sigma T^4$. Durch Integration der *Planckschen Strahlungsformel über die Strahlungsfrequenz ergibt sich die *Stefan-Boltzmann-Konstante*

$$\sigma = \pi^2 k^4 / 60 \hbar^3 c^2 = 5{,}67051 \cdot 10^{-8}\ \mathrm{W\ m^{-2}\ K^{-4}},$$

mit k = Boltzmann-Konstante, $\hbar = h/2\pi$ (h = *Plancksches Wirkungsquantum) u. c = Lichtgeschwindigkeit. – *E* Stefan-Boltzmann radiation law – *F* loi de Stefan et Boltzmann – *I* legge di Stefan-Boltzmann – *S* ley de Stefan-Boltzmann

Lit.: s. Schwarzer Körper u. Strahlung.

Stefine (Cystatine Typ 1). Zu Ehren Stefans so bezeichnete Familie von Inhibitor-Proteinen (M_R ca. 11 000, keine Disulfid-Brücken, kein Kohlenhydrat-Anteil) von *Cystein-Proteasen. Neben den Cystatinen im engeren Sinn (Typ 2) u. den Kininogenen (Cystatine Typ 3) gehören sie zur Cystatin-Superfamilie. – *E* stefins – *F* stéfines – *I* stefine – *S* estefinas

Stegemeyer, Horst (geb. 1931), Prof. für Physikal. Chemie, TU Berlin, Paderborn, Lehrstuhl für Physikal. Chemie der Univ.-Gesamthochschule Paderborn. *Arbeitsgebiete:* Chirale u. ferroelektr. Flüssigkrist., Phasenumwandlungen, opt. Aktivität, Molekülspektroskopie, Grenzflächen-Effekte.

Lit.: Kürschner (16.), S. 3602.

Steglich, Wolfgang (geb. 1933), Prof. für Organ. Chemie, Berlin, Bonn. *Arbeitsgebiete:* Naturstoffe, insbes. Inhaltsstoffe an Pilzen; Verw. von Heterocyclen zu Synth. (Oxazolinone, 4-Dimethylaminopyridin), Aminosäure- u. Peptid-Chemie.

Lit.: Kürschner (16.), S. 3603.

Stegobinon [(2*S*,3*R*,1′*R*)-2,3-Dihydro-2,3,5-trimethyl-6-(1-methyl-2-oxobutyl)-4*H*-pyran-4-on].

Stegobinon Stegobiol

$C_{13}H_{20}O_3$, M_R 224,30, $[\alpha]_D^{23}$ –282° ($CHCl_3$), Flüssigkeit. Sexualpheromon der Weibchen des Brotkäfers *Stegobium paniceum*[1] u. des Pochkäfers (des berüchtigten Holzwurms) *Anobium punctatum*[2]. Das in der Seitenkette reduzierte Produkt (*Stegobiol*, $C_{13}H_{22}O_3$, M_R 226,32) hat (2*S*,3*R*,1′*S*,2′*S*)-Konfiguration[3]. Zwischen Stegobinon u. Stegobiol bestehen die gleichen Strukturverwandtschaften wie zwischen Serricoron u. Serricorol (s. Serricornin). Zur Synth. s. *Lit.*[4]. – *E*=*I* stegobinone – *F* stégobinone – *S* estegobinona

Lit.: [1] Tetrahedron **34**, 1769–1774 (1978). [2] J. Chem. Ecol. **13**, 1695–1706 (1987). [3] J. Chem. Ecol. **13**, 1871–1879 (1987). [4] Chem. Rundsch. **1994**, Nr. 36, 3; Eur. J. Org. Chem. **1998**, 1135–1141; J. Am. Chem. Soc. **118**, 4560 (1996); J. Org. Chem. **58**, 6545 (1993).

allg.: ApSimon **9**, 374–379 (*Synth.*). – *[CAS 69769-68-2 (S.); 106022-40-6 (Stegobiol)]*

Stehkolben. Kugelförmige, am Boden abgeflachte *Kolben, die ähnlich wie die *Erlenmeyerkolben verwendet werden.

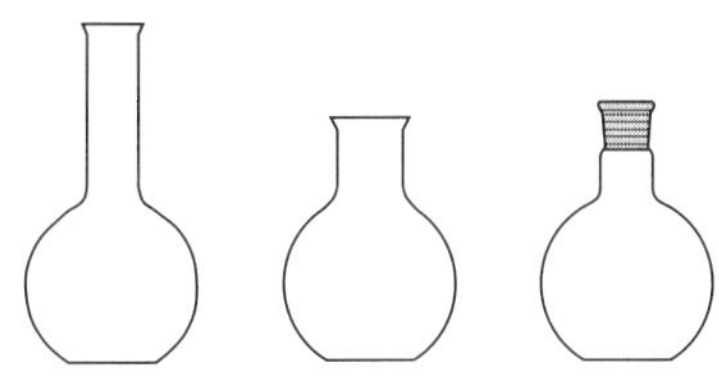

Abb.: Stehkolben.

– *E* flat bottom flasks – *F* ballons à fond plat – *I* alambicco a fondo piatto – *S* matraces de fondo plano

Lit.: DIN 12347: 1987-12; 12348: 1972-06.

Steifungsmittel. Textiltechn. Bez. für auch *Permanentsteifen* genannte Präp. zum „Stärken" der Wäsche, die im Gegensatz zu den altbekannten Reis- u. a. *Stärken geringere Steifheits- u. Glanzeffekte geben, dafür aber mehrere Waschvorgänge überstehen. Solche S. bestehen z. B. aus äußerst feinkörnigen *Polymerdispersionen mit ca. 50% Festgehalt an Polyvinylacetat u. Polyacrylsäureestern mit od. ohne Zusätze von Weichmachern, Wachsen, Verdickungsmitteln, opt. Bleichmitteln. Die S. sind auch bei Kunstfasern anwendbar u. verbessern das Aussehen, die Griffigkeit, Scheuer- u. Biegefestigkeit der Gewebe. – *E* wash-fast starches, permanent starches – *F* amidons permanents – *I* appretto permanente – *S* agente de almidonado (aprestado) permanente

Lit.: Autorenkollektiv, Appretur, S. 340 f., Leipzig: Fachbuchverl. 1990 ▪ Rouette, Lexikon für Textilveredlung, Bd. 3, 2068, Dülmen: Laumann-Verl. 1995. – *[HS 3809 91]*

Steigschmelzpunkt s. Schmelzpunktbestimmung.

Steilbrustflaschen. Zylindr. Glasflaschen mit kon. Oberteil, die den Vorzug haben, daß man sie ohne Mühe restlos entleeren u. leicht reinigen kann, weil hier der tote Winkel der gewöhnlichen Flaschen unterhalb des Halses vermieden ist.

Abb.: Steilbrustflaschen.

– *E* bottles with conical shoulder – *F* bouteilles à col cônique – *I* bottiglie col disopra conico – *S* frascos de hombro cónico

Stein, William Howard (1911–1980), Prof. für Biochemie, Rockefeller Inst. Med. Res., New York. *Arbeitsgebiete:* Molekularbiologie, biolog. Aktivität, Aminosäure-Sequenz u. räumliche Struktur der Ribonuclease, Entwicklung der Sequenzanalyse (*Moore-Stein-Analyse); Nobelpreis für Chemie zusammen mit S. *Moore u. C. B. *Anfinsen 1972.

Lit.: Lexikon der Naturwissenschaftler, S. 383 ▪ Neufeldt, S. 288 ▪ Pötsch, S. 407 ▪ Strube et al., S. 191.

Steinbeeren s. Preiselbeeren.

Steinberger, Jack (geb. 1921), Prof. für Physik, seit 1968 am CERN in Genf tätig. Er wies 1962 zusammen mit L. M. Lederman u. M. *Schwartz mittels der Neutrinostrahlmeth. das My-Neutrino nach, wofür die drei Forscher 1988 den Nobelpreis für Physik erhielten.

Lit.: Lexikon der Naturwissenschaftler, S. 383 ▪ The International Who's Who (17.), S. 1439.

Steinbühls Gelb s. Chrom-Pigmente.

Stein der Weisen (Philosophenstein). Alchemist. Begriff, unter dem man das – manchmal (fest od. flüssig) materialisiert gedachte – *Prinzip der Umwandlung* eines unedlen Stoffes in einen edlen (meist Gold), in übertragenem Sinne auch die Verleihung der Unsterblichkeit od. ewige Gesundheit verstand. Andere Namen für den „Lapis philosophorum" od. seine Kraft waren „Quinta essentia", „Magisterium", „Panazee" od. „Großes *Elixier". – ***E*** philosopher's stone, panacea – ***F*** pierre philosophale – ***I*** pietra filosofale – ***S*** piedra filosofal

Lit.: Lüschen, Die Namen der Steine, S. 47–49, 56–63, Thun: Ott 1968 ▪ s. a. Geschichte der Chemie.

Steindruck s. Lithographie.

Steine. 1. In der Medizin Konkrementbildung (s. a. Konkretionen) in Organen, die der Ausscheidung von Körperflüssigkeiten dienen (z. B. Speichel-S., Gallen-S., Nieren-S., Harnblasen-S.). – 2. s. Gesteine u. Petrographie.

Steingrau (Zinkgrau, Perlgrau). Malerfarbe aus unreinem, Zink-haltigem *Zinkoxid od. gemahlenem Tonschiefer.

Steingut s. keramische Werkstoffe.

Steinhäger. Nach den allg. Regeln für die Begriffsbestimmungen, Bez. u. Aufmachung von Spirituosen, VO (EWG) 15976/89 [1], ist S. eine Spirituose mit *Wacholder (*Juniperus communis*), die durch Dest. von in *Ethanol eingelegten Wacholderbeeren (Wacholderbutter) od. von gegorener Wacholdermaische gewonnen wird (Artikel 1, Absatz 4, Buchstabe m der Spirituosen-VO [1]). Der Mindestalkohol-Gehalt beträgt 38% vol. *Echter S.* muß nach Artikel 5, Absatz 3 der VO (EWG) 1576/89 [1] aus Steinhagen in Westfalen stammen (Herkunftsbez.). Nach § 102 Absatz 2 des Branntweinmonopol-Gesetzes [2] u. den Artikeln 12 u. 24 der Begriffsbestimmungen für Spirituosen [3] kann die Bez. S. auch als Gattungsbez. für einen auf bestimmte Art u. Weise hergestellten Wacholderbranntwein verwendet werden. Produktionszahlen (BRD 1996): 4,1 Mio. L.

Lit.: [1] VO (EWG) 1576/89 zur Festlegung der allg. Regeln für die Begriffsbestimmungen, Bez. u. Aufmachung von Spirituosen vom 29. 5. 1989 in der Fassung vom 22. 12. 1994 (ABl. der EG, Nr. L 366 (1)). [2] Gesetz über das Branntweinmonopol vom 8. 4. 1922 in der Fassung vom 9. 12. 1988 (BGBl. I, S. 2231). [3] Begriffsbestimmungen für Spirituosen, abgedruckt in Zipfel, C 419.

allg.: Ullmann (5.) **A 19**, 247; **A 24**, 551 ▪ Zipfel, C 415 *102*, 2, 18–21; C 419. – *[HS 2208 90]*

Steinhofer, Adolf (1908–1990), Prof. (emeritiert) für Chemie, Univ. Heidelberg. 1957–1973 Forschungsleiter der BASF, Mitglied des Vorstandes der BASF. *Arbeitsgebiete:* Ethinylierung von Formaldehyd, Vergasung von Rohöl, Petrochemie, makromol. Chemie, Vitamine. Pharmazeutika, Pflanzenschutzmittel, organ. Pigmente, Verfahrenstechnik.

Lit.: Chem.-Ztg. **92**, 365 (1968) ▪ Kürschner (15.), S. 4532 ▪ Nachr. Chem. Tech. **16**, 173 (1968); **21**, 288 f. (1973).

Steinholz s. Sorelzement.

Steinkohle. Schwarze, oft pechartig od. fettig glänzende Sedimentgesteine pflanzlicher Herkunft. Man unterscheidet nach Beschaffenheit, Zusammensetzung, Verhalten beim Erhitzen usw. eine Reihe von verschiedenen S.-Arten, die in einer Tab. zusammengefaßt bei *Kohle u. teilw. in Einzelstichwörtern beschrieben sind: Anthrazit, Magerkohle, Eßkohle, Back- od. Fettkohle, Gaskohle, Gasflammkohle, Flammkohle. Ihr Heizwert liegt zwischen 33 u. 35 MJ/kg. Die S. werden nach dem Gehalt an flüchtigen Bestandteilen eingeteilt, der durch Erhitzen unter Luftabschluß auf 900 °C bestimmt wird. Mikroskop. Untersuchungen geben Aufschluß über die *Maceral-Zusammensetzung der S.; das Mengenverhältnis der Maceral-Gruppen Vitrinit, Exinit u. Inertinit sagt etwas über die physikal. u. technolog. Eigenschaften der S. aus. Die S.-Typen unterscheiden sich in ihrem *Inkohlungsgrad, der auch ein Maß für die Elementarzusammensetzung ist.

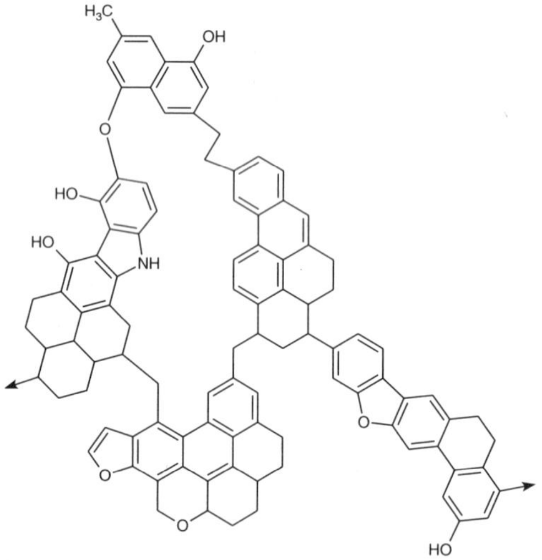

Abb.: Hypothet. Steinkohlen-„Makromolekül" (nach Jüntgen aus Elliott, *Lit.*).

Strukturuntersuchungen an S. gestalten sich äußerst schwierig. Die wichtigsten Meth. sind die Extraktion mit Lsm. u. spektroskop. Verf., bes. die NMR-Spektroskopie. Die Abb. zeigt ein Strukturmodell; das Mol. enthält anellierte Aromaten u. Cycloalkane, verbunden durch kurze Alkyl-Gruppen u. Ether-Brücken. Die Heteroatome findet man in phenol. u. chinoiden Strukturen sowie in Heterocyclen. Über neuere Untersuchungsergebnisse u. Fortschritte im Verständnis der S.-Struktur wird in *Lit.* [1] berichtet. Eine Strukturformel für eine Gasflammkohle ist in *Lit.* [2] abgebildet. Man vgl. sie mit der Formel für eine Braunkohle in *Lit.* [3]. Manche Autoren diskutieren ein Zwei-Komponenten-Syst. als Modell für die S., bei dem kleine mobile Gastmol. in die Hohlräume eines dreidimensionalen makromol. Netzwerks eingebettet sind [4]. Zu den beweglichen Verb. gehören auch die Chemofossilien der S.: Phytan, Reten, Cholestan, Hopane, Etioporphyrin u. a., die auf den biolog. Ursprung der Kohle verweisen; Näheres s. dort.

Die S. unterscheiden sich folgendermaßen von den meist jüngeren, in der Regel tert. *Braunkohlen:

1. Beim Kochen mit verd. Salpetersäure (1:10) färbt sich Braunkohle rot, S. bleibt unverändert.
2. Beim Kochen mit Kalilauge gibt Braunkohle eine tiefe Braunfärbung, bei S. bleibt die Verfärbung aus, od. es tritt nur eine schwache Braunfärbung ein.
3. Beim Schmelzen mit Ätznatron (etwa 200 °C) wird

Braunkohle fast völlig abgebaut, während S. großenteils unverändert zurückbleibt.
4. Das Destillat von Braunkohle reagiert sauer (Essigsäure-haltig), das von S. dagegen alkal. (Ammoniak-Gehalt). Starke Mineralsäuren wirken auf S. nicht ein.
Die D. liegt zwischen 1,15 u. 1,5, die Härte bei 2–2,5, der Strich ist schwarz bis braunschwarz u. der Bruch splittrig. Der *Bitumen-Gehalt erreicht bei S. nur wenige Prozent, bei Braunkohle dagegen 10–30%. Bei längerem Lagern an offener Luft finden bei der S. langsame, oberflächliche Oxid. statt, die in seltenen Fällen zur *Selbstentzündung führen können. Diese Oxid. können im Laufe längerer Zeit auch eine gewisse Wertminderung bewirken, die sich in erster Linie durch Abnahme des Kokungsvermögens bei Feinkohlen ausdrückt. Durch Verdichten der gelagerten Feinkohle od. durch Aufbringen von Schutzschichten (z.B. aus Mineralsalzen) kann diesem Vorgang aber Einhalt geboten werden. Zu einem merklichen Heizwertverlust der Lagerkohle kommt es prakt. nur dann, wenn starke Selbsterwärmung stattgefunden hat.
Vork.: Die meisten S.-Lager der Erde stammen aus dem Karbon, z.B. in der *BRD*: Ruhr, Niederrhein, Aachen, Saar, Niedersachsen, in *Belgien:* Campine, Charleroi, Liège, in *Frankreich:* Pas de Calais, Lothringen, in *England:* Nord- u. Südwales, Midlands, Durham, Schottland, in *Polen:* Ober- u. Niederschlesien, in der ehemaligen *UdSSR*: Donez, Ural, Karaganda, in den *USA*: Appalachen, Pennsylvania, W.-Virginia, Illinois, in *China:* Shansi, Kansu, Mandschurei. Weitere z.T. beträchtliche Vork. an S. haben sich auch während anderer geolog. Epochen gebildet, z.B. im Silur (Anthrazit von Böhmen), im Devon (Eifel), im Perm (ehemalige UdSSR: Petschora, Kusnezk; China: Mandschurei; Australien: New South Wales, Queensland), im Trias (Südafrika), im Jura (China: Mandschurei). Es können auch echte Braunkohlen außerhalb der tert. Ablagerungen angetroffen werden, z.B. in Karbon-Schichten bei Moskau. Die S. treten zumeist in mehr od. weniger dicken, flachen Schichten (*Flözen*) auf, die oft zu mehreren übereinanderliegend u. durch andere Gesteinsschichten wechselnder Dicke voneinander getrennt sind. Die Dicke der Flöze schwankt in der Regel zwischen einigen Zentimetern u. mehreren Metern. Die Flächenerstreckung der Kohleschichten wechselt ebenfalls sehr stark; das linksrhein. Flöz Katharina bedeckt etwa 5400 km^2, das Pittsburgh-Flöz in Pennsylvania über 20000 km^2. Im Saargebiet liegen etwa 80 Flöze (durch Gesteinschichten getrennt) übereinander; im Ruhrgebiet hat man über 100 abbauwürdige Flöze festgestellt; bei der ca. 2000 m tiefen Bohrung von Paruschowitz in Oberschlesien 70 Flöze. Bei der Flözcharakterisierung unterscheidet man 4 *Lithotypen:* Vitrain (Glanzkohle), Durain (Mattkohle), Fusain (Faserkohle) u. Clarain (Halbglanzkohle). Auf die S.-Bergwerkstechnik mit ihrem hohen Mechanisierungs- u. Automatisierungsstand kann im Rahmen dieses Werkes nicht eingegangen werden, s. dazu die bebilderten Aufsätze in *Lit.*[5]. Die geförderten S. werden durch Aufbereitung weitgehend von den mineral. Begleitstoffen („Berge") – wenn nötig, durch *Flotation – befreit. Das Maß für den Mineralstoffgehalt ist der Aschegehalt, der bei chem. Analysen u. *Heizwert-Berechnungen im allg. ebenso wie der Wassergehalt in Abzug gebracht wird (waf = wasser- u. aschefrei, s. Tab. bei Kohle). Die von der Flotation verbleibenden Rückstände können verbrannt werden. Um *Selbstentzündung zu verhindern, lagert man die S. trocken – je nach ihrem Gehalt an flüchtigen Bestandteilen – nicht über bestimmte Haldenhöhen, vermeidet lebhafte Luftzirkulation, kontrolliert hin u. wieder die Temp. (diese darf nicht über 60 °C steigen) u. trennt von vornherein grob- u. feinkörnige Kohle, da solche Gemische bes. leicht zur Selbstentzündung neigen (Feinkohle entzündet sich leicht, Grobkohle begünstigt Luftzufuhr). Nicht zur Verkokung (s. Koks u. Schwelung) bestimmte od. brauchbare S. wird im allg. agglomeriert, ehe sie ihrer Verw. zugeführt wird. Die *Brikettierung zu Nuß- od. Eierkohlen kann man mit od. ohne Bindemittel (Bitumen, Sulfitablaugen) vornehmen.
Rund 90% der S.-Weltförderung stammt von Ländern nördlich des Äquators. Die Schätzungen über die mutmaßlichen Gesamtkohlenvorräte in den einzelnen Kohlenlagern u. Ländern schwanken außerordentlich. Nach Schätzungen belaufen sich die Weltvorräte an S. auf 6,94 Tt (10^{12} t), die sich wie folgt verteilen: Osteuropa mit ehemaliger UdSSR 2,77 Tt, Asien ohne ehemalige UdSSR 1,57 Tt, Nordamerika 1,39 Tt, Australien 0,55 Tt, Westeuropa 0,43 Tt u. Afrika 0,22 Tt – die unter ökonom. Bedingungen abbauwürdigen Vorräte sind weltweit allerdings eine Größenordnung kleiner: insgesamt 0,78 Tt. Von den 1995 tatsächlich geförderten S.-Mengen (3657 Mio. t) stammten 94% von nur 13 Ländern: China (35,5%), USA (23,3%), Indien (7,1%), Südafrika (5,6%), Australien (5,0%), Russ. Föderation (4,6%), Polen (3,6%), Ukraine (2,3%), Kasachstan (2,3%), BRD (1,6%), Großbritannien (1,4%), Kanada (1,1%), Indonesien (1,0%) (*Lit.*[6]).
Der deutsche S.-Bergbau unterliegt einem einschneidenden Strukturwandel: Von 95 in 1966 betriebenen Zechen waren Mitte 1997 noch 18 in Betrieb; die Zahl der Beschäftigten ging von ca. 350000 1966 auf ca. 85000 Ende 1996 zurück; die Fördermengen sanken 1966 bis 1996 von 126 auf 48 Mio. t. Die Preise deutscher S. stiegen von 1990 bis 1996 gegenüber Importkohle vom 3- auf das 4-fache, die staatlichen Subventionen betrugen ca. 10 Mrd. DM/a. Im März 1997 vereinbarten Bund, betroffene Länder, Bergbauunternehmen u. IG Bergbau einen Abbau der Subventionen von knapp 9 Mrd. DM 1997 schrittweise auf 5,5 Mrd. DM 2005 mit insgesamt 69,19 Mrd. DM bis 2005. Von den 18 Zechen muß bis 2000 jährlich eine geschlossen werden, von 2001 bis 2005 ist die Schließung weiterer 3–4 Gruben beabsichtigt. Die Arbeitsplätze werden sich von 85000 auf ca. 37000 vermindern[7].
Verw.: Die Bedeutung der S. als Brennstoff zur Energieerzeugung hat sich zugunsten anderer Energieträger (*Heizöl, *Erdgas, *Kernenergie) deutlich verringert. In der BRD betrug ihr Anteil 1994 noch ca. 15% (s. Brennstoffe, S. 514). Durch Verkokung der S. werden Koks für die Stahlgewinnung erzeugt sowie Stadtgas, Ammoniak, Schwefel, Teer (s. Steinkohlenteer) u. viele andere Produkte gewonnen. Zahllose Produkte sind über die *Kohlevergasung aus Wassergas, Koh-

lenmonoxid u. -dioxid zugänglich, Kohlenwasserstoffe durch *Kohleverflüssigung (s. a. Benzin) usw. Außer als Reduktionsmittel – z. B. im *Hochofen-Prozeß – wird *Kohlenstoff auch zur Herst. von Siliciumcarbid, Calciumcarbid, Elektrodenkohlen etc. gebraucht. Alle Maßnahmen, aus der S. höherwertige Produkte zu gewinnen, bezeichnet man als **Kohleveredlung* u. die dabei anfallenden techn. wichtigen Nebenprodukte als *Kohlenwertstoffe*, vgl. a. Kohle u. Kohlenstoff. Wenn auch mit *Kohlechemie* vielfach die Chemie der aus S. gewinnbaren Dest.-, Schwel- od. Pyrolyse-Produkte gemeint ist, kann man doch auch direkt mit S. chem. Umsetzungen vornehmen, z. B. sie mikrobiell abbauen.

Geschichte: S. wird schon von Theophrast (215 v. Chr.) erwähnt; sie wurde wahrscheinlich schon vor rund 2000 Jahren gelegentlich zum Schmieden, Gießen usw. verwendet. In China war die S. u. ihre Brennbarkeit etwa um 280 n. Chr. bekannt. Die Römer benutzten die S. im kohlereichen Britannien zu Heizzwecken. Die Engländer heizten im 9. Jh. bereits mit S. u. um 1113 wurde im Aachener Gebiet das erste primitive S.-Bergwerk erstellt. In Belgien begann der S.-Bergbau etwa im 11. Jh., im Ruhrgebiet im 14. Jh., in Schlesien (Waldenburger Gebiet) im 16. Jahrhundert. Die S.-Förderung war damals recht bescheiden zu nennen; sie stieg erst etwa in den letzten 150 a – nach Erfindung der Dampfmaschine u. der Massenproduktion von Eisen u. Stahl u. der damit möglichen Mechanisierung der Abbaumeth. untertage – gewaltig an. Die moderne Technik u. die meisten Zweige der Chemie sind heute von der S. u. den S.-Produkten zwar nicht mehr so abhängig wie noch vor 50 a, doch wären die techn. Fortschritte des letzten Jh. ohne die steigende S.-Förderung nicht möglich gewesen. – ***E*** (hard) coal, pit coal – ***F*** houille – ***I*** carbone fossile – ***S*** hulla

Lit.: [1]Erdöl Erdgas Kohle **112**, 266f. (1996). [2]Fuel **63**, 1187–1196 (1984). [3]Prepr. Pap. – Am. Chem. Soc. Div. Fuel Chem. **28**, Nr. 4, 11–55 (1983). [4]Fuel **65**, 155–163 (1986); **67**, 242–244 (1988). [5]GEO **1983**, Nr. 3, 30–50; Spektrum Wiss. **1982**, Nr. 3, 76–88; Nr. 11, 58–72; Umschau **83**, 86–90 (1983). [6]Statist. Jahrbuch 1997 für das Ausland, S. 251, Stuttgart: Verl. Metzlar-Poeschel 1997. [7]Aktuell '98, Lexikon der Gegenwart, S. 225f., Dortmund: Harenberg Lexikon Verlag 1997.

allg.: Elliott, Chemistry of Coal Utilization (2. Suppl. Vol.), New York: Wiley 1981 ▪ Falbe (Hrsg.), Chemierohstoffe aus Kohle, Stuttgart: Thieme 1977 ▪ Kirk-Othmer (4.) **6**, 423–489 ▪ Ullmann (4.) **14**, 287–568; (5.) **A 7**, 153–280 ▪ Winnacker-Küchler (4.) **5**, 273–356, 420–501 ▪ s. a. Kohle. – *[HS 2701..]*

Steinkohleneinheit (SKE). Nicht *SI-konforme u. nach *Einheiten-Gesetz unzulässige, in der Technik dennoch vielgebrauchte Energieeinheit, die dem mittleren Energieinhalt von 1 kg *Steinkohle (waf) entspricht, weshalb man 10^3 SKE auch 1 t SKE nennt. Zur Umrechnung: 1 SKE = 7000 kcal = 29,3 MJ = 8,141 kWh. Auf der Basis von S. kann man bei *Brennstoffen ungefähr gleichsetzen: 1 kg Steinkohle (1 SKE) = 1,9 kg Holz od. Braunkohle = 0,7 kg Heizöl = 0,8 m^3 Erdgas = 1,8 m^3 Stadtgas = 0,3 m^3 Propan = 370 µg ^{235}Uran.

Steinkohlenteer. S. entsteht als wichtigstes Nebenprodukt bei der trockenen Dest. der *Steinkohlen in den Kokereien (*Kokereiteer*) u. Gasfabriken (*Gasteer*, s. Stadtgas). Wenn man 100 kg Steinkohlen unter Luftabschluß auf ca. 900–1300 °C erhitzt, erhält man außer ca. 77 kg Koks u. 15–16 kg Gas als Kohlenwertstoffe 0,9 kg Benzol, 0,3 kg Ammoniak u. 2,8 kg Rohteer. Letzterer ist eine braun- bis tiefschwarze, zähe, unangenehm riechende Flüssigkeit, D. 1,1–1,2, die ein kompliziertes Gemisch von ca. 10000 Einzelstoffen darstellt, von denen etwa 500 mit Sicherheit identifiziert wurden. Die meisten Bestandteile kommen nur in winzigen Prozentbruchteilen vor, nur wenige in einer Menge von 1% u. darüber. So enthält z. B. ein S. aus dem Ruhrgebiet durchschnittlich 10,0% *Naphthalin, 5,0% *Phenanthren, 3,3% *Fluoranthen, 2,1% *Pyren, je 2,0% Acenaphthylen (s. Acenaphthen), *Fluoren u. *Chrysen, 1,4% *Anthracen, je 1,5% *9*H*-Carbazol u. 2-Methylnaphthalin u. je 1,0% *Dibenzofuran u. *Inden. Obwohl die meisten S.-Bestandteile Feststoffe sind, wird im Gemisch der Schmp. so weit erniedrigt, daß der S. als Flüssigkeit vorliegt. Die Bestandteile des S. sind in den Steinkohlen wahrscheinlich nicht als solche vorhanden, sondern sie entstehen nachträglich während der *Pyrolyse durch Zers.- u. Polymerisationsreaktionen. Man nimmt an, daß sich bei der Verkokungstemp. von 900–1300 °C offenkettige, aliphat. Kohlenwasserstoffe, z. T. zu ringförmigen, aromat. Verb. (Benzol, Naphthalin, Anthracen usw.) zusammenschließen. Die Zusammensetzung des S. ist nicht nur von der Beschaffenheit der verkokten Kohle abhängig, sondern mehr noch von der Verkokungstemperatur. Wenn man nämlich die *Schwelung bei Temp. <600 °C vornimmt, erhält man bei der Dest. einen an Phenolen, Cycloaliphaten (Naphthenen), Alkanen u. Alkenen reichen, aber an Aromaten armen *Primär-* od. *Urteer* (*Tieftemperaturteer*). Demgegenüber hat der techn. wichtigere *Hochtemperaturteer* einen hohen Aromatenanteil. Einzelne Bestandteile desselben (z. B. Benzopyren) sind verantwortlich dafür, daß S. u. S.-Peche sowie S.-haltige Materialien als *Carcinogene (MAK-Liste III A 1) betrachtet werden müssen.

Bei der Verkokung von 1000 kg Steinkohle fallen ca. 30 kg S. an, die einer fraktionierten Dest. unterworfen werden. Die Fraktionen, deren histor. Bez., Siedegrenzen u. wichtigsten Bestandteile in der Tab. auf S. 4233 zusammengefaßt sind, werden durch Krist., Extraktion u. Dest. weiter raffiniert.

Im Dest.-Rückstand, dem *Steinkohlenteerpech*, fand man bisher eine Vielzahl von über 400 °C siedenden Verb., hauptsächlich mehrkernige carbocycl. u. heterocycl. Aromaten, die weder aliphat. Seitenketten noch phenol. Hydroxy-Gruppen enthalten. Pech erweicht zwischen 45 u. 90 °C (Weichpech 45–60 °C, Normalpech 75–90 °C). Ca. 90% des S.-Pechs bestehen aus 3- bis 7-kernigen Aromaten vom M_R 170–380, u. 10% aus hochmol. Bestandteilen von unbekannter Konstitution, die durch ihre Unlöslichkeit in Toluol u./od. Chinolin charakterisierbar sind. Verständlicherweise sind für verschiedene Fraktionen des S. noch histor. Namen in Gebrauch, für *Steinkohlenteeröl* z. B. *Kreosotöl*, Imprägnieröl, *Carbolineum.

Verw.: Durch Dest.- u. a. Reinigungs-Verf. erhält man aus den obigen Hauptfraktionen die techn. wichtigen Produkte Naphthalin, Phenol, Benzol, Pyridin, Kre-

Tab.: Zusammensetzung von Steinkohlenteer-Destillat.

Siedegrenze [°C]	Fraktion	Gew. %	Bestandteile
70–180	Leichtöl	bis 3	BTX-Aromaten, Pyridin-Basen, Phenole, polymerisierbare aromat. Kohlenwasserstoffe
180–210	Carbolöl	bis 3	44% Phenol, Kresole, Xylenole, Benzol-Homologe, Naphthalin, Pyridin-Basen
210–230	Naphthalinöl	10–12	75–90% Naphthalin
230–290	Waschöl	7–8	Naphthalin-Homologe, Indol, Biphenyl, Acenaphthen, Fluoren, Chinolin-Basen
300–400	Anthracenöl	20–28	Anthracen, Phenanthren, Carbazol
>400	Pech	50–55	

sole, Chinolin, Indole, Anthracen, Phenanthren, Acenaphthen, Pyren, die als Rohstoffe in der Farbstoff- u. Arzneimittel-Ind. eine wichtige Rolle spielen. Dagegen werden heute Toluol, Xylol, Naphthole, Perylen u. a. *polycyclische aromatische Kohlenwasserstoffe (ggf. a. carcinogene) nicht mehr aus S. gewonnen. Die ältesten synthet. Thermoplasten, die *Cumaron-Indenharze, sind Produkte der S.-Chemie. *S.-Pech* (s. a. Pech) benutzt man zur Herst. von Elektrodenpech u. Elektrodenkoks, früher auch als Straßenbelag, Bautenschutzmittel, Dachpappenmaterial. Als Produkte der *Kohleveredlung u. als Rohstoffquelle für die chem. Ind.[1] werden weltweit ca. 16 Mt/a S. produziert.
Geschichte: Bis in die Mitte des vorigen Jh. wurde der S. vielfach als lästiges Nebenprodukt der Gaswerke u. Kokereien betrachtet; man verwendete ihn damals als Heizöl, zur Rußfabrikation od. auch als fäulnishemmenden Holzanstrich. Erst mit den Untersuchungen durch *Runge (um 1830) u. mit dem darauffolgenden Beginn der „Teerfarbstoff"-Synth. (Mauvein-Synth. durch Sir W. H. *Perkin, 1856, Fuchsin-Synth. durch A. W. von *Hofmann u. Verguin, 1859) setzte eine starke Nachfrage u. die systemat. Untersuchung des S. ein. – ***E*** coal tar – ***F*** goudron de houille – ***I*** catrame di carbone fossile – ***S*** alquitrán de hulla

Lit.: [1] Erdöl Kohle Erdgas Petrochem. **38**, 489–503 (1985).
allg.: s. Kohle(veredlung), Steinkohle u. Teer. – *[HS 2706 00]*

Steinmehl s. Gesteinsmehl.

Steinmehldüngung. Als während der Weltkriege die erprobten Handelsdünger fehlten, wurde verschiedentlich vorgeschlagen, Kali-haltige Erstarrungsgesteine wie z. B. *Phonolithe, *Basalte u. dgl. fein zu zermahlen (*Gesteinsmehl) u. zur *Düngung zu nutzen. Allerdings führten diese Versuche zu keinem nennenswerten Erfolg. – ***E*** stone meal manuring – ***F*** fertilisation avec pierre pulvérisée – ***I*** concimazione con farina di pietra – ***S*** fertilización con piedra pulverizada

Steinmeteorite(n) s. Meteoriten.

Steinobst s. Obst.

Steinpilze s. Speisepilze.

Steinreiniger s. Fassadenreiniger.

Steinsalz (Halit). NaCl; wirtschaftlich bedeutendes kub. Salzmineral, Kristallklasse m3m-O_h; Struktur (mit Abb.) s. Kristallstrukturen (Abb. 1). Aufgewachsene od. in *Ton, *Anhydrit usw. eingewachsene, meist würfelige Krist. (metergroß in Merkers/Thüringen), derbe körnige, spätige od. faserige Massen; gelegentlich auch haarförmige Ausblühungen od. *Stalaktiten. Farblos od. durch Verunreinigungen gefärbt, z. B. rot u. gelblich durch Eisenoxide u. -hydroxide, grau durch Ton od. Bitumen; intensiv blau durch *Farbzentren. Vollkommene Spaltbarkeit nach dem Würfel, H. 2, D. 2,1–2,2; fettartiger Glasglanz. Leicht in Wasser löslich. Oberhalb 500 °C völlig, bei niedriger Temp. dagegen nur äußerst gering mit KCl mischbar. Zur Wärmeausdehnung von S. bei hohen Temp. s. *Lit.*[1], bei hohen Drücken *Lit.*[2,3].
Vork.: In vielen *Evaporiten. In Deutschland ausgedehnte Salzstöcke[4] u. Flöze, z. B. in den Serien des Zechsteins (*Erdzeitalter) in Norddeutschland [Raum Stade, Raum Hannover (Bergwerk Braunschweig-Lüneburg), Helmstedt, Borth in Nordrhein-Westfalen, Raum Staßfurt (Bergwerk Bernburg/Saale)]; in der Trias (Erdzeitalter) Süddeutschlands Heilbronn, Bad Friedrichshall-Kochendorf u. Berchtesgaden. Die Weltförderung an S. betrug 1992 183500 Mio. t; davon entfielen 54,6% (rund 100000 Mio. t) auf USA, China, frühere UdSSR, Kanada u. Deutschland[5]; weitere wichtige Förderländer sind Indien, Australien u. Mexiko. Einen Überblick über Lagerstätten, Gewinnung, Aufarbeitung, Verw. usw. von S. in Deutschland gibt das Bergbau-Handbuch[6]; die Gewinnung erfolgt durch bergmänn. Abbau od. durch Eindampfen von Sole od. von Meerwasser; je nach Gewinnungsart spricht man von *Stein-, Siede- od. Meersalz.* Die Hohlräume ausgebeuteter Salzlager bieten sich zur Endlagerung z. B. von *radioaktiven Abfällen an (Gorleben).
Verw.: Bei der Verw. von S. werden die Sorten *Speisesalz, Gewerbesalz* (zur Wasserenthärtung, in Färbereien, in der Leder-Ind. u. Futtermittel-Ind., in der Fischkonservierung usw.), *Auftausalz* (Streusalz) u. *Ind.-Salz* unterschieden; letzteres ist einer der wichtigsten Rohstoffe der Chemie, z. B. bei der Erzeugung von Soda, Chlor u. Natronlauge, die wiederum Vorstoffe z. B. für die Herst. von Glas, Kunststoffen (z. B. PVC) u. Aluminium sind. Zu Förderung, Verw., Märkten, Umwelt-bedingten Einflüssen auf Produktion u. Verbrauch (z. B. Rückgang bei den Chlor-Chemikalien, Verbot von *FCKW) von S. u. Zukunftsperspektiven (z. B. Anstieg bei der PVC-Produktion) für S. s. *Lit.*[5]; s. a. Natriumchlorid. – ***E*** rock salt, salt, halite – ***F*** halite, sel gemme – ***I*** salgemma, halite – ***S*** sal gema

Lit.: [1] J. Phys. Chem. Solids **56**, 895–900 (1995). [2] Phys. Chem. Miner. **23**, 354–360 (1996). [3] Solid State Commun. **92**, 463–466 (1994). [4] Spektrum Wiss. **1987**, Nr. 10, 76–86. [5] Ind. Miner. (London) **1995**, Nr. 336, 81–93. [6] Das Bergbau-Handbuch (5.), S. 239–248, Essen: Glückauf 1994.
allg.: Lapis **17**, Nr. 11, 8–11 (1992) („Steckbrief") ▪ Ramdohr-Strunz, S. 484 f. ▪ Schröcke-Weiner, S. 311–317 ▪ s. a. Evaporite, Natriumchlorid. – *[HS 2501 00; CAS 14762-51-7]*

Steinschliff-Verfahren s. Papier (S. 3110).

Steinwolle. Synonym für *Gesteinswolle, s. a. Mineralfasern.

Steinzeug s. keramische Werkstoffe.

STEL. *S*hort-*T*erm *E*xposure *L*imit (Spitzenbegrenzung für kurze Perioden) ist die Konz., der Beschäftigte kurzzeitig exponiert sein können – unter der Voraussetzung, daß der Schichtmittelwert *TWA nicht überschritten ist, den der STEL im Rahmen der Beurteilung ergänzt. Der STEL ist als 15-min-Exposition definiert, die in keinem Fall überschritten sein sollte, auch wenn der TWA eingehalten ist. Expositionen oberhalb des *TLV-TWA bis zur Höhe des STEL sollten nicht länger als 15 min u. häufiger als viermal pro Tag sein. Zwischen den Perioden erhöhter Expositionen sollten mindestens 60 min liegen. – ***I*** STEL, limite di esposizione a corto termine – ***S*** límite de exposición de término corto

Stellaratoren s. Kernfusion u. Tokamak.

Stellgröße s. Regelung.

Stellhefe (Anstellhefe). In der industriellen Biotechnologie benutzte Bez. für eine Zellvermehrungsstufe bei der *Backhefe-Herst. (**Saccharomyces cerevisiae*). S. bildet die Impfkultur für die letzte Fermentationsstufe, bei der die sog. Versandhefe hergestellt wird. – ***E*** seed yeast – ***F*** levure d'arrêt – ***I*** lievito madre – ***S*** levadura madre

Lit.: Präve et al. (4.).

Stellmittel. Sammelbegriff für Hilfsstoffe, die Produkten der Waschmittel-, Farbmittel- u. chem. Ind. zur Verbesserung der produktionstechn. Verarbeitbarkeit, der Rieselfähigkeit, zur Verhinderung des Klumpens u. Staubens, als Trägersubstanz, zur Korrektur der Pulvereigenschaften od. als Verdickungsmittel beigegeben werden. – ***E*** additives – ***F*** additifes – ***I*** additivi – ***S*** aditivos

Stellungsbezeichnungen s. Lokanten.

Stellungsisomerie (Substitutionsisomerie). Bez. für eine Form der *Konstitutionsisomerie (vgl. a. Isomerie), bei der Substanzen das gleiche Gerüst haben, sich jedoch in der Position der funktionellen Gruppe(n) innerhalb des Mol. unterscheiden; *Beisp.:* α-, β-, γ-Aminosäuren. Zur Kennzeichnung von Stellungsisomeren bedient man sich in der *Nomenklatur im allg. der systemat. Numerierung (z. B. 1- u. 2-Propanol, 1,2,3-, 1,2,4- u. 1,3,5-Trinitrobenzol usw.), der Präfixe *ortho-, *met(a)... u. *para- u. der Bez. durch griech. Buchstaben wie *α-, *β-,... *ε- u. *ω-. Kompliziertere Beisp. für S. finden sich in diesem Werk bei den tabellierten *Naphthol- u. *Naphthylaminsulfonsäuren u. bei *Flavone. Die Anzahl der Stellungsisomeren bei gegebener *Konstitution kann sehr groß sein (s. z. B. *Lit.* [1], wo ein Computer-Programm zur Berechnung beschrieben wird). In der *Koordinationslehre bedient man sich bes. Präfixe zur Kennzeichnung der S. von Liganden. – ***E*** position isomerism – ***F*** isomérie positionelle – ***I*** isomeria strutturale, isomeria di posizione – ***S*** isomería de posición

Lit.: [1] Comput. Chem. **3**, 41–48 (1981).
allg.: s. Isomerie.

Stelzner-System. Von R. Stelzner (1869–1943) um 1925 eingeführtes, veraltetes *Nomenklatur-Syst. für *heterocyclische Verbindungen, das die *Präfixe des *Hantzsch-Widman-Systems benutzte u. Vorläufer der heutigen *Austauschnamen war, in denen die überflüssigen Hydro-Präfixe des S.-S. fehlen; *Beisp.:* 1,4-Dihydro-1,4-dithianaphthalin (S.-S.), 1,4-Dithianaphthalin (IUPAC-Regel B-4; Bez. nach Regel B-3.5: 1,4-Benzodithiin). – ***E*** Stelzner system – ***F*** système Stelzner – ***I*** sistema di Stelzner – ***S*** sistema de Stelzner

Stemona-Alkaloide. Gruppe von bisher ca. 30 Pyrrolo[1,2-*a*]azepin-Alkaloiden aus Wurzeln von *Stemona*- u. *Croomia*-Arten, die in der traditionellen chines. u. japan. Medizin zur Behandlung von Atemwegserkrankungen sowie als Insektizide u. Anthelmintika Verw. fanden. Hauptalkaloide sind Stemonin, Stemoninin, Stemofolin u. Protostemonin (s. a. Tab).

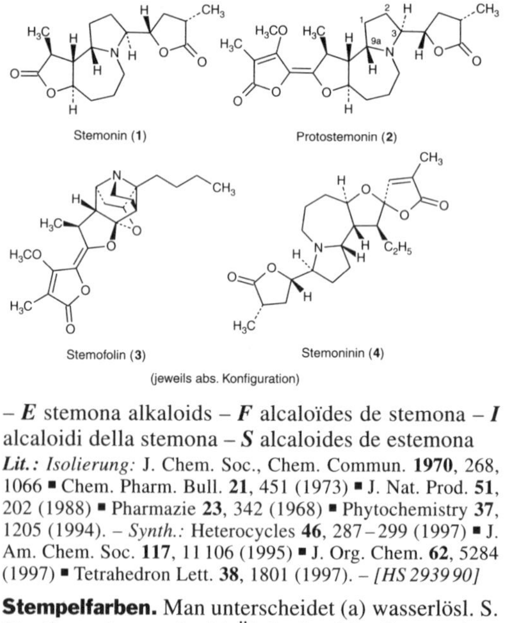

Stemonin (**1**) Protostemonin (**2**)

Stemofolin (**3**) Stemoninin (**4**)

(jeweils abs. Konfiguration)

– ***E*** stemona alkaloids – ***F*** alcaloïdes de stemona – ***I*** alcaloidi della stemona – ***S*** alcaloides de estemona

Lit.: *Isolierung:* J. Chem. Soc., Chem. Commun. **1970**, 268, 1066 ▪ Chem. Pharm. Bull. **21**, 451 (1973) ▪ J. Nat. Prod. **51**, 202 (1988) ▪ Pharmazie **23**, 342 (1968) ▪ Phytochemistry **37**, 1205 (1994). – *Synth.:* Heterocycles **46**, 287–299 (1997) ▪ J. Am. Chem. Soc. **117**, 11 106 (1995) ▪ J. Org. Chem. **62**, 5284 (1997) ▪ Tetrahedron Lett. **38**, 1801 (1997). – *[HS 293990]*

Stempelfarben. Man unterscheidet (a) wasserlösl. S. für Gummistempel, (b) Öl-S. für Metallstempel u. (c) Spezial-Stempelfarben. Für (a) werden bas. Farbstoffe od. Säurefarbstoffe in Wasser od. Alkoholen unter Zusatz von hygroskop. Lsm. wie Glycerin od. Gly-

Tab.: Wichtige *Stemona*-Alkaloide.

	Summenformel	M_R	$[\alpha]_D^{20}$	Schmp. [°C]	CAS	Vork.
1	$C_{17}H_{25}NO_4$	307,39	–114°(C_2H_5OH) bei 16°C	151	27498-90-4	*Stemona ovata, S. tuberosa*
2	$C_{23}H_{31}NO_6$	417,50	+147,8° (CH_3OH)	172–173	27495-40-5	*S. japonica*
3	$C_{22}H_{29}NO_5$	387,48	+273° (CH_3OH)	87–89	29881-57-0	*S. japonica*
4	$C_{22}H_{31}NO_5$	389,49	–110°(C_2H_5OH) bei 14°C	113–115	69772-72-1	*S. sessilifolia*

kol-Derivaten verwendet, u. für (b) Feinstdispergierungen von unlösl. Pigmenten (organ. Buntpigmente, Ruße) in Ölkompositionen wie Ricinusöl, Lanolin od. Vaselin-Öl herangezogen. Unter (c) fallen Fleisch-S. u. Kinder-S., die als Glycerin-haltige, wäss. od. alkohol. Lsg. von Lebensmittelfarbstoffen Verw. finden. – ***E*** endorsing inks, stamp pad inks – ***F*** encres à timbres (tampons) – ***I*** inchiostri per timbri – ***S*** tintas de timbrar (sellar)

Lit.: Kirk-Othmer (4.) **14**, 499. – *[HS 3215 90]*

Stempor®-Granulat. System. *Fungizid auf der Basis von *Carbendazim zur Bekämpfung von Halmbruchkrankheit (Cercosporella) bei Winterweizen u. -gerste. ***B.:*** ICI.

Stenök (stenoök, stenöz.). Bez. für Organismen, die nur eine geringe Schwankungsbreite wichtiger *Ökofaktoren wie Temp., Licht u. Feuchte vertragen. S. Organismen kommen daher nur in *Biotopen od. *Habitaten vor, in denen weitgehend gleichmäßige Lebensbedingungen herrschen, z. B. im *Boden od. in Höhlen. Im Gegensatz zu euryöken Organismen haben s. Arten nur eine eng begrenzte *ökologische Potenz. – ***E*** stenoecious – ***F*** sténoèce – ***I*** stenico – ***S*** estenoico

Lit.: Stugren, Grundlagen der allgemeinen Ökologie (4.), Stuttgart: Fischer 1986.

Stenol®. C_{16}–C_{22}-Fettalkohole als Rohstoffe zur Herst. von anion. u. nichtion. *Tensiden u. *Fettaminen. ***B.:*** Henkel.

Steno(nius), Nicolaus (latinisierter Name des Dänen Niels Stensen od. Stenson, 1638–1686), Arzt in Leiden, Kopenhagen, Florenz, Priester u. Bischof in Hannover, Münster u. Hamburg. *Arbeitsgebiete:* Anatomie, Hirnforschung, Entdeckung der Winkelkonstanz der Kristallflächen, richtige Deutung der organ. Natur der Versteinerungen, Studien über Gebirgserhebungen, Talbildungen, warme Quellen; gilt als der Begründer der Geologie u. Paläontologie.

Lit.: Krafft, S. 320f. ▪ Lexikon der Naturwissenschaftler, S. 384 ▪ Ramdohr-Strunz, S. 330.

Stenopotent (stenovalent). Von griech.: stenos = eng, schmal u. latein.: potentia = Fähigkeit. Manchmal als Synonym von *stenök, meist im Unterschied dazu für Organismen benutzt, die hinsichtlich eines einzigen *Ökofaktors nur eine geringe Intensitätsschwankung vertragen. Um den betroffenen Einzelfaktor zu bezeichnen, verbindet man *steno-* mit weiteren Silben, z. B. verwendet man in Bezug auf den Wasser- u. Luftdruck -bar (bei Wasserbewohnern auch -bath), auf die period. Aktivitätsdauer -chron, auf den Salzgehalt von Boden od. Wasser -halin, auf den Wassergehalt des Gewebes od. der Zelle -hydrisch, auf den Wassergehalt der Umwelt -hygr, auf den pH-Wert -ion, auf die Nahrung -phag, auf das Licht -phot, auf die Temp. -therm, auf den Lebensraum -top, auf den Wirt von Parasiten -xen u. auf die Höhenstufe im Gebirge -zon. – ***E*** stenopotent – ***F*** sténovalent – ***I*** stenopotente – ***S*** estenovalente

Lit.: Bick, Grundzüge der Ökologie (3.), S. 10ff., Stuttgart: Fischer 1998.

Stenotraphent s. Eutrophierung.

Stensen, Stenson s. Steno(nius).

Stentorin.

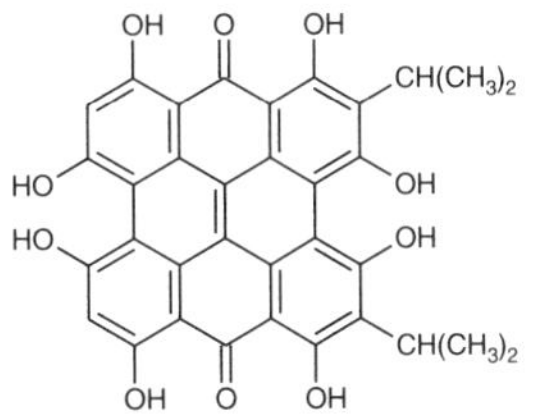

OH O OH
CH(CH3)2
HO OH
HO OH
CH(CH3)2
OH O OH

$C_{34}H_{24}O_{10}$, M_R 592,56, violette Krist.; photorezeptor. Pigment des Ciliaten *Stentor coeruleus*, strukturverwandt mit *Hypericin. – ***E*** stentorin – ***F*** stentorine – ***I*** stentorina – ***S*** estentorín

Lit.: Aust. J. Chem. **50**, 409–424 (1997) (Synth.) ▪ J. Am. Chem. Soc. **115**, 2526 (1993) (Isolierung) ▪ Tetrahedron Lett. **36**, 2331, 5921 (1995) (Synth.). – *[CAS 157480-38-1]*

Stepan. Kurzbez. für die Firma Stepan Co., Northfield, IL 60093 (USA). *Daten* (1997): 1152 Beschäftigte, 582 Mio. $ Umsatz. *Produktion:* Tenside, Entschäumer, Emulgatoren, Lebensmittelzusätze, Polyole, Additive, Polyurethane, Phthalsäureanhydrid. *Vertretung* in der BRD: Stepan Deutschland GmbH, Wesseling.

Stephanit. Ag_5SbS_4 bzw. $5\,Ag_2S \cdot Sb_2S_3$; zu den *Sulfosalzen gehörendes, lokal wirtschaftlich wichtiges (z. B. Comstock Lode/Nevada/USA) Silber-Erzmineral. Metallglänzende, bleigraue bis eisenschwarze, durch Anlaufen mattschwarz werdende, formenreiche, tafelige bis prismat. pseudohexagonale Krist. od. derbe Massen. S. krist. rhomb., Kristallklasse mm2-C_{2v}; zur Struktur s. *Lit.*[1,2]. H. 2–2,5, D. 6,25–6,28, Strich schwarz, Bruch muschelig. Nach der Formel 68,33% Ag.

Vork.: Auf Silbererz-Gängen in Nevada, Mexiko, Chile, Peru, Freiberg/Sachsen u. Jachymov (St. Joachimsthal)/Böhmen. – ***E*** stephanite – ***F*** stéphanite – ***I*** stefanite – ***S*** estefanita

Lit.: [1] Schweiz. Mineral. Petrogr. Mitt. **49**, 379–384 (1969). [2] Acta Crystallogr., Sect. B **26**, 201–207 (1970).
allg.: Anthony et al., Handbook of Mineralogy, Vol. I, S. 493, Tucson (Arizona): Mineral Data Publishing 1990 ▪ Lapis **17**, Nr. 10, 8–11 (1992) („Steckbrief") ▪ Ramdohr-Strunz, S. 474. – *[HS 2616 10; CAS 1302-12-1]*

Stephanskraut s. Rittersporn.

Steradian, Steradiant s. rad.

Steran. Allg. Bez. für gesätt. *Steroid-Stammkohlenwasserstoff; abzulehnender Name für das *Seitenketten-freie S.-Ringgerüst *Gonan u. für *Prednisolon. – ***E*** sterane – ***F*** stérane – ***I*** = ***S*** sterano

Sterblingswolle s. Wolle.

Stercobilin.

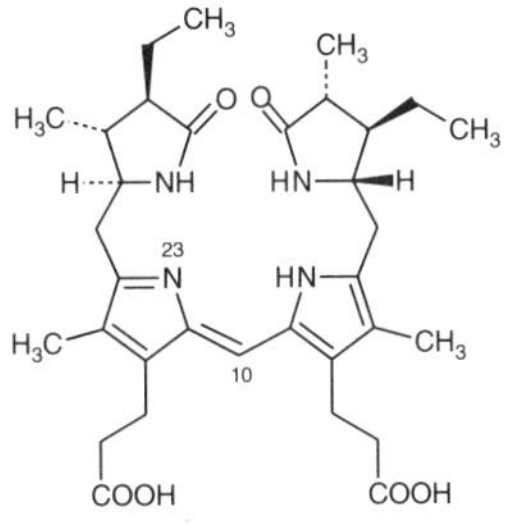

CH3 CH3
H3C O O CH3
H NH HN H
23
N HN
H3C CH3
10
COOH COOH

$C_{33}H_{46}N_4O_6$, M_R 594,75, Schmp. 238 °C, $[\alpha]_D^{20}$ –4000° (Hydrochlorid), $[\alpha]_D^{20}$ –870° (freie Base) in $CHCl_3$. Goldgelbes Oxidationsprodukt des *Stercobilinogens, Endprodukt des Abbaus der *Porphyrine im Warmblüter-Organismus. S. wird durch bakteriellen Abbau im Darm aus Bilirubin gebildet u. mit dem *Harn, dessen gelbe Färbung z. T. auf S. beruht, u. dem *Kot (als *Fäkalpigment) ausgeschieden. – ***E*** stercobilin – ***F*** stercobiline – ***I*** stercobilina – ***S*** estercobilina

Lit.: Beilstein EV **26/15**, 514 ▪ Dolphin (Hrsg.), The Porphyrins, Bd. **I**, 18–20; **VI**, 524, 550–554, New York: Academic Press 1979 ▪ Falk, The Chemistry of Linear Oligopyrroles and Bile Pigments, S. 13–35, 47–49, Wien: Springer 1989 ▪ Helv. Chim. Acta **70**, 2098 (1987) ▪ Synform **4**, 61, 67 (1986). – *[CAS 34217-90-8]*

Stercobilinogen. Formel s. Stercobilin (gesätt. C-10- u. N-23-Atome). $C_{33}H_{48}N_4O_6$, M_R 596,77. S. wird durch bakteriellen Abbau des *Gallenfarbstoffes *Bilirubin über Urobilinogen (s. Urobilin) im Darm gebildet u. stellt damit das eigentliche Endprodukt des *Porphin-Abbaus in Warmblütern dar. Es wird mit dem Harn u. dem Kot ausgeschieden u. hierin leicht zu *Stercobilin oxidiert. – ***E*** stercobilinogen – ***F*** stercobilinogène – ***I*** stercobilinogeno, urobilinogeno

Lit.: s. Stercobilin. – *[CAS 17095-63-5]*

Sterculiaceae s. Kakao u. Karaya-Gummi.

Sterculia-Gummi s. Karaya-Gummi.

Sterculiasäure [8-(2-Octylcycloprop-1-enyl)octansäure]. Eine C_{19}-Cyclopropenfettsäure, die v. a. in den Samen der Malvengewächse u. des Stinkbaumes (*Sterculia foetida*) vorkommt. $C_{19}H_{34}O_2$, M_R 297,45.

$H_3C—(CH_2)_6—CH_2$ [Cyclopropen] $CH_2—(CH_2)_6—COOH$

Toxikologie: S. besitzt genau wie die *Malvaliasäure cocarcinogene Wirkung u. hemmt verschiedene Entgiftungsmechanismen der Leber (z. B. *Cytochrom P_{450}-abhängige Monooxygenasen) sowie die Desaturase-Reaktion. Darüber hinaus unterbindet die S. die sexuelle Reifung u. erhöht den Cholesterin-Spiegel; s. a. Malvaliasäure. – ***E*** sterculic acid – ***F*** acide sterculique – ***I*** acido sterculico – ***S*** ácido estercúlico

Lit.: Fat Sci. Technol. **89**, 338–339 (1987) ▪ Lindner, Toxikologie der Nahrungsmittel (4.), S. 53–54, Stuttgart: Thieme 1990. – *[CAS 738-87-4]*

Stereoblockpolymere s. Taktizität.

Stereochemie (von griech.: stereos = starr, hart, fest). Bez. für dasjenige Teilgebiet der Chemie, das sich mit dem räumlichen, in der Regel dreidimensionalen Aufbau der Mol., den Abständen der Atome u. Atomgruppierungen u. den Bindungswinkeln befaßt. Ihren Ausgangspunkt nahm die moderne S. im Jahre 1874 in den Überlegungen van't *Hoffs u. *Le Bels über die Tetraedergestalt des vierwertigen Kohlenstoffs; Näheres zur Geschichte der S. s. *Lit.*[1,2].

Zur Kennzeichnung bes. ster. Anordnungen bedient sich die S. der folgenden, in Einzelstichwörtern ausführlicher behandelten Präfixe u. Zeichen: *α- u. *β-, **cis*- u. **trans*-, **exo*... u. **endo*..., **fac*- u. **mer*-, *Z*- u. *E*- (früher auch *syn*-, *anti*- u. *amphi*-), (*R*)- u. (*S*)- (s. CIP-Regeln), *ent*- u. *rac*-, s. a. Chiralität, Konfiguration u. Konformation. Für einige Klassen von Verb. haben sich die einfacheren histor. Kennzeichnungen erhalten: α- u. β- bei *Steroiden, Terpenen u. Alkaloiden, D- u. L- bei Aminosäuren, *erythro*-, *threo*-, *arabino*-, *gluco*- etc. bei *Kohlenhydraten, *myo*-, *scyllo*- etc. bei *Inositen u. a. Cycliten.

Eine chem. Zeichensprache hat sich entwickelt, die den bes. Bedürfnissen der S. Rechnung trägt u. den dreidimensionalen Aufbau von Mol. selbst bei zweidimensionaler Zeichnungsdarst. erkennen lassen kann; Näheres s. dort. Bes. deutlich lassen sich *Konformationen* od. *Konfigurationen* in *Projektionsformeln, wie sie von Emil *Fischer, Newman u. *Haworth entwickelt wurden, erkennen. Einen oft faszinierenden Eindruck vom räumlichen Aufbau der Mol. erhält man aus *stereoskop. Abb.*, s. die zahlreichen Abb. bei *Lit.*[3]. Sehr nützliche Hilfsmittel zum Studium stereochem. Fragestellungen bieten *Molekülmodelle (z. B. *Dreiding-Stereomodelle) od. raumerfüllende *Kalottenmodelle (z. B. *Stuart-Briegleb-Modelle) u. entsprechende Computer-Software.

Reaktionen, die unter dem Einfluß stereochem. Gegebenheiten *selektiv* zu Produkten führen, nennt man *stereoselektiv (s. stereoselektive Synthesen).

Die spezielle S. von Mol. ist jedoch nicht nur bestimmend für die chem. Reaktivität u. die physikal. – z. B. spektroskop. – Eigenschaften, sondern auch für die physiolog. Wirkung. Hier kann man davon ausgehen, daß die *Rezeptoren in stereoselektiven Reaktionen mit den Wirkstoffen in Beziehung treten. Stark verallgemeinernd kann man sagen, daß die meisten Lebensprozesse in ihrem Ablauf von der S. bestimmt sind. – ***E*** stereochemistry – ***F*** stéréochimie – ***I*** stereochimica – ***S*** estereoquímica

Lit.: [1] Chem. Unserer Zeit **8**, 129–158 (1974). [2] Angew. Chem. **86**, 604–611 (1974). [3] Vögtle, Stereochemie in Stereobildern, Weinheim: VCH Verlagsges. 1987.

allg.: Eliel u. Wilen, Stereochemistry of Organic Compounds, New York: Wiley 1994 ▪ Hauptmann u. Mann, Stereochemie, Heidelberg: Spektrum 1996 ▪ Scharf u. Buschmann, Begriffe u. Instrumente der Stereochemie in der Organischen Synthese, Weinheim: Wiley-VCH 1997 ▪ s. a. stereoselektive Synthesen, Chiralität, Konfiguration u. Konformation.

Stereochemische Repetiereinheit s. Makromoleküle.

Stereodeskriptor. Bez. für ein Präfix, das eine Konfiguration od. Konformation spezifiziert, z. B. *R*, *S*; s. a. CIP-Regeln u. Stereochemie. – ***E*** stereodescriptor, stereochemical descriptor – ***I*** stereodescrittore – ***S*** estereodescriptor

Stereoelektronische Kontrolle (stereoelektron. Effekt). Die Reaktivität eines Teilchens in einer stereochem. Synth. wird durch die Orientierung von besetzten od. nicht besetzten Orbitalen im Raum bestimmt. – ***E*** stereoelectronic control – ***I*** controllo stereoelettronico – ***S*** efecto estereoelectrónico

Stereoformeln s. chemische Zeichensprache (2.) u. Strukturformel.

Stereogenes Element. Bez. für ein Zentrum der Stereoisomerie (s. Stereoisomere), dessen Veränderung zu einem neuen *Stereoisomer führt. Bei s. E. in chiralen Mol. spricht man auch von *Chiralitätselementen*; s.

Chiralität. – *E* stereogenic element – *I* elemento stereogeno – *S* elemento estereogeñico

Stereoheterotop s. Heterotop.

Stereohomotop s. Homotop.

Stereoisomere (Stereoisomerie). Stereoisomere Mol. unterscheiden sich durch die unterschiedliche Anordnung im dreidimensionalen *Raum*, d. h. sie sind nicht miteinander zur Deckung zu bringen. Man unterscheidet zwei Arten von Stereoisomerie:
1. *Konformationsisomerie* (s. a. Konformation). Konformationen eines Mol. sind verschiedene räumliche Anordnungen seiner Atome od. Atomgruppen, die durch Rotation um formale Einfachbindungen ineinander übergehen können. Solche S. nennt man Konformere (*Rotamere*). Beisp. sind s-*cis*- bzw. s-*trans*-Buta-1,3-dien u. Cyclohexan-Derivate. Ist die Drehbarkeit infolge ster. aufwendiger Reste völlig unterbunden, so lassen sich Rotamere u. U. isolieren; s. a. Atropisomerie u. Chiralität.
2. *Konfigurationsisomerie* (s. a. Konfiguration). Unter der Konfiguration eines Mol. versteht man die räumliche Anordnung von Atomen od. Atomgruppen ohne Berücksichtigung von Konformationen. Eine Umwandlung von Konfigurationsisomeren erfordert entweder die Trennung u. Neubildung von kovalenten Bindungen od. die Inversion an einem stereogenen Zentrum. Die Beisp. in der Abb. sollen die Definitionen für Konfigurationsisomere verdeutlichen.

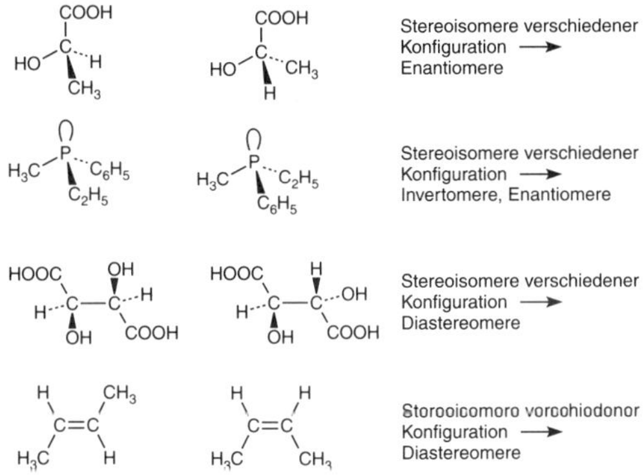

Stereoisomere verschiedener Konfiguration ⟶ Enantiomere

Stereoisomere verschiedener Konfiguration ⟶ Invertomere, Enantiomere

Stereoisomere verschiedener Konfiguration ⟶ Diastereomere

Stereoisomere verschiedener Konfiguration ⟶ Diastereomere

Abb.: Beisp. für die Konfigurationsisomerie.

– *E* stereoisomers – *F* stéréoisomérie – *I* stereoisomeri – *S* estereoisomería

Lit.: s. Konformation u. Konfiguration.

Stereokautschuk s. Synthesekautschuke.

Stereoreguläre Polymere s. Taktizität.

Stereoselektiv. Bez. für solche stereochem. *selektiven Reaktionsweisen, bei denen von zwei od. mehr möglichen *Stereoisomeren jeweils eines *bevorzugt* gegenüber den anderen entsteht, analog kann man *diastereoselektiv* formulieren; Näheres s. stereospezifisch u. stereoselektive Synthese. – *E* stereoselective – *F* stéréosélectif – *I* stereoselettivo – *S* estereoselectivo

Lit.: s. Stereochemie u. stereoselektive Synthesen.

Stereoselektive Synthese. Den gezielten Aufbau eines stereogenen Zentrums in Mol. bezeichnet man als s. Synthesen. Diese Synth. können grundsätzlich in drei Kategorien eingeteilt werden, die bis auf Kategorie 3 in diesem Lexikon bereits ausführlich abgehandelt wurden:
1. *Diastereoselektive Reaktionen (Synthesen),
2. *enantioselektive Synthesen,
3. doppelt-stereodifferenzierende Reaktionen.
Bei der unter 3 genannten Kategorie handelt es sich um Reaktionen, bei denen mind. zwei der Reaktionspartner chiral sind. Das Ergebnis der Reaktion ist in hohem Maße von der Beziehung der Chiralitätszentren zueinander abhängig. So reagieren beispielsweise Enzyme mit einem Enantiomeren sehr rasch, während das andere nicht angegriffen wird (kinet. *Racematspaltung*).
S. S. können in der Regel erfolgreich durchgeführt werden, wenn folgende drei Voraussetzungen gegeben sind: Die Reaktion muß über eine große Selektivität, opt. Reinheit u. chem. Ausbeute charakterisiert sein. Erreicht wird dies durch eine möglichst enge Beteiligung der Chiralitätsinformation am aktiven Komplex u. durch dessen Einengung durch konformativ rigide (z. B. cycl.) Mol.-Gerüste, milde Reaktionsbedingungen u. durch einen gezielten Einbau ster. aufwendiger Reste. Ein chirales Auxiliar muß einfach, billig u. in Form beider Enantiomere vorhanden u. einfach rückgewinnbar sein. In diesem Sinne sind neben Verb. aus dem Reservoir opt. aktiver Naturstoffe („chiral pool") z. B. zu nennen: (1*R*,2*S*)-*trans*-2-Phenyl-1-cyclohexanol (→ stereoselektive En-Reaktionen), (–)-8-Phenylmenthol (→ Diels-Alder-Reaktionen), (*S*)-2-Phenyl-2-oxazolidinon (→ s. S. von β-Lactamen), (*R*)-,(*S*)-Phenyloxiran (→ s. S. von α-substituierten Benzylalkoholen). Opt. aktive Naturstoffe können auch direkt in stereoisomer reine Zielmol. umgewandelt werden. Alle Syntheseoperationen müssen sowohl für das Zielmol. als auch für das verwendete Auxiliar racemisierungsfrei ablaufen. Man klassifiziert die unterschiedlichen Meth. der s. S. nach folgenden Typen:
1. Anw. von chiralen Auxiliaren,
2. Anw. chiraler Katalysatoren,
3. Anw. von Enzymen,
4. Anw. chiraler Auxiliare zur Modifizierung des Substrates.
Neuere Entwicklungen zielen darauf ab, s. S. zu entwickeln, bei denen die *chiralen Hilfsstoffe* u. die *chiralen Produkte* ident. sind. Solche s. S. tragen – neben dem Interesse für den Synthetiker – möglicherweise zum Verständnis der *Selbstreplikation* chiraler Information zu Beginn der Entwicklung des Lebens bei, da Selbstreplikation u. Chiralität die charakterist. Merkmale des Lebens sind [1]. Die Reinheit der Produkte s. S. kann mit den verschiedensten analyt. Meth. überprüft werden. Im Bereich der NMR-Spektroskopie hat sich (*R*)(–)- od. (*S*)(+)-1-Phenyl-2,2,2-trifluorethanol als chirales Solvens zur Bestimmung bewährt. – *E* stereoselective synthesis – *F* synthèse stéréosélective – *I* sintesi stereoselettiva – *S* síntesis estereoselectiva

Lit.: [1] Angew. Chem. **109**, 2560 (1997).
allg.: Aboul-Enein u. Wainer, The Impact of Stereochemistry on Drug Development and Use, New York: Wiley 1997 ▪ Ager u. East, Asymmetric Synthetic Methodology, Boca Raton: CRC Press 1996 ▪ Ahyja, Chiral Separations: Applications and Technology, Washington: ACS 1996 ▪ Atkinson, An Introduction to Stereoselective Synthesis, New York: Wiley 1995 ▪ Eliel u. Wi-

len, Stereochemistry of Organic Compounds, S. 835 ff., New York: Wiley 1994 ▪ Hauptmann u. Mann, Stereochemie, S. 213 ff., Heidelberg: Spektrum 1995 ▪ Houben-Weyl **E 21 a–e** ▪ Kagan, Asymmetric Synthesis. Fundamentals and Applications, Stuttgart: Thieme 1997 ▪ Kirby, Stereoelectronic Effects, Oxford: University Press 1996 ▪ Mander, Stereoselektive Synthese, Weinheim: Wiley-VCH 1998 ▪ Nógrádi, Stereoselective Synthesis, Weinheim: VCH Verlagsges. 1995 ▪ Noyori, Asymmetric Catalysis in Organic Synthesis, New York: Wiley 1994 ▪ Ojima, Catalytic Asymmetric Synthesis, New York: VCH Publishers 1993 ▪ Procter, Asymmetric Synthesis, Oxford: University Press 1996 ▪ Scharf u. Buschmann, Begriffe u. Instrumente der Stereochemie in der Organischen Synthese, Weinheim: Wiley-VCH 1997 ▪ Stephenson, Advanced Asymmetric Synthesis, London: Chapmann & Hall 1996 ▪ s. a. Chiralität, diastereoselektive Reaktionen (Synthesen) u. enantioselektive Synthesen, optische Aktivität.

Stereoskopische Bilder s. Photographie.

Stereospezifisch (stereospezif. Reaktionen). Nach Eliel [1] versteht man unter s. Reaktionen solche Reaktionen, bei denen aus stereochem. differenzierten Ausgangsstoffen stereochem. differenzierte Endprodukte entstehen; *Beisp.:* Bei der *trans* erfolgenden Brom-Addition an die beiden 2-Butene liefert (*E*)-2-Buten *meso*-2,3-Dibrombutan, während aus (*Z*)-2-Buten (±)- od. racem. 2,3-Dibrombutan entsteht, also gleiche Anteile der opt. Isomeren. Jede s. Reaktion ist demnach auch stereoselektiv, jedoch sind keineswegs alle stereoselektiven Reaktionen auch stereospezifisch. Als s. Reaktionen par excellence sind die enzymat. Reaktionen anzusehen, u. die Wirksamkeit bzw. Unwirksamkeit stereoisomerer Pharmaka geht sicherlich ebenfalls auf s. Reaktionen an den Rezeptoren zurück: (–)-Morphin ist ein starkes Analgetikum, (+)-Morphin ist analget. wirkungslos. S. Polymerisationen führen zu stereoregulären Polymeren (vgl. isotaktische Polymere). Der Gebrauch von *s.* od. *enantiospezif.* bzw. *diastereospezif.* im Sinne von „hoch stereoselektiv" sollte verworfen werden. Selbst wenn es den Anschein hat, als ob in einer *stereoselektiven Synthese nur ein einziges Stereoisomeres gebildet würde, ist die Bez. s. unangebracht. – ***E*** stereospecific – ***F*** stéréospécifique – ***I*** stereospecifico – ***S*** estereoespecífico

Lit.: [1] Eliel u. Wilen, Stereochemistry of Organic Compounds, S. 1208, New York: Wiley 1994.
allg.: s. Stereochemie u. stereoselektive Synthese.

Stereospezifische Numerierung s. Phospholipide.

Stereounspezifisch. Gegenteil von *stereospezifisch.

Sterigmatocystin.

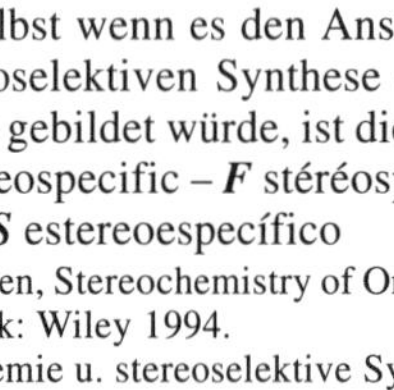

$C_{18}H_{12}O_6$, M_R 324,29, blaßgelbe Nadeln, Schmp. 246 °C (Zers.), $[\alpha]_D^{21}$ –387° ($CHCl_3$). *Mykotoxin aus vielen Schimmelpilzen, z. B. *Aspergillus versicolor, A. multicolor* u. *A. flavus* sowie *Chaetomium*-Arten. S. kommt in verschimmeltem Getreide u. Wurstwaren vor, es wurde auch schon in verschimmeltem Hartkäse gefunden. S. u. sein Methylether sind biosynthet. Vorläufer von *Aflatoxin B_1; während die Dihydro-Derivate Vorstufen von Aflatoxin B_2 sind. S. wirkt wie Aflatoxin B_1 nach metabol. Aktivierung (Bildung des 1,2-Epoxids, das sich kovalent an die DNS bindet) mutagen, carcinogen sowie lebertox. [LD_{50} (Ratte p. o.) 120 mg/kg, (Ratte i. p.) 60 mg/kg]. Aus *Aspergillus*-Arten wurden auch der Methylether (a, $C_{19}H_{14}O_6$, M_R 338,32), das 1,2-Dihydro-Derivat (b, $C_{18}H_{14}O_6$, M_R 326,31), dessen Methylether (c, $C_{19}H_{16}O_6$, M_R 340,33) sowie 10,11-Dimethoxysterigmatocystin (d, $C_{20}H_{16}O_8$, M_R 384,34) isoliert. – ***E*** sterigmatocystin – ***F*** stérigmatocystine – ***I*** sterigmatocistina – ***S*** esterigmatocistina

Lit.: Agric, Biol. Chem. **55**, 1907 (1991) ▪ Appl. Environ, Microbiol. **58**, 3527 (1992); **59**, 3564 (1993) ▪ Beilstein E V **19/10**, 575 ▪ Cole u. Cox, Handbook of Toxic Fungal Metabolites, S. 67–94, New York: Academic Press 1981 ▪ Microbiol. Rev. **52**, 274 (1988) (Biosynth.) ▪ Mori, Genotoxicity of Naturally Occurring Metabolites: Structural Analogs of Aflatoxins and Related Metabolites, in Bhatnagar, Lillehoj u. Arora (Hrsg.), Handbook of Applied Mycology, Kapitel 9, New York: Marcel Dekker 1992 ▪ Mycopathologia **125**, 173 (1994) (Synth.) ▪ Sax (8.), SLP000 ▪ s. a. Mykotoxine, Schimmelpilze. – *[CAS 10048-13-2 (S.); 17878-69-2 (a); 6795-16-0 (b); 21793-91-9 (c); 65176-75-2 (d)]*

Sterikon®. Bio-Indikator zur Autoklavierungs-Kontrolle. ***B.:*** Merck.

Sterile Insect Release, Sterile Male Technique s. Sterilisation (3.).

Sterilfiltration. Bez. für die Entkeimung (vollständige Beseitigung von *Mikroorganismen) von Flüssigkeiten od. Gasen durch *Filtration über sterile Filterschichten (s. a. Sterilisation u. Steriltechnik). Als S. kann auch ein Verf. der Membranfiltration (s. Membranfilter) bezeichnet werden, das durch geeignete Porengröße der eingesetzten Filtermembranen Mikroorganismen zurückhält. Die S. findet Einsatz bei Produkten, die Temp.-empfindlich sind u. daher durch Hitzesterilisation nicht keimfrei gemacht werden können. S. ist das wichtigste Sterilisationsverf. für Gase (z. B. Belüftung von *Bioreaktoren). – ***E*** sterile filtration – ***F*** filtration stérile – ***I*** filtrazione sterile – ***S*** filtración esterilizante

Lit.: Präve et al. (4.) ▪ Schlegel (7.), S. 227.

Sterilisation (Sterilisierung, von latein.: sterilis = unfruchtbar). Unter S. versteht man allg. das Unfruchtbarmachen von Organismen bzw. das Freimachen eines Stoffes od. eines Gegenstandes von lebenden u./od. entwicklungsfähigen *Keimen (z. B. *Sporen), wobei nicht gefordert wird, daß die toten bzw. inaktivierten Keime abgetrennt werden. „*Steril*" bedeutet demnach: frei von vermehrungsfähigen Mikroorganismen. Prakt. bewährt haben sich folgende S.-Verf.:

1. *Heißluft-S.* (bei Objekten aus Glas, Asbest, Porzellan od. Metall, thermostabilen Pulvern, Fetten, Ölen, Paraffinen) mit od. ohne Luftumwälzung bei 180 °C mindestens 30 min;

2. *Dampf-S.* im Autoklaven mit gespanntem Wasserdampf von mindestens 120 °C, entsprechend 1 bar Überdruck (Gegenstände aus Glas, Porzellan, Metall, Arbeitskleidung, Verbandstoffe, Asbest, Gummi,

Tücher, Papier, thermostabile Lsm. u. Lsg.), sog. *Autoklavierung*;
3. *Sterilfiltration:* Wärme- u. strahlungsempfindliche Flüssigkeiten werden – falls rechtlich zulässig – durch mit Ethylen- od. Propylenoxid, Ozon od. strömendem Dampf behandelte *Membranfilter gesaugt, z. B. Salbengrundlagen od. kosmet. u. pharmazeut. Produkte. Bei der Herst. von Süßmost u. Fruchtsäften filtriert man zur S. durch bes. feinporiges Material (Entkeimungs- od. EK-Filtration).
4. Soweit rechtlich zulässig findet großtechn. Anw. in der Nahrungsmittel-Ind. u. Pharmazie auch die *Strahlen-S.* durch UV-*Entkeimung, *Bestrahlung mit hochbeschleunigten Elektronen (β-Strahlen) u. mit *Gammastrahlen. Für bes. Zwecke kann *Ultraschall zur S. dienen. Eine ausführliche Zusammenstellung der gebräuchlichen S.-Verf. bei der Herst. von Arzneimitteln findet man in *Lit.*[1].
Eine bes. Bedeutung hat die S. von Klärschlamm (*Hygienisierung*), bevor dieser Verw. als Düngemittel finden kann. Außer in der *Lebensmitteltechnologie – z. B. in der *Konservierung u. der S. von Milch (*Pasteurisierung, *Uperisation) – spielt die S. v. a. bei Herst. u. Verw. von Arzneimitteln u. chirurg. Material eine große Rolle – ungenügende S. u. ein Mangel an *Hygiene sind oft für das Auftreten von *Hospitalismus verantwortlich. Im Falle der S. von Arzneimitteln muß bes. auf *Pyrogen-Freiheit geachtet werden. Als S. mit chem. Mitteln kann man die *Desinfektion bezeichnen, d. h. den Einsatz von *Desinfektionsmitteln u. *Konservierungsmitteln. Die S. im Sinne von *Unfruchtbarmachung*, z. B. durch *Chemosterilantien, wird gegen *Insekten als biolog. Meth. des *Pflanzenschutzes u. der *Schädlingsbekämpfung angewandt, z. B. in dem sog. Autizid-Verf., das auch *Sterile Insect Release Method*, *Sterile Male Technique* od. *Steril-Partner-Verf.* genannt wird.
Die S. beim Menschen zur Verhinderung der *Konzeption erfolgt chirurg. durch Unterbrechung der Eileiter bei der Frau („*Tubenligatur*") od. des Samenstrangs beim Mann („*Vasektomie*"). Sie ist nur auf freiwilliger Basis nach intensiver Aufklärung durch den Arzt zulässig; eine Zwangssterilisation ist nach Artikel 1 u. 2 des Grundgesetzes verboten. – ***E*** sterilization – ***F*** stérilisation – ***I*** sterilizzazione – ***S*** esterilización

Lit.: [1] Hager (5.) **2**, 775–788.
allg.: Kirk-Othmer (4.) **22**, 832–851 ▪ Wallhäußer, Praxis der Sterilisation, 5. Aufl., Stuttgart: Thieme 1995 ▪ Winnacker-Küchler (4.) **7**, 254–258 ▪ s. a. Desinfektionsmittel u. Konservierung.

Sterillium®. Lsg. u. Feuchttuch mit 1- u. 2-Propanol u. *Mecetroniu-metilsulfat zur Desinfektion von Hautpartien u. Gegenständen. ***B.:*** Bode.

Steril-Partner-Verfahren s. Sterilisation (4.).

Steriltechnik. Bez. für Verf. zum Abtöten, Inaktivieren od. Entfernen aller vermehrungsfähigen *Mikroorganismen in Apparaturen, biochem. Produkten u. Zubereitungen u. für Techniken zur Verhinderung von erneuter Kontamination. In vielen *Fermentationen ist gute S. Voraussetzung für wirtschaftliche Verfahren. Zum Entfernen von Organismen u. zum Sterilisieren von hitzelabilen Lsg. werden physikal. Meth. wie z. B. die Filtration durch bakteriendichte Filter angewandt (*Sterilfiltration). Als Meth. zum Abtöten von Mikroorganismen benutzt man überwiegend chem. Agenzien (Ethylenoxid, Formaldehyd, Chlor), Strahlen (UV-, Röntgen- od. γ-Strahlen, z. B. für medizin. Einwegmaterial) u. Hitze.
Der Abtötungsverlauf einer Population folgt einer Kinetik erster Ordnung. Wenn man von einer Zellzahl N_0 ausgeht, die Zahl der getöteten Keime zur Zeit t als N′ u. die zur Zeit t überlebenden Zellen als N bezeichnet, so errechnet sich für die Abtötungsrate

$$-\frac{dN}{dt} = k(N_0 - N') = kN$$

(k ist die spezif. Abtötungskonstante, meist angegeben in min^{-1}). Integrierung zwischen N_0 zur Zeit t = 0 u. N zur Zeit t = t ergibt

$$kt = \ln\frac{N_0}{N} \quad \text{od.} \quad \ln\frac{N}{N_0} = -kt$$

N_0/N ist der Inaktivierungsfaktor u. $\ln\frac{N_0}{N} = \bar{V}$ der Del-Faktor, der ein Maß für die Abtötung darstellt u. zur Auslegung von Sterilisationsanlagen benutzt wird.
Bei einer logarithm. Darst. der Überlebenden über die Zeit (s. Abb.) ist die Abtötungskurve von vegetativen Zellen (hier: *Escherichia coli*) eine Gerade (logarithm. Abtötungsrate). In der Praxis kann die Kurve durch Hitzeinaktivierung, Induktion od. Abtötungsmechanismen über mehrere Teilschritte nichtlinear verlaufen (z. B. *Bacillus stearothermophilus*):

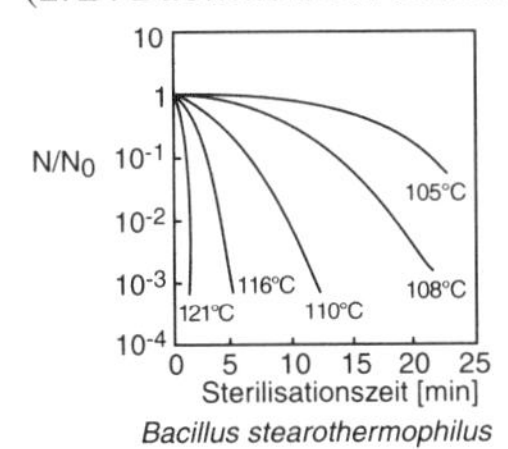

Bacillus stearothermophilus

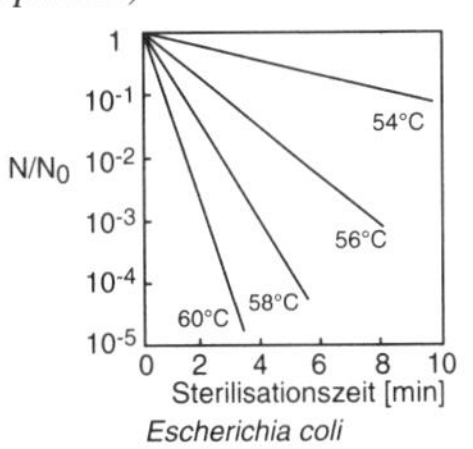

Escherichia coli

Die Wärme-*Sterilisation ist die wichtigste Sterilisationsmeth. für Lösungen. Dabei ist neben der Keimzahl auch die Art der Keime, die Zusammensetzung, der pH-Wert u. die Größe der suspendierten Teilchen entscheidend für die Sterilisationszeit bei konstanter Temperatur. Während vegetative Zellen schnell bei niedrigen Temp. abgetötet werden, sind für eine Sterilisation von *Sporen 121 °C nötig. Die meisten Lsg. werden im Batch-Verf. im Reaktor bei 121 °C über 20–60 min sterilisiert.
Die Nachteile der Batch-Sterilisation, Schädigung durch Abbau von hitzelabilen Bestandteilen od. hitzeinduzierte chem. Reaktionen sowie hoher Energieverbrauch durch Erhitzen u. Abkühlen, lassen sich bei der kontinuierlichen Sterilisation mit Dampfinjektion od. Wärmeaustauscher weitgehend vermeiden.
Neben der Sterilisation von Lsg. ist die Sterilisation von Gasen (z. B. Prozeßluft für biotechnolog. Verf.) von bes. Bedeutung. Von den Meth. zur Sterilisation von Gasen, wie Filtration, Gas-Injektion (Ozon), Wäscher, Bestrahlen (UV), Hitze ist nur die Filtration mit Oberflächen- od. Tiefenfiltern sowie Hitze (500–600 °C) von prakt. Interesse. – ***E*** sterilization – ***F*** stérilisation – ***I*** tecnica della sterilizzazione – ***S*** esterilización

Lit.: Crueger et al. (Hrsg.), Steriles Arbeiten in der Biotechnik, DECHEMA Monogr. 113, Frankfurt: DECHEMA 1987 ▪ Präve et al. (4.), S. 7ff., 261 ▪ Schlegel (7.), S. 223 ff. ▪ Wallhäuser, Praxis der Sterilisation, Desinfektion, Konservierung (5.), Stuttgart: Thieme 1995.

Sterine. Von *Chole*sterin* abgeleitete Gruppenbez. für solche *Steroide, die nur an C-3 eine Hydroxy-Gruppe, sonst aber keine funktionelle Gruppe tragen, also formal Alkohole darstellen; daher wird auch im Dtsch. gelegentlich die logischere Bez. *Sterole* (aus dem Engl.) benutzt. Zusätzlich besitzen die 27 bis 30 C-Atome enthaltenden S. im allg. eine Doppelbindung in 5/6-Stellung, seltener auch/od. in 7/8, 8/9 u. a. Positionen (z. B. 22/23). Die S. sind als *Lipide – zumeist in Form von Estern (früher *Steride* genannt) – in der Natur weit verbreitet, wenn auch ihre Funktion in den Organismen außer bei Cholesterin meist unklar ist. In pflanzlichen Fetten sind S. in Mengen zwischen 0,1 u. 0,35% enthalten (Palm-, Kokos-, Sojaöl), in tier., z. B. im Talg, zwischen 0,2 u. 0,8%; zur Gewinnung aus Fettspaltungs-Rückständen, s. *Lit.*[1]. Die im Tierreich vorkommenden S. nennt man *Zoosterine*. Wichtigstes Beisp. ist das Cholesterin. Weitere Zoosterine fand man im Wollfett (*Lanosterin), in der Seidenraupe, in Schwämmen (Spongosterin), Seesternen, Seeigeln, Austern usw. Die pflanzlichen S. heißen **Phytosterine*. Ihre wichtigsten Vertreter sind *Ergosterin, *Stigmasterin u. Sitosterin. Sie finden teilw. in kosmet. Produkten Verwendung. Gelegentlich trennt man von der Gruppe der Phytosterine die S. aus *Pilzen u. *Hefen als *Mykosterine* (z. B. *Ergosterin, Fungisterin, Stellasterin u. Zymosterin) ab. Viele S. lassen sich durch Farbreaktionen nachweisen u. mit *Digitonin fällen. Techn. spielen einige als wertvolle Ausgangsstoffe in der Synth. von Pharmazeutika, insbes. von **Steroid-Hormonen* (*Corticosteroide, *Gestagene) eine Rolle. – ***E*** sterols – ***F*** stérols, stérines – ***I*** steroli – ***S*** esteroles, esterinas

Lit.: [1] Fette Seifen Anstrichm. **87**, 103–106 (1985).
allg.: Annu. Rev. Biochem. **50**, 585–622 (1981); **51**, 555–586 (1982) ▪ Annu. Rev. Plant Physiol. **26**, 209–236 (1975); **46**, 67–130 (1984) ▪ J. Chem. Soc., Chem. Commun. **1986**, 1139 (Biosynth.) ▪ J. Org. Chem. **61**, 4252 (1996) (Synth. Sitosterol) ▪ Kato, Sterol Biosynthesis Inhibitors and Anti-Feeding Compounds, Berlin: Springer 1986 ▪ Naturwiss. Rundsch. **35**, 484 ff. (1982) ▪ Nes u. Parish (Hrsg.), Analysis of Sterols and Other Biologically Significant Steroids, San Diego: Academic Press 1989 ▪ Phytochemistry **31**, 805, 3029 (1992) (Biosynth.) ▪ Zechmeister **33**, 1–72, bes. 41–51. – *[HS 2906 13]*

Sterische Hinderung. Von V. *Meyer 1894 geprägte Bez. für die Erscheinung, daß eine sonst leicht ablaufende chem. Reaktion durch die Ggw. *raumerfüllender Gruppen* in der Nachbarschaft der reagierenden Atome verlangsamt od. gar verhindert wird. Während z. B. ein aliphat. Keton normalerweise glatt durch eine Grignard-Reaktion in einen tert. Alkohol übergeführt werden kann, gelingt dies nicht mehr, wenn die beiden Alkyl-Reste des Keton-Mol. sehr voluminös sind, wie etwa im Di-*tert*-butylketon; als dritter Alkyl-Rest läßt sich hier max. noch eine Methyl-Gruppe einführen, nicht dagegen ein *tert*-Butyl-Rest. Die s. H. durch *tert*-Butyl-Gruppen u. a. sperrige Substituenten ist auch die Ursache für die Langlebigkeit mancher Radikale (Beisp. s. dort) u. die Stabilität von antiaromat. Verb. (*Cyclobutadiene, Azete*) od. Verb. mit Element-Kohlenstoff-Mehrfachbindungen mit Elementen der zweiten Achterperiode (*Phosphaalkine, Silaalkene*). Man faßt diese Effekte zur Stabilisierung hochreaktiver Verb. unter dem Begriff *kinet. Stabilisierung* zusammen. Desweiteren ist die s. H. z. B. für die Reaktionsträgheit bzw. -unfähigkeit von *angulären Gruppen u. für das Ausbleiben von Phenol-Reaktionen bei manchen *Alkylphenolen („Kryptophenolen") verantwortlich; einen Ausdruck findet sie in der *Taft-Gleichung. Durch s. H. wird auch die *Rotation von Gruppen um die *Einfachbindungen eingeschränkt od. gar aufgehoben, was in bes. Fällen zum Auftreten von *Atropisomerie führen kann. Zum Nachw. derartiger Rotationsbehinderungen eignet sich die NMR-Spektroskopie. *Molekülmodelle lassen sich sehr gut zur Veranschaulichung der s. H. heranziehen. – ***E*** steric hindrance – ***F*** empêchement stérique – ***I*** impedimento sterico – ***S*** impedimento estéreo (estérico)

Lit.: Russ. Chem. Rev. **64**, 1 (1995) ▪ s. a. Stereochemie.

Sterlingsilber. Handelsbez. für eine *Silber-Legierung mit 7,5% Cu für die Verw. in der Schmuck- u. Tafelwaren-Industrie. Der in Promille angegebene Feingehalt an Ag beträgt 925 (Stempelung). – ***E*** sterling silver – ***F*** argent sterling – ***I*** argento sterling – ***S*** plata sterling – *[HS 7106 91, 7106 92; CAS 37350-65-5]*

Sterling-Verfahren s. Zink (Herst.).

Stern, Otto (1888–1969). Prof. für Physik, Univ. Hamburg u. Carnegie Inst. Technol. Pittsburgh. *Arbeitsgebiete:* Beugung von Atom- u. Molekularstrahlen an Kristallgittern, Bestimmung der Molekulargeschw. in Gasen, Entdeckung des magnet. Moments von Protonen. Hierfür u. für seine Atomstrahl-Untersuchungen (mit W. *Gerlach) erhielt S. 1943 den Nobelpreis für Physik.

Lit.: Lexikon der Naturwissenschaftler, S. 384 ▪ Nachmansohn, S. 124, 138, 157 ▪ Neufeldt, S. 143 ▪ Phys. Bl. **25**, 412 f. (1969) ▪ Phys. Today **22**, 103 ff. (1969) ▪ Strube et al., S. 118, 128.

Sternanis. Rotbraune, korkig-holzige, sternförmig um eine Mittelachse angeordnete, kahnförmige, 10–20 mm lange Balgfrüchte (Anisum stellatum) von *Illicium verum* (Illiciaceae), einem im nördlichen Südostasien (China, Vietnam) heim. Baum. Die Früchte enthalten den glänzenden gelbbraunen Samen. Der Geruch ist ähnlich wie *Anis, nur etwas schärfer, der Geschmack brennend-würzig. Aus den Früchten gewinnt man durch Wasserdampfdest. 8–12% ether. Öl, das zu 85–90% aus *Anethol sowie *Phellandren, den potentiell carcinogenen *Estragol u. *Safrol, *Terpineol u. a. besteht. Außerdem sind in den Früchten Gerbstoffe, Shikimisäure, Chinasäure u. 22% fettes Öl enthalten.

Verw.: Als Gewürz ähnlich wie Anis, als S.-Öl zur Herst. von Anisöl, zum Aromatisieren von Likör, Zahnpflegemitteln u. Backwaren, als Insektizid u. Expektorans. Der sog. *japan. S.*, der aus den Shikimifrüchten (*Illicium anisatum*) stammt u. mehr *Shikimisäure als der obige S. enthält, ist stark giftig. Die Wirkung wird auf seinen Gehalt an *Anisatin*, einem Sesquiterpendilacton, zurückgeführt. Die wohlriechende Rinde des Baumes wird als kult. Räucherwerk in japan. Tempeln verbrannt. – ***E*** star anise – ***F*** badiane, anis étoilé – ***I*** anice stellato – ***S*** anís estrellado, badián

Lit.: Franke, Nutzpflanzenkunde (6.), S. 380 f., Stuttgart: Thieme 1997 ▪ s. a. Anis u. Anisöl. – *[HS 0909 10]*

Sternbach, Leo Henryk (geb. 1908), Dr. für Chemie u. Pharmazie, Hoffmann-La Roche, Nutley (USA). *Arbeitsgebiete:* Chinazoline, Blutgerinnungsmittel, Vitamine, Emetika, Analgetika, Entwicklung der Benzodiazepine als Psychopharmaka.

Lit.: J. Med. Chem. **22**, 1–7 (1979) ▪ Pharm. Unserer Zeit **11**, 161–176 (1982) ▪ Prog. Drug Res. **22**, 229–266 (1978) ▪ Stern **1976**, Nr. 2, 84–92 ▪ s. a. 1,4-Benzodiazepine.

Sternbergit. $AgFe_2S_3$; zu den „Silberkiesen" gehörendes, goldbraunes, gelegentlich violettblau angelaufenes, metallglänzendes, mit *Argentopyrit* ($AgFe_2S_3$) dimorphes (*Polymorphie) rhomb. Mineral, Kristallklasse mmm-D_{2h}; Struktur s. *Lit.*[1]. Pseudohexagonale tafelige Krist., H. 1–1,5, D. 4,25–4,29, Strich schwarz.

Vork.: Vorwiegend auf Silbererz-Gängen, z. B. in Schneeberg/Sachsen, Jachymov (St. Joachimsthal) u. Přibram/Böhmen, Arizona/USA u. Beaverdell/British Columbia. – ***E*** = ***F*** = ***I*** sternbergite – ***S*** esternbergita

Lit.: [1] Neues Jahrb. Mineral. Monatsh. **1987**, 458–464.

allg.: Anthony et al., Handbook of Mineralogy, Vol. I, S. 494, Tucson (Arizona): Mineral Data Publishing 1990 ▪ Schröcke-Weiner, S. 184 f. – *[HS 2616 10; CAS 12249-53-5]*

Stern-(Doppel-)Schicht s. elektrochemische Doppelschicht u. Zeta-Potential.

Sterne. Als S. werden in der Astronomie selbständig leuchtende Gaskugeln im Weltall bezeichnet. Die *Sonne ist der zu unserem *Planeten nächste S., gefolgt von *Proxima Centauri* im Abstand von 4,3 Lichtjahren. Die Elementverteilung in S. setzt sich zu 73% aus Wasserstoff u. 25% aus Helium zusammen; nur ~2% entfallen auf schwerere Elemente. S. entstehen, indem sich Gaswolken immer weiter verdichten. Durch die Eigengravitation entstehen im Inneren sehr hohe Temp.- u. Druckwerte, so daß *Kernfusion stattfindet, wobei Wasserstoff in Helium umgewandelt wird. Gravitation u. Strahlungsdruck halten sich in den äußeren Gasschichten die Waage u. stabilisieren den Stern. S.-Radien liegen zwischen dem 0,01- u. dem 3000fachen des Sonnenradius (696 000 km).

Neben der Wasserstoff-Brennzone, die sich im Laufe der S.-Entwicklung allmählich von innen nach außen verlagert, bildet sich im Bereich des S.-Mittelpunktes eine Helium-Brennzone. Der nun höhere Gasdruck bläht den S. auf; es entsteht ein *Roter Riese.* Im Zentrum von sehr massereichen S. tritt zusätzlich das Kohlenstoff-Brennen (Bethe-Weizsäcker-Cyclus, s. Kernfusion) auf, wobei sich die Helium-Brennzone nach außen verlagert. Beim Aufbau von Elementen bis zum Element Eisen wird Energie freigesetzt. Ist im Inneren eines Roten Riesen genügend Eisen vorhanden, nimmt der Gasdruck ab, u. der S. kollabiert aufgrund der Gravitation. Beim Gravitationskollaps wird ein erheblicher Teil der S.-Masse mit großer Geschw. in das All hinausgeschleudert. Diese Explosion ist als starke Helligkeitszunahme zu beobachten (*Nova* bzw. *Supernova*). S. mit einer S.-Masse kleiner als das 1,4fache der Sonnenmasse fallen zu *Weißen Zwergen* zusammen. Sie haben oft nur noch die Größe eines *Planeten. Die dann auftretende Strahlungsenergie entstammt der freigewordenen Gravitations- u. gespeicherten Wärmeenergie. Da keine Kernfusion mehr stattfindet, kühlen sich Weiße Zwerge mit der Zeit ab u. verlieren ihre Helligkeit. S. mit Massen zwischen 1,4 u. 2,5 Sonnenmassen wandeln sich zu *Neutronen-S.* um, die oft ein starkes Magnetfeld besitzen u. schnell rotieren. Hierdurch strahlen sie Radiowellen (s. Strahlung) ab; sie werden als *Pulsare* bezeichnet, s. a. *Lit.*[1]. Ist der *stellare Rest* sehr massereich (größer als 2,5 Sonnenmassen), kann sich daraus ein **Schwarzes Loch* entwickeln[2]. Schwarze Löcher sind Neutronen-S. mit einem so starken Gravitationsfeld, daß sogar die Ausbreitung von Licht beeinflußt wird (s. Gravitationslinse) bzw. *Photonen dem Gravitationsfeld nicht entkommen können. – ***E*** stars – ***F*** étoiles – ***I*** stelle – ***S*** estrellas

Lit.: [1] Phys. Unserer Zeit **22**, 29 (1991). [2] Phys. Bl. **40**, 158 (1984); Spektrum Wiss. **1991**, Nr. 1, 98.

allg.: Shore, Star Clusters, S. 689–702, u. Shore, Stars, Massive, S. 703–713, in Encyclopedia of Physical Science and Technology, Vol. 15, New York: Academic Press 1992 ▪ Unsöld u. Baschek, Der neue Kosmos (5.), Berlin: Springer 1991.

Stern-Gerlach-Versuch s. Atomstrahlen.

Sternpolymere. Bez. für *Polymere, bei denen von einem Zentrum 3 u. mehr Ketten ausgehen. Das Zentrum kann ein einzelnes Atom od. eine Atomgruppe sein. S. sind u. a. zugänglich durch – 1. *Polymerisation von *Monomeren mit polyfunktionellen *Initiatoren als Startern, z. B. aromat. Acylium-Ionen des Typs I:

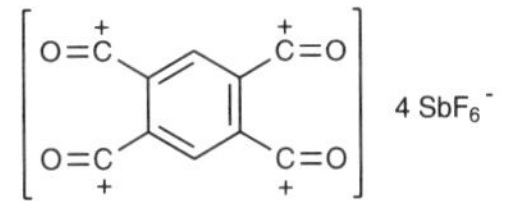

$$\left[C_6H_2(\overset{+}{C}{=}O)_4 \right] \; 4\,SbF_6^-$$

I

– 2. durch *Polyaddition von z. B. Epoxiden an mehrwertige Alkohole od. – 3. durch Umsetzung von monofunktionellen *Makromolekülen (z. B. *lebenden Polymeren) mit niedermol. polyfunktionellen Verb., u. a. von Polystyrol-Lithium mit Silicium-Tetrachlorid.

S. gehören prinzipiell zu den verzweigten Polymeren. Sie werden bisweilen auch *Radial-Polymere*, *Starburst-Polymere* od. *Dendrimere* genannt. Von letzteren sollten die S. jedoch strikt unterschieden werden, da diese – im Gegensatz zu den S. – selbst wiederum verzweigte Seitenarme aufweisen (s. dendritische Polymere). Techn. Interesse haben sternförmig verzweigte *Butylkautschuke gefunden, die den üblichen Butylkautschuken hinsichtlich Verarbeitbarkeit überlegen sind. – ***E*** star polymers, starburst polymers – ***F*** polymères en étoile – ***I*** polimeri a stella – ***S*** polímeros en estrella

Lit.: Elias (5.) **1**, 40 ff. ▪ Encycl. Polym. Sci. Eng. **2**, 478–499 ▪ Houben-Weyl **E 20/1**, 179, 460.

Sternrubine, Sternsaphire s. Rubin u. Saphir.

Sternschnuppen s. Meteore.

Sterofundin®. Marke für verschiedene Infusionslsg. mit Natrium-, Kalium-, Magnesium- u. Calcium-Salzen der Fa. Braun Melsungen.

Steroidalkaloide. Nach Hegnauer[1] handelt es sich hier biogenet. betrachtet nicht um echte *Alkaloide im engeren Sinne, sondern um sog. „Pseudoalkaloide" od.

„alcaloida imperfecta", also um einfache Stickstoff-haltige Derivate allg. vorkommender Stickstoff-freier Inhaltsstoffe, vgl. z. B. Solanum-, *Veratrum-, Apocynaceen-Alkaloide u. Buxus-Steroidalkaloide, bei Tieren die *Salamander-Alkaloide (Steroidalkaloide) u. die *Batrachotoxine. – ***E*** steroid alkaloids – ***F*** alcaloïdes stéroïdes – ***I*** alcaloidi steroidei – ***S*** alcaloides esteroides

Lit.: [1] Hegnauer, Chemotaxonomie der Pflanzen, 10 Bd., Basel: Birkhäuser 1962, 1986; hier: Bd. **3**, S. 18.
allg.: Alkaloids: Chem. Biol. Perspectives **7**, 43–295 (1991) ▪ Atta-ur-Rahman, Handbook of Natural Products Data, Bd. 1: Diterpenoid and Steroidal Alkaloids, Amsterdam: Elsevier 1990 ▪ Manske **50**, 61–108 (1998) ▪ Nat. Prod. Rep. **1**, 219–224 (1984); **3**, 443–449 (1986); **7**, 139–147; 557–564 (1990) ▪ Ullmann (5.) **A 1**, 399 f.

Steroide. Die Bez. leitet sich von *Cholesterin ab (griech.: *cholē* = Galle, *stereós* = fest). Aus Tieren u. Pflanzen hat man eine große Zahl solcher krist. sek. Alkohole mit C_{27}- bis C_{31}-Gerüst isoliert, die *Sterine genannt werden. Dieser Name stand Pate für die Bez. „Steroide" für alle Verb., die das charakterist. tetracycl. Kohlenstoff-Gerüst des perhydrierten Cyclopenta[*a*]phenanthrens besitzen. Es sollen bis heute über 200 000 natürliche u. synthet. S. bekannt sein, einschließlich ihrer Glykoside u. weiterer Derivate (bis 1961 waren ca. 21 000 S. exakt beschrieben worden [1]; das 1991 erschienene *Dictionary of Steroids* [2] führt über 10 000 natürlich vorkommende u. wichtige synthet. S. auf). Zu dieser umfangreichen Triterpenoid-Klasse gehören mehrere physiolog. wichtige Naturstoffgruppen. Beisp. sind neben den Sterinen u. *Gallensäuren insbes. die *Steroidhormone, wie die männlichen u. weiblichen Sexualhormone (*Androgene bzw. *Estrogene u. *Gestagene), die von der Nebennierenrinde gebildeten *Corticosteroide, der *Vitamin-D-Metabolit Calcitriol, die als Insektenhormone wirksamen Ecdysteroide u. die Pflanzenhormone vom Typ der *Brassinosteroide, aber auch die Vielzahl der von diesen Naturstoffen als Leitverb. abgeleiteten synthet. S., denen überragende medizin. Bedeutung zukommt. Auch unter den Sekundärmetaboliten der Pflanzen findet man große S.-Gruppen, wie die *Digitalis-Glykoside, *Strophanthine, *Bufadienolide, *Withanolide, *Steroidsapogenine, *Solanum-Steroidalkaloide, Veratrum-, Apocynaceen- u. Buxus-Steroidalkaloide, die als Inhaltsstoffe wichtiger Arznei-, Gift- od. Nahrungspflanzen breite Beachtung finden u. in der traditionellen Volksheilkunde aller Kulturkreise eine große Rolle spielen. Schließlich sind hier die in Amphibien vorkommenden Salamander-Steroidalkaloide u. hochtox. *Batrachotoxine zu nennen.

Struktur u. Nomenklatur: Allen S. liegt das tetracycl. Kohlenstoff-Gerüst des Gonans (= Perhydrocyclopenta[*a*]phenanthren) zugrunde, das 6 Chiralitätszentren (Asymmetriezentren) besitzt. Von den somit theoret. möglichen $2^6 = 64$ Stereoisomeren sind jedoch bei S. nur wenige realisiert.

Die Bez. der Ringe A–D u. die Numerierung der C-Atome der S. sind der Abb. zu entnehmen. Danach werden die bei den triterpenoiden Biosynth.-Vorstufen der S. vorhandenen 3 Methyl-Gruppen an C-4 u. C-14 mit den Nummern 28–30 u. die C-Atome einer zusätzlichen 24-Methyl- od. Ethyl-Gruppe mit 24^1 u. 24^2 beziffert (s. Abb. 1). Die ältere Bezifferung dieser C-Atome mit 28,29 statt 24^1,24^2 u. 30,31,32 statt 28,29,30 ist aber in der chem. Lit. (z. B. Chemical Abstracts) weiterhin üblich u. erschwert manchmal die Interpretation von Namen.

Abb. 1: IUPAC-IUB-Numerierung von Steroid-Gerüsten.

Nach den IUPAC-IUB-Nomenklaturregeln 3S-1 bis 3S-10 von 1989 [3] sind für S. die in Abb. 2 (Tab.) ausgewiesenen Stamm-Kohlenwasserstoffe festgelegt.

5α-Reihe

5β-Reihe

Grundgerüst		R^1	R^2	R^3
5α/β-Gonan	(C_{17})	H	H	H
5α/β-Estran	(C_{18})	H	CH_3	H
5α/β-Androstan	(C_{19})	CH_3	CH_3	H
5α/β-Pregnan	(C_{21})	CH_3	CH_3	$CH_2—CH_3$
5α/β-Cholan	(C_{24})	CH_3	CH_3	$CH(CH_3)—(CH_2)_2—CH_3$
5α/β-Cholestan	(C_{27})	CH_3	CH_3	$CH(CH_3)—(CH_2)_3—CH(CH_3)_2$

Abb. 2: Wichtige Steroid-Grundgerüste.

Folgende frühere Bez. einiger dieser Grundkörper (neue Namen in Klammern) sind ungültig u. sollten nicht mehr verwendet werden: Steran (5*α*-Gonan), Östran (Estran), Testan (5*α*- od. 5*β*-Androstan), Ätiocholan (5*β*-Androstan), Allopregnan (5*α*-Pregnan), Allocholan (5*α*-Cholan) u. Koprostan (5*β*-Cholestan). Zahlreiche natürlich vorkommende S. enthalten zusätzliche heterocycl. Ringe, die an Ring D gebunden od. mit diesem fusioniert sind. Auch für diese wurden konstitutionell u. ster. fixierte Stammverb. festgelegt, wie das Cardanolid, Bufanolid (s. Bufadienolide), Spirostan (s. Steroidsapogenine), Furostan sowie für die *Steroidalkaloide, z. B. Spirosolan, Solanidan (s. Solanum-Steroidalkaloide) u. Conan. In der 5*α*-Reihe sind die Ringe *trans*, *anti*, *trans*, *anti*, *trans* miteinander verknüpft u. liegen (Ringe A–C) in den thermodynam. begünstigten Sesselkonformationen vor. Hingegen weisen die Verb. der 5*β*-Reihe *cis*-Verknüpfung der Ringe A u. B auf. Eine *α*-Bindung (gestrichelt gezeichnet) liegt immer unterhalb der Ring-(Papier-) Ebene, eine *β*-Bindung (graph. stark ausgezeichnet) oberhalb dieser Ebene, *α*- bzw. *β*-Substituenten an einem C-Atom des S.-Ringgerüstes können sich durch unterschiedliche Konformationen auszeichnen. Die OH-Gruppe in z. B. 3β-Hydroxy-5α-androstan besitzt äquatoriale, die entsprechende 3α-OH-Gruppe axiale Konformation. Konfigurationen von Chiralitätszentren der Steroid-Seitenketten werden nach den Sequenzregeln[4] mit *R* bzw. *S* gekennzeichnet; für Cholan u. Cholestan wird die natürliche 20*R*-Konfiguration vorausgesetzt. Abweichungen von der durch die obigen Formelbilder gekennzeichneten Stereochemie müssen jeweils ausgewiesen werden, z. B. durch das Präfix **ent*-. Eliminierung von Methyl-Gruppen od. Ringverengungen kennzeichnet man durch das Präfix *Nor... (*Beisp.:* 19-Nor-S.), Ringerweiterungen durch das Präfix *Homo... (*Beisp.: D*-Homo-S.), spezielle gekoppelte Ringumlagerungen durch das Präfix *Abeo- [*Beisp.:* 14(13→12)-*abeo*-5α-Cholestan bei Veratrum-Steroidalkaloiden] u. Ringspaltungen durch das Präfix *Seco... (*Beisp.:* 9,10-Secocholestan bei Calcitriol, *Mirestrol). Im übrigen wird die Kennzeichnung von Doppelbindungen (Kurzzeichen *Δ*), funktionellen Gruppen usw. nach den allg. IUPAC-Nomenklaturregeln[5] durchgeführt.

Biosynth.: Sie erfolgt nach dem generellen Biosynth.-Weg der Terpenoide aus *Acetyl-CoA über Mevalonat bis zum Farnesyldiphosphat (C_{15}). Die „Schwanz-Schwanz"-Kondensation von 2 Mol. der letztgenannten Verb. ergibt *Squalen[6].

Squalen wird durch Squalen-Epoxidase in (3*S*)-Squalen-2,3-epoxid überführt. Die weiteren Biosyntheseschritte zum Cholesterin verlaufen streng stereospezif. bei Tieren über *Lanosterin, bei grünen Pflanzen über *Cycloartenol[7] (Abb. 3).

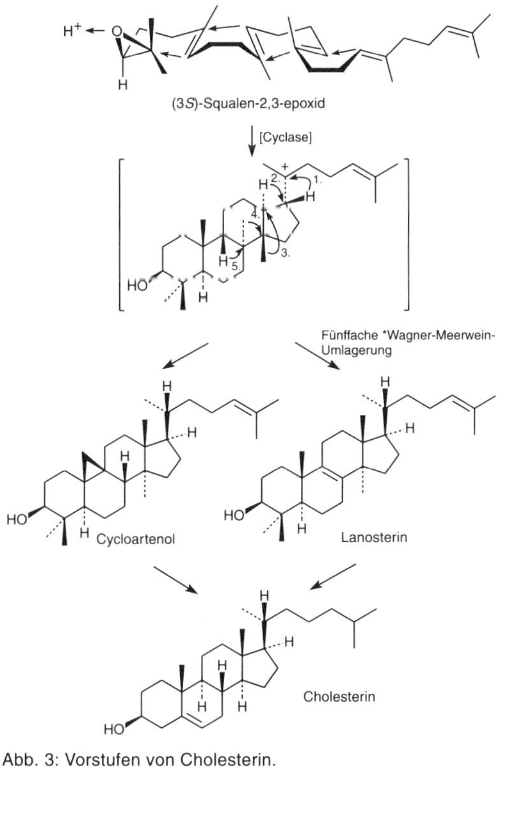

Abb. 3: Vorstufen von Cholesterin.

Zur Biosynth. von *Ergosterin u. *Phytosterinen s. *Lit.*[7]. Cholesterin ist die biosynthet. Vorstufe aller weiteren menschlichen u. tier. sowie der meisten pflanzlichen Steroide. Die Befähigung lebender Organismen zur Squalen-Cyclisierung u. S.-Synth. dürfte sich im Zuge der Evolution schon sehr frühzeitig entwickelt haben (Bakterien). Jedoch scheinen in den meisten Bakterien pentacycl. *Hopanoide die Funktion von Sterinen in Membranen wahrzunehmen. Hopanoide findet man auch in Pflanzen sowie geolog. Sedimenten u. Erdöl[8].

Mikrobieller Um- u. Abbau: Ein vollständiger Katabolismus des S.-Ringsystems scheint in Tieren u. Höheren Pflanzen nicht stattzufinden. Bei Mensch u. Wirbeltieren werden S. in der Regel in der Leber metabolisiert u. über Niere (in Form von Konjugaten) u. Darm (z. B. Gallensäuren) ausgeschieden. Der eigentliche Abbau der S. erfolgt mikrobiell. Bakterien der autochthonen Bodenmikroflora, z. B. *Arthrobacter simplex*, die Proactinomyceten-Gattung *Nocardia*, verschiedene *Bacillus*-, *Corynebacterium*-, *Mycobacterium*- u. *Streptomyces*-Arten u. a., sind z. B. in der Lage, Cholesterin über C_{27}-, C_{24}- u. C_{22}-Verb. zu Androsta-1,4-dien-3,17-dion (C_{19}) u. schließlich niedermol. Verb. oxidativ abzubauen.

Außer Cholesterin werden auch andere S., z. B. Pregnan-Derivate, Gallensäuren u. Phytosterine, v. a. zu Androsta-1,4-dien-3,17-dion abgebaut[9]. Diese mikrobiellen Prozesse ließen sich in den vergangenen drei Jahrzehnten zu industriellen Verf. des Abbaus von Cholesterin u. Sitosterin (etwa je 100 000 t/a) zu Androsta-1,4-dien-3,17-dion (ADD), Androst-4-en-3,17-dion (AD) u. 9α-Hydroxy-AD für die Partialsynth. hormonal wirksamer S. weiterentwickeln[9].

Einfache mikrobielle Umwandlungen von S., wie Hydrierungen, Dehydrierungen, Hydroxylierungen, Epoxidierungen, Ester-Spaltungen usw., werden bereits seit über 40 Jahren v. a. zur Herst. von Corticosteroiden auch industriell genutzt[10].

Als Meilensteine der Chemie gelten die ersten Totalsynth. von nichtaromat. S., die 1951 nahezu gleichzeitig von Arbeitsgruppen um Woodward („Harvard-Synth." von *Cortison) bzw. Cornforth u. Robinson („Oxford-Synth." von 3 Epiandrosteron) durchgeführt wurden. Trotz neuer Strategien zur Erhöhung der Ausbeuten konnte bisher keine dieser Corticoid-Totalsynth. die ökonomischeren Partialsynth. ersetzen[11]. Industriell vorteilhaft ist jedoch die Totalsynth. von 19-Nor-S., speziell jener mit unnatürlicher 13ständiger angulärer Ethyl-Gruppe; als Beisp. sei die Synth. des wichtigen *Gestagens (–)-*Norgestrel (Levonorgestrel) genannt (Schering AG, Berlin, 1967)[12].

Industrielle Produktion: Großer Bedarf besteht v. a. für pharmakolog. aktive, medizin. genutzte S., wie hormonal wirksame Präparate, Ovulationshemmer, Spironolacton, Antiphlogistika, Anabolika, Calciferole u. Herzglykoside. Während die letztgenannten v. a. durch Anbau u. Extraktion von *Digitalis*-Arten gewonnen werden, ist die Isolierung u. Reinherst. von Steroidhormonen aus tier. Materialien für den medizin. Einsatz u. als Rohstoffe für hiervon abgeleitete synthet. Verb. kostenmäßig viel zu aufwendig u. mengenmäßig bei weitem nicht ausreichend. Meth. der Wahl bei die-

sen S. ist deshalb deren Partialsynth. aus in großen Mengen zugänglichen, preiswerten S.-Rohstoffen. Bis in die 70er Jahre wurde Cortison aus Progesteron synthetisiert[13]. Voraussetzung für diese Synth. waren der von Marker u. Rohrmann entwickelte Abbau des Steroidsapogenins Diosgenin zu 3β-Acetoxypregna-5,16-dien-20-on, das sich leicht in Progesteron überführen läßt, die Entdeckung einer mikrobiellen 11α-Hydroxylierung von Progesteron (USA) sowie die Tatsache, daß man mit Wurzeln der mexikan. *Dioscorea composita* (Barbasco, Yam-Wurzel) einen pflanzlichen Rohstoff mit außergewöhnlich hohem Diosgenin-Gehalt (im Mittel 6%) gefunden hatte.
Ab Ende der 70er Jahre wurden die mikrobiellen Verf. des Seitenkettenabbaus von Cholesterin u. Sitosterin zu Androsta-1,4-dien-3,17-dion, Androst-4-en-3,17-dion u. dessen 9α-Hydroxy-Derivat zu einer solchen industriellen Reife geführt, daß auf dieser neuen Hauptrohstoffbasis die meisten medizin. wichtigen S. heute in ökonom. vorteilhafter Weise herstellbar sind. Ausnahmen bilden lediglich einige Corticosteroide, v. a. 16-substituierte, die nach wie vor aus Steroidsapogeninen synthetisiert werden, sowie eine Anzahl 19-Nor-S., für die leistungsfähige Totalsynth. zur Verfügung stehen. Zu Fragen der S.-Analytik s. *Lit.*[14]. – ***E*** steroids – ***F*** stéroïdes – ***I*** steroidi – ***S*** esteroides

Lit.: [1] Jacques, Kagan u. Ourisson, Tables of Constants and Numerical Data, Bd. 14, Selected Constants: Optical Rotatory Power, Bd. I a, Steroids, Oxford: Pergamon Press 1965. [2] Hill et al. (Hrsg.), Dictionary of Steroids, Chemical Data, Structures and Bibliographies, London: Chapman & Hall 1991. [3] IUPAC-IUB Nomenclature of Steroids (Recommendations 1989): Pure Appl. Chem. **61**, 1783–1822 (1989). [4] Angew. Chem. **78**, 413–447 (1966). [5] IUPAC Nomenclature of Organic Chemistry, Sections A–F and H (1979 Edition), Oxford: Pergamon Press 1979. [6] Annu. Rev. Biochem. **51**, 555–585 (1982); Stryer 1996. [7] Annu. Rev. Biochem. **43**, 967–990 (1974); **51**, 555–585 (1982); Chem. Rev. **93**, 2189 (1993); Porter u. Spurgeon (Hrsg.), Biosynthesis of Isoprenoid Compounds, New York: Wiley 1984. [8] Pure Appl. Chem. **65**, 1293–1298 (1993); Nachr. Chem. Tech. Lab. **34**, 8–14 (1986). [9] Adv. Appl. Microbiol. **22**, 28–58 (1977); Arima u. Sih, Prix Roussel 1980, Romainville: Centre de Recherches Roussel-Uclaf 1980; Dtsch. Apoth. Ztg. **125**, 643–648 (1985). [10] Cearney u. Herzog, Microbial Transformation of Steroids, New York: Academic Press 1967. [11] ApSimon **2**, 558–725; **6**, 1–49, 85–139. [12] Justus Liebigs Ann. Chem. **701**, 199–205 (1967); **702**, 141–148 (1967). [13] J. Am. Chem. Soc. **74**, 3711 (1952); **75**, 1286 (1953). [14] Görög, Advances in Steroid Analysis (2 Bd.), Amsterdam: Elsevier 1982, 1985; Nes u. Parish (Hrsg.), Analysis of Sterols and Other Biologically Significant Steroids, San Diego: Academic Press 1989; Touchstone, CRC Handbook of Chromatography: Steroids, Boca Raton: CRC Press 1986.
allg.: Bohl u. Duax, Molecular Structure and Biological Activity of Steroids, Boca Raton: CRC Press 1992 ▪ Danielsson u. Sjövall (Hrsg.), Sterols and Bile Acids, Amsterdam: Elsevier 1985 ▪ Fieser u. Fieser, Steroide, Weinheim: Verl. Chemie 1961 ▪ Kirk-Othmer (4.) **13**, 433 f. ▪ Manske **50**, 61–108 ▪ Thomson **2**, 140–182 ▪ Ullmann (5.) **A 13**, 101–163 ▪ Winnacker-Küchler (4.) **7**, 183–236 ▪ Zeelen, Medicinal Chemistry of Steroids, Amsterdam: Elsevier 1990.

Steroidfieber s. Testosteron.

Steroid-Geruchsstoffe. Einige wenige *Steroide besitzen charakterist. Geruch. Dies gilt speziell für *5α-Androst-16-en-3-on* {$C_{19}H_{28}O$, M_R 272,43, Schmp. 140–141 °C, $[\alpha]_D$ +38° ($CHCl_3$)}, das intensiv nach Urin riecht. Es kann zu einem Anteil von 0,5 ppm im Fettgewebe ausgewachsener, nichtkastrierter männlicher Schweine angereichert sein u. wird für den gelegentlichen charakterist. Nebengeruch gekochten Schweinefleisches, den unangenehmen sog. „Ebergeruch", verantwortlich gemacht. Dieser *Ebergeruchsstoff* ist als Sexualpheromon für Säue erkannt worden u. wird als Aerosol zur Erleichterung der künstlichen Besamung in der Schweinezüchtung angewendet.

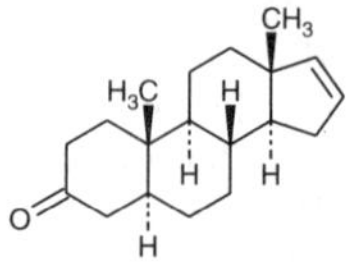

5α-Androst-16-en-3-on 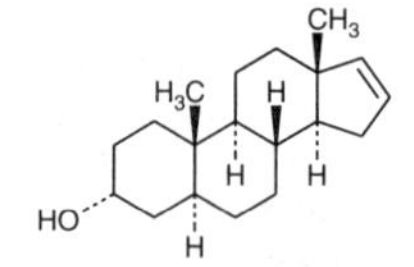 5α-Androst-16-en-3α-ol

Ein analoger Δ^{16}-ungesätt. S.-G., *5α-Androst-16-en-3α-ol* {$C_{19}H_{30}O$, M_R 274,45, Schmp. 143,5–144 °C, $[\alpha]_D$ +15° ($CHCl_3$)}, mit moschusähnlichem Geruch, wurde auch beim Menschen in relativ beachtlichen Mengen nachgewiesen, obgleich dessen physiolog. Funktion (Sexuallockstoff?) noch nicht vollständig geklärt ist. So beträgt die durchschnittliche Urinausscheidung von 5α-Androst-16-en-3α-ol in Form eines Glykosids 1,2 mg/d bei Männern u. 0,4 mg/d bei Frauen. Geruch u. Wirksamkeit dieser Verb. ist streng an deren Konstitution u. Stereochemie gebunden. 5α-Androst-16-en-3α-ol wird auch von Trüffeln produziert, wodurch Schweine angelockt werden. Da die Sporen die Magen-Darm-Passage unbeschadet überstehen, wird so die Verbreitung des unterird. Pilzes gesichert. Die Biosynth. erfolgt aus 3β-Hydroxy-pregn-5-en-20-on. – ***E*** steroid odorants – ***F*** substances olfactives des stéroïdes – ***I*** odoranti steoridei – ***S*** sustancias odoríferas esteroides

Lit.: Beilstein E IV **7**, 1132 (Androst-16-en-3-on) ▪ Experientia **37**, 1178 (1981) ▪ Helv. Chim. Acta **66**, 192 (1983) ▪ Tetrahedron **40**, 3153 (1984) ▪ Zeelen, Medicinal Chemistry of Steroids, S. 197–199, Amsterdam: Elsevier 1990. – *[CAS 18339-66-7 (5α-Androst-16-en-3-on); 1153-51-1 (5α-Androst-16-en-3α-ol)]*

Steroid-Hormone. *Steroide, die als *Hormone fungieren. Hierzu zählen die *Sexualhormone u. *Corticosteroide der Säugetiere. Biosynthet. Vorstufen für beide sind *Cholesterin, *Pregnenolon u. *Progesteron, vgl. Hormone. Die S.-H. werden im Blut durch das Sexualhormon- u. das Corticosteroid-bindende Globulin transportiert[1]. In der Zielzelle binden sie an *Kernrezeptoren; die entstehenden Komplexe regulieren die *Transkription von *Genen. Zu nicht-genom. bewirkten u. daher schnelleren Effekten von S.-H. s. *Lit.*[2]. Zum Häutungshormon der Insekten s. Ecdyson u. Insektenhormone. – ***E*** steroid hormones – ***F*** hormones stéroïdes – ***I*** ormoni steroidei – ***S*** hormonas esteroides

Lit.: [1] Trends Endocrinol. Metab. **6**, 298–304 (1995). [2] Annu. Rev. Physiol. **59**, 365–393 (1997); Clin. Neuropharmacol. **21**, 181–189 (1998).
allg.: Baird et al., Organ-Selective Actions of Steroid Hormones, Berlin: Springer 1995. – *[HS 2937 92, 2937 99]*

Steroid-Sapogenine (Spirostanole). Aglykone (Genine) der in Höheren, insbes. einkeimblättrigen Pflanzen weit verbreiteten *Steroidsaponine. Alle S.-S. besitzen das Spirostan-Grundgerüst mit 5α- od. 5β-Ste-

Tab.: Daten von Steroid-Sapogeninen.

Trivialname	systemat. Name	Summen-formel	M_R	Schmp. [°C]	$[\alpha]_D$ ($CHCl_3$)	CAS
Diosgenin	(25*R*)-Spirost-5-en-3*β*-ol	$C_{27}H_{42}O_3$	414,63	204–207	–129°	512-04-9
Yamogenin	(25*S*)-Spirost-5-en-3*β*-ol	$C_{27}H_{42}O_3$	414,63	201	–123°	512-06-1
Tigogenin	(25*R*)-5*α*-Spirostan-3*β*-ol	$C_{27}H_{44}O_3$	416,64	205–206	–67,2°	77-60-1
Neotigogenin	(25*S*)-5*α*-Spirostan-3*β*-ol	$C_{27}H_{44}O_3$	416,64	202–203	–64,9°	470-01-9
Smilagenin	(25*R*)-5*β*-Spirostan-3*β*-ol	$C_{27}H_{44}O_3$	416,64	185	–69°	126-18-1
Sarsasapogenin	(25*S*)-5*β*-Spirostan-3*β*-ol	$C_{27}H_{44}O_3$	416,64	200–201,5	–75°	126-19-2
Digitogenin	(25*R*)-5*α*-Spirostan-2*α*,3*β*,15*β*-triol	$C_{27}H_{44}O_5$	448,64	296 (280–283)	–81°	511-34-2
Hecogenin	(25*R*)-3*β*-Hydroxy-5*α*-spirostan-12-on	$C_{27}H_{42}O_4$	430,63	245, 253, 268 (3 Krist.-Formen)	–10° (Dioxan)	467-55-0

reochemie od. Δ^5-Doppelbindung. Die Methyl-Gruppe an C-25 kann axial [Normal- od. (25*S*)-Reihe, z. B. Sarsasapogenin] od. äquatorial [Iso- od. (25*R*)-Reihe, z. B. Diosgenin] angeordnet sein. Es sind bisher über 200 S.-S. isoliert u. in ihrer Struktur aufgeklärt worden, von denen hier lediglich die wichtigsten genannt werden: *Diosgenin*, das Aglykon mehrerer Steroid-Saponine, z. B. des Dioscins, das u. a. in den Wurzelstöcken mehrerer *Dioscorea*-Arten enthalten ist, aber auch gemeinsam mit den strukturell verwandten *Solanum-Steroidalkaloiden isoliert wurde. Das entsprechende S.-S. der (25*S*)-Reihe, *Yamogenin*, findet man u. a. in der Kartoffelpflanze (*Solanum tuberosum*), *Tigogenin* u. *Neotigogenin* als Aglykone in *Digitalis lanata* bzw. der Tomate (*Lycopersicon esculentum*). *Smilagenin* (aus *Smilax ornata*) u. *Sarsasapogenin* (aus Sarsaparillawurzeln, *Smilax regelii*) sind S.-S. mit 5*β*-Stereochemie. *Digitogenin* kommt in *Digitalis*-Arten, *Hecogenin* in der ostafrikan. Sisalpflanze *Agave sisalana* vor.

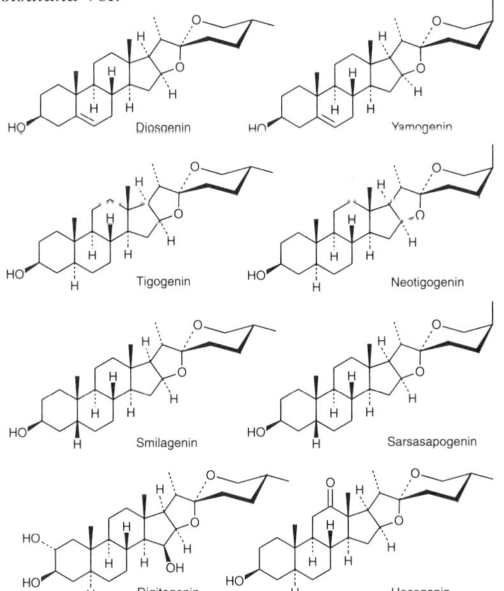

Einige S.-S., v. a. Diosgenin u. Hecogenin, werden in großem Umfang als Ausgangsverb. zur industriellen *Steroidhormon-Synth. verwendet, da sie sich nach Marker u. Rohrmann mit guten Ausbeuten in bes. geeignete *Pregnan-Derivate abbauen lassen. Hecogenin erwies sich aufgrund seiner 12-Oxo-Gruppe als speziell vorteilhaft für die Einführung einer 11-Sauerstoff-Funktion, die in wichtigen *Corticosteroiden vorhanden ist. Es kann zur Synth. von *Cephalostatin-Analoga dienen [1]. – ***E*** steroid sapogenins – ***F*** sapogénines stéroïdes – ***I*** sapogenine steroidee – ***S*** sapogeninas esteroides

Lit.: [1] Angew. Chem. **108**, 1669 (1996); J. Prakt. Chem. **338**, 695–701 (1996).

allg.: Fitoterapia **58**, 67–107 (1987) ▪ Hostettmann u. Marston, Chemistry and Pharmacology of Natural Products – Saponins, Cambridge: Cambridge Univ. Press 1995 ▪ Phytochemistry **24**, 2479–2496 (1985) ▪ Ullmann (5.) **A 23**, 488 ff. ▪ Zechmeister **30**, 461–606 ▪ Zeelen, Medicinal Chemistry of Steroids, S. 315–350, Amsterdam: Elsevier 1990. – *[HS 2938 90]*

Steroid-Saponine. Zu den S.-S. rechnet man im engeren Sinne die in der Pflanzenwelt weit verbreiteten Glykoside der Spirostanole (s. Steroid-Sapogenine) u. hiervon abgeleitete Verbindungen. Die bas. (*N*-haltigen) S.-S., die Spirosolanole od. andere *Steroidalkaloide als Aglykone (Genine) enthalten, werden an anderer Stelle abgehandelt (s. z. B. Solanum-Steroidalkaloidglykoside). Die Kohlenhydrat-Komponenten der S.-S. sind im allg. aus 2–4 Monosacchariden, fast durchweg *D-Glucose, D-*Galactose, *D-Xylose od. L-*Rhamnose, aufgebaut, aber auch L-*Arabinose u. seltenere Zucker wie D-Chinovose (6-Desoxy-D-glucose) treten gelegentlich auf. Oftmals handelt es sich um verzweigte *Oligosaccharid-Komponenten. Sind diese an nur eine Hydroxy-Gruppe des Aglykons gebunden (meist ist es jene an C-3), spricht man von *monodesmosid.* S.-S., anderenfalls von *bisdesmosid.* Steroid-Saponinen. Bisher sind ca. 180 S.-S. aus Pflanzen isoliert u. strukturell aufgeklärt worden. Im folgenden sollen lediglich einige wenige wichtige od. charakterist. angeführt werden, so das v. a. aus *Dioscorea*-Arten isolierte u. aus 1 Mol. D-Glucose u. 2 Mol. L-Rhamnose aufgebaute verzweigtkettige *β*-Chacotriosid des *Diosgenins*, das *Dioscin*, u. das aus *Digitalis*-Arten gewonnene, gleichfalls verzweigtkettige, aus je 2 Mol. D-Glucose u. D-Galactose sowie 1 Mol. D-Xylose zusammengesetzte Pentaosid des Digitogenins, das *Digitonin*. *Sarsaparillosid* aus *Smilax aristolochiaefolia* (Radix sarsaparilla) ist ein bisdesmosid.

Tab.: Daten von Steroid-Saponinen.

Name CAS	Summen-formel	M_R	Schmp. [°C]	$[\alpha]_D$
Dioscin 19057-60-4	$C_{45}H_{72}O_{16}$	869,06	275–277 (Zers.)	–115° (C_2H_5OH)
Digitonin 11024-24-1	$C_{56}H_{92}O_{29}$	1229,33	235–240 (Zers.)	–54,3° (CH_3OH)
Sarsa-parillosid 24333-07-1	$C_{57}H_{96}O_{28}$	1229,37	amorph	–44° (C_2H_5OH)
Parillin 19057-61-5	$C_{51}H_{84}O_{22}$	1049,21	220–223	–64° (C_2H_5OH)

S.-S., das aus 3 Mol. D-Glucose u. 1 Mol. L-Rhamnose aufgebaut ist u. dessen 26ständige Hydroxy-Gruppe mit einem weiteren Mol. D-Glucose *O*-glykosid. verbunden ist. Durch Hydrolyse der 26-*O*-ständigen Glucose cyclisiert das entstehende Furostantriolglykosid spontan u. stereospezif. unter Bildung des Sarsasapogenin-3-*O*-tetraosids *Parillin.* Auch Parillin ist aus *S. aristolochiaefolia* isoliert worden. Man bezeichnet solche bisdesmosid. Furostanolglykoside auch als *Prosaponine* der eigentlichen Spirostanol-Saponine. Ein monodesmosid. Furostanolglykosid ist das Solanum-Steroidalkaloidglykosid Jurubin.

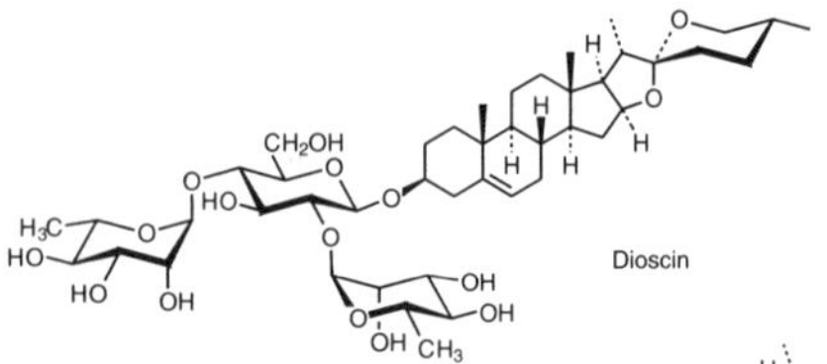

Dioscin

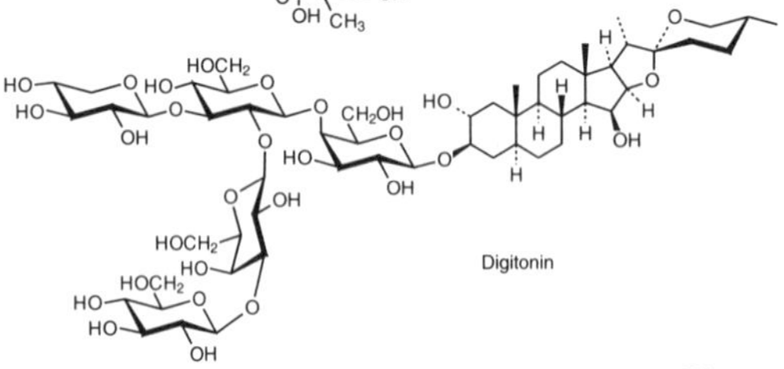

Digitonin

Sarsaparillosid

β-Glucosidase od. H+

Parillin

Zu den S.-S. im weitesten Sinne zählt man auch steroide Glykoside ohne Spirostan- od. Furostan-Struktur, die als Sekundärmetabolite v. a. des Pflanzenreichs, aber auch mariner tier. Organismen weit verbreitet sind. Häufig handelt es sich hier um glykosylierte Metabolite von Intermediär-Verb. der Sterin- od. Spirostanol-Biosynth. (s. Steroide).

Monodesmosid. S.-S. besitzen hohe Oberflächenaktivität, bilden mit Wasser stark schäumende, seifenähnliche Lsg., verursachen bei direkter Einführung in die Blutbahn schon in hoher Verdünnung Hämolyse der roten Blutkörperchen u. wirken als starke Plasma- u. Fischgifte. Digitonin bildet mit *Cholesterin u. weiteren 3*β*-Hydroxy-*Sterinen schwerlösl. 1:1-Komplexe, was für Isolierung u. Analytik dieser Verb. genutzt wird. – ***E*** steroid saponins – ***F*** saponines stéroïdes – ***I*** saponine steroidee – ***S*** saponinas esteroides

Lit.: Hostettmann u. Marston, Chemistry and Pharmacology of Natural Products – Saponins, Cambridge: Univ. Press 1995 ▪ J. Prakt. Chem. **338**, 695 (1996) ▪ Phytochemistry **21**, 959–978 (1982); **24**, 2479–2496 (1985) ▪ Ullmann (5.) **A 23**, 485–498 ▪ Zechmeister **30**, 461–606; **46**, 1–76. – *[HS 2938 90]*

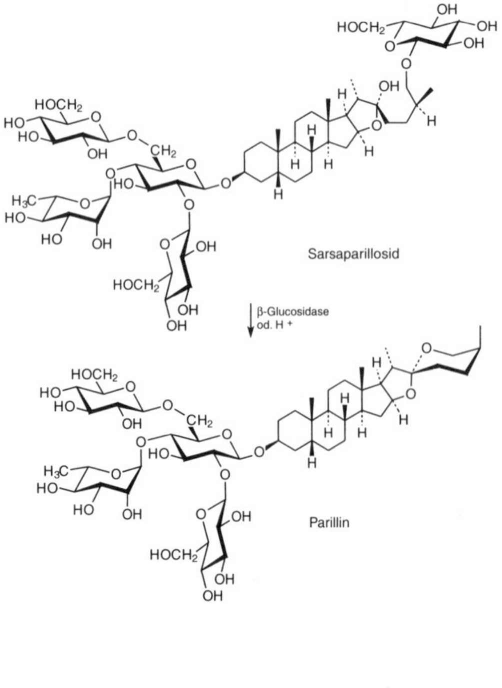

Sterole s. Sterine.

Sterrettit s. Kolbeckit.

Sterzelduft s. Pheromone.

Stetigkeit (Präsenz). Ökolog. Kriterium für die Gleichartigkeit u. Gleichmäßigkeit der Besiedlung des Lebensraumes einer Organismen-*Art, Maß für das Vork. einer Art in getrennten *Biotopen (*Beständen) eines Typs. Je nach Häufigkeit spricht man von selten, wenig verbreitet, verbreitet, häufig od. sehr häufig od. benutzt eine vierstufige (in der Tierökologie) od. eine fünfstufige (in der Pflanzenökologie) Skala. Werden nicht die ganzen Biotope, sondern nur einzelne Flächen- bzw. Volumeneinheiten verschiedener Biotope untersucht, spricht man meist von *Konstanz* u. verwendet die Bez. akzidenziell, akzessor., wenig konstant, konstant od. eukonstant. *Frequenz* hingegen bezieht sich auf die Besiedlung von verschiedenen Bereichen innerhalb eines einzigen Biotops (Bestands), wobei Vork. als vereinzelt, verstreut, wenig dicht, dicht od. sehr dicht bezeichnet werden. – ***E*** presence – ***F*** présence – ***I*** costanza, presenza – ***S*** presencia

Lit.: Glavac, Vegetationsökologie, S. 114–123, Stuttgart: Fischer 1996 ▪ Tischler, Einführung in die Ökologie (3.), S. 153, Stuttgart: Fischer 1984.

Stetter, Karl Otto (geb. 1941), Prof. für Mikrobiologie, Univ. München, Regensburg. *Arbeitsgebiete:* Archaebakterien, mol. Hochtemp.-Mikrobiologie, Genexpression bei Methanbakterien, mikrobielle Erzlaugung, Entstehung des Lebens.

Lit.: Kürschner (16.), S. 3636 ▪ Wer ist wer (36.), S. 1403.

Stetter-Reaktion. Die Cyanid-katalysierte Dimerisation von aromat. Aldehyden (s. Benzoin-Kondensation) ergibt *α*-Hydroxyketone (Benzoine). Führt man die Reaktion in Ggw. einer *α,β*-ungesätt. Carbonyl-Verb. durch, so entstehen 1,4-Diketone, da sich das intermediär gebildete Carbanion im Sinne einer *Michael-Addition an die Doppelbindung addiert.

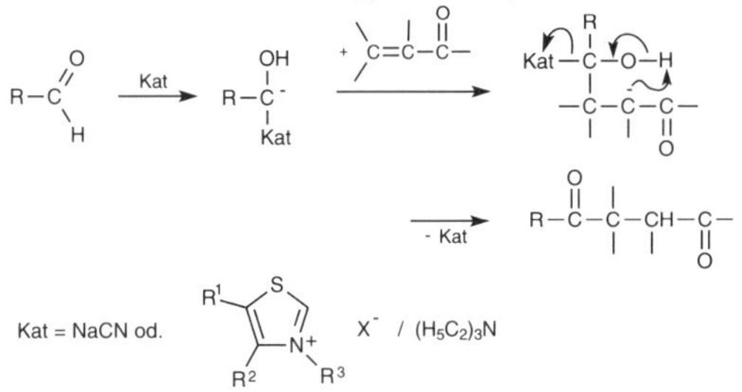

Kat = NaCN od. / $(H_5C_2)_3N$

Diese als S.-R. bezeichnete Herst.-Meth. für Diketone kann noch erheblich erweitert werden, wenn anstelle des Cyanid-Ions 1,3-Heteroazoliumsalze als Katalysatoren verwendet werden, da dann auch aliphat. Aldehyde eingesetzt werden können. Als eigentliche Katalysatoren werden in diesem Falle stabile nucleophile *Carbene diskutiert, die durch Deprotonierung aus dem 1,3-Heteroazoliumsalz gebildet werden[1,2]; Details zum Mechanismus s. bei Thiazolium-Salze. – ***E*** Stetter reaction – ***F*** réaction de Stetter – ***I*** reazione di Stetter – ***S*** reacción de Stetter

Lit.: [1] Chem. Unserer Zeit **32**, 6 (1998). [2] Angew. Chem. **109**, 2256 (1997).
allg.: Angew. Chem. **88**, 695 ff. (1976); **91**, 259 ff. (1979) ▪ Hassner-Stumer, S. 365 ▪ Krauch u. Kunz, Reaktionen der Organischen Chemie, 6. Aufl., S. 185, Heidelberg: Hüthig 1997 ▪ Org. React. **40**, 407 (1991) ▪ s. a. Acyloin-, Benzoin-Kondensation u. Thiazolium-Salze.

Steuern, Steuerung s. Regelung u. MSR.

Steuler-Industriewerke GmbH. Kurzbez. für die 1908 gegr. Steuler-Industriewerke GmbH, 56195 Höhr-Grenzhausen. *Daten* (1996): ca. 900 Mitarbeiter, ca. 180 Mio. DM Umsatz. *Produktion:* Feuer- u. säurefeste Erzeugnisse, Säureschutz- u. Anlagenbau, Fliesen, Kunststoffapparatebau, Keramik.

Stevens-Umlagerung. Basenkatalysierte, der *Sommelet-Umlagerung ähnliche Umlagerung quartärer Ammonium-Salze mit einer aktivierten Methylen-Gruppe, wobei tert. Amine entstehen. Als aktivierende Reste R^1 kommen insbes. Acyl- u. Alkoxycarbonyl-Reste in Frage, während die wanderungsfähigen Gruppen R^2 z. B. der Allyl-, Benzyl- od. Phenyl-Rest sein können.

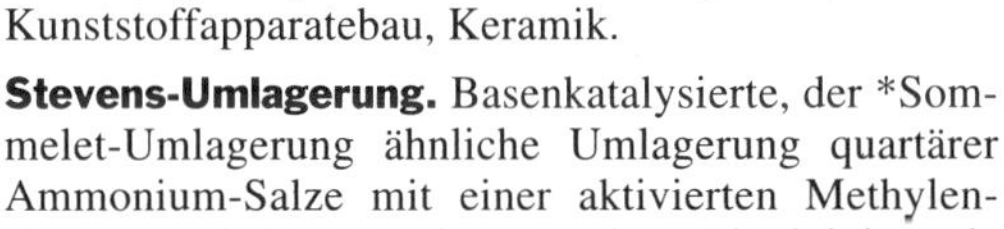

Die S.-U. verläuft über eine prim. Ylid-Zwischenstufe, die entweder über ein Radikalpaar od. ein Ionenpaar umlagern kann. Ist R^1 ein Aryl-Rest, so steht die Sommelet-Umlagerung mit der S.-U. in Konkurrenz. Die analoge Umlagerung von Sulfonium-Salzen zu Sulfiden wird oft auch als S.-U. bezeichnet. Mit der S.-U. verwandt ist die *Meisenheimer-Umlagerung. – ***E*** Stevens rearrangement – ***F*** réarrangement de Stevens – ***I*** trasposizione di Stevens – ***S*** transposición de Stevens

Lit.: Krauch u. Kunz, Reaktionen der Organischen Chemie, 6. Aufl., S. 657, Heidelberg: Hüthig 1997 ▪ Laue-Plagens, S. 293 ▪ Nachr. Chem. Tech. **24**, 30 (1976) ▪ Org. React. **18**, 403–464 (1970) ▪ Patai, The Chemistry of the Amino Group, S. 612, London: Wiley 1968 ▪ Trost-Fleming **3**, 913 ff. ▪ s. a. Umlagerung.

Steviol (13-Hydroxykaur-16-en-19-säure).

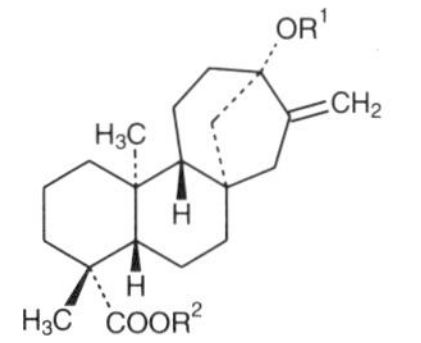

R^1 = H, R^2 = H : Steviol
R^1 = Glc(β1→2)Glcβ, R^2 = β-D-Glc*p* : Steviosid

$C_{20}H_{30}O_3$, M_R 318,46. Krist., Schmp. 215 °C, $[\alpha]_D$ –65° ($CHCl_3$). Diterpen vom Kauren-Typ, das als Glucosid *Steviosid in der Pflanze *Stevia rebaudiana* (Asteraceae) vorkommt. Im Gegensatz zum stark süßen Steviosid ist S. geschmacklos. Es kann aus dem Glucosid nur durch enzymat. Hydrolyse gewonnen werden, da es sich säurekatalysiert leicht in Isosteviol (Beyeran-Skelett) umlagert. Es existieren Hinweise, daß S. vom tier. Organismus zum mutagenen 15-Oxosteviol metabolisiert wird, weshalb Steviosid in der BRD bisher noch nicht als Süßstoff zugelassen ist. Auf Pflanzen wirkt S. analog den strukturell ähnlichen *Gibberellinen schwach wuchsfördernd u. wird von einer Mutante des Pilzes *Gibberella fujikuroi* in 13-Hydroxygibberelline umgewandelt[1]. Weitere biolog. Eigenschaften von S. sind die Inhibierung der oxidativen Phosphorylierung in Rattenmitochondrien[2] u. die Abwehr der Blattlaus *Schizapis graminum*[3]. – ***E*** steviol – ***F*** stéviol – ***I*** steviolo – ***S*** esteviol

Lit.: [1] J. Chem. Soc., Perkin Trans. 1 **1976**, 173, 174. [2] Biochim. Biophys. Acta **118**, 465 (1966). [3] J. Nat. Prod. **50**, 434 (1987).
allg.: Beilstein E V **17/8**, 119 ▪ Hager (5.) **6**, 788 ff. ▪ Nat. Prod. Rep. **10**, 301 (1993). – *Synth.:* Agric. Biol. Chem. **35**, 918 (1971); **45**, 2115 (1981) ▪ Tetrahedron **28**, 3217 (1970); **32**, 363, 366 (1976); **33**, 373 (1977). – *[HS 2938 90; CAS 471-80-7]*

Steviosid [13-(2-*O*-β-D-Glucopyranosyl-β-D-glucopyranosyloxy)-kaur-16-en-19-säure-β-D-glucopyranosylester, Steviosin, Stevin, Rebaudin]. Formel s. Steviol. $C_{38}H_{60}O_{18}$, M_R 804,90, Krist. (Prismen), Schmp. 238–239 °C, $[\alpha]_D$ –39,3° (c 6/H_2O). S. ist ein Diterpen-Glykosid vom Kauren-Typ mit der 100–300fachen Süßkraft von *Saccharose aus den Blättern u. Stengeln der aus Paraguay (Südamerika) stammenden Pflanze *Stevia rebaudiana*, Asteraceae (Korbblütler), „yerba dulce", die heute v. a. in Ostasien kultiviert, aber auch in der BRD (versuchsweise) angebaut wird. 1 kg getrocknete Blätter enthalten ca. 60 g S., das enzymat. durch Diastase in 3 Mol. Glucose u. 1 Mol. des Aglycons *Steviol gespalten wird. Aufgrund der vermuteten Mutagenität von Steviol wurde S. in Europa u. USA bisher nicht als Zuckerersatzstoff (*Süßstoff) für Diabetiker zugelassen.

Verw.: Die Ureinwohner von Paraguay haben den Mate-Tee mit S. gesüßt[1]. In Japan produzierten 1990 11 Hersteller ca. 200 t leicht bitteres S. unter der Bez. „Steebia" als Süßstoff für Lebensmittel, v. a. Tsukudani (eingelegter Fisch) u. Sojasauce. Die Jahresproduktion in Korea betrug 1995 ca. 250 t. Beide Länder waren damit Weltmarktführer. Weitere Namen für S. od. süßende Extrakte aus *Stevia* sind Steviosin, Stevix u. Marumillon 50. Es bestehen z. Z. über 200 Patentanmeldungen zur Reinigung u. Anw. von Steviosid. S. ist ungiftig (LD_{50} Ratte, Maus p.o.) >8,5 g/kg (andere Quellen: >15 g/kg). – ***E*** = ***I*** stevioside – ***F*** stévioside – ***S*** esteviosida

Lit.: [1] Naturwiss. Rundsch. **27**, 231 ff. (1974).
allg.: Agric. Biol. Chem. **54**, 3137 (1990) ▪ Beilstein E V **17/8**, 119 ▪ Chem. Pharm. Bull. **39**, 12 (1991) ▪ Hager (5.) **6**, 788 ff. ▪ Karrer, Nr. 1961, 1962 ▪ Med. Res. Rev. **9**, 91 – 115 (1989) ▪ Merck-Index (12.), Nr. 8964 ▪ J. Chem Soc., Perkin Trans. 1 **1990**, 2661 ▪ Sax (7.), S. 3115 ▪ Römpp Lexikon Lebensmittelchemie, S. 805. – *Review:* Chem. Br. **22**, 915 (1986); Nat. Prod. Rep. **10**, 301 (1993). – *Synth.:* Tetrahedron **33**, 373 (1977); **36**, 2641 (1980) ▪ s. a. Süßstoffe, Thaumatin. – *[HS 2938 90; CAS 57817-89-7]*

Stewartit s. Laueit.

STH s. Somatotropin.

Stib... Von *Stibium = *Antimon abgeleitete Silbe in chem. u. mineralog. Bez.; *Beisp.:* folgende Stichwörter. – ***E*** = ***F*** = ***I*** stib... – ***S*** estib...

Stib(a)... Präfix nach IUPAC-Regel R-2 für Ersatz einer CH-Gruppe durch ein *Antimon-Atom (Sb) im *Hantzsch-Widman-System (vor Vokal: *Stib...) u. in *Austauschnamen (*Beisp.:* Stibinin = Stibabenzol [1]) od. für die Einheit –SbH– in Namen alternierender Heteroatom-Ketten u. -Ringe; *Beisp.:* Distibazan (H_2Sb–NH–SbH_2), Cyclotristiboxan [*cyclo*-(–SbH–O–)$_3$]. Für kondensierte Ringsyst. sind *Anellierungsnamen üblicher; *Beisp.:* 9-Stibafluoren = 5*H*-Dibenzostibol. Das Präfix Stibonia... bedeutet Ersatz von C durch Sb^+; *Beisp.:* 5-Stiboniaspiro[4.4]nonan. – ***E*** = ***F*** = ***I*** stiba... – ***S*** estiba...

Lit.: [1] Top. Curr. Chem. **105**, 125 – 155 (1982).

Stiban s. Antimonwasserstoff.

Stibia... Regelwidrige Form von *Stib(a)...

Stibin s. Antimonwasserstoff u. Stibine.

Stibine. Bez. für *Antimonwasserstoff u. davon abgeleitete *Antimon-organische Verbindungen (IUPAC-Regel D-5.12; in neuer Regel R-2.1 bevorzugt: Stibane), Analoga der Amine, Phosphine, Arsine u. Bismutine (Azane, Phosphane, Arsane u. Bismutane). – ***E*** = ***F*** stibines – ***I*** stibine – ***S*** estibinas

Stibino... Bez. der Atomgruppierung $-SbH_2$ (IUPAC-Regel D-5.12; neue Regel R-2.5: Stibanyl...; regelwidrig: Stibyl...). – ***E*** = ***F*** = ***I*** stibino... – ***S*** estibino...

Stibioenargit s. Enargit.

Stibioluzonit s. Enargit.

Stibiopalladinit s. Palladium (Vork).

Stibium. Alchimist. Bez. für grauschwarzes *Antimon(III)-sulfid (*Antimonit) u. a. Antimon-Erze, später für das heute *Antimon genannte Element, Symbol: Sb (abgeleitet von S.); vgl. Stib...

Stibnit s. Antimonit.

Stibonium-Salze. Bez. für Salze mit Kationen des Typs SbR_4^+ mit R = H, organ. od. Heteroatom-Rest (IUPAC-Regel D-5.31 u. R-5.8.2); vgl. Onium-Verbindungen. Der Rest $-SbH_3^+$ heißt Stibonio... – ***E*** stibonium salts – ***F*** sels de stibonium – ***I*** sali di stibonio (antimonio) – ***S*** sales de estibonio

Lit.: Houben-Weyl **13/8**, 570 – 584.

Stibophen (Rp).

NaO_3S ... SO_3Na ... Sb ... SO_3Na ... Na ... SO_3Na • 7 H_2O

Kurzbez. für Pentanatrium-bis[4,5-dihydroxy-1,3-benzoldisulfonato(4–)-O^4,O^5]antimonat(III), $C_{12}H_4Na_5O_{16}S_4Sb \cdot 7\,H_2O$, M_R 895,19, weißes krist. Pulver, leicht lösl. in Wasser, unlösl. in Alkohol, Ether, Chloroform, Aceton. S. wurde 1923 von Heyden, 1924 von I. G. Farben u. 1932 von Winthrop patentiert. Es wurde als Spezialmittel gegen *Schistosomiasis u. *Leishmaniosen, das entsprechende Kalium-Salz in der Tierheilkunde verwendet. – ***E*** stibophen – ***F*** stibophène – ***I*** stibofene – ***S*** estibofeno

Lit.: Beilstein E II **11**, 169 ▪ DAB **7**, 339 – 341 ▪ Hager (5.) **9**, 660 ff. ▪ Martindale (31.), S. 111. – *[HS 2934 90; CAS 15489-16-4]*

Stichprobe. Als Begriff aus der *Statistik u. der *Probenahme ist eine S. die aus dem Prüflos zur Prüfung entnommene Menge. Die S.-Größe ist die Anzahl der in der S. enthaltenen Einzelstücke, s. a. Probe. Nach § 2 Abwasserverordnung [1] (s. a. Rahmen-Abwasserverwaltungsvorschrift) eine einmalige Probenahme aus einem Abwasserstrom. – ***E*** spot check, random sample – ***F*** sondage – ***I*** sondaggio – ***S*** muestra al azar

Lit.: [1] VO über Anforderungen an das Einleiten von Abwasser in Gewässer (Abwasserverordnung, AbwV) vom 21. 03. 1997, BGBl. I, S. 566 (1997).
allg.: DIN 53803-1: 1991-03 ▪ Stenger, Stichproben, Berlin: Springer 1986 ▪ s. a. Probenahme.

Stickoxid s. Stickstoffoxide.

Stickstoff (chem. Symbol N, von latein.: nitrogenium = Salpeterbildner). Gasf. Element, Ordnungszahl 7, Atomgew. 14,00674. Natürliche Isotope (Häufigkeit in Klammern): 14 (99,634%) u. 15 (0,366%), wobei das Isotopenverhältnis in S. aus anderen Quellen als Luft vom angegebenen Verhältnis um bis zu 1,5% abweichen kann (z. B. in Erdgasen). Daneben kennt man noch eine Reihe von künstlichen Isotopen u. Isomeren von 12 bis 19 mit HWZ zwischen 9,97 min u. 11 ms. S. gehört zur 5. Hauptgruppe (15. Gruppe) des *Periodensystems (*S.-Gruppe*) u. tritt in Oxid.-Stufen zwischen –3 u. +5 auf. Im elementaren Zustand bildet S. sehr stabile, zweiatomige Moleküle. N_2 ist ein farb- u. geruchloses, geschmackfreies, nicht brennbares Gas von der D. 1,251 g/L bei 20 °C u. 101,3 kPa (1 L Luft wiegt dagegen 1,29 g), Schmp. –209,86 °C, Sdp. –195,8 °C, krit. Temp. –146,95 °C, krit. Druck 3,39 MPa, krit. D. 0,314. Die Inversionstemp. von S. liegt bei 850 K; daher läßt sich der *Joule-Thomson-Effekt zu seiner Verflüssigung ausnutzen, s. a. flüssige Luft. Flüssiger S. ist farblos, D. 0,8085 bei –195,8 °C, fester S. bildet weiße krist. Massen. 1 L Wasser löst bei 0 °C nur 23,2 mL reines N_2-Gas, dagegen lösen sich in 1 L Alkohol bei 19 °C etwa 120 mL S. Wird 1 L Wasser bei 20 °C mit Luft gesätt., so nimmt es 12,76 mL N_2 auf. N_2 löst sich auch in Metallschmelzen. Eisen kann unter Hochdruck bis zu 4% S. zulegiert werden. Mit

Lithium u. Calcium verbindet sich N_2 bei Raumtemp. zu *Nitriden, mit anderen Metallen bei höheren Temp.; bei Magnesium ist z. B. Weißglut erforderlich. Allg. ist S. wegen seiner hohen Bildungsenthalpie außerordentlich reaktionsträge.
In den N_2-Mol. sind je zwei N-Atome durch homöopolare Dreifachbindung (N≡N) miteinander verknüpft. S.-Gas stellt daher die stabilste N-Verb. dar, u. man kann nur mit Mühe (z. B. über die Erzeugung von *aktivem N* v. a. durch Anw. von hohen Temp. od. elektr. Entladungen) andere Verb. daraus erzeugen; es müssen ca. 946 kJ Energie pro Mol S. – in Form von Elektrizität, Licht od. Wärme – aufgebracht werden. Die wichtigsten Reaktionen des S. sind auf die kurzzeitige Anwesenheit von N-Atomen zurückzuführen. Zur Bildung von NO aus N_2 u. Sauerstoff od. von Ammoniak aus N_2 u. Wasserstoff sind ebenfalls hohe Energiebeträge u. Katalysatoren notwendig.
Die wichtigsten Verb. des S. mit Wasserstoff sind Ammoniak u. Hydrazin (s. dort). Weitere, techn. wichtige anorgan. Verb. sind die *Nitrate, *Nitrite, *Salpetersäure, *Stickstoffoxide, *Nitride, *Ammonium-Verb., *Cyanide u. a., während z. B. Bor-, Phosphor-, Silicium- u. *Schwefel-Stickstoff-Verbindungen geringere techn. Bedeutung besitzen. S. tritt auch in der organ. Chemie in verschiedenen Verb.-Klassen auf, z. B. in *Aminen u. *Amiden, *Nitrilen, *Oximen, *Hydrazonen, *quartären Ammonium-Verbindungen, *Aziden, *Isocyanaten, *Senfölen, *Urethanen, *Nitro- u. *Nitroso-Verbindungen, *Diazo-Verbindungen sowie in den zahlreichen *Stickstoff-Heterocyclen, in denen die Ggw. von S. – soweit nicht Trivialnamen zulässig sind – durch *Aza... gekennzeichnet wird. S.-haltige Polymere natürlichen Ursprungs sind *Proteine u. *Nucleinsäuren, solche synthet. Herkunft *Polyamide, *Polyacrylnitril, *Polyimide, *Polyurethane, *Melamin- u. *Harnstoffharze. Die Einführung von S. in organ. Verb. kann nur auf Umwegen (z. B. über Nitrierung, Aminierung, über Diazonium-Verb. etc.) vorgenommen werden. In vielen Verb. ist S. ähnlich wie Kohlenstoff sp^3-hybridisiert, wobei die drei Substituenten zusammen mit dem N-Atom eine trigonale Pyramide bilden u. das *einsame Elektronenpaar ein Orbital über der Spitze der Pyramide besetzt. Es lassen sich hier spektroskop. Durchschwingvorgänge beobachten, die als *Inversion am N-Atom bezeichnet werden; in manchen Fällen lassen sich Stereoisomere (*Invertomere*) isolieren [1]. Auf dieser Inversion beruht auch das Prinzip der *Ammoniak-Uhr*. Man kennt jedoch auch planare Amine NR_3 [$R = CH(CH_3)_2$, $Si(CH_3)_3$, $Ge(CH_3)_3$, $Sn(CH_3)_2Cl$]; das nichtbindende Elektronenpaar residiert hier in einem Molekülorbital mit p-Charakter.
Die lange Zeit vorherrschende Vorstellung von der abs. Reaktionsträgheit des mol. S. (N_2 als *Inertgas) mußte jedoch revidiert werden, da es Reaktionssyst. gibt, die N_2 binden u./od. reduzieren, wodurch z. B. die Verw. von N_2 als *Schutzgas für manche Versuche nicht möglich ist: S. kann als Distickstoff-Ligand in Komplexen, v. a. mit Übergangsmetallen, auftreten. Derartige N_2-Additionsverb. werden z. Z. als Modelle für die *Stickstoff-Fixierung in Pflanzen u. zur Untersuchung der Funktion der 1992 durch eine Kristallstrukturanalyse charakterisierten *Nitrogenase herangezogen; einen knappen Überblick findet man in *Lit.* [2].
Physiologie: Auf die Höheren Pflanzen u. Tiere übt N_2 keine wahrnehmbare Wirkung aus; Erstickung in N_2-reichen Gasgemischen ist eine Folge von Sauerstoff-Mangel, nicht etwa eine Giftwirkung des N_2 (die erstickende Wirkung gab dem Element seinen Namen). Als Bestandteil von *Proteinen, Nucleinsäuren u. vielen Coenzymen ist S. für Tiere u. Pflanzen ein unentbehrlicher u. in großen Mengen benötigter Nährstoff – er bildet immerhin 3% (ca. 2,1 kg) des Körpergew. des *Menschen. Im *S.-Kreislauf* der Natur, zu dessen Teilschritten *Nitrifikation u. *Denitrifikation gehören, stellt der Luft-S. das ständige Reservoir dar [3]. Im 20. Jh. ist durch den Menschen verursacht (z. B. Nutzung des Luft-S. zur Düngemittel-Herst., s. Haber-Bosch-Verfahren) eine merkliche Beschleunigung dieses Kreislaufs eingetreten. So beträgt die techn. S.-Fixierung ca. 80 Mio. t/a, die biolog. wird auf 120 Mio. t/a geschätzt. Pflanzen besitzen allg. die Fähigkeit, anorgan. gebundenen S. in organ. gebundenen zu überführen, wobei die z. T. als *Stickstoffdünger zugeführten *Nitrate die wichtigste N-Quelle darstellen. Nur wenige Mikroorganismen sind zur N_2-Assimilation, d. h. zur *Luft-*Stickstoff-Fixierung* in der Lage.
Nachw.: Eine einfache, qual. Nachweisreaktion auf mol. S. ist unbekannt; zur quant. Bestimmung von N_2 in Gasen s. Gasanalyse. Angaben über die qual. u. quant. Analyse von chem. gebundenem S. findet man bei *Azotometer, *Elementaranalyse u. *Kjeldahl-Methode sowie in *Lit.* [4]. Zur Strukturaufklärung von N-Verb. hat sich die ^{15}N-NMR-Spektroskopie als bes. nützlich erwiesen [5]. Das stabile Isotop ^{15}N ist ein geeigneter Tracer für biochem. Untersuchungen, z. B. des S.-Stoffwechsels in Tieren u. Pflanzen od. der S.-Fixierung.
Vork.: Man schätzt den Anteil des S. an der obersten, 16 km dicken Gesteinskruste auf etwa 0,03 Gew.-%. S. gehört also zu den häufigeren Elementen. Die weitaus größten S.-Mengen finden sich in der Lufthülle; diese enthält 78,10 Vol.-% (od. 75,51 Gew.-%; ca. $3,9 \cdot 10^{15}$ t) N_2. Kleinere Mengen von N_2 trifft man auch in den Gasen mancher Quellen u. in Gesteinseinschlüssen. N haltige Minerale sind verhältnismäßig selten. Das einzige größere Vork. ist der *Chilesalpeter; in kleineren Mengen findet man gelegentlich Calciumnitrat, Kaliumnitrat, Ammoniumchlorid u. einige andere Verbindungen. Ferner ist S. in Form von Eiweißstoffen u. a. organ. Verb. in allen Organismen verbreitet, aus denen er durch *biologischen Abbau (*Fäulnis) wieder freigesetzt u. in den N_2-Kreislauf zurückgeführt wird.
Herst.: Die techn. Gewinnung von N_2 erfolgt durch *Luftzerlegung*, d. h. durch Fraktionierung von *flüssiger Luft, s. *Lit.* [6], Kirk-Othmer od. Ullmann. Das so erhaltene N_2-Gas ist gewöhnlich noch durch *Edelgase u. Sauerstoff verunreinigt; es gelangt in Stahlflaschen (Anstrichfarbe: grün, Rechtsgewinde) unter einem Druck von ca. 15 MPa in den Handel (*Industriegas). Großverbraucher beziehen N_2 verflüssigt in Straßentankwagen od. durch Pipelines. Eine biolog. Meth. zur Entfernung von O_2-Spuren aus S. u. inerten Gasen mit Hilfe von Reis-Keimlingen beschreibt *Lit.* [7]. Die Ge-

winnung von bis zu 99,5% reinem S. durch Luftzerlegung an Kunststoff-Membranen wird seit den 80er Jahren praktiziert u. gewinnt an Bedeutung. Im Laboratorium[8] kann man reinen S. mittels folgender Meth. erhalten:

1. Durch Erwärmen einer konz. wäss. Lsg. von Ammoniumnitrit od. eines gelösten Gemisches aus Ammoniumchlorid u. Natriumnitrit auf etwa 70 °C: $NH_4NO_2 \rightarrow N_2 + 2\,H_2O$.
2. Man leitet Luft über glühendes Kupfer od. durch eine alkal. Pyrogallol-Lsg. bzw. alkal. Natriumdithionit-Lsg.; hierbei wird O_2 aus der Luft entfernt, so daß nur noch N_2 (nebst Edelgasen) übrigbleibt.
3. Durch vorsichtiges Erhitzen von Leichtmetallsalzen der *Stickstoffwasserstoffsäure (*Azide) kann man nicht nur N_2, sondern z. B. auch metall. Natrium chem. rein herstellen: $2\,NaN_3 \xrightarrow{300\,°C} 2\,Na + 3\,N_2$.

Zur N_2-Gewinnung für die techn. Herst. von Ammoniak s. Haber-Bosch-Verfahren.

Verw.: Elementarer S. (N_2) besitzt aufgrund seiner Reaktionsträgheit techn. Bedeutung z. B. als *Inert- od. *Schutzgas, z. B. in der Elektro- u. Metall-Ind., zum Abpressen u. Aufbewahren brennbarer Flüssigkeiten, als Treibmittel für *Sprays, zum Verdünnen leichtentzündlicher Gase, als Gasfüllung von *Glühlampen. Aus den oben u. bei *Stickstoff-Fixierung erwähnten Gründen kann N_2 aber nur bedingt als inert gelten. In erster Linie wird S. als Rohstoff zur Synth. von S.-Verb. (Ammoniak, Aminen, Cyaniden, Nitriden u. Stickstoffoxiden), v. a. aber zur Herst. von *Stickstoffdünger (ca. 85% der N_2-Produktion) benötigt. In der Landwirtschaft u. Düngemittel-Ind. wird Stickstoffdünger kurz als „Stickstoff" bezeichnet. Als Kältemittel dient flüssiger N_2 in der Lebensmitteltechnologie, Medizin u. Pharma-Ind., z. B. zum Schockgefrieren u. zur *Gefriertrocknung von empfindlichen Nahrungsmitteln, Zellen, Geweben, Blut u. Biochemika, zur Gaslagerung von Obst u. Gemüse, in der Technik zur *Kaltmahlung von sonst zähelast. Materialien wie Kunststoffen u. Kautschuk etc.

Geschichte (*Lit.*[9]): S. wurde wegen seiner Reaktionsträgheit ziemlich spät als Element erkannt; noch bis zum 17. Jh. hielt man die Luft für einen einheitlichen Stoff. *Scheele zeigte in seiner „Abhandlung von der Luft u. dem Feuer", daß die Luft einen Bestandteil enthält, der Atmung u. Verbrennung nicht unterhält; er nannte diesen „verdorbene Luft". *Lavoisier bezeichnete ihn von griech.: azōtikós = leblos abgeleitet als „azôte" (Stickgas od. erstickender, das Leben nicht unterhaltender Stoff, wovon sich das veraltete französ. Elementsymbol Az ableitet). Chaptal gab ihm unter Benutzung älterer Quellen (s. Natrium) den Namen nitrogène (Salpeterbildner, vom latein. nitrogenium hergeleitet), nachdem man erkannt hatte, daß der Salpeter u. die Salpetersäure S.-Verb. sind. Auf *Priestley geht die N_2-Bestimmung mit dem *Eudiometer zurück (*Lit.*[10]). *Cavendish synthetisierte 1784 Stickstoffoxide u. Salpetersäure aus N_2 u. Sauerstoff mit Hilfe von überspringenden elektr. Funken. Die großtechn. Verw. des Luft-S. erfolgte erst im 20. Jh.: Die großtechn. Kalk-S.-Synth. begann um 1901, die der Salpetersäure nach Birkeland u. Eyde um 1905 u. die des Ammoniaks nach *Haber u. *Bosch ab 1908. – ***E*** nitrogen – ***F*** azote – ***I*** azoto, nitrogeno – ***S*** nitrógeno

Lit.: [1] Naturwissenschaften **66**, 423 f. (1979). [2] Angew. Chem. **105**, 67–70 (1993). [3] Folienserie des Fonds der Chemischen Industrie, Serie 22, Umweltbereich Luft, S. 16 ff., Frankfurt: FCI 1995. [4] Int. J. Environ. Anal. Chem. **28**, 215–226 (1987); Townshend, Encyclopedia of Analytical Science, S. 3319–3352, London: Academic Press 1995. [5] Berger, Braun u. Kalinowski, NMR-Spektroskopie von Nichtmetallen, Bd. 2, ^{15}N-NMR-Spektroskopie, Stuttgart: Thieme 1992. [6] Winnacker-Küchler (4.) **3**, 607–618. [7] Naturwissenschaften **68**, 329 f. (1981). [8] Brauer (3.) **1**, 442–445. [9] Figurowski, Die Entdeckung der chemischen Elemente u. der Ursprung ihrer Namen, S. 188–195, Köln: Deubner 1981. [10] Krätz, Historische, chemische u. physikalische Versuche, S. 94–106, Köln: Deubner 1979.
allg.: Angus et al., International Thermodynamic Tables of the Fluid State, Bd. 6, Nitrogen (IUPAC Chem. Data Ser. 20), Oxford: Pergamon 1979 ▪ Gmelin, Syst.-Nr. 4, Stickstoff, 1934–1936, Syst.-Nr. 23, Ammonium 1936 ▪ Golterman, Denitrification in the Nitrogen Cycle, New York: Plenum 1985 ▪ Haynes, Mineral Nitrogen in the Plant-Soil System, New York: Academic Press 1986 ▪ Hommel, Nr. 438 ▪ Hutzinger **1 B**, 61–81; **1 C**, 105–125 ▪ J. Phys. Chem. Ref. Data **13**, 563–600 (1984); **14**, 209–226 (1985); **15**, 735–909, 985–1010 (1986) ▪ Kirk-Othmer (4.) **17**, 153–204 ▪ *Landolt-Börnstein N. S. 3/7 cl ▪ Snell-Ettre **16**, 449–513 ▪ Soil and Fertilizer Nitrogen (Tech. Rep. Ser. 244), Vienna: IAEA 1984 ▪ Sychev, Thermodynamic Properties of Nitrogen, Berlin: Springer 1987 ▪ Ullmann (5.) **A17**, 457–469 ▪ Ullrich et al., Inorganic Nitrogen Metabolism, Berlin: Springer 1987 ▪ Waterlow u. Stephen, Nitrogen Metabolism in Man, Barking: Appl. Sci. Publ. 1982 ▪ Winnacker-Küchler (4.) **2**, 92–203 ▪ s. a. Stickstoff-Fixierung u. Düngemittel. – *[HS 2804 30, 2845 90; CAS 7727-37-9; G 2]*

Stickstoff-Assimilation s. Stickstoff-Fixierung.

Stickstoffdioxid s. Stickstoffoxide(e).

Stickstoff-Dünger. Sammelbez. für *Düngemittel, die Stickstoff in lösl., d. h. von Pflanzen für ihren Stoffhaushalt verwertbarer Form enthalten. Als S.-D. kommen demnach *Stickstoff-Einzeldünger* wie Ammoniumsalze, flüssiges Ammoniak, Nitrate, Kalkammonsalpeter, Kalkstickstoff, Harnstoff u. dgl. in Frage, ferner *Stickstoff-Komplexdünger* wie NP-(Stickstoff-Phosphat-) u. NPK-Dünger (vgl. die Aufzählung der einzeln abgehandelten S.-D.-Arten bei Düngemittel), Stickstoffmagnesia u. dgl. – ***E*** nitrogen[ous] fertilizers – ***F*** engrais azotés – ***I*** concime azotato – ***S*** fertilizantes nitrogenados

Lit.: s. Düngemittel, Stickstoff. – *[HS 3102. .]*

Stickstoff-Exkretion. Ausscheidung von Stickstoff-Verb. als Endprodukte des Eiweiß- u. Nucleinsäure-Stoffwechsels von Organismen. Wenn mit der Nahrung laufend neue Stickstoff-Verb. aufgenommen werden, dient die S.-E. der Entgiftung des Körpers. Die Form, in der Stickstoff ausgeschieden wird, spiegelt die Verfügbarkeit von Wasser im Lebensraum wider. Ist reichlich Wasser vorhanden, werden leicht wasserlösl. Stickstoff-Verb. mit wenigen Stickstoff-Atomen gebildet. Besteht Wassermangel od. muß Gew. gespart werden (z. B. bei Vögeln), so werden wasserunlösl. Stickstoff-Verb. mit mehreren Stickstoff-Atomen gebildet u. nicht gelöst in Harn, sondern fest mit dem Kot ausgeschieden.

Drei Stickstoff-Verb. haben als Exkrete eine überragende Bedeutung: Von wasserbewohnenden Tieren wird Stickstoff meist als *Ammoniak bzw. Ammonium (*Ammoniotelie*), von Haien, landlebenden Amphibien u. Säugetieren als *Harnstoff (*Ureotelie*) u. von Insekten, Lungenschnecken, Reptilien u. Vögeln als *Harnsäure (*Uricotelie*) ausgeschieden. Daneben kommen noch andere Formen der S.-E. vor: Regenwürmer u. Rundmäuler geben *Adenin ab, manche Schnecken, Fliegen, Mücken u. Säuger *Allantoin, einige Knochenfische Allantoinsäure, Stachelhäuter, Weichtiere u. Krebstiere verschiedene *Aminosäuren, Plattwürmer, Regenwürmer, Fische u. Spinnen *Guanin, Wirbeltiere in geringen Mengen *Kreatinin u. *Kreatin, Insekten *Kynurensäure, Säuger *Kynurenin u. Haie, Rochen u. manche Knochenfische Trimethylaminoxid. Darüber hinaus scheiden manche Organismen ihre überschüssigen Stickstoff-Verb. nicht in die Umwelt ab, sondern lagern diese als prakt. unlösl. Pigmente wie Xanthopterine, Leukopterine, Ommochrome u. Guanin in Flügeln, Schuppen od. anderen Körperteilen ab. Einige Organismen benutzen Stickstoff-Verb., um den osmot. Druck ihrer Körperflüssigkeit zu regulieren. Pflanzen, Asseln u. vermutlich auch viele andere Organismen verlieren Ammoniak an die Atmosphäre; darüber hinaus geben Pflanzen auch Stickstoffoxide ab. – ***E*** nitrogen excretion – ***F*** excretion d'azote – ***I*** escrezione dell'azoto – ***S*** excreción de nitrógeno

Lit.: Bick, Grundzüge der Ökologie (3.), S. 36–40, Stuttgart: Fischer 1998 ▪ Hochachka u. Somero, Strategien biochemischer Anpassung, S. 185–195, Stuttgart: Thieme 1980 ▪ Remane et al., Kurzes Lehrbuch der Zoologie (3.), S. 190–204, Stuttgart: Fischer 1978.

Stickstoff-Fixierung (Stickstoff-Assimilation). Eiweiß (*Protein) erzeugende Pflanzen benötigen zu dessen Aufbau Stickstoff in Form von Ammoniak, zu dessen Synth. ihnen Quellen unterschiedlicher Menge u. Qualität zur Verfügung stehen. Hier ist z. B. zu denken an Nitrate, die aus anderen Stickstoff-haltigen Stoffen durch *Nitrifikation entstehen od. die in Form von *Stickstoffdüngern zugeführt werden (u. z. T. infolge *Denitrifikation verlorengehen), ferner an Stickstoff-haltige *Humus-Stoffe, Abbauprodukte tier. u. pflanzlicher Proteine sowie an Stickstoff-haltige Niederschlagsmengen – einschließlich des *sauren Regens. Derart verfügbarer Stickstoff – ausgenommen der durch *Düngung zugeführte – übersteigt in den seltensten Fällen die Menge von 30 t/ha. Dem steht ein Angebot von ca. 77000 t/ha atmosphär. Stickstoffs (N_2) gegenüber. Allerdings sind nur *Mikroorganismen in der Lage, elementaren Stickstoff zu binden (*fixieren*).

Biolog. S.-F.: Bei der biolog. S.-F. durch diese Mikroorganismen wird die Red. des Stickstoffs zu Ammoniak nach:

$$N_2 + 8\,H^+ + 6\,e^- \rightarrow 2\,NH_4^+$$

durch das Enzym Nitrogenase (Näheres s. dort) katalysiert; die Elektronentransportfunktion wird durch *Ferredoxin od. Flavodoxine wahrgenommen u. als Energielieferant wirkt *Adenosin-5'-triphosphat. Bei Leguminosen (s. unten) gehört zur Funktionseinheit des S.-F.-Syst. ferner das *Leghämoglobin, das für den Sauerstoff-Transport verantwortlich ist u. die Sauerstoff-labile Nitrogenase schützt.

Einige der Stickstoff-fixierenden Mikroorganismen, die diversen Gattungen angehören (z. B. *Azotobacter, Chlorobium, Clostridium, Pseudomonas, Rhodospirillum* etc.), sowie Stickstoff-fixierende Blaualgen (*Cyanobakterien) leben frei, während andere *Symbiosen mit bestimmten Wirtspflanzen eingehen. Bekannte Beisp. für derartige symbiot. Mikroorganismen sind *Rhizobium*- u. *Bradyrhizobium*-Arten u. -Rassen (subsp.) bei Leguminosen (Schmetterlingsblütlern, z. B. *Bohne, *Erbse, *Klee, *Luzerne; s. a. Hülsenfrüchte). Diese leben als *Bakteroide* (differenzierte Bakterien mit kugelrunder Form) in Wurzelknöllchen (*Knöllchenbakterien) z. B. der Lupine (*Bradyrhizobium*-Art od. -Rasse), der Sojabohne (*Bradyrhizobium japonicum*), des Klees (*R. leguminosarum* subsp. *trifolii*), der Bohne (*R. leguminosarum* subsp. *phaseoli*) usw. Zur S.-F. durch *Enterobacter* in der Rhizosphäre (Wurzelumgebung) von Getreiden s. *Lit.* Man kann nicht nur Rhizobien *in vitro* zur Symbiose mit anderen Wirtspflanzen (Weizen, Raps, Tabak) bringen, sondern auch die S.-F. in den Bakterien selbst, d. h. unabhängig von Wirtspflanzen, durch Zufuhr von Pentosen u. Succinat in Gang setzen. Ein Ziel der *Gentechnologie ist die Kombination der zur S.-F. befähigten Gensyst. mit denen anderer Wirts- u. Nutzpflanzen. Zur Struktur der rhizobiellen Symbiose-Gene s. *Lit.*[1].

Die symbiont. Syst. binden jährlich je ha Anbaufläche 100–300 kg Stickstoff u. geben 75 bis ca. 90% des von ihnen gebundenen Luftstickstoffs in Form von Aminosäuren u. dgl. an die Wirtspflanze ab. Schätzungen, wieviel Stickstoff jährlich weltweit im Rhizobium/Leguminosen-Syst. umgesetzt wird, bewegen sich zwischen 14 u. 40 Mio. t, u. wenn man die S.-F. durch freilebende Mikroorganismen u. Algen hinzurechnet, kommt man auf ca. 200 Mio. t N_2/a.

Chem. S.-F.: Als chem. Äquivalent der biolog. S.-F. kann man die 1910 von *Haber entwickelte Ammoniak-Synth. betrachten, die jedoch hohe Temp. u. Drücke benötigt (s. Haber-Bosch-Verfahren). Verständlicherweise hat es nicht an Versuchen gefehlt, die biolog. S.-F. an einfachen Reaktionssyst. nachzuvollziehen. Heute kennt man Koordinationsverb. des Mo, Cr, Re, W, Co, Ni, Ti, Mn u. aller Platinmetalle, die ein od. auch zwei Stickstoff-Mol. in Distickstoff-Komplexen gebunden enthalten. – ***E*** nitrogen fixation – ***F*** fixation de l'azote – ***I*** fissazione dell'azoto – ***S*** fijación del nitrógeno

Lit.: [1] Nature (London) **387**, 352 ff., 394–401 (1997).
allg.: Graham et al., Symbiotic Nitrogen Fixation, Norwell: Kluwer 1994 ▪ Legocki et al., Biological Fixation of Nitrogen for Ecology and Sustainable Agriculture, Berlin: Springer 1997 ▪ Somasegaran u. Hoben, Handbook of Rhizobia. Methods in Legume-Rhizobia Technology, Berlin: Springer 1994 ▪ South Afric. J. Sci. **94**, 11–23 (1998).

Stickstoff-Gruppe. Bez. für die 5. Hauptgruppe (15. Gruppe) des *Periodensystems mit den Elementen *Stickstoff, *Phosphor, *Arsen, *Antimon u. *Bismut (*Pentele, Pnicogene*). Der Metall-Charakter dieser Elemente nimmt mit steigendem Atomgew. deutlich zu: Stickstoff ist ein typ. Nichtmetall, Arsen u. Antimon besitzen metall. u. nichtmetall. Modifikationen, u. Bismut ist ein Metall. In Verb. mit Sauerstoff erreichen die Elemente der S.-G. Oxid.-Zahlen bis +5, mit Wasserstoff bis –3. – ***E*** nitrogen group – ***F*** groupe de l'azote – ***I*** gruppo dell'azoto – ***S*** grupo del nitrógeno

Stickstoffhalogenide. Sammelbez. für alle Stickstoff-Halogen-Verbindungen. Man kennt formal von Ammoniak abgeleitete *Stickstofftrihalogenide* NX_3 mit X=F (Fluorstickstoff), Cl, Br, I, von Stickstoffwasserstoffsäure abgeleitete *Halogenazide* N_3X mit X=F, Cl, Br, I (*Iodazid) sowie *Distickstofftetrafluorid* N_2F_4 u. *Distickstoffdifluorid* N_2F_2, ferner gemischte Halogenide wie z. B. NF_2Cl u. $NFCl_2$ u. Verb. wie NH_2F, NHF_2 u. NH_2Br. Auch Sauerstoff-Halogen-Verb. des Stickstoffs der Zusammensetzung NOX (*Nitrosylhalogenide* mit X=F, Cl, Br), NO_2X (*Nitrylhalogenide* mit X=F, Cl) u. NO_3X (*Nitrylhypohalite* mit X=F, Cl) sind bekannt; zur Nomenklatur vgl. Nitrosyl... u. Nitryl... Die Fluor-Verb. sind in der Regel farblose Gase, die übrigen Verb. entweder Gase, Flüssigkeiten od. Festkörper, die teilw. auch gefärbt sind.
Die S. besitzen hauptsächlich wissenschaftliche Bedeutung, lediglich *Nitrosylchlorid* u. *Stickstofftrifluorid* (*Fluorstickstoff*, NF_3) sind von techn. Interesse. T+ NF_3 (M_R 71,00, Schmp. −206 °C, Sdp. −129 °C) dient als Fluor-Quelle in HF/DF-Hochenergie-Lasern u. als Zusatz zu Glühlampen-Gasfüllungen. **Iodstickstoff* ist ein explosibles Gemisch aus NH_2I, NHI_2 u. NI_3. Das in unverd. Form äußerst explosible Stickstofftrichlorid (NCl_3) wurde früher zur Mehlbleichung benutzt, bildet jedoch tox. Methioninsulfoximid. – ***E*** nitrogen halogenides – ***F*** halogénures d'azote – ***I*** alogenuri di azoto – ***S*** halogenuros de nitrógeno

Lit.: Adv. Inorg. Chem. **33**, 140–196 (1989) ▪ Brauer (3.) **1**, 197–205, 462 ff. ▪ Chem. Labor Betr. **37**, 386 (1986) ▪ Encycl. Gaz, S. 833–840 ▪ Gmelin, Syst.-Nr. 6, Erg.-Bd. B 2, S. 483–487 ▪ Holleman-Wiberg (101.), S. 678–688 ▪ Kirk-Othmer (4.) **4**, 560; **5**, 911–932 ▪ Ullmann (5.) **A 11**, 337 f. – *[CAS 7783-54-2 (NF_3); G 2]*

Stickstoff-Heterocyclen. Sammelbez. für *heterocyclische Verbindungen, die ein od. mehrere Stickstoff-Atome als Ringglieder enthalten, z. B.:

Pyrrol, Pyrazol, Imidazol, 1*H*-1,2,3-Triazol, 1*H*-1,2,4-Triazol, 4*H*-1,2,4-Triazol

Pyridin, Pyridazin, Pyrimidin, Pyrazin, 1,2,3-Triazin, 1,2,4,5-Tetrazin

Indol, Chinolin, Isochinolin, Purin

Nomenklaturbez. der nicht mit Trivialnamen belegten S.-H. beginnen nach IUPAC-Regel B-2.11 mit der Vorsilbe *Aza... (*Beisp.:* Triazole, Tetrazine) u. die der Verb. mit kation. N-Atom nach IUPAC-Regel B-6.1 mit Azonia... Die S.-H. besitzen große biochem. Bedeutung. So bilden sie die maßgeblichen Bestandteile in Alkaloiden, Coenzymen, prosthet. Gruppen, natürlichen u. synthet. Farbstoffen, Pharmazeutika u. Lebensmittel-, insbes. Röstaromen. – ***E*** nitrogen heterocycles – ***F*** hétérocycles avec azote – ***I*** eterocicli d'azoto – ***S*** heterociclos con nitrógeno

Lit.: s. heterocyclische Verbindungen, Hantzsch-Widman-System, Stickstoff u. die einzelnen Verb.-Klassen.

Stickstoff-Laser. Gaslaser (typ. Aufbau s. dort), bei dem in einer gepulsten *Gasentladung aus Luft, reinem Stickstoff od. Ammoniak (Druckbereich 0,001–0,1 hPa) ionisierter Stickstoff gebildet wird. Die intensivste Laserlinie ist der Übergang von $3p^4P_{5/2} \rightarrow 3s^4P^0_{5/2}$ (von N^{2+}: $\lambda_{Luft} = 336{,}734$ nm bzw. $\lambda_{Vakuum} = 336{,}829$ nm). Typ. Daten sind: Pulslängen 0,1–12 ns, Pulsenergien bis 4 mJ u. Lichtleistungen bis 5 kW. – ***E*** nitrogen laser – ***F*** laser à azote – ***I*** laser ad azoto – ***S*** láser de nitrógeno

Lit.: Beck et al., Table Laser Lines in Gases, Berlin: Springer 1978 ▪ Bennette, Atomic Gas Laser Transition Data, New York: Plenum Press 1979 ▪ Laser Focus World, The Buyer's Guide, Kirchheim/München: Verlagsbüro Johann Bylek, Stockäckerring 63, 1997.

Stickstofflost. Von *Lost abgeleiteter Trivialname, unter dem man sowohl Tris(2-chlorethyl)-amin mit dem internat. Freinamen *Trichlormethin als auch Bis(2-chlorethyl)-methylamin mit dem internat. Freinamen *Chlormethin versteht. T+ Beide Stoffe wirken als *Kampfstoffe (US amerikan. Decknamen HN3 u. HN2), doch stehen heute im Vordergrund die Eigenschaften als alkylierende *Cytostatika. Von letzterem leitet sich auch Stickstofflostoxid ab, das ebenfalls cancerostat. wirkt. – ***E*** nitrogen lost, nitrogen mustard – ***F*** gaz moutarde azotée – ***I*** iprite azotico – ***S*** gas mostaza nitrogenado

Lit.: Kirk-Othmer (4.) **5**, 797 ff., 876–880 ▪ Klimmek et al., Chemische Gifte u. Kampfstoffe, S. 53–66, Stuttgart: Hippokrates 1983 ▪ Ullmann (5.) **A 5**, 10 f. – *[HS 2921 19, 2921 29]*

Stickstoffmagnesia s. Stickstoff-Dünger.

Stickstoffmonoxid s. Stickstoffoxide (c).

Stickstoffoxide. Bez. für die Oxide des Stickstoffs (Stickoxide), die man heute oft als NO_x zusammenfaßt u. pauschal als *Nitrose Gase* bezeichnet.
a) *Tetrastickstoffmonoxid*, N_4O, M_R 72,03. Das besser als Nitrosylazid zu bezeichnende N_4O. entsteht aus Nitrosylchlorid u. Natriumazid u. ist nur unterhalb des Schmp. von ca. −59 °C stabil (Zerfall in N_2O u. N_2).
b) *Distickstoffoxid* (*Lachgas), N_2O, M_R 44,01. Farbloses Gas, D. 1,997 g/L (0 °C, 101,3 kPa), Schmp. −90,8 °C, Sdp. −88,48 °C, krit. Temp. 36,5 °C, krit. Druck 7,26 MPa, krit. D. 0,457, lösl. in Schwefelsäure, Alkohol u. Ether; 1 L N_2O löst sich bei 20 °C u. Normaldruck in 1,5 L Wasser. Bei tiefen Temp. krist. das Hydrat $N_2O \cdot 5{,}75\ H_2O$ (*Clathrate). N_2O besitzt schwach süßlichen Geruch u. unterhält die Verbrennung. Eingeatmet kann N_2O krampfhafte Lachlust u. rauschartige Zustände hervorrufen, vgl. den histor. Namen Lachgas. Als Nebenprodukt entsteht N_2O bei der *Denitrifikation (bes. bei starker Stickstoff-*Düngung) u. z. T. auch bei der *Nitrifikation; N_2O nimmt so am Kreislauf des *Stickstoffs teil u. beeinflußt ggf. auch das atmosphär. *Ozon. Im Laboratorium[1] u. in der Technik wird N_2O aus Ammoniumnitrat (NH_4NO_3) hergestellt. Techn. N_2O ist in grauen Stahlflaschen mit Spezialanschluß für Innengewinde im Handel. Außer als *Inhalationsnarkotikum wird N_2O auch als Treibgas für *Sprays eingesetzt, z. B. im pharmazeut., kosmet. u. Lebensmittelsektor (z. B. für Schlagsahne), für

Möbelpolituren, Haushaltsstärken u. dgl., wobei Vorsichtsmaßnahmen nicht außer acht bleiben dürfen[2]. Mit der Eignung von N_2O als Extraktionsmittel beschäftigt sich *Lit.*[3].

c) *Stickstoffmonoxid*, NO, M_R 30,01. Farbloses, giftiges, nicht brennbares Gas, D. 1,3402 g/L (0 °C, 101,3 kPa), Schmp. –163,5 °C, Sdp. –151,77 °C, krit. Temp. –93 °C, krit. Druck 6,55 MPa, krit. D. 0,52, in Wasser nur wenig (73,4 mL/L bei 0 °C) löslich. NO wird von Luft sofort zu braunrotem Stickstoffdioxid u. durch Chromsäure, saure Permanganat-Lsg. od. Hypochlorige Säure zu Salpetersäure oxidiert; Kohle, Kohlenstoffdisulfid, Magnesium u. Phosphor brennen in NO (unter Spaltung der N,O-Bindung u. Verbrauch des Sauerstoffs) weiter. Mit wäss. Eisen(II)-sulfat-Lsg. bildet NO das tief dunkelbraune Pentaaqua(nitrosyl)eisen(II)-Kation $[Fe(H_2O)_5(NO)]^{2+}$ (Nachw. für *Salpetersäure u. Nitrate). NO entsteht als Zwischenprodukt bei der Herst. von Salpetersäure (durch Oxid. von NH_3) u. im Laboratorium durch Einwirkung von Cu auf mäßig konz. HNO_3 unter Luftabschluß[1]. NO steht im dynam. Gleichgew. mit seinem Dimeren: $2NO \rightleftharpoons N_2O_2$; bei tiefen Temp. liegt bevorzugt N_2O_2 vor. Dieses Mol. existiert als *cis*- u. als *trans*-Konformer, wobei die *cis*-Form stabiler ist.

Durch Untersuchungen an Blutgefäßen konnte R. F. Furchgott 1980 zeigen, daß über die Aktivierung von Acetylcholin-Rezeptoren der Endothelzellen ein sehr kleines Mol. in die benachbarte Muskelschicht diffundiert u. eine Relaxation auslöst (dafür zusammen mit L. Ignarro u. F. Murad Nobelpreis für Physiologie od. Medizin, 1998). Die nicht näher charakterisierte Substanz – als *Endothelium-derived Relaxing Factor* (EDRF) bezeichnet (s. *Lit.*[4]) – konnte später als NO identifiziert werden. Bei der enzymat. Reaktion von L-*Arginin mit Stickstoffmonoxid-Synthase (NOS, EC 1.14.13.39) werden NO u. L-*Citrullin gebildet.

L-Arginin → (O_2, NADPH → H_2O, $NADP^+$) → N^6-Hydroxy-L-arginin

→ (O_2, 0,5 NADPH → H_2O, 0,5 $NADP^+$) → L-Citrullin + N=O

Beim ersten Schritt, einer Zwei-Elektronen-Oxid., wird N^{ω}-Hydroxy-L-arginin gebildet, ein Enzym-gebundenes Zwischenprodukt. In der folgenden Drei-Elektronen-Oxid. werden daraus L-Citrullin u. NO gebildet. Die Stickstoffmonoxid-Synthasen (NO-Synthasen)[5] gehören zu einer Familie von Enzymen, die den Cytochrom P_{450}-Flavohäm-Reduktasen verwandt sind. Drei NOS-Isoformen sind zu unterscheiden: neuronal (nNOS = NOS I, M_R 160000, z. B. in Neuronen), induzierbar (iNOS = NOS II, M_R 130000, z. B. in Macrophagen), endothelial (eNOS = NOS III, M_R 133000, z. B. in Endothelzellen). Für die enzymat. Reaktion werden fünf Cofaktoren benötigt: *Flavin-Adenin-Dinucleotid (FAD), Flavinmononucleotid (FMN, s. Riboflavin-5′-phosphat), *Häm, Tetrahydrobiopterin (H_4B, s. Pteridine) u. *Calmodulin (CaM); Ca^{2+} ist essentiell für NOS I u. NOS III.

Neben der Regulation des Blutdrucks fungiert das diffusible NO im Gehirn u. peripheren autonomen Nervensyst. als ein *Neurotransmitter (*nitrerge Neurotransmission*), dessen Wirkungsradius nicht durch *Membranen, sondern durch die Halbwertszeit beschränkt ist. NO soll an synapt. Plastizität (s. Neurotransmitter) u. der Funktion des Gedächtnisses beteiligt sein[6]. Von *Makrophagen wird NO neben *Hyperoxid bei der Inaktivierung von Bakterien, Parasiten u. Tumorzellen abgegeben (hoher Ausstoß durch Induktion von iNOS)[7]. NO wirkt in höheren Konz. jedoch auch neuro- u. cytotox., wahrscheinlich durch Wirkung auf die *Mitochondrien. Neben vielen weiteren physiolog. u. patholog. Prozessen spielt NO auch bei Blutplättchenaggregation, Wundheilung, Peniserektion, *Apoptose, sept. Schock[8] sowie bei der Tumor-Progression u. Metastasierung[9] eine Rolle.

Therapeut. Interventionen sind derzeit hauptsächlich durch Substratinhibitoren möglich, z. B. N^{ω}-Methyl-L-arginin, L-ω-Thiocitrullin-Derivate. Die Gefäß-erweiternde Wirkung von *Glycerintrinitrat, *Nitroprussidnatrium u. *Isosorbid-5-mononitrat soll auf Freisetzung von NO beruhen. Als aktivierendes Agens bindet NO an das Eisen der Häm-Gruppe der cytoplasmat. Guanylat-Cyclase, welche aus GTP den intrazellulären Botenstoff (second messenger) cGMP bildet, dessen Abbau durch das Potenzmittel Viagra verzögert wird[10]. Zur Reaktion von NO mit *Hämoglobin s. *Lit.*[11]. Mit Hyperoxid bildet sich das hochreaktive u. tox. *Peroxonitrit*[12]:

$$NO^{\cdot} + O_2^{\cdot -} \rightarrow ONOO^-$$

Zu einer unterhaltsamen Novelle um die wissenschaftliche u. biotechnolog. Anw. von NO s. *Lit.*[13].

Verw.: Als paramagnet. u. radikal. wirkender *Radikal-Fänger, im Gemisch mit Chlor zur *Nitrosierung, im Gemisch mit NO_2 zur Gewinnung von Ammoniumnitrit u. bei der Herst. von *Schwefelsäure nach den Nitrose-Verfahren.

d) *Distickstofftrioxid* (Salpetrigsäureanhydrid), N_2O_3, M_R 76,02. Bei –21 °C tiefdunkelblaue Flüssigkeit, D. 1,447, erstarrt bei –100,7 °C zu einer blaßblauen Masse. N_2O_3 zerfällt oberhalb 0 °C allmählich zu Stickstoffmonoxid, Stickstoffdioxid u. Distickstofftetroxid. Der Siedevorgang beginnt bei –40 °C, wobei sich NO u. N_2O_3 im Dampf u. NO_2 u. N_2O_4 im Rückstand befinden. Durch diese Veränderung der Zusammensetzung steigt der Sdp. bis ca. +3 °C an; bei 25 °C sind unter atmosphär. Luftdruck nur noch 10% der Mol. in Form von unzersetztem N_2O_3 (nach *Lit.*[14] als $ON–NO_2$) vorhanden. Wegen dieses Zerfalls kann man von Distickstofftrioxid auch keinen Sdp. bestimmen.

e) *Stickstoffdioxid*, NO_2, M_R 46,01. Braunrotes, giftiges, eigenartig riechendes Gas, D. 1,4494 g/L, bei Normaldruck Schmp. –11,2 °C u. Sdp. 21,15 °C; krit. Temp. 158 °C, krit. Druck 10,1 MPa, krit. D. 0,56; MAK 9 mg/m³. Flüssiges NO_2 wird bei +15 °C gelblichrot, bei +10 °C gelb u. geht bei –9 °C in farblose Krist. über. Unter 0 °C dimerisieren alle NO_2-Mol. zu farblosen *Distickstofftetroxid*-Mol. (N_2O_4). Mit steigender Temp. zerfällt N_2O_4 wieder mehr u. mehr zu tiefrotbraun gefärbtem NO_2:

$$N_2O_4 \rightleftharpoons 2\,NO_2,$$

bei 64 °C etwa zur Hälfte, bei 150 °C zu 100%. Oberhalb 150 °C beginnt der Zerfall des NO_2 zu NO u. O_2, der bei 620 °C vollständig ist. Infolge der Bereitschaft zur Sauerstoff-Abgabe wirkt NO_2 als starkes Oxid.-Mittel: Man kann darin Kohle, Phosphor, Schwefel verbrennen, Kohlenoxid zu Kohlendioxid, Schwefelwasserstoff zu Schwefel u. Wasser oxidieren. Mit Schwefelkohlenstoff entstehen explosive Gemische, ebenso mit partiell halogenierten Kohlenwasserstoffen. NO u. NO_2 finden sich auch in erheblichen Mengen (125 – 250 ppm) im Zigarettenrauch. Aus NO_2 u. Wasser gewinnt man Salpetersäure:

$$3\,NO_2 + H_2O \rightarrow 2\,HNO_3 + NO.$$

Die großtechn. Gewinnung von NO_2 erfolgt nach dem von Wilhelm *Ostwald entwickelten Verf. der katalyt. Ammoniak-Verbrennung; Näheres s. bei Salpetersäure. Zur kontinuierlichen Bestimmung der NO_2-Konz. in chem. Anlagen s. *Lit.*[15]. Im Laboratorium kann man NO_2 durch Erwärmen von Bleinitrat erhalten [$Pb(NO_3)_2 \rightarrow PbO + 2\,NO_2 + O$, *Lit.*[1]], od. man löst Metalle (z. B. Eisen-Pulver, Zink, Kupfer) in Salpetersäure auf, wobei zunächst farbloses NO entsteht, das mit Luftsauerstoff zu tiefbraunem NO_2 reagiert.

Aufgrund seines hohen Sauerstoff-Gehaltes, der relativen Stabilität, des niedrigen Gefrierpunkts u. der starken Oxid.-Wirkung wird N_2O_4 als Oxid.-Mittel auch für andere Prozesse u. als Zusatz für *Raketentreibstoffe verwendet. Feinverteilte Metalle bilden mit flüssigem N_2O_4 manchmal Additionsverb., z. B. Kupfer, Nickel. Als Bleichmittel für Brotmehl ist NO_2/N_2O_4 in der BRD nicht zugelassen. Häufig findet es Verw. bei Nitrierungen als nichtwäss. Lsm., im Gemisch mit NO zur Salpetersäure- u. Ammoniumnitrit-Herst., im Gemisch mit Nitrobenzol früher als Explosivstoff (*Panclastit).

f) *Distickstoffpentoxid* (Salpetersäureanhydrid), N_2O_5, M_R 108,01. Farblose, an der Luft zerfließende, unbeständige, rhomb. Prismen, die in unberechenbarer Weise explodieren können, D. 1,642 (bei 18 °C), Schmp. (unter Druck) 41 °C, Subl. bei 32,4 °C, bei 47 °C Zersetzung. N_2O_5 vereinigt sich energ. mit Wasser unter Bildung von Salpetersäure. Kalium u. Natrium verbrennen unter lebhaften Feuererscheinungen in N_2O_5, dagegen werden die übrigen Metalle nur schwer angegriffen. Man erhält N_2O_5, wenn man 100%ige Salpetersäure mit Phosphorpentoxid behandelt, wobei durch Wasserentzug N_2O_5 entsteht[1]. Mit H_2O_2 bildet N_2O_5 Peroxosalpetersäure HNO_4.

g) *Stickstofftrioxid*, NO_3, M_R 62,01. Weiße, sehr unbeständige Verb., die vermutlich Struktur I aufweist, nur bei sehr tiefen Temp. (unter –142 °C) beständig ist u. von R. Schwarz durch Glimmentladungen aus einem Gemisch von Stickstoffdioxid u. überschüssigem Sauerstoff bei niedrigem Druck erhalten wurde.

Eine isomere Form des NO_3 entsteht als Zwischenprodukt bei der Oxid. von NO zu NO_2 mit O_2 (Struktur II). Die dimere Form des NO_3 ist das *Distickstoffhexoxid* (N_2O_6). Als weiteres Peroxid des Stickstoffs kennt man noch das gelbe, mit dem Distickstofftetroxid isomere *Dinitrosylperoxid* (ONO–ONO), das durch Einleiten von NO in flüssigen Sauerstoff erhalten wird.

h) Als *Nitrose Gase* bezeichnet man Gemische NO_x-haltiger, im wesentlichen aus $NO + NO_2$ ($\rightleftharpoons N_2O_3$) bestehender Gase, die z. B. als Zwischenprodukte bei der Herst. von *Schwefelsäure nach den Nitrose-Verf. (z. B. Bleikammerprozeß) u. bei der Produktion von Salpetersäure auftreten. Hauptquelle aber sind Abgase aus Verbrennungsprozessen; die *Emission der Nitrosen Gase trägt erheblich zur *Luftverunreinigung bei, vielfach zusammen mit *Schwefeldioxid. In der BRD stammen etwa 50% der Gesamtemission von NO_x aus Autoabgasen u. Abgasen anderer Verkehrsteilnehmer (Flugzeuge), 30% aus Rauchgasen von Kohle-, Öl- u. Erdgas-Kraftwerken, 15% aus der Ind. u. 5% aus Haushalten usw. Nitrose Gase sind Begleiterscheinungen bei Sprengungen (Sprengschwaden), beim Schweißen, Metallbeizen, in Lichtbogenschmelzöfen u. bei der Glasbearbeitung in Glasbläsereien.

Längerdauernde Einwirkung von 1 ppm NO_2 auf Atemwege u. Schleimhäute führt zu Störungen der Lungenfunktion. Diese machen sich durch erhöhten Atemwegswiderstand u. verminderte Lungendehnbarkeit bemerkbar. Bei akuten Vergiftungen beobachtet man drei Phasen (bei bes. schweren Vergiftungen entfällt Phase 2): 1. Leichte Irritation der Atemwege, Bindehaut- u. Schleimhautreizung; – 2. Symptom-freies Intervall von mehreren Stunden; – 3. Lebensgefährliches Lungenödem; im Überlebensfall entwickelt sich meist eine Fibrosierung der terminalen Bronchiolen, oft einhergehend mit fatalem Lungenversagen. Da die Intensität der Symptome in der ersten Phase keinen direkten Zusammenhang mit der Schwere der darauffolgenden Schädigung der Lunge erkennen läßt, sind Stickoxide NO_x als bes. heimtück. Giftstoffe anzusehen[16]. Die früher geäußerten carcinogenen Eigenschaften haben sich nicht bestätigt. Die anthropogene Emission von NO_x liegt heute in vergleichbarer Größenordnung mit den natürlichen Mengen. In der Natur entsteht NO_x aus durch Bodenbakterien produziertem N_2O (Denitrifikation), insbes. beträgt die N_2O-Produktion trop. Regenböden etwa das 10fache normaler Böden[17]. Die troposphär. Chemie des NO_x ist wesentlich komplexer als die des Schwefeldioxids; im photochem. Oxid.-Cyclus bildet sich unter Mitwirkung von OH-Radikalen schließlich Salpetersäure[18]. Daneben trägt NO_x auch in komplizierter Weise zur Entstehung des *photochem.* **Smogs* bei; die Hauptreaktion ist die *Photolyse von NO_2, bei der die radikal. NO- u. O-

Atome entstehen. Stickstoffmonoxid wiederum reagiert mit Ozon zu NO_2 u. O_2. In die Ozonosphäre gelangendes NO_x (z.B. von hoch fliegenden Düsenflugzeugen) kann die als UV-Filter wirkende Ozon-Schicht zerstören; Näheres zu diesem Problemkreis einschließlich der Entstehung von *Peroxyacetylnitrat u.a. *Photooxidantien s. bei Saurer Regen u. Ozon. Die Reaktion $O_3 + NO \rightarrow NO_2 + O_2$ läßt sich aufgrund der dabei auftretenden Chemilumineszenz zum Nachw. der einzelnen Spezies verwerten. Weitere Nachw.- u. Bestimmungs-Meth. bedienen sich Prüfröhrchen, mit denen sich NO_x im Bereich 0,5–5000 ppm mit *N,N'*-Diphenylbenzidin durch eine Blaufärbung bzw. mit *o*-Dianisidin durch eine Rotfärbung nachweisen läßt. Kolorimetrie, Coulometrie, IR- u. Mikrowellenspektroskopie werden auch eingesetzt. Zu Maßnahmen zur Verringerung der Luftverunreinigung durch NO_x in Rauch- u.a. Verbrennungsgasen, s. Entstickung u. Dreiwege-Katalysator. – ***E*** nitrogen oxides – ***F*** oxydes de l'azote – ***I*** ossidi di azoto – ***S*** óxidos de nitrógeno

Lit.: [1]Brauer (3.) **1**, 468–474. [2]Aerosol Rep. **16**, 318ff. (1977). [3]Angew. Chem. **90**, 778–785 (1978). [4]Biol. Unserer Zeit **24**, 62 (1994); Chem. Unserer Zeit **30**, 154 (1996); Pharm. Unserer Zeit **27**, 52–57 (1998). [5]FASEB J. **12**, 773–790 (1998); Maines, Nitric Oxide Synthase. Characterization and Functional Analysis, San Diego: Academic Press 1996; Science **279**, 2121–2126 (1998). [6]Trends Neurosci **20**, 298–303 (1997). [7]Annu. Rev. Immunol. **15**, 323–350 (1997). [8]Gen. Pharmacol. **29**, 159–166 (1997); Inflamm. Res. **47**, 152–166 (1998). [9]Cancer Metast. Rev. **17**, 55–118 (1998). [10]Trends Pharmacol. Sci. **18**, 239–244 (1997). [11]Nature (London) **391**, 169–173 (1998). [12]Gen. Pharmacol. **31**, 179–186 (1998); Life Sci. **60**, 1833–1845 (1997). [13]Djerassi, NO, Zürich: Haffmans 1998. [14]Klapötke u. Tornieporth-Oetting, Nichtmetallchemie, S. 287ff., Weinheim: VCH Verlagsges. 1994. [15]Chem. Tech. (Leipzig) **29**, 99ff. (1977). [16]Marquardt u. Schäfer, Lehrbuch der Toxikologie, S. 566ff., Mannheim: BI Wissenschaftlicher Verl. 1994. [17]Chem. Eng. News **61**, Nr. 47, 5 (1983). [18]Angew. Chem. **108**, 1878ff. (1996).
allg.: Biospektrum **4**, Nr. 2, 27–32 (1998) ▪ Braun-Dönhardt, S. 352f. ▪ Encycl. Gaz, S. 1011–1017, 1053–1072 ▪ Feelisch u. Stamler, Methods in Nitric Oxide Research, Chichester: Wiley 1996 ▪ Feelisch u. Stammler (Hrsg.), Methods in Nitric Oxide Research, Chichester: Wiley 1995 ▪ Gmelin, Syst.-Nr. 4, N, 1936, S. 600–837 ▪ Henry et al., Nitric Oxide Research from Chemistry to Biology. EPR Spectroscopy of Nitrosylated Compounds, Berlin: Springer 1996 ▪ Hommel, Nr. 150, 600, 979, 1122 ▪ Houben-Weyl **4/1a**, 752ff. ▪ Ignarro u. Murad (Hrsg.), Nitric Oxid – Biochemistry, Molecular Biology and Therapeutic Implications, San Diego: Academic Press 1995 ▪ Kirk-Othmer (4.) **1**, 711ff.; **9**, 982ff. ▪ Lancaster Jr., Nitric Oxide. Principles and Actions, San Diego: Academic Press 1996 ▪ Lee, Nitrogen Oxides and their Effects on Health, Ann Arbor: Ann Arbor Sci. Publ. 1980 ▪ Legge (Hrsg.), Acidic Deposition: Sulfur and Nitrogen Oxides, Chelsea: Lewis 1989 ▪ Merkblatt: Gefahren durch Nitrose Gase... (ZH 1/226a), Düsseldorf: AG Eisen- u. Metall-BG 1968 ▪ Merkblatt: Salpetersäure, Stickstoffoxide (ZH 1/214), Heidelberg: BG Chem. Ind. 1987 ▪ Moncada et al., The Biology of Nitric Oxide (4 Bd.), Colchester: Portland Press 1992–1195 ▪ Nature (London) **394**, 525f., 585–588 (1998) ▪ Trends Biochem. Sci. **22**, 477–481 (1997) ▪ Uehara u. Sasada, High Resolution Spectral Atlas of Nitrogen Dioxide 559–597 nm, Berlin: Springer 1985 ▪ Ullmann (5.) **A 17**, 332–336 ▪ Winnacker-Küchler (4.) **2**, 58ff., 148–172, 184f. – *[HS 2811 29; CAS 10024-97-2 (b); 10102-43-9 (c); 10544-73-7 (d); 10102-44-0 (e); 10102-03-1 (f); G 2]*

Stickstoffoxidhalogenide s. Stickstoffhalogenide.

Stickstoffpentoxid s. Stickstoffoxide.

Stickstoff-Phosphat s. Stickstoff-Dünger.

Stickstoff-Quelle (N-Quelle). In Organismen steht *Stickstoff mit *Wasserstoff nach den Elementen *Kohlenstoff u. *Sauerstoff bezüglich der Massenanteile an organ. Verb. an dritter Stelle. Die Vermehrung von *Zellen (Organismen) erfordert daher die Aufnahme von Stickstoff-haltigen Verb. aus Stickstoff-Quellen. Der Begriff S.-Q. findet sich bei Kultivierungen von Zellen, bes. *Mikroorganismen. Zahlreiche Mikroorganismen können als S.-Q. Ammonium- u. Nitrat-Ionen verwenden, anspruchsvollere benötigen organ. N-Verb. wie z.B. *Aminosäuren. Einige Mikroorganismen sind sogar in der Lage, Stickstoff direkt aus der Luft zu assimilieren (*Stickstoff-Fixierung). In biotechnolog. Verf. muß eine dem Organismus angepaßte u. ausreichende, dabei jedoch möglichst kostengünstige S.-Q. eingesetzt werden. *Beisp.:* Ammonium-Salze, Harnstoff, Nitrate, Maisquellwasser, *Hefeextrakt, Sojamehl, *Fischmehl u. Protein-Hydrolysate. – ***E*** nitrogen source – ***F*** source d'azote – ***I*** fonte di azoto – ***S*** fuente de nitrógeno

Lit.: Präve et al. (4.) ▪ Schlegel (7.).

Stickstofftrihalogenide s. Stickstoffhalogenide.

Stickstofftrioxid s. Stickstoffoxide.

Stickstoff-Versorgung. Die Versorgung eines Organismus mit dem Element Stickstoff über eine geeignete *Stickstoff-Quelle.

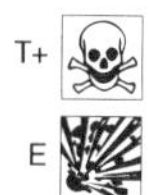

Stickstoffwasserstoffsäure (Azoimid, Hydrogenazid). HN_3, M_R 43,028. Farblose, bewegliche, schleimhautreizende Flüssigkeit von unerträglichem Geruch, D. 1,126 (0 °C), Schmp. –80 °C, Sdp. 35,7 °C, äußerst explosiv unter spontanem Zerfall zu Stickstoff. HN_3 ist unbegrenzt lösl. in Wasser, lösl. auch in Alkohol u. Ether. Die S. ist eine einwertige schwache Säure; ihre Salze sind die – teilw. als *Initialsprengstoffe brauchbaren – *Azide. Die Herst. von HN_3 erfolgt durch Einwirkung von Schwefelsäure auf *Natriumazid. – ***E*** hydrogen azide, hydrazoic acid – ***F*** azide d'hydrogène, acide hydrazoïque, acide azothydrique – ***I*** acido azotidrico, azoimmide – ***S*** ácido hidrazoico, azida de hidrógeno

Lit.: Brauer (3.) **1**, 455–459 ▪ Klapötke u. Tornieporth-Oetting, Nichtmetallchemie, S. 264–269, Weinheim: VCH Verlagsges. 1994 ▪ Pure Appl. Chem. **54**, 2545–2552 (1982) ▪ s.a. (einzelne) Azide. – *[HS 2811.29; CAS 7782-79-8; G 8]*

Stickstoffwerke AG. Kurzbez. für die Stickstoffwerke AG Wittenberg-Piesteritz, 06869 Griebo. *Produktion:* Düngemittel, Salpetersäure, Ammoniak, Phosphorsäure, Phosphate/phosphorsaure Salze, Natriumhypophosphit, Ruß, Preßmassen, Karbid, chem.-techn. Erzeugnisse.

Stickstoffylide s. Ylide.

Sticky ends. Engl. Bez. für *kohäsive Enden.

Stiemycine® (Rp). Lsg. mit *Erythromycin gegen Akne. ***B.:*** Stiefel.

Stifterverband für die Deutsche Wissenschaft. Der erstmals 1920 u. erneut 1949 gegr. Verband mit Sitz in 45239 Essen, Barkhovenallee 1, ist eine Gemeinschaftsaktion der Wirtschaft zur Förderung von Wis-

senschaft u. Technik in Forschung u. Lehre sowie des wissenschaftlich-techn. Nachwuchses, der die Öffentlichkeit zur Förderung von Wissenschaft u. Technik anregen soll. Er verwaltet treuhänder. 253 (1997) Stiftungen mit wissenschaftlicher Zielsetzung, die ein Treuhandvermögen von 1,465 Mrd. DM darstellen. Seine Aufgabe erfüllt der Verband, der 4000 Mitglieder-Unternehmen, Verbände, Einzelpersonen hat, in Zusammenarbeit mit wissenschaftlichen Selbstverwaltungsorganisationen wie *DAAD, *DFG u. *MPG. *Publikationen:* Wirtschaft & Wissenschaft; Schriftenreihe zum Stiftungswesen; Materialien zur Wissenschaftsstatistik.
INTERNET-Adresse: http://www.stifterverband.de
Lit.: Bericht Stifterverband 1997, Essen: Stifterverband für die Deutsche Wissenschaft 1997 ▪ Schulze, Der Stifterverband für die deutsche Wissenschaft 1920–1995, Berlin: Akademie Verl. 1995.

Stiftmühlen. Prallmühlen (s. a. Mühlen) zur Feinzerkleinerung weicher u. mittelharter Stoffe; hierbei prallen die Mahlgutteilchen mit hoher Geschw. auf Stifte u. werden dadurch zerkleinert. Da die S. ohne Sieb (z. B. mit Windsichtern gekoppelt) arbeiten, sind sie bes. für zum Schmieren u. Kleben neigende Materialien geeignet. – ***E*** peg mills – ***F*** broyeurs Carr – ***I*** frantumatrice a urto – ***S*** molinos de cruceta (púas)
Lit.: ACHEMA-Jahrb. **1988**, 2299.07 ▪ s. Mühlen u. Zerkleinern.

Stiftung. Übereignung einer Vermögensmasse für einen bestimmten Zweck durch den Willen des Stifters u. die damit verbundene Einrichtung. Auch im Bereich der Chemie haben sich S. die Vergabe von Auszeichnungen u. a. Förderungsmaßnahmen zur Aufgabe gemacht. Manche S. werden treuhänder. vom *Stifterverband für die Deutsche Wissenschaft verwaltet. – ***E*** foundations – ***F*** fondations – ***I*** fondazioni – ***S*** fundaciones
Lit.: Verzeichnis der Deutschen Stiftungen, Darmstadt: Hoppenstedt 1997.

Stigmasterin [(22*E*,24*S*)-24-Ethylcholesta-5,22-dien-3β-ol, 5,22-Stigma-5,22-stadien-3β-ol].

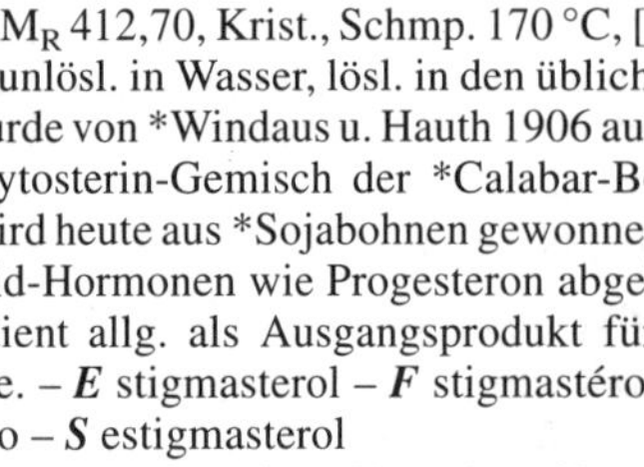

$C_{29}H_{48}O$, M_R 412,70, Krist., Schmp. 170 °C, $[\alpha]_D^{22}$ –57° ($CHCl_3$), unlösl. in Wasser, lösl. in den üblichen organ. Lsm., wurde von *Windaus u. Hauth 1906 aus dem öligen *Phytosterin-Gemisch der *Calabar-Bohne isoliert u. wird heute aus *Sojabohnen gewonnen. S. kann zu Steroid-Hormonen wie Progesteron abgebaut werden u. dient allg. als Ausgangsprodukt für synthet. *Steroide. – ***E*** stigmasterol – ***F*** stigmastérol – ***I*** stigmasterolo – ***S*** estigmasterol
Lit.: Beilstein E IV **6**, 4170 ▪ J. Chem. Soc., Chem. Commun. **1988**, 1375 (Biosynth.) ▪ J. Chem. Soc., Perkin Trans. 1 **1991**, 964 (Biosynth.) ▪ J. Nat. Prod. **53**, 1430–1435 (1990) ▪ J. Org. Chem. **61**, 4252 (1996) (Synth.) ▪ Karrer, Nr. 2077 ▪ Merck-Index (12.), Nr. 8969 ▪ Phytochemistry **31**, 4038 (1992); **41**, 1197 (1996). – *[HS 2906 13; CAS 83-48-7]*

Stilb (Kurzz.: sb). Alte Einheit der Leuchtdichte, 1975 durch *Candela pro Fläche ersetzt: 1 sb = 1 cd/cm^2 = 10 000 cd/m^2.

Stilben (1,2-Diphenylethylen, 1,2-Diphenylethen).

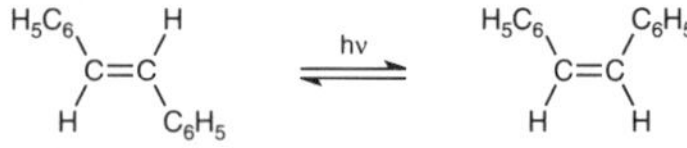

trans-S. ⇌ (hν) cis-S.

$C_{14}H_{12}$, M_R 180,24. S. kommt in 2 stereoisomeren Formen vor (**cis-trans*-Isomerie). *trans*-S.: Farblose, glänzende Krist., D. 0,971, Schmp. 124–126 °C, Sdp. 306–307 °C, mit Wasserdampf flüchtig, unlösl. in Wasser, schwer lösl. in Alkohol, leicht in Benzol, Ether, wird für Szintillationszwecke verwendet. *trans*-S. kann durch Umsetzung von Benzaldehyd mit Benzylmagnesiumchlorid nach Grignard hergestellt werden.
cis-S.: Farbloses Öl von blütenähnlichem Geruch, D. 1,020, Schmp. +1 °C, Sdp. 135 °C (13 hPa), leicht lösl. in abs. Ethanol, kann durch Decarboxylierung der 1-Phenylzimtsäure erhalten werden. Die auch durch katalysierte Oxid. von Toluol zugänglichen S. lassen sich photochem. ineinander umwandeln; in Ggw. von Oxid.-Mitteln wie Sauersoff dehydrocyclisiert jedoch photochem. angeregtes *cis*-S. zu *Phenanthren. S.-Derivate sind Ausgangsprodukte für eine Reihe von Farbstoffen (Stilben-Farbstoffe), opt. Aufhellern, flüssigen Krist., Fungistatika u. synthet. Estrogenen (Stilböstrol = *Diethylstilbestrol), die mehrere Hydroxy-Gruppen enthalten. Das S.-Derivat Rhaponticin ist ein Phytoestrogen aus *Rhabarber, das S.-3,5-Diol *Pinosylvin wirkt als Gerbstoff. Name von griech.: stilbein = glänzen, nach dem perlmutterglänzenden Mineral Stilbit 1845 von Laurent geprägt. – ***E*** = ***I*** stilbene – ***F*** stilbène – ***S*** estilbeno
Lit.: Beilstein E IV **5**, 2155 ▪ Merck-Index (12.), Nr. 8972 ▪ Synthesis **1983**, 341–368 ▪ Ullmann (4.) **17**, 461; (5.) **A 9**, 94, 536. – *[HS 2902 90; CAS 588-59-0 (S.); 645-49-8 (cis-S.); 103-30-0 (trans-S.)]*

3,5-Stilbendiol s. Pinosylvin.

Stilbit (Desmin, Strahlzeolith). $NaCa_2[Al_5Si_{13}O_{36}] \cdot 14\,H_2O$ (Formel s. Deer et al., *Lit.*); monokliner, techn. relativ unbedeutender *Zeolith, Kristallklasse 2/m-C_{2h}. Die aus Sechserringen aus $[(Si,Al)O_4]$-Tetraedern aufgebaute Struktur[1–3] enthält monokline u. rhomb. Sektoren[3]. Formenarme Einzelkrist., pseudorhomb. *Zwillinge, aufgeblätterte („*Blätterzeolith*"; auch bei *Heulandit), büschelartige od. charakterist. garbenartige Krist.-Aggregate, auch kugelige Formen. S. ist weiß, gelblich, grau, hellbraun, rosa od. ziegelrot durchsichtig bis durchscheinend mit Glas- u. Seidenglanz; auf den Spaltflächen Perlmutt-Glanz. H. 3,5–4, D. 2,1–2,2; S. wird von heißer Salzsäure zersetzt.
Vork.: In Blasenräumen von *Basalten, z. B. in Island, Schottland u. Indien; in Erzgängen, z. B. St. Andreasberg/Harz; auf Klüften in *metamorphen Gesteinen, z. B. in den Alpen. – ***E*** = ***F*** = ***I*** stilbite – ***S*** estilbita
Lit.: [1]Zeolites **7**, 163–170 (1987). [2]Am. Mineral. **70**, 814–821 (1985). [3]Eur. J. Mineral. **5**, 839–843 (1993).

allg.: Anthony et al., Handbook of Mineralogy, Vol. II, Tl. 2, S. 754, Tucson (Arizona): Mineral Data Publishing 1995 ▪ Deer et al., S. 520–529 ▪ Gottardi-Galli, Natural Zeolites, S. 284–300, Berlin: Springer 1985 ▪ Lapis **9**, Nr. 5, 5 ff. (1984) („Steckbrief") ▪ Ramdohr-Strunz, S. 793 f. ▪ s. a. Zeolithe. – *[CAS 67338-75-4]*

Stilböstrol s. Diethylstilbestrol.

Stillacor® (Rp). Tabl. mit β-*Acetyldigoxin gegen Herzinsuffizienzen. ***B.:*** Wolff.

Stille Entladung s. Gasentladung.

Stille Mutation s. silent mutation.

Stille-Reaktion. Bez. für die direkte Kupp(e)lung einer *Zinn-organischen Verbindung mit Aryl- od. Vinyl-triflaten (s. Trifluormethansulfonsäure) od. -halogeniden unter Palladium-Katalyse. Die S.-R. stellt eine der effektivsten *Metall-organischen Reaktionen dar (Näheres s. Heck-Reaktion).

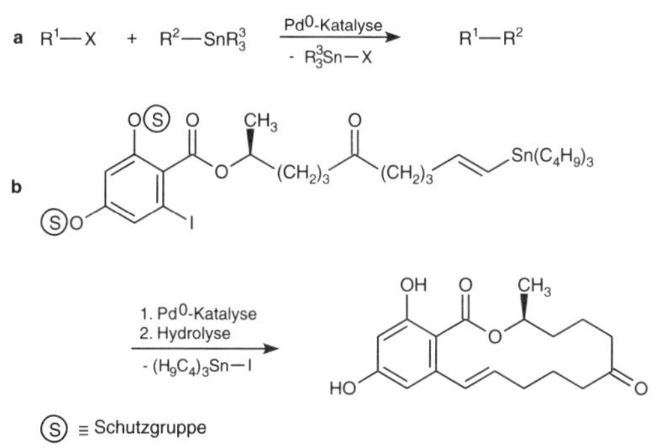

a $R^1—X + R^2—SnR^3_3 \xrightarrow[- R^3_3Sn—X]{Pd^0\text{-Katalyse}} R^1—R^2$

b 1. Pd^0-Katalyse 2. Hydrolyse $- (H_9C_4)_3Sn—I$

Ⓢ ≡ Schutzgruppe

Abb.: a) Stille-Kupp(e)lung (schemat.), b) Synth. von *Zearalenon durch intramol. Stille-Reaktion.

– ***E*** Stille reaction – ***F*** réaction de Stille – ***I*** reazione di Stille – ***S*** reación de Stille

Lit.: Hassner-Stumer, S. 367 ▪ Org. React. **50**, 1 ff. (1997) ▪ s. a. Heck-Reaktion u. Metall-organische Reaktionen.

Stillstandkorrosion s. Korrosion.

Stilnox® (Rp). Filmtabl. mit dem Hypnotikum u. Sedativum *Zolpidem-tartrat. ***B.:*** Synthelabo.

Stilpnomelan. Zu den Phyllo-*Silicaten gehörende Mineralien mit einer vereinfachten Formel (*Lit.*[1]) $(K,Na,Ca)_{0,6}(Mg,Fe^{2+},Fe^{3+})_6[Si_8Al(O,OH)_{27}] \cdot 2–4\,H_2O$; bei *Ferro-S.* ist Fe^{2+} vorherrschend, bei *Ferri-S.* Fe^{3+}, *Lennilenapeit* ist das Mg-Endglied, *Franklinphilit*[2] das Mn-Endglied. Sog. „modulierte Struktur" mit gewellten Oktaeder-Schichten u. „Inseln" aus 7 Tetraeder-Ringen, s. *Lit.*[3]. Zur *Polytypie von S. s. *Lit.*[4]. S. krist. triklin, Kristallklasse 1-C_i. Kleine pseudohexagonale, vollkommen spaltbare Krist.; blättrige, stengelige od. faserige Aggregate; auch dichte Massen. H. 3–4, D. 2,6–2,9, Glasglanz, Farbe schwarz bis grünlichschwarz od. braun, mit steigendem Magnesium-Gehalt olivgrün bis blaßgrün.

Vork.: U.a. in *Grünschiefern, z.B. Schwarzenbach bei Hof/Bayern, Neuseeland, Kalifornien, u. in präkambr. *gebänderten Eisensteinen, z.B. in Australien u. am Oberen See/USA. – ***E*** stilpnomelane – ***F*** stilpnomélane – ***I*** stilpnomelano – ***S*** estilpnomelana

Lit.: [1]Mineral. Mag. **42**, 361–368 (1978). [2]Mineral. Rec. **23**, 465–468 (1992). [3]Am. Mineral. **72**, 724–738 (1987); **79**, 438–442 (1994). [4]Acta Crystallogr., Sect. A **33**, 548–553 (1977).

allg.: Anthony et al., Handbook of Mineralogy, Vol. II, Tl. 2, S. 756, Tucson (Arizona): Mineral Data Publishing 1995 ▪ Bailey (Hrsg.), Hydrous Phyllosilicates (Reviews in Mineralogy, Vol. 19), S. 698–701, Washington (D. C.): Mineralogical Society of America 1988 ▪ Deer et al., S. 318–321. – *[CAS 12174-61-7]*

Stimulantien. Von latein.: stimulare = anspornen, beunruhigen abgeleitete Bez. für Stoffe zur Steigerung der Aktivität. Meist sind Psycho-S. gemeint, die gegen Müdigkeit u. Abgespanntheit helfen sollen, z. B. *Coffein. Die stärker wirksamen *Amphetamin-Derivate führen rasch zur Sucht. *Analeptika sind atmungs- u. kreislaufstimulierend. *Aphrodisiaka sind Sexualstimulantien. – In der Parfümerie wird die Bez. S. für eine Gruppe von *Fixateuren verwendet. – ***E*** = ***F*** stimulants – ***I*** stimolanti, tonificanti – ***S*** estimulantes

Stimulierte Emission s. Laser u. Maser.

Stimulus-response coupling s. Signaltransduktion.

Stimulus-secretion coupling s. Signaltransduktion.

Stinkasant s. Asa foetida.

Stinkbomben. Bez. für zerbrechliche Glasampullen mit unangenehm riechenden Inhaltsstoffen; die Verw. von Ammonium(hydrogen- od. -poly)sulfiden ist durch die Bedarfsgegenstände-VO vom 10.4.1992 (BGBl. I, S. 866) verboten. – ***E*** stink-bombs – ***F*** boules puantes – ***I*** bombe puzzolenti – ***S*** bombas fétidas

Stinkfluß s. Stinksteine.

Stinkspat s. Fluorit u. Stinksteine.

Stinksteine (Stinkkalk, -gips, -quarz, -schiefer usw.). Durch Bitumen verunreinigte Mineralien u. Gesteine, die deshalb beim Reiben od. Anschlagen unangenehm riechen. *Stinkspat* od. Stinkfluß ist ein violetter *Fluorit aus Wölsendorf/Bayern, der beim Anschlagen nach Fluor riecht. – ***E*** stink stones – ***F*** pierres fétides – ***I*** rocce maleodoranti – ***S*** piedras fétidas

Lit.: Lüschen, Die Namen der Steine (2.), S. 328, Thun: Ott 1979.

Stinkstoffe. Sammelbez. für *Riechstoffe (s. a. Geruch) mit *kakosmophoren* Gruppen, z.B. Amin- u. Schwefel-Derivate. Da S. Ursache erheblicher *Geruchsbelästigungen u. damit *Luftverunreinigungen sein können, ist im Sinne eines wirksamen *Immissionsschutzes* eine möglichst objektive *Olfaktometrie* bzw. *olfaktorische Analyse* (s. Olfaktion) notwendig.

Die S. können nützlich sein zur *Gasodorierung u. zur *Lecksuche. In der Tierwelt dienen sie als *Kampfstoffe u. *Repellentien (z.B. beim *Stinktier). – ***E*** malodorous compounds – ***F*** substances fétides – ***I*** sostanze puzzolenti, composti maleodoranti – ***S*** substancias fétidas

Lit.: s. Olfaktion u. Riechstoffe.

Stinktier. In Nordamerika heim., auffällig schwarz u. weiß gezeichneter Marder (s. Musteliden) mit buschigem Schwanz, dessen Fell zu Rauchwaren verarbeitet wird. Angreifender Feinde erwehrt sich das S. durch Verspritzen eines sehr übel riechenden Repellents aus den Analdrüsen, das v. a. *trans*-2-Buten-1-thiol, 3-Me-

thyl-1-butanthiol u. ein Disulfid enthält. – *E* skunk – *F* moufette – *I* moffetta – *S* mofeta, chinga
Lit.: s. Musteliden.

Stinkwacholder s. Sadebaumöl.

Stinnes. Kurzbez. für die Stinnes AG, 45472 Mülheim, die aus einer 1808 gegr. Handelsfirma hervorgegangen ist. *Daten* (1995): ca. 33000 Beschäftigte, 22,0 Mrd. DM Umsatz. Das zu 100% im Besitz der VEBA befindliche Unternehmen befaßt sich mit Handel u. Verkehr. Über die *Brenntag (100%ige Tochterges.) betreibt S. in Europa u. in den USA die Distribution von Chemikalien.

STIRAP (Abk. für *E sti*mulated *R*aman scattering involving *a*diabatic *p*assage). Meth. zum gezielten Bevölkern angeregter Schwingungsniveaus in Mol., s. SEP.

Stirlingscher Kreisprozeß. Reversibler thermodynam. Kreisprozeß, der aus zwei isothermen (d.h. die Temp. T_1 u. T_2 sind konstant) u. zwei isochoren (d.h. die Vol. V_1 u. V_2 sind konstant) Zustandsänderungen eines Gases besteht. Der Wirkungsgrad η für die Umsetzung von Wärmeenergie in mechan. Arbeit ist im Idealfall gleich dem des hypothet. *Carnotschen Kreisprozesses:

$$\eta = \frac{T_1 - T_2}{T_1}$$

Bei dem 1816 von R. Stirling (1790–1878) erfundenen Heißluftmotor wird der Kreisprozeß wie in der Abb. dargestellt, durchlaufen.

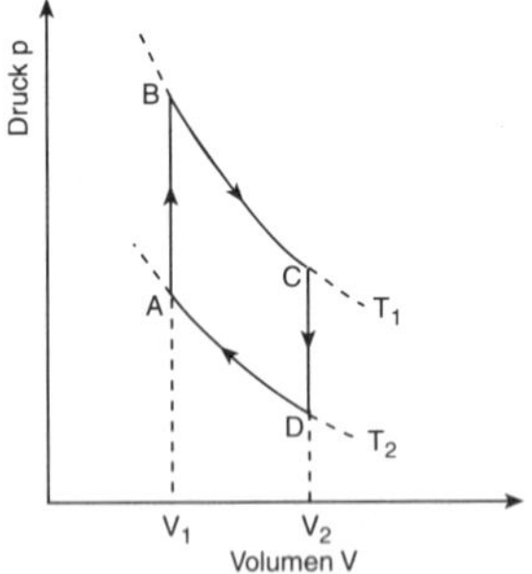

Abb.: Der Stirlingsche Kreisprozeß als Heißluftmotor (in umgekehrter Richtung als Kältemaschine).

Heißluftmotoren sind sehr laufruhig; da die Wärmezufuhr kontinuierlich erfolgt, kann eine Verbrennung von Öl od. Gas gleichmäßig u. mit gut kontrollierter Schadstoffemission erfolgen (verglichen mit der explosionsartigen Verbrennung im Otto-Motor). Heißluftmotoren haben aber den Nachteil, daß ihre Drehzahl u. ihre Leistungsabgabe nur langsam verändert werden können. Von großer techn. Bedeutung ist der S. K. zur Erzeugung tiefer Temp., wobei der Durchlauf dann in umgekehrter Richtung erfolgt. – *E* Stirling's circle – *F* cycle de Stirling – *I* ciclo di Stirling – *S* ciclo de Stirling
Lit.: Collie, Stirling Engine, Design and Feasibility for Automotive Use, Park Ridge (New Jersey): Noyes Data Corp. 1979 ▪ Hering, Martin u. Stohrer, Physik für Ingenieure (4.), Düsseldorf: VDI 1992 ▪ Künzel, Stirlingmotor der Zukunft, Düsseldorf: VDI 1986.

Stishovit. Tetragonale, von Stishov (Name!) u. Popova[1] bei Temp. von 1200–1400 °C u. 16 GPa Druck aus *Quarz synthetisierte Höchstdruck-Modif. von SiO_2 mit *Rutil-Struktur; Si ist oktaedr. von 6 Sauerstoff-Atomen umgeben. Aggregate submikroskop. kleiner farbloser Krist., D. 4,35.
Wegen der einfachen Struktur u. der möglichen Existenz von Phasen mit $[SiO_6]$-Oktaedern im unteren Erdmantel (*Erde) zahlreiche Untersuchungen zu den Eigenschaften von S., z. B.: *Lit.*[2,3] (Struktur), *Lit.*[4,5] (Kristallchemie), *Lit.*[6,7] (H bzw. H u. Al in S.), *Lit.*[8] (Elastizitätskonstanten), *Lit.*[9] (Gitterdynamik, dielektr. Eigenschaften), *Lit.*[10,11] (thermodynam. Eigenschaften), *Lit.*[12,13] (mit *IR-Spektroskopie) u. *Lit.*[14] (mit *Raman-Spektroskopie; Phasenübergänge). Zur Phasenumwandlung *Coesit-S. s. *Lit.*[15,16]. Bei hohen Temp. wandelt sich S. in eine amorphe Phase um[17]; bei Drucken von >40 GPa entsteht aus S. eine Phase *S.-II*, wahrscheinlich mit $CaCl_2$-Struktur[18].
Vork.: In *Meteoriten-Kratern, z.B. Nördlinger Ries/Bayern, Meteor Crater/Arizona, Vredefort-Krater/Südafrika. In Gesteinen an der Kreide/Tertiär-Grenze (*Erdzeitalter) in Raton/New Mexico/USA[19]. – *E*=*F*=*I* stishovite – *S* stishovita
Lit.: [1] Geochemistry (USSR) **1961**, Nr. 10, 923–926. [2] Nature (London) **272**, 714f. (1978). [3] Phys. Chem. Miner. **14**, 139–150 (1987). [4] J. Solid State Chem. **47**, 185–200 (1983). [5] Am. Mineral. **75**, 739–747 (1990). [6] Science **261**, 1024f. (1993). [7] Am. Mineral. **80**, 454ff. (1995). [8] J. Geophys. Res. **87**, 22157–22170 (1982). [9] Phys. Rev. Lett. **72**, 1686–1689 (1994). [10] Phys. Chem. Miner. **22**, 233–240 (1995). [11] J. Geophys. Res. **100**, 22337–22347 (1995). [12] Am. Mineral. **75**, 951–955 (1990). [13] J. Geophys. Res. **98**, 22157–22170 (1993). [14] Phys. Chem. Miner. **23**, 263–275 (1996); **24**, 396–402 (1997). [15] Geophys. Res. Lett. **22**, 441–444 (1995). [16] Phys. Chem. Miner. **23**, 1–10, 11–16 (1996). [17] Phys. Rev. B **50**, 12984ff. (1994). [18] Nature (London) **347**, 243ff. (1995). [19] Science **243**, 1182ff. (1989).
allg.: Anthony et al., Handbook of Mineralogy, Vol. II, Tl. 2, S. 757, Tucson (Arizona): Mineral Data Publishing 1995 ▪ Heaney, Prewitt u. Gibbs (Hrsg.), Silica (Reviews in Mineralogy, Vol. 29), S. 41–71, 418f., Washington (D. C.): Mineralogical Society of America 1994 ▪ Naturwissenschaften **56**, 100–109 (1969). – *[CAS 13778-37-5]*

STN International. STN ist die Abk. für Scientific & Technical Information Network. Hierbei handelt es sich um einen Rechnerverbund, der vom *Fachinformationszentrum (FIZ) Karlsruhe, der American Chemical Society u. dem Japan Information Center of Science and Technology (JICST) gemeinsam betrieben wird. Service-Zentren in Karlsruhe, Columbus (USA) u. Tokio (Japan) sind über Satellit u. Seekabel miteinander verbunden. STN I. stellt ein weltweit verknüpftes Informationsnetz mit aktuellen Datenbanken aus Wissenschaft u. Technik zur Verfügung. Abgedeckt werden grundlegende Fachgebiete wie Chemie, Mathematik, Informatik, Physik, Geowissenschaften, Medizin u. Biowissenschaften sowie anwendungsorientierte Gebiete wie Energieforschung u. -technologie od. Materialwissenschaften. Auch auf dem Patentsektor wird mit dem Zugriff auf alle bedeutenden internat. u. nat. Patentdatenbanken ein weitreichendes Angebot bereitgestellt. Es stehen inzwischen über 200 Datenbanken mit mehr als 130 Mio. Zitaten u. chem. Strukturen, einschließlich 25 Mio. Patentdokumenten,

8 Mio. Patentfamilien u. 34 Mio. Rechtsstandsdaten zur Verfügung.
Mit STNEasy (http://www.stneasy.fiz-karlsruhe.de), eine neue auf dem World Wide Web im Internet basierende graph. Benutzeroberfläche, können neuerdings Recherchen ohne tiefgreifende Kenntnisse durchgeführt werden. Monatliche Gebühren od. Anschaltkosten entfallen; es muß nur eine Pauschalgebühr sowie eine Gebühr für jede angezeigte Antwort bezahlt werden. INTERNET-Adresse: http://www.fiz-karlsruhe.de

STN-LCD-Display s. LCD.

STO. Abk. für Slater-type orbitals; Näheres s. Slater-Funktionen.

Stobbe-Kondensation. Von H. Stobbe (1860–1938) entdeckte, der *Claisen-Kondensation verwandte Synth., die zu Alkylidenbernsteinsäureestern (*Itaconsäure-Halbester*) führt:

$R^1OOC-CH_2-CH_2-COOR^1$ — 1. $NaOC_2H_5$; 2. R^2-CO-R^3; $-C_2H_5OH$; $-Na^+$ → $R^2R^3C(O^-)-CH(COOR^1)-CH_2-C(=O)-OR^1$ → $-(OR^1)^-$ → Lacton → H^+, $-H_2O$ → $R^2R^3C=C(COOR^1)-CH_2-COOH$

Lacton Itaconsäurehalbester

Ausgangsprodukte sind Aldehyde od. Ketone u. Bernsteinsäurediester. Während die Kondensation von anderen Estern mit Carbonyl-Verb. nur unter dem Einfluß sehr starker Basen abläuft, ist die Verw. von Bernsteinsäureestern als *Methylen-Komponente aufgrund einer energet. günstigen Lacton-Zwischenstufe (Paraconsäureester) für die Kondensation von Vorteil. – ***E*** Stobbe condensation – ***F*** condensation de Stobbe – ***I*** condensazione di Stobbe – ***S*** condensación de Stobbe

Lit.: Krauch u. Kunz, Reaktionen der Organischen Chemie, 6. Aufl., S. 167, Heidelberg: Hüthig 1997 ▪ Org. React. **6**, 1–74 (1951) ▪ s. a. Claisen-Kondensation.

Stochastik. Von griech.: stochasmos = Vermutung u. stochastikos = fähig, die Wahrheit durch Mutmaßung intuitiv zu erfassen („raten") abgeleitete Bez. für den Wissenschaftsbereich, der sich mit der mathemat. Behandlung von Zufallserscheinungen befaßt (Wahrscheinlichkeitsrechnung, *Statistik). *Stochast. Prozesse* sind Prozesse, bei denen die Zufallsvariable vom Zufall u. von einem od. mehreren Parametern (z. B. der Zeit) abhängt. Im Rahmen der Chemie u. Biochemie finden stochast. Verf. (z.B. die *Monte-Carlo-Methode) Anw. in der Kinetik, bei Rechnungen zur *sterischen Hinderung, zur *Hansch-Analyse u. *QSAR, in der Informationstheorie, in der chem. Technik zur *Optimierung usw. – ***E*** stochastic – ***F*** stochastique – ***I*** stocastico – ***S*** estocástica

Lit.: Evans u. Grigolini, Memory Function Approaches to Stochastic Problems in Condensed Matter, New York: Wiley 1985 ▪ Harrison, Brownian Motion and Stochastic Flow Systems, New York: Wiley 1985 ▪ Kannan, Stochastic Processes, in Encyclopedia of Physical Science and Technology, Vol. 16, S. 97–110, New York: Academic Press 1992 ▪ Lefebvre u. Mukamel, Stochasticity and Intramolecular Redistribution of Energy, Dordrecht: Reidel 1987 ▪ Lerner u. Trigg, Encyclopedia of Physics, S. 1177, Weinheim: VCH Verlagsges. 1991 ▪ Ullmann (4.) **4**, 199 ▪ Winnacker-Küchler (3.) **7**, 530 f. ▪ s. a. Statistik.

Stock, Alfred (1876–1946), Prof. für Anorgan. Chemie, Breslau, Berlin, Karlsruhe. *Arbeitsgebiete:* Anorgan. Nomenklatur (*Stock-System), Silane, Borane, Quecksilber, Hochvakuumtechnik, Dampfdichte-Bestimmung, Erfinder zahlreicher Laborgeräte.

Lit.: Chem. Unserer Zeit **20**, 90–100 (1986) ▪ Lexikon der Naturwissenschaftler, S. 385 ▪ Neufeldt, S. 129, 155 ▪ Pötsch, S. 408 ▪ Strube et al., S. 138.

Stock, Günter (geb. 1944), Prof. für Physiologie, Univ. Heidelberg, Berlin. Mitglied des Vorstandes der Schering AG, Berlin. *Arbeitsgebiete:* Herz-Kreislauf-Regulation, Pharmakologie der Prostane, experimentelle Epilepsie, Schlaf-Wach-Regulation.

Lit.: Kürschner (16.), S. 3645.

Stock, Stöcke s. magmatische Gesteine.

Stockbarger-Methode s. Einkristalle.

Stockhausen. Kurzbez. für die 1878 gegr. Chem. Fabrik Stockhausen GmbH, 47805 Krefeld. *Umsatz* (1993): 819 Mio. DM. *Produktion:* Superabsorber, Hautschutz-, -pflege- u. -reinigungsmittel, Hilfsmittel für die Textil- u. Chemiefaser-Ind. u. für die Wasseraufbereitung.

Stockholmer Teer s. Holzteer.

Stocklack s. Schellack.

Stockpunkt. Bez. für diejenige, in einer genormten Apparatur bestimmbare Temp., bei der eine Flüssigkeit (Mineralöl, Dieselkraftstoff, Hydraulikflüssigkeit, Weichmacher etc.) gerade eben zu fließen aufhört. Dieser S. ist nicht ident. mit dem sog. *Fließpunkt. In neueren Normen wird statt der Bestimmung des S. die des ca. 3 K höheren *Pourpoints verlangt. Die Prüfung des S. spielte früher v. a. bei den *Schmierstoffen eine wichtige Rolle; bei Spindelschmierölen sollte der S. etwa bei –5 °C, bei leichten Maschinenölen für Eisenbahnen bei –15 °C, bei Lagerschmieröl zwischen –5 °C (Winter) u. 5 °C (Sommer) liegen. Eine Erniedrigung des S. von Schmierölen erreicht man durch Zusatz sog. *S.-Erniedriger* (heute *E* pour point depressants). Als solche sind Kondensationsprodukte von Naphthalin u. chlorierten Paraffinen, Polymerisate von Methacrylaten od. von Dialkylmaleinsäureestern mit Vinylacetat geeignet. – ***E*** setting point – ***F*** point de congélation – ***I*** punto di solidificazione – ***S*** punto de congelación

Stock-System. In Namen für anorgan. Verb. gibt man deren *Stöchiometrie indirekt mit *Oxidationszahlen (nach A. *Stock; IUPAC-Regeln I-5.5.2.2, I-10.2.7, I-10.4.4) od. *Ladungszahlen an (*Ewens-Bassett-System, bes. in der *Koordinationslehre) od. direkt mit *Multiplikationspräfixen (bei einfachen Verb.); *Beisp.:* Hexafluoroiod(VII) [Hexafluoroiod(1+), IF_6^+], Stickstoff(I)-oxid (Distickstoffoxid, N_2O). Für Null u. neg. Oxid.-Zahlen setzt man (0), (–I), (–II) usw. ein. In *Bruttoformeln stehen Oxid.-Zahlen als Indizes rechts oben an Elementsymbolen; *Beisp.:* $Pb_2^{II}Pb^{IV}O_4$ [Diblei(II)-blei(IV)-oxid = Mennige]. – ***E*** Stock system – ***F*** système de Stock – ***I*** sistema di Stock – ***S*** sistema de Stock

Stöchiometrie (von griech.: stoicheia = Buchstabe, Grundstoff, Element im Sinne von Aristoteles, u. metron = Maß). Bez. für das Arbeitsgebiet der Chemie, das sich mit der Aufstellung der chem. *Bruttoformeln aufgrund von Analysenergebnissen u. der mathemat. Berechnung chem. Umsetzungen, d.h. mit der mengenmäßigen Beschreibung chem. *Reaktionen befaßt. Erst bei Kenntnis der S. einer Reaktion kann man deren *Ausbeute berechnen. Die *stöchiometrischen Gesetze* sind: Das Gesetz der *konstanten Proportionen* (Richtersches Gesetz, s. Proustsches Gesetz), das der *multiplen Proportionen* (s. Daltonsche Gesetze) u. das der *äquivalenten Proportionen*, welches zum Ausdruck bringt, daß sich Elemente stets im Verhältnis ihrer Äquivalentgew. od. ganzzahliger Vielfacher derselben zu *chemischen Verbindungen (*Gegensatz:* *Gemische) vereinigen. Man unterscheidet zwischen stöchiometr. Verb. (*Daltonide*, Proustide) u. *nichtstöchiometrischen Verbindungen (*Berthollide*, auf die der *Molekül-Begriff strenggenommen nicht anwendbar ist), doch sind Übergänge möglich; *Beisp.:* Nichtstöchiometr. Hydrogele können durch Alterung in stöchiometr. Hydrate übergehen. In der Kinetik u. bei der Diskussion von *Reaktionsmechanismen verwendet man den Begriff *stöchiometrischer Faktor; *stöchiometrischer Punkt* ist ein Synonym für den *Äquivalenzpunkt. Bisweilen werden aus mathemat. Berechnungen von Dichten, Wärmekapazitäten, Volumina, Schmelzpunkten, Oberflächenspannungen usw. – z. B. innerhalb homologer Reihen – als Aufgaben der S. angesehen. Als Begründer der S. gilt J. B. *Richter, der 1792–1793 das Werk „Anfangsgründe der Stöchyometrie od. Meßkunst chymischer Elemente" (Nachdruck Hildesheim: Olms 1968) veröffentlichte. – ***E*** stoichiometry – ***F*** stoechiométrie – ***I*** stechiometria – ***S*** estequiometría

Lit.: Bhatt u. Vora, Stoichiometry, New York: McGraw-Hill 1982 ▪ Brandes, Einführung in die Stöchiometrie-Berechnungen auf der Grundlage von Stoffmengen, Leipzig: Grundstoffind. 1985 ▪ Budde u. Bulle, Stöchiometrie chemisch-technologischer Prozesse (WTB 223), Berlin: Akademie Verl. 1981 ▪ Chem. Ztg. **109**, 344–347 (1985) ▪ Dickerson et al., Prinzipien der Chemie (2.), Berlin: De Gruyter 1988 ▪ Nylen u. Wigren, Einführung in die Stöchiometrie (19.), Darmstadt: Steinkopff 1996 ▪ Rehm-Reed **2**, 227–241 ▪ Röbisch, Elementare Stöchiometrie – größenrichtig u. SI-gerecht (4.), Leipzig: Barth 1991 ▪ Szabadváry, History of Analytical Chemistry, S. 97–113, Oxford: Pergamon 1966.

Stöchiometrischer Faktor (Symbol: ν). Die von der *Stöchiometrie einer *Reaktion geforderte Anzahl an beteiligten Mol. – der Reaktanten u. der Produkte – nennt man den *s. F.*, nach DIN 13345: 1978-08 dagegen die *stöchiometr. Zahl* u. nach IUPAC den *stöchiometr. Koeffizienten. Beisp.:* Für die Reaktion $3\,H_2 + N_2 \rightarrow 2\,NH_3$ gilt: $\nu_{H_2} = -3$, $\nu_{N_2} = -1$, $\nu_{NH_3} = 2$; das Vorzeichen ist also für Edukte od. Reaktanten neg., für Produkte positiv. Man bedient sich der s. F., um die *Kinetik u. die *Thermodynamik einer Reaktion zu beschreiben, s. die Anw. bei Reaktionsgeschwindigkeit. – ***E*** stoichiometric factor – ***F*** facteur stoechiométrique – ***I*** fattore stechiometrico – ***S*** factor estequiométrico

Stöckigt, Joachim (geb. 1942), Prof. für Pharmazeut. Biologie, Univ. München, Mainz. *Arbeitsgebiete:* Phytochemie, pflanzliche Zellkulturen trop. Arzneipflanzen, Naturstoff-Isolierung u. -Identifizierung, Alkaloid-Stoffwechsel, biomimet. Synth. von Indol-Alkaloiden, Enzyme der Alkaloid-Biosynthese.

Lit.: Kürschner (16.), S. 3648.

Stör s. Kaviar u. Protamine.

Störfall. Nach *Störfall-Verordnung eine Störung des bestimmungsgemäßen Betriebs einer nach *Bundes-Immissionsschutzgesetz *genehmigungsbedürftigen Anlage, wobei durch Stoffe der Anhänge II–IV dieser VO ernsthafte Gefahren hervorgerufen werden. Als ernsthaft gelten Gefahren, wenn

1. das Leben von Menschen bedroht wird od. schwerwiegende Gesundheitsbeeinträchtigungen von Menschen zu befürchten sind (gilt nicht für Einsatzpersonal im Ereignisfall),
2. die Gesundheit einer großen Zahl von Menschen beeinträchtigt werden kann od.
3. die Umwelt, insbes. Tiere u. Pflanzen, der Boden, das Wasser, die Atmosphäre sowie Kultur- od. sonstige Sachgüter geschädigt werden können, falls durch eine Veränderung ihres Bestandes od. ihrer Nutzbarkeit das Gemeinwohl beeinträchtigt würde.

Zur Vermeidung eines S. sind Maßnahmen nach Störfall-VO zu ergreifen, insbes. ist eine *Sicherheitsanalyse durchzuführen (s. a. Seveso-Richtlinie).
S. sind nach § 11 S.-VO an die ZEMA (s. *Lit.*) zu melden, gleiches gilt für Störungen des bestimmungsgemäßen Betriebs, wenn durch oben bezeichnete Stoffe Schäden außerhalb der Anlage eintreten. 1996 waren in der BRD 8360 Störfallanlagen registriert, in denen es zu 30 meldepflichtigen Ereignissen, darunter 8 S. nach § 11, Abs. 1, Nr. 1 Störfall-VO kam. 2 S. ereigneten sich im Bereich der chem. Industrie. Bei den 30 Ereignissen handelte es sich um 21 Stofffreisetzungen, 3 Brände u. 6 Explosionen. Dabei verstarben 2 Mitarbeiter innerhalb der Anlage; soweit bisher bekannt (01. 10. 1997) traten Sachschäden bis 7 Mio. DM auf [1]. – ***E*** major accident – ***F*** évènement abnormal – ***I*** caso di guasti – ***S*** scaso de fallo

Lit.: [1] Zentrale Melde- u. Erfassungsstelle für Störfälle u. Störungen in verfahrenstechn. Anlagen (Hrsg.), Jahresbericht 1996, Berlin: ZEMA/UBA 1997.
allg.: Roth u. Weller, Chemie-Brände, Landsberg: ecomed 1989.

Störfall-Beauftragter s. Betriebsbeauftragter für Umweltschutz.

Störfall-Verordnung. Kurzbez. für die 12. VO nach dem *Bundes-Immissionsschutzgesetz [1]. Die S.-V. gilt für die nach der 4. BImSchV genehmigungsbedürftigen Anlagen, sofern die in den Anhängen zur S.-V. genannten Stoffe bzw. Stoffgruppen (mehr als 300) im bestimmungsgemäßen Betrieb vorhanden sein od. bei einer Störung entstehen können. Nicht der S.-V. unterliegen Anlagen, wo das Risiko eines *Störfalls offensichtlich ausgeschlossen ist, z. B. weil die genannten Stoffe nur in kleinen Mengen vorhanden sein können. Für benachbarte Anlagen eines Betreibers, die nicht mehr als 500 m auseinander liegen, werden die Stoffmengen addiert, sofern eine Gefahr nicht offensichtlich auszuschließen ist.
Die S.-V. schreibt u. a. vor:
– Sicherheitspflichten (Vorkehrungen zur Vermeidung von Störfällen unter Beachtung betrieblicher u. umge-

bungsbedingter Gefahrenquellen sowie von möglichen Eingriffen Unbefugter);
– Anforderungen an die Anlage, ihren Schutz u. die Sicherheitsorganisation zwecks Verhinderung von Störfällen;
– Anforderungen zur Begrenzung von Störfallauswirkungen;
– Anforderungen an den Betrieb der Anlage einschließlich Dokumentationspflichten;
– unter bestimmten Voraussetzungen eine *Sicherheitsanalyse, deren Fortschreibung u. Bereithaltung;
– Meldungen an Behörden (u. a. ZEMA, s. Störfall) sowie
– Informationen an Personen, die bei einem Störfall betroffen sein könnten.
Die S.-V. ist eine Umsetzung der europ. *Seveso-Richtlinie (Schweizer S.-V. s. *Lit.*[2]). – ***E*** hazardous incidients ordinance – ***F*** décret sur incidents anormaux – ***I*** decreto sul caso di guasti – ***S*** decreto sobre averías

Lit.: [1] Zwölfte VO zur Durchführung des Bundes-Immissionsschutzgesetzes (12. BImSchV) in der Fassung der Bekanntmachung vom 20. 9. 1991, BGBl. I, S. 1891 (1991), geändert durch VO vom 26. 10. 1993, BGBl. I, S. 1782, berichtigt S. 2049 (1993). [2] Umweltwiss. Schadstoff-Forsch. Z. Umweltchem. Ökotoxikol. **3**, 348 f. (1991).
allg.: Wefers u. Deuster (Hrsg.), Die neue Störfall-VO, 3 Bd., Augsburg: WEKA (Loseblattsammlung, seit 1991 als Wefers u. Reimers, Stand 1998).

Störstellen. Defekte von atomarer Ausdehnung in Krist. (s. Kristallbaufehler u. Halbleiter).

Störungstheorie. In der Physik u. Physikal. Chemie häufig benutzte mathemat. Meth., mit der Korrekturen verschiedener Ordnung zu einem vorgegebenen ungestörten Problem berechnet werden können. Z. B. lassen sich die Verschiebung u. Aufspaltung von Spektrallinien in elektr. od. magnet. Feldern mittels der S. berechnen. In der *Quantenchemie verwendet man oft das *SCF-Verfahren zur Lösung des ungestörten Problems u. beschreibt die Effekte der *Elektronenkorrelation mittels S., insbes. S. nach Møller u. Plesset. – ***E*** perturbation theory – ***F*** théorie des perturbations – ***I*** teoria delle perturbazioni – ***S*** teoría de las perturbaciones

Lit.: s. Quantenchemie.

Stoess & Co. s. Deutsche Gelatine-Fabriken.

Stößel s. Reibschalen.

Stoff. In der Chemie Bez. für jede Art von *Materie, d. h. die Erscheinungsarten, die gekennzeichnet sind durch ihre gleichbleibenden charakterist. Eigenschaften, unabhängig von der äußeren Form. Unter *S.-Umwandlung* versteht man die Überführung eines Edukts in ein od. mehrere Produkte. Der Begriff *S.-Transport* umfaßt den *S.-Austausch* innerhalb des Syst. u. zwar sowohl die makroskop. als auch die mol. *Transport-Prozesse (z. B. *Diffusion, *Konvektion u. *S.-Durchgang* durch Phasengrenzflächen) u. die *S.-Trennung*; zum *S.-Umsatz* s. Umsatz u. vgl. Ausbeute. Grundeinheit für *Stoffmengen ist das *Mol. – ***E*** matter – ***F*** matière – ***I*** materia – ***S*** materia

Lit.: Scientific and Technical Books and Serials in Print, New York: Bowker (jährlich).

Stoffel, Wilhelm (geb. 1928), Prof. für Biochemie, Medizin. Fakultät der Univ. Köln. *Arbeitsgebiete:* Stoffwechsel von einfachen u. komplexen Lipiden; Biochemie der Lipo-Serumlipoproteine: Struktur, Molekularbiologie, Genregulatoren der Apolipoproteine, Arteriosklerose-Forschung; Neurobiologie: Struktur der Myelinmembran des Zentralnervensyst.; Genstruktur u. -expression der Myelinproteine, Myelogenese, genet. bedingte Dysmyelinosen.

Lit.: Kürschner (16.), S. 3653 ▪ Pötsch, S. 408 f. ▪ Wer ist wer (36.), S. 1409.

Stoffkonstanten s. Konstanten.

Stoffmenge (Symbol n). Nach DIN 32625: 1989-12 versteht man unter S. eine Basis-*Größe, mit der die Quantität einer *Stoffportion auf der Grundlage der Anzahl der darin enthaltenen Teilchen bestimmter Art angegeben wird. Die *Einheit der S. ist die *Basiseinheit Mol (Näheres s. dort). Früher übliche Bez. für S. waren Molmenge, Molzahl, Tomzahl, Menge mit den entsprechenden Einheiten *Grammatom* (Tom), *Grammmolekül* (Mol) od. *Grammäquivalent* (Val). In der *Stöchiometrie war das *Val eine oft gebrauchte Einheit. Für solche Berechnungen führt die Norm die Bez. *Äquivalentteilchen* (kurz: *Äquivalent*) als gedachten Bruchteil 1/z* eines Atoms, Mol., Ions od. einer Atomgruppe ein, wobei sich die *Äquivalentzahl* z* aus der Ionenladung od. aus der vorgegebenen Reaktion (Säure-Base-Reaktion, Redoxreaktion) des Teilchens ergibt. Zur Angabe von Gehaltsgrößen sollen die Begriffe *S.-Gehalt, S.-Anteil* (frühere Bez. *Molenbruch), *S.-Konz.* (frühere Bez. *Molarität) u. *S.-Verhältnis* verwendet werden. – ***E*** amount of substance – ***F*** quantité de substance – ***I*** quantità di sostanza – ***S*** cantidad de substancia

Lit.: Kohlrausch, Praktische Physik 1, Stuttgart: Teubner 1996 ▪ s. a. Mol.

Stoffportion. Nach DIN 32629: 1988-11 Bez. für einen „abgegrenzten Materiebereich, der aus einem Stoff od. mehreren Stoffen od. definierten Bestandteilen von Stoffen bestehen kann"; *Beisp.:* Eine Spatelspitze Zn-Pulver, ein Löffel Zucker, in der Analytik Probe, Einwaage, Auswaage, Filtrat, aliquoter Teil; s. a. Mol u. Molenbruch. – ***E*** portion of substance – ***F*** portion de substance – ***I*** porzione di sostanza – ***S*** porción de substancia

Stofftransport s. Stoff u. Transport.

Stoffübergangskoeffizient s. Massentransfer-Koeffizient.

Stoffumsatz s. Umsatz u. vgl. Ausbeute.

Stoffwechsel (Metabolismus). Gesamtheit der chem. Umsetzungen im Organismus, die zur Aufrechterhaltung der Lebensvorgänge notwendig sind; diese betreffen die Aufnahme, den Ein-, Um- u. Abbau wie auch die Ausscheidung von Stoffen, die Erhaltung bzw. Vermehrung der Körpersubstanz u. die Energiegewinnung.
Allg. zum S.: Der *intermediäre S.* (Zwischenstoffwechsel) findet in den Zellen u. Geweben statt (daher auch: Zell-, Gewebs-S.). Er umfaßt alle chem. Umsetzungen, angefangen bei den Ausgangsstoffen, die von der *Verdauung geliefert werden, über Bildung u. Wie-

derabbau von *Reservestoffen bis hin zu den Endstoffen, die zur Ausscheidung kommen. Von *Energie-S.* od. *Betriebs-S.* spricht man beim Umsatz der körpereigenen Stoffe zur Gewinnung von Energie: Als Wärmeenergie zur Aufrechterhaltung der *Körpertemperatur, als mechan. Energie zur Arbeitsleistung der Organe u. Muskeln, als chem. Energie für Synth. von arteigenem Protein, Fetten, Glykogen, Polynucleotiden, energiereichen Phosphat-Verb., zur Ausbildung elektr. Potentiale, für osmot. Arbeit usw. Hiervon trennt man begrifflich (tatsächlich sind beide S. natürlich innigst verzahnt) den *Bau-S.* od. *Erhaltungs-S.*, der der Produktion (*Biogenese) notwendiger Zellbestandteile aus einfachen Bausteinen (*Anabolismus*) ebenso dient wie dem Abbau (*Katabolismus*) höhermol. Stoffe zu niedermol. Substanzen (*Metaboliten), die entweder anderweitig im Organismus für Aufbaureaktionen eingesetzt od. aber (in *Harn, *Kot, *Schweiß od. durch die *Atmung) ausgeschieden werden sollen. Im pflanzlichen od. tier. *Sekundär-S.* (Sekundärmetabolismus) [1] od. *Neben-S.* erfolgt die Biosynth. von Verb., die für die Organismen nicht unmittelbar zum Überleben notwendig sind, z. B. Blütenfarbstoffe, Alkaloide u. a. Gifte, Harze, Riechstoffe u. a. der Kommunikation dienende Naturstoffe. Die Sekundärmetaboliten werden im allg. in hierfür spezialisierten Zellen gebildet.

Zum *endogenen S.* rechnet man die S.-Prozesse, die von körpereigenen Stoffen (z. B. Harnsäure aus Purin-Basen der Nucleinsäuren von Gewebszellen) ausgehen, während der *exogene S.* solche Prozesse umfaßt, bei denen die Endprodukte direkt aus Bestandteilen der aufgenommenen Nahrung gebildet werden, ohne daß diese vorher im Gewebe eingebaut wurden (z. B. Bildung von Harnsäure aus eingenommenen Nucleinsäuren).

Die Hauptwege des S. sind gleich, ob sie in Mikroorganismen, Pflanzen, Tieren od. Menschen ablaufen. Manche Organismen können gewisse S.-Wege nicht (mehr) benutzen – der Mensch z. B. die Synth. essentieller *Aminosäuren –, während andere zusätzliche S.-Möglichkeiten entwickelt haben: Die Knöllchenbakterien die *Stickstoff-Fixierung, Pflanzen u. einige *Algen die *Photosynthese. Der Mensch verbraucht Sauerstoff u. scheidet Kohlendioxid aus – bei der Pflanze ist es per saldo umgekehrt, u. obwohl die *Atmungskette u. die *Photosynthese anscheinend nichts miteinander gemeinsam haben, sind doch z. T. dieselben *Enzyme u. *Coenzyme in beiden *Redoxsystemen tätig (*Beisp.:* *Cytochrome). Näheres zu unterschiedlichen Ernährungsweisen u. S.-Leistungen s. Pflanzenphysiologie, Mikrobiologie, Auto-, Hetero-, Litho-, Organo-, Chemo- u. Phototrophie.

Spezielle S.-Zweige u. -Wege: Die einzelnen S.-Zweige werden individuell nach der im wesentlichen daran beteiligten Substanzen-Gruppe bezeichnet: So umfaßt z. B. der *Protein-S.* diejenige Prozesse, die mit der Protein-Verdauung (Hydrolyse von Proteinen zu Oligopeptiden u. Aminosäuren) beginnen u. zum Aufbau von körpereigenem Organeiweiß aus Aminosäuren bis zu deren Abbau zu Ammoniak bzw. Harnstoff führen. Der **Fettstoffwechsel* umfaßt Aufnahme, Transport, Ab-, Auf- u. Umbau sowie Verbrennung bzw. Ablagerung der Fette bzw. *Fettsäuren. Der *Kohlenhydrat-S.* beinhaltet Aufnahme, Verteilung, Speicherung u. Abbau der *Kohlenhydrate (z. B. Zucker) zum Zweck der Energiegewinnung (**Glykolyse*), die Umwandlung der Schlüsselsubstanz D-Glucose in den Reservestoff Glykogen (bei Pflanzen: Stärke) u. die *Gluconeogenese. Bei der Verdauung sind Enzymsyst. von Speichel, Magensaft, Pankreas beteiligt, an Transport u. Ausscheidung Galle u. Nieren, an der Speicherung Leber, Milz u. andere.

Neben den erwähnten S.-Zweigen existieren noch eine Vielzahl anderer, die der Versorgung spezialisierter Organe (Blut-, Hirn-, Leber-, Haut-, Schilddrüsen-S. etc.) od. der Aufnahme, Verwertung u. Ausscheidung spezif. Verb.-Klassen dienen, z. B. der *Mineral-S.* (im einzelnen Carbonat-, Phosphat-, Metall-, insbes. Spurenelement-S. usw.), der *Purin-* u. *Pyrimidin-S.*, der *Hormon-S.*, der *Vitamin-S.*, der *Porphyrin-S.*, der *Elektrolyt-S.*, die Aufrechterhaltung des Säure-Base-Gleichgew. usw. Eine umfangreiche, aber vergleichsweise übersichtliche u. anschauliche Darst. der wichtigsten S.-Reaktionen, ihrer Katalysatoren (Enzyme) u. *Effektoren im Wandkarten-Format gibt *Lit.*[2]. S.-bezogene Internet-Datenbanken s. *Lit.*[3].

Transport: Auf solchen Karten meist nicht zu erkennen ist jedoch die **Kompartimentierung* der S.-Vorgänge, d. h. deren Verteilung auf das *Cytoplasma, die *Membranen u. die Zellorganellen (s. Mitochondrien, Chloroplasten, Golgi-Apparat, endoplasmatisches Retikulum, Lysosomen, Peroxisomen usw.). Der *Stoffaustausch* innerhalb der Zelle u. zwischen Zellen u. *Körperflüssigkeiten (Blut, Lymphe etc.) erfolgt durch die Membranen hindurch (s. Membrantransport). Membranen sind auch beteiligt bei der Energiegewinnung (s. Bioenergetik u. chemiosmotisch) u. der Signalübermittlung (*Signaltransduktion). Da die durch Enzyme katalysierten S.-Reaktionen im allg. reversibel sind, gelingt es dem Organismus nur aufgrund von Konz.-Gefällen, einen *stationären Zustand auf der Basis von Fließgleichgew. aufrechtzuerhalten. Durch mehrfache gegenseitige Beeinflussung enzymat. Reaktionen weichen die S.-Wege vom idealisierten Verhalten ab (dynam. Kanalisierung von Substraten, Maskierung von Coenzymen usw.)[4].

Energie-S.: Im *Energie-*, nicht aber im Bau-S. können die Energielieferanten Kohlenhydrate, Eiweiß u. Fette einander in gewissem Maße vertreten (sog. *Isodynamie*), da sie letztlich über den gleichen Abbauweg oxidiert werden: Schlüsselsubstanzen sind die – ggf. über *anaplerotische Reaktionen verfügbaren – Oxocarbonsäure-Derivate wie Pyruvat, L-Aspartat, L-Glutamat u. bes. Acetyl-Coenzym A, das eine Eintrittsstelle in den *Citronensäure-Cyclus markiert. Diesem schließt sich die *Atmungskette an.

Man rechnet mit folgenden, jeweils auf 1 g bezogenen *physiolog. Brennwerten*: Kohlenhydrate 17 kJ (4 kcal), Eiweiß 17 kJ (4 kcal), Fett 38 kJ (9 kcal), Alkohol 30 kJ (7 kcal). Den wahren Nutzeffekt drückt man in Mol ATP (*Adenosin-5′-triphosphat) aus, die je Mol Nährstoff (vgl. Nährwert) gebildet werden können. Die Ausnutzung der Energie ist für die Oxid. der Hauptnährstoffe ungefähr gleich: 70 bis 85 kJ (17 bis 20 kcal) müssen zur Gewinnung von 1 Mol ATP durch oxidative *Phosphorylierung in der Atmungskette aufgewandt werden. Legt man für einen Menschen einen Tagesbedarf von 12,5 MJ (3000 kcal) zugrunde, so ergibt sich ein täglicher Umsatz von etwa 75 kg ATP. Davon entfallen ½ bis ⅔ auf die Aufrechterhaltung des Grundumsatzes.

Störungen des S.: Als Einzelstichwörter behandelte S.-Anomalien sind z. B. Diabetes, Lipidosen, Gicht, Hyperthyreose, Rachitis, Phenylketonurie u. viele andere, die ererbt od. erworben sein können. In den erwähnten Fällen fehlen dem Organismus notwendige Gene für Enzyme, Hormone od. dgl., od. deren Induktion bzw. Repression (Näheres s. Regulation) ist gestört. Werden dem Organismus Fremdstoffe (Arzneimittel, Gifte u. a. *Xenobiotika) zugeführt, so muß er für deren Verarbeitung (*biologischer Abbau, *Biotransformation) spezif. S.-Prozesse entwickeln. Wichtige Reaktionsschritte bei der *Entgiftung sind die Carboxylierung, die Oxid. (bes. in der Leber) u. die Bildung von *Konjugaten, die die Stoffe (z. B. als *Schwefelsäureester) wasserlösl. u. über Niere od. Darm ausscheidbar machen – möglicherweise ist der Metabolit jedoch giftiger als der Ausgangsstoff (*Giftung*). Die Untersuchung des Arzneimittel-S. ist ein Arbeitsgebiet der *Pharmakokinetik.

Methodik u. Anw.: Erkenntnisse zum S. hat man aus den Ergebnissen *enzymatischer Analysen u. a. Meth. der *klinischen Chemie u. *Immunchemie, der Untersuchung mit *Radionukliden, dem Studium von *Defektmutanten, mit Hilfe der *NMR-Spektroskopie usw. gewonnen. Den S. von Mikroorganismen nutzt man seit altersher bei der *Gärung. Moderne Verf. der *Fermentation u. der *Biotechnologie werden in der chem. u. pharmazeut. Ind. für Synth. eingesetzt. – ***E*** metabolism – ***F*** métabolisme – ***I*** = ***S*** metabolismo

Lit.: [1] Petroski et al., Secondary Metabolite Biosynthesis and Metabolism, New York: Plenum 1992. [2] Michal, Biochemical Pathways, 2 Tl., Mannheim: Boehringer Mannheim GmbH 1992. [3] Trends Biochem. Sci. **23**, 114 ff. (1998). [4] Trends Biochem. Sci. **20**, 52–54 (1995).
allg.: Biochemistry (Moskau) **61**, 1443–1460 (1996) ▪ FEMS Microbiol. Rev. **19**, 85–116 (1996) ▪ J. Nutrit. **126**, 2697–2708 (1996) ▪ Mortlock, The Evolution of Metabolic Function, Boca Raton: CRC Press 1992 ▪ Physiol. Rev. **77**, 731–758 (1997) ▪ s. a. Biochemie.

Stokes (Kurzz.: St). Veraltete Einheit der kinemat. *Viskosität (dynam. Viskosität in *Poise dividiert durch die Dichte), benannt nach Sir *Stokes; 1 St = 1 P g^{-1} cm^3 = 1 cm^2/s = 10^{-4} m^2/s; 1 *Centistokes* (cSt) = 1 mm^2/s. – ***E*** = ***F*** = ***I*** = ***S*** stokes

Stokes, Sir George Gabriel (1819–1903), Prof. für Mathematik, Physik, Cambridge. *Arbeitsgebiete:* Optik, Wellentheorie des Lichts, Fluoreszenz, Reflexion, Doppelbrechung, Geodäsie, Hydrodynamik, Reibung bewegter Flüssigkeiten, Wärmeleitung, s. a. folgende Stichwörter.

Lit.: Krafft, S. 213 ▪ Lexikon der Naturwissenschaftler, S. 385 ▪ Neufeldt, S. 41.

Stokes-Gesetz. Von Sir G. G. *Stokes abgeleitete Gesetzmäßigkeit für den *Strömungs-Widerstand W, den eine *Newtonsche Flüssigkeit der dynam. *Viskosität η auf eine stationär umströmte Kugel des Radius r bei der Anströmgeschw. v ausübt: $W = 6\pi r v \eta$. Ein Zusammenhang mit der *Reynolds-Zahl Re ergibt sich mit $c_w = 24/Re$, wobei c_w der sog. Widerstandsbeiwert ist. In anderer Schreibweise spielt das S.-G. eine Rolle in der *Sedimentationsanalyse (*Lit.*). – ***E*** Stokes law – ***F*** loi de Stokes – ***I*** legge di Stokes – ***S*** ley de Stokes

Lit.: Wasserkalender **12**, 181 (1978).

Stokes-Linien s. Stokes-Regel.

Stokes-Regel. Von Sir G. G. *Stokes abgeleitete, jedoch erst später aufgeklärte Regelmäßigkeit bei Lichtabsorption u. -emission, derzufolge die abgestrahlte *Fluoreszenz- u. *Phosphoreszenz-Strahlung stets längerwellig als die absorbierte Strahlung ist (*Stokes-Linien*).

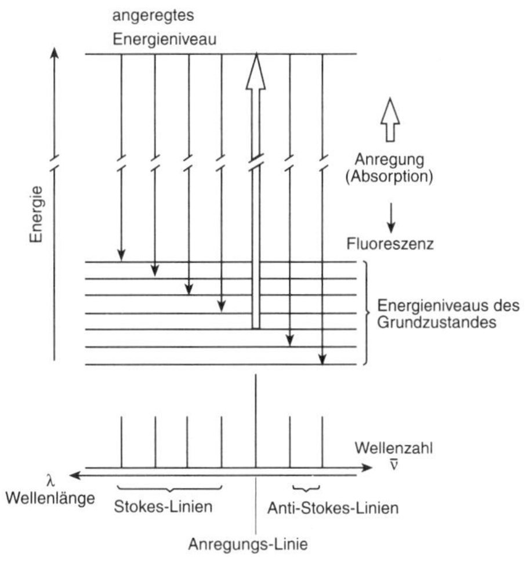

Abb.: Entstehung der Stokes- bzw. Anti-Stokes-Linien.

Wie die Abb. zeigt, ist diese Regel richtig, solange die Anregung aus dem energet. am tiefsten liegenden Niveau erfolgt. Erfolgt die Anregung von einem energet. höheren Niveau, z. B. einem Schwingungsniveau mit der Schwingungsquantenzahl $v'' > 0$, so kann der Fluoreszenzübergang in die Schwingungsniveaus $v''-1$, $v''-2$, ..., 0 erfolgen, dessen Wellenlänge dann kürzer ist als die des Anregungslichtes (*Anti-Stokes-Linien*). – ***E*** Stokes rule – ***F*** règle de Stokes – ***I*** regola di Stokes – ***S*** regla de Stokes

Lit.: Hollas, High Resolution Molecular Spectroscopy, London: Butterworth 1982 ▪ Svanberg, Atomic and Molecular Spectroscopy, Berlin: Springer 1991.

Stokvis-Reaktion s. Propentdyopente.

Stoll, Arthur (1887–1971), Prof. für Organ. Chemie, Basel, München, Leiter der Pharma-Abteilung der Sandoz AG, Basel. *Arbeitsgebiete:* Chlorophyll, Assimilation der Kohlensäure, Peroxidasen, Ergot- u. Belladonna-Alkaloide, LSD, Herzglykoside, Sennesblätter- u. Knoblauch-Inhaltsstoffe.

Lit.: Lexikon der Naturwissenschaftler, S. 386 ▪ Nachmansohn, S. 200, 212, 217, 221 ▪ Neufeldt, S. 232 ▪ Pötsch, S. 409.

Stolz, Friedrich (1860–1936), Chemiker, Hoechst AG, Frankfurt. *Arbeitsgebiete:* Synth. von Pyramidon u. Adrenalin.

Lit.: Neufeldt, S. 97, 107 ▪ Pötsch, S. 409 ▪ Strube et al., S. 173.

Stolzit (Scheelbleierz). $PbWO_4$; Mineral; durchscheinende, fettglänzende, meist gelblichgraue od. gelbliche, dipyramidale od. kurzsäulige, meist garbenförmig od. kugelig angeordnete, tetragonale Krist., Kristallklasse 4/m-C_{4h}; Struktur s. *Lit.*[1]. H. 3, D. 7,9–8,3. S. scheidet bei Säurezusatz gelbes Wolframtrioxid ab. *Vork.:* Zinnwald/Erzgebirge, Broken Hill/Australien, Brasilien, Nigeria, Arizona u. Utah/USA. – ***E*** = ***F*** = ***I*** stolzite – ***S*** estolzita

Lit.: [1] Sov. Phys. Crystallogr. **15**, 920 f. (1971).
allg.: Ramdohr-Strunz, S. 620 ▪ Roberts, Campbell u. Rapp, Encyclopedia of Minerals (2.), S. 822, New York: Van Nostrand Reinhold 1990. – *[HS 2607 00; CAS 14567-59-0]*

Stomachika (von griech.: stómachos = Schlund, Öffnung, Magen). Mittel zur Anregung u. Belebung der Magentätigkeit u. zur Appetitförderung (*Orexigene, Magenbitter). Wesentliche Inhaltsstoffe der S. sind *Bitterstoffe wie Chinarinde od. Wermut, *etherische Öle wie die aus Kümmel, Fenchel od. Koriander, Scharfstoffe bestimmter Gewürze (Pfeffer, Paprika, Ingwer usw.) u. dgl. – ***E*** stomachics – ***F*** stomachiques – ***I*** stomachici – ***S*** tónicos estomacales

Lit.: s. Magen, Orexigene u. Verdauung.

Stomatologie (griech.: stoma = Mund u. logos = Lehre). Lehre von Bau, Funktionen u. Erkrankungen der Mundhöhle. – ***E*** stomatology – ***F*** stomatologie – ***I*** stomatologia – ***S*** estomatología

Stop-Codon (Terminator-, Terminations-, Nonsense-Codon). Bez. für ein *Codon, für das bei der *Protein-Synth. keine zugehörige *tRNA vorliegt. Die Protein-Synth. wird daher an diesem Triplett abgebrochen, das gebildete Peptid vom *Ribosom freigesetzt. Als S.-C. (od. *Nonsense-Codon*) fungieren UAA (*ochre*), UAG (*amber*) u. UGA (*opal*). In den *Mitochondrien von Säugern sind die Tripletts AGA u. AGG S.-C., obwohl sie normalerweise für Arginin codieren; s. a. genetischer Code. – ***E*** stop codon – ***F*** codon d'arrêt (de terminaison) – ***I*** codone di arresto, codone di stop – ***S*** codón de terminación

Lit.: Rehm-Reed (2.) **2**, 240–248 ▪ Stryer 1996, S. 112–115 ▪ Watson et al., Rekombinierte DNA (2.), S. 31–44, Heidelberg: Spektrum Akadem. Verl. 1993.

Stopfen. S. dienen zum Verschluß von Kolben, Reaktionsgefäßen, Reagenzgläsern etc. u. sind aus unterschiedlichen Materialien gefertigt. So z. B. S. aus Glas mit Kegelschliff (DIN 12252: 1979-04), die in massive, halbhohle u. hohle S. zu untergliedern sind od. auch aus Polypropylen, die auch für Normschliffe geeignet sind. Desweiteren Kork-, Silicon- u. Gummi-S. (DIN 12871: 1983-05). Auch S. aus Zellstoff kommen für den sterilen Verschluß von Kulturröhrchen u. Reagenzgläsern zum Einsatz. – ***E*** stoppers – ***F*** bouchons – ***I*** tappi – ***S*** tapón

Stopfmittel s. Obstipantien.

Stopfwachs s. Propolis.

Stoppani-Grade s. Aräometer.

Stopped-Flow-Methoden s. schnelle Reaktionen.

Stoppine s. Zündmittel.

Storax s. Styrax.

Stork-Enamin-Reaktion. Die Umsetzung von Enaminen mit Elektrophilen wie Alkylhalogeniden, Säurechloriden u. reaktiven Alkenen wird als S.-E.-R. bezeichnet; Näheres s. bei Enamine. – ***E*** Stork enamine reaction – ***F*** reáction Stork des eńamines – ***I*** reazione delle enammine di Stork – ***S*** reacción Stork de enaminas

Lit.: Hassner-Stumer, S. 369 ▪ Krauch u. Kunz, Reaktionen der Organischen Chemie, S. 193, Heidelberg: Hüthig 1997 ▪ Laue-Plagens, S. 295 ▪ s. a. Enamine.

Story-Methode. Von P. R. Story 1968 entdeckte *Ringreaktionen zur Synth. von *makrocyclischen Verbindungen. Dazu werden cycl. Ketone mit H_2O_2 zu (häufig sehr instabilen) cycl. *Peroxiden umgesetzt, deren Thermolyse zu Makrocyclen mit 3 C-Atomen weniger u. zu *Makroliden mit 2 C-Atomen weniger als dem ursprünglichen Peroxid führt. Die Bedeutung der S.-M. geht stark zurück, da leistungsfähigere Synth.-Method. wie die *R*ing *C*losure *M*etathesis (RCM, s. Metathese) zur Verfügung stehen u. die Ausbeuten sehr gering sind. – ***E*** Story method – ***F*** méthode de Story – ***I*** metodo di Story – ***S*** método de Story

Lit.: Adv. Org. Chem. **8**, 69–95 (1972) ▪ Hassner-Stumer, S. 373 ▪ March (4.), S. 1048 ▪ Synthesis **1970**, 181 ff.; **1975**, 159 ff., 275 f.

Stoßionisation s. Ionisation.

Stoßparameter (Streuparameter). Begriff aus der Stoßtheorie (Streutheorie). Der S. ist der Abstand zwischen der Asymptote des einfallenden Teilchens mit der Masse m u. der Anfangsgeschw. $\vec{v}$ u. der zugehörigen Parallelen durch das Streuzentrum O (s. Abb.). Der S. entspricht dem Abstand der größten Annäherung zwischen Teilchen (z. B. ein Elektron od. Atom) u. Streuzentrum (z. B. ein Atomkern, Atom, Mol. od. Oberfläche) in *Abwesenheit gegenseitiger Kräfte* zwischen ihnen.

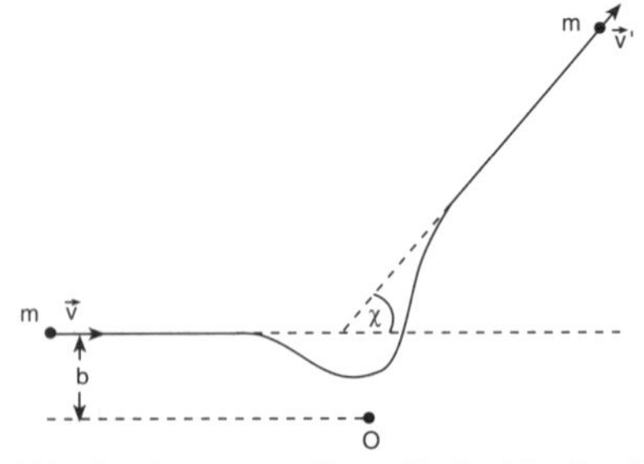

Abb.: Durchgezogene Kurve: Stoßtrajektorie mit Stoßparameter b u. Anfangsgeschw. $\vec{v}$; χ = Streuwinkel od. Ablenkwinkel.

– ***E*** impact parameter – ***F*** paramètre d'impact – ***I*** parametro d'urto – ***S*** parámetro de impacto

Lit.: Levine u. Bernstein, Molekulare Reaktionsdynamik, S. 59–63, Stuttgart: Teubner 1991.

Stoßprozesse. Sammelbez. für alle Vorgänge, die sich beim Zusammenprall zweier relativ zueinander bewegter Körper (*Teilchen) abspielen (*Zweierstoß*, der *Dreierstoß* ist ungleich seltener). Man unterscheidet *elast.* Stöße, bei denen die Summe der kinet. Energien der Teilchen vor u. nach dem S. gleich ist (*Beisp.:* Stahl- od. Elfenbeinkugeln), u. *unelast.* Stöße, bei denen ein Teil der kinet. Energien in Verformungsarbeit u. Wärme umgewandelt wird (*Beisp.:* Blei- od. Tonkugeln). Im atomaren u. mol. Bereich führt der unelast. Stoß häufig zu *Anregung von *Rotationen od. *Schwingungen des getroffenen Teilchens (*Stoßanregung*) od., falls das stoßende Teilchen bereits angeregt war, zu *Energieübertragung (vgl. a. Sensibilisation u. Photochemie). Auch Lichtstreuung (CILS), *Ionisation (*Stoßionisation*) od. *Dissoziation können als Folge von S. eintreten. Elektronen-S. spielen bei der *Gasentladung eine große Rolle, ferner bei der *Massenspektrometrie, Mol.-S. bei der Meth. der gekreuzten Molekülstrahlen, Ionen-S. bei *Ionen-Molekül-Reaktionen, bei der Anw. von *Ionenstrahlen, bei *Schwerionen-Prozessen in der *kosmischen Strahlung (u. a. Entstehung der Nord- od. *Polarlichter) u. bei der Hochenergiephysik der *Elementarteilchen. Als *Stoßkomplex* bezeichnet man das Ensemble von stoßendem u. gestoßenem Teilchen im Moment des Zusammentreffens – ggf. kann es dabei zur Bildung von *Quasiatomen kommen. Auch die kinet. Gastheorie (s. Gasgesetze) u. die *Stoßtheorie* der chem. *Kinetik bauen auf der Theorie der S. auf. Die *Stoßzahl* (z) ist die Anzahl von Zusammenstößen, die ein Teilchen, z. B. ein Gas-Mol., in der Zeiteinheit erfährt. Die Stoßzahl, die sich als Quotient aus mittlerer Geschw. des Teilchens u. dessen mittlerer freier Weglänge darstellt, ist proportional dem *Stoß-* od. **Wirkungsquerschnitt* des Teilchens, den man vereinfachend mit dem Mol.-Querschnitt gleichsetzt (ca. 10^{-15} cm^2). – ***E*** collision processes – ***F*** processus de collision – ***I*** processi d'urto – ***S*** procesos de colisión

Lit.: Bowman, Molecular Collision Dynamics, Berlin: Springer 1983 ▪ Christov, Collision Theory and Statistical Theory of Chemical Reactions, Berlin: Springer 1980 ▪ Drukarev, Collisions of Electrons with Atoms and Molecules, New York: Plenum 1985 ▪ Electronic and Atomic Collisions (mehrbändig), Amsterdam: North-Holland (seit 1979) ▪ Frommhold, Collison Induced Spectroscopy u. Gallagher, Collision Cross Section (Atomic Physics), in Encyclopedia of Physical Science and Technology, Vol. 3, S. 583–604 u. 573–582, New York: Academic Press 1992 ▪ Hinze, Electron-Atom and Electron-Molecule Collisions, New York: Plenum 1983 ▪ Johnson, Introduction to Atomic and Molecular Collisions, New York: Plenum 1982 ▪ Prog. React. Kinet. **10**, 1–252 (1979/80).

Stoßquerschnitt s. Stoßprozesse.

Stoßrohr s. Stoßwellen.

Stoßwellen (Schockwellen). Bez. für bei Explosionen u. Überschallströmungen auftretende Verdichtungswellen mit senkrechter Stoßfront, an der der Druck plötzlich zu einem Höchstwert ansteigt u. dahinter gegen null abnimmt (*Entlastungswelle*). In Gasen ergibt sich der Druckanstieg auf einer Strecke von wenigen freien Weglängen, in kondensierten Medien von wenigen Atom-, Ionen- od. Mol.-Abständen.
Zur Erzeugung von S. in Gasen bedient man sich des sog. *S.-Rohrs*, d. h. eines Rohrs, in dem zwei Räume, in denen sich Gase unterschiedlichen Drucks befinden, durch eine Membran (Diaphragma) getrennt sind; *Beisp.:* Xenon mit 1 kPa u. Wasserstoff mit 10 MPa. Bricht die Membran, so strömt H_2 in den Niederdruckraum u. erzeugt eine S. der Temp. 10 000 K, die das Xenon zur Ionisation u. zum Aufleuchten bringt. In Flüssigkeiten lassen sich S. durch schnelle Entladung einer Funkenstrecke herstellen; *Beisp.:* *Hydrospark. Unerwünschte Begleiterscheinungen sind S. bei der *Kavitation. S. treten ferner bei *Detonationen fester u. flüssiger *Sprengstoffe u. explosibler Gasgemische auf. Explosivstoffe können in Gasen einen Druck von bis zu 100 MPa erzeugen, in kondensierten Stoffen von bis zu 1 TPa. Die D.-Anstiege sind verhältnismäßig klein; in Gasen erreicht die D. gewöhnlich nicht mehr als das Zehnfache der Ausgangsdichte. In der Chemie bieten S. folgende Vorteile: Sie ermöglichen plötzliche Temp.-Anstiege, sehr hohe Temp., willkürliche Auswahl der Temp., homogene Aufheizung jedes beliebigen Gases (s. a. Hochtemperaturchemie).
Verw.: Im Laboratorium dient die S.-Meth. zur Untersuchung der Kinetik *schneller Reaktionen in der Gasphase, zur Untersuchung der therm. Dissoziation z. B. von Wasser od. von Oxid.- u. Pyrolysevorgängen, in flüssiger Phase zur Bestimmung des *Relaxations-Verhaltens von Stoffen, in Festkörpern zur Untersuchung von Hochdruckmodif. u. der Simulation der Bedingungen im Erdinneren (s. a. Hochdruckchemie); Näheres zur chem. Anw. der S.-Meth. s. Ultraschallchemie. Techn. Anw. finden sich in der *Hochleistungsumformung, z. B. bei der Explosionsverformung u. -plattierung, beim Sprengschweißen, beim Einschluß von Plasmen für die kontrollierte *Kernfusion u. für die Magnetohydrodynamik. In der Medizin können S. zur Zertrümmerung von Nierensteinen eingesetzt werden, wobei die S. außerhalb des Körpers durch eine Funkenentladung bzw. durch Piezo-Platten [1] od. auch innerhalb des Körpers, indem kurze Laserpulse in *Lichtleitfasern eingekoppelt werden [2], erzeugt werden. – ***E*** shock waves – ***F*** ondes de choc – ***I*** onde d'urto – ***S*** ondas de choque

Lit.: [1] Eisenberger, Miller u. Rassweiler (Hrsg.), Stone Therapy in Urology, Stuttgart: Thieme 1991. [2] Laser Optoelektron. **20** (4), 36, 40 (1988); **21** (6), 56 (1989); Spektrum Wiss. **1991**, Nr. 7, 44.
allg.: Gupta, Shock Waves in Condensed Matter, New York: Plenum 1986 ▪ Kohlrausch, Praktische Physik 1, S. 160, Stuttgart: Teubner 1996 ▪ Libermann u. Velikovich, Physics of Shock Waves in Gases and Plasmas, Berlin: Springer 1985 ▪ Murr et al., Metallurgical Applications of Shock-Wave and High-Strain-Rate Phenomena, New York: Dekker 1986 ▪ Phys. Bl. **51**, 655 (1995) ▪ Phys. Unserer Zeit **26**, 17 (1995) ▪ Prümmer, Explosivverdichtung in pulvrigen Substanzen, Berlin: Springer 1987 ▪ Spektrum Wiss. **1995**, Nr. 4, 50.

Stoßwellenmetamorphose s. Impact u. Meteoriten.

Stoßzahl s. Gasgesetze, Stoßprozesse u. Vakuum.

Stout. Dunkles, starkes, süßes, obergäriges *Bier mit bis zu 25% Stammwürze, Mindestalkohol-Gehalt 6,5% vol, gebraut v. a. in Großbritannien u. Irland (Nationalgetränk) unter Zusatz von gerösteter Gerste, die einen brenzlichen, intensiven Bittergeschmack hervorruft. Leichtere Sorten werden als *Porter* bezeichnet. – ***E*** = ***S*** stout – ***F*** bière brune – ***I*** stout, birra forte scura

Lit.: Belitz-Grosch (4.), S. 816. – *[HS 2203 00]*

STP. Kurzz. für a) *2,5-Dimethoxy-4-methylamphetamin, – b) engl.: *s*odium *t*ri*p*hosphate = Natriumtriphosphat, s. Natriumphosphate, u. – c) engl.: *s*tandard *t*emperature and *p*ressure = Normaltemp. u. -druck, s. Normzustand.

Strähle, Joachim (geb. 1937), Prof. für Anorgan. Chemie, Univ. Tübingen. *Arbeitsgebiete:* Koordinations- u. Festkörperchemie, Metall-Stickstoff-Verb., Chemie von Kupfer, Silber u. Gold, Übergangsmetall-Gold-Cluster, Kristallstrukturanalyse.

Lit.: Kürschner (16.), S. 3663 ▪ Wer ist wer (36.), S. 1413.

Strahlen. 1. Bez. für gerichtete, kontinuierliche Teilchen- od. Energieströme; *Beisp.:* Flüssigkeits-, Gas-, Atom-, Ionen-, Mol.-Strahlen, s. Strahlung u. die verwandten Stichwörter mit dem Präfix „Radio". – 2. Kurzform für *Sandstrahlen od. Behandlung mit anderen *Strahlmitteln.

Strahlenbelastung s. Strahlenbiologie, ionisierende Strahlung.

Strahlenbiologie. Ein manchmal der *Biophysik zugerechnetes, interdisziplinäres Forschungsgebiet, das die Wirkung von *Strahlung auf (lebende) Organismen untersucht – in diesem Sinne würde S. die *Photobiologie neben der *Radiobiologie umfassen. Häufiger wird jedoch S. nur mit Radiobiologie gleichgesetzt u. Strahlung als *ionisierende Strahlung verstanden, also α-, β- u. γ-Strahlen (vgl. Radioaktivität u. Gammastrahlen), od. aus *Teilchenbeschleunigern stammende Materiestrahlung sowie *Röntgen- u. *kosmische Strahlung. Jedes biolog. Syst. ist einer natürlichen *Strahlenbelastung* od. *Strahlenexposition* (in Klammern Daten für die BRD in effektiver Äquivalentdosis/Jahr/Mensch) ausgesetzt, die sich ergibt aus der Einwirkung der kosm. Strahlung (0,3–0,5 mSv), der terrestr. Strahlung aus Gesteinen (0,2–0,5 mSv) u. Baustoffen (0 für Holz od. Sandstein, 0,1–0,2 mSv für Ziegel od. Beton, 0,4–2 mSv für Granit) u. der Strahlung inkorporierter natürlicher *Radionuklide wie ^{40}K u. ^{87}Rb sowie der Zerfallsprodukte der radioaktiven Zerfallsreihen (1,6 mSv). Hinzu kommen Belastungen aus klin.-diagnost. Anw. insbes. von Röntgenstrahlen (1 mSv; 0,05–10 mSv pro Untersuchung), aus radioaktivem Fallout (z. Z. <0,01 mSv, in den 60er Jahren: 0,1–0,2 mSv), Flugverkehr (0,005–0,06 mSv, je nach Streckenlänge), Kernenergiegewinnung (0,00001 mSv) u. durch berufliche Exposition in Medizin, Ind. u. Forschung (3,4 mSv). Erheblich höher ist teilw. die Exposition von Bergwerksarbeitern, die z. T. hohen Radon-Dosen ausgesetzt sind: Im Kohlebergbau 1–2 mSv, im Erzbergbau 3–20 mSv! Im Durchschnitt erhält ein Einwohner der BRD aus natürlichen u. zivilisator. Strahlenquellen eine *effektive Äquivalentdosis* von 3,2 mSv/a (*Lit.*[1,2]); diese ist die Summe der mit dem jeweiligen Wichtungsfaktor multiplizierten *Äquivalent-Dosen (s. a. Dosis) der einzelnen, unterschiedlich strahlungsempfindlichen Organe.

Die durch den *Reaktor-Störfall von Tschernobyl (1986; *Lit.*[2,3]) bedingte zusätzliche Exposition (v. a. durch ^{131}I, ^{134}Cs, ^{137}Cs) wurde auf 0,055 mSv für Erwachsene u. 0,07 mSv für Kleinkinder errechnet; weitere Details s. ionisierende Strahlung u. Näheres zur allg. Strahlenbelastung s. *Lit.*[1,2,4]. *Tabakrauch von 1 Zigarette belastet den Körper mit 0,07 mSv hauptsächlich durch ^{210}Po (s. *Lit.*[5] u. S. 166 in *Lit.*[2]).

Die prim. Wirkung der Strahlung auf biolog. Syst. besteht in der Auslösung chem. Reaktionen in den absorbierenden Molekülen. *Strahlenschäden* u. andere bei der **Strahlentherapie* beobachtbare Effekte sind Folgen der *Strahlenchemie der untersuchten Syst., in erster Linie durch die Bildung von *Radikalen, *Radikal-Ionen u. Ionen in den getroffenen Zellbausteinen verursacht. Da Wasser der Hauptbestandteil von biolog. Syst. ist, geht ein Großteil der Wirkung von den durch *Radiolyse des Wassers gebildeten Radikalen $H^\cdot$, $^\cdot OH$, $HO_2^\cdot$ (in Ggw. von Sauerstoff) u. den *solvatisierten Elektronen aus. Diese wirken auf die für die Funktionstüchtigkeit der Zelle notwendigen Mol. (Proteine, Enzyme, Nucleinsäuren) so ein, daß es zur Spaltung von Bindungen, Bruch von Wasserstoff-Brücken, Hydratisierung, Hydrolysen, Dimerisierungen etc. kommen kann. Weitere Reaktionsmöglichkeiten ergeben sich als Folge der *Ionisation der Moleküle. Auf die Chemie des Strahlentods einer Zelle wird detailliert in *Lit.*[6] eingegangen. Auch spielt in der S. die *Sensibilisation der Zellen gegenüber der Strahlung eine Rolle – allerdings ist hier der Begriff des *Sensibilisators (Radiosensibilisatoren) nicht so einfach zu fassen wie in der *Photochemie, vgl. das folgende Stichwort u. s. *Lit.*[7].

Die bei *Bestrahlung biolog. Syst. makroskop. zu beobachtenden Effekte sind die Schädigung bzw. Abtötung von Organismen u. Zellen, das Auftreten von Mutationen u. von *Krebs, je nach angewandter *Dosis, Strahlungsart – d. h. deren *relativer biologischer Wirksamkeit – u. Zusammensetzung des Systems. Über die klin. Wirkung hoher Strahlendosen beim Menschen weiß man heute gut Bescheid[8]. Ganzkörperbestrahlungen mit 1–2 Sv lösen die sog. *akute Strahlenkrankheit* aus, u. Dosen >6 Sv sind im allg. letal. Allerdings können, bei entsprechend keimfreier Unterbringung, Personen auch Dosen bis 15 Sv überleben, z. B. bei Knochenmark-Transplantationen zur Behandlung von *Leukämie. Uneinigkeit herrscht noch in der Beurteilung des Gefahrenpotentials sehr niedriger Strahlendosen u. insbes. bei der Frage, ob es für die *mutagene, *teratogene u. *carcinogene Wirkung einer Strahlung einen Schwellenwert gibt. Für derartige Wirkungen sind in erster Linie die Schädigung der DNA u. Chromosomenbrüche in der Zelle verantwortlich, die nicht immer durch das zelleigene Reparatursyst.[9] behoben werden können.

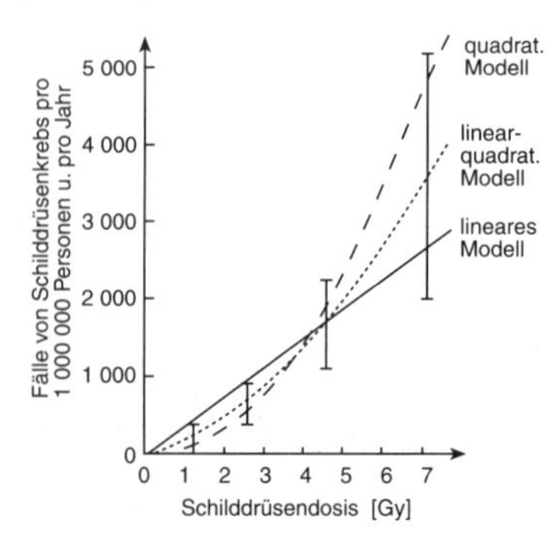

Abb.: Abhängigkeit eines biolog. Strahlenschadens von der Dosis (aus Reich et al., *Lit.*[10]). Die Fehlerbalken entsprechen einer Standardabweichung.

Das Gefahrenpotential wird bei geringen Dosen überschätzt, wenn man linear von starken Dosen zu Null hin extrapoliert (s. Abb.). Ob das z. Z. favorisierte Modell einer linear-quadrat. od. rein quadrat. Abhängigkeit stimmt, kann noch nicht beantwortet werden, da für eine hinreichend genaue Statistik nicht nur eine große Personengruppe beobachtet werden muß, sondern auch eine Korrektur aller anderen Einflüsse auf die Krebshäufigkeit (Umwelt, Lebensgewohnheiten u. Konsumverhalten, z. B. Nikotin- u. Alkoholkonsum) vorgenommen werden muß[10]. Auch chem. Agenzien (*Radiomimetika, *Mitosehemmer) können wie Strahlung wirken.

Trotz der verständlicherweise noch unvollkommenen Kenntnis über die Strahlenwirkung in der S. besteht eine Basis für die Anw. der Strahlung in *Nuklearmedizin, *Strahlentherapie, zur *Sterilisation u. für den Einsatz von *Radiopharmazeutika, ebenso aber auch für den *Strahlenschutz. Bei der in der BRD verbotenen Anw. ionisierender Strahlungen zur *Konservierung von Nahrungsmitteln unterscheidet man verschiedene Wirkungsstufen wie *Radicidation*, *Radurisation* u. *Radappertisation*. Es ist mittlerweile erwiesen, daß ionisierende Strahlung, bes. weiche β- u. Röntgenstrahlung, bei niedrigen Dosen biolog. stimulierende Wirkung haben[11]. Die durch Strahlenschäden aktivierten Reparaturenzyme reduzieren über einen Zeitraum von einigen Wochen die Anfälligkeit z. B. gegen Infektionskrankheiten. Bezüglich einer Korrelation des Gesundheitszustandes der Bevölkerung zur natürlichen Strahlendosis s. ionisierende Strahlung.

Da Krebsgewebe schlechter durchblutet ist u. Krebs-Zellen sich verstärkt in der Zellteilungsphase befinden u. oft einen gestörten Stoffwechsel haben, ist ihr Abwehrmechanismus vermindert; sie sind somit gegenüber ionisierender Strahlung bes. anfällig. Nach dem Absetzen einer Strahlentherapie können carcinogene Zellensemble jedoch wieder exponentielles Wachstum zeigen. Eine Kombination von Bestrahlung u. Hyperthermie ergibt bei der Krebsbekämpfung sehr gute Ergebnisse[12]. – ***E*** radiation biology – ***F*** biologie des radiations – ***I*** biologia delle radiazioni – ***S*** biología de radiaciones

Lit.: [1]GIT Fachz. Lab. **30**, 674–688 (1986). [2]Rassow, Risiken der Kernenergie, Weinheim: VCH Verlagsges. 1988. [3]Summary Report on the Post-Accident Review Meeting on the Chernobyl-Accident, Vienna: IAEA 1986; Naturwiss. Rundsch. **40**, 15 (1987); Spektrum Wiss. **1994**, Nr. 12, 117; **1996**, Nr. 5, 84. [4]Naturwissenschaften **74**, 3–11 (1987). [5]JAMA **257**, 2169 (1987). [6]Chem. Unserer Zeit **24**, 37 (1990). [7]Adv. Radiat. Biol. **9**, 75–107 (1981); Adv. Pharmacol. Chemother. **19**, 155 ff. (1982). [8]Dtsch. Ärztebl. **82**, 1169–1182 (1985). [9]Spektrum Wiss. **1994**, Nr. 12, 112. [10]Reich (Hrsg.), Dosimetrie ionisierender Strahlung, Stuttgart: Teubner 1990; Phys. Bl. **45**, 16 (1989); Phys. Unserer Zeit **21**, 63 (1990). [11]Jacobs u. Bonka, Fortschritte im Strahlenschutz, S. 1029, Köln: TÜV Rheinland 1991; Strahlenschutz Praxis **3** (2), 37–41 (1997). [12]Phys. Unserer Zeit **22**, 113 (1991); Spektrum Wiss. **1996**, Nr. 6, 70.

allg.: Aurand et al., Radioökologie u. Strahlenschutz, Berlin: E. Schmidt 1982 ▪ Bensasson u. Land, Flash Photolysis and Pulse Radiolysis. Contributions to the Chemistry of Biology and Medicine, Oxford: Pergamon 1983 ▪ Castellani, Epidemiology and Quantitation of Environmental Risk in Humans from Radiation and Other Agents, New York: Plenum 1985 ▪ Coggle, Biological Effects of Radiation, London: Taylor & Francis 1983 ▪ Conklin u. Walker, Military Radiobiology, New York: Academic Press 1986 ▪ Eder et al., Grundzüge der Strahlenkunde für Naturwissenschaftler u. Veterinärmediziner, Berlin: 1986 ▪ Granier u. Gambini, Radiobiologie et radioprotection appliquée, Paris: Techn. & Doc. 1985 ▪ Hall, Radiation and Life, Oxford: Pergamon 1984 ▪ Hendee, Health Effects of Low-Level Radiation, East Norwalk: Appleton-Century-Crofts 1984 ▪ Kriegel, Radiation Risks to the Developing Nervous System, Stuttgart: Fischer 1986 ▪ Lean, Radiation: Doses, Effects, Risks, New York: UN Publ. 1986 ▪ Mettler u. Moseley, Medical Effects of Ionizing Radiation, New York: Grune & Stratton 1985 ▪ Phys. Unserer Zeit **17**, 80 ff., 107 ff. (1986) ▪ Prasad, Handbook of Radiobiology, Boca Raton: CRC Press 1984 ▪ von Sonntag, The Chemical Basis of Radiation Biology, London: Taylor & Francis 1987 ▪ Spektrum Wiss. **1982**, Nr. 1, 56–65, Nr. 4, 28–37 ▪ Sube, Dictionary of Radiation Protection, Radiobiology and Nuclear Medicine, Amsterdam: Elsevier 1986 ▪ Turner, Atoms, Radiation, and Radiation Protection, Oxford: Pergamon 1986 ▪ Upton et al., Radiation Carcinogenesis, Amsterdam: Elsevier 1986 ▪ Urbain, Food Irradiation, New York: Academic Press 1986 ▪ Woodhead et al., Assessment of Risk from Low-Level Exposure to Radiation and Chemicals, New York: Plenum 1985. – *Inst. u. Organisationen:* Ges. für Strahlen- u. Umweltforschung mbH, 85764 Oberschleißheim ▪ Deutsche Röntgengesellschaft – Ges. für medizinische Radiologie, Strahlenbiologie u. Nuklearmedizin, 45657 Recklinghausen ▪ United Nations Scientific Committee on the Effects of Atomic Radiation (UNSCEAR).

Strahlenchemie. Bez. für ein Teilgebiet der Chemie, das sich mit der chem. Wirkung *ionisierender Strahlung befaßt (s. DIN 25401-1: 1986-09). Sichtbares u. ultraviolettes Licht sind hier im allg. ausgeschlossen. Strahlenchem. Reaktionen finden auch statt in *Gasentladungen, in der *Plasmachemie, beim sog. *Elektronenbrenzen (vgl. Tritium), bei der *Massenspektrometrie u. a. *Spektroskopie-Arten.

In der allg. Auffassung steht die S. gleichberechtigt neben der *Photochemie, zu der über weiche u. ultraweiche Röntgenstrahlung u. Vak.-UV-Strahlung ein Übergang besteht. Nach anderer Interpretation ist S. gemeinsamer Oberbegriff von *Photochemie* u. *Radiations-* od. *Kernstrahlenchemie*. Einigkeit der Auffassung besteht darin, daß sich die S. mit chem. Reaktionen befaßt, die durch die Einwirkung einer *energiereichen Strahlung* ausgelöst werden u. zu bleibenden Veränderungen der bestrahlten Materie führen. Uneinigkeit besteht jedoch über die Abgrenzung der energiereichen Strahlung; während manche Autoren darunter nur ionisierende Strahlung verstehen (Kern-S.), schließen andere auch den ultravioletten od. den sichtbaren Bereich des Spektrums mit ein. Beide Auffassungen gehen jedoch davon aus, daß die Wechselwirkung zwischen Strahlung u. Materie in dem für die S. wichtigen Energiebereich ausschließlich mit den Elektronenhüllen erfolgt; es werden also keine Kernumwandlungen vollzogen, u. die Materie selbst wird nicht radioaktiv – vgl. dagegen Kernchemie, Radiochemie u. Chemie der heißen Atome.

Die in der S. – u. damit auch in der *Strahlenbiologie u. -therapie – makroskop. beobachtbaren Effekte sind das Ergebnis komplizierter, zusammengesetzter Prozesse, die man in Primär- u. Sekundärprozesse einteilt. Von *Primärprozessen* spricht man, wenn die in gasf., flüssiger od. fester Materie innerhalb von 10^{-15} s absorbierte elektromagnet. u./od. Teilchen-*Strahlung zu einer *Anregung von Atomen u. Mol. sowie zu der Entstehung von kurzlebigen Spezies (Radikalen, Ionen, thermalisierte u. ggf. *solvatisierte Elektronen) führt. Aufschluß über den Charakter der *Zwischenstufen erhält man durch *EPR-Spektroskopie, *Pulsradiolyse u. Tieftemp.-Untersuchungen, wobei man die reaktiven Spezies in einer *Matrix aus Polymergläsern od. gefrorenen Lsm. einfrieren kann. Als energiereiche, *ionisierende Strahlung* kommen in Frage: *Teilchen* wie *Elektronen (β-Strahlen), *Positronen, *Protonen, *Neutronen, *Deuteronen, α-Strahlen (vgl. Radioaktivität) u. beschleunigte Ionen (*Ionenstrahlen) sowie *Photonen sehr kurzwelliger Ultraviolettstrahlung bzw. von Röntgenstrahlen u. Gammastrahlen. Für harte UV-Strahlung dienen als *Strahlenquellen* Vak.-UV-Strahler (z. B. Helium-Entladungslampen wie für die *Photoelektronen-Spektroskopie), für *Röntgenstrahlung spezif. Apparate, für α- u. β-Strahlen, Protonen u. Neutronen *Radionuklide, die die erwähnten Strahlungen ausschließlich od. bevorzugt emittieren, u. für γ-Strahlen Radionuklide wie z. B. ^{137}Cs u. ^{60}Co. Im allg. werden Elektronen u. Protonen von *Teilchenbeschleunigern geliefert, weil höherenerget. Teilchen nur so in ausreichender Dichte u. gleichmäßiger Energieverteilung erzeugt werden können.

Wie aus der Abb. ersichtlich, resultieren aus der Einwirkung der Strahlung auf Materie atomare **Photoeffekte* (*Photoionisation), **Compton-Effekte* u. **Paarbildung*. Eine Tab. bezüglich der Abhängigkeit Photoeffekt, Compton-Streuung u. Paarbildung von der Photonenenergie u. der *Ordnungszahl des bestrahlten Materials ist bei Röntgenstreuung aufgeführt (s. a. dortige Abb.). Im Gegensatz zur Photochemie, bei der Lichtquanten mit Energiebeträgen in der Größenordnung von eV absorbiert werden, die zu definierten Anregungszuständen der *Valenzelektronen führen, liegen die Energien der Quanten od. Teilchen ionisierender Strahlung (zur Detektion s. Dosimetrie) in der Größenordnung von keV bis MeV. Im Vgl. zur Lichtabsorption wird die Energie solcher Quanten od. Teilchen schrittweise u. nicht in einem einzigen Prozeß von einem Mol. aufgenommen (*Energie-Dissipation*). Häufig übersteigt dabei die in einem Einzelschritt abgegebene Energie die Ionisationsenergie des getroffenen Mol.; in diesem Fall wird durch die Abspaltung eines energiereichen Elektrons ein *Radikal-Ion erzeugt. Aufgrund der nach Art u. Energie der Strahlung sehr unterschiedlichen Eindringtiefe (*Reichweite*) in die Materie sind die Primärprodukte nicht homogen im Medium verteilt, sondern entstehen entlang der Bahnen (*E* tracks) der Teilchen, vgl. die Abb. u. Abb. 3 bei Radioaktivität. Man hat errechnet, daß ein α-Teilchen ca. 30000 Ionenpaare/cm erzeugt. Die Bahnen wiederum kann man sich aus vielen kleinen *Domänen* (*E* spurs) zusammengesetzt denken, die durchschnittlich 3 ionisierte u. 4–6 angeregte Mol. in sehr hoher lokaler Konz. enthalten. Man nimmt an, daß 50–55% aller *Stoßprozesse mit Elektronen zur Anregung, 35–40% zur *Ionisation u. 5–15% zur *Dissipation in Form von Wärme führen. Eine wichtige Kenngröße in der S. ist die *Ionisationsdichte* od. *LET (*E* linear energy transfer), unter der man den Energieverlust pro Wegstrecke versteht; *Beisp.:* Elektronen von 1 MeV Energie haben einen LET-Wert von 0,060 keV/µm, α-Teilchen der gleichen Energie einen solchen von 182 keV/µm. Die Unterschiede in den LET-Werten machen die verschiedenen *relativen biologischen Wirksamkeiten der Strahlungsarten verständlich; s. a. Äquivalent-Dosis.

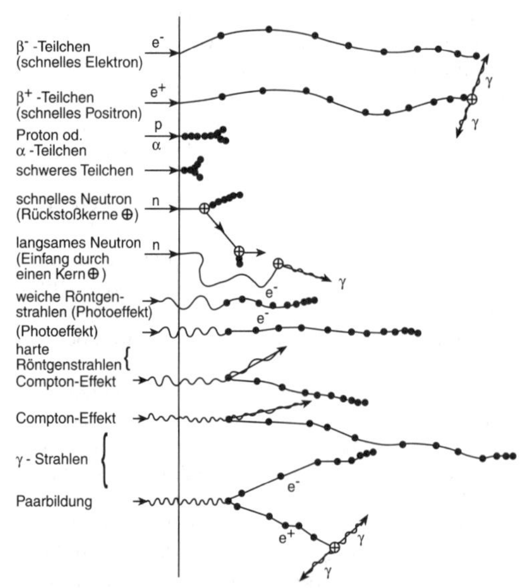

Abb.: Schemat. Darst. der Wirkung ionisierender Strahlung auf Materie; • bedeutet Anregung u. Ionisierung längs der Bahnen geladener Teilchen.

Als *Sekundärprozesse* bezeichnet man die von den Primärprodukten ausgelösten Reaktionen wie Dissoziation, Fragmentierung, Rekombination, Disproportionierung, *Kettenreaktionen, *Lumineszenz-Erscheinungen, *Ionen-Molekül-Reaktionen u. *Energieübertragungs-Prozesse. In der S. ist das Phänomen der *Sensibilisation weniger leicht als in der *Photochemie zu beschreiben, denn in der S. gelten z. B. nicht nur aromat. Kohlenwasserstoffe, sondern auch niedermol. Agenzien wie Sauerstoff als *Sensibilisatoren; zum Einfluß von sog. *Radiosensibilisatoren* auf die S. biolog. Syst. s. *Lit.*[1] u. Strahlenbiologie. Auf der Vielfalt dieser Reaktionen, die z. T. ähnlichen Gesetzmäßigkeiten gehorchen wie Substanzumwandlungen im Massenspektrometer, beruht der potentielle, zugleich aber auch begrenzte Nutzen der S. für die präparative u. techn. Chemie. Die Photochemie ist dank der möglichen Monochromasie ihrer Strahlung bildlich mit einem Skalpell zu vergleichen (z. B. in der *Photolyse), die S. entspricht dagegen einer Axt, mit der (z. B. in der *Radiolyse) chem. Bindungen verhältnismäßig unselektiv gespalten werden. Der Vorzug der S. besteht jedoch in den frei wählbaren Reaktionsparametern wie z. B. Druck u. Temperatur. Außerdem lassen sich in der S. selbst in der Tiefe von Festkörpern chem. Reaktionen auslösen, wodurch sich gegenüber konventionellen Verf. techn. Vorteile ergeben. In der S. werden die Ausbeuten strahlenchem. Prozesse nicht als *Quantenausbeuten, sondern in sog. *G-Werten angegeben.

Wegen ihrer Bedeutung für das Verständnis biolog. *Strahlenschäden* (s. a. Strahlenbiologie, -schutz u. -therapie) ist die S. einzelner Verbindungsklassen näher untersucht worden, z. B. von Alkoholen, Kohlenhydraten, Ketonen, Aldehyden, Proteinen, Nucleinsäuren. Die Chemie des zellulären Strahlentodes, insbes. der Einfluß der Ionisation u. Dissoziation des Zellwassers, ist in *Lit.*[2] beschrieben. Mit dem analyt. Nachw. von DNA-Strahlenschäden beschäftigt sich *Lit.*[3]. Beim Einsatz *markierter Verbindungen können unerwünschte strahlenchem. Reaktionen auftreten. Bes. intensiv ist die Radiolyse des Wassers untersucht worden, deren Primärprodukte in erster Linie Wasserstoff-Atome, Hydroxy-Radikale u. hydratisierte Elektronen (s. solvatisierte Elektronen) sind.

Anw.: Dem Einsatz der S. in der *präparativen Chemie steht, wenigstens soweit es hier um Anw. im Laboratorium geht, der für den *Strahlenschutz notwendige Aufwand entgegen (Verw. von speziellen Baustoffen zur *Abschirmung, Benutzung von Manipulatoren, Fernbedienungs- u. Überwachungsanlagen für die *Arbeitssicherheit etc., s. a. Radionuklid-Laboratorium). Auch die industrielle Anw. ionisierender Strahlen beschränkt sich auf wenige techn. Prozesse wie Sulfochlorierung, Sulfoxid., die Herst. von Ethylbromid, Alkylzinnbromiden, Chloressigsäuren, organ. Chlorsilanen u. Ethylencopolymerisaten, von sog. Polymerholz (*Holz-Kunststoff-Kombinationen) u. auf die Mitwirkung beim *Kracken von Kohlenwasserstoffen (RTK = radiationschem.-therm. Kracken). Routinemäßige Prozesse der S. sind die Vernetzung von Polymeren, die Pfropfcopolymerisation, die *Lackhärtung, die Herst. von Kabelisolierungen u. Schrumpffolien, die Vulkanisation von Kautschuk sowie die *Sterilisation von chirurg. u. pharmazeut. Material u. dgl., vgl. auch Bestrahlung. Eine denkbare Aufgabe für die S. wäre die Entgiftung von umweltrelevanten Chlor-Aromaten (*Dioxin-haltigen Stoffen, *PCB u. a.) durch strahlenchem. Chlor-Eliminierung; Näheres zu praktizierten u. potentiellen Anw.-Möglichkeiten der S. s. *Lit.*[4]. – ***E*** radiation chemistry – ***F*** chimie des radiations – ***I*** chimica delle radiazioni – ***S*** química de radiaciones

Lit.: [1] Adv. Pharmacol. Chemother. **19**, 155 ff. (1982). [2] Chem. Unserer Zeit **24**, 37 (1990). [3] J. Chromatogr. **295**, 103–121 (1984); Anal. Biochem. **144** (1985). [4] Chem. Ztg. **109**, 367–381 (1985).
allg.: Bradley, Radiation Technology Handbook, New York: Dekker 1984 ▪ Encycl. Polym. Sci. Eng. **4**, 418–449, 647 ff. ▪ Encycl. Polym. Sci. Technol. **11**, 702–809 ▪ Farhataziz u. Rodgers, Radiation Chemistry, Weinheim: VCH Verlagsges. 1987 ▪ Földiak, Radiation Chemistry of Hydrocarbons. Industrial Application of Radioisotopes (2 Bd.), Amsterdam: Elsevier 1981, 1986 ▪ Kroh, Early Developments in Radiation Chemistry, London: R. Soc. Chem. 1989 ▪ Lias u. Ausloos, Ion-Molecule Reactions: Their Role in Radiation Chemistry, Washington: ACS 1975 ▪ Rad. Phys. Chem. **20** (1) (1983) ▪ Randall, Radiation Curing of Polymers, London: R. Soc. Chem. 1987 ▪ Schwarz, Radiation Chemistry, in Lerner u. Trigg (Hrsg.), Encyclopedia of Physics, S. 1011, Weinheim: VCH Verlagsges. 1991 ▪ Silverman, Trends in Radiation Processing (3 Bd., Rad. Phys. Chem. 18/1–6), Oxford: Pergamon 1982 ▪ Ullmann **16**, 425–455; **E**, 7; (4.) **22**, 253–286 ▪ Winnacker-Küchler (3.) **2**, 628–651; (4.) **6**, 810 ff. ▪ Z. Chem. **21**, 91–100 (1981). – *Zeitschriften u. Serien:* Journal of Industrial Irradiation Technology, New York: Dekker (seit 1983) ▪ Radiation Effects, London: Gordon & Breach (seit 1969) ▪ Radiation Physics and Chemistry, Oxford: Pergamon (seit 1969). – *Inst. u. Organisationen:* GDCh-Fachgruppe Nuklearchemie ▪ Hahn-Meitner-Institut für Kernforschung, 14109 Berlin ▪ Lehrstuhl für Strahlenchemie der TU, 10623 Berlin ▪ MPI für Strahlenchemie, 45470 Mülheim. – *Dokumentationszentrum:* Radiation Chemistry Data Center, Notre Dame, Ind. 46556 (USA).

Strahlendosis s. Dosis u. vgl. ionisierende Strahlung u. Strahlenbiologie.

Strahlenexposition s. Strahlenbiologie.

Strahlenhärtung s. Härtung von Kunststoffen u. Lackhärtung.

Strahlenkrankheit s. Strahlenbiologie.

Strahlenpolymerisation s. Polymerisation.

Strahlenquellen s. Photochemie, Strahlenchemie u. Spektroskopie.

Strahlenschäden. 1. Schäden od. Krankheiten, die durch die Einwirkung ionisierender Strahlen auf den Organismus entstehen. S. treten dabei zum einen als sofort auf die Strahlenbelastung folgende *Frühschäden* von Organen auf, zum anderen als *Spätschäden*, u. a. durch Veränderungen am genet. Material, die Mißbildung od. *Krebs verursachen.

Die Frühschäden an verschiedenen Organen betreffen v. a. Syst. mit rascher Zellerneuerung, wie Haut, Schleimhäute, das blutbildende Syst. u. die Blutgefäße. Ionisierende Strahlen wirken dabei auf die Zellen durch Ionisierung, Radiolyse des Zellwassers, Bildung von Peroxiden u. der Reaktion von Radiolyseprodukten mit *Nucleinsäuren (DNA u. RNA), *Enzymen u. Membranbestandteilen. Die Haut reagiert mit Verkümmerung u. Gefäßarmut, was zur Entstehung von Geschwüren (Röntgenulcus) führen kann. Schleimhäute, v. a. die des Darmtrakts reagieren mit Stillstand der Zellerneuerung, so daß sich Geschwüre u. in der Folge narbige Veränderungen bilden. Die Störung der Blutbildung führt zur Abnahme der *Leukocyten u. *Thrombocyten, dann auch der *Erythrocyten im Blut. Die Folge sind Schwächung der Immunabwehr, Störungen der *Blutgerinnung u. *Anämie. An den Blutgefäßen äußern sich die Strahlenfolgen als Veränderung der Gefäßwände mit Blutungen u. Gefäßverschlüssen. Die Veränderungen der Gefäße spielen auch bei der Entstehung von Strahlenspätschäden eine Rolle. Diese sind das Ergebnis der Vernarbungen u. Verkümmerungen der geschädigten Gewebe. Die wichtigsten Strahlenspätschäden sind der durch die tumorerzeugenden Effekte (s. a. Carcinogenese) der Strahlung entstehende Strahlenkrebs u. die Schädigung von Embryonen.

Zur Abschätzung des Risikos bei der Bestrahlung eines Organs mit einer niedrigen Dosis gibt die internat. Strahlenschutzkommission (ICRP) Koeff. r_T (in der Einheit $10^{-4} \cdot Sv^{-1}$) u. Wichtungsfaktoren w_T an, mit denen die *Äquivalentdosis zu multiplizieren ist, um die effektive Äquivalentdosis zu erhalten. Gegenüber den auf S. 71 aufgeführten Werten gelten aktuell die in der Tab. auf S. 4270 gelisteten Werte für das Strahlenrisiko u. die Gewebewichtungsfaktoren zur Berechnung der effektiven Äquivalenzdosis.

2. S. in Festkörpern entstehen, wenn hochenerget. Quanten, Photonen, od. reale Partikel beim Stoß auf Gitteratome kinet. Energie übertragen, die größer als die Gitterenergie ist. Es entstehen dabei Leerstellen (*E* vacancies), u. Atome begeben sich auf normalerweise unbesetzte Plätze (*E* interstitials), z. B. an Versatzkan-

Tab.: Strahlenschäden.

Gewebe od. Organ	Risiko-Koeff. r_T $[10^{-4} \cdot Sv^{-1}]$	Gewebe-Wichtungsfaktor w_T
Keimdrüsen	10	0,2
Knochenmark (rot)	50	0,12
Dickdarm	85	0,12
Lunge	85	0,12
Magen	110	0,12
Blase	30	0,05
Brustgewebe	20	0,05
Leber	15	0,05
Speiseröhre	30	0,05
Schilddrüse	8	0,05
Haut	2	0,01
Knochenoberfläche	5	0,01
übrige Organe	50	0,05

ten od. Grenzflächen zwischen einzelnen Kristallbereichen. Die Verteilung der Fehlstellen hängt von der Beweglichkeit der Gitteratome u. somit von der Temp. des Festkörpers ab. Bei sehr niedriger Temp. bleiben singulär verteilte Fehlstellen erhalten, im mittleren Temp.-Bereich schließen sich die Fehlstellen zu Clustern zusammen u. bei hohen Temp. nahe des Schmp. werden die Fehlstellen ausgeheilt. Die Anzahl der Fehlstellen hängt von der Bestrahlungszeit u. -art ab. Aufgrund ihrer größeren Masse ist der Energieübertrag pro Einzelstoß bei *Neutronen größer als bei Elektronen gleicher Energie; während bei Elektronen paarweise Leerstellen u. überbesetzte Stellen entstehen, können bei Neutronen die herausgeschlagenen Atome weitere S. hervorrufen.
Durch S. wird also das Kristallgefüge verändert, z.B. werden Bandkanten verschoben, wodurch sich bei *Halbleitern die *elektrische Leitfähigkeit ändert, od. es werden *Farbzentren erzeugt, die techn. ausgenutzt werden, etwa beim Bau von *Farbzentren-Lasern od. beim Färben von Mineralien (z.B. Rauchquarz, s. Quarz). Aufgrund der Fehlstellen dehnen sich viele Festkörper erheblich aus (Vol.-Änderung bis über 10%), wodurch große techn. Probleme auftreten können. Da durch die veränderte Kristallstruktur auch Dehnungsmodule u. Belastungsgrenzen verändert werden, muß beim Betrieb von Kernkraftwerken auf S. sehr geachtet werden. – ***E*** radiation damage, radiation injuries – ***F*** radiopathies, radiolésions, détériorations par irradiation – ***I*** danni da radiazioni, lesioni da raggi – ***S*** radiopatías, radiolesiones, daños por irradiación

Lit. *(zu 1.):* Mettler u. Mosely, Medical Effects of Radiation, Orlando: Grune & Stratton 1985 ▪ Riede u. Schaefer, Allgemeine u. spezielle Pathologie, S. 159–167, Stuttgart: Thieme 1995. – *(zu 2.):* Roussin u. Trubey, Radiation Shielding and Protection, in Encyclopedia of Physical Science and Technology, Vol. 14, S. 59–94, New York: Academic Press 1992 ▪ Welch, Radiation Damage in Solids, in Lerner u. Trigg (Hrsg.), Encyclopedia of Physics, Weinheim: VCH Verlagsges. 1991.

Strahlenschutz. Bez. für Voraussetzungen u. Maßnahmen, die dem Schutz von Leben, Gesundheit u. Sachgütern vor der schädlichen Wirkung *ionisierender Strahlung dienen. Der S. vereinigt gleichermaßen (arbeits-) medizin., techn. u. Umweltaspekte. Die Grundsätze des S. sind:
1. Die Strahlenexposition zu begrenzen (Einhaltung von *Dosis-Grenzwerten),
2. jede unnötige Strahlenexposition od. Kontamination zu vermeiden (Rechtfertigungsgrundsatz) u.
3. jede Strahlenexposition od. Kontamination unter Beachtung des *Standes der Wissenschaft und Technik u. unter Berücksichtigung aller Umstände des Einzelfalles auch unterhalb zulässiger Grenzwerte so gering wie möglich zu halten (Optimierungsgrundsatz bzw. ALARA-Prinzip: *a*s *l*ow *a*s *r*easonably *a*chievable).
Als Quellen ionisierender Strahlung kommen radioaktive Stoffe, Röntgeneinrichtungen u. Störstrahler sowie spezielle Anlagen zur Beschleunigung geladener Teilchen (Beschleunigungs- u. Plasmaanlagen) in Betracht.
Bei den Maßnahmen des prakt. S. ist die Art der radioaktiven Stoffe (Radionuklide) u. ihre Form (offene od. umschlossene radioaktive Stoffe) sowie die Art u. Intensität der ionisierenden Strahlung zu unterscheiden. Der prakt. S. basiert auf den Erkenntnissen über die Physik der Strahlung (Strahlenphysik) u. über die unterschiedliche Wirksamkeit ionisierender Strahlen auf biolog. Organismen nach Art der Strahlung, absorbierter Energiedosis sowie Dosisleistung (Mikrodosimetrie, Radiobiologie). Zielsetzung der Maßnahmen des prakt. S. ist (sog. 4A-Regel):
1. Die *Aktivität der radioaktiven Stoffe auf den niedrigsten Wert zu beschränken, mit dem die gestellte Aufgabe zu lösen ist,
2. den größtmöglichen *A*bstand von einer Strahlenquelle einzuhalten,
3. die *A*ufenthaltsdauer im Strahlenfeld auf ein Minimum zu beschränken u.
4. *A*bschirmungen zu verwenden.
Dem prakt. S. sind beim Umgang mit offenen radioaktiven Stoffen auch die Maßnahmen zuzurechnen, mit denen Kontaminationen u. Inkorporationen vermieden u. Verschleppungen der Kontaminationen verhindert werden. Ebenfalls als Maßnahmen des prakt. S. lassen sich Dekorporationen, * Dekontaminationen u. die Verw. prophylakt. Strahlenschutzmittel auffassen, die, um ihre schützende Wirkung entfalten zu können, bereits während der Bestrahlung im biolog. Organismus vorliegen müssen (z.B. Iod-Prophylaxe, Superoxid-Dismutase, Schwefel-Verb. vom Typ des Cysteins, Cysteamins, der Amiinothiole).
Zum Zwecke des S. sind S.-Bereiche einzurichten u. diese sowie Anlagen, Geräte, Behälter u. Verpackungen, die radioaktive Stoffe enthalten, durch Warnschilder deutlich sichtbar u. dauerhaft zu kennzeichnen. Die Warnschilder haben das Strahlenzeichen zu enthalten.
Organisator. S.-Maßnahmen sind in erster Linie dem S. dienende Messungen (physikal. S.-Kontrolle, *Dosimetrie), Aufzeichnungen, Verhaltensweisen, Organisationsformen (S.-Organisation, S.-Verantwortlicher, S.-Beauftragter), Buchführungspflichten (Überwachung des Bestandes an Strahlenquellen u. radioaktiven Stoffen), Überwachungen beruflich strahlenexponierter Personen u. Überwachung der natürlichen u. zivilisator. Strahlenexposition der Gesamtbevölkerung durch Ermittlung von Bevölkerungsdosen, Mes-

sung der Umgebungsstrahlung u. Messung der Aktivität radioaktiver Stoffe in der Umwelt sowie im Menschen.
Die gesetzlichen Grundlagen des S. in der BRD bilden das Gesetz über die friedliche Verw. der Kernenergie u. den Schutz gegen ihre Gefahren (Atomgesetz-AtG), die VO über den Schutz vor Schäden durch ionisierende Strahlen (S.-VO – StrlSchV) u. die VO über den Schutz vor Schäden durch Röntgenstrahlen (Röntgen-VO – RöV). Die einzelnen rechtlichen Bestimmungen zur Durchführung des S. bei der Beförderung sind durch das Gesetz über die Beförderung gefährlicher Güter, die VO über die Beförderung gefährlicher Güter auf der Straße (Gefahrgut-VO Straße – GGVS), die VO über die Beförderung gefährlicher Güter mit der Eisenbahn (Gefahrgut-VO Eisenbahn – GGVE) u. die VO über die Beförderung gefährlicher Güter mit Seeschiffen (GefahrgutVSee) festgelegt. Die Gesetze u. VO legen enumerativ alle Überwachungs- u. Schutzvorschriften sowie Grenzwerte fest.
Innerhalb der EG ist der S. durch die EG-Richtlinie über die Grundnormen für den S. geregelt. Zum neuesten Stand der Wissenschaft auf dem Gebiet des S. s. die jeweiligen Empfehlungen der Internat. S.-Kommission (ICRP) u. der (nat.) S.-Kommission (SSK) beim Bundesminister für Umwelt, Naturschutz u. Reaktorsicherheit. – ***E*** radiation protection – ***F*** protection contre les rayonnements ionisants – ***I*** protezione contro le radiazioni – ***S*** protección contra las radiaciones ionizantes

Lit.: Baverstock u. Stather, Biological Bases of Risk Assessment, London: Taylor & Francis 1989 ▪ Bundesminister für Umwelt, Naturschutz u. Reaktorsicherheit (Hrsg.), Handbuch „Reaktorsicherheit u. Strahlenschutz", Köln: Ges. Reaktorsicherheit (seit 1978) ▪ Bundesminister für Umwelt, Naturschutz u. Reaktorsicherheit (Hrsg.), Veröffentlichungen der Strahlenschutzkommission, Bd. 1 bis 16 (wird fortgesetzt), Stuttgart: Fischer (seit 1985) ▪ Erste Hilfe bei erhöhter Einwirkung ionisierender Strahlen (ZH1/546), St. Augustin: HV Gewerbl. BG 1997 u. Köln: Heymanns 1997 ▪ Gesetz über die Beförderung gefährlicher Güter, BGBl. I, S. 2121, 06.08.1975, geändert durch Gesetz vom 28.03.1986, BGBl. I, S. 373 ▪ Gesetz über die friedliche Verwendung der Kernenergie u. den Schutz gegen ihre Gefahren (Atomgesetz-AtG), BGBl. I, S. 1566, 15.07.1985, geändert durch Gesetz vom 09.10.1989, BGBl. I, S. 1830 ▪ Grupen, Grundkurs Strahlenschutz, Wiesbaden: Vieweg 1997 ▪ Kiefer u. Kölzer, Strahlen u. Strahlenschutz (3.), Berlin: Springer 1992 ▪ Köhnlein, Traut u. Fischer, Die Wirkung niedriger Strahlendosen. Biologische u. medizinische Aspekte, Berlin: Springer 1989 ▪ Pschyrembel, Wörterbuch Radioaktivität, Strahlenwirkung, Strahlenschutz, Berlin: de Gruyter 1986 ▪ Richtlinie I6/29, Euratom des Rates vom 13.05.1996 zur Festlegung der grundlegenden Sicherheitsnormen für den Schutz der Gesundheit der Arbeitskräfte u. der Bevölkerung gegen die Gefahren durch ionisierende Strahlungen, EG-Amtsblatt L 159 vom 29.6.1996 ▪ Strahlenschutz, DIN-Taschenbuch 159 u. 234, Berlin: Beuth 1988 ▪ Umweltradioaktivität u. Strahlenbelastung, Jahresberichte des Bundesministers für Umwelt, Naturschutz u. Reaktorsicherheit (BMU) ▪ United Nations Scientific Committee on the Effects of Atomic Radiation (UNSCEAR): Sources, Effects and Risks of Ionizing Radiation. Report to the General Assembly, New York: United Nations 1988 ▪ Verordnung über den Schutz vor Schäden durch ionisierende Strahlen (Strahlenschutzverordnung-StrlSchV), BGBl. I, S. 1321, 01.11.1989, zuletzt geändert durch die VO vom 18.08.1997, BGBl. I, S. 2113 ▪ Verordnung über den Schutz vor Schäden durch Röntgenstrahlen (Röntgenverordnung-RöV), BGBl. I, S. 66, 08.01.1987 ▪ Verordnung über die Beförderung gefährlicher Güter auf der Straße (Gefahrgutverordnung Straße – GGVS) vom 22.07.1985, BGBl. I, S. 1550, 1985, geändert durch Verordnung vom 18.06.1990, BGBl. I, S. 1326, 1990 ▪ Verordnung über die Beförderung gefährlicher Güter mit der Eisenbahn (Gefahrgutverordnung Eisenbahn – GGVE), BGBl. I, S. 827, 22.06.1983 ▪ Verordnung über die Beförderung gefährlicher Güter mit Seeschiffen (GefahrgutVSee), BGBl. I, S. 1017, geändert durch Verordnung vom 27.07.1982, BGBl. I, S. 1113.

Strahlenschutzgläser s. Glas, S. 1544.

Strahlentherapie. Anw. *ionisierender Strahlen zur Behandlung von *Krebs mit dem Ziel der max. Schädigung des Tumorgewebes unter Schonung des umgebenden gesunden Gewebes. Tumorgewebe, insbes. von rasch wachsenden Geschwulsten mit hoher Zellteilungsrate, ist gegenüber ionisierender Strahlung empfindlich. Zum einen wird die Strahlung von außen durch die Haut appliziert. Dazu verwendet man hochenerget. Photonenstrahlung (Röntgen- od. γ-Strahlen) od. Elektronenstrahlung. Zur Anw. kommen in bestimmten Fällen auch Neutronen- u. Protonen- od. α-Strahlung. Durch bestimmte, z. T. computergesteuerte Anordnung u. Bewegung der Strahlenquellen kann dabei die räumliche Dosisverteilung optimiert werden. Zum anderen können radioaktive Nuklide in Form von Nadeln direkt in das zu bestrahlende Gewebe eingeführt werden (s. a. Nuklearmedizin). – ***E*** radiotherapy – ***F*** radiothérapie – ***I*** = ***S*** radioterapia

Lit.: Scherer u. Sack, Strahlentherapie, Heidelberg: Springer 1996.

Strahlenvulkanisation s. Vulkanisation.

β-Strahler. Substanz, die aufgrund des *Beta-Zerfalls (s. a. Radioaktivität) *Beta-Strahlen emittiert. In der Natur vorkommende Substanzen emittieren β^--Strahlen (*Elektronen), während künstlich erzeugte radioaktive Substanzen auch β^+-Strahlen (*Positronen) aussenden können. Für Kalibrierungszwecke eignen sich die Nuklide, bei denen die den Beta-Zerfall begleitende Gammastrahlung niedrige Energie u. geringe Intensität besitzt, so daß sie nicht stört; *Beisp.:* ^{14}C, ^{147}Pm, ^{204}Tl, $^{90}Sr + {}^{90}Y$ sowie $^{106}Ru + {}^{106}Ru$ (s. *Lit.*, S. 356). Bezüglich der *Äquivalent-Dosis-Leistung einiger β-S. s. *Lit.*, S. 336. – ***E*** β radiator – ***F*** radiateur β – ***I*** radiatore β – ***S*** radiador β

Lit.: Reich (Hrsg.), Dosimetrie ionisierender Strahlung, Stuttgart: Teubner 1990.

Strahlkies s. Markasit.

Strahlmittel. Harte, metall. u. nichtmetall. Stoffe, die zum Strahlen von Bauteiloberflächen in der Metall- u. Glas-Ind. verwendet werden. Die S. werden in Abhängigkeit vom verwendeten Werkstoff nach DIN 8201-4 bis -7: 1975-07 u. 8201-9: 1986-07 in folgende Gruppen eingeteilt: Eisen u. Stahl (Hartguß, Stahlguß, nichtrostender Stahl), Nichteisen-Metall (Leicht-, Schwermetall), natürliche mineral. Stoffe (Quarzsand, gebrochenes Gestein), synthet. mineral. Stoffe (Edelkorund, Kupferhüttenschlacke, Siliciumcarbid, Glasperlen) u. organ. Stoffe (Nußschalen, Holz, Kunststoff). Die Bez. der S. erfolgt nach DIN EN ISO 1124-1: 1997-06 u. 1124-2 bis -4: 1997-10.
Je nach Form des S.-Kornes unterscheidet man zwischen kugeligen, kantigen u. zylindr. Strahlmitteln.

Letztere werden aus metall. Drähten hergestellt. Die kugeligen S. werden in Abhängigkeit von der Korngröße in verschiedene Korngruppen eingeteilt; bei Drahtkorn wird anstelle der Korngruppe der Nenndurchmesser des gezogenen Ausgangsmaterials angegeben. An kugelförmige S. werden Anforderungen hinsichtlich einwandfreier Kugelform gestellt. Die einzelnen Kügelchen sollen voll sein u. möglichst keine Hohlräume einschließen. Als schadhaft werden Kugeln mit Rissen, Hohlräumen, porösen Stellen u. abweichender Form betrachtet. Die Prüfung von S. wird in DIN EN ISO 11125-1 bis -7: 1997-11 u. DIN 50312: 1997-10 behandelt.

Die Verw. der genannten S.-Arten setzt in jedem Fall voraus, daß die Forderungen der Verordung über gefährliche Arbeitsstoffe (ArbStoffV) u. der gültigen *T*echn. *R*egeln für *g*efährliche *A*rbeitsstoffe (TRgA 503, *Strahlmittel*) eingehalten werden. – ***E*** abrasives, blasting shot – ***F*** abrasifs, grenailles – ***I*** abrasivi – ***S*** abrasivos, granalla

Lit.: Meguid (Hrsg.), Impact Surface Treatment, London: Elsevier Applied Science Publ. 1986.

Strahlung. Bez. für die gerichtete, räumliche u. zeitliche Ausbreitung von Energie in Form von Wellen (*Wellen-S.*) u./od. Teilchen (*Korpuskular-*, *Partikel-*, *Teilchen-S.*). Beim Durchgang der S. durch Materie erfolgen *Refraktion, Schwächung u. Ablenkung durch *Beugung, *Streuung durch *Stoßprozesse, *Absorption u. *Emission, an die sich chem. Reaktionen anschließen können, sowie Ionisation. Bei allen S.-Arten treten ferner *Dissipations-, Desaktivierungs- u. Energieübertragungsprozesse auf. Die Kenntnis der Wechselwirkung zwischen S. u. Materie bildet die wissenschaftliche Grundlage für *Photo- u. *Strahlenchemie sowie -biologie (*Beisp.:* *Sehprozeß, *Photographie, *Sonnenschutzmittel, *Biolumineszenz, *Gen-Schädigung, *Photosynthese, *Krebs-*Strahlentherapie), für die *Kernenergie-Gewinnung, die *Spektroskopie u. zahllose andere techn. Prozesse; auch das Klima ist eine Funktion der S. (der Sonne).

Während *Schall eine Ausbreitung von Dichteschwankungen in Materie ist, handelt es sich bei Radiowellen, *Mikrowellen, sichtbarem Licht, *Ultraviolett- u. *Röntgenstrahlung um *elektromagnet. S.*, die sich mit einer Geschw. von $c = 299\,792\,458$ m · s^{-1} (Lichtgeschw.) im Vak. ausbreitet. Die Lichtgeschw. in Materie ergibt sich aus $c_n = c/n$, wobei n der (wellenlängenabhängige) Brechungsindex (s. Refraktion) der Materie ist. Die Tab. gibt das *elektromagnet. Spektrum* wieder, in dem in logarithm. Skala Wellenlängen u. *Frequenzen der elektromagnet. Wellen aufgetragen sind. Am Anfang würde mit der Wellenlänge ∞ u. der Frequenz 0 der Gleichstrom stehen. An das Gebiet der gewöhnlichen Wechselströme schließen sich das Gebiet der Hochfrequenztechnik, die langen, kurzen u. ultrakurzen Radiowellen, ferner die durch Schwingung von Resonatoren erzeugten Dezi-, Zenti- u. Millimeterwellen (Mikrowellen) an. Diese reichen in das Gebiet, in dem die *Schwingungen der Mol. liegen, nämlich das Gebiet der sog. Wärmestrahlung, da man meistens die Wärmebewegung der Mol. zu ihrer Erzeugung benutzt. Daran schließt sich das Gebiet der *Infrarotstrahlung an. Es grenzt an das „sichtbare“ Spektrum (*Licht, s.a. Abb. 2 bei Spektroskopie). Nach kürzeren Wellen folgt das Gebiet der *Ultraviolettstrahlung. Um diese zu erhalten, muß man die Atome od. Mol. schon stärker als durch Wärmebewegung anregen, z.B. durch Beschießen mit schnellen Elektronen od. anderen Korpuskularstrahlen. Weiter gelangt man in das Gebiet der *Röntgenstrahlung. Hieran schließt sich das Gebiet der *Gammastrahlen (γ-Strahlen) an, die jedoch nicht von der Elektronenhülle der Atome, sondern während des radioaktiven Zerfalls (s. Kernreaktionen u. Radioaktivität) vom Atomkern ausgehen. Den Anschluß (hier nicht mehr aufgelistet) bildet die *kosmische Strahlung mit äußerst kurzen Wellenlängen. Spezielle Arten von elektromagnet. S. sind Brems-S., *Synchrotron-S. u. *Čerenkov-Strahlung. Unter der *Korpuskular-S.* (Partikel- od. Teilchen-S.) versteht man meist schnell bewegte Teilchen, insbes. *Elementarteilchen, wie Elektronen (manchmal nach ihrer Herkunft in Beta-, Delta- u. Kathoden-S. unterteilt), Protonen u. Neutronen als Bestandteile der sog. *Kern-S.* (s. Kernreaktionen, Radioaktivität u. Radionuklide), Mesonen, Neutrinos u. a. Teilchen aus der Höhen-S. (s. kosmische Strahlung), Ionen wie α-Teilchen, *Deuteronen, Kanalstrahlen od. Schwerionen aus *Teilchenbeschleunigern (s.a. Ionenstrahlen), ferner *Atomstrahlen u. Molekülstrahlen.

Die Frequenz ν der elektromagnet. S. berechnet sich aus der Gleichung: $c = \lambda \cdot \nu$. In der Spektroskopie benutzt man statt der Frequenz ν das Reziproke der Wellenlänge λ, die *Wellenzahl ($\bar{\nu} = 1/\lambda$, Einheit: 1/cm). *Planck fand beim Studium der Strahlung des sog. *Schwarzen Körpers, daß die Energie elektromagnet. S. nicht in beliebigen Werten, sondern immer nur in ganz bestimmten Portionen, von ihm *Quanten genannt, ausgesandt bzw. von Atomen u. Mol. aufgenommen werden kann; aus diesem Quantenkonzept ergibt sich die *Plancksche Strahlungsformel. Die Energien der Quanten – bei elektromagnet. S. spricht man heute bevorzugt von *Photonen – sind bei den verschiedenen S.-Arten ungleich, u. zwar verhalten sie sich einfach proportional den Schwingungszahlen. Der Proportionalitätsfaktor, der u. a. von *Planck, *Lenard, A. *Einstein u. *Millikan auf verschiedenen Wegen bestimmt wurde, heißt Plancksches Wirkungsquantum (Elementarquantum, Symbol h). Nach Planck ist das Energiequantum E von irgendeiner elektromagnet. S. $E = h\,\nu$, also gleich dem Produkt aus dem Elementarquantum u. der Frequenz der betreffenden Strahlenart. Während bei den langen Radiowellen die ausgesandten Energiequanten sehr klein sind, haben die einzelnen Photonen bei der Ultraviolett- u. Röntgen-S. viel Energie, z.B. mehr als die *Dissoziationsenergie von Mol., u. können daher z.B. chem. Reaktionen beeinflussen u. z.B. die Haut bräunen, Gewebsänderungen u. Mutationen hervorrufen. Als *monochromatische Strahlung bezeichnet man S. sehr einheitlicher Energie, d.h. übereinstimmender Wellenlänge bzw. Frequenz, ggf. a. *Kohärenz wie aus *Lasern. Im allg. jedoch besteht S. – z.B. Licht von der Sonne, von Flammen od. Glühlampen, aber auch Brems- u. Synchrotron-S. – aus sog. *Weißer S.*, d.h. aus S. eines breiten Wellenlängenbereichs (*Kontinuum*).

Tab.: Elektromagnet. Spektrum (ULF = ultra low frequency, ELF = extremely low frequency, VF = voice frequency, VLF = very low frequency).

Energie pro Photon [eV]	Frequenz [Hz]	Wellenlänge [m]	Bereich	
			ULF	
$1{,}24 \cdot 10^{-14}$	0	∞		
$1{,}24 \cdot 10^{-13}$	30	10^{7}	Sub ELF	
$1{,}24 \cdot 10^{-12}$	$3 \cdot 10^{2}$	10^{6}	ELF	Niederfrequenz-Bereich
$1{,}24 \cdot 10^{-11}$	$3 \cdot 10^{3}$	10^{5}	VF	
$1{,}24 \cdot 10^{-10}$	$3 \cdot 10^{4}$	10^{4}	VLF	
$1{,}24 \cdot 10^{-9}$	$3 \cdot 10^{5}$	10^{3}	Langwellen	
$1{,}24 \cdot 10^{-8}$	$3 \cdot 10^{6}$	10^{2}	Mittelwellen	Hochfrequenzbereich
$1{,}24 \cdot 10^{-7}$	$3 \cdot 10^{7}$	10	Kurzwellen	
$1{,}24 \cdot 10^{-6}$	$3 \cdot 10^{8}$	1	Ultrakurzwellen	
$1{,}24 \cdot 10^{-5}$	$3 \cdot 10^{9}$	0,1	Dezimeterwellen	
$1{,}24 \cdot 10^{-4}$	$3 \cdot 10^{10}$	10^{-2}	Zentimeterwellen	Mikrowellen-Bereich
$1{,}24 \cdot 10^{-3}$	$3 \cdot 10^{11}$	10^{-3}	Millimeterwellen	
$1{,}24 \cdot 10^{-2}$	$3 \cdot 10^{12}$	10^{-4}	Ferne	
0,124	$3 \cdot 10^{13}$	10^{-5}	Mittlere	Infrarotstrahlung
1,24	$3 \cdot 10^{14}$	10^{-6}	Nahe	
				Sichtbares Licht
12,4	$3 \cdot 10^{15}$	10^{-7}		Ultraviolettstrahlung
124	$3 \cdot 10^{16}$	10^{-8}	Röntgen-UV	
$1{,}24 \cdot 10^{3}$	$3 \cdot 10^{17}$	10^{-9}		
$1{,}24 \cdot 10^{4}$	$3 \cdot 10^{18}$	10^{-10}	Überweiche	
$1{,}24 \cdot 10^{5}$	$3 \cdot 10^{19}$	10^{-11}	Weiche	Röntgenstrahlung
$1{,}24 \cdot 10^{6}$	$3 \cdot 10^{20}$	10^{-12}	Harte	
$1{,}24 \cdot 10^{7}$	$3 \cdot 10^{21}$	10^{-13}	Überharte	
$1{,}24 \cdot 10^{8}$	$3 \cdot 10^{22}$	10^{-14}		
		↓	Gamma-Strahlung	

Aufgrund des *Welle-Teilchen-Dualismus* (vgl. Einsteins Masse-Energie-Gleichung u. Quantentheorie) besitzen die Quanten (Photonen) eine Masse, eine Energie u. einen Impuls. Die Masse m errechnet sich zu

$$E = h\nu = mc^2$$

mit c = Lichtgeschw., wobei Photonen allerdings keine *Ruhemasse besitzen. Als Korpuskeln betrachtet, vermögen die S.-Quanten auch einen S.-Druck auszuüben. Der Impuls p eines Photons ergibt sich zu $p = h/\lambda = E/c$. Tatsächlich können die energiereichen Quanten von γ-Strahlen auf Elektronen eine Stoßwirkung ausüben u. deren Bewegungszustand ändern (s. Compton-Effekt, Mößbauer-Spektroskopie), u. Quanten mit geringeren Energien können *Photoeffekte auslösen. Die Schweife der Kometen werden durch den Druck der Sonnenstrahlenquanten stets von der *Sonne abgekehrt, u. auch künstliche Satelliten sind bei ellipt. Umlauf veränderlichen S.-Drücken ausgesetzt. Fixsterne können nicht beliebig groß werden, da von einer gewissen Größe an die aus dem Sterninneren hervorbrechende S. einen so starken (zerstreuenden) Druck ausübt, daß die Anziehungskraft (Gravitation) überwunden u. die Materie in den Weltraum zerstreut wird. Die Korpuskulartheorie (Quantentheorie) der S. beschreibt die Energieumsetzungen bei der Aussendung (*Emission, s. a. Lumineszenz) u. Absorption von Licht u. a. elektromagnet. S. zutreffend. Für den Weg des Lichts, für *Reflexion, *Refraktion, *Kohärenz, *Polarisation etc. muß man dagegen die Wellentheorie zu Hilfe nehmen, da elektromagnet. Wellen bei der Ausbreitung Interferenz- u. Beugungserscheinungen aufweisen, die nur vom Standpunkt der

Wellen-, nicht aber dem der Korpuskulartheorie verständlich sind. Die Zusammenhänge zwischen elektromagnet. S. u. der Temp. (S.-Temp.) lassen sich quant. erfassen durch die *Kirchhoffschen Gesetze, das *Stefan-Boltzmann- u. *Wien-Gesetz u. die *Plancksche Strahlungsformel.

Allg. Angaben über *Strahlenquellen* lassen sich an dieser Stelle nicht machen. Ebenso unterschiedlich wie die Erzeugung der S.-Arten ist ihre Erfassung u. *Messung*. Im allg. sind spezif. *Sensoren u. *Detektoren bei den einzelnen Strahlenarten erwähnt od. in Einzelstichwörtern kurz behandelt wie z. B. Bolometer, Aktinometer (s. Aktinometrie), Pyrometer (s. Pyrometrie), Photozellen, Photoelemente, Photomultiplier, photograph. Schichten (s. Photographie), Szintillationszähler, Zählrohre, Blasenkammer, Wilson-Kammer etc.; häufig beruht der S.-Nachw. auf der *Ionisation der Meßmedien, s. a. Dosimetrie. – ***E*** radiation – ***F*** rayonnement, radiation – ***I*** radiazione – ***S*** radiación

Lit.: Allen u. Bustamante, Applications of Circularly Polarized Radiation Using Synchrotron and Ordinary Sources, New York: Plenum 1985 ▪ Anno, Notes on Radiation Effects on Materials, Washington: Hemisphere 1984 ▪ Beeler, Radiation Effects Computer Experiments, Amsterdam: North-Holland 1983 ▪ Boyd, Radiometry and the Detection of Optical Radiation, New York: Wiley 1983 ▪ Cheremisinoff et al., Radio Frequency, Radiation and Plasma Processing, Lancaster: Technomic 1985 ▪ Dereniak u. Crowe, Optical Radiation Detectors, New York: Wiley 1984 ▪ Hubermann et al., The Role of Chemicals and Radiation in the Etiology of Cancer, New York: Raven Press 1985 ▪ Hutzinger **1 B**, 131–303 ▪ Kase et al., Dosimetry of Ionizing Radiation (2 Bd.), New York: Academic Press 1985, 1987 ▪ Kleinknecht, Detectors for Particle Radiation, Cambridge: University Press 1986 ▪ Machi, Radiation Processing for Environmental Conservation (Rad. Phys. Chem. 24/1), Oxford: Pergamon 1984 ▪ Mahesh u. Vij, Techniques of Radiation Dosimetry, New York: Wiley 1986 ▪ Orton, Radiation Dosimetry, New York: Plenum 1986 ▪ Oxenius, Kinetic Theory of Particles and Photons, Berlin: Springer 1986 ▪ Reich (Hrsg.), Dosimetrie ionisierender Strahlung, Stuttgart: Teubner 1990 ▪ Rybicki u. Lightman, Radiative Processes in Astrophysics, New York: Wiley 1985 ▪ Spektrum Wiss. **1985**, Nr. 10, 114–123; **1986**, Nr. 1, 96–109 ▪ Stolz, Meßtechnik ionisierender Strahlung, Berlin: Akademie-Verl. 1985 ▪ Sutter, Schreiber u. Ott, Handbuch Laser-Strahlenschutz, Berlin: Springer 1989. – *Organisation:* International Commission on Radiation Units and Measurements (ICRU), 7910 Woodmont Ave., Suite 1016, Bethesda, Md. 20 814, USA ▪ weitere Organisationen s. bei Strahlenbiologie u. Strahlenschutz.

Strahlungslose Desaktivierung s. Desaktivierung, Photochemie.

Strahlungsmeßgeräte s. Detektoren, Dosimetrie u. einzelne Strahlungsarten.

Strahlverfahren s. Strahlmittel.

Strahlwäscher. Der S. ist im Prinzip eine große Wasserstrahlpumpe, bei der die Waschflüssigkeit unter einem Druck von 0,3–0,6 MPa im Gleichstrom zum Gas aufgegeben wird. Die Gasgeschw. im Strahlrohr beträgt 10–20 m/s, die des Wassers 25–35 m/s. Durch den Impuls des aus der Düse austretenden Wasserstrahls saugt dieser Gas an, so daß es zum Stoffaustausch zwischen gasf. u. flüssiger Phase kommt. Die Waschflüssigkeit (ca. 5–20 L/m^3) wird über ein Sammelgefäß u. eine Pumpe im Kreislauf gefahren. Bei diesem Wäscher wird die Energie zur Tropfenerzeugung vom Wasser aufgebracht. Dadurch wird die Abscheideleistung des Wäschers von Schwankungen des Gasdurchsatzes nicht neg. beeinflußt. Bei Unterlast steigt der Abscheidegrad durch ein erhöhtes Wasser/Luft-Verhältnis u. durch eine erhöhte Relativgeschw. zwischen dem Wasserstrahl u. dem verlangsamten Gasstrom. Im Waschflüssigkeitstank trifft der Treibstrahl des S. direkt auf die Wasseroberfläche, dringt dort tief ein u. bewirkt eine intensive Verwirbelung.

Der S. dient zur *Entstaubung (s. Naßabscheidung) u. zur Gasabsorption (s. Naßwäscher). Er wird aufgrund seiner Betriebscharakteristik v. a. dort eingesetzt, wo stark wechselnde Gasdurchsätze zu erwarten sind, od. wo aus betrieblichen Gründen kein zusätzlicher Druckverlust verkraftet werden kann. Das Grenzkorn liegt bei etwa 0,9 µm; eine zweistufige Anlage verbessert die Staubabscheidung nicht nennenswert. – ***E*** jet scrubber – ***F*** laveur à jet – ***I*** lavaggio a getto – ***S*** lavador a chorro

Lit.: s. Entstaubung.

Strahlzeolith s. Stilbit.

Straight-run-Benzin s. Benzin (S. 392) u. Reformieren.

Straits-Zinn. Rohzinn mit einem Reinheitsgrad von 99,00–99,95%, s. Zinn.

Strangaufweitung s. Schmelzelastizität.

Strangeness (Seltsamkeit, Fremdheitsquantenzahl). 1953 von M. *Gell-Mann u. Nishijima eingeführte ladungsartige *Quantenzahl (Symbol: S). Diese beiden theoret. Physiker postulierten einen Erhaltungssatz für die S., um die ungewöhnlich lange Lebensdauer von *Hyperonen u. *Kaonen (HWZ: ca. 10^{-10} s) zu erklären. Derart lange Lebensdauern kamen den Physikern deshalb seltsam vor, weil die Hyperonen od. Kaonen in hochenerget. Stößen stark wechselwirkender Teilchen wie *Nukleonen u. *Pionen (Wechselwirkungszeit: ca. 10^{-23} s) erzeugt wurden. Der Erhaltungssatz für die S. lautet

$$S = \sum_i S_i = \text{const.},$$

d. h. die Summe der individuellen S. aller an einer Elementarteilchen-Reaktion beteiligten Teilchen bleibt unverändert. Er gilt streng für die starke u. elektromagnet. Wechselwirkung, während bei der schwachen Wechselwirkung Änderungen der gesamten S um ΔS = 1 zugelassen sind. – ***E*** strangeness [number] – ***F*** étrangeté – ***I*** stranezza – ***S*** extrañeza

Strangguß. Insbes. bei der Herst. von *Stahl angewandtes kontinuierliches Gußverf., bei dem die Metallschmelze in eine wassergekühlte Durchlauf-*Kokille von quadrat. od. rechteckigem Querschnitt gegossen u. der erstarrte Teil durch Zugwalzen aus dieser herausgezogen wird. Der erstarrte Strang wird mit einer Brennschneidemaschine in die gewünschten Längen geschnitten; die erhaltenen Produkte sind von sehr gleichbleibender Qualität. Bei bandförmigem Guß spricht man von *Bandguß*. Dünnbandguß ist ein Verf. mit weltweit stark zunehmender Anw., bei dem Stahlband nicht wie bisher üblich durch mehrfaches Walzen von Vorprodukten hergestellt wird, sondern durch Gießen. Damit können erhebliche Einsparungen bei der Halbzeugfertigung erzielt werden. – ***E*** continuous casting – ***F*** coulée continue – ***I*** colata continua – ***S*** colada (fundición) continua

Lit.: Herrmann u. Hoffmann, Handbook on Continuous Casting, London: Heyden 1980 ▪ Winnacker-Küchler (3.) **6**, 441 ff.; (4.) **4**, 160 ff. ▪ s. a. Gießerei.

Strangpressen s. Extrudieren.

Strangziehen s. Pultrusion.

s-trans- s. cis- u. cisoid.

Straß s. Glas, S. 1543.

Straßenbaumaterialien. Zum Bau von Autostraßen werden Asphalt, Bitumen, Teer, Schotter, Splitt, Hochofen-, Metallhütten- u. Phosphorschlacke sowie Zement u. deren Gemische verwendet. Im bituminösen Straßenbau setzt man zusätzlich Haftmittel, Emulgatoren, Oberflächenbehandlungsmittel u. Betonfugenvergußmassen ein, für Frostschutzschichten zunehmend Kunststoffdämmschichten. Zur Staubbindung dienen z. B. Calciumchlorid u. Magnesiumchlorid, zur Unkrautbeseitigung Totalherbizide wie z. B. Natriumchlorat; weitere Verw. finden Bodenstabilisatoren, Kautschuk, Rotschlamm, Schwefel u. dem Recycling entstammende Stoffe. Im innerstädt. Straßenbau werden hauptsächlich aus gestalter. Gründen zunehmend wieder Pflastersteine aus Naturstein od. Straßenbauklinker verwendet. – ***E*** road construction materials, paving materials – ***F*** matériaux pour la construction routière – ***I*** materiali per costruzioni stradali – ***S*** materiales para construcción de carreteras

Lit.: Härig, Technologie der Baustoffe, 9. Aufl., S. 232 f., 293 f., 482–500, Karlsruhe: Müller 1990 ▪ Scholz, Baustoffkenntnis, 12. Aufl., S. 50, 328–338, 552–557, Düsseldorf: Werner 1991 ▪ Ullmann (4.) **8**, 538 f.; (5.) **A 3**, 175 f., 184 f. ▪ Wendehorst, Baustoffkunde, 24. Aufl., S. 533–573, Hannover: Vincentz 1994 ▪ s. a. Asphalte u. Bitumen.

Straßenmarkierungsfarben. Hierzu dienen z. B. weiße Pigmente (TiO_2, ZnO, Magnesiumsilicat, Kieselgur, Dolomit- u. Quarzmehl u. dgl.) mit Bindemitteln aus Alkydharzen, Chlorkautschuk, Chlorparaffin, Epoxid- u. Polyesterharzen, Polyamidpulver u. dgl., früher auch aus Casein u. Leinöl. Neben weißer wird auch gelbe Markierungsfarbe z. B. mit Chromgelb-Titandioxid-Gemisch als Pigment verwendet. Zur Erhöhung der Tag- u. Nachtsichtigkeit werden in die Farbstreifen vorher od. sofort nach dem Farbauftrag winzige Glaskügelchen (5–100 μm Durchmesser) eingebettet, die das Tages- u. Scheinwerferlicht reflektieren u. die Trennungslinien deutlicher sichtbar machen. Auch thermoplast. S. werden gelegentlich verwendet. – ***E*** traffic paints – ***F*** peintures pour marquage de routes – ***I*** colori per la marcatura delle strade – ***S*** pinturas para marcar carreteras

Strassmann, Fritz (1902–1980), Prof. für Anorgan. Chemie u. Kernchemie, Univ. u. MPI für Chemie, Mainz, 1935–1946 Kaiser-Wilhelm-Inst., Berlin. *Arbeitsgebiete:* Radiochemie, Kernreaktionen, Mitentdecker der Uran-Kernspaltung, Herst. von künstlichen radioaktiven Isotopen aus Uran u. Thorium, Actinoide, Nachw. von Strontium 87 in Lepidolith.

Lit.: Angew. Chem. **90**, 876–892 (1978) ▪ Krafft, S. 153 ▪ Krafft, Im Schatten der Sensation. Leben u. Wirken von Fritz Strassmann, Weinheim: Verl. Chemie 1981 ▪ Lexikon der Naturwissenschaftler, S. 386 ▪ Nachmansohn, S. 137 f., 141 ▪ Neufeldt, S. 204 ▪ Pötsch, S. 410 ▪ Strube et al., S. 162.

Strategische Umweltprüfung (SUP). Bez. für eine Umweltverträglichkeitsprüfung für Pläne u. Programme gemäß Richtlinienentwurf der Europ. Kommission; die SUP wäre z. B. bei der Bundesverkehrswegeplanung anzuwenden. Da für viele Projekte keine praktikablen Alternativen bestehen, wird vermutet, daß die SUP nur zu einer weiteren Bürokratisierung führt.

Lit.: Umwelt, kommunale ökol. Briefe, Nr. 15, 5.

Stratigraphie. Teilgebiet der *Geologie u. *Geochronologie, das sich mit der Bildung, Zusammensetzung sowie der räumlichen u. zeitlichen Aufeinanderfolge u. Korrelierung der geschichteten Gesteine der Erdkruste beschäftigt. Teilgebiete der S. (s. *Lit.*[1]) sind: *Litho-S.* (relative Altersbeziehung zwischen Schichten u. Schichtfolgen), *Bio-S.* (Aufbau eines relativen zeitlichen Bezugssyst. der Erdgeschichte anhand von *Fossilien), *seism. S.*, *Magneto-S.*[2] (Korrelierung von Gesteinsschichten aufgrund der in bestimmten Gesteinen fixierten Umkehrungen des Erdmagnetfeldes); junge Arbeitsrichtungen sind die *Event-S.*[3] (zeitliche Korrelierung von Gesteinsschichten in von globalen Meeresspiegel-Schwankungen begrenzten *Cyclen*) u. die bes. in der Erdöl-Ind. eingesetzte *Sequenzstratigraphie*[4–6]. Die Angabe numer. (nicht mehr abs.) Alter wird durch die radiometr. Meth. der isotop. *Geochronologie ermöglicht[7]. Die *Chrono-S.* erstellt aus der Parallelisierung biostratigraph. u. lithostratigraph. Einheiten u. numer. Altersangaben eine – ständig verfeinerte – geolog. Zeitskala, das *globale Standard-Zeitschema*[8] (vgl. Erdzeitalter). *Stratigraph. Grenzen* werden von internat. Arbeitsgruppen an ausgewählten Bezugspunkten festgelegt, den sog. *Stratotypen*; der Punkt, durch den die Grenze verläuft, wird auch als *Goldener Nagel* (*E* golden spike) bezeichnet. – ***E*** stratigraphy – ***F*** stratigraphie – ***I*** stratigrafia – ***S*** estratigrafía

Lit.: [1] Prothero u. Schwab, Sedimentary Geology, S. 327–457, New York: Freeman 1996. [2] Hailwood (Hrsg.), Magnetostratigraphy (Spec. Rep. Geol. Soc. Nr. 19), Oxford: Blackwell 1989. [3] Einsele, Ricken u. Seilacher (Hrsg.), Cycles and Events in Stratigraphy, Berlin: Springer 1991. [4] Annu. Rev. Earth Planet Sci. **23**, 451–478 (1995). [5] Emery u. Myers (Hrsg.), Sequence Stratigraphy, Cambridge (Massachusetts): Blackwell 1996. [6] Wilgus et al. (Hrsg.), Sea Level Changes – An Integrated Approach (4.) (SEPM Spec. Publ. No. 42), Tulsa (Oklahoma): Society of Economic Paleontologists and Mineralogists 1993. [7] Earth Sci. Rev. **25**, 1–73 (1988). [8] Episodes **19** (1–2), 3 ff. (1996).

allg.: Blatt, Berry u. Brande, Principles of Stratigraphic Analysis, Boston: Blackwell 1991 ▪ Gradstein et al., Quantitative Stratigraphy, Dordrecht: Reidel 1985 u. Paris: UNESCO 1985 ▪ Rey, Geologische Altersbestimmung. Biostratigraphie, Lithostratigraphie, absolute Datierung, Stuttgart: Enke 1991 ▪ Salvador (Hrsg.), International Stratigraphic Guide (2.), Boulder (Colorado): Geological Society of America 1994 ▪ s. a. Geochronologie, Geologie, Paläontologie.

Stratigraphische Fallen s. Erdöl (S. 1196).

Stratosphäre s. Erde.

Strauß-Test. Prüfung *nichtrostender Stähle auf Anfälligkeit für interkrist. *Korrosion (*Kornzerfall*) durch Kochen der Probe in einer Lsg. aus 100 mL konz. H_2SO_4, 110 g $CuSO_4 \cdot 5H_2O$ u. 1000 mL dest. Wasser. Nach 15stündigem Kochen wird die Probe einem Biegeversuch unterworfen u. anschließend auf Rißbildung untersucht. – ***E*** Strauss test – ***F*** épreuve de Strauss – ***I*** prova di Strauss – ***S*** ensayo de Strauss

Strecken s. Recken u. Texturierung.

Strecker, Adolf (1822–1871), Prof. für Chemie, Univ. Oslo, Tübingen u. Würzburg. *Arbeitsgebiete:* Pflanzenstoffe, Aminosäuren (*Strecker-Synthese), Hydroxysäuren, Gallensäuren, Diazo-Verb., Sulfonsäuren, s. a. nachfolgende Stichwörter.
Lit.: Neufeldt, S. 40 ▪ Pötsch, S. 410f. ▪ Strube et al., S. 166.

Strecker-Abbau s. Maillard-Reaktion u. Strecker-Aldehyde.

Strecker-Aldehyde. *Aldehyde, die während der *Maillard-Reaktion im Rahmen des Strecker-Abbaus gebildet werden u. häufig einen entscheidenden Beitrag zum Aroma von gerösteten, gebackenen od. gebratenen Lebensmitteln liefern. Einige Beisp. zeigt die Tab.; s. a. Maillard-Reaktion.

Tab.: Beisp. für Strecker-Aldehyde.

Vorläufer-Aminosäure	Strecker-Aldehyd			Geruchsschwelle
	Name	Struktur	Aroma	[µg/L; Wasser]
Gly	*Formaldehyd	CH_2O	esterartig	50 $\cdot 10^3$
Ala	*Acetaldehyd	H_3C-CHO	stechend, fruchtig	25
Val	Isobutyraldehyd (s. Butyraldehyde)	$H_3C-CH(CH_3)-CHO$	grün, stechend	2
Leu	*3-Methylbutyraldehyd (Isovaleraldehyd)	$H_3C-CH(CH_3)-CH_2-CHO$	grün, Bittermandel	3
Ile	2-Methylbutyraldehyd	$H_3C-CH_2-CH(CH_3)-CHO$	grün, ether., Bittermandel	4
Phe	*Phenylacetaldehyd	$H_5C_6-CH_2-CHO$	honigartig, blumig	4

– ***E*** Strecker aldehydes – ***F*** aldéhydes de Strecker – ***I*** aldeidi di Strecker – ***S*** aldehídos de Strecker
Lit.: Belitz-Grosch (4.), S. 21, 254, 318.

Strecker-Synthese. Herst. von α-*Aminosäuren durch Einwirkung von Natriumcyanid u. Ammoniumchlorid auf Aldehyde mit nachfolgender Hydrolyse des entstandenen α-Aminonitrils (vgl. a. Cyanohydrine).

$$R-CHO \xrightarrow[-H_2O,\ -NaCl]{+NaCN/NH_4Cl} R-CH(NH_2)-CN \xrightarrow[-NH_3]{H^+/H_2O} R-CH(NH_2)-COOH$$

– ***E*** Strecker synthesis – ***F*** synthèse de Strecker – ***I*** sintesi di Strecker – ***S*** síntesis de Strecker
Lit.: Hassner-Stumer, S. 374 ▪ Krauch u. Kunz, Reaktionen der Organischen Chemie, 6. Aufl., S. 117, Heidelberg: Hüthig 1997 ▪ Laue-Plagens, S. 299 ▪ s. a. Aminosäuren.

Streckgrenze. Im Zugversuch[1] ermittelter *Festigkeitskennwert* zur quant. Beschreibung des Verhaltens un- u. niedriglegierter *Stähle bei einachsiger u. einsinniger mechan. Beanspruchung. Im Falle einer Beanspruchung durch eine ansteigende Spannung (s. Spannungszustand) verhält sich der Werkstoff zunächst elast., d. h. proportional zur wirkenden Spannung. Bei Erreichen eines Grenzwertes der Beanspruchung entstehen im Gefüge *Versetzungen; der Werkstoff beginnt, sich – örtlich bleibend – zu verformen. Dieser Grenzwert wird als *obere* S. bezeichnet. Nach erfolgter mechan. Aktivierung der Versetzungswanderung fällt die Spannung trotz der auftretenden Verformung auf einen niedrigeren Wert ab. Dieser wird als *untere* S. bezeichnet. Erst im weiteren Verlauf kommt es zu großflächiger, plast. Verformung (*Fließen*), zu einer damit verbundenen *Verfestigung des Werkstoffs u. in deren Folge zum erneuten Spannungsanstieg bis zum Erreichen der Zugfestigkeit. Die obere S. ist der wichtigste Werkstoffkennwert zur Auslegung von Bauteilen aus un- u. niedriglegierten Stählen. Die meisten metall. Werkstoffe weisen allerdings keine entsprechende Heterogenität der Spannung-Dehnung-Kurve mit ausgeprägter S. auf. Unter diesen Bedingungen definiert man anstelle der S. eine *Fließgrenze* od. *0,2%-Dehngrenze* als Spannungswert, bei dem der mechan. beanspruchte Werkstoff eine bleibende Dehnung von 0,2% aufweist. – ***E*** yield strength – ***F*** limite d'allongement – ***I*** resistenza allo snervamento, limite di allungamento – ***S*** límite de estricción o de fluencia
Lit.: [1] DIN EN 10002-1: 1991-04.
allg.: Gramberg, Horn u. Mattern, Kleine Stahlkunde für den Chemieapparatebau, 2. Aufl., S. 98ff., Düsseldorf: Verl. Stahleisen 1993 ▪ Siebel (Hrsg.), Handbuch der Werkstoffprüfung, 2. Aufl., Bd. 2, S. 35ff., Berlin: Springer 1955.

Streckschwingung s. IR-Spektroskopie (Abb. 1).

Streckungsmittel s. Füllstoffe.

Streichen s. Papier (S. 3112).

Streichgarn s. Wolle.

Streichhölzer s. Zündhölzer.

Streitwieser, Andrew (geb. 1927), Prof. für Organ. Chemie, Univ. of California, Berkeley. *Arbeitsgebiete:* S_N2-Reaktionen; Metallocen-Katalysatoren, Enolat-Gleichgewichtsreaktionen. Er verfaßte über 350 Veröffentlichungen u. ist in der BRD v. a. durch die Herausgabe von Lehrbüchern bekannt.

Strengit. $Fe[PO_4] \cdot 2H_2O$; mit dem monoklinen *Klinostrengit* (Phosphosiderit) dimorphes (*Polymorphie) blaß- bis tiefviolettes, rotes od. fast farbloses rhomb. Mineral, Kristallklasse mmm-D_{2h}. Glasglänzende, Oktaeder-ähnliche, tafelige od. kurzprismat. Krist., kugelige radialstrahlige Aggregate u. Krusten; H. 3–4, D. 2,8–2,87, meist durchscheinend. Chem. Analysen ergeben Übergänge zu *Variscit.
Vork.: Als sek. Mineral in Hagendorf u. Pleystein/Bayern u. bei Gießen/Hessen (alle histor.), ferner im *Pegmatit von Mangualde/Portugal u. mehrorts in den USA. – ***E*** = ***F*** = ***I*** strengite – ***S*** estrengita
Lit.: Lapis **6**, Nr. 7 u. 8, 5–7 (1981) („Steckbrief") ▪ Nriagu u. Moore (Hrsg.), Phosphate Minerals, S. 111f., Berlin: Springer 1984 ▪ Ramdohr-Strunz, S. 641. – *[CAS 13824-49-2]*

Streptavidin. Von *Streptomyces avidinii* gebildetes, aus 4 Untereinheiten bestehendes Protein, M_R ca. 60000, isoelektr. Punkt nahe dem Neutralpunkt, das wie *Avidin eine hohe Affinität ($K_D = 10^{-15}\ M^{-1}$) zu *Biotin zeigt. Die Verwendungsmöglichkeiten von S. entsprechen denen von Avidin. S. ist jedoch nicht glykosyliert, so daß es zu einem geringeren Anteil unspezif. Bindungsreaktionen kommt. – ***E*** streptavidin – ***F*** streptavidine – ***I*** streptavidina – ***S*** estreptavidina

Lit.: Glick u. Pasternak, Molekulare Biotechnologie, S. 211 ff., Heidelberg: Spektrum Akadem. Verl. 1995 ▪ Methods Enzymol. **184** (1990). – *[CAS 9013-20-1]*

Streptidin s. Streptomycin.

Streptobiosamin s. Streptomycin.

Streptodornase. Von **Desoxyribonuclease* abgeleitete Sammelbez. für die von *Streptococcus* spp. extrazellulär gebildeten Desoxyribonucleasen, die teilw. auch gegen RNA aktiv sind, wobei 5′-Nucleotide entstehen. S. wird klin. zusammen mit *Streptokinase zur Wundheilung eingesetzt. – ***E*** = ***F*** streptodornase – ***I*** streptodornasi – ***S*** estreptodornasa

Streptokinase. Internat. Freiname für ein Enzym, das als *Cystin-freies Protein (M_R 47000, mit 416 Aminosäure-Resten) aus dem Kulturfiltrat β-hämolysierender (s. Hämolyse) *Streptokokken isoliert wird. S. ist ein schwaches *Antigen u. gilt als wirksamstes Mittel zur Aktivierung der *Fibrinolyse* (s. Fibrin u. Fibrinolytika) im menschlichen Blut. Diese erfolgt über Anlagerung der S. an den Proaktivator-Komplex, Umwandlung von *Plasminogen in das proteolyt. Enzym *Plasmin u. Auflösung unerwünschten Fibrins im Organismus. Die Lyse des Thrombus erfolgt sowohl von außen als auch im Inneren.
Verw.: Gegen venöse *Thrombosen, arterielle u. a. Embolien, Herzinfarkt. – ***E*** = ***F*** streptokinase – ***I*** streptocinasi, attivatore streptococcico del plasminogeno – ***S*** estreptoquinasa, estreptocinasa
Lit.: Blood **76**, 73 (1990) ▪ Drugs **39**, 693 (1990) ▪ Köstering et al., Thrombolytische Therapie des akuten Myokardinfarktes, Stuttgart: Schattauer 1981 ▪ Präve et al. (4.), S. 655 ▪ s. a. Fibrin, Herz, Plasmin.

Streptokokken (von griech.: streptós = gewunden, verflochten, verkettet; kókkus = Kern, Körnchen). Bez. für eine Gattung kugelförmiger bis ovaler, zu Ketten angeordneter *Bakterien aus der Familie der Streptococcaceae. S. sind Gram-pos. (s. Gram-Färbung), unbeweglich od. selten beweglich, sporenlos, fakultativ anaerob u. vergären *Kohlenhydrate z. B. zu *Milchsäure, *Essigsäure, *Ameisensäure u. *Ethanol. Von den fünf Gattungen *Leuconostoc, Pediococcus, Aerococcus, Gemella* u. *Streptococcus* ist die letztere die wichtigste. *Streptococcus*-Arten sind z. B. mikroaerotolerant, Katalase- u. Oxidase-neg. u. verwenden homofermentativ die Milchsäure-Gärung zur Energiegewinnung.
Vork.: Sie besiedeln Darm u. Schleimhäute von Mensch u. Tier, intakte od. sich zersetzende Pflanzen, Milch u. Milchprodukte. *Streptococcus faecalis* ist ein normaler Darmbewohner, andere S. siedeln auf Schleimhäuten z. B. des Mundes. Der mit Polysaccharid-Kapseln ausgestattete *S. mutans* verursacht Karies. Andere *Streptococcus*-Arten sind z. B. Erreger von Lungenentzündung, Angina, Scharlach, rheumat. Fieber, Harnwegsinfektionen u. Wundinfektionen.
Verw.: Nicht-pathogene *Streptococcus*-Arten werden in der Milch-Ind. zur Herst. von Sauermilch-Produkten (*Starter-Kulturen, Joghurt, Kefir) u. zur Konservierung eingesetzt. Techn. Enzyme wie z. B. *Lipasen, *Antibiotika wie *Nisin od. Polysaccharide wie *Dextran lassen sich mit *Streptococcus*-Stämmen produzieren.
Sicherheitsstufe: Neben einigen in Risikogruppe 1 eingestuften Arten (z. B. Lactococci) sind viele Arten der Gattung *Streptococcus* der Risikogruppe 2 zugeordnet (z. B. *S. faecalis*). – ***E*** streptococci – ***F*** streptocoques – ***I*** streptococchi – ***S*** estreptococos
Lit.: Präve et al. (4.) ▪ Schlegel (7.), S. 296–304.

Streptokokken-Rheumatismus s. rheumatisches Fieber.

Streptolysine. Gruppe von *Exotoxinen aus verschiedenen *Streptokokken-Arten mit Hämolyse-Aktivität. Es handelt sich bei den S. um *Proteine mit M_R ca. 60000 bis 70000. S. wirken z. T. antigen (z. B. S. O, nicht S. S), so daß das Vorhandensein von *Antikörpern (Anti-S.) z. B. gegen S. O im Serum von Patienten zur Diagnose einer rezenten Infektion mit Streptokokken genutzt wird. – ***E*** streptolysins – ***F*** streptolysines – ***I*** streptolisine – ***S*** estreptolisinas
Lit.: Hager (5.) **6b**, 559 f. ▪ Methods Enzymol. **165** (Microb. Toxins: Tools Enzymol.) **52**, 59 (1988).

Streptomyceten. Gattung von Gram-pos. (s. Gram-Färbung) Bodenbakterien der Ordnung Actinomycetales (s. Actinomyceten), die in Mycel-Form wachsen u. Luftmycel sowie *Sporen bilden. Viele S. bauen *Cellulose, *Chitin u. a. schwer zersetzliche Naturstoffe ab. S. sind wichtige Produzenten von *Sekundärmetaboliten wie z. B. *Antibiotika u. techn. Enzymen (*Glucose-Isomerase). Der typ. Geruch von feuchter Erde wird vom S.-Produkt *Geosmin verursacht. Für S. sind gute Kloniersyst. entwickelt worden, die S. molekulargenet. ähnlich handhabbar machen wie **Escherichia coli*. Viele Arten zeigen genet. Instabilität mit *Deletionen u. *Amplifikationen im Genom. – ***E*** streptomycetes – ***F*** streptomycètes – ***I*** streptomyces – ***S*** estreptomicetos
Lit.: Hopwood et al., Genetic Manipulation of Streptomyces. A Laboratory Manual, Norwich: The John Innes Foundation 1985 ▪ Präve et al. (4.) ▪ Schlegel (7.), S. 105 f.

Streptomycin. $C_{21}H_{39}N_7O_{12}$, M_R 581,58. Internat. Freiname für ein 1943 von Schatz, Bugie u. *Waksman (hierfür 1952 Nobelpreis für Physiologie od. Medizin) in Kulturen von *Streptomyces griseus* entdecktes *Aminoglykosid-Antibiotikum, das auch als *S. A* bezeichnet wird. Es ist eine große Anzahl natürlicher Analoga des S. A bekannt. Die freie Base ist farblos, stark bas., unbeständig, opt. aktiv {$[\alpha]_D$ −86,7° (H_2O)}, in Wasser gut, in organ. Lsm. dagegen nur wenig lösl., bildet mit 3 Äquivalenten Säure neutrale amorphe od. krist. Salze. Von S. A wird häufig das Sulfat verwendet, ein weißes Pulver, geruchlos, etwas bitter schmeckend, wasserlösl., unlösl. in organ. Lösemitteln.
S. A ist ein *Glykosid (Pseudotrisaccharid) aus dem Diguanidino-Cyclit *Streptidin* u. dem aus *N-Methyl-L-glucosamin* u. *Streptose* (5-Desoxy-3-*C*-formyl-L-lyxose) aufgebauten *Streptobiosamin*, einem *Aminozucker. S. A wirkt auf Gram-neg. Erreger (s. Gram-Färbung) u. insbes. gegen *Tuberkulose-Erreger, während die Wirkung auf Gram-pos. Bakterien deutlich schwächer ist als die des *Penicillins. Die bakterizide Wirkung des S. A beruht auf einer Bindung am ribosomalen Protein S12 der 30S-Untereinheit der prokaryot. *Ribosomen, wodurch Ablesefehler u. Hem-

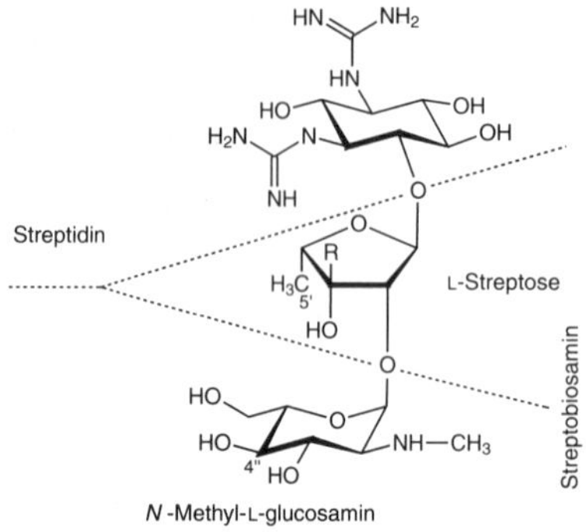

Streptidin
L-Streptose
Streptobiosamin
N-Methyl-L-glucosamin

R = CHO : Streptomycin
R = CH_2OH : Dihydrostreptomycin

mung des Elongationsschritts bei der Protein-Synth. verursacht werden. Außerdem kommt es durch Schädigung der bakteriellen Zellmembran durch S. A zum Austritt niedermol. Zellbestandteile. Wegen seiner relativ guten Stabilität läßt sich S. A auch oral verabreichen, u. zwar – da es von der Darmwand nicht resorbiert wird – auch gegen Darminfektionen. In Ausnahmefällen beobachtete man – ähnlich wie auch bei anderen *Aminoglykosid-Antibiotika* – bei langdauernder Anw. Oto- u. *Nephrotoxizität (Hör- u. Nierenschädigung). Eine Reihe von Bakterien sind gegen S. A resistent. Daher wird zur therapeut. Anw. häufig *Dihydrostreptomycin (Formel s. Abb.) sowie eine Kombinationstherapie mit 4-*Aminosalicylsäure (PAS) vorgezogen. – ***E*** streptomycin – ***F*** streptomycine – ***I*** streptomicina – ***S*** estreptomicina

Lit.: Beilstein EV **18/11**, 82 ▪ Gräfe, S. 83–92 ▪ Präve et al. (4.), S. 663–702. – *[HS 2941 20; CAS 57-92-1]*

Streptonigrin (Bruneomycin, Nigrin, Rufochromomycin, Valacidin).

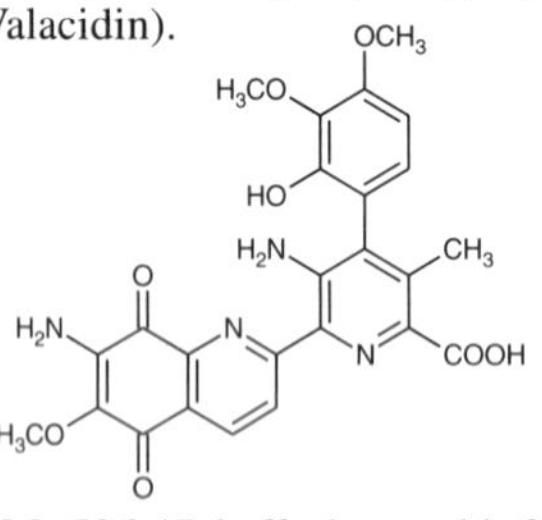

$C_{25}H_{22}N_4O_8$, M_R 506,47, kaffeebraune bis fast schwarze Blättchen (Schmp. 275 °C) od. braune Nadeln (Schmp. 262–263 °C), lösl. in Dioxan, Dimethylformamid, wenig lösl. in Wasser u. Chloroform. Antitumor-Antibiotikum aus *Streptomyces flocculus* u. a. *Streptomyces*-Arten. S. verfügt auch über immunsuppressive u. antivirale Eigenschaften u. ist strukturell verwandt mit *Lavendamycin. – ***E*** streptonigrin – ***F*** streptonigrine – ***I*** streptonigrina – ***S*** estreptonigrina

Lit.: Foye, Cancer Chemotherapeutic Agents, S. 645–651, Washington: ACS 1995 ▪ J. Antibiotics (Tokyo) **38**, 516 (1985); **39**, 1013 (1986); **45**, 454 (1992) ▪ J. Chem. Soc., Perkin Trans. 1 **1990**, 2611 f. ▪ J. Am. Chem. Soc. **104**, 343, 536 (1982); **107**, 5745 (1985) ▪ J. Heterocycl. Chem. **27**, 1437 (1990) ▪ J. Med. Chem. **34**, 1871–1879 (1991) ▪ Lindberg, Strategies and Tactics in Organic Synthesis, Bd. 1, S. 325–346; Bd. 2, S. 1–56, San Diego: Academic Press 1984, 1989 ▪ Merck-Index (12.), Nr. 8986 ▪ Sax (8.), SMA 000 ▪ Ullmann (5.) **A 1**, 395 ▪ Zechmeister **41**, 77–111. – *[HS 2941 90; CAS 3930-19-6]*

Streptonivicin s. Novobiocin.

Streptose s. Streptomycin.

Streptozocin [Streptozotocin, 2-Desoxy-2-(3-methyl-3-nitrosoureido)-D-glucopyranose].

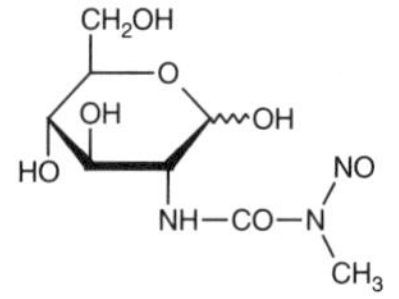

$C_8H_{15}N_3O_7$, M_R 265,22, Schmp. 115 °C. Von *Streptomyces achromogenes* gebildetes *Aminoglykosid-Antibiotikum. S. wirkt cytostat., besitzt aber gleichzeitig carcinogene, mutagene u. Diabetes hervorrufende Eigenschaften. LD_{50} (Maus i.p.) 360 mg/kg. – ***E*** streptozocin – ***F*** streptozocine – ***I*** streptozocina – ***S*** estreptozocina

Lit.: Agarwal, Streptozocin, Fundamentals and Therapy, Amsterdam: Elsevier 1981. – *[HS 2932 90; CAS 18883-66-4]*

Streß (von *E* Druck, Anspannung, gekürzt aus Mittelengl. distresse = Sorge, Kummer). Beanspruchung von Mensch [1], anderen Lebewesen, Ökosyst.[2] u. Materialien [3] durch physikal., chem. u. biolog. *Ökofaktoren wie z. B. Kälte, Hitze, Lärm, Trockenheit, Schwingungen od. a. S.-Faktoren (*Stressoren*). Für den Menschen sind psych. Reize bedeutsam, z. B. Überbevölkerung, Lärm od. andere Umweltbelastungen [1]. Die Stressoren versetzen den Organismus in einen Reaktionszustand, dessen Stadien Alarmreaktion, Resistenz u. Erschöpfung sind. Dabei erfolgt zunächst eine erhöhte Ausschüttung von S.-Hormonen, z. B. von Glucocorticoiden (s. Corticosteroide) u. *Adrenalin in Höheren Tieren, von *Abscisinsäure u. Adenosin-Diphosphat-Ribose [4] in Pflanzen. Diese leiten Schutzreaktionen wie Flucht od. Abwurf von Blättern ein. Beim Menschen geht durch übermäßige Wiederholung der lebensnotwendige sog. Eu-S. in schädlichen Di-S. über. Überreizung führt z. B. zu Herzerkrankungen, Infektionsanfälligkeit, Konzentrationsschwäche, Aggressivität u. Neurosen (vgl. Sick Building Syndrome u. MCS). – ***E*** = ***F*** = ***I*** stress – ***S*** estrés, stress

Lit.: [1] Brauer (Hrsg.), Handbuch des Umweltschutzes u. der Umweltschutztechnik, Bd. 1, Emissionen u. ihre Wirkungen, S. 786–822, Berlin: Springer 1996. [2] Berry, Evolution, Ecology and Environmental Stress, London: Academic Press 1989; Ullmann (5.) **B 7**, 66–72. [3] Ullmann (5.) **B 1**, Tl. 8, 10. [4] Science **278**, 2054 f., 2126–2130 (1998).
allg.: Schlee, Ökologische Biochemie (2.), S. 42–170, 227, Stuttgart: Fischer 1992.

Streß-Fasern. Kontraktile Bündel aus *Actin-Filamenten, α-*Actinin u. *Myosin, die z. B. in kultivierten Fibroblasten (Bindegewebszellen) vorkommen u. in Struktur u. Funktion den Myofibrillen der *Muskeln ähneln. S.-F. bilden sich bei auf die Zelle wirkender Zugspannung. Sie sind mit der Plasmamembran an Fokalkontakten (s. Adhärenz-Verbindungen) u. mit dem *Cytoskelett verbunden, dienen wahrscheinlich dazu, eine Gegenspannung auf die *extrazelluläre Matrix auszuüben u. sind wichtig für die Zellbeweglichkeit. S.-F. treten auch bei der *Endocytose in der Nähe von coated pits (s. Clathrin) auf. – ***E*** stress fibers (fibres) – ***F*** fibres de stress – ***I*** febbre di stress – ***S*** fibras de stress

Lit.: Alberts et al., Molekularbiologie der Zelle, 3. Aufl., S. 991 f., Weinheim: VCH Verlagsges. 1995.

Streß-Proteine. Bez. für eine Gruppe von *Proteinen, die in den Zellen der Organismen als Antwort auf Streß-Situationen vermehrt synthetisiert werden, z. B. bei Hitze, Kälte, Infektion, chem. Einwirkung, Nährstoffmangel. Der Begriff Hitzeschock-Proteine (Näheres s. dort; Abk.: hsp) wird zuweilen in ungenauer Weise synonym gebraucht; zur Struktur eines hsp70-verwandten Proteins s. *Lit.*[1]. Bei Kälte wird in **Escherichia coli* ein kleines hydrophiles Protein (M_R 7400) noch unbekannter Funktion induziert[2]. D-Glucose-Mangel regt in tier. Zellen die Produktion der *Glucose-regulierten Proteine* (GRP) an[3]. Zur Bildung eines S.-P. mit M_R 25000 durch *E. coli* bei Infektion mit bestimmten Phagen s. *Lit.*[4]; zur Rolle von S.-P. in Immunologie u. Immunpathologie s. *Lit.*[5]. – ***E*** stress (response) proteins – ***F*** protéines de stress (réponse) – ***I*** proteine di stress – ***S*** proteínas de estrés (respuesta)

Lit.: [1] Nature (London) **346**, 623–628 (1990). [2] Proc. Natl. Acad. Sci. USA **87**, 283–287 (1990). [3] Naturwissenschaften **77**, 315 f. (1990). [4] Proc. Natl. Acad. Sci. USA **87**, 862–866 (1990). [5] Annu. Rev. Immunol. **8**, 401–420 (1990); Biochem. Soc. Trans. **19**, 171–175 (1991); Immunol. Today **11**, 228 f. (1990).
allg.: Adv. Microb. Physiol. **31**, 183–223 (1990) ▪ Alberts et al., Molekularbiologie der Zelle, 3. Aufl., Weinheim: VCH Verlagsges. 1995 ▪ J. Biol. Chem. **265**, 12111–12114 (1990) ▪ Kaufmann, Heat Shock Proteins and Immune Response, Berlin: Springer 1991 ▪ Mol. Microbiol. **5**, 529–534 (1991) ▪ Morimoto u. Georgopoulos, Stress Proteins in Biology and Medicine, Cold Spring Harbor: Cold Spring Harbor Laboratory Press 1990 ▪ Nachr. Chem. Tech. Lab. **39**, 181 f. (1991) ▪ Naturwissenschaften **77**, 310–316, 359–365 (1990) ▪ Nover et al., Heat Shock and Other Stress Response Systems of Plants, Berlin: Springer 1989 ▪ Trends Genet. **6**, 223–227 (1990) ▪ s. a. Hitzeschock-Proteine.

Stretchgarne s. Mercerisation u. Texturierung (Kräuselgarne).

Stretfort-Verfahren. In die Gruppe der Oxid.-Prozesse einzuordnendes *Entschwefelungs-Verf. für H_2S-haltige Gase. Als Absorptionsmedium dient Na_2CO_3-Lsg., der $NaVO_3$ als Oxid.-Mittel zugegeben wird, Anthrachinondisulfonsäure (ADS) dient der Regeneration zum Metavanadat:

1. $2\,Na_2CO_3 + 2\,H_2S \rightarrow 2\,NaHS + 2\,NaHCO_3$
2. $2\,NaHS + 4\,NaVO_3 + H_2O \rightarrow Na_2V_4O_9 + 2\,S + 4\,NaOH$
3. $Na_2V_4O_9 + 2\,NaOH + 2\,ADS + H_2O \rightarrow 4\,NaVO_3 + 2\,ADS$ (reduziert)
4. $2\,ADS$ (reduziert) $+ O_2 \rightarrow 2\,ADS + 2\,H_2O$
5. $2\,NaOH + 2\,NaHCO_3 \rightarrow 2\,Na_2CO_3 + 2\,H_2O$

$$2\,H_2S + O_2 \qquad 2\,S + 2\,H_2O$$

– ***E*** Stretford process – ***F*** procédé Stretford – ***I*** processo di Stretford – ***S*** procedimiento Stretford

Lit.: Ullmann (5.) **A 12**, 262 ff.; **A 13**, 382; **A 17**, 92 f.; **A 25**, 518–532.

Streukoeffizient s. Farbe u. Lichtstreuung.

Streulicht s. Lichtstreuung, Nephelometrie, Raman-Spektroskopie.

Streumittel. 1. Im Pflanzenschutz u. in der Schädlingsbekämpfung Bez. für in Form von körnigen Präp. (Granulaten, Pellets) ausgebrachte Mittel.

2. Im Winterstraßendienst werden als S. heute vielfach mineral. Granulate (*Schlacke, *Splitt) statt *Streusalz verwendet.

Streuparameter s. Stoßparameter.

Streupuder s. Puder.

Streusalz. Umgangssprachliche Bez. für Auftausalze, die gegen Eisglätte auf Autostraßen, Gehsteigen u. a. Verkehrsflächen gestreut werden bzw. wurden. Die S. bestehen im allg. aus vergälltem Natriumchlorid, dem zur Kenntlichmachung – S. unterliegt nicht der Salzsteuer – Farbstoffe (Eosin, Fuchsin, Kristall-Ponceau) zugesetzt werden. Das NaCl bildet dabei mit dem Eis eine flüssige *Kältemischung, die erst beim Erreichen der *Eutektikums-Temp. (–21 °C) gefriert. Ein Problem stellt dabei die korrosive Wirkung des S. für Kraftfahrzeuge dar, der man durch Zusatz von *Inhibitoren zu begegnen versucht. V. a. wegen der schädigenden Einflüsse größerer S.-Mengen auf Straßenbäume u. a. Pflanzen – in schneereichen Wintern wurden in den alten Bundesländern zwischen 1978 u. 1989 jährlich bis zu 3 Mio. t S. ausgebracht – ist man seit den 80er Jahren bestrebt, den Verbrauch an S. drast. einzuschränken. Als alternative *Streumittel kommen in Frage: Mineral. Granulate aus Schlacken, Sepiolith (Katzenstreu), Sand, Splitt u. Gemische aus Bimsmehl u. Harnstoff. – ***E*** de-icing salt, road salt – ***F*** sel à étaler – ***I*** sale antigelo – ***S*** sal para esparcir (descongelar)

Lit.: Römpp Lexikon Umwelt, S. 686 f.

Streuung. 1. Bez. für die Ablenkung einer Korpuskular- od. elektromagnet. *Strahlung aus ihrer ursprünglichen Richtung. Man unterscheidet zwischen a) *elast. S.*, bei der die kinet. Energie erhalten bleibt, d. h. bei Licht bleibt die Wellenlänge unverändert (*Beisp.:* Rayleigh-S., s. a. Lichtstreuung), – b) *inelast. S.*, bei der kinet. Energie in andere Energieformen umgewandelt wird, z. B. bei der Anregung von Schwingungen od. Rotationen von Mol. u. – c) *superelast. S.*, bei der interne Energie (elektron. Schwingungs- od. Rotationsenergie) in kinet. Energie der Stoßpartikel übergeht. Zur Anw. der *Lichtstreuung* s. dort u. bei Pigmente, Nephelometrie, Trübungsmessung, Tyndall-Effekt (s. Kolloidchemie) u. *Raman-Spektroskopie; zur Anw. der *Röntgenstreuung* s. dort u. bei Röntgenkleinwinkelstreuung u. Kristall- bzw. Röntgenstrukturanalyse; zur Anw. der **Gammastrahlen-Streuung* s. bei Mößbauer-Spektroskopie u. Compton-Effekt; zur Anw. der *Elektronenbeugung*, *LEED* u. *Neutronenbeugung* s. dort. Allg. gibt die S. von *Elementarteilchen an Materie od. an anderen atomaren Teilchen Aufschluß über den *Atombau, den Aufbau der *Nukleonen selbst u. über die Natur der Kernkräfte (s. *Lit.*[1] u. Kernreaktionen).

2. In abgewandeltem Sinn spricht man von S. auch in der *Fehlerrechnung (*Abweichung*) u. beim Mangel an Präzision beim Messen (vgl. Reproduzierbarkeit). – ***E*** 1. scattering, 2. deviation – ***F*** 1. diffusion, dispersion, diffraction, 2. déviation – ***I*** 1. dispersione, 2. deviazione – ***S*** 1. difusión, dispersión, difracción, 2. desviación

Lit.: [1] Watson, Scattering Theory, S. 1085, in Lerner u. Trigg (Hrsg.), Encyclopedia of Physics, Weinheim: VCH Verlagsges. 1991.

allg.: Lenk, Physik abc, Leipzig: Brockhaus 1989 ▪ s. a. Strahlung.

Striatale, Striatine.

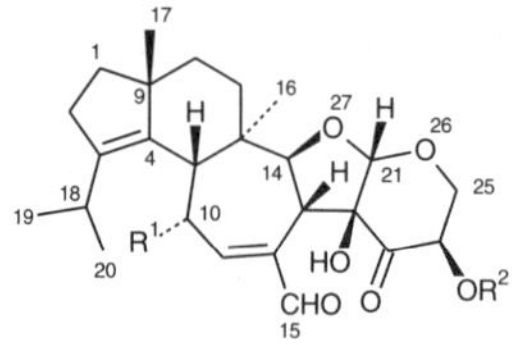

R^1 = H, R^2 = CO—CH_3 : Striatal A (**1**)
R^1 = OH, R^2 = CO—CH_3: Striatal B (**2**)
R^1 = OH, R^2 = H : Striatal C (**3**)

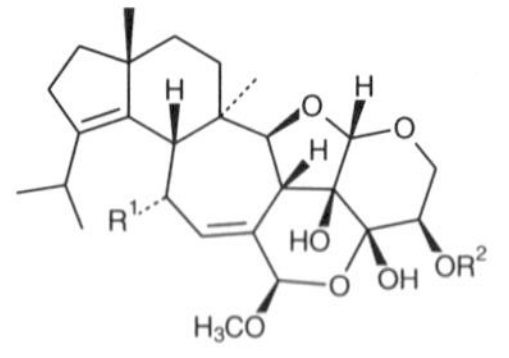

R^1 = H, R^2 = CO—CH_3 : Striatin A (**4**)
R^1 = OH, R^2 = CO—CH_3 : Striatin B (**5**)
R^1 = OH, R^2 = H : Striatin C (**6**)

1. Ungewöhnliche Diterpenoide aus Kulturen des Gestreiften Teuerlings *Cyathus striatus* (Vogelnestpilze, Basidiomycetes) u. verwandten Arten. Die Striatale liefern beim Stehen in Methanol die hemiacetal. *Striatine.* Als Beisp. seien *Striatin A* ($C_{28}H_{40}O_8$, M_R 504,62, Krist., Schmp. 144–145 °C), *Striatin B* ($C_{28}H_{40}O_9$, M_R 520,62, Krist., Schmp. 143–144 °C) u. *Striatin C* ($C_{26}H_{38}O_8$, M_R 478,58, Krist., Schmp. 144–145 °C) aufgeführt. Die Striatale entstehen biosynthet. aus dem Cyathan-Xylosid Herical durch intramol. Kondensation der Zuckereinheit mit dem Cyathan-System. Die Striatale besitzen neben antibakteriellen stark antifung. u. cytotox. Eigenschaften. Bei Ehrlich-Ascites-Tumorzellen wird der Einbau von Thymidin, Uridin u. Leucin in DNS, RNS u. Proteine bei Konz. von 2 μg/mL vollständig gehemmt. Bei der Behandlung von Mäusen mit P388-lymphocyt. Leukämie wurden pos. Ergebnisse erzielt.
2. Als *Striatin* wird auch ein Pterocarpan-Derivat aus *Mundulea striata* [1] bezeichnet. – ***E*** striatals, striatins – ***F*** striatals, striatines – ***I*** striatali, striatine – ***S*** estriatalas, estraitinas

Lit.: [1] Phytochemistry **33**, 515 (1993).
allg. (zu 1.): Pure Appl. Chem. **53**, 1233 (1981) ▪ Tetrahedron **38**, 1409 (1982). – *Übersicht:* DECHEMA-Monogr. **129**, 3–13 (1993) ▪ Forum Mikrobiol. **11**, 21 (1988). – *[CAS 69075-63-4 (1); 68900-64-1 (2); 62744-72-3 (4); 62744-73-4 (5); 62744-74-5 (6); 149725-36-0 (zu 2.)]*

Strichformeln s. chemische Zeichensprache.

Stricken, Strickwaren s. Wirken.

Strictosidin (Isovincosid).

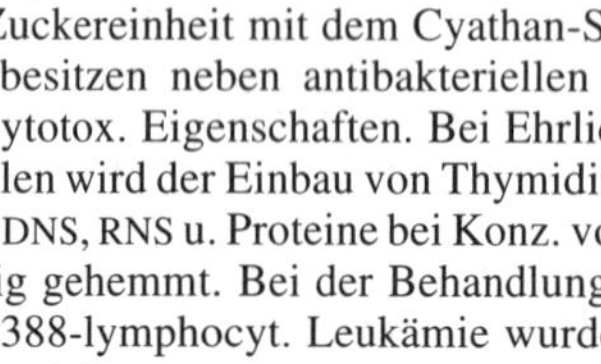

$C_{27}H_{34}N_2O_9$, M_R 530,57, $[\alpha]_D^{25}$ −143° (Hydrochlorid in CH_3OH). *Vinca-Alkaloid aus *Rhazya stricta* (Apocynaceae) [1] u. *Catharanthus roseus*, dessen N^4-Methyl-Derivat in *Strychnos gossweileri* vorkommt. S. ist wahrscheinlich die universelle Biosynth.-Vorstufe für alle ca. 2000 monoterpenoiden *Indol-Alkaloide [2]. Im S. fungiert der glucosid. Teil als Schutzgruppe, die nach Abspaltung durch zwei spezif. Glucosidasen [3] ein hochreaktives Aglykon freisetzt, welches erst dann in die Biosynth. der monoterpenoiden Indol-Alkaloide eingeschleust wird. Diese Vorstufenrolle von S. wurde *in vivo* durch Fütterungsexperimente für die wichtigsten Indol-Alkaloid-Typen [2,4] sowie durch zellfreie, enzymat. Biosynth. für Heteroyohimbin-Alkaloide u. *Rauwolfia-Alkaloide bewiesen. S. kann biomimet. durch Kondensation von Tryptamin u. Secologanin zusammen mit seinem Epimeren Vincosid synthetisiert od. aus Zellkulturen in reiner Form isoliert od. mittels S.-Synthase hergestellt werden. Das für die aus *Rauwolfia*-Zellkulturen erhaltene S.-Synthase [5] codierende Gen konnte kloniert u. das Enzym in *Escherichia coli* sowie in Insektenzellkulturen aktiv exprimiert werden [5,6]. – ***E*** = ***F*** strictosidine – ***I*** strictosidina – ***S*** estrictosidina

Lit.: [1] J. Chem. Soc., Chem. Commun. **1968**, 912. [2] J. Chem. Soc., Chem. Commun. **1977**, 646. [3] FEBS Lett. **110**, 187 (1980). [4] Tetrahedron Lett. **1978**, 1593. [5] Manske **47**, 115–172; Phytochemistry **35**, 353 (1994). [6] FEBS Lett. **79**, 233 (1977); **97**, 195 (1979); **237**, 40 (1988).
allg.: Mann, Secondary Metabolism (2.), S. 288–294, Oxford: Clarendon Press 1987 ▪ Methods Enzymol. **136**, 342–350 (1987) ▪ Phytochemistry **18**, 965 (1979); **32**, 493–506 (1993) ▪ Planta Med. **55**, 525 (1989) ▪ Tetrahedron Lett. **1978**, 1593. – *[HS 2939 90; CAS 20824-29-7]*

Strigol.

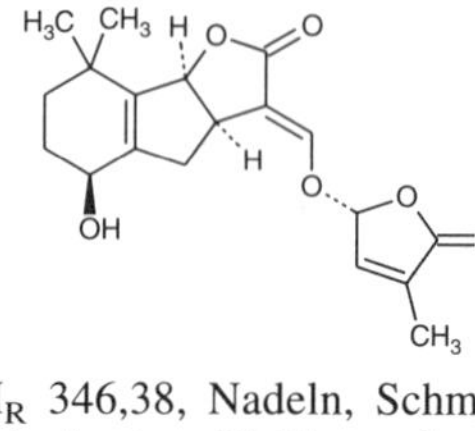

$C_{19}H_{22}O_6$, M_R 346,38, Nadeln, Schmp. 200–202 °C (Zers.), lösl. in Aceton, Dichlormethan, mäßig lösl. in Toluol, unlösl. in Hexan. S. wurde aus Wurzelextrakten der Baumwolle (*Gossypium hirsutum*) u. später aus Mais u. Sorghum isoliert [1]. S. hat eine stark keimungsfördernde Wirkung auf *Striga lutea* („Witchweed"). *Striga*-Arten sind Halbparasiten, die absorbierende Senker in die Wurzeln von Gräsern (Getreide) treiben u. deshalb eine beträchtliche Gefahr für den Ackerbau darstellen. Die Samen der *Striga* können viele Jahre (mind. 10–15) im Boden verbleiben u. keimen erst, wenn Wurzeln von Wirtspflanzen in die Nähe kommen [2,3]. S. wirkt bereits in einer Konz. von 10^{-16} mol/L keimfördernd auf 50% der Samen. Zur Synth. von S. sowie von Analoga s. *Lit.* [4,5], zum Nachw. s. *Lit.* [6]; zum Wirkmechanismus *Lit.* [7]. – ***E*** = ***F*** strigol – ***I*** strigolo – ***S*** estrigol

Lit.: [1] J. Agric. Food Chem. **41**, 1486 (1993). [2] Annu. Rev. Phytopathol. **18**, 463–489 (1980). [3] Weed Sci. **30**, 561 (1982). [4] J. Org. Chem. **50**, 628, 3779 ff. (1985); J. Am. Chem. Soc. **52**, 1984 (1987); Tetrahedron Lett. **28**, 3091, 3095 (1987); Tetrahedron **47**, 1411–1416 (1991); **50**, 6839 (1994); **52**, 14827 (1996). [5] GIT Fachz. Lab. **1996**, 1246 ff.; J. Agric. Food Chem. **40**, 697 (1992); Recl. Trav. Chim. Pays-Bas **111**, 155 (1992); J. Agric. Food Chem. **40**, 1222–1229 (1992); J. Chem. Soc.,

Perkin Trans. 1 **1997**, 767; Tetrahedron Lett. **38**, 2507 (1997); Tetrahedron **49**, 351–360 (1993); **54**, 3439–3456 (1998). [6] Plant Growth Regul. **11**, 91–98 (1992). [7] J. Chem. Soc., Perkin Trans. 1 **1997**, 759.
allg.: ACS Sympos. Ser. **355**, 409–432, 445–461 (1987); **443**, 278–287 (1991) ■ Beilstein E V **18/3**, 104 ■ Merck Index (12.), Nr. 8992. – *[CAS 11017-56-4]*

Stringente Plasmide. *Plasmide, deren Kopienzahl in einer Zelle der Kopienzahl der chromosomalen *DNA entspricht. Im Gegensatz zu *relaxierten Plasmiden*, deren Kopienzahl im Bereich von 20 u. mehr Kopien pro Zelle liegt, unterliegen die s. P. einer strikten Kontrolle bei der Plasmid-Replikation. Allg. besitzen s. P. eine große Molmasse, während Plasmide mit hoher Kopienzahl pro Zelle meist von niedrigerer Molmasse sind. – ***E*** stringent plasmids – ***F*** plasmide stringents – ***I*** plasmidi stringente – ***S*** plásmidos restrictivos
Lit.: Singer u. Berg, Gene u. Genome, S. 254f., Heidelberg: Spektrum 1992.

Strippen. Dem Engl. (strip = abstreifen) entlehnte fachsprachliche Bez. für bestimmte Trennprozesse; *Beisp.:* S. von Elektronen bei der *Schwerionen-Erzeugung, S. leichtflüchtiger Anteile mittels sog. *Strippersäulen* bei der *Destillation (S. 915), S. bei der *Gasreinigung u. der *Headspace-Analyse sowie das S. in der inversen *Voltammetrie. – ***E*** stripping – ***F*** stripage – ***I*** strippaggio – ***S*** cesión

Strobilurine. Die S. bilden zusammen mit den *Oudemansinen die wichtige Gruppe der antifung. *β*-Methoxyacrylat-Antibiotika [1]. Sie werden von zahlreichen Basidiomyceten u. dem Ascomyceten *Bolinea lutea* in Mycelkulturen produziert. Die S. hemmen in geringen Konz. (≅10 µg/mL) spezif. die Atmung von filamentösen Pilzen u. Hefen [2], wobei der Elektronentransport vom Ubihydrochinon zum Cytochrom c im bc_1-Komplex der Atmungskette unterbrochen wird [3]. Dabei findet eine spezif. Bindung der S. an das Ubihydrochinon-Oxidationszentrum statt. S. A aus Kulturen des Kiefernzapfenrüblings *Strobilurus tenacellus* ist mit „*Mucidin*" ident., einem ursprünglich fälschlich als opt. aktiv beschriebenen Metaboliten des Schleimrüblings *Oudemansiella mucida* [4]. Die S. C, F_2, G u. E enthalten am Benzol-Kern Prenyloxy-Reste, die teilw. oxidativ modifiziert sind. Eine Hydroxylierung der 14-Methyl-Gruppe wird beim Hydroxystrobilurin A [5] beobachtet. 9-Methoxystrobilurin A nimmt strukturell eine Mittelstellung zwischen den S. u. Oudemansinen ein [6]. Wie Struktur-Wirkungsbeziehungen mit synthet. Analoga ergaben, ist für die antifung. Wirkung der S. die (*E*)-*β*-Methoxyacrylat-Funktion essentiell [7]. Die entsprechenden (*Z*)-konfigurierten Verb. sind inaktiv. Weiterhin ist eine durch Wechselwirkung mit dem planaren Dienyl-Syst. bedingte Verdrillung der Methoxyacrylat-Einheit gegenüber der Molekülebene für die Wirkung wichtig. So ist das planare (9*E*)-S. A [8] kaum antifung. wirksam [7].
Die hohe Spezifität u. Wirksamkeit der S. gegen phytopathogene Pilze in Verbindung mit ihrer geringen Toxizität bei Warmblütern machen sie zu einer wichtigen Leitstruktur für synthet. Analoga [1,7]. Zwei neue Breitspektrum-Fungizide für den Pflanzenschutz:

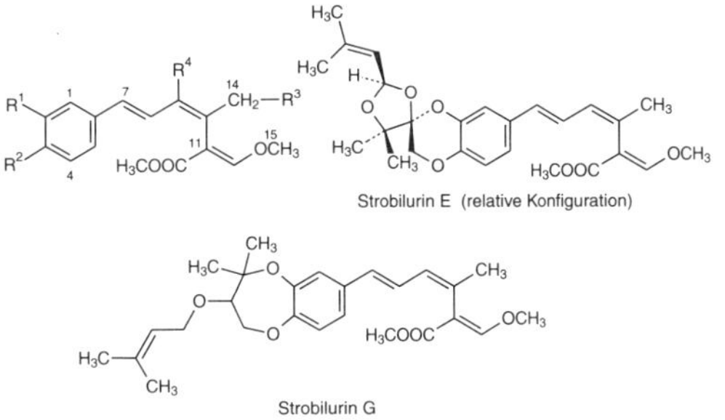

Strobilurin E (relative Konfiguration)

Strobilurin G

	R^1	R^2	R^3	R^4
Strobilurin A	H	H	H	H
Strobilurin B	OCH_3	Cl	H	H
Strobilurin C	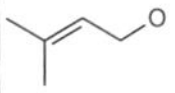	H	H	H
Strobilurin F1	OH	H	H	H
Strobilurin F2	H	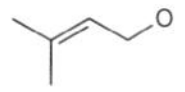	H	H
Strobilurin H	OCH_3	H	H	H
Strobilurin X	H	OCH_3	H	H
Hydroxystrobilurin A	H	H	OH	H
9-Methoxystrobilurin A	H	H	H	OCH_3

Abb. 1: Wichtige natürliche Strobilurine (s. a. Tab. S. 4282).

BAS 490 F (*Kresoxim, in Kombination mit den Ergosterin-Biosynth.-Inhibitoren *Fenpropimorph u. *Epoxiconazol: Landmark®, Juwel®, Mantra®, Ogam®, Mentor®, Stroby®) der BASF AG ($C_{18}H_{19}NO_4$, M_R 313,35) u. ICI A 5504 (Azoxystrobin, Amistar®, Heritage®, Quadris®) der Zeneca ($C_{22}H_{17}N_3O_5$, M_R 403,39) wurden 1992 vorgestellt u. zwischen 1996 u. 1998 in den Markt eingeführt [9]. S. A selbst ist wegen seiner Instabilität im Sonnenlicht (HWZ wenige min) für den prakt. Einsatz im Pflanzenschutz ungeeignet. Die jüngsten natürlichen S. sind S. D u. die methoxylierten S. K u. L. [10].

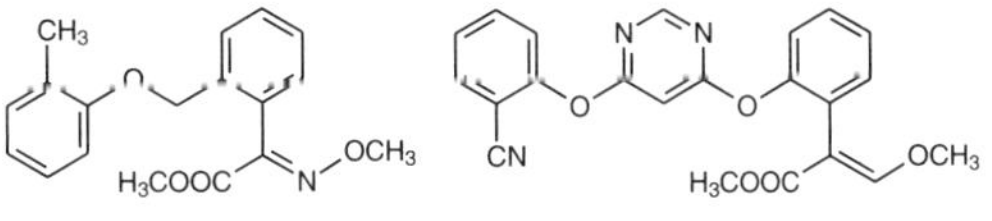

BAS 490 F ICI A 5504

Abb. 2: Synthet. Strobilurin-Analoga.

– ***E*** strobilurins – ***F*** strobilurines – ***I*** strobilurine – ***S*** estrobilurinas
Lit.: [1] Schlunegger (Hrsg.), Biologically Active Molecules, S. 9–25, Berlin: Springer 1989; Pestic. Sci. **31**, 499 (1991); Nat. Prod. Rep. **10**, 565 (1993); Sauter, Ammermann u. Roehl, in Copping (Hrsg.), Crop Protection Agents from Nature: Natural Products and Analogues, Cambridge: Royal Soc. Chemistry 1995; Chem. Br. **31**, 466 (1995) (Übersicht). [2] J. Antibiot. **30**, 806 (1977). [3] Biochemistry **25**, 775 (1986); Eur. J. Biochem. **173**, 499 (1988). [4] J. Antibiot. **34**, 1069 (1981). [5] J. Antibiot. **48**, 884 (1995). [6] Angew. Chem. **107**, 255 (1995). [7] Kleinkauf et al. (Hrsg.), The Roots of Modern Biochemistry, S. 657–662, Berlin: de Gruyter 1988; Royal Soc. Chem., Spec. Publ. No. **198**, 176–179 (1997). [8] Tetrahedron Lett. **28**, 475 (1987); **30**, 5417 (1989); Justus Liebigs Ann. Chem. **1984**, 1616. [9] Proc. Brighton Crop Prot. Conf. Pests Dis., Vol. **1**, S. 403, 435, Brighton: The British Crop Protection Counsil 1992. [10] Tetrahedron Lett. **38**, 7465 (1997). [11] J. Antibiot. **36**, 661 (1983).

Tab.: Eigenschaften u. Vorkommen der Strobilurine.

	Summen-formel	M_R	Schmp. [°C]	$[\alpha]_D$	CAS	Vorkommen (Kulturen von)
S. A[2,8] (Mucidin)	$C_{16}H_{18}O_3$	258,32	Öl		52110-55-1	*Strobilurus tenacellus, Agaricus, Bolinea, Cyphellopsis, Favolaschia, Hydropus, Mycena* (16 Arten!) *Oudemansiella, Pterula, Strobilurus, Xerula*
S. B[2,8]	$C_{17}H_{19}ClO_4$	322,79	rhomb. Krist. 98–99		65105-52-4	*Strobilurus tenacellus, Bolinea, Mycena, Strobilurus, Xerula*
S. C[11]	$C_{21}H_{26}O_4$	342,44	Öl		87081-57-0	*Xerula longipes*
S. E[12]	$C_{26}H_{32}O_7$	456,54	Öl	+78,5°	126572-77-8	*Crepidotus fulvotomentosus*
S. F_1	$C_{16}H_{18}O_4$	274,32	Wachs			*Agaricus, Cyphellopsis, Favolaschia*
S. F_2[13]	$C_{21}H_{26}O_4$	342,44	Krist. 77,5–78			*Bolinea lutea*
S. G[13]	$C_{26}H_{34}O_6$	442,55	Öl	+26,8°	129145-64-8	*Bolinea lutea*
S. H[13]	$C_{17}H_{20}O_4$	288,34	Öl		129145-65-9	*Bolinea lutea*
S. X[14]	$C_{17}H_{20}O_4$	288,34	Krist. 77,5–78		86421-33-2	*Oudemansiella mucida*
Hydroxy-S. A[5]	$C_{16}H_{18}O_4$	274,32	Öl			*Pterula*
9-Methoxy-S. A	$C_{17}H_{20}O_4$	288,34	Öl			*Favolaschia*

[12] J. Antibiot. **43**, 207 (1990); Tetrahedron Lett. **37**, 7955 (1996) (Synth.). [13] J. Antibiot. **43**, 655, 661 (1990). [14] Coll. Czech. Chem. Commun. **48**, 1508 (1983).

Stroboskope s. Blitzlicht.

Stroby® SC/Stroby® WG. *Fungizid auf der Basis von *Kresoxim-Methyl zur Bekämfung von echtem Mehltau u. Schorf im Apfel- u. Birnenanbau, in Wein u. Gemüse. ***B.:*** BASF

Strömung. Bez. für eine durch verschiedenartige Kräfte hervorgerufene, gerichtete Bewegung bes. von Flüssigkeits- u. Gasmolekülen. Bei der sog. *laminaren S.*, die dem **Hagen-Poiseuilleschen Gesetz* (s. a. Viskosimetrie) gehorcht u. v. a. in *Kapillaren auftritt, bewegen sich alle Teile des strömenden Mediums parallel zu den Rohrwandungen in der Art, daß die Geschw. in der Mitte des Rohres am größten ist u. gegen die Wandungen hin auf Null sinkt, da die an der Wand anliegende Schicht infolge der Oberflächenkräfte festhaftet. Beim Überschreiten einer bestimmten krit. Geschw. des *Fließens u./od. bei größerem *Rohr-Querschnitt tritt jedoch Wirbel-Bildung in der Röhre auf, u. die laminare S. schlägt in die sog. *turbulente* od. *Wirbel-S.* um. Die Grenzbedingung für laminare S. lautet:

$$\text{Strömungsgeschw. } u < \text{Re} \cdot \eta / 2r \cdot \rho$$

mit Re = krit. Reynolds-Zahl (Näheres s. dort), η = *Viskosität, r = Radius des Rohres u. ρ = *Dichte. Weitere, die S. charakterisierende Kennzahlen sind im Zusammenhang mit *Wärmeübertragung von Bedeutung; *Beisp.:* Prandtl-, Péclet-, Nußelt-Zahl (Näheres s. Wärmeübertragung). Laminare S. ist hauptsächlich bei *Newtonschen Flüssigkeiten zu beobachten. Techn. S.-Probleme treten dagegen hauptsächlich bei der *Turbulenz auf.

Die *S.-Lehre* beschreibt die Bewegungen von Flüssigkeiten u. Gasen in Rohrleitungen (*Pipelines), Kanälen u. dgl., bei der Umströmung von Körpern im freien Raum u. die dabei wirksamen Kräfte (z. B. den sog. Teekannen-Effekt; s. *Lit.*[1]) sowie den Zustand des Mediums (Druck, Temp., D., Geschw.), u. zwar vorwiegend für Fälle der stationären Strömungen. S.-Geschw. werden mit Schalenkreuz-, Flügelrad-, Hitzdraht- u. a. *Anemometern* (s. a. Laser-Doppler-Anemometrie) gemessen. Die S. imkompressibler Flüssigkeiten wird durch die *Navier-Stokes-Gleichungen* beschrieben u. das Fachgebiet als *Hydrodynamik* bezeichnet; sie treten z. B. bei der Verw. von *Hydraulikflüssigkeiten auf. Dagegen wird in der Gasdynamik u. Aerodynamik die S. kompressibler Stoffe behandelt. Eine wichtige Rolle spielen S.-Vorgänge in der *Rheologie, bei Transportprozessen wie Stoff- u. Wärmeaustausch, bei *Dosieren von Gasen, in *Flammen, bei der *Diffusion, in Pumpen, Kompressoren usw.; bei *Schmierstoffen hat die innere Reibung (vgl. Tribologie) einen großen Einfluß auf die S.-Verhältnisse. Einen wichtigen Faktor stellt der *S.-Widerstand* dar, zu dessen Berechnung das *Stokes-Gesetz dienen kann. In manchen Fällen (z. B. bei Wasser) läßt sich der S.-Widerstand durch *Fließverbesserer* od. *-hilfsmittel* (*E* drag reducer) verringern, vgl. Reynolds-Zahl u. Strömungsbeschleuniger. Bei der Korrosion von Metallen spielt die S. bei der *Kavitation (insbes. deren Geschw.) eine beachtliche Rolle. Bei S. mit geringer Reibung treten dagegen mehr *Grenzflächen-Probleme in den Vordergrund. Unter bestimmten Bedingungen treten in S.-Syst. auch opt. (*Strömungsdoppelbrechung) od. *elektrokinetische Erscheinungen auf; *Beisp.:* *Elektrostatische Aufladung, vgl. a. Zeta-Potential u. Triboelektrizität. Von den Gesetzmäßigkeiten der S.-Syst. machen auch analyt. *S.-Meth.* Gebrauch; *Beisp.: Flowinjection analysis* (FIA, s. *Lit.*[2]) mit den *Stopped-Flow-Meth.* zur Beobachtung der *Relaxation, z. B. bei der Untersuchung *schneller Reaktionen. Die Geschw. von S. wird in vielen Fällen mit Hilfe von Laser-Doppler-Anemometer (s. Laser-Doppler-Anemometrie) ausgemessen. Die numer. Berechnung von S. zum

Wärmeabtransport wird z. B. in *Lit.*[3] beschrieben. Simulationsrechnungen sollten allerdings stets krit. betrachtet werden; so zeigten aktuelle Vgl.-Rechnungen (sog. benchmarks), die 1995/96 zum Abschluß des Schwerpunktprogrammes der Dtsch. Forschungsgemeinschaft „Strömungssimulation auf Hochleistungsrechnern" durchgeführt wurden, daß Simulationen mit nicht optimierter Algorithmik selbst auf Superrechnern an ihre Grenzen stoßen[4]. – ***E*** flow – ***F*** écoulement – ***I*** flusso – ***S*** corriente

Lit.: [1] Spektrum Wiss. **1985**, Nr. 2, 129. [2] Kirk-Othmer (4.) **9**, 108. [3] Phys. Unserer Zeit **25** (3), 122 (1994). [4] Phys. Bl. **52**, 1137 (1996).

allg.: Adv. Heat Transfer **15** (1982) ▪ Albrecht, Laser-Doppler-Strömungsmessung, Berlin: Akademie-Verl. 1986 ▪ Erdöl, Kohle, Erdgas, Petrochem. **38**, 543–549 (1985) ▪ Hanks, Fluid Dynamics (Chemical Engineering), in Encyclopedia of Physical Science and Technology, Vol. 6, S. 493–520, New York: Academic Press 1992 ▪ Heat Transfer and Fluid Flow Data Books (2 Bd.), Schenectady: General Electric 1981 ▪ Int. Lab. **15**, Nr. 8, 14–34 (1985) ▪ Kirk-Othmer (4.) **10**, 425; **11**, 108–137; **12**, 380; **20**, 585 ▪ LABO **13**, 202–206, 330–336 (1982) ▪ Lomas, Fundamentals of Hot Wire Anemometry, Cambridge: University Press 1985 ▪ McKetta **24**, 124–143 ▪ Rosner, Transport Processes in Chemically Reacting Flow Systems, London: Butterworth 1986 ▪ Spencer, Flow Measurement, Amsterdam: North-Holland 1984 ▪ Top. Curr. Chem. **100**, 1–44, bes. 28–33 (1982) ▪ Winnacker-Küchler (3.) **7**, 39–63, 96–102; (4.) **1**, 36–46. – *Zeitschriften u. Serien:* Annual Review on Fluid Mechanics, Palo Alto: Annu. Rev. (seit 1969) ▪ International Journal of Heat and Fluid Flow, Eastbourne: Holt-Saunders (seit 1979) ▪ Turbulent Shear Flows, Berlin: Springer (seit 1979).

Strömungsbeschleuniger. Beim schnellen Fließen von Flüssigkeiten treten oberhalb einer krit. *Reynolds-Zahl *Turbulenzen auf. In turbulent strömenden Flüssigkeiten erhöhen die sich z. B. von den Wandungen eines Rohres ablösenden Wirbel den Strömungswiderstand. Da für das Fließen nun weit mehr Energie erforderlich ist als bei laminarem Fluß, setzt man vielen Flüssigkeiten sog. S. (*Fließverbesserer, Fließhilfsmittel*), z. B. Polymere, zu. Diese helfen, bis zu 80% des Energieverlustes zu vermeiden. Ihre Wirkung beruht darauf, daß sie die nahe den Rohrwandungen fließenden, laminaren Wandschichten der Flüssigkeit verdicken, wodurch weniger Wirbel entstehen. Nur noch gelegentlich lösen sich nun Wirbel von den Wandungen u. die Polymere werden plötzlich einer vorübergehenden Dehnströmung unterworfen. Aus diesem Grunde sind Polymere als S. um so wirksamer, je größer bei ihnen das Verhältnis von Dehn- u. Scherviskosität ist. Trotz des Zusatzes von S. herrschen allerdings im Zentrum des Rohres nach wie vor Turbulenzen.

Verw.: S. werden z. B. Löschwasser beigefügt, damit ein kohärenter Strahl mit größerer Reichweite erhalten wird bzw. pro Zeiteinheit mehr Wasser fließt u./od. kleinere Schlauchdurchmesser verwendet werden können. So wird bei einer Reibungsminderung von 80% der Druckverlust auf 1/5 erniedrigt. Injektionen von S. erhöhen auch die Fließgeschw. von Abwässern z. B. bei plötzlich auftretenden Regenfällen. Auch die Wirkung scharfer Wasserstrahlen, die z. B. zum Zerkleinern od. Schneiden von Festkörpern genutzt werden, wird durch S. erhöht. Durch S. wird ferner der Reibungswiderstand von Öl in Petroleum-Förderrohren verringert, wodurch die Pumpleistung erhöht wird. Für Kohlenwasserstoffe wie Öle werden als S. vorwiegend Methacrylat-Polymere u. Aluminiumseifen verwendet, für Wasser dagegen hauptsächlich Polyethylenoxid u. Polyacrylamid. Hochmol. Polyethylenoxide u. Polyacrylamide wirken als S. schon in Konz. von einigen wenigen ppm Biopolymere wie die *Polysaccharide Xanthan od. Guaran sind dagegen nicht so wirksam. – ***E*** drag reducers – ***F*** accélérateur d'écoulement – ***I*** acceleratore di corrente – ***S*** reductores de turbulencias

Lit.: Elias (5.) **2**, 728.

Strömungsdoppelbrechung. Bez. für die Erscheinung der **Doppelbrechung* des Lichts, die in strömenden, viskosen, reinen Flüssigkeiten od. kolloidalen Lsg. auftreten kann. S. entsteht als Folge der Orientierung anisometr. Teilchen (z. B. bei langen Fadenmol., bei denen sich die *Polarisierbarkeit längs u. quer der Fadenrichtung unterscheidet). Hierdurch wird in der Flüssigkeit eine opt. *Anisotropie erzeugt. Die Orientierung wird durch die in *Strömungen auftretende innere Reibung verursacht. Die Größe der S. hängt ab von dem Ausmaß der opt. Anisotropie u. der Form der Mol.: Je länger gestreckt die Mol. sind u. je größer ihre Anisotropie ist, desto größer die S., s. a. Kolloidchemie. Ähnliche Einflüsse auf die *Refraktion können auch mechan. Kräfte ausüben: Zug- od. Druckspannungen können in S. resultieren. – ***E*** flow birefringence – ***F*** biréfringence d'écoulement – ***I*** birifrazione di flusso – ***S*** birrefringencia de corriente

Lit.: Adv. Polym. Sci. **39**, 95–207 (1981) ▪ Encycl. Polym. Sci. Technol. **7**, 100–178 ▪ Janeschitz-Kriegl, Polymer Melt Rheology and Flow Birefringence, Berlin: Springer 1983 ▪ s. a. Refraktion.

Strömungsgeschwindigkeit (Symbol: u). Gemittelte Geschw., mit der sich ein Ensemble von Partikeln bewegt. Bei Gasströmungen wird die Boltzmannsche Geschw.-Verteilung (s. Boltzmannsches Energieverteilungsgesetz u. adiabatische Abkühlung) umgeschrieben in:

$$f(v) \sim \exp\left[-\frac{m(v-u)^2}{2kT}\right]$$

mit m = Masse der Atome od. Mol., k = Boltzmann-Konstante, T = Temp., v = Relativgeschwindigkeit. Wenn die S. u größer als die lokale *Schall-Geschwindigkeit ist, spricht man von einer *Überschallströmung*.

Bei der Strömung von Flüssigkeiten u. Gasen muß unterschieden werden, ob es sich um eine laminare od. turbulente Strömung handelt (s. Reynolds-Zahl). Im Fall einer laminaren Rohrströmung stellt sich ein parabol. Geschw.-Profil ein. – ***E*** flow velocity – ***F*** vitesse d'écoulement – ***I*** velocità di flusso – ***S*** velocidad de flujo

Lit.: Watz, Adam u. Walcher, Theory and Practice of Vacuum Technology, Braunschweig: Vieweg 1989.

Strömungspotential s. elektrokinetische Erscheinungen.

Stroh. Bez. für die trockenen Stengel u. Blätter von *Getreide, *Hülsenfrüchten, *Öl- u. *Faserpflanzen. Das zu 30–45% aus Cellulose bestehende S. enthält je nach Herkunft außerdem noch mehr od. weniger

Lignin, Pektine u. Polyosen. Wurde S. – insbes. Getreide-S. – früher hauptsächlich als Bestandteil von Stallmist zur Düngung verwendet, so wurde es später angesichts intensiverer Viehhaltungs- u. Düngemeth. zu einem weitgehend nutzlosen Abfallprodukt. Heute hat man wieder viele Verw. für S. entdeckt: Als Faserrohstoff zur Herst. von Zellstoff, Papier, Pappe u. Preßplatten, als „nachwachsenden Rohstoff" für die Gewinnung von Glucose, Xylose od. *Single Cell Protein in Form von Hefe-Protein durch chem. od. mikrobiellen Abbau, zur Energiegewinnung entweder direkt als Heizmaterial od. durch Verschwelung zu *Biogas – der jährliche Anfall an S. in der BRD von 4–5 Mio. t entspricht etwa 1,3 Mio. t Heizöl. – ***E*** straw – ***F*** paille – ***I*** paglia – ***S*** paja

Lit.: Gisi, Bodenökologie (2.), Stuttgart: Thieme 1997. – *[HS 1213 00]*

Strohstein s. Karpholith.

Stromatolithen. Von griech.: stroma = Decke u. lithos = Stein abgeleitete Bez. für laminierte kalkige *Sedimente, die in der Regel eine planparallele, etwas runzelige Feinschichtung im mm-Bereich aufweisen, aber auch die Gestalt von umgedrehten Schüsseln, Blumenkohl, Kuppeln, Säulen, Pfeilern u. noch andere Formen annehmen können; Knollen od. *Onkolithe* (Algenbälle) haben eine konzentr. Lagenstruktur. Rezent, z. B. auf den Bahamas u. in West-Australien, entstehen S. durch die Lebenstätigkeit von Blaugrünalgen (Cyanobakterien, Cyanophyten) in *Algenmatten* auf dem Grund stehender u. fließender Gewässer. Im Präkambrium (*Erdzeitalter) bildeten die S. mächtige Gesteinsfolgen aus *Kalken u. *Dolomiten, deren Entstehung man ebenfalls auf Cyanobakterien zurückführt. – ***E*** = ***F*** stromatolites – ***I*** stromatoliti – ***S*** estromatolitos

Lit.: Füchtbauer (Hrsg.), Sedimente u. Sedimentgesteine (Sediment-Petrologie Tl. 2) (4.), S. 260–269, Stuttgart: Schweizerbart 1988 ▪ Monty, Phanerozoic Stromatolites, Berlin: Springer 1981 ▪ Riding (Hrsg.), Calcareous Algae and Stromatolites, Berlin: Springer 1990 ▪ Top. Curr. Chem. **139**, 1–55 (1987) ▪ Walter (Hrsg.), Stromatolites, Amsterdam: Elsevier 1976.

Stromdichte. Unter S. versteht man die pro Zeiteinheit durch eine Fläche (Querschnitt) strömende Menge an Teilchen (Materie, Ladungsträger); s. Teilchen-S. bei Diffusion. Im Zusammenhang mit elektr. Strom bezeichnet die S. einen Vektor, der in Richtung des fließenden Stroms zeigt u. dessen Betrag gleich der Stromstärke je Flächeneinheit senkrecht zur Stromrichtung ist. – ***E*** current density – ***F*** densité de courant – ***I*** densità di corrente – ***S*** densidad de corriente

Stromelysine. Zu den *Matrix-Metall-Proteinasen (MMP) gehörende *Ektoenzyme der Wirbeltiere, die Bestandteile der *extrazellulären Matrix abbauen u. *Collagenase aktivieren können. Die S. ihrerseits werden durch *Furin aus ihren *Zymogenen gebildet[1] u. durch Gewebs-Inhibitoren reguliert[2]. Die S. 1 u. 2 (EC 3.4.24.17, MMP-3, Transin-1, aus Fibroblasten, bzw. EC 3.4.24.22, MMP-10, Transin-2) spalten *Proteoglykane, *Fibronectin, *Laminin u. manche *Collagene. S. 3 (MMP-11), das in Brustkarzinomen vorkommt, scheint für die Tumorprogression von Bedeutung zu sein. Die S. benötigen Calcium- u. Zink-Ionen zur Aktivität. – ***E*** stromelysins – ***F*** stromélysines – ***I*** stromelisine – ***S*** estromelisinas

Lit.: [1]Nature (London) **375**, 244–247 (1995). [2]Nature (London) **389**, 77–81 (1997).

Stromer, Ulman s. Papier, S. 3110.

Stromeyer, Friedrich (1776–1835), Prof. für Chemie u. Pharmazie, Univ. Göttingen. *Arbeitsgebiete:* Einführung des chem. Laboratoriumsunterrichts in Göttingen, analyt. Chemie, Entdeckung des Cadmiums, Mineral-Analysen, Iod-Stärke-Reaktion, Pyrophosphate.

Lit.: Lexikon der Naturwissenschaftler, S. 387 ▪ Neufeldt, S. 12 ▪ Pötsch, S. 411 ▪ Strube et al., S. 72 ▪ Z. Chem. **9**, 55 ff. (1969).

Stromeyerit (Silberkupferglanz). $Cu_2S \cdot Ag_2S$ od. CuAgS, Erzmineral; unterhalb 78 °C rhomb.-dipyramidale (Kristallklasse mmm-D_{2h}), metallglänzende Krist., meist aber derbe Massen. Farbe u. Strich dunkelstahlgrau, rasch violett anlaufend; dem *Chalkosin ähnlich. H. 2,5–3, D. 6,2–6,3, Bruch muschelig.

Vork.: In Silber-haltigen Lagerstätten, z. B. in Příbram u. Vrancice/Böhmen, Mexiko, Chile, Peru u. in Colorado u. Arizona/USA. – ***E*** = ***I*** stromeyerite – ***F*** stromeyérite – ***S*** stromeyerita

Lit.: Anthony et al., Handbook of Mineralogy, Vol. I, S. 502, Tucson (Arizona): Mineral Data Publishing 1990 ▪ Ramdohr, Die Erzmineralien u. ihre Verwachsungen, S. 517–520, Berlin: Akademie Verl. 1975 ▪ Schröcke-Weiner, S. 134. – *[CAS 22400-52-8]*

Stromklassieren s. Klassieren u. Elutriation.

Stromlose Metallisierung s. Verchromen, -golden, -kupfern, -nickeln, -silbern, -zinken, -zinnen u. Metallisieren.

Stromschlüssel s. Salzbrücke.

Stromstärke s. Ampere.

Strontianit. $SrCO_3$, Mineral; farblose, weiße, gelbliche, graue od. grünliche, glasglänzende, nadelige, spießige od. säulige rhomb. Krist., gern büschelig verwachsen, u. derbe strahlige bis faserige Massen. Kristallklasse mmm-D_{2h}; isotyp mit *Aragonit; zur Struktur s. a. *Lit.*[1,2]. Nach der Formel 70,19% SrO u. 29,81% CO_2, wobei immer ein Teil des Strontiums durch Calcium ersetzt ist; zur *Mischkristall-Bildung im Syst. $BaCO_3$–$SrCO_3$ s. *Lit.*[3,4]. H. 3,5, D. 3,7, durchsichtig bis durchscheinend, Bruch muschelig, spröde.

Vork.: Auf Erzgängen, z. B. im Harz u. mehrorts in den USA; in Bleierzen im Granit von Strontian/Schottland (Name!). Als *Gänge in *Mergeln, z. B. im Münsterland/Westfalen u. in den Strontium Hills/Kalifornien. – ***E*** = ***F*** strontianite – ***I*** stronzianite – ***S*** estroncianita

Lit.: [1]Bull. Mineral. **111**, 139–142 (1988). [2]Z. Kristallogr. **131**, 455–459 (1970). [3]Phys. Chem. Miner. **21**, 392–400 (1994). [4]Eur. J. Mineral. **9**, 519–528 (1997).

allg.: Am. Mineral. **61**, 1001–1004 (1976) ▪ Deer et al., S. 659 f. ▪ Ramdohr-Strunz, S. 574 ▪ Reeder (Hrsg.), Carbonates (Reviews in Mineralogy, Vol. 13), S. 145–190, Washington (D. C.): Mineralogical Society of America 1983. – *[HS 2530 90; CAS 14941-40-3]*

Strontium (chem. Symbol Sr). Metall. Element der 2. Gruppe des *Periodensystems (*Erdalkalimetall), Ordnungszahl 38, Atomgew. 87,62. Natürliche Isotope (Häufigkeit

in Klammern): 84 (0,56%), 86 (9,86%), 87 (7,00%), 88 (82,58%). Daneben sind noch künstliche Isotope u. Isomere von ^{77}Sr bis ^{102}Sr bekannt mit HWZ von 68 ms (^{102}Sr) bis 29,1 a (^{90}Sr). Sr ist ein silberweiß glänzendes Metall, D. 2,67 (*Leichtmetall), Schmp. 769 °C, Sdp. 1384 °C; Sr läuft als unedles Metall an der Luft bald gelbbraun, später grau an u. geht rasch in SrO u. unter Aufnahme von Luftfeuchtigkeit in $Sr(OH)_2$ über. An der Luft verbrennt Sr beim Erhitzen unter Funkensprühen mit hellem Licht. Sr-Salze geben eine karminrote Flammenfärbung, die beim spektroskop. Nachw. sowie in der Pyrotechnik ausgenutzt wird. Mit Wasser bildet Sr Strontiumhydroxid u. Wasserstoff: $Sr + 2H_2O \rightarrow Sr(OH)_2 + H_2$. Sr hat die Mohs-Härte 1,5; man kann es daher leicht biegen, auswalzen usw.

Physiologie: Sr ist chem. gebunden im Gegensatz zu Barium-Verb. ungiftig; es verhält sich im Organismus ähnlich wie Calcium, d. h. Sr lagert sich in *Knochen u. *Zähnen ab. Auf dieser Eigenschaft beruht allerdings auch die Gefährlichkeit des bei *Kernwaffen-Explosionen od. bei *Reaktor-Störfällen (*Beisp.:* Tschernobyl 1986) freiwerdenden Isotops ^{90}Sr. Dieses ist ein langlebiger energiereicher β-Strahler (HWZ 29 a), der von Pflanzen aufgenommen wird u. über das Grünfutter z. B. in die Milch gelangt. Inkorporiert kann ^{90}Sr Knochensarkome hervorrufen. Die *Strahlenschutz-VO der BRD läßt eine Aufnahme von 710 Bq pro Person u. Jahr zu [1]; über therapeut. Meth. zur Elimination von ^{90}Sr (u. Cäsium) s. *Lit.* [2]. Nach erfolgtem Einbau von ^{90}Sr in Knochen ist mit Chelatbildnern die *Dekorporierung nicht mehr erreichbar, da von diesen bevorzugt Ca gebunden wird. Allerdings soll die Hemmung der *Inkorporierung in Knochen mit *Parathyrin möglich sein. Zur Bestimmung u. zum Mikronachw. von Sr sind *Pikrolonsäure, *Chloranilsäure, *Tetrahydroxybenzochinon u. *Rhodizonsäure geeignet, für die Spurenbestimmung eignen sich Atomemissions- u. -absorptionsspektrometrie sowie die Neutronenaktivierungsanalyse [3].

Vork.: Als unedles Metall kommt Sr in der Natur nur in Form von Verb. vor; die wichtigsten Minerale sind *Strontianit (z. B. aus Gloucestershire; bis 1960 etwa 90% der Weltförderung) u. *Coelestin (aus Spanien u. Mexico). Der Sr-Anteil an der 16 km dicken, obersten Erdrinde wird auf 0,03% geschätzt. Damit steht Sr in der Häufigkeitsliste der Elemente an 18. Stelle in der Nähe von Fluor u. Barium, nach anderen Angaben mit 0,014% an 23. Stelle vor Nickel u. Vanadium. Sr tritt als Spurenelement im Boden u. in Pflanzen auf; in letzteren kann mit Hilfe von *Kryptaten zwischen Ca u. Sr differenziert werden. Der menschliche Körper enthält normalerweise 100–200 mg Sr, das durch die Nahrung aufgenommen wird, u. a. mit der Milch. Auf dem Auftreten des Sr-Isotops 87, das durch β-Zerfall von natürlichem radioaktivem Rb 87 entsteht u. in Mineralen vorkommt (Nachw. im Lepidolith durch *Straßmann), gründet sich eine geolog. *Altersbestimmungs-Meth., die *Rubidium-Strontium-Datierung. Erhebliche ^{90}Sr-Mengen fallen beim Betrieb militär. u. zivil genutzter *Reaktoren an u. müssen entsorgt werden [4] – 5,7% aller ^{235}U-Kernspaltungen liefern ^{90}Sr zusammen mit Xenon.

Herst.: Analog *Calcium durch Schmelzflußelektrolyse von $SrCl_2$ unter Zusatz von KCl als Flußmittel od. aluminotherm. aus SrO mit anschließender Vakuumdest.; hierzu u. zur Herst. von Sr-Verb. s. *Lit.* [5].

Verw.: Metall. Sr hat keine größere techn. Verw. gefunden außer in der Elektronenröhren-Ind. als Getter, ferner zum Härten von Akkumulator-Bleiplatten, zum Entfernen von Schwefel u. Phosphor aus Stahl, zur Herst. harter Spezialstähle u. zur Kornverfeinerung bei Al-Si-Guß. ^{90}Sr dient (im Gemisch mit ^{90}Y) aufgrund der emittierten β-Strahlung od. der *Brems- u. *Röntgenstrahlung in Verb. mit schweren Target-Atomen als langlebige Markierungssubstanz, zur Dickenmessung, zum Kalibrieren von Geigerzählern, für Atombatterien u. in der Nuklearmedizin. Die Sr-Isotope 87 m u. 85 finden als Tracer bei der Untersuchung von Knochenerkrankungen durch *Szintigraphie Anwendung. Sr-Verb. werden zur Herst. von Farbfernsehröhren, permanenten Ferritmagneten u. in der Pyrotechnik verwendet, sowie neuerdings in *Hochtemperatur-Supraleitern, z. B. $La_{2-x}Sr_xCuO_4$.

Geschichte: Schon 1790 fand Crawford, daß sich das von ihm bei dem schott. Ort Strontian gefundene Mineral (*Strontianit) durch seine Flammenfärbung von Calciumcarbonat unterscheidet. Unabhängig von Crawford wurde Sr von *Lowitz entdeckt. Sir H. *Davy gelang es 1808, aus dem Strontianit ein unreines Metall zu gewinnen, das er als S. bezeichnete. Reines metall. Sr wurde erstmals von *Bunsen 1855 auf elektrolyt. Wege hergestellt. – ***E*** = ***F*** strontium – ***I*** stronzio – ***S*** estroncio

Lit.: [1] Naturwissenschaften **70**, 224–234 (1983). [2] Nuklearmediziner **10**, 373–379 (1987). [3] Townshend, Encyclopedia of Analytical Science, S. 4812–4818, London: Academic Press 1995. [4] Bajo u. Tobler, Determination of ^{90}Sr in Uranium Fission Products, Bericht 94,6, Villigen: Paul-Scherrer-Inst. 1996; Science **197**, 883 (1977). [5] Brauer (3.) **2**, 921–934.
allg.: Braun-Dönhardt, S. 353 f. ▪ Dtsch. Ärztebl. **83**, 2013–2023 (1986) ▪ Gmelin, Syst.-Nr. 29, Sr, 1931, Erg.-Bd., 1960, Syst.-Nr. 28, Ca, B 3, 1961, S. 1491–1526 ▪ Hutzinger **3 A**, 231–270, bes. 251–254 ▪ Kirk-Othmer (4.) **22**, 947–952 ▪ Miyamoto et al., Alkaline Earth Metal Halates, Oxford: Pergamon 1983 ▪ Seiler u. Sigel (Hrsg.), Handbook on Toxicity of Inorganic Compounds, S. 631–638, New York: Dekker 1988 ▪ Skoryna, Handbook of Stable Strontium, New York: Plenum 1981 ▪ Snell-Ettre **18**, 264–284 ▪ Ullmann (5.) **A 25**, 321–327 ▪ Winnacker-Küchler (4.) **4**, 326–329, 341 f., 345 ▪ s. a. Erdalkalimetalle. – *[HS 2805 22; CAS 7440-24-6; G 4.3]*

Strontiumcarbonat. $SrCO_3$, M_R 147,63. Weißes Pulver mit kalkähnlichen Eigenschaften, D. 3,7, Schmp. 1497 °C (ca. 6 MPa), unlösl. in Wasser. Beim Erhitzen unter gewöhnlichem Luftdruck spaltet es sich oberhalb 1200 °C vollständig in Strontiumoxid u. Kohlendioxid (vgl. Kalkbrennen, s. Calciumoxid). In Säuren löst sich $SrCO_3$ unter Bildung anderer Salze leicht auf, ebenso in Kohlensäure-reichem Wasser (Hydrogencarbonat-Bildung). In der Natur ist $SrCO_3$ als *Strontianit verbreitet.

Verw.: Für Ferritmagnete, als Röntgenstrahlen-Absorber in Farbfernsehröhren (Sr hat einen relativ großen Atomradius; das betreffende Glas enthält 12–14% SrO), zur Reinigung von Elektrolyse-Zink, für Glasuren, zur Herst. anderer Sr-Verb. u. von Sr-Metall, in der Pyrotechnik, früher gelegentlich zur Melasse-Entzuckerung u. zur Behandlung von Schizophrenien. – ***E*** strontium carbonate – ***F*** carbonate de strontium – *I* carbonato di stronzio – *S* carbonato de estroncio

Lit.: Gmelin, Syst.-Nr. 29, Sr, 1931, S. 192–196, Erg.-Bd., 1960, S. 264–273 ■ Kirk-Othmer (4.) **22**, 952 f. ■ Ullmann (5.) **A 25**, 323 f. ■ Winnacker-Küchler (4.) **4**, 341. – *[HS 2836 92; CAS 1633-05-2]*

Strontiumchlorid. $SrCl_2$, M_R 158,53. Das Hexahydrat bildet farblose, nadelförmige, hygroskop. Krist., D. 1,93, die an trockener Luft verwittern, oberhalb 60 °C ihr Kristallwasser abgeben u. bei 872 °C wasserfrei schmelzen. In Wasser sehr leicht lösl.; die Lsg. schmeckt scharf u. bitter.

Xi

Verw.: In der Pyrotechnik (Rotfeuer), zur Herst. von anderen Sr-Verb., für Härtesalze, zur Herst. von Sr-Halogenphosphaten, in Zahnpasten (soll vor *Parodontose schützen), für die elektrolyt. Gewinnung von metall. Strontium u. in der Atomabsorptionsspektroskopie. – *E* strontium chloride – *F* chlorure de strontium – *I* cloruro di stronzio – *S* cloruro de estroncio

Lit.: Brauer (3.) **2**, 922 f. ■ Gmelin, Syst.-Nr. 29, Sr, 1931, S. 115–142, Erg.-Bd. 1960, S. 191–220 ■ Kirk-Othmer (4.) **22**, 954 ■ Ullmann (5.) **A 25**, 325. – *[HS 2827 39; CAS 10476-85-4]*

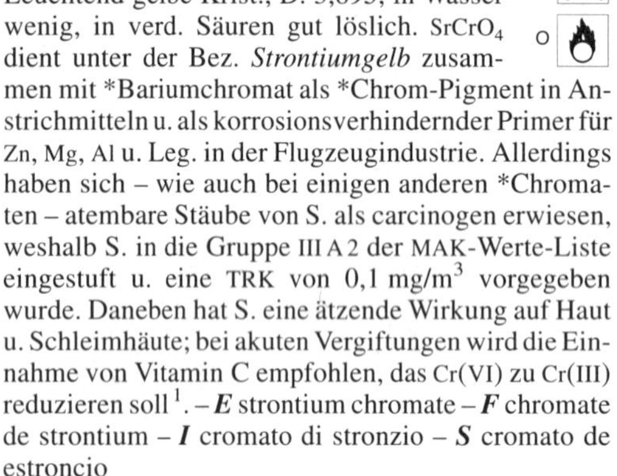

Strontiumchromat. $SrCrO_4$, M_R 203,61. Leuchtend gelbe Krist., D. 3,895, in Wasser wenig, in verd. Säuren gut löslich. $SrCrO_4$ dient unter der Bez. *Strontiumgelb* zusammen mit *Bariumchromat als *Chrom-Pigment in Anstrichmitteln u. als korrosionsverhindernder Primer für Zn, Mg, Al u. Leg. in der Flugzeugindustrie. Allerdings haben sich – wie auch bei einigen anderen *Chromaten – atembare Stäube von S. als carcinogen erwiesen, weshalb S. in die Gruppe III A 2 der MAK-Werte-Liste eingestuft u. eine TRK von 0,1 mg/m³ vorgegeben wurde. Daneben hat S. eine ätzende Wirkung auf Haut u. Schleimhäute; bei akuten Vergiftungen wird die Einnahme von Vitamin C empfohlen, das Cr(VI) zu Cr(III) reduzieren soll [1]. – *E* strontium chromate – *F* chromate de strontium – *I* cromato di stronzio – *S* cromato de estroncio

T+

O

Lit.: [1] Int. Arch. Occup. Environ. Health **53**, 247–256 (1984). *allg.:* Braun-Dönhardt, S. 109 f. ■ Gmelin, Syst.-Nr. 52, Cr, Tl. B, 1962, S. 825–828 ■ Kirk-Othmer (4.) **22**, 953 ■ Merkblatt MO 26: Zinkchromat, Strontiumchromat (ZH 1/88), Heidelberg: BG Chem. Ind. 1985 ■ TRgA 910/15 ■ Ullmann (5.) **A 25**, 325 ■ Verfahren zur Bestimmung von sechswertigem Chrom (ZH 1/120.5), Sankt Augustin: HV Gewerbl. BG 1993. – *[HS 2841 50; CAS 7789-06-2; G 6.1]*

Strontiumfluorid. SrF_2, M_R 125,62. Farblose Krist., D. 4,24, Schmp. 1450 °C, Sdp. 2489 °C, wenig lösl. in Wasser, besser lösl. in verd. Säuren. SrF_2 findet zur Beschichtung opt. Fenster (UV-, IR-) u. in Antireflexschichten Anwendung. – *E* strontium fluoride – *F* fluorure de strontium – *I* fluoruro di stronzio – *S* fluoruro de estroncio

Xn

Lit.: Gmelin, Syst.-Nr. 29, Sr, 1931, S. 111–114, Erg.-Bd., 1960, S. 187–190 ■ Kirk-Othmer (4.) **22**, 954 ■ Winnacker-Küchler (3.) **6**, 94. – *[HS 2826 19; CAS 7783-48-4]*

Strontiumgelb s. Strontiumchromat u. Chrom-Pigmente.

Strontiumnitrat. $Sr(NO_3)_2$, M_R 211,63. Farblose Krist., D. 2,986, Schmp. 570 °C, in Wasser sehr leicht, in reinem Alkohol sehr schwer löslich. Beim Erhitzen erfolgt zuerst Sauerstoff-Abspaltung unter Nitrit-Bildung, bei starkem Glühen entsteht Strontiumoxid. S. findet Verw. zur Herst. roter Flammensätze für bengal. Feuer u. roter Signalpatronen für militär. Zwecke, als Einkrist. für kristallurg. Messungen u. als Standard für die Atomabsorptionsspektroskopie. – *E* strontium nitrate – *F* nitrate de strontium – *I* nitrato di stronzio – *S* nitrato de estroncio

O 

Xi 

Lit.: Gmelin, Syst.-Nr. 29, Sr, 1931, S. 96–109, Erg.-Bd., 1960, S. 174–185 ■ Hommel, Nr. 322 ■ Kirk-Othmer (3.) **21**, 768. – *[HS 2834 29; CAS 10042-76-9; G 5.1]*

Strontium-organische Verbindungen. Kleine Gruppe von Verb. mit C,Sr-Bindungen, die ohne Bedeutung sind. In erweitertem Sinne kann man zu den S.-o. V. auch die Sr-Salze der organ. Säuren rechnen, z. B. Acetat, Oxalat, Salicylat, Gluconat, von denen einige Verw. in der Pharmazie gefunden haben, andere als *Metallseifen. Sr-Salze von Thiosäuren sind in *Depilatorien eingesetzt worden. – *E* organo-strontium compounds – *F* composés d'organostrontium – *I* composti organici di stronzio – *S* compuestos de organoestroncio

Lit.: s. Strontium.

Strontiumsulfat. $SrSO_4$, M_R 183,68. Weiße Krist., D. 3,96, Schmp. 1605 °C bei raschem Erhitzen, Zers. allmählich ab 1580 °C unter Abspaltung von Schwefeltrioxid, fast unlösl. in Wasser, jedoch etwas besser als das verwandte *Bariumsulfat; $SrSO_4$ kommt in der Natur als *Coelestin vor u. wird in der Pyrotechnik u. Analyse sowie als sog. *Strontiumweiß* für Pigmente verwendet. – *E* strontium sulfate – *F* sulfate de strontium – *I* solfato di stronzio – *S* sulfato de estroncio

Lit.: Gmelin, Syst.-Nr. 29, Sr, 1931, S. 172–181, Erg.-Bd., 1960, S. 249–257 ■ J. Chem. Educ. **46**, 252 f. (1969) ■ Kirk-Othmer (4.) **22**, 955 ■ Lorimer, Beryllium, Strontium, Barium and Radium Sulfates, Oxford: Pergamon 1987. – *[HS 2833 29; CAS 7759-02-6]*

Strontiumtitanat. $SrTiO_3$, M_R 183,50. Farblose, klare, glänzende Einkrist. mit ähnlichem Lichtbrechungsindex (2,41, vgl. Refraktion) wie Diamant (2,42), jedoch geringerer Härte (6–6,5) u. höherer Dispersion. Synthet. S.-Krist. (Marke: *Fabulit*) werden als Ersatz für Diamanten gehandelt. Eisen-dotierte S.-Krist. eignen sich als Detektoren für α- u. Höhenstrahlung u. als Kondensatoren für Fernsehen, Radio u. Computer. Über S. als Katalysator der Photolyse von Wasser s. *Lit.* [1]. – *E* strontium titanate – *F* titanate de strontium – *I* titanato di stronzio – *S* titanato de estroncio

Lit.: [1] Chem. Ztg. **109**, 215–219 (1985); Naturwissenschaften **71**, 575 ff. (1984).
allg.: Angew. Chem. **85**, 326–333 (1973) ■ Gmelin, Syst.-Nr. 50, Ti, 1951, S. 433 f. ■ Kirk-Othmer (4.) **22**, 955 ■ Ullmann (4.) **15**, 159. – *[HS 2841 90; CAS 12060-59-2]*

Strontiumweiß s. Strontiumsulfat.

Stroph... Wortteil von Handelsnamen für Präp., die *Strophanthine u. oft noch Extrakte von *Maiglöckchen u. *Weißdorn, *Campher, *Theophyllin- u. *Adenosin-Derivate, *Ephedrin u. a. Wirkstoffe enthalten u. gegen verschiedene *Herz-Erkrankungen Verw. finden (s. a. Herzglykoside u. Herzinsuffizienz). – *E* = *F* stroph... – *I* strof... – *S* estrof...

Strophanthidine s. Strophanthine.

Strophanthine. Bez. für eine Gruppe von *Cardenolid-*Glykosiden, die hauptsächlich in afrikan. *Strophanthus*-Arten (Apocyanaceae) vorkommen, u. gegen *Herz-Erkrankungen Anw. finden.

R = H : Strophanthidin

Ouabain

Die beiden wichtigsten Aglykone sind *k-Strophanthidin* (**a**, 3*β*,5,14-Trihydroxy-19-oxo-5*β*-card-20(22)-enolid), das Aglykon der hauptsächlich in *Strophanthus kombé* vorkommenden *k*-Strophanthine (**b**–**d**; „*k*" steht für „kombé") u. der *Maiglöckchen-Glykoside *Convallatoxin u. Convallosid, u. *g-Strophanthidin* (**e**, 1*β*,3*β*,5,11*α*,14,19-Hexahydroxy-5*β*-card-20(22)-enolid), das Aglykon von *g*-Strophanthin (f; Ouabain). *g*-Strophanthin kommt in den Samen von *Strophanthus gratus* – woher sich die Bez. ableitet – vor, aber auch in Blüten, Früchten, Blättern, Wurzeln u. Rinden des Ouabaio-Baumes (*Acokanthera ouabaio*) u.a. *Acokanthera*-Arten, aus denen z.B. die Giriama, ein ostafrikan. Volksstamm, ein *Pfeilgift gewinnen. Von ähnlicher Wirkung ist das verwandte Calotropin.

Die S. als Hauptvertreter der *Herzglykoside (*Herzgifte*) gehören zu den wirksamsten *Pflanzengiften. Sie steigern in sehr geringer Dosierung die Kontraktionskraft des Herzmuskels u. bewirken eine Ökonomisierung der Herzarbeit. Sie finden daher in Cardiaka – gewöhnlich in Form eines Gemisches von *g*- u. *k*-S. – gegen *Herz-Insuffizienz, akutes Herzversagen, Altersherz usw. Anw., vgl. a. Stroph... Die im allg. *parenteral verabreichten S.-Präp. wirken im Gegensatz zu den oral angewandten *Digitalis-Glykosiden sehr rasch. In größeren Dosen wirken die S. jedoch herzlähmend.

Geschichte: Viele *Strophanthus*-Arten haben in Afrika u. im ind.-malay. Archipel als Pfeilgifte Verw. gefunden. Kirk, der Botaniker der Livingstone-Expedition, entdeckte durch Zufall den herzwirksamen Effekt von *Strophanthus*-Pfeilgift. Er sammelte *Strophanthus*-Arten in Zentralafrika u. brachte sie 1862 nach Europa mit, wo Fraser, Heffter, Sachs, Arnaud u. Thoms die Glykoside aus den *Strophanthus*-Samen isolierten. Fraenkel führte 1906 die S. in die Herztherapie ein. – ***E*** strophanthins – ***F*** strophanthines – ***I*** strofantine – ***S*** estrofantinas

Lit.: Beilstein EV **18/5**, 123–140, 625 ▪ Can. J. Chem. **68**, 1263 (1990) ▪ Hager (5.) **3**, 1103ff.; **4**, 832ff., 977–982; **6**, 795–820 ▪ Karrer, Nr. 2239f., 2240, 2248, 2251ff. ▪ Merck Index (12.), Nr. 9015–9018 ▪ Neuwinger, Afrikan. Arzneipflanzen u. Jagdgifte, S. 142–210, 874–881, 2. Aufl., Stuttgart: Wiss. Verlagsges. 1998 ▪ Lewin, Die Pfeilgifte (2.), Hildesheim: Gerstenberg 1984 ▪ R. D. K. (4.), S. 932ff. ▪ Sax (8.), CNH780, CQH750, HAN800, OKS000, SMM500 –SMN002 ▪ Steroids **60**, 110 (1995) ▪ Ullmann (5.) **A5**, 274–282. – *[HS 2938 90]*

Strophanthosid s. Strophanthine.

Strophanthus-Glykoside s. Strophanthine.

Strophosid s. Strophanthine.

Struktur. Die von latein.: structura = Bau, Bauart abgeleitete Bez. wird in der Chemie in vielerlei – hier im allg. in Einzelstichwörtern behandelten – Zusammenhängen gebraucht, häufig zwar auf die Anordnung der Atome u. Atomgruppen in einem Mol. – im Rahmen der **Strukturchemie* im Sinne von *Konstitution – beschränkt, nicht selten auch pauschal als Oberbegriff zu *Konfiguration u. *Konformation. Praktischerweise unterscheidet man 3 Typen von S.: 1. *Mit Modellvorstellungen verbundene S.:* Elektronen-S. der Atome, Bindungs-S. der *chemischen Bindung (mit Elektronendichteverteilungen aufgrund theoret. Vorstellungen z.B. der *MO-Theorie od. ermittelt durch Kristall- bzw. Röntgenstrukturanalyse) etc.; in diesem Zusam-

Tab.: Daten der Strophanthine.

	Name; Rest[a] R an O-3	Summenformel M_R	Schmp.; $[\alpha]_D$ (Lsm.)	CAS
a	*k*-Strophanthidin, Strophanthidin, Corchorin; R = H	$C_{23}H_{32}O_6$ 404,50	235 °C (orthorhomb.; Dihydrat 169–170 °C); + 43,1° (CH_3OH)	66-28-4
b	*k*-Strophanthosid, *k*-Strophanthin-*γ*; Glc*β*1-6Glc*β*1-4Cym*β*	$C_{42}H_{64}O_{19}$ 872,95	199–200 °C; + 140° (CH_3OH)	33279-57-1
c	*k*-Strohanthin-*β*, Strophosid; R = Glc*β*1-4Cym*β*	$C_{36}H_{54}O_{14}$ 710,81	195 °C; + 32,6° (H_2O)	560-53-2
d	*k*-Strophanthin-*α*, Cymarin, Cimarin; R = Cym*β*	$C_{30}H_{44}O_9$ 548,66	148 °C; + 39° ($CHCl_3$)	508-77-0
e	*g*-Strophanthidin, Ouabagenin, Ouabain-Aglykon	$C_{23}H_{34}O_8$ 438,51	Monohydrat: 235–238 °C; + 11,3° (H_2O)	508-52-1
f	*g*-Strophanthin, Ouabain, 3-*O*-*α*-L-Rhamnosylouabagenin	$C_{29}H_{44}O_{12}$ 584,65	Octahydrat: ca. 190 °C (Zers.); –31° (CH_3OH)	630-60-4

[a] Cym = Cymarose = 2,6-Didesoxy-3-*O*-methyl-D-*ribo*-hexose

menhang sei an die (alte) Zachariasen-Regel erinnert, wonach z. B. AB_2-Mol. gestreckt bzw. AB_3-Mol. planar sein sollten, wenn die Summe ihrer Außenelektronen = 16 bzw. ≤24 ist. – 2. *Geometr. S.:* S. der *Moleküle als Konstitution (durch *Strukturformeln symbolisiert), Konfiguration u. Konformation (durch räumliche Darst. versinnbildlicht u. durch Verw. von *Molekül-Modellen wie Dreiding- od. Stuart-Briegleb-Modellen veranschaulicht, s.a. Stereochemie), Kristall-S. (die ggf. Hinweise auf die Mol.-S. gibt), S. von Gläsern, amorphe Strukturen, S. von Makromol. (Primär- bis Quartär-S.) etc. – 3. *Zeitabhängige S.:* S. von Flüssigkeiten u. Lsg., z.B. *cybotaktische Strukturen od. *Flüssige Kristalle, S. von Mol. mit *Fluktuierenden Bindungen, von Nichtstarren Mol., von oszillierenden Systemen (*dissipative Strukturen), von *ionotropen Gelen, *Liesegangschen Ringen u. ä. Phänomenen, wie sie evtl. in der *Evolution eine Rolle gespielt haben (*Synergetik*). In das Schema lassen sich auch Begriffe wie Grenzstrukturen (s. Resonanz), Strukturisomerie (s. Konstitutionsisomerie u. Isomerie) einbauen.

Die S.-Aufklärung wird häufig als eigenständiges Arbeitsgebiet (*Strukturchemie) angesehen. In Anbetracht der Vielzahl möglicher S. für eine Verb. – man betrachte z.B. die Zusammenstellung von 217 denkbaren verschiedenen S. für das Mol. C_6H_6 (*Lit.*[1]) od. denke an die bei *Ringsysteme erwähnten „exot.", ja *Platonischen Moleküle – ist nicht nur die *Konstitutionsermittlung einschließlich der Aufklärung der Stereochemie eine wichtige Aufgabe, sondern auch die Erfassung der S. durch die Mittel der Datenverarbeitung. Hiermit in Zusammenhang steht die Speicherung von organ. S. u. *Partialstrukturen für die Zwecke der *Dokumentation, wofür eine Reihe von *Notationen u. ein selbsttätig arbeitendes, sog. topolog. Codierungsverf. entwickelt worden sind. Überdies sollte die chem. *Nomenklatur in der Lage sein, geometr. S. von Mol. eindeutig zu beschreiben, u. zwar selbst von komplizierten Mol. wie Käfig- od. Kronenverb., Kryptaten, Koordinationsverb. od. synthet. u. natürlichen Makromolekülen. Zur Benennung bedient sich die Nomenklatur u. a. sog. *Strukturpräfixe* wie *cis*, *trans*, *synperiplanar*, *icosahedro*, *mer*, *fac*, *nido*, α, β, *E*, *Z*, *R*, *S* usw. Einprägsamer als der Name einer chem. Verb. ist oft das mit Hilfe der *chemischen Zeichensprache erstellte *Formelbild*, s. a. Strukturformeln.

Es hat nicht an Versuchen gefehlt, die Beziehungen zwischen der S. von Stoffen u. ihren physikal. Eigenschaften (Schmelz- u. Siedepunkt, Lsg.-Eigenschaft, Farbe etc.) nicht nur durch empir. Regeln (*Parachor, *Refraktion, *Molrotations-Differenzen etc.) zu erfassen, sondern mit den Meth. der *Quantenchemie abzuleiten. Hier sind erste Teilerfolge zu verzeichnen, zu denen *Gruppen- u. *Ligandenfeldtheorie, *MO-Theorie u. *Valence Bond-Methode, *Kraftfeld-, *Symmetrie- u. *Topologie-Betrachtungen Interpretationshilfe geleistet haben. Noch wenig quant. formulierbar sind Zusammenhänge zwischen der S. von Mol. u. ihrer Wirkung auf die *Sinnesphysiologie (*Geruch, *Geschmack, s.a. Riechstoffe) od. ihrer Wirkung als *Pharmaka – man denke an die oft drast. Unterschiede in der Wirksamkeit von Enantiomerenpaaren[2]. Die systemat. Untersuchungen von S.-Wirkungs-Beziehungen (**QSAR*) unter Erfassung möglichst vieler Mol.-Parameter (Löslichkeits- u. Verteilungskoeff., Hammett-Konstanten u. a. Substituenteneinfluß etc.) wird heute insbes. im Hinblick auf die Synth. biolog. aktiver Mol. – als sog. *Regressionsanalyse od. *Hansch-Analyse – viel praktiziert. Fernziel solcher Untersuchungen ist nicht nur die Synth. von Mol. mit erwünschten Eigenschaften „nach Maß", sondern auch die Gewinnung der Erkenntnis, wie biolog. *Rezeptoren mit ihren *Substraten aufgrund ihrer spezif. S. selektiv in Wechselwirkung treten. – ***E*** = ***F*** structure – ***I*** struttura – ***S*** estructura

Lit.: [1] Chem. Lab. Betr. **25**, 77 (1974). [2] Chem. Unserer Zeit **19**, 177–190 (1985).

allg.: Acc. Chem. Res. **16**, 146ff. (1983) ▪ Angew. Chem. **99**, 413–428 (1987) ▪ Bonchev, Information Theoretic Indices for Characterization of Chemical Structures, Letchworth: Res. Studies Press 1983 ▪ Chem. Soc. Rev. **13**, 131–156, 157–172 (1984) ▪ Daudel et al., Structure and Dynamic of Molecular Systems (2 Bd.), Dordrecht: Reidel 1985 ▪ Encycl. Polym. Sci. Eng. **4**, 120–144 ▪ Fradin, Electronic Structure and Properties (Treatise Mat. Sci. Technol. 21), New York: Academic Press 1981 ▪ Gray, Computer-Assisted Structure Elucidation, New York: Wiley 1986 ▪ Hall u. Ellis, Chemistry and Structure at Interfaces, Weinheim: VCH Verlagsges. 1986 ▪ Int. Rev. Phys. Chem. **3**, 335–391 (1983) ▪ Kontakte (Merck) **1982**, Nr. 2, 37–48 ▪ Lien, SAR, New York: Dekker 1987 ▪ Naturwissenschaften **71**, 623–629 (1984) ▪ Pifat-Mrzljak, Supramolecular Structure and Function, Berlin: Springer 1986 ▪ Pope u. Swenberg, Electronic Processes in Organic Crystals, Oxford: Univ. Press 1982 ▪ Prog. Drug Res. **29**, 303–414 (1985) ▪ Pure Appl. Chem. **57**, 121–147 (1985); **59**, 101–144 (1987) ▪ Rademacher, Strukturen organischer Moleküle, Weinheim: VCH Verlagsges. 1987 ▪ Seymour u. Carraher, Structure-Property Relationships in Polymers, New York: Plenum 1984 ▪ Wells, Structural Inorganic Chemistry, Oxford: Univ. Press 1984 ▪ Williams u. Fleming, Strukturaufklärung in der organischen Chemie, Stuttgart: Thieme 1985 ▪ Z. Chem. **24**, 237–247 (1984). – *Serie:* Molecular Structure and Energetics, Weinheim: VCH Verlagsges. (seit 1986).

Strukturchemie. Teilgebiet der Chemie, das sich mit der Aufklärung von *Strukturen, insbes. der Anordnung (Gruppierung) u. der Bindung der Atome im Mol. befaßt. Bei der *Konstitutionsermittlung (Aufklärung der Struktur) auf chem. Wege wird versucht, aus dem Verlauf der Reaktion der betreffenden Substanz Aussagen über Atomgruppen od. des Mol. zu machen. Aus der Kombination der Ergebnisse mit denen der *physikalischen Analyse versucht man schließlich die *Strukturformel aufzustellen. Während durch chem. Meth. Bausteine u. Grundgerüst aufgeklärt werden können, ermöglichen physikal. Meth. die Klärung der Verteilung bestimmter Gruppen u. damit eine Präzisierung des Gerüstes, d.h. der Geometrie der *Moleküle. In Einzelfällen ist es – mit speziellen Verf. der Elektronenmikroskopie – schon gelungen, einzelne Atome in Mol. „sichtbar" zu machen. Bes. vielversprechend in dieser Hinsicht ist das von Binnig u. *Rohrer entwickelte Raster-Tunnelmikroskop, für dessen Konzeption beide 1986 den Nobelpreis für Physik (zusammen mit E. A. F. *Ruska) erhielten. Angesichts der Vielzahl der bei den verschiedenen Meth. der S. anfallenden Daten (z. B. bei *Kristall- u. *Röntgenstrukturanalyse, *Elektronen- u. *Neutronenbeugung, *Massenspektrometrie, *Mößbauer- u. a. Verf.

der *Spektroskopie) ist der Einsatz der elektron. Datenverarbeitung heute unumgänglich. Die Untersuchung der Zusammenhänge zwischen der Struktur von Mol. u. ihren physiolog. u. pharmakolog. Eigenschaften wird im allg. nicht als Arbeitsgebiet der S. betrachtet, s. Regressionsanalyse, Hansch-Analyse u. QSAR. – ***E*** structural chemistry – ***F*** chimie structurale – ***I*** chimica strutturale – ***S*** química estructural
Lit.: s. Struktur.

Struktureinheit, -element. Zu „*konstitutionelle Repetiereinheit" alternative Bez. für die kleinste, sich ständig wiederholende Struktureinheit eines *Makromoleküls, z. B. $-CH_2-$ bei *Polyethylen. – ***E*** structural unit – ***F*** élément structurel – ***I*** unità strutturale, elemento strutturale – ***S*** unidad (elemento) estructural

Strukturfaktor, -amplitude s. Kristallstrukturanalyse.

Strukturformel. Bez. für die symbol. Darst. der *Struktur eines Mol. unter Verw. von Elementsymbolen, Strichen, Punkten, Sonderzeichen etc.; Beisp. s. chemische Zeichensprache. Gelegentlich, aber nicht konsequent, unterscheidet man zwischen *Konstitutionsformel*, die die *Konstitution des Mol. unter Verzicht auf die Darst. seiner *Stereochemie wiedergibt, u. Strukturformel, die auch die räumliche Geometrie deutlich machen soll, vgl. die Abb. des Glycerinaldehyds bei *Konfiguration. Derartige *Stereoformeln* findet man vielerorts in diesem Werk; *Beisp.:* Curare, Dieldrin, Digitalis-Glykoside, Morphin, Nootkaton, Steroide. Für bes. *Konfigurations- u. *Konformations-Betrachtungen können sog. *Projektionsformeln von Vorteil sein. In der organ. Chemie sind *Skelettformeln* als Konstitutionsformeln gang u. gäbe; hier bedeutet jeder Knick od. Eckpunkt eine CH_n-Gruppierung; *Beisp.:* Benzol-Ring, Campher, Carotine, Isopren u. v. a. Die Bez. Struktur u. Strukturformel wurden von *Butlerow (1861), die Bez. Konstitutionsformel dagegen von *Kekulé geprägt. – ***E*** structural formula – ***F*** formule de structure, formule dévelopée – ***I*** formula strutturale – ***S*** fórmula estructural (desarrollada)

Strukturgene s. Gene u. Regulation.

Strukturisomerie s. Konstitutionsisomerie u. Koordinationslehre.

Strukturklebstoffe (Konstruktionsklebstoffe, Montageklebstoffe). Nach ASTM-Definition sind S. *bonding agents used for transferring required loads between adherends exposed to service environments typical for the structure involved.* S. sind also *Klebstoffe für chem. u. physikal. hoch beanspruchbare Verklebungen, die im ausgehärteten Zustand zur Verfestigung der verklebten Substrate beitragen u. zur Herst. von Konstruktionen aus Metallen, Keramik, Beton, Holz od. verstärkten Kunststoffen verwendet werden. S. basieren insbes. auf (wärmehärtbaren) Reaktionsklebstoffen (*Phenolharze, *Epoxidharze, *Polyimide, *Polyurethane u. a.). – ***E*** structural adhesives – ***F*** adhésifs structurels – ***I*** adesivi strutturali – ***S*** adhesivos estructurales
Lit.: Flick, Construction and Structural Adhesives and Sealants, Park Ridge: Noyes Publ. 1988 ▪ Hartshorn, Structural Adhesives, Chemistry and Technology, New York: Plenum Press 1986 ▪ Kinloch, Structural Adhesives, Developments in Resins and Primers, New York: Appl. Sci. Publ. 1986 ▪ Schneeberger, Adhesives in Manufacturing, New York: Dekker 1989.

Struktur-Polysaccharide s. Reserve-Polysaccharide.

Strukturproteine s. Skleroproteine.

Strukturschaumstoffe s. Integralschaumstoffe.

Strukturviskosität (Pseudoplastizität, Scherentzähung). Eine Bez. aus der *Rheologie, unter der man die der *Dilatanz entgegengesetzte Erscheinung versteht, daß die *Viskosität von fließenden Stoffen unter dem Einfluß zunehmender Schubspannung τ od. Schergeschw. D abnimmt (vgl. die Abb. bei Nichtnewtonsche Flüssigkeiten). Die Viskositätsabnahme beruht auf der gleichmäßigen Ausrichtung der vorher ungeordneten Mol.-Knäuel unter dem Einfluß der zunehmenden Schubspannung. Die meisten Nichtnewtonschen Flüssigkeiten, Alkydharzlacke, Kunststoffschmelzen zeigen Strukturviskosität. Im Unterschied zur S. nimmt bei der verwandten *Thixotropie die Viskosität bei konstanter Schubspannung τ, aber zunehmender Versuchszeit ab. – ***E*** structural viscosity – ***F*** viscosité structurelle – ***I*** viscosità strutturale – ***S*** viscosidad estructural
Lit.: s. Rheologie, Newtonsche Flüssigkeiten, Viskosität.

Struma. Latein. Bez. für *Kropf, s. a. Schilddrüse.

Strunz, Hugo (geb. 1910), Prof. für Mineralogie, TU Berlin. *Arbeitsgebiete:* Kristallchemie, systemat. Mineralogie, Mineral-Genese u. Paragenese, Einführung der Begriffe Isotypie u. Diadochie, Klassifizierung von Phosphaten, Arsenaten u. Vanadaten, Entdeckung zahlreicher neuer Mineralien, zusammen mit Ramdohr Hrsg. von Klockmann's Lehrbuch der Mineralogie.
Lit.: Kürschner (16.), S. 3688 ▪ Wer ist wer (36.), S. 1420.

Strunzit. $MnFe^{3+}_2[OH/PO_4]_2 \cdot 6\,H_2O$, sek. Phosphat-Mineral. Sehr dünne, faserige od. leistenartige, stroh- bis weißgelbe, triklin-pseudomonokline Krist., divergentstrahlige Büschel od. Überzüge, Kristallklasse $\bar{1}$-C_i; Struktur s. *Lit.*[1]; H. 4, D. 2,47–2,56. Bei *Ferro-S.*[2,3] ist Mn^{2+} durch Fe^{2+} ersetzt, bei *Ferri-S.*[4] (von Blaton/Belgien) durch Fe^{3+}; die meisten natürlich vorkommenden S. sind Mangano-Ferri-S. (*Lit.*[5]).
Vork.: In Phosphat-führenden *Pegmatiten, z. B. Hagendorf u. Waidhaus[3]/Oberpfalz (histor.) u. mehrorts in Portugal u. den USA (New Hampshire, South Dakota). – ***E*** = ***F*** = ***I*** strunzite – ***S*** strunzita
Lit.: [1] Tschermaks Mineral. Petrogr. Mitt. **25**, 77–87 (1978). [2] Neues Jahrb. Mineral. Monatsh. **1983**, 524–528. [3] Neues Jahrb. Mineral. Monatsh. **1995**, 11–25. [4] Neues Jahrb. Mineral. Monatsh. **1987**, 453–457; **1990**, 176–190.
allg.: Lapis **9**, Nr. 12, 9–11 (1984) („Steckbrief") ▪ Naturwissenschaften **45**, 37 f. (1958) ▪ Nriagu u. Moore (Hrsg.), Phosphate Minerals, S. 112 f., Berlin: Springer 1984 ▪ Ramdohr-Strunz, S. 647 f. – *[CAS 12297-96-0]*

Struvit. $(NH_4)Mg[PO_4]\cdot 6\,H_2O$, Mineral. Glasglänzende, farblose, weiße od. unterschiedlich gelbbraune, durchsichtige bis durchscheinende, vollkommen spaltbare, wasserunlösl. rhomb. Krist. von *Magnesiumammoniumphosphat, Kristallklasse mm2–C_{2v}; Struktur s. *Lit.*[1]; zur Polarität von S. s. *Lit.*[2]. H. 1,5–2, D. 1,7; S. wird bei Wasserabgabe trübe.

Vork.: Im Guano in manchen Höhlen. In der Moorerde unter Düngergruben, z.B. in Hamburg u. Braunschweig. Als Bestandteil von menschlichen Harnsteinen. – ***E*** = ***F*** = ***I*** struvite – ***S*** estruvita

Lit.: [1] Acta Crystallogr. Sect. B **26**, 1429–1444 (1970). [2] Acta Crystallogr. Sect. B **40**, 223–227 (1984).
allg.: Nriagu u. Moore (Hrsg.), Phosphate Minerals, S. 113, 178, 184, 355, 366f., 376–381, Berlin: Springer 1984 ▪ Ramdohr-Strunz, S. 645 ▪ Schröcke-Weiner, S. 637. – *[CAS 15490-91-2]*

Strychnin (Strychnidin-10-on). $C_{21}H_{22}N_2O_2$, M_R 334,42, Krist., Schmp. 268–290 °C (abhängig von der Erwärmungsgeschw.), Sdp. 270 °C (0,66 kPa), sehr gut lösl. in Chloroform, gut lösl. in heißem Ethanol, mäßig lösl. in Methanol, prakt. unlösl. in Wasser, $[\alpha]_D$ –139,6° ($CHCl_3$). In Chloroform-Lsg. bilden sich an der Luft verschiedene Artefakte u. *Pseudostrychnin* ($C_{21}H_{22}N_2O_3$, M_R 350,42), das am C-Atom 16 hydroxyliert ist u. auch als natives Alkaloid vorkommt. Das *Indol-Alkaloid S. kommt in den Samen des Krähenaugenbaums, der Brechnuß (*Strychnos nux-vomica*, Loganiaceae), zusammen mit seinem Dimethoxy-Derivat *Brucin vor, auch andere *Strychnos*-Arten enthalten Strychnin [1].

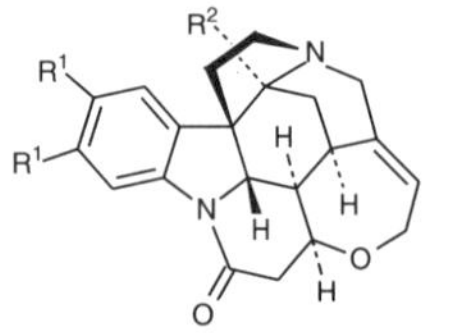

$R^1 = R^2 = H$: Strychnin
$R^1 = OCH_3$, $R^2 = H$: Brucin
$R^1 = H$, $R^2 = OH$: Pseudostrychnin

Die Aufnahme von 1–3 g der Samen ist für Menschen tödlich. Das ergiebigste bekannte Vork. ist mit 6,6% S. die Rinde von *Strychnos icaja*. S. schmeckt extrem bitter, es ist noch bis zu einer Verdünnung von 1:130000 wahrnehmbar, s.a. Bitterstoffe. Möglicherweise schützt sich die Brechnuß mit S. vor Tierfraß. S. bildet mit zahlreichen Säuren Salze. Die Salze sind in Wasser mäßig bis gut löslich. S. wird von *12-Wolframatophosphorsäure (Scheiblers Reagenz) noch in einer Verdünnung von 1:200000 gefällt.

Toxikologie: S. ist für alle Tiere (auch Einzeller) sehr giftig (MAK-Wert 0,15 mg/m^3; LD_{50} Ratte i.v. 0,96 mg/kg). Die letale Dosis beginnt für den Erwachsenen bei 1 mg/kg.

Die außerordentlich stark erregende Wirkung auf das Zentralnervensystem (ZNS) hat Krampfanfälle bis zum Tetanus zur Folge, was durch Atemlähmung zum Tode führen kann. S. wirkt somit ähnlich wie *Tetanus-Toxin. S. wird nach oraler Aufnahme schnell resorbiert, hauptsächlich in der Leber metabolisiert u. rasch eliminiert. Vergiftungssymptome sind erst Unruhe, Angst, Erbrechen, dann Krämpfe der Streckmuskulatur (1 bis mehrere min), Krämpfe werden durch äußere Reize erneut ausgelöst. Therapie bei akuten Vergiftungen: Magenspülung u. Aktivkohlengabe – bei schweren Vergiftungen: Barbituratnarkose u. Gabe von Muskelrelaxantien.

Die antagonist. Wirkung des S. gegenüber dem *Neurotransmitter Glycin in den Synapsen konnte zur Isolierung des Glycin-*Rezeptors herangezogen werden, da S. sich selektiv mit hoher Affinität an diesen bindet [2]. Geringe Dosen von S. führen beim Menschen zu einer Verschärfung der Sinneswahrnehmungen u. zur Anregung von Atemzentrum, Muskel- u. Gefäßtonus (Mißbrauch als Doping-Mittel). Auf dieser ZNS-Wirkung beruhte früher die therapeut. Anw. von S. als *Analeptikum, als Antidot bei Barbiturat- u.a. zentral lähmenden Schlafmittel-Vergiftungen u. als Antagonist für *Curare. Verschiedentlich wird S. als Rodentizid od. zum Fangen von Pelztieren verwendet, in einigen Gegenden Afrikas wird Strychnos-Extrakt auch als *Pfeilgift gebraucht [3].

Geschichte: Die Früchte von *Strychnos nux-vomica* (Brechnuß, „Krähenaugen") wurden von Valerius Cordus erstmals 1540 beschrieben; die Isolierung des Alkaloids erfolgte 1818 durch Caventou u. *Pelletier. Die Struktur von S. wurde durch Leuchs, Sir R. *Robinson, *Woodward u. *Prelog aufgeklärt; die erste Totalsynth. (30 Reaktionsstufen) gelang Woodward 1954 als erste Totalsynth. eines strukturell komplizierten Naturstoffes. Weitere Synth. s. *Lit.* [4]. – ***E*** = ***F*** strychnine – ***I*** stricnina – ***S*** estricnina

Lit.: [1] Hager (5.) **6**, 817–850; **9**, 676–680. [2] Angew. Chem. **97**, 363–368 (1985). [3] Neuwinger, Afrikan. Arzneipflanzen u. Jagdgifte (2.), S. 571–604, Stuttgart: Wiss. Verlagsgesellschaft 1998. [4] Angew. Chem. **106**, 1204 (1994); J. Am. Chem. Soc. **115**, 8116, 9293 (1993); **117**, 5776 (1995); J. Org. Chem. **58**, 7490 (1993); **59**, 2685 (1994); Saxton (Hrsg.), The Monoterpenoid Indole Alkaloids, Suppl. Vol. 25, Heterocyclic Compounds, S. 279, Chichester: John Wiley 1994; F. A. Z. 29.7. **1992**.
allg.: Aldrichimica Acta **28**, 107–120 (1995) ▪ Beilstein EIII/IV **27**, 7537 ▪ Chem. Unserer Zeit **24**, 23 (1990) ▪ Dang. Prop. Ind. Mat. Rep. **8**, 78–83 (1988) ▪ Florey **15**, 563–646 ▪ R. D. K. (4.), S. 682ff., 935 ▪ Trends Pharmacol. Sci. **8**, 204ff. (1987) ▪ Ullmann (5.) **A 1**, 390f. – *Toxikologie:* Biochemistry **30**, 873 (1991) ▪ Sax (8.), Nr. SMN 500–SMP 000 ▪ s.a. Strychnos-Alkaloide. – *[HS 2939 90; CAS 57-24-9 (S.); 465-62-3 (Pseudo-S.)]*

Strychnos-Alkaloide. Gruppe monoterpenoider *Indol-Alkaloide, die nicht nur aus *Strychnos*-Pflanzen isoliert u. nicht ausschließlich dem Strychnidin-Typ zugeordnet werden. Die prominentesten Vertreter dieser Alkaloid-Gruppe sind das *Strychnin, sein 2,3-Dimethoxy-Derivat *Brucin, die *Toxiferine u. *Curare, sowie Vomicin, die alle vom Strychnidin-Grundgerüst abgeleitete Strukturen aufweisen. – ***E*** strychnos alkaloids – ***F*** alcaloïdes de Strychnos – ***I*** alcaloidi della Strychnos – ***S*** alcaloides de Strychnos

Lit.: J. Am. Chem. Soc. **113**, 5085f. (1991) ▪ J. Org. Chem. **55**, 6299–6312 (1990) ▪ Manske **34**, 211–331; **36**, 1 ▪ Nat. Prod. Rep. **9**, 425 (1992) ▪ Saxton u. Husson, Indoles, Part 4: The Monoterpenoid Indole Alkaloids, Chichester: Wiley-Interscience 1983 ▪ Tetrahedron: Asymmetry **8**, 935–948 (1997). – *[HS 2939 90]*

Stuart, Herbert Arthur (1899–1974), Prof. für Physik. Chemie, Univ. Mainz. *Arbeitsgebiete:* Mol.-Modelle, Physik der Hochpolymeren, Strukturfragen, Krist., Kinetik, Lichtstreuung, Doppelbrechung, Resonanzfluoreszenz, Viskosität.

Lit.: Neufeldt, S. 187.

Stuart-Briegleb-Modelle. Von *Stuart entworfene u. von *Briegleb weiterentwickelte *Kalottenmodelle zur Veranschaulichung von Mol.-Strukturen. Die Kernabstände u. Wirkungssphären der einzelnen Atome werden in 1,5 · 10^{8}facher Vergrößerung (d.h. 100 pm im Mol. entsprechen 1,5 cm im Modell) dargestellt. Die Kalotten sind, je nach darzustellendem Atom, in einer bestimmten symbol. Farbe gehalten. Sie lassen sich druckknopfartig zusammenstecken u. auseinandernehmen. Es werden Stuart-Briegleb-Kalotten für aliphat., aromat. u. heterocycl. Verb., Doppel- u. Dreifachbindungen sowie Heteroatome angeboten. – ***E*** Stuart Briegleb atomic models – ***F*** modèles atomiques de Stuart et de Briegleb – ***I*** modelli atomici di Stuard-Briegleb – ***S*** modelos atómicos de Stuart-Briegleb

Lit.: Chem. Ztg. **106**, 365–369 (1982); **108**, 177–184 (1984) ▪ s. a. Atom- u. Molekülmodelle.

Stubben. Bez. für Baumstümpfe wie z. B. Kiefernstubben (enthalten ca. 19% Harz, 4% Terpentinöl, 4% Benzin-unlösl. Harze, 23% Wasser, 50% Cellulose- u. Lignin-artige Stoffe), die zu Terpentinöl, Harzen u. Harz-Derivaten verarbeitet werden können, s. Pine Oil. S. in ihren verschiedenen Zers.-Graden haben im ökolog. Waldbau eine ganz wichtige Position als Lebensraum vieler z. T. bedrohter Tierarten u. ihrer Larven, z. B. von Bock- u. Hirschkäfern. – ***E*** stumps – ***F*** souches, billots – ***I*** ceppi, ceppaie – ***S*** tocones

Lit.: Jacobs u. Renner, Biologie u. Ökologie der Insekten (2.), Stuttgart: Fischer 1988.

Stuck. Aus Stuckgips (s. Gips) hergestellte, meist fugenlose Decken- u. Wandbekleidungen oft in ornamentaler reliefartiger Ausführung, wobei dem Gips Farbzusätze, Härtemittel od. -verzögerer beigemischt werden können. Ein marmorähnlicher Putz, geschliffen u. poliert, dient als sog. Stuckmarmor für Kunstgegenstände u. hochwertigen Wandputz. – ***E*** = ***I*** stucco – ***F*** stuc – ***S*** estuco

Lit.: Härig, Technologie der Baustoffe, 9. Aufl., S. 65, Karlsruhe: Müller 1990 ▪ Scholz, Baustoffkenntnis, 12. Aufl., S. 152, Düsseldorf: Werner 1991.

Studentenblume s. Tagetes.

Stückigmachen. Bez. für das z. B. durch Sintern, durch Preßverf. od. durch Aufbaugranulation vorgenommene *Kompaktieren von feinkörnigen Stoffen zu *Agglomeraten [Agglomerieren, Pelleti(si)ieren, Brikettieren]. – ***E*** size enlargement – ***F*** agglomération – ***I*** ingrossamento – ***S*** aglomeración, formación de aglomerados

Stützgewebe s. Bindegewebe.

Stufen. 1. In der **Mineralogie* Bez. für Krist., die mit ihrer Unterlage verwachsen sind (Kristall-S., Mineral-S.). – 2. In der **Kristallographie* Bez. für bestimmte *Kristallbaufehler (S.-Versetzungen); in verwandtem Sinne spricht man von S. auch bei *Einlagerungs- wie *Graphit-Verbindungen. – 3. In der **Stratigraphie* Bez. für bestimmte Epochen, s. Erdzeitalter.

Stufenindexfaser s. Glasfasern.

Stufenreaktionen (zusammengesetzte Reaktionen, Mehrstufenreaktionen). Bez. für *Reaktionen, bei denen aus den Ausgangsstoffen die Endprodukte nicht direkt, sondern über eine od. mehrere Reaktionsstufen, d. h. über *Zwischenreaktionen* entstehen. S. können sich aus *Elementarreaktionen so zusammensetzen, daß diese entweder als *Simultanreaktionen gleichzeitig nebeneinander (*Parallelreaktionen*) zu verschiedenen Endprodukten od. nacheinander als *Sukzessivreaktionen (*Folgereaktionen*) über verschiedene, häufig nicht faßbare kurzlebige Zwischenprodukten (*Zwischenstufen) zu einem Endprodukt führen. Prinzipiell hat eine n-stufige Reaktion n *Übergangszustände u. n–1 *Zwischenstufen. Ein sehr spezielles Beisp. (für eine *gekoppelte Reaktion*) ist die *Landoltsche Zeitreaktion. Während in der chem. *Kinetik die *Kettenreaktion als typ. Beisp. für eine S. gilt[1], wird bei den *Polyreaktionen der Polymerchemie der Begriff S. meist für die Polyadditionen u. Polykondensationen reserviert, also als Synonym für Sukzessiv-Reaktion verwendet u. nicht auf die Polymerisationen als Ketten-Reaktion angewendet; s. a. Stufenwachstums-Polymerisation. – ***E*** step reactions, multistep reactions – ***F*** réactions étagées – ***I*** reazioni a più gradi – ***S*** reacciones escalonadas (por etapas)

Lit.: [1] Pure Appl. Chem. **53**, 759–763 (1981).
allg.: Encycl. Polym. Sci. Eng. **3**, 274 ff. ▪ Pure Appl. Chem. **53**, 753–771 (1981) ▪ s. a. Elementarreaktionen, Kinetik u. Reaktionen.

Stufenregel s. Ostwaldsche Stufenregel.

Stufenversetzungen. Die S. sind halbe Gitterebenen, die mit einer Randlinie (*Versetzungslinie) im Krist. enden. Die Existenz von S. ist entscheidend für die plast. Verformbarkeit von Metallen. Als Zahl der eine Gitterebene durchstoßenden S. kann ein Wert von $10^6/cm^2$ angesetzt werden. Durch Verformungsvorgänge kann sich dieser Wert auf $10^{12}/cm^2$ erhöhen, wobei der bei der Verformung wirksame Mechanismus der Versetzungserzeugung nach seinen Entdeckern als *Frank-Read-Quelle* bezeichnet wird; s. a. Kristallbaufehler u. Schraubenversetzung. – ***E*** edge dislocation – ***F*** dislocation linéaire – ***I*** dislocazione a spigolo – ***S*** dislocación lineal

Lit.: s. Punktdefekte.

Stufenwachstums-Polymerisation. Bez. für *Polyreaktionen wie die *Polyaddition u. *Polykondensation, bei denen aus den *Monomeren schrittweise über diskrete oligomere Zwischenprodukte schließlich *Makromoleküle aufgebaut werden. Im Gegensatz zu den als *Kettenreaktion verlaufenden *Polymerisationen existieren bei den S.-P. keine für die Anlagerung der Monomeren bes. ausgezeichneten Wachstumszentren. Vielmehr kann hier grundsätzlich jedes Monomer-, *Oligomer- od. *Polymer-Mol. mit jedem anderen über seine terminalen Funktionalitäten unter weiterer Kettenverlängerung reagieren. – ***E*** step-growth polymerization – ***F*** polymérisation à croissance graduelle – ***I*** polimerizzazione di crescita graduale – ***S*** polimerización de crecimiento gradual

Stuhl s. Kot.

Stumpen. Zigarren (vgl. Tabak) ohne Kopf mit rundem od. viereckigem, überall gleichbleibendem Querschnitt, bei denen das einhüllende Blatt völlig geklebt ist. – ***E*** Swiss cigars – ***F*** cigares suisses – ***I*** mezzo sigaro – ***S*** cigarros suizos

Stumpfe Enden s. blunt ends.

Sturin s. Protamine.

Sturm-Test (CO_2-Entwicklungstest). Stat. Screening-Test zur Bestimmung der *biologischen Abbaubarkeit organ. Substanzen. In Glasgefäßen mit ca. 3 L mineral. Kulturlsg. u. Impfgut (wäss. Phase des *Belebtschlamms einer kommunalen *Kläranlage) wird die Prüfsubstanz 28 d bei 20–25 °C ständig mit Kohlendioxid-freier Luft begast. Das beim Abbau entstehende Kohlendioxid wird gemessen. Die Substanz gilt als leicht abbaubar, wenn ein Abbaugrad >60% innerhalb von 10 d erreicht wird, nachdem zuvor ein Abbaugrad von 10% überschritten war.

Lit.: EU-Richtlinie 92/69 EWG C 4/c ▪ ISO 9439 ▪ OECD Guideline Nr. 301 B ▪ Seifen, Öle, Fette, Wachse **117**, 740–744 (1991).

Stutengonadotropin s. Serumgonadotropin.

Styli. Latinisierte Bez. (von griech.: stȳlos = Griffel, Säule) für Stäbchen, z. B. styli caustici = Ätzstifte, styli medicati = Arzneistäbchen.

Stylophorin s. Chelidonin.

Styloszintigramm s. Szintigraphie.

Styphninsäure (2,4,6-Trinitroresorcin).

E Xn

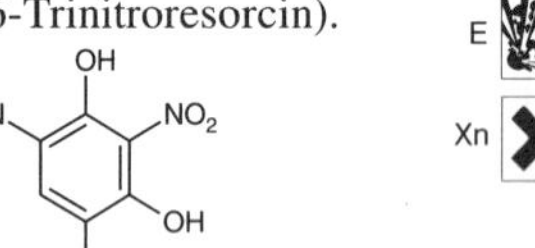

$C_6H_3N_3O_8$, M_R 245,11, gelbe, hexagonale, adstringierend schmeckende Krist., D. 1,829, Schmp. 175 °C (auch 179–180 °C angegeben), sublimiert, verpufft bei raschem Erhitzen (Verpuffungspunkt 257 °C), in Wasser wenig lösl. (Reaktion sauer; griech.: stryphnós = sauer u. styphōn = zusammenziehend), leicht lösl. in Ethanol u. Ether. S. bildet mit organ. Stoffen Additionsverb. u. Salze, die als *Styphnate* bezeichnet werden, ähnlich wie die Pikrate charakterist. Schmp. haben u. deshalb zur Identifizierung herangezogen werden können. S. ist ein explosionsgefährlicher Stoff[1], das Bleisalz (*Bleitrinitroresorcinat) ist ein *Initialsprengstoff.

Herst.: Durch Nitrierung von Pernambuco-Holz od. Quebracho-Extrakt od. durch Sulfonierung u. Nitrierung von Resorcin. – ***E*** styphnic acid – ***F*** acide styphnique – ***I*** acido stifnico – ***S*** ácido estífnico

Lit.: [1] Köhler u. Meyer, Explosivstoffe (8.) S. 348, Weinheim: VCH Verlagsges. 1995.
allg.: Beilstein E IV **6**, 5699 ▪ Merck-Index (12.), Nr. 9026. – *[HS 2908 90; CAS 82-71-3; G 1.1 D]*

Styptika. Von griech.: styptikós = verstopfend, verdickend abgeleitete Sammelbez. für blutstillende Mittel (*Hämostyptika) u. (ungebräuchlich) für durchfallbremsende Mittel (*Antidiarrhoika). – ***E*** styptics – ***F*** styptiques – ***I*** stiptici – ***S*** estípticos

Styrax (Storax). *Balsam aus dem Holz der in Kleinasien bzw. Mittelamerika beheimateten Baumarten *Liquidambar orientalis* Miller bzw. *L. styraciflua* L. (Hamamelidaceae). Verwirrenderweise wird das Baumharz der Styraxbäume (Styracaceae) nicht als S. sondern als *Benzoeharz bezeichnet. S. ist eine halbflüssige, klebrige, opake, graue, gelbe od. braune *Harz-Masse mit charakterist. Geschmack u. Geruch. S. ist unlösl. in Wasser, lösl. in Benzol, Ether, Aceton, Schwefelkohlenstoff u. warmem Ethanol. Die Reinigung von S. kann erfolgen durch Erwärmen mit Wasser u. Filtrieren od. durch Lösen in Ethanol, Filtrieren u. Verdampfen des Ethanols. Handelsformen sind 1. *Rohbalsam* (S. liquidus): Trocknungsverlust 25–30%, Wassergehalt 20–30%, Alkohol-lösl. Anteil 65–75%, Alkohol-unlösl. Anteil 2–5%, Totalzimtsäure 15–20%, freie Zimtsäure 0,1–4%, Phenol-Bestandteile 20–30%; – 2. *gereinigter Balsam* (S. liquidus depuratus): dünnflüssig, klar, bräunlich-gelblich, Trocknungsverlust 5–20%, Alkohol-lösl. Anteil 70–90%, Alkohol-unlösl. Anteil 2–8%, SZ 50–60, VZ 170–190; – 3. *Resinoid*: Trocknungsverlust 5–15%, Alkohol-unlösl. Anteil 0,1–5%; – 4. Destillat-*Styraxöl*: Je nach Herkunft D. 0,890–1,010. S. findet Verw. zur Aromatisierung, in der Parfümerie, zur Gewinnung von Zimtalkohol u. in der Medizin als antisept. Expektorans. – ***E*** = ***F*** = ***S*** styrax, storax – ***I*** storace

Lit.: Gildemeister **5**, 207–213 ▪ Janistyn **1**, 887; **2**, 77, 103 ▪ Kirk-Othmer (2.) **5**, 222; **8**, 451; **14**, 213, 724 f.; **17**, 390 f.

Styrodur®. *Polystyrol-Hartschaumstoff, extrudiert, schwerentflammbar. Für die Wärmedämmung von Dächern, Böden, Wänden u. Decken in Wohn-, Ind.-, Landwirtschaftsgebäuden u. in Kühlhäusern; als Frostschutz im Unterbau von Straßen, Landebahnen, Eisenbahngleisen usw. Zur Wärme- u. Kältedämmung in Kühlfahrzeugen; Containern u. Caravans. S. eignet sich bes. für die Anw., bei denen sehr geringe Wasseraufnahme, hohe Druckfestigkeit u. gute Wärmedämmfähigkeit verlangt werden. ***B.:*** BASF.

Styrofoam®. Extrudierte *Polystyrol-Hartschaum-Dämmstoffe. ***B.:*** Dow.

Styrol (Vinylbenzol, Phenylethylen). Xn

H_5C_6–CH=CH_2, C_8H_8, M_R 104,14, Farblose, Benzol-artig riechende, ungesätt., stark lichtbrechende, brennbare, leicht polymerisierende Flüssigkeit, D. 0,909, Schmp. -30 °C, Sdp. 145 °C, FP. 31 °C c.c., zündfähiges Gemisch, Vol.-% 1,2–8,9. S. ist in Wasser sehr wenig lösl., lösl. in Ethanol, Methanol, Aceton, Ether, Schwefelkohlenstoff. Die Dämpfe reizen die Augen u. die Atemwege. Kontakt mit der Flüssigkeit bewirkt Reizung der Augen u. der Haut; bei längerer Einwirkung Blasenbildung möglich, MAK 20 ppm bzw. 85 mg/m^3 (MAK-Werte-Liste 1997); Emissionsklasse II (TA Luft 3.1.7); WGK 2. Zur Frage der mutagenen, cancerogenen u. teratogenen Wirkung beim Menschen s. *Lit.*[1], BAT-Wert s. *Lit.*[2]. Die Polymerisation des S. zu *Polystyrol wird durch Licht, Wärme u. Sauerstoff beschleunigt u. kann demgegenüber durch Zugabe von Stabilisatoren, z. B. *4-*tert*-Butylbrenzcatechin, verzögert werden. Durch Luftoxid. bilden sich auch Peroxide. S. kommt im Stein- u. Braunkohlenteer vor u. bildet sich auch beim Erhitzen von *Styrax. Die überwiegende Herst.-Meth. für S. ist die direkte katalyt. Dehydrierung von Ethylbenzol; Näheres zu dieser Meth. sowie zu weiteren Herst.-Möglichkeiten s. Kirk-Othmer, Ullmann, Weissermel (*Lit.*).

Verw.: Als Lsm. u. Reaktionspartner für ungesätt. Polyesterharze, zur Styrolisierung, als Einschlußmittel für anatom. Präp., hauptsächlich aber zur Herst. von *Polystyrol u. S.-Copolymeren mit Acrylnitril, Butadien, Maleinsäureanhydrid usw. S. ist neben Ethylen u. Vinylchlorid das wichtigste Monomere zur Herst.

von Thermoplasten; die weltweite Herstellkapazität für S. betrug 1992 ca. 16,8 Mio. t.

Geschichte: S. wurde 1831 beim Erhitzen von Styrax gefunden u. erhielt daher seinen Namen. – ***E*** styrene – ***F*** styrène – ***I*** stirolo, stirene – ***S*** estireno

Lit.: [1] Gesundheitsschädliche Arbeitsstoffe: toxikologisch-arbeitsmedizinische Begründung von MAK-Werten, Weinheim: Verl. Chemie 1972–1998. [2] Maximale Arbeitsplatzkonzentrationen u. Biologische Arbeitsstofftoleranzwerte 1997, Weinheim: VCH Verlagsges. 1997.

allg.: Beilstein E IV **5**, 1334 ▪ Hommel, Nr. 189 ▪ Kirk-Othmer (3.) **21**, 770–847; (4.) **22**, 956 ▪ Koch, Umweltchemikalien (2.), S. 378 f., Weinheim: VCH Verlagsges. 1991 ▪ Ullmann (4.) **22**, 293–310; (5.) **A 25**, 329 ▪ Weissermel-Arpe (4.), S. 367 ff. – *[HS 2902 50; CAS 100-42-5; G 3]*

Styrol-Acrylnitril-Copolymere (Kurzz. SAN). Bez. für *Copolymere aus Styrol u. Acrylnitril, die bei einem Massegehalt von 25–35% Acrylnitril als eigenständige Kunststoffsorte betrachtet werden. SAN zeichnen sich im Vgl. zu Standard-*Polystyrol durch höhere Resistenz gegenüber unpolaren Medien (z. B. Ölen, Benzinen u. Aromastoffen), geringere Spannungsrißempfindlichkeit sowie höhere Schlagzähigkeit, Steifheit, Kratzfestigkeit u. Temperaturwechsel-Beständigkeit aus; nachteilig sind schlechtere elektr. Eigenschaften, höhere Wasseraufnahme u. verstärkte Vergilbungsneigung.

SAN-Polymere haben eine *Glasübergangstemperatur von ca. 97 °C, einen Schmelzbereich von ca. 110–116 °C u. eine max. Anw.-Temp. von ca. 85–90 °C. Sie können durch Spritzgießen, Extrudieren od. Warmumformen zu transparenten techn. Artikeln verarbeitet werden.

Verw.: U. a. zur Herst. von Gehäuseteilen, Drehknöpfen, Skalenscheiben für Geräte in der Elektro- u. Feinwerktechnik, von Schaugläsern, Tonbandspulen, Telefonapparaten; zur Herst. von Gehäuse- u. Geschirrteilen im Haushaltssektor, von Badezimmergarnituren u. Scheinwerfergehäusen; für Verpackungen von Lebensmitteln, Kosmetika, Pharmazeutika u. anderes. Nach dem dramat. Einbruch von 1993 auf 56 000 t u. damit auf das Niveau von 1986 erreichte der SAN-Verbrauch in Westeuropa 1994 wieder ein Vol. von 67 000 t (*Lit.*[1]). Mittelfristig wird mit einem weiteren Zuwachs von 1–2% pro Jahr gerechnet. – ***E*** styrene acrylonitrile copolymers – ***F*** copolymères de styrène-acrylonitrile – ***I*** copolimeri di stirene e acrilonitrile – ***S*** copolímeros de estireno-acrilonitrilo

Lit.: [1] Kunststoffe **85**, 1550 (1995).

allg.: Encycl. Polym. Sci. Eng. **1**, 452–470; **16**, 38 f., 72 f. ▪ Ullmann (4.) **19**, 123–131. – *[HS 3903 20; CAS 9003-54-7]*

Styrol-Butadien-Copolymere (Kurzz. SB). Sammelbez. für *Copolymere aus Styrol u. Butadien, deren Eigenschaften u. Verw. durch das Verhältnis der beiden Comonomeren (s. Monomere) bestimmt werden. Niedrige Butadien-Mengen (ca. 5–20%, bezogen auf das Copolymer) werden gewählt, um die Schlagzähigkeit von *Polystyrol zu verbessern (zu schlagfestem u. hochschlagfestem Polystyrol s. dort); zur Herst., Morphologie u. Wirkungsweise insbes. schlagzähmodifizierter SB s. *Lit.*[1]. Copolymere mit hohem Butadien-Anteil (ca. 70–75%) sind als *Styrol-Butadien-Kautschuke techn. sehr wichtige *Synthesekautschuke. – ***E*** styrene butadiene copolymers – ***F*** copolymères de styrène-butadiène – ***I*** copolimeri di stirene e butadiene – ***S*** copolímeros de estireno-butadieno

Lit.: [1] Domininghaus, S. 350 ff.

allg.: s. Polystyrole u. Styrol-Butadien-Kautschuke. – *[HS 3903 90; CAS 9003-55-8]*

Styrol-Butadien-Kautschuke (Kurzz. SBR). Sammelbez. für *Copolymere aus Styrol u. Butadien, die die beiden *Monomere meistens im Gew.-Verhältnis von ca. 23,5:76,5, in Ausnahmefällen auch von 40:60 enthalten u. deren *Makromoleküle überwiegend die Struktureinheiten I u. II aufweisen:

$$-CH_2-CH=CH-CH_2- \qquad -CH_2-CH(C_6H_5)-$$

I II

Ihre Herst. erfolgt nach Verf. der *Emulsionspolymerisation od. *Lösungspolymerisation. Die Emulsionspolymerisation in Wasser, die mit *Redoxinitiatoren bei tiefen Temp. (Kalt-Kautschuk; *E* cold rubber) bzw. bei höheren Temp. (Heiß-Kautschuk; *E* hot rubber) mit Persulfaten gestartet wird, liefert Latices, die als solche verwendet od. zu festem Kautschuk aufgearbeitet werden. Die Molmassen von Emulsions-SBR liegen im Bereich von ca. 250 000–800 000 g/mol; Kalt- u. Heiß-Kautschuke unterscheiden sich hinsichtlich des Verzweigungsgrades. Bei der Lösungspolymerisation werden aliphat. od. aromat. Kohlenwasserstoffe als Lsm. u. z. B. Alkyllithium als Initiator eingesetzt. Nach diesem Verf. können auch *Blockcopolymere hergestellt werden [1]. Die Kautschuke werden als solche od. verschnitten mit Öl bzw. gefüllt mit Rußen vermarktet u. stellen die wichtigsten *Synthesekautschuke dar. Bes. Vorteile der nach der Vulkanisation von Emulsions-SBR anfallenden Produkte sind hoher Widerstand gegen dynam. Ermüdung u. Alterungs- u. Hitzebeständigkeit. Gegen Witterungs- u. Ozon-Einfluß müssen sie durch Antioxidantien stabilisiert werden. Sie sind beständig gegen viele unpolare organ. Lsm., verd. Säuren u. Basen, quellen aber stark im Kontakt mit Kraftstoffen, Ölen od. Fetten. Vulkanisate aus statist. Lösungs-SBR besitzen geringere Hysteresis u. höheren Abriebwiderstand als die aus Emulsions-SBR. Vulkanisierte Blockcopolymere auf Basis von Lösungs-SBR zeichnen sich durch bes. gute elast. Eigenschaften u. sehr niedrige elektr. Leitfähigkeit aus.

Verw.: Emulsions-SBR wird hauptsächlich, meist in Kombination mit *Butylkautschuk, zur Herst. von Reifen für Personen-Kfz u. leichte Lkw, nicht aber für Hochgeschw.-Reifen eingesetzt. Andere Einsatzgebiete sind die Herst. von Förderbändern, Schuhsohlen, Kabelisolierungen, Schläuchen, Produkten für den pharmazeut., chirurg. u. medizin. Bereich sowie von Verpackungen für Lebensmittel. Lösungs-SBR wird u. a. für Dachabdeckungen u. die Herst. von harten Schuhsohlen u. techn. Gummi-Produkten verwendet. Die Jahreskapazität der SBR-Herst. weltweit lag 1994 u. 1996 bei jeweils 6,5 Mio. t (*Lit.*[2]). – ***E*** styrene butadiene rubbers – ***F*** caoutchoucs de styrène-butadiène – ***I*** caucciù di stirene e butadiene – ***S*** cauchos de estireno-butadieno

Lit.: [1] Domininghaus, S. 363 ff. [2] Gummi, Asbest + Kunstst. **50**, 22 (1997).

allg.: Franta, Elastomers and Rubber Compounding Materials, S. 87–112, Amsterdam: Elsevier 1989 ▪ Hofmann, Rubber

Technology Handbook, S. 58–67, New York: Hanser Publ. 1989 ▪ Ullmann (4.) **13**, 605–611. – *[HS 4002 11, 4002 19]*

Styrol-Copolymere. Styrol wird im großen Umfang mit unterschiedlichen *Monomeren copolymerisiert, um die Eigenschaften von *Polystyrol breit zu modifizieren. Große Bedeutung erlangt haben *Copolymere des Styrols mit Butadien, α-Methylstyrol, Acrylnitril, Vinylcarbazol u. Estern der Acryl-, Methacryl- u. Itaconsäure. Von diesen werden die *Acrylnitril-Butadien-Styrol-Copolymere (Kurzz. ABS), die *Styrol-Butadien-Copolymere (s. a. Styrol-Butadien-Kautschuke) u. *Styrol-Acrylnitril-Copolymere in eigenen Stichworten behandelt.
Styrol-(α-Methylstyrol)-Copolymere sind dem Standard-Polystyrol in der Wärmeformbeständigkeit überlegen; ihre *Glasübergangstemperatur nimmt mit steigendem Gehalt an Methylstyrol zu. Die Copolymerisation von Styrol u. Acrylnitril in Ggw. eines elastomeren Polyacrylats führt zu den sog. *ASA-Pfropfcopolymeren*, deren Vorteile hohe Zähigkeit, Steifheit, Thermostabilität, Glanz, Beständigkeit gegen Chemikalien, Witterungseinflüsse u. Vergilben sowie günstiges antistat. Verhalten sind. ASA-Pfropfcopolymere werden deshalb vorteilhaft in Außenanw. eingesetzt. *N*-Vinylcarbazol u. Itaconsäuredimethylester als Comonomere vermitteln Styrol-Acrylnitril-Copolymeren erhöhte Wärmeformbeständigkeit u. höhere Chemikalien- u. UV-Beständigkeit. *Styrol/Maleinsäureanhydrid-Copolymere* (Kurzz. SMSA) besitzen neben hoher Wärmeformbeständigkeit bes. Fließfähigkeit. Neben ASA haben auch mit Ethylen/Propylen/Dien-Kautschuk (EPDM) bzw. mit chloriertem Polyethylen elast.-modifizierte Styrol-Acrylnitril-Copolymere (AES bzw. ACS) als Produkte mit verbesserter Licht- u. Alterungsbeständigkeit Bedeutung erlangt; zu Eigenschaften u. Verw. der S.-C. s. die einzelnen Produkte u. die *Lit.* – ***E*** styrene copolymers – ***F*** copolymères de styrène – ***I*** copolimeri di stirene – ***S*** copolímeros de estireno
Lit.: Batzer **3**, 9ff. ▪ Domininghaus, S. 349ff. ▪ Encycl. Polym. Sci. Eng. **16**, 72–241 ▪ Houben-Weyl **E 20/2**, 980–987. – *[HS 3903 20, 3903 30, 3903 90]*

Styrolisierung. Bez. für den Zusatz von *Styrol, ggf. a. von *Vinyltoluol, zu *Alkydharzen od. ungesätt. *Polyesterharzen, die in aromat. od. aliphat. Kohlenwasserstoffen ‚gelöst für Spachtelmassen, schnelltrocknende Grundierungen, Deck- u. Effektlacke usw. verwendet werden. – ***E*** styrene modification – ***F*** styrénisation, modification par styrène – ***I*** modificazione col stirene – ***S*** estirenización, modificación por estireno

Styroloxid (Phenyloxiran). T

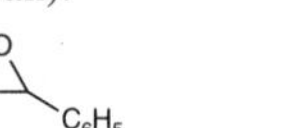

C_8H_8O, M_R 120,15. Farblose, leicht brennbare, unangenehm riechende Flüssigkeit, D. 1,05, Schmp. –37 °C, Sdp. 194 °C, in Wasser schwer lösl., in Methanol, Benzol, Aceton u. Ether gut löslich; WGK 3 (Selbsteinst.). Die Dämpfe, insbes. Konz. über 2 Vol.-% reizen die Augen u. die Atemwege. Kontakt mit der Flüssigkeit bewirkt Reizung der Augen bis zur Verätzung u. geringere Reizung der Haut. S. kann durch Einwirkung unterchloriger Säure auf *Styrol mit nachfolgender Abspaltung von Chlorwasserstoff mit wäss. Alkali gewonnen werden; auch Oxid. mit Peressigsäure ist möglich.
Verw.: Zwischenprodukt in organ. Synth., als Weichmacher für Epoxidharze. – ***E*** styrene oxide – ***F*** oxyde de styrène – ***I*** ossido di stirene – ***S*** óxido de estireno
Lit.: Beilstein E V **17/1**, 577 ▪ Hommel, Nr. 568 ▪ Synthesis **1984**, 629 ▪ Ullmann (4.) **10**, 572; (5.) **A 9**, 541, 543. – *[HS 2910 90; CAS 96-09-3 (±); 20780-53-4 ((R)-(+)); G 3]*

Styrolux®. Styrol-Butadien-Blockpolymeres, universell verwendbar für das Spritzgießen, Extrudieren, Thermoformen u. Blasformen: Im Vordergrund stehen transparente, schlagzähe Verpackungen, Haushaltswaren, Spielwaren u. techn. Teile. ***B.:*** BASF.

Styron. Veraltete Bez. für *Zimtalkohol u. Marke für *Polystyrole u. Styrol-Copolymere.

Styronal® Marken. Polymer-Dispersionen auf der Basis von Butadien u. *Styrol (vgl. Styrol-Butadien-Copolymere); Binder für die Papier- u. Kartonstreicherei. ***B.:*** BASF.

Styroplus®. Hochwärmeformbeständiges, superschlagzähes Styrol-Butadien-Polymerisat (vgl. Styrol-Butadien-Copolymere). Siegelfähige Verpackungsfolien u. hochschlagzähe Deckel für Verpackungsbehälter. ***B.:*** BASF.

Styropor®. Expandierbares *Polystyrol zur Herst. von Hartschaumstoffen. Einzelne Typen sind schwer entflammbar u./od. beständig gegen aliphat. Kohlenwasserstoffe.
Verw.: Hauptsächlich im Bauwesen als Wärmedämmstoff für Außenwände u. Dächer sowie als Dämmstoff für Trittschall, zur Isolierung von Tiefkühlräumen, Lagerhallen, Kühlwaggons u. Kühlschiffen, zur Verpackung von Glas, Porzellan, elektr., elektron. u. opt. Geräten, für Transportkisten, Dekorations- u. Reklameartikel, Schwimmwesten, Rettungsringe. ***B.:*** BASF.

Styryl... Bez. des 2-Phenylvinyl-Rests $-\overset{\alpha}{C}H=\overset{\beta}{C}H-C_6H_5$ nach IUPAC-Regel A-13.3; neue Regel R-9.1.19b.2 läßt Substitution nur noch am Phenyl-Ring zu. CAS-Bez.: (2-Phenylethenyl)... – ***E*** = ***F*** styryl... – ***I*** stiril... – ***S*** estiril...

Sub... [latein.: sub... = unter..., unten...; vgl. Hypo...]. a) Vorsilbe in unsystemat. chem. Stoffbez. für Bestandteile, deren Gehalt niedriger als normal ist; *Beisp.:* *Kohlensuboxid (C_3O_2) enthält weniger Sauerstoff als die normalen *Kohlenstoffoxide CO u. CO_2; Bismutsubnitrat [$BiO(NO_3)$] enthält weniger Nitrat als *Bismutnitrat [$Bi(NO_3)_3$]. – b) Fremdwortvorsilbe mit alter latein. od. übertragener Bedeutung; *Beisp.:* folgende Stichwörter, *Subcutis* (Unterhaut, s. Haut), *subcutane* *Injektion, *sublingual*-*Tabletten (unter der Zunge), *Subacidität* (s. Acidität), *subakut* u. *subchron.* (s. Toxizität). – ***E*** = ***F*** = ***S*** sub... – ***I*** sub..., sotto...

Sub-Doppler-Spektroskopie s. Hochauflösende Spektroskopie.

Subduktionszone s. Plattentektonik.

Suberan s. Cycloheptan.

Suberin(säure) s. Korksäure u. Polyester.

Suberon s. Cycloheptanon.

Suberoyl... Bez. der Brückengruppe $-CO-(CH_2)_6-CO-$ (*Korksäure-Rest; IUPAC-Regel C-404.1); für verändertes S. ist systemat. Octandioyl... zu verwenden. CAS-Bez.: (1,8-Dioxo-1,8-octandiyl)... – ***E*** suberoyl... – ***F*** subéroyl... – ***I*** = ***S*** suberoil...

Subkritisch s. kritisch.

Subl. Abk. für sublimatum, s. Sublimation.

Subletale Dosis. *Dosis eines *Gifts od. einer Strahlung, die nicht ausreicht, einen lebenden Organismus zu töten. – ***E*** sublethal dose – ***F*** dose sublétale – ***I*** dose subletale – ***S*** dosis subletal

Sublimat s. Quecksilberchloride u. Sublimation.

Sublimation (von latein.: sublimis = schwebend, hoch, erhaben). Der Begriff S. (*Sublimieren*) wird für den direkten Phasenübergang fest→gasf. verwendet, der unter Umgehung des flüssigen Zustandes erfolgt. Wie die Abb. bei Aggregatzustände zeigt, ist dieser Übergang bei allen Stoffen u. Stoffgemischen möglich, sofern ihre Druck- u. Temp.-Werte unterhalb des *Tripelpunktes liegen. Die zum Sublimieren eines Stoffes erforderliche Wärme heißt S.-Wärme (S.-Enthalpie, s. Umwandlungswärmen); über den Zusammenhang der S.-Energie mit anderen Energien s. Born-Haber-Kreisprozeß. Der zur S. inverse Vorgang heißt *Kondensation (Kondensieren). Die Bez. S. kann auch für den Gesamtvorgang fest → gasf. → fest verwendet werden, in Analogie zur *Destillation. Spricht man von S. als Reinigungsprozeß, umfaßt der Begriff S. auch den 2. Teilschritt, die Kondensation (zuweilen auch als *De-S.* od. *Retro-S.* bezeichnet). *Pseudo-S.* werden Phasenübergänge flüssig → gasf. → fest genannt.
Beisp. für bei Atmosphärendruck sublimierende Stoffe: Iod, Quecksilber(II)-chlorid (dieses wird speziell *Sublimat* genannt), Trockeneis (CO_2), ferner *p*-Dichlorbenzol, Naphthalin u. Campher, deren Neigung zur S. bei der *Mottenbekämpfung (als Mottenkugeln, -pulver) genutzt wird. An kalten, trockenen Wintertagen sublimiert Schnee ohne zu schmelzen; im Freien aufgehängte, steif gefrorene Wäsche trocknet deshalb ziemlich rasch. Beisp. für den umgekehrten Vorgang ist die Bildung von Rauhreif.
Die S. ist bei geeigneten techn. Stoffen ein nützliches *Raffinations- u. *Trennverfahren (*Beisp.:* Naphthalin, Phthalsäureanhydrid, Campher, Anthrachinon, Salicyl- u. Benzoesäure, Uranhexafluorid, viele Metalle) u. im Laboratorium eine beliebte Meth. zur *Reinigung. Di- od. polymorphe Festkörper krist. aus der Gasphase gelegentlich in ihrer energet. höherliegenden *Modifikation, die nicht selten bei Raumtemp. metastabil bleibt (HgI_2, Cu^I-Acetat). Durch S. gereinigte Stoffe kennzeichnet man mit der Bez. „subl." Das S.-Phänomen macht man sich auch in der *Gefriertrocknung (eine *Vak.-S.*) zunutze. Eine weitere techn. Anw. der S. ist die sog. *Ablationskühlung. – ***E*** = ***F*** sublimation – ***I*** sublimazione – ***S*** sublimación

Lit.: Brauer (3.) **1**, 113 ▪ Snell-Hilton **3**, 572–584 ▪ Ullmann (4.) **2**, 664–671 ▪ Winnacker-Küchler (3.) **4**, 140; (4.) **6**, 150.

Sublimationsapparatur. S. dienen zur *Reinigung von relativ leicht flüchtigen Feststoffen durch *Sublimation (s. Abb.).

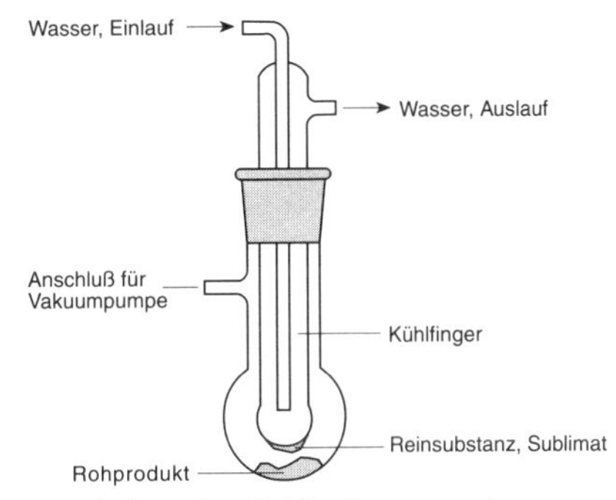

Abb.: Aufbau einer Sublimationsapparatur.

Unter der Voraussetzung, daß eine Verunreinigung weitaus weniger flüchtig ist als die Reinsubstanz, kann unter reduziertem Druck eine Substanz durch Sublimation gereinigt werden. Dazu wird das fein zerkleinerte Rohprodukt in die S. eingefüllt u. ein Kühlfinger zur Abscheidung des Sublimats eingesetzt. Nachdem das Gefäß vorsichtig am Vak. evakuiert wurde, erhitzt man die S. in einem geeigneten *Heizbad. Dabei bildet sich am Kühlfinger ein Belag der Reinsubstanz, der nach dem vorsichtigen Belüften der S. mit einem Spatel entfernt werden kann. – ***E*** sublimer – ***F*** appareillage de sublimation – ***I*** sublimatore – ***S*** sublimador

Lit.: Leonard et al., Praxis der Organischen Chemie, S. 194 ff., Weinheim: VCH Verlagsges. 1996 ▪ Organikum (20.), S. 57 f.

Submerskultur s. Submersverfahren.

Submersverfahren (Submerskultur, Suspensionskultur; von latein.: submersus = untergetaucht). Bez. für eine Kulturtechnik mit wäss. Nährlsg., bei der Organismen (Mikroorganismen od. Zellkulturen von tier., pflanzlichen od. menschlichen Zellen) als Dispersion Batch-weise od. kontinuierlich (s. Batch-Fermentation u. kontinuierliche Fermentation) in einer Nährlsg. wachsen. Dies kann auch in immobilisierter Form erfolgen. Im Gegensatz zum Oberflächenverf. muß der Kulturansatz beim S. zur gleichmäßigen Verteilung von *Biomasse, *Substrat, Wärme, Produkt u. zum Gasaustausch (O_2, CO_2) im *Bioreaktor unter Energiezufuhr bewegt werden (Schütteln, Rühren, Umpumpen etc.). *Fermentationen als S. sind im Vgl. zur *Oberflächenkultur leichter steuerbar, können in größeren Bioreaktoren durchgeführt werden u. sind deshalb die am häufigsten eingesetzten Verf. in der Biotechnologie zur Produktion z.B. von *Antibiotika, *Enzymen od. Naturstoffen wie Citronensäure. Zur Durchführung der S. können unterschiedliche Bioreaktoren eingesetzt werden, die sich insbes. in der Art der Belüftung u. Durchmischung unterscheiden (z.B. Rührreaktor, *Blasensäulenreaktor, *Airlift-Fermenter). Der Aufwand für Investitionen, z.B. zur Belüftung mit Sterilluft u. zur Steuerung der S. ist hoch. Über 95% der mikrobiell erzeugten Produkte werden jedoch im S. hergestellt. – ***E*** submersed process, submersed

culture – ***F*** procédés en immersion – ***I*** processo sommerso – ***S*** procedimientos sumergídos
Lit.: Präve et al. (4.), S. 593–623 ▪ Schlegel (7.), S. 199 f.

Submikroanalyse s. Spuren- u. Mikroanalyse.

Submikronen s. Mikronen.

Submillimeterwellen s. Mikrowellen.

Suboxide. Unsystemat. Bez. für häufig instabile *Oxide der Elemente, die weniger Sauerstoff enthalten, als deren „normaler" *Wertigkeit entspricht, wie z. B. *Kohlensuboxid (O=C=C=C=O). Bei den Metall-S. (z. B. Pb_2O) hat sich in manchen Fällen bei genauerem Studium jedoch herausgestellt, daß Lsg. des Metalls im normalen Oxid vorliegen. Die S. der Alkalimetalle Rubidium u. Cäsium, Rb_9O_2 u. $Cs_{11}O_3$, bestehen aus flächenverknüpften M_6O-Oktaedern.

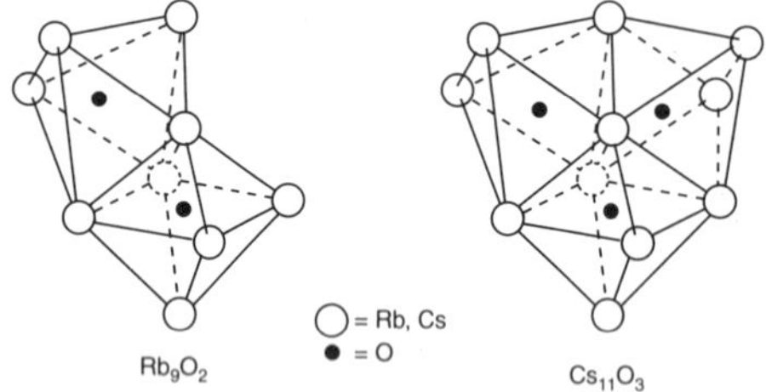

– ***E*** suboxides – ***F*** suboxydes – ***I*** sottossidi, subossidi – ***S*** subóxidos
Lit.: s. Oxide.

Substantive Farbstoffe (Direktfarbstoffe). Während Gewebe tier. Ursprungs (Wolle, Seide) durch die meisten sauren u. bas. Farbstoffe verhältnismäßig leicht gefärbt werden können, lassen sich pflanzliche Fasern (Baumwolle, Jute) u. Chemiefasern aus regenerierter *Cellulose (d. h. *Kunstseiden) nur durch ganz bestimmte Gruppen von meist höhermol., vielfach kolloidalen Farbstoffen unter Zusatz von Salzen direkt färben. Man bezeichnet diese *Farbstoffe als *direktziehende* od. *substantive Farbstoffe*, da sie in Substanz aufziehen, s. a. Substantivität. Fast alle s. F. sind wasserlösl., eine bis mehrere Sulfo-Gruppen enthaltende *Azofarbstoffe, wobei die Disazo-, Trisazo- u. Polyazo-Farbstoffe überwiegen, da die *Substantivität mit der Vergrößerung des planaren, konjugierten π-Doppelbindungssyst. zunimmt. Mit Ausnahme von *Chloramingelb* (C. I. Direct Yellow 28, C. I. 19555), $C_{28}H_{20}N_4O_6S_4$, M_R 636,75, sind substantive Monoazo-Farbstoffe heute ohne prakt. Bedeutung.

Chloramingelb

Bekannte s. F. sind z. B. *Kongorot, Benzo®-Farbstoffe, Chlorantinlicht-Farbstoffe, Sirius®-Farbstoffe, Benzamin-Farbstoffe, Chrysamin, Direkttiefschwarz E. Vielfach werden s. F. auf der Faser zur Verbesserung der Naßfestigkeit diazotiert bzw. mit Formaldehyd od. quartären Ammonium-Verb. nachbehandelt. Früher wurde auch das sog. *Nachkupfern*, die Behandlung der gefärbten Fasern mit Kupfer-Salzen praktiziert. – ***E*** substantive dyes – ***F*** colorants substantifs – ***I*** coloranti sostantivi – ***S*** colorantes substantivos
Lit.: Kirk-Othmer (4.) **3**, 847, 543, 674, 732 ▪ Ullmann (5.) **A 3**, 278–290 ▪ Zollinger, Color Chemistry, 2. Aufl., S. 163 ff., 270, Weinheim: VCH Verlagsges. 1991. – *[CAS 8005-72-9 (Chloroamingelb)]*

Substantivität. Unter S. versteht man das Aufziehvermögen eines Farbstoffs od. eines Textilhilfsmittels aus einem flüssigen Medium auf ein textiles Substrat u. die Fixierung auf diesem. Die S. spielt v. a. bei der *Textilfärbung von Cellulose-Fasern mit sog. *substantiven Farbstoffen (*Direktfarbstoffen*) eine Rolle; sie wird bedingt durch Dipolkräfte, van-der-Waals-Kräfte u. koordinative Bindungskräfte (Wasserstoff-Brücken) zwischen den Farbstoff-Mol., so daß diese im Inneren der Cellulose-Micellen aggregieren, wodurch die Auswaschbarkeit stark vermindert wird. – ***E*** substantivity – ***F*** substantivité – ***I*** sostantività – ***S*** substantividad
Lit.: Kirk-Othmer (4.) **8**, 676.

Substanz (latein.: substantia = Bestand, Stoff, Wesen). In der Chemie mehrdeutig verwendeter Begriff: 1. Synonym für *Stoff od. *Materie. – 2. Bez. für eine reine Verb. od. ein definiertes Gemisch solcher Verbindungen. – ***E = F*** substance – ***I*** sostanza – ***S*** substancia

Substanz K s. Neurokinine, Tachykinine.

Substanz P (Abk. SP od. PPS, von: *E* pain producing substance, Neurokinin P, Abk.: NKP).
Arg–Pro–Lys–Pro–Gln–Gln–Phe–Phe–Gly–Leu–Met–NH_2
$C_{63}H_{98}N_{18}O_{13}S$, M_R 1347,65, krist. aus wäss. Essigsäure als Triacetat-Tetrahydrat, $[\alpha]_D^{27}$ –76° (5%ige Essigsäure). Peptidhormon, das in APUD-Zellen (von *E* amine precursor uptake and decarboxylation; Zellen, die auch biogene Amine bilden) des *Darms u. im *Hypothalamus synthetisiert wird u. aus Zentralnervensyst. u. Verdauungstrakt (bes. Zwölffinger- u. Dünndarm) isoliert werden kann. Die durch Trypsin u. Chymotrypsin, Oxid.-Mittel, Luft u. hohe pH-Werte inaktivierbare SP gehört zu den *Tachykininen; sie wird aus α-, β- u. γ-Präprotachykinin (3 Unterformen des Präprotachykinins A) gebildet u. bindet v. a. an den NK-1-Rezeptor (Neurokinin-1-Rezeptor), während die *Neurokinine A u. B überwiegend an die NK-2- bzw. NK-3-Rezeptoren binden. SP wirkt anregend auf die Darmperistaltik, gefäßerweiternd, blutdrucksenkend u. den Speichelfluß stimulierend. Als Neurotransmitter soll SP an der Schmerzleitung beteiligt sein, wobei die *Enkephaline u. *Endorphine hemmend einwirken können, u. steht in Wechselwirkung mit den Hormonen *Serotonin, *Thyroliberin u. *Cholecystokinin u. dem Neurotransmitter *Acetylcholin. SP wirkt außerdem neurotroph (s. neurotrophe Faktoren) u. fördert Gedächtnisfunktionen [1]. Zur Rolle der SP bei Gehirn-Tumoren s. *Lit.* [2]. Das Fragment mit der Aminosäure-Sequenz 4-11 zeigt die gleiche biolog. Wirksamkeit wie SP [3]. Synthet. Modulatoren des SP-Rezeptors werden als Analgetika mit neuem Wirkmechanismus untersucht [4].

Geschichte: SP wurde 1931 durch U. S. von *Euler u. Gaddum aus Hirnsubstanz u. Darmgewebe isoliert u. später von Gaddum u. Schild Substanz P (für: preparation) genannt. – ***E = F*** substance P – ***I*** sostanza P – ***S*** substancia P

Lit.: [1] Behav. Brain. Res. **66**, 117–127 (1995). [2] Int. J. Oncol. **12**, 273–286 (1998). [3] Chem. Ind. (London) **1991**, 792 ff. [4] Science **251**, 435, 437 (1991).
allg.: Nature (London) **392**, 334 f., 394–397 (1998) ▪ Pharmacol. Rev. **46**, 551–599 (1994). – *[HS 293799; CAS 11035-08-8]*

Substanzpolymerisate s. Massepolymerisate.

Substanzpolymerisation (Polymerisation in Substanz). Übergreifende Bez. für die *Polymerisation von *Monomeren in Abwesenheit von Lsm. od. Verdünnungsmitteln direkt in der Masse (s. Massepolymerisation). – ***E*** bulk polymerization, mass polymerization – ***F*** polymérisation séquencée en masse – ***I*** polimerizzazione in sostanza, polimerizzazione in massa – ***S*** polimerización secuenciada en masa
Lit.: s. Massepolymerisation.

Substituent. Bes. in der organ. Chemie verwendete Bez. für ein Atom od. eine Atomgruppe (*Rest), die in einem Grundkörper durch *Substitution an die Stelle eines Wasserstoff-Atoms getreten ist; zum Einfluß der S. auf die physikal. u. chem. Eigenschaften von Mol. s. a. elektrophile Reaktionen u. nucleophile Substitution sowie bei Ortho- u. induktiver Effekt. Der Einfluß von S. an aromat. Ringen auf die Reaktivität, z. B. auf die Acidität entsprechend substituierter Benzoesäuren, wird von der *Hammett-Gleichung beschrieben; vgl. a. Taft-Gleichung, QSAR u. Hansch-Analyse. Die Benennung der S. erfolgt nach den Regeln der chem. *Nomenklatur. – ***E*** substituent – ***F*** substituant – ***I*** sostituente – ***S*** substituyente
Lit.: s. Substitution.

Substitution. Von latein. substituere = ersetzen abgeleitete Bez. für den Ersatz eines Atoms od. einer Atomgruppe im Mol. durch andere Atome od. Atomgruppierungen (*Substituenten), für den Austausch von *Liganden am Zentralatom von Koordinationsverb. (s. Koordinationslehre u. Austauschreaktionen), für den Austausch von Atomkernen durch andere mit gleicher *Ordnungszahl aber verschiedener *Massenzahl (sog. Isotopen-S., s. a. Isotope u. Isotopie-Effekte) u. im allg. Sinne für den Ersatz eines Begriffs, einer mathemat. Größe, eines Wirtschaftsgutes etc. durch gleichwertige andere. In verwandtem Sinne spricht man in der *Kristallstrukturanalyse u. *Röntgenstrukturanalyse bei der Herbeiführung eines *Schweratom-Effektes von isomorpher Substitution. Sind in einem Krist. Teilchen auf ihren Gitterplätzen gegen andere ausgetauscht, spricht man von S.-*Mischkristallen. In der Pharmazie versteht man unter S. auch die Abgabe eines anderen als des vom Arzt verordneten Präp. u. in der sog. S.-Therapie die exogene Zufuhr von Organpräp., Hormonen u. dgl. bei endokrinolog. Defekten; *Beisp.:* Testes-, Schilddrüsenextrakte, Insulin. In der Ernährung kann man in beschränktem Rahmen Nährstoffgruppen gegeneinander vertauschen. Innerhalb des Stoffwechsels spricht man oft statt von S. von *anaplerotischen Reaktionen.
In der organ. Chemie wurde der S.-Begriff von *Liebig u. F. *Wöhler (1832) aufgrund der Beobachtungen an den Reaktionen von Benzaldehyd, Benzoesäure u. Benzoylchlorid eingeführt u. von *Dumas (der die S. *Metalepsie* nannte) u. *Laurent bestätigt; letztere konnten zeigen, daß man durch Chlorierung von Essigsäure die Trichloressigsäure erhält u. aus dieser wieder Essigsäure darstellen kann. Dieser u. viele andere Versuche veranschaulichten, daß bei den S.-Reaktionen ein „Stammkörper" od. „Grundmol." erhalten bleibt, daß die Atome in den Mol. einen festen Platz einnehmen, u. daß das Grundmol. nur an der Stelle verändert wird, an der die S. stattfindet. Beim Rückgängigmachen der S. (*Re-S.*) erhält man wieder die ursprüngliche Verbindung.
Man unterscheidet in der organ. Chemie *radikal. S.* (Symbol S_R od. S_H, von *Homolyse), bei denen das angreifende Agens ein *Radikal ist, das meist eine *Kettenreaktion auslöst (*Beisp.:* Photochem. *Chlorierung u. das schematisierte Beisp. a), von den weitaus häufigeren *ion.* (polaren) *S.*, zu denen die meisten S. in Lsg. gehören (Beisp. b – d):

a) $H_3C{-}CH_3 + Cl_2 \xrightarrow{h\nu} H_3C{-}CH_2{-}Cl + HCl$
b) $3\,H_3C{-}CH_2{-}OH + PCl_3 \rightarrow 3\,H_3C{-}CH_2{-}Cl + P(OH)_3$
c) $H_3C{-}CH_2{-}Cl + KOH \rightarrow H_3C{-}CH_2{-}OH + KCl$
d) $C_6H_6 + Br_2 \xrightarrow{FeBr_3} C_6H_5{-}Br + HBr$

Aus diesen Gleichungen geht nicht hervor, nach welchen Mechanismen die Reaktionen verlaufen. Untersuchungen bes. von Sir C. *Ingold u. Hughes in den 30er u. 40er Jahren haben gezeigt, daß die meisten S. in der organ. Chemie als *nucleophile od. als *elektrophile Reaktionen ablaufen. Im ersten Falle greift ein *nucleophiles* („Kern-suchendes") Teilchen [Anion od. Verb. mit freiem Elektronenpaar am Heteroatom (*Lewis-Base*), I^-, Br^-, OH^-, R_3N, R_3P etc.] eine *elektrophile* („Elektronen-suchende") Verb. an, im zweiten Falle greift ein *elektrophiles* Teilchen [Kation od. Verb. mit Elektronenlücke (*Lewis-Säure*), H^+, NO_2^+, NO^+, R_3B etc.] eine nucleophile Verb. an. Stets wird das für die Bildung der Bindung erforderliche *Elektronenpaar vom nucleophilen Reaktionspartner geliefert u. die Klassifizierung als nucleophile od. elektrophile Reaktion ist vom Standpunkt des Betrachters abhängig u. z. T. auch histor. bedingt. Später zeigte sich, daß sowohl elektrophile als auch nucleophile S. (Symbole S_E bzw. S_N) als monomol. (S_N1 bzw. S_E1) od. bimol. (S_N2 bzw. S_E2) Reaktionen ablaufen können. Die Reaktion

$$R_3C{-}X + Y^- \rightarrow R_3C{-}Y + X^-$$

läßt sich als monomol. S. formal darstellen wie in Abb. 1.

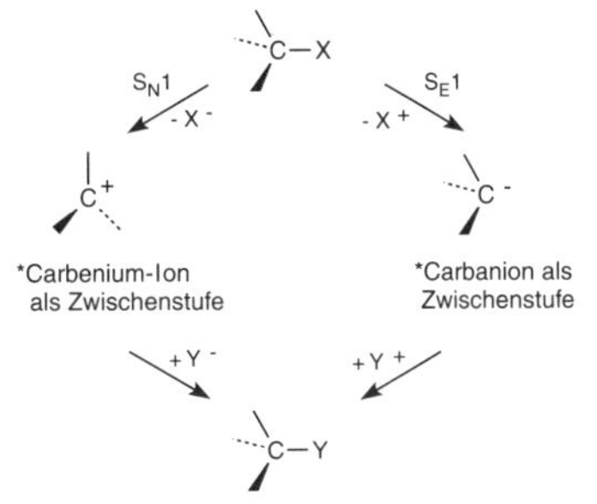

Abb. 1: Monomol. Substitution.

Die Zwischenstufe stellt im S_N1-Fall ein *Carbenium-Ion, im S_E1-Fall ein *Carbanion dar, weshalb man früher derartige Reaktionen als *kryptoion. Reaktionen* bezeichnete. Bimol. (im Beisp. nucleophile) S. durchlaufen einen *Übergangszustand mit der in Abb. 2 gezeigten Art.

Abb. 2: Bimol. nucleophile Substitution.

Dabei tritt beim S_N2-Mechanismus am reagierenden asymmetr., Kohlenstoff-Atom *Inversion* der *Konfiguration ein, vgl. dazu die Abb. bei Inversion, Retention u. s. Walden-Umkehrung. S_N1-Reaktionen sind dagegen im allg. mit *Racemisierung verbunden. Die Geschw. einer S_N2-Reaktion ist von dem nucleophilen Charakter des eintretenden Agens abhängig. So nimmt z. B. die Reaktivität von Halogenid-Ionen in der Reihenfolge $I^- > Br^- > Cl^- > F^-$ ab, da die *Polarisierbarkeit der Elektronenhülle mit dem *Ionenradius abnimmt; je größer die Polarisierbarkeit, desto stärker der nucleophile Charakter. Die Beisp. b u. c sind nucleophile, unter *Heterolyse verlaufende S. (S_N), wie sie im allg. am gesätt. C-Atom eintreten; weitere Einzelheiten zu diesem Reaktionstyp s. nucleophile Substitution. S_N-Reaktionen sind in sehr viel umfangreicherem Maße untersucht worden als die S_E-Reaktionen, die z. B. am ungesätt. C-Atom, in CH-aciden u. Metallorgan. Verb. stattfinden.

Ist eine S. mit einer *Umlagerung verbunden, dann wird dies in der Form S_N1', S_E2' etc. ausgedrückt; bei intramol. verlaufenden S. bedient man sich der Schreibweise S_Ni bzw. S_Ei. Die meisten S. an aromat. Verb. (vgl. Beisp. d) verlaufen als elektrophile Reaktionen (S_E od. S_EAr) mit einem aromat. Carbenium-Ion (sog. σ-Komplex) als Zwischenstufe; s. a. elektrophile Reaktionen. Durch Nitro-Gruppen desaktivierte aromat. Verb. können auch nucleophile S. (S_NAr) eingehen; vgl. Meisenheimer-Komplexe.

Bei aromat. Verb. führen S.-Reaktionen oft zu Isomeren u./od. zu mehrfach substituierten Produkten. Bereits vorhandene Substituenten erhöhen od. erniedrigen die Reaktivität gegenüber einer weiteren S. u. dirigieren entweder in *ortho/para-* od. *meta*-Position (s. Abb. 3); s. a. Stellungsisomerie.

a

OH-Gruppe in Phenol : + M-Effekt (s. Resonanz) erhöht die Reaktivität u. dirigiert die Nitro-Gruppe in *ortho/para*-Stellung.

b

NO_2-Gruppe in Nitrobenzol : - M-Effekt (s. Resonanz) erniedrigt die Reaktivität u. dirigiert die Nitro-Gruppe in *meta*-Stellung.

Abb. 3: Einfluß bereits vorhandener Substituenten auf die weitere Substitution.

Aus den möglichen *Resonanz-Strukturen des aromat. Carbenium-Ions (σ-Komplex) läßt sich abschätzen, in welchem Maße neu eintretende elektrophile Reaktanden in die *ortho-* u./od. *para*-Stellung bzw. die *meta*-Stellung dirigiert werden. Über unerwartete S_EAr-Reaktionen s. *Lit.*[1].

Nach welchem *Reaktionsmechanismus u. mit welcher *Reaktionsgeschwindigkeit eine S. abläuft, hängt nicht nur vom *Nucleofug u. Nucleophil (X^- u. Y^-, s. Abb. 1) bzw. vom *Elektrofug u. Elektrophil (X^+ u. Y^+) ab, sondern auch vom Lsm. u. der Reaktions-Temp. u. davon, ob Substituenten- u. *Nachbargruppeneffekte, Elektronen-*Delokalisierung, nichtklass. Ionen, *Isotopie-Effekte, *Phasentransfer-Katalyse u. ä. eine Rolle spielen können.

Substituenteneffekte kennt man auch bei S. an Koordinationsverb., z. B. den *trans-Effekt* bei Komplex-Ionen mit quadrat.-planarer Anordnung der Liganden um das Zentral-Ion. Bei der S. eines Liganden (X) durch einen anderen (Y) wird die Stelle der S. durch einen bereits im Komplex-Ion vorhandenen Liganden (L) bestimmt, der den neu eintretenden Liganden Y in die *trans*-Position dirigiert. Die Stärke dieses dirigist. (*trans-*)Effekts ergibt sich aus der Reihenfolge:

$$H_2O < OH^- < NH_3 < Cl^- < Br^- < I^- \approx NO_2^- \approx PR_3 \ll CO \approx C_2H_4 \approx CN^-.$$

Änderungen der Reihenfolge bei der Einführung der verschiedenen Liganden ergibt in vielen Fällen unterschiedliche Isomere. Da diese nicht alle zugleich das thermodynam. stabilste Produkt sein können, muß es sich um einen kinet. Effekt handeln (s. Abb. 4).

Abb. 4: (*trans-*)Effekt bei Diammindichloroplatin(II).

In beiden Fällen wird zuerst ein Ligand ausgetauscht, wobei jeweils nur ein Produkt möglich ist. Im zweiten Schritt wirkt sich der stärkere (*trans-*)Effekt des Chloro-Liganden aus, wodurch nach Gleichung a nur *cis-*, nach Gleichung b nur *trans*-Diammindichloroplatin(II) entsteht.

Auf die Terminologie der S. geht die *IUPAC[2] ein, u. mit den theoret. Grundlagen u. Substituenteneffekten beschäftigen sich zahlreiche Aufsätze der Serie Progress in Physical Organic Chemistry u. a. Zeitschriften. – ***E*** = ***F*** substitution – ***I*** sostituzione – ***S*** substitución

Lit.: [1]Chem. Unserer Zeit **13**, 87–94 (1979). [2]Pure Appl. Chem. **53**, 305–321 (1981); **55**, 1281–1371 (1983).
allg.: Brückner, Reaktionsmechanismen, S. 38 f., 153 f., Heidelberg: Spektrum 1996 ▪ Carey u. Sundberg, Organische Chemie, S. 247 f., 521 f., Weinheim: VCH Verlagsges. 1995 ▪ Katritzky et al. **1**, 1 ff. ▪ March, Advanced Organic Chemistry. Reactions, Mechanism and Structure, 4. Aufl., New York: Wiley 1992 ▪ Sykes, Reaktionsmechanismen der Organischen Chemie, 9. Aufl., Weinheim: VCH Verlagsges. 1988.

Substitutionsdefekte s. Kristallbaufehler.

Substitutionsfarbstoffe s. Reaktiv-Farbstoffe.

Substitutionsgrad (Kurzz. DS). Der S. ist eine Kenngröße zur Angabe des Umsetzungsgrades von polyfunktionellen *Polymeren bei *polymeranalogen Reaktionen. Er gibt die Zahl der Substituenten an, die eine Grundeinheit des Polymeren trägt. Bei Cellulose (Formel s. dort) z. B. enthält die einzelne Anhydroglucose-Einheit (Grundeinheit des *Polysaccharids) 3 Hydroxy-Gruppen. Über diese Gruppen chem. derivatisierte Cellulosen können pro Anhydroglucose-Einheit im Mittel 0–3 Substituenten tragen, also einen S. von 0–3 haben (*Beisp.* *Methyl-, *Carboxymethylcellulose).
Werden bei Derivatisierungen von Polymeren Substituenten mit funktionellen Gruppen eingeführt, z. B. Hydroxy-Gruppen bei Veretherungen von Polysacchariden mit Epoxiden, können diese mit dem Veretherungsreagenz unter Bildung von längeren Seitenketten weiterreagieren (*Beisp.:* *Hydroxyethyl-, *Hydroxypropylcellulosen). Derartige Polymere werden zusätzlich zur Angabe des DS noch durch die Angabe des mol. Substitutionsgrades (MS) charakterisiert. Dieser gibt an, wieviel Mole eines Derivatisierungsreagenzes an eine Polymer-Grundeinheit angelagert wurden. Der MS kann definitionsgemäß größer als der DS-Wert sein, bei Cellulose-Derivaten also höher als 3. Die Werte für DS u. MS sind Durchschnittswerte. – ***E*** degree of substitution – ***F*** degré de substitution – ***I*** grado di sostituzione – ***S*** grado de substitución

Substitutionsisomerie s. Stellungsisomerie.

Substitutionsname. Wichtiger Namenstyp der organ.-chem. *Nomenklatur (IUPAC-Regeln C-0.1, R-0.2.3.3.6 u. R-1.2.1), der die *Substitution von H-Atomen des *Stammhydrids durch *Substituenten-*Präfixe (vor dem *Stammnamen) u. Funktions-*Suffix (Endung für ranghöchste *funktionelle Gruppe) anzeigt. – ***E*** substitutive name – ***F*** nom substitutif – ***I*** nome sostitutivo – ***S*** nombre por substitución

Substral®. Sortiment zur Pflege von Zimmer-, Balkon- u. Terrassenpflanzen, bestehend aus Pflanzennahrung in flüssiger Form für alle Topf- u. Balkonpflanzen, Kakteen, Hydrokulturen u. Pflanzen in Pflanzgranulat; Düngerstäbchen für Grün- u. Blühpflanzen, Balkonpflanzen u. Tomaten; Düngertabl. u. Düngergranulat; Zusatzprodukte wie Schnittblumen-Frisch u. Blattglanz-Pumpspray. ***B.:*** Henkel.

Substrat (von latein.: substernere = unterbreiten). 1. Im allg. u. biolog. Sinn Bez. für (feste) Grundlage, *Nährmedium. – 2. In der organ. Chemie seltener gebrauchte, willkürliche Bez. für den wichtigeren od. komplexeren Reaktionspartner im Gegensatz zum Reagenz. – 3. In der Biochemie Bez. für eine Substanz, die von einem spezif. *Enzym als Katalysator zu einem Produkt umgewandelt wird. Im Gegensatz zum *Cofaktor od. *Coenzym, die regeneriert werden, wird das aus dem S. hervorgehende Produkt im allg. als Teil einer Reaktionskette weiter umgesetzt. – 4. Nach DIN 55945: 1996-09 ein Untergrund, Stoff od. Material, auf dem Lacke aufgebracht werden. Unter *S.-Farben* versteht man *Pigmente, die auf nassem Wege auf ein S. niederschlagen od. mit Füllstoffen versehen werden. – 5. In der Medizin Bez. für die wesentliche materielle (anatom.-physiolog.) Grundlage eines funktionellen Phänomens od. Krankheitssymptoms. – ***E*** substrate, substratum – ***F*** substrat – ***I*** = ***S*** substrato

Substratfarben s. Substrat.

Substrat-Hemmung (Substratüberschußhemmung). Hemmung der katalyt. Reaktion eines *Enzyms durch sein eigenes, im Überschuß vorhandenes *Substrat. Ein zusätzliches, nicht am katalyt. Mechanismus beteiligtes Substratmol. bindet sich an das Enzym u. beeinflußt die katalyt. Reaktion. Bei Mehrsubstratreaktionen kann das zusätzliche Substratmol. die Bindungsstelle des Cosubstrates besetzen (*kompetitive Hemmung). S. erkennt man an der Abnahme der Umsatzrate bei steigender Substratkonz. insbes. im Sättigungsbereich der hyperbol. Michaelis-Menten-Kurve. In der doppelt-reziproken Lineweaver-Burk-Auswertung weicht die im Bereich niedriger Substrat-Konz. lineare Kurve bei höheren Konz. nach oben ab u. nähert sich asymptot. der Ordinate. – ***E*** substrate inhibition – ***F*** inhibition par le substrat – ***I*** inibizione al substrato – ***S*** inhibición debida al substrato

Lit.: Präve et al. (4.), S. 312, 317 ▪ Schellenberger, Enzymkatalyse, S. 101 f., Berlin: Springer 1989.

Substratketten-Phosphorylierung s. Phosphorylierung.

Substrukturen s. Partialstrukturen.

Subtilin. Aus Kulturen von *Bacillus subtilis* isoliertes Peptid-*Antibiotikum aus der Gruppe der *Lantibiotika, $C_{148}H_{227}N_{39}O_{38}S_5$, M_R 3320,96 das wie *Nisin durch ribosomale *Peptid-Synthese gebildet wird. Eine aus 34 proteinogenen *Aminosäuren bestehende Peptid-Vorstufe wird durch post-ribosomale enzymat. Umsetzungen in die endgültige Struktur überführt. S. besteht aus 32 Aminosäuren (darunter 8 seltene wie *Lanthionin, *β*-Methyllanthionin u. *α,β*-ungesätt. Aminosäuren) u. enthält fünf Thioether-Brücken.

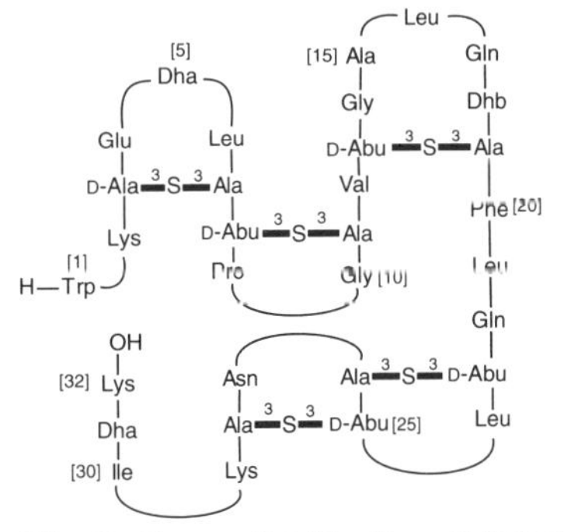

Abb.: Struktur von Subtilin; Abu = 2-Aminobutyryl (Butyrinyl); Dha = Dehydroalanyl (2-Aminoacryloyl); Dhb = (*Z*)-Dehydrobutyrinyl (2-Amino-*trans*-crotonoyl); D-Ala$\frac{3}{}$S$\frac{3}{}$Ala = *meso*-Lanthionin; D-Abu$\frac{3}{}$S$\frac{3}{}$Ala = (3*S*)-3-Methyl-2D, 2′L-lanthionin.

S. wirkt auf in Teilung befindliche Bakterien u. keimende Bakteriensporen durch Poren-Bildung in den bakteriellen Membranen. S. wird daher in einigen Ländern von der Konserven-Ind. genutzt. – ***E*** subtilin – ***F*** subtiline – ***I*** = ***S*** subtilina

Lit.: Angew. Chem. **103**, 1067–1084 (1991) ▪ Kleinkauf u. von Döhren (Hrsg.), Regulation of Secondary Metabolite Formation, S. 173–207, Weinheim: Verl. Chemie 1986. – *[HS 2941 90; CAS 1393-38-0]*

Subtilisine (Subtilopeptidasen, Nagarse, EC 3.4.21.14). Extrazelluläre, alkal. *Serin-Proteasen aus *Bacillus subtilis* u. verwandten Arten. S. sind *Peptidasen mit breiter Substratspezifität, die wegen ihres Wirkungsoptimums im alkal. Bereich (pH 10) u. ihrer Stabilität gegenüber Detergenzien für die Lederherst. u. bes. als Waschmittelenzyme geeignet sind. Außerdem werden S. zur *Sequenzanalyse von *Peptiden eingesetzt. Die enzymat. Aktivität der S. läßt sich durch *Diisopropylfluorophosphat hemmen. – ***E*** subtilisins – ***F*** subtilisines – ***I*** subtilisine – ***S*** subtilisinas

Lit.: Crit. Rev. Biotechnol. **8**, 217 (1988) ▪ Gerhartz, Enzymes in Industry, Weinheim: VCH Verlagsges. 1990 ▪ Rehm-Reed **7a**, 156ff. – *[CAS 9014-01-1]*

Subtilopeptidase s. Subtilisine.

Subtraktionsname. Namenstyp der organ.-chem. *Nomenklatur (IUPAC-Regeln C-0.4, R-0.2.3.3.9, R-1.2.5), der das Entfernen von Atomen od. Atomgruppierungen durch *Präfixe u. *Suffixe ausdrückt (Gegensatz: *Additionsname u. *Substitutionsname); *Beisp.:* *Anhydro... ($-H_2O$), *Dehydro... ($-H$, $-H_2$), *Desoxy... [– O; vgl. De(s)...], *Nor... ($-CH_2$); unspezif. Bez.: *Ätio... (Etio...; Abbau), *Apo... (– C-Rest), *Des... (– anellierter Ring, – Aminoacyl in Peptiden); Suffixe: s. ...en, ...in (– 2 bzw. 4 H), ...at, ...id ($-H^+$), ...yl ($-H^{\cdot}$), ...ylium ($-H^-$). – ***E*** subtractive name – ***F*** nom soustractif – ***I*** nome sottrattivo – ***S*** nombre por substracción

Subtraktive Farbmischung s. Farbphotographie.

Succ. Abk. für *Succus.

Succin... Von latein: acidum succinicum (engl.: succinic acid) = *Bernsteinsäure abgeleiteter Namensstamm; *Beisp.:* folgende Stichwörter.

Succinat-Dehydrogenase (Bernsteinsäure-Dehydrogenase, Fumarat-Reduktase, EC 1.3.99.1). Von T. Thunberg 1909 entdeckte *Oxidoreduktase (2 Untereinheiten mit M_R 70000 bzw. 27000) aus Mitochondrien-Membranen, die innerhalb des *Citronensäure-Cyclus die Dehydrierung von Bernstein- zu Fumarsäure katalysiert. S.-D. ist Bestandteil eines gleichnamigen Komplexes (EC 1.3.5.1), der Spezifität für *Ubichinon als Wasserstoff-Akzeptor zeigt u. auch als Komplex II der *Atmungskette bezeichnet wird. S.-D. ist ein *Flavoprotein*, das *Flavin-Adenin-Dinucleotid als *prosthetische Gruppe u. 4 Eisen-Atome (als Eisen-Schwefel-Cluster, daher: Nicht-Häm-*Eisen-Protein) pro Flavin-Gruppe enthält. – ***E*** succinate dehydrogenase – ***F*** succinate-déshydrogénase – ***I*** succinato deidrogenasi – ***S*** succinato-deshidrogenasa

Lit.: Stryer 1996, S. 538f. – *[CAS 9002-02-2]*

Succinate. Sammelbez. für *Bernsteinsäureester u. für die Salze der *Bernsteinsäure, $R^1OOC-CH_2-CH_2-COOR^2$, wobei R^1 u. R^2 entweder Metallionen od. (gleiche od. verschiedene) Alkyl- bzw. Aryl-Reste sein können. Es kann auch nur eines der beiden Carboxy-H-Atome substituiert sein, wobei man dann von *Hydrogen-S.* spricht. S. werden in der organ. Synth. bei der *Stobbe-Kondensation eingesetzt. – ***E=F*** succinates – ***I*** succinati – ***S*** succinatos

Lit.: s. Bernsteinsäure u. Dicarbonsäuren.

Succinimid (Bernsteinsäureimid, 2,5-Pyrrolidindion).

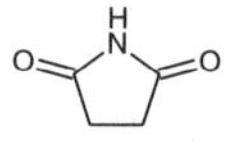

$C_4H_5NO_2$, M_R 99,09. Farblose Nadeln od. Tafeln, D. 1,41, Schmp. 125–127 °C, Sdp. 287–289 °C (leichte Zers.), leicht lösl. in Wasser u. Alkohol, unlösl. in Ether, Chloroform.

Herst.: Durch Erhitzen von Bernsteinsäure im Ammoniak-Strom od. aus Bernsteinsäure u. Harnstoff bei 175 °C. Der Imidwasserstoff läßt sich leicht durch Metalle [(z.B. Kalium) od. Halogene (s. *N*-Brom- u. *N*-Chlorsuccinimid] ersetzen. S. findet Verw. zur Synth. anderer heterocycl. Verb.; S.-Derivate werden als Fungizide u. Antiepileptika eingesetzt. – ***E=F*** succinimide – ***I*** succinimmide – ***S*** succinimida

Lit.: Beilstein E V **21/9**, 438 ▪ Kirk-Othmer (3.) **13**, 137f.; (4.) **13**, 1090 ▪ Merck-Index (12.), Nr. 9040 ▪ Mutschler, Arzneimittelwirkungen, S. 225, 228, Stuttgart: Wiss. Verlagsges. 1991 ▪ Paquette **7**, 4671 ▪ Ullmann (4.) **9**, 167; **18**, 74; (5.) **A 3**, 18. – *[HS 2925 19; CAS 123-56-8]*

Succinit s. Bernstein.

Succinonitril s. Bernsteinsäuredinitril.

Succinyl... Neben Butandioyl... Bez. der Brückengruppe $-CO-(CH_2)_2-CO-$ (*Bernsteinsäure-Rest; IUPAC-Regel C-404.1, R-9.1.28a.1); CAS-Bez.: (1,4-Dioxo-1,4-butandiyl)... – ***E=F*** succinyl... – ***I=S*** succinil...

Succinylchlorid (Bernsteinsäuredichlorid, Butandioyldichlorid).

$Cl-CO-CH_2-CH_2-CO-Cl$, $C_4H_4Cl_2O_2$, M_R 154,99. Rauchende, stark lichtbrechende, ätzende Flüssigkeit, D. 1,395, Schmp. 17 °C, Sdp. 192–193 °C, in Ether, Aceton, Benzol lösl., mit Wasser u. Alkohol tritt Zers. ein; WGK 2 (Selbsteinst.). S. findet in organ. Synth. Verwendung. – ***E*** succinyl chloride – ***F*** chlorure de succinyle – ***I*** chloruro di succinile – ***S*** chloruro de succinilo

Lit.: Beilstein E IV **2**, 1921 ▪ Merck-Index (12.), Nr. 9042. – *[HS 2917 19; CAS 543-20-4; G 8]*

Succinylcholinchlorid s. Suxamethoniumchlorid.

Succus (Abk. Succ.). Latein. Bez. für Saft. Arzneilich verwendete Succi werden durch Auspressen od. durch „Bluten" der Pflanzen aus Wunden gewonnen. Sie werden filtriert u./od. eingedickt od. trocknen gelassen. *Beisp.:* S. Liquiritiae = Süßholzwurzelsaft (Lakritz).

Lit.: Hager (4.) **7a**, 530 ▪ List u. Schmidt, Technologie pflanzlicher Arzneizubereitungen, Stuttgart: Wissenschaftliche Verlagsges. 1984.

Sucht. Menschliches Verhalten, das sich durch Abhängigkeit von etwas äußert. Im Sinne der medizin. Krankheitslehre ist mit S. meist die seel. u./od. körperliche Abhängigkeit von *Drogen gemeint (s.a. Rauschgift). Die Drogenabhängigkeit ist ein period. od. chron. Vergiftungszustand durch wiederholten Gebrauch einer Droge, die für das Individuum u. ggf. die Gesellschaft schädlich ist. Unter Drogen versteht man dabei Wirkstoffe, die das seel. Befinden beeinflussen (psychotrope Drogen, s.a. Rauschgift), unabhängig von ihrem abhängigkeitserzeugenden Potential. Dazu zählen im wesentlichen die psychedel. Drogen [Psychodysleptika, z.B. *Meskalin, LSD (s. Lysergsäurediethylamid), Cannabis], die Stimulantien (*Amphet-

amin, *Ephedrin, *Cocain) u. die Sedativa (Opiate wie *Heroin, Schlaf- u. Schmerzmittel). Man unterscheidet als zwei Komponenten der S. die *psych. Abhängigkeit*, das unbezwingbare Verlangen, die Einnahme der Droge fortzusetzen u. sie sich mit allen Mitteln zu beschaffen, von der *phys. Abhängigkeit*, die sich in Entzugserscheinungen bei Absetzen od. Dosisred. äußert. Ein weiteres wichtiges Phänomen, die *Toleranzentwicklung*, führt als Kompensation der Drogenwirkung durch den Organismus zum Zwang der Dosiserhöhung.
Drogen unterscheiden sich in ihrer S.-erzeugenden Charakteristik hinsichtlich des Anteils von psych. bzw. phys. Abhängigkeit. Kulturell tolerierte Formen der S. sind in Europa der *Alkoholismus u. das *Nicotin-rauchen. In versteckter Form spielt die *Arzneimittelsucht, meist nach Schlaf- u. Schmerzmitteln, eine bedeutende Rolle. Als kriminell verfolgt wird der Umgang mit den meisten anderen psychotropen Drogen. Dabei unterliegen medizin. unverzichtbare Drogen durch das Btm.-Gesetz einer weitgehenden Kontrolle. Für verzichtbar gehaltene Drogen wie z. B. Cannabis, Halluzinogene u. Heroin unterliegen einem totalen Herst.- u. Verschreibungsverbot.
Unabhängig vom medizin. S.-Begriff werden verschiedene menschliche Verhaltensweisen, die eine extreme Ausrichtung des Lebens auf einen bestimmten Zustand od. eine bestimmte Tätigkeit darstellen, mehr od. weniger zu Recht als S. bezeichnet. So ist derzeit umstritten, ob die Spiel-S. als substanzungebundene Abhängigkeit einen mit der Drogen-S. vergleichbaren Zustand darstellt. Die Mager-S. (Anorexia nervosa) ist eine psychosomat. Erkrankung, bei der eine tiefgreifende Störung der Persönlichkeit u. ihrer Beziehungen zur extremen Abmagerung, oft bis zum Tode, führt. Die *Fettsucht (Adipositas) führt aufgrund von abnormem Eßverhalten od. von Stoffwechselstörungen zur gesundheitsgefährdenden Gewichtszunahme. – ***E*** addiction – ***F*** addiction, dépendance – ***I*** assuefazione, dipendenza, tossicomania – ***S*** adicción, toxicomanía

Lit.: Forth et al. (6.) ▪ Huber, Psychiatrie, Stuttgart: Schattauer 1994 ▪ Völger u. Welck, Rausch u. Realität, Reinbek: Rowohlt 1982.

Sucralfat (Rp).

Internat. Freiname für das schleimhautschützende Gastritis- u. *Ulcus-Mittel Octakis(di-*μ*-hydroxo-trihydroxodialuminium(1+))-saccharose-octa-*O*-sulfat, $C_{12}H_{54}Al_{16}O_{75}S_8$, M_R 2086,74, 130 °C (Zers.), pK_a 0,43 bis 1,19, weißes Pulver, lösl. in verd. Salzsäure u. Natriumhydroxid, unlösl. in Wasser, Ethanol. S. wurde 1967 u. 1969 von Chugai patentiert u. ist als Generikum im Handel. – ***E*** = ***F*** sucralfate – ***I*** = ***S*** sucralfato

Lit.: ASP ▪ Drugs **27**, 194 (1984) ▪ Hager (5.) **9**, 683 ff. ▪ Marks et al., Sucralfat, Weinheim: Verl. Chemie 1983 ▪ Martindale (31.), S. 1243 ▪ Ullmann (5.) **A 2**, 326. – *[HS 2940 00; CAS 54182-58-0]*

Sucralose [(1,6-Dichlor-1,6-didesoxy-*β*-D-fructofuranosyl)-4-chlor-4-desoxy-*α*-D-galactopyranosid].

$C_{12}H_{19}Cl_3O_8$, M_R 397,63. Generelle Bez. für die bisher in der BRD noch nicht zugelassene Trichlorsaccharose (Handelsname Splenda®), die 600mal süßer als Zucker schmeckt, so daß eine Anw. als *Süßstoff interessant ist. S. war bisher nur in sehr wenigen Ländern (Mexiko, Australien, Kolumbien, Rußland, u. a.) zugelassen. Allerdings erfolgte in den USA zum 1. 4. 1998 eine umfassende Zulassung inklusive soft-drinks. Zur Stabilität in Lebensmitteln s. *Lit.*[1,2].
Herst.: S. ist durch kontrollierte Behandlung von *Saccharose mit Sulfurylchlorid/*Pyridin zugänglich. Die physikochem. Eigenschaften beschreibt *Lit.*[3].
Toxikologie: Der vorläufige *ADI-Wert wurde auf 0–15 mg/kg Körpergew. u. Tag festgelegt[4]. Zum Einfluß der S. auf den Metabolismus der bakteriellen Mundflora u. die Kariesentstehung s. *Lit.*[5]. Einen exzellenten Überblick zur Toxikologie der S. gibt *Lit.*[6]. – ***E*** = ***F*** sucralose – ***I*** sucralosio – ***S*** sucralosa

Lit.: [1] J. Food Sci. **55**, 244–246 (1990). [2] Food Technol. **44**, 62–66 (1990). [3] J. Food Sci. **54**, 1646–1649 (1989). [4] WHO (Hrsg.), Technical Report Series 806, Evaluation of Certain Food Additives and Contaminants, S. 21–23, Geneva: WHO 1991. [5] J. Dental. Res. **69**, 1480–1484, 1485–1487 (1990). [6] WHO (Hrsg.), Toxicological Evaluation of Certain Food Additives and Contaminants, Nr. 28, S. 219–228, Geneva: WHO 1991.

allg.: Carbohydr. Res. **152**, 47 (1986) ▪ Chem. Ind. (London) **1990**, 370 ▪ Food Technol. Australia **45**, 578–580 (1993) ▪ Grenby (Hrsg.), Progress in Sweeteners, London: Elsevier Applied Science 1989 ▪ Lisansky u. Corti (Hrsg.), Low-Calorie Sweeteners: Harmonisation in Europe, ISA Seminar 1995, Newbury: cpl press 1996 ▪ Merck-Index (12.), Nr. 9050 ▪ Nachr. Chem. Tech. Lab. **38**, 860–867 (1990). – *[CAS 56038-13-2]*

Sucrasen s. Invertase.

Sucrose s. Saccharose.

Sucroseoctaacetat s. Zuckerester.

Sudan®. *Azofarbstoffe u. *Anthrachinon-Farbstoffe, die sich in Fetten, Ölen, Wachsen, Harzen, Kohlenwasserstoffen, Chlorkohlenwasserstoffen, Alkoholen, Ethern usw., nicht aber in Wasser lösen. Sie eignen sich v. a. zum Färben von Mineralöl-Produkten wie Vergasertreibstoffen, Dieselöl, Heizöl u. a. Mineralölfraktionen, von Wachserzeugnissen wie Schuhcremes, Bohnermassen, Kerzen u. zur Herst. von Kugelschreiberpasten, Tuschen u. Filzschreibertinten; einzelne S.-Farbstoffe sind unter bestimmten Bedingungen als Lebensmittel- u./od. Kosmetik-Farbstoffe zugelassen.
B.: BASF.

Sudoit. $Mg_2(Al,Fe^{3+})_3[(OH)_8/Si_3AlO_{10}]$; Aluminium-reicher, aus abwechselnden di- u. trioktaedr. (*Phyllosilicate) Baueinheiten zusammengesetzter weißlicher feinkörniger *Chlorit; zur Struktur s. *Lit.*[1]; chem. Analysen s. *Lit.*[2].
Vork.: Negaunee/Michigan/USA, mehrorts in Japan; in niedriggradig *metamorphen Gesteinen, z. B. in den Ardennen/Belgien; in *Sandsteinen, z. B. in Bayern u.

am Kesselberg/Schwarzwald. – *E* = *I* sudoite – *F* sudoïte – *S* sudoíta

Lit.: [1] Clays Clay Miner. **33**, 410–414 (1985); **37**, 193–202 (1989). [2] Contrib. Mineral. Petrol. **101**, 274–279 (1989).
allg.: Anthony et al., Handbook of Mineralogy, Vol. II, Tl. 2, S. 766, Tucson (Arizona): Mineral Data Publishing 1995 ▪ Bailey (Hrsg.), Hydrous Phyllosilicates (Reviews in Mineralogy, Vol. 19), S. 395, Washington (D. C.): Mineral. Soc. Am. 1988. – *[HS 2530 10; CAS 12211-44-8]*

Sudorifika. Von latein.: sudor = Schweiß abgeleitete Bez. für schweißtreibende Mittel, s. Hidrotika, Schweiß u. Haut.

Sudverfahren s. Vergolden u. Versilbern.

Süd-Chemie. Kurzbez. für die 1857 gegr. Firma Süd-Chemie AG, 80333 München; *Beteilgungsges.* in der BRD: Ashland-Südchemie Kernfest GmbH (50%). *Daten* (1995): 1348 Beschäftigte, 386 Mio. DM Umsatz. *Produktion:* Bleicherden, Gießereibentonite, Bau- u. Bohrbentonit, Dichtungsbentonite, Papierbentonite, Adhäsionspigmente, Geliermittel, Trockenmittel u. Packhilfsmittel, Getränkebentonit, Waschmittelbentonit, Agrarbentonite, Katzenstreu, Katalysatoren u. Katalysatorenträger, Schwefelsäure, Oleum, Schwefelkies-Abbrand, Flockungs- u. Fällungsmittel u. Anlagetechnik.

Südfrüchte s. Obst.

Süd-West-Chemie. Kurzbez. für die 1946 gegr. Firma Süd-West-Chemie GmbH, 89231 Neu-Ulm, die zu 100% der Hüttenes-Albertus Chem. Werke GmbH gehört. *Produktion:* Phenol-, Harnstoff-, Kresol-, Melamin- u. ungesätt. Polyester-Harze u. -Formmassen, Dekorfilm für die Holzwerkstoff-Industrie.

Sülze (von althochdtsch.: sulza = Salzwasser). Im süddtsch.-österreich. Sprachraum meist *Aspik* genannte angesäuerte Gallerte (*Gelatine-*Gel) mit Fleisch- od. Fischeinlage, ggf. auch mit Gemüse. – *E* brawn, jellied meat – *F* gelée de viande, viande en gelée – *I* gelatina di carne – *S* carne en gelatina

Lit.: Fleischwirtschaft **69**, 1641–1648 (1989) ▪ Prändl, Fleisch, S. 565–567, Stuttgart: Ulmer 1988 ▪ Zipfel, C 234 II 233; C 235 *1*, 33; C 236 C II.

Süs-Reaktion. Von O. Süs aufgefundene, mit der *Wolff-Umlagerung verwandte photochem. Reaktion von *ortho*-*Chinondiaziden, die unter Stickstoff-Abspaltung, Ringverengerung u. Bildung von *Ketenen (über α-Oxo-*carbene) verläuft.

Δ od. hν, $- N_2$ → Oxo-carben → Keten

– *E* Süs reaction – *F* réaction de Süs – *I* reazione di Süs – *S* reacción de Süs

Lit.: Ershov et al., Quinone Diazides, Amsterdam: Elsevier 1981 ▪ Houben-Weyl **E 19 b/2**, 1344–1353 ▪ s. a. Chinondiazide, Diazocarbonyl-Verbindungen u. Wolff-Umlagerung.

Süßgräser s. Gräser.

Süßholz s. Glycyrrhizin u. Lakritze.

Süßkartoffel s. Batate.

Süßkraft s. Süßstoffe.

Süßmolke s. Molke.

Süßmost. Nach § 4 Absatz 3 der VO über Fruchtnektar u. Fruchtsirup [1] ist S. die Bez. für einen Fruchtnektar, dessen Fruchtanteil ausschließlich aus Fruchtsäften besteht, die auf Grund ihres hohen natürlichen Säuregehalts zum unmittelbaren Genuß nicht geeignet sind; s. a. Fruchtsäfte u. Most. – *E* unfermented sweetened fruit juice – *F* jus de fruit non fermenté – *I* mosto dolce – *S* zumo de fruta sin fermentar

Lit.: [1] VO über Fruchtnektar u. Fruchtsirup vom 17. 2. 1982 in der Fassung vom 22. 7. 1993 (BGBl. I, S. 1341).
allg.: Zipfel, C 331, C 333 *1*, 13; *4*, 18.

Süßorange, Süßpomeranze s. Orangen u. Citrusfrüchte.

Süßreserve. Bez. für Traubenmost, der dem *Wein mit dem Ziel der Süßung nach der Gärung zugesetzt wird. Die Verw. von Traubenmostkonzentrat od. *rektifiziertem Traubenmostkonzentrat ist nach § 11 Absatz 2 Wein Gesetz [1] nicht zulässig. S. darf bis zu 8 g/L Alkohol enthalten; s. a. Wein. – *E* grape must – *I* riserva dolce – *S* reserva de fruta sin fermentar

Lit.: [1] Wein Gesetz vom 27. 8. 1982 in der Fassung vom 8. 7. 1994 (BGBl. I, S. 1467, 1485).
allg.: Koch, Getränkebeurteilung, S. 149, Stuttgart: Ulmer 1986 ▪ Würdig u. Woller, Chemie des Weines, S. 150–151, Stuttgart: Ulmer 1989 ▪ Zipfel, C 403 *6*, 36; *9*, 12–13; *11*, 21.

Süßstoffe. Unter S. versteht man Verb. synthet. od. natürlicher Herkunft, die keinen od. im Verhältnis zur Süßkraft einen vernachlässigbaren physiolog. Brennwert besitzen (*E* non-nutritive sweeteners) u. eine um ein Vielfaches höhere Süßkraft als *Saccharose aufweisen. Die *Süßkraft* einer Verb. ist durch die Verdünnung gegeben, bei der sie ebenso süß wie eine Saccharose-Lsg. schmeckt (isosüße Lsg.), d. h. eine 500fach verdünnte Lsg. eines S. schmeckt isosüß wie eine Saccharose-Lsg., wenn der S. eine Süßkraft von 500 hat. Die Süßkraft einiger S. ist Tab. 1 zu entnehmen.
S. werden *Lebensmitteln, *Arzneimitteln, kosmet. Mitteln u. *Futtermitteln mit dem Ziel zugesetzt, einen Süßgeschmack hervorzurufen. Voraussetzung ist nach Shallenberger u. Acree [1] das Vorhandensein eines Protonendonator/-akzeptor-Syst. (AH_S/B_S) als mol. Strukturelement. Bestimmte ster. Voraussetzungen müssen erfüllt werden, damit über zwei *Wasserstoff-Brückenbindungen eine Wechselwirkung mit dem komplementären AH_R/B_R-Syst. des Rezeptors (der Rezeptorenfamilie?) zustande kommen kann.
Eine Erweiterung dieses Konzeptes geht davon aus, daß neben dem Strukturelement AH_S/B_S in bestimmter

Tab. 1: Relative Süßkraft einiger Süßstoffe.

Acesulfam-K	80–250
Natriumcyclamat	20–50
Glycyrrhizin	50
Aspartame	100–200
Dulcin	70–350
Saccharin	200–700
Steviosid	etwa 300
Naringin-Dihydrochalkon	250–350
Monellin	1500–2500
Thaumatin	etwa 2000
Neohesperidin-Dihydrochalkon	500–2000
Neotame®	bis 8000

Position eine Gruppe X vorhanden sein muß, die eine hydrophobe Wechselwirkung mit dem Rezeptor gestattet („Dreieck des süßen Geschmacks"). Dieses Modell läßt sich dahingehend verallgemeinern, daß für die Erzielung eines süßen Geschmacks elektrophile/nucleophile Wechselwirkungen u. ein hydrophober Kontakt zwischen Rezeptor(en) u. S.-Mol. vorhanden sein muß[2,3] (s. Abb.).

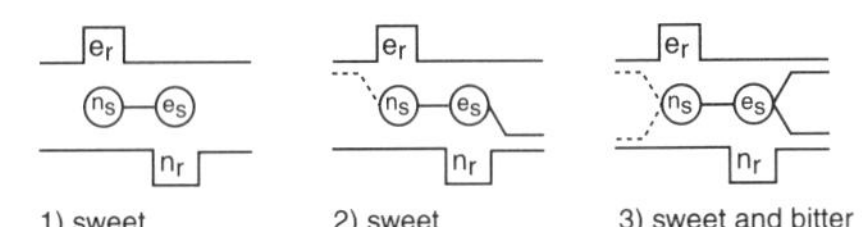

Abb.: Strukturelle Parameter für Süß- u. Bittergeschmack. Modell eines schemat. Rezeptors als hydrophobe Tasche mit elektrophiler (e_r) u. nucleophiler (n_r) Kontaktgruppe für bipolare (n_s-e_s) od. monopolare (n_s od. e_s) Stimulantien mit od. ohne hydrophobe Gruppe[3].

Zum Mechanismus der zellulären Signalübertragung von sensor. Reizen s. *Lit.*[4]. Die für den Süßgeschmack verantwortliche Rezeptorpopulation scheint heterogener Natur zu sein u. aus mind. 3 verschiedenen Rezeptortypen zu bestehen[5]. Von den S. zu unterscheiden sind die *Zuckeraustauschstoffe, deren Süßkraft oft im Bereich der Saccharose u. darunter liegt, die sehr wohl einen physiolog. Brennwert besitzen u. die wie die S. *Insulin-unabhängig metabolisiert werden, d. h. für Diabetiker geeignet sind. Zuckeraustauschstoffe besitzen, im Gegensatz zu S. auf Grund der bedeutend höheren Einsatzkonz., textur- u. körpergebende Eigenschaften. Durch die Kombination von S. (z. B. Acesulfam-K u. Aspartam) läßt sich ein sowohl qual. als auch quant. Synergismus erzielen, d. h. der Geschmack wird zuckerähnlicher u. die Süßkraft verstärkt sich erheblich. Dieses Phänomen wird als „Multi-Sweetener-Konzept" bezeichnet.

Rechtliche Beurteilung: S. sind nach § 2 Absatz 2 Nr. 1 e des *LMBG[6] den *Zusatzstoffen gleichgestellt. Die Richtlinie 89/107/EWG[7] klassifiziert S. nach Artikel 1 u. Anhang 1 als *Lebensmittelzusatzstoffe. Der Zulassungsrahmen für S. wird in der BRD durch die Zusatzstoff-Zulassungs-VO (ZZulV)[8] u. die Diät-VO[9] vorgegeben. Nach § 6 a der ZZulV sind die in Anlage 7 Liste A genannten S. *Saccharin, Cyclamat (s. Natriumcyclamat), *Aspartame u. *Acesulfam-K für die in Liste B genannten Lebensmittel unter Beachtung der dort genannten Höchstmengen u. für Tafelsüßen zugelassen (s. Tab. 2 u. 3).

Im Rahmen des Zutatenverzeichnisses besteht für S. die Pflicht der Kenntlichmachung.

Als S. für diätet. Lebensmittel sind *Saccharin u. Cyclamat nach § 8 der Diät-VO[9] zugelassen. Von dieser allg. Zulassung für diätet. *Lebensmittel sind *Käse (außer Frischkäsezubereitungen) u. Fleischerzeugnisse ausgenommen. Die Verw. von Aspartame u. Acesulfam-K in diätet. Lebensmitteln war in der Vergangenheit nur über eine Ausnahmegenehmigung nach § 37 *LMBG möglich; heute sind sie für diätet. Lebensmittel allg. zugelassen. Der Zusatz von S. zu diätet. Lebensmitteln ist nach § 18 Diät-VO durch die Angabe „diätet. Lebensmittel mit S." kenntlich zu machen. Die Reinheitsanforderungen an S. sind der Anlage 2, Liste 9 der Zusatzstoff-Verkehrs-VO

Tab. 2: Zugelassene Süßstoffe (EU).

Süßstoffe			
Kenn-nummer	Stoff	EWG-Nummer	Kenntlichmachung
1	2-Sulfobenzoesäureimid	E 954	„Saccharin"
	Saccharin-Natrium	E 954	„Saccharin"
	Saccharin-Kalium	E 954	„Saccharin"
	Saccharin-Calcium	E 954	„Saccharin"
2	Cyclohexylsulfamidsäure	E 952	„Cyclamat"
	Natriumcyclamat	E 952	„Cyclamat"
	Calciumcyclamat	E 952	„Cyclamat"
3	Aspartame	E 951	„Aspartam"
4	Acesulfam-Kalium	E 950	„Acesulfam"
5	Taumatin	–	„Taumatin"
6	Neohesperidin-Dihydrochalkon	–	„NHDC"

(ZVerkV)[10] zu entnehmen. Nach Umsetzung der EU-S.-Richtlinie in nat. Recht sind in der BRD auch *Thaumatin u. Neohesperidin-Dihydrochalkon (s. Hesperetin) zugelassen worden[11].

Der Einsatz von S. im Bereich kosmet. Mittel ist auf die Verw. in *Zahnpflegemitteln, *Mundpflegemitteln u. ähnlichen Erzeugnissen beschränkt. Nach Anlage 3, Nr. 3.2 der Futtermittel-VO ist Saccharin als sog. „Aroma u. appetitanregender Stoff" für bestimmte Futtermittel zugelassen.

Beisp.: Neben den zugelassenen S. existiert eine Fülle von synthet. Verb., Naturstoffen u. modifizierten Naturstoffen, deren süßer Geschmack bekannt ist, die aber aus toxikolog., technolog. (mangelnde Stabilität), sensor. (Geschmacksprofil von dem der Saccharose abweichend) od. Kostengründen nicht zur Marktreife gelangt sind. An der Neuentwicklung von S. wird auch weiterhin intensiv gearbeitet.

Synthet. Verb.: Ultrasüß (5-Nitro-2-propoxyanilin), Dulcin [(4-Ethoxyphenyl)harnstoff], 1,1-Diaminoalkane[12], sowie Arylharnstoffe u. trisubstituierte Guanidine die den jüngsten Arbeiten zufolge[13] bis zu 200 000mal süßer als *Saccharose schmecken sollen. Über Struktur-Geschmacks-Untersuchung mit trihalogenierten Benzamid-Derivaten berichtet *Lit.*[14].

Modifizierte Naturstoffe: *Dihydrochalcone[15] u. deren Amid-Analoga[16] (z. B. Naringenin-Dihydrochalkon), ringsubstituierte Dihydrochalkone[17], *trans*-Oxime des Perillaldehyds (s. Perillaaldehydoxim), Suosan{Natrium-3-[3-(4-Nitrophenyl)ureido]propionat}, Superaspartam (Verb. von Suosan mit Aspartame), 3-(L-α-Aspartyl-D-alaninamido)-2,2,4,4-tetramethylthietan, Strukturanaloga von Aspartame ohne Phenylalanin (z. B. 1-(L-α-Aspartylamino)cyclopropancarbonsäure-propylester, wichtig für *Phenylketonurie-Patienten)[18], sowie *N*-(Formylcarbamoyl)-aspartam[19] u. *N*-L-α-Aspartyl-3-bicycloalkyl-L-alanin-methylester[20], Dipeptidester mit „inverser" Aspartam-Struktur[21], *Sucralose.

Naturstoffe: *Steviosid, *Brazzein, *Monellin, *Thaumatin, *Osladin, Hernandulcin, Miraculin, Phyllodulcin, *Pentadin, Glycyrrhizin. Zur Physiologie u. Toxikologie s. Einzelstichworte.

Tab. 3.: Lebensmittel, denen Süßstoffe zugesetzt werden dürfen.

Lebensmittel	Höchstmengen an Süßstoff [mg/kg Lebensmittel]			
	Saccharin	Cyclamat	Aspartame	Acesulfam-K
1. brennwertverminderte Erfrischungsgetränke	100	400	600	350
2. Kaugummi (ohne Zusatz von Mono- u. Disacchariden sowie Maltodextrinen)	1000	–	4000	3000
3. süße Suppen u. süße Soßen, Puddinge u. verwandte Erzeugnisse, Geleespeisen, Cremespeisen, Rote Grütze u. verwandte Erzeugnisse, jeweils brennwertvermindert od. ohne Zusatz von Mono- u. Disacchariden sowie Maltodextrinen	–	–	1000	500
4. brennwertverminderte Erzeugnisse, unter überwiegender Verw. von Milch od. Milcherzeugnissen hergestellt				
a) mit Fruchtzubereitungen	–	–	600	400
b) mit anderen Zubereitungen als Fruchtzubereitungen	–	–	1200	400
5. Zuckerwaren, Marzipan, marzipanähnliche Erzeugnisse u. Nougaterzeugnisse, jeweils ohne Zusatz von Mono- u. Disacchariden sowie Maltodextrinen	–	–	2000	600
6. Eßoblaten	1000	–	–	2000
7. Feinkostsalate, ausgenommen Fischsalate	250	–	400	500
8. Fischsalate, Fischmarinaden, marinierte Brat- u. Kochfischwaren, Anchosen, Fischerzeugnisse in Gelee, Fischdauerkonserven	400	–	350	600
9. Mayonnaisen, Salatsoßen, Relishes, Meerrettich	200	–	300	400
10. Speisesenf, Würzsoßen	350	–	500	600
11. Gemüse-Sauerkonserven	250	–	–	400
12. Obstkonserven ohne Zusatz von Mono- u. Disacchariden sowie Maltodextrinen	–	–	1000	1000

Analytik: Mit der Reinheitsprüfung von *Saccharin u. Cyclamat befassen sich die *Methoden nach § 35 LMBG L 57.22.01 u. 02.
Zum Nachw. der zugelassenen S. in Süßstofftabletten s. L 57.22.99-1 bis 4. Die Bestimmung aller gängigen S. kann via *HPLC mit UV-Dedektion erfolgen[22]. Eine weitere HPLC-Meth.[23], die sich durch besondere Einfachheit auszeichnet, erlaubt den Nachw. der S. neben *Coffein, *Sorbin- u. *Benzoesäure in einem Analysengang.
Wirtschaftliche Bedeutung: Auf Grund des geänderten Verwendungsmusters, weg von der diätet. u. hin zur allg. Anw. ist der Bedarf an S. in den letzten 15 Jahren erheblich gestiegen, wobei ca. 41% der dtsch. Verbraucher (teilw. unbewußt) S. verwenden. Zur Ausschöpfung der ADI-Werte s. *Lit.*[24].
Handelsnamen: natreen® (im dtsch. Markt Mischung von *Natriumcyclamat mit Saccharin); Canderel® u. Nutrasweet® (Aspartame). Sunett® (Acesulfam-K). – ***E*** sweeteners – ***F*** édulcorants – ***I*** dolcificanti – ***S*** edulcorantes

Lit.: [1]Nature (London) **216**, 480 (1967). [2]Lebensmittelchem. Gerichtl. Chem. **41**, 77–82 (1987). [3]Getreide Mehl Brot **40**, 371–374 (1986). [4]Nature (London) **331**, 351, 354 (1988). [5]Chem. Sens. **10**, 83 (1983). [6]Lebensmittel- u. Bedarfsgegenstände-Gesetz vom 15. 8. 1974 in der Fassung vom 20. 1. 1991 (BGBl. I, S. 121). [7]Richtlinie (89/107/EWG) des Rates der EG über Zusatzstoffe, die in Lebensmitteln verwendet werden dürfen vom 21. 12. 1988, ABl. der EG **32**, Nr. L 40, S. 27 (1989). [8]Zusatzstoff-Zulassungs-VO vom 22. 12. 1981 in der Fassung vom 8. 3. 1996 (BGBl. I, S. 460). [9]VO über diätet. Lebensmittel vom 25. 8. 1988 in der Fassung vom 13. 6. 1990 (BGBl. I, S. 1065). [10]Zusatzstoff-Verkehrs-VO vom 10. 7. 1984 in der Fassung vom 14. 12. 1993 (BGBl. I, S. 2092). [11]Off. J. Eur. Comm. C 242/4 vom 27. 9. 1990. [12]J. Am. Chem. Soc. **107**, 5821 (1985). [13]New Sci. **1990**, 595. [14]Z. Lebensm. Unters. Forsch. **190**, 319–324 (1990). [15]Lebensm. Wiss. Technol. **23**, 371–326 (1990). [16]J. Agric. Food Chem. **35**, 409–411 (1987). [17]J. Agric. Food Chem. **39**, 44–51 (1991). [18]Int. J. Pept. Protein Res. **498**, 30 (1987) B. W. [19]J. Agric. Food Chem. **39**, 154–158 (1991). [20]J. Agric. Food Chem. **39**, 52–56 (1991). [21]J. Agric. Food Chem. **38**, 1368–1373 (1990). [22]J. Assoc. Off. Anal. Chem. **71**, 934–937 (1989). [23]Dtsch. Lebensm. Rundsch. **86**, 348–351 (1990). [24]Food Chem. Toxicol. **29**, 71 f. (1991).
allg.: AID, Auswertungs- u. Informationsdienst für Ernährung, Landwirtschaft u. Forsten e. V. (Hrsg.), Zucker, Sirup, Honig, Zuckeraustauschstoffe, Süßstoffe, H. 1157, S. 25–31, Bonn 1989 ▪ Baltes, Lebensmittelchemie (4.), Berlin: Springer 1995 ▪ Belitz-Grosch (4.), S. 388 ▪ Bund für Lebensmittelrecht u. Lebensmittelkunde e. V. (Hrsg.), BLL-Formen 1989, Zusatzstoffe in Lebensmitteln, Perspektiven, künftige Regelungen, S. 58–61, Bonn 1990 ▪ Classen et al., Toxikolog.-hygien. Beurteilung von Lebensmittelinhalts- u. -zusatzstoffen sowie bedenklicher Verunreinigungen, S. 156–165, Berlin: Parey 1987 ▪ Food Add. Contam. **7**, 463–475 (1990) ▪ Labor Praxis **14**, 51–58 (1990) ▪ Lebensmittelchem. Gerichtl. Chem. **48**, 34–40 (1994) ▪ Lindner, Toxikologie der Nahrungsmittel (4.), S. 188–192, Stuttgart: Thieme 1990 ▪ Mayer u. Kemper (Hrsg.), Acesulfame-K, New York: Dekker 1991 ▪ Nabors u. Gelardi (Hrsg.), Alternative Sweeteners, 2. Aufl., New York: Marcel Dekker 1991 ▪ Naturwissenschaften **78**, 69–70 (1991) ▪ von Rymon, Lipinski u. Schiweck, Handbuch Süßungsmittel, Hamburg: Behr 1991 ▪ Ullmann (4.) **22**, 353–366; (5.) **A 4**, 66; **A 11**, 573 ▪ Vollmer et al., Lebensmittelführer (2.), Bd. 1, S. 228–239, Stuttgart: Thieme 1995 ▪ Walters, Sweeteners – Discovery, Molecular Design and Chemoreception, Weinheim: VCH Verlagsges. 1991 ▪ WHO (Hrsg.), Toxicological Evaluation of Certain Food Additives and Contaminants, Nr. 28, S. 183–218, Geneva: WHO 1991. – *Organisationen u. Verbände:* Internationaler Süßstoff-Verband, Avenue du Four à Briques 1, B-1140 Brüssel, Belgien ▪ Süßstoff-Verband e. V., Welserstr. 5–7, 51149 Köln. – *Zeitschriften:* ISI, Internationale Süßstoffinformation, Hrsg.: Wirtschaftliche Vereinigung Zucker, Am Hofgarten 8, 53113 Bonn ▪ Süß-Aktuell, Pressedienst des Süßstoff-Verbandes, Anschrift s. oben ▪ Sweetener-update, Hrsg.: Internationaler Süßstoff-Verband, Anschrift s. oben ▪ Süsswaren ▪ Zucker Süßwaren Wirtsch.

Süßung des Benzins. In Erdölraffinerien angewandte Verf., mit denen aus *Benzinen die übelriechenden

Schwefel-Verb., die zuvor durch den *Doctortest bestimmt wurden, entfernt werden. Hierbei werden Mercaptane (*Thiole) entweder durch Laugenwäsche extrahiert od. durch Oxid. in weniger unangenehme Disulfide umgewandelt, z. B. mit dem Merox-Verfahren. Heute wird meist die katalyt. Hydrierung od. Oxid. u. Extraktion angewendet (vgl. Entschwefelung), oft gekoppelt mit dem *Claus-Verfahren zur Schwefel-Rückgewinnung. Die letztgenannten *Desulfurierungs-*Meth. wendet man auch auf Erdöl u. Erdgas an. – ***E*** sweetening of gasoline (USA), of petrol (GB) – ***F*** traitement adoucissant – ***I*** addolcimento della benzina – ***S*** tratamiento desulfurante

Lit.: Das Buch vom Erdöl, Hrsg. Deutsche BP, S. 170–173, Hamburg: Reuter u. Klöckner 1989 ▪ Ullmann (4.) **10**, 645.

Süßungsmittel s. Süßstoffe u. Zuckeraustauschstoffe.

Süßwaren. Sammelbez. für Lebensmittel, deren Geschmack u. Charakter im wesentlichen durch *Saccharose, Zuckerarten od. *Zuckeraustauschstoffe geprägt ist. Unter S. werden auch von der S.-Ind. produzierte, wenig süße Lebensmittel verstanden. Dies sind im einzelnen: Zuckerwaren, *Schokolade u. Schokoladenwaren, Schokoladenhalberzeugnisse, Kakaoerzeugnisse, Dauerbackwaren, Knabberartikel, *Speiseeis, Rohmassen u. angewirkte Rohmassen sowie Glasurmassen. Die S.-Ind. ist der viertgrößte Zweig der Lebensmittel-Ind. in der BRD. Die Produktionszahlen sind der Tab. zu entnehmen. – ***E*** sweets, sweetmeats, confectionery – ***F*** sucreries, confiserie – ***I*** dolciumi, prodotti dolciari – ***S*** dulces y confites

Tab. 1: Produktion ausgewählter Süßwaren (BRD, 1997).

Produktgruppe	Menge	Wert in DM (gerundet)
Schokoladenerzeugnisse		
Schokoladenerzeugnisse, in Form von Stangen, Tafeln, Riegeln u.a. (ohne Pralinen)	590 582 t	4 634 Mio.
Pralinen	137 601 t	1 905 Mio.
Kakaoerzeugnisse		
Kakaomasse	160 346 t	349 Mio.
Kakaopulver	34 736 t	52 Mio.
Kakaoglasur	2311 t	11 Mio.
kakaohaltige Zubereitungen zur Herst. von Getränken	60 953 t	246 Mio.
Süßwaren ohne Kakaogehalt		
Kaugummi	5 461 t	28 Mio.
weiße Schokolade	11 593 t	94 Mio.
Fondmassen u.a. Rohmassen, Marzipan	56 596 t	358 Mio.
Dragees	14 410 t	128 Mio.
Gummibonbons u. Gelee-Erzeugnisse, einschließlich Fruchtpasten in Form von Zuckerwaren	170 476 t	898 Mio.
mit Zucker haltbar gemachte Früchte, Nüsse, Fruchtschalen u.a. Pflanzenteile	10 560 t	77 Mio.
Backwaren		
Kekse u.ä. Kleingebäck, gesüßt, Waffeln	406 357 t	1 849 Mio.
Leb- u. Honigkuchen u.ä. Backwaren	111 844 t	667 Mio.
feine Backwaren, ohne Dauerbackwaren, gesüßt	678 230 t	5 000 Mio.
Speiseeis	441 Mio. l	1 710 Mio.
Süßwaren gesamt, ohne Dauerbackwaren	keine Angabe	12 321 Mio.

Lit.: Belitz-Grosch (4.), S. 142, 299, 792 ▪ Bundesverband der dtsch. Süßwarenind., Süßwarentaschenbuch, Hamburg: Behr 1995 ▪ Chem. Ind. (London) **1992**, 95 ff. ▪ Süsswaren **33**, 362–364, 367 (1989) ▪ Ullmann (5.) **A 7**, 411 ▪ Vollmer et al., Lebensmittelführer (2.), Bd. 1, S. 228–280, Stuttgart: Thieme 1995 ▪ Zipfel, C 355, C 355 e. – *Organisation:* Bundesverband der dtsch. Süßwarenind., Schumannstraße 4–6, 53113 Bonn. – *Zeitschriften:* Süsswaren, Zucker u. Süsswarenwirtschaft.

Süßwasser. Bez. für das Wasser fließender od. stehender Binnengewässer mit einem Salzgehalt <0,02%, das – im Gegensatz zum stark salzhaltigen *Meerwasser u. zum zwar schwächer salzhaltigen, aber ebenfalls ungenießbaren *Brackwasser – direkt zur Gewinnung von *Trinkwasser u. *Brauchwasser dienen kann. Abgesehen vom Vork. als offenes od. *Grundwasser kann S. auch durch *Meerwasserentsalzung sowie durch Aufbereitung von *Abwasser erhalten werden. Eine weitgehende Gewässer-Renaturierung u. Hilfe zur Selbstreinigung ist derzeit ein internat. bedeutsamer Teil eines umfassenden Umweltschutzes mit Arten- u. Biotopschutz; s. a. Härte des Wassers u. Wasser. – ***E*** fresh water, sweet water – ***F*** eau douce – ***I*** acqua dolce – ***S*** agua dulce

Süßwein (Mistellen). *Weine, deren Gärung durch Zusatz von Weinalkohol zum *Most verhindert od. unterbrochen wurde, werden als S. (Likörweine, Dessertweine) bezeichnet. Der Alkohol-Gehalt beträgt 17–20% vol. Die bekanntesten S. sind *Portwein u. Madeira. – ***E*** sweet wine – ***F*** vin liquoreux – ***I*** vino dolce – ***S*** vino dulce

Lit.: Würdig u. Woller, Chemie des Weines, S. 311, Stuttgart: Ulmer 1989. – *[HS 2204 21, 2204 29]*

Suevit s. Impact.

Suevit-Traßzement. Ein *Traß-Zement, hergestellt durch Zusammenmahlen von 70% (*Portlandzement-) *Klinker u. 30% Suevit-*Traß aus dem Nördlinger Ries, woher der Name abgeleitet ist (Sueven = Schwaben). – ***E*** suevite trass cement – ***F*** ciment de trass suevite – ***I*** trass-cemento di suevite – ***S*** cemento de tras[s] suevita

Lit.: Scholz, Baustoffkenntnis, 12. Aufl., S. 178, 186, Düsseldorf: Werner 1991. – *[HS 2523 90]*

Sufenta® epidural (Btm). Injektionslsg. mit *Sufentanil-Dihydrogencitrat als analget. Komponente in Kombinationsnarkosen u. als Monoanästhetikum. ***B.:*** Janssen-Cilag.

Sufentanil (Rp).

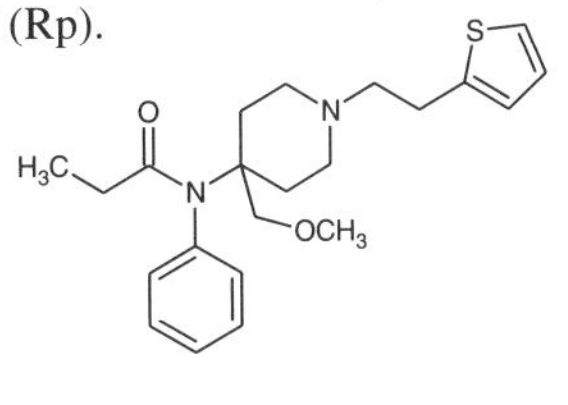

Internat. Freiname für das *Analgetikum *N*-{4-(Methoxymethyl)-1-[2-(2-thienyl)ethyl]-4-piperidinyl}propionanilid, $C_{22}H_{30}N_2O_2S$, M_R 386,56, Schmp. 96,6 °C, log P 3,95. S. ist ein Opioidrezeptor-Antagonist mit Selektivität für μ-Rezeptoren. Es wurde 1976 von Janssen patentiert u. ist in Form des Dihydrogencitrates, Schmp. 133–140 °C, LD_{50} (Maus, i.v.) 18 mg/kg, von Janssen-Cilag (Sufenta®) zur operationsbegleitenden Analgesie im Handel. – ***E*** = ***I*** = ***S*** sufentanil – ***F*** sufentanile

Lit.: Acta Crystallogr. Sect. B **35**, 999 ff. (1979) ▪ Drugs **36**, 286–313 (1988) ▪ Hager (5.) **9**, 685 ff. ▪ Merck-Index (12.), Nr. 9056 ▪ Pharm. Ztg. **138**, 3728–3733 (1993) ▪ Ph. Eur. Suppl. 1998. – *[HS 2934 90; CAS 56030-54-7 (S.); 60561-17-3 (S.-Citrat)]*

Suffixe (Wortendungen; latein.: suffixum = Angeheftetes). In der organ.-chem. *Nomenklatur bezeichnen S. am Ende der *Stammnamen: a) Den Sättigungsgrad des *Stammhydrids (s. ...an, ...en, ...in, ...idin). – b) Die charakterist., ranghöchste *funktionelle Gruppe (*E* principal group = *Hauptfunktion*) od. elektr. Ladungen u./od. Radikale, *Carbene, *Nitrene usw. Die zur Wahl des Stammnamens festgelegte Rangfolge (*Priorität*) dieser *Funktionssuffixe* u. funktioneller Stammverb. ist in den IUPAC-Regeln C-10.3, D-1.32, R-4.1 u. im Chemical Abstracts Index Guide, Anhang IV, § 106, jeweils etwas verschieden. Die IUPAC-Rangliste ist noch teilw. unlog., lückenhaft u. vorläufig (Regel R-4.1, Fußnote 50). Funktions-S. können teilw. auch mit *Infixen abgewandelt werden. – c) Veränderungen an Gerüst od. Hauptfunktion. Diese *Derivat-Bez.*, sog. *Postsuffixe* (latein.: post = hinter, später), folgen auf die Funktions-S. (b); in invertierten chem. Registern setzt man sie hinter die invertierten *Präfixe; *Beisp.:* Salze von Kationen (...ium-iodid), Säure-, Aldehyd- u. Keton-Derivate (...säure-anhydrid, -ethylester, -amid, -hydrazid; ...al- od. ...on-oxim, -hydrazon, -diethylacetal), *N*-, *P*-, *S*-Oxide etc., Ionen- u. Salzbez. (...säure-Anion, ...chinon-Radikalanion, ...ol-Kaliumsalz, ...amin-Hydroiodid), Molekülverb. [...-Hydrat, ...-Benzol-Addukt (1:1)]. – ***E*** = ***F*** suffixes – ***I*** suffissi – ***S*** sufijos

Sufu s. Sojabohnen.

Sugden, Samuel s. Parachor.

Sugilith s. Milarit.

Suhr, Harald (geb. 1928), Prof. für Organ. Chemie, Univ. Tübingen. *Arbeitsgebiete:* NMR-Spektroskopie, Diazonium-Verb., nucleophile Substitution, Plasmachemie: mit Flüssigkeiten, Entschwefelung von Erdölen; Plasma enhanced CVD (*c*hemical *v*apor *d*eposition): Hartschichten, Supraleiter, Plasmapolymerisation; Laser enhanced CVD: Aufbau u. Verbindungstechnik.

Lit.: Kürschner (16.), S. 3705.

Suicide-Inhibitor s. dead-end pathway.

Suillin.

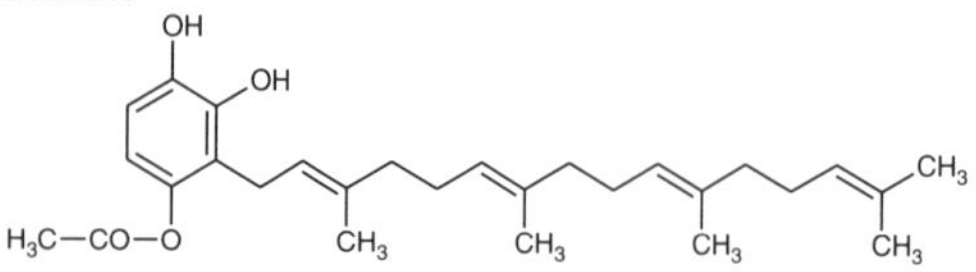

$C_{28}H_{40}O_4$, M_R 440,62, farblose Nadeln, Schmp. 108 °C, lösl. in den meisten organ. Lösemitteln. Polyprenyliertes Phenol aus dem Körnchenröhrling (*Suillus granulatus*), dem Butterpilz (*S. luteus*) u.a. *Suillus*-Arten [1], vgl. auch die strukturverwandten Cristatsäure, Bovichinone u. Tridentochinon. S. kommt bes. reichlich in der Huthaut junger, schwach gefärbter Fruchtkörper vor. Das Oxid.-empfindliche S. verfärbt sich im Laufe der Zeit dunkel u. könnte die Ursache für die dunklere Huthaut älterer Fruchtkörper sein. S. verfügt über Antitumor- [2] u. antimikrobielle [3] Eigenschaften. – ***E*** suillin – ***F*** suilline – ***I*** suillina – ***S*** suilina

Lit.: [1] Z. Naturforsch. Teil B **41**, 645 (1986). [2] J. Nat. Prod. **52**, 844 f. (1989). [3] J. Nat. Prod. **52**, 941–947 (1989). – *[CAS 103538-03-0]*

Suizid-Substrate (Mechanismus-begründete Enzym-Inaktivatoren). Bez. für synthet. *Substrate (3.), die durch enzymat. Umsetzung zu spezif., irreversiblen Hemmstoffen für das beteiligte Enzym werden. In gewissem Sinn verdienten die S.-S. eher den Namen „trojan. Substrate". *Beisp.:* Das *Cytostatikum *Fluorouracil hemmt nach Umsetzung zu 5-Fluor-2′-desoxyuridylat das Enzym *Thymidylat-Synthase, das den (u. damit seinen) letzten Schritt katalysierte, irreversibel. Das Gichtmittel *Allopurinol wirkt als S.-S. der *Xanthin-Oxidase. – ***E*** suicide substrates – ***F*** substrats suicidaires – ***I*** substrati suicidi – ***S*** substratos suicidas

Lit.: Stryer 1996, S. 793, 797.

Suizid-Vektoren. Retrovirale *Vektoren, denen vor der Integration in die Wirtszelle mit *reverser Transcriptase eine Sequenz von 299 Basenpaaren in der 3′-Transkription verloren geht. Diese *Deletion, die *Promotor- u. *Enhancer-Elemente des viralen Genoms enthält, führt zu einer Desaktivierung der Transkription des Provirus (s. Viren) in der infizierten Zelle. – ***E*** self-inactivating vectors – ***I*** vettori suicida – ***S*** vectores suicidas

Lit.: Glover, DNA Cloning, Vol. III, Oxford: IRL Press 1988.

Sukkade (Citronat, Zitronat, Zedrat). In Stücke zerschnittene, dicke Schalen der großen, süßen, unreif geernteten Früchte von *Citrus medica* var. *cedro* (Rutaceae), die mit geschmolzenem Zuckersirup kandiert werden u. daher auf der einen Seite weiß, auf der anderen dunkelgrün sind. Sie dienen als Gewürz für Backwaren. Getrocknete Zitronenschalen aus denen S. hergestellt wird, dürfen bestimmte Höchstwerte an *Oberflächenbehandlungsmitteln nicht überschreiten (Anlage 3, Liste B, Nr. 39 der Zusatzstoff-Zulassungs-VO [1]). S. darf nach Anlage 4, Liste B, Nr. 4 gleicher VO mit bis zu 30 mg/kg schwefliger Säure konserviert werden. Zur Qualitätsbeurteilung s. *Lit.* [2]. Zur Fraktionierung von Zitronenschalen-*Pektin an DEAE-*Cellulose sowie zur Charakterisierung der einzelnen Fraktionen s. *Lit.* [3]. – ***E*** candied lemon peel – ***F*** citronnat – ***I*** cedro candito – ***S*** acitrón, cidra confitada

Lit.: [1] Zusatzstoff-Zulassungs-VO vom 22. 12. 1981 in der Fassung vom 8. 3. 1996 (BGBl. I, S. 460). [2] Qualitätsnormen u. Deklarationsvorschriften für verarbeitetes Obst u. Gemüse, Abschnitt IX, Nr. 1–3, abgedruckt in Zipfel, C 318. [3] Proc. Biochem. **32**, 377–379 (1997).
allg.: Belitz-Grosch (4.), S. 765. – *[HS 2006 00]*

Sukkulenten. Von *Succus über spätlatein.: succulentus = saftig, fleischig abgeleitete Bez. für Pflanzen, die Wasser speichern u. dadurch befähigt sind, längere Trockenperioden zu überstehen. Je nach dem Ort der Wasserspeicherung (Sukkulenz) unterscheidet man: *Blatt-S.* (*Beisp.:* Dickblattgewächse od. *Crassulaceen* wie *Mauerpfeffer, *Aloe-Arten, Agaven), *Stamm-S.* [*Beisp.: Kakteen* (s. Kaktus-Alkaloide), Wolfsmilch-Gewächse od. *Euphorbiaceen*] u. *Wurzel-S. [Rübenpflanzen* wie Futter-, Zuckerrüben (vgl. Saccharose), *Rote Rüben]. Manche S. – die sog. C_4- od. CAM-Pflanzen – besitzen einen bes. Mechanismus der *Photosynthese. – ***E*** = ***F*** succulents – ***I*** piante grasse, succulenti – ***S*** suculentas

Lit.: Nultsch, Allgemeine Botanik (10.), Stuttgart: Thieme 1996 ▪ Richter, Stoffwechselphysiologie der Pflanzen (6.), Stuttgart: Thieme 1998.

Sukrose s. Saccharose.

Sukzedanfärbung s. Mikroskopie.

Sukzession (von latein.: successio = Nachfolge). Zeitliche Aufeinanderfolge von Lebensgemeinschaften an einem Standort. Der (uneinheitlich gebrauchte) Begriff der S. wird einerseits für die verschiedenen Stufen des Abbaus organ. Materials wie z. B. Holz bis zu dessen völliger Beseitigung verwendet (*sek.* od. heterotrophe S.), andererseits bezeichnet er die Neubesiedlung eines Standortes nach tiefgreifenden Veränderungen der Umweltbedingungen (*prim.* od. autotrophe S.). S., die bei weitgehend gleichbleibenden Umweltbedingungen ablaufen, werden auch als *autogen*, die bei anhaltenden Änderungen der Umweltbedingungen ablaufenden S. als *allogen* bezeichnet. S. werden auf natürliche Weise z. B. durch Vulkantätigkeit, Erdbeben, Feuer, Wasserströmungen od. Wind verursacht, können aber auch menschlichen Ursprungs sein. Bei der Besiedlung eines neu entstandenen Standortes (z. B. Insel) folgen charakterist. Organismengemeinschaften aufeinander (Pionier-, Folge-Ges.), bis eine unter den herrschenden Umweltbedingungen stabile Schlußges. mit der potentiellen natürlichen Vegetation entsteht (*Klimax). Beweidung, Mahd, andere Bewirtschaftung, Bodenversauerung, Bodenversalzung u. a. lösen S. aus, bei denen zumindest zeitweise Ersatz-Ges. wie Trockenrase, Weiden, Wiesen, Streuobstwiesen, Äcker, Plantagen u. Forsten auftreten. – ***E*** = ***F*** succession – ***I*** successione – ***S*** sucesión

Lit.: Odum, Prinzipien der Ökologie, S. 196–229, Heidelberg: Spektrum 1991 ▪ Schlee (2.), S. 246–249 ▪ Ullmann (5.) **B 7**, 30–35.

Sukzessivreaktionen (von latein.: successio = Nachfolge, Besitzwechsel). Bez. für auf die Primärreaktion folgende *Reaktionen im Verlauf einer zusammengesetzten Reaktion (*Stufenreaktion, s. a. Elementarreaktionen). Die Summe von S. u. *Simultanreaktionen bildet die *Bruttoreaktion*, s. a. Reaktionsmechanismen u. Kinetik. – ***E*** successive reactions – ***F*** réactions successives – ***I*** reazioni successive – ***S*** reacciones sucesivas

Lit.: s. Reaktionen.

Sulbactam (Rp).

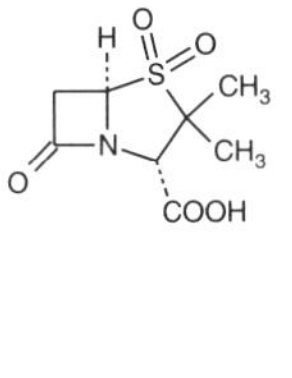

Internat. Freiname für den β-Lactamase-Inhibitor (s. β-Lactam-Antibiotika) Penicillansäure-*S*,*S*-dioxid, $C_8H_{11}NO_5S$, M_R 233,25, Schmp. 148–151 °C od. 170 °C (Zers.), $[\alpha]_D^{20}$ +251° (c 0,01/Puffer, pH 5,0). S. wurde 1978/80 von Pfizer patentiert u. ist von dieser Firma in Trockensubstanzen für Injektions- u. Infusionslsg. in Form des Natriumsalzes als Combactam® u. kombiniert mit *Ampicillin-Natrium (Unacid®) im Handel; vgl. Sultamicillin. – ***E*** = ***F*** = ***I*** = ***S*** sulbactam

Lit.: ASP ▪ Drugs **33**, 577–609 (1987) ▪ Hager (5.) **9**, 687–691 ▪ J. Chromatogr. **341**, 115 ff. (1985) ▪ Merck-Index (12.), Nr. 9058. – *[HS 2934 90; CAS 68373-14-8 (S.); 69388-84-7 (S.-Na-Salz); 117060-71-6 (S.-Na-Salz mit Ampicillin-Na-Salz)]*

Sulbentin.

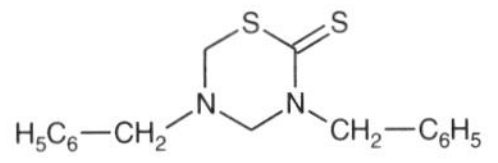

Internat. Freiname für das *Antimykotikum 3,5-Dibenzyl-1,3,5-thiadiazinan-2-thion, $C_{17}H_{18}N_2S_2$, M_R 314,48, farblose Krist., Schmp. 101–102 °C. – ***E*** = ***F*** sulbentine – ***I*** = ***S*** sulbentina

Lit.: Hager (4.) **6 b**, 629 f. ▪ Martindale (31.), S. 415. – *[HS 2934 90; CAS 350-12-9]*

Sul-bi-Sul-Verfahren. Verf. zur Teilentsalzung stark versalzter Rohwässer wie Meer- u. Brackwasser mit Hilfe von Ionenaustauschern u. Regenerierung der Kolonne mit Carbonat-hartem Wasser od. Kalkwasser. – ***E*** Sul-bi-Sul process – ***F*** procédé Sul-bi-Sul – ***I*** processo Sul-bi-Sul – ***S*** procedimiento Sul-bi-Sul

Sulcatoxanthin s. Peridinin.

Sulcotrion.

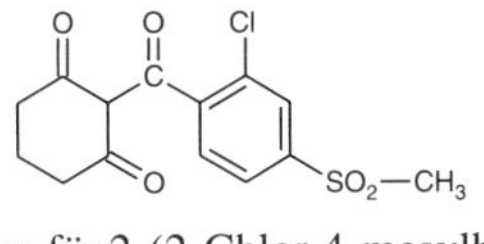

Common name für 2-(2-Chlor-4-mesylbenzoyl)cyclohexan-1,3-dion, $C_{14}H_{13}ClO_5S$, M_R 328,76, Schmp. 139 °C, keine Haut-, leichte Augenreizung, von ICI entwickeltes, 1990 eingeführtes selektives *Herbizid gegen breitblättrige Unkräuter u. Ungräser v. a. in Maiskulturen. – ***E*** = ***F*** = ***I*** sulcotrione – ***S*** sulcotriona

Lit.: Perkow. – *[CAS 99105-77-8]*

Sulfa... Namensbestandteil von *Freinamen für *Sulfonamide; *Beisp.:* folgende Stichwörter. – ***E*** = ***F*** = ***I*** = ***S*** sulfa...

Sulfabenzamid (Rp).

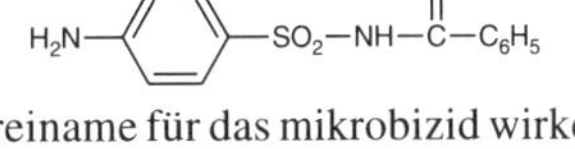

Internat. Freiname für das mikrobizid wirkende *N*-Sulfanilylbenzamid, $C_{13}H_{12}N_2O_3S$, M_R 276,31, lange, hexagonale Prismen, Schmp. 181,2–182,3 °C, pK_a 4,57; unlösl. in Wasser, lösl. in Ethanol, Aceton. S. wurde 1941 von Monsanto, 1942 von Schering AG patentiert. – ***E*** = ***F*** = ***I*** sulfabenzamide – ***S*** sulfabenzamida

Lit.: Beilstein E IV **14**, 2664 ▪ Hager (4.) **6 b**, 631 ▪ Martindale (31.), S. 276. – *[HS 2935 00; CAS 127-71-9]*

Sulfacarbamid (Rp).

Internat. Freiname für das mikrobizide *Chemotherapeutikum (s. a. Sulfonamide) Sulfanilylharnstoff (N^1-Carbamoylsulfanilamid), $C_7H_9N_3O_3S$, M_R 215,23, in Wasser lösl. Krist., Schmp. 146–148 °C (leichte Zers.), lösl. in Wasser u. Alkalien. S. wurde 1946 von Geigy patentiert. – ***E*** = ***F*** = ***I*** sulfacarbamide – ***S*** sulfacarbamida

Lit.: Beilstein EIV **14**, 2667 ▪ Hager (4.), **2**, 537–539; **6b**, 633f. ▪ Martindale (31.), S. 283. – *[HS 2935 00; CAS 547-44-4]*

Sulfacetamid (Rp).

H_2N–C₆H₄–SO_2–NH–CO–CH_3

Internat. Freiname für das mikrobizid wirkende *Sulfonamid *N*-Sulfanilylacetamid, $C_8H_{10}N_2O_3S$, M_R 214,24, farblose Prismen, Schmp. 182–184 °C, LD_{50} (Hund oral) 8 g/kg, schwer lösl. in Wasser, gut in Alkohol, Aceton, unlösl. in Ether; Lagerung: vor Licht u. Luft geschützt. Verwendet wird das Natriumsalz Monohydrat, Schmp. 257 °C; S. wurde 1946 von Schering patentiert u. ist von ankerpharm (Albucid®) im Handel. – ***E*** = ***I*** sulfacetamide – ***F*** sulfacétamide – ***S*** sulfacetamida

Lit.: Beilstein EIV **14**, 2662 ▪ Hager (4.), **2**, 536f.; **6b**, 634–636 ▪ Martindale (31.), S. 278 ▪ Ph. Eur. **1997** u. Komm. – *[HS 2935 00; CAS 144-80-9 (S.); 6209-17-2 (Natriumsalz Monohydrat)]*

Sulfachrysoidin s. Prontosil.

Sulfacid®-Verfahren. Verf. zur Abscheidung von *Schwefeldioxid aus industriellen Abgasen, bei dem SO_2 an Kohlenstoff-haltigem Katalysator adsorbiert u. gleichzeitig mit Sauerstoff u. Wasser katalyt. zu Schwefelsäure umgesetzt wird, die als 10–20%ige Säure gewonnen werden kann. ***B.:*** Lurgi.

Lit.: Winnacker-Küchler (4.) **3**, 341.

Sulfadiazin (Rp).

H_2N–C₆H₄–SO_2–NH–(2-Pyrimidinyl)

Internat. Freiname für N^1-(2-Pyrimidinyl)sulfanilamid, $C_{10}H_{10}N_4O_2S$, M_R 250,28, krist. Pulver, Schmp. 252–256 °C, λ_{max} (C_2H_5OH) 270 nm ($A^{1\%}_{1cm}$ 844), pK_a 6,5; unlösl. in Wasser, Chloroform, schwer in Alkohol, Aceton, lösl. in wäss. Alkalien u. verd. Mineralsäuren, Lagerung: vor Licht u. Luft geschützt. S. u. sein Natriumsalz werden heute hauptsächlich in Kombination mit *Pyrimethamin gegen *Toxoplasmose bei AIDS-Patienten verwendet, das Silbersalz als Wunddesinfiziens z. B. nach Verbrennungen. Die Kombination von S. mit *Tetroxoprim (*Co-tetroxazin*) od. *Trimethoprim (*Co-trimazin*) wirkt synergistisch. S. wurde 1967 u. 1968 von Parke Davis patentiert u. ist von Heyl als Generikum, das Silbersalz von medphano (Brandiazin®) u. Solvay Arzneimittel (Flammazine®) im Handel. – ***E*** = ***F*** sulfadiazine – ***I*** = ***S*** sulfadiazina

Lit.: Beilstein E III/IV **25**, 2097 ▪ Florey **11**, 523–551 ▪ Hager (5.) **9**, 695–698 ▪ Martindale (31.), S. 278f. ▪ Ph. Eur. **1997** u. Komm. ▪ Ullmann (5.) **A 6**, 190. – *[HS 2935 00; CAS 68-35-9 (S.); 22199-08-2 (Silbersalz)]*

Sulfadicramid (Rp).

H_2N–C₆H₄–SO_2–NH–CO–CH=C$(CH_3)_2$

Internat. Freiname für das mikrobizid wirkende *Sulfonamid 3-Methyl-*N*-sulfanilyl-2-butenamid, $C_{11}H_{14}N_2O_3S$, M_R 254,30, Krist., Schmp. 184–185 °C, wenig lösl. in Wasser, Ether, leicht lösl. in Alkohol, Aceton. S. wurde 1947 von Geigy patentiert. – ***E*** = ***F*** = ***I*** sulfadicramide – ***S*** sulfadicramida

Lit.: Hager (4.) **2**, 541 ▪ Martindale (31.), S. 276. – *[HS 2935 00; CAS 115-68-4]*

Sulfadimidin (Rp).

H_2N–C₆H₄–SO_2–NH–(4,6-Dimethyl-2-pyrimidinyl)

Internat. Freiname für das früher *Sulfamethazin* genannte, gegen *Kokken wirksame N^1-(4,6-Dimethyl-2-pyrimidinyl)sulfanilamid, $C_{12}H_{14}N_4O_2S$, M_R 278,32, Schmp. (wasserfrei) 197–198 °C; λ_{max} (0,01 M HCl) 241, 297 nm ($A^{1\%}_{1cm}$ 561, 266), pK_{a1} 7,4, pK_{a2} 2,65; LD_{50} (Maus i.p.) 1,06 g/kg; schwer lösl. in Wasser, Ether, gut in Aceton, leicht lösl. in verd. Mineralsäuren u. wäss. Alkalien. Verwendet wird auch das Natriumsalz, Schmp. 197–200 °C. S. wurde 1942 von Ward, Blenkinsop, 1943 von I. C. I., 1946 von Sharp & Dohme, 1964 von Ist. Chemioterap. Ital. patentiert. – ***E*** = ***F*** sulfadimidine – ***I*** = ***S*** sulfadimidina

Lit.: Beilstein E III/IV **25**, 2215 ▪ Florey **7**, 401–422 ▪ Hager (5.) **9**, 699ff. ▪ Martindale (31.), S. 279 ▪ Ph. Eur. **1997** u. Komm. – *[HS 2935 00; CAS 57-68-1 (S.); 1981-58-4 (Natriumsalz)]*

Sulfadoxin (Rp).

H_2N–C₆H₄–SO_2–NH–(5,6-Dimethoxy-4-pyrimidinyl) (H_3CO, OCH_3)

Internat. Freiname für das mikrobizid wirkende N^1-(5,6-Dimethoxy-4-pyrimidinyl)sulfanilamid, $C_{12}H_{14}N_4O_4S$, M_R 310,34, Krist., Schmp. 190–194 °C, LD_{50} (Maus oral) 5,2, (Maus i.p. u. s.c.) 2,9 g/kg; unlösl. in Ether, schwer lösl. in Wasser, Alkohol, leicht lösl. in verd. Mineralsäuren u. wäss. Alkalien; Lagerung: vor Licht geschützt. S. wurde 1962 u. 1964 von Hoffmann-La Roche patentiert. Bei *Malaria-Mitteln mit Kombinationen aus S. u. *Pyrimethamin wurde über erhebliche Nebenwirkungen berichtet. – ***E*** = ***F*** sulfadoxine – ***I*** = ***S*** sulfadoxina

Lit.: Florey **17**, 571–605 ▪ Hager (5.) **9**, 701–704 ▪ Martindale (31.), S. 276f. ▪ Ullmann (5.) **A 6**, 191. – *[HS 2935 00; CAS 2447-57-6]*

Sulfaethidol (Rp).

H_2N–C₆H₄–SO_2–NH–(5-Ethyl-1,3,4-thiadiazol-2-yl) (C_2H_5)

Internat. Freiname für N^1-(5-Ethyl-1,3,4-thiadiazol-2-yl)sulfanilamid, $C_{10}H_{12}N_4O_2S_2$, M_R 284,36, Krist., Schmp. 186 °C, schwer lösl. in Wasser, Chloroform, Ether, lösl. in Alkohol, Lagerung: vor Licht u. Luft geschützt. S. ist ein oral mikrobizid wirksames *Sulfonamid gegen Infektionen der Harnwege u. von TAD (Harnosal®) in Kombination mit *Sulfamethizol im Handel. – ***E*** sulfaethidole – ***F*** sulfaéthidole – ***I*** sulfaetidolo – ***S*** sulfaetidol

Lit.: Hager (4.) **2**, 556. – *[HS 2935 00; CAS 94-19-9]*

Sulfafurazol (Rp).

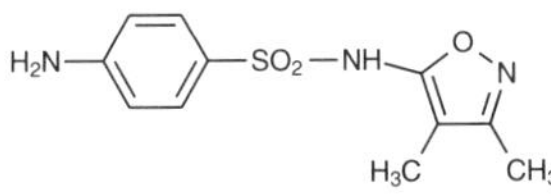

Von der WHO (statt *Sulfisoxazol*) vorgeschlagener Freiname für das *Sulfonamid N^1-(3,4-Dimethyl-5-isoxazolyl)sulfanilamid, $C_{11}H_{13}N_3O_3S$, M_R 267,30, Prismen, Schmp. 194 °C; λ_{max} (CH_3OH) 271 nm ($A^{1\%}_{1cm}$ 720), pK_a 4,9, LD_{50} (Maus oral) 6,8 g/kg; schwer lösl. in Wasser, lösl. in Ethanol, Lagerung: vor Licht u. Luft geschützt. Verwendet wird auch das Diolaminsalz (1:1-Salz mit *2,2′-Iminodiethanol), $C_{15}H_{24}N_4O_5S$, M_R 372,44, Schmp. 119–124 °C. S. wurde 1947 von Hoffmann-La Roche patentiert. – ***E*** sulfafurazole – ***F*** **=** ***S*** sulfafurazol – ***I*** sulfafurazolo

Lit.: Beilstein E III/IV **27**, 4747 ▪ Florey **2**, 487–506 ▪ Hager (5.) **9**, 704 f. ▪ IARC Monogr. **24**, 275–284 (1980); Suppl. **4**, 233 f. (1982) ▪ Martindale (31.), S. 279 f. ▪ Ph. Eur. **1997** u. Komm. ▪ Ullmann (5.) **A 6**, 189 f. – *[HS 2935 00; CAS 127-69-5 (S.); 4299-60-9 (Diolaminsalz)]*

Sulfaguanidin (Rp).

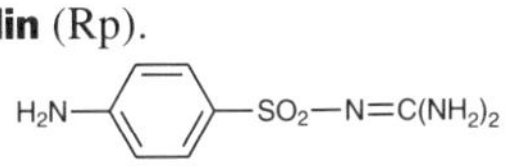

Internat. Freiname für das *Sulfonamid N^1-Amidinosulfanilamid (Sulfanilylguanidin), $C_7H_{10}N_4O_2S$, M_R 214,24, Schmp. (wasserfrei) 190–193 °C, LD_{100} (Maus i.p.) 1,0 g/kg; schwer lösl. in kaltem Wasser, gut in siedendem, wenig lösl. in Alkohol, Aceton, leicht in verd. Mineralsäuren. S. ist gegen Erreger von Darminfektionen wirksam. – ***E*** **=** ***F*** sulfaguanidine – ***I*** **=** ***S*** sulfaguanidina

Lit.: Beilstein E IV **14**, 2668 ▪ DAB **9**, Komm.: 3207–3210 ▪ Hager (4.) **2**, 539 f. ▪ Martindale (31.), S. 280. – *[HS 2935 00; CAS 57-67-0]*

Sulfaguanol (Rp).

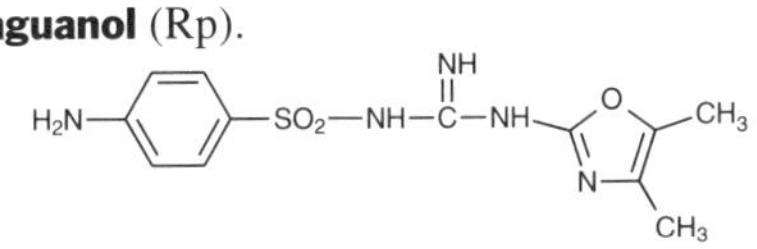

Internat. Freiname für das bes. gegen Darminfektionen wirksame *Sulfonamid N^1-[(4,5-Dimethyl-2-oxazolyl)-amidino]sulfanilamid [*N*-(4,5-Dimethyl-2-oxazolyl)-*N′*-sulfanilylguanidin], $C_{12}H_{15}N_5O_3S$, M_R 309,35, farblose Krist., Schmp. 233–236 °C; auch 228–230 °C angegeben; λ_{max} (0,1 M HCl) 224, 264 nm ($A^{1\%}_{1cm}$ 193, 258), pK_a 7,76; unlösl. in Wasser, lösl. in verd. wäss. Natronlauge. S. wurde 1970 u. 1971 von Nordmark patentiert. – ***E*** **=** ***F*** **=** ***S*** sulfaguanol – ***I*** sulfaguanolo

Lit.: Hager (5.) **9**, 705 f. ▪ Martindale (31.), S. 280. – *[HS 2935 00; CAS 27031-08-9]*

Sulfalen (Rp).

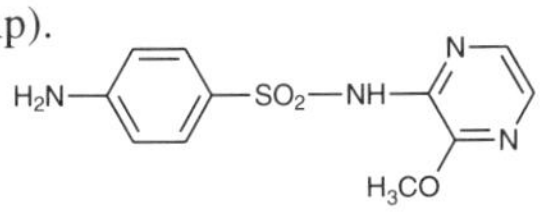

Internat. Freiname für N^1-(3-Methoxy-2-pyrazinyl)-sulfanilamid (früher *Sulfamethoxypyrazin* genannt), $C_{11}H_{12}N_4O_3S$, M_R 280,32, Krist., Schmp. 176 °C, λ_{max} (0,1 M HCl) 219, 304 nm ($A^{1\%}_{1cm}$ 535, 292), pK_a 7,0. Das *Sulfonamid S. wirkt bes. gegen Harnwegsinfektionen. S. wurde 1963 von Farmitalia patentiert u. ist von Pharmacia & Upjohn (Longum®) im Handel. – ***E*** **=** ***I*** sulfalene – ***F*** sulfalène – ***S*** sulfaleno

Lit.: Hager (5.) **9**, 706–709 ▪ Martindale (31.), S. 277. – *[HS 2935 00; CAS 152-47-6]*

Sulfamate (Amidosulfate). Bez. für Salze u. Ester der *Amidoschwefelsäure (**Sulfamidsäure*) mit dem ggf. substituierten Rest $-O-SO_2-NH_2$. – ***E*** **=** ***F*** sulfamates – ***I*** solfammati, ammidosolfati – ***S*** sulfamatos

Sulfamerazin (Rp).

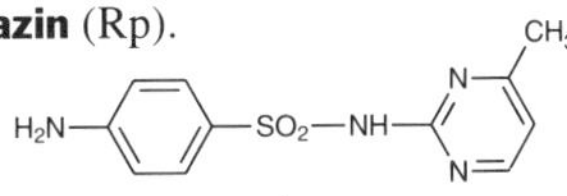

Internat. Freiname für N^1-(4-Methyl-2-pyrimidinyl)-sulfanilamid, $C_{11}H_{12}N_4O_2S$, M_R 264,30, Krist., Schmp. 234–238 °C; λ_{max} (H_2O) 243, 257 nm ($A^{1\%}_{1cm}$ 875, 822), pK_a 7,1; schwer lösl. in Wasser, Ether, Chloroform, wenig in Alkohol, leicht lösl. in verd. Mineralsäuren u. wäss. Alkalien, Lagerung: vor Licht u. Luft geschützt. Das *Sulfonamid S. wirkt bes. gegen Streptokokken- u. Salmonelleninfektionen. Es wurde 1946 von Sharp & Dohme patentiert u. ist von Berlin-Chemie in Kombination mit *Trimethoprim (Berlocombin®) im Handel. – ***E*** sulfamerazine – ***F*** sulfamérazine – ***I*** **=** ***S*** sulfamerazina

Lit.: Beilstein E III/IV **25**, 2159 ▪ Florey **6**, 515–577 ▪ Hager (5.) **9**, 710 f. ▪ Martindale (31.), S. 277 ▪ Ph. Eur. **1997** u. Komm. – *[HS 2935 00; CAS 127-79-7]*

Sulfamethazin. Veraltete Kurzbez. für *Sulfadimidin.

Sulfamethizol (Rp).

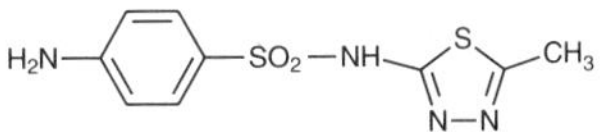

Internat. Freiname für das mikrobizid wirksame *Sulfonamid N^1-(5-Methyl-1,3,4-thiadiazol-2-yl)-sulfanilamid, $C_9H_{10}N_4O_2S_2$, M_R 270,33, Krist., Schmp. 208 °C; λ_{max} (C_2H_5OH) 284 nm ($A^{1\%}_{1cm}$ 702), pK_a 5,3, schwer lösl. in schwach saurem Wasser, gut in neutralem, lösl. in Alkohol, Aceton, wenig in Ether, Chloroform. S. wurde 1948 von Lundbeck patentiert u. ist von TAD (Harnosal®) in Kombination mit *Sulfaethidol im Handel. – ***E*** sulfamethizole – ***F*** sulfaméthizole – ***I*** sulfametizolo – ***S*** sulfametizol

Lit.: Beilstein E III/IV **27**, 8068 ▪ Hager (5.) **9**, 711 f. ▪ Martindale (31.), S. 280 ▪ Ph. Eur. **1997** u. Komm. ▪ Ullmann (5.) **A 6**, 191. – *[HS 2935 00; CAS 144-82-1]*

Sulfamethoxazol (Rp).

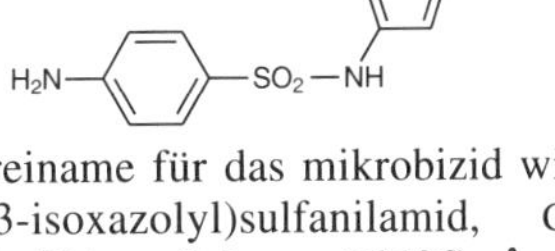

Internat. Freiname für das mikrobizid wirksame N^1-(5-Methyl-3-isoxazolyl)sulfanilamid, $C_{10}H_{11}N_3O_3S$, M_R 253,31, Krist., Schmp. 167 °C; λ_{max} (C_2H_5OH) 270 nm ($A^{1\%}_{1cm}$ 754), pK_a 5,6; sehr schwer lösl. in Wasser, lösl. in Alkalihydroxid-Lsg.; Lagerung: lichtgeschützt. S. wurde 1959 von Shionogi patentiert. Die synergist. wirkende Kombination von S. mit *Trimethoprim im Verhältnis 5:1 (**Co-trimoxazol*) ist bes. gegen Harnwegsinfektionen wirksam, wird aber auch bei chron. Bronchitis, Mittelohrentzündung u. a. Infektionen eingesetzt. Sie ist von vielen Firmen als Generikum im Handel. – ***E*** sulfamethoxazole – ***F*** sulfaméthoxazole – ***I*** sulfametoxazolo – ***S*** sulfametoxazol

Lit.: Beilstein E III/IV **27**, 4685 ▪ Florey **2**, 467–486 ▪ Hager (5.) **9**, 713–716 ▪ IARC Monogr. **24**, 285–295 (1980), Suppl. 4, 234 f. (1982) ▪ Martindale (31.), S. 280 ff. ▪ Ph. Eur. **1997** u. Komm. ▪ Ullmann (5.) **A 6**, 189. – *[HS 2935 00; CAS 723-46-6]*

Sulfamethoxypyrazin s. Sulfalen.

Sulfamethoxypyridazin (Rp).

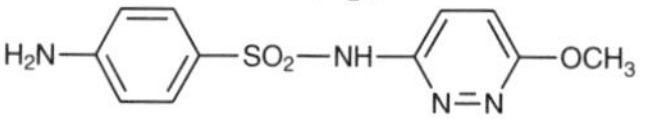

Internat. Freiname für N^1-(6-Methoxy-3-pyridazinyl)-sulfanilamid, $C_{11}H_{12}N_4O_3S$, M_R 280,32, bittere Krist., Schmp. 182–183 °C; λ_{max} (CH_3OH) 268 nm ($A^{1\%}_{1cm}$ 775), pK_a 6,7; schwer lösl. in Wasser, Alkohol, besser in Aceton, leicht lösl. in wäss. Alkalien u. verd. Mineralsäuren. Lagerung: vor Licht u. Luft geschützt. Das *Sulfonamid S. wirkt als mikrobizide Verb. gegen Harnwegsinfektionen u. wurde 1955 von Am. Cyanamid patentiert. – ***E*** sulfamethoxypyridazine – ***F*** sulfaméthoxypyridazine – ***I = S*** sulfametoxipiridazina

Lit.: Hager (5.) **9**, 716 f. ▪ Martindale (31.), S. 277 ▪ Ph. Eur. **1997** u. Komm. – *[HS 2935 00; CAS 80-35-3]*

Sulfametoxydiazin (Rp).

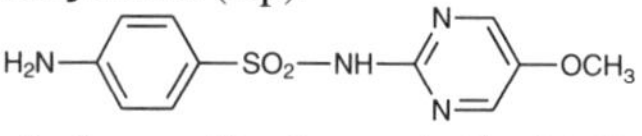

Internat. Freiname für das antimikrobiell wirksame *Sulfonamid N^1-(5-Methoxy-2-pyrimidinyl)-sulfanilamid, $C_{11}H_{12}N_4O_3S$, M_R 280,32, bittere Krist., Schmp. 214–216 °C; λ_{max} (CH_3OH) 231, 271 nm ($A^{1\%}_{1cm}$ 573, 739), pK_a 7,0; sehr wenig lösl. in Wasser, Alkohol, Ether, lösl. in verd. Säuren u. Alkalien; Lagerung: vor Licht u. Luft geschützt. S. wurde 1959 von Schering patentiert. – ***E*** sulfametoxydiazine – ***F*** sulfamétoxydiazine – ***I = S*** sulfametoxidiazina

Lit.: ASP ▪ Hager (5.) **9**, 717 f. ▪ Martindale (29.), S. 308. – *[HS 2935 00; CAS 651-06-9]*

Sulfametrol (Rp).

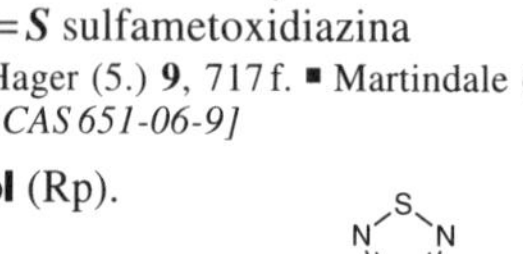

Internat. Freiname für das mikrobizid wirksame *Sulfonamid N^1-(4-Methoxy-1,2,5-thiadiazol-3-yl)-sulfanilamid, $C_9H_{10}N_4O_3S_2$, M_R 286,32, Krist., Schmp. 149–150 °C; λ_{max} (CH_3OH) 269 nm ($A^{1\%}_{1cm}$ 770). S. wurde 1963 u. 1966 von OSSW u. 1979 von Chemie Linz patentiert. Die Kombination mit *Trimethoprim im Verhältnis 5:1 wirkt synergistisch. – ***E*** sulfametrole – ***F*** sulfamétrole – ***I*** sulfametrolo – ***S*** sulfametrol

Lit.: Hager (5.) **9**, 718 f. ▪ Martindale (31.), S. 277. – *[HS 2935 00; CAS 32909-92-5]*

Sulfamid. Bevorzugter Name für *Schwefelsäurediamid* (Sulfuryldiamid), $H_2N–SO_2–NH_2$, M_R 96,11. Farblose Krist., Schmp. 92,1 °C, in Wasser, Aceton u. siedendem Alkohol leicht lösl.; die H-Atome haben sauren Charakter. S. wird durch Umsetzung von Sulfurylchlorid mit trockenem Ammoniak-Gas hergestellt. Bei vorsichtigem Erhitzen auf 180–200 °C erfolgt Kondensation zu einem cycl. Trimeren (*Trisulfimid*, s. Sulfimid). – ***E = F*** sulfamide – ***I*** sulfammide, solfonildiammide – ***S*** sulfamida

Lit.: Brauer (3.) **1**, 490 ff. ▪ Gmelin, Syst.-Nr. 9, S, Tl. B, 1963, S. 1599–1607. – *[HS 2851 00; CAS 7803-58-9]*

Sulfamidsäure. Neben *Amidoschwefelsäure zulässige Bez. für die Verb. $H_2N–SO_2–OH$ (IUPAC-Regel C-661). Ihre Salze heißen *Sulfamate, Sulfamidate od. Amidosulfate. Namen der Reste: $–SO_2–NH_2$ = *Sulfamoyl... [CAS (Aminosulfonyl)...]; $–NH–SO_2–R$ = *...sulfonamido... od. ...sulfonylamino...; $–NH–SO_3H$ = *Sulfoamino... – ***E*** sulfamic acid – ***F*** acide sulfamique – ***I*** acido solfammico – ***S*** ácido sulfámico

Sulfamino... s. Sulfoamino...

Sulfaminsäure. Veraltete dtsch. Bez. für Sulfamidsäure, s. Amidoschwefelsäure.

Sulfamoxol (Rp).

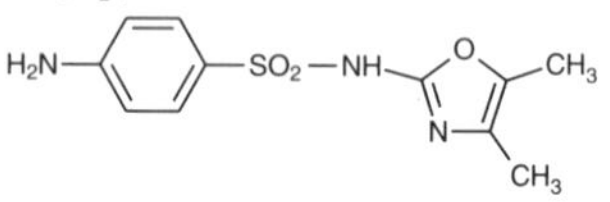

Internat. Freiname für das Mikrobizid N^1-(4,5-Dimethyl-2-oxazolyl)sulfanilamid, $C_{11}H_{13}N_3O_3S$, M_R 267,31, Krist., Schmp. 193–194 °C; λ_{max} (CH_3OH) 269 nm ($A^{1\%}_{1cm}$ 840), pK_a 7,4; LD_{50} (Maus oral) > 10,0, (Maus i.p.) 1,8 g/kg; schwer lösl. in Wasser, leicht lösl. in Methanol. S. wurde 1957 von Nordmark patentiert. Es ist ein *Sulfonamid, dessen Wirkung durch *Trimethoprim synergist. verstärkt wird (*Cotrifamol*). – ***E = F*** sulfamoxole – ***I*** sulfamoxolo – ***S*** sulfamoxol

Lit.: Hager (5.) **9**, 719 ff. ▪ Knothe, Current Concepts in Antibacterial Chemotherapy, Sulfamoxole/Trimethoprim (Cotrifamole), New York: Academic Press 1980 ▪ Martindale (31.), S. 282 f. – *[HS 2935 00; CAS 729-99-7]*

Sulfamoyl... Bez. der Atomgruppierung $–SO_2–NH_2$ [IUPAC-Regel C-641.8b; veraltet: Sulfamyl...; CAS: (Aminosulfonyl)...]; vgl. Sulfoamino... – ***E = F*** sulfamoyl... – ***I = S*** sulfamoil...

Sulfamyl... Veraltete dtsch. Bez. für *Sulfamoyl...

Sulfanblau s. Disulfinblau VN 150 u. Patentblau-Farbstoffe.

Sulfane. Bez. für die sich von *Schwefelwasserstoff ableitenden *Polyschwefelwasserstoffe* $H–S_n–H$. Durch Zutropfen einer Alkali-*Polysulfid-Lsg. zu stark gekühlter konz. Salzsäure wird ein gelbes Rohöl erhalten, das sich durch vorsichtige Dest. in Tetra- bis Octasulfan (H_2S_4 bis H_2S_8) zerlegen läßt: *Tetrasulfan*, H_2S_4, M_R 130,28, ist ein hellgelbes Öl, D. 1,588 (bei 15 °C), Schmp. –85 °C. Bei Krackdest. (s. Kracken) entstehen hingegen die Schwefel-ärmeren Glieder *Disulfan*, H_2S_2, M_R 66,15, gelbes Öl, D. 1,334, Schmp. –89,6 °C, Sdp. 70,7 °C, u. *Trisulfan* H_2S_3, M_R 98,21, hellgelbe Flüssigkeit, D. 1,496, Schmp. –53 °C, Zers. 90 °C. Alle S. lösen sich leicht in CS_2. Es sind auch Halogen-substituierte S. bekannt, z. B. die *Schwefelchloride (*Chlorsulfane*). Organ. substituierte S. ($R^1–S_n–R^2$) werden entweder als solche od. als *Sulfide (Di-, Trisulfide etc.) benannt. – ***E = F*** sulfanes – ***I*** sulfani – ***S*** sulfanos

Lit.: Angew. Chem. **87**, 683–692 (1975) ▪ Brauer (3.) **1**, 362–370 ▪ Kirk-Othmer (4.) **23**, 275–285 ▪ Z. Naturforsch. Teil B **40**, 263 (1985) ▪ s. a. Schwefelwasserstoff. – *[CAS 13465-07-1 (H_2S_2); 13845-23-3 (H_2S_3); 13845-25-5 (H_2S_4)]*

Sulfanilamid (Rp).

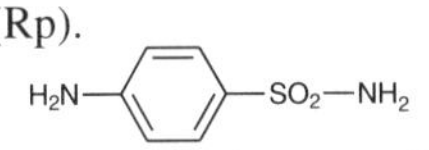

Internat. Freiname u. nach IUPAC-Regel C-641.1/8 zulässiger systemat. Name für 4-Aminobenzolsulfonamid, $C_6H_8N_2O_2S$, M_R 172,21, Krist., Schmp. 163–167 °C; λ_{max} (CH_3OH) 262 nm ($A^{1\%}_{1cm}$ 1116), pK_a 10,43, pK_b 11,63; LD_{50} (Hund oral) 2 g/kg; schwer lösl. in kaltem Wasser, gut in heißem, leicht lösl. in Aceton, sehr schwer in Ether, Chloroform, lösl. in verd. Mineralsäuren u. wäss. Alkalien; Lagerung: vor Licht u. Luft geschützt. Das bereits seit 1908 bekannte S. (Prontalbin®) kann als Stammverb. der *Sulfonamide u. *Sulfonylharnstoffe (vgl. die hier benachbarten Stichwörter) angesehen werden. S., das Amid der 4-*Aminobenzolsulfonsäure, diente lange Zeit zur Behandlung von Infektionen durch Streptokokken, Staphylokokken u. Coli-Bakterien, heute v. a. zur Herst. von Pharmazeutika u. Farbstoffen. Von S. ist bekannt, daß es durch *Sensibilisation hautschädigend wirken kann. – ***E*** = ***F*** = ***I*** sulfanilamide – ***S*** sulfanilamida

Lit.: Beilstein E IV **14**, 2658 ▪ DAB **7**, 909–911 ▪ Hager (5.) **9**, 722 f. ▪ Martindale (31.), S. 283 ▪ Ullmann (5.) **A 6**, 186–188. – *[HS 2935 00; CAS 63-74-1]*

Sulfanilsäure s. Aminobenzolsulfonsäuren, diazotierte S. s. 4-Diazoniobenzolsulfonat.

Sulfanilyl... Bez. für den 4-Aminobenzolsulfonyl-Rest

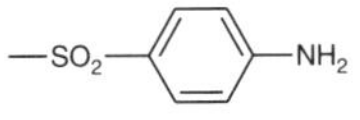

(IUPAC-Regel C-641.1/7); CAS: [(4-Aminophenyl)sulfonyl]...; typ. Teilstruktur der *Sulfonamide u. *Sulfonylharnstoffe; vgl. Sulfa... – ***E*** = ***F*** sulfanilyl... – ***I*** = ***S*** sulfanilil...

***N*-Sulfanilylacetamid** s. Sulfacetamid.

Sulfaperin (Rp).

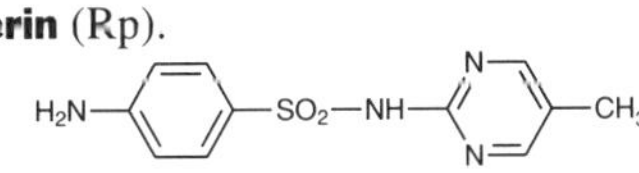

Internat. Freiname für das mikrobizide *Sulfonamid N^1-(5-Methyl-2-pyrimidinyl)sulfanilamid, $C_{11}H_{12}N_4O_2S$, M_R 264,30, kleine, cremefarbene Krist., Schmp. 262–263 °C, sehr wenig lösl. in Wasser u. Ethanol, lösl. in verd. Mineralsäuren u. wäss. Alkalien. – ***E*** sulfaperin – ***F*** sulfapérine – ***I*** = ***S*** sulfaperina

Lit.: Martindale (31.), S. 277. – *[HS 2935 00; CAS 599-88-2]*

Sulfaphenazol (Rp).

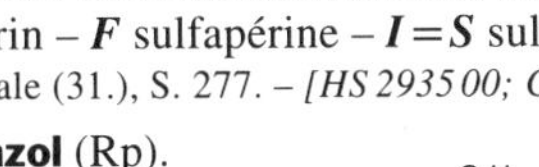

Internat. Freiname für das mikrobizide *Sulfonamid N^1-(1-Phenyl-1*H*-pyrazol-5-yl)sulfanilamid, $C_{15}H_{14}N_4O_2S$, M_R 314,35, Krist., Schmp. 179–183 °C; λ_{max} (CH_3OH) 269 nm ($A^{1\%}_{1cm}$ 652), pK_a 6,2, LD_{50} (Maus oral) 5,8 g/kg; sehr wenig lösl. in Wasser, besser in Alkohol u. Eisessig; Lagerung: vor Licht u. Luft geschützt. S. wurde 1958 von Ciba patentiert. – ***E*** sulfaphenazole – ***F*** sulfaphénazol – ***I*** sulfafenazolo – ***S*** sulfafenazol

Lit.: Beilstein E III/IV **25**, 2029 ▪ Hager (5.) **9**, 723 f. ▪ Martindale (29.), S. 309. – *[HS 2935 00; CAS 526-08-9]*

Sulfaproxylin (Rp).

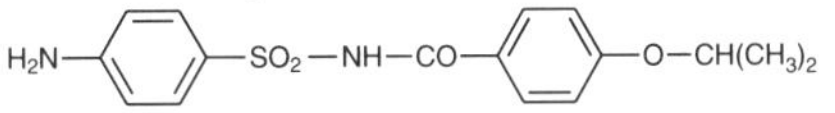

Internat. Freiname für das mikrobizide *Sulfonamid 4-Isopropoxy-*N*-sulfanilylbenzamid, $C_{16}H_{18}N_2O_4S$, M_R 334,41, Schmp. 172–173 °C. S. wurde 1950 von Geigy patentiert. – ***E*** sulfaproxylin – ***F*** sulfaproxyline – ***I*** = ***S*** sulfaproxilina

Lit.: Martindale (29.), S. 309. – *[HS 2935 00; CAS 116-42-7]*

Sulfapyridin (Rp).

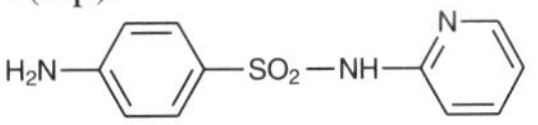

Internat. Freiname für das gegen Salmonellen u. a. Infektionen wirksame *Sulfonamid N^1-(2-Pyridyl)-sulfanilamid, $C_{11}H_{11}N_3O_2S$, M_R 249,29, Krist., Schmp. 191–193 °C, LD_{50} (Maus oral) 7,5 g/kg; schwer lösl. in Wasser, besser in Alkohol, Aceton, leicht lösl. in verd. Mineralsäuren u. wäss. Alkalien. S. ist von May & Baker in Großbritannien im Handel (M & B 693®). – ***E*** = ***F*** sulfapyridine – ***I*** = ***S*** sulfapiridina

Lit.: Beilstein E V **22/8**, 424 ▪ Hager (4.) **2**, 542; **6 b**, 657 ▪ Martindale (31.), S. 283. – *[HS 2935 00; CAS 144-83-2]*

Sulfasalazin (Rp).

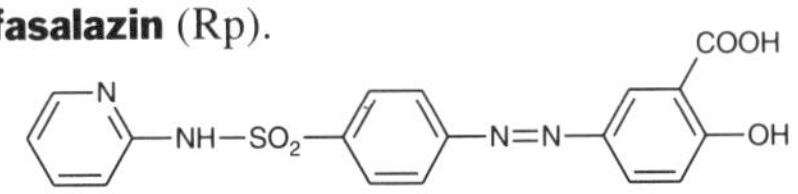

Internat. Freiname für die 2-Hydroxy-5-[4-(2-pyridylsulfamoyl)phenylazo]benzoesäure, $C_{18}H_{14}N_4O_5S$, M_R 398,39, die früher *Salazosulfapyridin* genannt wurde. S. bildet braun-gelbe Krist., Schmp. 240–245 °C (Zers.); λ_{max} (CH_3OH) 247, 368 nm ($A^{1\%}_{1cm}$ 393, 680), pK_{a1} 2,4, pK_{a2} 9,7, pK_{a3} 11,8; unlösl. in Wasser, Benzol, Ether, wenig in Alkohol. Lagerung: vor Licht u. Luft geschützt. Im Verdauungstrakt wird S. enzymat. in seine Komponenten *Sulfapyridin u. *Mesalazin gespalten. Auf letzteres führt man die entzündungshemmende Wirkung von S. bei schweren Dickdarmentzündungen zurück. S. wurde 1946 von Pharmacia (Azulfidine®) patentiert u. ist auch von Henning Berlin (Colo Pleon®) u. Heyl im Handel. – ***E*** = ***F*** sulfasalazine – ***I*** = ***S*** sulfasalazina

Lit.: ASP ▪ Beilstein E III/IV **22**, 4008 ▪ Florey **5**, 515–532 ▪ Hager (5.) **9**, 726–729 ▪ Martindale (31.), S. 1244 ▪ Ph. Eur. **1997** u. Komm. ▪ Ullmann (5.) **A 6**, 191. – *[HS 2935 00; CAS 599-79-1]*

Sulfasan® R. Mittel zur Schwefel-Einsparung bei der Kautschuk-Vulkanisation, setzt aus 4,4′-Dithiodimorpholin bei Vulkanisationstemp. ca. 27% Schwefel in Freiheit. ***B.:*** Monsanto.

Sulfatasche s. Veraschen.

Sulfatasen (EC 3.1.6). Sammelbez. für Sulfat-*Esterasen, d. h. für *Hydrolasen, die saure *Schwefelsäureester hydrolysieren nach dem Schema:

$$R{-}O{-}SO_3^- + H_2O \rightarrow R{-}OH + HSO_4^-.$$

Je nach Art des Restes R unterscheidet man z. B. Aryl-, Steryl-, Gluco-, u. Chondrosulfatasen. Die S.

sind bes. in tier. Geweben (Nieren) verbreitet. Bei erblich bedingtem Mangel an S. kann es zu *Sulfatidosen* (gestörter Abbau der *Sulfatide) kommen. – ***E*** sulfatases, sulphatases – ***F*** sulfatases – ***I*** solfatasi – ***S*** sulfatasas

Sulfat-Assimilation s. assimilatorische Sulfat-Reduktion.

Sulfat-Atmung (dissimilator. Sulfat-Red.). Bez. für einen Stoffwechsel, in dem Sulfat (im weiteren Sinne auch Schwefel) als Elektronenakzeptor für die Oxid. anorgan. od. organ. Substrate dient. Dabei hat Sulfat dieselbe Funktion wie Sauerstoff; die zur S. befähigten Mikroorganismen können daher auch unter anaeroben Bedingungen wachsen (s. a. Heterotrophie). Zur S. sind die *Bakterien *Desulfovibrio* u. *Desulfotomaculum* befähigt, die in Faulschlämmen u. stark verschmutzten Gewässern vorkommen. *Desulfovibrio desulfuricans* kann sowohl Wasserstoff als auch organ. Substrate oxidieren. Der Sulfat-Verbrauch wird als Desulfurikation bezeichnet. Die S. beginnt wie die *assimilatorische Sulfat-Reduktion, kann dann aber auch über andere Schritte zur Sulfid-Bildung führen. – ***E*** dissimilatory sulfate reduction, sulfate respiration – ***F*** réduction (respiration) de sulfat – ***I*** riduzione dissimilata di solfato, respirazione solfatica – ***S*** reducción (respiración) de sulfato

Lit.: Richter, Stoffwechselphysiologie der Pflanzen (6.), S. 407 ff., Stuttgart: Thieme 1998.

Sulfatbleiweiß (Sulfobleiweiß). Farbpulver aus bas. *Bleisulfat, wird direkt aus Bleierz gewonnen, wurde früher für Außenanstriche verwendet (für Innenanstriche nicht zugelassen). – ***E*** basic lead sulfate white – ***F*** sulfate basique de plomb – ***I*** bianco del solfato di piombo – ***S*** blanco de sulfato de plomo

Lit.: Gatz (Hrsg.), Lexikon der Anstrichtechnik, 10. Aufl., Bd. 1, München: Callwey 1994.

Sulfatcellulose. Bez. für nach dem sog. *Kraft-Verf.* (s. Cellulose, S. 637) aus Holz gewonnene Cellulose. – ***E*** sulfate cellulose – ***F*** cellulose au sulfate – ***I*** cellulosa al solfato – ***S*** celulosa al sulfato

Sulfate. Bez. für die Salze u. Ester der *Schwefelsäure, die entstehen, wenn eines der beiden od. beide H-Ionen des H_2SO_4-Mol. durch Metall-Ionen od. organ. Reste ersetzt werden; die organ. S. werden als *Schwefelsäureester separat besprochen. Im ersten Fall entstehen die in Wasser leicht lösl., leicht schmelzenden „sauren S." (*Hydrogensulfate) der allg. Formel M^IHSO_4. Im zweiten Fall erhält man S., „neutrale" od. normale S., $M^I_2SO_4$, die meist mit Kristallwasser kristallisieren, zur Bildung von Doppelsalzen neigen u. in Wasser in der Regel leicht lösl. sind; fast unlösl. sind Bariumsulfat, Strontiumsulfat, Europium(II)-sulfat (wird in der Technik zur Abtrennung von Europium von den übrigen Lanthanoiden benutzt) u. Bleisulfat, schwer lösl. ist Calciumsulfat. Die Ca- u. Ba-S. werden daher vielfach als *Füllstoffe benutzt[1]. Alkali- u. Erdalkali-S. sind therm. sehr stabil. Einige Kristallwasser-haltige S. nannte man früher *Vitriole*, z. B. die von Zn, Fe u. Cu. Die S. bilden zusammen mit Chromaten, Molybdaten u. Wolframaten eine Klasse der *Mineralien; die wichtigsten in der Natur vorkommenden S. sind Gips, Anhydrit, Bittersalz, Kieserit, Schwerspat, Kainit, Cölestin, Glaubersalz u. die Alaune. Wo S.-Minerale angereichert vorkommen, kann das Trinkwasser höhere S.-Gehalte aufweisen, s. die Karte bei *Lit.*[2,3]. Im übrigen können S. natürlich auch aus Luftverunreinigungen (*Saurer Regen), Düngemitteln (zur S.-Nutzbarmachung wird die S.-*Reduktase benötigt) u. a. anthropogenen Quellen in die Gewässer gelangen, weshalb sie mittlerweile ubiquitär sind. Zum Nachw. u. zur Bestimmung von S. eignen sich Bariumchlorid, 4′-Chlorbiphenyl-4-amin, Benzidin, 1,5-Diphenylcarbonohydrazid, *N,N*-Dimethyl-*p*-phenylendiamin, Natriumrhodizonat, Folins Reagenz, *N*-(1-Naphthyl)ethylendiamin, Sulfonazo, Thorin u. a. Reagenzien[4]. Zur Spurenbestimmung von S. in der Umweltanalytik bieten sich potentiometr. Titrationen mittels ionensensitiver Blei-Elektroden, photometr. Titrationen od. auch die Atomabsorptionsspektroskopie an[5]. – ***E*** sulfates (in GB auch sulphates) – ***F*** sulfates – ***I*** solfati – ***S*** sulfatos

Lit.: [1] Büchner et al., S. 505 ff. [2] Aurand et al., Atlas zur Trinkwasserqualität der Bundesrepublik Deutschland (BIBIDAT), S. 28 f., Berlin: Schmidt 1980. [3] 2. Bericht der Regierung der BRD an die Europäische Kommission über Maßnahmen zur Trinkwasserversorgung der Länder Berlin, Brandenburg, Mecklenburg-Vorpommern, Freistaat Sachsen, Sachsen-Anhalt u. Freistaat Thüringen für die Übereinstimmung mit den Normen der Richtlinie 80/778/EWG bis 31.12.1995; Bonn, Juni 1996. [4] Fries-Getrost, S. 326–335. [5] Chem. Labor Betr. **34**, 283–289, 398–401 (1983); Int. Lab. **12**, Nr. 7, 12–20 (1982).

allg.: Dent, Acid Sulphate Soils, Wageningen: Pudoc 1985 ▪ Harter, Sulphates in the Atmosphere, Paris: IEA Coal Res. Rep. 1986 ▪ Hutzinger **1 A**, 105–145; **2 A**, 23–30; **1 D**, 203–213 ▪ Ramdohr-Strunz, S. 595–617.

Sulfathiazol (Rp).

H₂N–C₆H₄–SO₂–NH–(2-Thiazolyl)

Internat. Freiname für das gegen *Kokken wirksame *Sulfonamid N^1-(2-Thiazolyl)sulfanilamid, $C_9H_9N_3O_2S_2$, M_R 255,30, weißes Pulver, 2 Formen: Schmp. 175 °C (hexagonal) bzw. 202–202,5 °C (prismat. Nadeln), sehr schwer lösl. in kaltem Wasser, gut in heißem Wasser, Aceton, unlösl. in Ether, Chloroform, leicht lösl. in verd. Mineralsäuren u. wäss. Alkalien. Lagerung: vor Licht u. Luft geschützt. S. wurde 1940 u. 1944 von May & Baker patentiert. Ein Kondensationsprodukt des S. mit Formaldehyd ist das **Formo-Sulfathiazol*. – ***E*** = ***F*** sulfathiazole – ***I*** sulfatiazolo – ***S*** sulfatiazol

Lit.: Beilstein E III/IV **27**, 4623 ▪ DAB **7**, 914–916 ▪ Hager (4.) **2**, 552–554; **6 b**, 660 ▪ Martindale (31.), S. 283 ▪ Ph. Eur. **1997** u. Komm. – *[HS 2935 00; CAS 72-14-0]*

Sulfathiourea (Rp).

H₂N–C₆H₄–SO₂–NH–C(=S)–NH₂

Internat. Freiname für das *Sulfonamid 1-Sulfanilylthioharnstoff (N^1-Thiocarbamoylsulfanilamid), $C_7H_9N_3O_2S_2$, M_R 231,28, Krist., Zers. bei ca. 172 °C, schwer lösl. in Wasser, Lagerung: lichtgeschützt. S. war z. B. in Sulfa-Dysurgal® (Galenika Hetterich) im Handel. – ***E*** sulfathiourea – ***F*** sulfathiourée – ***I*** = ***S*** sulfatiourea

Lit.: Beilstein E IV **14**, 2671 ▪ DAB **7** u. Komm. ▪ Hager (4.) **2**, 540 f. – *[HS 2935 00; CAS 515-49-1]*

Sulfatide.

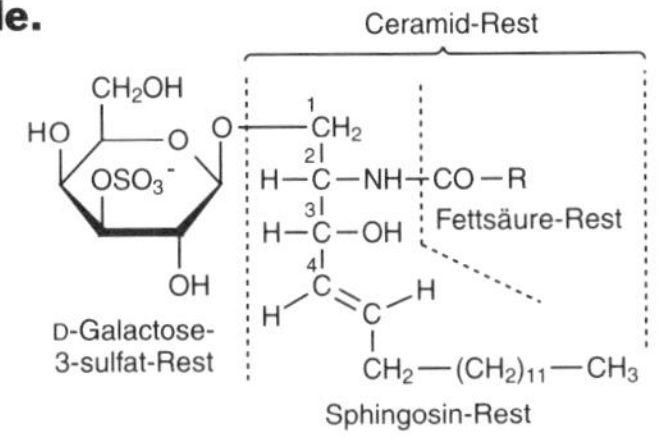

Ceramid-Rest
CH_2OH HO O OSO_3^- OH O — $\overset{1}{C}H_2$ — H–$\overset{2}{C}$–NH–CO–R — H–$\overset{3}{C}$–OH — $\overset{4}{C}$H=CH — CH_2—$(CH_2)_{11}$—CH_3
D-Galactose-3-sulfat-Rest
Fettsäure-Rest
Sphingosin-Rest

Eine Gruppe von sauren *Glykolipiden – genauer von *Glyko-*Sphingolipiden* – in der grauen u. weißen *Hirnsubstanz. Chem. handelt es sich um *Schwefelsäureester der *Cerebroside mit dem Schwefelsäure-Rest an Kohlenstoff-Atom 3 des Monosaccharid-Bausteins (meist D-Galactose). Bei bestimmten Stoffwechselanomalien (*metachromat. Leukodystrophie*) werden S. in verschiedenen Geweben (Nervensyst., Nieren) kumuliert (*Sulfatidose*, s. a. Sulfatasen). – ***E*** sulfatides, sulphatides – ***F*** sulfatides – ***I*** solfatidi – ***S*** sulfatidas

Sulfatidosen s. Sulfatasen, Sulfatide.

Sulfatierte Öle. Bez. für Öle, die durch *Sulfatierung von Ricinus-, Oliven-, Erdnuß-, Fisch- u. a. Ölen hergestellt werden. Bekanntestes Beisp. ist das aus Ricinusöl hergestellte *Türkischrotöl, das neben Sulfat-Gruppen geringe Anteile von durch *Sulfonierung entstandenen Sulfonat-Gruppen enthält u. darum gelegentlich auch als *sulfiertes Öl* bezeichnet wird. Die s. Ö. haben *Tensid-Eigenschaften u. spielen deshalb u. a. in der *Textilfärbung, als Appretur-, Avivage- u. als Lederfettungsmittel eine Rolle. – ***E*** sulfated oils – ***F*** huiles sulfatées – ***I*** oli solfatati – ***S*** aceites sulfatadas

Lit.: J. Am. Oil. Chem. Soc. **48**, 314 (1970) ▪ Seifen Öle Fette Wachse **112**, 9 (1986) ▪ Ullmann (4.) **7**, 121. – *[HS 1518 00]*

Sulfatierung. Bez. für die Umsetzung von Hydroxy-Verb. mit Sulfiermitteln (Schwefelsäure, Oleum, Chlorsulfonsäure, Amidosulfonsäure, Schwefeltrioxid; s. Sulfierung) unter Bildung von Schwefelsäurehalbestern. Die S. von *Fettalkoholen z. B. führt zur Bildung von *Fettalkoholsulfaten, die eine C–O–S-Bindung aufweisen u. in saurem Medium hydrolysieren. – ***E*** sulfatization – ***F*** sulfatation – ***I*** solfatazione – ***S*** sulfatación

Lit.: s. Sulfierung.

Sulfatisierendes Rösten s. Rösten.

Sulfatisierung. Bez. für einen bei Blei-*Akkumulatoren beobachtbaren Kapazitätsverlust, der auf Rekrist. des bei Entladung zunächst hochdispers entstandenen Bleisulfats zurückgeführt wird. – ***E*** sulfatization – ***F*** sulfatisation – ***I*** solfatazione – ***S*** sulfatización

Sulfato(2–)... Bez. des anion. *Liganden SO_4^{2-} in Metall-*Komplexen, s. Koordinationslehre (IUPAC-Regel I-10.4.5.4). – ***E*** sulfato(2–)... – ***F*** = ***S*** sulfato... – ***I*** solfato...

Sulfatolamid (Rp).

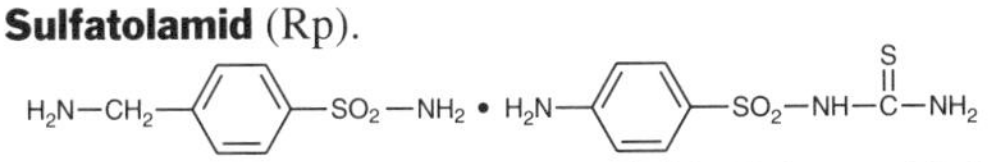

H_2N—CH_2—C_6H_4—SO_2—NH_2 • H_2N—C_6H_4—SO_2—NH—C(=S)—NH_2

Internat. Freiname für das mikrobizide Salz aus *Sulfathiourea u. *Mafenid, $C_{14}H_{19}N_5O_4S_3$, M_R 417,51, Krist., Schmp. 179–181 °C, wenig lösl. in Wasser, Alkohol, Aceton, unlösl. in Ether, leicht lösl. in verd. Mineralsäuren u. wäss. Alkalien. S. wurde 1954 von Schenley Ind. patentiert. – ***E*** = ***F*** = ***I*** sulfatolamide – ***S*** sulfatolamida

Lit.: Beilstein E IV **14**, 2780 ▪ Hager (4.) **6 b**, 661–663 ▪ Martindale (31.), S. 283. – *[HS 2935 00; CAS 1161-88-2]*

Sulfatpech (Tallölpech). Rückstand aus der Dest. u. Fraktionierung von *Tallöl; weiche bis harte, braune od. dunkle, stark klebrige, bindefähige Masse. S. erweicht zwischen 25 u. 55 °C u. enthält etwa 12% Schwefellignin. 12–30% Harzsäuren u. -ester, 35–50% Fettsäuren u. -ester u. 20–35% Unverseifbares; VZ 80–135, SZ 20–60.

Verw.: In der Dachpappen-, Kernbindemittel-, Fußbodenplatten-, Bautenschutz- u. Farben-Industrie. – ***E*** tall oil pitch – ***F*** poix de tallol – ***I*** pece di tallolio, pece al solfato – ***S*** pez (brea) de talol

Lit.: Kirk-Othmer (4.) **23**, 620 f. ▪ s. a. Tallöl. – *[HS 3807 00]*

Sulfat-reduzierende Bakterien (Desulfurikanten). Als S.-r. B. bezeichnet man eine Gruppe von Mikroorganismen mit anaerobem Energiestoffwechsel, die Sulfat-Ionen (SO_4^{2-}) zu Schwefelwasserstoff (H_2S) reduzieren u. organ. Substrate od. Wasserstoff (H_2) oxidieren. Sulfat u. a. oxidierte Schwefel-Verb. dienen an Stelle von mol. Sauerstoff als Elektronenakzeptor (s. Sulfat-Atmung u. assimilatorische Sulfat-Reduktion). Bei den S.-r. B. werden nach der Verwertung von organ. Säuren zwei Gruppen unterschieden: 1. Bakterien, die den Wasserstoff-Donor unvollständig oxidieren u. Acetat ausscheiden, z. B. *Desulfotomaculum-* u. *Desulfovibrio*-Spezies u. – 2. Bakterien, die Alkohol, Acetat, höhere Fettsäuren od. Benzoat als Substrate verwenden u. z. T. chemoautotroph mit Wasserstoff od. Formiat leben können, z. B. *Desulfobacter-*, *Desulfococcus-*, *Desulfosarcina-* u. *Desulfonema*-Spezies.

Vork.: S.-r. B. kommen im anaeroben Schlamm, in Sedimenten von Seen, Brackwasser u. marinen Lebensräumen sowie im Verdauungstrakt von Menschen u. Tieren vor.

Anw.: Der von S. r. B. gebildete Schwefelwasserstoff u. a. Stoffwechselprodukte führen zur mikrobiellen *Korrosion von Eisen u. a. Metallen. S.-r. B. werden bei der anaeroben *Abwasserbehandlung eingesetzt (*Faulschlamm enthält ca. 10^7 Desulfurikanten/mL). – ***E*** sulfate reducing bacteria – ***F*** bactéries réductrices du sulfate – ***I*** batteri solfatoriducenti – ***S*** bacterias reductoras del sulfato

Lit.: Präve et al. (4.), S. 135 ff. ▪ Schlegel (7.), S. 10 f., 334 ff.

Sulfatterpentinöl. Ether. Öl, das zusammen mit *Tallöl als Nebenprodukt bei der *Cellulose-Herst. nach dem Sulfat-Verf. aus Kiefernholz gewonnen u. anschließend gereinigt wird. S. enthält je nach Holzart 60–77% α-Pinen, 2–20% β-Pinen, 2–8% Dipenten, 1–4% Camphen, 2–41% 3-Caren, 0,4–4% *p*-Cymol u. 1–9% Verb., die mit den Terpenen verwandt sind.

Verw.: Für *Kohlenwasserstoffharze, zur Herst. von *Pine Oil. – ***E*** sulfate turpentine – ***F*** essence de térébenthine suédoise – ***I*** trementina al solfato – ***S*** aguarrás sulfático

Lit.: Kirk-Othmer (4.) **23**, 853 ▪ Ullmann (4.) **20**, 264; (5.) **A 11**, 243. – *[HS 3805 10]*

Sulfat-Verfahren s. Cellulose, S. 637.

Sulfat-Zellstoff s. Cellulose, S. 637.

Sulfazecin. Trivialname eines Antibiotikums aus der Klasse der *Monobactame*, s. *β*-Lactam-Antibiotika.

Sulfenamide. Amide der *Sulfensäuren mit der charakterist. Gruppe $-S-NH_2$ (IUPAC-Regel C-641.8; Beilstein's Handbuch benennt S. auch als *Thiohydroxylamin-Derivate). Präfix-Bez. der Gruppe: *Aminothio...* (od. *Aminosulfanyl...*). S.-Derivate sind als *Fungizide im Pflanzenschutz (*Captan, *Folpet) u. als Vulkanisationsbeschleuniger im Einsatz. – ***E*** sulfenamides – ***F*** sulfénamides – ***I*** solfenammidi – ***S*** sulfenamidas

Lit.: Houben-Weyl **E 11**, 107–122 ▪ Kirk-Othmer (3.) **11**, 494; **20**, 339 f. ▪ Org. Prep. Proced. Int. **11**, 33–51 ▪ Winnacker-Küchler (4.) **6**, 584; **7**, 315.

Sulfene. Von Wedekind u. Schenk 1911 geprägter Trivialname für die nach IUPAC-Regel C-633.2 systemat. als *Thioaldehyd-* bzw. *Thioketon-S,S-dioxide* zu bezeichnenden Verb. (s. Formel); vgl. dagegen Sulfensäuren u. Sulfenylchloride. Der Grundkörper *Sulfen* (Thioformaldehyddioxid, $H_2C{=}SO_2$) ist ein sehr unbeständiges Zwischenprodukt bei therm. Zers.-Reaktion von Sulfonylchloriden[1] od. bei der Umsetzung von Methansulfonylchlorid mit Trialkylaminen. Die HCl-Eliminierung aus prim. Sulfonsäurechloriden ist auch die übliche Herst.-Weise für Alkyl- u. Aryl-S., die sich als präparativ nützliche Zwischenprodukte in organ. Synth. erwiesen haben.

$$R^2{-}CH(R^1){-}SO_2{-}Cl \xrightarrow[-\,HCl]{Base} R^1R^2C{=}S({=}O)_2$$

– ***E*** sulfenes – ***F*** sulfènes – ***I*** solfeni – ***S*** sulfenos

Lit.: [1] Angew. Chem. **79**, 161–177 (1967).
allg.: Acc. Chem. Res. **8**, 10–17 (1975) ▪ Houben-Weyl **E 11**, 1326–1343 ▪ Synthesis **1970**, 393 ▪ s. a. Schwefel-organische Verbindungen.

Sulfeno... Präfix für die *Sulfensäure-Gruppe $-S-OH$ (CAS, IUPAC-Regel C-641.2); auch Hydroxythio..., Hydroxysulfanyl... genannt. – ***E = S*** sulfeno... – ***F*** sulféno... – ***I*** solfeno...

Sulfensäuren. Nach IUPAC-Regel C-641.1 Gruppenbez. u. zugleich Suffix (*...sulfensäure*) in den Namen von organ. Verb. der allg. Formel $R-S-OH$; *Beisp.:* Benzolsulfensäure H_5C_6-S-OH. Das Präfix für die Atomgruppierung $-S-OH$ [nicht: $-S(O)-H$] lautet *Sulfeno...* Die sehr instabilen S. lassen sich durch Hydrolyse von *Sulfenylchloriden gewinnen. Bedeutung besitzen v. a. die *Sulfenamide u. als Zwischenprodukte die *Sulfenylchloride. In der Natur wurde 1-Propen-1-sulfensäure als Inhaltsstoff der Zwiebel identifiziert, die sich in *Propanthial-*S*-oxid umlagert. – ***E*** sulfenic acids – ***F*** acides sulféniques – ***I*** acidi solfenici – ***S*** ácidos sulfénicos

Lit.: Adv. Phys. Org. Chem. **17**, 65–182 (1980) ▪ Houben-Weyl **E 11**, 63–67 ▪ Katritzky et al. **2**, 184, 718 ▪ Kühle, The Chemistry of the Sulfenic Acids, Stuttgart: Thieme 1973 ▪ Patai, The Chemistry of Sulphenic Acids and their Derivates, Chichester: Wiley 1990 ▪ Spektrum Wiss. **1985**, Nr. 5, 66–72 ▪ s. a. Schwefel-organische Verbindungen.

Sulfentrazon.

Common name für 2′,4′-Dichlor-5′(4-difluormethyl-4,5-dihydro-3-methyl-5-oxo-1*H*-1,2,4-triazolyl)methansulfonanilid, $C_{11}H_{10}Cl_2F_2N_4O_3S$, M_R 387,19, Schmp. 75–78 °C, LD_{50} (Ratte oral) 2855 mg/kg, von FMC Anfang der 90er Jahre eingeführtes selektives, system. *Herbizid gegen Unkräuter u. Ungräser in Mais-, Soja- u. a. Kulturen. – ***E = F = I*** sulfentrazone – ***S*** sulfentrazona

Lit.: Perkow ▪ Pesticide Manual. – *[CAS 122836-35-5]*

Sulfenylchloride. Bez. für Säurechloride der *Sulfensäuren mit der charakterist. Gruppe $-S-Cl$ (IUPAC-Regel C-641.7); *Beisp:* *Trichlormethansulfenylchlorid $Cl_3C-S-Cl$. Präfix-Bez.: Chlorthio... (od. Chlorsulfanyl...). S. finden Verw. zur Herst. organ. *Sulfide, bei Cyclisierungsreaktionen u. Acylierungen. Auch Chlorcarbonyl- u. Chlorcarbonimidoylsulfenylchloride [$Cl-CO-S-Cl$ u. $Cl-C({=}NR)-S-Cl$] sind wichtige Reagenzien. – ***E*** sulfenyl chlorides – ***F*** chlorures de sulfényle – ***I*** cloruri di solfenile – ***S*** cloruros de sulfenilo

Lit.: Houben-Weyl **E 11**, 69–85 ▪ Z. Chem. **20**, 332–335 (1980).

Sulfhämoglobin s. Schwefelwasserstoff.

Sulfhydrate. Veralteter Name für *Hydrogensulfide. Unter der Bez. *Sulfhydryl...* verstand man die Gruppe $-SH$ in sauren Salzen des *Schwefelwasserstoffs (Hydrogensulfide) u. in *Thiolen. – ***E = F*** sulfhydrates – ***I*** solfidrati – ***S*** sulfhidratos

Sulfhydryl... s. Sulfhydrat u. Flotation.

Sulfide. Als typ. Vertreter der *Chalkogenide sind die S. Verb. von *Schwefel mit Metallen, Nichtmetallen, Komplexen u. organ. Resten u. mithin Salze od. Ester des *Schwefelwasserstoffs.

Anorgan. S.: Wird formal nur ein H-Atom von H_2S durch Metall ersetzt, so entstehen die „sauren", prim. S. od. *Hydrogensulfide, allg. Formel M^IHS. Ersetzt man dagegen beide H-Atome von H_2S durch Metall-Atome, so erhält man S., die auch als „neutrale", sek. od. normale S. bezeichnet werden, allg. Formel M^I_2S. Die sauren S. u. die neutralen Alkali-S. (Natrium-S., Kalium-S.) sind in Wasser leicht lösl., Al_2S_3 wird unter H_2S-Entwicklung hydrolysiert, Schwermetall-S. sind prakt. unlöslich. Wäss. S.-Lsg. enthalten entsprechend der pH-abhängigen Gleichgewichtslage geringe Mengen an HS^--Ionen u. H_2S-Mol. u. riechen schon an feuchter Luft deutlich nach Schwefelwasserstoff. Da dieser sehr giftig ist, sollten wäss. Alkali-S.- bzw. -hydrogen-S.-Lsg. beim Färben od. in der Gerberei pH 10 nicht unterschreiten; so kann H_2S nicht frei werden. Die Alkali- u. Erdalkali-S. sind farblos, die übrigen S. meist schwarz (Blei-S., Kupfer-S.), gelb (Cadmium-, Arsen-S.) od. rot (Quecksilber-S.); über eine Klassifizierung der Metall-S. s. *Lit.*[1]. Viele Metalle, insbes. *Schwermetalle, kommen in der Natur in Form von Kiesen, Glanzen, Fahlerzen u. Blenden als sulfid. *Erze u. *Mineralien vor. Infolge Isomorphie können die S. mit *Seleniden zusammen auftreten. Die S. der Alkali- u. Erdalkalimetalle können durch Anlagerung von Schwefel (in wäss. Lsg. od. in der Schmelze) in *Polysulfide, die auch als Salze der *Sulfane aufzufassen sind, übergehen; auch einige Nichtmetall-S. neigen zur Bildung kettenförmiger Poly-S. (z.B. S_nCl_2). Man erhält anorgan. S. durch Erhitzen der pulverisierten Bestandteile (z.B. Zink- u. Schwefel-Pulver), durch Einbringen von Schwefelwasserstoff od. Ammonium-S. in Metallhydroxid od. Metallsalz-Lsg. u. durch Red. von Sulfaten (Glühen mit Kohle). Metall-S. spielen im *Trennungsgang u. als Nachweisform der Metalle in der analyt. Chemie (*Schwefelwasserstoff-Gruppe, vgl. a. Ammoniumsulfid) eine wichtige Rolle. Die meisten Metalle reagieren direkt mit Schwefelwasserstoff od. lösl. Sulfiden. Daher ist der Nachw. von S. im Hinblick auf Umweltschutz, Korrosion u. techn. Eigenschaften von Metallen von Bedeutung; über eine elektrochem. Bestimmung von geringen S.-Mengen s. *Lit.*[2], ein qual. Nachw. ist mit Nitroprussidnatrium, die quant. Bestimmung mit *N,N*-Dimethyl-*p*-phenylendiamin möglich[3]. Die Verarbeitung der S. erfolgt in der Metallurgie durch Rösten (s. dort) unter Bildung von Schwefeldioxid u. Metalloxidhaltigem Abbrand, ggf. auch von Metall (Röstreduktions-Verf.) od. Metallsulfat; neuerdings werden sulfid. Erze auch durch Laugung mit Hilfe von aeroben Schwefel-oxidierenden Bakterien (*Thiobacillus*) verarbeitet, s. Bioleaching u. *Lit.*[4]. Direkte Verw. finden einige anorgan. S. als Pigmente u. Leuchtstoffe.

Organ. S.: Organ. S. können als Ester des Schwefelwasserstoffs – die Halbester sind dann die früher Mercaptane genannten *Thiole – od. als Schwefel-Analoga der *Ether (*Thioether*) aufgefaßt werden. Die Benennung der organ. S. erfolgt in Analogie zur Benennung der entsprechenden Ether nach IUPAC-Regel C-514 mit radikofunktionellen Bez. wie

$H_5C_2{-}S{-}C_2H_5$ Diethylsulfid $H_5C_2{-}S{-}C_6H_5$ Ethylphenylsulfid

mit Substitutionsnamen wie

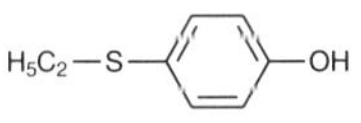

$H_5C_2{-}S{-}C_6H_4{-}OH$ 4-(Ethylthio)-phenol $HOOC{-}C_6H_4{-}S{-}C_6H_4{-}COOH$ 4,4'-Thiodibenzoesäure

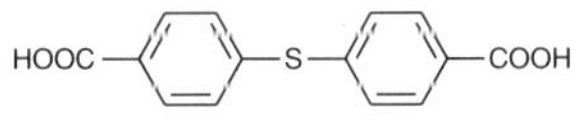

bei komplizierteren linearen S. od. cycl. S. unter Benutzung des Präfixes *Thia... (s.a. Schwefel-Heterocyclen), in überbrückten Verb. mit Epithio... usw. Di- u. höhere S. können nach IUPAC-Regel C-515 als Derivate der *Sulfane od. als S. benannt werden. Hochtemp.-beständige Polymere enthalten häufig S.-Brücken, z.B. die *Polyphenylensulfide. Organ. S. u. bes. *Disulfide sind im Tier- u. Pflanzenreich weit verbreitet, z.B. in Aminosäuren wie *Cystin u. *Methionin – in vielen physiolog. wichtigen Polypeptiden (*Beisp.:* *Insulin, *Oxytocin) spielen *Disulfid-Brücken die Rolle der Verknüpfungsglieder – sowie in *Polysulfiden, in Acyl-*Coenzym A u. in Schwefel-*Eisenproteinen wie Succinat-Dehydrogenase, Ferredoxin u. Rubredoxin u. a. Komplexen, in denen Schwefel ggf. in einem Cluster u. nicht als typ. S. vorliegt. Viele typ. Geruchsstoffe natürlicher Aromen (z.B. *Spargel- u. *Kaffee-Aroma) sind S., u. selbst im Weinaroma sind S. enthalten; über die Chemie von Knoblauch u. Zwiebeln s. *Lit.*[5]. Ein charakterist. riechendes organ. Polysulfid ist das *Lenthionin. Im allg. sind niedermol. S. $R^1{-}S{-}R^2$ mit R = Alkyl, wie sie z.B. bei der bakteriellen Zers. von Eiweiß od. in den Analdrüsen von Musteliden gebildet werden, *Stinkstoffe* od. Kakosmophore (s. osmophore Gruppen). Zur Synth. der organ. S. kommen eine Reihe von häufig radikal. Reaktionen in Frage, z.B. über *Sulfenylchloride, durch *Leuckart-Reaktion, ferner die Oxid. von Thiolen, *Desoxygenierung von Sulfoxiden z.B. mittels Dichlorboran, die direkte *Sulfidierung usw. Viele S. sind wertvolle Zwischenprodukte für Synth.[6]; *Beisp.:* Thioacetale od. -ketale als Schutzgruppen. Die Red. der organ. S. führt zu *Thiolen, die Oxid. zu *Sulfoxiden (Oxide der S.) u. *Sulfonen (Dioxide der S.). Neue C,C-Bindungen können durch die von Eschenmoser eingeführte sog. *S.-Kontraktion* – eine *Desulfurierung* od. *Entschwefelung – geknüpft werden[7]. Auf ihre *Radikalfänger-Eigenschaften geht die Verw. mancher organ. S. als Strahlenschutzstoffe zurück. Andere fungieren als Keratolytika, z.B. in der *Haarbehandlung. – ***E*** sulfides – ***F*** sulfures – ***I*** solfuri – ***S*** sulfuros

Lit.: [1] Naturwissenschaften **71**, 420f. (1984). [2] Int. J. Environ. Anal. Chem. **20**, 167–177 (1985). [3] Fries-Getrost, S. 327–330, 336f. [4] Ullmann (5.) **A 4**, 135. [5] Spektrum Wiss. **1985**, Nr. 5, 60–72. [6] Jansenchim Acta **3**, Nr. 2, 18–28 (1985). [7] Nachr. Chem. Tech. Lab. **28**, 577f. (1980).
allg.: Brauer (3.) **1**, 370–386 ▪ Forssberg, Flotation of Sulphide Minerals, Amsterdam: Elsevier 1985 ▪ Jones, Complex Sulphide Ores, London: Inst. Mining Metallurgy 1980 ▪ Ullmann (5.) **A 25**, 443–456 ▪ Wolf (Hrsg.), Handbook of Strata-bound and Stratiform Ore Deposits, Bd. 14, Amsterdam: Elsevier 1986 ▪ s.a. Schwefel u. Polysulfide. – *[HS 2830 10 bis 2830 90]*

Sulfidierung. Bez. für die Einführung von Schwefel in Form von *Thiol- od. *Sulfid-Gruppen in organ. Verb. z.B. mittels P_4S_{10}, Schwefelchloriden od. elementarem Schwefel. Die S. (*E* sulfurization = *Sulfurierung) ungesätt. Fette wie z.B. *Spermöl führt zu Schmierstoffen. Der Terminus wird auch für die Bildung von anorgan. *Sulfiden durch Erhitzen von Metallen mit Schwefel od. Polysulfiden verwendet u. bezeichnet auch eine Verf.-Stufe bei der Herst. von *Viskosefasern. – ***E*** sulfidation, sulfurization – ***F*** sulfur(is)ation – ***I*** solfurazione – ***S*** sulfuración

Lit.: Kirk-Othmer (4.) **23**, 428–432 ▪ Z. Chem. **27**, 15–24 (1987).

Sulfidin-Verfahren s. Schwefeldioxid.

Sulfid-Kontraktion s. Sulfide.

Sulfido... Neben *Thio... zulässige Bez. des anion. *Liganden S^{2-} in Metall-*Komplexen, s. Koordinationslehre (IUPAC-Regel I-10.4.5.4; CAS: Thioxo...). Der Ligand S_2^{2-} heißt *Disulfido...* [CAS: (Dithio)...], zwei Liganden S^{2-} dagegen *Bissulfido...* – ***E*** sulfido... – ***F*** = ***S*** sulfido – ***I*** solfido

Sulfidogen®. Reagenz zur Schwefelwasserstoff-Erzeugung. ***B.:*** Merck.

Sulfiermittel s. Sulfierung.

Sulfierte Öle s. sulfatierte Öle u. Türkischrotöl.

Sulfierung. Verf. zur Herst. von *Aniontensiden. Hierbei werden geeignete Substrate, wie z.B. Fettalkohole, Fettalkoholpolyethylenglykolether, Olefine, Alkylaromaten od. Fettsäureester mit Sulfiermitteln, wie Schwefelsäure, Oleum, Chlorsulfonsäure, Amidosulfonsäure od. insbes. gasförmigem Schwefeltrioxid umgesetzt. In Abhängigkeit des Substrates verläuft die S. nach unterschiedlichen Mechanismen (s. Abb.).

Substrat	Produkt	Formel
Fettalkohol	Fettalkoholsulfat	$R^1—O—SO_3^-$
Fettalkohol-polyethylenglykolether (Fettalkoholethoxylate)	Fettalkohol-ethersulfate	$R^1—O\{CH_2—CH_2—O\}_nSO_3^-$
Olefin	Olefinsulfonat	$R^1—CH(SO_3^-)—R^2$
Alkylbenzol	Alkylbenzolsulfonat	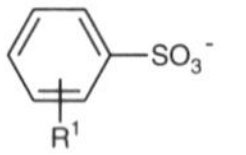 $R^1—C_6H_4—SO_3^-$
Fettsäureester	Fettsäureester-sulfonat	$R^1—CH(SO_3^-)—COOR^2$

Abb.: Sulfierung mit gasf. Schwefeltrioxid.

Die S. von Hydroxygruppen-haltigen Verb. führt zur Bildung von Schwefelsäurehalbestern mit einer säurelabilen C–O–S-Bindung (*Sulfatierung). Bei Einsatz von Olefinen findet ein elektrophiler Angriff des Sulfiermittels auf die Doppelbindung statt, während die S. von Aromaten eine nucleophile Substitution darstellt; in beiden Fällen werden Sulfonate mit einer säurestabilen C–S-Bindung erhalten (*Sulfonierung). Die S. von Fettsäureestern führt zur Bildung von Produkten, die die Sulfonat-Gruppe in α-Stellung zur Carboxy-Funktion aufweisen.

Bei der S. mit Schwefelsäure od. Oleum werden Sulfierprodukte erhalten, die nach Neutralisation eine erhebliche Natriumsulfat-Konz. aufweisen. Da hohe Elektrolytbelastungen in Produkten sowohl aus anwendungstechn. als auch aus ökolog. Gründen (Natriumsulfat ist betonkorrosiv) unerwünscht ist, besitzen derartige Verf. in Europa keine Bedeutung mehr. Die S. mit Chlorsulfonsäure stellt ein bes. schonendes S.-Verf. dar, ist jedoch zwangsläufig mit dem Anfall hochkorrosiver Salzsäure u. einer Chlorid-Belastung der S.-Produkte verbunden. Mit Hilfe von Amidosulfonsäure lassen sich lediglich Ammonium-Salze herstellen. Gasf. Schwefeltrioxid wird in techn. Maßstab durch Schwefel-Verbrennung u. anschließende Konvertierung des gebildeten Schwefeldioxids gewonnen. Infolge seines hohen Oxid.-Potentials kann es nur in 1 bis 10 Vol.-%iger Verdünnung mit Luft od. Stickstoff genutzt werden. In der Regel wird die S. in kontinuierlich arbeitenden Reaktoren durchgeführt, die nach dem Fallfilmprinzip arbeiten. Dabei wird das Substrat in Form eines dünnen Filmes an der gekühlten Wandung eines Rohr- od. Rohrbündelreaktors entlanggeführt u. über den Reaktorkopf od. seitlich – gegebenenfalls über mehrere Stufen – mit dem SO_3/Inertgas-Gemisch umgesetzt. – ***E*** = ***F*** sulfation – ***I*** solforazione – ***S*** sulfación

Lit.: Stache (Hrsg.), Anionic Surfactants: Organic Chemistry, S. 647–696, New York: Dekker 1996.

Sulfilimine s. Sulfimide.

Sulfimid. $HNSO_2$; hypothet. Verb., die formal entsteht, wenn man ein Sauerstoff-Atom des SO_3 durch die isoelektron. HN-Gruppe ersetzt. S., seine Salze u. *N*-substituierte Derivate sind cycl. Oligomere, z. B. die aus *Sulfamid zugänglichen Verb. *Tri-S.* od. *Tetra-S.* $(HNSO_2)_n$ mit n = 3 od. 4 (*Lit.*); vgl. dagegen Sulfimide. – ***E*** = ***F*** sulfimide – ***I*** sulfimmide – ***S*** sulfimida

Lit.: Brauer (3.) **1**, 490 ff. – *[CAS 27208-19-1]*

Sulfimide. a) Verb. der allg. Formel $R^1R^2S{=}N{-}R^3$ (IUPAC-Regel C-633.1); R^1, R^2, R^3 = organ. Reste (od. R^3=H); Synonyme: Imino-λ^4-sulfane (Regel R-5.5.7), Iminosulfurane, *Sulfilimine* (CAS). Ihre *S*-Oxide sind nützliche Reagenzien, s. Sulfoximide. – b) CAS-Bez. für Verb. der allg. Formel $R{-}N{=}SO_2$ (Synonyme: Sulfonylamine, Sulfurylimide, Schwefelimiddioxide). – ***E*** = ***F*** sulfimides – ***I*** sulfimmidi – ***S*** sulfimidas

Lit. (zu a): ACS Monogr. **179** (1983) ▪ Houben-Weyl **E 11**, 887–910.

Sulfinate. Bez. für *Sulfinsäure-Salze u. -Ester [$R{-}SO_2^-M^+$ u. $R^1{-}S(O){-}O{-}R^2$; IUPAC-Regel C-641.5], die man als organ. Derivate der *Sulfoxylsäure auffassen kann; *Beisp.:* s. Hydroxymethansulfinsäure u. Rongalit. Die S. dienen zur Herst. von *Sulfonen. – ***E*** = ***F*** sulfinates – ***I*** solfinati – ***S*** sulfinatos

Sulfine. Trivialname für Verb. der allg. Formel $R^1R^2C{=}S{=}O$ (R^1, R^2=H od. organ. Rest), die nach IUPAC-Regel C-633.2 ...thial- u. ...thion-*S*-oxide zu nennen sind u. durch Oxid. der Thiale u. Thione entstehen. Bei unsymmetr. S. kann man (*E*)- u. (*Z*)-Form trennen. – ***E*** = ***F*** sulfines – ***I*** solfine – ***S*** sulfinas

Lit.: Houben-Weyl **E 11**, 911–943.

Sulfinimide. Trivialname für Imido-Analoga der *Sulfine (allg. Formel: $R^1R^2C{=}S{=}N{-}R^3$), nach IUPAC-Regel C-633.1 als *S*-Alkyliden-substituierte *Sulfimide zu benennen. – ***E*** = ***F*** sulfinimides – ***I*** solfinimmidi – ***S*** sulfinimidas

Lit.: Houben-Weyl **E 11**, 943–949.

Sulfino... s. Sulfinsäuren.

Sulfinol®-Prozeß. Ein Verf. der Shell zur Entfernung saurer Gasbestandteile wie H_2S, CO_2, COS, Thiolen usw. aus Naturgas, H_2-haltigen Gasen, Synthesegasen u. Raffineriegasen durch Auswaschen mit Sulfinol, einer wäss. Lsg. von *Sulfolan u. Diisopropanolamin („DIPA"). Aus der beladenen Waschflüssigkeit werden die sauren Gasbestandteile durch Erwärmen ausgetrieben. ***B.:*** Deutsche Shell Chemie.

Sulfinpyrazon (Rp).

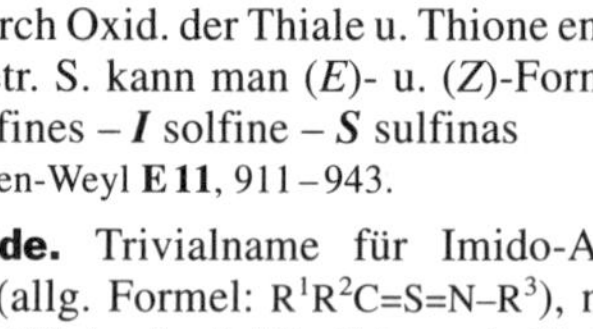

Internat. Freiname für das die *Thrombocyten-Aggregation hemmende *Urikosurikum (Gichtmittel) (±)-1,2-Diphenyl-4-(2-phenylsulfinylethyl)-3,5-pyrazolidindion, $C_{23}H_{20}N_2O_3S$, M_R 404,48, Krist., Schmp. 136–137 °C; λ_{max} (0,01 M NaOH) 259 nm ($A^{1\%}_{1cm}$ 575), pK_a 2,8; wenig lösl. in Wasser, Alkohol, Ether, Fetten, lösl. in Ethylacetat, Chloroform. S. wurde 1955 von Geigy patentiert. – ***E*** = ***F*** sulfinpyrazone – ***I*** sulfinpirazone – ***S*** sulfinpirazona

Lit.: ASP ▪ Hager (5.) **9**, 731–734 ▪ Martindale (31.), S. 424 f. ▪ Ph. Eur. **1997** u. Komm. ▪ Ullmann (5.) **A 5**, 300. – *[HS 2933 19; CAS 57-96-5]*

Sulfinsäuren. Nach IUPAC-Regel C-641 bzw. R-5.7.2.1 [1] systemat. Bez. u. Suffix (*...sulfinsäure*) in den Namen organ. Verb. der allg. Formel R–S(O)OH, wobei R ein Alkyl- od. Aryl-Rest sein kann; *Beisp.*: Benzolsulfinsäure [H_5C_6–S(O)OH]. Das Präfix für die Gruppierung –S(O)–OH erhält den Namen *Sulfino...* Die S. lassen sich als organ. Derivate der *Sulfoxylsäure auffassen. Die aliphat. S. sind sirupöse, in Wasser leicht lösl. Substanzen, die relativ unbeständig sind, auch unter Luftausschluß disproportionieren u. z. B. als Polymerisationsaktivatoren Verw. finden. Von bes. techn. Bedeutung ist die *Hydroxymethansulfinsäure. Die in kaltem Wasser schwer lösl., sauer reagierenden, aromat. S. ($pK_a \sim 1,2$), die am besten durch Red. der entsprechenden *Sulfonylchloride* hergestellt werden (s. Abb. a), können wegen ihrer leichten Oxidierbarkeit meist nur in Lsg. weiter verarbeitet werden. So reagieren sie als S-Nucleophile mit Alkylhalogeniden zu *Sulfonen.

a R^1–SO_2–Cl (Sulfonylchlorid) —Red., H_2O / - HCl→ R^1–S(O)OH (Sulfinsäure) —+ R^2–X, Base / - HX→ R^1–SO_2–R^2 (Sulfon)

b R^1–S(O)–Cl (Sulfinylchlorid) + R^2–OH —- HCl→ R^1–S(O)–OR^2 (Sulfinsäureester)

Die Salze u. Ester der S. heißen *Sulfinate; sie lassen sich u. a. aus *Sulfinylchloriden* u. Alkoholen synthetisieren (s. Abb. b). – ***E*** sulfinic acids – ***F*** acides sulfiniques – ***I*** acidi solfinici – ***S*** ácidos sulfínicos

Lit.: [1] IUPAC, Nomenklatur der Organischen Chemie, S. 137, Weinheim: Wiley-VCH 1997.
allg.: Barton-Ollis **3**, 317 ff. ▪ Houben-Weyl **E 11**, 618–664 ▪ Katritzky et al. **2**, 186, 718 ▪ Ullmann (5.) **A 25**, 461 ff. ▪ s. a. Schwefel-organische Verbindungen.

Sulfinyl... a) Endung der Präfixe für *Sulfinsäure-Reste –S(O)–R (s. Benzolsulfinyl... u. Methansulfinyl...). – b) Präfix für *Sulfoxid-Brücken –S(O)– in *Multiplikativnamen (IUPAC-Regel C-631.2 u. C-661.3) u. Polymer-Namen. – c) Neben *Thionyl für –S(O)– in Schwefeldihalogenidoxiden zulässige Bez. (SOX^1X^2; IUPAC-Regel I-8.4.2.2). – d) Präfix für die doppeltgebundene Atomgruppierung =S=O (IUPAC-Regel C-661.5); *Beisp.*: *N*-Sulfinylamine (R–N=S=O, s. *Lit.*). – ***E*** = ***F*** sulfinyl... – ***I*** = ***S*** sulfinil

Lit. *(zu d):* Z. Chem. **22**, 237–245 (1982).

Sulfisomidin (Rp).

H_2N–C_6H_4–SO_2–NH–(4,6-Dimethylpyrimidin-2-yl) [Strukturformel mit CH_3, N, N, CH_3]

Internat. Freiname für das mikrobizide *Sulfonamid N^1-(2,6-Dimethyl-4-pyrimidinyl)sulfanilamid, $C_{12}H_{14}N_4O_2S$, M_R 278,34, Nadeln, Schmp. 243 °C, wenig lösl. in Alkohol, Aceton, kaltem Wasser, besser in heißem Wasser, leicht lösl. in verd. Salzsäure u. Natronlauge. Lagerung: Vor Licht u. Luft geschützt. S. wurde 1943 von Nordmark, 1944 von Geigy u. 1947 von Ciba patentiert, u. ist von Optima (Aristamid®) gegen bakterielle Infektionen des Auges im Handel. – ***E*** = ***F*** sulfisomidine – ***I*** = ***S*** sulfisomidina

Lit.: Beilstein E III/IV **25**, 2197 ▪ Hager (4.) **6 b**, 666 f. ▪ Martindale (31.), S. 283 ▪ Ph. Eur. **1997** u. Komm. – *[HS 2935 00; CAS 515-64-0]*

Sulfit-Ablauge. Die beim *Cellulose-Aufschluß nach dem Sulfit-Verf. in großen Mengen anfallende S.-A. enthält ca. 4–5% reduzierende Substanzen. Die in letzteren enthaltenen 70–75% Monosaccharide (vgl. Lignin) können zu Ethanol (*Laugenbranntwein*, sog. *Sulfitsprit*) vergoren werden – was allerdings nur bei den vergärbare Hexosen enthaltenden Nadelholz-S.-A. möglich ist – od. zur Gewinnung von *Hefen (Futter- od. Wuchshefe) od. *Single Cell Protein dienen, wozu auch die Pentose-haltigen, nicht vergärbaren Laubholz-S.-A. geeignet sind. Die S.-A. können nach Vak.-Eindampfen als Brennmaterial zur Beheizung der Cellulose-Kocherei verwendet od. auf Ligninsulfonate (s. Ligninsulfonsäure) aufgearbeitet werden. Ligninsulfonsäure ist der Hauptbestandteil der S.-Ablauge. Sie fällt in Mengen von 600–800 kg/t Zellstoff an. Für Ligninsulfonsäuren sind zahlreiche Verwendungsmöglichkeiten bekannt. Die früher vielfach praktizierte direkte Ableitung der S.-A. in Flüsse ist wegen der damit verbundenen Umweltbelastung problemat. u. auch unwirtschaftlich. Dennoch ist bisher kein Verwertungsgebiet für S.-A. gefunden worden, das eine Nutzung sämtlicher anfallenden Mengen ermöglicht, so daß noch immer erhebliche Anteile unter Energiefreisetzung verbrannt werden müssen. – ***E*** spent sulfite liquors, sulfite pulping wastes – ***F*** lessive de sulfite usée (résiduelle) – ***I*** liscivia di solfito – ***S*** lejía sulfítica residual (de desecho)

Lit.: Rehm-Reed **3**, 30 ff., **8**, 495 f. ▪ Ullmann (5.) **A 15**, 311 f. ▪ Winnacker-Küchler (4.) **5**, 621 ▪ s. a. Cellulose, Lignin. – *[HS 3804: 00]*

Sulfitation s. Saccharose (Herst. von Rohrzucker).

Sulfitcellulose. Bez. für nach dem *Sulfit-Verf.* (s. Cellulose) aus Holz gewonnene Cellulose. – ***E*** sulfite cellulose – ***F*** cellulose au sulfite – ***I*** cellulosa al solfito – ***S*** celulosa al sulfito

Sulfite. Bez. für Salze u. Ester der *Schwefligen Säure (H_2SO_3). Die Salze entstehen formal, wenn ein od. beide Wasserstoff-Ionen im Mol. der Säure durch Metall-Ionen ersetzt werden. Im ersteren Fall erhält man prim. od. „saure" S. der allg. Formel M^IHSO_3 (*Hydrogensulfite), die leicht unter Abspaltung von Wasser zu *Disulfiten ($M^I_2S_2O_5$) weiterreagieren. Beim Ersatz beider H-Atome durch Metall-Ionen entstehen sek., „neutrale" od. normale S. der allg. Formel $M^I_2SO_3$. Man erhält die S. meist durch Einleiten von Schwefeldioxid in Lsg. od. Aufschwemmungen von Metallhydroxiden. Alle S. werden durch starke Säuren unter Schwefeldioxid-Entwicklung zersetzt:

$$Na_2SO_3 + H_2SO_4 \rightarrow Na_2SO_4 + H_2O + SO_2.$$

Alle Hydrogensulfite u. die S. der Alkalimetalle (einschließlich Ammonium-S.) sind in Wasser lösl., die übrigen unlöslich. Die wäss. Lsg. der Alkali-S. reagieren infolge Hydrolyse alkalisch. Man kann sie zu Sulfaten u. *Dithionaten oxidieren, mit Zink-Staub zu *Dithioniten, mit starken Red.-Mitteln auch zu Sulfiden, Schwefelwasserstoff u. Schwefel reduzieren od. mit Schwefel in *Thiosulfate überführen. S. u. Hydrogen-S. sind starke Red.-Mittel u. finden Verw. zum Bleichen von Fasern, in der Kunstseiden-, Cellulose- u. Papier-Ind., wobei bes. das *Calciumhydrogensulfit zur Gewinnung von S.-*Cellulose Bedeutung erlangt hat, ferner als Antioxidantien, Destimulatoren (*Inhibitoren), Desinfektions- u. Konservierungsmittel; zu Allergie-Warnungen s. *Lit.*[1]. Das HSO_3^--Ion addiert nucleophil an Aldehyde zu gut kristallisierenden Salzen, die das Anion $R{-}CH(OH){-}SO_3^-$ enthalten u. zur Abtrennung u. Reinigung des Aldehyds dienen. Dieses kann durch Behandlung mit verd. Säuren od. mit Natriumcarbonat regeneriert werden. Die quant. Bestimmung kann mittels *S.-Oxidase* erfolgen[2], einem aus 2 Untereinheiten aufgebauten Molybdän-Protein aus Säugetier- od. Vogellebern, M_R 114000, das S. in Ggw. von Sauerstoff zu Sulfat oxidiert.

Die organ. S. (*Schwefligsäureester*) haben die allg. Formel $OS(OR)_2$. Zu ihrer präparativen Herst. werden Alkohole od. Phenole mit Thionylchlorid ($SOCl_2$) in Ggw. von Pyridin od. a. tert. Basen umgesetzt. Ein bekanntes Beisp. für saure organ. S. sind – ungeachtet ihres Namens – die *Ligninsulfonsäuren. Ebenfalls als S. anzusehen sind die *Bunte-Salze, wie sie z.B. bei der Red. von Keratin-*Disulfid-Brücken mit S. entstehen (*Sulfitolyse*, *Lit.*[3]). – ***E*** = ***F*** sulfites – ***I*** solfiti – ***S*** sulfitos

Lit.: [1] Allergy Proc. **10**, 349–356 (1989); Pharm. Ind. **49**, 473 (1987). [2] Beutler, in Bergmeyer (Hrsg.), Methods of Enzymatic Analysis, Bd. 7, S. 585–591, Weinheim: Verl. Chemie 1985. [3] Parfüm. Kosmet. **67**, 434–442, 491–496, 548–554 (1986).

allg.: Adv. Food Res. **30**, 1 ff. (1986) ▪ Belitz-Grosch (4.), S. 409 ▪ Dtsch. Lebensm. Rundsch. **79**, 323–330 (1983) ▪ Kirk-Othmer (4.) **23**, 312 ff., 415–428 ▪ Masson et al., Sulfites, Selenites and Tellurites (Solub. Data Series 26), Oxford: Pergamon 1986 ▪ Methoden der biochemischen Analytik u. Lebensmittelanalytik, S. 116 f., Mannheim: Boehringer-Mannheim 1986 ▪ Pure Appl. Chem. **57**, 383–388 (1985) ▪ Sandler u. Karo, Organic Functional Group Preparations, Bd. 2, S. 78–94, New York: Academic Press 1986 ▪ Ullmann (5.) **A 25**, 477–486 ▪ Winnacker-Küchler (4.) **2**, 80 f. ▪ s. a. Schweflige Säure. – *[HS 2832 10, 2832 20, 2832 30]*

Sulfitolyse s. Sulfite.

Sulfit-Oxidase s. Sulfite.

Sulfitsprit s. Sulfit-Ablauge.

Sulfit-Zellstoff s. Cellulose, S. 637.

Sulfo... Bez. der Atomgruppierung $-SO_3H$ (*Sulfonsäure-Gruppe; IUPAC-Regeln C-10.3, C-641.2, R-3.2.1, R-5.7.2.1), falls sie nicht ranghöchste Gruppe ist; *Beisp.:* Sulfosuccinate. – ***E*** = ***F*** = ***S*** sulfo... – ***I*** solfo..., sulfo...

Sulfoamino... Bez. der Atomgruppierung $-NH-SO_3H$ (*Sulfamidsäure-Gruppe; IUPAC-Regel C-661.2), falls sie nicht ranghöchste Gruppe ist; vgl. dagegen Sulfamoyl... u. ...sulfonamido... – ***E*** = ***F*** = ***S*** sulfoamino... – ***I*** sulfoammino...

2-Sulfobenzoesäureimid s. Saccharin.

Sulfobernsteinsäureamide s. Sulfosuccinamate.

Sulfobernsteinsäureester s. Sulfosuccinate.

Sulfobetaine. Bez. für zwitterion. *Tenside, die sowohl über eine anion. als auch über eine kation. Gruppe im Mol. verfügen, z.B.

$$R^1{-}\overset{R^2}{\underset{H}{N^+}}{-}(CH_2)_n{-}SO_3^- \qquad R^1, R^2 = C_1\text{-}C_8 \quad n = 1\text{-}3$$

Die klass. Meth. zur Herst. von S. geht von tert. Aminen aus, die mit *1,3-Propansulton umgesetzt werden, besitzt jedoch infolge der hohen Cancerogenität des 1,3-Propansultons keine Bedeutung mehr. Heute erfolgt die Herst. der S. nach einem zweistufigen Verf., bei dem Epichlorhydrin mit Natriumhydrogensulfit über die Zwischenstufe der Chlorhydroxypropansulfonsäure mit tert. Aminen umgesetzt wird. S. sind auch durch Addition von Hydrogensulfit an Mono-, Di-, Tri- u. Tetraallylammonium-Salze in wäss. Lsg. in großer Strukturvielfalt zugänglich. Zu den Eigenschaften der S. vgl. Amphotenside.

Verw. für kosmet. Präp., Biozide, Hydrotrope, Additive für Chemiefaser-Präparationen. – ***E*** sulfobetaines – ***F*** sulfobétaïnes – ***I*** solfobetaine – ***S*** sulfobetaínas

Lit.: Tenside Surf. Deterg. **28**, 180, 235, 337 (1991); **29**, 84 (1992); **30**, 321 (1993).

Sulfobleiweiß s. Sulfatbleiweiß.

Sulfocarbamid. Veraltete Bez. für *Thioharnstoff.

Sulfocarbanilid. Veraltete Bez. für *1,3-Diphenylthioharnstoff.

Sulfochloride s. Sulfonylchloride.

Sulfochlorierung (Chlorsulfonierung). Von Reed 1933 aufgefundenes u. daher oft als *Reed-Reaktion* bezeichnetes Verf. zur Herst. von *Aniontensiden, speziell *Alkansulfonaten durch Einführung der SO_2Cl-Gruppe in Paraffine u. Cycloparaffine. Als Reagenzien werden Chlor u. Schwefeldioxid im Verhältnis 1:1 eingesetzt. Die *Radikal-Kettenreaktion läßt sich mit UV-Licht (*Photo-S.*) od. *ionisierender Strahlung od. durch andere *Radikal-Starter initiieren.

$$Cl_2 \xrightarrow{h\nu} 2\,Cl^\bullet$$
$$R{-}H + Cl^\bullet \longrightarrow R^\bullet + HCl$$
$$R^\bullet + SO_2 \longrightarrow R{-}SO_2^\bullet$$
$$R{-}SO_2^\bullet + Cl_2 \longrightarrow R{-}SO_2{-}Cl + Cl^\bullet$$

Abb.: Radikalkettenmechanismus für die Photosulfochlorierung.

Die entstehenden *Sulfonylchloride können vielseitig eingesetzt werden, z.B. zur Herst. waschaktiver *Sulfonate. Da die SO_2Cl-Gruppen weitgehend statist. im Mol. verteilt sind, besitzt die S. nur techn. Bedeutung. Bei der S. von Polyethylen erhält man den *Synthesekautschuk Chlorsulfonylpolyethylen (CSM, s. Hypalon®). Aromat. Sulfonylchloride werden aus aromat. Verb. u. Chloroschwefelsäure (im Verhältnis 1:2) über Arylsulfonsäuren als Zwischenprodukte hergestellt. – ***E*** chlorosulfonation – ***F*** sulfochloration – ***I*** solfoclorurazione – ***S*** sulfocloración

Lit.: Angew. Chem. **90**, 17–27 (1978) ▪ Falbe, Surfactants in Consumer Products, S. 55 f., Berlin: Springer 1986 ▪ Hauthal (Hrsg.), Alkansulfonate, Leipzig: Verl. für chem. Grundstoffind. 1985 ▪ Houben-Weyl **9**, 411–421 ▪ Kirk-Othmer (4.) **23**, 146 f. ▪ Stache (Hrsg.), Anionic Surfactants: Organic

Chemistry, S. 154–161, New York: Dekker 1996 ▪ Ullmann (5.) **A 25**, 773 ▪ Winnacker-Küchler (4.) **6**, 181 f., 186, 564 f.; **7**, 114 f.

Sulfofettsäureester s. Estersulfonate.

Sulfogaiacol.

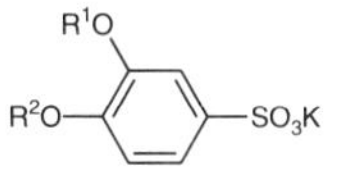

R^1O, R^2O, SO_3K

$R^1 = H$, $R^2 = CH_3$; $R^1 = CH_3$, $R^2 = H$ } Isomerengemisch

Internat. Freiname für das Expektorans 3-Hydroxy-4-methoxy- u. 4-Hydroxy-3-methoxybenzolsulfonsäure-Monokaliumsalz, oft auch *Sulfoguajakol* geschrieben, $C_7H_7KO_5S$, M_R 242,29, weißes, schwach bitter schmeckendes Krist.-Pulver; λ_{max} (KOH) 260 nm ($A^{1\%}_{1cm}$ 430); lösl. in Wasser, unlösl. in Alkohol, Ether. Lagerung: vor Licht u. Luft geschützt. – ***E*** = ***F*** sulfogaiacol – ***I*** sulfogaiacolo – ***S*** sulfoguayacol

Lit.: Hager (5.) **9**, 735 ff. ▪ Martindale (31.), S. 1074 – *[HS 2909 50; CAS 1321-14-8]*

Sulfoguajakol s. Sulfogaiacol.

Sulfoharnstoff. Veraltete Bez. für *Thioharnstoff u. für Carbamoylsulfamidsäure (H_2N–CO–NH–SO_3H).

Sulfoisoxazol. Veraltete Bez. für *Sulfafurazol.

Sulfolan. Xn

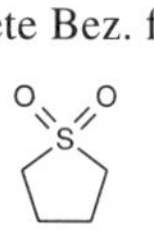

Geläufiger Trivialname für *Tetrahydrothiophen-1,1-dioxid* (Thiolan-1,1-dioxid, Tetramethylensulfon), $C_4H_8O_2S$, M_R 120,16. Farblose, bitter schmeckende Flüssigkeit od. Krist., D. 1,26, Schmp. 27,5 °C, Sdp. 285 °C, mischbar mit Wasser, Aromaten u. vielen polaren Lsm., teilw. mischbar mit Octanen, Olefinen u. Naphthenen; WGK 1 (Selbsteinst.). S. wird durch katalyt. Hydrierung von *Sulfolen gewonnen. S. ist ein sehr beständiges, aprot. techn. Lsm., das z. B. zur Extraktivdest. von Aromaten eingesetzt (Sulfolan-Verf.), od. zusammen mit Diisopropanolamin im *Sulfinol®-Prozeß zur Gasreinigung (Entfernung saurer Gase) verwendet wird. – ***E*** = ***F*** sulfolane – ***I*** solfolano – ***S*** sulfolano

Lit.: Beilstein EV **17/1**, 39 ▪ Merck-Index (12.), Nr. 9128 ▪ Ullmann (4.) **9**, 5; **16**, 304, 307; (5.) **A 3**, 492 f.; **B 3**, 6–42 ▪ Weissermel-Arpe (4.), S. 22, 125, 347. – *[HS 2934 90; CAS 126-33-0]*

3-Sulfolen.

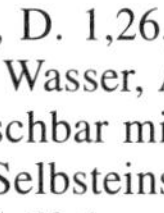

Geläufiger Trivialname für *2,5-Dihydrothiophen-1,1-dioxid* (3-Thiolen-1,1-dioxid, Butadiensulfon), $C_4H_6O_2S$, M_R 118,16. Farblose Krist., D. 1,314 (70 °C), Schmp. 65 °C, lösl. in Wasser u. organ. Lösemitteln.
Herst.: Aus Butadien u. SO_2. Die Reaktion ist reversibel (bei Erwärmen auf ca. 125 °C entstehen wieder die Ausgangskomponenten) u. ist daher eine einfache u. wirkungsvolle Laboratoriumsmeth. zur Reinigung von Butadien u. a. konjugierten Diolefinen.
Verw.: Ausgangsprodukt zur Herst. von *Sulfolan, Weichmachern für Synth.-Kautschuk, PVC, Nitrocellulose u. dgl., Schaumstabilisatoren, Insektiziden, hydraul. Flüssigkeiten, Detergentien, Quelle für Schwefeldioxid, für *1,3-Butadien für Diels-Alder-Reaktionen; zur stereoselektiven Herst. konjugierter Diene. – ***E*** 3-sulfolene – ***F*** 3-sulfolène – ***I*** 3-solfolene – ***S*** 3-sulfoleno

Lit.: Beilstein EV **17/1**, 177 ▪ Merck-Index (12.), Nr. 9129 ▪ Paquette **7**, 4678 ▪ Tetrahedron **48**, 8963 (1992). – *[HS 2934 90; CAS 77-79-2]*

Sulfolen-Reaktion s. Sulfone.

Sulfolin®-Prozeß. Ein Verf. zur Entschwefelung von Schwefelwasserstoff-armen Gasen mit anschließender Oxid. mittels $NaVO_3$. ***B.:*** Linde.

Lit.: Erdoel Kohle, Erdgas, Petrochemie **39**, 371–374 (1986).

Sulfometuron-methyl.

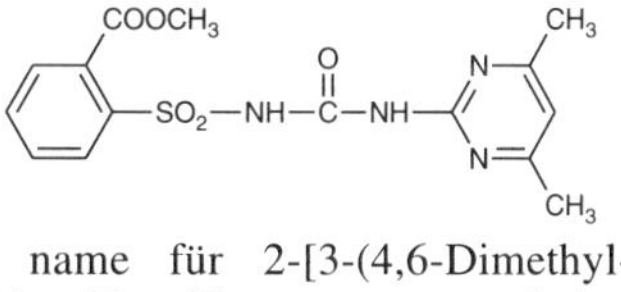

Common name für 2-[3-(4,6-Dimethyl-2-pyrimidinyl)ureidosulfonyl]benzoesäure-methylester, $C_{15}H_{16}N_4O_5S$, M_R 364,37, Schmp. 203–205 °C, LD_{50} (Ratte oral) >5000 mg/kg (WHO), von DuPont 1980 entwickeltes Total-*Herbizid. – ***E*** = ***F*** sulfometuron-methyl – ***I*** sulfometuron-metile – ***S*** sulfometuron-metil

Lit.: Farm ▪ Pesticide Manual. – *[CAS 74222-97-2]*

Sulfomonopersäure s. Carosche Säure.

...sulfon s. Sulfone.

Sulfonal (Rp).

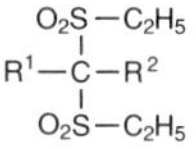

Sulfonal: $R^1 = R^2 = CH_3$
Trional: $R^1 = CH_3$, $R^2 = C_2H_5$
Tetronal: $R^1 = R^2 = C_2H_5$

Trivialname für 2,2-Bis(ethylsulfonyl)propan, $C_7H_{16}O_4S_2$, M_R 228,33. Farblose, geruchs- u. geschmacksfreie Blättchen, Schmp. 124–126 °C, Sdp. 300 °C, schwer lösl. in kaltem Wasser, lösl. in Benzol, Alkohol, Chloroform, unlösl. in Glycerin. S. u. seine Homologen *Trional* ($C_8H_{18}O_4S_2$, M_R 242,35, Schmp. 74–76 °C) u. *Tetronal* ($C_9H_{20}O_4S_2$, M_R 256,38, Schmp. 85 °C) wurden 1888 von E. Baumann hergestellt u. von A. Kast als Hypnotika in die Therapie eingeführt. Nach Entwicklung der *Barbitursäure-Präp. wurden sie jedoch von diesen verdrängt, insbes. da wegen der langsamen Resorption u. Eliminierung die Gefahr einer *Kumulation u. damit verbundener schädlicher Nebenwirkungen bestand. – ***E*** = ***F*** = ***I*** = ***S*** sulfonal

Lit.: Beilstein EIII **1**, 2754 ▪ Ehrhart-Ruschig, S. 288, 303 ▪ Hager (5.) **9**, 737 f. – *[HS 2930 90; CAS 115-24-2 (S.); 76-20-0 (Trional); 2217-59-6 (Tetronal)]*

Sulfonamide. Bez. für eine wichtige Gruppe von bakteriostat. wirksamen Arzneimitteln, die eine *p*-4-Aminobenzolsulfonamid-Gruppe (*p*-H_2N–C_6H_4–SO_2–N^1H–) enthalten. Als einfachste dieser Verb. ist bereits das *Sulfanilamid (*p*-H_2N–C_6H_4–SO_2–NH_2) bakteriostat. wirksam (*Prontalbin*). Von 1932–1963 wurden über 50 000 dieser Verb. hergestellt u. in Tierversuchen geprüft; etwa 30 erlangten Marktreife. Es zeigte sich bei vielen Versuchen, daß die bakteriostat. Wirkung von der 4-Aminobenzolsulfonamido-Gruppe ausgeht. Sie ist ein *Antimetabolit der für viele Bakterien als

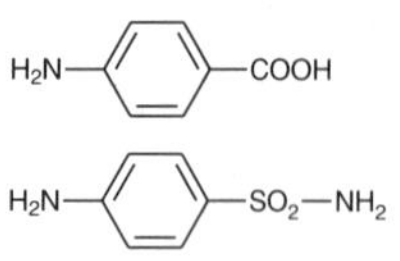

$H_2N-C_6H_4-COOH$ 4-Aminobenzoesäure

$H_2N-C_6H_4-SO_2-NH_2$ Sulfanilamid

Abb. 1: 4-Aminobenzoesäure u. ihr Antimetabolit.

Wuchsstoff benötigten, sehr ähnlich gebauten 4-*Aminobenzoesäure (vgl. Abb. 1), die eine wichtige Rolle bei der Biosynth. der *Folsäure u. für den Nucleinsäure-Aufbau im Zellstoffwechsel dieser Mikroorganismen spielt. Durch die *kompetitive Hemmung der Synth. der Folsäure wird indirekt auch die Bakterienvermehrung eingeschränkt. S. inhibieren also die Dihydropteroat-Synthase, deren kristalline Struktur inzwischen bekannt ist [1]. Dies versetzt die im *Blut u. *Bindegewebe befindlichen *Freßzellen* (*Monocyten) des Körpers in die Lage, mit den Erregern fertig zu werden (*Phagocytose). Da die menschlichen Körperzellen die Folsäure nicht synthetisieren können (sie ist *essentiell), sind die S. für den Menschen verhältnismäßig harmlos. Des weiteren hemmen die S. in Bakterien die Methionin-Synth., bei der 4-Aminobenzoesäure als Coenzym benötigt wird. Umgekehrt können S. durch 4-Aminobenzoesäure od. Nicotinsäureamid in ihrer Wirkung behindert od. entwertet werden. Voraussetzung für eine S.-Wirkung als *Chemotherapeutikum scheint die Anwesenheit einer freien (od. leicht freizulegenden) *p-Amino*-Gruppe zu sein (Abb. 2):

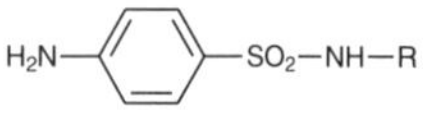

$H_2N-C_6H_4-SO_2-NH-R$

Abb. 2: Allg. Strukturformel der Sulfonamide.

Dagegen kann die Sulfon*amid*-Gruppe (üblicherweise wird deren Stickstoff-Atom als N^1 bezeichnet) mit sehr verschiedenen Resten R substituiert sein – allerdings muß auch hier ein H-Atom frei bleiben. Die Mehrzahl der heute noch therapeut. genutzten S. ist an N^1 durch *Stickstoff-Heterocyclen substituiert. Die Freinamen der gegen Strepto- u. Staphylokokken, *Neisseria-*, *Klebsiella-*, *Shigella-* u.a. Arten wirksamen S. beginnen im allg. mit *Sulfa...*, s. die Einzelverb., die im Engl. auch unter der Bez. „Sulfa Drugs" zusammengefaßt werden. Zum Nachw. von S. sind Amino- u. Anilin-Gruppen-spezif. Reagenzien geeignet, z.B. *NBD-Chlorid u. *N-(1-Naphthyl)-ethylendiamin-dihydrochlorid; zum Nachw. in biolog. Material durch HPLC s. *Lit.* [2], zur immunchem. Detektion *Lit.* [3].
Zu den wichtigsten *Arzneimittelnebenwirkungen der S. zählen das Auftreten von Nierenschäden infolge *Harnstein-Bildung, von Allergien, Blutbildveränderungen, Haut- u. Schleimhauterkrankungen, Photosensibilisation [4]. Als man bei der Chemotherapie mit S. Nebenwirkungen wie *Hypoglykämie u. Hemmung der *Carboanhydrase [5] beobachtete, führte dies zur Entwicklung abgewandelter S., die z.T. ganz andersartige Wirkungen aufweisen u. deshalb Eingang in die Therapie anderer Erkrankungen gefunden haben. Dazu gehören *Antidiabetika (*Sulfanilylharnstoffe* wie *Carbutamid u. **Sulfonylharnstoffe* wie *Tolbutamid u. *Glibenclamid), *Diuretika (*Thiazide, *Hydrothiazide, *Furosemid), *Antiepileptika (Antikonvulsiva wie *Sultiam), *Neuroleptika (*Sulpirid), *Antirheumatika (*Oxicame) u. *Urikosurika (*Probenecid); s. *Lit.* [6]. Im Vordergrund des Interesses an der Entwicklung antiinfektiver S. stehen heute die Differenzierung in Kurz-, Mittel- u. Langzeit-S. aufgrund unterschiedlichen pharmakokinet. Verhaltens u. die Überwindung der *Resistenz, die viele Bakterienstämme bereits gegen ältere S. entwickelt haben; als nützlich hat sich im letzteren Sinne die Kombination mit dem synergist. wirkenden *Trimethoprim erwiesen. Eine Kombination der wachstumshemmenden S. mit *bakterizid* wirksamen Antiinfektiva ist wenig sinnvoll, da letztere nur wachsende Bakterien schädigen.
Geschichte: Die Synth. von Sulfanilamid erfolgte bereits 1908 durch Gelmo. Die Heilwirkung der 1932 von *Mietzsch u. Klarer synthetisierten S. wurde am Beisp. des *Prontosils von *Domagk erkannt, dessen erste Veröffentlichung über die antibakterielle Wirkung der S. im Febr. 1935 erfolgte. Die Entwicklung der S. in den 30er Jahren, für die Domagk 1939 mit dem Nobelpreis ausgezeichnet wurde, ist prakt. gleichbedeutend mit der Entwicklung der Chemotherapie. Nach Schätzungen des USA-Gesundheitsdienstes haben die S. (u. *Penicillin) bis 1955 ca. 1,5 Mio. Menschen das Leben verlängert. Mit dem Aufkommen der *Antibiotika setzte eine Stagnation in der S.-Entwicklung ein, die erst in jüngerer Zeit überwunden wurde. – ***E*** = ***F*** sulfonamides – ***I*** sulfonamidi, sulfamidici – ***S*** sulfonamidas, sulfamidas

Lit.: [1] Nat. Struct. Biol. **4**, 490–497 (1997). [2] Pharmazie **52**, 448–450 (1997). [3] Analyst **119**, 2543–2548 (1994). [4] Angew. Chem. **92**, 647–649 (1980). [5] Annu. Rev. Pharmacol. Toxicol. **23**, 439–459 (1983). [6] Pharm. Unserer Zeit **13**, 177–186 (1984).
allg.: Auterhoff, Knabe u. Höltje, Lehrbuch der pharmazeutischen Chemie, S. 779–786, Stuttgart: Wiss. Verlagsges. 1994 ▪ Chemother. J. **6**, 65–70 (1997) ▪ Hager (4.) **2**, 519–568 ▪ O'Grady (Hrsg.), Antibiotics and Chemotherapeutics, Edinburgh: Churchill Livingstone 1997 ▪ Steele u. Beran, Antibiotics, Sulfonamides, and Public Health, Boca Raton: CRC Press 1984 ▪ Ullmann (4.) **9**, 279 ff.; (5.) **A 3**, 20; **A 4**, 236–238; **A 6**, 186–192 ▪ Vree u. Hekster, Clinical Pharmacokinetics of Sulfonamides and their Metabolites, Freiburg: Karger 1987 ▪ s.a. Chemotherapie.

...sulfonamido... Neben ...sulfonylamino... zulässige Endung von Präfixen für Reste des Typs $-NH-SO_2-R$ mit R = organ. Rest (IUPAC-Regel C-641.8c, C-823.1); vgl. dagegen Sulfamoyl... u. Sulfoamino... – ***E*** = ***F*** = ***S*** ...sulfonamido... – ***I*** solfonammido...

Sulfonate. Bez. für Salze u. Ester der *Sulfonsäuren der allg. Formel $R-SO_3X$, wobei X ein Metall-Atom (z.B. Na) od. ein Alkyl- bzw. Aryl-Rest sein kann. Die Einführung der Sulfonsäure-Gruppe in ein Mol. (*Sulfonierung) kann beispielsweise durch Addition von Schwefeltrioxid an eine Doppelbindung od. durch Insertion in eine Esterbindung u. nachfolgende Umlagerung erfolgen. S. weisen eine C–S-Bindung auf u. sind streng von den *Sulfaten zu unterscheiden, die sich durch eine C–O–S-Bindung auszeichnen. S. spielen eine bes. Rolle als *Aniontenside, z.B. *Alkylbenzolsulfonate, *Alkansulfonate, *Olefinsulfonate, **i*-Olefinsulfonate, *Ethersulfonate od. *Estersulfonate; demgegenüber stellen die sog. Ligninsulfonate *Sulfite dar. Für eine Reihe von S. haben sich Abk. eingebürgert, so z. B. für 4-Bromtoluolsulfonate (Tosylate), Methansulfonate (Mesylate), 4-Brombenzolsulfonate (Brosylate), Trifluormethansulfonate (Triflate) od. lineare Alkylbenzolsulfonate (LAS). – ***E*** **=** ***F*** sulfonates – ***I*** solfonati – ***S*** sulfonatos

Sulfonazo III.

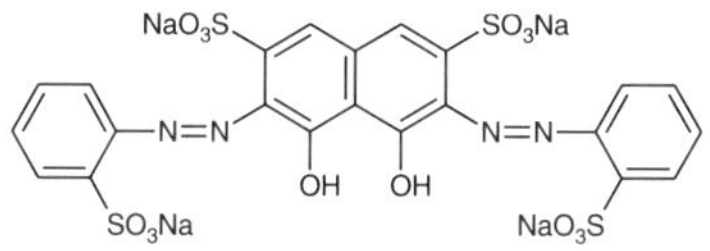

Trivialname für 3,6-Bis[(2-sulfophenyl)-azo]-4,5-dihydroxy-2,7-naphthalindisulfonsäure-Tetranatriumsalz, $C_{22}H_{12}N_4Na_4O_{14}S_4$, M_R 776,55. Sehr empfindliches Reagenz auf Barium- u. Sulfat-Ionen zur Verw. in der Photometrie. – ***E*** **=** ***F*** **=** ***S*** sulfonazo III – ***I*** solfonazo III

Lit.: Anal. Chem. **37**, 1159 (1965). – *[CAS 68504-35-8]*

Sulfone. Von *Sulf*urket*onen* abgeleiteter Name für gut kristallisierende, neutrale, geruchlose, gegen Red.-Mittel sehr beständige Verb. der allg. Formel R^1–SO_2–R^2, wobei R^1 od. R^2 gleiche od. verschiedene, substituierte od. unsubstituierte Alkyl- od. Aryl-Reste sein können. Formal können die S. als organ. Derivate der *Sulfoxylsäure betrachtet werden. Die systemat. Benennung erfolgt nach IUPAC-Regel C-631 bzw. R-5.5.7 [1] als ...sulfon (*Beisp.:* *Dimethylsulfon), mit *...sulfonyl... [*Beisp.:* 2,2-Bis(ethylsulfonyl)-propan, s. Sulfonal] od. ...-λ^6-sulfan mit Oxopräfixen [*Beisp.:* $(C_6H_5)_2SO_2$, Dioxodiphenyl-λ^6-sulfan]. Cycl. S. werden als Oxide der *Schwefel-Heterocyclen benannt (*Beisp.:* *Sulfolen, 1,2,3-Oxathiazinondioxide, *Hydrothiazide, *Saccharin). Die S. sind meist unzersetzt destillierbar u. bis auf die niederen Glieder in Wasser unlöslich.

Herst.: Gängige Meth. sind z. B. die Alkylierung von *Sulfinsäuren (s. Abb. a), die Sulfonylierung von Aromaten mit Sulfonylchloriden (s. Abb. b) u. die Oxid. von Sulfanen (s. Abb. c); daneben gibt es noch eine Reihe spezieller Meth. wie beispielsweise die [4+1]-Cycloaddition von Schwefeldioxid mit 1,3-Dienen (*Sulfolen-Reaktion*, s. Abb. d).

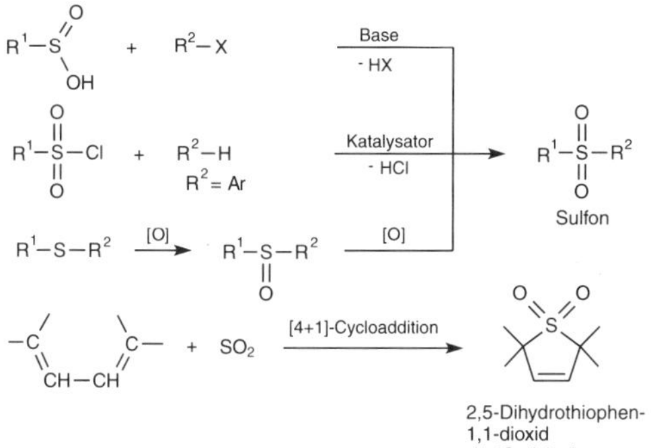

2,5-Dihydrothiophen-1,1-dioxid (3-*Sulfolen)

Durch Alkalischmelze werden S. gespalten, wobei aliphat. S. in *Sulfinsäuren u. Alkene, aromat. S. in *Sulfonsäuren u. Arylkohlenwasserstoffe übergehen.

Verw.: In der organ. Synth. zur Herst. von Alkenen (*Ramberg-Bäcklund-Reaktion), zur Ringverengung durch sog. Sulfon-Pyrolyse [2], ungesätt. S. in Cycloadditionsreaktionen [3,4], als Zwischenprodukte bei Farbstoffsynth., als Weichmacher, Pharmazeutika (z. B. *Sulfonal u. *Dapson). Eine bes. Bedeutung besitzen chlorierte Aryl-S. als Ausgangsprodukte für aromat. *Polysulfone, die im Gegensatz zu den ebenfalls bekannten aliphat. Polysulfonen sehr stabile Kunststoffe darstellen. – ***E*** **=** ***F*** sulfones – ***I*** solfoni – ***S*** sulfonas

Lit.: [1] IUPAC, Nomenklatur der Organischen Chemie, S. 117, Weinheim: VCH Verlagsges. 1997. [2] Angew. Chem. **91**, 534 (1979); Brown, Pyrolytic Methods in Organic Chemistry, in Blomquist, Organic Chemistry, Bd. 41, S. 346, New York: Academic Press 1980; Tetrahedron **38**, 2857 (1982). [3] Rev. Heteroatom Chem. **6**, 241 (1992). [4] Pure Appl. Chem. **68**, 831.
allg.: Adv. Heteroatom Chem. **48**, 1–61 (1990) ▪ Barton-Ollis **3**, 171 ff. ▪ Chem. Soc. Rev. **18**, 123–151 (1989) ▪ Houben-Weyl **9**, 223 ff.; **E 11**, 1132–1299 ▪ Katritzky et al. **2**, 154, 714 ▪ Kirk-Othmer (4.) **23**, 140 f. ▪ Patai, The Chemistry of Sulphones and Sulphoxides, Chichester: Wiley 1988 ▪ Patai, The Synthesis of Sulphones, Sulphoxides and Cyclic Sulphides, Chichester: Wiley 1994 ▪ Patai, The Chemistry of Sulphur-containing Functional Groups, S. 957, Chichester: Wiley 1993 ▪ Simpkins, Sulphones in Organic Synthesis, Oxford: Pergamon Press 1993 ▪ Ullmann (5.) **A 25**, 487 ff. ▪ s. a. Schwefel-organische Verbindungen.

Sulfonierung. Bez. für die Umsetzung von – ggf. alkylsubstituierten – Aromaten, Estern od. olefin. ungesätt. Stoffen mit Sulfiermitteln (Schwefelsäure, Oleum, Chlorsulfonsäure, Amidosulfonsäure, Schwefeltrioxid, s. a. Sulfierung) unter Einführung der Sulfo-Gruppe (–SO_3H) in das Molekül. So führt z. B. die S. von *Olefinen zur Bildung über die Zwischenstufe von *Sultonen zu einem Gemisch von Alken- u. Hydroxysulfonaten, während die S. von Aromaten auf dem Wege einer nucleophilen Substitution Arylsulfonate liefert. Bei der S. von Fettsäureestern werden Produkte erhalten, die eine Sulfonat-Gruppe in α-Stellung zur Carboxy-Funktion aufweisen. Im Gegensatz zur *Sulfatierung werden auf dem Weg der S. *Sulfonate mit einer C–S-Bindung erhalten, die gegenüber dem Angriff von Säuren stabil ist. – ***E*** **=** ***F*** sulfonation – ***I*** solfonazione – ***S*** sulfonación

Lit.: s. Sulfierung.

Sulfonium-Verbindungen. Nach IUPAC-Regel C-551.1 bzw. R-5.8.2 [1] Bez. für *Onium-Verbindungen, die durch die Gruppe $[R_3S]^+X^-$ gekennzeichnet sind u. deren mit dem S-Atom homöopolar verbundene Reste gleichartig od. verschieden, aliphat. od. aromat. sein können. S.-V. mit drei verschiedenen Organo-Resten sind chiral. Man erhält S.-V. z. B. durch Alkylierung von *Sulfiden. Durch starke Basen od. Elektrolyse erhält man aus S.-V. Sulfonium-*Ylide; Sulfonium-Halogenide mit mind. einem Alkyl-Rest werden leicht zu Sulfanen entalkyliert.

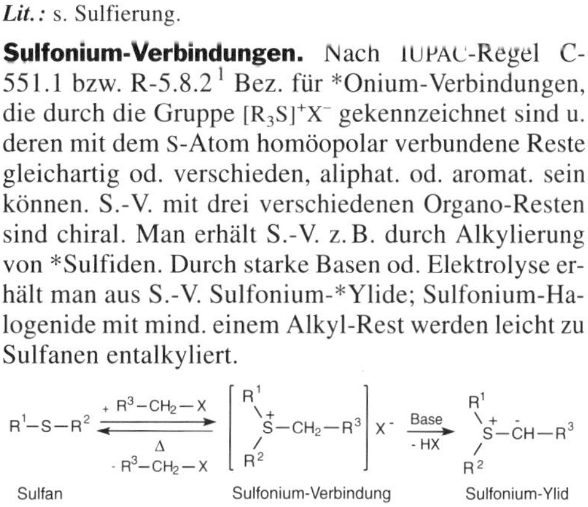

Sulfan — Sulfonium-Verbindung — Sulfonium-Ylid

Natürlich vorkommende S.-V. sind *S-Methyl-L-methioninsulfoniumchlorid u. *S*-(5′-Deoxyadenosin-5′-yl)-L-methionin (s. Abb. S. 4322); letzteres spielt eine wichtige Rolle als biochem. *Methylierungs-Mittel [2].

– ***E*** sulfonium compounds – ***F*** composés de sulfonium – ***I*** composti di solfonio – ***S*** compuestos de sulfonio

Lit.: [1] IUPAC, Nomenklatur der Organischen Chemie, S. 164, Weinheim: VCH Verlagsges. 1997. [2] Pure Appl. Chem. **49**, 137 (1977).

allg.: Houben-Weyl **9**, 171 ff.; **E 11**, 341–502 ▪ Patai, The Chemistry of the Sulfonium Group, Bd. 1, S. 267 ff.; Bd. 2, S. 387 ff., Chichester: Wiley 1981 ▪ Top. Curr. Chem. **133**, 3–82 (1986) ▪ s. a. Schwefel-organische Verbindungen.

Sulfonphthaleine s. Bromphenolblau.

Sulfonsäuren (früher auch Sulfosäuren). Nach IUPAC-Regel C-641.1 bzw. R-5.7.2.1 [1] Bez. für organ. Derivate der *Schwefelsäure mit dem Rest $-SO_3H$ als funktionelle Gruppe. Die S. werden mit dem Suffix...sulfonsäure benannt (*Beisp.:* *Benzolsulfonsäure, *Benzoldisulfonsäuren, *Aminobenzolsulfonsäuren), in Ggw. von funktionellen Gruppen höherer Priorität jedoch mit dem Präfix *Sulfo... (*Beisp.:* *Sulfosuccinate). In den S. ist das Schwefel-Atom direkt mit dem C-Atom eines organ. Restes verbunden, wobei man aliphat., aromat. u. heterocycl. S. unterscheidet. Die freien S. sind farblose, krist., hygroskop., in Wasser mit stark saurer Reaktion leicht lösl. Substanzen, wobei die Löslichkeit mit steigenden Molmassen abnimmt; die Säurestärke der S. entspricht derjenigen von anorgan. Säuren u. übertrifft sie z. T. sogar. Nach der Anzahl der Sulfo-Gruppen spricht man von Mono-, Di-, Tri-S. usw.

Die Salze u. Ester der S. nennt man *Sulfonate, die Chloride *Sulfonylchloride u. die Amide bilden die chemotherapeut. wichtige Klasse der *Sulfonamide.

Herst.: Aromat. S. erhält man durch direkte *Sulfonierung, d. h. durch Einwirkung von Schwefelsäure, Oleum, SO_3 od. *Chloroschwefelsäure auf die entsprechenden aromat. Verbindungen (s. Abb. a). Bei Alkanen ist dieser Weg nicht gangbar; diese müssen durch photo- od. strahlenchem. *Sulfoxidation (od. *Sulfochlorierung mit anschließender Hydrolyse) in S. übergeführt werden, wobei jedoch immer Gemische entstehen. Definierte Alkansulfonsäuren erhält man z. B. durch Oxid. von Thiolen, Sulfiden u. Disulfiden mit HNO_3, $KMnO_4$, Chromsäure od. Ozon, gelegentlich auch durch elektrolyt. Oxid. (s. Abb. b). Durch Sulfitierung, d. h. Umsetzung von Alkenen, Alkyl- u. Arylhalogeniden od. von aromat. Nitro-Verb. mit SO_2, Hydrogensulfiten od. Sulfiten, gelangt man ebenfalls zu S. (s. Abb. c).

a R–H (R = Ar) + SO_3; b R–SH + 3/2 O_2; c R–Cl + Na_2SO_3, H_2O, – NaCl → $R-SO_2-OH$

Verw.: Als Katalysatoren, zur Herst. von Waschrohstoffen, Emulgatoren, Ionenaustauschern, Farbstoffen (vgl. Naphthol- u. Naphthylaminsulfonsäuren), Gerbstoffen, Schädlingsbekämpfungsmitteln, Arzneimitteln usw. – ***E*** sulfonic acids – ***F*** acides sulfoniques – ***I*** acidi solfonici – ***S*** ácidos sulfónicos

Lit.: [1] IUPAC, Nomenklatur der Organischen Chemie, S. 137, Weinheim: VCH Verlagsges. 1997.

allg.: Barton-Ollis **3**, 331 ff. ▪ Chem. Unserer Zeit **13**, 157 (1979) ▪ Houben-Weyl **9**, 435–516; **E 11**, 1055–1128 ▪ Katritzky et al. **2**, 189, 719 ▪ Kirk-Othmer (3.) **22**, 45–63; (4.) **23**, 194 ff. ▪ Patai, The Chemistry of Sulphonic Acids, Esters and their Derivates, Chichester: Wiley 1991 ▪ Ullmann (5.) **A 3**, 509–537; **A 25**, 503 ff. ▪ s. a. Sulfonierung u. Schwefel-organische Verbindungen.

...sulfonyl... a) Endung der Präfixe für *Sulfonsäure-Reste $-SO_2-R$ (s. Benzolsulfonyl... u. Methansulfonyl...). – b) Präfix für *Sulfon-Brücken $-SO_2-$ in *Multiplikativnamen (IUPAC-Regel C-631.2 u. C-661.3) u. Polymer-Namen. – c) Neben *Sulfuryl... für $-SO_2-$ in Schwefeldihalogeniddioxiden zulässige Bez. ($SO_2X^1X^2$; IUPAC-Regel I-8.4.2.2). – d) Präfix für die doppeltgebundene Atomgruppierung $=SO_2$ (IUPAC-Regel C-661.5); *Beisp.:* *N*-Sulfonylamine [$R-N=SO_2$; vgl. Sulfimide (b)]. – ***E*** sulfonyl... – ***F*** ...sulfonyl... – ***I*** ...solfonil... – ***S*** ...sulfonil...

...sulfonylamino... s. ...sulfonamido...

Sulfonylchloride (Sulfochloride). Verb. der allg. Formel $R-SO_2-Cl$, wobei R ein Alkyl- od. ein Aryl-Rest sein kann; *Beisp.:* *p*-*Toluolsulfonylchlorid. Man erhält diese Verb. z. B. durch Einwirkung von Phosphorpentachlorid auf *Sulfonsäuren od. durch *Sulfochlorierung. Die S. dienen zur Einführung des Sulfonyl-Restes $-SO_2-R$ in organ. Verbindungen. – ***E*** sulfonyl chlorides – ***F*** chlorures de sulfonyle – ***I*** cloruri di solfonile – ***S*** cloruros de sulfonilo

Lit.: Houben-Weyl **9**, 407–428, 563–596; **E 11**, 1067–1073.

Sulfonylharnstoffe. Verb. der allg. Formel $R^1-SO_2-NH-CO-NH-R^2$, in denen R^1 meist ein (un)substituierter Benzol-Ring u. R^2 ein Alkyl-, Aryl- od. auch ein heterocycl. Rest ist. Die S., insbes. die Gruppe der *(Phenylsulfonyl)harnstoffe* (*N*-Carbamoylbenzolsulfonamide), haben seit etwa 1955 als orale *Antidiabetika (vgl. Diabetes u. Hypoglykämie) große Bedeutung erlangt. Sie blockieren Kaliumkanäle u. verursachen dadurch die Freisetzung von *Insulin aus den B-Zellen des Pankreas u. verbessern gleichzeitig die Ansprechbarkeit auf den physiolog. Glucose-Stimulus. Von den *Sulfonamid-Antidiabetika mit der S.-Gruppierung $-SO_2-NH-CO-NH-$, die für die blutzuckersenkende Wirkung verantwortlich scheint, wird fast nur noch *Glibenclamid verordnet. Einige S.-Derivate wirken als selektive *Herbizide [1], z. B. Metsulfuron u. *Chlorsulfuron. – ***E*** sulfonylureas – ***F*** sulfonylurées – ***I*** sulfaniluree, sulfoniluree – ***S*** sulfonilureas

Lit.: [1] Chem. Plant. Prot. **10**, 15–81 (1994).

allg.: Diabetologia **35**, 907–912 (1995) ▪ Handb. Exp. Pharmakol. **119**, 65–72 (1996) ▪ Ullmann (5.) **A 3**, 2–6 ▪ s. a. Antidiabetika, Diabetes, Sulfonamide.

Sulfopon®. Fettalkoholsulfate für die Herst. kosmet. Tensidpräp. u. Waschcremes. ***B.:*** Henkel.

3-Sulfopropyl... Bez. der Atomgruppierung $-(CH_2)_3-SO_3H$, die oft in wasserlösl., zwitterion. od. anion. Spezialchemikalien vorkommt, z. B. in *Sulfobetainen u. a. Tensiden, Galvano- u. Photochemikalien,

Polymerisationshilfsmitteln od. Puffern (z. B. *MOPS). – ***E*** 3-sulfopropyl... – ***F*** sulfopropyl... – ***I*** solfopropil... – ***S*** sulfopropil...

Sulforaphan s. Sulforaphen.

Sulforaphen [(*E*)-4-((*R*)-Methylsulfinyl)-3-buten-1-ylisothiocyanat, Raphanin].

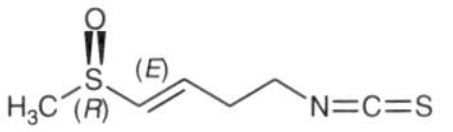

$C_6H_9NOS_2$, M_R 175,26. Farbloses Öl, Sdp. 125–130 °C (2 Pa), $[\alpha]_D$ −108° ($CHCl_3$); lösl. in Wasser, Methanol, Chloroform, wenig lösl. in Ether, unlösl. in Petrolether. S. kommt zusammen mit der Dihydro-Verb. *Sulforaphan*[1] [$C_6H_{11}NOS_2$, M_R 177,29, Sdp. 130–135 °C bei 4 Pa, $[\alpha]_D$ −79,3° ($CHCl_3$)] als *Glucosinolat (*Glucoraphanin*) in *Rettich u. *Radieschen vor u. gehört zu den *Senfölen. S. hat antibiot. Wirkung, was die therapeut. Verw. des Rettichsaftes erklärt. – ***E*** sulforaphene – ***F*** sulforaphène – ***I*** sulforafene – ***S*** sulforafeno

Lit.: [1] Chem. Eur. J. **3**, 713 (1997); J. Org. Chem. **59**, 597 (1994); Proc. Nat. Acad. Sci. USA **89**, 2399 (1992).
allg.: Beilstein EIV **4**, 1829 ▪ Karrer, Nr. 2325 ▪ Tetrahedron **22**, 2139 (1966) ▪ s. a. Senföle. – *[HS 3301 29; CAS 592-95-0 (S.); 4478-93-7 (Sulforaphan)]*

Sulforidazin (Rp).

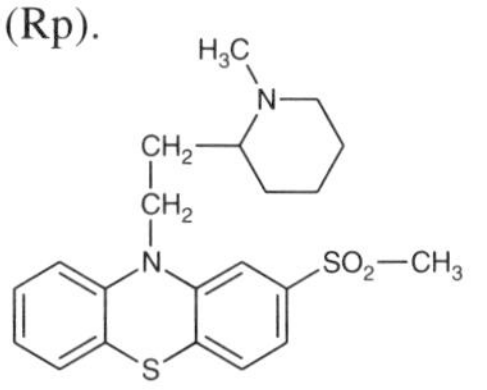

Internat. Freiname für das *Neuroleptikum (±)-10-[2-(1-Methyl-2-piperidyl)ethyl]-2-methylsulfonyl-10*H*-phenothiazin, $C_{21}H_{26}N_2O_2S_2$, M_R 402,57, Krist., Schmp. 121–123 °C. S. wirkt als Dopamin-Rezeptoren-Blocker. Es wurde 1964 u. 1966 von Sandoz patentiert. – ***E*** = ***F*** sulforidazine – ***I*** = ***S*** sulforidazina

Lit.: J. Chromatogr. **423**, 227 (1987) ▪ J. Pharmacol. Exp. Ther. **228**, 636 (1984) ▪ Martindale (31.), S. 735, 739. – *[HS 2934 30; CAS 14759-06-9]*

Sulfosäuren s. Sulfonsäuren.

5-Sulfosalicylsäure (2-Hydroxy-5-sulfobenzoesäure).

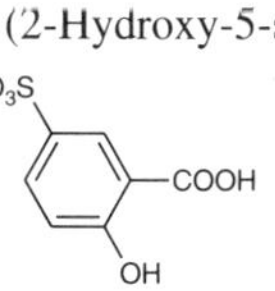

$C_7H_6O_6S$, M_R 218,19. Das Dihydrat bildet ein weißes, krist. Pulver, Schmp. 120 °C (wasserfrei), bei ca. 200 °C Zers., in Wasser, Alkohol, Ether leicht, in Aceton u. Benzol schwer lösl., reizt Haut u. Schleimhäute. S. bildet mit einer Reihe von Metall-Ionen lösl., oft stark gefärbte Komplexe u. gibt mit Eiweiß Fällungen.
Verw.: Früher in der Harn-Analyse zum Eiweiß-Nachw., zur photometr. Bestimmung u. Trennung des Fe von Mn, Ti, Al, Mg u. Tl, zur Abtrennung des Urans u. Thalliums von anderen Elementen, als Indikator in der Komplexo- u. Konduktometrie. – ***E*** sulfosalicylic acid – ***F*** acide sulfosalicylique – ***I*** acido solfosalicilico – ***S*** ácido sulfosalicílico

Lit.: Beilstein EIV **11**, 702 ▪ Fries-Getrost, S. 140, 362, 385 ▪ Hager **6b**, 671 ▪ Kirk-Othmer **17**, 735; (3.) **20**, 515 f., Merck-Index (12.), Nr. 9138 ▪ Ullmann (5.) **A 14**, 141. – *[HS 2918 29; CAS 97-05-2]*

Sulfosalze. Bez. für als Minerale vorkommende u. auch synthet. hergestellte *Komplex-Sulfide* (auch Selenide u. Telluride) $A_xB_yS_n$ mit *A* = Pb, Cu, Ag, Hg, Tl, Fe, Mn u. a. Metalle; *B* = formal dreiwertige Kationen As, Sb, Bi (selten Te^{4+}) in nicht planarer Dreier-Koordination (flache trigonale Pyramiden) $[AsS_3]$, $[SbS_3]$ u. $[TeS_3]$; *S* = S, Se^{2-} od. Te^{2-}. Zur Klassifikation der S. u. der Definition homologer, auf sog. *Archetypen* (u. a. PbS-, SnS- u. *Zinkblende-Archetyp) aufbauender Reihen von S. s. *Lit.*[1]; zu von den PbS- u. SnS-Archetypen abgeleiteten S.-Strukturen s. *Lit.*[2]; zur Thermochemie von Silber-S. mit As, Sb u. Bi s. *Lit.*[3]. In diesem Werk besprochene S. sind: Aikinit, Bismuthinit, Boulangerit, Bournonit, Fahlerze (mit Tetraedrit), Jordanit, Kermesit, Lorandit, Miargyrit, Polybasit, Proustit, Pyrargyrit, Stephanit u. Zinckenit. – ***E*** sulfosalts – ***F*** sels sulfiques – ***I*** solfosali – ***S*** sulfosales

Lit.: [1] Neues Jahrb. Mineral. Abhandl. **160**, 269–297 (1989). [2] Eur. J. Mineral. **5**, 545–591 (1993). [3] Am. Mineral. **74**, 243–249 (1989).
allg.: Ramdohr-Strunz, S. 470–482.

Sulfosolvan s. Carbosolvan-Verfahren.

Sulfosorbon®-Verfahren. Verf. zur Entfernung von *Schwefelwasserstoff u. *Schwefelkohlenstoff aus Abluft von *Viskose-Betrieben. Abscheidung von CS_2 erfolgt adsorptiv an Aktivkohle (Supersorbon) u. von H_2S durch Oxidationskatalyse an Katalysator/Aktivkohle (Sulfosorbon) zu Schwefel. CS_2 wird mit Wasserdampf desorbiert, der Elementarschwefel mit CS_2 extrahiert. ***B.:*** Lurgi.

Sulfosuccinamate (Sulfobernsteinsäureamide). Anlagerungsprodukte von Natriumhydrogensulfit an Maleinsäuremono- od. -diamide (s. Sulfosuccinate), die als Sammler in der Flotation (s. dort) nichtsulfid. Erze Verw. finden. – ***E*** = ***F*** sulfosuccinamates – ***I*** solfosuccinamati – ***S*** sulfosuccinamatos

Sulfosuccinate (Sulfobernsteinsäureester). Anlagerungsprodukte von Natriumhydrogensulfit an Maleinsäuremono- od. -diester.

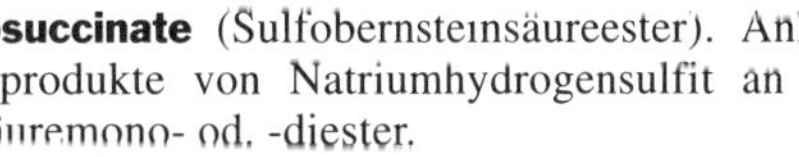

$R^1 = C_8 - C_{18}$, $R^2 = H, C_8 - C_{18}$

Herst.: Ausgangsprodukt ist in der Regel *Maleinsäureanhydrid, das in Ggw. saurer Katalysatoren mit *Fettalkoholen od. *Fettalkoholpolyglykolethern umgesetzt wird. Die Monoester werden bei 70–100 °C erhalten, während zur Synth. der Diester 80 bis 100 °C u. azeotrope Veresterungsbedingungen erforderlich sind, um das Kondensationswasser aus dem Gleichgew. zu entfernen. Die Anlagerung des Hydrogensulfits an die Doppelbindung wird in wäss. Methanol durchgeführt.
S., die nicht mehr als 8 Kohlenstoff-Atome pro Ester-Gruppe enthalten, sind wasserlösl. Die Natriumsalze der Sulfobernsteinsäuremonoester weisen ein hohes Schaumvermögen, gute Waschkraft u. ausgezeichnete Hautverträglichkeit auf u. finden daher bevorzugt Einsatz in Babyshampoos u. Haarkuren. Die Natriumsalze

der Diester werden als hervorragende Netzmittel in der Textil-Ind. verwendet. Infolge ihrer geringen Alkali-Stabilität haben S. im Waschmittelbereich prakt. keine Bedeutung. – ***E*** = ***F*** sulfosuccinates – ***I*** solfosuccinati – ***S*** sulfosuccinatos

Lit.: Seifen Öle Fette Wachse **117**, 3 (1991) ▪ Stache (Hrsg.), Anionic Surfactants: Organic Chemistry, S. 501–549, New York: Dekker 1996 ▪ Tenside Surf. Deterg. **11**, 202 (1974). – *[HS 2917 90]*

Sulfosulfuron.

Vorgeschlagener Common name für 1-[2-Ethylsulfonylimidazo(1,2-α)pyridin-3-ylsulfonyl]-3-(4,6-dimethoxypyrimidin-2-yl)harnstoff, $C_{16}H_{18}N_6O_7S_2$, M_R 470,47, Schmp. 201–202 °C, LD_{50} (Ratte oral) >5000 mg/kg, von Takeda u. Monsanto Mitte der 90er Jahre eingeführtes selektives, system. *Herbizid gegen breitblättrige Unkräuter u. Ungräser in Getreide- u. a. Kulturen. – ***E*** = ***F*** sulfosulfuron – ***I*** sulfosulfurone – ***S*** sulfosulfurón

Lit.: Perkow. – *[CAS 141776-32-1]*

Sulfotep. T

Common name für 1,1,2,2-*O*-Tetraethyl-1,2-dithiodiphosphat, $C_8H_{20}O_5P_2S_2$, M_R 322,3, Sdp. 92 °C (13,3 Pa), LD_{50} (Ratte oral) 5 mg/kg, MAK 0,015 ppm bzw. 0,2 mg/m^3, von Bayer 1950 eingeführtes breit wirksames nicht-system. *Insektizid u. *Akarizid als Räuchermittel gegen Gewächshausschädlinge. – ***E*** = ***F*** = ***I*** = ***S*** sulfotep

Lit.: Farm ▪ Perkow ▪ Pesticide Manual. – *[HS 2920 90; CAS 3689-24-5]*

Sulfotransferasen (EC 2.8.2). Gruppenbez. für *Transferasen, die Sulfat-Gruppen übertragen (*Sulfatierung), z. B. auf Phenole. Im Organismus spielen die S. eine bedeutende Rolle bei der Ausschleusung von Fremdstoffen als *Schwefelsäureester (*Konjugate). – ***E*** sulfotransferases, sulphotransferases – ***F*** sulfotransférases – ***I*** solfotrasferasi – ***S*** sulfotransferasas

Lit.: FASEB J. **11**, 1–14, 109–117, 206–216, 314–321, 404–418, 517–525 (1997) ▪ Trends Biochem. Sci. **23**, 129 f. (1998).

...sulfoxid s. Sulfoxide.

Sulfoxidation. Bez. für ein Verf. zur *Sulfonierung von Paraffinen mit Schwefeldioxid u. Sauerstoff, das unter der Einwirkung von UV-Licht od. *Radikal-Startern ähnlich wie die *Sulfochlorierung als radikal. Kettenreaktion verläuft:

$$R^\bullet \xrightarrow{+SO_2} R{-}SO_2^\bullet \xrightarrow{+O_2} R{-}SO_2{-}O{-}O^\bullet \xrightarrow[-R^\bullet]{+RH}$$

$$R{-}SO_2{-}O{-}OH \xrightarrow[-^\bullet OH]{} R{-}SO_2{-}O^\bullet \xrightarrow{+RH} R{-}SO_2{-}OH + R^\bullet$$

$$^\bullet OH + RH \longrightarrow H_2O + R^\bullet$$

Um unübersichtliche Folgereaktionen der instabilen Peroxysulfonsäure zu vermeiden, wird diese im sog. *Licht-Wasser-Verf.* (s. Abb.) mit überschüssigem SO_2 in Ggw. von Wasser reduziert, wobei zusätzlich Schwefelsäure entsteht:

$$R{-}SO_2{-}O{-}OH + SO_2{+}H_2O \rightarrow R{-}SO_2{-}OH + H_2SO_4$$

Das Verf. wurde 1940 von C. Platz in der I. G. Farben entwickelt u. wird heute von den Firmen Clariant u. CONDEA großtechn. zur Herst. von *Alkansulfonaten angewendet.

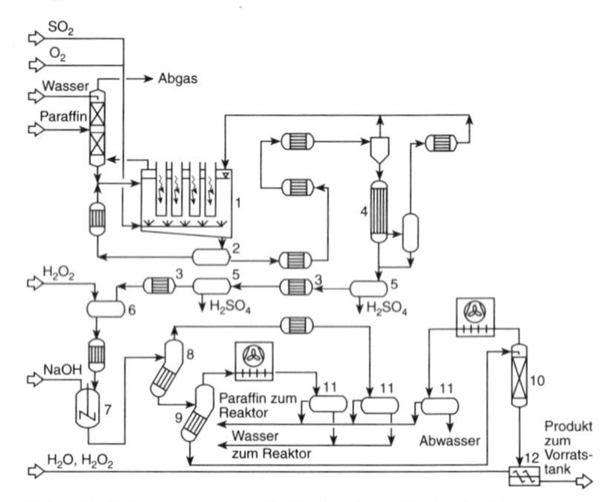

Abb.: Flußdiagramm zum Sulfoxidations-Verf.; 1 = Trogreaktor mit UV-Lampen; 2 = Abscheider; 3 = Entgasung; 4 = Fallfilmverdampfer zur Abtrennung eines Paraffin-Wasser-Gemischs; 5 = Abscheider zur Trennung von Paraffin-haltiger Alkansulfonsäure u. Schwefelsäure; 6 = Bleiche mit H_2O_2; 7 = Neutralisationskessel; 8, 9 = Umlaufverdampfer zur Abtrennung von weiterem Paraffin; 10 = Füllkörperkolonne; 11 = Abscheider; 12 = Schneckenextruder zur Herst. von Alkansulfonatpaste; nach Stache, *Lit.*

Hierzu werden die Paraffine unter Durchleiten des SO_2/O_2-Gemischs bei 30–38 °C mit UV-Licht bestrahlt. Zusammen mit dem Einsatzmaterial tritt Wasser am Reaktorkopf ein, welches die als Zwischenprodukt gebildete Alkanperoxysulfonsäure zu Sulfonsäure u. Schwefelsäure hydrolysiert u. die Reaktionsprodukte austrägt. Um die Bildung von Oligo- u. Polysulfonaten zu verhindern, welche die anwendungstechn. Leistung der Alkansulfonate neg. beeinflussen, wird der Paraffin-Umsatz auf 1–5% begrenzt. Die Abscheidung der wäss. Sulfonsäuren vom Restparaffin, das im Kreislauf zurückgeführt wird, erfolgt durch Phasentrennung. Nach Entgasung u. Abtrennung der Schwefelsäure wird die rohe Alkansulfonsäure neutralisiert. Da die Reaktion radikal. verläuft, zeigen die Produkte eine statist. Verteilung der Sulfonat-Gruppe über die C-Kette. – ***E*** sulfoxidation – ***F*** sulfoxydation – ***I*** solfossidazione – ***S*** sulfoxidación

Lit.: Chem. Unserer Zeit **13**, 157 (1979) ▪ Falbe (Hrsg.), Surfactants in Consumer Products, S. 70 f., Berlin: Springer 1986 ▪ Stache (Hrsg.), Anionic Surfactants: Organic Chemistry, S. 146–153, New York: Dekker 1996.

Sulfoxide. Bez. für meist krist., farblose Verb., bei denen die Oxid.-Stufe des S-Atoms zwischen der bei den *Sulfiden u. den *Sulfonen steht.

$$\underset{\text{Sulfide}}{R^1{-}S{-}R^2} \xrightarrow{[O]} \underset{\text{Sulfoxide}}{R^1{-}S(=O){-}R^2} \xrightarrow{[O]} \underset{\text{Sulfone}}{R^1{-}S(=O)_2{-}R^2}$$

Nach IUPAC-Regel C-631 bzw. R-5.5.7 [1] werden die S. entweder als ...sulfoxid benannt (*Beisp.:* *Dimethylsulfoxid, Butylmethylsulfoxid) od. – bei Vorliegen von Gruppen höherer Benennungspriorität – mit dem Präfix ...sulfinyl... [*Beisp.:* Methylsulfinylbutenylisothiocyanat (*Sulforaphen), 4,4′-Sulfinyldibenzoesäure]. Cycl. S. bezeichnet man als Oxide der *Schwefel-Heterocyclen. Die S,O-Bindung besitzt nur z.T. Doppelbindungscharakter [2]. Bei höherer Temp. zerfallen viele S. explosionsartig [3]. Mit Ausnahme der niederen aliphat. Vertreter sind die S. in Wasser unlösl., dagegen lösl. in den meisten organ. Lsm. u. in verd. Säuren. Durch starke Oxid.-Mittel können sie in die Sulfone übergeführt werden, mit kräftigen Red.- od. *Desoxygenierungs-Mitteln erhält man die Sulfide, z.B. mit Dichlorboran, $SnCl_2$/HCl, Trimethylsilyliodid od. durch katalyt. Hydrierung. Da die S. pyramidal gebaut sind, zeigen S. mit $R^1 \neq R^2$ opt. Aktivität u. sind wertvolle Reagenzien od. Zwischenprodukte für stereoselektive Synth. [4–6]. Eine präparativ nützliche S.-Reaktion ist die *Pummerer-Umlagerung. Man erhält S. meist durch Oxid. von Sulfiden, auch durch *Grignard-Reaktion mit Sulfinylchloriden. Das wichtigste S. ist das als Lsm. u. Oxidans äußerst vielseitige, aber u.U. explosionsfähige Gemische bildende *Dimethylsulfoxid [7]. Eine Reihe von S. kommen in der Natur vor wie z.B. Allylvinylsulfoxid im Knoblauchöl u. Bis(2-hydroxyethyl)-sulfoxid in der Nebennierenrinde od. homologe Methylsulfinylalkylisocyanate in *Senfölen (z.B. *Sulforaphen). – ***E*** sulfoxides – ***F*** sulfoxydes – ***I*** solfossidi – ***S*** sulfóxidos

Lit.: [1] IUPAC, Nomenklatur der Organischen Chemie, S. 117, Weinheim: VCH Verlagsges. 1997. [2] Angew. Chem. **84**, 436 ff. (1972); Helv. Chim. Acta **64**, 97–112 (1981). [3] Angew. Chem. **87**, 635 f. (1975). [4] Nachr. Chem. Tech. Lab. **35**, 22–25 (1987). [5] Chem. Rev. **95**, 1717 (1995). [6] Top. Curr. Chem. **190**, 103 (1997). [7] Jacob, Rosenbaum u. Wood, Dimethyl Sulfoxide, Bd. 1, New York: Dekker 1971.
allg.: Adv. Heteroatom Chem. **48**, 1–61 (1990) ▪ Barton-Ollis **3**, 121 f. ▪ Houben-Weyl **4/1 a**, 373–390; **9**, 207–221; **E 11**, 669–886 ▪ Katritzky et al. **2**, 144, 713 ▪ Kirk-Othmer (3.) **22**, 64–77, (4.) **23**, 217 ff. ▪ Nudelman, The Chemistry of Optically Active Sulfur Compounds, New York: Gordon and Breach Science Pub. 1984 ▪ Ullmann (5.) **A 25**, 492 ff. ▪ s.a. Sulfone (*Patai*) u. Schwefel-organische Verbindungen.

Sulfoximide. Bez. für Verb. der allg. Formel

$$R^1\!-\!S(=O)(=N\!-\!R^3)\!-\!R^2$$

R^3 = H, CH_3, SO_2–C_6H_4–CH_3

R^1, R^2 = Alkyl, Aryl

(IUPAC-Regel C-633.1), die sich formal von *Sulfonen ableiten u. wie diese häufig krist. u. therm. sowie hydrolyt. relativ stabil sind. Die S. sind präparativ nützliche Ausgangsstoffe zur Synth. von (opt. aktiven) dreigliedrigen Ringverb. wie z.B. Oxiranen, Aziridinen, Cyclopropanen. S. werden auch als Pharmazeutika, Agrochemikalien, Tenside, Polymeradditive, Bleichmittel usw. eingesetzt [1]. – ***E=F*** sulfoximides – ***I*** solfossimidi – ***S*** sulfoximidas

Lit.: [1] Chem. Soc. Rev. **4**, 189 (1975); **9**, 477 (1980).
allg.: Acc. Chem. Res. **6**, 341–347 (1973) ▪ Barton-Ollis **3**, 223 ff. ▪ Houben-Weyl **E 11**, 1299–1320 ▪ Katritzky et al. **2**, 163 ▪ s.a. Sulfone (*Patai*) u. Schwefel-organische Verbindungen.

Sulfoxonnatrium s. Aldesulfon-Natrium.

Sulfoxylate. Bez. für Ester u. Salze der *Sulfoxylsäure mit dem Anion $^-O\text{–}S\text{–}O^-$; es sei darauf hingewiesen, daß sich manche bekannte S. als *Sulfinate erwiesen haben; *Beisp.:* *Harris-Verfahren, *Rongalit. – ***E=F*** sulfoxylates – ***I*** solfossilati – ***S*** sulfoxilatos

Sulfoxylsäure. In freiem Zustand unbekannte, früher *Hyposchweflige Säure* genannte Schwefel-Säure H_2SO_2, von der drei isomere Formen formuliert werden können: HO–S–OH ⇌ H–S(O)–OH ⇌ H–(O)S(O)–H. Von den beiden letzteren leiten sich die *Sulfinsäuren u. *Sulfone ab. Die Salze u. Ester [$S(OM^I)_2$, $S(OR)_2$] heißen *Sulfoxylate (früher *Hyposulfite*). – ***E*** sulfoxylic acid – ***F*** acide sulfoxylique – ***I*** acido solfossilico – ***S*** ácido sulfoxílico – *[CAS 20196-46-7; G 8]*

Sulfreen®-Verfahren. Dem *Claus-Verfahren nachgeschalteter Prozeß zur Abgasreinigung, bei dem Rest-H_2S u. -SO_2 an Aluminiumoxid-Katalysatoren als Schwefel abgeschieden werden. ***B.:*** Lurgi; SNEA.

Sulfur. Latein. u. amerikan. Bez. für *Schwefel.

Sulfurane. Übliche Bez. für organ. Verb. des vierbindigen Schwefels (R_4S); IUPAC-Regel R-2.1: λ^4-Sulfane; CAS-Bez.: ...schwefel (S-Koordinationsverb. mit 4 Liganden). *Beisp.:* (Diethylamino)trifluorsulfuran [$(H_5C_2)_2N\text{–}SF_3$, Fluoriermittel], Di-*tert*-alkoxydiphenylsulfurane [$(RO)_2S(C_6H_5)_2$, dehydratisieren Alkohole]. – ***E=F*** sulfuranes – ***I*** solfurani – ***S*** sulfuranos

Sulfuratum. Latein. Bez. für Salze des Schwefelwasserstoffs, z.B. Natrium s. = Natriumsulfid.

Sulfuricum. Latein. Bez. für Salze der Schwefelsäure, z.B. Natrium s. = Natriumsulfat.

Sulfurierung. Oberbegriff für das Einführen Schwefel-haltiger Gruppen in organ. Verb.; Unterbegriffe: a) **Sulfidierung* mit zweibindigem Schwefel [Thiol-Gruppen (–SH), Sulfid-Brücken (–S–) u.a.]; – b) **Sulfierung* mit Sulfo-Gruppen, unterteilt in **Sulfonierung* (ergibt *Sulfonsäuren, C–SO_3H) u. **Sulfatierung* (ergibt organ. *Sulfate, C–O–SO_3H).
Unsystemat. verwandte Bez.: *Schwefeln* (s. Schwefeldioxid), **Sulfatisierung*, *Sulfitation* (s. Gewinnung von Rohrzucker bei Saccharose), *Sulfitierung* (im Sulfit-Verf., s. Cellulose). Die ältere Lit. u.a. Sprachen definieren manche Bez. anders; *Beisp.: E* sulfurization ist meist nicht S., sondern Behandeln von organ. Verb. (bes. ungesätt. Fetten u. Ölen, bes. *Spermöl) z.B. mit Schwefeldichlorid od. Schwefel, was etwa der Sulfidierung entspricht. Gegensätze: **Entschwefelung* (Bez. für Entfernen jeder Art von Schwefel) u. *Desulfurierung* (Entfernen Schwefel-haltiger, meist Thiol- u. Sulfid-Gruppen aus organ. Verb.); oft gelten beide Bez. auch synonym. – ***E=F*** sulfuration – ***I*** solforazione – ***S*** sulfuración

Sulfuryl... Bez. für –SO_2– in Schwefeldihalogeniddioxiden ($SO_2X^1X^2$), auch: *...Sulfonyl... (IUPAC-Regel I-8.4.2.2); *Beisp.:* *Sulfurylchlorid. – ***E=F*** sulfuryl... – ***I*** solforil... – ***S*** sulfuril...

Sulfurylchlorid. SO_2Cl_2, M_R 134,970. C Leichtbewegliche, farblose, an der Luft schwach rauchende, erstickend riechende Flüssigkeit, D. 1,67, Schmp. –54,1 °C, Sdp. 69,3 °C. S. zerfällt bei

längerem Stehen z. T. in Schwefeldioxid u. Chlor, letzteres färbt die Flüssigkeit allmählich gelb. In Ggw. von viel Wasser tritt Hydrolyse ein: $SO_2Cl_2 + 2\,H_2O \rightarrow H_2SO_4 + 2\,HCl$. S. ist mischbar mit Benzol, Toluol, Ether, Eisessig u. a. organ. Lsm.; seinerseits löst S. als *nichtwäßriges Lösemittel viele organ. u. anorgan. Stoffe.
Herst.: Man läßt Schwefeldioxid u. Chlor in Ggw. von Aktivkohle od. Campher aufeinander einwirken. Neben S. kennt man noch Di-, Tri- u. Tetra-S. (z. B. $S_4O_{11}Cl_2$).
Verw.: Als Wasser-entziehendes Mittel, zur Chlorierung organ. Verb. u. zur Einführung der SO_2-Gruppe in Kohlenstoff-Verb., z. B. bei der Herst. von *Sulfonylchloriden, *Sulfonsäuren u. *Sulfonaten. – ***E*** sulfuryl chloride – ***F*** chlorure de sulfuryle – ***I*** cloruro di solforile, dicloruro di solfonile – ***S*** cloruro de sulfurilo
Lit.: Brauer (3.) **1**, 388 ff. ▪ Gmelin, Syst.-Nr. 9, S, Tl. B, 1963, S. 1802–1821 ▪ Hommel, Nr. 270 ▪ Houben-Weyl **5/3**, 873 ▪ Kirk-Othmer (3.) **22**, 131 ff. ▪ Pizey, Mercuric Acetate, Periodic Acid and Periodates, and Sulfuryl Chloride (Synthetic Reagents 4), Chichester: Horwood 1981 ▪ Pure Appl. Chem. **57**, 383–388 (1985) ▪ Synthetica **1**, 454–459 ▪ Ullmann (4.) **21**, 81–84 ▪ Winnacker-Küchler (3.) **2**, 79; (4.) **2**, 86. – *[HS 2812 10; CAS 7791-25-5; G 8]*

Sulfuryldiamid s. Sulfamid.

Sulindac (Rp).

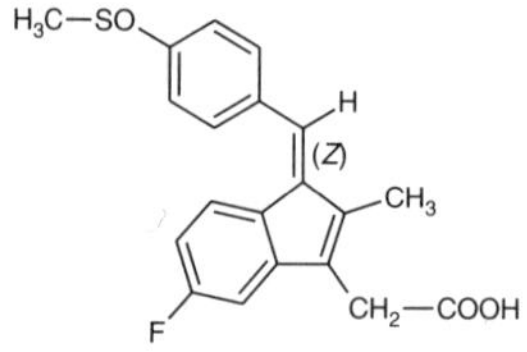

Internat. Freiname für das *Antiphlogistikum (*Z*)-5-Fluor-2-methyl-1-[4-(methylsulfinyl)benzyliden]-1*H*-inden-3-essigsäure, $C_{20}H_{17}FO_3S$, M_R 356,42, gelbe Krist., Schmp. 182–185 °C; λ_{max} (CH_3OH) 226, 287, 328 nm ($A^{1\%}_{1cm}$ 547, 432, 375), pK_a 4,7; kaum lösl. in Methanol, in Wasser nimmt die Löslichkeit mit steigendem pH-Wert zu. S. wurde 1971 u. 1972 von Merck & Co patentiert. – ***E*** = ***F*** = ***I*** sulindac – ***S*** sulindaco
Lit.: ASP ▪ Florey **13**, 573–596 ▪ Hager (5.) **9**, 739–743 ▪ Martindale (31.), S. 97 ff. ▪ Ph. Eur. **1997** u. Komm. ▪ Ullmann (5.) **A 3**, 38 f. – *[HS 2930 90; CAS 38194-50-2]*

Sulisobenzon.

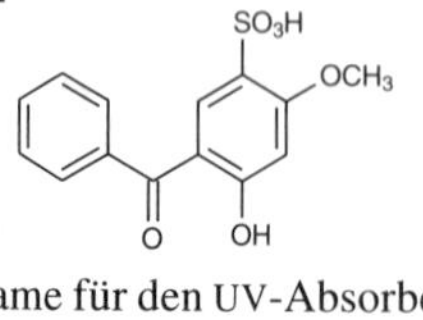

Internat. Freiname für den UV-Absorber 5-Benzoyl-4-hydroxy-2-methoxybenzolsulfonsäure, $C_{14}H_{12}O_6S$, M_R 308,31, Schmp. 145 °C, lösl. in Wasser, Alkohol. – ***E*** = ***F*** = ***I*** sulisobenzone – ***S*** sulisobenzona
Lit.: Martindale (29.), S. 1452. – *[HS 2914 70; CAS 4065-45-6]*

Sulmycin® (Rp). Salbe u. Creme mit *Gentamicin-sulfat gegen Wundinfektionen, Creme zusätzlich mit Antioxidans *Piperonylbutoxid, auch als Schwamm mit zusätzlichem Collagen aus Rindersehne (*S. Implant*) gegen Knochen(marks)vereiterungen; *S. mit Celestan®-V:* Salbe u. Creme mit zusätzlichem *Betamethason-17-valerat gegen Dermatosen, Ekzeme, Verbrennungen usw. ***B.:*** Essex Pharma.

Sulph... Veraltete engl. Schreibweise für Sulf...

Sulphax®. Schwefel-haltiger Industrieruß als Verstärkerfüllstoff für Kautschuk. ***B.:*** Degussa.

Sulp(h)ur. Latein. Bez. für *Schwefel.

Sulpirid (Rp).

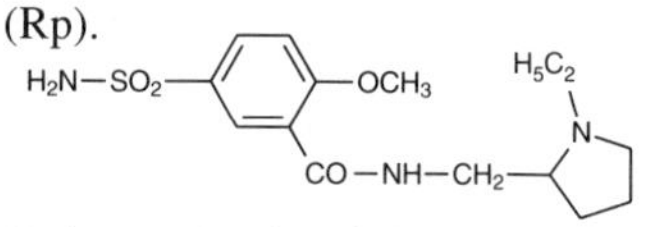

Internat. Freiname für das als Dopamin-Antagonist u. *Neuroleptikum wirksame *Sulfonamid (±)-*N*-(1-Ethyl-2-pyrrolidinylmethyl)-2-methoxy-5-sulfamoylbenzamid, $C_{15}H_{23}N_3O_4S$, M_R 341,43, krist. Pulver, Schmp. 178–180 °C, $[\alpha]^{25}_D$ –66,8° (c 0,5/DMF); λ_{max} (CH_3OH) 289 nm ($A^{1\%}_{1cm}$ 70), pK_b 3,81, pK_a 9,00; unlösl. in Wasser, Ether, Chloroform, wenig lösl. in Methanol. S. wurde 1964 von Soc. d'Études Scientif. et Ind. de l'Ile-de-France patentiert u. ist als Generikum im Handel. – ***E*** = ***F*** = ***I*** sulpiride – ***S*** sulpirida
Lit.: Florey **17**, 607–641 ▪ Hager (5.) **9**, 743–746 ▪ Martindale (31.), S. 735 ▪ Ph. Eur. **1997** u. Komm. – *[HS 2935 00; CAS 15676-16-1]*

Sulprofos.

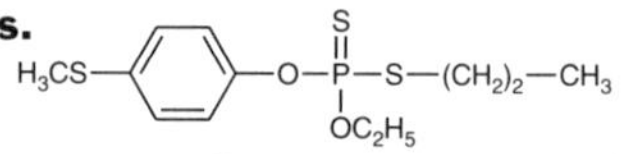

Common name für (±)-*O*-Ethyl-*O*-[4-(methylthio)phenyl]-*S*-propyl-dithiophosphat, $C_{12}H_{19}O_2PS_3$, M_R 322,43, Sdp. 125 °C (1,0 Pa), LD_{50} (Ratte oral) 130 mg/kg (WHO), von Bayer 1977 eingeführtes nichtsystem. *Insektizid mit Fraß- u. Kontaktgiftwirkung sowie Wirkungsschwerpunkt gegen Schmetterlingslarven im Baumwoll-, Mais-, Tabak- u. Gemüseanbau. – ***E*** = ***F*** = ***I*** = ***S*** sulprofos
Lit.: Farm ▪ Perkow ▪ Pesticide Manual. – *[CAS 35400-43-2]*

Sulproston (Rp).

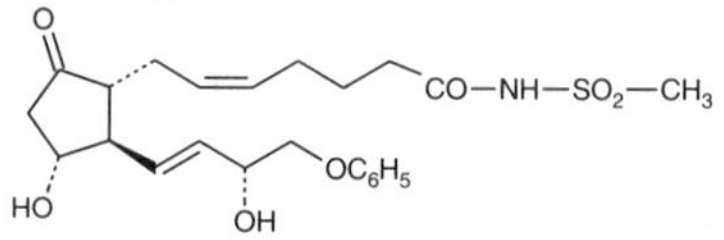

Internat. Freiname für ein wehenförderndes *Prostaglandin-E_2-Analogon (16-Phenoxy-16-apoprosta-glandin-E_2-methylsulfonylamid), $C_{23}H_{31}NO_7S$, M_R 465,57, Schmp. 78,5–80 °C, wenig lösl. in Wasser, lösl. in Ethanol. S. wurde 1974 u. 1977 von Pfizer patentiert. – ***E*** = ***F*** = ***I*** sulprostone – ***S*** sulprostona
Lit.: Hager (5.) **9**, 746 ff. ▪ Martindale (31.), S. 1461. – *[HS 2935 00; CAS 60325-46-4]*

Sultame. Bez. für Amino*sul*fonsäure-*Lac*tame*, die man mit Suffix ...-*x,y*-sultam (Lokant *x* = Sulfo-, *y* = Amino-Gruppe; IUPAC-Regel C-671.2, R-5.7.5.4) od. als heterocycl. Ringsyst. benennt; *Beisp.:* Abb. (X=NH) a = Naphthalin-1,8-sultam = 2*H*-Naphtho[1,8-*cd*]isothiazol-1,1-dioxid, b = Butan-1,4-sultam = 1,2-Thiazinan-1,1-dioxid.

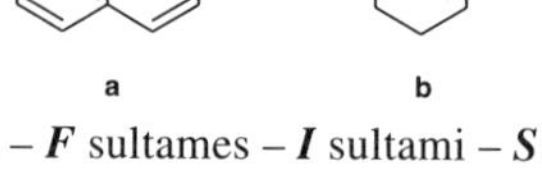

a b

– ***E*** sultams – ***F*** sultames – ***I*** sultami – ***S*** sultamas

Sultamicillin (Rp).

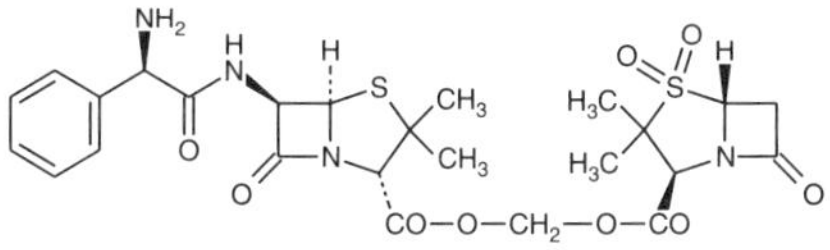

Internat. Freiname für ein Antibiotikum mit 2 miteinander veresterten Penicillansäuren im Mol., vgl. Penicilline, *Ampicillin-(*S,S*-dioxidopenicillanoylmethyl)-ester, $C_{25}H_{30}N_4O_9S_2$, M_R 594,65, farbloses Pulver, Schmp. 150 °C (Zers.), $[\alpha]_D^{20}$ +199° (c 1/Dioxan). S. ist ein *Prodrug von Ampicillin u. dem *β*-Lactamase-Inhibitor Sulbactam. Verwendet wird auch das Tosilat-Dihydrat, $C_{32}H_{42}N_4O_{14}S_3$, M_R 802,88, Schmp. 141–148 °C (Zers.). P. wurde 1980 u. 1981 von Pfizer (Unacid® PD) patentiert. – ***E*** sultamicillin – ***F*** sultamicilline – ***I*** sultamicillina – ***S*** sultamicilina

Lit.: Hager (5.) **9**, 748 ff. ▪ Martindale (31.), S. 283 f. – *[HS 2941 10; CAS 76497-13-7 (S.); 88492-15-3 (Tosilat-Dihydrat)]*

Sultaninen s. Rosinen.

Sultanol® (Rp). Dosier-Aerosol, Inhalierlsg., Pulver u. Tabl. mit *Salbutamol gegen Bronchialspasmen, Asthma. ***B.:*** Glaxo Wellcome.

Sultiam (Rp).

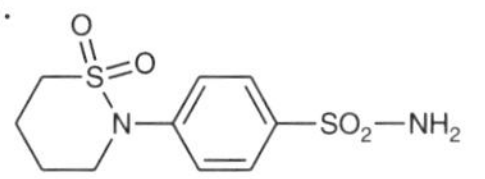

Internat. Freiname für das *Antiepileptikum u. Antikonvulsivum 4-(1,1-Dioxido-1,2-thiazinan-2-yl)benzolsulfonamid, $C_{10}H_{14}N_2O_4S_2$, M_R 290,37, krist. Pulver, Schmp. 180–182 °C; λ_{max} (CH_3OH) 246 nm, pK_a 10,0; unlösl. in kaltem, teilw. lösl. in siedendem Wasser, wenig lösl. in Alkohol, vollständig in wäss. Alkalien. S. wurde 1959 von Schenley patentiert u. ist von Desitin (Ospolot®) im Handel. – ***E*** sultiame, sulthiame – ***F*** = ***I*** sultiame – ***S*** sultiamo

Lit.: ASP ▪ Hager (5.) **9**, 750 ff. ▪ Martindale (31.), S. 387. – *[HS 2935 00; CAS 61-56-3]*

Sultone. Bez. für Hydroxy*sulfon*säure-*Lac*tone*, die man mit Suffix ...-*x,y*-sulton (Lokant *x* = Sulfo , *y* = Hydroxy-Gruppe; IUPAC-Regel C-671.1, R-5.7.5.2) od. als heterocycl. Ringsyst. benennt; *Beisp.:* Abb. bei *Sultame (X = O), a = Naphthalin-1,8-sulton = Naphtho[1,8-*cd*][1,2]oxathiol-2,2-dioxid, b = Butan-1,4-sulton = 1,2-Oxathian-2,2-dioxid. Herst. einfacher S.: Aus SO_3 u. passenden Olefinen od. Sulfit u. organ. Halogen-Verbindungen [1]. Wichtige S.: *1,3-Propansulton, 1,4-, 2,4-Butansulton etc. (früher zur Herst. von *Sulfobetainen; Carcinogene!); *Bromphenolblau, *Thymolblau u. *Xylenolblau u. a. Sulfonphthalein-*Indikatoren. – ***E*** = ***F*** sultones – ***I*** sultoni – ***S*** sultonas

Lit.: [1] Winnacker-Küchler (3.) **4**, 112.
allg.: Weissberger **19**, 978–982; **21**, 78–203, 774–805.

Sulvanit. Cu_3VS_4; zu den *Sulfosalzen gehörendes Vanadiumsulfid-Erzmineral, krist. kub., Kristallklasse $\bar{4}3m$-T_d; Struktur s. *Lit.* [1,2]. Meist frisch sehr hell bronzegelbe, metallglänzende, aber rasch dunkelstahlgrau anlaufende derbe Massen; Strichfarbe schwarz, H. 3,5, D. ca. 4. Zusammensetzung nach der Formel: 51,47% Cu, 13,85% V, 34,68% S. Die Abart *Arsen-S.*, $Cu_3(As,V,Sb,Fe,Ge)S_4$, ist nach *Lit.* [3] wahrscheinlich ident. mit *Colusit* $Cu_{24+x}V_2(As,Sb)_{6-x}(Sn,Ge)_xS_{32}$ (x = 0–2).
Vork.: In Utah/USA, Australien, Zaire, Bor/Serbien u. im Marmor von Carrara/Italien. – ***E*** = ***F*** = ***I*** sulvanite – ***S*** sulvanita

Lit.: [1] Tschermaks Mineral. Petrogr. Mitt. **10**, 379–384 (1965). [2] Am. Mineral. **51**, 890–894 (1966). [3] Am. Mineral. **79**, 750–762 (1994).
allg.: Anthony et al., Handbook of Mineralogy, Vol. I, S. 508, Tucson (Arizona): Mineral Data Publishing 1990 ▪ Ramdohr, Die Erzmineralien u. ihre Verwachsungen, S. 617 f., Berlin: Akademie Verl. 1975 ▪ Schröcke-Weiner, S. 168 f. – *[HS 2615 90; CAS 15117-74-5]*

Sulzer-Packungen s. Füllkörper.

Sumach. Bez. für die weitverbreiteten S.-Gewächse (Anacardiaceae) u. für deren Inhaltsstoffe. Meist versteht man unter S. den hydrolysierbaren Pyrogallol-Gerbstoff aus den Blättern des südeurop. *Rhus coriaria* (*Gerber-S.*, Gerbstoff-Gehalt 22–35%) u. *R. cotinus* (*Perücken-S.*, ca. 13%), mit dem z. B. *Saffian gegerbt wird. Die Kohlenhydrat-Komponente des S. ist ein Tetrasaccharid aus 2 Mol. Glucose, 1 Mol. Arabinose u. 1 Mol. Rhamnose. Das Holz von *R. cotinus (Fisetholz)* enthält *Fisetin, das zur Orangefärbung von Wolle u. Leder dienen kann. Im Milchsaft des ostasiat. u. nordamerikan. *R. toxicodendron* (*Gift-S., Giftefeu*) vorkommendes *Urushiol verursacht Hautausschläge u. Krämpfe. Der in Ostasien ebenfalls heim. *R. succedanea* (*Talg-S.*) liefert das sog. *Japanwachs u. der in Japan heim. *R. vernicifera* (*Lack-S., Firnisbaum*) den – allerdings auch allergisierenden – echten *Japanlack. Ein auch hierzulande beliebtes Ziergewächs ist *R. typhina* (*Amerikan. S., Essigbaum*), dessen Früchte in Nordamerika zur Bereitung eines Essigs dienen. – ***E*** sumac(h) – ***F*** sumac – ***I*** sommacco – ***S*** zumaque

Lit.: Franke, Nutzpflanzenkunde (6.), S. 441, Stuttgart: Thieme 1997. – *[HS 1404 90, 3201 90]*

Sumatriptan (Rp).

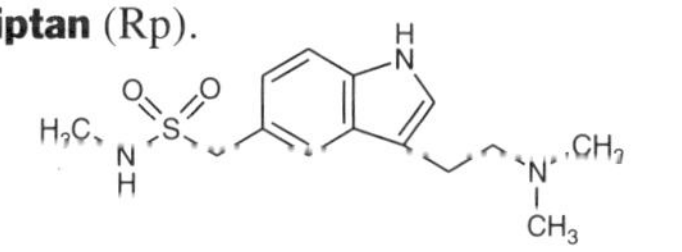

Internat. Freiname für das *Migräne-Mittel 3-[2-(Dimethylamino)ethyl]-*N*-methyl 1*H* indol-5-methansulfonamid, $C_{14}H_{21}N_3O_2S$, M_R 295,39, Schmp. 169–171 °C, lg P 0,81. S. ist ein Serotonin-5HT$_1$-Agonist. Es wurde 1983/86/89 von Glaxo patentiert u. ist in Form des Hydrogensuccinates ($C_{18}H_{27}N_3O_6S$, M_R 413,49, Schmp. 164–165 °C) von Glaxo-Wellcome (Imigran®) im Handel. – ***E*** sumatriptan – ***F*** sumatriptane – ***I*** sumatriptano – ***S*** sumatripán

Lit.: ASP ▪ Drugs **47**, 622–651 (1994) ▪ Hager (5.) **9**, 752 ff. ▪ Merck-Index (12.), Nr. 9172 ▪ Pharm. Ztg. **138**, 1470–1476 (1993). – *[CAS 103628-46-2 (S.); 103628-48-4 (Hydrogensuccinat); 103628-47-3 (Hemisuccinat)]*

Sumatrol s. Rotenoide.

Sumitomo. Kurzbez. für die 1913 gegr. Firma Sumitomo Chemical Co. Ltd., Kitahama, Chuo-ku, Osaka 541-8550, Japan. *Produktion:* Anorgan. u. organ. Grundchemikalien für Ind. u. Landwirtschaft, Düngemittel, Feinchemikalien, Petrochemie, Agrochemie,

Pharmazeutika. *Vertretung* in der BRD: Sumitomo Deutschland GmbH, 40474 Düsseldorf.

Summationsgifte s. Gifte u. vgl. Kumulation.

Summenformel. Andere Bez. für *Bruttoformel; vgl. Hillsches System u. Richtersches System.

Summenparameter. Umgangssprachliche Bez. für summar. Wirkungs- u. Stoffkenngrößen; gleichzeitig Bez. für eine Gruppe von Stoffen, die eine chem. Gemeinsamkeit aufweisen u. über ein, in der Regel normiertes (ISO- od. DIN-)Verf. bestimmt werden. Im Abwasserbereich werden z. B. die S. *AOX, *BSB, *CSB u. *TOC, im Abluftbereich organ. Kohlenstoff u. NO_x verwendet. – ***E*** sum parameter – ***F*** paramètre somme – ***I*** parametro addizionale – ***S*** parámetro suma

Lit.: DIN 38409, Summarische Wirkungs- u. Stoffkenngrößen (mehrere Teile, verschiedene Jahre); auch erschienen als Deutsche Einheitsverfahren zur Wasser-, Abwasser- u. Schlammuntersuchung, Gruppe H, Normenausschuß Wasserwesen im DW, Fachgruppe Wasserchemie der GDCh (Hrsg.), Weinheim: VCH Verlagsges. (Loseblattsammlung, Stand 1998).

Sumner, James Batcheller (1887–1955), Prof. für Biochemie, Cornell Univ. (USA). *Arbeitsgebiete:* Enzyme u.a. biolog. Katalysatoren, Concanavalin A, krist. Urease, Katalase. Für die Krist. von Enzymen erhielt S. 1946 den Nobelpreis für Chemie (zusammen mit W. M. *Northrop u. J. H. *Stanley).

Lit.: Krafft, S. 353 ▪ Lexikon der Naturwissenschaftler, S. 388 ▪ Neufeldt, S. 154 ▪ Pötsch, S. 412 ▪ Strube et al., S. 121, 170, 191.

Sumpfgas. Brennbares Gemisch aus *Methan u. *Kohlendioxid, das als *Biogas beim Verfaulen pflanzlicher od. tier. Organismen im Sauerstoff-armen Schlamm am Boden von Sümpfen u. Seen durch bakterielle anaerobe Red. von CO_2, Methyl-Gruppen u. reduzierten Kohlenstoff-Atomen von organ. Säuren entsteht. Bei der Methan-Bildung spielen Vitamin B_{12} u. Tetrahydrofolsäure eine Rolle. – ***E*** marsh gas – ***F*** gaz des marais – ***I*** gas delle paludi – ***S*** gas de los pantanos

Lit.: s. Methan.

Sumpfpflanzen s. Helophyten.

Sumpfschachtelhalm s. Schachtelhalm.

Sun Chemical. Kurzbez. für die 1830 gegr. Sun Chemical Corporation, Fort Lee, NJ 07024, USA, einem 100%igen Tochterunternehmen der Dainippon Ink and Chemicals Incorporated, Tokyo, Japan. *Daten* (1997): 9500 Beschäftigte, ca. 3 Mrd. $ Umsatz. *Produktion:* Organ. Pigmente u. Dispersionen für Farben u. Lacke, Druckfarben, Beschichtungen, Kunststoffe, Kosmetik u. Textilien.

Sunett®. Marke der Nutrinova (100%ige Tochter der Hoechst AG) für *Acesulfam-K.

Sunn (Kurzz. SN). Nach DIN 60001-1: 1990-10 Bez. für *Bastfasern aus den Stengeln der südasiat. *Crotalaria juncea* L., die für Seile u. Stricke verwendet werden. – ***E*** sunn hemp – ***F*** sunn, chanvre de Bengale – ***I*** canapa sunn, canapa giapponese – ***S*** sunn, cáñamo de Bengala

Lit.: Kirk-Othmer (4.) **10**, 736 ▪ s. a. Bastfasern. – *[HS 5303 10, 5303 90]*

Sunoco. Abk. für die Firma Sunoco Chemicals Sun Company Inc., Philadelphia, PA 19103-1699, USA. *Produktion:* Petrochemikalien wie Olefine, Naphthensäuren, Naphthalin, Benzol u. Alkylbenzole.

Suntainer®. Mobiles, netzunabhängiges Elektro-Kleinkraftwerk in Containerbauweise mit Solarstromerzeugung. ***B.:*** Nukem GmbH.

SUP. Abk. für *strategische Umweltprüfung.

Super... (latein.: super = über, oberhalb). Bestandteil von Fachwörtern u. Handelsnamen, der höhere od. höchste Stufen von Eigenschaften od. auch übergeordnete Kategorien anzeigt. Supra... ist gleichbedeutend u. für einige dtsch. Fachbez. üblicher. In chem. Namen wurde Super... früher synonym mit *Per... u. *Hyper... benutzt; *Beisp.:* s. Wasserstoffperoxid. Für das Radikalanion $O_2^{\bar{\cdot}}$ sind neben *Dioxid(1–) auch *Hyperoxid u. *Superoxid noch zulässige Bez. (IUPAC-Regel I-8.3.3.2). – ***E*** = ***F*** = ***I*** = ***S*** super...

Superacidität s. Acidität.

Superactinoide. Von *Seaborg geprägte Bez. für die hypothet. *superschweren* (überschweren) *Elemente* der Ordnungszahlen 122–153, vgl. Transactinoide u. Transurane. – ***E*** superactinoids – ***F*** superactinoïdes – ***I*** superattinoidi – ***S*** superactínoides

Superantigene. *Antigene, die durch *unspezif.* Stimulation der B- od. T-*Lymphocyten-Vermehrung eine *Immunantwort auslösen od. modifizieren. Ebenso wie bei normalen T-Zell-Antigenen, aber im Unterschied zu einfachen Mitogenen (s. Mitose) sind *Antigen-präsentierende Zellen* (akzessor. Zellen) beteiligt, die *Histokompatibilitäts-Antigene der Klasse II tragen. Der Mechanismus der T-Zell-Aktivierung ist möglicherweise nicht für alle S. einheitlich. *Beisp.:* Die Mls-Genprodukte (von: minor lymphocyte-stimulating) der Maus, die durch *Retroviren codiert werden; weiterhin Staphylokokken-Enterotoxine u. verschiedene bakterielle Exotoxine. Zur Verw. künstlicher S. in der Immuntherapie von Krebs s. *Lit.*[1]. – ***E*** superantigens – ***F*** superantigènes – ***I*** superantigeni – ***S*** superantígenos

Lit.: [1] Adv. Drug Deliv. Rev. **31**, 131–142 (1998).
allg.: Human Immunol. **54**, 194–201 (1997) ▪ Microbiol. Rev. **60**, 473–482 (1996) ▪ Proc. Soc. Exp. Biol. Med. **212**, 99–109 (1996) ▪ Res. Immunol. **148**, 373–386 (1997) ▪ Thibodeau u. Sékaly, Bacterial Superantigens, Structure, Function and Therapeutic Potential, Berlin: Springer 1995 ▪ Zouali, Human B-Cell Superantigens, Berlin: Springer 1996.

Superaustausch. Der Magnetismus in Festkörpern ist komplexer als der einzelner Atome, da hier eine Kopplung zwischen den atomaren Momenten der einzelnen Atome möglich ist. In ferromagnet. Festkörpern unterscheidet man drei verschiedene Arten von *Austauschkopplungen*, die in Abb. 1 (S. 4329) verdeutlicht sind: a) Direkte od. interatomare Austauschkopplung, – b) intraatomare Austauschkopplung durch nichtlokalisierte Elektronen, die den Hundschen Regeln genügen, – u. c) indirekte od. RKKY-Austauschkopplung (*R*udermann-*K*ittel-*K*asuya-*Y*oshida)[1] zwischen lokalisierten d- u. f-Elektronen u. ausgedehnten Leitungselektronen. Die RKKY-Austauschkopplung wird vorwiegend in Metallen beobachtet.

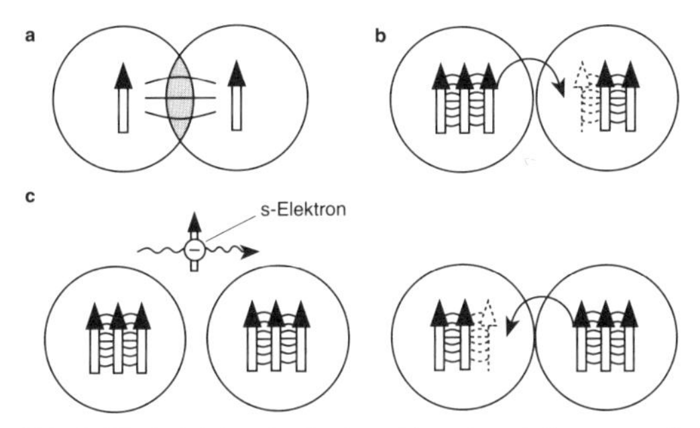

Abb. 1: Die drei Arten der Austauschkopplung in ferromagnet. Festkörpern.

Eine bes. Form der indirekten Austauschkopplung ist der Superaustausch. Durch ihn werden z. B. in Isolatoren die lokalisierten Spinmomente der Ionen, die für einen direkten Austausch zu weit voneinander entfernt sind, gekoppelt. Der Austausch verläuft über das dazwischenliegende nichtmagnet. Ion. Ein typ. Beisp. ist die 180°-Kation-Anion-Kation-Wechselwirkung in Oxiden mit Kochsalz-Struktur, z. B. MnO, bei denen die antiparallele Einstellung der Elektronenspins benachbarter Kationen durch den antiparallelen Spin der beiden Elektronen in einem p-Orbital des Anions begünstigt ist. Voraussetzung für den S. sind kovalente Bindungsanteile zwischen Kation u. Anion. In einer linearen M-X-M-Anordnung (Kation 1 – Anion – Kation 2) können die Wechselwirkungen dann entweder durch einen σ- od. einen π-Bindungsmechanismus erklärt werden.

Allg. müssen für einen 180°-S. die folgenden Bedingungen erfüllt sein: 1.) Lineare Anordnung der Anionen u. Kationen; – 2.) das p-Orbital des Anions muß mit 2 Elektronen mit antiparallelem Spin besetzt sein; – 3.) das Kation muß leere od. halbbesetzte Orbitale aufweisen.

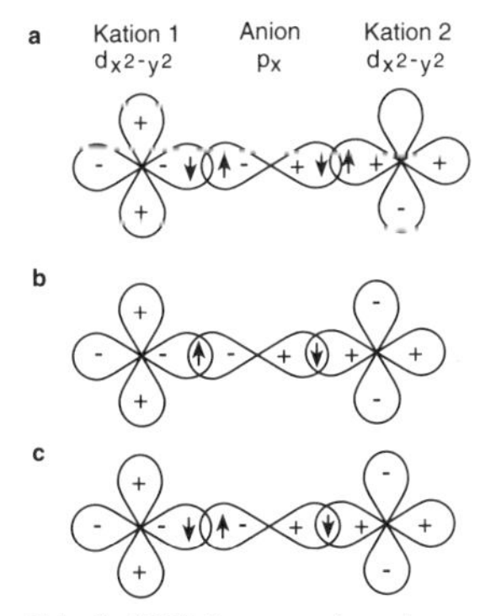

Abb. 2: 180°-Superaustausch.

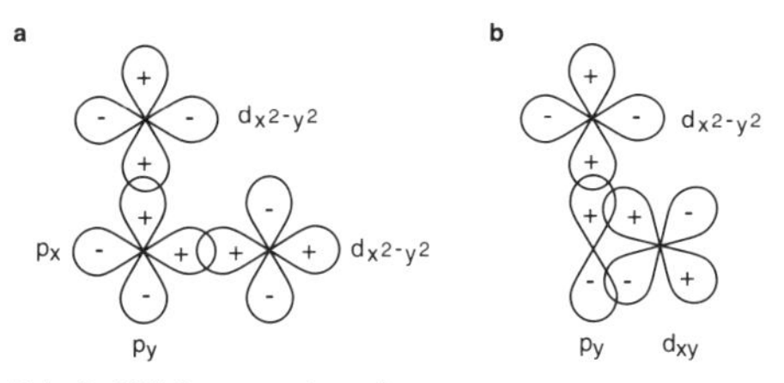

Abb. 3: 90°-Superaustausch.

In Abb. 2 sind 3 Fälle für den 180°-S. mit σ-Wechselwirkungen dargestellt. Im ersten Fall überlappt das p_x-Orbital des Anions auf beiden Seiten mit halbbesetzten e_g-Orbitalen (z. B. $d_{x^2-y^2}$) des Kations (Abb. 2 a). Aus der Darst. geht hervor, daß das Elektron am Kation 1 mit dem Spin „nach unten“ gerichtet ist. Es ist mit einem Elektron des p_x-Orbitals mit Spin „nach oben“ gepaart. Das andere Elektron im p_x-Orbital besitzt dann wegen des Pauli-Prinzips einen Spin „nach unten“. Dieser zwingt das Elektron im $d_{x^2-y^2}$-Orbital des Kations 2, seinen Spin „nach oben“ auszurichten. Damit besitzen die Elektronen der beiden Kationen eine antiparallele Spinausrichtung, woraus sich als kooperative Eigenschaft ein antiferromagnet. Verhalten für den Festkörper ableiten läßt. *Beisp.:* $KCoF_3$; die CoF_6-Oktaeder sind alle linear über die Fluor-Atome verknüpft, im low spin-Komplex liegt Co^{2+} ($3d^7$) mit 2 halbbesetzten e_g-Orbitalen ($d_{x^2-y^2}$ u. d_{z^2}) vor. Für die Spinkopplung zweier leerer e_g-Orbitale (Abb. 2 b) ergibt sich ebenfalls ein Antiferromagnetismus, während aus der Kopplung eines leeren mit einem halbbesetzten e_g-Orbital (Abb. 2 c) ferromagnet. Eigenschaften der Substanz resultieren.

Es gibt auch den 90°-Superaustausch. Er ist in Abb. 3 dargestellt; dabei sind die zwei abgebildeten Orbitalanordnungen möglich. Im ersten Fall koppeln die Elektronenspins der e_g-Orbitale ($d_{x^2-y^2}$) zweier Kationen über zwei verschiedene p-Orbitale (p_x u. p_y) des gleichen Anions (Abb. 3 a) u. im zweiten Fall koppelt der Spin des Elektrons im e_g-Orbital ($d_{x^2-y^2}$) am Kation 1 über ein p_y-Orbital mit dem Spin des Elektrons im t_{2g}-Orbital (d_{xy}) des Kations 2 (Abb. 3 b). Beide Interpretationen können zur Erklärung des 90°-S., wie er bei kanten- od. flächenverknüpften Oktaedern auftritt, herangezogen werden. – ***E*** superexchange – ***F*** superéchange – ***I*** superscambio – ***S*** superintercambio

Lit.: [1] Phys. Rev. **96**, 99 (1954).
allg.: Bergmann u. Schäfer, Lehrbuch der Experimentalphysik, Bd. 6, Festkörper, Berlin: de Gruyter 1992 ▪ Carlin, Magnetochemistry, Berlin: Springer 1986 ▪ Rao u. Gopalakrishnan, New Directions in Solid State Chemistry, 2. Aufl., Cambridge: University Press 1997 ▪ Weiss u. Witte, Magnetochemie, Weinheim: VCH Verlagsges. 1973.

Superbasen. In Analogie zu *Supersäuren geprägter Begriff für starke *Basen, die bes. zur Herst. von *Carbanionen durch *Deprotonierung* (vgl. Protonierung) geeignet sind; *Beisp.:* *Kalium-*tert*-butoxid, *Protonenschwamm. – ***E*** = ***F*** = ***S*** superbases – ***I*** perbasi
Lit.: Z. Chem. **26**, 41–49 (1986).

Superbenzin s. Benzin (S. 393), Motorkraftstoffe, Octan-Zahl.

Super® Blazer. *Herbizid auf Basis Fluorglycofen gegen breitblättrige Unkräuter in Sojabohnen-Kulturen. ***B.:*** BASF.

Super Cotton. *RAL-Gütezeichen, das bestimmte Eigenschaften pflegeleichter Kleidungs- u. Wäschestücke garantiert, z. B. Festigkeit, Scheuerbeständigkeit, Dimensionsstabilität, Farbechtheit, Trockenknittererholung u. den wash-and-wear-Effekt.

Superdex®. Hydrophiles perlförmiges Copolymerisat (13 µm u. 34 µm) aus quervernetzter *Agarose u. *Dextran mit unterschiedlicher Porosität für die „High

Performance" Gelchromatographie von Biomol. im M_R-Bereich von 3000 bis 600000 Dalton. ***B.:*** Pharmacia.

Superduplex-Stähle s. ferritisch-austenitische Stähle.

Superferrite s. ferritische Stähle.

Superfine®. Natürliches, feinstmikronisiertes Eisenoxidrot zur Verw. in Metall-, Holz- u. Betonanstrich-Systemen. ***B.:*** Langer & Co.

Superflex®. Marke für ein Sortiment von Bautenschutzmitteln, z. B. Kunststoff-Beschichtungsmassen, Kunststoff-Bitumen-Beschichtungsmassen, Abdichtbänder u. Feuchtraum-Abdichtsysteme. ***B.:*** Deitermann.

Superfloc®. Gruppe von Flockungs- u. Flockungshilfsmitteln für die Wasser-, Abwasser- u. Schlammaufbereitung sowohl im kommunalen Bereich als auch in der Industrie. ***B.:*** Cytec Industries Inc.

Superflüssigkeit, Superfluidität s. Supraflüssigkeit.

Superfos. Kurzbez. für die weltweit agierende, 1892 gegr. dän. Superfos A/S, DK-2950 Vedbaek, die in vier Geschäftsbereiche (S. Construction Europe, S. Construction US, S. Packaging, S. Chemicals) eingeteilt ist. *Daten* (1997): 6500 Beschäftigte, 6,9 Mrd. DK Umsatz.

Superhelix s. Desoxyribonucleinsäuren u. Helix.

Super-Hydride®. Marke von Aldrich für Lithiumtriethylborhydrid, $Li[B(C_2H_5)_3H]$, ($C_6H_{16}BLi$, M_R 105,94) in 1 m Lsg. in Tetrahydrofuran (FP. −12 °C) zur Red. von Alkylhalogeniden u. dgl.; das entsprechende Deuterid (*Super Deuterid®*) eignet sich zur Synth. von deuterierten Verb. durch Red. von Alkylhalogeniden, Epoxiden, Ketonen, Iminen u. a. Substanzen.

Superionenleiter s. Ionenleiter.

Superkritisch s. Kernreaktoren, kritisch u. kritische Größen.

Superlegierungen. Außerordentlich komplex zusammengesetzte Leg. für eine Anw. bei sehr hohen Temperaturen. Leg.-Basis ist Fe, Ni od. Co mit Zusätzen von anderen Metallen (Co, Ni, Fe, Cr, Mo, W, Ta, Nb, Al, Ti, Mn, Zr) u. Nichtmetallen (C u. B). Die Bauteile werden durch Umformen, Gießen od. Sintern hergestellt u. beziehen ihre bes. Eigenschaften wie Hochtemp.-Korrosions- u. Zunder-Beständigkeit sowie Festigkeit auch bei extremen Temp. aus der Ausscheidungs- od. Reaktionskinetik der beteiligten Elemente in Abhängigkeit von Herstellverf. u. Anw.-Temperatur. S. werden angewendet im Motoren- u. Triebwerksbau, in der Energietechnik sowie in Luft- u. Raumfahrt. Übliche Handelsnamen sind beispielsweise Hastelloy®, Incoloy®, Inconel®, Nimonic®, Monel®, René®, Udimet®, Unitemp®, Waspalloy®, Vitallium®. – ***E*** superalloy – ***F*** superalliage – ***I*** superleghe – ***S*** superaleación

Lit.: Am. Soc. Metals (Hrsg.), Metals Handbook, Bd. 3, S. 187 ff., Metals Park: ASM 1980 ▪ Cahn (Hrsg.), Materials Science and Technology, Vol. 15, S. 211 ff., Weinheim: VCH Verlagsges. 1991.

Superleitfähigkeit, Superleitung s. Supraleitung.

Supermoleküle s. supramolekulare Chemie.

Supernova. „Explosion" eines Sternes, bei der die Leuchtkraft innerhalb kurzer Zeit etwa um einen Faktor 10^8 (bei einer Nova $10^{3...6}$) zunimmt u. ein beträchtlicher Teil der Sternmasse abgestoßen wird; s. kosmische Strahlung.

Superose®. Verschiedene Typen von quervernetzten Agaroseperlen (10–30 µm Durchmesser) für die HPLC von Biomol. mit M_R $10^3-5 \cdot 10^6$ sowie als Matrix bei der hydrophoben Interaktions- u. Affinitätschromatographie. ***B.:*** Pharmacia.

Superoxid-Dismutasen (SOD, EC 1.15.1.1). Sammelbez. für in allen *Aerobiern vorkommende *Metallproteine, die als *Oxidoreduktasen das *Radikal-Ion *Hyperoxid (Superoxid) in Wasserstoffperoxid u. Sauerstoff umwandeln:

$$2\,O_2^{\cdot-} + 2\,H^+ \rightarrow H_2O_2 + O_2.$$

Am meisten weiß man über die SOD aus Rindererythrocyten. Das nicht blaue Kupferprotein mit M_R 31300 enthält in seinen beiden ident. Untereinheiten je 151 (Mensch: 153) Aminosäure-Reste bekannter Sequenz sowie 1 Kupfer- u. 1 Zink-Atom u. ist sehr stabil gegen Denaturierung. Verschiedene solcher Cu_2Zn_2-SOD findet man in fast allen Geweben von Eukaryonten, Mangan- u. Eisen-SOD in Prokaryonten u. Pflanzen (M_R ca. 40000) sowie in Leber-*Mitochondrien (M_R 80000).

Erst 30 Jahre nach der Entdeckung des *Erythrocupreins* (Cytocuprein, Hämocuprein, Hepatocuprein) stellte man fest, daß es im Stoffwechsel als SOD wirkt. Die SOD scheinen im Organismus für die Entgiftung tox. *Sauerstoff-Spezies verantwortlich zu sein, insbes. des Hyperoxids, das im Körper aus mol. Sauerstoff entsteht, z. B. durch *Xanthin-Oxidase bei Reperfusion (Wiederdurchblutung Sauerstoff-verarmten Gewebes), durch die NADPH-Oxidase der phagocytierenden *Makrophagen u. neutrophilen Granulocyten (s. Leukocyten) bei *Entzündungen (respiratory burst), durch *ionisierende Strahlung usw. SOD können als natürliche *Strahlenschutz-Mittel aufgefaßt u. therapeut. als *Antiphlogistika (s. Orgotein) eingesetzt werden. SOD ist auch erforderlich zur Aktivierung der *Ribonucleotid-Reduktase aus **Escherichia coli*. Mutation des SOD-Gens kann zu *amyotroph. Lateralsklerose* führen, einer fortschreitenden Degeneration motor. Nerven mit tödlichem Ausgang [1]. – ***E*** superoxid dismutases – ***F*** superoxyde dismutases – ***I*** perossido dismutasi – ***S*** superóxido-dismutasas

Lit.: [1] Science **271**, 446 f., 515–518 (1996).
allg.: Biosci. Rep. **17**, 85–89 (1997) ▪ J. Chromatogr. B **684**, 59–75 (1996).

Superoxide. Veraltete Bez. für *Peroxide u. – entgegen den IUPAC-Regeln immer noch viel benutzte – Bez. für *Hyperoxide u. deren *Radikal-Ion $O_2^{\cdot-}$, s. a. Superoxid-Dismutase. – ***E*** superoxides – ***F*** superoxydes – ***I*** perossidi – ***S*** superóxidos

Superpep® K. Kaugummi-Dragées mit *Dimenhydrinat gegen Reisekrankheit. ***B.:*** Hermes.

Superphosphat. Bez. für das älteste, seit ca. 1845 techn. hergestellte *Düngemittel, das aus Calciumdihydrogenphosphat u. Calciumsulfat besteht [s. Calciumphosphate (a)]. Normales S. enthält 16–22%, sog. *Doppel-S.* ca. 35% u. sog. *Triple-S.* >46% P_2O_5 (u. entsprechend weniger Gips). – ***E*** = ***F*** superphosphate – ***I*** = ***S*** superfosfato

Lit.: s. Calciumphosphate, Düngemittel, Phosphate. – *[HS 3103 10]*

Superphosphorsäure s. Phosphorsäure (Herst.).

Superplastizität s. Plastizität.

Super-Plus s. Motorkraftstoffe u. Octan-Zahl.

Superpolyamid s. Nylon u. Superpolymere.

Superpolymere. Veraltete Bez. für *Polymere mit relativ hohen Molmassen u. ausgeprägten Werkstoff-Eigenschaften, die wie *Superpolyamide* u. *Superpolyester* insbes. zur Herst. von hochwertigen Fasern eingesetzt werden. – ***E*** super polymers – ***F*** superpolymères – ***I*** superpolimeri – ***S*** superpolímeros

Supersäuren. Von den amerikan. Chemikern J. B. Conant u. N. F. Hall 1927 geprägter Begriff, der von Gillespie [1] auf Verb. angewandt wurde, deren *Acidität größer ist als diejenige von 100%iger Schwefelsäure, die also „übersauer" sind. S. sind im allg. dickflüssig, wirken stark korrosiv u. sind schwierig zu handhaben. S. sind zur Erzeugung auch ungewöhnlicher *Carbenium- u. *Carbonium-Ionen od. sogar von protonierten Oxonium-Ionen (H_4O^{2+}) durch *Protonierung geeignet; hierfür kommen bes. die S. *Magische Säure sowie Gemische von H_2SO_4 mit SO_3, FSO_3H, $ClSO_3H$, $H[B(OSO_3H)_4]$ od. $HSbF_6$, aber auch Poly(perfluoralkensulfonsäuren), z. B. *Nafion®, u. starke *Lewis-Säuren in Betracht. Die neuesten S. stammen aus der Familie der *Carborane; im Gegensatz zu den herkömmlichen S. greifen diese Carbenium- u. Carbonium-Ionen nicht an. Bes. wirksame *Deprotonierungs*-Syst. hat man in Analogie zu S. *Superbasen genannt. – ***E*** superacids – ***F*** superacides – ***I*** superacidi – ***S*** superácidos

Lit.: [1] Adv. Phys. Org. Chem. **9**, 1–24 (1972); Endeavour **32**, 3–7 (1973).

allg.: Acc. Chem. Res. **15**, 46 ff. (1982) ▪ Angew. Chem. **85**, 183–225 (1973); **90**, 962–984 (1978) ▪ Chem. Rev. **82**, 591–614 (1982) ▪ Chem. Unserer Zeit **16**, 197–206 (1982) ▪ Klapötke u. Tornieporth-Oetting, Nichtmetallchemie, S. 157 ff., Weinheim: VCH Verlagsges 1994 ▪ Olah et al., Super Acid Chemistry, New York: Wiley 1985 ▪ Science **206**, 13–20 (1979) ▪ Top. Curr. Chem. **80**, 19–88 (1979) ▪ s. a. Säuren.

Superschlürfer s. Super slurper.

Superschwere Elemente s. Superactinoide, Transactinoide, Transurane.

Super slurper (Superschlürfer). Ursprüngliche Bez. für durch alkal. Hydrolyse von Stärke/Acrylnitril-*Copolymeren hergestellte wasserunlösl. Stärke/Acrylamid/Acrylsäure-*Pfropfcopolymere, die in der Lage sind, sehr große Mengen Wasser, z. B. 600–900 g/g, zu binden, ohne dabei zu zerfließen. Im übertragenen Sinne werden als S. s. auch andere *Polymere mit vergleichbaren Eigenschaften, u. a. vernetzte *Polyacrylsäuren, bezeichnet. S. s. sind meistens *ionische Polymere, deren Wasser-Absorptionskapazität durch Elektrolyte, z. B. Natriumchlorid (physiolog. Kochsalz-Lsg.), sehr stark vermindert wird. S. s. finden z. B. Verw. für Hygieneprodukte (Inkontinenz-Artikel), als Verdickungs- u. Flockungsmittel, sowie als Füll- u. Retentionsmittel in der Papier-Industrie. – ***E*** = ***F*** = ***I*** = ***S*** super slurper

Lit.: Encycl. Polym. Sci. Eng. **1**, 452 ▪ Ullmann (4.) **22**, 198 f. – *[CAS 37291-07-9]*

Supersorbon®-Verfahren. Von der *Lurgi entwickeltes Verf. zur Abscheidung u. Rückgewinnung von Lsm. in diversen Lsm. verarbeitenden Ind. (Kunstseide, Beschichtung, Film, Fasern, Druck usw.) durch Adsorption der Lsm.-Dämpfe an Aktivkohle (Supersorbon®). Das beladene Adsorbens wird mit Wasserdampf regeneriert u. das Lsm. zurückgewonnen. ***B.:*** Lurgi.

Superspher®. Stationäre Phasen für die HPLC. Total poröse, sphär. Teilchen. ***B.:*** Merck.

Superstruktur s. supramolekulare Chemie.

Supertendin® (Rp). Ampullen mit *Dexamethason u. *Lidocain-Hydrochlorid gegen akute entzündliche Schübe von Arthrosen. ***B.:*** Thiemann.

Superwash. Vom International Wood Secretariat festgelegter Qualitätsbegriff für waschmaschinenbeständige Wollartikel mit *Filzfreiausrüstung.

Lit.: Rouette, Lexikon für Textilveredlung, Bd. 3, S. 2119, Dülmen: Laumann-Verl. 1995 ▪ Ullmann (4.) **23**, 94 ▪ s. a. Filzfrei-Ausrüstung.

Superwasser s. Wasser.

Suppenwürze. Der Geschmacksverbesserung von Suppen, Fleischbrühen u. a. Speisen dienende flüssige, pastöse od. pulverförmige Zubereitungen, die im wesentlichen aus *Aminosäuren u. *Peptiden, Pflanzenextrakten u. -teilen (Suppenkräuter wie *Liebstöckel, Gemüse, Pilze), *Fleischextrakt u. *Kochsalz bestehen. Handelsübliche, durch Eiweißaufschluß hergestellte S. (D. 1,265–1,27) hat etwa die Zusammensetzung: 50–52% Wasser, 27–31% organ. Stoffe u. 18–20% Mineralstoffe, wovon 16–18% Natriumchlorid sind. Der Stickstoff-Anteil (3–4,5%) besteht hauptsächlich aus Aminosäure-Stickstoff (2,8–3,2%). Als Quellen für *Eiweiß-Hydrolysate kommen *Casein, Hefen, Kleber, *Sojabohnen sowie Rückstände der Fleisch-, Blut- u. Fisch-Verarbeitung in Frage.

Die typ. Aromastoffe von Rind- u. Hühnerfleischbrühe sind in der Tab. (S. 4332) wiedergegeben, wobei der FD-Faktor [flavour dilution (FD) factor, Verdünnungsfaktor] im Rahmen der Aromaextrakt-Verdünnungsanalyse (AEVA) ein indirektes Maß für den Beitrag eines Aromastoffs zum Gesamtaroma darstellt (s. a. Sensorik). Je höher der FD-Faktor ist, um so größer ist der Beitrag des entsprechenden Aromastoffs zum Gesamtaroma. Als „impact compound" der S. gilt das 5-Ethyl-3-hydroxy-4-methyl-2(5*H*)-furanon.

Bei der sauren Hydrolyse fetthaltiger pflanzlicher *Proteine können *1,3-Dichlor-2-propanol u. *3-Chlor-1,2-propandiol entstehen, die als Verunreinigungen in Flüssigwürzen in Mengen bis 750 mg/kg nachgewiesen werden konnten [2]. Diese Verb. besitzen erhebliches toxikolog. Potential (1,3-Dichlor-2-propanol ist von der *MAK-Kommission in Liste III A 2 eingestuft wor-

Tab.: Aromastoffe von Rind- u. Hühnerfleischbrühe[1].

	FD-Faktor	
	Rindfleisch	Hühnerfleisch
2-Methyl-3-furanthiol	512	1024
Bis(2-methyl-3-furyl)disulfid	2048	<16
2,5-Dimethyl-3-furanthiol	<16	256
2-Furylmethanthiol	512	512
Methional	512	128
(*E,E*)-2,4-Decadienal	64	2048
2-Undecenal	<16	256
4-Dodecanolacton	<16	512

den). Durch eine Umstellung des Herst.-Prozesses konnten die Gehalte auf unter 10 mg/kg gesenkt werden; s. a. Würze. – ***E*** hydrolyzed vegetable proteins for bouillons – ***F*** hydrolysats protéiques pour bouillons – ***I*** condimento per brodo, aromatizzanti per brodo – ***S*** hidrolizados de proteínas para sopas

Lit.: [1]Chem. Unserer Zeit **24**, 82–89 (1990). [2]Der Lebensmittelkontrolleur **4**, Nr. 2, 32 (1989).
allg.: Zipfel, C 380 I A 5 u. B 5, II 17–20.

Supplementierung s. Spurenelemente, Sporternährung, Mineralfutter u. Futtermittelzusatzstoffe.

Suppositorien (Zäpfchen, von latein. supponere = unterstellen, unterschieben). Walzen-, kegel-, kugel- (Globuli) od. eiförmige (Ovula) Zubereitungen zur Einführung in den Mastdarm (*Rektal-S.*) od. in die Scheide (*Vaginal-S.*). Nach dem Einführen erweichen, zerfallen od. verflüssigen sich die S., wobei die Wirkstoffe frei werden. S. werden angewendet, wenn eine lokale Wirkung erwünscht ist (Vaginal-S.) od. *enterale Zufuhr ausscheidet. Als Grundmasse für S. dient bei rektaler Anw. im allg. Hartfett aus synthet. Fetten od. Polyethylenglykol, früher auch Kakaobutter, u. bei vaginaler Anw. Glycerin-Gelatine-Massen. Zusätzlich können noch Hilfsstoffe zum gleichmäßigen Verteilen der Arzneistoffe in der Grundmasse, Stabilisatoren u. konsistenzverbessernde Zusätze verwendet werden. – ***E*** suppositories – ***F*** suppositoires – ***I*** suppositori, supposta – ***S*** supositorios

Lit.: DAB **9**, 1343, 1423; Komm.: 3226, 3440 ▪ Hager (4.) **7a**, 664 ▪ Müller et al., Suppositorien, Stuttgart: Wissenschaftliche Verlagsges. 1985.

Suppressantien. Bez. für Ausscheidungsprodukte von Organismen, mit denen Standort-Konkurrenten unterdrückt werden. Im Gegensatz dazu dienen *Repellentien der Abwehr mobiler Feinde, z. B. Fraßfeinde. Die S. gehören als *Allomone zu den Ökomonen (s. Pheromone). Wichtige S. sind die (natürlichen) *Antibiotika, die *Allelopathika u. einige Exkrete von *Plankton (s. a. Algenblüte u. Muschelvergiftung). – ***E*** suppressants – ***F*** suppresseurs – ***I*** soppressanti – ***S*** supresores

Lit.: Science **171**, 757–770 (1971).

Suppression. Unter S. versteht man in der Molekulargenetik eine partielle od. vollständige Wiederherst. einer durch eine *Mutation verlorengegangenen Funktion durch eine weitere Mutation. – ***E*** = ***F*** suppression – ***I*** soppressione – ***S*** supresión

Lit.: Knippers (7.), S. 256 ff.

Suppressor(-T)-Zellen. Bez. für Zellen, die einen hemmenden Effekt auf die *Immunantwort haben. S. stellen eine Subpopulation der T-*Lymphocyten dar; s. a. Immunsystem. – ***E*** suppressor cells – ***F*** cellules suppressives – ***I*** cellule soppressori – ***S*** células supresoras

Supra... s. Super... u. folgende Stichwörter.

Supra-Carta®-Cu. Kupfer-kaschiertes Hartpapier auf *Phenol-Harz- od. *Epoxidharz-Basis zur Herst. von gedruckten Schaltungen. ***B.:*** Isola Werke AG.

Supracen®-Farbstoffe. *Säurefarbstoffe mit gutem Egalisiervermögen u. guter Lichtechtheit für Wolle u. Leder. ***B.:*** Bayer.

Supracombin® (Rp). Tabl. u. Saft mit *Co-trimoxazol gegen Infektionen der Atemwege, des Urogenital- u. Magen-Darmtrakts. ***B.:*** Grünenthal.

Supracyclin® (Rp). Tabl. mit *Doxycyclin gegen bakterielle Infektionen. ***B.:*** Grünenthal.

Suprafacial s. sigmatrop.

Suprafüssigkeit (Superflüssigkeit). Eine in ^{4}He bei extrem tiefen Temp. auftretende neue Phase. ^{4}He wird unter Normaldruck bei ca. 4,2 K flüssig (Helium I). Bei Abkühlung unter den λ-Punkt bei 2,19 K (so genannt nach dem in der Umgebung dieser Temp. λ-förmigen p-T-Diagramm, s. Abb. bei Lambda-Kurve) geht in einem Phasenübergang 2. Ordnung mit abnehmender Temp. ein zunehmender Teil des Heliums in eine supraflüssige Phase (Helium II) (*Supra-* od. *Superfluidität*) über. Am abs. Nullpunkt würde alles He als S. vorliegen, dazwischen lassen sich die nachfolgend beschriebenen experimentellen Befunde nach dem Zweiflüssigkeitsmodell von Tisza verstehen. Danach besteht He II aus einem wechselwirkungsfreien Gemisch aus normalflüssigem He I u. einem idealen supraflüssigen He, das sich durch verschwindenden Energieinhalt u. Zähigkeit auszeichnet. Die Zähigkeit dieses Gemisches nimmt mit T^6 ab. Die superfluide Komponente kann als dünner Film (<10^{-3} cm) an den Wänden eines Probierglases hoch u. in ein umgebendes Becherglas kriechen, bis sich ein gleiches Niveau auf beiden Seiten einstellt, wobei der gesamte Wärmeinhalt im Probierglas zurückbleibt. Wegen der geringen Viskosität kann He II auch durch feinste Risse u. Kapillaren laufen. Wirbel in der suprafluiden Komponente bleiben unbegrenzte Zeit erhalten. Die Wärmeleitfähigkeit von He II übertrifft die von normalem He I um einen Faktor 10^8. Der Wärmetransport geht dabei so vonstatten, daß normalflüssiges He zu dem Ort niedriger Temp. fließt, dabei Energie dorthin transportiert, sich an der kühleren Stelle in supraflüssiges He umwandelt u. dann ohne Energietransport zurückfließt. Die Wärmeleitfähigkeit ist somit proportional zum Konz.-Gradienten zwischen beiden Komponenten, nicht zum Temp.-Unterschied. Wegen der hohen Wärmeleitung siedet He II in einem Kryostaten nicht mehr im Vol., sondern verdampft nur an der Oberfläche.
Verbindet man zwei Gefäße, die teilw. mit He II gefüllt sind, über eine Kapillare, die so dünn ist, daß sie prakt. nur die superfluide Phase durchläßt, so führen sehr kleine Temp.-Gradienten zu starken Druckunterschie-

den, die z. B. in dem warmen Gefäß einen Springbrunnen erzeugen können. Nach dem oben Gesagten führen period. Änderungen der Temp. zu entsprechenden Konz.-Schwankungen der beiden Komponenten. Da sich beide Komponenten reibungsfrei durchdringen, entstehen damit Temp.-Wellen, die sich als zweiter Schall (second sound), ähnlich wie Schallwellen ausbreiten, während sonst die Wärmeleitung ein diffusiver Prozeß ist.

Auf mikroskop. Basis (*Landau u. *Kapitza) läßt sich die S. durch eine *Bose-Einstein-Kondensation der ^{4}He-Atome erklären, da ^{4}He, aufgebaut aus je zwei Elektronen, Protonen u. Neutronen mit Spin ½ $\hbar$, ein Boson (S = 0) ist. In der suprafüssigen Phase befinden sich alle ^{4}He-Atome im gleichen Quantenzustand. Die Quanten der Anregungen im supraflüssigen Zustand (Rotonen) haben einen anderen Zusammenhang zwischen Energie u. (Quasi-)Impuls als die Phononen im normalen Zustand. Dieser Unterschied erklärt die fehlende Wechselwirkung zwischen beiden Zuständen. ^{3}He sollte nach der obigen Überlegung keine Supraflüssigkeit werden. Tatsächlich beobachtet man bei sehr viel tieferen Temp. (<3 mK) Supraflüssigkeit. Sie ist in diesem Fall auf eine Paarbildung zwischen zwei ^{3}He-Atomen zurückzuführen (*Supraleitung). Für die Untersuchung von flüssigem ^{4}He wurden L. D. *Landau 1962 u. für die Entdeckung der S. in ^{3}He D. M. Lee, P. D. Osheroff u. R. C. Richardson 1996 mit dem Nobelpreis für Physik ausgezeichnet. – ***E*** superfluidity – ***F*** superfluidité – ***I*** suprafluido, superfluido – ***S*** superfluidez

Lit.: Adv. Chem. Phys. **33**, 1 (1975) ▪ Brockhaus abc Physik, Leipzig: VEB F. A. Brockhaus Verl. 1973 ▪ Naturwissenschaften **58**, 183 (1971) ▪ Phys. Today **22**, Nr. 4, 46 (1969).

Suprafluidität s. Supraflüssigkeit.

Supraleitung (Supraleitfähigkeit) Bez. für die an Metallen, Leg., einigen Halbleitern u. Keramiken (Oxide, Carbide, Sulfide, Nitride, Telluride), aber auch bei organ. Verb. beobachtete Fähigkeit, unterhalb einer charakterist. Temp. elektr. Strom verlustfrei zu leiten. Manche Stoffe (z. B. die Elemente Cs, Ba, Ce, P sowie einige Halbleiter u. Keramiken) entwickeln erst unter Druck supraleitende Phasen. Die sog. *Supraleiter* weisen unterhalb der „*Sprungtemp.*" (T_s) bzw. der *krit. Temp.* (T_c) keinen Ohm'schen Widerstand auf, so daß z. B. ein in einem geschlossenen supraleitenden Ring induzierter Strom beliebig lange Zeit fließt, wie mit Hilfe des hierdurch aufgebauten Magnetfeldes nachgewiesen werden kann.

Der Effekt wurde 1911 von Kamerlingh Onnes bei Tieftemp.-Experimenten an Quecksilber entdeckt [1]. Bei Messungen des Ohm'schen Widerstandes verschwand dieser völlig bei einer Temp. von 4,1 K. Bis 1957 fehlte für das Phänomen der S. eine einheitliche Theorie, obwohl seit den 30er Jahren *London, M. F. T. von *Laue u. Fröhlich Teilaspekte u. den Quantencharakter der S. zu deuten vermochten; zur Frühgeschichte der S. s. *Lit.* [2].

Die S. wird außer von T_s von weiteren Größen beeinflußt; S. wird oberhalb einer Temp.-abhängigen krit. magnet. Feldstärke (H_k) u. oberhalb einer krit. Stromdichte unterdrückt. Die Aufhebung der S. im Magnetfeld ist eine Umkehrung des sog. *Meißner-Ochsenfeld-Effektes*, demzufolge ein Stoff, der in einem Magnetfeld unter T_s abgekühlt u. damit supraleitend wird, das Magnetfeld aus seinem Inneren verdrängt.

Aufgrund des Verhaltens im Magnetfeld unterscheidet man zwei Typen von Supraleitern: Die *Typ-I-Supraleiter* (auch *weiche Supraleiter* genannt) verlieren ihren supraleitenden Zustand schon in schwachen Magnetfeldern (<0,1 Tesla). Hierzu gehören die meisten Elementsupraleiter wie Al, Hg, Pb, Be, Ga usw., nicht aber Nb, V, Zr. Als Ursache dieses Phänomens gilt die Eindringtiefe, bis zu der ein äußeres Magnetfeld im Supraleiter verdrängt wird: Wirbelströme im Inneren nahe der Oberfläche kompensieren das äußere Magnetfeld, führen aber ab einer krit. Größe zum Zusammenbruch des thermodynam. stabilen Zustandes der Supraleitung.

Anfang der 60er Jahre wurden die sog. *harten Supraleiter* (*Typ-II-Supraleiter*) entdeckt. Zu ihnen gehören Nb, Zr, V, deren *Legierungen u. *intermetallische Verbindungen. Diese bilden im Innern des Supraleiters fadenartige normal leitende Strukturen aus, in denen der eingedrungene magnet. Fluß aufgenommen wird. Hierdurch wird die Eindringtiefe drast. vergrößert u. das krit. Magnetfeld auf Werte bis zu 25 Tesla erhöht. Die normalleitenden Fäden sind nicht materiell fixiert; Lorenz-Kräfte bewirken unter Energie-Verbrauch ein Wandern der Fäden. Durch Fehler im Leg.-Aufbau (z. B. Ausscheidungen einer Leg.-Komponente) wird eine *Härtung* erreicht, d. h. die normalleitenden Fäden werden an solchen Defekten festgehalten u. an einer Verschiebung gehindert. Durch diese Entdeckung wurde die techn. Verwertung der S. möglich. Z. B. werden supraleitende Spulen aus NbZr, NbTi mit T_s zwischen 8 u. 10 K in Kryostaten eingebaut zur Erzeugung starker Magnetfelder etwa in Kernspintomographen od. zur Plasmastabilisierung bei Fusionsexperimenten.

In den vergangenen Jahrzehnten brachte die Suche nach Supraleitern mit höheren T_s nur langsame Fortschritte. 1954 wurde Nb_3Sn mit $T_s = 18{,}1$ K u. 1973 Nb_3Ge mit $T_s = 23{,}2$ K gefunden. *Chevrel-Phasen* sind ternäre Molybdänchalkogenide der Zusammensetzung $M_nMo_6X_8$ (M = Na, Pb, Sn, Seltenerdmetalle u. a.; X = S, Se, Te). Diese zeigen T_s von 5,6–15,2 K u. bes. hohe magnet. Flußdichten; *Beisp.:* $PbMo_6S_8$ mit ca. 53 Tesla bei 4,2 K. S. wurde auch in Nitriden u. Carbiden, in Spinellen wie $LiTi_2O_4$, in amorphen Metallen (Metglas) u. in Wasserstoff-haltigem Pd gefunden.

Großtechn. Anw. der S. dürften aber erst bei T_s oberhalb 77,4 K (Sdp. des flüssigen Stickstoffs) zu erwarten sein. Daher wird schon lange nach sog. *Hochtemp.-Supraleitern* gesucht. *Bednorz u. Müller entdeckten 1986 das Einsetzen der S. oberhalb von 30 K in Barium-Lanthan-Yttrium-Cupraten, in denen ein Teil (ca. 10%) des La^{3+} durch Sr^{2+} (od. Ba^{2+}) ersetzt ist [3]. Für ihre Arbeiten wurden sie 1987 mit dem Nobelpreis für Physik ausgezeichnet. Hiernach setzte eine stürm. Entwicklung in Forschungslaboratorien auf der ganzen Welt ein, bei der weitere supraleitende Krist. entdeckt wurden, wie z. B. die 1-2-3-Keramik ($YBa_2Cu_3O_{7-x}$ mit $x \lesssim 0{,}4$) von Chu mit $T_s = 92$ K unter Normaldruck, die bei 77 K eine Stromdichte von 15 000 A/mm^2 zuläßt [4]. Die krit. Feldstärken dieser *keram. Supralei-*

ter werden auf über 100 Tesla geschätzt. Für die supraleitenden Cuprate ist der Stromtransport durch die Cu–O-Schichten wesentlich. Der genaue Mechanismus der S. in den Hochtemp.-Supraleitern ist noch unklar. Man hat früher versucht, das Auftreten der S. mittels des *Periodensystems zu verstehen u. mit spezif. Eigenschaften der betreffenden Substanzen zu erklären; z.B. sollten gute elektr. Leiter od. Ferromagnetika keine S.-Phänomene zeigen. Heute herrscht die Ansicht vor, daß S. keine spezif. Eigenschaft bestimmter Substanzen, sondern eine Eigenschaft des Ordnungszustands ist, dem manche Festkörper bei Annäherung an den abs. Nullpunkt zustreben. Demnach müßte zumindest jedes Metall u. jede metall. Leg. eine individuelle T_s haben, soweit sie nicht mit abnehmender Temp. eine (ferro-)magnet. Ordnung entwickeln. Es ist noch ungeklärt, warum man bei Cu, Ag, Au, Na, K u. einigen anderen Metallen im Gegensatz zu Ti, Zr, V, Nb, Hg, Al, In usw. bisher keine S. feststellen konnte. Heute sind ca. 40 Elemente u. weit über 10000 Leg. u. Verb. bekannt, die S. zeigen.

Nach den heutigen Vorstellungen (*BCS-Theorie*, benannt nach *Bardeen, L. N. *Cooper u. *Schrieffer, Nobelpreis 1972; *Lit.*[5]) kommt ein Suprastrom dadurch zustande, daß sich Elektronenpaare bilden. Diese sog. *Cooper-Paare* bilden sich aus zwei Elektronen mit entgegengesetztem Spin, die sich über die Wechselwirkung mit *Phononen gegenseitig anziehen. Das erste Elektron bewegt sich durch das elast. Gitter, das aus den pos. Metall-Ionen gebildet wird. Aufgrund seiner neg. Ladung verformt es die an sich exakte Anordnung der Ionen in dem Sinne, daß es die in seiner Nähe befindlichen Ionen stärker, die entfernteren schwächer anzieht. Durch diese Gitterverzerrung wird ein zweites Elektron angezogen, das auf diese Weise dem ersten folgt u. mit ihm ein lose verbundenes Paar bildet. Cooper-Paare sind Bosonen: Sie zeigen unterhalb von T_s eine **Bose-Einstein-Kondensation*, d.h. eine makroskop. Population eines einzigen Quanten-Zustandes. Die Cooper-Paare sind unterhalb der krit. Temp. durch eine kleine Temp.-abhängige (≈ 1 meV) Energielücke vom normalleitenden Zustand getrennt. Zur Zerstörung der Cooper-Paare ist unterhalb T_c eine endliche Energie nötig. Wird diese nicht erreicht, bleibt ein elektr. Stromfluß bestehen, wenn die Spannungsquelle abgeschaltet wird. Die Energielücke nimmt mit zunehmender Temp. ab u. erreicht bei T_s den Wert Null, so daß dort der verlustfreie Stromfluß aufhört. Weiterhin kann ein hinreichend starkes Magnetfeld durch Umklappen der Spins die S. zerstören. Die Existenz der Energielücke kann durch den **Josephson-Effekt* experimentell nachgewiesen werden.

Die BCS-Theorie, die auch den *Meißner-Ochsenfeld-Effekt* bei Typ-I-Supraleitern zu erklären vermag, findet ihre Ergänzung in der sog. GLAG-Theorie (nach *G*inzburg, **L*andau, *A*brikosov u. *G*orkov), die die S. in Typ-II-Supraleitern deutet; weitere wichtige Beiträge wurden von *Giaever u. *Josephson geleistet; Näheres zur Theorie der S. s. *Lit.*[6–9]. Zwischen S. u. Suprafluidität, wie sie bei Helium zu beobachten ist (s. Supraflüssigkeit u. *Lit.*[10]), bestehen manche Parallelen[11]. In beiden Fällen handelt es sich um die makroskop. Population eines quantenmechan. Zustandes, doch liegt bei Cooper-Paaren eine starke Wechselwirkung zwischen den Bosonen vor im Gegensatz zu idealen Bosonen. Auch Theorie u. techn. Anw. des Josephson-Effekts bauen auf den oben erwähnten Thesen auf.

Ein S.-Phänomen bes. Art zeigt eine Verb. aus *Tetrathiafulvalen (TTF) u. *7,7,8,8-Tetracyano-1,4-chinodimethan (TCQN), deren elektr. Leitfähigkeit bei Abkühlung auf 58 K sehr stark ansteigt, bei weiterer Temp.-Senkung jedoch wieder abfällt. Die erste Darst. von echten organ. Supraleitern gelang mit sandwichartig aufeinandergetürmten Mol. von Tetramethyltetraselenafulvalen-Kationen (TMTSF), wobei je nach Gegenion unterschiedliche Drücke für die S. notwendig sind; T_s von $(TMTSF)_2ClO_4$ beträgt bei Normaldruck 1,2 K[12]. Neuere Entwicklungen zur S. bei organ. Verb. referieren *Lit.*[13,14].

Verw.: Die nach der Entdeckung der Hochtemp.-Supraleiter prognostizierte techn. Revolution im Bereich der Stromerzeugung u. -Übertragung, elektr. Maschinen, Energiespeicherung, Transport-Syst. (Magnetschwebebahn) usw. hat bisher auf sich warten lassen, da die prakt. Nutzung der S. bisher unter der komplizierten Herst. u. der geringen Verformbarkeit keram. Supraleiter leidet. Z.Z. versucht man, supraleitende Kabel zu entwickeln, bei denen der Supraleiter auf ein normal leitendes Substrat (z. B. Silber) epitakt. aufgebracht wird. Da die von diesen Supraleitern ertragbaren Stromdichten bis zu 100 kA/mm^2 betragen könnten, wären trotz der dünnen Schichten u. der daraus resultierenden geringen Leiterquerschnitte akzeptable Ströme realisierbar. Weiter könnte die S. in der Mikroelektronik einige Bedeutung erlangen, z.B. bei schnellen Computern, zu deren Realisierung der Josephson-Effekt ausgenutzt werden könnte. Weitere Anw. sind *SQUID für empfindliche Magnetfeldmessungen, Detektoren für die Radioastronomie[15], Bolometer, etc. – ***E*** superconductivity – ***F*** supraconductivité – ***I*** supraconducibilità, superconduttività – ***S*** superconductividad, supraconductividad

Lit.: [1]Commun. Kamerlingh Onnes Lab. Univ. Leiden **120b** (1911). [2]Bild Wiss. **4**, 219–228 (1967). [3]Z. Phys. **B64**, 189 (1986). [4]Phys. Ref. Lett. **58**, 908 (1987). [5]Phys. Rev. **108**, 1175 (1957). [6]Naturwissenschaften **58**, 177–183 (1971). [7]Buckel, Supraleitung, 4. Aufl., Weinheim: VCH Verlagsges. 1990. [8]Naturwissenschaften **67**, 390–401 (1980). [9]Kirk-Othmer (3.) **22**, 298–331. [10]Naturwissenschaften **58**, 183–188 (1971). [11]Nachr. Chem. Tech. **13**, 413f. (1965). [12]Spektrum Wiss. **1982**, Nr. 9, 38–48. [13]Acc. Chem. Res. **18**, 261ff. (1985). [14]Acc. Chem. Res. **17**, 227 (1984). [15]Spektrum Wiss. **1986**, Nr. 7, 102–109.

allg.: Adv. Inorg. Chem. Radiochem. **29**, 249–296 (1985) ▪ Angew. Chem. **89**, 534–549 (1977); **99**, 602ff. (1987) ▪ Annu. Rev. Mater. Sci. **10**, 113–132 (1980); **15**, 211–226 (1985) ▪ Endeavour NS **10**, 108–115 (1986) ▪ Hazen, Kelvin 90, Frankfurt: Umschau-Verl. 1989 ▪ Ibach u. Lüth, Festkörperphysik, 4. Aufl., Berlin: Springer 1995 ▪ *Landolt-Börnstein NS 3/21 a 1, 2 ▪ Matsubara u. Kotani, Superconductivity in Magnetic and Exotic Materials, Berlin: Springer 1984 ▪ Nachr. Chem. Tech. Lab. **35**, 488f. (1987) ▪ Naturwissenschaften **74**, 168–174 (1987) ▪ Phys. Bl. **46**, 426 (1990) ▪ Phys. Unserer Zeit **16**, 16–23 (1985) ▪ Prog. Inorg. Chem. **33**, 183–220 (1985) ▪ Tilley u. Tilley, Superfluidity and Superconductivity, Bristol: Hilger 1986.

Supramin®-Farbstoffe. *Säurefarbstoffe zum Färben von Wolle od. Leder. ***B.:*** Bayer.

Supramolekulare Chemie („Chemie jenseits des Mol."). Bez. für ein Teilgebiet naturwissenschaftlicher Forschung, das sich mit der Bildung, der gezielten Umwandlung sowie den thermodynam., kinet., dynam. u. strukturellen Eigenschaften sog. *Supermol.* od. *supramol. Spezies* befaßt. Die s. C. hat in den letzten zwei Jahrzehnten große Bedeutung erlangt, wobei insbes. J.-M. *Lehn (Nobelpreis 1987) u. Mitarbeiter wesentliche Beiträge erbracht haben.
Die Supermol. bestehen dabei aus mehreren konventionellen Mol., die von intermol. Bindungen in einer räumlich (geometr., topolog.) definierten Weise zusammengehalten werden. Sie weisen in der Reihe *Elementarteilchen → Atomkern → Atom → Mol. → Supermol.* den höchsten Grad der Organisation u. damit die höchste Komplexität auf. Supermol. sind somit einerseits definiert durch die Art u. räumliche Anordnung (Superstruktur) ihrer Bausteine (Mol.), andererseits durch die Art der Bindungen, die diese Bausteine zusammenhalten. Letztere können z. B. auf Metallion-Ligand-Koordination, elektrostat. Kräften, Wasserstoff-Brücken, van der Waals- u. Donor-Akzeptor-Wechselwirkungen basieren u. weisen damit jeweils charakterist. Stärken, Richtungs- u. Abstandsabhängigkeiten auf. Trotz z. T. beträchtlicher Bindungsstärken sind die zu den Supermol. führenden intermol. Kräfte in aller Regel thermodynam. weniger stabil, kinet. labiler u. dynam. flexibler als die kovalenten Bindungen konventioneller Moleküle. Man spricht daher in der s. C. von „weichen Bindungen" u. einer „weichen Chemie" (*E* soft chemistry).
Die Partner einer supramol. Spezies werden häufig als *mol. Rezeptor* (od. Wirt) u. *Substrat* (od. Gast) bezeichnet (s. a. Wirt-Gast-Beziehung), wobei letzteres im allg. die kleinere Komponente darstellt. Voraussetzung für die Bildung eines Supermol. ist die **molekulare Erkennung*, die Selektion u. Bindung eines od. mehrerer Substratmol. beinhaltet. Auf ihr basieren u. a. die hochspezif. Erkennungs-, Reaktions-, Transport- u. Regulationsprozesse, die in allen lebenden Organismen ablaufen, so z. B. die Substratanbindung an Rezeptor-Proteine, enzymat. Reaktionen, die Bildung von Multiprotein-Komplexen, die immunolog. Antigen-Antikörper-Assoziation, die Signalinduktion durch Neutrotransmitter, zelluläre Erkennungsprozesse sowie das Lesen, Übersetzen u. Überschreiben des genet. Codes. Erst vor wenigen Jahren wurde dann das Studium mol. Erkennungsprozesse u. damit die s. C. auf synthet. Verb. ausgedehnt. Wenn der Rezeptor reaktive Funktionen auszuüben vermag u. an dem gebundenen Substrat eine chem. Reaktion auslösen kann, dann fungiert er als *supramol. *Katalysator*. Der Rezeptor kann auch als Träger fungieren, wenn er *lipophil u. membranlösl. ist; er vermag dann die *Translokation des gebundenen Substrats zu bewirken. Mol. Erkennung, *Transformation u. Translokation sind die grundlegenden Funktionen supramol. Spezies. Näheres zu der Terminologie u. den Definitionen der s. C. s. *Lit.*[1,2].
Für den Bindungsprozeß im Supermol. sind die aufzuwendende od. freigesetzte Energie u. der beteiligte Informationsfluß charakterist.; diese beiden Faktoren bestimmen die Selektivität (s. a. selektiv). Mol. Erkennung ist daher ein Problem der Speicherung u. des Auslesens von Information auf supramol. Ebene. Speicherungsmöglichkeiten für die Information existieren in der Struktur des Rezeptors, seinen Bindungsstellen (Anzahl, Anordnung, Art) u. der das Substrat umgebenden Ligandschicht. Die Auslesung der Information erfolgt mit der Geschw. der Bildung u. Zerlegung des Supermoleküls. Das Ausmaß an mol. Erkennung läßt sich durch mehrstufige Erkennungsvorgänge u. Kopplung an einen irreversiblen Prozeß deutlich steigern[3]. Rezeptorchemie (od. *Wirt-Gast-Beziehung) läßt sich als verallgemeinerte Koordinationschemie (s. a. Koordinationslehre) betrachten, die sich über das gesamte Spektrum von Substraten (geladenen u. neutralen Spezies organ., anorgan. u. biolog. Natur) erstreckt. Ein hoher Grad an Erkennung wird erreicht, wenn sich Rezeptor u. Substrat über eine möglichst große Kontaktfläche berühren können. Eine solche Situation liegt bei Rezeptoren mit intramol. Hohlräumen vor, in die das Substrat hineinpaßt. Rezeptor u. Substrat bilden dann einen *Einschlußkomplex* od. **Kryptat*; den Rezeptor bezeichnet man in diesen Fall als **Kryptanden*. Der in der Abb. gezeigte Kryptand, ein tricycl. *Kronenether, stellt hinsichtlich der mol. Erkennung eine Art mol. Chamäleon dar, der auf pH-Änderungen des Mediums anspricht. Unprotoniert bindet er spezif. NH_4^+, in zweifach protonierter Form H_2O u. in vierfach protonierter Form Cl^-. Die Bindung des Substrats erfolgt hier u. in vielen anderen Fällen über Wasserstoff-Brücken.

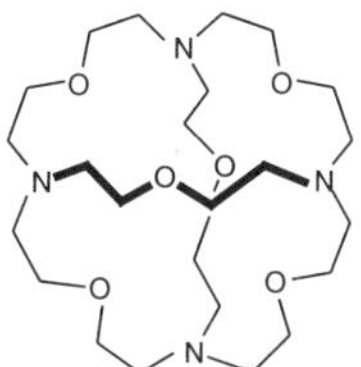

Abb.: Von *Lehn u. Mitarbeitern[4] synthetisierter Kryptand, der in Abhängigkeit vom pH-Wert verschiedene Substrate (NH_4^+, H_2O u. Cl^-) spezif. zu binden vermag.

Die s. C. wird in zwei sich teilw. überlappende Teilgebiete unterteilt. Das erste befaßt sich mit wohldefinierten Supermol., d. h. diskreten oligonuklearen Spezies, die durch intermol. Assoziation weniger Mol. nach einem festen Bauplan resultieren. Beisp. sind Helicate u. Prerotaxane. Das zweite Teilgebiet befaßt sich mit den sog. supramol. Zusammenlagerungen (*E* assemblies). Diese entstehen durch spontane Assoziation einer großen, nicht näher definierten Anzahl von Mol. zu „polymol. Einheiten" mit mehr od. weniger streng definierter Gesamtarchitektur. Beisp. sind selbstorganisierte Monoschichten (*E* self-assembled monolayers), Membranen, Vesikeln u. Micellen, aber auch mesomorphe Phasen u. Festkörperstrukturen.
Die s. C. hat einen hohen Grad an interdisziplinärem Charakter; biolog. u. physikal. Phänomene spielen hier in vielfältiger Weise mit der Chemie zusammen[5]. Sie liefert ein tieferes Verständnis biolog. Syst. u. zielt auf die Entwicklung neuer Materialien u. Technologien. So sollen künstliche Supermol. entwickelt werden, de-

ren Architektur u./od. physikal. Eigenschaften durch gezielte Veränderung energet. u./od. stereochem. Eigenschaften auf definierte Weise verändert werden können. Dadurch sind Prozesse höchster Effizienz u. Selektivität ausführbar. Aktuelle Arbeitsgebiete der s. C. sind z. B. die Untersuchung von *flüssigen Kristallen, *Membranen, *Micellen od. *Vesikeln, die Entwicklung organ. *Halbleiter, Leiter u. Supraleiter, das Gebiet der *molekularen Elektronik od. die gezielte Entwicklung supramol. *Katalysatoren. Zur Bedeutung elektrochem. Meth. in der s. C. s. *Lit.*[6]; s. a. molekulare Funktionseinheiten, molekulare Photonik u. molekulare Schalter. – ***E*** supramolecular chemistry – ***F*** chimie supramoléculaire – ***I*** chimica sopramolecolare – ***S*** química supramolecular

Lit.: [1] Struct. Bonding (Berlin) **16**, 1 (1973). [2] Pure Appl. Chem. **50**, 871 (1978). [3] Acc. Chem. Res. **20**, 79 (1987). [4] J. Am. Chem. Soc. **97**, 5022 (1975); Helv. Chim. Acta **64**, 1040 (1981); Pure Appl. Chem. **49**, 857 (1977). [5] Vögtle, Supramolekulare Chemie, Stuttgart: Teubner 1989. [6] Angew. Chem. **110**, 226 (1998).
allg.: Balzani, Supramolecular Photochemistry, Dordrecht: Reidel 1987 ▪ Lehn, Supramolecular Chemistry, Weinheim: VCH Verlagsges. 1995 ▪ Nachr. Chem. Tech. Lab. **35**, 1149 (1987) ▪ Schneider u. Dürr, Frontiers in Supramolecular Organic Chemistry and Photochemistry, Weinheim: VCH Verlagsges. 1991.

Supranol®-Farbstoffe. Licht- u. walkechte *Säurefarbstoffe zum Färben von Wolle od. Leder. ***B.:*** Bayer.

Suprapur®. Reagenzien höchster Reinheit für die Spurenanalytik. ***B.:*** Merck.

Suprasil®. *Quarzglas, insbes. Quarzglas mit hoher Ultraviolett-Durchlässigkeit u. hervorragender Laserbeständigkeit, z. B. für Anw. in der Mikrolithographie u. Teile opt. Geräte (Prismen, Linsen, Platten, Spiegel, Küvetten). ***B.:*** Heraeus Quarzglas GmbH.

Suprasterine.

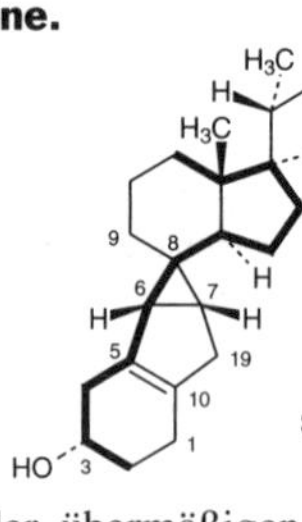

Suprasterin 2-II

Produkte der übermäßigen Ultraviolett-Bestrahlung von Vertretern der Vitamin-D-Gruppe (s. Vitamine u. Calciferole), die keine antirachit. Wirkung mehr zeigen. S. 2-II ($C_{28}H_{44}O$, M_R 396,63, s. Abb.) ist ein pentacycl. Isomeres des *Ergosterins; Schmp. 110–112 °C; $[\alpha]_D^{19}$ +62,9° (CH_3OH), $[\alpha]_D^{22}$ +47,8° (CH_3OH). – ***E*** suprasterols – ***F*** suprastérols – ***I*** suprasteroli – ***S*** suprasteroles

Lit.: Beilstein EIV **6**, 4412f. ▪ Tetrahedron Lett. **1961**, 565–578 ▪ Zechmeister **27**, 133f. – *[HS 2906 19; CAS 562-71-0]*

Supravitalfärbung s. Vitalfärbung.

Suprax® (Rp). Filmtabl., Saft mit dem *Cephalosporin-Antibiotikum *Cefixim-Trihydrat gegen Infektionen der oberen u. unteren Atem- u. der Harnwege. ***B.:*** Klinge.

Supremax®. Alkali-freies, techn. *Borosilicatglas mit hoher Erweichungstemp., das im Dauerbetrieb bis 700 °C für Verbrennungsrohre, Glühröhrchen u. hochgradige Thermometer einsetzbar ist. Gegen Wasser u. Laugen ist S. sehr widerstandsfähig, weniger gegen Säuren. Zur Verarbeitung ist die oxidierende Flamme anzuwenden. ***B.:*** Schott.

Supronyl®. Gießfolie auf *Polyamid-Basis für Bekleidungszwecke, zum Kaschieren, für öl- u. fettdichte Membranen u. in der Elektro-Industrie. ***B.:*** Kalle.

Suramin-Natrium (Rp).

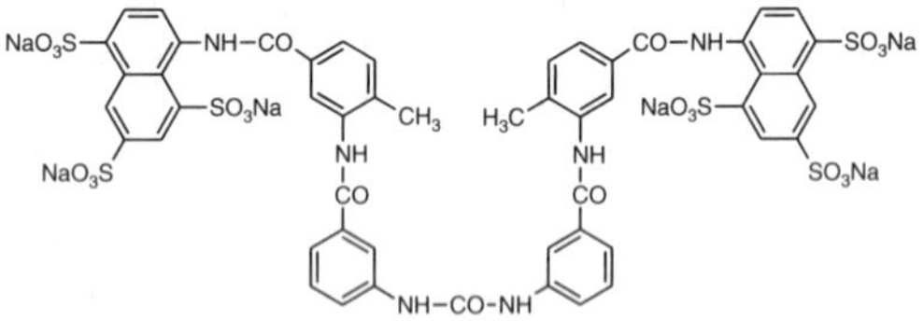

Internat. Freiname für das Hexanatriumsalz der 8,8′-{Ureylenbis[*m*-phenylencarbonylimino(4-methyl-*m*-phenylen)carbonylimino]}bis(1,3,5-naphthalintrisulfonsäure), $C_{51}H_{34}N_6Na_6O_{23}S_6$, M_R 1429,15, LD_{50} (Maus i.v.) 620 mg/kg, weißes bis schwach gelbliches od. pinkfarbenes, schwach bitter schmeckendes, hygroskop. Pulver, leicht lösl. in Wasser, wenig in Ethanol, unlösl. in Benzol, Ether, Chloroform. S.-N. ist ein gegen *Trypanosomen (*Schlafkrankheit) wirksames Präp., das als *Germanin® große Bedeutung besaß u. heute noch veterinärmedizin. gegen Trypanosomen-Krankheiten eingesetzt wird. – ***E*** suramin sodium – ***F*** suramine sodique – ***I*** suramina sodio – ***S*** suramina sódica

Lit.: Hager (5.) **9**, 755–758 ▪ Martindale (31.), S. 630 ▪ Ullmann (5.) **A 2**, 341; **A 6**, 223. – *[HS 2924 29; CAS 145-63-1 (Suramin); 129-46-4 (S.-Na)]*

Surcopur®. *Herbizid auf der Basis von *Propanil gegen Unkräuter u. Ungräser in Reis-Kulturen. ***B.:*** Bayer.

Surfactant. 1. Im Engl. durch Abk. von *Surf*ace *ac*tive *agent* gebildetes Kunstwort, das gelegentlich auch in der dtsch.-sprachigen Lit. als Synonym für *grenzflächenaktive Stoffe od. *Tenside verwendet wird.
2. In Biologie u. Medizin Bez. für ein Gemisch aus *Phospholipiden, das die Innenfläche der *Lunge auskleidet u. die Oberflächenspannung des Flüssigkeitsfilms herabsetzt, die sonst bei ausgeatmeter Lunge zum Kollaps der Alveolen (Lungenbläschen) führen würde. Zu den S.-assoziierten Proteinen s. *Lit.*[1]. – ***E*** = ***F*** surfactant – ***I*** = ***S*** surfactante

Lit.: [1] Biochem. J. **273**, 249–264 (1991).
allg.: Am. J. Physiol. **258**, L241–L253; **259**, L1–L12, L185–L197 (1990) ▪ Annu. Rev. Med. **40**, 431–446 (1989) ▪ Morgenroth, Das Surfactantsystem der Lunge, Berlin: de Gruyter 1986.

SURFADONE® LP. *N*-Octyl- u. *N*-Dodecylpyrrolidon. Hochwirksames Lösemitteladditiv u. Komplexbildner mit grenzflächenaktiven Eigenschaften u. pseudokation. Charakter für Ind.- u. Haushaltsreiniger, Netzmittel, Konditionier- u. Stabilisiermittel für Haarpflegeprodukte, Verdicker für Ethersulfate. ***B.:*** ISP.

Surfagene®. Phosphatester (s. Phosphate) u. *Sulfosuccinate. ***B.:*** Chemische Fabrik CHEM-Y.

Surfaktans-Proteine s. Lungen-Surfaktans.

Surgam® (Rp). Tabl. u. Suppositorien mit *Tiaprofensäure gegen rheumat. Erkrankungen. ***B.:*** HMR.

Surimi. Fischeiweißpaste, die durch Zusatz von Polyphosphaten (für den dtsch. Markt Diphosphate), Citraten u. *Sorbit einer Tiefkühllagerung zugänglich gemacht u. v. a. in Japan hergestellt wird.
Herst.: Aus dem Fleisch des Alaska-Pollok (*Theragra chalcogramma*) u. anderer Fischarten läßt sich unter Zusatz von bis zu 4% *Saccharose, 4% *Sorbit u. 0,2% Polyphosphat ein Gel herstellen, das zu dünnen Fasern geschnitten wird. Nach Pressen in Formen erhält man Shrimps- u. Hummerfleisch-ähnliche Erzeugnisse, die durch Paprikazusatz echtem Hummerfleisch täuschend ähnlich werden. *Sorbit läßt sich auch durch *Polydextrose® od. *Palatinit® ersetzen[1]. Zur Zusammensetzung s. die Tabelle.

Tab.: Zusammensetzung von Surimi.

Pollock-Paste	77,0%
Brotkrumen	7,5%
Mehl	3,0%
Salz	2,7%
Albumin	2,5%
natürliche Gewürze	1,5%
Saccharose	0,3%
Pilgermuschelextrakt	0,2%

Zur rechtlichen Beurteilung dieses bei unsachgemäßer Lagerung schnell verderblichen Lebensmittels[2] s. *Lit.*[3]. – ***E*** = ***F*** = ***I*** = ***S*** surimi

Lit.: [1]J. Food Sci. **53**, 1 ff. (1988); **55**, 83 (1990). [2]J. Food. Prot. **50**, 312–315 (1987). [3]Der Lebensmittelkontrolleur **5**, Nr. 4, 38 (1990).
allg.: J. Food Sci. **55**, 349, 353, 356, 665 (1990).

Surlyn™ s. Ionomere.

Surpalite. Französ. Deckname für das im 1. Weltkrieg als Grünkreuz-*Kampfstoff eingesetzte *Diphosgen, eine Weiterentwicklung von *Palite.
Lit.: Klimmek et al., Chemische Gifte u. Kampfstoffe, S. 37–45, Stuttgart: Hippokrates 1983.

Surrogat (latein.: surrogare = zur Nachwahl vorschlagen, als Ersatz wählen lassen). Produkt, das als *Ersatz* für wertvollere od. nicht verfügbare ähnliche Produkte im Handel ist. – ***E*** substitute – ***I*** surrogato – ***S*** sucedáneo

Surugatoxin. $C_{25}H_{26}BrN_5O_{13}$, M_R 684,41, Prismen, Schmp. >300 °C, nicht wasserlösl. Alkaloid aus der japan. „Elfenbeinschnecke" *Babylonia japonica*, das von der Schnecke aus coryneformen Bakterien aufgenommen wird, die in ihren Verdauungsdrüsen leben. Nach dem Verzehr von Schnecken aus bestimmten Gebieten ist es durch S. zu Vergiftungen gekommen, deren Symptome u. a. starker Durst, Taubheit der Lippen, Verkleinerung des Sehfeldes u. Sprachstörungen sind. S. verfügt über ein bisher einzigartiges Gerüst, das sowohl einen Indol- als auch einen Pteridin-Teil enthält, vgl. a. Saxitoxin u. Tetrodotoxin.

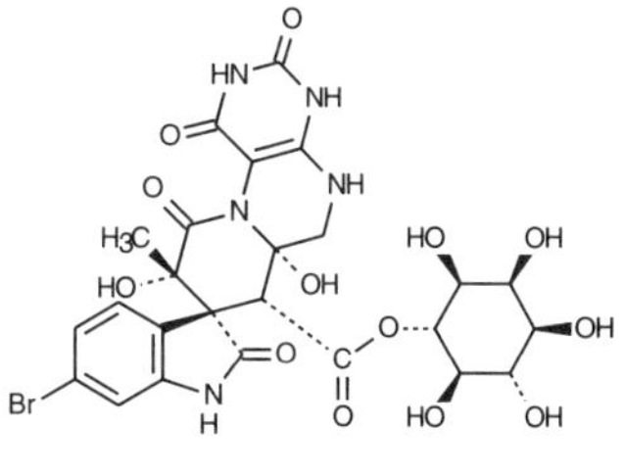

Surugatoxin

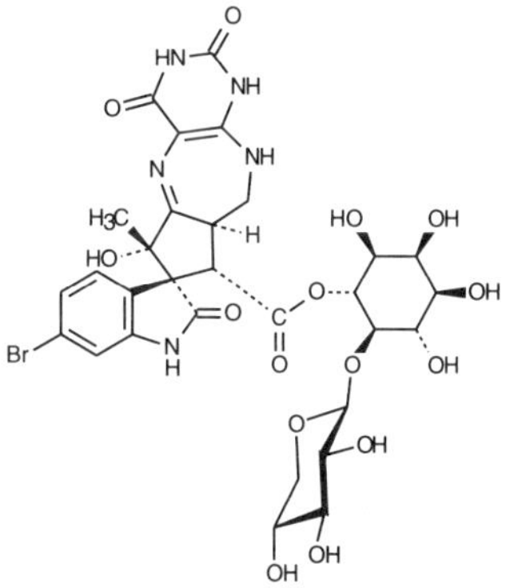

Neosurugatoxin

Ebenfalls aus *Babylonia japonica* stammt die wesentlich giftigere biosynth. Vorstufe von S.: *Neosurugatoxin*[1] ($C_{30}H_{34}BrN_5O_{15}$, M_R 784,53), dessen Cyclopentanimin-Struktur sich leicht oxidativ öffnet u. zum Piperidon recyclisiert. – ***E*** surugatoxin – ***F*** surugatoxine – ***I*** surugatossina – ***S*** surugatoxina

Lit.: [1]Chem. Pharm. Bull. **33**, 3059 (1985); Chem. Rev. **93**, 1685 (1993); Methods Neurosci. **8**, 311 (1992); Tetrahedron Lett. **27**, 5225 (1986); **29**, 1547 (1988); Tetrahedron **50**, 2729, 2753 (1994).
allg.: Synth.: Chem. Pharm. Bull. **37**, 791 ff. (1989) ▪ Tetrahedron Lett. **25**, 4407 (1984) ▪ s. a. PSP, Saxitoxin, Tetrodotoxin. – *[CAS 40957-92-4 (S.); 80680-43-9 (Neo-S.)]*

Suser s. Sauser.

Suspendierhilfen s. Suspensionen.

Suspendierte Stoffe s. Schwebstoffe.

Suspensionen. Von latein.: suspendere = aufhängen, schwebend halten abgeleitete Bez. für *Dispersionen von unlösl. Feststoffteilchen mit Teilchengrößen bis hinunter zu kolloiden Dimensionen ($<10^{-5}$ cm, s. Kolloidchemie) in Flüssigkeiten, plast. Massen od. erstarrten Schmelzen. Bei gröberen S. (die z. B. beim Umrühren von Ton in Wasser entstehen) setzen sich die suspendierten Teilchen früher od. später am Boden ab (*Sedimentation); dagegen bleiben sie in der Flüssigkeit schweben, wenn sie die Größe von Kolloidteilchen erreichen (*Schwebstoffe). Die Stabilität von S. läßt sich durch Zugabe von sog. *Suspendierhilfen* erhöhen. Dies sind im allg. ion. (meist anionaktive) *grenzflächenaktive Stoffe, die als *Dispergiermittel u. *Absetzverhinderungsmittel wirken, indem sie die *Benetzung der suspendierten Partikel mit dem *Dispersionsmittel erhöhen (s. a. Netzmittel). Umgekehrt bedient man sich meist als Lsg. mehrwertiger Ionen wie Fe^{3+} od. Al^{3+} od. als *Polyelektrolyte vorliegender

Hilfsmittel (*Flockungsmittel, *Filterhilfsmittel), wenn man S. „brechen" od. „spalten", d.h. zur *Ausflockung bringen will. Durch spezif. Meßtechniken lassen sich die für S. charakterist. Kriterien wie Feststoffgehalt, Teilchengröße, Zeta-Potential, Rheopexie, Viskosität, Sedimentationsgeschw. etc. untersuchen. S. spielen in der Polymerisationstechnik (als Suspensions- od. *Perlpolymerisation), in der Metallurgie zur Flotation, in der chem. Technik, Kosmetik, Pharmazie u. auch im Haushalt eine große Rolle. – ***E*** = ***F*** suspensions – ***I*** sospensioni – ***S*** suspensiones

Lit.: Encycl. Polym. Sci. Eng. **16**, 443–473 ▪ Hager (5.) **1**, 668 f.; **2**, 923–938 ▪ Janistyn (2.) **3**, 45 ff. ▪ Kirk-Othmer (4.) **11**, 61–80 ▪ Ullmann (4.) **19**, 125–132; (5.) **B 2**, 25, 17–19 ▪ Winnacker-Küchler (4.) **1**, 111–114.

Suspensionskultur s. Submersverfahren.

Suspensionspolymerisation. Bez. für ein Verf. zur *Polymerisation von überwiegend wasserunlösl. *Monomeren. Diese werden zunächst unter Rühren in Form kleiner Tröpfchen in Wasser dispergiert. Die Größe der entstehenden Monomer-Tröpfchen (0,01–0,5 mm) wird über das Verhältnis von Wasser zu Monomer (ca. 2:1 bis 10:1) u. die Rührgeschw. eingestellt. Koagulation der Tröpfchen wird durch zugesetzte Schutzkolloide (Dispergatoren, u.a. *Polyvinylalkohol, *Methylcellulose, *Gelatine, Tricalciumphosphat) verhindert. Die Polymerisation wird dann durch Zusatz von Radikal-*Initiatoren u. Erwärmen des Ansatzes auf ca. 40–100 °C, bei Anlegen von Überdruck auch auf höhere Temp., gestartet. Der entscheidende Unterschied zur *Emulsionspolymerisation besteht nun darin, daß bei der S. nicht Wasser-, sondern Monomer-lösl. Initiatoren Einsatz finden, was den Verlauf der Reaktion grundlegend verändert. Infolge ihrer Monomer-Löslichkeit zerfallen die Initiator-Mol. in den Monomer-Tröpfchen selbst u. polymerisieren diese als solche allmählich durch, während bei der Emulsionspolymerisation die Latex-Teilchen ausgehend von Seifenmicellen völlig neu aufgebaut werden (zum Mechanismus s. Emulsionspolymerisation). Bei der S. verläuft damit die Polymerisation in den einzelnen Monomer-Tröpfchen quasi als *Substanzpolymerisation. Vorteile der S. sind niedrige Viskositäten u. daher gute Rührbarkeit der Reaktionsgemische auch bei hohem Monomer-Umsatz, leichte Abführung der Polymerisationswärme u. in der Regel gute Abtrennbarkeit der resultierenden Polymeren (z.B. durch Filtrieren od. Zentrifugieren). Diese fallen in Form feiner Perlen an; daher wird die S. auch als *Perlpolymerisation* bezeichnet. Nachteilig bei der S. ist, daß erforderliche Hilfsmittel meist nur schwierig abgetrennt werden können. Die S. wird techn. in großem Umfang durchgeführt, u.a. zur Herst. von S-PVC (Suspensions-PVC) od. *Polytetrafluorethylen. – ***E*** suspension polymerization – ***F*** polymérisation en suspension – ***I*** polimerizzazione in sospensione – ***S*** polimerización en suspensión

Lit.: Batzer **1**, 61 f. ▪ Compr. Polym. Sci. **4**, 231–241 ▪ Elias (5.) **2**, 90 ff. ▪ Encycl. Polym. Sci. Eng. **16**, 443–472 ▪ Houben-Weyl **E 20/1**, 313–333.

Sustainable Development. *E* für nachhaltige, zukunftsverträgliche Entwicklung, auch als dauerhafte od. dauerhaft tragfähige Entwicklung (Abk. DE) übersetzt. S. D. stellt neben der Umwelt auch Mensch u. Wirtschaft in das Zentrum polit. Handelns, es ist eine Handlungsmaxime für die globale Lösung von Umweltproblemen: Sparsame Verw. von Ressourcen, umweltschonende Produktion, möglichst umweltverträgliche Produkte. S. D. orientiert sich an der Forderung von H. Jonas: „Handle so, daß die Wirkungen Deiner Handlung verträglich sind mit der Permanenz echten menschlichen Lebens auf Erden"[1]. Das Konzept der Nachhaltigkeit stammt aus der traditionellen naturnahen Waldwirtschaft, die idealerweise die ökolog. u. ökonom. Belange u. die Interessen zukünftiger Generationen gewährleistet[2]. Die Weltkommission für Umwelt u. Entwicklung unter Leitung der norweg. Politikerin G. H. Brundtland hat in ihrem Bericht „Our Common Future" das Konzept des S. D. zugrundegelegt[3]. Alle Entwicklungen müssen daraufhin geprüft werden, ob sie nicht relevante od. sogar irreversible Schäden in den Bereichen Ökologie, Ökonomie u. Gesellschaft verursachen[4]. Im Grundgesetz ist nachhaltige Entwicklung in Artikel 20a als Staatsziel verankert (s.a. Umweltschutz).

Vier globale Probleme bilden die Rahmenbedingungen für S. D.: Endlichkeit der natürlichen Ressourcen, begrenzte Belastbarkeit der *Ökosysteme, anhaltendes Wachstum der Weltbevölkerung u. Unterversorgung großer Teile der Weltbevölkerung. Folglich müssen ökolog., ökonom. u. soziale Ziele im Sinne von S. D. in Einklang gebracht u. mittels verschiedener „Instrumente" realisiert werden; S. D. ist also nicht nur Angelegenheit der Industrie. Als Kriterien für die Ziele von S. D. werden genannt: Kompatibilität (ökonom., ökolog. u. soziale Anforderungen müssen gleichermaßen u. ausgewogen berücksichtigt werden), Praktikabilität (Ziele sollen an Leistungs- u. Aufnahmefähigkeit orientiert werden), Effektivität (fristgerechte Umsetzung), Effizienz (Aufwand vertretbar im Verhältnis zu Effekt), Reversibilität (bei neuer Erkenntnis muß gewährleistet sein, daß Ziele od. Instrumente aufgehoben werden), Wettbewerbsneutralität (Gleichbehandlung u. Chancengleichheit im internat. Wettbewerb dürfen nicht beeinträchtigt werden) u. Gesellschaftskonformität (Ziele u. Instrumente müssen so gesetzt u. definiert werden, daß sie gesellschaftlich-kulturellen Ansprüchen, Normen u. Gepflogenheiten Rechnung tragen u. allen unmittelbar Betroffenen eine angemessene Beteiligung am Entscheidungsprozeß erlauben). Für die Anthropo- u. Technosphäre ist anzustreben, daß Stoffströme so gestaltet werden, daß sie die Bedürfnisse der jetzt lebenden Menschen befriedigen, ohne die kommenden Generationen hinsichtlich ihrer eigenen Entwicklungs- u. Entscheidungsmöglichkeiten unnötig einzuschränken.

Die im Sinn von S. D. in der chem. Ind. 1984 in Kanada zuerst formulierte Initiative heißt *Responsible Care. Prakt. Beiträge der chem. Ind. zu S. D. sind Ausrichtung auf zukunftsorientierte Produkte u. Technologien, Technologietransfer u. Beratung auch bei der Umweltzielsetzung. Die Internat. Handelskammer ICC hat im April 1991 eine Business Charta for S. D. verabschiedet[5]. – ***E*** sustainable development

Lit.: [1] Jonas, Das Prinzip Verantwortung, Frankfurt: Suhrkamp 1979. [2] Ministerium für Umwelt u. Forsten Rheinland-Pfalz (Hrsg.), Naturnahe Waldwirtschaft – zukunftsweisend für Natur u. Wirtschaft, Mainz: Selbstverl. 1994; Spektrum Wiss.

1997, Nr. 8, 86–92; Kurth, Forsteinrichtung, Nachhaltige Regelung des Waldes, Berlin: Dtsch. Landschaftsverl. 1994. [3] World Commission on Environment and Development (Hrsg.), Our Common Future, New York: University Press 1987. [4] Allg. Forstz. **1995**, Nr. 12, 642 f. [5] International Chamber of Commerce (Hrsg.), The Greening of Enterprise, S. 219–224, Paris: ICC Publ. 1990.
allg.: Constanza, Ecological Economics, the Science and Management of Sustainability, New York: Columbia University Press 1991 ▪ Deutscher Bundestag (Hrsg.), Zur Sache 1/97, Konzept Nachhaltigkeit, Zwischenbericht der Enquete-Kommission Schutz des Menschen u. der Umwelt – Ziele u. Rahmenbedingungen einer nachhaltig zukunftsverträglichen Entwicklung, Bonn: Dtsch. Bundestag 1997 ▪ Fritz et al. (Hrsg.), Nachhaltigkeit in naturwissenschaftlicher u. sozialwissenschaftlicher Perspektive, Stuttgart: Hirzel 1995 ▪ Meyer-Krahmer (Hrsg.), Innovation and Sustainable Development, Berlin: Springer 1997 ▪ Schütz u. Wiedemann (Hrsg.), Technik kontrovers, S. 34–39, Frankfurt: IMK 1993 ▪ Ullmann (5.) **B 7**, 375 ff. ▪ VCI (Hrsg.), Sustainable Development, Frankfurt: Selbstverl. 1995. – INTERNET: (Internat. Inst. for S. D.) http://iisd1.iisd.ca/; – (Produktion u. Konsum) http://www.unep.org/unep/progam/sustprod/home.htm; – (Commission on S. D.) http://www.ext.grida.no/ggynet/igo/csd.htm

Sustilan®-N. Anionaktive Faserschutzmittel in der Wollfärberei sowie Verkochungsschutzmittel beim Färben mit substantiven Farbstoffen, enthält Ammonium-Salze von aliphat. u. alkylaromat. *Sulfonsäuren. ***B.:*** Bayer.

Suszeptibilität s. magnetische Werkstoffe u. Magnetochemie.

Sutherland, Earl Wilbur (1915–1974), Prof. für Biochemie, Pharmakologie, Physiologie, Western Reserve Univ., Cleveland u. Vanderbilt Univ., Nashville (USA). *Arbeitsgebiete:* Hormone, Enzym-Aktivierung, cycl. Adenosinmonophosphat (cAMP) als „second messenger" bei der Hormon-Wirkung; hierfür erhielt er 1971 den Nobelpreis für Physiologie od. Medizin.
Lit.: Chem. Labor Betr. **23**, 97–101 (1972) ▪ Lexikon der Naturwissenschaftler, S. 389 ▪ Nachr. Chem. Tech. **19**, 387 f. (1971) ▪ Naturwiss. Rundsch. **24**, 548 (1971) ▪ Neufeldt, S. 254 ▪ Pötsch, S. 412.

Suxamethoniumchlorid [Succinylcholinchlorid, Bernsteinsäurebischolinesterdichlorid (Rp)].

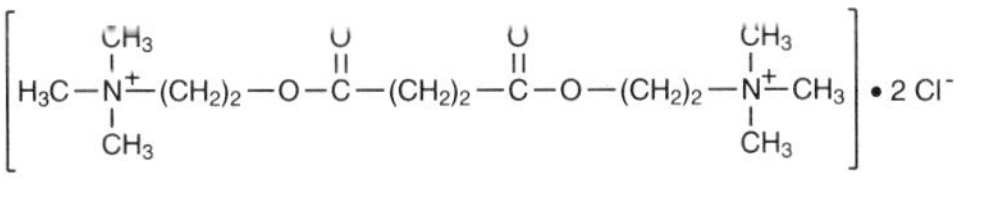

$$\left[H_3C-\overset{+}{N}(CH_3)_2-(CH_2)_2-O-CO-(CH_2)_2-CO-O-(CH_2)_2-\overset{+}{N}(CH_3)_2-CH_3 \right] \cdot 2\,Cl^-$$

Von der WHO vorgeschlagener, internat. Freiname für das *Muskelrelaxans 2,2′-(Succinyldioxy)bis(*N,N,N*-trimethylethanaminium)-dichlorid, $C_{14}H_{30}Cl_2N_2O_4$, M_R 361,30, Schmp. ~190 °C (Dihydrat: Schmp. 163–164 °C), LD_{50} (Maus i.v.) 45 mg/kg. S. wird ebenso wie das Iodid u. Bromid anstelle von *Curare bei kurzen chirurg. Eingriffen, Intubationen, Elektroschocks usw. verwendet. S. ist von Nycomed (Lysthenon®), Schwabe-Cura-med (Pantolax®) u. Rodleben (Succicuran®) im Handel. Zur Wirkungsweise s. *Lit.*[1]. – ***E*** suxamethonium chloride – ***F*** chlorure de suxaméthonium – ***I*** suxametonio cloruro – ***S*** cloruro de suxametonio
Lit.: [1] Lüllmann et al., Taschenatlas der Pharmakologie, S. 174 f., Stuttgart: Thieme 1990.
allg.: Beilstein E IV **4**, 1451 ▪ Florey **10**, 691–704 ▪ Hager (5.) **9**, 759–763 ▪ Martindale (31.), S. 1525–1528 ▪ Ph. Eur. **1997** u. Komm. – *[HS 2923 90; CAS 306-40-1 (Dikation); 71-27-2 (Dichlorid); 6101-15-1 (S.-Dihydrat); 55-94-7 (Dibromid); 541-19-5 (Diiodid)]*

Suxibuzon (Rp).

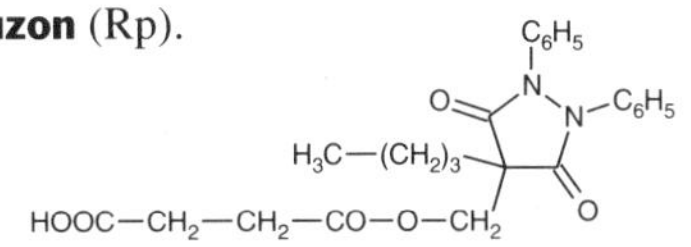

$$HOOC-CH_2-CH_2-CO-O-CH_2-C(C_4H_9)\text{ (3,5-Dioxo-1,2-diphenylpyrazolidin-4-yl)}$$

Internat. Freiname für das Antirheumatikum (4-Butyl-3,5-dioxo-1,2-diphenyl-4-pyrazolidinylmethyl)-hydrogensuccinat, $C_{24}H_{26}N_2O_6$, M_R 438,48, weißes, bitteres, krist. Pulver, Schmp. 126–127 °C; λ_{max} (CH_3OH) 237 nm ($A^{1\%}_{1cm}$ 375); unlösl. in Wasser, lösl. in den üblichen organ. Lösemitteln. S. ist ein *Prodrug von *Phenylbutazon. Es wurde 1970 u. 1973 von Lab. Esteve patentiert. – ***E*** = ***F*** = ***I*** suxibuzone – ***S*** suxibuzona
Lit.: ASP ▪ Hager (5.) **9**, 763 f. ▪ Martindale (31.), S. 99. – *[HS 2933 19; CAS 27470-51-5]*

Suzuki-Reaktion [Suzuki-Kupp(e)lung]. Die durch *Hydroborierung aus Alkenen leicht zugänglichen

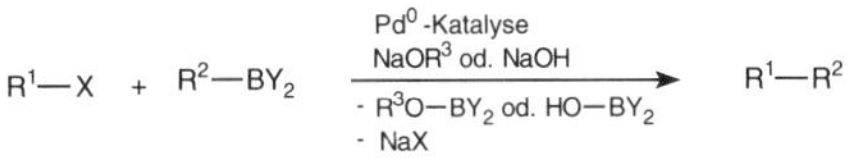

$$R^1-X + R^2-BY_2 \xrightarrow[\substack{-\,R^3O-BY_2 \text{ od. } HO-BY_2 \\ -\,NaX}]{\substack{Pd^0\text{-Katalyse} \\ NaOR^3 \text{ od. } NaOH}} R^1-R^2$$

Abb. 1: Suzuki-Reaktion (schemat.).

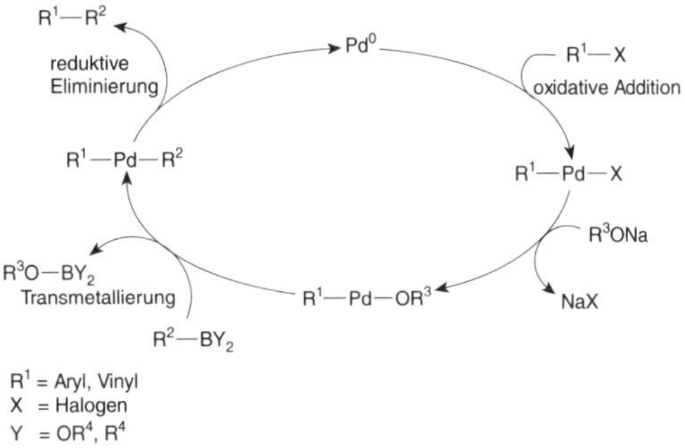

Abb. 2: Katalysecyclus.

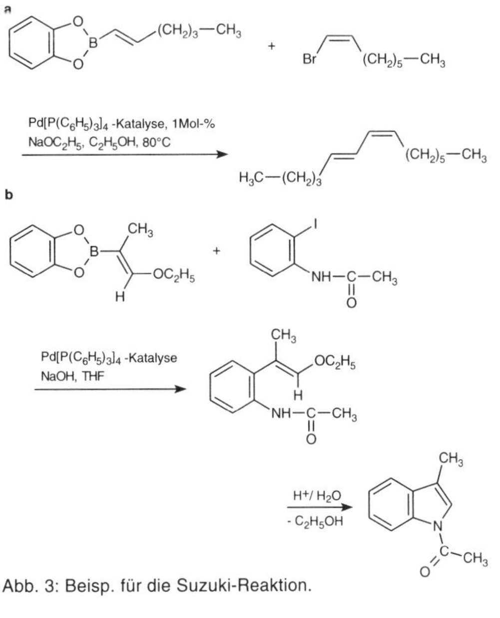

Abb. 3: Beisp. für die Suzuki-Reaktion.

Bor-organ. Verb. lassen sich in Ggw. von Basen auf Palladium übertragen (*Transmetallierung*, s. Metallorganische Reaktionen) u. stehen damit der Palladium-katalysierten Kupp(e)lung mit Aryl- od. Vinylhalogeniden zur Verfügung (s. Abb. 1 u. 2, S. 4339). Die Breite der Anw. dieser als S.-R. od. Suzuki-Kupp(e)lung bezeichneten Reaktion ist beträchtlich (s. Abb. 3, S. 4339); ihre bedeutendste Anw. erfährt sie in der Naturstoffsynthese; vgl. a. Heck- u. Stille-Reaktion. – ***E*** Suzuki reaction – ***F*** réaction de Suzuki – ***I*** reazione di Suzuki – ***S*** reacción de Suzuki

Lit.: Chem. Rev. **90**, 879 (1990) ▪ Hassner-Stumer, S. 376 ▪ Hegedus, Organische Synthesen mit Übergangsmetallen, S. 83 f., Weinheim: VCH Verlagsges. 1995 ▪ Pure Appl. Chem. **63**, 419 (1991) ▪ s. a. Metall-organische Reaktionen.

Sv. Kurzz. der Einheiten *Sievert u. *Svedberg.

Svedberg (Kurzz.: S od. Sv). Nach T. *Svedberg benannte, SI-widrige Einheit der *Sedimentationskonstante s* für Teilchen in *Ultrazentrifugen (s = v/a; v: Sinkgeschw. der Teilchen, a: Zentrifugalbeschleunigung); *Beisp.:* s. Ribosomen. Beziehung zwischen *s* u. M_R: s. Ultrazentrifugen. Umrechnung ins SI: $1\ S = 10^{-13}\ s = 0{,}1\ ps$. – ***E*** = ***F*** = ***S*** svedberg – ***I*** Svedberg

Svedberg, The (Theodor) (1884–1971), Prof. für Physikal. Chemie in Uppsala. *Arbeitsgebiete:* Konstruktion der Ultrazentrifuge, Molmassen-Bestimmung durch Sedimentationsanalyse, Teilchengrößе-Bestimmung, Kolloidchemie, Cellulose u. a. Makromol., Kernchemie. Für seine Arbeiten über disperse Syst. erhielt S. 1926 den Nobelpreis für Chemie.

Lit.: Lexikon der Naturwissenschaftler, S. 389 ▪ Neufeldt, S. 130/149 ▪ Pötsch, S. 412 ▪ Strube et al., S. 117, 121, 128.

Svern-Oxidation s. Swern-Oxidation.

Swainsonin [(1*S*)-8a*β*-Octahydro-1*α*,2*α*,8*β*-indolizin-triol].

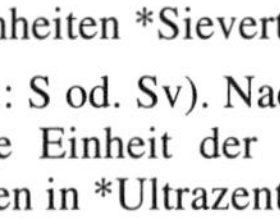

$C_8H_{15}NO_3$, M_R 173,21, Schmp. 144–145 °C, $[\alpha]_D^{20}$ –85,1° (CH_3OH). *Indolizidin-Alkaloid aus den Leguminosen *Swainsona canescens*, *Astragalus lentiginosus* u. phytopathogenen Pilzen der Gattung *Rhizoctonia*. S. verursacht in Weidetieren den sog. „Locoismus", eine Erscheinung, die in ihren Symptomen der genet. Erkrankung Mannosidose ähnelt. S. wirkt als *α*-Mannosidase-Hemmer. Hierauf beruht seine inhibierende Wirkung auf Wachstum u. Metastasenbildung einiger Krebsarten. Zudem fördert S. die Vermehrung von Knochenmarkszellen u. verstärkt in einigen Fällen die körpereigene Tumorabwehr. – ***E*** = ***F*** swainsonine – ***I*** = ***S*** swainsonina

Lit.: Beilstein E V **21/5**, 483 ▪ Manske **28**, 287. – *Synth.:* Bull. Soc. Chim. Fr. **134**, 615 (1997) ▪ Chem. Pharm. Bull. **38**, 2712–2718 (1990); **41**, 1717 (1993) ▪ J. Am. Chem. Soc. **112**, 8100–8112 (1990) ▪ J. Org. Chem. **58**, 3397 (1993); **59**, 1358 (1994); **61**, 7217 (1996); **62**, 1112 (1997) ▪ Synlett **1995**, 404 ff. ▪ Tetrahedron **43**, 3083–3093 (1987) ▪ Tetrahedron Lett. **31**, 7571 (1990); **36**, 1291, 5049 (1995). – *[HS 293990; CAS 72741-87-8]*

Swarts-Reaktion. Nach Frédéric Swarts (1866–1940, Prof. für Chemie, Gent) benannte *Fluorierungs-Reaktion zur Herst. von Fluor-organ. Verb., insbes. Chlorfluorkohlenwasserstoffen; Näheres s. FCKW. – ***E*** Swarts reaction – ***F*** réaction de Swarts – ***I*** reazione di Swarts – ***S*** reacción de Swarts

Lit.: Hassner-Stumer, S. 377 ▪ Krauch u. Kunz, Reaktionen der Organischen Chemie, 6. Aufl., S. 341, Heidelberg: Hüthig 1997.

Sweep. Von *E* sweep = fegen, absuchen etc. abgeleiteter Fachbegriff für das „Durchfahren eines Spektrums" zur Frequenz- od. Feldabtastung, z. B. in der *NMR-Spektroskopie. In ähnlichem Sinn werden auch *E* scan (= forschend ansehen, abtasten) u. in verwandtem Sinn *Screening gebraucht.

Swern-Oxidation (Svern-Oxid.). Variante der *Moffatt-Pfitzner-Oxidation. Bei der S.-O. werden prim. Alkohole mit der Reagenzien-Kombination Dimethylsulfoxid/Oxalylchlorid zu Aldehyden oxidiert; Näheres s. Moffatt-Pfitzner-Oxidation. – ***E*** Swern oxidation – ***F*** oxidation de Swern – ***I*** ossidazione di Swern – ***S*** oxidación de Swern

Lit.: Hassner-Stumer, S. 378 ▪ Krauch u. Kunz, Reaktionen der Organischen Chemie, S. 69, Heidelberg: Hüthig 1997 ▪ s. a. Moffatt-Pfitzner-Oxidation u. Oxidation.

***σ*-Wert** s. *σ* (vor s).

Swertiamarin s. Tausendgüldenkraut.

SWR. Abk. für Siedewasser-Reaktoren, s. Kernreaktoren.

SWU. Abk. von *E* separative work unit für Trennarbeit, s. Isotopentrennung u. Uran.

SXAPS. Abk. für *Röntgen-Auftrittspotentialspektroskopie.

Sydnone. Von ihren Entdeckern (Earl u. Mackney, 1935) nach dem Arbeitsort Sydney benannte Gruppe von *Stickstoff-Heterocyclen, die man allg. zu den nichtbenzoiden aromat. Verb. zählt. Man formuliert die S. vorwiegend als *innere Salze*, d. h. als *mesoionische Verbindungen, die *Aromatizität aufweisen, u. versucht, diese Eigenschaft durch Schreibweisen wie in Abb. a zu charakterisieren. Alternativ lassen sich verschiedene **Zwitterionen-Grenzstrukturen* formulieren, von denen die in Abb. b gezeigte aufgrund von ESCA-Messungen am wahrscheinlichsten ist. Die durch Dehydratisierung von N-substituierten *N*-Nitrosoglycinen zugänglichen S. reagieren sehr vielfältig, z. B. in *1,3-dipolaren Cycloadditionen als verkappte *Azomethin-Imine mit Alkenen u. Alkinen, wobei unter milden Bedingungen CO_2 frei wird u. substituierte Pyrazole entstehen; s. a. mesoionische Verbindungen. Ihre strukturellen Eigenheiten lassen die S. daher als interessante Ausgangsstoffe für Pharmaka erscheinen[1].

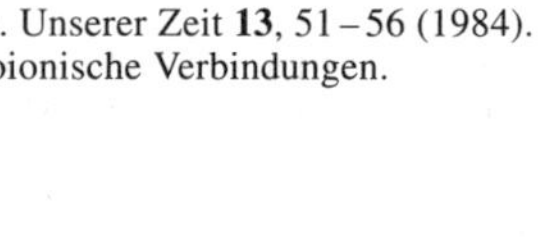

a b

– ***E*** = ***F*** sydnones – ***I*** sidnoni – ***S*** sidnonas

Lit.: [1] Pharm. Unserer Zeit **13**, 51–56 (1984).
allg.: s. mesoionische Verbindungen.

Syenit. *Granit-ähnliches, gelblich-rotes, rosa- od. dunkel lachsfarbenes, aber auch graues od. gelbliches, meist mittel- bis grobkörniges Tiefengestein (*magmatische Gesteine), D. 2,7–2,9, das von Plinius nach seinem Vork. in der ägypt. Stadt Syene (Assuan; das dortige Gestein ist in Wirklichkeit ein Granit!) benannt wurde. Gegenüber Granit niedrigerer bis fehlender *Quarz-Gehalt u. chem. niedrigere SiO_2-Gehalte (50–63 Gew.-%); die Gehalte an Alkalien sind relativ hoch. Hauptminerale sind Alkali-*Feldspäte (Orthoklas); daneben kommen Plagioklas-Feldspäte, Quarz od. Feldspat-Vertreter (bes. *Nephelin, s. a. Nephelinsyenit) vor. Die dunklen Mineralien Biotit (*Glimmer), *Hornblende u. Augit (*Pyroxene) treten in S. einzeln od. in beliebigen Kombinationen auf. Zur Unterscheidung der einzelnen S.-Arten s. das Q-A-P-F-Doppeldreieck für Plutonite bei magmatische Gesteine. Zu den S. gehört auch *Larvikit.
Vork.: U. a. in manchen granit. Gesteins-Komplexen. Beisp. finden sich in Mitteleuropa in Sachsen (Plauen u. Meißen), in Piemont u. im Monzoni-Gebirge/Italien. Alkali-S. u. Foid-S. z. B. in Süd-Norwegen u. Portugal.
Verw.: Wie Granit zu Bausteinen, Pflastersteinen, Grabdenkmälern, Schotter usw. – ***E*** syenite – ***F*** syénite – ***I*** sienite – ***S*** sienita
Lit.: Dietrich u. Skinner, Die Gesteine u. ihre Mineralien, S. 155f., Thun: Ott 1984 ▪ Fitton u. Upton (Hrsg.), Alkaline Igneous Rocks, Oxford: Blackwell 1987 ▪ Hall, Igneous Petrology (2.), S. 420–436, Harlow (U. K.): Longman 1996 ▪ Wimmenauer, Petrographie der magmat. u. metamorphen Gesteine, S. 117–123, Stuttgart: Enke 1985 ▪ s. a. magmatische Gesteine. – *[HS 2516 90]*

Sylitol®-Fassadenfarbe. Weiße, matte Fassadenfarbe auf *Silicat-Basis nach DIN 18363, Abs. 2.4.6. ***B.:*** Caparol.

Sylobloc®. Mikronisierte, poröse, synthet. *Kieselsäure od. Kombination von Kieselsäure u. organ. Additiv; Teilchengrößenbereich 1–45 µm. Verw. zur Anti-blocking/Anti-slip-Ausrüstung u. Verarbeitungshilfe von Kunststoffolien. ***B.:*** Grace.

Syloid®. Mikronisierte, poröse, synthet. *Kieselsäure (Teilchengrößenbereich 1–45 µm) als geruch- u. geschmackfreies, feines weißes Pulver, nur lösl. in *Flußsäure u. starken Basen. Verw. als Mattierungsmittel für Anstrichmittel, Lacke u. Kunststoffe, Trägerstoff, Adsorptionsmittel u. Hilfsstoff für die pharmazeut. u. kosmet. Industrie. ***B.:*** Grace.

Sylvanit (Schrifterz, Schrifttellur). $AuAgTe_4$; wichtigstes natürlich vorkommendes Gold-Silber-Tellurid, krist. monoklin-prismat., Kristallklasse 2/m-C_{2h}; Struktur s. *Lit.*[1]. Kleine eingesprengte Krist., Krist.-Skelette, z. T. schriftzeichenähnliche Formen bildende *Zwillinge; nur selten *derb. Farbe stahlgrau od. zinnweiß bis hell messinggelb, gelegentlich gelb angelaufen; Strich grau, manchmal mit Stich ins Gelbliche; H. 1,5–2, D. 8–8,3. Nach der Formel: 24,19% Au, 13,22% Ag u. 62,59% Te; in Analysen schwankt Au zwischen 24 u. 31%; zur Untersuchung von S. mit ^{97}Au-*Mößbauer-Spektroskopie s. *Lit.*[2].
Vork.: In subvulkan. Gold-Silber-Lagerstätten, z. B. in Siebenbürgen/Rumänien, in Colorado, Washington u. Kalifornien/USA u. auf den Fidji-Inseln. – ***E*** sylvanite – ***F*** silvanite – ***I*** silvanite, goldschmidtite – ***S*** silvanita
Lit.: [1] Tschermaks Mineral. Petrogr. Mitt. **33**, 203–212 (1984). [2] Can. Mineral. **32**, 189–201 (1994).
allg.: Anthony et al., Handbook of Mineralogy, Vol. I, S. 509, Tucson (Arizona): Mineral Data Publishing 1990 ▪ Lapis **17**, Nr. 6, 8–11 (1992) („Steckbrief") ▪ Ramdohr, Die Erzmineralien u. ihre Verwachsungen, S. 460–463, Berlin: Akademie Verl. 1975. – *[HS 2617 90; CAS 1301-81-1]*

Sylvestren s. Terpene.

Sylvin. KCl; eines der Hauptminerale in *Kalisalzen. Farblose, gelbliche od. durch feinste *Hämatit-Einschlüsse rot gefärbte, glasglänzende, durchsichtige od. trübe kub. Krist. u. körnige od. spätige Massen; krist. im *Steinsalz-Gitter (*Kristallstrukturen u. *Lit.*[1]). Bittersalzartiger, unangenehmer Geschmack, H. 2, D. 1,9–2. Zerfließender hygroskop. S. ist mit Magnesiumchlorid verunreinigt.
Verw.: S. ist – in Gemeinschaft mit Steinsalz als *Sylvinit* od. zusammen mit Steinsalz u. *Kieserit als **Hartsalz* – ein techn. wichtiges Kalisalz (s. dort).
Vork.: In der BRD stehen noch Kalisalze im Hannoverschen Revier/Niedersachsen, im Calvörder Revier nördlich Magdeburg u. im Werra-Fulda-Revier in Hessen u. Thüringen im Abbau[2]; weitere Vork. gibt es im Oberrheingraben (Elsaß), in Kalusz/Galizien u. in Solikamsk/Rußland; s. a. Kalisalze. – ***E*** sylvine, sylvite – ***F*** sylvine – ***I*** silvite, silvina – ***S*** silvina
Lit.: [1] Acta Crystallogr. Sect. A **29**, 514–520 (1973). [2] Das Bergbau-Handbuch (5.), S. 223–238, Essen: Glückauf 1994.
allg.: Ramdohr-Strunz, S. 485f. ▪ Schröcke-Weiner, S. 317f. ▪ s. a. Kaliumchlorid u. Kalisalze. – *[HS 3104 10; CAS 14336-88-0]*

Sylvinit s. Sylvin u. Kalisalze.

Sylvinsäure s. Abietinsäure.

Sylvius, Franciscus (François de la Boë, 1614–1672), Prof. für Medizin in Leyden. *Arbeitsgebiete:* Magenverdauung u. Enzym-Wirkung, saure u. alkal. Reaktionen in den Körperflüssigkeiten, Gehirnanatomie, Schaffung von chem. Universitätslaboratorien, Hauptvertreter der *Iatrochemie.
Lit.: Lexikon der Naturwissenschaftler, S. 46 ▪ Pötsch, S. 414.

sym-. Kursiv gesetzte Abk. für symmetr., meist als Kurzz. *s-*; *Beisp.:* *s*-Indacen (IUPAC-Name für *lineares Cyclopent[*f*]inden), *s*-*Triazin u. *s*-*Trichlorbenzol (veraltet für 1,3,5-Triazin u. -Trichlorbenzol). Gegensätze: **asym-* (**as-*) u. **vic-* (**v-*). – ***E*** *sym-, s-* – ***F*** sym.- – ***I*** s- – ***S*** sim.-

Symbioflor®. *S. 1* Tropfen mit *Enterococcus faecalis*, *S. 2* mit **Escherichia coli*, *S. antigen* Ampullen mit abgetöteten (Antibiotika-resistenten) R-Formen von *E. coli* zur Stimulierung des Immunsystems. ***B.:*** SymbioPharm.

Symbionten s. Symbiose.

Symbiose. Von griech.: symbiosis = Zusammenleben abgeleitete Bez. für eine zeitweilige od. dauernde, mit unterschiedlichem Grad gegenseitiger Abhängigkeit, aber auch gegenseitigem Nutzen verbundene Bindung zwischen zwei artverschiedenen, einander angepaßten Organismen. Oft ist die Grenze zum *Parasitismus* (s. Parasiten) od. *Saprophytismus* (s. Saprophyten) nur schwer zu ziehen. Beisp. für *Ekto-S.* (s. ggf. die Einzelstichwörter): Flechten (Algen u. Pilze in Dauer-S.), Mykorrhiza-Bildung an den Wurzelspitzen von Bäumen u. a. Pflanzen (Trüffel an Eichenwurzeln, Birkenpilze an Birkenwurzeln), Besiedlung von Hülsenfrüchte-Wurzeln mit Knöllchenbakterien, S. von Ameisen mit Pilzen. Dagegen wird die Nutzungsbeziehung von Ameisen zu Blattläusen, die Honigtau liefern, nicht als S., sondern als *Trophobiose* (von *...troph) bezeichnet, u. wenn ein Mikroorganismus ein für einen anderen wichtiges Vitamin o. ä. produziert, nennt man das *Syntrophie*. Beisp. für *Endo-S.:* Intrazelluläre S. von Invertebraten des Meeres (Korallen, Nesseltiere) mit Algen, Tiefseemuscheln u. Röhrenwürmer mit autotrophen Bakterien, Cellulose-abbauende Bakterien im Pansen der Wiederkäuer, in weiterem Sinn auch die *Darm-Flora des Menschen. Je nach der Art der *Symbionten* – der zusammenlebenden Partner – spricht man von *Phyco-* (Algen), *Myko-* (Pilze), *Phyto-* (Pflanzen) od. *Zoobionten* (Tiere). – Eine ganz spezielle Bedeutung hat „S.“ bei harten u. weichen Säuren u. Basen (*HSAB-Prinzip), s. Säure-Base-Begriff. – ***E*** symbiosis – ***F*** symbiose – ***I*** simbiosi – ***S*** simbiosis

Lit.: Dönges, Parasitologie (2.), Stuttgart: Thieme 1988 ▪ Matthes, Tierische Parasiten, Braunschweig: Vieweg 1988 ▪ Osche, Die Welt der Parasiten, Berlin: Springer 1966.

Symmetrie (von griech.: symmetria = Gleichmaß). S. ist ein außerordentlich vielseitiger Begriff für eine Erscheinung, die in den verschiedensten Bereichen sowohl des menschlichen Lebens als auch in der Natur eine bedeutende Rolle spielt. Man verbindet damit Regelmäßigkeit in der Form, angenehme Proportionen, period. Wiederholung od. harmon. Anordnung. In geometr. Sinn ist S. die Wiederholung einer Anordnung um einen Punkt herum (*Punkt-S.*) od. durch Parallelverschiebung im Raum (*Raum-S.*), die durch verschiedene *S.-Operationen* (Deckoperationen, s. a. Kristallgeometrie) wie Drehung, Spiegelung, Inversion, Schraubung od. Translation erreicht werden kann; in diesen Zusammenhang gehören auch Begriffe wie S.-Ebene, S.-Achse, S.-Zentrum. Die mathemat. Beschreibung der S.-Operationen ist Angelegenheit der *Gruppentheorie. Bes. augenfällig tritt S. in der *Kristallographie hervor, wo sie die Grundlage für die Einteilung in *Kristallsysteme bildet. Ein allg. bekanntes Beisp. für bes. schöne symmetr. Anordnungen von Krist. bieten die Schneeflocken. In der Kunst ist z. B. symmetr. Ornamentik häufig anzutreffen, u. auch auf Musik u. Dichtkunst lassen sich die Kriterien der S. anwenden. Der Mensch u. a. Lebewesen bis hin zu Viren zeigen S. im äußeren Bau u. z. T. auch in der paarigen Anordnung einiger Organe. Unter den Gesichtspunkten der S. muß man auch *Elementarteilchen, Atome, Mol., kurz die *Materie (u. *Antimaterie) bis hin zum Aufbau des Weltalls betrachten.
In der Chemie finden S.-Konzepte ein weites Anw.-Feld: Zur Beschreibung der geometr. Struktur von Mol. u. Krist., zur Klassifizierung von elektron. Zuständen, *Molekülorbitalen, *Schwingungen u. *Rotationen (s. a. Spektroskopie); auch für chem. *Reaktionen sind S.-Regeln aufgestellt worden (z. B. *Woodward-Hoffmann-Regeln von der Erhaltung der *Orbital-S.*). Das Vorhandensein bzw. Nichtvorhandensein von Mol.-S. findet seinen Ausdruck u. a. auch im (Nicht-)Auftreten von Dipolmomenten u. von Spektralabsorptionen im Raman- od. Infrarotgebiet. – ***E*** symmetry – ***F*** symétrie – ***I*** simmetria – ***S*** simetría

Lit.: Cotton, Chemical Applications of Group Theory, 3. Aufl., New York: Wiley 1990 ▪ Genz, Symmetrie-Bauplan der Natur, 2. Aufl., München: Piper 1992 ▪ Gruber u. Millman, Symmetries in Science, New York: Plenum 1980 ▪ Hargittai u. Hargittai, Symmetry through the Eyes of a Chemist, Weinheim: Verl. Chemie 1986 ▪ Heilbronner u. Dunitz, Reflections on Symmetry, Weinheim: VCH Verlagsges. 1993 ▪ Kettle, Symmetrie u. Struktur, Stuttgart: Teubner 1994 ▪ Steinborn, Symmetrie u. Struktur in der Chemie, Weinheim: VCH Verlagsges. 1993 ▪ Wille, Symmetrie in Geistes- u. Naturwissenschaften, Berlin: Springer 1988 ▪ Woodward u. Hoffmann, The Conservation of Orbital Symmetry, Weinheim: Verl. Chemie 1970.

Symmetrieelemente. Zur Beschreibung von *Symmetrie-Eigenschaften verwendete Größen; mathemat. handelt es sich hierbei um *Untergruppen* einer Symmetriegruppe (s. Gruppentheorie), deren Elemente die *Symmetrieoperationen sind. Man kann zwischen internen u. externen S. unterscheiden. *Interne S.* liegen innerhalb eines Mol.; bei der Ausführung der zugehörigen Symmetrieoperation bleibt das Resultat deckungsgleich mit der Ausgangssituation. Anzahl u. Art der internen S. hängen von der räumlichen Struktur des jeweiligen Mol. ab. Zu den internen S. [die *Schoenflies-Symbole* (s. a. Schoenflies-System) sind jeweils in Klammern angegeben] gehören *Drehachsen* (C_n), *Spiegelebenen* (σ), *Invesionszentrum* (i) u. *Drehspiegelachsen* (S_n). Anstelle der Drehspiegelachsen werden im Internat. Syst. od. Hermann-Mauguin-Syst. Drehinversionsachsen verwendet (s. a. Kristallgeometrie, S. 2273, wobei die 8 S. besprochen werden, deren zugehörige Symmetrieoperationen einen Krist. mit sich selbst zur Deckung bringen). *Externe S.* bewirken die Verschiebung eines Objektes an einen anderen Ort im Raum; sie spielen bei Krist. eine wichtige Rolle. – ***E*** symmetry elements – ***F*** éléments de symétrie – ***I*** elementi di simmetria – ***S*** elementos de simetría

Lit.: s. Symmetrie.

Symmetrieoperationen. Elemente einer Symmetriegruppe (s. Gruppentheorie). Zu einer Punktgruppe gehören *Punkt-S.*; dies sind Drehungen, Spiegelungen u. hieraus zusammengesetzte S. (z. B. Inversion od. Drehspiegelung). Die Symmetriegruppe dreidimensionaler period. Strukturen (z. B. von Krist.) sind *Raumgruppen*, zu deren S. auch Schraubungen u. Gleitspiegelungen gehören; s. a. Kristallgeometrie. – ***E*** symmetry operations – ***F*** opérations de symétrie – ***I*** operazioni di simmetria – ***S*** operaciones de simetria

Sympathetische Tinten s. Geheimtinten.

Sympath(ik)olytika (von *Lyo...). Substanzen, die als Antagonisten der physiolog. *Sympath(ik)omimetika *Adrenalin u. *Noradrenalin deren stimulierende (*adrenerge) Wirkung auf den Sympathikus-Nerv hemmen, indem sie die entsprechenden *Rezeptoren besetzen (*Rezeptorenblocker*). Als Adrenalin-Gegenspieler bezeichnet man die S. auch als *Antiadrenergika* od. *Adrenolytika*. Man unterscheidet nach ihrer Wirkung *α-S.*, wie die *Ergot-Alkaloide vom Peptid-Typ (bes. deren Dihydro-Derivate), nichtselektive *α-*

Blocker vom Phentolamin-Typ, selektive α-Blocker wie Prazosin u.a. Sie wirken gefäßerweiternd u. dadurch blutdrucksenkend.
β-Blocker hemmen die herzleistungsfördernde Wirkung von (Nor-)Adrenalin – das ist therapeut. erwünscht –, aber auch die Gefäßdilatation ist gehemmt u. der Kohlenhydrat- u. Lipid-Stoffwechsel beeinflußt. Verwendet werden Derivate des 3-Amino-1,2-propandiols wie *Propranolol, *Atenolol, *Metoprolol u.a. bei hohem Blutdruck, Angina pectoris u. Herzrhythmusstörungen; s.a. Adrenozeptoren.
*Antisympath(ik)otonika stimulieren sympath. Rezeptoren im Zentralnervensyst. u. setzen dadurch den Sympathikustonus in der Peripherie herab, *Beisp.:* *Clonidin. – ***E*** adrenergic blockers – ***F*** sympathicolytiques – ***I*** simpaticolitici – ***S*** bloqueadores adrenérgicos, simpaticolíticos

Lit.: Auterhoff, Knabe u. Höltje, Lehrbuch der Pharmazeutischen Chemie, S. 499–511, Stuttgart: Wissenschaftliche Verlagsges. 1994 ▪ Goodman u. Gilman, The Pharmacological Basis of Therapeutics, S. 225–248, New York: Pergamon Press 1996.

Sympath(ik)omimetika (von griech.: mimeĩsthai = nachahmen). Substanzen, die *adrenerg, d.h. in gleicher od. ähnlicher Weise wie *Adrenalin u. *Noradrenalin erregend auf sympath. Nerven wirken, weshalb man sie auch als Adrenergika bezeichnet. Sie sind die Gegenspieler der *Sympath(ik)olytika. Je nach ihrer Affinität zu den spezif. *Rezeptoren unterscheidet man *α-S.* u. *β-S.*, wobei die ersteren in ihrer Wirkung dem Noradrenalin entsprechen u. in erster Linie gefäßkontrahierend wirken, worauf der periphere Widerstand erhöht u. der Blutdruck gesteigert wird. Hierher gehören system. gegen Hypotonie verwendete Stoffe vom 2-Hydroxy-2-phenylethylamin-Typ wie *Norfenefrin u. lokal gegen Schnupfen eingesetzte Substanzen, meist 2-Imidazolin-Derivate wie *Naphazolin. Dagegen kommt es bei Anw. von *β-S.* bei gleichzeitiger peripherer Gefäßverengung über β_1-Rezeptoren zu einer Erweiterung der Herzkranz- u. Muskelgefäße, wodurch die *Herz-Tätigkeit verstärkt u. der *Kreislauf angeregt wird; außerdem werden über β_2-Rezeptoren die Bronchien erweitert infolge Erschlaffung der glatten Muskulatur (s. Broncholytika). Eine Blutdrucksteigerung findet erst bei höherer Dosierung statt. Es handelt sich meist um Derivate des 2-Hydroxy-2-phenylethylamins mit großem Alkyl-Rest am Stickstoff. Stoffe, die β_1- u. β_2-Rezeptoren gleich stark stimulieren, werden gegen Bradykardien u. Überleitungsstörungen eingesetzt, typ. Vertreter: *Isoprenalin. β_2-S. wie *Salbutamol werden bei Asthma bronchiale gegeben.
Weiterhin gibt es indirekt wirkende S., die Noradrenalin aus den Speichergranula der sympath. Nervenendigungen freisetzen sowie dessen Wiederaufnahme hemmen; hier sind *Amphetamine zu nennen (s.a. Stimulantien), *Ephedrin u. *Cocain; auch *Coffein ist ein indirektes S. mit allerdings anderem Wirkungsmechanismus. *Clonidin, *Methyldopa u.a. stimulieren bestimmte *Adrenozeptoren im Zentralnervensyst. u. wirken dadurch blutdrucksenkend; sie werden als zentral angreifende α-S. od. als Antisympathotonika bezeichnet. – ***E*** sympathomimetics – ***F*** sympathicomimétiques – ***I*** simpaticomimetici – ***S*** simpaticomiméticos

Lit.: Auterhoff, Knabe u. Höltje, Lehrbuch der Pharmazeutischen Chemie, S. 490–497, Stuttgart: Wissenschaftliche Verlagsges. 1994 ▪ Dtsch. Apoth. Ztg. **124**, 265 (1984) ▪ Goodman u. Gilman, The Pharmacological Basis of Therapeutics, S. 199–224, New York: Pergamon Press 1996 ▪ J. Chromatogr. B **660**, 303–313 (1994).

Sympathikus. Anteil des vegetativen *Nervensystems, der anatom., funktionell u. biochem. vom *Parasympathikus abgegrenzt wird. Funktionell wirkt der S. häufig als Antagonist des Parasympathikus an von beiden Syst. innervierten Organen. Die sympath. Zentren des Zentralnervensyst. befinden sich v.a. im Brust- u. Lendenbereich des Rückenmarks. Der S. erreicht seine Zielorgane über eine Kette von zwei miteinander verschalteten Nervenzellen (*Neurone). Die Verschaltung der beiden Neurone findet in entlang der Wirbelsäule angeordneten Nervenzellansammlungen, den sympath. Ganglien, statt. Die vom Rückenmark ausgehenden Nervenfasern der ersten (präganglionären) Neurone ziehen bis in diese Ganglien, wo sie *Synapsen mit den zweiten (postganglionären) Neuronen bilden. Bei der Signalübertragung im Ganglion dient *Acetylcholin als *Neurotransmitter. Die Fortsätze der postganglionären Neurone ziehen zusammen mit den Blutgefäßen zu ihren Zielorganen. In der Regel erfolgt die synapt. Signalübertragung auf das Zielorgan mit *Noradrenalin als Überträgerstoff. Noradrenalin wirkt dabei über zwei verschiedene Rezeptortypen, die α- u. β-Rezeptoren, die jeweils noch in α_1- u. α_2- bzw. β_1- u. β_2-Rezeptoren unterteilt werden. Die Zielorgane des S. sind die glatte Muskulatur der inneren Organe, das Herz u. die Schweiß-, Speichel- u. Verdauungsdrüsen. Die sympath. Innervation der Schweißdrüsen erfolgt mit Acetylcholin. Das Mark der *Nebennieren wird von präganglionären sympath. Fasern innerviert. Dabei werden Noradrenalin u. *Adrenalin als *Hormone freigesetzt. Insgesamt führt die Erregung des S. zum Anstieg von Atemtätigkeit, Blutdruck u. Herzfrequenz, Pupillenerweiterung, Schwitzen sowie zur Hemmung der Verdauungstätigkeit.
Substanzen, die den S. in seiner Wirkung imitieren, entweder durch erregende Wirkung auf seine Rezeptoren od. durch Freisetzung von Noradrenalin u. Adrenalin aus den sympath. Neuronen, bezeichnet man als **Sympath(ik)omimetika*. Dagegen haben **Sympath(ik)olytika* eine hemmende Wirkung auf den S., meist durch Blockade der adrenergen Rezeptoren. – ***E*** sympathetic nervous system – ***F*** système nerveux sympathique – ***I*** simpatico, sistema nervoso simpatico, ortosimpatico – ***S*** sistema nervioso simpático

Lit.: Forth et al. (6.), S. 148–183 ▪ Schmidt u. Thews, Physiologie des Menschen, Heidelberg: Springer 1997.

Sympatrisch. Von *Syn... u. latein.: patria = Vaterland abgeleitetes Adjektiv für „denselben Lebensraum bewohnend", vgl. a. Biotop u. Biozönose. – ***E*** sympatric – ***F*** sympatrique – ***I*** simpatrico – ***S*** simpátrico

Symphilie. Unter S. versteht man das symbiont. Zusammenleben mehrerer Arten (z.B. bei Insekten) mit gegenseitigem Nutzen, etwa bei Ameisen u. manchen Ameisengästen.

Symphorie s. Synökie.

Symplexe s. Polyelektrolyt-Titration.

Symport (Cotransport). Form des gekoppelten *Transports von Substanzen (Ionen od. Mol.) durch biolog. *Membranen, bei der zwei od. mehr verschiedene Stoffe in derselben Richtung befördert werden (Gegenteil: *Antiport). Der S. dient oft der Kompensation von Ladungsverschiebungen od. des Energiebedarfs, die bei einfachem Transport (*Uniport) auftreten würden. *Beisp.:* Der Na^+-Glucose-Symport im Darm [1]. – ***E*** = ***F*** symport – ***I*** simporto – ***S*** simport

Lit.: [1] Annu. Rev. Physiol. **55**, 575–589 (1993) ▪ J. Membr. Biol. **138**, 1–11 (1994).

Symposium s. Konferenzen.

Symproportionierung s. Komproportionierung.

Symptom (griech.: symptoma = Begleiterscheinung). Körperliche od. seel. Veränderung, die mit einer Erkrankung einhergeht u. oft für sie charakterist. ist. – ***E*** symptom, sign – ***F*** symptôme – ***I*** sintomo – ***S*** síntoma

syn-. Kursive Stereobez. für a) Reste an Brücken verbrückter Ringsyst. (*syn-*: Seite des niedrigstbezifferten, einem Brückenkopf benachbarten Atoms des Hauptrings); Abb. s. Bicyclo[...]...; – b) Doppelbindungen (veraltet); bei Aldehyd-*Oximen u. -*Hydrazonen (R–CH=N–OH, R–CH=N–NH_2) war *syn-* Bez. für *cis*-ständiges H(!) u. O od. N, also *trans-* od. (*E*)-Form, bei Ketonen (meist) ähnlich. Heute ist nur noch (*E*)- u. (*Z*)- zu empfehlen. – Vgl. Syn... u. synperiplanar (s. cisoid). Gegensatz: **anti-*. – ***E*** *syn* – ***F*** syn- – ***I*** = ***S*** sin-

Syn... [Sym... (vor b, m, p, ph), Syl... (vor l)]. Von griech.: syn... = zusammen..., miteinander... abgeleitete Vorsilbe in Fremdwörtern; *Beisp.:* *Symbiose, *Symmetrie, *sympatrisch u. folgende Stichwörter. – ***E*** = ***F*** syn... – ***I*** = ***S*** sin...

Synärese s. Gele.

Synanthropie. Bez. für das an den Menschen bzw. an die von diesem geformte Kulturlandschaft (Anthropogaea) gebundene Vork. von Organismen, Kulturfolgern od. *Hemerobien. Die synanthropen Organismen nutzen die vom Menschen geschaffenen Mikroklimate, Nahrungsgrundlagen od. Wohngelegenheiten (s.a. Synökie) u. finden sich z.B. als Haus- u. Agrarschädlinge (s. Kommensalismus) od. auf *Deponien. Kommen die Hemerobien auch ohne Bindung an den Menschen vor, spricht man von *Semi-S.*, sind sie auf diese Bindung angewiesen, von *Eu-Synanthropie*. – ***E*** synanthropy – ***F*** synanthropie – ***I*** sinantropia – ***S*** sinantropía

Lit.: Klausnitzer, Ökologie der Großstadtfauna (2.), Stuttgart: Fischer 1993 ▪ Tischler, Biologie der Kulturlandschaft, Stuttgart: Fischer 1980.

Synapsen (griech.: synapsis = Verbindung). Kontaktstellen von Nervenzellen (Neuronen) untereinander od. mit anderen Zellen, z.B. von Muskeln od. Drüsen. Über die S. findet die Übertragung der elektr. Erregung von einem Neuron zum anderen od. vom Neuron auf die zu innervierende Zielzelle statt. S. bestehen in den meisten Fällen aus einer endständigen Auftreibung des Nervenzellfortsatzes mit einem von der Zielzelle durch einen Spalt, den *synapt. Spalt*, getrennten spezialisierten Membranteil, der *präsynapt. Membran*, sowie dem jenseits des synapt. Spalts gelegenen Membranareal der Zielzelle, der *postsynapt. Membran*. Die Übertragung erfolgt dabei zum einen elektr. über bes. Zellverb., die eine direkte Weiterleitung des Aktionspotentials möglich machen. Diese Form kommt vorwiegend bei wirbellosen Tieren vor, beim Menschen ist dieses Prinzip kaum verwirklicht. Bei Säugern findet an S. eine biochem. Signalübertragung statt. Dabei wird durch die den Nervenzellfortsatz entlang fortgeleitete elektr. Erregung aus der präsynapt. Membran ein Überträgerstoff (**Neurotransmitter*) aus kleinen Membranbläschen (*Vesikeln*) freigesetzt, der durch den synapt. Spalt zur postsynapt. Membran diffundiert. Dort löst seine Bindung an spezif. *Rezeptoren Veränderungen des Membranpotentials der Zielzelle aus, die zu jeweils unterschiedlichen physiolog. Effekten führen. Durch die Spezialisierung der beiden Membranabschnitte in einen freisetzenden u. einen empfangenden Teil lassen S. Signale nur in eine Richtung durch. Als Überträgerstoffe wirken eine ganze Reihe unterschiedlicher Substanzen wie *Acetylcholin, *Noradrenalin, *Adrenalin, *Dopamin, *Glycin, Glutamat, γ-*Aminobuttersäure, *Substanz P u. andere. Je nach dem Effekt ihrer Bindung an die für sie spezif. postsynapt. Rezeptoren fördern od. hemmen sie die synapt. Übertragung der nervalen Impulse. – ***E*** = ***F*** synapses – ***I*** sinapsi – ***S*** sinapsis

Lit.: Kandel u. Schwartz, Principles of Neural Sciences, S. 120–224, Amsterdam: Elsevier 1991 ▪ Katz, Nerv, Muskel u. Synapse, Stuttgart: Thieme 1987.

Synapsine. Sammelbez. für Proteine, die in Nervenzellen mit den *synapt. Vesikeln* (*Neurotransmitter enthaltende Vesikeln in Synapsen) vergesellschaftet sind u. diese an das *Actin, *Spectrin u. *Tubulin des Cytoskeletts binden. Man kennt die S. IA u. IB sowie IIA u. IIB, die sich v.a. am Carboxy-Ende unterscheiden. Bei Einstrom von Calcium-Ionen in die Zelle wird *S. I* (auch: Protein I, Gehirn-Protein 4.1) durch eine Ca^{2+}/Calmodulin-abhängige *Protein-Kinase phosphoryliert u. entläßt die Vesikel zur *Exocytose. Die S. sind der (zuweilen ebenfalls S. genannten) *Bande 4.1 des Membranskeletts der Erythrocyten analog u. scheinen auch an der Ausbildung von *Synapsen beteiligt zu sein. – ***E*** synapsins – ***F*** synapsines – ***I*** sinapsine – ***S*** sinapsinas

Lit.: Biochem. Soc. Trans. **23**, 65–70 (1995) ▪ Brain Pathol. **3**, 87–95 (1993) ▪ Nature (London) **375**, 488–493 (1995).

Synaptische Plastizität s. Neurotransmitter.

Synaptische Vesikeln s. Synapsine.

Synaptophysin (p38). Ein Calcium-Ionen bindendes, saures *N*-glykosyliertes integrales *Membran-Protein (M_R 38000–42000) unbekannter Funktion aus synapt. Vesikeln neuroendokriner Zellen, von dessen Nachw. man sich Hilfe in der Tumordiagnostik erhofft. – ***E*** synaptophysin – ***F*** synaptophysine – ***I*** = ***S*** sinaptofisina

Lit.: Brain Pathol. **3**, 87–95 (1993) ▪ Ups. J. Med. Sci. **100**, 169–199 (1995). – *[CAS 128339-79-7]*

Synaptosomen. Partikel, die durch Dichtegradientenzentrifugation von Nervengewebe gewonnen werden können u. aus der Nervenendigung mit Transmitterbläschen (Vesikeln), Mitochondrien sowie der präsynapt. u. der postsynapt. Membran (s.a. Synapsen) bestehen. S. sind Präparationen, an denen die biochem. Vorgänge der Transmitterspeicherung u. -freisetzung studiert werden. – ***E*** = ***F*** synaptosomes – ***I*** sinaptosomi – ***S*** sinaptosomas

Lit.: Kandel u. Schwartz, Principles of Neural Science, S. 225–234, Amsterdam: Elsevier 1991.

Synaptotagmine. In synapt. Vesikeln von Nervenzellen vorkommende Familie Calcium-Ionen u. *Phospholipide bindender Membran-*Proteine (ca. 400 Aminosäure-Reste). Die S. sind von Bedeutung für die durch Ca^{2+} ausgelöste *Exocytose von *Neurotransmittern; sie interagieren mit Proteinen der Plasmamembran (z.B. *Syntaxinen). Wahrscheinlich dienen die S. als Ca^{2+}-Sensoren bei der Fusion synapt. Vesikeln mit der Plasmamembran. S. enthalten zwei Kopien der *C2-Domäne*, die auch bei *Protein-Kinase C vorkommt u. für die Bindung von Phospholipiden verantwortlich ist. – ***E*** synaptotagmin – ***F*** synaptotagmine – ***I*** = ***S*** sinaptotagmina

Lit.: Annu. Rev. Neurosci. **21**, 75–95 (1998).

Synartetische Beschleunigung, synartetischer Effekt s. Nachbargruppen-Effekt.

Synchronisierung von Zellen. Eine synchrone Kultur ist der (Ideal-)Fall einer Submerskultur, in der alle Zellen sich im gleichen Stadium des Zell-Cyclus befinden. Synchron wachsende *Zellkulturen lassen sich z.B. herstellen durch Aussortieren bestimmter Zellen (Zellsortierer), Filtration, Gradientenzentrifugation, spezif. Veränderung der Wachstumsbedingungen, Kältebehandlung od. Entzug essentieller Nährstoffe. Tier. Zellkulturen lassen sich durch *Serum-Entzug od. *Isoleucin-Mangel synchronisieren, pflanzliche Zellkulturen durch Entzug von Phosphaten, Kohlenhydraten od. Wuchsstoffen bzw. Arretierung in der G1/S-Phase durch DNA-Synthese-Inhibitoren wie 5-Fluordesoxyuridin od. *Hydroxyharnstoff. Durch Zugabe der entzogenen Bestandteile wird der Zell-Cyclus aktiviert u. alle Zellen einer Kultur befinden sich im gleichen physiolog. Zustand. – ***E*** cell synchronization – ***F*** synchronisation des cellules – ***I*** sincronizzazione delle cellule – ***S*** sincronización de células

Lit.: Lindl, Zell- u. Gewebekultur (3.), Stuttgart: Fischer 1993.

Synchronreaktionen. Synonyme Bez. für konzertierte Reaktionen, die prakt. ohne Zwischenstufen ablaufen, Näheres siehe dort, bei pericyclischen Reaktionen u. bei Woodward-Hoffmann-Regeln. – ***E*** synchronous reactions – ***F*** réactions synchroniques – ***I*** reazioni sincrone – ***S*** reacciones sincrónicas

Synchrotron. Ein *Teilchenbeschleuniger, der sich vom *Zyklotron dadurch unterscheidet, daß die Teilchen auf einer exakten Kreisbahn beschleunigt werden, während beim Zyklotron der Bahnradius mit zunehmender Beschleunigung der Teilchen wächst, so daß eine Spiralbahn entsteht. Der Vorteil der S. liegt darin, daß man mit einem Ringmagneten auskommt, was erheblich größere Bahndurchmesser u. somit weit höhere Endenergien zur Untersuchung von Elementarteilchen-Ereignissen ermöglicht. Nach Art der beschleunigten Teilchen spricht man von *Protonen-* od. von *Elektronen-Synchrotrons*. Das Prinzip wurde unabhängig voneinander 1945 von E. M. McMillan in den USA (von ihm stammt auch der Namensvorschlag) u. V. I. Veksler in der ehem. Sowjetunion entdeckt.
In einer Vakuumapparatur werden die elektr. geladenen Teilchen durch Magnetfelder auf Kreisbahnen mit nahezu konstantem Radius gehalten. Sie durchlaufen dabei Strecken, in denen sie durch angelegte Wechselspannungsfelder beschleunigt werden. Hierzu müssen die Teilchen phasenrichtig, d.h. synchron zur Wechselspannung umlaufen. Da *Elektronen bereits bei Energien von einigen MeV nahezu Lichtgeschw. besitzen, wird sich bei Energiezunahme nur ihre *Masse vergrößern u. nicht ihre Geschw.; d.h. die Wechselspannungsfrequenz wird nahezu konstant gehalten. Schwerere Teilchen, wie Protonen od. Ionen, kommen erst bei viel größeren Energien in die Nähe der Lichtgeschwindigkeit. Bei ihnen ist eine Energieerhöhung noch mit einer signifikanten Geschw.-Vergrößerung verbunden, d.h. die Frequenz muß mit zunehmender Energie erhöht werden. In allen Fällen wachsen mit zunehmender Teilchenenergie die Zentrifugalkräfte. Um die Teilchen auf der Sollbahn zu halten, muß die Magnetfeldstärke entsprechend erhöht werden. Die geladenen Teilchen werden hierbei stets zur Kreisbahnmitte hin beschleunigt u. strahlen dadurch elektromagnet. Wellen ab (*Synchrotron-Strahlung).
Geschichte: Das erste Elektronen-S. wurde 1945 von McMillan für eine Energie von 300 MeV konstruiert u. 1949 am Lawrence Berkeley Laboratory in Kalifornien in Betrieb genommen. Im gleichen Zeitraum wurden ähnliche Maschinen auch an der Cornell University, der Pierdue University u. dem Massachusetts Institute of Technology gestartet. Die erste Synchrotron-Strahlung wurde 1947 in einem auf 70 MeV umgebauten Betatron (s. Teilchenbeschleuniger) beobachtet. 1987 wurden rund 17 Elektronen-S. u. 20 Protonen-S. mit Teilchenenergien bis 1 GeV (10^9 eV) betrieben, um prim. Teilchenphysik zu studieren. 9 der Elektronen-S. werden aber auch intensiv zur Erzeugung von S.-Strahlung verwendet. Weitere ca. 12 Elektronen-S. bzw. Positronen-S. werden ausschließlich für S.-Strahlung betrieben u. weitere 18 werden gebaut. Die größten S. sind das 1 TeV (10^{12} eV) Protonen-S. (Fermi National Accelerator Lab. in Illinois) mit einem Umfang von 6,3 km, ein Proton-S. mit 3 TeV u. einem Umfang von 21 km in der Sowjetunion u. das *LEP in Genf (100 GeV, Umfang 27 km). – ***E*** = ***F*** synchrotron – ***I*** sincrotrone – ***S*** sincrotrón

Lit.: Allen u. Bustamante, Applications of Circularly Polarized Radiation Using Synchrotron and Ordinary Sources, New York: Plenum 1985 ▪ Phys. Bl. **50**, 1039 (1994) ▪ Phys. Unserer Zeit **25**, 129 (1994) ▪ Scharf, Particle Accelerators and Their Uses, Chur: Harwood 1986 ▪ Science **267**, 1904 (1995) ▪ s.a. Röntgenstrahlung, Strahlung u. Teilchenbeschleuniger.

Synchrotron-Strahlung. In Anlehnung an die Teilchenbeschleuniger *Synchrotron gewählte Bez. für elektromagnet. Strahlung, die durch Beschleunigung von elektr. geladenen Teilchen (z. B. *Elektronen), die nahezu Lichtgeschw. besitzen, entsteht. In einem Synchrotron werden z. B. die Elektronen durch Magnetfelder auf einer Kreisbahn geführt, d. h. sie werden immer wieder zum Kreismittelpunkt hin beschleunigt. Das emittierte Spektrum beinhaltet nicht nur die *Zyklotron-Frequenz ω, sondern ein breites Frequenzspektrum bis zur Maximal-Frequenz (*E* cutt off frequency) $\omega_c = c \cdot \gamma^3/R$; R = Bahnradius u. $\gamma = (1-v^2/c^2)^{-1/2}$, wobei v die Teilchengeschw. u. c die Lichtgeschw. ist. Auch der Öffnungswinkel Θ, unter dem die Strahlung emittiert wird, hängt von der Geschw. v des Teilchens ab. Mit $\Theta = \sqrt{1-v^2/c^2}$ wird er um so schmaler, je dichter die Teilchengeschw. an die Lichtgeschw. herankommt (s. Abb.).

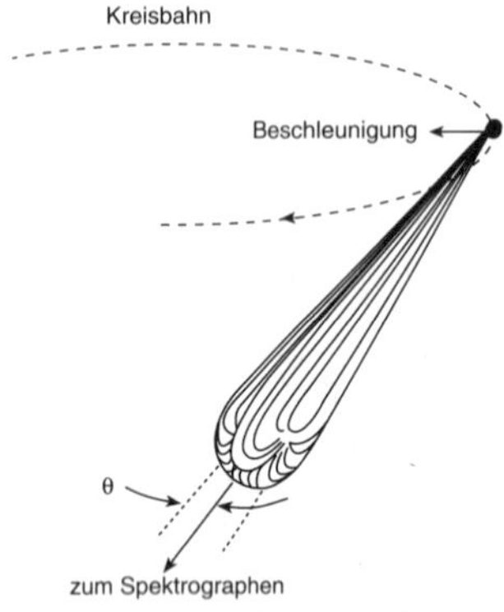

Abb.: Synchrotron-Strahlung; Richtung, in die die Synchrotron-Strahlung emittiert wird, wenn das Teilchen eine Geschw. nahe der Lichtgeschw. besitzt.

Die Emission von S.-S. stellt für die beschleunigten Teilchen einen Energieverlust dar, den man, sofern man Teilchenphysik studiert, eher vermeiden möchte.

Tab.: In Westeuropa arbeitende bzw. sich im Bau befindliche Synchrotron-Strahlungsquellen.

Land	Stadt	Name	Energie [GeV]
Dänemark	Aarhus	ISA	0,6
BRD	Bonn	ELSA	3,5
	Dortmund	DELTA	1,5
	Hamburg	DORIS II (HASYLAB)	3,5–5,5
	Berlin	BESSY	0,8
		BESSY II	1,5–2,01
		TESLA	1,0 [a]
	Karlsruhe	ANKA	2,5 [b]
England	Daresbury	SRS	2,0
Frankreich	Grenoble	ESRF	6,0
	Orsay	DCI (LURE)	1,8
		SUPERACO (LURE)	0,8
Italien	Frascati	ADONE (LNF)	1,5
	Triest	ELETTRA	1,5–2,0
Niederlande	Eindhoven	EUTERPE	0,4
Schweden	Lund	MAX (LTH)	0,55
Schweiz	Giessbach	SLS	2,1 [c]

[a] Freie-Elektronen-Laser (FEL)
[b] Soll vor dem Jahr 2000 in Betrieb gehen
[c] Vorschlag

Auf der anderen Seite haben sich S.-S. aufgrund der hohen Leuchtstärke u. der Durchstimmbarkeit bis in das Vak.-UV- u. Röntgengebiet für viele Anw. in der Biologie, Chemie u. Physik als sehr vorteilhaft herausgestellt. Deshalb werden mittlerweile viele Synchrotrons gezielt für die Erzeugung von S.-S. konstruiert u. betrieben. Die Tab. gibt eine Übersicht über die in Westeuropa arbeitenden bzw. sich im Bau befindlichen S.-S.-Quellen.

Die Erzeugung von S.-S. durch die Beschleunigung von geladenen Teilchen ist ein globales Phänomen; so gibt es u. a. viele astronom. S.-S.-Quellen, wie z. B. Pulsare (s. Sterne). – ***E*** synchrotron radiation – ***F*** rayonnement (radiation) synchrotron – ***I*** radiazione di sincrotrone – ***S*** radiación sincrotrón

Lit.: Handbook on Synchrotron Radiation, Amsterdam: North-Holland 1983, 1987 ▪ Lerner u. Trigg (Hrsg.), Encyclopedia of Physics, Weinheim: VCH Verlagsges. 1991 ▪ Phys. Bl. **51**, 279, 283 (1995); **52**, 425 (1996) ▪ Winick u. Doniach (Hrsg.), Synchrotron Radiation Research, New York: Plenum Press 1980.

Synclinal s. Konformation.

Syncrude. Engl. Kunstwort für „synthet. Erdöl" aus *Ölsanden, *Ölschiefern od. den Verf. der *Kohleveredlung. S. wird wie Rohöl raffiniert.

Syndecane s. Proteoglykane.

Syndein s. Ankyrin.

Syndets (von engl. *syn*thetic *det*ergent*s* = synthet. *Detergentien). Im dtsch. Sprachgebrauch wenig verwendetes Synonym für *Tenside; zu *S.-Seifen* s. Seifen.

Syndiotaktische Polymere. Von griech.: syndioikein = zusammen anordnen abgeleitete Bez. für regelmäßige *Polymere, deren Mol. durch eine *alternierende* Folge zweier *enantiomerer konfigurativer Grundeinheiten* charakterisiert sind; zu Beisp. s. Taktizität u. isotaktische Polymere. – ***E*** syndiotactic polymers – ***F*** polymères syndiotactiques – ***I*** polimeri sindiotattici – ***S*** polímeros sindiotácticos

Syndiotaktizität s. Taktizität.

Syndyphaline s. Enkephaline.

Synemin (von griech.: syn = mit u. nema = Faden, Filament). Vor allem in Huhn untersuchtes *Protein (M_R 230000) der *intermediären Filamente des (glatten u. quergestreiften) Muskels, das in Assoziation mit den verwandten Proteinen *Vimentin, *Desmin u. *Paranemin* (M_R 280000; griech.: para = neben) auftritt u. die aus den beiden ersten gebildeten Filamente quervernetzt. Paranemin kommt in deren reifem Stadium jedoch nur in Herz- u. bestimmten Gefäßmuskelzellen sowie zusätzlich in Schwann-Zellen (s. Myelin) vor. S. wird auch in *Erythrocyten u. Augenlinse gefunden. Es ist reich an Glutaminsäure- (20%) u. Serin- (11%), aber arm an Cystein-Resten (0,4%). Die Serin-Reste binden zugesetztes Phosphat. – ***E*** synemin – ***F*** synémine – ***I*** = ***S*** sinemina

Lit.: Biochem. Biophys. Res. Commun. **213**, 796–802 (1995).

Synephrin. HO–C_6H_4–CH(OH)–CH_2–NH–CH_3

Neben *Oxedrin* Kurzbez. für das *Sympathikomimetikum (±)-1-(4-Hydroxyphenyl)-2-(methylamino)-

ethanol, $C_9H_{13}NO_2$, M_R 167,21. S. bildet farblose Krist., Schmp. 184–185 °C, $[\alpha]_D^{20}$ +11° bis +15°, pK_a 10,2, pK_b 4,7, wird meist als (*R,R*)-Tartrat verwendet, Schmp. 185 °C (Zers.), λ_{max} (CH_3OH) 224, 275 nm ($A_{1cm}^{1\%}$ 412, 67). S. wurde 1931 von Boehringer Ingelheim patentiert. – ***E*** synephrine – ***F*** synéphrine – ***I*** = ***S*** sinefrina

Lit.: Beilstein E II **13**, 491 ▪ Hager (5.) **8**, 1255 f. ▪ Martindale (31.), S. 1584. – *[HS 2922 50; CAS 94-07-5 (S.); 16589-24-5 (S.-(R,R)-tartrat); 532-80-9 (S-(–); 614-35-7 (R-(+))]*

Synergetik. Bez. für ein Forschungsgebiet, das sich mit der Entstehung von *Strukturen durch selbstorganisiertes kollektives Verhalten („Zusammenwirken") befaßt; s. a. Selbstorganisation u. Synergismus. – ***E*** synergetics – ***F*** synérgétique – ***I*** sinergia – ***S*** sinergética

Lit.: Haken, Synergetik (3.), Berlin: Springer 1990 ▪ Naturwiss. Rundsch. **38**, 171–180 (1985).

Synergismus (Plural: Synergismen; Synonyma: Synergie, Wirkungsverstärkung). Zusammenwirken mehrerer Stoffe od. Faktoren, wobei die gemeinsame Wirkung größer ist als die Summe der Einzelwirkungen; die synergist. (synerget.) Wirkung übertrifft demnach die additive Wirkung. Nach anderer Definition ist bei einem S. die gemeinsame Wirkung größer als die größte Einzelwirkung, so daß dann für die gemeinsame Wirkung multiplikative, additive u. potenzierende *Kombinationswirkungen unterschieden werden [1].
In der Medizin bezeichnet man Muskeln mit gleichsinniger Wirkung als Synergisten, in der Pharmazie versteht man unter S. die gegenseitige Beeinflussung von *Pharmaka im Sinne einer Wirkungssteigerung. Der synergist. Effekt wird bei vielen Kombinationspräp. genutzt, z. B. *Co-trimoxazol. S. äußert sich oftmals in einer unerwünschten *Toxizitäts-Steigerung (Giftung [2]), so beim Antabus-Effekt, einer Verstärkung der Alkoholwirkungen, z. B. durch *Antabus® (Disulfiram = *Tetraethylthiuramdisulfid), gekochte Tintlinge (*Coprinus atramentarius*, eine eßbare Pilzart, die möglicherweise ebenfalls Antabus enthält) od. *Cyanamid in Tierkohle od. Kalkstickstoff [3]. Bei der Krebsentstehung kann der S. zwischen den *Carcinogenen u. den *Cocarcinogenen eine wesentliche Rolle spielen. Wichtige *biogene Cocarcinogene u. damit Synergisten sind z. B. die Phorbolester aus Seidelbast- u. Wolfsmilchgewächsen, die Thapsigargine von Doldenblütlern [4], die Fumonisine [5], Teleocidine [4], Olivoretine [4] u. Staurosporine [4] aus Schimmelpilzen sowie Polyketide [6,7] wie *Okadainsäure, *Palytoxin, Aplysiatoxine (s. Aplysi...) u. Dinophysistoxine aus Algen, Muscheln u. a. Meeresbewohnern [4].
Auch bei anderen *Schadstoffen in der Umwelt kann sich eine synergist. Toxizitätssteigerung einstellen, wie z. B. beim S. zwischen *PAH u. *Asbest [8]. Bei der Schädlingsbekämpfung mit Pflanzenschutzmitteln u. ihren *Synergisten [9] nutzt man die Toxizitätssteigerung zur Verminderung der Einsatzmenge an Wirkstoff aus. Im übrigen ist die Erscheinung des S. in den verschiedensten Bereichen von Ind. u. Technik anzutreffen, z. B. im Umweltschutz, bei Tensiden, Kunststoffen, Flammschutzmitteln u. a. – überall da, wo man alternativ von Verstärkern, *Promotoren od. *Beschleunigern spricht. – ***E*** synergism, synergy – ***F*** synergie – ***I*** = ***S*** sinergismo

Lit.: [1] Schlee (2.), S. 18, 54 f. [2] Angew. Chem. **93**, 135–142 (1981). [3] Lindner, Toxikologie der Nahrungsmittel (4.), Stuttgart: Thieme 1990. [4] Environ. Carcino. Rev. (J. Environ. Sci. Health) **7**, 1–51 (1989). [5] Appl. Environ. Microbiol. **54**, 1806–1811 (1988). [6] Frohne u. Jensen, Systematik des Pflanzenreichs (2.), S. 184 f., Stuttgart: Fischer 1979. [7] Teuscher u. Lindequist, Biogene Gifte, S. 127–135, Stuttgart: Fischer 1987. [8] Int. J. Environ. Anal. Chem. **28**, 227–236 (1987). [9] Heitefuß, Pflanzenschutz (2.), Stuttgart: Thieme 1987.
allg.: Schmähl, Combination Effects in Chemical Carcinogenesis, Weinheim: VCH Verlagsges. 1988.

Synergisten. 1. Im Pflanzenschutz u. in der Schädlingsbekämpfung Bez. für Substanzen, die z. B. die Wirkung von *Insektiziden um ein Vielfaches steigern können, ohne selbst insektizid zu sein. S., bes. *Piperonylbutoxid, werden v. a. zusammen mit *Pyrethrum od. *Pyrethroiden eingesetzt. Seine Wirkung beruht darauf, daß es durch Hemmung von *Monooxygenasen die Oxid. des Wirkstoffs verhindert u. so dessen Wirkungsdauer verlängert.
2. Im Lebensmittelbereich Bez. für a) Komplexbildner, die zusammen mit Antioxidantien Lebensmitteln zugesetzt werden, um Schwermetall-Spuren zu inaktivieren, die oxidative Veränderungen katalysieren können; – b) Verb., die verbrauchte Antioxidantien regenerieren. – ***E*** synergists – ***F*** synergistes – ***I*** sinergisti – ***S*** sinergistas

Lit.: Farm ▪ Ullmann (4.) **16**, 79; (5.) **A 11**, 568; **A 14**, 277 ▪ s. a. Synergismus.

Synevolution s. Coevolution.

Synexine s. Annexine (Annexin VII).

Synge, Richard Laurence Millington (1914–1994), Prof. für Biologie, Univ. of Anglia, Norwich (England) (bis 1984). *Arbeitsgebiete:* Wollforschung, Säulen- u. Papierchromatographie als Verteilungschromatographie (hierfür zusammen mit A. J. P. *Martin Nobelpreis für Chemie 1952). Eiweiß- u. Pflanzenstoff-Forschung, Chemie-Information.

Lit.: Lexikon der Naturwissenschaftler, S. 390 ▪ Neufeldt, S. 211 ▪ Pötsch, S. 414 ▪ Strube et al., S. 169, 191.

Syngenetisch s. Metallogenese.

Syngenit. $K_2Ca[SO_4]_2 \cdot H_2O$ bzw. $K_2SO_4 \cdot CaSO_4 \cdot H_2O$, Salzmineral. Farblose bis weiße od. gelbliche, glasglänzende, vollkommen spaltbare monokline Krist., häufig lamellenartige Aggregate od. Krusten; Kristallklasse 2/m-C_{2h}, Struktur s. *Lit.* [1]. H. 2,5, D. 2,6.
Vork.: In *Kalisalz-Lagerstätten (Sondershausen/Thüringen, Kalusz/Galizien). Als krist. Krusten auf Lava vom Vesuv u. auf Hawaii. In aktiven Geothermalfeldern, z. B. Cesano bei Rom. – ***E*** syngenite – ***F*** syngénite – ***I*** singenite – ***S*** singenita

Lit.: [1] Sov. Phys. Crystallogr. **20**, 773 ff. (1975); **23**, 141 ff. (1978).
allg.: Emser Hefte **11**, Nr. 1, 18 (1990) ▪ Ramdohr-Strunz, S. 611 ▪ Schröcke-Weiner, S. 593 ▪ Winnacker-Küchler (3.) **1**, 82–90; **2**, 273, 323 ▪ s. a. Kalisalze. – *[HS 3104 10; CAS 13780-13-7]*

Synhibin s. Annexine (Annexin VI).

Synigrin s. Glucosinolate.

Synmetals. Dem Engl. entlehnte, gelegentlich neben „synthet. Metalle" od. „organ. Metalle" benutzte Bez. für *elektrisch leitfähige Polymere. – ***E*** synmetals – ***F*** synmétaux – ***I*** sinmetalli – ***S*** sinmetales

Synökie (Inquilinismus, Einmietung). Bez. für das Besiedeln der Wohnung einer Tierart durch eine andere Art. Den Einmieter bezeichnet man als *Inquilinen od. Synöken. Der Wirt erleidet (sonst) keinen Nachteil. *Nidikolie* ist die Einmietung in Vögel- u. Säugernester, *Xenobiose* das friedliche Zusammenleben von zwei Ameisenarten. Nimmt der Inquiline an der Mahlzeit des Wirtes teil, wird die S. zum *Kommensalismus (im engeren Sinne), frißt der Inquiline am Wirt, seiner Brut od. seiner Nahrung, wie das bei Ameisen od. Termitengästen vorkommt, so spricht man von Symphilie als Form eines Parasitismus (s. Parasiten). Im weiteren Sinne umfaßt S. alle Formen des Zusammenlebens zweier Organismenarten, von dem nur eine Art profitiert, die andere aber nicht (wesentlich) geschädigt wird. In diesem Sinne ist S. synonym zu *Parabiose* u. umfaßt *Parökie* (geduldete Nachbarschaft, Tier-*Assoziation), *Epökie* (permanentes, nicht parasitäres Aufsiedlertum), *Symphorismus* (= Symphorie, permanente Transportgesellung; entspricht einer Epökie auf beweglichen Tieren), *Phoresie* (temporäre Transportgesellung) u. *Entökie* (nicht parasitäre Einsiedlung in Körperhohlräumen des Wirts). – ***E*** inquilinism – ***F*** synécie – ***I*** inquilinismo – ***S*** sinecia

Lit.: Oikos **77**, 44–55, 507–518 (1996) ▪ Tischler, Einführung in die Ökologie (3.), S. 99–104, Stuttgart: Fischer 1984.

Synökologie. Die *Ökologie von Lebensgemeinschaften (*Biozönosen) u. *Ökosystemen. Gelegentlich wird auch die Demökologie, die Ökologie der *Populationen einer Organismen-*Art, zur S. gerechnet. – ***E*** synecology – ***F*** synécologie – ***I*** sinecologia – ***S*** sinecología

Lit.: Oikos **77**, 417–426 (1996) ▪ Ricklefs, Ecology (3.), S. 385–501, New York: Freeman 1990 ▪ Schwerdtfeger, Ökologie der Tiere, Bd. 3, Synökologie, Hamburg: Parey 1975 ▪ Tischler, Synökologie der Landtiere, Stuttgart: Fischer 1955.

Synol-Synthese s. Synthol.

Synonyme (Synonyma; griech.: synōnymos = gleichbenannt, gleichbedeutend, von *Syn... u. ónoma = Name). Bez. für sinngleiche Wörter; *Beisp.:* *Oxalsäure = Ethandisäure = Kleesäure. Im Römpp Lexikon sind zu fettgedruckten Hauptbez. in Klammern S. zugefügt, u. bei den S. wird auf die Hauptbez. verwiesen. Ähnlich verfahren auch andere *Nachschlagewerke. Engl., französ., italien. u. span. S. (*E, F, I* u. *S*) stehen am Ende der Stichworttexte. Die chem. *Nomenklatur läßt für die meisten Verb. mehrere S. zu. Regeln, die je Verb. nur einen bevorzugten Namen (*E* preferred name) liefern, hat CAS in den 60er Jahren erarbeitet, die *IUPAC hat in den 90er Jahren damit begonnen. Neben *systematischen Namen gibt es viele weitere S.; *Beisp.:* *Common Names, *Freinamen, *Marken u. *Trivialnamen. – ***E*** synonyms – ***F*** synonymes – ***I*** sinonimi – ***S*** sinónimos

Synopsen-Zeitschrift s. Synopsis.

Synopsis (von griech.: syn = mit, zusammen u. opsis = Sicht, Blick, Schau). 1. Im Zusammenhang mit wissenschaftlichen Publikationen (z. B. chem. Zeitschriften) ist unter S. die einem Zeitschriftenaufsatz vom Autor beigegebene, häufig in engl. Sprache abgefaßte u. meist vorangestellte Zusammenfassung der Ergebnisse zu verstehen (*Autorreferat*). Sie soll den eiligen Leser in die Lage versetzen, sicherer als allein aufgrund des Titels der Arbeit zu entscheiden, ob sich ihre Lektüre für ihn lohnt. Seit den 70er Jahren gibt es auch Zeitschriften, die man als *Synopsen-* u./od. *Volltext-Journal* beziehen kann.
2. In histor. Darst., z. B. der *Geschichte der Chemie, versteht man unter *synopt. Darst.* das Aufzeigen paralleler Entwicklung od. des zeitgleichen Erkenntnisstandes in verschiedenen Kulturkreisen od. Ländern. – ***E*** = ***F*** synopsis – ***I*** sinossi – ***S*** sinopsis

Synourinöl s. Ricinusöl.

Synovialflüssigkeit (Synovia, von griech.: *syn- u. latein.: ovum = Ei). Von der Gelenkinnenhaut (Membrana synovialis) abgesonderte farblose, fadenziehende Flüssigkeit, die u. a. *Mucine u. *Mucopolysaccharide, *Hyaluronsäure, Acetylneuraminsäure (s. Acylneuraminsäuren), *Cholesterin, *Phospholipide, Proteine u. *Harnsäure enthält. Zusammen mit dem Gelenk-*Knorpel bildet sie ein Syst. mit sehr niedrigem Reibungskoeff., das als „Gelenkschmiere" die Gelenkfortsätze der *Knochen vor Verschleiß u. Schäden schützt. Bei Erkrankungen der Gelenke (z. B. *Arthritis) ist die Zusammensetzung u. damit oft auch die Viskosität der S. verändert. So scheidet sich bei der *Gicht oft Harnsäure in Form von Krist. in der S. ab. Akute Gelenkentzündungen führen durch erhöhte Sekretion zur Zunahme der S. u. zum Gelenkerguß. Ferner finden sich in der S. bei Entzündungen wie der *rheumatoiden Arthritis Mediatoren der Entzündungsreaktion, z. B. *Prostaglandine u. *Leukotriene. Die *Synoviaanalyse*, bei der Aussehen, Viskosität u. Bestandteile der S. untersucht werden, dient der Diagnostik verschiedener *rheumatischer Erkrankungen. – ***E*** synovial fluid – ***F*** synovie – ***I*** sinovia, liquido sinoviale – ***S*** sinovia

Lit.: Gatter, Practical Handbook of Joint Fluid Analysis, Philadelphia: Lea & Febiger 1985 ▪ Hettenkofer, Rheumatologie, Stuttgart: Thieme 1998.

Synperiplanar s. cisoid u. Konformation.

Synres-almoco. Kurzbez. für die 1947 gegr. Synres, aus der 1968 das Tochterunternehmen Synres Almoco BV hervorging, Postbus 18, 3150 AA Hoek van Holland (Niederlande). *Produktion:* Duroplast. Formmassen auf Basis von Polyester-, Diallylphthalat-, Epoxy- u. Silicon-Harzen. *Vertretung* in der BRD: Synres Almoco BV, Friedrichstr. 21, 73760 Ostfildern.

Synroc. Abk. für engl.: *syn*thetic *roc*k = synthet. Gestein, s. Titanate(IV) u. radioaktive Abfälle.

Synschief s. Konformation.

Syntana. Kurzbez. für die 1965 gegr. Syntana Handelsges. E. Harke GmbH & Co., 45417 Mülheim/Ruhr. *Tochterges.:* Syntapharm Ges. für Pharmachemie mbH, 45417 Mülheim. Groß- u. Außenhandel mit Chemikalien, Mineralien, Kunststoffen u. Folien, Zwischenprodukten, Farbstoffen, Roh- u. Hilfsstoffen für die Pharma-, Kosmetik- u. Lebensmittel-Ind., Nahrungsergänzungsprodukte.

Syntane s. Gerbstoffe.

Syntaris® (Rp). Lsg. zum Einsprühen mit *Flunisolid gegen allerg. Schnupfen. ***B.:*** Syntex.

Syntaxine. Familie von *Proteinen (M_R 30000 – 40000) des Nervensyst., die am intrazellulären *Vesikel-Transport beteiligt sind. Der Carboxy-terminale Bereich ist sehr hydrophob u. bewirkt wahrscheinlich die Bindung der Proteine an die *Membran. Die *S. 1A* u. *1B* binden das Vesikel-Protein *Synaptotagmin u. sind an der Fusion synapt. Vesikeln mit der Plasmamembran bei der *Exocytose von *Neurotransmittern beteiligt. Sie werden von Botulinum-Neurotoxin C gespalten. *S. 2* (*Epimorphin*; 3 Formen bekannt) ist wichtig für die Morphogenese (Formung) des Epithelgewebes (bildet innere u. äußere Körper-Oberflächen). Auch die *S. 3* u. *4* wirken an der Neurotransmitter-Exocytose mit. Die *S. 5* u. *6* spielen beim intrazellulären Vesikel-Transport (vom *endoplasmatischen Retikulum zum *Golgi-Apparat im Fall von S. 5 [1]) eine Rolle. Die Funktion von *S. 7* ist noch unbekannt. – ***E*** syntaxins – ***F*** syntaxines – ***I*** sintassine – ***S*** sintaxinas

Lit.: [1] Science **279**, 696–700 (1998).

Syntergent®. Emulgatoren u. Netzmittel für die Papierherstellung. ***B.:*** Henkel.

Syntestan® (Rp). Tabl. mit *Cloprednol gegen Bronchialasthma u. chron. Polyarthritis. ***B.:*** Hoffmann-La Roche.

Synthappret®. Präpolymeres *Polyurethan (S. LKF) od. Acrylsäure-Derivate für die Antifilz-Ausrüstung von Wolle. ***B.:*** Bayer.

Syntharesin® L-Marken. Sortiment von Appreturmitteln auf Basis kolloider *Kieselsäuren zur Verbesserung der Schiebefestigkeit. ***B.:*** Bayer.

Synthase. Von der *IUBMB hauptsächlich, aber nicht ausschließlich für *Lyasen empfohlener Namensbestandteil, u. zwar in Fällen, wo Bindungs-Knüpfung u. nicht -Lösung die wichtigere Reaktionsrichtung darstellt (s. Regel 24 in *Lit.*). Nicht zu verwechseln mit *Synthetase; letztere Bez. darf laut Empfehlung allenfalls noch bei *Ligasen anstelle der Bez. S. verwendet werden. *Beisp.:* *Citrat-Synthase (eine Lyase), *Thymidylat-Synthase (eine *Transferase), Glutathion-Synthase (EC 6.3.2.3, eine Ligase). – ***E*** synthase – ***F*** synthases – ***I*** sintasi – ***S*** sintasas

Lit.: International Union of Biochemistry and Molecular Biology – Nomenclature Committee, Enzyme Nomenclature 1992, San Diego: Academic Press 1992.

Synthese (von griech.: synthesis = Zusammenstellung). Im allg. Sinne Bez. für die Bildung einer Einheit, in der Philosophie als Gegensatz zur *Analyse. In der Chemie versteht man unter S. nicht die genaue Umkehrung der Analyse, sondern die natürliche od. künstliche Herst. chem. Verb. aus den Elementen, stufenweise aus einfacheren Verb., durch Umsetzung zwischen Verb. od. durch Abbau größerer Verb. (wobei Abbau-, Aufbau- u. Umlagerungsreaktionen inbegriffen sein können, bes. bei großtechn. Herst.). Begrifflich sagt man: S. führen von *Ausgangsmaterialien* od. Edukten über (isolierbare) *Zwischenprodukte* u./od. (nicht isolierbare) Zwischenstufen zu *Endprodukten* od. Produkten. Im folgenden kann nur auf einige wenige Gesichtspunkte der organ. S. eingegangen werden; wichtigere Begriffe sind als Einzelstichwörter behandelt.

Als *Total-S.* bezeichnet man z. B. die S. eines Naturstoffes im chem. Laboratorium aus möglichst einfachen Ausgangsmaterialien, was nicht nur auf den unterschiedlichsten präparativ-chem. Wegen, sondern auch enzymat. (s. Enzyme) mit Hilfe von Mikroorganismen möglich ist. Dabei kann man sich den Aufbau der Naturstoffe durch *Biogenese* zum Vorbild nehmen *(biomimet. S.)*, s. die Betrachtungen dazu anhand des Beisp. der Vitamin B_{12}-S. in *Lit.* [1]. Bei derart vielstufigen, oft nur mit geringsten *Über-alles-Ausbeuten* verlaufenden Total-S. – bes. zum Konstitutions-Beweis – bedient man sich vorteilhaft sog. *Relais-Substanzen*; *Beisp.:* Bei einer 40stufigen S. eines Naturstoffs N habe man nach 25 Reaktionsschritten eine schon recht komplizierte Verb. R erhalten, wenn auch in insgesamt nur 0,025%iger Ausbeute. Die Fortführung der S. mit dieser geringen Menge erscheint aussichtslos. Jedoch sei R auf anderen Wegen, z. B. durch Abbau eines Naturstoffs N′, in Gramm-Mengen verfügbar. Dann kann mit dieser Relais-Substanz als frischem Ausgangsmaterial die S. von N komplettiert werden. Eine S., die von schon fertigen Teilstücken ausgeht, nennt man *Partial-S.* od. *Teilsynthese.* Der Weg über solche Partial-S. wird in der pharmazeut. Ind. oft eingeschlagen, wenn z. B. mikrobiell gewonnene od. aus Pflanzen isolierte Naturstoffe chem. verändert werden sollen; *Beisp.:* Halbsynthet. Penicilline u. Steroide. Bei Total-S. kann man höhere Ausbeuten meist dadurch erreichen, daß man die S. nicht wie oben beschrieben als lineare S., sondern als *konvergierende S.* plant, d. h. in parallelen Ansätzen möglichst große Teilstücke des Zielmol. aufbaut u. diese erst zum Schluß der S. zum Ganzen verbindet [2]. Als Ausgangssubstanz einer ganzen Gruppe ähnlich gebauter Verb. (z. B. der Prostaglandine) versucht man eine sog. *Schlüsselverb.* herzustellen, von der aus die gewünschten Einzelverb. in wenigen Schritten erreichbar sind. Voraussetzung für die Auswahl der geeigneten S. Wege ist die genaue Kenntnis der diesen zugrunde liegenden *Reaktionsmechanismen. Eine spezielle Variante der S. ist die Herst. von opt. aktiven Verb. (s. optische Aktivität) durch sog. **asymmetrische Synthese*. Hierbei erweist es sich als vorteilhaft, daß viele S. *selektiv od. *spezif., ggf. sogar *stereoselektiv od. *stereospezifisch zu Produkten mit großer *optischer Reinheit führen. Weiterentwicklungen in der Analytik, *Spektroskopie, Strukturanalyse (s. Strukturchemie), *theoretischen Chemie u. der elektron. Datenverarbeitung sind für Fortschritte in der organ. S. der letzten Jahre ebenso verantwortlich wie die Entwicklung neuer stereoselektiver S.-Meth., z. B. in der Metall-organ. Chemie. Für die *S.-Planung*, insbes. von Naturstoffen, hat die computerunterstützte *Retrosynthese (s. a. Synthone) große Bedeutung gewonnen, die v. a. von *Corey (Nobelpreis 1990) u. Mitarbeitern entwickelt wurde [3]. Daneben werden zur S.-Planung *QSAR-Untersuchungen, ebenfalls durch elektron. Datenverarbeitung unterstützt, herangezogen. Viele S. sind aus histor. od. mnemotechn. Gründen nach ihren Entdeckern benannt; es sei hier nur an die S. von Fittig, Friedel-Crafts, Fischer-Tropsch, Grignard, Knorr, Kolbe, Pschorr, Reformatsky, Wurtz usw. erinnert, die als sog. *Namensreaktionen hier im allg. in Einzelstichwörtern behandelt sind.

S. werden in chem. Laboratorien sowie großtechn. durchgeführt; bes. in ersteren betrachtet man ihre Durchführung als Aufgabengebiet der *präparativen Chemie*. Die Erlernung von S.-Meth. spielt bei der Ausbildung des Chemikers innerhalb des chem. *Praktikums* eine wichtige Rolle. *S.-Vorschriften* für häufig benutzte Zwischenprodukte u. leicht nachzuarbeitende Beschreibungen der innerhalb von S.-Wegen häufig durchzuführenden *Reaktionen* sind in oft „kochbuchartig" aufgebauten *Experimentierbüchern, Methodensammlungen usw. zusammengestellt, s. (*Lit.*) bei anorganische u. organische Chemie. Die S.-Vorschriften sollten stets auch Hinweise auf mögliche Unfallrisiken (Explosions-, Brand-, Vergiftungsgefahr, s. a. Arbeitssicherheit, Good Manufacturing Practices u. Unfallverhütung) enthalten. Als die ersten „organ. S." gelten diejenigen der Blausäure durch Scheele (1782) u. die Kohleverflüssigung (1817) durch Döbereiner[4]. – ***E*** synthesis – ***F*** synthèse – ***I*** sintesi – ***S*** síntesis

Lit.: [1]Naturwissenschaften **61**, 513–525 (1974); Nachr. Chem. Tech. **20**, 147–150 (1972). [2]Chem. Labor Betr. **33**, 437–440 (1982). [3]Angew. Chem. **102**, 1328–1338 (1990); **103**, 469–479 (1991); Corey u. Cheng, The Logic of Chemical Synthesis, New York: Wiley 1989. [4]Naturwissenschaften **67**, 1–6 (1980).

allg.: Angew. Chem. **98**, 413–429 (1986) ▪ van Binst et al., Design and Synthesis of Organic Molecules Based on Molecular Recognition, Berlin: Springer 1986 ▪ Bosnich, Asymmetric Catalysis, Dordrecht: Nijhoff 1986 ▪ Brandsma u. Verkruijsse, Preparative Polar Organometallic Chemistry, Berlin: Springer 1986 ▪ Coppola u. Schuster, Asymmetric Synthesis, New York: Wiley 1987 ▪ Coyle et al., Photochemistry in Organic Synthesis (Special Publ. 57), London: Royal Soc. Chem. 1986 ▪ Davidson, Computer-Aided Chemistry: New Routes to Tomorrow's Drugs and Chemicals, Fort Lee (N. J.): Technical Insights 1986 ▪ Davies et al., Synthetic Organic Chemistry, Oxford: Blackwell 1987 ▪ Eaborn et al., Organometallics in Chemical Synthesis, Lausanne: Elsevier Sequoia 1985 ▪ Eaton, Synthesis of Non-Natural Products: Challenge and Reward (Tetrahedron 42, Nr. 6), Oxford: Pergamon 1986 ▪ Gronowitz, Asymmetric Organic Synthesis, Cambridge: University Press 1985 ▪ Heyn et al., Anorganische Synthesechemie, Berlin: Springer 1986 ▪ Kyriacou u. Jannakoudakis, Electrocatalysis for Organic Synthesis, New York: Wiley 1986 ▪ Larock, Comprehensive Organic Synthesis, Weinheim: VCH Verlagsges. 1989 ▪ Lindberg, Strategies and Tactics in Organic Synthesis, Orlando: Academic Press 1984 ▪ Mulzer et al., Organic Synthesis Highlights, Weinheim: VCH Verlagsges. 1991 ▪ Nachr. Chem. Tech. Lab. **35**, 586–594 (1987) ▪ Porter u. Clark, Enzymes in Organic Synthesis (Ciba Found. Symp. 111), London: Pitman 1985 ▪ Schneider, Enzymes as Catalysts in Organic Synthesis, Dordrecht: Reidel 1986 ▪ Semmelhack, Application of Newer Organometallic Reagents to the Total Synthesis of Natural Products (Tetrahedron 41, Nr. 24), Oxford: Pergamon 1985 ▪ Torii, Electroorganic Syntheses, Tokyo: Kodansha u. Weinheim: Verl. Chemie 1985 ▪ Tramper et al., Biocatalysts in Organic Synthesis, Amsterdam: Elsevier 1985 ▪ Yoshida, New Synthetic Methodology and Functionally Interesting Compounds, Amsterdam: Elsevier 1986 ▪ Ziegler, New Synthetic Methods (Tetrahedron 42, Nr. 11), Oxford: Pergamon 1986.

Syntheseäquivalente. Im Sinne der retrosynthet. Analyse (s. Retrosynthese) Bez. für Verb., die anstelle von *Synthonen reagieren. So sind z. B. folgende Verb. für die Synthone als S. zu verwenden (s. a. Umpolung):

Synthon	Syntheseäquivalent
R^+	R–Hal, R–O–SO_2–O–R
$R^1R^2\overset{+}{C}$–OH	$R^1R^2C{=}O$
$R\overset{+}{C}{=}O$	R(Hal)C=O
R^-	R–MgHal, R–CH_2–NO_2
$R\overset{-}{C}{=}O$	2-R-1,3-Dithian-2-id (R–$\overset{-}{C}$<S–S-Ring), R–CH=P$(C_6H_5)_3$
$HO\overset{-}{C}{=}O$	$^-$CN

Im erweiterten Sinne spricht man auch von S., wenn statt einer Verb. eine andere, modifizierte eingesetzt werden kann, die nach einer bestimmten Reaktionssequenz das gleiche Reaktionsprodukt wie die ursprüngliche liefert. So läßt sich z. B. Trimethylsilyldiazomethan als S. für Diazomethan einsetzen, da in den Reaktionsprodukten die Trimethylsilyl-Gruppe durch Hydrolyse in Wasserstoff umgewandelt werden kann. – ***E*** synthetic equivalents – ***F*** équivalents synthétiques – ***I*** equivalenti di sintesi – ***S*** equivalentes sintéticos

Lit.: s. Retrosynthese, Synthone u. Umpolung.

Synthesefasern. Unter S. versteht man vollsynthet. *Chemiefasern, die aus einfachen organ. Bausteinen (*Monomeren) durch **Polymerisation*, **Polykondensation* od. **Polyaddition* – also durch *Polyreaktionen – hergestellt werden. Bei *Chemiefasern sind die S. gemäß Definition nach DIN 60001-3: 1988-10 mit ihren Kurzz. nach DIN 60001-4: 1991-08 aufgelistet. Sie werden zur Herst. von *Fasern in eine spinnfähige Form gebracht u. in diesem Zustand (in Lsg. od. als Schmelze) durch engporige Öffnungen (Düsen) in ein verfestigendes Medium (z. B. Fällbad beim Naßspinnverf. od. geheizter Spinnschacht beim Trockenspinnverf.) gepreßt bzw. in Schmelzspinn-Apparaten zu *Filamenten geformt, ggf. verstreckt (s. Recken), gefärbt, nach verschiedenen Meth. zu Fasern versponnen u. zu *Garnen vereinigt, vgl. a. Spinnen. Für spezielle, z. T. auch nichttextile Anw. werden *Bikomponenten- u. *Elastofasern sowie elektr. leitende Fasern (sog. *epitrope Fasern*, vgl. Antistatika) eingesetzt. Die industriell gefertigten *Mineralfasern werden im allg. nicht zu den S. gezählt. – ***E*** synthetic fibers – ***F*** fibres synthétiques – ***I*** fibre sintetiche – ***S*** fibras sintéticas

Lit.: s. Chemiefasern u. Textilfasern. – *[HS 5503..]*

Synthesegas. Bez. für ein hauptsächlich aus CO u. H_2 bestehendes Gasgemisch, das als Ausgangsstoff für industrielle Synth. dient u. im Mengenverhältnis der einzelnen Komponenten den jeweiligen Verwendungszwecken angepaßt werden kann. Dabei sind terminolog. wie auch im prakt. Herst.-Verf. die Grenzen zu anderen *Industriegasen wie *Wassergas u. *Generatorgas recht fließend. Als Ausgangsstoffe dienen fossile Brennstoffe (z. B. Braunkohle, Erdöl bzw. Erdöl-Rückstände, Erdgas, Steinkohle, Holz, Torf, Biomasse usw.), die mit Wasserdampf u. Luft od. Sauerstoff bei höheren Temp. umgesetzt werden. Dabei entstehen neben CO u. H_2 noch andere Produkte wie CO_2, Methan u. höhersiedende Kohlenwasserstoffe, bei der Kohlevergasung auch H_2S u. COS, die durch bes. Prozesse wie Dest., Druckwäsche (zur Entfernung von CO_2) usw. entfernt werden. Stickstoff (aus der Luft) stört bei den weiteren Reaktionen meist nicht. Die ursprünglichen S.-Verf. basierten auf Stein- u. Braunkohlekoks, später kamen Erdöl u. Erdgas hinzu, die S. mit hohem Wasserstoff-Anteil liefern. Beisp. für Verf., die auf Erdöl bzw. Erdgas beruhen, sind das *Texaco-Verf.* bzw. das *Shell-Druckvergasungsverfahren.* Hierbei wird Erdgas od. Chemie-Benzin mit Sauerstoff unter Wasserdampfzusatz partiell oxidiert, so daß das Produktgas im wesentlichen aus CO u. H_2 besteht (s. Haber-Bosch-Verfahren). In neuerer Zeit haben die histor. Verf. der Kohlevergasung, auf Basis moderner Prozesse, wieder an Bedeutung gewonnen.

Verw.: Mit unterschiedlichem CO/H_2-Molverhältnis wird Synthesegas in folgenden Prozessen eingesetzt: *Fischer-Tropsch-Synthese, *Haber-Bosch-Verfahren, *Oxo-Synthese, *Methanisierung zu Reichgas (SNG), Herst. von Methanol, Essigsäure, Ethylenglykol u. ihren Folgeprodukten, Herst. von Polymethylen, Olefinen u. Aromaten, Homologisierung, als Brenngas zur Energiegewinnung. Das bei der Ammoniak-Synth. (Haber-Bosch-Verf.) eingesetzte Gemisch $N_2+3\,H_2$ wird ebenfalls S. genannt. Es wird durch Umsetzung fossiler Brennstoffe zu CO u. H_2 u. anschließender *Konvertierung des CO zu CO_2 u. Entfernung des CO_2 hergestellt. – ***E*** synthesis gas, syngas – ***F*** gaz intégral (de synthèse) – ***I*** gas sintetico – ***S*** gas de síntesis

Lit.: ACHEMA-Jahrb. **1988**, 2815 ▪ Adv. Catal. **32**, 325–416 (1983) ▪ Annu. Rev. Energy **11**, 295–314 (1986) ▪ Beenackers u. van Swaay, Advanced Gasification, Dordrecht: Reidel 1986 ▪ Chem. Ind. (Düsseldorf) **36**, 400–403 (1984) ▪ Chem. Tech. **36**, 55–58, 144–147 (1984) ▪ Herman, Catalytic Conversions of Synthetic Gas and Alcohols to Chemicals, New York: Plenum 1984 ▪ Kirk-Othmer (3.) **2**, 480–489; **15**, 946; **S**, 197–204 ▪ McKetta **7**, 251–260 ▪ Pure Appl. Chem. **58**, 825–832 (1986) ▪ Rösch et al., Grundlegende Untersuchungen zur Herstellung von Hochpolymeren auf Synthesegasbasis, Eggenstein-Leopoldshafen: FIZ Energie, Physik, Mathematik 1984 ▪ Ullmann (5.) **A 2**, 175–184; **A 7**, 203–206 ▪ Weissermel-Arpe (4.), S. 17–24 ▪ Winnacker-Küchler (3.) **1**, 617–624; **3**, 159–170, 359–405; **4**, 29 f.; (4.) **2**, 111–145; **3**, 641 f.; **5**, 259–272, 502–588 ▪ Z. Chem. **26**, 238–247 (1986). – *[HS 2705 00]*

Synthesekautschuke (Kurzz. SR). Aus Gründen der Verfügbarkeit u. der z.T. unbefriedigenden Eigenschaften der *Naturkautschuke (NR), z.B. der Alterungsbeständigkeit, wurden schon frühzeitig Versuche aufgenommen, diese durch Kautschuke (zur Definition s. dort) auf synthet. Basis zu substituieren. Nach ersten Bemühungen, *Isopren zu polymerisieren (um 1880), bezog man auch andere 1,3-Diene in die Untersuchungen ein. Dem Polymeren des 2,3-Dimethyl-1,3-butadiens (*Methylkautschuk) folgten das Polybutadien (*Buna®) u. das Poly(2-chlor-1,3-butadien) (*Chloropren-K.) sowie S., die durch *Copolymerisation zweier od. Terpolymerisation dreier verschiedener Monomere entstehen. Schwierigkeiten bestanden lange darin, daß bei 1,3-Dienen während der Polymerisation meist sowohl 1,2- als auch 1,4-Addition auftritt u. bei substituierten Vertretern (Chloropren, Isopren) noch die Möglichkeiten der 3,4-Addition sowie die der Kopf/Kopf-, Kopf/Schwanz- (s. Kopf/Schwanz-Polymerisation) u. Schwanz/Schwanz-Addition hinzukommen; zusätzliche Isomeriemöglichkeiten bestehen in der Stereochemie um die neugebildete Doppelbindung (1,4-*cis*- u. 1,4-*trans*-Addition). Erst vor wenigen Jahren hat man gelernt, mit Hilfe der *Ziegler-Natta-Katalysatoren Butadien od. Isopren stereospezif. zu polymerisieren (*Stereokautschuke*); man kann so z.B. zu einem Polyisopren gelangen, das den gleichen Aufbau wie der NR aufweist (s. Abb.).

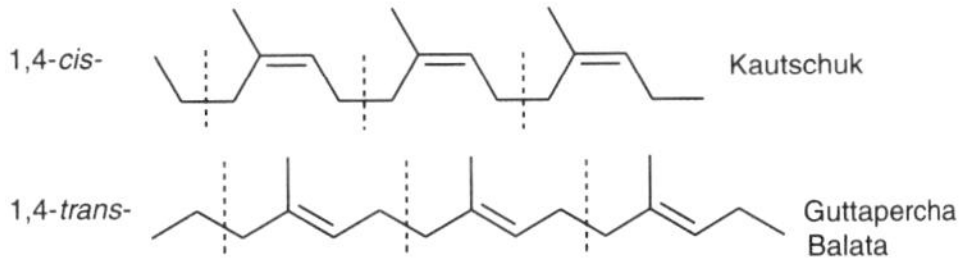

1,4-*cis*- Kautschuk

1,4-*trans*- Guttapercha Balata

Abb.: Stereochemie der Polyisoprene (Naturkautschuke).

Im folgenden sind die wichtigsten SR aufgeführt, die darüber hinaus im allg. in Einzelstichwörtern (z.T. unter ihren Kurzz. nach DIN 1629: 1981-10 u./od. nach ASTM-D 1600) ausführlicher abgehandelt werden: *Styrol-Butadien-Kautschuk* (SBR), der etwa 50% der SR-Produktion der Welt ausmacht u. eine höhere Abriebfestigkeit u. Wärmebeständigkeit, aber geringere Elastizität als NR besitzt; *Isopren-Kautschuk* (IR), der als *Polyisopren* mit 90–98% *cis*-Anteil dem NR naturgemäß am ähnlichsten ist; *Polybutadien* (BR), dessen Elastizität u. Aufnahmevermögen für Füllstoffe u. Mineralöl höher, dessen Einreißfestigkeit u. Beständigkeit gegen das Weiterreißen jedoch geringer als bei NR sind; *Polychloropren* (*Chloropren-Kautschuk*, CR), der flammwidrig u. wesentlich Alterungs-, Öl- u. Lsm.-beständiger ist als NR od. auch SBR; *Acrylnitril-Butadien-Kautschuk* (NBR, Nitrilkautschuk) mit guter Öl- u. Benzinbeständigkeit sowie Hitze- u. Abriebfestigkeit; *Butylkautschuk* (IIR) mit geringer Luft- u. Gasdurchlässigkeit u. guter Alterungs- u. Wärmebeständigkeit; *Brombutylkautschuk* (BIIR) mit guter Haftung zu anderen Elastomeren u. guter Hitzebeständigkeit; *Ethylen-Propylen-Kautschuk* (EPM u. EPDM) von bes. guter Alterungsbeständigkeit u. hohem Aufnahmevermögen für Füll- u. Streckmittel; *Siliconkautschuk* (P/VMQ) mit hoher Heißluft-, Ozon- u. UV-Beständigkeit bei guter Tieftemp.-Flexibilität u. hohem elektr. Durchgangswiderstand; *Polyurethankautschuk* (AU u. EU), der hauptsächlich zu Schaumstoff verarbeitet wird; *Epichlorhydrinkautschuk* (CO), der bes. Alterungs-, Öl- u. Benzin-beständig ist, während die Copolymeren mit Ethylenoxid (ECO) sich durch gute Tieftemp.-Flexibilität auszeichnen. Daneben gibt es noch Spezialsorten wie *Polysulfid-Kautschuk* (bes. hohe Quellbeständigkeit), *Chlorsulfonylpolyethylen* (CSM, bes. gute Oxid.-Beständigkeit), *Ethylen-Vinylacetat-Kautschuk* (EVA, EVM, wetter- u. kompressionsbeständig, für Dichtungen u. Haftklebstoffe), *Polynorbornen-Kautschuk* (PNR, hohe Ölverstreckbarkeit u. Kältebeständigkeit), *Acrylatkautschuk* (ACM u. ANM, gute Beständigkeit gegen heiße Öle u. aggressive Schmierstoffe), *Fluorkautschuk* (FPM, FKM, CFM, gegen Schmiermittel u. hydraul. Flüssigkeiten bis $\gtrsim 200\,°C$ beständig), *Polyphosphazene*, insbes. die

Tab.: Wichtige Synthesekautschuke (SR) u. Vgl. der Eigenschaften[a] der aus SR erhältlichen Elastomere (*Lit.*[1]).

Kurzzeichen	Kautschukart	Glasübergangstemp. [°C] T_G	Kälterichtwert [°C] T_R	Zugfestigkeit[b]	Weiterreißwiderstand[b]	Abrieb u. Ozonbeständigkeit[b]	Druckverformungsrest in % bei		
							−20 °C	+20 °C	+120 °C
ACM	Acrylatkautschuk	−22 bis −40	−10 bis −20	M	M	M (H)	25	5	10
AU	Polyester-Urethan-Kautschuk	−35	−22	H	H	H (H)	25	7	70
BIIR	bromierter Butylkautschuk	−66	−38	M	M/H	M (M)	12	10	60
BR	Polybutadien	−112	−72	M	G/M	SH (G)			
CIIR	chlorierter Butylkautschuk	−66	−38	M	M/H	M (M)	12	10	60
CM	chloriertes Polyethylen	−25	−12	M/H	M	M (H)			
CO	Epichlorhydrin (Homopolymer)	−26	−10	M	M	M (H)			20
CR	Polychloropren	−45	−25	H	H	M/H (M)	50	10	30
CSM	sulfuriertes Polyethylen	−25	−10	M/H	M/H	M (H)			
EAM	Ethylen-Acrylat-Kautschuk	−40	−20	M	M	M (H)			
ECO	Epichlorhydrin (Copolymere)	−45	−25	M	M	M (H)			20
EPDM, S	Ethylen-Propylen-Terpolymere, Schwefel-vernetzt	−55	−35	M	M	M (H)	20	8	50
EP(D)M, P	Ethylen-Propylen-Copolymere, peroxid. vernetzt	−55	−35	G/M	G	G (H)	20	4	10
EU	Polyether-Urethan-Kautschuk	−55	−35	H	H	H (H)	25	7	70
EVM	Ethylen-Vinyl-acetat-Copolymere	−30	−18	M/H	M	M (H)	95	40	4
FKM	Fluorkautschuk	−18 bis −50	−10 bis −35	M/H	M	M (SH)	50	18	20
FVMQ	Fluorsilicon-Kautschuk	−70	−45	G	G	G (SH)			30
H-NBR	hydrierter Nitril-Kautschuk	−30	−18	M/H	M	H (H)			30
IIR	Butylkautschuk	−66	−38	M	M/H	M (M)	12	10	60
MVQ	Dimethylpolysiloxan, Vinyl-haltig	−120	−85	G	G	G (SH)	10	2	3
NBR	Nitrilkautschuk								
	geringer ACN-Gehalt	−45	−28	M/H	M	H (G)	40	8	45
	mittlerer ACN-Gehalt	−34	−20	M/H	M	H (G)	45	8	50
	hoher ACN-Gehalt	−20	−10	M/H	M	H (G)	45	8	55
NR (IR)	Naturkautschuk (synthet. Polyisopren)	−72	−45	SH	SH	M/H (G)	15	8	70
OT	Thioplaste	−50	−30	G	G	G (H)			
PNF	Polyfluorphosphazene	−66	−42	M	G	G (H)			30
PNR	Polynorbornen	+25		M	M	M (M)			
SBR	Styrolbutadien-Kautschuk	−50	−28	H	H	H (G)			
X-NBR	Carboxyl-Gruppen-haltiger NBR	−30	−18	H	M	SH (G)			60

[a] Die Eigenschaftsangaben sind typ. Beispiele. Da bei manchen Kautschuken ein umfangreiches Sortiment zur Verfügung steht u. die Eigenschaften zudem durch das Compoundieren bestimmt werden, sind keine Absolutwerte angegeben.
[b] G: gering; M: mittel; H: hoch; SH: sehr hoch.

Phosphonitril-Fluorelastomere (PNF, hohe Lsm.- u. Kältebeständigkeit, mechan. Festigkeit bei −60 °C bis +200 °C), sowie *thermoplast. Elastomere* (TR, TPR), die ohne Vulkanisation durch Spritzguß geformt werden können (*Blockpolymere) u. in der Schuh- u. Klebstoff-Ind. verwendet werden (vgl. Thermoelaste). Die Vernetzung der SR zu *Elastomeren (*Gummi) mit definierten Eigenschaften erfolgt nach unterschiedlichen Verf. (s. Vulkanisation).

Eine detaillierte Übersicht über wichtige S., einschließlich ihrer Kurzz. u. einem Vgl. der Eigenschaften der aus ihnen zugänglichen *Elastomeren gibt die Tab. (*Lit.*[1]).

Marktdaten: 1997 wurden weltweit ca. 9,7 Mio. t S. produziert[2], davon 2,3 Mio. t in den EG-Ländern

Tab.: Wichtige Synthesekautschuke (SR) u. Vgl. der Eigenschaften[a] der aus SR erhältlichen Elastomere (*Lit.*[1]) (Fortsetzung).

Kurzzeichen	Kautschukart	Wärmebeständigkeit nach 5 h [°C]	Wärmebeständigkeit nach 70 h [°C]	Wärmebeständigkeit nach 1000 h [°C]	Betriebstemp. [°C]	Quellung, 70 h, 20 °C in ASTM-Öl 3 [%]	Quellung, 70 h, 20 °C in Kraftstoff [%]
ACM	Acrylatkautschuk	240	180	150	170	25 (150 °C)	65
AU	Polyester-Urethan-Kautschuk	170	100	70	75	40 (100 °C)	
BIIR	bromierter Butylkautschuk	200	160	130	150	>140 (70 °C)	
BR	Polybutadien	170	100	75	90	>140 (70 °C)	
CIIR	chlorierter Butylkautschuk	200	160	130	150	>140 (70 °C)	
CM	chloriertes Polyethylen	180	160	140	150	80 (150 °C)	75
CO	Epichlorhydrin (Homopolymer)	240	170	140	150	5 (150 °C)	10
CR	Polychloropren	180	130	100	125	80 (100 °C)	
CSM	sulfuriertes Polyethylen	200	140	130	150	80 (150 °C)	
EAM	Ethylen-Acrylat-Kautschuk	240			175	50 (150 °C)	
ECO	Epichlorhydrin (Copolymere)	220	150	130	135	10 (150 °C)	30
EPDM, S	Ethylen-Propylen-Terpolymere, Schwefel-vernetzt	200	170	130	140	>140 (70 °C)	
EP(D)M, P	Ethylen-Propylen-Copolymere, peroxid. vernetzt	220	180	140	150	>140 (70 °C)	
EU	Polyether-Urethan-Kautschuk	170	100	70	75	40 (100 °C)	
EVM	Ethylen-Vinylacetat-Copolymere	200	160	140	160	80 (150 °C)	
FKM	Fluorkautschuk	>300	280	220	250	20 (150 °C)	5
FVMQ	Fluorsilicon-Kautschuk	>300	220	200	215	20 (150 °C)	20
H-NBR	hydrierter Nitril-Kautschuk	230	180	150	160	15 (150 °C)	65
IIR	Butylkautschuk	200	160	130	150	>140 (70 °C)	
MVQ	Dimethylpolysiloxan, Vinyl-haltig	>300	275	180	225	50 (150 °C)	
NBR	Nitrilkautschuk						
	geringer ACN-Gehalt	170	140	110	125	25 (100 °C)	45
	mittlerer ACN-Gehalt	180	145	115	125	10 (100 °C)	35
	hoher ACN-Gehalt	190	150	120	125	5 (100 °C)	25
NR (IR)	Naturkautschuk (synthet. Polyisopren)	150	120	90	100	>140 (70 °C)	
OT	Thioplaste	170	120	60	100	10 (70 °C)	
PNF	Polyfluorphosphazene				175	10 (150 °C)	15
PNR	Polynorbornen				100	>140 (70 °C)	
SBR	Styrolbutadien-Kautschuk	195	130	100	110	>140 (70 °C)	
X-NBR	Carboxyl-Gruppen-haltiger NBR	170	140	110	120	5 (100 °C)	20

[a] Die Eigenschaftsangaben sind typ. Beispiele. Da bei manchen Kautschuken ein umfangreiches Sortiment zur Verfügung steht u. die Eigenschaften zudem durch das Compoundieren bestimmt werden, sind keine Absolutwerte angegeben.

(BRD: 0,5 Mio. t), ca. 1,5 Mio. t in Osteuropa, 1,44 Mio. t in Japan u. 2,4 Mio. t in den USA. Die Kapazität für S. weltweit (1996) schlüsselt sich nach den wichtigsten Typen wie folgt auf: SBR: 6,5 Mio. t, BR: 2,3 Mio. t, IR: 1,4 Mio. t, EPDM: 0,90 Mio. t, IIR: 0,77 Mio. t u. NBR: 0,61 Mio. t. Die Gesamtweltkapazität für S. lag 1996 bei ca. 12,97 Mio. t; zu detaillierten Angaben zu S.-Produktion u. -Verbrauch in einzelnen Ländern s. *Lit.*[2].

Verw.: Größtes Einsatzgebiet für S. ist die Herst. von Reifen- u. Reifen-Produkten; zu einem mehr globalen Überblick über die vielseitigen Anw.-Möglichkeiten der S. s. Kautschuke. – ***E*** synthetic (man made) rubber – ***F*** caoutchouc artificiel (synthétique) – ***I*** caucciù sintetici – ***S*** caucho sintético

Lit.: [1] Kunststoffe **77**, 1058 (1987). [2] Gummi, Asbest + Kunstst. **50**, 22 ff. (1997).

allg.: Blackley, Synthetic Rubbers: Their Chemistry and Technology, New York: Appl. Sci. Publ. 1987 ▪ Elias (5.) **2**, 475 ▪ Hofmann, Rubber Technology Handbook, S. 37–216, New York: Hanser 1989 ▪ Morton, Rubber Technology, New York: Van Nostrand Reinhold 1987.

Synthetase. Bestandteil früherer halbsystemat. Namen von *Ligasen, d. h. *Enzymen der 6. Klasse, die C,O- (EC 6.1), C,S- (EC 6.2), C,N- (EC 6.3), C,C- (EC 6.4) u. Phosphorsäureester-Bindungen (EC 6.5) unter Verbrauch von *Adenosin-5′-triphosphat od. eines ähnlichen Triphosphats knüpfen. Die heute von der *IUBMB empfohlenen Namen, die jedoch in der Lit. noch nicht durchgängig verwendet werden, enden in „Ligase" od. in einigen Fällen – wenn der synthet. Aspekt der katalysierten Reaktion bes. betont werden soll – in „Synthase" (vgl. dort). *Beisp.:* Die verschiedenen *Aminoacyl-tRNA-S.* (jetzt empfohlen: *Aminosäure-tRNA-Ligasen, EC 6.1.1, s. Ribonucleinsäuren, Transkription). – ***E*** synthetase – ***F*** synthétases – ***I*** sintetasi – ***S*** sintetasas

Lit.: s. Synthase.

Synthetisch. Synonym für „künstlich entstanden" u. Antonym zu „biolog." od. „analyt."; *Beisp.: S. Chemie* (s. Synthese u. präparative Chemie), *s. Golduhr* (s. Zeitreaktionen), *s. Membranen* (nichtnatürliche *Membranen), *s. Metalle* (s. Synmetals). – ***E*** synthetic – ***F*** synthétique – ***I*** sintetico – ***S*** sintético

Synthetische Harze (Kunstharze). Sammelbez. für Harze (zur Definition nach DIN 55958 s. dort), die auf synthet. Wege über *Polymerisations- od. *Polykondensations-Reaktionen gewonnen werden u. sehr unterschiedliche chem. Zusammensetzungen haben. S. H. sind im allg. flüssige od. feste amorphe Produkte ohne scharfen Erweichungs- od. Schmelzpunkt. Zu den s. H. gehören u. a. *Kohlenwasserstoff-(Petroleumharze), *Harnstoff-, *Alkyd-, *Epoxid-, *Melamin-, *Phenol-, *Polyester-, *ungesättigte Polyesterharze (UP-Harze), *Polyurethan-, *Keton-, *Cumaron-Inden-, *Isocyanat-, Polyamid- u. *Terpen-Phenol-Harze; zu Eigenschaften, Verw. u. Lit. der s. H. s. die einzelnen Typen. – ***E*** synthetic resins – ***F*** résines synthétiques – ***I*** resine sintetiche – ***S*** resinas sintéticas

Lit.: Ullmann (4.) **12**, 539–555.

Synthetisches Nährmedium s. Nährmedium.

Synthetisches Papier (Synthesepapier) s. Papier.

Synthin-Verfahren s. Synthol.

Synthofloc®. Synthet. organ. Flockungsmittel auf *Acrylamid-Basis für Frisch- u. Abwasser, zur Klärung von Suspensionen bei hydrometallurg. Prozessen usw. ***B.:*** Sachtleben.

Synthol. 1. Prozeß zur techn. Durchführung der *Fischer-Tropsch-Synthese, bei dem die Hydrierung des Kohlenmonoxids (*Synthesegas) in der Gasphase, im sog. *Flugstaub-Verf.* stattfindet. Er wurde von der *M. W. Kellogg* in USA entwickelt u. von *Sasol* verbessert. Der eingesetzte, relativ billige, staubförmige Eisen-Katalysator wird mit dem Synthesegas im Kreislauf geführt. Die Sasol-Version des Verf. verläuft z. B. bei 2,0–2,3 MPa u. 320–340 °C. Sie liefert bevorzugt Kohlenwasserstoffe leichter u. mittlerer Siedelage u. Sauerstoff-haltige Verbindungen. Der S.-Prozeß ist sehr flexibel: Durch Änderung von Gas-Zusammensetzung, Katalysator u. Prozeßbedingungen kann das Produktspektrum (Paraffine, Olefine, Aromaten, Alkohole, Aldehyde etc.) an die jeweiligen Anforderungen angepaßt werden.

2. Von Franz *Fischer geprägte Bez. für ein Gemisch Sauerstoff-haltiger Aliphaten, das Methanol u. höhere Alkohole enthält. Es entsteht durch Hydrierung von Kohlenmonoxid bei 400 °C, >10 MPa, an alkalisierten Eisen-Kontakten. Es ist heute nur noch von histor. Interesse. Ebenfalls ältere, von Synthesegas ausgehende Prozesse, die zu Sauerstoff-haltigen, speziell Alkohol-haltigen Gemischen führen, sind das *Synthin-Verf.* (entwickelt von Fischer u. Tropsch) u. die ab 1940 bei BASF entwickelte *Synol-Synthese.* – ***E*** = ***F*** synthol – ***I*** sintolo – ***S*** sintol

Lit. *(zu 1.):* Kirk-Othmer (3.) **12**, 948 f. ▪ Ullmann (5.) **A 7**, 184, 207 f.; **B 4**, 105 ▪ Winnacker-Küchler (4.) **5**, 524 f., 530–533. – *(zu 2.):* Kirk-Othmer (3.) **11**, 473 ▪ Winnacker-Küchler (4.) **5**, 569.

Synthomer. Kurzbez. für die 1963 gegr. Firma Synthomer GmbH, 60388 Frankfurt, eine gemeinsame Tochterges. (50:50) von Yule Catto & Co Plc u. *Reichhold Chemicals. *Produktion:* Synth.-Latices auf der Basis von Butadien-Styrol- u. Butadien-Acrylnitril-Copolymeren, Spezialchemikalien für die Teppich- u. Textil-Industrie.

Synthomer®. Chem. Erzeugnisse für gewerbliche Zwecke, insbes. Polymerisate u. Copolymerisate aus Dienen, Styrol, Ethylen, Propylen, Acrylnitril, Acrylsäure u. ihren Abkömmlingen, Vinyl-Verb. u. ähnlichen chem. Verbindungen. ***B.:*** Synthomer GmbH.

Synthone (Syntone). Von *Corey [1] 1967 eingeführte Bez. für Fragmente, die bei der *retrosynthet. Analyse* (s. Retrosynthese) durch meist heterolyt. Zerlegung eines Zielmol. entstehen (*normale S.*). Wird die Zerlegung einer „umgepolten" Verb. durchgeführt, so spricht man auch von *umgepolten* S., während für chirale S. auch der Begriff *Chirons* vorgeschlagen wurde.

normale Synthone

umgepolte Synthone

Abb.: Prinzip der Retrosynth.: Erzeugung von Synthonen. Je nach dem Reaktivitätsmuster der erzeugten Synthone spricht man von normalen bzw. umgepolten Synthonen.

Der sehr nützliche S.-Begriff ist leider verwässert worden, da auch Synth.-Zwischenprodukte, die niedermol. u. ggf. kommerziell erhältlich sind u. aufgrund ihrer Struktur u. ihrer funktionellen Gruppen als Relais-Substanzen (s. Synthese) für laboratoriumsmäßige od. halbsynthet. Herst. von Naturstoffen, Pharmazeutika etc. dienen, begrifflich mit S. gleichgesetzt werden. Im Interesse einer sauberen Abgrenzung des S.-Begriffes wäre eine Beschränkung auf die ursprüngliche Corey-

Definition wünschenswert. – ***E*** = ***F*** synthons – ***I*** sintoni – ***S*** sintones

Lit.: [1] Pure Appl. Chem. **14**, 19 (1967).
allg.: Hase, Umpoled Synthons, New York: Wiley 1987 ▪ Koca, Synthon Model of Organic Chemistry and Design, Berlin: Springer 1989 ▪ Org. React. **37**, 1–55 (1989) ▪ Pure Appl. Chem. **62**, 699–706 (1990) ▪ Top. Curr. Chem. **88**, 33 ff. (1980) ▪ s. a. Retrosynthese.

Syntocinon® (Rp). Ampullen mit *Oxytocin zur Geburtseinleitung u. als Spray bei schmerzhafter Milchstauung. ***B.:*** Novartis.

Syntone s. Synthone.

Syntran®. Polymerdispersionen u. -emulsionen für die Reinigungs- u. Pflegemittel-, Kosmetik-, Lack- u. Druckfarben-Industrie. ***B.:*** Interpolymer.

Syntrophie s. Symbiose.

Synusien s. Ökosystem.

Synzyme. Bez. für *syn*thet. Makromol. (nicht Proteine) mit *En*zym*-Aktivität.

Syphilis (Lues venerea, Schaudinnsche Krankheit, harter Schanker). Bakterielle Infektionskrankheit, die von der *Spirochäte *Treponema pallidum* hervorgerufen wird. Die gegen Austrocknung, Erwärmung u. sonstige Umwelteinflüsse sehr empfindlichen Erreger werden nur durch intensiven Schleimhautkontakt, überwiegend beim Geschlechtsverkehr, übertragen. Die Eintrittsorte sind dabei minimale Verletzungen der Haut od. Schleimhaut. Etwa 2–5 Wochen nach der Infektion entsteht an der Eintrittsstelle als 1. Stadium ein derbes unempfindliches Geschwür mit Anschwellung der regionalen Lymphknoten, der Primäraffekt. Dieser verschwindet im Laufe von Wochen spontan. Nachdem sich in den folgenden ca. 8 Wochen die Erreger im ganzen Körper verbreitet haben, beginnt das 2. Stadium der Erkrankung, das durch evtl. jahrelanges Auftreten von Hauterscheinungen wie Exanthemen, Haarausfall u. wuchernden nässenden Papeln sowie Lymphknotenschwellungen mit erscheinungsfreien Intervallen geprägt ist. Auch die Erscheinungen des 2. Stadiums klingen in der Regel nach etwa 2 Jahren folgenlos ab. Nach einer Latenzzeit von einigen Monaten bis zu mehreren Jahren zeigen sich die Zeichen des 3. Stadiums als Knoten (*Gummen*) in der Haut, den Gefäßen, den Knochen u. a. Organen, die erweichen, zerfallen u. zu verstümmelnden Gewebsdefekten führen. Spätformen (ca. 10–20 a nach der Infektion) der S. sind die Entzündung des Stirnhirns (*progressive Paralyse*), die zu intellektuellem Abbau u. Persönlichkeitsveränderungen führt u. die Degeneration von Teilen des Rückenmarks (*Tabes dorsalis*). Die Diagnose erfolgt zum einen durch mikroskop. Nachw. des Erregers im Abstrich des Primäraffekts od. Lymphknotenpunktat, zum anderen durch den serolog. Nachw. von *Antikörpern gegen *Treponema pallidum*. Aufgrund ihrer bes. Gefährlichkeit ist die S. eine *Geschlechtskrankheit im Sinne des Gesetzes u. damit meldepflichtig. Die Behandlung erfolgt mit *Penicillin. – ***E*** syphilis, lues – ***F*** syphilis – ***I*** sifilide, lue – ***S*** sífilis

Lit.: Brandis et al., Lehrbuch der Medizinischen Mikrobiologie, S. 581–588, Stuttgart: Fischer 1994.

Syringaaldehyd (Syringaldehyd, 4-Hydroxy-3,5-dimethoxybenzaldehyd).

Syringaaldehyd

Syringin

$C_9H_{10}O_4$, M_R 182,17. Blaßgelbe Nadeln, Schmp. 113 °C, Sdp. 192–193 °C (19 hPa), wenig lösl. in Wasser u. Petrolether, lösl. in Alkohol, Ether, Eisessig. S. entsteht beim oxidativen Abbau des *Lignins von Angiospermen u. wurde erstmals 1889 durch Oxid. u. Hydrolyse von *Syringin* (Ligustrin, Methoxyconiferin), einem in Flieder (*Syringa vulgaris*, Name!) enthaltenen Glucosid, erhalten. S. wird als Zwischenprodukt u. in der Parfümerie verwendet. – ***E*** syringaldehyde – ***F*** syringa-aldéhyde – ***I*** siringaldeide – ***S*** siringaldehído

Lit.: Beilstein EIV **8**, 2718 ▪ Merck-Index (12.), Nr. 9191. – *[HS 2912 49; CAS 134-96-3 (S.); 118-34-3 (Syringin)]*

Syringasäure (4-Hydroxy-3,5-dimethoxybenzoesäure, Zedernsäure, veraltet: Gallussäure-3,5-dimethylether).

$C_9H_{10}O_5$, M_R 198,18, Krist., Schmp. 210 °C. S. kommt in freier Form in verschiedenen Pflanzen, z. B. Soja (*Glycine max*) u. z. B. als 4-β-D-Glucosid in *Anodendron affine* var. – ***E*** syringic acid – ***F*** acide syringique – ***I*** acido siringico – ***S*** ácido siríngico

Lit.: Beilstein EIV **10**, 1995 ▪ Ullmann (5.) **A 13**, 524. – *[HS 2918 90; CAS 530-57-4]*

Syringidinchlorid s. Malvidinchlorid.

Syringin s. Syringaaldehyd.

Syringolide.

n = 4 : Syringolid 1
n = 6 : Syringolid 2

Bakterielle Signalstoffe aus *Pseudomonas syringae*, wirken in Pflanzen (z. B. Tomaten) als *Phytoalexine. *S. 1:* $C_{13}H_{20}O_6$, M_R 272,30, Wachs, Schmp. 114 °C, $[\alpha]_D^{24}$ −84° ($CHCl_3$); *S. 2:* $C_{15}H_{24}O_6$, M_R 300,35, Krist., Schmp. 123–124 °C, $[\alpha]_D^{24}$ −76° ($CHCl_3$). – ***E*** syringolides – ***I*** siringolidi – ***S*** siringolidas

Lit.: J. Org. Chem. **58**, 2940 (1993) ▪ Tetrahedron **54**, 1783 (1998) ▪ Tetrahedron Lett. **34**, 223 (1993). – *[CAS 147716-82-3 (S. 1); 147782-25-0 (S. 2)]*

Syrosingopin (Rp).

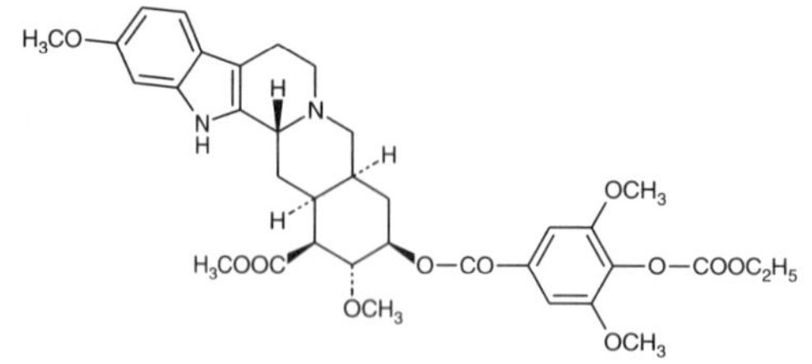

Internat. Freiname für das *Antihypertonikum u. *Sedativum Methyl-18β-[4-(ethoxycarbonyloxy)-3,5-dimethoxybenzoyloxy]-11,17α-dimethoxy-3β,20α-yohimban-16β-carboxylat, $C_{35}H_{42}N_2O_{11}$, M_R 666,70, Krist., Schmp. 175–179 °C; in Wasser nicht, in Chloroform u. Essigsäure leicht lösl.; Lagerung: vor Licht u. Luft geschützt. S. ist ein *Rauwolfia-Alkaloid. S. wurde 1957 von Ciba patentiert. – ***E*** = ***F*** syrosingopine – ***I*** = ***S*** sirosingopina

Lit.: Martindale (31.), S. 952. – *[HS 2939 90; CAS 84-36-6]*

System (von griech.: systema = zusammengesetztes Ganzes). Allg. ist S. ein Begriff für geordnetes Zusammenspiel von Dingen, Vorgängen, Komponenten etc. in einem gesamten Aufbau (einer *Systematik*, vgl. Taxonomie). So kennt man z. B. Planeten-S., Krist.-S., die S. der Körperfunktionen (Nerven-, Atmungs-, Lymph-, Verdauungs-S.), gedankliche S., Verkehrs-S. usw. In der Chemie spricht man von *Periodensystem, in der physikal. Chemie von *thermodynamischen Systemen (*geschlossenen* od. *offenen*), in der chem. Technik von Stoff-S., die eine bestimmte Menge von Substanz (*Einstoff-S.*) od. Substanzen (*Mehrstoff-S.*) enthalten, die in einer (**homogenes System*) od. mehreren *Phasen (**heterogenes S.*) angeordnet sind (*Phasen-S.*), vgl. hierzu Eutektikum, Gibbssche Phasenregel. In Ableitungen spricht man von *systematischen Namen u. systemischen Wirkungen. – ***E*** system – ***F*** système – ***I*** = ***S*** sistema

Lit.: Casti, System Theory, in Encyclopedia of Physical Science and Technology, Vol. 16, S. 445–462, New York: Academic Press 1992.

Systematischer Name (Rationalname, rationeller Name). Im IUPAC-*Regelsyst.* A–E, H u. I mit systemat. *Lokanten, *Multiplikationspräfixen, *Präfixen, *Stammnamen, *Suffixen, *Stereochemie-Bez. etc. gebildeter Name. Gegensätze: Nach Sonderregeln gebildeter *halbsystematischer Name; ohne offizielle Regel gebildeter *Trivialname; vgl. Nomenklatur. – ***E*** systematic name – ***F*** nom systématique – ***I*** nome sistematico – ***S*** nombre sistemático

Système International s. SI.

Systemin.
Ala-Val-Gln-Ser-Lys-Pro-Pro-Ser-Lys-Arg-Asp-Pro-Pro-Lys-Met-Gln-Thr-Asp

$C_{85}H_{144}N_{26}O_{28}S$, M_R 2010,30 (Tomate). Pflanzliches *Polypeptid (18 Aminosäure-Reste), das in fmol-Mengen (einige 10^{-15} mol/Tomatenpflanze) *Gene für die Pathogen- u. Insekten-Abwehr aktiviert (z. B. Gene von Proteinase-Inhibitoren, die die Verdaulichkeit der Pflanze beeinträchtigen). Das offensichtlich als Signalmol. u. Wundhormon dienende S. wird – wie tier. *Peptidhormone – aus einem größeren Polypeptid-Vorläufer (Prosystemin) durch begrenzte Proteolyse freigesetzt u. gelangt durch das Phloem (Leitgewebe) in entfernte Teile der Pflanze (system. Wirkung, daher Name). – ***E*** systemin – ***F*** systémine – ***I*** = ***S*** sistemina

Lit.: Bioessays **18**, 27–33 (1996) ▪ Plant Mol. Biol. **36**, 55–62 (1998). – *[CAS 137181-56-7]*

Systemisch. a) Im Pflanzenschutz Bez. für die sog. innertherapeut. Wirkung von Insektiziden, Fungiziden u. Herbiziden, die von der Pflanze durch die Blätter od. über die Wurzeln aufgenommen u. im Saftstrom, dem Transportsyst. (Name!) der Pflanze, weitergeleitet werden. – b) In der Medizin spricht man von „s." bei der Erkrankung eines ganzen Organs od. Organsyst. zum Unterschied von einem lokal begrenzten Befall (z. B. *Mykosen) u. bei der Wirkung von Pharmazeutika od. Giftstoffen. – ***E*** systemic – ***F*** systémique – ***I*** sistemico – ***S*** sistémico

Systole s. Blutdruck.

Systral®. Gel, Creme u. Dragées mit *Chlorphenoxamin-hydrochlorid, auch mit zusätzlichem Coffein, gegen Juckreiz u. allerg. Erscheinungen. ***B.:*** Asta Pharma.

SZ. Abk. für *Säurezahl.

Szent-Györgyi von Nagyrapolt, Albert (1893–1986), Prof. für Medizin, Inst. Muscle Research, Woods Hole (Massachusetts), USA. *Arbeitsgebiete:* Isolierung von Vitamin C, Paprika-Inhaltsstoffe, Mechanismus der biolog. Oxid. u. der Muskelfunktion, Entdeckung von Actin u. Myosin, Wachstumsvorgänge, Thymusdrüse; 1937 erhielt er den Nobelpreis für Physiologie od. Medizin.

Lit.: Chem. Labor Betr. **38**, 8 (1987) ▪ Lexikon der Naturwissenschaftler, S. 390 ▪ Naturwiss. Rundsch. **36**, 391–394 (1983) ▪ Neufeld, S. 165 ▪ Pötsch, S. 414 f. ▪ Poggendorff **7 b/8**, 5291–5296 ▪ Strube et al., S. 118, 121, 171.

Szilard, Leo (1898–1964), Prof. für Physik, Univ. Chicago. *Arbeitsgebiete:* Kernphysik, techn. Anw. der Kernenergie, Radionuklide, Szilard-Chalmers-Verf. zur Abtrennung radioaktiver Isotope, Zyklotrons, Biologie, gab Anstoß für die Entwicklung der amerikan. Atombombe, setzte sich aber für eine friedliche Nutzung der Kernenergie ein.

Lit.: Lexikon der Naturwissenschaftler, S. 390 ▪ Neufeldt, S. 187 ▪ Szilard et al., The Collected Works of Leo Szilard, Cambridge (Massachusetts): MIT Press 1972.

Szilard-Chalmers-Effekt s. heiße Atome.

Szinti... (latein.: scintilla = Funke). Fachwortteil für Geräte, Verf. u. Stoffe, die zur Messung *ionisierender Strahlung anhand der von ihr ausgelösten Lichtblitze dienen; *Beisp.:* folgende Stichwörter. – ***E*** = ***F*** = ***I*** scinti... – ***S*** escinti...

Szintigramm s. Szintigraphie.

Szintigraphie. Bez. für ein diagnost. Verf. der Nuklearmedizin zur Untersuchung u. Darst. von Organen. Die S. nutzt die Tatsache aus, daß sich manche dem Körper in irgendeiner Weise zugeführten Verb. in bestimmten Organen anreichern. Werden nun solche Verb. mit Radionukliden (Radioindikatoren) markiert, d. h. als Radiopharmazeutika appliziert, so lassen sich die von diesen entweder direkt emittierten od. – bei β^+-

Strahlern – auf dem Weg über Positronen-Paarvernichtung entstehenden Gammastrahlen mit speziell konstruierten *Szintillationszählern registrieren, wobei sich diese zeilenförmig über das Meßobjekt bewegen; ein angeschlossener Schreiber erstellt ein der Zählrate entsprechendes Strichbild (*Styloszintigramm*) des Meßareals. Für Organfunktionsprüfungen bedient man sich einer feststehenden Gamma-Kamera, die mit vielen Szintillator-Krist. bestückt ist. Jede Szintillation (s. Szintillatoren) wird elektron. zum sog. *Szintiphoto* aufsummiert od. ortsgetreu auf ein Oszilloskop übertragen, worauf dessen Bild film. festgehalten wird. Bei der Emissions-Computer-Tomographie (ECT) u. der mit β^+-Strahlern arbeitenden Variante Positronen-Emissions-Tomographie (PET) rotieren zwei Gamma-Kameras um das Untersuchungsobjekt, wodurch Schichtaufnahmen möglich werden; s. a. Radiographie bzw. Radiometrie. – ***E*** scintigraphy – ***F*** scintigraphie – ***I*** scintigrafia – ***S*** escintigrafía

Lit.: Angew. Chem. **85**, 793–802 (1973) ▪ Bild Wiss. **10**, 1452–1458 (1973) ▪ Chem. Unserer Zeit **5**, 82–89 (1971) ▪ Donato u. Britton, Immunoscintigraphy, New York: Gordon & Breach 1986 ▪ Struct. Bonding **50**, 57–78 (1982).

Szintillation s. Szintillatoren.

Szintillationszähler. Bez. für Geräte zur Bestimmung der Zahl od. Energie von Elementarteilchen od. radioaktiver Strahlung. Dabei wird ein geeigneter *Szintillator durch schnelle Teilchen (α-, β-, γ-Strahlen usw., s. Radioaktivität) zur Aussendung winziger Lichtblitze (*Szintillationen*) angeregt. Die Auszählung der Blitze erfolgt elektronisch. An den Szintillator ist im allg. über einen Lichtleiter ein Sekundärelektronenvervielfacher (SEV; *Photomultiplier) angeschlossen, aus dessen Photokathode fast jedes auftreffende Photoelektron ein Elektron herausschlägt. *Beisp.:* Ein α-Teilchen von 5 MeV erzeugt in einem mit Ag aktivierten ZnS-Leuchtschirm einen Lichtblitz, der an der Photokathode des SEV ca. 10000 Elektronen auslöst u. nach 10^5-facher Verstärkung einen Ausgangsimpuls von ca. 1 V liefert. Der Vervielfacher kann in der Sekunde bis zu 10^8 Lichtblitze zählen u. ist in dieser Hinsicht weit empfindlicher u. schneller als das zu ähnlichen Zwecken verwendete Geiger-Zählrohr (s. Zählrohre). Da die Pulshöhe von der Energie u. Art des einfallenden Teilchens abhängt, lassen sich mit Hilfe von sog. Impulshöhenanalysatoren Zusammensetzung u. Energie der Strahlung ermitteln. Für Routineanalysen werden heute Geräte zur Flüssigkeitsszintillationsmessung (*E* liquid scintillation counting, LSC) bevorzugt. Dabei sind die Proben im Zählfläschchen in einem sog. Szintillations-Cocktail (s. Szintillatoren) gelöst, suspendiert od. emulgiert. Das Meßergebnis wird üblicherweise in Impulsen pro Minute (*E* counts per minute, cpm) ausgedrückt od. unter Berücksichtigung einer sog. Quench-Korrektur (vgl. Szintillatoren) in Zerfällen pro Minute (*E* decays per minute, dpm) umgerechnet.

Verw.: In der Kernforschung zur Bestimmung der HWZ von radioaktiven Stoffen, zur Messung des Kernspins, in der Untersuchung der kosm. Strahlung, in Nuklearmedizin, Szintigraphie, Radiochromatographie, zu Stoffwechsel-Untersuchungen in Pharmakologie, Toxikologie u. Pflanzenphysiologie usw. Geräte zur LSC können auch zur Messung von Biolumineszenz u. Čerenkov-Strahlung eingesetzt werden. – ***E*** scintillation counters – ***F*** compteurs à scintillateur – ***I*** contatore della scintillazione – ***S*** contadores de centelleo (escintilación)

Lit.: Crook u. Johnson, Liquid Scintillation Counting (5 Bd.), London: Heyden 1971–1978 ▪ Dyer, Liquid Scintillation Counting Practice, London: Heyden 1980 ▪ Fox, Techniques of Sample Preparation for Liquid Scintillation Counting, Amsterdam: North-Holland 1976 ▪ Haller et al., Nuclear Radiation Detector Materials, Amsterdam: North-Holland 1983 ▪ Kamitsubo et al., Nuclear Radiation Detectors, Amsterdam: North-Holland 1982 ▪ Kirk-Othmer **17**, 71 ff.; (3.) **19**, 635 f. ▪ Munson, Pharmaceutical Analysis. Modern Methods A, New York: Dekker 1981 ▪ Naturwiss. Rundsch. **37**, 45–52 (1984) ▪ Noujaim et al., Liquid Scintillation, New York: Academic Press 1976 ▪ Peng, Sample Preparation in Liquid Scintillation Counting (Review 17), Amsterdam: Radiochem. Centre 1977 ▪ Peng et al., Liquid Scintillation Counting (2 Bd.), New York: Academic Press 1980 ▪ Pharm. Unserer Zeit **12**, 80–89 (1983) ▪ s. a. Detektoren, Leuchtstoffe, Lumineszenz, Radioaktivität.

Szintillatoren. Bez. für Leuchtstoffe, in denen bewegte, energiereiche, geladene Teilchen (z. B. α-, β-Teilchen) od. Gammastrahlen Szintillationen, d. h. kurze Lichtblitze, hervorrufen, die im SEV (Sekundärelektronenvervielfacher, Photomultiplier) des *Szintillationszählers einen meßbaren Sekundärelektronenstrom erzeugen. Dabei werden je nach Art der ionisierenden Strahlung anorgan. od. organ. feste od. flüssige (gelöste) S. benutzt. So sind für Gammastrahlen, schwere geladene Teilchen u. therm. Neutronen anorgan. S. geeignet, z. B. mit Tl-Spuren aktivierte NaI-, CsI- u. LiI-Einkrist. u. mit Ag- od. Cu-Spuren aktiviertes ZnS („Sidotblende"), aber auch organ. Feststoffe wie Anthracen, Silben u. a. Die als S. verwendeten Einkrist. enthalten Kristallbaufehler, die zu diesem Zweck künstlich durch *Dotierung herbeigeführt werden. Ziel ist es, eine möglichst starke *Lumineszenz zu erzeugen, d. h. viele Photonen pro einfallendes Teilchen zu erhalten. Röntgenstrahlen können die Lumineszenzzentren im allg. nicht direkt anregen. In einem Zwischenschritt erzeugen sie Elektronen durch den Photoeffekt, γ-Strahlen auch durch den Compton-Effekt u. durch Paarbildung. Auch schnelle Neutronen können für sich als ungeladene Teilchen keine Lichtblitze hervorrufen. Läßt man sie aber auf Wasserstoff-haltige organ. Leuchtstoffe (Anthracen, aromat. Lsm.) fallen, so wird auf die von den Neutronen getroffenen Wasserstoff-Kerne kinet. Energie übertragen; hier tritt Lichtemission auf dem Weg über die Rückstoßprotonen ein. Für die Flüssigkeitszintillationsmessung (LSC), die zum Nachw. von Beta-Zerfällen bes. geeignet ist, werden im allg. Lsg. von organ. S. wie Oxazolen (PPO, PBD, BBOT, BOPOB, POPOP, PBBO, α-NPO), 4,5-Dihydro-3-mesityl-l-phenyl-1*H*-pyrazol (PMP, s. *Lit.*[1]), Naphthalin, Anthracen, *p*-Terphenyl u. *p*-Quaterphenyl (Oligophenyle), *trans*-Stilben, Di- bzw. Tetraphenylbutadien bzw. -hexatrien (DPB, DPH, TPB), Bis(methylstyrol)benzol (Bis-MSB) u. a. in Toluol, *p*-Xylol, *p*-Dioxan, 2-Butoxyethanol, 2-Methoxyethanol u. ä. Lsm. verwendet. In wäss. Syst. kann man mit S. arbeiten, wenn Lösungsvermittler (vgl. Hydrotropie) zugegen sind. Fertige Mischungen sind unter der Bez.

Szintillations-Cocktails im Handel; *Beisp.:* Toluol, Triton X-100, PPO, POPOP od. Dioxan, Naphthalin, PPO, POPOP. Die Szintillationen entstehen, wenn energiereiche Teilchen od. Quanten durch Stoßprozesse die Lsm.-Mol. anregen u. diese ihre Anregungs-Energie auf den S. (z. B. PPO) übertragen, der seinerseits die Energie als Fluoreszenz-Lichtquant abstrahlt (vgl. Photochemie). Da die sog. prim. S. relativ schwierig zu messende kurzwellige Ultraviolettstrahlung aussenden, wird im allg. ein sog. sek. S. (z. B. POPOP) zur Frequenzverschiebung zugesetzt. Diese Energieübertragung kann durch Löschsubstanzen wie Sauerstoff u. Hydroxyl-Ionen leicht gestört (gequencht) werden; störend wirkt auch die Absorption durch die Eigenfarbe der Probe, u. schließlich können Chemilumineszenz-Reaktionen eine zu hohe Radioaktivität vortäuschen. – ***E*** scintillators – ***F*** scintillateurs – ***I*** scintillatori – ***S*** escintiladores, centelleadores

Lit.: [1] J. Phys. Chem. **82**, 459 (1987).
allg.: s. Szintillationszähler.

Szmant, Hermann Harry (geb. 1918), Prof. (emeritiert) für Organ. Chemie, Univ. Detroit (USA), Univ. of Miami, Florida (USA). *Arbeitsgebiete:* Chemie der organ. Schwefel-Verb., Dimethylsulfoxid, Wolff-Kishner-Reaktionsmechanismen, Thiol-Olefin-Oxidation.

Formelregister für Band 5

Das folgende Formelregister enthält alle im vorliegenden Band 5 behandelten anorgan., Metall-organ. u. organ. Verbindungen. Zur Einordnung wird das **Hill'sche System* angewandt, d. h., mit Ausnahme der Kohlenstoff-Verb. wird in den *Bruttoformeln aller Verb. die alphabet. Folge der Elementsymbole streng eingehalten. Innerhalb der Elementsymbole, die jeweils wie 1 Buchstabe behandelt werden, wird dann nach Atomzahlindices numer. aufsteigend geordnet. Dies hat allerdings zur Folge, daß z. B. die Di-, Tri- u. Tetrahalogenide eines Elements im allg. *nicht* zusammensortiert auftreten. So ergibt sich z. B. für die im Chemie Lexikon erwähnten Chlor-Verb. von Calcium, Cobalt, Eisen, Iod, Natrium, Schwefel, Silber, Silicium u. Zinn die Folge: AgCl, $CaCl_2$, ClI, ClNa, Cl_2Co, Cl_2Fe, Cl_2S, Cl_2S_2, Cl_2Sn, Cl_3Fe, Cl_3I, Cl_4S, Cl_4Si, Cl_4Sn, Cl_6Si_2 etc. Das evtl. enthaltene Kristallwasser od. Hydratwasser bleibt bei der Aufstellung der Bruttoformel unberücksichtigt. Die Bruttoformeln der Carbonate u. Hydrogencarbonate finden sich unter denen der Kohlenstoff-Verbindungen. Im allg. wurden in das Formelregister *nicht aufgenommen*: Verb. mit nichtstöchiometr. Zusammensetzung wie $Na_{0,3}(Mg_{2,7}Li_{0,3})[Si_4O_{10}(OH)_2]$, Mischkrist. u. Mineralien mit variabler Zusammensetzung wie $Zn_5[(OH)_3/CO_3]_2$ u. dgl. Die mit Eigennamen belegten Isotope ^2H u. ^3H werden alphabet. unter den Symbolen D u. T geführt (z. B. D_2O).

Eine abweichende Behandlung erfahren alle Verb., die C-Atome enthalten. Hier wird *in jedem Fall* das Elementsymbol C vorangestellt. Diesem folgen – aber nur bei *Wasserstoff-freien C-Verb.* – die übrigen Elementsymbole (die der *Heteroatome) in alphabet. Reihung. Daraus ergibt sich z. B. für einige Carbonate, Carbonyl-Verb., Cyanide, Cyanate, Fulminate, Tetrachlormethan u. Phosgen die Folge: CAgNO, CAg_2O_3, $CBaO_3$, CCl_2O, CCl_4, CKN, CNNaO, CO_3Zn, $C_2HgN_2O_2$, C_4NiO_4, C_5FeO_5. Bei *Wasserstoff-haltigen Verb.* des Kohlenstoffs folgt dem Symbol C zunächst dasjenige des Wasserstoffs u. erst hiernach werden die übrigen Elementsymbole von A–Z angeführt. Die Namen der Verb. mit gleicher Bruttoformel sind alphabet. geordnet.

Es ist zu beachten, daß Bruttoformeln von Verb., die kein eigenes Stichwort im Lexikon sind, im Register unter dem Stichwort erscheinen, in dem sie besprochen werden.

Ag=Silber
$AgAuTe_4$=Sylvanit
$AgBr$=Silberbromid
$AgCl$=Silberchlorid
$AgCuS$=Stromeyerit
AgF=Silberfluoride
AgF_2=Silberfluoride
$AgFe_2S_3$=Sternbergit
AgI=Silberiodid
$AgNO_3$=Silbernitrat
Ag_2F=Silberfluoride
Ag_2O=Silberoxide
$Ag_2O_3S_2$=Silberthiosulfat
Ag_2O_4S=Silbersulfat
Ag_2S=Silbersulfid
Ag_3AsS_3=Proustit
Ag_3O_4P=Silberphosphat
Ag_3S_3Sb=Pyrargyrit

$\mathbf{Al}LiO_6Si_2$=Spodumen
Al_2MgO_4=Spinell
$Al_2Mg_3O_{12}Si_3$=Pyrop
$Al_2Mn_3O_{12}Si_3$=Spessartin
$Al_6Cl_2Na_8O_{24}Si_6$=Sodalith

$\mathbf{As}FeO_4$=Skorodit
$AsHO_4Pb$=Schultenit
As_2Ni=Rammelsbergit
As_2Pt=Sperrylith
As_4S_4=Realgar

$\mathbf{B}H_3O_3$=Sassolin

$\mathbf{Br_2}Hg$=Quecksilber(II)-bromid
Br_4Se=Selenhalogenide

$\mathbf{C}AgN$=Silbercyanid
$CAgNO$=Silberfulminat
CAg_2O_3=Silbercarbonat
$CFeO_3$=Siderit
CH_3ClHg=Quecksilber-organische Verbindungen
CH_3NO_3=Salpetersäureester
CH_3O_3Re=Rhenium-Verbindungen
CH_5N_3O=Semicarbazid
CH_6ClN_3O=Semicarbazid
$CMnO_3$=Rhodochrosit
CO_3Rb_2=Rubidium-Verbindungen
CO_3Sr=Strontianit, Strontiumcarbonat
CO_3Zn=Smithsonit
CO_5U=Rutherfordin
CS=Schwefelkohlenstoff
CS_2=Schwefelkohlenstoff
CSi=Siliciumcarbid

$\mathbf{C_2}H_3AgO_2$=Silberacetat
C_2H_6Hg=Quecksilber-organische Verbindungen
$C_2H_6N_6S$=Purpald®
$C_2H_{10}O_3Si_3$=Siloxane
$C_2HgN_2O_2$=Quecksilber(II)-fulminat
$C_2HgN_2S_2$=Quecksilber(II)-thiocyanat
$C_2N_2S_2$=Rhodan-Zahl

$\mathbf{C_3}H_2N_2O$=Pyrazolone
$C_3H_2O_2$=Propiolsäure
C_3H_3Br=Propargylbromid
C_3H_3Cl=Propargylchlorid
$C_3H_3NOS_2$=Rhodanin
C_3H_4=Propin
$C_3H_4N_2$=1*H*-Pyrazol
$C_3H_4N_2O$=Pyrazolone
C_3H_4O=2-Propin-1-ol
$C_3H_4O_2$=*β*-Propiolacton
$C_3H_4O_3$=Reduktone
C_3H_5ClO=Propionsäurechlorid
C_3H_5N=Propionitril
C_3H_6=Propen
$C_3H_6N_2$=Pyrazoline
C_3H_6O=Propionaldehyd, Propylenoxid
C_3H_6OS=Propanthial-*S*-oxid
$C_3H_6O_2$=Propionsäure
$C_3H_6O_3S$=1,3-Propansulton
C_3H_7Br=Propylbromide
C_3H_7Cl=Propylchloride
C_3H_7ClHgO=Quecksilber-organische Verbindungen
C_3H_7N=Propylenimin
C_3H_7NO=Propionamid
$C_3H_7NO_2$=Sarkosin
$C_3H_7NO_2Se$=Selenocystein
$C_3H_7NO_3$=Serin
C_3H_8=Propan
C_3H_8O=Propanole
$C_3H_8O_2$=Propandiole
C_3H_8S=Propanthiole
C_3H_9N=Propylamine
$C_3H_{10}N_2$=Propandiamine
$C_3O_9Pr_2$=Praseodym-Verbindungen
C_3S_2=Schwefelkohlenstoff

$\mathbf{C_4}H_2O_4$=Quadratsäure
$C_4H_3F_7O$=Sevofluran
$C_4H_4Cl_2O_2$=Succinylchlorid
C_4H_4KN=Pyrrol
$C_4H_4N_2$=Pyrazin, Pyrimidin
$C_4H_4O_2$=Propiolsäure
C_4H_5N=Pyrrol
$C_4H_5NO_2$=Succinimid
C_4H_5NS=Senföle
$C_4H_6As_6Cu_4O_{16}$=Schweinfurter Grün
$C_4H_6HgO_4$=Quecksilber(II)-acetat
$C_4H_6O_2S$=3-Sulfolen
$C_4H_6O_2S_2$=Spargel
C_4H_7NO=2-Pyrrolidon
C_4H_7NS=Senföle
$C_4H_8N_2O$=Propylenharnstoff
$C_4H_8O_2$=Propionsäureester
$C_4H_8O_2S$=Sulfolan
C_4H_9N=Pyrrolidin
$C_4H_{10}CrN_7S_4$=Reinecke-Salz
$C_4H_{10}FO_2P$=Sarin

$\mathbf{C_5}H_4N_4$=Purin
$C_5H_4O_2$=Protoanemonin, Pyrone
C_5H_5N=Pyridin
C_5H_5NO=Pyridinole, Pyridin-*N*-oxide
C_5H_5NOS=Pyrithion
$C_5H_5N_3O$=Pyrazinamid
$C_5H_6Br_3N$=Pyridinium-Verbindungen
$C_5H_6ClCrNO_3$=Pyridinium-Verbindungen
C_5H_6O=Pyrane
$C_5H_6O_3$=Reduktone
$C_5H_7NO_3$=Pyroglutaminsäure
C_5H_7NS=Senföle
$C_5H_7N_3O_5$=Quisqualsäure
$C_5H_9NO_2$=Prolin
C_5H_9NS=Senföle
$C_5H_{10}AgNS_2$=Silberdiethyldithiocarbamat
$C_5H_{10}O_2$=Propionsäureester
$C_5H_{10}O_5$=D-Ribose, D-Ribulose
$C_5H_{12}O_2$=Propylglykol
$C_5H_{12}O_5$=Ribit

$\mathbf{C_6}Cl_5NO_2$=Quintozen
$C_6H_2O_6$=Rhodizonsäure
$C_6H_3N_3O_8$=Styphninsäure
$C_6H_4I_2O_4S$=Sozoiodolsäure
$C_6H_4N_4$=Pteridine
$C_6H_4N_4O_2$=Pteridine
C_6H_5ClHg=Quecksilber-organische Verbindungen
$C_6H_5HgNO_3$=Quecksilber-organische Verbindungen
C_6H_5NO=Pyridincarbaldehyde
$C_6H_5N_2O_2$=Pteridine
$C_6H_5N_5O$=Pteridine, Pterin
$C_6H_5N_5O_2$=Pteridine
$C_6H_5N_5O_3$=Pteridine
C_6H_6=Prisman
C_6H_6HgO=Quecksilber-organische Verbindungen
$C_6H_6N_2O$=Pyridincarbaldoxime
$C_6H_6O_2$=Resorcin
$C_6H_6O_3$=Pyrogallol
C_6H_7NO=Pyridylmethanole
$C_6H_8N_2O_2S$=Sulfanilamid
$C_6H_8O_2$=Sorbinsäure
$C_6H_8O_3$=Sotolon
$C_6H_8O_6$=1,2,3-Propantricarbonsäure
C_6H_9NO=Popcorn
$C_6H_9NOS_2$=Senföle, Sulforaphen
$C_6H_{10}O_3$=Propionsäureanhydrid
$C_6H_{10}O_8$=Schleimsäure
$C_6H_{11}NOS_2$=Senföle, Sulforaphen
$C_6H_{11}NO_2S_2$=Senföle
$C_6H_{11}NO_3S$=(+)-*S*((*E*)-1-Propenyl)-L-cystein-(*R*)-sulfoxid
$C_6H_{11}NS_2$=Senföle
$C_6H_{11}N_3O_9$=Propatylnitrat
$C_6H_{12}O_5$=Rhamnose, Sorbitane
$C_6H_{12}O_6$=Sorbose
$C_6H_{14}N_2O$=SAMP
$C_6H_{14}O_6$=D-Sorbit
$C_6H_{16}BLi$=Super-Hydride®
$C_6H_{18}OSi_2$=Siloxane
$C_6Na_2O_6$=Rhodizonsäure

$\mathbf{C_7}H_4NNaO_3S$=Saccharin
$C_7H_5NO_3S$=Saccharin
$C_7H_6Cl_2O_2$=Russupheline
$C_7H_6O_2$=Salicylaldehyd
$C_7H_6O_3$=Protocatechualdehyd, Salicylsäure, Sesamöl
$C_7H_6O_6S$=5-Sulfosalicylsäure
$C_7H_7KO_5S$=Sulfogaiacol
$C_7H_7NO_2$=Salicylaldoxim, Salicylamid
C_7H_8=Quadricyclan
$C_7H_8O_2$=Salicylalkohol
$C_7H_8O_3$=Sarkomycin A
$C_7H_9IN_2O$=Pralidoximiodid
C_7H_9NO=Pyrrolame
$C_7H_9N_3O_2S_2$=Sulfathiourea
$C_7H_9N_3O_3S$=Sulfacarbamid
$C_7H_{10}N_2OS$=Propylthiouracil
$C_7H_{10}N_4O_2S$=Sulfaguanidin
$C_7H_{10}O_5$=Shikimisäure
$C_7H_{11}NO_2$=Pyrrolame
$C_7H_{12}ClN_5$=Simazin
$C_7H_{13}N$=Pyrrolizidin
$C_7H_{14}O_7$=Sedoheptulose
$C_7H_{16}FO_2P$=Soman
$C_7H_{16}O_4S_2$=Sulfonal
$C_7H_{19}N_3$=Spermidin

$\mathbf{C_8}H_5F_3N_2OS$=Riluzol
C_8H_8=Semibullvalen, Styrol
$C_8H_8AgNO_3$=Silber-organische Verbindungen
$C_8H_8HgO_2$=Quecksilber-organische Verbindungen
$C_8H_8N_2O_2$=Ricinusöl
C_8H_8O=Styroloxid
$C_8H_8O_3$=Salicylsäureester
$C_8H_9NO_3$=Pyridoxal
$C_8H_9NO_4$=Pyridoxsäuren
$C_8H_{10}NO_6P$=Pyridoxal-5′-phosphat
$C_8H_{10}N_2O_3S$=Sulfacetamid
$C_8H_{11}NO_3$=Pyridoxin
$C_8H_{11}NO_5S$=Sulbactam
$C_8H_{12}N_2O_2$=Pyridoxamin
$C_8H_{12}N_4O_5$=Ribavirin
$C_8H_{13}NO_2$=Pyrrolame, Pyrrolizidin-Alkaloide, Scopolamin
$C_8H_{13}N_2O_5P$=Pyridoxamin
$C_8H_{14}N_2O_5$=Siastatin B
$C_8H_{15}NO_3$=Swainsonin
$C_8H_{15}N_3O_7$=Streptozocin
$C_8H_{16}O_2$=Propionsäureester, Sitophilur
$C_8H_{17}NO_3$=Statin
$C_8H_{18}O_4S_2$=Sulfonal
$C_8H_{20}O_5P_2S_2$=Sulfotep

$\mathbf{C_9}H_6N_2O_2$=Propentdyopente
$C_9H_9Cl_2NO$=Propanil
$C_9H_9HgNaO_2S$=Quecksilber-organische Verbindungen
C_9H_9N=Skatol
$C_9H_9NO_3$=Salacetamid
$C_9H_9NO_4$=Salicylamid-*O*-essigsäure
C_9H_9NS=Senföle
$C_9H_9N_3O_2S_2$=Sulfathiazol
$C_9H_{10}N_4O_2S_2$=Sulfamethizol
$C_9H_{10}N_4O_3S_2$=Sulfametrol
$C_9H_{10}O$=Propiophenon
$C_9H_{10}O_4$=Syringaaldehyd
$C_9H_{10}O_5$=Syringasäure
$C_9H_{11}NO_6$=Showdomycin
$C_9H_{11}N_3O_3S_2$=Rubroflavin
C_9H_{12}=Propylbenzol, Rotane
$C_9H_{12}N_2O_6$=Pseudouridin
$C_9H_{12}N_2S$=Protionamid
$C_9H_{12}O_2$=Rotundial
$C_9H_{13}BrN_2O_2$=Pyridostigminbromid
$C_9H_{13}NO_2$=Synephrin
$C_9H_{15}NO$=Pseudopelletierin
$C_9H_{20}O_4S_2$=Sulfonal
$C_9H_{21}ClN_2O_2$=Propamocarb-hydrochlorid
$C_9H_{24}I_2N_2O$=Proloniumiodid

$\mathbf{C_{10}}H_2O_6$=Pyromellit(h)säuredianhydrid
$C_{10}H_5Cl_2NO_2$=Quinclorac
$C_{10}H_6Cl_2N_2O_2$=Pyrrolnitrin
$C_{10}H_6O_8$=Pyromellit(h)säure
$C_{10}H_8N_2OS$=Sinalexin
$C_{10}H_8N_2O_2S_2$=Pyrithion
$C_{10}H_8O_4$=Scopoletin
$C_{10}H_9NO_3S$=Probenazol
$C_{10}H_{10}N_4O_2S$=Sulfadiazin
$C_{10}H_{10}O_2$=Safrol
$C_{10}H_{10}O_6$=Prephensäure
$C_{10}H_{11}I_2NO_3$=Propyliodon
$C_{10}H_{11}N_3O_3S$=Sulfamethoxazol
$C_{10}H_{11}N_5O$=Pymetrozin
$C_{10}H_{12}ClN_3O_3S$=Quinethazon
$C_{10}H_{12}N_2O$=Serotonin
$C_{10}H_{12}N_2O_4$=Stavudin
$C_{10}H_{12}N_4O_2S_2$=Sulfaethidol
$C_{10}H_{12}O_2$=Propionsäureester
$C_{10}H_{13}BrN_2O_3$=Propallylonal
$C_{10}H_{13}NO_2$=Propham
$C_{10}H_{13}NO_5$=L-Prätyrosin
$C_{10}H_{13}N_2O_4P$=Psilocybin
$C_{10}H_{14}N_2O_4$=Porphobilinogen, Proxibarbal
$C_{10}H_{14}N_2O_4S_2$=Sultiam
$C_{10}H_{14}N_4O_3$=Protheobromin, Proxyphyllin
$C_{10}H_{14}O$=Rosenfuran, Safranal
$C_{10}H_{14}O_2$=Pyrethrum
$C_{10}H_{15}NO$=Pseudoephedrin
$C_{10}H_{16}N_2O_3$=Secbutabarbital
$C_{10}H_{16}O$=Pulegon
$C_{10}H_{16}O_2$=Pyrethrum
$C_{10}H_{16}O_4$=Prelog-Djerassi-Lacton
$C_{10}H_{17}N_3S$=Pramipexol
$C_{10}H_{17}N_7O_4$=Saxitoxin
$C_{10}H_{17}N_7O_5$=Saxitoxin
$C_{10}H_{18}N_2O_2$=Slaframin
$C_{10}H_{18}O$=Rhodinal, Rosenoxid
$C_{10}H_{18}O_2$=Reversionsgeschmack, Romilat®
$C_{10}H_{18}O_4$=Sebacinsäure

$C_{10}H_{19}NOS_2$=Senföle
$C_{10}H_{19}N_5O$=Prometon
$C_{10}H_{19}N_5S$=Prometryn
$C_{10}H_{20}O$=Rhodinol
$C_{10}H_{26}N_4$=Spermin

$\mathbf{C_{11}}H_6O_3$=Psoralen
$C_{11}H_7Cl_2NO_3$=Pseudomonas
$C_{11}H_8ClNO_2$=Quinmerac
$C_{11}H_8O_5$=Purpurogallin
$C_{11}H_9N_3O_2$=4-(2-Pyridylazo)resorcin
$C_{11}H_{10}Cl_2F_2N_4O_3S$=Sulfentrazon
$C_{11}H_{11}NO$=Pyroquilon
$C_{11}H_{11}N_3O_2S$=Sulfapyridin
$C_{11}H_{12}N_4O_2S$=Sulfamerazin, Sulfaperin
$C_{11}H_{12}N_4O_3S$=Sulfalen, Sulfamethoxypyridazin, Sulfametoxydiazin
$C_{11}H_{12}O_5$=Sinapin
$C_{11}H_{13}BrN_2O_6$=Sorivudin
$C_{11}H_{13}ClF_3N_3O_4S_3$=Polythiazid
$C_{11}H_{13}N_3O_3S$=Sulfafurazol, Sulfamoxol
$C_{11}H_{14}ClNO$=Propachlor
$C_{11}H_{14}N_2O_3S$=Sulfadicramid
$C_{11}H_{14}N_2S$=Pyrantel
$C_{11}H_{14}N_4O_4$=Sparsomycin
$C_{11}H_{14}O_2$=Pyrethrum
$C_{11}H_{14}O_3$=Salicylsäureester
$C_{11}H_{14}O_4$=Sinapylalkohol
$C_{11}H_{15}BrClO_3PS$=Profenofos
$C_{11}H_{15}Cl_2O_2PS_2$=Prothiofos
$C_{11}H_{15}NO_3$=Propoxur
$C_{11}H_{15}N_2O_4P$=Psilocybin
$C_{11}H_{15}N_3O_8$=Polyoxine
$C_{11}H_{16}ClN_5$=Proguanil
$C_{11}H_{16}N_2O_8$=Spagluminsäure
$C_{11}H_{16}O_2$=Pyrethrum
$C_{11}H_{16}O_4$=Pyrethrum
$C_{11}H_{19}NO_3$=Pyrrolame
$C_{11}H_{20}O_2$=Sordidin
$C_{11}H_{20}O_{10}$=Primverose
$C_{11}H_{22}O_2$=Serricornin

$\mathbf{C_{12}}H_4Na_5O_{16}S_4Sb$=Stibophen
$C_{12}H_7NO_4$=Resazurin
$C_{12}H_{11}Cl_2NO$=Propyzamid
$C_{12}H_{12}N_2O_3$=Sesbanimide
$C_{12}H_{13}ClN_4$=Pyrimethamin
$C_{12}H_{13}N_3$=Pyrimethanil
$C_{12}H_{13}N_5O_2S$=Prontosil®
$C_{12}H_{14}N_2O_2$=Primidon
$C_{12}H_{14}N_4O_2S$=Sulfadimidin, Sulfisomidin
$C_{12}H_{14}N_4O_4S$=Sulfadoxin
$C_{12}H_{14}O_2$=Precocene, Sellerieöl
$C_{12}H_{15}N_2O_3PS$=Quinalphos
$C_{12}H_{15}N_5O_3S$=Sulfaguanol
$C_{12}H_{16}N_2O$=Psilocybin
$C_{12}H_{16}O_2$=Sellerieöl
$C_{12}H_{16}O_3$=Primeln, Salicylsäureester
$C_{12}H_{17}N_2O_4P$=Psilocybin
$C_{12}H_{18}N_2O_3$=Secobarbital
$C_{12}H_{18}N_2O_4$=Pyridosin
$C_{12}H_{18}O$=Propofol
$C_{12}H_{18}O_3$=Putaminoxine
$C_{12}H_{19}Cl_3O_8$=Sucralose
$C_{12}H_{19}N_3O$=Procarbazin
$C_{12}H_{19}O_2PS_3$=Sulprofos
$C_{12}H_{20}N_2O_3S$=Sotalol
$C_{12}H_{20}O_3$=Putaminoxine
$C_{12}H_{22}O_2$=Quadrilur
$C_{12}H_{22}O_4$=Sebacinsäureester
$C_{12}H_{22}O_{10}$=Rutinose
$C_{12}H_{22}O_{11}$=Saccharose
$C_{12}H_{29}N_3$=Solanaceen
$C_{12}H_{36}Ag_4I_4P_4$=Silber-organische Verbindungen
$C_{12}H_{54}Al_{16}O_{75}S_8$=Sucralfat

$\mathbf{C_{13}}H_{10}ClN_2NaO_4S$=Pyrithiobac
$C_{13}H_{10}N_2O$=Pyocyanin
$C_{13}H_{10}O_3$=Salicylsäureester
$C_{13}H_{11}ClO_2$=Pterulon
$C_{13}H_{11}Cl_2NO_2$=Procymidon
$C_{13}H_{11}N_3$=Proflavin
$C_{13}H_{12}N_2O_3S$=Sulfabenzamid
$C_{13}H_{15}NO_2$=Securinega-Alkaloide
$C_{13}H_{16}O_3$=Precocene
$C_{13}H_{17}N$=Selegilin
$C_{13}H_{17}NO_3$=Securinega-Alkaloide
$C_{13}H_{18}O_7$=Salicylalkohol
$C_{13}H_{19}NO_4S$=Probenecid
$C_{13}H_{19}N_3O_5S_2$=Sparsomycin
$C_{13}H_{19}N_3O_6S_2$=Sparsomycin
$C_{13}H_{20}N_2O$=Prilocain
$C_{13}H_{20}N_2O_2$=Procain
$C_{13}H_{20}O$=Pseudojonon
$C_{13}H_{20}O_3$=Stegobinon
$C_{13}H_{20}O_6$=Syringolide
$C_{13}H_{21}NO_3$=Salbutamol
$C_{13}H_{21}N_3O$=Procainamid
$C_{13}H_{22}N_4O_3S$=Ranitidin
$C_{13}H_{22}O$=Sandelice®
$C_{13}H_{22}O_3$=Stegobinon
$C_{13}H_{23}NO_8$=Salbostatin
$C_{13}H_{25}N$=Pumiliotoxine

$\mathbf{C_{14}}H_6N_2O_8$=Pyrrolochinolinchinon
$C_{14}H_8O_5$=Purpurin
$C_{14}H_{10}$=Pleiadien
$C_{14}H_{10}O_4$=Salicil
$C_{14}H_{10}O_5$=Salsalat
$C_{14}H_{11}Cl_3O_4$=Russupheline
$C_{14}H_{12}$=Stilben
$C_{14}H_{12}Cl_2N_2O$=Pyrifenox
$C_{14}H_{12}O_3$=Salicylsäureester
$C_{14}H_{12}O_6S$=Sulisobenzon
$C_{14}H_{13}ClO_5S$=Sulcotrion
$C_{14}H_{14}O_3$=Senoxepin
$C_{14}H_{17}N_2O_4PS$=Pyridafenthion
$C_{14}H_{17}N_5O_7S_2$=Rimsulfuron
$C_{14}H_{18}ClN_2O_3PS$=Pyraclofos
$C_{14}H_{18}N_2$=Protonenschwamm
$C_{14}H_{18}N_2O$=Propyphenazon
$C_{14}H_{18}N_6O_7S$=Pyrazosulfuron-ethyl
$C_{14}H_{19}N_3O$=Ramifenazon
$C_{14}H_{19}N_5O_4S_3$=Sulfatolamid
$C_{14}H_{20}N_3O_5PS$=Pyrazophos
$C_{14}H_{21}NOS$=Prosulfocarb
$C_{14}H_{21}N_3O_2S$=Sumatriptan
$C_{14}H_{22}N_2O_2$=Rivastigmin
$C_{14}H_{22}N_2O_3$=Practolol
$C_{14}H_{22}O_2$=Rishitin
$C_{14}H_{24}N_2O_7$=Spectinomycin
$C_{14}H_{24}O_3$=Putaminoxine, Serricornin
$C_{14}H_{26}O_4$=Sebacinsäureester
$C_{14}H_{30}Cl_2N_2O_4$=Suxamethoniumchlorid

$\mathbf{C_{15}}H_8O_6$=Rhein
$C_{15}H_{10}O_7$=Quercetin, Robinetin
$C_{15}H_{11}N_3O$=1-(2-Pyridylazo)-2-naphthol
$C_{15}H_{12}F_4N_4O_7S$=Primisulfuron-methyl
$C_{15}H_{12}O_7$=Silybin
$C_{15}H_{14}N_4O_2S$=Sulfaphenazol
$C_{15}H_{16}Cl_3N_3O_2$=Prochloraz
$C_{15}H_{16}F_3N_5O_4S$=Prosulfuron
$C_{15}H_{16}N_4O_5S$=Sulfometuron-methyl
$C_{15}H_{16}N_{10}O_2$=Pteridine
$C_{15}H_{17}Cl_2N_3O_2$=Propiconazol
$C_{15}H_{18}O_3$=Pleurotellol, Santonin
$C_{15}H_{19}N_5$=Rizatriptan
$C_{15}H_{20}O_3$=Proazulene, PR-Toxin, Quadron
$C_{15}H_{20}O_6$=Schellack
$C_{15}H_{20}O_8$=Salicylalkohol
$C_{15}H_{21}NO_7$=Sesbanimide
$C_{15}H_{21}N_3O$=Primaquin
$C_{15}H_{22}N_4O_3$=Propentofylin
$C_{15}H_{22}O$=Sinensale
$C_{15}H_{22}O_2$=Rishitin
$C_{15}H_{22}O_5$=Qinghaosu
$C_{15}H_{23}N$=Prolintan
$C_{15}H_{23}N_3O_4S$=Sulpirid
$C_{15}H_{24}$=Santalene, Sativen, Selinene, Seychellen
$C_{15}H_{24}N_4O_5S$=Sulfafurazol
$C_{15}H_{24}O$=Santalole
$C_{15}H_{24}O_2$=Rishitin, Sativen, Sirenin
$C_{15}H_{24}O_6$=Syringolide
$C_{15}H_{25}N_3$=Ptilocaulin
$C_{15}H_{26}N_2$=Spartein
$C_{15}H_{27}N_5O_3$=Sperabilline

$\mathbf{C_{16}}H_7Na_3O_{10}S_3$=Pyranin
$C_{16}H_{10}$=Pyren
$C_{16}H_{12}O_5$=Pterocarpane
$C_{16}H_{14}CoN_2O_2$=Salcomin
$C_{16}H_{16}O_5$=Shikonin
$C_{16}H_{18}N_2O_4S$=Sulfaproxylin
$C_{16}H_{18}N_6O_7S_2$=Sulfosulfuron
$C_{16}H_{18}O_3$=Strobilurine
$C_{16}H_{18}O_4$=Strobilurine
$C_{16}H_{18}O_9$=Scopoletin
$C_{16}H_{19}NO_4$=Scopolamin
$C_{16}H_{19}NO_5$=Rohitukin
$C_{16}H_{19}N_3S$=Prothipendyl
$C_{16}H_{20}N_2O$=Roquefortine
$C_{16}H_{20}N_2O_4S_2$=Pyritinol
$C_{16}H_{21}NO_2$=Propranolol
$C_{16}H_{21}NO_3$=Rolipram
$C_{16}H_{22}ClN_3OS$=Prothipendyl
$C_{16}H_{22}N_2O_3$=Procaterol
$C_{16}H_{23}BrN_2O_3$=Remoxiprid
$C_{16}H_{23}N_5O_{11}$=Polyoxine
$C_{16}H_{23}N_5O_{12}$=Polyoxine
$C_{16}H_{24}INO_5$=Sinapin
$C_{16}H_{24}NO_5$=Sinapin
$C_{16}H_{24}N_2O$=Ropinirol
$C_{16}H_{25}NO$=Sonnenhut
$C_{16}H_{25}NO_9S$=Sinapin
$C_{16}H_{26}N_2O_3$=Proxymetacain
$C_{16}H_{26}O_7$=Safranal
$C_{16}H_{28}O_2$=Prodlur
$C_{16}H_{32}O_5$=Schellack
$C_{16}O_{16}Rh_6$=Rhodium-Verbindungen

$\mathbf{C_{17}}H_{14}N_2O_3$=Rosoxacin
$C_{17}H_{14}O_5$=Pterocarpane
$C_{17}H_{17}Cl_2N$=Sertralin
$C_{17}H_{18}Cl_3N$=Sertralin
$C_{17}H_{18}N_2S_2$=Sulbentin
$C_{17}H_{18}O_4$=Sativan
$C_{17}H_{19}ClN_2O$=Pyronine
$C_{17}H_{19}ClO_4$=Strobilurine
$C_{17}H_{20}N_2S$=Promazin, Promethazin
$C_{17}H_{20}N_4NaO_9P$=Riboflavin-5′-phosphat
$C_{17}H_{20}N_4O_6$=Riboflavin
$C_{17}H_{20}O_4$=Strobilurine
$C_{17}H_{20}O_5$=Proazulene
$C_{17}H_{20}O_6$=PR-Toxin
$C_{17}H_{21}NO_3$=Ritodrin
$C_{17}H_{21}NO_4$=Scopolamin
$C_{17}H_{21}NO_5$=PR-Toxin, Scopolamin
$C_{17}H_{21}NO_6$=PR-Toxin
$C_{17}H_{21}N_4O_9P$=Riboflavin-5′-phosphat
$C_{17}H_{22}N_4O_9$=Polyoxine
$C_{17}H_{22}O_3$=Podocarpinsäure
$C_{17}H_{22}O_5$=Proazulene, PR-Toxin
$C_{17}H_{22}O_6$=PR-Toxin
$C_{17}H_{23}H_5O_{14}$=Polyoxine
$C_{17}H_{23}N_5O_{13}$=Polyoxine
$C_{17}H_{23}N_5O_{14}$=Polyoxine
$C_{17}H_{24}N_2O$=Quinisocain
$C_{17}H_{24}N_2O_{14}$=Staphyloferrin A
$C_{17}H_{24}O_9$=Sinapylalkohol
$C_{17}H_{24}O_{10}$=Secologanin
$C_{17}H_{25}H_5O_{12}$=Polyoxine
$C_{17}H_{25}NO_2$=Propipocain
$C_{17}H_{25}NO_4$=Stemona-Alkaloide
$C_{17}H_{25}N_5O_{12}$=Polyoxine
$C_{17}H_{25}N_5O_{13}$=Polyoxine
$C_{17}H_{26}ClN$=Sibutramin
$C_{17}H_{26}ClNO_2$=Pretilachlor
$C_{17}H_{26}N_2O$=Ropivacain
$C_{17}H_{27}NO_3$=Pramocain
$C_{17}H_{28}O_5$=Qinghaosu
$C_{17}H_{29}NO_3S$=Sethoxydim
$C_{17}H_{29}N_3O_6$=Propioxatine
$C_{17}H_{31}N_3O_2$=Schachtelhalme
$C_{17}H_{37}N_7O_4$=Spergualin

$\mathbf{C_{18}}H_{10}N_2O_4$=Präkinamycin
$C_{18}H_{12}$=Pleiadien
$C_{18}H_{12}O_4$=Polyporsäure
$C_{18}H_{12}O_5$=Pulvinsäure
$C_{18}H_{12}O_6$=Sterigmatocystin
$C_{18}H_{14}N_2Na_2O_7S_2$=Ponceau-Farbstoffe
$C_{18}H_{14}N_4O_5S$=Sulfasalazin
$C_{18}H_{14}O_6$=Sterigmatocystin
$C_{18}H_{15}ClN_4$=Safranine
$C_{18}H_{16}O_8$=Rosmarinsäure
$C_{18}H_{18}$=Reten
$C_{18}H_{18}N_2O$=Proquazon
$C_{18}H_{18}O_6$=Shikonin
$C_{18}H_{19}NO_4$=Strobilurine
$C_{18}H_{20}N_2NiO_4$=Quencher
$C_{18}H_{21}NO_5$=Protokylol
$C_{18}H_{21}N_3O_3S$=Rabeprazol
$C_{18}H_{22}N_2O_2$=Roquefortine
$C_{18}H_{22}N_2O_2S$=Pyributicarb
$C_{18}H_{22}N_2O_4$=Quinocarcin
$C_{18}H_{22}N_2O_5S$=Propicillin
$C_{18}H_{23}N_5O_5$=Reproterol
$C_{18}H_{26}N_2O_4$=Proglumid
$C_{18}H_{27}NO_5$=Propanidid
$C_{18}H_{27}N_3O_6S$=Sumatriptan
$C_{18}H_{31}N_3O_6$=Propioxatine
$C_{18}H_{32}O_2$=Propylur
$C_{18}H_{32}O_{16}$=Raffinose
$C_{18}H_{34}O_2$=γ-Stearolacton
$C_{18}H_{34}O_3$=Ricinolsäure
$C_{18}H_{34}O_4$=Sebacinsäureester
$C_{18}H_{35}ClO$=Stearinsäurechlorid
$C_{18}H_{36}N_2NiS_4$=Quencher
$C_{18}H_{36}O_2$=Stearinsäure
$C_{18}H_{37}NO$=Stearinsäureamid
$C_{18}H_{37}NO_2$=Sphingosin
$C_{18}H_{39}NO_2$=Sphingosin
$C_{18}H_{39}NO_3$=Sphingosin
$C_{18}H_{39}N_3O$=Solanaceen

$\mathbf{C_{19}}H_{12}O_8S$=Pyrogallolrot
$C_{19}H_{14}NO_4^+$=Protoberberin-Alkaloide
$C_{19}H_{14}O_6$=Sterigmatocystin
$C_{19}H_{16}Cl_2N_2O_4S$=Pyrazolynat
$C_{19}H_{16}N_2$=Sempervirin
$C_{19}H_{16}O_6$=Sterigmatocystin
$C_{19}H_{17}ClN_2O$=Prazepam
$C_{19}H_{17}ClN_2O_4$=Quizalofop-ethyl
$C_{19}H_{17}NO_4^+$=Protoberberin-Alkaloide
$C_{19}H_{19}NO_4$=Protoberberin-Alkaloide
$C_{19}H_{21}N$=Protriptylin
$C_{19}H_{21}NO_4$=Protoberberin-Alkaloide
$C_{19}H_{21}N_5O_4$=Prazosin
$C_{19}H_{22}F_2N_4O_3$=Sparfloxacin
$C_{19}H_{22}N_2O_2$=Sarpagin
$C_{19}H_{22}O_6$=Strigol
$C_{19}H_{23}ClN_2O_2$=Sarpagin
$C_{19}H_{23}ClN_2O_2S$=Pyridat
$C_{19}H_{23}NO_2$=Pumiliotoxine

$C_{30}H_{58}O_4$=Schachtelhalme
$C_{30}H_{62}$=Squalan

$C_{31}H_{48}O_2S_2$=Probucol
$C_{31}H_{62}O$=Schaben
$C_{31}H_{62}O_2$=Schaben

$C_{32}H_{28}O_9$=Rufoolivacine
$C_{32}H_{42}N_4O_{14}S_3$=Sultamicillin
$C_{32}H_{44}O_{12}$=Scillirosid
$C_{32}H_{53}BrN_2O_4$=Rocuroniumbromid

$C_{33}H_{40}N_2O_9$=Reserpin
$C_{33}H_{40}O_{19}$=Robinin
$C_{33}H_{46}N_4O_6$=Stercobilin
$C_{33}H_{48}N_4O_6$=Stercobilinogen
$C_{33}H_{54}O_5$=*O*-Stearoylvelutinal
$C_{33}H_{56}O_4$=*O*-Stearoylvelutinal
$C_{33}H_{57}NO_8$=Solanum-Steroidalkaloidglykoside
$C_{33}H_{57}O_6Pr$=Pr(DPM)$_3$

$C_{34}H_{24}O_{10}$=Stentorin
$C_{34}H_{30}N_2O_6S$=Pyrantel
$C_{34}H_{34}N_4O_4$=Protoporphyrine, Protoporphyrin IX
$C_{34}H_{60}N_4O_2$=Rhapsamin
$C_{34}H_{65}N_3O_5S$=Squalamin

$C_{35}H_{42}N_2O_9$=Rescinnamin
$C_{35}H_{42}N_2O_{11}$=Syrosingopin
$C_{35}H_{45}Cl_2NO_6$=Prednimustin
$C_{35}H_{46}O_{14}$=Saragossasäuren
$C_{35}H_{47}NO_9$=Rhizoxin
$C_{35}H_{53}FeN_6O_{13}$=Sideramine
$C_{35}H_{70}O$=Stearon

$C_{36}H_{45}NO_7$=Salmeterol
$C_{36}H_{54}O_{14}$=Strophanthine
$C_{36}H_{71}NO_3$=Sphingosin

$C_{37}H_{40}O_9$=Resiniferatoxin
$C_{37}H_{47}NO_{12}$=Rifampicin
$C_{37}H_{48}N_6O_5S_2$=Ritonavir

$C_{38}H_{50}N_6O_5$=Saquinavir
$C_{38}H_{60}O_{18}$=Steviosid
$C_{38}H_{75}NO_3$=Sphingosin

$C_{39}H_{54}N_6O_8S$=Saquinavir

$C_{40}H_{27}NO_{11}$=Purpuron
$C_{40}H_{44}N_2O_{18}$=Pradimicine
$C_{40}H_{50}O_2$=Rhodoxanthin
$C_{40}H_{60}O_2$=Retinol
$C_{40}H_{77}NO_3$=Sphingosin

$C_{41}H_{65}NO_{10}$=Spinosyne
$C_{41}H_{76}N_2O_{15}$=Roxithromycin

$C_{42}H_{28}$=Rubren
$C_{42}H_{38}O_{20}$=Sennoside
$C_{42}H_{40}O_{19}$=Sennoside
$C_{42}H_{64}O_{19}$=Strophanthine
$C_{42}H_{65}N_{13}O_{10}$=Saralasin
$C_{42}H_{67}NO_{10}$=Spinosyne
$C_{42}H_{70}O_{11}$=Salinomycin

$C_{43}H_{48}O_{16}$=Saquayamycine
$C_{43}H_{50}O_{16}$=Saquayamycine
$C_{43}H_{52}O_{16}$=Saquayamycine
$C_{43}H_{58}N_4O_{12}$=Rifampicin
$C_{43}H_{74}N_2O_{14}$=Spiramycin

$C_{45}H_{69}NaO_{18}$=Stachelhäuter-Saponine
$C_{45}H_{72}NO_{15}$=Solanum-Steroidalkaloidglykoside
$C_{45}H_{72}O_{16}$=Steroid-Saponine
$C_{45}H_{73}NO_{14}$=Solanum-Steroidalkaloidglykoside
$C_{45}H_{73}NO_{15}$=Solanum-Steroidalkaloidglykoside
$C_{45}H_{73}NO_{16}$=Solanum-Steroidalkaloidglykoside
$C_{45}H_{76}N_2O_{15}$=Spiramycin

$C_{46}H_{58}ClN_5O_8$=Proglumetacin
$C_{46}H_{62}N_4O_{11}$=Rifabutin
$C_{46}H_{78}N_2O_{15}$=Spiramycin

$C_{47}H_{66}O_{10}$=Sorangicine
$C_{47}H_{66}O_{11}$=Sorangicine
$C_{47}H_{75}NO_{16}$=Solanum-Steroidalkaloidglykoside

$C_{48}H_{80}O_{17}$=Reticulin

$C_{50}H_{72}O_2$=Sarcinaxanthin
$C_{50}H_{83}NO_{20}$=Solanum-Steroidalkaloidglykoside
$C_{50}H_{83}NO_{21}$=Solanum-Steroidalkaloidglykoside

$C_{51}H_{34}N_6Na_6O_{23}S_6$=Suramin-Natrium
$C_{51}H_{79}NO_{13}$=Rapamycin
$C_{51}H_{84}O_{22}$=Steroid-Saponine
$C_{51}H_{85}NO_{21}$=Solanum-Steroidalkaloidglykoside

$C_{52}H_{76}O_{24}$=Plicamycin

$C_{53}H_{67}N_9O_{10}S$=Quinupristin
$C_{53}H_{76}O_{15}$=Sorangicine
$C_{53}H_{76}O_{16}$=Sorangicine
$C_{53}H_{80}O_2$=Plastochinon

$C_{54}H_{45}ClP_3Rh$=Rhodium-Verbindungen
$C_{54}H_{66}ClN_5O_{16}$=Proglumetacin
$C_{54}H_{76}N_2O_{10}$=Ritterazine

$C_{55}H_{83}N_{17}O_{22}$=Pyoverdine
$C_{55}H_{84}N_{18}O_{21}$=Pyoverdine
$C_{55}H_{96}N_{16}O_{13}$=Polymyxine

$C_{56}H_{83}N_{17}O_{23}$=Pyoverdine
$C_{56}H_{92}O_{29}$=Steroid-Saponine
$C_{56}H_{98}N_{16}O_{13}$=Polymyxine

$C_{57}H_{96}O_{28}$=Steroid-Saponine

$C_{58}H_{89}NO_3$=Rhodochinon

$C_{63}H_{95}ClO_{21}$=Spongistatine
$C_{63}H_{98}N_{18}O_{13}S$=Substanz P

$C_{75}H_{70}N_6O_6$=Pyrviniumchlorid

$C_{76}H_{104}N_{18}O_{19}S_2$=Somatostatin

$C_{85}H_{144}N_{26}O_{28}S$=Systemin

$C_{130}H_{220}N_{44}O_{40}$=Secretin

$C_{148}H_{227}N_{39}O_{38}S_5$=Subtilin

$C_{149}H_{246}N_{44}O_{42}S$=Sermorelin

$C_{236}H_{415}N_{75}O_{73}S_8$=Relaxin

$C_{264}H_{425}N_{73}O_{69}S_7$=Relaxin

$C_{1736}H_{2653}N_{499}O_{522}S_{22}$=Reteplase

$CaK_2O_8S_2$=Syngenit
CaO_4W=Scheelit
CaO_8P_2Zn=Scholzit
$Ca_2K_2MgO_{16}S_4$=Polyhalit

ClH=Salzsäure
ClH_3Si=Silane
ClK=Sylvin
$ClNa$=Steinsalz
$ClRb$=Rubidium-Verbindungen
Cl_2H_2Si=Silane
$Cl_2H_6N_2Pt$=Platin-Verbindungen
Cl_2Hg=Quecksilberchloride
Cl_2Hg_2=Quecksilberchloride
Cl_2O_2S=Sulfurylchlorid
Cl_2Pt=Platin-Verbindungen
Cl_2S=Schwefelchloride
Cl_2S_2=Schwefelchloride
Cl_2Se=Selenhalogenide
Cl_2Se_2=Selenhalogenide
Cl_2Sr=Strontiumchlorid
Cl_3HSi=Silane
Cl_3Pr=Praseodym-Verbindungen
Cl_3Re=Rhenium-Verbindungen
Cl_3Rh=Rhodium-Verbindungen
Cl_3Ru=Ruthenium-Verbindungen
Cl_3Sc=Scandium-Verbindungen
Cl_3Sm=Samarium-Verbindungen
Cl_4KRe=Rhenium-Verbindungen
Cl_4Pt=Platin-Verbindungen
Cl_4S=Schwefelchloride
Cl_4Si=Siliciumchloride
Cl_5Re=Rhenium-Verbindungen
Cl_6H_2Pt=Platin-Verbindungen
$Cl_6H_8N_2Pt$=Platin-Verbindungen
$Cl_6H_{42}N_{14}O_2Ru_3$=Ruthenium-Verbindungen
Cl_6Si_2=Siliciumchloride

CrO_4Sr=Strontiumchromat

Cu_2FeS_4Sn=Stannit
Cu_3S_4V=Sulvanit

F_2O=Sauerstoff-Fluoride
F_2O_2=Sauerstoff-Fluoride
F_2O_3=Sauerstoff-Fluoride
F_2O_4=Sauerstoff-Fluoride
F_2S_2=Schwefelfluoride
F_2Sr=Strontiumfluorid
F_3N=Stickstoffhalogenide
F_4S=Schwefelfluoride
F_4Si=Siliciumfluoride
F_6S=Schwefelfluoride
F_6Se=Selenhalogenide
F_6Si_2=Siliciumfluoride
$F_{10}S_2$=Schwefelfluoride

FeO_4P=Strengit
FeS_2=Pyrit
Fe_2O_5Ti=Pseudobrookit

HNO_2=Salpetrige Säure
HNO_2S=Sulfimid
HNO_3=Salpetersäure
HN_3=Stickstoffwasserstoffsäure
H_2O_2S=Sulfoxylsäure
H_2O_3S=Schweflige Säure
H_2O_3Se=Selenige Säure
H_2O_4S=Schwefelsäure
H_2O_4Se=Selensäure
H_2S=Schwefelwasserstoff
H_2S_2=Sulfane
H_2S_3=Sulfane
H_2S_4=Sulfane
H_2Se=Selenwasserstoff
H_4MgNO_4P=Struvit
$H_4N_2O_2S$=Sulfamid
H_4Pb=Plumban
H_4Si=Silane
H_4Sn=Stannan
H_6OSi_2=Siloxane
H_6Si_2=Silane
H_8Si_3=Silane
$H_{10}Si_4$=Silane
$H_{22}Si_{10}$=Polysilane, Silane
$H_{32}Si_{15}$=Polysilane

Hg=Quecksilber
HgI_2=Quecksilberiodide
HgN_2O_6=Quecksilbernitrate
HgO=Quecksilberoxide
HgO_4S=Quecksilbersulfate
HgS=Quecksilber(II)-sulfid
Hg_2I_2=Quecksilberiodide
$Hg_2N_2O_6$=Quecksilbernitrate
Hg_2O=Quecksilberoxide
Hg_2O_4S=Quecksilbersulfate

$K_2MgO_8S_2$=Schönit

MnO_2=Pyrolusit, Ramsdellit
MnO_3Ti=Pyrophanit

N=Stickstoff
NO=Stickstoffoxide
NO_2=Stickstoffoxide
NO_3=Stickstoffoxide
NO_3Rb=Rubidium-Verbindungen
NS=Schwefel-Stickstoff-Verbindungen
N_2O=Stickstoffoxide
N_2O_3=Stickstoffoxide
N_2O_5=Stickstoffoxide
N_2O_6Sr=Strontiumnitrat
N_2S_2=Schwefel-Stickstoff-Verbindungen
N_3O_9Rh=Rhodium-Verbindungen
N_3O_9Sc=Scandium-Verbindungen
N_3O_9Sm=Samarium-Verbindungen
N_4O=Stickstoffoxide
N_4S_4=Schwefel-Stickstoff-Verbindungen
N_4Si_3=Siliciumnitrid

O=Sauerstoff
OS=Schwefeloxide
OSi=Siliciummonoxid
O_2Pt=Platin-Verbindungen
O_2Re=Rhenium-Verbindungen
O_2Ru=Ruthenium-Verbindungen
O_2S=Schwefeldioxid, Schwefeloxide
O_2S_2=Schwefeloxide
O_2Se=Selendioxid
O_2Si=Siliciumdioxid
O_2Ti=Rutil
O_3Pr_2=Praseodym-Verbindungen
O_3Re=Rhenium-Verbindungen
O_3Rh_2=Rhodium-Verbindungen
O_3S=Schwefeltrioxid
O_3S_2=Schwefeloxide
O_3Sb_2=Senarmontit
O_3Sc_2=Scandium-Verbindungen
O_3Sm_2=Samarium-Verbindungen
O_3SrTi=Strontiumtitanat
O_4PbW=Stolzit
O_4Rb_2S=Rubidium-Verbindungen
O_4Ru=Ruthenium-Verbindungen
O_4S=Schwefeloxide
O_4SSr=Strontiumsulfat
O_7Re_2=Rhenium-Verbindungen
O_7S_2=Schwefeloxide
O_8SiU_2=Soddyit
$O_{12}Pr_2S_3$=Praseodym-Verbindungen
$O_{12}S_3Sc_2$=Scandium-Verbindungen

Pa=Protactinium

Pm=Promethium

Po=Polonium

Pr=Praseodym

Pt=Platin

Pu=Plutonium

Ra=Radium

Rb=Rubidium

Re=Rhenium

Rh=Rhodium

Rn=Radon

Ru=Ruthenium

S=Schwefel
SSi=Silicium-Schwefel-Verbindungen
S_2Se=Selendisulfid
S_2Si=Silicium-Schwefel-Verbindungen

Sc=Scandium

Se=Selen

Si=Silicium

Sm=Samarium

Sr=Strontium

Lang Kurt

Verzeichnis der Abkürzungen

E 
Explosionsgefährlich

O 
Brandfördernd

F  
Leichtentzündlich

F+ 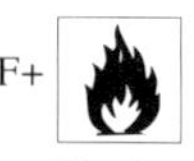
Hochentzündlich

C 
Ätzend

[α]	spezifische Drehung
a	Jahr
a.	auch, andere(n, m) in Zusammensetzungen wie: s.a., u.a.
Abb.	Abbildung
Abk.	Abkürzung
abs.	absolut
ADI	acceptable daily intake = annehmbare tägliche Aufnahme
allg.	allgemein
Anw.	Anwendung
Aufl.	Auflage
B.	Bezugsquelle
BAT	Biologischer Arbeitsstoff Toleranzwert
Bd.	Band, Bände
Beisp.	Beispiel
bes.	besonders, besondere(r, s)
Bez.	Bezeichnung
Btm	Betäubungsmittel
CAS	Chemical Abstracts Service-Nr.
ChemG	Chemikaliengesetz
d	Tag
D.	Dichte
Darst.	Darstellung
Dest.	Destillation
dest.	destilliert
dgl.	dergleichen
Diss.	Dissertation
E	englische Bezeichnung
EC	Enzyme Commission
ehem.	ehemals, ehemalig
Erg.	Ergänzung
et al.	et alii = und andere
F	französische Bezeichnung
f., ff.	die nächst folgende Seite, die folgenden Seiten
FP.	Flammpunkt
G	Gefahrenklasse
gasf.	gasförmig
geb.	geboren
GefStoffV	Gefahrstoffverordnung
gegr.	gegründet
Ges.	Gesellschaft
gesätt.	gesättigt
Geschw.	Geschwindigkeit
Gew.	Gewicht
ggf.	gegebenenfalls
Ggw.	Gegenwart
h	Stunde
H.	Härte nach Mohs
Hdb.	Handbuch, Handbook
Herst.	Herstellung
Hrsg.	Herausgeber
HS	Harmonisiertes System
HWZ	Halbwertszeit
I	italienische Bezeichnung
i.m.	intramuskulär
Ind.	Industrie
Inst.	Institut(ion)
i.p.	intraperitoneal
i.Tr.	in der Trockenmasse
IZ	Iod-Zahl
i.v.	intravenös
Jh.	Jahrhundert
KBwS	Klassifizierung durch Kommission zur Bewertung wassergefährdender Stoffe beim BMU
Koeff.	Koeffizient
Konz.	Konzentration
konz.	konzentriert
Krist.	Kristallisation, Kristall
krist.	kristallisiert, kristallin
Kurzz.	Kurzzeichen
LD	letale Dosis
Leg.	Legierung
Lit.	Literatur
lösl.	löslich
Lsg.	Lösung
Lsm.	Lösemittel